CAMPBELL REECE

BIOLOGIE

Adaptation française

René Lachaîne • Michel Bosset

3e édition

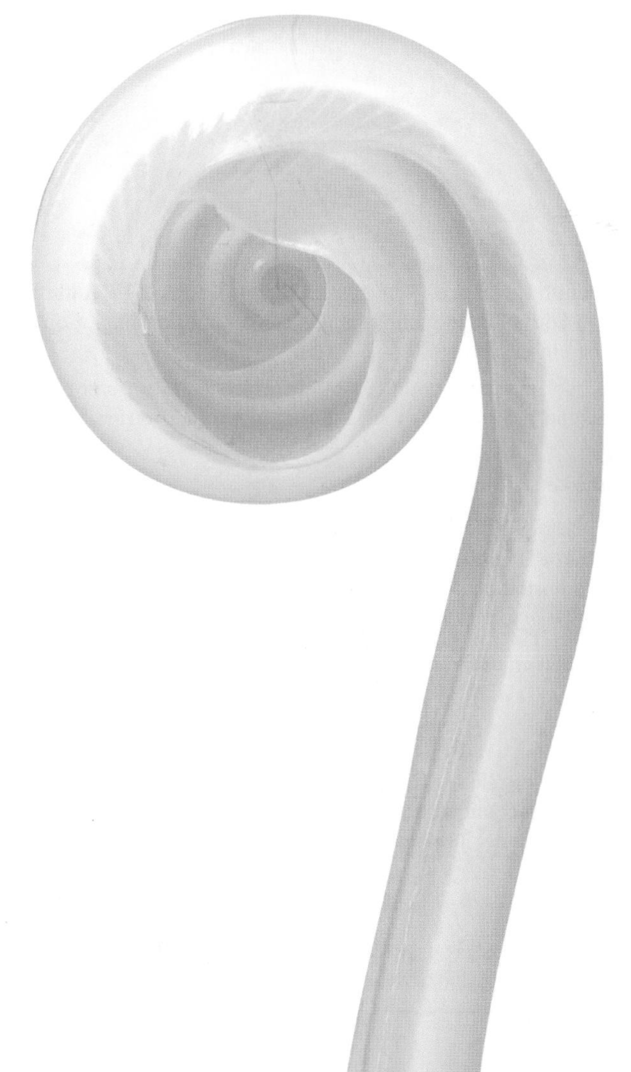

ERPI
ÉDITIONS DU RENOUVEAU PÉDAGOGIQUE INC.
5757, RUE CYPIHOT, SAINT-LAURENT (QUÉBEC) H4S 1R3
TÉLÉPHONE : (514) 334-2690 TÉLÉCOPIEUR : (514) 334-4720
erpidlm@erpi.com www.erpi.com

Direction, développement de produits
Sylvain Giroux

Supervision éditoriale
Sylvie Chapleau

Traduction
Annie Desbiens, Suzanne Marquis, Jean-Luc Riendeau

Révision linguistique
Sylvie Chapleau, Dominique Johnson

Correction d'épreuves
Odile Dallaserra, Dominique Johnson

Recherche iconographique
Chantal Bordeleau

Direction artistique
Hélène Cousineau

Supervision de la production
Muriel Normand

Édition électronique
Infoscan Collette

Conception graphique de la couverture
Martin Tremblay

Dans cet ouvrage, le générique masculin est utilisé sans aucune discrimination et uniquement pour alléger le texte.

Dépôt légal – Bibliothèque et Archives nationales du Québec, 2007
Dépôt légal – Bibliothèque et Archives Canada, 2007
Imprimé aux Canada

4567890 II 14 13 12 11
20362 ABCD SM9

ISBN 978-2-7613-1783-2

Avant-propos

Les deux éditions précédentes de *Biologie* ont bénéficié de l'excellent travail de Richard Mathieu. Les adaptateurs de cette troisième édition ont donc pu construire sur du solide: l'essentiel des apports antérieurs ne pouvait, en effet, qu'être conservé, autant en ce qui concerne la terminologie, la nomenclature biologique, les unités de mesure et la couleur québécoise ou européenne qu'en ce qui a trait aux divers outils pédagogiques dont avait été enrichie l'édition américaine, par ailleurs déjà bien pourvue sous cet aspect.

Parmi les modifications apportées à cette nouvelle édition de *Biologie*, celles qui apparaîtront évidentes avant même la lecture sont attribuables aux illustrateurs de l'édition américaine. Près de 700 figures sont soit entièrement nouvelles, soit partiellement renouvelées. En ce qui concerne le contenu textuel, on trouvera un aperçu des nouveaux éléments ou des modifications à la page VI.

Quelques mots sur notre travail d'adaptation qui a duré 18 mois pendant lesquels, après avoir entièrement relu le texte original, nous avons vérifié le contenu scientifique, cherché les mises à jour pertinentes, réécrit certains passages qui nous paraissaient plus ardus, ajouté des exemples, des détails ou des curiosités susceptibles de capter l'intérêt de l'élève, précisé et complété certaines informations et appliqué au contexte québécois et européen les nouvelles données fournies dans l'édition américaine. Nous avons également consacré une bonne part de notre temps à peaufiner les instruments de nature pédagogique et en particulier les rubriques concernant la révision et l'évaluation des notions acquises. Toutes les questions et leurs réponses, aussi bien celles de la rubrique « Retour sur le concept » que celles de la « Révision du chapitre », ont été soigneusement vérifiées. En ce qui a trait à la rubrique « Autoévaluation » (où l'idée de mettre en évidence les questions faisant appel à la compréhension a été conservée), nous nous sommes assurés que chacun des différents concepts vus dans le chapitre soit évalué et nous y avons ajouté des questions au besoin. Nous avons rédigé de nombreuses questions pour les sections « Lien avec l'évolution », « Intégration » et « Science, technologie et société ». Dans cette dernière section, nous avons tenté de proposer à l'élève des sujets actuellement débattus un peu partout sur la planète et d'autres particuliers à la réalité québécoise ou européenne: nous y abordons notamment la théorie du dessein intelligent, la phobie des bactéries, les pelouses et les herbicides, l'obésité, la loi antitabac promulguée au Québec en mai 2006, les aires naturelles protégées et les pressions des groupes environnementaux, la pilule masculine, le dessalement de l'eau de mer, les baladeurs et l'audition, la recherche sur l'intelligence artificielle…

À la lecture du texte, on remarquera probablement que l'emploi des majuscules est maintenant réservé aux termes désignant les catégories taxonomiques allant du domaine à la famille inclusivement; les noms français de genres et d'espèces ne portent plus de majuscules. Nous croyons avoir fait un choix qui s'avérera utile sur le plan pédagogique en mettant en évidence (par la majuscule) les noms des catégories supérieures (famille, ordre, classe, etc.) qui sont en général moins connus que les noms de genres et d'espèces. Cette modification pourra paraître mineure, mais elle a nécessité des temps de discussion et de réflexion dont nous n'avions pas soupçonné l'importance. Que faire avec les termes qui ne sont pas ou qui ne sont plus à proprement parler des noms officiels de catégories taxonomiques tel que Protistes, Procaryotes, Conifères, Virus? Conscients qu'un choix est toujours discutable, nous avons veillé à ce que, à tout le moins, notre façon de faire demeure la même tout au long du manuel.

Sur le plan de la terminologie, le lecteur ne verra que relativement peu de changements importants. La majeure partie des nouveaux termes apparaissant dans cette édition y sont à titre de synonymes ajoutés aux anciens termes. À quelques exceptions près, la terminologie de la deuxième édition a donc été conservée, l'emploi d'un nouveau vocabulaire ne s'appliquant presque exclusivement qu'aux notions nouvelles.

***

Le travail d'adaptation que nous avons effectué nous a permis de réaliser l'ampleur du défi qu'a réussi à relever, en solitaire et avec beaucoup de succès, Richard Mathieu, et cela, deux fois plutôt qu'une. Car c'est à deux qu'il a fallu s'y prendre pour passer une troisième fois à travers cette longue épreuve d'endurance. Au terme de cette entreprise, nous réalisons une fois de plus qu'un ouvrage comme celui-ci est l'œuvre de toute une équipe et nous aimerions profiter de l'occasion pour remercier celles et ceux qui ont composé la nôtre: Jean-Pierre Albert, Sylvain Giroux, Sylvie Chapleau, Chantal Bordeleau, Dominique Johnson et les traducteurs, Annie Desbiens, Suzanne Marquis et Jean-Luc Riendeau.

En paraphrasant une célèbre citation, nous pourrions dire que « derrière les grandes publications il y a souvent une famille compréhensive »: merci à tous les nôtres qui nous ont soutenus tout au long de cet essoufflant, absorbant mais combien fascinant exercice.

Une dernière remarque: ayant eu la chance de parcourir (et plus d'une fois) ce manuel de la première à la dernière ligne, nous sommes en mesure de vous assurer que l'histoire de la vie, bien que d'une complexité inouïe, peut être racontée de façon palpitante et que cette fabuleuse aventure de l'atome à l'écosystème, aventure à laquelle chacun de nous participe, vaut la peine d'être lue!

René Lachaîne
Michel Bosset

Quoi de neuf dans la troisième édition ?

La liste suivante attire l'attention sur quelques-uns des nouveaux éléments contenus dans la troisième édition de *Biologie*.

CHAPITRE 1 L'organisation biologique

- Le chapitre 1 traite maintenant de la biologie des systèmes, qui représente l'un des thèmes du manuel.
- La section sur la recherche scientifique est plus substantielle et présente une nouvelle étude de cas portant sur le mimétisme chez des populations de serpents.

PREMIÈRE PARTIE La chimie de la vie

- Selon la recommandation de nombreux enseignants, le chapitre sur les principes de base de l'énergie et du métabolisme, antérieurement le chapitre 6, est maintenant placé dans la deuxième partie. Dans cette édition, le chapitre 4 présente une introduction de base à l'ATP, et le chapitre 5, aux enzymes.

DEUXIÈME PARTIE La cellule

- Le chapitre intitulé « Introduction au métabolisme » est maintenant le chapitre 8 de la deuxième partie, où il précède immédiatement les chapitres sur la respiration cellulaire et la photosynthèse. Dans le chapitre 8, la présentation des lois de la thermodynamique est améliorée, et l'introduction à l'ATP et aux enzymes contenue dans la première partie est étoffée.

TROISIÈME PARTIE La génétique

- Tout le chapitre 19 a fait l'objet d'une mise à jour. Il traite notamment plus en profondeur des modifications de l'histone, de la méthylation de l'ADN et de l'hérédité épigénétique ; il présente aussi un nouvel examen de la régulation de l'expression des gènes par les miARN et les pARNi ; une actualisation des explications sur les types de séquences d'ADN dans le génome humain ; et une nouvelle section sur l'évolution du génome.
- Les nouveaux sujets traités dans le chapitre 20 sont variés : estimation actuelle du nombre des gènes humains, vue plus globale des interactions génétiques dans un génome donné, comparaisons entre les génomes de différentes espèces. Tous s'inscrivent dans les efforts qu'on fait actuellement pour comprendre la biologie de systèmes entiers.
- Le chapitre 21 présente une section enrichie sur l'évolution du développement (« évo-dévo ») ; elle comprend notamment une nouvelle comparaison des gènes qui contribuent au développement chez les Animaux et les Végétaux.

QUATRIÈME PARTIE Les mécanismes de l'évolution

- Les changements apportés à cette partie ont pour objectifs de combattre les idées fausses sur les processus de l'évolution ainsi que d'éliminer les indications propices aux raisonnements circulaires, qui sont la cible des arguments antiévolution.
- De nouveaux exemples mettent en évidence les dynamiques recherches qui sont menées dans le domaine de la biologie de l'évolution et qui portent notamment sur l'influence constante de la systématique moléculaire sur les études phylogénétiques et l'utilisation de populations virtuelles pour modéliser les processus de l'évolution.
- Le chapitre 25 a été révisé de façon à mettre en relief le processus de recherche associé à l'étude de la phylogenèse. L'examen plus approfondi de l'évolution du génome inclut un nouveau volet sur la théorie de la neutralité.

CINQUIÈME PARTIE La diversité biologique à travers l'évolution

- Le nouvel objectif du chapitre 26, maintenant intitulé « L'arbre de la vie : une introduction à la diversité biologique », est de situer la diversité de la vie dans le contexte de l'histoire de la Terre, en attirant l'attention sur les principaux embranchements de l'arbre de la vie.
- Les mises à jour du chapitre 27 (maintenant intitulé « Les Procaryotes ») sont inspirées par les nouvelles données relatives à la classification des Procaryotes et par les observations de plus en plus nombreuses qui témoignent des relations de coopération entre les Procaryotes.
- Le chapitre 28 (maintenant intitulé « Les Protistes ») et les chapitres 29, 30 et 31 contiennent davantage d'informations sur l'histoire naturelle, les rôles écologiques et l'impact de l'activité humaine sur divers groupes de Protistes, de Végétaux et d'Eumycètes. Les mises à jour portent notamment sur l'incidence des récentes découvertes phylogénétiques sur la classification, comme la reconnaissance d'un nouvel embranchement d'Eumycètes (Gloméromycètes).
- Les chapitres 32, 33 et 34 présentent une vue cohérente de la diversité animale, dont un tour d'horizon des hypothèses relatives à la phylogenèse des Animaux, un survol mieux étoffé des embranchements d'Invertébrés, des informations additionnelles sur l'histoire naturelle, une mise à jour de la classification des Vertébrés et les récentes découvertes sur les origines des humains.

SIXIÈME PARTIE Anatomie et physiologie végétales

- De nouveaux exemples attirent l'attention sur le rôle de la biotechnologie dans l'agriculture, comme le développement de plantes « intelligentes » issues du génie génétique, qui signalent les déficiences en phosphore, et l'application possible de la technologie des « gènes terminateurs » au problème des évasions transgéniques des cultures de plantes génétiquement modifiées.
- La nouvelle matière présentée dans le chapitre 39 met l'accent sur la possibilité d'utiliser la biologie des systèmes pour étudier les interactions entre les hormones végétales.

SEPTIÈME PARTIE Anatomie et physiologie animales

- De nouveaux exemples de recherche attirent l'attention sur la physiologie de divers Animaux et font le lien entre les adaptations physiologiques et les conditions du milieu.
- Le contenu portant sur la thermorégulation est passé du chapitre 44 (maintenant intitulé « L'osmorégulation et l'excrétion ») au chapitre 40 (« La structure et la fonction chez les Animaux : principes fondamentaux »), où il fait office d'exemple détaillé illustrant la capacité de divers Animaux à maintenir l'homéostasie.
- De nouvelles sections sur l'encéphale des Vertébrés et sur les troubles neurologiques mettent en relief tant les récentes découvertes que les stimulantes perspectives qui se rapportent à ces domaines de recherche dynamiques.

HUITIÈME PARTIE L'écologie

- Un nouveau chapitre 51, intitulé « La biologie du comportement », fait entrer le sujet dans le XXIe siècle en traitant plus en détail de la théorie des jeux, du choix des partenaires et de la cognition animale.
- Les nouveaux exemples présentés dans toute cette partie signalent particulièrement les recherches et les applications actuelles, notamment la facilitation et la structure des communautés, l'expérience FACTS-1 portant sur les effets du CO_2 sur les forêts et les innovations dans le domaine de l'écologie de la restauration.

Présentation du manuel

Charles Darwin a décrit l'évolution comme un processus de « descendance avec modification ». Or, cette formulation convient également à l'évolution constante de *Biologie*. Cette troisième édition représente une révision relativement ambitieuse du manuel. Il s'agit en effet d'une nouvelle « espèce » de manuel, qui comprend plusieurs adaptations évolutives façonnées par le contexte changeant des cours de biologie et par l'incroyable progrès de la recherche biologique. Mais ces modifications demeurent fidèles aux deux valeurs pédagogiques complémentaires qui constituent l'essence de chacune des éditions de *Biologie*. Premièrement, chaque chapitre a été élaboré de sorte qu'il s'articule autour de concepts clés qui aideront les élèves à ordonner les informations. Deuxièmement, on a toujours à cœur d'éveiller les élèves à la recherche scientifique en leur présentant divers exemples d'études menées par des biologistes et en leur fournissant des occasions d'effectuer eux-mêmes des recherches.

Ces deux priorités, l'élaboration de concepts et la recherche scientifique, sont issues de dizaines d'années d'expérience pratique en enseignement. Certes, les auteurs se réjouissent du grand intérêt que leur démarche a suscité chez les milliers d'enseignants et les millions d'élèves grâce auxquels *Biology* (l'édition américaine dont cet ouvrage est une adaptation) est devenu le manuel de science le plus utilisé au niveau collégial. Toutefois, ce privilège de faire connaître la biologie à un si grand nombre d'élèves apporte avec lui l'obligation d'améliorer sans cesse l'ouvrage afin de mieux servir encore la communauté biologique. Lors de la préparation de la nouvelle édition américaine, les auteurs ont visité des douzaines de campus afin d'écouter ce que les élèves et leurs enseignants avaient à dire sur leurs cours et leurs manuels de biologie. C'est en s'inspirant de ces conversations sur les nouvelles orientations des cours de biologie et sur l'évolution des besoins des élèves qu'ils ont apporté les nombreuses améliorations que vous trouverez, après adaptation, dans cette troisième édition de *Biologie*.

Chaque chapitre a été restructuré de façon à donner encore plus de relief à ses concepts clés

L'explosion de découvertes qui rend la biologie moderne si passionnante menace cependant d'étouffer les élèves sous une avalanche d'informations. Dans la deuxième édition de *Biologie*, les informations étaient regroupées en concepts clés, en général au nombre de dix à vingt par chapitre. Dans cette nouvelle édition, nous avons franchi une nouvelle étape de notre évolution en restructurant chaque chapitre de manière à aider les élèves à focaliser leur attention sur des notions moins nombreuses, mais plus larges : le plus souvent, les chapitres ne comportent que cinq ou six concepts clés. Au début de chaque chapitre, une nouvelle section intitulée « Introduction » situe les concepts clés dans un contexte encore plus vaste. De plus, à la fin de chacune des sections consacrées aux concepts, deux ou trois questions présentées sous la rubrique « Retour sur le concept » permettent aux élèves d'évaluer leur compréhension avant de passer au concept suivant. Les réponses aux questions de cette rubrique de même que les réponses aux questions d'autoévaluation de la section « Révision du chapitre » sont données à la fin de chaque chapitre.

Les élèves et les enseignants avec lesquels les auteurs sont constamment en relation ont réagi avec enthousiasme à ce nouveau mode de présentation et à cette nouvelle démarche pédagogique. Par rapport à d'autres manuels, dont les éditions antérieures de la version originale de cet ouvrage, les élèves ont trouvé la structure et la disposition nouvelles des chapitres de la septième édition de *Biology* plus attirantes, plus accessibles et d'une utilisation beaucoup plus efficace. Par ailleurs, pour atteindre ces objectifs, aucun compromis n'a été consenti quant à la profondeur et à l'exactitude scientifique que la communauté biologique est en droit d'attendre.

Les **concepts clés** permettent de situer dans leur contexte les informations qui s'y rattachent.

L'**introduction** ouvre la voie au reste du chapitre.

Les **renvois en couleur indiquant les figures** aident les élèves à faire aisément le lien entre le texte et les figures.

Une **rubrique composée d'un concept numéroté** annonce le début de chaque nouvelle section consacrée à un concept.

Les **questions présentées sous la rubrique « Retour sur le concept »** à la fin de chaque section encouragent les élèves à évaluer leur maîtrise du concept.

54

Les écosystèmes

▲ **Figure 54.1 Cet aquarium constitue un écosystème circonscrit par des panneaux de verre.**

Concepts clés

54.1 **L'écologie des écosystèmes met l'accent sur le flux de l'énergie et sur les cycles biogéochimiques**

54.2 **La productivité primaire dans les écosystèmes est limitée par des facteurs physiques et chimiques**

54.3 **L'efficacité du transfert d'énergie entre les niveaux trophiques est habituellement de moins de 20 %**

54.4 **Des processus biologiques et géochimiques font passer les nutriments des réservoirs organiques aux réservoirs inorganiques de l'écosystème**

54.5 **La population humaine perturbe les cycles biogéochimiques de toute la biosphère**

Introduction

Écosystèmes, énergie et matière

Un **écosystème** est l'ensemble que forment les organismes d'une communauté et les facteurs abiotiques avec lesquels ils interagissent. Il existe des écosystèmes minuscules, du type de l'aquarium de la **figure 54.1**, et des écosystèmes très vastes, tels que les lacs et les forêts. Comme celles des populations et des communautés, les limites d'un écosystème ne sont pas précises. Les villes et les fermes sont des exemples d'écosystèmes dominés par les humains. Certains écologistes considèrent la biosphère comme un superécosystème composé de tous les écosystèmes locaux de la Terre.

Quelle que soit l'étendue de l'écosystème, sa dynamique comporte deux processus que les mécanismes et les phénomènes relatifs aux populations et aux communautés ne peuvent complètement décrire : le flux de l'énergie et les cycles biogéochimiques. L'énergie pénètre dans la plupart des écosystèmes principalement sous forme de lumière solaire. Elle est convertie en énergie chimique par les organismes autotrophes, transmise aux hétérotrophes par biotiques et abiotiques de l'écosystème. Les organismes photosynthétiques tirent ces éléments de l'air, du sol et de l'eau sous forme inorganique. Ils les incorporent dans des molécules organiques que d'autres organismes hétérotrophes peuvent consommer. Les éléments retournent dans l'air, dans le sol et dans l'eau sous forme inorganique, après avoir participé au métabolisme des Végétaux, des Animaux et des autres organismes qui, tels les Bactéries, les Archéobactéries et les Eumycètes, décomposent les déchets organiques et les organismes morts.

L'énergie et la matière circulent dans les écosystèmes grâce au transfert de substances qui a lieu au cours de la photosynthèse et des relations alimentaires. Mais, contrairement à la matière, l'énergie ne peut être recyclée. Un écosystème doit donc continuellement recevoir de l'énergie d'une source externe, le Soleil dans la plupart des cas. L'énergie s'écoule dans les écosystèmes, alors que la matière y est recyclée.

Les ressources essentielles à la survie et au bien-être des humains, des aliments que nous consommons à l'oxygène que nous respirons, résultent des processus des écosystèmes. Dans ce chapitre, nous allons décrire la dynamique du flux de l'énergie et des cycles biogéochimiques dans les écosystèmes. Nous allons également étudier quelques-unes des conséquences de l'ingérence humaine dans ces processus.

Concept 54.1

L'écologie des écosystèmes met l'accent sur le flux de l'énergie et sur les cycles biogéochimiques

Pour les écologistes, les écosystèmes fonctionnent comme des machines qui transforment l'énergie et qui traitent la matière. En regroupant les espèces d'une communauté en niveaux trophiques, selon leur principale source de nutrition et d'énergie ... re la transformation de l'énergie ... et la circulation des éléments ... nauté biotique.

1283

forêt, des Oiseaux dévorent des vers de terre qui se sont nourris de la litière de feuilles mortes ainsi que des Bactéries et des Eumycètes associés à cette litière. Mais, plus important encore que ce lien que représentent les détritivores entre les producteurs et les consommateurs est le rôle qu'ils jouent en mettant à la disposition des producteurs les éléments chimiques essentiels.

En effet, les détritivores décomposent la matière organique présente dans l'écosystème, recyclent les éléments chimiques et les rendent disponibles sous des formes que les Végétaux peuvent assimiler, dans des réservoirs abiotiques comme le sol, l'eau et l'air. Les producteurs peuvent alors recycler ces éléments en les transformant en composés organiques. Bien que tous les organismes décomposent une certaine quantité de molécules organiques, notamment au cours de la respiration cellulaire, les décomposeurs les plus importants dans la plupart des écosystèmes sont des Bactéries, certaines Archéobactéries et des Eumycètes. Ces organismes sécrètent des enzymes qui dégradent la matière organique. Puis ils absorbent les produits de la décomposition (**figure 54.3**). La décomposition par les Procaryotes et les Eumycètes, qui est responsable de la majeure partie de la transformation de la matière organique de tous les niveaux trophiques en composés inorganiques qu'utilisent les autotrophes, boucle la boucle du cycle biogéochimique d'un écosystème. La décomposition est un processus écologique sous-estimé, les Procaryotes et la plupart des Eumycètes n'étant pas visibles à l'œil nu. Pourtant, si la décomposition s'arrêtait, toute vie sur la Terre cesserait, car les détritus s'accumuleraient tandis que s'épuiserait la réserve d'ingrédients chimiques nécessaires à la formation de nouvelles matières organiques.

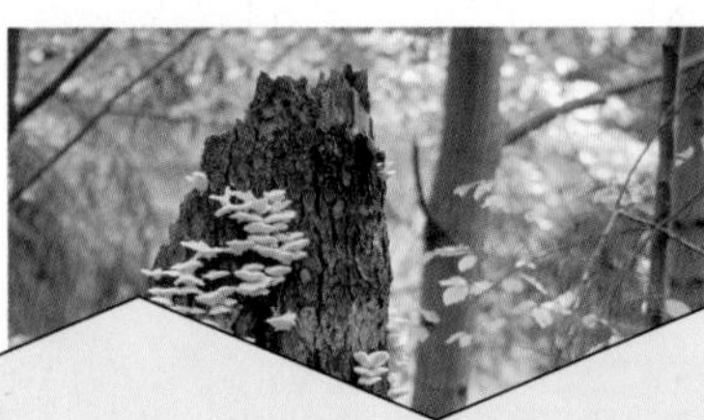

Retour sur le concept 54.1

1. Pourquoi parle-t-on de flux d'énergie et non de cycle énergétique lorsqu'on fait référence au transfert d'énergie qui a lieu dans un écosystème?
2. Comment le deuxième principe de la thermodynamique explique-t-il pourquoi l'énergie qui circule dans un écosystème doit constamment être renouvelée?
3. Pourquoi les détritivores sont-ils essentiels à la survie des écosystèmes?

Voir les réponses proposées à la fin du chapitre.

Concept 54.2

La productivité primaire dans les écosystèmes est limitée par des facteurs physiques et chimiques

La **productivité primaire** est la quantité d'énergie chimique (composés organiques) issue de la conversion de l'énergie lumineuse par les organismes autotrophes d'un écosystème, dans une période donnée. Ce résultat de l'activité photosynthétique constitue le point de départ pour les études du métabolisme des vivants d'un écosystème et du flux de l'énergie.

L'allocation énergétique des écosystèmes

La plupart des producteurs utilisent l'énergie lumineuse pour synthétiser des molécules organiques riches en énergie dont la dégradation pourra ensuite servir à produire de l'ATP (voir le chapitre 10). Les consommateurs se procurent leurs combustibles organiques de deuxième (voire de troisième ou de quatrième) main par l'intermédiaire d'un réseau alimentaire comme celui de la figure 53.13. Par voie de conséquence, l'intensité de l'activité photosynthétique établit l'allocation énergétique de l'écosystème tout entier.

L'allocation énergétique mondiale

Chaque jour, la Terre reçoit environ 10^{22} joul... J = 0,239 cal) ...ergie sous forme de rayonnement ... rgie est ... pour satisfaire les ... 25 an...

Les nouvelles figures intitulées « Panorama » permettent d'aborder efficacement beaucoup de sujets complexes

La biologie est une science visuelle. C'est pourquoi les illustrations et les textes de *Biologie* ont toujours été conçus en parfait accord afin de coordonner leur message. Dans la présente édition, cette coordination du texte et des illustrations passe à un niveau d'évolution supérieur grâce à un nouvel élément : les figures intitulées « Panorama ». Chacune de ces imposantes figures représente une unité d'apprentissage qui regroupe un ensemble d'illustrations connexes et le texte qui les décrit. Ces figures permettront aux élèves d'aborder des douzaines de sujets complexes avec une efficacité beaucoup plus grande, car les éléments textuels et visuels y sont amalgamés.

Les figures « Panorama », dont le contenu est essentiel au chapitre, se distinguent des encadrés de certains manuels qui présentent des textes en marge de la trame du chapitre. En effet, l'étude de la biologie moderne est trop difficile pour qu'on détourne l'attention des élèves des idées fondamentales d'un chapitre. Ainsi, un renvoi à chaque figure « Panorama » apparaît dans le corps du texte principal là où il convient au développement d'un concept, de la même manière qu'on trouve aux endroits appropriés dans le texte des renvois à toutes les autres figures qui s'y rapportent.

Dans les **figures intitulées « Panorama »**, les illustrations, les photos et le texte sont parfaitement intégrés.

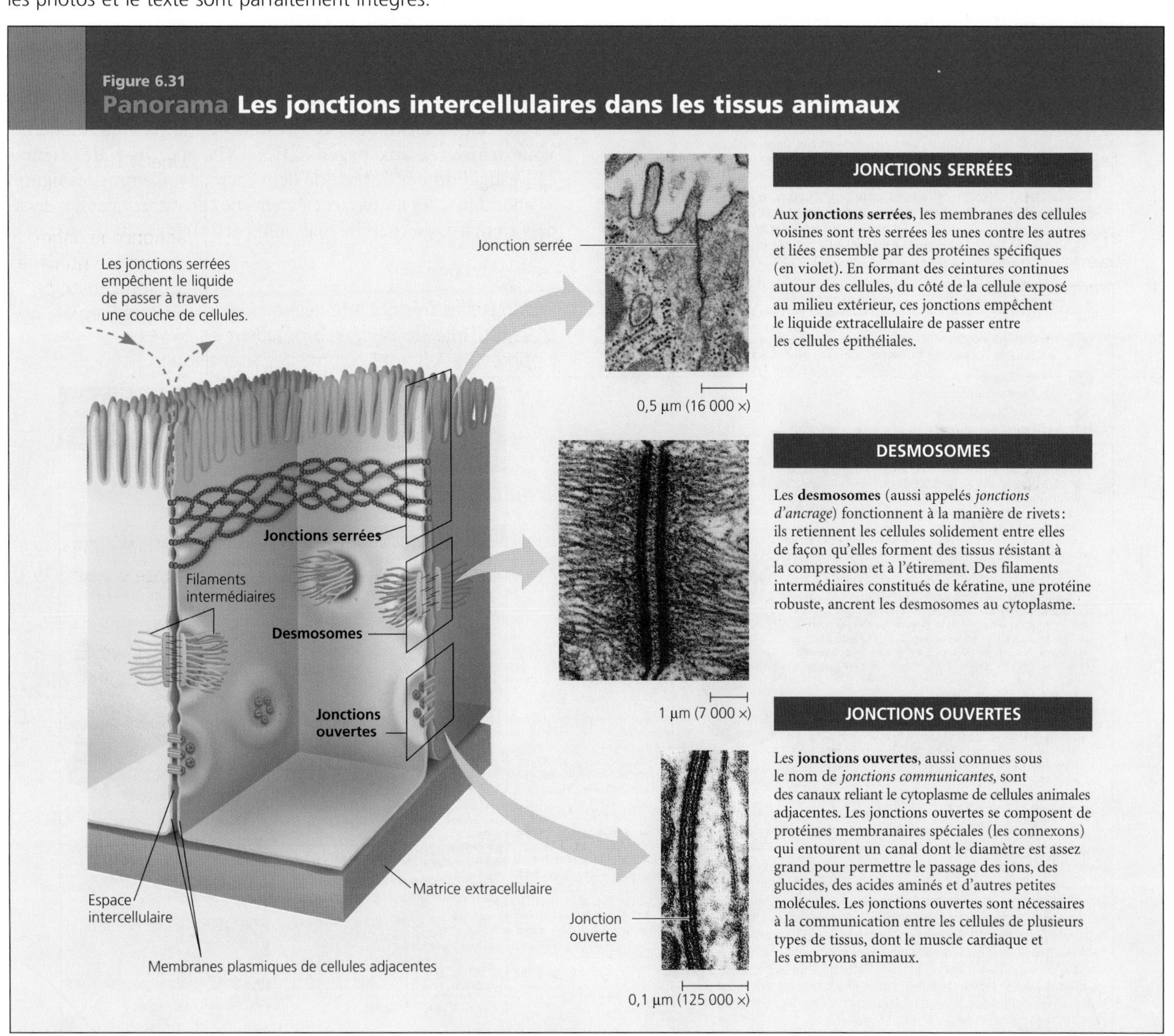

Figure 6.31
Panorama Les jonctions intercellulaires dans les tissus animaux
Les jonctions serrées empêchent le liquide de passer à travers une couche de cellules.
Jonction serrée
0,5 µm (16 000 ×)
JONCTIONS SERRÉES
Aux **jonctions serrées**, les membranes des cellules voisines sont très serrées les unes contre les autres et liées ensemble par des protéines spécifiques (en violet). En formant des ceintures continues autour des cellules, du côté de la cellule exposé au milieu extérieur, ces jonctions empêchent le liquide extracellulaire de passer entre les cellules épithéliales.
Jonctions serrées
Filaments intermédiaires
Desmosomes
Jonctions ouvertes
1 µm (7 000 ×)
DESMOSOMES
Les **desmosomes** (aussi appelés *jonctions d'ancrage*) fonctionnent à la manière de rivets : ils retiennent les cellules solidement entre elles de façon qu'elles forment des tissus résistant à la compression et à l'étirement. Des filaments intermédiaires constitués de kératine, une protéine robuste, ancrent les desmosomes au cytoplasme.
JONCTIONS OUVERTES
Les **jonctions ouvertes**, aussi connues sous le nom de *jonctions communicantes*, sont des canaux reliant le cytoplasme de cellules animales adjacentes. Les jonctions ouvertes se composent de protéines membranaires spéciales (les connexons) qui entourent un canal dont le diamètre est assez grand pour permettre le passage des ions, des glucides, des acides aminés et d'autres petites molécules. Les jonctions ouvertes sont nécessaires à la communication entre les cellules de plusieurs types de tissus, dont le muscle cardiaque et les embryons animaux.
Espace intercellulaire
Matrice extracellulaire
Jonction ouverte
Membranes plasmiques de cellules adjacentes
0,1 µm (125 000 ×)

La recherche scientifique occupe une place plus importante que jamais dans *Biologie*

Un grand nombre d'enseignants en biologie ont pour objectif d'apprendre à leurs élèves à penser comme des scientifiques. Tant en classe qu'en laboratoire et sur le terrain, des collègues expérimentent diverses méthodes destinées à intéresser les élèves à la recherche scientifique. Toutes ces méthodes utilisent des questions sur la nature pour orienter l'investigation stratégique et l'analyse des données. Grâce à de nouveaux éléments du manuel, cette édition de *Biologie* secondera plus efficacement que jamais les enseignants qui insistent sur l'importance du processus scientifique.

Figure 1.29
Investigation La présence de serpents-arlequins venimeux modifie-t-elle le taux de prédation sur leurs « imposteurs », les couleuvres tachetées ?

EXPÉRIENCE David Pfennig et ses collègues ont fabriqué des faux serpents pour vérifier la prédiction de l'hypothèse de Bates, selon laquelle les couleuvres tachetées tirent avantage de leur imitation de la coloration d'avertissement des serpents-arlequins *seulement* dans les régions abritant des serpents-arlequins venimeux. Les X qui apparaissent sur la carte ci-dessous indiquent les endroits où les chercheurs ont mis en nombres égaux des fausses couleuvres tachetées (groupe expérimental) et des faux serpents de couleur brune (groupe témoin). Au bout de quatre semaines, les chercheurs ont récupéré les faux serpents et consigné les données sur la prédation à partir des marques de dents et de griffes sur les serpents (voir la figure 1.28).

RÉSULTATS Dans les endroits abritant des serpents-arlequins, les prédateurs ont attaqué beaucoup moins de fausses couleuvres tachetées que de faux serpents bruns. La coloration d'avertissement des « couleuvres tachetées » n'offrait pas cette protection dans les régions dépourvues de serpents-arlequins. En fait, dans ces régions, les fausses couleuvres tachetées étaient *plus* susceptibles de se faire attaquer que les faux serpents bruns, peut-être à cause de leurs couleurs très voyantes qui les empêchaient de se confondre avec l'environnement.

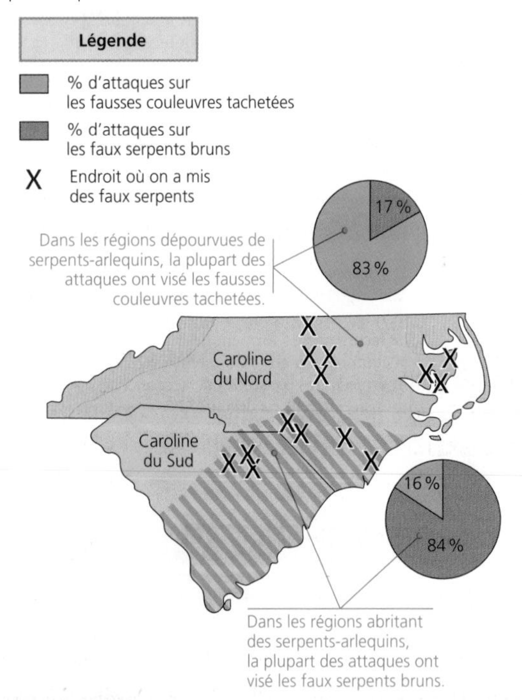

CONCLUSION Les expériences sur le terrain corroborent l'hypothèse de Bates en ne réfutant pas la principale prédiction, selon laquelle l'imitation des serpents-arlequins est efficace seulement dans les régions abritant des serpents-arlequins. Les expériences ont également testé une autre hypothèse, celle voulant que les prédateurs évitent habituellement tous les serpents aux rayures vivement colorées, qu'il s'agisse de serpents venimeux ou non. Cette hypothèse est réfutée par les données qui montrent que les rayures vivement colorées n'ont pas repoussé les prédateurs (elles semblent au contraire les avoir attirés) dans les régions dépourvues de serpents-arlequins.

La présentation de modèles de recherche

La recherche scientifique a toujours été l'un des thèmes unificateurs de *Biologie*. Dans chaque édition, on a rappelé l'historique de nombreuses questions de recherche et de nombreux débats scientifiques afin d'aider les élèves à prendre conscience non seulement de « ce que nous savons », mais aussi de « comment nous le savons » et de « ce que nous ne savons pas encore ». Dans cette édition de *Biologie*, on a renforcé ce thème en mettant les exemples de recherche scientifique beaucoup plus en évidence dans tout le manuel.

L'importance accrue accordée à la recherche se manifeste dès le chapitre 1, dont l'introduction aux nombreux moyens utilisés par les scientifiques pour examiner de près les questions d'ordre biologique a été complètement révisée. Le chapitre 1 présente aussi un nouvel élément, les figures intitulées « Investigation », qui mettent en vedette des exemples marquants d'expériences et d'études sur le terrain sous une forme qui demeure la même tout au long de l'ouvrage. Compléments aux figures « Investigation », les nouvelles figures intitulées « Méthode de recherche » initient les élèves aux techniques et aux outils de la biologie moderne. Vous trouverez aux pages XIII et XIV une liste des figures « Investigation » et « Méthode de recherche ». Comme les figures « Panorama », ces nouveaux éléments ne constituent pas des encadrés en marge du chapitre mais font partie intégrante de sa trame.

Les nouvelles **figures** intitulées **« Investigation »** et **« Méthode de recherche »** aident les élèves à apprendre à penser comme des scientifiques.

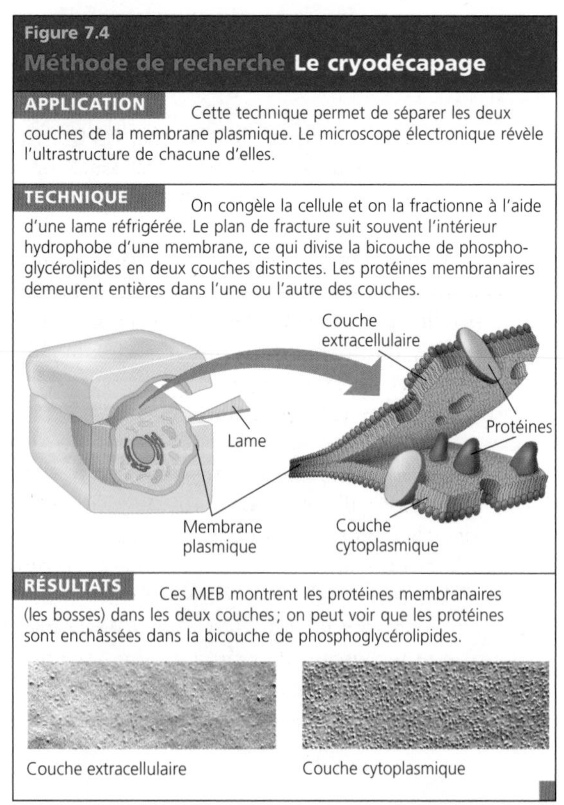

Figure 7.4
Méthode de recherche Le cryodécapage
APPLICATION Cette technique permet de séparer les deux couches de la membrane plasmique. Le microscope électronique révèle l'ultrastructure de chacune d'elles.
TECHNIQUE On congèle la cellule et on la fractionne à l'aide d'une lame réfrigérée. Le plan de fracture suit souvent l'intérieur hydrophobe d'une membrane, ce qui divise la bicouche de phosphoglycérolipides en deux couches distinctes. Les protéines membranaires demeurent entières dans l'une ou l'autre des couches.
Couche extracellulaire
Protéines
Lame
Membrane plasmique
Couche cytoplasmique
RÉSULTATS Ces MEB montrent les protéines membranaires (les bosses) dans les deux couches ; on peut voir que les protéines sont enchâssées dans la bicouche de phosphoglycérolipides.
Couche extracellulaire
Couche cytoplasmique

L'apprentissage de la recherche par la pratique

L'effet de la présentation de modèles de recherche scientifique est éphémère si les élèves n'ont pas l'occasion de mettre en pratique ce qu'ils ont appris en posant leurs propres questions et en menant leurs propres recherches. À petite échelle, cette édition de *Biologie* encourage les élèves à s'entraîner à penser comme des scientifiques en répondant aux questions présentées sous la rubrique «Intégration», dans la section «Révision du chapitre» qui se trouve à la fin des chapitres.

Par ailleurs, les élèves trouveront dans le Compagnon Web (**www.erpi.com/campbell.cw**) plus de 500 questions à choix multiple. Le Compagnon Web offre également aux professeurs quatre cas d'intégration qu'ils pourront soumettre à leurs élèves.

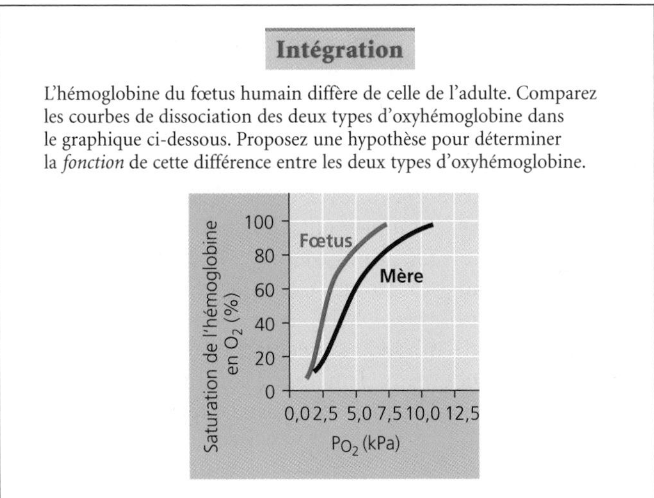

Intégration
L'hémoglobine du fœtus humain diffère de celle de l'adulte. Comparez les courbes de dissociation des deux types d'oxyhémoglobine dans le graphique ci-dessous. Proposez une hypothèse pour déterminer la *fonction* de cette différence entre les deux types d'oxyhémoglobine.
Saturation de l'hémoglobine en O_2 (%)
100
80
60
40
20
0
Fœtus
Mère
0,0 2,5 5,0 7,5 10,0 12,5
P_{O_2} (kPa)

Les questions intitulées **Intégration** incitent les élèves à mener leurs propres recherches.

L'équilibre entre recherche et fondement théorique

Bien que cette nouvelle édition de *Biologie* mette plus que jamais en valeur le processus scientifique, il y a deux bonnes raisons d'éviter d'exagérer l'importance du contenu consacré à la recherche dans tout manuel de biologie.

Premièrement, ceux d'entre nous qui recommandent d'accorder une plus grande place à la recherche dans les cours de biologie veulent privilégier le rôle des élèves et non celui du manuel. En effet, la lecture d'informations sur la recherche dans un manuel est avant tout un exercice passif, qui ne doit servir que d'introduction à diverses expériences actives lors de travaux de laboratoire ou, encore, à des activités créées par les enseignants en vue de favoriser une recherche adaptée aux besoins des élèves.

Deuxièmement, la meilleure façon pour un manuel de favoriser la recherche chez les élèves consiste à présenter la situation en expliquant de façon claire et précise les concepts biologiques clés. La plupart du temps, les biologistes étudient la littérature scientifique afin d'obtenir les renseignements généraux nécessaires à leur propre recherche; de même, les investigations personnelles des élèves seront beaucoup plus fructueuses si elles s'appuient sur une compréhension de base des données biologiques pertinentes. Ainsi, cette édition de *Biologie n*'est *pas* un manuel du genre de ceux qui remplacent la présentation soignée du contenu théorique par un flot d'exemples de recherche plus ou moins déconnectés, obligeant les élèves débutants à tout structurer eux-mêmes de façon cohérente. De l'avis des auteurs, combler de façon aussi peu équilibrée le besoin d'une réforme orientée vers la recherche risque de laisser la plupart des élèves insatisfaits et mal préparés à mettre en pratique la recherche active dans leurs laboratoires, leurs travaux à long terme et leurs périodes d'échange en classe. Dans cette édition de *Biologie*, le contenu consacré à la recherche a été soigneusement intégré au développement des idées principales de chaque chapitre, de sorte que les exemples de recherche viennent renforcer le cadre théorique et non l'embrouiller.

Biologie se prête à divers types de cours et est utile aux élèves tout au long de leur formation en biologie

Même si le cadre de chaque chapitre est limité à quelques concepts clés, *Biologie* couvre un territoire biologique plus étendu que celui que la plupart des cours d'introduction cherchent ou arrivent à couvrir. Mais, étant donné la grande diversité des programmes de cours, on a opté pour une vue d'ensemble assez large et assez profonde pour servir les objectifs spéciaux de chaque enseignant. Les élèves semblent aussi apprécier l'ampleur et la profondeur de *Biology*: alors que, aujourd'hui, les élèves revendent un bon nombre de leurs manuels à la librairie, plus de 75 % de ceux qui ont utilisé *Biology* l'ont conservé après leur cours d'introduction. En fait, un grand nombre de lettres et de courriels d'étudiants en médecine et d'étudiants diplômés disent combien ils apprécient l'utilité à long terme de *Biology* comme ressource générale tout au long de leur formation. Nous avons bon espoir qu'il en sera de même pour *Biologie.*

Peu de programmes couvriront les 55 chapitres de *Biologie* et, dans un cours de biologie générale, il n'existe pas un seul «bon» ordre de présentation des sujets. Si la table des matières d'un manuel de biologie doit être linéaire, la biologie elle-même ressemble davantage à un réseau de concepts connexes sans point de départ fixe ni parcours imposé. Divers cours peuvent explorer ce réseau de concepts en commençant par les molécules et les cellules, par l'évolution et la diversité des organismes ou par une vue d'ensemble des idées relatives à l'écologie. *Biologie* a été construit de manière que l'ouvrage soit assez polyvalent pour se prêter à différents programmes de cours. Les huit parties du manuel sont dans une large mesure indépendantes, et l'ordre dans lequel les chapitres qu'elles contiennent sont étudiés peut varier. Ainsi, les enseignants qui présentent ensemble la physiologie des Végétaux et celle des Animaux peuvent fusionner les chapitres de la sixième partie (Anatomie et physiologie végétales) et ceux de la septième partie (Anatomie et physiologie animales). Les enseignants qui commencent leur cours par l'écologie et le poursuivent selon cet «ordre descendant» peuvent passer à la huitième partie tout de suite après le chapitre 1, qui présente les thèmes généraux offrant aux élèves une vue panoramique de la biologie peu importe l'ordre dans lequel sont abordés les sujets du programme de cours.

L'évolution et les autres thèmes de *Biologie* font le lien entre les concepts et unifient l'ouvrage entier

Le premier chapitre exprime clairement 11 thèmes qui constituent pour les élèves des pierres de touche tout au long du manuel et distinguent la démarche adoptée dans *Biologie* d'une présentation encyclopédique par sujets. Dans cette édition, on a ajouté le thème des « systèmes biologiques » afin d'intégrer diverses initiatives de recherche axées sur une collecte de données de haut débit et une puissance de traitement rapidement et facilement utilisable. Mais comme dans les éditions antérieures, le thème central est l'évolution, qui unifie tous les aspects de la biologie, car elle rend compte à la fois de l'unité et de la diversité de la vie. Le thème de l'évolution s'incorpore à chaque chapitre de *Biologie*. L'évolution et les autres thèmes généraux, de concert avec les concepts de chaque chapitre, aident les élèves à acquérir une vision cohérente de la vie, qui leur sera utile bien après qu'ils auront oublié les informations figées contenues dans tout manuel de biologie.

Neil Campbell et Jane Reece
René Lachaîne et Michel Bosset

Figures clés

Panorama

Investigation

Méthode de recherche

Sommaire

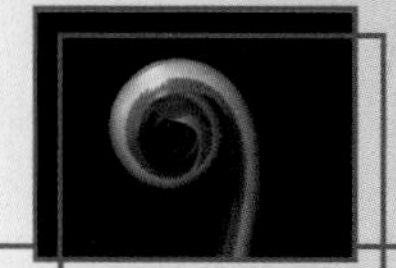

Table des matières

▶3 

▶4

▶5 

Deuxième partie ▶ La cellule

▶6 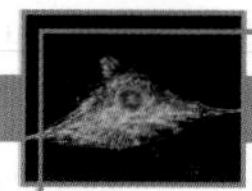

▶12

Le cycle cellulaire ... 235

Troisième partie ▶ La génétique

▶13

La méiose et les cycles de développement sexués ... 255

▶14

Mendel et le concept de gène ... 271

▶20

La biotechnologie 419

▶21

La génétique du développement embryonnaire 449

Quatrième partie ▶ Les mécanismes de l'évolution

▶22

La « descendance avec modification » : l'évolution selon Darwin 475

▶23

▶24

▶25

Cinquième partie ▶ La diversité biologique à travers l'évolution

▶26

▶27

▶28

▶31

▶32

▶33

44

45

46

▶47

Le développement chez les Animaux 1075

▶48

Les systèmes nerveux 1101

Huitième partie ▸ L'écologie

▶54

Les écosystèmes 1283

▶55

La biologie de la conservation et l'écologie de la restauration 1311

1

L'exploration de la vie

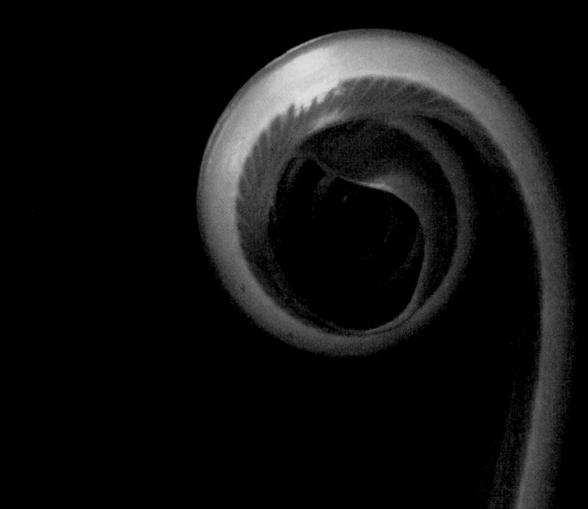

▲ **Figure 1.1 La biologie est l'étude des êtres vivants.**

Concepts clés

1.1 **Les biologistes explorent la vie dans toute son étendue, de la molécule jusqu'à la biosphère**

1.2 **Un système biologique constitue une entité beaucoup plus grande que la somme de ses parties**

1.3 **Les biologistes explorent la vie telle qu'elle se manifeste dans sa fabuleuse diversité**

1.4 **L'évolution explique l'unité et la diversité du vivant**

1.5 **Les biologistes utilisent différents processus de recherche pour étudier les êtres vivants**

1.6 **Un ensemble de thèmes intégrateurs unifient les différents concepts de la biologie**

Introduction

La biologie à son époque la plus captivante

Bienvenue dans le monde de la **biologie**, l'étude scientifique des êtres vivants. Vous abordez une science en plein âge d'or. Jamais dans l'histoire les scientifiques n'ont été si nombreux et si bien outillés pour percer des mystères qui ont longtemps semblé insolubles. Nous comprenons de mieux en mieux comment une cellule unique devient une plante ou un animal, comment les plantes convertissent l'énergie solaire en énergie chimique nourricière, comment l'esprit humain fonctionne, comment les différents organismes interagissent dans une communauté biologique telle qu'une forêt et un récif de corail, et comment les premiers microorganismes de la planète ont donné naissance à la fabuleuse diversité du vivant. Plus notre connaissance de la vie s'approfondit, plus elle fascine, car chaque élément de réponse soulève de nouvelles questions qui exciteront notre curiosité pendant plusieurs décennies encore. La biologie est une quête plus que toute autre chose, une recherche permanente sur la nature de la vie.

La biologie moderne est aussi importante que captivante. Les découvertes dans les domaines de la génétique et de la biologie cellulaire transforment la médecine et l'agriculture. La biologie moléculaire nous tend de nouveaux outils qui nous aideront dans des disciplines aussi différentes que l'anthropologie et la criminologie. Les neurosciences et la biologie de l'évolution, elles, mettent la psychologie et la sociologie sur de nouvelles voies. Quant aux plus récents modèles écologiques, ils aident les sociétés à évaluer les grandes questions environnementales, comme les causes et les conséquences biologiques du réchauffement de la planète. Ces quelques exemples ne suffisent même pas à illustrer la place que la biologie est en train de se tailler dans notre culture. En fait, jamais période ne fut aussi propice à l'étude de la vie.

Le phénomène que nous appelons la vie ne se définit guère en une seule phrase. Pourtant, un enfant conçoit d'instinct qu'un insecte ou un végétal, comme la crosse de fougère (*Asplenium nidus*) de la **figure 1.1**, est vivant alors qu'un caillou ne l'est pas. On reconnaît les êtres vivants par ce qu'ils sont capables de faire. La **figure 1.2** illustre quelques-unes des propriétés et des processus associés au vivant.

Avant de commencer l'étude de cette vaste discipline qu'est la biologie, il importe que vous vous en fassiez une idée d'ensemble. Le présent chapitre vous donne donc un aperçu de la portée de la biologie, met en relief la diversité du vivant, décrit les thèmes unificateurs comme l'évolution et examine des méthodes de recherche utilisées par les biologistes.

Concept 1.1

Les biologistes explorent la vie dans toute son étendue, de la molécule jusqu'à la biosphère

L'étude de la vie s'étend du niveau microscopique des molécules et des cellules qui composent les organismes, jusqu'au niveau de la planète comme entité vivante, ce que nous appelons la biosphère. On peut diviser ce vaste continuum en plusieurs niveaux d'organisation biologique.

(a) Ordre. Ce gros plan d'une fleur de tournesol illustre la structure hautement ordonnée qui caractérise la vie.

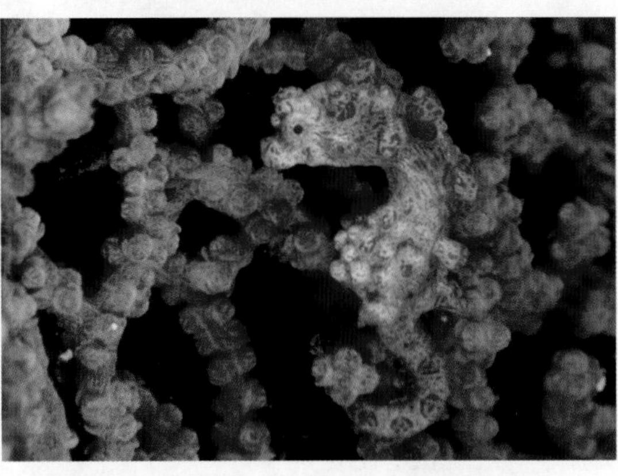

(b) Adaptation évolutive. Cet hippocampe nain est capable de modifier son apparence pour se fondre dans son environnement. Issu de nombreuses générations, ce genre d'adaptation apparaît en raison du succès reproductif supérieur des individus dont les caractères héréditaires sont les mieux adaptés à leur environnement.

(c) Réactions aux stimulus de l'environnement. Une libellule s'est aventurée sur le bord des feuilles ouvertes d'une dionée (*Dionaea muscipula*). La dionée a fermé rapidement son « piège » en réaction à ce stimulus.

(d) Homéostasie. Les très grandes oreilles de ce lièvre de Californie (*Lepus californicus*) sont utiles à la régulation du volume sanguin circulant. Elles aident à ajuster les pertes de chaleur aux conditions extérieures et, par le fait même, à conserver une température corporelle constante.

(e) Utilisation d'énergie. Ce colibri puise son énergie dans le nectar des fleurs. Il utilisera l'énergie chimique stockée dans cette nourriture pour voler et accomplir ses autres activités.

(g) Reproduction. Un organisme (être vivant) produit des organismes qui lui ressemblent. On voit ici un manchot empereur (*Aptenodytes forsteri*) qui protège son petit.

(f) Croissance et développement. Les informations héréditaires transmises par les gènes déterminent la croissance et le développement des organismes, comme pour ce crocodile du Nil (*Crocodilus niloticus*).

▲ **Figure 1.2 Quelques propriétés de la vie.**

Hiérarchie de l'organisation biologique

Imaginez que vous êtes dans l'espace à regarder la Terre, puis que vous zoomez graduellement sur une forêt du Québec. Avec toutes sortes d'instruments, vous continuez ensuite votre exploration jusqu'à l'examen moléculaire d'une feuille d'érable. La **figure 1.3** (dans les deux pages qui suivent) raconte cette exploration de plus en plus fine du monde vivant. En suivant la numérotation, examinez la série d'images qui vous fera passer du niveau de la biosphère à celui de l'atome.

Dans la figure 1.3, nous avons vu que la couleur verte de la biosphère (niveau le plus élevé de la hiérarchie) vue de l'espace provient des molécules de chlorophylle contenues dans les végétaux (niveau le plus bas de la hiérarchie). Pour faire suite à cette vue d'ensemble de la hiérarchie structurale de la vie, examinons de plus près deux niveaux structuraux se trouvant tout près des extrémités opposées de la hiérarchie : l'écosystème et la cellule.

Gros plan sur les écosystèmes

La vie n'existe pas en vase clos. Chaque organisme est en relation continuelle avec son environnement, qui compte d'autres organismes de même que des composantes non vivantes. La relation s'établit dans les deux directions : environnement → organisme et organisme → environnement. Voici quelques exemples du premier type de relation : (1) les racines d'un arbre absorbent l'eau et les minéraux du sol ; (2) les feuilles absorbent le dioxyde de carbone de l'air ; (3) l'énergie solaire captée par la chlorophylle amorce la photosynthèse qui convertit l'eau et le dioxyde de carbone en glucides et en oxygène. L'arbre qui libère de l'oxygène dans l'air, et ses racines qui aident à former le sol en brisant la pierre constituent, pour leur part, deux exemples de la relation organisme → environnement. Les organismes et leur environnement sont donc tous deux influencés par les interactions qui existent entre eux. L'arbre interagit aussi avec les autres êtres vivants, y compris les microorganismes qui vivent autour de ses racines et les animaux qui mangent ses feuilles et ses fruits.

La dynamique d'un écosystème

La dynamique d'un écosystème comporte deux grands processus. Le premier est la circulation cyclique des nutriments. Par exemple, les minéraux absorbés par les plantes finissent par retourner dans le sol sous l'action des microorganismes qui décomposent les feuilles et les racines mortes ainsi que d'autres débris organiques. Le deuxième processus est la circulation de l'énergie solaire depuis les producteurs jusqu'aux consommateurs. Les **producteurs** sont les plantes et les autres organismes photosynthétiques qui convertissent l'énergie lumineuse en énergie chimique. Les **consommateurs** sont les organismes tels les animaux qui se nourrissent des producteurs et d'autres consommateurs.

La conversion de l'énergie

Pour se déplacer, croître, se reproduire et accomplir ses autres fonctions, un organisme a besoin d'énergie. L'échange d'énergie entre un organisme et son environnement suppose la conversion d'une forme d'énergie en une autre forme. Quand elle produit un glucide, par exemple, une feuille transforme l'énergie solaire en énergie chimique. Quand elles consomment un glucide pour se contracter, les fibres musculaires d'un animal convertissent l'énergie chimique en énergie cinétique. Et dans toutes ces conversions d'énergie, une partie de l'énergie disponible est convertie en énergie thermique, dissipée sous forme de chaleur dans l'environnement lorsque les organismes accomplissent un travail. Contrairement aux nutriments chimiques qui se recyclent à l'intérieur de l'écosystème, l'énergie *traverse* l'écosystème, c'est-à-dire qu'elle y entre sous forme de lumière et en ressort sous forme de chaleur **(figure 1.4)**.

Gros plan sur les cellules

La cellule occupe une place spéciale dans la hiérarchie structurale de la vie, car elle est le plus bas niveau d'organisation capable d'accomplir *toutes* les activités nécessaires à la vie. Par exemple, la capacité des cellules de se diviser pour former de nouvelles cellules permet la reproduction ainsi que la croissance et la réparation des tissus chez les organismes multicellulaires **(figure 1.5)**. De même, vos moindres mouvements et vos moindres pensées sont le résultat des activités de vos cellules musculaires et de vos neurones. Même un processus global comme le recyclage du carbone, un élément chimique vital, est le produit cumulatif du travail cellulaire. Cela inclut la photosynthèse qui a lieu dans les chloroplastes des cellules d'une plante. Comprendre le fonctionnement de la cellule est un des principaux objectifs de la biologie moderne.

L'information héréditaire de la cellule

Regardons de plus près la cellule qui se divise à la figure 1.5. Les cellules renferment des structures appelées chromosomes, lesquels sont colorés en bleu sur la photo. Les chromosomes sont en partie composés d'une substance nommée **acide désoxyribonucléique**, ou **ADN** en abrégé. L'ADN constitue les **gènes**, ces éléments d'information que transmettent les parents à leur progéniture. Par exemple, votre groupe sanguin (A, B, AB ou O) est le produit de certains gènes que vous ont transmis vos parents.

Chaque chromosome est constitué d'une seule et très longue molécule d'ADN le long de laquelle sont disposés des centaines ou des milliers de gènes. L'ADN des chromosomes se réplique lorsque la cellule s'apprête à se diviser ; par conséquent, chacune des deux cellules filles hérite d'un ensemble de gènes complet.

Chacun de nous n'a d'abord été qu'une cellule unique contenant l'ADN provenant de nos deux parents. La réplication de cet ADN a ensuite transmis les gènes aux billions de cellules qui nous composent. Dans chaque cellule, les gènes que portent les molécules d'ADN encodent les instructions permettant la construction des autres molécules de la cellule. Ainsi, l'ADN régit le développement et le maintien de tout l'organisme **(figure 1.6)**.

La structure moléculaire de l'ADN explique pourquoi elle peut contenir autant d'information. Chaque molécule d'ADN est constituée de deux longues chaînes formant une double hélice. Chaque chaîne est faite à partir de quatre unités structurales chimiques appelées nucléotides **(figure 1.7)**. L'ADN transmet l'information d'une manière analogue à notre façon de combiner les lettres de l'alphabet en des séquences précises correspondant à des significations spécifiques. Vous savez que, selon leur enchaînement, les lettres de l'alphabet forment des mots ayant des sens distincts. Le mot *rat*, par exemple, désigne un rongeur, alors que le mot *art*, qui contient les mêmes lettres, mais agencées de manière différente, a une tout autre signification. Les livres en langue française contiennent des informations codées fondées sur 26 lettres seulement. Nous pouvons considérer les quatre nucléotides comme l'alphabet de l'hérédité. L'information génétique

Figure 1.3
Panorama Hiérarchie de l'organisation biologique

❶ **La biosphère.** Dès qu'on est suffisamment proche de la Terre pour en repérer les continents et les océans, on commence à voir des signes de vie, ne serait-ce que dans la mosaïque verte que forment les forêts de la planète. C'est la première vue qu'on a de la biosphère, laquelle comprend tous les environnements qui abritent la vie sur la planète. La biosphère inclut la plupart des régions terrestres, la plupart des étendues d'eau telles que les océans, les lacs et les rivières, ainsi que l'atmosphère jusqu'à une altitude de quelques kilomètres.

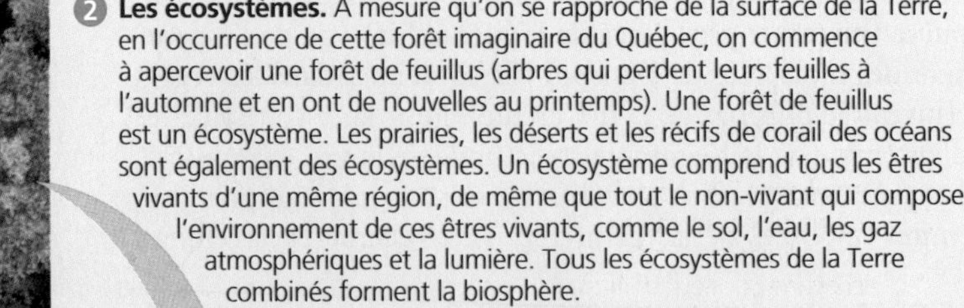

❷ **Les écosystèmes.** À mesure qu'on se rapproche de la surface de la Terre, en l'occurrence de cette forêt imaginaire du Québec, on commence à apercevoir une forêt de feuillus (arbres qui perdent leurs feuilles à l'automne et en ont de nouvelles au printemps). Une forêt de feuillus est un écosystème. Les prairies, les déserts et les récifs de corail des océans sont également des écosystèmes. Un écosystème comprend tous les êtres vivants d'une même région, de même que tout le non-vivant qui compose l'environnement de ces êtres vivants, comme le sol, l'eau, les gaz atmosphériques et la lumière. Tous les écosystèmes de la Terre combinés forment la biosphère.

❸ **Les communautés biologiques.** L'ensemble des organismes qui peuplent un même écosystème est appelé communauté biologique. La communauté biologique que notre forêt québécoise représente abrite de nombreux types d'arbres et d'autres plantes, toutes sortes d'animaux, de champignons et autres eumycètes, ainsi qu'une quantité faramineuse de microorganismes, c'est-à-dire d'êtres vivants qui, comme les bactéries, sont trop petits pour être vus sans un microscope. Chacune de ces formes de vie est appelée *espèce*.

❹ **Les populations.** Une population est l'ensemble des individus d'une même espèce qui vivent dans une même région. Par exemple, notre forêt québécoise compte une population d'érables à sucre (*Acer saccharum*) et une population d'ours noirs d'Amérique (*Ursus americanus*). Nous pouvons maintenant préciser notre définition d'une communauté biologique en disant qu'elle est l'ensemble des populations qui vivent dans une même région.

❺ **Les organismes.** Les organismes sont les êtres vivants considérés individuellement. Chacun des érables à sucre et chacune des plantes de notre forêt québécoise, par exemple, sont des organismes, de même que chaque animal, que ce soit une grenouille, un écureuil, un ours ou un insecte. L'air, l'eau et le sol contiennent aussi des microorganismes comme les bactéries.

8 Les cellules. La cellule est l'unité structurale et fonctionnelle des organismes. Certains organismes, comme les amibes et la plupart des bactéries, sont formés d'une cellule unique qui exécute toutes les fonctions vitales. D'autres organismes, dont les Plantes et les Animaux, sont multicellulaires. Ces organismes ont des cellules spécialisées qui se répartissent les tâches. Ainsi, le corps humain se compose de billions de cellules microscopiques de toutes sortes, par exemple des cellules musculaires et des neurones, qui sont regroupées dans des tissus spécialisés. Ainsi, le tissu musculaire est un ensemble de faisceaux de cellules musculaires. Examinez de nouveau les cellules à l'intérieur de la feuille d'érable. Chacune des cellules que l'on aperçoit ne mesure à peu près que 25 μm (micromètres) de largeur. Il faudrait en aligner 700 pour égaler le diamètre d'une pièce de un cent. Si petites soient ces cellules, cependant, on peut voir que chacune contient de nombreuses structures vertes appelées chloroplastes, les organites qui assurent la photosynthèse.

9 Les organites. Le chloroplaste est un exemple d'organite. Les organites sont les différents éléments fonctionnels qui composent une cellule. Grâce à un instrument d'optique très puissant appelé microscope électronique, cette figure nous montre un chloroplaste.

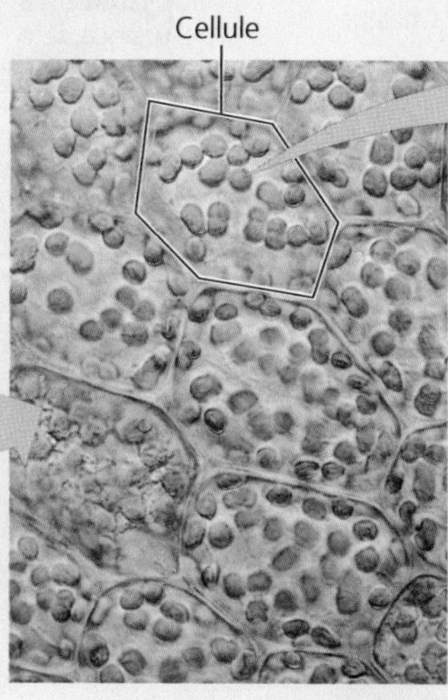

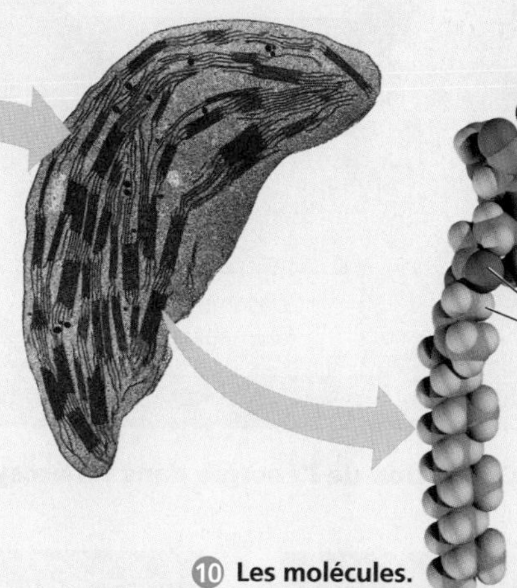

10 Les molécules. Le niveau moléculaire est le dernier niveau d'organisation dans la hiérarchie de la vie. On voit ici une des molécules de chlorophylle que renferme un chloroplaste. Une molécule est une structure chimique qui comprend au moins deux de ces petites unités chimiques appelées *atomes*, représentés ici sous forme de boules par infographie moléculaire. La chlorophylle est la molécule de pigment qui donne à la feuille sa couleur verte. La chlorophylle, une des plus importantes molécules sur Terre, absorbe la lumière solaire durant la première étape de la photosynthèse. À l'intérieur de chaque chloroplaste, des millions de molécules de chlorophylle et d'autres molécules se partagent la tâche de convertir l'énergie lumineuse en énergie chimique nourricière.

7 Les tissus. Le niveau des tissus n'est visible qu'au microscope. La feuille d'érable qu'on voit à gauche a été coupée obliquement. Le tissu en nid d'abeille qui se trouve à l'intérieur de la feuille (moitié supérieure de la micrographie) est le principal siège de la photosynthèse, un processus qui convertit l'énergie lumineuse en énergie chimique (présente dans les glucides et les autres nutriments). La micrographie montre également le tissu perforé qui correspond à l'épiderme ; l'épiderme est la « peau » qui recouvre la feuille (moitié inférieure de la micrographie). Les pores de l'épiderme laissent entrer le dioxyde de carbone, la matière première qui sera transformée en glucide par la photosynthèse. À cette échelle microscopique, on peut voir également que chaque tissu a sa structure cellulaire propre. En fait, chaque type de tissu est un groupe de cellules similaires.

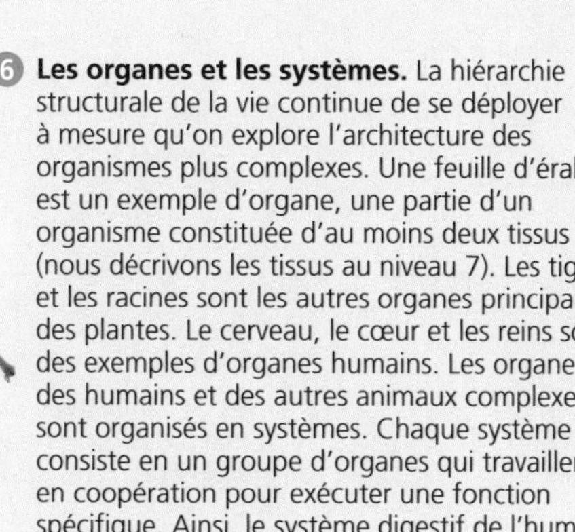

6 Les organes et les systèmes. La hiérarchie structurale de la vie continue de se déployer à mesure qu'on explore l'architecture des organismes plus complexes. Une feuille d'érable est un exemple d'organe, une partie d'un organisme constituée d'au moins deux tissus (nous décrivons les tissus au niveau 7). Les tiges et les racines sont les autres organes principaux des plantes. Le cerveau, le cœur et les reins sont des exemples d'organes humains. Les organes des humains et des autres animaux complexes sont organisés en systèmes. Chaque système consiste en un groupe d'organes qui travaillent en coopération pour exécuter une fonction spécifique. Ainsi, le système digestif de l'humain comprend des organes comme la langue, l'estomac et les intestins.

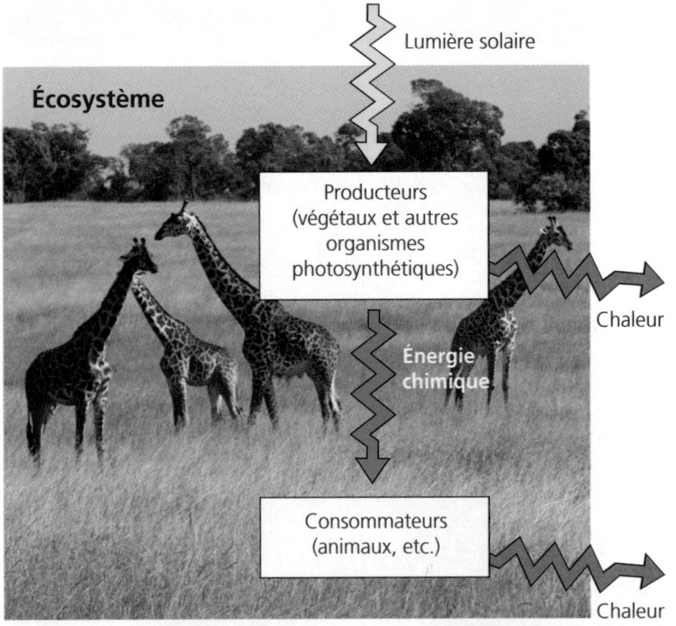

▲ **Figure 1.4 Circulation de l'énergie dans un écosystème.**

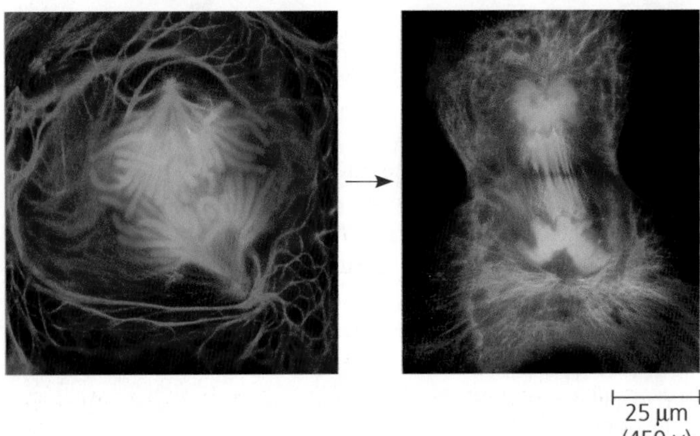

▲ **Figure 1.5 Une cellule pulmonaire de triton se divise en cellules plus petites qui croissent et se divisent à leur tour.**

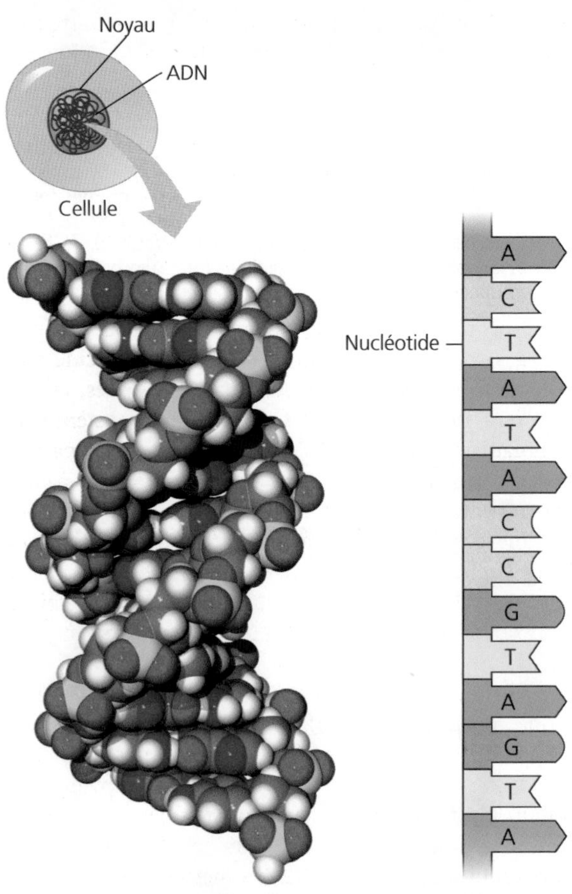

(a) La double hélice de l'ADN. Tous les atomes d'un segment d'ADN sont représentés dans ce modèle. La molécule d'ADN est formée de deux longues chaînes d'unités structurales appelées nucléotides et a la forme tridimensionnelle d'une double hélice.

(b) Brin d'ADN. Ces lettres et ces formes géométriques représentent les nucléotides contenus dans un court segment d'une des deux chaînes d'une molécule d'ADN. L'information génétique réside dans l'enchaînement particulier des quatre nucléotides (leurs noms sont abrégés ici avec les lettres A, T, C et G).

▲ **Figure 1.7 Le matériel génétique : l'ADN.**

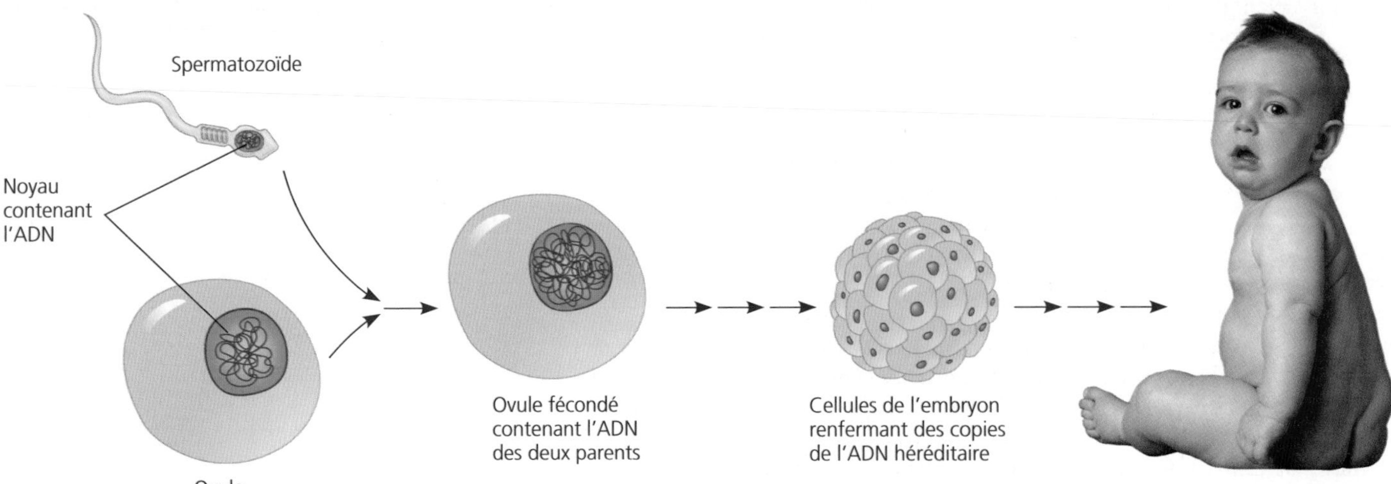

▲ **Figure 1.6 L'ADN transmis détermine le développement d'un organisme.**

réside dans l'enchaînement particulier de ces lettres chimiques; quant aux gènes, ils correspondent à une portion d'ADN et sont généralement formés de centaines ou de milliers de nucléotides. Un gène particulier dans une cellule bactérienne peut représenter pour cette cellule les informations nécessaires à la fabrication d'un pigment pourpre; un autre gène, dans une cellule humaine, peut permettre la synthèse d'insuline.

De façon plus générale, la plupart des gènes programment la production, par la cellule, de grosses molécules appelées protéines. La séquence des nucléotides le long de chaque gène correspond à une protéine spécifique dotée d'une forme et d'une fonction uniques dans la cellule. Par exemple, une protéine fera partie de l'appareil contractile des cellules musculaires, tandis qu'une autre sera un anticorps et fera partie du système de défense de l'organisme contre les virus et les autres agents pathogènes. Une autre protéine encore sera une enzyme, c'est-à-dire une protéine qui catalyse (accélère) une réaction chimique spécifique dans une cellule. Presque toutes les activités cellulaires font intervenir l'action d'une ou de plusieurs protéines. L'ADN fournit le plan détaillé de la descendance, alors que les protéines sont les outils qui servent réellement à construire la cellule et à la garder en vie.

Toutes les formes de vie partagent essentiellement le même code génétique: une séquence particulière de nucléotides porte toujours la même information, quel que soit l'organisme dans lequel on la trouve. La diversité des êtres vivants provient des différences dans les séquences de leurs nucléotides. Cependant, étant donné que le code génétique est universel, il est possible de manipuler des cellules de façon qu'elles synthétisent des protéines habituellement présentes uniquement chez certains autres organismes. Un des premiers produits pharmaceutiques obtenus à l'aide de cette technologie a été l'insuline humaine, que l'on a fabriquée la première fois en insérant dans une bactérie le gène de cette protéine humaine.

L'ensemble des directives génétiques dont un organisme hérite est appelé **génome**. Le génome inscrit dans le noyau de chaque cellule humaine comporte trois milliards de «lettres» chimiques (nucléotides). Si elles étaient écrites en lettres de la même grosseur que celles que vous lisez actuellement, ces dernières rempliraient près de 600 manuels du même format que celui-ci. Dans ce génome de séquences de nucléotides de l'humain se trouvent les gènes qui codent pour la production de plus de 75 000 types différents de protéines, chacune assumant une fonction spécifique.

Les deux principaux types de cellules

Toutes les cellules partagent certaines caractéristiques. Par exemple, toutes les cellules sont entourées d'une membrane qui régit le passage des matières entre le milieu interne et l'environnement. Et toutes les cellules utilisent l'ADN comme information génétique.

Il existe deux grands types de cellules: les cellules procaryotes (du latin *pro*, «avant», et du grec *karuon*, «noyau») et les cellules eucaryotes (du grec *eu*, «vrai», et *karuon*, «noyau»). Les micro-organismes appelés Bactéries et Archéobactéries sont des cellules procaryotes. Tous les autres êtres vivants, dont les Plantes et les Animaux, sont composés de cellules eucaryotes.

La **cellule eucaryote** est compartimentée par des membranes internes et la plupart de ses principaux organites sont délimités par une membrane. Les chloroplastes de la figure 1.3 sont des exemples d'organites membraneux. Le plus gros organite de la plupart des cellules eucaryotes est le noyau. Le noyau contient l'ADN de la cellule (sous forme de molécules chromosomiques). Les autres organites se trouvent dans le cytoplasme, qui constitue tout l'espace intracellulaire entre le noyau et la membrane plasmique.

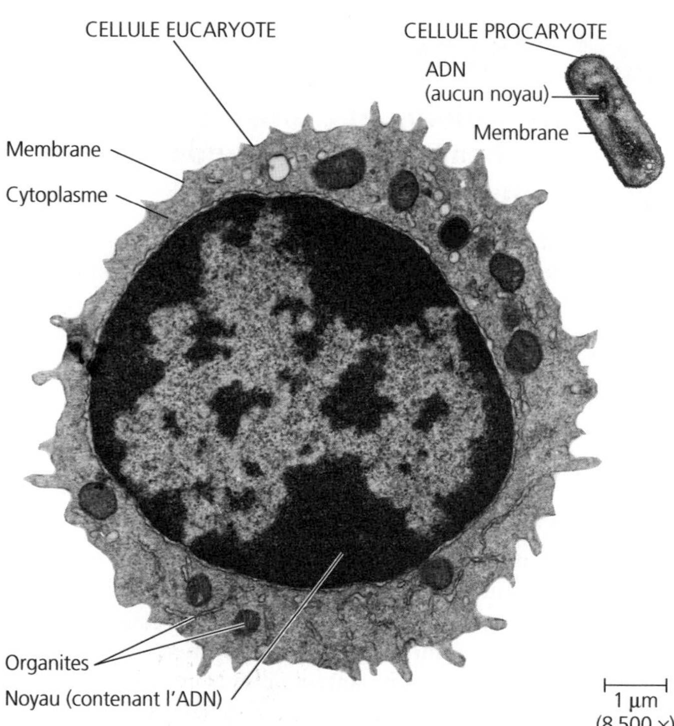

▲ **Figure 1.8 Différences de forme et de taille entre une cellule eucaryote et une cellule procaryote.**

La **cellule procaryote** est beaucoup plus simple et généralement plus petite que la cellule eucaryote **(figure 1.8)**. Dans une cellule procaryote, l'ADN ne se trouve pas dans un noyau séparé du cytosol par une enveloppe membraneuse. En outre, la cellule procaryote est dépourvue des organites membraneux caractéristiques de la cellule eucaryote.

Les différences entre la cellule procaryote et la cellule eucaryote illustrent la diversité biologique que nous explorerons plus loin, dans la section Concept 1.3. Mais jetons d'abord un autre coup d'œil sur la hiérarchie de l'organisation biologique, cette fois dans le contexte très actuel de la biologie des systèmes.

Retour sur le concept 1.1

1. Pour chaque niveau biologique de la figure 1.3, rédigez une phrase qui comporte le niveau «inférieur» immédiat. Exemple: «Une communauté biologique comprend des *populations* de diverses espèces vivant dans une même région.»
2. Quels sont les liens entre ces trois termes: ADN, gènes, chromosomes?
3. Expliquez pourquoi, au niveau cellulaire, les Plantes ont plus de points communs avec les Animaux qu'avec les Bactéries.

Voir les réponses proposées à la fin du chapitre.

Concept 1.2

Un système biologique constitue une entité beaucoup plus grande que la somme de ses parties

« L'entité est plus grande que la somme de ses parties. » Cet adage exprime bien l'important concept selon lequel une combinaison d'éléments peut former une organisation plus complexe appelée **système**. Une cellule, un organisme et un écosystème sont des systèmes biologiques. Pour comprendre le fonctionnement de ces systèmes, il ne suffit pas de connaître la « liste des pièces », aussi exhaustive soit-elle. L'avenir de la biologie réside dans la compréhension du comportement des systèmes dans leur intégralité.

Les propriétés émergentes des systèmes

Examinons encore la hiérarchie de l'organisation biologique à la figure 1.3. Chaque fois qu'on monte d'un niveau dans la hiérarchie, de nouvelles propriétés apparaissent qui n'étaient pas présentes au niveau précédent. Ces **propriétés émergentes** résultent de l'arrangement des composants et de leurs interactions de plus en plus complexes. Par exemple, même si on met de la chlorophylle et toutes les molécules d'un chloroplaste dans une éprouvette, ce mélange ne pourra pas effectuer la photosynthèse. Le processus de photosynthèse résulte de la façon très spécifique dont la chlorophylle et les autres molécules sont disposées dans un chloroplaste intact. Prenons un autre exemple. Si un traumatisme crânien grave perturbe l'architecture complexe d'un cerveau humain, celui-ci cessera de fonctionner correctement même si toutes ses parties sont encore présentes. Nos pensées et nos souvenirs font partie des propriétés émergentes d'un réseau complexe de neurones. À un niveau d'organisation biologique encore plus élevé, en l'occurrence au niveau de l'écosystème, le recyclage des nutriments tel le carbone dépend d'un réseau de divers organismes qui interagissent entre eux de même qu'avec le sol et l'air.

Les propriétés émergentes n'ont rien de surnaturel. On comprend facilement l'importance de l'arrangement quand on compare une boîte contenant toutes les pièces d'une bicyclette et une bicyclette assemblée. De même, bien que le graphite et le diamant se composent tous deux de carbone pur, leurs propriétés sont très différentes parce que leurs atomes de carbone sont arrangés différemment. Bicyclette, graphite et diamant sont des exemples relativement simples. Les propriétés émergentes de la vie sont beaucoup plus difficiles à étudier, car les systèmes biologiques sont d'une complexité inégalée.

Les forces et les faiblesses du réductionnisme

Puisque les êtres vivants ont des propriétés qui émergent de leur organisation complexe, les scientifiques qui s'attachent à comprendre les processus biologiques font face à un dilemme. D'une part, il est impossible d'expliquer totalement un niveau d'organisation supérieur en le réduisant à ses parties. Un animal disséqué ne peut plus mener sa vie d'animal ; une cellule réduite à ses constituants chimiques n'a plus rien d'une cellule. D'autre part, il est vain d'essayer d'analyser une chose aussi complexe qu'un organisme ou une cellule sans la réduire à ses composantes.

Le **réductionnisme**, c'est-à-dire la fragmentation de systèmes complexes en des éléments plus simples et plus faciles à manipuler en vue de les étudier, constitue une stratégie efficace en biologie. Par exemple, c'est en se penchant sur la structure moléculaire d'une substance extraite de cellules que James Watson et Francis Crick ont déduit, en 1953, que l'ADN constitue le fondement chimique de l'hérédité.

En 2003, 50 ans après les travaux célèbres de Watson et Crick, une équipe internationale de scientifiques avait presque terminé la détermination de l'enchaînement des 3 milliards de nucléotides du génome humain **(figure 1.9)**. (Les scientifiques ont également déterminé la séquence des génomes de plusieurs espèces et sont en voie de le faire pour de nombreuses autres : la liste comprend des virus, des bactéries, des plantes et des mammifères.) Dans le monde entier, les journalistes et les politiciens ont célébré cet accomplissement comme le plus grand triomphe de l'histoire de la science. Cependant, contrairement à d'autres sommets du génie humain, tels que la conquête de la Lune, le séquençage du génome humain marque un commencement plutôt qu'un

▶ Figure 1.9 La biologie moderne, une science de l'information. Les systèmes automatiques de séquençage d'ADN ainsi que l'immense puissance de traitement dont on dispose ont permis d'accélérer le Projet génome humain. Ces installations à Cambridge, au Royaume-Uni, font partie des nombreux laboratoires qui collaborent à ce projet international.

aboutissement. En effet, les biologistes ont encore à découvrir les fonctions de milliers de gènes, les protéines dont ils dirigent la synthèse ainsi que les mécanismes qui coordonnent l'activité des gènes au cours du développement d'un organisme. À l'avant-garde de cette quête se trouve une approche qu'on appelle la biologie des systèmes.

La biologie des systèmes

La biologie entre dans une ère on ne peut plus captivante. En effet, un grand nombre de chercheurs ont commencé à enrichir le réductionnisme de nouvelles stratégies qui les aideront à mieux comprendre les propriétés émergentes de la vie, c'est-à-dire le fonctionnement intégré de toutes les parties d'un système biologique, par exemple une cellule. Le changement de perspective qui en résulte est très important, comme si l'on passait du niveau de la rue au niveau du ciel, où la vue aérienne permettrait de voir les effets de variables comme l'heure, les projets de construction, les accidents et les pannes de feux de circulation sur la circulation automobile d'une ville.

L'objectif ultime de la **biologie des systèmes** est de représenter par modèles le comportement dynamique de systèmes biologiques entiers. Ces modèles précis permettront aux biologistes de prédire quels effets la modification d'une ou de plusieurs variables peut avoir sur les autres parties du système et sur l'ensemble du système. Ils pourront ainsi répondre à toutes sortes de questions: Quels seront les effets d'une légère augmentation de la concentration de calcium dans une cellule musculaire sur les activités des douzaines de protéines qui régissent la contraction musculaire? Quels seront les effets de tel médicament contre l'hypertension artérielle sur le fonctionnement des organes de tout l'organisme et, par le fait même, ses effets secondaires possibles? Comment l'arrosage accru d'une culture se répercutera-t-il sur les processus vitaux des plantes, comme l'utilisation de certains minéraux du sol et le stockage des protéines essentielles à la nutrition de l'humain? Comment une augmentation graduelle du dioxyde de carbone atmosphérique altérera-t-elle les écosystèmes et l'ensemble de la biosphère? Le but de la biologie des systèmes est d'apporter des réponses à ce genre de questions cruciales.

La biologie des systèmes est pertinente quels que soient les niveaux de l'organisation biologique qu'on examine. Les scientifiques qui étudiaient les écosystèmes dans les années 1960 ont été les premiers à s'intéresser à ce domaine de la biologie. Ils ont élaboré des modèles détaillés pour décrire le réseau d'interactions existant entre les composants vivants et non vivants d'un même écosystème, par exemple un marais salant. Mais même avant cette époque, des biologistes spécialistes de la physiologie des humains et d'autres organismes ont intégré dans leurs recherches des données qui expliquaient comment différents organes coordonnaient des processus tels que la régulation de la teneur sanguine en glucose. Ces modèles d'écosystèmes et d'organismes ont déjà servi à prédire les réactions de ces systèmes à la modification de diverses variables.

La biologie des systèmes fait maintenant son entrée dans la recherche cellulaire et moléculaire, aidée par le déluge d'information que génèrent le séquençage des génomes et l'inventaire grandissant des protéines connues et de leurs fonctions. En 2003, par exemple, une importante équipe de chercheurs a publié un modèle qui décrit le réseau d'interactions existant entre les protéines d'une cellule de drosophile, un organisme souvent étudié. Le modèle a été construit à partir d'une vaste base de données sur des milliers de protéines et leurs interactions connues avec d'autres protéines. Par exemple, la protéine A peut se lier aux protéines B, C et D et modifier leurs activités, puis les protéines B, C et D se lient à leur tour à d'autres protéines. La **figure 1.10** montre les relations entre protéines d'une même cellule.

Le fondement de la biologie des systèmes est assez simple. Tout d'abord, on inventorie le plus d'éléments possible, par exemple tous les gènes et les protéines connus dans une cellule (réductionnisme). Ensuite, on étudie le comportement de chaque élément en relation avec les autres éléments du système en action.

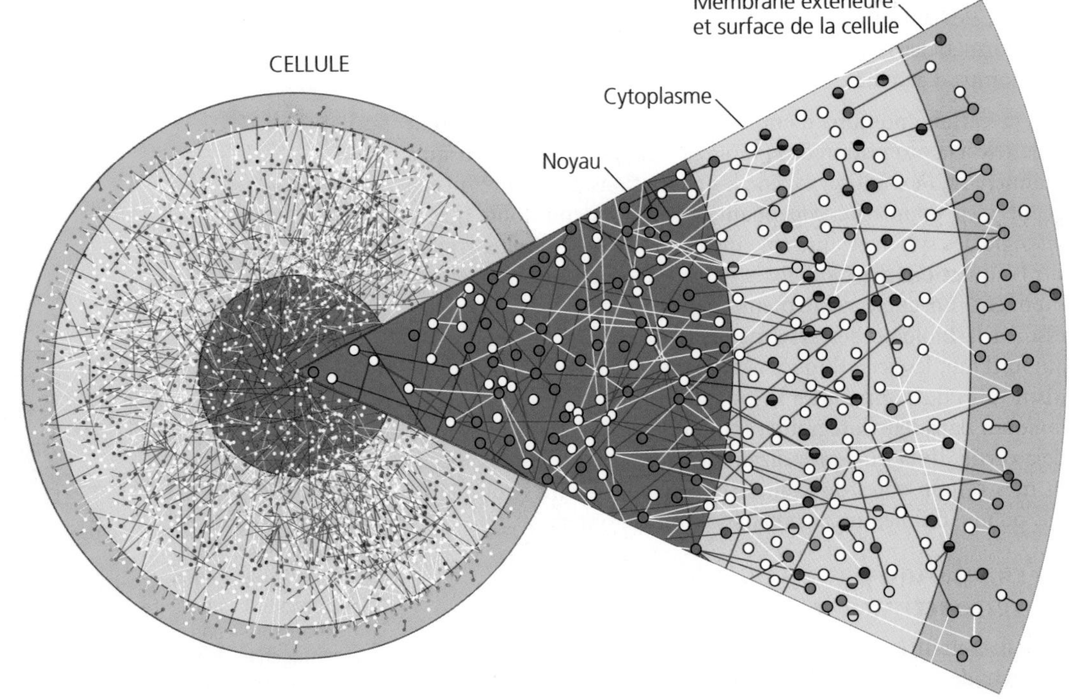

▶ Figure 1.10 Interactions entre les protéines dans une cellule. Ce diagramme dresse une carte des 3 500 protéines (points) et de leur réseau d'interactions (lignes reliant les points) chez une mouche drosophile. Les chercheurs en biologie des systèmes élaborent ce genre de modèles à partir d'immenses bases de données sur les molécules et leurs interactions à l'intérieur de la cellule. Un des objectifs principaux de la biologie des systèmes est d'utiliser ce genre de modèles pour prédire comment un changement (par exemple, une augmentation de l'activité d'une protéine donnée) peut se répercuter sur le réseau moléculaire et entraîner d'autres changements. Une des applications de la biologie des systèmes consistera à prédire plus précisément les effets secondaires de différents médicaments.

Dans le cas de la cellule de drosophile, par exemple, on étudiera toutes les interactions entre les protéines. Enfin, au moyen d'ordinateurs et de logiciels innovateurs, on réunit les données de plusieurs équipes de chercheurs pour en faire un modèle comme celui de la figure 1.10.

Si le principe de base de la biologie des systèmes peut sembler simple, la complexité des systèmes biologiques empêche son application de l'être. Pour que la biologie des systèmes prenne son essor, il a fallu une conjoncture favorable réunissant trois conditions:

- **La technologie de haut débit.** La biologie des systèmes ne pourrait exister sans la technologie d'aujourd'hui, qui permet d'analyser des données biologiques très rapidement et de générer d'énormes quantités de données. La technologie des méga-collectes de données est dite « de haut débit ». Par exemple, les systèmes automatiques de séquençage de l'ADN qui ont rendu possible le Projet génome humain sont des technologies de haut débit (voir la figure 1.9).
- **La bio-informatique.** Les bases de données colossales que produit la technologie de haut débit seraient chaotiques sans la puissance de calcul, les logiciels et les modèles mathématiques dont on dispose aujourd'hui pour traiter et intégrer toute cette information. Le nouveau domaine de la **bio-informatique** s'applique à extraire les données biologiques utiles de ces bases de données sans cesse croissantes que sont les séquences d'ADN et les inventaires des interactions protéiques. Internet favorise la biologie des systèmes, car il permet une vaste diffusion des données numériques qui alimentent la bio-informatique.
- **Les équipes de recherche interdisciplinaires.** En 2003, la Harvard Medical School a mis sur pied un département de biologie des systèmes, le seul nouveau département créé en 20 ans. Le Massachusetts Institute of Technology, de son côté, a intégré plus de 80 membres du corps professoral de divers départements dans un nouveau programme de biologie des systèmes et de biologie computationnelle. Comme ceux-ci, tous les départements et programmes de recherche en biologie des systèmes forment une sorte de creuset qui réunit des chercheurs de diverses spécialités dont des ingénieurs, des médecins, des chimistes, des physiciens, des mathématiciens, des informaticiens et, bien entendu, des biologistes de différents champs d'activité.

Un certain nombre d'éminents scientifiques se consacrent avec zèle à la promotion de la biologie des systèmes, mais jusqu'à maintenant, l'excitation excède les réalisations. À mesure qu'elle gagnera en popularité, cependant, il ne fait aucun doute que la biologie des systèmes aura une incidence de plus en plus grande sur les questions des biologistes et sur les recherches qu'ils entreprennent. En effet, avant même que la technologie donne son essor à la biologie des systèmes telle que nous la connaissons aujourd'hui, les scientifiques aspiraient à dépasser le réductionnisme afin de comprendre le fonctionnement des systèmes biologiques dans leur intégralité. En réalité, des biologistes avaient déjà cerné il y a quelques dizaines d'années certains des mécanismes responsables du comportement de systèmes complexes tels qu'une cellule, un organisme ou un écosystème.

La régulation par rétro-inhibition ou rétroactivation

Si l'on mettait la dynamique des systèmes biologiques dans le contexte de l'économie, on pourrait dire qu'elle est déterminée par l'offre et la demande. Par exemple, lorsqu'elles ont besoin d'une grande quantité d'énergie pendant une activité physique, vos fibres musculaires accélèrent la dégradation des molécules de glucose, libérant ainsi l'énergie pouvant servir à l'accomplissement d'un travail. À l'inverse, lorsque vous vous reposez, une autre chaîne de réactions chimiques convertit le glucose excédentaire en substances de réserve.

Comme la plupart des processus chimiques qui ont lieu dans la cellule, les processus qui dégradent ou stockent le glucose sont accélérés, ou catalysés, par des protéines spécialisées appelées enzymes. Chaque type d'enzyme catalyse une réaction chimique spécifique. Souvent, ces réactions sont liées à une même voie chimique, chaque réaction étant catalysée par sa propre enzyme. Comment la cellule arrive-t-elle à coordonner ses diverses voies chimiques ? Dans le cas de l'utilisation du glucose, par exemple, comment la cellule fait-elle pour coordonner deux voies contraires, c'est-à-dire la dégradation du glucose et sa mise en réserve, et arriver ainsi à ajuster l'offre à la demande ? C'est grâce à la capacité de nombreux processus biologiques de s'autoréguler par un mécanisme appelé rétroaction.

Dans la régulation par rétroaction, le produit d'un processus est le régulateur de ce même processus. Chez les êtres vivants, la forme de régulation la plus répandue est la **rétro-inhibition**, qui fait que l'accumulation du produit final d'un processus ralentit ce même processus **(figure 1.11)**. Par exemple, la dégradation du glucose de la cellule produit de l'énergie chimique sous la forme d'une substance appelée ATP. Une accumulation trop importante d'ATP « rétroagit » et inhibe une enzyme située au début de la voie chimique.

Il existe également des processus biologiques dont la régulation se fait par **rétroactivation**; ce type de régulation est cependant moins courant que la rétro-inhibition. Dans la rétroactivation, le produit final d'un processus biologique *accélère* sa propre production. La coagulation de votre sang en réaction à une blessure illustre bien la rétroactivation. Quand un vaisseau sanguin est endommagé, les éléments sanguins appelés plaquettes commencent à s'agréger dans la zone de la lésion. La rétroactivation se produit quand les substances chimiques libérées par les

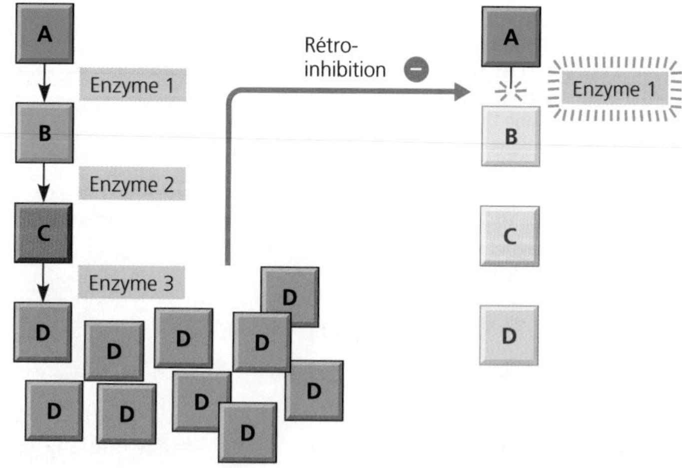

▲ **Figure 1.11 Rétro-inhibition.** La voie chimique en trois étapes convertit la substance A en substance D. Une enzyme spécifique catalyse chaque réaction chimique. L'accumulation du produit final (D) inhibe la production de la première enzyme de la chaîne, de sorte qu'elle ralentit la production de D.

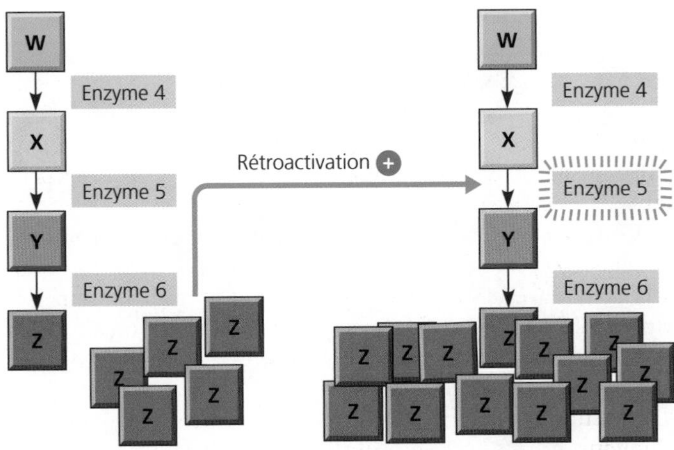

▲ **Figure 1.12 Rétroactivation.** Dans la rétroactivation, un produit stimule une enzyme de la chaîne de réactions, ce qui accroît la vitesse de production de ce même produit. Dans les systèmes vivants, la rétroactivation est moins courante que la rétro-inhibition.

plaquettes attirent encore *plus* de plaquettes. Les plaquettes s'accumulent puis amorcent un processus complexe qui scelle la lésion avec un caillot. La **figure 1.12** montre un modèle simple de rétroactivation.

La régulation par rétroaction se produit à tous les niveaux de l'organisation biologique, de la simple molécule jusqu'à la biosphère. Ce mécanisme de régulation est un exemple d'intégration qui montre encore qu'un système vivant constitue une entité plus grande que la somme de ses parties.

Retour sur le concept 1.2

1. Servez-vous du principe des propriétés émergentes pour expliquer le lien entre une phrase et les lettres de l'alphabet.
2. En quoi la technologie de haut débit est-elle un complément de la bio-informatique?
3. Lorsque vous tirez la chasse d'eau, l'eau entre dans le réservoir et fait monter un flotteur relié à un levier de déclenchement. Quand le niveau d'eau atteint une certaine hauteur, ce levier ferme l'entrée d'eau pour empêcher le réservoir de déborder. Quel type de mécanisme de rétroaction régule ce système non vivant?

Voir les réponses proposées à la fin du chapitre.

Concept 1.3

Les biologistes explorent la vie telle qu'elle se manifeste dans sa fabuleuse diversité

Le vaste champ de la biologie possède en quelque sorte deux dimensions: l'une, «verticale», et l'autre, «horizontale». La première, déjà examinée dans les deux premiers concepts du présent chapitre, correspond à l'échelle de l'organisation biologique, qui s'étend des molécules jusqu'à la biosphère. La seconde correspond à la diversité du vivant, celle qui existe à présent et qui a existé à partir de l'apparition de la vie.

La diversité est la caractéristique essentielle du vivant. Jusqu'à présent, les biologistes ont répertorié environ 1 800 000 espèces, dont 5 200 espèces de Procaryotes, 100 000 Eumycètes, 290 000 Végétaux, 52 000 Vertébrés (les animaux possédant une colonne vertébrale) et plus de 1 000 000 d'Insectes (plus de la moitié de toutes les formes de vie connues). Chaque année, la liste s'enrichit de milliers d'espèces. On pourrait croire que seules des espèces de petite taille nous sont encore inconnues, mais ce n'est pas le cas: en 2005, par exemple, on découvrait encore de nouvelles espèces de singes, comme ce singe mangabey *Lophocebus kipunji* habitant les forêts montagneuses du sud de la Tanzanie. On estime que le nombre total d'espèces pourrait se situer quelque part entre 10 millions et plus de 200 millions. Quel que soit ce nombre, toutefois, la fabuleuse diversité du monde vivant fait de la biologie une discipline très vaste **(figure 1.13)**.

La classification des espèces: un principe fondamental

Les humains ont tendance à classifier, c'est-à-dire à former des catégories d'éléments selon leurs ressemblances. Par exemple, on peut classer une collection de disques par nom d'artiste, puis regrouper les différents artistes dans des catégories plus vastes, comme les genres musicaux. Regrouper les espèces semblables est une démarche naturelle pour nous. Ainsi, nous parlons d'écureuils et de papillons tout en reconnaissant que chacun de ces groupes comprend différentes espèces. Nous formons même des catégories plus vastes, comme les Rongeurs (qui comprennent les écureuils) et les Insectes (qui comprennent les papillons). La taxinomie, cette branche de la biologie qui a pour objet de nommer et de classifier les espèces, institue une organisation hiérarchique des groupes **(figure 1.14)**. Nous reviendrons sur le sujet au chapitre 25. Pour l'instant, nous nous attarderons aux règnes et aux domaines, les plus vastes catégories de ce classement.

▲ **Figure 1.13 Un modeste échantillon de la diversité biologique.** Cette photo présente une petite fraction des dizaines de milliers d'espèces qui composent la collection de papillons diurnes et nocturnes du National Museum of Natural History, à Washington.

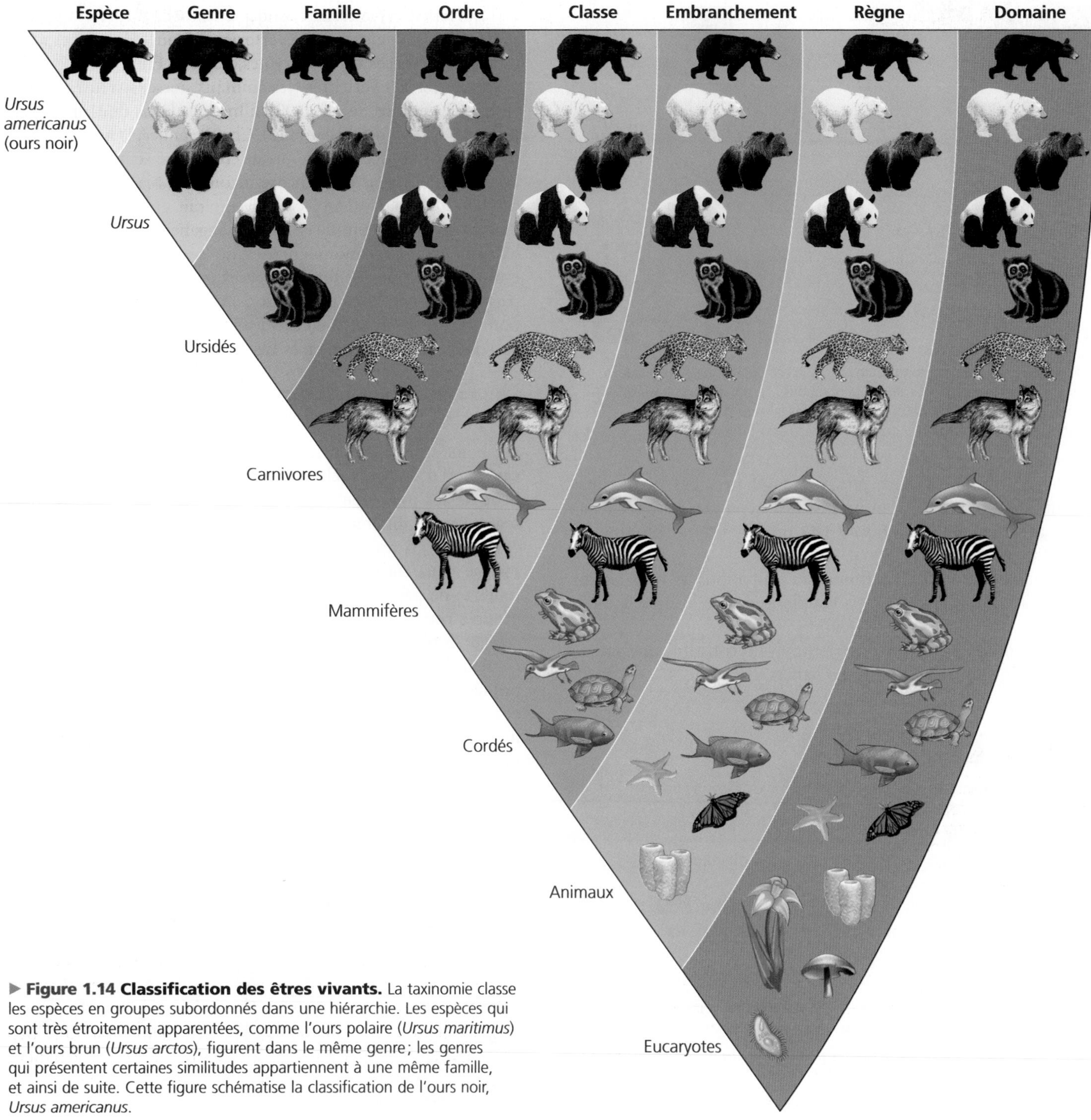

▶ **Figure 1.14 Classification des êtres vivants.** La taxinomie classe les espèces en groupes subordonnés dans une hiérarchie. Les espèces qui sont très étroitement apparentées, comme l'ours polaire (*Ursus maritimus*) et l'ours brun (*Ursus arctos*), figurent dans le même genre; les genres qui présentent certaines similitudes appartiennent à une même famille, et ainsi de suite. Cette figure schématise la classification de l'ours noir, *Ursus americanus*.

Les trois domaines du vivant

Jusqu'au milieu des années 1990, la plupart des biologistes ont utilisé une taxinomie qui divisait les organismes en cinq règnes, dont le règne animal et le règne végétal. Depuis lors, la mise au point de nouvelles méthodes, comme la comparaison des séquences d'ADN de diverses espèces, suscite une remise en question au sujet du nombre de règnes et de leurs frontières. Les chercheurs proposent des classifications variant de six à douze règnes. La question n'est pas tranchée, mais les scientifiques sont généralement d'accord pour établir une catégorie supérieure au règne: le domaine. Il existe donc trois domaines: les Bactéries, les Archéobactéries (ou Archées) et les Eucaryotes.

Le **domaine des Bactéries** et le **domaine des Archéobactéries** sont tous deux composés de Procaryotes (organismes formés de cellules procaryotes). La plupart des Procaryotes sont unicellaires et microscopiques. Dans l'ancien système à cinq règnes, les Bactéries et les Archéobactéries formaient un règne, celui des Monères, parce qu'elles avaient toutes deux une structure cellulaire procaryote. Cependant, les découvertes les plus récentes donnent à penser que les Bactéries et les Archéobactéries constituent deux groupes très distincts de Procaryotes et présentent des

Figure 1.15

Panorama Les trois domaines du vivant

DOMAINE DES BACTÉRIES

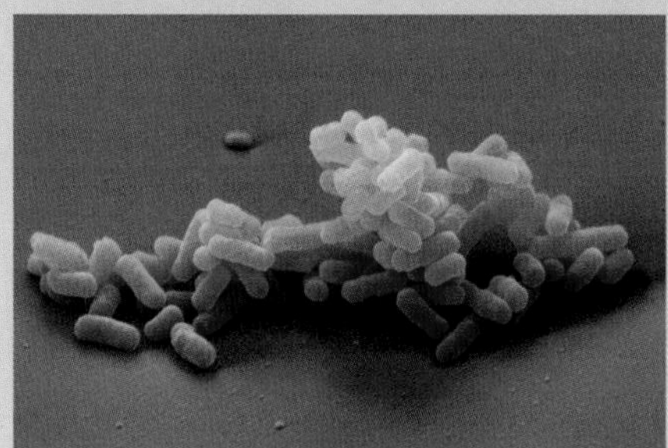

4 µm (2 700 ×)

Les membres du domaine des **Bactéries** sont les organismes procaryotes les plus diversifiés et les plus répandus. Ils sont maintenant répartis dans plusieurs règnes. Chacune des structures en bâtonnet de cette micrographie est une cellule bactérienne.

DOMAINE DES ARCHÉOBACTÉRIES

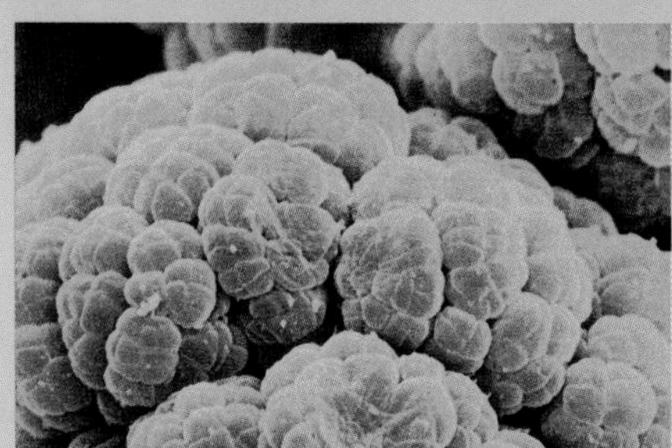

0,5 µm (16 000 ×)

La plupart des organismes procaryotes du domaine des **Archéobactéries** vivent dans des milieux extrêmes, comme les lacs salés et les sources hydrothermales. Le domaine des Archéobactéries comprend plusieurs règnes. La photo montre ici une colonie de nombreuses cellules.

DOMAINE DES EUCARYOTES

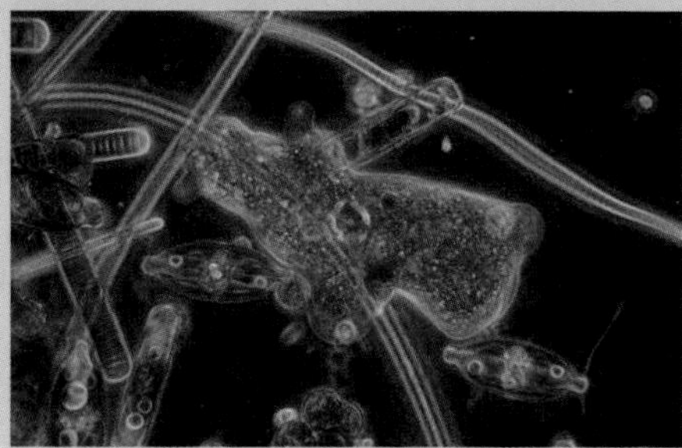

100 µm (130 ×)

Les **Protistes** (règnes multiples) comprennent les organismes eucaryotes unicellulaires et les organismes eucaryotes multicellulaires relativement simples qui leur sont apparentés. On voit ici un assortiment de protistes en suspension dans l'eau d'un étang. Actuellement, les scientifiques cherchent à diviser les Protistes en règnes de manière à bien rendre compte de leur évolution et de leur diversité.

Le règne des **Végétaux** comprend les organismes eucaryotes multicellulaires qui sont capables de photosynthèse, laquelle convertit l'énergie lumineuse en énergie chimique.

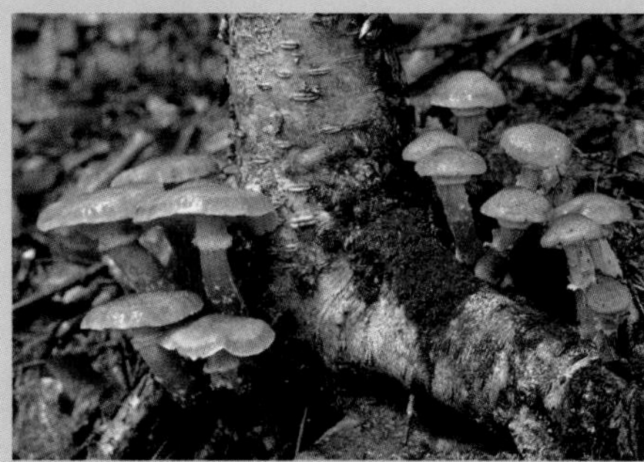

Le règne des **Eumycètes** regroupe des organismes qui, comme ces champignons, décomposent les matières organiques pour en absorber les nutriments.

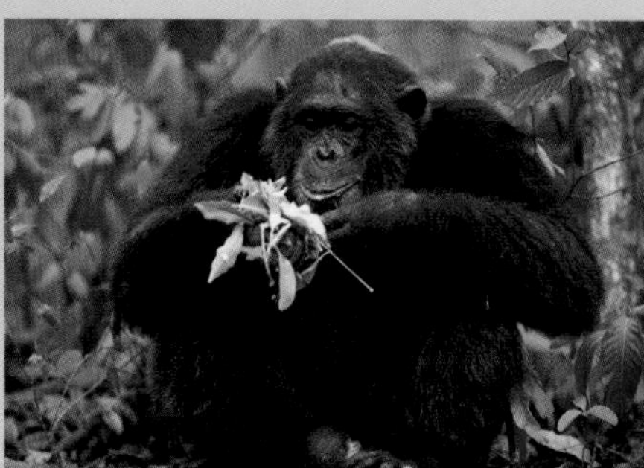

Le règne des **Animaux** est composé d'organismes eucaryotes multicellulaires qui ingèrent d'autres organismes.

différences importantes que nous verrons au chapitre 27. Les découvertes moléculaires montrent également que les Archéobactéries sont au moins tout aussi apparentées aux Eucaryotes qu'aux Bactéries.

Tous les organismes constitués de cellules de type eucaryote sont maintenant répartis dans les divers règnes du **domaine des Eucaryotes** (**figure 1.15**). À l'époque où il y avait cinq règnes, la plupart des Eucaryotes unicellulaires, y compris les microorganismes appelés Protozoaires, appartenaient à un seul règne, celui des Protistes. Nombre de biologistes élargissaient les frontières du règne des Protistes de manière à y inclure certains organismes multicellulaires, tels que les Algues marines, qui sont étroitement apparentées à certains Protistes unicellulaires. La plus récente tendance taxinomique a divisé le règne trop large des Protistes en plusieurs règnes. Outre ces règnes où sont maintenant répartis les Protistes, le domaine des Eucaryotes comprend trois autres règnes: les Végétaux, les Eumycètes et les Animaux. Ces trois règnes d'Eucaryotes multicellulaires se distinguent en partie par leur mode de nutrition. Ainsi, les Végétaux produisent eux-mêmes leur matière organique au moyen de la photosynthèse. Les Eumycètes, eux, sont pour la plupart des décomposeurs qui se procurent leurs nutriments en dégradant les organismes morts et les débris organiques, comme les feuilles mortes et les excréments. Quant aux Animaux, ils obtiennent leur nourriture par l'ingestion et la digestion de proies de toute provenance. L'humain, bien entendu, appartient au règne des Animaux.

Unité et diversité

La diversité de la vie cache une unité étonnante, surtout aux niveaux moléculaire et cellulaire de l'organisation biologique. Nous en avons déjà vu une manifestation: le langage génétique que constitue l'ADN, commun à des organismes aussi différents que les Bactéries et les Animaux. Quant à l'unité des Eucaryotes, elle s'exprime dans de nombreux détails de la structure cellulaire (**figure 1.16**).

Comment expliquer la coexistence de l'unité et de la diversité chez les organismes? C'est le processus de l'évolution, abordée dans le prochain concept, qui permet de dégager les ressemblances et les différences entre les organismes.

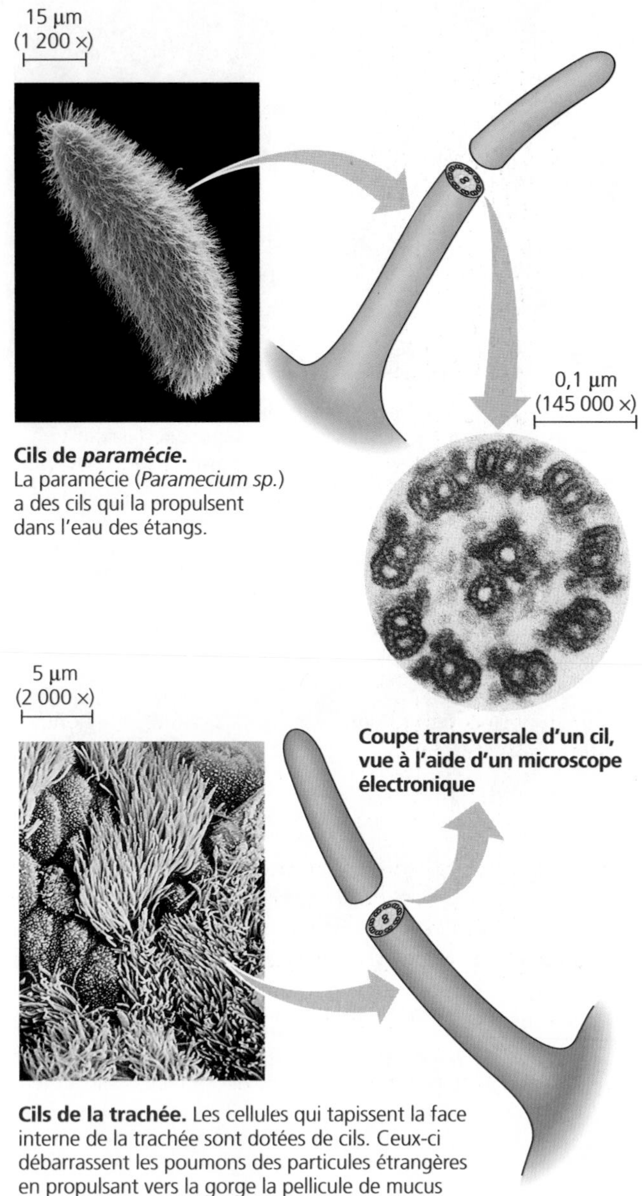

Cils de *paramécie*.
La paramécie (*Paramecium sp.*) a des cils qui la propulsent dans l'eau des étangs.

Coupe transversale d'un cil, vue à l'aide d'un microscope électronique

Cils de la trachée. Les cellules qui tapissent la face interne de la trachée sont dotées de cils. Ceux-ci débarrassent les poumons des particules étrangères en propulsant vers la gorge la pellicule de mucus dans lequel elles sont emprisonnées.

▲ **Figure 1.16 Exemple de l'unité au sein de la diversité des êtres vivants : l'architecture des cils eucaryotes.** Les cils sont des appendices locomoteurs émergeant de cellules. Des organismes eucaryotes aussi différents qu'une paramécie (un organisme unicellulaire) et un humain possèdent des cils. Même si ces deux organismes sont très différents, leurs cils possèdent une organisation structurale commune, soit un système complexe de tubules que l'on voit ici dans les coupes transversales.

Retour sur le concept 1.3

1. En quoi une adresse postale ressemble-t-elle à la taxinomie hiérarchique de la biologie?
2. Qu'est-ce qui distingue surtout les organismes du domaine des Eucaryotes de ceux des deux autres domaines?

Voir les réponses proposées à la fin du chapitre.

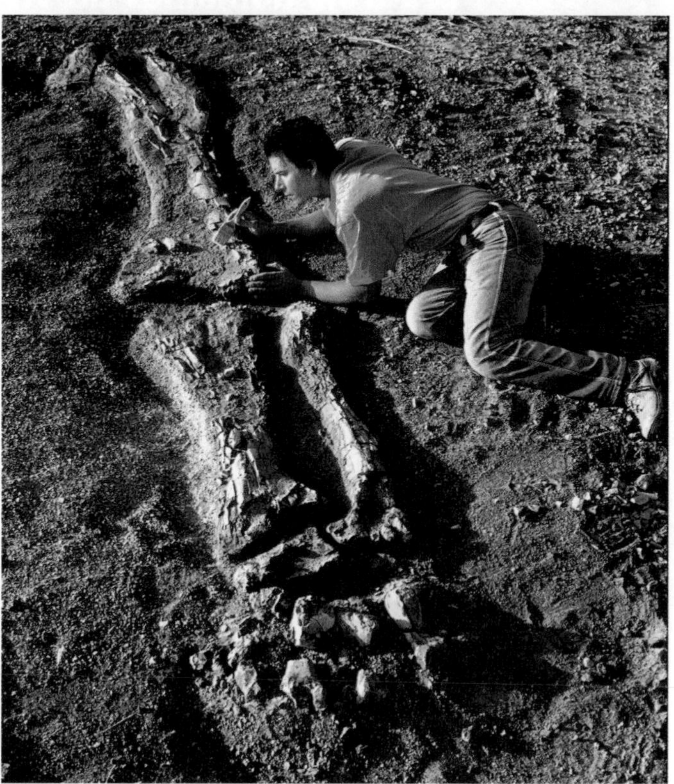

▲ **Figure 1.17 À la recherche du passé.** Le paléontologue Paul Sereno exhume précautionneusement les os d'une patte d'un fossile de dinosaure au Niger, en Afrique.

Concept 1.4

L'évolution explique l'unité et la diversité du vivant

L'histoire de la vie, telle qu'elle est révélée par les fossiles et d'autres données, s'étend sur des milliards d'années. Elle a pour toile de fond une planète en constant bouleversement, peuplée par une succession d'êtres vivants **(figure 1.17)**. Cette vision évolutive de la vie a attiré l'attention en novembre 1859, quand Charles Robert Darwin a publié un des ouvrages les plus importants et les plus controversés jamais écrits. Intitulé *De l'origine des espèces au moyen de la sélection naturelle ou la conservation des espèces dans la lutte pour la survie*, le livre de Darwin a connu un succès instantané. Le « darwinisme » est rapidement devenu synonyme du concept de l'évolution **(figure 1.18)**. (Alfred Russell Wallace, un naturaliste anglais, a élaboré la même théorie au même moment, et la première communication sur ce sujet en 1858 fut une communication conjointe de Darwin et de Wallace.)

▲ **Figure 1.18 Charles Darwin en 1859, l'année de la publication de l'*Origine des espèces*.**

▲ **Figure 1.19 Unité et diversité dans la famille des orchidées.** Ces trois orchidées vivant dans la forêt tropicale humide sont des variantes sur un même thème. Par exemple, chacune de ces fleurs a des pétales en forme de lèvres qui attirent les insectes pollinisateurs et leur offrent une surface d'appui.

Le propos de Charles Darwin dans l'*Origine des espèces* était double. D'abord, Darwin montrait de façon convaincante que les espèces contemporaines étaient l'aboutissement d'une succession d'ancêtres. (Nous présentons au chapitre 22 les preuves détaillées de l'évolution.) Darwin disait de l'évolution des espèces qu'elle correspondait à une « descendance avec modification », c'est-à-dire à une succession d'ancêtres ayant subi des transformations progressives au fil des générations. Cette explication rendait compte à la fois de l'unité et de la diversité de la vie : d'une part, on comprend que les espèces ont des caractères communs qui proviennent de leurs ancêtres communs ; d'autre part, on comprend que leurs différences résultent de modifications apparues au fur et à mesure que ces espèces se sont séparées de leurs ancêtres communs **(figure 1.19)**. Deuxièmement, Darwin exposait sa théorie sur le *mécanisme* de l'évolution, soit la sélection naturelle.

La sélection naturelle

Darwin a formulé le concept de sélection naturelle à partir d'observations qui n'étaient ni nouvelles ni très poussées. En fait, les pièces du casse-tête étaient déjà connues, mais c'est lui qui a su comment les agencer. Il a conclu à l'existence de la sélection naturelle en liant deux observations.

OBSERVATION Nº 1 : **La variation individuelle.** Dans une population donnée de n'importe quelle espèce, de nombreux caractères héréditaires varient d'un individu à l'autre.

OBSERVATION Nº 2 : **La surnatalité et la compétition.** Toute population a le potentiel de trop se reproduire, c'est-à-dire de produire un nombre de descendants supérieur au nombre qui peut survivre et se reproduire étant donné les ressources limitées du milieu. Cette surnatalité entraîne inévitablement une lutte pour la survie entre les différents membres de la population.

INFÉRENCE : **Le succès reproductif inégal.** À partir de ses observations au sujet de la variation des caractères héréditaires et de la surnatalité, Darwin a conclu que les individus possédant les caractères les mieux adaptés à leur milieu de vie engendrent généralement beaucoup plus de descendants féconds que les autres.

INFÉRENCE : **L'évolution par l'adaptation.** Le succès reproductif inégal peut adapter une population à son environnement. Au fil des générations, en effet, les caractères héréditaires qui favorisent la survie et le succès reproductif tendent à augmenter la fréquence de certains caractères héréditaires dans une population. La population est donc en constante évolution.

Ce mécanisme d'adaptation évolutive est ce que Darwin a appelé « sélection naturelle », parce que l'environnement naturel fait une « sélection » des caractères les mieux adaptés. La **figure 1.20** résume la théorie de Darwin. L'exemple de la **figure 1.21** illustre le mécanisme par lequel la sélection naturelle peut faire le « tri » dans les variations héréditaires d'une population. Les effets de la sélection naturelle sont révélés par l'adaptation parfois raffinée des organismes aux contraintes de leur environnement **(figure 1.22)**.

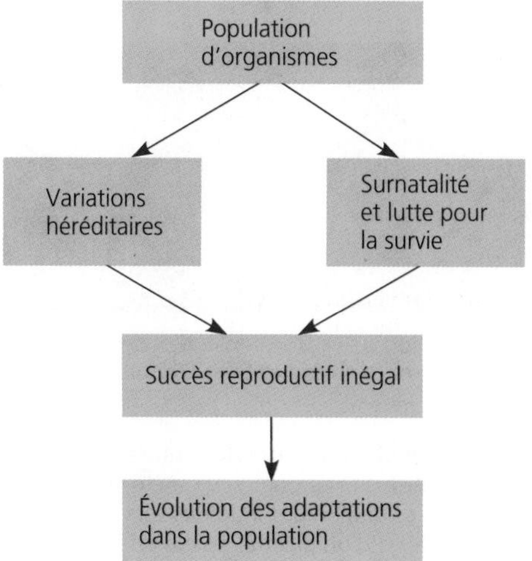

▲ **Figure 1.20 Résumé de la sélection naturelle.**

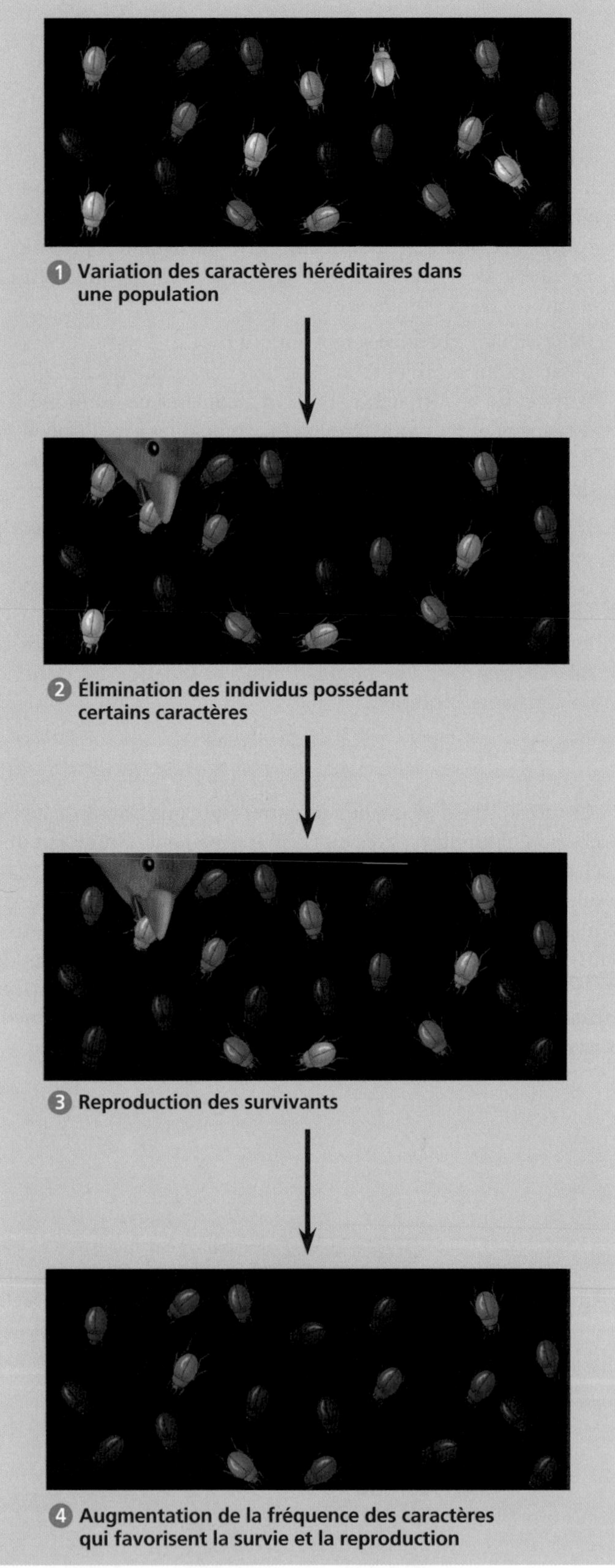

1 Variation des caractères héréditaires dans une population
2 Élimination des individus possédant certains caractères
3 Reproduction des survivants
4 Augmentation de la fréquence des caractères qui favorisent la survie et la reproduction

▲ **Figure 1.21 La sélection naturelle.** Cette population imaginaire de Coléoptères a colonisé un lieu dont le sol a été noirci par un feu de brousse. Au départ, la coloration des individus varie considérablement dans la population : elle va d'un gris très pâle à un gris très sombre. Les individus pâles sont repérés plus facilement par les oiseaux affamés qui se nourrissent de Coléoptères.

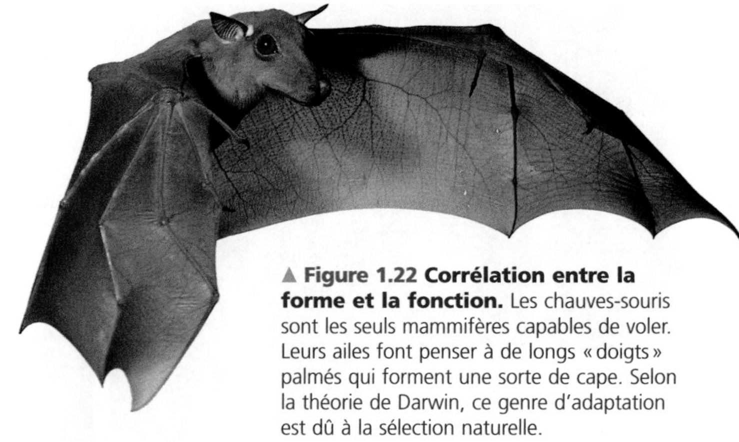

▲ **Figure 1.22 Corrélation entre la forme et la fonction.** Les chauves-souris sont les seuls mammifères capables de voler. Leurs ailes font penser à de longs « doigts » palmés qui forment une sorte de cape. Selon la théorie de Darwin, ce genre d'adaptation est dû à la sélection naturelle.

L'arbre de la vie

Examinez à nouveau l'architecture squelettique des ailes de la chauve-souris à la figure 1.22. Ses membres de devant sont adaptés au vol, mais ils possèdent les mêmes os, les mêmes articulations, les mêmes nerfs et les mêmes vaisseaux sanguins que ceux des membres d'autres espèces, comme le bras humain, la jambe avant du cheval ou la nageoire de la baleine. En fait, les membres antérieurs des mammifères sont des variations anatomiques d'une architecture commune, tout comme les fleurs de la figure 1.19 sont des variations sur le thème de l'orchidée. Ces exemples de liens de parenté relient le concept de « l'unité dans la diversité » et celui de la « descendance avec modification » de Darwin. Autrement dit, l'unité qui se dégage de l'anatomie des membres des Mammifères montre que cette structure provient d'un ancêtre commun, sorte de « prototype » de mammifère duquel tous les autres mammifères descendent et dont les membres antérieurs se sont modifiés par sélection naturelle sur des millions de générations dans différents contextes environnementaux. Les fossiles et d'autres preuves corroborent l'unité anatomique et appuient la théorie voulant que les Mammifères descendent tous d'un ancêtre commun.

Donc, Darwin expliquait que, en raison de ses effets cumulatifs au fil de nombreuses générations, la sélection naturelle pouvait permettre à une espèce ancestrale de se « scinder » en nouvelles espèces. Un tel phénomène peut se produire, par exemple, lorsqu'une même population se fragmente en plusieurs populations géographiquement isolées dans des environnements différents. Celles-ci peuvent, à mesure qu'elles s'adaptent chacune de leur côté à un environnement particulier, former des espèces distinctes.

L'« arbre généalogique » des 14 géospizes de la **figure 1.23**, à la page suivante, est un exemple bien connu de la radiation adaptative d'une espèce ancestrale en nouvelles espèces. Darwin a recueilli des spécimens de ces oiseaux lorsqu'il a visité les îles Galápagos en 1835. Cet archipel volcanique relativement jeune est situé dans l'océan Pacifique à environ 900 km des côtes de l'Amérique du Sud. Il abrite de nombreuses espèces végétales et animales qui n'existent nulle part ailleurs dans le monde, encore qu'elles soient manifestement apparentées aux espèces du continent sud-américain. Après que le volcanisme eut fait apparaître l'archipel, il y a quelques millions d'années, les géospizes se sont probablement diversifiés sur ses différentes îles à partir d'une espèce ancestrale qui s'y est posée par hasard en provenance du

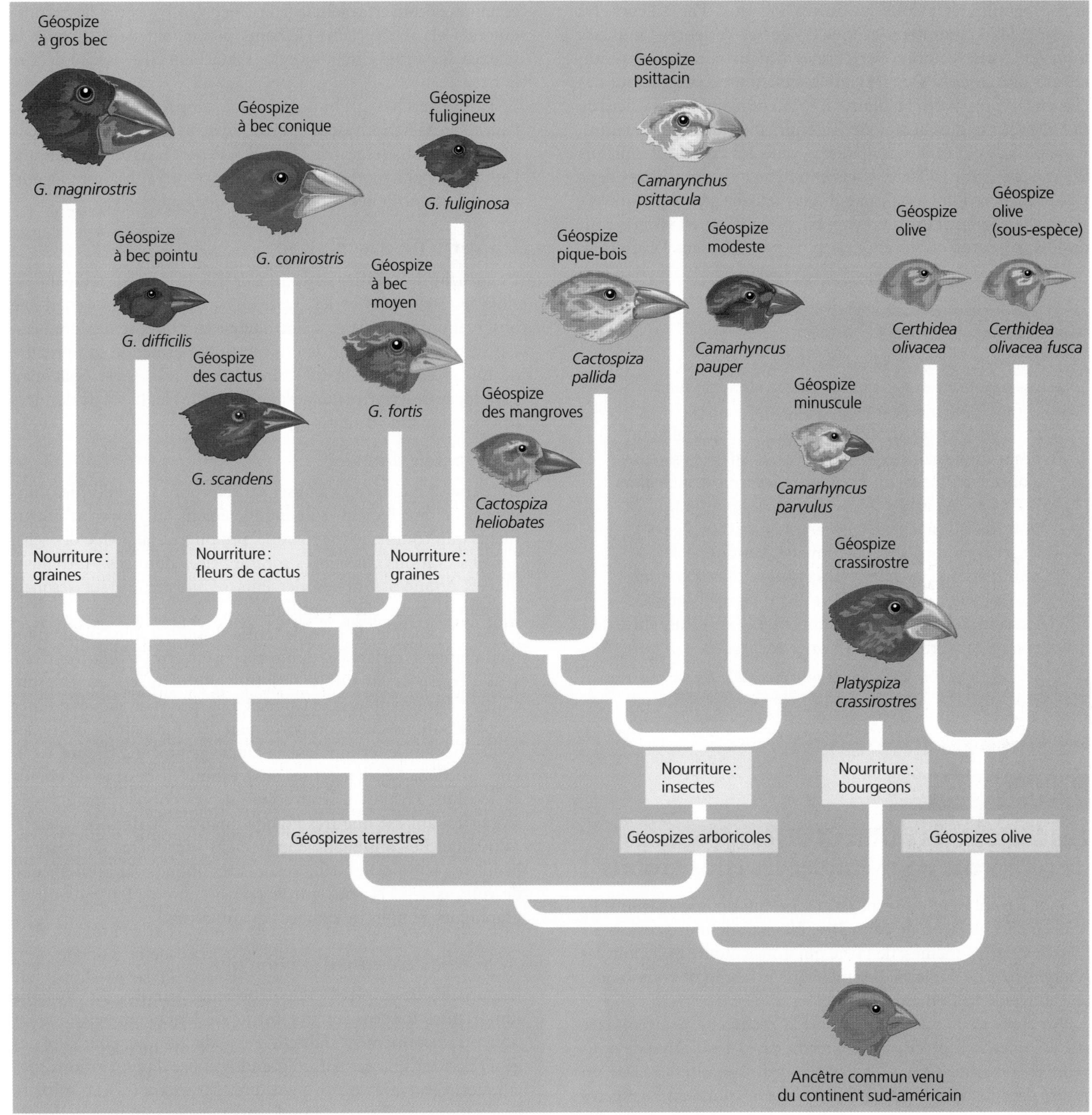

▲ **Figure 1.23 Descendance avec modification: diversification des géospizes dans les îles Galápagos.** Notez la spécialisation des becs, adaptés aux diverses sources de nourriture présentes sur les différentes îles.

continent sud-américain. Des années après la visite de Darwin aux îles Galápagos, des chercheurs ont commencé à étudier l'apparentement entre les différentes espèces de géospizes, d'abord à partir de données anatomiques et géographiques, puis plus récemment à partir de la comparaison des séquences d'ADN.

Les diagrammes que les biologistes créent pour représenter l'évolution ont souvent la forme d'un arbre, et on peut facilement comprendre pourquoi. Tout comme une personne possède une histoire familiale qu'on peut représenter par un arbre généalogique, chaque espèce occupe l'extrémité d'une branche d'un arbre généalogique. En parcourant les ramifications, on remonte jusqu'aux espèces ancestrales. Les espèces très semblables, comme les géospizes des îles Galápagos, descendent d'un ancêtre commun occupant une fourche relativement récente de l'arbre généalogique. En remontant plus loin dans le temps, toutefois, on s'aperçoit que les géospizes sont apparentés aux pinsons, aux faucons, aux pingouins et à tous les autres Oiseaux. Par ailleurs, les Oiseaux, les Mammifères et tous les autres Vertébrés (animaux pourvus d'une colonne vertébrale) ont un ancêtre commun encore plus ancien. Des ressemblances comme la structure des cils eucaryotes (voir la figure 1.16) témoignent d'un lien de parenté encore plus archaïque. Toujours plus loin dans le temps, il y a plus de 3,5 milliards d'années, seuls les Procaryotes primitifs existaient sur la Terre. Nous en retrouvons des vestiges dans nos propres cellules, notamment dans le code génétique universel (à de très rares exceptions près). Tous les êtres vivants sont donc apparentés, et l'essence de ce lien réside dans l'évolution.

Retour sur le concept 1.4

1. Expliquez pourquoi l'expression *faire le tri* est préférable au mot *créer* lorsqu'on veut expliquer comment le mécanisme de sélection naturelle détermine la variation héréditaire d'une population.
2. Les trois domaines que vous avez vus dans la section Concept 1.3 peuvent représenter les trois principales branches de l'arbre de l'évolution. Trois des ramifications de la branche des Eucaryotes sont les règnes Végétaux, Eumycètes et Animaux. Les données montrent que les Eumycètes et les Animaux sont plus étroitement apparentés entre eux qu'aux Végétaux. Dessinez un diagramme arborescent simple qui illustre la relation entre ces trois règnes eucaryotes.

Voir les réponses proposées à la fin du chapitre.

Concept 1.5

Les biologistes utilisent divers processus de recherche pour étudier les êtres vivants

Le mot *science* vient du verbe latin *scire*, qui signifie « savoir ». La science est une façon de connaître. Elle naît de notre curiosité à l'égard de nous-mêmes, de la vie qui nous entoure et de tous les phénomènes de l'univers. Il semble que le besoin de comprendre soit inhérent à l'humain.

Au cœur de la science se trouve la **recherche**. Souvent axée sur des questions précises, la recherche vise l'acquisition de nouvelles connaissances. C'est la soif de connaître qui a poussé Darwin à aller dans la nature pour chercher à savoir comment les espèces s'adaptaient à leur environnement. Et c'est également la soif de connaître qui incite les scientifiques d'aujourd'hui à analyser le génome humain pour mieux comprendre l'unité et la diversité qui existent au niveau moléculaire. En fait, la curiosité est le moteur de tous les progrès en biologie.

Il n'existe aucune formule magique pour faire de la recherche scientifique, aucune méthode unique, aucune règle que les chercheurs suivent à la lettre. Comme dans toute quête, la science est un mélange de défi, d'aventure et de surprise, auquel on ajoute divers ingrédients : planification soignée, raisonnement, créativité, coopération, concurrence, patience et persévérance malgré les insuccès. Ce mélange plutôt hétérogène fait que la science est beaucoup moins structurée qu'on ne le croit généralement et que certaines découvertes sont le fruit d'heureux concours de circonstances. Cela dit, certains éléments permettent de distinguer la science des autres disciplines qui s'attachent elles aussi à décrire la nature.

La recherche en biologie peut emprunter deux voies : l'approche descriptive et l'approche par hypothèses. L'approche descriptive consiste principalement à *décrire* la nature, tandis que l'approche par hypothèses s'applique surtout à l'*expliquer*. La plupart des scientifiques conjuguent les deux approches.

L'approche descriptive

L'**approche descriptive** s'attache à décrire le plus exactement possible les structures et les processus naturels au moyen d'une observation attentive et d'une analyse minutieuse des données. Par exemple, l'approche descriptive nous permet de comprendre de mieux en mieux la structure de la cellule. C'est également l'approche descriptive qui permet d'enrichir les bases de données sur le génome de diverses espèces.

Les types de données

L'observation consiste à utiliser ses sens pour recueillir des données, soit directement, soit indirectement au moyen d'instruments qui, comme le microscope, prolongent la portée des sens. Les observations consignées sont appelées **données.** Autrement dit, les données sont les éléments d'information sur lesquels s'appuie la recherche scientifique.

Pour beaucoup de gens, le terme *données* a une connotation quantitative. Pourtant, les données peuvent être *qualitatives*, c'est-à-dire consister en une description plutôt qu'en une mesure chiffrée. Par exemple, Jane Goodall a passé des décennies à noter ses observations sur le comportement des chimpanzés lors de ses recherches sur le terrain dans la jungle gambienne **(figure 1.24)**. Elle enrichissait également ses observations de dessins, de photos et de films. En plus d'avoir accumulé ces données qualitatives, Goodall a amassé une très grande quantité de données *quantitatives*, qu'elle consignait généralement sous forme de mesures. Feuilletez n'importe quelle revue scientifique à la bibliothèque de votre collège, et vous y trouverez nombre de tableaux ou de graphiques remplis de données quantitatives.

Approche descriptive et induction

L'approche descriptive peut déboucher sur des conclusions importantes fondées sur une forme de logique appelée induction, ou **raisonnement inductif**. Par induction, on peut faire des généralisations basées sur un grand nombre d'observations spécifiques. C'est ainsi qu'on peut dire, par exemple, « Le soleil se lève toujours à l'Est » et « Tous les organismes sont formés de cellules ». Pour formuler cette dernière généralisation qui fait aujourd'hui partie de la théorie cellulaire, il a fallu deux siècles pendant lesquels des biologistes ont observé au microscope des cellules de divers spécimens d'organismes. Les observations minutieuses qu'exige l'approche descriptive, de même que l'analyse rigoureuse des données et les généralisations inductives auxquelles cette analyse mène parfois, sont essentielles à notre compréhension de la nature.

L'approche par hypothèses

L'approche descriptive procède par observations et inductions. Ces dernières soulèvent, chez les esprits curieux, des questions

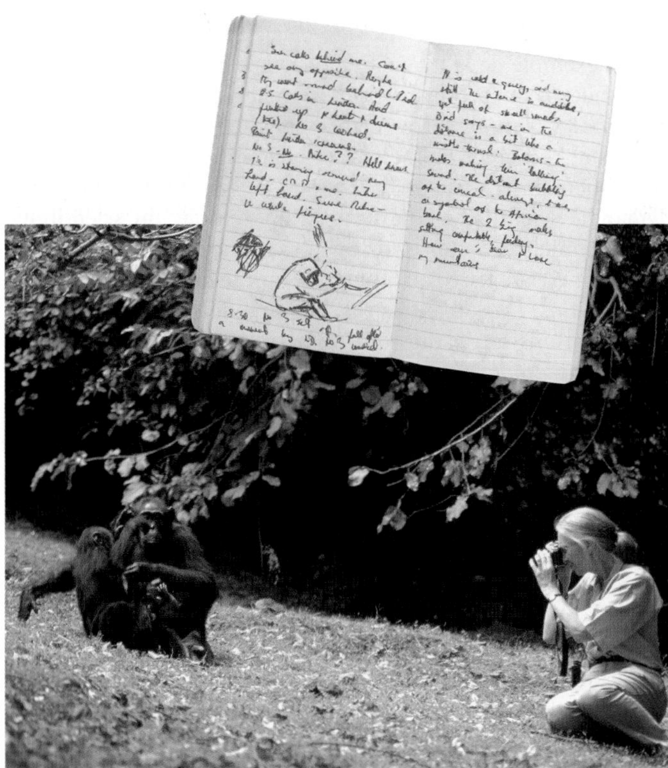

▲ **Figure 1.24 Jane Goodall en train de recueillir des données sur le comportement des chimpanzés.** Goodall recueillait ses observations dans des cahiers réservés à son travail sur le terrain. Elle y esquissait également des dessins représentant le comportement de ces animaux.

concernant leurs causes naturelles. Qu'est-ce qui a *causé* la diversification des géospizes des Galápagos? Qu'est-ce qui *explique* que les racines d'un semis poussent vers le sol alors que la future feuille pousse vers le ciel? Qu'est-ce qui *explique* la généralisation qui dit que le soleil se lève toujours à l'Est? En science, ce genre de questions suppose habituellement la formulation d'hypothèses et leur vérification.

Le rôle des hypothèses dans la recherche

Une **hypothèse** scientifique est la réponse provisoire à une question bien précise, une explication qu'on doit vérifier. Elle consiste habituellement en un postulat bien fondé, basé sur l'expérience passée et sur les données fournies par l'approche descriptive. Une hypothèse scientifique fait des prédictions qu'on peut vérifier en consignant d'autres observations ou en réalisant des expériences.

Nous formulons tous des hypothèses pour résoudre les problèmes que nous éprouvons dans la vie de tous les jours. Supposez, par exemple, que vous passez une nuit en camping et que votre lampe de poche s'éteint. Voilà pour l'observation. La question qui se pose, évidemment, est la suivante: pourquoi la lampe de poche ne fonctionne-t-elle plus? En vous fondant sur votre expérience, vous émettez deux hypothèses plausibles: (1) les piles sont à plat; (2) l'ampoule est grillée. Chacune de ces hypothèses fait une prédiction que vous pouvez vérifier au moyen d'une expérience. Par exemple, l'hypothèse des piles à plat prédit que le remplacement des piles corrigera le problème. La **figure 1.25** illustre le problème de la lampe de poche. Évidemment, nous prenons rarement le temps de disséquer ainsi les opérations de notre pensée lorsque nous voulons résoudre un problème qui suppose

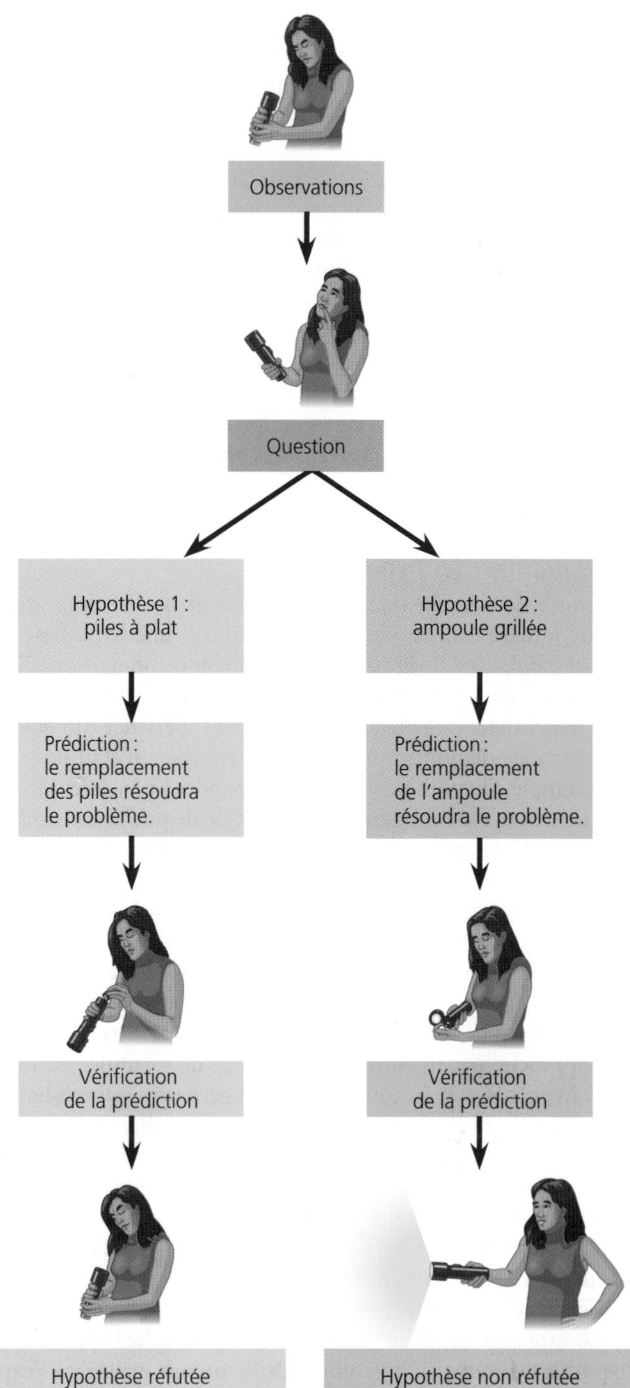

▲ **Figure 1.25 Exemple de raisonnement dans l'approche par hypothèses.**

des hypothèses, des prédictions et des expériences. Cependant, l'approche par hypothèses vient de la tendance naturelle de l'humain à résoudre des problèmes par tâtonnements.

Déduction: la logique du «Si…, alors» de l'approche par hypothèses

L'approche par hypothèses comporte un type de raisonnement qu'on qualifie de *déductif.* La déduction s'oppose à l'induction. Rappelez-vous que cette dernière consiste à formuler une conclusion générale à partir d'une série d'observations particulières.

Dans le **raisonnement déductif**, c'est l'inverse, c'est-à-dire que le raisonnement va du général au particulier. On pose des prémisses générales, puis on extrapole les résultats particuliers qui devraient se produire si elles sont vraies. Par exemple, si tous les organismes se composent de cellules (prémisse n° 1) et que les humains sont des organismes (prémisse n° 2), alors les humains se composent de cellules (prédiction déductive concernant un cas particulier).

Dans l'approche par hypothèses, la déduction consiste habituellement à prévoir les résultats auxquels des expériences ou des observations devraient aboutir si l'hypothèse émise (soit la prémisse) est vraie. On vérifie ensuite celle-ci en menant une expérience pour voir si oui ou non on obtient les résultats attendus. Cette vérification déductive fait appel à la formulation logique « Si…, alors ». Dans le cas de la lampe de poche, la formulation serait la suivante: *Si* l'hypothèse des piles à plat est correcte et que l'on remplace les vieilles piles par de nouvelles piles, *alors* la lampe de poche devrait fonctionner.

Gros plan sur les hypothèses

L'exemple de la lampe de poche illustre deux qualités importantes des hypothèses scientifiques. Premièrement, une hypothèse doit être *vérifiable*, c'est-à-dire qu'on doit pouvoir démontrer sa validité. Deuxièmement, une hypothèse doit être *réfutable*, c'est-à-dire qu'il doit exister une observation ou une expérience qui *pourrait* permettre de démontrer l'inverse si l'hypothèse n'était *pas* vraie. Par exemple, l'hypothèse voulant que les piles à plat soient la *seule* cause du non-fonctionnement de la lampe de poche pourrait être réfutée par le remplacement des vieilles piles par de nouvelles piles. Maintenant, essayez de trouver une façon de réfuter l'hypothèse voulant que ce soit un fantôme qui cause le non-fonctionnement de la lampe de poche. Le remplacement de l'ampoule grillée par une ampoule neuve permet-il de réfuter l'hypothèse du fantôme? Pas si le fantôme continue de faire des siennes…

L'exemple de la lampe de poche illustre un autre élément clé de l'approche par hypothèses. L'idéal est de formuler au moins deux hypothèses et de concevoir des expériences qui réfutent ces tentatives d'explication. En plus des deux explications vérifiées dans la figure 1.25, une des nombreuses autres hypothèses possibles est que les piles *et* l'ampoule ne marchent plus. Que prédit cette hypothèse au sujet du résultat des expériences de la figure 1.25? Quelle autre expérience pourriez-vous concevoir pour vérifier l'hypothèse de la cause multiple?

Examinons encore l'exemple de la lampe de poche pour apprendre un autre élément important au sujet de l'approche par hypothèses. Même si l'hypothèse de l'ampoule grillée est l'explication la plus plausible, remarquez que l'étape de la vérification appuie l'hypothèse *non pas* en prouvant qu'elle est correcte, mais en ne l'éliminant pas par réfutation. En d'autres termes, même si les résultats d'une expérience semblent confirmer une hypothèse (dans ce cas-ci, celle de l'ampoule grillée), cette hypothèse n'est pas pour autant prouvée hors de tout doute. L'ampoule était peut-être mal vissée, et on aura simplement inséré la nouvelle ampoule correctement. On pourrait essayer de réfuter l'hypothèse de l'ampoule grillée en tentant une autre expérience, qui consisterait à retirer l'ampoule pour la remettre correctement. Cependant, aucune expérience ne peut *prouver* une hypothèse au-delà de tout doute, car il est impossible de vérifier toutes les hypothèses possibles. Une hypothèse devient crédible parce qu'elle résiste aux différentes tentatives de réfutation et que les expériences éliminent (réfutent) les autres hypothèses.

Le mythe d'une démarche scientifique unique

Dans l'exemple de la lampe de poche à la figure 1.25, les étapes sont celles d'un processus de recherche idéalisé qu'on appelle *démarche scientifique*. Ces étapes sous-tendent la plupart des articles de recherche publiés par des scientifiques, mais rarement de manière aussi structurée. Très peu de scientifiques suivent la démarche scientifique à la lettre. Par exemple, un scientifique peut commencer à concevoir une expérience et ensuite faire un retour en arrière parce qu'il se rend compte qu'il lui manque des observations. Dans d'autres cas, l'équipe de chercheurs dispose d'observations intrigantes qui ne permettront de formuler des questions bien définies que dans le contexte nouveau d'un autre projet de recherche. Par exemple, Darwin a recueilli des spécimens de géospizes des îles Galápagos, mais plusieurs années s'écoulèrent, pendant lesquelles l'idée de la sélection naturelle prenait forme, avant que les biologistes ne commencent à poser des questions clés sur l'histoire de ces oiseaux.

De plus, les scientifiques doivent parfois réorienter leur recherche lorsqu'ils se rendent compte qu'ils font fausse route. Par exemple, au début du XXe siècle, plusieurs travaux de recherche sur la schizophrénie et le trouble bipolaire (alors appelé psychose maniacodépressive) ont piétiné parce que les scientifiques essayaient de répondre à une question au départ erronée, à savoir comment les expériences de vie causaient ces graves maladies mentales. La recherche sur les causes et les traitements de ces maladies a commencé à porter ses fruits lorsque les chercheurs se sont demandé comment certains déséquilibres chimiques du cerveau entraînaient la maladie mentale. Évidemment, ces piétinements de la recherche ressortent davantage avec le recul du temps.

Il existe une autre raison qui explique pourquoi la science n'a pas à se conformer à une méthode rigide: l'approche descriptive a considérablement contribué à notre compréhension de la nature, et ce en l'absence de la plupart des étapes de la soi-disant démarche scientifique.

Il est important que vous constatiez par vous-même l'efficacité de la démarche scientifique, en l'appliquant dans les expériences de laboratoire de votre cours de biologie, par exemple. Mais il est tout aussi important de ne pas considérer la science comme indissociable de la démarche scientifique.

Étude de cas: le mimétisme chez les serpents

Maintenant que nous avons dégagé les principaux éléments de l'approche descriptive et de l'approche par hypothèses, vous devriez être capable de les reconnaître dans une étude de cas réelle.

Pour commencer, considérons un ensemble d'observations et de généralisations généré par l'approche descriptive. Un grand nombre d'animaux venimeux sont de couleur vive, et plusieurs d'entre eux portent aussi des motifs distinctifs qui ressortent beaucoup. Cette apparence voyante est appelée « coloration d'avertissement » parce qu'on croit qu'elle prévient les prédateurs potentiels de leur dangerosité. Il existe également des animaux capables de *mimétisme*, c'est-à-dire qui prennent l'allure d'une espèce venimeuse alors qu'ils sont relativement inoffensifs. Prenons l'exemple du syrphe, un insecte non piqueur qui se rend semblable à une abeille domestique piqueuse **(figure 1.26)**.

À quoi sert le mimétisme? Quel avantage confère-t-il aux « imposteurs »? En 1862, le scientifique anglais Henry Bates a formulé l'hypothèse plausible selon laquelle les espèces animales qui possèdent cette propriété (le syrphe, par exemple) en tirent

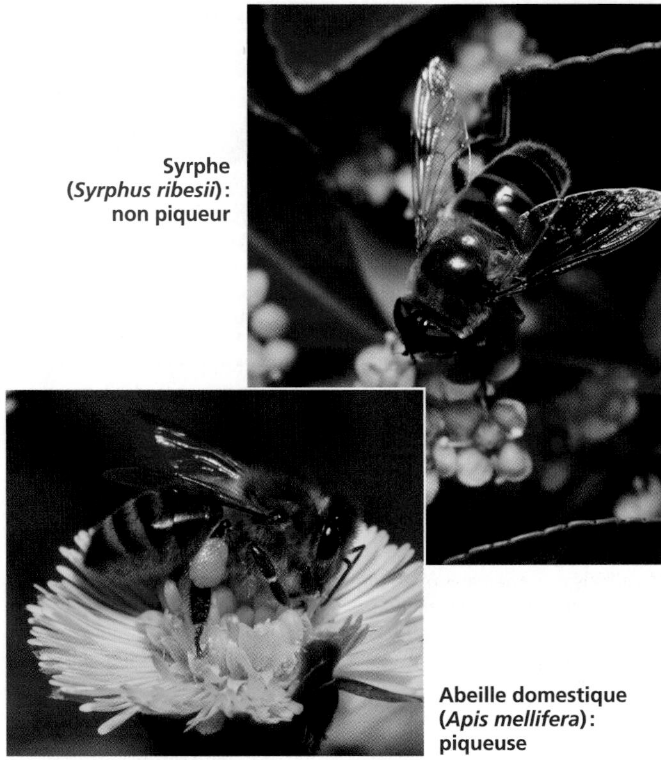

▲ **Figure 1.26 Abeille domestique piqueuse et son imitateur non piqueur, le syrphe.**

avantage parce que leurs prédateurs les confondent avec l'espèce dangereuse. Autrement dit, le mimétisme pourrait être une adaptation qui provient du fait que les « imposteurs » risquent moins de se faire manger. Cette hypothèse s'avérait relativement difficile à vérifier, en particulier par des expériences sur le terrain. En 2001, cependant, les biologistes David et Karin Pfennig, en collaboration avec un étudiant de la University of North Carolina, William Harcombe, ont conçu une série d'expériences simples mais ingénieuses pour vérifier l'hypothèse de Bates au sujet du mimétisme.

L'équipe a étudié un cas de mimétisme observé chez les serpents qui vivent en Caroline du Nord et en Caroline du Sud. Un serpent venimeux appelé serpent-arlequin a recours à la coloration d'avertissement : il se pare de rayures rouges, jaunes et noires très voyantes. Les prédateurs attaquent rarement les serpents portant de telles couleurs. Il est peu probable que les prédateurs *apprennent* ce comportement d'évitement puisqu'une première attaque par le serpent-arlequin est habituellement fatale. La sélection naturelle a peut-être accru la fréquence des prédateurs qui ont hérité de la capacité instinctive de reconnaître et d'éviter la coloration d'avertissement du serpent-arlequin.

Un serpent non venimeux appelé couleuvre tachetée imite la coloration du serpent-arlequin. Les deux espèces vivent dans la région de la Caroline du Nord et du Sud, mais l'aire de distribution géographique de la couleuvre tachetée s'étend plus loin, au nord et à l'ouest de cette région, dans des zones où l'on ne trouve aucun serpent-arlequin **(figure 1.27)**.

L'aire de distribution géographique du serpent-arlequin permet de vérifier la principale prédiction de l'hypothèse de Bates. Le mimétisme devrait contribuer à protéger la couleuvre tachetée contre les prédateurs, mais *seulement* dans les régions où le serpent-arlequin vit également. L'hypothèse de Bates prédit que les prédateurs des régions dépourvues de serpents-arlequins attaqueront les couleuvres tachetées plus fréquemment que les prédateurs des régions abritant des serpents-arlequins.

Expérience sur le terrain avec des serpents artificiels

Pour vérifier l'hypothèse de Bates, Harcombe a confectionné des centaines de faux serpents avec du fil de fer et de la pâte à modeler. Il en a fabriqué de deux sortes : un *groupe expérimental* doté des rayures tricolores caractéristiques de la couleuvre tachetée ; et un *groupe témoin* de couleur brune pour comparer.

Les chercheurs ont éparpillé en nombres égaux les deux types de serpents artificiels dans divers emplacements en Caroline du Nord et du Sud, y compris dans la région dépourvue de serpents-arlequins (voir la figure 1.27). Après quatre semaines, les

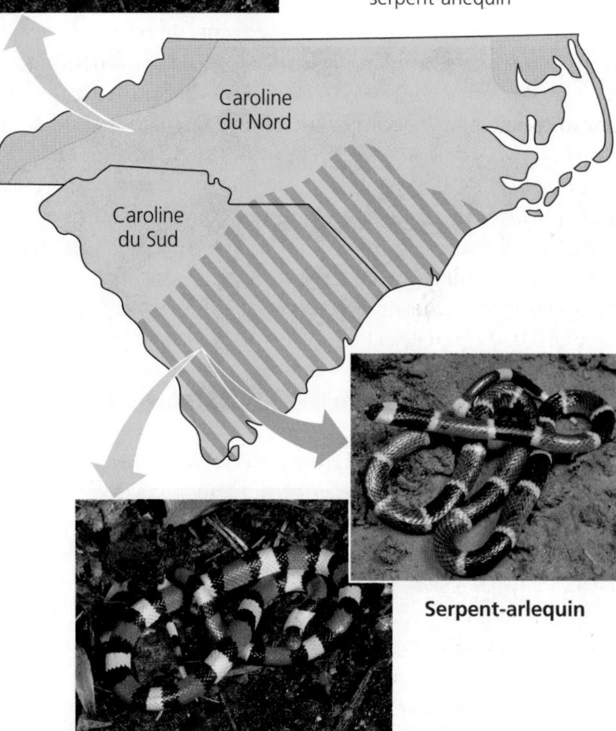

▲ **Figure 1.27 Aires de distribution géographique des serpents-arlequins et des couleuvres tachetées de la Caroline.** La couleuvre tachetée (*Lampropeltis triangulum*) imite la coloration d'avertissement du serpent-arlequin venimeux (*Micrurus fulvius*). Bien que ces deux espèces de serpent cohabitent dans plusieurs régions de la Caroline du Sud et du Nord, l'aire de distribution géographique de la couleuvre tachetée s'étend au nord et à l'ouest de celle du serpent-arlequin.

scientifiques ont récupéré les faux serpents et noté combien avaient été attaqués en examinant les marques de dents et de griffes. Les prédateurs les plus nombreux étaient les renards, les coyotes et les ratons-laveurs, mais des ours noirs avaient également attaqué certains des faux serpents **(figure 1.28)**.

Les résultats concordaient avec la prédiction de l'hypothèse de Bates. Comparativement aux serpents de couleur brune, les serpents tricolores s'étaient fait attaquer par les prédateurs moins souvent *seulement* dans les emplacements situés à l'intérieur de l'aire de distribution géographique des serpents-arlequins venimeux. La **figure 1.29** résume l'expérience sur le terrain. Cette figure présente également une schématisation que nous utiliserons tout au long de ce manuel pour illustrer la recherche en biologie.

Conception d'une expérience de contrôle

L'expérience sur le mimétisme du serpent illustre bien le genre d'expérience que les scientifiques doivent concevoir pour vérifier l'effet d'une variable en annulant les effets de variables non voulues, en l'occurrence le nombre de prédateurs. Ce genre d'expérience est une **expérience contrôlée**, dans laquelle un groupe expérimental (composé ici de fausses couleuvres tachetées) est comparé avec un groupe témoin (composé ici de faux serpents bruns). Idéalement, le groupe expérimental et le groupe témoin diffèrent seulement par la variable que l'expérience est censée mesurer – dans le cas qui nous occupe, l'effet de la coloration des serpents sur le comportement des prédateurs.

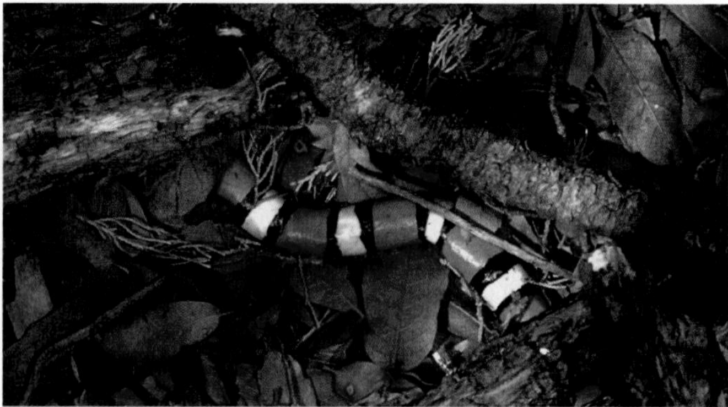

(a) Fausse couleuvre tachetée

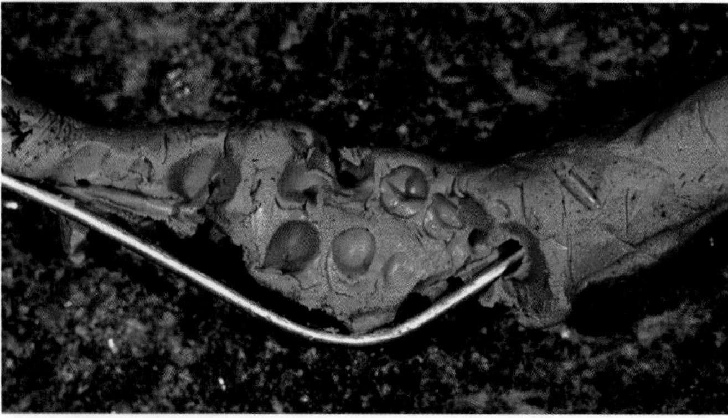

(b) Faux serpent brun qui a été attaqué

▲ **Figure 1.28 Serpents artificiels utilisés dans des expériences sur le terrain pour vérifier l'hypothèse de Bates.** On peut voir l'endroit où l'ours a mordu le faux serpent brun en (b).

Figure 1.29

Investigation La présence de serpents-arlequins venimeux modifie-t-elle le taux de prédation sur leurs « imposteurs », les couleuvres tachetées ?

EXPÉRIENCE David Pfennig et ses collègues ont fabriqué des faux serpents pour vérifier la prédiction de l'hypothèse de Bates, selon laquelle les couleuvres tachetées tirent avantage de leur imitation de la coloration d'avertissement des serpents-arlequins *seulement* dans les régions abritant des serpents-arlequins venimeux. Les X qui apparaissent sur la carte ci-dessous indiquent les endroits où les chercheurs ont mis en nombres égaux des fausses couleuvres tachetées (groupe expérimental) et des faux serpents de couleur brune (groupe témoin). Au bout de quatre semaines, les chercheurs ont récupéré les faux serpents et consigné les données sur la prédation à partir des marques de dents et de griffes sur les serpents (voir la figure 1.28).

RÉSULTATS Dans les endroits abritant des serpents-arlequins, les prédateurs ont attaqué beaucoup moins de fausses couleuvres tachetées que de faux serpents bruns. La coloration d'avertissement des « couleuvres tachetées » n'offrait pas cette protection dans les régions dépourvues de serpents-arlequins. En fait, dans ces régions, les fausses couleuvres tachetées étaient *plus* susceptibles de se faire attaquer que les faux serpents bruns, peut-être à cause de leurs couleurs très voyantes qui les empêchaient de se confondre avec l'environnement.

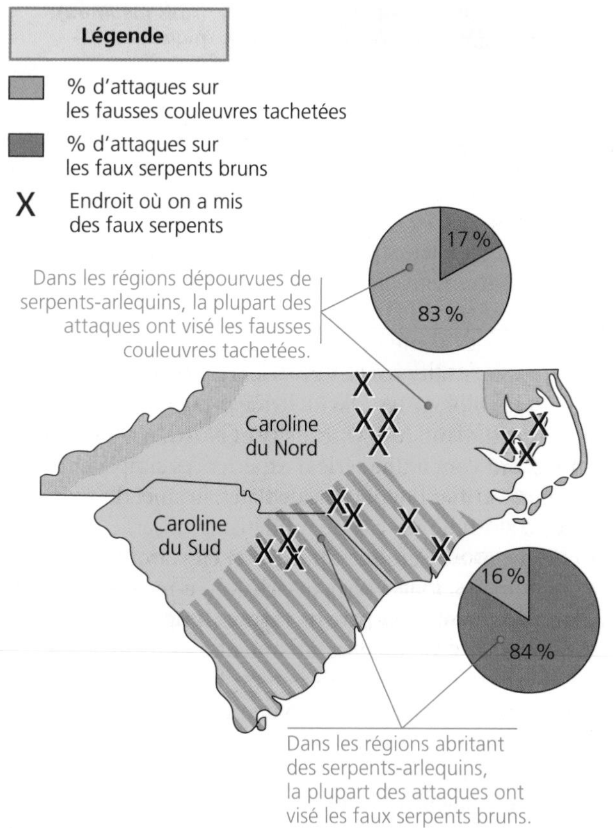

CONCLUSION Les expériences sur le terrain corroborent l'hypothèse de Bates en ne réfutant pas la principale prédiction, selon laquelle l'imitation des serpents-arlequins est efficace seulement dans les régions abritant des serpents-arlequins. Les expériences ont également testé une autre hypothèse, celle voulant que les prédateurs évitent habituellement tous les serpents aux rayures vivement colorées, qu'il s'agisse de serpents venimeux ou non. Cette hypothèse est réfutée par les données qui montrent que les rayures vivement colorées n'ont pas repoussé les prédateurs (elles semblent au contraire les avoir attirés) dans les régions dépourvues de serpents-arlequins.

Que serait-il arrivé si les chercheurs n'avaient pas contrôlé leur expérience ? Sans comparaison avec un groupe témoin (les faux serpents bruns), le nombre d'attaques sur les fausses couleuvres tachetées dans les différentes régions géographiques ne nous révélerait rien au sujet de l'effet de la coloration des serpents sur le comportement des prédateurs dans différents emplacements. Par exemple, on pourrait avancer que moins de prédateurs ont attaqué les fausses couleuvres tachetées des emplacements est et sud simplement parce que moins de prédateurs vivent dans cette région. Ou que les prédateurs y sont moins affamés en raison de la température plus chaude. Ce sont les faux serpents bruns qui ont permis aux scientifiques d'écarter des variables comme la densité de prédateurs et la température, car ces facteurs auraient eu les mêmes effets sur le groupe témoin et le groupe expérimental. Pourtant, les prédateurs des emplacements est et sud ont attaqué plus de faux serpents bruns que de fausses couleuvres tachetées. Grâce à une méthodologie expérimentale ingénieuse, seule la coloration peut expliquer le plus faible taux de prédation envers les fausses couleuvres tachetées placées dans l'aire de distribution géographique des serpents-arlequins. Ce n'était pas le nombre absolu d'attaques sur les fausses couleuvres tachetées qui comptait, mais la différence entre ce nombre et le nombre d'attaques sur les faux serpents bruns.

Contrairement à ce qu'on croit parfois, le terme *expérience contrôlée* ne signifie pas que les scientifiques contrôlent l'environnement expérimental pour maintenir constantes toutes les variables à l'exception de celle qu'ils sont censés mesurer. De toute façon, cela est impossible dans la recherche sur le terrain et irréaliste même dans l'environnement hautement contrôlé d'un laboratoire. Les chercheurs « contrôlent » les variables non désirées non pas en les *éliminant* par contrôle de l'environnement, mais en *annulant* leurs effets au moyen de groupes témoins.

Les limites de la science

La recherche scientifique représente un moyen très efficace de mieux comprendre la nature, mais elle ne peut pas répondre à toutes les questions. Les limites qu'elle rencontre sont inhérentes aux deux exigences de la science : (1) les hypothèses formulées doivent être vérifiables et réfutables ; (2) les observations et les expériences doivent être reproductibles.

Les observations non vérifiables peuvent être intéressantes ou même fascinantes, mais elles ne comptent pas quand il est question de recherche scientifique. Les manchettes de certains tabloïdes peuvent bien faire croire que des humains naissent parfois avec une tête de chien ou que certains de vos camarades de classe sont des extraterrestres, ces observations ne seront jamais convaincantes malgré les « témoignages » et les photos truquées qui nous sont présentés. En science, une preuve engendrée par des observations et des expériences n'est concluante que si elle respecte la condition de reproductibilité. Les scientifiques qui ont travaillé sur le mimétisme des serpents de la Caroline du Nord et du Sud ont obtenu des données similaires lorsqu'ils ont refait leur expérience avec d'autres espèces de serpents-arlequins et de couleuvres tachetées en Arizona. Et *vous* devriez également pouvoir obtenir des résultats similaires si vous décidiez de reproduire leur expérience.

En fin de compte, la science n'a de limite que son naturalisme : elle cherche les causes naturelles de phénomènes naturels. La science ne peut ni prouver ni nier que les anges, les fantômes, les divinités, les bons et les mauvais esprits causent les tempêtes, les arcs-en-ciel, les maladies et les guérisons, car de telles explications ne sont pas de son ressort.

Les théories scientifiques

« Ce n'est qu'une théorie ! » Dans le langage courant, le mot *théorie* désigne souvent une spéculation ou une hypothèse. Dans le langage scientifique, cependant, le mot *théorie* a une connotation très différente. Qu'est-ce qu'une théorie scientifique ? Quelle est la différence entre une théorie et une hypothèse ?

Premièrement, la portée d'une **théorie** scientifique est beaucoup plus vaste que la portée d'une hypothèse. Voici un exemple d'hypothèse : « Le mimétisme des serpents venimeux est une adaptation qui protège les serpents non venimeux contre les prédateurs. » Et voici un exemple de théorie : « Les adaptations évolutives apparaissent par sélection naturelle. » La théorie de Darwin sur la sélection naturelle explique l'immense diversité des adaptations, dont le mimétisme.

Deuxièmement, une théorie diffère d'une hypothèse en ce qu'elle est suffisamment générale pour couvrir plusieurs hypothèses nouvelles qui peuvent être vérifiées. Par exemple, la théorie de la sélection naturelle a incité Peter et Rosemary Grant, de la Princeton University, à vérifier l'hypothèse spécifique selon laquelle les becs des géospizes des îles Galápagos évoluent en fonction du type de nourriture disponible.

Troisièmement, comparativement à une hypothèse, une théorie repose habituellement sur une multitude de données probantes. Les théories scientifiques qui sont universellement acceptées (comme la théorie de la sélection naturelle) s'appuient sur une longue série d'observations et sur une accumulation importante de preuves. En fait, les théories générales sont mises à l'épreuve chaque fois qu'on vérifie les hypothèses réfutables qu'elles génèrent. Quand une théorie a subi l'épreuve du temps et a été vérifiée sous tous ses angles, elle peut passer à un échelon supérieur et devenir principe (voir le principe de Gause au chapitre 53) ou loi (voir les lois de Mendel au chapitre 14).

Malgré l'ensemble de preuves qui étaye une théorie universellement reconnue, les scientifiques doivent parfois modifier ou même rejeter une théorie lorsque de nouvelles méthodes de recherche produisent des résultats qui ne concordent pas avec cette théorie. Par exemple, la théorie de la diversité biologique selon laquelle il y avait cinq règnes a commencé à battre de l'aile quand de nouvelles méthodes pour comparer les cellules et les molécules ont permis de vérifier certaines des relations hypothétiques entre les organismes, relations qu'avançait cette théorie. S'il existe une vérité en science, elle repose sur la prépondérance des preuves.

Les modèles scientifiques

Dans votre cours de biologie de cette année, il se peut que vous travailliez avec des modèles. Pour décrire la division cellulaire, par exemple, on vous demandera peut-être de créer un modèle avec des cure-pipes ou d'autres objets en guise de chromosomes. Peut-être aussi vous exercerez-vous à utiliser des modèles mathématiques pour prédire la croissance d'une population bactérienne. Les scientifiques construisent souvent des modèles pour représenter concrètement des idées comme des théories ou des phénomènes naturels tels que des processus biologiques. Un **modèle** scientifique peut être un diagramme, un graphique, un

▶ **Figure 1.30 Représentation par modèle de la circulation du sang dans les quatre cavités du cœur humain.**

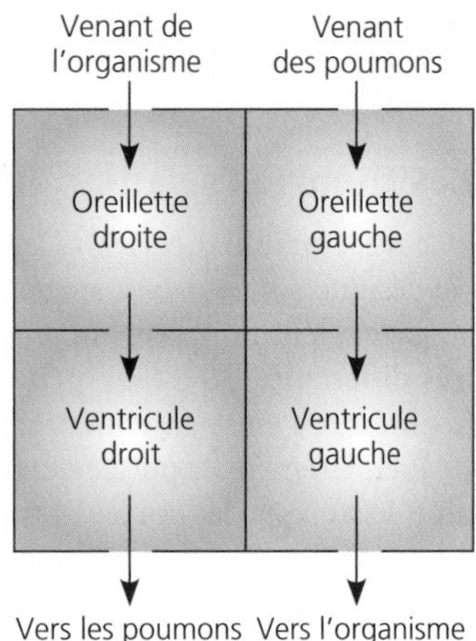

▶ **Figure 1.31 La science en tant qu'activité sociale.** Dans son laboratoire de la New York University, la biologiste-botaniste Gloria Coruzzi aide une de ses élèves à comprendre les méthodes de la biologie moléculaire.

objet tridimensionnel, un programme informatique, une équation mathématique, et ainsi de suite.

Le choix du modèle dépend de la façon dont on l'utilisera pour décrire et communiquer l'objet, l'idée ou le processus qu'il représente. Certains modèles doivent être particulièrement réalistes, d'autres sont plus utiles s'ils demeurent schématiques. Par exemple, le diagramme très simple de la **figure 1.30** ne ressemble pas du tout à un vrai cœur, mais il arrive à représenter la circulation du sang dans les différentes cavités du cœur. Si le modèle était destiné à un futur chirurgien du cœur, toutefois, il serait très différent. Quelle que soit sa forme, un modèle doit répondre à certains critères: être approprié aux données qui s'y rapportent, être capable d'accueillir de nouvelles observations, prédire avec exactitude les résultats de nouvelles expériences, clarifier et communiquer efficacement l'idée ou le processus qu'il représente.

La culture scientifique

Le cinéma, la télévision et la bande dessinée véhiculent parfois l'image du savant asocial qui travaille dans un laboratoire isolé. En réalité, la science est une pratique éminemment sociale. La plupart des scientifiques travaillent en équipe. Dans les milieux universitaires, les groupes de recherche sont souvent formés d'étudiants de tous les cycles **(figure 1.31)**. Et pour réussir en science, il faut être un bon communicateur. Les résultats d'une recherche n'ont aucun impact tant qu'ils ne sont pas diffusés à la communauté scientifique lors d'un colloque, dans une publication ou sur un site Web.

Les membres de la communauté scientifique cultivent entre eux des relations qui tiennent à la fois de la collaboration et de la concurrence. Ils scrutent les travaux de ceux qui ont choisi le même domaine de recherche qu'eux. Il leur arrive même souvent de vérifier les conclusions des autres en essayant de reproduire leurs expériences. Et quand plusieurs scientifiques travaillent sur la même question de recherche, le climat d'exaltation qui s'installe est le même que celui d'un contre-la-montre. Les membres de la communauté scientifique sont motivés par le désir « d'arriver en premier » avec une découverte importante ou une expérience clé.

Les biologistes forment une communauté qui fait partie intégrante de la société dans son ensemble. La science est indissociable de la culture contemporaine. Pour s'en convaincre, on n'a qu'à penser à la façon dont l'évolution des mentalités à l'égard des choix de carrière a contribué à l'augmentation de la présence des femmes en biologie et en sciences de la santé, présence qui a influencé certains domaines de recherche. Il y a quelques décennies, par exemple, les biologistes qui étudiaient le comportement d'accouplement des animaux se concentraient surtout sur la lutte que les mâles se livraient pour s'accoupler avec une femelle. Les travaux de recherche plus récents, cependant, mettent en relief le rôle important que les femelles jouent dans le choix d'un partenaire. Par exemple, chez plusieurs espèces d'oiseaux, les femelles préfèrent la coloration qui « annonce » la bonne santé d'un mâle, car cette coloration augmente les chances de la femelle d'avoir une progéniture en santé.

Certains philosophes des sciences avancent que les chercheurs sont tellement influencés par les valeurs culturelles et politiques que la science ne possède pas plus d'objectivité que les autres moyens de connaître la nature. À l'opposé, on trouve des gens qui parlent des théories scientifiques comme s'il s'agissait de lois de la nature et non d'interprétations humaines de la nature. La réalité se situe probablement entre ces deux extrêmes. La science est rarement d'une objectivité parfaite, mais elle doit toujours se conformer aux exigences suivantes: les observations et les expériences doivent être reproductibles et les hypothèses doivent être vérifiables et réfutables.

Science, technologie et société

Le lien entre la science et la société s'est précisé avec l'avènement de la technologie. La science et la technologie recourent parfois à des processus de recherche similaires, mais leurs objectifs fondamentaux diffèrent. La science a pour but de comprendre les phénomènes naturels, tandis que la **technologie** *applique* le savoir scientifique à quelque objet. Les biologistes et les autres scientifiques parleront de « découvertes » alors que les ingénieurs et autres technologues parleront d'« inventions ». Et parmi ceux qui bénéficient de ces inventions se trouvent les scientifiques, qui utilisent la nouvelle technologie dans leur recherche. L'incidence de la technologie de l'information sur la biologie des systèmes n'est qu'un exemple parmi d'autres. En somme, la science et la technologie sont indissociables.

L'interdépendance de la science et de la technologie a des répercussions considérables sur la société. Prenons par exemple

▲ **Figure 1.32 Technologie de l'ADN et enquêtes criminelles.** En médecine légale, on se sert des traces d'ADN extraites d'un échantillon de sang ou d'un autre tissu biologique prélevé sur le lieu d'un crime pour produire des empreintes génétiques. Les bandes colorées que l'on voit ici représentent des fragments d'ADN ; la disposition des bandes varie d'une personne à l'autre.

la découverte par Watson et Crick de la structure de l'ADN il y a 50 ans. Cette percée a suscité une foule d'activités scientifiques qui ont débouché sur l'apparition de nombreuses technologies de l'ADN, lesquelles ont à leur tour révolutionné plusieurs domaines, dont la médecine, l'agriculture et la médecine légale **(figure 1.32)**. Watson et Crick ont peut-être pensé que leur découverte trouverait un jour des applications importantes, mais ils ne pouvaient certainement pas prévoir de façon précise quelles en seraient les applications.

L'orientation que prend la technologie dépend moins de la curiosité qui anime la science que des besoins et désirs actuels de la société et de l'environnement du moment. Les débats concernant la technologie portent plus souvent sur la question « *devrions*-nous le faire ? » que sur la question « *pouvons*-nous le faire ? ». Les progrès technologiques s'accompagnent de choix difficiles. Dans quelles circonstances, par exemple, est-il acceptable de se servir de la technologie de l'ADN pour dépister les maladies héréditaires ? Et ce dépistage devrait-il être volontaire, ou existe-t-il des circonstances où il devrait être obligatoire ? Les compagnies d'assurances et les employeurs devraient-ils avoir accès à cette information comme ils ont accès à plusieurs autres données de nature personnelle ?

Ces questions éthiques relèvent autant de la politique, de l'économie et de la culture que de la science et de la technologie. Cependant, les scientifiques et les ingénieurs ont la responsabilité de sensibiliser les politiciens, les bureaucrates, les dirigeants d'entreprise et les citoyens aux tenants et aux aboutissants de la science, de même qu'aux bienfaits et aux risques potentiels de certaines technologies. La relation fondamentale entre la science, la technologie et la société donne encore plus d'importance à tout cours de biologie.

Retour sur le concept 1.5

1. Comparez l'induction et la déduction.
2. Commentez cette affirmation : « Les scientifiques conçoivent des expériences contrôlées pour étudier une variable unique en empêchant les autres variables de varier. »
3. Dans les expériences sur le mimétisme des serpents, pourquoi les chercheurs ont-ils placé des faux serpents hors des aires de distribution géographique des serpents-arlequins ?
4. Faites la distinction entre une « théorie » et une « hypothèse ».

Voir les réponses proposées à la fin du chapitre.

Concept 1.6

Un ensemble de thèmes intégrateurs unifient les différents concepts de la biologie

À certains égards, la biologie est la science la plus exigeante qui soit. D'une part, les êtres vivants sont d'une complexité incommensurable ; d'autre part, la biologie est une science interdisciplinaire qui nécessite des connaissances en chimie, en géologie, en informatique, en mathématiques et en physique. La biologie moderne est aux sciences naturelles ce que le décathlon est à l'athlétisme. Et c'est la science qui se rapproche le plus des sciences humaines et sociales. En tant qu'étudiante ou étudiant en biologie, vous vous trouvez assurément au bon endroit au bon moment !

Peu importe ce qui vous amène à la biologie, vous constaterez que l'étude de la vie est toujours stimulante et enrichissante. Mais aussi fascinante soit-elle, la complexité du vivant peut également être déroutante, même pour les biologistes de métier. Alors comment des élèves débutants peuvent-ils espérer se faire une idée cohérente du vivant, sachant que la mémorisation des détails de cette vaste discipline est impossible ? Le secret consiste à s'appuyer sur des thèmes intégrateurs, des fils conducteurs qui unifient toute cette matière et qui prévaudront encore dans des dizaines d'années, lorsque la majeure partie des détails présentés dans les ouvrages d'aujourd'hui seront désuets. Le **tableau 1.1** présente un certain nombre de thèmes généraux que vous reconnaîtrez dès le premier chapitre de ce manuel. Ces thèmes constitueront votre cadre conceptuel pendant que vous ferez votre exploration du vivant et commencerez à vous poser vous-même des questions importantes.

Retour sur le concept 1.6

1. Rédigez une phrase qui rattache le thème « recherche scientifique » au thème « science, technologie et société ».

Voir les réponses proposées à la fin du chapitre.

Tableau 1.1 Les 11 thèmes intégrateurs (fils conducteurs) qui unifient les concepts en biologie

Thème	Description	Thème	Description
La cellule 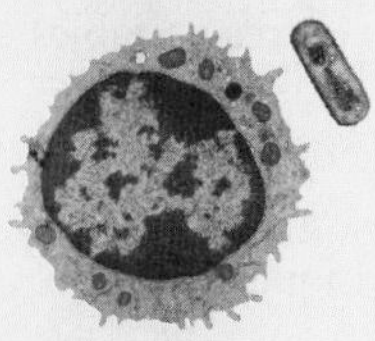	La cellule est l'unité structurale et fonctionnelle de tout organisme. Il y a deux types principaux de cellules : les cellules procaryotes (chez les Bactéries et les Archéobactéries) et les cellules eucaryotes (chez les Protistes, les Végétaux, les Eumycètes et les Animaux).	**L'unité et la diversité** 	Les biologistes groupent les divers organismes en trois domaines : les Bactéries, les Archéobactéries et les Eucaryotes. Aussi diversifiés soient-ils, les organismes possèdent des points communs, comme le code génétique. Plus le lien de parenté entre deux espèces est étroit, plus celles-ci possèdent des caractéristiques communes.
L'information héréditaire 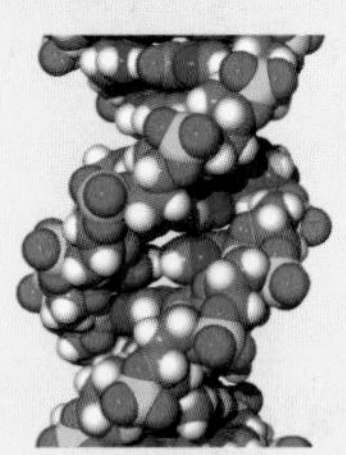	La perpétuation de la vie repose sur la transmission de l'information génétique sous la forme de molécules d'ADN. Cette information est encodée dans les séquences de nucléotides que comprend l'ADN.	**L'évolution** 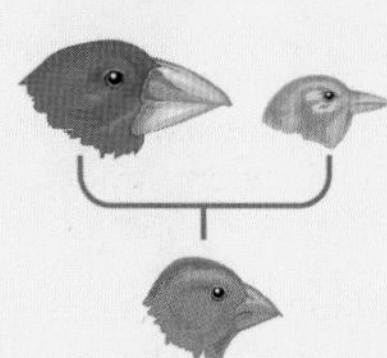	L'évolution, le thème fondamental en biologie, sous-tend à la fois l'unité et la diversité du vivant. Selon la théorie darwinienne de la sélection naturelle, les populations s'adaptent à leur environnement à la suite de leur reproduction différentielle.
Les propriétés émergentes des systèmes biologiques 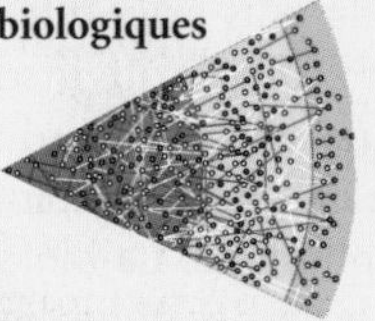	Des molécules à la biosphère, le monde vivant présente une organisation hiérarchique. De nouvelles propriétés apparaissent à chaque niveau de l'organisation biologique ; elles résultent des interactions entre les composantes des niveaux inférieurs.	**La structure et la fonction** 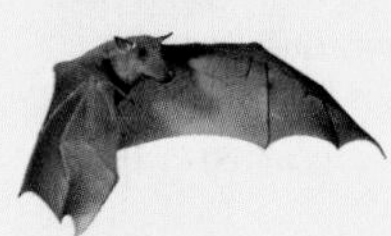	Il existe une corrélation constante entre la structure et la fonction à tous les niveaux de l'organisation biologique.
La régulation 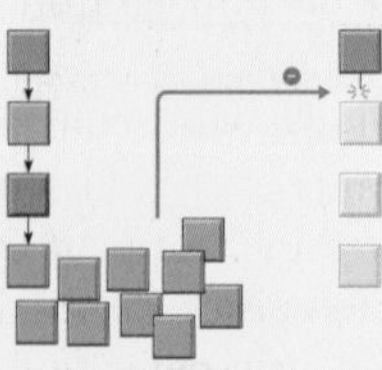	Les processus biologiques sont régis par des mécanismes de rétroaction. Un de ces mécanismes de régulation (la rétro-inhibition) maintient l'homéostasie, soit l'état d'équilibre dynamique des facteurs internes, tels que la température corporelle.	**La démarche scientifique** 	La démarche scientifique consiste à faire des observations et à vérifier des explications au moyen de l'approche hypothéticodéductive. La crédibilité des travaux scientifiques repose sur la reproductibilité des observations et des expériences.
L'interaction avec l'environnement 	Tous les organismes sont des systèmes ouverts qui échangent des matières et de l'énergie avec leur environnement. L'environnement d'un organisme comprend d'autres organismes ainsi que des facteurs physicochimiques.	**Science, technologie et société** 	La technologie consiste en grande partie à appliquer les découvertes scientifiques à des fins utilitaires. Plus que jamais, il est essentiel de comprendre les liens entre la science, la technologie et la société.
L'énergie vitale 	Tous les organismes accomplissent un travail qui nécessite de l'énergie. L'énergie lumineuse du soleil passe des producteurs aux consommateurs.		

Révision du chapitre 1

RÉSUMÉ DES CONCEPTS CLÉS

Concept 1.1

Les biologistes explorent la vie dans toute son étendue, de la molécule jusqu'à la biosphère

- **Hiérarchie de l'organisation biologique (p. 3).** La hiérarchie de l'organisation biologique se déploie comme suit: biosphère > écosystème > communauté biologique > population > organisme > système organique > organe > tissu > cellule > organite > molécule > atome.
- **Gros plan sur les écosystèmes (p. 3).** Les nutriments chimiques se recyclent dans un écosystème. L'énergie, elle, ne se recycle pas: elle entre dans l'écosystème sous forme de lumière solaire et en sort sous forme de chaleur.
- **Gros plan sur les cellules (p. 3-7).** Dans l'organisation biologique, la cellule est le plus bas échelon capable d'effectuer toutes les activités de la vie. La cellule contient l'ADN, le constituant des gènes, qui programme la production des protéines par la cellule et transmet l'information des parents à leurs descendants. Les cellules eucaryotes renferment des organites membraneux, dont un noyau contenant l'ADN. Les cellules procaryotes n'ont pas d'organites membraneux.

Concept 1.2

Un système biologique constitue une entité beaucoup plus grande que la somme de ses parties

- **Les propriétés émergentes des systèmes (p. 8).** En raison de la complexité croissante de l'organisation biologique, de nouvelles propriétés apparaissent chaque fois que l'on monte un échelon de la hiérarchie.
- **Les forces et les faiblesses du réductionnisme (p. 8-9).** Le réductionnisme est la fragmentation de systèmes complexes en des éléments plus simples et plus faciles à manipuler en vue de les étudier.
- **La biologie des systèmes (p. 9-10).** La biologie des systèmes s'applique à décrire au moyen de modèles le comportement dynamique de systèmes biologiques entiers. Ces modèles permettent aux scientifiques de prédire comment la modification d'une partie du système influera sur le reste du système.
- **La régulation par rétro-inhibition ou rétroactivation (p. 10-11).** La rétro-inhibition est un mécanisme de rétroaction par lequel l'accumulation du produit final d'un processus ralentit ce même processus. La rétroactivation, plus rare, est le mécanisme inverse par lequel l'accumulation du produit final accélère le processus.

Concept 1.3

Les biologistes explorent la vie telle qu'elle se manifeste dans sa fabuleuse diversité

- **La classification des espèces: un principe fondamental (p. 11).** La taxinomie est la branche de la biologie qui vise à nommer et à classifier les espèces dans des catégories de plus en plus larges.
- **Les trois domaines du vivant (p. 12-13).** Le domaine des Bactéries et le domaine des Archéobactéries comprennent des Procaryotes. Le domaine des Eucaryotes renferme les divers règnes des Protistes et les règnes des Végétaux, des Eumycètes et des Animaux.
- **Unité et diversité (p. 13-14).** La vie présente autant d'unité que de diversité.

Concept 1.4

L'évolution explique l'unité et la diversité du vivant

- **La sélection naturelle (p. 15).** Darwin disait de l'évolution des espèces qu'elle était une succession d'ancêtres ayant subi des transformations progressives de génération en génération («descendance avec modification»). Il expliquait que la sélection naturelle est le mécanisme par lequel les populations s'adaptent à leur environnement. La sélection naturelle est le processus évolutif par lequel les variations héréditaires d'une population sont exposées à des facteurs environnementaux qui favorisent le succès reproductif de certains individus.
- **L'arbre de la vie (p. 16-18).** Chaque espèce occupe l'extrémité d'une branche d'un arbre généalogique. En parcourant les ramifications, on remonte jusqu'aux espèces ancestrales. Tous les êtres vivants sont donc apparentés, et l'essence de ce lien réside dans l'évolution.

Concept 1.5

Les biologistes utilisent divers processus de recherche pour étudier les êtres vivants

- **L'approche descriptive (p. 18).** L'approche descriptive s'applique à décrire certains aspects du monde et utilise le raisonnement inductif pour tirer des conclusions générales.
- **L'approche par hypothèses (p. 18-20).** À partir d'observations, les scientifiques formulent des hypothèses qui permettent de faire des prédictions, puis ils vérifient ces hypothèses en déterminant si les prédictions se confirment. Le raisonnement déductif sert à vérifier les hypothèses: *Si* une hypothèse est correcte et qu'on la vérifie, *alors* on peut prédire un résultat donné. Les hypothèses doivent être vérifiables et réfutables.
- **Étude de cas: le mimétisme chez les serpents (p. 20-23).** Les expériences scientifiques doivent permettre de vérifier l'effet d'une variable; pour ce faire, les scientifiques étudient un groupe témoin et un groupe expérimental qui subissent le même traitement, sauf en ce qui concerne la variable mesurée par l'expérience.
- **Les limites de la science (p. 23).** La science ne s'intéresse pas aux phénomènes surnaturels pour deux raisons: (1) les hypothèses doivent être vérifiables et réfutables; (2) les observations et les résultats doivent être reproductibles.
- **Les théories scientifiques (p. 23).** Une théorie scientifique a une vaste portée, génère de nouvelles hypothèses et s'appuie sur un ensemble de preuves abondant.
- **Les modèles scientifiques (p. 23-24).** Décrire une idée, une structure ou un processus au moyen d'un modèle permet de mieux comprendre les phénomènes scientifiques et de faire des prédictions.
- **La culture scientifique (p. 24).** La science est une activité sociale qui se caractérise à la fois par la coopération et la concurrence.
- **Science, technologie et société (p. 24-25).** La technologie applique les connaissances scientifiques à des fins précises.

Concept 1.6

Un ensemble de thèmes intégrateurs unifient les différents concepts de la biologie

- L'utilisation de thèmes unificateurs permet de donner un cadre conceptuel à l'étude des êtres vivants **(p. 25)**.

VÉRIFIEZ VOS CONNAISSANCES

Autoévaluation

(Les questions dont les numéros sont en caractères gras font surtout appel à la compréhension.)

1. L'ensemble des organismes de votre campus forment:
a) un écosystème.
b) une communauté.
c) une population.
d) un groupe expérimental.
e) un domaine taxinomique.

2. Lequel des énoncés suivants est juste au sujet de l'organisation biologique, si l'on commence par le niveau supérieur pour un animal donné?
a) Cerveau, système organique, neurone, tissu nerveux.
b) Système organique, population de cellules, tissu nerveux, cerveau.
c) Organisme, système organique, tissu, cellule, organe.
d) Système nerveux, cerveau, tissu nerveux, neurone.
e) Système organique, tissu, molécule, cellule.

3. Lequel des énoncés suivants n'est *pas* une des observations ou des inférences qui sous-tendent la théorie de la sélection naturelle de Darwin?
a) Les individus mal adaptés n'ont jamais de progéniture.
b) Il existe des variations héréditaires chez les individus.
c) En raison de la surnatalité, les espèces se disputent les ressources limitées de l'environnement.
d) Les individus dont les caractéristiques héréditaires sont les mieux appropriées à l'environnement ont généralement une progéniture plus nombreuse.
e) Une population peut devenir adaptée à son environnement.

4. Lesquels des énoncés suivants sont exacts?
a) Les premiers vivants étaient des procaryotes.
b) L'humain et la paramécie (organisme unicellulaire) ont certaines caractéristiques en commun.
c) Le code génétique est universel (ou presque); cela constitue un des arguments en faveur de la théorie de l'évolution.
d) Les vivants appartenant à un même grand groupe ont un ancêtre commun.
e) Dans «l'arbre de la vie», en allant des dernières ramifications vers le tronc principal, les espèces se ressemblent de plus en plus.

5. La biologie des systèmes s'applique surtout:
a) à décrire l'intégration de tous les niveaux de l'organisation biologique, de la molécule jusqu'à la biosphère.
b) à simplifier en le fragmentant un système complexe en parties plus petites et plus simples.
c) à représenter par un modèle un niveau de l'organisation biologique à partir de ce qu'on sait des niveaux inférieurs.
d) à fournir une méthode systématique pour interpréter de grandes quantités de données biologiques.
e) à accélérer l'application technologique du savoir scientifique.

6. Les Protistes et les Bactéries sont classés dans des domaines différents parce que:
a) les Protistes mangent les Bactéries.
b) les Bactéries ne se composent pas de cellules.
c) les Bactéries sont dépourvues de noyau.
d) les Bactéries décomposent les Protistes.
e) les Protistes sont photosynthétiques.

7. Pourquoi la figure 1.14 ne contient-elle aucune représentation de bactéries?
a) Parce que les Bactéries ne sont pas des organismes, mais des microorganismes.
b) Parce que l'ours noir et la bactérie n'appartiennent pas au même domaine.
c) Parce que la figure ne contient que des représentants des Eucaryotes.
d) Parce qu'elles ont été oubliées.
e) Elles auraient pu y être si un neuvième groupe, représentant l'ensemble des vivants, avait été ajouté à l'extrême droite de la figure.

8. Lequel des énoncés suivants illustre le mieux l'unité entre les différents organismes?
a) Des séquences de base qui concordent.
b) La «descendance avec modification».
c) La structure et la fonction de l'ADN.
d) La sélection naturelle.
e) Les propriétés émergentes.

9. Lequel des énoncés suivants est un exemple de données qualitatives?
a) La température est passée de 20 °C à 15 °C.
b) La plante mesure 25 cm de hauteur.
c) Le poisson nage en zigzag.
d) Les six couples de pinsons ont couvé en moyenne trois oisillons.
e) Le contenu de l'estomac est mélangé toutes les 20 secondes.

10. Lequel des énoncés suivants décrit le mieux la logique de l'approche par hypothèses?
a) Si je formule une hypothèse vérifiable, des expérimentations et des observations l'appuieront.
b) Si ma prédiction est correcte, elle générera une hypothèse vérifiable.
c) Si mes observations sont justes, elles appuieront mon hypothèse.
d) Si mon hypothèse est correcte, mon expérimentation devrait donner certains résultats.
e) Si ma méthodologie est bonne, mes expériences devraient générer une hypothèse réfutable.

11. Une expérience contrôlée est une expérience qui:
a) se déroule suffisamment lentement pour que le chercheur puisse consigner les résultats.
b) peut inclure des groupes expérimentaux et des groupes témoins qui font l'expérience en parallèle.
c) est reproduite plusieurs fois pour s'assurer que les résultats sont exacts.
d) garde constantes toutes les variables environnementales.
e) est supervisée par un scientifique chevronné.

12. Lequel des énoncés suivants fait le mieux la distinction entre une hypothèse et une théorie scientifique?
a) Les théories sont des hypothèses qui ont été prouvées.
b) Les hypothèses sont des suppositions; les théories sont les bonnes réponses.
c) Les hypothèses ont généralement une portée relativement limitée, tandis que les théories ont une portée vaste.
d) Une hypothèse est essentiellement la même chose qu'une théorie.
e) Les théories ont toujours été prouvées; les hypothèses sont généralement réfutées par des expériences.

Lien avec l'évolution

Une cellule procaryote typique possède environ 3 000 gènes dans son ADN, tandis qu'une cellule humaine en possède environ 25 000. Environ 1 000 de ces gènes sont présents dans les deux types de cellules. D'après ce que vous savez de l'évolution, expliquez comment des organismes aussi différents peuvent avoir des gènes en commun.

Intégration

À partir des résultats de l'étude de cas sur le mimétisme des serpents, formulez une autre hypothèse que les chercheurs pourraient examiner.

Science, technologie et société

Les fruits de certaines espèces sauvages de tomates sont petits comparativement à la très grosse tomate *Beefsteak* qu'on cultive aujourd'hui. Cette différence dans la grosseur des fruits est presque entièrement attribuable au nombre particulièrement élevé de cellules qui se trouvent dans les fruits domestiqués. Les scientifiques qui étudient la biologie moléculaire des plantes ont récemment découvert des gènes qui sont responsables du contrôle de la division cellulaire chez les tomates. Pourquoi une telle découverte est-elle importante pour les producteurs d'autres types de fruits et légumes? pour l'étude du développement humain et des maladies humaines? pour notre compréhension de la biologie?

Réponses du chapitre 1

Retour sur le concept 1.1

1. Exemples : Une molécule est un groupe d'*atomes* liés ensemble. Un organite est un arrangement ordonné de *molécules.* Les cellules végétales photosynthétiques contiennent les *organites* appelés chloroplastes. Un tissu animal est un groupe de *cellules* similaires. Un organe comme le cœur est formé de plusieurs *tissus.* Un organisme complexe se compose de plusieurs types d'*organes*, par exemple les feuilles et les racines dans le cas d'une plante. Une population est un groupe d'*organismes* de la même espèce. Une communauté biologique est un groupe de *populations* de différentes espèces vivant dans une même région. Un écosystème comprend à la fois une *communauté biologique* et les facteurs non vivants nécessaires à la vie, comme l'air, le sol et l'eau. La biosphère se compose de tous les *écosystèmes* de la planète.
2. L'ADN est la substance chimique des gènes. Les gènes sont les unités héréditaires disposées le long des molécules d'ADN. Les molécules d'ADN sont enchâssées dans des structures cellulaires appelées chromosomes.
3. Les plantes et les animaux se composent de cellules eucaryotes, tandis que les bactéries sont formées de cellules procaryotes.

Retour sur le concept 1.2

1. Le sens d'une phrase est une propriété qui émerge de l'arrangement des lettres et des espaces.
2. Les collectes de données de haut débit alimentent les bases de données de plus en plus volumineuses qui font de la bio-informatique un domaine nécessaire et productif.
3. Rétro-inhibition.

Retour sur le concept 1.3

1. Une adresse indique un emplacement par des catégories de plus en plus précises : le pays, la province, la ville, le code postal, la rue et le numéro du domicile. En biologie, la taxinomie fait une classification semblable, en groupes de moins en moins grands.
2. Les organismes du domaine des Eucaryotes sont formés de cellules eucaryotes, différentes des cellules procaryotes des domaines des Bactéries et des Archéobactéries.

Retour sur le concept 1.4

1. La sélection naturelle ne « crée » pas la variation qui rend possible l'adaptation, elle fait le « tri » en favorisant certains caractères héréditaires au sein d'une population qui varie naturellement.
2.

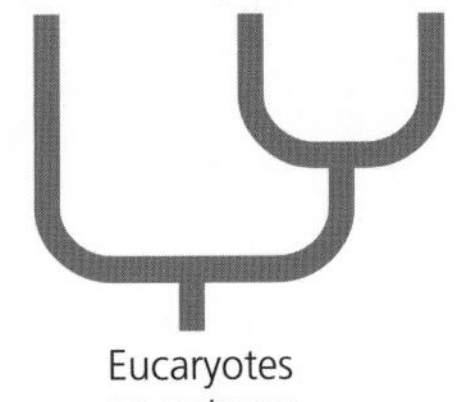

Retour sur le concept 1.5

1. Le raisonnement inductif découle de généralisations formulées à partir de cas particuliers ; le raisonnement déductif prédit des résultats particuliers à partir de prémisses générales.
2. Il est habituellement impossible d'exclure toutes les variables non souhaitées ; une expérience contrôlée annule l'effet des variables non souhaitées en comparant un groupe expérimental et un groupe témoin qui diffèrent seulement par la variable mesurée.
3. Pour vérifier la prédiction de l'hypothèse du mimétisme, selon laquelle les couleuvres tachetées tireront profit de leur coloration de serpent-arlequin uniquement dans des environnements où l'on trouve aussi des serpents-arlequins venimeux.
4. Comparativement à une hypothèse, une théorie scientifique est habituellement plus générale et plus étayée.

Retour sur le concept 1.6

1. Exemple : La recherche scientifique ainsi que la technologie qu'elle nourrit ont des répercussions considérables sur la société.

Autoévaluation

1. b ; **2.** d ; **3.** a ; **4.** a, b, c et d ; 5. c ; 6. c ; **7.** b, c et e ; **8.** c ; **9.** c ; **10.** d ; 11. b ; **12.** c.

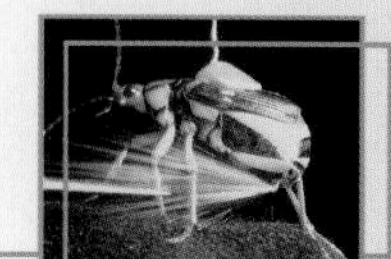

2 L'organisation chimique fondamentale de la vie

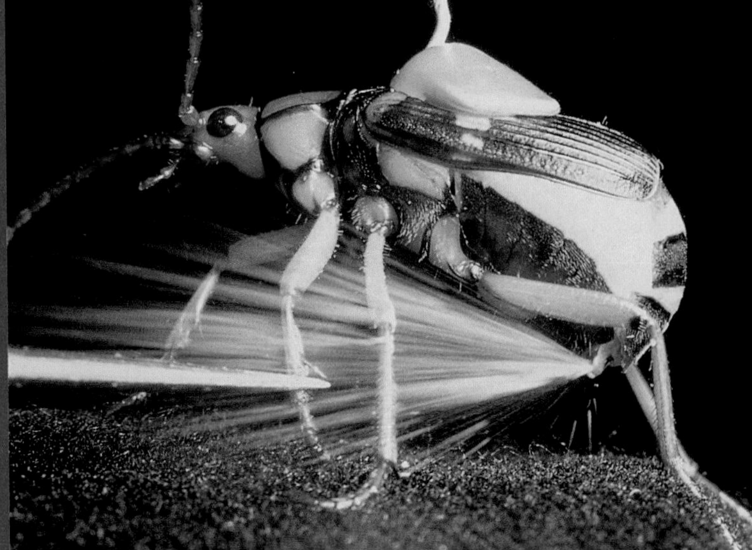

▲ **Figure 2.1 Le coléoptère bombardier utilise des moyens chimiques pour se défendre.**

Concepts clés

2.1 La matière est constituée d'éléments chimiques purs ou combinés ; les éléments combinés forment des composés

2.2 Les propriétés d'un élément sont déterminées par la structure de ses atomes

2.3 La formation et la fonction des molécules dépendent des liaisons chimiques entre les atomes

2.4 Les réactions chimiques établissent et rompent des liaisons chimiques

Introduction

Les fondements chimiques de la biologie

Comme les autres animaux, les Coléoptères ont développé des structures et des mécanismes de défense contre leurs prédateurs. Le coléoptère bombardier (*Stenaptinus insignis*), qui vit au sol, possède un mécanisme de défense particulièrement efficace contre les fourmis qui le harcèlent. Lorsqu'une fourmi s'approche de lui, il l'arrose d'un liquide brûlant sécrété par ses glandes abdominales. (La **figure 2.1** montre un coléoptère bombardier projetant ce liquide sur la pince que tient un scientifique.) Ce liquide contient des substances chimiques irritantes produites au moment de l'expulsion par une réaction fortement exothermique entre deux types de réactifs stockés séparément dans les glandes de l'animal. De plus, il se produit en même temps un claquement sonore susceptible d'effrayer l'agresseur.

L'étude du coléoptère bombardier nécessite qu'on recoure à plusieurs sciences. Les biologistes se spécialisent dans l'étude de la vie mais, les organismes et le monde dans lequel ceux-ci évoluent découlant de la matière et de l'énergie, il leur est nécessaire d'utiliser fréquemment des concepts fondamentaux de chimie, de physique, etc., pour expliquer certains phénomènes du vivant. La biologie est une science multidisciplinaire, une science d'intégration.

Les chapitres de cette partie constituent une introduction aux concepts clés de la chimie. Nous aurons besoin de ceux-ci tout au long de notre étude de la vie. Nous ferons beaucoup de liens avec les thèmes présentés au chapitre 1. L'un de ces thèmes est l'organisation de la vie en une hiérarchie de niveaux structuraux ; chaque niveau possède des propriétés que le niveau précédent ne possède pas (concept d'émergence). Dans cette partie, nous verrons comment cette émergence se manifeste aux paliers les plus bas de l'organisation biologique. Nous parlerons de l'agencement des atomes en molécules, puis des interactions des molécules au sein des cellules. Ce faisant, nous franchirons la frontière qui sépare le non-vivant du vivant. Pour commencer, nous traiterons des composants chimiques qui forment toute matière.

Concept 2.1

La matière est constituée d'éléments chimiques purs ou combinés ; les éléments combinés forment des composés

Les éléments et les composés

Les organismes sont faits de matière. On appelle **matière** tout ce qui occupe un espace et possède une masse*. La matière existe sous toutes sortes de formes ; les pierres, les métaux, le pétrole, les gaz et les humains en sont quelques exemples.

* On utilise parfois le terme *poids*, même si ce terme n'est pas synonyme de masse. La masse est la quantité de matière dans un objet, alors que le poids d'un objet désigne l'intensité de la force avec laquelle cette masse subit l'action de la gravité. Le poids d'un astronaute qui marche sur la Lune est d'environ 1/6 de celui qu'il a sur la Terre, mais sa masse est la même. Cependant, tant que nous restons sur Terre, le poids d'un objet est une mesure de sa masse ; c'est pourquoi, dans le langage courant, on utilise indifféremment les deux termes.

▲ **Figure 2.2 Émergence (apparition de nouvelles propriétés) au moment de la formation d'un composé.** Le sodium, un métal alcalin, se combine au chlore, un gaz toxique, pour former un composé comestible, le chlorure de sodium ou sel de table.

La matière est formée d'éléments. Un **élément** est une substance impossible à décomposer en d'autres substances plus simples au cours de réactions chimiques. Les chimistes ont identifié 92 éléments naturels, dont l'or, le cuivre, le carbone et l'oxygène. Ils ont attribué à chacun un symbole, le plus souvent constitué de la première ou des deux premières lettres de son nom. Quelques symboles dérivent de noms latins ou allemands; par exemple, celui du sodium est Na, du mot latin *natrium*, alors que celui du tungstène est W, du mot allemand *wolfram*.

Un **composé** est une substance formée de deux ou de plusieurs éléments combinés dans des proportions définies. Le sel de table, par exemple, est en fait du chlorure de sodium (NaCl); il est constitué des éléments sodium (Na) et chlore (Cl) dans un rapport de 1:1. Le sodium pur est un métal, alors que le chlore pur est un gaz toxique. Cependant, une fois qu'ils sont liés chimiquement, ils forment un composé comestible. Cet exemple illustre bien le concept d'émergence: un composé possède des caractéristiques que n'ont pas ses éléments pris individuellement **(figure 2.2)**.

Les éléments chimiques essentiels à la vie

Environ 25 des 92 éléments naturels sont essentiels à la vie. Quatre d'entre eux, soit le carbone (C), l'oxygène (O), l'hydrogène (H) et l'azote (N), constituent à eux seuls 96 % de la matière vivante. Le phosphore (P), le soufre (S), le calcium (Ca), le potassium (K) et quelques autres éléments forment presque tout le reste de la matière d'un organisme (4 %). Les éléments qui entrent dans la composition du corps humain ainsi que leur pourcentage de la masse corporelle figurent dans le **tableau 2.1**; ces pourcentages sont pratiquement les mêmes chez les autres organismes. La **figure 2.3a** montre l'effet qu'une carence en azote a sur une culture végétale.

Tableau 2.1 Éléments naturels entrant dans la composition du corps humain

Symbole chimique	Élément	Numéro atomique (voir la p. 33)	Pourcentage de la masse corporelle
O	Oxygène	8	65,0
C	Carbone	6	18,5
H	Hydrogène	1	9,5
N	Azote	7	3,3
Ca	Calcium	20	1,5
P	Phosphore	15	1,0
K	Potassium	19	0,4
S	Soufre	16	0,3
Na	Sodium	11	0,2
Cl	Chlore	17	0,2
Mg	Magnésium	12	0,1

Autres éléments à l'état de trace (moins de 0,01 %): bore (B), chrome (Cr), cobalt (Co), cuivre (Cu), fluor (F), iode (I), fer (Fe), manganèse (Mn), molybdène (Mo), sélénium (Se), silicium (Si), étain (Sn), vanadium (V) et zinc (Zn).

L'organisme a besoin de certains éléments, appelés **éléments traces**, en quantités infimes; ils n'en sont pas moins essentiels. Quelques-uns d'entre eux, comme le fer (Fe), sont indispensables à toutes les formes de vie; d'autres, à quelques espèces seulement. Par exemple, chez les Vertébrés (animaux dotés d'une colonne vertébrale), l'iode (I) est un constituant essentiel d'une hormone produite par la glande thyroïde. Un apport quotidien de 0,15 mg

▶ **Figure 2.3 Effets d'une carence en éléments essentiels. (a)** Cette photo illustre l'effet qu'une carence en azote a sur le maïs. Dans cette expérience contrôlée, les plants à gauche croissent dans un sol fertilisé avec des composés contenant de l'azote. Ceux qui sont à droite poussent dans un sol pauvre en azote. **(b)** Le goitre, une augmentation du volume de la glande thyroïde, est causé par une carence en iode. Des suppléments d'iode pourraient faire régresser le goitre de cette Malaisienne.

(a) Carence en azote

(b) Carence en iode

d'iode suffit au bon fonctionnement de la thyroïde humaine, mais un régime alimentaire déficient en iode fait augmenter le volume de cette glande et entraîne une déformation appelée goitre **(figure 2.3b)**. Dans les régions où l'on consomme du sel iodé, l'incidence du goitre a diminué.

Retour sur le concept 2.1

1. Expliquez pourquoi le sel de table est un composé alors que l'oxygène que nous respirons n'en est pas un.
2. Quels sont les quatre éléments chimiques les plus abondants dans les aliments que vous avez mangés hier?

Voir les réponses proposées à la fin du chapitre.

Les propriétés d'un élément sont déterminées par la structure de ses atomes

Chaque élément est constitué d'un type d'atome qui lui est propre. L'**atome** est la plus petite unité de matière possédant les mêmes propriétés que l'élément auquel il appartient. Il est si petit qu'il en faudrait environ un million pour tracer le diamètre du point imprimé à la fin de cette phrase. On emploie le même symbole pour désigner l'atome et l'élément dont il fait partie. Ainsi, C représente aussi bien l'élément carbone qu'un seul atome de carbone.

Les particules élémentaires

Bien qu'il soit la plus petite unité possédant les propriétés de l'élément qu'il constitue, l'atome est formé de parties encore plus petites, appelées particules élémentaires. Selon les physiciens, l'atome comporte plus d'une centaine de types de particules, mais seulement trois sont suffisamment stables pour que nous nous y attardions: les **neutrons**, les **protons** et les **électrons**. Les neutrons et les protons se trouvent au centre de l'atome et forment un noyau dense, appelé **noyau atomique**. Les électrons, eux, gravitent autour du noyau à une vitesse proche de celle de la lumière. La **figure 2.4** montre deux modèles de la structure d'un atome d'hélium.

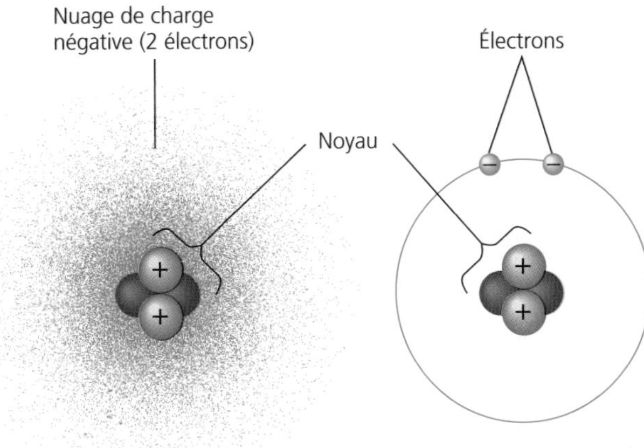

(a) Les électrons sont représentés par un nuage de charge négative, comme si on avait pris de nombreux instantanés photographiques au fil du temps; chaque point représente la position d'un électron à un moment donné.

(b) Dans ce modèle encore plus simplifié, les électrons sont représentés par de petites sphères bleues sur un cercle autour du noyau.

▲ **Figure 2.4 Modèles simplifiés d'un atome d'hélium (He).** Le noyau de l'hélium comporte deux neutrons (en brun) et deux protons (en rose). Deux électrons (en bleu) tournent rapidement autour du noyau. Ces modèles ne sont pas à l'échelle; la taille du noyau est très exagérée par rapport à celle du nuage d'électrons.

Chaque électron et chaque proton ont une charge électrique. L'électron possède une unité de charge négative, et le proton, une unité de charge positive. Quant au neutron, il est, comme son nom l'indique, électriquement neutre. Le noyau d'un atome est donc positif, et c'est l'attraction entre sa charge et celle, opposée, des électrons qui retient ceux-ci autour du noyau.

Le neutron et le proton possèdent une masse presque identique, de l'ordre de $1{,}67 \times 10^{-27}$ kg approximativement. Comme la masse d'un électron ne représente qu'environ 1/2000 de celle d'un neutron ou d'un proton, on peut l'ignorer lorsqu'on calcule la masse totale d'un atome.

Numéro atomique, nombre de masse et masse atomique moyenne

Les atomes des différents éléments se distinguent par le nombre de particules élémentaires qu'ils contiennent. Tous les atomes d'un même élément ont un nombre égal de protons dans leur noyau. Ce nombre est appelé **numéro atomique**. Il est placé en indice à gauche du symbole de l'élément. Par exemple, l'abréviation $_2$He montre que chaque atome d'hélium a deux protons dans son noyau. À moins d'une indication contraire, un atome est électriquement neutre, c'est-à-dire qu'il a autant de protons que d'électrons. En conséquence, le numéro atomique indique à la fois le nombre de protons et le nombre d'électrons dans un atome électriquement neutre.

Il est possible de déduire le nombre de neutrons à partir du **nombre de masse**. Ce dernier correspond *grosso modo* à la somme des protons et des neutrons contenus dans le noyau d'un atome. Il est exprimé au moyen d'un exposant placé à gauche du symbole de l'élément. Par exemple, pour désigner un atome d'hélium, on peut employer l'abréviation $^4_2$He. Puisque le numéro atomique indique le nombre de protons, il est possible de déterminer la quantité de neutrons en soustrayant le numéro atomique du nombre de masse: ainsi, un atome de $^4_2$He possède deux neutrons. Un atome de sodium ($^{23}_{11}$Na) a 11 protons, 11 électrons et 12 neutrons. L'atome le plus simple est l'hydrogène ($^1_1$H); il ne possède aucun neutron. Il a un seul proton, autour duquel gravite un seul électron.

Puisque la masse des électrons est négligeable, presque toute la masse de l'atome se concentre dans le noyau et, par ailleurs, comme les neutrons et les protons ont chacun une masse très près de 1 u*, le nombre de masse est une approximation de la

* On exprime généralement la masse atomique moyenne en unités de masse atomique, représentées par le symbole u. Si on l'exprime en grammes, on parle alors de masse molaire atomique. Certains auteurs utilisent le dalton comme unité de la masse atomique. Le dalton (Da) équivaut à la masse approximative du neutron ou du proton, c'est-à-dire à 1.

masse atomique moyenne. Celle-ci figure dans le tableau périodique des éléments, où elle est simplement appelée masse atomique. On la calcule en faisant la moyenne pondérée des masses atomiques des isotopes (soit des différentes formes) d'un élément et en prenant en compte l'abondance relative de chaque isotope dans la nature. La **masse atomique moyenne** nous indique, à peu de chose près, la masse de l'atome entier. Ainsi, la masse atomique du sodium ($^{23}_{11}$Na) est de 23 u (22,9898 u exactement).

Les isotopes

Tous les atomes d'un élément donné possèdent le même nombre de protons (sinon, il ne s'agirait pas du même élément), mais certains ont plus de neutrons que d'autres et, par conséquent, ont une masse plus élevée. Les différentes formes atomiques d'un élément s'appellent **isotopes.** Dans la nature, où il existe plus de 300 isotopes différents, on trouve les éléments sous forme de mélange d'isotopes. Prenons, par exemple, le carbone, dont le numéro atomique est 6. Il existe trois isotopes de cet élément. Le plus courant est le carbone 12 ($^{12}_{6}$C); il constitue environ 99 % du carbone naturel et possède six neutrons. La majeure partie du 1 % restant consiste en atomes de l'isotope $^{13}_{6}$C, qui a sept neutrons. Quant au troisième isotope, le $^{14}_{6}$C, qui est encore plus rare, il a huit neutrons. Même s'ils ont des masses différentes, les isotopes d'un élément se conduisent de la même façon dans les réactions chimiques. (Le nombre généralement attribué comme masse atomique à un élément, tel que 22,9898 u pour le sodium, est en fait une moyenne des masses atomiques de tous les isotopes naturels de cet élément.)

Les isotopes ^{12}C et ^{13}C sont stables, c'est-à-dire que leur noyau n'a pas tendance à perdre de particules. Par contre, l'isotope ^{14}C est instable, ou radioactif. Un **radio-isotope** est un isotope dont le noyau se désintègre spontanément, ce qui libère des particules et de l'énergie. Lorsque cela se produit et que le nombre de protons présents dans le noyau se modifie, l'atome se transforme en un atome d'un autre élément. Par exemple, le carbone radioactif se désintègre en azote.

Il existe une soixantaine de radio-isotopes dans la nature (uranium 238 et radium 226, par exemple) et on en produit un très grand nombre en laboratoire. Les radio-isotopes ont de nombreuses applications pratiques en biologie. Au chapitre 26, vous apprendrez comment les chercheurs étudient la quantité de radioactivité contenue dans les fossiles pour dater ces derniers. Les radio-isotopes servent également de traceurs permettant de suivre le cheminement des atomes dans le métabolisme (soit l'ensemble des réactions chimiques qui ont lieu dans un organisme), car les cellules utilisent les isotopes radioactifs d'un élément de la même manière que les isotopes non radioactifs. La **figure 2.5** illustre les méthodes employées par les biologistes pour suivre les traceurs radioactifs, dans le cas présent, pour étudier la réplication de l'ADN dans certaines cellules.

Les traceurs radioactifs sont très utiles en médecine. Par exemple, il est possible de diagnostiquer certaines maladies rénales en injectant dans le sang d'une personne de petites doses de substances contenant des radio-isotopes, puis en mesurant la quantité de traceur excrété dans l'urine. De plus, grâce à des techniques d'imagerie sophistiquées, comme la tomographie par émission de positrons (TEP), on peut suivre les étapes des processus chimiques, par exemple, dans le cas d'une excroissance cancéreuse, à mesure qu'elles se produisent dans l'organisme **(figure 2.6)**. Les

Figure 2.5

Méthode de recherche

Les traceurs radioactifs

APPLICATION Les scientifiques utilisent des radio-isotopes pour marquer certaines substances chimiques dans le but de suivre les étapes d'un processus métabolique, ou encore de localiser une substance dans une cellule ou dans un organisme. Dans l'exemple qui suit, une chercheuse effectue une expérience qui vise à déterminer comment la température modifie la vitesse de réplication de l'ADN dans certaines cellules.

TECHNIQUE

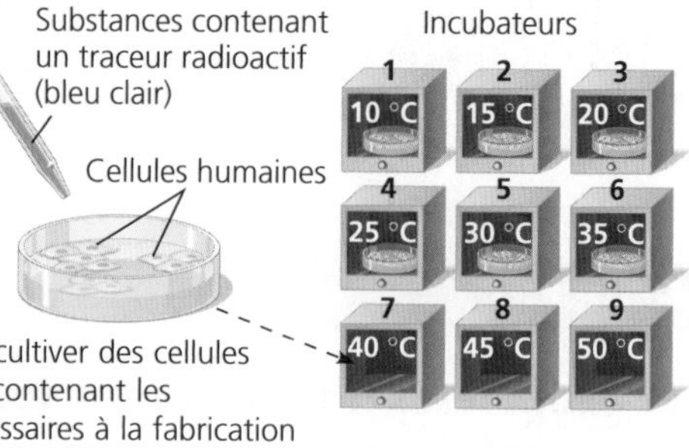

Substances contenant un traceur radioactif (bleu clair)

Cellules humaines

Incubateurs

1: 10 °C; 2: 15 °C; 3: 20 °C; 4: 25 °C; 5: 30 °C; 6: 35 °C; 7: 40 °C; 8: 45 °C; 9: 50 °C

1. La chercheuse commence par cultiver des cellules dans un milieu contenant les substances nécessaires à la fabrication de l'ADN. L'une de celles-ci est marquée à l'aide d'un isotope radioactif de l'hydrogène, ^{3}H. Elle incube ensuite à différentes températures neuf récipients contenant des échantillons des cellules. Chaque nouvelle copie d'ADN que les cellules fabriqueront incorporera le traceur radioactif.

2. Elle place les cellules dans des éprouvettes, isole leur ADN et élimine les substances qui n'ont pas réagi.

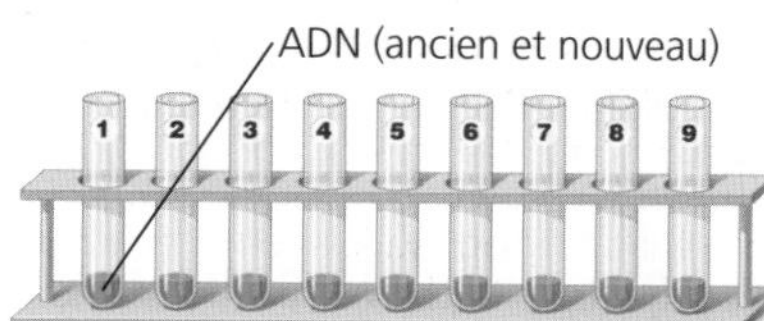

3. Elle ajoute ensuite une solution appelée scintillateur dans les éprouvettes, qu'elle place dans un compteur à scintillation. La désintégration de ^{3}H dans le nouvel ADN émet des radiations qui excitent les réactifs dans le scintillateur et provoquent leur scintillement. Le compteur enregistre les scintillations.

RÉSULTATS La fréquence des scintillations émises se mesure en coups par minute; elle est proportionnelle à la quantité de traceur radioactif présent, ce qui indique la quantité de nouvel ADN. Dans cette expérience, si elle représente graphiquement les coups par minute des différents échantillons d'ADN en fonction de la température, la chercheuse constate que la température agit de façon importante sur la vitesse de synthèse de l'ADN; on voit dans le graphique que la température optimale est 35 °C.

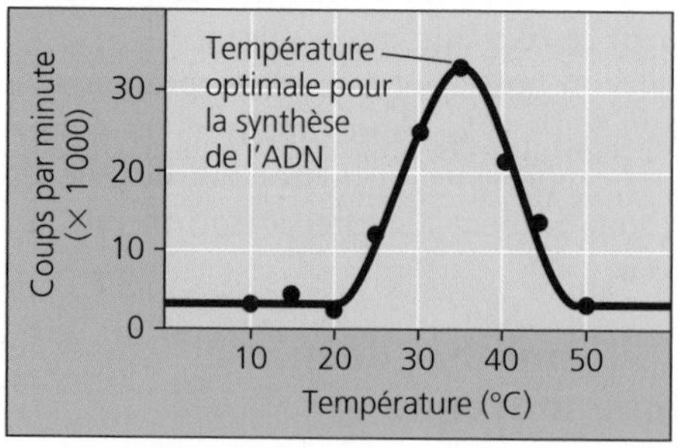

Coups par minute (× 1 000)
0
10
20
30
Température optimale pour la synthèse de l'ADN
10
20
30
40
50
Température (°C)

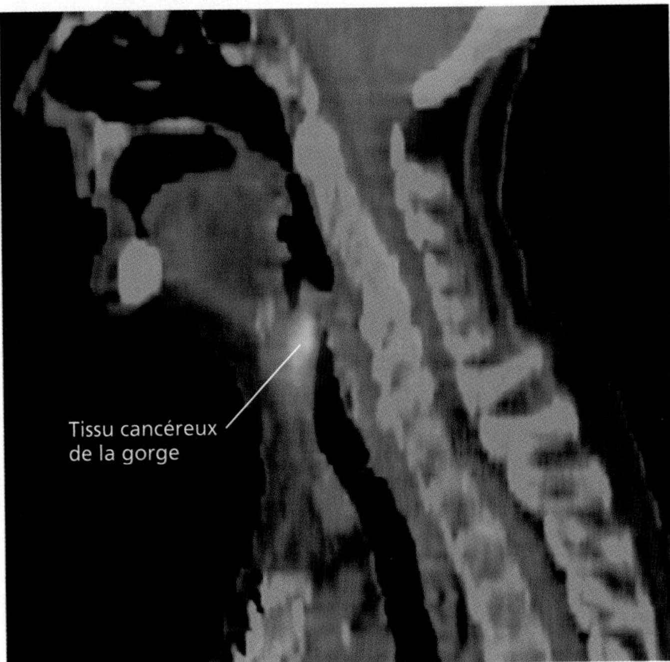

▲ **Figure 2.6 Image obtenue grâce à la tomographie par émission de positrons, une application médicale des radio-isotopes.** La tomographie par émission de positrons révèle les sites d'activité chimique intense dans l'organisme. On injecte dans le sang du patient un nutriment, comme le glucose, marqué d'un isotope radioactif émettant des particules élémentaires. Ces dernières se heurtent aux électrons provenant de réactions chimiques ayant lieu dans l'organisme. La tomographie par émission de positrons détecte l'énergie dégagée par ces collisions et localise les « points chauds » métaboliques, c'est-à-dire les régions d'un organe les plus actives chimiquement au moment du test. La couleur de l'image varie selon la quantité d'isotopes présents dans une région. Dans la photographie ci-dessus, la couleur jaune clair révèle la présence d'un point chaud de tissu cancéreux dans la gorge du patient.

cellules cancéreuses peuvent aussi être détruites, en radiothérapie, par l'utilisation de radio-isotopes (cobalt 60, par exemple).

Les radio-isotopes sont très utiles dans les domaines de la recherche biologique et de la médecine. Toutefois, le rayonnement émis au cours de leur désintégration comporte des risques, parce qu'il endommage les molécules qui composent les cellules. La gravité des lésions dépend du type et de la quantité de radiations absorbées par l'organisme. Les retombées radioactives causées par des accidents nucléaires constituent l'une des menaces environnementales les plus sérieuses. En médecine, cependant, les doses de la plupart des isotopes utilisés comportent peu de risques.

Les niveaux énergétiques des électrons

Dans la figure 2.4, qui montre deux modèles simplifiés d'un atome, la taille du noyau est disproportionnée avec le volume complet de l'atome. Si l'atome d'hélium avait la taille du Stade olympique de Montréal, le noyau ne serait pas plus gros que la gomme à effacer d'un crayon placée au centre du terrain. De plus, les électrons auraient l'allure de deux minuscules moucherons gravitant dans le stade, dans un espace environ un million de fois plus grand que le noyau. Les atomes se composent en grande partie d'espace vide.

Même lorsque deux atomes s'approchent l'un de l'autre au cours d'une réaction chimique, les noyaux demeurent trop éloignés pour interagir. Ainsi, parmi les trois types de particules élémentaires dont nous avons parlé, seuls les électrons participent directement aux réactions chimiques entre les atomes.

Chaque électron possède sa propre quantité d'énergie. L'**énergie** est la capacité de provoquer un changement, par exemple de produire du travail. L'**énergie potentielle** est l'énergie que la matière possède grâce à sa structure ou à sa position par rapport à d'autres objets. Par exemple, l'eau contenue dans un réservoir situé sur une colline possède de l'énergie potentielle en raison de la hauteur à laquelle elle se trouve. Lorsque les vannes du réservoir s'ouvrent, l'énergie se libère et sert à produire du travail, par exemple à faire marcher une turbine. L'eau qui arrive au pied de la colline a moins d'énergie que celle du réservoir. Or, il faut savoir que la tendance naturelle de la matière est d'occuper le niveau d'énergie potentielle le plus bas possible. Pour rétablir l'énergie potentielle de l'eau ayant coulé, il faut produire du travail; celui-ci permettra de faire remonter l'eau jusqu'au réservoir malgré la force de gravitation.

Les électrons d'un atome, qui sont chargés négativement, possèdent eux aussi de l'énergie potentielle en raison de leur disposition par rapport au noyau, chargé positivement. Plus ils se trouvent loin du noyau, plus leur énergie potentielle est élevée, étant donné qu'il faut fournir un travail pour éloigner un électron du noyau. Contrairement à la variation *continue* de l'énergie potentielle de l'eau qui s'écoule vers le bas, les changements d'énergie potentielle des électrons s'effectuent par étapes, de façon *discontinue*. Un électron possédant une certaine énergie potentielle peut se comparer à une balle descendant un escalier **(figure 2.7a)**. La balle a différentes quantités d'énergie potentielle selon la marche sur laquelle elle se trouve, et elle ne peut passer beaucoup de temps entre les marches. De même, un électron ne peut se trouver à un niveau intermédiaire entre certains niveaux déterminés d'énergie potentielle.

Les différents états d'énergie potentielle des électrons d'un atome s'appellent **niveaux énergétiques**. Le niveau énergétique d'un électron est lié à sa distance moyenne du noyau, représentée symboliquement par des **couches électroniques (figure 2.7b)**. La première couche se situe le plus près du noyau; les électrons qui s'y trouvent possèdent l'énergie la plus faible. Les électrons situés dans la deuxième couche ont plus d'énergie, ceux de la troisième couche, encore plus, et ainsi de suite. Un électron peut passer d'une couche à une autre seulement en absorbant ou en perdant une quantité d'énergie égale à la différence d'énergie potentielle entre l'ancienne couche et la nouvelle. Pour gagner une couche plus éloignée du noyau, l'électron doit absorber de l'énergie. Par exemple, la lumière peut l'exciter et le faire passer à un niveau énergétique supérieur. (En fait, il s'agit là de la première étape de la photosynthèse, durant laquelle les Végétaux captent l'énergie lumineuse. C'est le processus qui leur permet de produire de la nourriture à partir de dioxyde de carbone et d'eau.) Au contraire, pour regagner une couche située plus près du noyau, l'électron doit perdre de l'énergie, habituellement en la libérant dans l'environnement sous forme de chaleur. Ainsi, quand les rayons du Soleil excitent les électrons contenus dans la peinture d'une voiture noire, ceux-ci passent à des niveaux énergétiques supérieurs. L'automobile chauffe pendant que les électrons regagnent leur niveau énergétique initial. Cette énergie thermique peut être transférée à l'air ou à la main si on touche l'automobile.

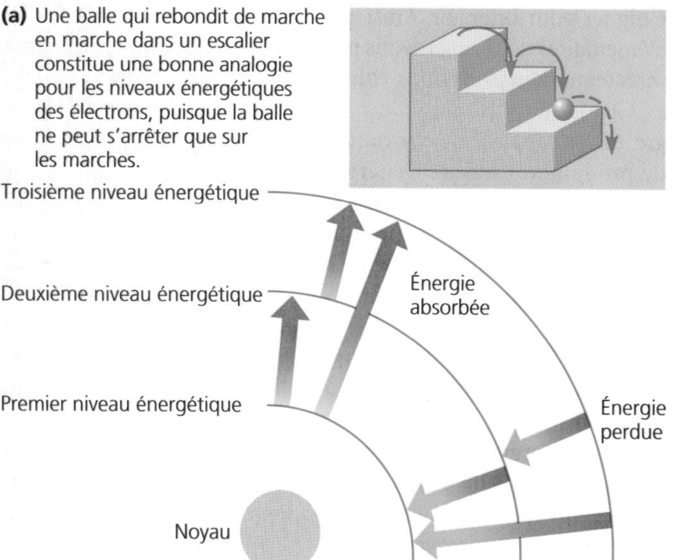

▲ **Figure 2.7 Niveaux énergétiques des électrons.** Les électrons occupent certains niveaux déterminés d'énergie potentielle, également appelés couches électroniques.

Configuration électronique et propriétés chimiques

Le comportement d'un atome dépend de la configuration électronique de celui-ci, c'est-à-dire de la répartition des électrons dans ses couches électroniques. En commençant par l'hydrogène, l'atome le plus simple, nous pouvons élaborer les atomes des autres éléments en ajoutant un proton et un électron à la fois (de même qu'un nombre approprié de neutrons). La **figure 2.8** présente une version abrégée de ce que nous appelons le *tableau périodique des éléments* et nous permet de visualiser la configuration électronique des 18 premiers, soit de l'hydrogène ($_1H$) à l'argon ($_{18}Ar$). Le tableau périodique complet est donné à l'appendice C. Ces éléments figurent sur trois lignes, appelées périodes, correspondant au nombre de couches électroniques contenues dans leurs atomes. De gauche à droite, la suite des éléments de chaque ligne correspond à l'addition séquentielle d'électrons (et de protons).

Comme toute matière, les électrons cherchent à atteindre l'état d'énergie potentielle le plus bas, ce qui est possible lorsqu'ils se trouvent dans la première couche électronique. L'unique électron de l'hydrogène et les deux électrons de l'hélium, par exemple, occupent le premier niveau énergétique. Or, celui-ci ne peut contenir plus de deux électrons; donc, la première rangée du tableau ne peut contenir plus de deux éléments (l'hydrogène et l'hélium). Quand il possède plus de deux électrons, un atome

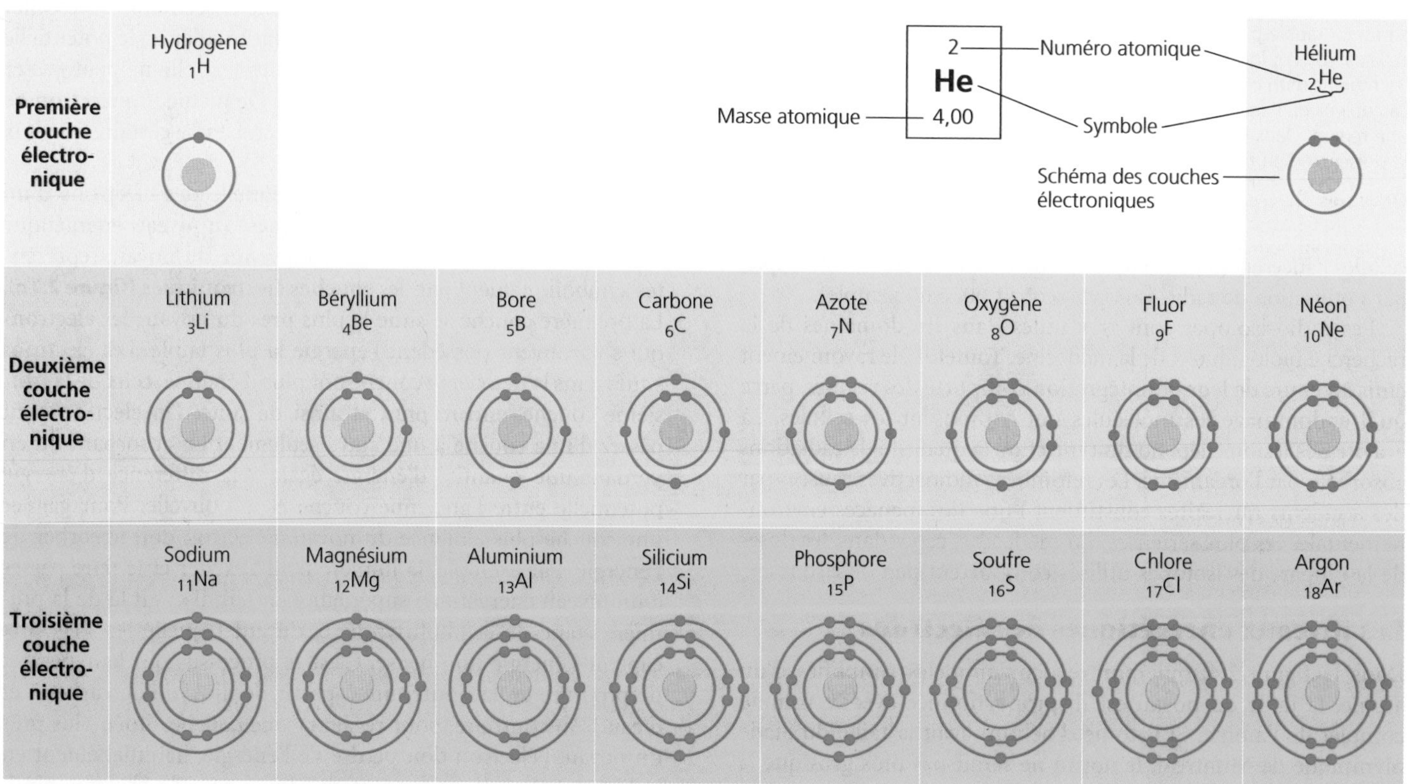

▲ **Figure 2.8 Schémas des couches électroniques des 18 premiers éléments.** Dans un tableau périodique de base, l'information est présentée comme dans le médaillon illustrant l'hélium. Dans les schémas de ce tableau modifié, les électrons sont représentés par des points bleus, et les couches électroniques (représentant les niveaux énergétiques) par des anneaux concentriques. Ces schémas des couches électroniques constituent un moyen commode de représenter la répartition des électrons d'un atome parmi ses niveaux énergétiques, mais il faut bien noter que ces modèles sont simplifiés. Quant aux éléments, ils figurent sur trois lignes (ou périodes), selon le nombre de leurs couches et le nombre d'électrons contenus dans celles-ci. Chaque ligne représente le remplissage d'un niveau énergétique. À mesure qu'ils s'ajoutent, les électrons occupent le plus bas niveau énergétique disponible.

doit utiliser des couches électroniques supérieures, la première étant saturée. Le lithium, par exemple, a trois électrons : deux électrons remplissent sa première couche, et le troisième est localisé dans sa deuxième couche. Cette dernière peut contenir un maximum de huit électrons. Quant au néon, qui se situe à la fin de la deuxième ligne, il compte huit électrons dans sa seconde couche ; cet élément a donc 10 électrons au total.

Un atome a des propriétés chimiques qui dépendent principalement du nombre d'électrons présents dans sa couche *périphérique*, appelée dernier niveau énergétique. Ces électrons s'appellent **électrons de valence** ou **électrons périphériques.** Le lithium, par exemple, qui a deux couches, possède seulement un électron de valence. Les atomes qui ont le même nombre d'électrons dans leur dernier niveau énergétique affichent un comportement chimique semblable. Par exemple, le fluor (F) et le chlore (Cl) possèdent tous deux sept électrons de valence, et chacun d'eux peut se combiner au sodium et former des composés (voir la figure 2.2). Par ailleurs, un atome dont le dernier niveau énergétique est saturé ne réagit pas spontanément avec les atomes qu'il rencontre. À l'extrême droite du tableau périodique se trouvent l'hélium, le néon et l'argon ; il s'agit des trois seuls éléments présentés à la figure 2.8 dont le dernier niveau énergétique est saturé. Ils sont dits *inertes* en raison de leur stabilité chimique. Tous les autres atomes de la figure 2.8 ont la capacité de réagir chimiquement, parce que leur dernier niveau énergétique est insaturé.

Les orbitales électroniques

Au début du XXe siècle, les scientifiques percevaient les couches électroniques comme des trajectoires concentriques décrites par les électrons se déplaçant autour du noyau, un peu comme les orbites des planètes bougeant autour du Soleil. Aujourd'hui, on se sert encore des cercles concentriques à deux dimensions pour illustrer les couches électroniques (voir la figure 2.8), mais il faut se rappeler qu'une couche électronique représente la distance *moyenne* d'un électron par rapport au noyau. Ce n'est qu'un modèle, toutefois, qui ne donne en rien une représentation réelle d'un atome. En fait, il est impossible de connaître la trajectoire exacte d'un électron. Par contre, nous pouvons déterminer le volume de l'espace dans lequel il passe la majeure partie de son temps. L'espace tridimensionnel où l'électron passe 90 % de son temps s'appelle **orbitale.**

Chaque couche électronique compte un nombre déterminé d'orbitales de formes et d'orientations particulières **(figure 2.9).** On peut se représenter une orbitale comme une composante d'une couche électronique. (Rappelez-vous qu'une couche électronique correspond à un niveau énergétique particulier.) La première couche électronique a une seule orbitale de forme sphérique, qui s'appelle 1*s*, mais la deuxième couche a quatre orbitales : une grande orbitale sphérique *s* (appelée 2*s*) et trois orbitales *p* (appelées 2*p*) qui ont la forme d'haltères ; chacune d'elles s'oriente à angle droit par rapport aux deux autres (voir la figure 2.9). La

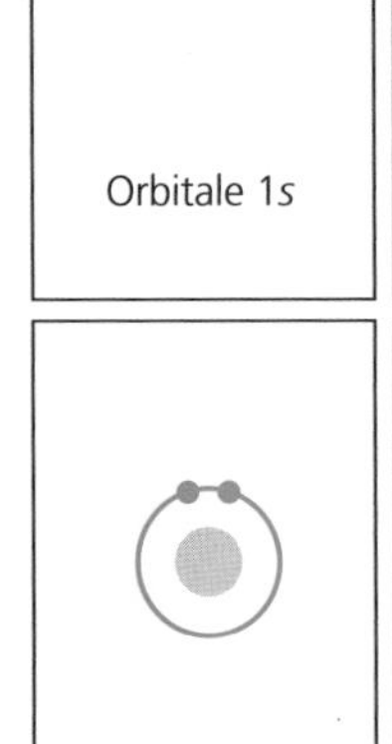
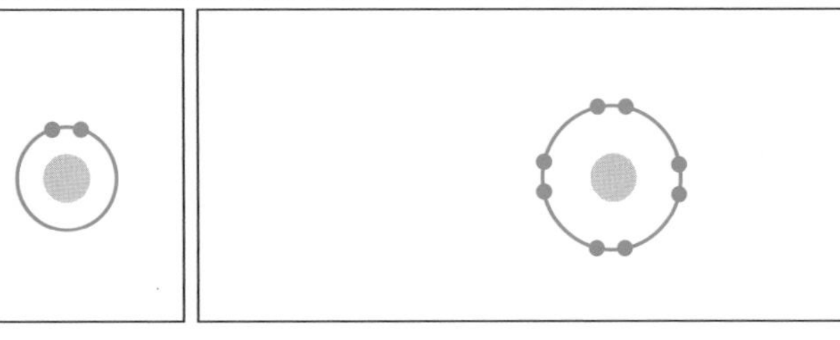
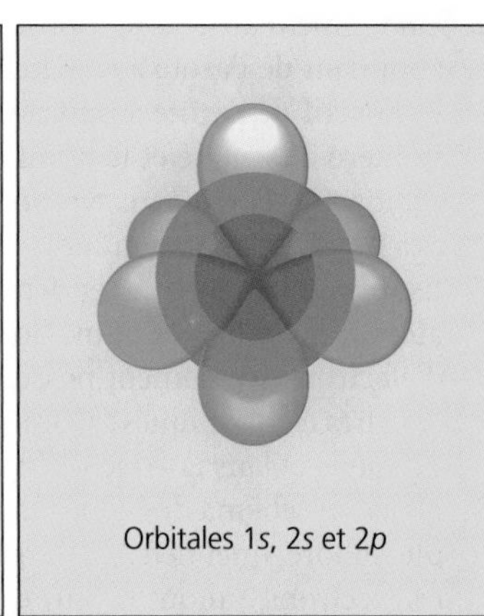
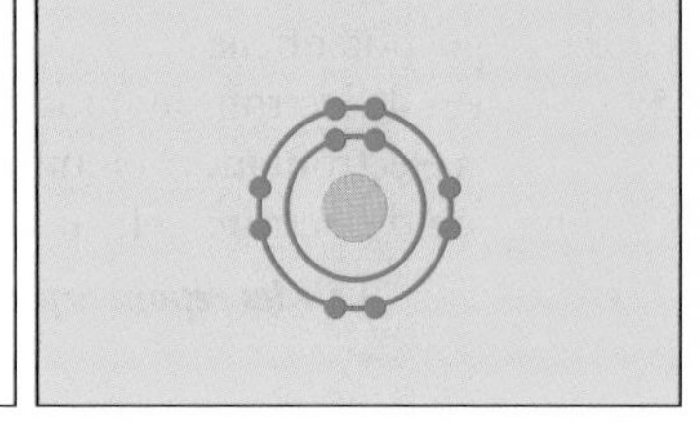
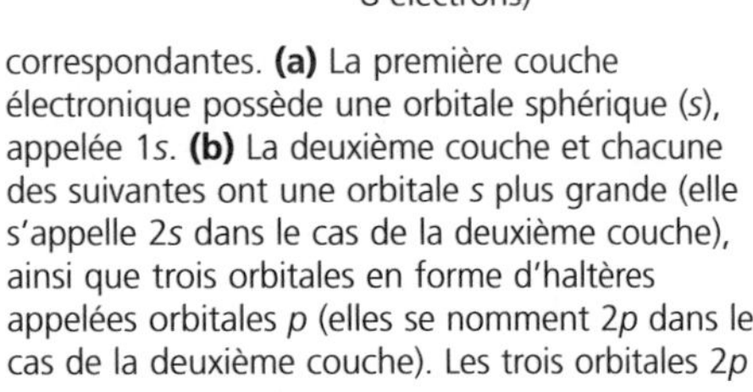

▲ **Figure 2.9 Orbitales électroniques.** Les formes tridimensionnelles illustrées dans la partie supérieure de la figure représentent les orbitales électroniques, des régions de l'espace dans lesquelles les électrons ont le plus de chances de se trouver. Chaque orbitale contient un maximum de deux électrons. La partie inférieure de la figure montre les couches électroniques correspondantes. **(a)** La première couche électronique possède une orbitale sphérique (*s*), appelée 1*s*. **(b)** La deuxième couche et chacune des suivantes ont une orbitale *s* plus grande (elle s'appelle 2*s* dans le cas de la deuxième couche), ainsi que trois orbitales en forme d'haltères appelées orbitales *p* (elles se nomment 2*p* dans le cas de la deuxième couche). Les trois orbitales 2*p* se trouvent à angle droit les unes par rapport aux autres sur des axes imaginaires *x*, *y* et *z*. Dans la figure, le contour de chaque orbitale 2*p* est représenté par une couleur différente. **(c)** Pour symboliser les orbitales électroniques du néon, qui possède 10 électrons, on superpose l'orbitale 1*s*, l'orbitale 2*s* et les trois orbitales 2*p*.

troisième couche électronique, ainsi que les couches supérieures, possèdent également des orbitales *s* et *p*, en plus d'orbitales de formes plus complexes.

Une même orbitale ne peut contenir plus de deux électrons. La première couche électronique peut donc loger un maximum de deux électrons dans son orbitale *s*. L'unique électron de l'atome d'hydrogène et les deux électrons de l'atome d'hélium occupent donc l'orbitale 1*s*. La deuxième couche électronique a quatre orbitales et ne peut pas loger plus de huit électrons. Ces électrons possèdent à peu près la même énergie, mais ils se déplacent dans des espaces différents.

La réactivité d'un atome dépend de la présence d'électrons non appariés, ou célibataires, dans une ou plusieurs orbitales de son dernier niveau énergétique. Observez la figure 2.8, où les électrons s'ajoutent un à la fois de sorte à occuper les orbitales. Pour plus de clarté, on place d'abord un électron sur chacun des côtés de la couche périphérique jusqu'à ce qu'elle soit à demi remplie, puis on apparie les électrons jusqu'à ce que le niveau énergétique soit complet. Quand les atomes interagissent pour combler leur dernier niveau énergétique, ce sont les électrons *célibataires* qui entrent en jeu.

Retour sur le concept 2.2

1. Un atome de lithium a trois protons et quatre neutrons. Quelle est sa masse atomique en unités de masse atomique?
2. Un atome d'azote a sept protons, et l'isotope le plus abondant de l'azote a sept neutrons. Un isotope radioactif de l'azote a huit neutrons. Quel est le numéro atomique et le nombre de masse de cet azote radioactif? Écrivez un symbole chimique accompagné des nombres placés en indice et en exposant.
3. Examinez la figure 2.8 et déterminez le numéro atomique du magnésium. Combien de protons et d'électrons cet élément possède-t-il? Combien de couches électroniques? Combien y a-t-il d'électrons de valence dans la couche de valence?
4. Dans un schéma des couches électroniques du phosphore, quel niveau énergétique est occupé par les électrons qui ont le plus d'énergie potentielle? Dans quel niveau les électrons ont-ils le moins d'énergie potentielle?
5. Combien d'électrons le fluor a-t-il? Combien de couches électroniques? Nommez les orbitales occupées. Combien d'électrons célibataires le fluor a-t-il?

Voir les réponses proposées à la fin du chapitre.

Concept 2.3

La formation et la fonction des molécules dépendent des liaisons chimiques entre les atomes

Montons maintenant dans la hiérarchie de l'organisation biologique pour voir comment les atomes se combinent de façon à former des molécules et des composés ioniques. Les atomes dont le dernier niveau énergétique est incomplet (c'est le cas des éléments les plus abondants dans la matière vivante) interagissent avec certains autres atomes de manière à remplir leur dernière couche électronique. Pour ce faire, ils doivent soit mettre en commun leurs électrons de valence, soit les transférer complètement. Cela fait, ils restent habituellement proches l'un de l'autre: ils sont retenus par des forces d'attraction appelées **liaisons chimiques**. Les liaisons chimiques les plus fortes sont la liaison covalente et la liaison ionique entre atomes ou ions, la liaison covalente étant la plus forte des deux.

La liaison covalente

Une **liaison covalente** existe quand deux atomes mettent en commun une ou plusieurs paires d'électrons de valence. C'est ce qui arrive, par exemple, quand deux atomes d'hydrogène s'approchent l'un de l'autre. Rappelez-vous que l'hydrogène possède un électron de valence situé dans sa première couche, mais que celle-ci peut en contenir deux. Lorsqu'ils sont assez près pour que leurs orbitales 1*s* se chevauchent, deux atomes d'hydrogène mettent en commun leur unique électron **(figure 2.10)**. Chaque atome d'hydrogène possède alors deux électrons qui se déplacent dans son orbitale 1*s*, et son dernier niveau énergétique est complet, ce qu'illustre la **figure 2.11a** sous forme de schémas des couches électroniques. Quand ils sont unis par des liaisons covalentes, deux atomes ou plus forment une **molécule**. Dans l'exemple ci-dessus, nous avons une molécule de dihydrogène. Le symbole utilisé pour la représenter est H—H; le tiret indique une liaison covalente simple, ou **liaison simple**, c'est-à-dire un doublet d'électrons mis en commun. Cette forme de notation, qui montre les atomes et leurs liaisons, s'appelle **formule développée**.

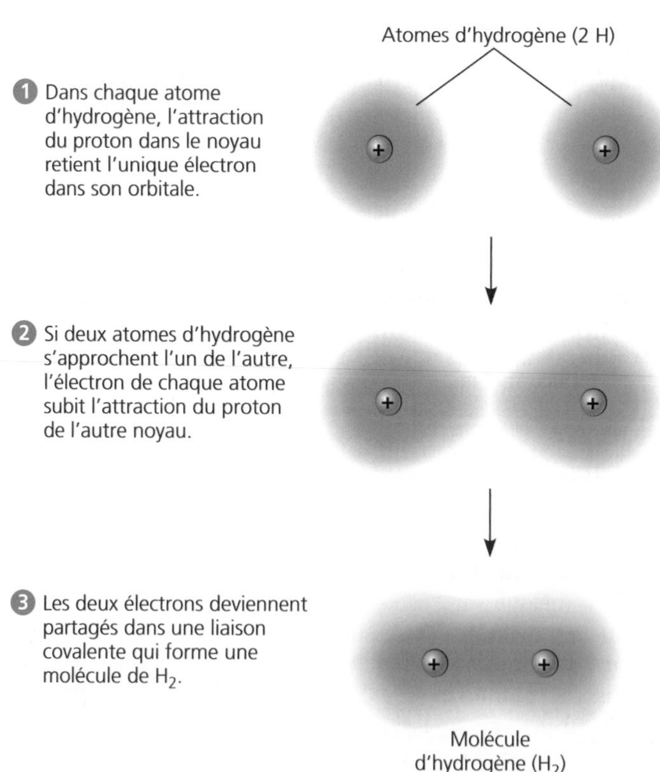

Atomes d'hydrogène (2 H)
1 Dans chaque atome d'hydrogène, l'attraction du proton dans le noyau retient l'unique électron dans son orbitale.
2 Si deux atomes d'hydrogène s'approchent l'un de l'autre, l'électron de chaque atome subit l'attraction du proton de l'autre noyau.
3 Les deux électrons deviennent partagés dans une liaison covalente qui forme une molécule de H_2.
Molécule d'hydrogène (H_2)

▲ **Figure 2.10 Formation d'une liaison covalente.**

Nous pouvons l'abréger en écrivant H_2; il s'agit de la **formule moléculaire**, qui indique simplement que la molécule consiste en deux atomes d'hydrogène.

Ayant six électrons dans sa deuxième couche électronique, l'oxygène a besoin de deux électrons supplémentaires pour combler son dernier niveau énergétique. Deux atomes d'oxygène qui se rencontrent doivent mettre en commun *deux* doublets d'électrons de valence afin de former une molécule **(figure 2.11b)**. Ils sont alors unis par une liaison covalente double, ou **liaison double**.

Chaque atome qui peut mettre en commun des électrons de valence possède une capacité de liaison correspondant au nombre de liaisons covalentes qu'il peut établir. Une fois que celles-ci sont formées, le dernier niveau énergétique de l'atome est comblé. Le **nombre d'oxydation** d'un atome détermine sa capacité de liaison. Il représente le nombre d'électrons qu'un atome doit perdre (signe +), gagner (signe −) ou mettre en commun pour remplir son dernier niveau énergétique. Le nombre d'oxydation de l'hydrogène est +1. Cette valeur signifie que l'électron a plutôt tendance à s'éloigner du noyau de l'hydrogène et à se rapprocher d'un autre atome; l'électron éloigne, par le fait même, sa charge négative du noyau de l'hydrogène. Dans ce cas, le proton du noyau, de charge positive, prédomine au sein de l'hydrogène, d'où le +1 correspondant au nombre d'oxydation de cet atome. Quant au nombre d'oxydation de l'oxygène, il est de −2. Parfois, un élément comporte plusieurs nombres d'oxydation, selon le type de molécule auquel il appartient; ainsi, ceux de l'azote sont ±3, +5, +4 et +2. Le phosphore (P), un élément important pour la vie, peut avoir un nombre d'oxydation de ±3, ainsi que ses trois électrons célibataires permettent de le prédire. Cependant, lorsqu'il fait partie d'une molécule essentielle à la vie, il a généralement un nombre d'oxydation de +5: il forme trois liaisons simples et une liaison double. Il peut aussi avoir un nombre d'oxydation de +4.

Les molécules H_2 et O_2 constituent des éléments purs et non des composés. (Rappelez-vous qu'un composé est une combinaison de deux ou de plusieurs éléments *différents*.) L'eau, dont la formule moléculaire est H_2O, est un exemple de composé. Il faut deux atomes d'hydrogène pour combler le dernier niveau énergétique d'un atome d'oxygène. La **figure 2.11c** montre la structure d'une molécule d'eau. L'eau revêt tellement d'importance pour la vie que nous consacrerons tout le chapitre 3 à sa structure et à ses propriétés.

Le méthane, dont la formule moléculaire est CH_4, représente un autre exemple de composé **(figure 2.11d)**. C'est en fait le constituant principal du gaz naturel. Il faut quatre atomes d'hydrogène (chacun ayant un nombre d'oxydation de +1) pour combler le dernier niveau énergétique d'un atome de carbone (dont le nombre d'oxydation est de −4). Nous étudierons de nombreux autres composés du carbone au chapitre 4.

Il arrive que des atomes ou des molécules contenant des électrons de valence non appariés (ou célibataires) se forment dans un organisme (O_2^-, NO et OH, par exemple). Ces substances, appelées **radicaux libres**, sont très instables et réactives, car elles sont, en quelque sorte, à la recherche de l'électron manquant. Elles peuvent «voler» celui-ci à n'importe quel autre atome, y compris des atomes appartenant à des substances utiles pour un organisme, comme ses protéines. Les radicaux libres peuvent donc avoir des effets physiologiques nocifs.

L'attraction qu'un atome exerce sur les électrons qu'il met en commun dans le cadre d'une liaison covalente s'appelle **électronégativité**. Plus un atome est électronégatif, plus il attire fortement

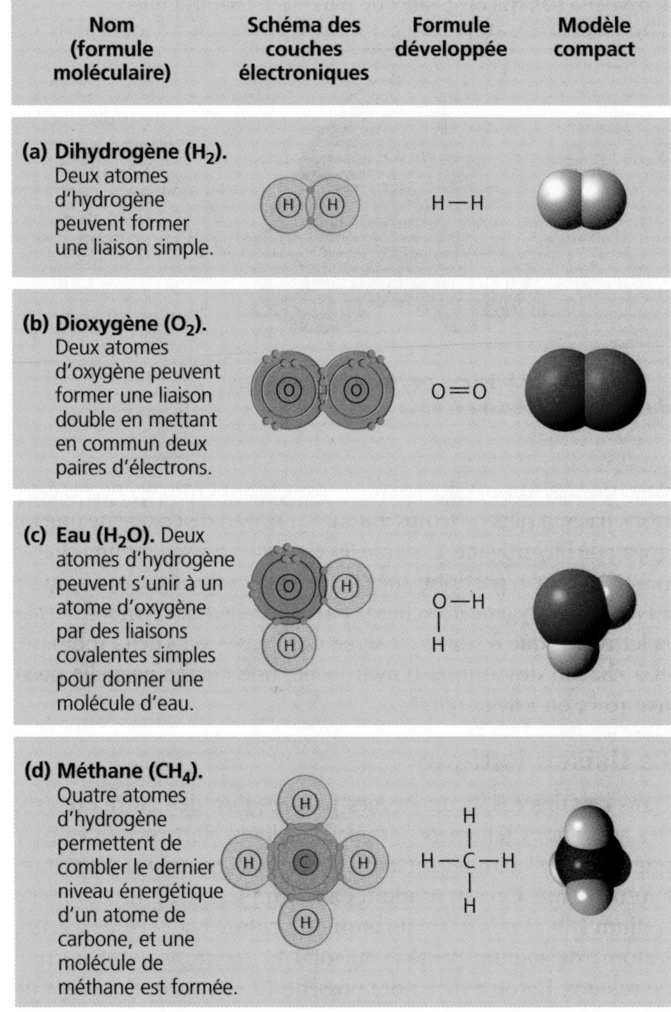

Nom (formule moléculaire)
Schéma des couches électroniques
Formule développée
Modèle compact
(a) Dihydrogène (H_2). Deux atomes d'hydrogène peuvent former une liaison simple.
H—H
(b) Dioxygène (O_2). Deux atomes d'oxygène peuvent former une liaison double en mettant en commun deux paires d'électrons.
O=O
(c) Eau (H_2O). Deux atomes d'hydrogène peuvent s'unir à un atome d'oxygène par des liaisons covalentes simples pour donner une molécule d'eau.
O—H
H
(d) Méthane (CH_4). Quatre atomes d'hydrogène permettent de combler le dernier niveau énergétique d'un atome de carbone, et une molécule de méthane est formée.
H—C—H

▲ **Figure 2.11 Quatre molécules comprenant au moins une liaison covalente.** Une liaison covalente simple se forme lorsqu'un doublet d'électrons est mis en commun. Le nombre d'électrons requis pour remplir le dernier niveau énergétique d'un atome détermine généralement le nombre de liaisons que cet atome peut former. Trois façons de représenter les liaisons sont illustrées; le modèle compact se rapproche le plus de la véritable forme de la molécule (voir aussi la figure 2.16).

vers lui les électrons mis en commun. Dans une liaison covalente entre deux atomes du même élément, la partie est nulle, étant donné que ceux-ci ont une électronégativité égale. On parle alors de **liaison covalente non polaire**: les électrons sont répartis également entre les atomes. Ainsi, la liaison covalente de H_2 n'est pas polaire, tout comme la liaison double de O_2. Dans d'autres composés, par contre, qui comprennent un atome lié à un autre plus électronégatif, les électrons de la liaison passent plus de temps du côté de ce dernier. On parle alors de **liaison covalente polaire**. La polarité de ces liaisons varie en fonction de l'électronégativité relative des deux atomes. Par exemple, les liaisons du méthane (CH_4) sont faiblement polaires, parce que l'électronégativité du carbone diffère légèrement de celle de l'hydrogène. Dans un autre exemple mettant en jeu la molécule d'eau, les liaisons entre l'oxygène et l'hydrogène sont très polaires **(figure 2.12)**. L'oxygène fait partie des éléments les plus électronégatifs parmi les 92 éléments naturels; l'attraction qu'il exerce sur les électrons mis en commun est beaucoup plus forte que celle de l'hydrogène. En conséquence,

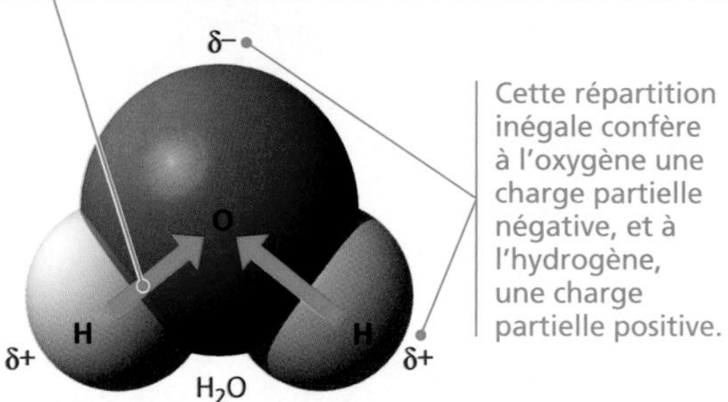

▲ **Figure 2.12 Liaisons covalentes polaires dans une molécule d'eau.**

dans une liaison covalente entre l'oxygène et l'hydrogène, les électrons passent plus de temps autour du noyau de l'oxygène que du noyau de l'hydrogène. Comme les électrons possèdent une charge négative, leur répartition inégale dans la molécule d'eau confère à l'atome d'oxygène une charge partielle négative (symbolisée par la lettre grecque δ suivie du signe moins, δ− ou «delta moins»), et à chacun des atomes d'hydrogène, une charge partielle positive (δ+, ou «delta plus»).

La liaison ionique

Dans certains cas, deux atomes proches l'un de l'autre exercent des attractions tellement inégales sur leurs électrons de valence que le plus électronégatif arrache complètement un électron à l'autre atome. Cela se produit, par exemple, quand un atome de sodium ($_{11}$Na) rencontre un atome de chlore ($_{17}$Cl) **(figure 2.13)**. L'atome de sodium possède au total 11 électrons, dont un seul de valence. L'atome de chlore possède 17 électrons, dont sept de valence. Lorsque ces deux atomes se rencontrent, le sodium cède son unique électron de valence au chlore; les deux atomes ont alors leur dernier niveau énergétique saturé. (Comme le sodium n'a plus d'électron dans sa troisième couche, sa deuxième couche devient le dernier niveau énergétique.)

Le transfert d'un électron du sodium au chlore déplace vers celui-ci une unité de charge négative. Le sodium, qui se retrouve avec 11 protons et seulement 10 électrons, possède maintenant une charge électrique nette de +1. Un atome chargé (ou une molécule chargée) s'appelle **ion**. Lorsqu'il cède ou accepte au moins un électron, un atome devient un ion monoatomique: c'est le cas des ions Cl^- et Ca^{2+}. Une molécule chargée est un ion polyatomique (un groupe d'atomes liés): c'est le cas, par exemple, des ions NH_4^+ et SO_4^{2-}. Le chlorure d'ammonium (NH_4Cl) est le résultat de l'union d'un ion monoatomique chlorure (Cl^-) et d'un ion polyatomique ammonium (NH_4^+), un composé formé d'un atome d'azote lié par covalence à quatre atomes d'hydrogène. L'ion ammonium possède une charge électrique de +1 parce qu'il lui manque un électron.

Lorsque la charge est positive, comme dans le cas du sodium de notre exemple, l'ion s'appelle **cation**. Par contre, comme l'atome de chlore a gagné un électron, il se retrouve avec 17 protons et 18 électrons, ce qui lui donne une charge électrique nette de −1. C'est devenu un ion chlorure, un **anion**, soit un ion chargé négativement. En raison de leurs charges opposées, les cations et les anions s'attirent mutuellement et forment des **liaisons ioniques**. Deux ions de charges opposées peuvent former une liaison ionique sans qu'ils aient effectué un transfert mutuel d'électrons pour acquérir leur charge.

Les composés formés par des liaisons ioniques sont appelés **composés ioniques** ou **sels**. Nous connaissons tous le sel de table **(figure 2.14)**; il s'agit d'un composé ionique appelé chlorure de sodium (NaCl). Dans la nature, les sels ont souvent l'aspect de cristaux de taille et de forme diverses. Ce sont des agrégats formés

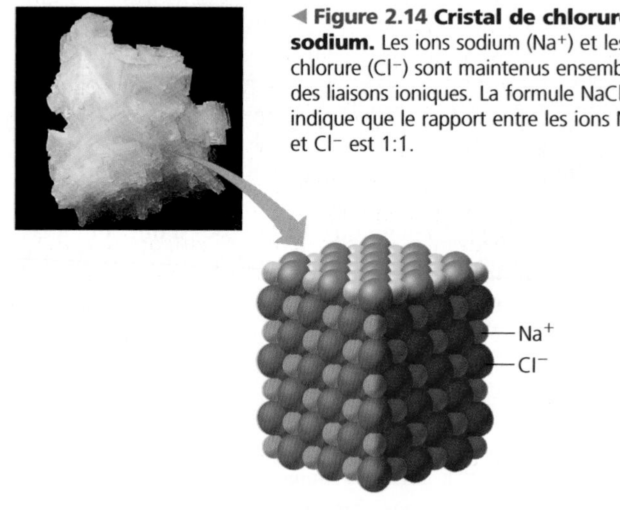

◄ **Figure 2.14 Cristal de chlorure de sodium.** Les ions sodium (Na^+) et les ions chlorure (Cl^-) sont maintenus ensemble par des liaisons ioniques. La formule NaCl nous indique que le rapport entre les ions Na^+ et Cl^- est 1:1.

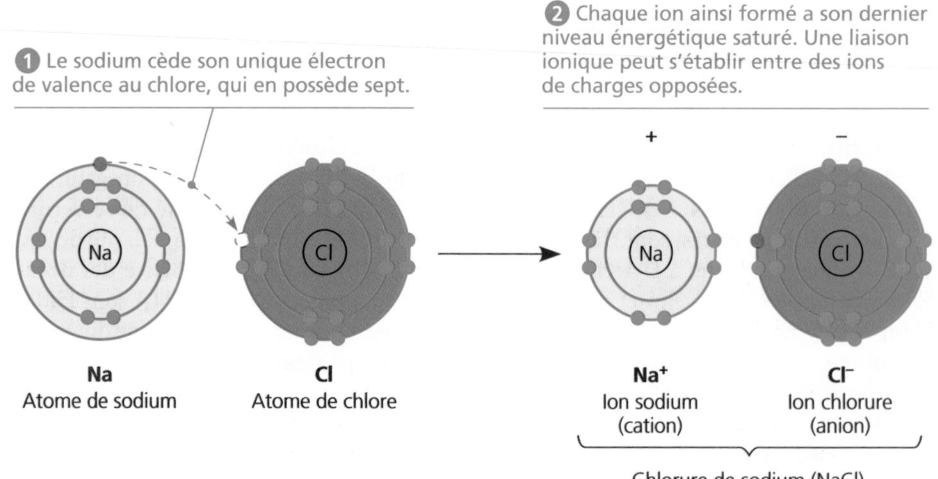

► **Figure 2.13 Transfert d'un électron et liaison ionique.** L'attraction qui unit les atomes de charges opposées, ou ions, constitue une liaison ionique. L'ion peut se lier non seulement à l'atome avec lequel il a réagi, mais aussi à tout autre ion de charge opposée.

d'un grand nombre de cations et d'anions unis par leur attraction électrique et assemblés en réseaux tridimensionnels. Un cristal de sel n'est pas constitué de molécules dans le sens que nous avons attribué aux composés covalents : cela, parce qu'une molécule formée d'atomes unis par des liaisons covalentes a une taille et un nombre d'atomes déterminés. La formule d'un composé ionique, comme NaCl, indique seulement le rapport entre les éléments que le cristal de sel renferme. La formule NaCl ne représente pas une molécule individualisée.

Tous les sels ne possèdent pas un nombre égal de cations et d'anions. Par exemple, le dichlorure de magnésium ($MgCl_2$), un composé ionique, comprend deux ions chlorure pour chaque ion magnésium. Le magnésium ($_{12}Mg$) doit perdre ses deux électrons de valence pour que son dernier niveau énergétique soit saturé ; il devient alors un cation, dont la charge est de +2 (Mg^{2+}). Un cation magnésium peut ainsi former des liaisons ioniques avec deux anions chlorure (Cl^-).

L'environnement influe sur la force des liaisons ioniques. Un cristal de sel pur possède des liaisons tellement fortes lorsqu'il est sec qu'il faut un marteau et un ciseau pour le casser en deux. Cependant, si on le place dans de l'eau, il se dissout à mesure que l'attraction diminue entre ses ions. Dans le prochain chapitre, vous en apprendrez davantage sur la dissolution des sels dans l'eau.

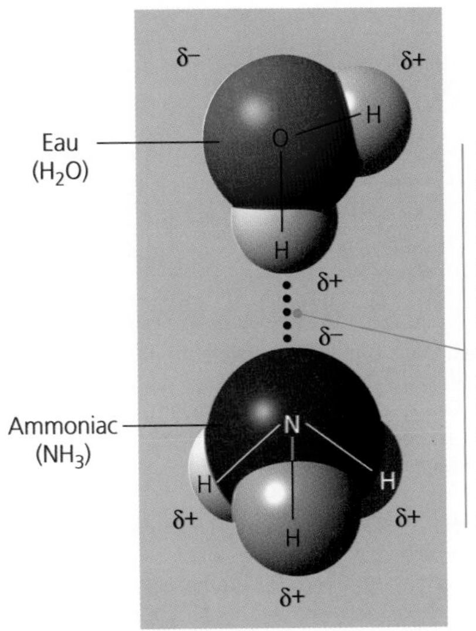

Une liaison hydrogène résulte de l'attraction entre la charge partielle positive sur l'atome d'hydrogène d'une molécule d'eau et la charge partielle négative sur l'atome d'azote de l'ammoniac.

▲ **Figure 2.15 Liaison hydrogène.**

Les liaisons chimiques faibles

Chez les êtres vivants, les liaisons chimiques les plus fortes sont les liaisons covalentes unissant des atomes et formant les molécules d'une cellule. Mais des liaisons intermoléculaires et intramoléculaires plus faibles sont également indispensables ; en fait, les propriétés de la vie découlent d'elles. Grâce aux liaisons faibles, les grosses molécules les plus importantes en biologie peuvent maintenir leur forme tridimensionnelle, responsable de leur fonction. De plus, lorsqu'elles entrent en contact dans une cellule, deux molécules peuvent s'associer de façon temporaire grâce à des types de liaisons chimiques faibles. Le caractère réversible des liaisons faibles constitue un avantage : deux molécules s'associent, réagissent l'une à l'autre d'une certaine manière, puis se séparent.

Plusieurs types de liaisons chimiques faibles jouent un rôle important dans les organismes. Mentionnons la liaison ionique, dont nous venons de parler, et la liaison hydrogène, essentielle à la vie et découlant des forces de Van der Waals.

La liaison hydrogène

La **liaison hydrogène**, une liaison chimique faible, est tellement importante pour la vie qu'elle mérite une attention particulière. Elle se forme quand un atome d'hydrogène déjà lié par covalence à un atome électronégatif subit l'attraction d'un autre atome électronégatif. Dans les cellules, les atomes électronégatifs susceptibles de donner lieu à des liaisons hydrogène sont habituellement l'oxygène et l'azote. Observons le cas simple de la liaison hydrogène entre l'eau (H_2O) et l'ammoniac (NH_3) **(figure 2.15)**. Dans le prochain chapitre, nous verrons comment les liaisons hydrogène entre les molécules d'eau permettent à certains insectes de marcher sur un étang.

Les forces de Van der Waals

Même une molécule ayant des liaisons covalentes non polaires peut présenter des régions chargées positivement, et d'autres, négativement. Étant constamment en mouvement, les électrons ne sont pas toujours répartis de façon symétrique dans la molécule. Ils peuvent à tout moment se retrouver rassemblés par hasard dans l'une ou l'autre de ses parties. Par conséquent, les « points chauds » chargés positivement et négativement changent constamment, ce qui permet à tous les atomes et à toutes les molécules de s'attirer mutuellement. Ces **forces** (ou **interactions**) **de Van der Waals** sont faibles et apparaissent seulement quand les atomes et les molécules sont très proches les uns des autres. Il a été démontré récemment que les forces de Van der Waals, même si elles sont faibles, peuvent expliquer la facilité avec laquelle le lézard gecko (*gekko gecko*) (à droite) escalade les murs. Chaque doigt du lézard gecko est recouvert de centaines de milliers de poils minuscules. L'extrémité des poils est subdivisée en une multitude de projections qui en augmentent la surface. Il semble que les forces de Van der Waals qui s'établissent entre les molécules à l'extrémité des poils et les molécules à la surface d'un mur sont tellement nombreuses que, malgré leur faiblesse prises individuellement, elles peuvent supporter le poids de l'animal.

Les forces de Van der Waals, les liaisons hydrogène et les liaisons ioniques en milieu aqueux peuvent se former non seulement entre des molécules, mais aussi entre différentes régions d'une même molécule, comme une protéine. Bien qu'elles soient faibles individuellement, ces liaisons ont un effet cumulatif qui renforce la forme tridimensionnelle des grosses molécules. Vous en apprendrez davantage sur les rôles biologiques des liaisons chimiques faibles au chapitre 5.

Forme moléculaire et fonction biologique

Une molécule possède une taille et une forme tridimensionnelle caractéristiques. La forme tridimensionnelle particulière d'une molécule contribue habituellement de manière très importante à la fonction de la molécule dans la cellule.

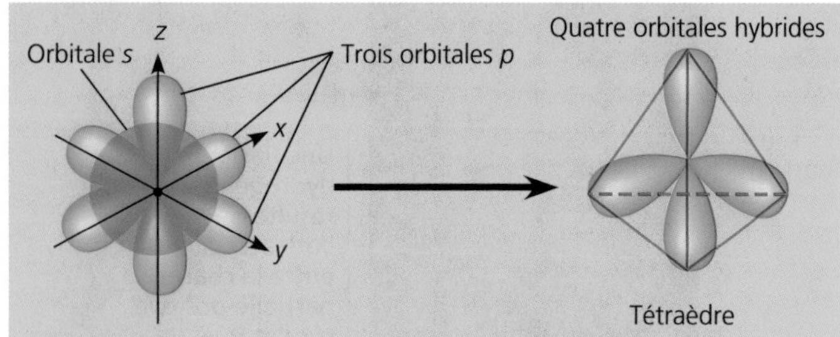

(a) Hybridation des orbitales. Dans une liaison covalente, l'unique orbitale *s* et les trois orbitales *p* du dernier niveau énergétique se combinent pour former quatre orbitales hybrides ayant la forme de gouttes d'eau. Ces orbitales pointent vers les quatre sommets d'un tétraèdre imaginaire (tracé en rose).

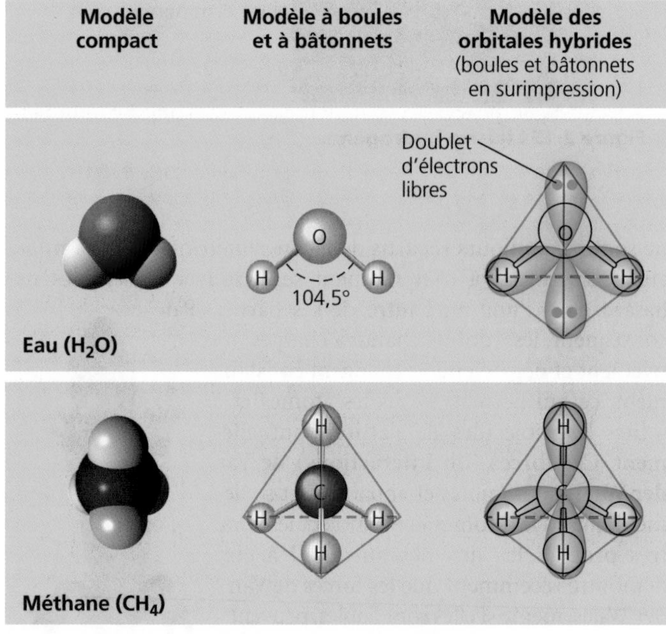

(b) Modèles représentant la géométrie moléculaire. Trois modèles représentent la géométrie moléculaire dans deux exemples : l'eau et le méthane. L'orientation des orbitales hybrides détermine les formes des molécules.

▲ **Figure 2.16 Formes moléculaires tridimensionnelles découlant des orbitales hybrides.**

Les molécules constituées de deux atomes, comme H_2 ou O_2, sont toujours linéaires. Celles qui comportent plus de deux atomes ont des formes plus complexes, déterminées par la position des orbitales des atomes. Quand un atome établit des liaisons covalentes avec un autre atome, les orbitales de son dernier niveau énergétique se transforment. S'il possède des électrons de valence dans les orbitales *s* et *p* (revoir la figure 2.9), l'unique orbitale *s* et les trois orbitales *p* se combinent pour former quatre nouvelles orbitales, dites hybrides. Celles-ci ont la forme de gouttes d'eau identiques émergeant du noyau atomique **(figure 2.16a)**. Si nous relions les grosses extrémités des gouttes d'eau par des droites, nous obtenons un tétraèdre (une pyramide à base triangulaire).

Dans la molécule d'eau (H_2O), l'atome d'oxygène met en commun deux des orbitales hybrides de son dernier niveau énergétique avec les atomes d'hydrogène **(figure 2.16b)**. La molécule qui en résulte a grossièrement la forme d'un V (inversé dans la figure 2.16b), ses deux liaisons covalentes formant un angle de 104,5°.

La molécule de méthane (CH_4) a la forme d'un tétraèdre parce que les quatre orbitales hybrides du carbone sont mises en commun avec l'hydrogène (voir la figure 2.16b). Le noyau de l'atome de carbone se trouve au centre, et ses quatre liaisons covalentes pointent vers les noyaux d'hydrogène situés aux sommets du tétraèdre.

Les molécules plus volumineuses contenant plusieurs atomes de carbone (dont de nombreuses molécules composant la matière organique) ont des formes tridimensionnelles plus complexes. Cependant, la forme tétraédrique que prend un atome de carbone uni à quatre autres atomes est un motif courant.

La géométrie moléculaire suscite beaucoup d'intérêt en biologie, car elle détermine la façon dont la plupart des molécules se reconnaissent et réagissent entre elles, de manière spécifique. Les liaisons faibles ne peuvent s'établir qu'entre des molécules possédant une forme complémentaire. Le mécanisme de la maîtrise de la douleur fournit un exemple de cette spécificité. Des molécules messagères naturelles appelées endorphines se fixent à des molécules spécifiques, appelées récepteurs, à la surface des cellules du système nerveux ; elles donnent un sentiment d'euphorie et soulagent la douleur. Or, il s'avère que les molécules ayant des formes semblables à celles des endorphines ont des effets similaires. Par exemple, la morphine, l'héroïne et d'autres opiacés imitent les endorphines en se fixant aux récepteurs de l'endorphine dans le système nerveux **(figure 2.17)**. Le rôle de la géométrie moléculaire dans la chimie du système nerveux illustre la relation entre structure et fonction, l'un des fils conducteurs de la biologie.

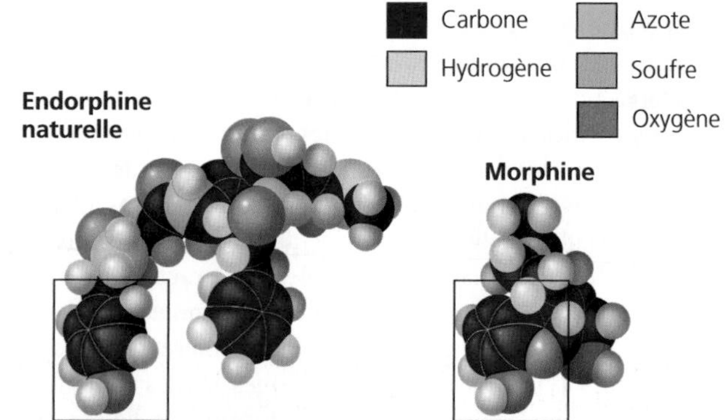

(a) Structures de la morphine et de l'endorphine. La partie encadrée de la molécule d'endorphine (à gauche) se fixe sur les molécules réceptrices situées sur les cellules cibles du système nerveux central. La partie encadrée de la molécule de morphine (à droite) lui ressemble beaucoup.

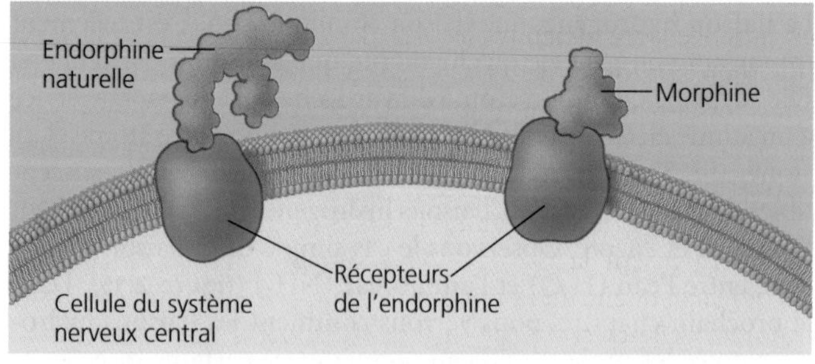

(b) Fixation sur les récepteurs de l'endorphine. Les récepteurs de l'endorphine à la surface des cellules du système nerveux central peuvent former une liaison aussi bien avec l'endorphine qu'avec la morphine.

▲ **Figure 2.17 Mimétisme moléculaire.** La morphine modifie la perception de la douleur et l'état affectif en imitant les endorphines naturelles du système nerveux central.

Retour sur le concept 2.3

1. Pourquoi la formule chimique suivante n'a-t-elle pas de sens?

   H—C═C—H

2. Expliquez ce qui retient ensemble les atomes dans un cristal de dichlorure de magnésium ($MgCl_2$).

Voir les réponses proposées à la fin du chapitre.

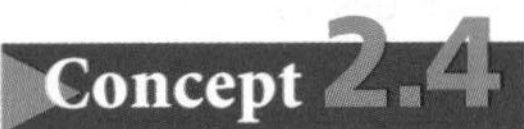

Concept 2.4

Les réactions chimiques établissent et rompent des liaisons chimiques

La formation et la rupture de liaisons chimiques, qui provoquent des modifications dans la composition de la matière, constituent les réactions chimiques. La réaction qui se produit entre le dihydrogène et le dioxygène et qui aboutit à la formation d'eau en est un exemple:

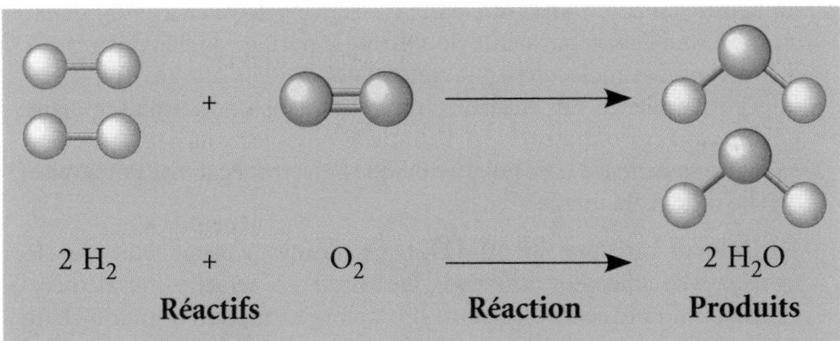

Cette réaction rompt les liaisons covalentes de H_2 et de O_2. De nouvelles liaisons sont établies, et des molécules de H_2O sont formées. Pour exprimer une réaction chimique, nous utilisons une flèche représentant la transformation des substances de départ, appelées **réactifs**, en une ou plusieurs nouvelles substances, les **produits**. Les coefficients indiquent le nombre de molécules participantes. Le coefficient 2 devant H_2 signifie que la réaction commence avec deux molécules de dihydrogène. Remarquez que tous les atomes des réactifs se retrouvent dans les produits. Dans toute réaction chimique, la matière est conservée: les réactions ne peuvent ni la créer ni la détruire; elles ne peuvent que la réorganiser.

La photosynthèse est un bon exemple de réactions chimiques qui réorganisent la matière. Les Animaux (dont l'humain fait partie) dépendent de la photosynthèse pour se nourrir et pour respirer; celle-ci constitue la base de presque tous les écosystèmes. Voici une formule abrégée résumant la réaction de la photosynthèse:

$$6\ CO_2 + 6\ H_2O \longrightarrow C_6H_{12}O_6 + 6\ O_2$$

Les matériaux bruts de la photosynthèse sont le dioxyde de carbone (CO_2) dans l'air et l'eau (H_2O) provenant du sol. La lumière du Soleil fournit aux cellules capables de photosynthèse l'énergie nécessaire à la transformation de ces ingrédients en un sucre appelé glucose ($C_6H_{12}O_6$) et en molécules de dioxygène (O_2), un produit secondaire libéré dans l'environnement **(figure 2.18)**. Même si la photosynthèse est une suite de nombreuses réactions biochimiques, nous retrouvons en bout de ligne le même nombre et les mêmes types d'atomes qu'au début. Bref, les réactions réorganisent simplement la matière grâce à l'énergie fournie par le Soleil.

Certaines réactions chimiques sont complètes et irréversibles, c'est-à-dire que tous les réactifs sont transformés en produits. D'autres sont réversibles: les produits de la réaction directe deviennent les réactifs de la réaction inverse. Par exemple, les molécules de dihydrogène et de diazote peuvent se combiner pour former de l'ammoniac, et celui-ci peut se décomposer pour reformer du dihydrogène et du diazote:

$$3\ H_2 + N_2 \rightleftharpoons 2\ NH_3$$

Les flèches superposées et pointant dans un sens opposé indiquent que la réaction est réversible.

La concentration des réactifs est l'un des facteurs qui déterminent la vitesse d'une réaction chimique. Plus les molécules des réactifs sont concentrées, plus elles se heurtent les unes aux autres et plus elles ont l'occasion de réagir et de former des produits. Le même principe vaut pour ces derniers: à mesure qu'ils s'accumulent, leurs collisions deviennent de plus en plus fréquentes, ce qui aboutit à la formation des réactifs de départ. En fin de compte, la réaction directe et la réaction inverse ont lieu à la même vitesse, et la concentration relative des produits et des réactifs demeure constante. Le point précis où cela arrive, donc où les réactions s'annulent, est appelé **équilibre chimique**. En fait, il s'agit d'un équilibre dynamique; les réactions continuent toujours de se dérouler dans les deux sens, mais elles n'ont aucune

▲ **Figure 2.18 Photosynthèse: réorganisation de la matière grâce à l'énergie lumineuse.** Cette élodée (*Elodea canadensis*), une plante d'eau douce, produit un sucre en combinant différemment les atomes de dioxyde de carbone et d'eau grâce à un processus biochimique appelé photosynthèse. La lumière du Soleil fournit l'énergie nécessaire à cette transformation chimique. Une grande partie du sucre produit est convertie par la suite en d'autres molécules nutritives. Le dioxygène gazeux (O_2) est un produit secondaire de la photosynthèse; notez les bulles de dioxygène qui s'échappent des feuilles sur la photographie.

influence sur les concentrations des réactifs et des produits. Notez que l'équilibre *ne signifie pas* que les concentrations des réactifs et des produits sont égales, mais seulement qu'elles sont dans un certain rapport stable. La réaction de l'ammoniac dont nous avons parlé plus haut atteint l'équilibre quand ce composé se dissocie aussi rapidement qu'il se forme. À l'état d'équilibre, il y a beaucoup plus d'ammoniac que de dihydrogène et de diazote.

Nous reverrons les réactions chimiques après avoir fait une étude détaillée des différents types de molécules essentielles à la vie. Dans le chapitre suivant, nous nous concentrerons sur l'eau, une substance dans laquelle toutes les réactions chimiques ont lieu chez les êtres vivants.

Retour sur le concept 2.4

1. Reportez-vous à la réaction entre l'hydrogène et l'oxygène qui forme de l'eau, illustrée à la page 43 à l'aide du modèle à boules et à bâtonnets. Tracez le schéma des couches électroniques représentant cette réaction.
2. Quelle réaction se produit le plus rapidement à l'équilibre, la formation des produits à partir des réactifs ou celle des réactifs à partir des produits?

Voir les réponses proposées à la fin du chapitre.

Révision du chapitre 2

RÉSUMÉ DES CONCEPTS CLÉS

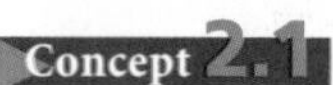
Concept 2.1

La matière est constituée d'éléments chimiques purs ou combinés; les éléments combinés forment des composés

- **Les éléments et les composés (p. 31-32).** Les éléments ne peuvent être décomposés chimiquement en des substances plus simples. Un composé comporte deux ou plusieurs éléments dans des proportions définies.
- **Les éléments chimiques essentiels à la vie (p. 32-33).** Le carbone, l'oxygène, l'hydrogène et l'azote forment environ 96 % de la matière vivante.

Concept 2.2

Les propriétés d'un élément sont déterminées par la structure de ses atomes

- **Les particules élémentaires (p. 33).** L'atome constitue la plus petite unité d'un élément. Il se compose d'un noyau (formé de protons, chargés positivement, et de neutrons, électriquement neutres) autour duquel gravitent des électrons chargés négativement.
- **Numéro atomique, nombre de masse et masse atomique moyenne (p. 33-34).** Dans un atome électriquement neutre, le nombre d'électrons est égal au nombre de protons.
- **Les isotopes (p. 34-35).** La plupart des éléments possèdent deux ou plusieurs isotopes, qui diffèrent par le nombre de leurs neutrons et par leur masse. Certains isotopes sont instables; ils émettent des particules et de l'énergie sous forme de radioactivité. Les traceurs radioactifs permettent aux biologistes de suivre le cheminement des atomes dans les processus biologiques.
- **Les niveaux énergétiques des électrons (p. 35).** Dans un atome, les électrons occupent des niveaux énergétiques particuliers, chacun étant représenté par une couche électronique de cet atome.
- **Configuration électronique et propriétés chimiques (p. 36-37).** Un atome a une configuration électronique qui détermine son comportement chimique. Le comportement chimique d'un atome dépend du nombre d'électrons de valence, ceux qui sont présents dans son dernier niveau énergétique. Un atome possédant un dernier niveau énergétique insaturé est réactif.
- **Les orbitales électroniques (p. 37-38).** Les électrons se déplacent dans des orbitales, soit des espaces tridimensionnels aux formes particulières situés dans les couches électroniques successives.

Concept 2.3

La formation et la fonction des molécules dépendent des liaisons chimiques entre les atomes

- **La liaison covalente (p. 38-40).** Quand des atomes interagissent, des liaisons chimiques se forment entre eux et leur permettent de combler leur dernier niveau énergétique. Une liaison covalente simple est la mise en commun d'une paire d'électrons de valence entre deux atomes; une liaison covalente double est le partage de deux paires d'électrons. Les molécules sont constituées de deux atomes ou plus unis par covalence. Les électrons impliqués dans une liaison covalente polaire sont surtout attirés par l'atome le plus électronégatif. Une liaison covalente est non polaire lorsque l'électronégativité des atomes qu'elle unit est la même.
- **La liaison ionique (p. 40-41).** Deux atomes peuvent avoir une électronégativité tellement différente que l'un d'eux arrache littéralement à l'autre un ou plusieurs électrons. Il y a alors formation d'un ion chargé négativement (anion) et d'un ion chargé positivement (cation). L'attraction qui s'exerce entre deux ions de charges opposées est appelée liaison ionique.
- **Les liaisons chimiques faibles (p. 41).** Une liaison hydrogène est une attraction faible entre un atome électronégatif et un atome d'hydrogène déjà lié par covalence à un autre atome électronégatif. Les forces de Van der Waals apparaissent quand les régions provisoirement positives et négatives de deux molécules s'attirent. Les liaisons faibles renforcent la forme tridimensionnelle des grosses molécules et permettent l'association des molécules.
- **Forme moléculaire et fonction biologique (p. 41-43).** La forme moléculaire est déterminée par la position des orbitales du dernier niveau énergétique des atomes qui composent la molécule. Lorsque des liaisons covalentes sont établies, les orbitales *s* et *p* du dernier niveau énergétique d'un atome peuvent se combiner pour former quatre orbitales hybrides pointant vers les sommets d'un tétraèdre imaginaire. De telles orbitales sont responsables de la forme tridimensionnelle des molécules d'H_2O, de CH_4 et de nombreuses molécules organiques complexes. La forme tridimensionnelle est habituellement la base de la reconnaissance d'une molécule par une autre.

Concept 2.4

Les réactions chimiques établissent et rompent des liaisons chimiques

- Les réactions chimiques transforment les réactifs en produits tout en conservant la matière. Elles sont généralement réversibles. L'équilibre chimique est atteint quand les réactions directe et inverse se produisent à la même vitesse **(p. 43-44)**.

VÉRIFIEZ VOS CONNAISSANCES

Autoévaluation

(Les questions dont les numéros sont en caractères gras font surtout appel à la compréhension.)

1. Un élément est à un(e) _____ ce qu'un organe est à un(e) _____.
   a) atome; organisme
   b) composé; organisme
   c) molécule; cellule
   d) atome; cellule
   e) composé; organite

2. Comment s'appelle la plus petite partie d'un élément qui possède toutes les propriétés de celui-ci?
   a) Un atome.
   b) Un proton.
   c) Un neutron.
   d) Un positron.
   e) Un électron.

3. Quelle est la caractéristique unique qui distingue l'atome d'hydrogène (dans sa forme la plus abondante) de tous les autres éléments?
   a) Il n'a pas de protons.
   b) Il n'a qu'une seule couche électronique.
   c) Il n'a pas de noyau.
   d) Il n'a pas de neutrons.
   e) Il n'a pas d'électrons.

4. Lesquelles, parmi les substances suivantes, peuvent être considérées comme étant à la fois des molécules et des composés?
   a) O_2.
   b) H_2O.
   c) NaCl.
   d) N_2.
   e) CH_4.

5. Dans le terme *élément trace*, le qualificatif *trace* signifie que:
   a) l'organisme en a besoin en quantités infimes.
   b) cet élément peut servir de marqueur pour suivre le cheminement des atomes dans le métabolisme d'un organisme vivant.
   c) cet élément est très rare sur la Terre.
   d) cet élément améliore l'état de santé mais n'est pas essentiel pour la survie à long terme d'un organisme.
   e) cet élément transite rapidement dans un organisme.

6. En comparaison du ^{31}P, le radio-isotope ^{32}P possède:
   a) un numéro atomique différent.
   b) un neutron de plus.
   c) un proton de plus.
   d) un électron de plus.
   e) une charge différente.

7. On peut représenter les atomes en précisant le nombre de leurs protons, de leurs neutrons et de leurs électrons; par exemple, $2p^+$; $2n^0$; $2e^-$ renvoie à l'hélium. Laquelle des expressions suivantes représente l'isotope ^{18}O?
   a) $6p^+$; $8n^0$; $6e^-$.
   b) $8p^+$; $10n^0$; $8e^-$.
   c) $9p^+$; $9n^0$; $9e^-$.
   d) $7p^+$; $2n^0$; $9e^-$.
   e) $10p^+$; $8n^0$; $10e^-$.

8. Le numéro atomique du soufre est 16. Le soufre se combine à l'hydrogène par une liaison covalente pour former un composé, le sulfure d'hydrogène. En vous basant sur la configuration électronique du soufre, déterminez la formule moléculaire du composé.
   a) HS. b) HS_2. c) H_2S. d) H_3S_2. e) H_4S.

9. En tenant compte des nombres d'oxydation du carbone, de l'oxygène, de l'hydrogène et de l'azote, déterminez la molécule qui est la plus susceptible d'exister parmi les suivantes:
   a) O═C—H
   c)

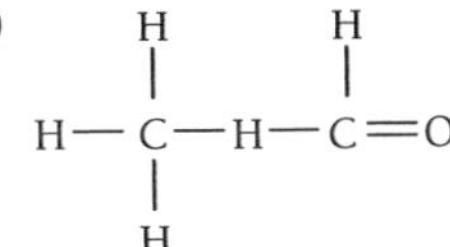

   b)

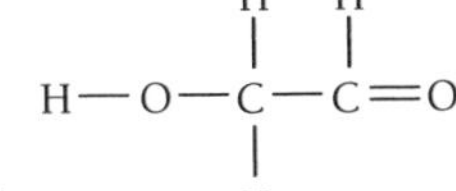

   d)

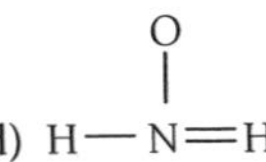

10. La réactivité d'un atome provient de:
   a) la distance moyenne entre son dernier niveau énergétique et son noyau.
   b) la présence d'électrons célibataires dans le dernier niveau énergétique.
   c) la somme des énergies potentielles de toutes les couches électroniques.
   d) l'énergie potentielle du dernier niveau énergétique.
   e) la différence d'énergie entre les orbitales *s* et *p*.

11. Laquelle des affirmations suivantes concerne *tous* les anions?
   a) Un anion possède plus d'électrons que de protons.
   b) Un anion possède plus de protons que d'électrons.
   c) Un anion possède moins de protons qu'un atome neutre du même élément.
   d) Un anion possède plus de neutrons que de protons.
   e) La charge nette d'un anion est de −1.

12. Quels coefficients faut-il placer devant les produits de cette réaction pour tenir compte de tous les atomes qui y participent?

$$C_6H_{12}O_6 \longrightarrow \_\_C_2H_6O + \_\_CO_2$$

   a) 1; 2. b) 2; 2. c) 1; 3. d) 1; 1. e) 3; 1.

13. Laquelle des affirmations suivantes décrit correctement toute réaction chimique au point d'équilibre?
   a) La concentration des produits est égale à la concentration des réactifs.
   b) La vitesse de la réaction est égale dans les deux sens.
   c) Les réactions directe et inverse ont toutes les deux cessé.
   d) La réaction est maintenant irréversible.
   e) Il ne reste plus de réactifs.

Lien avec l'évolution

Dans ce chapitre, vous apprenez que les éléments qui composent naturellement le corps humain (voir le tableau 2.1) se trouvent dans les mêmes pourcentages dans les autres organismes. Expliquez cette similitude entre les organismes.

Intégration

Chez le bombyx du mûrier (*Bombyx mori*), les femelles attirent les mâles en répandant des substances chimiques spécifiques dans l'air. Un mâle se trouvant à des centaines de mètres peut voler vers la source de ces molécules, qu'il détecte grâce à des antennes en forme de peignes, que nous pouvons voir sur la photographie ci-contre. Chaque filament des antennes est muni de milliers de cellules réceptrices qui détectent l'attractif sexuel. En vous basant sur ce que vous avez appris dans ce chapitre, posez des hypothèses qui vous amènent à expliquer la capacité du papillon mâle à détecter la présence dans l'air d'une molécule spécifique parmi de nombreuses autres. Concevez une expérience permettant de vérifier une de ces hypothèses.

Science, technologie et société

Un jour, un riche industriel s'est exclamé: «C'est faire preuve de paranoïa et d'ignorance que de s'inquiéter de la contamination de l'environnement par les déchets chimiques industriels ou agricoles. Après tout, ces substances sont composées des mêmes atomes que ceux qui sont déjà présents dans notre environnement!» Réfutez cet argument en vous servant de connaissances acquises jusqu'à maintenant.

Réponses du chapitre 2

Retour sur le concept 2.1

1. Le sel de table est composé de deux éléments alors que l'oxygène n'est formé que d'un seul.
2. Le carbone, l'oxygène, l'hydrogène et l'azote.

Retour sur le concept 2.2

1. 7.
2. Numéro atomique = 7; nombre de masse = 15; $^{15}_{7}N$.
3. Numéro atomique = 12; 12 protons, 12 électrons; trois couches électroniques; deux électrons dans la couche de valence.
4. Les électrons qui occupent le niveau énergétique le plus éloigné du noyau possèdent la plus grande énergie potentielle, et ceux du niveau le plus près du noyau la plus faible.
5. Neuf électrons; deux couches électroniques; 1*s*, 2*s* et trois orbitales 2*p*; un électron célibataire.

Retour sur le concept 2.3

1. Chaque atome de carbone n'établit que trois liaisons covalentes au lieu des quatre requises.
2. L'attraction entre des ions de charges opposées forme des liaisons ioniques.

Retour sur le concept 2.4

1.

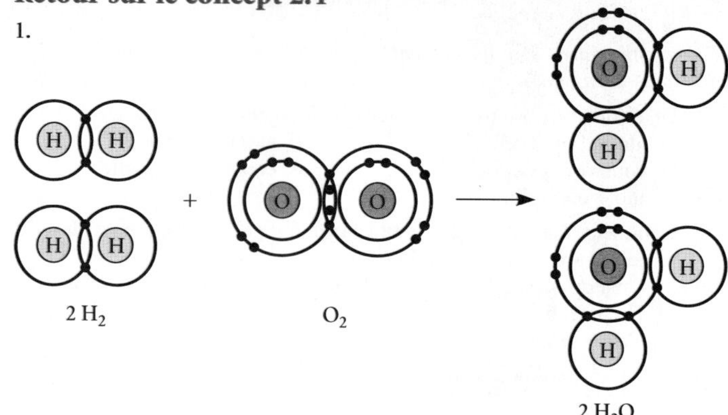

2. À l'équilibre, les réactions directe et inverse se produisent à la même vitesse.

Autoévaluation

1. b; 2. a; 3. d; 4. b, e; 5. a; 6. b; **7.** b; **8.** c; **9.** b; 10. b; 11. a; **12.** b; 13. b.

La singularité vitale de l'eau

▲ **Figure 3.1 Une image de la Terre, prise à partir de l'espace, qui montre l'abondance de l'eau sur notre planète.**

Concepts clés

3.1 **La polarité des molécules d'eau permet les liaisons hydrogène**

3.2 **Quatre propriétés de l'eau contribuent à maintenir l'environnement terrestre propice à la vie**

3.3 **La dissociation des molécules d'eau crée des conditions acides ou basiques qui influent sur les organismes vivants**

Introduction

La molécule qui permet toute forme de vie

En étudiant les planètes nouvellement découvertes qui gravitent autour d'étoiles lointaines ainsi que les satellites* des planètes de notre système solaire, les astronomes espèrent trouver des indices révélant la présence d'eau sur ces corps célestes, car l'eau est la substance qui permet la vie telle que nous la connaissons sur Terre. Tous les organismes qui nous sont familiers sont principalement composés d'eau et vivent dans un environnement dominé par elle. Sur Terre, et probablement sur d'autres corps célestes aussi, l'eau constitue le support biologique.

La vie sur notre planète a débuté dans l'eau, et elle y a évolué pendant trois milliards d'années avant de gagner la terre ferme. Aujourd'hui encore, la vie, même terrestre, demeure dépendante de l'eau. Tous les organismes vivants ont besoin d'eau plus que de toute autre substance. Les humains, par exemple, peuvent survivre pendant plusieurs semaines sans nourriture, mais ils ne peuvent vivre sans eau qu'environ une semaine. Les molécules d'eau participent à de nombreuses réactions chimiques nécessaires à la vie. La plupart des cellules baignent dans cette substance; en fait, les cellules contiennent de 70% à 95% d'eau environ. L'eau recouvre également les trois quarts de la surface de la Terre **(figure 3.1)**. Bien qu'elle existe surtout sous forme liquide, on la trouve aussi sous forme de glace et de vapeur. C'est la seule substance courante qui existe dans l'environnement naturel à l'état solide, liquide et gazeux.

Si la Terre est habitable, c'est avant tout en raison de l'abondance de l'eau. Dans son livre classique intitulé *The Fitness of the Environment*, l'écologiste Lawrence Henderson met en évidence l'importance de l'eau pour la vie. Tout en reconnaissant que la vie s'adapte à son environnement grâce à la sélection naturelle, Henderson fait valoir que, pour exister, la vie doit d'abord trouver un environnement accueillant. Dans ce chapitre, vous apprendrez comment la structure d'une molécule d'eau rend possible la formation de liaisons chimiques faibles avec d'autres molécules, y compris d'autres molécules d'eau. Cette capacité est à l'origine des propriétés particulières responsables de l'établissement et du maintien de la vie sur notre planète. Après avoir étudié ce chapitre, vous devriez être en mesure de mieux comprendre comment l'eau contribue à maintenir un environnement propice à la vie sur la Terre.

* D'après des données recueillies par la sonde Galileo en 2000, Europa, un des satellites de Jupiter, contiendrait un océan d'eau salée liquide sous une épaisse couche de glace.

Concept 3.1

La polarité des molécules d'eau permet les liaisons hydrogène

L'eau fait tellement partie de notre existence qu'il nous est facile d'oublier qu'il s'agit d'une substance exceptionnelle possédant des qualités extraordinaires. Le concept de l'émergence nous permet d'expliquer son comportement unique d'après la structure et les interactions de ses molécules.

La molécule d'eau est très simple. Elle est constituée de deux atomes d'hydrogène et d'un atome d'oxygène unis par des liaisons covalentes simples. L'oxygène étant plus électronégatif que l'hydrogène, les électrons mis en commun dans les liaisons covalentes passent plus de temps aux environs de l'atome d'oxygène. Autrement dit, les liaisons covalentes qui unissent les atomes d'une molécule d'eau sont polaires. La molécule d'eau, qui a à peu près la forme d'un V évasé, est une **molécule polaire**, ce qui

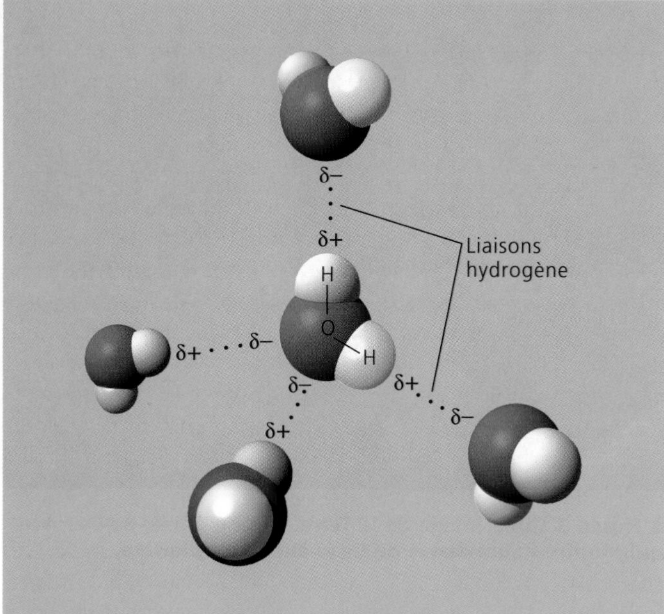

▲ **Figure 3.2 Liaisons hydrogène entre des molécules d'eau.** Les régions chargées d'une molécule d'eau polaire subissent l'attraction des régions de charge opposée des molécules voisines. Chaque molécule peut former des liaisons hydrogène avec plusieurs autres molécules, et ces associations changent constamment. Dans une eau dont la température est de 37 °C (soit la température du corps humain), environ 15 % des molécules forment à tout moment quatre liaisons intermoléculaires; ces groupements sont éphémères (ils ne durent qu'une dizaine de picosecondes ou 10^{-12} secondes).

signifie que ses pôles opposés présentent des charges opposées: la région de la molécule occupée par l'oxygène possède une charge partielle négative (δ−), et les régions où se trouvent les atomes d'hydrogène ont une charge partielle positive (δ+) (voir la figure 2.12).

L'eau a des propriétés singulières qui résultent de l'attraction électrique qui pousse ses molécules polaires l'une vers l'autre. L'atome d'hydrogène (de charge partielle positive) d'une molécule subit l'attraction de l'atome d'oxygène (de charge partielle négative) de la molécule voisine. Il se forme alors une liaison hydrogène entre les deux molécules **(figure 3.2)**. Dans un échantillon d'eau liquide, de nombreuses molécules sont à tout moment unies de cette façon, bien que les interactions entre elles changent constamment. Les liaisons hydrogène, qui agencent les molécules en une structure organisée, donnent à l'eau ses qualités extraordinaires.

Retour sur le concept 3.1

1. Qu'est-ce que l'électronégativité et comment influe-t-elle sur les interactions entre les molécules d'eau?
2. Pourquoi est-il improbable que deux molécules d'eau voisines s'associent ainsi?

$$\begin{matrix} & H\;H & \\ O & & O \\ & H\;H & \end{matrix}$$

Voir les réponses proposées à la fin du chapitre.

Concept 3.2

Quatre propriétés de l'eau contribuent à maintenir l'environnement terrestre propice à la vie

Nous nous pencherons ici sur quatre propriétés de l'eau qui contribuent à rendre l'environnement terrestre propice à la vie: la cohésion, la capacité de stabiliser la température (ou d'en réduire les écarts), la dilatation au gel et la polyvalence en tant que solvant.

La cohésion

Les liaisons hydrogène font en sorte que les molécules d'eau se maintiennent à proximité les unes des autres. Lorsque l'eau est à l'état liquide, ses liaisons hydrogène sont très fragiles. Leur force représente environ le vingtième de celle des liaisons covalentes. Elles se forment, se brisent et se reforment à une fréquence très élevée. Chacune d'elles ne dure que quelques billionièmes (10^{-12}) de seconde, mais les molécules établissent constamment de nouvelles liaisons entre elles. En conséquence, en tout temps, un bon pourcentage de toutes les molécules d'eau sont liées à leurs voisines, ce qui rend l'eau plus structurée que la plupart des autres liquides. Prises collectivement, les liaisons hydrogène maintiennent ensemble les molécules d'eau, un phénomène appelé **cohésion**.

Dans les plantes, la cohésion assurée par les liaisons hydrogène contribue au transport de l'eau et des nutriments en solution en contrant la force de gravitation **(figure 3.3)**. Comme nous le verrons plus en détail au chapitre 36, l'eau atteint les feuilles en se déplaçant dans un réseau de cellules conductrices depuis les racines. L'eau qui s'évapore d'une feuille est remplacée par l'eau des nervures. Grâce à la force des liaisons hydrogène, les

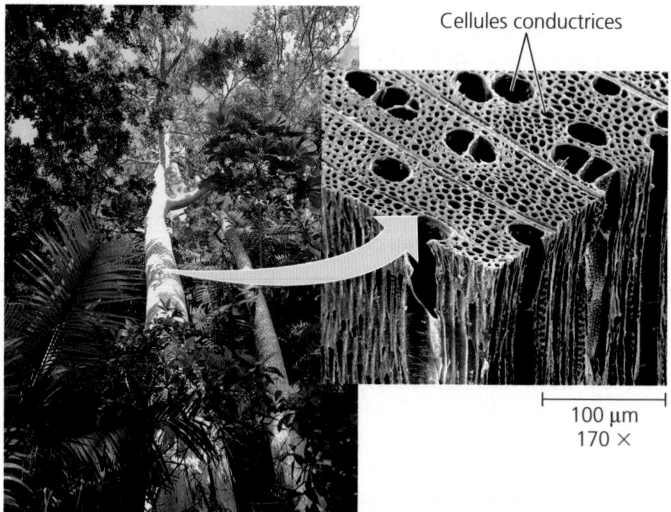

▲ **Figure 3.3 Transport de l'eau dans les plantes.** La vaporisation qui se produit à la surface des feuilles fait monter l'eau des racines dans les cellules conductrices, que nous voyons ici dans le tronc d'un arbre. La cohésion des molécules d'eau est assurée par les liaisons hydrogène et contribue au maintien de la colonne d'eau dans les cellules. L'adhérence de l'eau à la paroi de celles-ci contribue également à contrer l'action de la gravitation. Grâce à ces propriétés, les grands arbres peuvent faire monter l'eau à plus de 100 mètres, ce qui correspond à près du tiers de la hauteur de la tour Eiffel.

▲ **Figure 3.4 Marcher sur l'eau.** La tension superficielle élevée de l'eau, une force résultant de la cohésion de l'eau (elle-même issue de l'ensemble des liaisons hydrogène établies entre les molécules), permet au patineur (*Gerris paludium*) de marcher sur un étang sans en briser la surface*.

molécules d'eau sortant des nervures attirent les molécules d'eau situées plus bas. Cette traction vers le haut se transmet tout le long des cellules conductrices jusqu'à la racine. Quant à l'**adhérence**, issue de l'attraction mutuelle entre deux molécules polaires de substances différentes, elle joue aussi un rôle dans le transport de l'eau: celle-ci adhère à la paroi des cellules qui forment les vaisseaux conduisant la sève, ce qui lui permet de contrer la force de gravitation. Cohésion, adhérence et tension superficielle (il sera question de cette dernière force dans le paragraphe suivant) se combinent et permettent à l'eau d'atteindre les sommets des plus hauts arbres, comme certains Douglas taxifoliés (*Pseudotsuga menziesii*, souvent appelé sapin de Douglas) de la côte ouest de l'Amérique du Nord, qui mesurent plus de 100 m.

La **tension superficielle**, une force résultant de la cohésion, exprime la difficulté d'étirer ou de briser la surface d'un liquide. La tension superficielle est plus grande dans l'eau que dans la plupart des autres liquides; seul le mercure a une valeur plus élevée. À la surface de l'eau, les molécules sont attirées, grâce aux liaisons hydrogène, par les molécules situées en dessous et de chaque côté d'elles; cela produit une sorte de pellicule invisible qui occupe la plus petite surface possible. Nous pouvons observer son effet en remplissant un verre un peu plus qu'à ras bord: elle donne au volume d'eau excédentaire la forme d'un dôme qui retient l'eau au-dessus du bord. C'est également elle qui rend certains animaux capables de se tenir, de marcher ou de courir sur l'eau sans en briser la surface **(figure 3.4)**.

La stabilisation de la température

L'eau stabilise la température atmosphérique en absorbant la chaleur de l'air plus chaud et en libérant sa propre chaleur dans l'air plus froid. Elle forme un réservoir thermique efficace: un léger changement dans sa propre température s'accompagne de l'absorption ou de la libération d'une quantité relativement grande de chaleur. Pour comprendre cette propriété, nous devons d'abord étudier brièvement les notions de chaleur et de température.

* On a récemment découvert chez une autre espèce de patineur (*G. remigis*) que des poils microscopiques forment des coussins d'air entre les pattes de l'insecte et la surface de l'eau.

Chaleur et température

Tout ce qui se déplace possède de l'**énergie cinétique**, soit l'énergie du mouvement. Les atomes et les molécules ont également de l'énergie cinétique, parce qu'ils bougent continuellement, bien qu'ils ne suivent aucune direction particulière. Plus une molécule se déplace rapidement, plus son énergie cinétique est grande. La **chaleur** est une mesure de la quantité totale d'énergie cinétique des molécules d'un corps en mouvement. La **température** mesure l'intensité de la chaleur due à l'énergie cinétique moyenne des molécules d'un corps quelconque. Lorsque la vitesse moyenne des molécules augmente, une hausse de température est accusée et indiquée par un thermomètre. La chaleur et la température sont liées, mais il ne s'agit pas de la même chose. Un nageur qui traverse la Manche possède une température plus élevée que celle de l'eau, mais l'océan contient beaucoup plus de chaleur que lui en raison de son volume.

Chaque fois que deux corps de températures différentes s'approchent l'un de l'autre, la chaleur de celui qui est le plus chaud se transmet à celui qui est le plus froid, jusqu'à ce que les deux atteignent la même température. Les molécules du corps froid accélèrent donc leur mouvement au détriment de l'énergie cinétique du corps chaud. Ainsi, un glaçon refroidit une boisson non pas en lui donnant du froid, mais en absorbant la chaleur du liquide à mesure que la glace fond.

Tout au long de ce manuel, nous utiliserons l'**échelle Celsius** (°C) pour indiquer la température. Au niveau de la mer, l'eau gèle à 0 °C et bout à 100 °C. La température du corps humain se situe autour de 37 °C; une température ambiante agréable varie de 20 à 25 °C.

L'unité de mesure servant à quantifier toute énergie est le **joule** (**J**). Mais, dans les domaines de la médecine et de la diététique, notamment, l'usage de la calorie prend encore beaucoup de place. La **calorie** (**cal**) est une unité de mesure qui correspond à la quantité de chaleur nécessaire pour élever de 1 °C la température de 1 g d'eau, et réciproquement, la quantité de chaleur libérée par 1 g d'eau quand sa température diminue de 1 °C. Une **kilocalorie** (**kcal**) (ou 1 000 cal) est la quantité de chaleur requise pour élever de 1 °C la température de 1 kg d'eau. (Les « calories » qu'on trouve sur les emballages d'aliments sont en fait des « kilocalories ».) Un joule équivaut à 0,239 calorie; une calorie équivaut à 4,184 joules.

La chaleur spécifique élevée de l'eau

La capacité de l'eau à stabiliser la température ambiante découle de sa chaleur spécifique relativement élevée. La **chaleur spécifique** d'une substance représente la quantité de chaleur en joules absorbée ou perdue par 1 g de cette substance pour changer sa température de 1 °C. La chaleur spécifique de l'eau correspond à 4,184 joules par gramme par degré Celsius; on écrit de façon abrégée 4,184 J/g/°C. Par ailleurs, l'éthanol contenu dans les boissons alcoolisées a une chaleur spécifique de 2,51 J/g/°C, c'est-à-dire qu'il faut seulement 2,51 joules pour augmenter de 1 °C la température de 1 g d'éthanol.

L'eau ayant une chaleur spécifique plus élevée que la plupart des autres substances (l'ammoniaque liquide est la seule substance naturelle ayant une valeur plus élevée), sa température varie moins quand elle absorbe ou libère une certaine quantité de chaleur. Par exemple, la raison pour laquelle vous pouvez vous brûler les doigts sur la poignée métallique d'une casserole quand l'eau dans le contenant est encore tiède, c'est que la chaleur spécifique de l'eau est dix fois plus élevée que celle du fer : cela signifie que seulement 0,4 joule (4,184/10) est requis pour augmenter de 1 °C la température de 1 g de fer. On peut concevoir la chaleur spécifique d'une substance comme une mesure de sa résistance aux changements de température quand elle absorbe ou libère de la chaleur. L'eau résiste aux variations de température ; quand sa température change, elle absorbe ou perd une quantité de chaleur relativement grande pour chaque degré de changement.

Comme pour bon nombre de ses propriétés, ce sont les liaisons hydrogène de l'eau qui lui donnent une chaleur spécifique élevée. De la chaleur doit être absorbée pour que celles-ci se brisent ; inversement, il se produit un dégagement de chaleur lorsqu'elles se forment. Une quantité de chaleur de 1 J provoque une variation relativement petite de la température de l'eau. Ce phénomène s'explique par le fait qu'une bonne partie de cette énergie thermique sert à rompre les liaisons hydrogène avant que le reste fournisse aux molécules d'eau l'énergie nécessaire au mouvement. De plus, lorsque la température de l'eau baisse légèrement, beaucoup d'autres liaisons hydrogène se forment, libérant une quantité considérable d'énergie sous forme de chaleur.

Quelle est l'importance de la chaleur spécifique élevée de l'eau pour la vie sur la Terre ? Une grande étendue d'eau peut absorber et emmagasiner une énorme quantité de chaleur solaire durant le jour et au cours de l'été, tout en se réchauffant de quelques degrés seulement. La nuit et au cours de l'hiver, elle se refroidit graduellement et peut réchauffer l'air. C'est pourquoi les régions côtières possèdent généralement des climats plus doux que les régions intérieures. La chaleur spécifique élevée de l'eau tend également à stabiliser la température des océans, créant un environnement favorable à la vie marine. L'eau, qui recouvre la majeure partie de la surface de la Terre, permet en fait de maintenir la température des continents et des océans dans des limites compatibles avec la vie. De même, comme ils se composent principalement d'eau, les organismes résistent plus facilement aux variations de température que s'ils étaient formés d'un liquide possédant une chaleur spécifique plus faible.

Le refroidissement par vaporisation

Dans tout liquide, les molécules demeurent groupées parce qu'elles s'attirent mutuellement. Celles qui se déplacent assez rapidement pour vaincre cette attraction peuvent s'échapper du liquide et se mélanger à l'air sous forme de gaz. Ce passage de l'état liquide à l'état gazeux s'appelle vaporisation ou *évaporation*. Rappelez-vous que la vitesse du mouvement moléculaire varie et que la température constitue une mesure de l'énergie cinétique *moyenne* des molécules. Même à une basse température, les molécules les plus rapides peuvent s'échapper dans l'air. Il se produit donc une vaporisation à toutes les températures ; par exemple, l'eau contenue dans un verre placé à la température ambiante finit par se vaporiser. Si l'on chauffe un liquide, l'énergie cinétique moyenne des molécules augmente et il se vaporise plus rapidement.

La **chaleur de vaporisation** est la quantité de chaleur que 1 g de liquide doit absorber, à une température constante, pour passer de l'état liquide à l'état gazeux. L'eau possède une chaleur de vaporisation plus élevée que la plupart des autres liquides, pour les mêmes raisons qu'elle possède une chaleur spécifique élevée. La vaporisation d'un gramme d'eau à 25 °C exige 2,26 kJ de chaleur, soit presque le double de la quantité nécessaire pour vaporiser un gramme d'alcool ou d'ammoniac. Ce sont ses liaisons hydrogène qui donnent à l'eau une chaleur de vaporisation élevée ; celles-ci doivent être rompues avant que les molécules quittent le liquide.

La chaleur de vaporisation élevée de l'eau contribue à tempérer le climat de la Terre. Une quantité considérable de la chaleur solaire absorbée par les mers tropicales est utilisée et transférée à l'air durant la vaporisation de l'eau de surface. Puis, lorsqu'il se déplace vers les pôles, l'air tropical humide libère cette chaleur en se condensant et en formant de la pluie.

Au cours de la vaporisation d'une substance, la surface du liquide résiduel refroidit. Ce **refroidissement par vaporisation** se produit parce que les molécules les plus « chaudes », celles qui possèdent l'énergie cinétique la plus grande, sont les plus susceptibles de s'échapper sous forme de gaz. C'est comme si on envoyait les cent coureurs les plus rapides d'une école dans une autre ; la vitesse moyenne des élèves qui restent diminuerait.

Le refroidissement par vaporisation contribue à stabiliser la température des lacs et des étangs. Il empêche également la surchauffe des organismes terrestres. Par exemple, la vaporisation de l'eau des feuilles d'une plante empêche les tissus des feuilles de devenir trop chauds au soleil. De même, par une chaude journée ou lors d'un exercice intense, la vaporisation de la sueur sur la peau d'une personne refroidit la surface du corps et aide à prévenir l'hyperthermie. Lorsque le taux d'humidité est élevé au cours d'une journée chaude, nous avons plus chaud, parce que la vapeur d'eau contenue dans l'air empêche la vaporisation de la sueur à la surface de la peau.

L'isolation des étendues d'eau par la glace qui flotte

L'eau est une des rares substances qui possèdent une masse volumique plus petite à l'état solide qu'à l'état liquide. En d'autres termes, la glace flotte à la surface de l'eau liquide. Alors que d'autres substances se contractent en se solidifiant, l'eau se dilate. Ce comportement singulier résulte, encore une fois, des liaisons hydrogène. À des températures supérieures à 4 °C, l'eau se comporte comme les autres liquides : elle se dilate quand elle se réchauffe et elle se contracte lorsqu'elle refroidit. Elle commence à geler lorsque ses molécules ne se déplacent plus avec suffisamment de vigueur pour briser leurs liaisons hydrogène. Lorsque la température atteint 0 °C, l'eau forme un réseau cristallin, chacune de ses molécules demeurant liée à quatre de ses voisines **(figure 3.5)**. Les liaisons hydrogène gardent les molécules assez éloignées les unes des autres pour que la masse volumique de la glace soit inférieure d'environ 10 % (il y a 10 % moins de molécules pour un même volume) à celle de l'eau liquide à 4 °C. Lorsque la glace absorbe suffisamment de chaleur pour que sa température grimpe au-dessus de 0 °C, les liaisons hydrogène entre les molécules se rompent. À mesure que le cristal s'affaisse, la glace fond, et les molécules se rapprochent les unes des autres. L'eau atteint sa masse volumique maximale à 4 °C et commence à se dilater de nouveau en raison de la vitesse accrue de ses molécules. N'oubliez pas toutefois que, même dans l'eau liquide, nombre de molécules sont maintenues ensemble par des liaisons hydrogène. Cependant, celles-ci sont transitoires : elles se brisent et se reforment constamment.

La flottabilité de la glace causée par la dilatation de l'eau à l'état solide contribue grandement à rendre l'environnement

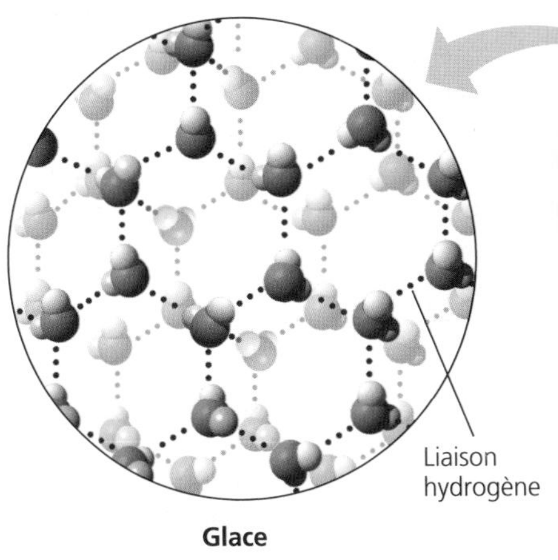

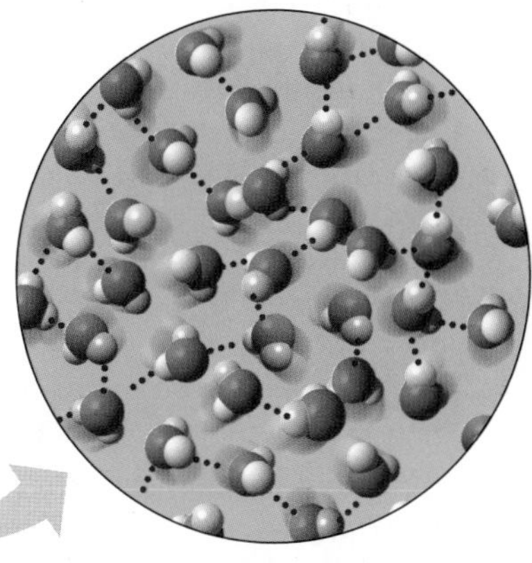

▲ **Figure 3.5 La glace : structure cristalline et barrière flottante.** Chaque molécule s'associe, par des liaisons hydrogène, à quatre molécules voisines, formant un cristal tridimensionnel poreux. Les molécules contenues dans un certain volume de glace sont moins nombreuses que celles qui se trouvent dans un volume égal d'eau liquide, parce que les liaisons hydrogène plutôt stables les tiennent éloignées les unes des autres ; un cristal relativement volumineux est ainsi formé. Autrement dit, la glace possède une masse volumique inférieure à celle de l'eau liquide. La glace flottant à la surface des étendues d'eau forme une barrière qui protège de l'air froid l'eau liquide qui se trouve en dessous. Cet animal a été photographié sous la glace de l'Antarctique ; il fait partie des Euphausiacés, des invertébrés que l'on désigne sous le nom global de krill.

propice à la vie. Si la glace ne flottait pas, les étangs, les lacs et même les océans gèleraient complètement à partir du fond ; la vie sur Terre telle que nous la connaissons n'existerait pas. En été, seuls quelques centimètres à la surface des océans dégèleraient, comme des expériences avec des réservoirs d'eau l'ont démontré. Au lieu de cela, quand une étendue d'eau profonde refroidit, la glace qui flotte isole l'eau liquide qui se trouve en dessous et l'empêche de geler, rendant possible l'existence de la vie sous la surface tel qu'illustré dans la photo de la figure 3.5. Si l'étendue d'eau était plutôt une étendue d'huile, elle finirait par geler entièrement, car l'huile n'a pas la flottabilité de l'eau à l'état solide.

Le solvant fondamental de la vie

Si l'on met un cube de sucre dans un verre d'eau, il se dissout graduellement. Une fois que cela s'est produit, on obtient un mélange homogène de sucre et d'eau ; la concentration du sucre dissous est la même dans tout le verre. Un liquide formé d'un mélange homogène de deux ou de plusieurs substances s'appelle **solution**. L'agent dissolvant d'une solution est le **solvant**, et la substance dissoute, le **soluté**. Dans l'exemple ci-dessus, l'eau constitue le solvant, et le sucre, le soluté. Une **solution aqueuse** est une solution dont l'eau est le solvant.

Au Moyen Âge, les alchimistes essayaient de trouver un solvant universel, qui pourrait tout dissoudre. Ils se sont rendu compte de l'efficacité sans égale de l'eau. Cependant, l'eau n'est pas un solvant universel ; autrement, nous ne pourrions l'entreposer dans aucun récipient, pas même dans nos cellules. Il reste que c'est un solvant très polyvalent grâce à la polarité de ses molécules.

Supposons, par exemple, que nous placions dans l'eau un cristal de chlorure de sodium (NaCl), un composé ionique **(figure 3.6)**. Les ions sodium et chlorure qui se trouvent à sa surface sont exposés au solvant. Ces ions ainsi que les molécules d'eau subissent une attraction électrostatique mutuelle. Le pôle négatif de l'atome d'oxygène des molécules d'eau s'associe aux cations sodium, tandis que le pôle positif des atomes d'hydrogène subit l'attraction des anions chlorure. Résultat : les molécules d'eau entourent chacun des ions sodium et chlorure, les séparant les uns des autres et formant un écran entre eux. Le processus par lequel une enveloppe de molécules d'eau entoure chaque ion dissous s'appelle **hydratation**. L'eau pénètre petit à petit à l'intérieur du cristal de sel et finit par dissoudre tous les ions. La solution qui en résulte est formée de deux solutés, les cations sodium et les anions chlorure, mélangés de façon homogène avec l'eau, le solvant. D'autres composés ioniques sont solubles dans l'eau. L'eau de mer, par exemple, contient une grande variété d'ions en solution, à l'instar des cellules vivantes.

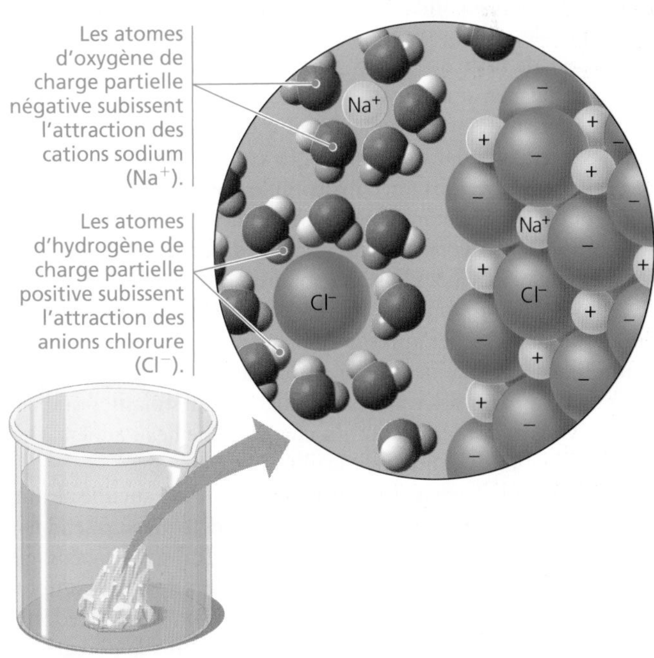

Les atomes d'oxygène de charge partielle négative subissent l'attraction des cations sodium (Na^+).
Les atomes d'hydrogène de charge partielle positive subissent l'attraction des anions chlorure (Cl^-).
Na^+
Na^+
Cl^-
Cl^-

▲ **Figure 3.6 Cristal de sel se dissolvant dans l'eau.** Une enveloppe de molécules d'eau entoure chaque ion du soluté, processus que l'on appelle hydratation.

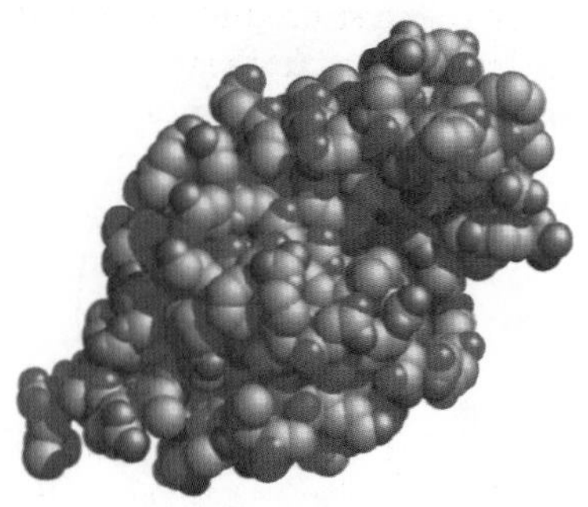

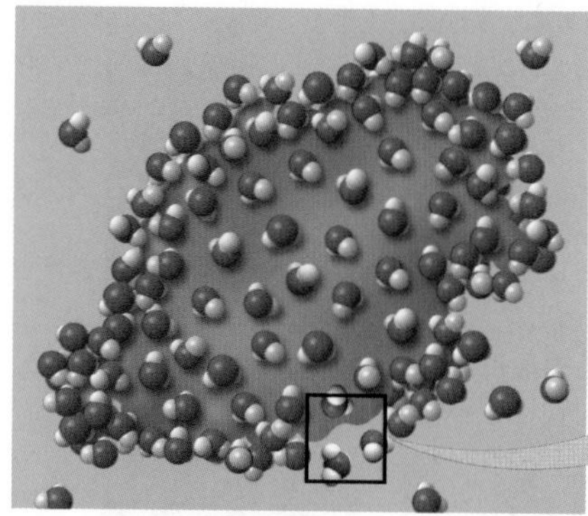

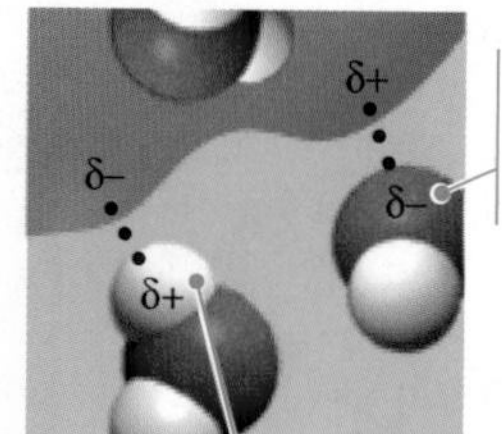

δ+
δ–
δ–
δ+
Une charge partielle positive sur la molécule de lysozyme attire cet oxygène.
Une charge partielle négative sur la molécule de lysozyme attire cet hydrogène.

(a) Une molécule de lysozyme dans un milieu non aqueux

(b) Une molécule de lysozyme (en violet) dans un milieu aqueux tel que les larmes et la salive

(c) Les régions ioniques et polaires à la surface d'une protéine attirent les molécules d'eau.

▲ **Figure 3.7 Protéine hydrosoluble.** Cette figure illustre le lysozyme humain, une protéine présente dans les larmes et la salive et qui possède une activité antibactérienne.

Les composés n'ont pas besoin d'être ioniques pour se dissoudre dans l'eau ; ceux qui sont formés de molécules polaires, comme les sucres, sont aussi hydrosolubles. Ils se dissolvent quand les molécules d'eau entourent chacune de leurs molécules. Même les grosses molécules, comme certaines protéines, peuvent se dissoudre dans l'eau si leur surface présente des régions ioniques et polaires **(figure 3.7)**. De nombreux types de composés polaires se dissolvent (en même temps que des ions) dans l'eau contenue dans le sang, la sève ou le liquide intracellulaire, ce qui fait de l'eau un excellent agent de transport entre les différentes parties d'un organisme. L'eau est le solvant fondamental de la vie.

Substances hydrophiles et substances hydrophobes

Qu'elle soit ionique ou polaire, toute substance ayant une affinité avec l'eau est dite **hydrophile** (du grec *hudôr*, eau, et *philos*, qui aime). Certaines molécules sont hydrophiles sans pour autant se dissoudre. Par exemple, certaines composantes des cellules sont des molécules très grosses (ou des complexes de nombreuses molécules), de sorte qu'elles ne se dissolvent pas. Elles demeurent plutôt en suspension dans le liquide cellulaire aqueux. Un tel mélange constitue un exemple de **colloïde**, une suspension stable de fines particules dans un liquide. Le coton, un produit végétal, est également une substance hydrophile qui ne se dissout pas. Il s'agit d'un composé constitué de molécules géantes de cellulose qui comportent de nombreuses charges partielles positives et négatives associées à des liaisons polaires. L'eau adhère aux fibres de cellulose. C'est pourquoi une serviette de coton fait très bien l'affaire pour se sécher après la douche, sans pour autant se dissoudre dans la machine à laver. La cellulose est également présente dans la paroi des cellules conductrices des plantes où l'eau circule ; vous avez lu au début du chapitre que l'eau adhère à ces parois hydrophiles et que cela facilite son transport.

Évidemment, il existe des substances qui n'ont aucune affinité avec l'eau. En fait, celles qui ne sont ni ioniques ni polaires semblent la repousser ; elles sont dites **hydrophobes** (du grec *phobos*, qui craint). L'huile végétale et l'eau ne se mélangent pas. Le comportement hydrophobe des molécules d'huile résulte de la prédominance des liaisons covalentes très peu polaires unissant le carbone et l'hydrogène, qui se répartissent les électrons presque également. Certaines molécules hydrophobes apparentées aux huiles sont des constituantes importantes des membranes cellulaires. (Imaginez ce qui arriverait à une cellule si sa membrane se dissolvait dans les milieux aqueux extracellulaires et intracellulaires.)

Les concentrations des solutés dans les solutions aqueuses

La plupart des réactions chimiques qui se produisent chez les êtres vivants mettent en jeu des solutés dissous dans de l'eau. Il faut connaître le nombre d'atomes et de molécules en jeu si l'on veut comprendre les réactions chimiques. Il est donc important d'apprendre à calculer les concentrations des solutés en solution aqueuse (le nombre de molécules de soluté dans un certain volume de solution).

Lorsqu'on réalise des expériences, on utilise la masse pour calculer le nombre de molécules. Comme on connaît la masse de chaque atome dans une molécule donnée, il est possible de calculer sa **masse moléculaire**, la somme des masses de tous les atomes dans une molécule. Par exemple, calculons la masse moléculaire du sucre granulé (saccharose), dont la formule moléculaire est $C_{12}H_{22}O_{11}$. Si on arrondit les nombres d'unités de masse atomique, la masse d'un atome de carbone est 12, celle d'un atome d'hydrogène est 1 et celle d'un atome d'oxygène est 16. Le saccharose a donc une masse moléculaire de 342 unités de masse atomique. Comme il est peu commode de peser de petits nombres de molécules, on mesure habituellement les substances en unités appelées **moles**. Tout comme une douzaine signifie 12 objets, une mole (mol) représente un nombre exact d'objets, soit $6{,}02 \times 10^{23}$, appelé nombre d'Avogadro. À cause de la façon dont le nombre d'Avogadro et les unités de masse atomique ont été définis au départ, il y a $6{,}02 \times 10^{23}$ unités de masse atomique dans un gramme, ce qui est important parce qu'après avoir déterminé la masse moléculaire d'une molécule comme le saccharose, on peut utiliser le même nombre (342) mais l'exprimer en grammes pour représenter la masse de $6{,}02 \times 10^{23}$ molécules de saccharose, ou une mole de saccharose. On appelle parfois ce nombre la masse molaire. Par conséquent, pour obtenir une mole de saccharose, on en pèse 342 g.

L'utilisation des moles pour mesurer des substances chimiques présente l'avantage suivant : une mole d'une substance donnée possède exactement le même nombre de molécules qu'une mole d'une autre substance. Si la masse moléculaire d'une substance A est de 342 unités de masse atomique et celle d'une substance B de 10 unités de masse atomique, alors 342 g de A contiendront le même nombre de molécules que 10 g de B. Une mole d'éthanol (C_2H_6O) contient également $6{,}02 \times 10^{23}$ molécules, mais elle ne pèse que 46 g, parce que ses molécules sont plus petites que celles du saccharose. La mesure en moles permet également aux scientifiques travaillant dans des laboratoires de combiner des substances en respectant des proportions définies de molécules.

Comment préparer un litre (L) d'une solution formée de 1 mol de saccharose dissoute dans de l'eau ? Il faut d'abord peser 342 g de saccharose, puis ajouter graduellement de l'eau dans le contenant tout en agitant celui-ci jusqu'à dissolution complète du sucre. On verse par la suite suffisamment d'eau pour amener le volume total de la solution à un litre. À ce stade, on a une solution de saccharose de 1 mol/L. La **concentration molaire volumique** (**c**), soit le nombre de moles de soluté par litre de solution, est l'unité de concentration la plus couramment employée en biologie dans le cas de solutions aqueuses.

Retour sur le concept 3.2

1. Décrivez comment les propriétés de l'eau contribuent à la faire monter dans un arbre.
2. Expliquez cette expression populaire : « Ce n'est pas la chaleur, c'est l'humidité ! »
3. Expliquez comment le gel peut casser la roche.
4. Comment prépareriez-vous une solution de chlorure de sodium (NaCl) à 0,5 mol/L ? (La masse molaire atomique de Na est de 23 g et celle de Cl, de 35,5 g.)

Voir les réponses proposées à la fin du chapitre.

Concept 3.3

La dissociation des molécules d'eau crée des conditions acides ou basiques qui influent sur les organismes vivants

Il arrive parfois qu'un atome d'hydrogène mis en commun par deux molécules d'eau (liaison hydrogène) se déplace d'une molécule à l'autre. Lorsque cela se produit, l'atome d'hydrogène abandonne son électron, et ce qui est transféré, c'est un seul proton portant une charge de +1, ou **ion hydrogène**, que nous identifierons désormais par H^+. La molécule d'eau qui perd un proton devient un **ion hydroxyde** (OH^-), dont la charge est de −1. Le proton se lie à l'autre molécule d'eau, formant ainsi un ion hydronium (ou ion oxonium, H_3O^+). Nous pouvons représenter cette réaction chimique de la façon suivante :

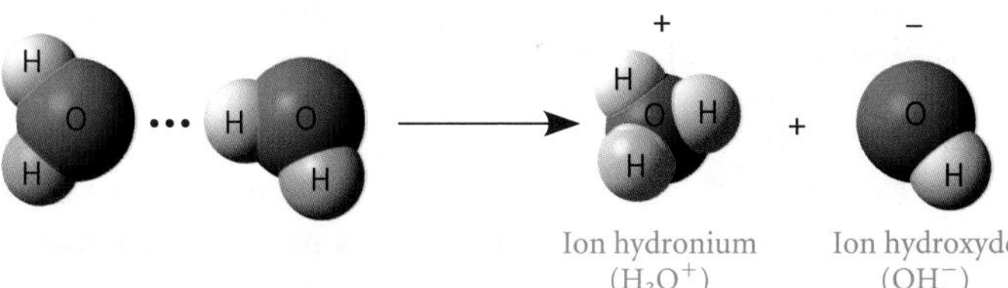

Cette illustration montre bien ce qui se produit réellement. Il est toutefois plus simple de se représenter cette réaction comme la dissociation d'une molécule d'eau en un proton et en un ion hydroxyde :

$$H_2O \rightleftharpoons H^+ + OH^-$$

Proton — Ion hydroxyde

Comme l'indique la flèche double, il s'agit d'une réaction réversible. Celle-ci atteint un état d'équilibre dynamique lorsque l'eau se dissocie à la même vitesse qu'elle se reforme à partir de H^+ et de OH^-. Au point d'équilibre, la concentration molaire volumique des molécules d'eau excède énormément celles de H^+ et de OH^-. En fait, dans l'eau pure, seulement une molécule d'eau sur 554 millions se dissocie. La concentration molaire volumique de chaque ion contenu dans de l'eau pure est de 10^{-7} mol/L (à 25 °C). Cela signifie qu'un litre d'eau pure contient un dix-millionième de mole de protons et un nombre égal d'ions hydroxyde.

Bien qu'elle soit réversible et rare sur le plan statistique, la dissociation de l'eau joue un rôle crucial dans la chimie de la vie. Les protons et les ions hydroxyde sont très réactifs. Une variation de leur concentration molaire volumique peut perturber dramatiquement les protéines et les autres molécules complexes d'une cellule. Comme nous l'avons vu, les concentrations molaires volumiques de H^+ et de OH^- sont égales dans l'eau pure, mais l'ajout d'acides ou de bases perturbe cet équilibre. On utilise une échelle de pH pour décrire le degré d'acidité ou de basicité d'une solution. Plus loin dans le chapitre, vous en apprendrez davantage sur les acides, les bases et le pH ; vous saurez également pourquoi une variation du pH peut porter atteinte aux organismes.

Les effets des variations de pH

Avant d'aborder l'échelle de pH, voyons ce que sont les acides et les bases, et comment ils interagissent avec l'eau.

Acides et bases

Qu'est-ce qui peut provoquer un déséquilibre dans les concentrations molaires volumiques des ions H^+ et OH^- en solution aqueuse ? Lorsqu'elles se dissolvent dans de l'eau, les substances dites acides augmentent le nombre des ions H^+. Un **acide** est une substance qui accroît la concentration molaire volumique des protons d'une solution. Par exemple, quand on met du chlorure d'hydrogène (HCl) dans de l'eau, les protons et les ions chlorure se dissocient :

$$HCl \longrightarrow H^+ + Cl^-$$

Cette deuxième source de H^+ (la dissociation de l'eau en est la première) fournit un plus grand nombre d'ions H^+ que d'ions OH^-. Une telle solution est dite acide.

Inversement, une substance qui réduit la concentration molaire volumique des protons d'une solution est une **base**. Certaines bases réduisent la concentration molaire volumique des ions H^+ en les acceptant directement. L'ammoniac (NH_3), par exemple, agit comme une base quand le doublet d'électrons libre du dernier niveau énergétique de l'azote attire un proton de la solution, ce qui donne un ion ammonium (NH_4^+) :

$$NH_3 + H^+ \rightleftharpoons NH_4^+$$

D'autres bases réduisent indirectement la concentration molaire volumique des protons en se dissociant pour former des ions hydroxyde. Ces derniers se combinent avec les protons de la solution pour former de l'eau. L'hydroxyde de sodium (NaOH) est une base qui agit de cette façon; elle se dissocie en ions dans l'eau:

$$NaOH \longrightarrow Na^+ + OH^-$$

Dans les deux cas, la base réduit la concentration molaire volumique de H^+. Une solution dont la concentration molaire volumique de OH^- est plus élevée que celle de H^+ est dite basique. Une solution dont les concentrations molaires volumiques de H^+ et de OH^- s'équivalent est dite neutre.

Remarquez les flèches simples dans les réactions impliquant HCl et NaOH; elles indiquent que ces composés se dissocient complètement quand on les mélange à de l'eau. Donc, le chlorure d'hydrogène est un acide *fort*, et l'hydroxyde de sodium, une base *forte*. Par contre, l'ammoniac est une base relativement *faible*: les flèches doubles de la réaction indiquent que la liaison ou la libération du proton sont réversibles. En conséquence, à l'équilibre, le rapport entre NH_4^+ et NH_3 est constant.

Il existe également des acides faibles, qui libèrent puis acceptent à nouveau des protons. L'acide carbonique en est un exemple; cette substance exerce des fonctions essentielles dans de nombreux organismes.

$$\underset{\text{Acide carbonique}}{H_2CO_3} \rightleftharpoons \underset{\text{Ion hydrogénocarbonate}}{HCO_3^-} + \underset{\text{Proton}}{H^+}$$

L'équilibre favorise tellement la réaction vers la gauche que, lorsqu'on ajoute de l'acide carbonique à de l'eau, seulement 1 % de ses molécules se dissocient. Cela suffit pourtant à déplacer l'équilibre des ions H^+ et OH^- du point de neutralité.

Échelle de pH

Dans toute solution aqueuse à 25 °C, le produit des concentrations molaires volumiques de H^+ et de OH^- est toujours de 10^{-14}. Il peut s'écrire ainsi:

$$[H^+][OH^-] = 10^{-14}\ (mol/L)^2$$

Les crochets indiquent la concentration molaire volumique de la substance qu'ils renferment. Dans une solution neutre à température ambiante (25 °C), $[H^+] = 10^{-7}$ mol/L et $[OH^-] = 10^{-7}$ mol/L, de telle sorte que le produit est $10^{-7} \times 10^{-7} = 10^{-14}\ (mol/L)^2$. Si l'on ajoute suffisamment d'acide à la solution pour porter $[H^+]$ à 10^{-5} mol/L, $[OH^-]$ diminue d'une quantité équivalente, jusqu'à atteindre 10^{-9} mol/L ($10^{-5} \times 10^{-9} = 10^{-14}$). Cette relation constante explique le comportement des acides et des bases dans une solution aqueuse. Un acide ne fait pas qu'ajouter des protons à une solution; il enlève également des ions hydroxyde en raison de la tendance de H^+ à se combiner avec OH^- pour former de l'eau. Une base produit l'effet opposé: elle augmente la concentration molaire volumique de OH^- tout en réduisant la concentration molaire volumique de H^+ par la formation d'eau. Si l'on ajoute assez de base à une solution pour porter la concentration molaire volumique de OH^- à 10^{-4} mol/L, cela aura pour effet de diminuer celle de H^+ à 10^{-10} mol/L. Quand on connaît la concentration molaire volumique de H^+ dans une solution aqueuse, on peut déduire la concentration molaire volumique de OH^-, et inversement.

Étant donné que les concentrations molaires volumiques de H^+ et de OH^- peuvent varier d'un facteur pouvant atteindre 100 billions (10^{14}), les scientifiques ont élaboré un moyen plus commode que les moles par litre pour exprimer ce changement: l'échelle de pH **(figure 3.8)**. Elle réduit la plage des concentrations molaires volumiques de H^+ et de OH^- au moyen de logarithmes. Le **pH** («pouvoir ou puissance hydrogène») d'une solution se définit comme le logarithme négatif, à base 10, de la concentration molaire volumique des protons:

$$pH = -\log [H^+]$$

Par ailleurs, on peut transformer le logarithme en exposant $[H^+] = 10^{-pH}$. Comme un exposant ne comporte jamais d'unité, toutes les valeurs de pH apparaissent sans unité. Une augmentation (ou une diminution) de « 1 » dans la valeur du pH correspond à des concentrations différentes de protons $[H^+]$ selon la valeur du pH de départ.

Dans le cas d'une solution neutre, $[H^+]$ égale 10^{-7} mol/L, ce qui donne:

$$pH = -\log 10^{-7} = -(-7) = 7$$

Remarquez que le pH *diminue* à mesure que la concentration molaire volumique de H^+ *augmente*. Notez également que, même si elle se base sur la concentration molaire volumique de H^+, l'échelle de pH reflète également celle de OH^-. Une solution dont le

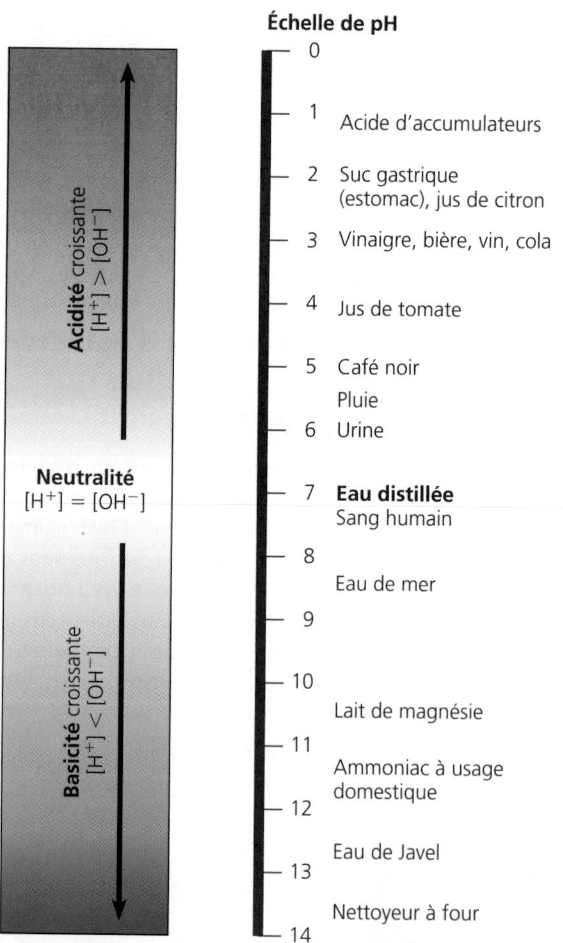

▲ **Figure 3.8 L'échelle de pH et les valeurs de pH de quelques solutions aqueuses.**

pH est 10 possède une concentration molaire volumique de protons de 10^{-10} mol/L et une concentration molaire volumique d'ions hydroxyde de 10^{-4} mol/L.

Le pH d'une solution neutre est 7, ce qui équivaut au milieu de l'échelle. Un pH inférieur à ce chiffre désigne une solution acide; plus cette valeur est faible, plus la solution est acide. Le pH d'une solution basique est supérieur à 7. Le pH de la plupart des liquides biologiques se situe entre 6 et 8. Il existe toutefois quelques exceptions, comme le suc gastrique de l'estomac humain, fortement acide: son pH est d'environ 2.

Il faut vous rappeler qu'une variation de un «degré» dans la valeur du pH représente une différence d'un facteur de 10 dans les concentrations molaires volumiques de H^+ et de OH^-. C'est cette propriété mathématique qui permet de condenser l'échelle de pH. Ainsi, une solution de pH 3 n'est pas 2 fois, mais 1 000 fois plus acide qu'une autre de pH 6. Lorsque le pH d'une solution change légèrement, les concentrations molaires volumiques de H^+ et de OH^- varient de façon importante.

Solutions tampons

La plupart des cellules ont un pH qui se situe autour de 7. Le moindre changement de leur pH peut s'avérer dommageable, parce que leurs processus chimiques sont très sensibles aux variations des concentrations molaires volumiques des protons et des ions hydroxyde.

C'est grâce aux solutions tampons que le pH des liquides biologiques demeure à peu près constant malgré l'ajout d'un acide ou d'une base. Une **solution tampon** est une substance qui réduit au minimum la variation des concentrations molaires volumiques de H^+ et de OH^- dans une solution. Par exemple, des solutions tampons maintiennent le pH du sang humain très près de 7,4. Une personne ne peut survivre plus de quelques minutes si le pH de son sang chute à 7 (neutre) ou grimpe à 7,8. En temps normal, le pouvoir tampon du sang empêche de telles variations dans le pH.

Les solutions tampons fonctionnent de la façon suivante: elles acceptent des protons quand la solution en renferme trop, et elles en donnent quand il n'y en a plus assez. La plupart d'entre elles se composent d'un acide faible et de son sel (une base), celui-ci se combinant de façon réversible aux protons. Il existe plusieurs solutions tampons qui contribuent à stabiliser le pH du sang et de nombreux autres liquides biologiques. L'une d'elles est l'acide carbonique (H_2CO_3) qui, comme nous l'avons mentionné, se dissocie pour produire un ion hydrogénocarbonate (ou ion bicarbonate, HCO_3^-) et un proton (H^+).

$$\underset{\text{Donneur de } H^+ \text{ (acide)}}{H_2CO_3} \underset{\text{Réaction à une baisse du pH}}{\overset{\text{Réaction à une hausse du pH}}{\rightleftharpoons}} \underset{\text{Accepteur de } H^+ \text{ (base)}}{HCO_3^-} + \underset{\text{proton}}{H^+}$$

L'équilibre chimique entre l'acide carbonique et l'ion hydrogénocarbonate agit comme un régulateur de pH. La réaction se déplace vers la gauche ou la droite lorsque d'autres processus qui ont lieu dans la solution ajoutent ou enlèvent des protons. Si la concentration molaire volumique de H^+ dans le sang se met à baisser (c'est-à-dire si le pH augmente), la réaction se déplace vers la droite: l'acide carbonique se dissocie et libère des protons. Par contre, lorsque la concentration molaire volumique de H^+ dans le sang augmente (donc, quand le pH diminue), la réaction se déplace vers la gauche: HCO_3^- agit alors comme une base et enlève les protons dans la solution pour former H_2CO_3. En fait, la solution tampon acide carbonique-hydrogénocarbonate se compose d'un acide et d'une base à l'état d'équilibre. La plupart des autres solutions tampons sont aussi des paires acide-base.

Les effets néfastes des précipitations acides sur l'environnement

Étant donné que toute vie dépend de l'eau, la contamination des rivières, des lacs et des mers constitue un problème environnemental crucial. Les précipitations acides représentent l'un des facteurs qui menacent le plus sérieusement l'eau. La pluie non contaminée possède un pH de 5,6 environ; elle est donc légèrement acide, et ce, en raison de la formation d'acide carbonique à partir du dioxyde de carbone de l'air et de l'eau. Le terme **précipitations acides** s'applique à la pluie, à la grêle, à la neige ou au brouillard dont le pH est inférieur à 5,6.

Les précipitations acides sont principalement dues à la présence dans l'atmosphère de dioxyde de soufre (SO_2) et d'oxydes d'azote (NO_x). Ces composés gazeux réagissent avec l'humidité de l'air pour former des solutions d'acide sulfurique et d'acide nitrique tombant au sol avec les précipitations; ils peuvent aussi s'accumuler sous forme de dépôts secs de sulfates et de nitrates. Le dioxyde de soufre et les oxydes d'azote proviennent principalement de l'utilisation des combustibles fossiles (charbon, pétrole et gaz) par les industries et les automobiles. Les centrales électriques qui consomment du charbon sont la plus grande source de ce type de pollution. En 2000, les émanations de SO_2 provenant des États-Unis étaient évaluées à 14,8 millions de tonnes. Quant au Canada, il contribuait à la pollution de l'air en répandant des émissions de SO_2 d'environ 2,4 millions de tonnes. Les vents dominants, en provenance de l'ouest et du sud-ouest, ne font que déplacer le problème, et les précipitations acides tombent à des centaines, voire à des milliers de kilomètres des centres industriels. Elles affectent souvent des régions jusque-là intactes, notamment au Québec – où environ 75 % des dépôts dans certaines régions proviennent des États-Unis – ou en Scandinavie – qui reçoit les polluants des pays d'Europe occidentale. Dans certaines parties de la Pennsylvanie et de l'État de New York, la moyenne pondérée du pH des précipitations se situait à 4,3 en décembre 2001, ce qui correspond à une acidité environ 20 fois plus grande que la normale. On enregistre des précipitations acides dans de nombreuses régions du globe: Europe, Asie, Amérique du Nord, etc. L'est du Canada est particulièrement vulnérable en raison de la nature même de son substratum de granit sans effet tampon efficace sur le pH **(figure 3.9)**.

Les précipitations acides sont dommageables pour les écosystèmes terrestres et aquatiques. Certains nutriments minéraux sont lessivés, comme les ions calcium et magnésium, qui participent au pouvoir tampon du sol et qui sont essentiels à la croissance des végétaux, alors que d'autres minéraux, comme l'aluminium et le mercure, sont solubilisés et atteignent des concentrations toxiques. Les précipitations acides agissent sur la chimie des sols et contribuent à la dégénérescence des forêts européennes et nord-américaines (voir la figure 3.9). Selon une étude publiée en 2004 par Environnement Canada*, et contrairement

* Environnement Canada, *Évaluation scientifique 2004 des dépôts acides au Canada*, <http://www.msc-smc.ec.gc.ca/saib/acid/assessment2004/summary/summary_f.pdf>.

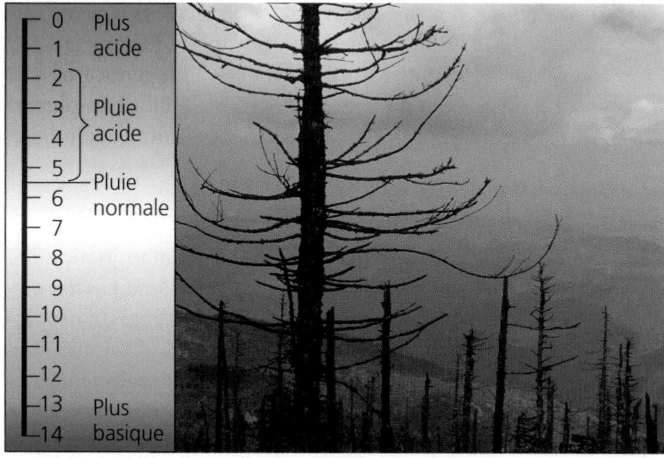

▲ **Figure 3.9 Effets des précipitations acides sur une forêt.** On considère que les pluies acides sont responsables de la mort des arbres dans de nombreuses forêts comme cette sapinière de la République tchèque.

à la croyance répandue, le problème demeure encore très actuel: la santé et la productivité de la moitié de la forêt boréale serait sérieusement compromise par les précipitations acides.

S'il y a lieu d'être optimiste au sujet de la qualité future des ressources aquifères, c'est grâce à la réduction des précipitations acides (voir le chapitre 54). Au cours des deux dernières décennies (1980-2001), les émissions de dioxyde de soufre ont été diminuées de plus de la moitié au Canada. Cependant, si l'on aspire à restaurer complètement les lacs acidifiés, il faut fournir un effort supplémentaire. Un progrès soutenu ne peut venir que des personnes qui se préoccupent de la qualité de l'environnement. Une partie essentielle de l'éducation devrait porter sur la compréhension du rôle crucial qu'une eau saine joue dans le maintien de la vie sur Terre.

Retour sur le concept 3.3

1. Une solution acide dont le pH est 4 possède ______ fois plus de protons (H^+) qu'une solution ayant le même volume et dont le pH est 9.
2. HCl est un acide fort qui se dissocie complètement dans l'eau: $HCl \longrightarrow H^+ + Cl^-$. Quel est le pH d'une solution de HCl à 0,01 mol/L?

Voir les réponses proposées à la fin du chapitre.

Révision du chapitre 3

RÉSUMÉ DES CONCEPTS CLÉS

Concept 3.1

La polarité des molécules d'eau permet les liaisons hydrogène

▶ Il se forme une liaison hydrogène quand l'atome d'oxygène d'une molécule d'eau subit l'attraction électrostatique d'un des atomes d'hydrogène d'une molécule voisine. Les liaisons hydrogène entre les molécules d'eau donnent à cette dernière ses propriétés particulières (**p. 47-48**).

Concept 3.2

Quatre propriétés de l'eau contribuent à maintenir l'environnement terrestre propice à la vie

▶ **La cohésion (p. 48-49).** Les molécules d'eau sont maintenues ensemble grâce à des liaisons hydrogène; cela permet à l'eau de monter dans les cellules conductrices des plantes. Les liaisons hydrogène expliquent également le fait que l'eau ait une tension superficielle élevée.

▶ **La stabilisation de la température (p. 49-50).** Les liaisons hydrogène entre les molécules d'eau confèrent à celle-ci une chaleur spécifique élevée. Il y a absorption de chaleur lorsque les liaisons hydrogène se brisent, et libération de chaleur lorsqu'elles se forment. Ce phénomène maintient les variations de température dans des limites compatibles avec la vie. Le refroidissement par vaporisation se fait grâce à la chaleur de vaporisation élevée de l'eau. Les molécules d'eau doivent posséder une énergie cinétique relativement élevée pour vaincre les liaisons hydrogène. La perte d'énergie liée à la vaporisation des molécules d'eau refroidit une surface.

▶ **L'isolation des étendues d'eau par la glace qui flotte (p. 50-51).** La glace possède une masse volumique inférieure à celle de l'eau liquide. À l'état solide, l'eau se dilate en un cristal caractéristique; les liaisons hydrogène s'allongent, et les molécules d'eau perdent leur mobilité. La flottabilité de la glace, due à sa masse volumique plus faible que celle de l'eau liquide, permet à la vie d'exister sous les surfaces gelées des lacs et des eaux polaires.

▶ **Le solvant fondamental de la vie (p. 51-53).** L'eau est un solvant polyvalent, ses molécules polaires subissant l'attraction des substances chargées ou polaires. Lorsqu'ils sont entourés de molécules d'eau, des substances polaires ou des ions se dissolvent et s'appellent solutés. Les substances hydrophiles ont une affinité avec l'eau, alors que les substances hydrophobes la repoussent. On utilise habituellement la concentration molaire volumique, soit le nombre de moles de soluté par litre de solution, comme mesure de concentration. Une mole correspond à un nombre constant de molécules, quelle que soit la nature de la molécule. La masse d'une mole d'une substance en grammes est la même que sa masse moléculaire en unités de masse atomique.

Concept 3.3

La dissociation des molécules d'eau crée des conditions acides ou basiques qui influent sur les organismes vivants

▶ **Les effets des variations de pH (p. 53-55).** L'eau peut se dissocier en H^+ et en OH^-. On se base sur le pH pour mesurer la concentration molaire volumique de H^+. On utilise la formule suivante: $pH = -\log [H^+]$. Les acides cèdent des ions H^+ dans les solutions aqueuses, alors que les bases donnent des ions OH^- ou acceptent des ions H^+. Dans une solution neutre à 25 °C, $[H^+] = [OH^-] = 10^{-7}$ mol/L, et le pH = 7. Dans une solution acide,

$[H^+]$ est supérieure à $[OH^-]$, et le pH est inférieur à 7. Dans une solution basique, $[H^+]$ est inférieure à $[OH^-]$, et le pH est plus grand que 7. Les solutions tampons permettent aux liquides biologiques de résister aux variations de pH. Une solution tampon est constituée d'une paire acide-base qui se combine de façon réversible avec les protons.

► **Les effets néfastes des précipitations acides sur l'environnement (p. 55-56).** La pluie, la neige, la grêle et le brouillard sont acides lorsque leur pH est inférieur à 5,6. Les précipitations acides se produisent lorsque l'eau dans l'atmosphère réagit avec le dioxyde de soufre et les oxydes d'azote provenant de la dégradation des combustibles fossiles.

VÉRIFIEZ VOS CONNAISSANCES

Autoévaluation

(Les questions dont les numéros sont en caractères gras font surtout appel à la compréhension.)

1. Pourquoi dit-on que l'environnement terrestre est propice à la vie?
a) L'environnement terrestre est constant.
b) C'est l'environnement physique, et non la vie, qui a changé.
c) L'environnement terrestre s'est adapté à la vie.
d) La vie telle qu'on la connaît dépend de certaines qualités environnementales terrestres.
e) L'eau et d'autres aspects de l'environnement terrestre existent parce qu'ils rendent la planète plus propice à la vie.

2. Les eaux du golfe du Saint-Laurent tempèrent le climat des Îles-de-la-Madeleine:
a) parce qu'elles emmagasinent une grande quantité d'énergie solaire lors des hausses de température.
b) parce qu'en refroidissant graduellement elles libèrent de la chaleur dans l'air environnant.
c) parce que la chaleur spécifique élevée de l'eau contribue à régulariser la température de l'air.
d) Les énoncés a, b et c complètent correctement la phrase.
e) parce que la cohésion et l'adhérence des molécules d'eau en milieu salin représentent une énergie plus grande qu'en eau douce.

3. De nombreux Mammifères régulent leur température corporelle par sudation. Quelle propriété de l'eau explique le plus directement la capacité de la sueur à diminuer la température corporelle?
a) La diminution constante de la masse volumique de l'eau lorsqu'elle se condense.
b) La capacité de l'eau à dissoudre ses molécules dans l'air.
c) La libération de chaleur par formation de liaisons hydrogène.
d) L'absorption de chaleur par rupture de liaisons hydrogène.
e) La tension superficielle élevée de l'eau.

4. Une pointe de pizza renferme 2090 kJ. Si on brûlait la pizza et utilisait toute la chaleur pour chauffer un récipient d'eau de 50 L, quelle serait l'augmentation approximative de la température de l'eau? (*Remarque:* 1 L d'eau froide pèse environ 1 kg.)
a) 50 °C.
b) 5 °C.
c) 10 °C.
d) 100 °C.
e) 1 °C.

5. Lorsque l'eau se vaporise, les liaisons qui se rompent sont:
a) des liaisons ioniques.
b) des liaisons entre les molécules d'eau.
c) des liaisons intramoléculaires.
d) des liaisons covalentes polaires.
e) des liaisons covalentes non polaires.

6. Laquelle des substances suivantes est hydrophobe?
a) Le papier.
b) Le sel de table.
c) La cire.
d) Le sucre.
e) Les pâtes alimentaires.

7. Quels sont les deux énoncés incorrects parmi les suivants?
a) Une molécule hydrophile se dissout nécessairement dans l'eau.
b) L'eau peut dissoudre les composés polaires.
c) Même certaines protéines peuvent se dissoudre dans l'eau.
d) Une molécule hydrophobe ne peut pas se dissoudre dans l'eau.
e) Pour être hydrosoluble, une substance doit être ionique.

8. Nous savons avec certitude qu'une mole de saccharose et une mole de vitamine C ont:
a) la même masse molaire.
b) la même masse en grammes.
c) le même nombre de molécules.
d) le même nombre d'atomes.
e) le même volume.

9. Combien de grammes d'acide acétique ($C_2H_4O_2$) vous faudrait-il pour préparer 10 L d'une solution aqueuse à 0,1 mol/L? (*Remarque:* les masses molaires atomiques sont approximativement de 12 g pour le carbone, de 1 g pour l'hydrogène et de 16 g pour l'oxygène.)
a) 10,0 g.
b) 0,1 g.
c) 6,0 g.
d) 60,0 g.
e) 0,6 g.

10. Les précipitations acides ont abaissé le pH d'un lac à 4,0. Quelle est la concentration molaire volumique des protons dans ce lac?
a) 4,0 mol/L.
b) 10^{-10} mol/L.
c) 10^{-4} mol/L.
d) 10^{4} mol/L.
e) 4 %.

11. Quelle est la concentration molaire volumique des *ions hydroxyde* dans le lac de la question précédente?
a) 10^{-7} mol/L.
b) 10^{-4} mol/L.
c) 10^{-10} mol/L.
d) 10^{-14} mol/L.
e) 10 mol/L.

Lien avec l'évolution

Le paysage de la planète Mars présente des reliefs qui rappellent ceux qui sont formés par l'écoulement d'eau sur Terre, y compris ce qui semble être des canaux sinueux et des vallées creusées par un cours d'eau. La sonde Mars Express de l'Agence spatiale européenne et des sondes équipées de robots (Spirit et Opportunity) de la NASA ont analysé, depuis 2004, la surface de Mars. On y a trouvé des roches dont la nature laisse croire que l'eau liquide a déjà été présente à la surface martienne. Il existe de la glace aux pôles de la planète et le radar Marsis a détecté en 2005 ce que l'on croit être de l'eau glacée sous la surface martienne. Pourquoi s'intéresse-t-on autant à la présence d'eau sur Mars? Rend-elle la présence de vie probable là-bas? Quels autres facteurs physiques importants devraient également être présents?

Intégration

1. Concevez une expérience contrôlée pour tester l'hypothèse qui veut que les précipitations acides inhibent la croissance de l'élodée, une plante aquatique répandue.
2. Les agriculteurs suivent attentivement les prévisions météorologiques. Quand on prévoit qu'il va geler pendant la nuit, ils arrosent d'eau leurs cultures pour en protéger les plants. À partir des propriétés de l'eau, expliquez le bien-fondé de cette pratique. Prenez soin de mentionner le rôle des liaisons hydrogène dans ce phénomène.

Science, technologie et société

Étant donné les tendances actuelles sur le plan de la croissance démographique et de l'augmentation des prélèvements en eau, le tiers ou même la moitié de l'humanité disposera en 2025 d'une quantité moyenne d'eau douce inférieure à 1 700 m³ par habitant par année, ce qui constituera selon l'ONU une situation de stress hydrique. Déjà, plus d'un milliard d'humains n'ont pas accès à l'eau potable. On peut donc facilement imaginer que les agriculteurs, les industriels et les populations urbaines croissantes se disputeront de plus en plus les ressources d'eau en usant de leurs influences politiques.

Si vous étiez responsable des ressources d'eau dans une région aride, selon quelles priorités distribueriez-vous cette denrée limitée? Comment défendriez-vous votre position auprès des différents groupes?

Réponses du chapitre 3

Retour sur le concept 3.1

1. L'électronégativité est l'attraction qu'un atome exerce sur les électrons qu'il met en commun avec un autre atome dans le cadre d'une liaison covalente. En raison de son électronégativité plus grande que celle de l'hydrogène, un atome d'oxygène de l'eau attire les électrons vers lui, ce qui a pour résultat de créer une charge partielle négative sur l'oxygène et des charges partielles positives sur les atomes d'hydrogène. Les extrémités de charges opposées des molécules d'eau s'attirent mutuellement pour former une liaison hydrogène.
2. En raison de leur charge positive, les atomes d'hydrogène d'une molécule d'eau repoussent les atomes d'hydrogène de la molécule d'eau adjacente.

Retour sur le concept 3.2

1. Des liaisons hydrogène maintiennent ensemble les molécules d'eau voisines ; cette cohésion permet aux molécules de contrer l'action de la gravitation. L'adhérence entre les molécules d'eau et les parois des cellules conductrices contribue également à contrer la force de gravitation. À mesure que l'eau s'évapore des feuilles, la chaîne de molécules d'eau monte dans les cellules conductrices.
2. L'humidité élevée empêche le refroidissement d'un corps en inhibant la vaporisation de la sueur.
3. L'eau se dilate lorsqu'elle gèle parce que ses molécules s'éloignent les unes des autres en formant un cristal de glace. S'il y a de l'eau dans la fissure d'une roche, cette dilatation peut la casser.
4. La masse moléculaire de NaCl est de 58,5 unités de masse atomique. Une mole de NaCl pèse donc 58,5 g ; par conséquent, vous mesurez 0,5 mole, ou 29,3 g de NaCl, puis vous ajoutez graduellement de l'eau dans le contenant tout en agitant celui-ci jusqu'à dissolution complète du sel. Versez par la suite suffisamment d'eau pour amener le volume total de la solution à un litre.

Retour sur le concept 3.3

1. 10^5 ou 100 000.
2. $[H^+] = 0{,}01$ mol/L $= 10^{-2}$ mol/l, donc pH = 2.

Autoévaluation

1. d ; 2. d ; **3.** d ; **4.** c ; 5. b ; **6.** c ; 7. a et e ; 8. c ; **9.** d ; **10.** c ; **11.** c.

4

Le carbone et la diversité moléculaire de la vie

▲ **Figure 4.1 La matière vivante se compose principalement de carbone.**

Concepts clés

4.1 La chimie organique étudie les composés du carbone

4.2 Les atomes de carbone peuvent former une grande variété de molécules en se liant à quatre autres atomes

4.3 Les groupements fonctionnels sont les composantes des molécules organiques qui participent aux réactions chimiques

Introduction

Le carbone : l'élément fondamental des molécules biologiques

Bien que l'eau soit le milieu universel de la vie sur Terre, c'est le carbone qui constitue l'élément fondamental de la plupart des substances chimiques qui composent les êtres vivants, dont les plantes et l'escargot illustrés à la **figure 4.1**. Le carbone entre dans la biosphère grâce à l'action des Végétaux qui captent l'énergie solaire pour convertir le CO_2 atmosphérique en molécules de la vie. Ces molécules sont ensuite transmises aux Animaux qui consomment des Végétaux, comme l'escargot de la photo. De tous les éléments chimiques, le carbone n'a pas son pareil pour former des molécules volumineuses, complexes et variées. Cette diversité moléculaire a rendu possible la diversité des organismes qui ont évolué sur Terre. Les protéines, l'ADN, les glucides et les autres molécules qui caractérisent la matière vivante contiennent tous des atomes de carbone. Ceux-ci sont liés les uns aux autres et à des atomes d'autres éléments. Bien que les molécules complexes renferment d'autres éléments, tels que l'hydrogène (H), l'oxygène (O), l'azote (N) et parfois du soufre (S) ou du phosphore (P), c'est au carbone (C) que nous devons l'infinie diversité des molécules organiques.

Le chapitre 5 portera tout particulièrement sur les protéines et d'autres molécules volumineuses. Dans le présent chapitre, nous étudierons les propriétés de molécules plus petites pour illustrer quelques concepts d'architecture moléculaire qui feront ressortir l'importance que le carbone revêt pour la vie et qui mettront en lumière une fois de plus le thème de l'émergence : l'organisation de la matière vivante fait apparaître des propriétés que chacune de ses composantes prise isolément ne possède pas.

Concept 4.1

La chimie organique étudie les composés du carbone

Les substances qui contiennent du carbone s'appellent composés organiques et la branche de la chimie qui les étudie se nomme **chimie organique**. Les composés organiques varient des molécules simples, telles que le méthane (CH_4), aux molécules gigantesques, comme les protéines, qui possèdent chacune des milliers d'atomes et une masse moléculaire supérieure à 100 000 u. La plupart des composés organiques possèdent des atomes d'hydrogène en plus des atomes de carbone.

Les principaux éléments de la vie (C, H, O, N, S et P) se retrouvent à peu près dans les mêmes pourcentages d'un être vivant à l'autre. Cependant, en raison de la polyvalence du carbone, cet ensemble limité d'éléments constitutifs est agencé de si nombreuses façons qu'il forme une variété inépuisable de molécules organiques. Les diverses espèces ainsi que les différents individus d'une même espèce se distinguent par les variations de leurs molécules organiques.

Depuis des millénaires, l'humain tire profit des êtres vivants qui peuvent lui fournir des substances précieuses. Pensons, par exemple, à la nourriture, aux médicaments et aux fibres textiles. La chimie organique tire son origine des tentatives de purification et d'amélioration de ces produits. Au début du XIXe siècle, les chimistes ont appris à fabriquer en laboratoire de nombreux composés simples en combinant des éléments dans les bonnes conditions. La synthèse artificielle de molécules complexes, comme celles que l'on peut extraire de la matière vivante, semblait alors impossible. À cette époque, le chimiste suédois Jöns Jakob Berzelius fit une distinction importante. Il différencia les composés organiques, que seuls les êtres vivants pouvaient vraisemblablement fabriquer, et les composés inorganiques du monde inanimé. À ses débuts, la chimie organique s'appuyait sur le *vitalisme*, doctrine suivant laquelle les phénomènes de la vie témoignent d'une force vitale et ne se réduisent pas aux lois physicochimiques.

Les chimistes commencèrent à discréditer le vitalisme lorsqu'ils apprirent à synthétiser des composés organiques dans leurs laboratoires. En 1828, Friedrich Wöhler, un chimiste allemand qui avait reçu l'enseignement de Berzelius, essaya de fabriquer un sel « inorganique », le cyanate d'ammonium, en mélangeant des solutions d'ions ammonium (NH_4^+) et d'ions cyanate (CNO^-). Il s'aperçut avec stupéfaction qu'il avait fabriqué de l'urée, un composé organique présent dans le plasma et l'urine des Animaux. Il remit en question le vitalisme lorsqu'il écrivit : « Je dois vous dire que je suis capable de faire de l'urée sans le secours d'un rein ni d'aucun animal, pas plus d'un homme que d'un chien. » Cependant, un des ingrédients qu'il avait utilisés dans la synthèse de l'urée, le cyanate, avait été extrait de sang animal. Les vitalistes ne tinrent donc pas compte de sa découverte. Quelques années plus tard, Hermann Kolbe, un étudiant de Wöhler, synthétisa l'acide acétique (un composé organique) à partir de substances inorganiques elles-mêmes préparées directement à partir d'éléments purs.

Mais les bases du vitalisme ne s'écroulèrent que quelques décennies plus tard, après que les chimistes eurent réussi à synthétiser en laboratoire des composés organiques de plus en plus complexes. En 1953, Stanley Miller, qui faisait des études supérieures à la University of Chicago, fit avancer les choses. Il contribua à situer la synthèse abiotique (qui n'implique pas le recours aux êtres vivants) des composés organiques dans le contexte de l'évolution. À l'aide d'une simulation en laboratoire des conditions chimiques qui existaient sur la Terre primitive, il démontra que la synthèse spontanée de composés organiques pouvait constituer une des premières étapes de l'origine de la vie **(figure 4.2)**.

Les pionniers de la chimie organique contribuèrent à faire passer le courant de pensée dominant du vitalisme au *mécanisme*. Le mécanisme est une théorie philosophique suivant laquelle tous les phénomènes naturels, y compris les processus de la vie, sont gouvernés par des lois physiques et chimiques. La définition de la chimie organique fut étendue à l'étude de tous les composés du carbone, quelle que soit leur origine. La plupart des composés organiques qui existent dans la nature proviennent des êtres vivants. Ils présentent une diversité et une complexité largement supérieures à celles des composés inorganiques. Cependant, qu'elles soient organiques ou non, les molécules obéissent toutes aux mêmes lois chimiques. La chimie organique ne repose pas sur une quelconque force vitale intangible, mais sur la polyvalence chimique unique du carbone.

Retour sur le concept 4.1

1. Dans l'expérience de Stanley Miller, quelle conclusion peut-on tirer de la présence d'urée dans les produits de la réaction ?

Voir les réponses proposées à la fin du chapitre.

Figure 4.2

Investigation La synthèse abiotique de composés organiques a-t-elle été possible sur la Terre primitive ?

EXPÉRIENCE En 1953, Stanley Miller a simulé en laboratoire ce qu'il croyait être les conditions environnementales de la Terre primitive et inanimée. On voit ici Miller reproduire son expérience, au cours de laquelle il a utilisé des décharges électriques (simulant des éclairs) pour déclencher des réactions dans une «atmosphère» primitive reconstituée, composée de H2O, de H2, de NH3 (ammoniac) et de CH4 (méthane) – certains des gaz qui s'échappent des volcans.

RÉSULTATS L'appareil de Miller a produit divers composés organiques jouant un rôle clé dans les cellules.

CONCLUSION Il se peut que la synthèse abiotique de composés organiques ait pu se produire sur la Terre primitive. Un tel processus chimique aurait présidé à la mise en place des conditions propices à l'apparition de la vie sur Terre. (Nous allons étudier cette hypothèse plus en détail au chapitre 26.)

Concept 4.2

Les atomes de carbone peuvent former une grande variété de molécules en se liant à quatre autres atomes

Comme vous l'avez appris au chapitre 2, la clé des propriétés chimiques d'un atome réside dans sa configuration électronique. Celle-ci détermine le type et le nombre de liaisons que l'atome forme avec d'autres atomes.

La formation de liaisons avec le carbone

Le carbone possède au total six électrons : deux dans sa première couche électronique et quatre dans sa seconde, qui peut en contenir huit. Il a donc quatre électrons de valence, et il lui faudrait accepter ou céder quatre électrons pour compléter sa couche périphérique et devenir un ion (un anion après avoir accepté quatre électrons ou un cation après avoir cédé quatre électrons). Dans le but de combler son dernier niveau énergétique, il met plutôt en commun ses quatre électrons avec d'autres atomes pour ainsi obtenir huit électrons dans ce niveau. Chaque atome de carbone se comporte en fait comme un point d'intersection à partir duquel une molécule peut se ramifier dans quatre directions. Le carbone doit en partie sa polyvalence à la capacité qu'il a de former quatre liaisons, ce qui rend possible l'existence de molécules complexes.

Nom et commentaire	Formule moléculaire	Formule développée	Modèle à boules et à bâtonnets	Modèle compact
(a) Méthane. Si un atome de carbone forme quatre liaisons simples, la molécule est tétraédrique.	CH_4	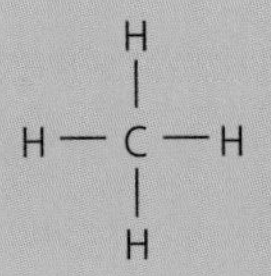 H — C — H (H au-dessus et au-dessous de C)	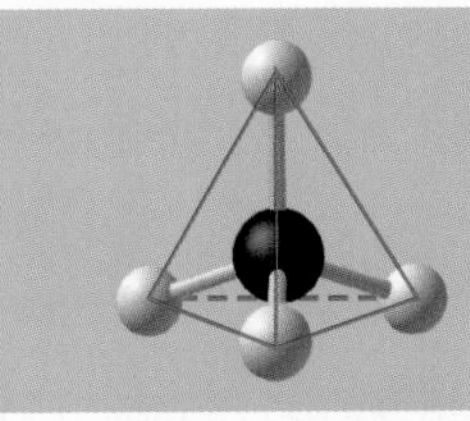	
(b) Éthane. Une molécule peut posséder plus d'un regroupement tétraédrique d'atomes unis par des liaisons simples. (L'éthane est constitué de deux regroupements de ce type.)	C_2H_6	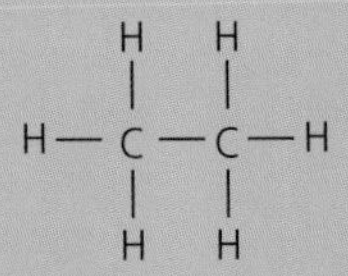 H — C — C — H (H au-dessus et au-dessous de chaque C)	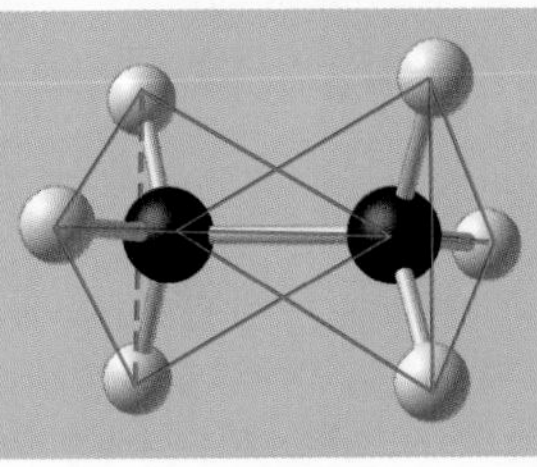	
(c) Éthène (éthylène). Si deux atomes de carbone s'unissent par une liaison double, toutes les liaisons qui se trouvent autour d'eux se situent dans un même plan, de sorte que la molécule est plane.	C_2H_4	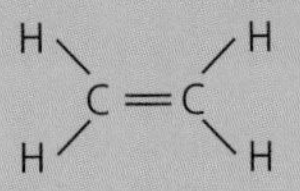 $H_2C=CH_2$ (C = C, deux H sur chaque C)	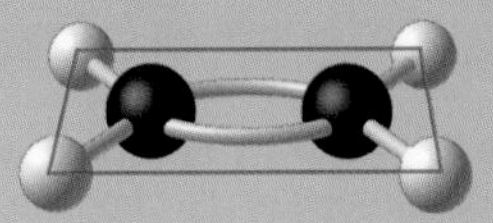	

▲ **Figure 4.3 Géométrie de trois molécules organiques simples.**

Vous avez également appris au chapitre 2 que, si un atome de carbone forme quatre liaisons covalentes simples, celles-ci pointent vers les sommets d'un tétraèdre imaginaire en raison de la position des orbitales hybrides (voir la figure 2.16b). Dans le méthane (CH_4), les angles des liaisons sont de 109,5° **(figure 4.3a)**, et ils devraient être approximativement les mêmes dans toutes les molécules où le carbone établit quatre liaisons simples. Par exemple, l'éthane (C_2H_6) prend la forme de deux tétraèdres réunis par un de leurs sommets **(figure 4.3b)**. Dans les molécules contenant plusieurs atomes de carbone formant des liaisons simples, chaque groupement constitué d'un atome de carbone lié à quatre autres atomes forme un tétraèdre. Cependant, lorsque deux atomes de carbone sont réunis par une liaison double, toutes les liaisons qui les entourent se trouvent sur le même plan. Par exemple, l'éthène (C_2H_4) est une molécule plane: tous ses atomes se trouvent dans un même plan. Bien qu'on écrive leur formule développée comme si elles étaient planes, la plupart des molécules organiques ont au moins quelques groupes d'atomes leur conférant une forme tridimensionnelle, et c'est la géométrie de ces molécules en trois dimensions qui détermine souvent leur fonction dans une cellule.

L'atome de carbone a une configuration électronique qui lui permet de former des liaisons covalentes avec d'autres atomes de carbone (il peut, à la limite, s'unir à quatre autres atomes de carbone comme dans le cas du diamant) ou avec les atomes de plusieurs éléments différents. La **figure 4.4** présente les schémas des couches électroniques des quatre atomes principaux composant les molécules organiques. Rappelez-vous, au chapitre 2, ces modèles nous permettaient de visualiser les nombres d'oxydation du carbone et de ses partenaires les plus fréquents: l'oxygène, l'hydrogène et l'azote. Les nombres d'oxydation déterminent, si l'on peut dire, la formation des liaisons covalentes en chimie organique; ce sont, d'une certaine façon, les codes de construction qui régissent l'architecture des molécules organiques.

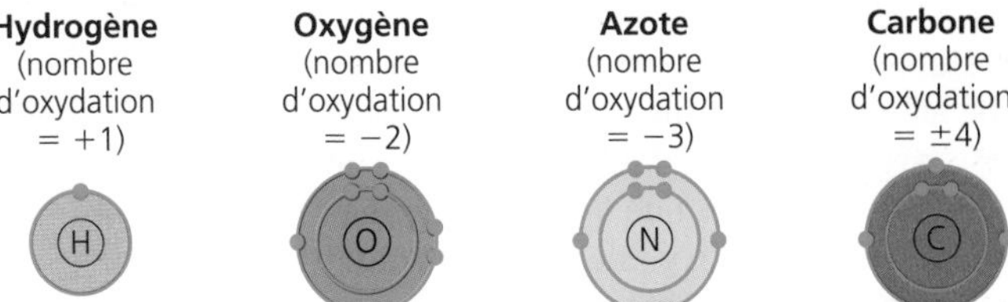

▲ **Figure 4.4 Schémas des couches électroniques montrant les nombres d'oxydation des principaux éléments qui composent les molécules organiques.** Le nombre d'oxydation d'un atome détermine sa capacité de liaison. Il représente le nombre d'électrons qu'un atome doit perdre (signe +), gagner (signe −) ou mettre en commun pour combler son dernier niveau énergétique (voir la figure 2.8).

Un exemple portant sur le dioxyde de carbone et un autre, sur l'urée, illustrent les règles de formation des liaisons covalentes entre les atomes de carbone et les autres atomes (mis à part l'hydrogène). Dans une molécule de dioxyde de carbone (CO_2), un seul atome de carbone est uni à deux atomes d'oxygène par des liaisons covalentes doubles. La formule développée du CO_2 est la suivante:

$$O = C = O$$

Chaque trait représente une paire d'électrons mis en commun. Remarquez que l'atome de carbone participe à deux liaisons doubles, l'équivalent de quatre liaisons covalentes simples. Cet agencement permet à tous les atomes de la molécule de combler leur dernier niveau énergétique. Étant donné qu'il est une molécule très simple qui ne renferme pas d'hydrogène, on considère généralement le dioxyde de carbone comme une molécule inorganique, même s'il contient du carbone. Que l'on qualifie le CO_2 d'organique ou d'inorganique, son importance pour le monde vivant demeure incontestable. Comme nous l'avons

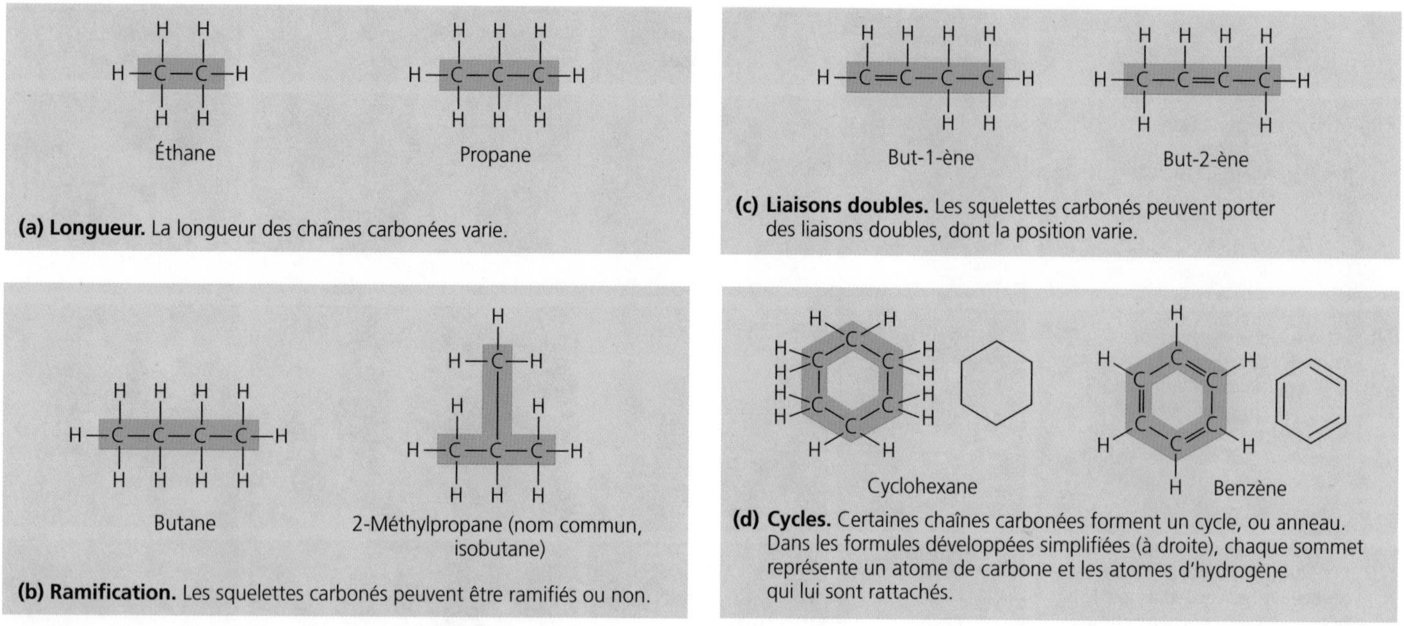

Éthane

Propane

(a) Longueur. La longueur des chaînes carbonées varie.

But-1-ène

But-2-ène

(c) Liaisons doubles. Les squelettes carbonés peuvent porter des liaisons doubles, dont la position varie.

Butane

2-Méthylpropane (nom commun, isobutane)

(b) Ramification. Les squelettes carbonés peuvent être ramifiés ou non.

Cyclohexane

Benzène

(d) Cycles. Certaines chaînes carbonées forment un cycle, ou anneau. Dans les formules développées simplifiées (à droite), chaque sommet représente un atome de carbone et les atomes d'hydrogène qui lui sont rattachés.

▲ **Figure 4.5 Variations dans les chaînes carbonées.** Les hydrocarbures, des molécules organiques uniquement formées de carbone et d'hydrogène, illustrent la diversité des squelettes (ou chaînes) carbonés des molécules organiques.

mentionné plus haut, il est la source de carbone de toutes les molécules organiques qui constituent les êtres vivants.

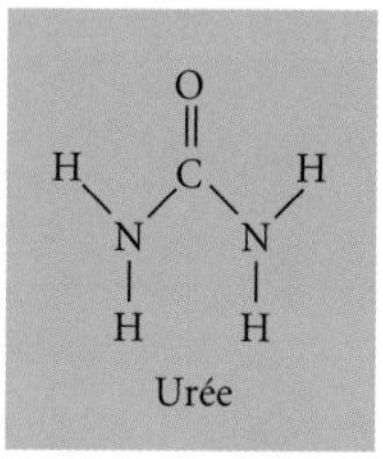

Urée

L'urée, $CO(NH_2)_2$, est une autre molécule relativement simple. Il s'agit d'un composé organique que l'on trouve dans le plasma et l'urine, et que Wöhler a synthétisé au début du XIXe siècle. Sa formule développée est présentée ci-contre.

Encore une fois, chaque atome possède le bon nombre de liaisons covalentes. Ici, l'atome de carbone participe à deux liaisons simples et à une liaison double.

L'urée et le dioxyde de carbone sont des molécules dotées d'un seul atome de carbone. Cependant, comme le montre la figure 4.3, un atome de carbone peut également utiliser un ou plusieurs de ses électrons de valence pour former des liaisons avec d'autres atomes de carbone. Ceux-ci peuvent former des chaînes d'une variété quasiment illimitée.

La diversité des molécules organiques découlant des variations dans les squelettes carbonés

Les chaînes carbonées forment le squelette de la plupart des molécules organiques **(figure 4.5)**. Elles varient en longueur et peuvent être linéaires, ramifiées ou cycliques. Certaines portent des liaisons doubles, dont le nombre et la position varient. De telles différences contribuent de façon importante à la complexité et à la diversité moléculaires qui caractérisent la matière vivante. De plus, les atomes d'autres éléments peuvent se lier aux chaînes, isolément ou par groupes d'atomes là où il y a des sites libres.

Hydrocarbures

Toutes les molécules illustrées aux figures 4.3 et 4.5 sont des **hydrocarbures**, soit des molécules organiques formées uniquement de carbone et d'hydrogène. Les atomes d'hydrogène se lient aux chaînes carbonées partout où des électrons sont disponibles pour former des liaisons covalentes. Les hydrocarbures sont les principales composantes du pétrole, que l'on appelle combustible fossile parce qu'il provient des restes partiellement décomposés d'organismes ayant vécu il y a des millions d'années.

Bien que les hydrocarbures ne soient pas abondants dans les êtres vivants, certaines parties des molécules organiques qui se trouvent dans les cellules comportent principalement du carbone et de l'hydrogène. Par exemple, les molécules que l'on appelle graisses possèdent de longues chaînes d'hydrocarbures, appelées acides gras, liées à une composante qui n'est pas un hydrocarbure **(figure 4.6)**. Ni le pétrole ni les graisses ne se mélangent de manière uniforme avec l'eau. Ce sont des composés hydrophobes, parce que la grande majorité de leurs liaisons sont des liaisons carbone-hydrogène non polaires. Les hydrocarbures se caractérisent également par leur capacité à réagir en libérant une quantité d'énergie relativement élevée. Ainsi, l'essence que nous utilisons comme carburant dans les autos est composée d'hydrocarbures. Les Animaux ont des molécules de graisse contenant des chaînes d'hydrocarbures qui leur servent de source d'énergie.

Isomères

Les **isomères** illustrent bien les variations qui existent dans l'architecture des molécules organiques. Ce sont des composés ayant la même formule moléculaire mais des propriétés différentes, parce qu'ils n'ont pas la même configuration. Comparez, par exemple, les deux molécules de pentane de la **figure 4.7a**. Toutes deux ont la formule moléculaire C_5H_{12}, mais elles diffèrent dans l'agencement de leur squelette carboné. Un des pentanes est linéaire, alors que l'autre est ramifié. Nous examinerons trois types d'isomères : les isomères de structure, les isomères géométriques et les isomères optiques.

Les **isomères de structure** diffèrent par la disposition de leurs liaisons covalentes. Le nombre d'isomères possibles augmente

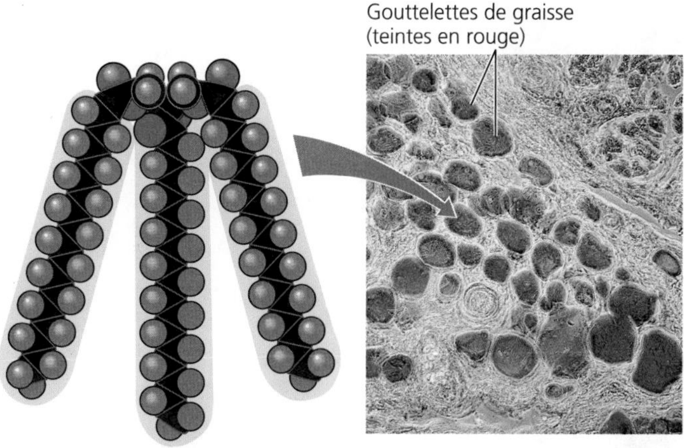

(a) Une molécule de graisse **(b) Cellules adipeuses**

▲ **Figure 4.6 Rôle des hydrocarbures dans les graisses. (a)** Une molécule de graisse est constituée d'une petite composante, qui n'est pas un hydrocarbure, rattachée à trois chaînes d'hydrocarbures. En se décomposant, les chaînes d'hydrocarbures fournissent de l'énergie. Elles expliquent également le comportement hydrophobe des graisses. (Noir = carbone; gris = hydrogène; rouge = oxygène.) **(b)** Les cellules adipeuses des Mammifères accumulent les molécules de graisse en tant que réserve d'énergie. Chaque cellule adipeuse présentée dans cette micrographie est presque entièrement occupée par une grosse gouttelette de graisse, qui accumule une quantité énorme de molécules de graisse.

énormément à mesure que les chaînes carbonées s'allongent. Il n'y a que trois molécules de pentane (dont deux sont illustrées à la figure 4.7a), mais il existe 18 isomères de C_8H_{18} et 366 319 isomères de structure de $C_{20}H_{42}$. Les isomères de structure peuvent également différer par la position de leurs liaisons doubles.

Les **isomères géométriques** ont le même ensemble de liaisons covalentes, mais certains de leurs atomes ou de leurs groupes d'atomes n'occupent pas la même position. Généralement, l'emplacement de ces derniers est en relation avec une liaison double ou avec un cycle. L'existence des isomères géométriques est due à la rigidité des liaisons doubles et des liaisons des chaînes carbonées cycliques qui, contrairement aux liaisons simples, ne permettent pas aux atomes qu'elles relient d'effectuer des rotations autour de l'axe de liaison. Cependant, pour qu'il existe deux isomères géométriques différents, il faut, en plus d'une liaison double (ou d'un cycle), que deux atomes (ou groupes d'atomes) différents soient liés aux carbones de la liaison double (ou du cycle). Examinez l'exemple simple de la figure 4.7b. Lorsque les atomes (ou groupes d'atomes) X se trouvent du même côté de la double liaison ou du cycle, l'isomère prend la forme *cis*. Lorsqu'ils se situent à l'opposé, l'isomère prend la forme *trans*. Cette légère différence de géométrie peut influencer de façon importante l'activité biologique des molécules organiques. Par exemple, le processus complexe de la vision fonctionne grâce à la conversion, sous l'effet de la lumière, des isomères géométriques (*cis* vers *trans*) du rétinal, un aldéhyde synthétisé à partir de la vitamine A. Ce dernier entre dans la composition de la rhodopsine, une molécule présente dans les bâtonnets rétiniens (voir le chapitre 49).

Les **isomères optiques** sont des molécules qui forment une image en miroir. Dans les modèles à boules et à bâtonnets illustrés à la **figure 4.7c**, l'atome de carbone central est dit *asymétrique*, parce qu'il s'attache à quatre atomes ou groupes d'atomes

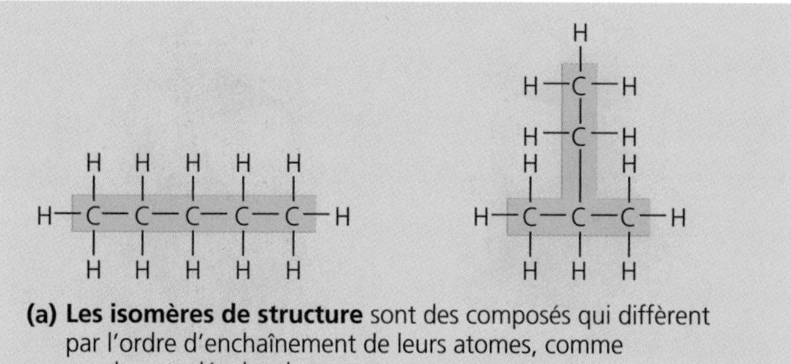

(a) Les isomères de structure sont des composés qui diffèrent par l'ordre d'enchaînement de leurs atomes, comme ces deux molécules de pentane.

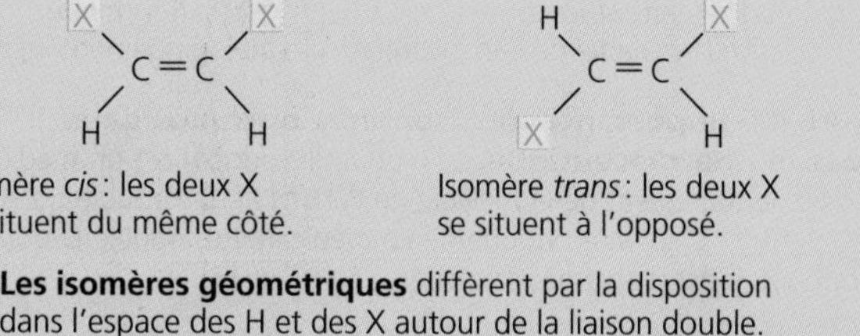

Isomère *cis*: les deux X se situent du même côté.

Isomère *trans*: les deux X se situent à l'opposé.

(b) Les isomères géométriques diffèrent par la disposition dans l'espace des H et des X autour de la liaison double. Dans ces diagrammes, X représente un atome ou un groupe d'atomes liés au carbone porteur de la liaison double.

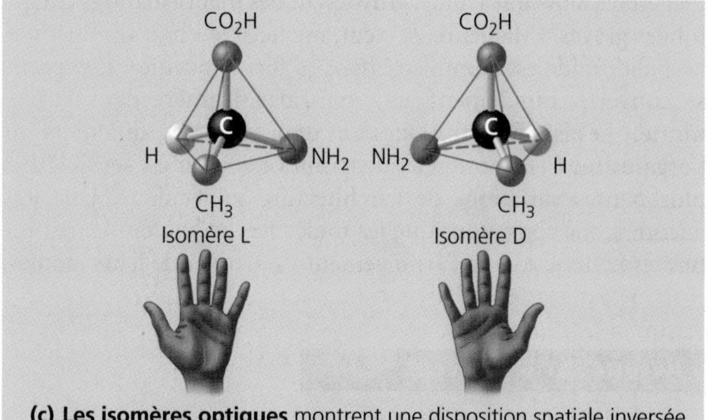

(c) Les isomères optiques montrent une disposition spatiale inversée autour d'un carbone asymétrique. Il en résulte des molécules qui sont l'image inversée l'une de l'autre, comme la main gauche et la main droite. On les appelle isomères L et D (du latin *laevus* et *dexter* pour gauche et droite). Les isomères optiques ne peuvent pas se superposer.

▲ **Figure 4.7 Trois types d'isomères.** De formules moléculaires identiques, mais de structures différentes, les isomères sont une des sources de la diversité des molécules organiques.

différents. Ceux-ci peuvent s'agencer de deux façons différentes dans l'espace entourant l'atome de carbone asymétrique. Chacune de ces façons donne une image inversée de l'autre, un peu comme nos deux mains. Les cellules possèdent la capacité de distinguer les isomères optiques. Généralement, l'un de ceux-ci est biologiquement actif, et l'autre, inactif.

Cette caractéristique revêt une grande importance dans l'industrie pharmaceutique, car les isomères optiques d'un médicament peuvent posséder des propriétés différentes. Par exemple, la L-dopa est un médicament efficace contre la maladie de Parkinson, alors que son isomère optique, la D-dopa, est biologiquement inactif **(figure 4.8)**. Dans certains cas, un isomère peut même produire des effets nocifs. Le cas de la thalidomide illustre bien cela. La thalidomide était un médicament prescrit aux femmes enceintes à la fin des années 1950 et au début des années 1960. Elle comprenait un mélange de deux isomères optiques.

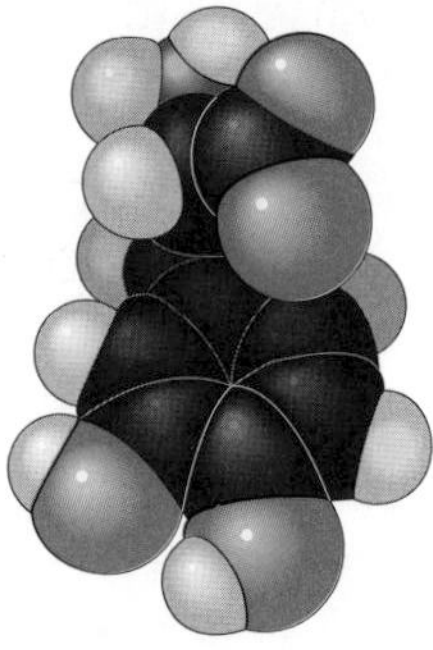

L-dopa
(médicament efficace contre la maladie de Parkinson)

D-dopa
(isomère optique, biologiquement inactif)

▲ **Figure 4.8 Importance des isomères optiques dans l'industrie pharmaceutique.** La L-dopa (lévodopa) est un médicament utilisé dans le traitement de la maladie de Parkinson, un trouble du système nerveux central. L'isomère optique de ce médicament, appelé D-dopa (dextrodopa), n'est d'aucune efficacité.

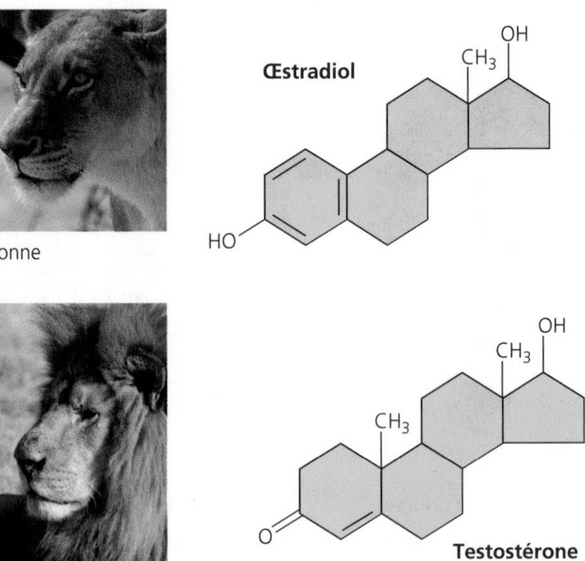

Lion

▲ **Figure 4.9 Comparaison entre les groupements fonctionnels présents dans les hormones sexuelles femelle (œstradiol) et mâle (testostérone).** Les deux molécules diffèrent seulement par l'agencement des groupements fonctionnels sur un squelette carboné semblable, formé de quatre cycles accolés, illustrés ici dans leur forme simplifiée. Cette légère variation dans l'architecture moléculaire agit sur la différenciation anatomique et physiologique des femelles et des mâles chez les Vertébrés.

L'un d'eux réduisait les nausées matinales, ce qui était un effet recherché, alors que l'autre provoquait des malformations congénitales graves. (Malheureusement, même si le « bon » isomère de la thalidomide est administré dans sa forme purifiée, une partie se convertit rapidement en « mauvais » isomère dans l'organisme.) Les isomères optiques ont donc des effets différents sur l'organisme. Cela montre à quel point ce dernier est sensible aux plus petites variations de l'architecture moléculaire. Une fois encore, nous constatons que les molécules acquièrent leurs propriétés en fonction de l'arrangement particulier de leurs atomes.

Retour sur le concept 4.2

1. Écrivez la formule développée de C_2H_4.
2. Observez la figure 4.5 et déterminez quelle(s) paire(s) de molécules est (sont) une paire d'isomères. Dites de quel type d'isomères il s'agit.
3. Qu'ont en commun l'essence et les graisses?

Voir les réponses proposées à la fin du chapitre.

Concept 4.3

Les groupements fonctionnels sont les composantes des molécules organiques qui participent aux réactions chimiques

Une molécule organique a des propriétés particulières qui reposent non seulement sur l'arrangement de son squelette carboné, mais aussi sur les composantes moléculaires qui s'y rattachent. Nous allons maintenant examiner certains groupements d'atomes fréquemment liés aux chaînes carbonées des molécules organiques.

Les groupements fonctionnels les plus importants dans la chimie de la vie

Les liaisons carbone-carbone et carbone-hydrogène à l'intérieur de la chaîne carbonée n'étant pas des liaisons polaires, elles sont très peu réactives. Les composantes des molécules organiques qui participent le plus souvent aux réactions chimiques sont les **groupements fonctionnels**. Si l'on considère les hydrocarbures comme les molécules organiques les plus simples, on peut se représenter un groupement fonctionnel comme un regroupement d'atomes qui remplace un ou plusieurs atomes d'hydrogène liés au squelette carboné de l'hydrocarbure. (Toutefois, certains groupements fonctionnels incluent des atomes de la chaîne carbonée, comme nous le verrons plus loin.)

Chaque groupement fonctionnel se comporte de la même façon d'une molécule organique à l'autre. C'est le nombre, la nature et l'agencement des groupements fonctionnels d'une molécule qui confèrent à celle-ci ses propriétés caractéristiques. Examinons la différence entre la testostérone, l'hormone sexuelle mâle, et l'œstradiol, une hormone sexuelle femelle (un type d'œstrogène), chez les humains et les autres Vertébrés (**figure 4.9**). Il s'agit de stéroïdes, c'est-à-dire de molécules organiques dont le squelette carboné a la forme de quatre cycles (anneaux) accolés. Ces hormones diffèrent seulement par les groupements fonctionnels rattachés aux cycles. Les différentes actions que ces deux molécules exercent sur de nombreuses cellules de l'organisme provoquent l'apparition des caractères sexuels mâles ou femelles. Ainsi, même les fondements biologiques de notre sexualité reposent sur des différences de structure moléculaire.

Les six groupements fonctionnels les plus importants dans la chimie de la vie sont les groupements hydroxyle, carbonyle, carboxyle, amine, thiol et phosphate. Comme ces groupements sont hydrophiles, ils augmentent la solubilité des composés organiques dans l'eau. Avant de continuer votre étude, prenez le temps de vous familiariser avec les groupements fonctionnels de la **figure 4.10** aux deux pages suivantes.

Figure 4.10

Panorama Quelques groupements fonctionnels importants des composés organiques

GROUPEMENT FONCTIONNEL	HYDROXYLE	CARBONYLE	CARBOXYLE
STRUCTURE	 —OH (peut s'écrire HO—) Dans un **groupement hydroxyle**, un atome d'hydrogène se lie à un atome d'oxygène lui-même fixé à la chaîne carbonée de la molécule organique. Il ne faut pas confondre ce groupement fonctionnel avec l'ion hydroxyde, OH^-.	 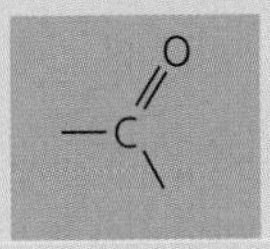 > —C(=O)— Le **groupement carbonyle** (>C = O) se compose d'un atome de carbone associé à un atome d'oxygène par une liaison double.	 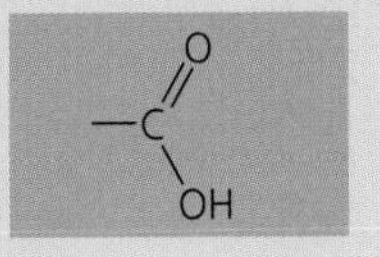 —C(=O)—OH Lorsqu'un atome d'oxygène est uni par une liaison double à un atome de carbone lui-même lié à un groupement hydroxyle, l'ensemble s'appelle **groupement carboxyle** (—COOH). Le mot *carboxyle* provient de la fusion de carbonyle (>C=O) et hydroxyle (—OH).
NOM DES COMPOSÉS	**Alcools** (leurs noms se terminent habituellement en *-ol*)	**Cétones** lorsque le groupement se trouve à *l'intérieur* d'une chaîne carbonée **Aldéhydes** lorsque le groupement se trouve à *l'extrémité* d'une chaîne carbonée	**Acides carboxyliques** ou acides organiques
EXEMPLE	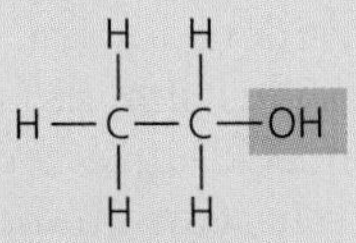 $H_3C—CH_2—OH$ **Éthanol**, un alcool présent dans les boissons	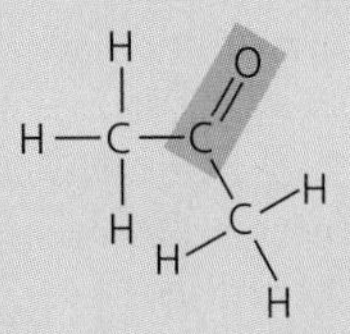 $H_3C—C(=O)—CH_3$ **Acétone** (propanone), la cétone la plus simple 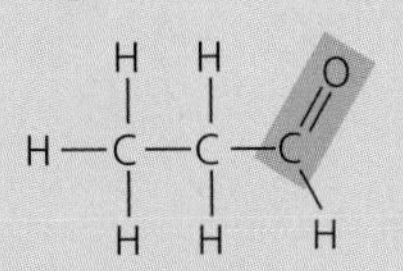 $H_3C—CH_2—C(=O)—H$ **Propanal**, un aldéhyde	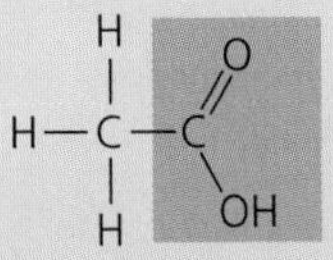 $H_3C—C(=O)—OH$ **Acide acétique** (acide éthanoïque), qui donne au vinaigre un goût aigre
PROPRIÉTÉS	▶ Il est polaire, étant donné qu'il contient un atome d'oxygène électronégatif, qui attire vers lui les électrons. ▶ Il exerce une attraction sur les molécules d'eau. Cela facilite la dissolution des composés organiques comme les sucres (voir la figure 5.3).	▶ Une cétone et un aldéhyde peuvent être des isomères de structure dont les propriétés sont différentes comme dans le cas de l'acétone et du propanal.	▶ Il a des propriétés acides parce qu'il est une source de protons. ▶ La liaison covalente entre l'oxygène et l'hydrogène est tellement polaire que les protons (H^+) ont tendance à se dissocier de façon réversible; par exemple, 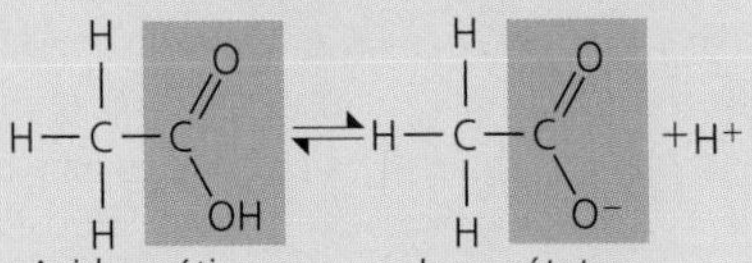 $H_3C—C(=O)—OH \rightleftharpoons H_3C—C(=O)—O^- + H^+$ Acide acétique — Ion acétate ▶ La forme ionisée (appelée carboxylate) prédomine dans les cellules.

Figure 4.10

Panorama Quelques groupements fonctionnels importants des composés organiques (*suite*)

GROUPEMENT FONCTIONNEL	AMINE	THIOL	PHOSPHATE
STRUCTURE	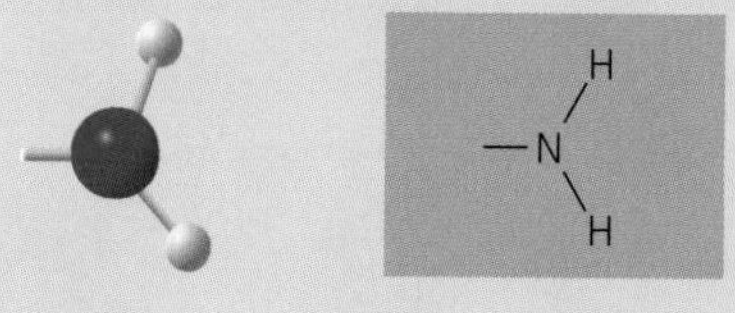 —N(H)(H) Le **groupement amine** (—NH_2) est formé d'un atome d'azote lié à deux atomes d'hydrogène et à une chaîne carbonée.	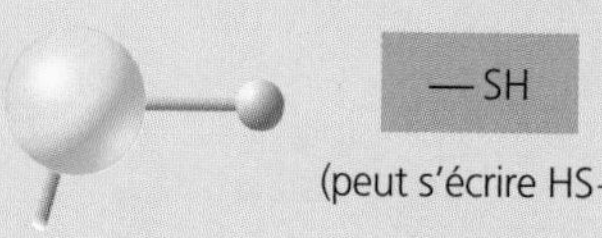 —SH (peut s'écrire HS—) Le **groupement thiol** est constitué d'un atome de soufre lié à un atome d'hydrogène. Il ressemble par sa forme au groupement hydroxyle.	 —O—P(=O)(O⁻)—O⁻ Dans un **groupement phosphate**, un atome de phosphore est lié à quatre atomes d'oxygène ; un des atomes d'oxygène est attaché à la chaîne carbonée ; deux atomes d'oxygène portent des charges négatives ; nous l'exprimons par le symbole Ⓟ. Le groupement phosphate (—OPO_3^{2-}) est la forme ionisée de l'acide phosphorique (—OPO_3H_2 ; remarquez les deux ions hydrogène [protons]).
NOM DES COMPOSÉS	**Amines**	**Thiols**	**Phosphates organiques**
EXEMPLE	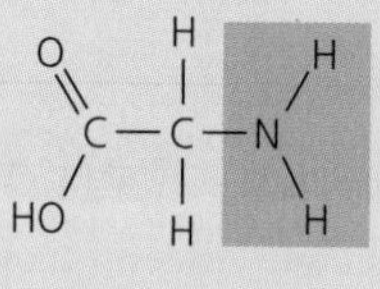 O=C(HO)—CH₂—NH₂ **Glycine** Étant donné qu'elle porte également un groupement carboxyle, la glycine est à la fois une amine et un acide carboxylique ; elle fait donc partie de cette catégorie de substances qu'on appelle acides aminés.	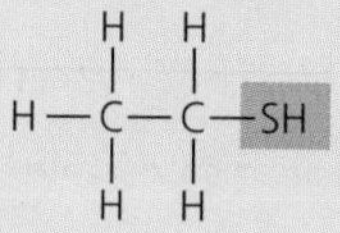 H—CH₂—CH₂—SH **Éthanethiol**	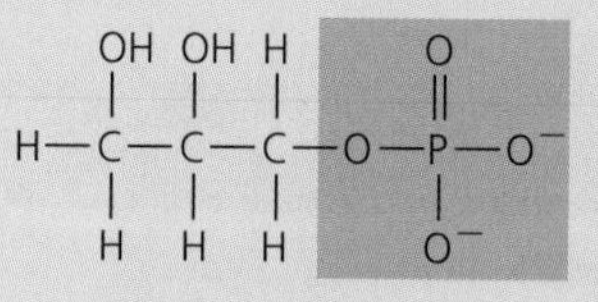 H—C(OH)(H)—C(OH)(H)—C(H)(H)—O—P(=O)(O⁻)—O⁻ **Glycérophosphate**
PROPRIÉTÉS	▶ Le groupement amine se comporte comme une base ; l'atome d'azote peut accepter un proton de la solution dans laquelle la réaction se produit 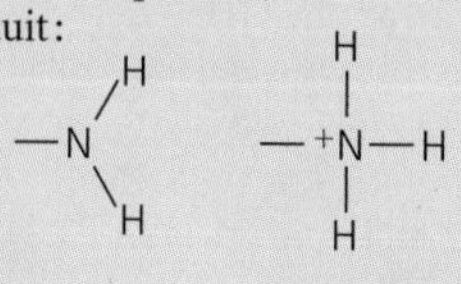 : —N(H)(H) (non ionisé) — ⁺N(H)(H)—H (ionisé) ▶ Le groupement amine ionisé porte une charge de +1 dans la cellule.	▶ Deux groupements thiols contribuent ensemble à stabiliser la structure des protéines (voir la figure 5.20).	▶ Une molécule qui comporte un groupement phosphate devient un anion (ion de charge négative). ▶ Peut transférer de l'énergie d'une molécule organique à une autre.

L'ATP: une importante source d'énergie pour les processus cellulaires

Dans la figure 4.10, la colonne du groupement phosphate présente un exemple simple d'une molécule de phosphate organique. Un autre exemple plus complexe, l'adénosine triphosphate, ou ATP, mérite que l'on s'y attarde car c'est la principale molécule de transfert d'énergie dans la cellule. L'ATP est constitué d'une molécule organique appelée adénosine attachée à une chaîne de trois groupements phosphate.

$$^{-}O-\overset{\overset{O}{\|}}{\underset{\underset{O^-}{|}}{P}}-O-\overset{\overset{O}{\|}}{\underset{\underset{O^-}{|}}{P}}-O-\overset{\overset{O}{\|}}{\underset{\underset{O^-}{|}}{P}}-O-\boxed{\text{Adénosine}}$$

Dans une molécule, comme l'ATP, qui comporte une série de trois groupements phosphate, l'un d'eux peut se séparer sous forme d'ion inorganique phosphate. Dans ce livre, nous exprimons souvent cet ion, $HOPO_3^{2-}$, par le symbole Ⓟ. En perdant un groupement phosphate, l'ATP devient l'adénosine *di*phosphate, ou ADP. Cette réaction libère de l'énergie que la cellule peut utiliser, comme vous le verrez plus en détail au chapitre 8.

Ⓟ–Ⓟ–Ⓟ–[Adénosine] → $Ⓟ_i$ + Ⓟ–Ⓟ–[Adénosine] + Énergie

ATP — Phosphate inorganique — ADP

Retour sur le concept 4.3

1. Qu'est-ce que le terme *acide aminé* indique sur la structure de cette molécule?
2. Quel changement se produit généralement dans l'ATP lorsqu'il libère de l'énergie?

Voir les réponses proposées à la fin du chapitre.

Les éléments chimiques de la vie: *une révision*

Vous savez maintenant que la matière vivante se compose principalement de carbone, d'oxygène, d'hydrogène et d'azote, et, en plus petites quantités, de soufre et de phosphore. Ces éléments ont une caractéristique en commun: ils forment des liaisons covalentes fortes, une qualité essentielle à l'architecture des molécules organiques complexes. Parmi tous ces éléments, le carbone est le roi de la liaison covalente. Son comportement chimique en fait un élément constitutif des molécules organiques. Il est doté de propriétés exceptionnelles: il peut établir quatre liaisons covalentes, s'unir à d'autres atomes de carbone de façon à former des molécules complexes et se lier à plusieurs éléments différents. Grâce aux innombrables possibilités qu'il offre, les molécules organiques sont très diversifiées et possèdent des propriétés spéciales associées à l'arrangement unique de leur squelette carboné et de leurs groupements fonctionnels. Toute la diversité des organismes repose sur cette variation moléculaire.

Révision du chapitre 4

RÉSUMÉ DES CONCEPTS CLÉS

Concept 4.1
La chimie organique étudie les composés du carbone

- On a déjà cru que les composés organiques ne pouvaient provenir que des êtres vivants, mais les chimistes ont remis en question cette notion (vitalisme) quand ils ont réussi à synthétiser des composés organiques en laboratoire **(p. 59-60)**.

Concept 4.2
Les atomes de carbone peuvent former une grande variété de molécules en se liant à quatre autres atomes

- **La formation de liaisons avec le carbone (p. 60-62).** Grâce à sa faculté de former quatre liaisons covalentes, le carbone peut former des molécules très variées. Il peut se lier à différents atomes, dont O, H et N. Les atomes de carbone peuvent également s'unir entre eux et former des chaînes; c'est le cas dans les molécules organiques, dont ils forment le squelette.
- **La diversité des molécules organiques découlant des variations dans les squelettes carbonés (p. 62-64).** Le squelette carboné des molécules organiques varie par sa longueur et par sa forme; ses atomes de carbone peuvent former des liaisons avec des atomes d'autres éléments. Les hydrocarbures se composent uniquement de carbone et d'hydrogène. Les isomères sont des molécules possédant la même formule moléculaire, mais présentant une architecture et des propriétés différentes. Il existe trois types d'isomères: les isomères de structure, les isomères géométriques et les isomères optiques.

Concept 4.3
Les groupements fonctionnels sont les composantes des molécules organiques qui participent aux réactions chimiques

- **Les groupements fonctionnels les plus importants dans la chimie de la vie (p. 64).** Les groupements fonctionnels sont des groupes d'atomes dont la réactivité donne aux molécules organiques des propriétés particulières. Le groupement hydroxyle (—OH) est polaire, ce qui facilite la dissolution des composés dans l'eau. Le groupement carbonyle (>C = O) peut se trouver soit à l'extrémité d'une chaîne carbonée (aldéhyde), soit à l'intérieur de la chaîne (cétone). Le groupement carboxyle (—COOH) est présent dans les acides carboxyliques. L'hydrogène de ce groupement peut se dissocier et faire de la molécule un acide faible. Le groupement amine ($—NH_2$) peut accepter un proton (H^+) et se comporter comme une base. Le groupement thiol (—SH) contribue à stabiliser la structure de certaines protéines. Le groupement phosphate ($—OPO_3^{2-}$) joue un rôle important dans le transfert de l'énergie.
- **L'ATP: une importante source d'énergie pour les processus cellulaires (p. 67)** Lorsqu'une molécule d'ATP perd un groupement phosphate, l'énergie libérée peut être utilisée par les cellules.

▶ **Les éléments chimiques de la vie : *une révision*** **(p. 67).**
La matière vivante se compose principalement de carbone, d'oxygène, d'hydrogène et d'azote, ainsi que d'une petite quantité de soufre et de phosphore. La diversité biologique réside, à l'échelle moléculaire, dans la capacité du carbone à produire une gamme impressionnante de molécules aux formes et aux propriétés chimiques particulières.

VÉRIFIEZ VOS CONNAISSANCES

Autoévaluation

(Les questions dont les numéros sont en caractères gras font surtout appel à la compréhension.)

1. Quelle est la définition moderne de la chimie organique ?
   a) C'est l'étude des composés qui ne peuvent être élaborés que par des cellules.
   b) C'est l'étude des composés du carbone.
   c) C'est l'étude des forces vitales.
   d) C'est l'étude des composés naturels (par opposition aux composés synthétiques).
   e) C'est l'étude des hydrocarbures.
2. Déterminez l'énoncé incorrect :
   a) Les atomes de carbone peuvent former des chaînes linéaires, ramifiées ou cycliques.
   b) Un atome de carbone peut s'unir à un autre atome de carbone par une liaison covalente simple ou par une liaison covalente double.
   c) Les hydrocarbures sont les principales composantes des molécules organiques du vivant.
   d) Un même atome de carbone peut s'unir simultanément à un atome d'hydrogène, à un atome d'oxygène et à un autre atome de carbone.
   e) Une molécule organique peut être plane (n'avoir que deux dimensions).
3. Choisissez la paire de termes qui complète cette phrase : « L'hydroxyle est ______________ ce que ______________ est à l'aldéhyde. »
   a) au carbonyle ; la cétone
   b) à l'oxygène ; le carbone
   c) à l'alcool ; le carbonyle
   d) à l'amine ; le carboxyle
   e) à l'alcool ; la cétone
4. Lequel de ces hydrocarbures porte une liaison double dans sa chaîne carbonée ?
   a) C_3H_8.
   b) C_2H_6.
   c) CH_4.
   d) C_2H_4.
   e) C_2H_2.
5. L'essence consommée par une automobile est un combustible fossile constitué surtout :
   a) d'aldéhydes.
   b) d'acides aminés.
   c) d'alcools.
   d) d'hydrocarbures.
   e) de thiols.
6. Choisissez l'expression qui décrit correctement ces deux molécules de sucre.

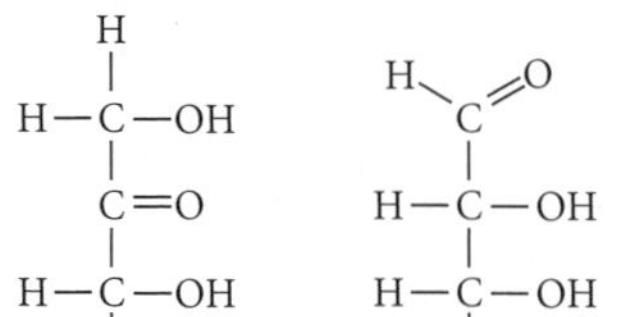

```
      H
      |                 H    O
  H—C—OH                 \  //
      |                    C
    C=O                    |
      |                H—C—OH
  H—C—OH                   |
      |                H—C—OH
      H                    |
                           H
```

   a) Isomères de structure.
   b) Isomères géométriques.
   c) Isomères optiques.
   d) Isotopes du carbone.

7. Repérez l'atome de carbone asymétrique dans cette molécule.

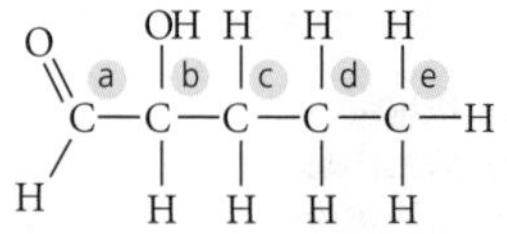

```
O     OH  H   H   H
 \\ a |b  |c  |d  |e
   C—C—C—C—C—H
  /   |   |   |   |
 H    H   H   H   H
```

8. Quel groupement fonctionnel est absent dans cette molécule ?

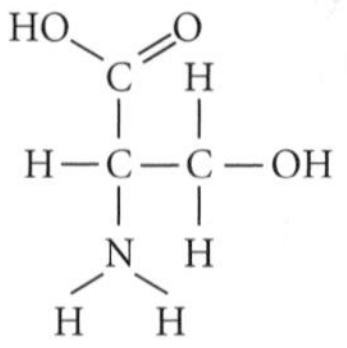

```
    HO    O
      \  //
        C   H
        |   |
    H—C—C—OH
        |   |
        N   H
       / \
      H   H
```

   a) Carboxyle.
   b) Thiol.
   c) Hydroxyle.
   d) Amine.
9. Pour obtenir un groupement carbonyle, il faut :
   a) remplacer l'hydroxyle par un hydrogène dans un groupement carboxyle.
   b) ajouter un thiol à un hydroxyle.
   c) ajouter un hydroxyle à un phosphate.
   d) remplacer l'azote par l'oxygène dans une amine.
   e) ajouter un thiol à un carboxyle.
10. À quel groupement fonctionnel doit-on principalement le comportement basique d'une molécule organique ?
   a) À un hydroxyle.
   b) À un carbonyle.
   c) À un carboxyle.
   d) À une amine.
   e) À un phosphate.
11. À l'aide de ce que vous avez appris sur l'électronégativité de l'oxygène, prédisez laquelle de ces molécules formerait l'acide le plus fort. (Indice : examinez la figure 4.10.) Expliquez votre réponse.

```
a)  H  H    O          b)  H  O    O
    |  |   //              |  ||  //
 H—C—C—C                H—C—C—C
    |  |   \               |      \
    H  H    OH             H       OH
```

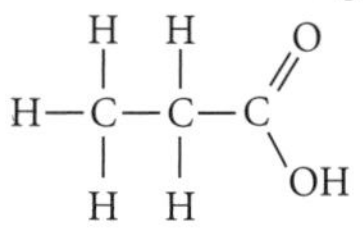

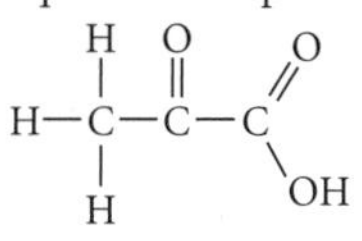

Lien avec l'évolution

Des scientifiques pensent que, si la vie extraterrestre existait, elle pourrait être fondée sur le silicium plutôt que sur le carbone comme sur Terre. Quelle propriété de cet élément, partagée avec le carbone, rendrait plus vraisemblable la vie basée sur le silicium plutôt que, disons, sur le néon ou l'aluminium ? (Voir la figure 2.8.) Citez aussi au moins une autre propriété du silicium qui, à l'inverse, le désavantagerait par rapport au carbone.

Intégration

En 1918, une épidémie de la maladie du sommeil a causé chez certains survivants un type de paralysie se manifestant par une forme rare de rigidité musculaire. Les symptômes présentés rappelaient la maladie de Parkinson à un stade avancé. Des années plus tard, on a administré à certains de ces patients de la lévodopa (L-dopa), un médicament servant au traitement de la maladie de Parkinson (voir la figure 4.8). Comme dans le film *L'Éveil* (*Awakenings*), la lévodopa a contribué à éliminer leur paralysie, du moins temporairement. On a par la suite démontré que, comme dans le cas de la maladie de Parkinson, son isomère optique, la D-dopa, n'était d'aucune aide. À la lumière des notions apprises jusqu'à maintenant, posez une hypothèse afin d'expliquer pourquoi un isomère est efficace dans le traitement de ces *deux* maladies, alors que l'autre ne l'est pas.

Science, technologie et société

Il y a 50 ans, la thalidomide est devenue tristement célèbre : de nombreuses femmes qui avaient pris ce médicament pendant leur grossesse pour soulager leurs nausées matinales ont donné naissance à des enfants souffrant de malformations congénitales. Cependant, en 1998, l'organisme de contrôle des médicaments aux États-Unis (Food and Drug Administration, FDA) a approuvé l'usage de ce médicament dans le traitement de certaines affections associées à la lèpre. Au cours d'essais cliniques, la thalidomide a également semblé être un moyen de soigner des patients atteints de sida, de tuberculose et de certains types de cancer. Selon vous, devrait-on approuver l'utilisation de ce médicament ? Si oui, sous quelles conditions ? Quels critères devraient guider la FDA dans la comparaison entre les bienfaits et les dangers d'un médicament ?

Réponses du chapitre 4

Retour sur le concept 4.1

1. L'urée est une molécule synthétisée par les organismes vivants et présente dans l'urine. Sa synthèse à partir de gaz de l'atmosphère primitive sur Terre démontre que les molécules de la vie pouvaient avoir été initialement synthétisées à partir de molécules ne provenant pas d'êtres vivants.

Retour sur le concept 4.2

1.
```
H\     /H
  C=C
H/     \H
```
2. Les butanes en (b) sont des isomères de structure, de même que les butènes en (c).
3. Les deux substances sont constituées principalement de chaînes d'hydrocarbures.

Retour sur le concept 4.3

1. Il contient à la fois un groupement carboxyle (—COOH), d'où son appellation d'acide, et un groupement amine (—NH_2), d'où le terme *aminé*.
2. La molécule d'ATP perd un groupement phosphate et devient de l'ADP.

Autoévaluation

1. b ; 2. c ; 3. c ; **4.** d ; 5. d ; **6.** a ; 7. b ; **8.** b ; **9.** a ; 10. d ; **11.** b ; parce qu'il n'y a pas seulement les deux atomes d'oxygène électronégatifs du groupement carboxyle, mais aussi un atome d'oxygène sur le carbone (carbonyle) voisin. Ces atomes d'oxygène contribuent tous à rendre plus polaire la liaison entre le O et le H du groupement —OH, ce qui facilite la dissociation de H^+.

5

Structure et fonction des macromolécules

▲ **Figure 5.1 Les scientifiques travaillent avec des ordinateurs pour construire des modèles moléculaires des protéines.**

Concepts clés

5.1 **La plupart des macromolécules sont des polymères synthétisés à partir de monomères**

5.2 **Les glucides servent de sources d'énergie et de matériaux de structure**

5.3 **Les lipides forment un groupe de molécules hydrophobes d'aspect varié**

5.4 **Les protéines possèdent de nombreux niveaux de structure, ce qui leur confère des fonctions très diversifiées**

5.5 **Les acides nucléiques emmagasinent et transmettent l'information génétique**

Introduction

Les molécules de la vie

Nous avons vu comment s'applique la notion d'émergence à l'étude de l'eau et des molécules organiques relativement simples. Chacune de ces petites molécules possède des propriétés uniques qui découlent de l'arrangement ordonné de ses atomes. Nous aborderons maintenant un autre niveau dans la hiérarchie de l'organisation biologique: des molécules organiques complexes se forment dans les cellules à partir de molécules organiques simples. On regroupe les molécules organiques complexes dans quatre classes principales: les glucides, les lipides, les protéines et les acides nucléiques. Bon nombre de ces molécules sont, au niveau moléculaire, énormes. Par exemple, les protéines peuvent comporter des milliers d'atomes unis par des liaisons covalentes et représentent de véritables colosses moléculaires dont la masse peut dépasser 100 000 u. Les biologistes emploient le terme **macromolécules** pour les désigner.

Compte tenu que les macromolécules ont une taille et une complexité incroyables, il est remarquable que les biochimistes aient réussi à déterminer la structure détaillée d'un si grand nombre d'entre elles (**figure 5.1**). Une macromolécule a une fonction qu'il est plus facile de saisir lorsqu'on comprend son architecture. Les molécules complexes de la vie constituent le sujet principal de ce chapitre. Au niveau moléculaire comme à tous les niveaux de l'organisation biologique, structure et fonction sont indissociables.

Concept 5.1

La plupart des macromolécules sont des polymères synthétisés à partir de monomères

Les macromolécules appartenant à trois des quatre classes de composés organiques, soit les glucides, les protéines et les acides nucléiques, sont des **polymères** (du grec *polus*, plusieurs, et *meros*, partie). Un polymère est une molécule constituée d'un grand nombre d'unités structurales identiques ou semblables rattachées par des liaisons covalentes, comme un train formé d'une chaîne de wagons. Chacune des petites unités structurales formant un polymère s'appelle **monomère**. Certaines des molécules qui servent de monomères remplissent une fonction qui leur est propre.

Synthèse et dégradation des polymères

Les classes de polymères diffèrent par la nature de leurs monomères, mais les mécanismes chimiques par lesquels les cellules synthétisent ou dégradent les macromolécules sont toujours les mêmes (**figure 5.2**). Les monomères se lient au cours d'une réaction dans laquelle deux molécules s'associent par une liaison covalente tout en perdant une molécule d'eau. Il s'agit d'une **réaction de condensation**, plus particulièrement d'une **réaction de déshydratation**, parce qu'il y a perte d'une molécule d'eau (**figure 5.2a**). Chaque fois que deux monomères s'unissent, chacun fournit une partie de la molécule d'eau éliminée: l'un d'eux perd un groupement hydroxyle (—OH), l'autre, un atome d'hydrogène (—H). La construction d'un polymère implique la répétition de cette réaction; c'est ainsi que des monomères sont graduellement ajoutés à la chaîne. La cellule doit fournir de l'énergie pour que ces nouvelles liaisons soient formées. De plus, ce processus ne peut se produire qu'avec l'aide d'enzymes, des protéines spécialisées qui accroissent la vitesse des réactions chimiques produites dans une cellule.

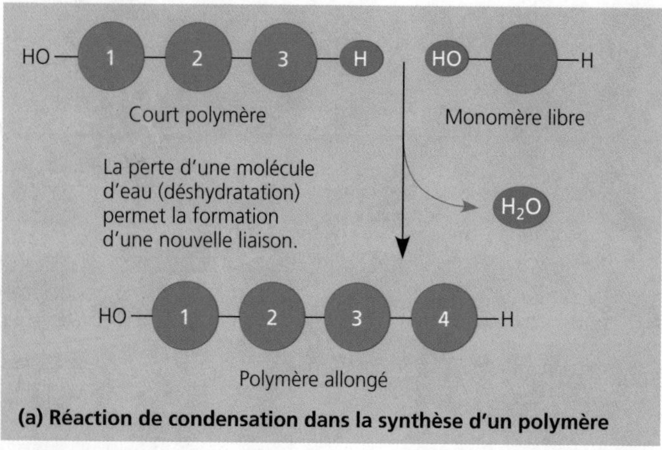

(a) Réaction de condensation dans la synthèse d'un polymère

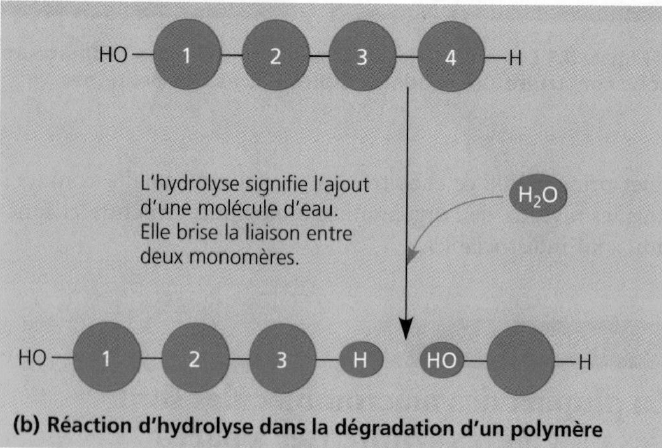

(b) Réaction d'hydrolyse dans la dégradation d'un polymère

▲ **Figure 5.2 Synthèse et dégradation des polymères.**

Les polymères se scindent en monomères par hydrolyse, le processus inverse de la réaction de condensation **(figure 5.2b)**. Le terme **hydrolyse** signifie «briser à l'aide de l'eau» (du grec *hudôr*, eau, et *lusis*, briser). L'addition de molécules d'eau rompt les liaisons entre les monomères; un atome d'hydrogène provenant de l'eau s'attache à un monomère; tandis qu'un groupement hydroxyle s'attache au monomère adjacent. Le processus de la digestion constitue un exemple d'hydrolyse. La majeure partie de la matière organique qui se trouve dans nos aliments se compose de polymères beaucoup trop volumineux pour entrer dans nos cellules. Dans le tube digestif, diverses enzymes accélèrent l'hydrolyse des polymères. Les monomères libérés sont ensuite absorbés par le tissu épithélial du tube digestif et passent dans la circulation sanguine, qui les distribue à toutes les cellules de l'organisme. Les cellules peuvent alors faire appel aux réactions de condensation pour assembler les monomères en des polymères différents de ceux qui avaient été ingérés. Les nouveaux polymères remplissent des fonctions nécessaires à la cellule.

La diversité des polymères

Chaque cellule d'un organisme possède des milliers de macromolécules différentes, dont un grand nombre varie d'un tissu à l'autre. Les différences qui existent entre les frères et sœurs, par exemple, témoignent de variations dans les polymères, notamment dans l'ADN et les protéines. Les différences moléculaires sont plus importantes entre les individus sans liens de parenté, et encore plus entre les espèces. La diversité des macromolécules dans le monde vivant est considérable; son potentiel tend vers l'infini.

D'où provient la pluralité des polymères? Ceux-ci ne s'élaborent qu'à partir de 40 à 50 monomères communs et de quelques autres plus rares. Créer une énorme variété de polymères à partir d'un nombre aussi limité de monomères, c'est comme former des centaines de milliers de mots à partir des 26 lettres de l'alphabet français. Tout réside dans l'arrangement, c'est-à-dire dans la façon de combiner en séquence linéaire les unités structurales de base. Toutefois, l'analogie avec les mots du français ne rend pas compte de la grande diversité des macromolécules, car la plupart des polymères biologiques sont beaucoup plus longs que le mot le plus long. Les protéines, par exemple, sont fabriquées à partir de 20 acides aminés différents arrangés en chaînes. Celles-ci sont généralement longues de centaines d'acides aminés. La vie s'articule autour de cette logique moléculaire simple mais efficace: de petites molécules communes à tous les organismes s'agencent en macromolécules distinctes.

Nous pouvons examiner maintenant les structures et les fonctions spécifiques des quatre classes principales de macromolécules présentes dans les cellules. Nous étudierons séparément les glucides, les lipides, les protéines et les acides nucléiques, mais il faut savoir que les macromolécules de ces quatre catégories peuvent aussi s'associer de différentes façons: c'est ainsi, par exemple, qu'il existe des glycoprotéines, des glycolipides et des lipoprotéines, et que des glucides sont présents dans les acides nucléiques. Nous verrons que ces molécules complexes ont des propriétés que leurs monomères ne possèdent pas, une autre manifestation de l'émergence.

Retour sur le concept 5.1

1. Quelles sont les quatre principales classes de macromolécules biologiques?
2. Combien de molécules d'eau faut-il pour hydrolyser complètement un polymère d'une longueur de 10 monomères?
3. Lorsque vous venez de manger de la viande, quelles réactions doivent se produire pour convertir les acides aminés (monomères) dans les protéines de la viande en protéines de votre organisme?

Voir les réponses proposées à la fin du chapitre.

Concept 5.2

Les glucides servent de sources d'énergie et de matériaux de structure

La classe des glucides, ou sucres, comprend les monosaccharides (faits d'un seul monomère), les disaccharides (formés de deux monomères) et les polysaccharides (des polymères). Les glucides les plus simples sont les monosaccharides ou sucres simples. Les disaccharides résultent de l'union de deux monosaccharides au cours d'une réaction de condensation. Les glucides qui sont des macromolécules sont des polysaccharides, c'est-à-dire des polymères de nombreux monosaccharides.

Les monosaccharides et les disaccharides

Les **monosaccharides** (du grec *monos*, « un seul », et *sakkharon*, « sucre ») ont habituellement des formules moléculaires qui sont des multiples de CH_2O **(figure 5.3)**. Le glucose ($C_6H_{12}O_6$), le monosaccharide le plus courant, joue un rôle capital dans la chimie des êtres vivants. Sa structure révèle qu'il s'agit d'un glucide: la molécule possède un groupement carbonyle (>C=O) et de nombreux groupements hydroxyle (—OH). Selon la position du groupement carbonyle, un monosaccharide est soit un aldose (le carbonyle fait partie de la classe fonctionnelle des aldéhydes), soit un cétose (le carbonyle fait partie des cétones). Par exemple, le glucose est un aldose, alors que le fructose, un isomère de structure du glucose (et le plus « sucré » de tous les sucres), est un cétose. (La plupart des noms de glucides se terminent en *-ose*.) La longueur des chaînes carbonées est un autre facteur de classification des monosaccharides; celles-ci sont constituées de trois à sept atomes de carbone. Le glucose, le fructose et les autres monosaccharides qui possèdent six atomes de carbone se nomment hexoses: si l'on tient compte des isomères optiques, il existe 16 hexoses différents. Les trioses (qui ont trois atomes de carbone) et les pentoses (qui ont cinq atomes de carbone) sont également répandus.

L'arrangement spatial autour d'un atome de carbone, parfois asymétrique, contribue à la diversité des monosaccharides. (Au chapitre 4, nous avons vu qu'un atome de carbone asymétrique est lié à quatre partenaires différents, soit à des groupes, soit à de simples atomes.) Le glucose et le galactose, par exemple, ne diffèrent que par la disposition de leurs groupements hydroxyle autour d'un carbone asymétrique (voir les sections violettes dans la figure 5.3). Cette différence peut sembler minime, mais elle suffit à donner à ces deux monosaccharides une forme et un comportement distincts.

Bien qu'il soit commode de représenter le glucose sous forme de chaîne carbonée linéaire, cette schématisation n'est pas tout à fait exacte. Dans une solution aqueuse, les molécules de glucose, comme la majorité des monosaccharides, se présentent surtout sous une forme cyclique **(figure 5.4)**.

Les monosaccharides, particulièrement le glucose, sont des nutriments essentiels aux cellules. Au cours des processus appelés respiration cellulaire et fermentation, les cellules utilisent l'énergie emmagasinée dans des molécules de glucose. Les monosaccharides ne constituent pas seulement une source d'énergie importante pour le travail cellulaire; leur squelette carboné sert également de matière première à la synthèse d'autres petites molécules organiques, comme les acides aminés et les acides gras. Lorsque leur énergie ou leurs atomes de carbone ne sont pas immédiatement utilisés pour le travail cellulaire, ils s'incorporent à titre de monomères à des disaccharides ou à des polysaccharides.

Un **disaccharide** se compose de deux monosaccharides unis par une liaison covalente, appelée **liaison glycosidique**, qui se forme lors d'une réaction de condensation. Par exemple, le maltose est un disaccharide formé par la liaison de deux molécules de glucose **(figure 5.5a)**. Il est également appelé sucre de malt, et il constitue un ingrédient important dans la fabrication de la bière. Le disaccharide le plus répandu est le saccharose, plus connu sous le nom de sucre granulé. Ses deux monomères sont le glucose et le fructose **(figure 5.5b)**. C'est sous forme de saccharose que les

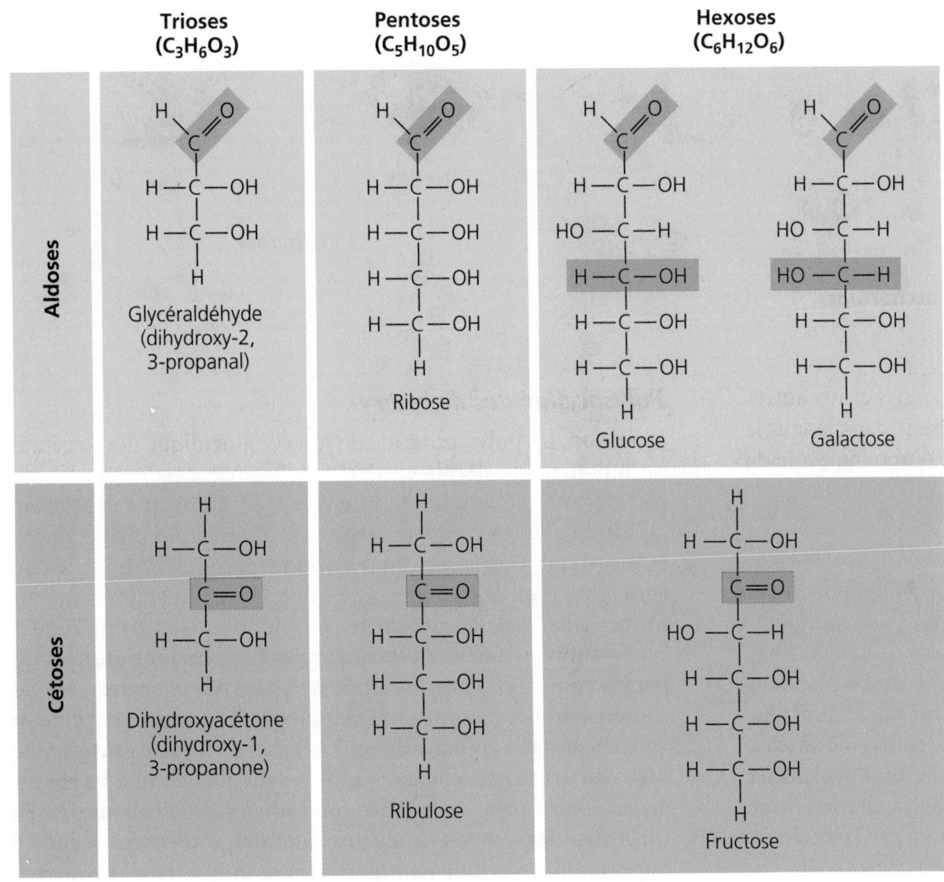

◄ **Figure 5.3 Structure et classification de quelques monosaccharides.** Les monosaccharides font partie des aldoses (rangée du haut) lorsque le groupement carbonyle (en orange foncé) est un aldéhyde; ils appartiennent aux cétoses (rangée du bas) si le groupement carbonyle est une cétone. On classe également les monosaccharides selon la longueur de leur chaîne carbonée. L'arrangement spatial autour d'un atome de carbone asymétrique représente un troisième facteur de variation (comparez, par exemple, les parties en violet dans le glucose et le galactose).

(a) Représentations linéaire et cyclique. L'équilibre chimique entre les structures linéaire et cyclique favorise grandement la formation cyclique (en forme d'anneau). Lorsque le carbone 1 de la chaîne linéaire se lie à l'oxygène attaché au carbone 5, un cycle est formé.

(b) Représentation cyclique abrégée. Chaque sommet représente un atome de carbone. Le côté du cycle qui apparaît en gras est orienté vers vous; ainsi, les composantes attachées à l'anneau se situent au-dessus et au-dessous du plan du cycle.

▲ **Figure 5.4 Représentations linéaire et cyclique du glucose.**

(a) Synthèse du maltose par une réaction de condensation. La combinaison de deux molécules de glucose donne une molécule de maltose. Une liaison glycosidique s'établit entre le carbone 1 d'un glucose et le carbone 4 d'un autre glucose. L'union de ces deux monomères à un autre emplacement aboutirait à la formation d'un disaccharide différent.

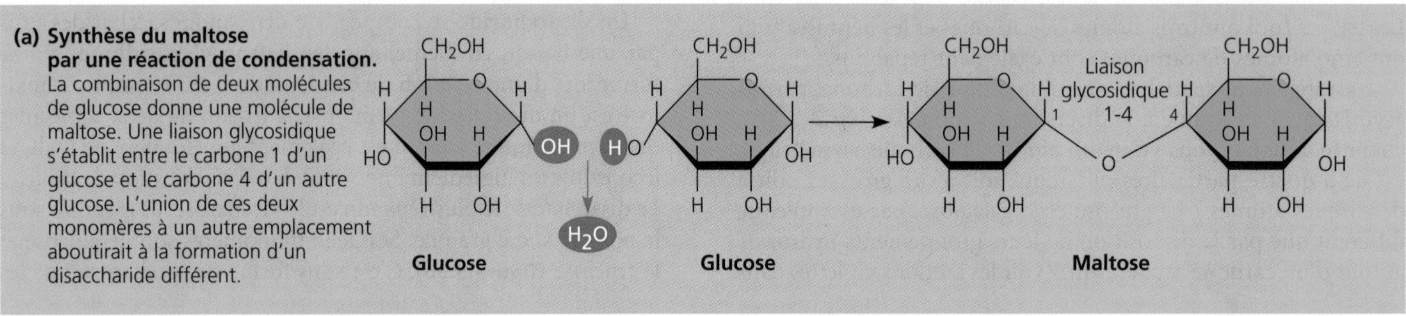

(b) Synthèse du saccharose par une réaction de condensation. Le saccharose est un disaccharide formé d'une molécule de glucose et d'une molécule de fructose. Remarquez que le fructose, bien qu'il soit un hexose comme le glucose, forme un cycle à cinq côtés plutôt qu'à six.

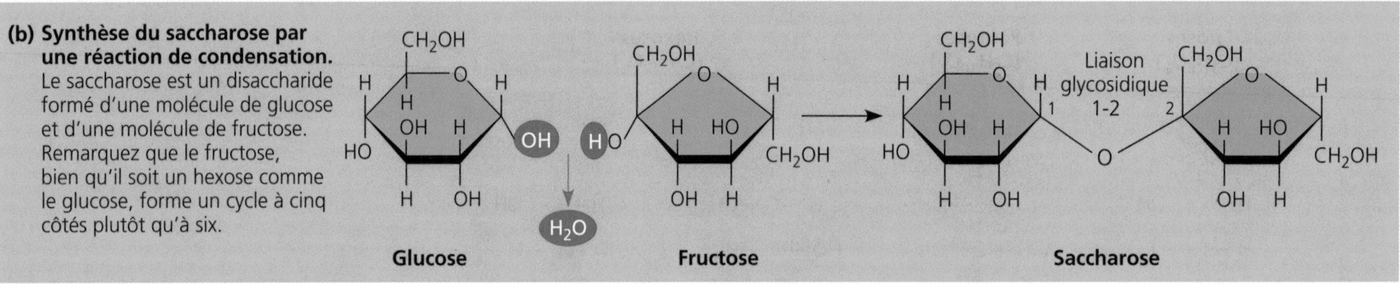

▲ **Figure 5.5 Exemples de la synthèse de disaccharides.**

glucides voyagent des feuilles des plantes aux racines et aux autres organes non photosynthétiques. Le sucre présent dans le lait, le lactose, est aussi un disaccharide; il est formé d'une molécule de glucose liée à une molécule de galactose.

Les polysaccharides

Les **polysaccharides** sont des macromolécules, soit des polymères composés de quelques centaines à quelques milliers de monosaccharides unis par des liaisons glycosidiques. Certains polysaccharides jouent le rôle de substances de réserve et sont hydrolysés en fonction des besoins de la cellule en monosaccharides. D'autres polysaccharides servent de matière première destinée à l'édification des structures protégeant la cellule ou l'organisme entier. L'architecture et la fonction d'un polysaccharide sont déterminées par la nature de ses monomères et par la position des liaisons glycosidiques.

Polysaccharides de réserve

L'**amidon**, un polysaccharide de réserve glucidique des Végétaux, est une macromolécule entièrement formée de glucose. La plupart des monomères qui le composent sont unis par des liaisons glycosidiques 1-4 (entre le carbone 1 d'une molécule de glucose et le carbone 4 de la suivante), comme les unités de glucose dans le maltose (voir la figure 5.5a). L'angle de ces liaisons donne une forme hélicoïdale au polymère. L'amidon a deux composantes: la plus simple, l'amylose, est constituée d'une chaîne non ramifiée; la plus complexe, l'amylopectine, est faite d'une chaîne ramifiée comportant des liaisons glycosidiques 1-6 aux embranchements.

Les Végétaux emmagasinent l'amidon sous forme de granules dans des structures cellulaires appelées plastes, tels que les chloroplastes **(figure 5.6a)**. En synthétisant l'amidon, les Végétaux peuvent constituer des réserves de glucose, une source d'énergie cellulaire importante. La cellule peut par la suite puiser dans ces réserves

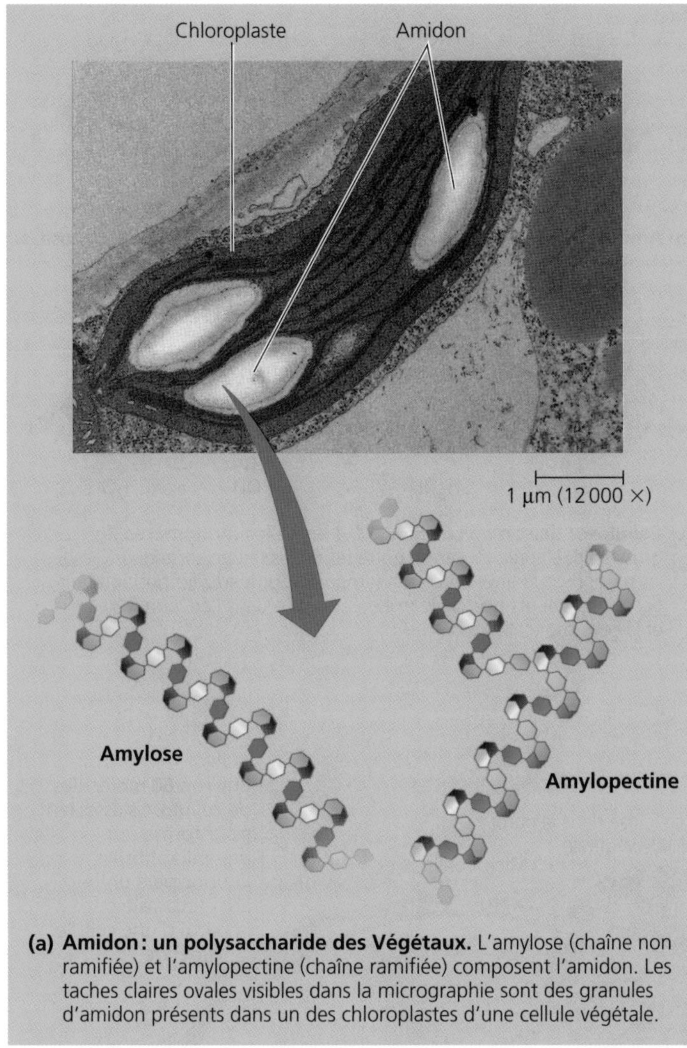

(a) Amidon : un polysaccharide des Végétaux. L'amylose (chaîne non ramifiée) et l'amylopectine (chaîne ramifiée) composent l'amidon. Les taches claires ovales visibles dans la micrographie sont des granules d'amidon présents dans un des chloroplastes d'une cellule végétale.

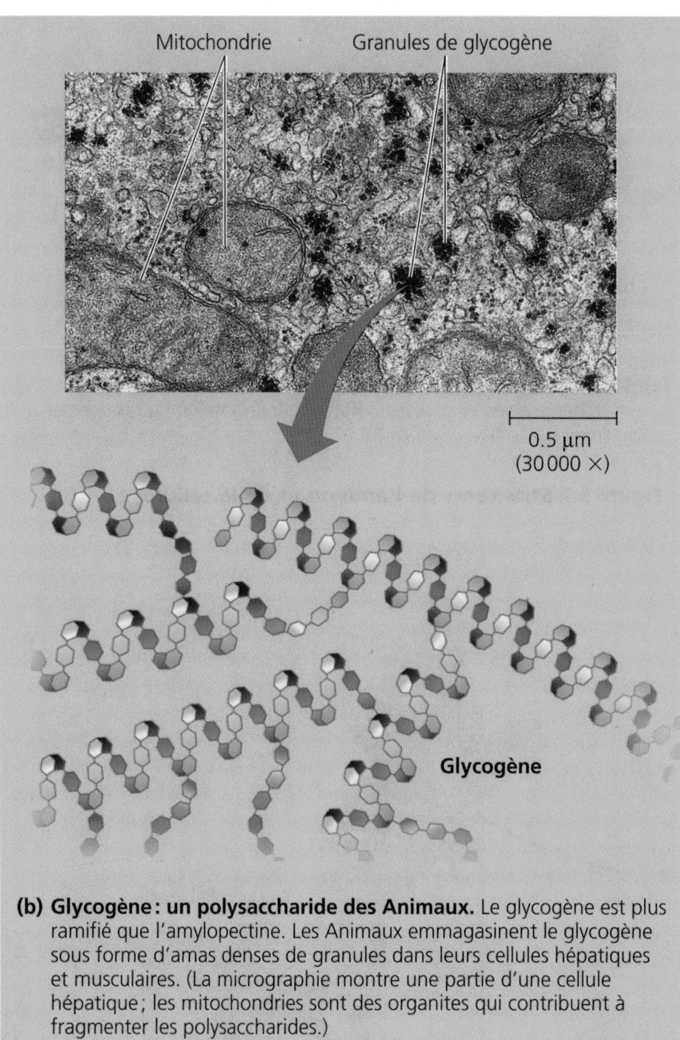

(b) Glycogène : un polysaccharide des Animaux. Le glycogène est plus ramifié que l'amylopectine. Les Animaux emmagasinent le glycogène sous forme d'amas denses de granules dans leurs cellules hépatiques et musculaires. (La micrographie montre une partie d'une cellule hépatique ; les mitochondries sont des organites qui contribuent à fragmenter les polysaccharides.)

▲ **Figure 5.6 Polysaccharides de réserve des Végétaux et des Animaux.** Les exemples ci-dessus montrent des molécules d'amidon et de glycogène. Celles-ci sont entièrement constituées de molécules de glucose, représentées ici par des hexagones. Leur structure moléculaire confère à ces polymères une forme hélicoïdale.

au moyen de l'hydrolyse, qui rompt les liaisons entre les monomères de glucose. La plupart des Animaux, y compris les humains, possèdent également des enzymes qui hydrolysent l'amidon des nutriments et libèrent du glucose, qui servira de nutriment aux cellules. La pomme de terre et les céréales (comme le blé, le maïs, le riz et les autres graminées) sont les sources d'amidon principales dans le régime alimentaire des humains.

Les Animaux emmagasinent un polysaccharide appelé **glycogène**, un polymère du glucose semblable à l'amylopectine, mais plus ramifié **(figure 5.6b)** : les ramifications se rencontrent à tous les 30 monomères dans le cas de l'amylopectine et à tous les 10 à 12 monomères dans le cas du glycogène. Les humains et les autres Vertébrés emmagasinent du glycogène surtout dans les cellules de leur foie et de leurs muscles. L'hydrolyse de ce polysaccharide libère du glucose dans ces cellules lorsque les besoins en monosaccharides augmentent. Cependant, cette énergie de réserve ne soutient pas longtemps un animal. La réserve de glycogène des humains, par exemple, s'épuise en un jour environ si aucun aliment ne vient la réapprovisionner.

Polysaccharides structuraux

Certains organismes fabriquent des matériaux solides à partir de polysaccharides structuraux. Par exemple, le polysaccharide appelé **cellulose** est un constituant important de la paroi robuste des cellules végétales. À l'échelle planétaire, les Végétaux produisent environ 100 milliards de tonnes métriques de cellulose par année ; il s'agit du composé organique le plus abondant sur Terre. Comme l'amidon, la cellulose est un polymère de glucose ; toutefois, les liaisons glycosidiques de ces deux polymères ne sont pas identiques. En effet, le cycle du glucose existe sous deux formes **(figure 5.7a)** : le groupement hydroxyle lié au carbone 1 peut se situer soit au-dessous, soit au-dessus du plan de l'anneau. Ces deux formes cycliques du glucose se nomment respectivement alpha (α) et bêta (β). Dans l'amidon, tous les monomères de glucose présentent la configuration α **(figure 5.7b)**, l'arrangement que nous avons vu aux figures 5.4 et 5.5. Dans la cellulose, par contre, tous les monomères prennent la configuration β, de sorte que chaque monomère de glucose est inversé par rapport aux monomères adjacents **(figure 5.7c)**.

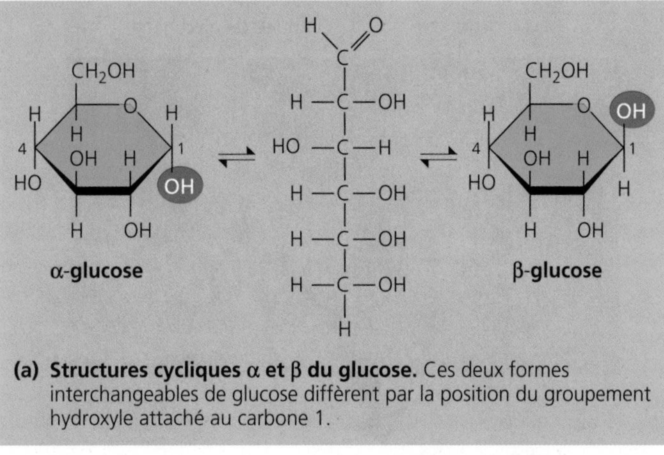

(a) Structures cycliques α et β du glucose. Ces deux formes interchangeables de glucose diffèrent par la position du groupement hydroxyle attaché au carbone 1.

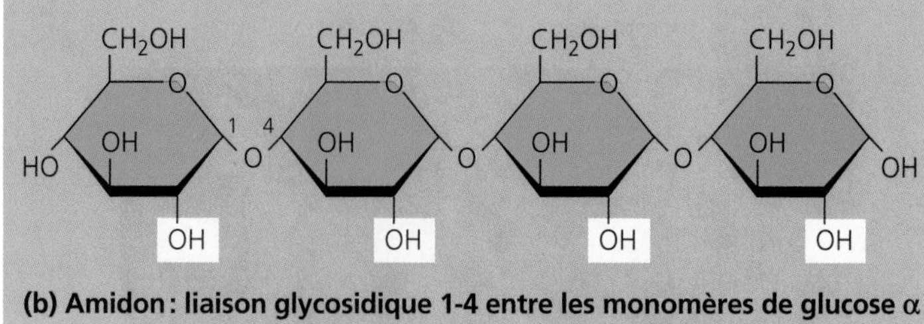

(b) Amidon : liaison glycosidique 1-4 entre les monomères de glucose α

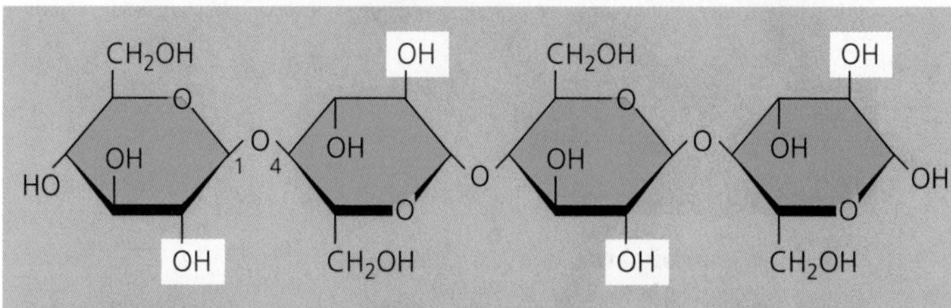

(c) Cellulose : liaison glycosidique 1-4 entre les monomères de glucose β. L'angle de liaison entre les cycles fait en sorte que les monomères s'inversent en alternance. Comparez les positions des groupements hydroxyle mis en évidence dans l'amidon (b) et la cellulose (c).

▲ **Figure 5.7 Structures de l'amidon et de la cellulose.**

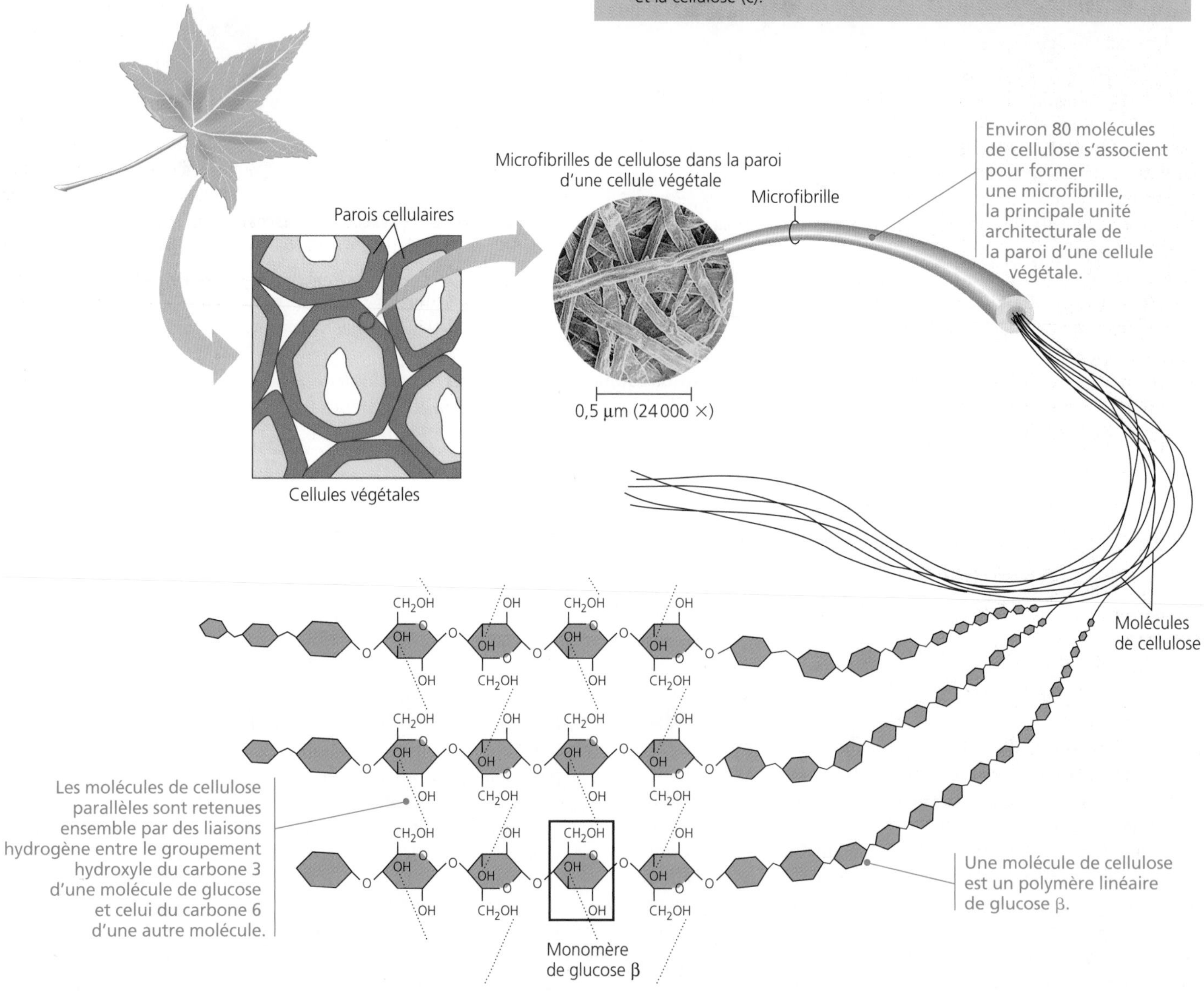

Parois cellulaires

Cellules végétales

Microfibrilles de cellulose dans la paroi d'une cellule végétale

0,5 μm (24 000 ×)

Microfibrille

Environ 80 molécules de cellulose s'associent pour former une microfibrille, la principale unité architecturale de la paroi d'une cellule végétale.

Molécules de cellulose

Les molécules de cellulose parallèles sont retenues ensemble par des liaisons hydrogène entre le groupement hydroxyle du carbone 3 d'une molécule de glucose et celui du carbone 6 d'une autre molécule.

Monomère de glucose β

Une molécule de cellulose est un polymère linéaire de glucose β.

▲ **Figure 5.8 Arrangement de la cellulose dans la paroi des cellules végétales.**

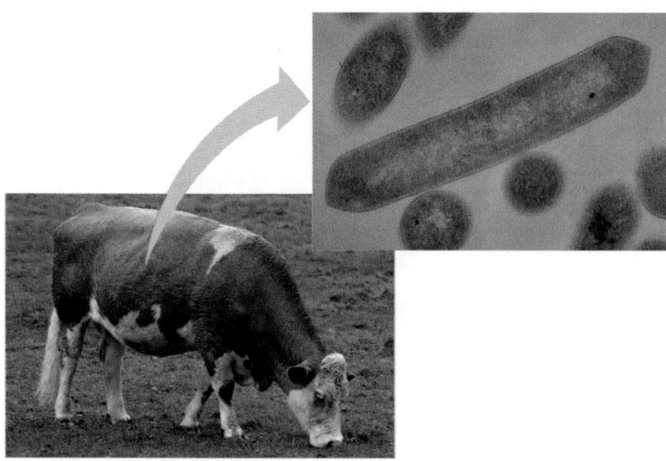

▲ **Figure 5.9 Les Herbivores comme cette vache abritent des bactéries qui digèrent la cellulose.**

Étant donné que les molécules d'amidon et de cellulose ont des liaisons glycosidiques différentes, leurs formes tridimensionnelles sont distinctes. La molécule d'amidon est principalement hélicoïdale. Quant à la molécule de cellulose, elle est droite (jamais ramifiée), et ses groupements hydroxyle peuvent former des liaisons hydrogène avec des groupements hydroxyle d'autres molécules de cellulose parallèles. Dans la paroi d'une cellule végétale, des molécules de cellulose parallèles, retenues ensemble de cette façon, s'associent en unités appelées microfibrilles **(figure 5.8)**. Celles-ci s'associent pour former des couches orientées perpendiculairement les unes par rapport aux autres et constituent un matériau de soutien résistant et fort important pour les Végétaux. Les humains utilisent le bois, riche en cellulose, comme matériau de construction ou comme source d'énergie.

Les enzymes qui digèrent l'amidon en hydrolysant les liaisons glycosidiques α sont incapables d'hydrolyser les liaisons glycosidiques β de la cellulose en raison des configurations distinctes de ces deux molécules. En fait, peu d'organismes produisent des enzymes capables d'hydrolyser la cellulose, ce qui est un atout très important compte tenu de la fonction structurale de cette substance. Les humains ne peuvent dégrader celle-ci. La cellulose contenue dans nos aliments passe tout droit dans notre tube digestif et est éliminée en même temps que nos matières fécales. Cependant, elle joue un rôle positif: elle stimule la sécrétion de mucus, amollit les selles et leur donne du volume, améliorant ainsi l'efficacité des contractions intestinales. Donc, si la cellulose ne constitue pas un nutriment pour les humains, elle fait partie de tout régime alimentaire sain. On en trouve en grande quantité dans la plupart des fruits, dans les légumes et dans les céréales. Le terme *fibres* qui figure sur les emballages des produits alimentaires désigne surtout la cellulose.

Certains microorganismes peuvent digérer la cellulose en la dégradant en monomères de glucose. Par exemple, les premiers compartiments de l'estomac d'une vache abritent des bactéries capables de la digérer **(figure 5.9)**. Dans ces compartiments appelés panse et bonnet, les bactéries hydrolysent la cellulose du foin et de l'herbe; elles libèrent ainsi les molécules de glucose, qui deviennent des nutriments pour la vache. De même, les termites ne peuvent digérer la cellulose, mais des microorganismes logés dans leur intestin leur permettent de se nourrir de bois. Certaines moisissures (champignons microscopiques) peuvent digérer la cellulose; elles accomplissent ainsi une fonction essentielle à la circulation de la matière dans les écosystèmes.

La **chitine** est un autre polysaccharide structural important. Les Arthropodes, parmi lesquels figurent les Insectes, les Araignées et les Crustacés, synthétisent de la chitine pour construire leur exosquelette **(figure 5.10)**. Un exosquelette est une enveloppe rigide qui recouvre les parties molles d'un animal. La chitine pure ressemble à du cuir, mais elle durcit lorsqu'elle est imprégnée d'un sel, le trioxocarbonate de calcium ($CaCO_3$, carbonate de calcium). On trouve également de la chitine chez les Champignons (Eumycètes). Ceux-ci utilisent ce polysaccharide au lieu de cellulose comme matériau de construction de leur paroi cellulaire. La chitine ressemble à la cellulose, exception faite que son monomère de glucose possède une chaîne latérale contenant de l'azote (voir la figure 5.10a).

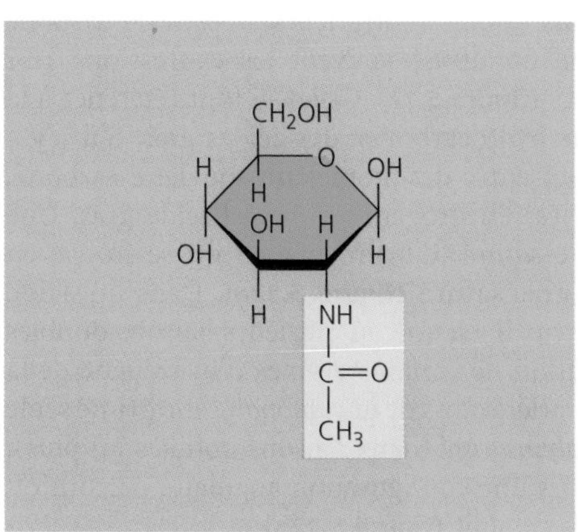

(a) La structure d'un monomère de chitine.

(b) L'exosquelette des Arthropodes est constitué de chitine. Cette cigale mue; elle se dépouille de son vieil exosquelette pour apparaître dans sa forme adulte.

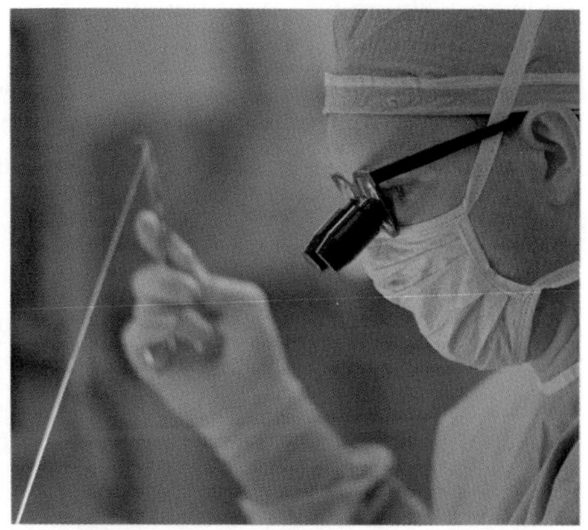

(c) On utilise la chitine dans la composition d'un fil chirurgical fort et flexible, qui se décompose après la guérison de la plaie ou de l'incision.

▲ **Figure 5.10 La chitine, un polysaccharide structural.**

Retour sur le concept 5.2

1. Écrivez la formule d'un monosaccharide à trois carbones.
2. Une réaction de condensation unit deux molécules de glucose pour former le maltose. La formule du glucose est $C_6H_{12}O_6$. Quelle est la formule du maltose ?
3. Comparez l'amidon et la cellulose.

Voir les réponses proposées à la fin du chapitre.

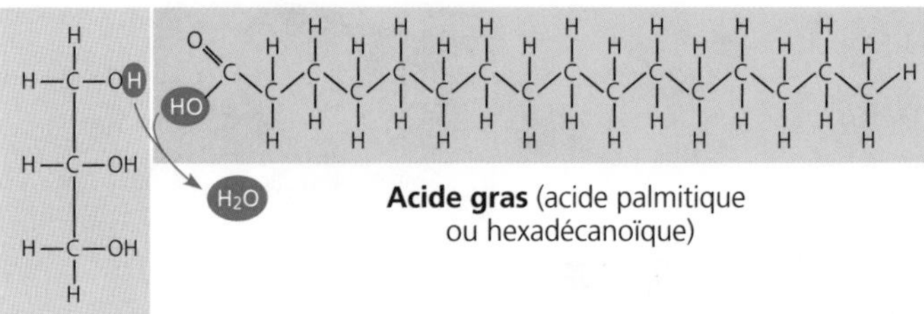

(a) Synthèse d'une graisse par réaction de condensation

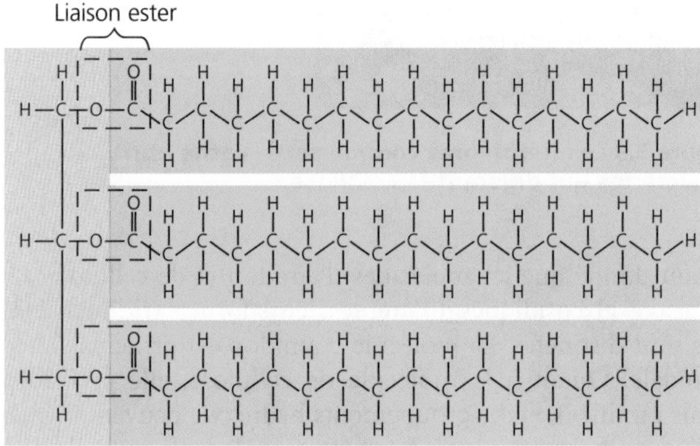

(b) Molécule de graisse (triacylglycérol)

▲ **Figure 5.11 Synthèse et structure d'une graisse, ou triacylglycérol.** La graisse se compose d'une molécule de glycérol et de trois molécules d'acides gras. **(a)** Il y a libération d'une molécule d'eau chaque fois qu'un acide gras se lie au glycérol. **(b)** Une molécule de graisse qui possède trois acides gras identiques. Les atomes de carbone des chaînes d'acides gras sont disposés en zigzag, ce qui suggère les orientations réelles des quatre liaisons simples qui émergent de chacun d'eux (voir la figure 4.3a).

Les lipides forment un groupe de molécules hydrophobes d'aspect varié

La classe des lipides est formée de molécules biologiques plus ou moins complexes qui ne sont pas des polymères. Les **lipides** sont des composés regroupés en fonction d'une caractéristique commune importante : ils n'ont pas, ou très peu, d'affinité pour l'eau. Leur comportement hydrophobe repose sur leur structure moléculaire. Bien qu'ils contiennent quelques liaisons polaires associées à l'oxygène, ils sont en majeure partie constitués d'hydrocarbures. Ils sont beaucoup plus petits que les vraies macromolécules (polymères), et ils forment un groupe très hétérogène, dont les éléments varient par leur structure et leur fonction. Les lipides comprennent notamment les cires (qui imperméabilisent les feuilles des plantes) ainsi que certains pigments végétaux ou animaux, mais nous ne nous attarderons ici que sur les familles les plus importantes : les graisses, les phosphoglycérolipides et les stéroïdes.

Les graisses

Nous savons que les graisses ne sont pas des polymères ; ce sont toutefois de grosses molécules construites à partir de petites molécules qui, même si elles ne peuvent être considérées comme des monomères, s'associent par des réactions de condensation. Une **graisse** se compose de deux types de molécules : glycérol et acide gras **(figure 5.11a)**. Le glycérol est un alcool à trois atomes de carbone, qui portent chacun un groupement hydroxyle. L'**acide gras**, lui, possède une longue chaîne d'hydrocarbures – chez les Animaux et les Végétaux, celle-ci est habituellement longue de 16 à 18 atomes de carbone – à l'extrémité de laquelle est attaché un groupement carboxyle. C'est la raison pour laquelle cette molécule porte le nom d'*acide.* Les liaisons non polaires C—H de la chaîne d'hydrocarbures expliquent le caractère hydrophobe des graisses. Celles-ci ne se dissolvent pas dans l'eau, parce que les molécules d'eau établissent des liaisons hydrogène entre elles, repoussant ainsi les graisses. Pensons à un exemple bien connu de ce phénomène : dans une vinaigrette, l'huile végétale se sépare de la solution aqueuse de vinaigre.

Lorsque trois molécules d'acides gras s'unissent par des liaisons ester avec une molécule commune de glycérol, une graisse se forme. (Une liaison ester est une liaison entre un groupement hydroxyle et un groupement carboxyle.) La graisse produite est aussi appelée **triacylglycérol**. Dans la nomenclature classique, on emploie le terme *triglycéride* pour la désigner ; ce nom se retrouve souvent dans la liste des ingrédients figurant sur les emballages alimentaires. Dans une molécule de graisse, les acides gras peuvent être identiques, comme dans la **figure 5.11b**, ou ils peuvent être différents.

La longueur des molécules d'acides gras ainsi que le nombre et la position des liaisons doubles entre leurs atomes de carbone varient. En nutrition, on utilise souvent les expressions *gras saturés* et *gras insaturés* **(figure 5.12)**. Celles-ci font référence à la structure de la chaîne hydrocarbonée des acides gras. S'il n'y a pas de liaisons doubles entre des atomes du squelette carboné, un maximum d'atomes d'hydrogène est lié à l'acide gras. Une telle structure est dite *saturée* d'hydrogène, et on se trouve en présence d'un **acide gras saturé (figure 5.12a)**. Dans un **acide gras insaturé**, par contre, il y a une ou plusieurs liaisons doubles formées par l'élimination de certains atomes d'hydrogène de la chaîne carbonée ; on parlera alors de gras *monoinsaturé* (une seule liaison double) ou *polyinsaturé* (deux liaisons doubles ou plus). L'acide gras prend alors une configuration angulaire partout où une liaison double *cis* s'établit **(figure 5.12b)**.

Une graisse composée d'acides gras saturés est dite saturée. La plupart des graisses animales le sont : leurs chaînes carbonées (les « queues » des molécules de graisse) ne portent aucune liaison double, et les molécules peuvent s'agglomérer fermement, côte à côte. Les graisses animales saturées, comme le saindoux et le

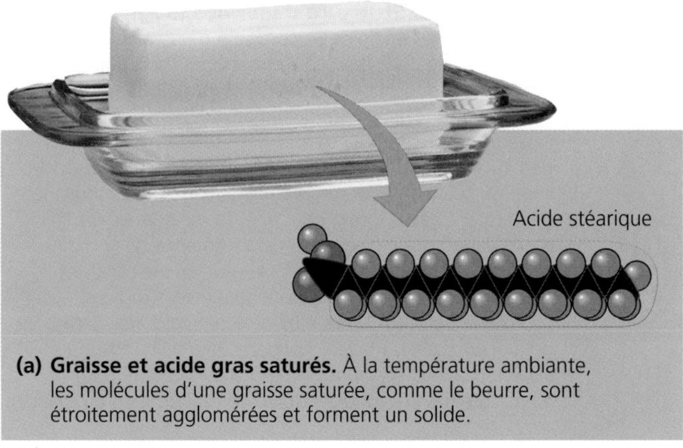

(a) Graisse et acide gras saturés. À la température ambiante, les molécules d'une graisse saturée, comme le beurre, sont étroitement agglomérées et forment un solide.

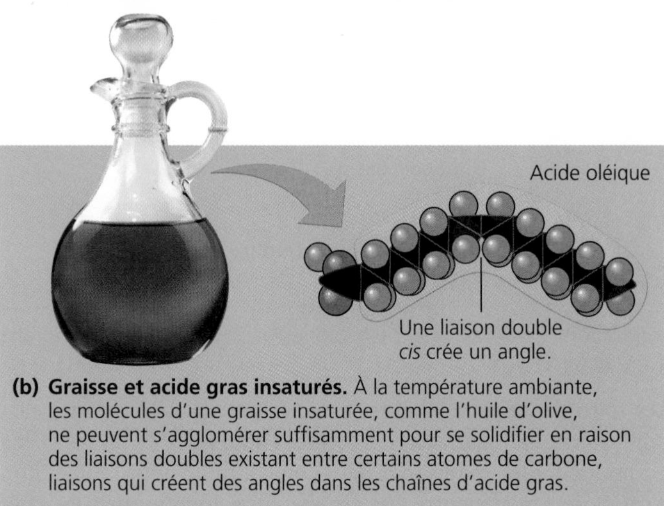

(b) Graisse et acide gras insaturés. À la température ambiante, les molécules d'une graisse insaturée, comme l'huile d'olive, ne peuvent s'agglomérer suffisamment pour se solidifier en raison des liaisons doubles existant entre certains atomes de carbone, liaisons qui créent des angles dans les chaînes d'acide gras.

▲ **Figure 5.12 Exemples de graisses et d'acides gras saturés et insaturés.**

beurre, sont solides à la température ambiante. Par contre, les graisses végétales (extraites des graines des plantes) et celles des poissons sont généralement insaturées: elles comportent un ou plusieurs types d'acides gras insaturés. Elles sont habituellement liquides à la température ambiante, et on les appelle huiles (on dit, par exemple, huile d'olive et huile de foie de morue). Dans une huile, les angles formés par les liaisons doubles *cis* (voir la figure 4.7b) empêchent les molécules de s'agglomérer de façon à former un solide à la température ambiante. L'expression « huile végétale hydrogénée », souvent mentionnée sur l'étiquette des aliments, signifie que les graisses insaturées ont été converties en graisses plus ou moins complètement saturées par l'addition d'hydrogène grâce à un procédé industriel. Le beurre d'arachide, la margarine et de nombreux autres produits sont hydrogénés pour empêcher les lipides de se séparer et de se liquéfier (de prendre la forme d'huile).

Un régime alimentaire riche en graisses saturées est un des facteurs qui contribuent à l'apparition d'une maladie cardiovasculaire appelée athérosclérose. Dans cette affection, des dépôts appelés athéromes se forment sur les parois des vaisseaux sanguins, créant des saillies internes qui entravent la circulation et réduisent l'élasticité des vaisseaux. Des études récentes ont démontré que l'hydrogénation des huiles végétales produit non seulement des gras saturés, mais aussi des gras insaturés comportant des liaisons doubles *trans* (voir la figure 4.7b), liaisons rares dans les acides gras naturels. La contribution des molécules de gras *trans* à l'athérosclérose et à d'autres problèmes est plus importante que celle des gras saturés (voir le chapitre 42).

Aujourd'hui, les graisses ont une réputation tellement négative que l'on peut se demander si elles jouent un rôle utile. Leur fonction principale consiste à emmagasiner de l'énergie. Les hydrocarbures qu'elles contiennent ressemblent aux molécules d'essence et sont aussi riches en énergie. Un gramme de graisse emmagasine plus de deux fois la quantité d'énergie contenue dans un gramme de polysaccharide comme l'amidon. En raison de leur relative immobilité, les Végétaux peuvent très bien fonctionner avec des réserves énergétiques volumineuses sous forme d'amidon. (Les réserves moins volumineuses contenues dans les graines constituent un atout pour la plante sur le plan de la reproduction.) Les Animaux, par contre, doivent transporter leur bagage d'énergie avec eux, de sorte qu'il est avantageux pour eux d'avoir une réserve d'énergie plus compacte: les graisses. Les humains et les autres Mammifères accumulent leurs réserves d'énergie à long terme dans leurs cellules adipeuses (voir la figure 4.6b), qui se gonflent ou rétrécissent selon que la graisse y est emmagasinée ou en est retirée. Le tissu adipeux sert aussi d'amortisseur protégeant les organes vitaux (les reins, par exemple). Le tissu adipeux sous-cutané assure également une isolation thermique; il est particulièrement épais chez les baleines, les phoques et la plupart des autres Mammifères marins, afin de les protéger des eaux froides de la mer.

Les phosphoglycérolipides

Les **phosphoglycérolipides***, comme le montre la **figure 5.13**, ressemblent aux graisses, à la différence qu'ils ne possèdent que deux acides gras au lieu de trois. Dans une molécule de phosphoglycérolipide, le troisième groupement hydroxyle du glycérol est lié à un groupement phosphate porteur de charges négatives. De petites molécules additionnelles, habituellement chargées ou polaires, peuvent se lier à ce groupement phosphate et former divers phosphoglycérolipides.

Les phosphoglycérolipides manifestent un comportement ambivalent à l'égard de l'eau. Leurs queues hydrocarbonées sont hydrophobes. Par contre, le groupement phosphate et les molécules qui s'y rattachent forment une tête hydrophile, qui a une affinité pour l'eau. Dans l'eau, les phosphoglycérolipides forment des agrégats en doubles couches (des bicouches) qui cachent leurs parties hydrophobes **(figure 5.14)**.

Les phosphoglycérolipides à la surface d'une cellule sont disposés en une bicouche. Leurs queues, hydrophobes, se font face et pointent vers l'intérieur de la membrane, ce qui leur permet de s'éloigner de l'eau, alors que leurs têtes, hydrophiles, se trouvent complètement à l'opposé et sont en contact avec les solutions aqueuses de part et d'autre de la membrane cellulaire. La bicouche de phosphoglycérolipides forme une frontière entre la cellule et son environnement externe; en fait, les phosphoglycérolipides constituent la composante principale des membranes cellulaires. Encore une fois, ce comportement moléculaire évoque la corrélation qui existe entre structure et fonction.

* Nous avons choisi le terme *phosphoglycérolipides* dans le but de maintenir une certaine cohérence dans la nomenclature et par souci de précision. Certains auteurs préfèrent utiliser les termes *glycérophospholipides*, *phosphoglycérides* ou, tout simplement, *phospholipides*. Les phospholipides membranaires englobent notamment les phosphoglycérolipides et les sphingomyélines, qui exercent des fonctions différentes.

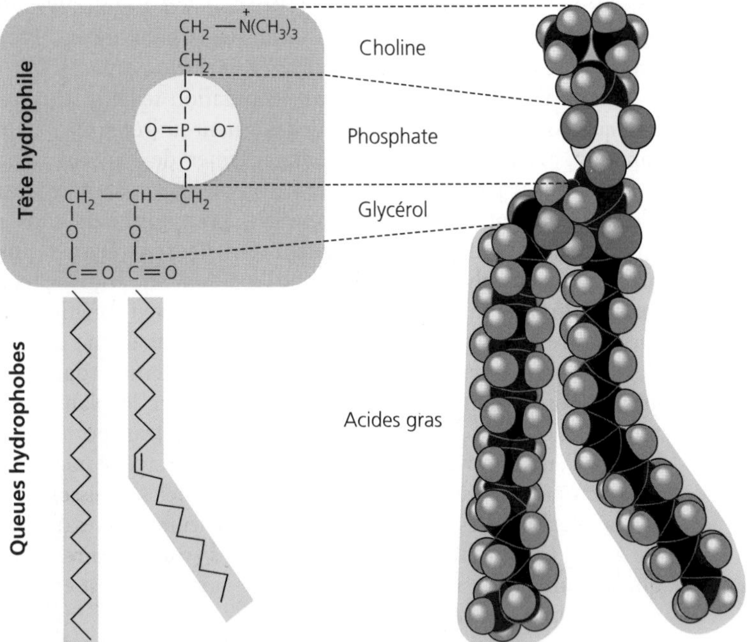

(a) Formule développée

(b) Modèle compact

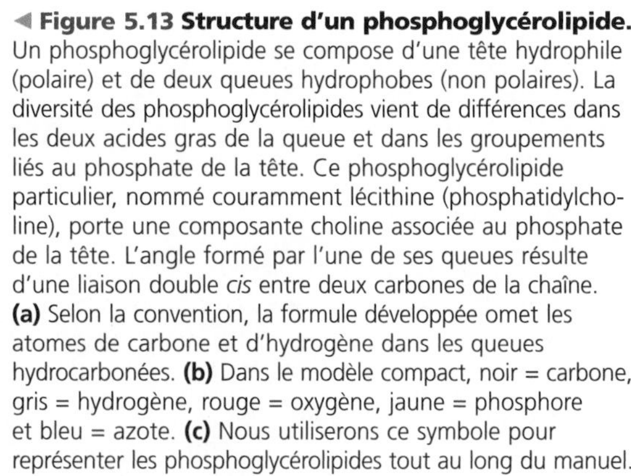

◀ **Figure 5.13 Structure d'un phosphoglycérolipide.** Un phosphoglycérolipide se compose d'une tête hydrophile (polaire) et de deux queues hydrophobes (non polaires). La diversité des phosphoglycérolipides vient de différences dans les deux acides gras de la queue et dans les groupements liés au phosphate de la tête. Ce phosphoglycérolipide particulier, nommé couramment lécithine (phosphatidylcholine), porte une composante choline associée au phosphate de la tête. L'angle formé par l'une de ses queues résulte d'une liaison double *cis* entre deux carbones de la chaîne. **(a)** Selon la convention, la formule développée omet les atomes de carbone et d'hydrogène dans les queues hydrocarbonées. **(b)** Dans le modèle compact, noir = carbone, gris = hydrogène, rouge = oxygène, jaune = phosphore et bleu = azote. **(c)** Nous utiliserons ce symbole pour représenter les phosphoglycérolipides tout au long du manuel.

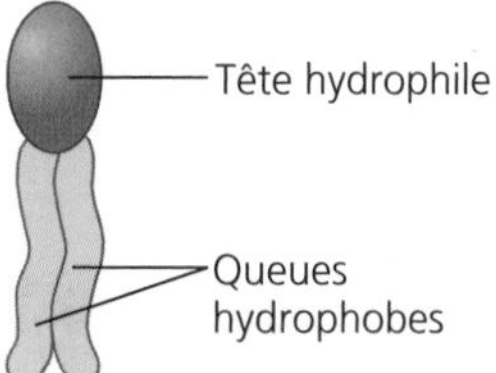

(c) Symbole des phosphoglycérolipides

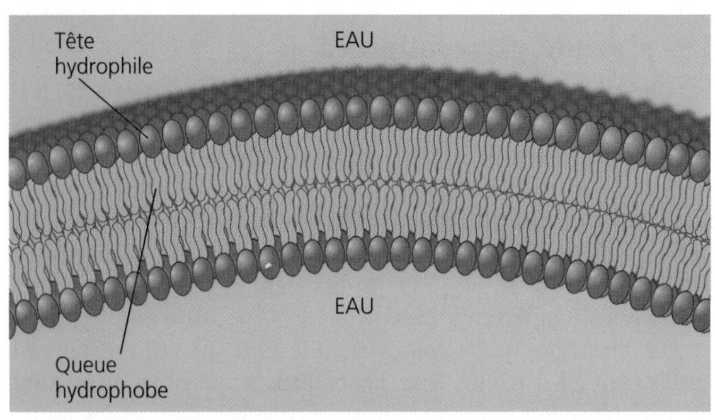

▲ **Figure 5.14 Structure en bicouche formée par l'agglomération de phosphoglycérolipides en milieu aqueux.** Une telle bicouche est la composante principale des membranes biologiques. Notez que, dans cette structure, les têtes hydrophiles des phosphoglycérolipides entrent en contact avec l'eau; les queues hydrophobes adjacentes sont mutuellement en contact et isolées de l'eau.

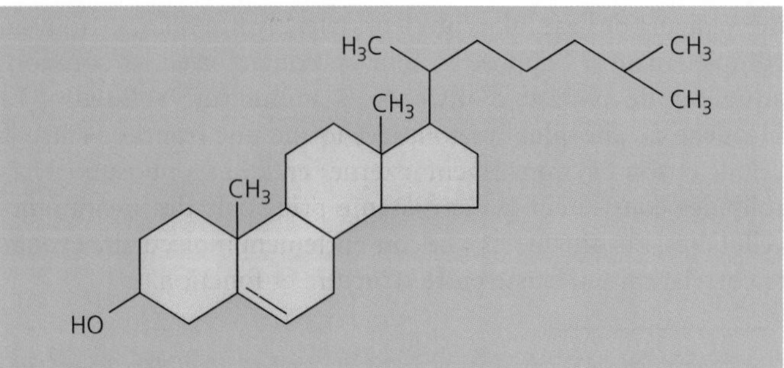

▲ **Figure 5.15 Le cholestérol: un stéroïde.** Le cholestérol est le précurseur d'autres stéroïdes, comme les hormones sexuelles. Les stéroïdes diffèrent par les groupements fonctionnels qui se fixent à leurs quatre cycles accolés (illustrés en doré).

Les stéroïdes

Les stéroïdes sont des lipides caractérisés par un squelette carboné formé de quatre cycles accolés **(figure 5.15)**; on les classe parmi les lipides en raison de leur peu d'affinité pour l'eau et non à cause de leur structure. Les groupements fonctionnels attachés à l'ensemble des cycles varient d'un type de stéroïde à l'autre. Le **cholestérol** est un stéroïde présent dans les membranes cellulaires animales et dans la bile. Il constitue également le précurseur d'autres stéroïdes. Par exemple, de nombreuses hormones, notamment les hormones sexuelles des Vertébrés, sont des stéroïdes fabriqués à partir du cholestérol (voir la figure 4.9). Par conséquent, le cholestérol est une molécule essentielle chez les Animaux, bien qu'un taux sanguin élevé de cette molécule peut causer de l'athérosclérose. Les gras saturés et les gras *trans* exercent un effet négatif sur la santé en influant sur les taux de cholestérol.

Retour sur le concept 5.3

1. Comparez la structure d'une graisse (triglycéride) avec celle d'un phosphoglycérolipide.
2. Quelle est la différence entre les gras saturés et les gras insaturés, tant du point de vue de leur structure que de leur comportement?
3. Pourquoi les hormones sexuelles des humains sont-elles considérées comme des lipides?

Voir les réponses proposées à la fin du chapitre.

Les protéines possèdent de nombreux niveaux de structure, ce qui leur confère des fonctions très diversifiées

Le terme *protéines* exprime en lui-même l'importance de ces molécules; il vient du grec *prôtos,* qui signifie «le premier». Les protéines représentent plus de 50 % de la masse sèche de la plupart des cellules et interviennent dans presque toutes les fonctions cellulaires. Elles accélèrent la vitesse des réactions chimiques, soutiennent les tissus, emmagasinent et transportent des substances, transmettent les communications cellulaires, permettent de produire le mouvement et défendent l'organisme contre les substances et les organismes étrangers (**tableau 5.1**).

Les **enzymes** constituent la classe de protéines la plus importante. Les protéines enzymatiques régulent le métabolisme en agissant comme **catalyseurs**, c'est-à-dire comme agents chimiques qui accélèrent la vitesse des réactions dans les cellules tout en restant inchangés **(figure 5.16)**. Comme les enzymes peuvent remplir leur fonction de façon répétée, on les considère comme le moteur qui permet aux cellules d'effectuer les processus de la vie.

L'humain possède des dizaines de milliers de protéines différentes, chacune ayant une structure et une fonction spécifiques; en fait, sur le plan de la structure, les protéines sont les molécules les plus complexes que l'on connaisse. Tout comme leurs fonctions, leurs structures varient considérablement: chaque type de protéine possède une forme tridimensionnelle unique.

Les polypeptides

Pour diversifiées qu'elles soient, les protéines sont toutes des polymères élaborés à partir de la même série d'acides aminés (20 acides aminés différents suffisent à former la presque totalité des protéines d'un organisme). Les polymères d'acides aminés se nomment **polypeptides**. Une **protéine** est constituée d'un ou de plusieurs polypeptides qui adoptent une conformation particulière.

Les monomères: acides aminés

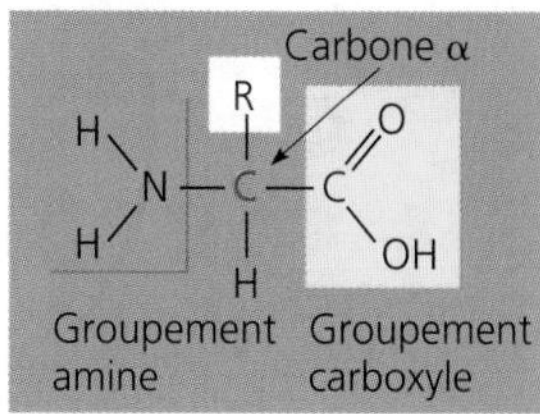

Un **acide aminé** est une molécule organique qui possède des groupements carboxyle et amine (voir le chapitre 4). La figure ci-contre montre sa formule générale. Au centre de l'acide aminé se trouve un atome de carbone asymétrique, appelé *carbone alpha* (α). Sur cet atome se fixent quatre atomes ou groupes d'atomes différents: un groupement amine, un groupement carboxyle, un atome d'hydrogène et un radical variable symbolisé par la lettre R. Celui-ci est également appelé chaîne latérale et il est différent pour chaque acide aminé. La **figure 5.17** présente les 20 acides aminés que les cellules utilisent pour fabriquer des milliers de protéines. Les groupements amine et carboxyle y sont illustrés sous leur forme ionisée, l'état dans lequel ils existent habituellement au pH qui prévaut à l'intérieur d'une cellule. Le radical R

Tableau 5.1 Résumé des fonctions des protéines

Type de protéine	Fonction	Exemples
Protéines enzymatiques	Accélération sélective de la vitesse des réactions chimiques	Les enzymes digestives hydrolysent les polymères.
Protéines structurales	Soutien	Certains Insectes et la plupart des Araignées utilisent des fibres de soie pour construire leur cocon et leur toile. Le collagène et l'élastine composent la structure fibreuse des tissus conjonctifs des Animaux. La kératine est la protéine des cheveux, des cornes, des plumes, des griffes, des écailles, etc.
Protéines d'entreposage	Mise en réserve d'acides aminés	L'ovalbumine est la protéine du blanc d'œuf; elle est employée comme source d'acides aminés par l'embryon d'oiseau en développement. La caséine, une protéine du lait, constitue la principale source d'acides aminés des petits des Mammifères avant leur sevrage. Les Végétaux emmagasinent des protéines dans les graines.
Protéines de transport	Transport de substances	Chez les Vertébrés, l'hémoglobine, une protéine sanguine contenant du fer, transporte le dioxygène des poumons vers les différentes parties de l'organisme. D'autres protéines transportent des substances à travers les membranes cellulaires.
Protéines hormonales	Coordination des activités d'un organisme	L'insuline, une hormone sécrétée par le pancréas, contribue à la régulation de la concentration de glucose dans le sang des Vertébrés.
Protéines réceptrices	Réaction des cellules à des stimuli chimiques	Les protéines réceptrices intégrées à la membrane d'une cellule nerveuse détectent les substances chimiques émises par d'autres cellules nerveuses.
Protéines contractiles et motrices	Mouvement	L'actine et la myosine sont des protéines contractiles servant au mouvement des muscles. D'autres protéines contractiles permettent de faire onduler les cils et les flagelles propulsant de nombreuses cellules.
Protéines de défense	Protection contre la maladie	Les anticorps, des protéines spécifiques du plasma sanguin, combattent les bactéries et les virus pathogènes.

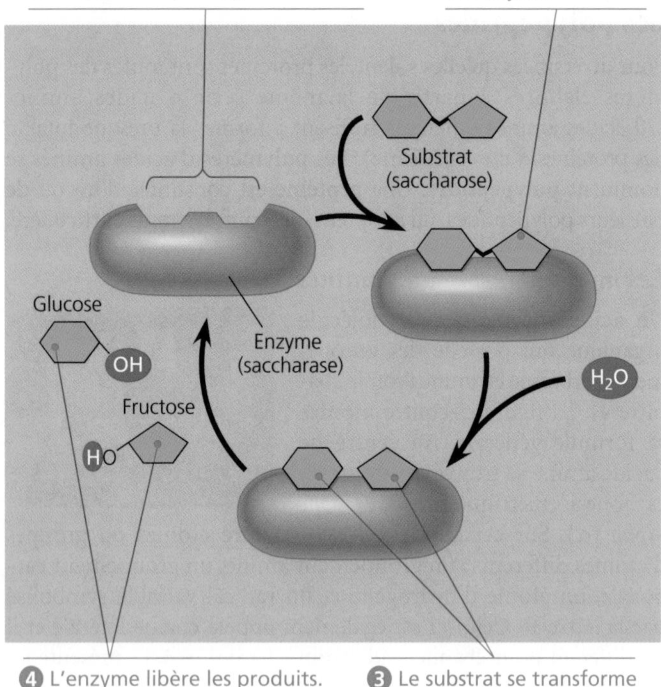

▲ **Figure 5.16 Cycle catalytique d'une enzyme.** La saccharase est une enzyme qui accélère l'hydrolyse du saccharose en glucose et en fructose. Cette protéine joue le rôle de catalyseur tout en restant inchangée durant le cycle, de sorte qu'elle demeure disponible pour continuer la catalyse.

peut aussi bien être un simple atome d'hydrogène, comme dans la glycine (le seul acide aminé qui ne possède pas de carbone asymétrique étant donné que le carbone α porte deux atomes d'hydrogène), qu'une chaîne carbonée portant divers groupements fonctionnels, comme dans la glutamine. (Les organismes possèdent d'autres acides aminés, certains étant parfois incorporés dans les protéines et d'autres n'en faisant jamais partie. Comme ils sont relativement rares, ils ne sont pas illustrés à la figure 5.17.)

Les propriétés physiques et chimiques de la chaîne latérale déterminent les caractéristiques particulières d'un acide aminé. La figure 5.17 classe les acides aminés selon les propriétés de leur chaîne latérale. Le premier groupe est constitué de ceux qui portent une chaîne latérale non polaire et hydrophobe. Le deuxième groupe comprend ceux qui ont une chaîne latérale polaire, donc hydrophile. Dans le troisième groupe figurent les acides aminés dits acides et ceux dits basiques. Les premiers, qui sont les deux seuls acides aminés dont l'appellation débute par le mot « acide », portent une chaîne latérale ayant un groupement carboxyle qui a tendance (quoique plus faiblement que celui du carbone α) à se dissocier (s'ioniser) dans un milieu intracellulaire, qui a un pH de 7 environ ; en conséquence, la charge de la chaîne est généralement négative. Les deuxièmes (les acides aminés basiques) ont une chaîne latérale de charge généralement positive, un atome d'azote ayant accepté un proton. (*Remarque : tous* les acides aminés possèdent des groupements carboxyle et amine ; les termes *acide* et *basique* font ici uniquement référence à la nature des chaînes latérales.) Les chaînes latérales acides et basiques sont hydrophiles en raison de leur caractère ionique.

Les polymères d'acides aminés

Maintenant que nous avons passé en revue les acides aminés, voyons comment ils se lient pour former des polymères **(figure 5.18)**. Lorsque deux acides aminés sont placés de telle sorte que le groupement carboxyle de l'un se trouve à côté du groupement amine de l'autre, une enzyme peut provoquer leur union en catalysant une réaction de condensation avec perte d'une molécule d'eau. Une liaison covalente appelée **liaison peptidique** s'établit ainsi entre eux. Lorsque cette réaction est répétée encore et encore, un polypeptide se forme : il s'agit d'un polymère constitué de nombreux acides aminés unis par des liaisons peptidiques. À une extrémité de la chaîne (à gauche par convention) se trouve un groupement amine libre, alors qu'à l'autre extrémité figure un groupement carboxyle libre. Donc, la chaîne possède une extrémité amine (N-terminale) et une extrémité carboxyle (C-terminale). La structure répétitive des atomes, encadrée de violet dans la figure 5.18b, se nomme chaîne polypeptidique. Cette dernière porte les différentes chaînes latérales des acides aminés. La longueur d'une chaîne polypeptidique va de quelques monomères à plus d'un millier de monomères. Chaque polypeptide spécifique possède une séquence linéaire unique d'acides aminés. L'immense diversité des polypeptides présents dans la nature provient de la capacité des cellules à utiliser un nombre limité d'acides aminés et à les assembler en polymères selon une variété étonnante de séquences, comme nous le verrons dans la section suivante.

Détermination de la séquence des acides aminés dans un polypeptide

Vers la fin des années 1940 et au début des années 1950, Frederick Sanger (une des rares personnes à avoir obtenu un prix Nobel à deux reprises, en 1958 et en 1980) et ses collègues de la University of Cambridge, en Angleterre, déterminèrent la séquence des acides aminés des deux chaînes polypeptidiques composant l'insuline (une hormone). Leur approche consistait à utiliser des enzymes protéolytiques et d'autres catalyseurs capables de scinder les polypeptides à des endroits spécifiques, plutôt que de les hydrolyser complètement en acides aminés. Ce procédé sectionne un polypeptide en fragments (chacun des fragments étant constitué de plusieurs acides aminés) que l'on peut séparer par une technique appelée chromatographie. Par la suite, une hydrolyse partielle avec un nouvel agent scinde le polypeptide à des endroits différents. Cela donne un deuxième groupe de fragments. Sanger utilisa des méthodes chimiques pour déterminer la séquence des acides aminés dans tous ces petits fragments. Puis, il chercha parmi ceux-ci des bouts se chevauchant. Par exemple, examinons la séquence des deux bouts suivants :

Cys-Ser-Leu-Tyr-Gln-Leu
Tyr-Gln-Leu-Glu-Asn

À partir de fragments qui se recoupent ainsi, nous pouvons déduire que la structure primaire du polypeptide intact contient quelque part la séquence suivante :

Cys-Ser-Leu-Tyr-Gln-Leu-Glu-Asn

Tout comme nous pourrions reconstituer une phrase à partir d'un ensemble de fragments contenant des séquences de lettres qui se chevauchent, Sanger et ses coéquipiers furent capables, après des années d'effort, de reconstituer la structure primaire complète de la chaîne polypeptidique α (21 acides aminés) et de la chaîne

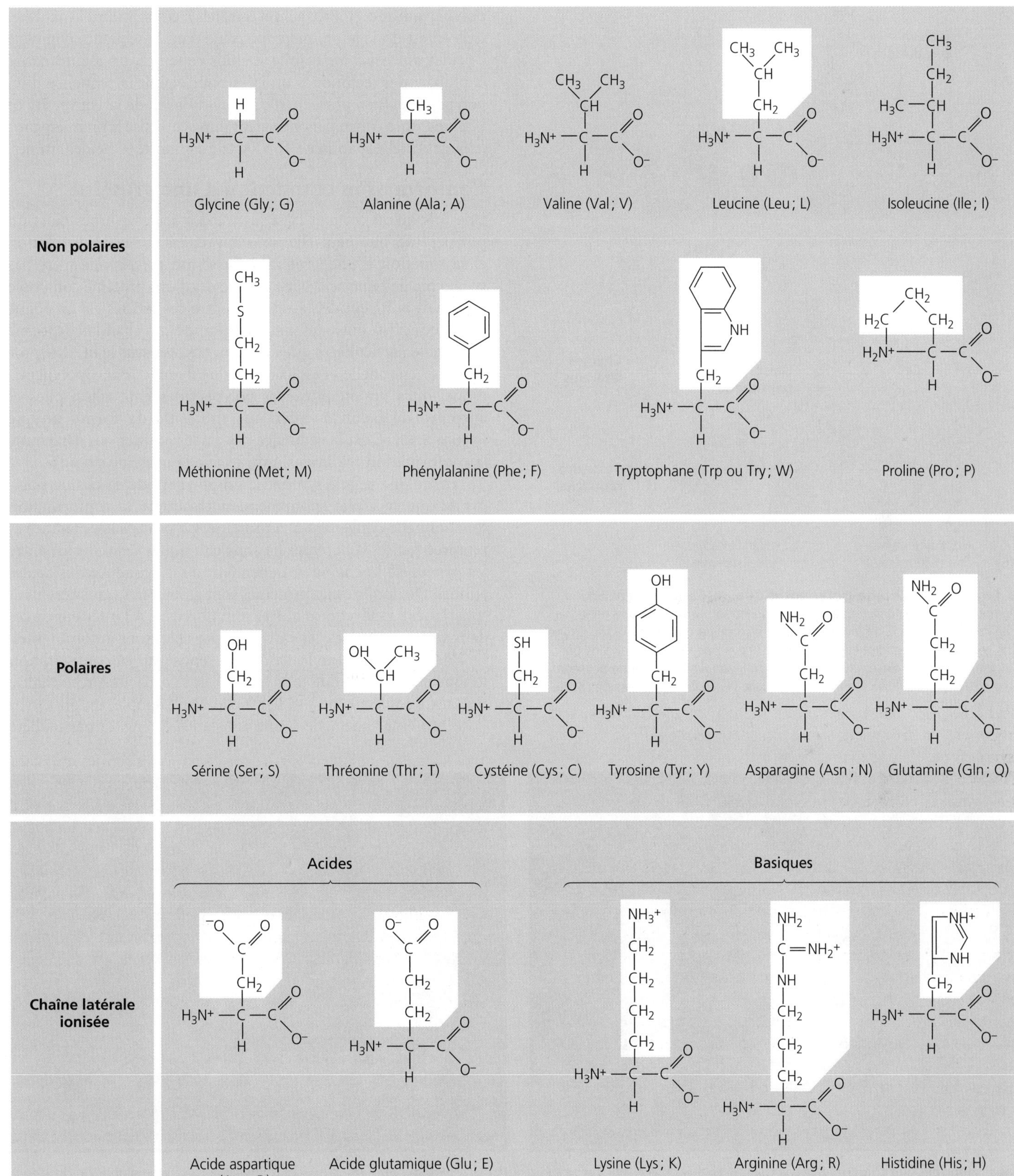

▲ **Figure 5.17 Les 20 acides aminés qui servent à la synthèse des protéines.** Les acides aminés sont regroupés ici en fonction des propriétés de leur chaîne latérale (radical R), qui se déploie sur un fond blanc. Vous les voyez dans leur forme ionisée dominante au pH intracellulaire de 7,2. Vous trouverez entre parenthèses leur abréviation en trois lettres suivie de leur symbole en une lettre. Tous les acides aminés qui participent à la synthèse des protéines se présentent sous la forme L de leurs isomères optiques, ce qui constitue encore une énigme pour les biologistes (voir la figure 4.7).

▲ **Figure 5.18 Chaîne polypeptidique. (a)** La liaison peptidique formée au cours d'une réaction de condensation unit le groupement carboxyle d'un acide aminé au groupement amine d'un autre acide aminé. **(b)** Les liaisons peptidiques s'établissent une à une, en commençant par l'acide aminé de l'extrémité amine (N-terminale). Le polypeptide possède une structure répétitive (en violet) à laquelle les chaînes latérales des acides aminés sont attachées.

polypeptidique β (30 acides aminés) constituant l'insuline. Celle-ci est donc la première molécule dont la séquence complète d'acides aminés a été établie. Depuis ce temps, on a automatisé la plupart des techniques utilisées pour établir la séquence d'un polypeptide. Bien plus, en 2003, David Baker, de la University of Washington, a conçu par ordinateur puis synthétisé la première protéine artificielle : baptisée « Top 7 », elle comporte 93 acides aminés.

Conformation et fonction d'une protéine

Une fois qu'on connaît la séquence des acides aminés dans un polypeptide, que peut-elle nous apprendre sur la conformation et la fonction d'une protéine ? Le terme *polypeptide* n'est pas synonyme de *protéine*. Même dans le cas d'une protéine composée d'un seul polypeptide, la relation entre ces termes est analogue à celle qui existe entre un long fil de laine et un chandail de forme et de taille particulières que l'on peut tricoter avec le fil. Une protéine fonctionnelle n'est pas *seulement* une chaîne polypeptidique, mais un ou plusieurs polypeptides entortillés, pliés et enroulés de façon à créer une molécule de forme unique **(figure 5.19)**. C'est la séquence des acides aminés qui détermine la conformation tridimensionnelle que la protéine prendra.

Lorsqu'une cellule synthétise un polypeptide, la chaîne polypeptidique se replie spontanément et adopte la conformation fonctionnelle convenant à la protéine. Ce processus est assuré et renforcé par les différentes liaisons chimiques s'établissant entre les parties de la chaîne et dépendant de la séquence des acides aminés. De nombreuses protéines sont globulaires (grossièrement sphériques), tandis que d'autres sont fibreuses. À l'intérieur de ces deux vastes catégories, les variations possibles sont innombrables.

Une protéine a une fonction qui repose sur sa configuration unique et, dans presque tous les cas, sur sa capacité à reconnaître une autre molécule et à se lier à elle. Par exemple, un anticorps (une protéine) s'attache à une substance étrangère particulière

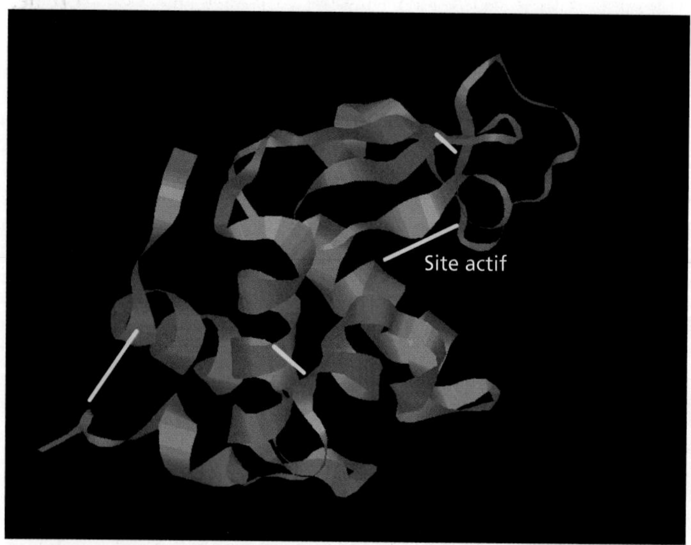

(a) Un **modèle en ruban** montre comment la chaîne polypeptidique simple se replie et s'enroule pour former une protéine fonctionnelle. (Les traits jaunes représentent un type de liaison chimique intramoléculaire qui stabilise la forme de la protéine.)

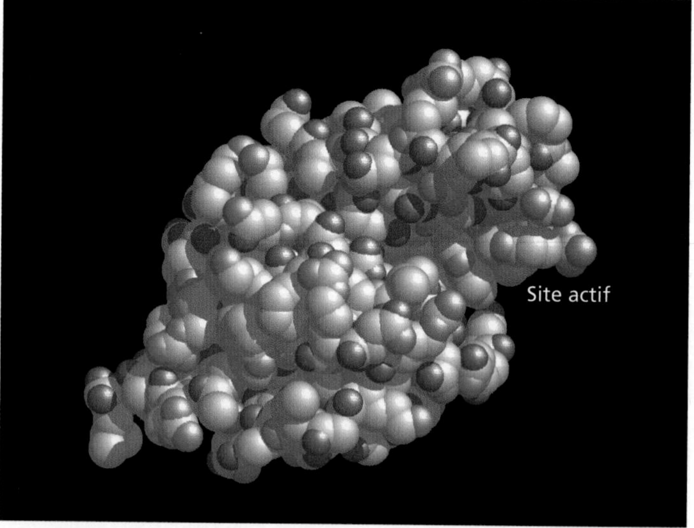

(b) Un **modèle compact** illustre plus fidèlement la forme globulaire de nombreuses protéines, ainsi que la conformation unique du lysozyme.

▲ **Figure 5.19 Conformation du lysozyme, une protéine enzymatique de 130 acides aminés.** Le lysozyme, qui est présent dans notre sueur, nos larmes et notre salive, est une enzyme qui aide à prévenir les infections. Il se lie à des molécules spécifiques présentes à la surface de nombreuses bactéries pour les détruire. Le site actif de cette protéine est le segment qui reconnaît la molécule cible à la surface des bactéries et qui s'y lie.

qui a envahi l'organisme ; une enzyme spécifique (un autre type de protéine) reconnaît son substrat (substance sur laquelle elle travaille) et s'unit à lui. Vous avez vu au chapitre 2 que des molécules messagères naturelles appelées endorphines se lient à des protéines réceptrices spécifiques à la surface des cellules nerveuses chez les humains, ce qui provoque l'euphorie et apaise la douleur. La morphine, l'héroïne et d'autres opiacés peuvent imiter les endorphines parce que ces drogues ont une forme semblable, ce qui leur permet de s'ajuster et de se fixer aux récepteurs spécifiques des endorphines. Ce processus est très spécifique, comme une clé qui est adaptée à une serrure (voir la figure 2.17). En conséquence, la fonction d'une protéine (par exemple, la capacité d'une protéine réceptrice à reconnaître une molécule messagère analgésique particulière) résulte d'une organisation moléculaire précise. Il s'agit d'une autre manifestation de l'émergence.

Les quatre niveaux de l'organisation structurale des protéines

Nous pouvons reconnaître dans l'architecture complexe d'une protéine trois niveaux d'organisation structurale intégrés : un niveau primaire, un niveau secondaire et un niveau tertiaire. Un quatrième niveau, la structure quaternaire, apparaît quand une protéine se compose de deux ou de plusieurs chaînes polypeptidiques. Dans les deux pages suivantes, la **figure 5.20** décrit ces quatre niveaux d'organisation structurale des protéines. Étudiez bien cette figure avant de passer à la section suivante.

L'anémie à hématies falciformes : un simple changement dans la structure primaire

Bien que certains acides aminés d'un polypeptide puissent être remplacés par d'autres sans affecter sa fonction, un petit changement dans la structure primaire d'une protéine peut aussi avoir des effets énormes : la protéine peut voir sa conformation modifiée et sa capacité de fonctionner entravée. Par exemple, l'*anémie à hématies falciformes* (ou drépanocytose) est un trouble sanguin héréditaire causé par la substitution, à la sixième position dans la structure primaire de la chaîne β de l'hémoglobine normale, d'un seul acide aminé (l'acide glutamique, qui est assez fortement hydrophile) par un autre (la valine, qui est très hydrophobe). L'hémoglobine est la protéine des globules rouges (ou hématies, érythrocytes) qui transporte le dioxygène. Les globules rouges normaux ont la forme d'un disque biconcave (un peu à l'image d'une chambre à air bien gonflée) dont le centre est occupé par une fine membrane. Dans l'anémie à hématies falciformes, l'hémoglobine anormale, moins soluble, a tendance à se cristalliser lorsque la concentration d'oxygène est faible, ce qui entraîne une déformation caractéristique des globules rouges : ceux-ci ressemblent à des faucilles (d'où l'appellation de falciforme) ou à des croissants **(figure 5.21)**. Des crises douloureuses se produisent chez la personne atteinte lorsque les cellules anguleuses s'agglomèrent dans les petits vaisseaux sanguins, obstruant par le fait même la circulation. Les ravages de la maladie constituent un exemple remarquable de l'effet dévastateur que peut avoir un simple changement dans la structure primaire sur la fonction d'une protéine.

Les facteurs déterminant la conformation d'une protéine

Nous avons appris que la forme unique de chaque protéine confère à celle-ci une fonction spécifique ; mais quels sont les facteurs qui déterminent cette conformation ? Nous connaissons déjà une bonne partie de la réponse : une chaîne polypeptidique comportant une séquence particulière d'acides aminés prend spontanément une forme tridimensionnelle. Cette dernière résulte des interactions attractives qui ont lieu entre les atomes et qui sont à la base des structures secondaire et tertiaire de la protéine. Cette conformation apparaît normalement de manière spontanée lors de la synthèse de la protéine dans la cellule. Cependant, elle dépend également des conditions physiques et chimiques dans lesquelles la protéine baigne : si le pH, la concentration en sels, la température ou d'autres facteurs sont modifiés, la protéine peut se dérouler et perdre sa configuration originelle. Elle subit alors une **dénaturation** **(figure 5.22)** et devient biologiquement inactive.

La plupart des protéines se dénaturent si on les transfère d'un milieu aqueux à un solvant organique, tels l'éther ou le chloroforme ; la chaîne polypeptidique se replie de façon à orienter ses régions hydrophobes à l'extérieur vers le solvant. Parmi les autres agents de dénaturation figurent les substances chimiques qui brisent les liaisons hydrogène, les liaisons ioniques et les ponts disulfure, dont dépend la forme d'une protéine. La dénaturation peut également résulter d'une chaleur excessive ; celle-ci agite les chaînes polypeptidiques suffisamment pour vaincre les interactions faibles qui stabilisent la conformation d'une protéine. Ainsi, le blanc d'œuf devient opaque pendant la cuisson, car les protéines qui le composent sont dénaturées par la chaleur : elles deviennent insolubles et coagulent. Ce facteur explique également pourquoi une fièvre extrêmement élevée peut être fatale : les températures élevées dénaturent les protéines du sang.

Une protéine dénaturée dans une éprouvette, que ce soit par des produits chimiques ou par la chaleur, reprend souvent sa forme fonctionnelle quand l'agent dénaturant disparaît. Nous pouvons en conclure que l'information conduisant à l'adoption d'une forme spécifique est liée à la structure primaire. C'est donc la séquence des acides aminés qui détermine la configuration d'une protéine, c'est-à-dire les endroits où se formeront des hélices α, des feuillets plissés β, des ponts disulfure, des liaisons ioniques, etc. Cependant, dans un environnement intracellulaire encombré, le repliement correct peut être plus difficile que dans une éprouvette.

Le mystère du repliement des protéines

Les biochimistes connaissent maintenant la séquence des acides aminés de plus de 875 000 protéines et la configuration tridimensionnelle d'environ 7 000 protéines. On pourrait penser que, en élaborant une corrélation entre la structure primaire de nombreuses protéines et la conformation de celles-ci, il est relativement facile de déterminer les règles régissant le repliement de ces macromolécules. Malheureusement, le mystère n'est pas résolu. La plupart des protéines passent probablement par plusieurs étapes intermédiaires avant d'adopter une configuration stable. L'étude de cette configuration ne révèle pas ces étapes. Cependant, les biochimistes ont élaboré des méthodes pour suivre les étapes intermédiaires de la formation d'une protéine. Les chercheurs ont également découvert des **chaperonines** (aussi appelées chaperons moléculaires). Il s'agit de molécules protéiques qui favorisent le repliement adéquat des autres protéines **(figure 5.23)**. Les chaperonines ne dictent pas la structure finale d'un polypeptide ; elles empêchent plutôt le nouveau polypeptide de céder, pendant son repliement spontané, aux « mauvaises influences » qui se

Figure 5.20

Panorama Niveaux de l'organisation structurale des protéines

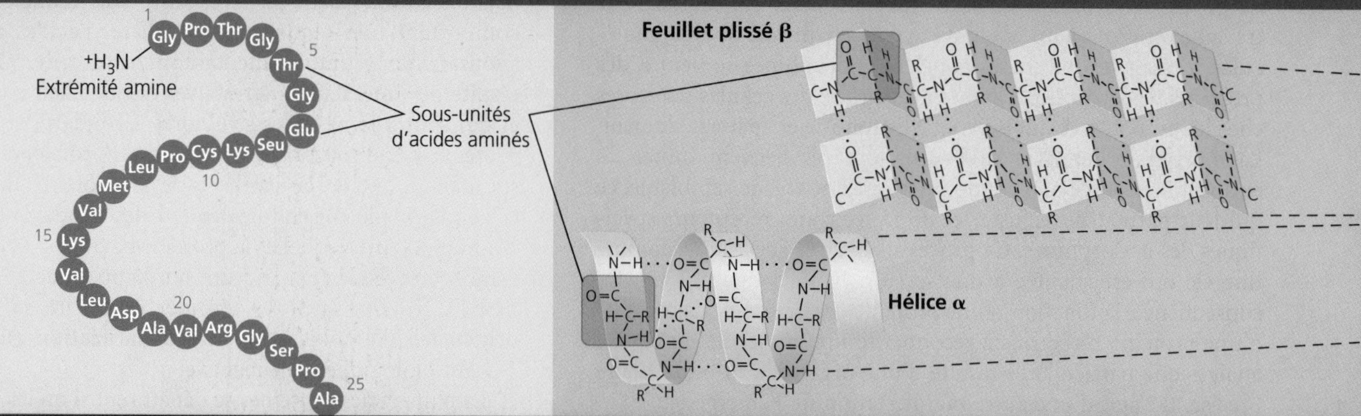

STRUCTURE PRIMAIRE

La **structure primaire** d'une protéine correspond à la séquence de ses acides aminés. À titre d'exemple, examinons la transthyrétine, une protéine globulaire présente dans le sang qui permet le transport dans l'organisme de la vitamine A et d'une hormone thyroïdienne. Chacune des quatre chaînes polypeptidiques identiques qui, ensemble, composent la transthyrétine comporte 127 acides aminés. Le schéma ci-dessous montre l'une d'elles alors qu'elle est déroulée, ce qui facilite l'observation de la structure primaire. Chacune des 127 positions de la chaîne est occupée par un des 20 acides aminés, indiqués ici par l'abréviation de trois lettres correspondant à leur nom. La structure primaire fait penser à l'ordre des lettres dans un mot. S'il était laissé au hasard, l'arrangement des 127 acides aminés d'une telle chaîne pourrait se faire de 20^{127} façons. Cependant, la structure primaire d'une protéine n'est pas déterminée par l'association aléatoire des acides aminés, mais par l'information génétique.

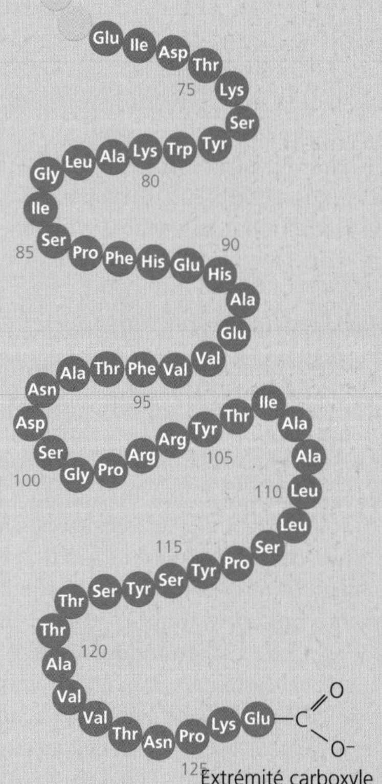

STRUCTURE SECONDAIRE

Dans la plupart des protéines, certains segments de la chaîne polypeptidique sont enroulés ou pliés de façon répétitive ; ils forment ainsi des motifs qui contribuent à la conformation globale de la protéine. L'ensemble de ces motifs constitue la **structure secondaire** de la macromolécule et provient de liaisons hydrogène le long de la chaîne polypeptidique. Seuls les atomes d'hydrogène ou d'oxygène fixés à la structure répétitive du polypeptide participent à ces liaisons. Les atomes d'oxygène et d'azote de la chaîne polypeptidique sont tous deux électronégatifs ; ils portent une charge partielle négative (voir la figure 2.15). L'atome d'hydrogène, faiblement positif, qui est attaché à l'atome d'azote a une affinité pour l'atome d'oxygène, légèrement négatif, de la liaison peptidique d'en face. C'est l'ensemble de ces liaisons faibles qui peut conférer une forme particulière à cette section de la protéine.

L'**hélice alpha (α)**, un enroulement délicat maintenu en place par des liaisons hydrogène tous les quatre acides aminés, est un exemple de structure secondaire, illustré ci-dessus dans le cas de la transthyrétine. La transthyrétine ne possède qu'une seule région formant une hélice α (voir la structure tertiaire), mais d'autres protéines globulaires présentent plusieurs parties en hélice α séparées par des régions complètement déployées. Certaines protéines fibreuses comme la kératine α, une protéine structurale des cheveux, présentent des hélices α sur la majeure partie de leur longueur.

Le **feuillet plissé bêta (β)** représente un autre des principaux types de structure secondaire où, comme on le voit ci-dessus, deux ou plusieurs régions de la même chaîne polypeptidique repliée se déploient côte à côte, dans le même plan, grâce à des liaisons hydrogène entre les deux structures répétitives parallèles ; les chaînes peuvent aussi être anti-parallèles, c'est-à-dire disposées en sens opposé, ce qui augmente la stabilité de la molécule. Les feuillets plissés β constituent la partie dense de nombreuses protéines globulaires, comme dans le cas de la transthyrétine, et prédominent aussi dans certaines protéines fibreuses, comme la fibroïne, qui compose la soie des fils d'araignées. C'est le travail d'équipe de tant de liaisons hydrogène qui rend chaque fibre de soie plus forte qu'un fil d'acier de même masse.

Les glandes abdominales de l'araignée sécrètent des fibres de soie qui forment la toile.

Les fils qui rayonnent à partir du centre de la toile se composent de soie sèche et maintiennent la forme de la toile.

Les fils qui forment les anneaux concentriques (fils de capture) sont élastiques ; ils s'étirent au gré du vent, de la pluie et du contact des insectes.

La soie fabriquée par une araignée : une protéine structurale constituée de feuillets plissés β.

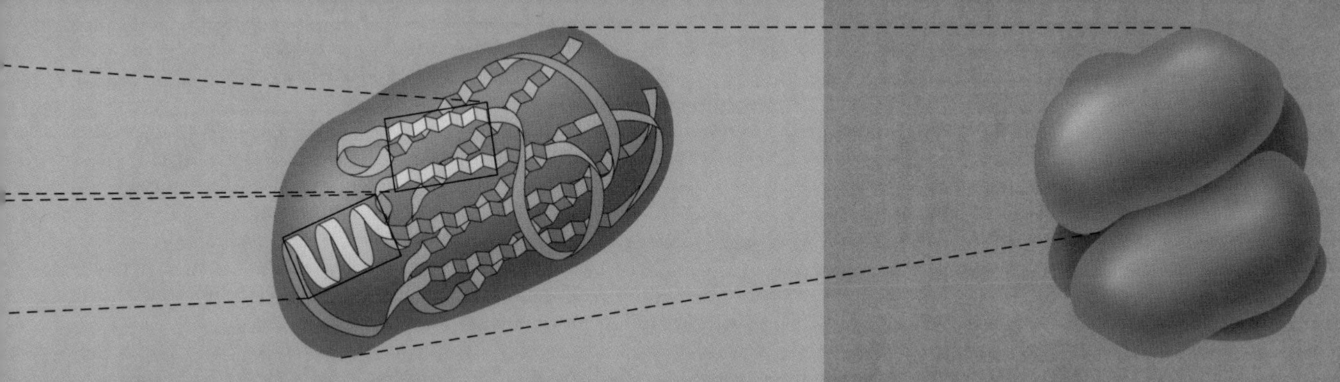

STRUCTURE TERTIAIRE

La **structure tertiaire** d'une protéine, illustrée ci-dessus dans le cas de la transthyrétine, se superpose aux motifs de la structure secondaire. Plutôt que de faire intervenir les interactions entre les structures répétitives, elle correspond à la forme globale découlant des interactions entre les chaînes latérales (radicaux R) d'acides aminés différents. Les **interactions hydrophobes** (une appellation un peu trompeuse) aident à la fixer. Les acides aminés et les chaînes latérales hydrophobes (non polaires) d'une protéine sont rassemblés au cœur de celle-ci ; ils sont donc isolés de l'eau. Ce que nous appelons interactions hydrophobes est, en fait, le résultat de l'action des molécules d'eau, qui établissent des liaisons hydrogène entre elles et avec les parties hydrophiles de la protéine, repoussant ainsi les substances non polaires les unes vers les autres. Une fois que les chaînes latérales non polaires des acides aminés se trouvent les unes devant les autres, les forces de Van der Waals (voir le chapitre 2) contribuent à les maintenir ensemble. Les liaisons hydrogène entre les chaînes latérales polaires, ainsi que les liaisons ioniques entre les chaînes latérales chargées positivement et négativement, aident également à stabiliser la structure tertiaire. Malgré leur faiblesse relative, ces interactions contribuent à doter la protéine d'une forme particulière, étant donné leur très grand nombre.

La conformation d'une protéine peut se stabiliser davantage sous l'action de liaisons covalentes fortes appelées ponts disulfure. Un **pont disulfure** se forme quand deux monomères de cystéine, un acide aminé portant un groupement thiol (—SH) dans sa chaîne latérale, se rapprochent l'un de l'autre lors du repliement de la protéine. Le soufre d'un monomère de cystéine se lie alors au soufre de l'autre, et ce pont disulfure (—S—S—) assure la cohésion de certaines parties de la protéine (voir les lignes jaunes dans la figure 5.19a). Remarquez que tous ces types de liaisons peuvent se retrouver dans une même protéine, ainsi que le montre l'exemple d'une petite section d'une protéine hypothétique (voir la figure ci-dessous).

CH_2 — O — H ··· O = C(—HO) — CH_2
Liaison hydrogène
CH — H_3C CH_3 / H_3C CH_3 — CH
Interactions hydrophobes et forces de Van der Waals
Chaîne polypeptidique
$—CH_2—S—S—CH_2—$
Pont disulfure
$—CH_2—NH_3^+$ $^-O—C(=O)—CH_2—$
Liaison ionique

STRUCTURE QUATERNAIRE

Beaucoup de protéines se composent de deux ou de plusieurs chaînes polypeptidiques assemblées de façon à former une macromolécule fonctionnelle : la plupart n'ont que deux ou quatre chaînes, mais certaines en possèdent plusieurs dizaines. Chaque chaîne polypeptidique constitue une sous-unité. La **structure quaternaire** est la structure générale d'une protéine ; elle résulte des interactions (liaisons hydrogène, forces de Van der Waals) entre les sous-unités. Par exemple, la figure ci-dessus illustre la forme complète de la transthyrétine, une protéine globulaire composée de quatre polypeptides. Le collagène, illustré à droite, est un autre exemple ; c'est une protéine fibreuse qui possède des sous-unités hélicoïdales enroulées en une triple « superhélice » qui confère à ses longues fibres une résistance exceptionnelle. Cela permet aux fibres de collagène de remplir leur fonction, qui consiste à soutenir le tissu conjonctif de la peau, des os, des tendons, des ligaments et d'autres parties du corps (le collagène représente 40 % des protéines du corps humain). L'hémoglobine (illustrée ci-dessous), qui fixe le dioxygène dans les globules rouges, constitue un exemple de protéine globulaire à structure quaternaire. Elle comporte quatre sous-unités polypeptidiques de deux sortes : deux chaînes α identiques et deux chaînes β identiques. Celles-ci se caractérisent principalement par une structure secondaire en hélice α. Chaque sous-unité a une composante non polypeptidique, appelée hème, portant un ion fer qui se lie au dioxygène.

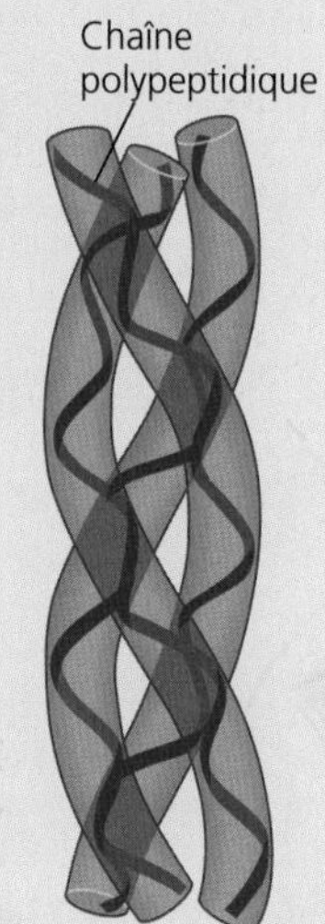

Collagène

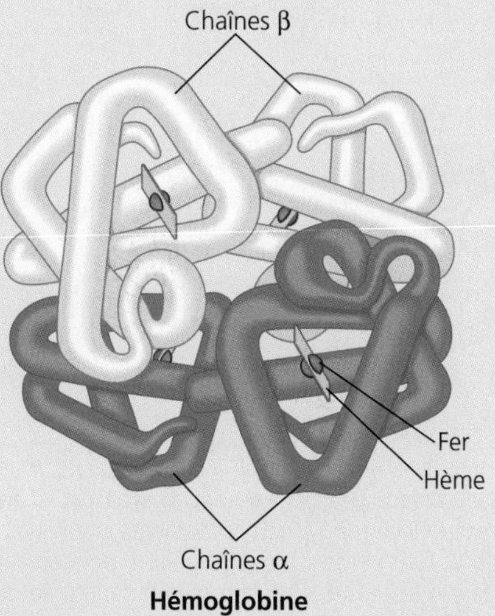

Hémoglobine

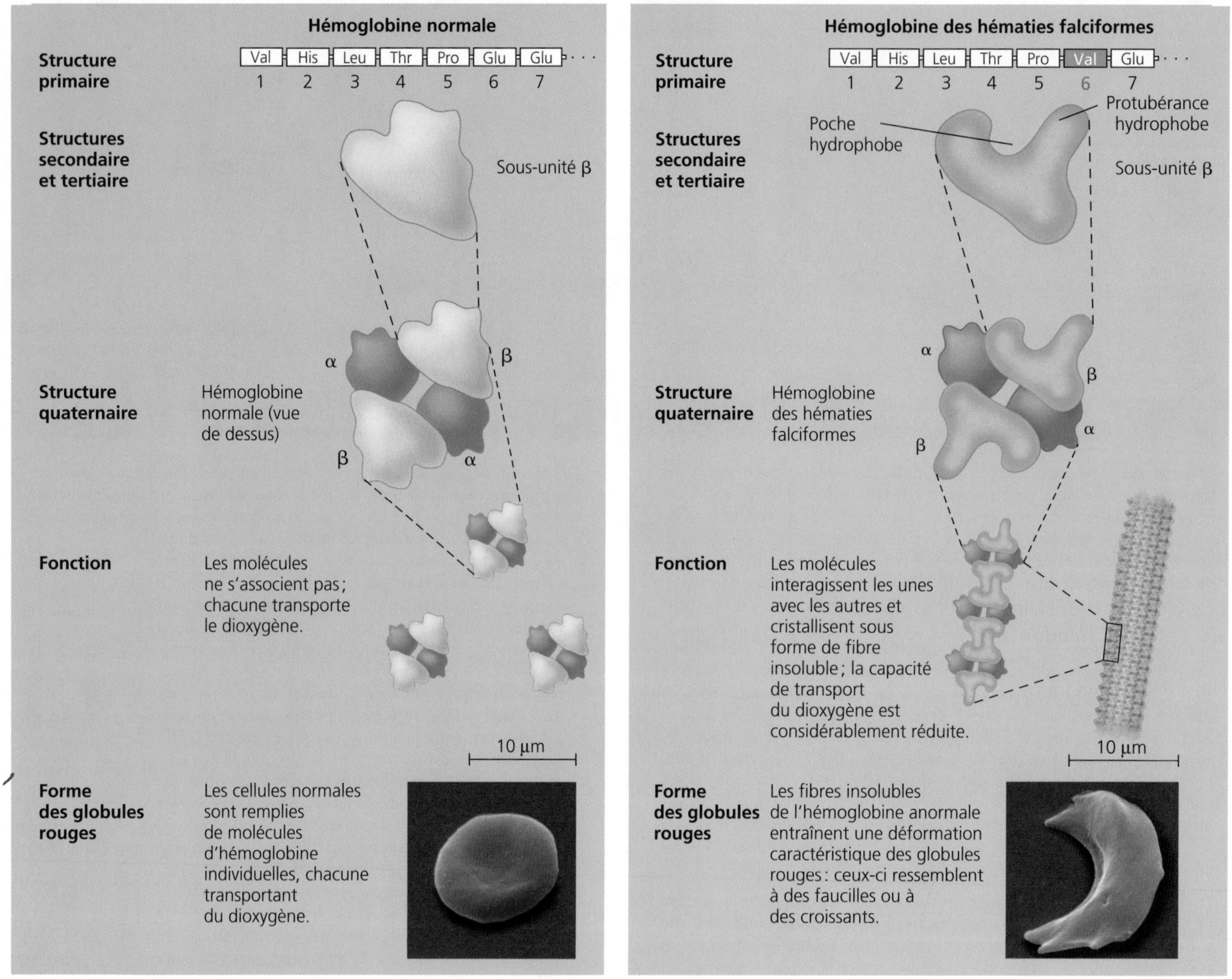

Hémoglobine normale

Structure primaire: Val – His – Leu – Thr – Pro – Glu – Glu . . . (1 2 3 4 5 6 7)

Structures secondaire et tertiaire: Sous-unité β

Structure quaternaire: Hémoglobine normale (vue de dessus) — α, β, β, α

Fonction: Les molécules ne s'associent pas; chacune transporte le dioxygène.

10 µm

Forme des globules rouges: Les cellules normales sont remplies de molécules d'hémoglobine individuelles, chacune transportant du dioxygène.

Hémoglobine des hématies falciformes

Structure primaire: Val – His – Leu – Thr – Pro – Val – Glu . . . (1 2 3 4 5 6 7)

Structures secondaire et tertiaire: Poche hydrophobe; Protubérance hydrophobe; Sous-unité β

Structure quaternaire: Hémoglobine des hématies falciformes — α, β, β, α

Fonction: Les molécules interagissent les unes avec les autres et cristallisent sous forme de fibre insoluble; la capacité de transport du dioxygène est considérablement réduite.

10 µm

Forme des globules rouges: Les fibres insolubles de l'hémoglobine anormale entraînent une déformation caractéristique des globules rouges: ceux-ci ressemblent à des faucilles ou à des croissants.

▲ **Figure 5.21 La substitution dans une protéine d'un seul acide aminé par un autre acide aminé provoque l'anémie à hématies falciformes.** La chaîne latérale de la valine (acide aminé ayant pris la place de la glutamine) dans une des deux sous-unités β (en orange) de l'hémoglobine anormale crée une protubérance hydrophobe qui s'associe à la poche hydrophobe de l'autre sous-unité β. L'ensemble de ces interactions créent des polymères (fibres insolubles) de molécules d'hémoglobine.

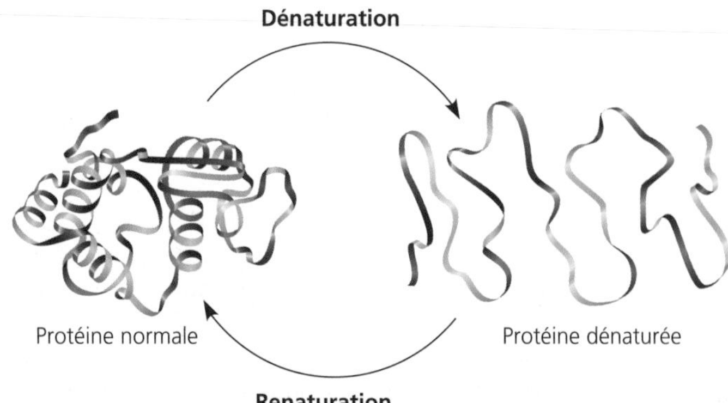

▲ **Figure 5.22 Dénaturation et renaturation d'une protéine.** Des températures élevées ou divers traitements chimiques dénaturent la protéine. Ils lui font perdre sa conformation, donc sa capacité de fonctionner. Si elle reste dissoute, la protéine dénaturée peut retrouver sa forme originelle lorsque le milieu revient à la normale.

manifestent dans l'environnement cytoplasmique. La bactérie *E. coli* abrite une chaperonine bien connue; il s'agit d'une multiprotéine complexe ayant la forme d'un cylindre creux dont la cavité sert d'abri à différents polypeptides en processus de repliement (figure 5.23).

L'importance du repliement correct des polypeptides est mise en lumière avec la « maladie de la vache folle » dont l'agent de transmission est une protéine infectieuse appelée *prion*. Le « seul défaut » de cette protéine qui peut causer la dégénérescence du tissu nerveux et s'avérer finalement un agent mortel réside dans un mauvais repliement (voir le chapitre 18, p. XXX). Un certain nombre d'autres maladies affectant l'humain sont aussi associées aux repliements anormaux de protéines.

Lorsque les scientifiques sont en présence d'une vraie protéine, il ne leur est pas facile de déterminer sa structure tridimensionnelle exacte, étant donné qu'elle est composée de milliers d'atomes. La **cristallographie par diffraction de rayons X** est particulièrement

▶ Figure 5.23 Chaperonine en action. L'illustration réalisée par ordinateur (à gauche) montre un complexe de chaperonines dont l'espace interne permet à des polypeptides nouvellement formés de se plier correctement. Ce complexe est formé de deux protéines. L'une des protéines forme un cylindre creux à l'extrémité duquel l'autre protéine, en forme de couvercle, peut se fixer.

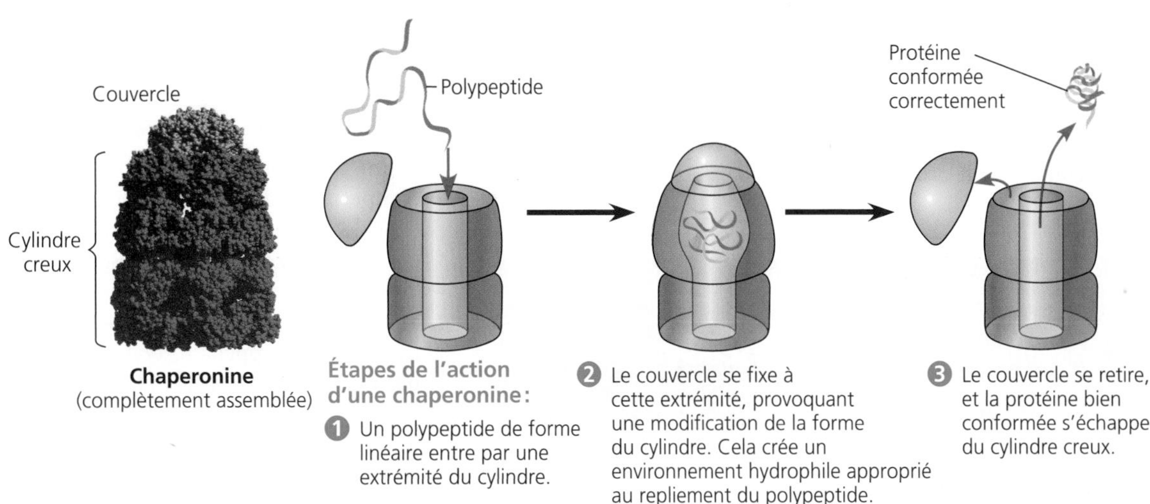

utile pour effectuer cette tâche **(figure 5.24)**. La spectroscopie par résonance magnétique nucléaire (RMN), une technique qui ne nécessite pas la cristallisation d'une protéine, a récemment été appliquée à la solution de ce problème. Ces méthodes ont grandement contribué à notre compréhension de la structure des protéines et nous ont fourni de précieuses indications sur leur fonction.

Couvercle
Cylindre creux
Chaperonine
(complètement assemblée)
Polypeptide
Protéine conformée correctement
Étapes de l'action d'une chaperonine:
1 Un polypeptide de forme linéaire entre par une extrémité du cylindre.
2 Le couvercle se fixe à cette extrémité, provoquant une modification de la forme du cylindre. Cela crée un environnement hydrophile approprié au repliement du polypeptide.
3 Le couvercle se retire, et la protéine bien conformée s'échappe du cylindre creux.

Retour sur le concept 5.4

1. Pourquoi une protéine dénaturée ne fonctionne-t-elle plus normalement?
2. Expliquez la différence entre la structure secondaire et la structure tertiaire en décrivant les parties d'une chaîne polypeptidique qui participent aux liaisons contribuant à fixer chaque niveau de l'organisation structurale.
3. Une mutation peut modifier la structure primaire d'une protéine. Comment cela peut-il nuire à la fonction de cette macromolécule?

Voir les réponses proposées à la fin du chapitre.

Concept 5.5

Les acides nucléiques emmagasinent et transmettent l'information génétique

Nous avons vu que la structure primaire des polypeptides détermine la conformation d'une protéine, mais qu'est-ce qui détermine la structure primaire? Eh bien! la séquence d'acides aminés est programmée par une unité d'information génétique appelée **gène.** Les gènes se composent d'ADN, un polymère appartenant à la classe de composés appelés **acides nucléiques.**

Les rôles des acides nucléiques

Il existe deux types d'acides nucléiques: l'**acide désoxyribonucléique** (**ADN**) et l'**acide ribonucléique** (**ARN**). Ces molécules permettent aux organismes de reproduire leurs composantes complexes d'une génération à l'autre. Unique en son genre, l'ADN fournit les directives de sa propre réplication. Il dirige également la synthèse de l'ARN et, ce faisant, il contrôle la synthèse des protéines **(figure 5.25)**.

L'ADN constitue le matériel génétique que les parents lèguent à leur progéniture. Chaque chromosome contient une longue molécule d'ADN qui porte habituellement des centaines ou des milliers de gènes. Lorsqu'une cellule se reproduit en se divisant, ses molécules d'ADN sont copiées et transmises à la génération suivante. Les instructions qui programment toutes les activités de la cellule sont encodées dans la structure de l'ADN. Cependant, l'ADN ne participe pas directement aux opérations de la cellule, pas plus qu'un logiciel ne peut imprimer un texte scientifique ou lire un code à barres sur une boîte de céréales. Tout comme il faut une imprimante pour imprimer un texte ou un lecteur pour lire un code à barres, il faut des protéines pour exécuter les programmes génétiques. Les protéines sont à la cellule ce que le matériel informatique est à l'ordinateur. Par exemple, c'est l'hémoglobine et non l'ADN qui transporte le dioxygène dans le sang; l'ADN, lui, spécifie la structure de l'hémoglobine.

Comment l'ARN, l'autre sorte d'acide nucléique, sert-il d'intermédiaire dans la circulation de l'information génétique de l'ADN aux protéines? Chaque gène présent sur la molécule d'ADN dirige la synthèse d'un type d'ARN appelé *ARN messager* (ARNm). La molécule d'ARNm interagit ensuite avec la machinerie de la synthèse protéique pour diriger la production d'un polypeptide. Nous pouvons résumer cette circulation de l'information génétique de la manière suivante: ADN → ARN → protéine (voir la figure 5.25). Les sites de la synthèse protéique sont des organites cellulaires appelés ribosomes. Dans une cellule eucaryote, les ribosomes baignent dans le cytoplasme, alors que l'ADN se trouve dans le noyau. C'est donc du noyau au cytoplasme que l'ARN messager transmet les instructions génétiques relatives à l'élaboration des protéines. Les cellules procaryotes, qui sont dépourvues de noyau, utilisent également l'ARN pour transmettre un message de l'ADN aux ribosomes et à d'autres éléments de la cellule; ceux-ci traduisent l'information codée en séquences d'acides aminés.

La structure des acides nucléiques

Les acides nucléiques sont des macromolécules qui existent sous forme de polymères appelés **polynucléotides (figure 5.26a)**. Comme son nom l'indique, chaque polynucléotide se compose de monomères appelés **nucléotides**. Un nucléotide est lui-même constitué de trois parties: une base azotée, un pentose (monosaccharide à cinq atomes de carbone) et un groupement phosphate **(figure 5.26b)**. Lorsque cette unité est dépourvue de groupement phosphate, on l'appelle *nucléoside*.

Les monomères des nucléotides

Avant d'élaborer un nucléotide, examinons d'abord les deux composantes d'un nucléoside: une base azotée et un monosaccharide **(figure 5.26c)**. Il existe deux familles de bases azotées: les pyrimidines et les purines. Une **pyrimidine** possède un seul cycle contenant quatre atomes de carbone et deux d'azote. (Les atomes d'azote tendent à capter des ions H^+ de la solution, ce qui explique l'appellation *base azotée.*) Les membres de la famille des pyrimidines sont la cytosine (C), la thymine (T) et l'uracile (U). Quant aux **purines**, elles ont une masse moléculaire plus importante, puisqu'elles se composent d'un cycle de six atomes accolé à un autre de cinq atomes. Les purines sont l'adénine (A) et la guanine (G). Comme les pyrimidines, elles se distinguent par les groupements fonctionnels attachés aux cycles. L'adénine, la guanine et la cytosine entrent dans la composition des deux types d'acides nucléiques, l'ADN et l'ARN; on trouve la thymine seulement dans l'ADN et l'uracile seulement dans l'ARN.

Dans la structure des acides nucléiques, il y a toujours un pentose associé à la base azotée. Celui qui est lié à la base azotée des nucléotides de l'ARN est le **ribose**; celui qui est lié à la base azotée des nucléotides de l'ADN est le **désoxyribose** (voir la figure 5.26c). Il n'existe qu'une seule différence entre ces deux monosaccharides:

Figure 5.24

Méthode de recherche

La cristallographie par diffraction des rayons X

APPLICATION À l'aide de la cristallographie par diffraction des rayons X, les scientifiques déterminent la structure tridimensionnelle de macromolécules comme les acides nucléiques et les protéines. Dans cette figure, nous étudierons comment les chercheurs de la University of California, Riverside, ont déterminé la structure d'une protéine, la ribonucléase, une enzyme dont la fonction suppose la liaison à un acide nucléique.

TECHNIQUE Les chercheurs utilisent un instrument qui émet un faisceau de rayons X vers la protéine cristallisée. Les électrons des atomes du cristal diffractent (dévient) les rayons X selon une disposition ordonnée. Les rayons X déviés impressionnent une pellicule photographique, produisant un ensemble de points appelé figure de diffraction des rayons X. Des rayons X provenant de différentes orientations produisent des figures de diffraction différentes.

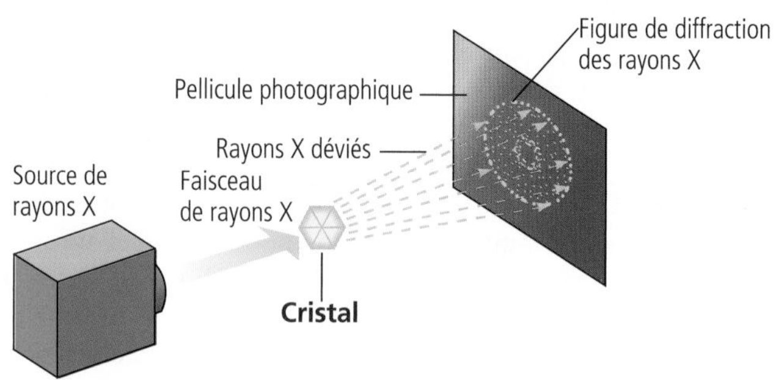

RÉSULTATS À l'aide des données provenant des différentes figures de diffraction des rayons X, ainsi que de la séquence des acides aminés déterminée par des méthodes chimiques, les scientifiques élaborent un modèle informatique tridimensionnel de la protéine, tel que celui de la ribonucléase (violet), liée à un court brin d'acide nucléique (vert).

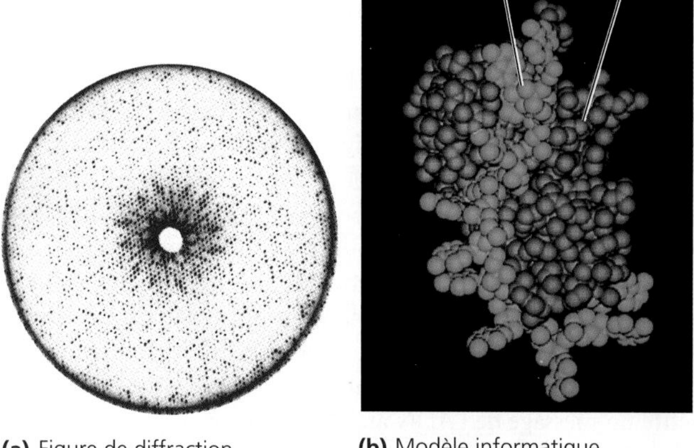

(a) Figure de diffraction des rayons X

(b) Modèle informatique tridimensionnel

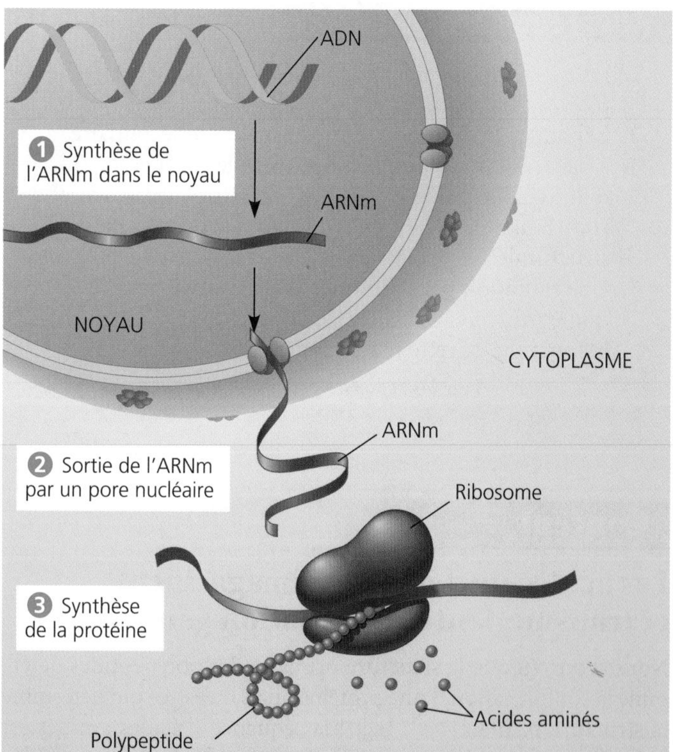

▲ **Figure 5.25 ADN → ARN → protéine: schéma de la circulation de l'information dans une cellule.** Dans une cellule eucaryote, l'ADN nucléaire programme la production de protéines en dictant la synthèse de l'ARN messager (ARNm). Celui-ci se déplace vers les ribosomes situés dans le cytoplasme et s'y fixe. Lorsqu'un ribosome (très grossi sur ce dessin) rencontre l'ARNm, le message génétique est traduit, et un polypeptide ayant une séquence spécifique d'acides aminés est formé.

il n'y a pas d'oxygène uni au deuxième atome de carbone du cycle du désoxyribose, d'où son nom. Le groupement —OH étant un groupement réactif, le désoxyribose est donc plus stable que le ribose. Afin de distinguer la numérotation des atomes de la base azotée de celle des atomes du monosaccharide, on ajoute un signe prime (′) après le numéro désignant les atomes du monosaccharide. Ainsi, le deuxième atome de carbone dans le cycle du monosaccharide est le carbone 2′ («2 prime»), et le carbone qui se situe au-dessus du cycle est numéroté 5′; de même, le pentose de l'ADN est le 2′-désoxyribose et la base azotée est liée au carbone 1′ du pentose.

Jusqu'ici, nous avons construit un nucléoside, c'est-à-dire une molécule contenant une base azotée associée à un pentose. Pour faire un nucléotide, nous devons attacher un groupement phosphate au cinquième atome de carbone (5′) du pentose (voir la figure 5.26b). La molécule devient alors un nucléoside monophosphate: celui-ci est plus connu sous le nom de nucléotide. Il existe plusieurs types de nucléotides qui n'entrent pas dans la composition des acides nucléiques: nous avons déjà parlé au chapitre 4 de l'ATP, molécule importante permettant les transferts d'énergie, et nous en verrons d'autres (transporteurs d'électrons et messagers intracellulaires) lorsque nous étudierons la cellule et le métabolisme.

Les polymères des nucléotides

Nous pouvons maintenant examiner comment les nucléotides sont liés entre eux pour élaborer un polynucléotide. Dans cette macromolécule, les monomères sont unis par des liaisons covalentes appelées liaisons phosphodiester. Celles-ci rattachent le groupement —OH sur le carbone 3′ d'un nucléotide et le phosphate sur le carbone 5′ du nucléotide suivant. Elles contribuent à former un squelette dont la séquence d'unités pentose-phosphate se répète (voir la figure 5.26a). Comme c'est le cas pour les protéines, les deux extrémités libres du polymère sont différentes l'une de l'autre: l'une se termine par un groupement phosphate attaché à un carbone 5′ tandis que l'autre porte un groupement hydroxyle sur un carbone 3′. On les appelle respectivement l'extrémité 5′ et l'extrémité 3′. On peut donc affirmer que chaque brin d'ADN possède une orientation intégrée le long de son squelette pentose-phosphate, semblable à une rue à sens unique. Tout le long de ce squelette pentose-phosphate se trouvent des chaînes latérales constituées d'une base azotée.

La séquence des bases azotées du polymère d'ADN (ou d'ARNm) constitue sa structure primaire et celle-ci est typique de chaque gène. Comme les gènes comprennent habituellement des centaines ou des milliers de nucléotides, le nombre de séquences possibles est pratiquement illimité. L'information d'un

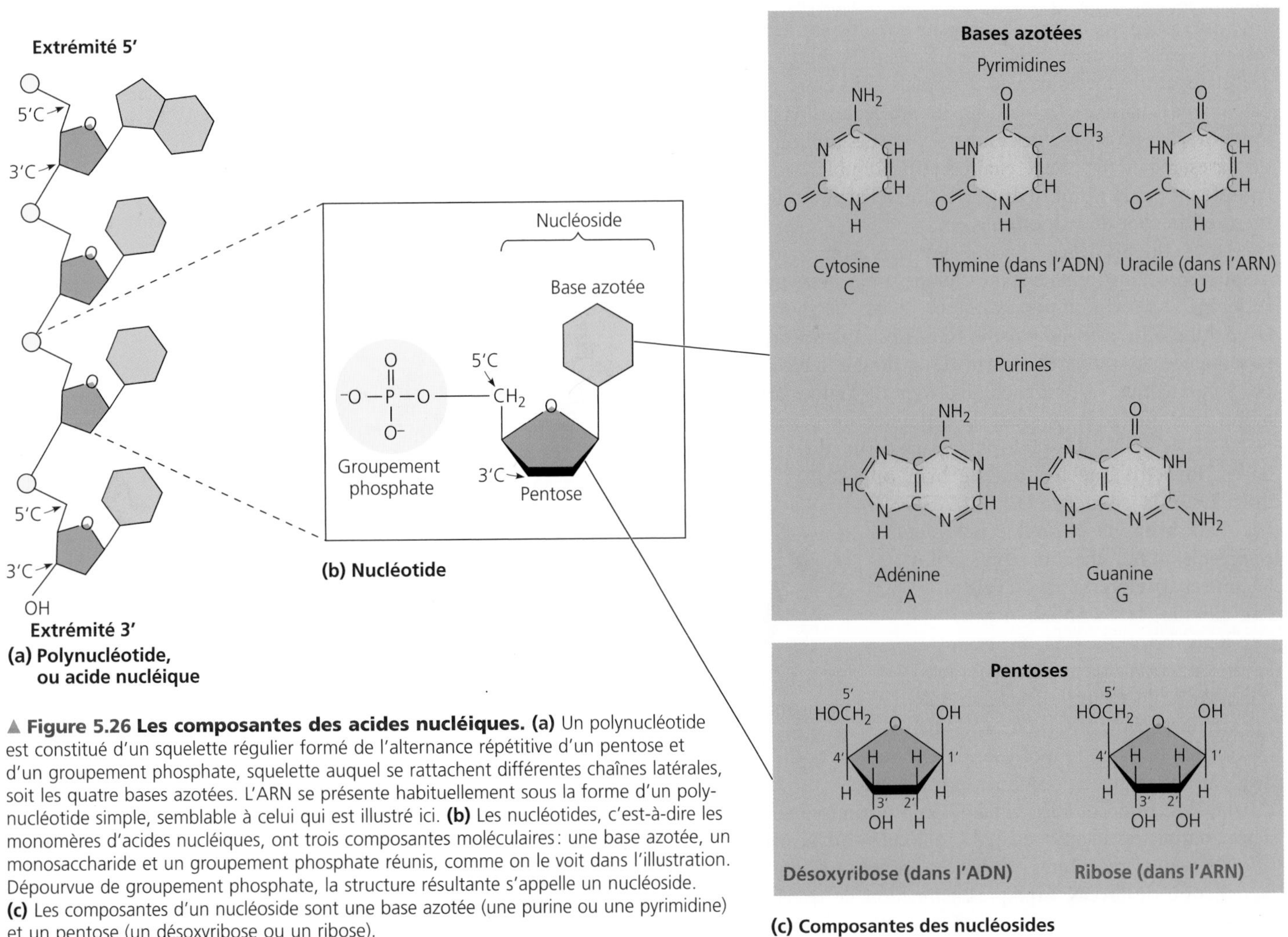

▲ **Figure 5.26 Les composantes des acides nucléiques. (a)** Un polynucléotide est constitué d'un squelette régulier formé de l'alternance répétitive d'un pentose et d'un groupement phosphate, squelette auquel se rattachent différentes chaînes latérales, soit les quatre bases azotées. L'ARN se présente habituellement sous la forme d'un polynucléotide simple, semblable à celui qui est illustré ici. **(b)** Les nucléotides, c'est-à-dire les monomères d'acides nucléiques, ont trois composantes moléculaires: une base azotée, un monosaccharide et un groupement phosphate réunis, comme on le voit dans l'illustration. Dépourvue de groupement phosphate, la structure résultante s'appelle un nucléoside. **(c)** Les composantes d'un nucléoside sont une base azotée (une purine ou une pyrimidine) et un pentose (un désoxyribose ou un ribose).

gène se trouve encodée dans la séquence spécifique des quatre bases d'ADN. Par exemple, la séquence génétique AGGTAACTT signifie une chose, alors que la séquence CGCTTTAAC a une tout autre signification. (Évidemment, tous les gènes comportent des séquences beaucoup plus longues.) C'est l'ordre linéaire des quatre bases tel qu'il est encodé dans un gène qui détermine la séquence des acides aminés (la structure primaire) d'une protéine. Cette séquence détermine aussi la conformation tridimensionnelle et la fonction d'une protéine dans une cellule.

La double hélice d'ADN

Les molécules d'ARN des cellules se composent d'une seule chaîne de polynucléotides semblable à celle qui est illustrée à la figure 5.26. Par contre, les molécules d'ADN se composent de deux chaînes de nucléotides enroulées en spirale autour d'un axe imaginaire de façon à former une **double hélice (figure 5.27)**. Ce sont James Watson et Francis Crick qui ont découvert en 1953, alors qu'ils menaient des travaux de recherche à la University of Cambridge, la structure en double hélice constituant la structure secondaire de la molécule d'ADN. Les deux chaînes hélicoïdales s'enroulent dans des directions opposées $5' \rightarrow 3'$; on qualifie cet arrangement d'**antiparallèle**, un peu comme une route à chaussées séparées. Les deux squelettes désoxyribose-phosphate se trouvent sur les bordures extérieures de l'hélice, alors que les bases azotées s'apparient à l'intérieur de l'hélice. Les deux chaînes de polynucléotides, appelées brins, demeurent attachées ensemble grâce aux liaisons hydrogène qui unissent les bases azotées appariées (deux ou trois liaisons, selon les bases azotées) et grâce aux autres forces de Van der Waals qui s'exercent entre les bases azotées voisines. La majorité des molécules d'ADN sont très longues; elles possèdent des milliers, voire des millions, de paires de bases reliant les deux chaînes. Une double hélice d'ADN compte un grand nombre de gènes, dont chacun occupe un segment particulier de la molécule.

Dans la double hélice, chacune des bases azotées a un complément exclusif, une purine étant toujours unie à une pyrimidine: l'adénine (A) forme toujours une paire avec la thymine (T), et la guanine (G), avec la cytosine (C). Ainsi, quand nous lisons la séquence des bases d'un brin de la double hélice, nous pouvons déduire la séquence des bases de l'autre brin. Si un bout de brin possède la séquence de bases 5′-AGGTCCG-3′, la règle d'appariement des bases nous dit que le bout de brin opposé doit avoir la séquence 3′-TCCAGGC-5′. Les deux brins de la double hélice sont *complémentaires,* chacun représentant la contrepartie prévisible de l'autre. Par ailleurs, la complémentarité des deux brins de l'ADN permet la reproduction précise des gènes responsables de l'hérédité (voir la figure 5.27). Lorsqu'une cellule s'apprête à se diviser, chacun des brins de la molécule d'ADN sert de gabarit permettant d'ordonner les nucléotides du nouveau brin complémentaire. Ce processus se solde par deux exemplaires identiques de la molécule d'ADN originale. Ceux-ci sont distribués dans les cellules filles. Ainsi, la structure de l'ADN explique sa fonction de transmission de l'information génétique quand une cellule se reproduit: il s'agit d'un autre exemple de la corrélation entre la structure et la fonction à l'échelle moléculaire.

L'ADN et les protéines: reflets de l'évolution

Nous sommes habitués à considérer les caractères communs, par exemple les poils et la production de lait chez les Mammifères, comme une preuve de l'existence d'ancêtres communs. Étant donné que nous comprenons maintenant que l'ADN transmet les informations héréditaires sous la forme de gènes, nous pouvons considérer que les gènes (ADN) et leurs produits (protéines) nous documentent sur le bagage héréditaire d'un organisme. Les séquences linéaires de nucléotides dans les molécules d'ADN se transmettent des parents à leurs descendants, et l'ADN détermine les séquences d'acides aminés des protéines. L'ADN et les protéines des enfants de mêmes parents se ressemblent davantage

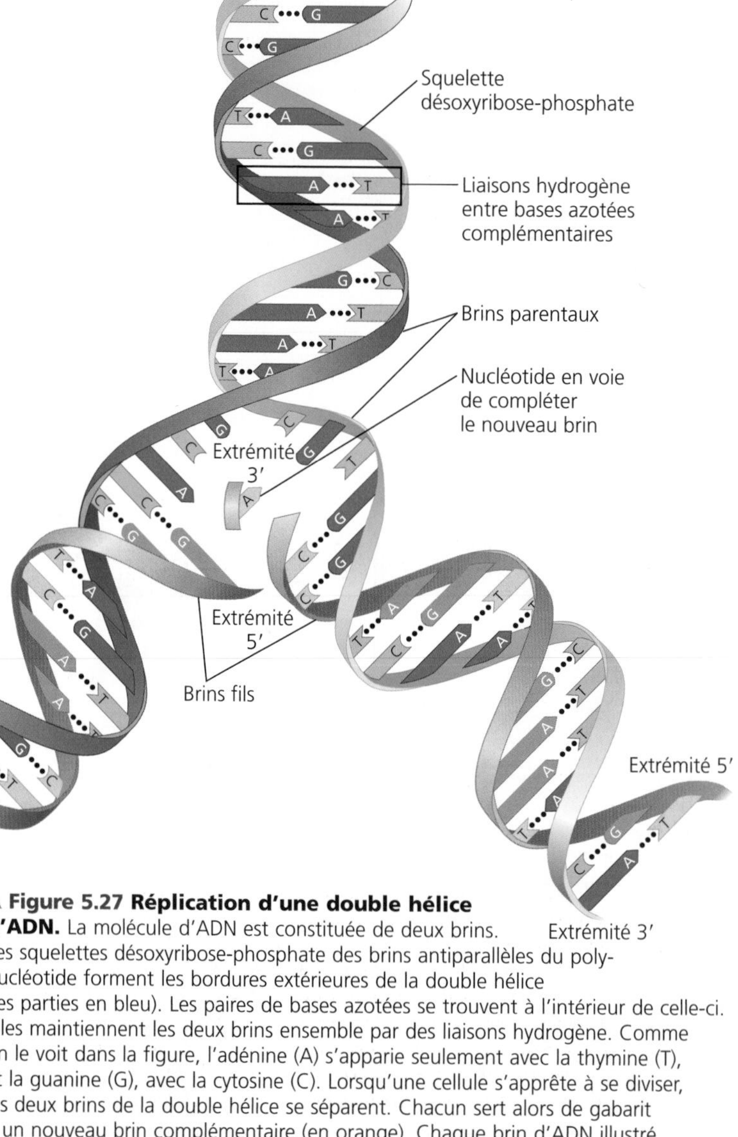

▲ **Figure 5.27 Réplication d'une double hélice d'ADN.** La molécule d'ADN est constituée de deux brins. Les squelettes désoxyribose-phosphate des brins antiparallèles du polynucléotide forment les bordures extérieures de la double hélice (les parties en bleu). Les paires de bases azotées se trouvent à l'intérieur de celle-ci. Elles maintiennent les deux brins ensemble par des liaisons hydrogène. Comme on le voit dans la figure, l'adénine (A) s'apparie seulement avec la thymine (T), et la guanine (G), avec la cytosine (C). Lorsqu'une cellule s'apprête à se diviser, les deux brins de la double hélice se séparent. Chacun sert alors de gabarit à un nouveau brin complémentaire (en orange). Chaque brin d'ADN illustré ici est l'équivalent structural du polynucléotide dessiné à la figure 5.26a.)

que ceux des individus sans lien de parenté. Si la notion évolutionniste de la vie est valide, on devrait pouvoir appliquer ce concept de « généalogie moléculaire » aux relations qui existent *entre* les espèces. Donc, si deux espèces semblent apparentées en raison de leur anatomie similaire et de données fournies par des fossiles, a-t-on raison de s'attendre à ce que leur ADN et leurs protéines se ressemblent davantage que ceux de deux espèces plus éloignées ? La réponse est oui. Par exemple, si l'on compare une chaîne polypeptidique de l'hémoglobine humaine à celles de cinq autres vertébrés, on peut faire les observations suivantes : les humains et les gorilles ne diffèrent que par 1 seul acide aminé sur 146, les humains et les gibbons diffèrent par 2 acides aminés et les humains et les rhésus macaques, par 8. Les espèces plus éloignées ont des chaînes moins similaires. L'hémoglobine des humains et celle des souris ont 27 acides aminés différents, et celle des grenouilles diffère par 67 acides aminés de celle des humains. La biologie moléculaire offre aux chercheurs un nouvel outil pour évaluer la filiation entre les espèces.

Retour sur le concept 5.5

1. Reportez-vous à la figure 5.26a. Numérotez tous les carbones dans les monosaccharides des trois nucléotides du haut ; encerclez les bases azotées et marquez d'un astérisque les groupements phosphate.
2. Dans la double hélice d'ADN, une région dans un des brins d'ADN possède la séquence de bases azotées suivante : 5'-TAGGCCT-3'. Énumérez la séquence des bases de l'autre brin de la molécule, en indiquant clairement les extrémités 5' et 3' de ce brin.

Voir les réponses proposées à la fin du chapitre.

L'émergence en rappel : retour sur les fondements chimiques de la biologie

Rappelez-vous que la vie s'organise en une hiérarchie de niveaux structuraux (voir la figure 1.3). À mesure qu'on monte dans celle-ci et qu'on atteint un niveau supérieur d'organisation, de nouvelles propriétés apparaissent : elles s'ajoutent à celles des niveaux inférieurs. Dans les chapitres 2 à 5, nous avons analysé la chimie des êtres vivants en utilisant la stratégie du réductionnisme. Mais nous avons également donné une vision plus intégrée de la vie en mettant en évidence l'émergence associée à l'accroissement de l'ordre.

Nous avons vu que le comportement particulier de l'eau, une substance essentielle à la vie sur Terre, résulte des interactions entre les molécules qui la composent. Ces dernières sont elles-mêmes constituées par un assemblage ordonné d'atomes d'hydrogène et d'oxygène. Nous avons abordé le sujet des composés organiques : nous avons réduit leur complexité et leur diversité aux caractéristiques chimiques du carbone, mais nous avons aussi compris que leurs propriétés uniques résultent de l'arrangement structural de leur squelette carboné et des groupements fonctionnels qui y sont attachés. Nous avons appris que les petites molécules organiques peuvent s'unir de façon à former des molécules complexes ; mais nous avons également découvert qu'une macromolécule ne se comporte pas comme un simple assemblage de monomères ; elle acquiert plutôt des propriétés additionnelles grâce aux interactions de ses monomères.

En terminant notre vue d'ensemble des fondements moléculaires de la vie par une introduction aux classes importantes de macromolécules qui composent les cellules vivantes, nous avons établi un lien avec la deuxième partie du manuel, dans laquelle nous étudierons la structure et les fonctions des cellules. Nous maintiendrons l'équilibre entre le besoin de réduire la vie à un ensemble de processus simples et l'ultime satisfaction d'aborder ces processus dans un contexte intégré.

Révision du chapitre 5

RÉSUMÉ DES CONCEPTS CLÉS

Concept 5.1

La plupart des macromolécules sont des polymères synthétisés à partir de monomères

- **Synthèse et dégradation des polymères** (**p. 71-72**). Les glucides, les lipides, les protéines et les acides nucléiques représentent les quatre classes principales de composés organiques que l'on trouve dans les cellules. Un bon nombre d'entre eux sont très volumineux. La plupart des macromolécules sont des polymères, c'est-à-dire des chaînes de sous-unités identiques ou semblables appelées monomères. Les monomères forment des molécules plus complexes grâce à des réactions de condensation, c'est-à-dire des réactions chimiques au cours desquelles des molécules d'eau sont libérées (déshydratation). Les polymères peuvent se dissocier au moyen de la réaction inverse, l'hydrolyse.
- **La diversité des polymères** (**p. 72**). Chaque classe de polymères se forme à partir d'un ensemble donné de monomères. Bien qu'ils aient en commun le même nombre limité de monomères, les organismes sont uniques en raison de l'arrangement spécifique des monomères constituant les polymères. On peut construire une infinité de polymères à partir d'un petit ensemble de monomères.

Concept 5.2

Les glucides servent de sources d'énergie et de matériaux de structure

- **Les monosaccharides et les disaccharides** (**p. 73-74**). Les monosaccharides, les plus petits glucides, sont des sources d'énergie et de carbone. Ils peuvent être convertis en d'autres types de molécules organiques ou servir de monomères inclus dans des polymères. Les disaccharides se composent de deux monosaccharides unis par une liaison glycosidique.
- **Les polysaccharides** (**p. 74-78**). Les polysaccharides, des polymères de monosaccharides, constituent des substances de réserve destinées à la production d'énergie ou servent de matières premières sur le plan structural. Les monomères des polysaccharides sont unis par des liaisons

glycosidiques. L'amidon accumulé chez les Végétaux et le glycogène emmagasiné chez les Animaux sont deux polymères de réserve de glucose. La cellulose, un polymère de glucose, est un constituant important de la paroi des cellules végétales. L'amidon, le glycogène et la cellulose se distinguent par la position et l'orientation de leurs liaisons glycosidiques.

Concept 5.3

Les lipides forment un groupe de molécules hydrophobes d'aspect varié

- **Les graisses** (**p. 78-79**). Les graisses emmagasinent de grandes quantités d'énergie. Elles sont aussi appelées triacylglycérols. Elles se composent d'une molécule de glycérol et de trois molécules d'acides gras unies par des réactions de condensation. Les acides gras saturés possèdent un maximum d'atomes d'hydrogène. Les acides gras insaturés (présents dans les huiles) présentent une ou plusieurs liaisons doubles dans leurs chaînes d'hydrocarbures.
- **Les phosphoglycérolipides** (**p. 79**). Les phosphoglycérolipides constituent la majeure partie des membranes cellulaires. Les phosphoglycérolipides se composent de deux acides gras et d'un groupement phosphate unis au glycérol. Ainsi, la « tête » d'un phosphoglycérolipide est hydrophile et sa « queue » est hydrophobe.
- **Les stéroïdes** (**p. 80**). Les stéroïdes comprennent le cholestérol et certaines hormones. Ils ont un squelette carboné formé de quatre cycles accolés.

Concept 5.4

Les protéines possèdent de nombreux niveaux de structure, ce qui leur confère des fonctions très diversifiées

- **Les polypeptides** (**p. 81-84**). Un polypeptide est un polymère d'acides aminés associés selon une séquence déterminée. Une protéine est constituée d'une ou de plusieurs chaînes polypeptidiques qui adoptent une conformation tridimensionnelle particulière. Les polypeptides se forment à partir de 20 acides aminés; chacun porte une chaîne latérale (radical R) caractéristique. Les groupements carboxyle et amine d'acides aminés adjacents s'unissent par des liaisons peptidiques.
- **Conformation et fonction d'une protéine** (**p. 84-89**). La structure primaire d'une protéine est sa séquence d'acides aminés. Sa structure secondaire est le repliement ou l'enroulement du polypeptide selon des motifs répétitifs, principalement en hélice α et en feuillet plissé β. Ceux-ci sont rendus possibles grâce aux liaisons hydrogène établies entre les parties du squelette polypeptidique. La structure tertiaire est la forme tridimensionnelle globale d'un polypeptide; elle résulte des interactions entre les radicaux R des acides aminés. Les protéines composées de plus d'une chaîne polypeptidique ont un quatrième niveau structural, dit quaternaire. La forme d'une protéine est déterminée par sa structure primaire, mais la structure et la fonction d'une protéine sont sensibles aux conditions physiques et chimiques de l'environnement dans lequel celle-ci baigne.

Concept 5.5

Les acides nucléiques emmagasinent et transmettent l'information génétique

- **Les rôles des acides nucléiques** (**p. 89**). L'ADN emmagasine l'information nécessaire à la synthèse de protéines spécifiques. L'ARN (notamment l'ARNm) transporte cette information génétique à la machinerie qui synthétise les protéines.
- **La structure des acides nucléiques** (**p. 90-92**). Chaque nucléotide se compose d'un pentose uni par une liaison covalente à un groupement phosphate et à une de ces quatre bases azotées A, G, C et T (ou U). Dans l'ARN, le pentose est le ribose; dans l'ADN, le pentose est le désoxyribose. L'ARN comprend de l'uracile, et l'ADN, de la thymine. Dans un polynucléotide, les nucléotides sont unis de façon à constituer un squelette pentose-phosphate, auquel se rattachent des bases azotées. Chaque brin de polynucléotide est polarisé et possède une extrémité 5′ et une extrémité 3′. La séquence des bases azotées sur un gène détermine la séquence des acides aminés d'une protéine.
- **La double hélice d'ADN** (**p. 92**). L'ADN est une macromolécule hélicoïdale à double hélice à l'intérieur de laquelle se trouvent les bases qui sont fixées sur deux brins de polynucléotides antiparallèles. Étant donné que A forme toujours des liaisons hydrogène avec T, et que C en forme toujours avec G, les séquences de nucléotides dans les deux brins sont complémentaires. Un brin peut servir de gabarit pour la formation de l'autre. Cette caractéristique typique de l'ADN permet la continuité de la vie.
- **L'ADN et les protéines: reflets de l'évolution** (**p. 92-93**). Les comparaisons moléculaires aident les biologistes à déterminer les liens entre les espèces.

• • •

- **L'émergence en rappel: retour sur les fondements chimiques de la biologie** (**p. 93**). De nouvelles propriétés apparaissent à mesure qu'on monte dans la hiérarchie des niveaux d'organisation. L'organisation est la clé de la chimie de la vie.

VÉRIFIEZ VOS CONNAISSANCES

Autoévaluation

(Les questions dont les numéros sont en caractères gras font surtout appel à la compréhension.)

1. Lequel des termes de cette liste inclut tous les autres?
   a) Monosaccharide.
   b) Disaccharide.
   c) Amidon.
   d) Glucide.
   e) Polysaccharide.

2. La formule moléculaire du glucose est $C_6H_{12}O_6$. Quelle serait la formule moléculaire d'un polymère de 10 molécules de glucose obtenu par des réactions de condensation?
   a) $C_{60}H_{120}O_{60}$.
   b) $C_6H_{12}O_6$.
   c) $C_{60}H_{102}O_{51}$.
   d) $C_{60}H_{100}O_{50}$.
   e) $C_{60}H_{111}O_{51}$.

3. L'amylase est une enzyme qui peut rompre les liaisons glycosidiques entre les molécules de glucose seulement si ces monomères sont de la forme α. Quelles molécules parmi les suivantes l'amylase peut-elle décomposer? (Indiquez toutes les possibilités.)
   a) La cellulose.
   b) La chitine.
   c) Le glycogène.
   d) L'amidon.
   e) L'amylopectine.

4. Choisissez la paire de termes ou d'expressions qui complète adéquatement cette phrase: Les nucléotides sont aux ____________ ce que les ____________ sont aux protéines.
   a) acides nucléiques; acides aminés
   b) acides aminés; polypeptides
   c) liaisons glycosidiques; liaisons polypeptidiques
   d) gènes; enzymes
   e) polymères; polypeptides

5. Lequel des énoncés qui portent sur les graisses *insaturées* est correct?
   a) Elles sont plus répandues chez les Animaux que chez les Végétaux.
   b) Les chaînes carbonées de leurs acides gras possèdent des liaisons doubles.
   c) Elles se solidifient généralement à la température ambiante.
   d) Elles contiennent plus d'hydrogène que les graisses saturées portant le même nombre d'atomes de carbone.
   e) Elles possèdent moins de molécules d'acides gras par molécule de graisse.

6. Lesquelles, parmi les liaisons suivantes, peuvent être des liaisons hydrogène?
   a) Les liaisons entre le pentose d'un nucléotide et le phosphate du nucléotide suivant.
   b) Les liaisons entre certains atomes des acides aminés responsables de la forme d'hélice α que peut prendre un polypeptide.

c) Les liaisons entre deux bases azotées de la double hélice d'ADN.
d) Les liaisons entre les deux monomères d'un disaccharide.
e) Les liaisons unissant deux séquences polypeptidiques formant un feuillet plissé β.

7. Dans une molécule de phosphoglycérolipide:
a) les acides gras sont hydrophiles et la tête est hydrophobe.
b) les queues et la tête ont une affinité pour l'eau.
c) la tête est non polaire.
d) les queues sont hydrophobes et la tête est hydrophile.
e) le groupement phosphate porte une charge électrique.

8. Quelles paires de séquences de bases peuvent former une petite séquence d'une double hélice normale d'ADN?
a) 5′-purine-pyrimidine-purine-pyrimidine-5′ avec 3′-purine-pyrimidine-purine-pyrimidine-5′.
b) 5′-A-G-C-T-3′ avec 5′-T-C-G-A-3′.
c) 5′-G-C-G-C-3′ avec 5′-T-A-T-A-3′.
d) 5′-A-T-G-C-3′ avec 5′-G-C-A-T-3′.
e) a, b et d sont correctes.

9. Les enzymes qui dissocient l'ADN catalysent l'hydrolyse des liaisons entre les nucléotides. Qu'arrive-t-il aux molécules d'ADN traitées avec ces enzymes?
a) Les deux brins de la double hélice se séparent.
b) Les liaisons phosphodiester entre les molécules de désoxyribose se rompent.
c) Les purines se séparent des molécules de désoxyribose.
d) Les pyrimidines se séparent des molécules de désoxyribose.
e) Toutes les bases se séparent des molécules de désoxyribose.

10. Laquelle des molécules suivantes *n'*est *pas* une protéine?
a) L'hémoglobine.
b) Le cholestérol.
c) Un anticorps.
d) Une enzyme.
e) L'insuline.

11. Lequel des énoncés suivants, qui portent sur l'extrémité 5′ d'un brin de polynucléotide, est correct?
a) L'extrémité 5′ porte un groupement hydroxyle.
b) L'extrémité 5′ porte un groupement phosphate.
c) L'extrémité 5′ est identique à l'extrémité 3′.
d) L'extrémité 5′ est antiparallèle à l'extrémité 3′.
e) L'extrémité 5′ est la cinquième position sur une des bases azotées.

12. Un humain et un chat:
a) sont constitués des mêmes protéines.
b) n'ont aucune macromolécule en commun.
c) ont des acides nucléiques et des protéines construits à partir des mêmes nucléotides et des mêmes acides aminés.
d) n'ont ni les mêmes acides aminés ni les mêmes bases azotées.
e) ont les mêmes séquences de nucléotides sur leur ADN.

Lien avec l'évolution

La comparaison des séquences des acides aminés des protéines ou des séquences des nucléotides des gènes peut apporter un nouvel éclairage sur les différences entre les organismes apparentés. Selon vous, toutes les protéines ou tous les gènes d'un ensemble donné d'organismes vivant sur la Terre devraient-ils montrer le même degré de différences? Pourquoi?

Intégration

Au cours des guerres napoléoniennes, au début des années 1800, il y eut une pénurie de sucre en Europe, en raison d'un blocus portuaire des navires de ravitaillement. Afin de créer des édulcorants artificiels, les scientifiques allemands ont hydrolysé l'amidon de blé. Leur méthode consistait à ajouter de l'acide chlorhydrique à des solutions chauffées d'amidon, ce qui provoquait la rupture de quelques liaisons glycosidiques entre les monomères de glucose. Toutefois, ce processus effectuait la rupture de seulement 50 % des liaisons glycosidiques, de sorte que le pouvoir édulcorant de ce produit de synthèse était moindre que celui du sucre. De plus, les consommateurs se plaignaient d'une légère amertume due à des produits secondaires de la réaction. En vous inspirant des figures 5.5a et 5.7b, représentez schématiquement une liaison glycosidique dans l'amidon. Montrez comment l'acide a pu rompre cette liaison. Pourquoi, selon vous, l'acide n'a-t-il rompu que 50 % des liaisons dans l'amidon de blé?

Science, technologie et société

Certains athlètes amateurs et professionnels prennent des stéroïdes anabolisants pour accroître leur volume musculaire et acquérir de la force. On a largement démontré les risques que cette pratique comporte pour la santé. Ces considérations mises à part, quelle est votre opinion sur l'usage de substances chimiques visant à améliorer la performance des athlètes? Selon vous, un athlète qui prend des stéroïdes anabolisants triche-t-il, ou cette habitude fait-elle simplement partie de la préparation requise pour réussir dans un sport de compétition? Défendez votre point de vue.

Réponses du chapitre 5

Retour sur le concept 5.1

1. Les protéines, les glucides, les lipides et les acides nucléiques.
2. Neuf. Il faut une molécule d'eau pour hydrolyser chaque paire de monomères liés.
3. Des réactions d'hydrolyse libèrent les acides aminés des protéines de la viande et des réactions de condensation les incorporent dans les protéines de votre organisme.

Retour sur le concept 5.2

1. $C_3H_6O_3$ ou $C_3(H_2O)_3$.
2. $C_{12}H_{22}O_{11}$.
3. Ces deux molécules sont des polymères de glucose élaborés par les Végétaux, mais les monomères qui les constituent sont disposés différemment. L'amidon sert principalement au stockage de glucose. La cellulose est le principal polysaccharide structural qui compose la paroi des cellules végétales.

Retour sur le concept 5.3

1. Les deux sont composés d'une molécule de glycérol liée à des acides gras. Le glycérol d'une graisse est lié à trois acides gras, tandis que celui d'un phosphoglycérolipide est lié à deux acides gras et à un groupement phosphate.
2. Il n'y a pas de liaisons doubles dans les chaînes carbonées des acides gras d'un gras saturé alors qu'au moins un acide gras d'un gras insaturé renferme une liaison double. Les gras saturés sont solides à température ambiante tandis que les gras insaturés sont liquides.
3. Les hormones sexuelles des humains sont des stéroïdes, un type de composés hydrophobes.

Retour sur le concept 5.4

1. La fonction de chaque protéine découle de sa conformation tridimensionnelle. Celle-ci se perd lorsque la protéine est dénaturée.

2. La structure secondaire met en jeu des liaisons hydrogène entre les atomes de la chaîne polypeptidique. La structure tertiaire met en jeu des liaisons entre les atomes des radicaux R des acides aminés.
3. La structure primaire d'une protéine, soit la séquence des acides aminés, change si un seul acide aminé est modifié. Cela affecte à son tour la structure tertiaire, qui influe elle aussi sur la structure quaternaire (le cas échéant). Si la mutation entraîne la modification de plusieurs acides aminés, cette situation affecte la structure secondaire. En résumé, la séquence des acides aminés d'une protéine influe sur la conformation tridimensionnelle de cette macromolécule ; quant à la fonction d'une protéine, elle dépend de cette configuration.

Retour sur le concept 5.5

1.

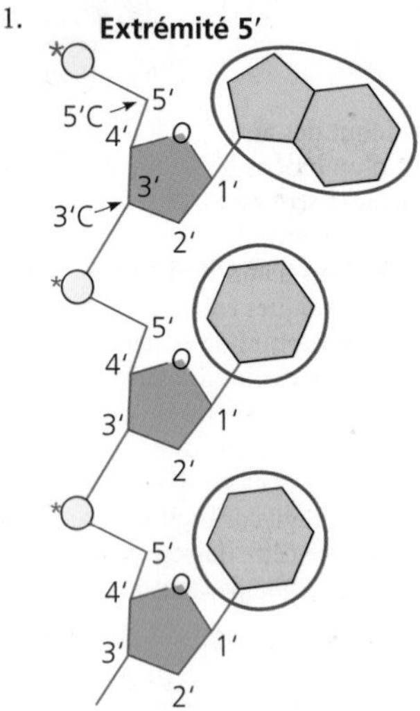

2. 3′-ATCCGGA-5′

Autoévaluation

1. d ; **2.** c ; 3. c, d et e ; 4. a ; 5. b ; 6. b, c et e ; 7. d et e ; **8.** d ; **9.** b ; 10. b ; **11.** b ; **12.** c.

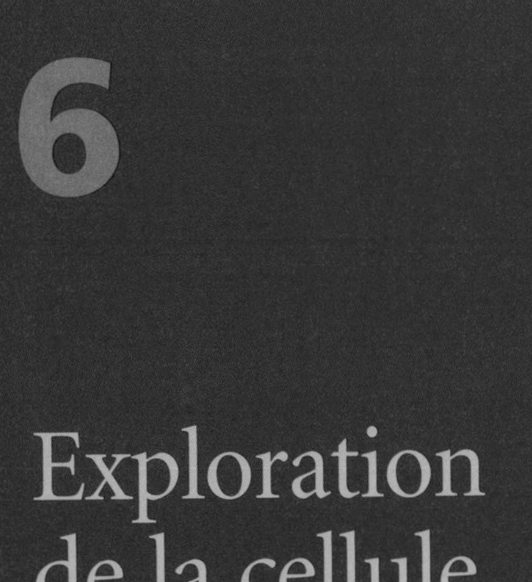

6

Exploration de la cellule

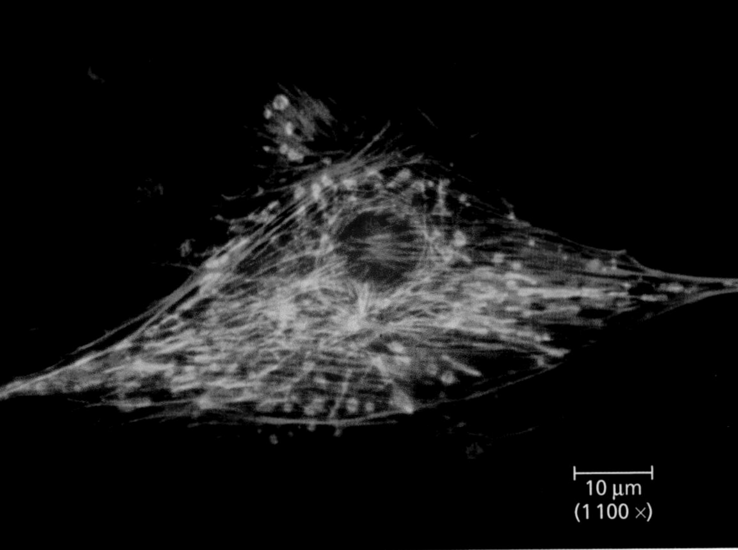

▲ **Figure 6.1 La microscopie par fluorescence permet de voir une cellule et son cytosquelette.**

Concepts clés

6.1 Pour étudier les cellules, les biologistes utilisent des microscopes et des instruments de biochimie

6.2 Des membranes internes compartimentent les fonctions de la cellule eucaryote

6.3 L'information génétique de la cellule eucaryote est contenue dans le noyau et utilisée par les ribosomes pour fabriquer les protéines

6.4 Le réseau intracellulaire de membranes dirige la circulation des protéines et accomplit des fonctions métaboliques dans la cellule

6.5 Les mitochondries et les chloroplastes convertissent l'énergie d'une forme à une autre

6.6 Le cytosquelette est un réseau de fibres qui organise les structures et les activités de la cellule

6.7 Les constituants extracellulaires et les jonctions intercellulaires contribuent à la coordination des activités de la cellule

Introduction

L'importance des cellules

La cellule est à la biologie ce que l'atome est à la chimie : tous les organismes se composent de cellules. Dans la hiérarchie de l'organisation biologique, celles-ci représentent le premier niveau capable de vie. D'ailleurs, bien des êtres vivants ne sont constitués que d'une seule cellule. Les organismes supérieurs, dont les Végétaux et les Animaux, sont multicellulaires et comportent plusieurs sortes de cellules spécialisées incapables de survivre par elles-mêmes. Cependant, même lorsqu'elles s'unissent à d'autres pour atteindre un niveau d'organisation supérieur, comme dans les tissus et les organes, les cellules demeurent les unités fondamentales de la structure et du fonctionnement des organismes. Au moment même où vous lisez cette phrase, des cellules musculaires se contractent pour mouvoir vos yeux ; quand vous déciderez de tourner cette page, vos neurones transmettront cette décision de votre cerveau jusqu'aux cellules musculaires de votre main. Tout ce qu'un être vivant réalise, il le doit d'abord et avant tout à son activité cellulaire.

La cellule représente un microcosme de la plupart des thèmes précisés au chapitre 1. La vie à l'échelon cellulaire naît d'un ordre structural ; cela soutient le thème de l'émergence et celui de la corrélation entre structure et fonction dans la cellule. Par exemple, le mouvement d'une cellule animale repose sur l'interaction complexe des composantes du cytosquelette (en vert et rouge dans la micrographie de la **figure 6.1**). La relation des organismes avec leur environnement est un autre thème récurrent en biologie : les cellules détectent les fluctuations du milieu et y réagissent. Et surtout, il ne faut pas perdre de vue le thème biologique qui englobe tous les autres : l'évolution. Bien qu'elles proviennent de cellules ancestrales et soient dans une certaine mesure apparentées, toutes les cellules ont subi diverses modifications au cours de la longue histoire de la vie sur Terre.

Les cellules peuvent différer considérablement les unes des autres, mais elles ont aussi de nombreux points en commun. Dans le présent chapitre, nous nous familiariserons avec les instruments et les techniques expérimentales qui ont permis de découvrir l'intérieur de la cellule, puis nous explorerons la cellule et ses constituants.

Concept 6.1

Pour étudier les cellules, les biologistes utilisent des microscopes et des instruments de biochimie

Il est difficile de concevoir le degré de complexité d'une cellule, vu sa taille microscopique. Comment les cytologistes réussissent-ils alors à étudier le fonctionnement d'une si petite entité ? Avant de commencer notre exploration de la cellule, penchons-nous sur les techniques permettant de l'observer.

La microscopie

L'évolution d'un domaine scientifique est souvent tributaire de l'invention d'instruments qui permettent à l'être humain d'aller au-delà des limites de ses sens. Ainsi, c'est l'invention des microscopes en 1590 et leur perfectionnement au XVIIe siècle qui ont rendu possibles la découverte et l'étude de la cellule. Encore aujourd'hui, on ne peut étudier celle-ci sans recourir à toutes sortes de microscopes.

Les microscopes qu'utilisaient les scientifiques de la Renaissance, tout comme ceux de votre laboratoire, sont des microscopes photoniques (MP). Dans ces instruments, la lumière traverse la préparation (l'échantillon), puis des lentilles de verre. Ces dernières la réfractent (dévient), de façon à grossir l'image projetée dans l'œil, sur une pellicule photographique ou sur un écran vidéo. (Voir à la fin du manuel l'appendice A, qui illustre la structure du microscope.)

Le grossissement et le pouvoir de résolution sont deux facteurs importants en microscopie. Le *grossissement* représente le rapport entre les dimensions apparentes de l'image et les dimensions réelles de l'objet. Le *pouvoir de résolution* est une mesure de la clarté de l'image; plus précisément, il correspond à la distance minimale à laquelle deux points n'apparaissent plus comme distincts. Par exemple, là où l'œil nu voit une seule étoile dans le ciel, le télescope permet d'apercevoir des étoiles jumelles.

Le pouvoir de résolution des télescopes et des microscopes, comme celui de l'œil humain, a ses limites. On peut fabriquer des microscopes photoniques qui grossissent les objets tant qu'on veut, mais leur pouvoir de résolution s'arrêtera toujours à 0,2 µm, soit 200 nm (nanomètres), ce qui représente la taille d'une petite bactérie ou d'une mitochondrie **(figure 6.2)**. On ne peut pas dépasser cette limite, car elle est fixée par la longueur d'onde de la lumière visible utilisée pour éclairer la préparation. Les microscopes photoniques grossissent efficacement jusqu'à 1 000 fois la taille d'un objet; au-delà, les images deviennent brouillées. Les perfectionnements qu'on leur apporte depuis le début du siècle ont pour la plupart consisté à améliorer le contraste, c'est-à-dire à mieux faire ressortir des détails déjà distinguables (**figure 6.3** à la page suivante). En outre, les scientifiques ont développé des techniques de coloration permettant de mettre en évidence des compartiments cellulaires particuliers.

Bien qu'elle ait été découverte par Robert Hooke en 1665, la cellule ne révélera pas sa structure fine avant le milieu du XXe siècle. En effet, la plupart des structures cellulaires, ou **organites**, sont invisibles au microscope photonique. La biologie cellulaire a fait un pas de géant dans les années 1950 grâce à l'invention du **microscope électronique**. Au lieu d'utiliser la lumière, celui-ci fait passer un faisceau d'électrons à travers la préparation ou en balaie la surface (voir l'appendice A). Le pouvoir de résolution est inversement proportionnel à la longueur d'onde du rayonnement utilisé, et la longueur d'onde des faisceaux d'électrons est de beaucoup inférieure à celle de la lumière visible. Les microscopes électroniques modernes atteignent une limite de résolution d'environ 0,2 nm mais, en pratique, en ce qui a trait à la visualisation des structures biologiques, celle-ci est de 2 nm. Cela représente quand même une résolution 100 fois plus grande que celle du microscope photonique. Pour ce qui est du grossissement, dans ce manuel, vous verrez certaines micrographies dont le grossissement est supérieur à 100 000 fois. Les biologistes utilisent l'expression *ultrastructure cellulaire* pour désigner l'anatomie de la cellule que le microscope électronique permet d'observer.

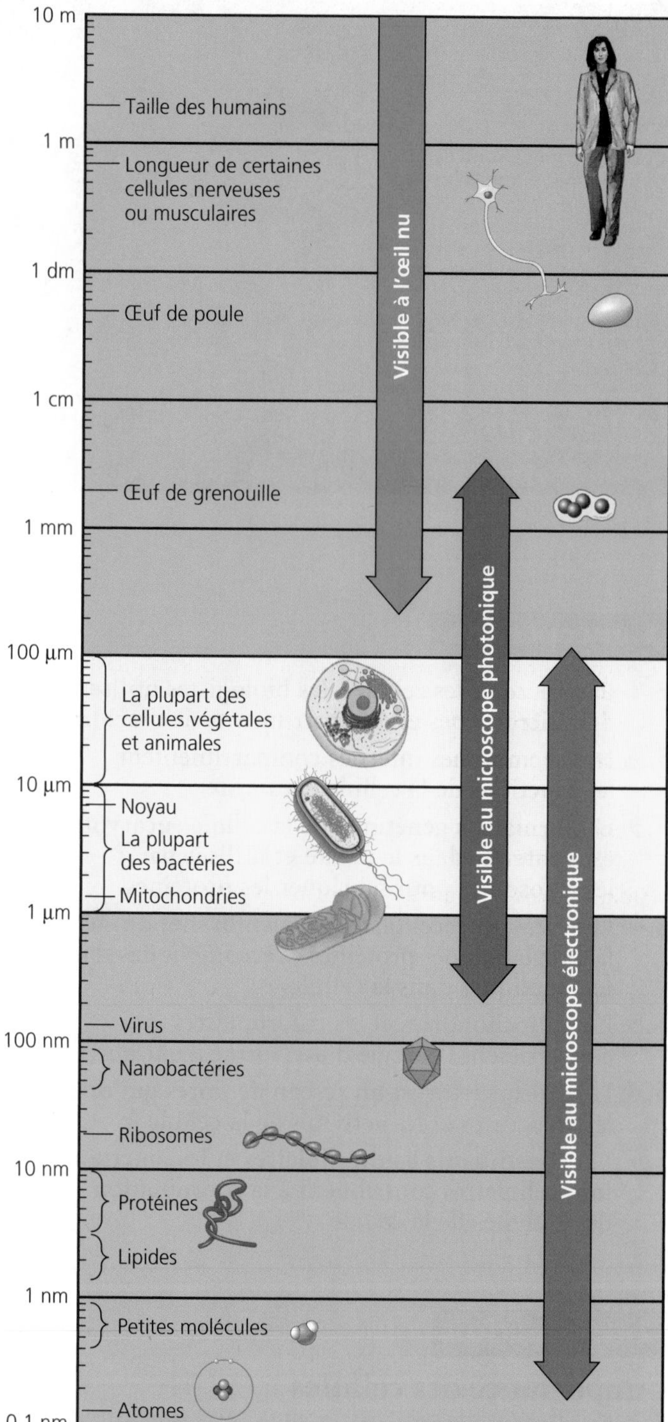

Unités de longueur
1 décimètre (dm) = 10^{-1} mètre (m)
1 centimètre (cm) = 10^{-2} m
1 millimètre (mm) = 10^{-3} m
1 micromètre (µm) = 10^{-6} m
1 nanomètre (nm) = 10^{-9} m

▲ **Figure 6.2 Dimensions comparées des cellules.** La plupart des cellules (région colorée en jaune) mesurent entre 1 et 100 µm de diamètre; par conséquent, elles ne sont visibles qu'au microscope. Notez que, étant donné l'écart entre les dimensions représentées, l'échelle est logarithmique: chaque mesure indiquée à gauche de la graduation est de 10 fois inférieure à la précédente.

Figure 6.3

Méthode de recherche La microscopie photonique

TECHNIQUE	RÉSULTATS
(a) Microscopie à fond clair (échantillon non coloré): la lumière passe directement à travers l'échantillon; si la cellule n'est ni naturellement pigmentée ni artificiellement colorée, le contraste est faible. [Les parties (a) à (d) montrent une cellule épithéliale de joue humaine.]	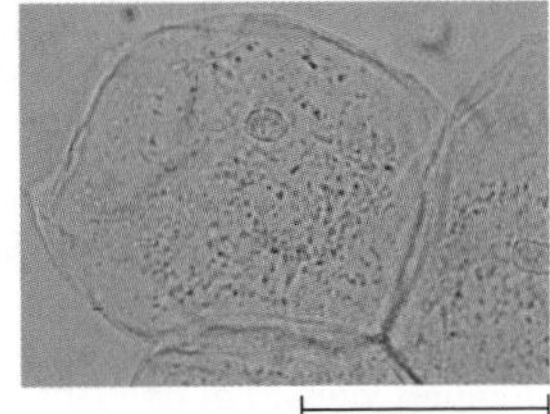 50 μm (300 ×)
(b) Microscopie à fond clair (échantillon coloré): l'utilisation de divers colorants accentue le contraste, mais la plupart des techniques de coloration nécessitent que la cellule soit fixée (rendue inerte par un fixateur).	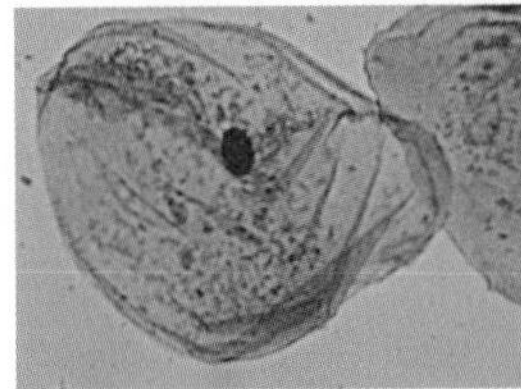
(c) Microscopie en contraste de phase: cette technique accentue le contraste dans les cellules non colorées en amplifiant les variations de masse volumique, et donc d'indice de réfraction de la lumière, à l'intérieur de l'échantillon. Elle s'avère particulièrement utile pour l'examen des cellules vivantes dépourvues de pigments.	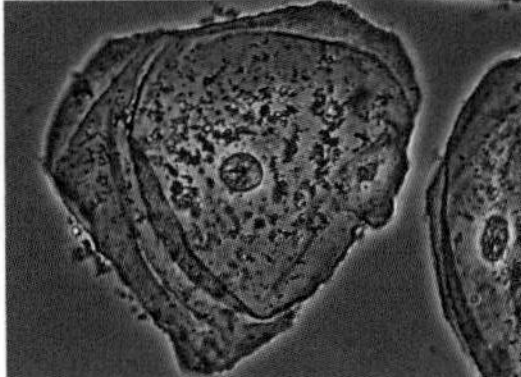
(d) Microscopie en contraste interférentiel de Nomarski: à l'instar de la microscopie à contraste de phase, cette technique amplifie les différences de masse volumique au sein de l'objet, en tirant parti de ses propriétés optiques. Elle donne l'impression d'images tridimensionnelles.	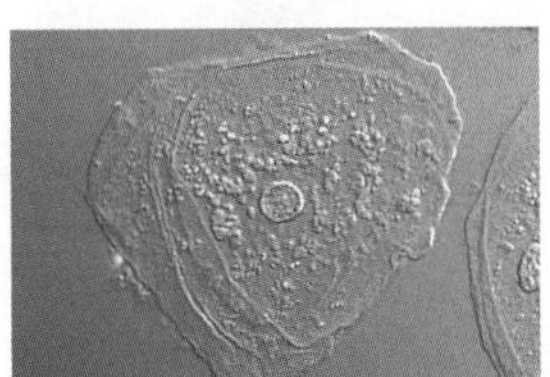
(e) Microscopie à fluorescence: cette technique met en évidence certaines molécules structurales de la cellule en les colorant avec des substances fluorescentes ou des anticorps (on parle alors d'immunofluorescence). Les substances fluorescentes absorbent les longueurs d'onde courtes et les rayons ultraviolets puis réémettent de plus grandes longueurs d'onde et de la lumière visible, comme on le voit ici dans une cellule de la paroi d'une artère.	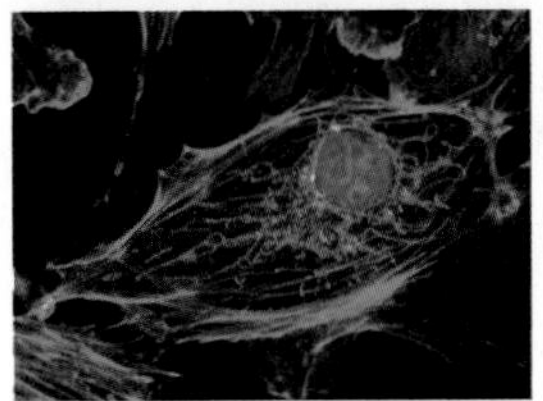 50 μm (300 ×)
(f) Microscopie confocale: à l'aide de lasers et d'instruments d'optique spéciaux, cette technique permet de réaliser une « coupe optique » d'échantillons colorés par fluorescence. Un seul plan focal est illuminé ; les régions fluorescentes au-dessus et au-dessous du plan focal sont soustraites par ordinateur. Une image nette en résulte, comme le montre ce tissu nerveux coloré (photo du haut) ; les neurones apparaissent en vert, les cellules de soutien en rouge et les régions communes en jaune. Comparez la micrographie du bas, réalisée par microscopie à fluorescence, avec celle du même tissu, en haut, réalisée par microscopie confocale. La micrographie par fluorescence d'un tissu relativement épais comme celui-ci donne une image trouble.	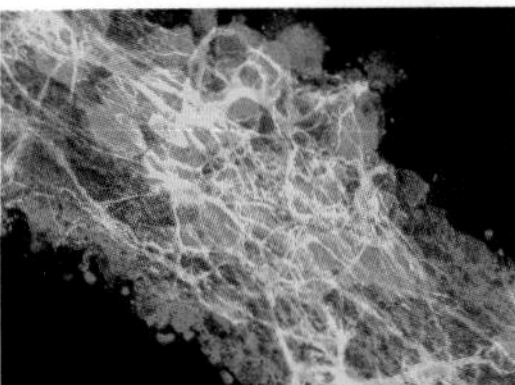 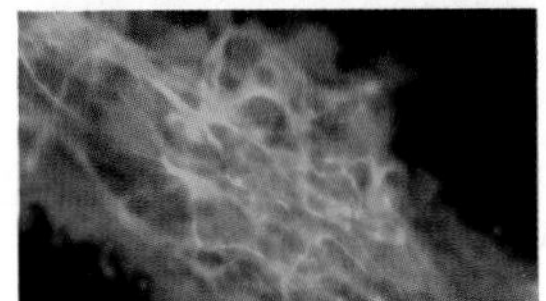 50 μm (300 ×)

On trouve deux sortes de microscopes électroniques: le **microscope électronique à balayage (MEB)** et le **microscope électronique à transmission (MET)**. Les biologistes privilégient le microscope électronique à balayage lorsqu'ils désirent faire un examen détaillé de la surface d'un échantillon **(figure 6.4a)**. Le faisceau d'électrons balaie celle-ci. En général, la surface de l'échantillon est préalablement recouverte d'une mince pellicule d'or ou de platine. Le faisceau excite les électrons de la pellicule, qui émet des électrons secondaires. Ces derniers sont détectés par un instrument qui traduit la disposition des électrons en un signal électronique visible sur un écran. Le microscope électronique à balayage se distingue par sa grande profondeur de champ, grâce à laquelle il produit des images qui semblent tridimensionnelles.

Les cytologistes se servent du microscope électronique à transmission principalement pour étudier l'ultrastructure cellulaire interne **(figure 6.4b)**. Ce microscope envoie un faisceau d'électrons à travers une coupe très mince de l'échantillon (moins de 0,1 μm), un peu comme le microscope photonique fait passer la lumière à travers une lame. Pour accentuer le contraste, on colore des coupes très minces des cellules préalablement fixées, c'est-à-dire ayant subi un traitement chimique ou physique de conservation qui entraîne la mort de la cellule; la coloration se fait au moyen d'atomes de métaux lourds qui s'attachent à certaines structures cellulaires. La densité d'électrons de certaines parties de la cellule s'en trouve accrue par rapport à d'autres parties. Les électrons qui traversent l'échantillon sont dispersés davantage dans les régions plus denses, et moins d'électrons sont transmis. L'image est le résultat de la disposition des électrons transmis.

Au lieu de comporter des lentilles de verre, le microscope électronique à transmission fonctionne au moyen d'électroaimants qui mettent l'image au point et la grossissent en déviant la trajectoire des électrons. L'image est finalement projetée sur un écran ou sur une pellicule photographique. Certains microscopes sont équipés d'une caméra numérique qui photographie l'image sur l'écran; d'autres possèdent un détecteur numérique qui remplace l'écran et la caméra.

Les microscopes électroniques révèlent nombre d'organites qui échappent au microscope photonique. Toutefois, ce dernier offre l'avantage de permettre l'étude des cellules vivantes, ce qui n'est pas le cas de la microscopie électronique, qui exige une

Figure 6.4

Méthode de recherche

La micrographie électronique

TECHNIQUE

RÉSULTATS

(a) Microscopie électronique à balayage (MEB). Les micrographies obtenues avec un microscope électronique à balayage produisent une image tridimensionnelle de la surface d'un échantillon. La MEB que l'on voit ici montre la surface d'une cellule de trachée de lapin couverte d'organites mobiles appelés cils. Le battement des cils qui tapissent la trachée propulse les débris inhalés jusque dans le pharynx (gorge).

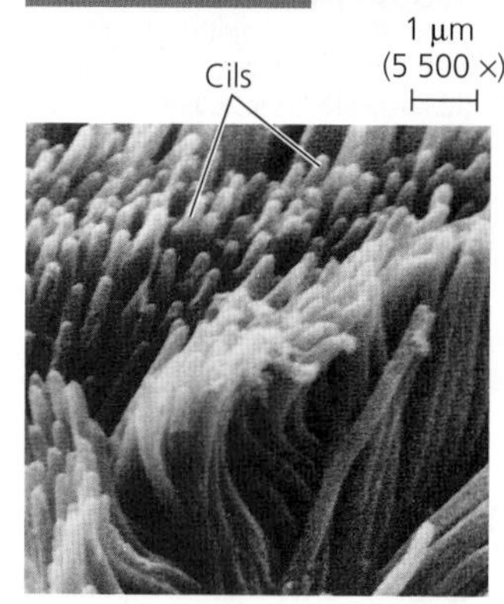

(b) Microscope électronique à transmission (MET). Un MET permet d'examiner une coupe fine d'un échantillon. On voit ici une coupe de cellule trachéale qui révèle son ultrastructure. Quelques cils ont été coupés dans le sens de la longueur (coupes longitudinales), alors que d'autres cils ont été coupés dans le sens de la largeur (coupes transversales).

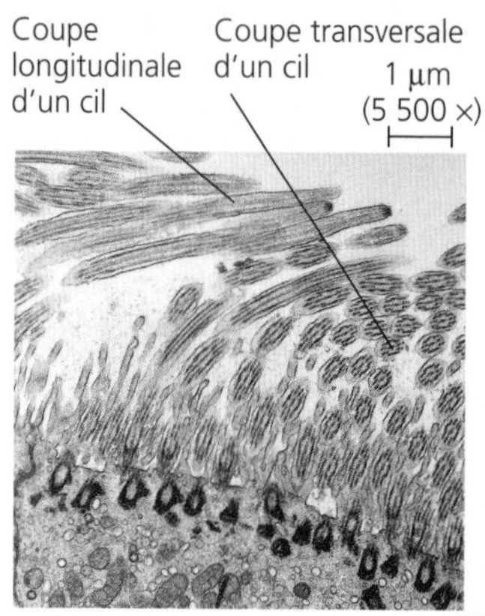

fixation préalable des cellules, processus qui, comme nous l'avons déjà mentionné, tue les cellules; la préparation des échantillons peut aussi introduire des artéfacts, c'est-à-dire des caractères structuraux inexistants dans les cellules intactes (comme c'est le cas pour toutes les techniques de microscopie). À partir d'ici, les micrographies présentées dans ce manuel seront identifiées selon le type de microscope utilisé pour les obtenir: MP pour microscope photonique, MEB pour microscope électronique à balayage et MET pour microscope électronique à transmission.

Les microscopes de tous genres sont les outils principaux de la *cytologie*, soit l'étude de la cellule sous tous ses aspects. Cependant, la simple description des divers organites renseigne peu sur leur fonction. Par conséquent, la biologie cellulaire moderne s'est développée en intégrant la cytologie et la *biochimie*, c'est-à-dire l'étude des molécules et des processus chimiques (métabolisme) des cellules. La technique biochimique appelée fractionnement cellulaire a permis d'élargir nos connaissances dans le domaine de la biologie cellulaire de manière notable.

L'isolement des organites par fractionnement cellulaire

Le **fractionnement cellulaire** consiste à décomposer les cellules de manière à en isoler les principaux organites **(figure 6.5)**. La centrifugeuse, un instrument capable de faire tourner à différentes

Figure 6.5

Méthode de recherche

Le fractionnement cellulaire

APPLICATION Le fractionnement cellulaire sert à isoler (fractionner) les constituants de la cellule selon leur taille et leur masse volumique.

TECHNIQUE La première étape du fractionnement est l'homogénéisation dans un mélangeur afin de désintégrer les cellules. Le mélange obtenu (appelé homogénat) est ensuite centrifugé à différentes vitesses et pendant des laps de temps différents pour fractionner les constituants cellulaires en parties de plus en plus petites.

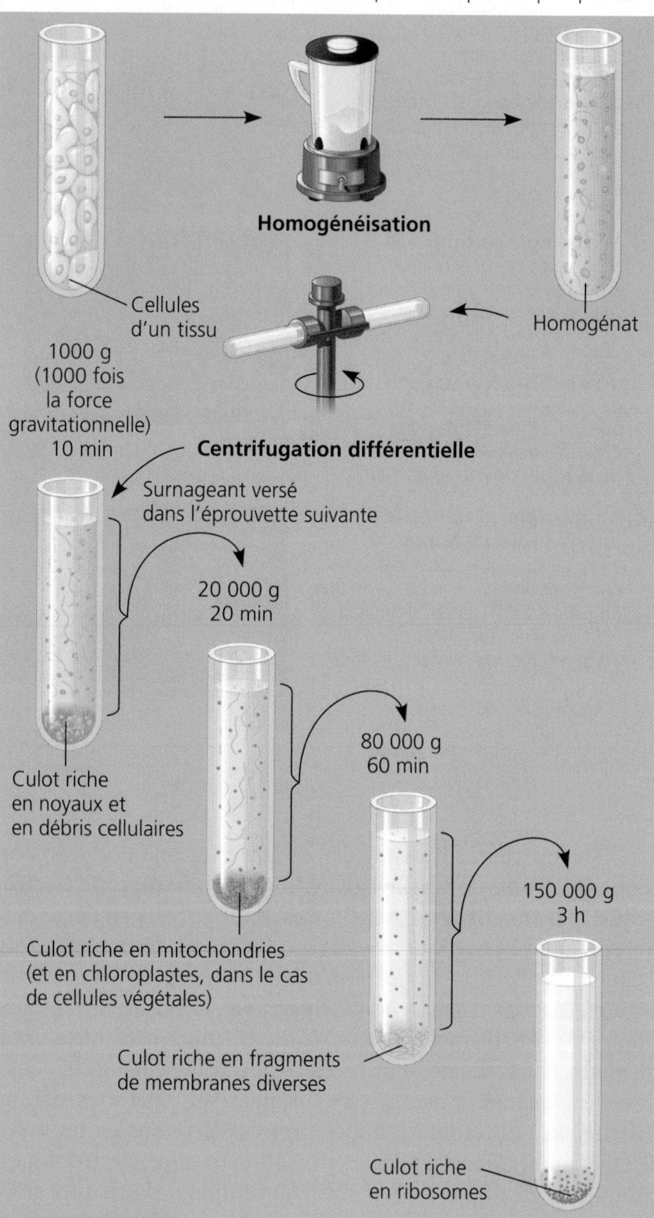

RÉSULTATS Dans les premières expérimentations, les chercheurs ont utilisé la microscopie pour repérer les organites de chaque culot, établissant des valeurs de référence pour les expériences subséquentes. Par la suite, les chercheurs ont utilisé des techniques biochimiques pour déterminer les fonctions métaboliques de chaque organite. Le fractionnement cellulaire est aujourd'hui couramment utilisé pour isoler des organites afin d'en étudier les fonctions.

vitesses des éprouvettes contenant des cellules dissociées, sert au fractionnement. La force centrifuge isole les constituants de la cellule selon leur taille et leur masse volumique. Les appareils les plus puissants, appelés **ultracentrifugeuses**, peuvent effectuer jusqu'à 130 000 révolutions par minute (rpm) et appliquer aux particules des forces jusqu'à 1 000 000 de fois plus grandes que celle de la gravitation (1 000 000 *g*).

Le fractionnement cellulaire permet d'isoler (sans les détruire) des constituants cellulaires en grande quantité en vue d'étudier leur composition et leur métabolisme. Grâce à cette technique, les cytologistes ont réussi à associer les diverses fonctions cellulaires aux différents organites. Cette tâche aurait été infiniment plus ardue si les cellules avaient été intactes. Ainsi, en recueillant par centrifugation une fraction cellulaire contenant des enzymes de la respiration cellulaire et après avoir constaté que cette même fraction cellulaire contenait aussi beaucoup de mitochondries, un type d'organite mis en évidence par microscopie électronique, les cytologistes ont pu déterminer que la mitochondrie est le site de la respiration cellulaire. La cytologie et la biochimie se complètent avantageusement, car elles concourent toutes les deux à préciser le lien entre la structure et la fonction cellulaires.

Retour sur le concept 6.1

1. Quel type de microscope utiliseriez-vous pour étudier (a) les changements de forme d'un leucocyte vivant, (b) les détails de surface d'un cheveu et (c) la structure détaillée d'un organite?

Voir les réponses proposées à la fin du chapitre.

Concept 6.2

Des membranes internes compartimentent les fonctions de la cellule eucaryote

L'unité structurale et fonctionnelle de base de tout organisme est la cellule, soit procaryote soit eucaryote. Seuls les organismes appartenant aux domaines des Bactéries et des Archéobactéries sont constitués de cellules procaryotes. En revanche, les Protistes, les Végétaux, les Eumycètes et les Animaux sont formés de cellules eucaryotes. Ce chapitre présente les cellules animale et végétale après les avoir comparées aux cellules de type procaryote.

Comparaison des cellules procaryotes et des cellules eucaryotes

Toutes les cellules partagent plusieurs caractéristiques. Elles sont entourées d'une membrane appelée *membrane plasmique*, qui circonscrit leurs organites. Ceux-ci baignent dans une substance semi-liquide, le **cytosol**. L'ensemble formé par le cytosol et les organites porte le nom de **cytoplasme**. Toutes les cellules renferment de l'ADN, qui constitue leur matériel génétique, de même que des *ribosomes*, de minuscules organites fabriquant les protéines conformément aux instructions données par les gènes.

Une des différences marquées entre les cellules procaryotes et les cellules eucaryotes réside dans la localisation de leur matériel génétique. L'ADN des **cellules procaryotes (figure 6.6)** est concentré dans une région appelée nucléoïde. Aucune membrane ne la sépare du reste de la cellule, d'où le mot *procaryote*, qui vient du grec *pro*, «avant», et *karuon*, «noyau». Dans le cas des

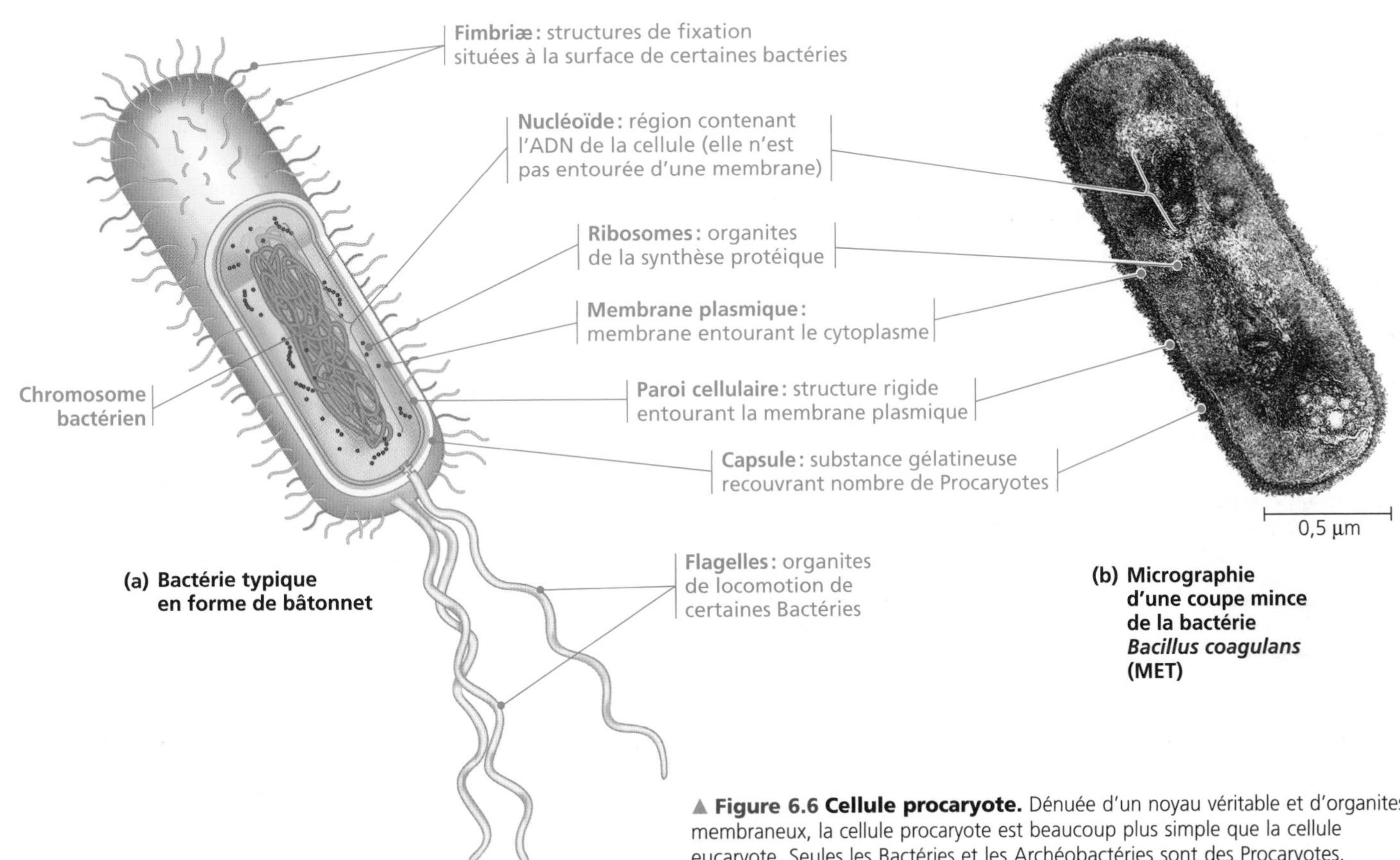
Fimbriæ: structures de fixation situées à la surface de certaines bactéries
Nucléoïde: région contenant l'ADN de la cellule (elle n'est pas entourée d'une membrane)
Ribosomes: organites de la synthèse protéique
Membrane plasmique: membrane entourant le cytoplasme
Paroi cellulaire: structure rigide entourant la membrane plasmique
Capsule: substance gélatineuse recouvrant nombre de Procaryotes
Chromosome bactérien
Flagelles: organites de locomotion de certaines Bactéries
0,5 µm
(a) Bactérie typique en forme de bâtonnet
(b) Micrographie d'une coupe mince de la bactérie Bacillus coagulans (MET)

▲ **Figure 6.6 Cellule procaryote.** Dénuée d'un noyau véritable et d'organites membraneux, la cellule procaryote est beaucoup plus simple que la cellule eucaryote. Seules les Bactéries et les Archéobactéries sont des Procaryotes.

cellules eucaryotes (du grec *eu*, «vrai», et *karuon*, «noyau»), les chromosomes se trouvent dans un organite entouré d'une membrane appelé *noyau*. En d'autres termes, les cellules eucaryotes renferment un noyau véritable délimité par une enveloppe nucléaire (voir la figure 6.9, p. 104-105). Et, suspendus dans le cytosol (entre la membrane plasmique et le noyau), baignent divers organites membraneux aux formes spécifiques et aux fonctions spécialisées. La plupart des organites contenus dans les cellules eucaryotes n'existent pas dans les cellules procaryotes. La présence ou l'absence d'un noyau véritable est donc loin de constituer la seule différence structurale entre les deux types de cellules.

En général, la cellule eucaryote est beaucoup plus imposante que la cellule procaryote (voir la figure 6.2). Or, la taille, à l'instar d'autres caractéristiques générales de la structure cellulaire, est liée à la fonction. Pour accomplir ses fonctions métaboliques, la cellule ne doit être ni trop petite ni trop grande. Les plus petites cellules connues appartiennent au domaine des Bactéries et font partie des nanobactéries, organismes découverts récemment (1992); leur diamètre est de 50 nm environ. Il s'agit peut-être là du plus petit format pouvant contenir suffisamment d'ADN pour programmer le métabolisme, et assez d'enzymes et d'équipement cellulaire pour accomplir les activités nécessaires au maintien de la vie et à la reproduction. La plupart des Bactéries mesurent de 1 à 10 μm de diamètre; elles sont donc de 20 à 200 fois plus grosses environ que les nanobactéries. Les cellules eucaryotes, elles, ont typiquement un diamètre de 10 à 100 μm.

Toujours à cause des nécessités du métabolisme, la cellule ne peut pas non plus avoir une taille trop grande. Lorsqu'un objet d'une forme donnée grossit, son volume augmente plus que sa surface. (Rappelez-vous que l'aire est proportionnelle au carré de la dimension linéaire, alors que le volume est proportionnel au cube de la dimension linéaire.) Par conséquent, plus un objet est petit, plus le rapport surface/volume est grand **(figure 6.7)**.

La **membrane plasmique**, périphérie de chaque cellule, tient lieu de barrière sélective assurant le passage d'une quantité adéquate de dioxygène, de nutriments et de déchets pour desservir le volume entier de la cellule **(figure 6.8)**. Il y a une limite à la quantité d'une substance donnée qui peut traverser 1 μm² de membrane par seconde. Ainsi, plus la surface (μm²) est grande par rapport au volume, plus les échanges satisfont les besoins cellulaires. Donc, la plupart des cellules sont microscopiques: c'est pour elles la seule façon de posséder suffisamment de surface par rapport à leur volume pour combler leurs besoins. Généralement, les organismes plus grands n'ont pas de plus *grandes* cellules que les petits organismes: ils ont simplement *davantage* de cellules. Un rapport surface/volume suffisamment élevé est tout particulièrement important dans les cellules qui échangent beaucoup de matières avec leur milieu, par exemple les cellules intestinales. La surface de ce genre de cellule est parfois pourvue de longs et fins prolongements appelés microvillosités, qui augmentent la surface d'échange de la cellule sans accroître significativement son volume.

Aux chapitres 18 et 27, nous décrirons la cellule procaryote en détail (voir le tableau 27.2, qui compare les cellules procaryotes et les cellules eucaryotes). Au chapitre 28, nous présenterons,

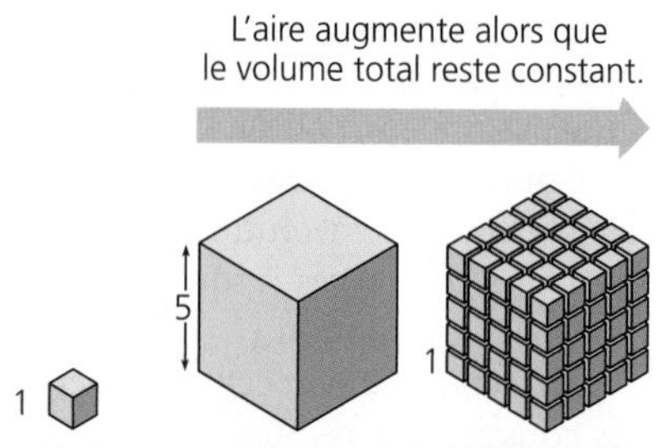

L'aire augmente alors que le volume total reste constant.

	1	5	1
Surface totale (hauteur × largeur × nombre de côtés × nombre de cubes)	6	150	750
Volume total (hauteur × largeur × longueur × nombre de cubes)	1	125	125
Rapport surface/volume (aire ÷ volume)	6	1,2	6

▲ **Figure 6.7 La géométrie du rapport surface/volume.** Les cellules sont ici représentées par des cubes. À l'aide d'unités de longueur arbitraires, on peut calculer la surface (en unités carrées), le volume (en unités cubes) et le rapport surface/volume (en valeur absolue) de la cellule. Plus une cellule est petite, plus son rapport surface/volume est élevé. Un grand rapport surface/volume favorise les échanges entre la cellule et son environnement.

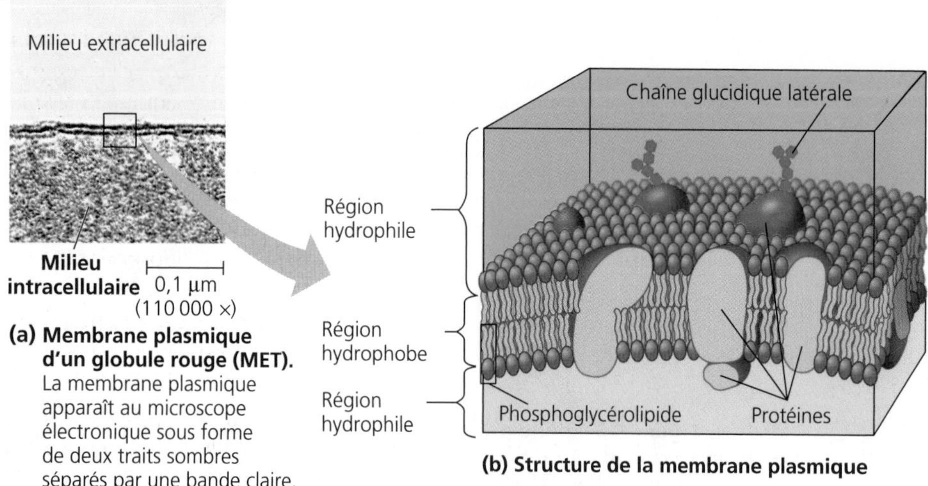

(a) Membrane plasmique d'un globule rouge (MET). La membrane plasmique apparaît au microscope électronique sous forme de deux traits sombres séparés par une bande claire.

(b) Structure de la membrane plasmique

◀ **Figure 6.8 Membrane plasmique.** La membrane plasmique d'une cellule et les membranes des organites de celle-ci comportent diverses protéines spécialisées enchâssées dans une double couche de phosphoglycérolipides. Les queues des phosphoglycérolipides constituent une région hydrophobe à l'intérieur d'une membrane; les portions intérieures des protéines membranaires sont aussi hydrophobes. La tête des phosphoglycérolipides, les protéines externes, certaines portions de protéines et les chaînes glucidiques latérales sont hydrophiles et entrent en contact avec la solution aqueuse située de part et d'autre d'une membrane. Les chaînes glucidiques latérales ne se trouvent qu'à la surface externe de la membrane plasmique. Une membrane a des fonctions qui dépendent des phosphoglycérolipides et des protéines qui la composent.

dans le contexte de l'évolution, les relations possibles entre les deux types de cellules. La majeure partie du texte qui suit concerne les cellules eucaryotes.

Vue d'ensemble de la cellule eucaryote

En plus de la membrane plasmique, la cellule eucaryote possède un réseau étendu et élaboré de membranes internes – les organites membraneux mentionnés plus tôt – qui la divisent en compartiments. Ces membranes participent aussi directement au métabolisme cellulaire puisqu'elles enchâssent beaucoup d'enzymes. En outre, étant donné que chaque compartiment cellulaire forme une sorte de microenvironnement favorisant certaines fonctions métaboliques spécialisées, des processus incompatibles peuvent se dérouler simultanément dans une même cellule.

Bref, les diverses membranes occupent une place fondamentale dans l'organisation complexe de la cellule. En général, elles se composent d'une double couche de phosphoglycérolipides et d'autres lipides associés à diverses protéines directement enchâssées dans la double couche ou fixées à la surface de celle-ci (voir la figure 6.8). Toutefois, chacune présente une composition lipidique et protéique conforme à ses fonctions spécifiques. Par exemple, plusieurs enzymes de la respiration cellulaire sont insérées dans la membrane interne des mitochondries.

Avant de poursuivre, examinez la **figure 6.9**. Les diagrammes schématisés qui s'y trouvent présentent les divers organites de la cellule eucaryote et vous serviront de référence durant l'exploration que nous allons maintenant entreprendre. Vous remarquerez que cette figure oppose la cellule animale et la cellule végétale. Les différences entre ces cellules, quoique non négligeables, sont bien moins nombreuses que celles qui séparent les cellules eucaryotes des cellules procaryotes.

Retour sur le concept 6.2

1. Examinez attentivement la figure 6.9, puis décrivez brièvement la structure et la fonction de chacun des organites suivants : noyau, mitochondrie, chloroplaste, vacuole centrale, réticulum endoplasmique et appareil de Golgi.

Voir les réponses proposées à la fin du chapitre.

Concept 6.3

L'information génétique de la cellule eucaryote est contenue dans le noyau et utilisée par les ribosomes pour fabriquer les protéines

Pour commencer notre visite détaillée de la cellule, nous nous arrêterons sur deux des organites impliqués dans l'expression des gènes : le noyau, qui héberge la majorité de l'ADN cellulaire, et les ribosomes, qui fabriquent les protéines à partir de l'information codée dans l'ADN.

Le noyau : porteur de l'information génétique de la cellule

Il n'y a habituellement qu'un seul noyau par cellule. Cet organite contient la plupart des gènes qui régissent la cellule eucaryote (les autres se trouvent dans les mitochondries et dans les chloroplastes). Son diamètre moyen étant de 5 μm, il constitue généralement l'organite le plus visible d'une cellule eucaryote. Il est entouré d'une membrane *double*, appelée **enveloppe nucléaire (figure 6.10)**, qui sépare son contenu du cytoplasme.

Les deux membranes de l'enveloppe nucléaire sont elles-mêmes formées d'une double couche de lipides associée à des protéines, et elles sont séparées par un espace de 20 à 40 nm environ. L'enveloppe nucléaire renferme des milliers de pores. Les membranes interne et externe de l'enveloppe nucléaire se rejoignent à l'embouchure de ces pores. Chacun de ceux-ci est bordé d'une structure constituée de quelques dizaines de protéines, le *complexe du pore nucléaire*, qui mesure environ 100 nm de diamètre et dont le rôle est de réguler le passage de certaines macromolécules et particules. La **lamina nucléaire** tapisse la face interne de l'enveloppe nucléaire, sauf au niveau des pores. Elle se compose d'un entrelacement de filaments protéiques qui soutient mécaniquement l'enveloppe du noyau et grâce auquel le noyau acquiert sa forme. Des données ont aussi révélé la présence d'une *matrice nucléaire*, soit un réseau de fibres qui s'étend dans le noyau. (Au chapitre 19, nous examinerons le rôle présumé de la lamina et de la matrice nucléaires dans l'organisation du matériel génétique.)

À l'intérieur du noyau, l'ADN est réparti dans des structures distinctes appelées **chromosomes**, porteurs de l'information génétique. Chaque chromosome est en fait composé d'un complexe de protéines et d'ADN appelé **chromatine**. Comme son nom l'indique, cette dernière a une très grande affinité pour certains colorants et elle apparaît à la coloration comme un amas diffus, que ce soit au microscope photonique ou au microscope électronique. Cependant, au moment où la cellule s'apprête à se diviser, les minces fibres de chromatine se condensent et s'épaississent jusqu'à former des structures distinctes : les **chromosomes**. Chaque espèce eucaryote possède un nombre caractéristique de chromosomes. La cellule humaine, par exemple, en contient 46 dans son noyau, exception faite des gamètes (ou cellules sexuelles : ovule et spermatozoïde), qui en possèdent seulement 23. La drosophile (mouche à vinaigre) possède 8 chromosomes dans la plupart de ses cellules, et 4 dans ses gamètes.

Entre les périodes de division cellulaire, la structure intranucléaire la plus visible est le **nucléole**. Au microscope électronique, celui-ci apparaît sous la forme d'une masse opaque de granules et de fibres associée à la chromatine. Une sorte d'ARN, l'*ARN ribosomique* (ARNr), y est synthétisée à partir de l'information contenue dans l'ADN. Des protéines importées du cytoplasme sont assemblées dans le noyau avec l'ARN ribosomique pour former de grandes et de petites sous-unités ribosomiques. Ces sous-unités sortent du noyau par les pores nucléaires et se rendent dans le cytoplasme. Là, une grande sous-unité et une petite se combinent pour former un ribosome. Le noyau contient parfois plus de deux nucléoles, selon l'espèce et la phase du cycle cellulaire. Des études récentes indiquent que le nucléole a peut-être d'autres fonctions : il semble notamment jouer un rôle dans la régulation du vieillissement cellulaire.

Figure 6.9

Panorama Cellule animale et cellule végétale

CELLULE ANIMALE

Ce schéma représente les caractéristiques structurales les plus répandues dans les cellules animales (cette cellule est hypothétique). Comme le montre cette coupe, la cellule animale renferme divers organites (« petits organes ») dont certains sont délimités par une ou plusieurs membranes. L'organite le plus volumineux est généralement le noyau. La majeure partie des activités métaboliques de la cellule se déroule dans le cytoplasme. Ce dernier occupe toute la région comprise entre le noyau et la membrane plasmique. Il contient une grande quantité d'organites spécialisés en suspension dans un milieu semi-liquide appelé cytosol. Un peu partout dans le cytoplasme s'étend un labyrinthe de membranes, le réticulum endoplasmique (RE).

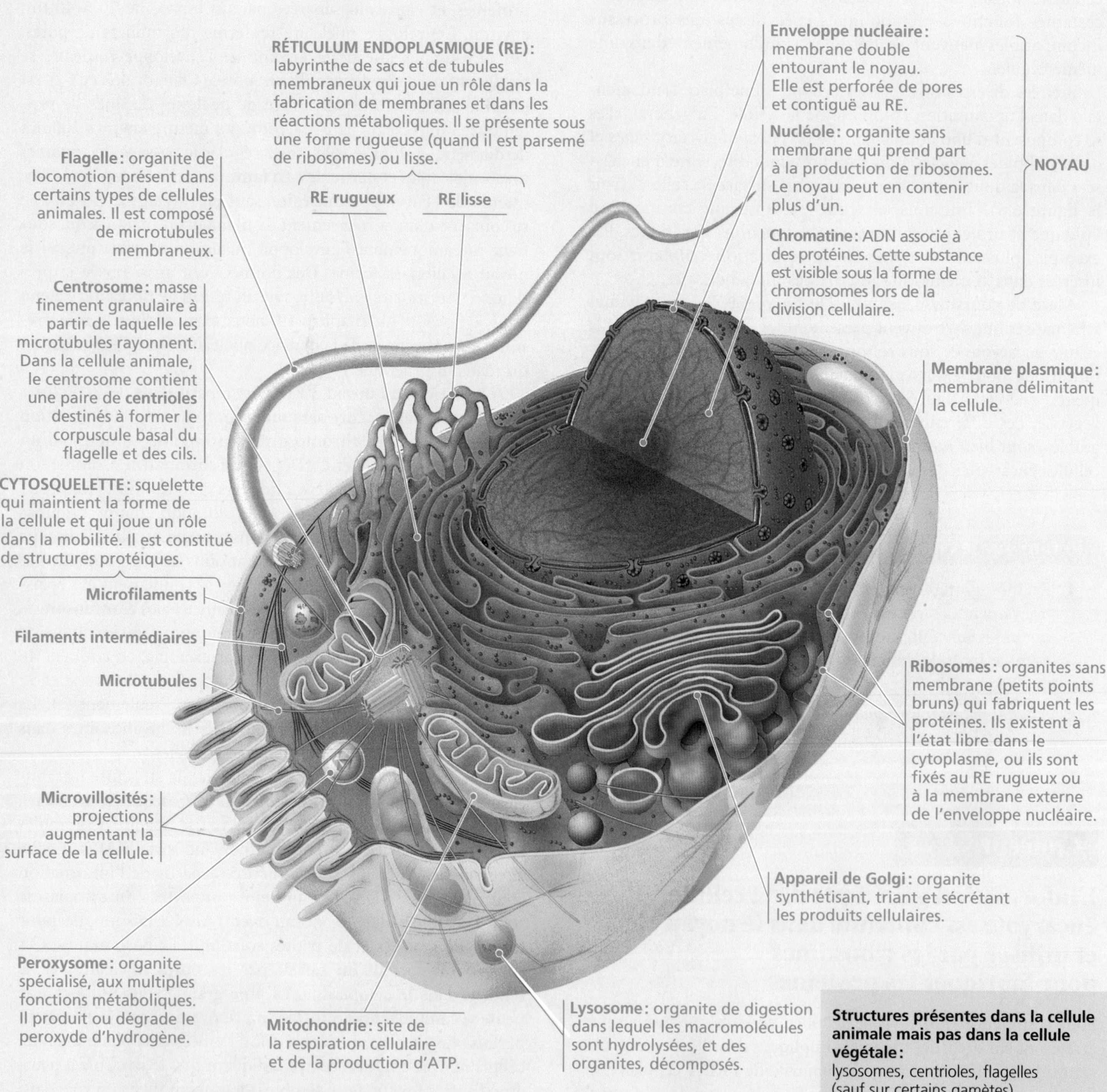

RÉTICULUM ENDOPLASMIQUE (RE): labyrinthe de sacs et de tubules membraneux qui joue un rôle dans la fabrication de membranes et dans les réactions métaboliques. Il se présente sous une forme rugueuse (quand il est parsemé de ribosomes) ou lisse.
RE rugueux
RE lisse
Enveloppe nucléaire: membrane double entourant le noyau. Elle est perforée de pores et contiguë au RE.
Nucléole: organite sans membrane qui prend part à la production de ribosomes. Le noyau peut en contenir plus d'un.
Chromatine: ADN associé à des protéines. Cette substance est visible sous la forme de chromosomes lors de la division cellulaire.
NOYAU
Flagelle: organite de locomotion présent dans certains types de cellules animales. Il est composé de microtubules membraneux.
Centrosome: masse finement granulaire à partir de laquelle les microtubules rayonnent. Dans la cellule animale, le centrosome contient une paire de **centrioles** destinés à former le corpuscule basal du flagelle et des cils.
CYTOSQUELETTE: squelette qui maintient la forme de la cellule et qui joue un rôle dans la mobilité. Il est constitué de structures protéiques.
Microfilaments
Filaments intermédiaires
Microtubules
Membrane plasmique: membrane délimitant la cellule.
Ribosomes: organites sans membrane (petits points bruns) qui fabriquent les protéines. Ils existent à l'état libre dans le cytoplasme, ou ils sont fixés au RE rugueux ou à la membrane externe de l'enveloppe nucléaire.
Microvillosités: projections augmentant la surface de la cellule.
Appareil de Golgi: organite synthétisant, triant et sécrétant les produits cellulaires.
Peroxysome: organite spécialisé, aux multiples fonctions métaboliques. Il produit ou dégrade le peroxyde d'hydrogène.
Mitochondrie: site de la respiration cellulaire et de la production d'ATP.
Lysosome: organite de digestion dans lequel les macromolécules sont hydrolysées, et des organites, décomposés.

Structures présentes dans la cellule animale mais pas dans la cellule végétale:
lysosomes, centrioles, flagelles (sauf sur certains gamètes)

CELLULE VÉGÉTALE

Ce schéma met en relief les similarités et les différences entre la cellule végétale et la cellule animale. Outre les structures communes avec la cellule animale, la cellule végétale renferme des organites membraneux appelés plastes. Le chloroplaste est le plaste le plus important : il accomplit la photosynthèse. Beaucoup de cellules végétales contiennent une vacuole centrale volumineuse ; certaines ont une ou plusieurs petites vacuoles. Quant à la membrane plasmique, elle est entourée d'une paroi cellulaire épaisse transpercée de canaux appelés plasmodesmes.

En parcourant rapidement le reste du chapitre, vous verrez que la figure 6.9 a été reproduite en miniature à des fins de repérage. Sur chacun des schémas miniaturisés, un organite spécifique est mis en évidence par une couleur, la même qu'il a à la figure 6.9. Chaque fois que vous étudierez un organite, le schéma de référence vous aidera à le situer dans la cellule.

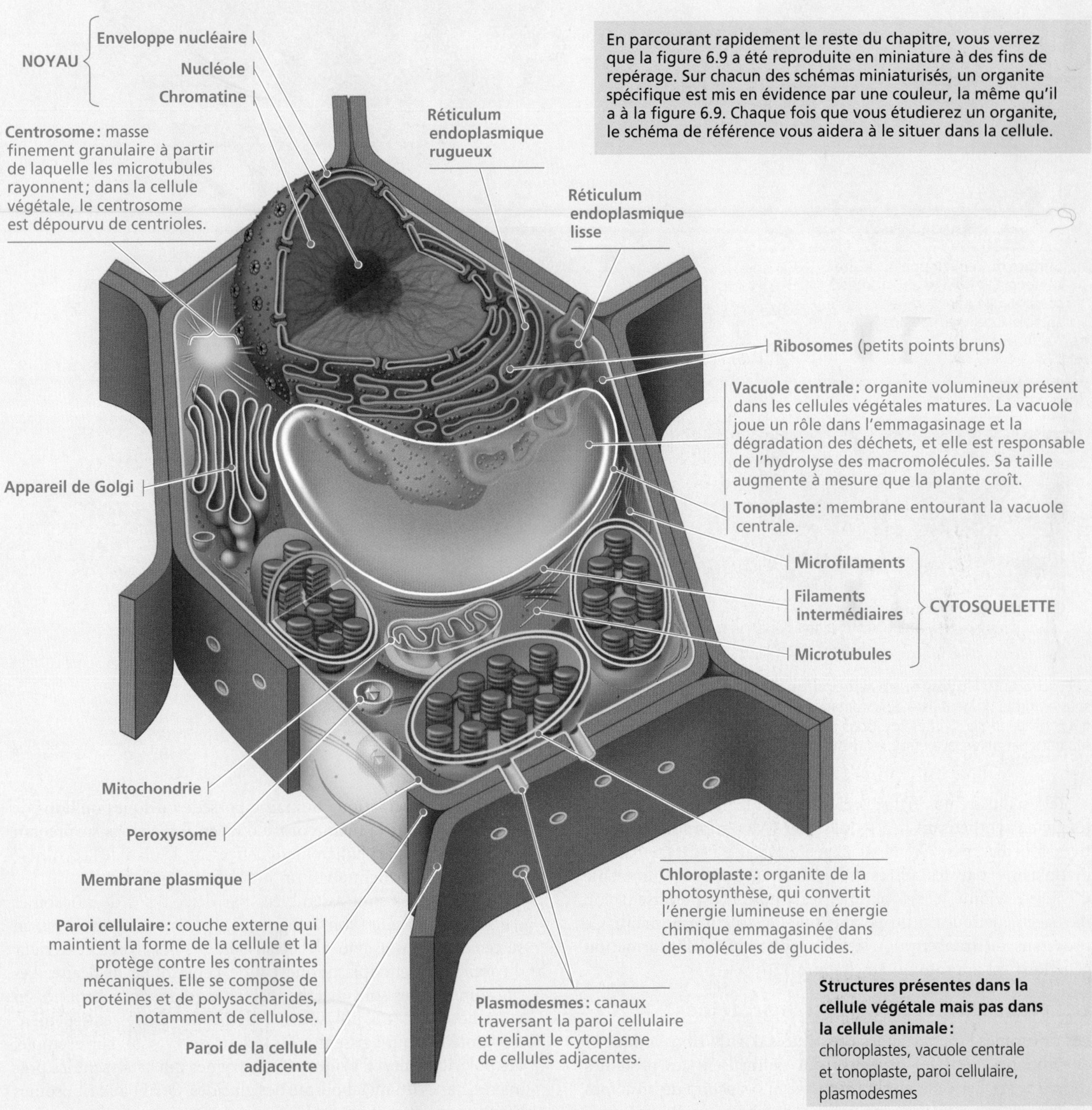

NOYAU
Enveloppe nucléaire
Nucléole
Chromatine
Centrosome : masse finement granulaire à partir de laquelle les microtubules rayonnent ; dans la cellule végétale, le centrosome est dépourvu de centrioles.
Réticulum endoplasmique rugueux
Réticulum endoplasmique lisse
Ribosomes (petits points bruns)
Vacuole centrale : organite volumineux présent dans les cellules végétales matures. La vacuole joue un rôle dans l'emmagasinage et la dégradation des déchets, et elle est responsable de l'hydrolyse des macromolécules. Sa taille augmente à mesure que la plante croît.
Tonoplaste : membrane entourant la vacuole centrale.
Appareil de Golgi
Microfilaments
Filaments intermédiaires
Microtubules
CYTOSQUELETTE
Mitochondrie
Peroxysome
Membrane plasmique
Paroi cellulaire : couche externe qui maintient la forme de la cellule et la protège contre les contraintes mécaniques. Elle se compose de protéines et de polysaccharides, notamment de cellulose.
Paroi de la cellule adjacente
Chloroplaste : organite de la photosynthèse, qui convertit l'énergie lumineuse en énergie chimique emmagasinée dans des molécules de glucides.
Plasmodesmes : canaux traversant la paroi cellulaire et reliant le cytoplasme de cellules adjacentes.

Structures présentes dans la cellule végétale mais pas dans la cellule animale :
chloroplastes, vacuole centrale et tonoplaste, paroi cellulaire, plasmodesmes

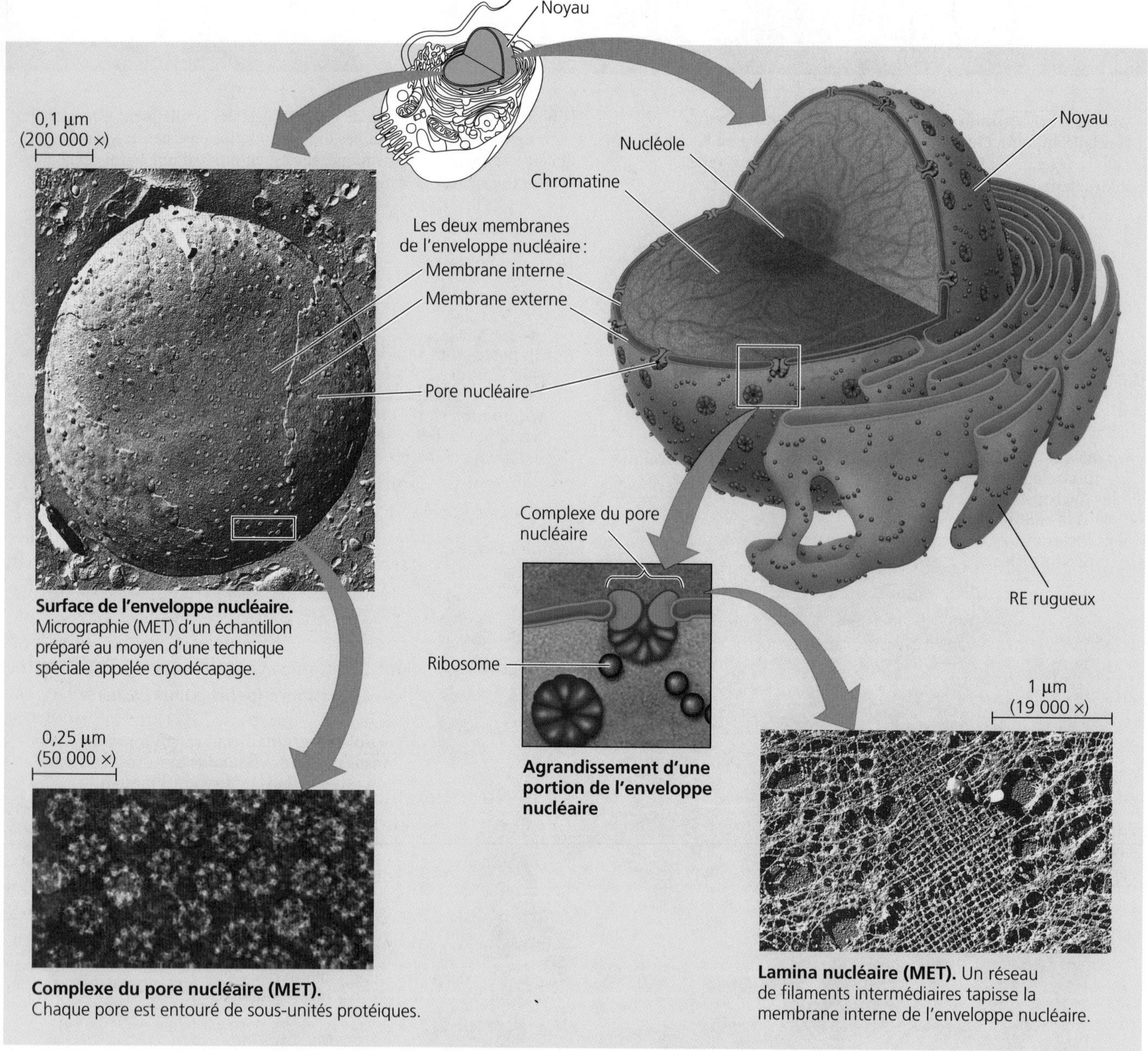

Surface de l'enveloppe nucléaire. Micrographie (MET) d'un échantillon préparé au moyen d'une technique spéciale appelée cryodécapage.

Agrandissement d'une portion de l'enveloppe nucléaire

Complexe du pore nucléaire (MET). Chaque pore est entouré de sous-unités protéiques.

Lamina nucléaire (MET). Un réseau de filaments intermédiaires tapisse la membrane interne de l'enveloppe nucléaire.

▲ **Figure 6.10 Noyau et enveloppe nucléaire.** Le noyau contient les chromosomes, qu'on voit ici sous la forme d'une masse de chromatine (ADN et protéines associées), ainsi qu'un ou plusieurs nucléoles, qui participent à la synthèse des sous-unités ribosomiques. L'enveloppe nucléaire, formée de deux membranes séparées par un espace étroit, est percée de pores; la membrane interne est tapissée de la lamina nucléaire.

Tel qu'illustré à la figure 5.25, le noyau régit la synthèse protéique en synthétisant l'ARN messager (ARNm) selon les directives fournies par l'ADN. Il expédie ensuite l'ARNm dans le cytoplasme par les pores nucléaires. Lorsqu'une molécule d'ARNm rejoint le cytoplasme, les ribosomes traduisent son message génétique en un polypeptide de structure primaire. Ce processus de transcription et de traduction de l'information génétique est approfondi au chapitre 17.

Les ribosomes: des usines de protéines

Les ribosomes, des particules constituées d'ARN ribosomique et de protéines, sont les organites qui synthétisent les protéines **(figure 6.11)**. Les cellules qui synthétisent beaucoup de protéines se démarquent par leur grand nombre de ribosomes. Par exemple, une cellule pancréatique humaine possède quelques millions de ribosomes. Dans le même ordre d'idées, il n'est pas surprenant que les cellules particulièrement actives sur le plan de la synthèse protéique renferment aussi un nucléole volumineux.

Les protéines sont assemblées par deux types de ribosomes dans le cytoplasme (voir la figure 6.11): les *ribosomes libres*, en suspension dans le cytosol, et les *ribosomes liés*, fixés à l'extérieur du réticulum endoplasmique ou de l'enveloppe nucléaire. Les ribosomes libres sont inactifs mais, lorsqu'ils sont regroupés en polyribosomes (ou polysomes), ils produisent essentiellement des protéines qui agissent à l'intérieur du cytosol. Par exemple, des polyribosomes fabriquent les enzymes qui catalysent les premières étapes du métabolisme des glucides. Quant aux ribosomes liés, ils synthétisent généralement des protéines destinées à être

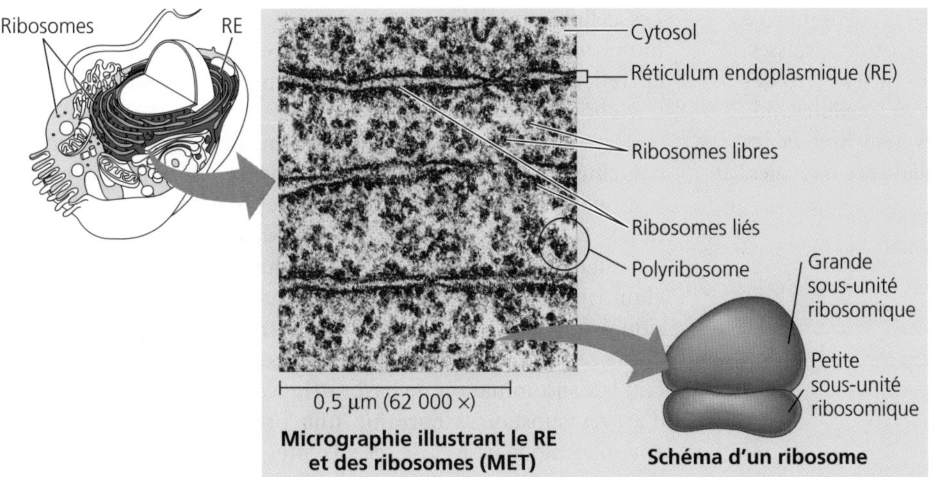

◄ **Figure 6.11 Ribosomes.** Cette micrographie électronique montre de nombreux ribosomes libres dans le cytosol ou liés au réticulum endoplasmique dans une cellule du pancréas (MET). Le schéma simplifié d'un ribosome illustre les deux types de sous-unités qui le constituent.

insérées dans les membranes ou dans des organites comme les lysosomes (voir la figure 6.9), ou encore à être exportées (sécrétion). Les cellules spécialisées dans la sécrétion de protéines, comme les cellules du pancréas et des autres glandes sécrétrices d'enzymes digestives, comportent pour la plupart une forte proportion de ribosomes liés. Cependant, qu'ils soient liés ou libres, les ribosomes sont structuralement identiques et interchangeables, et la cellule peut adapter leur nombre aux besoins du métabolisme. Vous approfondirez vos connaissances sur la structure et la fonction des ribosomes au chapitre 17.

Retour sur le concept 6.3

1. Quel est le rôle des ribosomes dans l'exécution des instructions génétiques fournies par l'ADN?
2. Décrivez la composition et les fonctions de la chromatine et des nucléoles.

Voir les réponses proposées à la fin du chapitre.

Concept 6.4

Le réseau intracellulaire de membranes dirige la circulation des protéines et accomplit des fonctions métaboliques dans la cellule

Beaucoup de membranes d'une cellule eucaryote font partie intégrante d'un **réseau intracellulaire de membranes**. Le réseau intracellulaire de membranes accomplit diverses tâches dans la cellule, dont la synthèse des protéines et leur transport vers des membranes et des organites ou vers l'extérieur de la cellule, le métabolisme et le mouvement des lipides, et la détoxication des poisons. Les membranes du réseau intracellulaire sont liées de deux façons: ou bien elles se prolongent les unes les autres, ou bien elles échangent des portions d'elles-mêmes par l'intermédiaire de **vésicules** minuscules (sacs membraneux). Toutes n'ont pas pour autant la même structure ni la même fonction. L'épaisseur de ces membranes, leur composition moléculaire et le type de réactions chimiques auxquelles participent les protéines dans une membrane donnée peuvent changer à plusieurs reprises au cours de la vie d'une cellule. Le réseau intracellulaire de membranes se compose de l'enveloppe nucléaire, du réticulum endoplasmique, de l'appareil de Golgi, des lysosomes, des peroxysomes, de divers types de vacuoles et de la membrane plasmique (celle-ci n'est pas une membrane interne, comme celle des autres organites membraneux; elle est tout de même liée au réticulum endoplasmique et aux autres membranes internes). Étant donné que nous avons déjà décrit l'enveloppe nucléaire, nous nous pencherons ici sur le réticulum endoplasmique et sur les autres membranes internes auxquelles il donne naissance.

Le réticulum endoplasmique: une usine biosynthétique

Le **réticulum endoplasmique** (RE) forme un labyrinthe membraneux si étendu que, dans beaucoup de cellules eucaryotes, il représente plus de la moitié de toute la substance membraneuse. (Le terme *endoplasmique* signifie «à l'intérieur» du cyto*plasme*, et le terme *réticulum* vient d'un mot latin qui signifie «réseau».) Le réticulum endoplasmique comprend un réseau de tubules et de sacs membraneux appelés citernes (du latin *cisterna*, «réservoir»). Sa membrane isole du cytosol le contenu des citernes. Et comme elle est en continuité avec l'enveloppe nucléaire, le contenu des citernes communique avec l'espace situé entre les deux membranes de l'enveloppe nucléaire **(figure 6.12)**.

Le réticulum endoplasmique se divise en deux régions présentant certaines différences moléculaires et fonctionnelles: le réticulum endoplasmique rugueux et le réticulum endoplasmique lisse. Le **réticulum endoplasmique lisse** est ainsi qualifié parce qu'il ne porte pas de ribosomes sur sa face cytoplasmique. Le **réticulum endoplasmique rugueux**, lui, a un aspect granulaire lorsqu'il est observé au microscope électronique. Il est parsemé de ribosomes sur sa face cytoplasmique. On trouve aussi des ribosomes sur la face externe cytoplasmique de l'enveloppe nucléaire, que prolonge le réticulum endoplasmique rugueux.

Fonctions du réticulum endoplasmique lisse

Le réticulum endoplasmique lisse participe à divers processus métaboliques, dont la synthèse des lipides, le métabolisme des glucides, et la détoxication des médicaments, des drogues et des poisons.

Les enzymes du réticulum endoplasmique lisse jouent un rôle important dans la synthèse des lipides, notamment des graisses, des phosphoglycérolipides et des stéroïdes. Parmi les stéroïdes produits par le réticulum endoplasmique lisse des cellules animales, on compte les hormones sexuelles des Vertébrés et les diverses hormones stéroïdes sécrétées par les glandes surrénales.

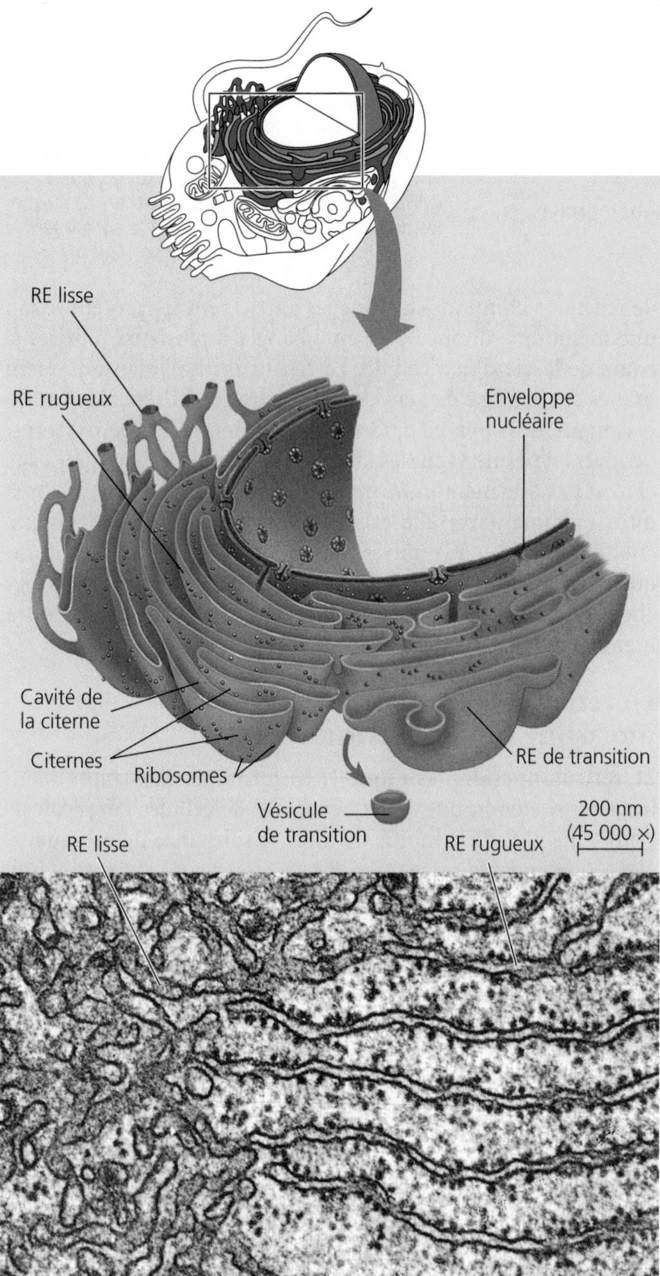

▲ **Figure 6.12 Réticulum endoplasmique (RE).** Le réticulum endoplasmique (RE) est un réseau membraneux de tubules et de sacs aplatis appelés citernes. Celles-ci délimitent une cavité remplie de solutions diverses. La membrane du réticulum endoplasmique prolonge l'enveloppe nucléaire. Cette micrographie électronique illustrant une coupe du RE permet de distinguer le réticulum endoplasmique rugueux (ou granulaire), parsemé de ribosomes sur sa face cytoplasmique, et le réticulum endoplasmique lisse (MET). Les vésicules de transition se détachent d'une région du réticulum endoplasmique rugueux appelée réticulum endoplasmique de transition, puis se dirigent vers l'appareil de Golgi et ailleurs.

Les cellules spécialisées qui synthétisent et sécrètent ces hormones, celles des testicules et des ovaires, par exemple, sont riches en réticulum endoplasmique lisse, une caractéristique structurale conforme à leur fonction.

Dans le réticulum endoplasmique lisse, d'autres enzymes contribuent à détoxiquer les médicaments, les drogues et les poisons, particulièrement dans les cellules hépatiques. La détoxication se fait habituellement par l'ajout de groupements hydroxyle, qui augmentent la solubilité des produits nocifs et facilitent leur élimination. Le sédatif appelé phénobarbital et d'autres barbituriques font partie des médicaments métabolisés de cette façon par le réticulum endoplasmique lisse des cellules hépatiques. En fait, la consommation de barbituriques, d'alcool et de beaucoup d'autres substances entraîne une prolifération du réticulum endoplasmique lisse et de ses enzymes de détoxication, augmentant du même coup le taux de détoxication. À cause de cela, l'organisme acquiert une plus grande tolérance aux produits en question ; autrement dit, le sujet doit ingérer des doses croissantes pour ressentir les mêmes effets. Et comme certaines enzymes de détoxication ont un spectre d'action relativement étendu, la prolifération du réticulum endoplasmique lisse consécutive à la consommation d'une substance peut accroître la tolérance à d'autres substances. La prise excessive de barbituriques, par exemple, peut diminuer l'efficacité de certains antibiotiques et d'autres médicaments.

Le réticulum endoplasmique lisse emmagasine également des ions calcium. Dans les cellules musculaires, par exemple, une membrane spécialisée du réticulum endoplasmique lisse extrait des ions calcium du cytosol et les accumule dans les citernes. Quand un influx nerveux atteint une cellule musculaire, le calcium retraverse la membrane du réticulum endoplasmique, pénètre dans le cytosol et déclenche la contraction musculaire. Dans d'autres types de cellules, la libération d'ions calcium du réticulum endoplasmique lisse peut déclencher des réactions différentes.

Fonctions du réticulum endoplasmique rugueux

Les ribosomes attachés au réticulum endoplasmique rugueux produisent les protéines sécrétées par beaucoup de cellules spécialisées. Par exemple, certaines cellules du pancréas sécrètent l'insuline, une hormone, dans le sang (voir la figure 6.11). Lorsqu'un ribosome lié synthétise une chaîne polypeptidique, celle-ci traverse la membrane du réticulum endoplasmique, vraisemblablement par un pore. En entrant dans la lumière du RE, la protéine se replie et prend sa conformation native. Puis, avec l'aide d'enzymes enchâssées dans la membrane du réticulum endoplasmique, elle s'unit par covalence à un petit polysaccharide et devient une **glycoprotéine**. La plupart des protéines de sécrétion sont des glycoprotéines.

Une fois que les protéines destinées à être sécrétées sont formées, la membrane du réticulum endoplasmique les isole des protéines produites par les polyribosomes libres qui, elles, resteront dans le cytosol. Les protéines de sécrétion quittent le réticulum endoplasmique emballées dans des **vésicules de transition** ; celles-ci se détachent d'une région spécialisée appelée **réticulum endoplasmique de transition** (voir la figure 6.12). Nous verrons dans la prochaine section ce qu'il advient des vésicules de transition.

En plus de participer à la production de protéines de sécrétion, le réticulum endoplasmique rugueux fait croître sa propre

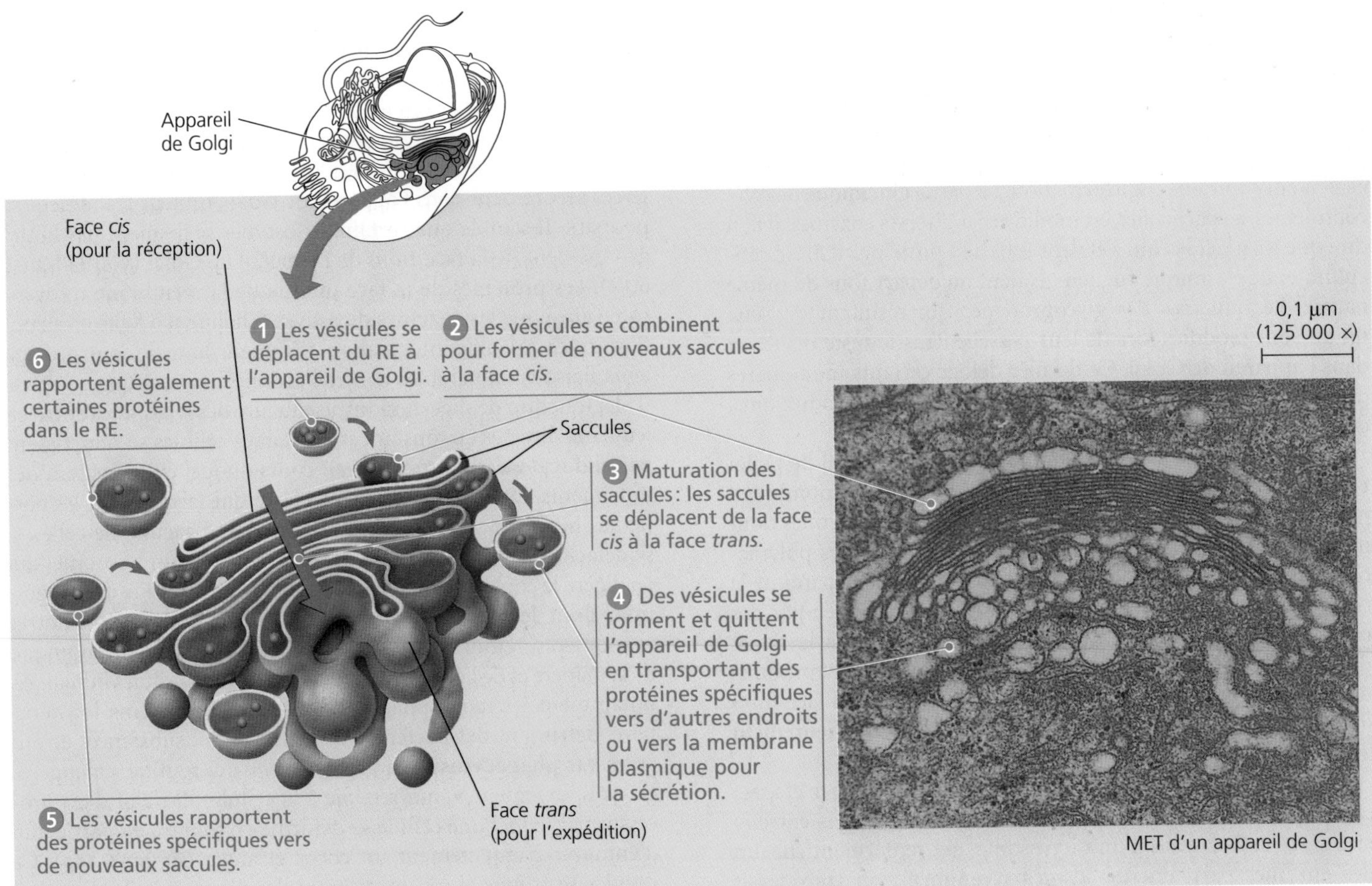
Appareil de Golgi
Face *cis* (pour la réception)
1 Les vésicules se déplacent du RE à l'appareil de Golgi.
2 Les vésicules se combinent pour former de nouveaux saccules à la face *cis*.
6 Les vésicules rapportent également certaines protéines dans le RE.
Saccules
3 Maturation des saccules : les saccules se déplacent de la face *cis* à la face *trans*.
4 Des vésicules se forment et quittent l'appareil de Golgi en transportant des protéines spécifiques vers d'autres endroits ou vers la membrane plasmique pour la sécrétion.
5 Les vésicules rapportent des protéines spécifiques vers de nouveaux saccules.
Face *trans* (pour l'expédition)
0,1 µm
(125 000 ×)
MET d'un appareil de Golgi

▲ **Figure 6.13 Appareil de Golgi.** L'appareil de Golgi est formé de dictyosomes ou piles de saccules membraneux et aplatis qui ne sont pas reliés en réseau, contrairement aux citernes du RE. Il reçoit les vésicules de transition provenant du réticulum endoplasmique, modifie les matières qu'elles contiennent et les emmagasine en attendant leur exportation vers la membrane plasmique ou d'autres organites. L'appareil de Golgi présente une polarité structurale et fonctionnelle : il comporte une face *cis*, qui reçoit les vésicules de transition, et une face *trans*, qui libère des vésicules de sécrétion. Selon le modèle de maturation des saccules, ceux-ci subissent eux-mêmes une maturation et se déplacent de la face *cis* à la face *trans* tout en transportant avec eux leurs charges de protéines. De plus, certaines vésicules recyclent des enzymes en les ramenant vers des saccules où leur action est requise (MET).

membrane en y ajoutant des protéines et des phosphoglycérolipides. Certains polypeptides nouvellement formés par les ribosomes et destinés à devenir des protéines membranaires s'insèrent dans sa membrane et s'y ancrent à l'aide de leurs parties hydrophobes. Le réticulum endoplasmique rugueux produit également ses propres phosphoglycérolipides membranaires ; des enzymes attachées à sa membrane assemblent ceux-ci à partir de matériaux extraits du cytosol. Ainsi, grâce à l'agencement de protéines adéquates et de phosphoglycérolipides, le réticulum endoplasmique étend sa membrane ; le nouveau matériel peut aussi être transféré, sous la forme de vésicules de transition, à d'autres organites comportant des membranes.

L'appareil de Golgi : un centre d'expédition et de réception

À leur sortie du réticulum endoplasmique, beaucoup de vésicules de transition se dirigent vers l'**appareil de Golgi** (ou complexe golgien). On peut comparer ce dernier à un centre de fabrication, d'entreposage, de triage et d'expédition. Les produits du réticulum endoplasmique y sont modifiés, entreposés, puis envoyés vers différentes destinations. Comme vous l'avez peut-être deviné, l'appareil de Golgi est particulièrement étendu dans les cellules spécialisées dans la sécrétion.

Un appareil de Golgi, situé généralement près du noyau, est constitué d'un certain nombre d'ensembles de saccules membraneux aplatis, chacun de ces ensembles ressemblant à une pile de pains pita (**figure 6.13**). Une cellule peut contenir jusqu'à plusieurs centaines de ces empilements, appelés *dictyosomes*. La membrane des saccules sépare le contenu de ceux-ci du cytosol. Les *vésicules de sécrétion*, concentrées au voisinage de l'appareil de Golgi, véhiculent des matières entre ce dernier et d'autres structures cellulaires.

L'appareil de Golgi présente une nette polarité : les membranes des saccules situés aux extrémités opposées d'un dictyosome n'ont ni la même épaisseur ni la même composition moléculaire. Les deux pôles d'un dictyosome s'appellent face ***cis*** et face ***trans*** ; ils ont respectivement pour fonction de recevoir et d'expédier les matières. La face *cis* convexe est située près du réticulum endoplasmique et reçoit ses vésicules de transition. Une fois que celles-ci se sont détachées du réticulum endoplasmique, elles incorporent leur membrane et leur contenu à la face *cis* d'un dictyosome en fusionnant avec la membrane du saccule supérieur.

La face *trans* concave donne naissance à des vésicules de sécrétion qui s'acheminent vers d'autres sites.

En général, les produits des vésicules de transition du réticulum subissent une modification au cours de leur transit entre la face *cis* et la face *trans* de l'appareil de Golgi. Les protéines et les phosphoglycérolipides de la membrane des vésicules peuvent également subir une transformation. La partie glucidique des glycoprotéines, en particulier, est modifiée par diverses enzymes. Il faut dire que les glucides qui s'étaient unis aux protéines dans le réticulum endoplasmique rugueux étaient au départ tous de même nature. Les glucides des glycoprotéines qui résultent de cette union sont modifiés lors de leur passage dans le reste du RE et dans l'appareil de Golgi. Ce dernier déloge certains monomères des polysaccharides et les remplace par d'autres; il produit ainsi des glucides différents de ce qu'ils étaient à l'origine.

En plus d'accomplir ce travail de finition, l'appareil de Golgi fabrique certaines macromolécules. C'est le cas de nombreux polysaccharides sécrétés par les cellules, comme les pectines dont nous reparlerons plus loin dans ce chapitre et d'autres polysaccharides végétaux incorporés avec la cellulose dans la paroi de la cellule végétale. (La cellulose elle-même est synthétisée par des enzymes localisées dans la membrane plasmique qui la fixent directement sur la partie externe de la membrane.) Les produits de l'appareil de Golgi destinés à la sécrétion quittent la face *trans* dans des vésicules de sécrétion, qui fusionneront ultérieurement avec la membrane plasmique.

L'appareil de Golgi élabore et affine ses produits par étapes; celles-ci correspondent aux différents saccules compris entre la face *cis* et la face *trans* d'un dictyosome, qui renferment chacun des enzymes particulières. Jusqu'à récemment, on considérait l'appareil de Golgi comme une structure statique dont les produits, à différentes étapes de traitement, passaient d'un saccule à l'autre. Bien que cette conception (appelée *modèle vésiculaire*) puisse être correcte, les travaux de recherche récents proposent un nouveau modèle, appelé *modèle de maturation des saccules*. Selon ce modèle, l'appareil de Golgi est une structure dynamique dont les saccules, constamment produits, se déplacent de la face *cis* à la face *trans*, et transportent et modifient leur cargaison de protéines au fil de leur déplacement. La figure 6.13 illustre les détails de ce modèle.

Avant d'émettre des vésicules de sécrétion par sa face *trans*, l'appareil de Golgi doit trier ses produits et déterminer leur destination. Cela est facilité par une sorte d'apposition d'étiquettes moléculaires, comme des groupements phosphate, qui jouent un peu le même rôle qu'un code postal dans une adresse. On croit que les vésicules de sécrétion provenant de l'appareil de Golgi portent des molécules externes qui reconnaissent les sites récepteurs spécifiques à la surface des organites ou sur la membrane plasmique, leur permettant de les cibler.

Les lysosomes: des compartiments destinés à la digestion

Un **lysosome** est un sac membraneux rempli de quelques dizaines d'enzymes hydrolytiques qui digèrent toutes sortes de macromolécules. Les enzymes lysosomiales ont une efficacité maximale dans le milieu acide des lysosomes, à un pH de 5 environ. Si un lysosome a une fuite ou qu'il se désagrège, ses enzymes deviennent inactives dans le milieu neutre du cytosol. Néanmoins, un écoulement excessif d'enzymes dû à la fuite de plusieurs lysosomes à la fois peut détruire une cellule. Voilà un autre exemple de l'importance de la compartimentation de la cellule. Le lysosome met celle-ci à l'abri des dommages que causeraient les enzymes hydrolytiques si elles circulaient librement dans le cytosol.

Les enzymes hydrolytiques et la membrane du lysosome sont produites par le réticulum endoplasmique rugueux, puis transférées séparément dans l'appareil de Golgi, où leur traitement se poursuit. Il semble que certains lysosomes se forment par bourgeonnement de la face *trans* de l'appareil de Golgi (voir la figure 6.13). Les protéines de la face interne de la membrane du lysosome ainsi que les enzymes digestives échappent à l'autodestruction grâce à leur conformation tridimensionnelle, qui protège leurs liaisons vulnérables contre l'activité enzymatique.

La fonction de digestion intracellulaire des lysosomes entre en jeu dans diverses circonstances. Certaines cellules se nourrissent par **endocytose**, un processus au cours duquel elles ingèrent des nutriments. En fait, la membrane plasmique laisse passer les particules nutritives en formant des vacuoles. Chacune de celles-ci se détache de la membrane, puis fusionne avec un lysosome, qui en digère le contenu grâce à ses enzymes. Les produits de la digestion, dont les glucides simples, les acides aminés et d'autres monomères, retournent dans le cytosol et fournissent à nouveau de la matière et de l'énergie à la cellule. Certaines cellules humaines, notamment les macrophages, des cellules du système immunitaire, détruisent des bactéries, des virus et des substances étrangères par **phagocytose** (du grec *phagein*, qui signifie « manger », et *kytos*, « récipient », qui renvoie à la cellule). Il s'agit d'un processus par lequel une cellule se déforme en tout ou en partie afin d'entourer complètement un corps étranger **(figure 6.14a)**. Ce dernier se trouve ainsi emprisonné dans une vacuole digestive. (Ce processus peut être considéré comme un type d'endocytose, que nous verrons plus en détail au chapitre 7.)

Le lysosome a aussi pour fonction de recycler la matière organique intracellulaire, un processus appelé *autophagie*. Au cours de ce processus, un organite défectueux ou endommagé ou un peu de cytosol s'entourent d'une membrane et forment une vésicule qui fusionne avec un lysosome; ce dernier, à l'aide de ses enzymes, décompose la matière organique ingérée en monomères **(figure 6.14b)**. Ceux-ci peuvent alors retourner dans le cytosol et être réutilisés. Grâce à l'autophagie, la cellule se renouvelle sans cesse. Une cellule hépatique humaine, par exemple, recycle la moitié de ses macromolécules chaque semaine.

Les maladies de surcharge comprennent un groupe de troubles héréditaires qui perturbent le métabolisme lysosomial. Elles se caractérisent par l'absence d'une des enzymes hydrolytiques actives normalement présentes dans les lysosomes. Les lysosomes des personnes atteintes s'engorgent de substrats non utilisables, ce qui nuit aux autres fonctions cellulaires. Chez les personnes souffrant de la maladie de Tay-Sachs, par exemple, une lipase (une enzyme digérant les lipides) est absente ou inactive, et l'accumulation de lipides dans les cellules nerveuses entrave le fonctionnement de l'encéphale. Heureusement, les maladies de surcharge sont rares.

Les vacuoles: des compartiments d'entretien divers

Une cellule de plante ou de champignon peut avoir une ou plusieurs vacuoles. Les vacuoles exécutent l'hydrolyse et sont donc semblables aux lysosomes, mais elles accomplissent également

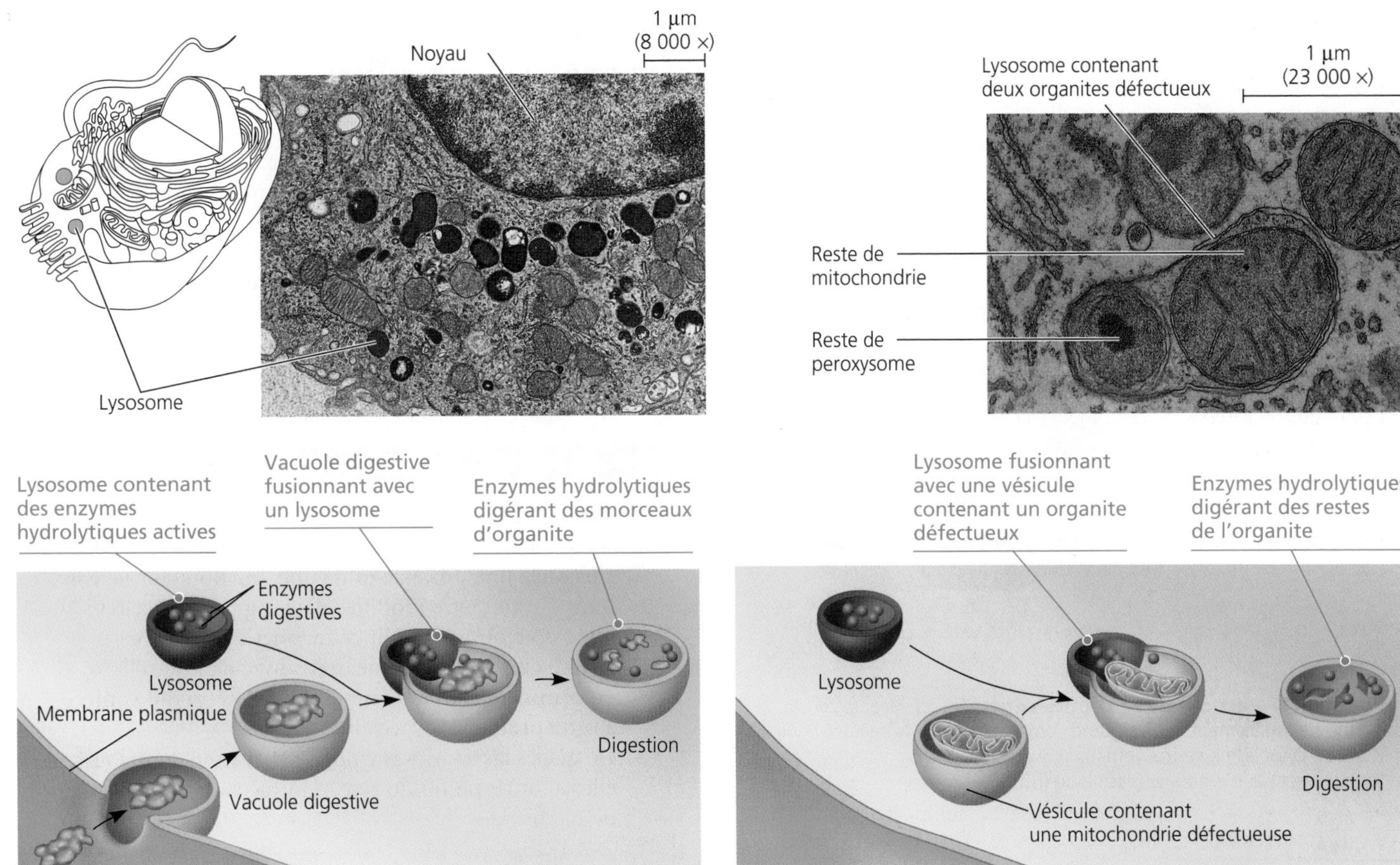

(a) Phagocytose : lysosome en train d'effectuer son travail de digestion **(b) Autophagie : lysosome dégradant un organite défectueux**

▲ **Figure 6.14 Lysosomes.** Les lysosomes digèrent (hydrolysent) des matières absorbées par la cellule et recyclent les déchets intracellulaires. **(a)** *En haut* Les lysosomes de ce globule blanc de rat sont très sombres, parce que le colorant utilisé réagit avec l'un des produits de la digestion qu'ils contiennent (MET). Les macrophages ingèrent les agresseurs bactériens ou viraux et les détruisent dans leurs lysosomes. *En bas* Ce schéma illustre un lysosome fusionnant avec une vacuole digestive durant le processus de phagocytose. **(b)** *En haut* Dans le cytoplasme de cette cellule hépatique de rat, on peut voir un lysosome autophagique qui a englobé deux organites défectueux, en l'occurrence une mitochondrie et un peroxysome, au cours du processus d'autophagie (MET). *En bas* Ce schéma illustre un lysosome fusionnant avec une vésicule contenant une mitochondrie défectueuse.

d'autres fonctions. Nous avons déjà traité des **vacuoles digestives**, formées lors de la phagocytose (voir la figure 6.14a), mais les fonctions des vacuoles ne s'arrêtent pas là. Beaucoup de Protistes d'eau douce expulsent l'excès d'eau de leur unique cellule grâce à des **vacuoles pulsatiles** afin de maintenir une concentration appropriée de sels et d'autres molécules (voir la figure 7.14). Les cellules végétales matures contiennent généralement une grande **vacuole centrale (figure 6.15)** entourée d'une membrane, le **tonoplaste**, qui fait partie du réseau intracellulaire de membranes. La fusion de vésicules dérivées du réticulum endoplasmique et de l'appareil de Golgi conduit à la formation de la vacuole centrale. Voilà pourquoi celle-ci appartient au réseau intracellulaire de membranes de la cellule végétale. Comme c'est le cas de toutes les membranes cellulaires, le tonoplaste transporte les ions de manière sélective. Cela explique la disparité entre la composition de la solution de la vacuole, appelée suc vacuolaire, et celle du cytosol.

La vacuole centrale de la cellule végétale est un compartiment polyvalent. Tout d'abord, elle sert à emmagasiner des composés organiques cruciaux. Par exemple, elle renferme des réserves de protéines dans les cellules nutritives des graines produites par une plante. Elle constitue aussi le réservoir principal d'ions inorganiques, comme les ions potassium et chlorure, dans une cellule végétale. De plus, elle sert souvent à isoler les sous-produits du métabolisme, qui deviendraient nocifs s'ils s'accumulaient dans le cytoplasme. Certaines vacuoles contiennent des pigments, tels que les pigments rouges et bleus qui attirent les insectes pollinisateurs vers les pétales des fleurs. En outre, les vacuoles d'une plante peuvent protéger celle-ci contre les prédateurs, car elles renferment parfois des composés toxiques ou désagréables au goût. Et ce n'est pas fini ! Elles jouent aussi un rôle primordial dans la croissance des cellules végétales. En effet, en absorbant de l'eau, elles provoquent l'allongement des cellules, qui s'agrandissent alors sans avoir à produire plus de cytoplasme. Et comme, en raison de la grande taille de la vacuole, le cytosol se trouve refoulé entre la membrane plasmique et le tonoplaste, le rapport entre la surface membranaire et le volume cytoplasmique reste élevé, même dans une cellule végétale de grande dimension.

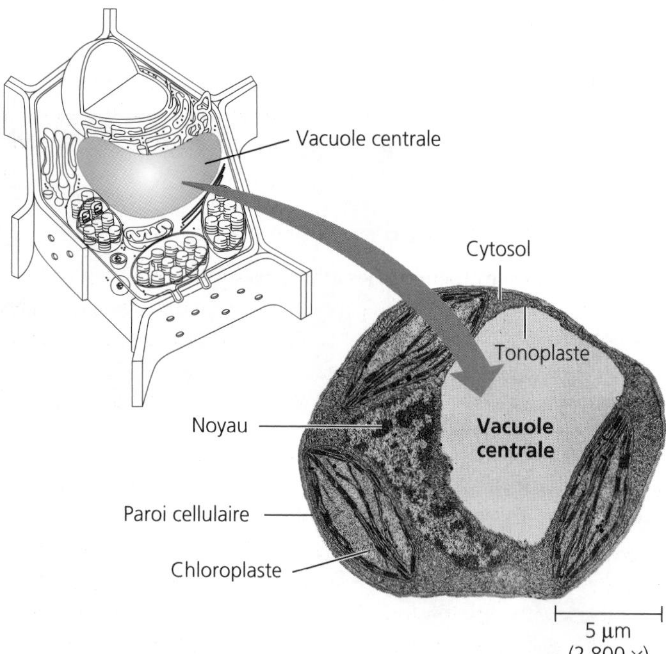

▲ **Figure 6.15 Vacuole de la cellule végétale.** La vacuole centrale constitue habituellement le plus grand compartiment de la cellule végétale mature. Le cytoplasme se trouve dans une zone étroite comprise entre le tonoplaste et la membrane plasmique (MET).

Le réseau intracellulaire de membranes : *une révision*

La **figure 6.16** passe en revue le réseau intracellulaire de membranes et décrit la circulation des lipides et des protéines dans les différents organites. La membrane du RE, celle de l'appareil de Golgi et celle des autres organites n'ont pas tout à fait la même composition moléculaire ni les mêmes fonctions métaboliques. Le contenu de ces organites varie aussi. De ce point de vue, on peut considérer le réseau intracellulaire de membranes comme une entité complexe jouant un rôle actif dans la compartimentation de la cellule.

Nous continuerons notre exploration de la cellule en étudiant certains organites membraneux qui ne sont pas associés au réseau intracellulaire de membranes, mais qui jouent un rôle crucial dans les conversions d'énergie réalisées par la cellule.

Retour sur le concept 6.4

1. Expliquez les différences structurales et fonctionnelles qui existent entre le RE rugueux et le RE lisse.
2. Imaginez une protéine qui a une fonction dans le RE, mais qui doit être modifiée dans l'appareil de Golgi pour pouvoir accomplir cette fonction. Décrivez la voie que cette protéine doit suivre dans la cellule, en commençant par la molécule d'ARNm qui confère à cette protéine sa spécialité.
3. De quelle façon les vésicules de transition contribuent-elles à l'intégration du réseau intracellulaire de membranes ?

Voir les réponses proposées à la fin du chapitre.

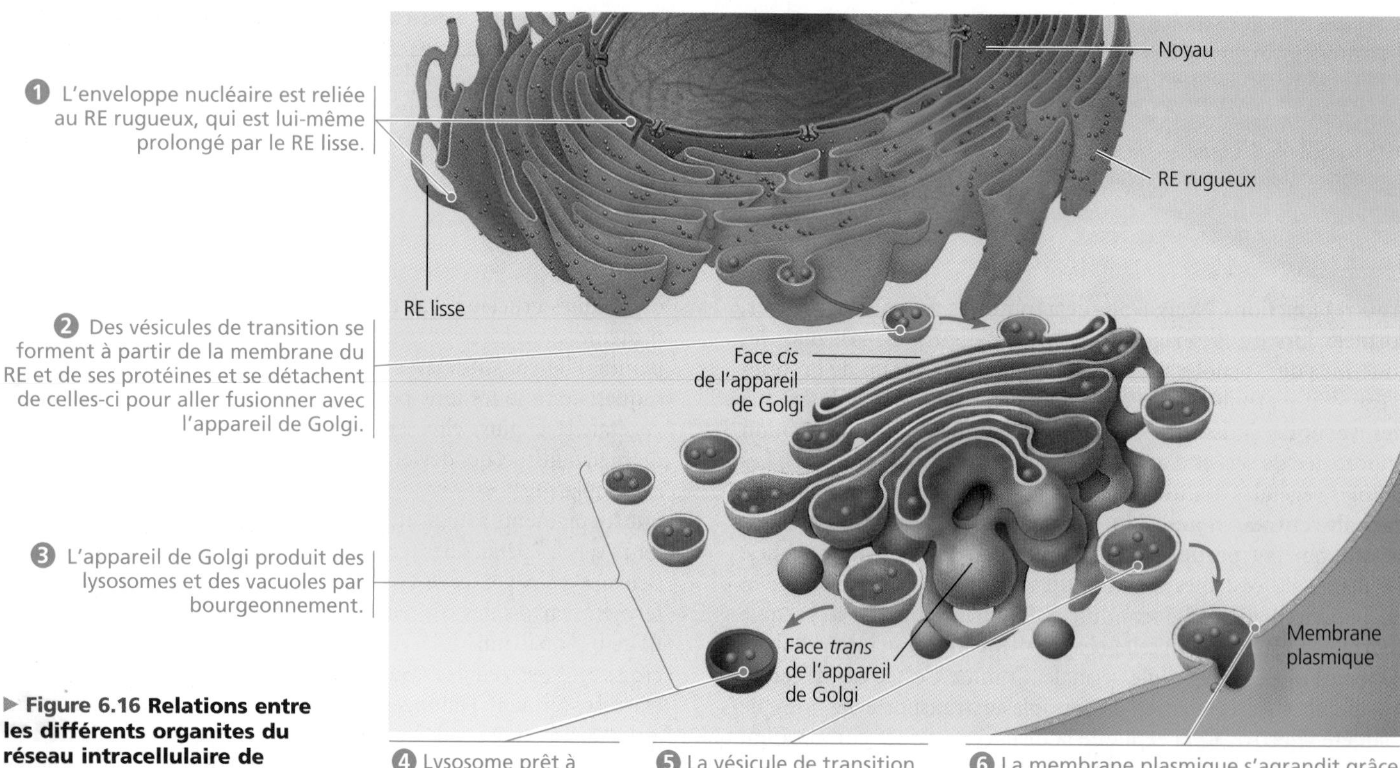

❶ L'enveloppe nucléaire est reliée au RE rugueux, qui est lui-même prolongé par le RE lisse.
Noyau
RE rugueux
RE lisse
❷ Des vésicules de transition se forment à partir de la membrane du RE et de ses protéines et se détachent de celles-ci pour aller fusionner avec l'appareil de Golgi.
Face *cis* de l'appareil de Golgi
❸ L'appareil de Golgi produit des lysosomes et des vacuoles par bourgeonnement.
Face *trans* de l'appareil de Golgi
Membrane plasmique
❹ Lysosome prêt à fusionner avec une autre vésicule pour effectuer sa fonction de digestion.
❺ La vésicule de transition transporte des protéines vers la membrane plasmique, où elles sont sécrétées.
❻ La membrane plasmique s'agrandit grâce à sa fusion avec des vésicules dérivées du RE et de l'appareil de Golgi. Cette fusion de membranes libère des protéines de sécrétion et d'autres produits à l'extérieur de la cellule.

▶ **Figure 6.16 Relations entre les différents organites du réseau intracellulaire de membranes.** Les flèches rouges indiquent quelques-unes des voies de migration des membranes et des matières qu'elles renferment.

Concept 6.5

Les mitochondries et les chloroplastes convertissent l'énergie d'une forme à une autre

Les organismes transforment l'énergie puisée dans leur environnement. Les mitochondries et les chloroplastes sont les organites des cellules eucaryotes qui convertissent l'énergie captée en des formes utilisables par la cellule. Les mitochondries sont le site de la respiration cellulaire aérobie, un processus métabolique qui, à l'aide de dioxygène, produit de l'ATP en extrayant l'énergie de glucides, de lipides et d'autres substances. Les **chloroplastes**, des organites propres aux Végétaux et aux Algues, sont le site de la photosynthèse. Ils convertissent l'énergie solaire en énergie chimique. Grâce à la lumière qu'ils absorbent, ils alimentent la synthèse de composés organiques (glucides) à partir de dioxyde de carbone et d'eau.

Bien qu'ils soient recouverts de membranes, les chloroplastes et les mitochondries ne font pas partie intégrante du réseau intracellulaire de membranes. Contrairement aux organites du réseau intracellulaire de membranes, les mitochondries et les chloroplastes ont au moins deux membranes pour séparer leur espace le plus intérieur du cytosol. Leurs protéines membranaires proviennent des ribosomes qu'ils contiennent et des polyribosomes libres du cytosol, et non pas du réticulum endoplasmique. Les mitochondries et les chloroplastes possèdent, outre des ribosomes, une petite quantité d'ADN qui programme la synthèse des protéines fabriquées par leurs ribosomes. (Néanmoins, la plupart de leurs protéines se forment dans le cytosol et sont programmées par l'ARN messager provenant des gènes du noyau.) Les mitochondries et les chloroplastes sont des organites semi-autonomes qui croissent et qui se reproduisent à l'intérieur de la cellule, indépendamment de la division cellulaire. L'ADN qu'ils contiennent se transmet aux organites qui sont issus de leurs divisions. Nous aborderons leur fonctionnement aux chapitres 9 et 10, et leur évolution au chapitre 28. Pour le moment, concentrons-nous sur leur structure.

Dans cette section, nous examinerons aussi le **peroxysome**, un organite oxydatif qui ne fait pas partie du réseau intracellulaire de membranes. Comme les mitochondries et les chloroplastes, le peroxysome importe ses protéines principalement du cytosol.

Les mitochondries : des convertisseurs d'énergie chimique

On trouve des mitochondries dans presque toutes les cellules eucaryotes, dont celles des Végétaux, des Animaux, des Eumycètes et des Protistes. Certaines cellules n'en contiennent qu'une seule, qui est grosse, mais la plupart en comportent des centaines, voire des milliers. Leur nombre dépend généralement de l'activité métabolique de la cellule. Par exemple, les cellules mobiles ou contractiles ont proportionnellement plus de mitochondries par volume que les cellules moins actives. Les mitochondries mesurent de 1 à 10 μm de long environ. Lorsqu'elles ont été projetées en accéléré, des prises de vue image par image de cellules vivantes ont révélé que les mitochondries se déplacent, modifient leur forme et se divisent en deux. Elles sont donc loin d'être les cylindres statiques montrés par les micrographies électroniques de cellules fixées.

L'enveloppe qui entoure une mitochondrie est formée de deux membranes : celles-ci se composent d'une double couche de phosphoglycérolipides, dans laquelle s'enchâsse un assemblage unique de protéines **(figure 6.17)**. La membrane externe est lisse, alors que la membrane interne est repliée sur elle-même et dessine des **crêtes** dont la forme varie selon le type de cellule. La membrane interne divise la mitochondrie en deux compartiments : un espace intermembranaire, situé entre la membrane interne et la membrane externe, et une **matrice mitochondriale**, située dans l'espace délimité par la membrane interne. Plusieurs étapes métaboliques de la respiration cellulaire se déroulent dans la matrice, où se concentrent diverses enzymes, l'ADN et les ribosomes mitochondriaux. D'autres protéines nécessaires à la respiration

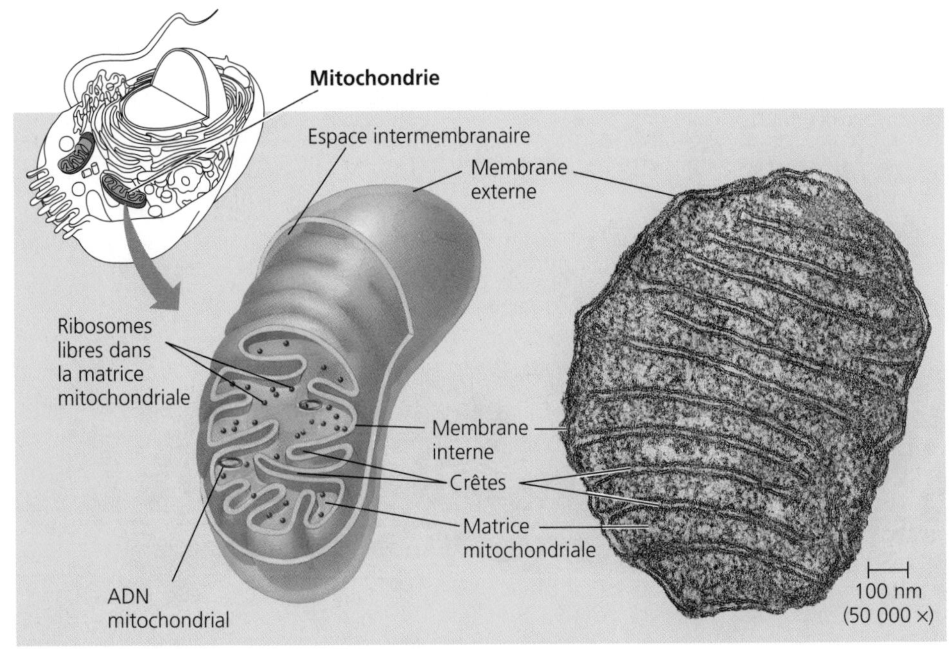

◄ **Figure 6.17 Mitochondrie, site de la respiration cellulaire.** La membrane interne et la membrane externe de la mitochondrie apparaissent clairement sur cette illustration et sur cette micrographie électronique (MET). Des crêtes sont formées par les replis de la membrane interne. Celle-ci délimite deux compartiments, comme le fait ressortir le schéma en trois dimensions : l'espace intermembranaire et la matrice mitochondriale. On voit des ribosomes libres dans la matrice, ainsi que plusieurs copies du génome mitochondrial (ADN). Les molécules d'ADN sont habituellement circulaires (comme chez les Bactéries) et attachées à la membrane interne de la mitochondrie.

cellulaire, dont l'enzyme qui produit l'ATP, sont intégrées à la membrane interne. Grâce à leur surface très plissée, les crêtes augmentent jusqu'à cinq fois l'aire de la membrane interne, soit l'aire consacrée à la respiration cellulaire. C'est là un autre exemple de corrélation entre structure et fonction.

Les chloroplastes : des capteurs d'énergie lumineuse

Le chloroplaste est un membre spécialisé d'une famille d'organites végétaux étroitement apparentés appelés plastes. Les *amyloplastes* (aussi appelés leucoplastes) sont des plastes incolores qui renferment de l'amidon, particulièrement dans les racines et les tubercules. Les *chromoplastes*, eux, élaborent les pigments qui donnent aux fruits et aux fleurs leurs teintes orangées et jaunes. Quant aux *chloroplastes*, ils contiennent le pigment vert appelé chlorophylle ainsi que d'autres pigments, des enzymes et les molécules nécessaires à la production de glucides lors de la photosynthèse. Les chloroplastes sont biconvexes ; ils mesurent environ 2 μm sur 5 μm, et ils se trouvent dans les feuilles et dans les autres organes verts des Végétaux, de même que chez les Algues **(figure 6.18)**.

Le contenu d'un chloroplaste est isolé du cytosol par deux membranes séparées par un espace intermembranaire très mince. À l'intérieur du chloroplaste se trouve un autre réseau membraneux organisé en sacs aplatis, les **thylakoïdes**. Dans certaines régions du chloroplaste, les thylakoïdes sont empilés comme des jetons de poker et forment des structures appelées **grana** (granum au singulier). C'est dans la membrane du thylakoïde que se trouvent les molécules de chlorophylle. Le liquide, appelé **stroma**, où baignent les thylakoïdes contient de l'ADN et des ribosomes, de même que de nombreuses enzymes. Les membranes du chloroplaste divisent l'intérieur de celui-ci en trois compartiments : l'espace intermembranaire, l'espace intrathylakoïdien et le stroma. Au chapitre 10, nous verrons comment cette compartimentation permet au chloroplaste de convertir l'énergie lumineuse en énergie chimique pendant la photosynthèse.

À l'instar des mitochondries, les chloroplastes que l'on voit sur les micrographies et les illustrations schématiques ont une apparence statique et rigide qui s'oppose à leur comportement réel dans les cellules vivantes. Ils ont en effet une forme malléable, ils croissent et ils se divisent parfois en deux pour se reproduire. Comme les mitochondries et d'autres organites, ils se déplacent d'un endroit à l'autre le long des « rails » du cytosquelette, un réseau structural que nous examinerons plus loin dans ce chapitre.

Les peroxysomes : des organites oxydatifs

Les **peroxysomes** sont des compartiments métaboliques spécialisés délimités par une membrane simple **(figure 6.19)**. Ils contiennent des enzymes qui transfèrent l'hydrogène de divers substrats à du dioxygène. Ils doivent leur nom au sous-produit de ce transfert, le peroxyde d'hydrogène (ou dioxyde de dihydrogène, H_2O_2). Ils ont diverses fonctions. Certains utilisent le dioxygène pour décomposer les acides gras des lipides en de petites molécules qui serviront de sources d'énergie pour la respiration cellulaire dans les mitochondries. Les peroxysomes des cellules hépatiques détoxiquent l'alcool et d'autres composés nocifs en transférant l'hydrogène de ces substances à du dioxygène. Le peroxyde d'hydrogène formé par le métabolisme des peroxysomes est toxique, mais ces derniers contiennent une enzyme qui le convertit en eau. Ils renferment donc à la fois les enzymes qui produisent le peroxyde d'hydrogène et l'enzyme qui l'élimine. C'est un autre exemple éloquent démontrant la relation entre la structure (ici la compartimentation de la cellule) et la fonction.

Dans les graines, les tissus riches en lipides contiennent des peroxysomes spécialisés appelés *glyoxysomes*. Ces organites renferment des enzymes qui déclenchent la conversion des acides gras en glucides, un processus qui fournit de l'énergie

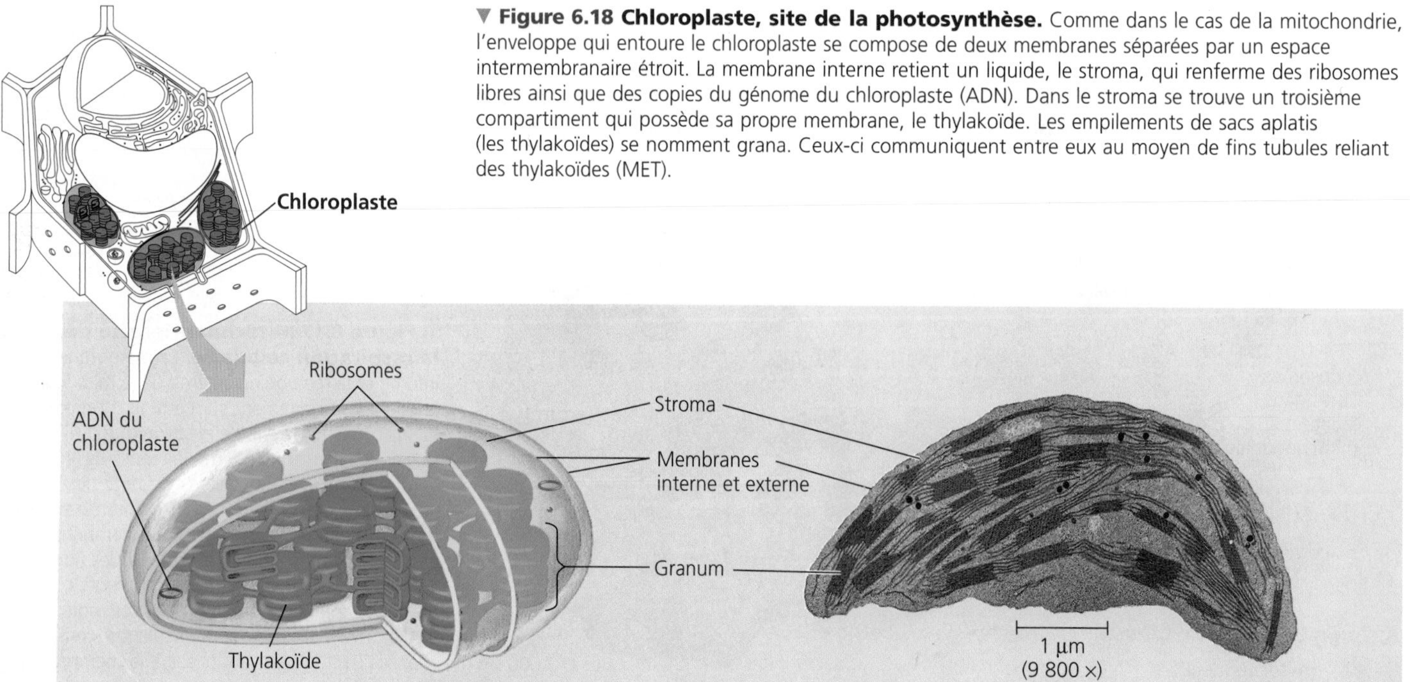

▼ **Figure 6.18 Chloroplaste, site de la photosynthèse.** Comme dans le cas de la mitochondrie, l'enveloppe qui entoure le chloroplaste se compose de deux membranes séparées par un espace intermembranaire étroit. La membrane interne retient un liquide, le stroma, qui renferme des ribosomes libres ainsi que des copies du génome du chloroplaste (ADN). Dans le stroma se trouve un troisième compartiment qui possède sa propre membrane, le thylakoïde. Les empilements de sacs aplatis (les thylakoïdes) se nomment grana. Ceux-ci communiquent entre eux au moyen de fins tubules reliant des thylakoïdes (MET).

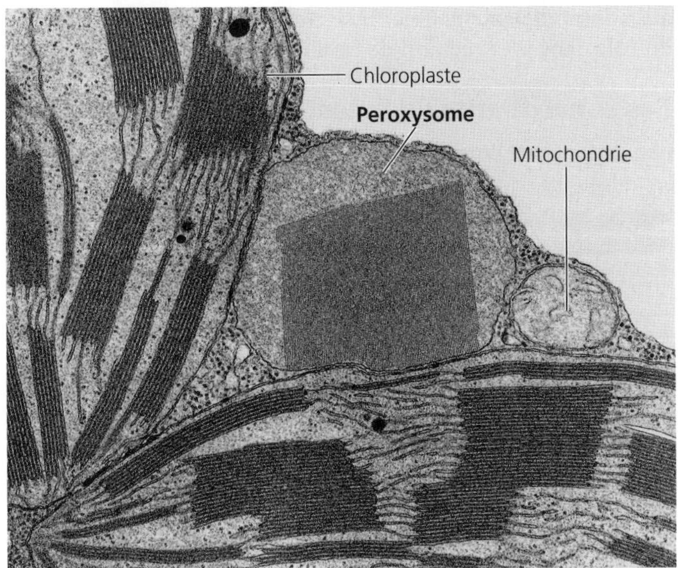

▲ **Figure 6.19 Peroxysomes.** Les peroxysomes ont une forme plutôt sphérique. Ils présentent souvent une matrice granulaire ou cristalline constituée vraisemblablement d'un amas d'enzymes. Ce peroxysome appartient à une cellule de feuille. Notez qu'il est étroitement associé à des mitochondries et à des chloroplastes, avec lesquels il coopère pour accomplir certaines fonctions métaboliques (MET).

et une source de carbone au jeune plant, et ce, jusqu'à ce qu'il soit en mesure de produire lui-même ses glucides grâce à la photosynthèse.

Contrairement aux lysosomes, les peroxysomes ne naissent pas d'un bourgeonnement du réseau intracellulaire de membranes. Ils augmentent de volume en incorporant des protéines produites surtout dans le cytosol, des lipides synthétisés dans le RE et des lipides fabriqués dans le peroxysome lui-même. Les peroxysomes se multiplient par scissiparité (division en deux parties égales) quand ils atteignent une certaine taille.

Retour sur le concept 6.5

1. Décrivez au moins deux points communs entre les chloroplastes et les mitochondries.
2. Expliquez les caractéristiques qui font que les mitochondries et les chloroplastes sont différents des organites du réseau intracellulaire de membranes.

Voir les réponses proposées à la fin du chapitre.

Concept 6.6

Le cytosquelette est un réseau de fibres qui organise les structures et les activités de la cellule

Au moment de l'invention du microscope électronique, les biologistes présumaient que les organites des cellules eucaryotes baignaient librement dans le cytosol. Cependant, les avancées en matière de microscopie photonique et électronique ont permis de découvrir le **cytosquelette** (**figure 6.20**). Ce réseau de fibres qui parcourt le cytoplasme joue un rôle fondamental dans l'organisation des structures et des activités cellulaires. Il se compose de trois types de structures moléculaires: les microtubules, les microfilaments et les filaments intermédiaires (**tableau 6.1**).

Les rôles du cytosquelette: soutien, mobilité et régulation

La fonction la plus évidente du cytosquelette consiste à assurer un soutien mécanique à la cellule et à aider celle-ci à maintenir sa forme. Cela est particulièrement important pour les cellules animales, qui sont dépourvues de paroi. Le cytosquelette doit sa résistance remarquable et son élasticité à son architecture. À la manière d'un dôme géodésique, il se stabilise en équilibrant les forces opposées que ses éléments structuraux exercent. De la même façon que le squelette d'un animal aide à fixer la position des parties du corps, le cytosquelette fournit des points d'ancrage à de nombreux organites et même à des enzymes du cytosol. Il joue cependant un rôle beaucoup plus actif qu'un squelette, car il peut être démonté puis remonté ailleurs; il modifie ainsi la forme de la cellule.

Le cytosquelette joue aussi un rôle dans la mobilité de la cellule entière ou d'organites à l'intérieur de celle-ci. Dans les deux cas, on parle de mobilité cellulaire. Cette dernière nécessite habituellement l'interaction du cytosquelette et de ce qu'on appelle les **protéines motrices** – dont font partie la dynéine, la myosine et la kinésine (**figure 6.21**). Les exemples de mobilité cellulaire abondent. Les éléments du cytosquelette et les protéines motrices collaborent avec les molécules de la membrane plasmique pour permettre à certaines cellules de se déplacer sur des fibres à l'extérieur de la cellule. Dans d'autres cas, les protéines motrices se servent des microtubules des cils et des flagelles pour faire glisser les constituants du cytosquelette les uns contre les autres et, ce faisant, elles provoquent le mouvement de ces organites. Un mécanisme semblable faisant intervenir les microfilaments entre en jeu lors de la contraction musculaire. Par ailleurs, les vésicules se déplacent souvent à l'intérieur d'une cellule en empruntant des «monorails» assurés par le cytosquelette. À titre d'exemple, les vésicules porteuses de neurotransmetteurs utilisent ce moyen pour migrer vers les extrémités d'un axone (le prolongement

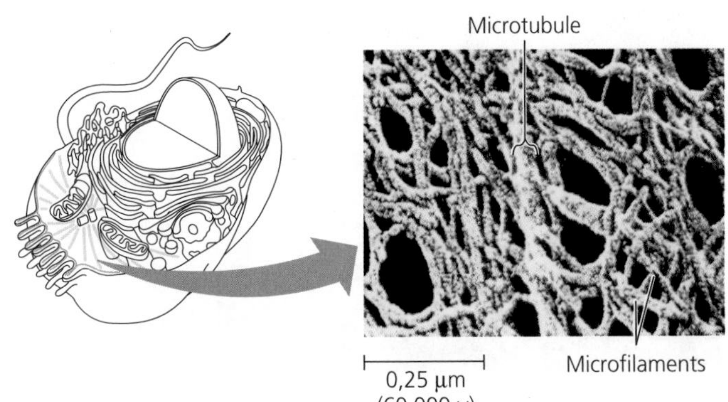

▲ **Figure 6.20 Cytosquelette.** Cette micrographie électronique, réalisée après ombrage de l'échantillon, montre deux constituants du cytosquelette: les microtubules, épais et creux, et les microfilaments, plus fins et solides. Les troisièmes constituants, les filaments intermédiaires, n'apparaissent pas ici.

principal des cellules nerveuses). Les molécules de kinésine, auxquelles les vésicules sont fixées, possèdent deux pieds qui leur permettent de « marcher » le long des filaments du cytosquelette, parcourant à chaque pas une distance de 17 nm en moyenne. Rendues à destination, les vésicules fusionnent avec la membrane plasmique de la cellule nerveuse et livrent leurs informations sous forme de stimulus chimiques à des cellules nerveuses adjacentes (voir la figure 6.21). Autre exemple : les vésicules qui naissent par bougeonnement du RE se rendent à l'appareil de Golgi par les voies formées d'éléments du cytosquelette. Au cours de l'endocytose, c'est le cytosquelette qui entraîne l'invagination de la membrane plasmique et la formation de vacuoles digestives. Enfin, c'est lui qui provoque le mouvement du cytoplasme (cyclose), qui assure la circulation des matériaux dans de nombreuses cellules végétales.

Les recherches portant sur les fonctions du cytosquelette permettent de croire que celui-ci joue un rôle dans la régulation d'activités biochimiques ayant lieu dans la cellule. Des indices de plus en plus probants indiquent que le cytosquelette peut propager les forces mécaniques que les molécules extracellulaires exercent par l'intermédiaire des protéines de surface, plus précisément qu'il peut transmettre cette énergie à l'intérieur de la cellule et même jusque dans le noyau. Au cours d'une expérience, des chercheurs ont « étiré », à l'aide d'un microdispositif de manipulation, certaines protéines membranaires associées au cytosquelette. Une caméra vidéo reliée à un microscope a alors dévoilé que le nucléole et d'autres structures nucléaires se réarrangent quasi instantanément. Cela laisse croire que le cytosquelette joue un rôle dans la régulation de certaines fonctions cellulaires.

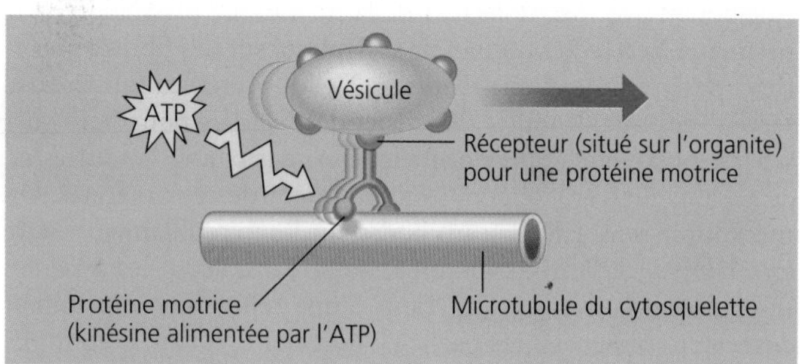

(a) Les protéines motrices fixées aux récepteurs des organites font glisser ces derniers le long de microtubules ou, parfois, de microfilaments.

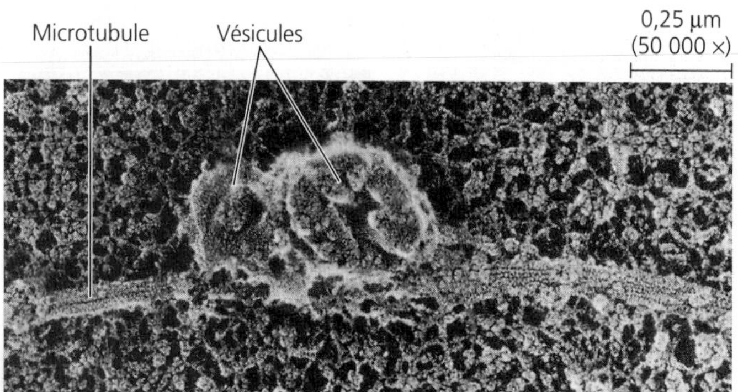

(b) Les vésicules porteuses de neurotransmetteurs utilisent le moyen décrit en **(a)** pour migrer vers les extrémités d'un axone. Dans cette MEB d'un axone géant de calmar, on voit deux vésicules qui se déplacent le long d'un microtubule. (Une autre partie de l'expérience a fourni la preuve que les vésicules se déplaçaient bel et bien.)

▲ **Figure 6.21 Protéines motrices et cytosquelette.**

Les constituants du cytosquelette

Le cytosquelette comprend trois sortes de fibres principales (voir le tableau 6.1) que nous allons examiner plus en détail : les microtubules sont les plus épaisses ; viennent ensuite les **filaments intermédiaires**, et enfin les **microfilaments** (aussi appelés microfilaments d'actine).

Microtubules

On trouve des microtubules dans le cytoplasme de toutes les cellules eucaryotes. Ce sont des cylindres creux dont le diamètre est d'environ 25 nm, et dont la longueur va de 200 nm à 25 μm. Leur paroi se compose d'une protéine globulaire, la tubuline. Celle-ci existe sous deux formes légèrement différentes, la tubuline α et la tubuline β. Chaque molécule de tubuline est un dimère constitué d'une sous-unité de tubuline α, et d'une autre de tubuline β. Les microtubules peuvent s'allonger grâce à l'ajout de dimères de tubuline à une de leurs extrémités. Ils peuvent aussi se démonter ; la tubuline libre sert alors à former un autre microtubule ailleurs dans la cellule.

En plus de façonner et de soutenir la cellule, les microtubules servent de rails sur lesquels les organites associés à des protéines motrices peuvent se déplacer (voir la figure 6.21). Par exemple, ce sont eux qui guident les vésicules de sécrétion de l'appareil de Golgi vers la membrane plasmique. De plus, ils participent à la séparation des chromosomes pendant la division cellulaire ; nous traiterons de ce sujet au chapitre 12.

Centrosomes et centrioles. Dans beaucoup de cellules, c'est d'un **centrosome** (aussi appelé « centre organisateur des microtubules »), une masse finement granulaire située près du noyau, que rayonnent les microtubules. Ces derniers servent alors de poutres dans la charpente cellulaire qu'est le cytosquelette. Le centrosome d'une cellule animale contient une paire de centrioles. Chacun de ceux-ci comprend neuf triplets de microtubules disposés en cercle et aucun microtubule central (disposition de type « 9 + 0 ») **(figure 6.22)**. Lorsqu'une cellule se divise, les centrioles se dédoublent. Bien qu'ils concourent probablement à l'assemblage des microtubules, ils ne sont pas essentiels à cette fonction chez tous les Eucaryotes. Par exemple, le centrosome des cellules appartenant au règne des Végétaux ne possède pas de centrioles, mais a des microtubules bien structurés.

Cils et flagelles. Les **flagelles** et les **cils** situés à la surface de certaines cellules eucaryotes et servant d'appendices locomoteurs sont formés de microtubules disposés de manière particulière. Beaucoup d'organismes unicellulaires eucaryotes (appartenant au règne des Protistes) se propulsent dans l'eau au moyen de cils ou de flagelles ; de même, les gamètes mâles des Animaux (soit les spermatozoïdes), des Algues et de certains Végétaux sont flagellés. Mais les cils et les flagelles ne servent pas seulement à mouvoir des cellules. Ils créent un courant dans le liquide qui se trouve à la surface du tissu dont font partie les cellules ciliées ou flagellées qui ne se déplacent pas. Par exemple, les cils des cellules qui tapissent la trachée expulsent des poumons le mucus chargé de débris (voir la figure 6.4). De même, dans les voies génitales de la femme, les cils recouvrant les trompes de Fallope aident à

Tableau 6.1 Structure et fonction du cytosquelette

Propriétés	Microtubules (polymères de tubuline)	Microfilaments	Filaments intermédiaires
Structure	Cylindres creux; paroi formée de 13 colonnes (protofilaments) de molécules de tubuline	Deux brins d'actine entortillés, chacun étant un polymère de sous-unités d'actine	Diverses protéines fibreuses enroulées de façon à former un gros câble (ou une superhélice)
Diamètre	25 nm hors tout dont 15 nm de diamètre intérieur	7 nm environ	De 8 à 12 nm
Sous-unités protéiques	Tubulines α et ß	Actine	Selon le type cellulaire, une ou plusieurs protéines de la famille des kératines
Fonctions principales	Maintien de la forme cellulaire (charpente résistant à la compression) Mobilité cellulaire (ils sont l'une des composantes des cils et des flagelles) Mouvements des chromosomes lors de la division cellulaire Mouvements des organites	Maintien de la forme cellulaire (éléments supportant la tension) Modification de la forme cellulaire Contraction musculaire Cyclose Mobilité cellulaire (des microfilaments d'actine aidés de filaments de myosine poussent le cytoplasme contre la membrane plasmique et déplacent ainsi la cellule) Formation du sillon de division cellulaire	Maintien de la forme cellulaire (éléments supportant la tension) Fixation du noyau et de certains organites Formation de la lamina nucléaire
Micrographies de fibroblastes, un type de cellules du tissu conjonctif souvent utilisé en cytologie. Chaque fibroblaste a été coloré avec une substance fluorescente pour faire ressortir la structure étudiée.	10 µm (900 ×) Colonne de dimères de tubuline 25 nm α β Dimère de tubuline	10 µm (400 ×) Sous-unité d'actine 7 nm	5 µm (1 800 ×) Sous-unités d'un filament 8–12 nm Protéines fibreuses (protofilaments)

propulser l'ovule vers l'utérus. Chez les Invertébrés, le battement des cils sert à capter des particules de nourriture.

Lorsqu'une cellule est dotée de cils, ceux-ci sont généralement très abondants. Ils ont un diamètre de 0,25 µm environ et ils mesurent de 2 à 20 µm de long. Les flagelles ont le même diamètre, mais leur longueur va de 10 à 200 µm. Par contre, une cellule n'en porte généralement qu'un seul ou que quelques-uns.

Les flagelles et les cils ne battent pas de la même façon **(figure 6.23)**. Les premiers ont un mouvement ondulatoire, et ils propulsent la cellule dans leur axe. Le mouvement ciliaire, en revanche, ressemble à celui d'un aviron: il fait alterner un battement de propulsion et un battement de récupération; l'ensemble des battements de propulsion poussent la cellule perpendiculairement à l'axe du cil.

Bien qu'ils diffèrent par leur longueur, leur nombre et leurs battements, les cils et les flagelles présentent la même ultrastructure. Ils se composent de neuf doublets de microtubules recouverts par un prolongement de la membrane plasmique **(figure 6.24)** et formant un cylindre autour de deux microtubules non jumelés. Les microtubules de chaque doublet adhèrent l'un à l'autre. Cette disposition de type « 9 + 2 » s'observe dans presque tous les cils et les flagelles eucaryotes. (Le flagelle des procaryotes mobiles ne contient pas de microtubules. Nous y reviendrons au chapitre 27.) Des « roues » flexibles de protéines sont disposées régulièrement le long du cil ou du flagelle. Elles comportent des ponts de nexine (une protéine de liaison) qui joignent les doublets périphériques les uns aux autres (telle une jante de roue). Des ponts radiaires relient ces doublets à la gaine protéique qui entoure les deux microtubules centraux (tels des rayons de roue). Chaque doublet périphérique porte, sur un côté, une paire de bras latéraux orientés vers le doublet adjacent. Ces bras latéraux tiennent lieu de molécules motrices. L'assemblage de microtubules d'un cil ou d'un flagelle est ancré à la cellule par un **corpuscule basal** structuralement identique à un centriole. En fait, chez de nombreux Animaux, dont l'humain, le corpuscule basal du flagelle du spermatozoïde pénètre l'ovule et devient un centriole.

Chaque bras latéral tendu entre les doublets de microtubules joue un rôle important dans les mouvements de flexion des cils et des flagelles. Ces bras se composent d'une très grosse protéine appelée dynéine, formée elle-même de plusieurs polypeptides. Ils accomplissent un cycle complexe de mouvements rendu possible par des changements dans la conformation de la dynéine. L'énergie nécessaire à ces transformations est fournie par de l'ATP **(figure 6.25)**.

Les glissements de la dynéine évoquent les mouvements d'un chat qui grimpe à un arbre. L'animal enfonce les griffes de sa patte antérieure gauche et de sa patte postérieure droite dans l'écorce et se hisse plus haut ; ses deux autres pattes lâchent prise et se positionnent au-delà des points d'appui, et ainsi de suite. De même, les bras latéraux de dynéine d'un doublet s'attachent à un doublet adjacent et tirent de sorte que les doublets glissent l'un contre l'autre dans une direction opposée. Ensuite, les bras latéraux se détachent du doublet adjacent et se rattachent un peu plus haut. En l'absence de contraintes, les doublets continueraient à glisser les uns contre les autres ; cela aurait pour effet d'allonger le cil ou le flagelle au lieu de le fléchir (voir la figure 6.25a). Pour que ceux-ci puissent accomplir un mouvement latéral, les bras de dynéine doivent avoir un point d'appui, tout comme un muscle de la jambe doit se retenir sur l'os pour faire fléchir le genou. Chaque doublet de microtubules semble être maintenu en place par des protéines de liaison que nous avons déjà mentionnées : les ponts de nexine situés entre les doublets adjacents, et les ponts radiaires reliant les doublets aux deux microtubules centraux. C'est la raison pour laquelle les doublets adjacents ne peuvent glisser l'un contre l'autre sur de grandes distances. Les forces exercées par les bras de dynéine provoquent alors la flexion des doublets et donc celle du cil ou du flagelle (figure 6.25b et c).

Microfilaments (d'actine)

Les microfilaments ont une forme cylindrique, et leur diamètre est d'environ 7 nm. Ils sont rigides. Ils se composent de molécules d'**actine**, une protéine globulaire, unies les unes aux autres.

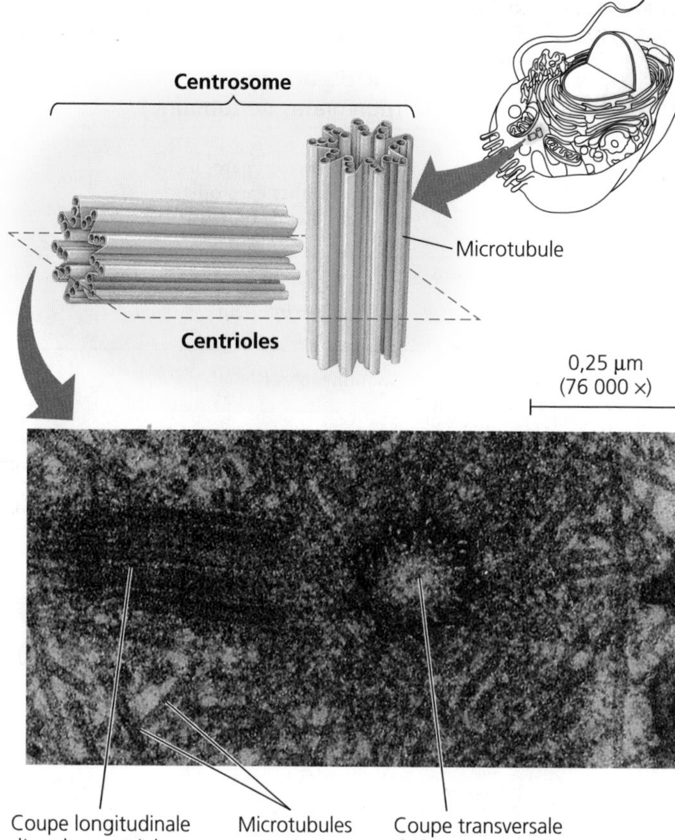

▲ **Figure 6.22 Centrosome doté d'une paire de centrioles.** Une cellule animale contient une paire de centrioles à l'intérieur de son centrosome, une masse finement granulaire située près du noyau et dans laquelle les microtubules se forment. Les centrioles ont chacun un diamètre de 0,25 µm environ ; ils sont disposés à angle droit l'un par rapport à l'autre. Chacun se compose de neuf triplets de microtubules. Les régions bleutées du schéma représentent les protéines autres que la tubuline qui relient les triplets de microtubules (MET).

Chaque microfilament est formé de deux chaînes torsadées d'actine (voir le tableau 6.1). Les microfilaments peuvent être de simples filaments linéaires, mais ils peuvent aussi former des réseaux structuraux en raison de la présence de protéines qui se lient le long d'un filament d'actine et permettent à un nouveau filament de former une ramification. Les microfilaments se retrouvent, semble-t-il, dans toutes les cellules eucaryotes.

Alors que les microtubules aident le cytosquelette à résister à la compression (écrasement), les microfilaments, eux, l'aident à supporter la tension (étirement) qui s'exerce sur lui. La capacité des microfilaments de former, en association avec d'autres protéines, un réseau fibreux tridimensionnel à l'intérieur de la membrane plasmique aide la cellule à maintenir sa forme. C'est ce réseau fibreux qui donne au cortex cellulaire (la couche périphérique du cytoplasme) sa consistance gélatineuse, alors que l'intérieur du cytoplasme (le cytosol, les organites et les inclusions, comme les granules, les pigments et les déchets) est plus liquide. Des faisceaux de microfilaments forment le cœur des microvillosités, de fins prolongements cytoplasmiques qui accroissent la surface d'échange des cellules animales spécialisées dans le transport des matières à travers la membrane plasmique, par exemple les cellules intestinales **(figure 6.26)**.

(a) Mouvement du flagelle. Le flagelle ondule à la manière d'un serpent, poussant la cellule dans son axe. La propulsion du spermatozoïde humain illustre bien la locomotion flagellaire (MEB).

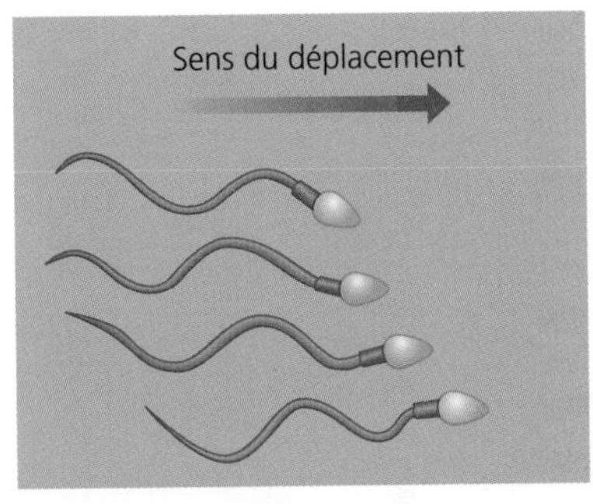

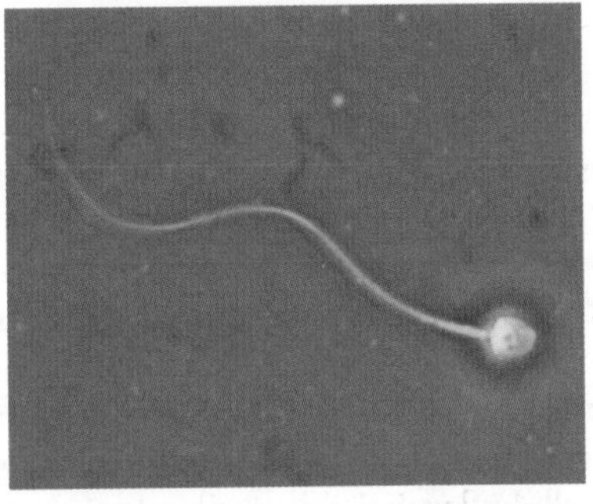

5 µm (1 800 ×)

(b) Mouvement du cil. Le cil bat d'avant en arrière dans une direction perpendiculaire à son axe. D'innombrables cils recouvrent ce *Colpidium*, un protozoaire d'eau douce, et se meuvent au rythme de 40 à 60 battements par seconde environ (MEB).

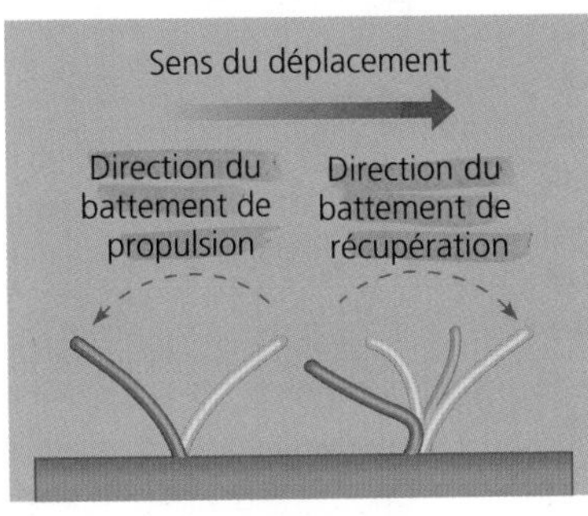

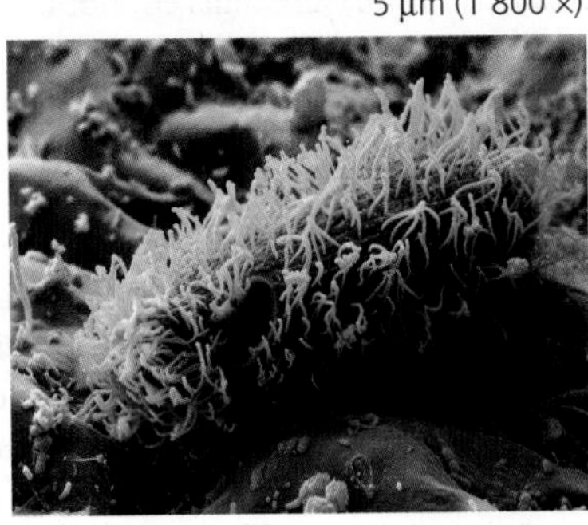

15 µm (500 ×)

◀ **Figure 6.23 Comparaison entre le battement des flagelles et celui des cils.**

Microtubules

Membrane plasmique

Corpuscule basal

0,5 µm (45 000 ×)

(a) Cette micrographie électronique d'un cil en coupe longitudinale montre les microtubules s'étendant dans l'axe de la structure (MET).

0,1 µm (150 000 ×)

Doublet périphérique de microtubules

Bras de dynéine

Microtubule central

Pont de nexine

Pont radiaire

Membrane plasmique

(b) Cette coupe transversale d'un cil montre la disposition de type « 9 + 2 » des microtubules (MET). Des protéines (en violet), ponts de nexine et ponts radiaires, relient les doublets périphériques entre eux et aux deux microtubules centraux entourés d'une gaine protéique. Les doublets portent des protéines motrices, des «bras» de dynéine (en rouge).

0,1 µm (150 000 ×)

Triplets de microtubules

(c) Corpuscule basal : les neuf doublets périphériques d'un cil ou d'un flagelle s'enfoncent dans le corpuscule basal, où chacun d'eux s'unit à un microtubule ; un cylindre de neuf triplets est ainsi formé. Chaque triplet est relié au triplet suivant par des protéines autres que la tubuline (en bleu). Les deux microtubules centraux sont absents, car ils se terminent au-dessus du corpuscule basal (MET).

Coupe transversale du corpuscule basal

▲ **Figure 6.24 Ultrastructure du flagelle et du cil eucaryotes.**

Les microfilaments (d'actine) sont surtout connus pour leur rôle dans la contraction musculaire. Des milliers d'entre eux sont disposés parallèlement les uns aux autres le long de la cellule musculaire; ils alternent avec des filaments plus épais composés de molécules d'une protéine appelée **myosine** (**figure 6.27a**). Ce sont les molécules de myosine qui sont motrices: elles possèdent des «bras» qui avancent le long des microfilaments. La contraction d'une cellule musculaire (qui sera vue plus en détail au chapitre 49) résulte du mouvement en sens inverse des microfilaments et des filaments de myosine, qui a pour effet de raccourcir la cellule. Dans d'autres types de cellules aussi, des microfilaments s'associent à la myosine: ils reproduisent en miniature mais en moins élaboré leur disposition dans les cellules musculaires. Ces agrégats d'actine et de myosine sont à l'origine des contractions cellulaires localisées. Quand une cellule animale se divise, par exemple, la contraction d'une ceinture de microfilaments situés à l'équateur de la cellule accentue le sillon de division.

C'est également une contraction localisée entraînée par l'actine et la myosine qui donne naissance au mouvement amiboïde (**figure 6.27b**), par lequel une cellule, par exemple une amibe, rampe le long d'une surface en formant des prolongements cellulaires rétractiles appelés **pseudopodes** (du grec *pseudês*, qui signifie «faux», et *podos*, «pied»). Pour s'allonger, la cellule forme temporairement des microfilaments à partir de sous-unités d'actine, puis des réseaux à partir de ces microfilaments, ce qui modifie la consistance du cytoplasme: celui-ci passe d'une solution colloïdale (sol) à un état semi-solide (gel) qui facilite la formation de pseudopodes. Pour se rétracter, la cellule démonte ces assemblages dans les pseudopodes, et ainsi de suite. D'après un modèle généralement accepté, les microfilaments d'actine situés près de l'extrémité de la cellule opposée au mouvement interagissent avec la myosine, ce qui permet un glissement du cytoplasme vers l'avant. Le fluide cellulaire central (cytoplasme à l'état de sol) est repoussé contre la membrane plasmique située dans le sens du mouvement, là où le réseau d'actine a été affaibli. La cellule ajoute des portions de membrane à l'aide de vésicules et, sous l'effet de la pression exercée par la poussée du fluide, la membrane se déforme et donne naissance à un pseudopode. Celui-ci s'allonge jusqu'à ce que le réseau d'actine se démantèle. Au cours de ce processus, le cytoplasme passe donc de l'état de sol à l'état de gel pour former les pseudopodes et de l'état de gel à l'état de sol pour permettre l'écoulement du cytoplasme dans les pseudopodes; ces transformations sont elles-mêmes provoquées par une alternance entre l'assemblage de sous-unités d'actine en microfilaments et le démantèlement de ces microfilaments. Les amibes ne sont pas les seules cellules qui peuvent ramper. Chez les Animaux, beaucoup de cellules, dont les globules blancs, possèdent cette capacité.

Dans les cellules végétales, les interactions actine-myosine et les transformations sol-gel du cytoplasme concourent à la **cyclose**, un phénomène par lequel une partie du cytoplasme circule sans cesse dans l'espace séparant la vacuole centrale et le cortex cellulaire sous la membrane plasmique (**figure 6.27c**). Ce mouvement particulièrement répandu dans les grosses cellules végétales accélère la distribution intracellulaire des substances.

Filaments intermédiaires

Les **filaments intermédiaires** doivent leur nom à leur diamètre, qui va de 8 à 12 nm; il est donc supérieur à celui des microfilaments, mais inférieur à celui des microtubules (voir le tableau 6.1,

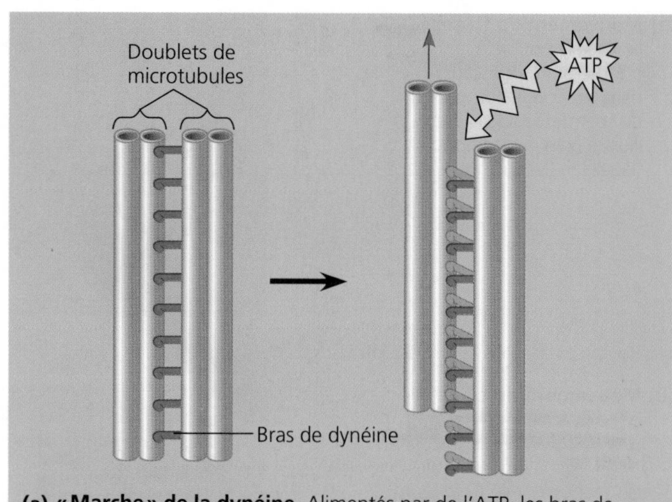

(a) «Marche» de la dynéine. Alimentés par de l'ATP, les bras de dynéine d'un doublet de microtubules s'attachent sur le doublet voisin, exercent une traction, se détachent, puis recommencent ce cycle. S'ils n'étaient pas attachés, les deux doublets de microtubules glisseraient l'un par rapport à l'autre.

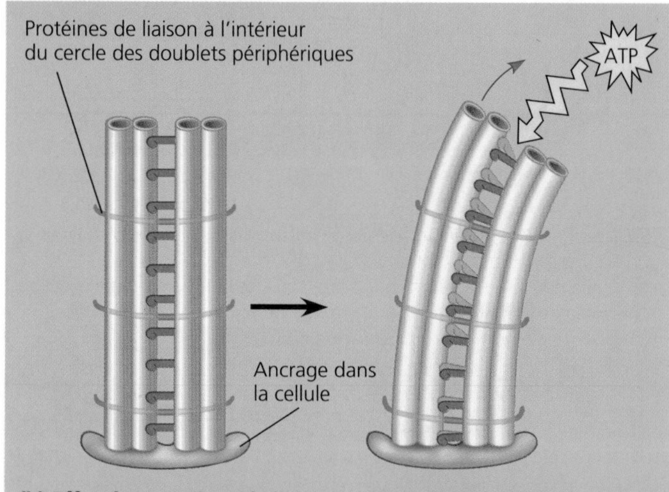

(b) Effet des protéines de liaison. Dans un cil ou un flagelle, le déplacement linéaire de deux doublets adjacents est limité par la présence de ponts de nexine et de ponts radiaires. Au lieu de s'allonger, le cil ou le flagelle fléchit. Seulement deux des neuf doublets périphériques de la figure 6.24b sont illustrés ici.

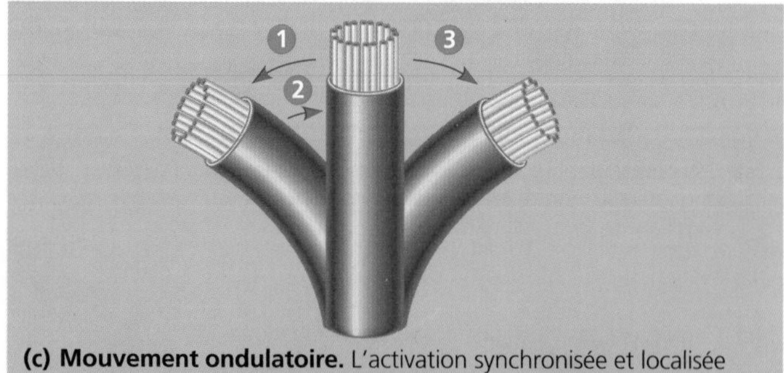

(c) Mouvement ondulatoire. L'activation synchronisée et localisée de plusieurs bras de dynéine provoque vraisemblablement une flexion, qui commence à la base du cil ou du flagelle, puis se propage vers son extrémité. Lorsqu'il y a plusieurs flexions successives, comme celles illustrées ici à gauche et à droite, il s'ensuit un mouvement ondulatoire. Le diagramme ci-dessus ne montre pas les deux microtubules centraux ni les protéines de liaison.

▲ **Figure 6.25 Rôle de la dynéine dans le mouvement des cils et des flagelles.**

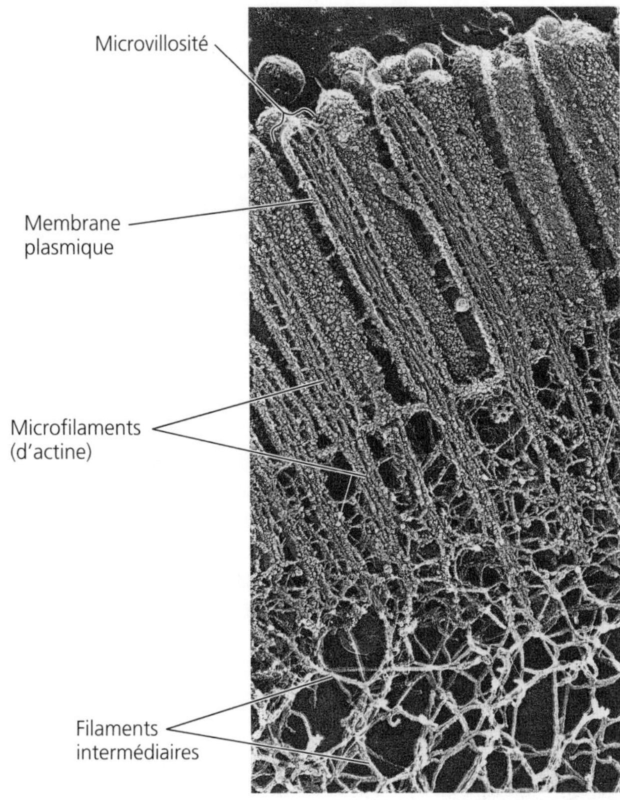

▲ **Figure 6.26 Fonctions des microfilaments.** Les microvillosités, des prolongements cytoplasmiques renforcés par des faisceaux de microfilaments, accroissent la surface de cette cellule intestinale. Les microfilaments sont ancrés à un réseau de filaments intermédiaires (MET).

p. 117). Les filaments intermédiaires, capables de résister à la tension (comme les microfilaments), sont des éléments constitutifs du cytosquelette des Eucaryotes multicellulaires. Chaque type de filament intermédiaire est formé par l'assemblage de sous-unités protéiques particulières – appartenant à une famille de protéines dont font partie les kératines – et a donc un diamètre distinct. À l'opposé, les microtubules et les microfilaments ont le même diamètre et la même composition dans toutes les cellules eucaryotes.

En comparaison, les filaments intermédiaires sont plus stables que les microfilaments et les microtubules, lesquels sont assemblés et démontés successivement dans diverses parties de la cellule. Même après la mort des cellules, les réseaux de filaments intermédiaires persistent souvent; par exemple, la couche externe de notre peau est formée de cellules cutanées mortes pleines de kératine. Des traitements chimiques qui séparent les microfilaments et les microtubules du cytoplasme de cellules vivantes laissent intact le réseau de filaments intermédiaires. Cela laisse croire que ces derniers sont essentiels au maintien de la cellule et à l'ancrage de certains organites. Par exemple, le noyau est généralement entouré d'une cage formée de filaments intermédiaires et maintenue en place par les ramifications de filaments qui s'étendent jusque dans le cytoplasme. Des filaments intermédiaires constitués de lamines composent la lamina nucléaire qui tapisse l'intérieur de l'enveloppe nucléaire et jouent un rôle dans son démantèlement lors de la division cellulaire (voir la figure 6.10). Dans les cas où la cellule a une forme qui conditionne sa fonction, ce sont les filaments intermédiaires qui maintiennent cette forme. Ainsi, l'axone

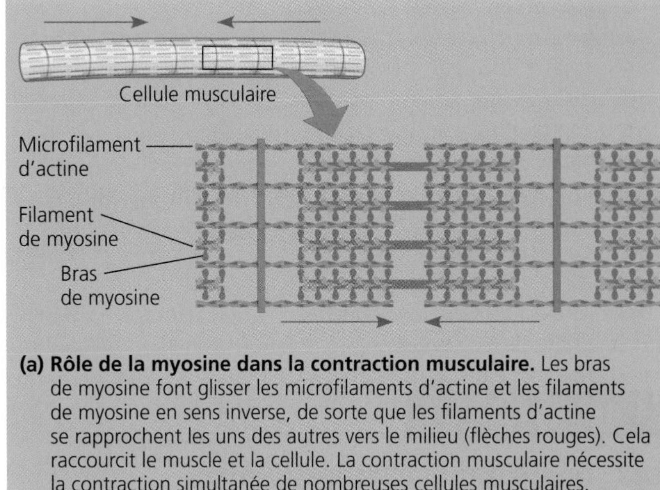

(a) Rôle de la myosine dans la contraction musculaire. Les bras de myosine font glisser les microfilaments d'actine et les filaments de myosine en sens inverse, de sorte que les filaments d'actine se rapprochent les uns des autres vers le milieu (flèches rouges). Cela raccourcit le muscle et la cellule. La contraction musculaire nécessite la contraction simultanée de nombreuses cellules musculaires.

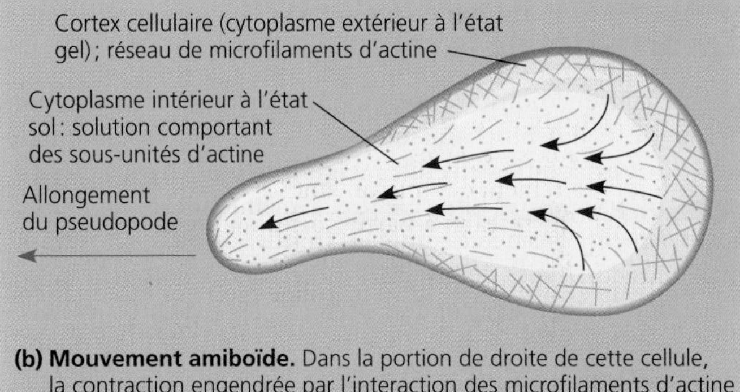

(b) Mouvement amiboïde. Dans la portion de droite de cette cellule, la contraction engendrée par l'interaction des microfilaments d'actine et des filaments de myosine entraîne le cytoplasme vers le côté opposé (à gauche). La pression du cytoplasme contre la membrane fait émerger un pseudopode.

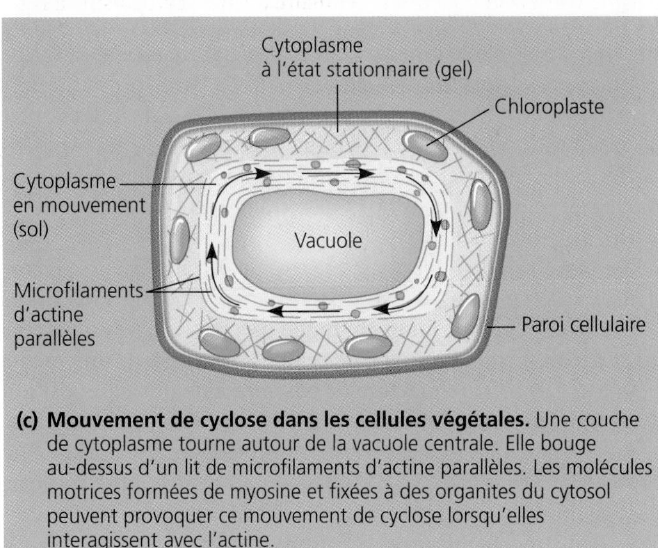

(c) Mouvement de cyclose dans les cellules végétales. Une couche de cytoplasme tourne autour de la vacuole centrale. Elle bouge au-dessus d'un lit de microfilaments d'actine parallèles. Les molécules motrices formées de myosine et fixées à des organites du cytosol peuvent provoquer ce mouvement de cyclose lorsqu'elles interagissent avec l'actine.

▲ **Figure 6.27 Microfilaments et mobilité.** Dans les trois exemples de cette figure, le noyau et la plupart des autres organites ont été omis par souci de clarté.

(le prolongement des neurones qui conduit l'influx nerveux) est renforcé par un type de filament intermédiaire. Par conséquent, il se pourrait que les divers types de filaments intermédiaires constituent l'armature du cytosquelette entier.

Retour sur le concept 6.6

1. Décrivez comment les propriétés conjuguées des microtubules, des microfilaments et des filaments intermédiaires permettent de déterminer la forme d'une cellule.
2. Comment les cils et les flagelles peuvent-ils fléchir?

Voir les réponses proposées à la fin du chapitre.

Concept 6.7

Les constituants extracellulaires et les jonctions intercellulaires contribuent à la coordination des activités de la cellule

Maintenant que nous avons sondé l'intérieur de la cellule pour découvrir les différents organites qui s'y trouvent, nous terminerons notre exploration en étudiant les structures importantes présentes à la surface d'une cellule. La membrane plasmique est généralement considérée comme la frontière de la cellule vivante, mais plusieurs types de cellules synthétisent et sécrètent autour d'elle une matière quelconque. Même si les structures extracellulaires se trouvent, comme leur nom l'indique, à l'extérieur de la cellule, leur étude est essentielle en biologie puisqu'elles participent à plusieurs des fonctions cellulaires.

La paroi cellulaire des cellules végétales

La **paroi cellulaire** fait partie des structures extracellulaires distinctives de la cellule végétale. Elle la protège, maintient sa forme et prévient l'absorption excessive d'eau. La paroi résistante formée par les cellules d'une plante permet à celle-ci de lutter contre la gravitation et de rester debout. Les Bactéries, les Archéobactéries, les Eumycètes et certains Protistes possèdent également une paroi cellulaire, mais nous n'en traiterons qu'à la cinquième partie de ce manuel.

La paroi cellulaire végétale mesure de 0,1 à plusieurs micromètres; elle est donc beaucoup plus épaisse que la membrane plasmique. Sa composition chimique précise varie (d'une espèce à l'autre ou même d'un type de cellule à l'autre dans une même plante), mais son architecture de base présente une composition assez uniforme: elle est constituée de fibres de cellulose enchâssées dans une matrice faite d'autres polysaccharides ainsi que de protéines (voir la figure 5.8). Le béton armé et la fibre de verre présentent une structure semblable: des fibres solides sont encastrées dans une «substance de liaison» (matrice).

Les cellules végétales immatures commencent par sécréter une paroi relativement mince et flexible, appelée **paroi primaire** **(figure 6.28)**. Entre les parois primaires de cellules adjacentes se trouve la **lamelle moyenne**, une couche mince riche en polysaccharides hydrophiles adhésifs appelés pectines, capables d'absorber beaucoup d'eau. La lamelle moyenne colle les cellules les unes aux autres. (D'ailleurs, on utilise de la pectine pour épaissir les confitures et les gelées.) Une fois arrivées à maturité, les cellules durcissent leur paroi. Pour ce faire, certaines sécrètent simplement des substances raffermissantes dans la paroi primaire. D'autres élaborent une **paroi secondaire** entre la membrane plasmique et la paroi primaire. La paroi secondaire, souvent construite par l'apposition de couches successives, a une matrice durable qui protège et soutient la cellule; elle peut devenir très épaisse. Le bois, par exemple, se compose principalement de parois secondaires où à la cellulose s'ajoute de la lignine, un polymère très résistant. La paroi cellulaire de la cellule végétale est souvent traversée par des canaux appelés plasmodesmes qui la relient au cytoplasme de cellules voisines (voir la figure 6.28). Nous y reviendrons plus loin.

La matrice extracellulaire des cellules animales

Les cellules animales possèdent une **matrice extracellulaire** élaborée **(figure 6.29)**, principalement composée de glycoprotéines qu'elles sécrètent. (Rappelez-vous que les glycoprotéines sont des protéines liées de façon covalente à de courts glucides.) Le **collagène** est la glycoprotéine la plus abondante de la matrice. Il compte en fait pour la moitié environ de toutes les protéines humaines. Il forme de solides fibres à l'extérieur de la cellule. Les fibres de collagène traversent un réseau tissé de **protéoglycanes**, un autre type de glycoprotéines. Une molécule de protéoglycane se compose d'une molécule de protéine centrale pourvue de plusieurs longues chaînes de polysaccharides liées par covalence,

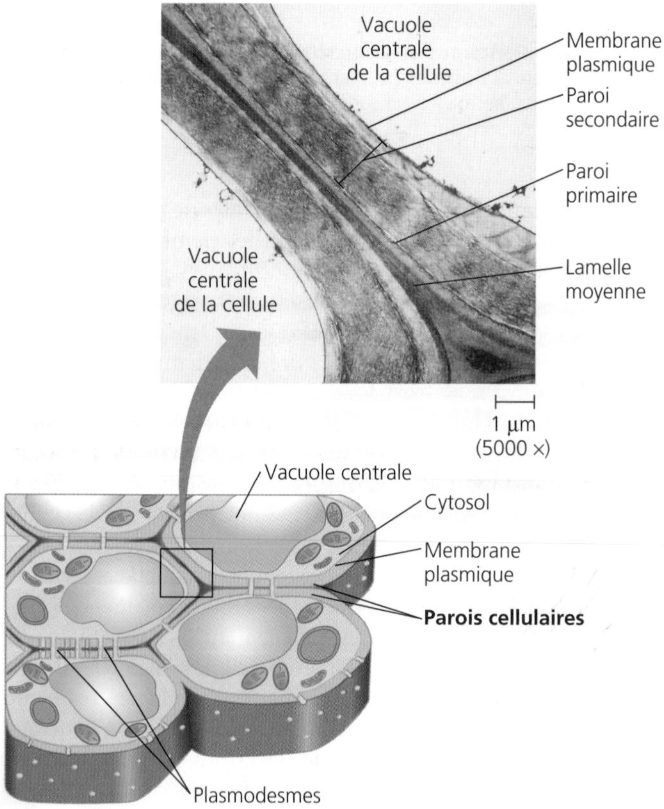

▲ **Figure 6.28 Paroi cellulaire végétale.** Le schéma illustre plusieurs cellules, chacune possédant une grande vacuole, un noyau et quelques chloroplastes et mitochondries. La micrographie (MET) montre les parois cellulaires de deux cellules voisines; chacune des deux cellules adjacentes a sécrété les différentes couches de sa propre paroi. Les parois cellulaires ne sont pas étanches: des canaux appelés plasmodesmes les traversent et établissent un lien entre les cytoplasmes de cellules voisines (MET).

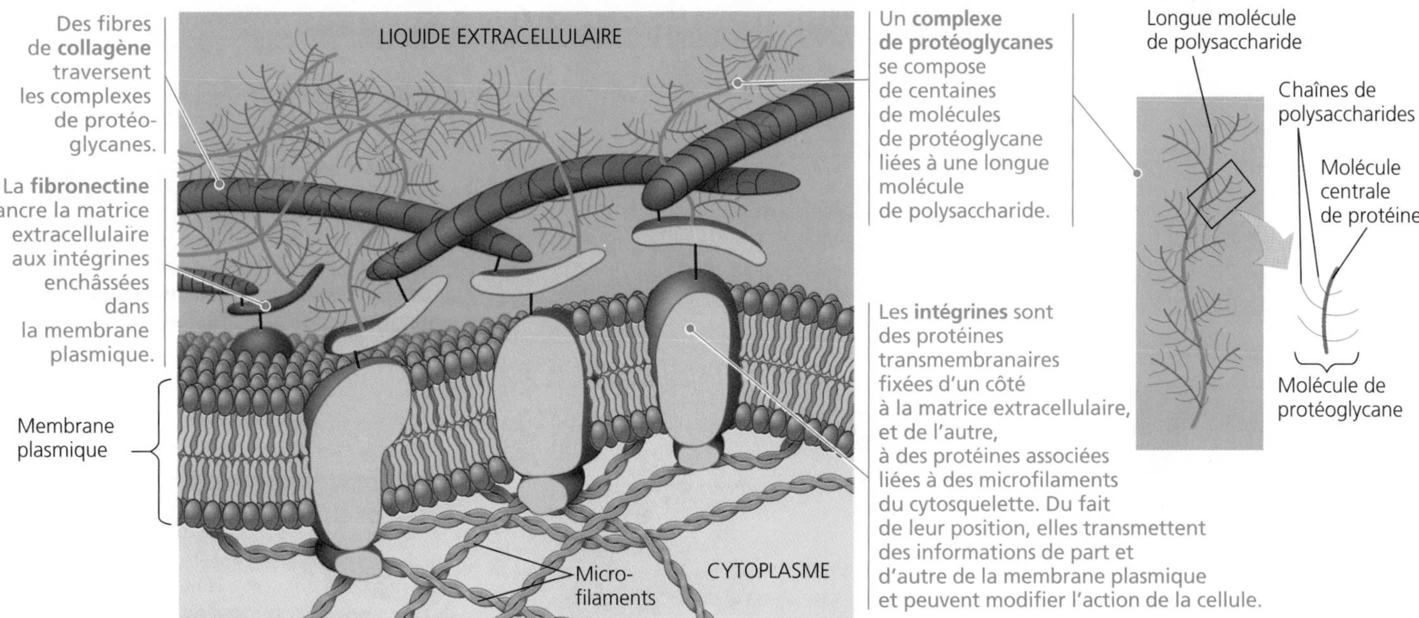

▲ **Figure 6.29 Matrice extracellulaire d'une cellule animale.** La structure et la composition de la matrice extracellulaire varient selon le type de cellule. Dans cet exemple, trois sortes de glycoprotéines sont illustrées : les protéoglycanes, les fibres de collagène et les fibronectines.

de sorte qu'elle peut compter plus de 95 % de glucides. D'imposants complexes peuvent se former quand des centaines de protéoglycanes se lient à une longue molécule de polysaccharide, comme le montre la figure 6.29. D'autres glycoprotéines de la matrice extracellulaire – dont les **fibronectines** – concourent à fixer les cellules à la matrice extracellulaire. Les fibronectines et d'autres protéines de la matrice se lient à des récepteurs appelés **intégrines** enchâssés dans la membrane plasmique. Les intégrines traversent celle-ci et, du côté du cytoplasme, s'attachent à des protéines associées liées à des microfilaments du cytosquelette. Le terme *intégrine* vient du mot *intégrer*: de fait, les intégrines sont bien placées pour « informer » le cytosquelette des modifications subies par la matrice extracellulaire et, donc, pour intégrer les changements qui se produisent à l'extérieur et à l'intérieur de la cellule.

La recherche actuellement menée sur les fibronectines, les autres molécules de la matrice extracellulaire et les intégrines a mis en évidence le rôle substantiel joué par la matrice extracellulaire. En communiquant avec le cytoplasme au moyen des intégrines, celle-ci peut influencer le comportement de la cellule. Par exemple, certaines cellules embryonnaires migrent vers une destination précise en faisant concorder l'orientation de leurs microfilaments avec celle des fibres de la matrice extracellulaire. Les chercheurs constatent aussi que la matrice extracellulaire autour d'une cellule peut modifier l'activité des gènes de son noyau. Des changements d'ordre mécanique se transmettent successivement aux fibronectines, aux intégrines et aux filaments du cytosquelette. Une modification dans la disposition du cytosquelette peut à son tour déclencher une cascade de réactions chimiques qui propagent l'information vers le noyau. Ces réactions peuvent entraîner des changements dans l'ensemble de protéines synthétisé par la cellule et, donc, dans le fonctionnement de la cellule. Ainsi, la matrice extracellulaire d'un tissu particulier pourrait favoriser la coordination de toutes les cellules de ce tissu. Cette coordination s'effectue également au moyen d'un lien direct, comme nous en discuterons dans la section qui suit.

Les jonctions intercellulaires

Les cellules d'un organisme multicellulaire forment des tissus variés. Généralement, les cellules adjacentes adhèrent les unes aux autres, interagissent et communiquent directement entre elles par des zones de contact.

Végétaux : plasmodesmes

On pourrait penser que la paroi cellulaire végétale isole les cellules les unes des autres. En fait, comme nous l'avons déjà mentionné, de très nombreux canaux appelés **plasmodesmes** (du grec *desmos*, qui signifie « se lier ») traversent cette paroi et font communiquer les milieux chimiques de cellules voisines **(figure 6.30)**. Ainsi, la plante en entier forme un continuum : les membranes plasmiques et celles du RE de cellules adjacentes se continuent à travers le plasmodesme et en tapissent le canal ; l'eau et les petits solutés diffusent librement d'une cellule à l'autre ; des protéines spécifiques et des molécules d'ARN transitent également par ces canaux dans des circonstances particulières, comme l'ont démontré de récentes expériences. Certaines macromolécules destinées

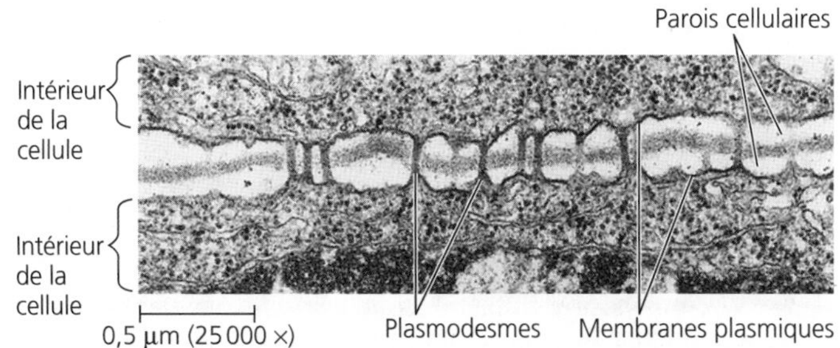

▲ **Figure 6.30 Plasmodesmes entre les cellules végétales.** Le cytoplasme d'une cellule végétale communique avec le cytoplasme de cellules voisines par les plasmodesmes, des canaux qui traversent la paroi cellulaire (MET).

Figure 6.31

Panorama Les jonctions intercellulaires dans les tissus animaux

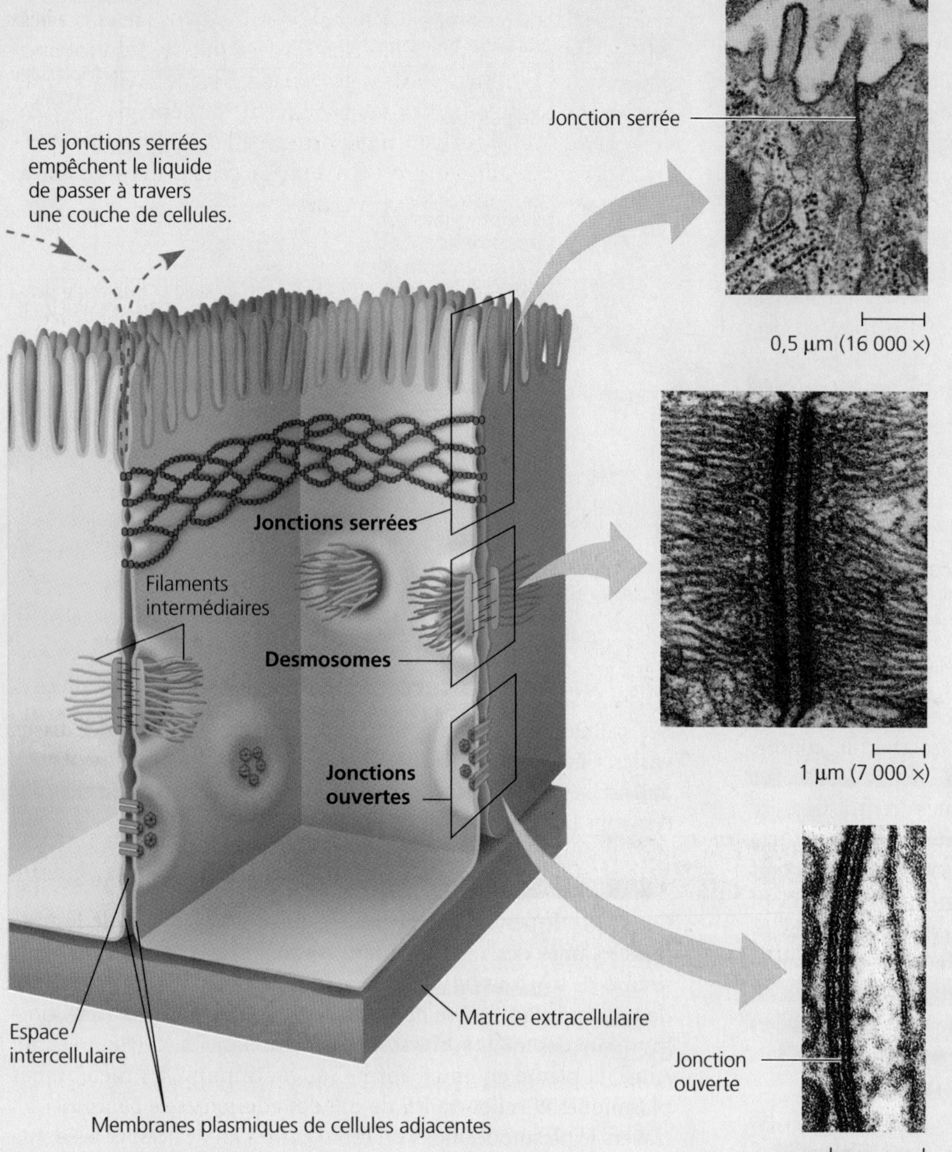

JONCTIONS SERRÉES

Aux **jonctions serrées**, les membranes des cellules voisines sont très serrées les unes contre les autres et liées ensemble par des protéines spécifiques (en violet). En formant des ceintures continues autour des cellules, du côté de la cellule exposé au milieu extérieur, ces jonctions empêchent le liquide extracellulaire de passer entre les cellules épithéliales.

DESMOSOMES

Les **desmosomes** (aussi appelés *jonctions d'ancrage*) fonctionnent à la manière de rivets: ils retiennent les cellules solidement entre elles de façon qu'elles forment des tissus résistant à la compression et à l'étirement. Des filaments intermédiaires constitués de kératine, une protéine robuste, ancrent les desmosomes au cytoplasme.

JONCTIONS OUVERTES

Les **jonctions ouvertes**, aussi connues sous le nom de *jonctions communicantes*, sont des canaux reliant le cytoplasme de cellules animales adjacentes. Les jonctions ouvertes se composent de protéines membranaires spéciales (les connexons) qui entourent un canal dont le diamètre est assez grand pour permettre le passage des ions, des glucides, des acides aminés et d'autres petites molécules. Les jonctions ouvertes sont nécessaires à la communication entre les cellules de plusieurs types de tissus, dont le muscle cardiaque et les embryons animaux.

à des cellules voisines atteignent les plasmodesmes en se déplaçant le long de fibres du cytosquelette.

Animaux: jonctions serrées, desmosomes et jonctions ouvertes

Dans le règne animal, on trouve trois types principaux de jonctions intercellulaires: les *jonctions serrées*, les *desmosomes* et les *jonctions ouvertes* (qui ressemblent aux plasmodesmes des plantes). Le tissu épithélial, qui tapisse les cavités internes de l'organisme, regorge particulièrement de ces trois sortes de jonctions. La **figure 6.31** illustre celles qu'on trouve dans les cellules de l'épithélium intestinal. Il serait souhaitable que vous regardiez attentivement cette figure avant de passer à la prochaine section.

Retour sur le concept 6.7

1. Qu'est-ce qui différencie structuralement les cellules des organismes multicellulaires et les cellules des organismes unicellulaires?
2. Quelles caractéristiques de la paroi cellulaire (chez la plante) et de la matrice extracellulaire (chez l'animal) permettent de répondre aux besoins de la cellule en matière d'échange de matière et d'information avec le milieu externe?

Voir les réponses proposées à la fin du chapitre.

La cellule : une entité supérieure à la somme de ses parties

De la compartimentation cellulaire à la structure des organites, l'exploration de la cellule nous a fourni de nombreuses occasions de souligner la relation entre structure et fonction. La figure 6.9 présente un résumé des structures et des fonctions cellulaires. Toutefois, même si l'on doit compartimenter la cellule dans le but de l'étudier, on doit se rappeler que tous les organites travaillent en coopération avec un ou plusieurs autres organites. Pour mieux comprendre la profondeur de cette intégration cellulaire, examinez la scène microscopique reproduite à la **figure 6.32**. La grosse cellule est un macrophage (voir la figure 6.14a). Elle défend l'organisme contre les infections en phagocytant des bactéries (les petites cellules) au moyen des phagosomes (vacuoles digestives). Elle rampe sur une surface et lance ses prolongements (appelés filopodes) en direction des bactéries, un mouvement rendu possible par l'interaction des microfilaments et des autres composantes du cytosquelette. À l'intérieur du macrophage, les bactéries sont détruites par des lysosomes. Ceux-ci sont produits par le réseau intracellulaire de membranes, plus spécifiquement par le réticulum endoplasmique et l'appareil de Golgi. Les enzymes digestives des lysosomes et les protéines du cytosquelette, elles, sont fabriquées par des ribosomes. Et la synthèse des protéines est programmée par les messages génétiques que l'ADN envoie du noyau. Tous ces processus requièrent de l'énergie, que les mitochondries fournissent sous forme d'ATP. Les fonctions cellulaires naissent de l'ordre cellulaire : la cellule est une entité supérieure à la somme de ses parties.

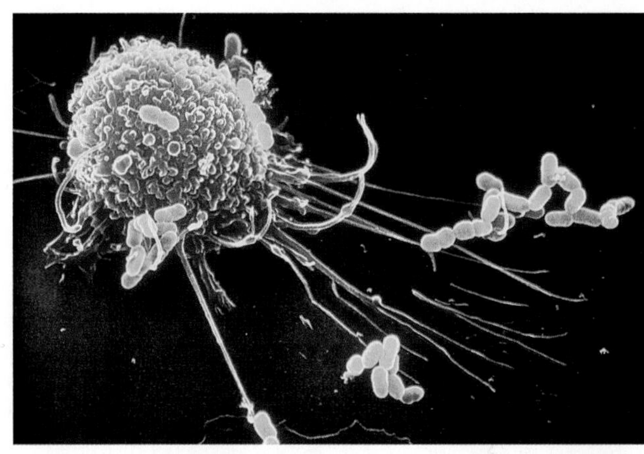

▶ **Figure 6.32 Les fonctions cellulaires résultent de la coopération entre les organites.** La capacité de ce macrophage (en brun) de reconnaître, d'emprisonner et de détruire des bactéries (en jaune) est le fruit de la coordination entre toutes les parties de la cellule. Le cytosquelette, les lysosomes et la membrane plasmique font partie des constituants cellulaires qui interviennent dans la phagocytose (MEB, coloriée).

Révision du chapitre 6

RÉSUMÉ DES CONCEPTS CLÉS

Concept 6.1

Pour étudier les cellules, les biologistes utilisent des microscopes et des instruments de biochimie

- **La microscopie (p. 98-100).** Le perfectionnement des microscopes a accéléré l'acquisition des connaissances sur la structure cellulaire.
- **L'isolement des organites par fractionnement cellulaire (p. 100-101).** Les cytologistes peuvent obtenir des culots riches en certains organites par centrifugation de cellules dissociées.

Concept 6.2

Des membranes internes compartimentent les fonctions de la cellule eucaryote

- **Comparaison des cellules procaryotes et des cellules eucaryotes (p. 101-103).** Toutes les cellules sont délimitées par une membrane plasmique. Contrairement à la cellule eucaryote, la cellule procaryote ne contient pas de noyau véritable et pratiquement pas d'organites enveloppés dans des membranes.
- **Vue d'ensemble de la cellule eucaryote (p. 103).** Les cellules végétales et animales ont quasiment les mêmes organites.

Concept 6.3

L'information génétique de la cellule eucaryote est contenue dans le noyau et utilisée par les ribosomes pour fabriquer les protéines

- **Le noyau : porteur de l'information génétique de la cellule (p. 103-106).** Le noyau renferme l'ADN et les nucléoles, où les sous-unités ribosomiques sont fabriquées. Les pores de l'enveloppe nucléaire contrôlent les mouvements des matières qui les traversent.
- **Les ribosomes : des usines de protéines (p. 106-107).** Les ribosomes libres du cytosol et les ribosomes liés de la face externe du réticulum endoplasmique et de l'enveloppe nucléaire synthétisent les protéines.

Concept 6.4

Le réseau intracellulaire de membranes dirige la circulation des protéines et accomplit des fonctions métaboliques dans la cellule

- Les membranes d'une cellule eucaryote sont liées : elles sont en continuité les unes avec les autres, ou elles échangent des segments par l'intermédiaire de vésicules (**p. 107**).
- **Le réticulum endoplasmique : une usine biosynthétique (p. 107-109).** Le réticulum endoplasmique lisse synthétise des stéroïdes, métabolise les glucides, emmagasine le calcium dans les cellules

musculaires, détoxique les médicaments, les drogues et les poisons dans les cellules hépatiques, etc. Le réticulum endoplasmique rugueux porte des ribosomes. Il synthétise des membranes et des protéines de sécrétion. Celles-ci sont transférées à d'autres parties de la cellule par des vésicules de transition qui se détachent du réticulum endoplasmique.

- **L'appareil de Golgi : un centre d'expédition et de réception (p. 109-110).** Les protéines sont transportées du RE vers l'appareil de Golgi, où elles sont modifiées, triées et libérées dans des vésicules de transition.
- **Les lysosomes : des compartiments destinés à la digestion (p. 110).** Les lysosomes sont des sortes de sacs membraneux remplis d'enzymes hydrolytiques. Ils dégradent les substances phagocytées et les macromolécules qu'ils contiennent et recyclent les monomères.
- **Les vacuoles : des compartiments d'entretien divers (p. 110-111).** La vacuole centrale des cellules végétales sert au stockage de nutriments, à l'élimination des déchets, à la croissance cellulaire et à la protection.
- **Le réseau intracellulaire de membranes : *une révision* (p. 112).**

Concept 6.5

Les mitochondries et les chloroplastes convertissent l'énergie d'une forme à une autre

- **Les mitochondries : des convertisseurs d'énergie chimique (p. 113-114).** Les mitochondries sont le site de la respiration cellulaire dans les cellules eucaryotes ; elles comportent une membrane externe lisse et une membrane interne qui forme des replis appelés crêtes.
- **Les chloroplastes : des capteurs d'énergie lumineuse (p. 114).** Les chloroplastes contiennent des pigments photosynthétiques. Deux membranes délimitent le liquide appelé stroma, dans lequel baignent des thylakoïdes qui forment des empilements (grana).
- **Les peroxysomes : des organites oxydatifs (p. 114-115).** Les peroxysomes produisent du H_2O_2, un déchet métabolique, et leurs enzymes convertissent celui-ci en eau.

Concept 6.6

Le cytosquelette est un réseau de fibres qui organise les structures et les activités de la cellule

- **Les rôles du cytosquelette : soutien, mobilité et régulation (p. 115-116).** En plus d'assurer le soutien structural de la cellule, le cytosquelette joue un rôle dans la mobilité et la transmission de signaux dans la cellule.
- **Les constituants du cytosquelette (p. 116-122).** Les microtubules soutiennent la cellule, maintiennent sa forme, guident les mouvements des organites et participent à la séparation des chromosomes pendant la division cellulaire. Les cils et les flagelles sont des appendices mobiles formés de doublets de microtubules. Les microfilaments sont de fins cylindres composés d'actine. Ils interviennent dans la contraction musculaire, le mouvement amiboïde, la cyclose et le soutien des prolongements cellulaires, tels que les microvillosités. Les filaments intermédiaires concourent à maintenir la forme de la cellule et à ancrer les organites.

Concept 6.7

Les constituants extracellulaires et les jonctions intercellulaires contribuent à la coordination des activités de la cellule

- **La paroi cellulaire des cellules végétales (p. 122).** La paroi cellulaire de la cellule végétale se compose de fibres de cellulose enchâssées dans une matrice constituée d'autres polysaccharides ainsi que de protéines.
- **La matrice extracellulaire des cellules animales (p. 122-123).** Les cellules animales sécrètent les glycoprotéines qui constituent la matrice extracellulaire, laquelle contribue au soutien, à l'adhésion, au mouvement et à la régulation.
- **Les jonctions intercellulaires (p. 123-124).** Les Végétaux possèdent des plasmodesmes, des canaux unissant les cellules adjacentes. Chez les Animaux, le contact entre les cellules se fait au moyen de desmosomes, de jonctions serrées et de jonctions ouvertes.
- **La cellule : une entité supérieure à la somme de ses parties (p. 125).**

VÉRIFIEZ VOS CONNAISSANCES

Autoévaluation

(Les questions dont les numéros sont en caractères gras font surtout appel à la compréhension.)

1. Quels sont les avantages du microscope électronique à transmission par rapport au microscope photonique ?
a) Plus grand pouvoir de résolution.
b) Ne nécessite pas nécessairement de coupes minces.
c) Permet d'observer l'ultrastructure cellulaire.
d) Plus fort grossissement.
e) Permet l'examen de cellules vivantes.

2. Une certaine maladie génétique cause des problèmes respiratoires et, chez les hommes, la stérilité. Lequel de ces énoncés pourrait fournir une hypothèse plausible expliquant l'origine de cette maladie sur le plan moléculaire ?
a) Il y a une enzyme dans la mitochondrie qui fonctionne mal.
b) Il y a des molécules d'actine dysfonctionnelles dans les microfilaments de la cellule.
c) Il y a des molécules de dynéine dysfonctionnelles dans les cils et les flagelles.
d) Il manque des enzymes hydrolytiques dans les lysosomes.
e) Les nucléoles assemblent incorrectement les ribosomes.

3. Les ribosomes liés :
a) possèdent leur propre membrane.
b) sont structuralement différents des ribosomes libres.
c) synthétisent des protéines membranaires et des protéines de sécrétion.
d) se trouvent généralement sur la face cytoplasmique de la membrane plasmique.
e) possèdent toutes les caractéristiques indiquées ci-dessus.

4. Lequel des organites suivants ne fait pas partie du réseau intracellulaire de membranes ?
a) L'enveloppe nucléaire.
b) Le chloroplaste.
c) L'appareil de Golgi.
d) La membrane plasmique.
e) Le réticulum endoplasmique.

5. Si l'on fournit des acides aminés radioactifs à des cellules pancréatiques, celles-ci les incorporent à des protéines. Le procédé permet de repérer les protéines nouvellement synthétisées et de suivre leur cheminement dans la cellule. Un chercheur veut suivre la progression d'une enzyme sécrétée par les cellules pancréatiques. Lequel des cheminements suivants est-il le plus susceptible d'observer ?
a) Réticulum endoplasmique → appareil de Golgi → noyau.
b) Appareil de Golgi → réticulum endoplasmique → lysosome.
c) Noyau → réticulum endoplasmique → appareil de Golgi.
d) Réticulum endoplasmique → appareil de Golgi → vésicules de sécrétion fusionnant avec la membrane plasmique.
e) Réticulum endoplasmique → lysosomes → vésicules de transition fusionnant avec la membrane plasmique.

6. Laquelle des structures suivantes se trouve dans les cellules végétales *et* dans les cellules animales?
   a) Le chloroplaste.
   b) La paroi cellulaire composée de cellulose.
   c) Le tonoplaste.
   d) La mitochondrie.
   e) Le centriole.
7. Lequel des constituants cellulaires suivants se trouve dans les cellules procaryotes?
   a) La mitochondrie.
   b) Le ribosome.
   c) L'enveloppe nucléaire.
   d) Le chloroplaste.
   e) Le réticulum endoplasmique.
8. Laquelle des cellules suivantes convient le mieux à l'étude des lysosomes?
   a) La cellule musculaire.
   b) Le neurone.
   c) Le globule blanc.
   d) La cellule de feuille.
   e) La bactérie.
9. Si vous tenez compte de l'absence d'un cytosquelette chez les Procaryotes, lequel de ces énoncés fait une distinction correcte entre les cellules procaryotes et les cellules eucaryotes?
   a) Les organites ne se retrouvent que chez les cellules eucaryotes.
   b) La cyclose ne s'observe que chez les Eucaryotes.
   c) Seules les cellules eucaryotes sont capables de mouvement.
   d) Les cellules procaryotes ont des parois cellulaires.
   e) Seules les cellules eucaryotes limitent leur matériel génétique à une région séparée du reste de la cellule.
10. Laquelle des associations suivantes est erronée?
    a) Nucléole – production des ribosomes.
    b) Lysosome – digestion intracellulaire.
    c) Ribosome – synthèse des protéines.
    d) Appareil de Golgi – circulation des protéines.
    e) Microtubules – contraction musculaire.
11. Le cyanure se lie avec au moins une des molécules qui jouent un rôle dans la production d'ATP. Si l'on expose des cellules à du cyanure, la majorité de cette substance devrait se retrouver dans:
    a) les mitochondries.
    b) les ribosomes.
    c) les peroxysomes.
    d) les lysosomes.
    e) le réticulum endoplasmique.
12. Parmi les énoncés suivants concernant le cytosquelette, lequel est faux?
    a) Le cytosquelette joue un rôle de soutien mécanique.
    b) Les organites se déplacent dans une cellule grâce à des éléments du cytosquelette.
    c) Les cils et les flagelles ne possèdent pas le même arrangement de microtubules.
    d) Cyclose, formation de pseudopodes, mouvement des chromosomes lors de la division cellulaire, contraction musculaire et déplacement des spermatozoïdes sont tous le résultat de l'action d'éléments du cytosquelette.
    e) Les microfilaments et les microtubules sont continuellement démontés dans une certaine région de la cellule puis remontés dans une autre région.
13. Les molécules situées dans la membrane plasmique et qui permettent à la matrice extracellulaire de faire passer des informations à l'intérieur de la cellule sont:
    a) les protéoglycanes.
    b) les intégrines.
    c) les molécules de fibronectine.
    d) les molécules d'actine.
    e) les molécules de collagène.

Lien avec l'évolution

Bien que leur structure puisse être considérablement différente, les cellules ont des similitudes qui révèlent une certaine unité au cours de l'évolution. Quels aspects de la structure cellulaire mettent le plus en évidence cette unité? Donnez quelques exemples de modifications cellulaires ayant donné naissance à des fonctions spécialisées.

Intégration

1. Montrez, à l'aide d'un schéma légendé, comment une enzyme digestive est produite (elle devra quitter la cellule intestinale pour aller dans la cavité du tube digestif), depuis sa conception jusqu'à sa sécrétion.
2. Une ville, un hôpital ou un cégep comportent un certain nombre de composantes auxquelles on attribue diverses fonctions. Trouvez, par analogie, la correspondance entre les structures fonctionnelles de la ville, de l'hôpital ou du cégep et celles d'une cellule animale.

Science, technologie et société

La vie en soi n'a pas de forme. Le monde animal (incluant l'humain), le monde végétal et le monde cellulaire expriment la vie. Notre société protège, par ses lois, les humains et certaines catégories animales. Par contre, très peu de lois défendent la vie végétale ou cellulaire. À votre avis, n'y a-t-il pas ici une contradiction fondamentale? Tentez de trouver le pourquoi de cet état de fait.

Réponses du chapitre 6

Retour sur le concept 6.1

1. (a) microscope photonique, (b) microscope électronique à balayage, (c) microscope électronique à transmission.

Retour sur le concept 6.2

1. Voir la figure 6.9.

Retour sur le concept 6.3

1. Lorsqu'une molécule d'ARNm rejoint le cytoplasme, les ribosomes traduisent en chaîne polypeptidique le message génétique codé dans l'ADN.
2. La chromatine se compose d'ADN associé à des protéines; elle porte l'information génétique de la cellule. Les nucléoles sont formés d'ARN et de protéines, et ils sont associés à des régions particulières de l'ADN. L'ARN ribosomique y est synthétisé et les sous-unités ribosomiques sont assemblées.

Retour sur le concept 6.4

1. Le RE rugueux se distingue fondamentalement du RE lisse par la présence, à sa surface, de ribosomes liés. Les deux types de RE synthétisent des phospholipides, mais toutes les protéines membranaires sont produites sur les ribosomes du RE rugueux. Le RE lisse contribue à la détoxication, au métabolisme des glucides et au stockage d'ions calcium.

2. L'ARNm est synthétisé dans le noyau puis traverse un pore nucléaire pour être traduit sur un ribosome lié se trouvant à la surface du RE rugueux. La protéine synthétisée passe dans la lumière du RE où elle peut être modifiée. Une vésicule de transition transporte la protéine jusqu'à l'appareil de Golgi. La protéine y est encore modifiée, puis une autre vésicule de transition la rapporte au RE, où elle accomplira sa fonction cellulaire.
3. Les vésicules de transition déplacent les membranes et les substances qu'elles renferment entre les divers constituants du réseau intracellulaire de membranes.

Retour sur le concept 6.5

1. Les deux organites participent à la conversion de l'énergie: les mitochondries dans la respiration cellulaire et les chloroplastes dans la photosynthèse. Les deux sont composés de deux ou de plusieurs membranes séparées.
2. Les mitochondries et les chloroplastes contiennent de l'ADN, qui code certaines de leurs protéines. Ils ne sont pas liés, physiquement ou par des vésicules de transition, à des organites du réseau intracellulaire de membranes.

Retour sur le concept 6.6

1. Les microtubules sont des tubes creux qui résistent à la flexion; les microfilaments ressemblent davantage à des câbles qui résistent à l'étirement. Mises ensemble, ces propriétés opposées définissent et maintiennent la forme de la cellule. Les filaments intermédiaires résistent aussi à l'étirement; ce sont des structures capables de résister à la compression permanente et qui renforcent la forme de la cellule.
2. Alimentés par de l'ATP, les bras de dynéine d'un doublet de microtubules s'attachent sur le doublet voisin, exercent une traction, se détachent, puis recommencent ce cycle. Comme ils sont ancrés dans l'organite ainsi que les uns par rapport aux autres, les doublets fléchissent au lieu de glisser l'un sur l'autre.

Retour sur le concept 6.7

1. La principale différence réside dans la communication directe du cytoplasme d'une cellule avec le cytoplasme d'une autre cellule; cette communication est assurée par les plasmodesmes dans le cas des cellules végétales multicellulaires et par les jonctions ouvertes dans le cas des cellules animales multicellulaires. Ces canaux font en sorte que le cytoplasme est continu entre les cellules voisines.
2. La paroi cellulaire et la matrice extracellulaire doivent être perméables aux matières qui entrent dans la cellule et en sortent, ainsi qu'aux molécules porteuses d'information sur l'environnement de la cellule.

Autoévaluation

1. a, c et d; **2.** c; 3. c; 4. b; **5.** d; **6.** d; **7.** b; **8.** c; 9. b; 10. e; **11.** a; 12. c; 13. b.

7

Structure et fonction des membranes

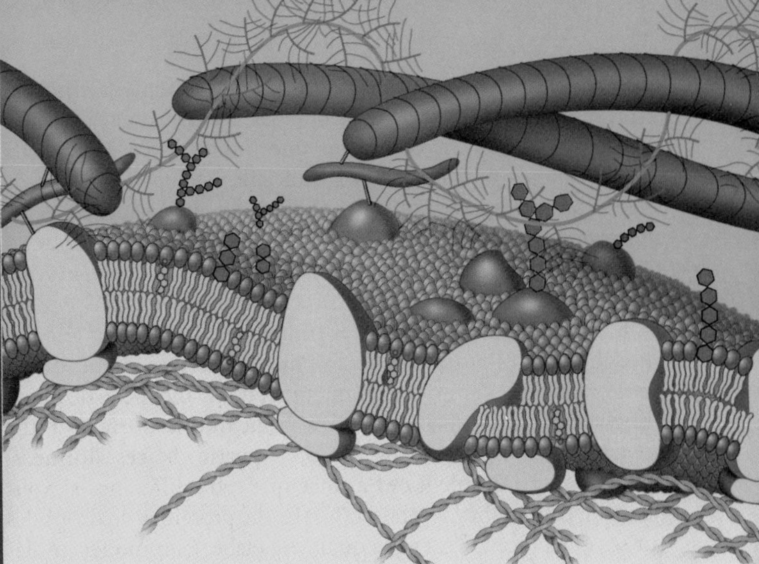

▲ **Figure 7.1 La membrane plasmique.**

Concepts clés

7.1 **Les membranes cellulaires sont des mosaïques fluides de lipides et de protéines**
7.2 **Les membranes ont une perméabilité sélective qui résulte de leur structure**
7.3 **Le transport passif est la diffusion à travers une membrane sans dépense d'énergie**
7.4 **Le transport actif est le déplacement de solutés à l'encontre de leur gradient de concentration**
7.5 **Les macromolécules et les particules traversent la membrane plasmique par exocytose et endocytose**

Introduction

La frontière de la vie

La membrane plasmique est la frontière de la vie, la ligne de démarcation entre la cellule et son environnement. Épaisse de 8 nm environ, elle détermine ce qui entre dans la cellule et ce qui en sort. Il faut 8 000 membranes pour atteindre l'épaisseur de cette page. Comme toutes les membranes biologiques, la membrane plasmique présente une **perméabilité sélective**; autrement dit, elle se laisse traverser plus facilement par certaines substances que par d'autres. La vie telle que nous la connaissons aurait sans doute été impossible sans la formation, à l'ère prébiotique, d'une membrane qui, grâce à ses constituants, pouvait délimiter une solution différente de la solution environnante, tout en lui permettant d'absorber sélectivement des nutriments et d'éliminer des déchets.

Ce chapitre porte sur les membranes cellulaires et sur leur capacité à régir le passage des substances. La perméabilité sélective a pris toute son importance lorsque le prix Nobel de chimie de 2003 a été remis à Peter Agre et Roderick MacKinnon, deux scientifiques qui ont découvert comment l'eau et certains ions entrent dans la cellule et en sortent. Nous nous pencherons principalement sur la membrane plasmique, soit celle qui enveloppe la cellule (voir la **figure 7.1**). Néanmoins, les principes généraux du passage des substances à travers la membrane plasmique valent aussi pour les différentes membranes internes qui cloisonnent toute cellule eucaryote. Pour comprendre le fonctionnement des membranes, nous allons commencer par examiner leur architecture.

Concept 7.1

Les membranes cellulaires sont des mosaïques fluides de lipides et de protéines

Les membranes se composent principalement de lipides et de protéines et, accessoirement, de glucides. Les **phosphoglycérolipides** sont les lipides les plus abondants dans la plupart des membranes à cause de leur structure moléculaire même. Un phosphoglycérolipide est une **molécule amphipathique**, c'est-à-dire qu'elle comprend une partie hydrophile et une autre, hydrophobe (voir la figure 5.13), comme d'autres types de lipides membranaires (par exemple, les galactolipides, les glycolipides et les gangliosides) et la majorité des protéines membranaires.

Comment les phosphoglycérolipides et les protéines sont-ils disposés dans la membrane? Au chapitre 6, à la figure 6.8, vous avez eu un aperçu du modèle membranaire, le **modèle de la mosaïque fluide**. Vous savez que la membrane a une structure fluide et qu'une «mosaïque» de diverses protéines est encastrée ou fixée à sa bicouche de phosphoglycérolipides. (Une bicouche est une double couche de molécules lipidiques dont les extrémités hydrophiles sont dirigées vers l'extérieur, et les extrémités hydrophobes, vers l'intérieur). Nous étudierons ce modèle en détail mais, auparavant, commençons par son historique.

Les modèles de membranes: *recherche scientifique*

Les scientifiques ont commencé à élaborer des modèles moléculaires de la membrane bien avant que le microscope électronique ne permette d'observer celle-ci. En 1915, l'analyse de membranes isolées à partir de globules rouges a montré que celles-ci sont formées de lipides et de protéines. Dix ans plus tard, deux scientifiques néerlandais, E. Gorter et F. Grendel, ont supposé que les membranes cellulaires étaient composées d'une bicouche de phosphoglycérolipides. Selon eux, une bicouche de molécules pouvait constituer une limite stable entre deux compartiments aqueux, car ses molécules étaient disposées de telle façon que les queues hydrophobes étaient abritées de l'eau, alors que les têtes hydrophiles y étaient exposées **(figure 7.2)**.

Si l'on conclut que la bicouche de phosphoglycérolipides forme la trame de la membrane, la question que l'on doit ensuite se poser est la suivante : où se situent les protéines ? Bien que la tête des phosphoglycérolipides soit hydrophile, la surface d'une membrane artificielle composée uniquement d'une bicouche de phosphoglycérolipides absorbe moins l'eau que la surface d'une membrane biologique. En 1935, à partir de ces données, H. Davson et J. Danielli ont avancé que cette différence s'expliquait si la membrane était tapissée de protéines hydrophiles sur ses deux faces. C'est ainsi qu'ils ont élaboré un modèle moléculaire représentant la membrane comme une bicouche de phosphoglycérolipides prise en sandwich entre deux couches de protéines.

Dans les années 1950, les premières micrographies électroniques de membranes semblaient étayer ce modèle. Dans les années 1960, le modèle du « sandwich » de Davson et Danielli est devenu le modèle privilégié non seulement de la membrane plasmique, mais aussi de toutes les membranes internes d'une cellule. À la fin de cette décennie, cependant, plusieurs cytologistes ont remis en question deux aspects de ce modèle. Premièrement, certains scientifiques ont réfuté le concept de l'uniformité des membranes cellulaires. La microscopie électronique révèle que la membrane plasmique mesure de 7 à 8 nm d'épaisseur et comprend trois zones d'aspect différent (deux bandes sombres séparées par une bande claire), tandis que la membrane interne de la mitochondrie n'a que 6 nm d'épaisseur et présente l'aspect d'une rangée de billes. Ces deux membranes ne contiennent ni la même proportion de protéines ni les mêmes lipides. Il est donc clair que les membranes ont une composition chimique et une structure qui varient suivant leurs fonctions.

Deuxièmement, les scientifiques ont contesté la position que Davson et Danielli avaient attribuée aux protéines. Contrairement aux protéines dissoutes dans le cytosol, les protéines membranaires ne sont pas très solubles dans l'eau. Étant amphipathiques, elles comportent une partie hydrophobe et une autre, hydrophile. Si elles avaient été étalées à la surface de la membrane, comme le supposaient Davson et Danielli, leurs parties hydrophobes se seraient trouvées en milieu aqueux.

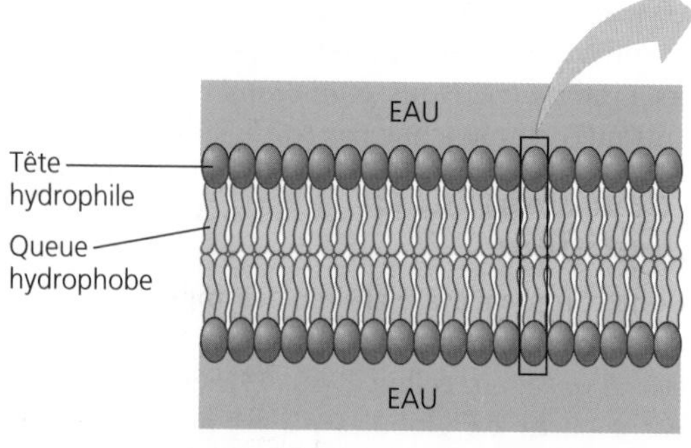

▲ **Figure 7.2 Bicouche de phosphoglycérolipides en coupe transversale.**

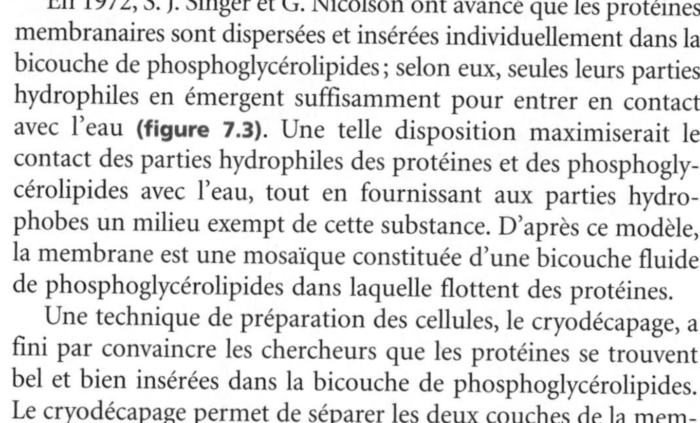

En 1972, S. J. Singer et G. Nicolson ont avancé que les protéines membranaires sont dispersées et insérées individuellement dans la bicouche de phosphoglycérolipides ; selon eux, seules leurs parties hydrophiles en émergent suffisamment pour entrer en contact avec l'eau **(figure 7.3)**. Une telle disposition maximiserait le contact des parties hydrophiles des protéines et des phosphoglycérolipides avec l'eau, tout en fournissant aux parties hydrophobes un milieu exempt de cette substance. D'après ce modèle, la membrane est une mosaïque constituée d'une bicouche fluide de phosphoglycérolipides dans laquelle flottent des protéines.

Une technique de préparation des cellules, le cryodécapage, a fini par convaincre les chercheurs que les protéines se trouvent bel et bien insérées dans la bicouche de phosphoglycérolipides. Le cryodécapage permet de séparer les deux couches de la membrane et de les examiner au microscope électronique. On voit alors que l'intérieur de la bicouche a un aspect granuleux dû aux protéines, qui sont parsemées dans une matrice lisse, comme l'illustre le modèle de la mosaïque fluide **(figure 7.4)**. D'autres preuves appuient cette disposition.

Les chercheurs proposent des modèles permettant d'organiser et d'expliquer les données existantes. L'adoption d'un nouveau modèle n'annule pas la valeur du modèle antérieur. Un modèle est accepté ou rejeté selon sa capacité à correspondre aux faits observés et à expliquer les résultats expérimentaux. Il doit permettre de réaliser des prédictions qui orienteront les recherches ultérieures. Il faut faire des expériences pour tester les modèles ; rares sont ceux qui n'en sortent pas modifiés. Ceux qui sont rendus caducs par de nouvelles données ne sont pas nécessairement mis à l'écart : ils peuvent être révisés de façon à inclure celles-ci. Le modèle de la mosaïque fluide se raffine perpétuellement ; il pourrait, un jour, être l'objet d'une profonde révision.

Examinons maintenant en détail la structure de la membrane en disséquant les mots de l'expression *mosaïque fluide*. Pour commencer, voyons comment les lipides et les protéines dérivent latéralement dans le plan de la membrane.

La fluidité des membranes

Les membranes ne sont pas des couches statiques de molécules maintenues rigidement en place. Leurs constituants tiennent ensemble grâce aux attractions hydrophobes, plus faibles que les liaisons covalentes (voir la figure 5.20). La plupart des lipides et certaines protéines peuvent dériver latéralement dans le plan de la membrane **(figure 7.5a)**. Il arrive rarement qu'une molécule culbute et passe d'une couche de phosphoglycérolipides à l'autre ;

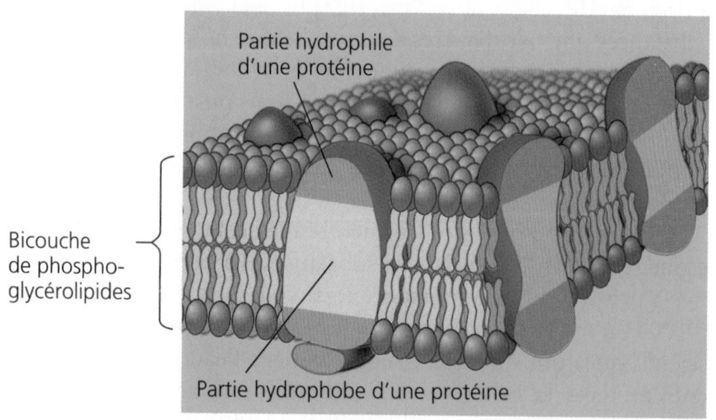

▲ **Figure 7.3 Modèle de la mosaïque fluide.**

Figure 7.4

Méthode de recherche Le cryodécapage

APPLICATION Cette technique permet de séparer les deux couches de la membrane plasmique. Le microscope électronique révèle l'ultrastructure de chacune d'elles.

TECHNIQUE On congèle la cellule et on la fractionne à l'aide d'une lame réfrigérée. Le plan de fracture suit souvent l'intérieur hydrophobe d'une membrane, ce qui divise la bicouche de phosphoglycérolipides en deux couches distinctes. Les protéines membranaires demeurent entières dans l'une où l'autre des couches.

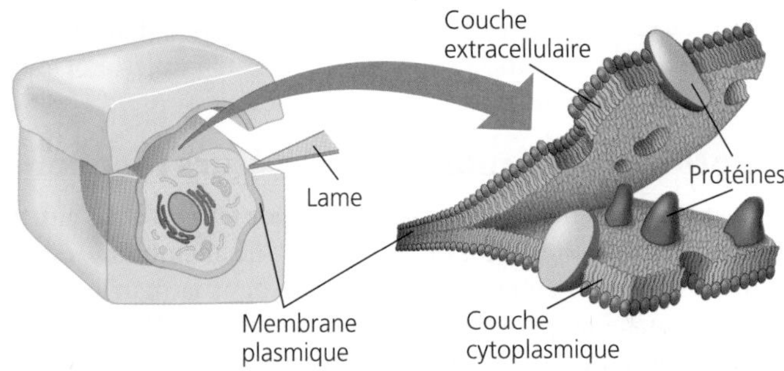

RÉSULTATS Ces MEB montrent les protéines membranaires (les bosses) dans les deux couches; on peut voir que les protéines sont enchâssées dans la bicouche de phosphoglycérolipides.

Couche extracellulaire

Couche cytoplasmique

ce déplacement exige un apport d'énergie (parce que la partie hydrophile de la molécule doit traverser le centre hydrophobe de la membrane) et l'aide d'enzymes intramembranaires, les flippases (leur nom provient de l'expression anglaise *flip-flop*, qui signifie «basculer»). Un phosphoglycérolipide met 100 fois plus de temps à franchir une distance donnée lorsqu'il bascule que lorsqu'il se déplace latéralement.

Les mouvements latéraux des phosphoglycérolipides s'effectuent rapidement. Les phosphoglycérolipides changent de position environ 10^7 fois par seconde, ce qui signifie qu'un phosphoglycérolipide peut se déplacer à la vitesse moyenne d'environ 2 μm (la longueur d'une bactérie typique) par seconde. Les protéines, elles, sont beaucoup plus grosses que les lipides et se déplacent plus lentement. Certaines dérivent latéralement **(figure 7.6)**, alors que d'autres bougent de manière organisée, vraisemblablement en glissant le long des filaments du cytosquelette. Ce mouvement nécessite l'aide de protéines motrices cytoplasmiques, elles-mêmes associées aux protéines du feuillet interne de la membrane. Toutefois, la majorité des protéines semblent immobiles, parce qu'elles sont rattachées au cytosquelette.

Même lorsque la température baisse, la membrane reste fluide. Cependant, lorsque ses phosphoglycérolipides se mettent à former des agrégats, elle se solidifie à la manière du gras de bacon qui refroidit. La température à laquelle cela arrive varie selon la composition lipidique de la membrane. Celle-ci résiste mieux à la solidification si elle comporte beaucoup de phosphoglycérolipides portant des queues hydrocarbonées insaturées (voir les figures 5.12 et 5.13). Les inflexions marquent l'emplacement des liaisons doubles; les queues hydrocarbonées insaturées ne peuvent pas s'entasser autant que les queues hydrocarbonées saturées, et l'espace créé entre ces dernières diminue les interactions hydrophobes, ce qui rend la membrane plus fluide **(figure 7.5b)**.

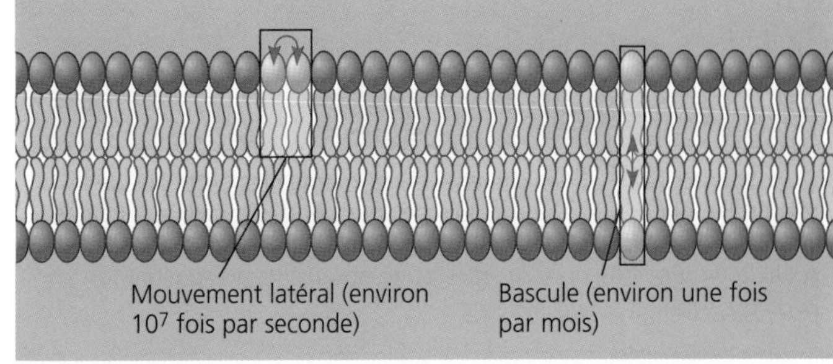

(a) Mouvement des phosphoglycérolipides. Les phosphoglycérolipides se déplacent latéralement dans une membrane; les bascules d'une couche à l'autre se produisent assez rarement.

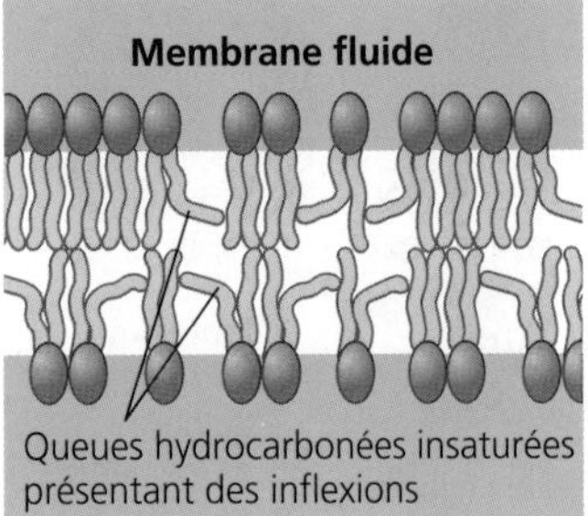

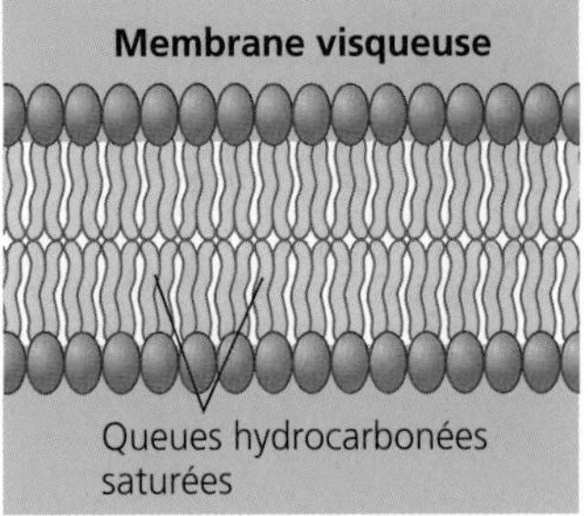

(b) Fluidité de la membrane. Les queues hydrocarbonées insaturées des phosphoglycérolipides présentent des inflexions qui empêchent les molécules de s'entasser et qui permettent ainsi à la membrane de conserver sa fluidité.

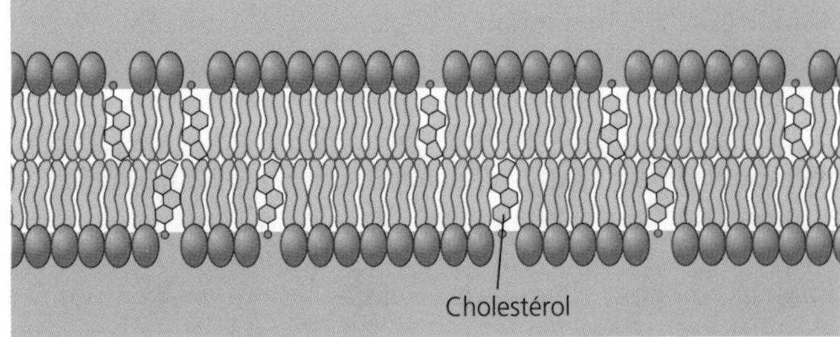

(c) Rôle du cholestérol dans la membrane de la cellule animale. À une température modérée, le cholestérol diminue les mouvements des phosphoglycérolipides; il réduit donc la fluidité membranaire. Cependant, à une basse température, il entrave l'entassement des phosphoglycérolipides et empêche ainsi la membrane de se solidifier.

▲ **Figure 7.5 La fluidité des membranes.**

Le cholestérol, un stéroïde dont le noyau hydrophobe s'insère entre les queues hydrocarbonées des molécules de phosphoglycérolipides de la membrane plasmique des cellules animales, a des effets complexes sur la fluidité membranaire **(figure 7.5c)**. À des températures relativement élevées (par exemple, à 37 °C, soit la température corporelle moyenne des humains), il restreint partiellement le mouvement des phosphoglycérolipides et diminue donc la fluidité membranaire. Mais, comme il entrave aussi l'entassement des phosphoglycérolipides, il abaisse le point de fusion des membranes. Par conséquent, le cholestérol peut être vu comme un «tampon thermique» de la membrane; il résiste aux changements de fluidité pouvant être causés par des changements thermiques.

FIGURE 7.6

Investigation Les protéines membranaires se déplacent-elles ?

EXPÉRIENCE Les chercheurs ont marqué les protéines de la membrane plasmique d'une cellule de souris et d'une cellule humaine avec deux marqueurs différents, puis ils ont fusionné les cellules. À l'aide d'un microscope, ils ont ensuite observé les marqueurs sur la cellule hybride.

RÉSULTATS

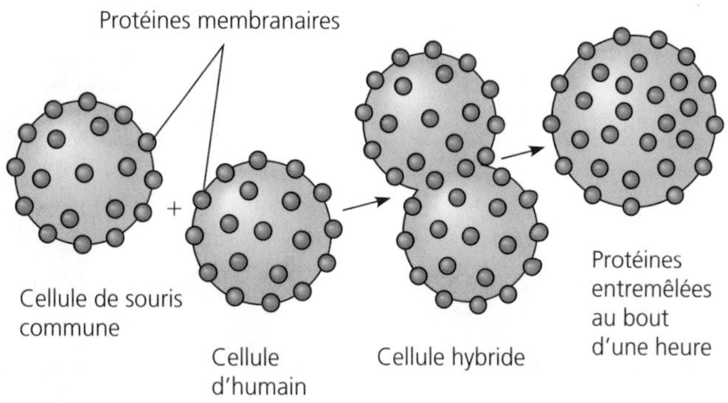

Protéines membranaires

Cellule de souris commune

Cellule d'humain

Cellule hybride

Protéines entremêlées au bout d'une heure

CONCLUSION La fusion des protéines membranaires d'une souris et d'un humain indique qu'au moins quelques protéines membranaires se déplacent latéralement dans le plan de la membrane plasmique.

Les membranes doivent rester fluides pour bien fonctionner. Généralement, elles le sont autant que l'huile végétale. Lorsqu'elles se solidifient, leur perméabilité change, et certaines de leurs enzymes peuvent devenir inactives (notamment si leur fonction nécessite la capacité de se déplacer latéralement dans la membrane). Lorsqu'elle renouvelle ses membranes, une cellule peut en modifier quelque peu la composition lipidique de manière à s'adapter aux variations de température. Chez les Végétaux qui tolèrent le froid extrême, comme le blé d'hiver (*Triticum æstivum*), le pourcentage de phosphoglycérolipides insaturés augmente à l'automne ; cette adaptation empêche les membranes de se solidifier pendant l'hiver. Dans les régions côtières du Québec, les Crustacés qui vivent dans un milieu baigné par le courant froid du Labrador concentrent davantage de cholestérol dans leurs membranes afin de conserver leur souplesse.

Les protéines membranaires et leurs fonctions

Explorons maintenant la notion de *mosaïque* telle qu'elle s'entend dans le modèle de la mosaïque fluide. Une membrane est un assemblage de protéines diverses insérées dans la matrice fluide d'une bicouche de phosphoglycérolipides **(figure 7.7)**. La membrane plasmique et les membranes des différents organites possèdent chacune leur propre ensemble de protéines et celui-ci diffère selon le type de cellule. Par exemple, on a compté plus de 50 types de protéines dans la membrane plasmique des globules rouges, et il en reste sans doute bien d'autres à répertorier. Les phosphoglycérolipides forment la trame de la membrane, mais ce sont les protéines qui déterminent la plupart des fonctions spécifiques de la membrane.

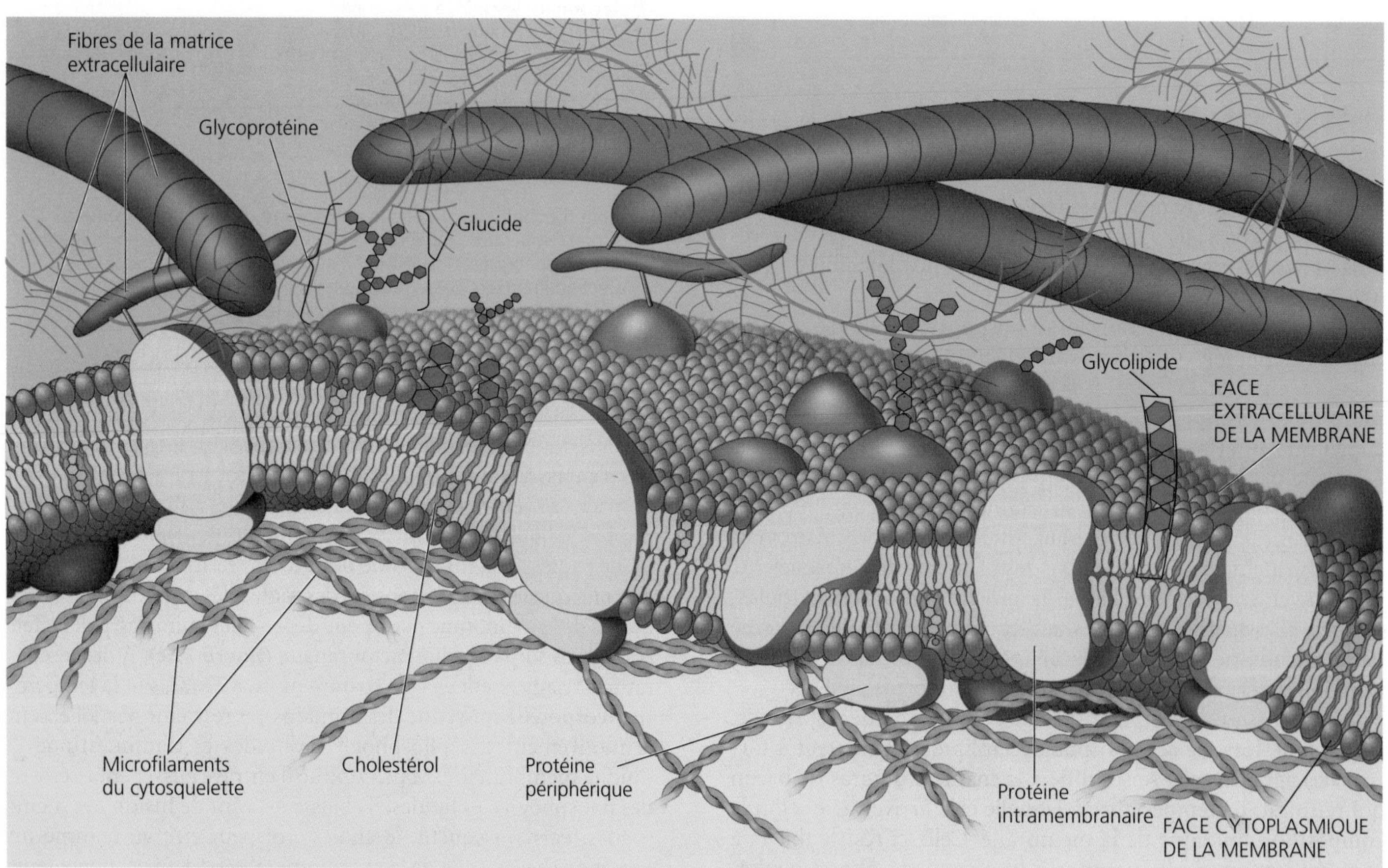

▲ **Figure 7.7 Structure détaillée de la membrane plasmique d'une cellule animale (en coupe transversale).**

La figure 7.7 montre qu'il existe deux grandes classes de protéines membranaires : les protéines intramembranaires et les protéines périphériques. Les **protéines intramembranaires** sont insérées dans la membrane ; elles la pénètrent assez profondément pour que leurs parties hydrophobes se trouvent entourées par les parties hydrocarbonées des lipides. Beaucoup d'entre elles, qui sont qualifiées plus spécifiquement de protéines *transmembranaires*, traversent la membrane de part en part. Leur partie hydrophobe contient au moins une séquence d'acides aminés non polaires (voir la figure 5.17) qui adopte habituellement une conformation en hélice α **(figure 7.8)**. Ces protéines comportent aussi une partie hydrophile exposée aux solutions aqueuses de part et d'autre de la membrane. Les **protéines périphériques**, elles, ne pénètrent pas du tout la membrane ; elles constituent des appendices rattachés à la surface membranaire, souvent à la partie saillante de protéines intramembranaires (voir la figure 7.7). La distribution de certaines protéines membranaires le long de la membrane dépend des besoins particuliers de la cellule et peut varier à différents moments de sa vie.

Sur le feuillet interne de la membrane plasmique, des microfilaments du cytosquelette aident à maintenir en place certaines protéines. Sur le feuillet externe, ce sont les diverses fibres de la matrice extracellulaire qui fixent bon nombre de protéines (voir la figure 6.29 ; les *intégrines* sont un type de protéine intramembranaire). Cela renforce la membrane plasmique des cellules animales et, par conséquent, leur charpente.

La **figure 7.9** énumère les six fonctions remplies par les protéines de la membrane plasmique. Il faut savoir que, dans une

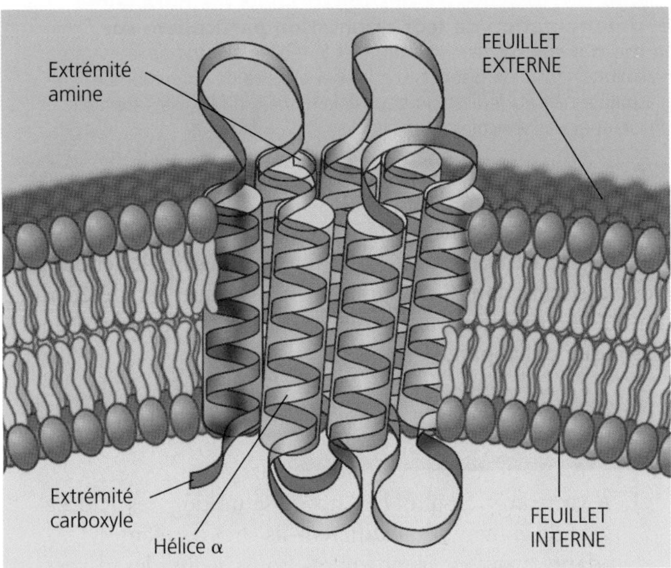

▲ **Figure 7.8 Structure d'une protéine transmembranaire.** La protéine illustrée ici est une bactériorhodopsine, une protéine de transport que l'on trouve dans certaines Bactéries et qui est enchâssée selon une orientation particulière dans la membrane : l'extrémité amine (N-terminale) est à l'extérieur de la cellule et l'extrémité carboxyle (C-terminale), à l'intérieur. Cette représentation en ruban met en évidence la structure secondaire en hélice α des parties hydrophobes d'une protéine. Celles-ci s'insèrent généralement dans la portion hydrophobe de la bicouche membranaire. La bactériorhodopsine possède sept hélices transmembranaires (que nous avons encastrées dans des cylindres pour mieux les délimiter). De part et d'autre de la membrane, les parties hydrophiles non hélicoïdales sont en contact avec les solutions aqueuses.

(a) Protéines de transport. (À gauche) Une protéine qui traverse la membrane de part en part peut constituer un canal hydrophile dans lequel un seul type de soluté passe. **(À droite)** D'autres protéines de transport déplacent des substances d'un côté à l'autre de la membrane en changeant leur forme. Certaines protéines de transport hydrolysent l'ATP pour véhiculer des substances à travers la membrane.

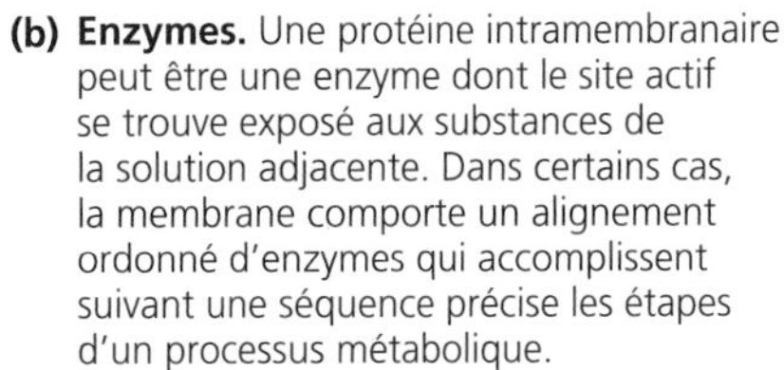

(b) Enzymes. Une protéine intramembranaire peut être une enzyme dont le site actif se trouve exposé aux substances de la solution adjacente. Dans certains cas, la membrane comporte un alignement ordonné d'enzymes qui accomplissent suivant une séquence précise les étapes d'un processus métabolique.

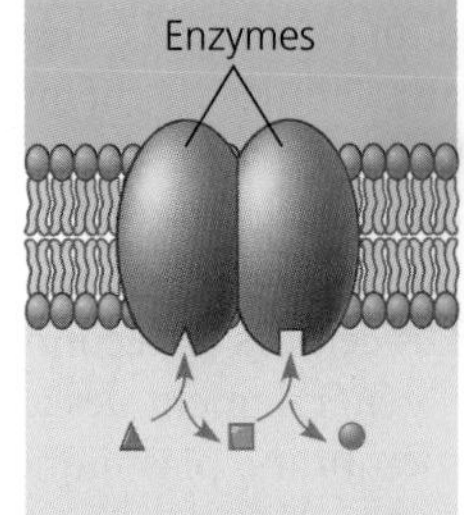

(c) Protéines réceptrices. Une protéine membranaire peut porter un site de liaison dont la forme épouse celle d'un messager chimique, comme une hormone. Le messager (stimulus) peut entraîner un changement de la conformation de la protéine (réceptrice) ; à la suite de cela, la partie cytoplasmique de la protéine déclenche une cascade de réactions chimiques dans la cellule.

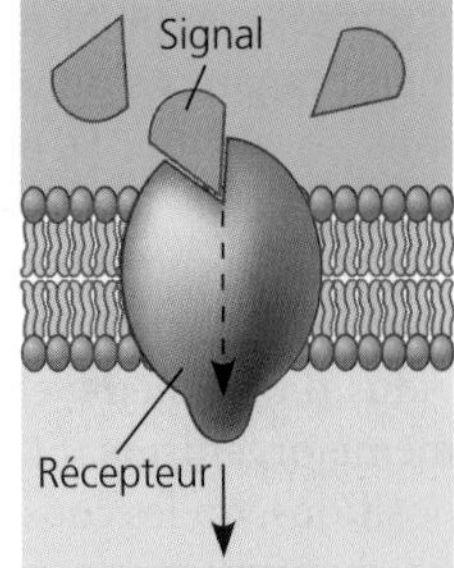

(d) Reconnaissance intercellulaire. Certaines glycoprotéines servent à identifier les cellules et sont reconnues par les autres cellules de manière spécifique ; cette fonction permet, par exemple, aux globules blancs de reconnaître un agresseur ou une cellule cancéreuse.

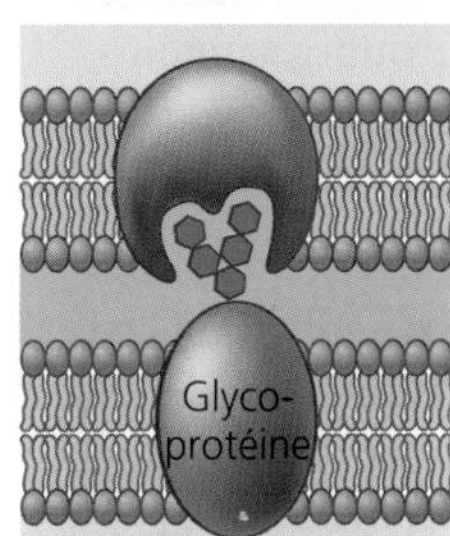

(e) Adhérence intercellulaire. Les protéines intramembranaires de cellules adjacentes peuvent se lier et unir celles-ci suivant plusieurs types de jonctions, comme les jonctions ouvertes ou les jonctions serrées (voir la figure 6.31). Cette fonction permet la formation de tissus.

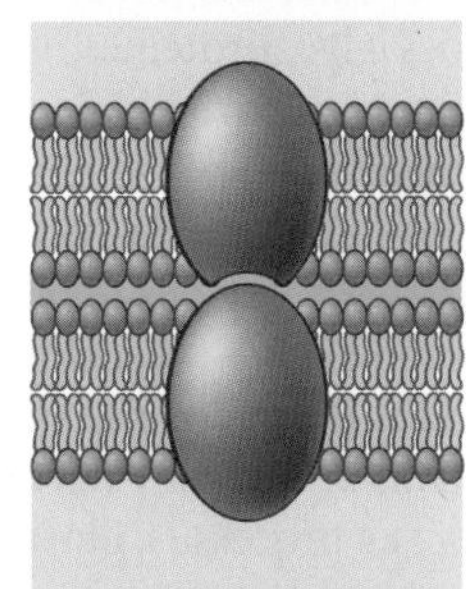

(f) Fixation au cytosquelette et à la matrice extracellulaire. Des microfilaments ou d'autres éléments du cytosquelette peuvent se lier à des protéines membranaires. Cette fonction joue un rôle important dans le maintien de la forme cellulaire et dans la stabilité de certaines protéines intramembranaires. Les protéines qui adhèrent à la matrice extracellulaire peuvent coordonner des changements extracellulaires et intracellulaires.

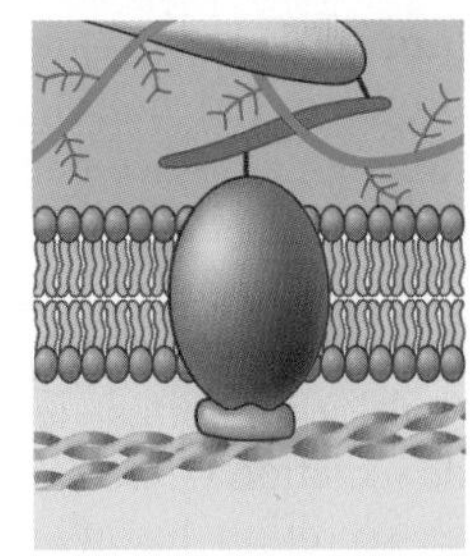

▲ **Figure 7.9 Quelques fonctions des protéines membranaires.** Certaines protéines membranaires cumulent plusieurs fonctions.

cellule, les protéines membranaires peuvent accomplir plusieurs fonctions et qu'une seule protéine peut jouer plusieurs rôles. C'est dans ce sens que les membranes sont des mosaïques aux structures et aux fonctions multiples.

Le rôle des glucides membranaires dans la reconnaissance intercellulaire

La reconnaissance intercellulaire, c'est-à-dire la capacité d'une cellule à distinguer les types de cellules de l'organisme dont elle fait partie, revêt une importance capitale dans le fonctionnement d'un organisme. Chez l'embryon animal, par exemple, elle permet aux cellules de même type de se regrouper en tissus. Elle détermine aussi le rejet des cellules étrangères (y compris celles des organes greffés) par le système immunitaire, un mécanisme de défense important chez les Vertébrés (voir le chapitre 43). Les cellules se reconnaissent entre elles en se liant aux molécules – généralement des glucides – qui se trouvent à la surface de leur membrane plasmique (voir la figure 7.9d).

Les glucides membranaires sont souvent de courtes chaînes ramifiées comptant moins de 15 monomères. Si certains glucides membranaires s'unissent aux lipides (**glycolipides**) par des liaisons covalentes, la plupart se lient à des protéines (**glycoprotéines**), également par covalence (voir la figure 7.7).

Les petits glucides associés au feuillet externe de la membrane plasmique varient selon les espèces d'organismes, selon les individus d'une même espèce, voire selon les types de cellules d'un même organisme. Étant donné leur diversité et leurs différentes positions, on les considère comme les marqueurs qui permettent de distinguer les cellules, notamment celles des différents groupes sanguins.

La synthèse et la structure asymétrique des membranes

Le feuillet interne et le feuillet externe des membranes sont bien distincts : le feuillet externe est souvent plus épais que le feuillet interne et la composition lipidique des deux feuillets peut différer, de même que l'orientation de leurs protéines (voir la figure 7.8). En outre, seul le feuillet externe de la membrane plasmique contient des glycoprotéines. Cette répartition inégale des protéines, des lipides et des glucides est déterminée durant la formation de la membrane par le réticulum endoplasmique. Lorsqu'une vésicule fusionne avec la membrane plasmique, le feuillet externe de la vésicule devient le prolongement du feuillet interne de la membrane plasmique. Donc, les molécules qui se trouvaient au départ dans le feuillet interne du réticulum endoplasmique se retrouvent dans le feuillet externe de la membrane plasmique.

Le processus, illustré à la **figure 7.10**, commence par ❶ la synthèse des protéines et des lipides membranaires dans le réticulum endoplasmique. Des glucides (en vert) s'associent aux protéines (en violet), qui deviennent des glycoprotéines. Les portions glucidiques peuvent alors être modifiées. ❷ À l'intérieur de l'appareil de Golgi, les glucides des glycoprotéines subissent d'autres modifications, et les lipides s'associent avec des glucides, devenant des glycolipides. ❸ Les protéines transmembranaires (haltères violettes), les glycolipides membranaires et les protéines de sécrétion (sphères violettes) sont transportés dans des vésicules de sécrétion jusqu'à la membrane plasmique. ❹ Les vésicules fusionnent avec la membrane, et cette fusion provoque la libération de protéines de sécrétion par la cellule. Lors de la fusion d'une vésicule, les glucides des glycoprotéines et des glycolipides se retrouvent sur la face extérieure de la membrane plasmique. Donc, la répartition inégale des protéines, des lipides et des glucides associés dans la membrane plasmique est déterminée durant la formation de la membrane par le réticulum endoplasmique et l'appareil de Golgi.

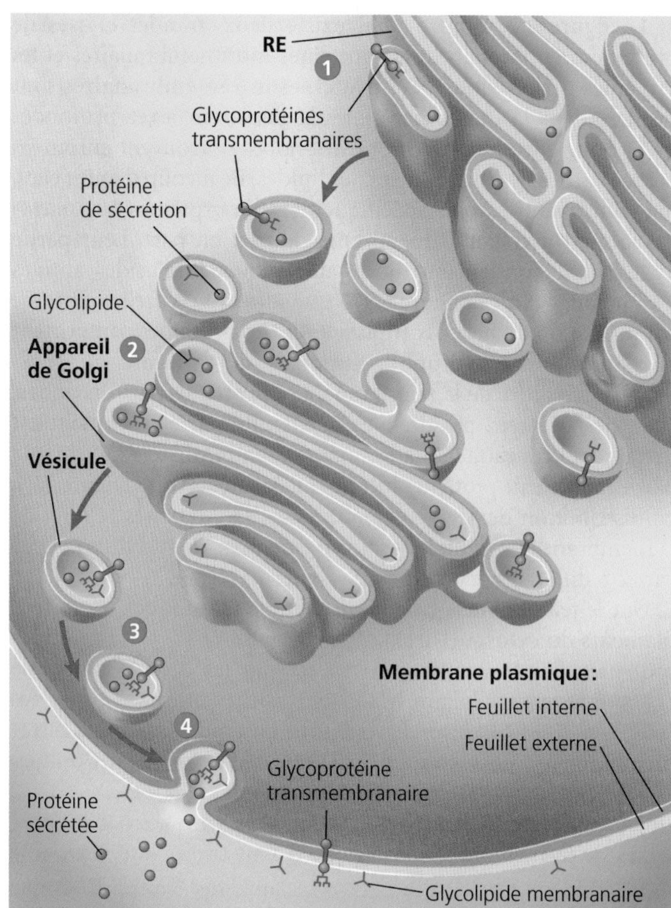

▲ **Figure 7.10 Synthèse des constituants membranaires et détermination de leur orientation particulière sur la membrane.** Le feuillet interne et le feuillet externe de la membrane plasmique sont bien distincts. Le feuillet externe de la membrane plasmique naît du feuillet qui tapisse la lumière du RE, de l'appareil de Golgi et des vésicules.

Retour sur le concept 7.1

1. À votre avis, en quoi les taux de saturation des acides gras de la membrane diffèrent-ils chez les plantes adaptées aux environnements froids et chez les plantes adaptées aux environnements chauds ?
2. Les glucides liés à certaines protéines et à certains lipides de la membrane plasmique sont ajoutés à la membrane pendant sa synthèse et sont modifiés dans le RE et l'appareil de Golgi ; la nouvelle membrane forme alors des vésicules de sécrétion qui se déplacent jusqu'à la surface de la cellule. De quel côté de la membrane de la vésicule se trouvent les glucides ?

Voir les réponses proposées à la fin du chapitre.

Les membranes ont une perméabilité sélective qui résulte de leur structure

Une membrane biologique est un exemple merveilleux de structure supramoléculaire : ses propriétés dépassent celles des molécules qui la constituent. Il s'agit d'un bel exemple d'émergence. Tout le reste de ce chapitre traite de l'une des propriétés les plus importantes d'une membrane biologique : sa perméabilité sélective. Vous aurez encore une fois l'occasion de constater la corrélation entre structure et fonction. Le modèle de la mosaïque fluide vous aidera à comprendre le passage des substances à travers les membranes biologiques. Les notions concernant le transport membranaire revêtent une importance primordiale pour la compréhension du fonctionnement des êtres vivants.

De petites molécules et des ions traversent régulièrement la membrane plasmique dans les deux sens. Une cellule musculaire, par exemple, procède à de nombreux échanges chimiques avec le liquide extracellulaire. Elle laisse entrer les monosaccharides, les acides aminés et les autres nutriments, alors qu'elle fait sortir les sous-produits du métabolisme. Elle laisse pénétrer le dioxygène nécessaire à sa respiration et expulse du dioxyde de carbone. Enfin, elle régularise ses concentrations en ions inorganiques monoatomiques (tels que H^+, Na^+, K^+, Ca^{2+}, Mg^{2+}, Mn^{2+} et Cl^-) et en ions inorganiques polyatomiques (tels que NH_4^+, OH^-, HCO_3^-, NO_3^-, PO_4^{3-} et SO_4^{2-}) en leur faisant traverser la membrane plasmique dans un sens ou dans l'autre. Bien que la circulation qui a lieu à travers la membrane soit intense, celle-ci forme une barrière dotée d'une perméabilité sélective : les substances ne la traversent pas sans restriction. La cellule a la capacité d'admettre de nombreuses sortes de petites molécules et d'ions, et de refuser l'accès à d'autres. De plus, toutes les substances ne traversent pas la membrane à la même vitesse, comme nous le verrons un peu plus loin.

La perméabilité de la bicouche lipidique

Les molécules hydrophobes (non polaires), comme les lipides, les hydrocarbures, les acides gras, les vitamines A, D, E et K, le dioxyde de carbone et le dioxygène, se dissolvent dans la bicouche de la membrane et la traversent lentement, mais aisément, sans l'aide de protéines membranaires. Toutefois, le centre hydrophobe de la membrane entrave le passage direct des ions et des molécules polaires, qui sont hydrophiles, à travers la membrane. Les molécules polaires comme le glucose et d'autres sucres traversent lentement une bicouche lipidique ; même l'eau ne franchit pas facilement la bicouche. Cependant, en raison de sa très petite taille, elle parvient parfois, malgré sa polarité, à se faufiler lentement entre les phosphoglycérolipides dans une membrane très fluide. Il reste que cette traversée est marginale et n'a rien à voir avec l'entrée massive et spontanée de l'eau pendant l'osmose. Les ions, avec leur revêtement aqueux (voir la figure 3.6), et les molécules chargées (par exemple, certains acides aminés) ont encore plus de mal à pénétrer la couche hydrophobe de la membrane. Heureusement pour la cellule, le mécanisme de perméabilité sélective de la membrane ne repose pas uniquement sur la bicouche. La membrane plasmique renferme également des protéines qui jouent un rôle clé dans la régulation des transports.

Les protéines de transport

Les membranes biologiques laissent passer certains ions et certaines molécules polaires. Ces substances hydrophiles évitent le contact avec la bicouche en traversant les membranes grâce à des **protéines de transport** qui y sont enchâssées. Certaines de ces protéines, appelées canaux protéiques, comportent un canal que différentes substances empruntent, tel un tunnel hydrophile (voir la figure 7.9a, à gauche). Par exemple, le passage de molécules d'eau à travers la membrane de certaines cellules est grandement facilité par des canaux protéiques appelés **aquaporines**. D'autres protéines, appelées perméases (ou protéines porteuses), se lient faiblement à leurs passagers et changent de forme de façon à les faire passer de l'autre côté de la membrane (voir la figure 7.9a, à droite). Dans un cas comme dans l'autre, les protéines de transport font partie des protéines intramembranaires dont nous avons déjà parlé. Ces protéines sont généralement très sélectives : la plupart ne véhiculent ou ne laissent passer qu'une ou quelques substances seulement. Par exemple, le glucose que le sang transporte et dont les globules rouges ont besoin pour les activités de la cellule entre très rapidement dans ces cellules grâce à des protéines de transport particulières insérées dans leur membrane plasmique. Ces « véhicules à glucose » sont des perméases si spécifiques qu'ils rejettent même le fructose, un isomère du glucose.

La perméabilité sélective de la membrane repose donc à la fois sur les protéines de transport spécifiques enchâssées dans celle-ci et sur les propriétés chimiques de la bicouche. Mais qu'est-ce qui détermine la *direction* des déplacements à travers la membrane ? Qu'est-ce qui fait qu'à un moment donné une substance entre dans la cellule ou en sort ? Quels mécanismes sont responsables du passage des molécules de part et d'autre de la membrane ? Dans la section qui suit, nous répondrons à ces questions à mesure que nous étudierons deux modes de transport : le transport passif et le transport actif.

Retour sur le concept 7.2

1. Les molécules de O_2 et de CO_2 peuvent toutes deux traverser une bicouche de lipides sans l'aide de protéines membranaires. Quelles propriétés leur permettent de le faire ?
2. Pourquoi les molécules d'eau ont-elles besoin d'une protéine de transport (l'aquaporine) pour traverser une membrane rapidement et en masse ?

Voir les réponses proposées à la fin du chapitre.

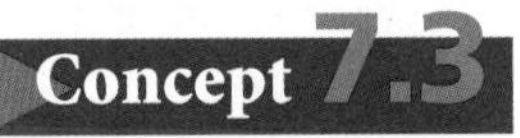

Le transport passif est la diffusion à travers une membrane sans dépense d'énergie

Nous avons vu, au chapitre 3, que les molécules en mouvement possèdent une énergie mesurée par la température. La **diffusion**, soit la tendance que les substances (ions ou molécules) ont à se répartir uniformément dans un milieu, découle de cette propriété. On distingue deux modes de diffusion lorsqu'il s'agit de transport membranaire: la diffusion simple et la diffusion facilitée. On parle de **diffusion simple** lorsqu'une substance traverse la bicouche de phosphoglycérolipides d'une membrane sans l'intermédiaire d'une protéine. Par contre, lorsque le passage d'une substance s'effectue grâce à une protéine, on parle de **diffusion facilitée**. *Ces modes de transport ne nécessitent pas une dépense d'énergie métabolique (ATP) de la part de la cellule.* Le déplacement de chaque molécule se fait de façon aléatoire, mais la diffusion de chaque substance (que ce soit des molécules ou des ions) peut se produire dans une direction précise. Pour bien visualiser ce phénomène, imaginez, par exemple, qu'une membrane synthétique sépare de l'eau distillée d'une solution aqueuse de colorant. Supposez aussi que cette membrane a des pores microscopiques et qu'elle est perméable aux molécules de colorant (**figure 7.11a**). Ces dernières errent toutes au hasard, mais elles présentent un mouvement *net* en direction de l'eau distillée. Elles continuent de se répartir de part et d'autre de la membrane jusqu'à ce qu'elles atteignent une concentration égale dans les deux solutions. Il s'ensuit alors un équilibre dynamique et, chaque seconde, le nombre de molécules de colorant qui traversent la membrane vers la gauche est égal au nombre de molécules de colorant qui traversent la membrane vers la droite.

Nous pouvons maintenant énoncer quelques règles à propos de la diffusion.

1. Dans des conditions normales, une substance diffuse de la région où elle est la plus concentrée vers la région où elle est la moins concentrée. En d'autres termes, toute substance diffuse suivant un **gradient de concentration**. Ce phénomène ne nécessite aucune autre énergie que celle des molécules en mouvement: la diffusion se produit spontanément. Remarquez que chaque substance se répand suivant son *propre* gradient de concentration, sans égard aux différences de concentration des autres substances (**figure 7.11b**).
2. En général, la vitesse de diffusion d'une substance est inversement proportionnelle à la taille de ses molécules.
3. Les substances liposolubles traversent une membrane plus rapidement que les substances hydrosolubles.

(a) Diffusion d'un soluté en milieu aqueux. Les pores de la membrane sont assez grands pour laisser traverser l'eau et les molécules de colorant dissoutes. Le mouvement aléatoire des molécules de colorant fait passer quelques molécules par les pores; cela se produit plus souvent du côté où il y a plus de molécules. Le colorant diffuse de la zone où il est le plus concentré vers la zone où il est le moins concentré, c'est-à-dire suivant son gradient de concentration, et ce, jusqu'à l'équilibre. Les molécules de soluté continuent de traverser la membrane, mais à une vitesse égale, dans les deux directions.

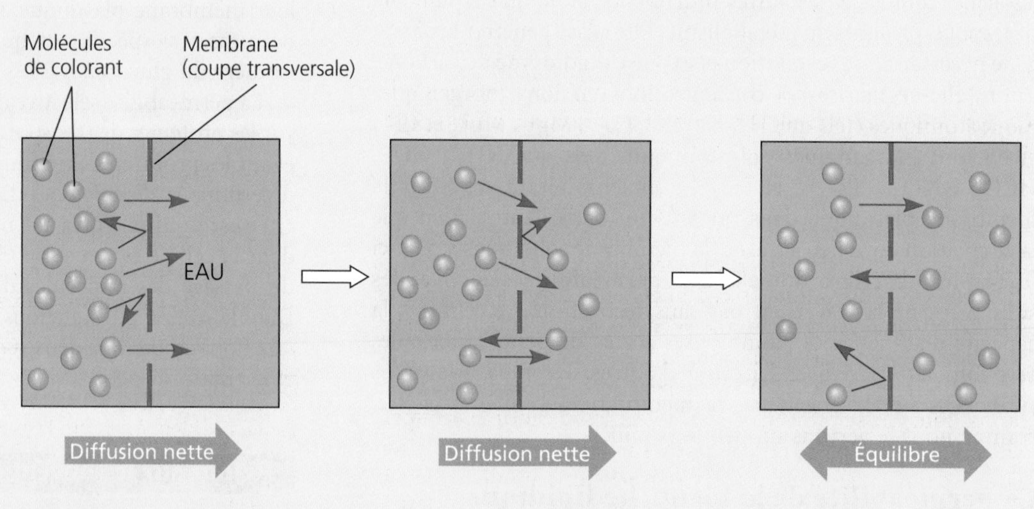

(b) Diffusion simultanée de deux solutés en milieu aqueux. Deux solutions de couleurs différentes sont séparées par une membrane perméable aux deux colorants. Les molécules de chaque colorant diffusent suivant leur gradient de concentration. Le colorant pourpre diffuse vers la gauche, même si la concentration totale de solutés était initialement plus grande à gauche qu'à droite.

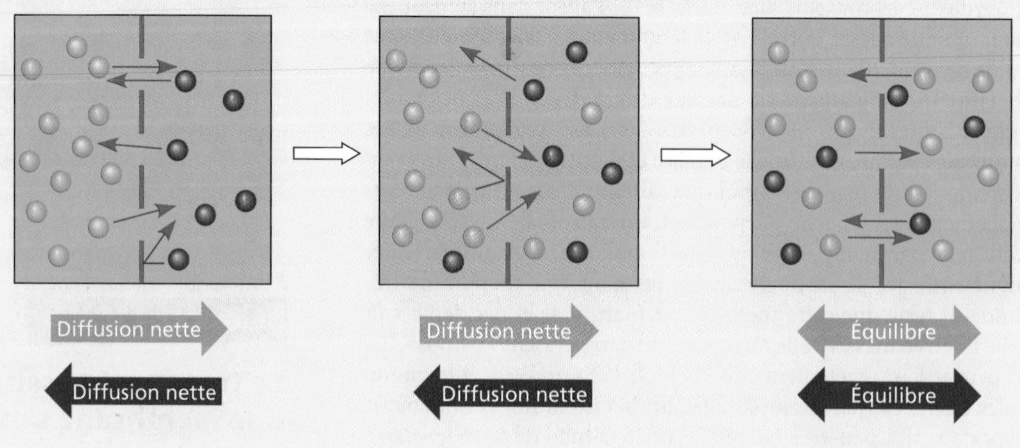

▲ **Figure 7.11 Diffusion de solutés à travers une membrane.** Les flèches de couleur sous les diagrammes montrent la diffusion nette des molécules de colorant de cette couleur.

Chaque fois qu'elle se trouve plus concentrée d'un côté de la membrane que de l'autre, une substance tend à diffuser, suivant son gradient de concentration, à travers la membrane (à condition que celle-ci lui soit perméable). L'absorption de dioxygène en vue de la respiration cellulaire constitue un exemple important de la diffusion simple. Le dioxygène dissous diffuse vers l'intérieur de la cellule. Cela se poursuit tant que la respiration cellulaire le consomme, car le gradient de concentration favorise le mouvement dans cette direction.

La plus grande partie des échanges transmembranaires de même que le transport des substances à l'intérieur de la cellule se font par diffusion. Ce processus est efficace étant donné les dimensions microscopiques de la cellule : si elle était plus grosse, les distances à franchir seraient trop grandes et la vitesse avec laquelle se réalise la diffusion ne pourrait répondre adéquatement aux besoins cellulaires.

La diffusion d'une substance à travers une membrane biologique constitue un mode de **transport passif**, parce qu'elle ne nécessite pas de dépense d'énergie de la part de la cellule. (Le gradient de concentration lui-même représente de l'énergie potentielle [voir le chapitre 2, p. 35] et alimente la diffusion.) Rappelez-vous, cependant, que la perméabilité sélective influe sur la capacité et la vitesse de diffusion des différentes molécules. Dans le cas de l'eau, les aquaporines lui permettent de diffuser très rapidement à travers la membrane de certaines cellules. Le passage de l'eau à travers la membrane plasmique a des conséquences importantes pour les cellules.

Les effets de l'osmose sur l'équilibre hydrique

Pour voir comment deux solutions présentant des concentrations différentes de solutés interagissent, imaginez un récipient en forme de U dans lequel une membrane synthétique, dont la perméabilité est sélective, sépare deux solutions de glucose **(figure 7.12)**. La membrane est perméable à l'eau parce que ses pores sont assez grands pour laisser traverser les molécules d'eau, mais imperméable au glucose parce que ses pores sont trop petits pour laisser passer les molécules de glucose. Comment cela influe-t-il sur la concentration d'*eau* ? Il serait logique de penser que la solution dont la concentration de soluté est la plus élevée possède une concentration en eau plus faible et que, pour cette raison, l'eau diffusera à travers la membrane de la solution moins concentrée vers la solution plus concentrée. Cependant, dans le cas d'une solution diluée comme le sont la plupart des liquides organiques, les solutés ont peu d'effet sur la concentration d'eau. En fait, l'agglomération des molécules d'eau autour des molécules de soluté hydrophiles fait en sorte que certaines molécules d'eau ne sont pas capables de traverser la membrane ; elles sont, d'une certaine façon, accaparées par les molécules de soluté. L'important, c'est la différence dans la concentration d'eau *libre*. L'effet s'avère toutefois le même : l'eau diffuse à travers la membrane de la solution dont la concentration de soluté est la plus faible vers la solution dont la concentration de soluté est la plus élevée jusqu'à ce que les concentrations de part et d'autre de la membrane soient égales. La diffusion de l'eau à travers une membrane dont la perméabilité est sélective est appelée **osmose**. La diffusion de l'eau à travers les membranes cellulaires ainsi que l'équilibre hydrique entre la cellule et son milieu sont essentiels aux organismes. Appliquons maintenant aux cellules ce que nous venons d'apprendre à propos de l'osmose.

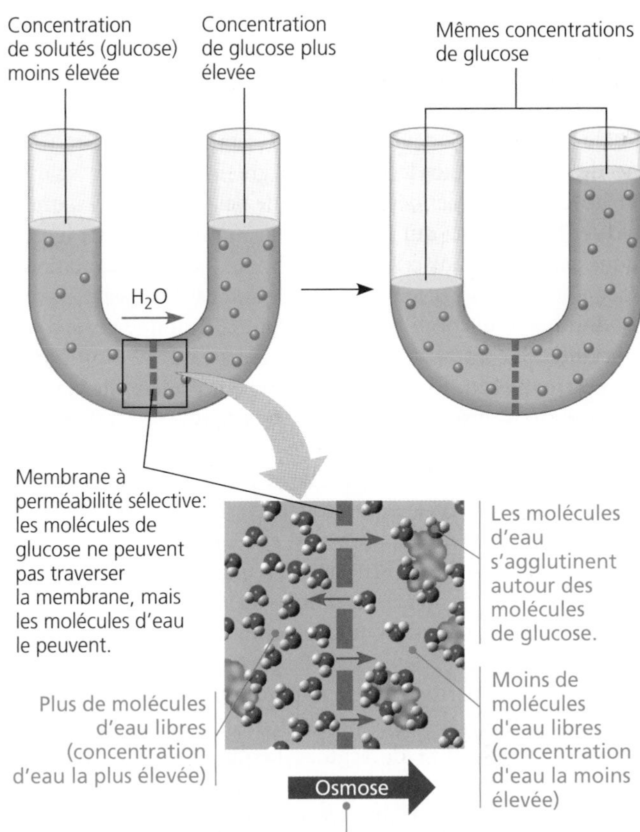

▲ **Figure 7.12 Osmose.** Deux solutions de glucose de concentrations molaires volumiques différentes sont séparées par une membrane dont la perméabilité est sélective. La membrane est perméable au solvant (l'eau), mais imperméable au soluté (le glucose). Les molécules d'eau se déplacent de manière aléatoire et peuvent traverser la membrane dans l'une ou l'autre direction, mais dans l'ensemble l'eau diffuse de la solution la moins concentrée en soluté (hypotonique) vers la solution la plus concentrée (hypertonique). Le transport de l'eau, ou osmose, finit par égaliser les concentrations des solutions de glucose de chaque côté de la membrane.

L'équilibre hydrique dans les cellules dénuées de paroi cellulaire

Lorsqu'on examine le comportement d'une cellule dans une solution, il faut tenir compte à la fois de la concentration de soluté et de la perméabilité de la membrane. Ces deux facteurs renvoient au concept de **tonicité**. La tonicité fait référence à la capacité d'une solution de permettre ou d'empêcher l'entrée ou la sortie d'eau dans une cellule. La tonicité d'une solution dépend en partie de sa concentration de solutés incapables de traverser la membrane (solutés non pénétrants) par rapport à la concentration de ces solutés dans la cellule elle-même. S'il y a plus de solutés non pénétrants dans la solution, l'eau aura tendance à sortir de la cellule, et vice versa.

Si l'on immerge une cellule dénuée de paroi cellulaire, par exemple une cellule animale, dans un milieu **isotonique** (*iso* signifie « même »), il n'y a pas de diffusion nette d'eau à travers la membrane plasmique. De l'eau traverse bien celle-ci, mais elle le fait autant dans un sens que dans l'autre. Bref, dans un milieu isotonique, le volume d'une cellule animale reste stable **(figure 7.13a)**.

Par contre, dans une solution **hypertonique** (*hyper* signifie « plus », en l'occurrence plus de solutés non pénétrants), la cellule animale perd de l'eau, devient crénelée (ratatinée) et meurt. C'est l'une des raisons pour lesquelles l'augmentation de la salinité d'un lac (causée par des déversements de neige usée, par exemple) peut tuer les animaux qui y vivent (si l'eau du lac devient hypertonique par rapport aux cellules des animaux, celles-ci se ratatinent et meurent). Précisons ici qu'une entrée d'eau excessive s'avère aussi dommageable pour une cellule animale qu'une perte d'eau importante. Si l'on place une cellule dans une solution **hypotonique** (*hypo* signifie « moins »), l'eau entre plus vite dans la cellule qu'elle n'en sort : la cellule enfle et se lyse (éclate) comme un ballon trop gonflé.

Une cellule dénuée de paroi rigide ne peut tolérer ni les entrées d'eau ni les sorties d'eau qui sont excessives. Le problème de l'équilibre hydrique ne se pose pas si elle vit dans un milieu isotonique. Ainsi, beaucoup d'Invertébrés marins sont isotoniques par rapport à l'eau de mer, et les cellules de la plupart des animaux terrestres baignent dans un liquide isotonique par rapport à elles. Quant aux organismes dépourvus de paroi cellulaire mais vivant dans un milieu hypertonique ou hypotonique, ils doivent posséder des adaptations qui leur permettent d'effectuer une **osmorégulation**, c'est-à-dire de réguler l'équilibre hydrique entre leur milieu et eux. Par exemple, le Protiste appelé paramécie (*Paramecium caudatum*), un être vivant unicellulaire, vit dans des eaux stagnantes hypotoniques. L'eau a tendance à entrer continuellement dans cette cellule. Cependant, la membrane plasmique de la paramécie est beaucoup moins perméable à l'eau que celle de la plupart des autres cellules. Notons que cette adaptation ne fait que ralentir l'entrée d'eau, qui est continue. Si la paramécie n'éclate pas, c'est parce qu'elle possède une vacuole pulsatile, un organite qui expulse l'eau à mesure qu'elle entre par osmose **(figure 7.14)**. Nous étudierons d'autres mécanismes d'osmorégulation au chapitre 44.

L'équilibre hydrique dans les cellules pourvues d'une paroi cellulaire

Les cellules des Végétaux, des Bactéries, des Archéobactéries, des Eumycètes et de certains Protistes sont entourées d'une paroi cellulaire. Lorsqu'elles se trouvent dans une solution hypotonique (dans de l'eau de pluie, par exemple), leur paroi cellulaire concourt à l'équilibre hydrique. Comme la cellule animale, la cellule végétale gagne de l'eau par osmose et enfle **(figure 7.13b)**. La paroi élastique se distend jusqu'à un certain point, après quoi elle exerce sur la cellule une pression qui empêche l'eau d'entrer. La cellule est alors **turgescente** (très ferme). La turgescence constitue l'état idéal pour la plupart des Végétaux ; elle apporte d'ailleurs un soutien mécanique essentiel aux plantes non ligneuses qui ornent nos intérieurs. Si une cellule végétale baigne dans un milieu isotonique, il n'y a pas de diffusion nette de l'eau vers l'intérieur, et elle devient **flasque**.

Cependant, si une cellule végétale baigne dans un milieu hypertonique, sa paroi n'est pas d'une grande utilité : la cellule perd de l'eau et rétrécit, comme le ferait une cellule animale dans les mêmes conditions. À mesure qu'elle se ratatine, sa membrane plasmique s'écarte de la paroi cellulaire. Ce phénomène, appelé **plasmolyse**, fait pourrir la plante et peut être fatal. Les Bactéries, les Archéobactéries et les Eumycètes subissent le même sort dans un milieu hypertonique.

La diffusion facilitée : un mode de transport passif facilité par des protéines

Examinons en détail comment l'eau et certains solutés hydrophiles traversent une membrane. Comme nous l'avons mentionné précédemment, beaucoup de molécules polaires ou plus ou moins polaires et les ions refoulés par la bicouche arrivent à diffuser à l'intérieur de la cellule à l'aide des protéines de transport disséminées dans la membrane. On appelle ce phénomène **diffusion facilitée**. Les cytologistes ne savent pas encore exactement comment les protéines de transport facilitent la diffusion.

▶ **Figure 7.13 Équilibre hydrique dans les cellules.** Suivant qu'elles possèdent ou non une paroi cellulaire, les cellules réagissent différemment aux variations de concentration des solutés de leur milieu. **(a)** La cellule animale, comme ce globule rouge, est dépourvue de paroi cellulaire. **(b)** La cellule végétale possède une paroi cellulaire. (Les flèches indiquent la diffusion *nette* de l'eau depuis l'immersion des cellules dans les solutions.)

(a) Cellule animale. À moins de posséder des adaptations spéciales qui contrent son gain ou sa perte d'eau par osmose, la cellule animale se porte mieux dans un milieu isotonique.

(b) Cellule végétale. La cellule végétale est turgescente (ferme) et, en règle générale, saine dans un milieu hypotonique. L'entrée de l'eau est contrée par la pression de la paroi élastique qui s'exerce sur la membrane plasmique et le cytoplasme.

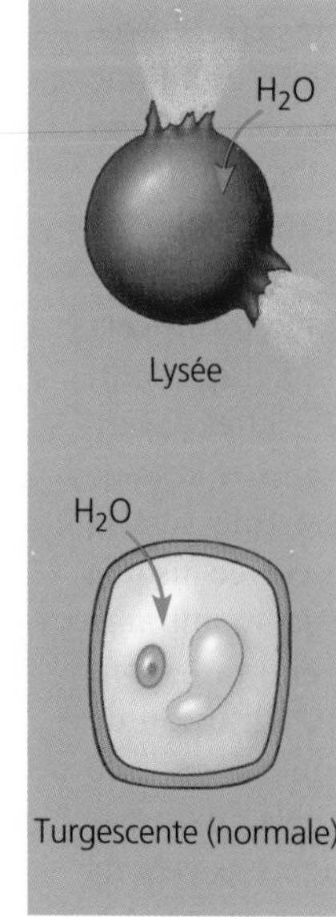

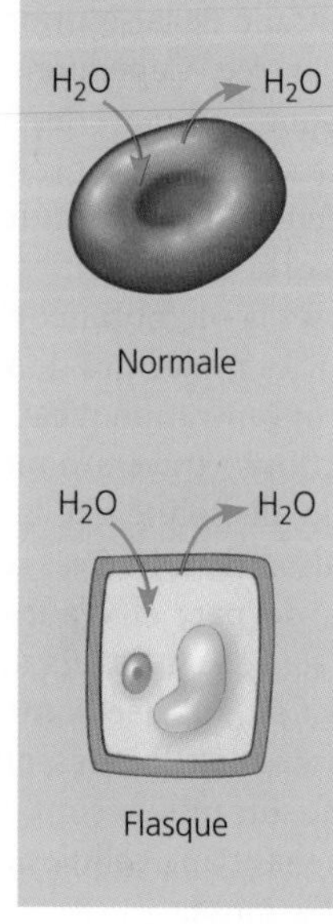

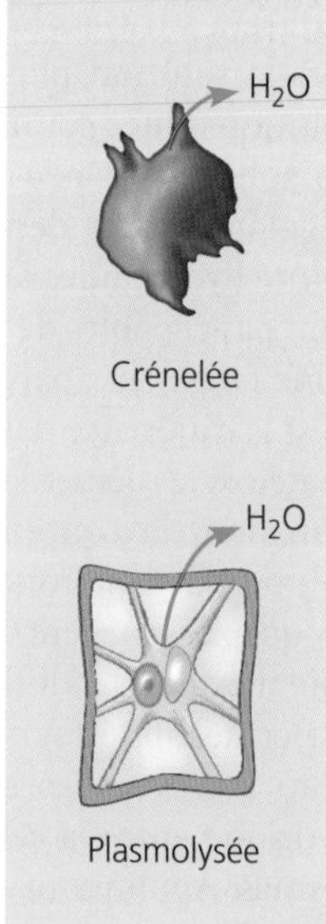

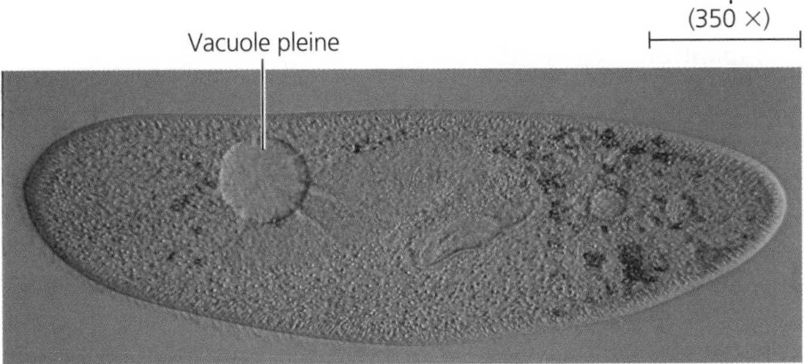

(a) Un réseau de canaux parcourant le cytoplasme achemine l'eau dans la vacuole pulsatile.

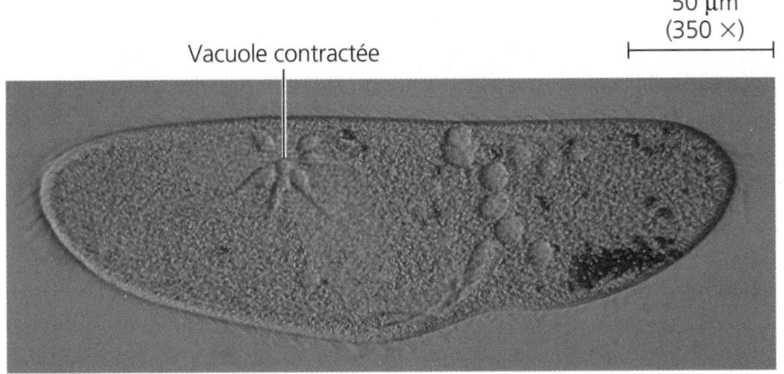

(b) Quand ils sont pleins, la vacuole et les canaux se contractent et expulsent l'eau de la cellule.

▲ **Figure 7.14 La vacuole pulsatile, une adaptation apparue au cours de l'évolution et permettant l'osmorégulation chez la paramécie (*Paramecium caudatum*).** La vacuole pulsatile de ce Protiste dulcicole annule les effets de l'osmose en expulsant l'eau de la cellule.

La plupart des protéines de transport sont très spécifiques: elles transportent seulement certaines substances et pas d'autres. Contrairement à la diffusion simple, la diffusion facilitée ne peut se faire qu'à une vitesse limitée; quand toutes les protéines de transport sont occupées, l'augmentation du gradient de concentration ne fera pas accélérer le processus.

Comme nous l'avons déjà expliqué, les deux types de protéines de transport sont les canaux protéiques et les perméases. Les canaux protéiques sont des tunnels, de véritables couloirs hydrophiles, qui permettent aux molécules d'eau ou à des petits ions spécifiques de traverser très rapidement la membrane **(figure 7.15a)**. Leur caractère hydrophile résulte de la disposition particulière des acides aminés polaires ou chargés qui bordent leur lumière. Quant à la partie externe de ces canaux (en contact avec les phosphoglycérolipides), elle comporte des acides aminés non polaires qui s'intègrent bien à la portion hydrophobe de la bicouche. Bien que les molécules d'eau soient assez petites pour traverser la bicouche de phosphoglycérolipides, leur déplacement dans cette voie, comme nous l'avons déjà mentionné, est relativement lent à cause de leur polarité. Spécialisés dans le transport de l'eau, les canaux protéiques appelés aquaporines facilitent la diffusion massive d'eau qui se produit dans les cellules végétales et dans certaines cellules animales comme les globules rouges (voir la figure 7.13).

D'autres canaux protéiques, les **canaux ioniques**, permettent le transport sélectif d'ions. Un stimulus de nature électrique, chimique ou mécanique commande leur ouverture et leur fermeture. Ainsi, certains canaux, appelés **canaux tensiodépendants**, s'ouvrent lors d'une variation du potentiel électrique membranaire (que nous expliquerons dans les prochaines sections; en attendant, vous pouvez voir ces canaux à la figure 48.13). Dans le cas des **canaux chimiodépendants**, c'est sous l'effet d'un stimulus chimique que des molécules modulatrices se fixent à des récepteurs situés sur les canaux, qui s'ouvrent pour laisser passer une substance différente. Par exemple, la stimulation d'un neurone par des neurotransmetteurs entraîne l'ouverture des canaux ioniques, qui laissent pénétrer les ions sodium dans la cellule (voir la figure 48.17). Finalement, certains canaux s'ouvrent à la suite d'une déformation mécanique de la membrane plasmique. Par exemple, des canaux protéiques sont situés à proximité des cils d'une cellule ciliée de l'oreille interne humaine (voir la figure 49.8) ou de la ligne latérale d'un poisson (voir la figure 49.12). Ils s'ouvrent lors du passage d'ondes qui font ployer les cils. La pression exercée sur la base de ceux-ci étire la membrane et ouvre les canaux; on appelle ces derniers **canaux mécanodépendants.** Nous reparlerons ultérieurement de tous ces canaux au cours de notre étude de la physiologie.

En ce qui les concerne, les perméases semblent subir un changement subtil de conformation qui transfère le site de liaison d'un côté de la membrane à l'autre **(figure 7.15b)**. Il se peut que la liaison et la libération de la substance transportée initient le changement de configuration.

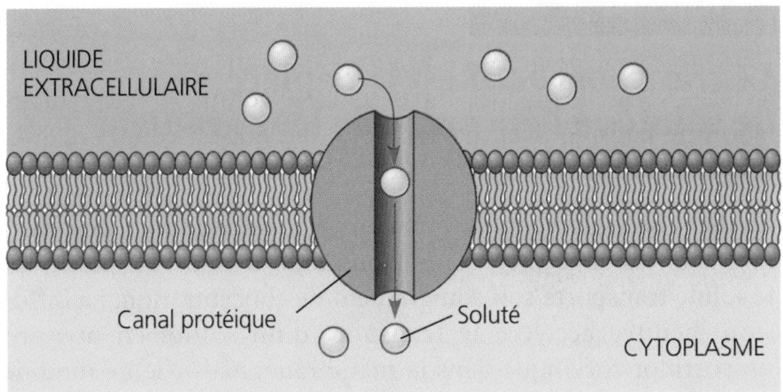

(a) Un canal protéique (en violet) forme un tunnel par lequel les molécules d'eau ou d'un soluté spécifique diffusent.

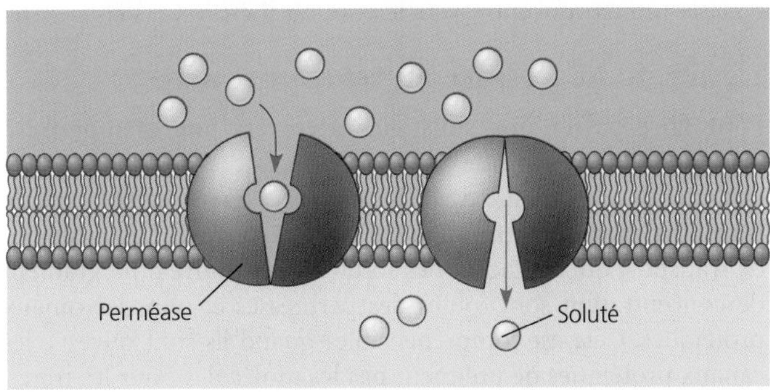

(b) Une perméase oscille entre deux conformations; en changeant de forme, elle déplace un soluté à travers la membrane. Elle peut le transporter dans une direction ou dans l'autre, la diffusion nette s'effectuant suivant le gradient de concentration du soluté.

▲ **Figure 7.15 La diffusion facilitée réalisée par deux types de protéines de transport.** Dans les deux cas, la protéine de transport déplace le soluté suivant le gradient de concentration.

Certaines maladies héréditaires se traduisent par l'anomalie d'un mécanisme de transport ou par l'absence d'un transporteur spécifique. La cystinurie, par exemple, est une maladie humaine héréditaire, de transmission autosomique récessive (un autosome est tout chromosome non sexuel), caractérisée par l'absence de perméases transportant certains acides aminés (la lysine, l'arginine et la cystine, soit la forme oxydée de la cystéine faite de deux molécules de cet acide aminé reliées par leurs atomes de soufre) à travers la membrane des cellules rénales. En temps normal, les cellules rénales réabsorbent ces acides aminés perdus par le sang et les lui renvoient. Chez une personne atteinte de cystinurie, les acides aminés s'accumulent dans les reins, cristallisent et forment des calculs douloureux.

Retour sur le concept 7.3

1. Si une paramécie passe d'un milieu hypotonique à un milieu isotonique, l'activité de sa vacuole pulsatile va-t-elle augmenter ou diminuer? Pourquoi?

Voir les réponses proposées à la fin du chapitre.

Concept 7.4

Le transport actif est le déplacement de solutés à l'encontre de leur gradient de concentration

En dépit de l'intervention d'une protéine de transport, on considère la diffusion facilitée comme un mode de transport passif, car le soluté transporté suit son gradient de concentration. La diffusion facilitée accélère le transport d'un soluté en ouvrant un corridor spécifique dans la membrane, mais elle ne modifie pas la direction du déplacement. Il existe cependant des protéines de transport qui peuvent aller à l'encontre du gradient de concentration du soluté et porter celui-ci du côté de la membrane où il est le moins concentré vers le côté où il est le plus concentré.

L'énergie nécessaire au transport actif

Pour faire passer une substance à travers une membrane à l'encontre du gradient de concentration, la cellule doit dépenser de l'énergie, c'est-à-dire de l'ATP. Par conséquent, cette forme de transport membranaire s'appelle **transport actif**. Les protéines de transport qui déplacent des solutés à l'encontre d'un gradient de concentration sont toutes des perméases et non des canaux protéiques. Cela est compréhensible: quand ils sont ouverts, les canaux protéiques ne prennent pas les molécules pour les transporter à l'encontre de leur gradient; ils ne font que les laisser passer selon leur gradient de concentration.

Le transport actif permet à la cellule de maintenir des concentrations intracellulaires différentes des concentrations extracellulaires. La cellule animale, par exemple, possède une concentration d'ions potassium beaucoup plus élevée que celle du milieu environnant, alors que sa concentration d'ions sodium est beaucoup plus faible. La membrane plasmique maintient ces fortes différences de gradients en expulsant le sodium de la cellule et en y pompant du potassium.

Comme dans le cas d'autres formes de travail cellulaire, c'est l'ATP qui fournit l'énergie nécessaire au processus en cédant son groupement phosphate terminal à la protéine de transport. Ce transfert entraîne un changement dans la conformation de la protéine. Grâce à cela, le soluté faiblement lié à la protéine est transporté de l'autre côté de la membrane. Il semble que la **pompe à sodium et à potassium** (aussi appelée pompe à Na^+-K^+), qui échange du sodium (Na^+) contre du potassium (K^+) en faisant passer ceux-ci à travers les membranes des cellules animales, fonctionne de cette façon (**figure 7.16**). Cette pompe consiste en une protéine constituée de sept hélices transmembranaires, soit une structure analogue à celle de la bactériorhodopsine que nous avons déjà présentée. Son fonctionnement, d'une importance capitale pour les cellules, exige environ le tiers de leur puissance énergétique totale. En plus de la pompe à Na^+-K^+, on trouve dans les membranes des pompes à H^+, à H^+-K^+, à Ca^{2+}, à Cl^-, et d'autres encore. La **figure 7.17** compare les transports passif et actif.

Le maintien du potentiel de membrane par les pompes ioniques

Toutes les membranes déterminent une différence de potentiel électrique (ou tension) entre le milieu externe et le milieu interne. En fait, elles jouent le rôle d'un condensateur, c'est-à-dire d'un dispositif qui emmagasine les charges et qui génère un potentiel électrique. Cette tension représente l'énergie potentielle électrique qui naît de la séparation de charges opposées (gradient électrique). Le cytoplasme porte une charge négative par rapport au liquide extracellulaire, car les anions et les cations sont inégalement répartis entre les deux milieux. La différence de potentiel électrique existant de part et d'autre d'une membrane, appelée **potentiel de membrane**, varie de −50 à −200 mV (millivolts). (Le signe moins indique que l'intérieur de la cellule est négatif par rapport à l'extérieur.)

Le potentiel de membrane se comporte comme une pile, et il influe sur le passage de toutes les substances chargées à travers la membrane: il favorise l'entrée des cations et la sortie des anions. Les cations pénètrent plus facilement dans la cellule parce que l'intérieur de celle-ci est négatif, contrairement au milieu extracellulaire. En résumé, deux forces président au transport passif des ions à travers les membranes: l'énergie associée au gradient de concentration des ions et le potentiel électrique, qui produit une attraction des cations vers l'intérieur de la cellule et une attraction des anions vers l'extérieur. Cette combinaison de forces que les ions subissent est appelée **gradient électrochimique.** Dans le cas des ions, il est nécessaire de réviser le concept de transport passif: ainsi, on ne devrait pas dire qu'ils diffusent toujours suivant leur gradient de concentration, mais plutôt suivant leur gradient *électrochimique.* La concentration intracellulaire des ions sodium (Na^+) d'un neurone au repos, par exemple, est beaucoup moins élevée que la concentration extracellulaire des ions sodium. Lorsque le neurone est stimulé, des canaux ioniques qui facilitent la diffusion de Na^+ s'ouvrent. Ces ions diffusent suivant leur gradient électrochimique. Ils sont influencés à fois par le gradient de concentration de Na^+ et par le gradient électrique qui attire les cations vers le côté de la membrane chargé négativement, c'est-à-dire l'intérieur du neurone.

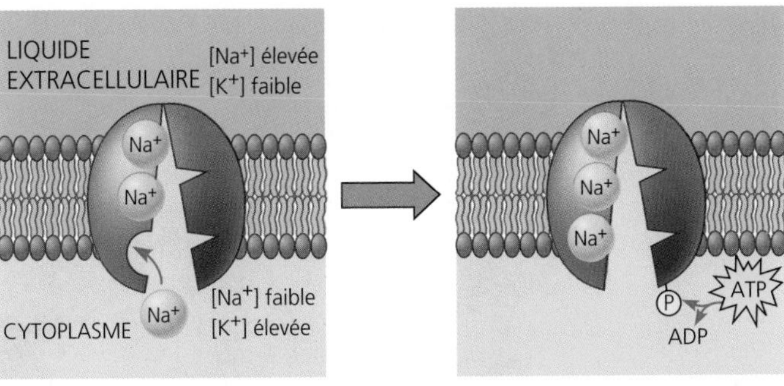

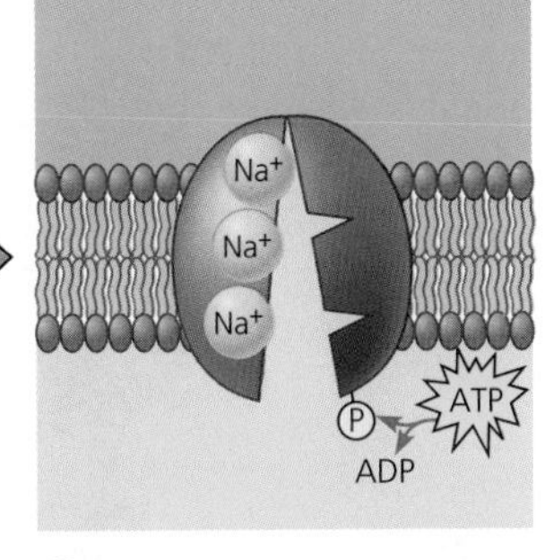

❶ Le Na^+ cytoplasmique se lie à la pompe à sodium et à potassium.

❷ La liaison du Na^+ cytoplasmique au transporteur protéique stimule la phosphorylation de celui-ci par l'ATP.

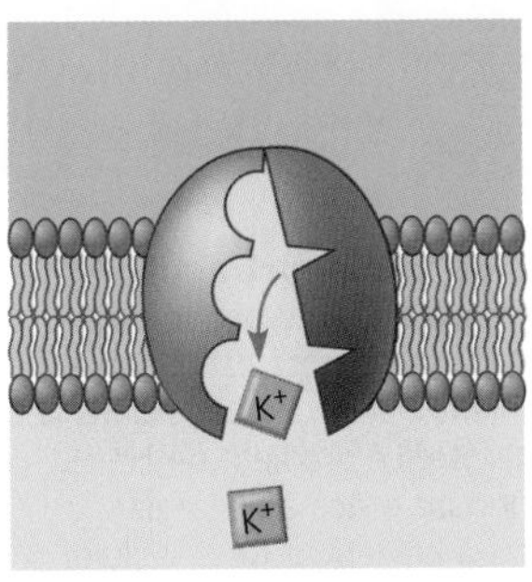

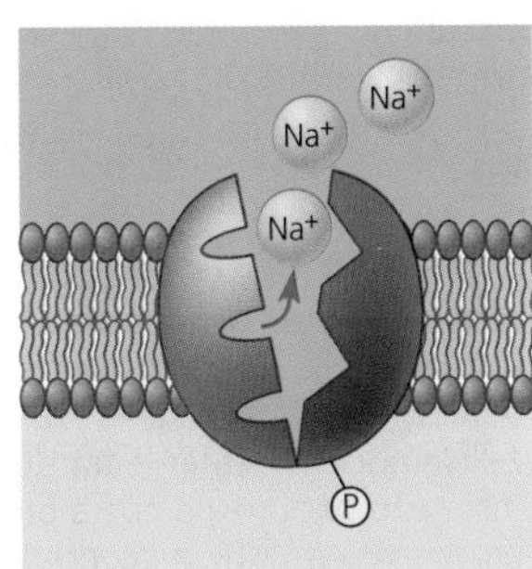

❻ Le K^+ est libéré, et les sites de liaison du Na^+ redeviennent réceptifs : le cycle recommence.

❸ La phosphorylation entraîne un changement de la conformation protéique, ce qui aboutit à l'expulsion du Na^+.

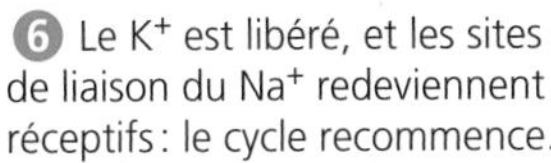

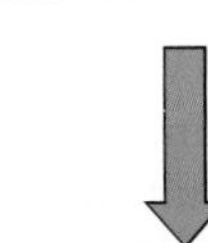

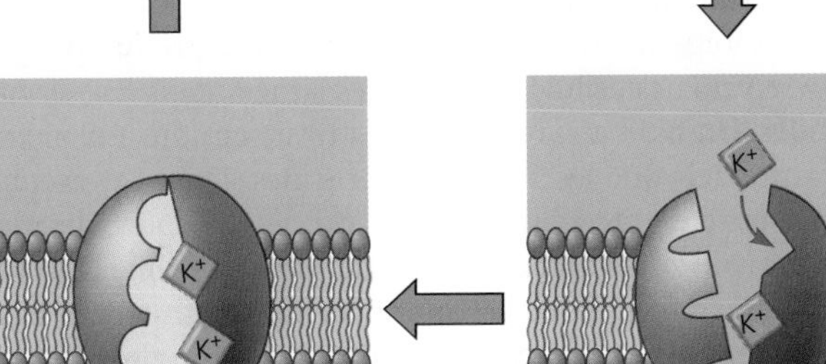

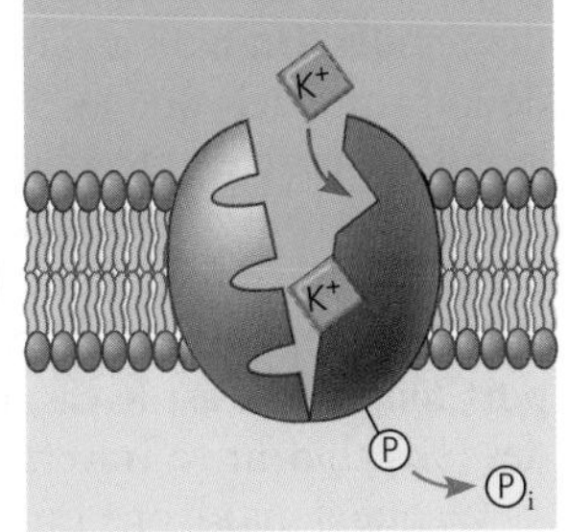

❺ La perte du phosphate rétablit la conformation protéique initiale.

❹ La liaison de la protéine avec le K^+ extracellulaire stimule la libération du groupement phosphate.

▲ **Figure 7.16 Un cas particulier de transport actif : la pompe à sodium et à potassium.** La pompe à sodium et à potassium transporte des ions à l'encontre de leur gradient de concentration. La concentration d'ions sodium (représentée par $[Na^+]$) est élevée à l'extérieur de la cellule et faible à l'intérieur, tandis que la concentration d'ions potassium ($[K^+]$) est faible à l'extérieur de la cellule et élevée à l'intérieur. Oscillant entre deux conformations au cours de son cycle, la pompe protéique (soit la protéine de transport) expulse trois ions Na^+ chaque fois qu'elle fait entrer deux ions K^+. L'ATP alimente les changements de conformation de cette protéine de transport en la phosphorylant (c'est-à-dire en lui cédant un groupement phosphate).

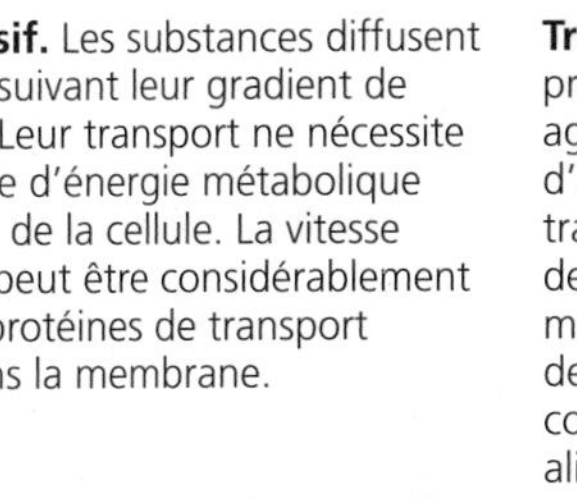

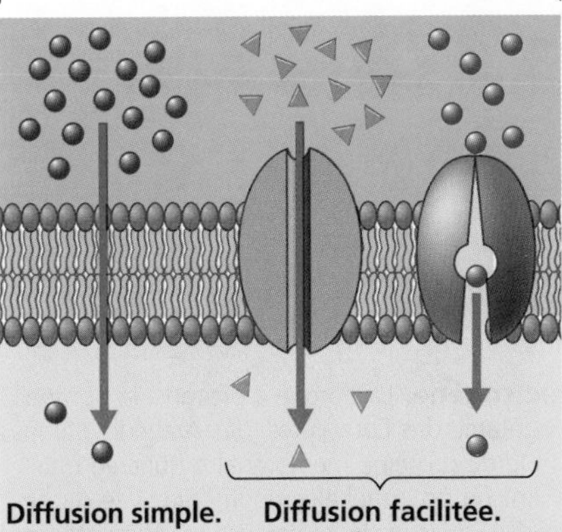

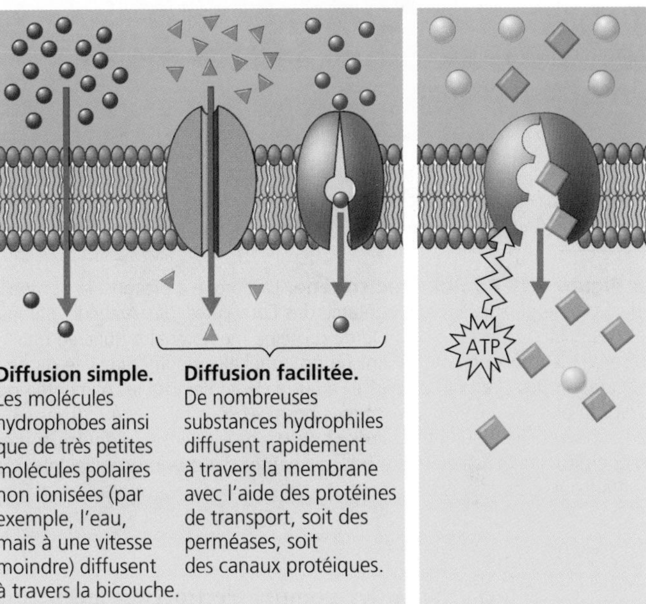

Transport passif. Les substances diffusent spontanément suivant leur gradient de concentration. Leur transport ne nécessite aucune dépense d'énergie métabolique (ATP) de la part de la cellule. La vitesse de la diffusion peut être considérablement accrue par les protéines de transport se trouvant dans la membrane.
Transport actif. Certaines protéines de transport agissent à la manière d'une pompe : elles transfèrent des substances de part et d'autre de la membrane à l'encontre de leur gradient de concentration. L'ATP alimente habituellement ce processus.
Diffusion simple. Les molécules hydrophobes ainsi que de très petites molécules polaires non ionisées (par exemple, l'eau, mais à une vitesse moindre) diffusent à travers la bicouche.
Diffusion facilitée. De nombreuses substances hydrophiles diffusent rapidement à travers la membrane avec l'aide des protéines de transport, soit des perméases, soit des canaux protéiques.
ATP

▲ **Figure 7.17 Révision : comparaison entre les modes de transport actif et passif.**

Plusieurs facteurs contribuent au potentiel de membrane d'une cellule. Au pH cellulaire, les protéines et d'autres macromolécules portent une charge négative. Ces gros anions se trouvent emprisonnés dans la cellule et contribuent faiblement à son potentiel de membrane. Quant aux protéines membranaires qui transportent activement des ions, elles ont un effet plus marqué sur ce potentiel. Tel est le cas de la pompe à sodium et à potassium. La figure 7.16 montre qu'elle n'échange pas un ion Na^+ contre un ion K^+ : elle rejette plutôt trois ions Na^+ chaque fois qu'elle fait entrer deux ions K^+. Chaque cycle de cette pompe transfère une charge positive du cytoplasme vers le liquide extracellulaire. Cela aide le cytosol qui se trouve près de la membrane à garder une charge négative, et le liquide extracellulaire situé à proximité de la membrane à garder une charge positive. Ce processus emmagasine l'énergie sous forme de potentiel électrique. Une protéine de transport qui engendre un potentiel électrique de part et d'autre d'une membrane se nomme **pompe électrogène**. Il semble que la pompe à sodium et à potassium soit la pompe électrogène principale des cellules animales. Chez les Végétaux, les Bactéries, les Archéobactéries et les Eumycètes, la pompe électrogène principale est une pompe à protons qui transporte activement des protons hors de la cellule. Son action transfère des charges positives du cytoplasme vers la solution extracellulaire **(figure 7.18)**. En générant un potentiel électrique de part et

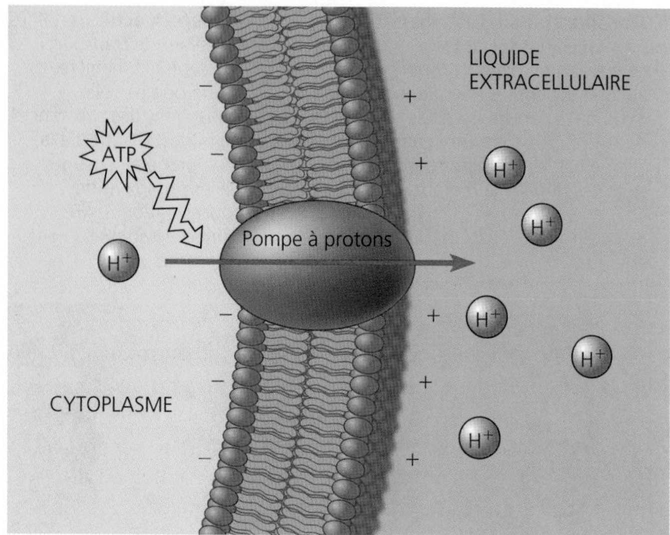

▲ **Figure 7.18 Pompe électrogène.** La pompe à protons, la pompe électrogène principale des Végétaux, des Eumycètes, des Archéobactéries et des Bactéries, est un exemple de protéine membranaire qui crée une réserve d'énergie en engendrant un potentiel électrique (à la suite d'une séparation des charges) de part et d'autre de la membrane. Alimentée par l'ATP, la pompe véhicule des charges positives sous forme de protons (H^+). Le potentiel électrique et le gradient de H^+ constituent une double source d'énergie, que la cellule utilise pour alimenter d'autres processus, tels que le transport de certains nutriments.

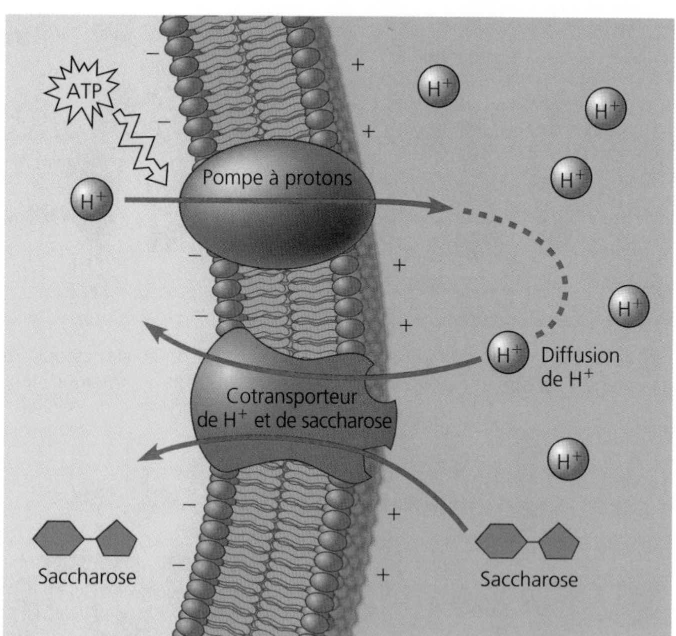

▲ **Figure 7.19 Cotransport: un mode de transport actif alimenté par un gradient de concentration.** Une perméase spéciale comme ce cotransporteur de H^+ et de saccharose est capable d'utiliser la diffusion de H^+ suivant son gradient électrochimique dans la cellule pour alimenter le transport de saccharose. Le gradient de H^+ est maintenu par une pompe à protons fonctionnant grâce à l'énergie provenant de l'ATP qui concentre les protons à l'extérieur de la cellule. Cela permet d'emmagasiner de l'énergie qui pourra servir au transport actif d'une substance, dans ce cas-ci le saccharose. Par conséquent, l'ATP fournit indirectement l'énergie nécessaire au cotransport.

d'autre des membranes, les pompes électrogènes créent une réserve d'énergie pouvant servir au travail cellulaire, notamment à une forme de transport membranaire appelée cotransport.

Le cotransport: un transport couplé par une protéine membranaire

Une pompe alimentée par l'ATP et transportant activement un certain soluté peut amorcer indirectement le transport d'un autre soluté. Cela se fait à l'aide d'une protéine de transport spécialisée, une perméase, distincte de la pompe, et ce, grâce à un mécanisme appelé **cotransport**. On peut alors considérer le transport actif du premier soluté, alimenté directement par l'ATP, comme du *transport actif primaire* et le transport de l'autre soluté profitant indirectement de l'énergie provenant de l'ATP, comme du *transport actif secondaire.* Le principe du cotransport peut se résumer dans les termes suivants: une substance qui a été transportée activement à travers une membrane peut produire du travail en diffusant en sens inverse, tout comme l'eau pompée vers le haut d'une pente peut produire du travail en descendant celle-ci. Une perméase couple la diffusion «descendante» de cette substance au transport «ascendant» d'une seconde substance qui se déplace contre la force de son gradient de concentration. Par exemple, la cellule végétale utilise le gradient électrochimique engendré par sa pompe à protons pour alimenter le transport des acides aminés, de certains glucides et de quelques autres nutriments vers l'intérieur de la cellule. Une perméase spécifique, qui possède deux sites récepteurs (un site pour un proton et un autre pour le saccharose), couple le retour des protons dans la cellule au transport du saccharose. Elle déplace donc simultanément (cotransport) deux solutés différents **(figure 7.19)**. Elle importe le saccharose dans la cellule à l'encontre de son gradient de concentration, mais seulement s'il voyage en compagnie d'un proton qui suit, lui, son gradient électrochimique. Ce mécanisme permet aux Végétaux d'acheminer le saccharose produit par photosynthèse vers des cellules spécialisées situées dans les nervures des feuilles. Un tissu conducteur le distribue ensuite aux organes de la plante, tels que les fruits et les racines. Dans cet exemple, le cotransport est de type *symport*, car le transport des deux substances (proton et saccharose) se fait dans la même direction. Dans d'autres types de cotransport, les deux substances transportées se déplacent en direction opposée: on parle alors de transport *antiport.* C'est le cas, par exemple, des ions bicarbonate et des ions chlorure à travers la membrane d'un globule rouge.

Ce que nous savons sur les protéines de cotransport, l'osmose et l'équilibre hydrique dans les cellules animales a permis d'améliorer le traitement de la déshydratation due à la diarrhée, un problème grave très répandu dans les pays en voie de développement où les parasites intestinaux pullulent. Le traitement consiste à faire boire au malade une solution dont la concentration en glucose et en sel est élevée. Les protéines de transport se trouvant à la surface des cellules intestinales du malade captent les solutés et les acheminent dans le sang par ces cellules. La pression osmotique qui en résulte fait entrer l'eau dans les cellules intestinales puis dans le sang, ce qui réhydrate le malade. En raison des protéines spécifiques qui participent à ce processus, la solution doit contenir à la fois du glucose et l'ion sodium du sel. Le même principe s'applique lorsqu'un athlète boit des solutions riches en solutés après une séance d'exercice très exigeante.

Retour sur le concept 7.4

1. Des neurones établissent une différence de potentiel électrique dans leur membrane avec une pompe à sodium et à potassium. Diriez-vous que cette pompe utilise de l'ATP ou produit de l'ATP ? Pourquoi ?
2. Expliquez pourquoi la pompe à sodium et à potassium de la figure 7.16 n'est pas considérée comme un cotransporteur.

Voir les réponses proposées à la fin du chapitre.

Concept 7.5

Les macromolécules et les particules traversent la membrane plasmique par exocytose et endocytose

Comme nous venons de le voir, l'eau et les petits solutés se déplacent vers l'intérieur ou l'extérieur de la cellule en traversant directement la bicouche de la membrane, en étant pompés, en étant transportés par des perméases spécifiques ou en empruntant des canaux protéiques sélectifs. Pour ce qui est des particules, telles que des granules et des microorganismes, et des macromolécules, telles que les protéines et les polysaccharides, elles franchissent la membrane à l'aide de mécanismes qui font intervenir une vacuole ou une vésicule.

L'exocytose

Comme nous l'avons expliqué au chapitre 6, la cellule sécrète des macromolécules en fusionnant des vésicules de sécrétion avec la membrane plasmique au cours d'un processus appelé **exocytose**. Durant l'exocytose, le cytosquelette transporte vers la membrane plasmique une vésicule de sécrétion qui s'est détachée de l'appareil de Golgi. Lorsque la membrane de la vésicule et la membrane plasmique entrent en contact, les molécules de phosphoglycérolipides des deux bicouches se réarrangent. Les membranes fusionnent et deviennent continues, et le contenu de la vésicule se déverse à l'extérieur de la cellule (voir la figure 7.10).

Beaucoup de cellules sécrétrices exportent leurs produits au moyen de l'exocytose. Par exemple, c'est le processus qu'utilisent les cellules pancréatiques produisant l'insuline et le glucagon pour sécréter ces hormones dans le sang. De même, les neurones recourent à l'exocytose pour libérer les neurotransmetteurs qui stimulent d'autres neurones ou des cellules musculaires. Les cellules végétales y recourent aussi lorsqu'elles élaborent leur paroi : des vésicules de sécrétion transportent des protéines et certains glucides vers l'extérieur de la membrane plasmique.

L'endocytose

Dans l'**endocytose**, la cellule fait entrer des macromolécules et des particules en formant de nouvelles vésicules à même sa membrane plasmique. L'endocytose est un processus qui semble l'inverse de l'exocytose, bien que les protéines participant à l'endocytose soient différentes de celles qui interviennent dans l'exocytose. Dans l'endocytose, une portion de la membrane plasmique s'invagine et forme une poche. La poche s'approfondit, se détache de la membrane plasmique, puis forme dans le cytoplasme une vésicule remplie de matière provenant de l'extérieur de la cellule. Il existe trois formes d'endocytose : la phagocytose, la pinocytose (du grec *pinein*, « boire ») et l'endocytose par récepteur interposé. Avant de poursuivre, il serait bon que vous étudiiez la **figure 7.20**, qui décrit les trois processus.

Les cellules humaines utilisent le processus de l'endocytose par récepteur interposé afin d'importer le cholestérol dont elles ont besoin pour synthétiser d'autres stéroïdes et leurs membranes. Le sang véhicule le cholestérol sous forme de complexes moléculaires appelés lipoprotéines de faible masse volumique (il s'agit de complexes de lipides et de protéines). Ces particules agissent comme **ligands** (un terme générique désignant toute molécule qui se lie spécifiquement à un site récepteur situé sur une autre molécule) en se liant aux récepteurs membranaires de lipoprotéines de faible masse volumique, puis entrent dans les cellules par endocytose. L'hypercholestérolémie familiale, une maladie humaine héréditaire qui se caractérise par une très forte concentration de cholestérol dans le sang, provient de l'absence des sites récepteurs fonctionnels auxquels se lient les lipoprotéines de faible masse volumique. Incapable de pénétrer dans les cellules, le cholestérol s'accumule dans le sang et contribue à l'athérosclérose, qui est la formation de dépôts lipidiques sur la paroi des vaisseaux sanguins. Ces dépôts réduisent l'espace intravasculaire et, par le fait même, entravent la circulation du sang.

Les vésicules ne servent pas seulement à transporter des substances de la cellule à son milieu et inversement : elles fournissent également à la membrane plasmique un moyen de se renouveler. L'endocytose et l'exocytose ont lieu de façon incessante dans la plupart des cellules eucaryotes ; pourtant, la quantité de membrane plasmique des cellules matures varie peu à long terme. Il semble bien que l'ajout de membrane consécutif à l'exocytose compense la perte résultant de l'endocytose.

Notre étude des membranes a révélé la nécessité du travail cellulaire et de l'énergie. Nous avons vu, par exemple, que le transport actif est alimenté par l'ATP. Dans les trois chapitres qui suivent, nous montrerons de manière plus approfondie comment les cellules obtiennent l'énergie chimique nécessaire à leur fonctionnement.

Retour sur le concept 7.5

1. Lorsqu'une cellule grossit, sa membrane plasmique croît également. Ce processus relève-t-il de l'endocytose ou de l'exocytose ? Expliquez.
2. Pour envoyer un signal, un neurone peut réaliser l'exocytose de signaux chimiques qui sont reconnus par un second neurone. Dans certains cas, le premier neurone met fin au signal en reprenant par endocytose les molécules qui portaient le signal. À votre avis, s'agit-il de pinocytose ou d'endocytose par récepteur interposé ? Expliquez votre raisonnement.

Voir les réponses proposées à la fin du chapitre.

Figure 7.20

Panorama L'endocytose dans la cellule animale

PHAGOCYTOSE

Au cours de la **phagocytose**, une cellule laisse entrer une particule au moyen de pseudopodes, c'est-à-dire de prolongements cytoplasmiques temporaires qui englobent la particule à l'intérieur d'un sac membraneux assez gros pour être appelé vacuole. Celle-ci fusionne ensuite avec un lysosome rempli d'enzymes hydrolytiques qui digère la particule.

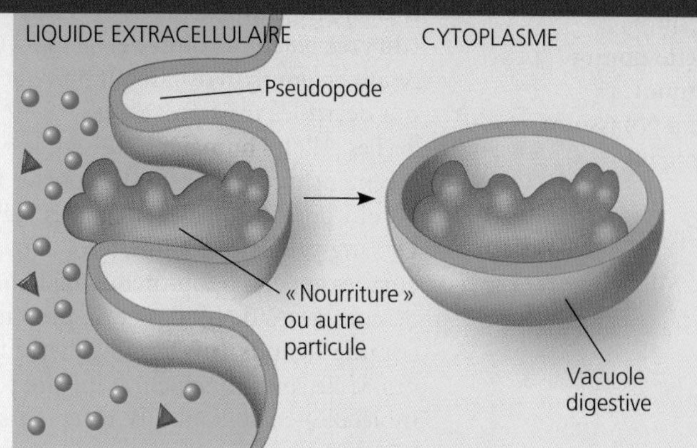

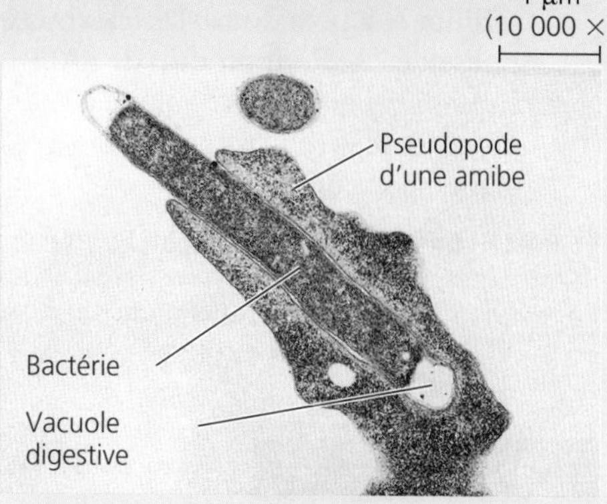

Amibe ingérant une bactérie par phagocytose (MET)

PINOCYTOSE

Dans la **pinocytose**, la cellule absorbe des gouttelettes de liquide extracellulaire dans de minuscules vésicules. Ce n'est pas du liquide lui-même que la cellule a besoin, mais des molécules dissoutes dans les gouttelettes. Comme tous les solutés présents dans les gouttelettes sont englobés sans discrimination, la pinocytose ne constitue pas une forme de transport spécifique.

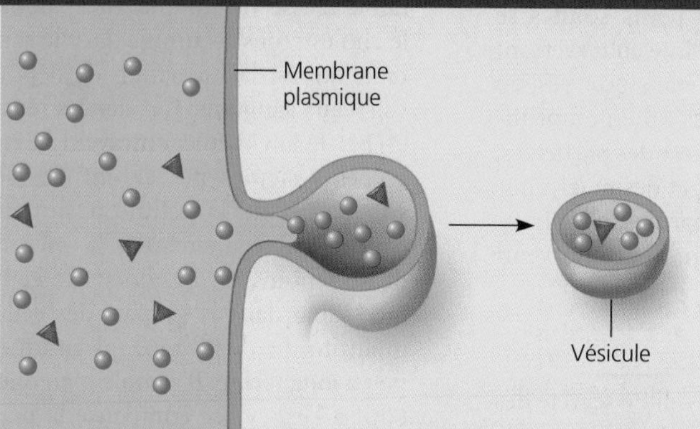

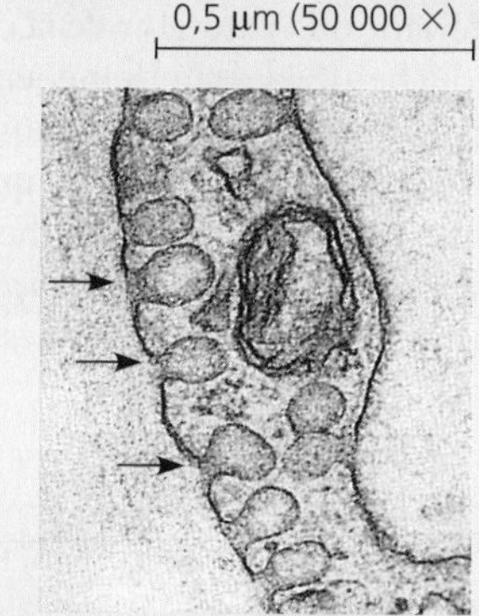

La micrographie électronique montre des vésicules (flèches) en cours de formation dans une cellule de l'épithélium d'un capillaire, un petit vaisseau sanguin (MET).

ENDOCYTOSE PAR RÉCEPTEUR INTERPOSÉ

L'**endocytose par récepteur interposé** permet à la cellule de faire entrer de grandes quantités de substances spécifiques, même si la concentration de ces substances dans le liquide extracellulaire n'est pas très élevée. Au sein de la membrane se trouvent des protéines dont les sites récepteurs spécifiques font face au liquide extracellulaire. Elles sont généralement regroupées dans certaines régions de la membrane dont le feuillet interne est recouvert de molécules de protéines particulières formant un complexe (clathrine) ; ces régions forment des poches appelées puits tapissés. Des substances extracellulaires appelées ligands se lient aux sites récepteurs du feuillet externe, puis elles sont emportées dans la cellule par une vésicule enrobée résultant de l'invagination d'un puits tapissé. Notez que les molécules liées (en violet) sont relativement plus abondantes dans les vésicules que les autres molécules provenant du milieu extracellulaire (en vert).

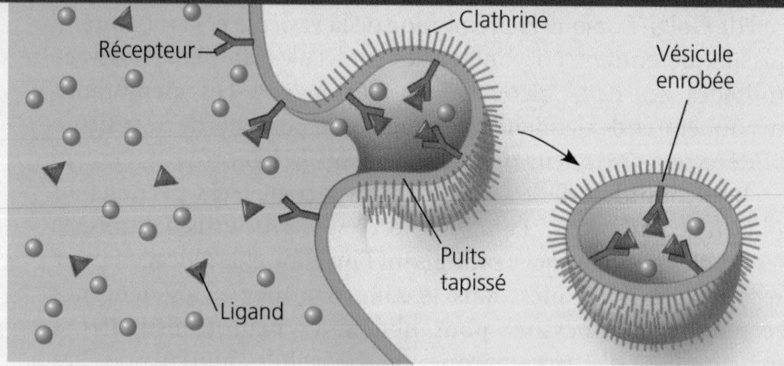

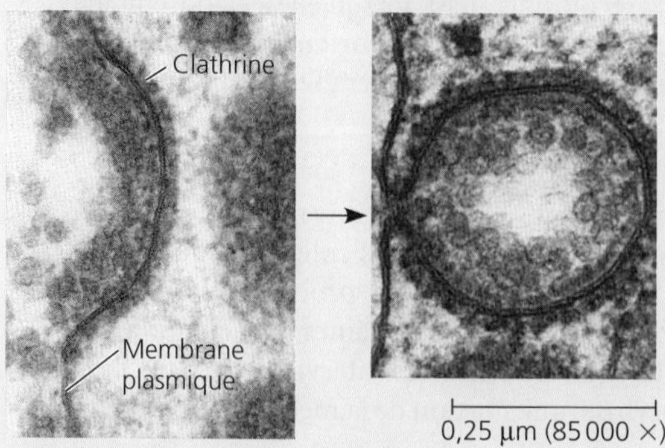

Puits tapissé et vésicule enrobée formés lors de l'endocytose par récepteur interposé (MET)

Révision du chapitre 7

RÉSUMÉ DES CONCEPTS CLÉS

Concept 7.1

Les membranes cellulaires sont des mosaïques fluides de lipides et de protéines

- **Les modèles de membranes : *recherche scientifique* (p. 129-130).** Le modèle de la mosaïque fluide, selon lequel des protéines amphipathiques sont enchâssées dans une bicouche de phosphoglycérolipides, a remplacé le modèle proposé par Davson et Danielli.
- **La fluidité des membranes (p. 130-132).** Les phosphoglycérolipides et les protéines (à un degré moindre, cependant) se déplacent latéralement dans les membranes. Le cholestérol et les queues hydrocarbonées insaturées des phosphoglycérolipides influent sur la fluidité membranaire.
- **Les protéines membranaires et leurs fonctions (p. 132-134).** Les protéines sont soit insérées dans la bicouche (protéines intramembranaires), soit rattachées à sa surface (protéines périphériques). Les protéines membranaires interviennent dans le transport de substances, l'activité enzymatique, la réception de stimulus chimiques, l'adhérence intercellulaire, la reconnaissance intercellulaire et la fixation au cytosquelette et à la matrice extracellulaire.
- **Le rôle des glucides membranaires dans la reconnaissance intercellulaire (p. 134).** Sur son feuillet externe, la membrane plasmique comporte des protéines et des lipides auxquels sont liés de courts polysaccharides. Ces glucides interagissent avec les molécules situées à la surface des autres cellules.
- **La synthèse et la structure asymétrique des membranes (p. 134).** Les protéines et les lipides membranaires sont synthétisés dans le RE et modifiés dans le RE et l'appareil de Golgi. Les feuillets interne et externe des membranes se distinguent par leur composition.

Concept 7.2

Les membranes ont une perméabilité sélective qui résulte de leur structure

- La cellule échange de petites molécules et des ions avec son milieu. Le passage de ces substances est régi par la membrane plasmique **(p. 135)**.
- **La perméabilité de la bicouche lipidique (p. 135).** Les substances hydrophobes traversent rapidement la membrane plasmique, car elles se dissolvent dans la bicouche de phosphoglycérolipides.
- **Les protéines de transport (p. 135).** En général, les molécules polaires et les ions passent à travers la membrane grâce à des protéines de transport spécifiques.

Concept 7.3

Le transport passif est la diffusion à travers une membrane sans dépense d'énergie

- La diffusion est le mouvement spontané qu'une substance effectue suivant son gradient de concentration **(p. 135-137)**.
- **Les effets de l'osmose sur l'équilibre hydrique (p. 137-138).** L'eau traverse une membrane du côté où les solutés sont le moins concentrés (solution hypotonique) vers le côté où les solutés sont le plus concentrés (solution hypertonique). Il n'y a pas de flux osmotique net à travers une membrane séparant des solutions également concentrées (isotoniques). La survie de la cellule dépend de l'équilibre entre l'entrée et la sortie d'eau. Les cellules dépourvues de paroi (celles des Animaux et de certains Protistes) sont isotoniques par rapport à leur milieu ; quand ce n'est pas le cas, elles possèdent des adaptations qui les rendent aptes à l'osmorégulation. Les cellules des Végétaux, des Bactéries, des Archéobactéries, des Eumycètes et des autres Protistes sont entourées d'une paroi élastique qui les empêche d'éclater dans un milieu hypotonique.
- **La diffusion facilitée : un mode de transport passif facilité par des protéines (p. 138-140).** Dans le cas de la diffusion facilitée, des protéines de transport spécifiques accélèrent le mouvement de substances (eau ou solutés) traversant une membrane suivant leur gradient de concentration. Il y a deux modes de diffusion facilitée : le passage d'une substance précise à travers un canal protéique transmembranaire ou son passage grâce à une perméase.

Concept 7.4

Le transport actif est le déplacement de solutés à l'encontre de leur gradient de concentration

- **L'énergie nécessaire au transport actif (p. 140).** L'énergie, généralement sous forme d'ATP, est utilisée par des protéines de transport spécifiques.
- **Le maintien du potentiel de membrane par les pompes ioniques (p. 140-142).** Les ions ont à la fois un gradient de concentration (chimique) et un gradient électrique (potentiel électrique). Ces deux gradients constituent le gradient électrochimique, qui détermine la direction de la diffusion des ions. Les pompes électrogènes, telles que la pompe à sodium et à potassium ou la pompe à protons, sont des protéines de transport qui engendrent un potentiel électrique à travers une membrane.
- **Le cotransport : un transport couplé par une protéine membranaire (p. 142-143).** La diffusion « descendante » de l'un entraîne le transport « ascendant » de l'autre.

Concept 7.5

Les macromolécules et les particules traversent la membrane plasmique par exocytose et endocytose

- **L'exocytose (p. 143).** Dans le cas de l'exocytose, des vésicules intracellulaires migrent vers la membrane plasmique, fusionnent avec elle et libèrent leur contenu à l'extérieur de la cellule.
- **L'endocytose (p. 143).** Lors de l'endocytose, des macromolécules pénètrent la cellule au moyen de vésicules qui se forment par invagination de la membrane plasmique. Il existe trois types d'endocytose : la phagocytose, la pinocytose et l'endocytose par récepteur interposé.

VÉRIFIEZ VOS CONNAISSANCES

Autoévaluation

(Les questions dont les numéros sont en caractères gras font surtout appel à la compréhension.)

1. Qu'est-ce qui distingue les diverses membranes d'une cellule eucaryote ?
   a) Elles ne contiennent pas toutes des phosphoglycérolipides.
   b) Elles ne contiennent pas toutes les mêmes protéines.
   c) Elles n'ont pas toutes une perméabilité sélective.
   d) Elles ne se composent pas toutes de molécules amphipathiques.
   e) Leur feuillet interne porte soit des constituants hydrophobes, soit des constituants hydrophiles.

2. Selon le modèle de la mosaïque fluide, les protéines membranaires sont:
   a) répandues en une couche ininterrompue sur les faces interne et externe de la membrane.
   b) restreintes au centre hydrophobe de la membrane.
   c) insérées dans une bicouche de phosphoglycérolipides.
   d) orientées au hasard dans la membrane, sans polarité précise.
   e) libres de se détacher de la membrane fluide et de se dissoudre dans la solution extracellulaire.
3. Lequel des facteurs suivants tend à augmenter la fluidité membranaire?
   a) Une forte proportion de phosphoglycérolipides insaturés.
   b) Une forte proportion de phosphoglycérolipides saturés.
   c) Une faible température.
   d) Une teneur en protéines relativement élevée dans la membrane.
   e) Un potentiel membranaire élevé.
4. Lequel des énoncés suivants concernant la perméabilité sélective de la membrane est *faux*?
   a) La bicouche de lipides de la membrane laisse passer plutôt facilement les molécules hydrophobes.
   b) L'eau peut traverser la membrane plasmique en passant à travers la bicouche lipidique, mais cette voie n'est pas la plus importante.
   c) Une protéine de transport enchâssée dans la membrane ne permet le passage que d'une ou de quelques substances seulement.
   d) Le dioxygène est un exemple de molécule qui traverse la membrane à travers les canaux protéiques.
   e) Un disaccharide peut pénétrer dans une cellule par l'intermédiaire d'une protéine de transport.
5. Quel processus englobe tous les autres?
   a) L'osmose.
   b) La diffusion d'un soluté à travers la membrane.
   c) La diffusion facilitée.
   d) Le transport passif.
   e) Le transport d'un ion suivant son gradient électrochimique.
6. Basez-vous sur la figure 7.19, qui illustre l'entrée de saccharose dans une cellule végétale, pour dire lequel des traitements suivants augmenterait la vitesse du transport de cette molécule vers le cytoplasme.
   a) Une diminution de la concentration extracellulaire de saccharose.
   b) Une baisse du pH extracellulaire.
   c) Une baisse du pH cytoplasmique.
   d) L'ajout de cations monovalents dans le milieu extracellulaire.
   e) L'ajout d'une substance qui rend la membrane plus perméable aux protons.
7. Quelles caractéristiques, parmi les suivantes, différencient la pinocytose de la phagocytose?
   a) La grosseur des vésicules formées.
   b) La direction dans laquelle s'effectuent les échanges.
   c) La formation de pseudopodes.
   d) Le besoin d'énergie.
   e) La présence constante de liquide accompagnant la substance absorbée.

Questions 8 à 12

Une cellule artificielle enveloppée par une membrane à perméabilité sélective et renfermant une solution aqueuse est immergée dans un bécher contenant une solution différente.

La membrane est perméable à l'eau ainsi qu'au glucose et au fructose (des monosaccharides), mais elle est complètement imperméable au saccharose (un disaccharide).

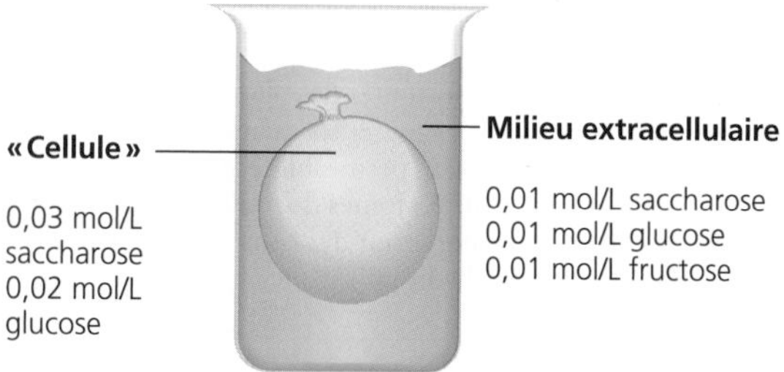

8. Combien de solutés et lesquels connaîtront une diffusion nette dans la cellule?
9. Combien de solutés et lesquels connaîtront une diffusion nette hors de la cellule?
10. Quelle solution (intracellulaire ou extracellulaire) est hypertonique par rapport à l'autre?
11. Dans quelle direction s'effectue le flux osmotique net de l'eau?
12. Quel changement se produit quand on place la cellule artificielle dans le bécher? (Choisissez la ou les réponses qui conviennent.)
    a) La cellule devient flasque.
    b) La cellule devient turgescente.
    c) Certaines molécules d'eau sortent de la cellule, mais une majorité y entrent.
    d) La cellule ne change pas de volume.
    e) Malgré l'incapacité du saccharose de traverser la membrane, les deux solutions finissent par être isotoniques.

Lien avec l'évolution

La paramécie et les autres Protistes qui vivent dans des milieux hypotoniques ont modifié leur membrane plasmique afin de ralentir leur absorption d'eau par osmose, alors que ceux qui vivent dans des milieux isotoniques possèdent une membrane plasmique plus perméable à l'eau. À quelles adaptations pourriez-vous vous attendre de la part des Protistes vivant dans des habitats hypertoniques, comme le Grand Lac Salé? Qu'en est-il de ceux qui vivent dans des milieux où la concentration saline varie?

Intégration

Pendant l'activité d'intégration, votre équipe de laboratoire doit réaliser les objectifs suivants: concevoir et réaliser une expérience quantitative de l'osmose. Ensuite, vous devrez présenter oralement en classe le phénomène de l'osmose et les diverses étapes de votre démarche expérimentale. Vous disposez des instruments habituels de laboratoire (balance, pH-mètre, pied à coulisse, toute la verrerie nécessaire, etc.). Vous recevez des pommes de terre, comme matériel vivant, et vous avez accès à des bases et à des acides forts ou faibles, à du saccharose et à des sels de différentes natures. N'oubliez pas de préciser quels sont les acquis d'autres disciplines scientifiques qui vous auront permis d'accomplir votre recherche.

Science, technologie et société

L'irrigation excessive de terres arides cause l'accumulation de sels dans le sol. L'eau contient des concentrations de sels peu élevées; mais, après vaporisation, les sels demeurent et se concentrent avec le temps. Servez-vous de vos connaissances sur l'équilibre hydrique des cellules végétales pour expliquer pourquoi une augmentation de la salinité du sol (salinisation) nuit à l'agriculture. Proposez des moyens permettant de réduire les dommages au minimum.

Réponses du chapitre 7

Retour sur le concept 7.1

1. Les plantes adaptées aux environnements froids devraient avoir plus d'acides gras insaturés dans leurs membranes, étant donné que ceux-ci demeurent liquides à basse température. Les plantes adaptées aux environnements chauds devraient avoir plus d'acides gras saturés, ce qui permet aux acides gras de « s'empiler » de façon plus serrée. Cela rend les membranes moins liquides et, par conséquent, les aide à rester intactes à hautes températures.
2. Les glucides sont sur le feuillet interne de la membrane de la vésicule de transition.

Retour sur le concept 7.2

1. Les molécules de O_2 et de CO_2 peuvent facilement traverser le centre hydrophobe d'une membrane parce qu'elles sont petites et non chargées.
2. L'eau est une molécule très polaire qui, donc, ne peut pas traverser très rapidement la région hydrophobe au milieu de la bicouche de phosphoglycérolipides.

Retour sur le concept 7.3

1. L'activité de la vacuole pulsatile de la paramécie diminuera. La vacuole expulsera l'excès d'eau qui entre dans sa cellule; cet excès d'eau se produit seulement dans un environnement hypotonique.

Retour sur le concept 7.4

1. La pompe utilise de l'ATP. Pour établir une différence de potentiel électrique, les ions doivent traverser d'un côté à l'autre de la membrane à l'encontre de leur gradient électrochimique, ce qui nécessite de l'énergie.
2. Chaque ion est transporté contre son gradient électrochimique. Si un des ions traversait suivant son gradient électrochimique, on pourrait dire qu'il s'agit de cotransport.

Retour sur le concept 7.5

1. Ce processus relève de l'exocytose. Quand une vésicule de transition fusionne avec la membrane plasmique, la membrane de la vésicule devient continue avec la membrane plasmique.
2. Il s'agit d'endocytose par récepteur interposé, car dans le cas présent une molécule spécifique a besoin d'être transportée à un moment particulier; la pinocytose transporte les substances de manière non spécifique.

Autoévaluation

1. b; 2. c; 3. a; 4. d; 5. d; **6.** b; 7. a, c et e. **8.** Un seul, le fructose. **9.** Un seul, le glucose. **10.** La solution intracellulaire. **11.** Vers l'intérieur de la cellule. **12.** b, c et e; en ce qui concerne e, même si le saccharose ne peut pas atteindre la même concentration de part et d'autre de la membrane, le passage de l'eau (osmose) fera que les conditions deviendront isotoniques.

8

Introduction au métabolisme

▲ **Figure 8.1 Bioluminescence chez un Eumycète.**

Concepts clés

8.1 **Le métabolisme d'un organisme transforme la matière et l'énergie suivant les principes de la thermodynamique**

8.2 **Les variations du niveau d'énergie libre dans une réaction indiquent si la réaction a lieu spontanément**

8.3 **L'ATP permet le travail cellulaire en couplant les réactions exergoniques aux réactions endergoniques**

8.4 **Les enzymes accélèrent les réactions métaboliques en abaissant les barrières énergétiques**

8.5 **La régulation de l'activité enzymatique contribue à la régulation du métabolisme**

Introduction

L'énergie vitale

La cellule est une usine chimique miniature où se produisent des milliers de réactions dans un espace microscopique. Des glucides peuvent être convertis en acides aminés qui se lient ensemble pour former des protéines, et les protéines peuvent être décomposées en acides aminés, à leur tour convertis en glucides. Les petites molécules se combinent pour former des polymères que la cellule peut ensuite hydrolyser selon ses besoins. Chez les organismes multicellulaires, de nombreuses cellules exportent des produits chimiques d'une partie de l'organisme vers d'autres parties. Le processus chimique appelé respiration cellulaire assure le fonctionnement de la cellule en utilisant l'énergie emmagasinée dans les monosaccharides et autres sources d'énergie. La cellule se sert de cette énergie pour accomplir ses différentes fonctions, comme le transport de solutés à travers la membrane plasmique, dont nous avons parlé au chapitre 7. Certaines fonctions sont spectaculaires; par exemple, les cellules du champignon microscopique de la **figure 8.1** convertissent en lumière l'énergie stockée dans certaines de leurs molécules organiques, un processus appelé bioluminescence. (La lumière peut attirer des insectes, qui dispersent ensuite les spores des champignons.) La bioluminescence et les réactions qui ont lieu dans une cellule sont coordonnées et régulées avec précision. Par sa complexité, son efficacité, son intégration et sa sensibilité aux moindres changements, la cellule présente une activité chimique sans égale. Les concepts du métabolisme que vous apprendrez dans ce chapitre vous aideront à comprendre davantage comment la matière et l'énergie circulent au cours des processus vitaux et comment cette circulation de matière et d'énergie est régie.

Concept 8.1

Le métabolisme d'un organisme transforme la matière et l'énergie suivant les principes de la thermodynamique

Le **métabolisme** (du grec *metabolê*, « changement ») correspond à l'ensemble des réactions biochimiques d'un organisme. La vie émerge du métabolisme, en ce sens qu'elle découle des interactions entre les molécules qui se trouvent dans l'environnement ordonné d'une cellule.

L'organisation de la chimie de la vie en voies métaboliques

Nous pouvons imaginer le métabolisme d'une cellule comme une carte routière complexe montrant les voies suivies par les milliers de réactions qui se produisent dans la cellule. Une **voie métabolique** est une séquence d'étapes au cours desquelles une même molécule est modifiée jusqu'à l'obtention d'un produit donné. Chaque étape de la voie est catalysée par une enzyme spécifique:

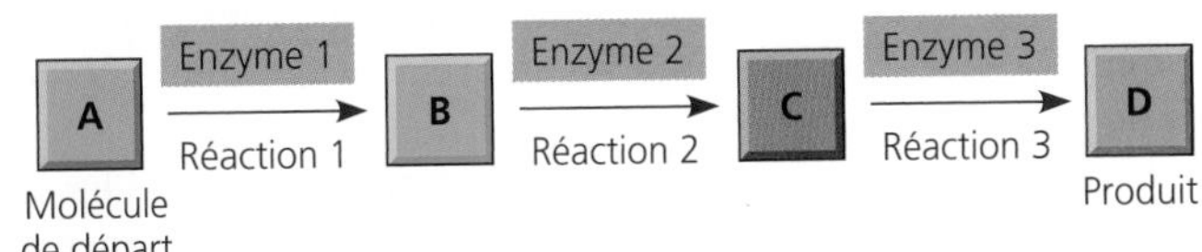

À la manière des feux rouges, jaunes et verts qui dirigent la circulation, les mécanismes de régulation enzymatique équilibrent les besoins et les apports métaboliques, évitant les carences et les excès de molécules cellulaires importantes.

Dans l'ensemble, le rôle du métabolisme consiste à gérer les ressources énergétiques et matérielles de la cellule. Certaines voies métaboliques libèrent de l'énergie en décomposant des molécules complexes en des composés plus simples. Ces processus de dégradation s'appellent **voies cataboliques** ou voies de dégradation. La respiration cellulaire est une des principales voies cataboliques (jetez un coup d'œil aux figures 9.9 et 9.12, qui montrent diverses réactions en faisant partie) ; en présence de dioxygène, la respiration cellulaire décompose le glucose et d'autres molécules organiques en dioxyde de carbone et en eau. (Il peut y avoir plus d'une molécule au départ d'une voie ou plus d'un produit à son terme.) L'énergie ainsi libérée peut alors servir à produire du travail dans la cellule, comme le battement ciliaire ou le passage d'une substance à travers une membrane. Inversement, les **voies anaboliques** consomment de l'énergie et permettent d'élaborer des molécules complexes à partir de molécules plus simples. La synthèse d'une protéine à partir d'acides aminés est un exemple d'anabolisme. Les voies cataboliques et anaboliques constituent les avenues qui « montent » et qui « descendent » dans le réseau métabolique. L'énergie libérée par les réactions cataboliques peut être emmagasinée puis servir aux réactions anaboliques.

Dans ce chapitre, nous nous attarderons sur les mécanismes communs aux voies métaboliques. Comme l'énergie joue un rôle fondamental dans tous les processus métaboliques, il est essentiel de bien la cerner pour comprendre le fonctionnement de la cellule. Nous utiliserons pour ce faire plusieurs exemples du domaine de la physique, sachant que les principes démontrés par ces exemples s'appliquent aussi à la **bioénergétique**, c'est-à-dire à l'étude de la gestion de l'énergie dans les cellules.

Les formes d'énergie

L'énergie est la capacité de causer un changement. Dans la vie de tous les jours, l'énergie est importante parce que ses diverses formes peuvent produire un travail, c'est-à-dire imprimer un mouvement à la matière pour vaincre les forces opposées qui s'exercent sur elle, comme la gravitation et la friction. Autrement dit, c'est le pouvoir de changer la disposition d'une portion de matière. Par exemple, vous dépensez de l'énergie pour tourner les pages de ce manuel, au même titre que vos cellules dépensent de l'énergie pour transporter certaines substances à travers des membranes. L'énergie existe sous différentes formes, et la vie dépend de la capacité des cellules à la transformer d'un type en un autre.

L'énergie peut être associée au mouvement relatif des objets ; cette énergie est appelée **énergie cinétique**. Un objet qui se déplace effectue un travail en faisant bouger un autre objet : ainsi, l'eau qui coule dans un barrage actionne des turbines ; la contraction des muscles des jambes permet de faire tourner les pédales d'une bicyclette. La lumière est également un type d'énergie cinétique pouvant servir à effectuer un travail, comme la photosynthèse chez les Végétaux. La **chaleur**, ou **énergie thermique**, est une énergie cinétique qui résulte du mouvement aléatoire d'atomes ou de molécules entrant en collision.

Un corps qui n'effectue pas de mouvement peut posséder lui aussi de l'énergie. Cette énergie non cinétique est appelée **énergie potentielle**, une forme d'énergie que la matière possède en raison de sa position ou de sa structure. Par exemple, l'eau qui se trouve en amont d'un barrage possède une réserve d'énergie en raison de son élévation au-dessus du niveau de la mer. Les molécules emmagasinent de l'énergie grâce à la disposition de leurs atomes. Les biologistes appellent **énergie chimique** l'énergie potentielle qui peut être libérée au cours d'une réaction chimique. Rappelez-vous que les voies cataboliques libèrent de l'énergie en dégradant des molécules complexes. Les biologistes savent que ces molécules complexes (le glucose, par exemple) sont riches en énergie chimique. Au cours d'une réaction catabolique, les atomes se réarrangent, ce qui entraîne une libération d'énergie et génère des produits de dégradation moins riches en énergie. Cette transformation a également lieu dans le moteur d'une voiture quand les hydrocarbures de l'essence réagissent de manière explosive avec l'oxygène et libèrent une énergie qui pousse les pistons et produit des gaz d'échappement. C'est grâce à sa structure et à ses voies biochimiques que la cellule peut libérer l'énergie emmagasinée dans les molécules des aliments, énergie qui permet d'effectuer les processus vitaux.

Comment l'énergie passe-t-elle d'une forme à une autre ? Examinons les plongeurs à la **figure 8.2**. Le jeune homme qui monte les marches pour se rendre au tremplin libère l'énergie chimique des aliments qu'il a ingérés au repas précédent et utilise une partie de cette énergie pour exécuter le travail de la montée vers le tremplin. L'énergie cinétique des mouvements musculaires est donc transformée en énergie potentielle parce

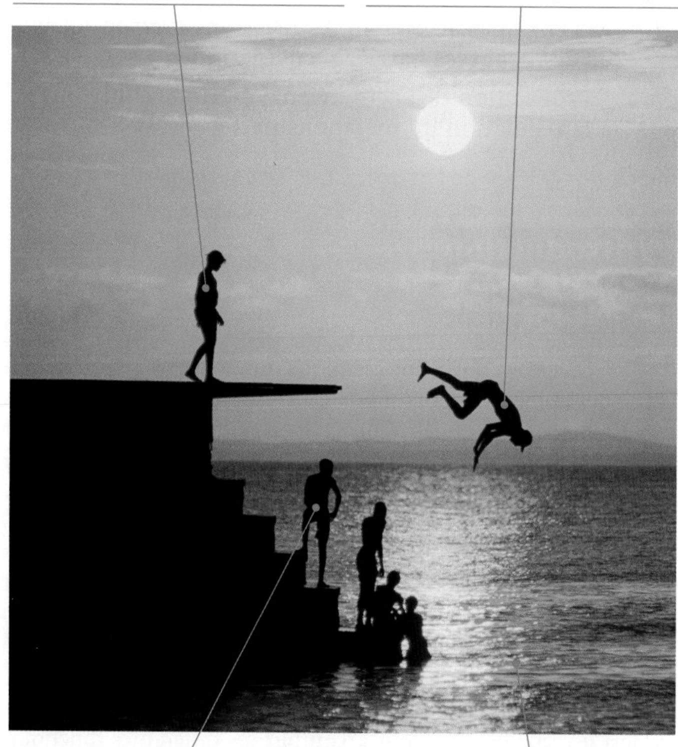
Sur le tremplin, un plongeur a davantage d'énergie potentielle.
Le plongeur convertit l'énergie potentielle en énergie cinétique.
La remontée sur le tremplin convertit l'énergie cinétique des mouvements musculaires en énergie potentielle.
Dans l'eau, un plongeur a moins d'énergie potentielle.

▲ **Figure 8.2 Transformations de l'énergie potentielle en énergie cinétique, et vice versa.**

qu'il s'élève de plus en plus haut au-dessus du niveau de la mer. Le jeune homme qui plonge convertit son énergie potentielle en énergie cinétique, qui est alors transférée à l'eau au moment où il y entre. Une petite quantité de cette énergie est perdue en chaleur à cause de la friction.

Maintenant, revenons en arrière et demandons-nous d'où viennent les molécules organiques des aliments qui ont fourni aux plongeurs l'énergie dont ils ont besoin pour monter les marches jusqu'au tremplin. Cette énergie chimique provient de l'énergie lumineuse transformée par les Végétaux au cours de la photosynthèse. En somme, les organismes transforment l'énergie.

Les principes de la transformation d'énergie

L'étude des transformations d'énergie qui se produisent dans une portion de matière se nomme **thermodynamique**. Les scientifiques utilisent le terme *système* pour désigner la portion de matière étudiée, et *environnement* pour faire référence à ce qui est extérieur à celle-ci, soit au reste de l'Univers. Un *système fermé*, comme un liquide dans une bouteille thermos, est isolé de son environnement. Inversement, dans un *système ouvert*, il peut y avoir des échanges d'énergie (et souvent de matière) entre le système et son environnement. Les organismes sont des systèmes ouverts. Ils absorbent de l'énergie (par exemple, de l'énergie lumineuse ou de l'énergie chimique sous la forme de molécules organiques), dégagent de la chaleur et éliminent dans leur environnement des déchets métaboliques tels que le dioxyde de carbone. La transformation d'énergie dans les organismes et dans toute portion de matière obéit à deux principes de la thermodynamique.

Le premier principe de la thermodynamique

Selon le **premier principe de la thermodynamique**, la quantité d'énergie dans l'Univers ou dans tout système fermé demeure constante. L'énergie peut être transférée et transformée: elle ne peut être ni détruite ni créée. Ce principe porte aussi le nom de *principe de la conservation de l'énergie.* Les centrales électriques ne fabriquent pas de l'énergie; elles ne font que la transformer en une forme utilisable. De même, la plante qui change l'énergie lumineuse en énergie chimique joue le rôle de convertisseur d'énergie, non de producteur.

En courant, le guépard de la **figure 8.3a** convertira l'énergie chimique des aliments ingérés en énergie cinétique et en d'autres formes d'énergie. Qu'arrive-t-il à cette énergie une fois qu'elle a effectué différents processus biologiques? Le second principe de la thermodynamique répond à cette question.

Le deuxième principe de la thermodynamique

Si l'énergie ne peut pas être détruite, alors pourquoi les organismes ne recyclent-ils pas simplement leur énergie au fur et à mesure? En fait, à chaque transfert ou transformation d'énergie, une certaine quantité d'énergie devient inutilisable, non disponible pour effectuer du travail. Autrement dit, il n'existe pas de processus énergétique dont l'efficacité soit de 100 %. Dans la plupart des transformations d'énergie, les formes d'énergie utilisable sont converties au moins partiellement en chaleur, laquelle est l'énergie causée par le mouvement aléatoire des atomes ou des molécules. Seule une petite fraction de l'énergie chimique contenue dans les aliments que le guépard mange (figure 8.3a) est transformée en énergie cinétique qui lui permet de courir **(figure 8.3b)**; le reste se perd sous forme de chaleur, qui se disperse rapidement dans l'environnement.

Lors des réactions chimiques qui effectuent diverses formes de travail, les cellules vivantes convertissent inévitablement des formes organisées d'énergie en chaleur. Un système peut utiliser de la chaleur pour accomplir un travail seulement si une différence de température provoque la circulation de la chaleur d'un endroit plus chaud vers un endroit plus froid. Si la température est uniforme, comme à l'intérieur d'une cellule, l'énergie thermique sert seulement à réchauffer une portion de matière, comme un organisme. (La chaleur ainsi produite peut rendre une pièce bondée inconfortable, car une multitude de réactions chimiques se déroulent dans le corps de chaque personne.)

Cette perte d'énergie utilisable lors d'un transfert ou d'une transformation d'énergie a une conséquence logique: chacun de ces événements rend l'Univers plus désordonné. Les scientifiques

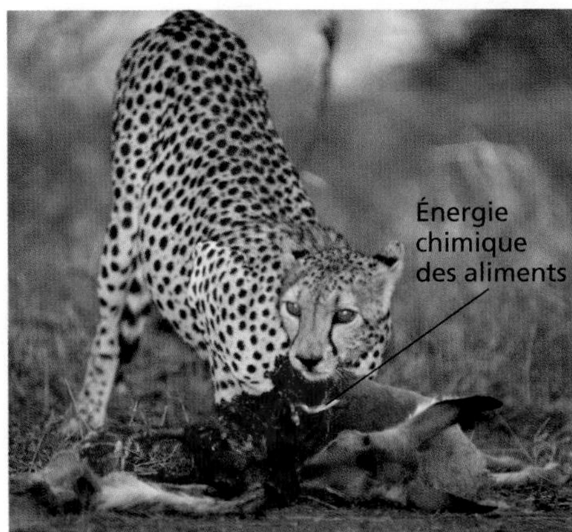

(a) Premier principe de la thermodynamique. L'énergie peut être transférée ou transformée, elle ne peut être ni créée ni détruite. Par exemple, l'énergie chimique (potentielle) des aliments sera convertie en énergie cinétique lors des mouvements du guépard montrés en **(b)**.

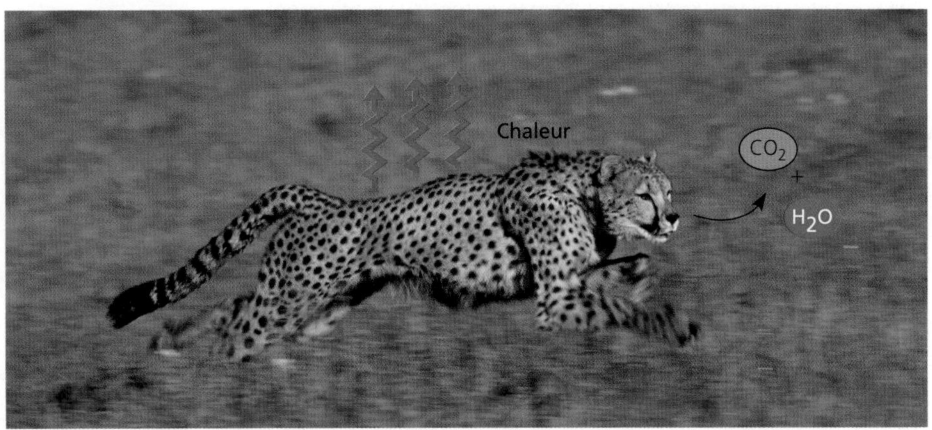

(b) Deuxième principe de la thermodynamique. Chaque transfert ou transformation d'énergie augmente le désordre (l'entropie) de l'Univers. Par exemple, un certain désordre s'ajoute à l'environnement du guépard sous forme de chaleur et de petites molécules qui sont les sous-produits du métabolisme.

▲ **Figure 8.3 Les deux principes de la thermodynamique.**

utilisent une fonction appelée **entropie** pour mesurer ce désordre. Plus un système tend vers le désordre, plus son entropie est élevée. Nous pouvons donc reformuler ainsi le **deuxième principe de la thermodynamique**: *tout échange d'énergie augmente l'entropie de l'Univers.* Bien que l'ordre puisse croître localement, l'Univers entier tend irrémédiablement vers un désordre accru.

Dans de nombreux cas, l'augmentation de l'entropie est évidente: il suffit d'observer la dégradation physique de la structure organisée d'un système, par exemple d'un immeuble abandonné ou d'une chambre où on ne fait jamais de rangement. Cependant, une grande partie de l'entropie croissante de l'Univers est moins apparente, parce qu'elle prend la forme d'une augmentation de la quantité de chaleur et d'une désorganisation accrue de la matière. En convertissant l'énergie chimique en énergie cinétique, le guépard de la figure 8.3b accroît le désordre de son environnement sous forme de chaleur et de petites molécules, qui sont les produits de la dégradation des aliments ingérés.

Le concept d'entropie nous aide à comprendre pourquoi certains processus se produisent. Pour qu'il ait lieu tout seul, sans aide extérieure (sans consommation d'énergie), un processus doit augmenter l'entropie de l'Univers. Dans les explications qui vont suivre, nous emploierons le mot *spontané* pour désigner un processus capable de se produire sans énergie extérieure. Remarquez que ce mot, tel que nous l'utiliserons ici, n'est pas synonyme de rapidité. Certains processus spontanés sont pratiquement instantanés, comme une explosion, mais d'autres sont beaucoup plus lents, comme la rouille d'une vieille voiture au fil du temps. Un processus ne pouvant pas se produire par lui-même est dit non spontané. Ce type de processus a lieu seulement si de l'énergie s'ajoute au système. Nous savons par expérience que certains événements surviennent spontanément et d'autres, non. Par exemple, l'eau coule spontanément vers le bas, tandis qu'elle a besoin d'énergie pour monter (une machine devra la pousser, par exemple, contre la force gravitationnelle). En fait, on pourrait énoncer comme suit le deuxième principe de la thermodynamique: *pour qu'il se produise spontanément, un processus doit augmenter l'entropie de l'Univers.*

Ordre et désordre biologiques

Les systèmes vivants accroissent l'entropie de leur environnement, comme le prévoit le deuxième principe de la thermodynamique. Les cellules créent des structures ordonnées à partir de matériaux moins organisés. Par exemple, les acides aminés s'agencent en une séquence spécifique dans une chaîne polypeptidique. À l'échelle des organismes, la **figure 8.4** montre l'anatomie extrêmement symétrique d'une racine de plante, formée par des processus biologiques à partir de matériaux plus simples. Cependant, un organisme peut également puiser dans son environnement des formes organisées de matière et d'énergie et les remplacer par des formes moins ordonnées. Ainsi, en consommant des aliments, un animal obtient de l'amidon, des protéines et d'autres molécules complexes. En les dégradant, il libère du dioxyde de carbone et de l'eau, de petites molécules simples qui emmagasinent moins d'énergie que les aliments de départ. C'est la chaleur générée par les réactions de dégradation qui explique cette réduction de l'énergie chimique. À une plus vaste échelle, l'énergie pénètre dans un écosystème sous forme de lumière et le quitte sous forme de chaleur.

Lorsque la vie est apparue, des organismes complexes ont évolué à partir d'ancêtres plus simples. Par exemple, il est possible de remonter la lignée du règne végétal jusqu'aux algues vertes, des êtres vivants très simples. L'augmentation de l'organisation des organismes avec le temps ne va pas à l'encontre du deuxième principe de la thermodynamique. En effet, l'entropie d'un système donné peut diminuer, pourvu que l'entropie totale de l'Univers (soit le système et son environnement) augmente. En conséquence, les organismes sont des îlots de faible entropie dans un Univers de plus en plus désordonné. L'évolution du caractère ordonné des êtres vivants est donc parfaitement en harmonie avec les principes de la thermodynamique.

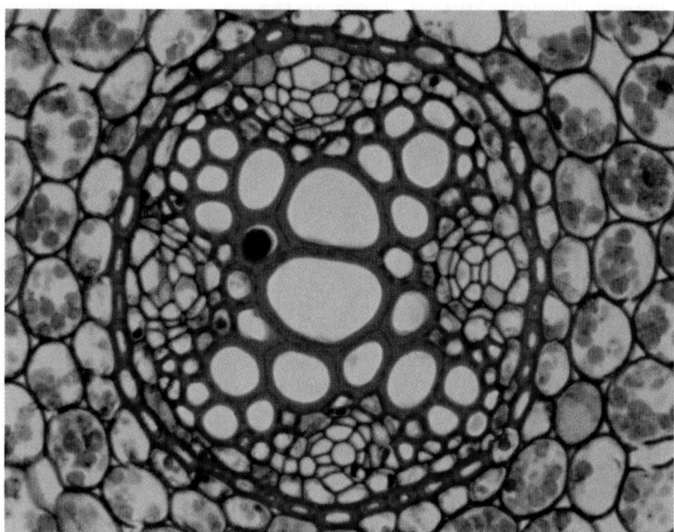

▲ **Figure 8.4 L'ordre: une caractéristique de la vie.** Cette coupe transversale (MP) de la racine d'une renoncule âcre (bouton d'or, *Ranunculus acris*) montre bien le caractère ordonné des tissus de cette plante. En tant que systèmes ouverts, les organismes peuvent accroître leur ordre si leur environnement décroît le sien.

Retour sur le concept 8.1

1. En quoi le deuxième principe de la thermodynamique contribue-t-il à expliquer la diffusion d'une substance à travers une membrane?
2. Quel lien y a-t-il entre l'énergie et le travail?
3. Décrivez les formes d'énergie qui se trouvent dans une pomme pendant qu'elle pousse dans l'arbre, tombe et est digérée par une personne qui l'a mangée.

Voir les réponses proposées à la fin du chapitre.

Concept 8.2

Les variations du niveau d'énergie libre dans une réaction indiquent si la réaction a lieu spontanément

Les principes de la thermodynamique que nous venons de voir s'appliquent à l'Univers dans son ensemble. Les biologistes aspirent à comprendre les réactions chimiques de la vie. Par exemple, ils cherchent à savoir quelles réactions surviennent spontanément et lesquelles nécessitent de l'énergie. Mais comment y arriver sans examiner les variations du niveau d'énergie et de l'entropie de tout l'Univers pour chaque réaction?

La variation du niveau d'énergie libre, ΔG

Rappelez-vous que l'Univers a deux constituants: «le système» et «l'environnement». En 1878, J. Willard Gibbs, un physicien américain, a défini une fonction très utile appelée énergie libre d'un système (sans considérer son environnement), symbolisée par la lettre G (en l'honneur de Gibbs). L'**énergie libre** est la portion de l'énergie d'un système qui peut produire du travail à une température et à une pression constantes, comme c'est le cas dans une cellule. Énergie totale (H), énergie libre ou utilisable (G) et énergie non utilisable (S) sont donc liées de la façon suivante:

$$H = G + TS$$

où T est la température absolue en degrés Kelvin (K = °C + 273).

Voyons maintenant comment on détermine les variations du niveau d'énergie libre lorsqu'un système change, par exemple dans une réaction chimique. Pour toute réaction chimique spécifique, la variation du niveau d'énergie libre, ΔG, se calcule à l'aide de la formule suivante qu'on peut déduire de celle que nous venons tout juste de présenter:

$$\Delta G = \Delta H - T\Delta S$$

Cette formule ne tient compte que des propriétés du système lui-même (la réaction): ΔH symbolise le changement qui se produit dans l'*enthalpie* du système (dans un système biologique, l'enthalpie est égale à l'énergie totale); ΔS est le changement qui se produit dans l'entropie du système. Notez que le symbole Δ (lettre grecque delta) est utilisé par convention pour désigner la variation d'une valeur.

Quand on connaît la valeur de ΔG dans un processus, on peut s'en servir pour prédire si le processus sera spontané (s'il se produira sans apport d'énergie). Plus d'un siècle d'expérimentation a montré que seuls les processus où la valeur de ΔG est négative surviennent spontanément. Pour qu'un processus se produise spontanément, donc, le système doit perdre de son enthalpie (H doit diminuer), perdre de son ordre (TS doit augmenter) ou les deux. En résumé, quand les changements de H et de TS sont calculés, ΔG doit avoir une valeur négative ($\Delta G < 0$). Cela signifie que chaque processus spontané diminue l'énergie libre du système. Les processus où la valeur de ΔG est positive ou égale à 0 ne sont jamais spontanés.

Ces connaissances intéressent au plus haut point les biologistes, car elles leur permettent de prédire le type de variation qui peut se produire sans influence extérieure. De telles variations spontanées peuvent servir à effectuer un travail. Ce principe est très important dans l'étude du métabolisme, dont le but premier est de déterminer quelles réactions peuvent fournir l'énergie nécessaire à l'exécution d'un travail dans la cellule vivante.

Énergie libre, stabilité et équilibre

Comme nous venons de le voir, lorsqu'un processus survient spontanément dans un système, c'est que la valeur de ΔG est négative. Pour mieux comprendre la signification de ΔG, vous pouvez aussi vous dire qu'il représente la différence entre l'énergie libre des produits et l'énergie libre des réactifs:

$$\Delta G = G_{\text{produits}} - G_{\text{réactifs}}$$

Donc, la valeur de ΔG ne peut être négative que lorsque le processus comporte une perte d'énergie libre en passant des réactifs aux produits. Étant donné qu'il a moins d'énergie libre, le système, à l'étape des produits, a moins tendance à changer et est donc plus stable qu'il ne l'était.

On peut considérer l'énergie libre comme la mesure de l'instabilité d'un système, c'est-à-dire de sa tendance à évoluer vers un état plus stable. Les systèmes instables (valeur de G élevée) tendent en effet à évoluer vers un état plus stable (valeur de G faible). Par exemple, un plongeur sur un tremplin est moins stable qu'un plongeur qui flotte sur l'eau, une goutte de colorant concentré est moins stable que si le colorant est dispersé au hasard dans le liquide, et une molécule de glucose est moins stable que les molécules plus simples qui peuvent résulter de sa dégradation **(figure 8.5)**. À moins d'un obstacle, chacun de ces systèmes aura tendance à évoluer vers un état plus stable: le plongeur tombera, la solution se colorera uniformément, la molécule de glucose sera dégradée.

Le terme *équilibre* exprime un état de stabilité maximale, comme nous l'avons vu au chapitre 2 en ce qui a trait aux réactions chimiques. Il existe une relation importante entre l'énergie libre et l'équilibre, y compris l'équilibre chimique. Nous avons vu que la plupart des réactions chimiques sont réversibles et qu'elles s'effectuent jusqu'à ce que les réactions directe et inverse se produisent à la même vitesse. On dit alors qu'elles ont atteint un équilibre chimique. Lorsque c'est le cas, les concentrations des réactifs et des produits ne changent plus.

L'énergie libre du mélange de réactifs et de produits diminue lorsque la réaction tend vers l'équilibre; inversement, elle augmente lorsque la réaction s'éloigne de son point d'équilibre, comme ce sera le cas si on enlève une partie des produits (ce qui change leur concentration par rapport à celle des réactifs). Dans une réaction à l'équilibre, la valeur de ΔG est à son minimum pour le système. Le moindre changement par rapport à l'état d'équilibre correspond à une valeur de ΔG positive et à un changement non spontané. C'est pourquoi les systèmes ne s'éloignent jamais spontanément de leur point d'équilibre. Comme il ne peut pas changer spontanément, un système à l'équilibre ne peut pas produire un travail. Seul un processus qui se dirige vers son point d'équilibre est spontané et peut effectuer du travail.

Énergie libre et métabolisme

Nous pouvons maintenant appliquer le concept d'énergie libre spécifiquement à la chimie de la vie.

Réactions exergoniques et endergoniques dans le métabolisme

Selon les variations d'énergie libre qu'elles entraînent, les réactions chimiques sont soit exergoniques («énergie vers l'extérieur»), soit endergoniques («énergie vers l'intérieur»). Une **réaction exergonique** s'accompagne d'un dégagement net d'énergie libre **(figure 8.6a)**. Comme le mélange chimique perd de l'énergie libre (G diminue), la valeur de ΔG est négative. La valeur de ΔG nous indique que les réactions exergoniques se produisent spontanément. (Rappelez-vous que le mot *spontané* n'est pas synonyme d'instantané ou même de rapide.) La valeur de

• Énergie libre accrue (ΔG élevée)
• Stabilité réduite
• Capacité de travail accrue
Lors d'un **changement spontané** :
• L'énergie libre du système diminue (ΔG < 0).
• Le système devient plus stable.
• La portion de l'énergie libre qui correspond à la diminution de l'énergie libre du système peut servir à effectuer un travail.
• Énergie libre réduite (ΔG faible)
• Stabilité accrue
• Capacité de travail réduite

(a) Mouvement gravitationnel. Les objets se déplacent spontanément du haut vers le bas.

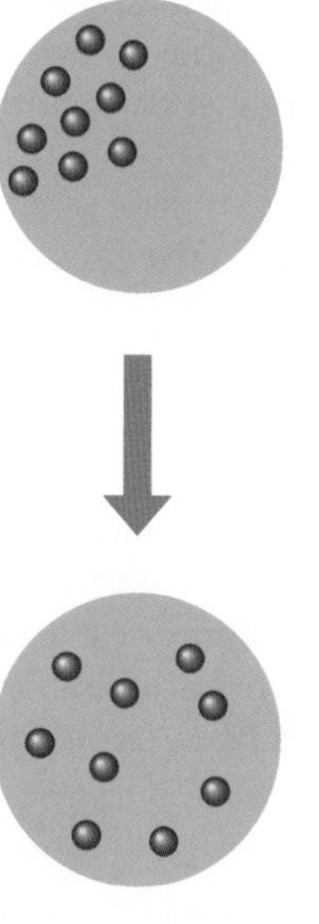

(b) Diffusion. Les molécules contenues dans une goutte de colorant diffusent jusqu'à ce qu'elles soient dispersées au hasard.

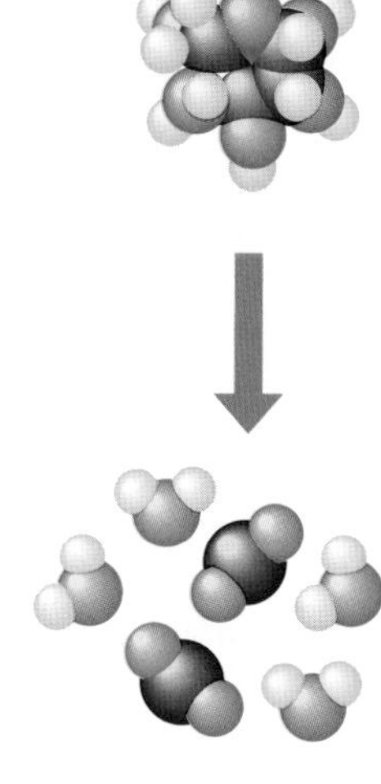

(c) Réaction chimique. Dans une cellule, le glucide est dégradé en molécules plus simples.

▲ **Figure 8.5 Relation entre stabilité, énergie libre, changement spontané et travail.** Les systèmes instables (illustrations du haut) possèdent beaucoup d'énergie libre. Ils ont tendance à changer spontanément pour atteindre un état plus stable (illustrations du bas). Il est possible d'utiliser cette diminution d'énergie pour produire du travail.

ΔG correspond à la quantité maximale de travail que la réaction peut produire*. Plus la perte d'énergie libre est grande, plus la quantité de travail possible est grande. Prenons la respiration cellulaire comme exemple:

$$C_6H_{12}O_6 + 6\ O_2 \rightarrow 6\ CO_2 + 6\ H_2O$$

$$\Delta G = -2\,870\ \text{kJ/mol}$$

Remarquez d'abord la valeur négative de ΔG dans cette réaction où pour chaque mole de glucose (180 g) décomposée par la respiration dans des conditions dites «normales» (1 mole de chaque réactif et produit, 25 °C, pH 7), 2 870 kJ d'énergie sont libérés pour produire du travail. Comme l'énergie se conserve et que les produits de la respiration ($6\ CO_2 + 6\ H_2O$) ont 2 870 kJ d'énergie libre de moins que les réactifs ($C_6H_{12}O_6 + 6\ O_2$), nous savons que la différence d'énergie libre a servi à produire du travail, qu'elle a participé à une autre réaction.

Une **réaction endergonique**, elle, absorbe l'énergie libre de son environnement **(figure 8.6b)**. Étant donné qu'elle *emmagasine* plus d'énergie libre qu'elle n'en libère, ΔG est positif. Elle n'est pas spontanée, et la valeur de ΔG correspond à la quantité minimale d'énergie requise par la réaction. Si elle est exergonique dans un sens, une réaction chimique est obligatoirement endergonique dans le sens inverse. Une réaction réversible ne peut libérer de l'énergie dans les deux directions. Par exemple, si ΔG égale $-2\,870$ kJ/mol dans le cas de la respiration cellulaire, qui convertit le glucose en dioxyde de carbone et en eau, alors le processus inverse, c'est-à-dire la conversion du dioxyde de carbone et de l'eau en glucose, doit être fortement endergonique; ΔG égale $+2\,870$ kJ/mol. Une telle réaction n'aurait jamais lieu par elle-même.

Comment, alors, les plantes produisent-elles le glucose dont les organismes ont besoin pour vivre? L'énergie nécessaire pour produire du glucose (2 870 kJ/mol pour 1 mole de glucose) leur provient de l'énergie lumineuse qu'elles convertissent en énergie chimique. Ensuite, en une longue série d'étapes exergoniques, les plantes dépensent graduellement cette énergie chimique pour assembler des molécules de glucose.

Équilibre et métabolisme

Les réactions qui se produisent dans un système fermé finissent par atteindre l'équilibre et ne peuvent alors plus produire aucun travail, comme l'illustre le système hydroélectrique de la **figure 8.7a**. Les réactions chimiques du métabolisme, elles, sont réversibles; elles atteindraient l'équilibre si elles se produisaient de manière isolée dans une éprouvette (système fermé). Comme les systèmes à l'état d'équilibre ont un ΔG à son minimum et ne peuvent produire aucun travail, une cellule qui atteindrait un équilibre métabolique mourrait! Le fait que le métabolisme dans son ensemble ne soit jamais à l'équilibre est une des caractéristiques de la vie.

Comme la plupart des systèmes, les cellules de notre corps ne sont pas à l'équilibre. La fuite et l'apport constants de matières empêchent ses voies métaboliques d'atteindre l'équilibre, lui permettant ainsi de produire un travail sa vie durant. Le système hydroélectrique ouvert (plus réaliste que le premier) de la **figure 8.7b** illustre bien ce principe, à la différence que la voie catabolique d'une cellule libère l'énergie libre selon une suite de réactions. Prenons par exemple la respiration cellulaire, que le

* On emploie ici le mot *maximale* pour qualifier la quantité de travail, parce qu'une partie de l'énergie libre est libérée sous forme de chaleur et ne peut pas effectuer du travail. Donc, ΔG représente une limite supérieure théorique pour l'énergie disponible.

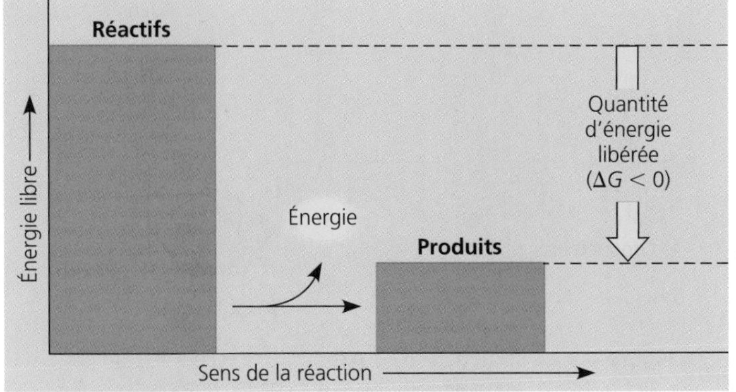

(a) Réaction exergonique (dégagement d'énergie)

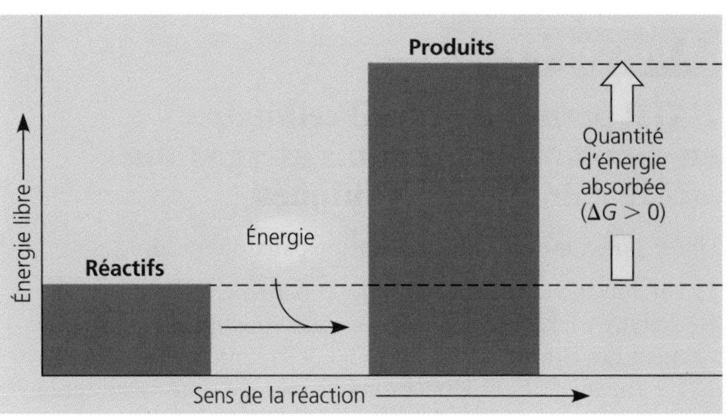

(b) Réaction endergonique (énergie requise)

▲ **Figure 8.6 Variations du niveau d'énergie libre dans les réactions exergonique et endergonique.**

système de la **figure 8.7c** illustre par analogie. Certaines de ses réactions doivent s'effectuer dans un seul sens: elles ne peuvent donc jamais atteindre le point d'équilibre. Par ailleurs, la cellule doit faire en sorte que les produits d'une réaction ne s'accumulent pas; alors, elle fait d'eux les réactifs de la réaction suivante. Au terme du processus, les déchets sont expulsés de la cellule. Le processus global de la respiration cellulaire a lieu grâce à l'énorme différence d'énergie libre entre le glucose, au sommet de la pente énergétique, et le dioxyde de carbone et l'eau, au terme du processus. Tant qu'elle reçoit un apport constant de glucose ou d'autres sources d'énergie et qu'elle peut rejeter les déchets dans son environnement, la cellule n'atteint jamais l'équilibre métabolique et continue à produire son travail, essentiel à la vie.

Nous constatons encore une fois à quel point il est important de considérer l'être vivant comme un système ouvert. La lumière du Soleil assure un apport quotidien d'énergie libre aux Végétaux et aux autres organismes photosynthétiques d'un écosystème. Les Animaux et les autres organismes non photosynthétiques de cet écosystème doivent avoir une source d'énergie libre qui a la forme des produits organiques de la photosynthèse. Maintenant que nous avons appliqué le concept d'énergie libre au métabolisme, nous pouvons voir comment une cellule effectue le travail essentiel à la vie.

(a) Système hydroélectrique fermé. L'écoulement de l'eau vers le bas actionne la génératrice qui alimente une ampoule électrique, mais seulement jusqu'à ce que le système atteigne l'équilibre.

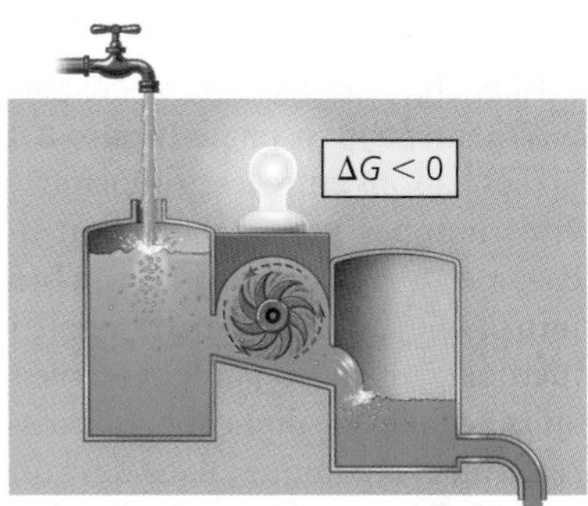

(b) Système hydroélectrique ouvert. L'écoulement de l'eau ne cesse jamais d'actionner la génératrice, parce que l'apport et la fuite d'eau empêchent le système d'atteindre l'équilibre.

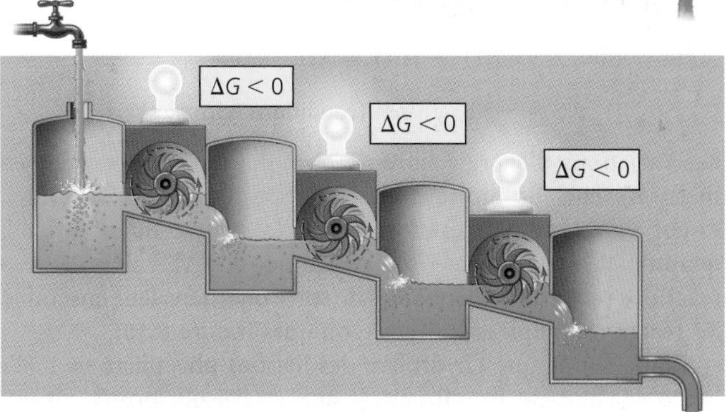

(c) Système hydroélectrique ouvert à plusieurs niveaux. La respiration cellulaire ressemble à ce mécanisme: le glucose se dégrade selon une série de réactions exergoniques qui fournissent l'énergie nécessaire au fonctionnement de la cellule. Le produit de chaque réaction devient le réactif de la suivante, de sorte qu'aucune réaction n'atteint l'équilibre.

▲ **Figure 8.7 Équilibre et travail dans les systèmes fermés et ouverts.**

Retour sur le concept 8.2

1. La respiration cellulaire consomme du glucose, riche en énergie libre, et libère du CO_2 et de l'eau, pauvres en énergie libre. La respiration cellulaire est-elle un processus spontané ou non spontané? Est-elle exergonique ou endergonique? Qu'arrive-t-il à l'énergie libérée par le glucose?
2. Un des principaux processus du métabolisme est le transport des ions H^+ à travers une membrane pour établir un gradient de concentration. Dans certaines conditions, les ions H^+ retraversent la membrane et atteignent une concentration égale de chaque côté de celle-ci. Dans quelles conditions les ions H^+ peuvent-ils produire du travail dans ce système?

Voir les réponses proposées à la fin du chapitre.

L'ATP permet le travail cellulaire en couplant les réactions exergoniques aux réactions endergoniques

Une cellule produit trois types principaux de travail:

1. Un *travail mécanique*, comme le battement des cils (voir le chapitre 6), la contraction des cellules musculaires et le mouvement des chromosomes au cours de la reproduction cellulaire.
2. Un *travail de transport*, comme le passage transmembranaire de substances dans le sens inverse du mouvement spontané (voir le chapitre 7).
3. Un *travail chimique*, comme le déclenchement de réactions endergoniques qui ne se produiraient pas spontanément; c'est le cas, par exemple, de la synthèse de polymères à partir de monomères (sujet du présent chapitre ainsi que des chapitres 9 et 10).

Le **couplage d'énergie** est un processus clé de la bioénergétique. Il consiste à employer l'énergie dégagée par une réaction exergonique pour déclencher une réaction endergonique, en grande partie grâce à l'ATP. Dans la majorité des cas, l'ATP est la source d'énergie directe qui permet à la cellule de produire un travail.

La structure et l'hydrolyse de l'ATP

Nous avons déjà parlé de l'**ATP (adénosine triphosphate)** au chapitre 4, lorsque nous avons expliqué que le groupement phosphate était un groupement fonctionnel. Examinons de plus près la structure de la molécule d'ATP. L'ATP se compose du ribose, auquel sont liées la base azotée adénine et une chaîne de trois groupements phosphate **(figure 8.8)**.

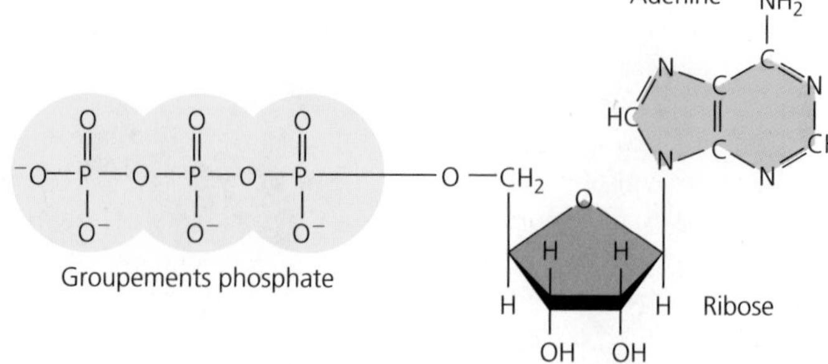

▲ **Figure 8.8 La structure de l'ATP**. Dans la cellule, la plupart des groupements hydroxyle fixés aux groupements phosphate sont ionisés (—O⁻).

Les liaisons entre les groupements phosphate de l'ATP peuvent être rompues par une réaction d'hydrolyse catalysée par une enzyme: l'ATPase. Lorsque l'eau brise la liaison du phosphate terminal, une molécule de phosphate inorganique (que nous exprimerons dorénavant par le symbole $Ⓟ_i$) est libérée. L'ATP devient alors l'adénosine diphosphate, ou ADP **(figure 8.9)**. Il s'agit d'une réaction exergonique; dans des conditions normales, elle dégage 30,5 kJ d'énergie par mole d'ATP hydrolysée:

$$ATP + H_2O \rightarrow ADP + Ⓟ_i$$

$$\Delta G = -30{,}5 \text{ kJ/mol (conditions normales)*}$$

Les variations d'énergie libre de nombreuses réactions ont été mesurées en laboratoire dans des conditions normales. Si la valeur de ΔG d'une réaction endergonique est inférieure à la quantité d'énergie dégagée par l'hydrolyse de l'ATP, alors les deux réactions peuvent être couplées de sorte que, dans leur ensemble, les réactions couplées sont exergoniques **(figure 8.10)**.

Étant donné que l'hydrolyse des liaisons phosphate de l'ATP libère de l'énergie, on dit parfois que ces liaisons possèdent une énergie élevée, mais cette expression est trompeuse. Elles ne sont pas exceptionnellement fortes; de fait, elles sont plus faciles à briser que bien d'autres types de liaisons. C'est la molécule elle-même qui a beaucoup d'énergie par rapport à celle des produits (ADP et $Ⓟ_i$). Le dégagement d'énergie au cours de l'hydrolyse de l'ATP provient d'un réarrangement des électrons sur les orbitales qui aboutit à une baisse d'énergie libre, et non des liaisons phosphate elles-mêmes.

L'ATP est utile à la cellule parce que l'énergie qu'il libère lors de l'hydrolyse d'un groupement phosphate est un peu supérieure à l'énergie que la plupart des autres molécules pourraient dégager. Mais pourquoi cette hydrolyse libère-t-elle tant d'énergie? Si nous examinons de nouveau la molécule d'ATP à la figure 8.8, nous pouvons voir que les trois groupements phosphate portent une charge négative. Comme ces trois charges de même signe sont rapprochées les unes des autres, il se produit une répulsion mutuelle. Celle-ci contribue à l'instabilité de ce segment de la molécule d'ATP. La queue triphosphate de la molécule d'ATP est l'équivalent chimique d'un ressort comprimé.

Comment l'ATP produit du travail

Quand on hydrolyse de l'ATP dans une éprouvette, le dégagement d'énergie libre qui se produit ne fait que réchauffer l'eau contenue dans l'éprouvette. Dans un organisme, la même production de chaleur peut parfois être bénéfique. Par exemple, le frisson utilise l'hydrolyse de l'ATP durant la contraction musculaire pour

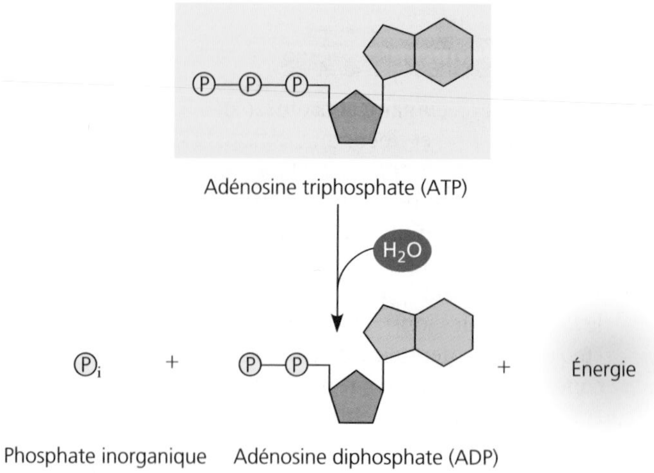

Adénosine triphosphate (ATP)

H_2O

$Ⓟ_i$ + Ⓟ—Ⓟ + Énergie

Phosphate inorganique — Adénosine diphosphate (ADP)

▲ **Figure 8.9 L'hydrolyse de l'ATP.** L'hydrolyse de l'ATP produit un phosphate inorganique ($Ⓟ_i$) et de l'ADP.

* Dans la cellule, les conditions sont différentes des conditions dites normales, principalement en raison des concentrations de réactifs et de produits qui ne sont pas de 1 mole. Ainsi, lorsque l'hydrolyse de l'ATP se produit dans la cellule, la valeur réelle de ΔG est de –54,4 kJ/mol environ, soit 78 % de plus que l'énergie dégagée par l'hydrolyse de l'ATP dans des conditions dites normales.

générer de la chaleur et réchauffer le corps. Cependant, dans la cellule, la production de chaleur seule reviendrait le plus souvent à utiliser inefficacement (et même dangereusement) une source d'énergie précieuse.

C'est pourquoi, avec l'aide d'enzymes spécifiques, la cellule applique directement l'énergie dégagée par l'hydrolyse de l'ATP à des processus endergoniques. Pour ce faire, grâce à des enzymes particulières appelées kinases, elle transfère un groupement phosphate de l'ATP à une autre molécule, comme le réactif, qui est alors **phosphorylée**. Cet intermédiaire phosphorylé, plus réactif (moins stable) que la molécule originale, non phosphorylée, constitue la clé du couplage des réactions exergoniques et endergoniques.

Les trois types de travail cellulaire (travail mécanique, travail de transport et travail chimique) sont presque toujours alimentés par l'hydrolyse de l'ATP **(figure 8.11)**. Dans chaque cas, il y a transfert d'un groupement phosphate de l'ATP à une autre molécule, et cette molécule phosphorylée subit un changement qui produit du travail. La synthèse de la glutamine à partir de l'acide glutamique (un autre acide aminé) et de l'ammoniac est un exemple de ce mécanisme. Il y a d'abord phosphorylation de l'acide glutamique, ce qui en fait un intermédiaire moins stable. Ensuite, l'ammoniac prend la place du groupement phosphate formant la glutamine. Comme il est exergonique, l'ensemble du processus se produit spontanément (voir la figure 8.10).

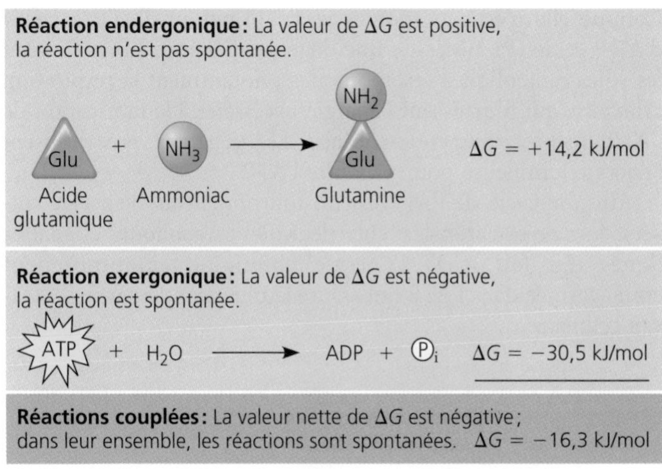

Réaction endergonique: La valeur de ΔG est positive, la réaction n'est pas spontanée.
Glu + NH_3 → NH_2 Glu
$\Delta G = +14,2$ kJ/mol
Acide glutamique
Ammoniac
Glutamine
Réaction exergonique: La valeur de ΔG est négative, la réaction est spontanée.
ATP + H_2O → ADP + Ⓟi
$\Delta G = -30,5$ kJ/mol
Réactions couplées: La valeur nette de ΔG est négative; dans leur ensemble, les réactions sont spontanées.
$\Delta G = -16,3$ kJ/mol

▲ **Figure 8.10 Couplage d'énergie par l'hydrolyse de l'ATP.** Dans cet exemple, le processus exergonique qu'est l'hydrolyse de l'ATP fournit l'énergie nécessaire à un processus endergonique: la synthèse de la glutamine (un acide aminé) à partir d'acide glutamique (un autre acide aminé) et d'ammoniac.

La régénération de l'ATP

Un organisme au travail utilise continuellement de l'ATP. Heureusement, celui-ci constitue une ressource renouvelable qui peut être régénérée par l'ajout d'un phosphate à de l'ADP **(figure 8.12)**. Ce sont les réactions exergoniques de dégradation (catabolisme) qui fournissent l'énergie libre nécessaire à la phosphorylation de l'ADP. Ce va-et-vient entre le phosphate inorganique et l'énergie se nomme cycle de l'ATP. Dans la cellule, les processus consommateurs d'énergie (endergoniques) sont couplés aux processus producteurs d'énergie (exergoniques). Par exemple, une cellule musculaire au travail renouvelle la totalité de son ATP en moins d'une minute: cela représente 10 millions de molécules d'ATP utilisées et régénérées par seconde. Sans la reformation de l'ATP grâce à la phosphorylation de l'ADP, les humains devraient consommer quotidiennement une quantité d'ATP équivalant à leur masse corporelle.

Puisqu'un processus réversible ne peut libérer de l'énergie dans les deux sens, la régénération de l'ATP à partir de l'ADP est nécessairement endergonique:

$$ADP + Ⓟ_i \rightarrow ATP + H_2O$$

$$\Delta G = +30,5 \text{ kJ/mol}$$

(dans des conditions normales)

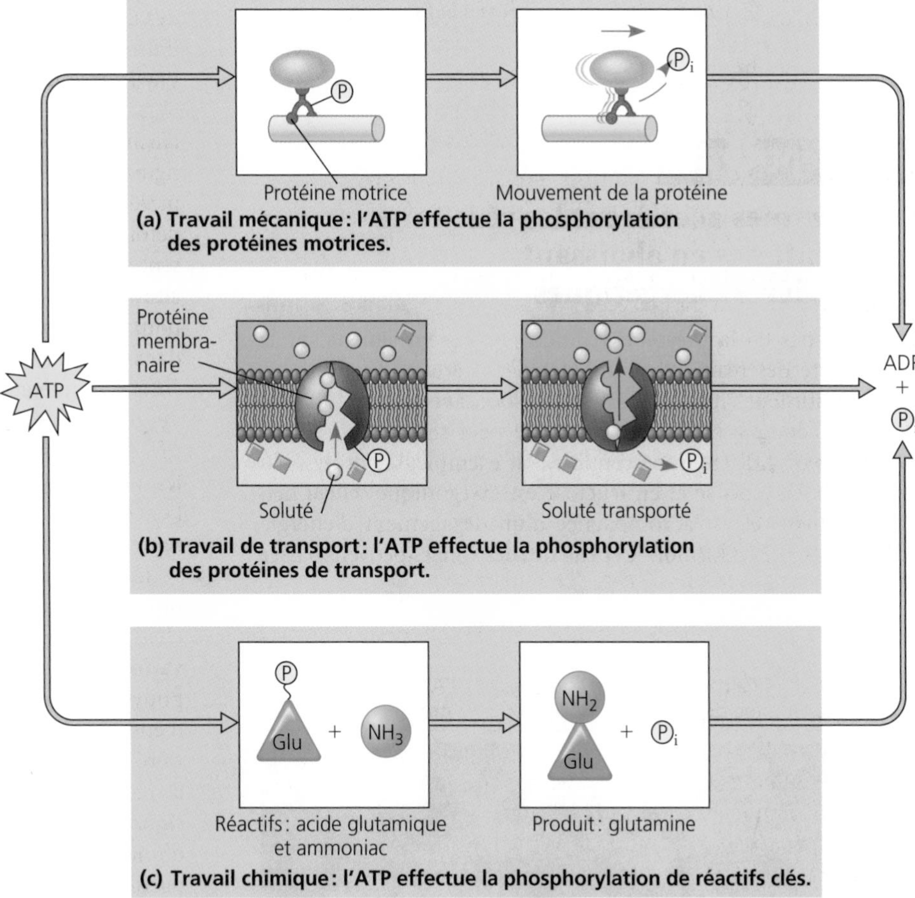

▲ **Figure 8.11 Comment l'ATP fournit l'énergie nécessaire au travail cellulaire.** Le transfert du groupement phosphate (phosphorylation) est le mécanisme par lequel la plupart des cellules peuvent produire du travail. Par exemple, **(a)** l'ATP active le travail mécanique par la phosphorylation des protéines motrices comme celles qui meuvent les organites le long des « voies » du cytosquelette dans la cellule. L'ATP **(b)** alimente le transport actif par la phosphorylation de certaines protéines membranaires. Et l'ATP **(c)** active le travail chimique par la phosphorylation des réactifs clés, dans ce cas-ci de l'acide glutamique qui est ensuite converti en glutamine. Les molécules phosphorylées perdent leurs groupements phosphate pendant le travail cellulaire, ce qui laisse comme produits de l'ADP et du phosphate inorganique (Ⓟi). La respiration cellulaire refait le plein d'ATP en activant la phosphorylation de l'ADP, comme nous le verrons dans le prochain chapitre.

Comme elle n'est pas spontanée, la formation d'ATP à partir d'ADP et de Ⓟ$_i$ nécessite une dépense d'énergie libre. Ce sont les voies cataboliques (exergoniques), notamment la respiration cellulaire, qui fournissent l'énergie nécessaire à la fabrication de l'ATP, un processus endergonique. Les Végétaux, eux, utilisent l'énergie lumineuse pour produire l'ATP.

Ainsi, le cycle de l'ATP est un tourniquet que l'énergie traverse lors de son transfert entre les voies cataboliques et anaboliques. En fait, c'est l'énergie chimique temporairement emmagasinée dans l'ATP qui assure la plus grande partie du travail cellulaire.

Retour sur le concept 8.3

1. Dans la plupart des cas, comment l'ATP transfère-t-il de l'énergie d'un processus exergonique à un processus endergonique dans la cellule?
2. Lequel des groupes suivants a le plus d'énergie libre: acide glutamique + ammoniac + ATP ou glutamine + ADP + Ⓟ$_i$? Expliquez votre réponse.

Voir les réponses proposées à la fin du chapitre.

Concept 8.4

Les enzymes accélèrent les réactions métaboliques en abaissant les barrières énergétiques

Les principes de la thermodynamique nous renseignent sur la spontanéité des réactions chimiques dans certaines conditions, mais pas sur leur vitesse. Une réaction spontanée se produit sans l'apport d'énergie extérieure, mais elle peut se produire lentement, au point d'être imperceptible. Par exemple, l'hydrolyse du saccharose en glucose et en fructose est exergonique; elle a lieu spontanément et est accompagnée d'un dégagement d'énergie libre ($\Delta G = -29{,}3$ kJ/mol). Cependant, des années peuvent passer sans qu'une solution de saccharose ajoutée à de l'eau stérile et placée à la température ambiante ne soit hydrolysée de façon appréciable. Par contre, si nous versons dans la solution une petite quantité de catalyseur, par exemple l'enzyme appelée *saccharase*, tout le saccharose peut s'hydrolyser en quelques secondes **(figure 8.13)**. Comment l'enzyme parvient-elle à agir de la sorte?

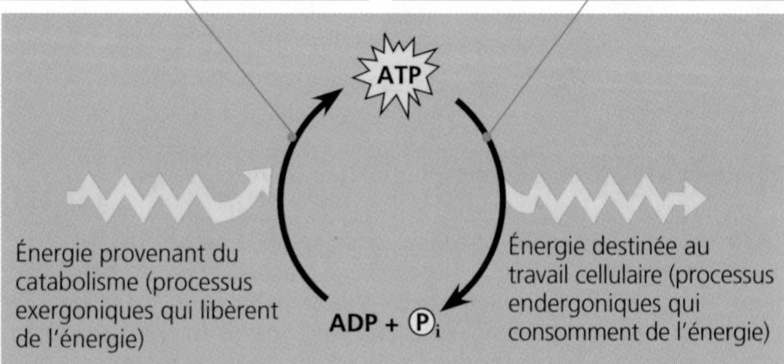
La synthèse d'ATP à partir d'ADP et de Ⓟi consomme de l'énergie.
L'hydrolyse de l'ATP pour former de l'ADP et du Ⓟi produit de l'énergie.
ATP
Énergie provenant du catabolisme (processus exergoniques qui libèrent de l'énergie)
ADP + Ⓟi
Énergie destinée au travail cellulaire (processus endergoniques qui consomment de l'énergie)

▲ **Figure 8.12 Cycle de l'ATP.** Dans les cellules, l'énergie dégagée par les réactions de dégradation (catabolisme) sert à la phosphorylation de l'ADP, c'est-à-dire à la régénération de l'ATP. L'énergie emmagasinée dans l'ATP assure la majeure partie du travail cellulaire.

Un **catalyseur** est un agent chimique qui modifie la vitesse d'une réaction tout en restant inchangé; la plupart du temps, une **enzyme** est une protéine globulaire catalytique, qui peut accroître la vitesse d'une réaction d'un million ou même d'un milliard de fois. (Aux chapitres 17 et 26, nous étudierons une autre classe de catalyseurs biologiques, les ribozymes, qui sont constitués d'ARN.) S'il n'y avait pas de régulation enzymatique, la circulation chimique sur les voies métaboliques serait désespérément congestionnée, car beaucoup de réactions chimiques seraient interminables. Dans les deux prochaines sections, nous verrons ce qui empêche les réactions spontanées de se produire plus rapidement et comment les enzymes remédient à la situation.

L'énergie d'activation

Toute réaction chimique entre des molécules implique la rupture des liaisons existant dans les réactifs et la formation de nouvelles liaisons (qui donneront les produits). Par exemple, lors de l'hydrolyse du saccharose, la liaison entre le glucose et le fructose et une des liaisons d'une molécule d'eau sont brisées; ensuite, de nouvelles liaisons sont établies, comme le montre la figure 8.13. Pour qu'une molécule se transforme en une autre molécule, il faut habituellement que la molécule de départ se déforme de manière à devenir très instable. Afin de vous représenter cette déformation, pensez à l'état dans lequel un porte-clés se trouve quand on force l'anneau de métal à s'ouvrir un peu pour y faire passer une nouvelle clé. Le porte-clés est très instable dans sa forme ouverte, mais il reprend un état stable dès que la clé est complètement passée dans l'anneau. Pour atteindre cet état déformé où les liaisons peuvent changer, les molécules de réactifs doivent absorber de l'énergie de leur environnement. Quand les nouvelles liaisons des molécules de produits se forment, l'énergie est libérée sous forme de chaleur, et les molécules reprennent une forme stable moins riche en énergie.

L'énergie requise pour déclencher une réaction, c'est-à-dire pour déformer les molécules de réactifs de façon que les liaisons changent, s'appelle **énergie libre d'activation**, ou **énergie d'activation**; elle est symbolisée par les lettres E_A dans ce manuel. Nous pouvons considérer l'énergie d'activation comme la quantité d'énergie nécessaire pour pousser les réactifs au-delà d'une barrière, ou au sommet d'une colline, de sorte que la portion de la réaction qui se trouve «vers le bas» puisse être activée. La **figure 8.14** représente graphiquement les variations d'énergie d'une réaction exergonique hypothétique qui troque certaines parties de deux molécules de réactifs:

$$AB + CD \rightarrow AC + BD$$

La partie ascendante de la courbe correspond à l'activation des réactifs; elle indique que l'énergie libre de ces derniers augmente. Au sommet de la courbe, ils atteignent un état instable appelé *état de transition*: ils sont activés. Des liaisons peuvent alors se rompre ou s'établir. La phase de formation de liaisons correspond à la portion descendante de la courbe, qui indique que les molécules perdent de l'énergie libre.

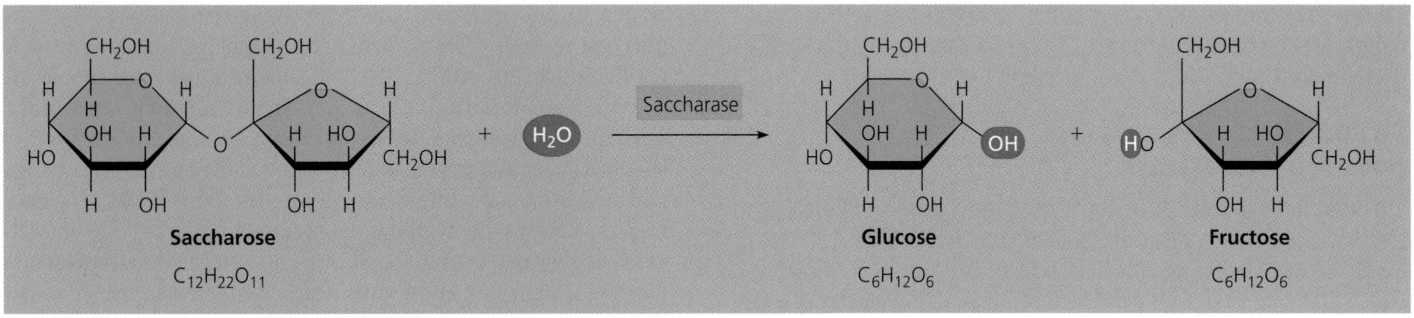

Saccharose $C_{12}H_{22}O_{11}$ + H_2O —Saccharase→ Glucose $C_6H_{12}O_6$ + Fructose $C_6H_{12}O_6$

▲ **Figure 8.13 Exemple d'une réaction catalysée par une enzyme: l'hydrolyse du saccharose par la saccharase.**

L'énergie d'activation se trouve souvent sous forme de chaleur dans l'environnement, et elle est absorbée par les molécules de réactifs. Les liaisons des réactifs se rompent seulement si les molécules ont absorbé suffisamment d'énergie pour devenir instables et, donc, plus réactives (dans l'état de transition se trouvant au sommet de la pente de la figure 8.14). (Rappelez-vous que les systèmes riches en énergie libre sont instables et que les systèmes instables sont réactifs.) L'absorption d'énergie thermique augmente la vitesse moléculaire des réactifs, de sorte que les collisions deviennent plus fréquentes et plus fortes. De plus, l'agitation thermique des atomes qui composent les molécules rend les liaisons plus faciles à rompre. Pendant que les molécules se stabilisent en formant de nouvelles liaisons, la réaction dégage de l'énergie dans l'environnement. Si la réaction est exergonique, E_A sera plus que «remboursée», car la formation des nouvelles liaisons libérera une quantité d'énergie supérieure à celle qui était investie pour rompre les liaisons initiales.

La réaction illustrée à la figure 8.14 est exergonique et se produit spontanément. Cependant, l'énergie d'activation crée une barrière qui détermine la vitesse de la réaction. Les réactifs doivent absorber suffisamment d'énergie pour atteindre le sommet de la barrière de l'énergie d'activation avant que la réaction se produise. Dans certaines réactions, E_A est si faible que l'énergie thermique qui existe à la température ambiante suffit à mener les réactifs à l'état de transition. Cependant, dans la plupart des cas, la barrière de E_A est tellement élevée et l'état de transition est si rarement atteint que la réaction ne sera pas amorcée. Les réactifs ont besoin de chaleur pour que la réaction se produise à une vitesse perceptible. Par exemple, les bougies d'un moteur d'automobile chauffent le mélange essence dioxygène afin que les molécules atteignent l'état de transition requis et qu'elles réagissent. C'est à ce moment seulement que le dégagement explosif d'énergie qui pousse les pistons peut se produire. Sans une étincelle, le mélange composé des hydrocarbures de l'essence et d'oxygène ne réagit pas parce que la barrière de E_A est trop élevée.

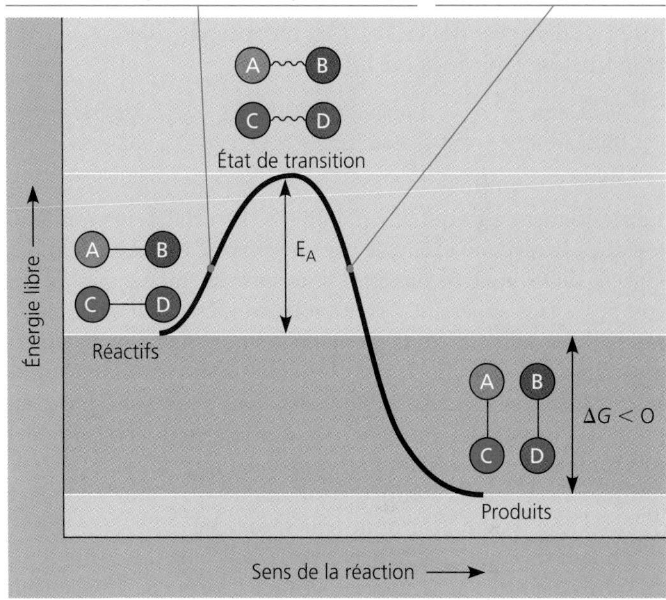

▲ **Figure 8.14 Profil énergétique d'une réaction exergonique.** Dans cette réaction hypothétique, A, B, C et D représentent des *portions* de molécules. Sur le plan thermodynamique, il s'agit d'une réaction exergonique, la valeur de ΔG est négative et la réaction se produit spontanément. Cependant, l'énergie d'activation (E_A) pose une barrière qui détermine la vitesse de la réaction.

Les enzymes et l'énergie d'activation

Sans la barrière créée par l'énergie d'activation, les protéines, l'ADN et les autres molécules complexes d'une cellule, qui sont riches en énergie libre, pourraient se décomposer spontanément. En effet, les principes de la thermodynamique favorisent leur dégradation. Heureusement, peu de ces molécules sont capables de franchir l'état de transition aux températures caractéristiques des cellules. Il faut toutefois que certaines réactions puissent avoir lieu pour que la cellule accomplisse les processus vitaux. La chaleur accélère une réaction en permettant aux réactifs d'atteindre l'état de transition plus souvent, mais cette solution n'est pas appropriée pour les systèmes biologiques. Tout d'abord, les températures élevées dénaturent les protéines et tuent les cellules. Deuxièmement, la chaleur accélère *toutes* les réactions, même celles qui ne sont pas nécessaires. L'organisme doit donc faire appel à une solution de rechange: un catalyseur.

Une enzyme catalyse une réaction en abaissant l'énergie d'activation **(figure 8.15)**, de façon que les molécules de réactifs absorbent suffisamment d'énergie pour atteindre l'état de transition même à des températures normales. Une enzyme ne change pas le ΔG d'une réaction; elle ne peut rendre exergonique une réaction endergonique. Elle ne fait qu'accélérer un processus qui, de toute façon, finirait par se produire. Cela permet à la cellule d'avoir un métabolisme dynamique, une circulation chimique

« fluide ». Et comme elles sélectionnent les réactions qu'elles catalysent, les enzymes déterminent les processus chimiques qui se déroulent en tout temps dans la cellule.

La spécificité des enzymes pour leurs substrats

On appelle **substrat** le réactif sur lequel une enzyme agit. L'enzyme se lie à son substrat (ou à ses substrats, lorsqu'il y a deux ou plusieurs réactifs), et cette liaison forme un **complexe enzyme-substrat**. Pendant que les deux sont réunis, l'action catalytique de l'enzyme convertit le substrat en produit (ou en produits) de la réaction. Nous pouvons résumer ce processus de la façon suivante :

$$\text{Enzyme} + \text{Substrat(s)} \rightleftharpoons \text{Complexe enzyme-substrat} \rightleftharpoons \text{Enzyme} + \text{Produit(s)}$$

Par exemple, l'enzyme appelée saccharase (la plupart des noms d'enzyme se terminent par *-ase*) catalyse l'hydrolyse du saccharose (un disaccharide) en ses deux monosaccharides, le glucose et le fructose (voir la figure 8.13) :

$$\text{Saccharase} + \text{Saccharose} + H_2O \rightleftharpoons \text{Complexe saccharase-saccharose-}H_2O \rightleftharpoons \text{Saccharase} + \text{Glucose} + \text{Fructose}$$

Contrairement à ce qui se produit avec les catalyseurs non biologiques, la réaction catalysée par une enzyme est très spécifique. Une enzyme peut reconnaître son substrat même parmi des composés très apparentés, comme les isomères. Par exemple, la saccharase n'agit que sur le saccharose et ne se liera pas à d'autres disaccharides, comme le maltose. Comment expliquer cette reconnaissance moléculaire ? Rappelez-vous que les enzymes sont pour la plupart des protéines, et que ces dernières sont des macromolécules possédant une conformation tridimensionnelle unique. C'est cette conformation dictée par leur séquence d'acides aminés qui détermine leur spécificité.

En fait, seule une petite partie de la molécule d'enzyme se lie au substrat. Cette partie, appelée **site actif**, forme habituellement une poche ou un sillon à la surface de la protéine **(figure 8.16a)**. En général, le site actif n'est constitué que de quelques-uns des acides aminés qui composent l'enzyme (une dizaine tout au plus) ; le reste de celle-ci forme une charpente qui détermine la configuration du site actif. La spécificité d'une enzyme réside d'abord dans le fait que la forme de son site actif correspond exactement à la forme de son substrat ; toutefois, le site actif et le substrat sont complémentaires non seulement dans la forme mais aussi dans les interactions entre les atomes (charges électriques, régions hydrophiles et hydrophobes, etc.). Le modèle « clef et serrure » qui a longtemps été utilisé pour représenter l'union de l'enzyme et de son substrat a dû être un peu modifié : le site actif n'est pas un réceptacle rigide dans lequel le substrat s'emboîte. Lorsque le substrat y entre, les interactions qui ont lieu entre ses groupements chimiques et ceux des acides aminés de la protéine provoquent une légère modification structurale de l'enzyme. Il semble que cet ajustement implique aussi une modification dans la conformation du substrat, qui lui permet de correspondre plus étroitement à celle de l'enzyme. Le site actif épouse alors encore mieux le contour du substrat **(figure 8.16b)**. Cet **ajustement induit** se compare à une poignée de main. Il positionne les groupements fonctionnels du site actif de manière à favoriser leur capacité à catalyser la réaction chimique.

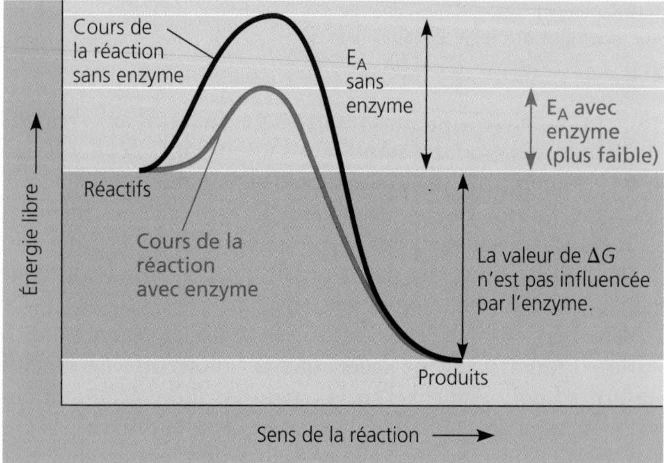

▲ **Figure 8.15 Effet des enzymes sur la vitesse d'une réaction.** Une enzyme augmente la vitesse d'une réaction en réduisant son énergie d'activation (E_A).

La catalyse dans le site actif d'une enzyme

Dans une réaction enzymatique, le substrat se lie au site actif de l'enzyme **(figure 8.17)**. Dans la majorité des cas, cette liaison est assurée par des interactions faibles, comme des liaisons hydrogène et des liaisons ioniques. Les chaînes latérales (radicaux R) de quelques-uns des acides aminés qui constituent le site actif catalysent la transformation du substrat en produit. Une fois celle-ci terminée, le produit quitte le site actif. Ce dernier est donc libre d'accepter une autre molécule de substrat. Le cycle entier se produit tellement vite qu'une seule molécule d'enzyme transforme habituellement un millier de molécules de substrat par seconde. Certaines enzymes sont encore plus rapides. Par ailleurs, comme nous l'avons déjà dit, les enzymes demeurent inchangées après une réaction, à l'instar des autres catalyseurs. Bref, le cycle se répétant encore et encore, de très petites quantités d'enzymes peuvent avoir des répercussions énormes sur le métabolisme.

La plupart des réactions métaboliques étant réversibles, une enzyme peut catalyser les réactions directe et inverse. La réaction qui prédomine dépend surtout des concentrations relatives des réactifs et des produits. L'enzyme accélère toujours la réaction qui tend vers l'équilibre.

Les enzymes utilisent différents mécanismes pour abaisser l'énergie d'activation d'une réaction et accélérer celle-ci (voir la figure 8.17, étape ❸).

❶ Dans une réaction impliquant deux ou plusieurs réactifs, le site actif d'une enzyme fournit un gabarit qui aide les substrats à se rapprocher l'un de l'autre et à adopter une orientation qui permet leur interaction.

❷ À mesure que le site actif de l'enzyme épouse étroitement les contours des substrats liés, l'enzyme étire les molécules de réactifs pour qu'ils s'approchent de la conformation correspondant à leur état de transition : elle exerce une pression et déforme les liaisons chimiques qui doivent être rompues pour que la réaction se produise. Étant donné que E_A est proportionnelle au degré de difficulté de la rupture des liaisons, la torsion des substrats les rapproche de leur état de transition

► Figure 8.16 Ajustement induit entre une enzyme et son substrat. **(a)** Dans ce modèle informatique, le site actif de cette enzyme (l'hexokinase, en bleu) forme un sillon à la surface. Son substrat est le glucose (en rouge). **(b)** Lorsqu'il pénètre dans le site actif, le substrat modifie légèrement la forme de la protéine. Cette modification favorise la formation d'autres liaisons faibles ; le site actif s'ajuste alors au substrat et le maintient en place.

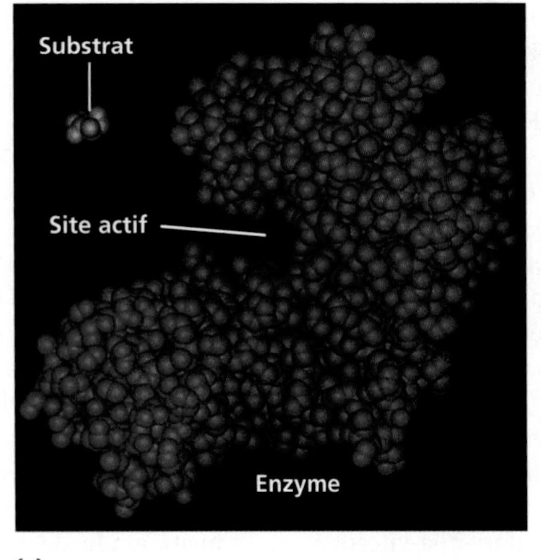

Substrat
Site actif
Enzyme

(a)

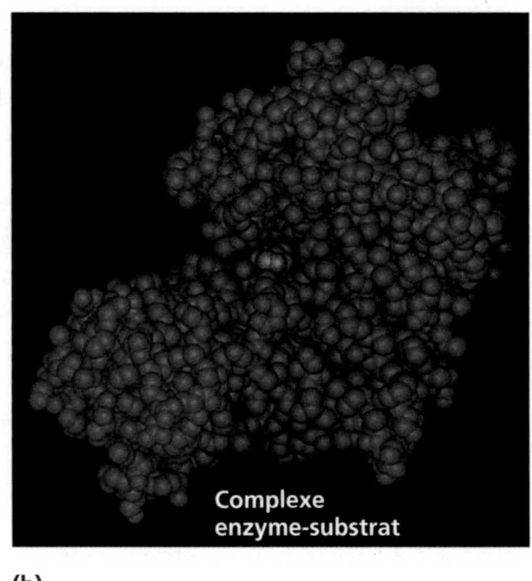

Complexe
enzyme-substrat

(b)

► Figure 8.17 Le site actif et le cycle catalytique d'une enzyme. Une enzyme peut convertir une ou plusieurs molécules de réactif en une ou en plusieurs molécules de produit. L'enzyme illustrée ici transforme deux molécules de substrat en deux molécules de produit.

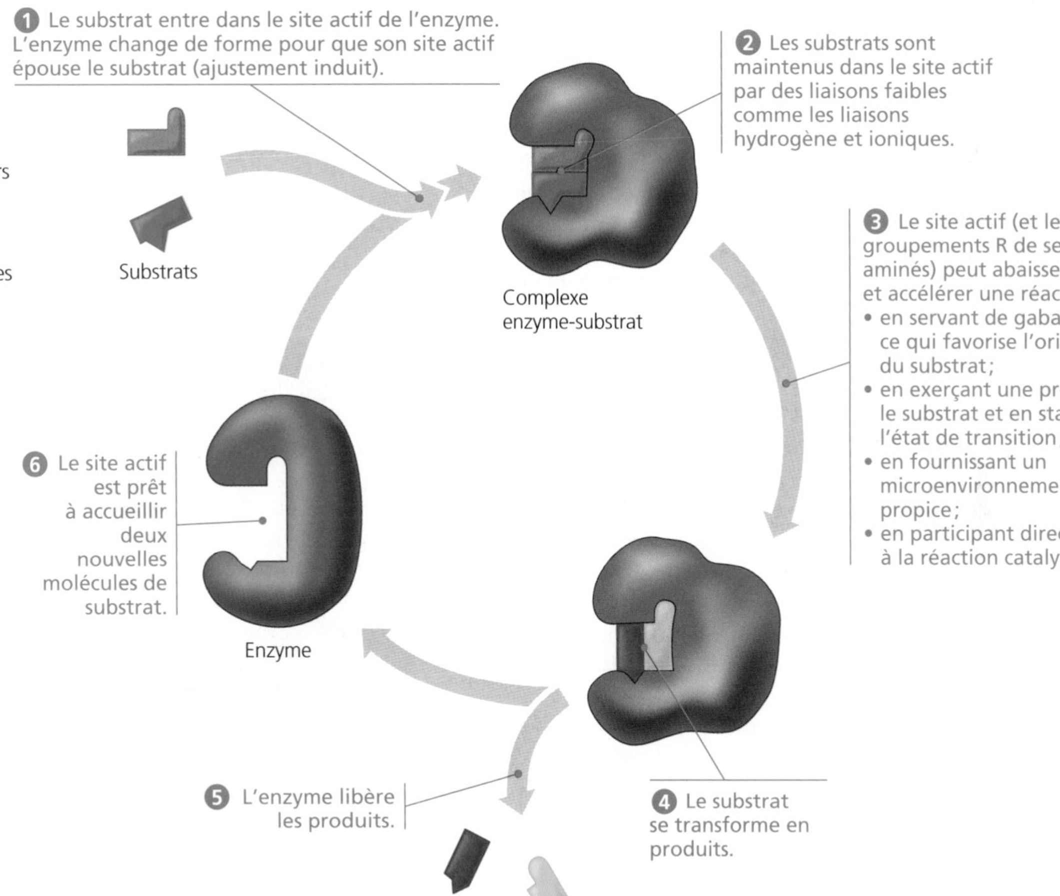

1 Le substrat entre dans le site actif de l'enzyme. L'enzyme change de forme pour que son site actif épouse le substrat (ajustement induit).
2 Les substrats sont maintenus dans le site actif par des liaisons faibles comme les liaisons hydrogène et ioniques.
Substrats
Complexe
enzyme-substrat
3 Le site actif (et les groupements R de ses acides aminés) peut abaisser E_A et accélérer une réaction :
• en servant de gabarit, ce qui favorise l'orientation du substrat ;
• en exerçant une pression sur le substrat et en stabilisant l'état de transition ;
• en fournissant un microenvironnement propice ;
• en participant directement à la réaction catalytique.
6 Le site actif est prêt à accueillir deux nouvelles molécules de substrat.
Enzyme
5 L'enzyme libère les produits.
4 Le substrat se transforme en produits.
Produits

et, par le fait même, réduit la quantité d'énergie libre qui doit être absorbée pour atteindre l'état de transition.

3 Le site actif peut également fournir un microenvironnement plus propice à un type particulier de réaction que la solution à elle seule sans enzyme. Par exemple, s'il se compose d'acides aminés portant une chaîne latérale (radical R) acide, le site actif constitue une poche de faible pH dans une cellule qui, par ailleurs, est neutre. Dans un tel cas, un acide aminé acide peut faciliter le transfert d'ions H^+ au substrat, ce qui constitue une étape clé dans la catalyse de la réaction. De même, le site actif peut créer une région polaire dans un environnement non polaire.

4 Un autre mécanisme de catalyse est la participation directe du site actif à la réaction chimique. Parfois, il arrive même que

des liaisons covalentes de courte durée se forment entre le substrat et le radical d'un acide aminé de l'enzyme. Toutefois, les étapes subséquentes de la réaction redonnent leur forme initiale aux chaînes latérales, de sorte que le site actif retrouve son état original après la réaction.

La vitesse à laquelle une quantité donnée d'enzyme convertit les molécules de substrat en produits dépend en partie de la concentration initiale du substrat: plus il y a de molécules de substrat, plus elles occupent les sites actifs des molécules d'enzyme. Toutefois, on ne peut augmenter indéfiniment la vitesse d'une réaction en ajoutant du substrat à une concentration fixe d'enzyme. À un certain point, la concentration du substrat est suffisamment élevée pour que tous les sites actifs des molécules d'enzyme soient occupés. L'enzyme est alors dite *saturée*. Dès que le produit quitte son site actif, une molécule de substrat s'y attache. La vitesse de la réaction correspond alors à la vitesse à laquelle le site actif peut convertir le substrat en produit. En cas de saturation enzymatique, la seule façon d'augmenter la vitesse de conversion est d'accroître le nombre de molécules d'enzyme, ce que la cellule fait parfois.

Les effets des conditions locales sur l'activité d'une enzyme

Les facteurs environnementaux, comme la température, le pH et la concentration de sels, ont une influence sur l'activité d'une enzyme, c'est-à-dire sur l'efficacité de son fonctionnement. Certaines substances chimiques peuvent également influer sur les enzymes.

Les effets de la température, du pH et de la concentration de sels

Comme nous l'avons vu au chapitre 5, la structure tridimensionnelle des protéines est sensible à l'environnement. En conséquence, chaque enzyme fonctionne mieux dans certaines conditions que dans d'autres, car ces *conditions optimales* favorisent la conformation la plus active de la molécule d'enzyme. Un organisme peut toutefois s'adapter à son environnement en sécrétant des enzymes sous plusieurs formes légèrement différentes (appelées isoenzymes) ; chacune de ces isoenzymes possède ses conditions optimales particulières. Différents organes ou tissus d'un même organisme peuvent posséder différentes isoenzymes.

La température, le pH et la concentration de sels constituent des facteurs environnementaux importants qui influent sur l'activité d'une enzyme. Jusqu'à un certain point, la vitesse d'une réaction enzymatique augmente avec la température, en partie parce que les substrats heurtent les sites actifs plus fréquemment lorsque les molécules se déplacent plus vite. Cependant, au-delà d'une certaine température, la vitesse de la réaction chute brusquement. C'est que la molécule d'enzyme devient si agitée thermiquement que les liaisons hydrogène, les liaisons ioniques et les autres interactions faibles qui stabilisent sa conformation active se rompent. La protéine finit par se dénaturer. De plus, comme le site actif est souvent constitué d'acides aminés non adjacents dans la structure primaire mais regroupés par suite du repliement des chaînes polypeptidiques dans la structure tertiaire, la modification de cette dernière par la chaleur peut modifier suffisamment la position des acides aminés du site actif pour que celui-ci ne puisse plus jouer son rôle. À chaque type d'enzyme correspond une température optimale à laquelle la vitesse de réaction est maximale, la conversion des réactifs en molécules de produit est la plus rapide et le plus grand nombre possible de collisions moléculaires peut avoir lieu sans dénaturer l'enzyme. Les températures optimales de la plupart des enzymes humaines se situent entre 35 et 40 °C (près de la température corporelle chez l'humain). À titre de comparaison, les bactéries vivant dans des sources d'eau chaude contiennent des enzymes dont la température optimale est de 70 °C ou plus **(figure 8.18a)**.

Il existe aussi un pH optimal qui assure à chaque enzyme une activité maximale. Celui de la majorité des enzymes se situe entre 6 et 8, mais il y a des exceptions. Par exemple, la pepsine, une enzyme digestive de l'estomac, fonctionne le mieux lorsque le pH est de 2. Un environnement aussi acide dénature la plupart des protéines, mais la conformation active de la pepsine est adaptée: elle maintient sa structure tridimensionnelle dans l'environnement acide de l'estomac. Nous avons vu également que les enzymes lysosomiales agissent dans un milieu très acide (pH de 3). En revanche, la trypsine, une enzyme digestive résidant dans l'environnement alcalin de l'intestin, a le meilleur rendement à un pH de 8 et serait dénaturée dans l'estomac **(figure 8.18b)**.

Les enzymes sont également sensibles à la concentration des sels. La majorité d'entre elles ne peuvent tolérer les solutions extrêmement salines, parce que les ions inorganiques interfèrent avec les liaisons ioniques dans la protéine. Cette sensibilité empêche les microorganismes de se développer dans des aliments additionnés d'une solution fortement concentrée en sels (saumure). Mais, encore une fois, il y a des exceptions. Certaines Bactéries vivent dans des endroits où la concentration de sels est beaucoup plus élevée que celle de l'eau de mer, comme dans la

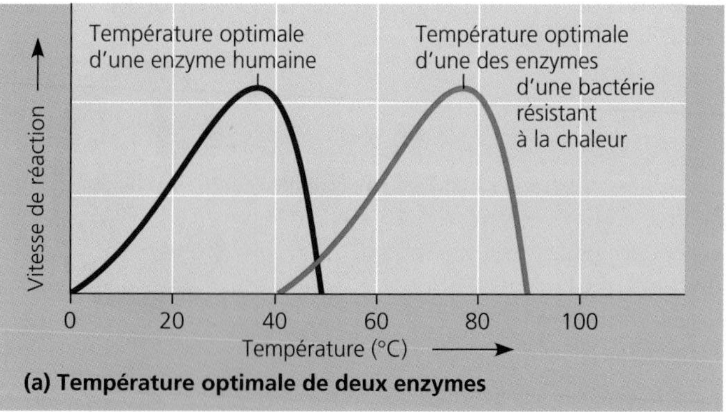

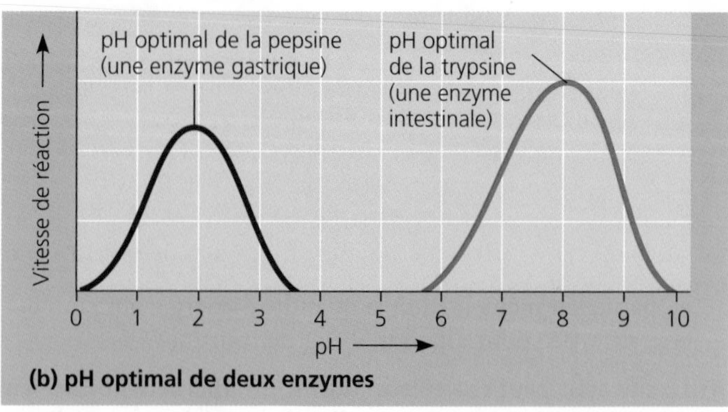

▲ **Figure 8.18 Facteurs environnementaux exerçant une influence sur l'activité enzymatique.** Chaque enzyme possède **(a)** une température optimale et **(b)** un pH optimal, qui favorisent sa conformation active.

mer Morte, où la salinité atteint 300 g/L ; leurs enzymes et autres protéines sont actives dans des conditions qui dénatureraient les protéines des autres organismes.

Les enzymes des organismes qui vivent dans des conditions extrêmes intéressent l'industrie, qui leur a trouvé un certain nombre d'applications. C'est ainsi que les kilogrammes de pierres ponces qui servaient à donner un aspect délavé aux jeans sont remplacés par de faibles quantités de cellulases, des enzymes qui hydrolysent les extrémités des fibres cellulosiques du denim, permettant leur élimination par la suite, ce qui confère au tissu son apparence particulière. Ces enzymes ont un pH optimal pouvant s'accommoder des conditions fortement basiques dans lesquelles le tissu doit être plongé au cours de l'opération.

Les cofacteurs

Pour accomplir leur fonction catalytique, beaucoup d'enzymes ont besoin de l'aide de substances non protéiques. Ces auxiliaires, appelés **cofacteurs**, peuvent se lier fortement et de façon permanente à l'enzyme, ou ils peuvent se lier à celle-ci faiblement et de façon réversible, en même temps que le substrat. Les cofacteurs de certaines enzymes sont inorganiques : c'est le cas des atomes de métaux tels que le zinc, le fer, le magnésium et le cuivre sous une forme ionique. Quand le cofacteur est une molécule organique (autre qu'une protéine), on l'appelle plus spécifiquement **coenzyme** ; l'enzyme complète est alors constituée de la partie protéinique, l'**apoenzyme**, et de la partie non protéinique (la coenzyme). La plupart des vitamines sont des coenzymes ou des précurseurs de coenzymes. Les cofacteurs fonctionnent de diverses façons, mais ils jouent tous un rôle crucial dans la catalyse : les coenzymes, par exemple, servent souvent d'accepteurs d'électrons ou de transporteurs de divers radicaux dans les réactions métaboliques. Vous verrez plus loin quelques exemples de cofacteurs.

Les inhibiteurs enzymatiques

Certaines substances chimiques arrêtent de façon sélective l'action d'enzymes spécifiques. En fait, l'étude des effets de ces substances chimiques a permis d'en apprendre beaucoup sur la fonction des enzymes. Si un inhibiteur se lie à une enzyme au moyen de liaisons covalentes, l'inhibition est habituellement irréversible.

Cependant, dans de nombreux cas, l'inhibiteur se lie à l'enzyme par des liaisons faibles, auquel cas l'inactivation est réversible. Certains inhibiteurs réversibles ressemblent aux molécules normales de substrat et entrent en compétition avec elles pour occuper les sites actifs de l'enzyme appropriée **(figure 8.19a** et **b)**. Ces imitateurs, appelés **inhibiteurs compétitifs**, réduisent la productivité de l'enzyme en bloquant l'accès des molécules de substrat aux sites actifs. Pour contrer ce type d'inhibition, on peut augmenter la concentration de substrat ; de cette façon, quand des sites actifs se libèrent, il y a plus de molécules de substrat que de molécules d'inhibiteur dans leur voisinage.

Par contre, les **inhibiteurs non compétitifs** n'entrent pas directement en compétition avec les molécules de substrat pour occuper les sites actifs des enzymes **(figure 8.19c)**. Ils entravent les réactions enzymatiques en se liant plutôt à une partie de l'enzyme qui est éloignée du site actif. Comme cette interaction déforme la molécule d'enzyme, le site actif catalyse avec moins d'efficacité la réaction. L'inhibition enzymatique peut aussi être

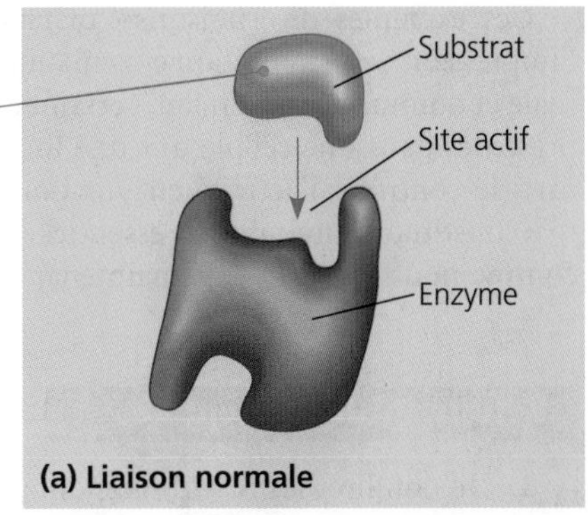
Un substrat peut normalement se lier au site actif d'une enzyme.
Substrat
Site actif
Enzyme
(a) Liaison normale

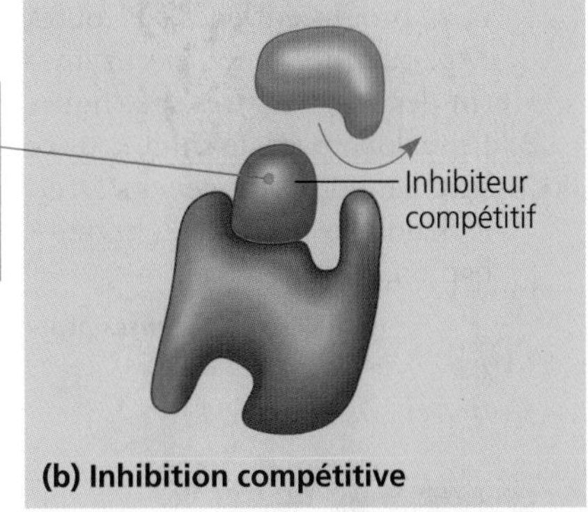
Un inhibiteur compétitif imite le substrat et entre en compétition pour le site actif d'une enzyme.
Inhibiteur compétitif
(b) Inhibition compétitive

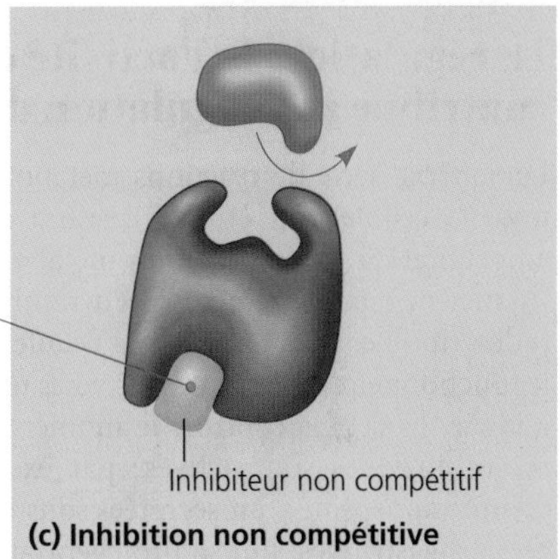
Un inhibiteur non compétitif se lie à l'enzyme à un endroit éloigné du site actif, mais il altère la conformation de l'enzyme, de sorte que le site actif n'est plus fonctionnel.
Inhibiteur non compétitif
(c) Inhibition non compétitive

▲ **Figure 8.19 Inhibition de l'activité enzymatique.**

mixte, c'est-à-dire se produire à la fois au niveau du site actif (inhibition compétitive) et au niveau d'un autre site (inhibition non compétitive).

Plusieurs toxines et poisons agissent comme des inhibiteurs enzymatiques irréversibles. Par exemple, le sarin est un gaz neurotoxique qui a causé la mort d'une douzaine de personnes et en a affecté 5 000 autres lors d'un attentat terroriste dans le métro de Tokyo en 1995. Cette petite molécule se lie de façon covalente au groupement R de la sérine, un acide aminé se trouvant dans le site actif de l'acétylcholinesthérase, une enzyme importante du système nerveux. Des pesticides comme le DDT et le parathion sont aussi des inhibiteurs d'enzymes importantes du système nerveux. De même, un grand nombre d'antibiotiques inhibent des enzymes spécifiques chez les Bactéries. La pénicilline, par exemple, bloque le site actif d'une enzyme que de nombreuses Bactéries utilisent pour fabriquer leur paroi cellulaire.

Ces exemples de «poisons» métaboliques peuvent donner l'impression que l'inhibition enzymatique est généralement anormale et dommageable. En fait, certaines molécules naturellement présentes dans une cellule ont une fonction inhibitrice qui permet de contrôler l'activité enzymatique. Cette inhibition sélective constitue un mécanisme essentiel de régulation métabolique, comme nous allons le voir maintenant.

Retour sur le concept 8.4

1. De nombreuses réactions spontanées se produisent très lentement. Pourquoi les réactions spontanées ne se produisent-elles pas toutes instantanément?
2. Expliquez pourquoi les enzymes agissent seulement sur des substrats très spécifiques.
3. Le malonate est un inhibiteur compétitif de l'enzyme succinate-déshydrogénase. Décrivez comment le malonate empêche l'enzyme d'agir sur son substrat habituel, le succinate.

Voir les réponses proposées à la fin du chapitre.

Concept 8.5

La régulation de l'activité enzymatique contribue à la régulation du métabolisme

Lorsqu'une série de réactions métaboliques aboutit à un carrefour, la cellule doit être en mesure de «décider» quelle voie emprunter. Si toutes les voies métaboliques d'une cellule fonctionnaient simultanément, il en résulterait un chaos chimique indescriptible. La capacité de la cellule de régler rigoureusement le fonctionnement de toutes ses voies métaboliques est essentielle à la vie. La cellule contrôle le moment et l'endroit où ses différentes enzymes sont actives: par exemple, certaines enzymes comme la pepsine sont sécrétées sous une forme inactive par les cellules gastriques, qui se protègent ainsi de leur action potentiellement destructrice, la pepsine ne devenant active que dans la lumière de l'estomac. Mais la cellule contrôle principalement l'activité enzymatique en activant ou en inhibant les gènes qui codent pour des enzymes spécifiques (comme nous le verrons dans la troisième partie du manuel) ou en régulant l'activité des enzymes existantes; le deuxième type de contrôle étant, chez les Eucaryotes, beaucoup plus rapide que le premier.

La régulation allostérique des enzymes

Dans de nombreux cas, les molécules qui contrôlent naturellement l'activité enzymatique dans une cellule agissent comme des inhibiteurs non compétitifs réversibles (voir la figure 8.19c). Elles modifient la conformation et le fonctionnement du site actif d'une enzyme en se liant de façon non covalente à un site se trouvant ailleurs sur la molécule d'enzyme. Dans la **régulation allostérique**, la fonction d'un des sites d'une protéine est modifiée par la liaison d'une molécule régulatrice à un autre site (*allo* signifie «autre»). La régulation allostérique peut aboutir à l'inhibition ou à la stimulation de l'activité enzymatique et constitue un moyen de contrôle précis et rapide du métabolisme.

Activation et inhibition allostériques

La plupart des enzymes contrôlées de manière allostérique sont élaborées à partir de deux ou de plusieurs chaînes polypeptidiques, qui représentent des sous-unités enzymatiques se présentant la plupart du temps par paires identiques **(figure 8.20)**. Chacune de ces sous-unités possède son propre site actif. Le complexe entier oscille entre deux conformations: l'une active du point de vue catalytique, et l'autre inactive **(figure 8.20a)**. Dans la régulation allostérique la plus simple, une molécule activatrice ou inhibitrice se lie à un site de régulation (parfois appelé site allostérique) souvent situé à l'endroit où les sous-unités se joignent. Lorsqu'il se lie à un site de régulation, un *activateur* stabilise la configuration qui a des sites actifs fonctionnels. Par contre, quand un *inhibiteur* s'unit à un site de régulation, il stabilise la forme inactive de l'enzyme. Les sous-unités d'une enzyme allostérique s'articulent de telle sorte qu'un changement qui se produit dans la conformation d'une sous-unité se transmet à toutes les autres sous-unités. Grâce à cette interaction, la fixation d'une seule molécule d'activateur ou d'inhibiteur à un site de régulation modifie tous les sites actifs de l'enzyme.

Les fluctuations de la concentration de régulateurs peuvent entraîner un enchaînement complexe dans l'activité des enzymes cellulaires. Par exemple, les produits de l'hydrolyse de l'ATP (ADP et Ⓟ$_i$) contribuent, par leurs effets sur des enzymes clés, à la bonne circulation sur les voies anaboliques et cataboliques. La liaison allostérique de l'ATP à certaines enzymes cataboliques réduit l'affinité de ces enzymes pour le substrat et, par le fait même, inhibe leur activité. L'ADP, cependant, agit comme activateur de ces mêmes enzymes. Ce phénomène est logique, car une des principales fonctions du catabolisme est de régénérer l'ATP. Si la production d'ATP est trop lente par rapport à son utilisation, l'ADP s'accumule et active les enzymes clés qui accélèrent le catabolisme. Par contre, si la formation d'ATP excède la demande, le catabolisme ralentit à mesure que l'ATP s'accumule; la liaison de l'ATP aux enzymes du catabolisme provoque leur inhibition. L'ATP, l'ADP et d'autres molécules associées ont également des effets sur les enzymes clés des voies anaboliques. Ainsi, les enzymes allostériques régulent la vitesse des réactions clés dans les voies métaboliques.

Il existe un autre mécanisme d'activation allostérique dans lequel une molécule de substrat (plutôt qu'une molécule activatrice) liée à un des sites actifs d'une enzyme possédant plusieurs sous-unités peut stimuler le pouvoir catalytique de cette enzyme en influant sur les autres sites actifs **(figure 8.20b)**. Si une enzyme possède deux ou plusieurs sous-unités, l'ajustement induit qu'une molécule de substrat entraîne dans une de celles-ci déclenche un ajustement dans toutes les autres. En d'autres termes, une molécule de substrat fait en sorte que l'enzyme accepte plus facilement d'autres molécules de substrat. Ce mécanisme, appelé **coopérativité**, accroît donc la réponse de l'enzyme au substrat.

La rétro-inhibition

Lorsque l'ATP inhibe une enzyme de manière allostérique dans une voie productrice d'ATP, il se produit une rétro-inhibition, un des mécanismes principaux de la régulation métabolique. La **rétro-inhibition** est la fermeture d'une voie métabolique grâce à l'intervention de son produit final, qui inhibe une enzyme de cette voie. La **figure 8.21** illustre ce type de régulation. Elle montre une voie anabolique composée de cinq étapes. Certaines

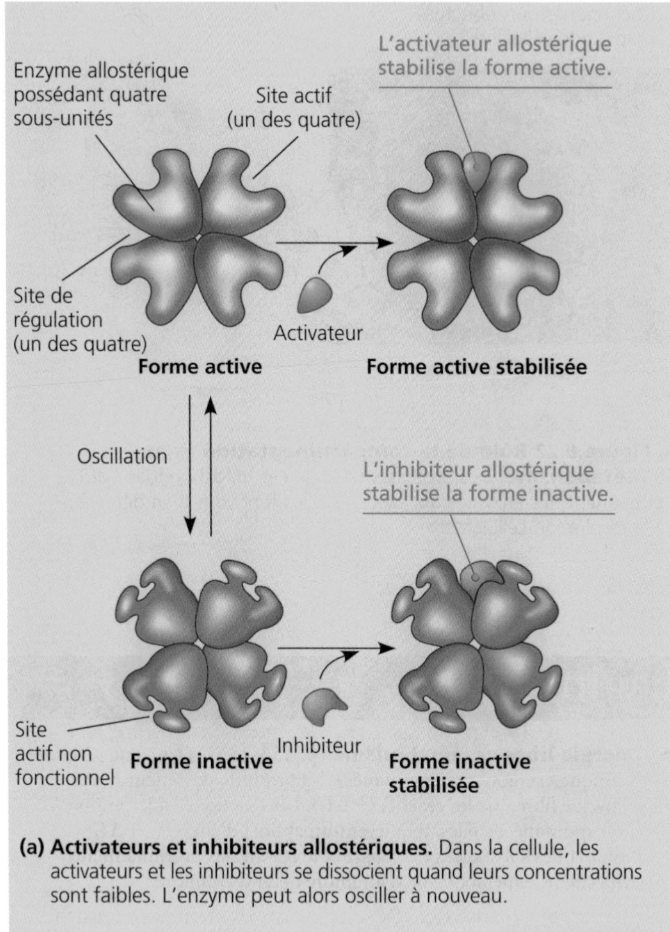

(a) Activateurs et inhibiteurs allostériques. Dans la cellule, les activateurs et les inhibiteurs se dissocient quand leurs concentrations sont faibles. L'enzyme peut alors osciller à nouveau.

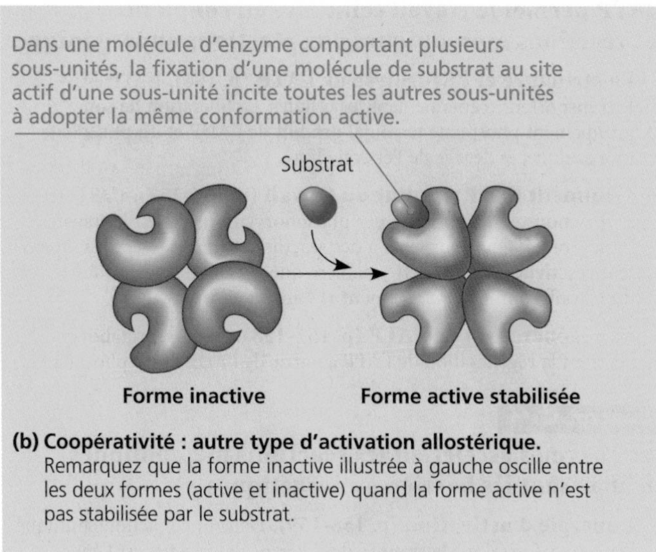

Dans une molécule d'enzyme comportant plusieurs sous-unités, la fixation d'une molécule de substrat au site actif d'une sous-unité incite toutes les autres sous-unités à adopter la même conformation active.
Substrat
Forme inactive
Forme active stabilisée

(b) Coopérativité : autre type d'activation allostérique. Remarquez que la forme inactive illustrée à gauche oscille entre les deux formes (active et inactive) quand la forme active n'est pas stabilisée par le substrat.

▲ **Figure 8.20 Régulation allostérique de l'activité enzymatique.**

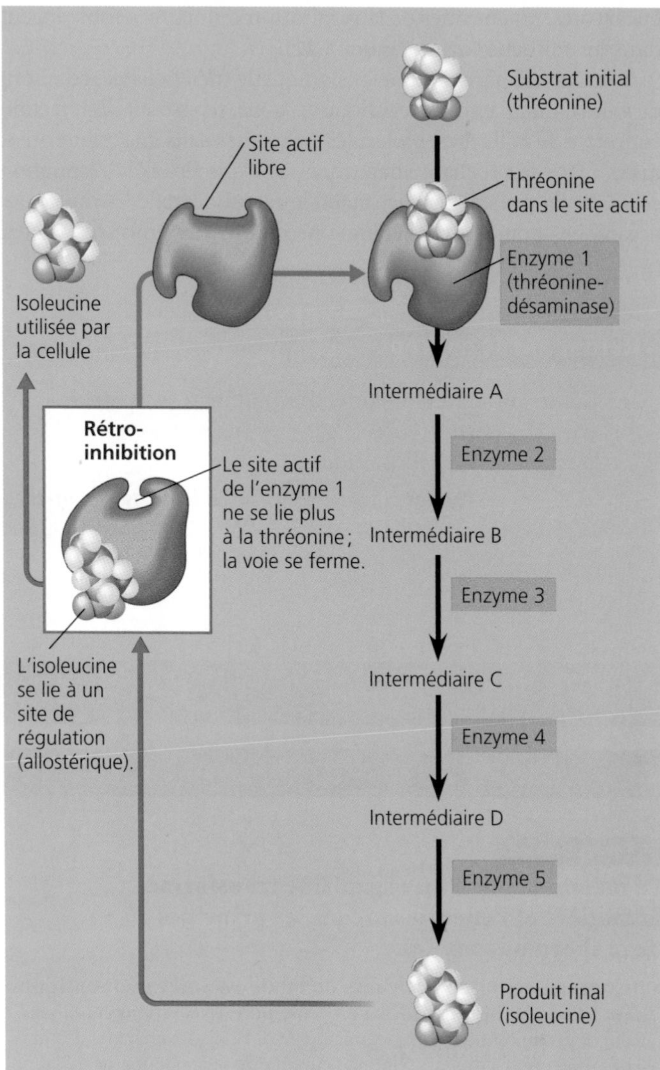

▲ **Figure 8.21 Rétro-inhibition dans la synthèse de l'isoleucine.**

cellules utilisent cette voie pour synthétiser l'isoleucine, un acide aminé, à partir de la thréonine, un autre acide aminé. En s'accumulant, l'isoleucine, qui représente le produit final, ralentit sa propre synthèse. Cela est possible parce qu'elle constitue un inhibiteur allostérique de l'enzyme qui catalyse la toute première étape de la voie. Ainsi, la rétro-inhibition empêche la cellule de gaspiller ses ressources chimiques et son énergie en synthétisant plus d'isoleucine que nécessaire.

L'organisation spécifique des enzymes dans la cellule

La cellule n'est pas qu'un paquet de substances chimiques, de différentes enzymes et de substrats se mélangeant au hasard. Elle possède des structures qui assurent l'organisation des voies métaboliques. Dans certains cas, plusieurs enzymes peuvent s'assembler en un complexe selon plusieurs étapes d'une voie métabolique. Cet assemblage contrôle et accélère la séquence des réactions: le produit de la première enzyme devient le substrat de l'enzyme adjacente du complexe, et ainsi de suite jusqu'à l'obtention du produit final. Certaines enzymes et certains complexes d'enzymes se trouvent à des endroits fixes dans la cellule et servent de composantes structurales à certaines membranes. D'autres se trouvent en solution à l'intérieur d'organites eucaryotes délimités par des membranes; chacun de ceux-ci possède son propre environnement chimique interne. Par exemple, dans les cellules eucaryotes, les enzymes de la respiration cellulaire aérobie logent dans les mitochondries **(figure 8.22)**.

Dans ce chapitre, nous avons vu que le métabolisme, ce réseau de voies chimiques caractéristique de la vie, repose sur l'interaction concertée de milliers de molécules différentes dans une cellule organisée. Dans le prochain chapitre, nous explorerons la respiration cellulaire, la principale voie catabolique qui dégrade les molécules organiques pour libérer l'énergie nécessaire aux processus vitaux.

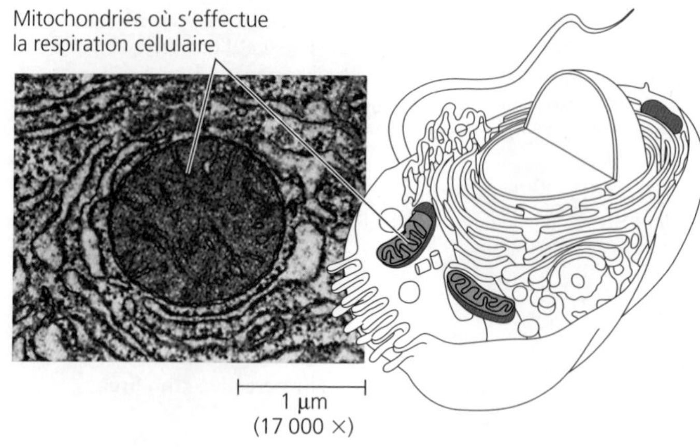

▲ **Figure 8.22 Rôle de la compartimentation dans le métabolisme.** Des organites tels que ces mitochondries (MET) contiennent des enzymes qui exécutent des fonctions bien définies, ici la respiration cellulaire.

Retour sur le concept 8.5

1. Comment un activateur et un inhibiteur peuvent-ils avoir des effets différents sur une enzyme dont la régulation est allostérique?

Voir les réponses proposées à la fin du chapitre.

Révision du chapitre 8

RÉSUMÉ DES CONCEPTS CLÉS

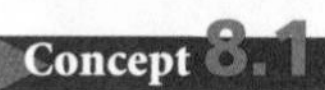

Concept 8.1

Le métabolisme d'un organisme transforme la matière et l'énergie suivant les principes de la thermodynamique

- **L'organisation de la chimie de la vie en voies métaboliques (p. 149-150).** Le métabolisme est l'ensemble des réactions chimiques qui se produisent dans un organisme. Avec l'aide des enzymes, il suit des voies qui se croisent; celles-ci peuvent être cataboliques (dégradation de molécules, dégagement d'énergie) ou anaboliques (construction de molécules, consommation d'énergie).
- **Les formes d'énergie (p. 150-151).** L'énergie est la capacité d'effectuer un travail en imprimant un mouvement à la matière. Un corps qui se déplace possède une énergie cinétique. L'énergie potentielle est tributaire de la position ou de la structure de la matière; elle comprend l'énergie chimique emmagasinée dans la structure moléculaire.
- **Les principes de la transformation d'énergie (p. 151-152).** Selon le premier principe, celui de la conservation de l'énergie, l'énergie ne peut être ni créée ni détruite; elle peut seulement être transférée ou transformée. Selon le deuxième principe, les changements spontanés, c'est-à-dire ceux qui ne nécessitent aucune énergie extérieure, augmentent l'entropie (S), soit le désordre, de l'Univers.

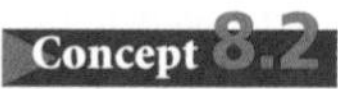

Concept 8.2

Les variations du niveau d'énergie libre dans une réaction indiquent si la réaction a lieu spontanément

- **La variation du niveau d'énergie libre, ΔG (p. 153).** L'énergie libre d'un système vivant est l'énergie qui peut produire un travail dans des conditions cellulaires. La variation du niveau d'énergie libre (ΔG) au cours d'un processus biologique est directement reliée à la variation de l'énergie totale, ou enthalpie (ΔH), et à la variation de l'entropie (S): $\Delta G = \Delta H - T\Delta S$.
- **Énergie libre, stabilité et équilibre (p. 153).** La vie des organismes dépend de l'énergie libre. Durant un changement spontané, l'énergie libre diminue et la stabilité d'un système augmente. Au point de stabilité maximale, le système est à l'équilibre.
- **Énergie libre et métabolisme (p. 153-155).** Dans une réaction chimique exergonique (spontanée), les produits possèdent moins d'énergie libre que les réactifs ($-\Delta G$). Les réactions endergoniques (non spontanées), elles, requièrent un apport d'énergie ($+\Delta G$). L'apport des substances de départ et le retrait des produits finaux empêchent le métabolisme d'atteindre l'état d'équilibre.

Concept 8.3

L'ATP permet le travail cellulaire en couplant les réactions exergoniques aux réactions endergoniques

- **La structure et l'hydrolyse de l'ATP (p. 156).** L'ATP est le transporteur d'énergie dans les cellules. La libération de son groupement phosphate terminal produit de l'ADP et un phosphate inorganique, et dégage de l'énergie libre.
- **Comment l'ATP produit du travail (p. 156-157).** L'ATP active les réactions endergoniques par phosphorylation, qui est le transfert d'un groupement phosphate à des réactifs spécifiques, accroissant ainsi leur réactivité. C'est de cette manière que la cellule peut produire un travail, comme le mouvement et l'anabolisme.
- **La régénération de l'ATP (p. 157-158).** Les voies cataboliques assurent la régénération de l'ATP à partir de l'ADP et du phosphate.

Concept 8.4

Les enzymes accélèrent les réactions métaboliques en abaissant les barrières énergétiques

- **L'énergie d'activation (p. 158-159).** Dans une réaction chimique, l'énergie nécessaire à la rupture des liaisons des réactifs est l'énergie d'activation (E_A).
- **Les enzymes et l'énergie d'activation (p. 159-160).** Les enzymes, qui sont pour la plupart des protéines, sont des catalyseurs biologiques. Elles accélèrent les réactions en abaissant l'énergie d'activation (E_A), ce qui permet la rupture des liaisons chimiques à de basses températures.
- **La spécificité des enzymes pour leurs substrats (p. 160).** Chaque sorte d'enzyme possède un site actif unique qui se combine exclusivement avec son substrat, une molécule de réactif sur lequel elle agit. L'enzyme change légèrement de forme quand elle se lie au substrat (ajustement induit).

▶ **La catalyse dans le site actif d'une enzyme (p. 160-162).** Le site actif peut abaisser l'énergie d'activation d'une réaction en orientant correctement les substrats, en tordant leurs liaisons, en fournissant un microenvironnement propice à la réaction et, même, en se liant de manière covalente avec le substrat.

▶ **Les effets des conditions locales sur l'activité d'une enzyme (p. 162-164).** Chaque enzyme a des conditions optimales de température, de pH et de concentration de sels qui lui sont propres. Les inhibiteurs réduisent le fonctionnement de l'enzyme. Un inhibiteur compétitif se lie au site actif de l'enzyme, alors qu'un inhibiteur non compétitif se lie à un site différent situé sur l'enzyme.

Concept 8.5

La régulation de l'activité enzymatique contribue à la régulation du métabolisme

▶ **La régulation allostérique des enzymes (p. 164-165).** De nombreuses enzymes sont contrôlées de manière allostérique: elles changent de conformation quand des molécules de régulation (d'activation ou d'inhibition) se lient à des sites de régulation spécifiques qu'elles possèdent. Cette liaison influe sur la fonction enzymatique. Dans la rétro-inhibition, le produit final d'une voie métabolique inhibe de façon allostérique l'enzyme d'une étape précédente de la voie.

▶ **L'organisation spécifique des enzymes dans la cellule (p. 165-166).** Certaines enzymes se regroupent en complexes; certaines sont incorporées dans des membranes; d'autres se trouvent à l'intérieur de certains organites.

VÉRIFIEZ VOS CONNAISSANCES

Autoévaluation

(Les questions dont les numéros sont en caractères gras font surtout appel à la compréhension.)

1. Choisissez la paire de termes qui complète adéquatement la phrase suivante: Le catabolisme est à l'anabolisme ce que _______________ est _______________.
   a) la réaction exergonique; à la réaction spontanée
   b) la réaction exergonique; à la réaction endergonique
   c) l'énergie libre; à l'entropie
   d) le travail; à l'énergie
   e) l'entropie; à l'enthalpie

2. La plupart des cellules ne peuvent utiliser la chaleur pour produire un travail:
   a) parce que la chaleur n'est pas une forme d'énergie.
   b) parce que les cellules ne possèdent pas beaucoup de chaleur; elles sont relativement froides.
   c) parce que la température est habituellement uniforme dans toute la cellule.
   d) parce qu'il n'existe pas de mécanisme pouvant utiliser la chaleur pour produire un travail.
   e) parce que la chaleur dénature les enzymes.

3. Selon le premier principe de la thermodynamique:
   a) la matière ne peut être ni créée ni détruite.
   b) l'énergie est conservée dans tous les processus.
   c) tous les processus augmentent l'ordre de l'Univers.
   d) les systèmes riches en énergie sont plutôt stables.
   e) l'Univers perd constamment de l'énergie à cause de la friction.

4. Lequel (ou lesquels), parmi les énoncés suivants, est (ou sont) *faux*? Une cellule d'un organisme est un exemple de système:
   a) en équilibre.
   b) fermé.
   c) ouvert.
   d) ayant un maximum de stabilité.
   e) où la quantité d'énergie libre est à son minimum.

5. Lequel des processus métaboliques suivants peut se produire sans un apport net d'énergie provenant d'un autre processus?
   a) ADP + Ⓟ$_i$ ⟶ ATP + H_2O.
   b) $C_6H_{12}O_6 + 6\ O_2 \longrightarrow 6\ CO_2 + 6\ H_2O$.
   c) $6\ CO_2 + 6\ H_2O \longrightarrow C_6H_{12}O_6 + 6\ O_2$.
   d) acides aminés ⟶ protéine.
   e) glucose + fructose ⟶ saccharose.

6. Deux réactions du métabolisme peuvent être couplées pourvu:
   a) qu'une réaction soit endergonique et l'autre exergonique.
   b) que les deux réactions soient exergoniques.
   c) que le besoin en énergie libre de la réaction endergonique soit inférieur à la quantité d'énergie que peut dégager la réaction exergonique.
   d) que la réaction exergonique permette la formation d'ATP.
   e) qu'il y ait hydrolyse de l'ATP dans l'une ou l'autre des réactions.

7. Si une enzyme est inhibée de manière non compétitive:
   a) la valeur de ΔG de la réaction qu'elle catalyse sera toujours négative.
   b) son site actif sera occupé par la molécule inhibitrice.
   c) une augmentation de la concentration du substrat augmentera l'inhibition.
   d) il faudra une énergie accrue pour déclencher la réaction.
   e) la molécule inhibitrice diffère du substrat.

8. Si une solution enzymatique est saturée de substrat, la façon la plus efficace d'augmenter le rendement de la réaction serait:
   a) d'ajouter davantage d'enzyme.
   b) de chauffer la solution à 90 °C.
   c) d'ajouter du substrat.
   d) d'ajouter un inhibiteur allostérique.
   e) d'ajouter un inhibiteur non compétitif.

9. Si on ajoute une enzyme à une solution dans laquelle son substrat et ses produits sont à l'équilibre, que se passera-t-il?
   a) Un autre produit se formera.
   b) Un autre substrat se formera.
   c) La réaction endergonique deviendra exergonique.
   d) L'énergie libre du système changera.
   e) Il ne se passera rien: la réaction restera à l'équilibre.

10. Certaines bactéries ont un métabolisme actif dans les sources hydrothermales:
   a) parce qu'elles sont capables de maintenir une température interne plus basse que celle de l'eau environnante.
   b) parce que la température élevée rend inutile la catalyse.
   c) parce que leurs enzymes possèdent des températures optimales élevées.
   d) parce que leurs enzymes sont complètement insensibles aux variations de température.
   e) parce qu'elles utilisent d'autres molécules que des protéines comme catalyseurs principaux.

11. Laquelle des caractéristiques suivantes *n'est pas* associée à la régulation allostérique d'une enzyme?
   a) Un imitateur du substrat entre en compétition avec lui pour se fixer au site actif d'une enzyme.
   b) Une molécule naturelle stabilise l'enzyme en une conformation active du point de vue catalytique.
   c) Les molécules de régulation se fixent à un site éloigné du site actif.
   d) Les molécules d'inhibition et d'activation peuvent entrer en compétition mutuelle.
   e) L'enzyme possède généralement une structure quaternaire.

12. Dans la voie métabolique ramifiée suivante, les flèches pointillées accompagnées d'un signe négatif symbolisent l'inhibition d'une étape métabolique par un produit final:

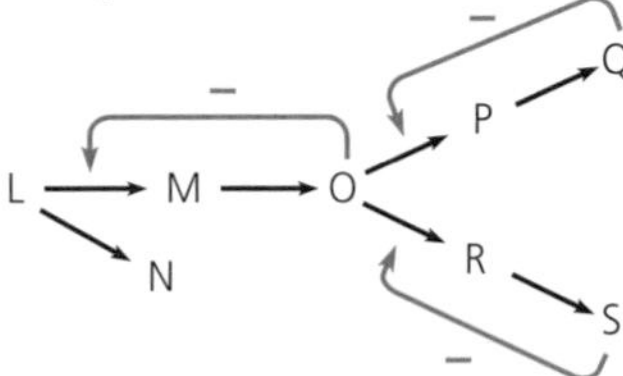

Quelle réaction aura lieu si la concentration de Q et de S est élevée dans la cellule?

a) L → M.
b) M → O.
c) L → N.
d) O → P.
e) R → S.

Lien avec l'évolution

Les anti-évolutionnistes ont récemment émis l'argument que les voies biochimiques sont trop complexes pour avoir évolué d'elles-mêmes, car il faut que toutes les étapes d'une voie donnée se réalisent pour que le produit final soit obtenu. Critiquez cela. Pour appuyer votre point de vue, faites appel aux diverses voies métaboliques qui fabriquent les mêmes produits ou des produits semblables.

Intégration

Une chercheuse a élaboré un test pour mesurer l'activité d'une enzyme importante présente dans des cellules hépatiques cultivées en laboratoire. Elle a ajouté le substrat de la réaction enzymatique à l'échantillon de cellules, puis elle a mesuré l'apparition des produits de la réaction. Elle a reporté les résultats sur un graphique: elle a marqué la quantité de produits sur l'axe des y, et le temps sur l'axe des x. Elle a remarqué que la courbe se divise en quatre parties. Dans la partie A, qui couvre une courte période, aucun produit n'a été formé. Dans la partie B, la vitesse de la réaction est très rapide (la pente de la courbe est prononcée). Dans la partie C, la réaction ralentit considérablement, mais des produits continuent à se former (la courbe n'est pas plane). Encore plus tard, soit dans la partie D, la réaction retrouve sa vitesse originale. Tracez ce graphique, puis expliquez les événements moléculaires qui rendent cette courbe intéressante.

Science, technologie et société

La Direction générale de la santé de la population et de la santé publique (Santé Canada) évalue le degré de sécurité des insecticides organophosphorés (des composés organiques contenant des groupements phosphate) les plus employés. Les insecticides organophosphorés agissent généralement sur la transmission nerveuse: ils inhibent les enzymes qui dégradent les molécules acheminant l'information d'un neurone à l'autre. Ils n'agissent pas que sur les insectes nuisibles: ils peuvent également toucher les humains et les autres Vertébrés. En conséquence, l'utilisation d'insecticides organophosphorés comporte des risques pour la santé. En tant que consommateur, quel niveau de risque êtes-vous prêt à assumer en échange d'une nourriture abondante et abordable? Quelles autres données aimeriez-vous connaître sur cette situation avant de défendre votre point de vue?

Réponses du chapitre 8

Retour sur le concept 8.1

1. Le deuxième principe est la tendance au désordre. Ainsi, des concentrations égales d'une substance de part et d'autre d'une membrane constituent une distribution plus désordonnée que des concentrations inégales. La diffusion d'une substance vers une région où la substance est moins concentrée augmente l'entropie, conformément au deuxième principe.
2. L'énergie est la capacité de causer un changement, et certaines formes d'énergie peuvent produire un travail.
3. Lorsqu'elle se trouve dans l'arbre, la pomme possède de l'énergie potentielle; les sucres et autres nutriments qu'elle contient possèdent de l'énergie chimique. La pomme a de l'énergie cinétique lorsqu'elle tombe de l'arbre. Elle libère de l'énergie thermique quand elle est digérée et que ses molécules sont dégradées.

Retour sur le concept 8.2

1. La respiration cellulaire est un processus spontané exergonique. L'énergie libérée par le glucose sert à produire un travail dans la cellule ou se perd sous forme de chaleur.
2. Les ions H^+ peuvent effectuer un travail seulement si leurs concentrations de chaque côté de la membrane diffèrent. Lorsque les concentrations de H^+ sont les mêmes, le système est à l'équilibre et ne peut produire aucun travail.

Retour sur le concept 8.3

1. Par phosphorylation, soit l'ajout de groupements phosphate: l'ATP transfère l'énergie à des processus endergoniques par la phosphorylation d'autres molécules. Les processus exergoniques permettent la phosphorylation de l'ADP pour régénérer l'ATP.
2. En une série de réactions couplées, le premier groupe peut devenir le deuxième groupe. Comme il s'agit, dans son ensemble, d'un processus exergonique, la valeur de ΔG est négative et le premier groupe a plus d'énergie.

Retour sur le concept 8.4

1. Une réaction spontanée est une réaction qui est exergonique. Cependant, si elle a une énergie d'activation élevée qui est rarement atteinte, la réaction sera plutôt lente.
2. Seuls les substrats spécifiques peuvent entrer dans le site actif d'une enzyme, la partie de l'enzyme qui effectue la catalyse.
3. En tant qu'inhibiteur compétitif, le malonate se lie au site actif de la succinate-déshydrogénase et empêche ainsi le substrat habituel, le succinate, de s'y lier.

Retour sur le concept 8.5

1. La liaison de l'activateur est telle qu'elle stabilise la conformation active d'une enzyme, tandis que la liaison de l'inhibiteur stabilise la conformation inactive.

Autoévaluation

1. b; 2. c; 3. b; 4. c; **5.** b; 6. c; 7. e; 8. a; 9. e; 10. c; **11.** a; **12.** c.

9

La respiration cellulaire et la fermentation

▲ **Figure 9.1 Ce panda géant *(Ailuropoda melanoleuca)* se procure l'énergie dont ses cellules ont besoin pour accomplir les processus essentiels à la vie.**

Concepts clés

9.1 Les voies cataboliques génèrent de l'énergie en oxydant des molécules organiques
9.2 La glycolyse libère de l'énergie chimique en oxydant le glucose en pyruvate
9.3 Le cycle de l'acide citrique achève l'oxydation des molécules organiques, génératrice d'énergie
9.4 Durant la phosphorylation oxydative, la chimiosmose couple le transport d'électrons à la synthèse d'ATP
9.5 La fermentation permet à certaines cellules de produire de l'ATP en l'absence de dioxygène
9.6 La glycolyse et le cycle de l'acide citrique sont liés à de nombreuses autres voies métaboliques

Introduction

Vivre, c'est travailler

Les cellules vivantes doivent recevoir de l'énergie de sources extérieures pour exécuter les nombreuses tâches essentielles à la vie, telles que l'assemblage de polymères, le transport de substances à travers leurs membranes, le déplacement et la reproduction. Le panda géant de la **figure 9.1** puise l'énergie nécessaire à ses cellules dans les plantes qu'il ingère. D'autres animaux se nourrissent d'organismes eux-mêmes herbivores. L'énergie emmagasinée dans les molécules organiques des aliments vient, en fin de compte, du Soleil. L'énergie entre dans l'écosystème sous forme de lumière solaire et en sort sous forme de chaleur **(figure 9.2)**. En revanche, les substances chimiques essentielles à la vie sont recyclées. La photosynthèse génère de l'oxygène et des molécules organiques, qui servent de combustible pour la respiration cellulaire des mitochondries chez les organismes eucaryotes (y compris les organismes qui font de la photosynthèse). La respiration cellulaire décompose ces molécules pour produire de l'ATP. Les déchets de la respiration, soit le dioxyde de carbone et l'eau, sont la matière première de la photosynthèse. Dans ce chapitre-ci, nous verrons comment la respiration cellulaire extrait l'énergie emmagasinée dans les combustibles organiques pour produire de l'ATP, la substance qui alimente la majeure partie du travail cellulaire. Après avoir vu les rudiments de la respiration cellulaire, nous nous concentrerons sur ses trois principales voies: la glycolyse, le cycle de l'acide citrique et la phosphorylation oxydative.

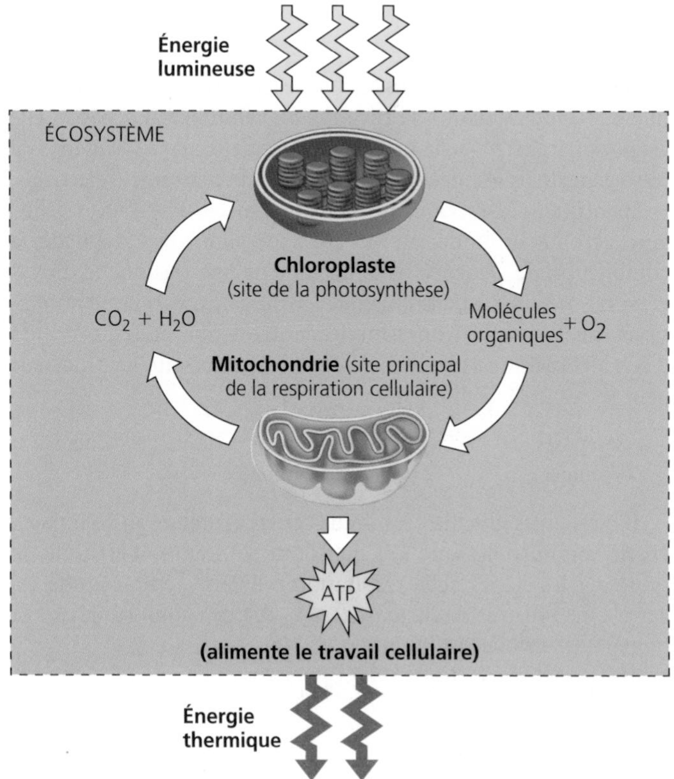

▲ **Figure 9.2 Flux de l'énergie et recyclage chimique dans les écosystèmes.** L'énergie entre dans un écosystème sous forme de lumière solaire et en sort sous forme de chaleur, tandis que les substances chimiques nécessaires à la vie sont recyclées.

Les voies cataboliques génèrent de l'énergie en oxydant des molécules organiques

Dans cette section, nous examinerons les processus essentiels de la respiration cellulaire et de ses voies.

Les voies cataboliques et la production d'ATP

Toute substance organique contient de l'énergie qui peut être libérée à différentes fins. La NASA, par exemple, qui envisage des vols spatiaux vers Mars qui dureraient deux ans, travaille sur un projet de piles dont le combustible serait… les tonnes d'excréments produites par les astronautes! L'énergie contenue dans les matières fécales serait libérée grâce à des bactéries effectuant leur catabolisme. L'énergie emmagasinée dans les composés organiques provient de l'arrangement de leurs atomes. À l'aide d'enzymes, la cellule procède à la dégradation de molécules organiques complexes, contenant beaucoup d'énergie potentielle, en des produits plus simples, contenant moins d'énergie. Une partie de l'énergie tirée des réserves chimiques sert à accomplir du travail, et le reste se dissipe sous forme de chaleur. Comme vous l'avez appris au chapitre 8, on appelle voies cataboliques les voies métaboliques qui libèrent l'énergie emmagasinée, et ce, en dégradant des molécules complexes. L'une de ces voies, la **fermentation**, s'occupe de dégrader partiellement le glucose en l'absence de dioxygène et de chaîne de transport d'électrons. Cependant, la **respiration cellulaire aérobie** constitue la voie catabolique la plus répandue et la plus efficace; ses réactifs sont le dioxygène et les combustibles organiques, et elle utilise une chaîne de transport d'électrons. Les mitochondries renferment la majeure partie du matériel métabolique nécessaire à la respiration aérobie d'une cellule eucaryote. Quant à la **respiration cellulaire anaérobie**, elle est plus marginale que la précédente; elle s'effectue en l'absence de dioxygène, mais elle nécessite une chaîne de transport d'électrons.

Bien que leur mécanisme soit différent, la respiration cellulaire aérobie se fonde sur un principe similaire à celui de la combustion de l'essence dans un moteur une fois que le dioxygène est mélangé au combustible (hydrocarbures). Les combustibles de la respiration sont les nutriments, et les produits d'échappement sont le dioxyde de carbone et l'eau. Le processus peut se résumer comme suit:

Composés organiques + Dioxygène → Dioxyde de carbone + Eau + Énergie

Bien que les glucides, les lipides et les protéines puissent servir de combustibles une fois qu'ils ont été traités, il est utile de présenter les étapes de la respiration cellulaire aérobie en décrivant la dégradation du glucose ($C_6H_{12}O_6$), ce combustible que la plupart des cellules utilisent:

$$C_6H_{12}O_6 + 6\ O_2 \rightarrow 6\ CO_2 + 6\ H_2O + \text{Énergie (ATP et chaleur)}$$

La dégradation du glucose est exergonique: elle correspond à une variation d'énergie libre de 2 870 kJ par mole de glucose dégradée ($\Delta G = -2\ 870$ kJ/mol). Rappelez-vous qu'un ΔG négatif indique que les produits de la réaction chimique renferment moins d'énergie que les réactifs, et que la réaction peut se produire spontanément, sans énergie extérieure.

Les voies cataboliques ne prennent pas directement part au mouvement des flagelles, au transport actif des solutés, à la polymérisation des monomères et à la contraction musculaire, bref, aux processus vitaux. Le catabolisme est lié au travail cellulaire par un intermédiaire chimique: l'ATP, que nous avons décrit au chapitre 8. Afin de continuer à travailler, la cellule doit refaire ses réserves d'ATP à partir d'ADP et de phosphate inorganique (voir la figure 8.11). Pour comprendre comment la respiration cellulaire alimente la synthèse de l'ATP, examinons deux processus chimiques fondamentaux: l'oxydation et la réduction.

Les réactions d'oxydoréduction: oxydation et réduction

Pourquoi les voies cataboliques qui dégradent le glucose et d'autres combustibles organiques fournissent-elles de l'énergie? La réponse à cette question réside dans le transfert d'électrons qui survient pendant les réactions chimiques appelées oxydation et réduction: ce transfert d'électrons libère l'énergie emmagasinée dans les molécules organiques, et cette énergie sert à synthétiser de l'ATP.

Les principes de l'oxydoréduction

Dans beaucoup de réactions chimiques, un ou plusieurs électrons (e^-) passent d'un réactif à un autre. Ces transferts sont appelés **réactions d'oxydoréduction**, ou réactions rédox en abrégé: la perte d'électrons correspond à l'**oxydation**, et le gain d'électrons, à la **réduction.** (Remarquez que l'*ajout* d'électrons s'appelle *réduction*; quand ils s'ajoutent à un cation, des électrons [charge négative] réduisent la quantité de charges positives du cation.) Considérons, par exemple, la réaction dans laquelle du sel de table se forme à partir de deux éléments, le sodium et le chlore:

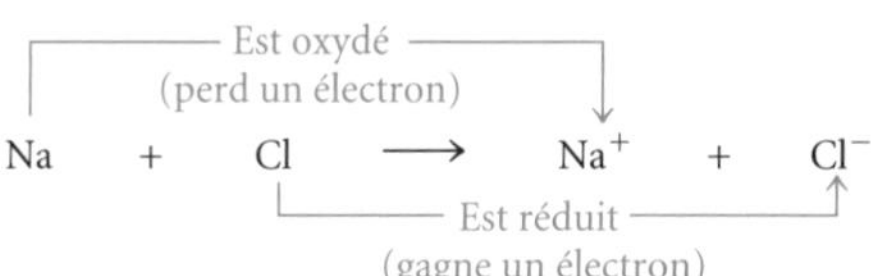

Nous pouvons généraliser comme suit les réactions d'oxydoréduction:

Est oxydé

$$Xe^- + Y \longrightarrow X + Ye^-$$

Est réduit

Dans la réaction hypothétique ci-dessus, la substance X, qui est le donneur d'électrons, s'appelle **agent réducteur**: elle réduit Y, qui accepte l'électron donné. La substance Y, qui est l'accepteur d'électrons, est l'**agent oxydant**: elle oxyde X en lui enlevant son électron. Comme un transfert d'électrons nécessite à la fois un donneur et un accepteur, l'oxydation et la réduction vont toujours de pair.

Les réactions d'oxydoréduction n'impliquent pas toutes un transfert complet des électrons d'une substance à une autre; certaines ne font que modifier le *degré* de la mise en commun d'électrons dans des liaisons covalentes. La réaction par laquelle le méthane (CH_4) et le dioxygène produisent du dioxyde de carbone et de l'eau, représentée à la **figure 9.3**, en est un exemple. Comme nous l'expliquions au chapitre 2, les électrons covalents du méthane sont mis en commun presque également par les

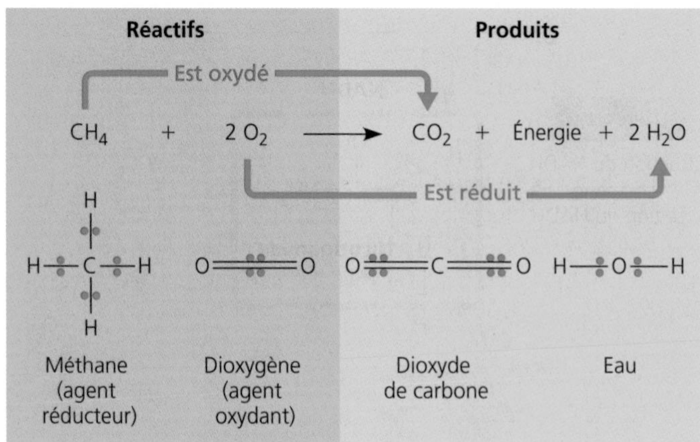

▲ **Figure 9.3 Un exemple de réaction d'oxydoréduction: la combustion du méthane.** Cette réaction libère de l'énergie, car les électrons perdent de l'énergie potentielle en se rapprochant des atomes fortement électronégatifs que sont les atomes d'oxygène.

atomes liés, parce que le carbone et l'hydrogène ont une affinité presque égale pour les électrons de valence. Ils possèdent tous deux à peu près la même électronégativité. Mais, quand le carbone du méthane réagit avec le dioxygène et forme du dioxyde de carbone, les électrons s'éloignent de l'atome de carbone pour se rapprocher de ses nouveaux partenaires covalents, les atomes de dioxygène, qui possèdent une forte électronégativité. En effet, l'atome de carbone a partiellement « perdu » ses électrons mis en commun; le méthane est alors oxydé.

Maintenant, examinons ce qu'il advient du réactif O_2 dans cette dernière réaction. Les deux atomes de la molécule de dioxygène, eux, mettent en commun leurs électrons de façon égale. Par ailleurs, quand le dioxygène réagit avec l'hydrogène du méthane pour former de l'eau, les électrons des liaisons covalentes se rapprochent de l'oxygène (voir la figure 9.3). En effet, chaque atome d'oxygène a partiellement « gagné » des électrons alors le dioxygène est réduit. Étant donné sa forte électronégativité, le dioxygène figure parmi les agents oxydants les plus puissants.

Il faut de l'énergie pour séparer un électron d'un atome, tout comme il faut de l'énergie pour pousser un ballon vers le haut d'une pente. Plus un atome est électronégatif (plus il attire les électrons), plus il faut d'énergie pour en éloigner un électron, tout comme il faut un surcroît d'énergie pour pousser un ballon vers le haut d'une pente abrupte. Un électron *perd* de l'énergie potentielle quand il va d'un atome faiblement électronégatif *vers* un atome fortement électronégatif, tout comme un ballon perd de l'énergie potentielle quand il roule vers le bas d'une pente. Par conséquent, une réaction d'oxydoréduction qui rapproche les électrons des atomes d'oxygène, telle que la combustion du méthane, libère de l'énergie chimique pouvant servir à produire du travail.

L'oxydation des molécules organiques au cours de la respiration cellulaire

L'oxydation du propane (C_3H_8) par le dioxygène constitue la principale réaction de combustion qui se produit dans les brûleurs d'une cuisinière à gaz. La combustion de l'essence dans un moteur d'automobile représente aussi une réaction d'oxydoréduction, et l'énergie qu'elle libère actionne les pistons. Mais la réaction d'oxydoréduction qui nous intéresse ici est la respiration cellulaire, c'est-à-dire l'oxydation du glucose et d'autres molécules provenant des aliments. Considérons encore l'équation de la respiration cellulaire aérobie, cette fois sous l'angle de l'oxydoréduction:

$$\underbrace{C_6H_{12}O_6}_{\text{Est oxydé}} + 6\,O_2 \longrightarrow 6\,CO_2 + 6\,H_2O + \text{Énergie}$$

(Est oxydé: $C_6H_{12}O_6$ → $6\,CO_2$; Est réduit: $6\,O_2$ → $6\,H_2O$)

Comme dans la combustion du propane et de l'essence, il y a oxydation du combustible (le glucose) et réduction du dioxygène; par la même occasion, les électrons perdent de l'énergie potentielle, et de l'énergie est libérée.

En général, les molécules organiques riches en hydrogène sont d'excellents combustibles, car leurs liaisons renferment des électrons à énergie potentielle élevée susceptibles de se rapprocher des atomes d'oxygène et de libérer de l'énergie. L'équation de la respiration cellulaire aérobie indique que l'hydrogène du glucose est transféré au dioxygène. Cependant, elle ne rend pas compte d'un fait important: la libération d'énergie. Celle-ci a lieu parce que le degré de covalence des électrons change quand l'hydrogène est transféré au dioxygène (la valeur de ΔG est négative). En oxydant le glucose, la respiration cellulaire aérobie extrait l'énergie qui était emmagasinée dans celui-ci et la rend disponible pour la synthèse de l'ATP.

Les principaux nutriments énergétiques, soit les glucides et les lipides, sont des réservoirs d'électrons associés à de l'hydrogène. Seule la barrière formée par l'énergie d'activation empêche qu'il y ait un raz-de-marée d'électrons tendant à adopter l'état énergétique le plus bas (voir la figure 8.14). Sans elle, une substance nutritive comme le glucose se combinerait spontanément au dioxygène. Lorsqu'on fournit l'énergie d'activation en déclenchant la combustion – c'est-à-dire l'oxydation rapide d'un combustible et la libération d'une énorme quantité d'énergie sous forme de chaleur –, chaque mole de glucose (environ 180 g) brûle dans l'air en libérant 2 870 kJ de chaleur. Évidemment, la température corporelle n'est pas assez élevée pour amorcer seule la combustion du glucose. Par contre, si vous avalez du glucose, les enzymes de vos cellules se chargeront d'abaisser la barrière de l'énergie d'activation, et le glucose sera oxydé lentement, en une série d'étapes.

Le transfert des électrons en une série d'étapes par l'entremise du NAD⁺ et de la chaîne de transport des électrons

Il est difficile d'exploiter l'énergie de façon efficace et productive quand elle se libère en bloc d'un combustible. L'explosion d'un réservoir d'essence, par exemple, ne ferait guère avancer une voiture. De même, il ne servirait à rien que la respiration cellulaire aérobie oxyde le glucose en une seule étape explosive. La respiration cellulaire se produit autrement: le glucose et les autres combustibles organiques sont dégradés en une série d'étapes, toutes catalysées par une enzyme. Aux étapes clés, des atomes d'hydrogène sont arrachés au glucose. Comme c'est souvent le cas dans les réactions d'oxydation, chaque électron se déplace avec un proton, autrement dit sous forme d'atome d'hydrogène. Les atomes d'hydrogène ne joignent pas directement le dioxygène. Généralement, ils doivent d'abord passer par une coenzyme appelée nicotinamide adénine dinucléotide, ou NAD^+, un dérivé de la vitamine niacine, qui est un accepteur d'électrons et qui joue par le fait même le rôle d'agent oxydant dans la respiration.

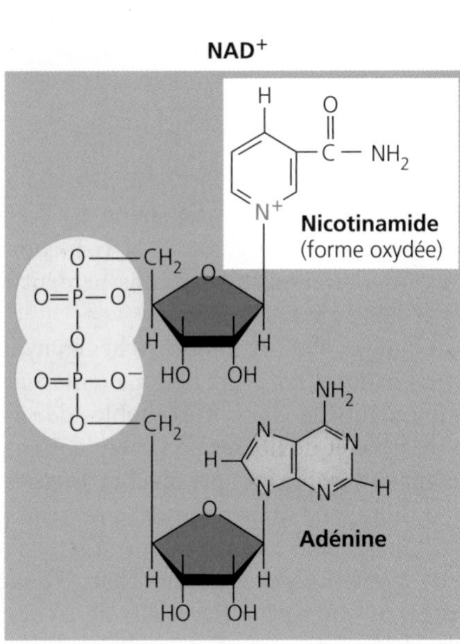

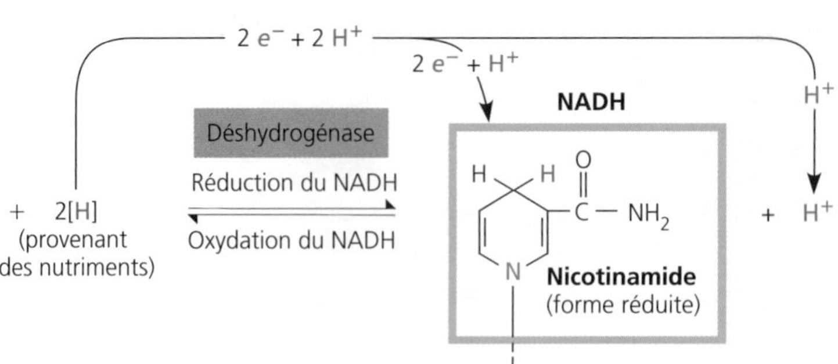

◀ **Figure 9.4 Le NAD⁺: un transporteur d'électrons.** Son nom, « nicotinamide adénine dinucléotide », décrit la structure de cette molécule: elle est constituée de deux nucléotides reliés ensemble à leurs groupements phosphate (en jaune). (Le nicotinamide est une base azotée différente de celle qui est contenue dans l'ADN ou l'ARN.) Le transfert enzymatique de deux électrons et d'un proton issus d'une molécule organique au NAD^+ réduit ce dernier en NADH; le second proton (H^+) est libéré. La plupart des électrons retirés des nutriments sont d'abord transférés au NAD^+.

Comment le NAD^+ capte-t-il les électrons du glucose et des autres molécules combustibles? Des enzymes appelées déshydrogénases retirent une paire d'atomes d'hydrogène (deux électrons et deux protons) du substrat (un monosaccharide, par exemple), l'oxydant du même coup. Elles apportent ensuite les *deux* électrons et *un* proton (H^+) au NAD^+ **(figure 9.4)**. Quant au proton restant, il est libéré dans la solution environnante:

$$\text{H}-\overset{|}{\underset{|}{\text{C}}}-\text{OH} + \text{NAD}^+ \xrightarrow{\text{Déshydrogénase}} \overset{|}{\underset{|}{\text{C}}}=\text{O} + \text{NADH} + \text{H}^+$$

Lorsqu'il reçoit les deux électrons (de charge négative) mais un seul proton (de charge positive), le NAD^+ est neutralisé et réduit en NADH. L'appellation NADH indique le gain d'un atome d'hydrogène au cours de la réaction. Le NAD^+ est l'accepteur d'électrons le plus polyvalent dans la respiration cellulaire, et il intervient dans plusieurs des étapes d'oxydoréduction caractéristiques de la dégradation des monosaccharides.

Les électrons perdent très peu de leur énergie potentielle quand les déshydrogénases les transfèrent des nutriments au NAD^+. Par conséquent, chaque mole de NADH + H^+ formée pendant la respiration cellulaire aérobie représente une réserve d'énergie qui pourra servir à produire de l'ATP quand les électrons auront fini de « descendre » la pente énergétique menant du NADH + H^+ au dioxygène.

Comment les électrons extraits des nutriments et mis en réserve dans le NADH rejoignent-ils enfin le dioxygène? Pour mieux faire comprendre les réactions d'oxydoréduction complexes de la respiration cellulaire aérobie, faisons une analogie avec une réaction beaucoup plus simple, celle qui produit de l'eau à partir de dihydrogène et de dioxygène **(figure 9.5a)**. Mélangez ces deux gaz et fournissez-leur l'énergie d'activation requise sous la forme d'une étincelle: ils se combineront de manière explosive. L'explosion produite correspond à la libération d'énergie survenant quand les électrons de l'hydrogène se rapprochent des atomes d'oxygène électronégatifs. La respiration cellulaire aérobie rapproche elle aussi de l'hydrogène et de l'oxygène en formant de l'eau, mais à deux différences importantes près. Premièrement, l'hydrogène qui réagit avec le dioxygène dérive de molécules organiques plutôt que du dihydrogène. Deuxièmement, la respiration cellulaire aérobie utilise une **chaîne de transport d'électrons** pour décomposer la « descente » des électrons vers le dioxygène en une série d'étapes libératrices d'énergie **(figure 9.5b)**. La chaîne de transport d'électrons se compose de plusieurs molécules (des protéines pour la plupart), insérées dans la membrane interne des mitochondries. Le NADH apporte au « sommet » de la chaîne, riche en énergie, les électrons retirés des nutriments. Au « bas » de la chaîne, pauvre en énergie, le dioxygène capture ces électrons en même temps que les protons, et de l'eau est formée.

Le transfert d'électrons du NADH + H^+ au dioxygène est exergonique, puisqu'il entraîne une variation d'énergie libre de −222 kJ/mol environ. Mais cette énergie ne se libère pas en une seule étape: les électrons descendent la chaîne en passant d'un transporteur à l'autre et en perdant à chaque étape une petite quantité d'énergie, jusqu'à ce qu'ils atteignent le dioxygène, le dernier accepteur d'électrons qui se trouve tout au bas de la chaîne et qui a une très grande affinité pour les électrons. Chaque transporteur est plus électronégatif que le suivant situé en amont, le dioxygène se trouvant au bas de la pente. Les électrons retirés des nutriments par le NAD^+ dévalent donc la pente énergétique de la chaîne de transport jusqu'à ce qu'ils atteignent une position stable dans l'atome d'oxygène électronégatif. En d'autres termes, le dioxygène attire à lui les électrons de la chaîne de transport dans une cascade énergétique, de la même manière qu'un corps subissant la loi de la gravitation est attiré vers le bas.

En résumé, au cours de la respiration cellulaire aérobie, la majorité des électrons descendent la pente suivante: nutriment → NADH → chaîne de transport d'électrons → dioxygène. Plus loin dans ce chapitre, vous en apprendrez davantage sur la synthèse de l'ATP à partir de l'énergie libérée par la « descente » exergonique des électrons.

Maintenant que nous avons exposé les mécanismes d'oxydoréduction fondamentaux, étudions le processus entier de la respiration cellulaire aérobie.

Les étapes de la respiration cellulaire aérobie : *un aperçu*

La respiration cellulaire aérobie comprend trois stades métaboliques :

1. La glycolyse (représentée en bleu-vert tout au long du chapitre)
2. Le cycle de l'acide citrique (représenté en saumon)
3. La phosphorylation oxydative : transport des électrons et chimiosmose (représentés en violet)

Techniquement, la respiration cellulaire aérobie ne comprend que les processus qui requièrent du dioxygène : le cycle de l'acide citrique et la phosphorylation oxydative. Nous avons également inclus la glycolyse, même si elle ne requiert pas de dioxygène, parce que la plupart des cellules aérobies qui tirent leur énergie du glucose font appel à ce processus pour obtenir le matériel de départ nécessaire à l'amorce du cycle de l'acide citrique.

Comme le montre la **figure 9.6**, les deux premiers stades, la glycolyse et le cycle de l'acide citrique, sont les voies cataboliques qui dégradent le glucose et les autres combustibles organiques. La **glycolyse**, qui a lieu dans le cytosol, marque le début de la dégradation du glucose : elle scinde une mole de celui-ci en deux moles

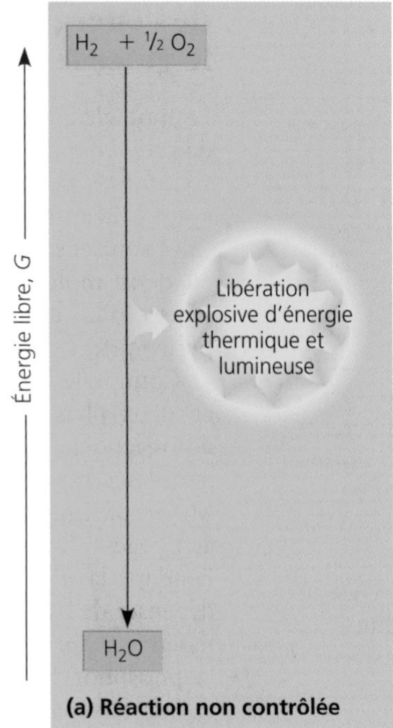

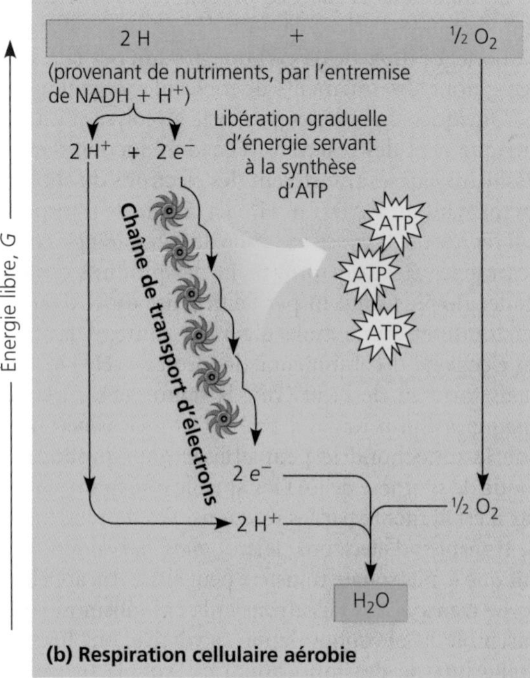

▶ **Figure 9.5 Introduction à la chaîne de transport d'électrons. (a)** La réaction exergonique par laquelle le dihydrogène et le dioxygène forment de l'eau libère une grande quantité d'énergie sous forme de chaleur et de lumière, autrement dit sous forme d'explosion. **(b)** Dans la respiration cellulaire aérobie, une chaîne de transport d'électrons décompose la « descente » des électrons en une série d'étapes et stocke une partie de l'énergie libérée sous une forme qui peut servir à produire de l'ATP. (Le reste de l'énergie est libéré sous forme de chaleur.)

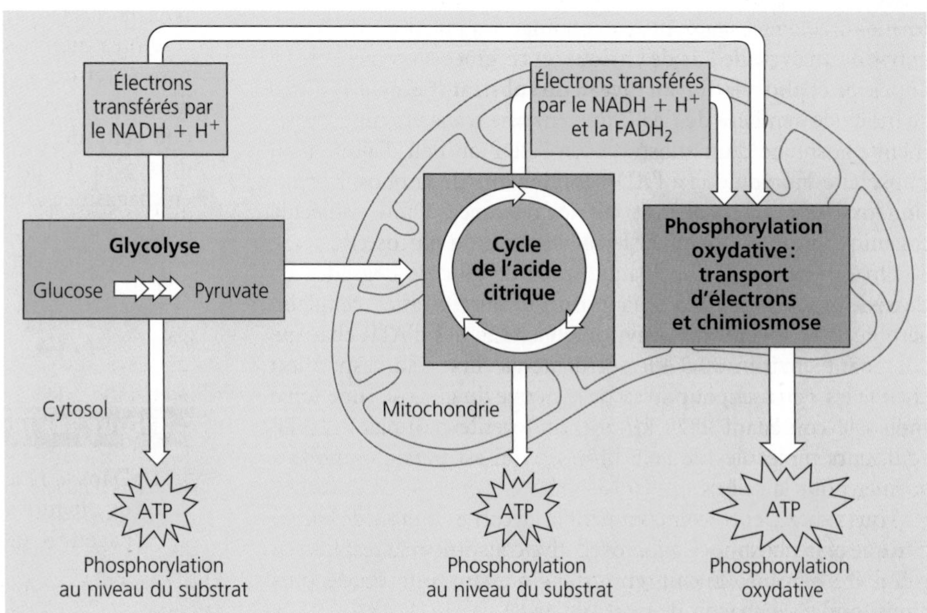

▶ **Figure 9.6 Un aperçu de la respiration cellulaire aérobie.** Pendant la glycolyse, chaque mole de glucose est transformée en deux moles d'un composé appelé pyruvate. Le pyruvate entre dans les mitochondries, où le cycle de l'acide citrique l'oxyde en dioxyde de carbone. Le NADH et une coenzyme similaire appelée $FADH_2$ transfèrent les électrons provenant du glucose à des chaînes de transport d'électrons qui sont insérées dans la membrane mitochondriale interne. Durant la phosphorylation oxydative, les chaînes de transport d'électrons convertissent l'énergie chimique en une forme d'énergie qui sert à la synthèse d'ATP au cours d'un processus appelé chimiosmose.

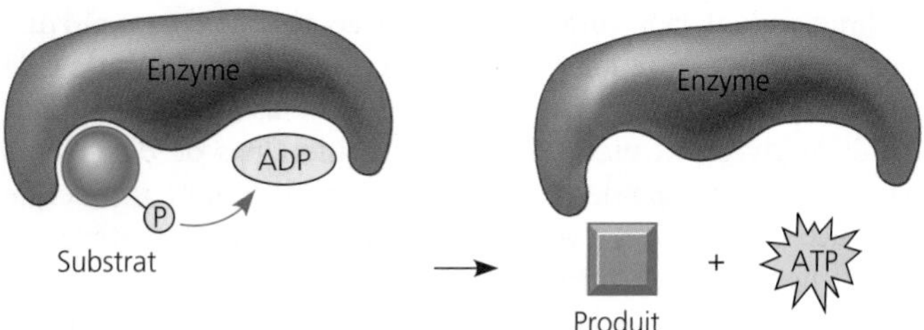

▲ **Figure 9.7 Phosphorylation au niveau du substrat.** Une partie de l'ATP est produite grâce au transfert enzymatique direct d'un groupement phosphate provenant d'un substrat organique à de l'ADP.

d'un composé appelé pyruvate. Le **cycle de l'acide citrique**, qui se déroule dans la matrice mitochondriale, termine la dégradation du glucose en oxydant un dérivé du pyruvate en dioxyde de carbone. Le dioxyde de carbone produit par la respiration représente donc des fragments de molécules organiques oxydées.

Quelques-unes des étapes de la glycolyse et du cycle de l'acide citrique sont des réactions d'oxydoréduction dans lesquelles les déshydrogénases transfèrent des électrons du substrat au NAD^+, en formant du $NADH + H^+$. La chaîne de transport d'électrons, qui représente le troisième stade de la respiration cellulaire aérobie, accepte les électrons provenant des produits des deux premiers stades (le plus souvent par l'entremise du $NADH + H^+$), et elle les transmet d'une molécule à une autre. À la fin de la chaîne, les électrons se combinent à des protons (H^+) et à du dioxygène, et ils forment de l'eau (voir la figure 9.5b). L'énergie libérée à chaque maillon de la chaîne est emmagasinée sous une forme que la mitochondrie peut utiliser pour produire de l'ATP. Ce mode de synthèse de l'ATP s'appelle **phosphorylation oxydative**, car il est alimenté par les réactions d'oxydoréduction de la chaîne de transport d'électrons; le mot *phosphorylation* fait référence au fait que le phosphate transféré peut aussi être appelé phosphoryle.

Le transport des électrons et la chimiosmose, qui constituent ensemble la phosphorylation oxydative, ont lieu dans la membrane interne des mitochondries (voir la figure 6.17). Près de 90 % de l'ATP engendré par la respiration cellulaire aérobie provient de la phosphorylation oxydative. Une quantité moindre se forme directement au cours de certaines des réactions de la glycolyse et du cycle de l'acide citrique, et ce, grâce à un mécanisme appelé **phosphorylation au niveau du substrat (figure 9.7)**. Dans ce mode de synthèse de l'ATP, une enzyme transfère un groupement phosphate d'un substrat à de l'ADP au lieu d'ajouter un phosphate inorganique à l'ADP comme lors de la phosphorylation oxydative. (Le substrat fait ici référence à une molécule organique produite pendant le catabolisme du glucose.)

On estime que, pour chaque mole de glucose dégradée en dioxyde de carbone et en eau au cours de la respiration cellulaire aérobie, la cellule produit environ 36 à 38 moles d'ATP, chacune contenant environ 30,5 kJ/mol d'énergie libre. La respiration change les « grosses coupures » de l'énergie du glucose (une seule molécule contenant 2870 kJ/mol) en « petite monnaie », l'ATP (plusieurs molécules de 30,5 kJ/mol), qui est plus commode à écouler pour la cellule.

Vous venez d'entrevoir comment la glycolyse, le cycle de l'acide citrique et la phosphorylation oxydative constituent la respiration cellulaire aérobie. Entreprenons maintenant une étude plus approfondie de chacun de ces trois stades.

Retour sur le concept 9.1

1. Dans la réaction d'oxydoréduction suivante, quel élément est oxydé et lequel est réduit ?

$$C_4H_6O_5 + NAD^+ \rightarrow C_4H_4O_5 + NADH + H^+$$

Voir les réponses proposées à la fin du chapitre.

Concept 9.2

La glycolyse libère de l'énergie chimique en oxydant le glucose en pyruvate

Le mot *glycolyse* signifie « dégradation du glucose ». Au cours de cette voie catabolique, le glucose, un monosaccharide ayant six atomes de carbone, se scinde en deux monosaccharides ayant chacun trois atomes de carbone. Ces petits monosaccharides sont ensuite oxydés, et les atomes restants se réarrangent en deux molécules de pyruvate. (Le pyruvate est la forme ionisée d'un acide possédant trois atomes de carbone, l'acide pyruvique.)

Comme le montre la **figure 9.8**, on peut diviser la glycolyse en deux phases totalisant 10 étapes; on connaît la séquence des réactions de la glycolyse grâce au travail effectué vers 1930 par deux biochimistes allemands, Gustav Embden et Otto Meyerhof. Chacune des 10 étapes (détaillées dans la **figure 9.9** aux pages 176 et 177) est catalysée par une enzyme spécifique. Pendant la phase d'investissement d'énergie, la cellule doit dépenser de l'ATP, mais elle récolte les dividendes de son investissement durant la phase de libération d'énergie, alors que la phosphorylation au niveau du substrat produit de l'ATP et que l'oxydation de la molécule organique (le glucose dans cet exemple) réduit le NAD^+ en $NADH + H^+$. Le rendement net de la glycolyse est de deux moles d'ATP et de deux moles de $NADH + H^+$ par mole de glucose.

Notez que tout le carbone initialement contenu dans le glucose se retrouve dans les deux moles de pyruvate; il n'y a pas de libération de dioxyde de carbone pendant la glycolyse. Notez aussi que cette dernière se produit en présence ou en l'absence de dioxygène. *En présence de dioxygène*, toutefois, l'énergie chimique emmagasinée dans le pyruvate et le $NADH + H^+$ peut être libérée dans le cycle de l'acide citrique et la phosphorylation oxydative, respectivement.

Retour sur le concept 9.2

1. Dans la réaction d'oxydoréduction de la glycolyse, quelle molécule est l'agent oxydant ? Laquelle est l'agent réducteur ?

Voir les réponses proposées à la fin du chapitre.

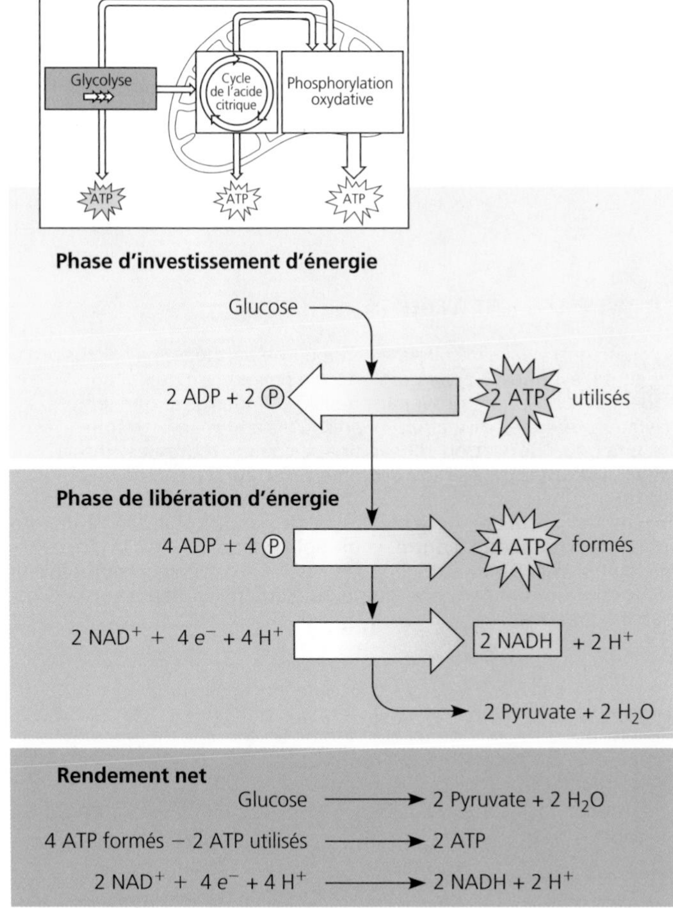

▲ **Figure 9.8 Rendement énergétique de la glycolyse.**

Le cycle de l'acide citrique achève l'oxydation des molécules organiques, génératrice d'énergie

La glycolyse libère moins du quart de l'énergie chimique emmagasinée dans le glucose; le reste est stocké dans les deux moles de pyruvate. Dans la respiration cellulaire aérobie, le pyruvate entre dans la mitochondrie grâce à un mécanisme de cotransport de protons et de pyruvate. Les enzymes du cycle de l'acide citrique, synthétisées dans la mitochondrie, terminent l'oxydation des deux moles de pyruvate. Nous verrons comment le couplage de ce cycle, de la chaîne de transport d'électrons et de la phosphorylation oxydative produit beaucoup d'énergie.

Après son entrée dans la mitochondrie par transport actif, le pyruvate est d'abord converti en un composé appelé **acétyl-CoA (figure 9.10).** Cette étape charnière entre la glycolyse et le cycle de l'acide citrique est catalysée par un complexe multienzymatique qui active trois réactions.

❶ Le groupement carboxyle (—COO⁻) du pyruvate, qui possède peu d'énergie chimique vu son état d'oxydation, est éliminé et libéré sous forme de dioxyde de carbone. (La respiration cellulaire aérobie dégage pour la première fois du dioxyde de carbone.)

❷ Le fragment restant, qui possède deux atomes de carbone, est oxydé et forme un composé appelé acétate (c'est la forme ionisée de l'acide acétique). Une enzyme transfère au NAD^+ les électrons extraits, ce qui emmagasine l'énergie sous forme de $NADH + H^+$.

❸ La coenzyme A, un composé contenant du soufre et dérivé d'une vitamine du complexe B, s'unit à l'acétate par une liaison instable; cela rend le groupement acétyle très réactif. Le produit de ce complexe multienzymatique, l'acétyl-CoA, peut maintenant faire entrer son groupement acétyle dans le cycle de l'acide citrique, où son oxydation se poursuivra. La coenzyme A est donc un exemple de coenzyme qui accomplit sa fonction en acceptant un groupement chimique et en le transférant à une autre molécule: ici le groupement transféré est un acétyle (d'où le « A » dans le nom de la coenzyme). Dans la figure 9.10 et dans la suivante, nous expliquons les transformations chimiques à l'échelle moléculaire. Les calculs de rendement énergétique se feront cependant à l'échelle molaire.

Le cycle de l'acide citrique est également appelé cycle des acides tricarboxyliques (car plusieurs des acides formés dans ce cycle possèdent trois groupements carboxyles) ou encore cycle de Krebs en l'honneur de Hans Adolf Krebs, un biochimiste d'origine allemande qui a décrit cette voie métabolique dans les années 1930, ce qui lui a valu un prix Nobel en 1953. Le cycle de l'acide citrique fonctionne comme une fournaise métabolique qui oxyde les combustibles organiques provenant du pyruvate. La **figure 9.11** présente un sommaire des entrées et des sorties, pour ce cycle, quand le pyruvate est dégradé en trois molécules de CO_2, dont celle qui est libérée au cours de la conversion du pyruvate en acétyl-CoA. La phosphorylation au niveau du substrat produit une molécule d'ATP par cycle, mais une grande partie de l'énergie chimique est transférée au NAD^+ et à la coenzyme FAD durant les réactions d'oxydoréduction. Une fois réduites, les coenzymes NADH et $FADH_2$ apportent leur chargement d'électrons très riches en énergie vers la chaîne de transport d'électrons.

Maintenant, examinons de plus près le cycle de l'acide citrique. Il comprend huit étapes, qui sont toutes catalysées par une enzyme spécifique. Comme vous pouvez le voir dans le schéma de la **figure 9.12**, à chaque tour du cycle de l'acide citrique, deux atomes de carbone (en rouge) entrent sous la forme relativement réduite de l'acétate (étape 1), et deux autres atomes de carbone (en bleu) sortent sous la forme complètement oxydée du dioxyde de carbone (étapes 3 et 4). L'acétate entre dans le cycle lorsqu'une enzyme le lie à l'oxaloacétate, ce qui forme du citrate (étape 1). (Le citrate est la forme ionisée de l'acide citrique, d'où le nom du cycle.) Durant les sept étapes subséquentes, le citrate est dégradé et, de nouveau, de l'oxaloacétate est formé. C'est la régénération de l'oxaloacétate qui fait que tout ce processus forme un *cycle*.

Pour chaque groupement acétyle qui entre dans le cycle, trois moles de NAD^+ sont réduites en $NADH + H^+$ (étapes 3, 4 et 8). Au cours de l'étape 6, les électrons ne sont pas transférés au NAD, mais plutôt à un autre accepteur d'électrons, la flavine adénine dinucléotide (ou FAD, un composé dérivé de la riboflavine, une autre vitamine du complexe B). À l'instar de la glycolyse, le cycle de l'acide citrique comprend une étape, l'étape 5, qui forme directement une mole de GTP par phosphorylation au niveau du substrat. Cette molécule de GTP est ensuite utilisée pour synthétiser de l'ATP, le seul ATP directement produit par le cycle de l'acide citrique. Cependant, la majeure partie de l'ATP produit par la respiration résulte de la phosphorylation oxydative,

▼ Figure 9.9 Les 10 étapes de la glycolyse. Le diagramme de droite situe la glycolyse dans la respiration cellulaire aérobie. Malgré les nombreux détails du diagramme principal, ne perdez pas de vue le but de la glycolyse : fournir de l'ATP et du NADH + H⁺.

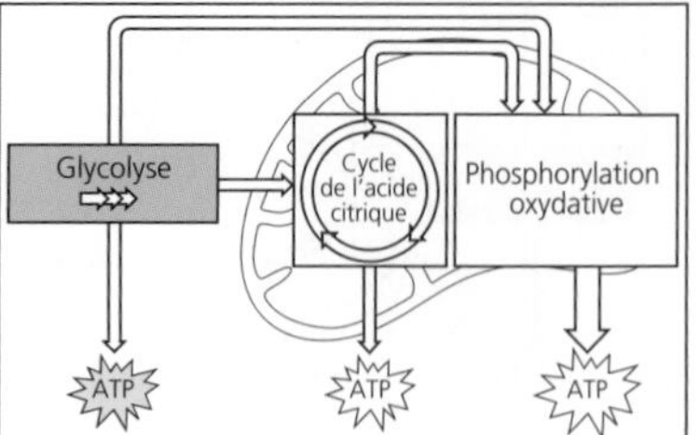

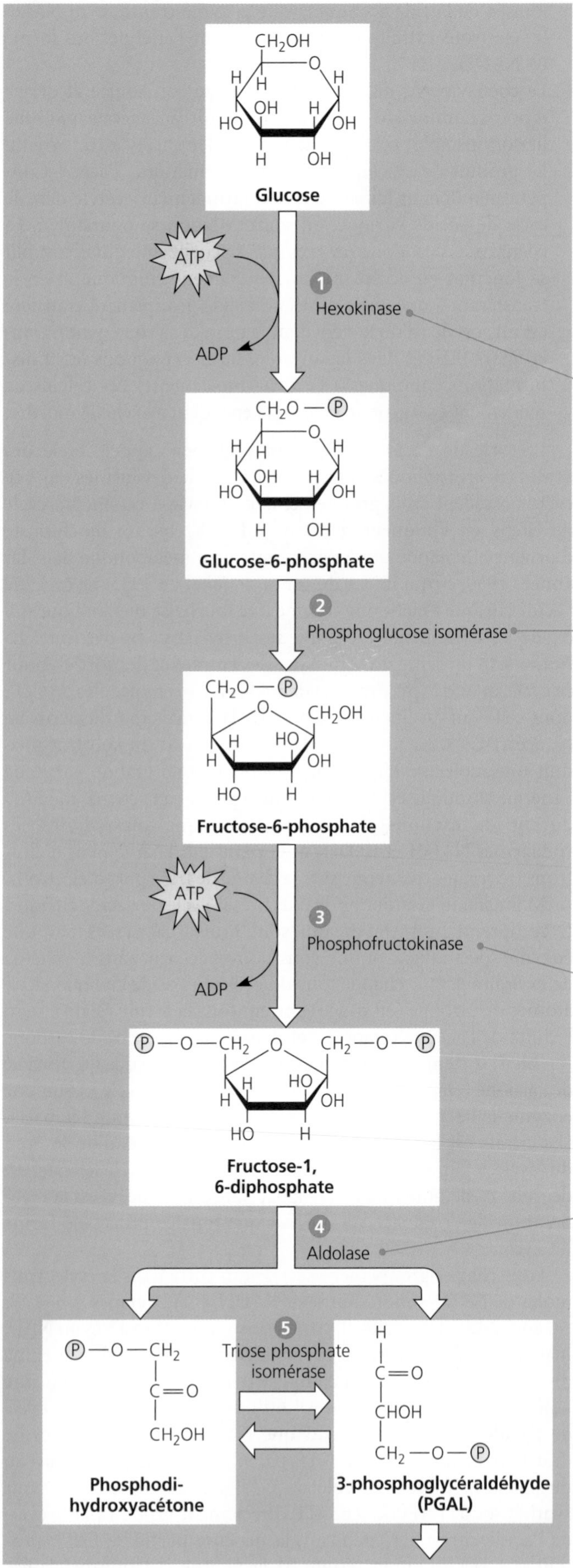

Glucose

ATP → ADP

1 Hexokinase

Glucose-6-phosphate

2 Phosphoglucose isomérase

Fructose-6-phosphate

ATP → ADP

3 Phosphofructokinase

Fructose-1, 6-diphosphate

4 Aldolase

5 Triose phosphate isomérase

Phosphodi-hydroxyacétone

3-phosphoglycéraldéhyde (PGAL)

PHASE D'INVESTISSEMENT D'ÉNERGIE

1 Le glucose entre dans la cellule à l'aide d'une perméase par diffusion facilitée, puis il est phosphorylé par l'enzyme hexokinase qui lui adjoint un groupement phosphate provenant de l'ATP. Remarquez que le nom de l'enzyme se termine par « kinase » puisqu'il s'agit d'une enzyme réalisant une phosphorylation ; l'hexokinase, comme toutes les kinases, requiert aussi la présence de $Mg2^+$ comme cofacteur. La charge électrique négative du groupement phosphate emprisonne le glucose dans la cellule, car la membrane plasmique ne laisse pas passer par diffusion simple les ions et les molécules chargées. En outre, la phosphorylation accroît la réactivité chimique du glucose. Dans ce diagramme, les flèches couplées représentent le transfert d'un groupement phosphate ou d'une paire d'électrons d'un réactif à un autre.

2 La phosphoglucose isomérase transforme le glucose-6-phosphate (groupement phosphate lié au sixième atome de carbone du glucose) en un isomère, le fructose-6-phosphate.

3 De nouveau, de l'énergie doit être investie. Une enzyme, la phosphofructokinase, transfère un groupement phosphate de l'ATP au fructose-6-phosphate. Jusque-là, deux moles d'ATP ont été utilisées. Le fructose porte maintenant un groupement phosphate de chaque côté, et il est prêt à se faire scinder. Cette réaction irréversible est l'étape limitante pour ce qui est de la vitesse de la glycolyse. Il s'agit aussi d'une étape clé, la plus importante dans la régulation de la glycolyse : les substances produites à l'étape 1 et 2 pouvaient servir d'intermédiaires pour d'autres voies métaboliques, mais l'étape 3 est en quelque sorte une étape de non-retour. La phosphofructokinase qui catalyse cette réaction est contrôlée de manière allostérique par l'ATP et ses produits.

4 La réaction qui survient à cette étape est celle qui donne son nom à la glycolyse. Une enzyme, l'aldolase, scinde le fructose-1, 6-diphosphate (un groupement phosphate est lié au premier atome de carbone du fructose, et l'autre, au sixième atome de carbone du fructose) en deux substances différentes ayant chacune trois atomes de carbone : le phosphodihydroxyacétone et le 3-phosphoglycéraldéhyde (PGAL). Ces deux trioses sont des isomères.

5 La triose phosphate isomérase catalyse la conversion réversible des deux trioses. Dans la cellule, cette réaction n'atteint jamais l'équilibre, car l'enzyme qui intervient par la suite ne prend que le 3-phosphoglycéraldéhyde (PGAL) comme substrat : elle n'accepte pas le phosphodihydroxyacétone. L'équilibre entre les deux substances penche vers le PGAL, qui est utilisé comme réactif à mesure qu'il se forme. Le résultat net des étapes 4 et 5 est donc le clivage d'une mole d'un monosaccharide à six atomes de carbone en deux moles de PGAL, qui participeront aux étapes ultérieures de la glycolyse.

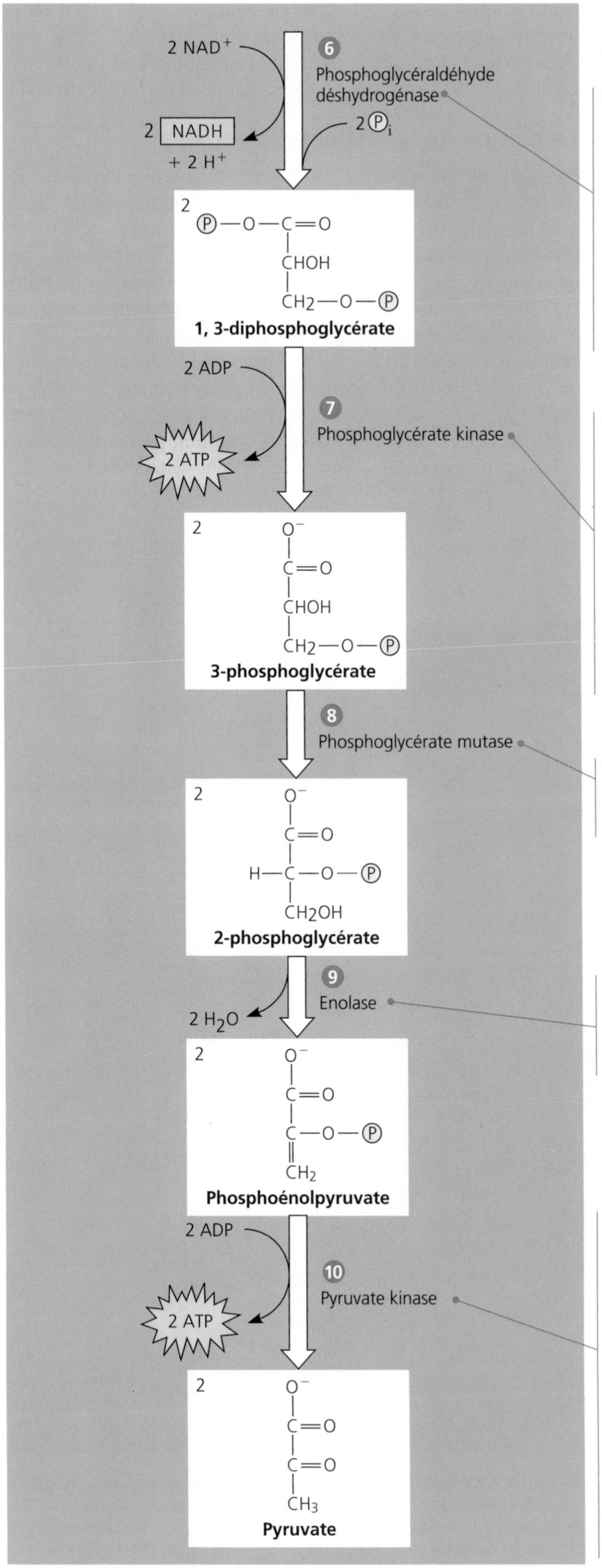

PHASE DE LIBÉRATION D'ÉNERGIE

2 NAD⁺ → 2 NADH + 2 H⁺ ; 2 Ⓟᵢ

❻ Phosphoglycéraldéhyde déshydrogénase

2 Ⓟ—O—C(=O)—CHOH—CH2—O—Ⓟ

1, 3-diphosphoglycérate

❻ Une enzyme, la phosphoglycéraldéhyde déshydrogénase, catalyse deux réactions successives pendant la liaison du PGAL à son site actif. D'abord, au cours d'une réaction d'oxydoréduction, le transfert d'électrons et de H^+ au NAD^+ oxyde le PGAL, ce qui forme du NADH + H^+. Cette réaction est fortement exergonique et c'est l'étape de la glycolyse où se produit la plus forte baisse d'énergie libre ; l'enzyme « capitalise », lors d'une deuxième réaction, en attachant un groupement phosphate au substrat oxydé, qui acquiert une grande énergie potentielle. Ce phosphate provient de phosphate inorganique, toujours présent dans le cytosol. Notez que toutes les substances de la phase de libération d'énergie portent le coefficient 2. En effet, le glucose a été scindé en deux glucides ayant chacun trois atomes de carbone au cours de l'étape 4.

2 ADP → 2 ATP

❼ Phosphoglycérate kinase

2 O⁻—C(=O)—CHOH—CH2—O—Ⓟ

3-phosphoglycérate

❼ La glycolyse produit de l'ATP par phosphorylation au niveau du substrat. Le groupement phosphate ajouté à l'étape précédente rejoint l'ADP au cours d'une réaction exergonique catalysée par la phosphoglycérate kinase. Pour chaque mole de glucose qui entre dans la glycolyse, deux moles d'ATP sont produites à l'étape 7, car chaque produit formé après la scission du fructose (étape 4) est doublé. Rappelez-vous que la cellule a investi deux moles d'ATP pour préparer le fructose à la scission. La dette d'ATP est maintenant réduite à zéro. À la fin de l'étape 7, le glucose se trouve converti en deux moles de 3-phosphoglycérate. Il ne s'agit pas là d'un glucide. Le groupement carbonyle (aldéhyde ou cétone) qui caractérise les glucides a été oxydé en un groupement carboxyle (—COO^-), le signe distinctif des acides organiques. Les glucides (2 PGAL) ont été oxydés à l'étape 6, et l'énergie rendue disponible par cette oxydation a servi à produire de l'ATP.

❽ Phosphoglycérate mutase

2 O⁻—C(=O)—H—C—O—Ⓟ—CH2OH

2-phosphoglycérate

❽ Une enzyme, la phosphoglycérate mutase, déplace le groupement Àphosphate résiduel du troisième au deuxième carbone de la chaîne. Cette transformation change très peu le potentiel énergétique de la molécule. Cette étape prépare le substrat à la réaction suivante.

❾ Enolase

2 H_2O

2 O⁻—C(=O)—C(—O—Ⓟ)=CH2

Phosphoénolpyruvate

❾ Une enzyme, l'énolase, forme une double liaison dans le substrat en extrayant une molécule d'eau pour produire du phosphoénolpyruvate, ou PEP. Cette réaction réarrange les électrons du substrat de sorte que la liaison phosphate résiduelle devienne très instable et, par conséquent, très réactive.

2 ADP → 2 ATP

❿ Pyruvate kinase

2 O⁻—C(=O)—C(=O)—CH3

Pyruvate

❿ Cette réaction, la dernière de la glycolyse et la troisième qui est irréversible, constitue un des points de contrôle de la glycolyse. Elle produit de l'ATP en transférant le groupement phosphate du PEP à l'ADP, un deuxième exemple de phosphorylation au niveau du substrat. Comme cette étape se produit deux fois pour chaque mole de glucose, le bilan de l'ATP indique un gain net de deux moles d'ATP. Dans l'ensemble, la glycolyse a consommé 2 ATP durant la phase d'investissement (étapes 1 et 3) et produit 4 ATP durant la phase de libération d'énergie (étapes 7 et 10), ce qui donne un gain net de 2 ATP. Bref, la glycolyse a remboursé l'investissement d'ATP avec un intérêt de 100 %. Une quantité supplémentaire d'énergie a été emmagasinée dans le NADH + H^+ à l'étape 6, et elle pourra servir à produire de l'ATP par phosphorylation oxydative (en présence de dioxygène). Pendant ce temps, une mole de glucose a été scindée et oxydée en deux moles de pyruvate, le produit final de la glycolyse. En présence de dioxygène, l'énergie chimique du pyruvate pourra être libérée par le cycle de l'acide citrique.

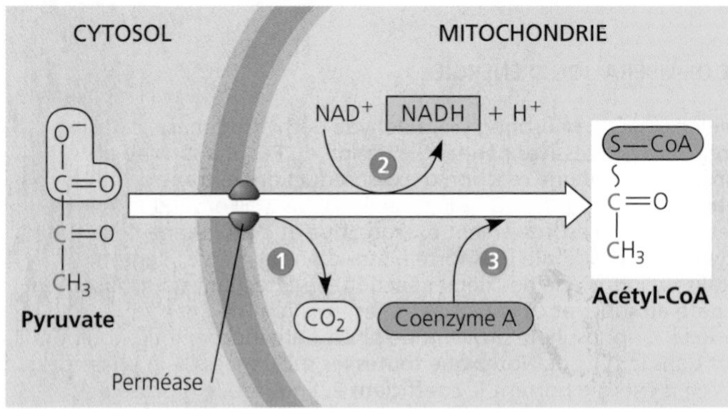

▲ **Figure 9.10 Conversion du pyruvate en acétyl-CoA, l'étape charnière entre la glycolyse et le cycle de l'acide citrique.** Comme le pyruvate est une molécule chargée, il doit entrer dans la mitochondrie par transport actif, avec l'aide d'une perméase. Ensuite, un complexe de trois enzymes (le complexe pyruvatedéshydrogénase) catalyse les étapes numérotées, également décrites dans l'exposé. Le groupement acétyle de l'acétyl-CoA entre dans le cycle de l'acide citrique. Le CO_2 diffuse simplement hors de la mitochondrie, puis de la cellule.

lorsque le NADH + H^+ et la $FADH_2$ engendrés par le cycle de l'acide citrique transmettent les électrons extraits des nutriments à la chaîne de transport d'électrons. Ce faisant, ils fournissent l'énergie nécessaire à la phosphorylation de l'ADP en ATP. Nous explorerons ce processus dans la prochaine section.

Retour sur le concept 9.3

1. Dans quelles molécules est conservée la majeure partie de l'énergie provenant des réactions d'oxydoréduction du cycle de l'acide citrique? Comment ces molécules convertissent-elles leur énergie en une forme qui peut servir à synthétiser de l'ATP?
2. Quels processus cellulaires produisent le dioxyde de carbone que vous expirez?

Voir les réponses proposées à la fin du chapitre.

Concept 9.4

Durant la phosphorylation oxydative, la chimiosmose couple le transport d'électrons à la synthèse d'ATP

L'objectif principal de ce chapitre est d'expliquer comment les cellules extraient l'énergie des nutriments pour former de l'ATP. Or, chacun des stades de la respiration cellulaire aérobie que nous avons étudiés jusqu'à maintenant, soit la glycolyse et le cycle de l'acide citrique, ne produit directement que deux moles d'ATP par mole de glucose au moyen de la phosphorylation au niveau du substrat. Il revient donc au NADH + H^+ et à la $FADH_2$ de libérer la majeure partie de l'énergie extraite des nutriments. Ces transmetteurs d'électrons relient la glycolyse et le cycle de l'acide citrique à la machinerie de la phosphorylation oxydative, laquelle alimente la synthèse de l'ATP avec l'énergie libérée par la chaîne de transport d'électrons. Dans cette section, nous étudierons d'abord le fonctionnement de la chaîne de transport d'électrons, puis nous verrons comment la mitochondrie couple la descente énergétique des électrons le long de la chaîne à la synthèse de l'ATP.

La chaîne de transport d'électrons

La chaîne de transport d'électrons est un ensemble de molécules enchâssées dans la membrane interne de la mitochondrie. Grâce à ses crêtes, cette membrane a une grande superficie, ce qui permet à chaque mitochondrie de contenir des milliers d'exemplaires de la chaîne. Par exemple, il y en aurait 20 000 dans une mitochondrie de cellule cardiaque. (Une fois de plus, nous assistons à un exemple de corrélation entre structure et fonction.) La chaîne de transport d'électrons comprend surtout des protéines, qui se trouvent dans des complexes multiprotéines numérotés de I à IV. Ces protéines sont étroitement liées à des *groupements prosthétiques* (c'est-à-dire à des composantes non protéiques) essentiels aux fonctions catalytiques de certaines enzymes.

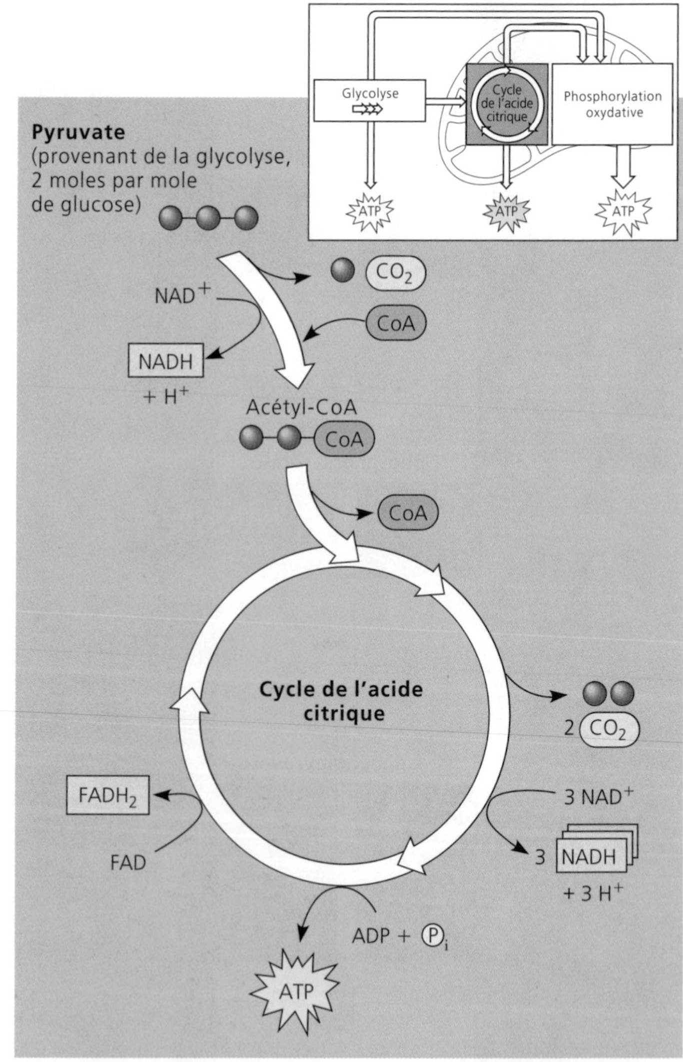

▲ **Figure 9.11 Résumé du cycle de l'acide citrique.** Pour calculer le nombre de moles requises et libérées par le cycle pour chaque mole de glucose, il faut multiplier par deux tous les réactifs et les produits, car chaque mole de glucose est scindée en deux et fournit deux moles de pyruvate au cours de la glycolyse.

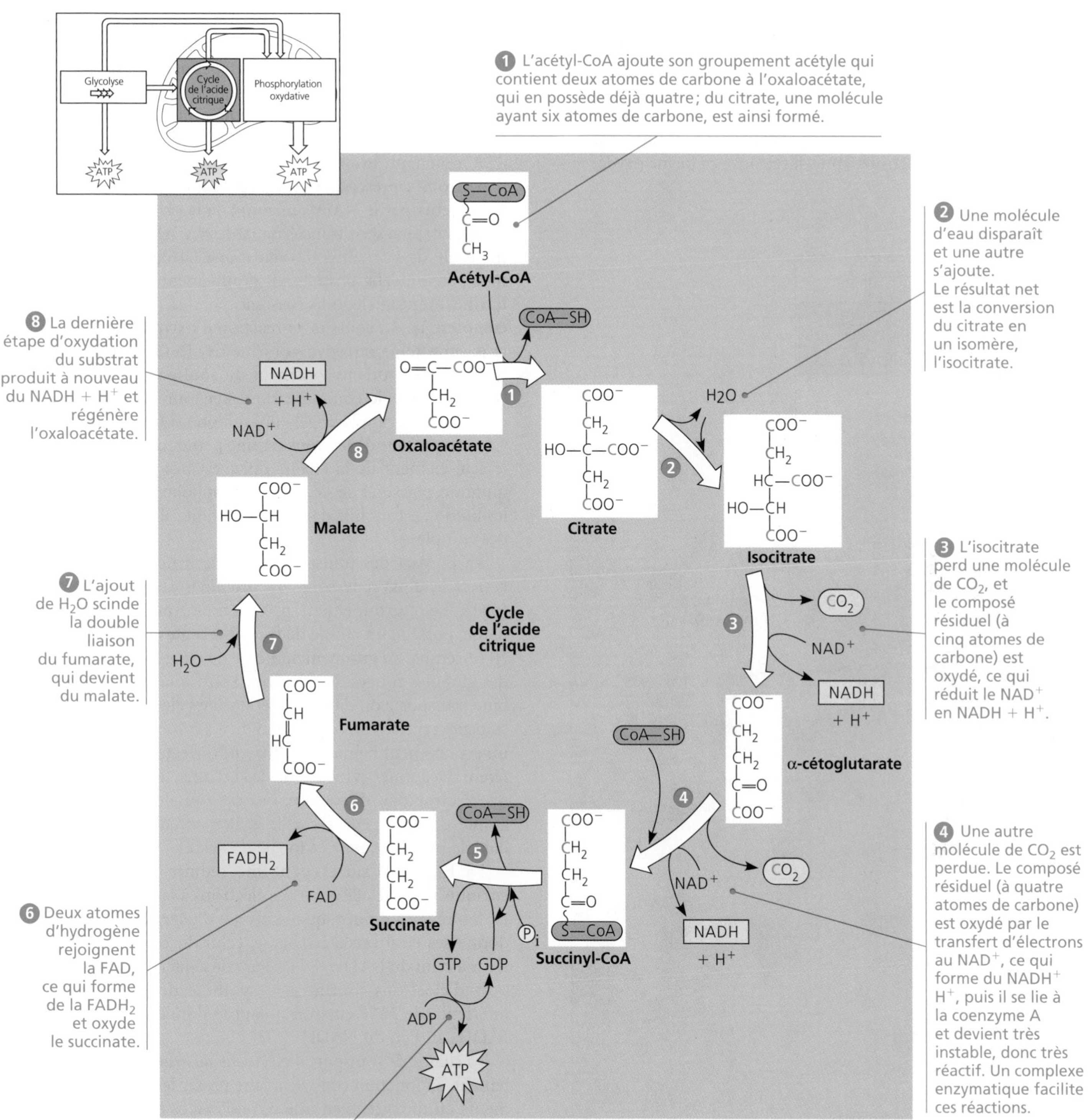

▲ **Figure 9.12 Les huit étapes du cycle de l'acide citrique.** La couleur rouge représente le cheminement des deux atomes de carbone qui entrent dans le cycle par l'intermédiaire de l'acétyl-CoA (étape 1). Les deux atomes de carbone libérés sous forme de dioxyde de carbone aux étapes 3 et 4 paraissent en bleu. (La couleur rouge disparaît après l'étape 5, mais vous pouvez suivre les atomes de carbone jusqu'à la fin du cycle.) Notez que les atomes de carbone qui entrent dans le cycle par l'intermédiaire de l'acétyl-CoA ne quittent pas le cycle au cours du même tour. Ils demeurent dans le cycle et occupent un emplacement différent lorsque l'étape 1 revient et qu'un autre groupement acétyle s'ajoute. L'oxaloacétate régénéré à l'étape 8 est donc composé d'atomes de carbone différents à chaque tour de cycle. Toutes les enzymes du cycle de l'acide citrique logent dans la matrice mitochondriale, sauf la succinate déshydrogénase, l'enzyme qui catalyse l'étape 6; cette enzyme se trouve dans la membrane interne de la mitochondrie. Les acides carboxyliques figurent sous leur forme ionisée, —COO⁻, parce que les formes ionisées prévalent au pH qui existe dans les mitochondries. Par exemple, le citrate est la forme ionisée de l'acide citrique.

La **figure 9.13** illustre la succession des transporteurs d'électrons dans la chaîne et la baisse d'énergie libre qui accompagne le transfert des électrons. Durant le transport des électrons dans la chaîne, les transporteurs d'électrons oscillent entre l'état réduit et l'état oxydé. Chaque élément de la chaîne devient réduit lorsqu'il accepte des électrons de son voisin d'amont (qui a moins d'affinité pour les électrons), puis il retrouve sa forme oxydée en cédant des électrons à son voisin d'aval (qui a plus d'affinité pour les électrons). L'utilisation des rayons ultraviolets (les différents transporteurs montrent différents types d'absorption) et l'emploi de poisons (différents poisons bloquent la chaîne de transport à différents endroits) ont permis de déterminer l'ordre dans lequel les transporteurs interviennent.

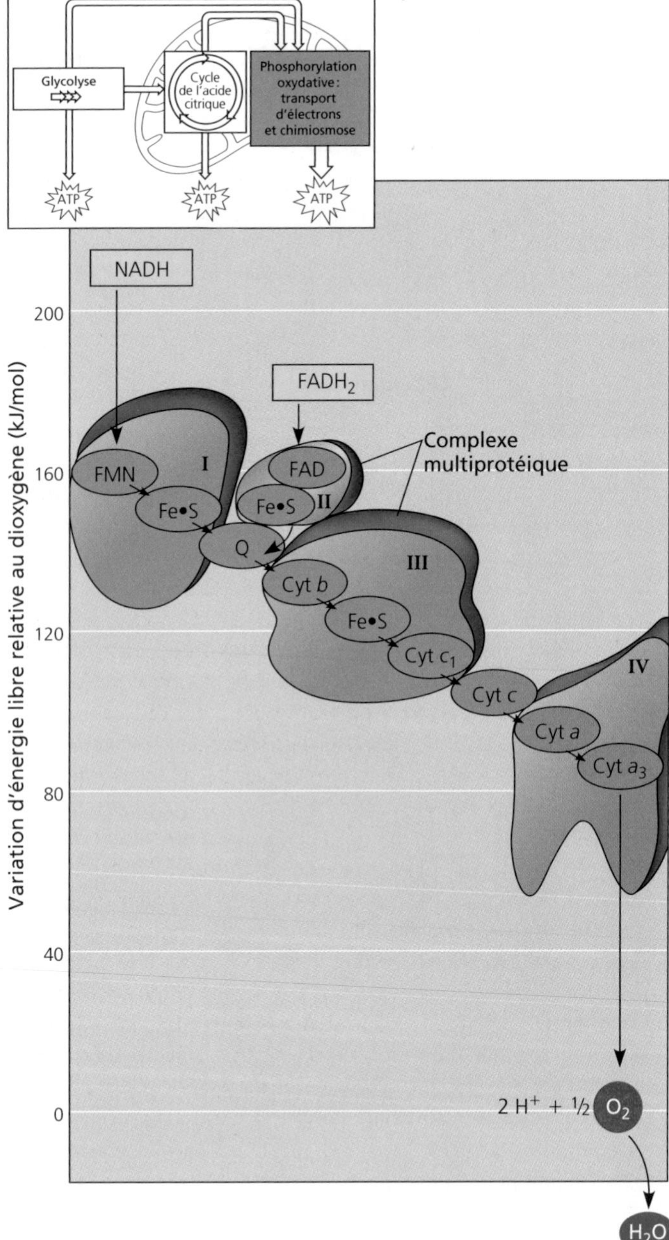

▲ **Figure 9.13 Variation d'énergie libre pendant le transport d'électrons.** Du NADH + H$^+$ au dioxygène, la diminution globale de l'énergie (ΔG) est d'environ 220 kJ/mol, mais cette « chute » s'effectue graduellement en une série d'étapes. Le dioxygène est désigné par le symbole $1/2$ O_2 pour souligner que la chaîne de transport d'électrons réduit le dioxygène, O_2, et non pas des atomes d'oxygène pris individuellement. Le coefficient $1/2$ représente le nombre de moles. Pour deux moles de NADH + H$^+$, une mole de dioxygène est réduite en deux moles d'eau.

Maintenant, examinons de plus près la chaîne de transport d'électrons représentée à la figure 9.13. Les électrons extraits des nutriments par le NAD$^+$ au cours de la glycolyse et du cycle de l'acide citrique sont transférés par le NADH + H$^+$ à la première molécule de la chaîne. Il s'agit d'une flavoprotéine, ainsi nommée parce qu'elle possède un groupement prosthétique appelé flavine mononucléotide (désigné par les lettres FMN dans le complexe I). Au cours de la réaction d'oxydoréduction suivante, la flavoprotéine retrouve sa forme oxydée en donnant des électrons à une protéine contenant du soufre et du fer fermement liés (Fe•S dans le complexe I). À son tour, celle-ci transmet les électrons à un lipide appelé ubiquinone (Q dans la figure 9.13). Ce transporteur d'électrons est une petite molécule hydrophobe, le seul élément de la chaîne qui n'est pas une protéine. L'ubiquinone, par suite de sa queue hydrophobe et donc soluble dans les lipides, est mobile dans la membrane ; il ne loge pas dans un des complexes.

La plupart des transporteurs d'électrons entre l'ubiquinone (Q) et le dioxygène sont des protéines appelées **cytochromes** (Cyt). Leur groupement prosthétique, nommé **groupement hème**, possède un atome de fer qui accepte et cède des électrons. (Il ressemble au groupement hème de l'hémoglobine, la protéine des globules rouges des Vertébrés, sauf que le fer de l'hémoglobine transporte du dioxygène et non des électrons.) La chaîne de transport d'électrons comprend divers cytochromes portant tous un groupement hème (transporteur d'électrons) légèrement différent. Le dernier cytochrome de la chaîne, le cytochrome a_3, cède ses électrons au dioxygène, qui est *très* électronégatif. Chaque atome de dioxygène recueille également une paire de protons dans le milieu aqueux et forme de l'eau.

La $FADH_2$, l'autre coenzyme réduite du cycle de l'acide citrique, apporte elle aussi des électrons à la chaîne de transport. La figure 9.13 montre que le niveau d'énergie auquel la $FADH_2$ donne ses électrons à la chaîne, celui du complexe II, est inférieur à celui du NADH + H$^+$. Par conséquent, la chaîne de transport d'électrons fournit à la synthèse de l'ATP une énergie inférieure de 33 % environ quand le donneur d'électrons est la $FADH_2$ au lieu du NADH + H$^+$.

La chaîne de transport d'électrons ne produit pas d'ATP directement. Sa fonction consiste à faire passer les électrons des nutriments au dioxygène en une série d'étapes qui libèrent l'énergie de manière contrôlée. Alors, comment la mitochondrie couple-t-elle ce processus à la synthèse de l'ATP ? Par un mécanisme appelé chimiosmose.

La chimiosmose : un mécanisme de couplage de l'énergie

La membrane interne de la mitochondrie renferme de nombreux exemplaires d'un complexe protéique appelé **ATP synthase**, l'enzyme qui fabrique réellement l'ATP à partir de l'ADP et du phosphate inorganique **(figure 9.14)**. L'ATP synthase ressemble à une pompe ionique qui fonctionne à rebours. Au chapitre 7, nous avons vu que les pompes ioniques utilisent l'ATP comme source

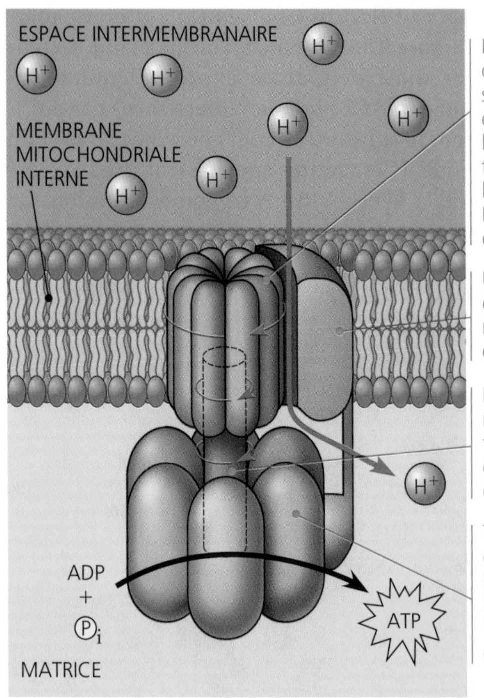
ESPACE INTERMEMBRANAIRE
H+
MEMBRANE MITOCHONDRIALE INTERNE
En se déplaçant dans le sens de son gradient électrochimique, le flux de H+ fait tourner le rotor dans le sens horaire.
Le **rotor** est inséré dans la membrane.
Un **stator** ancré dans la membrane maintient la tête en place.
La rotation de l'**arbre** reliant le rotor à la tête active des sites catalytiques situés dans cette dernière.
Trois sites catalytiques dans la **tête** combinent l'ADP et le phosphate inorganique en vue de produire de l'ATP.
ADP
+
Pi
ATP
MATRICE

▲ **Figure 9.14 L'ATP synthase, une turbine moléculaire.** Le complexe protéique formé par l'ATP synthase fonctionne à la manière d'une turbine alimentée par un flux de protons. Cette enzyme se retrouve dans la membrane des mitochondries et des chloroplastes eucaryotes, et dans la membrane plasmique des Procaryotes. Chacune des quatre parties de l'ATP synthase est constituée de plusieurs sous-unités polypeptidiques.

d'énergie pour transporter des ions contre leur gradient de concentration. Inversement, l'ATP synthase utilise l'énergie d'un gradient existant pour synthétiser l'ATP. Le gradient électrochimique qui actionne la phosphorylation oxydative provient de protons ; autrement dit, la source d'énergie de l'ATP synthase réside dans la différence des concentrations de H^+ de part et d'autre de la membrane mitochondriale interne. On peut aussi considérer ce gradient comme une différence de pH, puisque le pH est une mesure de la concentration de H^+. Ce processus, lors duquel l'énergie emmagasinée sous forme de gradient électrochimique de part et d'autre d'une membrane est utilisée pour effectuer du travail cellulaire, est appelé **chimiosmose** (du grec *osmos*, qui signifie « pousser »). Nous avons déjà employé le terme *osmose* pour désigner la pression osmotique (la poussée de l'eau) ; le terme *chimiosmose* renvoie à la poussée de H^+ à travers une membrane.

En étudiant la structure de l'ATP synthase, les scientifiques ont aussi découvert comment le flux de H^+ alimente la synthèse de l'ATP au moyen de cette grosse enzyme. L'ATP synthase est un complexe formé de sous-unités regroupées en quatre parties, chacune étant composée de plusieurs polypeptides (voir la figure 9.14) : un rotor inséré dans la membrane interne de la mitochondrie, une tête qui s'avance dans la matrice mitochondriale, un arbre qui relie le rotor à la tête, ainsi qu'un stator qui est ancré à côté du rotor et qui tient la tête en place. En traversant l'étroit espace entre le stator et le rotor dans le sens de leur gradient électrochimique, les protons déclenchent une rotation du rotor et de l'arbre (une centaine de révolutions par seconde), tout comme l'eau qui fait tourner une roue à aubes. L'arbre en rotation entraîne alors un changement de la conformation de la tête immobile. Le changement de conformation actionne les trois sites catalytiques des sous-unités formant la tête, ce qui amène l'ADP à se combiner avec le phosphate inorganique pour former de l'ATP.

Alors, comment la membrane mitochondriale interne crée-t-elle et maintient-elle un gradient de H^+ qui actionne la synthèse d'ATP dans le complexe protéique de l'ATP synthase ? Par la chaîne de transport d'électrons, qui est illustrée dans la mitochondrie à la **figure 9.15**. En effet, la chaîne est un convertisseur d'énergie qui utilise le flux exergonique d'électrons pour véhiculer les H^+ à travers la membrane, de la matrice vers l'espace intermembranaire. Les H^+ ont ensuite tendance à refluer à travers la membrane, suivant le gradient électrochimique. Or, les ATP synthases constituent les seuls sites membranaires perméables aux H^+. Les protons empruntent donc un canal aménagé dans une ATP synthase qui produit une phosphorylation oxydative de l'ADP alimentée par le transfert exergonique des H^+ (voir la figure 9.14). Bref, l'énergie emmagasinée dans un gradient électrochimique de H^+ couple les réactions d'oxydoréduction de la chaîne de transport d'électrons à la synthèse de l'ATP, un exemple de chimiosmose.

À cette étape-ci, vous vous demandez peut-être comment la chaîne de transport d'électrons véhicule les protons. Les chercheurs ont découvert que certaines composantes de la chaîne de transport captent et libèrent des protons (H^+) en même temps que les électrons. Par conséquent, à certaines étapes de la chaîne, les transporteurs captent les H^+ et provoquent leur libération dans la solution environnante. Les transporteurs d'électrons sont disposés dans la membrane de façon que les H^+ soient prélevés dans la matrice mitochondriale, puis déposés dans l'espace intermembranaire (figure 9.15). Le gradient électrochimique de H^+ ainsi créé se nomme **force protonmotrice**, une expression qui souligne la capacité du gradient électrochimique à produire du travail. Cette force renvoie les H^+ à travers la membrane au moyen des canaux spécifiques fournis par les ATP synthases.

En résumé, *la chimiosmose constitue un mécanisme de couplage de l'énergie qui utilise l'énergie emmagasinée sous la forme d'un gradient de H^+ de part et d'autre d'une membrane pour alimenter le travail cellulaire.* Dans la mitochondrie, l'énergie du gradient provient de réactions chimiques exergoniques, et la synthèse d'ATP représente le travail effectué. Des variantes de la chimiosmose ont également lieu dans d'autres organites. Les chloroplastes font appel à ce mécanisme pour produire de l'ATP pendant la photosynthèse. Cependant, dans ces organites, c'est l'énergie lumineuse et non l'énergie chimique qui permet l'entrée des électrons dans la chaîne de transport et la formation du gradient de H^+. Les Bactéries et les Archéobactéries, qui ne possèdent ni mitochondries ni chloroplastes, créent des gradients électrochimiques de H^+ à travers leur membrane plasmique. Ensuite, au moyen de la force protonmotrice, elles produisent de l'ATP, transportent activement des nutriments et des déchets à travers leur membrane, et se déplacent même en remuant leurs flagelles. En raison de son importance capitale pour les conversions d'énergie chez les Procaryotes et les Eucaryotes, la chimiosmose a contribué à unifier l'étude de la bioénergétique. Peter Mitchell a reçu le prix Nobel en 1978 pour sa présentation inédite, en 1961, du modèle de la chimiosmose.

Un bilan de la production d'ATP par la respiration cellulaire

Maintenant que nous avons décortiqué la respiration cellulaire, revenons à sa fonction principale, qui est d'extraire l'énergie des nutriments pour alimenter la synthèse de l'ATP.

Pendant la respiration cellulaire aérobie, la majeure partie de l'énergie suit cette séquence : glucose → NADH + H^+ → chaîne de transport d'électrons → force protonmotrice → ATP. Faisons un bilan du profit net en ATP réalisé chaque fois qu'une mole de glucose est oxydée en six moles de dioxyde de carbone. Les trois services principaux de l'entreprise métabolique qu'est la respiration cellulaire aérobie sont la glycolyse, le cycle de l'acide citrique et la chaîne de transport d'électrons, qui alimente la phosphorylation oxydative. La **figure 9.16** présente un bilan détaillé du rendement en ATP par mole de glucose oxydée. Dénombrons d'abord les quatre moles d'ATP produites directement par phosphorylation au niveau du substrat, au cours de la glycolyse et du cycle de l'acide citrique. (Ces chiffres apparaissent dans la ligne jaune des résultats de la figure 9.16.) À ce nombre ajoutons les moles d'ATP engendrées par la phosphorylation oxydative. Chaque mole de NADH + H^+ qui transfère des électrons des nutriments à la chaîne de transport d'électrons contribue assez à la force protonmotrice pour produire un maximum d'environ trois moles d'ATP.

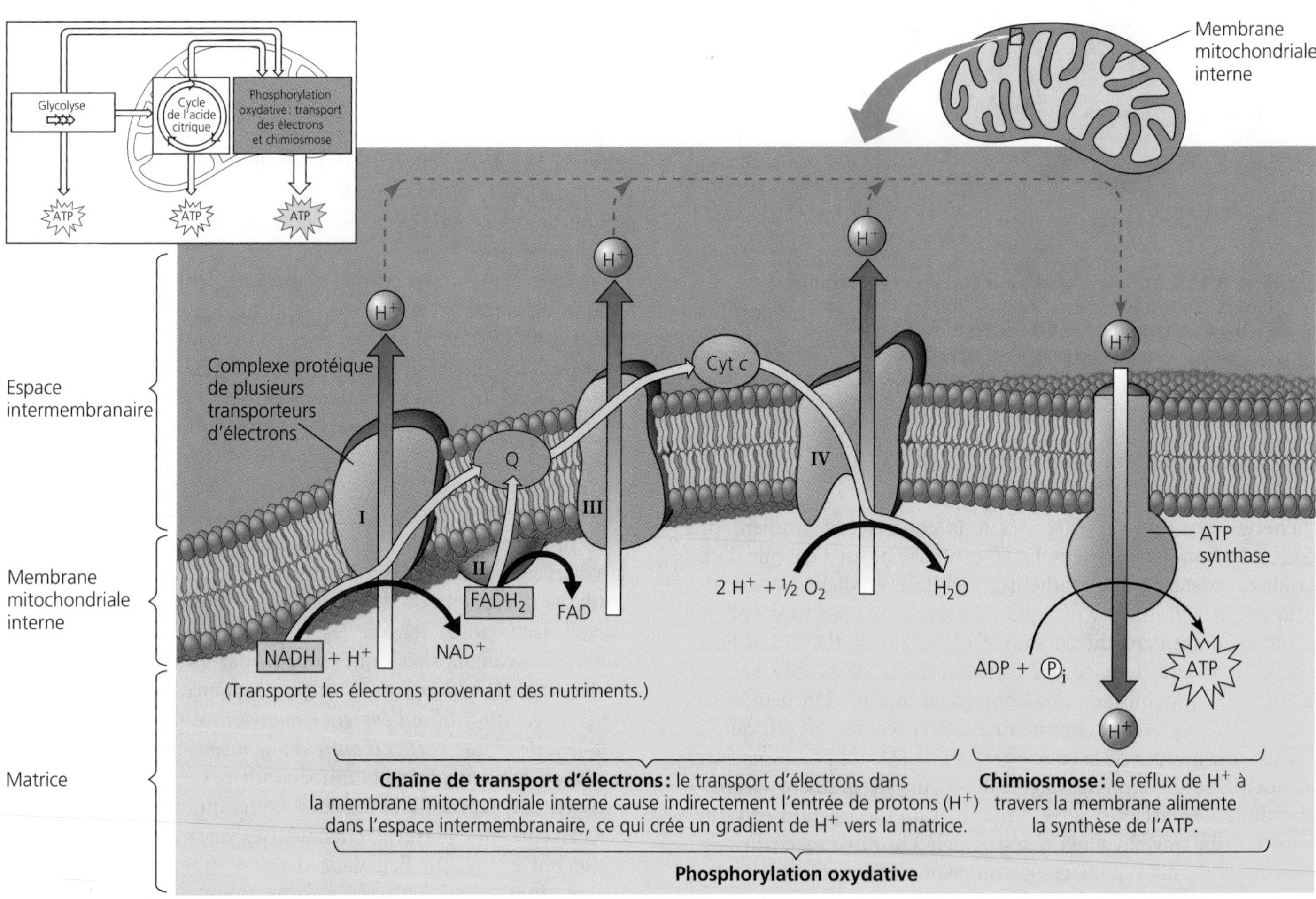

▲ **Figure 9.15 Couplage de la chaîne de transport d'électrons à la synthèse de l'ATP par la chimiosmose.** La $FADH_2$ et le NADH + H^+ véhiculent les électrons de haute énergie extraits des nutriments pendant la glycolyse et le cycle de l'acide citrique vers la chaîne de transport d'électrons située dans la membrane mitochondriale interne. Les flèches dorées indiquent le trajet des électrons qui aboutissent au dioxygène, le dernier élément de la descente énergétique. Il se forme de l'eau à cette étape. Comme il est illustré à la figure 9.13, la plupart des transporteurs d'électrons de la chaîne se trouvent réunis en quatre complexes. Les électrons sont relayés entre ces complexes par deux transporteurs mobiles, l'ubiquinone (Q) et le cytochrome *c* (Cyt *c*), qui se déplacent rapidement dans le plan de la membrane. Chaque fois que les complexes I, III et IV acceptent puis cèdent des électrons, des protons sont prélevés dans la matrice et transportés dans l'espace intermembranaire ; le nombre total de moles de protons ainsi prélevées varierait de 8 à 10 pour chaque mole de NADH + H^+, selon les auteurs. (Remarquez que la $FADH_2$ dépose ses électrons par l'intermédiaire du complexe II, ce qui fait qu'un moins grand nombre de protons sont pompés dans l'espace entre les membranes qu'avec le NADH.) L'énergie chimique provenant initialement des nutriments est donc transformée en une force protonmotrice sous la forme d'un gradient de H^+ à travers la membrane. Tout en suivant leur gradient électrochimique, les protons refluent dans un canal formé dans l'ATP synthase, un autre complexe protéique situé dans la membrane. L'ATP synthase exploite la force protonmotrice pour phosphoryler l'ADP, ce qui produit de l'ATP. On ne connaît pas précisément le nombre de moles de protons nécessaires à la production d'une mole d'ATP. Cependant, on s'accorde pour dire qu'une mole de NADH + H^+ génère trois moles d'ATP, tandis qu'une mole de $FADH_2$ donne en bout de chaîne deux moles d'ATP. Le procédé par lequel un gradient de H^+ (force protonmotrice) transfère de l'énergie à l'aide de réactions d'oxydoréduction afin de produire un travail cellulaire (synthèse de l'ATP, dans le cas qui nous concerne) est appelé chimiosmose. Avec le transport des électrons, il concourt à la phosphorylation oxydative.

Pourquoi les chiffres de la figure 9.16 sont-ils approximatifs? Trois raisons expliquent pourquoi nous ne pouvons pas indiquer le nombre exact de moles d'ATP qui sont générées par la dégradation d'une mole de glucose.

1. La phosphorylation et les réactions d'oxydoréduction ne sont pas directement couplées, ce qui fait que le rapport entre le nombre de moles de NADH et le nombre de moles d'ATP n'est pas un nombre entier. On sait que, avec 1 NADH, 10 H1 sont transportés à travers la membrane mitochondriale interne, et on sait aussi que 3 ou 4 H1 doivent entrer de nouveau dans la matrice mitochondriale par l'intermédiaire de l'ATP synthase pour produire 1 ATP. Par conséquent, 1 NADH génère assez de force protonmotrice pour synthétiser de 2,5 à 3,3 ATP. Généralement, on arrondit: 1 NADH peut générer environ 3 ATP. Le cycle de l'acide citrique fournit également des électrons à la chaîne de transport d'électrons par l'intermédiaire de la FADH2; cependant, comme celle-ci arrive plus tard dans la chaîne, chaque mole est responsable du transport d'un nombre de H1 tout juste suffisant pour synthétiser de 1,5 à 2 moles d'ATP.
2. Le rendement en ATP dépend en partie du type de navette utilisé pour véhiculer les électrons du cytosol à la mitochondrie. La membrane interne de la mitochondrie étant imperméable à un grand nombre de molécules, dont le NADH, le NADH du cytosol se trouve isolé de la machinerie de la phosphorylation oxydative. Les deux électrons du NADH captés dans la glycolyse doivent être transportés vers la mitochondrie par un des nombreux systèmes de navette. Selon le type de navette utilisé par la cellule, les électrons sont transférés au NAD1 ou à la FAD. Si les électrons sont véhiculés par la FAD, comme c'est le cas dans les cellules du cerveau, chaque $FADH_2$ cytosolique ne produit qu'un maximum de deux moles d'ATP. En revanche, s'ils sont transportés par le NAD1 mitochondrial, comme dans les cellules du foie et celles du cœur, ce rendement se rapproche de trois moles.
3. Enfin, une dernière variable peut réduire le rendement en ATP: la force protonmotrice générée par les réactions d'oxydoréduction de la respiration cellulaire aérobie peut être utilisée à d'autres fins. Elle peut, par exemple, servir à l'entrée de pyruvate dans la mitochondrie à partir du cytosol et réduire le rendement en ATP. Donc, si toute la force protonmotrice générée par la chaîne de transport d'électrons servait à alimenter la synthèse d'ATP, une seule mole de glucose pourrait produire un maximum de 34 moles d'ATP par phosphorylation oxydative en plus des 4 moles dérivant de la phosphorylation au niveau du substrat. Au total, nous obtenons donc 38 moles d'ATP (ou seulement 36 moles d'ATP environ si la navette moins efficace est utilisée).

Nous pouvons maintenant évaluer grossièrement l'efficacité de la respiration cellulaire aérobie, c'est-à-dire le pourcentage de l'énergie chimique enfermée dans le glucose qui a servi à produire de l'ATP. Rappelez-vous que l'oxydation complète d'une mole de glucose libère 2 870 kJ d'énergie ($\Delta G = -2\,870$ kJ/mol). Étant donné les conditions chimiques de la cellule, la phosphorylation de l'ADP emprisonne environ 30,5 kJ/mol dans les liaisons d'une mole d'ATP. Par conséquent, l'efficacité de la respiration cellulaire aérobie est de 30,5 kJ/mol d'ATP fois 38 moles d'ATP par mole de glucose divisé par 2 870 kJ/mol par mole de glucose, soit environ 0,4. Donc, à peu près 40 % de l'énergie stockée dans le glucose serait transférée et emmagasinée dans

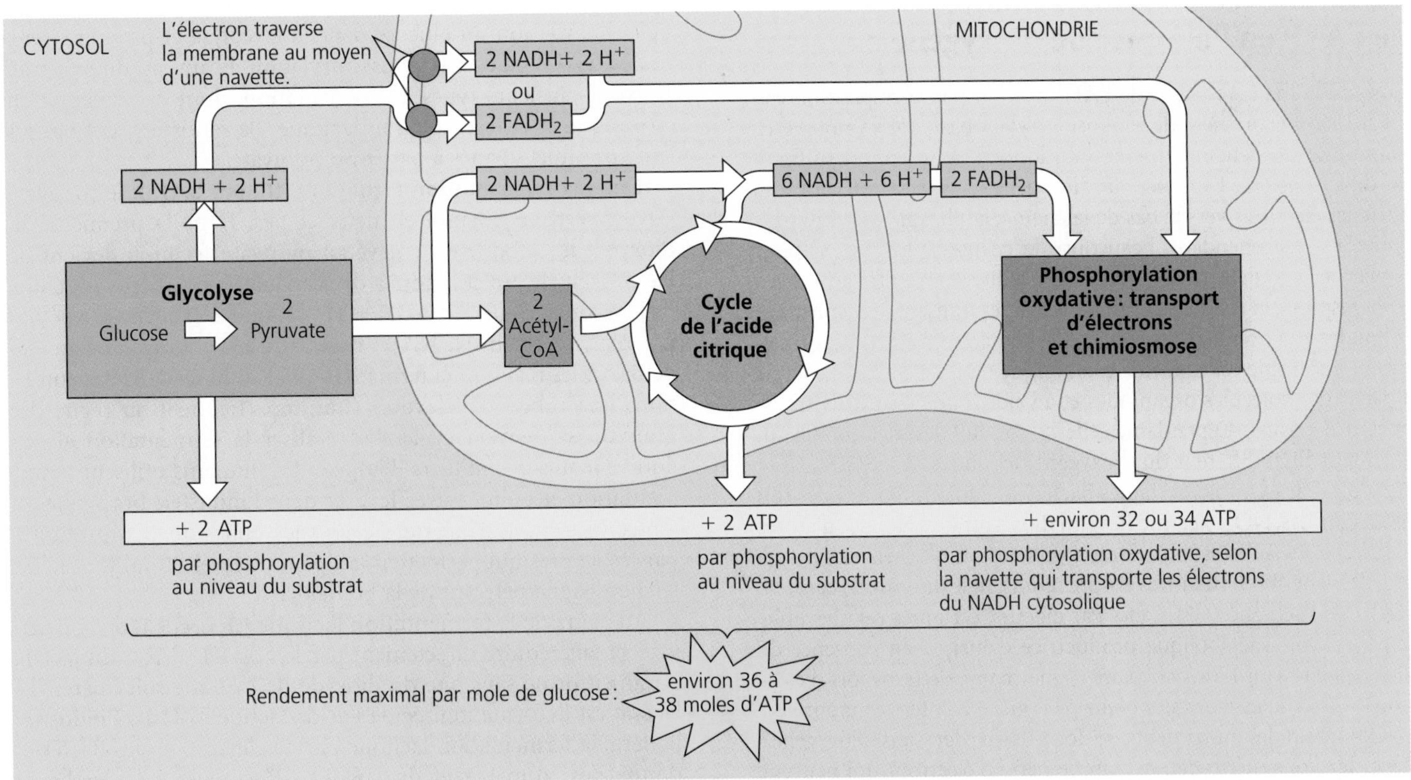

▲ **Figure 9.16 Rendement en ATP de chaque mole de glucose oxydée pendant la respiration cellulaire aérobie.**

l'ATP; mais on croit généralement que la valeur réelle serait encore plus grande que celle qui est calculée dans les conditions standard. Le reste de l'énergie du glucose se perd sous forme de chaleur. Nous utilisons une partie de cette chaleur pour conserver notre température corporelle (à 37 °C, ce qui est relativement élevé), et nous dissipons le reste par la transpiration et d'autres mécanismes de refroidissement. La respiration cellulaire aérobie demeure un processus de conversion d'énergie fort efficace. En comparaison, la voiture la plus performante convertit en mouvement 25 % environ de l'énergie emmagasinée dans l'essence.

Retour sur le concept 9.4

1. Quel effet aurait l'absence d'oxygène sur le processus illustré à la figure 9.15?
2. Supposons l'absence d'oxygène, comme à la question précédente. À votre avis, qu'arriverait-il si vous réduisiez le pH de l'espace intermembranaire de la mitochondrie? Expliquez votre réponse.

Voir les réponses proposées à la fin du chapitre.

Concept 9.5

La fermentation permet à certaines cellules de produire de l'ATP en l'absence de dioxygène

Comme la majeure partie de l'ATP produit par la respiration cellulaire aérobie provient de la phosphorylation oxydative, notre estimation de son rendement est conditionnelle à un apport suffisant de dioxygène. En l'absence de dioxygène, très électronégatif, qui attire les électrons vers le bas de la chaîne, la phosphorylation oxydative cesse. Cependant, beaucoup de cellules s'en passent pour oxyder leurs nutriments. Au lieu de produire leur ATP au moyen de la respiration cellulaire aérobie, certaines utilisent la **respiration cellulaire anaérobie**, et d'autres, la fermentation. La respiration cellulaire anaérobie est une voie catabolique de production d'énergie à partir de molécules organiques et à l'aide d'une chaîne de transport d'électrons. Cependant, celle-ci conduit les électrons à un accepteur final différent du dioxygène, tel que NO_3^-, SO_4^{2-}, CO_2, Fe^{3+}, etc. Par exemple, certaines bactéries réduisent les nitrates (ou trioxonitrates, NO_3^-) en nitrites (ou dioxonitrates, NO_2^-) ; d'autres réduisent les sulfates (ou tétraoxosulfates, SO_4^{2-}) en sulfure de dihydrogène (H_2S) ; d'autres encore réduisent le dioxyde de carbone (CO_2) en méthane (CH_4), etc. Par ailleurs, certaines cellules utilisent une voie métabolique productrice d'énergie en l'absence de dioxygène et sans l'intermédiaire d'une chaîne de transport d'électrons; ces cellules fabriquent leur ATP grâce à la fermentation.

Comment les nutriments se font-ils oxyder sans dioxygène? Rappelez-vous qu'oxydation signifie perte d'électrons qui peuvent être captés par n'importe quel accepteur d'électrons, pas seulement le dioxygène. La glycolyse oxyde une mole de glucose en deux moles de pyruvate; l'agent oxydant est le NAD^+, et *non* le dioxygène. Le dioxygène n'est donc pas toujours essentiel dans les processus fournissant de l'énergie à un organisme; en fait, certains microorganismes ont besoin de milieux sans oxygène pour vivre et celui-ci peut même, chez certaines bactéries, constituer un poison causant des oxydations irréversibles nocives.

Dans la glycolyse, l'oxydation du glucose est exergonique, et une partie de l'énergie libérée est utilisée pour produire deux moles d'ATP (net) par phosphorylation au niveau du substrat. En présence de dioxygène, la phosphorylation oxydative produit des moles d'ATP additionnelles quand le NADH + H^+ transfère les électrons du glucose à la chaîne de transport d'électrons. Cependant, que le dioxygène soit présent ou non, c'est-à-dire que les conditions soient **aérobies** ou **anaérobies** (du grec *aêr*, qui signifie « air », et *bios*, « vie » ; le préfixe *an* signifie « sans »), la glycolyse à elle seule, c'est-à-dire sans la contribution d'une chaîne de transport d'électrons, génère toujours deux moles d'ATP.

Le catabolisme anaérobie des nutriments organiques peut emprunter la voie de la fermentation. Celle-ci constitue un prolongement de la glycolyse; elle engendre de l'ATP par phosphorylation au niveau du substrat tant qu'il y a suffisamment de NAD^+ pour accepter les électrons pendant la phase d'oxydation de la glycolyse. Sans un mécanisme de recyclage du NADH + H^+ en NAD^+, la glycolyse épuiserait vite la réserve cellulaire de NAD^+ en la réduisant entièrement en NADH, puis elle s'arrêterait, faute d'un agent oxydant. Chez les organismes aérobies, le NADH + H^+ est recyclé en NAD^+ par le transfert des électrons à la chaîne de transport.

Types de fermentation

Chez les organismes fermentatifs, les électrons du NADH + H^+ sont transférés au pyruvate, le produit final de la glycolyse, ou à des dérivés du pyruvate. Le NAD^+ peut alors servir de nouveau pour l'oxydation du glucose dans la glycolyse et produire deux moles d'ATP grâce à la phosphorylation au niveau du substrat. Il existe plusieurs types de fermentation, dont la fermentation alcoolique et la fermentation lactique. Ils se distinguent par les sous-produits formés à partir du pyruvate.

Dans la **fermentation alcoolique (figure 9.17a)**, le pyruvate est converti en éthanol en deux étapes. Dans la première, du dioxyde de carbone est enlevé au pyruvate; celui-ci devient de l'acétaldéhyde, un composé à deux atomes de carbone. Au cours de la seconde étape, le NADH + H^+ réduit l'acétaldéhyde en éthanol, régénérant ainsi le NAD^+ nécessaire à la glycolyse. Beaucoup de Bactéries réalisent la fermentation alcoolique dans des conditions anaérobies. Les levures (qui appartiennent au règne des Eumycètes) peuvent également réaliser la fermentation alcoolique. Depuis des milliers d'années, les humains utilisent la fermentation alcoolique avec levures dans l'industrie brassicole ou vinicole et en boulangerie. Ce sont les bulles de CO_2 produites par les levures qui permettent au pain de lever et qui font jaillir le champagne pétillant de la bouteille.

Au cours de la **fermentation lactique (figure 9.17b)**, le pyruvate se fait réduire directement par le NADH + H^+: du lactate est ainsi formé sans que du dioxyde de carbone soit libéré. (Le lactate est la forme ionisée de l'acide lactique.) Dans l'industrie laitière, la fermentation lactique par des levures et des Bactéries donne des fromages et du yogourt. L'acétone et le méthanol (alcool méthylique) figurent parmi les sous-produits d'autres types de fermentation microbienne utilisés dans l'industrie.

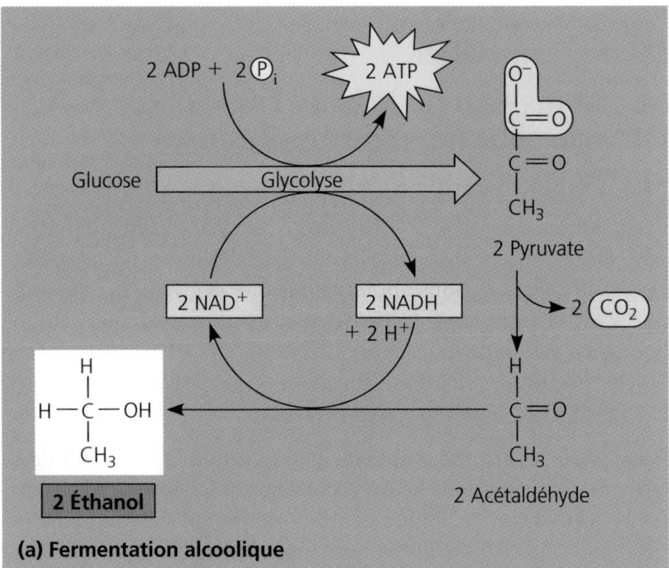

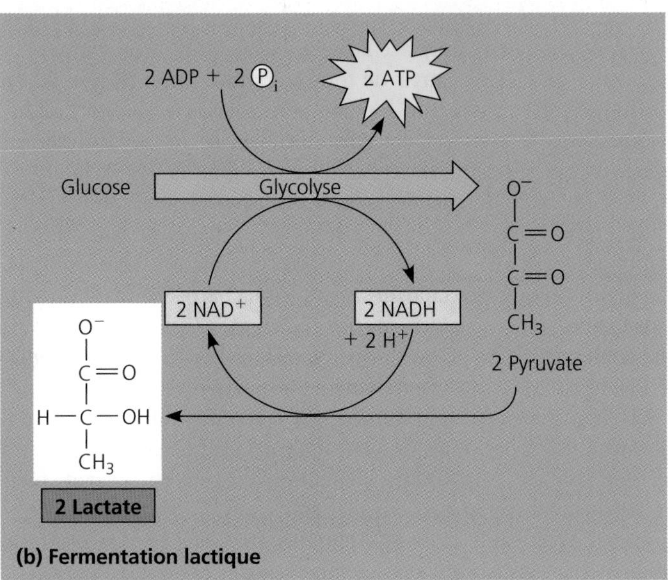

▲ **Figure 9.17 Fermentation.** En l'absence de dioxygène, plusieurs types de cellules font appel à la fermentation pour produire de l'ATP par phosphorylation au niveau du substrat. L'acétoldéhyde (fermentation alcoolique) et le pyruvate (fermentation lactique) servent d'accepteurs d'électrons pour l'oxydation du NADH + H^+ en NAD^+. Le NAD^+ peut ensuite servir de nouveau pendant la glycolyse. Deux des produits principaux de la fermentation sont **(a)** l'éthanol et **(b)** le lactate, la forme ionisée de l'acide lactique.

Les cellules musculaires produisent de l'ATP par fermentation lactique lorsque le dioxygène se fait rare. Cela arrive notamment pendant les premières minutes d'un exercice exigeant, quand le glucose se fait dégrader plus rapidement que le dioxygène ne parvient aux muscles. Les cellules passent alors de la respiration cellulaire aérobie à la fermentation. Le lactate qui s'accumule dans les muscles peut causer de la fatigue et de la douleur, mais la circulation le transporte graduellement au foie, dont les cellules possèdent les enzymes nécessaires pour le convertir en pyruvate. Remarquez que, quel que soit le type de fermentation, le sous-produit final réduit ayant servi de dernier accepteur d'électrons constitue un déchet qui sera excrété. En effet, ce produit, même s'il contient encore de l'énergie, ne peut être oxydé par la cellule.

Une comparaison entre la respiration cellulaire et la fermentation

La fermentation et la respiration cellulaire produisent de l'ATP à partir de l'énergie chimique des nutriments. Ces voies métaboliques font appel à la glycolyse pour oxyder le glucose et d'autres combustibles organiques en pyruvate. Elles fournissent, pendant la glycolyse, un rendement net de deux moles d'ATP au moyen de la phosphorylation au niveau du substrat. Tant dans la fermentation que dans la respiration cellulaire, le NAD^+ est l'agent oxydant qui accepte les électrons dérivés de la transformation des nutriments au cours de la glycolyse. La différence majeure entre la fermentation et la respiration cellulaire aérobie ou anaérobie réside dans le mécanisme d'oxydation du NADH + H^+ en NAD^+, une étape nécessaire à la poursuite de la glycolyse. Dans la fermentation, le dernier accepteur d'électrons est une molécule organique comme le pyruvate (fermentation lactique) ou l'acétaldéhyde (fermentation alcoolique). En revanche, dans la respiration cellulaire aérobie, le NADH + H^+ cède ses électrons à un dernier accepteur qui est le dioxygène ; et dans la respiration cellulaire anaérobie, il cède ses électrons à un dernier accepteur qui peut être NO_3^-, SO_4^{2-}, CO_2 ou Fe^{3+}. Pendant la respiration cellulaire, non seulement le NAD^+ nécessaire à la glycolyse est régénéré, mais aussi de l'ATP supplémentaire est produit lorsque les électrons du NADH + H^+, provenant de l'étape 6 de la glycolyse, sont passés à un accepteur final (le dioxygène), ce qui implique une phosphorylation oxydative. L'oxydation du pyruvate dans le cycle de l'acide citrique, un stade métabolique limité à la respiration cellulaire, engendre davantage d'ATP. Sans dioxygène, l'énergie emmagasinée dans le pyruvate ne peut être mise à la disposition de la cellule. La respiration cellulaire extrait donc beaucoup plus d'énergie par mole de glucose que la fermentation, soit 18 à 19 fois plus d'ATP par mole de glucose (jusqu'à 36 à 38 moles d'ATP pour la respiration cellulaire, contre 2 moles pour la fermentation ; en termes de rendement énergétique, la fermentation n'extrait que 2 % de toute l'énergie contenue dans le glucose).

Les organismes **anaérobies facultatifs**, tels que les levures et de nombreuses bactéries, peuvent fabriquer l'ATP dont ils ont besoin par fermentation ou par respiration cellulaire aérobie, suivant qu'ils trouvent ou non du dioxygène dans leur milieu. À l'échelon cellulaire, les cellules musculaires se comportent d'une certaine façon comme des organismes anaérobies facultatifs. Chez ceux-ci, le pyruvate représente un carrefour qui mène à deux voies cataboliques **(figure 9.18)** : en aérobiose, il se fait convertir en acétyl-CoA, et l'oxydation prend la voie du cycle de l'acide citrique ; en anaérobiose, il se soustrait au cycle de l'acide citrique et sert plutôt d'accepteur d'électrons pour le recyclage du NAD^+, et l'oxydation prend alors la voie de la fermentation. Un organisme anaérobie facultatif doit métaboliser le glucose beaucoup plus rapidement lors de la fermentation que lors de la respiration cellulaire aérobie, et ce, pour produire une même quantité d'ATP.

L'importance de la glycolyse dans l'évolution

La glycolyse est commune à la fermentation et à la respiration cellulaire, et cette similitude s'explique par l'évolution. Les Procaryotes primitifs se servaient probablement de la glycolyse pour produire leur ATP bien avant que le dioxygène ne compose l'atmosphère terrestre. Les fossiles de Bactéries les plus anciens

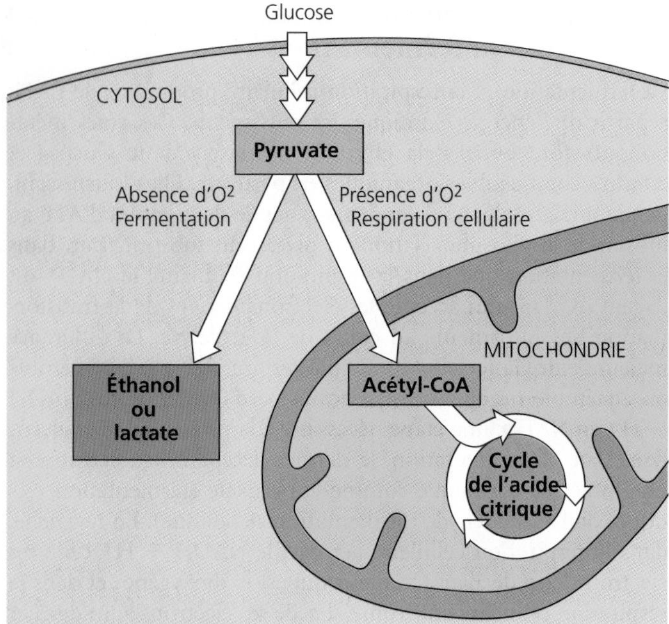

▲ **Figure 9.18 Le pyruvate au carrefour de deux voies cataboliques.** La fermentation et la respiration cellulaire aérobie comportent toutes les deux le processus de la glycolyse. Le produit final de celle-ci, soit le pyruvate, représente un carrefour dans l'oxydation du glucose. Dans une cellule capable de pratiquer la respiration cellulaire aérobie et la fermentation, le pyruvate prend une voie ou l'autre, selon la présence ou l'absence de dioxygène.

datent de 3,5 milliards d'années environ, mais le dioxygène ne s'est probablement accumulé en quantités appréciables dans l'atmosphère terrestre qu'il y a 2,7 milliards d'années. Les Cyanobactéries ont émis ce dioxygène à la suite de la photosynthèse. Par conséquent, les premiers Procaryotes ont dû produire leur ATP uniquement par fermentation. En outre, la glycolyse constitue la voie métabolique la plus répandue, ce qui laisse croire qu'elle est apparue très tôt dans l'histoire de la vie. Le fait qu'elle se déroule dans le cytoplasme suggère également qu'elle date d'il y a très longtemps; elle ne nécessite aucun des organites membraneux de la cellule eucaryote, qui est apparue près de un milliard d'années après la cellule procaryote. Héritage métabolique des premières cellules, la glycolyse existe encore chez tous les organismes modernes, aussi bien dans la fermentation que comme étape de la dégradation des molécules organiques par la respiration.

Retour sur le concept 9.5

1. Pensez à la formation du NADH au cours de la glycolyse. Quel est le dernier accepteur d'électrons durant la fermentation? Quel est le dernier accepteur d'électrons durant la respiration cellulaire?
2. Une cellule de levure nourrie de glucose est transférée d'un milieu aérobie à un milieu anaérobie. Pour que la cellule continue de produire de l'ATP à la même vitesse, de quelle façon son taux de consommation de glucose doit-il changer?

Voir les réponses proposées à la fin du chapitre.

Concept 9.6

La glycolyse et le cycle de l'acide citrique sont liés à de nombreuses autres voies métaboliques

Jusqu'à maintenant, nous avons traité du catabolisme du glucose sans tenir compte des autres voies métaboliques de la cellule. Dans cette section, nous apprendrons que la glycolyse et le cycle de l'acide citrique sont au croisement de plusieurs voies cataboliques et anaboliques (de biosynthèse).

La polyvalence du catabolisme

Jusqu'ici, le seul combustible de la respiration cellulaire et de la fermentation que nous avons considéré est le glucose. Pourtant, les molécules libres de glucose ne représentent pas une portion abondante du régime alimentaire animal. L'humain, en particulier, tire la majeure partie de son énergie des lipides, des protéines, du saccharose et d'autres disaccharides, ainsi que de l'amidon et du glycogène, deux polysaccharides. La respiration cellulaire peut produire de l'ATP à partir de toutes ces molécules **(figure 9.19)**.

La glycolyse s'effectue à partir d'une grande variété de glucides. Dans le système digestif, l'amidon se fait hydrolyser en glucose, que les cellules dégradent ensuite au cours de la glycolyse et du cycle de l'acide citrique. Le glycogène, le polysaccharide emmagasiné dans les cellules hépatiques et musculaires animales, peut aussi se faire hydrolyser en glucose entre les repas. La digestion des disaccharides, dont le saccharose, fournit du glucose ainsi que d'autres monosaccharides, que des enzymes peuvent convertir. On voit donc que, dans le catabolisme, le glucose subissant la glycolyse peut provenir de divers glucides.

Les protéines peuvent aussi servir de combustible pour la respiration cellulaire. Elles doivent d'abord être dégradées en leurs acides aminés constituants. Beaucoup de ceux-ci servent, bien entendu, à fabriquer de nouvelles protéines. Cependant, ceux qui sont en excès sont convertis par des enzymes en des produits intermédiaires de la glycolyse et du cycle de l'acide citrique. Avant d'entrer dans la glycolyse ou dans le cycle de l'acide citrique, ils doivent perdre leur groupement amine, un processus appelé désamination. Le résidu azoté est ensuite excrété sous forme d'ammoniac, d'urée ou d'autres substances.

Enfin, le catabolisme peut extraire l'énergie stockée dans les lipides provenant des aliments ou des cellules adipeuses des organismes multicellulaires. Une fois les lipides digérés et transformés en glycérol et en acides gras, le glycérol est converti en 3-phosphoglycéraldéhyde (PGAL), un produit intermédiaire de la glycolyse. Mais l'essentiel de l'énergie d'un lipide se trouve dans ses acides gras. Une séquence métabolique, la **bêta-oxydation** (ainsi appelée car l'oxydation se fait au niveau du carbone 3, ou carbone bêta [β], de l'acide gras), dégrade ceux-ci en fragments contenant deux atomes de carbone. Ces derniers entrent dans le cycle de l'acide citrique sous forme d'acétyl-CoA. Les lipides font d'excellents combustibles. Un gramme de lipides oxydés par la respiration cellulaire produit deux fois plus d'ATP qu'un gramme de glucides. Malheureusement, cela signifie aussi qu'une personne suivant un régime doit s'armer de patience: comme les lipides contiennent énormément de kilojoules par gramme, la graisse corporelle met du temps à « fondre ».

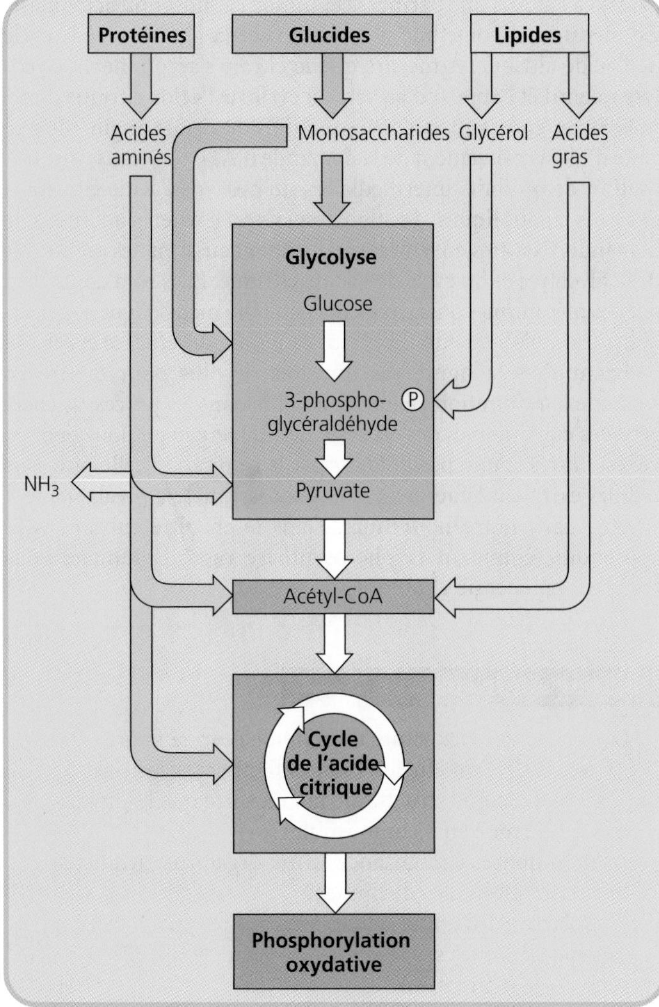

▲ **Figure 9.19 Catabolisme de divers nutriments.** Les glucides, les lipides et les protéines peuvent servir de combustibles pour la respiration cellulaire. Leurs monomères entrent dans la glycolyse ou dans le cycle de l'acide citrique en divers points. La glycolyse et le cycle de l'acide citrique représentent des entonnoirs cataboliques à travers lesquels les électrons provenant de tous les nutriments amorcent leur descente exergonique vers l'accepteur final d'électrons.

La biosynthèse (voies anaboliques)

Les cellules ont besoin d'énergie, mais aussi de matière. Les molécules organiques de la nourriture ne sont pas toutes destinées à l'oxydation et à la synthèse de l'ATP. En effet, la nourriture doit fournir aux cellules non seulement des kilojoules, mais aussi les chaînes carbonées nécessaires à la fabrication de molécules structurales. Certains monomères organiques issus de la digestion peuvent être utilisés directement. Par exemple, les acides aminés provenant de l'hydrolyse des protéines alimentaires peuvent servir de monomères dans la synthèse des protéines de l'organisme. Mais il arrive fréquemment que celui-ci ait besoin de molécules précises que la nourriture ne lui fournit pas. Les produits intermédiaires de la glycolyse et du cycle de l'acide citrique peuvent alors être détournés vers les voies anaboliques et servir de précurseurs à la synthèse des molécules nécessaires. Le corps humain, par exemple, peut synthétiser environ 10 des 20 acides aminés en modifiant des composés détournés du cycle de l'acide citrique. De même, il peut fabriquer du glucose à partir de pyruvate et des acides gras à partir d'acétyl-CoA. En outre, les produits des premières étapes de la glycolyse peuvent servir d'intermédiaires dans la synthèse de nucléotides. Il va sans dire que ces voies anaboliques, ou de biosynthèse, ne produisent pas d'ATP: au contraire, elles en consomment.

Enfin, la glycolyse et le cycle de l'acide citrique permettent à nos cellules de convertir certaines molécules selon les besoins et les circonstances. Par exemple, le dihydroxyacétone phosphate, un produit intermédiaire de la glycolyse (voir la figure 9.9, étape 5), peut être converti en un des principaux précurseurs des lipides. Si notre apport alimentaire dépasse nos besoins, nous engraissons, même si notre régime ne comporte pas de matières grasses. Le métabolisme est un processus complexe, polyvalent et adaptable. Mais il faut bien comprendre que tout, dans le métabolisme, est d'abord affaire d'enzymes. Si l'enzyme nécessaire à une réaction n'est pas présente, la réaction ne sera pas possible. Ainsi, si les acides gras ne peuvent pas être convertis en glucose chez l'humain ni chez la plupart des animaux, c'est que l'enzyme qui permettrait la transformation de l'acide pyruvique en acétyl-CoA est absente.

La régulation de la respiration cellulaire par des mécanismes de rétro-inhibition

L'économie métabolique obéit aux lois fondamentales de l'offre et de la demande. La cellule ne gaspille pas d'énergie à produire davantage d'une substance qu'il ne lui en faut. Par exemple, s'il y a un surplus d'un acide aminé donné, la voie anabolique qui synthétise celui-ci à partir d'un produit intermédiaire du cycle de l'acide citrique se ferme. Cette régulation repose principalement sur un mécanisme de rétro-inhibition: le produit final de la voie anabolique inhibe l'enzyme qui catalyse la première étape de cette voie (voir la figure 8.21). L'organisme évite ainsi de consacrer des produits intermédiaires à des usages non essentiels.

La cellule gère aussi son catabolisme. Si elle travaille dur et que sa concentration en ATP commence à diminuer, la respiration cellulaire s'accélère. Quand il y a amplement d'ATP pour satisfaire la demande, la respiration cellulaire ralentit, ce qui permet à la cellule d'économiser de précieuses molécules organiques en vue d'autres fonctions. Ici encore, la régulation porte principalement sur l'activité d'enzymes intervenant en des points stratégiques de la voie catabolique. L'une de celles-ci est la phosphofructokinase, qui catalyse l'étape 3 de la glycolyse **(figure 9.20)**. C'est la première étape durant laquelle un substrat est irréversiblement dirigé vers la voie glycolytique. En contrôlant le débit de cette étape, la cellule peut accélérer ou ralentir le processus catabolique entier; par conséquent, la phosphofructokinase détermine la vitesse de la respiration cellulaire.

La phosphofructokinase est une enzyme allostérique qui possède, en plus de son site actif, des sites récepteurs destinés à des inhibiteurs et à des activateurs spécifiques. L'ATP l'inhibe, alors que l'AMP (l'adénosine monophosphate, un dérivé de l'ADP) l'active. Donc, lorsque l'ATP s'accumule, l'inhibition de la phosphofructokinase ralentit la glycolyse. Inversement, quand la cellule consomme davantage d'ATP qu'elle n'en produit, l'enzyme est réactivée.

En outre, la phosphofructokinase est sensible au citrate, le premier produit du cycle de l'acide citrique. S'il augmente beaucoup dans les mitochondries, une certaine quantité passe dans le

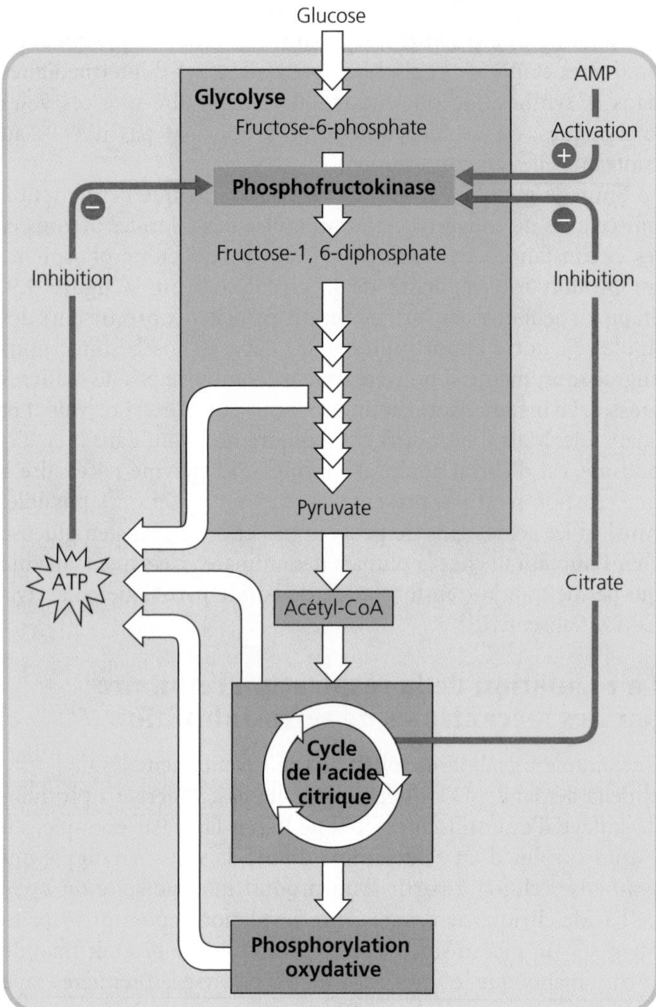

▲ **Figure 9.20 Régulation de la respiration cellulaire.** Des enzymes allostériques interviennent en certains points de la voie catabolique. Elles réagissent à des inhibiteurs et à des activateurs. Elles déterminent ainsi la vitesse de la glycolyse et du cycle de l'acide citrique. La phosphofructokinase, qui catalyse l'étape 3 de la glycolyse (voir la figure 9.9), est l'une de ces enzymes clés. L'AMP (qui dérive de l'ADP) l'active, mais l'ATP et le citrate l'inhibent. Ce mécanisme de rétro-inhibition ajuste la vitesse de la respiration cellulaire aux variations des besoins cataboliques et anaboliques de la cellule.

cytosol à l'aide d'une perméase et inhibe la phosphofructokinase. Ce mécanisme contribue à synchroniser la glycolyse et le cycle de l'acide citrique. À mesure que le citrate s'accumule, la glycolyse ralentit et l'apport d'acétate au cycle de l'acide citrique diminue. Si, au contraire, la consommation de citrate augmente à la suite d'un accroissement de la demande d'ATP ou à cause de l'utilisation de produits intermédiaires du cycle de l'acide citrique à des fins anaboliques, la glycolyse s'accélère et s'adapte à la demande. D'autres enzymes interviennent aussi en des points clés de la glycolyse et du cycle de l'acide citrique. Elles sont contrôlées par des mécanismes qui favorisent l'équilibre métabolique. Le métabolisme cellulaire est un processus économique, efficace et souple.

Examinons la figure 9.2 une fois de plus pour mettre en contexte la respiration cellulaire aérobie dans les processus énergétiques et chimiques des écosystèmes. L'énergie qui nous tient en vie est *libérée* et non pas *produite* par la respiration cellulaire. Nos cellules extraient l'énergie que la photosynthèse a préalablement stockée dans notre nourriture. Dans le chapitre suivant, vous apprendrez comment la photosynthèse capte la lumière et la convertit en énergie chimique.

Retour sur le concept 9.6

1. Comparez la structure d'un lipide (voir la figure 5.11) avec celle d'un glucide (voir la figure 5.3). Quelle caractéristique structurale fait en sorte que les lipides sont de meilleurs combustibles ?
2. Dans quelles circonstances votre organisme synthétise-t-il des molécules de lipides ?
3. Qu'arrive-t-il à une cellule musculaire qui a dépensé toutes ses réserves d'oxygène et d'ATP ? (Voir la figure 9.20.)

Voir les réponses proposées à la fin du chapitre.

Révision du chapitre 9

RÉSUMÉ DES CONCEPTS CLÉS

► Les processus vitaux nécessitent de l'énergie, qui entre dans l'écosystème sous forme de lumière solaire. Cette énergie sert à effectuer du travail ou se dissipe sous forme de chaleur, tandis que les substances chimiques nécessaires à la vie se recyclent durant la respiration et la photosynthèse (**p. 169**).

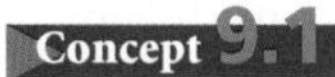

Concept 9.1

Les voies cataboliques génèrent de l'énergie en oxydant des molécules organiques

► **Les voies cataboliques et la production d'ATP** (**p. 170**). La dégradation du glucose et d'autres combustibles organiques en des molécules plus simples est exergonique et alimente la synthèse de l'ATP. La respiration cellulaire aérobie produit, à partir de glucose ou d'un autre combustible organique et au moyen de dioxygène, de l'eau, du dioxyde de carbone et de l'énergie sous forme d'ATP et de chaleur. Pour continuer à travailler, la cellule doit régénérer l'ATP.

► **Les réactions d'oxydoréduction : oxydation et réduction (p. 170-173).** La cellule extrait l'énergie emmagasinée dans les molécules de nutriments au moyen de réactions d'oxydoréduction. Au cours de celles-ci, une substance cède quelques-uns ou la totalité de ses électrons à une autre substance. La substance qui reçoit les électrons est réduite ; celle qui les perd est oxydée. Durant la respiration cellulaire, le glucose ($C_6H_{12}O_6$) est oxydé en CO_2 et le dioxygène est réduit en H_2O. Au cours de leur transfert des composés organiques au dioxygène, les électrons perdent leur énergie potentielle. Le NAD^+ capte habituellement les électrons extraits des composés organiques et devient réduit en NADH + H^+. Le NADH + H^+ passe les électrons le long de la chaîne de transport d'électrons jusqu'au dioxygène : cela se fait en une série d'étapes qui libèrent chacune une petite quantité d'énergie. Cette énergie sert à produire de l'ATP.

- **Les étapes de la respiration cellulaire aérobie : *un aperçu* (p. 173-174).** La glycolyse et le cycle de l'acide citrique fournissent des électrons à la chaîne de transport d'électrons (par l'intermédiaire du NADH + H^+ ou de la $FADH_2$), et celle-ci alimente la phosphorylation oxydative. La phosphorylation oxydative génère de l'ATP.

Concept 9.2

La glycolyse libère de l'énergie chimique en oxydant le glucose en pyruvate

- Cette voie a un rendement net de deux moles d'ATP, produites par phosphorylation au niveau du substrat, et de deux moles de NADH + H^+ par mole de glucose (**p. 174**).

Concept 9.3

Le cycle de l'acide citrique achève l'oxydation des molécules organiques, génératrice d'énergie

- L'importation du pyruvate dans la mitochondrie et sa conversion en acétyl-CoA relie la glycolyse au cycle de l'acide citrique. L'acétate de l'acétyl-CoA (qui a deux carbones) s'unit à une molécule ayant quatre atomes de carbone, l'oxaloacétate : du citrate, une molécule ayant six atomes de carbone, est ainsi formé. Il est lui-même transformé graduellement en oxaloacétate. Le cycle libère deux moles de CO_2, produit une mole d'ATP et transfère des électrons et des protons au NAD^+ et à la FAD, ce qui donne trois moles de NADH + H^+ et une mole de $FADH_2$ par cycle (**p. 175-178**).

Concept 9.4

Durant la phosphorylation oxydative, la chimiosmose couple le transport d'électrons à la synthèse d'ATP

- Le NADH et la $FADH_2$ cèdent des électrons à la chaîne de transport d'électrons, ce qui alimente la synthèse d'ATP par phosphorylation oxydative (**p. 178**).
- **La chaîne de transport d'électrons (p. 178-180).** Dans la chaîne de transport d'électrons, des électrons du NADH et de la $FADH_2$ perdent de l'énergie au cours de quelques étapes libératrices d'énergie. Au bout de la chaîne, les électrons sont transférés au dioxygène et le réduisent en H_2O.
- **La chimiosmose : un mécanisme de couplage de l'énergie (p. 180-181).** Lors de certains des transferts de la chaîne, des complexes protéiques transporteurs d'électrons font passer des H^+ de la matrice à l'espace intermembranaire. L'énergie se trouve ainsi emmagasinée dans un gradient électrochimique appelé force protonmotrice. Les protons rentrent dans la matrice grâce à l'ATP synthase, et ce passage exergonique alimente la phosphorylation endergonique de l'ADP.
- **Un bilan de la production d'ATP par la respiration cellulaire (p. 182-184).** Environ 40 % de l'énergie emmagasinée dans une mole de glucose est transférée à l'ATP durant la respiration cellulaire, ce qui produit un maximum d'environ 36 à 38 moles d'ATP.

Concept 9.5

La fermentation permet à certaines cellules de produire de l'ATP en l'absence de dioxygène

- **Types de fermentation (p. 184-185).** La glycolyse fournit deux moles d'ATP par phosphorylation au niveau du substrat, en présence de dioxygène ou non. Dans des conditions anaérobies, les électrons du NADH + H^+ qui proviennent de la glycolyse sont transférés au pyruvate ou à un dérivé du pyruvate, ce qui régénère le NAD^+ nécessaire à l'oxydation d'autres molécules de glucose. La fermentation alcoolique et la fermentation lactique sont deux types de fermentation.
- **Une comparaison entre la respiration cellulaire et la fermentation (p. 185).** La respiration cellulaire et la fermentation utilisent toutes les deux la glycolyse pour oxyder le glucose, mais leurs accepteurs d'électrons finals sont différents. Aussi, la respiration cellulaire génère plus d'ATP.
- **L'importance de la glycolyse dans l'évolution (p. 185-186).** La glycolyse a lieu dans presque tous les organismes et remonte probablement aux premiers Procaryotes, à l'époque où il n'y avait pas encore de dioxygène dans l'atmosphère.

Concept 9.6

La glycolyse et le cycle de l'acide citrique sont liés à de nombreuses autres voies métaboliques

- **La polyvalence du catabolisme (p. 186).** Les voies cataboliques font converger les électrons provenant de tous les nutriments vers la respiration cellulaire.
- **La biosynthèse (voies anaboliques) (p. 187).** Le corps peut utiliser directement les petites molécules provenant des aliments ingérés, ou bien il peut utiliser ces molécules pour synthétiser d'autres substances par la glycolyse ou le cycle de l'acide citrique.
- **La régulation de la respiration cellulaire par des mécanismes de rétro-inhibition (p. 187-188).** La respiration cellulaire est régie par des enzymes allostériques qui interviennent en des points clés de la glycolyse et du cycle de l'acide citrique. Cette régulation réalise un équilibre de tous les instants entre le catabolisme et l'anabolisme.

VÉRIFIEZ VOS CONNAISSANCES

Autoévaluation

(Les questions dont les numéros sont en caractères gras font surtout appel à la compréhension.)

1. Quel est l'agent réducteur dans la réaction suivante ?

$$\text{Pyruvate} + \text{NADH} + H^+ \rightarrow \text{Lactate} + NAD^+$$

a) Le dioxygène.
b) Le NADH + H^+.
c) Le NAD^+.
d) Le lactate.
e) Le pyruvate.

2. La source d'énergie qui alimente *directement* la synthèse de l'ATP par l'intermédiaire de l'ATP synthase pendant la phosphorylation oxydative est :
a) l'oxydation du glucose et d'autres composés organiques.
b) le flux endergonique des électrons dans la chaîne de transport d'électrons.
c) l'affinité du dioxygène pour les électrons.
d) le gradient de concentration de H^+ de part et d'autre de la membrane mitochondriale interne.
e) le transfert du phosphate à l'ADP.

3. Quelle voie métabolique est commune à la fermentation et à la respiration cellulaire aérobie ?
a) Le cycle de l'acide citrique.
b) La chaîne de transport d'électrons.
c) La glycolyse.
d) La synthèse de l'acétyl-CoA à partir du pyruvate.
e) La réduction du pyruvate en lactate.

4. Dans la mitochondrie, les réactions d'oxydoréduction exergoniques :
a) sont une source d'énergie qui alimente la synthèse d'ATP chez les Procaryotes.
b) sont directement couplées à la phosphorylation au niveau du substrat.
c) fournissent l'énergie nécessaire à l'établissement d'un gradient de H^+.
d) réduisent les atomes de carbone en dioxyde de carbone.
e) sont couplées à des processus endergoniques par l'entremise de produits intermédiaires phosphorylés.

5. Quel est le dernier accepteur dans une des chaînes de transport d'électrons de la respiration cellulaire anaérobie?
   a) NO_3^-.
   b) Le dioxygène.
   c) Le NAD^+.
   d) Le pyruvate.
   e) L'ADP.
6. Lequel des changements suivants se produit lorsque les électrons descendent dans la chaîne de transport d'électrons à l'intérieur des mitochondries?
   a) Le pH de la matrice augmente.
   b) L'ATP synthase transporte activement des protons.
   c) Les électrons gagnent de l'énergie libre.
   d) Les cytochromes phosphorylent l'ADP en ATP.
   e) Le NAD^+ est oxydé.
7. Que se passe-t-il lorsqu'un poison métabolique inhibe spécifiquement l'ATP synthase mitochondriale?
   a) La différence de pH s'atténue de part et d'autre de la membrane mitochondriale.
   b) La différence de pH s'accentue de part et d'autre de la membrane mitochondriale.
   c) La synthèse de l'ATP augmente.
   d) La consommation de dioxygène augmente.
   e) Le NAD^+ s'accumule.
8. Les cellules ne catabolisent pas le dioxyde de carbone parce que:
   a) les liaisons doubles sont trop stables pour être brisées.
   b) le CO_2 possède moins d'électrons pouvant former des liaisons que d'autres composés organiques.
   c) le CO_2 est déjà complètement réduit.
   d) le CO_2 est déjà complètement oxydé.
   e) la molécule possède trop peu d'atomes.
9. Lequel des énoncés suivants distingue vraiment la fermentation de la respiration cellulaire?
   a) Seule la respiration cellulaire oxyde le glucose.
   b) Le $NADH + H^+$ est oxydé par la chaîne de transport d'électrons pendant la respiration cellulaire seulement.
   c) La fermentation est une voie catabolique, ce qui n'est pas le cas de la respiration cellulaire.
   d) La phosphorylation au niveau du substrat se produit au cours de la fermentation seulement.
   e) Le NAD^+ sert d'agent oxydant dans la respiration cellulaire seulement.
10. Lors du catabolisme aérobie, la majorité du CO_2 est libérée pendant:
    a) la glycolyse.
    b) le cycle de l'acide citrique.
    c) la fermentation lactique.
    d) le transport des électrons.
    e) la phosphorylation oxydative.
11. Lequel (ou lesquels) des énoncés suivants concernant la glycolyse est (ou sont) correct(s)?
    a) Toutes les réactions de la glycolyse sont des réactions d'oxydoréduction.
    b) La glycolyse peut tout aussi bien se produire en l'absence d'oxygène qu'en sa présence.
    c) Deux moles de $NADH + H^+$ sont produites par mole de glucose au cours de la glycolyse.
    d) Au cours de la glycolyse, il n'y a pas de gain net d'ATP.
    e) La glycolyse se produit dans la matrice de la mitochondrie.
12. Laquelle, parmi les substances suivantes, fournit le plus grand nombre de moles d'ATP?
    a) Une mole d'un acide aminé.
    b) Une mole de glucose.
    c) Une mole de glycérol.
    d) Une mole d'acide gras.
    e) Une mole d'urée.
13. Qu'advient-il, lors la respiration aérobie, des électrons arrachés au glucose et se trouvant à leur plus bas niveau énergétique (après être passés par la chaîne de transport d'électrons)?
    a) Ils sont recyclés dans le cycle de l'acide citrique.
    b) Ils sont éliminés dans la molécule de gaz carbonique.
    c) Ils retrouvent leur potentiel énergétique en s'unissant à de l'ADP pour former de l'ATP.
    d) Ils sont captés par la coenzyme NAD^+.
    e) Ils sont éliminés de l'organisme dans les molécules d'eau.
14. Laquelle, parmi les substances jouant un rôle dans le cycle de l'acide citrique, a la plus faible quantité d'énergie libre?
    a) L'oxaloacétate.
    b) Le fumarate.
    c) Le citrate.
    d) Le malate.
    e) Le pyruvate.

Lien avec l'évolution

On trouve de l'ATP synthase dans la membrane plasmique des cellules procaryotes, ainsi que dans les mitochondries et les chloroplastes. Essayez d'expliquer cette réalité sous l'angle de l'évolution. En supposant que vous disposiez de la technologie nécessaire, comment procéderiez-vous pour valider votre hypothèse?

Intégration

1. Dans les années 1940, certains médecins prescrivaient à leurs patients de faibles doses d'un agent chimique appelé dinitrophénol (DNP) destiné à leur faire perdre du poids. Après le décès de quelques personnes, cette pratique a été abandonnée. Le DNP découple les processus liés à la chimiosmose cellulaire et rend la membrane mitochondriale interne perméable aux H^+. Expliquez ce qui causait la perte de poids.
2. Consultez les figures 9.9, 9.10, 9.12, 9.15 et 9.16 pour répondre aux questions qui suivent.

   Dans des conditions aérobies et optimales, supposez que quatre moles de glucose participent à la respiration cellulaire aérobie. Établissez un bilan énergétique (en ATP) cumulatif, du tout début du processus jusqu'à la fin de chacune des étapes identifiées plus bas. Votre bilan tiendra compte de l'énergie produite par la phosphorylation oxydative chaque fois que vous verrez apparaître les coenzymes appropriées.

		Bilan cumulatif en ATP
Glycolyse	Étape 3	________
	Étape 6	________
	Étape 10	________
Cycle de l'acide citrique	Étape 3	________
	Étape 5	________
	Étape 6	________
	Étape 8	________

   Combien de moles d'O_2 serviront à l'oxydation complète des quatre moles de glucose initiales?

   Si vous introduisez une grande quantité d'un inhibiteur de l'enzyme qui participe à l'étape 5 de la glycolyse, combien de moles d'ATP obtiendrez-vous à la fin de l'étape 8 du cycle de l'acide citrique pour les quatre moles de glucose initiales?

   Supposez que vous suivez une diète limitée à de l'eau. Vous puisez alors dans vos réserves de graisses constituées (dans ce problème) d'acide palmitique (voir la figure 5.11a). Combien deux moles de graisses généreront-elles de moles d'ATP lorsque les produits de leur dégradation auront parcouru le cycle de l'acide citrique?

   Vous vous retrouvez dans un pays qui souffre de la famine. Vos réserves de graisses sont épuisées. Vous tirez maintenant votre énergie de vos protéines. Une enzyme transforme l'alanine (voir la figure 5.17) en pyruvate. Combien de moles d'ATP produiront trois moles d'alanine si vous omettez le coût énergétique de la transformation?

   Combien de moles de CO_2 seront libérées au cours de l'oxydation complète des trois moles d'alanine?

Science, technologie et société

Presque toutes les sociétés humaines produisent des boissons alcoolisées, comme la bière et le vin, au moyen de la fermentation. Le procédé remonte aux origines de l'agriculture. Selon vous, comment a-t-on découvert cet usage de la fermentation? Pourquoi le vin constituait-il une boisson plus utile que le jus de raisin dont il provenait, particulièrement pour les sociétés préindustrielles?

Réponses du chapitre 9

Retour sur le concept 9.1

1. Le $C_4H_6O_5$ est oxydé et le NAD+ est réduit.

Retour sur le concept 9.2

1. Le NAD^+ sert d'agent oxydant à l'étape 6; il accepte les électrons du 3-phosphoglycéraldéhyde, qui est donc l'agent réducteur.

Retour sur le concept 9.3

1. Le NADH et la $FADH_2$; ils céderont des électrons à la chaîne de transport d'électrons.
2. Le CO_2 est extrait du pyruvate provenant de la glycolyse, et il est produit par le cycle de l'acide citrique.

Retour sur le concept 9.4

1. La phosphorylation oxydative cesserait complètement et, du même coup, la production d'ATP. Sans oxygène pour «faire descendre» les électrons le long de la chaîne de transport, les ions H^+ ne sont pas pompés dans l'espace intermembranaire des mitochondries et la chimiosmose ne se produit pas.
2. Étant donné que l'addition d'ions H^+ (diminution du pH) établirait un gradient même sans le fonctionnement de la chaîne de transport d'électrons, on peut prévoir que l'ATP synthase fonctionne et synthétise de l'ATP. (En fait, ce sont des expériences comme celle-ci qui ont permis aux scientifiques de confirmer que la chimiosmose était un mécanisme de couplage de l'énergie.)

Retour sur le concept 9.5

1. Durant la fermentation, l'accepteur final est un dérivé du pyruvate, soit l'acétaldéhyde durant la fermentation alcoolique ou le pyruvate lui-même durant la fermentation lactique; durant la respiration, l'accepteur final est le dioxygène.
2. La cellule devra consommer du glucose à une vitesse environ 19 fois plus élevée que dans un milieu aérobie (la fermentation produit 2 ATP comparativement à 38 pour la respiration).

Retour sur le concept 9.6

1. Le lipide est beaucoup plus réduit; il possède de nombreuses unités $—CH_2—$. Les électrons présents dans une molécule de glucide sont déjà quelque peu oxydés étant donné que certains d'entre eux sont liés à l'oxygène.
2. Lorsque notre apport dépasse nos besoins métaboliques, notre organisme synthétise des lipides pour faire des réserves.
3. L'AMP s'accumulera. Cette accumulation stimulera la phosphofructokinase, ce qui augmentera la vitesse de la glycolyse. Comme il n'y a pas d'oxygène, la cellule convertira le pyruvate en lactate au cours de la fermentation lactique, ce qui produira de l'ATP.

Autoévaluation

1. b; 2. d; 3. c; 4. c; 5. a; **6.** a; **7.** b; **8.** d; 9. b; 10. b; 11. b et c; 12. d; 13. e; **14.** a.

10 La photosynthèse

▲ **Figure 10.1 La lumière du Soleil est un spectre de couleurs, que l'on voit ici sous la forme de l'arc-en-ciel.**

Concepts clés

10.1 La photosynthèse convertit l'énergie lumineuse en énergie chimique

10.2 L'énergie chimique de l'ATP et du NADPH + H^+ provient de l'énergie solaire transformée par les réactions photochimiques

10.3 Le cycle de Calvin convertit le CO_2 en glucide à l'aide de l'ATP et du NADPH + H^+

10.4 Les climats chauds et arides ont favorisé l'apparition de nouveaux modes de fixation du carbone

Introduction

Le processus qui alimente la biosphère

La vie sur la Terre existe grâce à l'énergie solaire. Les chloroplastes des Végétaux captent l'énergie lumineuse qui a parcouru les 150 millions de kilomètres environ qui nous séparent du Soleil. Ensuite, ils la convertissent en énergie chimique, et ils l'emmagasinent dans des glucides et d'autres molécules organiques. Ce processus s'appelle **photosynthèse**. Pour commencer ce chapitre, situons la photosynthèse dans le contexte de l'écologie.

La photosynthèse nourrit presque tous les êtres vivants, directement ou indirectement. Un organisme se procure les composés organiques nécessaires à la production d'ATP et de chaînes carbonées soit par autotrophie, soit par hétérotrophie. Les **autotrophes** ne sont autosuffisants que dans la mesure où ils ne doivent manger ni d'autres organismes ni des substances qui en sont dérivées. Ils élaborent leurs molécules organiques à partir du dioxyde de carbone et d'autres matières premières inorganiques tirées de leur milieu. Pour les organismes **hétérotrophes**, par contre, ce sont les autotrophes qui représentent l'ultime source de matière organique. C'est pourquoi les biologistes désignent les autotrophes comme les *producteurs* de la biosphère (l'ensemble des écosystèmes), et les hétérotrophes, comme les *consommateurs*.

Presque tous les Végétaux sont autotrophes: les seuls «nutriments» dont ils ont besoin sont le dioxyde de carbone de l'air ainsi que l'eau et les minéraux du sol. Plus précisément, ils sont **photoautotrophes**, c'est-à-dire qu'ils utilisent la lumière comme source d'énergie pour synthétiser des matières organiques (**figure 10.1**). La photosynthèse s'observe aussi chez les Algues et certains autres Protistes, ainsi que chez quelques Bactéries (**figure 10.2**, à la page suivante). Dans le présent chapitre, nous nous attarderons à la photosynthèse chez les Végétaux. (Nous traiterons des particularités de l'autotrophie chez les Algues et les Procaryotes aux chapitres 27 et 28.)

Incapables de produire eux-mêmes leur nourriture, les hétérotrophes se nourrissent de composés synthétisés par d'autres organismes (le préfixe grec *heteros* signifie «autre»). Ce sont les *consommateurs* de la biosphère. Les Animaux représentent l'exemple le plus manifeste de ce type de nutrition, puisqu'ils consomment des plantes ou des animaux. Mais la nutrition hétérotrophe peut prendre des formes plus subtiles. Ainsi, certains hétérotrophes ingèrent et décomposent des résidus organiques: les carcasses, les matières fécales, les feuilles mortes, etc. On les appelle des décomposeurs. La plupart des Eumycètes et de nombreuses Bactéries font partie de ce groupe. Toujours est-il que presque tous les hétérotrophes, l'humain y compris, ont absolument besoin des photoautotrophes, non seulement pour se nourrir, mais également pour respirer, le dioxygène étant un sous-produit de la photosynthèse.

Le présent chapitre traite du mécanisme de la photosynthèse. Pour commencer, nous examinerons ses principes généraux. Ensuite, nous verrons les deux étapes de la photosynthèse: les réactions photochimiques, lors desquelles l'énergie solaire est captée et transformée en énergie chimique; et le cycle de Calvin, au cours duquel l'énergie chimique est utilisée pour fabriquer des molécules organiques. Pour terminer, nous considérerons la photosynthèse du point de vue de l'évolution.

▶ Figure 10.2 Photoautotrophes. Les photoautotrophes utilisent l'énergie lumineuse pour synthétiser des molécules organiques à partir de dioxyde de carbone et (généralement) d'eau. Ils assurent ainsi leur nutrition et celle de tous les êtres vivants. **(a)** Dans le milieu terrestre, les Végétaux sont les principaux producteurs de nourriture. Dans les milieux aquatiques, les organismes photosynthétiques comprennent: **(b)** des algues multicellulaires, telles que cette algue brune; **(c)** des Protistes unicellulaires, comme les euglènes; **(d)** les Cyanobactéries et **(e)** certains Procaryotes photosynthétiques, dont les Bactéries pourpres sulfureuses, qui produisent du soufre (petites sphères) (c, d, e: MP).

(a) Plantes

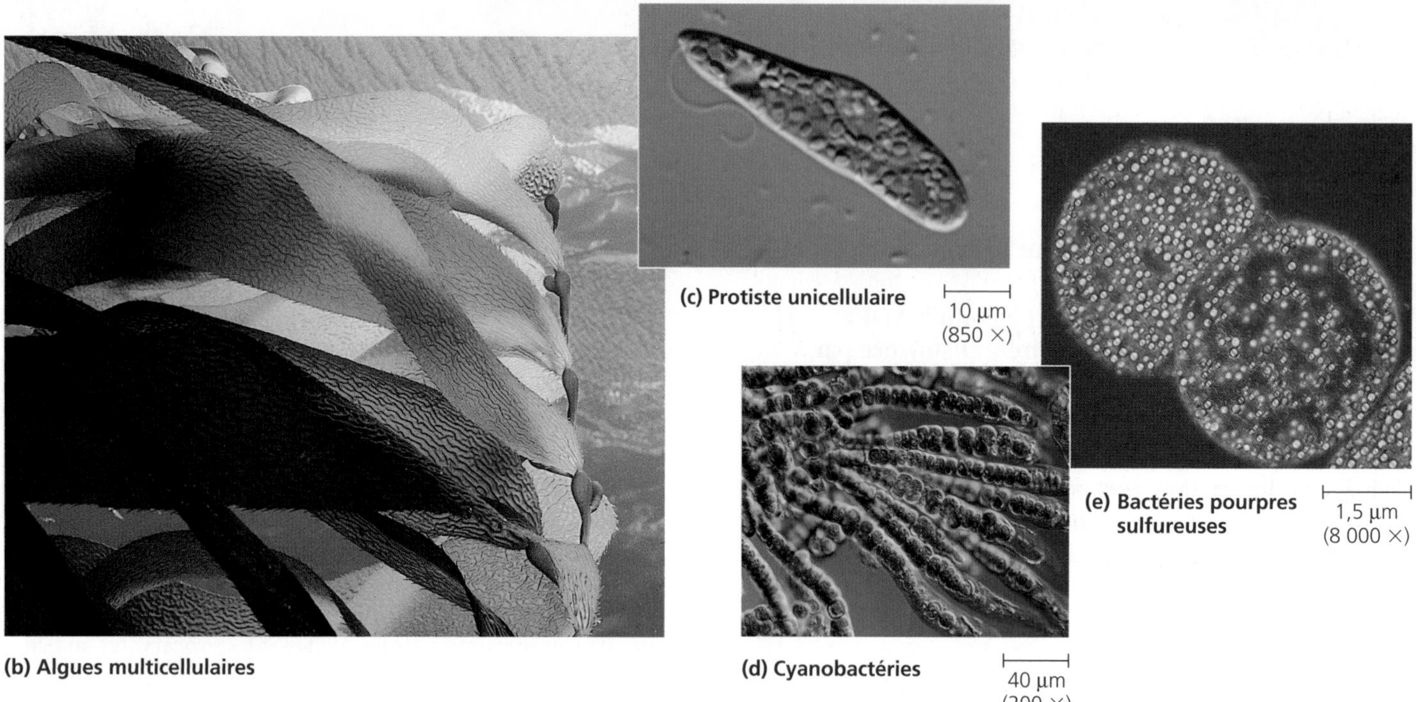

(b) Algues multicellulaires

(c) Protiste unicellulaire

(d) Cyanobactéries

(e) Bactéries pourpres sulfureuses

Concept 10.1

La photosynthèse convertit l'énergie lumineuse en énergie chimique

Au chapitre 6, nous avons vu ce qu'était le chloroplaste. Cet organite remarquable assure la nutrition de l'immense majorité des organismes de la planète. Les chloroplastes sont présents chez plusieurs organismes photosynthétiques (voir la figure 10.2), mais nous nous en tiendrons ici aux Végétaux.

Les chloroplastes: les sites de la photosynthèse

Toutes les parties vertes d'une plante, y compris les tiges vertes et les fruits non encore mûrs, comprennent des chloroplastes, mais ce sont généralement les feuilles qui en renferment le plus **(figure 10.3)**: on en compte environ un demi-million par millimètre carré de feuille. La couleur des feuilles vient de la **chlorophylle**, le pigment vert contenu dans les chloroplastes. Celle-ci absorbe l'énergie lumineuse qui alimente la synthèse des molécules organiques. Les chloroplastes abondent tout particulièrement dans le **mésophylle**, le tissu interne des feuilles. Le dioxyde de carbone entre dans les feuilles et de l'oxygène en ressort par des pores microscopiques appelés **stomates** (du mot grec «bouche»). L'eau absorbée par les racines, elle, se rend aux feuilles par les nervures. Celles-ci servent également à transporter les glucides jusqu'aux parties non photosynthétiques de la plante, notamment les racines.

La cellule du mésophylle typique contient de 30 à 40 chloroplastes mesurant de 2 à 4 µm d'épaisseur sur 4 à 7 µm de longueur. L'enveloppe extérieure de ces organites se compose de deux membranes. À l'intérieur des chloroplastes se trouve un liquide dense, le **stroma**. Dans celui-ci baigne un système de sacs membraneux aplatis communicants appelés **thylakoïdes**. Leur membrane délimite un compartiment appelé *espace intrathylakoïdien*, qui constitue l'intérieur des thylakoïdes. Ici et là, ils forment des empilements denses appelés grana (granum au singulier). La chlorophylle se trouve dans les membranes des thylakoïdes. Les

▶ Figure 10.3 Site de la photosynthèse dans une plante. Les feuilles sont les principaux organes de la photosynthèse chez les plantes. Les illustrations représentent des agrandissements successifs allant de la feuille à la cellule, puis au chloroplaste, le site de la photosynthèse (au milieu : MP ; en bas : MET).

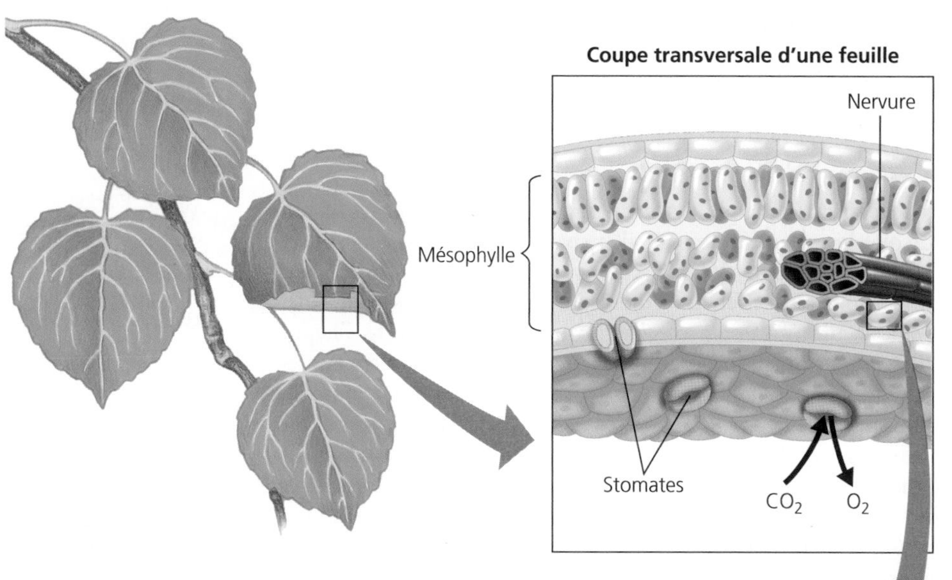

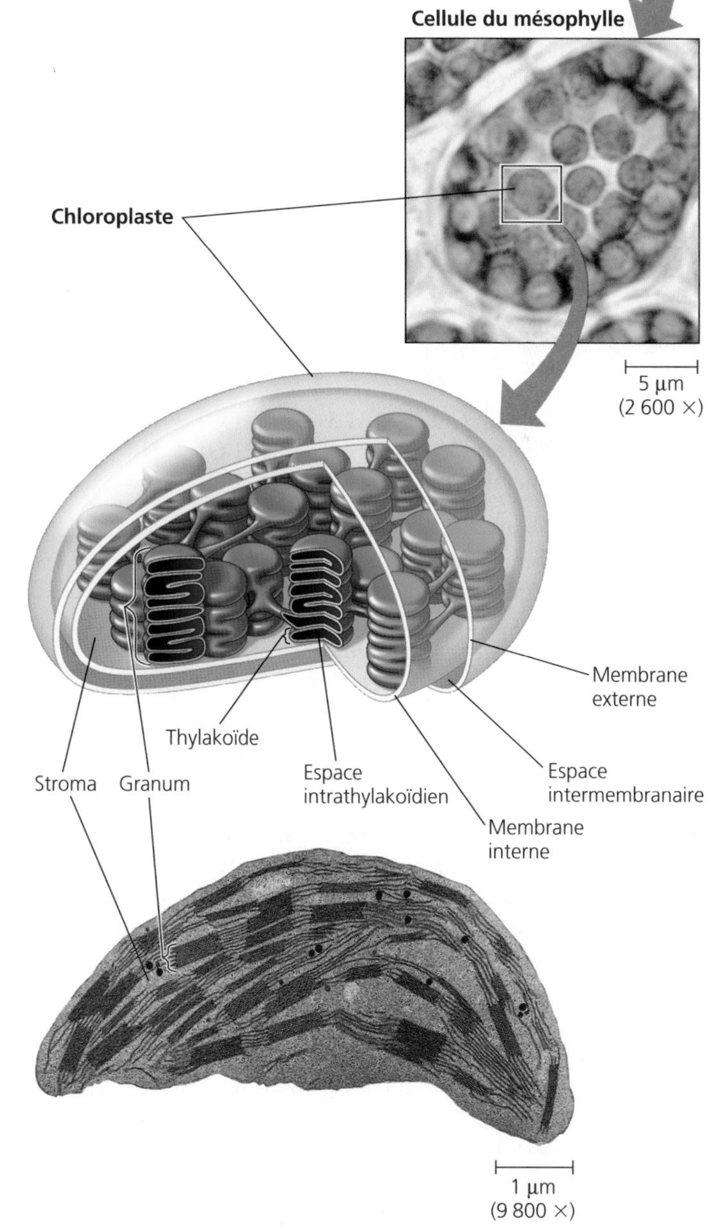

procaryotes photosynthétiques n'ont pas de chloroplastes, mais ils possèdent tout de même des membranes photosynthétiques qui prennent naissance dans les plis de la membrane plasmique et qui fonctionnent à la manière des membranes des thylakoïdes des chloroplastes (voir la figure 27.7b). Nous pouvons maintenant examiner de plus près le processus de la photosynthèse.

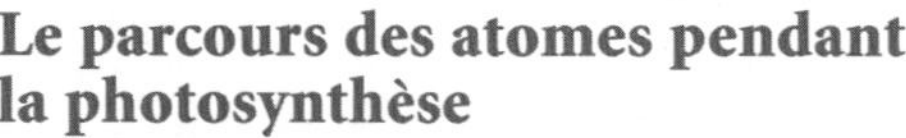

Le parcours des atomes pendant la photosynthèse

Pendant des siècles, les scientifiques ont cherché à comprendre le processus par lequel les Végétaux fabriquent la matière organique. Parmi les chercheurs qui ont contribué à faire la lumière sur les étapes de ce processus complexe, mentionnons Van Helmont (XVIIe siècle), Priestley et Ingenhousz (XVIIIe siècle), Engelmann (XIXe siècle) ainsi que Blackman et Van Niel (XXe siècle). Bien que certaines étapes de la photosynthèse échappent encore aux explications de la science, on connaît depuis le début du XIXe siècle l'équation générale de la photosynthèse : en présence de lumière, les parties vertes des plantes produisent des molécules organiques et du dioxygène à partir de dioxyde de carbone et d'eau. Nous pouvons résumer la photosynthèse par l'équation suivante :

$$6\ CO_2 + 12\ H_2O + \text{Énergie lumineuse} \rightarrow C_6H_{12}O_6 + 6\ O_2 + 6\ H_2O$$

La formule $C_6H_{12}O_6$ est celle du glucose, mais le résultat immédiat de la photosynthèse est un sucre à trois atomes de carbone (nous indiquons ici le glucose dans le but d'illustrer les relations entre la photosynthèse et la respiration cellulaire aérobie). On trouve de l'eau des deux côtés de l'équation, parce que la photosynthèse consomme 12 moles d'eau et en produit 6. Simplifions l'équation en indiquant la consommation nette d'eau :

$$6\ CO_2 + 6\ H_2O + \text{Énergie lumineuse} \rightarrow C_6H_{12}O_6 + 6\ O_2$$

Cette équation simplifiée révèle que le changement chimique réalisé pendant la photosynthèse est l'inverse de celui qui a lieu pendant la respiration cellulaire aérobie. La cellule végétale est le siège de ces deux processus métaboliques. Nous verrons sous peu, toutefois, que la photosynthèse représente bien plus qu'une respiration cellulaire aérobie à rebours.

Écrivons maintenant l'équation sous sa forme la plus simple :

$$CO_2 + H_2O \rightarrow [CH_2O] + O_2$$

Ici, les crochets indiquent que le CH_2O n'est pas un glucide à proprement parler, mais qu'il représente la formule pour symboliser les glucides en général. Cette équation réduite à sa plus simple expression représente la synthèse d'une molécule de glucose lorsqu'on prend un carbone à la fois. Si on la répétait six fois, on obtiendrait une molécule de glucose complète. En nous fondant sur elle, voyons comment les chercheurs ont suivi le trajet des éléments chimiques de la photosynthèse (C, H et O), depuis les réactifs jusqu'aux produits.

La scission de la molécule d'eau

Le mécanisme de la photosynthèse a commencé à livrer ses secrets lorsque les scientifiques ont découvert que le dioxygène libéré par les stomates des Végétaux dérive de l'eau et non du dioxyde de carbone. En effet, les chloroplastes scindent les molécules d'eau en protons et en oxygène. Avant cette découverte, l'hypothèse la plus répandue était que la photosynthèse scinde la molécule de dioxyde de carbone ($CO_2 \rightarrow C + O_2$), puis ajoute de l'eau au carbone ($C + H_2O \rightarrow [CH_2O]$); on pensait donc que le dioxygène libéré provenait du dioxyde de carbone. Dans les années 1930, C. B. Van Niel, de la Stanford University, a remis ce modèle en question en étudiant la photosynthèse chez certaines bactéries qui produisent leurs glucides à partir de dioxyde de carbone, mais qui ne libèrent pas de dioxygène. Il a avancé que, chez ces dernières à tout le moins, la molécule de dioxyde de carbone n'est pas scindée en carbone et en dioxygène. Certaines des bactéries sur lesquelles il s'est penché utilisent du sulfure de dihydrogène (H_2S) à la place de l'eau et rejettent du soufre sous forme de petites sphères jaunes (ce rejet est visible à la figure 10.2e), selon l'équation suivante:

$$CO_2 + 2\ H_2S \rightarrow [CH_2O] + H_2O + 2\ S$$

Van Niel en a déduit que les bactéries scindent le sulfure de dihydrogène et forment un glucide à partir du dihydrogène. Il a conclu que tous les organismes photosynthétiques ont besoin d'une source d'hydrogène jouant le rôle de réducteur, mais que cette source varie:

Bactéries sulfureuses: $CO_2 + 2\ H_2S \rightarrow [CH_2O] + H_2O + 2\ S$
Plantes: $CO_2 + 2\ H_2O \rightarrow [CH_2O] + H_2O + O_2$
En général: $CO_2 + 2\ H_2X \rightarrow [CH_2O] + H_2O + 2\ X$

Sur sa lancée, Van Niel a supposé que les Végétaux scindent les molécules d'eau pour se procurer du dihydrogène, ce qui les amène à rejeter de l'oxygène, et donc que la photosynthèse peut être *oxygénique* comme chez les plantes ou *non oxygénique* comme chez les bactéries sulfureuses.

Près de 20 ans plus tard, des scientifiques ont confirmé son hypothèse. Ils ont commencé par fournir à des plantes de l'eau marquée à l'oxygène 18 (^{18}O), un isotope lourd, et du dioxyde de carbone non marqué (expérience 1). Les plantes ont émis du dioxygène 18, qui ne pouvait provenir que de l'eau marquée. Dans un deuxième temps, ils leur ont fourni de l'eau naturelle ($H_2{}^{16}O$) et du dioxyde de carbone marqué ($C^{18}O_2$). Cette fois, elles ont libéré du dioxygène non marqué (^{16}O) (expérience 2). Dans les équations suivantes, les atomes d'oxygène marqués (^{18}O) apparaissent en rouge:

Expérience 1: $CO_2 + 2\ H_2O \rightarrow [CH_2O] + H_2O + O_2$
Expérience 2: $CO_2 + 2\ H_2O \rightarrow [CH_2O] + H_2O + O_2$

Un des principaux résultats du brassage d'atomes réalisé pendant la photosynthèse est l'extraction du dihydrogène de l'eau et son incorporation au glucide. Le résidu de la photosynthèse, soit le dioxygène, est libéré dans l'atmosphère. La **figure 10.4** illustre le trajet de tous les atomes pendant la photosynthèse.

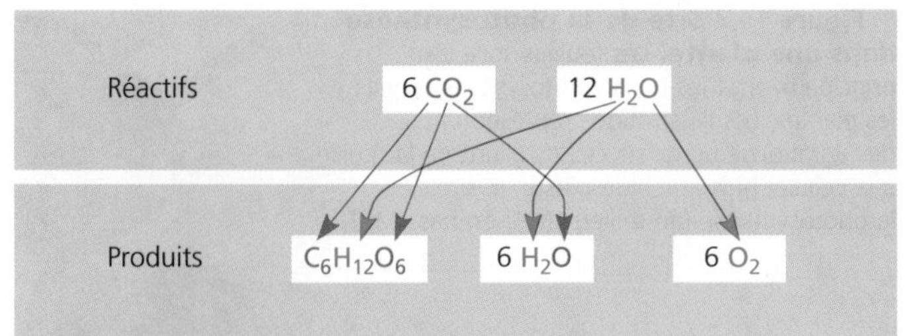

▲ **Figure 10.4 Localisation des atomes de réactifs dans les produits de la photosynthèse.**

Photosynthèse et oxydoréduction

Comparons brièvement la photosynthèse avec la respiration cellulaire aérobie. Les deux processus comportent des réactions d'oxydoréduction. Pendant la respiration cellulaire, l'énergie est libérée du glucose quand des transporteurs amènent vers le dioxygène les électrons associés à l'hydrogène. Cela libère de l'eau comme sous-produit. Les électrons perdent de l'énergie potentielle à mesure que le dioxygène électronégatif les attire vers le bas de la chaîne de transport, et les mitochondries utilisent cette énergie pour synthétiser de l'ATP (voir la figure 9.15). La photosynthèse inverse le flux d'électrons, c'est-à-dire qu'elle puise ses électrons dans l'eau et, à l'aide de la lumière, leur redonne une grande énergie potentielle. La molécule d'eau se fait scinder, et les électrons sont transférés, avec des protons, de l'eau au dioxyde de carbone, ce qui réduit ce dernier en glucide. Comme les électrons doivent gagner de l'énergie potentielle en passant de l'eau au glucide, ce processus nécessite de l'énergie. Cela est possible grâce à la lumière.

Les deux étapes de la photosynthèse: *un aperçu*

L'équation de la photosynthèse, en apparence assez simple, représente un processus fort complexe. Grâce aux travaux du physiologiste anglais F. F. Blackman, en 1905, qui ont révélé que la photosynthèse était influencée par la température autant que par la lumière, on sait maintenant que celle-ci comprend deux phases, elles-mêmes divisées en de nombreuses étapes. Les deux phases sont les **réactions photochimiques** et le **cycle de Calvin**, aussi nommé phase de la fixation du carbone **(figure 10.5)**.

Les réactions photochimiques incluent les étapes de la photosynthèse qui convertissent l'énergie solaire en énergie chimique. La lumière absorbée par la chlorophylle déclenche un transfert d'électrons et de protons de l'eau vers un accepteur appelé $NADP^+$ (nicotinamide adénine dinucléotide phosphate). Celui-ci stocke temporairement les électrons riches en énergie. La molécule d'eau se trouve ainsi scindée; ce sont donc les réactions photochimiques qui rejettent du dioxygène. Quant à l'accepteur d'électrons des réactions photochimiques, le $NADP^+$, il est apparenté au NAD^+, un transporteur d'électrons de la respiration cellulaire. En fait, la molécule de $NADP^+$ ne se distingue de la molécule de NAD^+ que par un groupement phosphate supplémentaire. En bref, les réactions photochimiques utilisent l'énergie solaire pour réduire le $NADP^+$ en $NADPH + H^+$ en lui ajoutant une paire d'électrons et deux protons (H^+). De plus, elles produisent de l'ATP, car la chimiosmose alimente l'ajout d'un groupement phosphate à l'ADP, un processus appelé **photophosphorylation**. Par conséquent, la conversion initiale de

▶ **Figure 10.5 Vue d'ensemble de la photosynthèse : intégration des réactions photochimiques et des réactions du cycle de Calvin.** Les réactions photochimiques se déroulent dans la membrane des thylakoïdes formant les grana, tandis que le cycle de Calvin a lieu dans le stroma. Les réactions photochimiques utilisent l'énergie solaire pour produire de l'ATP et du NADPH + H^+, qui servent respectivement de source d'énergie chimique et de potentiel réducteur dans le cycle de Calvin. Au cours de celui-ci, le dioxyde de carbone sert à produire des molécules organiques qui seront ultérieurement transformées en glucides. (Au chapitre 5, nous avons appris que la formule de la majorité des glucides simples est un multiple de $[CH_2O]$.)

Vous verrez une version plus petite de ce diagramme dans plusieurs figures de ce chapitre. Elle vous indiquera si les phénomènes décrits relèvent des réactions photochimiques ou du cycle de Calvin.

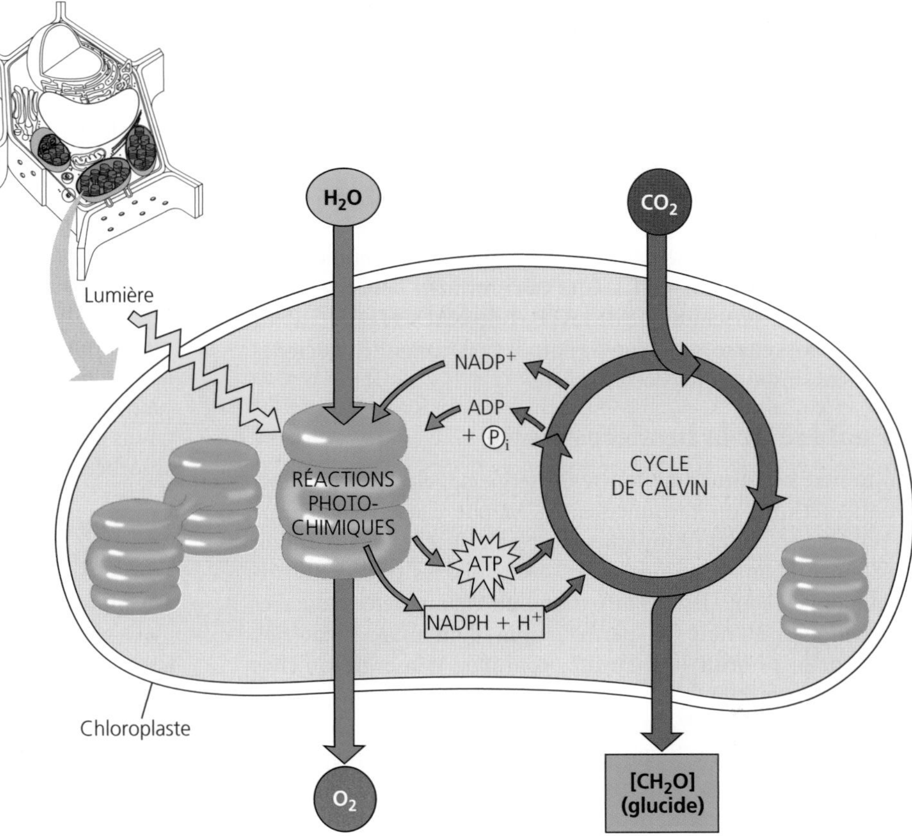

l'énergie lumineuse en énergie chimique donne deux composés : le NADPH + H^+, une source d'électrons riches en énergie (le potentiel réducteur), et l'ATP, la devise énergétique des cellules. Soulignons que le glucide n'est produit qu'au cours de la deuxième phase de la photosynthèse, le cycle de Calvin.

Le cycle de Calvin a été décrit par Melvin Calvin et ses collègues à la fin des années 1940 (ce chimiste américain et ses collaborateurs ont reçu un prix Nobel pour leurs travaux en 1961). Il commence par l'incorporation de dioxyde de carbone atmosphérique dans les molécules organiques déjà présentes dans le chloroplaste. On appelle cette étape **fixation du carbone**. Le carbone fixé se fait ensuite réduire en glucide par l'ajout d'électrons. Le potentiel réducteur provient du NADPH + H^+, qui a acquis des électrons riches en énergie pendant les réactions photochimiques. Pour que le dioxyde de carbone soit converti en glucide, le cycle de Calvin a aussi besoin d'énergie chimique sous forme d'ATP. Celle-ci provient également des réactions photochimiques. Bref, c'est le cycle de Calvin qui élabore le glucide, mais seulement avec l'aide du NADPH + H^+ et de l'ATP produits au cours des réactions photochimiques. Le chloroplaste produit des glucides à l'aide de l'énergie lumineuse en coordonnant les deux phases de la photosynthèse. Les étapes métaboliques du cycle de Calvin sont parfois appelées phase obscure (ou sombre), car aucune ne nécessite *directement* de la lumière. Ces termes ne sont toutefois pas très appropriés, puisque chez la plupart des Végétaux le cycle de Calvin se déroule pendant le jour, car c'est le seul moment où les réactions photochimiques peuvent fournir le NADPH + H^+ et l'ATP dont le cycle de Calvin a besoin. En outre, la lumière intervient dans la régulation du cycle, en activant ou en inhibant certaines enzymes.

Comme le montre la figure 10.5, les réactions photochimiques se déroulent dans les thylakoïdes des chloroplastes, tandis que le cycle de Calvin a lieu dans le stroma. Dans les thylakoïdes, les molécules de $NADP^+$ et d'ADP captent respectivement des électrons et du phosphate, puis elles sont libérées dans le stroma, où elles transfèrent ce chargement riche en énergie au cycle de Calvin. La figure 10.5 présente les deux phases de la photosynthèse comme des engrenages métaboliques qui captent des réactifs et libèrent des produits. Poussons plus loin notre étude de la photosynthèse et voyons ces deux phases en détail, en commençant par les réactions photochimiques.

Retour sur le concept 10.1

1. Comment les molécules de réactifs de la photosynthèse parviennent-elles dans les chloroplastes des feuilles ?
2. Comment une expérience comportant l'utilisation d'un isotope d'oxygène a-t-elle permis d'élucider la chimie de la photosynthèse ?
3. Décrivez l'interdépendance des deux étapes de la photosynthèse.

Voir les réponses proposées à la fin du chapitre.

Concept 10.2

L'énergie chimique de l'ATP et du NADPH + H^+ provient de l'énergie solaire transformée par les réactions photochimiques

Les chloroplastes sont des usines chimiques qui fonctionnent à l'énergie solaire. Leurs thylakoïdes transforment l'énergie lumineuse en l'énergie chimique de l'ATP et du NADPH + H^+. Pour mieux comprendre cette conversion, il faut connaître quelques propriétés importantes de la lumière.

La nature de la lumière solaire

La lumière constitue une forme d'énergie appelée **énergie électromagnétique**, ou rayonnement. L'énergie électromagnétique se propage en ondes rythmiques semblables à celles qu'un caillou crée en tombant dans une mare. Toutefois, les ondes électromagnétiques sont des perturbations de champs électriques et magnétiques, et non des perturbations d'un milieu matériel. On appelle **photon** la quantité minimale d'énergie qu'elles peuvent transporter.

Toutes les ondes électromagnétiques se déplacent à la même vitesse dans le vide, soit 300 000 km/s. La distance qui sépare les crêtes de ces ondes, correspondant à la **longueur d'onde**, est cependant variable: elle peut aller de moins de un nanomètre (dans le cas des rayons gamma) à plus de un kilomètre (dans le cas de certaines ondes radio). Ensemble, elles forment ce que l'on appelle le **spectre électromagnétique** **(figure 10.6)**. Le segment de ce spectre qui a le plus d'importance pour les organismes est l'étroite bande des longueurs d'onde comprises entre 380 et 720 nm. Ce rayonnement forme la **lumière visible**, car l'œil humain l'interprète comme des couleurs.

Les photons ne sont pas des objets tangibles, mais ils agissent comme s'ils l'étaient dans la mesure où chacun d'eux possède une quantité déterminée d'énergie. La quantité d'énergie est inversement proportionnelle à la longueur d'onde de la lumière: plus la longueur d'onde est courte, plus les photons possèdent de l'énergie. Par conséquent, un photon de lumière violette renferme près de deux fois plus d'énergie qu'un photon de lumière rouge.

Le Soleil émet le spectre complet de l'énergie électromagnétique, mais l'atmosphère se comporte comme un filtre: elle laisse passer la lumière visible et bloque une fraction substantielle des autres rayons. La lumière visible est justement le rayonnement qui alimente la photosynthèse. Le fait que les longueurs d'onde ayant une importance pour les vivants soient celles que nous avons déjà mentionnées s'explique par la constatation suivante: les longueurs d'onde plus courtes que 380 nm seraient néfastes pour la structure des molécules organiques (comme les acides nucléiques) tandis que les longueurs d'onde plus longues que 720 nm seraient absorbées par l'eau, substance abondante chez les vivants.

Les pigments photosynthétiques: des capteurs de lumière

Lorsque la lumière rencontre la matière, celle-ci peut la diffuser ou l'absorber. Les substances qui absorbent la lumière visible chez les organismes photoautotrophes s'appellent **pigments**. Chaque pigment absorbe surtout certaines longueurs d'onde de la lumière et les fait ainsi disparaître. Si on illumine un pigment avec de la lumière blanche, la couleur que nous voyons est celle que le pigment diffuse le plus, que ce soit par réflexion ou par transmission. (Si un pigment absorbe toutes les longueurs d'onde, il paraît noir.) Les feuilles nous semblent vertes parce que la chlorophylle absorbe, entre autres choses, la lumière rouge et la lumière bleue en même temps qu'elle diffuse la lumière verte **(figure 10.7)**. On peut mesurer la capacité d'un pigment à absorber diverses longueurs d'onde en utilisant un **spectrophotomètre**. Cet appareil

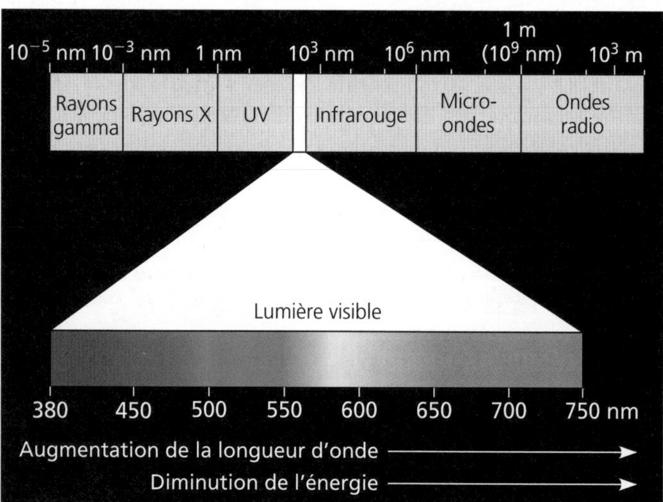

▲ **Figure 10.6 Spectre électromagnétique.** La lumière blanche consiste en un mélange de longueurs d'onde. Elle peut être décomposée par un prisme qui dévie les différentes longueurs d'onde qui la constituent. (Des gouttes d'eau dans l'atmosphère peuvent former un prisme et produire un arc-en-ciel; voir la figure 10.1.) La lumière visible alimente la photosynthèse.

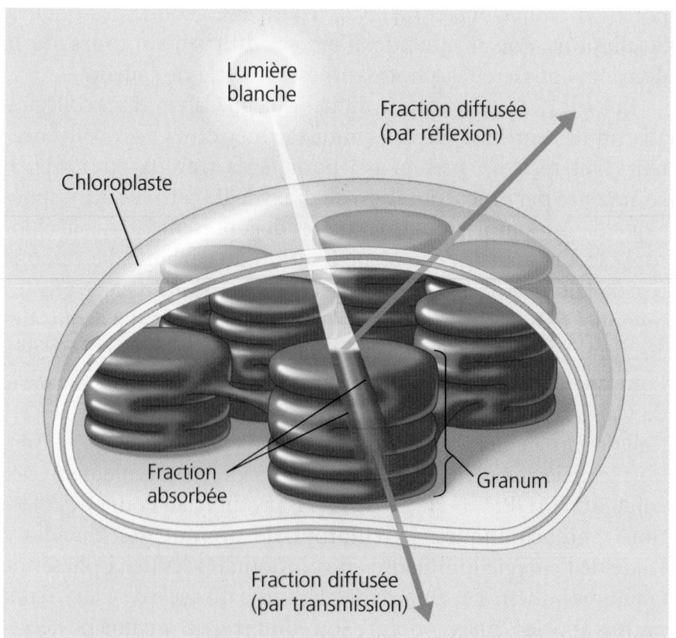

▲ **Figure 10.7 La couleur verte des feuilles: une interaction de la lumière et des chloroplastes.** Les pigments des chloroplastes absorbent principalement la lumière rouge et la lumière bleue, les couleurs les plus favorables à la photosynthèse. Ils diffusent la majeure partie de la lumière verte, d'où la couleur verte des feuilles.

dirige un faisceau lumineux de plusieurs longueurs d'onde à travers une solution du pigment en question et mesure la proportion de lumière transmise pour chaque longueur d'onde **(figure 10.8)**. Le graphique qui représente la capacité d'absorption du pigment en fonction de la longueur d'onde se nomme **spectre d'absorption**.

Le spectre d'absorption des pigments du chloroplaste montre que différentes longueurs d'onde activent la photosynthèse. Rappelez-vous que la lumière exerce un effet qui dépend de son

Figure 10.8

Méthode de recherche La détermination d'un spectre d'absorption

APPLICATION Un spectre d'absorption est une représentation visuelle de la façon dont un pigment donné absorbe les différentes longueurs d'onde de la lumière visible. Les spectres d'absorption des divers pigments des chloroplastes aident les scientifiques à cerner le rôle de chaque pigment dans une plante.

TECHNIQUE Un spectrophotomètre mesure les proportions de lumière de différentes longueurs d'onde qu'une solution d'un pigment donné absorbe et diffuse.

1. Un prisme logé à l'intérieur de l'instrument décompose la lumière blanche en différentes couleurs (longueurs d'onde).
2. On dirige celles-ci une à une à travers la solution (de chlorophylle dans ce cas-ci). La lumière verte et la lumière bleue sont montrées ici.
3. La lumière transmise par la solution frappe un tube photoélectrique, qui convertit l'énergie lumineuse en électricité.
4. Un ampèremètre mesure l'intensité du courant électrique. L'ampèremètre indique la proportion de lumière transmise par la solution, de laquelle on peut déduire la quantité de lumière absorbée.

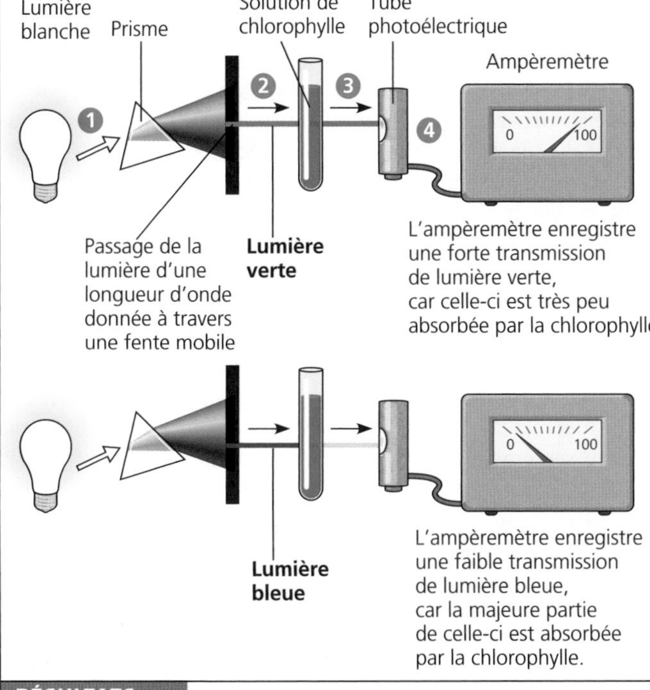

RÉSULTATS Voir la figure 10.9a pour connaître le spectre d'absorption des trois types de pigments des chloroplastes.

absorption par cet organite. La **figure 10.9a**, à la page suivante, illustre les spectres d'absorption de trois types de pigments présents dans les chloroplastes. Le spectre d'absorption de la **chlorophylle *a*** révèle que la lumière bleu-violet et la lumière rouge sont les plus favorables à la photosynthèse, parce qu'elles sont absorbées, tandis que la lumière verte l'est le moins. Quant au spectre d'action **(figure 10.9b)** de la photosynthèse, qui indique l'efficacité des différentes longueurs d'onde de la radiation qui alimente le processus, il confirme ce phénomène. Pour établir le spectre d'action de la photosynthèse, on illumine des chloroplastes avec de la lumière de différentes couleurs et on porte sur un graphique la mesure du rendement de la photosynthèse – par exemple, la quantité libérée de dioxygène ou la consommation de dioxyde de carbone – en fonction de la longueur d'onde. En 1883, le botaniste allemand Thomas Engelmann a réalisé une expérience ingénieuse pour déterminer quelles longueurs d'onde de la lumière favorisent le plus la photosynthèse. Il s'est servi de bactéries pour mesurer le rendement photosynthétique d'algues filamenteuses **(figure 10.9c)**.

En comparant les figures 10.9a et 10.9b, vous pouvez constater que le spectre d'action de la photosynthèse ne coïncide pas exactement avec le spectre d'absorption de la chlorophylle *a*. Il faut savoir que celui-ci sous-estime le rôle de certaines longueurs d'onde dans la photosynthèse. Les pigments accessoires ayant différents spectres d'absorption sont également importants pour la photosynthèse dans les chloroplastes: même s'ils ne peuvent, eux-mêmes, transformer l'énergie de la lumière en énergie chimique, ils élargissent le spectre des longueurs d'onde pouvant alimenter la photosynthèse. L'un de ces pigments accessoires se nomme **chlorophylle *b***. La chlorophylle *a* et la chlorophylle *b* sont presque identiques, mais leur légère différence de composition chimique **(figure 10.10)** suffit à leur donner des spectres d'absorption différents. Par le fait même, elles ont des couleurs distinctes: la chlorophylle *a* est bleu-vert, tandis que la chlorophylle *b* est jaune-vert.

Le chloroplaste renferme aussi une famille de pigments accessoires appelés **caroténoïdes** (comprenant les carotènes et les xanthophylles), dont la couleur varie du jaune (pour ce qui est des xanthophylles, comme chez le maïs) à l'orangé (pour ce qui est des carotènes, comme chez la tomate ou la carotte); les caroténoïdes absorbent la lumière bleu-vert (voir la figure 10.9a). Dans les feuilles des arbres, la couleur des caroténoïdes est, en été, masquée par celle de la chlorophylle, mais à l'automne, dans les forêts de l'hémisphère Nord et dans les érablières québécoises en particulier, elle devient magnifiquement visible lorsque la chlorophylle disparaît. Les caroténoïdes élargissent le spectre des longueurs d'onde de la lumière visible capables d'alimenter la photosynthèse. En outre, certains d'entre eux semblent jouer un rôle encore plus important: la *photoprotection*. Ces caroténoïdes absorbent et dissipent le surplus d'énergie qui, autrement, endommagerait le pigment ou interagirait avec l'oxygène, ce qui formerait des molécules oxydantes dangereuses pour la cellule. Il est intéressant de préciser que certains caroténoïdes apparentés aux pigments photoprotecteurs du chloroplaste protègent également l'œil humain. Les étiquettes des aliments santé portent parfois le terme *phytochimique*, qui vient du mot grec *phyton* signifiant «plante»; ce terme fait référence aux caroténoïdes ou à d'autres molécules apparentées ayant des vertus antioxydantes. Les plantes peuvent synthétiser tous les antioxydants dont elles ont besoin, tandis que les humains et les autres animaux doivent puiser certains d'entre eux dans leur alimentation.

Figure 10.9

Investigation Quelles longueurs d'onde de la lumière alimentent le mieux la photosynthèse ?

EXPÉRIENCE Trois expériences différentes ont permis de déterminer les longueurs d'onde les plus favorables à la photosynthèse. Les résultats figurent ci-dessous.

RÉSULTATS

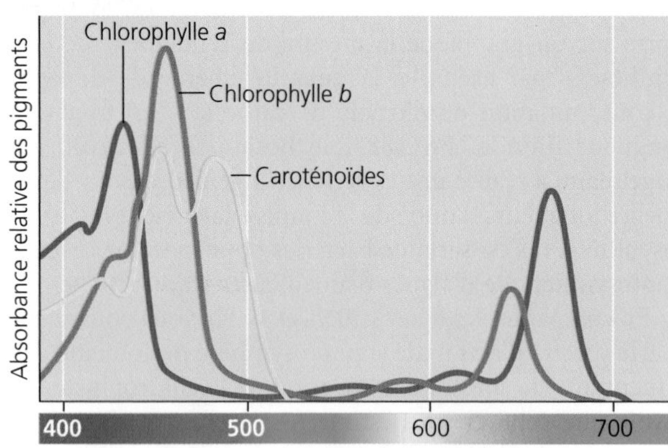

Longueur d'onde de la lumière (nm)

(a) Spectre d'absorption. Les trois courbes correspondent aux longueurs d'onde absorbées par trois types de pigments extraits des chloroplastes.

Courbe de tendance du rendement de la photosynthèse (par le dioxygène libéré)

(b) Spectre d'action. Ce graphique indique la vitesse de la photosynthèse par rapport à la longueur d'onde. Le spectre d'action qui en résulte ressemble au spectre d'absorption de la chlorophylle *a*, mais il est différent (voir la partie a). Cela s'explique en partie par le fait que la chlorophylle *b* et les caroténoïdes absorbent aussi la lumière.

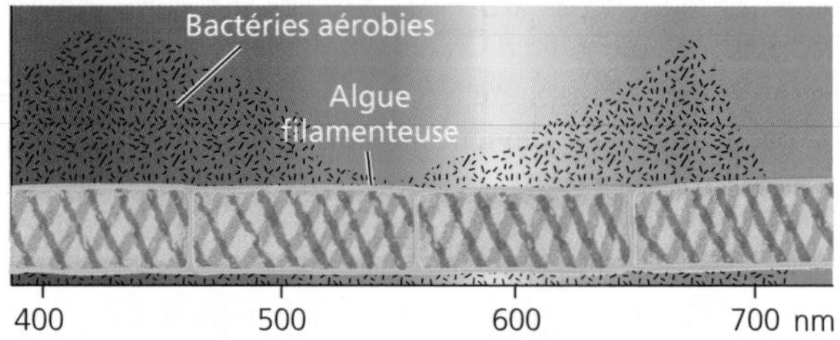

(c) Expérience de Engelmann. En 1883, le botaniste allemand Theodor W. Engelmann a dirigé sur une algue filamenteuse de la lumière qu'il a préalablement fait passer à travers un prisme. Il a ainsi exposé des segments distincts de l'algue à des longueurs d'onde différentes. Il a utilisé des bactéries aérobies (qui ont besoin de dioxygène) pour repérer les segments libérant le plus de dioxygène et, donc, ayant la photosynthèse la plus productive. Les bactéries se sont agglutinées plus densément autour des parties de l'algue exposées à la lumière rouge et à la lumière bleu-violet. Remarquez la similitude entre la distribution bactérienne et le spectre d'action de la partie b.

CONCLUSION La lumière des fractions bleu-violet et rouge du spectre est la plus favorable à la photosynthèse.

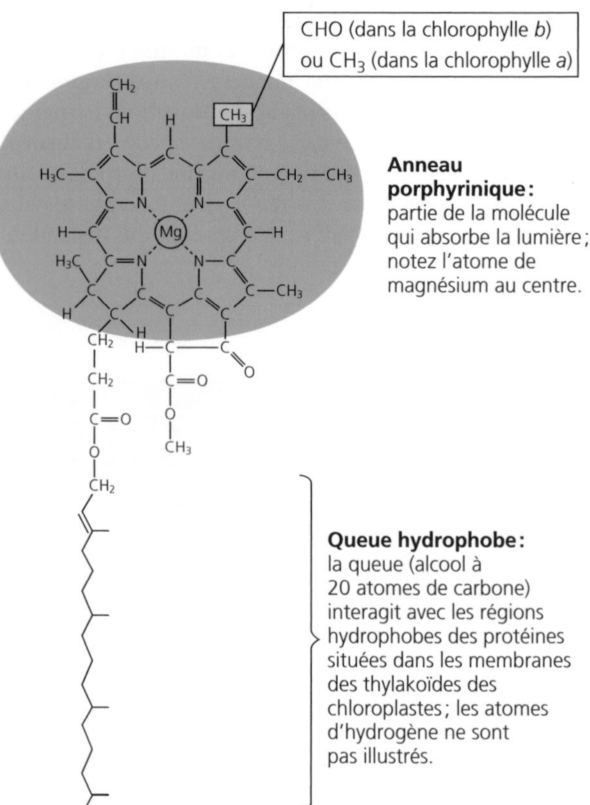

▲ **Figure 10.10 Structure des molécules de chlorophylle dans les plantes.** La chlorophylle *b* ne se distingue de la chlorophylle *a* que par un des groupements fonctionnels liés à la porphyrine (ou noyau tétrapyrrolique).

La photo-oxydation de la chlorophylle

Les amas de pigments qui se trouvent dans la membrane des thylakoïdes absorbent des photons (voir la figure 10.9). Qu'arrive-t-il alors ? Les couleurs correspondant aux longueurs d'onde absorbées par la chlorophylle ou d'autres pigments disparaissent du spectre de la lumière diffusée, mais pas leur énergie. En effet, quand une molécule de chlorophylle absorbe un photon, un de ses électrons passe à une orbitale où il possède davantage d'énergie potentielle. La molécule de pigment se trouve alors à l'état excité. (Inversement, lorsque l'électron se trouve dans son orbitale normale, la molécule de pigment est à l'état fondamental.) Notez qu'elle n'absorbe que les photons dont l'énergie équivaut *exactement* à la différence d'énergie entre son état fondamental et son état excité. Cette différence varie d'un atome et d'une molécule à l'autre. Par conséquent, un composé donné absorbe seulement les photons correspondant à des longueurs d'onde précises ; chaque pigment a son propre spectre d'absorption. La chlorophylle n'absorbe pas la lumière verte parce que la différence énergétique entre deux états des électrons ne correspond pas exactement à la quantité d'énergie apportée par un photon de lumière verte.

Lorsqu'une molécule de pigment absorbe l'énergie d'un photon, un de ses électrons passe de l'état fondamental à l'état excité ; ce changement d'état représente de l'énergie potentielle. Mais l'électron ne peut rester longtemps à l'état excité, parce que c'est un état instable, comme tous les états fortement énergétiques.

▶ **Figure 10.11 Excitation de la chlorophylle pure isolée *in vitro*.**
(a) L'absorption d'un photon fait passer un électron de la molécule de chlorophylle de l'état fondamental à l'état excité. Le photon propulse l'électron vers une orbitale où il possède davantage d'énergie potentielle. Si on illumine de la chlorophylle pure isolée *in vitro,* son électron excité retourne immédiatement à l'état fondamental ; il libère son excédent d'énergie sous forme de chaleur et de fluorescence (lumière). **(b)** Une solution de chlorophylle illuminée à la lumière ultraviolette émet une fluorescence orangée.

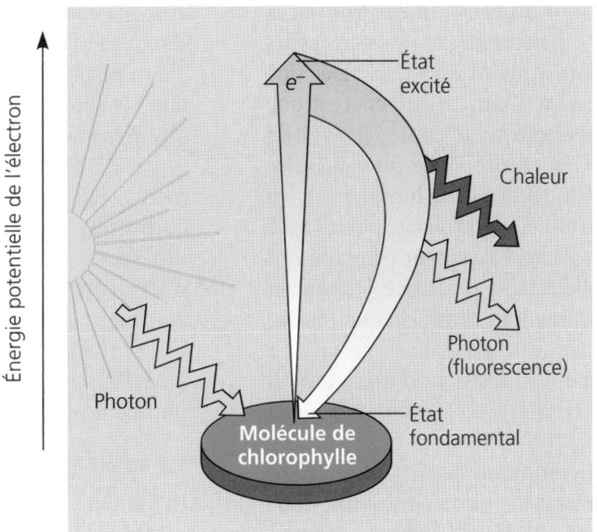

(a) Excitation d'une molécule de chlorophylle isolée **(b) Fluorescence**

Il revient généralement à l'état fondamental en 10^{-9} seconde et libère son excédent d'énergie sous forme de chaleur. Certains pigments pris isolément, dont la chlorophylle, émettent de la lumière en plus de la chaleur après avoir absorbé des photons. Lors de leur retour à l'état fondamental, les électrons excités émettent chacun un photon. On appelle fluorescence cette émission de lumière. Si on illumine une solution pure de chlorophylle, elle émet de la fluorescence dans la partie rouge-orangé du spectre (la longueur d'onde de la lumière émise est plus longue que celle de la lumière absorbée) ainsi que de la chaleur **(figure 10.11)**.

Le photosystème : un centre réactionnel associé à des complexes moléculaires collecteurs de lumière

L'illumination de chlorophylle pure isolée *in vitro* ne donne pas les mêmes résultats que l'illumination de chlorophylle qui se trouve dans un chloroplaste intact (voir la figure 10.11). Dans la membrane des thylakoïdes, la chlorophylle s'associe à des protéines et à d'autres petites molécules organiques en des photosystèmes.

Un **photosystème** se compose d'un centre réactionnel entouré d'un certain nombre de complexes collecteurs de lumière **(figure 10.12)**. Chaque **complexe collecteur de lumière** comprend des molécules de pigments (qui peuvent être de la chlorophylle *a*, de la chlorophylle *b* et des caroténoïdes) liées à des protéines particulières. (On estime qu'un photosystème peut contenir quelques centaines de molécules de pigments.) Le grand nombre et la variété des molécules de pigments qu'il contient lui permettent d'élargir le spectre et la surface d'absorption. Ensemble, ces complexes collecteurs de lumière agissent comme des antennes pour le centre réactionnel. Quand une molécule de pigment absorbe un photon, l'énergie se transmet d'un pigment à un autre dans un complexe collecteur de lumière jusqu'à atteindre un centre réactionnel. Le **centre réactionnel** est un complexe protéique constitué de deux molécules particulières de chlorophylle *a* et de une molécule appelée **accepteur primaire d'électrons**. Les molécules de chlorophylle *a* sont particulières parce que leur environnement moléculaire (leur position et les molécules qui leur sont associées) leur permet d'utiliser l'énergie de la lumière pour faire accéder un de leurs électrons à un niveau énergétique supérieur.

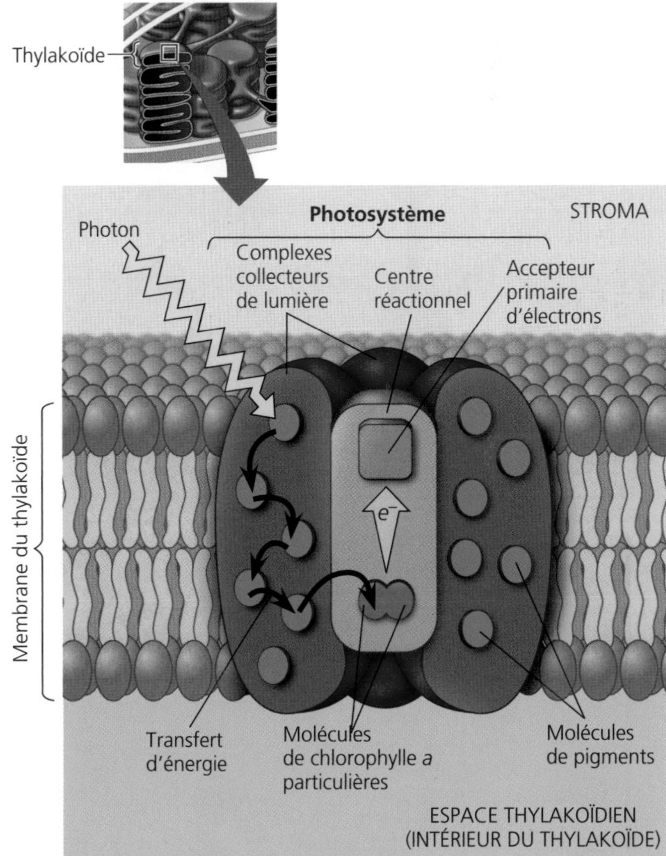

▲ **Figure 10.12 Réception de la lumière dans un photosystème.** Quand un photon frappe une molécule de pigment dans un complexe collecteur de lumière, l'énergie passe de molécule en molécule jusqu'à atteindre le centre réactionnel, où une des deux molécules de chlorophylle *a* particulières transmet l'électron excité à un accepteur primaire d'électrons, une autre molécule organique spécialisée située dans le centre réactionnel.

La lumière solaire déclenche le transfert d'un électron de la chlorophylle à l'accepteur primaire d'électrons; ce transfert représente la première étape des réactions photochimiques. Dès que l'électron de la chlorophylle accède à un niveau énergétique supérieur, l'accepteur primaire d'électrons le capte; il s'agit là d'une réaction d'oxydoréduction. La chlorophylle pure et isolée *in vitro* est fluorescente quand elle reçoit de la lumière car, en l'absence d'un accepteur primaire, l'électron excité retourne à l'état fondamental. Dans le chloroplaste, l'accepteur primaire agit comme un barrage: il retient l'électron de haute énergie et l'empêche de regagner l'état fondamental. Ainsi, chaque photosystème (c'est-à-dire le centre réactionnel entouré de complexes collecteurs de lumière) fonctionne à la manière d'une unité. Il convertit l'énergie lumineuse en énergie chimique, laquelle servira à la synthèse des glucides.

La membrane des thylakoïdes comprend deux types de photosystèmes qui participent aux réactions photochimiques de la photosynthèse: le **photosystème II** (**PS II**) et le **photosystème I** (**PS I**). (Ils sont numérotés selon l'ordre de leur découverte, mais ils fonctionnent l'un après l'autre, le PS II fonctionnant en premier.) Chacun possède un centre réactionnel spécifique; un accepteur primaire d'électrons particulier côtoie une paire de molécules de chlorophylle *a* associée à une vingtaine de protéines. La chlorophylle *a* située dans le centre réactionnel du photosystème II est appelée P_{680} (P pour «pigment»), parce qu'elle absorbe mieux que les autres pigments la lumière ayant une longueur d'onde de 680 nm (dans la partie rouge du spectre). La chlorophylle *a* située dans le centre réactionnel du photosystème I, elle, est appelée P_{700}; ce pigment doit son appellation au fait qu'il absorbe mieux que les autres pigments la lumière ayant une longueur d'onde de 700 nm (dans la partie rouge du spectre également). En fait, les pigments P_{700} et P_{680} sont des molécules de chlorophylle *a* identiques mais associées à des protéines différentes; la distribution de leurs électrons et leurs spectres d'absorption diffèrent donc légèrement. Voyons maintenant comment les deux photosystèmes travaillent de concert et utilisent l'énergie lumineuse pour fabriquer de l'ATP et du NADPH + H^+, les deux principaux produits des réactions photochimiques.

Le transport non cyclique d'électrons

La lumière alimente la synthèse du NADPH + H^+ et de l'ATP en fournissant de l'énergie aux deux photosystèmes enchâssés dans la membrane des thylakoïdes. La conversion d'énergie repose sur un flux d'électrons qui traverse les photosystèmes et d'autres composantes moléculaires insérées dans la membrane des thylakoïdes. Le transport des électrons qui a lieu au cours des réactions photochimiques peut s'effectuer de façon cyclique ou non cyclique. Le **transport non cyclique d'électrons**, la voie la plus empruntée, est schématisé à la **figure 10.13**; nous y suivrons

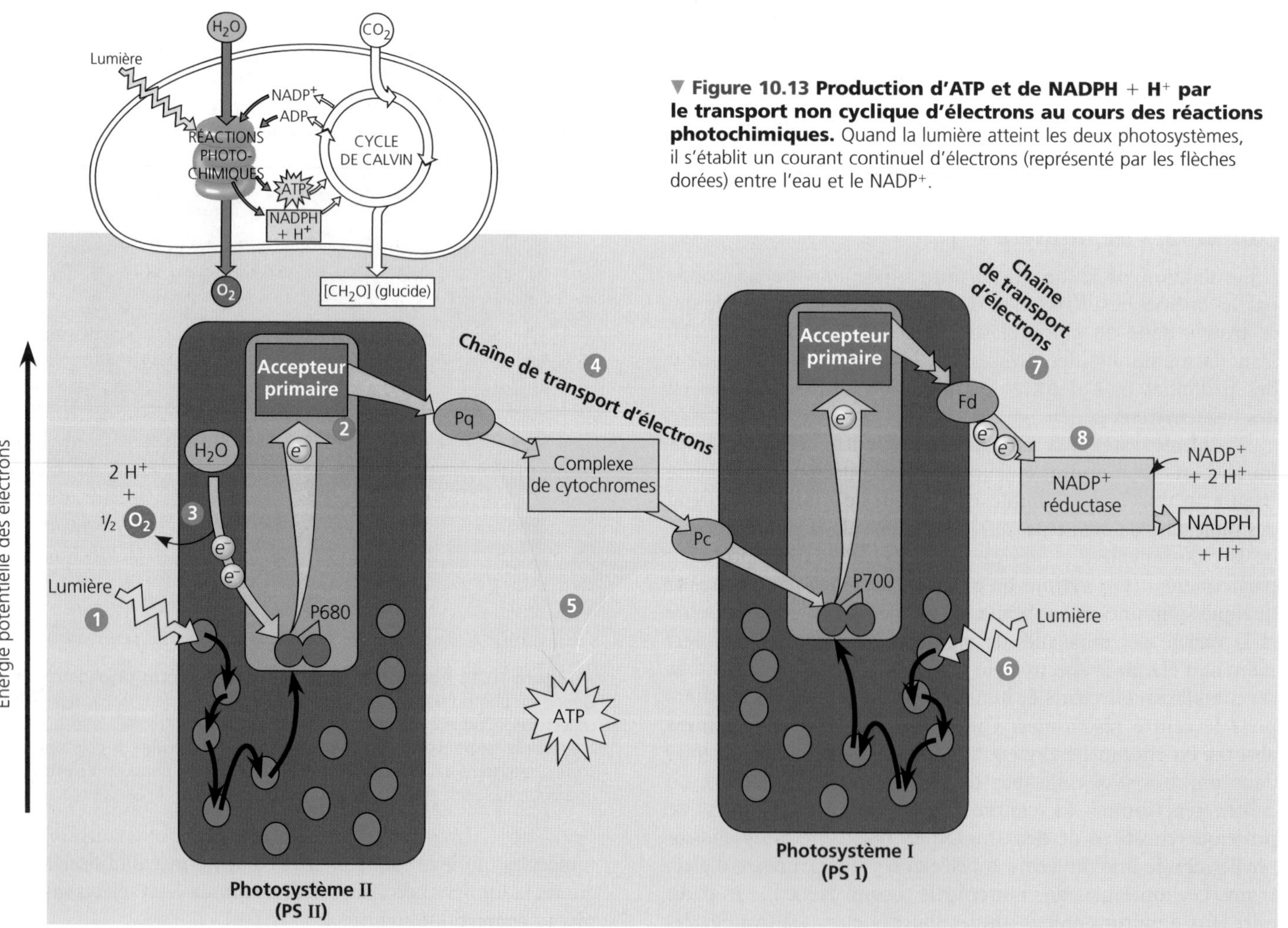

▼ **Figure 10.13 Production d'ATP et de NADPH + H^+ par le transport non cyclique d'électrons au cours des réactions photochimiques.** Quand la lumière atteint les deux photosystèmes, il s'établit un courant continuel d'électrons (représenté par les flèches dorées) entre l'eau et le $NADP^+$.

le cheminement d'un seul électron mais, en fait, les électrons se déplacent par paires. Les chiffres qui précèdent les six paragraphes suivants correspondent à ceux des étapes de la figure.

1. Un photon frappe une molécule de pigment dans un complexe collecteur de lumière et est transmis à d'autres molécules de pigment, jusqu'à ce qu'il atteigne une des deux molécules de chlorophylle *a* P_{680} dans le centre réactionnel du PS II. Cela fait accéder un des électrons de la molécule P_{680} à un niveau énergétique supérieur. (Ce sont les électrons des doubles liaisons se trouvant dans l'anneau porphyrinique de la chlorophylle qui sont excités.)
2. Cet électron est capté par l'accepteur primaire d'électrons; appelée phéophytine, cette molécule est semblable à une molécule de chlorophylle sans son atome de magnésium.
3. Une enzyme (un complexe protéique associé à des ions manganèse) scinde une molécule d'eau en deux électrons, deux protons et un atome d'oxygène. Ces électrons sont transmis un à un aux molécules de P_{680}, remplaçant les électrons cédés à l'accepteur primaire d'électrons. (Comme il manque un électron à la molécule P_{680}, celle-ci est l'agent oxydant biologique le plus puissant; le vide doit être comblé.) L'atome d'oxygène se combine immédiatement avec un autre atome d'oxygène pour former du dioxygène (O_2).
4. Chaque électron excité par la lumière voyage de l'accepteur primaire du photosystème II au photosystème I par l'intermédiaire d'une chaîne de transport d'électrons située dans le chloroplaste. Cette dernière ressemble beaucoup à la chaîne de transport de la respiration cellulaire. La chaîne de transport d'électrons située entre le PS II et le PS I est constituée du transporteur d'électrons appelé plastoquinone (Pq), une petite molécule hydrophobe mobile dans la membrane du thylakoïde, d'un complexe de cytochromes et d'une protéine appelée plastocyanine (Pc).
5. Les électrons dévalent la chaîne. Leur descente vers un niveau d'énergie plus faible est exergonique et alimente la production d'ATP.
6. Entre-temps, de l'énergie lumineuse a été transférée au centre réactionnel du PS I par l'intermédiaire d'un complexe collecteur de lumière, et ce transfert a excité un électron d'une des deux molécules de chlorophylle *a* P_{700} qui s'y trouvaient. L'électron excité par la lumière a alors été capté par l'accepteur primaire d'électrons du PS I, ce qui a créé un «trou» dans le P_{700}. Le vide est rempli par un électron qui atteint le bas de la chaîne de transport de la PS II.
7. L'accepteur primaire d'électrons du photosystème I cède alors les électrons excités par la lumière à une deuxième chaîne de transport d'électrons, plus courte que la première, laquelle les passe à de la ferrédoxine (Fd), une protéine contenant du fer.
8. L'enzyme $NADP^+$ réductase transfère alors les électrons de la Fd au $NADP^+$. Deux électrons sont requis pour sa réduction au profit du NADPH.

Les réactions photochimiques sont très complexes, mais ne perdez pas de vue leur fonction première: utiliser l'énergie solaire pour générer de l'ATP et du NADPH + H^+, et ainsi fournir de l'énergie chimique et un potentiel réducteur aux réactions du cycle de Calvin qui produisent un glucide. La variation d'énergie subie par les électrons au cours des réactions photochimiques s'apparente à celle qui est illustrée dans la **figure 10.14**.

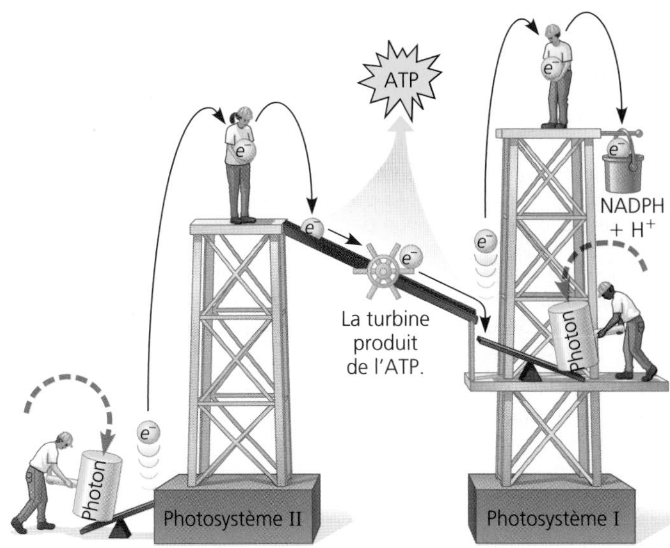

▲ **Figure 10.14 Variation d'énergie des électrons pendant les réactions photochimiques: une analogie inspirée de la mécanique.**

Le transport cyclique d'électrons

Dans certaines conditions, les électrons excités par la lumière suivent la voie du transport cyclique d'électrons, laquelle fait intervenir le photosystème I et non le photosystème II. Le transport cyclique est un petit circuit fermé **(figure 10.15)** qui a été découvert en 1961: les électrons quittent la ferrédoxine (Fd), s'acheminent vers le complexe de cytochromes, puis vers la chlorophylle P_{700} dans le centre réactionnel du PS I, avant de retourner à la ferrédoxine. Le cycle ne produit pas de NADPH + H^+, pas plus qu'il ne libère de dioxygène, puisque la molécule d'eau n'est pas scindée. Il génère cependant de l'ATP.

Quel est le rôle du transport cyclique d'électrons? Pour le comprendre, il faut garder à l'esprit que le transport non cyclique d'électrons élabore de l'ATP et du NADPH + H^+ en quantités à peu près égales. Or, le cycle de Calvin consomme davantage d'ATP que de NADPH + H^+. C'est au transport cyclique d'électrons qu'il revient de combler cette différence étant donné qu'il produit de l'ATP mais pas de NADPH + H^+. La concentration de NADPH + H^+ dans le chloroplaste peut régir la voie (cyclique ou non cyclique) suivie par les électrons pendant les réactions photochimiques. Si le chloroplaste manque d'ATP pour faire fonctionner le cycle de Calvin, le NADPH + H^+ s'accumule à mesure que le cycle de Calvin ralentit. L'augmentation de NADPH + H^+ stimule le transport cyclique aux dépens du transport non cyclique, le temps de répondre à la demande d'ATP.

Que la synthèse d'ATP soit alimentée par un transport cyclique ou non cyclique d'électrons, le mécanisme demeure le même: la chimiosmose. Rappelez-vous qu'il s'agit du processus par lequel les réactions d'oxydoréduction sont couplées à la synthèse d'ATP dans les membranes. Nous avons approfondi l'étude de ce mécanisme au chapitre 9. Si vous en ressentez le besoin, reportez-vous-y.

▶ **Figure 10.15 Transport cyclique d'électrons.** En quittant la ferrédoxine, les électrons du photosystème I excités par la lumière retournent parfois à la chlorophylle en passant par le complexe de cytochromes et la plastocyanine (Pc). Ce détournement d'électrons fournit un surplus d'ATP, mais il ne produit pas de NADPH + H^+. La partie ombrée, qui correspond au transport non cyclique d'électrons, est incluse dans le diagramme à des fins de repérage. Les deux molécules de ferrédoxine illustrées sont en fait une seule et même molécule, soit le dernier transporteur de la chaîne de transport d'électrons du photosystème I.

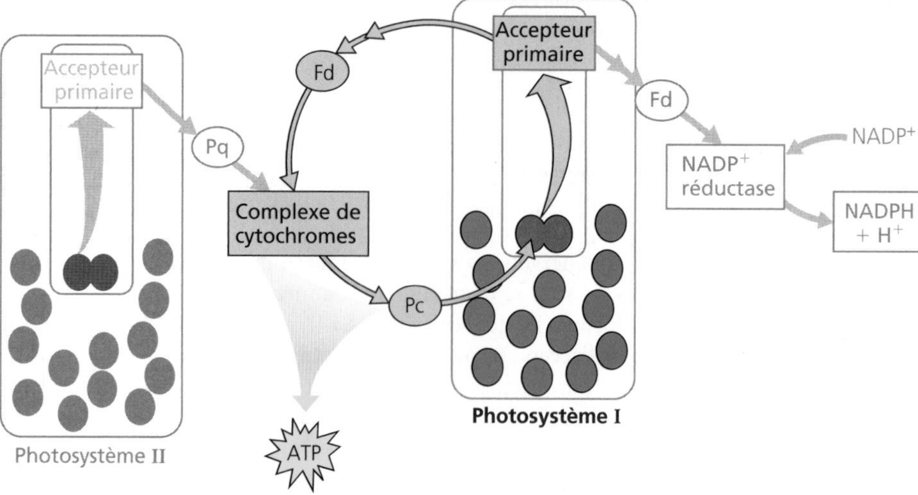

Une comparaison de la chimiosmose dans les chloroplastes et dans les mitochondries

Les chloroplastes et les mitochondries produisent de l'ATP par le même mécanisme: la chimiosmose. Une chaîne de transport d'électrons située dans une membrane achemine des protons à travers celle-ci à mesure que des électrons sont transférés à des transporteurs de plus en plus électronégatifs. C'est ainsi que la chaîne de transport d'électrons convertit l'énergie des réactions d'oxydoréduction en une force protonmotrice, c'est-à-dire en une énergie potentielle emmagasinée sous la forme d'un gradient de H^+ dans la membrane. Cette dernière contient une ATP synthase qui couple la diffusion des protons à la phosphorylation de l'ADP. Certains des transporteurs d'électrons (dont les protéines contenant du fer appelées cytochromes) qui se trouvent dans les chloroplastes et dans les mitochondries sont similaires. Les ATP synthases de ces deux organites se ressemblent également beaucoup. Il existe cependant des différences importantes entre la phosphorylation oxydative qui a lieu dans les mitochondries et la photophosphorylation qui se produit dans les chloroplastes. Dans les mitochondries, les électrons riches en énergie véhiculés par la chaîne de transport proviennent de l'oxydation de molécules organiques. Les chloroplastes, eux, n'ont pas besoin d'oxyder des molécules provenant de nutriments pour produire de l'ATP; leurs photosystèmes captent l'énergie lumineuse et l'utilisent pour acheminer des électrons au sommet de la chaîne de transport. Autrement dit, les mitochondries transfèrent l'énergie chimique des molécules nutritives à l'ATP (et au NADH), tandis que les chloroplastes transforment l'énergie lumineuse en énergie chimique dans l'ATP (et le NADPH). Il s'agit là d'une distinction importante.

Une autre différence découle de l'orientation de la chimiosmose dans les chloroplastes et les mitochondries **(figure 10.16)**. La membrane interne d'une mitochondrie achemine les protons de la matrice vers l'espace intermembranaire, qui sert alors de réservoir de protons en vue de la synthèse d'ATP. Dans un chloroplaste, par contre, la membrane des thylakoïdes achemine les protons du stroma vers l'espace intrathylakoïdien, qui sert de réservoir de protons. Cet espace, un compartiment à l'*intérieur* du chloroplaste, n'est pas analogue à l'espace intermembranaire de la mitochondrie, qu'on peut considérer comme situé à l'*extérieur* de cet organite. La membrane des thylakoïdes synthétise l'ATP à mesure que les protons diffusent, suivant leur gradient de concentration, de l'espace intrathylakoïdien vers le stroma à travers les ATP synthases, dont la tête catalytique se trouve du

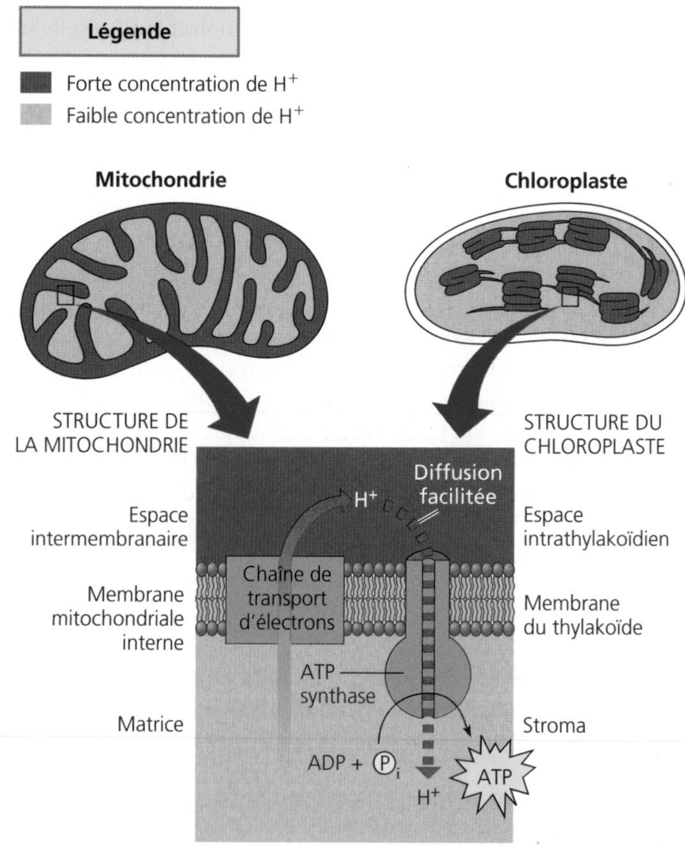

▲ **Figure 10.16 Comparaison entre la chimiosmose qui a lieu dans une mitochondrie et celle qui se produit dans un chloroplaste.** Dans les deux organites, la chaîne de transport d'électrons transfère les protons (H^+) à travers la membrane de la région où ils sont le moins concentrés (en gris clair) à la région où ils sont le plus concentrés (en gris foncé). Les protons retournent dans leur site initial en diffusant à travers les ATP synthases. Ce passage alimente la synthèse d'ATP.

côté du stroma. Par conséquent, l'ATP se forme dans le stroma, où il alimente la synthèse d'un glucide pendant le cycle de Calvin.

Le gradient de protons (H^+), ou de pH, établi à travers la membrane des thylakoïdes est substantiel. Lorsque les chloroplastes reçoivent de la lumière, le pH tombe à 5 environ dans l'espace intrathylakoïdien (augmentation de la concentration de H^+), alors qu'il passe à 8 environ dans le stroma (diminution de la concentration de H^+). Autrement dit, les protons sont 1 000 fois moins concentrés dans le stroma que dans l'espace intrathylakoïdien. En laboratoire, on abolit le gradient de pH en faisant l'obscurité, mais on peut le rétablir rapidement en allumant les lumières. Voilà un argument puissant en faveur du modèle chimiosmotique (voir le chapitre 9).

La **figure 10.17** présente un modèle hypothétique, fondé sur des études réalisées dans plusieurs laboratoires, de l'organisation de la membrane d'un thylakoïde. Dans chaque thylakoïde, il y a en fait de très nombreux exemplaires des molécules de pigments et des complexes moléculaires qui sont illustrés. Remarquez aussi que le NADPH + H^+, comme l'ATP, est produit du côté du stroma, où le cycle de Calvin synthétise les glucides.

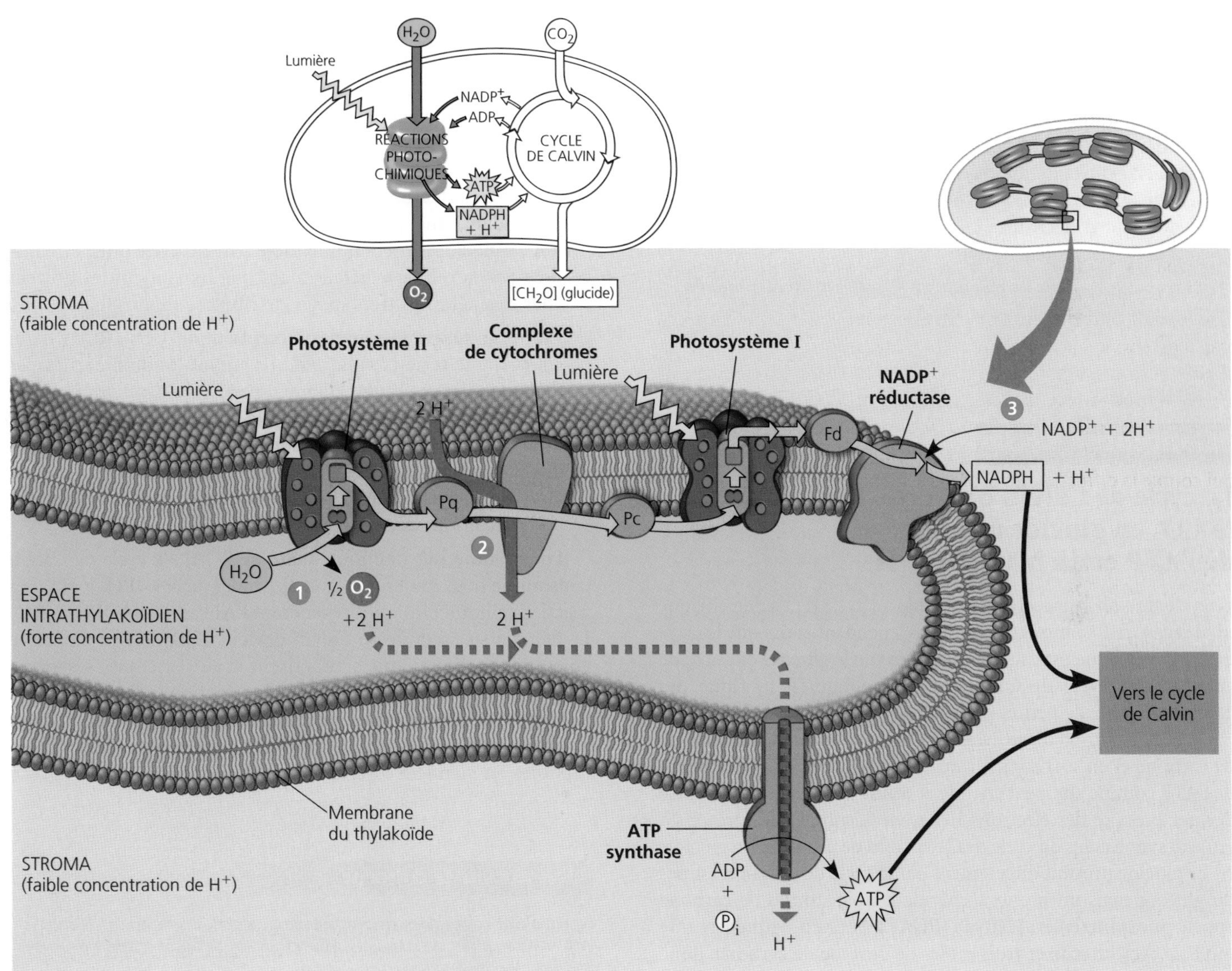

▲ **Figure 10.17 Les réactions photochimiques et la chimiosmose: l'organisation de la membrane des thylakoïdes.** Ce schéma illustre le modèle de la membrane des thylakoïdes qui prévaut à l'heure actuelle. Les flèches or représentent le trajet des électrons du transport non cyclique esquissé à la figure 10.13. À mesure que les électrons passent d'un transporteur à l'autre dans les réactions d'oxydoréduction, les protons extraits du stroma sont déposés dans l'espace intrathylakoïdien. L'énergie est alors emmagasinée sous forme d'une force protonmotrice (gradient de H^+). Au moins trois étapes des réactions photochimiques contribuent au gradient de protons. ❶ Le photosystème II entraîne la scission d'une molécule d'eau dans l'espace intrathylakoïdien grâce à une déshydrogénase. ❷ Quand la plastoquinone (Pq), un transporteur mobile, transfère les électrons au complexe de cytochromes, des protons sont importés dans l'espace intrathylakoïdien. ❸ Le $NADP^+$ capte deux protons dans le stroma lors de sa réduction en NADPH + H^+. Notez comment les ions hydrogène sont extraits du stroma et acheminés vers l'espace intrathylakoïdien (comme à la figure 10.16). Le retour des protons, qui diffusent de l'espace intrathylakoïdien vers le stroma (suivant le gradient de concentration), alimente l'ATP synthase. Ces réactions déclenchées par la lumière emmagasinent de l'énergie chimique dans le NADPH + H^+ et dans l'ATP, qui fournissent de l'énergie au cycle de Calvin.

Résumons maintenant les réactions photochimiques. Le transport non cyclique d'électrons pousse les électrons de l'eau, où ils possèdent peu d'énergie potentielle, vers le NADPH + H^+, où ils renferment beaucoup d'énergie potentielle. Le flux d'électrons engendré par la lumière produit en outre de l'ATP. Par conséquent, l'organisation moléculaire de la membrane des thylakoïdes convertit l'énergie lumineuse en une énergie chimique emmagasinée dans le NADPH + H^+ et dans l'ATP. Le dioxygène constitue un sous-produit des réactions photochimiques. À présent, voyons comment les produits des réactions photochimiques servent, au cours du cycle de Calvin, à synthétiser des glucides à partir de CO_2.

Retour sur le concept 10.2

1. Quelle couleur de lumière est la moins favorable à la photosynthèse ? Expliquez.
2. Comparativement à une solution de chlorophylle pure, pourquoi les chloroplastes intacts libèrent-ils moins de chaleur et de fluorescence lorsqu'ils sont illuminés ?
3. Dans les réactions photochimiques, quel est le donneur d'électrons ? Où les électrons se retrouvent-ils à la fin de ces réactions ?

Voir les réponses proposées à la fin du chapitre.

Concept 10.3

Le cycle de Calvin convertit le CO_2 en glucide à l'aide de l'ATP et du NADPH + H^+

Le cycle de Calvin a ceci de semblable au cycle de l'acide citrique qu'il régénère une molécule initiale. Cependant, alors que le cycle de l'acide citrique est catabolique (il oxyde le glucose et libère de l'énergie), le cycle de Calvin est anabolique (il fabrique des glucides à partir de petites molécules et consomme de l'énergie). Du carbone entre dans le cycle de Calvin sous forme de dioxyde de carbone et en sort sous forme de glucide. Le cycle consomme de l'ATP comme source d'énergie et utilise du NADPH + H^+. Ce dernier procure des électrons riches en énergie et des protons à l'une des molécules du cycle de Calvin afin de produire un glucide.

Le glucide produit directement par le cycle de Calvin n'est pas du glucose mais un monosaccharide à trois atomes de carbone appelé **phosphoglycéraldéhyde (PGAL)**. Pour en synthétiser une mole, le cycle doit fixer trois moles de dioxyde de carbone, donc se dérouler trois fois. (Rappelez-vous que la fixation du carbone correspond à l'incorporation de dioxyde de carbone dans une molécule organique.) En étudiant les étapes du cycle, ne perdez pas de vue que vous suivez le parcours de trois moles de dioxyde de carbone. La **figure 10.18** divise le cycle de Calvin en trois étapes :

Étape 1 : fixation du carbone. Le cycle de Calvin attache une à une chaque mole de dioxyde de carbone à une mole de ribulose diphosphate (RuDP, en abrégé), un glucide à cinq atomes de carbone. L'enzyme qui catalyse cette première étape est la **RuDP carboxylase/oxygénase** (souvent appelée Rubisco), la protéine la plus abondante dans les chloroplastes et probablement sur Terre. (Le terme *oxygénase* associé au nom de l'enzyme provient du fait que celle-ci peut aussi oxygéner le RuDP lors de la photorespiration, que nous verrons plus loin.) La réaction donne un intermédiaire à six atomes de carbone qui est si instable qu'il se scinde aussitôt en deux moles de 3-phosphoglycérate.

Étape 2 : réduction. Chaque molécule de 3-phosphoglycérate reçoit un groupement phosphate provenant de l'ATP ; du 1,3-diphosphoglycérate est ainsi formé. Ensuite, une paire d'électrons donnée par le NADPH + H^+ réduit le 1,3-diphosphoglycérate en PGAL. Par l'intermédiaire du 1-3 diphosphoglycérate, c'est donc le groupement carboxyle du 3-phosphoglycérate que les électrons du NADPH + H^+ ont réduit en groupement aldéhyde du PGAL (plus riche en énergie potentielle). La figure 10.18 montre que l'on obtient *six* moles de PGAL pour *trois* moles de dioxyde de carbone. Le cycle a commencé avec un capital glucidique valant 15 moles de carbone, c'est-à-dire avec trois moles de ribulose diphosphate à cinq atomes de carbone. Maintenant, on compte 18 moles de carbone sous la forme de six moles de PGAL. Cependant, une seule mole de PGAL compte pour un gain net en glucide. En effet, une mole sort du cycle pour être utilisée par la cellule végétale, alors que les cinq autres doivent aller régénérer les trois moles de ribulose diphosphate.

Étape 3 : régénération de l'accepteur de CO_2 (RuDP). Au cours d'une série complexe de réactions, les dernières étapes du cycle réarrangent les chaînes de carbone des cinq moles de PGAL qui demeurent dans le cycle en trois moles de ribulose diphosphate. Pour que cela soit possible, trois autres moles d'ATP doivent être dépensées. Le ribulose diphosphate est alors de nouveau prêt à recevoir du dioxyde de carbone. Le cycle recommence.

Pour synthétiser une mole nette de PGAL, le cycle de Calvin consomme neuf moles d'ATP et six moles de NADPH + H^+. Les réactions photochimiques régénèrent l'ATP et le NADPH + H^+. Le PGAL issu du cycle de Calvin devient la matière première de voies métaboliques qui synthétisent d'autres composés organiques, dont différents glucides. Ni les réactions photochimiques ni le cycle de Calvin pris séparément ne fabriquent des glucides à partir du CO_2. C'est en intégrant ces deux phases que les chloroplastes en viennent à réaliser la photosynthèse.

Retour sur le concept 10.3

1. Pour fabriquer une mole de glucose, le cycle de Calvin utilise ______ moles de CO_2, ______ moles d'ATP et ______ moles de NADPH.
2. Expliquez en quoi le grand nombre de molécules d'ATP et de NADPH utilisées au cours du cycle de Calvin concorde avec la valeur énergétique élevée du glucose.
3. Expliquez pourquoi un poison qui inhibe une enzyme du cycle de Calvin inhibera aussi les réactions photochimiques.

Voir les réponses proposées à la fin du chapitre.

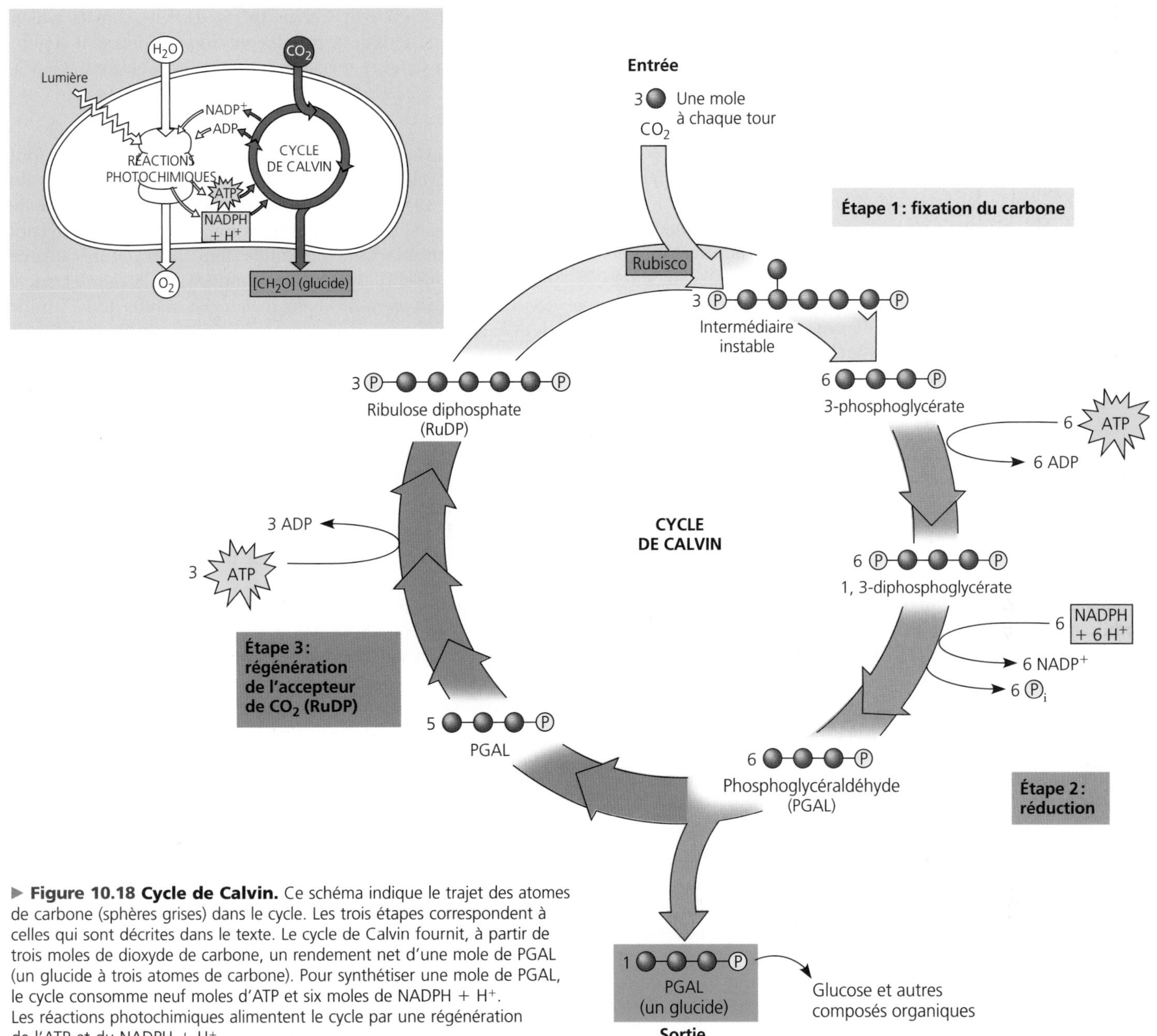

▶ **Figure 10.18 Cycle de Calvin.** Ce schéma indique le trajet des atomes de carbone (sphères grises) dans le cycle. Les trois étapes correspondent à celles qui sont décrites dans le texte. Le cycle de Calvin fournit, à partir de trois moles de dioxyde de carbone, un rendement net d'une mole de PGAL (un glucide à trois atomes de carbone). Pour synthétiser une mole de PGAL, le cycle consomme neuf moles d'ATP et six moles de NADPH + H^+. Les réactions photochimiques alimentent le cycle par une régénération de l'ATP et du NADPH + H^+.

Concept 10.4

Les climats chauds et arides ont favorisé l'apparition de nouveaux modes de fixation du carbone

Depuis leur implantation sur la terre ferme il y environ 425 millions d'années, les Végétaux se sont adaptés aux problèmes inhérents à la vie terrestre, en particulier à la déshydratation. Aux chapitres 29 et 36, nous examinerons les adaptations anatomiques qui favorisent la conservation de l'eau chez les Végétaux. Pour le moment, concentrons-nous sur leurs adaptations métaboliques. On remarque que, souvent, la recherche d'une solution à un problème aboutit à un compromis. Par exemple, procéder à la photosynthèse tout en prévenant une déshydratation excessive exige souvent un compromis. Le CO_2 nécessaire à la photosynthèse entre dans les feuilles par les stomates, les pores situés sur toute la surface des feuilles (voir la figure 10.3). Or, les feuilles transpirent, c'est-à-dire qu'elles perdent leur eau par vaporisation, également par ces pores. Par une journée chaude et sèche, la majorité des plantes ferment leurs stomates, ce qui les aide à conserver leur eau. Cependant, leur réponse à la chaleur ralentit aussi la photosynthèse, car l'accès au CO_2 se trouve limité. En raison de la fermeture partielle des stomates, la concentration de CO_2 décroît dans les lacunes des feuilles, alors que la concentration de O_2 libéré par les réactions photochimiques augmente. Toutes ces conditions favorisent un processus qui semble être un gaspillage : la photorespiration.

La photorespiration : vestige de l'évolution ?

Dans la majorité des Végétaux, la Rubisco, l'enzyme qui ajoute un CO_2 au ribulose diphosphate, fixe le carbone au cours de la première étape du cycle de Calvin. Les plantes qui suivent ce processus sont appelées **plantes de type C_3**, car le premier produit formé par la fixation du carbone est le 3-phosphoglycérate, un composé à trois carbones (voir la figure 10.18). Les plantes de ce type, comme le riz, le blé et le soja (soya), sont les plus importantes en agriculture. Par temps chaud et sec, lorsque leurs stomates se ferment partiellement, ces plantes produisent moins de nutriments, car la baisse de la concentration de CO_2 dans leurs feuilles ralentit le cycle de Calvin. Qui plus est, la Rubisco peut lier le dioxygène à la place du dioxyde de carbone. Or, si la concentration de CO_2 baisse dans les lacunes (espace intercellulaire dont la taille est supérieure à celle des cellules environnantes) des feuilles, l'enzyme fournit du dioxygène au cycle de Calvin. Il en résulte un produit scindé en un composé à trois carbones (le phosphoglycérate) et un autre à deux carbones (le glycolate) ; ce dernier est exporté par les chloroplastes. Les mitochondries et les peroxysomes réarrangent et scindent ce composé, ce qui libère du dioxyde de carbone. Ce processus, qui n'est vraiment connu que depuis 1969, est appelé **photorespiration**, parce qu'il nécessite de la lumière (dans l'obscurité, le processus s'arrête au bout de quelques minutes) et qu'il consomme du dioxygène tout en produisant du CO_2 (*respiration*). Toutefois, à l'inverse de la respiration, il ne génère pas d'ATP; en fait, la photorespiration consomme de l'ATP. Et, contrairement à la photosynthèse, elle ne conduit pas à la production de glucides. En somme, la photorespiration réduit le rendement de la photosynthèse en soutirant de la matière au cycle de Calvin. Elle n'a toutefois pas la même intensité chez toutes les espèces végétales, comme nous le verrons plus loin.

Comment expliquer l'existence d'un processus métabolique qui semble nuisible aux plantes ? Certains croient que la photorespiration est un vestige métabolique des temps reculés où l'atmosphère contenait moins de dioxygène et plus de dioxyde de carbone qu'aujourd'hui. Selon cette hypothèse, quand la Rubisco est apparue, l'atmosphère était encore primitive, et il importait peu que le site actif de cette enzyme distingue le dioxyde de carbone du dioxygène. Les tenants de cette hypothèse supposent que la Rubisco moderne a gardé un peu de son affinité ancestrale pour le dioxygène, qui est si concentré dans l'atmosphère actuelle qu'une certaine part de photorespiration demeure inévitable.

On peut aussi considérer la photorespiration comme un moyen de protection contre les effets potentiellement nocifs d'une forte teneur en dioxygène pour les tissus végétaux. En fait, on ne sait pas avec certitude si la photorespiration comporte quelque avantage pour les Végétaux. On sait en revanche qu'elle rejette jusqu'à 50 % du carbone fixé par le cycle de Calvin chez les Végétaux de grande culture. En tant qu'hétérotrophes dépendant de la fixation du carbone dans les chloroplastes pour nous nourrir, nous sommes naturellement portés à considérer la photorespiration comme un gaspillage. De fait, si nous pouvions la réduire chez certaines espèces végétales sans influer sur la productivité de la photosynthèse, les rendements agricoles et les ressources alimentaires augmenteraient.

Certaines espèces de plantes ont développé des modes de fixation du carbone qui réduisent la photorespiration au minimum et optimisent le cycle de Calvin, même dans les climats arides. Les deux adaptations de ce type les plus importantes sont la photosynthèse en C_4 et le métabolisme acide crassulacéen (CAM).

Les plantes de type C_4

Les **plantes de type C_4** sont ainsi nommées parce qu'elles font précéder le cycle de Calvin d'un autre mode de fixation du carbone. Les réactions forment un premier produit composé de quatre atomes de carbone. Plusieurs milliers d'espèces végétales réparties en une vingtaine de familles font appel à ce mécanisme de photosynthèse. C'est le cas, notamment, de la canne à sucre (*Saccharum officinarum*) et du maïs (*Zea mays*), de la famille des Graminées.

Le mécanisme de la photosynthèse en C_4 s'explique par l'anatomie particulière des feuilles où il s'effectue (**figure 10.19**; faites une comparaison avec la figure 10.3). On trouve deux types de cellules photosynthétiques dans les plantes de type C_4 : les cellules de la gaine fasciculaire et les cellules du mésophylle. Les **cellules de la gaine fasciculaire** sont entassées autour de nervures souvent proéminentes. Entre la surface d'une feuille et elles se trouvent les **cellules du mésophylle** ; ces cellules sont toutes bien espacées dans les plantes de type C_4 alors que dans les plantes de type C_3 certaines cellules sont bien espacées et d'autres sont serrées. Le cycle de Calvin a seulement lieu dans les chloroplastes des cellules de la gaine fasciculaire. Toutefois, il est précédé par l'incorporation, dans le cytosol des cellules du mésophylle, de dioxyde de carbone à des composés organiques. D'abord, l'enzyme appelée **PEP carboxylase** ajoute du dioxyde de carbone au phosphoénolpyruvate (PEP), ce qui donne de l'oxaloacétate, un composé à quatre atomes de carbone (un des intermédiaires du cycle de l'acide citrique). L'affinité de la PEP carboxylase pour le CO_2 est une dizaine de fois plus grande que l'affinité de la Rubisco pour cette même substance ; de plus, la PEP carboxylase n'a aucune affinité pour l'O_2. Par conséquent, la PEP carboxylase fixe le CO_2 efficacement quand la Rubisco en est incapable, c'est-à-dire par temps chaud et sec. Dans ces conditions, les stomates se ferment partiellement ; ils font diminuer la concentration de dioxyde de carbone et augmenter la concentration de dioxygène dans les feuilles. Une fois que le carbone du CO_2 est fixé, les cellules du mésophylle exportent leurs produits à quatre atomes de carbone (le malate résultant de la réduction de l'oxaloacétate, chez l'espèce végétale représentée dans l'exemple de la figure 10.19, ou l'aspartate, forme ionisée d'un acide aminé, chez d'autres espèces) vers les cellules de la gaine fasciculaire, et ce, par l'intermédiaire des plasmodesmes (voir la figure 6.30). Dans les chloroplastes (pour le malate) ou dans les mitochondries (pour l'aspartate) des cellules de la gaine fasciculaire, les composés à quatre atomes de carbone libèrent le dioxyde de carbone, que la Rubisco et le cycle de Calvin incorporent à de la matière organique. Du pyruvate est également libéré en même temps que le dioxyde de carbone ; il est reconverti en PEP, par une réaction nécessitant de l'ATP, dans les cellules du mésophylle.

En fait, le dioxyde de carbone est fourni aux cellules de la gaine fasciculaire par les cellules du mésophylle, ce qui y maintient sa concentration à un niveau relativement élevé, où la Rubisco peut le lier, lui, et non le dioxygène. Le cycle de réactions faisant intervenir la PEP carboxylase et la régénération de la PEP peut être considéré comme une pompe de concentration du CO_2 alimentée par de l'ATP. De cette manière, la photosynthèse en C_4 réduit

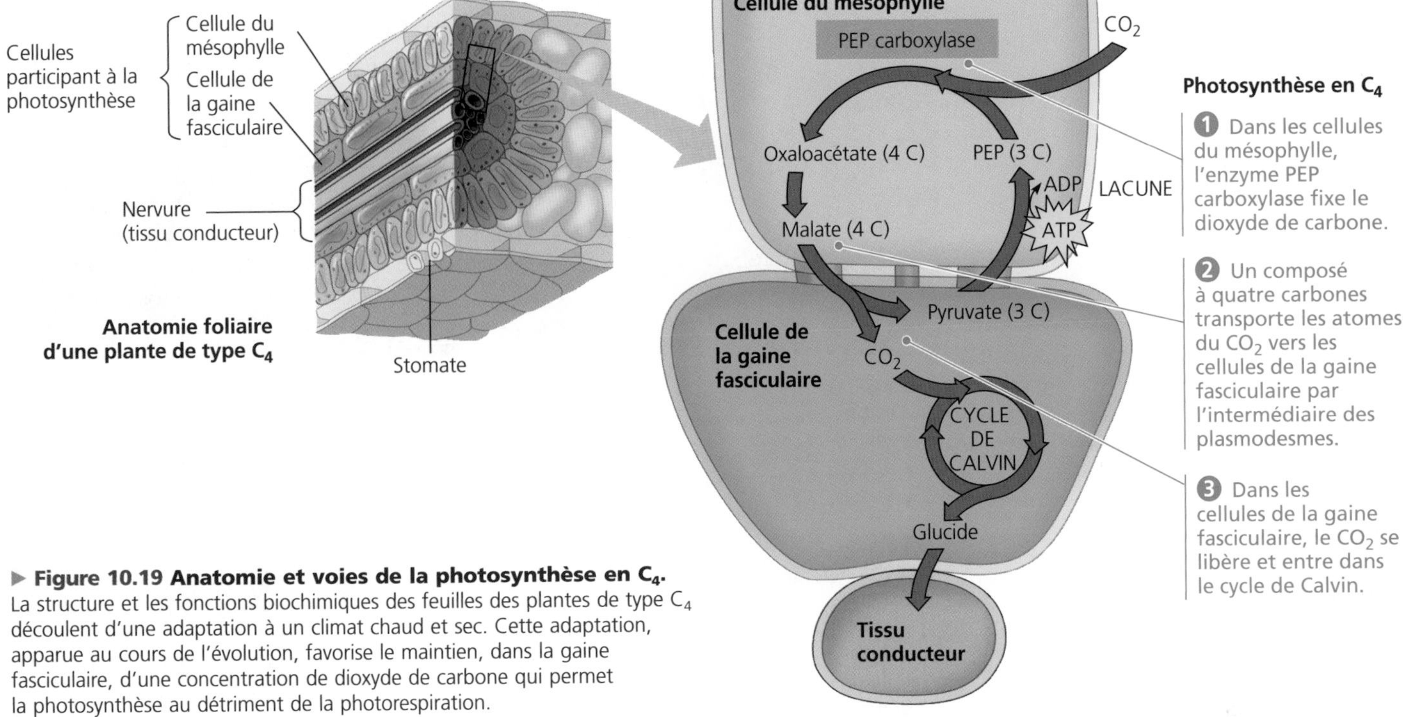

▶ **Figure 10.19 Anatomie et voies de la photosynthèse en C_4.** La structure et les fonctions biochimiques des feuilles des plantes de type C_4 découlent d'une adaptation à un climat chaud et sec. Cette adaptation, apparue au cours de l'évolution, favorise le maintien, dans la gaine fasciculaire, d'une concentration de dioxyde de carbone qui permet la photosynthèse au détriment de la photorespiration.

au minimum la photorespiration et favorise la production de glucides; le rendement de la photosynthèse peut ainsi être jusqu'à trois fois plus élevé chez les plantes de type C_4 que chez les plantes de type C_3. Cette adaptation est particulièrement avantageuse dans les régions chaudes et très ensoleillées où les stomates se ferment partiellement durant le jour; c'est d'ailleurs dans ces milieux que les plantes de type C_4 sont apparues et qu'elles prospèrent de nos jours. C'est ainsi que les étés particulièrement chauds et secs favorisent la croissance dans les pelouses laissées à elles-mêmes des «mauvaises herbes» de type C_4 comme la digitaire au détriment du pâturin, plante de type C_3.

Les plantes de type CAM

Une deuxième adaptation photosynthétique à l'aridité est apparue chez les plantes succulentes (qui ont de grandes réserves d'eau dans leurs tissus et des feuilles charnues), les ananas, les orpins, de nombreux cactus et des membres de plusieurs autres familles végétales. Ces plantes ouvrent leurs stomates pendant la nuit et les ferment pendant le jour, à l'inverse de ce que font les autres plantes. La fermeture des stomates pendant le jour protège les plantes désertiques contre la déshydratation, mais elle empêche l'entrée de dioxyde de carbone dans les feuilles. C'est donc pendant la nuit, quand les stomates sont ouverts, que le dioxyde de carbone doit être absorbé et utilisé dans la production d'une variété d'acides organiques. Ce mode de fixation du carbone s'appelle CAM (pour *crassulacean acid metabolism*), nom donné d'après la famille des Crassulacées, chez qui le processus a été découvert. Il s'effectue, comme dans le cas des plantes de type C_4, grâce à l'enzyme PEP carboxylase. Les cellules du mésophylle des **plantes de type CAM** emmagasinent les acides organiques dans des vacuoles jusqu'au matin, moment où les stomates se ferment. Durant le jour, lorsque les réactions photochimiques fournissent de l'ATP et du NADPH + H^+ au cycle de Calvin, les acides organiques élaborés la nuit précédente libèrent du dioxyde de carbone, qui sert à former des glucides dans les chloroplastes; les acides organiques synthétisés possèdent aussi d'autres fonctions chez ce type de plantes.

Les plantes de type CAM et les plantes de type C_4 ont ceci de commun qu'elles se servent du dioxyde de carbone pour élaborer des intermédiaires organiques avant le début du cycle de Calvin (cette similitude est mise en évidence à la **figure 10.20**). La différence est que, dans les plantes de type C_4, la fixation du carbone est physiquement séparée du cycle de Calvin (les deux étapes n'ont pas lieu dans la même cellule), tandis que, dans les plantes de type CAM, les deux étapes se produisent dans la même cellule mais n'ont pas lieu simultanément. Rappelez-vous que les plantes de type CAM, de type C_4 et de type C_3 finissent toutes par utiliser le cycle de Calvin pour produire des glucides à partir de dioxyde de carbone.

Retour sur le concept 10.4

1. Expliquez pourquoi la photorespiration ralentit la photosynthèse.
2. À votre avis, qu'arriverait-il à l'abondance relative des plantes de type C_3 par rapport aux plantes de types C_4 et CAM dans une région où le climat deviendrait beaucoup plus chaud et sec?

Voir les réponses proposées à la fin du chapitre.

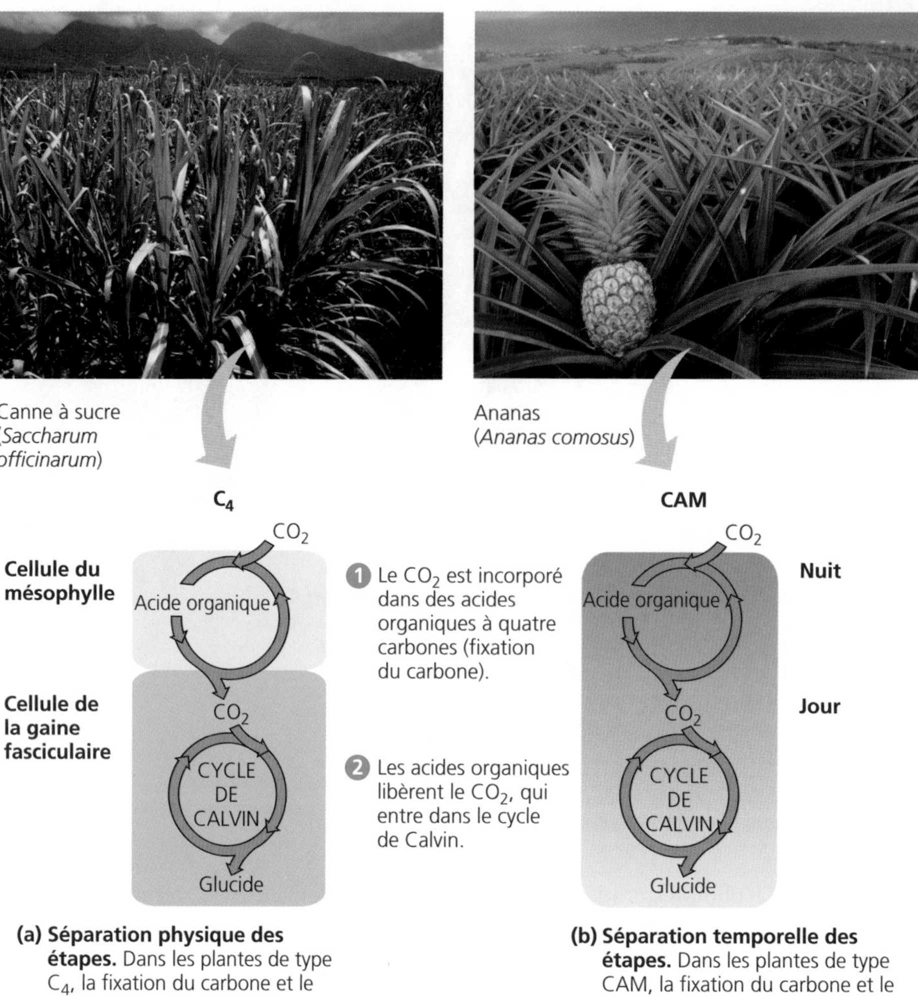

(a) Séparation physique des étapes. Dans les plantes de type C_4, la fixation du carbone et le cycle de Calvin se déroulent dans des cellules différentes.

(b) Séparation temporelle des étapes. Dans les plantes de type CAM, la fixation du carbone et le cycle de Calvin ne se déroulent pas simultanément.

▶ **Figure 10.20 Comparaison entre la photosynthèse en C_4 et le métabolisme acide crassulacéen (CAM).** Les deux adaptations se caractérisent par ❶ une fixation du CO_2 dans des acides organiques, suivie ❷ d'un transfert du CO_2 au cycle de Calvin. La photosynthèse en C_4 et le métabolisme acide crassulacéen représentent deux solutions au problème posé, en milieu aride, par la poursuite de la photosynthèse alors que les stomates sont partiellement ou complètement fermés.

L'importance de la photosynthèse : *une révision*

Dans ce chapitre, nous avons expliqué la photosynthèse, de l'étape de l'absorption de photons à celle de la synthèse de glucides. Les réactions photochimiques captent l'énergie solaire et l'exploitent pour produire de l'ATP et pour transférer des électrons de l'eau au $NADP^+$. Le cycle de Calvin utilise l'ATP et le $NADPH + H^+$ pour élaborer un glucide à trois carbones (le phosphoglycéraldéhyde) à partir de dioxyde de carbone. L'énergie entrée dans les chloroplastes sous forme de lumière solaire se trouve emmagasinée sous forme d'énergie chimique dans des composés organiques. (Voir la **figure 10.21** pour une révision.)

Les glucides formés dans les chloroplastes fournissent à la plante entière l'énergie chimique et les chaînes carbonées nécessaires à la synthèse des molécules organiques principales des cellules végétales. Environ 50 % de la matière organique issue de la photosynthèse sert de combustible à la respiration cellulaire, dans les mitochondries. Dans certains cas, la photorespiration « gaspille » des produits de la photosynthèse.

Techniquement, les cellules vertes sont les seules parties autotrophes d'une plante. Le reste de celle-ci se nourrit des molécules organiques qui lui parviennent des feuilles par les nervures. Chez la plupart des Végétaux, les glucides quittent les feuilles sous forme de saccharose, un disaccharide. Une fois que celui-ci atteint les cellules non photosynthétiques, il est utilisé dans la respiration cellulaire et dans une multitude de voies anaboliques synthétisant des protéines, des lipides et d'autres produits. Une quantité considérable de molécules de saccharose se lient pour former un polysaccharide appelé cellulose, particulièrement dans les cellules en cours de croissance et de maturation. La cellulose, le composant principal de la paroi cellulaire, est la molécule organique la plus abondante dans les plantes, et sans doute sur la planète.

En 24 heures, la plupart des plantes fabriquent plus de matière organique qu'elles n'en ont besoin pour la respiration et la biosynthèse. Elles emmagasinent le surplus en synthétisant de l'amidon et en le stockant dans les chloroplastes, ainsi que dans les racines, les tubercules, les graines et les fruits. N'oublions pas que les molécules organiques produites par la photosynthèse nourrissent non seulement les plantes elles-mêmes, mais aussi les hétérotrophes, comme nous, qui dévorent les feuilles, les racines, les tiges, les fruits, voire les plantes entières.

À l'échelle planétaire, c'est grâce à la photosynthèse que notre atmosphère renferme de l'oxygène. En outre, pour ce qui est de la production de nourriture, la productivité des organites

▶ **Figure 10.21 Résumé de la photosynthèse.** Ce diagramme présente les produits et les réactifs principaux des réactions photochimiques et de celles du cycle de Calvin à mesure qu'elles se déroulent dans les chloroplastes. La bonne marche de l'opération repose sur l'intégrité structurale des chloroplastes et de leurs membranes. Les enzymes situées dans les chloroplastes et dans le cytosol convertissent le phosphoglycéraldéhyde (PGAL), le produit direct du cycle de Calvin, en plusieurs autres composés organiques.

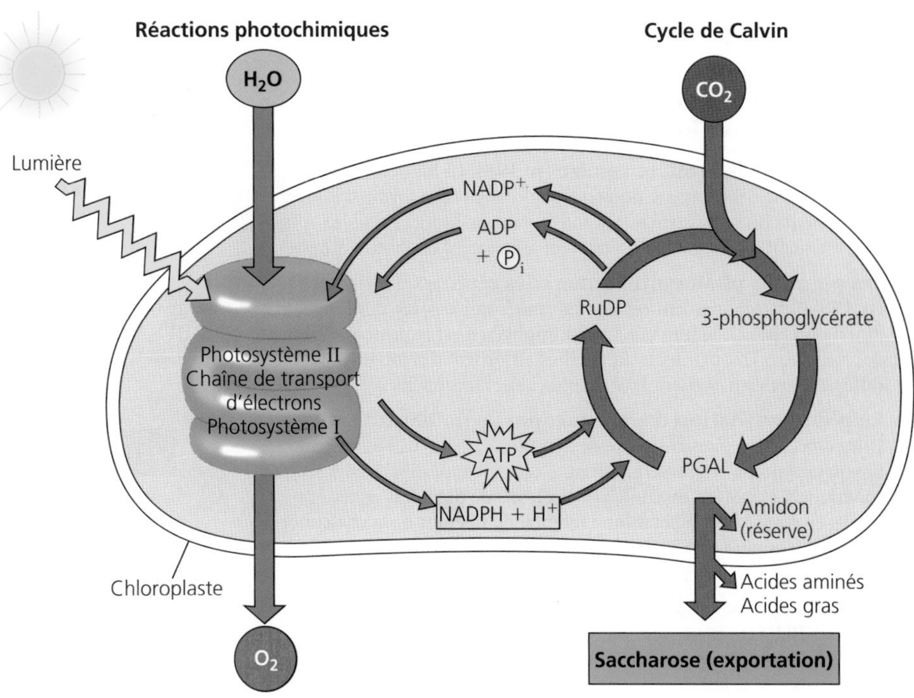

Les réactions photochimiques :
- sont réalisées par des molécules situées dans la membrane des thylakoïdes ;
- convertissent l'énergie lumineuse en l'énergie chimique de l'ATP et du $NADPH + H^+$;
- scindent l'eau et libèrent le dioxygène dans l'atmosphère.

Les réactions du cycle de Calvin :
- se déroulent dans le stroma ;
- utilisent l'ATP et le $NADPH + H^+$ pour convertir le CO_2 en PGAL ;
- retournent l'ADP, le phosphate inorganique et le $NADP^+$ aux réactions photochimiques.

minuscules que sont les chloroplastes défie l'imagination ; on estime qu'un gramme de matière végétale (masse en matière sèche) fixe de 20 à 40 mg de CO_2 à l'heure et que le processus de la photosynthèse à l'échelle de la planète produit environ 160 milliards de tonnes de glucides par année, soit l'équivalent de la masse de plus de 300 millions d'avions Airbus A380 ! Aucun autre processus chimique se déroulant sur la Terre n'a un rendement équivalent ni ne contribue autant à la vie.

Révision du chapitre 10

RÉSUMÉ DES CONCEPTS CLÉS

▶ Les Végétaux et les autres autotrophes sont les producteurs de la biosphère. Ils utilisent l'énergie lumineuse pour synthétiser des molécules organiques à partir de dioxyde de carbone et d'eau. Les hétérotrophes, eux, doivent ingérer les molécules organiques provenant d'autres organismes pour se procurer de l'énergie et obtenir du carbone **(p. 193)**.

Concept **10.1**

La photosynthèse convertit l'énergie lumineuse en énergie chimique

▶ **Les chloroplastes : les sites de la photosynthèse (p. 194-195).** Chez les Eucaryotes autotrophes, la photosynthèse a lieu à l'intérieur des chloroplastes. Ces organites contiennent des thylakoïdes, des sacs membraneux qui forment ici et là des empilements appelés grana.

▶ **Le parcours des atomes pendant la photosynthèse (p. 195-196).** L'équation suivante résume le processus de la photosynthèse :

$$6\ CO_2 + 12\ H_2O + \text{Énergie lumineuse} \rightarrow C_6H_{12}O_6 + 6\ O_2 + 6\ H_2O$$

Le chloroplaste scinde la molécule d'eau en dihydrogène et en oxygène, et il incorpore les électrons du dihydrogène dans les liaisons de molécules de glucide. La photosynthèse est donc un processus d'oxydoréduction au cours duquel l'eau est oxydée, et le dioxyde de carbone, réduit.

▶ **Les deux étapes de la photosynthèse : *un aperçu* (p. 196-197).** Les réactions photochimiques, qui se déroulent dans les grana, produisent de l'ATP et scindent les molécules d'eau ; elles libèrent du dioxygène et forment du $NADPH + H^+$ en transférant des électrons de l'eau au $NADP^+$. Le cycle de Calvin a lieu dans le stroma ; utilisant l'ATP comme source d'énergie et le $NADPH + H^+$ comme potentiel réducteur, il forme un glucide à partir de dioxyde de carbone.

Concept 10.2

L'énergie chimique de l'ATP et du NADPH + H^+ provient de l'énergie solaire transformée par les réactions photochimiques

▶ **La nature de la lumière solaire (p. 198).** La lumière est un rayonnement électromagnétique qui se propage sous forme d'ondes. Les couleurs que nous percevons sous forme de lumière visible comprennent les longueurs d'onde qui alimentent la photosynthèse.

▶ **Les pigments photosynthétiques: des capteurs de lumière (p. 198-199).** Un pigment est une substance qui absorbe des longueurs d'onde précises de la lumière. La chlorophylle *a* est le principal pigment des Végétaux. Des pigments accessoires absorbent des longueurs d'onde différentes et transmettent leur énergie à la chlorophylle *a*.

▶ **La photo-oxydation de la chlorophylle (p. 200-201).** Une molécule de pigment passe de l'état fondamental à l'état excité lorsqu'un photon propulse un de ses électrons à un niveau énergétique supérieur. Cet état est instable. Les électrons de pigments isolés ont tendance à retourner à l'état fondamental en libérant de la chaleur et (ou) de la lumière.

▶ **Le photosystème: un centre réactionnel associé à des complexes moléculaires collecteurs de lumière (p. 201-202).** Un photosystème se compose d'un centre réactionnel entouré de complexes collecteurs de lumière qui canalisent l'énergie des photons vers le centre réactionnel. Quand une molécule de chlorophylle *a* du centre réactionnel absorbe de l'énergie, un de ses électrons est capté par l'accepteur primaire d'électrons. Le photosystème I renferme les molécules de chlorophylle *a* P_{700} situées dans le centre réactionnel; le photosystème II contient les molécules P_{680}.

▶ **Le transport non cyclique d'électrons (p. 202-203).** Le transport non cyclique d'électrons produit du NADPH + H^+ et du dioxygène, en plus d'ATP.

▶ **Le transport cyclique d'électrons (p. 203).** Pour synthétiser l'ATP, le transport cyclique d'électrons ne fait appel qu'au photosystème I et ne produit ni NADPH + H^+ ni O_2.

▶ **Une comparaison de la chimiosmose dans les chloroplastes et dans les mitochondries (p. 204-206).** Au cours des réactions photochimiques, la synthèse de l'ATP, appelée photophosphorylation, s'effectue par chimiosmose. Les réactions d'oxydoréduction de la chaîne de transport d'électrons qui relient les deux photosystèmes engendrent un gradient de H^+ à travers la membrane des thylakoïdes. L'ATP synthase se sert de cette force protonmotrice pour former de l'ATP.

Concept 10.3

Le cycle de Calvin convertit le CO_2 en glucide à l'aide de l'ATP et du NADPH + H^+

▶ Le cycle de Calvin se déroule dans le stroma et comprend la fixation du carbone, la réduction et la régénération de l'accepteur de CO_2. Grâce aux électrons du NADPH + H^+ et à l'énergie fournie par l'hydrolyse de l'ATP, une série de réactions synthétisent le phosphoglycéraldéhyde (PGAL), un glucide à trois atomes de carbone. La majeure partie du PGAL reste dans le cycle pour régénérer le ribulose diphosphate. Le reste du PGAL sort du cycle et est converti en molécules organiques essentielles (**p. 206**).

Concept 10.4

Les climats chauds et arides ont favorisé l'apparition de nouveaux modes de fixation du carbone

▶ **La photorespiration: vestige de l'évolution? (p. 208)** Par temps chaud et sec, les plantes ferment leurs stomates afin d'éviter les pertes d'eau. Le dioxygène provenant des réactions photochimiques s'accumule. Lors de la photorespiration, il se substitue au dioxyde de carbone dans le site actif de la Rubisco. Ce processus consomme du combustible organique sans produire d'ATP ni de glucide.

▶ **Les plantes de type C_4 (p. 208-209).** Les plantes de type C_4 empêchent la photorespiration en fixant le dioxyde de carbone dans un composé à quatre atomes de carbone. Ce processus se déroule dans des cellules spécialisées du mésophylle. Le composé à quatre atomes de carbone est exporté vers les cellules photosynthétiques de la gaine fasciculaire, où il libère du dioxyde de carbone en vue du cycle de Calvin.

▶ **Les plantes de type CAM (p. 209).** Les plantes de type CAM ouvrent leurs stomates pendant la nuit et fixent le dioxyde de carbone dans des acides organiques, qu'elles emmagasinent dans les cellules du mésophylle. Pendant le jour, les stomates se ferment, et le dioxyde de carbone est libéré des acides organiques en vue du cycle de Calvin.

▶ **L'importance de la photosynthèse: *une révision* (p. 210-211).** Les composés organiques dérivés de la photosynthèse fournissent de l'énergie et des matériaux aux écosystèmes.

VÉRIFIEZ VOS CONNAISSANCES

Autoévaluation

(Les questions dont les numéros sont en caractères gras font surtout appel à la compréhension.)

1. Les réactions photochimiques de la photosynthèse fournissent au cycle de Calvin:
   a) de l'énergie lumineuse.
   b) du dioxyde de carbone et de l'ATP.
   c) de l'eau et du NADPH + H^+.
   d) de l'ATP et du NADPH + H^+.
   e) un glucide et du dioxygène.

2. Dans quel ordre s'effectue le transport des électrons pendant la photosynthèse?
   a) NADPH + $H^+ \rightarrow O_2 \rightarrow CO_2$.
   b) $H_2O \rightarrow$ NADPH + $H^+ \rightarrow$ Cycle de Calvin.
   c) NADPH + $H^+ \rightarrow$ Chlorophylle $\rightarrow$ Cycle de Calvin.
   d) $H_2O \rightarrow$ Photosystème I $\rightarrow$ Photosystème II.
   e) NADPH + $H^+ \rightarrow$ Chaîne de transport d'électrons $\rightarrow O_2$.

3. Laquelle des conclusions suivantes *ne* découle *pas* de l'étude du spectre d'absorption de la chlorophylle *a* et du spectre d'action de la photosynthèse (voir la figure 10.9a et b)?
   a) Les longueurs d'onde ne sont pas toutes aussi favorables à la photosynthèse.
   b) Des pigments accessoires élargissent le spectre des longueurs d'onde de la lumière qui déclenchent la photosynthèse.
   c) La partie rouge et la partie bleue du spectre sont les plus favorables à la photosynthèse.
   d) La chlorophylle doit sa couleur à l'absorption de la lumière verte.
   e) Le spectre d'absorption de la chlorophylle *a* comprend deux pics.

4. Les *deux* photosystèmes doivent interagir dans:
   a) la synthèse de l'ATP.
   b) la réduction du $NADP^+$.
   c) la photophosphorylation cyclique.
   d) l'oxydation du centre réactionnel du photosystème I.
   e) l'établissement de la force protonmotrice.

5. Sur le plan de son mécanisme, la photophosphorylation ressemble:
   a) à la phosphorylation au niveau du substrat pendant la glycolyse.
   b) à la phosphorylation oxydative pendant la respiration cellulaire.
   c) au cycle de Calvin.
   d) à la fixation du carbone.
   e) à la réduction du $NADP^+$.

6. Quelle est la ressemblance entre les adaptations photosynthétiques des plantes de type C_4 et celles des plantes de type CAM?
   a) Dans les deux cas, seul le photosystème I est utilisé.
   b) Les deux types de plantes produisent des glucides en dehors du cycle de Calvin.
   c) Chez les deux types de plantes, une enzyme autre que la Rubisco catalyse la première étape de la fixation du carbone.

d) Les deux types de plantes produisent la majeure partie de leurs glucides dans l'obscurité.
e) Ni les plantes de type C_4 ni les plantes de type CAM n'ont de thylakoïdes.

7. Quel processus est directement alimenté par l'énergie lumineuse?
a) L'établissement d'un gradient de pH par un transfert de protons à travers la membrane des thylakoïdes.
b) La fixation du carbone dans le stroma.
c) La réduction des molécules de $NADP^+$.
d) La perte des électrons par les molécules de chlorophylle associées à la membrane.
e) La synthèse d'ATP.

8. Quel énoncé fait une véritable distinction entre les transports d'électrons cyclique et non cyclique?
a) Seul le transport non cyclique d'électrons produit de l'ATP.
b) Le transport cyclique d'électrons engendre, outre de l'ATP, du dioxygène et du NADPH + H^+.
c) Seul le transport cyclique d'électrons peut être déclenché par une longueur d'onde de 700 nm.
d) La chimiosmose est propre au transport non cyclique d'électrons.
e) Seul le transport cyclique d'électrons se déroule sans faire appel au photosystème II.

9. Lequel des énoncés suivants exprime une véritable distinction entre les autotrophes et les hétérotrophes?
a) Seuls les hétérotrophes ont besoin de tirer des composés chimiques de leur milieu.
b) La respiration cellulaire est propre aux hétérotrophes.
c) Seuls les hétérotrophes ont des mitochondries.
d) Les autotrophes, contrairement aux hétérotrophes, se nourrissent à partir de dioxyde de carbone et d'autres substances inorganiques.
e) Seuls les hétérotrophes ont besoin de dioxygène.

10. Quel processus n'a *pas* lieu durant le cycle de Calvin?
a) La fixation du carbone.
b) L'oxydation du NADPH.
c) La libération d'oxygène.
d) La régénération de l'accepteur de CO_2.
e) La consommation d'ATP.

11. Quel énoncé, parmi les suivants ayant trait au cycle de Calvin, est *faux*?
a) Dans le cycle de Calvin, il y a un gain net d'ATP.
b) Une seule molécule de CO_2 est fixée à chaque tour du cycle de Calvin.
c) Les électrons servant à la phase de réduction proviennent du NADPH + H^+.
d) Les substances entrant dans le cycle comprennent le CO_2, l'ATP et le NADPH + H^+.
e) Le cycle de Calvin doit effectuer trois tours pour produire un gain net d'une seule molécule d'un sucre à trois atomes de carbone.

12. Une comparaison entre photorespiration et respiration cellulaire aérobie nous permet de constater que:
a) les deux processus produisent de l'ATP.
b) la photorespiration nécessite de la lumière, ce qui n'est pas le cas de la respiration cellulaire aérobie.
c) la respiration cellulaire aérobie nécessite la présence d'oxygène, ce qui n'est pas le cas de la photorespiration.
d) la photorespiration est l'inverse de la respiration cellulaire aérobie.
e) la respiration cellulaire aérobie dégage du CO_2, ce qui n'est pas le cas de la photorespiration.

Lien avec l'évolution

1. Dans ce chapitre, vous avez appris que la photosynthèse ne se déroule pas exclusivement dans des chloroplastes. Par exemple, les Cyanobactéries ne possèdent pas d'organites membraneux et pourtant elles réalisent la photosynthèse. Sur le plan de l'évolution, d'où proviennent les chloroplastes et quels avantages donnent-ils aux cellules végétales?

2. On considère généralement que le photosystème I est plus primitif que le photosystème II (il serait apparu plus tôt au cours de l'évolution). Quelles observations peuvent appuyer cette idée?

Intégration

1. Le diagramme ci-dessous représente une expérience réalisée avec des chloroplastes isolés. On commence par rendre ces organites acides en les incubant dans une solution dont le pH est de 4. Une fois que le pH de leur espace intrathylakoïdien a atteint 4, on les transfère dans une solution basique dont le pH est de 8. Lorsqu'ils sont placés dans un milieu noir, les chloroplastes produisent de l'ATP. Expliquez ce résultat.

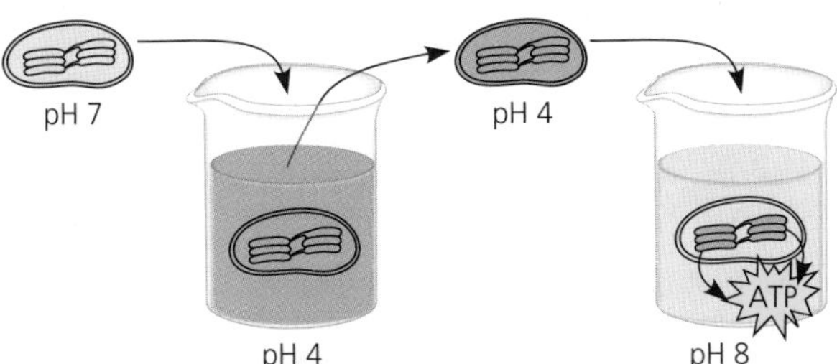

2. En laboratoire, on peut déterminer le rendement de la photosynthèse de plantes aquatiques en recueillant et en mesurant le dioxygène qui s'échappe de l'eau. Si l'on ajoute à l'eau du $NaHCO_3$ et une solution tampon acide, la production de dioxygène augmente. Pourquoi? Expliquez les équilibres chimiques qui vont s'établir dans la solution. Justifiez la nature de la solution tampon utilisée. Quel produit de la solution sert à la photosynthèse? Expliquez pourquoi il est lié à la libération de dioxygène.

3. En supposant que vous disposiez de tout le temps et de tout le matériel nécessaires, imaginez une expérience permettant de prouver que:
a) la croissance d'une plante ne provient pas exclusivement de nutriments qu'elle tire du sol.
b) la photosynthèse nécessite du CO_2.
c) la photosynthèse est constituée de deux phases: l'une puisant son énergie dans la lumière et l'autre dépendant d'une énergie de nature chimique.
d) il y a synthèse de glucides (transformés en amidon) dans les parties vertes d'une plante lors de la photosynthèse.

Science, technologie et société

1. Le dioxyde de carbone de la couche atmosphérique emprisonne la chaleur et réchauffe l'air à la manière des vitres d'une serre. La recherche scientifique indique que le dioxyde de carbone libéré par la combustion du bois et des combustibles fossiles contribue à réchauffer la planète (effet de serre). On estime que les forêts tropicales humides sont à l'origine de plus de 20 % de la photosynthèse globale. Il semble logique de croire que ces forêts produisent de grandes quantités de dioxygène et réduisent l'effet de serre en consommant du dioxyde de carbone. Or, de nombreux experts pensent aujourd'hui que la contribution *nette* des forêts tropicales humides à la production de dioxygène ou au ralentissement du réchauffement planétaire est faible, voire nulle. Comment cela est-il possible? (*Piste:* Qu'arrive-t-il à la nourriture produite par un arbre de la forêt tropicale humide quand elle est mangée par des herbivores ou quand l'arbre meurt?)

2. En mars 2004, des biochimistes britanniques et japonais ont annoncé, dans la revue *Science*, qu'ils avaient déterminé, avec une précision jamais égalée, l'architecture moléculaire du photosystème II et du complexe protéique qui produit la scission de la molécule d'eau. Les commentateurs de la nouvelle parlent d'un pas important vers l'éventuelle réalisation de la photosynthèse artificielle. Expliquez en quoi consiste ce qu'on appelle la photosynthèse artificielle et exposez les espoirs qu'elle pourrait faire naître devant les menaces qui planent actuellement sur notre planète.

Réponses du chapitre 10

Retour sur le concept 10.1

1. Le CO_2 entre dans les feuilles par les stomates, tandis que l'eau y parvient en entrant dans les racines pour ensuite monter dans les veines.
2. À l'aide d'un isotope lourd de l'oxygène comme marqueur, ^{18}O, le scientifique Van Niel a pu montrer que l'oxygène produit au cours de la photosynthèse vient de l'eau et non du dioxyde de carbone.
3. Le cycle de Calvin dépend du NADPH + H^+ et de l'ATP que les réactions photochimiques génèrent, et les réactions photochimiques dépendent du $NADP^+$, de l'ADP et du Ⓟ$_i$ que le cycle de Calvin génère.

Retour sur le concept 10.2

1. La lumière verte, parce qu'elle est en grande partie transmise et réfléchie (et non absorbée) par les pigments photosynthétiques.
2. Dans les chloroplastes, les électrons excités par la lumière sont captés par un accepteur primaire d'électrons, ce qui les empêche de retourner à l'état fondamental. Dans la chlorophylle pure, il n'y a pas d'accepteur d'électrons, alors les électrons excités par la lumière retournent immédiatement à l'état fondamental en libérant de la lumière et de la chaleur.
3. L'eau (H_2O) est le donneur d'électrons; le $NADP^+$ accepte des électrons à la fin de la chaîne de transport d'électrons, ce qui le réduit en NADPH + H^+.

Retour sur le concept 10.3

1. 6, 18, 12.
2. Plus une molécule emmagasine de l'énergie potentielle, plus sa formation nécessite d'énergie et de pouvoir réducteur. Le glucose est une source d'énergie précieuse parce qu'il est fortement réduit et emmagasine de grandes quantités d'énergie potentielle dans ses électrons. Pour réduire le CO_2 en glucose, il faut beaucoup d'énergie et de pouvoir réducteur, soit un grand nombre de molécules d'ATP et de NADPH + H^+ respectivement.
3. Les réactions photochimiques requièrent de l'ADP et du $NADP^+$, lesquels ne seraient pas produits à partir d'ATP et de NADPH + H^+ si le cycle de Calvin cessait.

Retour sur le concept 10.4

1. La photorespiration ralentit la photosynthèse en ajoutant au cycle de Calvin de l'oxygène plutôt que du dioxyde de carbone. En conséquence, aucun glucide n'est produit (aucun carbone n'est fixé) et le processus consomme de l'oxygène au lieu d'en libérer.
2. Les plantes de types C_4 et CAM prendraient la place d'un grand nombre de plantes de type C_3.

Autoévaluation

1. d; **2.** b; **3.** d; 4. b; **5.** b; 6. c; 7. d; **8.** e; 9. d; **10.** c; 11. a; 12. b.

11

La communication cellulaire

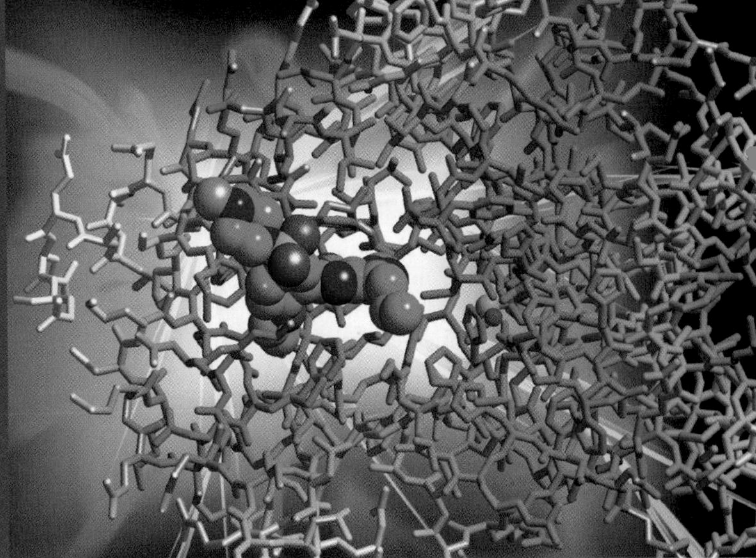

▲ **Figure 11.1 Une molécule de Viagra (le composé multicolore) se lie à une enzyme (en mauve) qui participe à une voie de communication cellulaire.**

Concepts clés

11.1 Les stimulus externes sont convertis en réponses dans la cellule
11.2 La réception : une molécule de communication se lie à un récepteur protéique et modifie sa conformation
11.3 La transduction : des cascades d'interactions moléculaires transmettent les stimulus des récepteurs aux molécules cibles intracellulaires
11.4 La réponse : la communication cellulaire aboutit à la régulation des fonctions cytoplasmiques ou de la transcription

Introduction

L'Internet cellulaire

En glissant, un randonneur tombe au fond d'un ravin et se casse la jambe. Heureusement, il sera secouru rapidement car il peut utiliser son téléphone cellulaire pour appeler à l'aide. Impossible de nier l'importance des divers moyens de communication dans nos vies, qu'il s'agisse du téléphone cellulaire, d'Internet, du courrier électronique ou de la messagerie instantanée. Chez les organismes multicellulaires comme les humains et les arbres, la communication intercellulaire est tout aussi cruciale. Les billions de cellules d'un organisme multicellulaire doivent communiquer les unes avec les autres : d'une part, pour coordonner le développement de l'organisme depuis l'embryon ; d'autre part, pour survivre et se reproduire. La communication intercellulaire joue aussi un rôle important chez de nombreux organismes unicellulaires. Les réseaux de communication entre les cellules peuvent être plus compliqués encore que le Web.

En étudiant la façon dont les cellules communiquent les unes avec les autres et la manière dont elles interprètent les stimulus reçus, les biologistes ont découvert des mécanismes universels de régulation cellulaire, un argument de plus en faveur de la théorie de l'évolution. Nombre de domaines de recherche révèlent l'existence des mêmes ensembles restreints de mécanismes de communication cellulaire. Et, à la grande satisfaction des scientifiques, l'étude de la communication cellulaire permet de résoudre des questions biologiques importantes relatives à des domaines allant du développement de l'embryon à l'implication d'une hormone dans le cancer et d'autres maladies. Prenons l'exemple de la voie de communication qui aboutit à la dilatation des vaisseaux sanguins. Dès que le stimulus faiblit, la réponse est arrêtée par l'enzyme représentée en mauve à la **figure 11.1.** On voit aussi dans cette figure une molécule multicolore qui bloque l'action de l'enzyme et garde ainsi les vaisseaux sanguins dilatés. Des composés inhibiteurs d'enzymes comme celui-ci sont souvent prescrits pour traiter certaines affections. Nous verrons plus loin dans ce chapitre l'action du composé multicolore de la figure 11.1, qu'on appelle Viagra. Les cellules reçoivent des stimulus provenant d'autres cellules ou de leur milieu sous diverses formes. Par exemple, elles captent des stimulus *électromagnétiques*, tels que la lumière, et des stimulus *mécaniques*, tels qu'un contact physique, et y répondent. Dans d'autres parties du manuel, nous discuterons de la détection des stimulus physiques. Dans le présent chapitre, nous nous concentrerons sur les mécanismes principaux par lesquels les cellules reçoivent et analysent les stimulus *chimiques* envoyés par des pairs, et sur la façon dont elles y répondent.

Concept 11.1

Les stimulus externes sont convertis en réponses dans la cellule

Que dit une cellule qui « parle » à une cellule qui « écoute » ? Comment cette dernière répond-elle au message ? Abordons ces questions en nous fondant sur les microorganismes, puisque ceux-ci nous révèlent le rôle joué par la communication cellulaire au cours de l'évolution de la vie sur la Terre.

L'évolution de la communication cellulaire

Tout au moins dans le cas de *Saccharomyces cerevisiæ*, une levure qui entre dans la fabrication du pain, du vin et de la bière depuis des millénaires, un des sujets de « conversation » est le sexe. Les chercheurs ont découvert que cette sorte de cellule identifie son partenaire sexuel grâce à des stimulus chimiques, en l'occurrence des **phéromones**. Ce sont des substances chimiques libérées par un organisme dans le but d'influencer le comportement d'un autre individu de la même espèce (aux chapitres 46 et 51, nous traiterons de cela plus en détail). Chez cette levure, il existe deux types sexuels, que l'on appelle **a** et **α** **(figure 11.2)**. Dans les deux cas, il s'agit de cellules haploïdes, c'est-à-dire contenant un seul assortiment de chromosomes, *n* (nous approfondirons cette notion au chapitre 13). Lorsque la nourriture abonde, une fusion entre des cellules de type sexuel opposé conduit à la formation de cellules diploïdes (possédant un double assortiment de chromosomes semblables, 2*n*), de type **a/α**. Au contraire, dans le cas d'une pénurie de nourriture, les cellules diploïdes subissent la méiose et produisent chacune quatre cellules filles haploïdes.

Voici comment les choses se passent. Une levure de type **a** sécrète une phéromone, le facteur **a**, qui se lie à des récepteurs protéiques précis d'une levure de type **α** située à proximité. Simultanément, la levure de type **α** sécrète le facteur **α** (une autre phéromone), qui se fixe à des récepteurs particuliers de la levure de type **a**. Ces deux facteurs de reconnaissance sexuelle ne pénètrent pas à l'intérieur des cellules auxquelles ils se lient, mais ils provoquent leur expansion l'une vers l'autre, ainsi que certaines modifications. Il en résulte une fusion ou un accouplement des deux cellules de type sexuel opposé. La cellule **a/α** ainsi formée contient tous les gènes des deux cellules originelles, et sa combinaison génétique constituera une source de variation génétique chez ses descendants, issus de divisions cellulaires subséquentes.

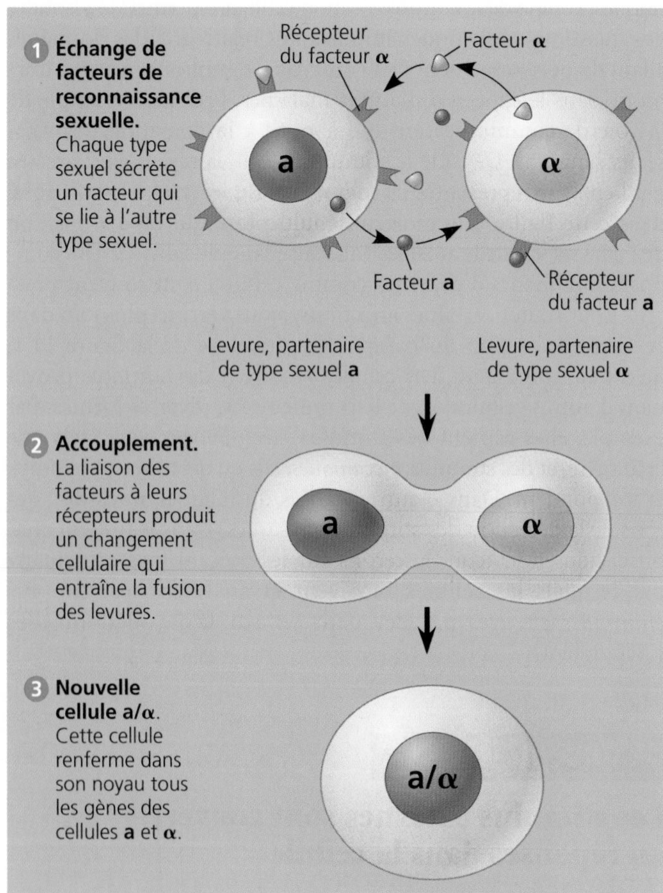

1 Échange de facteurs de reconnaissance sexuelle. Chaque type sexuel sécrète un facteur qui se lie à l'autre type sexuel.
Récepteur du facteur α
Facteur α
a
α
Facteur a
Récepteur du facteur a
Levure, partenaire de type sexuel a
Levure, partenaire de type sexuel α
2 Accouplement. La liaison des facteurs à leurs récepteurs produit un changement cellulaire qui entraîne la fusion des levures.
a
α
3 Nouvelle cellule a/α. Cette cellule renferme dans son noyau tous les gènes des cellules a et α.
a/α

▲ **Figure 11.2 Communication préalable à la fusion de deux cellules de levure.** C'est au moyen d'un stimulus chimique que les cellules de la levure *Saccharomyces cerevisiæ* identifient le type sexuel de leur partenaire potentiel et qu'elles amorcent leur fusion. Les deux types sexuels et les stimulus chimiques qui leur correspondent, soit les facteurs de reconnaissance sexuelle, sont nommés **a** et **α**.

Comment le stimulus atteignant la surface de la levure est-il transformé de sorte à entraîner une réponse cellulaire comme l'accouplement? Le processus par lequel il est converti en une réponse cellulaire particulière se nomme **transduction**. Il a lieu en une série d'étapes appelée **voie de transduction**. Parfois, cette voie ne comporte qu'une série d'étapes de conversion du stimulus en une substance chimique particulière. Mais, le plus souvent, à la phase de conversion s'ajoute une phase d'amplification. Il s'agit d'une cascade de réactions amorcée par une seule molécule et produisant des millions de molécules différentes de la première. De telles voies ont été étudiées en profondeur chez les levures et les Animaux. Étonnamment, du point de vue moléculaire, la transduction d'un stimulus chez ces deux types d'organismes est très similaire, bien que leur ancêtre commun le plus proche remonte à il y a plus d'un milliard d'années. Ces similarités, ainsi que celles qui ont été récemment mises en évidence entre les Bactéries, les Archéobactéries et les Végétaux, laissent croire que les premiers mécanismes de communication cellulaire sont apparus sur la Terre bien avant la formation de la première créature multicellulaire. Les scientifiques pensent que les Procaryotes primitifs et les Eucaryotes unicellulaires ont été les premiers à utiliser de tels mécanismes et que, par la suite, leurs descendants multicellulaires les ont adoptés et appliqués à de nouveaux usages.

La communication à proximité ou à distance

Comme les levures, les cellules d'un organisme multicellulaire communiquent généralement en libérant des médiateurs chimiques, qui ciblent des cellules adjacentes ou non. Les cellules peuvent communiquer par des canaux, comme nous l'avons vu dans les chapitres 6 et 7. Ainsi, un contact direct entre les cytoplasmes de cellules adjacentes est assuré par les jonctions ouvertes des cellules animales et par les plasmodesmes des cellules végétales **(figure 11.3a)**. Grâce à cela, les substances de communication dissoutes dans le cytosol peuvent se propager librement d'une cellule à l'autre. De plus, les cellules animales peuvent établir un contact entre elles par l'entremise de molécules situées à leur surface **(figure 11.3b)**. Cette sorte de communication, appelée reconnaissance intercellulaire, est critique lors de processus tels le développement embryonnaire et la réponse immunitaire.

Dans de nombreux cas, la cellule qui désire émettre un message sécrète des molécules messagères. Certaines de ces molécules parcourent seulement de courtes distances; il s'agit de **régulateurs locaux** qui agissent sur les cellules situées à proximité. Les *facteurs de croissance*, une catégorie de régulateurs locaux que l'on trouve chez les Animaux, sont des composés qui poussent des cellules cibles adjacentes à croître et à se multiplier. De nombreuses cellules peuvent recevoir des facteurs de croissance libérés par une seule cellule située dans le voisinage et y répondre. Chez les Animaux, cette sorte de communication locale est appelée

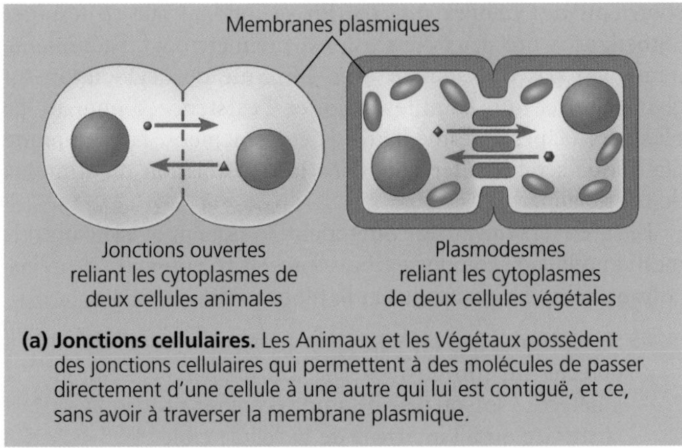

(a) Jonctions cellulaires. Les Animaux et les Végétaux possèdent des jonctions cellulaires qui permettent à des molécules de passer directement d'une cellule à une autre qui lui est contiguë, et ce, sans avoir à traverser la membrane plasmique.

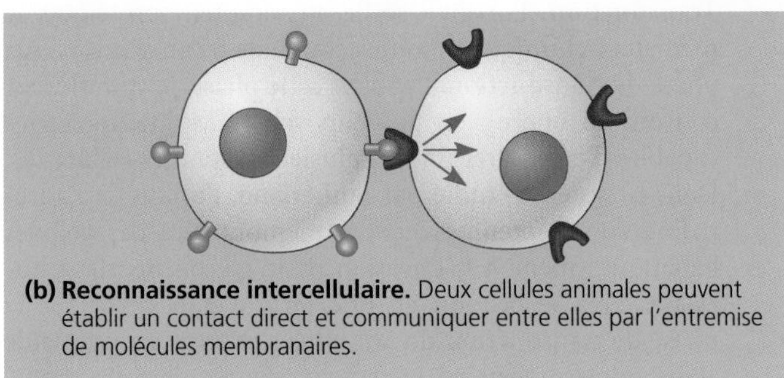

(b) Reconnaissance intercellulaire. Deux cellules animales peuvent établir un contact direct et communiquer entre elles par l'entremise de molécules membranaires.

▲ **Figure 11.3 Communication intercellulaire par contact direct.**

communication paracrine **(figure 11.4a)**. Dans certains cas (des cellules tumorales, par exemple), les molécules messagères peuvent même influer sur la cellule qui les a émises: on parle alors de *communication autocrine.*

Le système nerveux des Animaux est le siège d'un autre type de communication locale spécialisée, appelée *communication synaptique*. Un potentiel électrique propagé le long du neurone provoque la sécrétion de molécules de neurotransmetteurs dans la fente synaptique, qui est l'espace étroit séparant le neurone et la cellule cible (habituellement un autre neurone). Chez les Végétaux, certaines facettes de la communication locale demeurent mystérieuses. À cause de la paroi cellulaire, les mécanismes de communication locale sont quelque peu distincts de ceux des Animaux.

Par contre, les Animaux et les Végétaux font appel à des **hormones** pour communiquer à distance. Au cours de la communication hormonale animale, aussi connue sous le nom de communication endocrine, des cellules spécialisées libèrent des hormones dans les vaisseaux du système cardiovasculaire, qui les acheminent vers les cellules cibles **(figure 11.4c)**. Chez les Végétaux, les hormones (souvent appelées *régulateurs de croissance*) empruntent parfois les tissus conducteurs de sève mais, plus souvent qu'autrement, elles atteignent leur destination en passant de cellule en cellule (voir le chapitre 39) ou diffusent sous forme de gaz dans l'atmosphère. La taille et la nature des hormones varient, tout comme celles des régulateurs locaux. Par exemple, l'hormone végétale appelée éthylène, le gaz produit lors du mûrissement des fruits, est un hydrocarbure qui contient seulement six atomes (C_2H_4) et qui peut traverser les parois cellulaires. En comparaison, l'insuline, l'hormone animale qui régule la concentration de glucose sanguin, est une protéine formée de 51 acides aminés et donc de plusieurs centaines d'atomes.

La transmission d'un stimulus dans le système nerveux peut également illustrer la communication à distance. Un stimulus électrique se propage le long d'un neurone et est alors converti en un stimulus chimique qui traverse la synapse d'un autre neurone, où il est alors reconverti en stimulus électrique. Un stimulus nerveux peut ainsi se propager le long de plusieurs

Communication locale

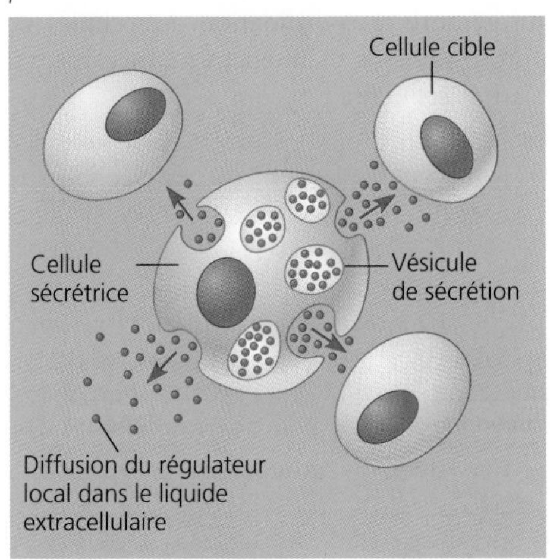

(a) Communication paracrine. Une cellule visant à interagir avec d'autres cellules situées à proximité libère des molécules d'un régulateur local dans le liquide extracellulaire.

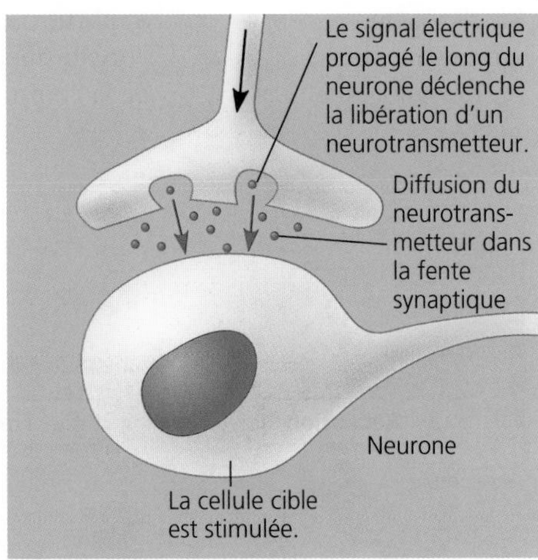

(b) Communication synaptique. Un neurone sécrète des molécules d'un neurotransmetteur dans la fente synaptique, ce qui stimule la cellule cible.

Communication à distance

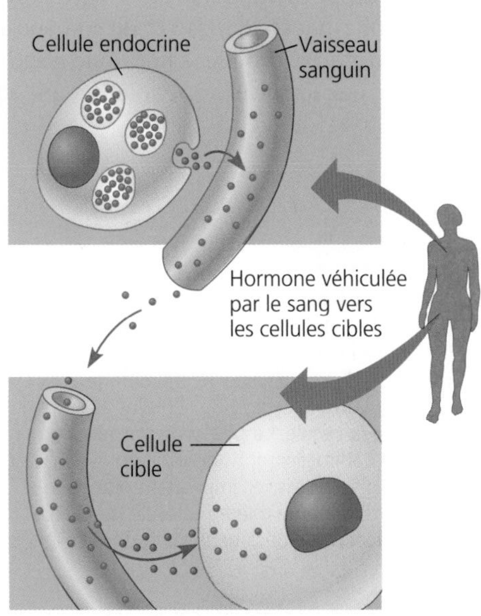

(c) Communication hormonale. Des cellules endocrines spécialisées sécrètent des hormones dans les liquides corporels, généralement dans le sang. Celles-ci ciblent des cellules situées ailleurs dans l'organisme.

▲ **Figure 11.4 Communication cellulaire locale ou à distance chez les Animaux.** Dans la communication à proximité ou à distance, seules les cellules cibles reconnaissent le stimulus chimique et y répondent.

neurones. Étant donné que certains neurones sont plutôt longs, le stimulus nerveux peut franchir rapidement de grandes distances, depuis votre cerveau jusqu'à votre gros orteil, par exemple. Nous reviendrons plus en détail sur ce genre de communication à distance au chapitre 48.

Que se produit-il quand une cellule reçoit un stimulus? D'abord, un récepteur spécifique le reconnaît. Ensuite, l'information transmise est modifiée (c'est-à-dire qu'elle subit une transduction) à l'intérieur de la cellule avant que cette dernière puisse y répondre: le message reçu par la cellule est en effet sans signification pour cette dernière tant qu'il n'a pas été «réécrit» en une forme que celle-ci puisse «comprendre». Les sections à venir traitent de ce processus, en s'attardant surtout aux cellules animales.

Les trois phases de la communication cellulaire: *un aperçu*

Nous devons nos connaissances sur les médiateurs chimiques des voies de transduction aux travaux pionniers de Earl W. Sutherland, qui a, d'ailleurs, remporté un prix Nobel en 1971. Ses collègues de l'université Vanderbilt et lui ont étudié, dans les années 1950, le mode d'action de l'adrénaline, une hormone animale, sur l'hydrolyse du glycogène stocké dans les cellules hépatiques ou musculaires. L'hydrolyse du glycogène libère du glucose-1-phosphate, que la cellule transforme en glucose-6-phosphate. Ce dernier, qui constitue le réactif initial de la glycolyse, peut servir à produire de l'énergie dans les cellules du foie et des muscles; il peut aussi se faire enlever son phosphate et sortir des cellules hépatiques pour se retrouver dans le sang sous forme de glucose destiné à d'autres cellules. Ainsi, en temps de stress physique ou émotionnel, l'adrénaline sécrétée par les glandes surrénales mobilise les réserves de combustible, entre autres choses.

L'équipe de Sutherland a découvert que l'adrénaline stimule la dégradation du glycogène en activant indirectement une enzyme cytoplasmique, la glycogène phosphorylase (pendant que l'enzyme qui permet la formation du glycogène, elle, est inhibée). Cependant, l'ajout *in vitro* d'adrénaline à un mélange de l'enzyme phosphorylase et de son substrat, le glycogène, ne conduit pas à l'hydrolyse. L'hormone n'active la glycogène phosphorylase que lorsqu'elle est ajoutée à une solution physiologique contenant des cellules *intactes*. En se fondant sur ce résultat, Sutherland a tiré deux conclusions: premièrement, l'adrénaline n'interagit pas directement avec l'enzyme de dégradation du glycogène, ce qui semble indiquer l'existence d'une ou de plusieurs étapes intermédiaires; deuxièmement, la membrane plasmique semble intervenir dans la transmission du stimulus de l'adrénaline.

Les premiers travaux de Sutherland indiquent que la communication cellulaire comporte trois phases: la réception du stimulus, la transduction du stimulus et la réponse **(figure 11.5)**.

❶ **Réception.** La réception consiste pour une cellule cible à détecter un stimulus externe. Un médiateur chimique est « détecté » lorsqu'il se lie à un récepteur protéique, situé à la surface ou à l'intérieur de la cellule cible.

❷ **Transduction.** Lorsqu'il se lie au récepteur protéique, le médiateur chimique modifie celui-ci de façon à amorcer la phase de transduction. Pendant cette phase, le stimulus est converti en une ou en plusieurs molécules intermédiaires capables d'engendrer une ou plusieurs réponses cellulaires. Dans le système étudié par Sutherland, l'union de l'adrénaline au récepteur protéique membranaire des cellules hépatiques mène à l'activation de la glycogène phosphorylase. Cela se produit en une série d'étapes. Parfois, la phase de transduction du stimulus s'effectue en une seule étape; plus souvent qu'autrement, elle requiert des modifications successives de plusieurs molécules – ce que l'on appelle *voie de transduction.*

❸ **Réponse.** Dans la troisième phase, le stimulus transformé et parfois amplifié déclenche une réponse cellulaire précise. Celle-ci peut prendre la forme de n'importe quelle activité cellulaire, notamment la catalyse par une enzyme (comme la glycogène phosphorylase), le réarrangement du cytosquelette ou l'activation de certains gènes du noyau. Grâce à la communication intercellulaire, des fonctions cruciales se produisent dans les cellules adéquates au moment opportun, ce qui garantit la coordination des cellules de l'organisme. Approfondissons maintenant les mécanismes de la communication cellulaire.

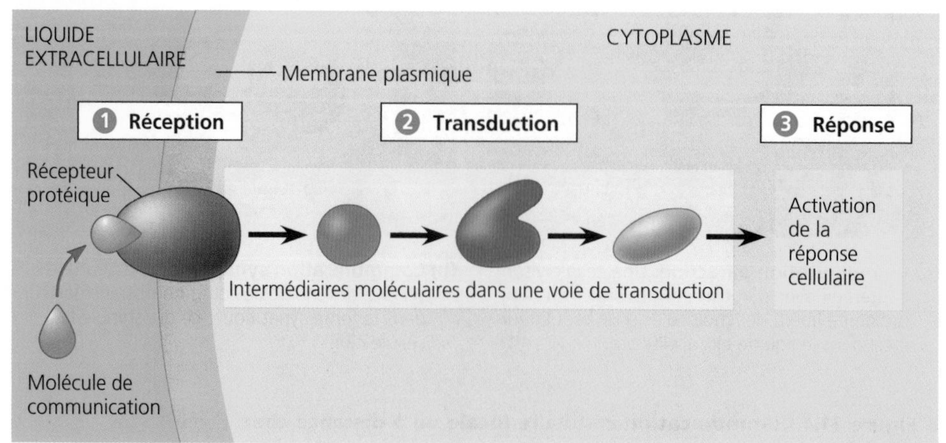

▶ **Figure 11.5 Vue d'ensemble de la communication cellulaire.** Du point de vue de la cellule qui reçoit un «message», la communication se divise en trois phases: la réception du stimulus par la membrane plasmique, la transduction du stimulus et la réponse de la cellule. La phase de transduction comprend habituellement une série de modifications successives impliquant plusieurs molécules. C'est la dernière molécule de la voie de transduction qui déclenche la réponse cellulaire.

Retour sur le concept 11.1

1. Expliquez en quoi les neurones illustrent à la fois la communication locale et la communication à distance.
2. Lorsqu'on mélange de l'adrénaline avec de la glycogène phosphorylase et du glycogène dans une éprouvette, cela produit-il du glucose-1-phosphate ? Pourquoi ?

Voir les réponses proposées à la fin du chapitre.

Concept 11.2

La réception : une molécule de communication se lie à un récepteur protéique et modifie sa conformation

Quand nous nous entretenons confidentiellement avec quelqu'un, il arrive que des oreilles indiscrètes perçoivent des bribes de notre conversation. Lors d'une communication cellulaire, ce genre de bévue survient rarement. Par exemple, les levures émettent des stimulus qui sont uniquement perçus par leurs partenaires de type sexuel opposé. De la même manière, bien qu'elle rencontre plusieurs sortes de cellules à mesure qu'elle est véhiculée par le sang, l'adrénaline n'est reconnue que par des cellules bien précises, chez qui elle provoque une réponse. Un récepteur protéique situé à la surface ou à l'intérieur de la cellule cible permet à la cellule de « percevoir » le stimulus et d'y répondre. Différents types de récepteurs sont associés à différents types de tissus et le nombre de récepteurs d'un type particulier peut varier au cours de la vie d'une cellule pour s'ajuster à ses besoins changeants. Un site spécifique du récepteur et la molécule de communication sont en fait complémentaires : ils peuvent se lier à la manière d'une clé qui entre dans une serrure ou d'un substrat qui se fixe sur le site actif d'une enzyme. La molécule de communication se comporte comme un **ligand** ; ce terme décrit une molécule qui s'attache de manière spécifique à une autre molécule, souvent plus grosse. Habituellement, la liaison d'un ligand entraîne un changement de la conformation du récepteur, c'est-à-dire une modification de sa forme. Ce changement amène plusieurs récepteurs à interagir avec d'autres molécules cellulaires. Cependant, dans le cas de certaines sortes de récepteurs, la liaison d'un ligand a pour effet d'aboutir à l'agrégation de deux récepteurs ou plus, ce qui provoque d'autres changements moléculaires dans la cellule.

La majorité des récepteurs sont des protéines (glycoprotéines) membranaires. Leurs ligands sont hydrosolubles et habituellement trop gros pour traverser librement la membrane plasmique. Toutefois, d'autres récepteurs sont situés à l'intérieur de la cellule. La section suivante porte sur ces récepteurs intracellulaires.

Les récepteurs intracellulaires

Les récepteurs protéiques intracellulaires logent soit dans le cytoplasme, soit dans le noyau des cellules cibles. Pour les atteindre, les stimulus chimiques traversent la membrane plasmique de la cellule cible. Beaucoup de molécules de communication importantes y parviennent parce qu'elles sont suffisamment hydrophobes ou suffisamment petites pour glisser à travers les phosphoglycérolipides. Parmi les médiateurs chimiques hydrophobes, citons les hormones stéroïdes et thyroïdiennes animales. Le monoxyde d'azote (NO) est un autre stimulus chimique reconnu par un récepteur intracellulaire ; les molécules de ce gaz sont très petites et passent aisément entre les phosphoglycérolipides membranaires. La dilatation des vaisseaux sanguins, la contraction des parois de l'intestin et l'érection sont des fonctions que l'on attribue au NO.

La testostérone a un comportement typique des hormones stéroïdes : elle est sécrétée principalement par les cellules interstitielles des testicules et elle est acheminée par le sang dans l'organisme. Dans le cytoplasme des cellules cibles, les seules à contenir des molécules réceptrices pour l'hormone, la testostérone s'attache à un récepteur protéique spécifique et l'active **(figure 11.6)**. Le complexe formé de l'hormone et du récepteur activé se rend alors dans le noyau, où il stimule les gènes responsables des caractères sexuels secondaires masculins.

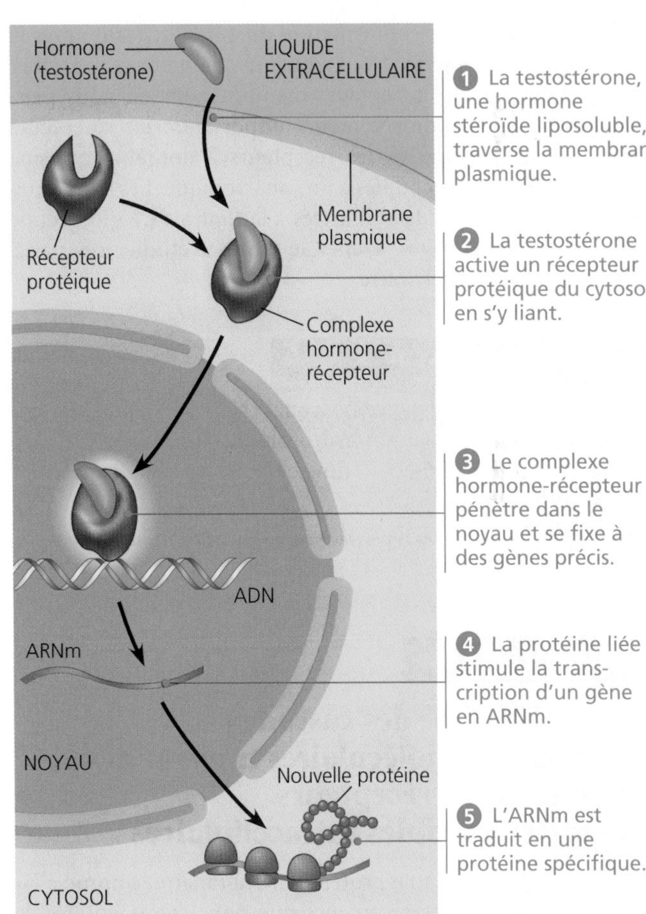
Hormone (testostérone)
LIQUIDE EXTRACELLULAIRE
1 La testostérone, une hormone stéroïde liposoluble, traverse la membrane plasmique.
Membrane plasmique
Récepteur protéique
2 La testostérone active un récepteur protéique du cytosol en s'y liant.
Complexe hormone-récepteur
3 Le complexe hormone-récepteur pénètre dans le noyau et se fixe à des gènes précis.
ADN
ARNm
4 La protéine liée stimule la transcription d'un gène en ARNm.
NOYAU
Nouvelle protéine
5 L'ARNm est traduit en une protéine spécifique.
CYTOSOL

▲ **Figure 11.6 Interaction entre une hormone stéroïde et un récepteur intracellulaire.**

Comment ce complexe active-t-il les gènes en question ? Rappelez-vous que les gènes, ces portions d'ADN d'une cellule, sont transcrits en ARN messager (ARNm). Celui-ci quitte le noyau pour être traduit en une protéine spécifique par les ribosomes cytoplasmiques (voir la figure 5.25). Des protéines spécialisées appelées *facteurs de transcription* décident des gènes qui seront activés, c'est-à-dire qui seront transcrits en ARNm à un moment précis, dans une cellule en particulier. Le récepteur de la testostérone, lorsqu'il est activé, constitue un exemple de facteur de transcription activant des gènes précis.

En agissant comme un facteur de transcription, le récepteur de la testostérone réalise à lui seul toute la transduction du stimulus. La majorité des autres récepteurs intracellulaires fonctionnent de la même manière, à la différence que beaucoup d'entre eux logent déjà dans le noyau (comme les récepteurs des hormones thyroïdiennes). Il est intéressant de noter la similarité de structure de plusieurs récepteurs intracellulaires. Cela évoque une origine commune au regard de l'évolution. Au chapitre 45, nous examinerons en détail les hormones qui se fixent aux récepteurs intracellulaires.

Les récepteurs situés dans la membrane plasmique

La plupart des molécules de communication hydrosolubles se lient à des sites particuliers des récepteurs membranaires. Ceux-ci transmettent l'information de l'extérieur de la cellule à l'intérieur en changeant leur conformation ou en s'agrégeant après la liaison d'un ligand précis. Nous pouvons maintenant examiner le fonctionnement des récepteurs membranaires en nous penchant sur trois types de récepteurs importants: les récepteurs couplés à une protéine G, les récepteurs à domaine tyrosine kinase et les récepteurs couplés à un canal ionique. Les trois types de récepteurs sont décrits et illustrés à la **figure 11.7** qui occupe les trois prochaines pages. Prenez le temps d'étudier ces pages avant de continuer le chapitre.

Retour sur le concept 11.2

1. Le facteur de croissance neuronal (NGF) est une molécule de communication hydrosoluble. À votre avis, le récepteur du NGF est-il intracellulaire ou situé dans la membrane plasmique?

Voir les réponses proposées à la fin du chapitre.

Concept 11.3

La transduction: des cascades d'interactions moléculaires transmettent les stimulus des récepteurs aux molécules cibles intracellulaires

Quand le récepteur est une protéine membranaire, comme c'est le cas de la plupart des récepteurs que nous avons étudiés, la transduction du stimulus se fait en plusieurs étapes. Une amplification de la réponse se réalise lorsque quelques molécules transmettent un stimulus à beaucoup de molécules de l'étape subséquente, un processus qui active à la fin un très grand nombre de molécules. Autrement dit, un petit nombre de molécules de communication extracellulaires peuvent provoquer une réponse cellulaire amplifiée. En outre, les voies à plusieurs étapes facilitent la coordination et la régulation, contrairement aux voies plus simples.

Les voies de transduction

L'arrimage d'une molécule de communication à un récepteur membranaire amorce la première étape d'une chaîne d'interactions moléculaires, la voie de transduction. Celle-ci provoque la réponse cellulaire. Dans une file de dominos, une plaque qui tombe entraîne dans sa chute les plaques qui la suivent, les unes après les autres (effets en cascade); de même, le récepteur activé stimule une autre protéine, qui active à son tour une autre molécule, et ainsi de suite, jusqu'à ce que la protéine responsable de la réponse cellulaire soit activée. Les molécules intermédiaires qui transmettent «l'information» sont généralement des protéines. L'interaction entre protéines est fondamentale dans la communication cellulaire. De fait, toute la régulation cellulaire repose sur des interactions protéiques. Gardez à l'esprit que la molécule de communication ne se déplace pas physiquement le long de la voie de transduction. La plupart du temps, elle ne pénètre même pas dans la cellule. Les intermédiaires se transmettent l'information et non la molécule captée par le récepteur. À chaque étape de la voie, les produits prennent une forme différente de celle des réactifs. Souvent, ce changement de conformation est dû à une phosphorylation.

Phosphorylation et déphosphorylation des protéines

Dans les chapitres précédents, nous avons vu qu'une protéine peut être activée par l'ajout d'un ou de plusieurs groupements phosphate (voir la figure 8.11). À la figure 11.7, nous avons exposé le rôle de la phosphorylation dans l'activation des récepteurs à domaine tyrosine kinase. La phosphorylation et la déphosphorylation des protéines sont des mécanismes cellulaires de régulation de l'activité protéique très répandus. L'enzyme qui transfère un groupement phosphate de l'ATP à une protéine est une **protéine kinase**. Rappelez-vous que les récepteurs à domaine tyrosine kinase phosphorylent les monomères d'autres récepteurs à domaine tyrosine kinase. Cependant, la majorité des protéines kinases cytoplasmiques agissent sur des protéines différentes d'elles-mêmes. Autre différence, la plupart phosphorylent leurs substrats sur des sérines ou des thréonines, deux types d'acides aminés. Ces sérines ou thréonines kinases interviennent largement dans les voies de transduction animales, végétales et fongiques.

De nombreux intermédiaires des différentes voies sont des protéines kinases, qui agissent souvent sur d'autres protéines se trouvant sur la même voie. La **figure 11.8** décrit une voie hypothétique constituée de trois protéines kinases différentes créant une «cascade» de phosphorylations. La séquence illustrée ressemble à beaucoup de voies connues, notamment à celles que les facteurs de reconnaissance sexuelle déclenchent dans la levure et à celles que de nombreux facteurs de croissance suscitent dans les cellules animales. L'activation engendrée par un stimulus se transmet par une «cascade» de phosphorylations protéiques; chaque phosphorylation entraîne un changement de conformation résultant de l'interaction entre le groupement phosphate chargé et des acides aminés polaires ou chargés (voir la figure 5.17). L'ajout de phosphate active souvent une protéine (mais il arrive parfois qu'elle *diminue* son activité). Par ailleurs, des chercheurs ont récemment montré que la phosphorylation ne produit pas toujours que deux états de la substance phosphorylée, comme un interrupteur qui ne pourrait être qu'à la position

Figure 11.7

Panorama Les récepteurs membranaires

RÉCEPTEURS COUPLÉS À UNE PROTÉINE G

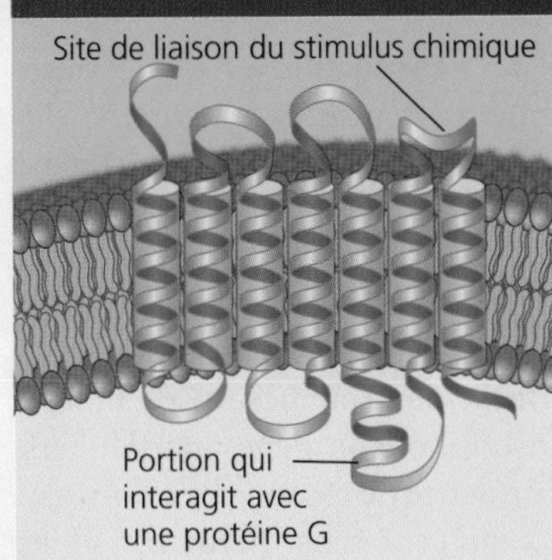

Récepteur couplé à une protéine G

Les **récepteurs couplés à une protéine G** sont situés sur la membrane plasmique; comme leur nom l'indique, ils fonctionnent à l'aide d'une protéine, la **protéine G**. Beaucoup de molécules de communication se lient aux récepteurs couplés à une protéine G, notamment les facteurs de reconnaissance sexuelle des levures, de nombreuses hormones (dont l'adrénaline), des neurotransmetteurs et des substances odorantes. Bien que la similarité de leur structure soit frappante, ces récepteurs se distinguent les uns des autres par leurs sites de liaison et par leur capacité à reconnaître différentes protéines G internes.

Une grande famille de récepteurs des cellules eucaryotes a cette structure secondaire, composée d'un polypeptide (le ruban) replié en sept hélices α transmembranaires, représentées ici par des cylindres et disposées côte à côte par souci de clarté. Les boucles forment les sites de fixation des molécules de communication extracellulaires ou des protéines G intracellulaires.

Les récepteurs couplés à une protéine G sont très répandus et ont des fonctions très variées. Ils jouent notamment un rôle important dans le développement de l'embryon. Chez les humains, par exemple, le fonctionnement des sens (comme la vue et l'odorat) dépend de telles protéines. Les diverses protéines G ainsi que les récepteurs qui y sont couplés ont une structure apparentée qui laisse croire qu'ils sont apparus très tôt dans l'évolution.

Beaucoup de maladies humaines impliquent des protéines G. Ainsi, les bactéries responsables du choléra (*Vibrio choleræ*), notamment, sécrètent des toxines qui nuisent au bon fonctionnement des protéines G. Plus de 60 % des médicaments sont efficaces parce qu'ils agissent sur les voies où les protéines G interviennent.

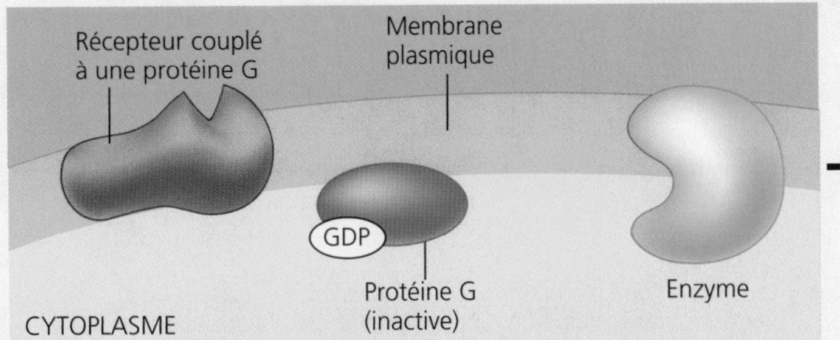

❶ Fixée à la membrane du côté cytoplasmique, la protéine G a une activité qui dépend du nucléotide qui est attaché à elle : le GDP (guanosine diphosphate) l'inactive, tandis que le GTP (guanosine triphosphate) l'active. Le récepteur et la protéine G agissent conjointement avec une autre protéine, habituellement une enzyme.

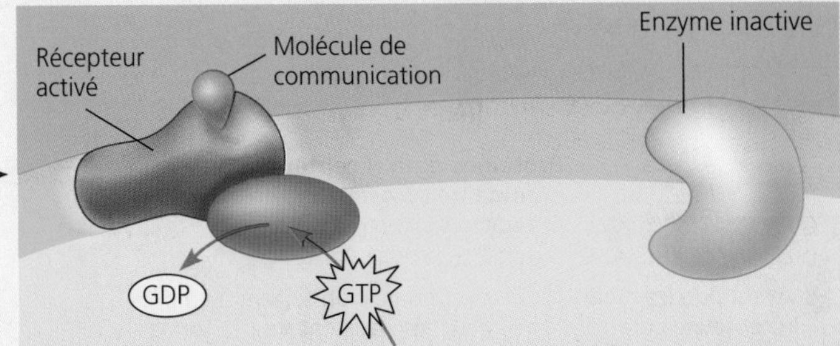

❷ Lorsque la molécule de communication se lie à la partie extracellulaire du récepteur, celui-ci est activé et change de conformation. Sa face cytoplasmique se lie alors à une protéine G inactive, qui se lie elle-même à une molécule de GTP (celle-ci prend la place d'une molécule de GDP). La protéine G se trouve ainsi activée. (Cette étape implique une dissociation des trois sous-unités de la protéine G.)

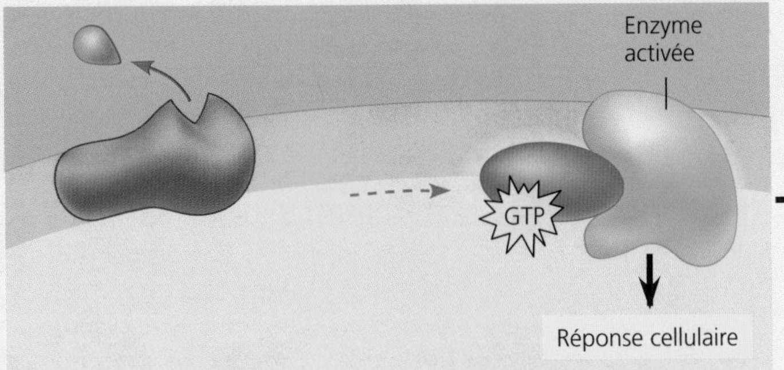

❸ La protéine G activée se détache du récepteur et une des trois sous-unités qui la constituent diffuse le long de la membrane, puis elle se lie à une enzyme et modifie l'activité de cette dernière. Quand l'enzyme est activée, l'étape suivante de la voie de transduction s'amorce et aboutit à une réponse cellulaire.

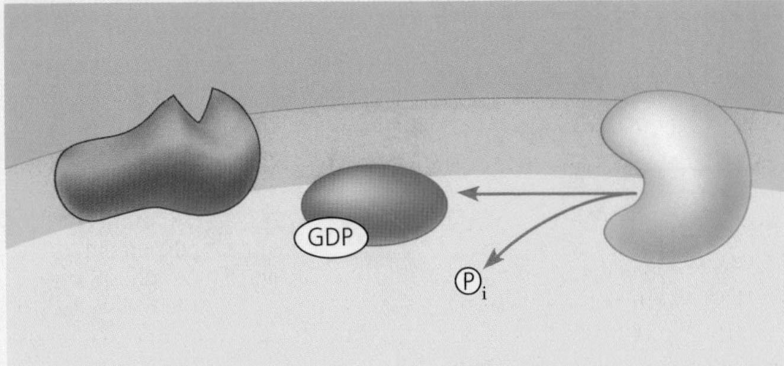

❹ Une des sous-unités de la protéine G agit également comme une GTPase (une enzyme) : elle hydrolyse le GTP qui lui est fixé en GDP. Elle se trouve ainsi neutralisée, et elle libère l'enzyme. Les sous-unités de la protéine G se réassocient et celle-ci est à nouveau disponible. La GTPase permet d'arrêter rapidement la transduction à l'arrêt du stimulus.

Suite à la page suivante

Figure 11.7 (*suite*)

Panorama Les récepteurs membranaires

RÉCEPTEURS À DOMAINE TYROSINE KINASE

Un récepteur à domaine tyrosine kinase peut amorcer plus d'une voie de transduction à la fois. Ce type de récepteurs fait partie de l'une des principales familles de récepteurs membranaires qui se caractérise par son activité enzymatique. Un des domaines du récepteur (un domaine est une région particulière d'une protéine) donnant sur le cytoplasme agit comme une **tyrosine kinase**, une enzyme qui catalyse le transfert d'un groupement phosphate de l'ATP à la tyrosine. Bref, les **récepteurs à domaine tyrosine kinase** sont des récepteurs membranaires enzymatiques: l'enzyme est une kinase qui attache du phosphate aux molécules de tyrosine.

Un seul récepteur à domaine tyrosine kinase peut activer simultanément plus de 10 protéines intracellulaires différentes et déclencher autant de voies de transduction et de réponses cellulaires. La distinction fondamentale entre les récepteurs couplés à une protéine G et les récepteurs à domaine tyrosine kinase repose sur la capacité de ces derniers à donner naissance à autant de voies. L'insuline, par exemple, qui se fixe à un récepteur de ce type, produit son effet sur le glucose en amenant les molécules de transport du glucose vers la membrane plasmique; elle peut également stimuler la synthèse de protéines ou de lipides, la division cellulaire et la transcription de gènes particuliers. Certains cancers résultent de la présence de récepteurs à domaine tyrosine kinase déficients qui s'agrègent sans qu'un ligand ne s'y soit fixé.

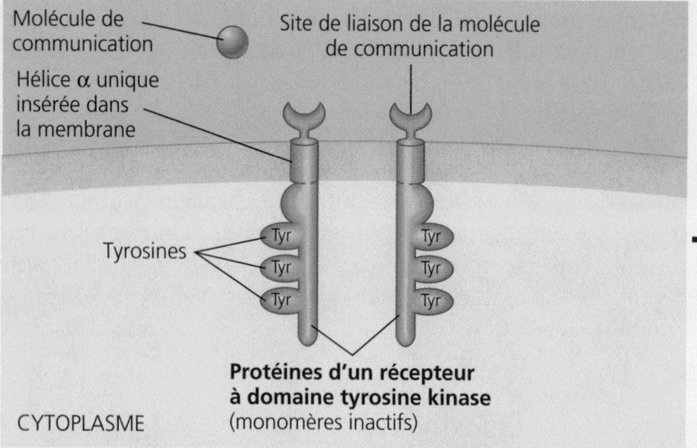

❶ Avant que les molécules de communication se lient à eux, les récepteurs à domaine tyrosine kinase existent sous la forme de polypeptides individuels. Chacun possède un site de liaison extracellulaire, une seule hélice α traversant la membrane et une queue intracellulaire constituée de plusieurs molécules de tyrosine.

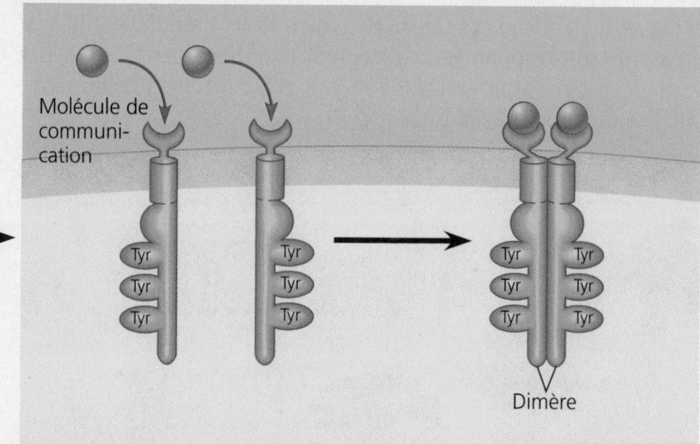

❷ La liaison d'une molécule de communication (un facteur de croissance, par exemple) entraîne un rapprochement puis l'association étroite de deux polypeptides récepteurs, ce qui forme un dimère (dimérisation).

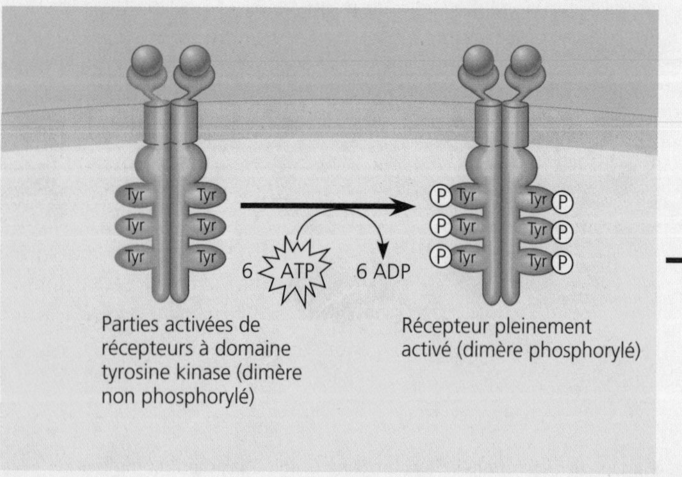

❸ La dimérisation active la tyrosine kinase de chaque polypeptide. Chacune de ces enzymes ajoute alors un groupement phosphate provenant d'une molécule d'ATP aux tyrosines de la queue de l'autre polypeptide, ce qui produit une réaction d'*autophosphorylation*.

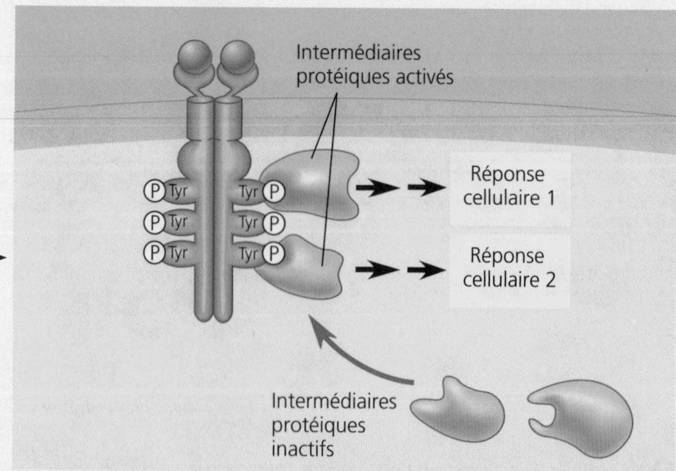

❹ Maintenant qu'il est activé, le récepteur est reconnu par des intermédiaires protéiques intracellulaires. Chacun de ceux-ci se fixe à une tyrosine phosphorylée particulière, change de conformation et est ainsi activé. Chaque protéine activée amorce une voie de transduction qui aboutit à une réponse cellulaire.

RÉCEPTEURS COUPLÉS À UN CANAL IONIQUE

Un **canal ionique à ouverture régulée par un ligand** est un type de récepteur membranaire qui possède un canal protéique servant d' « écluse » quand le récepteur change de conformation. Lorsqu'un ligand se lie à un récepteur protéique, le canal protéique s'ouvre ou se ferme de manière sélective pour faire pénétrer ou non des ions tels que Na^+ ou Ca^{2+}. Comme les autres récepteurs que nous venons d'étudier, les récepteurs couplés à un canal ionique fixent leur ligand sur un site particulier de leur domaine extracellulaire.

Les canaux ioniques à ouverture régulée jouent un rôle crucial dans le système nerveux. Par exemple, les neurotransmetteurs agissant comme ligands et libérés à la synapse reliant deux neurones (voir la figure 11.4b) se lient aux canaux ioniques de la cellule réceptrice, ce qui fait ouvrir ces canaux. Les ions entrent alors et déclenchent un stimulus électrique qui se propage sur toute la longueur de la cellule réceptrice. Certains canaux ioniques ont une ouverture régulée par un potentiel électrique plutôt que par un ligand ; ces canaux ioniques dits tensiodépendants jouent également un rôle crucial dans le fonctionnement du système nerveux, comme nous le verrons au chapitre 48.

❶ Ici, on voit un récepteur couplé à un canal ionique qui demeure fermé jusqu'à ce qu'un ligand se lie à lui.

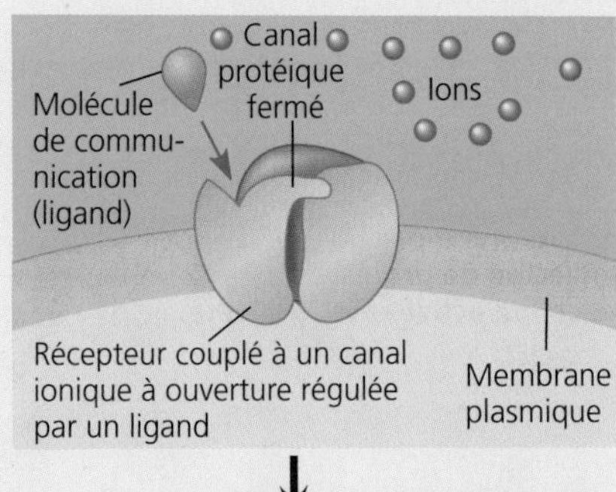

❷ Quand le ligand se fixe au récepteur, le canal s'ouvre à un ion particulier. Cela provoque une modification immédiate de la concentration de cet ion dans la cellule. Ce changement peut influer directement sur certaines fonctions cellulaires.

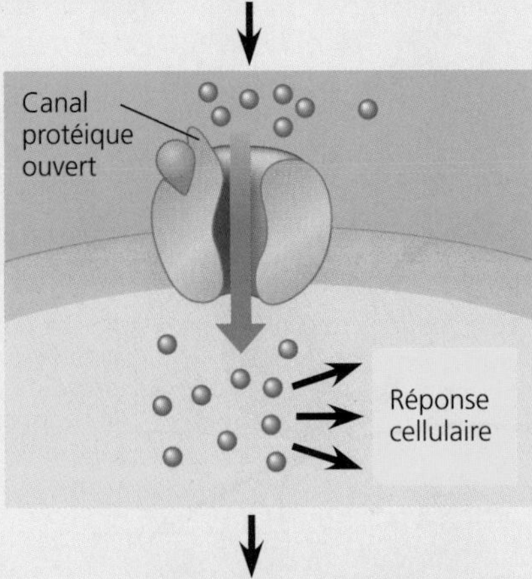

❸ Quand le ligand se dissocie du récepteur, le canal protéique se referme et bloque le passage aux ions.

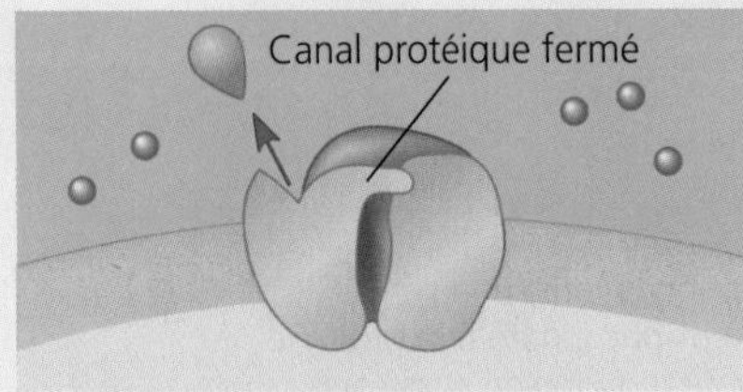

ON (activée) ou à la position OFF (inhibée). En effet, on a découvert qu'une protéine pouvait avoir un nombre variable de sites phosphorylés, ce qui lui permet d'agir à la manière d'un rhéostat qui module une activité cellulaire par le biais de phosphorylations graduelles.

L'importance des protéines kinases n'est pas surestimée. Près de 2 % de nos gènes codent pour des protéines kinases. On estime que nous en possédons entre 1 000 et 3 000. Une seule cellule peut en contenir plusieurs centaines de sortes, chacune phosphorylant un substrat protéique différent. Ensemble, elles contrôlent probablement une proportion élevée des milliers de protéines renfermées dans une cellule. Parmi celles-ci figurent les protéines qui régissent la reproduction cellulaire. Le mauvais fonctionnement de telles kinases cause souvent une croissance cellulaire anormale et favorise le développement d'un cancer.

Les **protéines phosphatases** sont également importantes dans la cascade de phosphorylations. Les phosphatases sont des enzymes qui retirent rapidement les groupements phosphate des protéines, un processus appelé déphosphorylation ; certaines phosphatases sont très spécifiques quant à leur substrat, d'autres peuvent déphosphoryler plusieurs protéines différentes. Lorsqu'elles déphosphorylent et, donc, inactivent des protéines kinases, les phosphatases permettent la désactivation de la voie de transduction quand le stimulus initial disparaît. Les phosphatases rendent également les protéines kinases disponibles à nouveau, ce qui permet à la cellule de répondre une nouvelle fois à un stimulus extracellulaire. En tout temps, l'activité d'une protéine donnée contrôlée par phosphorylation repose sur un équilibre entre la proportion de protéines kinases et celle de protéines phosphatases actives.

Les seconds messagers

Tous les éléments d'une voie de transduction ne sont pas nécessairement des protéines. De petites molécules solubles d'origine non protéique et des ions interviennent dans de nombreuses voies de transduction. Ils sont appelés **seconds messagers** (par opposition aux « premiers messagers », soit les molécules de communication extracellulaires qui s'attachent aux récepteurs membranaires). Étant donné leur petite taille et leur hydrosolubilité, ils diffusent facilement à l'intérieur des cellules. Par exemple, un second messager appelé AMP cyclique transmet, de la membrane plasmique au cytoplasme d'une cellule hépatique ou musculaire, l'information du stimulus généré par l'adrénaline. Cela déclenche la dégradation du glycogène à l'intérieur de la cellule cible. Les seconds messagers prennent part aux voies amorcées par les récepteurs couplés à une protéine G et aux voies amorcées par les récepteurs à domaine tyrosine kinase. Les deux seconds messagers les plus courants sont l'AMP cyclique et les ions calcium, Ca^{2+}. La concentration cytosolique de ces substances influe sur une grande variété d'intermédiaires protéiques.

L'AMP cyclique

Après avoir établi que l'adrénaline cause la dégradation du glycogène à l'intérieur d'une cellule, et ce, sans traverser la membrane plasmique, Earl Sutherland s'est mis à chercher un second messager (c'est lui qui a inventé cette expression) responsable de la transmission de l'information entre la membrane plasmique et les voies métaboliques du cytosplasme.

Il a compris que la fixation de l'adrénaline à la membrane plasmique des cellules hépatiques provoque l'augmentation de la concentration cytosolique d'un composé appelé adénosine monophosphate cyclique, dont l'abréviation est **AMP cyclique** ou **AMPc (figure 11.9)**. En réponse à un stimulus extracellulaire – l'adrénaline dans le cas qui nous concerne –, l'**adénylate cyclase**, une enzyme enchâssée dans la membrane plasmique et dont le site actif se trouve du côté interne de cette membrane, transforme de l'ATP en AMPc. Toutefois, l'adrénaline ne stimule pas directement l'adénylate cyclase. Quand l'adrénaline extracellulaire se lie à un récepteur protéique spécifique, la protéine active l'adénylate cyclase qui peut, à son tour, catalyser la synthèse de nombreuses molécules d'AMPc. Ainsi, la concentration cellulaire d'AMPc peut devenir vingt fois plus grande en quelques secondes. L'AMPc transmet l'information au cytoplasme. En l'absence d'adrénaline, la durée de vie de l'AMPc est très courte, car l'enzyme phosphodiestérase convertit l'AMPc en un produit inactif, l'AMP. Il faut qu'une nouvelle poussée d'adrénaline se produise pour augmenter de nouveau la concentration cytosolique de l'AMPc.

Des recherches ultérieures ont montré que l'adrénaline n'est ni la seule hormone ni la seule molécule de communication qui déclenche la production d'AMPc. Elles ont aussi révélé les autres intermédiaires des voies impliquant l'AMPc, notamment les protéines G, les récepteurs couplés à une protéine G et les protéines kinases **(figure 11.10)**. L'effet immédiat habituel de l'AMPc est l'activation d'une sérine-thréonine kinase appelée *protéine kinase A* (PKA). L'AMPc se fixe à un site allostérique d'une sous-unité de régulation de la PKA (voir le chapitre 8, p. 164). Celle-ci phosphoryle alors d'autres protéines, dont la nature dépend de la cellule. Les protéines phosphorylées peuvent donc varier selon le type de cellule, de sorte que les réponses produites seront

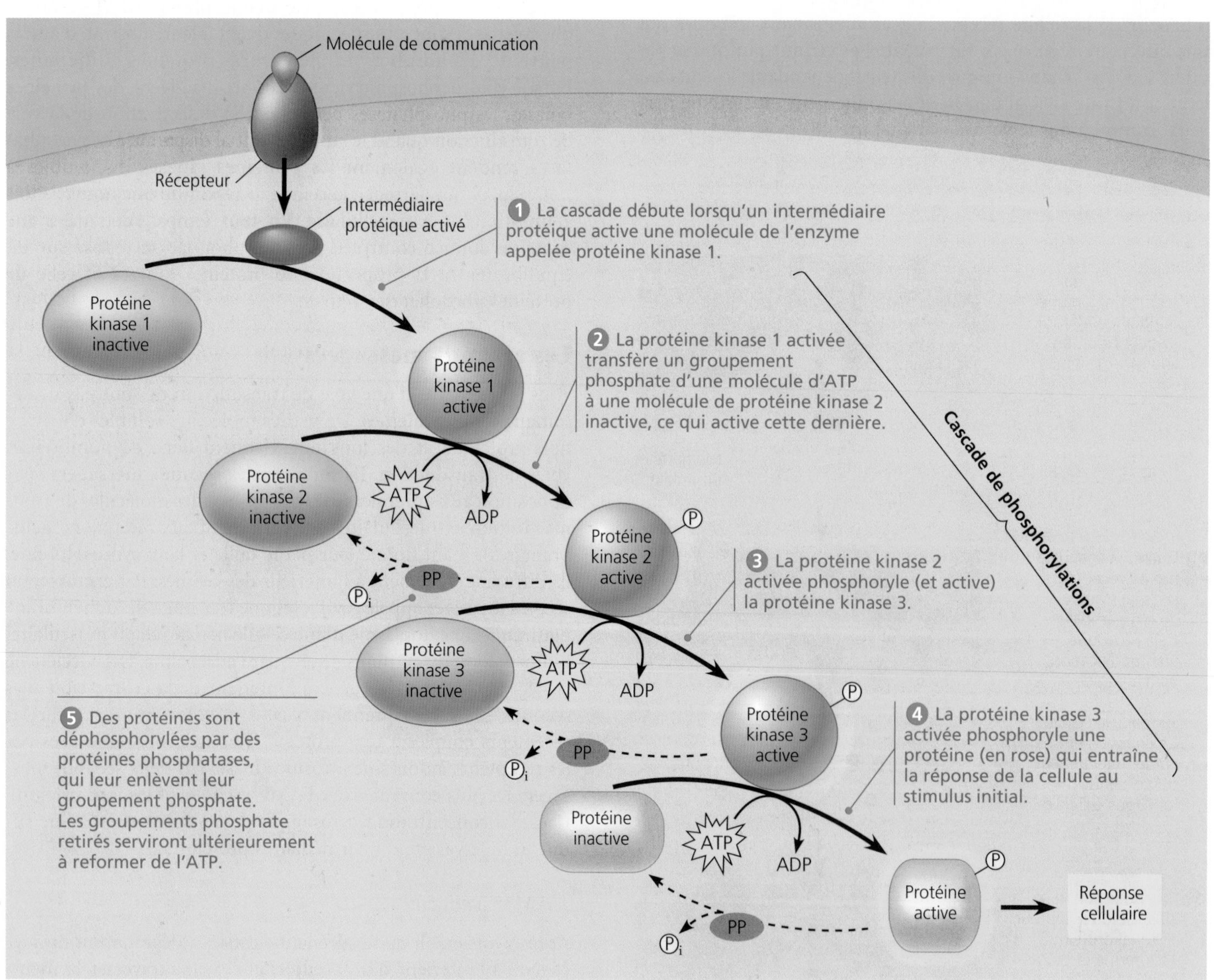

▲ **Figure 11.8 Une cascade de phosphorylations.** Dans une cascade de phosphorylations, une variété de molécules protéiques sont phosphorylées tour à tour : chacune ajoute un groupement phosphate à la protéine située en aval. Pour vous rappeler que les molécules changent généralement de configuration lorsqu'elles sont activées, nous vous présentons les protéines actives et les protéines inactives sous des formes différentes.

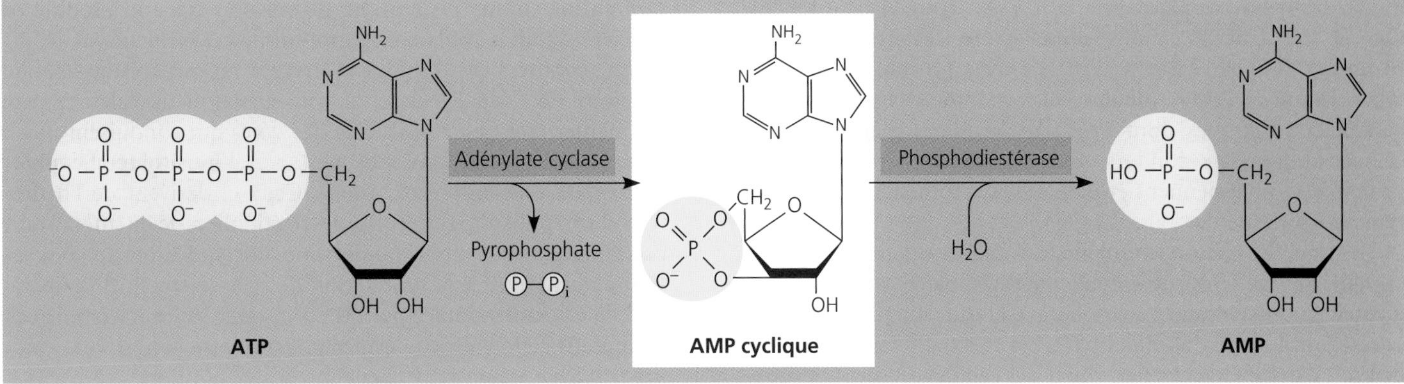

▲ **Figure 11.9 AMP cyclique.** L'adénylate cyclase, une enzyme de la membrane plasmique, produit le second messager AMP cyclique (AMPc) et le pyrophosphate (deux phosphates inorganiques liés) à partir de l'ATP. La molécule d'AMP cyclique est inactivée par la phosphodiestérase, une enzyme qui la transforme en AMP.

différentes : c'est ce qui explique qu'une même hormone peut susciter des réponses différentes selon le type de tissu sur lequel elle agit. (La voie conduisant à la dégradation de glycogène en réponse à une stimulation provoquée par l'adrénaline dans les cellules hépatiques est illustrée à la figure 11.13.)

Des mécanismes mettant en jeu des protéines G *inhibant* l'adénylate cyclase permettent de réguler plus finement le métabolisme cellulaire. Une molécule de communication spécifique active un récepteur qui active à son tour une protéine G *inhibitrice*.

Maintenant que nous connaissons le rôle de l'AMPc dans les voies de transduction faisant intervenir des protéines G, nous pouvons expliquer, sur le plan moléculaire, l'étiologie de certaines maladies d'origine bactérienne. Prenons le choléra, une maladie contagieuse qu'on attrape lorsqu'on boit de l'eau contaminée par des déjections humaines. La maladie est causée par le vibrion cholérique, *Vibrio choleræ*, une bactérie qui colonise les cellules épithéliales de l'intestin grêle et qui sécrète une toxine. La toxine du choléra est constituée d'une enzyme qui modifie chimiquement une protéine G régulant la sécrétion d'eau et de sels dans la lumière intestinale. Incapable d'hydrolyser le GTP en GDP, la protéine G modifiée demeure active et stimule continuellement l'adénylate cyclase, qui ne cesse de produire de l'AMPc. Les concentrations élevées d'AMPc qui en résultent causent la sécrétion dans les intestins (et donc la fuite hors de l'organisme) de quantités énormes d'eau et de sels. La personne infectée développe rapidement une diarrhée intense et peut mourir si elle n'est pas traitée.

La recherche sur les voies de communication faisant intervenir l'AMP cyclique ou des messagers apparentés a permis de mettre au point des traitements pour certaines maladies humaines. Une de ces voies de communication utilise le *GMP cyclique*, ou *GMPc*, comme molécule de communication ; elle a notamment pour effet la relaxation des cellules musculaires lisses des parois artérielles. Un composé issu de cette recherche inhibe l'enzyme qui catalyse l'hydrolyse du GMPc en GMP et, donc, en maintenant la concentration de GMPc élevée, prolonge le stimulus ; à l'origine, on le prescrivait aux personnes atteintes de douleurs thoraciques parce qu'il augmentait la circulation sanguine vers le cœur. Commercialisé sous le nom de Viagra (voir la figure 11.1), ce composé est maintenant un traitement très connu de la dysfonction érectile. Le Viagra, ainsi que d'autres médicaments du même genre, provoque une dilatation des vaisseaux sanguins, ce qui entraîne un apport de sang accru au pénis et, donc, des conditions physiologiques favorables à l'érection.

Ions calcium et inositol triphosphate

Un grand nombre de molécules de communication animales, notamment les neurotransmetteurs, les facteurs de croissance et certaines hormones, suscitent des réponses cellulaires grâce à des voies de transduction qui augmentent la concentration cytosolique d'ions calcium (Ca^{2+}). Bien que l'AMPc ait été découvert en premier, les recherches ont montré que le calcium est un second messager beaucoup plus commun que l'AMPc. L'augmentation de la concentration d'ions Ca^{2+} peut susciter plusieurs types de réponses chez les cellules animales, notamment la contraction, la sécrétion de certaines substances ou la division cellulaire. Chez les cellules végétales, toutes sortes de stimulus hormonaux et environnementaux peuvent provoquer de brèves augmentations de la concentration de Ca^{2+} dans le cytosol, ce qui amorce diverses voies de communication, par exemple celle

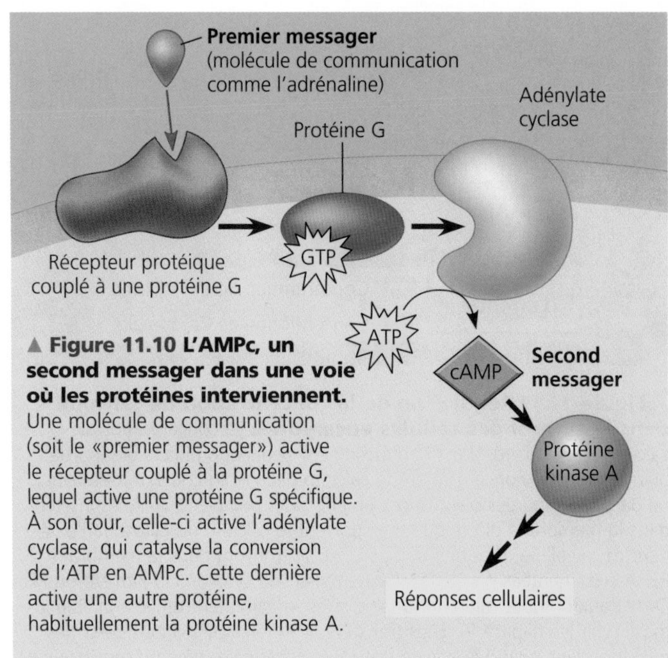

▲ **Figure 11.10 L'AMPc, un second messager dans une voie où les protéines interviennent.** Une molécule de communication (soit le «premier messager») active le récepteur couplé à la protéine G, lequel active une protéine G spécifique. À son tour, celle-ci active l'adénylate cyclase, qui catalyse la conversion de l'ATP en AMPc. Cette dernière active une autre protéine, habituellement la protéine kinase A.

du verdissement en réaction à la lumière (voir la figure 39.4). Que ce soit dans les cellules animales ou végétales, le calcium réalise ses différentes fonctions en s'unissant d'abord à une protéine comme la calmoduline ou la troponine des cellules musculaires squelettiques, dont nous reparlerons au chapitre 49. Les cellules utilisent ce second messager à la fois dans les voies où les protéines G interviennent et dans celles qui mettent en jeu des tyrosines kinases.

Bien que les cellules contiennent toujours du calcium, celui-ci peut agir en tant que second messager parce que, en temps normal, sa concentration cytosolique est beaucoup plus faible que sa concentration extracellulaire **(figure 11.11)**. De fait, la quantité de Ca^{2+} dans le sang et à l'extérieur des cellules est souvent supérieure de 10 000 fois à celle qui se trouve dans le cytosol. Des pompes protéiques transportent activement les ions calcium hors de la cellule, ou encore du cytosol au réticulum endoplasmique (et, dans certaines conditions, aux mitochondries et aux chloroplastes) (voir la figure 11.11). Par conséquent, la concentration de calcium dans le RE est habituellement beaucoup plus élevée que dans le cytosol. Comme ce dernier contient une faible concentration de calcium, une toute petite augmentation ou une diminution infime du nombre de ses ions calcium modifie de manière significative la concentration de cet élément.

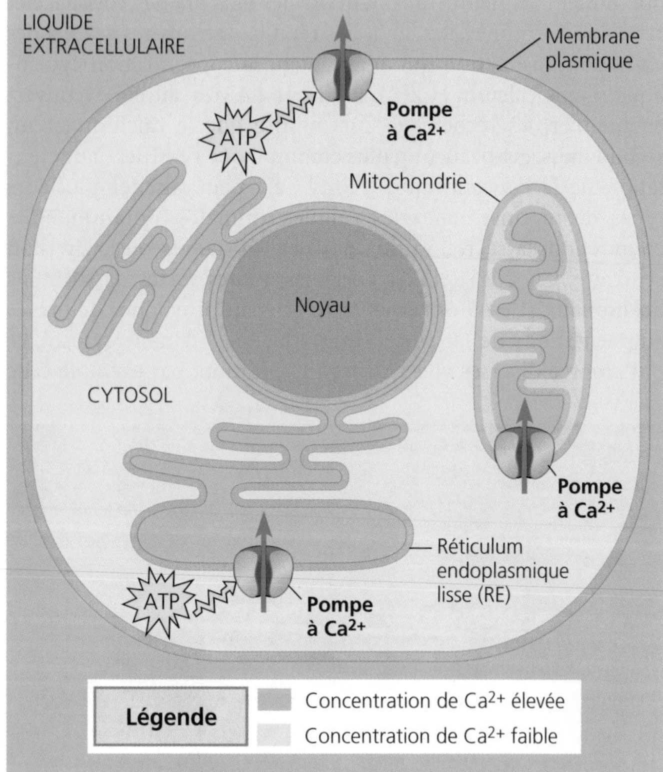

▲ **Figure 11.11 Régulation de la concentration de calcium dans le cytosol des cellules eucaryotes.** La concentration de calcium dans le cytosol est habituellement beaucoup plus faible (partie bleu ciel) que la concentration de calcium dans le liquide extracellulaire ou dans le RE (parties bleu foncé). En effet, des pompes protéiques insérées dans la membrane plasmique transportent le calcium du cytosol à l'extérieur de la cellule; d'autres pompes, qui se trouvent dans la membrane du RE lisse (alimentées par l'ATP), l'acheminent du cytosol à la lumière du RE. Quant aux pompes mitochondriales, elles fonctionnent grâce à la chimiosmose (voir le chapitre 9). Elles transfèrent les ions Ca^{2+} à l'intérieur des mitochondries quand la concentration cytosolique augmente sensiblement.

En réponse à un stimulus et grâce à un mécanisme libérant des ions Ca^{2+} du RE lisse, la concentration de calcium peut augmenter dans le cytosol. Une des voies qui conduisent à cela comprend deux autres seconds messagers, l'**inositol triphosphate (IP3)** et le **diacylglycérol (DAG)**. Ceux-ci dérivent de l'hydrolyse d'un phosphoglycérolipide particulier de la membrane plasmique, le PIP_2 (phosphatidylinositol 4, 5-diphosphate). La **figure 11.12** illustre la production de ces messagers et la libération de calcium stimulée par l'IP_3. Puisque l'IP_3 agit avant le calcium dans cette voie, ce dernier pourrait être considéré comme un *troisième messager*. Cependant, les scientifiques utilisent le terme *second messager* pour décrire tout élément non protéique de petite taille qui joue un rôle dans les voies de transduction.

Retour sur le concept 11.3

1. Qu'est-ce qu'une protéine kinase et quel est son rôle dans une voie de transduction?
2. Lorsqu'une voie de transduction fait intervenir une cascade de phosphorylations, comment la réponse cellulaire prend-elle fin?
3. Lors de l'activation de la phospholipase C par la liaison d'un ligand à un récepteur, quel est effet du canal calcique à ouverture régulée par l'IP_3 sur la concentration de Ca^{2+} dans le cytosol?

Voir les réponses proposées à la fin du chapitre.

Concept 11.4

La réponse: la communication cellulaire aboutit à la régulation des fonctions cytoplasmiques ou de la transcription

Examinons maintenant la réponse de la cellule après qu'elle a été stimulée par un médiateur extracellulaire. Quelle est la nature de la dernière phase de la communication cellulaire?

Les réponses cytoplasmiques et nucléaires

Les voies de transduction aboutissent à la régulation d'une ou de plusieurs fonctions cellulaires. La réponse peut avoir lieu dans le cytoplasme ou faire intervenir le noyau.

Dans le cytoplasme, un stimulus peut, par exemple, entraîner l'ouverture ou la fermeture d'un canal ionique membranaire, ou encore la modification du métabolisme cellulaire. Comme nous l'avons déjà mentionné, l'adrénaline concourt à contrôler le métabolisme énergétique des cellules hépatiques. En se liant à un récepteur protéique membranaire, elle déclenche une voie de transduction dont la dernière étape active une enzyme catalysant la dégradation du glycogène. La **figure 11.13** schématise la voie qui mène à la production de glucose-1-phosphate à partir de glycogène. Notez que chaque étape de la réponse est amplifiée; nous y reviendrons plus loin.

▶ **Figure 11.12 Rôle du calcium et de l'inositol triphosphate dans les voies de transduction.** Les ions calcium (Ca^{2+}) et l'inositol triphosphate (IP_3) sont des seconds messagers dans beaucoup de voies de transduction. Dans cette figure, la transmission de l'information est amorcée par l'arrimage d'une molécule de communication sur un récepteur couplé à une protéine G. Un récepteur à domaine tyrosine kinase (non illustré) peut également amorcer cette voie en activant la phospholipase C.

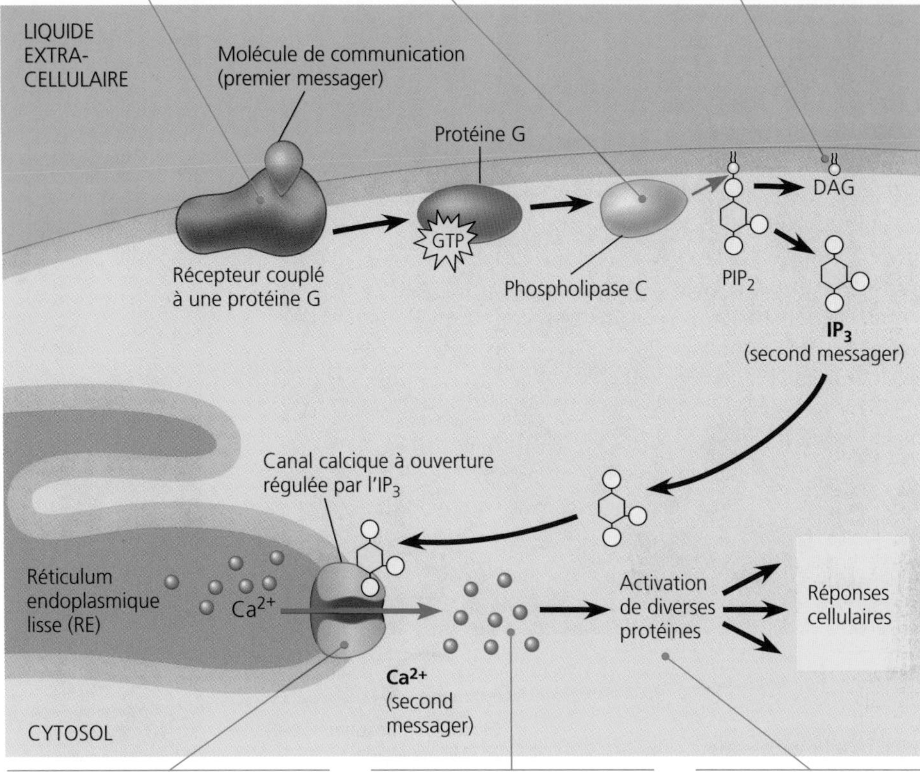

Beaucoup d'autres voies de transduction n'aboutissent pas à la régulation d'une *activité* enzymatique, mais à la *synthèse* d'enzymes ou d'autres protéines. Elles le font habituellement en activant ou en désactivant des gènes dans le noyau. À l'instar d'un récepteur de stéroïdes activé (voir la figure 11.6), la dernière molécule activée d'une voie de transduction peut servir de facteur de transcription. La **figure 11.14** donne comme exemple une voie de transduction qui active un facteur de transcription, lequel active à son tour un gène. La réponse consécutive au rattachement d'un facteur de transcription à l'ADN est la synthèse d'ARNm. Celui-ci sera traduit dans le cytoplasme en une protéine spécifique. Dans d'autres cas, le facteur de transcription peut réguler un gène en le désactivant. Généralement, le facteur de transcription contrôle plusieurs gènes différents. On devinera que les réponses qui exigent la participation de gènes mettront un temps plus long à se réaliser que les réponses n'impliquant que des réactions dans le cytoplasme.

Tous les récepteurs et tous les intermédiaires présentés dans ce chapitre participent à diverses voies assurant le bon fonctionnement des gènes ou menant vers d'autres types de réponses cellulaires. Les médiateurs moléculaires qui régulent les gènes comprennent les facteurs de croissance ainsi que certaines hormones végétales et animales. Le mauvais fonctionnement d'une voie amorcée par un facteur de croissance, comme celle de la figure 11.14, peut favoriser l'apparition d'un cancer. Nous y reviendrons au chapitre 19.

L'amplification et l'affinement de la réponse cellulaire

Pourquoi existe-t-il tant d'étapes entre le stimulus extracellulaire et la réponse de la cellule? Comme nous en avons déjà discuté, les voies de transduction comprenant plusieurs étapes présentent deux avantages non négligeables: elles amplifient l'effet du stimulus et, par conséquent, de la réponse cellulaire, et elles contribuent à la spécificité de cette dernière.

L'amplification du stimulus

Une cascade enzymatique élaborée amplifie la réponse de la cellule à un stimulus. À chaque étape catalytique de la cascade, le nombre de produits activés s'accroît. Par exemple, dans la voie déclenchée par l'adrénaline à la figure 11.13, chaque molécule d'adénylate cyclase catalyse la formation de nombreuses molécules d'AMPc; chaque molécule de protéine kinase A phosphoryle beaucoup de kinases qui agiront à l'étape subséquente, et ainsi de suite. L'amplification découle du fait que ces protéines restent assez longtemps sous une forme active pour stimuler de nombreuses molécules de substrat, avant de redevenir inactives. L'amplification des stimulus résultant du rattachement d'un petit nombre de molécules d'adrénaline aux récepteurs membranaires d'une cellule hépatique ou musculaire se traduit donc par la libération de centaines de millions de molécules de glucose produites à partir de glycogène. C'est ce phénomène qui explique pourquoi les hormones en général peuvent agir à des doses très faibles.

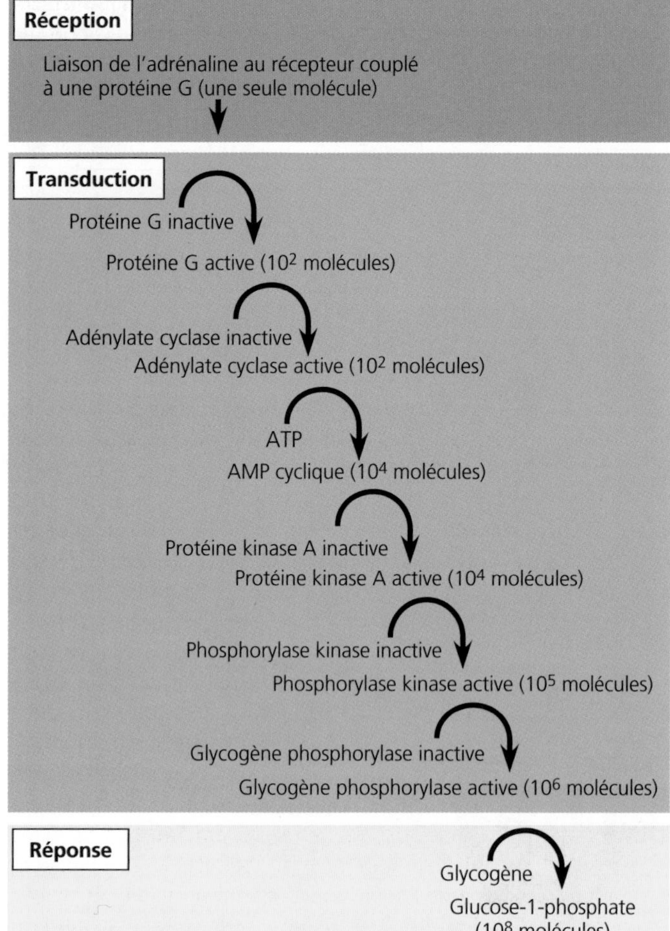

▲ **Figure 11.13 Activation de la dégradation de glycogène par l'adrénaline: la réponse cellulaire à un stimulus.** Dans cette voie de communication, l'adrénaline active, en se fixant à un récepteur couplé à une protéine G, une série d'intermédiaires, dont l'AMPc et deux protéines kinases (voir aussi la figure 11.10). La dernière protéine qui est activée est l'enzyme glycogène phosphorylase, qui enlève le glucose-1-phosphate du glycogène. Cette voie amplifie un stimulus hormonal, parce que le récepteur protéique peut activer une centaine de molécules de protéine G et que chaque enzyme de la voie peut transformer un très grand nombre de molécules de substrat en des produits qui deviennent les réactifs suivants de la cascade. Nous avons estimé le nombre de molécules activées à chaque étape.

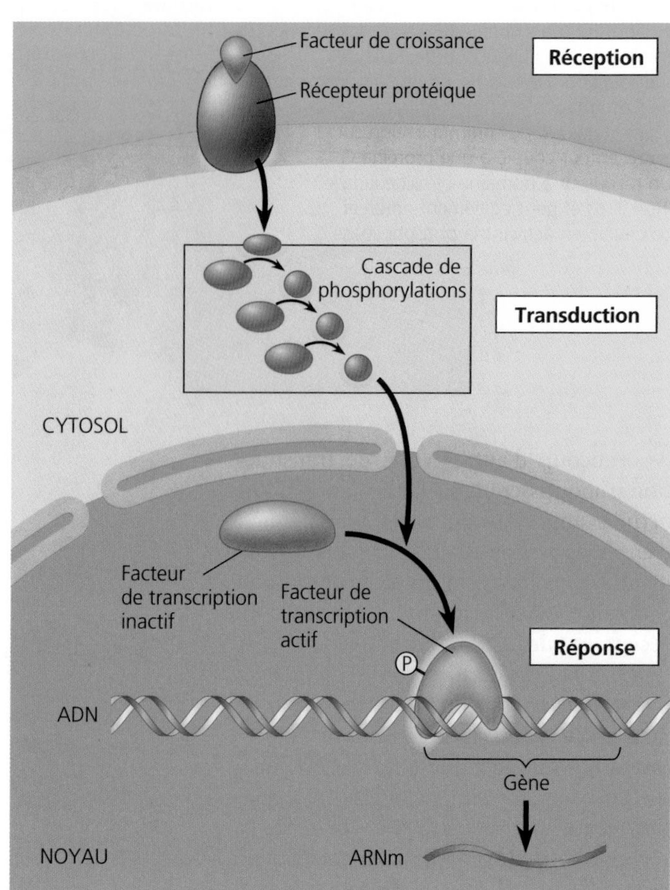

▲ **Figure 11.14 Réponse du noyau à un stimulus extracellulaire: l'activation d'un gène précis par un facteur de croissance.** Ce schéma est une représentation simplifiée d'une voie de transduction typique menant à la régulation d'un gène dans le noyau. La molécule de communication, un régulateur local appelé facteur de croissance, déclenche une cascade de phosphorylations. (Les molécules d'ATP qui fournissent le phosphate ne sont pas illustrées.) Une fois phosphorylée, la dernière kinase de la séquence pénètre dans le noyau et active une protéine régulant l'expression d'un gène, soit un facteur de transcription. Cette protéine stimule la transcription en ARNm d'un gène en particulier, ce qui donne lieu à la synthèse d'un ARNm. L'ARNm dirige ensuite la synthèse d'une protéine bien précise dans le cytoplasme.

La spécificité de la communication cellulaire

Prenons deux cellules différentes de l'organisme: une cellule hépatique et une cellule musculaire cardiaque. Les deux sont irriguées par le sang et sont, par conséquent, toujours exposées aux effets d'hormones diverses, de même qu'aux régulateurs locaux sécrétés par les cellules voisines. Pourtant, la cellule hépatique, tout comme la cellule cardiaque, répond uniquement à certains stimulus. Par ailleurs, les mêmes stimulus peuvent entraîner des réponses distinctes chez des cellules différentes. Par exemple, l'adrénaline pousse les cellules hépatiques à dégrader le glycogène, alors qu'elle stimule la contraction des cellules musculaires cardiaques, ce qui augmente le pouls.

Comment expliquer cela? Eh bien! en comprenant que ce qui explique la spécificité d'une réponse cellulaire à un stimulus explique aussi les divergences entre les cellules. En effet, *les différents types de cellules ont chacun un ensemble unique de protéines* **(figure 11.15)**. Une cellule répond à un stimulus en fonction de ses récepteurs protéiques, de ses intermédiaires protéiques et de ses protéines cytoplasmiques. Une cellule hépatique, par exemple, est prête à répondre à l'adrénaline parce qu'elle a toutes les protéines énumérées à la figure 11.13, ainsi que celles qui servent à fabriquer le glycogène.

Deux cellules qui répondent différemment au même stimulus se distinguent par une ou plusieurs protéines convertissant le stimulus ou y répondant. Remarquez à la figure 11.15 que des voies dissemblables peuvent impliquer les mêmes molécules. Par exemple, les cellules A, B et C font toutes trois appel au même récepteur protéique pour lier la molécule de communication orange. Cependant, leur réponse au stimulus diffère, car elles ne possèdent pas toutes les mêmes protéines. Dans la cellule D, un

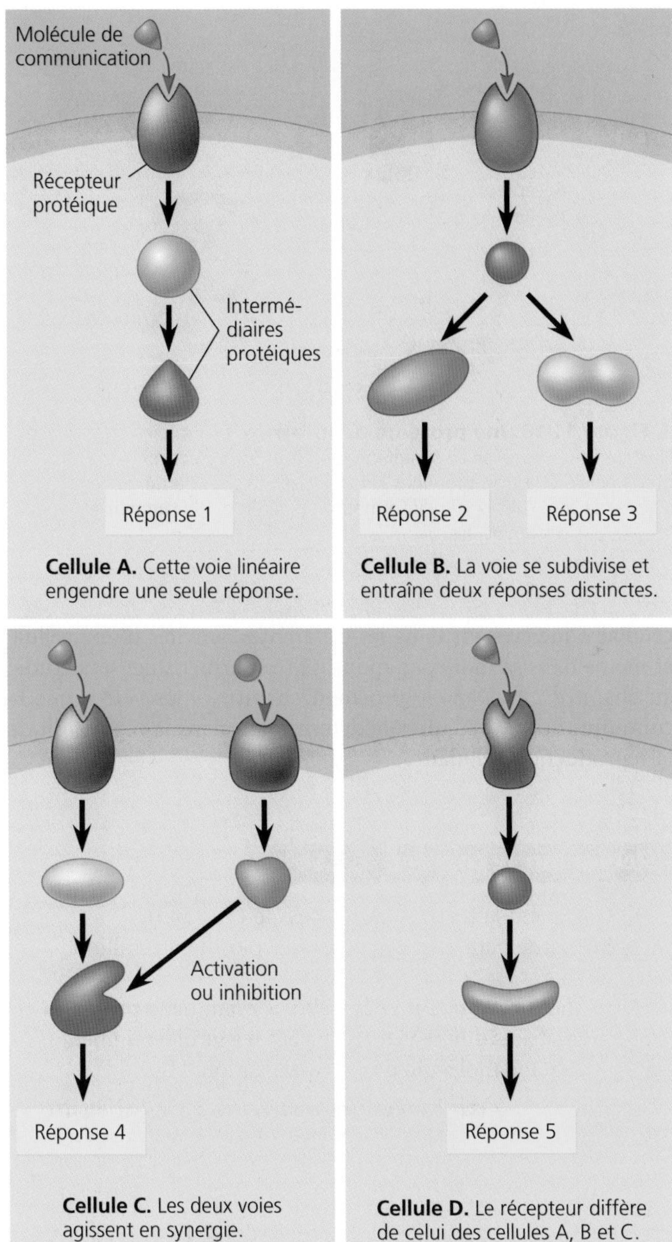
Molécule de communication
Récepteur protéique
Intermé-diaires protéiques
Réponse 1
Cellule A. Cette voie linéaire engendre une seule réponse.
Réponse 2
Réponse 3
Cellule B. La voie se subdivise et entraîne deux réponses distinctes.
Activation ou inhibition
Réponse 4
Cellule C. Les deux voies agissent en synergie.
Réponse 5
Cellule D. Le récepteur diffère de celui des cellules A, B et C.

▲ **Figure 11.15 Spécificité de la communication cellulaire.** Les protéines qu'elle possède déterminent le type de stimulus auxquels une cellule répond et la façon dont elle le fait. Les quatre cellules illustrées dans ces schémas sont stimulées par la même sorte de molécule de communication (triangle orangé), mais elles ne réagissent pas de la même manière, parce que chacune possède un ensemble unique de protéines (en vert et en violet). Remarquez que certaines protéines peuvent intervenir dans plus d'une voie.

récepteur protéique différent sert pour la même molécule de communication, ce qui provoque une nouvelle réponse. Dans la cellule B, un seul stimulus déclenche une voie qui se scinde et qui entraîne deux réponses. Les voies qui se ramifient mettent souvent en jeu des récepteurs à domaine tyrosine kinase (activant plusieurs intermédiaires protéiques) ou des seconds messagers (régulant un grand nombre de protéines). Dans la cellule C, deux stimulus distincts amorcent deux voies convergentes qui modulent une seule réponse. Ce type de processus joue un rôle important dans la régulation et la coordination de la réponse cellulaire consécutive à la réception d'une information. En outre, l'utilisation des mêmes protéines dans plusieurs voies permet à la cellule de diminuer le nombre de protéines à synthétiser.

L'efficacité de la communication cellulaire : protéines adaptatrices et complexes de communication

Les voies de transduction de la figure 11.15 (de même que d'autres illustrations dans ce chapitre) sont très simplifiées. Les schémas montrent peu d'intermédiaires protéiques et, pour plus de clarté, les représentent dans le cytosol. Or, si ces protéines baignaient simplement dans le cytosol, les voies de transduction seraient inefficaces, parce que la plupart des intermédiaires protéiques sont trop grands pour diffuser rapidement dans le cytosol, qui est visqueux. Alors, comment une protéine kinase trouve-t-elle son substrat ?

De récentes recherches indiquent que des **protéines adaptatrices** facilitent la transduction d'un stimulus. Il s'agit d'intermédiaires de grande taille qui rassemblent plusieurs autres intermédiaires protéiques. Par exemple, une protéine adaptatrice découverte dans des cellules de l'encéphale d'une souris transporte trois protéines kinases jusqu'à son site de liaison avec un récepteur membranaire spécifique. Ce faisant, elle facilite une cascade de phosphorylations particulière **(figure 11.16)**. Des chercheurs ont trouvé dans des cellules encéphaliques des protéines adaptatrices qui maintiennent ensemble de manière *permanente* des réseaux de protéines de communication dans les synapses. L'organisation des protéines en réseau augmente la vitesse de transmission de l'information entre les cellules et sa précision.

Lorsqu'on a découvert les voies de communication, on croyait qu'elles étaient linéaires et indépendantes. Maintenant que l'on comprend mieux les mécanismes de communication cellulaire, on se rend compte que les choses ne sont pas aussi simples. En fait, comme le montre la figure 11.15, certaines protéines peuvent participer à plus d'une voie, soit dans différents types de cellules, soit dans la même cellule mais à des moments différents ou dans des conditions différentes. Différentes voies peuvent donc converger (une voie ayant comme point de départ un récepteur couplé à une protéine G peut aboutir au même intermédiaire protéique qu'une autre voie dont l'origine est un récepteur à domaine tyrosine kinase) ; d'autres voies peuvent diverger ou interagir. Cela fait ressortir le rôle important des complexes protéiques permanents ou transitoires dans le fonctionnement de la cellule.

Le rôle crucial joué par les intermédiaires protéiques au carrefour des voies de transduction est mis en évidence par les problèmes issus de leur manque ou de leur déficience. Par exemple, la maladie héréditaire appelée syndrome de Wiskott-Aldrich, qui se caractérise par l'absence d'un intermédiaire protéique particulier, conduit à diverses manifestations cliniques, comme des saignements anormaux, de l'eczéma, une prédisposition aux infections et à la leucémie, etc. On soupçonne que ces symptômes sont dus au fait que l'intermédiaire protéique en question n'existe pas dans les cellules du système immunitaire. Dans les cellules normales, il est situé juste en dessous de la membrane plasmique. Il interagit avec les microfilaments du cytosquelette et avec plusieurs éléments des voies de transduction qui transmettent l'activation à partir de la membrane (notamment les voies régulant la prolifération des cellules immunitaires). Cet intermédiaire protéique aux multiples fonctions est donc au carrefour d'un réseau complexe de voies de transduction qui régit le comportement des cellules immunitaires. En son absence, le cytosquelette présente un défaut de structure, et les voies de transduction sont altérées, ce qui explique les symptômes de la maladie de Wiskott-Aldrich.

La cessation du stimulus

Pour simplifier la figure 11.15, nous n'avons pas indiqué les mécanismes d'*inactivation*, même s'ils sont essentiels à la communication. Mais rappelez-vous que, pour que les cellules d'un organisme multicellulaire restent alertes et capables de répondre à des stimulus, chaque modification moléculaire qui survient dans une voie de communication ne doit durer qu'un court laps de temps. Comme vous l'avez vu dans l'exemple du choléra, si un intermédiaire protéique reste bloqué dans un état – que celui-ci soit actif ou inactif –, l'organisme peut en pâtir.

Pour qu'elle soit en tout temps régulée, les stimulus auxquels une cellule est sensible doivent produire des changements réversibles. Ainsi, l'association des molécules de communication et des récepteurs est réversible, de sorte qu'il y a toujours des récepteurs libres, prêts à recevoir les molécules de communication. Cette caractéristique revêt une importance particulière dans les cas où les molécules de communication parviennent aux récepteurs à de très faibles concentrations. Une fois que ceux-ci sont libérés de leur ligand, ils redeviennent inactifs. Puis, par différents moyens, les intermédiaires protéiques reprennent leur forme inactive: l'activité GTPase inhérente à la protéine G hydrolyse le GTP lié; l'enzyme phosphodiestérase transforme l'AMPc en AMP; les protéines phosphatases inactivent les protéines kinases phosphorylées ainsi que d'autres protéines, et ainsi de suite. Il s'ensuit que la cellule est rapidement prête à répondre à un autre stimulus.

Dans ce chapitre, nous vous avons présenté plusieurs des mécanismes généraux de la communication cellulaire, tels que la liaison d'un ligand, les changements de conformation, les interactions entre les protéines, les cascades d'interactions et la phosphorylation des protéines par les kinases. Tout au long de ce manuel, vous rencontrerez des exemples de communication cellulaire intervenant dans les différentes activités d'une cellule et même dans sa mort par apoptose (ce dernier sujet sera étudié au chapitre 21). Dans le prochain chapitre, vous verrez que la communication joue un rôle déterminant dans la régulation de la reproduction cellulaire.

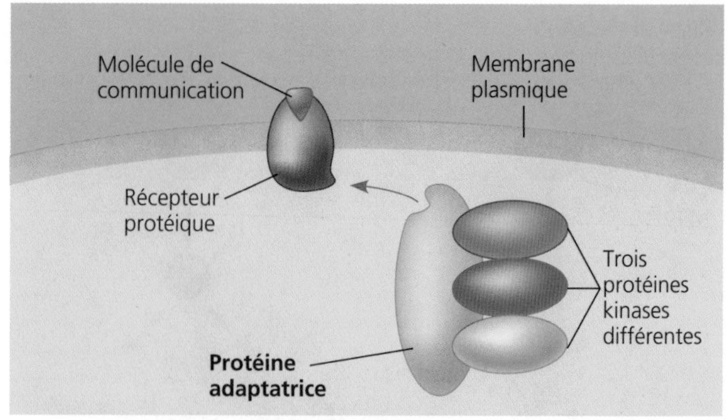

▲ **Figure 11.16 Une protéine adaptatrice.** La protéine adaptatrice illustrée ici (en rose) se lie simultanément à un récepteur membranaire précis activé et à trois protéines kinases distinctes. Cet arrangement favorise la transmission de l'information générée par le stimulus et relayée par ces molécules.

Retour sur le concept 11.4

1. Comment la réponse d'une cellule cible à une hormone peut-elle être amplifiée plus de un million de fois?
2. Expliquez comment deux cellules ayant deux protéines adaptatrices différentes pourraient réagir différemment à la même molécule de communication.

Voir les réponses proposées à la fin du chapitre.

Révision du chapitre 11

RÉSUMÉ DES CONCEPTS CLÉS

Concept 11.1

Les stimulus externes sont convertis en réponses dans la cellule

- **L'évolution de la communication cellulaire (p. 216).** On remarque que la communication chez les microorganismes s'apparente de très près à celle qui a lieu dans les organismes multicellulaires; cela indique que la communication cellulaire serait apparue très tôt dans l'histoire de la vie.
- **La communication à proximité ou à distance (p. 216-218).** Chez les Animaux, les cellules voisines communiquent entre elles par contact direct ou en sécrétant des régulateurs locaux comme des facteurs de croissance ou, dans le cas des neurones, des neurotransmetteurs aux synapses. Lorsqu'elles doivent communiquer à distance, les cellules tant animales que végétales transmettent des stimulus chimiques sous forme d'hormones; les cellules animales propagent aussi des signaux le long des neurones.
- **Les trois phases de la communication cellulaire:** ***un aperçu*** **(p. 218-219).** Earl Sutherland a découvert comment l'adrénaline, une hormone, agit sur les cellules. Cette molécule de communication se lie à un récepteur de surface (réception). Ce faisant, elle déclenche toute une série de modifications affectant ce dernier ainsi que d'autres molécules intracellulaires (transduction). En dernier lieu, l'enzyme qui dégrade le glycogène est activée (réponse).

Concept 11.2

La réception: une molécule de communication se lie à un récepteur protéique et modifie sa conformation

- La liaison entre la molécule de communication (ligand) et le récepteur est spécifique. Le changement de conformation du récepteur amorce souvent la phase de transduction du stimulus (**p. 219**).

- **Les récepteurs intracellulaires (p. 219-220).** Les récepteurs intracellulaires sont des protéines cytosoliques ou nucléaires. Les molécules de communication qui sont petites ou hydrophobes et qui peuvent traverser la membrane plasmique sans difficulté se fixent à ce type de récepteurs.
- **Les récepteurs situés dans la membrane plasmique (p. 220).** Un récepteur couplé à une protéine G est un récepteur membranaire qui fonctionne avec l'aide d'une protéine G cytosolique. Lorsqu'il se lie à ce type de récepteur, un ligand l'active; par la suite, celui-ci active une protéine G spécifique, qui active à son tour une autre protéine, propageant le stimulus dans la voie de transduction.

  Lorsque des molécules de communication se lient à des récepteurs à domaine tyrosine kinase, ceux-ci réagissent en formant des dimères, puis en s'ajoutant mutuellement un groupement phosphate aux tyrosines de leur portion cytosolique. Les tyrosines phosphorylées activent des intermédiaires protéiques en s'y liant. C'est ainsi que ce type de récepteur déclenche simultanément plusieurs voies.

  Certaines molécules de communication provoquent l'ouverture et la fermeture de canaux ioniques à ouverture régulée, ce qui contrôle le flux d'un ion spécifique.

Concept 11.3

La transduction: des cascades d'interactions moléculaires transmettent les stimulus des récepteurs aux molécules cibles intracellulaires

- **Les voies de transduction (p. 220).** À chacune des étapes d'une voie, le stimulus prend une forme différente; le plus souvent, il entraîne un changement de la conformation d'une protéine.
- **Phosphorylation et déphosphorylation des protéines (p. 220-223).** Beaucoup de voies de transduction comprennent des cascades de phosphorylations, au cours desquelles plusieurs protéines kinases ajoutent tour à tour un groupement phosphate à la protéine kinase en aval afin de l'activer. Des protéines phosphatases éliminent rapidement les phosphates.
- **Les seconds messagers (p. 223-226).** Les seconds messagers, tels que l'AMP cyclique (AMPc) et le Ca^{2+}, diffusent rapidement dans le cytosol; par conséquent, ils accélèrent la transmission de l'information. De nombreuses protéines G activent l'adénylate cyclase, l'enzyme qui fabrique de l'AMPc à partir d'ATP. Les cellules utilisent les ions Ca^{2+} comme seconds messagers, tant dans les voies qui font intervenir les protéines G que dans celles faisant intervenir la tyrosine kinase. Ces dernières peuvent également comporter deux autres seconds messagers, le DAG et l'IP_3. L'IP_3 peut entraîner une augmentation de la concentration intracellulaire de Ca^{2+}.

Concept 11.4

La réponse: la communication cellulaire aboutit à la régulation des fonctions cytoplasmiques ou de la transcription

- **Les réponses cytoplasmiques et nucléaires (p. 226-227).** Dans le cytoplasme, les voies de transduction contrôlent, par exemple, l'activité enzymatique et le réarrangement du cytosquelette. D'autres voies régulent des gènes en activant des facteurs de transcription, c'est-à-dire les protéines qui activent ou inhibent certains gènes.
- **L'amplification et l'affinement de la réponse cellulaire (p. 227-230).** Chaque protéine catalytique d'une voie de transduction amplifie le stimulus reçu en activant plusieurs copies de la protéine qui lui succède dans la voie. Dans le cas de voies plus complexes, l'amplification totale est sidérante: l'amplification d'un stimulus résultant du rattachement d'une molécule à un récepteur membranaire peut se traduire par la libération de plusieurs millions de molécules. Par ailleurs, une cellule a une combinaison unique de protéines qui lui confère une grande spécificité sur les plans de la réception d'un stimulus et de la réponse. Des protéines adaptatrices rassemblent plusieurs éléments d'une voie et peuvent ainsi accroître l'efficacité de la transduction. La division des voies et leur interaction favorisent aussi la coordination des stimulus et des réponses. L'association des molécules de communication et des récepteurs est réversible; lorsque le ligand est libéré, le stimulus cesse rapidement.

VÉRIFIEZ VOS CONNAISSANCES

Autoévaluation

(Les questions dont les numéros sont en caractères gras font surtout appel à la compréhension.)

1. Parmi les énoncés suivants concernant les diverses étapes de la communication cellulaire, lequel est *faux*?
   a) Le récepteur peut se situer à la surface de la cellule ou à l'intérieur de celle-ci.
   b) Le récepteur est toujours une protéine.
   c) La transduction s'effectue, la plupart du temps, par l'intermédiaire de plusieurs molécules qui interagissent entre elles.
   d) La réponse a toujours lieu dans le cytoplasme.
   e) Pour une seule molécule constituant le stimulus, des millions de molécules peuvent être produites lors de la réponse au stimulus.
2. Laquelle des caractéristiques suivantes est partagée par *tous* les types de récepteurs cellulaires?
   a) Ils sont situés dans la membrane plasmique.
   b) Ils subissent un changement de conformation lors de la fixation d'un ligand.
   c) Ils ont une activité enzymatique.
   d) Ils peuvent effectuer la phosphorylation de protéines.
   e) Ils possèdent un canal protéique.
3. Les cascades de phosphorylations dans lesquelles plusieurs protéines kinases interviennent sont utiles à la phase de transduction du stimulus, car:
   a) elles ne sont propres qu'à certaines espèces.
   b) elles mènent toujours à la même réponse cellulaire.
   c) elles amplifient plusieurs fois le stimulus.
   d) elles renversent les effets néfastes des phosphatases.
   e) le nombre de molécules auxquelles elles font appel est petit et fixe.
4. Quel type de récepteur modifie la répartition des anions et (ou) des cations de part et d'autre de la membrane quand une molécule de communication s'y lie?
   a) Les récepteurs à domaine tyrosine kinase.
   b) Les récepteurs couplés à une protéine G.
   c) Les dimères de tyrosine kinase phosphorylés.
   d) Les canaux ioniques à ouverture régulée par un ligand.
   e) Les récepteurs protéiques intracellulaires.
5. L'activation d'un récepteur à domaine tyrosine kinase se caractérise par:
   a) une dimérisation et une phosphorylation.
   b) la liaison d'IP_3.
   c) une cascade de phosphorylations.
   d) l'hydrolyse de GTP.
   e) un changement de conformation du canal protéique.
6. Lequel des énoncés ci-dessous constitue la meilleure preuve que la communication cellulaire est apparue très tôt dans l'histoire de la vie?
   a) Elle a été observée dans des organismes rudimentaires comme les levures.
   b) Les levures de sexe différent communiquent les unes avec les autres pour se reproduire.
   c) Les molécules de communication que l'on trouve chez des organismes plus ou moins apparentés sont similaires.
   d) Un stimulus peut être propagé sur de grandes distances par la cellule.
   e) La plupart des molécules de communication se fixent à des récepteurs situés à la surface de la cellule.

7. Quelle observation a conduit Sutherland à conclure qu'un second messager était impliqué dans la stimulation des cellules hépatiques par l'adrénaline?
   a) L'activité enzymatique était proportionnelle à la quantité de calcium ajoutée à un extrait sans cellules.
   b) Les études portant sur les récepteurs montraient que l'adrénaline était un ligand.
   c) Quand de l'adrénaline était ajoutée à des cellules intactes, du glycogène était dépolymérisé.
   d) Une dégradation du glycogène résultait de la combinaison de l'adrénaline et de la glycogène phosphorylase.
   e) L'adrénaline était connue pour produire des effets sur différentes cellules.

8. La phosphorylation des protéines s'observe dans tous les événements cellulaires suivants, sauf un; lequel?
   a) La régulation de la transcription par des molécules de communication extracellulaires.
   b) L'activation enzymatique.
   c) L'activation de récepteurs couplés à une protéine G.
   d) L'activation de récepteurs à domaine tyrosine kinase.
   e) L'activation de protéines kinases.

9. Un stimulus chimique est amplifié quand:
   a) le récepteur membranaire active plusieurs protéines G alors qu'il est encore lié à une molécule de communication.
   b) une molécule d'AMPc active une protéine kinase avant d'être transformée en AMP.
   c) l'activité des phosphorylases kinases et celle des protéines phosphatases s'équilibrent.
   d) des récepteurs à domaine tyrosine kinase subissent une dimérisation lors de la liaison du ligand.
   e) a et d.

10. Les molécules de communication liposolubles, comme la testostérone, traversent les membranes cellulaires; pourtant, elles n'exercent des effets que sur les cellules cibles. Pourquoi?
   a) Parce que seules les cellules cibles contiennent les portions d'ADN nécessaires.
   b) Parce que les récepteurs intracellulaires ne se trouvent que dans les cellules cibles.
   c) Parce que la plupart des cellules ne possèdent pas de récepteurs à domaine tyrosine kinase.
   d) Parce que seules les cellules cibles possèdent les enzymes cytosoliques qui transmettent l'information de ces molécules de communication.
   e) Parce que ce n'est que dans les cellules cibles qu'elles amorcent la cascade de phosphorylations aboutissant à l'activation du facteur de transcription.

11. Lequel des effets suivants des voies de transduction n'est pas un avantage pour les cellules?
   a) Grâce à elles, les cellules répondent aux molécules de communication qui sont trop grandes ou trop polaires pour diffuser à travers la membrane plasmique.
   b) Elles permettent à différentes cellules de répondre adéquatement à un même stimulus.
   c) Elles favorisent la consommation du phosphate libéré par l'hydrolyse de l'ATP.
   d) Elles amplifient le stimulus.
   e) Les variantes de ces voies peuvent augmenter la spécificité de la réponse.

12. Dans la voie suivante: adrénaline → récepteur couplé à une protéine G → adénylate cyclase, identifiez le second messager.
   a) L'AMPc.
   b) La protéine G.
   c) Le GTP.
   d) L'adénylate cyclase.
   e) Le récepteur couplé à la protéine G.

Lien avec l'évolution

Vous avez appris dans ce chapitre que la communication intercellulaire est probablement apparue tôt dans l'histoire de la vie, car on trouve les mêmes mécanismes de communication dans des organismes qui sont de lointains parents. Pourquoi de «meilleurs» mécanismes ne se sont-ils pas développés? Est-il trop difficile de fabriquer des mécanismes entièrement nouveaux ou est-ce que les mécanismes qui existent déjà sont adéquats, et donc maintenus? En d'autres termes, des mécanismes de communication plus sophistiqués apparaissent-ils si les mécanismes existants sont adéquats et efficaces? Pourquoi?

Intégration

L'adrénaline amorce une voie de transduction qui donne lieu à une production d'AMP cyclique (AMPc) et qui aboutit à la dégradation du glycogène en glucose, une importante source d'énergie pour les cellules. Toutefois, la dégradation du glycogène n'est en réalité qu'une partie de la réponse de «lutte ou fuite» que l'adrénaline déclenche. Les effets sur l'ensemble du corps sont une augmentation de la fréquence cardiaque et de la vigilance, ainsi qu'un accroissement de l'énergie. Étant donné que la caféine bloque l'activité de l'AMPc phosphodiestérase, expliquez comment l'ingestion de caféine peut entraîner une vigilance accrue et de l'insomnie.

Science, technologie et société

Le vieillissement est un processus qui semble s'amorcer dans les cellules. En effet, certaines modifications apparaissent après un nombre donné de divisions cellulaires. Les cellules perdent, entre autres choses, leur capacité à répondre aux facteurs de croissance et à d'autres stimulus chimiques. La plupart des travaux menés sur le vieillissement visent à comprendre pourquoi elles ne répondent plus aux stimulus, et leur but ultime est de rallonger de manière significative la durée de vie. Si nous vivions beaucoup plus vieux, quelles en seraient les conséquences sur l'écologie et la société? Comment pourrions-nous y faire face?

Réponses du chapitre 11

Retour sur le concept 11.1

1. La sécrétion des neurotransmetteurs à la synapse est un exemple de communication locale. Le stimulus électrique qui se propage le long d'un très long neurone et qui se transmet au neurone suivant peut être considéré comme une communication à distance. Notez, cependant, que la communication locale à la synapse entre deux cellules est nécessaire pour que le stimulus passe d'un neurone à l'autre (communication à distance).
2. Aucun glucose-1-phosphate n'est produit, car l'activation de l'enzyme nécessite une membrane plasmique intacte ainsi qu'un récepteur intramembranaire intact. L'enzyme ne peut pas être activée directement par interaction avec la molécule de communication dans l'éprouvette.

Retour sur le concept 11.2

1. Le récepteur NGF se trouve dans la membrane plasmique. Contrairement aux hormones stéroïdes hydrophobes, cette molécule hydrosoluble ne peut pas traverser la membrane lipidique pour atteindre les récepteurs intracellulaires.

Retour sur le concept 11.3

1. Une protéine kinase est une enzyme qui transfère un groupement phosphate de l'ATP à une protéine, qu'elle active habituellement (et qui est souvent un second type de protéine kinase). De nombreuses voies de transduction font intervenir une série d'interactions de ce genre, lors desquelles chaque protéine kinase phosphorylée phosphoryle à son tour la protéine kinase suivante. Cette cascade de

phosphorylations transmet un stimulus de l'extérieur de la cellule vers les protéines cellulaires qui porteront la réponse.

2. Les protéines phosphatases inversent les effets des kinases.
3. Les canaux à ouverture régulée par l'IP_3 s'ouvrent et laissent sortir les ions calcium du RE lisse vers le cytosol, ce qui augmente la concentration de Ca^{2+} cytosolique.

Retour sur le concept 11.4

1. Par une cascade d'activations successives dans laquelle certaines étapes activent de nombreuses molécules.
2. Les protéines adaptatrices rassemblent des composants moléculaires de voies de communication pour former des complexes protéiniques. Différentes protéines adaptatrices pourraient alors former des complexes différents, ce qui donnerait lieu à différentes réponses cellulaires dans les deux cellules.

Autoévaluation

1. d; 2. b; 3. c; 4. d; 5. a; 6. c; 7. c; **8.** c; **9.** a; **10.** b; **11.** c; 12. a.

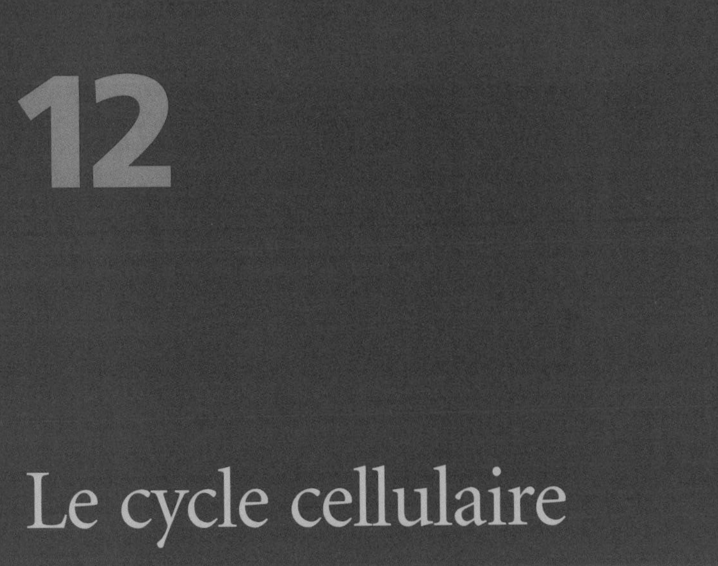

12 Le cycle cellulaire

▲ **Figure 12.1 Chromosomes d'une cellule qui se divise.**

Concepts clés

12.1 **La division cellulaire donne des cellules filles génétiquement identiques**

12.2 **La phase mitotique alterne avec l'interphase au cours du cycle cellulaire**

12.3 **Un mécanisme de régulation moléculaire gouverne le cycle cellulaire**

Introduction

Les rôles clés de la division cellulaire

L'aptitude des organismes à se reproduire constitue l'une des caractéristiques qui distinguent les êtres vivants du monde inanimé. La capacité à se reproduire a, comme toutes les fonctions biologiques, des fondements cellulaires. En 1855, Rudolf Virchow, un médecin allemand, a formulé cette idée comme suit: « L'existence d'une cellule suppose obligatoirement la préexistence d'une autre cellule, de la même manière que l'animal ne peut naître que d'un animal, et la plante, d'une plante. » Il a résumé sa pensée en un axiome, *Omnis cellula e cellula*, qui signifie: « Chaque cellule naît d'une cellule. » La perpétuation de la vie repose sur la reproduction des cellules, ou la **division cellulaire**. Les micrographies par fluorescence de la **figure 12.1**, en partant du coin inférieur gauche, mettent en relief les chromosomes au cours des différentes étapes de la division d'une cellule animale.

La division cellulaire joue plusieurs rôles importants dans la vie d'un organisme. Dans le cas d'un organisme unicellulaire (tel qu'une amibe) qui se réplique, la division d'une seule cellule reproduit l'individu en entier **(figure 12.2a)**. La division cellulaire à une grande échelle peut engendrer une progéniture (comme les plantes dérivées de boutures). Elle permet aussi aux organismes à reproduction sexuée de se développer à partir d'une seule cellule: l'œuf fécondé, ou zygote **(figure 12.2b)**. Même quand un organisme multicellulaire a atteint la maturité, la division cellulaire se poursuit; elle permet de remplacer les cellules détruites par l'usure normale et par les lésions. Ainsi, la division des cellules de la moelle osseuse produit sans cesse de nouvelles cellules sanguines **(figure 12.2c)**.

100 µm
(150 ×)

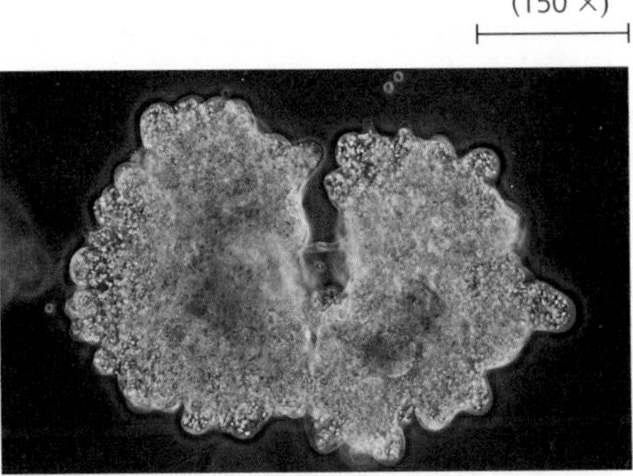

(a) Reproduction. L'amibe, un organisme eucaryote unicellulaire, se divise en deux cellules, chacune formant un individu complet (MP).

200 µm
(80 ×)

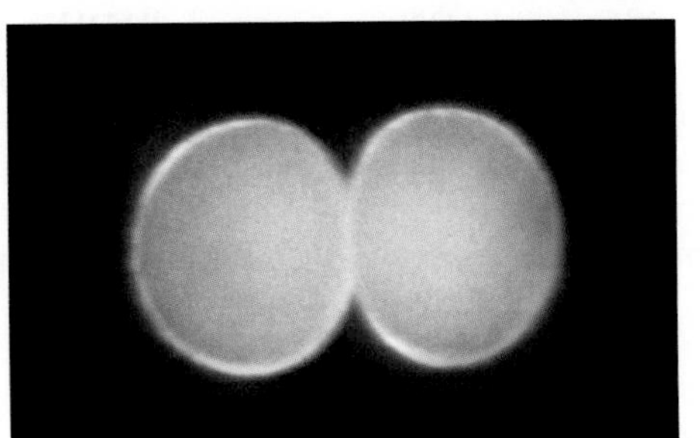

(b) Croissance et développement. Cette micrographie montre un embryon de dollar des sables (embranchement des Échinodermes) peu après la division de l'œuf fécondé, ou zygote, en deux cellules (MP).

20 µm
(850 ×)

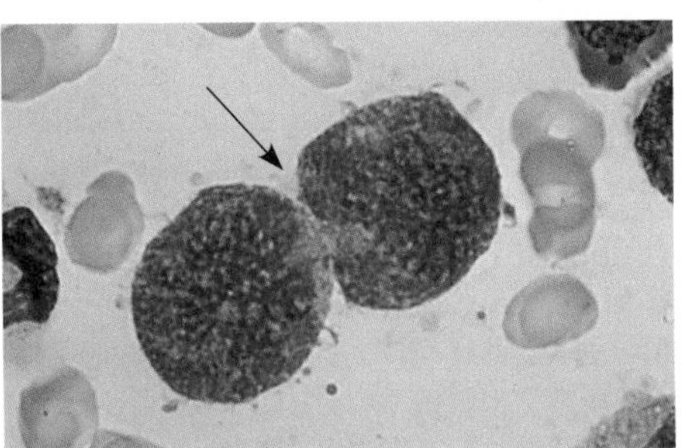

(c) Régénération des tissus. Ces cellules de moelle osseuse, issues de la division d'une cellule mère et encore liées par les fibres du fuseau de division (flèche), donneront naissance à de nouvelles cellules sanguines (MP).

▲ **Figure 12.2 Fonctions de la division cellulaire.**

Le processus de division cellulaire fait partie intégrante du **cycle cellulaire**, qui décrit la vie d'une cellule depuis le moment où elle est formée à partir de la cellule mère jusqu'à sa propre division en deux cellules. Une des fonctions capitales de la division cellulaire est de transmettre un matériel génétique identique aux cellules filles. Dans ce chapitre, vous apprendrez comment la division cellulaire permet de distribuer du matériel génétique identique aux deux cellules issues de la division. Après l'étude détaillée de la division cellulaire, vous examinerez le mécanisme de régulation moléculaire qui gouverne le cycle cellulaire et vous verrez ce qui peut arriver quand ce mécanisme se dérègle. Le bon fonctionnement (ou le dysfonctionnement) du cycle cellulaire joue un rôle important dans l'apparition du cancer; ce domaine de la biologie cellulaire occupe donc de nombreux chercheurs.

Concept 12.1

La division cellulaire donne des cellules filles génétiquement identiques

Une entité aussi complexe que la cellule ne se reproduit pas par simple segmentation; ce n'est pas une bulle de savon qui grossit, puis qui se scinde en deux. La division cellulaire par voie de mitose distribue un matériel génétique identique (soit le même ADN) aux deux cellules filles. Sa propriété la plus remarquable est la fidélité de la transmission du génome d'une génération de cellules à la suivante. Une cellule en voie de division copie tous ses gènes, les répartit également à ses deux extrémités, puis se divise en deux cellules filles.

L'organisation cellulaire du matériel génétique

L'information génétique (ADN) dont une cellule hérite est le **génome**. Alors que celui des cellules procaryotes est souvent constitué d'une longue et unique molécule d'ADN, celui des cellules eucaryotes se compose d'un grand nombre de longues molécules. La longueur de tout l'ADN d'une cellule eucaryote est considérable. Par exemple, l'ADN d'une cellule humaine typique mesure environ 2 m, ce qui équivaut à 250 000 fois le diamètre de la cellule. Pourtant, avant la division cellulaire, il doit être répliqué, et les deux exemplaires qui en résultent doivent être distribués de façon que chacune des cellules filles reçoive un génome complet.

Si la réplication et la distribution d'une si grande quantité d'ADN sont possibles, c'est parce que les molécules d'ADN forment des **chromosomes**. Ceux-ci doivent leur nom au fait qu'ils retiennent certains colorants en microscopie (du grec *khrôma*, «couleur», et *sôma*, «corps») **(figure 12.3)**. Chaque espèce possède dans le noyau de ses cellules un nombre caractéristique de chromosomes. Ainsi, chez l'humain, les **cellules somatiques** (toutes les cellules de l'organisme, sauf les cellules reproductrices matures) contiennent 46 chromosomes divisés en deux ensembles de 23, chaque ensemble provenant d'un des deux parents, alors que les **cellules reproductrices** matures (les spermatozoïdes et les ovules) en contiennent deux fois moins, soit un ensemble de 23. Les cellules reproductrices immatures, les spermatogonies et les ovogonies, font partie des cellules somatiques.

Les chromosomes eucaryotes se composent de **chromatine**, un complexe d'ADN et de protéines qui y sont associées. Chaque chromosome renferme une très longue molécule d'ADN divisée

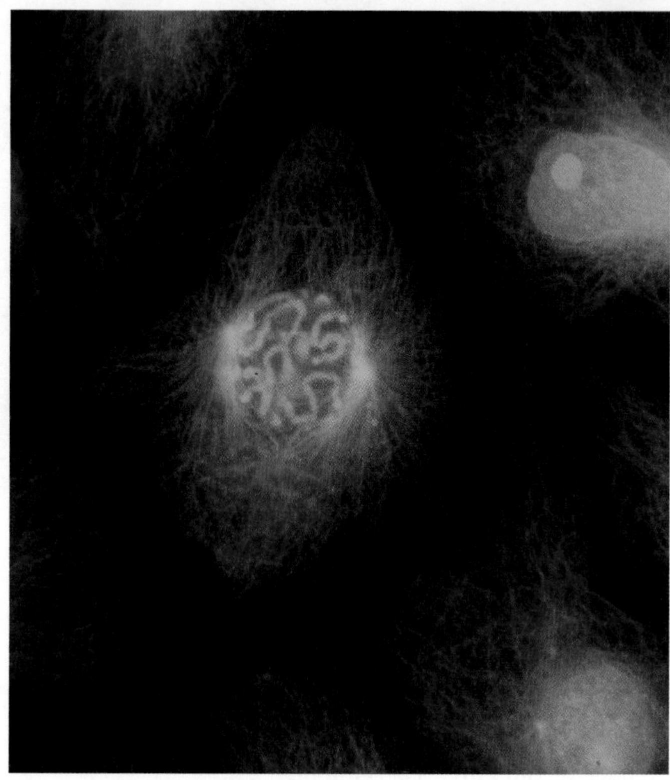

▲ **Figure 12.3 Chromosomes d'une cellule eucaryote.** Au centre de cette micrographie, une cellule épithéliale de rat kangourou (*Dipodomys sp.*) se prépare à la division, et des chromosomes filamenteux (en orangé) apparaissent à l'intérieur du noyau.

en des centaines ou en des milliers de gènes; rappelez-vous que ces derniers sont les unités d'information génétique qui déterminent les caractères d'un organisme. Les diverses protéines associées à l'ADN maintiennent la structure des chromosomes ou concourent à la régulation de l'activité des gènes.

La distribution des chromosomes durant la division cellulaire

En dehors de la division cellulaire et même pendant la réplication de l'ADN qui prépare à la division, chaque chromosome a la forme d'une longue et fine fibre de chromatine. Après la réplication, cependant, les chromosomes se condensent. Chaque fibre de chromatine s'enroule alors et se replie de manière très serrée, ce qui raccourcit environ un millier de fois les chromosomes et les épaissit à un point tel qu'on peut les voir au microscope photonique.

Chaque chromosome dédoublé se compose de deux **chromatides sœurs**, qui sont les copies identiques de la molécule d'ADN. Les deux chromatides sont d'abord unies par des protéines adhésives sur toute leur longueur. Sous sa forme condensée, le chromosome dédoublé possède une région spécialisée, le **centromère**, qui prend la forme d'un étranglement et où les deux chromatides sont le plus étroitement attachées **(figure 12.4)**. Au cours de la **mitose**, les deux chromatides sœurs de chaque chromosome dédoublé sont séparées et se retrouvent dans deux nouveaux

▶ Figure 12.4 Réplication et répartition des chromosomes pendant la mitose. Quand une cellule eucaryote se prépare à la division, chacun de ses chromosomes se réplique. Cette micrographie électronique montre un chromosome humain après réplication (MEB). Les exemplaires de chaque chromosome sont ensuite distribués à deux cellules filles au moment de la division cellulaire. (Dans la réalité, c'est uniquement durant la mitose que les chromosomes prennent une forme très condensée, comme celle qu'on voit ici. Donc, seuls les chromosomes du centre correspondent à la réalité ici ; les chromosomes au haut et au bas de l'illustration ont une forme condensée seulement pour en faciliter la représentation.)

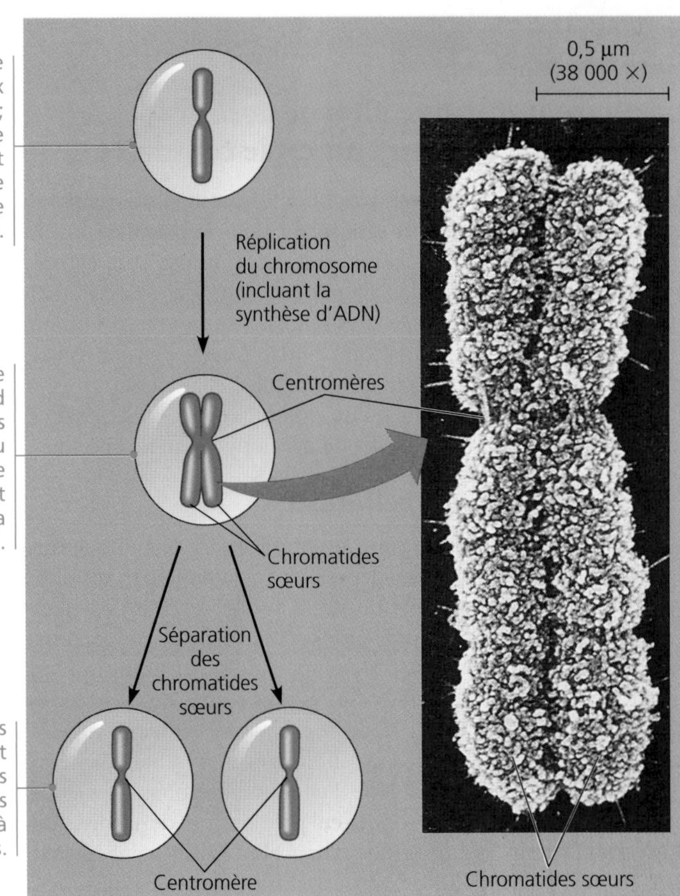
Une cellule eucaryote possède de nombreux chromosomes; l'illustration ci-contre en montre un. Avant la réplication, chaque chromosome a une seule molécule d'ADN.
Réplication du chromosome (incluant la synthèse d'ADN)
Après la réplication, le chromosome comprend deux chromatides sœurs reliées au niveau du centromère. Chaque chromatide contient un exemplaire de la molécule d'ADN.
Centromères
Chromatides sœurs
Séparation des chromatides sœurs
Des processus mécaniques séparent les chromatides sœurs en deux chromosomes et les distribuent à deux cellules filles.
Centromère
0,5 µm
(38 000 ×)
Chromatides sœurs

noyaux situés à chaque extrémité de la cellule mère. Après leur séparation, les chromatides sœurs deviennent chacune un chromosome à part entière. Par conséquent, chaque nouveau noyau reçoit un groupe de chromosomes identiques au groupe initial de la cellule mère. Généralement, pendant la mitose, la division du noyau est immédiatement suivie de la **cytocinèse**, la division du cytoplasme. Là où il n'y avait qu'une cellule, il s'en trouve désormais deux, chacune étant l'équivalent génétique de la cellule mère.

Suivons le cycle de développement humain pour voir ce qu'il advient du nombre de chromosomes. Vous avez hérité de 46 chromosomes : 23 viennent de votre père, et 23, de votre mère. Voici comment les choses se sont passées. Un spermatozoïde de votre père (une cellule reproductrice) contenant 23 chromosomes a fusionné avec un ovule de votre mère (une autre cellule reproductrice) contenant aussi 23 chromosomes. Ils ont formé un ovule fécondé, ou zygote, contenant 46 chromosomes. Ces derniers se sont assemblés dans le noyau d'une cellule unique, somatique. Grâce à la mitose et à la cytocinèse, cette cellule s'est multipliée, et les cellules filles aussi, et ainsi de suite. Voilà pourquoi votre organisme se compose aujourd'hui de milliards de cellules somatiques. Le même processus continue d'engendrer de nouvelles cellules pour remplacer celles qui sont mortes ou endommagées. Quant à vos cellules reproductrices matures (l'opposé des cellules somatiques), c'est-à-dire vos ovules ou vos spermatozoïdes, elles sont produites par une variante de la division cellulaire, la **méiose**. Celle-ci produit des cellules filles non identiques contenant deux fois moins de chromosomes que la cellule mère. La méiose se produit uniquement dans les organes reproducteurs. Chez l'humain, à la puberté, elle fait passer le nombre de chromosomes de 46 à 23. (Attention ! les cellules somatiques, toujours issues de la mitose, contiennent 46 chromosomes ; ce sont les cellules reproductrices, issues de la méiose, qui en contiennent 23.) La fécondation ramène le nombre de chromosomes à 46. Au chapitre 13, nous examinerons de plus près le rôle de la méiose dans la reproduction et l'hérédité. Pour l'instant, penchons-nous sur la mitose et sur l'ensemble du cycle cellulaire.

Retour sur le concept 12.1

1. À partir de l'ovule fécondé (le zygote), une série de cinq divisions cellulaires produira un embryon possédant combien de cellules ?
2. Combien y a-t-il de chromatides dans un chromosome dédoublé ?
3. Les cellules somatiques du poulet possèdent 78 chromosomes ; combien de chromosomes le poulet obtient-il de chaque parent ? Combien de chromosomes y a-t-il dans chaque gamète de poulet ? Combien de chromosomes y a-t-il dans chaque cellule somatique de la progéniture du poulet ? Combien de chromosomes y a-t-il dans un « ensemble » ou jeu de chromosomes ?

Voir les réponses proposées à la fin du chapitre.

Concept 12.2

La phase mitotique alterne avec l'interphase au cours du cycle cellulaire

En 1882, l'anatomiste allemand Walther Flemming a mis au point un colorant qui lui a permis d'observer pour la première fois le comportement des chromosomes durant la mitose et la cytocinèse chez des embryons de salamandre. (En fait, c'est Walther Flemming qui a inventé les termes *mitose* et *chromatine.*) Durant l'intervalle séparant une division cellulaire de la division cellulaire suivante, Flemming a cru que la cellule ne faisait que croître. Toutefois, on sait aujourd'hui qu'un certain nombre d'événements critiques ont lieu durant ce stade de développement de la cellule.

Les phases du cycle cellulaire

Le cycle cellulaire se définit comme étant le processus correspondant à la vie d'une cellule, depuis sa formation par division de la cellule mère jusqu'à la fin de sa propre division en deux cellules filles. La mitose ne constitue qu'une étape de ce processus **(figure 12.5)**. En fait, la **phase M** (pour « mitose »), qui comprend la mitose et la cytocinèse, est l'étape la plus courte du cycle cellulaire. Elle alterne avec une période de croissance cellulaire appelée **interphase**, une étape beaucoup plus longue représentant généralement 90 % de la durée du cycle. Pendant l'interphase, la cellule croît et copie ses chromosomes en préparation de la division cellulaire. Depuis les travaux de Alma Howard et Stephen Pelc en 1953, on subdivise l'interphase en trois périodes de croissance, appelées dans l'ordre **phase G_1** (G pour *gap* ou intervalle sans synthèse d'ADN), **phase S** (pour « synthèse d'ADN ») et **phase G_2**. Durant ces trois phases, la cellule croît en synthétisant des protéines et en produisant des organites cytoplasmiques. La réplication des chromosomes n'a toutefois lieu que pendant la phase S (nous reviendrons sur la synthèse de l'ADN au chapitre 16). En somme, la cellule croît (G_1), copie ses chromosomes tout en continuant de croître (S), finit de se préparer pour la division cellulaire sans cesser de croître (G_2) et, enfin, se divise (M). Les cellules filles peuvent ensuite répéter le cycle.

La cellule humaine type peut se diviser une fois en 24 heures. La phase M prendra moins d'une heure, tandis que la phase S prendra environ 10 à 12 heures, c'est-à-dire presque la moitié du cycle. Les phases G_1 et G_2 occuperont le reste du temps. La phase G_2 prend habituellement 4 à 6 heures; dans notre exemple, G_1 prendra environ 5 à 6 heures. La phase G_1 a la durée la plus variable dans les différents types de cellules.

Les films en accéléré montrant des cellules en cours de division révèlent que la mitose et la cytocinèse représentent un ensemble de changements ininterrompus. Pour les besoins de la description, toutefois, on subdivise la mitose en cinq phases: la **prophase**, la **prométaphase**, la **métaphase**, l'**anaphase** et la **télophase**. La cytocinèse chevauche les dernières étapes de la mitose et la termine. La **figure 12.6**, aux deux pages suivantes, montre les détails de ces phases dans une cellule animale. Nous vous recommandons d'examiner cette figure attentivement avant d'aborder les deux prochaines sections, qui traiteront en détail de la mitose et de la cytocinèse.

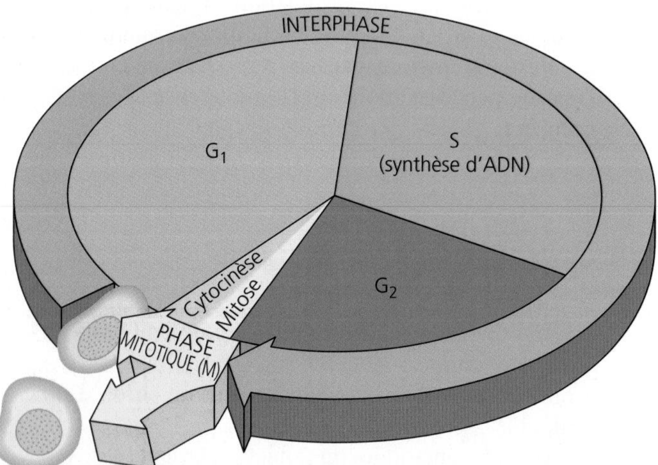

▲ **Figure 12.5 Cycle cellulaire.** Dans une cellule en voie de division, la phase mitotique (M) alterne avec l'interphase, ou période de croissance. La première partie de l'interphase s'appelle G_1. Elle correspond à une phase de croissance. Elle est suivie de la phase S, au cours de laquelle se produisent la réplication des chromosomes et une croissance cellulaire. Puis vient la dernière partie de l'interphase, la phase G_2. Pendant celle-ci, la croissance se poursuit. À l'interphase succède la mitose, qui divise le noyau de la cellule mère et répartit les chromosomes entre les noyaux fils. Enfin, la cytocinèse divise le cytoplasme, produisant deux cellules filles.

Le fuseau de division: *une étude détaillée*

Plusieurs événements de la mitose reposent sur une structure appelée **fuseau de division**, qui commence à se former dans le cytoplasme pendant la prophase. Le fuseau de division est un ensemble de fibres constituées de microtubules assemblés en faisceaux et associés à des protéines. Comme ils se désorganisent pendant la formation du fuseau de division, on croit que les autres microtubules du cytosquelette fournissent à celui-ci ses matériaux. Les microtubules du fuseau de division allongent en incorporant des sous-unités de tubuline (voir le tableau 6.1).

L'assemblage des microtubules du fuseau de division commence dans le **centrosome**, un organite non membraneux qui organise les microtubules tout au long du cycle cellulaire (on le nomme également *centre organisateur des microtubules*). Dans les cellules animales, on trouve une paire de centrioles au cœur du centrosome. Ces structures ne sont toutefois pas essentielles à la division cellulaire, puisque les centrosomes des cellules végétales, des cellules d'Eumycètes et même de certaines cellules animales n'en contiennent pas. Et si l'on détruit les centrioles de cellules animales au moyen d'un faisceau laser, on n'empêche ni la formation ni le fonctionnement du fuseau de division pendant la mitose. La présence d'une structure capable d'organiser les microtubules en fuseau de division semble toutefois essentielle.

Pendant l'interphase, le centrosome se réplique et forme deux centrosomes situés à côté du noyau (voir la figure 12.6). Ceux-ci s'éloignent l'un de l'autre pendant la prophase et la prométaphase, et c'est à partir de ces deux centrosomes que les microtubules du fuseau de division rayonnent. À la fin de la prométaphase, les deux centrosomes se trouvent aux pôles de la cellule et deviennent les pôles du fuseau. Un **aster**, un ensemble de fins filaments qui irradient autour du centrosome, apparaît. Le fuseau de division comprend les centrosomes, les microtubules du fuseau et les asters.

Chacune des deux chromatides sœurs d'un chromosome possède un **kinétochore**, une structure formée de trois plaques et constituée de protéines associées à certaines portions d'ADN du centromère. Les deux kinétochores d'un chromosome font face aux extrémités opposées de la cellule. Durant la prométaphase, certains microtubules du fuseau de division s'attachent à eux ; on les appelle microtubules kinétochoriens. (Le nombre de microtubules attachés au kinétochore varie selon les espèces. Ainsi, on en trouve un seul dans les cellules de levure et une quarantaine dans certaines cellules de mammifère.) Quand un microtubule en « capture » un, le chromosome commence à migrer vers le pôle d'origine de la fibre. Toutefois, ce mouvement est contré dès qu'un microtubule provenant de l'autre pôle s'attache au second kinétochore du chromosome. Il se produit alors une partie de souque à la corde. Le chromosome se déplace dans une direction, puis dans l'autre, et ce, pendant un moment. Il s'arrête finalement à l'équateur de la cellule. Lors de la métaphase, les centromères de tous les chromosomes dédoublés s'alignent sur un plan imaginaire appelé **plaque équatoriale** **(figure 12.7)**. Entre-temps, les microtubules qui ne s'attachent pas aux kinétochores interagissent : ceux qui sont issus d'un pôle du fuseau de division chevauchent ceux qui sont issus du pôle opposé. Ces microtubules non reliés aux kinétochores sont appelés microtubules polaires. À la métaphase, les microtubules des asters ont également grossi et touchent la membrane plasmique. Le fuseau de division est alors complet.

Étudions maintenant la corrélation entre la structure et la fonction du fuseau de division pendant l'anaphase. L'anaphase débute quand les protéines retenant les chromatides sœurs sont inactivées. Celles-ci sont désormais indépendantes et forment des chromosomes à part entière, qui se déplacent vers les pôles de la cellule. Quel rôle jouent les microtubules kinétochoriens dans cette migration ? Une des possibilités est que les chromosomes soient « rembobinés » par des microtubules qui raccourcissent aux pôles du fuseau. Cependant, des résultats expérimentaux semblent appuyer l'hypothèse selon laquelle les kinétochores possèdent des protéines motrices (dynéine et protéine apparentée à la kinésine déjà vues au chapitre 6) qui font « marcher » les chromosomes le long des microtubules vers le pôle situé le plus près. En même temps, les microtubules raccourcissent en se dépolymérisant du côté de leur extrémité kinétochorienne **(figure 12.8)**. (Pour une révision du mouvement des protéines motrices le long des microtubules, voir la figure 6.21.)

À quoi servent les microtubules polaires ? Dans une cellule animale en division, ils font allonger la cellule entière dans l'axe polaire durant l'anaphase. Les microtubules polaires des pôles opposés se chevauchent considérablement les uns les autres pendant la métaphase (voir la figure 12.7). Durant l'anaphase, la région du chevauchement est de moins en moins grande, car des protéines motrices liées aux microtubules polaires font glisser ceux-ci les uns sur les autres grâce à l'énergie fournie par de l'ATP (le fuseau contient une ATPase). À mesure que les microtubules s'éloignent les uns des autres, les pôles de leur fuseau s'éloignent également, ce qui contribue à l'étirement de la cellule. Simultanément, les microtubules s'allongent au fur et à mesure que des sous-unités de tubuline sont ajoutées à leurs extrémités qui se chevauchent. Par conséquent, ils continuent de se chevaucher.

À la fin de l'anaphase, deux jeux de chromosomes identiques se trouvent aux extrémités opposées de la cellule mère, qui s'est allongée dans l'axe de ses pôles. Les noyaux apparaissent pendant la télophase, la dernière phase de la mitose. C'est généralement à ce moment que la cytocinèse s'amorce, et le fuseau de division finit par se défaire.

La cytocinèse : *une étude détaillée*

Dans les cellules animales, la cytocinèse fait partie d'un processus appelé **segmentation**. Elle débute par l'apparition du **sillon de division**, une invagination de la surface cellulaire qui se produit à l'endroit qui était occupé par la plaque équatoriale **(figure 12.9a)** ; les asters semblent jouer un rôle dans la détermination de l'emplacement et de l'orientation du sillon de division. Sur la face cytoplasmique du sillon, on trouve un anneau contractile fait de microfilaments (d'actine) associés à des molécules de myosine. (L'actine et la myosine sont les protéines responsables de la contraction musculaire et de bien d'autres types de mouvements cellulaires.) Les microfilaments d'actine interagissent avec les molécules de myosine ; le glissement des microfilaments d'actine pendant la division cellulaire provoque la contraction de l'anneau, et le diamètre de celui-ci diminue. Le sillon de division se creuse jusqu'à ce que la cellule mère se segmente, donnant deux nouvelles cellules complètes et séparées, chacune possédant son propre noyau et sa propre part de cytosol et d'organites. Ces derniers se sont soit divisés en deux (mitochondries et chloroplastes), soit formés par synthèse à partir de molécules de protéines et de lipides.

Des chercheurs ayant récemment filmé la division de cellules mammaliennes après avoir rendu les centrioles fluorescents ont constaté qu'un des deux centrioles (le centriole père) de l'un ou des ceux centrosomes quitte son poste, au pôle de la cellule, et vient se placer près du mince pont reliant encore les deux cellules avant que le sillon de division ne les ait complètement séparées. Tout se passe comme s'il venait vérifier que la division se déroule correctement. Il regagne ensuite sa position polaire et, là seulement, la séparation des deux cellules peut se compléter.

Dans les cellules végétales, cellules qui ont une paroi, la cytocinèse prend une tout autre tournure. Au lieu qu'un sillon de division apparaisse, c'est une structure appelée **plaque cellulaire** qui se constitue à l'équateur de la cellule mère pendant la télophase **(figure 12.9b)**. La plaque cellulaire se forme quand des vésicules de sécrétion issues de l'appareil de Golgi avancent sur des microtubules jusqu'au milieu de la cellule, où elles fusionnent. Leur contenu fournit les matériaux nécessaires à la formation de la nouvelle paroi. La fusion des vésicules concourt à étendre la plaque cellulaire, et la membrane qui l'entoure, produite par la fusion des membranes des vésicules de sécrétion, finit par s'unir latéralement avec la membrane plasmique. Le résultat : deux cellules filles possédant chacune leur membrane plasmique. Dans l'intervalle, la plaque cellulaire a produit une nouvelle paroi entre les cellules filles, en laissant des ouvertures, les plasmodesmes, par lesquelles le réticulum endoplasmique passe d'une cellule à l'autre.

La **figure 12.10** montre des micrographies d'une cellule végétale en train de se diviser. Observez-les ; cela vous permettra de réviser les processus de la mitose et de la cytocinèse.

Chez certains organismes, la division du noyau (appelée aussi *caryocinèse*) n'est pas suivie de la cytocinèse : cela peut mener, chez les Eumycètes par exemple, à la formation de *cœnocytes*, ou masses cytoplasmiques contenant plusieurs centaines de noyaux (voir le chapitre 31, p. 660). Parfois même, l'ADN se réplique un certain nombre de fois dans un noyau sans qu'il y ait ni caryocinèse, ni cytocinèse : c'est le cas des cellules des glandes salivaires de la drosophile (petite mouche du vinaigre ou mouche à fruit), où les chromosomes subissent une dizaine de réplications de l'ADN sans séparation des chromatides et forment ce qu'on appelle des chromosomes géants, très utiles en recherche dans le domaine de la génétique.

Figure 12.6

Panorama Les phases de la mitose dans une cellule animale

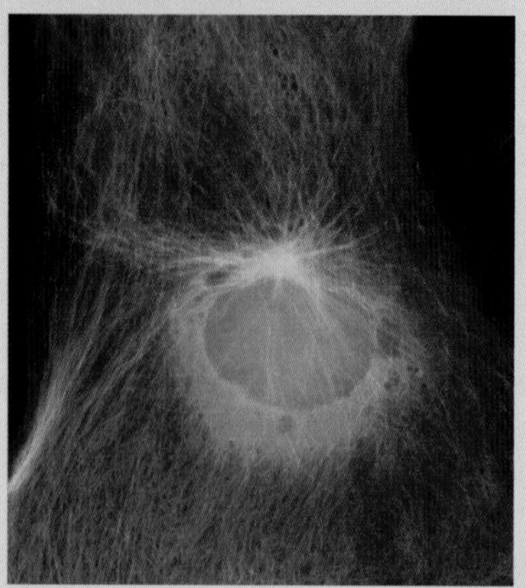

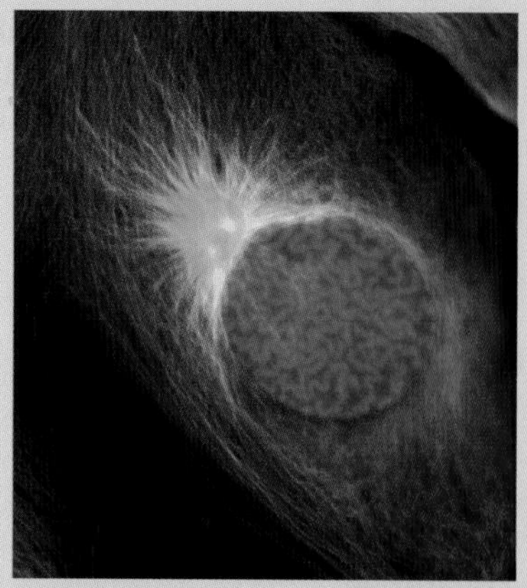

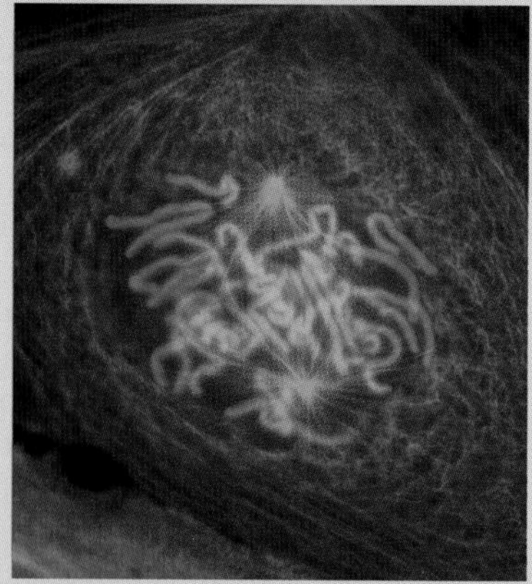

PHASE G_2 DE L'INTERPHASE | PROPHASE | PROMÉTAPHASE

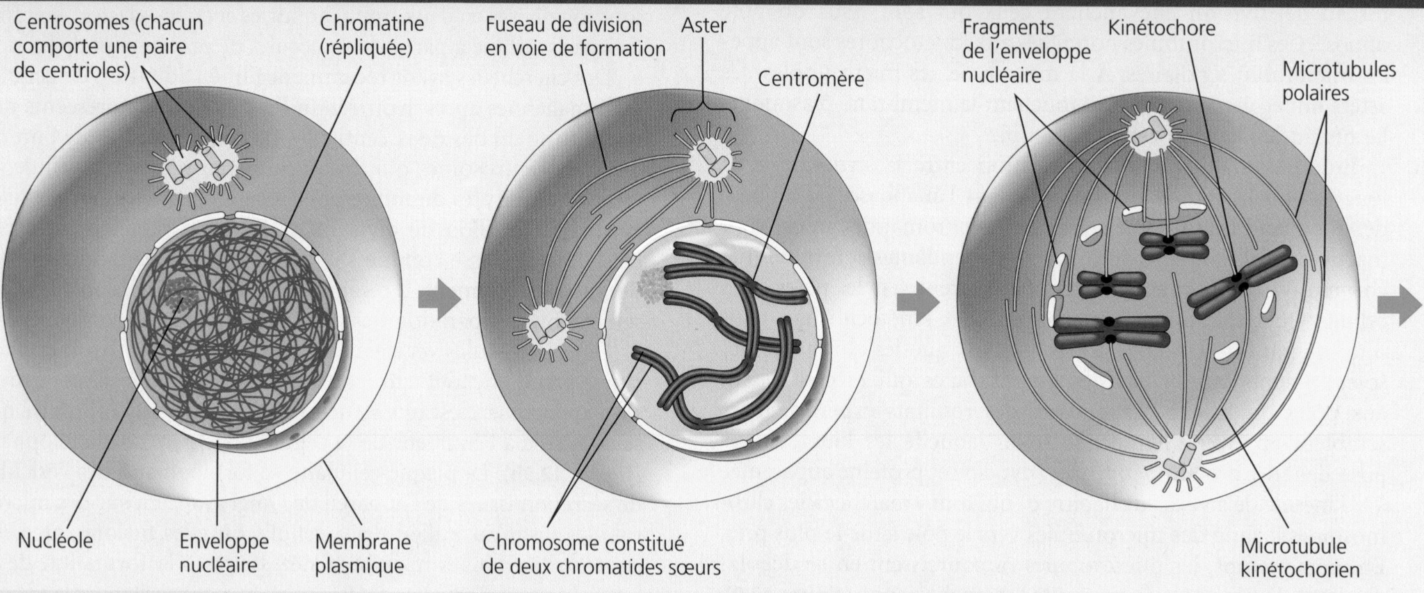

Phase G_2 de l'interphase

- Le noyau est entouré de l'enveloppe nucléaire.
- Le noyau contient un ou plusieurs nucléoles.
- Deux centrosomes se forment à la suite de la réplication d'un centrosome unique.
- Dans les cellules animales, chaque centrosome contient une paire de centrioles.
- La réplication des chromosomes a déjà eu lieu durant la phase S, mais on ne peut les distinguer : ils ne se présentent pas encore sous la forme condensée.

Les micrographies montrent un pneumocyte (une cellule pulmonaire) du triton de l'Oregon (*Taricha granulosa*) en train de se diviser. Les cellules somatiques de cette espèce possèdent chacune 22 chromosomes. (Les chromosomes apparaissent en bleu, les microtubules en vert et les filaments intermédiaires en rouge.) Pour simplifier les diagrammes, seulement quatre chromosomes ont été représentés.

Prophase

- La cellule prend une forme sphérique par suite de la désorganisation de son cytosquelette.
- Les fibres de chromatine s'enroulent et se replient de façon à former des chromosomes visibles au microscope photonique.
- Dans le noyau, les nucléoles s'estompent petit à petit, jusqu'à disparaître.
- Chaque chromosome répliqué prend la forme de deux chromatides sœurs identiques réunies dans la région du centromère.
- Dans le cytoplasme, le fuseau de division se constitue. Il se compose d'un assemblage de fibres du cytosquelette, les microtubules, qui prennent l'aspect d'un fuseau et qui se prolongent entre les deux centrosomes. Les microtubules rayonnent des centrosomes en une formation étoilée appelée aster (du latin *aster*, « étoile »).
- Les centrosomes s'éloignent l'un de l'autre, apparemment propulsés à la surface du noyau par l'élongation – à partir des pôles vers l'équateur de la cellule – des microtubules qui les relient et que l'on appelle fibres du fuseau de division.

Prométaphase

- L'enveloppe nucléaire achève sa fragmentation, qui avait débuté en prophase.
- Les fibres du fuseau peuvent alors envahir le contenu du noyau et interagir avec les chromosomes, qui n'ont pas cessé de se condenser.
- Les microtubules rayonnent de chaque centrosome vers le milieu de la cellule.
- Chacune des deux chromatides du chromosome possède une structure spécialisée appelée kinétochore, située dans la région du centromère.
- Certains des microtubules s'attachent aux kinétochores et deviennent des « microtubules kinétochoriens ». Les microtubules kinétochoriens amorcent le mouvement saccadé des chromosomes.
- Les microtubules polaires (ou non kinétochoriens) interagissent avec leur vis-à-vis du pôle opposé.

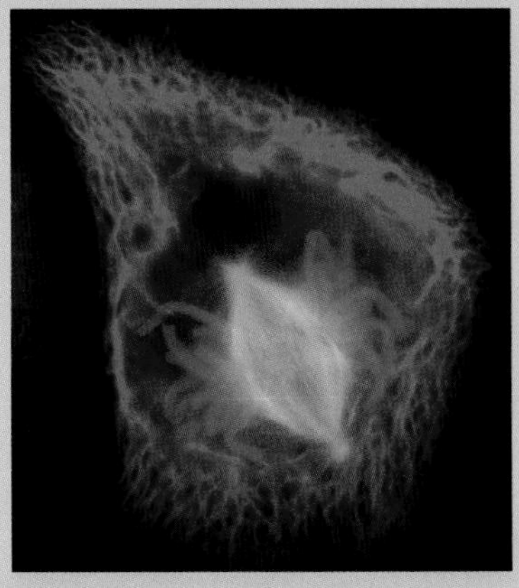

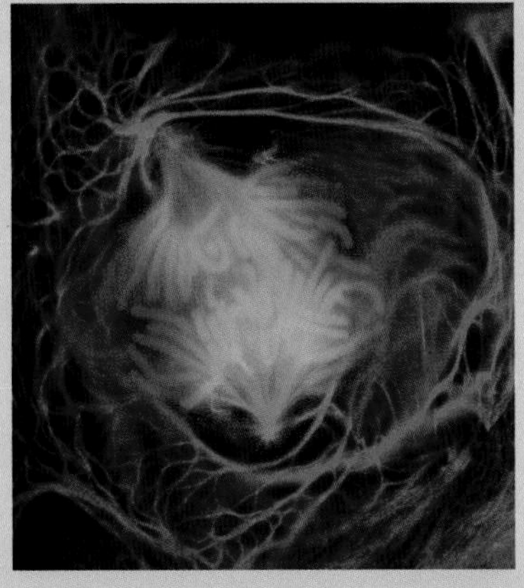

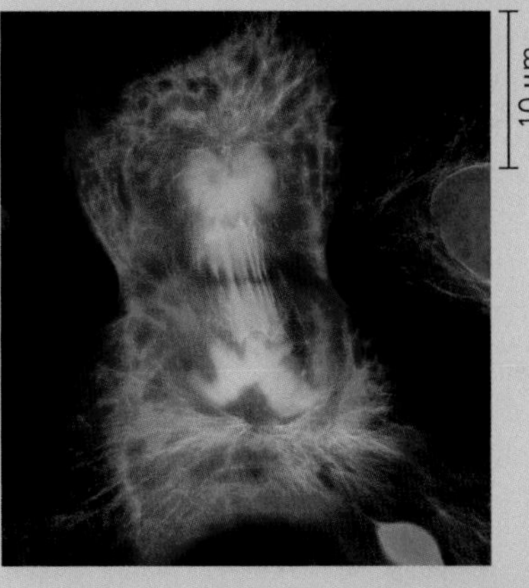

MÉTAPHASE

ANAPHASE

TÉLOPHASE ET CYTOCINÈSE

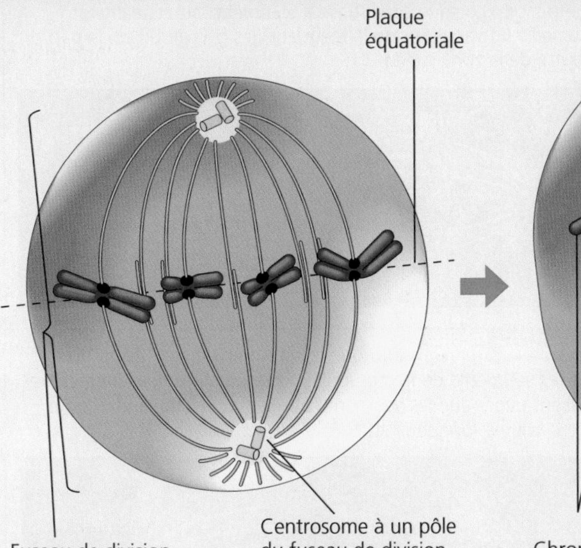

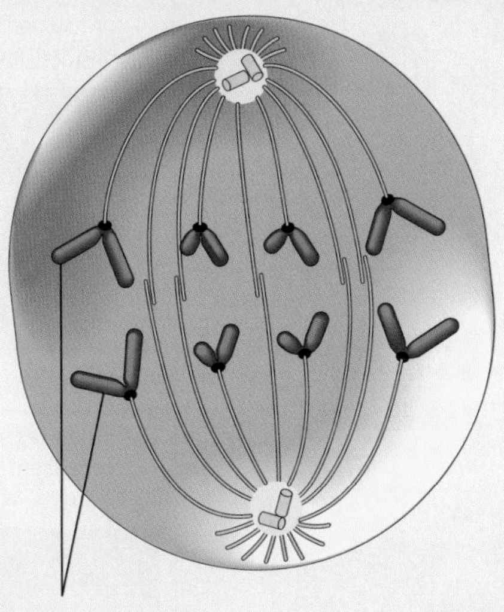

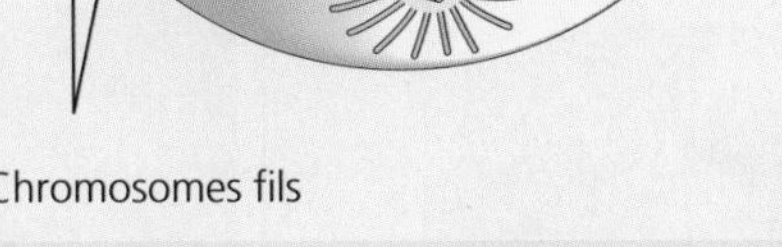

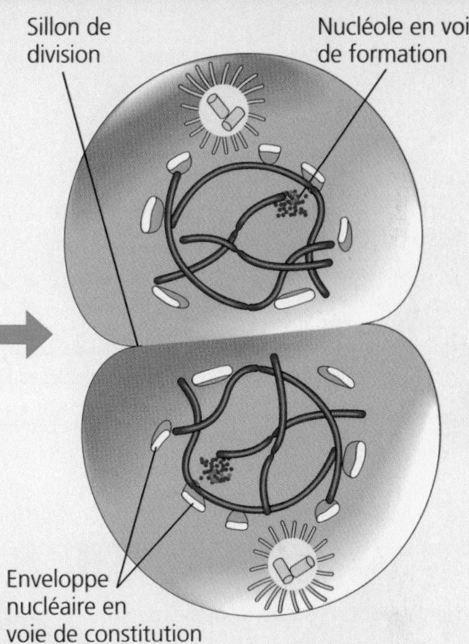

Métaphase

- La métaphase est la phase la plus longue de la mitose ; elle dure une vingtaine de minutes.
- Les centrosomes sont maintenant aux extrémités opposées de la cellule.
- Les chromosomes s'alignent sur la plaque équatoriale, qui constitue un plan imaginaire à égale distance des deux pôles du fuseau de division. Tous les centromères sont alignés dessus.
- Pour chaque chromosome, les kinétochores des chromatides sœurs font face à un pôle différent.

Anaphase

- L'anaphase est la phase la plus courte de la mitose ; elle ne dure que quelques minutes.
- L'anaphase commence quand le centromère dédoublé de chaque chromosome se sépare en deux, libérant les chromatides sœurs.
- Les chromatides sœurs deviennent des chromosomes à part entière qui se dirigent vers des pôles opposés, à mesure que les microtubules kinétochoriens raccourcissent. Ce mouvement des chromosomes est parfois appelé « anaphase A ».
- Les microtubules kinétochoriens exercent une traction sur les centromères, qui prennent les devants et traînent le reste du chromosome vers les pôles (à une vitesse d'environ 1 µm/min, ce qui est considéré comme très lent par rapport à l'ensemble des mouvements cellulaires).
- En même temps, l'allongement des microtubules polaires éloigne les pôles l'un de l'autre. Cet allongement du fuseau est parfois appelé « anaphase B ».
- À la fin de l'anaphase, les deux pôles de la cellule possèdent des jeux équivalents et complets de chromosomes.

Télophase

- Des noyaux fils commencent à se former aux pôles.
- Les enveloppes nucléaires se constituent à partir des fragments de l'enveloppe nucléaire de la cellule mère et de portions de membranes fournies par le réseau intracellulaire de membranes. Les nucléoles réapparaissent.
- Les chromosomes commencent à perdre leur organisation spatiale compacte.
- La mitose, c'est-à-dire la division d'un noyau en deux noyaux génétiquement identiques, vient de se terminer.

Cytocinèse

- En général, la division du cytoplasme est déjà bien amorcée vers la fin de la télophase, de sorte que deux cellules filles distinctes apparaissent peu de temps après la mitose.
- Dans les cellules animales, la cytocinèse est associée à la formation d'un sillon de division, qui étrangle la cellule mère et la sépare en deux cellules filles.

La scissiparité

La reproduction des Procaryotes (c'est-à-dire des Bactéries et des Archéobactéries) fait appel à un mode de division cellulaire appelé **scissiparité** (ou fissiparité). La plupart des gènes bactériens sont portés par un chromosome unique, composé d'une molécule circulaire d'ADN associée à peu de protéines,

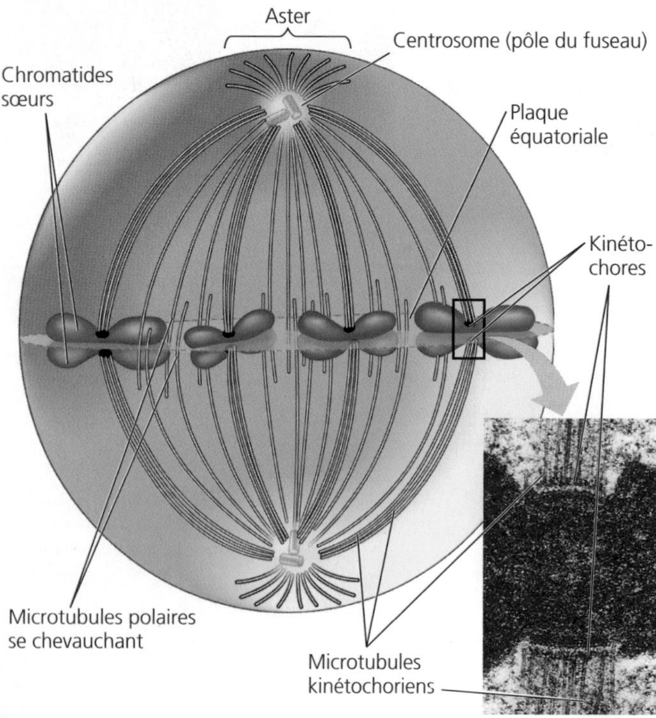

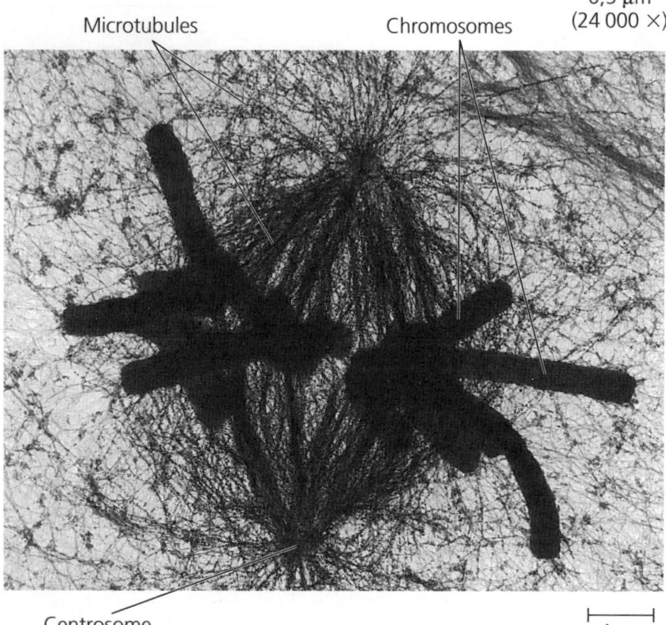

▲ **Figure 12.7 Fuseau de division pendant la métaphase.** Les kinétochores des deux chromatides sœurs d'un chromosome font face aux extrémités opposées de la cellule. Ici, chaque kinétochore est attaché à plusieurs microtubules kinétochoriens issus du centrosome le plus rapproché. Les microtubules polaires se chevauchent sur la plaque équatoriale (MET).

Figure 12.8

Investigation Durant l'anaphase, les microtubules kinétochoriens raccourcissent-ils aux pôles de leur fuseau de division ou aux pôles des kinétochores ?

EXPÉRIENCE

1. Les microtubules de la cellule en division sont marqués à l'aide d'un colorant fluorescent visible au microscope (en jaune).

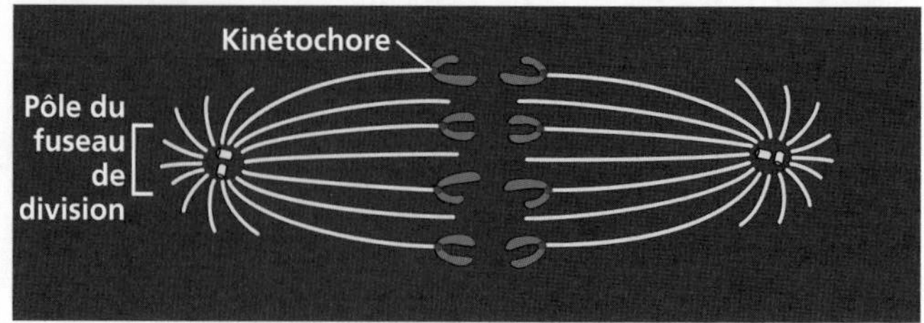

2. Un faisceau laser élimine la fluorescence des microtubules kinétochoriens dans la zone située à mi-chemin environ entre le pôle et le kinétochore. Lorsque l'anaphase a commencé, les chercheurs ont surveillé les variations de la longueur des microtubules de part et d'autre de la zone cible.

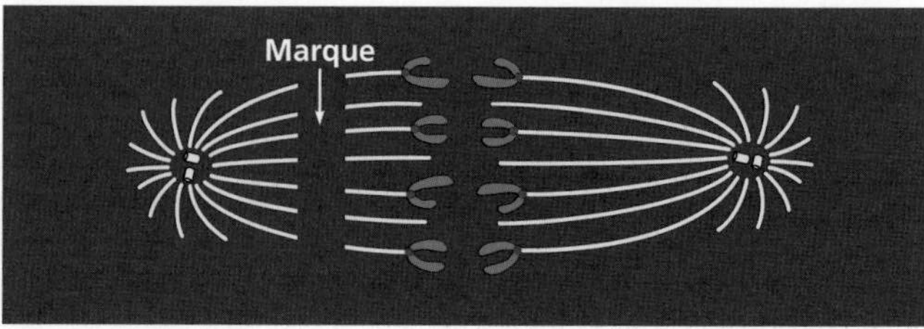

RÉSULTATS À mesure que les chromosomes se rapprochent des pôles, les segments de microtubules situés du côté des kinétochores raccourcissent, alors que les segments situés du côté du centrosome restent de la même longueur.

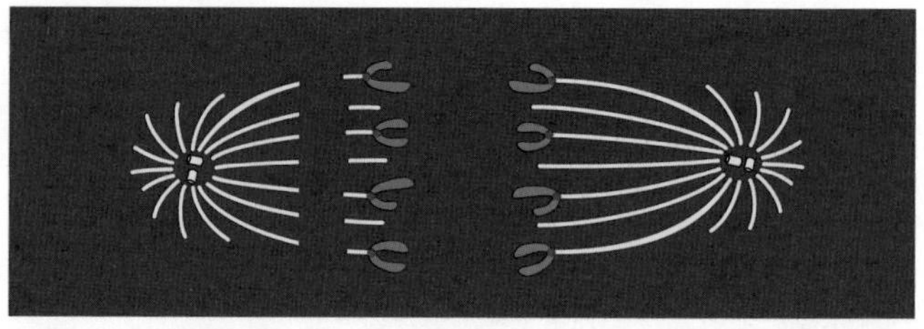

CONCLUSION L'expérience a montré que, durant l'anaphase, les microtubules kinétochoriens raccourcissent du côté de leur extrémité kinétochorienne et non du côté de l'extrémité du fuseau de division. Cette expérience s'ajoute à plusieurs autres qui soutiennent l'hypothèse selon laquelle les microtubules se dépolymérisent du côté de leur extrémité kinétochorienne, en libérant des sous-unités de tubuline.

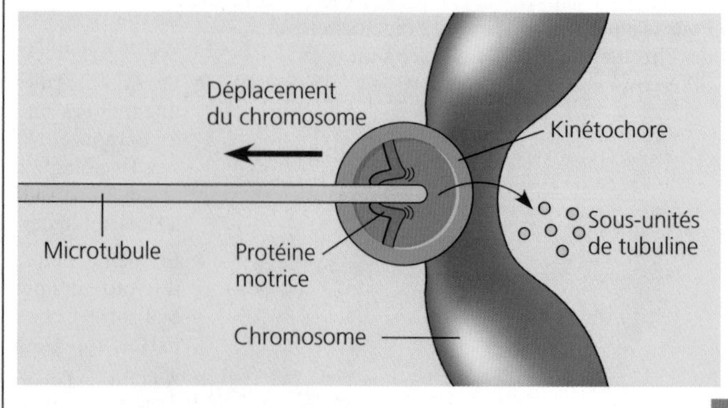

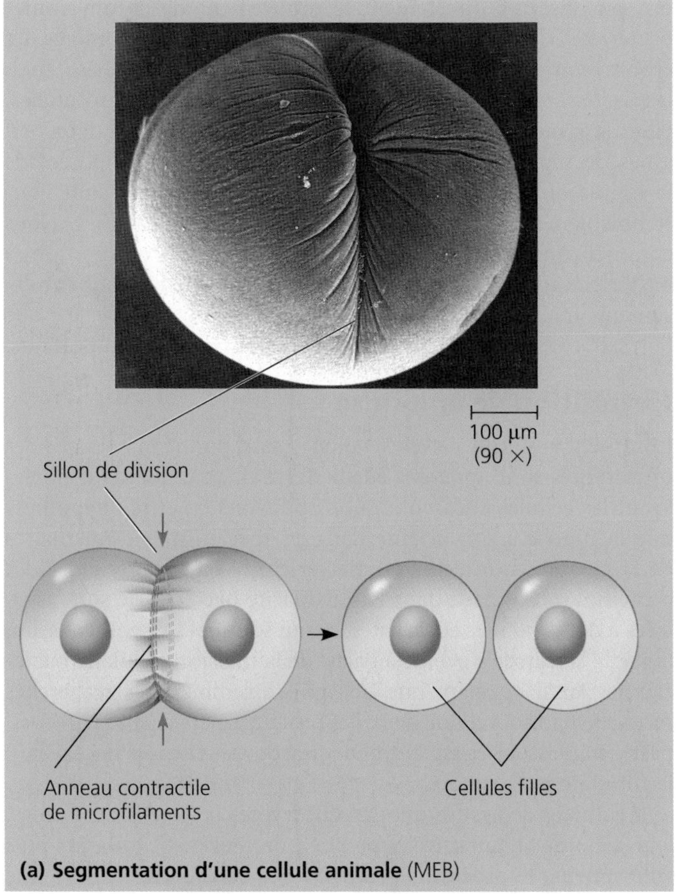

▲ **Figure 12.9 Cytocinèse dans la cellule animale et dans la cellule végétale.**

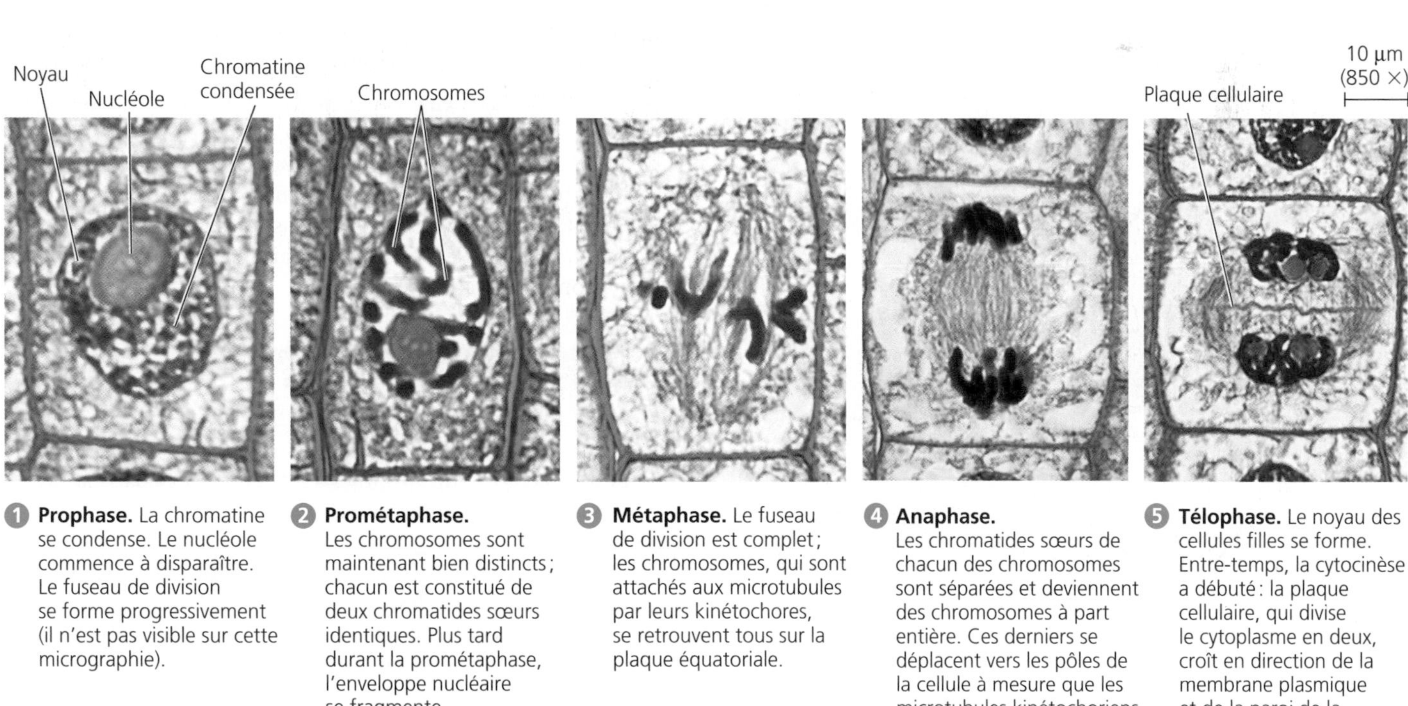

❶ **Prophase.** La chromatine se condense. Le nucléole commence à disparaître. Le fuseau de division se forme progressivement (il n'est pas visible sur cette micrographie).

❷ **Prométaphase.** Les chromosomes sont maintenant bien distincts; chacun est constitué de deux chromatides sœurs identiques. Plus tard durant la prométaphase, l'enveloppe nucléaire se fragmente.

❸ **Métaphase.** Le fuseau de division est complet; les chromosomes, qui sont attachés aux microtubules par leurs kinétochores, se retrouvent tous sur la plaque équatoriale.

❹ **Anaphase.** Les chromatides sœurs de chacun des chromosomes sont séparées et deviennent des chromosomes à part entière. Ces derniers se déplacent vers les pôles de la cellule à mesure que les microtubules kinétochoriens raccourcissent.

❺ **Télophase.** Le noyau des cellules filles se forme. Entre-temps, la cytocinèse a débuté: la plaque cellulaire, qui divise le cytoplasme en deux, croît en direction de la membrane plasmique et de la paroi de la cellule mère.

▲ **Figure 12.10 Mitose dans une cellule végétale.** Ces micrographies photoniques montrent une cellule de racine d'oignon (*Allium cepa*) durant la mitose.

comparativement aux Eucaryotes. Bien que les Bactéries et les Archéobactéries soient plus petites et plus simples que les cellules eucaryotes, le problème que constitue la réplication fidèle de leur génome et la distribution équitable des génomes aux deux cellules filles demeure colossal. Considérons, par exemple, le chromosome de la bactérie *Escherichia coli.* Quand on l'étale complètement, il est environ 500 fois plus long que la cellule elle-même. On devine qu'il doit être maintes fois replié à l'intérieur de la cellule.

Chez *E. coli,* le processus de la division cellulaire se met en branle quand l'ADN du chromosome bactérien commence à se répliquer dans une zone spécifique du chromosome appelée **origine de réplication** (voir la figure 18.14), ce qui produit deux origines. À mesure que le chromosome se dédouble, une des origines se déplace rapidement vers l'extrémité opposée de la cellule **(figure 12.11)**. Pendant la réplication du chromosome bactérien, la cellule s'allonge. Une fois que la réplication est achevée et que la taille initiale de la bactérie a doublé, la membrane plasmique s'invagine et divise la cellule mère en deux cellules filles. Chacune reçoit un génome complet.

En marquant de molécules fluorescentes (voir la figure 6.3) les origines de réplication à l'aide de biotechnologies, les chercheurs ont pu observer directement le mouvement de chromosomes bactériens. Celui-ci rappelle le déplacement des centromères des chromosomes eucaryotes vers les pôles durant l'anaphase, mais les Bactéries ne possèdent ni fuseau de division ni microtubules. Chez la plupart des espèces bactériennes étudiées, les deux origines de réplication se retrouvent aux extrémités opposées de la cellule ou dans une zone très spécifique, où elles sont vraisemblablement ancrées par une ou plusieurs protéines. Nous commençons à comprendre le mouvement des chromosomes bactériens ainsi que l'établissement et le maintien de leur emplacement, mais notre compréhension demeure partielle. Ce que l'on sait, c'est que plusieurs protéines jouent des rôles importants.

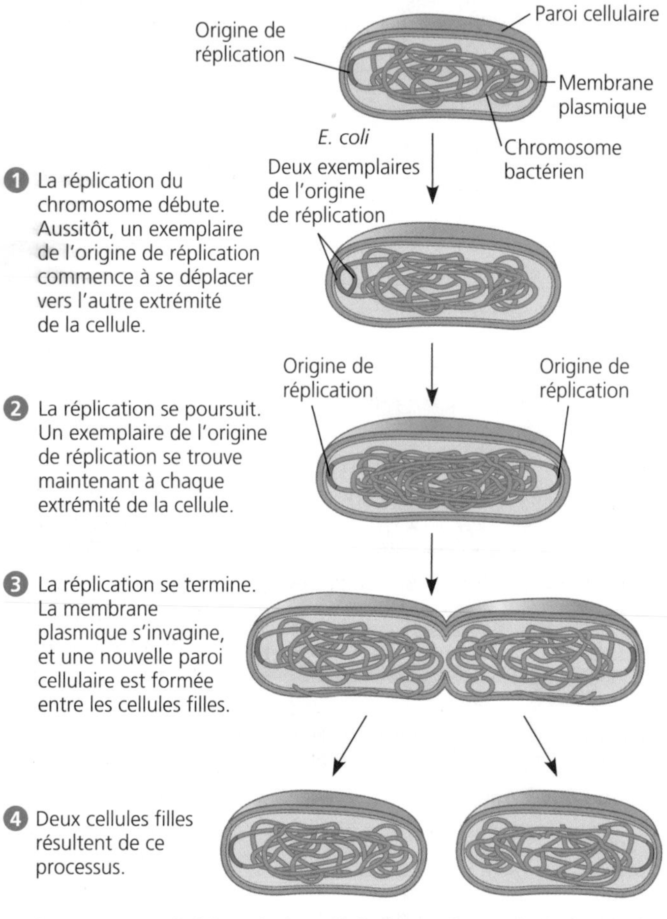

Origine de réplication
Paroi cellulaire
Membrane plasmique
E. coli
Chromosome bactérien

① La réplication du chromosome débute. Aussitôt, un exemplaire de l'origine de réplication commence à se déplacer vers l'autre extrémité de la cellule.

Deux exemplaires de l'origine de réplication

② La réplication se poursuit. Un exemplaire de l'origine de réplication se trouve maintenant à chaque extrémité de la cellule.

Origine de réplication
Origine de réplication

③ La réplication se termine. La membrane plasmique s'invagine, et une nouvelle paroi cellulaire est formée entre les cellules filles.

④ Deux cellules filles résultent de ce processus.

▲ **Figure 12.11 Division de la cellule bactérienne (scissiparité).** La division cellulaire illustrée ici est celle de la bactérie *Escherichia coli.* Une fois que l'unique chromosome circulaire d'une bactérie s'est répliqué, les deux exemplaires formés se séparent par un mécanisme inconnu, de sorte que les deux origines de réplication (en vert) se retrouvent aux extrémités opposées de la cellule. Entre-temps, la cellule s'allonge. Puis, l'invagination de la membrane plasmique et la formation d'une nouvelle paroi cellulaire divisent la cellule mère en deux cellules filles.

L'évolution de la mitose

Comment la mitose a-t-elle évolué ? Étant donné que les cellules procaryotes sont apparues sur la Terre deux milliards d'années avant les cellules eucaryotes, nous pouvons émettre l'hypothèse que la mitose a son origine dans les mécanismes élémentaires de la reproduction cellulaire bactérienne. En fait, certaines des protéines intervenant dans la scissiparité bactérienne sont associées à des protéines eucaryotes, ce qui soutient l'hypothèse selon laquelle la mitose a évolué à partir de la division cellulaire bactérienne. Aussi intrigant que cela puisse sembler, des recherches récentes ont montré que deux des protéines participant à la scissiparité sont associées aux protéines retrouvées chez les Eucaryotes, la tubuline et l'actine.

Au fur et à mesure que les Eucaryotes se sont transformés, leur génome et leur enveloppe nucléaire devenant toujours plus volumineux, le processus primitif de la scissiparité bactérienne a évolué vers la mitose. La **figure 12.12** décrit une hypothèse de l'évolution par étapes de la mitose. Nous avons représenté deux modes de division nucléaire que l'on trouve chez certaines algues unicellulaires contemporaines. On croit que, dans ces deux cas de division nucléaire, des mécanismes ancestraux sont demeurés relativement inchangés au cours de l'évolution. Dans les deux cas, l'enveloppe nucléaire reste intacte. Chez les Dinoflagellés, les chromosomes répliqués, qui sont attachés à l'enveloppe nucléaire, se séparent durant l'allongement du noyau, juste avant sa scission. Chez les Diatomées, un fuseau de division situé dans le noyau sépare les chromosomes. Dans la plupart des cellules eucaryotes, l'enveloppe nucléaire se dégrade et un fuseau de division sépare les chromosomes.

Retour sur le concept 12.2

1. Durant quels stades du cycle cellulaire un chromosome est-il composé de deux chromatides identiques ?
2. Combien de chromosomes sont représentés dans la figure 12.7 ? Combien de chromatides sont représentées ?
3. Comparez la cytocinèse des cellules animales avec celle des cellules végétales.
4. Décrivez une des fonctions des microtubules polaires.
5. Décrivez trois ressemblances entre les chromosomes bactériens et les chromosomes eucaryotes, du point de vue de la structure et du comportement durant la division cellulaire.

Voir les réponses proposées à la fin du chapitre.

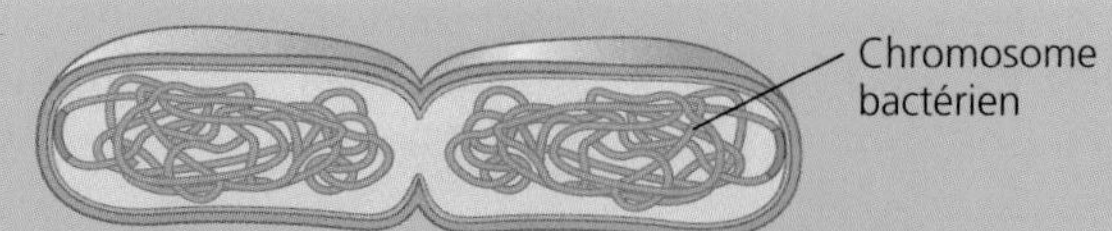

(a) Les Procaryotes. Chez les Bactéries et les Archéobactéries, les origines des chromosomes fils se séparent au cours de la scissiparité et se déplacent vers des extrémités opposées de la cellule. On ne comprend pas encore parfaitement le mécanisme par lequel cela se produit, mais on pense que des protéines ancrent les chromosomes fils à des sites spécifiques de la membrane plasmique.

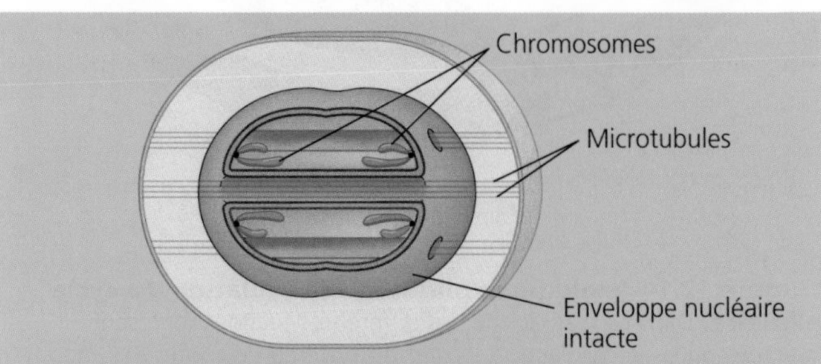

(b) Les Dinoflagellés. Chez les Dinoflagellés, des Protistes unicellulaires, l'enveloppe nucléaire ne se fragmente pas pendant la division cellulaire, et les chromosomes s'attachent à elle. Les microtubules empruntent des canaux cytoplasmiques qui traversent le noyau de part en part. La disposition des faisceaux de microtubules détermine le plan de fission du noyau, qui se divise selon un processus rappelant la scissiparité bactérienne.

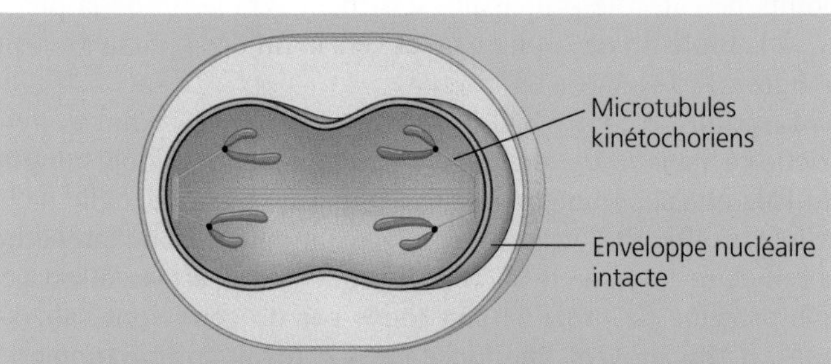

(c) Les Diatomées. De même, chez d'autres Algues unicellulaires appelées Diatomées, l'enveloppe nucléaire reste intacte pendant la division cellulaire. Cependant, les microtubules forment un fuseau de division à l'intérieur du noyau. Ils séparent les chromosomes, et le noyau se divise en deux noyaux fils.

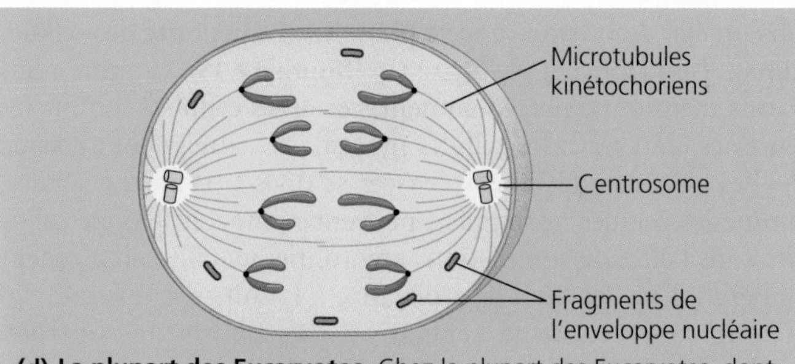

(d) La plupart des Eucaryotes. Chez la plupart des Eucaryotes, dont les Végétaux et les Animaux, le fuseau de division se forme à l'extérieur du noyau, et l'enveloppe nucléaire se rompt durant la mitose. Les microtubules séparent les chromatides sœurs, et l'enveloppe nucléaire se reconstitue.

▲ **Figure 12.12 Hypothèse de l'évolution de la mitose.** Chez les organismes modernes, les chercheurs ont observé ce qu'ils croient être des mécanismes de division cellulaire intermédiaires. Ceux-ci se situent entre la scissiparité **(a)** et la mitose telle qu'elle se déroule chez la plupart des Eucaryotes **(d)**. Excepté pour **(a)**, ces schémas ne montrent pas la paroi cellulaire.

Concept 12.3

Un mécanisme de régulation moléculaire gouverne le cycle cellulaire

Pour que les différentes parties d'une plante ou d'un animal croissent, se développent et se régénèrent normalement, la division cellulaire doit absolument se dérouler au moment opportun et à un rythme approprié. Ses modalités varient suivant le type de cellule. Les cellules aux extrémités des rameaux et à la pointe des racines chez les Végétaux se divisent fréquemment, de même que les cellules épithéliales humaines, comme celles de l'intestin ou de la peau. Les cellules hépatiques humaines, elles, se divisent à un rythme rapide (une division par jour) seulement si les circonstances l'exigent, en cas de lésion ou lors de l'ablation chirurgicale d'une partie de l'organe. Autrement, il se peut qu'elles ne se divisent qu'une seule fois par année. Enfin, certaines cellules, telles que les neurones, les cellules musculaires et les globules rouges, ne se divisent pas chez l'adulte. La mitose demeure quand même un processus très actif chez l'humain adulte puisque, selon certaines estimations, 25 millions de cellules se divisent chaque seconde. Ces disparités sont imputables à une régulation du cycle cellulaire sur le plan moléculaire. On s'intéresse aux mécanismes régissant cette régulation, non seulement pour comprendre le cycle de cellules normales, mais également pour découvrir comment les cellules tumorales y échappent.

Les stimulus cytoplasmiques

Qu'est-ce qui régit le cycle cellulaire? Selon une hypothèse plausible, chacun de ses événements déclenche le prochain. Par exemple, la réplication des chromosomes à la phase S peut provoquer la croissance de la cellule à la phase G_2, qui peut elle-même amorcer directement la mitose. Cependant, cette hypothèse en apparence logique est inexacte.

Au début des années 1970, une tout autre hypothèse fondée sur une panoplie d'expériences a été formulée: le cycle cellulaire serait plutôt régi par des stimulus chimiques précis présents dans le cytoplasme. Certains indices convaincants à l'appui de cette hypothèse proviennent d'expériences réalisées sur des cellules mammaliennes mises en culture. Au cours de l'une d'elles, deux cellules se trouvant dans différentes phases du cycle ont été fusionnées de façon à former une seule cellule munie de deux noyaux. On a relevé que, quand l'une des cellules initiales était en phase S, et l'autre, en phase G_1, le noyau en phase G_1 entrait immédiatement en phase S, comme si des substances chimiques présentes dans le cytoplasme de la cellule initiale l'activaient. De la même manière, si une cellule en voie de mitose (phase M) fusionnait avec une cellule dans une autre phase de son cycle (la phase G_1 y compris), le second noyau entrait immédiatement en mitose: sa chromatine se condensait, et le fuseau de division se formait **(figure 12.13)**. D'autres expériences au cours desquelles du cytoplasme d'une cellule en phase M était injecté dans une cellule en interphase ont aussi confirmé cette hypothèse.

Le mécanisme de régulation du cycle cellulaire

Les expériences illustrées à la figure 12.13 ainsi que bien d'autres ont montré qu'un **mécanisme de régulation du cycle cellulaire** commande l'enchaînement des phases par l'intermédiaire de molécules qui, de manière cyclique, déclenchent et coordonnent

Figure 12.13

Investigation Le cycle cellulaire est-il régi par des stimulus moléculaires ?

EXPÉRIENCE Dans chaque expérience, on a provoqué la fusion des cellules mammaliennes cultivées se trouvant à des phases différentes du cycle cellulaire.

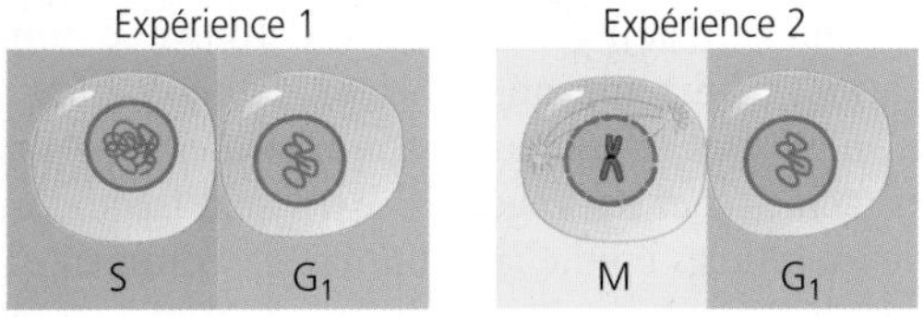

Expérience 1 : S | G_1

Expérience 2 : M | G_1

RÉSULTATS

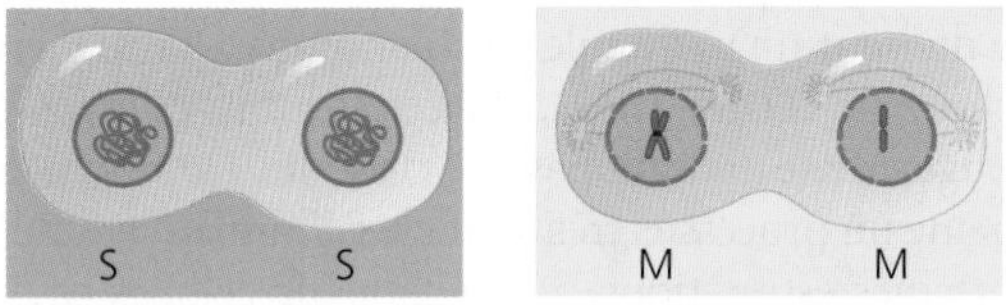

Expérience 1 : S | S

Lorsqu'une cellule en phase S fusionne avec une cellule en phase G_1, la cellule en phase G_1 amorce immédiatement la phase S ; il y a synthèse d'ADN.

Expérience 2 : M | M

Lorsqu'une cellule en phase M fusionne avec une cellule en phase G_1, la cellule en phase G_1 amorce immédiatement la mitose ; il y a formation d'un fuseau de division et condensation de la chromatine, même si le chromosome ne s'est pas répliqué.

CONCLUSION Quand on observe ce qui se produit après la fusion de cellules se trouvant dans des phases différentes du cycle cellulaire, on peut penser que des molécules présentes dans le cytoplasme des cellules en phase S ou M contrôlent l'évolution des phases.

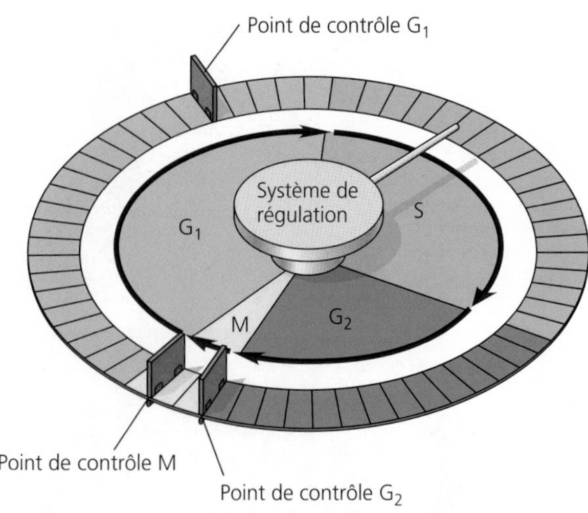

▲ **Figure 12.14 Analogie expliquant la régulation du cycle cellulaire.** Dans ce diagramme, les différentes sections représentent les étapes du cycle cellulaire. À l'instar du système de contrôle d'une machine à laver automatique, le mécanisme de régulation du cycle cellulaire fonctionne par lui-même, gouverné par une horloge interne. Toutefois, il peut subir une régulation à des points de contrôle (en rouge).

les événements clés du cycle. À l'instar du système de contrôle d'une machine à laver **(figure 12.14)**, le mécanisme de régulation du cycle cellulaire fonctionne par lui-même, gouverné par une horloge interne. Cependant, tout comme le cycle d'une machine à laver peut faire l'objet d'un contrôle interne (les senseurs détectent le remplissage de la cuve) et externe (par exemple, l'activation du mécanisme de démarrage), le cycle cellulaire est régulé par des mécanismes internes et externes à des points de contrôle bien précis.

Un **point de contrôle** du cycle cellulaire représente un moment critique où un stimulus dicte l'arrêt ou la poursuite du cycle. (Les stimulus sont transmis à l'intérieur de la cellule par des voies de transduction similaires à celles qui ont été étudiées au chapitre 11.) Généralement, les cellules animales obéissent à des stimulus intrinsèques qui bloquent le cycle cellulaire aux points de contrôle, et ce, jusqu'à ce que des stimulus de poursuite du cycle soient émis. La plupart des stimulus qui sont captés aux points de contrôle proviennent de mécanismes de veille cellulaire. Ils indiquent si les processus cellulaires cruciaux ont été réalisés correctement et ils décident en conséquence de la progression du cycle. Les points de contrôle captent également des stimulus externes (nous en discuterons plus loin). Les trois points de contrôle principaux se situent vers la fin de la phase G_1, à la toute fin de la phase G_2 et vers la fin de la phase M (voir la figure 12.14).

Le point de contrôle G_1, couramment appelé « point de restriction » dans le cas des cellules mammaliennes, joue souvent un rôle crucial. Toute anomalie (ADN mal répliqué, taille de la cellule insuffisante, etc.) est décelée à ce moment, ce qui empêche la cellule de poursuivre le cycle. Lorsque l'ADN est endommagé, une protéine (la protéine p53 codée par un gène dont l'altération est très souvent impliquée dans la formation de tumeurs) peut déclencher les opérations nécessaires pour le réparer ou enclencher le processus de destruction de la cellule (apoptose). Si elle reçoit un stimulus de poursuite du cycle au point de contrôle G_1, une cellule complète les phases S, G_2 et M, puis se divise. Au point de contrôle G_1, une cellule peut également entrer dans un état de « repos » appelé **phase G_0**. La majorité des cellules humaines se trouvent en phase G_0 **(figure 12.15)**. Comme nous l'avons mentionné précédemment, certaines cellules, comme les neurones matures et les cellules musculaires, atteignent un stade où elles ne sont plus jamais censées se diviser. D'autres cellules, comme les cellules hépatiques, peuvent réintégrer le cycle cellulaire sous l'effet de stimulations environnementales, notamment la libération de facteurs de croissance à la suite d'une lésion.

Pour comprendre la régulation aux points de contrôle, penchons-nous d'abord sur les molécules qui gouvernent le cycle cellulaire (le fondement moléculaire de l'horloge du cycle cellulaire) et sur la façon dont une cellule évolue dans le cycle. Ensuite, nous examinerons les stimulus internes et externes qui commandent le fonctionnement de l'horloge.

L'horloge du cycle cellulaire : les cyclines et les kinases cycline-dépendantes

Les fluctuations rythmiques de la quantité et de l'activité des molécules régulatrices du cycle cellulaire contrôlent la vitesse de

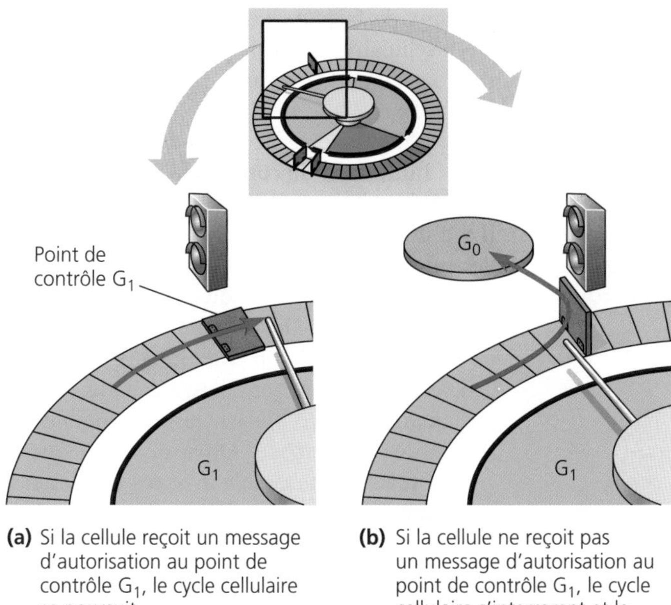

(a) Si la cellule reçoit un message d'autorisation au point de contrôle G_1, le cycle cellulaire se poursuit.

(b) Si la cellule ne reçoit pas un message d'autorisation au point de contrôle G_1, le cycle cellulaire s'interrompt et la cellule entre en phase G_0, un état de non-division.

▲ **Figure 12.15 Le point de contrôle G_1.**

progression des phases. Deux types de protéines interviennent: les kinases et les cyclines. Les protéines kinases sont des enzymes qui activent ou inactivent les cyclines par phosphorylation (voir le chapitre 11). Des protéines kinases spécifiques amorcent la poursuite du cycle aux points de contrôle G_1 et G_2.

Les kinases régulatrices ont une concentration constante dans une cellule en croissance. La plupart du temps, elles sont inactives. Pour sortir de cet état d'inactivité, elles doivent se lier à de la cycline (cette protéine doit son nom à la fluctuation cyclique de sa concentration dans la cellule). Ces kinases sont appelées **kinases cycline-dépendantes**, ou **Cdk**. Leur activité varie suivant l'augmentation ou la diminution de la concentration de leur cycline associée. Il existe plusieurs types de cyclines et de Cdk, qui peuvent s'associer pour former différents complexes. Le passage d'une phase à l'autre du cycle dépend d'associations spécifiques. La **figure 12.16a** illustre l'activité cyclique du premier complexe cycline-Cdk découvert, le **MPF** (*maturation-promoting factor*). Remarquez que les pics d'activité de ce dernier concordent avec les pics de concentration de la cycline. La quantité de cycline augmente très rapidement durant les phases S et G_2 et chute brutalement pendant la mitose (M).

Le MPF est un facteur qui provoque la maturation, comme son nom l'indique. Mais il peut aussi être considéré comme un facteur qui amorce la phase M, puisqu'il déclenche cette phase au point de contrôle en G_2 **(figure 12.16b)**. Quand la cycline accumulée durant la phase G_2 s'associe avec des molécules de Cdk, le complexe MPF qui en résulte active la mitose en phosphorylant une variété de protéines. Le MPF agit de manière directe en tant que kinase et indirecte en tant qu'activateur d'autres kinases. Par exemple, il amorce la phosphorylation de diverses protéines de la lamina nucléaire (voir la figure 6.10), ce qui favorise la fragmentation de l'enveloppe nucléaire durant la prométaphase de la mitose. On croit également que le MPF contribue aux événements moléculaires qui amorcent la condensation du chromosome et la formation du fuseau de division durant la prophase.

Durant l'anaphase, le MPF s'inactive lui-même en activant un complexe enzymatique qui dégrade sa cycline. Quant à la partie Cdk du MPF, elle demeure dans la cellule sous une forme inactive, et ce, jusqu'à sa prochaine liaison avec des molécules de cycline nouvellement synthétisées (durant les phases S et G_2).

Qu'en est-il du point de contrôle de la phase G_1 ? De récentes découvertes laissent croire qu'au moins trois kinases cycline-dépendantes et plusieurs cyclines jouent un rôle à ce point de contrôle. Il semble donc que toutes les phases du cycle cellulaire soient régies par les activités cycliques de divers complexes cycline-Cdk. D'autres découvertes ont aussi montré que la fonction spécifique de ces complexes dépend en grande partie de leur localisation dans la cellule (un complexe cytoplasmique qui déclenche normalement la phase M peut être amené à provoquer la phase S s'il est injecté dans le noyau).

Les stimulus internes et externes aux points de contrôle: des messages d'arrêt et de démarrage

Les chercheurs découvrent à peine les voies de communication qui relient les kinases cycline-dépendantes aux autres molécules ainsi qu'aux événements intracellulaires et extracellulaires. Par exemple, on sait qu'en général des Cdk actives phosphorylent des substrats protéiques influant sur certaines phases du cycle cellulaire. Cependant, les scientifiques ignorent encore la fonction des Cdk dans de nombreux cas. Ils ont toutefois identifié certaines étapes des voies de communication qui transmettent l'information à la machinerie du cycle cellulaire.

On trouve un exemple de stimulus interne au point de contrôle de la phase M. L'anaphase, l'étape de la séparation des chromatides sœurs, ne débute pas avant que tous les chromosomes ne soient retenus par les fibres du fuseau de division et adéquatement alignés sur la plaque équatoriale. Des recherches ont révélé que les kinétochores qui ne sont pas encore attachés à des microtubules du fuseau envoient un signal moléculaire qui fait que les chromatides sœurs restent ensemble, ce qui retarde l'anaphase. Ce n'est que lorsque les kinétochores de tous les chromosomes sont attachés au fuseau de division que les chromatides sœurs se séparent (grâce à l'inactivation des protéines qui les retiennent ensemble). Ce mécanisme fait en sorte que les cellules filles n'ont pas de chromosomes manquants ou surnuméraires.

En procédant à des cultures de cellules animales, les biologistes ont découvert bon nombre de facteurs physicochimiques qui stimulent ou inhibent la division cellulaire. Par exemple, les cellules ne se divisent pas s'il manque un nutriment essentiel dans leur milieu de culture. (C'est comme essayer de faire fonctionner une machine à laver automatique sans avoir branché l'entrée d'eau.) Ainsi, certaines cellules mammaliennes ne se divisent que si elles sont en présence de facteurs de croissance bien précis, même quand toutes les autres conditions sont favorables. Comme nous l'avons expliqué au chapitre 11, un **facteur de croissance** est une protéine libérée par certaines cellules qui stimule la division d'autres cellules. On l'appelle facteur de croissance pour des raisons historiques, mais le terme *mitogène* désigne plus précisément une protéine qui favorise la mitose.

Le *facteur de croissance dérivé des plaquettes* (PDGF) est produit par les cellules sanguines appelées plaquettes. L'expérience illustrée à la **figure 12.17** montre que les fibroblastes (des cellules du tissu conjonctif) mis en culture ont besoin de ce facteur de

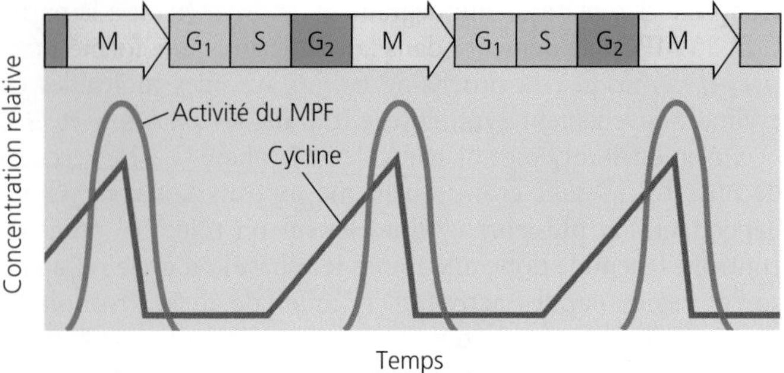

(a) Fluctuation de l'activité du MPF et de la concentration de la cycline pendant le cycle cellulaire

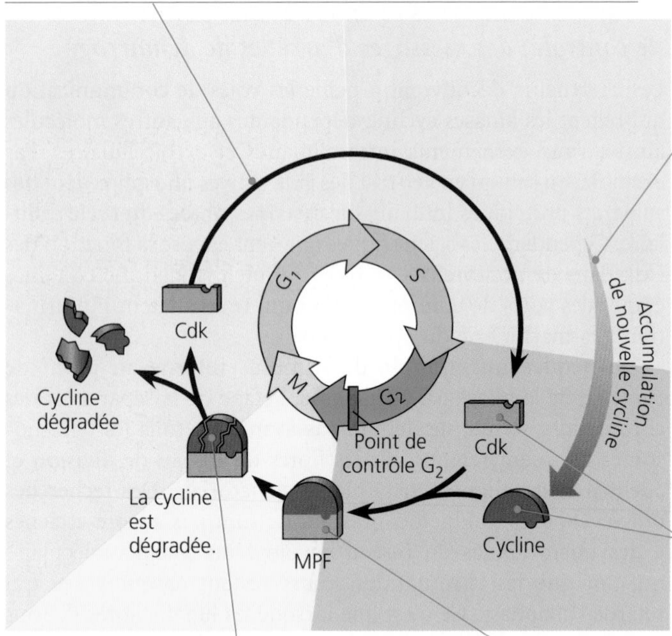

(b) Mécanismes moléculaires de régulation du cycle cellulaire

▲ **Figure 12.16 Mécanisme de régulation moléculaire du cycle cellulaire au point de contrôle de la phase G_2.** Les étapes du cycle cellulaire fluctuent en fonction des variations rythmiques de l'activité de protéines kinases cycline-dépendantes (Cdk). Dans ce schéma, nous examinons le complexe cycline-Cdk appelé MPF, dont le rôle est de déclencher la mitose au point de contrôle G_2.

croissance pour se diviser. Leur membrane plasmique possède des récepteurs à domaine tyrosine kinase (voir le chapitre 11) qui servent à cette fin. Lorsqu'elles se lient à ces récepteurs, des molécules du facteur de croissance dérivé des plaquettes activent une voie de transduction qui permet aux cellules de franchir le point de contrôle G_1 et de se diviser. Ce contrôle se réalise non seulement dans des conditions artificielles, mais aussi *in vivo*. Ainsi, les plaquettes sanguines se fragmentent et libèrent le facteur de croissance aux environs d'une lésion. La division des fibroblastes se trouve ainsi stimulée dans la région, ce qui favorise la cicatrisation. Jusqu'à présent, on a découvert, chez les Vertébrés, au moins une cinquantaine de facteurs de croissance qui peuvent déclencher la division cellulaire. On croit que divers types de cellules réagissent à un facteur de croissance spécifique ou à une combinaison de ces facteurs.

L'effet d'un facteur physique externe sur la division cellulaire est très évident dans l'**inhibition de contact**, le phénomène par lequel un entassement de cellules inhibe la division de celles-ci **(figure 12.18a)**. Il y a de nombreuses années déjà, on a remarqué que les cellules mises en culture se divisent jusqu'à former une couche simple dans le récipient où elles se trouvent. Après quoi, elles cessent de se multiplier. Cependant, si l'on en retire quelques-unes, celles qui bordent l'espace vide recommencent à se diviser, jusqu'à combler de nouveau l'espace. On a déjà cru que le contact d'une cellule avec ses cellules voisines constituait le signal pour l'arrêt de la division. Le contact physique exerce effectivement une influence, mais on sait maintenant que la quantité de facteurs de croissance et de nutriments disponible pour chaque cellule exerce une influence plus grande encore. Lorsque la population de cellules atteint une certaine densité, il semble que la quantité de facteurs de croissance et de nutriments essentiels ne suffise plus à alimenter la croissance de la population.

En outre, la plupart des cellules animales en division ont besoin d'avoir un **point d'ancrage** (voir la figure 12.18a). Elles doivent adhérer à un substrat, qu'il s'agisse de l'intérieur d'un récipient de culture ou de la matrice extracellulaire d'un tissu. Des expériences indiquent que le mécanisme de régulation du cycle cellulaire reçoit l'information de l'ancrage de la cellule grâce à des voies faisant intervenir des protéines membranaires et des éléments du cytosquelette.

Ce mécanisme de régulation de même que l'inhibition de contact se réalisent probablement dans les tissus autant que dans les cultures. Cela maintient les populations cellulaires à une densité optimale au meilleur point d'ancrage possible. Les cellules tumorales, dont nous traiterons plus loin, ne subissent pas l'inhibition de contact et n'ont plus besoin d'avoir un point d'ancrage **(figure 12.18b)**.

Les cellules tumorales échappent à la régulation du cycle cellulaire

Les cellules tumorales n'obéissent pas aux mécanismes de régulation du cycle cellulaire. Elles se divisent d'une manière excessive et anarchique, et elles envahissent d'autres tissus. Si on ne les détruit pas, elles peuvent tuer l'organisme.

L'étude de cellules tumorales en culture a révélé que les stimulus qui font normalement cesser la croissance n'ont aucun effet sur elles. Par exemple, comme vous pouvez le voir à la figure 12.18b,

Figure 12.17

Investigation Le facteur de croissance dérivé des plaquettes (PDGF) stimule-t-il la division des fibroblastes humains mis en culture ?

EXPÉRIENCE

1. On fragmente un échantillon de tissu conjonctif.

2. On utilise des enzymes pour digérer la matrice extracellulaire, ce qui permet d'obtenir une suspension de cellules (fibroblastes).

3. On transfère des fibroblastes dans des flacons de culture stériles qui contiennent le milieu de culture fondamental constitué d'un mélange complexe de glucose, d'acides aminés, de sels et d'antibiotiques (une précaution contre la croissance bactérienne). On ajoute le PDGF à la moitié des flacons. On incube à 37 °C.

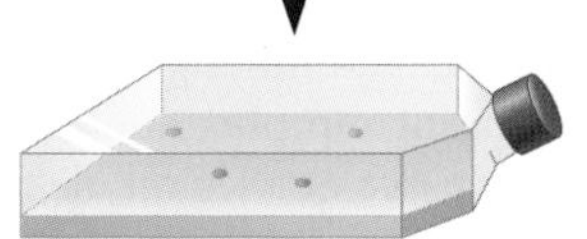

RÉSULTATS

(a) Dans un milieu de culture fondamental dépourvu de PDGF (le témoin), il n'y a pas de division cellulaire.

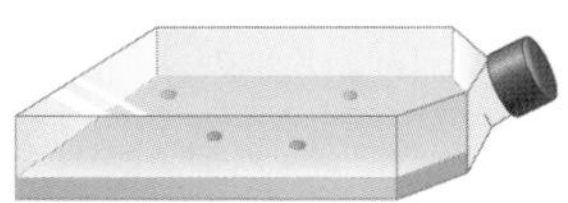

(b) Dans un milieu de culture fondamental enrichi de PDGF, les cellules se divisent. La MEB montre des fibroblastes en culture.

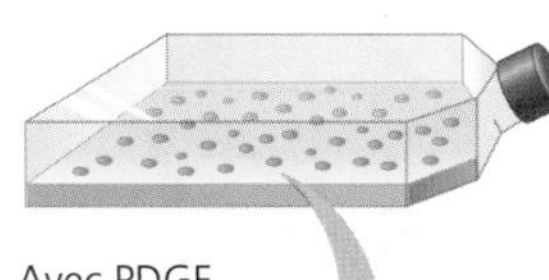

CONCLUSION Cette expérience montre que le facteur de croissance dérivé des plaquettes (PDGF) stimule la division des fibroblastes humains mis en culture.

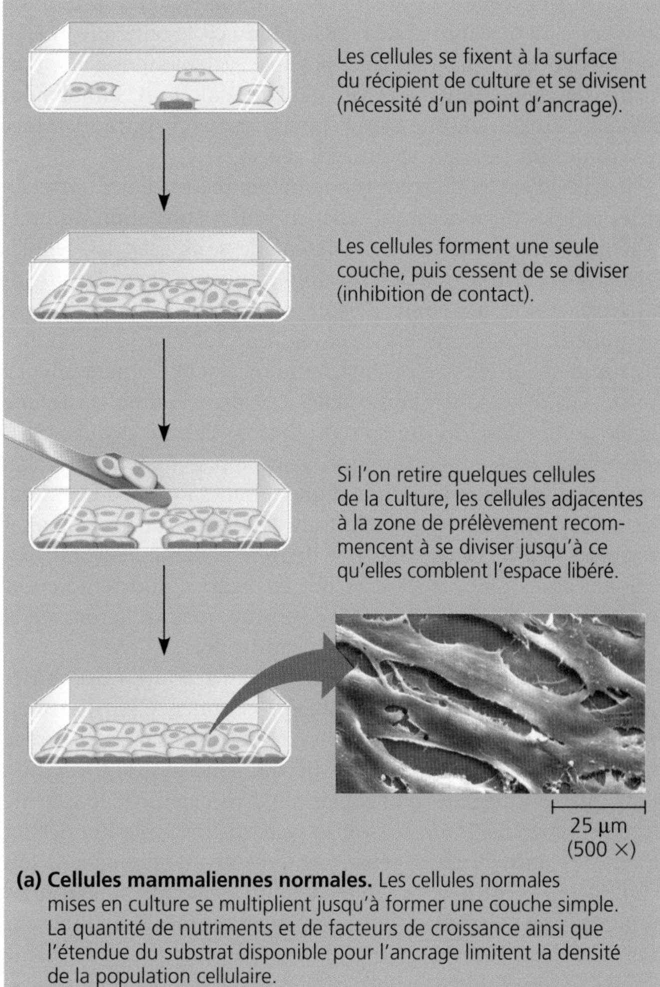

Les cellules se fixent à la surface du récipient de culture et se divisent (nécessité d'un point d'ancrage).
Les cellules forment une seule couche, puis cessent de se diviser (inhibition de contact).
Si l'on retire quelques cellules de la culture, les cellules adjacentes à la zone de prélèvement recommencent à se diviser jusqu'à ce qu'elles comblent l'espace libéré.
25 µm
(500 ×)

(a) Cellules mammaliennes normales. Les cellules normales mises en culture se multiplient jusqu'à former une couche simple. La quantité de nutriments et de facteurs de croissance ainsi que l'étendue du substrat disponible pour l'ancrage limitent la densité de la population cellulaire.

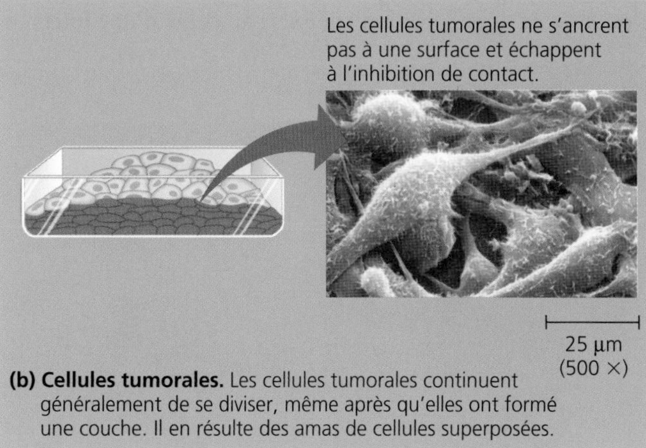

Les cellules tumorales ne s'ancrent pas à une surface et échappent à l'inhibition de contact.
25 µm
(500 ×)

(b) Cellules tumorales. Les cellules tumorales continuent généralement de se diviser, même après qu'elles ont formé une couche. Il en résulte des amas de cellules superposées.

▲ **Figure 12.18 Inhibition de contact et point d'ancrage.** La taille des cellules apparaissant dans cette figure est exagérée.

elles sont insensibles à l'inhibition de contact. Elles continuent de se multiplier, même en l'absence de facteurs de croissance. Ce comportement pourrait s'expliquer par le fait qu'elles ne requièrent pas de facteurs de croissance dans leur milieu de culture pour croître et se diviser. Il est possible qu'elles produisent elles-mêmes le facteur de croissance dont elles ont besoin ou qu'elles présentent une défaillance dans la voie de transduction, de sorte que celle-ci transmet la stimulation du facteur de croissance au mécanisme de régulation du cycle cellulaire, même en l'absence de ce facteur. Il est possible également que le mécanisme de régulation du cycle cellulaire soit tout simplement déficient. En fait, comme vous l'apprendrez au chapitre 19, toutes ces conditions peuvent aboutir au cancer.

Il existe d'autres différences notoires entre les cellules normales et les cellules tumorales qui reflètent une perturbation du cycle cellulaire. Ainsi, quand elles arrêtent de se diviser, les cellules tumorales le font de manière aléatoire, à n'importe quel moment du cycle, et non aux points de contrôle habituels. En outre, dans les milieux de culture, elles peuvent continuer à se multiplier indéfiniment si elles reçoivent continuellement des nutriments. En ce sens, elles sont «immortelles». À preuve, il en existe une lignée aux États-Unis qui se reproduit en culture depuis 1951. Les cellules issues de cette lignée sont appelées HeLa, car elles dérivent d'une tumeur retirée d'une femme nommée Henrietta Lacks. En comparaison, presque toutes les cellules mammaliennes normales «élevées» en culture se divisent pendant 20 à 50 générations; après quoi, le tissu vieillit et meurt. (Nous étudierons une des causes de ce phénomène lorsque nous traiterons de la réplication des chromosomes, au chapitre 16.)

Le comportement des cellules tumorales peut avoir des conséquences catastrophiques. Le problème commence par la **transformation** d'une première cellule, c'est-à-dire par son passage de l'état normal à l'état prolifératif, qui conduit à la formation d'une masse anormale (ou néoplasme). Normalement, le système de défense de l'organisme, soit le système immunitaire, détruit la rebelle. Mais si celle-ci réussit de quelque manière que ce soit à lui échapper, elle peut proliférer au point de former une **tumeur bénigne**, une masse de cellules transformées logées à l'intérieur d'un tissu. Les tumeurs bénignes se présentent sous une forme compacte souvent encapsulée, et elles se développent plutôt lentement. Généralement, elles ne causent pas de problèmes graves, et on peut en faire l'ablation complète au cours d'une intervention chirurgicale. Par contre, les cellules d'une **tumeur maligne** (ou néoplasme malin) constituent une masse exempte de capsule et ont une croissance très rapide. On dit d'une personne qui a une tumeur maligne qu'elle est atteinte de cancer.

La division anarchique ne constitue pas la seule anomalie des cellules des tumeurs malignes. Ces cellules peuvent également contenir un nombre inhabituel de chromosomes. Les scientifiques ne s'entendent pas encore pour dire si ce nombre anormal est une cause ou un effet de la transformation. Le métabolisme des cellules malignes peut être perturbé, de sorte que leur fonctionnement devient totalement désordonné. Leur surface présente des changements atypiques, et elles perdent ou détruisent leurs liens avec les cellules adjacentes et avec le substrat extracellulaire. Les cellules cancéreuses sécrètent également des molécules signal qui incitent les vaisseaux sanguins à croître en direction de la tumeur. Quelques cellules cancéreuses peuvent alors se séparer de la tumeur primitive, pénétrer dans les vaisseaux sanguins et lymphatiques, puis atteindre d'autres parties de l'organisme, où elles peuvent proliférer et former une nouvelle tumeur. Le nouveau foyer où prolifèrent des cellules cancéreuses, un tissu ou un organe situé à distance de la tumeur primitive, est appelé **métastase** (voir la **figure 12.19**).

On utilise la radiothérapie pour traiter une tumeur qui semble localisée. La radiothérapie endommage l'ADN des cellules cancéreuses beaucoup plus que l'ADN des cellules normales, probablement parce que les cellules cancéreuses ont perdu la capacité de réparer ce genre de dommages. Pour traiter des tumeurs ayant produit ou pouvant avoir produit des métastases, on a recours à la chimiothérapie, qui consiste à introduire dans le système circulatoire des médicaments toxiques pour les cellules en division active. Comme on pourrait s'en douter, les médicaments employés en chimiothérapie interfèrent avec certaines étapes du cycle cellulaire. Par exemple, le Taxol immobilise le fuseau de division en inhibant la dépolymérisation des microtubules, ce qui empêche les cellules en division active d'aller plus loin que la

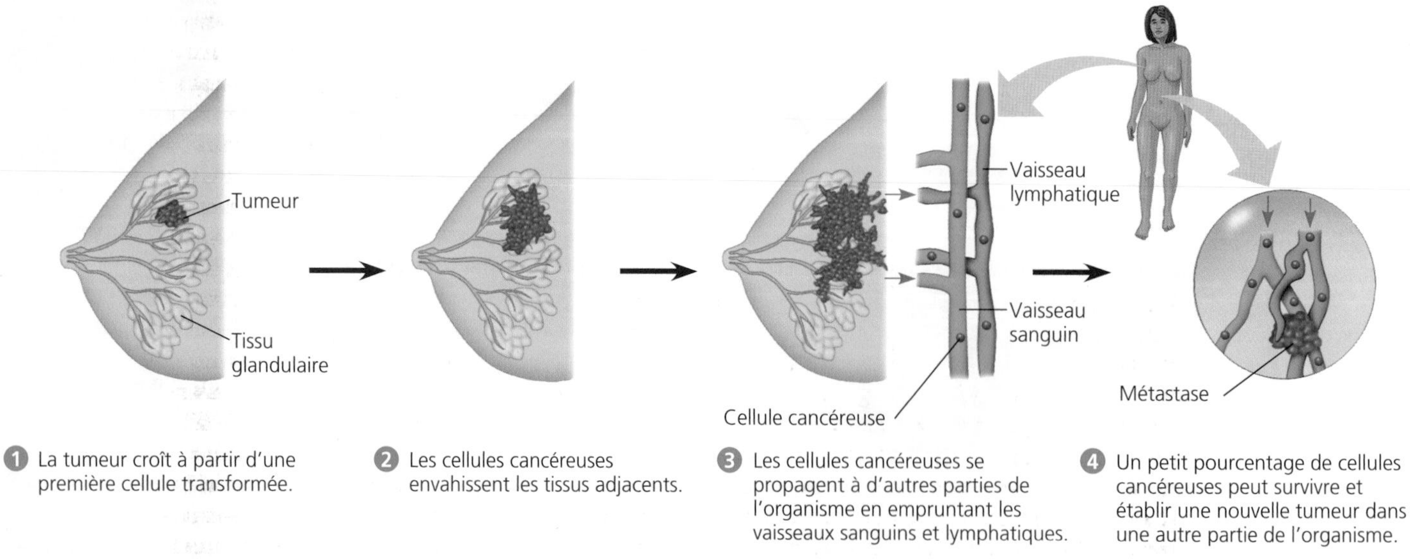

Tumeur
Tissu glandulaire
Vaisseau lymphatique
Vaisseau sanguin
Cellule cancéreuse
Métastase
1 La tumeur croît à partir d'une première cellule transformée.
2 Les cellules cancéreuses envahissent les tissus adjacents.
3 Les cellules cancéreuses se propagent à d'autres parties de l'organisme en empruntant les vaisseaux sanguins et lymphatiques.
4 Un petit pourcentage de cellules cancéreuses peut survivre et établir une nouvelle tumeur dans une autre partie de l'organisme.

▲ **Figure 12.19 Croissance et métastases d'une tumeur maligne du sein.** Les cellules d'une tumeur maligne (cancéreuse) croissent anarchiquement. Elles peuvent se propager et atteindre les tissus adjacents. Elles peuvent aussi toucher d'autres parties de l'organisme par l'intermédiaire des vaisseaux sanguins et lymphatiques. Elles forment alors ce qu'on appelle des métastases.

métaphase. Les effets secondaires sont dus aux effets des médicaments sur les cellules normales. Par exemple, la nausée est causée par les effets de la chimiothérapie sur les cellules intestinales, la perte de cheveux provient de ses effets sur les cellules des follicules pileux, et la sensibilité aux infections, de ses effets sur les cellules du système immunitaire.

Les chercheurs commencent à comprendre par quelles modifications une cellule normale se transforme en cellule cancéreuse. Vous en apprendrez davantage sur la biologie moléculaire du cancer au chapitre 19. Bien que les causes de la maladie soient diverses, le cancer se caractérise toujours par une altération des gènes influant sur le mécanisme de régulation du cycle cellulaire. Néanmoins, on sait encore peu de chose sur la façon dont les changements du génome suscitent les diverses anomalies des cellules tumorales. Comment pourrait-il en être autrement, puisque nos connaissances sur le fonctionnement normal des cellules restent fort lacunaires, malgré les découvertes innombrables dans les domaines de la cytologie, de la génétique et de la biochimie. La cellule, l'unité structurale et fonctionnelle des êtres vivants, recèle suffisamment de secrets pour occuper la recherche pendant bien des années encore.

Retour sur le concept 12.3

1. Un chercheur traite des cellules avec une substance chimique qui empêche la synthèse de l'ADN. Ce traitement immobilise les cellules dans quels stades du cycle cellulaire?
2. Dans la figure 12.13, pourquoi les noyaux provenant de l'expérience 2 contiennent-ils des quantités différentes d'ADN?
3. Quel est le signal d'autorisation qui permet à la cellule de franchir le point de contrôle G_2 et d'entrer en mitose? (Voir la figure 12.16.)
4. Qu'arriverait-il si vous faisiez l'expérience de la figure 12.17 avec des cellules cancéreuses?
5. Dans quelle phase du cycle cellulaire la plupart des cellules de votre organisme sont-elles?
6. Comparez une tumeur bénigne avec une tumeur maligne.

Voir les réponses proposées à la fin du chapitre.

Révision du chapitre 12

RÉSUMÉ DES CONCEPTS CLÉS

- Les organismes unicellulaires se reproduisent par division cellulaire. Les organismes multicellulaires dépendent de la division cellulaire pour leur développement à partir d'un œuf fécondé, pour leur croissance et pour la réparation de leurs tissus (**p. 235-236**).

Concept 12.1

La division cellulaire donne des cellules filles génétiquement identiques

- Les cellules répliquent leur matériel génétique avant de se diviser, de sorte que chaque cellule fille reçoit une copie exacte du matériel génétique, l'ADN (**p. 236**).
- **L'organisation cellulaire du matériel génétique** (**p. 236**). L'ADN est réparti entre les chromosomes. Les chromosomes des Eucaryotes se composent de chromatine, un complexe d'ADN et de protéines qui se condense pendant la mitose. Chez les Animaux, les gamètes possèdent un seul jeu de chromosomes et les cellules somatiques, deux.
- **La distribution des chromosomes durant la division cellulaire** (**p. 236-237**). En préparation à la division cellulaire, les chromosomes se répliquent et forment ainsi deux chromatides sœurs identiques. Celles-ci se séparent pendant la mitose et constituent les chromosomes des cellules filles. La division d'une cellule eucaryote inclut deux processus: la mitose (division du noyau) et la cytocinèse (division du cytoplasme).

Concept 12.2

La phase mitotique alterne avec l'interphase au cours du cycle cellulaire

- **Les phases du cycle cellulaire** (**p. 238**). Entre les divisions de la mitose, la cellule connaît une période de croissance active appelée interphase. Celle-ci est composée de trois phases: G_1, S et G_2. La réplication de l'ADN a lieu pendant la phase S (synthèse). Quant à la phase M du cycle cellulaire, elle comprend la mitose et la cytocinèse. La phase M est un enchaînement dynamique de changements, que l'on répartit traditionnellement en cinq phases: la prophase, la prométaphase, la métaphase, l'anaphase et la télophase.
- **Le fuseau de division: *une étude détaillée*** (**p. 238-239**). Le fuseau de division est un complexe de microtubules qui orchestre le mouvement des chromosomes pendant la mitose. Il commence à se former à partir du centrosome, une région située près du noyau et associée aux centrioles dans les cellules animales. Le fuseau comprend les microtubules kinétochoriens et les asters. Certains des microtubules s'attachent aux kinétochores des chromatides et déplacent les chromosomes sur la plaque équatoriale de la cellule. Pendant l'anaphase, les chromatides sœurs se séparent et deviennent des chromosomes indépendants qui se dirigent vers des pôles opposés. À mesure que les microtubules raccourcissent par leur extrémité kinétochorienne, les chromosomes avancent le long des microtubules grâce à des protéines motrices. En même temps, le glissement des microtubules polaires les uns sur les autres allonge la cellule entière dans l'axe des pôles. Pendant la télophase, des noyaux fils se forment aux extrémités opposées de la cellule en voie de division.
- **La cytocinèse: *une étude détaillée*** (**p. 239**). Dans la plupart des cas, la mitose est suivie de la cytocinèse; celle-ci comporte la formation d'un sillon de division dans les cellules animales et la formation d'une plaque cellulaire dans les cellules végétales.
- **La scissiparité** (**p. 242-244**). Au cours de la scissiparité, le chromosome bactérien se réplique et les deux chromosomes fils se séparent de manière active. Les protéines intervenant dans ce mouvement font actuellement l'objet de nombreuses recherches.
- **L'évolution de la mitose** (**p. 244**). Comme les Procaryotes ont précédé les Eucaryotes de deux milliards d'années, il est possible que la mitose ait évolué à partir de la division cellulaire bactérienne. Certains Protistes présentent des types de division cellulaire qui semblent à mi-chemin entre la scissiparité bactérienne et le processus de mitose tel qu'il se déroule dans la plupart des cellules eucaryotes.

Concept 12.3

Un mécanisme de régulation moléculaire gouverne le cycle cellulaire

- **Les stimulus cytoplasmiques (p. 245).** Les molécules présentes dans le cytoplasme régissent le déroulement du cycle cellulaire.
- **Le mécanisme de régulation du cycle cellulaire (p. 245-248).** Les modifications cycliques des protéines régulatrices font office d'horloge mitotique. Cette horloge comporte des points de contrôle auxquels le cycle cellulaire s'arrête jusqu'à la réception d'un signal d'autorisation. Les régulateurs clés sont les cyclines et les kinases cycline-dépendantes (Cdk). La culture cellulaire permet aux chercheurs d'étudier la division cellulaire sur le plan moléculaire. Les stimulus internes et les stimulus externes agissent sur des points de contrôle du cycle cellulaire par l'intermédiaire de voies de transduction. La plupart des cellules ont besoin d'un point d'ancrage pour se diviser et elles subissent une inhibition de contact qui met fin à la division.
- **Les cellules tumorales échappent à la régulation du cycle cellulaire (p. 248-251).** Les cellules tumorales échappent aux mécanismes normaux de régulation du cycle cellulaire. Elles se divisent anarchiquement et forment des tumeurs bénignes ou malignes. Les tumeurs malignes se propagent et envahissent les tissus environnants, ou encore se disséminent à distance : elles exportent des cellules cancéreuses à d'autres parties du corps par l'intermédiaire des vaisseaux sanguins ou lymphatiques. Elles forment alors ce qu'on appelle des métastases.

VÉRIFIEZ VOS CONNAISSANCES

Autoévaluation

(Les questions dont les numéros sont en caractères gras font surtout appel à la compréhension.)

1. Pendant le cycle cellulaire, l'activité de certaines protéines kinases importantes pour la régulation du cycle cellulaire augmente à cause de :
   a) la synthèse de kinases par les ribosomes.
   b) l'activation de kinases à la suite d'une liaison avec la cycline.
   c) la transformation de la cycline inactive en kinase active par phosphorylation.
   d) la dégradation des kinases inactives par des protéases cytoplasmiques.
   e) la baisse de la concentration des facteurs de croissance externes en dessous du seuil d'inhibition.

2. Vous observez au microscope la formation d'une plaque cellulaire à l'équateur d'une cellule ; vous voyez aussi des noyaux qui se reconstituent aux pôles de la cellule. Il s'agit vraisemblablement d'une :
   a) cellule animale pendant la cytocinèse.
   b) cellule végétale pendant la cytocinèse.
   c) cellule animale pendant la phase S.
   d) cellule bactérienne en voie de division.
   e) cellule végétale pendant la métaphase.

3. La vinblastine est un médicament courant utilisé en chimiothérapie contre le cancer. Elle perturbe l'assemblage des microtubules et bloque la mitose en métaphase ; son effet est vraisemblablement causé par :
   a) une altération du fuseau de division pendant sa formation.
   b) une inhibition de la phosphorylation de protéines régulatrices.
   c) une répression de la production de cycline.
   d) une dénaturation de la myosine et une inhibition de la formation du sillon de division.
   e) une inhibition de la synthèse d'ADN.

4. Une cellule qui contient deux fois moins d'ADN qu'une autre cellule en phase mitotique active se trouve en :
   a) phase G_1.
   b) phase G_2.
   c) prophase.
   d) métaphase.
   e) anaphase.

5. Laquelle des caractéristiques suivantes distingue les cellules tumorales des cellules normales ?
   a) Les cellules tumorales ne synthétisent pas d'ADN.
   b) Le cycle cellulaire des cellules tumorales est bloqué à la phase S.
   c) Les cellules tumorales continuent de se diviser même si elles sont entassées.
   d) Les cellules tumorales fonctionnent mal, parce qu'elles subissent une inhibition de contact.
   e) Les cellules tumorales sont toujours en phase M.

6. Qu'est-ce qui cause la diminution de la concentration de MPF actif à la fin de la mitose ?
   a) La dégradation de la protéine kinase (Cdk).
   b) La diminution de la synthèse de cycline.
   c) La dégradation de la cycline.
   d) La synthèse de l'ADN.
   e) L'augmentation du rapport cytoplasme/génome.

7. La cytochalasine B est un médicament qui inhibe la fonction de l'actine. Lequel des aspects suivants du cycle cellulaire la cytochalasine B perturbera-t-elle le plus ?
   a) La formation du fuseau de division.
   b) L'attachement du fuseau aux kinétochores.
   c) La synthèse d'ADN.
   d) L'allongement de la cellule durant l'anaphase.
   e) La formation d'un sillon de division.

8. Dans certains organismes, la mitose survient sans cytocinèse. Dans ce cas particulier :
   a) les cellules possèdent plus d'un noyau.
   b) les cellules sont exceptionnellement petites.
   c) les cellules ne possèdent pas de noyau.
   d) les chromosomes sont détruits.
   e) la phase S n'a pas lieu au cours du cycle cellulaire.

9. Lequel de ces événements ne se produit pas durant la mitose ?
   a) La condensation des chromosomes.
   b) La réplication de l'ADN.
   c) La séparation des chromatides sœurs.
   d) La formation du fuseau de division.
   e) La séparation des centrosomes.

10. Un des événements suivants de la division cellulaire chez les cellules eucaryotes ne se retrouve pas dans le processus de scissiparité chez les cellules bactériennes. Lequel ?
   a) Réplication de l'ADN.
   b) Formation d'un fuseau de division.
   c) Déplacement des chromosomes vers les pôles de la cellule.
   d) Allongement de la cellule.
   e) Étranglement de la membrane plasmique.

11. La micrographie photonique ci-dessous montre des cellules en voie de division, situées à l'extrémité d'une racine d'oignon (*Allium cepa*). Trouvez une cellule en interphase, une autre en prophase, une autre encore en métaphase, et enfin une en anaphase. Décrivez les principaux événements qui surviennent à chacune de ces étapes.

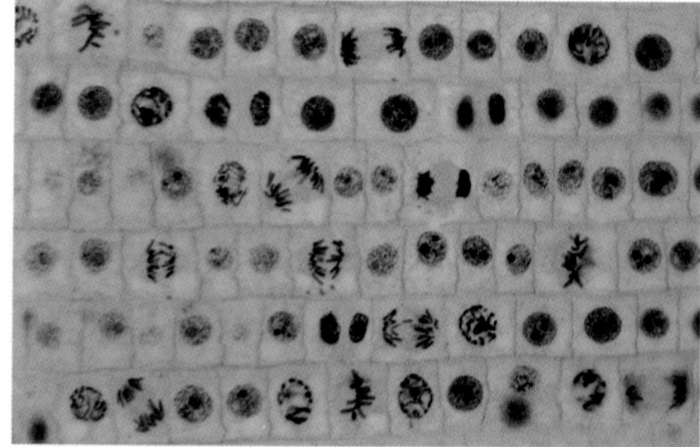

Lien avec l'évolution

La mitose a pour résultat de donner à chaque cellule fille le même nombre de chromosomes que la cellule mère. Une autre façon de maintenir le nombre de chromosomes serait de réaliser d'abord une division cellulaire, puis de répliquer les chromosomes dans chaque cellule fille. Y aurait-il des problèmes avec ce processus, ou pensez-vous qu'il organiserait le cycle cellulaire efficacement ?

Intégration

1. En vous servant des connaissances que vous avez puisées dans les chapitres 6 (*Exploration de la cellule*), 7 (*Structure et fonction des membranes*), 11 (*La communication cellulaire*) et 12, élaborez une stratégie et posez des hypothèses sur un mode d'intervention susceptible, selon vous, d'empêcher la formation de cellules tumorales ou de les éliminer.
2. Les microtubules sont polaires: ils ont une extrémité (extrémité +) qui se polymérise et se dépolymérise à une vitesse beaucoup plus élevée que l'autre extrémité (extrémité −). L'expérience illustrée à la figure 12.8 permet d'identifier les deux extrémités.
   a) À partir des résultats, identifiez l'extrémité + et expliquez votre raisonnement.
   b) Supposez maintenant que c'est l'autre extrémité qui est l'extrémité +. Quels seraient les résultats ? Faites un dessin pour les représenter.
   c) Remaniez le modèle de la conclusion de la figure 12.8 en tenant compte de votre nouvelle version des résultats.

Science, technologie et société

1. Des centaines de millions de dollars sont alloués chaque année à la recherche de traitements contre le cancer. Par contre, des sommes beaucoup plus modestes sont consacrées à la prévention de cette maladie. Pourquoi en est-il ainsi ? Comment notre style de vie pourrait-il être modifié de façon à prévenir le cancer ? Quels genres de programmes de prévention pourraient amorcer ou encourager ces changements ? Quels facteurs pourraient empêcher ces changements ou ces programmes de se mettre en branle ?
2. En août 2005, à l'Hôpital Saint-François d'Assise de Québec, on a demandé à un patient âgé de 66 ans souffrant d'insuffisance cardiaque de s'abstenir de fumer s'il voulait être soigné. De même, compte tenu du fait que le lien entre tabagisme et cancer du poumon a été très clairement établi (on attribue au tabagisme actif et passif 90 % des cas de cancer du poumon), devrait-on refuser de traiter une personne atteinte de cancer du poumon si elle continue à fumer ?

Réponses du chapitre 12

Retour sur le concept 12.1

1. 32 cellules.
2. 2.
3. 39 ; 39 ; 78 ; 39.

Retour sur le concept 12.2

1. De la fin de la phase S de l'interphase jusqu'à la fin de la métaphase de la mitose.
2. 4 ; 8.
3. La cytocinèse donne deux cellules filles génétiquement identiques tant chez les Animaux que chez les Végétaux, mais le mécanisme de division du cytoplasme n'est pas le même dans les cellules végétales et dans les cellules animales. Dans une cellule animale, la cytocinèse a lieu par segmentation, c'est-à-dire qu'un anneau contractile de filaments d'actine divise la cellule en deux. Dans une cellule végétale, une plaque se forme au milieu de la cellule et grossit jusqu'à ce que sa membrane fusionne avec la membrane plasmique de la cellule mère. Une nouvelle paroi cellulaire est également produite à partir de cette plaque, ce qui donne deux cellules filles.
4. Ils allongent la cellule durant l'anaphase.
5. *Exemple de réponse:* Chaque type de chromosome consiste en une seule molécule d'ADN à laquelle sont attachées des protéines. Si on les étirait, les molécules d'ADN seraient beaucoup plus longues que les cellules dans lesquelles elles se trouvent. Durant la division cellulaire, les deux copies de chaque type de chromosome se séparent activement, et chaque copie se retrouve dans une cellule fille.

Retour sur le concept 12.3

1. G_1.
2. Le noyau à droite était initialement dans la phase G_1 ; par conséquent, il n'avait pas encore répliqué son chromosome. Le noyau à gauche était dans la phase M, alors il avait déjà répliqué son chromosome.
3. Une quantité suffisante de MPF doit s'accumuler pour que la cellule franchisse le point de contrôle G_2.
4. Les cellules pourraient se diviser même en l'absence de PDGF, auquel cas elles ne cesseraient pas de se diviser lorsque la surface serait couverte ; elles continueraient de se diviser et s'empileraient les unes sur les autres.
5. La plupart des cellules de l'organisme ne sont pas dans le cycle cellulaire ; elles sont dans un état de non-division appelé G_0.
6. Les deux types de tumeurs contiennent des cellules anormales. Une tumeur bénigne n'envahit pas les tissus voisins et peut habituellement être enlevée par intervention chirurgicale. Les cellules cancéreuses d'une tumeur maligne prolifèrent à distance de la tumeur primitive en formant des métastases et peuvent alors perturber le fonctionnement de l'organe ou des organes touchés.

Autoévaluation

1. b ; 2. b ; 3. a ; **4.** a ; 5. c ; 6. c ; 7. e ; **8.** a ; **9.** b ; 10. b ; **11.** Voir les figures 12.6. et 12.10.

13 La méiose et les cycles de développement sexués

▲ **Figure 13.1 La famille Tardif.**

Concepts clés

13.1 **Les gènes des parents sont transmis à leurs enfants par l'intermédiaire des chromosomes**

13.2 **La méiose et la fécondation alternent dans la reproduction sexuée**

13.3 **La méiose est la réduction de moitié du nombre de jeux de chromosomes et le passage du stade diploïde au stade haploïde**

13.4 **L'évolution résulte de la variation génétique qui prend sa source dans la reproduction sexuée**

Introduction

L'hérédité entraîne ressemblances et différences

Les êtres vivants se caractérisent avant tout par leur capacité à se reproduire. Seuls les chênes blancs (*Quercus alba*) produisent des chênes blancs, et seuls les éléphants d'Asie (*Elephas maximus*) peuvent donner naissance à des éléphants d'Asie. De plus, chaque individu ressemble plus à ses propres parents qu'aux autres représentants de son espèce avec lesquels il a moins de liens de parenté. Cette transmission des caractères d'une génération à la suivante est appelée **hérédité** (du latin *heres*, « héritier »). Bien qu'elle entraîne des ressemblances, l'hérédité produit également une certaine **variation**: chaque individu est différent de ses parents et de ses frères et sœurs. Les agriculteurs ont mis à profit ce phénomène depuis des millénaires, c'est-à-dire depuis qu'on cultive des plantes et qu'on élève des animaux afin d'obtenir certains caractères recherchés. Les ressemblances et les différences génétiques entre les personnes, et même entre les membres d'une même famille **(figure 13.1)**, suscitent la curiosité depuis tout aussi longtemps. Cependant, les biologistes n'ont commencé à comprendre les mécanismes de l'hérédité et de la diversité des êtres vivants qu'avec l'avènement de la génétique, au XXe siècle.

Cette partie du manuel porte sur la **génétique**, qui est l'étude scientifique de l'hérédité et de la variation chez les individus. Nous allons aborder cette branche de la biologie aux niveaux de l'organisme, de la cellule et de la molécule. D'un point de vue plus pratique, vous verrez que la génétique moderne engendre une véritable révolution dans les domaines de la médecine et de l'agriculture, et vous aborderez certaines questions sociales ou éthiques soulevées par les possibilités de manipulation du matériel génétique qu'est l'ADN. À la fin de cette partie, nous allons également apprendre comment les généticiens élucident des questions restées sans réponse pendant des siècles, tel le mystère de la formation d'animaux et de plantes multicellulaires à partir d'une seule cellule, l'œuf fécondé. Nous verrons aussi que les méthodes et les découvertes de la génétique ouvrent la voie à des progrès dans toutes les autres branches de la biologie, que ce soit la biologie cellulaire, la physiologie, la biologie de l'évolution, l'écologie ou même l'étude du comportement.

Dans le présent chapitre, nous commencerons par étudier le mode de transmission des chromosomes des parents à leurs enfants chez les organismes qui se reproduisent par voie sexuée. Les processus de la méiose (un type particulier de division cellulaire) et de la fécondation (la fusion du spermatozoïde et de l'œuf) permettent de conserver le nombre de chromosomes de l'espèce dans la reproduction sexuée. Nous décrirons le mécanisme cellulaire de la méiose, que nous comparerons avec la mitose. Enfin, nous verrons comment la méiose et la fécondation contribuent à la variation génétique, qui apparaît évidente entre les membres de la famille Tardif (voir la figure 13.1).

Concept 13.1

Les gènes des parents sont transmis à leurs enfants par l'intermédiaire des chromosomes

Les amis de votre famille vous disent peut-être que vous avez les taches de rousseur de votre mère ou les yeux de votre père. Au sens strict, toutefois, les parents ne « donnent » pas à leur progéniture leurs taches de rousseur, leurs yeux, leurs cheveux ou d'autres traits. Alors, qu'est-ce qui est transmis?

La transmission héréditaire des gènes

Ce que les enfants héritent de leurs parents, c'est une information codée contenue dans des unités héréditaires appelées **gènes**. Les dizaines de milliers de gènes que nous recevons de notre mère et de notre père constituent notre génome. C'est ce lien génétique entre les parents et leurs rejetons qui explique la ressemblance entre les membres d'une même famille, telles la couleur des yeux ou les taches de rousseur. Ce sont les gènes qui déterminent l'apparition des caractères de chaque individu au cours de son développement, de la conception à l'âge adulte.

Les gènes sont des segments d'ADN. Aux chapitres 1 et 5, vous avez appris que l'ADN est un polymère constitué de quatre sortes de monomères appelés nucléotides. L'information héréditaire est contenue dans les séquences de nucléotides propres à chaque gène, tout comme l'information écrite est contenue dans les séquences de lettres qui forment des mots. Le langage humain est abstrait, et notre cerveau traduit les mots et les phrases en idées et en images mentales. Par exemple, l'objet que vous imaginez lorsque vous lisez le mot *pomme* ne ressemble en rien au mot lui-même. De même, les cellules traduisent les « phrases » génétiques en taches de rousseur et en d'autres caractères qui n'ont aucune ressemblance avec les gènes eux-mêmes. La plupart des gènes programment les cellules pour qu'elles synthétisent des enzymes ou d'autres protéines, dont l'effet cumulatif produit les caractères héréditaires d'un organisme donné. Cette programmation héréditaire inscrite dans l'ADN est l'un des fils conducteurs de la biologie.

Les fondements moléculaires de la transmission héréditaire résident dans la réplication exacte de l'ADN, c'est-à-dire le recopiage des gènes qui passent d'une génération à la suivante. Chez les Animaux et les Végétaux, les gènes sont transmis d'une génération à l'autre par des cellules reproductrices appelées **gamètes**. Au cours de la fécondation, les gamètes mâle et femelle (spermatozoïde et œuf) s'unissent et les gènes des deux parents sont transmis à leurs descendants.

Dans une cellule eucaryote, l'ADN est presque entièrement réparti entre plusieurs chromosomes situés dans le noyau; quelques petites quantités d'ADN sont contenues dans les mitochondries et les chloroplastes. Chaque espèce possède un nombre de chromosomes qui lui est propre. Par exemple, presque toutes les cellules humaines ont 46 chromosomes. Un chromosome est constitué d'une seule molécule d'ADN enroulée de façon complexe et associée à diverses protéines. Chaque chromosome contient plusieurs centaines ou quelques milliers de gènes, et chacun de ces gènes forme une séquence bien précise de nucléotides dans la molécule d'ADN. L'emplacement exact d'un gène sur un chromosome est appelé **locus** (pluriel: *loci*). Notre bagage génétique est l'ensemble des gènes qui se trouvent sur les chromosomes que nous ont transmis nos parents.

Comparaison entre la reproduction sexuée et la reproduction asexuée

Seuls les organismes qui se reproduisent par voie asexuée ont des descendants identiques à eux-mêmes. Dans la **reproduction asexuée**, un seul individu joue le rôle de parent et transmet une copie de tous ses gènes à chacun de ses descendants. Par exemple, les organismes eucaryotes *unicellulaires* peuvent se reproduire de façon asexuée grâce au processus de division cellulaire appelé mitose: l'ADN de la cellule d'origine est d'abord répliqué; il se répartit ensuite également entre deux cellules filles. Les génomes de ces dernières sont donc virtuellement identiques à ceux de la cellule mère (ou cellule d'origine). Certains organismes *multicellulaires* peuvent aussi se reproduire par voie asexuée. Ainsi, l'hydre, qui appartient au même embranchement que la méduse, peut se multiplier par bourgeonnement **(figure 13.2)**. Parce que les cellules d'un bourgeon résultent de mitoses qui ont eu lieu à partir de l'organisme parental, une nouvelle petite hydre (le bourgeon) est en quelque sorte un « morceau » du parent et est d'ordinaire génétiquement identique à ce dernier. De nombreux Végétaux supérieurs se reproduisent par des stolons (tiges rampantes sur le sol) ou par des rhizomes (tiges rampantes dans le sol), ce qui constitue également une forme de reproduction asexuée. Un organisme qui se reproduit par voie asexuée donne naissance à un **clone**, c'est-à-dire à un groupe d'organismes génétiquement identiques. Il arrive que des différences génétiques apparaissent chez des organismes à reproduction asexuée: elles seraient dues à des mutations, soit des modifications de l'ADN; nous en reparlerons au chapitre 17.

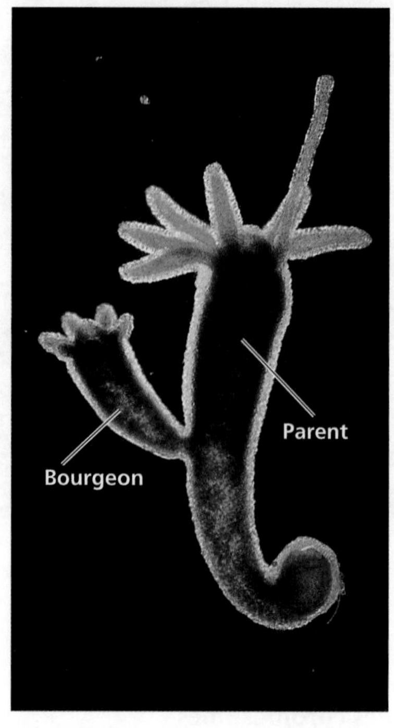

◄ **Figure 13.2 La reproduction asexuée de l'hydre.** Cet animal multicellulaire relativement simple se reproduit par bourgeonnement. Le bourgeon (masse compacte de cellules qui se divisent par mitose) se transforme en une petite hydre qui finit par se détacher du parent (MP).

Dans la **reproduction sexuée**, chaque individu reçoit une combinaison unique de gènes provenant de ses deux parents. Contrairement à ce qui arrive chez un clone, les individus nés de la reproduction sexuée sont génétiquement différents de leurs frères et sœurs et aussi de leurs parents: ce ne sont pas des répliques exactes mais des variations sur un thème commun de ressemblances familiales. La variation génétique illustrée à la figure 13.1 est l'une des conséquences principales de la reproduction sexuée. Quel est son mécanisme? Pour le découvrir, il faut examiner le comportement des chromosomes pendant le cycle de la reproduction sexuée.

Retour sur le concept 13.1

1. Comment les caractères des parents (comme la couleur des cheveux) sont-ils transmis à leurs enfants?
2. En l'absence de mutation, les organismes qui se reproduisent par voie asexuée donnent naissance à des rejetons génétiquement identiques entre eux et à leurs parents. Expliquez cette affirmation.
3. Chez les organismes qui se reproduisent par voie sexuée, quel est le degré de ressemblance entre les enfants et leurs parents? Expliquez votre réponse.

Voir les réponses proposées à la fin du chapitre.

Concept 13.2

La méiose et la fécondation alternent dans la reproduction sexuée

On appelle **cycle de développement** la suite d'étapes qui se déroulent à partir du moment où un organisme est conçu jusqu'au moment où il produit ses propres descendants – soit la suite d'étapes constituant l'histoire reproductive d'un organisme. Dans cette section, nous suivrons le comportement des chromosomes en prenant un exemple bien connu, celui du cycle de développement humain. Nous nous pencherons d'abord sur le nombre de chromosomes dans les cellules somatiques et les gamètes chez l'humain; nous verrons ensuite comment le comportement des chromosomes est apparenté au cycle de développement humain et à d'autres types de cycles de développement.

Les jeux de chromosomes dans les cellules humaines

Chez l'humain, chaque **cellule somatique** – toute cellule qui n'est pas un gamète – renferme 46 chromosomes. Pendant la mitose, les chromosomes deviennent suffisamment condensés pour être vus à l'aide d'un microscope photonique. On peut alors reconnaître les différents chromosomes parce qu'ils se distinguent par leur taille, par les positions de leurs centromères et par le motif des bandes qui apparaissent lorsqu'on leur ajoute certains colorants.

Si on regarde attentivement une micrographie des 46 chromosomes humains d'une seule cellule pendant la mitose, on constate qu'il y en a deux de chaque type. Cela devient évident lorsqu'on les regroupe par paires et par ordre décroissant de taille. La représentation ordonnée obtenue est appelée **caryotype** (**figure 13.3**). Les deux chromosomes qui forment une paire présentent la même longueur, des centromères situés au même endroit et les mêmes bandes de couleur: ce sont des **chromosomes homologues** et ils portent les gènes qui déterminent les mêmes caractères héréditaires. Par exemple, si un gène déterminant la couleur des yeux occupe un certain locus sur un chromosome donné, il y aura aussi un gène de la couleur des yeux au même locus sur le chromosome homologue.

Dans les cellules somatiques humaines, les chromosomes *X* et *Y* constituent une importante exception à la règle des chromosomes homologues. La femelle de l'espèce humaine possède une

Figure 13.3

Méthode de recherche

La préparation d'un caryotype

APPLICATION Le caryotype est une représentation de chromosomes condensés, classifiés en paires. Le caryotype permet de déceler certaines anomalies de la structure ou du nombre de chromosomes. De certaines anomalies chromosomiques découlent des affections congénitales, tel le syndrome de Down (trisomie 21).

TECHNIQUE On prépare les caryotypes à partir de cellules somatiques isolées; on traite ces dernières avec une substance qui stimule la mitose, puis on les cultive pendant plusieurs jours. On place sur une lame de microscope les cellules dont la mitose est arrêtée à la métaphase, on les colore puis on les examine à l'aide d'un microscope muni d'un appareil photo numérique. On soumet une photographie numérique des chromosomes à un ordinateur, qui regroupe les chromosomes par paires selon leur taille et leur forme.

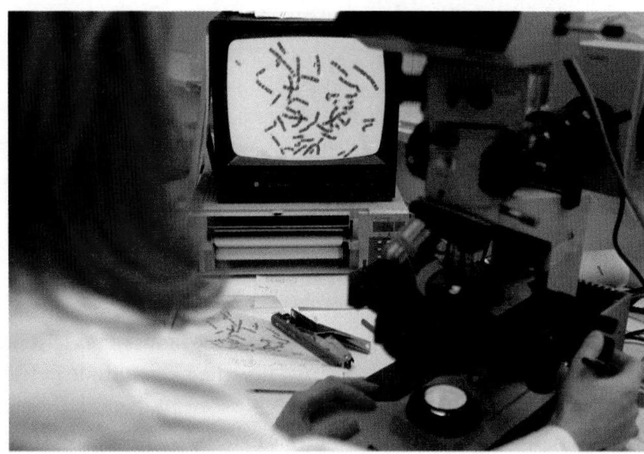

RÉSULTATS Le caryotype ci-dessous montre les chromosomes provenant d'un mâle humain normal. Les motifs de bandes colorées permettent de reconnaître les chromosomes et certaines de leurs parties. Bien que le caryotype permette difficilement de le voir, chaque chromosome à la métaphase est formé de deux chromatides sœurs étroitement liées par le centromère (voir le schéma).

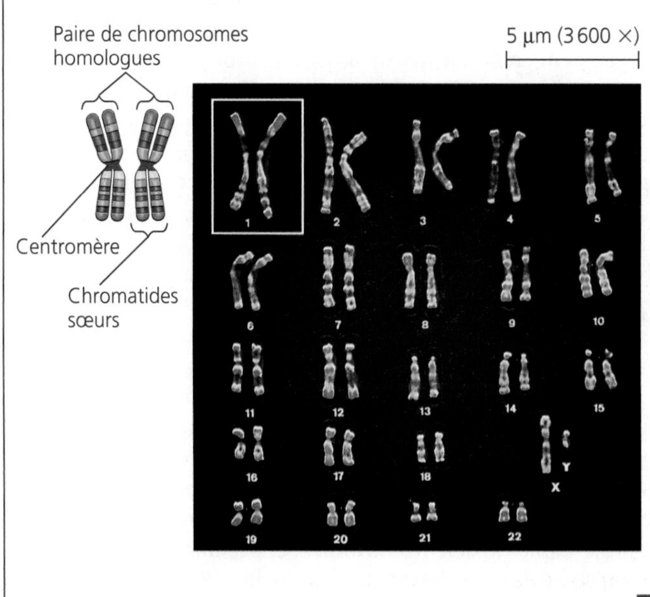

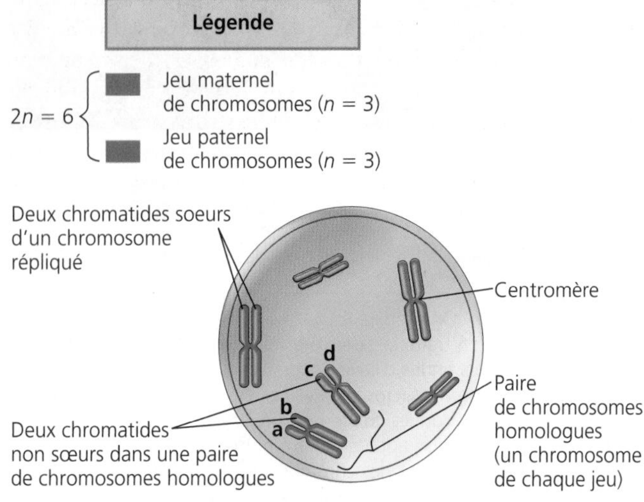

▲ **Figure 13.4 La description de chromosomes.** On voit ici une cellule de nombre diploïde 6 ($2n = 6$) à la phase G_2 de l'interphase, à la suite de la réplication des chromosomes. (Les chromosomes ont été condensés artificiellement.) Chacun des six chromosomes dédoublés se compose de deux chromatides sœurs rattachées par leur centromère. Chaque paire de chromosomes homologues est formée d'un chromosome provenant du jeu maternel (rouge) et d'un chromosome du jeu paternel (bleu). Chaque jeu est constitué de trois chromosomes. Les chromatides a et b sont des chromatides sœurs, de même que les chromatides c et d; les chromatides a et c et les chromatides a et d sont des exemples de chromatides non sœurs.

paire de chromosomes *X* homologues (*XX*), tandis que le mâle a un chromosome *X* et un chromosome *Y* (*XY*). Seules de petites portions des *X* et des *Y* sont homologues. La plupart des gènes portés par le chromosome *X* n'ont pas d'équivalent sur le chromosome *Y*. Ce dernier est de taille très réduite et porte également des gènes absents du chromosome *X*. Parce qu'ils déterminent le sexe de l'individu, les chromosomes *X* et *Y* sont appelés **chromosomes sexuels** (ou hétérochromosomes). Les autres sont appelés **autosomes**.

La présence de paires de chromosomes homologues dans chaque cellule somatique humaine découle de notre origine sexuée. Chacun de nos parents nous transmet un chromosome de chaque paire, de sorte que les 46 chromosomes de nos cellules somatiques proviennent en fait de deux jeux de 23 chromosomes, l'un venant de notre mère et l'autre, de notre père. On représente le nombre de chromosomes dans un jeu par *n*. Les cellules qui ont deux jeux de chromosomes sont des **cellules diploïdes** et le nombre diploïde est abrégé en $2n$. Chez l'humain, le nombre diploïde est de 46 ($2n = 46$), soit le nombre de chromosomes dans nos cellules somatiques. Dans une cellule, après la synthèse de l'ADN, tous les chromosomes sont répliqués et chacun est donc constitué de deux chromatides sœurs. La **figure 13.4** nous aide à clarifier les différents termes utilisés pour décrire les chromosomes répliqués dans une cellule diploïde. Étudiez cette figure afin de bien comprendre les différences entre chromosomes homologues, chromatides sœurs, chromatides non sœurs et jeux de chromosomes.

Contrairement aux cellules somatiques, les gamètes (spermatozoïdes et œufs) n'ont qu'un seul jeu de chromosomes. De telles cellules sont des **cellules haploïdes**, et chacune possède un nombre haploïde de chromosomes; ces cellules sont dites *n* (on ne met pas de «1» devant le «*n*»). Chez l'humain, le nombre haploïde est de 23 ($n = 23$), soit le nombre de chromosomes présents dans un gamète. Le jeu de 23 comprend 22 autosomes et un seul chromosome sexuel. Chez l'œuf non fécondé (aussi appelé ovule), ce chromosome sexuel est un chromosome *X*, mais chez le spermatozoïde il peut s'agir d'un chromosome *X* ou d'un chromosome *Y*.

Notez que chaque espèce à reproduction sexuée a un nombre haploïde et un nombre diploïde caractéristiques. Ces nombres peuvent être supérieurs, inférieurs ou égaux aux valeurs chez l'humain. Servons-nous maintenant des concepts d'haploïde et de diploïde pour comprendre le comportement des chromosomes au cours du cycle de développement humain.

Le comportement des jeux de chromosomes pendant le cycle de développement humain

Le cycle de développement humain commence quand un spermatozoïde haploïde venant du père fusionne avec un ovule haploïde de la mère. Cette union des gamètes, qui aboutit à la fusion des noyaux, se nomme **fécondation**. L'œuf fécondé qui en résulte, le **zygote**, est diploïde parce qu'il contient deux jeux haploïdes de chromosomes, dont les gènes représentent les lignées paternelle et maternelle. Tout au long du développement de l'être humain, du zygote jusqu'à la maturité sexuelle et l'âge adulte, la mitose génère toutes les cellules somatiques de l'organisme. Les deux jeux de chromosomes du zygote et tous leurs gènes sont transmis avec précision à nos cellules somatiques.

Les seules cellules de l'organisme humain qui *ne* sont *pas* produites par mitose sont les gamètes: ces derniers se développent dans les gonades (soit les ovaires, chez les femelles, et les testicules, chez les mâles) **(figure 13.5)**. Imaginez ce qui se passerait si les gamètes humains se formaient par mitose! Ils seraient diploïdes, comme les cellules somatiques. Il en résulterait que, à la fécondation suivante, le nombre de chromosomes doublerait, passant de 46 à 92. En fait, il doublerait à chaque génération. Cette situation hypothétique qui entraînerait une augmentation continue du nombre de chromosomes chez les organismes à reproduction sexuée est évitée grâce au processus de la **méiose**. Ce type de division cellulaire réduit de deux à un le nombre de jeux de chromosomes des gamètes, ce qui compense pour le doublement qui a lieu à la fécondation. Chez les Animaux, la méiose se déroule seulement dans les ovaires et les testicules. C'est ce qui explique que chaque spermatozoïde et chaque ovule humains sont haploïdes ($n = 23$). Au cours de la fécondation, les deux jeux haploïdes se regroupent, et le nombre de chromosomes redevient diploïde. Le cycle de développement de l'humain peut ainsi se poursuivre d'une génération à l'autre (voir la figure 13.5). Vous en apprendrez davantage sur la production de spermatozoïdes et d'ovules chez les Animaux au chapitre 46 et chez les Végétaux au chapitre 38.

D'une manière générale, on trouve les mêmes phases du cycle de développement chez de nombreux Animaux: la méiose et la fécondation caractérisent la reproduction sexuée. Elles alternent au cours du cycle de développement sexué et ont un effet opposé sur le nombre de chromosomes d'une espèce donnée, qui reste donc constant.

La diversité des cycles de développement sexués

Bien que l'alternance de la méiose et de la fécondation soit commune à tous les organismes à reproduction sexuée, le moment où elles ont lieu dans le cycle de développement diffère d'une espèce à l'autre. Ces variantes permettent de distinguer trois principaux types de cycles de développement. Dans celui qu'on observe chez l'humain et la plupart des Animaux de même que chez plusieurs Protistes, les gamètes sont les seules cellules haploïdes. La méiose se déroule lors de la formation des gamètes, qui ne se divisent plus avant la fécondation. Le zygote diploïde se divise par mitose et donne naissance à un organisme multicellulaire également diploïde **(figure 13.6a)**.

Chez les Végétaux et certaines espèces d'Algues, il existe un deuxième type de cycle de développement, appelé **alternance de générations**. Celle-ci comprend deux phases multicellulaires: l'une est diploïde et l'autre, haploïde. La phase multicellulaire diploïde se nomme **sporophyte**. Chez le sporophyte, la méiose produit des cellules haploïdes appelées **spores**. Contrairement au gamète, une spore donne naissance à un individu multicellulaire sans fusionner avec une autre cellule. Elle se divise par mitose et devient un organisme haploïde multicellulaire appelé **gamétophyte**, qui forme des gamètes par mitose. La fécondation (fusion des gamètes haploïdes) produit ensuite un zygote diploïde, qui devient le sporophyte de la génération suivante. Par conséquent, dans ce genre de cycle de développement, la génération du sporophyte engendre un gamétophyte comme descendant, et la génération du gamétophyte engendre la génération suivante du sporophyte; une des deux générations l'emporte habituellement sur l'autre sur le plan de la taille: le gamétophyte d'un érable argenté (*Acer saccharinum*), par exemple, n'est composé que de quelques cellules, alors que le sporophyte est l'arbre lui-même **(figure 13.6b)**.

Le troisième type de cycle de développement s'observe chez de nombreux Eumycètes (telles les moisissures) et quelques Protistes, y compris certaines Algues. Après la fusion des gamètes et la formation d'un zygote diploïde, la méiose a lieu sans qu'il y ait développement d'un individu diploïde. La méiose donne non pas des gamètes, mais des cellules haploïdes, qui se divisent ensuite par mitose et constituent un organisme adulte multicellulaire haploïde. Plus tard, l'organisme haploïde effectue la mitose, produisant les cellules qui se transforment en gamètes. Chez ces espèces, le zygote unicellulaire représente donc la seule phase diploïde **(figure 13.6c)**. (Notez que, selon le cycle de développement considéré, la division par mitose peut se dérouler chez les cellules haploïdes *ou* chez les cellules diploïdes, mais que seules les cellules diploïdes peuvent subir une méiose.)

Dans ces trois types de cycles de développement, la méiose et la fécondation ont lieu à des moments différents. Toutefois, le processus fondamental reste le même: à chaque cycle se produit une réduction de moitié ($2n \rightarrow n$), puis un appariement des chromosomes homologues ($n \rightarrow 2n$), ce qui crée une variation génétique dans la génération suivante. Examinons de plus près le mécanisme de la méiose pour comprendre comment cette variation s'opère.

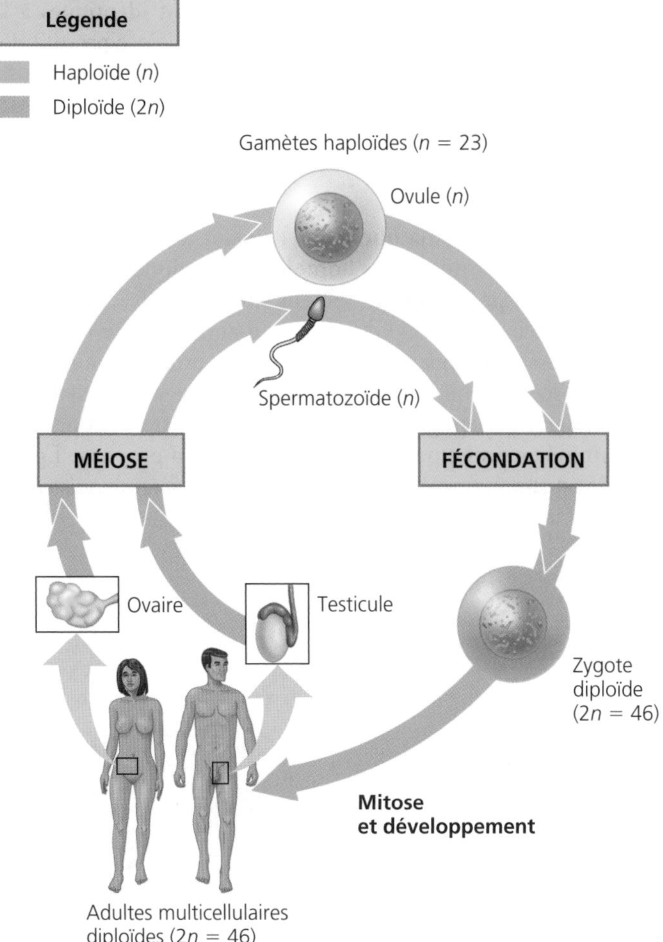

▲ **Figure 13.5 Le cycle de développement humain.** À chaque génération, la fécondation doublerait le nombre de jeux de chromosomes si la méiose ne compensait ce phénomène en réduisant de moitié le nombre de jeux lors de la formation des gamètes. Chez l'humain, chaque cellule haploïde a 23 chromosomes, soit un jeu ($n = 23$); quant au zygote diploïde et à toutes les cellules somatiques qui en sont issues (par mitose), ils en ont 46 ($2n = 46$).

Cette figure est illustrée à l'aide d'un «code de couleurs» que nous emploierons pour tous les cycles de développement présentés dans ce manuel: les flèches bleu-vert représentent les phases haploïdes et les flèches beiges, les phases diploïdes.

Retour sur le concept 13.2

1. Quelle est la différence entre le caryotype d'une femme et celui d'un homme?
2. De quelle façon l'alternance de la méiose et de la fécondation dans les cycles de développement des organismes à reproduction sexuée permet-elle le maintien du nombre de chromosomes pour chaque espèce?
3. Les spermatozoïdes du chien contiennent 39 chromosomes. Quel est le nombre haploïde et le nombre diploïde chez le chien?
4. Quel processus (la méiose ou la mitose) joue le rôle le plus direct dans la production des gamètes chez les Animaux? chez les Végétaux et la plupart des Eumycètes?

Voir les réponses proposées à la fin du chapitre.

Concept 13.3

La méiose est la réduction de moitié du nombre de jeux de chromosomes et le passage du stade diploïde au stade haploïde

Certaines étapes de la méiose ressemblent beaucoup aux étapes correspondantes de la mitose. Avant la méiose, comme avant la mitose, les chromosomes se répliquent. Dans le cas de la méiose, cependant, cette duplication est suivie de deux divisions cellulaires consécutives, appelées **méiose I** et **méiose II**, qui produisent quatre cellules filles différentes (au lieu des deux cellules filles identiques dans le cas de la mitose). Ces cellules ont chacune la moitié du nombre de chromosomes de la cellule mère.

Les phases de la méiose

La présentation générale de la méiose à la **figure 13.7** montre comment les deux chromosomes homologues d'une même paire dans une cellule diploïde sont répliqués et comment les copies sont réparties en quatre cellules filles haploïdes. Rappelez-vous que les chromatides sœurs sont deux copies d'*un même* chromosome, liées par leur centromère; ensemble, elles forment un chromosome répliqué (voir la figure 13.4). Par contre, les deux chromosomes homologues d'une même paire sont différents, parce que chacun provient d'un des parents; ils ne sont habituellement pas liés l'un à l'autre comme le sont les chromatides sœurs. Ils ont la même apparence lorsqu'on les observe au microscope, mais ils ont des versions différentes de gènes sur certains de leurs loci (par exemple, un gène pour des taches de rousseur sur un chromosome et un gène pour l'absence de taches de rousseur sur le même locus du chromosome homologue).

La **figure 13.8**, aux deux pages suivantes, montre de façon détaillée les phases des deux divisions issues de la méiose d'une cellule animale, dont le nombre diploïde est de 6. La méiose réduit de moitié le nombre total de chromosomes de façon bien spécifique, en faisant passer le nombre de jeux de deux à un; chaque cellule fille reçoit un jeu de chromosomes. Étudiez bien la figure 13.8 avant de passer à la section suivante.

Comparaison entre la mitose et la méiose

Résumons maintenant les différences essentielles entre la méiose et la mitose. La méiose réduit le nombre de jeux de chromosomes de deux (diploïde) à un (haploïde). Pendant la mitose, par contre, le nombre de chromosomes reste le même. Par conséquent, la mitose donne des cellules filles génétiquement identiques à la cellule mère et aussi entre elles, tandis que la méiose produit des cellules qui diffèrent génétiquement de la cellule mère et aussi entre elles.

La **figure 13.9** permet de comparer la mitose et la méiose. Trois événements caractérisent la méiose, et ils ont tous lieu pendant la méiose I:

1. **La synapsis et l'enjambement.** Pendant la prophase I de la méiose, les chromosomes homologues répliqués s'alignent et deviennent physiquement retenus sur toute leur longueur par une protéine en forme d'échelle qui agit telle une fermeture à glissière, le *complexe synaptonémal*; ce processus, auquel les centromères semblent aussi contribuer, est appelé **synapsis.** Le réarrangement génétique entre les chromatides non sœurs, nommé **enjambement**, se déroule durant la prophase I grâce à des structures protéiniques, les *nodules de recombinaison*, qui

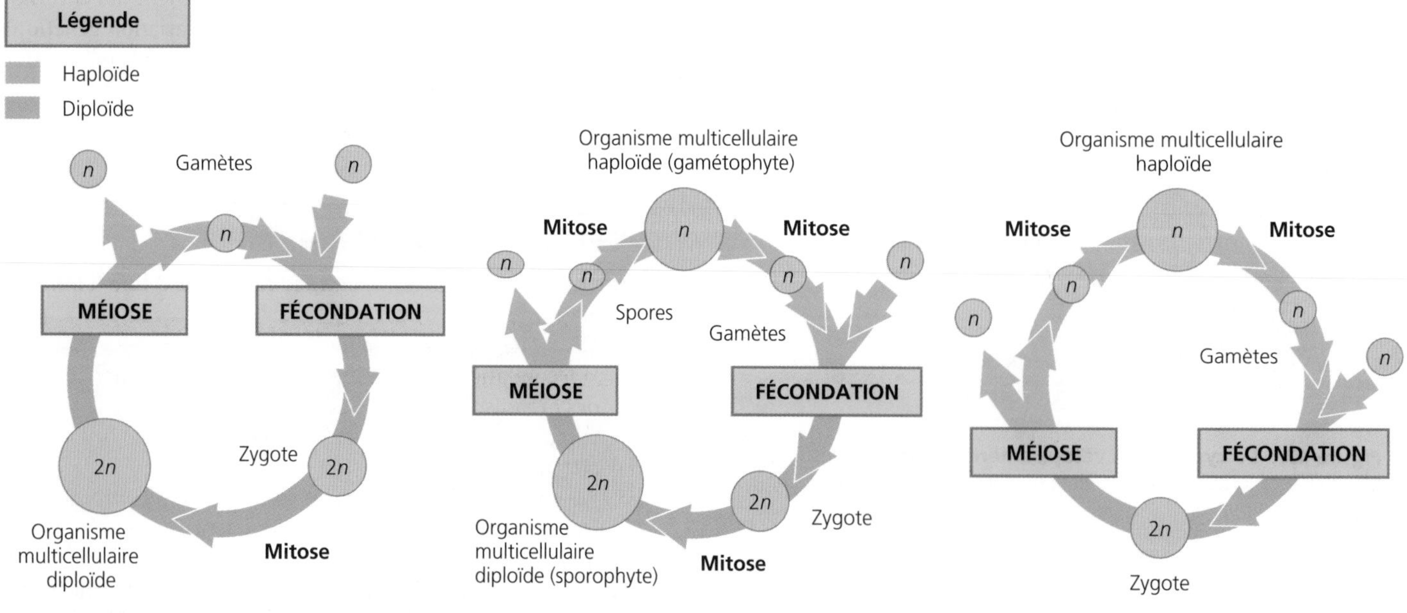

▲ **Figure 13.6 Trois types de cycles de développement sexués.** La caractéristique commune à ces trois cycles est l'alternance de la méiose et de la fécondation, qui contribuent toutes deux à la variation génétique des descendants. Mais le moment où elles ont lieu dans le cycle diffère.

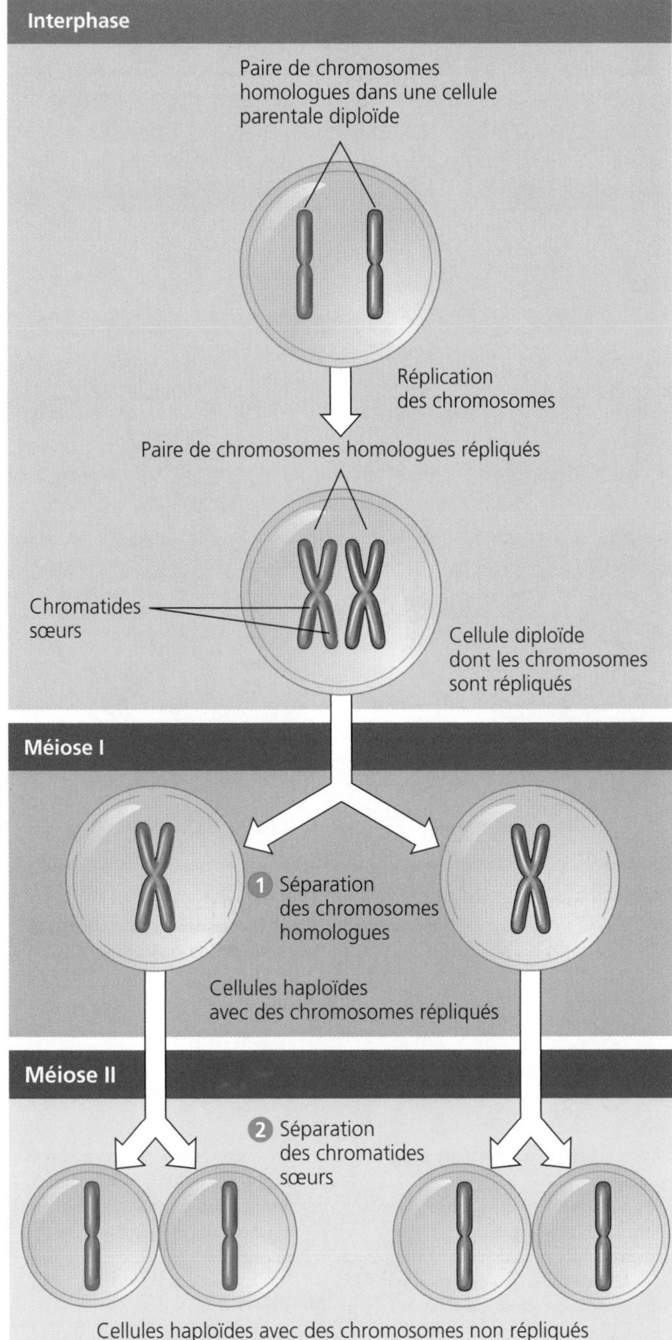

▲ **Figure 13.7 Comment la méiose réduit de moitié le nombre de chromosomes.** Après la réplication des chromosomes pendant l'interphase, la cellule diploïde se divise *deux fois*, produisant ainsi quatre cellules filles haploïdes. Cette représentation schématique montre le cheminement d'une seule paire de chromosomes homologues. Pour faciliter votre compréhension, nous les avons dessinés à l'état condensé à toutes les étapes (normalement, ils ne sont pas condensés pendant l'interphase). Le chromosome en rouge vient de la mère, le chromosome en bleu vient du père.

se forment sur le complexe synaptonémal. À la fin de la prophase I, après le désassemblage du complexe synaptonémal, les quatre chromatides d'une paire de chromosomes homologues deviennent visibles au microscope photonique sous forme de **tétrade**. Chaque tétrade contient normalement au moins une région en X appelée **chiasma** ; on estime qu'une cellule humaine en méiose I en compte en moyenne une cinquantaine. Les chiasmas sont la manifestation physique de l'enjambement. Pendant la mitose, il ne se produit normalement ni synapsis ni enjambement.

2. **Les tétrades sur la plaque équatoriale.** À la métaphase I de la méiose, ce sont les paires de chromosomes homologues (les tétrades) qui se placent sur la plaque équatoriale et non les chromosomes individuels répliqués, comme lors de la mitose.
3. **La séparation des chromosomes homologues.** À l'anaphase I de la méiose, les chromosomes répliqués de chaque paire homologue migrent vers des pôles opposés, mais les chromatides sœurs de chaque chromosome répliqué restent liées. À l'anaphase de la mitose, les chromatides sœurs se séparent.

La méiose I est appelée *division réductionnelle* parce qu'elle diminue de moitié le nombre de jeux de chromosomes par cellule, soit une réduction de deux jeux (l'état diploïde) à un jeu (l'état haploïde). Les chromatides sœurs se séparent au cours de la seconde division méiotique (méiose II) et donnent des cellules filles haploïdes. Le mécanisme de séparation des chromatides sœurs est pratiquement identique dans la méiose II et dans la mitose ; ces deux dernières divisions sont parfois nommées divisions équationnelles, car le nombre de chromosomes dans la cellule mère demeure le même dans les cellules filles.

Retour sur le concept 13.3

1. À l'aide du concept de jeux de chromosomes, expliquez brièvement comment le nombre de chromosomes est conservé pendant la mitose, alors qu'il est réduit de moitié au cours de la méiose.
2. En quoi les chromosomes dans une cellule à l'étape de la métaphase de la mitose diffèrent-ils de ceux d'une cellule à la métaphase de la méiose II ? En quoi leur ressemblent-ils ?

Voir les réponses proposées à la fin du chapitre.

Concept 13.4

L'évolution résulte de la variation génétique qui prend sa source dans la reproduction sexuée

Comment peut-on expliquer la variation génétique illustrée à la figure 13.1 ? Comme vous l'apprendrez dans des chapitres ultérieurs, les mutations constituent la source première de la diversité génétique. Ces modifications de l'ADN d'un organisme créent différentes versions des gènes. Dès que ces différences apparaissent, la redistribution des versions pendant la reproduction sexuée produit la variation qui a pour effet que chaque membre d'une espèce possède sa propre combinaison de caractères.

Figure 13.8

Panorama La division méiotique d'une cellule animale

INTERPHASE	MÉIOSE I: séparation des chromosomes homologues		
	PROPHASE I	MÉTAPHASE I	ANAPHASE I

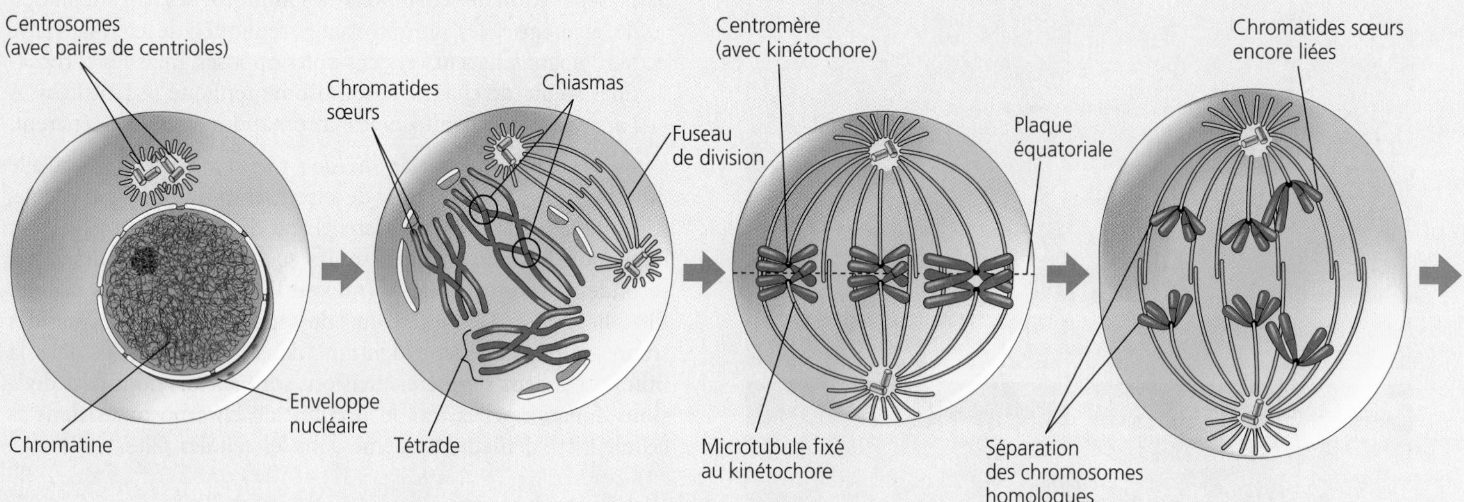

Réplication des chromosomes

Appariement des chromosomes homologues (rouges et bleus) et échange de segments entre eux ; dans cet exemple, $2n = 6$

Alignement des tétrades

Migration des paires de chromosomes homologues vers les pôles opposés

Interphase

- Les chromosomes se répliquent pendant la phase S mais demeurent non condensés.
- Chaque chromosome répliqué prend la forme de deux chromatides sœurs génétiquement identiques, liées entre elles par leur centromère.
- Le centrosome subit également une réplication et forme deux centrosomes.

Prophase I

- Cette phase, plus complexe que la prophase de la mitose, représente habituellement plus de 90 % de la durée totale de la méiose; elle peut s'étendre sur plusieurs dizaines d'années chez la femme.
- Les chromosomes commencent à se condenser.
- Les chromosomes homologues s'apparient, grossièrement d'abord, puis plus étroitement sur toute leur longueur; les gènes correspondants sont alignés face à face avec précision.
- Au cours de l'enjambement, les chromatides non sœurs se rompent à des emplacements correspondants et se recollent, échangeant ainsi une partie de leurs molécules d'ADN.
- Pendant la synapsis, une structure protéique appelée complexe synaptonémal se forme entre les chromosomes homologues; elle les maintient étroitement appariés sur toute leur longueur.
- À la fin de la prophase, le complexe synaptonémal se défait, et chaque paire de chromosomes devient visible au microscope sous forme de tétrade, soit un ensemble de quatre chromatides.
- Chaque tétrade a un ou plusieurs chiasmas, points de croisement où un enjambement a lieu; ces derniers retiennent ensemble les chromosomes homologues de chaque paire jusqu'à l'anaphase I.
- Il y a mouvement des centrosomes, formation des faisceaux de microtubules, démantèlement de l'enveloppe du noyau et disparition des nucléoles, comme pendant la mitose.
- À la fin de la prophase I (cela n'est pas illustré ici), les kinétochores de chaque chromosome homologue s'attachent aux microtubules de l'un des pôles. Les paires de chromosomes homologues migrent ensuite vers la plaque équatoriale.

Métaphase I

- Les paires de chromosomes homologues, sous forme de tétrades, sont maintenant alignées sur la plaque équatoriale, un chromosome de chaque paire faisant face à chaque pôle.
- Les deux chromatides d'un chromosome homologue sont fixées aux microtubules des kinétochores de l'un des pôles; celles de l'autre chromosome homologue sont attachées aux microtubules du pôle opposé.

Anaphase I

- Les chromosomes migrent vers les pôles, guidés par le fuseau de division.
- Les chromatides sœurs restent liées par leur centromère et se dirigent ensemble vers le même pôle.
- Les chromosomes homologues, qui sont composés chacun de deux chromatides sœurs, se dirigent vers les pôles opposés.

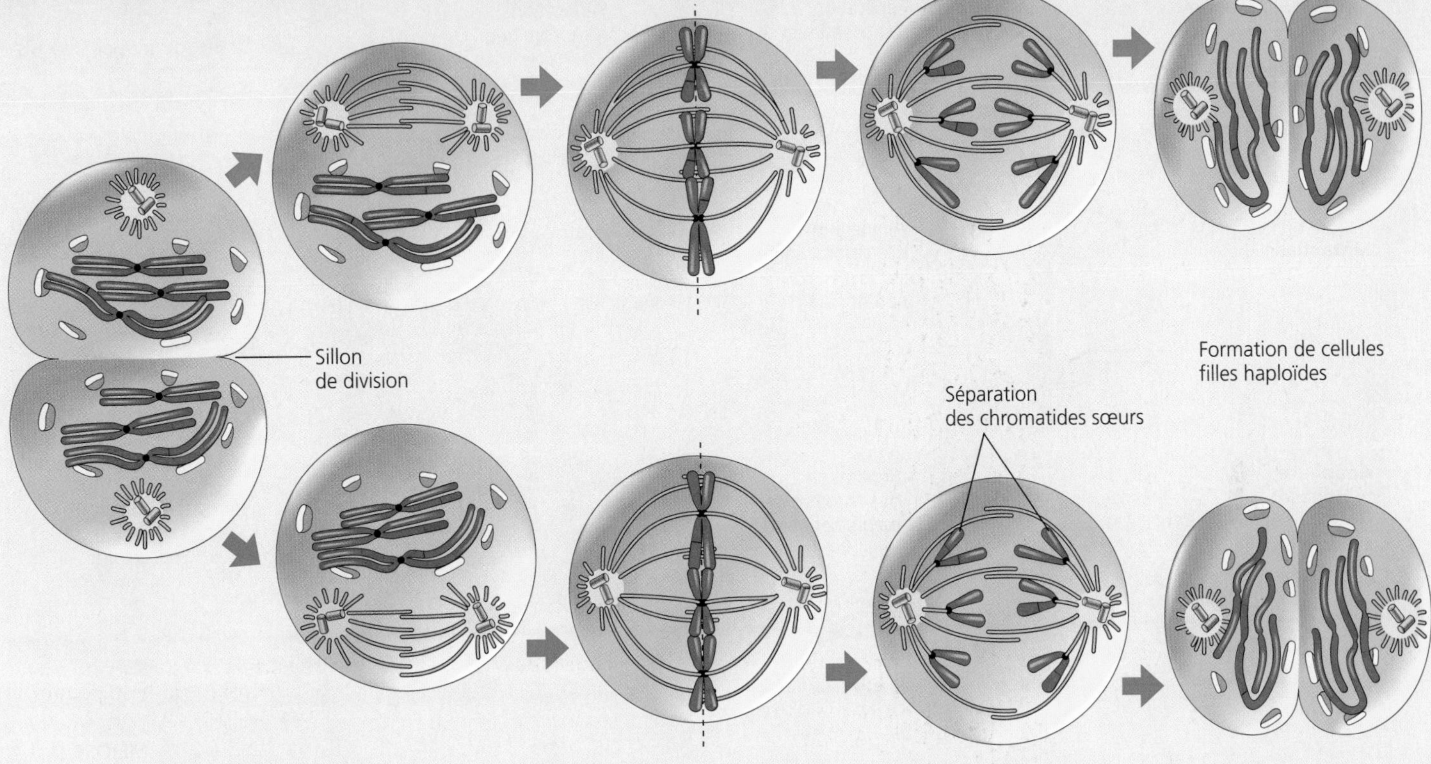

Formation de deux cellules haploïdes ; chromosomes encore dédoublés

Au cours de la seconde division cellulaire, il y a séparation des chromatides sœurs et formation de quatre cellules filles haploïdes contenant des chromosomes simples (non dédoublés).

Télophase et cytocinèse

- Au début de la télophase I, il y a un jeu haploïde complet de chromosomes dans chaque moitié de cellule, mais chacun d'eux est encore formé de deux chromatides sœurs.
- Généralement, la cytocinèse (division du cytoplasme) a lieu en même temps que la télophase I : elle aboutit à la formation de deux cellules filles haploïdes.
- Un sillon de division apparaît dans les cellules animales. (Une plaque cellulaire se constitue dans les cellules végétales.)
- Chez certaines espèces (mais pas toutes), les chromosomes sortent de leur état condensé, et les membranes nucléaires et les nucléoles se reforment.
- Entre la fin de la méiose I et le début de la méiose II, il ne se produit aucune nouvelle réplication de chromosomes, car ils sont déjà répliqués.

Prophase II

- Un nouveau fuseau de division se forme.
- À la fin de la prophase II (cela n'est pas illustré ici), les chromosomes, chacun étant toujours composé de deux chromatides, se déplacent vers la plaque équatoriale de la métaphase II.

Métaphase II

- Les chromosomes s'alignent sur la plaque équatoriale, comme pendant la mitose.
- À cause de l'enjambement pendant la méiose I, les deux chromatides sœurs de chaque chromosome *ne* sont *pas* génétiquement identiques.
- Les kinétochores des chromatides sœurs sont fixés aux microtubules qui se prolongent à partir de pôles opposés.
- Chez la femme et chez les femelles des Vertébrés en général, la cellule ne passera à la phase suivante que si un spermatozoïde entre en contact avec elle.

Anaphase II

- Les centromères de chaque chromosome se séparent enfin, et les chromatides sœurs deviennent indépendantes.
- Les chromatides sœurs de chaque chromosome, chacune étant devenue un chromosome indépendant, se dirigent maintenant vers les pôles opposés de la cellule.

Télophase II et cytocinèse

- Les noyaux se forment, les chromosomes commencent à sortir de leur état condensé, et la cytocinèse a lieu.
- La division méiotique d'une cellule mère produit quatre cellules filles qui ont chacune un jeu haploïde de chromosomes non répliqués.
- Chacune des cellules filles est génétiquement différente des autres et de la cellule mère.

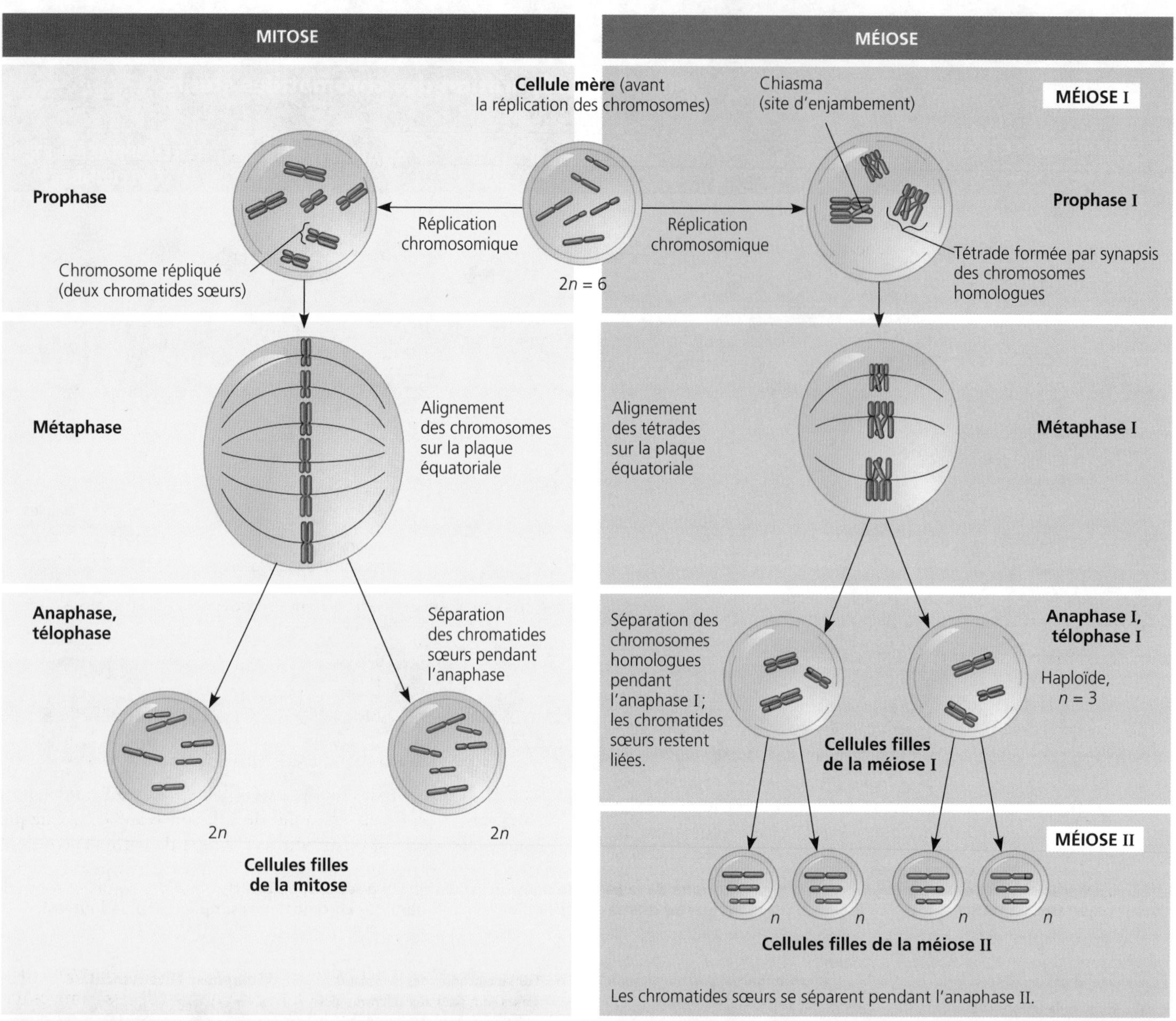

RÉSUMÉ

Propriété	Mitose	Méiose
Réplication de l'ADN	Se produit pendant l'interphase, avant le début de la mitose.	Se produit pendant l'interphase, avant le début de la méiose I.
Nombre de divisions	Une seule, comprenant une prophase, une métaphase, une anaphase et une télophase	Deux divisions, chacune comprenant une prophase, une métaphase, une anaphase et une télophase
Synapsis des chromosomes homologues	Absente	Se produit pendant la prophase I, formant des tétrades (groupes de quatre chromatides); s'accompagne d'un enjambement entre les chromatides non sœurs.
Nombre de cellules filles et composition génétique	Deux cellules diploïdes (2*n*) génétiquement identiques à la cellule mère	Quatre cellules haploïdes (*n*) qui contiennent la moitié du nombre de chromosomes de la cellule mère et qui sont génétiquement différentes les unes des autres et de la cellule mère
Rôle dans l'organisme animal	Développement d'un adulte multicellulaire à partir d'un zygote; production de cellules servant à la croissance et à la réparation des tissus	Production de gamètes; réduction du nombre de chromosomes de moitié et réalisation d'une variabilité génétique des gamètes

▲ **Figure 13.9 Comparaison des étapes correspondantes de la mitose et de la méiose.**

L'origine de la variation génétique chez les descendants

Les mutations surviennent à une fréquence beaucoup trop faible pour pouvoir constituer l'unique source de la diversité génétique. Chez les espèces à reproduction sexuée, la variation génétique qui apparaît à chaque génération résulte en majeure partie du comportement des chromosomes pendant la méiose et la fécondation. Examinons trois phénomènes qui contribuent à la diversité génétique des organismes sexués : l'assortiment indépendant des chromosomes, l'enjambement et la fécondation aléatoire.

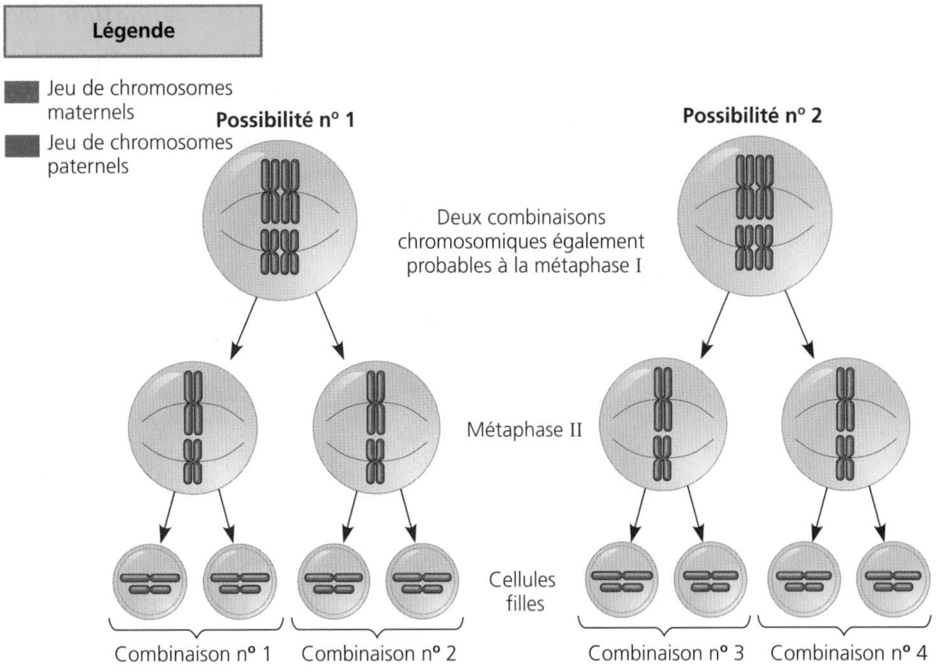

▲ **Figure 13.10 L'assortiment indépendant des chromosomes homologues à la méiose.**

L'assortiment indépendant des chromosomes

Chez les organismes à reproduction sexuée, un des mécanismes qui créent une variation génétique est l'orientation aléatoire des paires de chromosomes homologues à la métaphase de la méiose I. À la métaphase I, toutes les paires de chromosomes homologues (qui comportent chacune un chromosome maternel dédoublé et un chromosome paternel dédoublé) sont situées sur la plaque équatoriale. (Notez que les termes *maternel* et *paternel* font référence, respectivement, à la mère et au père de l'individu dont les cellules subissent la méiose.) Chaque paire peut s'orienter de telle sorte que son homologue maternel *ou* son homologue paternel se trouve le plus près d'un pôle donné : son orientation est donc aléatoire (comme si sa place était jouée à pile ou face). Il y a donc 50 % de chances qu'une cellule fille de la méiose I reçoive le chromosome maternel d'une paire de chromosomes homologues donnée, et 50 % de chances qu'elle reçoive le chromosome paternel de la même paire.

Étant donné que chaque paire de chromosomes se positionne indépendamment des autres paires lors de la métaphase I, la première division méiotique produit un *assortiment indépendant* des chromosomes maternels et paternels dans les cellules filles. Chaque cellule fille contient *une* des combinaisons possibles des chromosomes maternels et paternels. Ainsi que le montre la **figure 13.10**, dans le cas de cellules filles formées par méiose d'une cellule diploïde ayant deux paires de chromosomes homologues ($2n = 4$), le nombre de combinaisons possibles est de quatre. Notez que seulement deux des quatre combinaisons de cellules filles illustrées dans la figure pourraient provenir de la méiose d'une cellule mère diploïde donnée, car cette cellule mère aurait l'un *ou* l'autre arrangement possible de chromosomes à la métaphase I, mais *pas les deux.* Cependant, la *population* de cellules filles résultant de la méiose d'un grand nombre de cellules diploïdes contient les quatre types en nombres à peu près égaux. Pour $n = 3$, il existe huit combinaisons chromosomiques possibles pour les cellules filles. D'une manière plus générale, lorsque la méiose assortit au hasard des chromosomes, le nombre de combinaisons possibles est de 2^n, n étant le nombre haploïde de l'organisme.

Chez l'humain, le nombre haploïde (n) est de 23. Dans les gamètes, le nombre de combinaisons possibles des chromosomes maternels et paternels est donc de 2^{23}, soit 8 388 608. Chaque gamète que vous pouvez produire au cours de votre vie contient l'une des quelque huit millions de combinaisons possibles des chromosomes hérités de votre mère et de votre père.

L'enjambement

Parce que l'assortiment des chromosomes se fait de façon aléatoire pendant la méiose, chacun de nous possède des gamètes qui contiennent des combinaisons différentes des chromosomes hérités de nos deux parents. En observant la figure 13.10, vous pourriez penser que chaque chromosome pris individuellement dans un gamète a une origine exclusivement paternelle ou maternelle. En fait, cela *n'est pas* le cas parce que le mécanisme appelé enjambement produit des **chromosomes recombinés**, c'est-à-dire qui portent des gènes (ADN) provenant de chacun des deux parents **(figure 13.11)**.

L'enjambement commence très tôt au cours de la prophase I. À ce moment-là, les chromosomes homologues s'apparient sur leur longueur. Les gènes correspondants sur chaque homologue sont alignés face à face d'une manière précise. Au cours d'un enjambement, les molécules d'ADN de deux chromatides *non sœurs* (une chromatide maternelle et une chromatide paternelle d'une paire de chromosomes homologues) se rompent au même endroit et se recollent après échange ; chaque segment d'une chromatide sœur coupée se recolle sur l'autre chromatide sœur. Puisque deux segments correspondants de chromatides homologues sont échangés, ou effectuent un enjambement, il en résulte des chromosomes contenant de nouvelles combinaisons de gènes maternels et paternels (voir la figure 13.11).

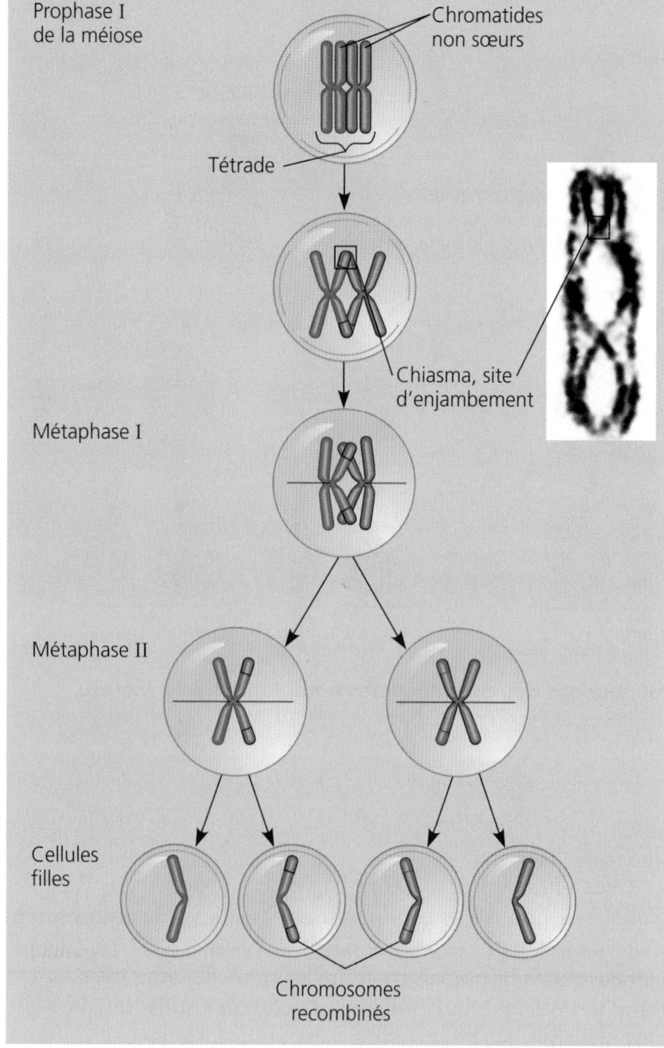

▲ **Figure 13.11 Résultats de l'enjambement pendant la méiose.**

Chez l'humain, on compte en moyenne de un à trois enjambements par paire de chromosomes, selon la taille des chromosomes et la position de leurs centromères. Des recherches récentes ont permis de montrer que, chez certaines espèces, l'enjambement peut être essentiel à la synapsis et à l'assortiment approprié des chromosomes lors de la méiose I. Cependant, la relation exacte entre l'enjambement et la synapsis n'est pas encore bien comprise, et elle semble variable selon les espèces.

À la métaphase II, les chromosomes qui contiennent chacun une ou même deux chromatides recombinées peuvent prendre deux orientations différentes de celle des autres chromosomes, parce que leurs chromatides sœurs ne sont plus identiques. Au cours de la méiose II, l'assortiment indépendant des chromatides sœurs non identiques accroît encore le nombre de types génétiques possibles dans les cellules filles issues de la méiose.

Nous parlerons de nouveau de l'enjambement au chapitre 15. Pour l'instant, il faut retenir qu'il représente un moyen de recombiner dans un même chromosome l'ADN provenant des deux parents. Il constitue donc une source importante de variation génétique chez les organismes à reproduction sexuée.

La fécondation aléatoire

La nature aléatoire de la fécondation ajoute encore à la variation génétique résultant de la méiose. Chez l'humain, par exemple, comme nous l'avons déjà mentionné, chaque gamète mâle et femelle représente une seule des quelque huit millions de combinaisons chromosomiques possibles en raison de l'assortiment indépendant durant la méiose. La fusion d'un seul gamète mâle avec un seul gamète femelle pendant la fécondation engendrera un zygote qui possédera une seule combinaison chromosomique diploïde sur environ 64 billions (8 millions × 8 millions) de combinaisons possibles ! (Si vous calculez exactement $2^{23} \times 2^{23}$, vous trouverez que le total est en réalité supérieur à 70 billions.) Si on tient compte de la variation résultant de l'enjambement, le nombre de résultats possibles est encore plus astronomique. Il n'est donc pas étonnant que frères et sœurs soient si différents ! Vous êtes vraiment un être unique, différent de tous les humains vivant actuellement sur Terre et différent même de tous ceux qui y sont déjà passés.

La signification de la variation génétique dans l'évolution

Maintenant que vous avez appris comment de nouvelles combinaisons de gènes apparaissent chez les descendants dans une population à reproduction sexuée, nous pouvons établir le lien entre la variation génétique et l'évolution. Darwin reconnaissait qu'une population évolue en fonction des différences influant sur le succès reproductif des individus qui la composent. Sur le plan strictement mathématique, la reproduction asexuée (qui n'exige pas de fécondation, donc qui ne requiert pas la participation de deux individus de sexe opposé) devrait avoir un meilleur succès reproductif que la reproduction sexuée. Ainsi, théoriquement, la reproduction asexuée devrait produire, au bout d'un même nombre de générations, beaucoup plus de descendants que la reproduction sexuée. Mais les organismes n'ont que faire de la théorie. Les rapports qu'ils entretiennent avec leur milieu sont plus importants que les seules règles mathématiques. Ainsi, en moyenne, ce sont les individus les mieux adaptés à leur milieu qui ont le plus de descendants et qui parviennent le plus à perpétuer leurs gènes. L'accumulation des variations héréditaires favorisées par le milieu est rendue possible par la sélection naturelle. Une population qui se trouve dans un milieu de vie qui change ne peut survivre que si chaque génération comprend au moins quelques individus capables de faire face aux nouvelles conditions ambiantes de façon efficace. Il arrive que des variations héréditaires récentes s'avèrent plus avantageuses que celles qui existaient auparavant. Dans ce chapitre, nous avons vu comment la reproduction sexuée contribue à la variation génétique dans une population, variation qui, en bout de ligne, provient des mutations.

Darwin (1809-1882) a compris que l'évolution est le résultat de la variation héréditaire, mais il n'a pu expliquer pourquoi les enfants ressemblent à leurs parents sans leur être identiques. Gregor Mendel (1822-1884), un contemporain de Darwin, a publié une théorie de l'hérédité expliquant partiellement la variation génétique mais, ironie du sort, ses découvertes n'ont eu aucune influence sur les biologistes avant 1900, soit plus de 15 ans après sa mort et celle de Darwin. Au prochain chapitre, nous verrons comment Mendel a découvert les principales lois de l'hérédité.

Retour sur le concept 13.4

1. Les drosophiles ont un nombre diploïde de 8 et les abeilles domestiques, un nombre diploïde de 32. En supposant qu'il n'y a pas d'enjambement, la variation génétique chez les descendants des mêmes deux parents sera-t-elle plus grande chez les drosophiles ou chez les abeilles ? Expliquez votre réponse.
2. Dans quelles circonstances l'enjambement pendant la méiose *ne* contribue *pas* à la variation génétique chez les cellules filles ?

Voir les réponses proposées à la fin du chapitre.

Révision du chapitre 13

RÉSUMÉ DES CONCEPTS CLÉS

Concept 13.1

Les gènes des parents sont transmis à leurs enfants par l'intermédiaire des chromosomes

- **La transmission héréditaire des gènes (p. 256).** Dans l'ADN d'un organisme, chaque gène occupe un locus précis sur un chromosome donné. Un jeu de chromosomes est transmis par notre mère et un jeu par notre père.
- **Comparaison entre la reproduction sexuée et la reproduction asexuée (p. 256-257).** Dans la reproduction asexuée, un seul parent engendre par mitose une descendance qui lui est génétiquement identique. Dans la reproduction sexuée, les gènes provenant de deux parents différents se combinent pour produire des descendants génétiquement différents.

Concept 13.2

La méiose et la fécondation alternent dans la reproduction sexuée

- **Les jeux de chromosomes dans les cellules humaines (p. 257-258).** Les cellules somatiques humaines normales contiennent 46 chromosomes composés de deux jeux ; un jeu de 23 chromosomes provient de chaque parent. Dans les cellules diploïdes ($2n = 46$), chacun des 22 autosomes du jeu de chromosomes maternel a un homologue dans le jeu de chromosomes paternel. Les chromosomes de la 23e paire, ou chromosomes sexuels, déterminent si la personne est de sexe féminin (*XX*) ou de sexe masculin (*XY*).
- **Le comportement des jeux de chromosomes pendant le cycle de développement humain (p. 258).** À la maturité sexuelle, les ovaires et les testicules (gonades) produisent des gamètes haploïdes par méiose, chaque gamète contenant un jeu unique de 23 chromosomes. Pendant la fécondation, un ovule et un spermatozoïde se combinent pour donner un zygote unicellulaire diploïde ($2n$), qui devient un individu multicellulaire par mitose.
- **La diversité des cycles de développement sexués (p. 258-259).** On distingue les cycles de développement sexués selon le moment où s'effectue la méiose par rapport à la fécondation. Les organismes multicellulaires sont soit diploïdes, soit haploïdes, ou peuvent alterner entre des générations diploïdes et haploïdes.

Concept 13.3

La méiose est la réduction de moitié du nombre de jeux de chromosomes et le passage du stade diploïde au stade haploïde

- **Les phases de la méiose (p. 260).** Les deux divisions cellulaires de la méiose produisent quatre cellules filles haploïdes. Le nombre de jeux de chromosomes est réduit lors du passage du stade diploïde au stade haploïde pendant la méiose I, appelée division réductionnelle.
- **Comparaison entre la mitose et la méiose (p. 260-261).** Trois événements de la méiose I permettent de distinguer la méiose de la mitose : la synapsis, qui est associée à l'enjambement ; la position des chromosomes homologues appariés (tétrades) sur la plaque équatoriale ; la migration des deux chromosomes homologues de chaque paire (et non les chromatides sœurs) vers les pôles opposés de la cellule pendant l'anaphase I. Les chromatides sœurs se séparent pendant la méiose II.

Concept 13.4

L'évolution résulte de la variation génétique qui prend sa source dans la reproduction sexuée

- **L'origine de la variation génétique chez les descendants (p. 265-266).** Dans la reproduction sexuée, les événements qui contribuent à la variation génétique d'une population sont l'assortiment indépendant des chromosomes pendant la méiose, l'enjambement pendant la méiose I et la fécondation aléatoire d'un ovule par un spermatozoïde.
- **La signification de la variation génétique dans l'évolution (p. 266-267).** La variation génétique entre les individus d'une population constitue le fondement de l'évolution par sélection naturelle. Elle est le résultat de mutations ; la production de nouvelles combinaisons de gènes variants dans la reproduction sexuée crée une diversité héréditaire additionnelle.

VÉRIFIEZ VOS CONNAISSANCES

Autoévaluation

(Les questions dont les numéros sont en caractères gras font surtout appel à la compréhension.)

1. Une cellule humaine qui contient 22 autosomes et un chromosome *Y* est:
   a) une cellule somatique mâle.
   b) un zygote.
   c) une cellule somatique femelle.
   d) un spermatozoïde.
   e) un ovule.
2. Les chromosomes homologues migrent vers les pôles opposés d'une cellule qui se divise pendant:
   a) la mitose.
   b) la méiose I.
   c) la méiose II.
   d) la fécondation.
   e) la fission binaire.
3. En quoi la méiose II ressemble-t-elle à la mitose?
   a) Les chromosomes homologues s'unissent par synapsis.
   b) L'ADN subit une réplication avant la division.
   c) Les cellules filles sont diploïdes.
   d) Les chromatides sœurs se séparent pendant l'anaphase.
   e) Le nombre de chromosomes est réduit.
4. Lequel des énoncés suivants concernant la méiose est *faux*?
   a) La seule duplication d'ADN effectuée lors de la méiose se produit à l'interphase et donne des chromosomes dont chacun est dédoublé en deux chromatides génétiquement identiques.
   b) À la métaphase de la première division de la méiose, la plaque équatoriale est constituée d'un alignement de groupes de quatre chromatides.
   c) Il y a séparation des paires de chromosomes à l'anaphase I, chaque membre de la paire se dirigeant vers des pôles opposés de la cellule.
   d) Il n'y a pas de cytocinèse entre la première et la deuxième division de la méiose.
   e) Les deux cellules filles issues de la même cellule mère à la télophase II peuvent contenir des versions de gènes différents à cause du phénomène de l'enjambement.

5. On mesure la quantité d'ADN présente dans une cellule diploïde à la phase G_1 du cycle cellulaire. Si cette quantité est de *x*, quelle est la quantité d'ADN présente dans la même cellule à la métaphase de la méiose I?
   a) 0,25*x*. b) 0,5*x*. c) *x*. d) 2*x*. e) 4*x*.

6. Si on continuait de suivre la lignée cellulaire de la question n° 5, quelle serait la quantité d'ADN présente à la métaphase de la méiose II?
   a) 0,25*x*. b) 0,5*x*. c) *x*. d) 2*x*. e) 4*x*.

7. Dans les gamètes d'un organisme dont le nombre diploïde est de 8 ($2n = 8$), combien peut-il y avoir de combinaisons possibles de chromosomes paternels et maternels?
   a) 2. d) 16.
   b) 4. e) 32.
   c) 8.

8. Chez les Végétaux, quel est le résultat immédiat de la méiose?
   a) Des spores. d) Un gamétophyte.
   b) Des gamètes. e) Un zygote.
   c) Un sporophyte.
9. Les organismes multicellulaires haploïdes:
   a) sont généralement appelés sporophytes.
   b) produisent de nouvelles cellules de croissance par méiose.
   c) produisent des gamètes par mitose.
   d) n'existent que dans le milieu aquatique.
   e) sont le résultat direct de la fécondation.
10. L'enjambement contribue à la variation génétique par l'échange de segments chromosomiques entre:
   a) les chromatides sœurs du même chromosome.
   b) les chromatides de chromosomes non homologues.
   c) les chromatides non sœurs de chromosomes homologues.
   d) les loci non homologues du génome.
   e) les autosomes et les chromosomes sexuels.

11. Si on compare les cycles de développement habituellement observés chez divers organismes, quelle est la phase qu'on observe chez les Végétaux, mais pas chez les Animaux?
   a) Le gamète.
   b) Le zygote.
   c) L'organisme multicellulaire diploïde.
   d) L'organisme multicellulaire haploïde.

12. Comment une cellule mère haploïde peut-elle produire deux cellules filles haploïdes?
   a) Par mitose seulement.
   b) Par mitose ou par méiose I.
   c) Par mitose ou par méiose II.
   d) Par méiose I seulement.
   e) Par méiose II seulement.

Lien avec l'évolution

1. De nombreuses espèces peuvent se reproduire soit par voie sexuée, soit par voie asexuée. Émettez des hypothèses relatives à l'évolution sur la signification de ce passage de la reproduction asexuée à la reproduction sexuée qui se produit chez certains organismes quand l'environnement devient défavorable.
2. Cellules haploïdes ou cellules diploïdes? Mitose ou méiose? Quel type de cellules et quel type de division cellulaire sont probablement apparus en premier? Justifiez votre réponse.

Intégration

1. Vous préparez le caryotype d'un animal et découvrez que ses cellules somatiques contiennent trois jeux de chromosomes homologues surnuméraires, état appelé triploïdie. Qu'est-ce qui a pu se produire?
2. Les 17 dessins qui suivent représentent différentes phases de la méiose pour une cellule mère chez laquelle le nombre diploïde de chromosomes est de 4 ($2n = 4$). Déterminez la phase de la méiose représentée par chaque cellule et disposez ensuite les cellules (en les redessinant) de façon à illustrer le déroulement de la méiose à partir de la cellule mère.

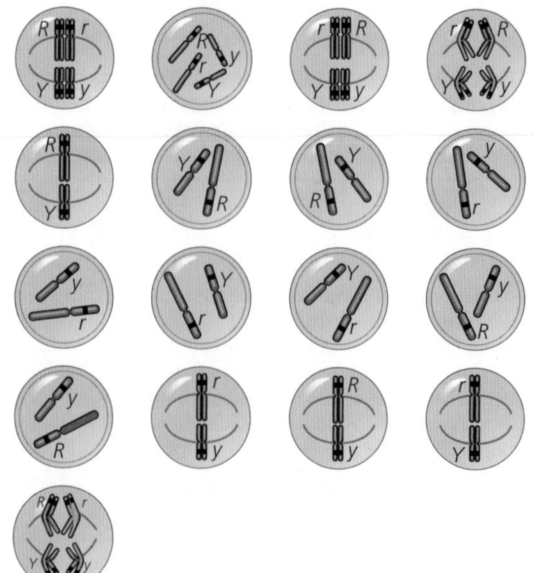

Science, technologie et société

À partir de petits morceaux d'aiguilles de pin rouge (*Pinus resinosa*) les plus droits et à la croissance la plus rapide, on peut faire pousser des milliers d'arbres génétiquement identiques et créer une forêt où la production de bois de construction sera d'excellente qualité. Quels sont les avantages et les inconvénients à court et à long terme de cette approche?

Réponses du chapitre 13

Retour sur le concept 13.1

1. Les parents transmettent à leurs enfants des gènes qui programment les cellules pour qu'elles synthétisent des enzymes spécifiques et d'autres protéines, dont l'effet cumulatif produit les caractères héréditaires d'un individu.
2. De tels organismes se reproduisent par mitose, qui donne des descendants dont les génomes sont des copies virtuellement exactes du génome des parents.
3. Les descendants ressemblent à leurs parents mais ne sont pas génétiquement identiques à eux ni à leurs frères et sœurs parce que la reproduction sexuée donne différentes combinaisons d'information génétique.

Retour sur le concept 13.2

1. La femme possède deux chromosomes *X*, alors que l'homme a un chromosome *X* et un chromosome *Y*.
2. Dans la méiose, le nombre de chromosomes est réduit lorsqu'ils passent du stade diploïde au stade haploïde; l'union de deux gamètes haploïdes dans la fécondation rétablit le nombre diploïde de chromosomes.
3. Le nombre haploïde (n) est de 39; le nombre diploïde ($2n$) est de 78.
4. La méiose joue un rôle dans la production des gamètes chez les Animaux. La mitose joue un rôle dans la production des gamètes chez les Végétaux et chez la plupart des Eumycètes (voir la figure 13.6).

Retour sur le concept 13.3

1. Dans la mitose, une simple réplication de chromosomes est suivie par une division de la cellule, de sorte que le nombre de jeux de chromosomes dans les cellules filles est le même que dans la cellule mère. Dans la méiose, une simple réplication des chromosomes est suivie par deux divisions cellulaires qui réduisent le nombre de jeux de chromosomes de deux (diploïde) à un (haploïde).
2. Les chromosomes sont semblables dans la mesure où chacun est composé de deux chromatides sœurs, et les chromosomes individuels sont placés de façon identique sur la plaque équatoriale. Les chromosomes diffèrent dans la mesure où, dans une cellule qui se divise par mitose, les chromatides sœurs de chaque chromosome sont génétiquement identiques, mais dans une cellule qui se divise par méiose, les chromatides sœurs sont génétiquement distinctes à cause de l'enjambement dans la méiose I.

Retour sur le concept 13.4

1. Même en l'absence d'enjambement, l'assortiment indépendant des chromosomes pendant la méiose I peut théoriquement générer 2^n gamètes haploïdes possibles, et la fécondation aléatoire peut produire $2^n \times 2^n$ zygotes diploïdes possibles. Étant donné que le nombre haploïde (n) des abeilles est de 16 et que celui des drosophiles est de 4, on peut s'attendre à ce que deux abeilles produisent une plus grande variété de zygotes que deux drosophiles.
2. Si les segments des chromatides maternelles et paternelles qui subissent un enjambement étaient génétiquement identiques ou si l'enjambement se produisait entre deux chromatides maternelles (ou deux chromatides paternelles), alors les chromosomes recombinés seraient génétiquement équivalents aux chromosomes parentaux. L'enjambement contribue à la variation génétique seulement quand il met en jeu le réarrangement de différentes versions de gènes.

Autoévaluation

1. d; 2. b; 3. d; 4. d; **5.** d; **6.** c; **7.** d; 8. a; 9. c; 10. c; **11.** d; 12. c.

14

Mendel et le concept de gène

▲ **Figure 14.1 Gregor Mendel travaillant sur des plants de pois.**

Concepts clés

14.1 **Mendel a découvert les deux lois de l'hérédité en utilisant l'approche scientifique**

14.2 **Les règles des probabilités régissent les lois de l'hérédité de Mendel**

14.3 **Les modèles d'hérédité sont souvent plus complexes que ceux qui sont prévus par la génétique de Mendel**

14.4 **De nombreux caractères humains suivent les modèles mendéliens de l'hérédité**

Introduction

Les gènes sont tirés au hasard comme les cartes d'un jeu

Certains individus ont les yeux bleus, d'autres ont les yeux verts, d'autres encore ont les yeux gris... Certains ont les cheveux noirs, d'autres sont bruns, d'autres encore sont blonds ou roux... Ce ne sont là que quelques exemples des variations héréditaires que l'on peut relever dans une population donnée. Quelles lois génétiques régissent la transmission de ces caractères des parents aux enfants ?

On pourrait tenter d'expliquer ce phénomène par l'hypothèse du « mélange » des caractères ; selon cette idée qui a eu cours dès l'époque d'Aristote, le matériel génétique provenant des deux parents se mêle de la même façon qu'une peinture bleue se mélange avec une peinture jaune, donnant de la peinture verte. Au fil des générations, une population qui s'accouplerait librement tendrait à devenir uniforme. Cependant, l'observation quotidienne et les résultats d'expériences effectuées sur la reproduction d'animaux contredisent cette prédiction. En outre, l'hérédité par mélange ne permet pas d'expliquer certains phénomènes génétiques, tel le fait que des caractères peuvent réapparaître après avoir sauté une génération.

À l'hypothèse du mélange on peut opposer le modèle de l'hérédité « particulaire », qui mène au concept de gène. Selon ce modèle, les parents transmettent à leurs descendants des unités héréditaires discontinues – les gènes – qui restent distinctes. Dans cette perspective, l'ensemble des gènes d'un organisme ressemble plus à un jeu de cartes ou à un seau de billes qu'à un pot de peinture. Tout comme des cartes ou des billes, les gènes peuvent être triés et transmis d'une génération à l'autre sans être dilués.

La génétique moderne est née dans le jardin d'une abbaye où un moine nommé Gregor Mendel a mis en évidence une forme d'hérédité particulaire. Sur la toile de la **figure 14.1**, on voit Mendel étudier un plant de pois, organisme sur lequel il a réalisé ses expériences. Il a élaboré sa théorie de l'hérédité plusieurs décennies avant qu'on puisse observer le comportement des chromosomes au microscope et comprendre leur rôle. Dans ce chapitre, nous délaisserons donc momentanément l'étude des chromosomes pour raconter comment Mendel a conçu sa théorie. Puis nous nous pencherons sur la prédiction de l'hérédité de certains caractères et nous examinerons des modèles plus complexes que le modèle mendélien observé chez le pois. Enfin, nous verrons en quoi le modèle de Mendel s'applique à l'hérédité des caractères humains, y compris les maladies héréditaires telles que l'anémie à hématies falciformes.

Concept 14.1

Mendel a découvert les deux lois de l'hérédité en utilisant l'approche scientifique

Mendel a découvert les principes fondamentaux de l'hérédité en faisant se reproduire des plants de pois (*Pisum sativum*). Il planifiait soigneusement les expériences qu'il effectuait. Au fur et à mesure que nous suivrons ses travaux, nous ferons ressortir les éléments clés de la démarche scientifique que nous avons exposés au chapitre 1.

L'approche expérimentale et quantitative de Mendel

Mendel a grandi dans la petite ferme de ses parents, dans une région agricole qui appartenait autrefois à l'Autriche et qui fait aujourd'hui partie de la République tchèque. À l'école, à l'instar des autres enfants, il a reçu une formation générale ainsi qu'une formation en agriculture. Plus tard, en dépit de sa santé délicate et de ses difficultés financières, il a fait des études brillantes à l'école secondaire et à l'Institut de philosophie d'Olmütz.

Mendel est entré au monastère des Augustins en 1843, à l'âge de 21 ans. Après avoir échoué à l'examen qui lui aurait permis de devenir enseignant, il poursuit ses études à l'Université de Vienne, de 1851 à 1853. Ces années se sont révélées décisives: elles ont marqué son avenir en tant que scientifique. En effet, deux de ses professeurs, Christian Doppler et Franz Unger, ont exercé une très forte influence sur Mendel. Doppler, ce physicien qui a découvert l'effet qui porte son nom, encourageait ses élèves à apprendre les sciences par l'expérimentation, et c'est lui qui a montré à Mendel comment expliquer les phénomènes naturels à l'aide des mathématiques. Quant à Unger, un botaniste, il a suscité l'intérêt de Mendel pour les causes des variations chez les plantes. Les expériences sur le pois que Mendel a entreprises plus tard reflètent ces deux influences.

Après ses études universitaires, Mendel a été nommé professeur dans une école où beaucoup de ses collègues partageaient sa passion pour la recherche scientifique. En outre, bon nombre de professeurs et de chercheurs universitaires vivaient et enseignaient dans le même monastère que lui. Fait encore plus important, la culture des plantes était de tradition au monastère. Vers 1857, Mendel commence à faire se reproduire des pois dans le jardin de l'abbaye pour étudier l'hérédité. Cela ne semble pas extraordinaire en soi; ce qui l'était, par contre, c'était l'approche tout à fait inédite qu'il a adoptée pour aborder de vieilles questions concernant l'hérédité.

Mendel a probablement choisi d'étudier les pois parce qu'il en existe de nombreuses variétés: il y en a une par exemple avec des fleurs violettes et une autre avec des fleurs blanches. Un **caractère** est une propriété héréditaire, telle la couleur des fleurs, qui varie d'un individu à l'autre.

Travailler sur le pois entraînait un autre avantage pour Mendel: il était en mesure de déterminer et de contrôler de façon absolue l'identité des plantes qu'il croisait. Il faut savoir que les organes reproducteurs du pois se trouvent dans la fleur, qui contient à la fois les organes producteurs du pollen (les étamines) et l'organe producteur d'ovules (l'ovaire du pistil). Normalement, cette plante s'autoféconde, c'est-à-dire que les grains de pollen libérés par les étamines d'une fleur tombent sur le pistil de la même fleur, grâce à la fusion de pétales (qui forment une loge enfermant étamines et pistil; cette disposition fait que les insectes ne peuvent avoir accès à ces parties de la fleur). Un gamète mâle (spermatozoïde) issu du pollen féconde alors un gamète femelle (oosphère) situé dans le carpelle du pistil (voir le glossaire). Pour effectuer une pollinisation croisée – soit une fécondation entre des plantes différentes –, Mendel retirait les étamines immatures d'une plante avant qu'elles produisent du pollen, puis il saupoudrait du pollen provenant d'une autre plante sur la fleur ainsi castrée **(figure 14.2)**. Chaque zygote obtenu de cette manière se développait pour donner un embryon enfermé dans une graine (pois). Quelle que fût la méthode qu'il choisissait (l'autofécondation ou la pollinisation croisée artificielle), Mendel était toujours sûr de connaître les parents des nouvelles semences.

Mendel a pris soin de limiter son étude de l'hérédité à des caractères discontinus, c'est-à-dire s'exprimant sous un nombre limité de formes. Par exemple, ses plantes possédaient des fleurs violettes ou des fleurs blanches: il n'existait pas d'intermédiaire entre ces deux variantes. Si, au contraire, Mendel avait examiné des caractères variant de façon continue d'un individu à l'autre – telle la masse des graines –, il n'aurait pas découvert la nature particulaire de l'hérédité (vous saurez pourquoi plus loin).

Mendel a également veillé à effectuer ses expériences à partir de variétés appartenant à des **lignées pures**, c'est-à-dire ne produisant que des descendants de la même variété après autofécondation. Par exemple, une plante à fleurs violettes provient d'une lignée pure si les graines qu'elle engendre par autofécondation donnent toutes des plantes à fleurs violettes. Mendel a cultivé ses plants sur plusieurs générations, pour vérifier leur «pureté»,

Figure 14.2

Méthode de recherche

Le croisement de plants de pois

APPLICATION En croisant deux variétés d'un organisme appartenant chacune à une lignée pure, les scientifiques peuvent étudier les modèles de l'hérédité. Dans cet exemple, Mendel croisait des plants de pois dont la couleur des fleurs variait.

TECHNIQUE

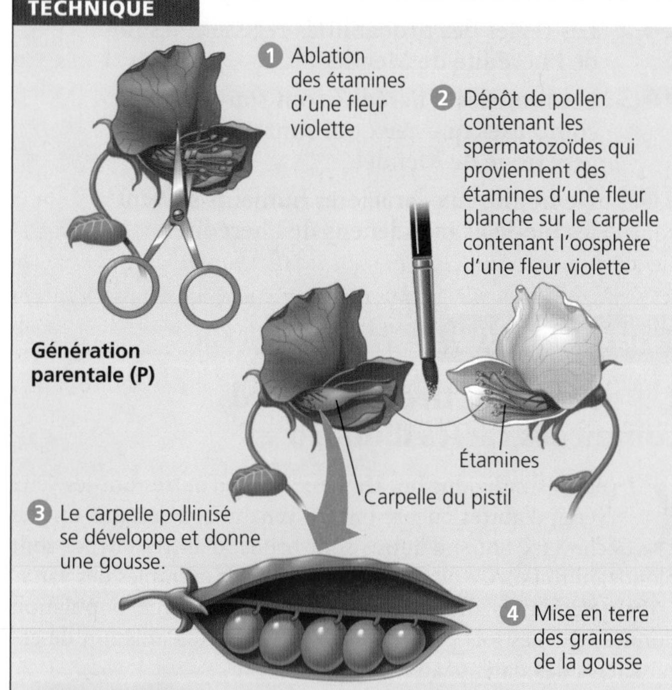
1 Ablation des étamines d'une fleur violette
2 Dépôt de pollen contenant les spermatozoïdes qui proviennent des étamines d'une fleur blanche sur le carpelle contenant l'oosphère d'une fleur violette
Génération parentale (P)
Étamines
Carpelle du pistil
3 Le carpelle pollinisé se développe et donne une gousse.
4 Mise en terre des graines de la gousse

RÉSULTATS Lorsque l'un des spermatozoïdes contenus dans le pollen d'une fleur blanche féconde l'oosphère contenue dans l'ovule d'une fleur violette, les hybrides de première génération ont tous des fleurs violettes. On obtient le même résultat si on effectue un *croisement réciproque,* c'est-à-dire si on place le pollen de fleurs violettes dans des fleurs blanches.

Première génération filiale (F_1)
5 Observation des descendants: ils possèdent tous des fleurs violettes.

avant de commencer ses croisements. Cette précaution lui a permis d'effectuer des expériences contrôlées (revoir cette notion au chapitre 1).

Enfin, le choix du pois comme matériel de travail était excellent, pour toutes sortes de raisons d'ordre pratique: entre autres, le cycle de reproduction est relativement court et les graines (voir la figure 14.2, nº 4) sont grosses, faciles à recueillir, à compter et à manipuler.

D'ordinaire, dans une expérience de croisement, Mendel effectuait une pollinisation croisée entre *deux variétés* de pois *de lignée pure* – par exemple, des plantes à fleurs violettes et des plantes à fleurs blanches – (voir la figure 14.2). Ce type de croisement est appelé **hybridation**. On nomme **génération P** (parentale) la génération des parents de lignée pure et **génération F_1** (première génération filiale), celle des hybrides qui en sont issus. En permettant l'autofécondation des hybrides F_1, on obtient une **génération F_2** (deuxième génération filiale). En général, Mendel suivait les caractères sur trois générations au moins (P, F_1 et F_2). S'il avait mis fin à ses expériences à la génération F_1, comme les autres chercheurs l'avaient fait jusque-là, le mécanisme de base de l'hérédité lui aurait échappé. C'est principalement l'analyse de la génération F_2 qui lui a permis de découvrir les deux principes fondamentaux de l'hérédité, aujourd'hui appelés loi de la ségrégation et loi de l'assortiment indépendant des caractères.

La loi de la ségrégation

Si le modèle de l'hérédité par mélange avait été exact, les hybrides de la génération F_1 issus d'un croisement entre un pois à fleurs violettes et un pois à fleurs blanches auraient eu des fleurs d'une couleur intermédiaire, soit d'un violet pâle. Notez que l'expérience de la figure 14.2 donne un résultat tout à fait différent: la génération F_1 possède des fleurs de la même couleur que le parent à fleurs violettes. Qu'est-il donc advenu de la contribution génétique du pois à fleurs blanches chez les hybrides? Si ce caractère avait été perdu, les plantes de la génération F_1 auraient uniquement produit des descendants à fleurs violettes (génération F_2). Or, lorsque Mendel laissait les plantes hybrides de la génération F_1 s'autoféconder, puis qu'il en semait les graines, le caractère des fleurs blanches réapparaissait à la génération F_2.

Précisons ici que Mendel se servait de très grands échantillons et qu'il notait minutieusement ses résultats, en comptant soigneusement le nombre d'individus dans chaque groupe de plantes (ce qui le distinguait aussi de ses prédécesseurs): ainsi, il avait obtenu dans la génération F_2 705 plantes ayant des fleurs violettes et 224 plantes ayant des fleurs blanches. Vous remarquerez qu'il y a trois plantes à fleurs violettes pour une plante à fleurs blanches **(figure 14.3)**. Mendel en a déduit que le facteur héréditaire des fleurs blanches ne disparaissait pas chez les plantes de la génération F_1, mais que la couleur des fleurs de ces hybrides dépendait uniquement de la présence du facteur des fleurs violettes. Selon la terminologie employée par Mendel, les fleurs violettes sont un caractère *dominant* et les fleurs blanches, un caractère *récessif*. L'apparition de plantes à fleurs blanches à la génération F_2 prouvait que le facteur héréditaire causant ce caractère récessif n'avait aucunement été dilué par sa coexistence avec le facteur des fleurs violettes chez les hybrides de la génération F_1.

Mendel a observé le même schéma d'hérédité dans le cas de six autres caractères du pois présentant chacun deux variations **(tableau 14.1)**. Par exemple, les graines de la génération parentale étudiée étaient soit lisses et rondes, soit ridées. Après un croisement de deux variétés de lignée pure présentant ces caractères, tous les hybrides de la génération F_1 produisaient des graines rondes; il s'agissait donc du caractère dominant. À la génération F_2, 75 % des plantes produisaient des graines rondes et 25 %, des graines ridées, ce qui correspond à la proportion de trois contre un de la figure 14.3. Voyons maintenant comment ses résultats expérimentaux ont permis à Mendel de formuler la loi de la ségrégation. Dans notre discussion, nous utiliserons des expressions modernes à la place de certains termes employés par Mendel (par exemple, nous parlerons de «gène» plutôt que de «facteur héréditaire»).

Le modèle de Mendel

Mendel a élaboré une hypothèse, ou modèle, pour expliquer la proportion de trois contre un dans le schéma de l'hérédité, qu'il

Figure 14.3

Investigation Lorsqu'on permet l'autofécondation de plants de pois à fleurs violettes de la génération F_1, quelle est la couleur des fleurs qui apparaissent à la génération F_2?

EXPÉRIENCE On effectue un croisement (désigné par le symbole 3) entre des plants de pois de lignée pure, les uns à fleurs violettes et les autres à fleurs blanches. On permet l'autofécondation des hybrides de la génération F1 qui en résultent ou une pollinisation croisée avec d'autres hybrides de cette génération. On observe la couleur des fleurs de la génération F2.

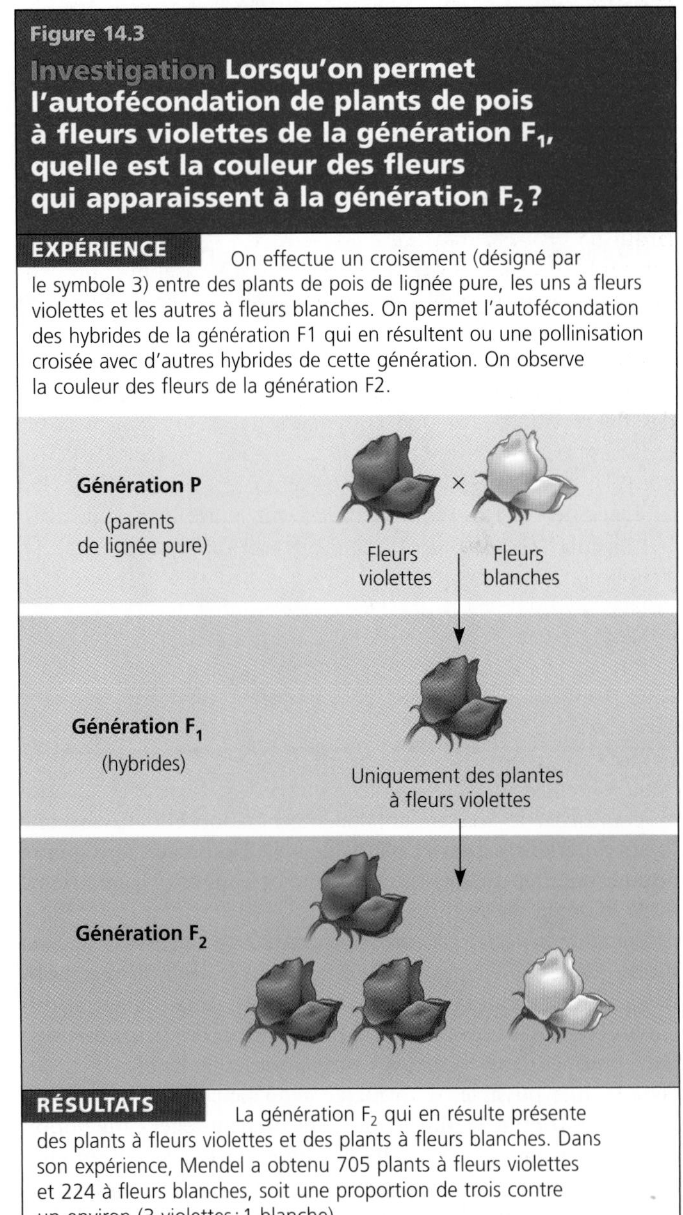

RÉSULTATS La génération F_2 qui en résulte présente des plants à fleurs violettes et des plants à fleurs blanches. Dans son expérience, Mendel a obtenu 705 plants à fleurs violettes et 224 à fleurs blanches, soit une proportion de trois contre un environ (3 violettes : 1 blanche).

Tableau 14.1 Résultats des croisements de la génération F_1 effectués par Mendel et impliquant sept caractères du pois

Caractère	Allèle dominant	×	Allèle récessif	Génération F_2 Dominants : récessifs	Proportion
Couleur des fleurs	Violette	×	Blanche	705 : 224	3,15 : 1
Position des fleurs	Axiale	×	Terminale	651 : 207	3,14 : 1
Couleur des graines	Jaune	×	Verte	6022 : 2001	3,01 : 1
Forme des graines	Ronde	×	Ridée	5474 : 1850	2,96 : 1
Forme des gousses	Gonflée	×	Moniliforme	882 : 299	2,95 : 1
Couleur des gousses	Verte	×	Jaune	428 : 152	2,82 : 1
Longueur de la tige	Longue	×	Naine	787 : 277	2,84 : 1

observait chez les descendants de la génération F_2 dans chacune de ses expériences avec les plants de pois. Nous décrivons quatre notions interdépendantes qui constituent le modèle ; la quatrième est la loi de la ségrégation.

Premièrement : *les variations des caractères génétiques s'expliquent par les formes différentes que les gènes peuvent avoir.* Par exemple, il existe deux formes (ou, plus précisément, deux séquences différentes de nucléotides) du gène de la couleur des fleurs du pois : l'une pour les fleurs violettes, l'autre pour les fleurs blanches. Ces deux formes possibles d'un même gène sont maintenant appelées **allèles (figure 14.4)**. De nos jours, on peut relier cette notion aux chromosomes et à l'ADN. Comme vous l'avez vu au chapitre 13, chaque gène occupe un locus précis sur un chromosome donné. Cependant, la séquence des nucléotides de l'ADN qui est située sur ce locus présente parfois certaines variations ; par conséquent, l'information qu'elle représente se trouve modifiée. Les allèles de la couleur violette et de la couleur blanche des fleurs sont deux variantes possibles de l'ADN situé sur le locus du gène de la couleur des fleurs sur l'un des chromosomes du pois.

Deuxièmement : *tout organisme hérite de deux allèles (semblables ou différents) de chaque caractère, soit un du « père » et l'autre de la « mère ».* Ce qui est remarquable, c'est que Mendel a tiré cette conclusion sans connaître le rôle des chromosomes. Il faut se rappeler (voir le chapitre 13) que toute cellule somatique d'un organisme diploïde possède deux jeux de chromosomes et que chaque membre d'un jeu provient de l'un des parents. Dès lors, dans une cellule diploïde, à chaque locus sont situés deux allèles. Les deux allèles présents sur un locus particulier peuvent être identiques, comme dans le cas des plantes de lignée pure de la génération P de Mendel. Ou bien ils peuvent être différents, comme chez les hybrides de la génération F_1 (voir la figure 14.4).

Troisièmement : *si les deux allèles d'un locus sont différents, l'un d'eux, l'**allèle dominant**, détermine l'apparence de l'organisme, alors que l'autre, l'**allèle récessif**, n'a pas d'effet notable sur cette dernière.* Ainsi, les plantes de la génération F_1 de Mendel présentent des fleurs violettes parce que l'allèle correspondant à cette variation est dominant et que l'allèle de la couleur blanche des fleurs est récessif.

La quatrième et dernière partie du modèle de Mendel porte le nom de **loi mendélienne de la ségrégation**. Elle stipule qu'*il y a ségrégation des deux allèles de chaque caractère héréditaire au cours de la formation des gamètes et qu'ils se retrouvent dans des gamètes différents.* Par conséquent, en ce qui a trait à un gène donné, le gamète mâle et le gamète femelle d'un organisme reçoivent chacun un seul des deux allèles présents dans les cellules somatiques. Cette ségrégation correspond à la réduction du nombre de chromosomes pendant la méiose (rappelez-vous que les chromosomes homologues se séparent à l'anaphase de la première division de la méiose ; au besoin, revoir la figure 13.7). Notez que, si un organisme possède deux allèles identiques d'un caractère donné – s'il est de lignée pure en ce qui a trait à ce caractère –, cet allèle se trouvera dans tous les gamètes qu'il produira. Mais s'il a deux allèles différents du caractère en question, comme dans le cas des hybrides F_1, alors 50 % de ses gamètes recevront l'allèle dominant et 50 %, l'allèle récessif.

L'hypothèse de la ségrégation formulée par Mendel permet-elle d'expliquer la proportion de 3 : 1 observée à la génération F_2 de ses nombreux croisements ? Pour le caractère déterminant la couleur des fleurs, le modèle prévoit que, au moment de la séparation des deux allèles différents présents dans la génération F_1

d'un individu, la moitié des gamètes devraient recevoir un allèle de la couleur violette des fleurs et l'autre moitié, un allèle de la couleur blanche des fleurs. Puis, pendant l'autofécondation, les gamètes de chaque catégorie devraient s'unir au hasard. Un gamète femelle possédant l'allèle de la couleur violette des fleurs – tout comme un gamète femelle possédant celui de la couleur blanche des fleurs – a autant de chances d'être fécondé par un gamète mâle ayant l'allèle de la couleur violette des fleurs que par un gamète mâle ayant l'allèle de la couleur blanche des fleurs. Lorsqu'ils s'unissent, les gamètes mâle et femelle forment un zygote qui contient une combinaison d'allèles parmi quatre combinaisons, toutes aussi possibles les unes que les autres. Nous avons représenté ces combinaisons à la **figure 14.5** à l'aide d'une **grille de Punnett**, tableau qui permet de prédire facilement la constitution allélique (ou génotype) de la génération issue de croisements génétiques entre individus de génotype connu. Notez que les lettres majuscules désignent les allèles dominants et les lettres minuscules, les allèles récessifs. Dans cet exemple, V est l'allèle de la couleur violette des fleurs et v, celui de la couleur blanche des fleurs.

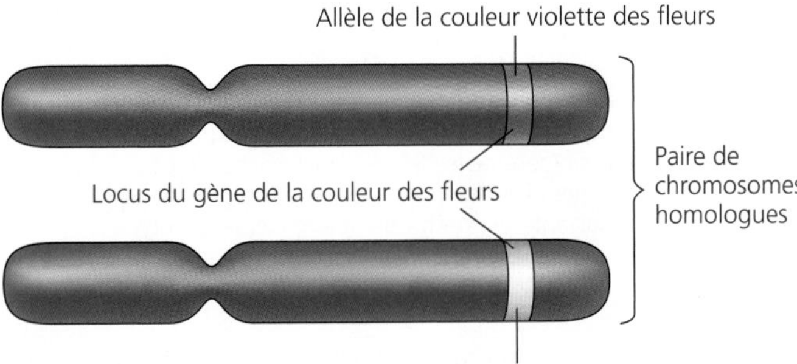

▲ **Figure 14.4 Les allèles, formes différentes d'un gène.** Une cellule somatique possède deux copies de chaque chromosome (formant une paire homologue) et, par conséquent, deux allèles de chaque gène, qui peuvent être identiques ou différents. Cette figure représente un hybride de la génération F_1 du pois avec l'allèle des fleurs violettes qu'il a reçu de l'un de ses parents et l'allèle des fleurs blanches reçu de l'autre de ses parents.

Quelle sera la couleur des fleurs chez les plantes de la génération F_2? Un quart d'entre elles possédera deux allèles correspondant à des fleurs violettes (*VV*) et, de toute évidence, aura des fleurs violettes. La moitié aura hérité d'un allèle de la couleur violette et d'un allèle de la couleur blanche (le génotype sera donc *Vv*), et aura des fleurs violettes, à l'instar des plantes de la génération F_1 (l'allèle de la couleur violette étant dominant). Enfin, un quart aura hérité de deux allèles de la couleur blanche des fleurs (*vv*) et exprimera ce caractère récessif. Le modèle de Mendel explique donc exactement la proportion de 3:1 observée à la génération F_2.

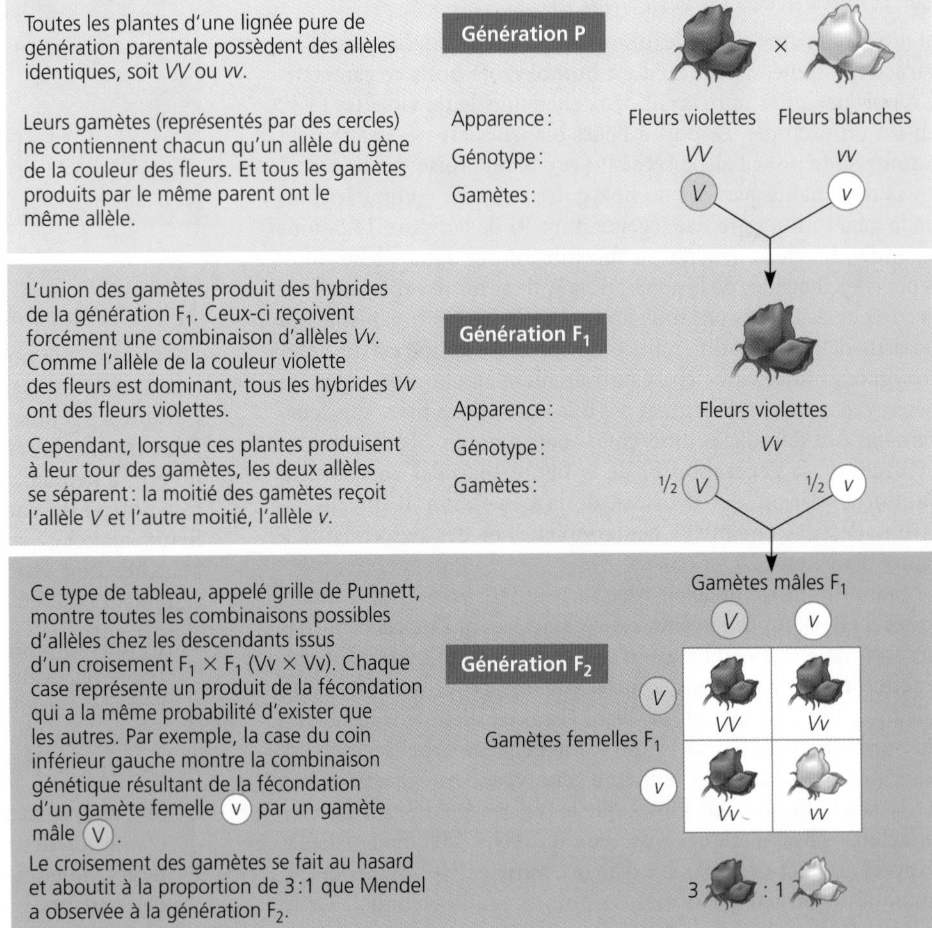

Toutes les plantes d'une lignée pure de génération parentale possèdent des allèles identiques, soit VV ou vv.
Génération P
×
Leurs gamètes (représentés par des cercles) ne contiennent chacun qu'un allèle du gène de la couleur des fleurs. Et tous les gamètes produits par le même parent ont le même allèle.
Apparence : Fleurs violettes Fleurs blanches
Génotype : VV vv
Gamètes : V v
L'union des gamètes produit des hybrides de la génération F1. Ceux-ci reçoivent forcément une combinaison d'allèles Vv. Comme l'allèle de la couleur violette des fleurs est dominant, tous les hybrides Vv ont des fleurs violettes.
Génération F1
Apparence : Fleurs violettes
Génotype : Vv
Cependant, lorsque ces plantes produisent à leur tour des gamètes, les deux allèles se séparent : la moitié des gamètes reçoit l'allèle V et l'autre moitié, l'allèle v.
Gamètes : 1/2 V 1/2 v
Ce type de tableau, appelé grille de Punnett, montre toutes les combinaisons possibles d'allèles chez les descendants issus d'un croisement F1 × F1 (Vv × Vv). Chaque case représente un produit de la fécondation qui a la même probabilité d'exister que les autres. Par exemple, la case du coin inférieur gauche montre la combinaison génétique résultant de la fécondation d'un gamète femelle v par un gamète mâle V.
Le croisement des gamètes se fait au hasard et aboutit à la proportion de 3:1 que Mendel a observée à la génération F2.
Génération F2
Gamètes mâles F1
V v
Gamètes femelles F1
V VV Vv
v Vv vv
3 : 1

▶ **Figure 14.5 La loi mendélienne de la ségrégation.** Ce diagramme présente le génotype des générations de la figure 14.3. Il montre le modèle de l'hérédité des allèles d'un même gène selon Mendel. Chaque plante a deux allèles du gène de la couleur des fleurs : l'un provient du « père » et l'autre, de la « mère ». Pour élaborer une grille de Punnett, on dresse la liste de tous les gamètes femelles possibles le long d'un côté du carré et de tous les gamètes mâles possibles le long du côté adjacent. Les cases représentent les descendants résultant de toutes les unions possibles des gamètes mâles et femelles.

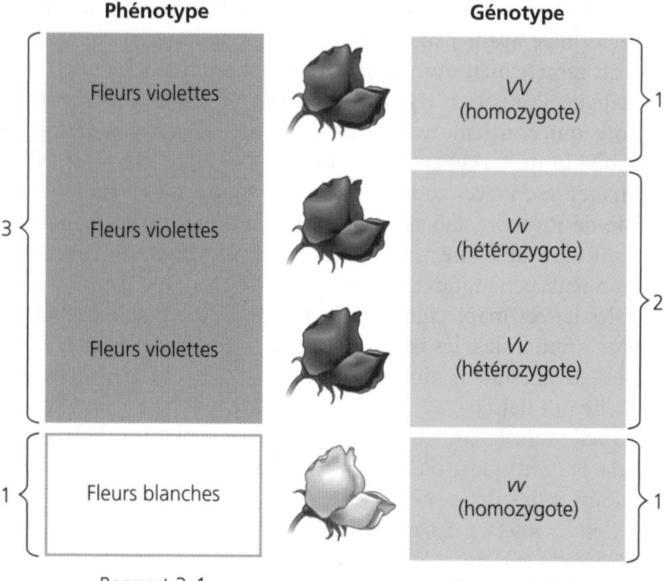

▲ **Figure 14.6 Génotypes et phénotypes.** En regroupant les individus de la génération F_2, résultant d'un croisement pour étudier la couleur des fleurs selon le phénotype, nous obtenons un rapport phénotypique de 3:1. Par rapport au génotype, toutefois, il y a en fait deux catégories de plantes à fleurs violettes, *VV* (homozygote) et *Vv* (hétérozygote), ce qui donne un rapport génotypique de 1:2:1.

Les termes utiles en génétique

Si un organisme possède une paire d'allèles identiques d'un caractère donné, on dit qu'il est **homozygote** pour ce caractère. Un pois de lignée pure ayant deux allèles de fleurs violettes (*VV*) en est un exemple. Le pois à fleurs blanches est nécessairement homozygote pour l'allèle récessif (*vv*). Si on croise des homozygotes dominants avec des homozygotes récessifs, comme les pois de la génération parentale (génération P) de la figure 14.5, tous les individus de la génération suivante auront deux allèles différents – les hybrides de la génération F_1 dans notre expérience sur la couleur des fleurs ont tous un génotype *Vv*. Un organisme qui possède deux allèles différents d'un caractère donné est dit **hétérozygote** pour ce caractère. Contrairement aux homozygotes, les hétérozygotes ne représentent pas une lignée pure, parce que leurs gamètes ont des allèles différents – par exemple, *V* et *v* dans les hybrides de la génération F_1 de la figure 14.5. Par conséquent, l'autofécondation des hybrides de la génération F_1 produit à la fois des descendants à fleurs violettes et des descendants à fleurs blanches.

Étant donné qu'un allèle récessif peut être présent sans manifester d'effets, un organisme a des caractères qui ne reflètent pas nécessairement sa combinaison allélique. On établit donc une distinction entre l'apparence, appelée **phénotype**, et la constitution allélique, nommée **génotype**. Dans le cas de la couleur des fleurs du pois, les plantes *VV* et *Vv* ont le même phénotype (leurs fleurs sont violettes), mais pas le même génotype. Nous illustrons ces notions à la **figure 14.6**. Notez que le phénotype désigne tant les caractères physiologiques que ceux qui sont directement liés à l'apparence. Par exemple, il existe une variété de pois auxquels il manque le caractère normal de pouvoir s'autoféconder. Cette variation physiologique est un phénotype.

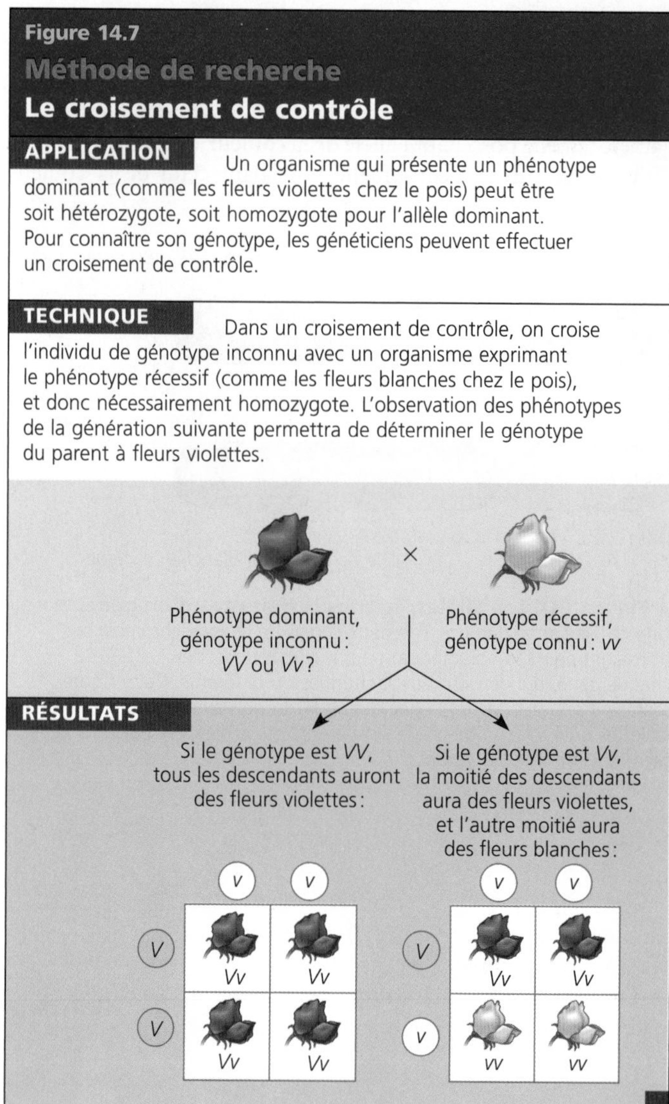

Figure 14.7
Méthode de recherche
Le croisement de contrôle
APPLICATION
Un organisme qui présente un phénotype dominant (comme les fleurs violettes chez le pois) peut être soit hétérozygote, soit homozygote pour l'allèle dominant. Pour connaître son génotype, les généticiens peuvent effectuer un croisement de contrôle.
TECHNIQUE
Dans un croisement de contrôle, on croise l'individu de génotype inconnu avec un organisme exprimant le phénotype récessif (comme les fleurs blanches chez le pois), et donc nécessairement homozygote. L'observation des phénotypes de la génération suivante permettra de déterminer le génotype du parent à fleurs violettes.
×
Phénotype dominant, génotype inconnu: VV ou Vv?
Phénotype récessif, génotype connu: vv
RÉSULTATS
Si le génotype est VV, tous les descendants auront des fleurs violettes:
Si le génotype est Vv, la moitié des descendants aura des fleurs violettes, et l'autre moitié aura des fleurs blanches:
v
v
V
V
Vv
Vv
Vv
Vv
v
v
V
v
Vv
Vv
vv
vv

Le croisement de contrôle

Supposons que nous ayons un pois à fleurs violettes. Comment pouvons-nous savoir s'il est homozygote ou hétérozygote, puisque les génotypes *VV* et *Vv* produisent le même phénotype? Pour trouver la réponse à cette question, on peut le croiser avec un pois à fleurs blanches; l'apparence des descendants indiquera le génotype du parent à fleurs violettes **(figure 14.7)**. Puisque les fleurs blanches sont un caractère récessif, le parent à fleurs blanches doit être homozygote (*vv*). Analysons maintenant les résultats possibles d'un tel croisement:

1. Si tous les individus issus du croisement ont des fleurs violettes (et pourvu que le nombre de descendants soit suffisamment grand), on peut en déduire que l'autre parent est nécessairement homozygote pour l'allèle dominant, parce qu'un croisement *VV* × *vv* ne peut produire que des individus *Vv*.
2. Si, par contre, nous trouvons le phénotype à fleurs violettes et celui à fleurs blanches chez les descendants, le parent à fleurs violettes est nécessairement hétérozygote. En effet, les descendants issus d'un croisement *Vv* × *vv* présentent les phénotypes *Vv* et *vv* dans une proportion de 1:1.

On appelle **croisement de contrôle** (« *testcross* ») le croisement d'un homozygote récessif et d'un individu ayant un phénotype dominant, mais de génotype inconnu. Ce type de croisement a été inventé par Mendel et il demeure un outil essentiel pour les généticiens.

La loi de l'assortiment indépendant

Mendel a découvert la loi de la ségrégation à partir de croisements expérimentaux portant sur un *seul* caractère, comme la couleur des fleurs. Tous les descendants de la génération F_1 obtenus par ses croisements de parents de lignée pure sont dits **monohybrides**, ce qui signifie qu'ils sont tous hétérozygotes pour un caractère. Un croisement entre des hétérozygotes de ce type est un *croisement monohybride.*

Mendel a découvert sa deuxième loi de l'hérédité en observant *deux* caractères à la fois. Par exemple, deux des sept caractères qu'il a étudiés sont la couleur et la forme des graines : celles-ci peuvent être jaunes ou vertes, mais aussi rondes ou ridées. (Notez que le choix de ces caractères des graines par Mendel était un autre coup de chance, car en observant les graines il obtenait déjà les résultats de ses croisements, sans avoir à les semer et à attendre leur germination, puis la croissance des plants.) Les croisements monohybrides ont permis à Mendel de constater que l'allèle des graines jaunes est dominant (*J*), alors que celui des graines vertes (*j*) est récessif. Pour ce qui est de la forme des graines, l'allèle des graines rondes est dominant (*R*) et celui des graines ridées, récessif (*r*).

Que se passe-t-il si on hybride deux variétés de pois qui diffèrent par ces *deux* caractères à la fois, c'est-à-dire si on croise un parent à graines jaunes et rondes (*JJRR*) avec un parent à graines vertes et ridées (*jjrr*) ? On sait que les plantes de la génération F_1 seront des individus **dihybrides**, hétérozygotes pour les deux caractères (*JjRr*). Mais ces derniers – la couleur et la forme des graines – sont-ils transmis ensemble des parents aux descendants ? Autrement dit, les allèles *J* et *R* restent-ils toujours associés d'une génération à l'autre ou bien sont-ils transmis indépendamment l'un de l'autre ? La **figure 14.8** montre comment un *croisement dihybride*, c'est-à-dire un croisement entre des dihybrides de la génération F_1, permet de déterminer laquelle de ces deux hypothèses est bonne.

Quelle que soit l'hypothèse qui est juste, les plantes de la génération F_1 auront le génotype *JjRr* et les deux phénotypes dominants (graines jaunes et rondes). L'étape clé de cette expérience consiste à observer ce qui se passe lorsque les plantes de la génération F_1 s'autofécondent et produisent la génération F_2. Si les hybrides transmettent une combinaison d'allèles identique à celle qu'ils ont reçue de la génération P, il n'y aura que deux catégories de gamètes, *JR* et *jr*. Selon cette hypothèse, la proportion des phénotypes de la génération F_2 sera de 3 : 1, comme dans un croisement monohybride (voir la figure 14.8).

Selon l'autre hypothèse, les deux paires d'allèles subissent une ségrégation indépendante. Autrement dit, les gènes peuvent se trouver regroupés dans les gamètes selon n'importe quelle combinaison allélique, tant que chaque gamète reçoit un gène de chaque caractère. Dans cet exemple, il devrait y avoir quatre catégories de gamètes produites en quantités égales par une plante de la

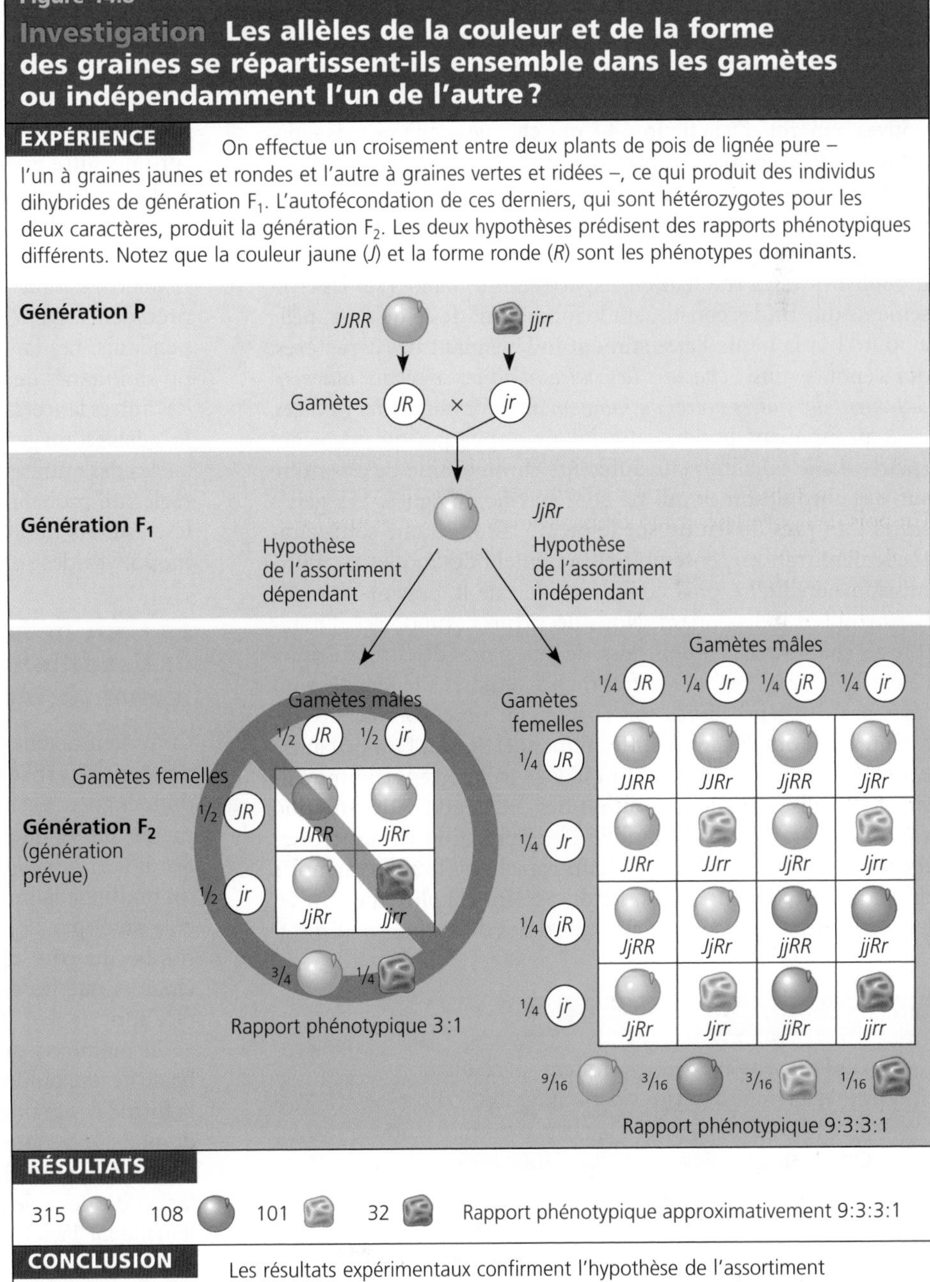

génération F_1 : *JR*, *Jr*, *jR* et *jr*. Si on met quatre catégories de gamètes mâles en présence de quatre catégories de gamètes femelles, à la génération F_2, les allèles formeront 16 (soit 4×4) combinaisons ayant des probabilités égales de se réaliser, comme le montre la grille de Punnett, à droite dans la figure 14.8. Ces combinaisons donneront quatre catégories de phénotypes selon une proportion de 9:3:3:1 ($^9/_{16}$ des graines seront jaunes et rondes, $^3/_{16}$ des graines seront vertes et rondes, $^3/_{16}$ des graines seront jaunes et ridées, et $^1/_{16}$ des graines seront vertes et ridées). Lorsqu'il a effectué cette expérience, Mendel a dénombré les individus appartenant à la génération F_2 et il a obtenu des résultats proches de la proportion phénotypique prévue de 9:3:3:1. Ces résultats expérimentaux confirment l'hypothèse selon laquelle chaque caractère – la couleur ou la forme des graines – sélectionné chez le pois est transmis de façon indépendante.

Mendel est allé plus loin encore : il a effectué divers croisements dihybrides en combinant deux des sept caractères qu'il étudiait chez le pois, et il a observé chaque fois une proportion phénotypique de 9:3:3:1 à la génération F_2. Cependant, vous pouvez remarquer à la figure 14.8 que chaque caractère pris séparément présente une proportion phénotypique de 3:1 ($^3/_4$ de graines jaunes contre $^1/_4$ de graines vertes ; $^3/_4$ de graines rondes contre $^1/_4$ de graines ridées). Pour chaque caractère pris individuellement, la ségrégation se réalise comme dans un croisement monohybride. Les résultats des expériences de Mendel sur les croisements dihybrides constituent le fondement de ce qu'on appelle aujourd'hui la **loi de l'assortiment indépendant des caractères**, qui s'énonce ainsi : *chacune des paires d'allèles se sépare indépendamment des autres paires au moment de la formation des gamètes.*

À proprement parler, cette loi ne s'applique qu'aux gènes (paires d'allèles) situés sur différents chromosomes, c'est-à-dire sur des chromosomes qui ne sont pas homologues. Les gènes situés l'un près de l'autre sur le même chromosome sont habituellement transmis ensemble et présentent des modes de transmission héréditaire plus complexes que ne le prévoit la loi de l'assortiment indépendant. Nous décrirons ces modèles d'hérédité au chapitre 15. Le pois possède sept paires de chromosomes ($2n = 14$). Or les sept caractères du pois étudiés par Mendel sont régis par des gènes situés soit chacun sur un chromosome différent, soit à des distances suffisamment éloignées l'un de l'autre sur le même chromosome pour qu'ils se comportent comme s'ils étaient localisés sur des chromosomes différents ; cette situation aléatoire a grandement simplifié l'interprétation de ses croisements de pois différant par plusieurs caractères. Tous les exemples que nous étudions dans la suite du présent chapitre mettent en jeu des gènes situés sur des chromosomes différents.

Retour sur le concept 14.1

1. Expliquez brièvement comment les résultats expérimentaux illustrés dans la figure 14.3 prouvent le modèle de l'hérédité « particulaire » de Mendel.
2. On laisse s'autoféconder des plants de pois hétérozygotes pour la position des fleurs et la longueur de la tige (*AaLl*), et on plante 400 des graines produites. Combien peut-on prévoir de descendants à tige naine et à fleurs terminales ? (Voir le tableau 14.1.)

Voir les réponses proposées à la fin du chapitre.

Concept 14.2

Les règles des probabilités régissent les lois de l'hérédité de Mendel

Les hypothèses de la ségrégation et de l'assortiment indépendant de Mendel reflètent des lois de probabilité identiques à celles qui s'appliquent lorsqu'on joue à pile ou face, lorsqu'on tire une carte d'un jeu ou lorsqu'on lance des dés. L'échelle des probabilités va de 0 à 1. Un événement qui se produit à coup sûr a une probabilité de 1, alors qu'un autre qui ne se produit *jamais* a une probabilité de 0. Si on lance une pièce qui a deux côtés face, la probabilité qu'elle tombe sur le côté face est de 1, et la probabilité qu'elle tombe sur le côté pile (inexistant) est de 0. Si on lance une pièce normale, la probabilité d'obtenir le côté face est de $^1/_2$, et celle d'obtenir le côté pile est aussi de $^1/_2$. Les chances de tirer l'as de pique d'un jeu de 52 cartes sont de $^1/_{52}$. La somme des probabilités de tous les résultats possibles d'un événement donné est obligatoirement de 1. Lorsqu'on tire une carte, les chances d'obtenir une autre carte que l'as de pique sont de $^{51}/_{52}$.

Le lancer d'une pièce de monnaie nous permet de bien comprendre les lois des probabilités. À chaque lancer, la probabilité d'obtenir le côté face est de $^1/_2$. Le résultat d'un lancer particulier n'est aucunement influencé par les résultats des lancers précédents. De tels phénomènes sont appelés événements indépendants. Les lancers, qu'ils soient successifs d'une même pièce ou simultanés de plusieurs pièces, sont indépendants de chacun des autres lancers. À l'instar du lancer de deux pièces de monnaie, les allèles d'un gène se séparent en gamètes indépendamment des allèles des autres gènes (loi de l'assortiment indépendant). Deux règles de probabilité élémentaires peuvent nous aider à prévoir les résultats de la fusion de tels gamètes dans des croisements monohybrides simples et des croisements plus complexes.

La règle de la multiplication et la règle de l'addition appliquées aux croisements monohybrides

Comment calcule-t-on la probabilité que deux événements indépendants se produisent ensemble selon une combinaison donnée ? Par exemple, si on lance deux pièces de monnaie en même temps, quelle est la probabilité d'obtenir deux côtés face ? Selon la *règle de la multiplication*, pour calculer cette probabilité, on multiplie la probabilité d'un événement (une pièce tombe du côté face) par la probabilité de l'autre événement (l'autre pièce tombe du côté face). Selon la règle de la multiplication, les chances que les deux pièces tombent en même temps du côté face sont de $^1/_2 \times {}^1/_2 = {}^1/_4$.

Le même raisonnement s'applique à un croisement monohybride de deux individus de la génération F_1 **(figure 14.9)**. Prenons la forme des graines comme caractère héréditaire chez des plants de pois : le génotype des plants de la génération F_1 est *Rr*. Or, chez une plante hétérozygote, la ségrégation est analogue au lancer d'une seule pièce de monnaie : la probabilité qu'un gamète femelle ait l'allèle dominant (*R*) est de $^1/_2$, et la probabilité qu'il ait l'allèle récessif (*r*) est également de $^1/_2$. Les mêmes probabilités s'appliquent pour un gamète mâle produit. Pour qu'une plante donnée de génération F_2 ait des graines ridées – le caractère récessif ridées –, il faut que le gamète femelle et le gamète mâle qui s'unissent portent l'allèle *r*. La probabilité que deux allèles *r* se trouvent ensemble au moment de la fécondation est de ½ (la probabilité qu'un gamète femelle ait un allèle *r*) × ½ (la probabilité qu'un gamète mâle ait un allèle *r*). Par conséquent, la règle de la multiplication nous indique que la probabilité qu'une plante de génération F_2 ait des graines ridées (*rr*) est de ¼ (voir la grille de Punnett à la figure 14.9). De même, la probabilité qu'une plante de génération F_2 porte les deux allèles dominants de la forme des graines (*RR*) est de ¼.

Pour calculer la probabilité qu'une plante de la génération F_2 issue d'un croisement monohybride soit hétérozygote plutôt qu'homozygote, nous devons recourir à une seconde règle. À la figure 14.9, notez que l'allèle dominant peut venir du gamète femelle et l'allèle récessif, du gamète mâle, ou vice versa. En d'autres termes, les gamètes de génération F_1 peuvent se combiner de deux façons indépendantes et s'excluant mutuellement pour produire un individu *Rr*. Pour une plante donnée hétérozygote de génération F_2, l'allèle dominant peut provenir soit du gamète femelle, soit du gamète mâle, mais pas des deux. Selon la *règle de l'addition,* on calcule la probabilité que l'un de deux ou de plusieurs événements mutuellement exclusifs puisse avoir lieu en additionnant leurs probabilités individuelles. Comme on vient de le voir, la règle de la multiplication nous donne les probabilités individuelles qu'il faut additionner ensemble. Reprenons l'exemple de la pièce de monnaie : la règle de l'addition permettrait de déterminer quelles sont les probabilités que deux côtés face *ou* deux côtés pile tombent en même temps ; comme la probabilité d'obtenir deux côtés face est de ¼ et celle d'obtenir deux côtés pile est aussi de ¼, la probabilité d'obtenir deux faces *ou* deux piles est de ¼ + ¼, soit de ½. Revenons à nos pois : la probabilité d'une façon possible d'obtenir un hétérozygote de génération F_2 – l'allèle dominant issu du gamète femelle et l'allèle récessif issu du gamète mâle – est de ¼. La probabilité de l'autre façon possible – l'allèle récessif issu du gamète femelle et l'allèle dominant issu du gamète mâle – est aussi de ¼ (voir la figure 14.9). Cette règle de l'addition permet donc de calculer la probabilité qu'un individu de la génération F_2 soit hétérozygote : ¼ + ¼ = ½.

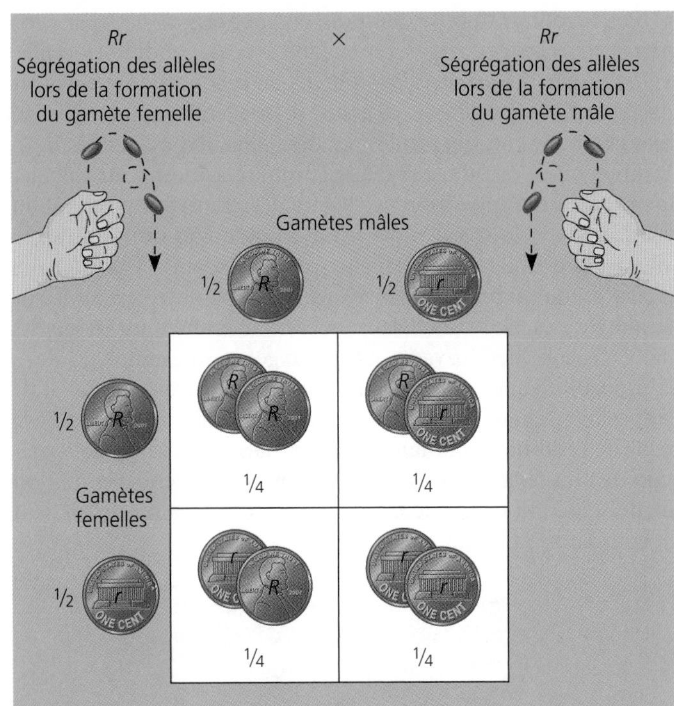

▲ **Figure 14.9 La ségrégation des allèles et la fécondation, deux événements aléatoires.** Lorsqu'un individu hétérozygote (*Rr*) produit des gamètes, la ségrégation des allèles obéit aux mêmes règles que le lancer d'une pièce de monnaie. Il est donc possible de calculer la probabilité que les descendants de deux hétérozygotes aient un génotype donné, en multipliant les probabilités individuelles qu'un gamète femelle et un gamète mâle aient un allèle particulier (*R* ou *r* dans cet exemple).

La résolution de problèmes de génétique complexes à l'aide des règles de probabilité

On peut également appliquer les règles de probabilité pour prévoir les résultats de croisements mettant en jeu de multiples caractères. Rappelez-vous que chaque paire allélique se répartit indépendamment au cours de la formation des gamètes (loi de l'assortiment indépendant). Par conséquent, un croisement dihybride ou entre des parents différant par plusieurs caractères est équivalent à au moins deux croisements monohybrides indépendants qui se produisent simultanément. En appliquant ce que nous avons appris sur les croisements monohybrides, on peut calculer la probabilité que des génotypes spécifiques apparaissent à la génération F_2 d'un croisement dihybride sans avoir à recourir à une grille de Punnett trop compliquée ; ce raisonnement s'applique à plus forte raison aux croisements impliquant trois caractères et plus (dans un croisement trihybride, par exemple, pour représenter toutes les rencontres possibles entre huit gamètes mâles et huit gamètes femelles différents, il faudrait une grille de 64 cases).

Examinons le croisement dihybride entre les hétérozygotes *JjRr* illustrés à la figure 14.8. Commençons par un premier caractère, la couleur des graines. Pour un croisement monohybride de plantes *Jj*, les probabilités d'apparition des génotypes de la génération suivante sont : ¼ pour *JJ*, ½ pour *Jj* et ¼ pour *jj*. Les mêmes probabilités s'appliquent aux génotypes de la forme des graines : ¼ *RR*, ½ *Rr* et ¼ *rr*. Ces probabilités étant connues, nous pouvons simplement utiliser la règle de la multiplication pour calculer la probabilité de chacun des génotypes dans la génération F_2. Par exemple, la probabilité qu'une plante de la génération F_2 ait le génotype *JJRR* est de ¼ × ¼ = 1/16, ce qui correspond à la case en haut à gauche de la grille de Punnett (à droite dans la figure 14.8). Donnons un autre exemple : la probabilité qu'une plante de génération F_2 ait le génotype *JjRR* est de ½ (*Jj*) × ¼ (*RR*) = ⅛. Si vous examinez attentivement la grille de Punnett à droite dans la figure 14.8, vous verrez que 2 des 16 cases (⅛) correspondent au génotype *JjRR*.

Voyons maintenant comment on peut combiner les règles de la multiplication et de l'addition pour résoudre des problèmes encore plus complexes de génétique mendélienne. Par exemple, on peut imaginer un croisement de deux variétés de pois dans lesquelles on suit l'hérédité de trois caractères. Supposons que l'on croise un trihybride à fleurs violettes et à graines jaunes et rondes (qui est hétérozygote pour les trois gènes) avec une plante à fleurs violettes et à graines vertes et ridées (qui est hétérozygote pour la couleur des fleurs, mais homozygote récessive pour les deux autres caractères). Les symboles mendéliens nous permettent d'écrire ce croisement ainsi : *VvJjRr* × *Vvjjrr*. Quelle fraction des descendants aura des phénotypes récessifs dans le cas d'*au moins deux* caractères sur les trois ?

Pour répondre à cette question, on peut commencer par énumérer tous les génotypes répondant à cette condition: *vvjjRr*, *vvJjrr*, *Vvjjrr*, *VVjjrr* et *vvjjrr*. (Parce que la condition est d'avoir *au moins deux* caractères récessifs, il faut tenir compte du dernier génotype cité, qui produit les trois phénotypes en question.) Ensuite, on se sert de la règle de la multiplication pour calculer la probabilité d'apparition de chacun des génotypes résultant du croisement *VvJjRr* × *Vvjjrr* – c'est-à-dire qu'on multiplie entre elles les probabilités individuelles correspondant à chaque paire d'allèles, tout comme nous l'avons fait dans notre exemple sur les dihybrides. Notez, que dans un croisement mettant en jeu des paires d'allèles hétérozygote et homozygote (par exemple, *Jj* × *jj*), la probabilité que la génération suivante soit hétérozygote est de ½ et celle qu'elle soit homozygote est de ½. Enfin, on se sert de la règle de l'addition pour faire la somme des probabilités d'apparition de tous les génotypes différents qui remplissent la condition de présenter au moins deux caractères récessifs, ainsi qu'on peut le voir dans le tableau qui suit.

vvjjRr	¼ (*probabilité de vv*) × ½ (*jj*) × ½ (*Rr*)	= 1/16
vvJjrr	¼ × ½ × ½	= 1/16
Vvjjrr	½ × ½ × ½	= ⅛ ou 2/16
VVjjrr	¼ × ½ × ½	= 1/16
vvjjrr	¼ × ½ × ½	= 1/16
Probabilité d'apparition d'*au moins deux* phénotypes récessifs		= 6/16 ou ⅜

Avec un peu de pratique, vous parviendrez à résoudre plus vite les problèmes de génétique en vous servant des règles de probabilité plutôt qu'en recourant à la grille de Punnett.

On ne peut pas prédire avec certitude le nombre exact de descendants de différents génotypes issus d'un croisement génétique. Mais les règles de probabilité nous permettent de déterminer quelles sont les *chances* pour que les divers résultats se produisent. Généralement, plus un échantillon est grand, plus les résultats se rapprochent de ce qu'on a prévu. Le fait que Mendel ait recensé un si grand nombre de descendants issus de ses croisements montre bien qu'il comprenait la nature statistique de l'hérédité et qu'il avait une bonne notion des règles de probabilité.

Retour sur le concept 14.2

1. Pour un gène ayant l'allèle dominant *C* et l'allèle récessif *c*, dans quelle proportion les descendants issus d'un croisement *CC* × *Cc* seront-ils homozygotes dominants, homozygotes récessifs et hétérozygotes?
2. On accouple un organisme ayant le génotype *BbDD* avec un autre organisme ayant le génotype *BBDd*. En supposant que ces deux gènes présentent un assortiment indépendant, écrivez les génotypes de tous les descendants possibles issus de ce croisement et, à l'aide des règles de probabilité, calculez la probabilité que chaque génotype soit produit.
3. Quelle est la probabilité qu'un descendant issu du croisement de la question nº 2 présente l'un ou l'autre des deux caractères codés par les allèles *b* et *d*? Expliquez votre réponse.

Voir les réponses proposées à la fin du chapitre.

Concept 14.3

Les modèles d'hérédité sont souvent plus complexes que ceux qui sont prévus par la génétique de Mendel

Au cours du XXe siècle, les généticiens ont étendu les principes mendéliens à d'autres organismes que les pois ainsi qu'à des modèles d'hérédité plus complexes que ceux qui ont été décrits par Mendel. Ce dernier avait eu l'idée géniale (ou la chance) de choisir des caractères dont la transmission génétique obéit à des lois relativement simples. Ainsi, chacun des caractères qu'il a étudiés est déterminé par un seul gène pour lequel il n'existe que deux allèles, l'un étant complètement dominant par rapport à l'autre*. Mais cette observation ne s'applique pas à tous les caractères génétiques, même chez le pois. Il est rare que la relation entre le génotype et le phénotype soit aussi simple. Malgré tout, la génétique mendélienne (quelquefois appelée mendélisme) est incontournable, car les principes fondamentaux de la ségrégation et de l'assortiment indépendant s'appliquent également aux modèles d'hérédité plus complexes. Dans la présente section, nous étendrons la génétique mendélienne aux modèles d'hérédité qui n'ont pas été décrits par Mendel.

La généralisation des lois de la génétique mendélienne appliquées à un seul gène

L'hérédité des caractères déterminés par un seul gène s'écarte des modèles mendéliens simples lorsque les allèles ne sont pas complètement dominants ou récessifs, si un gène donné a plus de deux allèles ou si un seul gène produit de multiples phénotypes. Dans cette section, nous décrirons un exemple de chacune de ces situations.

La gamme des relations de dominance et de récessivité

Les allèles peuvent présenter divers degrés de dominance et de récessivité en relation les uns avec les autres. Cette étendue est appelée *gamme des relations de dominance et de récessivité*. Les descendants de la génération F_1 dans les croisements mendéliens classiques effectués entre des pois constituent un cas extrême. Ces plantes ressemblent toujours à l'une des deux variétés parentales, en raison de la **dominance complète** de l'un des allèles par rapport à l'autre. Dans ce cas, il est impossible de distinguer le phénotype d'un hétérozygote de celui d'un homozygote dominant.

À l'autre extrême, on trouve la **codominance**, dans laquelle les deux allèles d'un gène se manifestent entièrement et de manière indépendante dans le phénotype. Prenons par exemple les groupes sanguins. Chez l'humain, le système MN se caractérise par la présence d'allèles codominants pour deux molécules spécifiques situées à la surface des globules rouges, les molécules M et N. Les phénotypes de ce groupe sanguin sont déterminés par un seul gène situé sur un locus précis et ayant deux variations

* Il existe une exception: les généticiens ont découvert que le caractère de la position des fleurs étudié par Mendel est en réalité déterminé par deux gènes.

possibles. Les personnes homozygotes pour un allèle *M* (*MM*) possèdent seulement des molécules M sur leurs globules rouges et celles qui sont homozygotes pour l'allèle *N* (*NN*) possèdent seulement des molécules N sur leurs globules rouges. En ce qui concerne les hétérozygotes pour les allèles *M* et *N* (*MN*), les *deux* molécules M et N sont présentes sur les globules rouges. Notez que le phénotype MN *n'*est absolument *pas* intermédiaire entre les phénotypes M et N, mais que les hétérozygotes ont ces deux derniers phénotypes puisque les deux molécules sont présentes.

Les allèles de certains caractères se situent au milieu de la gamme des relations de dominance et de récessivité. Dans ce cas, les hybrides de la génération F_1 auront un phénotype intermédiaire, situé entre les phénotypes des deux variétés parentales. Ce phénomène, appelé **dominance incomplète** de l'un ou l'autre allèle, se manifeste si on croise des gueules-de-loup (*Antirrhinum majus*) à fleurs rouges avec des gueules-de-loup à fleurs blanches: tous les hybrides de la génération F_1 auront des fleurs roses **(figure 14.10)**. Ce troisième phénotype apparaît chez les individus hétérozygotes, parce qu'ils produisent moins de pigment rouge que les homozygotes rouges (contrairement aux hétérozygotes *Vv* des pois de Mendel, qui produisent assez de pigment violet pour que leurs fleurs soient identiques à celles des plantes *VV*).

De prime abord, la dominance incomplète de l'un ou l'autre allèle semble apporter une preuve à l'appui de la théorie de l'hérédité par mélange: cette dernière prédit qu'on ne pourra jamais retrouver les caractères rouge ou blanc à partir d'hybrides roses. En fait, un croisement effectué entre des hybrides de la génération F_1 donne, à la génération F_2, une proportion phénotypique d'un individu rouge contre deux roses et un blanc. (Parce que les hétérozygotes ont un phénotype qui leur est propre, les proportions génotypiques et phénotypiques de la génération F_2 sont identiques, soit de 1:2:1.) La ségrégation des allèles de fleurs rouges et des allèles de fleurs blanches dans les gamètes issus des plantes à fleurs roses confirme le fait que les gènes de la couleur des fleurs sont des facteurs héréditaires conservant leur identité chez les hybrides; en d'autres termes, l'hérédité est de nature particulaire.

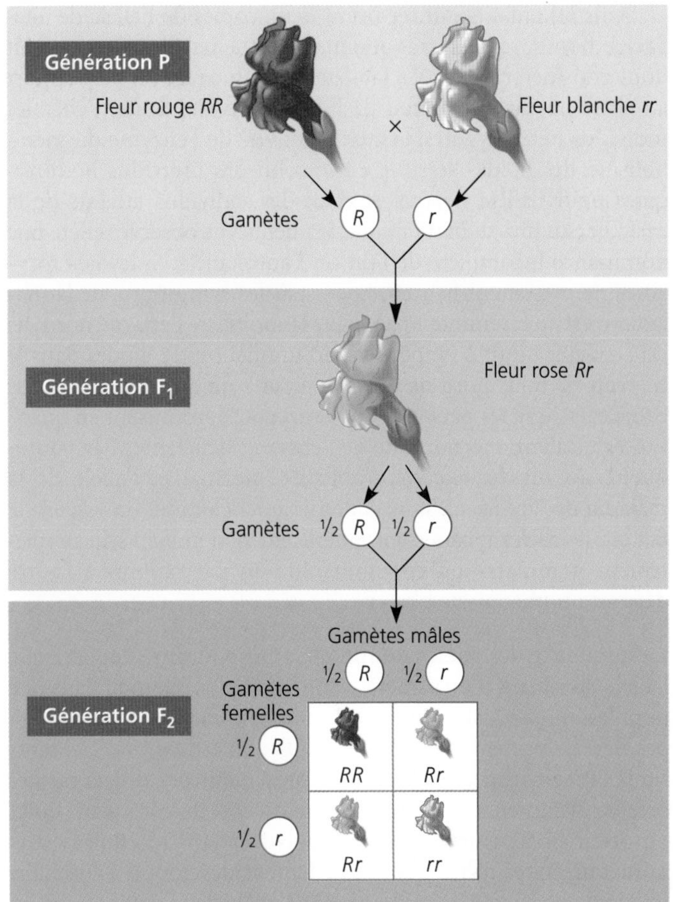

▲ **Figure 14.10 Exemple de dominance incomplète: la couleur des fleurs de gueules-de-loup.** Lorsqu'on croise des gueules-de-loup rouges avec des gueules-de-loup blanches, tous les hybrides de la génération F_1 possèdent des fleurs roses. La ségrégation des allèles dans les gamètes des plantes de la génération F_1 produit une génération F_2 dans laquelle la proportion des génotypes et des phénotypes est de 1:2:1. *R* = allèle des fleurs rouges; *r* = allèle des fleurs blanches.

La relation qui existe entre la dominance et le phénotype. Nous avons vu que l'influence de deux allèles varie de la dominance complète de l'un des allèles à la codominance des deux allèles, en passant par la dominance incomplète de l'un ou l'autre allèle. Il importe de comprendre que, même si on qualifie un allèle de *dominant*, ce n'est pas parce qu'il atténue ou empêche l'expression d'un allèle récessif. Souvenez-vous que les allèles sont de simples variations de la séquence nucléotidique d'un gène. Lorsqu'un allèle dominant et un allèle récessif se trouvent ensemble dans un génotype hétérozygote, il n'existe en fait aucune interaction entre eux. C'est dans la transposition du génotype en phénotype que la dominance et la récessivité entrent en jeu.

Pour illustrer la relation entre la dominance et le phénotype, considérons l'un des caractères étudiés par Mendel: la forme ronde ou la forme ridée des graines de pois. L'allèle dominant (graine ronde) code pour la synthèse d'une enzyme qui permet de transformer le saccharose en amidon dans la graine. L'allèle récessif (graine ridée) code pour une forme défectueuse de cette enzyme. Par conséquent, dans une graine homozygote récessive, le saccharose s'accumule, parce qu'il n'est pas converti en amidon. Au fil du temps, sa forte concentration entraîne l'absorption d'eau par osmose, ce qui fait gonfler la graine. Lorsqu'elle mûrit et sèche, cette dernière se ride. Par contre, il suffit qu'une graine ait un allèle dominant pour que son saccharose soit transformé en amidon et qu'elle ne se ride pas en séchant. En d'autres termes, un seul allèle dominant permet de produire l'enzyme en question, et ce, en quantité suffisante pour convertir le saccharose en amidon; donc, le phénotype des homozygotes dominants et celui des hétérozygotes sont identiques (les graines sont rondes dans les deux cas).

Un examen attentif de la relation entre la dominance et le phénotype révèle un fait étrange: en ce qui a trait à un caractère donné, la relation entre la dominance et la récessivité dépend du niveau auquel on examine le phénotype. Prenons par exemple la **maladie de Tay-Sachs**, qui est héréditaire chez l'humain. Les cellules du cerveau d'un bébé atteint de cette maladie ne peuvent pas métaboliser certains lipides, parce qu'une de leurs enzymes ne fonctionne pas de manière adéquate. À mesure que les lipides s'accumulent dans le cerveau, l'enfant commence à souffrir de crises d'épilepsie, de cécité et de dégénérescence du fonctionnement moteur et mental. Cette maladie finit par provoquer la mort.

Seuls les enfants qui reçoivent deux copies de l'allèle de Tay-Sachs (homozygotes) sont atteints de cette maladie. On pourrait donc considérer l'allèle de Tay-Sachs comme récessif par rapport à l'allèle normal au niveau de l'*organisme*. Cependant, chez les individus hétérozygotes, le taux d'activité de l'enzyme du métabolisme des lipides se situe entre celui des individus homozygotes pour l'allèle normal et celui des individus atteints de la maladie. Au niveau *biochimique*, le phénotype observé reflète une dominance incomplète de l'un ou l'autre allèle. Si les hétérozygotes ne présentent heureusement pas les symptômes de la maladie, c'est apparemment parce que la moitié de l'activité normale de l'enzyme suffit à empêcher l'accumulation de lipides dans le cerveau. Si nous portons notre analyse à un autre niveau, nous constatons que les personnes hétérozygotes produisent en quantité égale l'enzyme normale et l'enzyme déficiente. Par conséquent, au niveau *moléculaire*, l'allèle normal et l'allèle de la maladie de Tay-Sachs sont codominants. Comme on le voit, le fait que les allèles apparaissent complètement dominants, incomplètement dominants ou codominants l'un par rapport à l'autre dépend du phénotype observé.

La fréquence des allèles dominants. On pourrait supposer que l'allèle dominant d'un caractère donné est plus répandu dans une population que l'allèle récessif du même caractère, mais ce n'est pas nécessairement le cas. Par exemple, on estime que 2 enfants sur 1 000 environ dans le monde présentent des doigts ou des orteils surnuméraires, le plus souvent du côté du cinquième doigt ou orteil (malformation appelée polydactylie) ; le « doigt » surnuméraire peut n'être que partiellement développé, l'anomalie ne touchant que quelques tissus. Or, l'allèle de la polydactylie est dominant par rapport à l'allèle de cinq doigts par membre. Cela n'empêche pas que 998 personnes sur 1 000 sont homozygotes récessives pour ce caractère. Dans le cas de la polydactylie, l'allèle récessif est donc beaucoup plus commun que l'allèle dominant. Au chapitre 23, nous verrons que, dans une population donnée, les fréquences relatives des allèles sont influencées par la sélection naturelle.

Les allèles multiples

Il n'existe que deux allèles pour les caractères du pois étudiés par Mendel, mais la plupart des gènes présentent en fait plus de deux formes alléliques. Par exemple, chez l'humain, en plus des groupes sanguins du système MN dont nous avons déjà parlé et qui ne comportent que deux allèles, les quatre groupes sanguins du système ABO (phénotypes) sont déterminés par des allèles multiples d'un seul gène. Dans ce système, un individu peut être A, B, AB ou O. Les lettres A et B désignent deux glucides qui peuvent se trouver à la surface des globules rouges : le *N-acétylglucosamine*, ou substance A, et le *galactose*, ou substance B, qui peuvent être situés à la surface des globules rouges en liaison avec l'extrémité N-terminale d'une protéine membranaire. Les globules rouges d'une personne donnée peuvent porter le glucide A (groupe A), le glucide B (groupe B), les deux (groupe AB) ou aucun d'entre eux (groupe O), comme vous pouvez le voir au **tableau 14.2.**

Tableau 14.2 Détermination des groupes sanguins du système ABO par des allèles multiples

Génotype	Phénotype (groupe sanguin)	Globules rouges
I^AI^A ou I^Ai	A	
I^BI^B ou I^Bi	B	
I^AI^B	AB	
ii	O	

Les quatre groupes sanguins résultent de différentes combinaisons de trois allèles différents de l'enzyme (I) qui lie le glucide A ou B aux globules rouges. L'enzyme désignée par l'allèle I^A fixe le glucide A, tandis que celle qui est désignée par l'allèle I^B fixe le glucide B (l'exposant indique la nature du glucide fixé). L'enzyme désignée par l'allèle i ne fixe ni A ni B. Parce que chaque individu n'est porteur que de deux allèles (même s'il y a trois allèles dans l'ensemble de la population), il existe six génotypes, ce qui entraîne quatre phénotypes (voir le tableau 14.2). Les deux allèles I^A et I^B sont dominants (dominance complète) par rapport à l'allèle i. Par conséquent, les individus de génotype I^AI^A ou I^Ai sont du groupe sanguin A, et les individus I^BI^B et I^Bi sont du groupe B. Les homozygotes récessifs ii sont du groupe O, parce que leurs globules rouges ne contiennent ni la substance A ni la substance B. Les allèles I^A et I^B sont codominants ; les deux s'expriment ensemble dans le phénotype des individus hétérozygotes I^AI^B, qui sont du groupe sanguin AB.

Pour effectuer des transfusions, il est essentiel d'avoir des groupes sanguins compatibles. Par exemple, si une personne du type A reçoit du sang d'un donneur de type B ou de type AB, son système immunitaire reconnaît la substance B étrangère sur les globules rouges du sang transfusé et l'attaque. Cette réponse provoque une agglutination des globules rouges étrangers, susceptible d'entraîner sa mort (voir le chapitre 43).

Les groupes sanguins du système ABO comprennent des combinaisons de trois allèles seulement pour l'enzyme (I), mais certains gènes possèdent un très grand nombre d'allèles ; c'est le cas du gène de l'hémoglobine humaine, qui en compte plusieurs centaines.

Il ne faut cependant pas considérer que tous les caractères présentant plus de deux formes dans une population sont des cas d'allèles multiples. Ainsi, la couleur des yeux – caractère souvent choisi pour présenter les rudiments de génétique – n'est pas régie par des allèles multiples mais par au moins trois gènes, situés sur des loci différents.

La pléiotropie

Jusqu'ici, nous avons parlé de l'hérédité mendélienne comme si chaque gène influait sur un seul caractère phénotypique à la fois. Cependant, la plupart des gènes ont des effets phénotypiques multiples, propriété appelée **pléiotropie** (du grec *pleion*, « plus »). Par exemple, chez l'humain, des allèles pléiotropiques sont responsables de symptômes associés à certaines maladies héréditaires, dont la fibrose kystique et l'anémie à hématies falciformes, que nous aborderons plus loin dans le présent chapitre. Compte tenu de la complexité des interactions moléculaires et cellulaires qui interviennent dans le développement et la physiologie d'un organisme, il n'est pas surprenant qu'un seul gène puisse influer sur un grand nombre de caractéristiques.

La généralisation des lois de la génétique mendélienne appliquées à deux ou à plusieurs gènes

La dominance, les allèles multiples et la pléiotropie concernent les effets des allèles d'un seul gène. Nous allons étudier maintenant deux cas où deux ou plusieurs gènes interviennent dans la détermination d'un phénotype particulier.

L'épistasie

Dans l'**épistasie** (du grec *epi*, « au-dessus de », et *stasis*, « action de se tenir »), un gène occupant un locus donné peut agir sur l'expression phénotypique d'un autre gène situé sur un autre locus. Prenons un exemple. Chez les souris, comme chez de nombreux autres Mammifères, la couleur du pelage peut être soit noire, soit brune, suivant le génotype d'un premier locus. Le pelage noir est dominant par rapport au pelage brun. (Nous appellerons *N* et *n* les deux allèles de ce caractère.) Pour qu'une souris ait un pelage brun, il faut que son génotype soit homozygote récessif, *nn*. Cependant, c'est un second gène situé sur un autre locus qui détermine si le pigment se déposera dans le poil ou non. Son allèle dominant, *C* (couleur), permet au pigment noir ou au pigment brun de se déposer, selon le génotype du premier locus. Donc, si la souris est homozygote récessive pour le second locus (*cc*), son pelage sera blanc (elle sera albinos), quel que soit le génotype du premier locus (brun ou noir). Le gène pour le dépôt du pigment est épistatique par rapport au gène qui code le pigment noir ou le pigment brun.

Que se passe-t-il si on croise des souris noires hétérozygotes pour les deux gènes (*CcNn*) ? Bien qu'ils déterminent le même caractère phénotypique (la couleur du pelage), les deux gènes suivent la loi de l'assortiment indépendant (ils sont transmis indépendamment l'un de l'autre). Il s'agit donc d'un croisement dihybride d'individus de la génération F_1, comme celui qui a donné une proportion de 9:3:3:1 dans les expériences de Mendel. On peut utiliser une grille de Punnett pour représenter les génotypes des descendants de la génération F_2 **(figure 14.11)**. L'épistasie entraîne donc le rapport phénotypique suivant des individus de la génération F_2 : $\frac{9}{16}$ noirs ; $\frac{3}{16}$ bruns ; $\frac{4}{16}$ (3 + 1) blancs. Il existe d'autres types d'épistasie produisant des rapports différents, mais tous sont des versions modifiées du rapport 9:3:3:1.

L'hérédité polygénique

Mendel a étudié des caractères qu'on pourrait qualifier de dichotomiques, parce qu'ils revêtent des caractères distincts, tels que des fleurs violettes ou des fleurs blanches. Cependant, il existe de nombreux caractères, tels que la couleur de la peau ou la taille chez l'humain, qui ne répondent pas à cette définition, car la population présente une variation continue. Ce sont des **caractères quantitatifs**. Les variations quantitatives – de même que certaines variations qualitatives présentant un large spectre, telle la couleur des yeux chez la drosophile – sont habituellement le signe d'une **hérédité polygénique**, où deux gènes ou plus exercent un effet cumulatif sur un même phénotype (c'est l'inverse de la pléiotropie, où un seul gène influe sur plusieurs phénotypes).

Par exemple, certaines données permettent de penser que la pigmentation de la peau chez l'humain est régie par trois gènes au moins, qui sont transmis de manière indépendante. Supposons qu'il existe seulement trois gènes de la pigmentation. Chacun d'eux a un allèle de la peau foncée (*A*, *B* ou *C*) qui apporte une « unité » de couleur foncée au phénotype et qui exerce une dominance incomplète sur les autres allèles (*a*, *b* ou *c*). La peau d'une personne de génotype *AABBCC* serait très foncée, celle d'une personne de génotype *aabbcc* serait très claire, et celle d'un individu *AaBbCc* serait d'une teinte intermédiaire. Parce que les allèles ont un effet cumulatif, les génotypes *AaBbCc* et *AABbcc* représentent le même apport génétique (soit trois unités) relativement à la couleur foncée de la peau. La **figure 14.12** montre comment ce système peut produire une courbe en forme de cloche, appelée distribution normale, pour la couleur de la

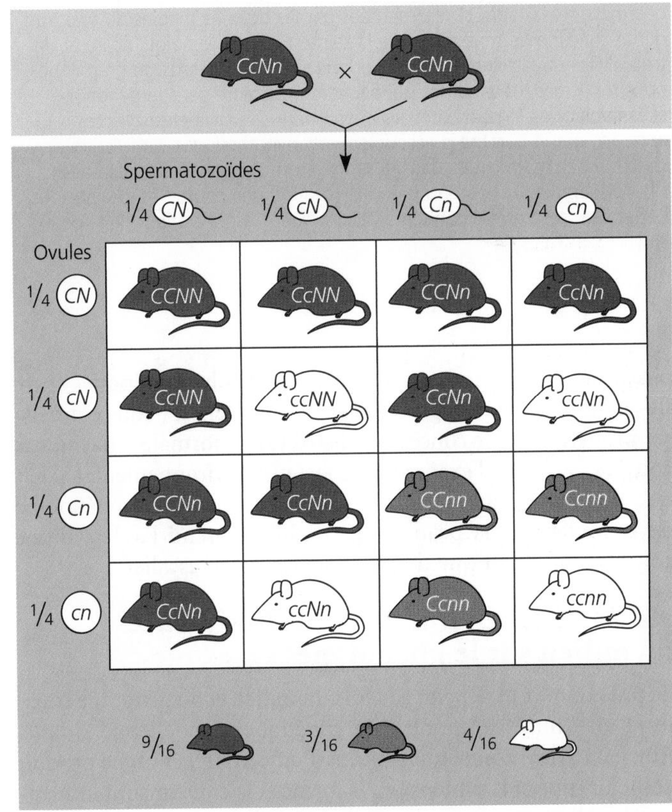

▲ **Figure 14.11 Exemple d'épistasie.** Cette grille de Punnett illustre les génotypes et les phénotypes des individus issus d'accouplements entre deux souris noires de génotype *CcNn*. Le gène *C/c*, épistatique par rapport au gène *N/n*, détermine si un pigment, quelle que soit sa couleur, se déposera dans le poil.

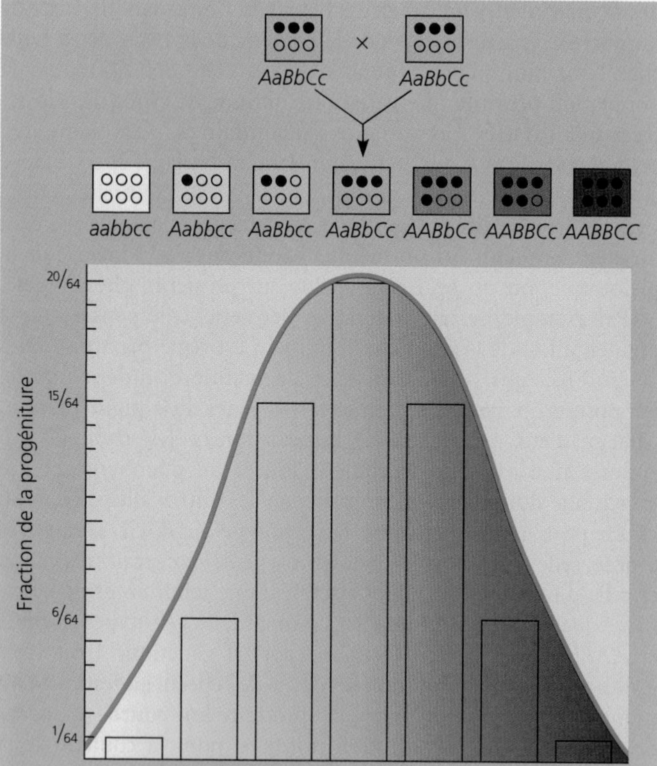

▲ **Figure 14.12 Modèle simplifié de l'hérédité polygénique de la couleur de la peau.** Selon ce modèle, la couleur de la peau dépend de trois gènes transmis de façon indépendante. Les personnes hétérozygotes (*AaBbCc*) représentées par les deux rectangles du haut ont hérité chacune de trois allèles de la teinte foncée (les points noirs) et de trois allèles de la teinte claire (les points vides). Au-dessus du graphique, nous montrons les variantes qui peuvent apparaître dans le génotype et la couleur de la peau chez les descendants de ces hétérozygotes après un grand nombre d'accouplements hypothétiques. La fraction de chacune de ces variantes dans la progéniture est portée sur l'axe des *y*. L'histogramme ainsi obtenu prend la forme d'une courbe en cloche sous l'effet des facteurs environnementaux influant sur la couleur de la peau.

peau chez les descendants d'accouplements hypothétiques entre des individus hétérozygotes pour les trois gènes. (Vous connaissez probablement le concept de distribution normale rattaché aux courbes des notes d'examen.) Les facteurs environnementaux, tels que l'exposition au soleil, influent également sur le phénotype de la couleur de la peau, et le graphique prend l'aspect d'une courbe lisse plutôt que d'un histogramme en escalier.

Hérédité et environnement : l'influence du milieu sur le phénotype

Le phénotype qui dépend à la fois du milieu et du génotype constitue une autre exception à la génétique mendélienne simple. Ainsi, un arbre donné qui a hérité d'un certain génotype produit des feuilles dont la dimension, la forme et la couleur sont influencées par l'exposition au vent et au soleil, et un même plant de pissenlit (*Taraxacum officinale*) n'aura pas du tout le même aspect s'il croît sur une montagne élevée plutôt qu'en plaine. Chez l'humain, l'alimentation a un effet notable sur la taille ; l'exercice physique modifie, entre autres choses, la silhouette ; les rayons du Soleil rendent la peau plus foncée ; le milieu de vie influe sur la longévité ; et l'expérience améliore les résultats obtenus aux tests d'intelligence. Même les jumeaux monozygotes, qui possèdent le même patrimoine génétique, ont des différences phénotypiques résultant de leurs expériences propres.

Est-ce les gènes ou le milieu – l'hérédité ou l'environnement – qui influent le plus sur les caractéristiques de l'humain ? Cette question prête à polémique depuis longtemps, et elle suscite encore des débats orageux. Nous ne tenterons donc pas de trancher ici. Nous pouvons néanmoins affirmer que, en général, le résultat d'un génotype n'est pas un phénotype absolument prédéterminé, mais plutôt une gamme de phénotypes possibles due aux influences du milieu. Cette gamme est appelée **norme de réaction** du génotype **(figure 14.13)**. Pour certains caractères, tel le groupe sanguin du système ABO, la norme de réaction n'a aucune étendue, c'est-à-dire qu'un certain génotype commande un phénotype précis. Par contre, le nombre de globules blancs et rouges de notre organisme varie en fonction de divers facteurs tels que l'altitude où nous vivons, notre pratique d'une activité physique et les agents infectieux auxquels nous sommes exposés.

En général, la norme de réaction est plus étendue dans le cas des caractères polygéniques. L'environnement influe sur l'aspect quantitatif de ces derniers, comme nous l'avons vu en ce qui concerne la couleur de la peau, dont la variation est continue. Selon les généticiens, les caractères polygéniques sont **multifactoriels** ; en d'autres termes, le phénotype est influencé simultanément par de nombreux facteurs, qui sont à la fois génétiques et environnementaux.

L'intégration d'une perspective mendélienne de l'hérédité et de la variation

Dans les pages qui précèdent, nous avons élargi notre vision de l'hérédité mendélienne grâce à l'étude des degrés de dominance et de récessivité, mais aussi des allèles multiples, de la pléiotropie, de l'épistasie, de l'hérédité polygénique et de l'effet de l'environnement sur le phénotype. Comment pouvons-nous élaborer une théorie globale de la génétique mendélienne en intégrant ces notions complexes ? Pour ce faire, nous devons passer d'une vision réductionniste, fondée sur des gènes pris individuellement

▲ **Figure 14.13 Effet du milieu sur le phénotype.** Le résultat d'un génotype se situe dans les limites de sa norme de réaction. La norme de réaction est une gamme de phénotypes qui dépend du milieu dans lequel le génotype s'exprime. Par exemple, la couleur des fleurs d'hortensias (ou hydrangées, *Hydrangea macrophylla*) d'une même variété génétique va du bleu-violet au rose, selon l'acidité du sol.

et sur un phénotype unique, aux propriétés émergentes de l'organisme considéré dans son ensemble. Cette perspective constitue d'ailleurs l'un des thèmes de ce manuel.

Le terme *phénotype* ne désigne pas seulement un caractère très précis, tel que la couleur d'une fleur ou un groupe sanguin; il renvoie également à la totalité de l'organisme, c'est-à-dire à l'*ensemble* de son apparence physique, de son anatomie interne, de sa physiologie et de son comportement. Le terme *génotype* a aussi un sens restreint et un autre, plus large. Il peut désigner les allèles qui se trouvent sur un locus donné ou l'ensemble du patrimoine génétique d'un organisme (son génome). Disons que, dans la plupart des cas, l'effet d'un gène sur le phénotype est influencé par d'autres gènes et par le milieu. Dans cette perspective globale de l'hérédité et de la variation, un organisme donné a un phénotype qui résulte à la fois de son génotype et de l'influence particulière de son milieu.

Étant donné le nombre de facteurs susceptibles d'intervenir sur le chemin menant du génotype au phénotype, on ne peut que s'émerveiller du fait que Mendel ait découvert les principes fondamentaux régissant la transmission héréditaire des gènes individuels des parents à leurs descendants. Les deux lois de Mendel, celle de la ségrégation et celle de l'assortiment indépendant, expliquent les variations héréditaires en fonction de variations des formes de gènes («particules» héréditaires) qui sont transmis, d'une génération à l'autre, selon les lois simples de probabilité. Cette théorie de l'hérédité est également valable pour les pois, les mouches, les Poissons, les Oiseaux et les humains. De plus, lorsqu'on élargit les principes de la ségrégation et de l'assortiment indépendant pour expliquer des phénomènes génétiques comme l'épistasie et les caractères quantitatifs, on commence à percevoir toute la portée de la génétique mendélienne. Dans le jardin de l'abbaye où vivait le moine Mendel est née la théorie de l'hérédité particulaire, qui est devenue le fondement de la génétique moderne. Dans la dernière section de ce chapitre, nous verrons de quelle façon cette théorie s'applique à la génétique humaine et plus particulièrement aux maladies héréditaires.

Retour sur le concept 14.3

1. Un coq à plumes grises s'accouple avec une poule possédant le même phénotype que lui. Parmi les poussins qu'ils produisent, 15 sont gris, 6 sont noirs et 8 sont blancs. Déterminez le mode de transmission de ces couleurs. Quels phénotypes auront les descendants issus de l'accouplement d'un coq gris avec une poule noire?
2. Chez l'humain, des parents de grande taille donnent généralement naissance à des enfants de grande taille, et des parents de petite taille ont des enfants de petite taille. Cependant, la taille des adultes varie énormément chez les membres d'une population humaine; elle suit une distribution normale en forme de cloche. Expliquez ces observations.

Voir les réponses proposées à la fin du chapitre.

Concept 14.4

De nombreux caractères humains suivent les modèles mendéliens de l'hérédité

Si le pois se prête facilement à la recherche en génétique, ce n'est pas le cas de l'humain. Une génération humaine s'étend sur une vingtaine d'années et produit une descendance relativement peu nombreuse par comparaison avec le pois ou la plupart des autres espèces. De plus, il serait inacceptable de mener sur des humains des expériences de croisement comme celles que Mendel a effectuées. En dépit de toutes ces difficultés, l'étude de la génétique humaine ne cesse de progresser. Elle est motivée par notre désir de comprendre les mécanismes de l'hérédité. De nouvelles techniques de biologie moléculaire ont permis d'effectuer de nombreuses percées, ainsi que nous le verrons au chapitre 20, mais la théorie de Mendel constitue encore la base de la génétique humaine.

L'étude des lignages

Comme il est impensable de planifier des croisements entre humains, les généticiens analysent les résultats d'unions qui ont déjà eu lieu. On recueille des informations aussi exhaustives que possible sur l'histoire d'un caractère particulier dans une famille. On reporte ensuite ces données sur un arbre généalogique qui représente les relations entre parents et enfants d'une génération à l'autre. Il s'agit du **lignage** de la famille. Les rapports génotypiques et phénotypiques n'y sont pas nécessairement ceux auxquels on pourrait s'attendre, à cause du nombre relativement peu élevé d'individus étudiés.

La **figure 14.14a** montre un lignage qui permet de suivre, au fil de trois générations, les occurrences d'une pousse de cheveux particulière, en forme de V, qui prend racine sur le front. Ce caractère est dû à la présence d'un allèle dominant *P*. Parce que cet allèle est dominant, tous les membres de cette famille qui ne présentent pas cette pousse de cheveux sont homozygotes récessifs (*pp*). Nous savons également que les deux grands-parents qui ont ce phénotype doivent avoir le génotype *Pp*, puisque certains de leurs descendants sont homozygotes récessifs. Les membres de la seconde génération qui *ont* le phénotype en question doivent aussi être hétérozygotes parce qu'ils sont le produit de croisements $Pp \times pp$. La troisième génération de ce lignage compte deux sœurs. Celle qui présente le phénotype peut être soit homozygote (*PP*), soit hétérozygote (*Pp*), étant donné ce que nous savons du génotype de ses parents (tous deux sont *Pp*).

La **figure 14.14b** montre le lignage de la même famille, mais cette fois nous suivons le phénotype des lobes d'oreilles adhérents (fixés à la tête), un phénotype récessif. Nous emploierons les symboles *l* pour l'allèle récessif et *L* pour l'allèle dominant (lobes libres ou détachés de la tête). En étudiant le lignage, notez que vous pouvez indiquer les génotypes de la plupart des membres de la famille en vous servant de la génétique mendélienne.

Le lignage joue un rôle important dans la mesure où il nous permet de prévoir l'avenir des descendants. Supposons que le couple de la deuxième génération de la figure 14.14 décide d'avoir un autre enfant. Quelle est la probabilité que ce dernier hérite du phénotype de la pousse de cheveux en V sur le front? Il s'agit ici d'un croisement monohybride de la génération F_1 ($Pp \times Pp$);

par conséquent, les chances que l'enfant qui en est issu hérite d'un allèle dominant et possède une pousse de cheveux en V sur le front sont de ¾ (¼ *PP* + ½ *Pp*). Quelle est la probabilité qu'un enfant de ce même couple ait des lobes d'oreilles adhérents? Il s'agit, là encore, d'un croisement monohybride (*Ll* × *Ll*). Cependant, cette fois-ci, nous voulons connaître la probabilité que l'enfant soit homozygote récessif (*ll*). Cette probabilité est de ¼. Enfin, quelle est la probabilité qu'un enfant de ce couple ait *à la fois* des cheveux qui poussent en V sur le front et des lobes d'oreilles adhérents? Si on suppose que les gènes de ces deux caractères sont situés sur des chromosomes différents, on constate que l'assortiment des deux paires d'allèles est indépendant dans ce croisement dihybride (*PpLl* × *PpLl*). Par conséquent, nous pouvons nous servir de la règle de la multiplication pour répondre à la question: ¾ (soit la probabilité que les cheveux poussent en V sur le front) × ¼ (la probabilité que les lobes soient adhérents) = 3/16 (la probabilité d'avoir des cheveux poussant en V sur le front et des lobes adhérents).

L'examen de lignages peut servir à des fins beaucoup plus sérieuses lorsque les allèles à l'étude causent des maladies héréditaires incapacitantes ou mortelles, plutôt que des variantes sans gravité telles que la configuration de la ligne de la chevelure ou l'adhérence des lobes d'oreilles. Cependant, les mêmes techniques d'analyse de lignages s'appliquent dans le cas des maladies transmises comme caractéristiques mendéliennes simples.

Les maladies héréditaires récessives

On connaît plusieurs milliers de maladies héréditaires récessives. Certaines sont relativement peu dangereuses, comme l'albinisme (absence de pigmentation cutanée; elle s'accompagne d'une susceptibilité aux cancers de la peau et de problèmes de vision), alors que d'autres sont mortelles à plus ou moins brève échéance, comme la fibrose kystique.

Comment explique-t-on que les allèles qui causent ces affections soient récessifs? Souvenez-vous que les gènes codent pour des protéines aux fonctions spécifiques. Un allèle à la source d'une affection génétique code pour une protéine défectueuse, ou encore ne code pour aucune protéine. Dans le cas des maladies récessives, les hétérozygotes ont un phénotype normal, parce qu'une seule copie de leur allèle normal produit la protéine en question en quantité suffisante pour qu'ils soient sains. Par conséquent, ce type d'affection n'apparaît que chez les individus homozygotes, qui ont reçu un allèle récessif de chacun de leurs parents. Nous pouvons représenter leur génotype par *aa*. Celui des individus normaux est soit *AA*, soit *Aa*. Bien que leur phénotype soit normal, les hétérozygotes (*Aa*) peuvent transmettre l'allèle récessif à leurs enfants sans souffrir eux-mêmes de la maladie: c'est pourquoi ils sont appelés **transmetteurs sains** de la maladie.

La majorité des gens atteints d'une maladie récessive sont nés de parents qui sont tous deux des transmetteurs sains, mais qui

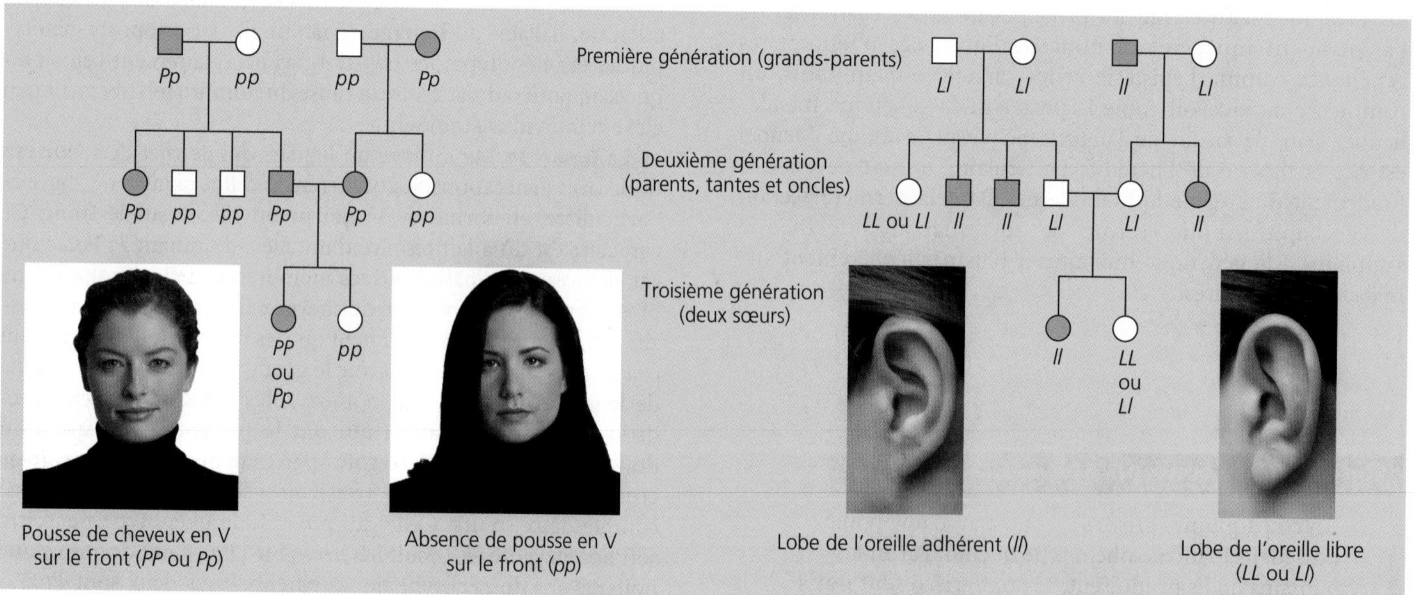

(a) Caractère dominant (pousse de cheveux en V sur le front). Ce lignage montre les occurrences du caractère de la pousse de cheveux en V sur le front des membres d'une famille, et ce, pendant trois générations. Notez que la cadette de la troisième génération ne présente pas ce caractère, contrairement à ses deux parents. Un tel modèle d'hérédité semble indiquer que le caractère est dû à un allèle dominant (*P*). S'il avait été dû à un allèle récessif (*p*) et s'il avait été présent chez les deux parents, il aurait dû être présent chez tous leurs enfants.

(b) Caractère récessif (lobe de l'oreille adhérent). Nous étudions la même famille, mais nous suivons ici la transmission héréditaire d'un caractère récessif, le lobe de l'oreille adhérent (fixé à la tête). Notez que l'aînée des filles de la troisième génération a des lobes adhérents, mais qu'aucun de ses parents ne présente ce caractère (leurs lobes sont libres, c'est-à-dire non fixés à leur tête). Cela s'explique facilement si on suppose que le phénotype du lobe adhérent est dû à un allèle récessif. S'il avait été dû à un allèle dominant, il aurait été présent chez au moins un des parents.

▲ **Figure 14.14 Analyse d'un lignage.** Dans cet arbre généalogique ou lignage, chaque carré représente un homme et chaque cercle, une femme (les deux schémas représentent un même arbre généalogique, parce que c'est la même famille qui est étudiée, mais sous l'angle de deux caractères). Une ligne horizontale entre un homme et une femme (□—○) indique une union. Les enfants qui en sont issus sont représentés au-dessous, de gauche à droite, par ordre de naissance. Nous avons coloré en mauve les symboles qui représentent les personnes portant un caractère particulier.

ont un phénotype normal. L'union entre deux transmetteurs sains correspond à un croisement homozygote mendélien de génération F_1 ($Aa \times Aa$) ; la proportion des génotypes des enfants de cette génération est de 1 *AA* : 2 *Aa* : 1 *aa*. Par conséquent, la probabilité que chaque enfant reçoive deux exemplaires de l'allèle récessif et soit atteint de cette maladie est de ¼. D'après cette proportion génotypique, on peut également constater que deux bébés sur trois ayant un phénotype *normal* (un *AA* plus deux *Aa*) risquent d'être des transmetteurs sains hétérozygotes, soit une probabilité de ⅔. Des homozygotes récessifs pourraient aussi naître de croisements $Aa \times aa$ ou $aa \times aa$. Cependant, si la maladie en question est létale – c'est-à-dire si elle entraîne la mort – avant l'âge de la maturité sexuelle ou si elle provoque la stérilité, aucun individu *aa* n'aura de descendants. De toute manière, même s'ils sont en mesure de se reproduire, les individus homozygotes récessifs constituent un pourcentage beaucoup plus faible de la population que les transmetteurs sains hétérozygotes (nous verrons pour quelles raisons au chapitre 23).

Généralement, une maladie génétique n'est pas répartie uniformément entre les populations humaines. Par exemple, l'incidence de la maladie de Tay-Sachs, dont nous avons déjà décrit les effets dans ce chapitre, est proportionnellement très élevée chez les Juifs ashkénazes, dont les ancêtres vivaient en Europe centrale. Dans cette population, la fréquence de la maladie est de 1 sur 3 600 naissances, rapport qui est environ 100 fois plus élevé que chez les non-Juifs et les Juifs des pays méditerranéens (séfarades). Cet écart s'explique par les différences qui ont marqué l'histoire génétique des peuples avant l'ère technologique, à des époques où les populations étaient géographiquement, donc génétiquement, plus isolées. Examinons maintenant deux autres exemples de maladies héréditaires récessives qui sont également plus répandues chez certains groupes que d'autres.

La fibrose kystique

La maladie héréditaire létale la plus répandue au Canada est la **fibrose kystique**, ou **mucoviscidose** : 3 000 personnes en sont atteintes (en France, entre 4 000 et 6 000 individus seraient touchés). Elle frappe surtout les personnes d'ascendance européenne (1 sur 2 600), mais elle est beaucoup plus rare chez les autres groupes. Parmi ces personnes, 1 sur 20 (5 %) est un transmetteur sain de l'allèle de cette maladie. L'allèle normal du gène impliqué, dont on connaît maintenant la structure et qui est situé sur le chromosome 7, code pour une protéine membranaire qui assure le transport des ions chlorure vers l'extérieur des cellules. Les pompes à chlorure sont déficientes ou absentes dans les membranes plasmiques des enfants qui ont reçu deux allèles récessifs causant la fibrose kystique. La quantité d'ions chlorure présente dans les cellules augmente donc, ce qui attire un surplus d'ions sodium. Puis, par osmose, les cellules absorbent de l'eau provenant du mucus qui les recouvre. Comme il devient plus visqueux, le mucus s'écoule moins bien. À la longue, il s'épaissit et s'accumule dans le pancréas, les poumons, le tube digestif et d'autres organes. Apparaissent alors des effets multiples (pléiotropiques), dont une mauvaise absorption des aliments par les intestins, une bronchite chronique, des selles nauséabondes et des infections bactériennes à répétition. Selon des recherches récentes, des anomalies liées au transport du chlorure contribuent également à l'infection en inhibant l'action d'un antibiotique naturel synthétisé dans certaines cellules de l'organisme. Pour compliquer le tout, lorsque les cellules immunitaires viennent à la rescousse, leurs débris tendent à épaissir le mucus, ce qui crée un cercle vicieux.

En l'absence de traitement, la plupart des enfants atteints de fibrose kystique meurent avant l'âge de cinq ans. On peut prolonger leur vie à l'aide de percussions thoraciques servant à déloger le mucus de leurs voies respiratoires, de doses quotidiennes d'antibiotiques permettant d'enrayer les infections, et aussi d'autres mesures préventives. Actuellement, en Amérique du Nord et en Europe, plus de la moitié des personnes atteintes de fibrose kystique atteignent ou dépassent la fin de la vingtaine, et même de la trentaine.

L'anémie à hématies falciformes

L'**anémie à hématies falciformes**, ou **drépanocytose**, est de loin la maladie héréditaire la plus répandue chez les personnes d'ascendance africaine. Elle touche 1 Afro-Américain sur 400. Elle est due à la substitution d'un seul acide aminé dans l'hémoglobine (protéine des globules rouges). Chez une personne atteinte, lorsque la teneur du sang en dioxygène est faible (à haute altitude ou en cas d'effort physique, par exemple), les molécules d'hémoglobine se regroupent et se cristallisent sous forme de longs bâtonnets. Ces cristaux déforment les globules rouges, qui prennent la forme de faucilles – d'où le qualificatif *falciforme* – (voir la figure 5.21). Les globules falciformes peuvent s'agglomérer et obstruer des petits vaisseaux sanguins, déclenchant ainsi une avalanche de symptômes dans tout l'organisme : faiblesse physique, douleurs, dommages aux organes et même paralysie. Les effets multiples de la possession de deux copies de l'allèle responsable de l'anémie à hématies falciformes (individus homozygotes) constituent un exemple de pléiotropie. À l'heure actuelle, les enfants victimes d'anémie à hématies falciformes doivent subir des transfusions sanguines à intervalles réguliers pour prévenir les lésions cérébrales. Certains nouveaux médicaments permettent de traiter ou de prévenir en partie d'autres problèmes. Malheureusement, aucune guérison n'est actuellement possible.

Bien que deux allèles d'hématies falciformes soient nécessaires pour qu'un individu présente une forme complète de la maladie, la présence d'un allèle peut influer sur le phénotype. Par conséquent, l'allèle normal qui est la contrepartie de l'allèle de l'anémie à hématies falciformes ne domine pas complètement ce dernier au niveau de l'organisme. On dit que les hétérozygotes (soit les transmetteurs d'un seul allèle de la maladie) *portent le caractère de l'anémie à hématies falciformes* : ils sont habituellement sains, mais certains présentent plusieurs symptômes typiques de la maladie lorsque la quantité de dioxygène véhiculée dans leur sang diminue pendant un intervalle prolongé. Au niveau moléculaire, les deux allèles sont codominants, c'est-à-dire qu'il y a à la fois production d'hémoglobine normale et production d'hémoglobine anormale (hématies falciformes).

Environ 1 Afro-Américain sur 10 est transmetteur de l'anémie à hématies falciformes. Il s'agit d'un taux exceptionnellement élevé d'hétérozygotes pour un caractère qui a des effets aussi graves chez les homozygotes. Il semble que la présence d'un seul allèle de la maladie constitue un avantage pour le transmetteur, dans la mesure où elle réduit la fréquence et la gravité du paludisme (malaria), notamment chez les jeunes enfants. Le parasite du paludisme passe une partie de son cycle de développement dans les globules rouges (voir la figure 28.11). Or, ces derniers sont fragilisés par la présence du type d'hémoglobine propre à l'anémie à hématies falciformes, même à l'état hétérozygote. Cette situation contribue à interrompre le cycle de vie du parasite. Dans les régions tropicales d'Afrique où le paludisme est une maladie répandue, l'allèle des hématies falciformes constitue donc à la fois une bénédiction et un fléau. La fréquence relativement élevée de l'allèle des hématies falciformes chez les Afro-Américains est un vestige de l'origine africaine de ces derniers.

L'union de parents proches

Il y a peu de chances que deux transmetteurs sains du même allèle récessif rare et nocif se rencontrent et s'unissent. Cependant, la probabilité de transmission de caractères récessifs augmente fortement si deux parents proches (par exemple, un frère et une sœur ou des cousins germains) forment un couple. On qualifie de telles unions de **consanguines** (« même sang »), et on les représente par des traits doubles dans les lignages. Parce qu'il est plus probable de retrouver les mêmes allèles récessifs chez des individus ayant des ancêtres récents communs que chez des individus n'ayant aucun lien de parenté, les enfants issus d'une union entre proches parents ont plus de chances d'être homozygotes pour un caractère récessif (y compris un caractère nocif). On peut observer de telles conséquences de la fécondation consanguine chez de nombreux animaux domestiqués par l'humain ou vivant dans des jardins zoologiques.

Dans quelle mesure la consanguinité humaine augmente-t-elle les risques de maladies génétiques ? Les généticiens ne s'entendent pas sur cette question. De nombreux allèles nocifs produisent des effets si graves que des femmes portant un embryon homozygote avortent spontanément, bien avant terme. Néanmoins, la plupart des sociétés et des civilisations ont des lois et des tabous interdisant les mariages entre proches parents. Ces règles sont probablement le résultat de la constatation empirique que, dans la plupart des populations, les couples formés de proches parents courent un risque plus élevé que les autres d'avoir des enfants mort-nés ou souffrant d'anomalies congénitales. Bien sûr, des facteurs sociaux et économiques ont aussi influé sur l'apparition de coutumes et de lois prohibant les mariages consanguins.

Les maladies héréditaires dominantes

Bien que la plupart des allèles nocifs soient récessifs, de nombreuses maladies humaines sont dues à des allèles dominants ; c'est le cas, par exemple, de l'*achondroplasie*, une forme de nanisme qui affecte 1 personne sur 25 000 dans le monde. Les individus hétérozygotes présentent donc un phénotype de nain **(figure 14.15)**. Inversement, tous ceux qui ne sont pas des nains achondroplasiques – soit 99,99 % de la population – sont homozygotes pour l'allèle récessif. (Le génotype homozygote dominant, quant à lui, semble létal.) À l'instar de la présence de doigts ou d'orteils surnuméraires, que nous avons mentionnée plus haut, l'achondroplasie est un caractère pour lequel l'allèle récessif est beaucoup plus répandu que l'allèle dominant correspondant.

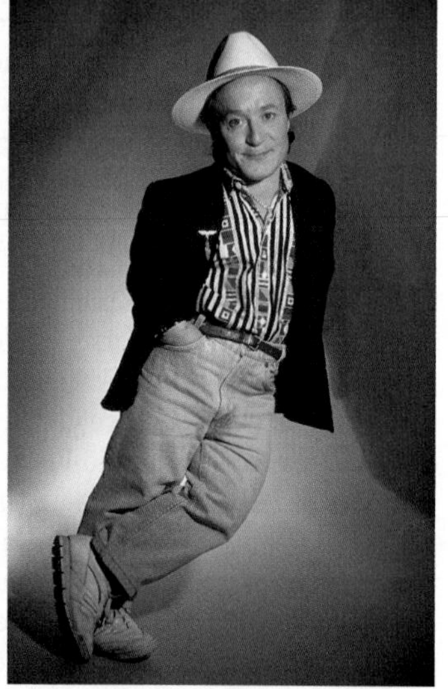

▲ **Figure 14.15 Achondroplasie.** Le comédien David Rappaport était atteint d'achondroplasie, une forme de nanisme causée par un allèle dominant.

Les allèles dominants létaux sont beaucoup moins répandus que les allèles récessifs létaux. Tous les allèles létaux sont le résultat de mutations (modifications de l'ADN) d'un gamète ; on peut supposer que ces mutations se produisent avec la même fréquence, que l'allèle mutant soit dominant ou récessif. Cependant, si un allèle dominant létal tue l'individu qui le porte avant même que celui-ci atteigne la maturité sexuelle et puisse procréer, il ne sera pas transmis aux générations suivantes. Par contre, un allèle récessif létal peut être transmis de génération en génération par des transmetteurs sains hétérozygotes, qui ont des phénotypes normaux. Ces transmetteurs peuvent se reproduire et transmettre l'allèle récessif. Seuls les descendants homozygotes récessifs auront la maladie létale.

Évidemment, il est possible qu'un allèle dominant létal ne soit pas éliminé s'il n'entraîne la mort qu'à un âge relativement avancé. Avant même l'apparition des symptômes, l'individu atteint peut l'avoir transmis à ses enfants. Par exemple, la **chorée** (ou **maladie**) **de Huntington**, une maladie dégénérative du système nerveux, est due à un allèle dominant létal dont les effets phénotypiques ne se manifestent pas de façon évidente avant l'âge de 35 à 45 ans. Lorsqu'elle est enclenchée, la détérioration du système nerveux est malheureusement irréversible, et la mort s'ensuit inévitablement. La probabilité qu'un individu né d'un père ou d'une mère ayant l'allèle de la chorée de Huntington présente lui-même cet allèle est de ½. (On peut représenter l'union des parents par $Cc \times cc$, C étant l'allèle dominant de la maladie.) Au Canada, cette terrible maladie touche 1 individu sur 10 000 ; en France, elle affecte entre 5 000 et 6 000 individus.

Il n'y a pas si longtemps, l'apparition des premiers symptômes de la maladie était la seule façon de savoir si une personne avait effectivement reçu l'allèle de la chorée de Huntington. Tel n'est plus le cas. Grâce à l'analyse d'échantillons d'ADN provenant des membres d'une famille nombreuse dans laquelle la maladie présentait une forte incidence, des spécialistes en génétique moléculaire ont trouvé l'allèle de la chorée de Huntington sur un locus situé près de l'extrémité du chromosome 4 **(figure 14.16)**. Cette découverte a permis de mettre au point des tests pour détecter la présence de cet allèle dans le génome d'un individu. (Nous verrons au chapitre 20 les techniques qui rendent ces tests possibles.) L'existence de ce test pose toutefois un terrible dilemme aux personnes dont la famille a déjà été touchée par cette maladie : dans quelles circonstances est-il souhaitable de faire savoir à une personne actuellement en bonne santé si elle a hérité ou non d'un mal mortel et encore incurable ? Certaines personnes peuvent souhaiter subir ces tests avant de fonder une famille.

Les maladies multifactorielles

On qualifie parfois les maladies héréditaires dont nous avons parlé jusqu'ici de maladies mendéliennes simples, parce qu'elles sont dues à l'anormalité de l'un ou des deux allèles sur un seul locus. Il existe un bien plus grand nombre d'affections dont les causes sont multifactorielles ; il s'agit, en d'autres termes, de maladies résultant à la fois de la présence d'une composante

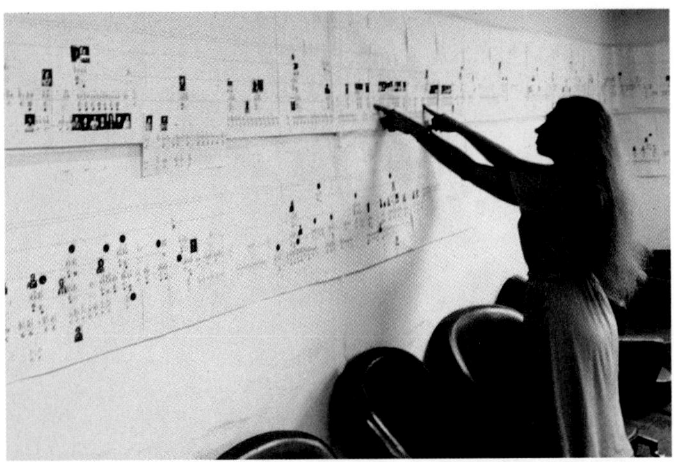

▲ **Figure 14.16 Les familles nombreuses, des laboratoires vivants pour la génétique humaine.** Nancy Wexler, professeure à l'Université Columbia et membre de la Hereditary Disease Foundation, se tient devant un immense lignage qui montre la transmission, de génération en génération, de la chorée de Huntington dans une grande famille vénézuélienne. L'analyse mendélienne classique de cette famille, associée aux nouvelles techniques de biologie moléculaire, a permis aux scientifiques de mettre au point un test permettant de détecter l'allèle dominant de cette maladie avant l'apparition de ses premiers symptômes. La probabilité que D[re] Wexler ait elle-même reçu l'allèle dominant en cause est de ½, car sa mère a succombé à ce mal. À ce jour, elle ne présente aucun symptôme.

génétique et d'une influence significative du milieu. Les maladies multifactorielles comprennent les troubles cardiaques, le diabète, le cancer, l'alcoolisme et certaines formes de maladies mentales, telles que la schizophrénie et les troubles bipolaires ainsi que de nombreuses autres maladies. Dans beaucoup de cas, la composante héréditaire est polygénique. Par exemple, de nombreux gènes influent sur l'état de notre système cardiovasculaire, ce qui augmente les risques que certains d'entre nous aient une crise cardiaque ou un accident vasculaire cérébral (AVC). Mais notre mode de vie est aussi déterminant. L'exercice physique, une alimentation saine, l'absence de consommation de tabac et la capacité de composer avec les situations stressantes sont autant de facteurs qui diminuent les risques de souffrir d'une maladie cardiaque ou de certains types de cancer, par exemple.

À l'heure actuelle, on sait si peu de choses sur le rôle joué par les facteurs génétiques dans la plupart des maladies multifactorielles que la meilleure stratégie en matière de santé publique consiste à donner aux gens le plus d'informations possible sur l'importance des facteurs environnementaux et à les encourager à adopter des habitudes de vie saines.

Les outils de dépistage et de conseil génétique

Une approche préventive permet de déterminer les risques qu'on ait un bébé souffrant de certaines maladies génétiques avant même qu'on le conçoive ou au cours des premiers stades de la grossesse. De nombreux hôpitaux proposent aux futurs parents les services de conseillers en génétique capables de les renseigner au cas où une maladie présente dans leur famille leur inspire des inquiétudes.

La génétique mendélienne et les règles de probabilité sont le fondement du conseil génétique

Prenons, par exemple, un couple imaginaire formé par Jean et Carole : ils ont tous les deux un frère qui est mort d'une même maladie héréditaire létale et récessive. Avant de concevoir un premier enfant, ils souhaitent consulter un conseiller en génétique, afin de déterminer les risques que leur enfant soit atteint de la maladie. À partir des renseignements concernant leurs frères, nous pouvons déduire que les deux parents de Carole et les deux parents de Jean sont des transmetteurs sains de l'allèle récessif. Carole et Jean sont donc issus de croisements de *Aa* et *Aa*, où *a* représente l'allèle de la maladie en question. Nous savons également qu'aucun des deux n'est un homozygote récessif (*aa*), puisqu'ils ne présentent aucun symptôme. Leurs génotypes sont donc soit *AA*, soit *Aa*.

La proportion des génotypes des descendants d'un croisement *Aa* × *Aa* étant de 1 *AA* : 2 *Aa* : 1 *aa*, la probabilité que Jean et Carole soient tous deux des transmetteurs sains (*Aa*) est de ⅔. Selon la règle de la multiplication, la probabilité que leur premier enfant soit atteint de la maladie est de ⅔ (la probabilité que Jean soit un transmetteur sain) × ⅔ (la probabilité que Carole soit une transmettrice saine) × ¼ (la probabilité que l'enfant de deux transmetteurs sains soit un homozygote récessif) = ⅑. Supposons que Carole et Jean décident d'avoir un enfant – après tout, il y a huit chances sur neuf qu'il soit normal. Si, en dépit des probabilités, celui-ci souffre de la maladie en question, nous savons désormais que Jean et Carole sont tous *deux* des transmetteurs sains, et nous connaissons leur génotype (*Aa*). Puisqu'ils sont des transmetteurs sains, Jean et Carole savent que, s'ils décident d'avoir un autre bébé, la probabilité que ce dernier soit atteint de la maladie est de ¼.

Lorsqu'on se sert des lois de Mendel pour prévoir les résultats possibles d'une union, il ne faut pas oublier que chaque enfant est le résultat d'un événement indépendant, c'est-à-dire que son génotype ne subit pas l'influence des génotypes de ses frères et sœurs plus âgés. Supposons que Jean et Carole donnent naissance à trois autres enfants, et que *tous* aient la maladie héréditaire hypothétique. La probabilité d'un tel résultat est de 1 sur 64 (soit ¼ × ¼ × ¼). Malgré cette malchance persistante, la probabilité qu'un cinquième bébé soit atteint sera encore de ¼.

Les tests de dépistage des transmetteurs sains

La plupart des enfants souffrant de maladies récessives naissent de parents au phénotype normal. Il est donc possible d'évaluer avec plus de précision le risque génétique lié à une affection donnée en déterminant si de futurs parents sont des transmetteurs sains d'un allèle récessif. Dans le cas d'un nombre croissant de maladies héréditaires, il existe maintenant des tests montrant si un individu au phénotype normal est homozygote dominant ou hétérozygote. À titre d'exemple, citons ceux qui permettent de dépister les transmetteurs sains des allèles de la maladie de Tay-Sachs, de l'anémie à hématies falciformes et de la forme la plus répandue de la fibrose kystique.

Ces tests permettent aux individus ayant des antécédents familiaux de maladies génétiques de prendre des décisions éclairées s'ils désirent procréer. Malheureusement, ces nouvelles méthodes de dépistage génétique risquent de créer des problèmes. En cas de levée du secret médical, les transmetteurs sains seront-ils

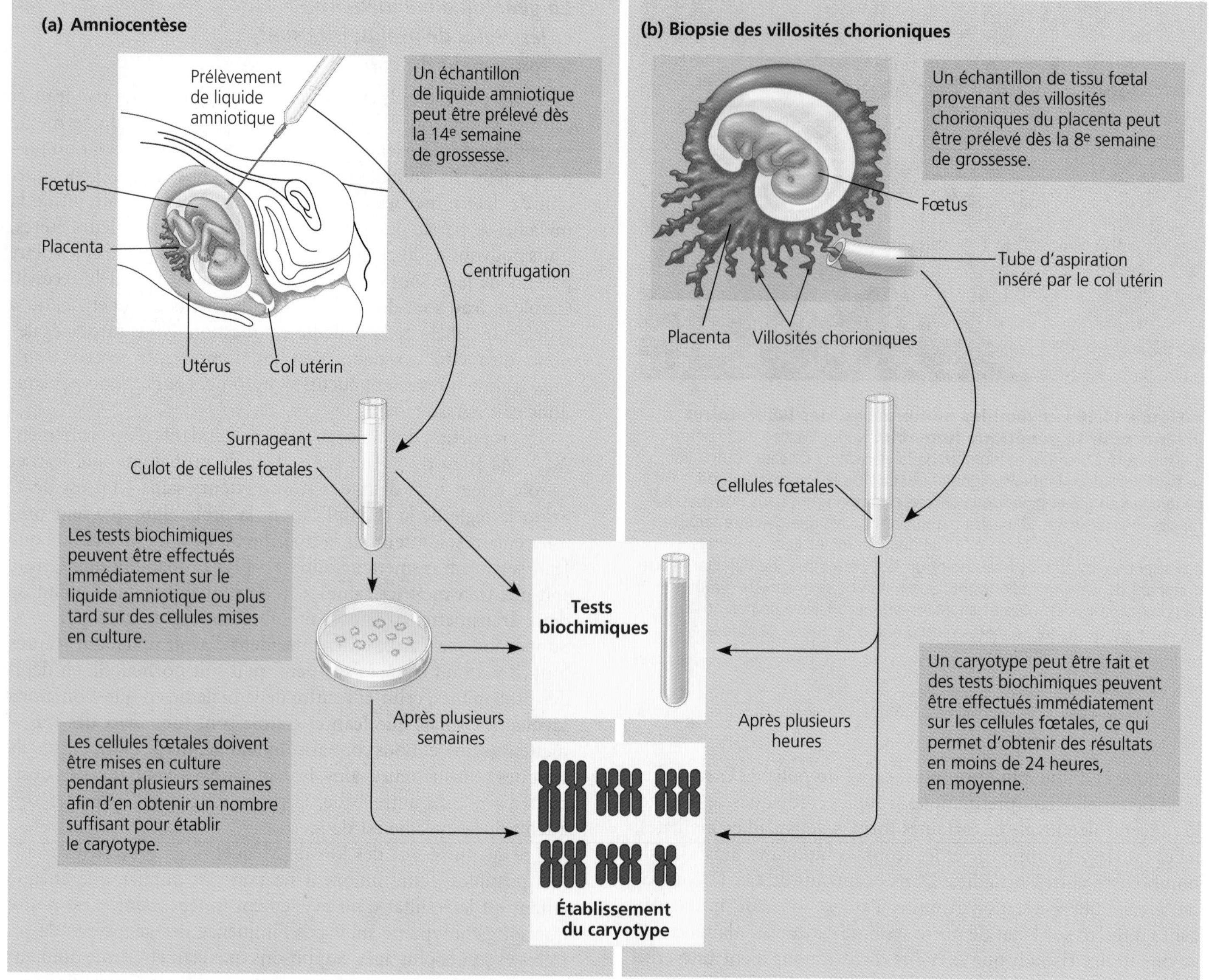
(a) Amniocentèse
Prélèvement de liquide amniotique
Un échantillon de liquide amniotique peut être prélevé dès la 14e semaine de grossesse.
Fœtus
Placenta
Utérus
Col utérin
Centrifugation
Surnageant
Culot de cellules fœtales
Les tests biochimiques peuvent être effectués immédiatement sur le liquide amniotique ou plus tard sur des cellules mises en culture.
Après plusieurs semaines
Les cellules fœtales doivent être mises en culture pendant plusieurs semaines afin d'en obtenir un nombre suffisant pour établir le caryotype.
Tests biochimiques
Établissement du caryotype
(b) Biopsie des villosités chorioniques
Un échantillon de tissu fœtal provenant des villosités chorioniques du placenta peut être prélevé dès la 8e semaine de grossesse.
Fœtus
Tube d'aspiration inséré par le col utérin
Placenta
Villosités chorioniques
Cellules fœtales
Après plusieurs heures
Un caryotype peut être fait et des tests biochimiques peuvent être effectués immédiatement sur les cellules fœtales, ce qui permet d'obtenir des résultats en moins de 24 heures, en moyenne.

▲ **Figure 14.17 Tests de dépistage de maladies héréditaires chez un fœtus.** Des tests biochimiques permettent de détecter la présence de substances associées à des anomalies particulières. Le caryotype permet de voir si l'apparence des chromosomes et leur nombre sont normaux.

stigmatisés? Refusera-t-on de leur accorder une assurance-maladie ou une assurance-vie, bien qu'ils soient eux-mêmes en bonne santé? Des employeurs mal informés penseront-ils que les transmetteurs sains sont tous malades? Et y aura-t-il assez de conseillers en génétique pour aider les nombreux individus qui se soumettent à des tests à en comprendre les résultats? Les nouvelles biotechnologies permettront peut-être de réduire la souffrance humaine, mais il est impératif d'apporter en premier des réponses à des questions fondamentales d'ordre éthique. Les dilemmes posés par la génétique humaine soulignent l'importance que revêt l'un des thèmes abordés par ce manuel, à savoir les énormes implications sociales de la biologie.

Le diagnostic prénatal

Supposons qu'un homme et une femme apprennent qu'ils sont tous deux des transmetteurs sains de la maladie de Tay-Sachs et qu'ils décident malgré tout d'avoir un enfant. Des tests réalisés à la suite de l'**amniocentèse** permettent de déterminer, dès la 14e semaine de grossesse, si le fœtus est atteint de la maladie **(figure 14.17a)**. Cette technique consiste à insérer une aiguille dans la cavité utérine et à franchir l'amnios (la membrane extraembryonnaire la plus externe). Le médecin qui effectue le test extrait ensuite de la cavité amniotique environ 10 mL du liquide dans lequel baigne le fœtus. Il est possible de détecter certaines maladies génétiques grâce à la présence de substances chimiques dans le liquide amniotique ou à partir de cellules détachées du fœtus que l'on met en culture. Les cellules issues des cellules fœtales permettent d'établir le caryotype et de déterminer certaines anomalies chromosomiques, comme celle de la maladie de Tay-Sachs, (voir les figures 13.3 [caryotype normal] et 15.15 [caryotype anormal]).

Une autre technique appelée **biopsie des villosités chorioniques** consiste à insérer un tube mince dans l'utérus par le col utérin et à aspirer une petite quantité de tissu fœtal en provenance du placenta, cet organe qui assure le transport des nutriments et des déchets entre le fœtus et la mère **(figure 14.17b)**. Les cellules des villosités chorioniques, où l'échantillon a été prélevé, proviennent du fœtus et sont du même génotype que lui. Elles prolifèrent assez rapidement pour permettre d'établir immédiatement un caryotype. Cette méthode rapide a l'avantage de donner des résultats plus tôt que l'amniocentèse (celle-ci nécessite qu'on cultive les cellules pendant plusieurs semaines, avant de pouvoir dresser un caryotype). Par ailleurs, on peut réaliser une biopsie des villosités chorioniques dès la huitième semaine de grossesse. Cependant, cette méthode ne convient pas aux tests qui exigent un prélèvement de liquide amniotique, et elle est moins largement offerte que l'amniocentèse. Récemment, des scientifiques ont mis au point des méthodes d'isolement des cellules fœtales qui se sont échappées dans le sang de la mère. Bien qu'elles soient peu nombreuses, on peut cultiver ces cellules pour effectuer des tests.

Les techniques d'imagerie médicale permettent au médecin d'examiner directement le fœtus pour détecter la présence d'anomalies graves. L'*échographie* consiste à utiliser des ultrasons. Ce procédé simple et non effractif sert à produire une image du fœtus à partir de la réflexion des ondes sonores. Une autre technique, la *fœtoscopie*, consiste à insérer dans l'utérus un tube aussi fin qu'une aiguille comportant un objectif et des fibres optiques (qui transmettent la lumière).

Les ultrasons ne comportent aucun risque connu pour la mère et le fœtus, mais l'amniocentèse, la biopsie des villosités chorioniques ou la fœtoscopie provoquent des complications, telles une hémorragie chez la mère ou la mort du fœtus, dans environ 0,5 % des cas pour l'amniocentèse, 1 % des cas pour la biopsie des villosités chorioniques et jusqu'à 5 % des cas pour la fœtoscopie. C'est pourquoi on n'a recours à ces techniques que si les risques de maladies génétiques ou d'autres anomalies congénitales sont relativement élevés. Quand un diagnostic prénatal révèle une maladie grave, les parents doivent prendre une décision difficile : soit mettre fin à la grossesse, soit se préparer à prendre soin d'un enfant atteint d'une maladie génétique.

Le dépistage chez les nouveau-nés

Certaines maladies génétiques peuvent être détectées dès la naissance au moyen de tests simples effectués régulièrement dans les hôpitaux. L'un des programmes de dépistage concerne la phénylcétonurie (PCU), une maladie héréditaire récessive qui frappe environ 1 nouveau-né sur 25 600 au Québec et 1 sur 16 000 en France. La phénylalanine est un acide aminé essentiel (l'organisme ne peut le produire lui-même et doit l'absorber dans l'alimentation) que les enfants atteints de phénylcétonurie ne peuvent dégrader en tyrosine. En effet, le gène qui régit la synthèse de l'enzyme permettant cette dégradation a subi une mutation. S'ils ne sont pas dégradés, la phénylalanine et son dérivé, l'acide phénylpyruvique, peuvent s'accumuler au point d'atteindre des concentrations toxiques dans le sang et d'entraîner un retard mental. Toutefois, si on détecte cette affection chez un nouveau-né, il est possible de prévenir un retard mental en le soumettant, pendant les premières années de son développement, à un régime spécial à faible teneur en phénylalanine. Malheureusement, à l'heure actuelle, on ne sait traiter qu'un petit nombre de maladies génétiques.

Dépistage de maladies héréditaires graves chez les nouveau-nés et les fœtus, tests pour le dépistage des transmetteurs sains, services de conseillers en génétique – tous ces outils de la médecine moderne reposent sur le modèle mendélien de l'hérédité. La notion de gène (le concept de facteurs héréditaires particulaires transmis selon les règles simples du hasard) nous vient des expériences remarquables de Gregor Mendel. La plupart des biologistes n'ont apparemment compris l'importance de ses découvertes qu'au début du XXe siècle, plusieurs décennies après la publication des résultats de ses expériences. Dans le chapitre suivant, nous verrons que les lois de Mendel s'expliquent par le comportement physique des chromosomes dans les cycles de développement sexués, et nous apprendrons comment la synthèse du mendélisme et de la théorie chromosomique de l'hérédité a catalysé les progrès de la génétique.

Retour sur le concept 14.4

1. Élisabeth et Thomas ont chacun un frère ou une sœur atteint de fibrose kystique, mais ni l'un ni l'autre, ni aucun de leurs parents ne sont atteints de la maladie. Si le couple donne naissance à un enfant, calculez la probabilité qu'il soit atteint de fibrose kystique. Quelle serait cette probabilité si un test révélait que Thomas est un transmetteur sain mais qu'Élisabeth ne l'est pas ?
2. À sa naissance, Johanne avait six orteils à chaque pied ; ce caractère dominant est appelé polydactylie. Deux de ses cinq frères et sœurs et sa mère, mais pas son père, ont également des doigts surnuméraires. Quel est le génotype de Johanne pour le caractère déterminant le nombre de doigts ou d'orteils ? Expliquez votre réponse. Utilisez les lettres *D* et *d* comme symboles des allèles de ce caractère.

Voir les réponses proposées à la fin du chapitre.

Révision du chapitre 14

RÉSUMÉ DES CONCEPTS CLÉS

Concept 14.1

Mendel a découvert les deux lois de l'hérédité en utilisant l'approche scientifique

- **L'approche expérimentale et quantitative de Mendel (p. 271-273).** Gregor Mendel a formulé une théorie particulaire de l'hérédité fondée sur les résultats d'expériences effectuées sur des pois dans les années 1860. Il a démontré que les parents transmettent à leurs descendants des unités héréditaires discontinues, les gènes, qui conservent leur identité d'une génération à l'autre.
- **La loi de la ségrégation (p. 273-277).** Cette loi stipule que deux allèles d'un gène se séparent (ségrégation) lors de la formation des gamètes, de sorte qu'un gamète mâle ou femelle ne porte qu'un allèle de chaque gène. Mendel a proposé cette loi pour expliquer la proportion 3 : 1 des phénotypes de la génération F_2 qu'il a observée lors de l'autofécondation de monohybrides. Selon le modèle de Mendel, les gènes peuvent revêtir plusieurs formes distinctes (allèles) et un organisme reçoit de son père un des deux allèles de chaque gène, et de sa mère, l'autre allèle. Après la fécondation, si les deux allèles de la paire sont différents, l'un d'eux (l'allèle dominant) s'exprime pleinement dans l'individu ; l'autre (l'allèle récessif) est masqué. Les individus homozygotes possèdent deux allèles identiques d'un caractère donné et sont de lignée pure. Les individus hétérozygotes ont deux allèles différents d'un caractère donné.
- **La loi de l'assortiment indépendant (p. 277-278).** Cette loi stipule que les allèles des diverses paires se répartissent dans les gamètes indépendamment les uns des autres. Mendel a proposé cette loi à la lumière des résultats qu'il a obtenus en effectuant des croisements dihybrides entre des plantes hétérozygotes. Les allèles d'un caractère se répartissent dans les gamètes indépendamment des allèles des autres caractères. Les descendants d'un croisement dihybride (génération F_2) présentent quatre phénotypes dans une proportion de 9:3:3:1.

Concept 14.2

Les règles des probabilités régissent les lois de l'hérédité de Mendel

- **La règle de la multiplication et la règle de l'addition appliquées aux croisements monohybrides (p. 278-279).** La règle de la multiplication stipule que la probabilité de voir plusieurs événements se manifester ensemble est égale au produit des probabilités de chacun des événements indépendants. La règle de l'addition stipule que la probabilité que se réalise un événement susceptible de se produire de deux façons indépendantes ou plus est égale à la somme des probabilités associées à chaque façon.
- **La résolution de problèmes de génétique complexes à l'aide des règles de probabilité (p. 279-280).** Un croisement dihybride ou entre des parents différant par plusieurs caractères est équivalent à au moins deux croisements monohybrides indépendants qui se produisent simultanément. Lorsqu'on calcule les probabilités des divers génotypes de descendants issus de ces croisements, on étudie d'abord chaque caractère séparément, puis on multiplie les probabilités individuelles l'une par l'autre.

Concept 14.3

Les modèles d'hérédité sont souvent plus complexes que ceux qui sont prévus par la génétique de Mendel

- **La généralisation des lois de la génétique mendélienne appliquées à un seul gène (p. 280-283).** Dans le cas d'un gène à dominance complète d'un allèle, le phénotype de l'hétérozygote est le même que celui de l'homozygote dominant. Dans la codominance des *deux* allèles, les deux phénotypes s'expriment chez les hétérozygotes. Dans le cas d'une dominance incomplète de l'un ou l'autre allèle, le phénotype hétérozygote est intermédiaire entre les deux phénotypes homozygotes. Dans une population donnée, de nombreux gènes ont des allèles *multiples* (plus de deux allèles). La pléiotropie est l'effet d'un seul gène sur de nombreux caractères.
- **La généralisation des lois de la génétique mendélienne appliquées à deux ou à plusieurs gènes (p. 283-284).** L'épistasie est l'influence d'un gène sur l'expression d'un autre gène. L'hérédité polygénique est l'effet additif de deux gènes ou plus sur un même caractère phénotypique. Les caractères influencés par de nombreux gènes sont souvent quantitatifs, c'est-à-dire qu'ils varient de façon continue.
- **Hérédité et environnement : l'influence du milieu sur le phénotype (p. 284).** Le milieu peut influencer l'expression d'un génotype. La gamme phénotypique d'un génotype particulier est appelée norme de réaction. Les caractères polygéniques également influencés par le milieu sont dits multifactoriels.
- **L'intégration d'une perspective mendélienne de l'hérédité et de la variation (p. 284-285).** Le phénotype de l'ensemble d'un organisme – c'est-à-dire son apparence physique, son anatomie interne, sa physiologie et son comportement – résulte de l'ensemble de son génotype et de l'influence particulière de son milieu. Même dans des modèles d'hérédité plus complexes, les lois fondamentales de Mendel sur la ségrégation et l'assortiment indépendant s'appliquent toujours.

Concept 14.4

De nombreux caractères humains suivent les modèles mendéliens de l'hérédité

- **L'étude des lignages (p. 285-286).** On peut examiner les lignages de familles humaines pour déterminer les génotypes possibles de certaines personnes et prédire ceux des enfants à venir. Ces prévisions se présentent habituellement sous la forme de probabilités statistiques, et non de certitudes.
- **Les maladies héréditaires récessives (p. 286-288).** La maladie de Tay-Sachs, la fibrose kystique, l'anémie à hématies falciformes et de nombreuses autres maladies génétiques se perpétuent par l'intermédiaire d'un allèle récessif. La plupart des individus touchés (possédant un génotype homozygote récessif) sont les enfants de transmetteurs sains hétérozygotes, dont le phénotype est normal.
- **Les maladies héréditaires dominantes (p. 288).** Les allèles dominants létaux sont éliminés d'une population si les individus atteints meurent avant d'atteindre la maturité sexuelle. Les allèles dominants non létaux et les allèles dominants létaux qui n'entraînent la mort qu'à un âge relativement avancé, comme la chorée de Huntington, sont transmis selon un modèle mendélien.
- **Les maladies multifactorielles (p. 288-289).** De nombreuses maladies humaines, telles que la plupart des types de maladies cardiaques et de cancer, possèdent des composantes et génétiques et environnementales. Ces dernières ne suivent pas des modèles mendéliens simples.
- **Les outils de dépistage et de conseil génétique (p. 289-291).** Les conseillers en génétique s'appuient sur l'histoire familiale des couples pour aider ceux-ci à calculer les probabilités que leurs enfants soient atteints d'une maladie génétique. Dans le cas d'un nombre croissant d'affections, il existe des tests qui permettent de déterminer les transmetteurs sains et de calculer avec plus de précision les probabilités qu'ils transmettent le phénotype en question à leur descendance. À l'aide de l'amniocentèse et de la biopsie des villosités chorioniques, on peut déterminer après la conception d'un enfant si celui-ci est atteint d'une maladie génétique. D'autres tests génétiques peuvent être effectués après la naissance de l'enfant.

VÉRIFIEZ VOS CONNAISSANCES

Problèmes de génétique

1. Chez certaines plantes, une souche de lignée pure à fleurs rouges ne donne que des descendants à fleurs roses si on la croise avec une souche de lignée pure à fleurs blanches: *RR* (rouge) × *rr* (blanc) → *Rr* (rose). Si le mode de transmission de la position des fleurs (axiale ou terminale) s'effectue comme chez le pois (voir le tableau 14.1), quelles seront les proportions des génotypes et des phénotypes de la génération F_1 issue du croisement suivant: axiale-rouge (lignée pure) × terminale-blanche (lignée pure)? Quelles seront les proportions des génotypes et des phénotypes de la génération F_2?

2. Mendel avait choisi d'étudier plusieurs caractères chez le pois, notamment la position des fleurs, la longueur de la tige et la forme des graines. Ces trois caractères sont régis par des gènes dont l'assortiment est indépendant et dont les relations de dominance-récessivité sont les suivantes:

Caractère	*Dominant*	*Récessif*
Position des fleurs	Axiale (*A*)	Terminale (*a*)
Longueur de la tige	Longue (*L*)	Naine (*l*)
Forme des graines	Ronde (*R*)	Ridée (*r*)

   Si on permet qu'une plante qui est hétérozygote pour les trois caractères s'autoféconde, selon quelle proportion ses descendants devraient-ils présenter les phénotypes suivants? (*Remarque:* Servez-vous des règles de probabilité plutôt que de dessiner une immense grille de Punnett.)
   a) Homozygotes pour les trois caractères dominants.
   b) Homozygotes pour les trois caractères récessifs.
   c) Hétérozygotes pour les trois caractères.
   d) Homozygotes dominants pour la position des fleurs et la longueur de la tige, hétérozygotes pour la forme des graines.

3. On croise deux cobayes (*Cavia Porcellus*), un mâle noir et une femelle albinos. Ils produisent 12 petits de couleur noire. Lorsqu'on croise la même femelle albinos avec un autre mâle noir, on obtient 7 bébés noirs et 5 bébés albinos. Déterminez le mode de transmission du caractère en question. Dans les deux croisements, précisez le génotype des parents, des gamètes et des petits.

4. Chez le sésame (*Sesamum indicum*), le caractère gousse simple (*S*) est dominant par rapport au caractère gousse multiple (*s*), et le caractère feuille lisse (*L*) est dominant par rapport au caractère feuille plissée (*l*). La transmission de ces deux caractères s'effectue selon la loi de l'assortiment indépendant des caractères. Déterminez les génotypes des deux parents dans le cas de tous les croisements produisant les descendances suivantes:
   a) 318 gousse simple-feuille lisse; 98 gousse simple-feuille plissée.
   b) 323 gousse multiple-feuille lisse; 106 gousse multiple-feuille plissée.
   c) 401 gousse simple-feuille lisse.
   d) 105 gousse simple-feuille lisse; 147 gousse simple-feuille plissée; 51 gousse multiple-feuille lisse; 48 gousse multiple-feuille plissée.
   e) 223 gousse simple-feuille lisse; 72 gousse simple-feuille plissée; 76 gousse multiple-feuille lisse; 27 gousse multiple-feuille plissée.

5. Un homme du groupe sanguin A épouse une femme du groupe B. Ils ont un enfant du groupe O. Quels sont les génotypes de ces personnes? Quels autres génotypes s'attendrait-on à trouver chez les autres enfants issus de ce mariage, et selon quelle fréquence?

6. La phénylcétonurie est une maladie héréditaire due à un allèle récessif. Si une femme et son mari, tous les deux des transmetteurs sains de la maladie, ont trois enfants, quelle est la probabilité de chacune des situations suivantes?
   a) Les trois enfants ont tous un phénotype normal.
   b) Au moins un des enfants souffre de la maladie.
   c) Les trois enfants souffrent tous de la maladie.
   d) Au moins un enfant a un phénotype normal.

   (*Remarque:* Rappelez-vous que la somme des probabilités pour tous les événements possibles est toujours de 1.)

7. Le génotype des individus de la génération F_1 dans un croisement tétrahybride est *AaBbCcDd*. Si on suppose que les quatre gènes obéissent à la loi de l'assortiment indépendant, quelles sont les probabilités que les descendants de la génération F_2 aient les génotypes suivants?
   a) *aabbccdd.*
   b) *AaBbCcDd.*
   c) *AABBCCDD.*
   d) *AaBBccDd.*
   e) *AaBBCCdd.*

8. Quelle est la probabilité que chacun des couples suivants produise la descendance indiquée? (Supposez que toutes les paires d'allèles obéissent à la loi de l'assortiment indépendant.)
   a) *AABBCC* × *aabbcc* → *AaBbCc.*
   b) *AABbCc* × *AaBbCc* → *AAbbCC.*
   c) *AaBbCc* × *AaBbCc* → *AaBbCc.*
   d) *aaBbCC* × *AABbcc* → *AaBbCc.*

9. Martine et Philippe ont tous les deux une sœur ou un frère atteint d'anémie à hématies falciformes. Cependant, ni Martine, ni Philippe, ni aucun de leurs parents n'ont souffert de cette maladie, et aucun test n'a révélé que l'un d'eux était un transmetteur sain de la maladie. À partir de ces renseignements, calculez la probabilité qu'un enfant issu de ce couple soit atteint d'anémie à hématies falciformes.

10. Vous découvrez et adoptez un chat noir errant, qui a d'étranges oreilles arrondies et courbées vers l'intérieur. Vous décidez de créer une variété de lignée pure à partir de cet individu exceptionnel. Comment pourriez-vous déterminer si l'allèle des oreilles courbées vers l'intérieur est dominant ou récessif? Comment pourriez-vous obtenir des chatons aux oreilles courbées vers l'intérieur appartenant à une lignée pure? Comment vérifieriez-vous que les chatons aux oreilles courbées vers l'intérieur appartiennent à une lignée pure?

11. Supposez qu'une maladie héréditaire récessive récemment découverte n'est exprimée que chez les individus du groupe sanguin O, bien que la maladie et le groupe sanguin soient transmis indépendamment. Un homme normal du groupe sanguin A et une femme normale du groupe sanguin B ont déjà un enfant qui souffre de la maladie. La femme est de nouveau enceinte. Quelle est la probabilité que le deuxième enfant souffre aussi de la maladie? Supposez que les deux parents sont hétérozygotes pour le gène qui cause la maladie.

12. Chez le tigre (*Panthera tigris*), un même allèle produit une fourrure blanche rayée («tigre blanc») et du strabisme (le fait de loucher). Si deux tigres de phénotype normal qui sont hétérozygotes pour ce locus s'accouplent, quel pourcentage de leur progéniture sera strabique? Quel pourcentage aura une fourrure blanche?

13. Chez le maïs (*Zea mays*), l'allèle dominant *I* inhibe la coloration des graines, alors que l'allèle récessif *i*, à l'état homozygote, permet la coloration. Sur un autre locus, l'allèle dominant *P* produit des graines pourpres, alors que l'allèle récessif à l'état homozygote *pp* produit des graines rouges. À quels modes de transmission avons-nous affaire ici? Si on croise des plantes hétérozygotes pour les deux caractères, quelles seront les proportions phénotypiques des individus de la génération F_1?

14. Le lignage ci-dessous montre la transmission héréditaire de l'alcaptonurie, maladie métabolique dont la manifestation clinique la plus frappante se traduit par une urine qui noircit au contact de l'air. Les individus touchés, représentés ici par des cercles et

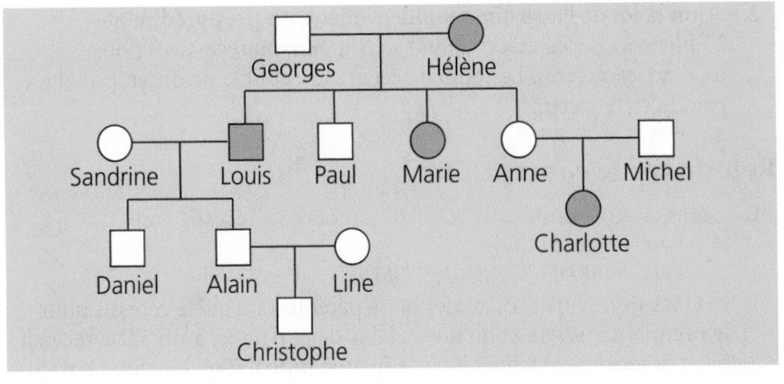

des carrés violets, sont incapables de dégrader l'homogentisate (autrefois nommé alcaptone) qui colore l'urine et teinte les tissus conjonctifs de l'organisme. L'alcaptonurie semble-t-elle due à un allèle dominant ou à un allèle récessif? Indiquez les génotypes des individus pour lesquels vous pouvez faire une déduction. Quels sont les génotypes possibles pour chacune des autres personnes de ce lignage?

15. Un homme a six doigts à chaque main et six orteils à chaque pied (anomalie congénitale appelée polydactylie). Sa femme et leur fille ont un nombre normal de doigts et d'orteils. La présence de doigts surnuméraires est un caractère dominant (*P*). Selon quelle proportion les enfants de ce couple devraient-ils avoir des doigts et des orteils surnuméraires?
16. Vous êtes conseiller en génétique et un couple souhaitant fonder une famille vient vous consulter. Charles a déjà été marié et un enfant atteint de fibrose kystique est né de cette union. Le frère de sa conjointe actuelle, Hélène, est mort des suites de cette maladie. Calculez la probabilité que Charles et Hélène donnent naissance à un enfant atteint de fibrose kystique. (Aucun des deux ne souffre de cette maladie.)
17. Chez la souris commune (*Mus musculus*), la couleur brun ocre (*B*) est un caractère dominant par rapport à la couleur blanche (*b*). Chez les souris brunes, un allèle dominant (*J*) situé sur un autre locus produit une bande de couleur jaune près de la pointe de chaque poil, ce qui donne au pelage une apparence mouchetée, appelée agouti. L'allèle récessif (*j*) produit un pelage uniforme. Si on croise des souris hétérozygotes pour ces deux loci, quelle devrait être la proportion phénotypique de leurs petits?
18. La taille d'une plante est régie par trois paires de gènes, *Aa*, *Bb*, *Cc*; les allèles *A*, *B* et *C* contribuent de façon égale à la croissance de la plante, alors que les allèles *a*, *b* et *c* n'y contribuent pas du tout. Un croisement entre deux plantes *AaBbCc* donne un grand nombre de phénotypes en ce qui concerne la taille. Si on regroupe ces individus par classe de taille et si on répartit ces classes de la plus petite à la plus grande, on obtient une répartition selon la courbe normale (distribution en forme de cloche). Dressez la liste des sept génotypes que l'on devrait retrouver dans la classe phénotypique contenant le plus d'individus (ceux de taille moyenne).

Lien avec l'évolution

Depuis la Révolution tranquille au Québec, c'est-à-dire le début des années 1960, les gens tendent à fonder une famille à un âge plus avancé que ne le faisaient leurs parents et leurs grands-parents. Émettez une hypothèse sur les effets que cette tendance pourrait avoir sur la fréquence des allèles dominants létaux dans la population.

Intégration

1. On vous remet un plant de pois à longues tiges et à fleurs axiales (voir le tableau 14.1) et on vous demande de déterminer son génotype le plus rapidement possible. Vous savez que l'allèle des longues tiges (*T*) est dominant par rapport à celui des tiges naines (*t*), tandis que l'allèle pour les fleurs axiales (*A*) est dominant par rapport à celui des fleurs terminales (*a*).
   a) Trouvez *tous* les génotypes possibles de ce plant.
   b) Décrivez le croisement que vous devriez effectuer et qui vous permettrait de déterminer le génotype exact de cette plante.
   c) En attendant les résultats de ce croisement, faites des prévisions distinctes pour chacun des génotypes trouvés à la partie a. Expliquez votre procédure.
   d) Formulez vos prédictions sous la forme suivante: « Si le génotype du plant de pois est ______, les individus issus du croisement seront ______. »
   e) Si la moitié des plantes ainsi produites ont des tiges longues et des fleurs axiales, et l'autre moitié, des tiges longues et des fleurs terminales, quel est le génotype du plant de pois?
   f) Expliquez pourquoi aux parties c et d vous n'avez pas eu à faire de croisements.
2. Le génotype d'une plante pour trois gènes situés sur trois paires de chromosomes différentes est le suivant: *AaBBCc*. Faites la liste des différentes combinaisons d'allèles que l'on retrouvera dans les cellules produites chez cette plante lors de la méiose, à la fin de la division I et de la division II, respectivement.

Science, technologie et société

L'un de vos parents souffre de la chorée de Huntington. Quelle est la probabilité que vous aussi soyez un jour atteint de cette maladie? Il n'existe actuellement aucun traitement permettant de guérir cette affection. Souhaiteriez-vous subir le test de détection de l'allèle de la chorée de Huntington? Pourquoi?

Réponses du chapitre 14

Retour sur le concept 14.1

1. Premièrement, toutes les plantes de la génération F_1 avaient des fleurs de la même couleur (violette) que les fleurs d'une des variétés parentales, plutôt qu'une couleur intermédiaire comme le prédit l'hypothèse du « mélange ». Deuxièmement, la réapparition de fleurs blanches à la génération F_2 indique que l'allèle régissant le caractère des fleurs blanches n'était pas perdu dans la génération F_1 ; son effet phénotypique était plutôt masqué par l'effet de l'allèle dominant des fleurs de couleur violette.
2. Selon la loi de l'assortiment indépendant, on peut prédire que 25 plantes ($\frac{1}{16}$ des descendants) seront *aatt*, ou récessives pour les deux caractères. Le résultat réel est susceptible de différer quelque peu de cette valeur.

Retour sur le concept 14.2

1. $\frac{1}{2}$ homozygote dominant (*CC*), 0 homozygote récessif (*cc*) et $\frac{1}{2}$ hétérozygote (*Cc*).
2. $\frac{1}{4}$ *BBDD*; $\frac{1}{4}$ *BbDD*; $\frac{1}{4}$ *BBDd*; $\frac{1}{4}$ *BbDd*.
3. 0; étant donné qu'un seul des deux parents a un allèle récessif pour le premier caractère et qu'un seul des deux parents a un allèle récessif pour le second caractère, il n'y a aucune probabilité de voir apparaître des descendants homozygotes récessifs qui présenteraient les caractères récessifs.

Retour sur le concept 14.3

1. Dominance incomplète, les hétérozygotes étant de couleur grise. Le croisement d'un coq gris avec une poule noire devrait produire des poussins gris et des poussins noirs en nombre à peu près égal.
2. La taille est partiellement héréditaire et semble présenter une hérédité polygénique dont la norme de réaction est étendue, ce qui indique que le milieu exerce une forte influence sur le phénotype.

Retour sur le concept 14.4

1. $\frac{1}{9}$; étant donné que la fibrose kystique est causée par un allèle récessif, les frères et sœurs d'Élisabeth et de Thomas qui ont la maladie doivent être homozygotes récessifs. Par conséquent, chaque parent doit être un transmetteur sain de l'allèle récessif. Ni Élisabeth ni Thomas ne souffrent de la maladie, ce qui signifie que la probabilité qu'ils soient tous deux un transmetteur sain est de $\frac{2}{3}$. Si tous les deux sont des transmetteurs sains, la probabilité qu'ils donnent naissance à un enfant atteint de fibrose kystique est de $\frac{1}{4}$ ($\frac{2}{3} \times \frac{2}{3} \times \frac{1}{4} = \frac{1}{9}$).
   0 ; il faut que les deux, Élisabeth et Thomas, soient des transmetteurs sains pour donner naissance à un enfant atteint de la maladie.

2. Le génotype de Johanne est *Dd*. Parce que l'allèle de la polydactylie (*D*) est dominant par rapport à l'allèle des cinq doigts par membre (*d*), les personnes de génotype *DD* ou *Dd* expriment ce caractère. Si la mère de Johanne était homozygote dominante (*DD*), tous ses enfants seraient atteints de polydactylie. Mais, puisque certains des frères et sœurs de Johanne n'ont pas cette anomalie, sa mère doit être hétérozygote (*Dd*). Tous les enfants nés de sa mère (*Dd*) et de son père (*dd*) ont soit le génotype *dd* (le phénotype normal), soit le génotype *Dd* (phénotype de la polydactylie).

Problèmes de génétique

1. Le croisement de la génération parentale est *AARR* × *aarr*. Le génotype de la génération F_1 est *AaRr*, le phénotype est une fleur axiale-rose. Les génotypes de la génération F_2 sont : 4 *AaRr* : 2 *AaRR* : 2 *AARr* : 2 *aaRr* : 2 *Aarr* : 1 *AARR* : 1 *aaRR* : 1 *AArr* : 1 *aarr*. Les phénotypes sont 6 axiale-rose : 3 axiale-rouge : 3 axiale-blanche : 2 terminale-rose : 1 terminale-blanche : 1 terminale-rouge.
2. a) $1/64$. b) $1/64$. c) $1/8$. d) $1/32$.
3. Le caractère albinos (*n*) est récessif; le caractère noir (*N*) est dominant. Premier croisement : parents *NN* × *nn* ; gamètes *N* et *n*; tous les descendants (F_1) sont *Nn* (couleur noire). Deuxième croisement : parents *nn* × *Nn*; gamètes *n* (parent homozygote), et $1/2$ *N*, $1/2$ *n* (parent hétérozygote); descendants (F_1) : $1/2$ *Nn*, $1/2$ *nn*.
4. a) *SSLl* × *SSLl* ou *SSLl* × *SsLl* ou *SSLl* × *ssLl*.
   b) *ssLl* × *ssLl*.
   c) *SSLL* × n'importe lequel des 9 génotypes possibles ou *SSll* × *ssLL*.
   d) *SsLl* × *Ssll*.
   e) *SsLl* × *SsLl*.
5. Homme I^Ai; femme I^Bi; enfant *ii*. Les génotypes des autres enfants sont $1/4$ I^AI^B, $1/4$ I^Ai, $1/4$ I^Bi.
6. a) $3/4 \times 3/4 \times 3/4 = 27/64$.
   b) $1 - 27/64 = 37/64$.
   c) $1/4 \times 1/4 \times 1/4 = 1/64$.
   d) $1 - 1/64 = 63/64$.
7. a) $1/256$. b) $1/16$. c) $1/256$. d) $1/64$. e) $1/128$.
8. a) 1. b) $1/32$. c) $1/8$. d) $1/2$.
9. $1/9$ (soit $2/3 \times 2/3 \times 1/4$).
10. Il s'agit de croiser le chat aux oreilles courbées avec un autre aux oreilles droites et de lignée pure. Si le caractère oreilles courbées est dominant, il apparaîtra dans la progéniture. Si le caractère est récessif, aucun chaton n'aura les oreilles courbées. On pourrait obtenir des chats homozygotes (lignée pure) pour l'allèle « oreilles courbées vers l'intérieur » dans la génération F_2 issue du croisement décrit précédemment, que le caractère oreilles courbées soit dominant ou récessif. On sait que ces chats appartiennent à une lignée pure lorsque des croisements oreilles courbées × oreilles courbées ne produisent que des individus aux oreilles courbées. En fait, l'allèle à l'origine des oreilles courbées est dominant.
11. $1/16$.
12. 25 % seront strabiques; tous les descendants strabiques auront également une fourrure blanche.
13. L'allèle dominant *I* effectue de l'épistasie par rapport au locus *P/p* et, par conséquent, les proportions génotypiques pour la génération F_1 seront : 9 *I_P_* (incolore) : 3 *I_pp* (incolore) : 3 *iiP_* (pourpre) : 1 *iipp* (rouge). Les proportions phénotypiques seront donc : 12 graines incolores : 3 graines pourpres : 1 graine rouge.
14. Récessif; tous les individus touchés (Hélène, Louis, Marie et Charlotte) sont homozygotes récessifs (*aa*). Georges est *Aa* étant donné que certains des enfants qu'il a eus avec Hélène (*aa*) sont atteints. Paul, Anne, Daniel et Alain sont tous *Aa* étant donné qu'ils sont tous des enfants non touchés ayant un parent atteint. Michel est également *Aa* étant donné qu'il a eu un enfant atteint (Charlotte) avec son épouse Anne, qui est hétérozygote. Sandrine, Line et Christophe peuvent avoir le génotype *AA* ou *Aa*.
15. $1/2$.
16. $1/6$ (soit $2/3 \times 1/4$).
17. 9 *B_J_* (agouti) : 3 *B_jj* (brun) : 3 *bbJ_* (blanc) : 1 *bbjj* (blanc); ce qui donne 9 agouti : 3 bruns : 4 blancs.
18. *AABbcc*; *AAbbCc*; *AaBBcc*; *AabbCC*; *AaBbCc*; *aaBBCc*; *aaBbCC*.

15

Les bases chromosomiques de l'hérédité

▲ **Figure 15.1 Chromosomes marqués pour mettre en évidence un gène particulier (en jaune).**

Concepts clés

15.1 Le fondement physique de l'hérédité mendélienne réside dans le comportement des chromosomes

15.2 Les gènes liés sont souvent transmis ensemble, parce qu'ils se trouvent près les uns des autres sur le même chromosome

15.3 Les gènes liés au sexe ont un mode de transmission héréditaire qui leur est propre

15.4 Les anomalies du nombre ou de la structure des chromosomes causent certaines maladies génétiques

15.5 Certains modes de transmission héréditaires sont des exceptions à la théorie chromosomique classique

Introduction

La situation des gènes sur les chromosomes

À l'époque actuelle, il est possible de démontrer que les gènes (les facteurs héréditaires de Mendel) sont situés sur les chromosomes. On peut voir l'endroit où se trouve un gène particulier en marquant des chromosomes isolés au moyen d'un colorant fluorescent qui met en évidence ce gène. Par exemple, dans la **figure 15.1**, les taches jaunes que vous voyez marquent le locus d'un gène particulier sur une paire de chromosomes homologues humains (ayant déjà subi la réplication, ce qui explique la présence dans cette micrographie de deux taches par chromosome, une sur chaque chromatide sœur). Il y a environ un siècle, cependant, la relation entre les gènes et les chromosomes n'était pas d'emblée évidente. Les lois de Mendel sur la ségrégation et l'assortiment indépendant des caractères laissaient de nombreux biologistes sceptiques. Cela, jusqu'au moment où la preuve a été faite que le comportement des chromosomes constitue bien le fondement physique des lois de l'hérédité. Dans ce chapitre, nous approfondirons le contenu des deux chapitres précédents et nous présenterons les fondements chromosomiques de l'hérédité, ainsi que quelques exceptions importantes.

Concept 15.1

Le fondement physique de l'hérédité mendélienne réside dans le comportement des chromosomes

Grâce aux progrès de la microscopie, les cytologistes ont pu décrire le mécanisme de la mitose en 1875 et celui de la méiose au cours des années 1890. Puis, vers 1900, la cytologie et la génétique ont commencé à converger, les biologistes ayant remarqué des analogies entre le comportement des chromosomes et celui des « facteurs particulaires » de Mendel au cours des cycles de développement sexués. Par exemple, dans les cellules diploïdes, les chromosomes forment des paires, tout comme les gènes. Pendant la méiose, les chromosomes homologues se séparent, et les allèles subissent la ségrégation. Enfin, lors de la fécondation, les paires de chromosomes ainsi que les paires de gènes se reconstituent. Vers 1902, de façon indépendante, Walter S. Sutton, Theodor Boveri et d'autres chercheurs ont souligné ces analogies; c'est ainsi que la **théorie chromosomique de l'hérédité** a pris forme peu à peu. Selon cette théorie, les gènes mendéliens occupent des loci (emplacements) précis sur les chromosomes, et ce sont les chromosomes qui subissent les phénomènes de la ségrégation et de l'assortiment indépendant.

La **figure 15.2** montre que le comportement des chromosomes homologues au cours de la méiose peut expliquer la ségrégation des allèles de chaque locus dans des gamètes différents. La figure montre également que le comportement des chromosomes non homologues peut expliquer l'assortiment indépendant des allèles pour deux gènes (ou plus) situés sur des chromosomes différents. En étudiant attentivement cette figure, qui suit le même croisement dihybride de pois que celui qui est présenté à la figure 14.8, vous pourrez constater comment le comportement des

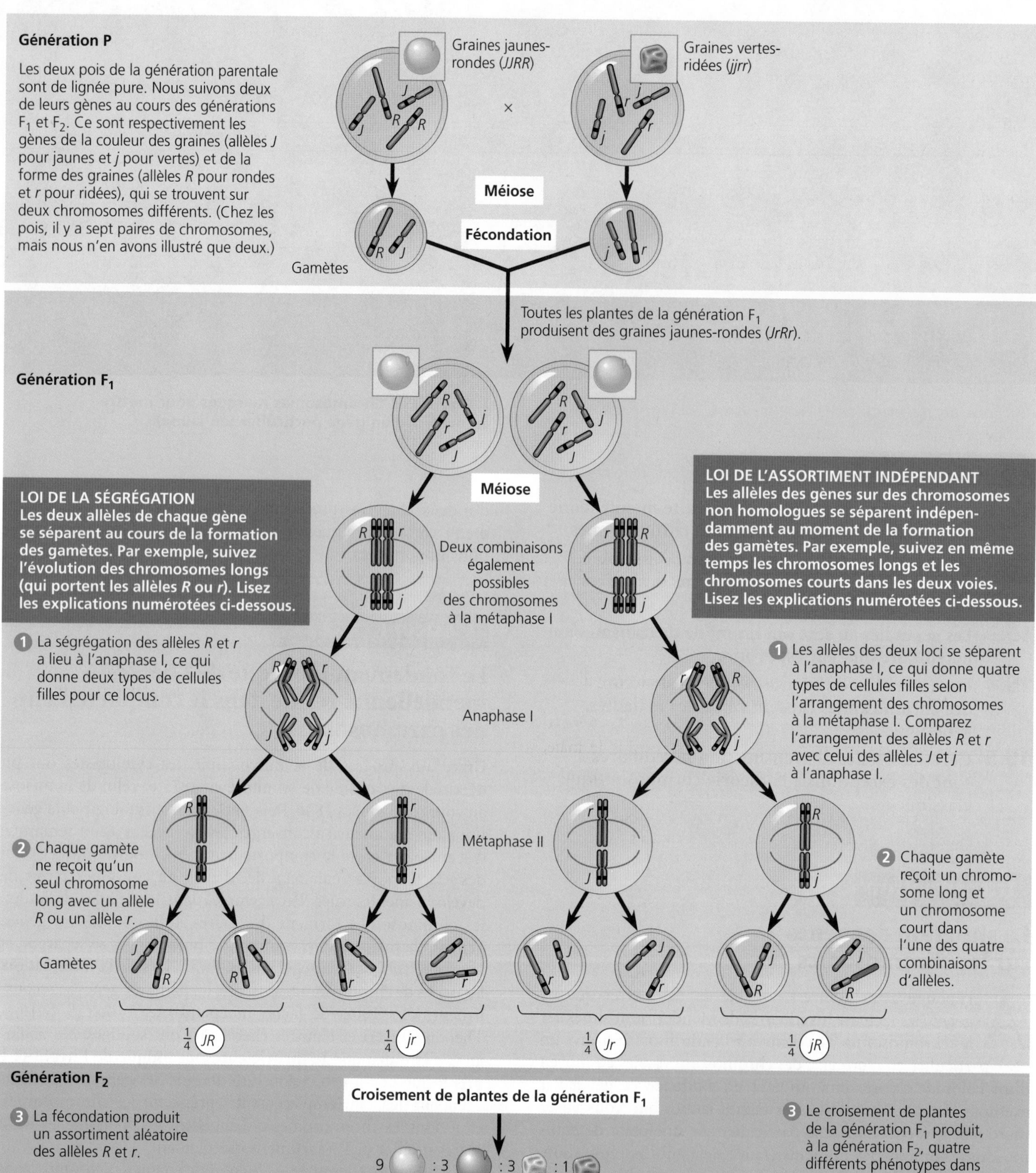

Génération P
Les deux pois de la génération parentale sont de lignée pure. Nous suivons deux de leurs gènes au cours des générations F1 et F2. Ce sont respectivement les gènes de la couleur des graines (allèles J pour jaunes et j pour vertes) et de la forme des graines (allèles R pour rondes et r pour ridées), qui se trouvent sur deux chromosomes différents. (Chez les pois, il y a sept paires de chromosomes, mais nous n'en avons illustré que deux.)
Graines jaunes-rondes (JJRR)
Graines vertes-ridées (jjrr)
Méiose
Fécondation
Gamètes
Toutes les plantes de la génération F1 produisent des graines jaunes-rondes (JrRr).
Génération F1
LOI DE LA SÉGRÉGATION
Les deux allèles de chaque gène se séparent au cours de la formation des gamètes. Par exemple, suivez l'évolution des chromosomes longs (qui portent les allèles R ou r). Lisez les explications numérotées ci-dessous.
Méiose
LOI DE L'ASSORTIMENT INDÉPENDANT
Les allèles des gènes sur des chromosomes non homologues se séparent indépendamment au moment de la formation des gamètes. Par exemple, suivez en même temps les chromosomes longs et les chromosomes courts dans les deux voies. Lisez les explications numérotées ci-dessous.
Deux combinaisons également possibles des chromosomes à la métaphase I
1 La ségrégation des allèles R et r a lieu à l'anaphase I, ce qui donne deux types de cellules filles pour ce locus.
Anaphase I
1 Les allèles des deux loci se séparent à l'anaphase I, ce qui donne quatre types de cellules filles selon l'arrangement des chromosomes à la métaphase I. Comparez l'arrangement des allèles R et r avec celui des allèles J et j à l'anaphase I.
Métaphase II
2 Chaque gamète ne reçoit qu'un seul chromosome long avec un allèle R ou un allèle r.
2 Chaque gamète reçoit un chromosome long et un chromosome court dans l'une des quatre combinaisons d'allèles.
Gamètes
1/4 JR
1/4 jr
1/4 Jr
1/4 jR
Génération F2
Croisement de plantes de la génération F1
3 La fécondation produit un assortiment aléatoire des allèles R et r.
3 Le croisement de plantes de la génération F1 produit, à la génération F2, quatre différents phénotypes dans la proportion de 9 : 3 : 3 : 1.
9 : 3 : 3 : 1

▲ **Figure 15.2 Les fondements chromosomiques des lois de Mendel.** Nous montrons ici l'analogie entre les résultats de l'un des croisements dihybrides de Mendel (voir la figure 14.8) et le comportement des chromosomes au cours de la méiose (voir la figure 13.8). La position de ces derniers à la métaphase I de la méiose et leur déplacement pendant l'anaphase I expliquent la ségrégation et l'assortiment indépendant des allèles de la couleur et de la forme des graines. Chaque cellule qui subit la méiose dans une plante de la génération F_1 produit deux sortes de gamètes. Globalement, toutefois, les plantes de la génération F_1 produisent les quatre types de gamètes en nombre égal, étant donné que les arrangements possibles des chromosomes de la métaphase I ont les mêmes chances de s'observer.

chromosomes au cours de la méiose de la génération F_1 et de la fécondation aléatoire subséquente donne à la génération F_2 la proportion de phénotypes observée par Mendel.

La preuve expérimentale de Morgan

C'est Thomas Hunt Morgan, un embryologiste expérimental à la Columbia University, qui a apporté au début du XXe siècle la première preuve solide permettant d'associer un gène à un chromosome. Bien qu'il ait éprouvé un certain scepticisme à l'égard de l'hérédité mendélienne et de la théorie chromosomique, ses premières expériences lui ont fourni la preuve que les facteurs héréditaires de Mendel se trouvent bel et bien sur les chromosomes.

Le choix des organismes expérimentaux de Morgan

L'histoire de la biologie est jalonnée de découvertes majeures faites par des personnes assez perspicaces ou chanceuses pour choisir un organisme convenant parfaitement au type de recherche envisagé. Mendel a opté pour le pois, parce qu'il en existe plusieurs variétés. Pour ses travaux, Morgan a choisi un insecte commun et généralement peu nuisible, la mouche du vinaigre, ou drosophile (*Drosophila melanogaster*), qui se nourrit des moisissures poussant sur les fruits. La drosophile est prolifique: un seul accouplement produit des centaines de descendants, et il est possible d'obtenir une nouvelle génération tous les 15 jours. Ces caractéristiques font de cet insecte un sujet d'étude particulièrement commode pour les recherches en génétique. Le laboratoire de Morgan fut surnommé *the fly room* (« la pièce des mouches »).

La drosophile présente aussi l'avantage de posséder seulement quatre paires de chromosomes, que l'on peut aisément distinguer au microscope photonique: ils comprennent trois paires d'autosomes et une paire de chromosomes sexuels. La femelle possède une paire de chromosomes *X* homologues, et le mâle, un chromosome *X*, et un autre, *Y*.

Contrairement à Mendel, qui n'éprouvait aucune difficulté à trouver les variétés du pois dont il avait besoin, Morgan ne disposait d'aucun fournisseur capable de lui procurer différentes variétés de drosophiles. C'était probablement le premier à avoir de tels besoins. Au terme d'une année consacrée à la reproduction de drosophiles et à la recherche de mutants, il a découvert enfin un mâle particulier: au lieu d'avoir les yeux rouges normalement présents chez l'espèce, il avait des yeux blancs. Le phénotype normal d'un caractère donné (c'est-à-dire le plus commun dans les populations naturelles, comme les yeux rouges de la drosophile) est appelé **phénotype sauvage (figure 15.3)**. Les traits qui remplacent parfois le phénotype sauvage, comme les yeux blancs de la drosophile en question, sont appelés *phénotypes mutants*, parce qu'on suppose que les allèles correspondants résultent d'une modification (ou mutation) de l'allèle sauvage.

Pour représenter les allèles, Morgan et ses étudiants ont établi une convention qu'on utilise encore de nos jours lorsqu'il s'agit de la génétique de la drosophile. Le gène correspondant à un caractère donné chez la mouche est désigné par un symbole choisi en fonction du nom du premier mutant découvert. Ainsi, le symbole de l'allèle des yeux blancs chez la drosophile est *w* (*w* pour *white*, soit blanc, en anglais; nous utilisons ici la nomenclature internationale, qui conserve les symboles adoptés par Morgan). Quant à l'exposant $^+$, il désigne l'allèle du caractère sauvage: on écrira ainsi w^+ pour les yeux rouges, par exemple. Au fil des ans, différents systèmes de notation des gènes ont été conçus selon les organismes étudiés. Cela complique les choses pour les élèves qui essaient d'en comprendre la logique. Par exemple, jusqu'ici, nous avons utilisé une seule lettre par symbole. À compter de maintenant, vous pourrez en voir plus d'une. Autre exemple: dans la génétique mendélienne, on choisit habituellement un symbole en fonction de la caractéristique du trait dominant, mais ce n'est pas le cas quand il s'agit de certaines maladies humaines. Hélas! en attendant un nouveau Linné... de la génétique, nous devrons composer avec cette difficulté.

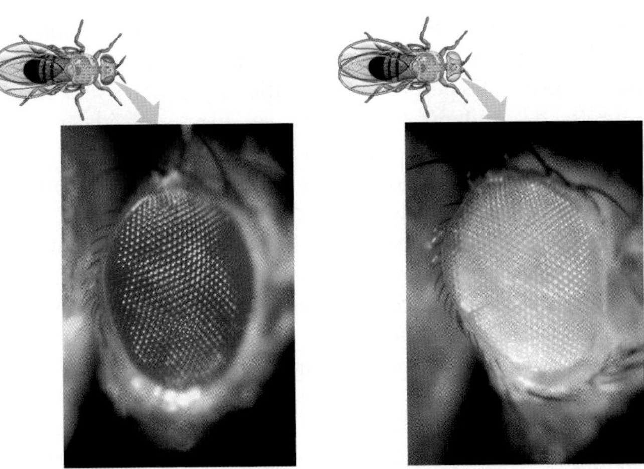

▲ **Figure 15.3 Le premier mutant de Morgan.** Les drosophiles du type sauvage ont les yeux rouges (à gauche). Dans son échantillon, Morgan a découvert un mâle mutant aux yeux blancs (à droite). Cela lui a permis d'associer le gène de la couleur des yeux à un chromosome spécifique (MP).

Corrélation du comportement des allèles d'un gène avec celui d'une paire de chromosomes

Morgan a accouplé le mâle aux yeux blancs qu'il a découvert à une femelle aux yeux rouges. Tous les individus de la génération F_1 ont eu les yeux rouges, ce qui lui a permis de penser que le type sauvage est dominant. Lorsqu'il a croisé entre elles les drosophiles de la génération F_1, il a retrouvé la proportion phénotypique classique de 3:1 à la génération F_2. Cependant, une surprise de taille l'attendait: le caractère des yeux blancs n'était présent que chez les mâles. Toutes les femelles avaient les yeux rouges, alors que la moitié des mâles avait les yeux rouges, et l'autre moitié, les yeux blancs. Morgan en tira donc la conclusion que la couleur des yeux de la drosophile devait être en quelque sorte liée au sexe. (Si le gène de la couleur des yeux n'était pas lié au sexe, on s'attendrait à ce que la moitié des drosophiles aux yeux blancs soit des mâles et l'autre moitié, des femelles.)

Une femelle a deux chromosomes *X* (*XX*), tandis qu'un mâle a un *X* et un *Y* (*XY*). La corrélation entre le caractère des yeux blancs et le sexe mâle des drosophiles de la génération F_2 permit à Morgan de déduire que, chez un mutant aux yeux blancs, le gène en question est situé exclusivement sur le chromosome *X;* il n'existe pas d'allèle correspondant sur le chromosome *Y*. On peut suivre son raisonnement à la **figure 15.4**. Il suffit qu'un mâle reçoive un exemplaire de l'allèle mutant pour qu'il ait les yeux blancs; comme il n'a qu'un seul chromosome *X*, il ne peut avoir un deuxième allèle, du type sauvage (w^+), qui annulerait l'effet de l'allèle récessif. Par contre, la femelle ne peut avoir des yeux blancs que si elle porte un exemplaire de cet allèle mutant récessif

(w) sur chacun de ses chromosomes X, ce qui est impossible dans le cas des femelles de la génération F_2 de l'expérience de Morgan parce que tous les pères de la génération F_1 ayant les yeux rouges, tous les descendants femelles de ces pères possédaient donc l'allèle des yeux rouges sur leur chromosome X.

La découverte de Morgan sur la corrélation entre un caractère particulier et le sexe d'un individu a donné de la crédibilité à la théorie chromosomique de l'hérédité selon laquelle un gène spécifique est porté par un chromosome spécifique (dans le cas présent, le gène de la couleur des yeux sur le chromosome X). De plus, les recherches de Morgan ont indiqué que les gènes situés sur un chromosome sexuel présentent des modes de transmission héréditaire uniques, que nous aborderons plus loin dans le présent chapitre. De nombreux étudiants brillants ont reconnu l'importance des travaux de Morgan et ont commencé à fréquenter son laboratoire.

Retour sur le concept 15.1

1. Laquelle des lois de Mendel se rapporte à la transmission des allèles d'un seul caractère? Laquelle se rapporte à la transmission des allèles de deux caractères dans un croisement dihybride? Quel est le fondement physique de ces lois?
2. Si le locus de la couleur des yeux chez la drosophile était situé sur un autosome, quels seraient le sexe et le phénotype de tous les individus de la génération F_2 issus des croisements de la figure 15.4?

Voir les réponses proposées à la fin du chapitre.

Concept 15.2

Les gènes liés sont souvent transmis ensemble, parce qu'ils se trouvent près les uns des autres sur le même chromosome

Dans une cellule, les chromosomes sont beaucoup moins nombreux que les gènes; en fait, chaque chromosome porte des centaines, voire des milliers de gènes. Lors des croisements, les gènes qui se trouvent sur le même chromosome sont la plupart du temps transmis ensemble. Ces gènes sont appelés **gènes liés**. Lorsque les généticiens suivent les gènes liés au cours d'expériences de croisement, les résultats qu'ils obtiennent n'obéissent pas à la loi mendélienne de l'assortiment indépendant des caractères.

Le mode d'action des liaisons génétiques sur la transmission héréditaire

Pour comprendre comment les liaisons génétiques influent sur la transmission héréditaire de deux caractères distincts, examinons une autre expérience que Morgan a effectuée sur les drosophiles. Les caractères étudiés ici sont ceux de la couleur du corps et de la taille des ailes, chacun ayant deux phénotypes différents. Les drosophiles du type sauvage ont le corps gris et des ailes normales. En plus de ces drosophiles, Morgan avait des mutants pour

Figure 15.4

Investigation Lors d'un croisement d'une drosophile femelle du type sauvage avec un mâle mutant aux yeux blancs, quelle sera la couleur des yeux des individus des générations F_1 et F_2 ?

EXPÉRIENCE Morgan a croisé une femelle du type sauvage (yeux rouges) avec un mâle mutant aux yeux blancs. Tous les individus de la génération F_1 ont eu les yeux rouges.

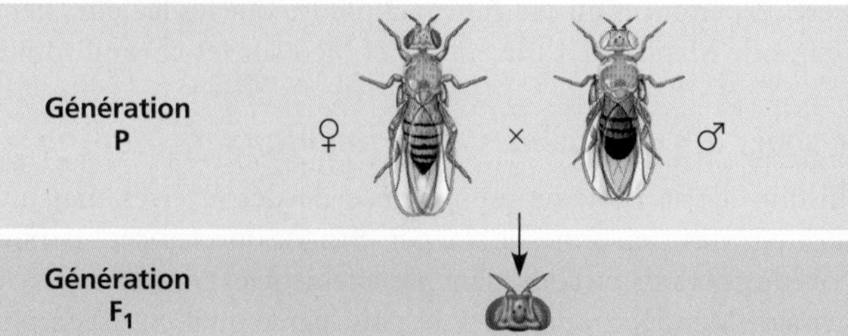

Puis, Morgan a croisé une femelle aux yeux rouges de la génération F_1 avec un mâle aux yeux rouges de la génération F_1 pour produire la génération F_2.

RÉSULTATS À la génération F_2, il a obtenu la proportion phénotypique mendélienne classique de 3:1 des yeux rouges par rapport aux yeux blancs. Cependant, aucune femelle n'avait le caractère des yeux blancs; elles avaient toutes les yeux rouges, alors que la moitié des mâles avait les yeux rouges, et l'autre moitié, les yeux blancs.

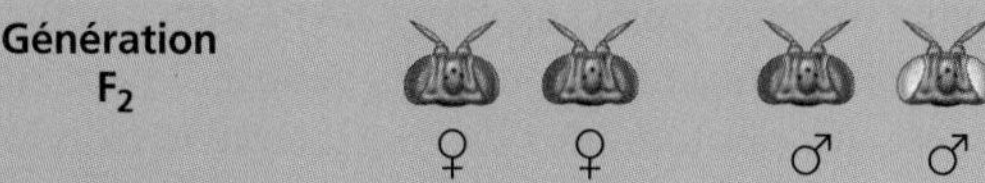

CONCLUSION Étant donné que tous les individus de la génération F_1 ont les yeux rouges, le trait mutant des yeux blancs (w) doit être récessif par rapport au trait sauvage des yeux rouges (w^+). Comme le trait récessif (yeux blancs) ne s'exprimait que chez les mâles de la génération F_2, Morgan a émis l'hypothèse que le gène correspondant à la couleur des yeux est situé sur le chromosome X et qu'il n'y a pas de locus équivalent sur le chromosome Y, comme l'illustre le diagramme ci-dessous.

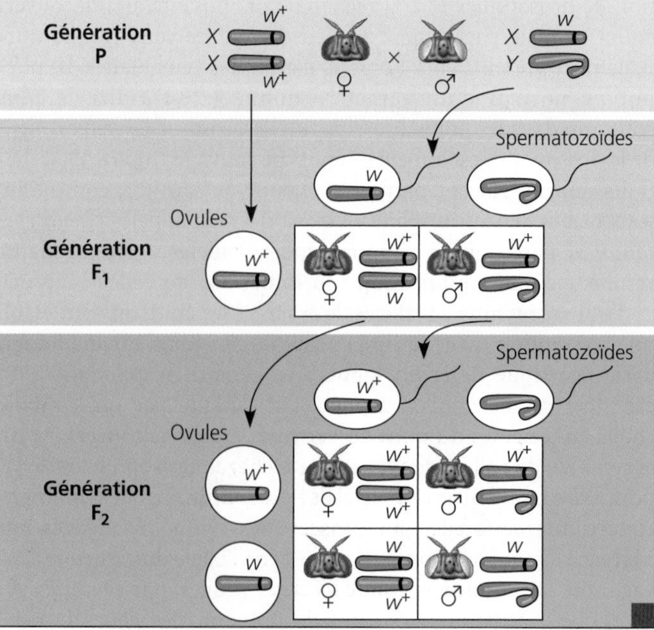

ces deux caractères : certaines de ses drosophiles avaient le corps noir et des ailes vestigiales (beaucoup plus petites que la normale). On représente les allèles de ces caractères par les symboles suivants : b^+ = gris, b = noir ; vg^+ = ailes normales, vg = ailes vestigiales. Les allèles mutants sont récessifs. Aucun des gènes impliqués n'est lié au sexe.

Pour étudier ces deux gènes, Morgan a effectué les croisements représentés dans la **figure 15.5.** Il a d'abord croisé des drosophiles de type sauvage et de lignée pure ($b^+ b^+ vg^+ vg^+$) avec des individus au corps noir et aux ailes vestigiales ($b\ b\ vg\ vg$). Il a obtenu, à la génération F_1, des dihybrides ($b^+ b\ vg^+ vg$) ayant tous le phénotype sauvage. Puis, il a croisé des femelles dihybrides avec des mâles de lignée pure ayant le phénotype mutant ($b\ b\ vg\ vg$). Lors de ce deuxième croisement, qui équivaut à un croisement de contrôle mendélien, nous connaissons le génotype de la mère ($b^+ b\ vg^+ vg$) et nous savons également quelles combinaisons d'allèles sont « parentales », c'est-à-dire fournies par les parents de la génération P : b^+ avec vg^+ et b avec vg. On ne sait pas, toutefois, si les deux gènes sont situés sur les mêmes chromosomes ou sur des chromosomes différents. Lors du croisement de contrôle, tous les spermatozoïdes fournissent des allèles récessifs (b et vg) ; les phénotypes des descendants dépendent alors des allèles des ovules. Par conséquent, à partir des phénotypes des descendants, on peut déterminer si les combinaisons d'allèles parentaux, b^+ avec vg^+ et b avec vg, sont (ou ne sont pas) demeurées telles quelles au cours de la formation des ovules des femelles de la génération F_1.

Morgan a dénombré 2 300 individus issus de croisements de ce type. Après les avoir répartis selon leur phénotype, il a remarqué que la proportion des phénotypes parentaux était beaucoup plus élevée que si les deux gènes avaient subi un assortiment indépendant (voir la figure 15.5). Morgan en a conclu que le caractère de la couleur du corps et celui de la forme des ailes sont habituellement transmis ensemble, dans des combinaisons spécifiques (combinaisons parentales), parce que les gènes correspondants se trouvent sur le même chromosome.

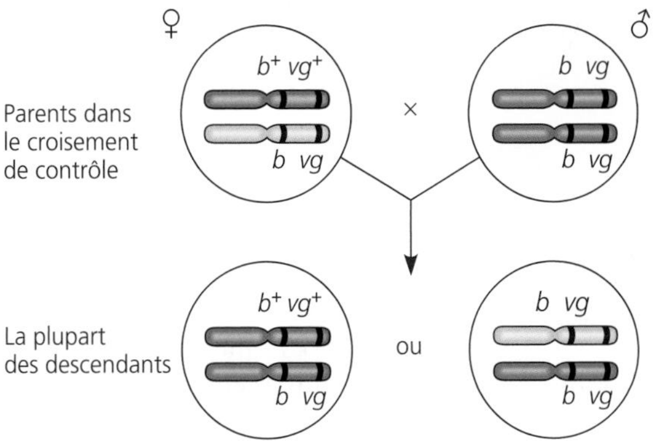

Cependant, si les gènes de la couleur du corps et de la taille des ailes étaient toujours transmis ensemble dans ces combinaisons parentales, Morgan n'aurait observé aucun phénotype non parental parmi les individus de ses croisements de contrôle. En fait, il a obtenu les deux phénotypes non parentaux dans ses expériences, ce qui indique que les gènes de la couleur du corps et de la taille des ailes ne sont que partiellement liés. Pour mieux comprendre ce résultat, nous devons étudier plus à fond la **recombinaison génétique**, c'est-à-dire l'apparition, dans la descendance, de combinaisons de caractères qui n'existaient chez aucun des parents.

La recombinaison et la liaison génétiques

Vous avez vu au chapitre 13 que, chez les organismes sexués, la méiose et la fécondation aléatoire créent une variation génétique à chaque génération. Nous allons étudier ici les fondements chromosomiques de la recombinaison en relation avec les résultats de Mendel et de Morgan.

Recombinaison de gènes non liés : assortiment indépendant des chromosomes

À partir de ses croisements, au cours desquels il étudiait deux traits, Mendel a constaté que les caractères de certains descendants forment des combinaisons différentes de celles des individus de la génération parentale (P). Par exemple, on peut représenter le croisement entre un pois hétérozygote à graines jaunes-rondes (*JjRr*) et une plante homozygote à graines vertes-ridées (*jjrr*) par la grille de Punnett suivante :

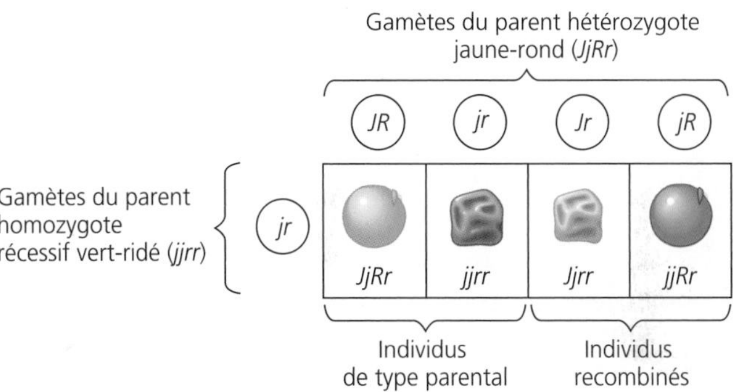

Remarquez que cette grille de Punnett permet de prévoir que la moitié des individus aura l'un des deux phénotypes parentaux. On parle alors de **types parentaux**. Mais deux autres phénotypes non parentaux seront également présents. Comme ces individus présenteront de nouvelles combinaisons d'allèles (relatives à la forme et à la couleur des graines), on dit qu'ils sont de **types recombinants** ou **recombinés**. Lorsque la moitié des descendants (appartenant à la même génération) est constituée d'individus recombinés, comme dans cet exemple, les généticiens disent que la fréquence de recombinaison est de 50 %. Les proportions phénotypiques prévues parmi les descendants sont semblables à celles que Mendel avait observées dans des croisements *JjRr* × *jjrr*.

On observe une fréquence de recombinaison de 50 % dans le cas de deux gènes situés sur des chromosomes différents. Du point de vue physique, la recombinaison de gènes non liés s'explique par l'agencement aléatoire des chromosomes homologues à la métaphase I de la méiose, qui mène à un assortiment indépendant des allèles (voir les figures 15.2 et 13.10).

Recombinaison de gènes liés : enjambement

Revenons aux expérimentations de Morgan pour comprendre comment on peut expliquer les résultats du croisement de contrôle illustré à la figure 15.5. Rappelez-vous que la plupart des individus issus du croisement de contrôle relatif à la couleur du corps et à la forme des ailes ont des phénotypes parentaux, ce qui indique que les deux gènes sont sur le même chromosome, mais qu'un petit nombre de descendants sont recombinés. Bref, bien qu'il y ait une liaison entre les deux gènes concernés, elle semble incomplète.

Figure 15.5

Investigation Les gènes correspondant à la couleur du corps et à la taille des ailes chez la drosophile sont-ils situés sur le même chromosome ou sur des chromosomes différents ?

EXPÉRIENCE Morgan a croisé des drosophiles de type sauvage et de lignée pure avec des individus au corps noir et aux ailes vestigiales. Il a obtenu à la génération F_1 des dihybrides hétérozygotes ayant tous le phénotype sauvage. Puis il a croisé des femelles dihybrides de type sauvage de la génération F_1 avec des mâles de lignée pure de couleur noire et ayant des ailes vestigiales ; à la génération F_2, il a obtenu 2 300 individus qu'il a classés selon leur phénotype.

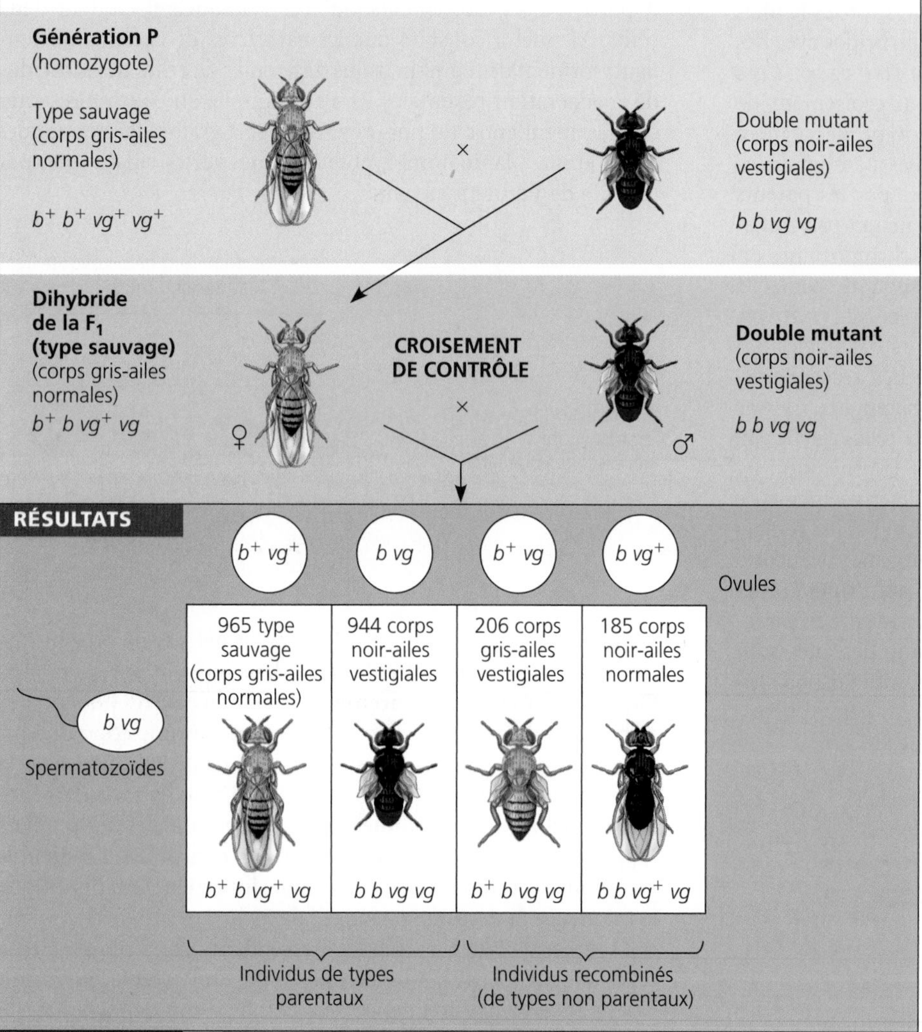

CONCLUSION Si ces deux gènes étaient situés sur des chromosomes différents, les allèles des individus dihybrides de la génération F_1 se distribueraient dans des gamètes de façon indépendante, et on observerait les quatre types de descendants en nombres égaux. Si ces deux gènes étaient situés sur un même chromosome, on observerait que chaque combinaison d'allèles, $b^+ vg^+$ et $b\ vg$, resterait telle quelle lors de la formation des gamètes. Dans ce cas, seuls des individus ayant des phénotypes parentaux seraient produits. Étant donné que la plupart des individus avaient un phénotype parental, Morgan a conclu que les gènes correspondant à la couleur du corps et à la taille des ailes sont situés sur le même chromosome. Cependant, l'apparition d'un petit nombre d'individus ayant des phénotypes non parentaux indique qu'un certain mécanisme brise quelquefois la liaison existant entre les gènes situés sur un même chromosome.

Morgan a émis une hypothèse pour expliquer ce phénomène : il a supposé qu'un certain processus brise quelquefois la liaison existant entre les gènes sur un même chromosome. Des expériences ultérieures ont montré que ce processus, que l'on appelle maintenant **enjambement**, explique la recombinaison des gènes liés. En effet, à la prophase de la méiose I, lorsque les chromosomes homologues sont appariés, il arrive qu'une chromatide maternelle et une chromatide paternelle se brisent à des endroits correspondants et se rattachent à d'autres (voir la figure 13.11). En fait, chaque fois qu'il se produit un enjambement, les extrémités de deux chromatides non sœurs changent de place.

C'est ainsi que l'on observe de nouvelles combinaisons d'allèles situés sur les chromosomes recombinés. Les étapes ultérieures de la méiose ont pour effet de répartir ces derniers dans les gamètes. La **figure 15.6** montre comment l'enjambement chez une drosophile dihybride produit des ovules recombinés et, finalement, des descendants recombinés dans les croisements de contrôle de Morgan. La plupart des ovules possédaient un chromosome ayant un génotype parental de la couleur du corps et de la taille des ailes $b^+ vg^+$ ou $b\ vg$, mais certains ovules possédaient un chromosome recombinant ($b^+ vg$ ou $b\ vg^+$). La fécondation de ces divers types d'ovules par des spermatozoïdes homozygotes récessifs ($b\ vg$) a produit une population dont 17 % des individus avaient un phénotype recombiné non parental (voir la figure 15.6). Comme nous le verrons par la suite, le pourcentage d'individus recombinés, soit la *fréquence de recombinaison*, est proportionnel à la distance qui sépare les gènes liés.

Établissement d'une carte de liaison génétique à partir des données obtenues grâce à la recombinaison

À partir de la découverte des gènes liés et de la recombinaison par enjambement, l'un des étudiants de Morgan, Alfred H. Sturtevant, a mis au point une méthode permettant d'établir une **carte génétique**, c'est-à-dire une liste ordonnée des loci tout le long d'un chromosome.

Sturtevant a émis l'hypothèse selon laquelle les fréquences de recombinaison calculées à partir d'expériences semblables à celle qui est illustrée aux figures 15.5 et 15.6 sont proportionnelles aux distances entre les gènes le long d'un chromosome. Il a supposé qu'un enjambement est un événement aléatoire et que sa probabilité est à peu près la même en tout point du chromosome. À partir de cette hypothèse, il a prédit que *plus les gènes sont éloignés l'un de l'autre, plus il y a des chances qu'un enjambement survienne entre eux, et, par conséquent, plus la probabilité qu'une recombinaison se produise est élevée.* Son raisonnement est simple : plus l'intervalle entre les gènes est grand, plus ceux-ci sont séparés par un grand nombre de points pouvant être le siège d'un enjambement. Sturtevant a entrepris d'attribuer aux gènes des positions relatives sur les chromosomes, c'est-à-dire de *cartographier* les gènes à partir des fréquences de recombinaison obtenues à l'aide de croisements de drosophiles.

On appelle **carte de liaison génétique** une carte des gènes dressée à partir des fréquences de recombinaison. La **figure 15.7** montre une carte de liaison génétique établie par Sturtevant. Elle représente les positions relatives de trois gènes situés sur le même chromosome: celui de la couleur du corps (*b*) et celui de la taille des ailes (*vg*), que vous avez vus à la figure 15.6, et enfin celui de la couleur vermillon, symbolisé par *cn* (pour cinabre). Ce dernier est l'un des nombreux gènes déterminant la couleur des yeux de la drosophile. Les yeux vermillon (un phénotype mutant) sont d'un rouge plus vif que celui du type sauvage. La fréquence de recombinaison entre *cn* et *b* est de 9 %, celle entre *cn* et *vg* est de 9,5 %, tandis que celle entre *b* et *vg* est de 17 %. Autrement dit, la fréquence des enjambements entre *cn* et *b* et entre *cn* et *vg* est

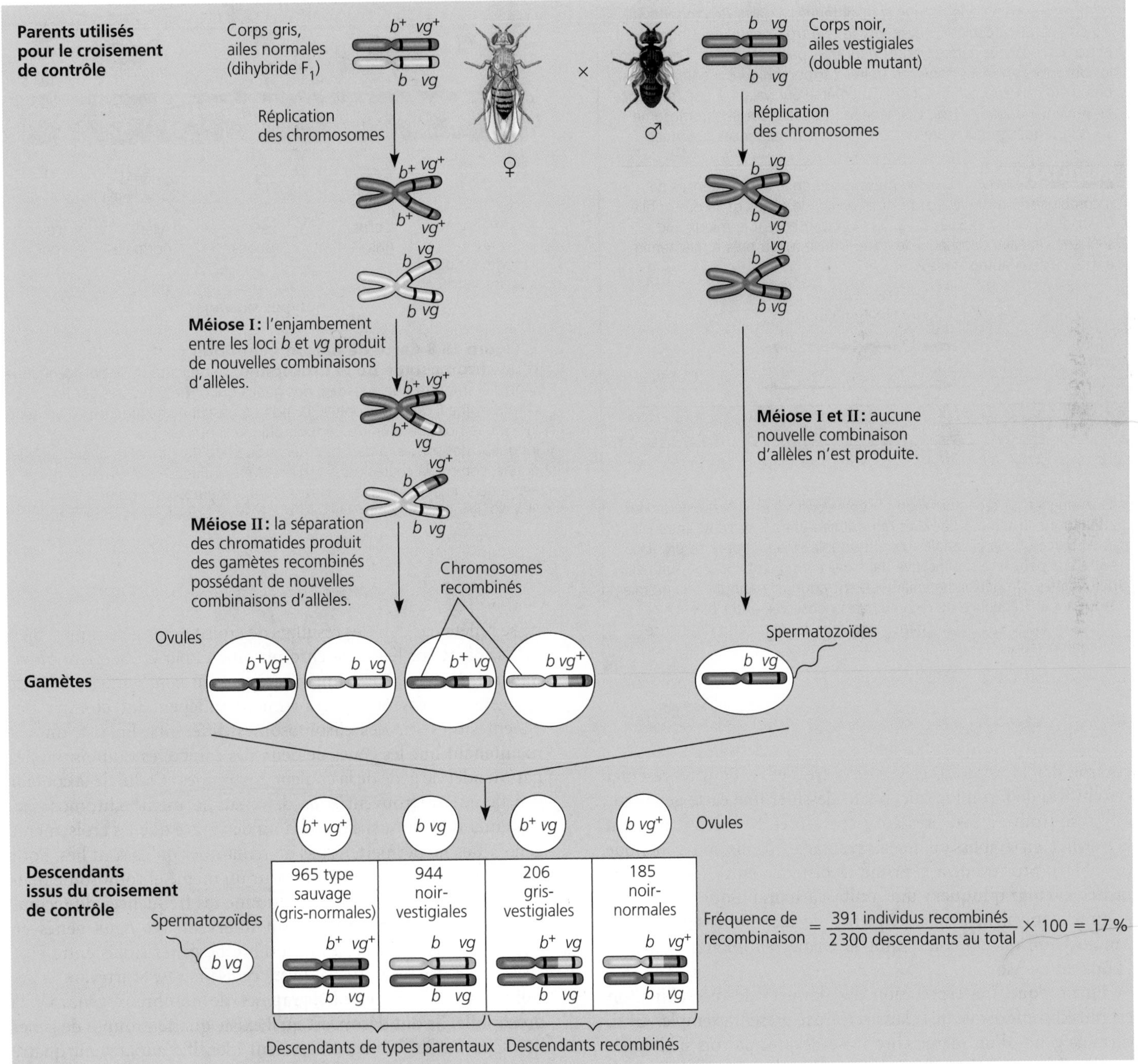

▲ **Figure 15.6 Les bases chromosomiques de la recombinaison des gènes liés.** Ces diagrammes reproduisent le croisement de contrôle présenté à la figure 15.5; nous pouvons suivre ici et les chromosomes et les gènes. Nous avons utilisé deux couleurs pour les chromosomes maternels afin de mieux différencier les deux homologues. Parce qu'un enjambement entre les loci *b* et *vg* se produit seulement dans certaines cellules produisant les ovules, plus d'ovules ayant des chromosomes de types parentaux que de types recombinés sont produits chez les femelles accouplées. La fécondation des ovules par des spermatozoïdes de génotype *b vg* donne un certain nombre de descendants recombinés. La fréquence de recombinaison est le pourcentage d'individus recombinés parmi l'ensemble des individus de la même génération.

Figure 15.7

Méthode de recherche L'établissement d'une carte de liaison génétique

APPLICATION Une carte de liaison génétique indique les emplacements relatifs des gènes le long d'un chromosome.

TECHNIQUE Pour obtenir cette sorte de carte, on suppose que la probabilité qu'un enjambement se produise entre deux loci est proportionnelle à la distance qui sépare ceux-ci. Les fréquences de recombinaison utilisées pour établir la carte de liaison génétique d'un chromosome quelconque sont obtenues à partir de croisements expérimentaux appelés *croisements-tests à trois points* qui s'effectuent entre des individus hétérozygotes pour trois paires de gènes. On exprime les distances entre les gènes en unités cartographiques (centimorgans); une unité cartographique est définie comme équivalant à une fréquence de recombinaison de 1 %. Les gènes se trouvent sur le chromosome dans la séquence qui représente le mieux les fréquences obtenues.

RÉSULTATS Dans le présent exemple, les fréquences de recombinaison observées entre trois paires de gènes de la drosophile (*b-cn,* 9 %; *cn-vg,* 9,5 %; *b-vg,* 17 %) représentent le mieux une séquence linéaire dans laquelle *cn* se trouve à peu près à mi-chemin entre les deux autres gènes:

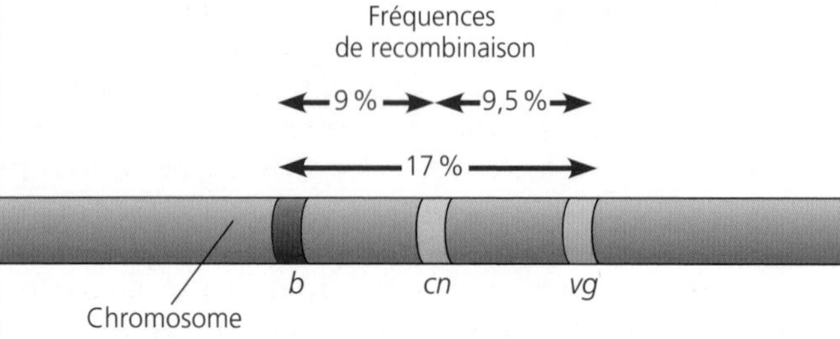

La fréquence de recombinaison observée entre *b* et *vg* est légèrement inférieure à la somme de celles qui ont lieu entre *b* et *cn* et entre *cn* et *vg* parce que la probabilité qu'un double enjambement se produise entre eux peut être significative dans des croisements où l'on suit ces deux gènes. Un deuxième enjambement pourrait « annuler » le premier, réduisant la fréquence de recombinaison observée entre *b* et *vg*. Plus la distance entre deux gènes sera grande, plus cette différence sera importante.

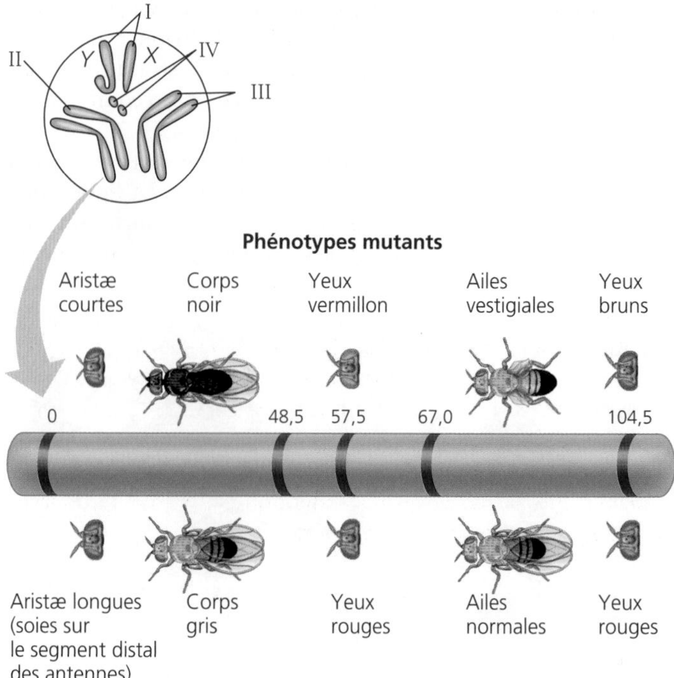

▲ **Figure 15.8 Carte de liaison génétique partielle d'un chromosome de la drosophile.** Cette carte de liaison génétique simplifiée montre quelques-uns des gènes qui ont été repérés sur le chromosome II de la drosophile. Le nombre inscrit à chaque locus d'un gène indique le nombre d'unités cartographiques entre ce locus et celui de la longueur des aristæ (à gauche). Remarquez qu'un caractère phénotypique donné, comme la couleur des yeux, peut être influencé par plusieurs gènes. Remarquez également que, contrairement aux autosomes homologues (II à IV), les chromosomes sexuels (I) *X* et *Y* ont des formes différentes.

environ deux fois moins élevée qu'entre *b* et *vg*. Pour représenter ces chiffres de façon logique, il faut dessiner une carte génétique où *cn* se trouve à peu près à mi-chemin entre *b* et *vg* (on peut le vérifier en établissant les autres cartes de liaison génétique possibles). Sturtevant a exprimé la distance entre les gènes en **unités cartographiques**: une unité cartographique est définie comme équivalant à une fréquence de recombinaison de 1 %. Aujourd'hui, on emploie plutôt le terme *centimorgan* (cM) en l'honneur de Morgan.

En pratique, l'interprétation des données de recombinaison est plus complexe que ne le laisse croire le présent exemple. Ainsi, certains gènes d'un même chromosome sont parfois si éloignés l'un de l'autre que l'apparition d'un enjambement entre eux est presque sûre. La fréquence de recombinaison entre ces deux gènes peut atteindre une valeur maximale de 50 %. Il est impossible de distinguer un tel résultat de la valeur obtenue dans le cas de gènes situés sur des chromosomes différents. Dans un tel cas, le lien physique entre les gènes situés sur un même chromosome ne se reflète pas dans les résultats de croisements génétiques. Bien qu'ils soient sur le même chromosome et par conséquent *physiquement liés*, les gènes sont *génétiquement non liés*; les allèles de ces gènes subissent un assortiment indépendant comme s'ils étaient situés sur des chromosomes différents. En fait, on sait maintenant que les gènes de deux des caractères du pois étudiés par Mendel (le gène de la couleur des graines et celui de la couleur des fleurs) se trouvent tous deux sur le même chromosome. Cependant, ils sont si éloignés l'un de l'autre que les croisements génétiques ne permettent pas de remarquer qu'ils sont liés. Pour cartographier les gènes localisés sur un même chromosome mais distants l'un de l'autre, on additionne les fréquences de recombinaison des croisements faisant intervenir les deux gènes en question, ainsi qu'un certain nombre de gènes situés entre eux.

À l'aide des résultats de divers croisements, Sturtevant et ses collaborateurs ont pu cartographier de nombreux gènes de la drosophile. Ils ont découvert qu'il existe quatre groupes de gènes liés. Comme les biologistes avaient identifié auparavant quatre paires de chromosomes chez cette espèce, l'existence de ces quatre groupes est venue confirmer que les gènes se situent bel et bien sur les chromosomes. Les loci des gènes portés par chaque chromosome sont alignés **(figure 15.8)**.

Comme la carte de liaison génétique représente des fréquences de recombinaison, elle ne donne qu'une image approximative d'un chromosome. La fréquence des enjambements n'est pas la même tout le long du chromosome, comme le supposait Sturtevant; les unités cartographiques ne correspondent donc pas à des distances physiques réelles (en nanomètres, par exemple). Une carte de liaison génétique indique la séquence des gènes le long d'un chromosome, mais elle ne montre pas leur emplacement exact. Les généticiens se servent d'autres méthodes pour dresser des **cartes chromosomiques** (ou *cartes cytogénétiques*), indiquant la position précise des gènes par rapport à certaines portions chromosomiques révélées par des bandes colorées visibles au microscope. Les cartes les plus perfectionnées (cartes physiques), elles, montrent les distances entre les loci des gènes en termes de nombre de nucléotides d'ADN (nous en parlerons au chapitre 20). Lorsqu'on compare une carte de liaison génétique d'un chromosome donné avec une carte de ce type ou même avec une carte chromosomique, on constate que la séquence linéaire des gènes reste identique, mais que les espaces qui les séparent ne sont pas les mêmes.

Retour sur le concept 15.2

1. Lorsque deux gènes sont situés sur le même chromosome, quel est le fondement physique de la production d'individus recombinés dans un croisement de contrôle entre un parent dihybride et un parent double mutant?
2. Pour chacun des types d'individus représentés à la figure 15.5, expliquez la relation entre le phénotype et les allèles parentaux fournis par la femelle.
3. Les gènes A, B et C sont situés sur le même chromosome. Des croisements de contrôle montrent que la fréquence de recombinaison entre A et B est de 28 % et celle entre A et C est de 12 %. Pouvez-vous déterminer la séquence linéaire de ces gènes?

Voir les réponses proposées à la fin du chapitre.

Concept 15.3

Les gènes liés au sexe ont un mode de transmission héréditaire qui leur est propre

Comme vous l'avez déjà appris, la découverte par Morgan d'un caractère (yeux blancs) lié au sexe des drosophiles a constitué une étape cruciale dans l'élaboration de la théorie chromosomique de l'hérédité. Dans cette partie, nous étudierons plus en détail le rôle des chromosomes sexuels dans l'hérédité. Nous commencerons par examiner la base chromosomique de la détermination du sexe chez les humains et chez certains autres Animaux.

Les bases chromosomiques du sexe

Chez les Animaux, sauf pour quelques rares espèces de Poissons et de serpents où il est déterminé par un seul gène, le sexe dépend de la présence ou de l'absence de certains chromosomes. Chez

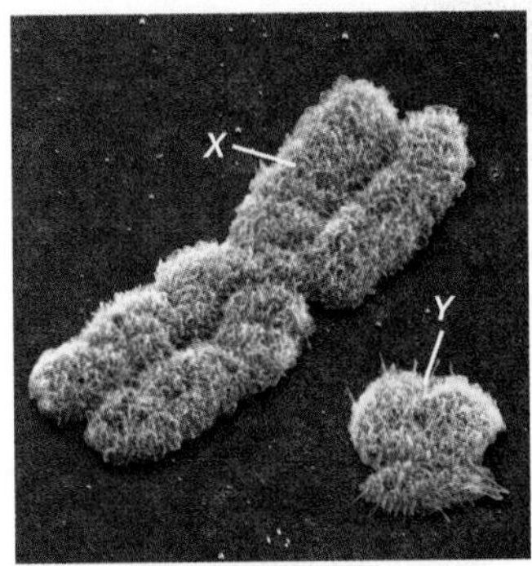

l'humain, le sexe d'un individu constitue l'un de ses ensembles de caractères phénotypiques les plus évidents. Bien qu'il existe de nombreuses différences anatomiques et physiologiques entre l'homme et la femme, les bases chromosomiques du sexe sont relativement simples. L'humain et les autres Mammifères présentent deux types de chromosomes sexuels, appelés *X* et *Y*. Une personne qui hérite de deux chromosomes *X*, (un de sa mère et l'autre de son père) devient habituellement une femme. Quant à l'homme, il se développe à partir d'un zygote contenant un chromosome *X* et un chromosome *Y* **(figure 15.9a)**. Le chromosome *Y* porte moins de cent gènes et est beaucoup plus petit que le chromosome *X*, qui en porte dix fois plus (voir la micrographie ci-dessus); seuls quelques courts segments à chaque extrémité du chromosome *Y* sont homologues aux régions correspondantes du chromosome *X*. Dans un testicule, pendant la méiose, ces régions homologues permettent aux chromosomes *X* et *Y* de se comporter comme des chromosomes homologues.

Les deux chromosomes sexuels subissent une ségrégation au cours de la méiose, qui a lieu dans les testicules ou les ovaires, et chaque gamète en reçoit un exemplaire. Un ovule (gamète femelle) contient nécessairement un chromosome *X*. Par contre, il y a deux catégories de spermatozoïdes (gamètes mâles): la moitié d'entre eux porte un chromosome *X*, et l'autre moitié, un chromosome *Y*. Le sexe de tout individu est donc déterminé au moment de la conception: si un spermatozoïde porteur d'un chromosome *X* féconde l'ovule, le zygote sera *XX*, une femelle. Si le spermatozoïde contient un chromosome *Y*, le zygote sera *XY*, un mâle (voir la figure 15.9a). La détermination du sexe est donc le fruit du hasard, chaque résultat ayant une chance sur deux de se produire. La figure 15.9 (parties b à d) montre trois autres systèmes de détermination chromosomique du sexe en plus du système *X* et *Y* des Mammifères.

Chez l'humain, les caractéristiques anatomiques du sexe apparaissent lorsque l'embryon a environ deux mois. Avant cela, les rudiments des gonades (organes qui produisent les gamètes) sont indifférenciés: ils peuvent devenir des ovaires ou des testicules selon les influences hormonales qui s'exercent sur l'embryon. Le résultat dépend de la présence ou de l'absence d'un chromosome *Y*. En 1990, une équipe de recherche britannique a identifié sur le chromosome *Y* un gène indispensable au développement des testicules. Elle l'a appelé *SRY*, pour *sex-determining region of Y* (soit « région du *Y* déterminant le sexe »). En l'absence de *SRY*, les gonades deviennent des ovaires. Les chercheurs en question ont souligné que la présence (ou l'absence) de *SRY* n'est qu'un déclencheur. Les caractéristiques biochimiques, physiologiques et anatomiques associées au sexe sont complexes, et de nombreux gènes interviennent dans le développement sexuel. Le gène *SRY*, lui, code pour une protéine qui exerce une fonction régulatrice sur d'autres gènes. Par la suite, les chercheurs ont identifié sur le chromosome *Y* d'autres gènes assurant le fonctionnement normal des testicules. En leur absence, l'individu *XY* est de sexe masculin, mais il ne produit pas de spermatozoïdes normaux.

La transmission des gènes liés au sexe

En plus de jouer un rôle dans la détermination du sexe, les chromosomes sexuels, et surtout les chromosomes *X*, portent les gènes de nombreux caractères qui ne sont pas proprement sexuels. Un gène situé sur un chromosome sexuel est appelé **gène lié au sexe**, mais chez les humains, pour des raisons historiques, le terme désigne spécifiquement un gène sur le chromosome *X*. (Notez la distinction entre le terme *gène lié au sexe*, qui désigne un gène situé sur un chromosome sexuel, et celui de *gènes liés*, qui désigne des gènes situés sur un même chromosome et qui sont la plupart du temps transmis ensemble.) Chez les humains, la transmission héréditaire des gènes liés au sexe suit le même modèle que celui qui a été observé par Morgan dans le cas du locus de la couleur des yeux chez la drosophile (voir la figure 15.4). Les pères transmettent les allèles liés au sexe à toutes leurs filles, mais pas à leurs fils, puisque le chromosome sexuel qu'ils transmettent à leurs fils est le chromosome *Y*; par contre, les mères peuvent transmettre les allèles liés au sexe à leurs filles et à leurs fils **(figure 15.10)**.

Si un caractère lié au sexe est dû à un allèle récessif, une femme n'aura le phénotype correspondant que si elle est homozygote. Il n'y a pas lieu de parler d'*homozygotes* ou d'*hétérozygotes* dans le cas des hommes, puisqu'ils n'ont qu'un seul locus de gènes liés au sexe. On dit plutôt qu'ils sont *hémizygotes*. Tout mâle ayant reçu de sa mère l'allèle récessif exprime le caractère correspondant. Ce phénomène explique pourquoi le chromosome *X* a été relativement facile à cartographier et pourquoi les hommes sont beaucoup plus nombreux que les femmes à souffrir d'une maladie héréditaire récessive liée au sexe. Il arrive, évidemment, que des femmes soient atteintes d'une maladie héréditaire liée au sexe: seulement, la probabilité qu'elles héritent de deux exemplaires de l'allèle mutant est beaucoup plus faible que la probabilité qu'un homme en reçoive un seul. Prenons le cas du daltonisme, d'abord décrit par John Dalton, célèbre chimiste anglais, en 1794. Il s'agit d'une anomalie héréditaire de la vue, qui consiste en l'absence de perception de certaines couleurs ou en la confusion de couleurs. La forme de daltonisme la plus fréquente porte sur le rouge et le vert et c'est cette forme de daltonisme qui est liée au sexe; celle qui porte sur le bleu est beaucoup plus rare et elle n'est pas liée au sexe, l'allèle responsable étant situé sur un autosome. Un père daltonien et une mère transmettrice saine peuvent avoir une fille daltonienne (voir la figure 15.10c). Cependant, cela a peu de chances de se produire, parce que l'allèle du daltonisme est relativement rare.

Chez l'humain, certaines maladies liées au sexe sont beaucoup plus graves que le daltonisme; c'est le cas, notamment, de la **myopathie de Duchenne** (ou dystrophie musculaire progressive de Duchenne), qui touche environ un garçon sur 3 500 en France et en Amérique du Nord. Cette affection se caractérise par un affaiblissement progressif des muscles et par une perte graduelle de la coordination. Les personnes qui en sont atteintes dépassent rarement le début de la vingtaine. Les chercheurs l'ont liée à l'absence d'une protéine essentielle des muscles appelée dystrophine. Ils ont cartographié le gène codant pour celle-ci sur un locus spécifique du chromosome *X*.

Chez l'humain, il existe une centaine de maladies héréditaires récessives liées au sexe; l'**hémophilie** en est un exemple. Cette affection résulte de l'absence d'une ou de plusieurs protéines assurant la coagulation sanguine. Lorsqu'une personne hémophile se blesse, son saignement se prolonge, parce que le caillot est lent à se former. Les petites éraflures sont habituellement sans gravité, mais les saignements qui surviennent dans les muscles ou les

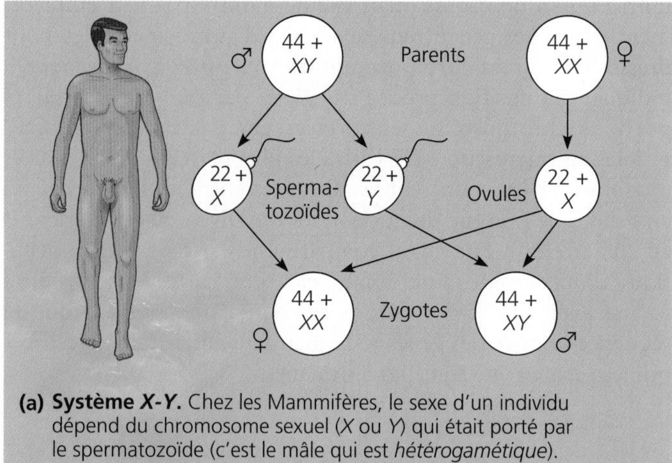

(a) Système *X-Y*. Chez les Mammifères, le sexe d'un individu dépend du chromosome sexuel (*X* ou *Y*) qui était porté par le spermatozoïde (c'est le mâle qui est *hétérogamétique*).

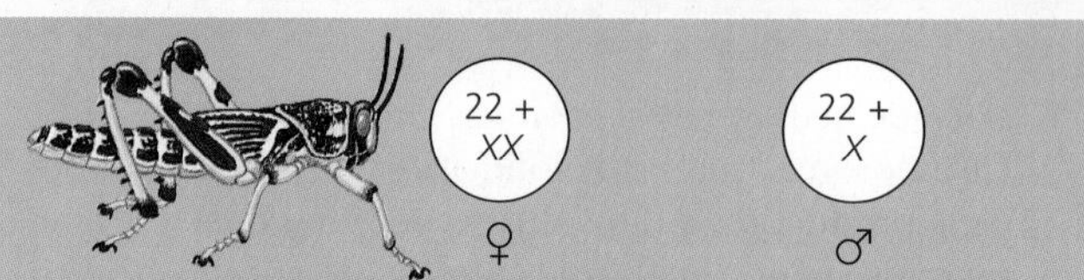

(b) Système *X-0*. Chez les sauterelles, les coquerelles (ou cafards) et quelques autres Insectes, il n'y a qu'un type de chromosome sexuel, le chromosome *X*. Les femelles sont *XX*, et les mâles n'ont qu'un seul chromosome sexuel (*X0*). Le sexe d'un descendant est donc conditionné par la présence ou l'absence, dans le spermatozoïde, d'un chromosome *X*.

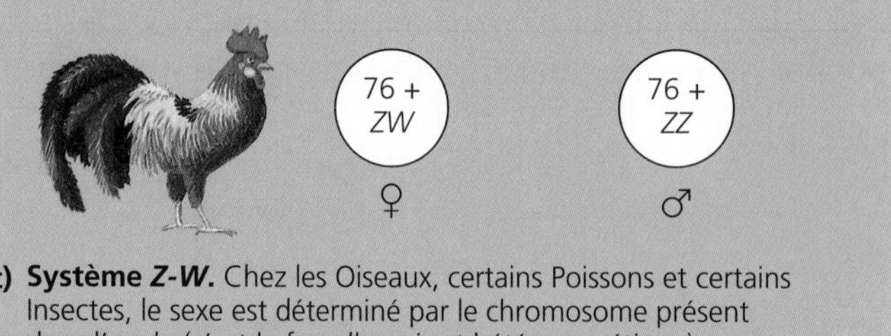

(c) Système *Z-W*. Chez les Oiseaux, certains Poissons et certains Insectes, le sexe est déterminé par le chromosome présent dans l'ovule (c'est la femelle qui est hétérogamétique). Les chromosomes sexuels sont désignés par les lettres *Z* et *W*. Les femelles sont donc *ZW*, et les mâles, *ZZ*.

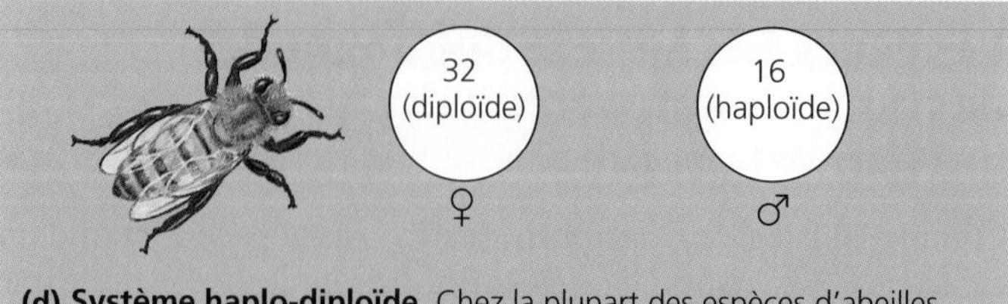

(d) Système haplo-diploïde. Chez la plupart des espèces d'abeilles et de fourmis, il n'y a pas de chromosomes sexuels. Les femelles se développent à partir d'ovules fécondés et sont donc diploïdes. Les mâles se développent à partir d'ovules non fécondés et sont haploïdes; ils n'ont pas de père.

▲ **Figure 15.9 Quelques systèmes de détermination chromosomique du sexe.** Les chiffres indiquent le nombre d'autosomes. Chez la drosophile, les mâles possèdent les chromosomes sexuels *XY*. Cependant, chez cette dernière, le sexe est déterminé par le rapport entre le nombre de chromosomes *X* et le nombre de jeux d'autosomes; il ne dépend pas uniquement de la présence du chromosome *Y*: si ce rapport est de ½, la drosophile sera du sexe mâle.

articulations peuvent être douloureux et entraîner des séquelles graves. À notre époque, on traite les hémophiles au besoin en leur injectant la protéine manquante par voie intraveineuse.

L'inactivation d'un chromosome *X* chez les Mammifères femelles

Bien que les Mammifères femelles reçoivent deux chromosomes *X*, dans chacune de leurs cellules un chromosome *X* est presque complètement inactivé au cours du développement embryonnaire. Par conséquent, les cellules somatiques des femelles et des mâles ont quasiment la même proportion effective de gènes (un exemplaire) dont le locus se trouve sur le chromosome *X*. Chez la femelle, le chromosome *X* inactif de chaque cellule se condense et forme une masse compacte appelée **corpuscule de Barr.** Celui-ci se place contre la face interne de l'enveloppe nucléaire. La plupart de ses gènes ne s'expriment pas. (On a récemment découvert que 15 % des gènes échappent à l'inactivation.) Dans les ovaires, les chromosomes du corpuscule de Barr sont réactivés dans les cellules qui forment les ovules, de sorte que chaque gamète d'une femelle porte un gène *X* actif.

La généticienne britannique Mary Lyon a démontré que, dans chacune des cellules embryonnaires présentes au moment de l'inactivation, le choix du chromosome *X* qui formera le corpuscule de Barr se fait au hasard et de façon indépendante. Par conséquent, la femelle est une *mosaïque* de deux types de cellules : dans certaines, le *X* actif provient du père, et dans d'autres, il provient de la mère. Une fois qu'un chromosome *X* est inactivé dans une cellule donnée, il le reste dans toutes les cellules qui descendent de celle-ci par mitose. Par conséquent, si une femelle est hétérozygote pour un caractère lié au sexe, la moitié de ses cellules environ exprimera un allèle, et l'autre moitié, l'autre allèle. La **figure 15.11** montre comment ce mosaïcisme produit un pelage tacheté chez la chatte écaille de tortue. Chez l'humain, il existe une mutation récessive liée au chromosome *X* qui empêche la formation de glandes sudorifères et entraîne donc des problèmes d'adaptation à la chaleur ; on nomme cette maladie *dysplasie ectodermique anidrotique.* Une femme hétérozygote pour ce caractère présente des régions de la peau normales et des régions sans glandes sudorifères.

L'inactivation d'un chromosome *X* sous-tend une modification de l'ADN comme l'ajout de groupements méthyle ($—CH_3$) à la cytosine, l'une des bases azotées des nucléotides d'ADN. (Le rôle régulateur de la méthylation de l'ADN est traité plus en détail au chapitre 19.) Des chercheurs ont également découvert un gène nommé *XIST* (*X-inactive specific transcript* ou « transcription spécifique du *X* inactif »), qui est actif *seulement* sur le chromosome du corpuscule de Barr. Des copies multiples de la molécule d'ARN produite par la transcription de ce gène semblent se lier au chromosome *X* en question au fur et à mesure qu'elles sont produites, jusqu'à ce qu'elles le recouvrent presque entièrement. Apparemment, c'est cette interaction qui amorce l'inactivation de ce chromosome. Notre connaissance du mécanisme de l'inactivation du chromosome *X* demeure toutefois encore rudimentaire.

Retour sur le concept 15.3

1. Une drosophile femelle aux yeux blancs est accouplée à un mâle aux yeux rouges (type sauvage). L'inverse de ce croisement est illustré à la figure 15.4. Quels phénotypes et quels génotypes prédisez-vous chez les descendants ?
2. Ni Thomas ni Zoé ne souffrent de la myopathie de Duchenne, mais leur fils premier-né en est atteint. Quelle est la probabilité que leur deuxième fils ait la maladie ?

Voir les réponses proposées à la fin du chapitre.

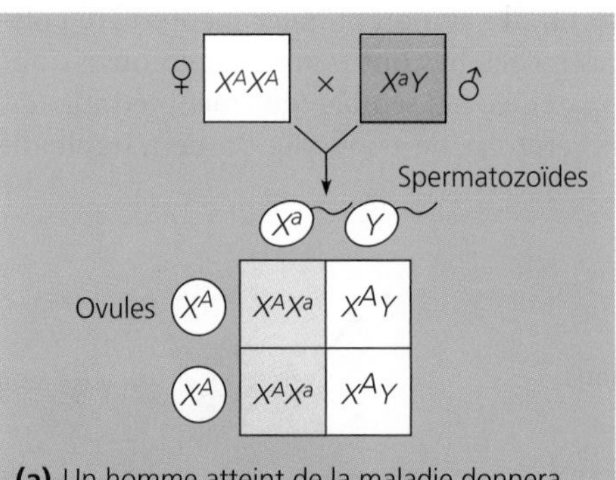

(a) Un homme atteint de la maladie donnera l'allèle mutant à toutes ses filles, mais à aucun de ses fils. Si sa femme est homozygote dominante, leurs filles présenteront un phénotype normal, mais elles seront des transmettrices saines de la mutation.

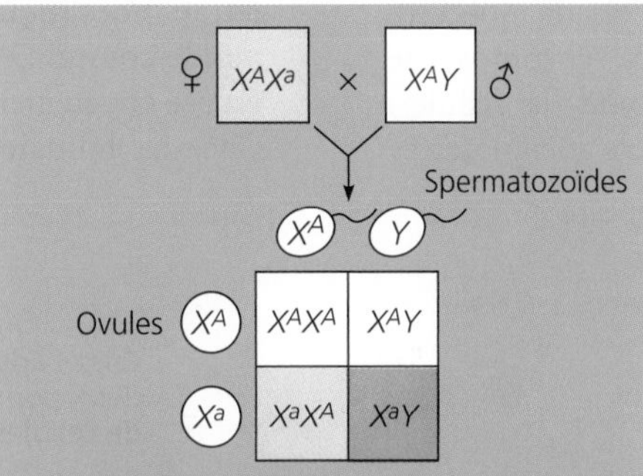

(b) Si une transmettrice saine s'unit à un homme normal, chacune de leurs filles aura une chance sur deux d'être une transmettrice saine comme sa mère, et chaque garçon aura une chance sur deux d'être atteint de la maladie.

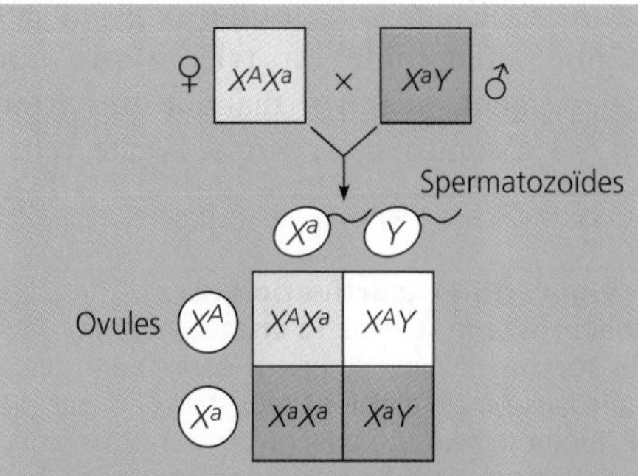

(c) Si une transmettrice saine s'unit à un homme qui a la maladie, chacun de leurs enfants aura une chance sur deux d'être atteint, quel que soit son sexe. Les filles normales seront des transmettrices saines, tandis que les garçons normaux ne porteront aucunement l'allèle récessif nocif.

▲ **Figure 15.10 Transmission de caractères récessifs liés au sexe.** Dans ce diagramme, l'exposant *A* désigne un allèle dominant porté par le chromosome *X*, alors que l'exposant *a* renvoie à un allèle récessif. Supposons que ce dernier résulte d'une mutation provoquant une anomalie liée au sexe, comme le daltonisme. Les cases blanches représentent les individus normaux, les cases claires, les transmetteurs sains, et les cases plus foncées, les personnes qui sont atteintes de l'anomalie.

Concept 15.4

Les anomalies du nombre ou de la structure des chromosomes causent certaines maladies génétiques

Les caractères liés au sexe ne sont pas les seules exceptions importantes au modèle d'hérédité observé par Mendel. De plus, les modifications génotypiques qui peuvent se répercuter sur le phénotype ne se limitent pas aux mutations génétiques entraînant l'apparition de nouveaux allèles. Des facteurs physiques comme les radiations et des substances chimiques comme les drogues peuvent endommager gravement les chromosomes d'une cellule ou encore modifier leur nombre. Même chose en ce qui concerne les erreurs qui surviennent pendant la méiose. Les aberrations (ou mutations) chromosomiques de grande ampleur provoquent souvent l'avortement spontané du fœtus, et les individus qui naissent avec ce type de défauts génétiques présentent souvent divers troubles du développement. Les Végétaux tolèrent mieux que les Animaux de telles anomalies génétiques.

Nombre anormal de chromosomes

Normalement, le fuseau mitotique répartit les chromosomes sans erreur dans les cellules filles. Mais il se produit parfois un accident appelé **non-disjonction**: les chromosomes homologues ne se séparent pas comme ils le devraient pendant la méiose I ou encore les chromatides sœurs ne se séparent pas pendant la méiose II. Dans ces cas, l'un des gamètes reçoit deux chromosomes de la même paire, alors qu'un autre n'en reçoit aucun **(figure 15.12)**. Habituellement, les autres chromosomes sont transmis de façon normale. Si l'un des gamètes anormaux s'unit à un gamète normal, l'individu qui en sera issu aura un nombre anormal d'un chromosome donné, un état appelé **aneuploïdie** (un individu possédant un ou plusieurs jeux complets de chromosomes est *euploïde*).

Quand il y a trois exemplaires du même chromosome dans le zygote (soit $2n + 1$ chromosomes au total), on dit que cette cellule aneuploïde est **trisomique** pour ce chromosome. Inversement, quand il manque un chromosome (la cellule a $2n - 1$ chromosomes) dans le zygote, cette cellule aneuploïde est dite **monosomique** pour ce chromosome. L'anomalie se transmet ensuite à toutes les cellules de l'embryon par mitose. Dans le cas où il survit, l'organisme souffre habituellement d'un ensemble de symptômes liés au nombre anormal de gènes dû au chromosome surnuméraire ou à l'absence d'un chromosome. La non-disjonction peut également survenir pendant la mitose. Si elle se produit au début du développement embryonnaire, alors l'état aneuploïde se transmettra par mitose à un grand nombre de cellules. Cela aura probablement des effets importants sur l'organisme.

Certains organismes possèdent plus de deux jeux complets de chromosomes. Ce type d'anomalie chromosomique porte le nom générique de **polyploïdie**; les termes spécifiques de *triploïdie* et de *tétraploïdie* désignent respectivement un nombre de trois jeux chromosomiques ($3n$) ou de quatre jeux chromosomiques ($4n$). Un zygote triploïde peut être formé par la fécondation d'un ovule anormal, devenu diploïde à cause de la non-disjonction de tous ses chromosomes. Les organismes triploïdes (la banane [*Musa paradisiaca*], par exemple) sont généralement stériles, car leurs gamètes sont le plus souvent aneuploïdes. L'état tétraploïde, lui, peut résulter de l'absence de division d'un zygote (originellement à $2n$) après la réplication de ses chromosomes en vue de la première mitose. Les mitoses ultérieures normales produisent alors un embryon à $4n$. La polyploïdie est relativement fréquente dans le règne végétal; beaucoup de plantes cultivées sont plus grandes et ont des fruits plus gros que leurs «cousins» sauvages par suite de leur état polyploïde apparu naturellement ou par manipulation; la polyploïdie peut se produire à l'intérieur d'une seule espèce ou survenir lors du croisement (hybridation) entre deux espèces voisines. Certaines plantes, comme le blé (*Triticum aestivum*), peuvent être hexaploïdes ($6n$). Au chapitre 24, nous verrons que l'apparition spontanée d'individus polyploïdes joue un rôle important dans l'évolution des Végétaux. Chez les Animaux, la polyploïdie est beaucoup moins commune, mais elle existe chez les espèces qui se reproduisent sans fécondation et chez certains Vertébrés (Poissons, Amphibiens et Reptiles). Des chercheurs ont identifié au Chili un rongeur dont les cellules sont tétraploïdes **(figure 15.13)**. Il s'agit du premier mammifère polyploïde connu. D'autres recherches ont permis de découvrir une espèce étroitement apparentée qui semble également tétraploïde. Chez les humains, de rares cas de triploïdie ou de tétraploïdie

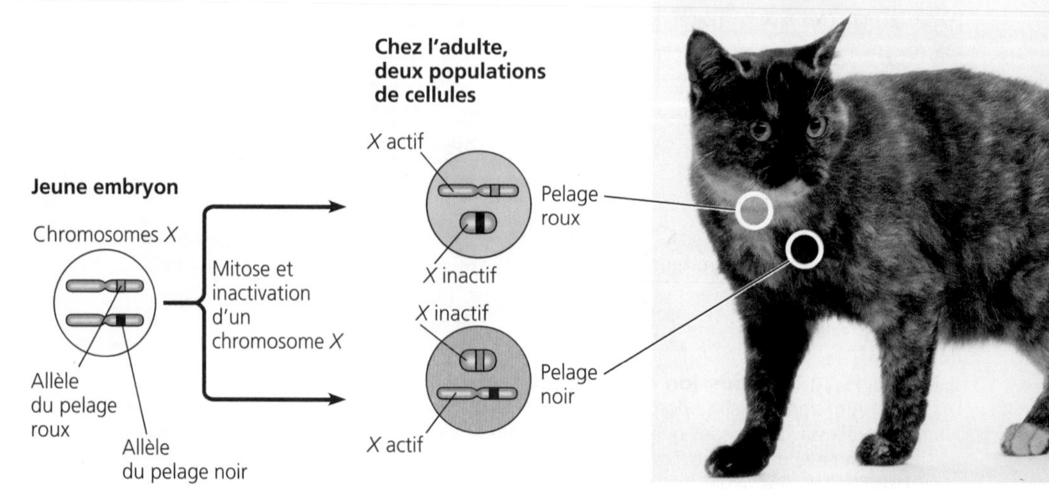

▶ Figure 15.11 Inactivation du chromosome *X* chez la chatte écaille de tortue. Le gène du pelage écaille de tortue (de couleur noire mêlée de roux) se trouve sur le chromosome *X*. Ce phénotype ne s'exprime qu'en présence de deux allèles différents, l'un pour le pelage roux, l'autre, pour le pelage noir. Normalement, seules les femelles peuvent recevoir les deux allèles parce qu'elles seules ont deux chromosomes *X*. Si elle est hétérozygote pour le caractère de la couleur du pelage, une femelle présente le phénotype écaille de tortue. Les taches rousses sont formées par les populations de cellules dont le chromosome *X* actif porte l'allèle du pelage roux; les taches noires sont formées par les cellules dont le chromosome *X* actif porte l'allèle du pelage noir. (La chatte d'Espagne ou calico présente également des taches blanches qui sont déterminées par un autre gène.)

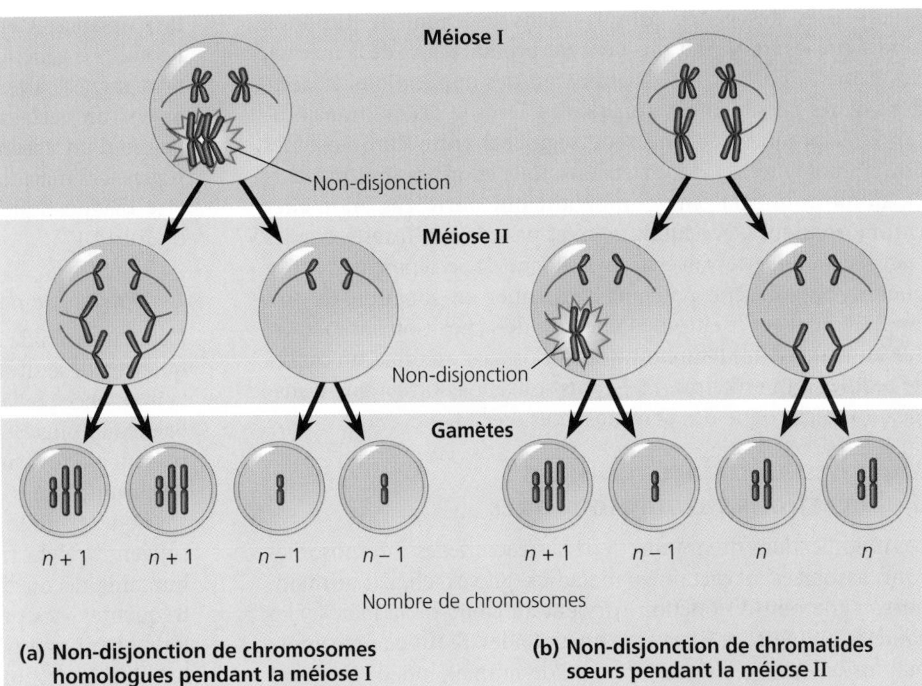

▶ **Figure 15.12 Non-disjonction méiotique.** Pendant la méiose I ou la méiose II, il y a des moments de non-disjonction possible ; il en résulte des gamètes avec un nombre anormal de chromosomes.

ont été signalés, mais les individus atteints ne sont pas viables. D'une manière générale, les individus polyploïdes ont une apparence plus normale que les aneuploïdes. L'absence d'un chromosome ou, au contraire, la présence d'un chromosome surnuméraire semblent rompre l'équilibre génétique plus gravement que la présence d'un jeu complet de chromosomes supplémentaires ; de toutes ces anomalies, l'absence d'un chromosome semble celle qui a les conséquences les plus graves.

Modifications de la structure chromosomique

Lorsqu'un chromosome se rompt, quatre types de modifications de sa structure peuvent se produire, tel que l'illustre la **figure 15.14**. La **délétion** suppose une cassure du chromosome en un ou deux points et une perte, lors de la division cellulaire, du fragment terminal du chromosome ou du fragment qui se trouvait entre les deux points de cassure ; on dit du chromosome ainsi amputé qu'il porte une délétion. Il manque alors certains gènes au chromosome en question. Dans certains cas, si la méiose est en cours, le fragment peut s'attacher à une chromatide sœur et former un segment supplémentaire, entraînant une **duplication**. Il se peut également qu'un fragment détaché s'attache à une chromatide non sœur d'un chromosome homologue. Dans ce cas, cependant, les segments « dédoublés » du chromosome ne sont pas nécessairement identiques, parce que les chromosomes homologues peuvent porter des allèles différents de certains gènes. Le fragment chromosomique peut aussi s'attacher de nouveau à son chromosome d'origine, mais à l'envers ; une **inversion** a alors lieu. Enfin, le segment détaché peut se joindre à un chromosome non homologue ; ce quatrième résultat possible est nommé **translocation**.

C'est pendant la méiose, lors d'un enjambement, que les délétions et les duplications ont le plus de chances de se produire. Des fragments de chromatides homologues (qui ne sont pas sœurs) se brisent et se rattachent au mauvais endroit, de sorte que l'une des chromatides perd des gènes, alors que l'autre en reçoit en trop. Le résultat final d'un tel enjambement *non réciproque* donne un chromosome avec une délétion, et un autre, avec une duplication.

Chez un embryon diploïde dont deux chromosomes homologues ont subi une délétion (ou chez un mâle dont l'unique chromosome *X* a perdu un fragment), il peut manquer une partie d'un seul gène si la délétion est petite ou un certain nombre de gènes essentiels dans le cas de délétions plus grandes. Ce dernier état est généralement létal. Si la délétion n'affecte qu'un chromosome de la paire, la perte d'un certain nombre d'allèles dominants peut permettre aux allèles récessifs de s'exprimer. On note souvent des délétions dans les cellules cancéreuses. Les duplications et les translocations ont aussi souvent des effets nocifs : les duplications entraînent la présence de trois

▲ **Figure 15.13 Un mammifère tétraploïde.** Les cellules somatiques du rat-viscache roux d'Argentine (*Tympanoctomys barreræ*) ont environ deux fois plus de chromosomes que celles des espèces étroitement apparentées. Il est intéressant de constater que la tête de ses spermatozoïdes est plus grande que la normale, probablement pour contenir le volume accru du matériel génétique. Les scientifiques pensent que cette espèce tétraploïde est apparue lorsque le nombre de chromosomes d'un ancêtre a doublé, sans doute à la suite d'une erreur survenue à la mitose ou à la méiose dans les organes reproducteurs de l'animal.

exemplaires des gènes compris dans le fragment dupliqué tandis que les translocations peuvent produire, lors de la méiose, des gamètes portant des délétions ou des duplications et donc des zygotes possiblement non viables. Dans le cas des translocations réciproques (échanges de segments entre chromosomes non homologues) et des inversions, tous les gènes sont présents en nombre normal chez l'individu qui porte ces anomalies chromosomiques, et l'équilibre n'est pas rompu. Il reste que les translocations et les inversions risquent de se répercuter sur le phénotype, un gène pouvant s'exprimer en fonction de son emplacement sur le chromosome, soit de sa position par rapport aux autres gènes: le lymphome de Burkitt, par exemple, un cancer de cellules immunitaires, est le plus souvent associé à une translocation réciproque des chromosomes 8 et 14.

Maladies humaines résultant d'aberrations chromosomiques

Les modifications du nombre et de la structure des chromosomes sont associées à certaines maladies graves chez l'humain. Lorsqu'une non-disjonction survient au cours de la méiose, les gamètes qui en sont issus sont aneuploïdes. Si un gamète anormal fusionne avec un gamète haploïde normal, lors de la fécondation, le zygote issu de cette fusion est aneuploïde. La fréquence des zygotes aneuploïdes peut être assez élevée chez l'humain. Toutefois, la plupart des aberrations chromosomiques de cette nature ont des conséquences si désastreuses sur le développement que les embryons atteints sont expulsés spontanément bien avant la naissance. Certains types d'aneuploïdie perturbent moins l'équilibre génétique que les autres, de sorte que les grossesses sont menées à terme et que les individus atteints de l'anomalie vivent un certain temps. Chaque type d'aneuploïdie s'accompagne d'un ensemble de symptômes (un *syndrome*) caractéristiques. Les maladies génétiques causées par l'aneuploïdie peuvent être diagnostiquées chez les fœtus avant la naissance (voir la figure 14.17).

Le syndrome de Down (trisomie 21)

L'état aneuploïde appelé **syndrome de Down** survient à une fréquence qui se situe entre 1 sur 700 et 1 sur 1 000 naissances, mais la fréquence réelle, tenant compte des avortements spontanés, est beaucoup plus élevée **(figure 15.15)**. Il est habituellement dû à la présence d'un chromosome 21 surnuméraire: chaque cellule a 47 chromosomes au total au lieu de 46. Comme la cellule est trisomique pour le chromosome 21, le syndrome de Down est souvent appelé trisomie 21 (il s'agit de la première trisomie humaine découverte et de la mutation chromosomique la plus fréquente). Les personnes atteintes ont des traits faciaux caractéristiques, une petite taille, des malformations cardiaques, une sensibilité aux infections respiratoires et un retard intellectuel. De plus, elles ont une prédisposition à la leucémie et à la maladie d'Alzheimer. Elles ont une durée de vie moyenne nettement inférieure à la normale, mais certaines d'entre elles atteignent un âge assez avancé (plus de 60 ans). En général, elles ne se développent pas complètement sur le plan sexuel et elles sont stériles.

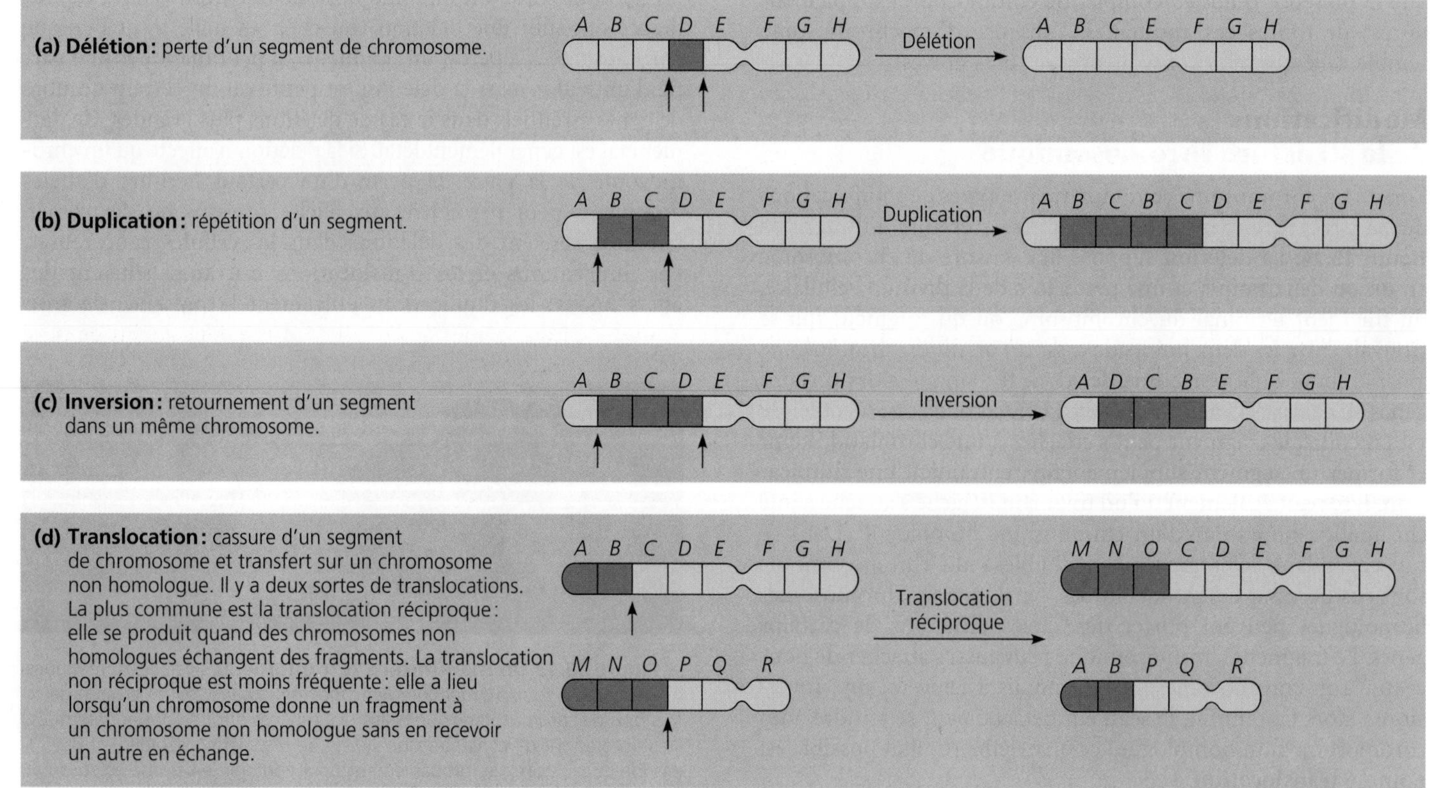

▲ **Figure 15.14 Altérations de la structure chromosomique.** Les flèches verticales indiquent les endroits où les chromosomes se brisent. Les parties colorées en violet foncé représentent les morceaux de chromosome affectés par les remaniements.

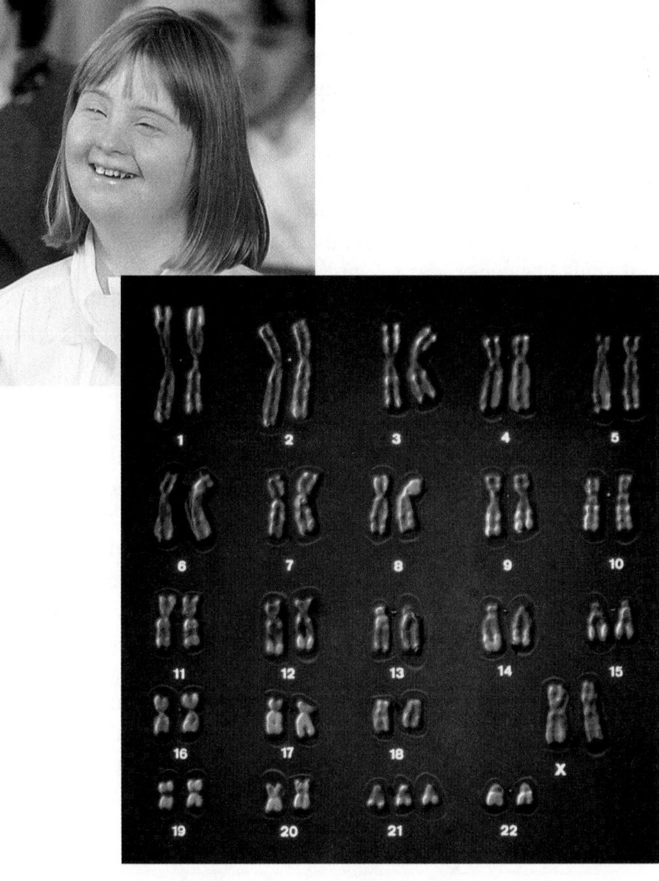

▲ **Figure 15.15 Syndrome de Down (trisomie 21).** L'enfant présente le faciès caractéristique du syndrome de Down, généralement causé par la trisomie 21 (voir le caryotype).

La fréquence du syndrome de Down augmente avec l'âge de la mère (et de façon moins marquée avec l'âge du père). Cette anomalie apparaît chez seulement 0,04 % des enfants issus de mères ayant moins de 30 ans. Cette proportion passe à 1,25 % dans le cas de femmes au début de la trentaine, et elle s'élève encore plus chez celles qui sont plus âgées. Comme elles courent un risque relativement grand, les femmes enceintes ayant plus de 35 ans subissent généralement des tests permettant de détecter la trisomie 21 chez l'embryon. La corrélation entre la fréquence de cette anomalie et l'âge de la mère reste inexpliquée. La plupart des cas de syndrome de Down résultent d'une non-disjonction lors de l'anaphase de la méiose I. Des recherches permettent de penser qu'une anomalie liée à l'âge affecte le fonctionnement du fuseau : l'anaphase commence avant même que tous les kinétochores soient fixés aux microtubules du fuseau, à cause d'une anomalie concernant un point de contrôle (comme le point de contrôle M de la phase mitotique ; voir le chapitre 12). L'incidence des trisomies des autres chromosomes s'accroît aussi avec l'âge de la mère, mais les nouveau-nés souffrant des deux autres trisomies autosomiques les plus répandues survivent rarement bien longtemps : quelques mois pour la trisomie 13 (syndrome de Patau) et quelques semaines pour la trisomie 18 (syndrome d'Edwards).

L'aneuploïdie des chromosomes sexuels

La non-disjonction des chromosomes sexuels entraîne divers types d'états aneuploïdes chez l'humain. Le plus souvent, il semble que le déséquilibre génétique ainsi créé soit moins grave que dans les formes d'aneuploïdie touchant les autosomes. Peut-être est-ce parce que le chromosome *Y* porte relativement peu de gènes et que les exemplaires surnuméraires du chromosome *X* sont inactivés sous la forme de corpuscules de Barr dans les cellules somatiques.

Un garçon sur 2 000 porte, à la naissance, un chromosome *X* surnuméraire (génotype *XXY*). Cette anomalie est appelée *syndrome de Klinefelter*. Les hommes touchés ont des organes sexuels masculins, mais leurs testicules sont atrophiés et ils sont stériles. Même si le chromosome *X* surnuméraire est inactif, ils ont souvent des seins développés et d'autres caractères physiques féminins. Leur intelligence est habituellement normale. Des sujets de sexe masculin (un sur 500) naissent avec un chromosome *Y* surnuméraire (*XYY*) qui n'est cependant jamais transmis à leurs descendants ; ces individus ne présentent aucun syndrome bien défini, mais leur taille est légèrement supérieure à la moyenne. On a déjà tenté d'associer cet état chromosomique avec une prédisposition à la violence, mais cela n'a jamais été confirmé.

Les sujets de sexe féminin atteints de trisomie *X* (ou *syndrome du triple X*), une anomalie qui touche environ un enfant né vivant sur 1 000, ont une santé normale et on ne peut les distinguer des femmes de génotype *XX*, sauf par leur caryotype. La monosomie *X* (génotype *X0*), appelée *syndrome de Turner*, touche un enfant sur 5 000 environ. C'est la seule monosomie viable chez l'humain. Bien que les personnes atteintes aient un phénotype féminin, leurs organes sexuels ne parviennent pas à maturité à l'adolescence et elles sont stériles. Cependant, elles acquièrent des caractères sexuels secondaires si elles reçoivent une thérapie de remplacement aux œstrogènes. La plupart ont une intelligence normale, sont de petite taille et possèdent un pli caractéristique de la peau au niveau du cou. N'ayant qu'un seul chromosome *X*, elles risquent davantage d'être touchées par les maladies transmises par des gènes liés au sexe.

Les maladies causées par des modifications de la structure chromosomique

Beaucoup de délétions affectant des chromosomes, même à l'état hétérozygote, provoquent des déficiences graves. L'un de ces syndromes, appelé *cri du chat*, est dû à une délétion de l'extrémité d'un des chromosomes de la paire 5. Un enfant atteint de cette anomalie à la naissance (1 sur 50 000) accuse un retard mental, possède une petite tête et des traits faciaux inhabituels, et son cri ressemble au miaulement d'un chat en détresse. Il mourra habituellement peu après sa naissance ou au début de l'enfance.

La translocation (le rattachement d'un fragment de chromosome à un autre chromosome non homologue) est une autre sorte de modification de la structure chromosomique associée à des maladies humaines. On a relié certains cancers, y compris la *leucémie myéloïde chronique* (LMC), à des translocations chromosomiques. La leucémie est un cancer des cellules qui fabriquent les globules blancs du sang ; les cellules cancéreuses des malades atteints de LMC ont été le siège d'une translocation réciproque, et une grande partie du chromosome 22 a été échangée contre un petit fragment de l'extrémité du chromosome 9 pour donner un chromosome 22 beaucoup plus petit et facile à reconnaître, appelé *chromosome Philadelphie* **(figure 15.16)**. Nous verrons au chapitre 19 comment un tel échange peut causer le cancer.

Retour sur le concept 15.4

1. Plus courants que les Animaux complètement polyploïdes, les Animaux polyploïdes mosaïques sont des diploïdes sauf pour quelques régions de cellules polyploïdes. Comment un tétraploïde mosaïque (un animal dont certaines cellules contiennent quatre jeux de chromosomes) peut-il se produire?
2. Une translocation chromosomique, dans laquelle un exemplaire du chromosome 21 est rattaché au chromosome 14, est décelée chez environ 5 % des individus atteints du syndrome de Down. Comment cette translocation dans les gonades d'un parent peut-elle entraîner le syndrome de Down chez un enfant?
3. Expliquez comment un chat mâle pourrait avoir le phénotype écaille de tortue.

Voir les réponses proposées à la fin du chapitre.

Concept 15.5

Certains modes de transmission héréditaires sont des exceptions à la théorie chromosomique classique

Dans la section précédente, vous avez appris l'existence d'anomalies des modes de transmission chromosomiques habituels. Nous concluons le présent chapitre par la description de deux exceptions *normales* à la génétique mendélienne, l'une mettant en jeu des gènes situés dans le noyau et l'autre impliquant des gènes situés à l'extérieur du noyau.

L'empreinte génomique

Tout au long de notre présentation de la génétique mendélienne et des bases chromosomiques de l'hérédité, nous avons supposé qu'un allèle donné exerce un effet donné, qu'il soit transmis par la mère ou par le père. C'est probablement vrai dans la plupart des cas. Par exemple, lorsque Mendel croisait des plants de pois à fleurs violettes avec d'autres plants de pois à fleurs blanches, il obtenait des résultats identiques, que le parent à fleurs violettes ait fourni le gamète mâle ou le gamète femelle. Cependant, les généticiens ont identifié récemment chez les Mammifères deux à trois dizaines de caractères dont l'expression dépend de l'identité du parent qui transmet l'allèle correspondant; ce type de variation dans le phénotype est appelé **empreinte génomique** (ou empreinte parentale). (Remarquez qu'il ne s'agit pas de caractères liés au sexe; la plupart des gènes ayant reçu une empreinte sont situés sur des autosomes.)

L'empreinte génomique se produit au cours de la formation des gamètes et réduit au silence un des allèles de certains gènes. Étant donné que ces gènes reçoivent une empreinte différente dans le spermatozoïde et dans l'ovule, un zygote n'exprime qu'un seul allèle des gènes ayant reçu l'empreinte, soit l'allèle transmis par la mère, soit l'allèle transmis par le père. Les empreintes sont transmises à toutes les cellules de l'organisme au cours de la croissance, de sorte que le même allèle d'un gène donné (soit l'allèle transmis par la mère, soit l'allèle transmis par le père) s'exprime dans toutes les cellules de cet organisme. À chaque génération, les vieilles empreintes sont « effacées » dans les cellules productrices de gamètes, et les chromosomes des gamètes reçoivent une nouvelle empreinte selon le sexe de l'individu chez qui ils se trouvent. Chez une espèce donnée, la façon dont les gènes reçoivent leur empreinte est toujours la même. Par exemple, un gène qui a reçu une empreinte pour l'expression d'un allèle maternel reçoit toujours une empreinte pour l'expression d'un allèle maternel, une génération après l'autre.

Considérons, par exemple, le gène pour le facteur de croissance insulinoïde-2 (*Igf*2), un des premiers gènes subissant une empreinte qu'on a identifiés. Bien que ce facteur de croissance soit requis pour un développement prénatal normal, seul l'allèle paternel s'exprime **(figure 15.17a)**. Des croisements entre des souris de type sauvage et des souris génétiquement naines homozygotes pour une mutation récessive dans le gène *Igf*2 ont constitué une preuve que ce gène reçoit initialement une empreinte. Les phénotypes des descendants hétérozygotes (un allèle normal et un allèle mutant) diffèrent selon que l'allèle mutant provenait du père ou de la mère **(figure 15.17b)**.

Comment une cellule fabrique-t-elle l'empreinte génomique? Dans de nombreux cas, des groupements méthyle (—CH_3) sont ajoutés aux nucléotides de cytosine de l'un des allèles. Cette méthylation peut neutraliser directement un allèle, un effet qui concorde avec le fait que les gènes très méthylés sont habituellement inactifs (voir le chapitre 19). Cependant, pour quelques gènes, il a été démontré que la méthylation *active* l'expression de l'allèle. C'est ce qui arrive dans le cas du gène *Igf*2: la méthylation d'une certaine séquence d'ADN sur le chromosome paternel entraîne l'expression de l'allèle *Igf*2 paternel.

On pense que l'empreinte génomique n'influe que sur une petite fraction des gènes dans les génomes des Mammifères, mais la plupart de ceux qui sont connus ont une fonction critique dans

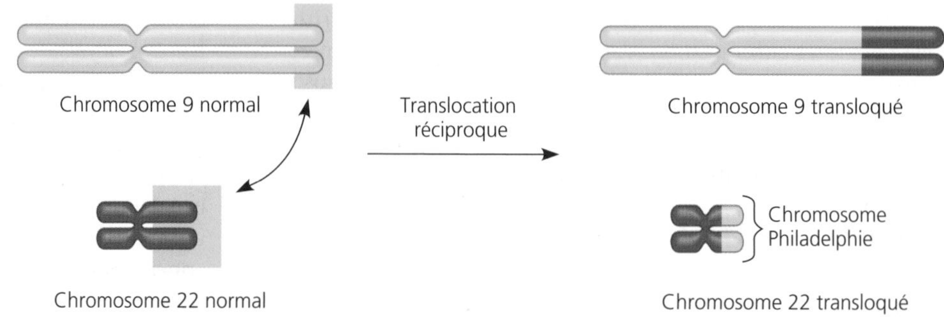

▶ Figure 15.16 Translocation associée à la leucémie myéloïde chronique (LMC). Les cellules cancéreuses chez presque tous les patients atteints de LMC comportent un chromosome 22 anormalement court, le chromosome Philadelphie, et un chromosome 9 anormalement long. La translocation, illustrée ci-contre, est responsable des modifications de ces chromosomes.

le développement embryonnaire. Des expériences menées sur des souris appuient cette idée. Ainsi, on a manipulé des embryons de souris de sorte à leur donner deux exemplaires de certains chromosomes d'un même parent; aucune gestation n'a été menée à terme, quel qu'ait été le sexe du parent en question. Apparemment, le développement ne peut se dérouler normalement que s'il y a un (et un seul) exemplaire actif de certains gènes (et non zéro ou deux). Le lien entre une empreinte aberrante et un développement anormal de même que certains cancers suscite de nombreuses recherches sur la façon dont divers gènes reçoivent une empreinte.

La transmission des gènes des organites

Bien que ce chapitre ait porté essentiellement sur les bases chromosomiques de l'hérédité, nous allons le conclure par une mise au point importante: les gènes des cellules eucaryotes ne sont pas tous situés sur les chromosomes du noyau ni même dans le noyau. Il existe des gènes localisés dans des organites contenus dans le cytoplasme; on les appelle parfois *gènes extranucléaires.* Les mitochondries, de même que les chloroplastes et d'autres plastes des Végétaux, contiennent un grand nombre de copies de petites molécules d'ADN circulaires (appelées ADNmt chez la mitochondrie et ADNcp chez le chloroplaste) qui portent des gènes codant pour des protéines et de l'ARN. Ces organites se reproduisent et transmettent leurs gènes à des organites fils. Les gènes d'organites sont peu nombreux (la mitochondrie chez l'humain ne porte que 37 gènes, alors que le noyau en contient environ 40 000); ils ne suivent pas le modèle mendélien de l'hérédité, parce qu'ils ne sont pas transmis aux descendants selon les mêmes lois que les chromosomes nucléaires pendant la méiose.

Les premières indications de l'existence des gènes extranucléaires ont été fournies par Karl Correns dans ses études sur la transmission héréditaire des taches jaunes ou blanches parsemant les feuilles d'une plante dont les autres parties étaient vertes. En 1909, il a observé que la coloration des descendants ne dépend que du parent femelle duquel proviennent les graines, et non du parent mâle ayant fourni le pollen. Des recherches ultérieures ont permis de montrer que les motifs de couleur, ou le feuillage panaché, sont dus aux mutations (beaucoup plus fréquentes dans l'ADN des organites que dans l'ADN nucléaire) dans les gènes des plastes déterminant la pigmentation. Chez la plupart des Végétaux, tous les plastes du zygote proviennent du cytoplasme du gamète femelle et non du pollen qui ne contribue rien de plus qu'un jeu haploïde de chromosomes. Lors du développement du zygote, les plastes contenant des gènes déterminant la pigmentation, de type sauvage ou mutant, sont distribués au hasard à des cellules filles. Le motif de la coloration des feuilles dépend du rapport entre les plastes de type sauvage et ceux de type mutant dans divers tissus **(figure 15.18)**.

Chez la plupart des Animaux et des Végétaux, les gènes des mitochondries sont aussi transmis par hérédité maternelle: presque toutes les mitochondries transmises à un zygote proviennent du cytoplasme de l'ovule. Les produits de la plupart des gènes mitochondriaux contribuent (avec ceux des gènes nucléaires) à la constitution des complexes protéiques de la chaîne de transport des électrons et de l'ATP synthase (voir le chapitre 9). Par conséquent, si une ou plusieurs de ces protéines sont défectueuses, la cellule ne peut pas synthétiser autant d'ATP qu'il le faut et il a été démontré que cela cause certaines maladies rares chez les humains. La plupart des maladies mitochondriales touchent surtout le système nerveux et les muscles, qui sont les systèmes les plus exposés aux déficits énergétiques. Par exemple, les personnes atteintes de *myopathie mitochondriale* souffrent de faiblesse, d'intolérance à l'exercice et de dégénérescence musculaire.

Il n'y a pas que des maladies rares qui sont causées par des défauts de l'ADN mitochondrial. Des mutations mitochondriales transmises par la mère contribuent à certaines formes de diabète et à des maladies cardiaques, ainsi qu'à d'autres troubles communs chez les personnes âgées, comme la maladie d'Alzheimer. Au cours de la vie, de nouvelles mutations s'accumulent peu à peu dans l'ADN mitochondrial, et certains chercheurs pensent qu'elles jouent un rôle dans le processus de vieillissement normal.

Quel que soit l'endroit où les gènes sont situés (dans le noyau ou dans les organites contenus dans le cytoplasme), leur transmission héréditaire dépend de la réplication précise de l'ADN, qui constitue le matériel génétique. Dans le prochain chapitre, nous étudierons le mécanisme de cette reproduction moléculaire.

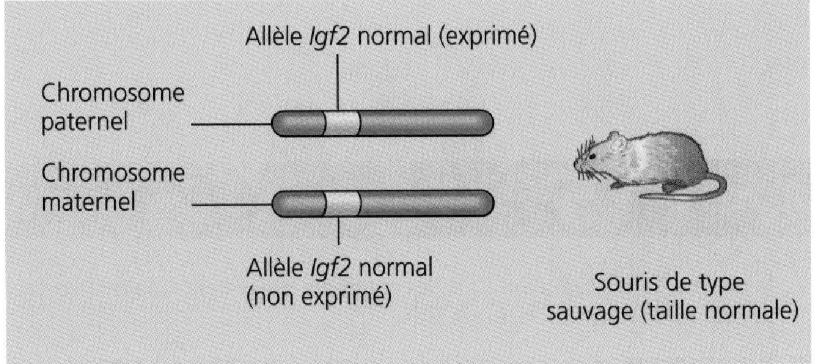

(a) Une souris de type sauvage est homozygote pour l'allèle *Igf2* normal.

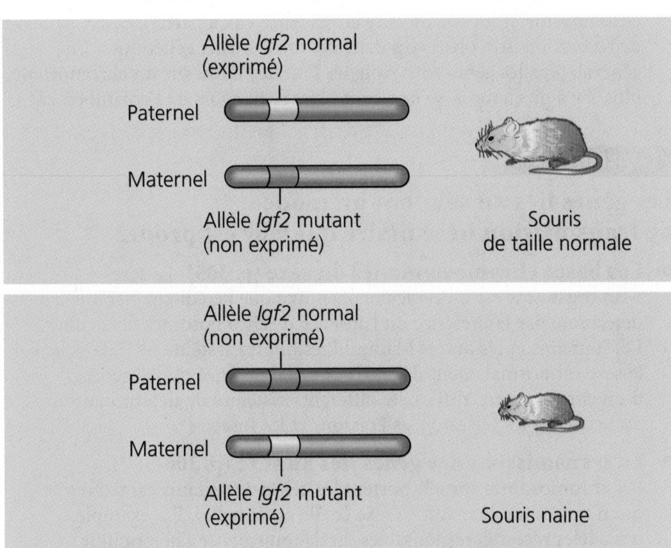

(b) Si un allèle *Igf2* normal est transmis par le père, les souris hétérozygotes croissent jusqu'à leur taille normale. Par contre, si un allèle mutant est transmis par le père, les souris hétérozygotes présentent le phénotype nain.

▲ **Figure 15.17 Empreinte génomique du gène *Igf2* de la souris. (a)** Chez la souris, l'allèle *Igf2* paternel s'exprime, mais pas l'allèle maternel. **(b)** L'union entre des souris de type sauvage et des souris homozygotes pour l'allèle *Igf2* mutant récessif produit des individus hétérozygotes de taille normale ou nains, selon que l'allèle mutant est transmis par le père ou la mère.

▶ **Figure 15.18 Feuilles panachées du croton** (*Croton dioicus*). Les feuilles panachées (rayées ou tachetées) sont dues à des mutations des gènes de la pigmentation situés dans les plastes, qui proviennent généralement du gamète femelle.

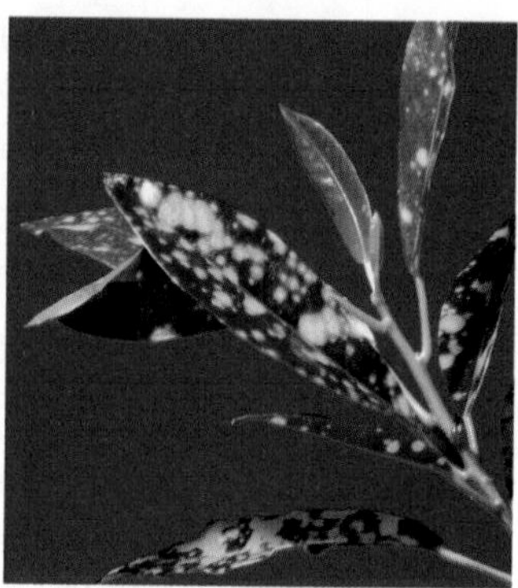

Retour sur le concept 15.5

1. Le dosage génique, c'est-à-dire le nombre d'exemplaires actifs d'un gène, est important pour un développement approprié. Nommez et décrivez deux processus qui permettent d'établir le dosage approprié de certains gènes.
2. Des croisements réciproques entre deux variétés de primevères (*Primula sp.*), A et B, ont donné les résultats suivants: femelle A × mâle B → individus à feuilles toutes vertes (non panachées). Femelle B × mâle A → individus à feuilles tachetées (panachées). Expliquez ces résultats.
3. Les gènes des mitochondries jouent un rôle déterminant dans le métabolisme énergétique des cellules, mais les maladies mitochondriales causées par les mutations de ces gènes ne sont généralement pas létales. Expliquez pourquoi.

Voir les réponses proposées à la fin du chapitre.

Révision du chapitre 15

RÉSUMÉ DES CONCEPTS CLÉS

Concept 15.1

Le fondement physique de l'hérédité mendélienne réside dans le comportement des chromosomes

▶ Au début du XXe siècle, plusieurs chercheurs ont avancé que les gènes se trouvent sur les chromosomes et que les lois de Mendel sur la ségrégation et l'assortiment indépendant s'expliquent par le comportement des chromosomes pendant la méiose **(p. 297-299).**

▶ **La preuve expérimentale de Morgan (p. 299-300).** La découverte de Morgan selon laquelle la transmission du chromosome *X* chez la drosophile concorde avec l'hérédité du caractère de la couleur des yeux a été la première preuve solide permettant d'associer un gène à un chromosome.

Concept 15.2

Les gènes liés sont souvent transmis ensemble, parce qu'ils se trouvent près les uns des autres sur le même chromosome

▶ **Le mode d'action des liaisons génétiques sur la transmission héréditaire (p. 300-301).** Chaque chromosome porte des centaines ou des milliers de gènes. On appelle gènes liés les gènes dont les allèles sont situés si près l'un de l'autre sur le même chromosome qu'ils ne subissent pas un assortiment indépendant. Les allèles des gènes non liés se trouvent ou bien sur des chromosomes différents ou bien tellement éloignés sur le même chromosome qu'ils subissent un assortiment indépendant.

▶ **La recombinaison et la liaison génétiques (p. 301-302).** Les descendants recombinés présentent des combinaisons nouvelles de caractères hérités de leur père et de leur mère. À cause de l'assortiment indépendant des chromosomes et de la fécondation aléatoire, les gènes non liés présentent une fréquence de recombinaison de 50 %. Même s'il y a eu enjambement entre des chromatides non sœurs à la première division méiotique, les gènes liés présentent une fréquence de recombinaison inférieure à 50 %.

▶ **Établissement d'une carte de liaison génétique à partir des données obtenues grâce à la recombinaison (p. 302-305).** Les généticiens peuvent déduire la séquence des gènes sur un chromosome et les distances relatives entre eux à partir des fréquences de recombinaison observées dans des croisements génétiques. En général, plus les gènes sont éloignés l'un de l'autre sur un chromosome, plus il y a de chances qu'ils soient séparés au cours de l'enjambement.

Concept 15.3

Les gènes liés au sexe ont un mode de transmission héréditaire qui leur est propre

▶ **Les bases chromosomiques du sexe (p. 305).** Le sexe d'un organisme est un caractère phénotypique héréditaire habituellement déterminé par la présence ou l'absence de chromosomes particuliers. Les humains et les autres Mammifères ont un système *X-Y*, dans lequel le sexe est normalement déterminé par la présence ou l'absence d'un chromosome *Y*. Il existe différents systèmes de détermination du sexe chez les Oiseaux, les Poissons et les Insectes.

▶ **La transmission des gènes liés au sexe (p. 306-307).** Les chromosomes sexuels portent les gènes de certains caractères qui n'ont aucun lien avec le sexe (mâle ou femelle). Par exemple, des allèles récessifs responsables du daltonisme, de l'hémophilie et de la myopathie de Duchenne sont portés par le chromosome *X*. Les pères transmettent les allèles liés au sexe à toutes leurs filles, mais pas à leurs fils. Tout mâle ayant reçu de sa mère un allèle récessif lié au sexe exprime le caractère correspondant.

▶ **L'inactivation d'un chromosome *X* chez les Mammifères femelles (p. 307).** Chez les Mammifères femelles, un des deux chromosomes *X* dans chaque cellule est inactivé de façon aléatoire au cours du développement embryonnaire. Si elle est hétérozygote pour un gène situé sur un chromosome *X*, une femelle sera une mosaïque pour ce caractère et la moitié de ses cellules environ exprimera l'allèle maternel, et l'autre moitié, l'allèle paternel.

Concept 15.4

Les anomalies du nombre ou de la structure des chromosomes causent certaines maladies génétiques

- **Nombre anormal de chromosomes (p. 308-309).** L'aneuploïdie peut apparaître lorsqu'un gamète normal s'unit à un gamète contenant deux exemplaires ou, au contraire, ne contenant aucun exemplaire d'un chromosome donné à la suite d'une non-disjonction survenue pendant la méiose. Les cellules du zygote produit auront soit un exemplaire supplémentaire de ce chromosome (trisomie), soit un exemplaire en moins (monosomie). La polyploïdie, c'est-à-dire la présence de plus de deux jeux de chromosomes, peut résulter d'une non-disjonction complète lors de la formation des gamètes.
- **Modifications de la structure chromosomique (p. 309-310).** Le bris d'un chromosome peut mener à divers types de remaniements. Un fragment perdu produit la délétion d'un chromosome ; ce fragment peut s'attacher au même chromosome dans une orientation différente, ce qui produit une inversion. Ou encore, le fragment peut s'attacher à un chromosome homologue, ce qui entraîne une duplication, ou à un chromosome non homologue, ce qui donne une translocation.
- **Maladies humaines résultant d'aberrations chromosomiques (p. 310-312).** Des modifications du nombre de chromosomes par cellule ou de la structure des chromosomes peuvent se répercuter sur le phénotype. Les aberrations de ce type sont la cause du syndrome de Down (généralement dû à la trisomie du chromosome 21), de certains cancers associés aux translocations chromosomiques et de diverses autres maladies humaines.

Concept 15.5

Certains modes de transmission héréditaires sont des exceptions à la théorie chromosomique classique

- **L'empreinte génomique (p. 312-313).** Chez les Mammifères, les effets phénotypiques de certains gènes dépendent de l'identité du parent qui transmet l'allèle (le père ou la mère). L'empreinte génomique se produit au cours de la formation des gamètes ; à cause d'elle, un allèle (soit l'allèle maternel, soit l'allèle paternel) n'est pas exprimé dans les descendants. La plupart des gènes connus ayant subi une empreinte ont une fonction critique dans le développement embryonnaire.
- **La transmission des gènes des organites (p. 313-314).** L'hérédité des traits régis par les gènes présents dans les mitochondries et les chloroplastes ou d'autres plastes végétaux dépend seulement de la mère parce que le cytoplasme du zygote provient de l'ovule. Certaines maladies touchant le système nerveux et les muscles sont causées par des défauts des gènes mitochondriaux qui empêchent les cellules de synthétiser suffisamment d'ATP.

VÉRIFIEZ VOS CONNAISSANCES

Problèmes de génétique

1. Un homme souffrant d'hémophilie (une maladie héréditaire récessive liée au sexe) a une fille au phénotype normal. Elle épouse un homme qui est normal pour ce trait. Quelle est la probabilité qu'une fille issue de cette union soit hémophile ? Qu'un fils issu de cette union soit hémophile ? Calculez les chances que le couple ait un fils et que celui-ci soit normal. Si le couple a quatre fils, quelle est la probabilité que tous soient hémophiles ?
2. La myopathie de Duchenne est une maladie héréditaire qui provoque une dégénérescence graduelle des muscles. Elle frappe presque exclusivement des garçons nés de parents apparemment normaux. Elle aboutit habituellement à la mort au début de l'adolescence. Est-elle causée par un allèle dominant ou récessif ? Son mode de transmission héréditaire est-il lié au sexe ou autosomique ? Comment le sait-on ? Expliquez pourquoi cette maladie ne touche presque jamais les filles.
3. Le daltonisme est causé par un allèle récessif lié au sexe. Un homme daltonien épouse une femme dont la vue est normale, mais dont le père est daltonien. Calculez la probabilité qu'ils aient une fille daltonienne. Quelle est la probabilité que leur *premier* fils soit daltonien ? (*Remarque :* Les deux questions sont formulées un peu différemment.)
4. Une drosophile de phénotype sauvage (hétérozygote pour un corps gris et des ailes normales) est accouplée à un individu noir à ailes vestigiales. Leurs descendants ont la distribution suivante : phénotype sauvage, 778 ; corps noir-ailes vestigiales, 785 ; corps noir-ailes normales, 158 ; corps gris-ailes vestigiales, 162. Quelle est la fréquence de recombinaison entre les gènes de la couleur du corps et de la taille des ailes ?
5. On croise une drosophile de type sauvage (hétérozygote pour un corps gris et des yeux rouges) avec une drosophile au corps noir et aux yeux pourpres. Leurs descendants ont les phénotypes suivants : type sauvage, 721 ; corps noir-yeux pourpres, 751 ; corps gris-yeux pourpres, 49 ; corps noir-yeux rouges, 45. Quelle est la fréquence de recombinaison entre les gènes de la couleur du corps et de la couleur des yeux ? Si vous tenez compte de l'information du problème 4, quelles drosophiles (précisez les génotypes et les phénotypes) croiseriez-vous pour connaître la séquence des gènes de la couleur du corps, de la taille des ailes et de la couleur des yeux sur un chromosome ?
6. Quel mode de transmission héréditaire conduirait un généticien à soupçonner qu'une maladie héréditaire du métabolisme cellulaire est due à un gène mitochondrial défectueux ?
7. Les femmes qui naissent avec un chromosome *X* surnuméraire (*XXX*) sont en santé et leur phénotype ne permet pas de les distinguer des femmes normales (*XX*). Quelle est l'explication la plus plausible de cette constatation ? Comment pourriez-vous vérifier cette explication ?
8. Déterminez la séquence des gènes sur un chromosome à partir des fréquences de recombinaison suivantes : *A-B*, 8 centimorgans (cM) ; *A-C*, 28 cM ; *A-D*, 25 cM ; *B-C*, 20 cM ; *B-D*, 33 cM.
9. Supposez que les gènes *A* et *B* soient liés et qu'ils se trouvent à 50 centimorgans de distance. On croise un animal hétérozygote pour les deux loci avec un autre qui est homozygote récessif pour les deux loci. Quel pourcentage des descendants aura les phénotypes résultant d'un enjambement ? Si vous ne connaissiez pas la liaison des gènes *A* et *B*, comment procéderiez-vous afin de vérifier s'il s'agit de gènes liés ou non ?
10. Une sonde spatiale a découvert une planète habitée par des êtres qui se reproduisent selon les mêmes lois génétiques que les humains. Trois de leurs caractères phénotypiques sont la taille (*G* = grand, *g* = nain), la présence d'appendices sur la tête (*A* = à antennes, *a* = sans antennes) et la forme du museau (*R* = retroussé, *r* = tourné vers le bas). Comme ces créatures ne sont pas « intelligentes », les scientifiques terriens procèdent à quelques croisements de contrôle impliquant divers hétérozygotes. Les descendants d'un hétérozygote grand à antennes se répartissent comme suit : 46 grands à antennes ; 7 nains à antennes ; 42 nains sans antennes ; 5 grands sans antennes. Les descendants d'un hétérozygote avec des antennes et un museau retroussé se répartissent comme suit : 47 à antennes et museau retroussé ; 2 à antennes et museau vers le bas ; 48 sans antennes et à museau vers le bas ; 3 sans antennes et à museau retroussé. Calculez les fréquences des recombinaisons obtenues dans les deux expériences.
11. En tenant compte de l'information du problème 10, les scientifiques procèdent à un autre croisement de contrôle avec un hétérozygote pour la taille et pour la morphologie du museau. Les descendants se répartissent comme suit : 40 grands et à museau retroussé ; 9 nains et à museau retroussé ; 42 nains et à museau vers le bas ; 9 grands et à museau vers le bas. Calculez la fréquence de recombinaison à partir de ces données, puis utilisez votre réponse au problème 10 pour déterminer la bonne séquence des trois gènes liés.

12. On a établi que le locus du groupe sanguin ABO se trouve sur le chromosome 9. Un père de groupe sanguin AB et une mère de groupe sanguin O ont un enfant qui est de groupe A et qui est atteint de trisomie 9. À partir de cette information, pouvez-vous identifier lequel des parents a subi la non-disjonction ? Expliquez votre réponse.
13. Chez une plante, un gène détermine la couleur des pétales – ils sont bleus (*B*) ou blancs (*b*) –, et l'autre, la forme des étamines – elles sont rondes (*R*) ou ovales (*r*). Les deux gènes sont liés et se situent à une distance de 10 centimorgans. Vous croisez une plante homozygote pétales bleus-étamines ovales avec une plante homozygote pétales blancs-étamines rondes. Vous croisez des individus de la génération F_1 avec des plantes homozygotes pétales blancs-étamines ovales. Vous obtenez 1 000 descendants. Combien de plantes de chacun des quatre phénotypes vous attendez-vous à trouver ?
14. Vous effectuez des croisements de drosophiles pour obtenir des données de recombinaisons pour le gène *a*, qui est situé sur le chromosome illustré à la figure 15.8. Le gène *a* possède des fréquences de recombinaison de 14 % avec le locus des ailes vestigiales et de 26 % avec le locus des yeux bruns. Où est localisé le gène *a* sur le chromosome ?
15. Un couple a eu un enfant atteint de trisomie 21. On a découvert que la cause était une translocation entre les chromosomes 14 et 21. La probabilité que ces mêmes parents aient un autre enfant atteint de trisomie 21 est-elle la même que si l'anomalie était apparue après une non-disjonction des chromosomes 21 ? Expliquez votre réponse.

Lien avec l'évolution

1. Comme vous l'avez vu, on croit que l'enjambement (ou recombinaison) est un avantage du point de vue de l'évolution, parce qu'il a pour effet de créer sans cesse de nouvelles combinaisons d'allèles. Cependant, le mécanisme de recombinaison semble s'être perdu chez certains organismes, et chez d'autres certains chromosomes n'effectuent pas de recombinaisons. Selon vous, quels facteurs ont pu jouer en faveur d'une réduction du nombre de recombinaisons ?
2. L'établissement de cartes de liaison génétique peut-il constituer un outil dans l'étude de l'évolution des espèces ? Expliquez votre réponse.

Intégration

1. Étudiez la figure 15.5, dans laquelle des femelles dihybrides de la génération F_1 sont issues d'un croisement entre des drosophiles de la génération parentale (P) ayant les génotypes $b^+\ b^+\ vg^+\ vg^+$ et $b\ b\ vg\ vg$. Imaginez maintenant que vous obtenez des femelles de la génération F_1 en effectuant des croisements de drosophiles de deux générations P différentes : $b^+\ b^+\ vg\ vg \times b\ b\ vg^+\ vg^+$.
   a) Quel sera le génotype de vos femelles de la génération F_1 ? Est-ce le même que celui des femelles de la génération F_1 de la figure 15.5 ?
   b) Dessinez les chromosomes des femelles de la génération F_1 en indiquant la position de chaque allèle. Ces chromosomes sont-ils les mêmes que ceux des femelles de la génération F_1 de la figure 15.5 ?
   c) Sachant que la distance entre ces deux gènes est de 17 unités cartographiques, prévoyez les proportions phénotypiques que vous obtiendrez à la suite d'un croisement. Seront-elles les mêmes que dans la figure 15.5 ?
   d) Dessinez les chromosomes des générations P, F_1 et F_2 (comme à la figure 15.6 pour le croisement de la figure 15.5), pour montrer comment cet arrangement des allèles de la génération P conduit, par l'intermédiaire de gamètes de la génération F_1, aux proportions phénotypiques observées chez les drosophiles de la génération F_2.
2. Nous avons appris, dans ce chapitre, que les enfants souffrant de trisomies autosomiques autres que la trisomie 21 survivent rarement. Chez la drosophile, les aneuploïdies touchant le chromosome IV sont les seules aneuploïdies autosomiques viables. Après avoir examiné le caryotype humain de la figure 15.15 et l'ensemble des chromosomes de la drosophile à la figure 15.8, proposez une explication pour cet état de fait.

Science, technologie et société

Environ un garçon sur 1 500 et une fille sur 2 500 naissent avec le syndrome de l'*X* fragile. L'extrémité de ce chromosome est reliée au reste du chromosome par un mince fil d'ADN. Cette anomalie entraîne une déficience intellectuelle. Faut-il effectuer un caryotype pour rechercher la présence du chromosome *X* fragile chez les enfants ayant des troubles d'apprentissage ? Les avis divergent. Certains avancent qu'il est toujours préférable de connaître la cause d'un problème pour pouvoir donner un enseignement spécialisé approprié. D'autres répondent que, si l'on attribue une cause biologique spécifique à un problème d'apprentissage, on stigmatise l'enfant et on lui ferme des portes dans la vie. Qu'en pensez-vous ?

Réponses du chapitre 15

Retour sur le concept 15.1

1. La loi de la ségrégation se rapporte à la transmission des allèles d'un seul caractère ; son fondement physique est la séparation des homologues lors de l'anaphase I. La loi de l'assortiment indépendant des allèles se rapporte à la transmission des allèles de deux caractères ; son fondement physique est l'arrangement différent des paires de chromosomes homologues à la métaphase I.
2. Les ¾ environ des individus de la génération F_2 auraient les yeux rouges, et environ ¼ auraient les yeux blancs. Environ la moitié des drosophiles aux yeux blancs serait des femelles et l'autre moitié, des mâles ; environ la moitié des drosophiles aux yeux rouges serait des femelles et l'autre moitié, des mâles.

Retour sur le concept 15.2

1. Un enjambement pendant la méiose I chez le parent hétérozygote produit des gamètes ayant des génotypes de type recombinant pour les deux gènes. Des descendants ayant un phénotype de type recombinant sont issus de la fécondation des gamètes recombinés par des gamètes homozygotes récessifs du parent double mutant.
2. Dans chaque cas, les allèles parentaux fournis par la femelle déterminent le phénotype des descendants parce que le mâle ne contribue que des allèles récessifs lors de ce croisement.
3. Non. La séquence pourrait être *A-C-B* ou *C-A-B*. Pour déterminer quelle possibilité est la bonne, il faut connaître la fréquence de recombinaison entre *B* et *C*.

Retour sur le concept 15.3

1. Étant donné que le gène de ce caractère de la couleur des yeux se trouve sur le chromosome *X*, toutes les femelles de la descendance auront les yeux rouges et seront hétérozygotes ($X^{w+}X^{w}$) ; tous les descendants mâles auront les yeux blancs ($X^{w}Y$).
2. ¼ ; probabilité de ½ que l'enfant hérite d'un chromosome *Y* du père et soit un mâle × probabilité de ½ qu'il hérite de sa mère du chromosome *X* portant l'allèle de la maladie.

Retour sur le concept 15.4

1. À une étape du développement, une des cellules embryonnaires peut ne pas effectuer la mitose après avoir répliqué ses chromosomes. Les cycles normaux subséquents produiraient des copies génétiques de cette cellule tétraploïde.
2. À la méiose, un chromosome combiné 14-21 se comporte comme un seul chromosome. Si un gamète reçoit le chromosome 14-21 et une copie normale du chromosome 21, la trisomie 21 apparaîtra lorsque ce gamète se combinera avec un gamète normal au cours de la fécondation.
3. Un chat mâle aneuploïde ayant plus d'un chromosome *X* pourrait présenter un phénotype écaille de tortue si ses chromosomes *X* possèdent des allèles différents pour le gène de la couleur du pelage.

Retour sur le concept 15.5

1. L'inactivation d'un chromosome *X* chez les femelles et l'empreinte génomique. À cause de l'inactivation des chromosomes *X*, la dose effective de gènes sur le chromosome *X* est la même chez les mâles que chez les femelles. À la suite de l'empreinte génomique, un seul allèle de certains gènes s'exprime dans un phénotype.
2. Les gènes de la coloration des feuilles sont situés dans des plastes contenus dans le cytoplasme. Normalement, seule la mère transmet les gènes des plastes aux descendants. Étant donné que les individus panachés ne sont produits que lorsque la mère est de la variété B, on peut conclure que la variété B contient à la fois les allèles mutants et de type sauvage des gènes de la pigmentation, ce qui donne des feuilles panachées.
3. Chaque cellule contient de nombreuses mitochondries et, chez les individus atteints, la plupart des cellules contiennent un mélange variable de mitochondries normales et anormales.

Problèmes de génétique

1. 0; ½ (un fils ne peut avoir des chromosomes *XX*; quand on est certain qu'un événement ne se produira pas, sa probabilité est nulle, donc p [*XY*] = 1); ¼ (il y a deux événements indépendants à considérer simultanément; il faut d'abord calculer la probabilité d'avoir un fils [½] puis la probabilité que ce fils soit normal [½]; ensuite, on applique la règle de la multiplication); 1/16.
2. Récessif; si la maladie était un trait dominant, elle toucherait au moins l'un des parents d'un enfant né avec le caractère. Hérédité liée au sexe; cette maladie affecte les garçons. Une fille ne peut être touchée que si elle reçoit les allèles récessifs de ses deux parents, ce qui est très peu probable, d'autant plus que les garçons nés avec cet allèle meurent au début de leur adolescence.
3. ¼ (½ que l'enfant soit une fille × ½ que son génotype soit homozygote récessif); ½ pour leur premier fils.
4. 17 %.
5. 6 %. Type sauvage (hétérozygote pour ailes normales et yeux rouges) × homozygote récessif avec ailes vestigiales et yeux pourpres.
6. La maladie serait toujours transmise par la mère.
7. L'inactivation de deux chromosomes *X* chez des femmes *XXX* leur laisserait un *X* génétiquement actif, comme chez les femmes ayant le nombre normal de chromosomes. La microscopie devrait révéler deux corpuscules de Barr.
8. *D-A-B-C*.
9. 50 % des descendants auraient des phénotypes résultant d'un enjambement. Les résultats seraient identiques à ceux d'un croisement où *A* et *B* ne seraient pas liés. On pourrait démontrer l'existence de la liaison et cartographier les gènes après avoir effectué des croisements faisant intervenir d'autres gènes situés sur le même chromosome.
10. Entre *G* et *A*, 12 %; entre *A* et *R*, 5 %.
11. Entre *G* et *R*, 18 %. La séquence des gènes est *G-A-R*.
12. Non; l'enfant peut être soit I^AI^Ai, soit I^Aii. Un spermatozoïde ayant le génotype I^AI^A serait le résultat d'une non-disjonction pendant la méiose II chez le père, alors qu'un ovule ayant le génotype *ii* serait le résultat d'une non-disjonction survenue pendant la méiose I ou II chez la mère.
13. 450 pétales bleus-étamines ovales, 450 pétales blancs-étamines rondes (phénotypes parentaux), 50 pétales bleus-étamines rondes et 50 pétales blancs-étamines ovales (phénotypes recombinés).
14. Entre le locus des ailes vestigiales et le locus des yeux bruns, à environ le tiers de la distance entre ces deux loci.
15. Non; les probabilités dans ce cas sont plus élevées que dans le cas de trisomie 21 par suite de non-disjonction. En effet, la non-disjonction est un accident survenu durant la méiose chez l'un des deux parents dont le génotype était normal, accident qui a de fortes chances de ne plus jamais se reproduire, tandis que la trisomie 21 apparue à la suite de translocation suppose qu'un des deux parents était porteur d'une anomalie chromosomique; une certaine proportion des gamètes de ce parent seront toujours susceptibles de produire un zygote ayant une trisomie 21.

16

Les bases moléculaires de l'hérédité

▲ **Figure 16.1 Watson et Crick devant leur modèle de l'ADN.**

Concepts clés

16.1 L'ADN constitue le matériel génétique
16.2 De nombreuses protéines travaillent de concert pour la réplication et la réparation de l'ADN

Introduction

Le manuel d'instructions des processus de la vie

En avril 1953, James Watson et Francis Crick ont fait sensation dans le monde scientifique en dévoilant un modèle élégant, en forme de double hélice, représentant la structure de l'acide désoxyribonucléique, ou ADN. Sur la photo de la **figure 16.1**, on les voit devant leur modèle se composant de fils métalliques. Au cours des 50 dernières années, ce modèle, au départ une hypothèse novatrice, est devenu un véritable symbole de la biologie actuelle. L'ADN, qui est le fondement matériel de l'hérédité, est la molécule la plus célèbre de l'époque moderne. Les facteurs héréditaires de Mendel et les gènes que Morgan a localisés sur les chromosomes sont composés d'ADN. Du point de vue chimique, votre génome est formé de l'ADN contenu dans les 46 chromosomes que vous avez reçus de vos parents.

De toutes les molécules présentes dans la nature, les acides nucléiques sont les seules à pouvoir diriger leur propre réplication à partir de monomères. Les enfants ressemblent à leurs parents, parce que l'ADN de ces derniers se réplique d'une manière précise avant d'être transmis d'une génération à l'autre. L'information héréditaire est codée dans la langue chimique de l'ADN et recopiée dans toutes nos cellules. C'est ce programme qui détermine la nature de nos caractéristiques biochimiques, anatomiques et physiologiques, et aussi, dans une certaine mesure, de la portion innée de notre comportement. Dans ce chapitre, nous allons voir comment les biologistes ont établi que l'ADN constitue le fondement concret de la génétique, comment Watson et Crick ont découvert sa structure, et comment les cellules effectuent la réplication et la réparation de l'ADN, qui constitue la base moléculaire de l'hérédité.

Concept 16.1

L'ADN constitue le matériel génétique

Aujourd'hui, même les écoliers ont entendu parler de l'ADN, et les scientifiques manipulent régulièrement de l'ADN en laboratoire. Ils s'en servent notamment pour modifier les caractères héréditaires de cellules. Au début du XXe siècle, cependant, l'identification des molécules de l'hérédité apparaissait aux biologistes comme un défi de taille.

La recherche du matériel génétique

À partir du moment où le groupe de T. H. Morgan a démontré que les gènes sont situés sur les chromosomes (tel que décrit au chapitre 15), on a su que le matériel génétique devait être formé d'ADN, d'ARN ou de protéines, qui sont les composantes chimiques des chromosomes. Jusqu'aux années 1940, on semblait pencher pour les protéines; en effet, les biochimistes avaient montré qu'elles forment une catégorie de macromolécules dotées d'une grande hétérogénéité et d'une spécificité fonctionnelle, des qualités essentielles qui devaient être celles du matériel génétique. Par ailleurs, on ignorait à peu près tout des acides nucléiques (même si l'ADN avait été découvert en 1869), si ce n'est que l'uniformité de leurs propriétés physiques et chimiques ne permettait pas d'expliquer la multitude des caractères héréditaires exprimés par un organisme. Mais ce point de vue a changé quand des expériences menées sur des microorganismes ont donné des résultats inattendus. La découverte de l'identité du matériel génétique a été déterminée dans une large mesure par le choix d'organismes expérimentaux appropriés, comme elle l'a été pour Mendel et pour Morgan. Les Bactéries et les Virus sont beaucoup plus simples que le pois, la drosophile et l'humain, et c'est l'étude de ces microorganismes qui a permis de comprendre le rôle de l'ADN dans l'hérédité. Dans la présente section, nous allons décrire de façon assez détaillée les recherches qui ont mené à l'identification du matériel génétique. Cette démarche constituera également une étude de cas portant sur la recherche scientifique.

La preuve de la transformation de bactéries par l'ADN

La découverte du rôle génétique de l'ADN remonte à 1928. Un officier britannique du nom de Frederick Griffith, à la fois médecin et microbiologiste, étudiait alors *Streptococcus pneumoniæ*, une bactérie qui cause la pneumonie ainsi que plusieurs autres maladies chez les Mammifères. Il tentait de mettre au point un vaccin contre la pneumonie en travaillant sur deux souches (variétés) : une variété pathogène (qui peut causer la maladie) et une variété non pathogène (inoffensive). Même si le but premier de son travail n'a pas été atteint, il a quand même fait une découverte très importante. Il a eu la surprise de constater que, lorsqu'il tuait des bactéries pathogènes par l'action de la chaleur et qu'il mélangeait leurs résidus avec des bactéries vivantes de la souche non pathogène, certaines de celles-ci devenaient pathogènes **(figure 16.2)**. De plus, ce nouveau caractère était transmis héréditairement à tous les descendants des bactéries transformées. Cette modification héréditaire était donc certainement causée par une substance chimique provenant des bactéries pathogènes mortes et lysées. Elle ne dépendait pas des souris, car le même phénomène se produisait *in vitro*. Cependant, la nature de la substance responsable était encore inconnue. Griffith a donné à ce phénomène le nom de **transformation**, que l'on définit actuellement comme une modification du génotype et du phénotype due à l'assimilation par une cellule d'un ADN qui lui est étranger. On sait aujourd'hui que la transformation en ce qui concerne le phénotype était, dans ce cas-ci, l'apparition d'une capsule de polysaccharides autour des bactéries de la souche non pathogène, ce qui les protégeait contre les attaques des cellules immunitaires de la souris. (Il ne faut pas confondre le sens du mot *transformation* employé ici avec la conversion d'une cellule animale normale en une cellule cancéreuse ; voir le chapitre 12.)

Figure 16.2

Investigation Le caractère de pathogénicité peut-il être transmis héréditairement entre bactéries ?

EXPÉRIENCE Les bactéries de la souche « L » (lisses) de *Streptococcus pneumoniæ* sont pathogènes parce qu'une capsule les protège contre le système immunitaire des Animaux. Les bactéries de la souche « R » (rugueuses) n'ont pas de capsule et ne sont pas pathogènes. Frederick Griffith a inoculé les deux souches à des souris tel qu'illustré ci-dessous :

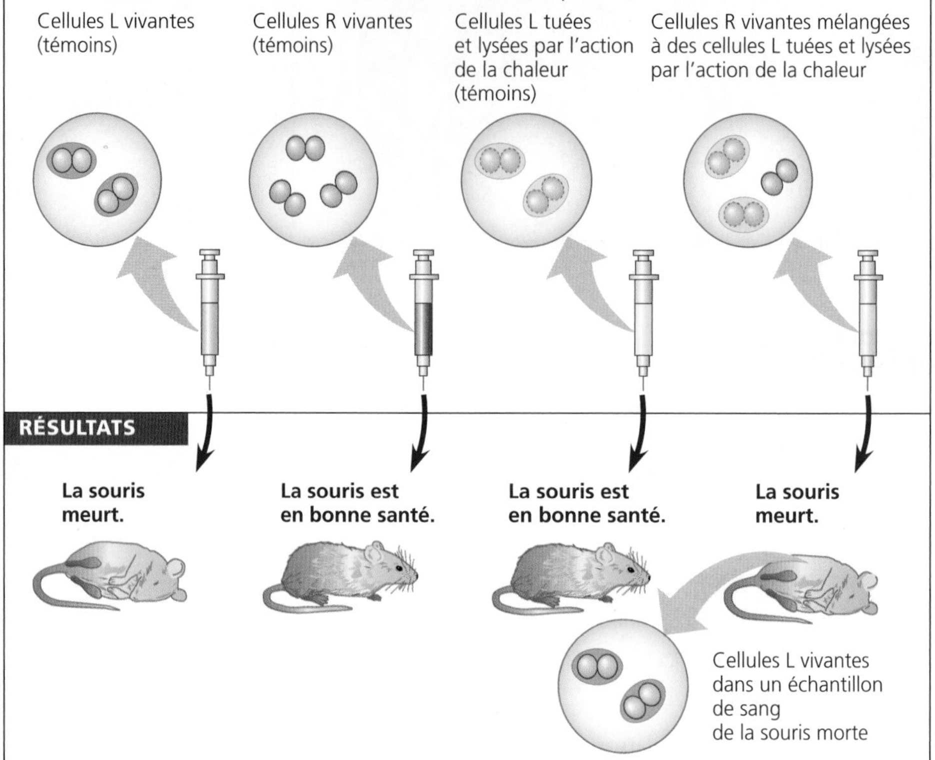

Cellules L vivantes (témoins)

Cellules R vivantes (témoins)

Cellules L tuées et lysées par l'action de la chaleur (témoins)

Cellules R vivantes mélangées à des cellules L tuées et lysées par l'action de la chaleur

RÉSULTATS

La souris meurt.

La souris est en bonne santé.

La souris est en bonne santé.

La souris meurt.

Cellules L vivantes dans un échantillon de sang de la souris morte

CONCLUSION Griffith en a conclu que les bactéries vivantes de la souche R ont été transformées en bactéries pathogènes de la souche L par une substance inconnue en provenance des cellules mortes de la souche L.

Les travaux de Griffith ont ouvert la voie à de nouvelles études. Ainsi, le microbiologiste américain Oswald Avery a cherché pendant 14 ans l'identité de la substance causant cette transformation. Il a purifié plusieurs types de molécules provenant des bactéries pathogènes tuées par la chaleur. Ensuite, il a tenté de transformer des bactéries vivantes non pathogènes à l'aide de chacune de ces substances appliquée séparément. Seul l'ADN a donné des résultats positifs. En 1944, Avery et ses collaborateurs Maclyn McCarty et Colin MacLeod ont annoncé que l'agent de la transformation est l'ADN. Leur découverte a été accueillie avec intérêt, mais aussi avec beaucoup de scepticisme : d'une part, parce qu'on continuait de croire que les protéines étaient plus à même de constituer le matériel génétique (on prétendait que les molécules utilisées pour la transformation n'étaient pas parfaitement pures et contenaient encore des protéines) ; d'autre part, parce que de nombreux biologistes n'étaient pas convaincus que la composition et la fonction des gènes bactériens étaient les mêmes que chez les organismes plus complexes. Mais la principale raison, c'est qu'on ne savait encore pratiquement rien sur l'ADN.

La preuve de la programmation de cellules par l'ADN viral

Des études portant sur un virus qui infecte des bactéries ont fourni d'autres preuves que le matériel génétique est constitué d'ADN. Les Virus sont beaucoup plus simples que les cellules. Ils sont essentiellement constitués d'ADN (ou parfois d'ARN) enfermé dans une enveloppe protectrice (la capside) qui n'est souvent formée que de protéines. Pour se reproduire, un virus doit infecter une cellule et s'approprier le métabolisme de celle-ci.

Les Virus qui infectent les Bactéries sont largement utilisés comme outils de recherche par les chercheurs en génétique moléculaire. On les appelle **bactériophages** (« mangeurs de bactéries ») ou, tout simplement, **phages (figure 16.3)**. En 1952, Alfred Hershey et Martha Chase ont découvert que le matériel génétique d'un phage appelé T2 est constitué d'ADN. Il s'agit de l'un des nombreux phages qui infectent *Escherichia coli* (*E. coli*), une

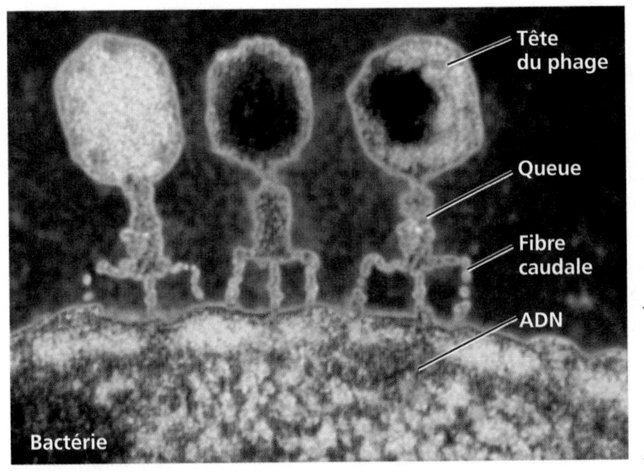

▲ **Figure 16.3 Virus infectant une cellule bactérienne.** Les phages T2 et les phages apparentés se fixent aux cellules hôtes et leur injectent leur matériel génétique (MET).

bactérie vivant normalement dans l'intestin des Mammifères. À cette époque, les biologistes savaient déjà que, à l'instar d'autres virus, T2 se compose presque entièrement d'ADN et de protéines. Ils savaient également que ce phage peut rapidement faire d'une cellule de *E. coli* une machine à produire des phages T2, qu'elle libère en éclatant. T2 pouvait donc reprogrammer la cellule hôte et lui faire produire des virus, mais à quelle composante du phage, à la protéine ou à l'ADN, ce mécanisme était-il dû ?

Pour répondre à cette question, Hershey et Chase ont conçu, au Cold Spring Harbor Laboratory (New York), une expérience montrant qu'une seule des deux composantes de T2 pénètre dans la cellule de *E. coli* au moment de l'infection **(figure 16.4)**. Voici comment ils ont procédé. Ils ont marqué l'ADN et les protéines de phages à l'aide de différents isotopes radioactifs. Ils ont d'abord cultivé des T2 et des *E. coli* ensemble, dans un milieu contenant du soufre radioactif (^{35}S). Comme les protéines sont en partie composées de soufre (deux acides aminés en possèdent : voir la figure 5.17), au contraire de l'ADN, les atomes radioactifs

Figure 16.4

Investigation Le matériel génétique du phage T2 est-il constitué d'ADN ou de protéines ?

EXPÉRIENCE Dans leur célèbre expérience réalisée en 1952, Alfred Hershey et Martha Chase ont utilisé du soufre et du phosphore radioactifs pour marquer, respectivement, des protéines et de l'ADN de phages T2 qui infectaient des cellules bactériennes.

1. Mélange des bactéries et des phages marqués à l'aide d'isotopes radioactifs. Les phages infectent les cellules bactériennes.
2. Agitation du mélange dans un mélangeur pour que les phages fixés à la paroi des bactéries se séparent des cellules bactériennes.
3. Centrifugation du mélange ; les bactéries forment un précipité (le culot) au fond de l'éprouvette.
4. Mesure de la radioactivité du culot et du surnageant.

Tête protéique sans ADN

Phage

Protéine radioactive

Cellule bactérienne

ADN

ADN d'un phage

Radioactivité dans le surnageant (protéines des phages)

Milieu 1 : les phages sont cultivés en présence de soufre radioactif (^{35}S), qui s'insère dans leurs protéines (en rose).

Centrifugation

Culot (cellules bactériennes et leur contenu)

ADN radioactif

Milieu 2 : les phages sont cultivés en présence de phosphore radioactif (^{32}P), qui s'insère dans l'ADN (en bleu).

Centrifugation

Culot

Radioactivité dans le culot (ADN des phages)

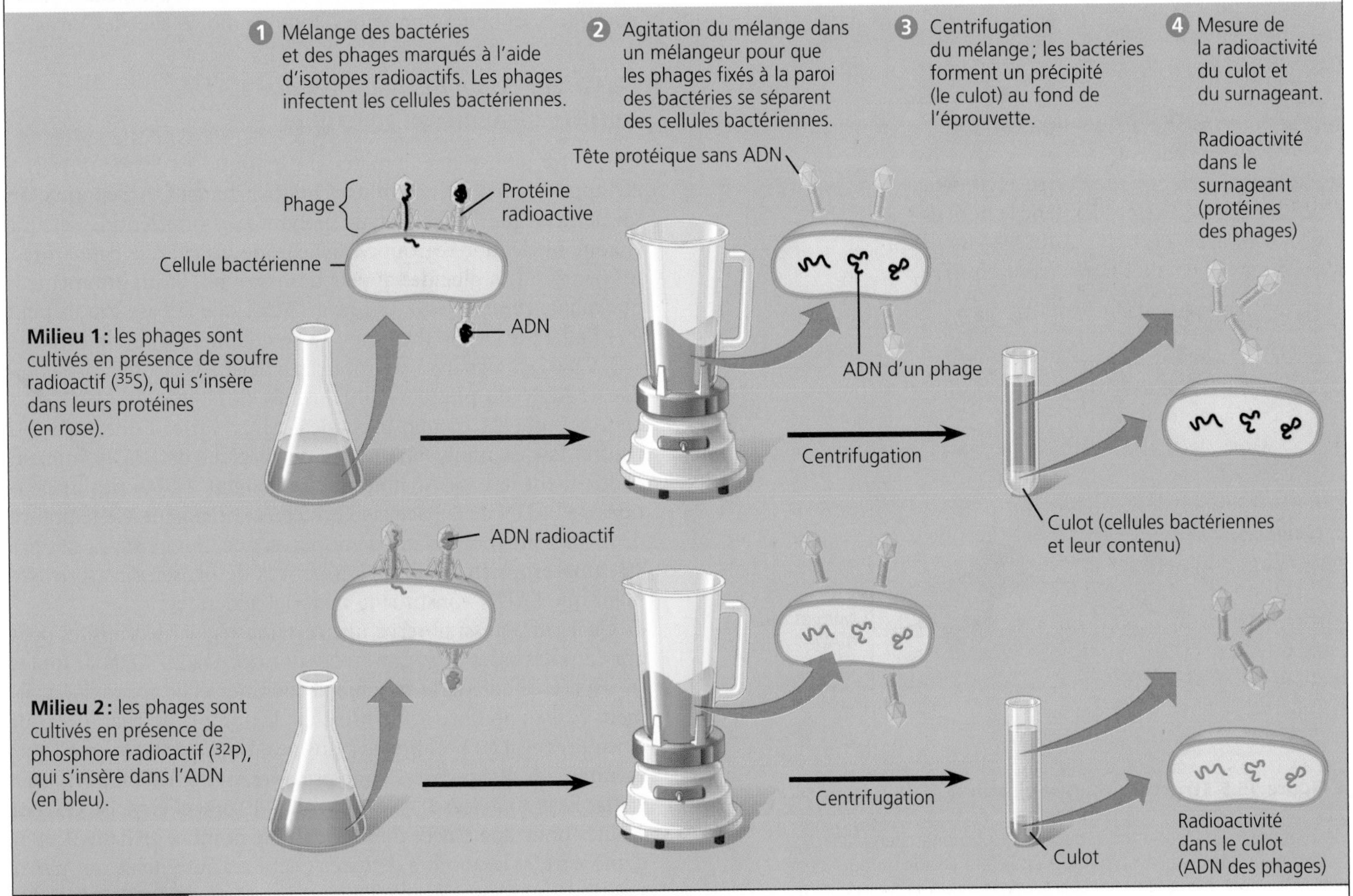

RÉSULTATS Lors de l'infection, les protéines des phages T2 restent à l'extérieur des cellules bactériennes, alors que leur ADN pénètre à l'intérieur de celles-ci. Les cellules bactériennes cultivées contenant de l'ADN des phages radioactifs libèrent de nouveaux phages contenant un peu de phosphore radioactif.

CONCLUSION Hershey et Chase ont conclu que le matériel génétique des phages est constitué d'ADN et non de protéines.

ne se sont insérés que dans les protéines des phages. Ensuite, les chercheurs ont marqué l'ADN d'un autre lot de T2 à l'aide d'atomes de phosphore radioactif (^{32}P). (Étant donné que presque tout le phosphore contenu dans un phage se trouve dans son ADN, cette procédure permet de ne pas marquer les protéines des phages.) L'expérience consistait à laisser les phages T2 de chaque lot infecter des échantillons distincts de bactéries *E. coli* normales. Peu après le début de l'infection, chaque culture a été soumise à l'agitation mécanique d'un mélangeur; cela a permis de détacher les parties de phages restées à l'extérieur des cellules bactériennes tout en préservant l'intégrité de ces dernières. Les mélanges ont ensuite été centrifugés de sorte à former un précipité de cellules bactériennes au fond des éprouvettes (le culot), et à permettre aux parties de phages et aux phages libres, plus légers, de rester en suspension dans le liquide (le surnageant). Hershey et Chase ont finalement mesuré la radioactivité présente dans le précipité et dans le surnageant.

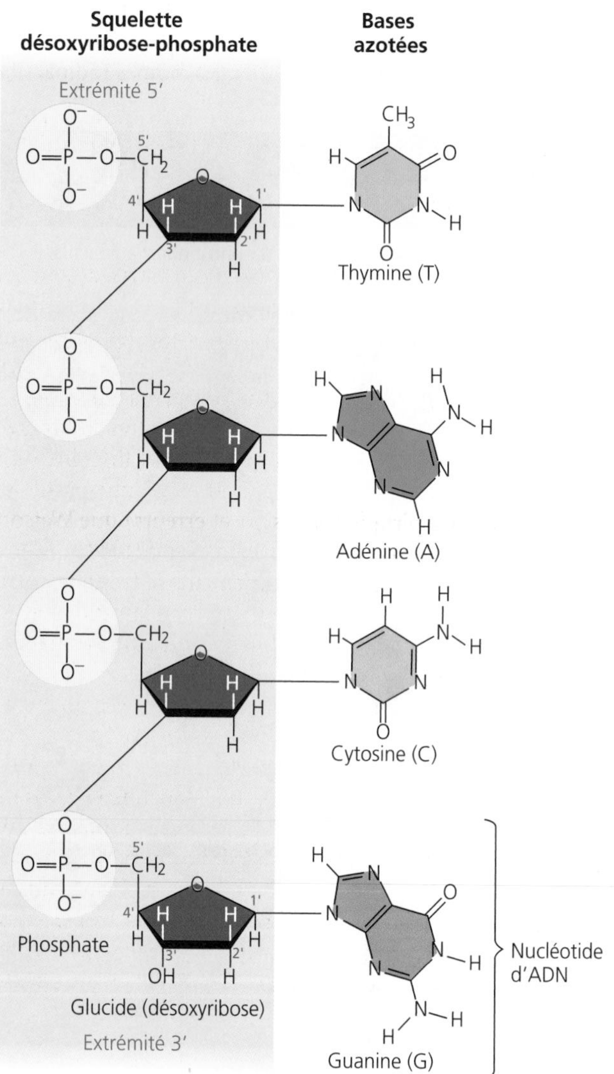

▲ **Figure 16.5 Structure d'un seul brin d'ADN.** Chaque nucléotide (monomère) comporte une base azotée (T, A, C ou G), un glucide (désoxyribose, en bleu) et un groupement phosphate (en jaune). Le phosphate de chaque nucléotide est lié au glucide du nucléotide suivant. Le tout forme un « squelette » dans lequel le phosphate et le désoxyribose alternent et à partir duquel chacune des bases azotées fait saillie. Le brin du polynucléotide a un sens, à partir de l'extrémité 5′ (qui porte le groupement phosphate) vers l'extrémité 3′ (qui porte le groupement –OH du désoxyribose). Les numéros 5′ et 3′ désignent les atomes de carbone du glucide.

Ils ont découvert que, lorsque les bactéries sont infectées par des T2 dont les protéines contiennent des marqueurs radioactifs, la plus grande partie de la radioactivité se retrouve dans le surnageant, qui est constitué essentiellement de particules virales (et non de bactéries). Cette constatation leur a permis de penser que les protéines du phage ne pénètrent pas dans les cellules hôtes. Par contre, lorsque les bactéries sont infectées par des phages T2 contenant de l'ADN marqué au phosphore radioactif, la plus grande partie de la radioactivité se retrouve dans le culot, qui contient les bactéries hôtes. Cette observation leur a indiqué que l'ADN du phage pénètre dans les cellules hôtes. De plus, lorsque les bactéries sont remises en culture, l'infection se poursuit, et les cellules de *E. coli* libèrent des phages contenant de petites quantités de phosphore radioactif.

Hershey et Chase en ont conclu que l'ADN du virus est injecté dans la cellule hôte, alors que la plupart des protéines restent à l'extérieur de celle-ci. L'ADN ainsi injecté fournit une information génétique qui force la cellule bactérienne à produire des protéines et de l'ADN viraux. Ceux-ci s'assemblent ensuite, formant de nouveaux virus. L'expérience de Hershey et Chase a donc montré de façon convaincante que le matériel héréditaire se compose d'acides nucléiques et non de protéines, tout au moins chez les Virus.

Des preuves supplémentaires que l'ADN constitue le matériel génétique

Une autre preuve que le matériel génétique est formé d'ADN a été apportée par le biochimiste Erwin Chargaff. À l'époque, on savait déjà que l'ADN est un polymère de nucléotides et que chaque nucléotide regroupe trois composantes: une base azotée, un pentose (un glucide) appelé désoxyribose et un groupement phosphate **(figure 16.5)**. On savait aussi que la base azotée peut être l'adénine (A), la thymine (T), la guanine (G) ou la cytosine (C). Chargaff a analysé la proportion des bases azotées présentes dans l'ADN de plusieurs organismes différents. En 1947, il a annoncé que la composition de l'ADN varie d'une espèce à l'autre. Par exemple, 30,3 % des nucléotides de l'ADN humain contiennent la base A, alors que seulement 26,0 % des nucléotides de l'ADN de la bactérie *E. coli* en contiennent. Cette preuve de la diversité moléculaire des espèces, que l'on ne supposait pas être une propriété de l'ADN, a permis de penser plus sérieusement que l'ADN constitue le matériel génétique.

Chargaff a aussi observé une certaine régularité dans les proportions des bases pour une espèce donnée. Dans l'ADN de toutes les espèces étudiées, le nombre d'adénines était approximativement égal au nombre de thymines, et le nombre de guanines était à peu près égal au nombre de cytosines. Dans l'ADN humain, par exemple, les quatre bases sont présentes selon les rapports suivants: A = 30,3 % et T = 30,3 %; G = 19,5 % et C = 19,9 %. Les égalités pour une espèce donnée entre le nombre de bases A et T, d'une part, et le nombre de bases G et C, d'autre part, ont par la suite été appelées *règles de Chargaff*. Les fondements de ces règles sont restées inexpliquées jusqu'à la découverte de la double hélice.

D'autres preuves indirectes semblaient indiquer que le matériel génétique des Eucaryotes est formé d'ADN. Avant la mitose (à la phase S de l'interphase; voir le chapitre 12), la cellule eucaryote double la quantité d'ADN qu'elle contient. Pendant la mitose, cet ADN se répartit également entre les deux cellules filles. De plus, dans une espèce donnée, un jeu de chromosomes diploïde possède deux fois plus d'ADN qu'un jeu haploïde.

La modélisation structurale de l'ADN

Une fois que les biologistes ont compris que l'ADN constitue bel et bien le matériel génétique, il leur a fallu déterminer de quelle manière sa structure explique son rôle dans l'hérédité. Au début des années 1950, on connaissait les constituants de base de l'ADN, la disposition des liaisons covalentes dans un polymère d'acide nucléique était bien définie (voir la figure 16.5), et les chercheurs s'efforçaient de découvrir la structure tridimensionnelle de l'ADN. De nombreux scientifiques étudiaient cette question, notamment Linus Pauling (un chimiste), en Californie, ainsi que Maurice Wilkins (un biophysicien) et Rosalind Franklin (une chimiste), à Londres. Cependant, les premiers qui ont trouvé la réponse sont deux chercheurs qui étaient relativement inconnus à l'époque, l'Américain James Watson (un biologiste et un médecin) et l'Anglais Francis Crick (un biochimiste).

La collaboration célèbre, quoique de courte durée, qui a permis de résoudre l'énigme de l'ADN a commencé peu après l'arrivée de Watson à la Cambridge University, où Crick étudiait la structure des protéines au moyen d'une technique appelée cristallographie par diffraction de rayons X (voir la figure 5.24). En visitant le laboratoire de Maurice Wilkins au King's College de Londres, Watson a eu l'occasion de voir une radiographie d'ADN par diffraction de rayons X prise par Rosalind Franklin, la collaboratrice de Wilkins (**figure 16.6a**). La cristallographie par diffraction de rayons X ne permet pas de produire de véritables « images » des molécules. Les taches et les points que l'on voit à la **figure 16.6b** ont été produits par des rayons X diffractés (déviés) au cours de leur passage à travers des fibres alignées d'ADN purifié. À l'aide d'équations mathématiques, des spécialistes de la cristallographie traduisent les motifs de taches en données sur la structure tridimensionnelle des molécules. Watson connaissait déjà les motifs produits par les molécules hélicoïdales. Il lui a suffi de lancer un simple coup d'œil sur la radiographie d'ADN par diffraction de rayons X produite par Franklin pour relever certains indices: la forme hélicoïdale de l'ADN, la largeur de l'hélice ainsi que la distance entre les bases azotées alignées sur l'hélice. D'après la largeur de l'hélice, on pouvait penser que celle-ci était constituée de deux brins, contrairement au modèle à trois brins proposé peu avant par Linus Pauling. Effectivement, l'ADN est constitué de deux brins, ce qui explique l'emploi de l'expression **double hélice (figure 16.7)**, maintenant bien connue.

En se basant sur les données obtenues grâce à la radiographie et sur ce qui était connu de la chimie de l'ADN, Watson et Crick ont commencé à construire des modèles de double hélice. Grâce à la lecture d'un rapport annuel résumant les travaux de Franklin, ils ont su à quelle conclusion elle en était arrivée: elle plaçait les squelettes désoxyribose-phosphate à l'extérieur de la double hélice. Cette disposition était particulièrement intéressante, parce que les bases azotées, plus hydrophobes, se retrouvaient à l'intérieur de la molécule, et donc plus loin du milieu aqueux environnant. Dans le modèle qu'il a construit, Watson plaça les bases azotées en les orientant vers l'intérieur de la double hélice (voir la figure 16.7). Essayez d'imaginer celle-ci comme une échelle de corde pourvue de barreaux transversaux rigides. Les cordes représentent le squelette désoxyribose-phosphate, et les barreaux, les paires de bases

(a) Rosalind Franklin

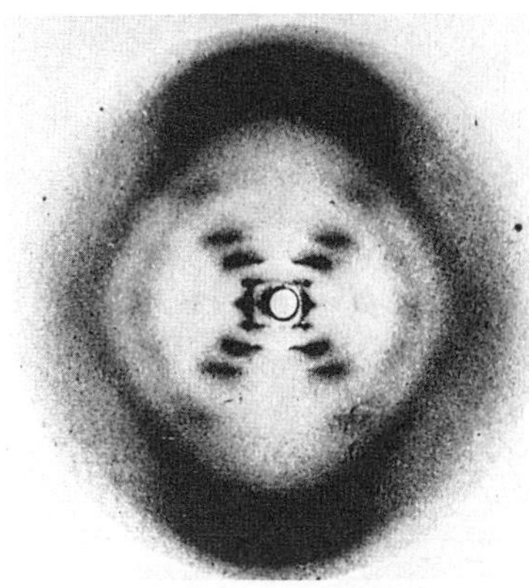

(b) Radiographie de l'ADN par diffraction de rayons X produite par Franklin

▲ **Figure 16.6 Rosalind Franklin et sa radiographie de l'ADN par diffraction de rayons X.** Franklin, une spécialiste en cristallographie par diffraction de rayons X, a produit la radiographie grâce à laquelle Watson et Crick ont pu découvrir la structure en double hélice de l'ADN. Elle est morte du cancer en 1958, alors qu'elle n'avait que 38 ans. Son collaborateur Maurice Wilkins a reçu le prix Nobel en 1962, en même temps que Watson et Crick.

azotées. Imaginez maintenant l'échelle tordue en forme de spirale. La radiographie obtenue par Franklin indiquait que l'hélice fait un tour complet sur une longueur de 3,4 nm. Comme les bases sont espacées de 0,34 nm, chaque tour d'hélice porte 10 paires de bases (donc 10 barreaux) disposées les unes au-dessus des autres.

Les bases azotées de la double hélice s'apparient selon des combinaisons précises: l'adénine (A) va toujours avec la thymine (T), et la guanine (G), avec la cytosine (C). C'est en grande partie en procédant de façon empirique (par essais et erreurs) que Watson et Crick ont découvert cette caractéristique essentielle de l'ADN. Au départ, Watson pensait que les appariements se faisaient entre bases identiques (A avec A, C avec C, etc.). Cependant, ce modèle ne concordait pas avec les données obtenues à partir des figures de diffraction, qui montraient que la double hélice avait un diamètre uniforme. Pourquoi cela est-il incompatible avec un appariement entre des bases identiques? Il faut savoir que l'adénine et la guanine sont des purines, c'est-à-dire des bases azotées constituées de deux cycles (anneaux) organiques, alors que la cytosine et la thymine sont des pyrimidines, soit des bases azotées ayant un seul cycle. Les purines (A et G) sont donc environ deux fois plus larges que les pyrimidines (C et T). Une paire purine-purine serait trop large, et une paire pyrimidine-pyrimidine, trop étroite, pour correspondre au diamètre de la double hélice, qui est de 2 nm. L'appariement doit donc toujours se faire entre une purine et une pyrimidine, ce qui donne un diamètre uniforme:

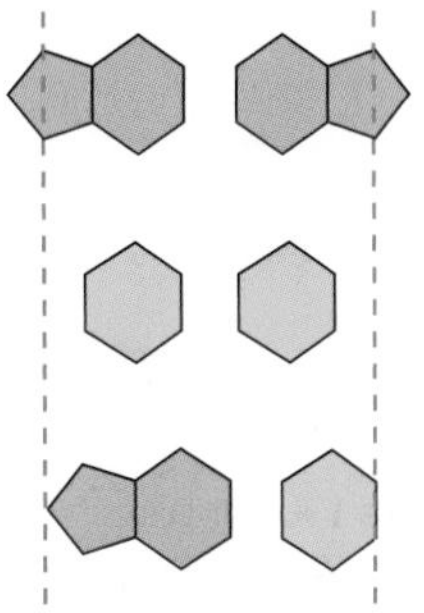

Purine + purine: largeur excédant 2 nm

Pyrimidine + pyrimidine: largeur inférieure à 2 nm

Purine + pyrimidine: largeur conforme aux données obtenues à partir des figures de diffraction des rayons X

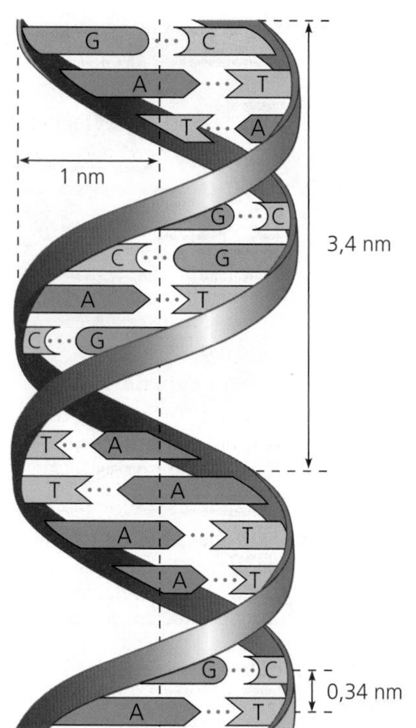

(a) Principales caractéristiques tridimensionnelles de la structure de l'ADN

(b) Composition chimique fondamentale

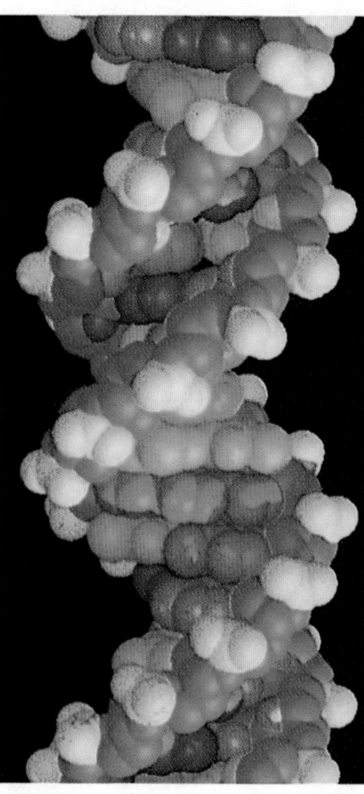

(c) Modèle compact de l'ADN

▲ **Figure 16.7 La double hélice. (a)** Les « rubans » de ce schéma (l'équivalent des cordes de l'échelle) représentent le squelette désoxyribose-phosphate des deux brins d'ADN. La forme la plus courante de l'ADN est une hélice *dextrogyre*, c'est-à-dire une spirale tournant vers la droite comme dans le pas d'une vis, bien qu'il existe une forme (la forme Z) qui tourne vers la gauche. Les deux brins sont reliés l'un à l'autre par des liaisons hydrogène (en pointillé) établies entre les bases azotées. Celles-ci sont appariées à l'intérieur de la double hélice. **(b)** Pour plus de clarté, dans ce schéma partiel de la structure chimique de l'ADN, on a représenté les deux brins déroulés. Remarquez qu'ils sont antiparallèles, ce qui signifie qu'ils sont orientés en sens opposé. **(c)** Ce modèle informatisé montre bien l'empilement serré des paires de bases. Les forces de Van der Waals qui s'exercent entre les paires contribuent grandement à maintenir la forme de la molécule.

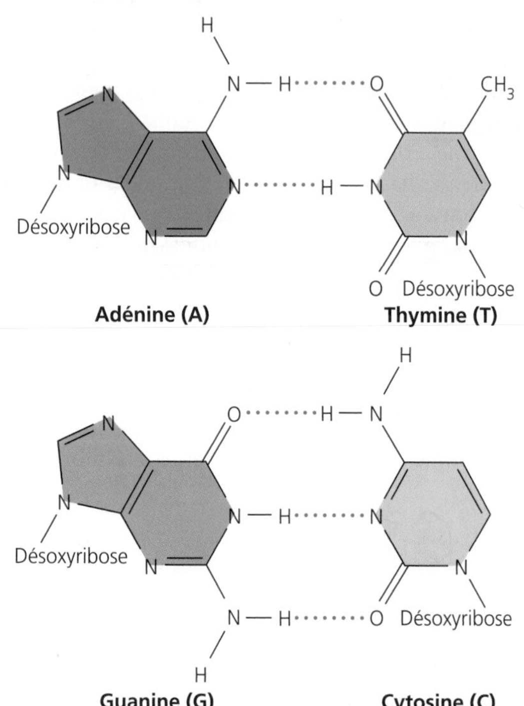

▲ **Figure 16.8 Appariement des bases dans l'ADN.** Dans la double hélice d'ADN, les paires de bases azotées sont retenues ensemble par des liaisons hydrogène, comme nous le montrons ici.

Par ailleurs, Watson et Crick ont compris que la structure des bases doit contraindre les appariements à être spécifiques. Ainsi, chaque base comporte des atomes périphériques capables de former des liaisons hydrogène avec un atome complémentaire : l'adénine peut former deux liaisons hydrogène avec la thymine seulement ; quant à la guanine, elle forme trois liaisons hydrogène avec la cytosine uniquement. Autrement dit, A s'apparie avec T, et G s'apparie avec C **(figure 16.8)**.

Le modèle de Watson et Crick permettait d'expliquer les règles de Chargaff. Partout où un brin de la molécule d'ADN porte un A, l'autre brin porte un T ; et là où il y a un G sur un brin, il y a un C sur le brin complémentaire. Par conséquent, dans l'ADN de tout organisme, la quantité d'adénine est égale à celle de la thymine, et la quantité de guanine est égale à celle de la cytosine. Par ailleurs, si elles définissent les combinaisons entre les bases azotées formant les « barreaux » de la double hélice, les règles d'appariement des bases ne limitent en rien la séquence nucléotidique *le long* de chaque brin d'ADN. Les quatre bases peuvent donc former une infinité de séquences linéaires, et chaque gène a un ordre, ou une séquence de bases, qui lui est propre.

En avril 1953, Watson et Crick ont fait sensation dans le monde scientifique en publiant, dans la revue britannique *Nature**, un article d'une seule page présentant un modèle moléculaire de

* J. D. Watson et F. H. C. Crick, « Molecular Structure of Nucleic Acids: A Structure for Deoxynucleic Acids », *Nature*, 171 (1953) : 738.

l'ADN: une double hélice, qui est devenue depuis le symbole même de la biologie moléculaire. Le modèle en question était d'autant plus convaincant que sa structure laissait entrevoir le mécanisme général de réplication de l'ADN.

Retour sur le concept 16.1

1. Comment la transformation bactérienne se produit-elle dans l'expérience célèbre de Griffith (figure 16.2)?
2. Dans l'expérience de Hershey et Chase avec le phage T2, quel serait le résultat si le matériel génétique était constitué de protéines?
3. Les pourcentages de nucléotides dans l'ADN d'une mouche sont les suivants: 27,3 % de A, 27,6 % de T, 22,5 % de G et 22,5 % de C. Ces valeurs démontrent-elles les règles de Chargaff?
4. Comment le modèle de Watson et Crick explique-t-il les règles de Chargaff?

Voir les réponses proposées à la fin du chapitre.

Concept 16.2

De nombreuses protéines travaillent de concert pour la réplication et la réparation de l'ADN

La relation entre la structure et la fonction apparaît clairement dans la double hélice. L'idée de la formation d'appariements spécifiques entre les bases azotées a amené Watson et Crick à découvrir la structure de la double hélice. Du même coup, ils ont compris la signification fonctionnelle de la règle d'appariement des bases. Ils ont conclu leur article, devenu un classique, par cette affirmation audacieuse: « Nous avons aussi remarqué que les appariements spécifiques que nous avons postulés permettent d'entrevoir directement un mécanisme possible de recopiage du matériel génétique. »*

Dans la section qui suit, nous allons voir le principe général de la réplication de l'ADN, puis nous nous pencherons sur certains aspects importants de ce processus.

Le principe fondamental: l'appariement des bases azotées à un brin matrice

Dans un deuxième article, Watson et Crick ont résumé leur hypothèse concernant la réplication de l'ADN:

> « Notre modèle de l'acide désoxyribonucléique est un assemblage de deux matrices complémentaires. Selon nous, avant la réplication, les liaisons hydrogène sont rompues. Les deux chaînes se déroulent alors et se séparent. Chacune agit comme une matrice: il se forme le long d'elle une nouvelle chaîne qui lui est associée, de sorte qu'on se retrouve avec deux paires de chaînes là où, au départ, il n'y en avait qu'une. De plus, la séquence des paires de bases est ainsi reproduite de façon exacte. »**

La **figure 16.9** illustre le concept de base défendu par Watson et Crick. Pour plus de clarté, nous n'avons représenté qu'une toute petite portion de la double hélice déroulée. Remarquez que, si l'on couvre l'un des deux brins d'ADN de la figure 16.9a, il est possible de déduire sa séquence linéaire en se fondant sur les bases de l'autre brin et en appliquant la règle de l'appariement. Les deux brins sont complémentaires, et chacun d'eux contient l'information qui permet de reconstruire l'autre. Lorsqu'une cellule copie une molécule d'ADN, chaque brin agit comme une matrice sur laquelle des nucléotides déjà synthétisés sous forme de nucléosides triphosphates et présents en abondance dans le noyau viennent se placer: ceux-ci s'alignent un par un, en suivant la règle de l'appariement. Ils sont ensuite liés, et le brin

* Notre traduction.

** F. H. C. Crick et J. D. Watson, « The Complementary Structure of Deoxyribonucleic Acid », *Proc. Roy. Soc.*, (A) 223 (1954): 80 (notre traduction).

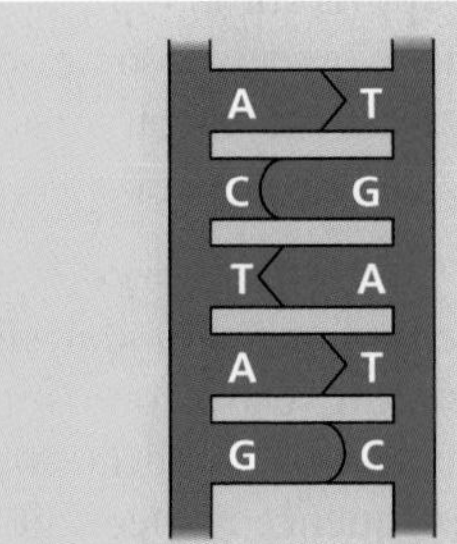

(a) La molécule de départ comporte deux brins d'ADN complémentaires. Chaque base s'associe par des liaisons hydrogène à la base correspondante: A va avec T, et G va avec C (règle de l'appariement).

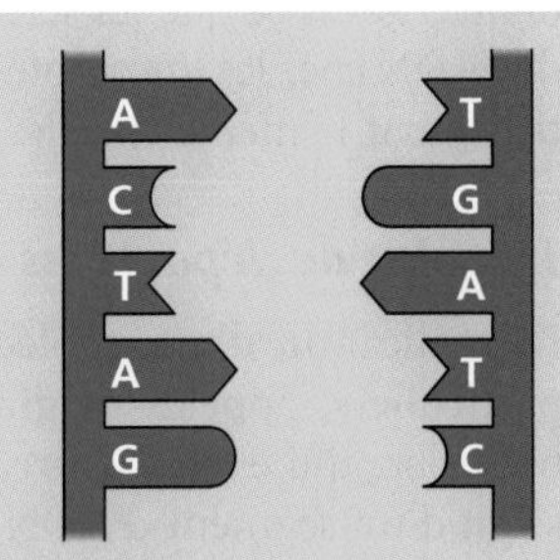

(b) La première étape de la réplication est la séparation des deux brins d'ADN.

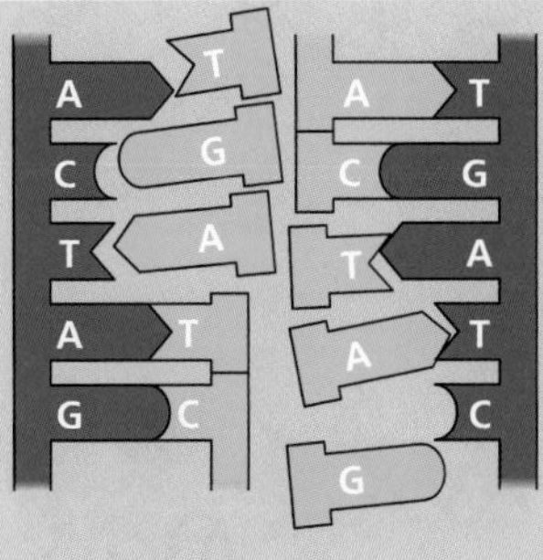

(c) Chacun des deux brins forme une matrice qui détermine l'ordre des nucléotides des deux nouveaux brins complémentaires en voie de formation.

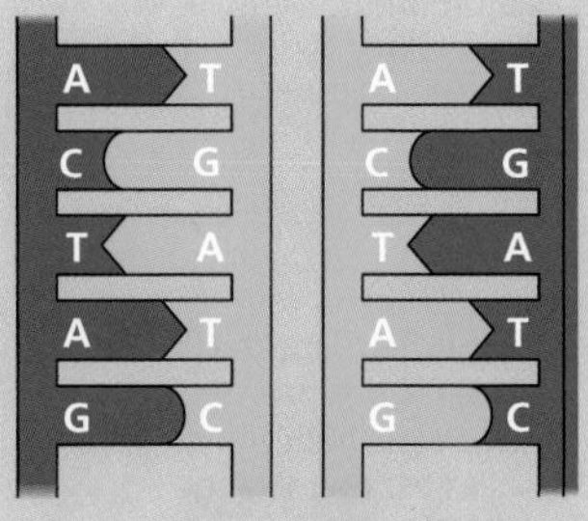

(d) Les nucléotides sont liés entre eux et forment le squelette désoxyribose-phosphate des nouveaux brins. Chacune des molécules « filles » d'ADN se compose d'un brin parental et d'un nouveau brin.

▲ **Figure 16.9 Modèle de réplication de l'ADN, concept de base.** Dans cette illustration simplifiée, nous montrons un court segment d'ADN déroulé, qui a la forme d'une échelle: les montants représentent le squelette désoxyribose-phosphate des deux brins d'ADN, et les barreaux transversaux correspondent aux paires de bases azotées. Les quatre bases sont représentées symboliquement par des formes géométriques simples. Les brins colorés en bleu foncé appartiennent à la molécule mère; l'ADN nouvellement synthétisé est en bleu clair.

complémentaire est achevé. Alors qu'au début du processus il y avait une seule molécule formée de deux brins d'ADN, il y en a maintenant deux, qui sont des répliques exactes l'une de l'autre et de la molécule de départ.

Ce modèle de la réplication de l'ADN n'a été testé que plusieurs années après la publication du modèle de la structure de l'ADN. Les expériences à réaliser étaient simples à concevoir, mais difficiles à mettre en œuvre. Selon le modèle de Watson et Crick, une fois que la réplication de la double hélice est terminée, chacune des deux molécules filles doit être formée d'un ancien brin (provenant de la molécule de départ) et d'un nouveau brin. On peut opposer ce **modèle semi-conservateur** au modèle conservateur de réplication, qui prévoit que la molécule mère se reforme après le processus, donc qu'elle est conservée. D'après un troisième modèle appelé modèle dispersif, les quatre brins d'ADN issus de la réplication de la double hélice sont formés d'un mélange de nouveau et d'ancien ADN **(figure 16.10)**. Bien qu'il ait été difficile de concevoir le fonctionnement des modèles conservateur ou dispersif de réplication de l'ADN, ces deux dernières hypothèses sont longtemps demeurées plausibles. Ce n'est qu'en 1957 que Matthew Meselson et Franklin Stahl, travaillant au California Institute of Technology, ont conçu des expériences permettant de tester les trois hypothèses. Leurs résultats ont confirmé l'exactitude du modèle semi-conservateur de Watson et Crick **(figure 16.11)**.

Le principe de base de la réplication de l'ADN semble plutôt simple. Cependant, ce mécanisme fait intervenir des processus biochimiques complexes, comme nous allons le voir.

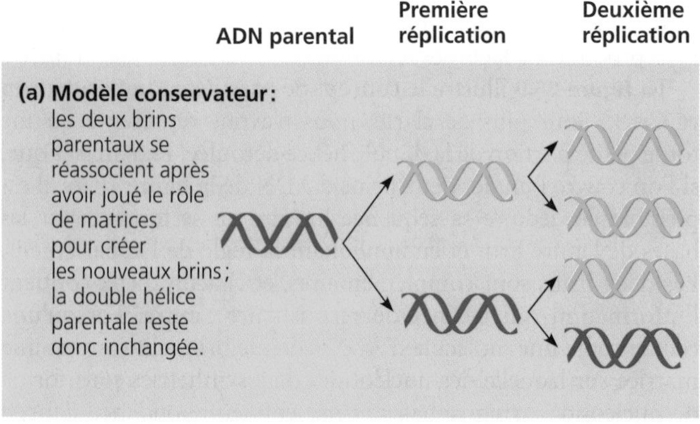

ADN parental
Première réplication
Deuxième réplication
(a) Modèle conservateur : les deux brins parentaux se réassocient après avoir joué le rôle de matrices pour créer les nouveaux brins ; la double hélice parentale reste donc inchangée.

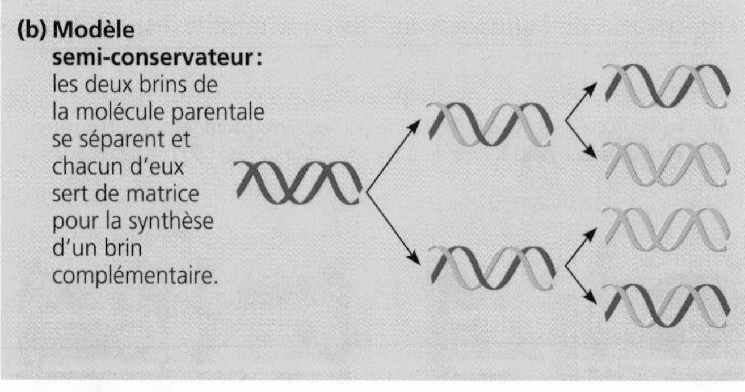

(b) Modèle semi-conservateur : les deux brins de la molécule parentale se séparent et chacun d'eux sert de matrice pour la synthèse d'un brin complémentaire.

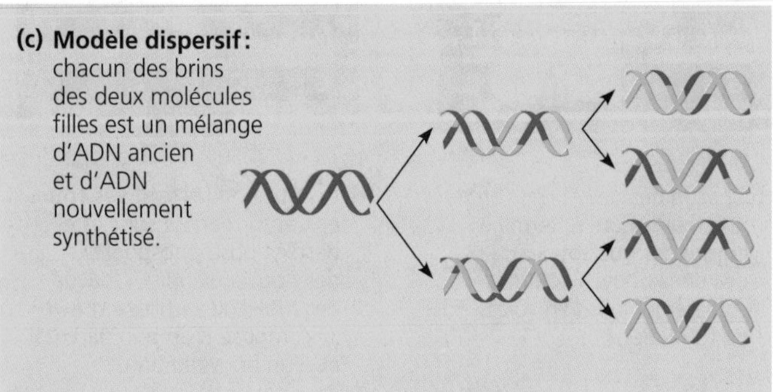

(c) Modèle dispersif : chacun des brins des deux molécules filles est un mélange d'ADN ancien et d'ADN nouvellement synthétisé.

▲ **Figure 16.10 Les trois modèles de réplication de l'ADN.** Les courts segments de double hélice que nous montrons ici représentent l'ADN dans une cellule. À partir d'une cellule mère, on suit l'ADN parental durant deux générations cellulaires, soit deux réplications du matériel génétique. L'ADN nouvellement synthétisé est coloré en bleu clair.

La réplication de l'ADN: *une étude détaillée*

La bactérie *E. coli* possède un seul chromosome d'environ 4,6 millions de paires de nucléotides. Dans un milieu favorable, une cellule de *E. coli* peut copier tout son ADN, se diviser et former deux cellules filles génétiquement identiques en moins d'une heure. Chacune de *vos* cellules somatiques comprend 46 molécules d'ADN, soit une longue molécule hélicoïdale à double brin par chromosome. En tout, on estime que le génome humain comporte environ six milliards de paires de bases, ce qui équivaut à peu près à 1 000 fois plus d'ADN que dans une cellule bactérienne. Si l'on voulait représenter toutes les paires de bases d'une seule cellule humaine par des lettres (A, G, C et T) de la taille des caractères que vous lisez en ce moment, il faudrait imprimer environ 1 200 manuels comme celui-ci. Il suffit pourtant de quelques heures à la cellule pour recopier tout son ADN. La réplication de cette énorme quantité d'information génétique se fait avec très peu d'erreurs (environ une par dix milliards de nucléotides). La réplication de l'ADN s'effectue donc avec une rapidité et une précision remarquables.

Plus d'une douzaine d'enzymes et d'autres protéines interviennent dans la réplication de l'ADN. Le fonctionnement de cette « machine à répliquer » est mieux connu chez les Bactéries que chez les Eucaryotes. Sauf indications contraires, nous décrirons les principales étapes de ce processus pour *E. coli*. Cependant, d'après ce que les scientifiques ont appris sur la réplication de l'ADN chez les Eucaryotes, il semble que ce processus soit essentiellement le même chez les Procaryotes et chez les Eucaryotes.

Le point de départ: les origines de réplication

La réplication d'une molécule d'ADN commence sur des sites particuliers, appelés **origines de réplication**. Le chromosome bactérien, qui est circulaire, a une seule origine de réplication : il s'agit d'un segment d'ADN portant une séquence nucléotidique spécifique. Une *protéine de réplication* reconnaît cette séquence et amorce la duplication de l'ADN. Elle s'attache à celui-ci et sépare les deux brins en formant un « œil » de réplication. La réplication se poursuit alors dans les deux sens, jusqu'à ce que toute la molécule ait été recopiée (voir la figure 18.14). Contrairement au chromosome bactérien, un chromosome d'Eucaryote, qui est linéaire, peut avoir des centaines, voire des milliers d'origines de réplication : la réplication d'un chromosome eucaryote ne débute donc pas à une de ses extrémités comme on pourrait être porté à le croire. L'origine de réplication de même que le segment d'ADN qui est répliqué à partir de ce point forment une unité appelée **réplicon**. Tout œil de réplication finit par fusionner

Figure 16.11

Investigation La réplication de l'ADN suit-elle le modèle conservateur, semi-conservateur ou dispersif ?

EXPÉRIENCE Matthew Meselson et Franklin Stahl ont cultivé plusieurs générations de bactéries *E. coli* dans un milieu contenant des nucléotides précurseurs marqués à l'aide d'un isotope lourd de l'azote, ^{15}N. Une fois qu'elles ont incorporé l'azote lourd dans leur ADN, les bactéries ont été placées dans un milieu contenant l'isotope le plus léger et le plus commun de l'azote, ^{14}N. Ainsi, tout nouvel ADN synthétisé par les bactéries devait être plus léger que l'ADN parental fabriqué dans le milieu contenant le ^{15}N. Grâce à une méthode particulière de centrifugation qu'ils avaient développée, Meselson et Stahl ont été en mesure d'identifier les molécules de différentes masses volumiques.

1. Bactéries cultivées dans un milieu contenant ^{15}N
2. Bactéries placées dans un milieu contenant ^{14}N

RÉSULTATS

3. Centrifugation d'un échantillon d'ADN après 20 minutes (après la première réplication)
4. Centrifugation d'un échantillon d'ADN après 40 minutes (après la deuxième réplication)

Masse volumique plus faible

Masse volumique plus élevée

Les bandes dans ces deux éprouvettes représentent les résultats de la centrifugation de deux échantillons d'ADN provenant du milieu de l'étape 2 ; un des échantillons a été centrifugé après 20 minutes, l'autre, après 40 minutes.

CONCLUSION Meselson et Stahl ont conclu que la réplication de l'ADN suit le modèle semi-conservateur en comparant leur résultat aux résultats prévus selon chacun des trois modèles de la figure 16.10. La première réplication effectuée dans le milieu ^{14}N a produit une bande d'ADN hybride (^{15}N-^{14}N), ce qui a permis d'éliminer le modèle conservateur. La deuxième réplication a produit à la fois un ADN léger et un ADN hybride, ce qui a permis d'éliminer le modèle dispersif et a confirmé l'exactitude du modèle semi-conservateur.

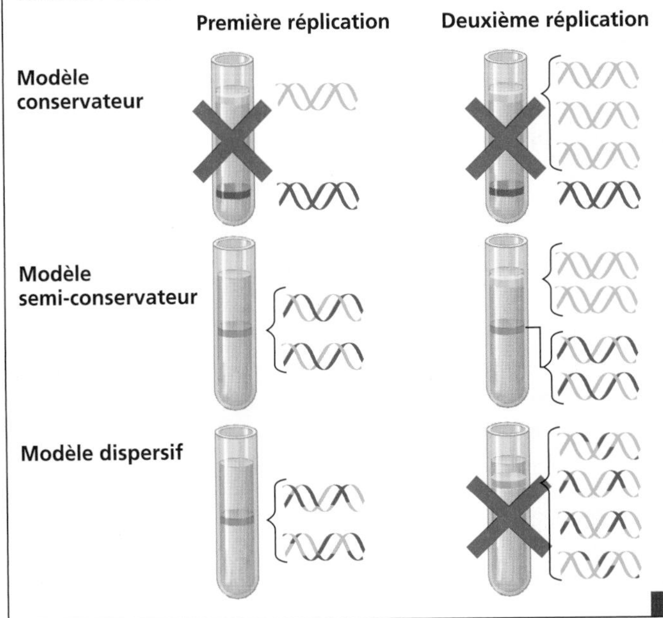

avec un autre, ce qui accélère le recopiage des molécules d'ADN qui sont très longues **(figure 16.12)**. Comme chez les Bactéries, la réplication de l'ADN chez les Eucaryotes se poursuit dans les deux sens à partir de chaque origine. Chaque bout d'un œil de réplication prend la forme d'une **fourche de réplication**, c'est-à-dire d'une région en forme de Y où les deux brins d'ADN subissent une élongation.

L'élongation d'un nouveau brin

Au niveau de la fourche de réplication, l'élongation du nouveau brin d'ADN est catalysée par des enzymes appelées **ADN polymérases.** Au fur et à mesure que les nucléotides s'alignent sur les bases complémentaires le long du brin qui sert de matrice, l'ADN polymérase les rattache un par un à l'extrémité du brin d'ADN en voie de formation. La vitesse d'élongation est d'environ 500 nucléotides par seconde chez les Bactéries, et de 50 nucléotides par seconde dans les cellules humaines ; cette vitesse plus lente est peut-être due à l'association de l'ADN à des protéines chez les chromosomes des Eucaryotes ainsi qu'à la présence d'un plus grand nombre de chromosomes dont la réplication doit être coordonnée. Chez *E. coli*, deux ADN polymérases différentes participent à la réplication : l'ADN polymérase III et l'ADN polymérase I. (L'ADN polymérase I fut découverte grâce au travail de Arthur Kornberg en 1958, ce qui lui valut un prix Nobel en 1959.) La situation est plus complexe chez les Eucaryotes : au moins 11 ADN polymérases ont été découvertes jusqu'à maintenant. Les principes généraux sont toutefois les mêmes.

Chaque nucléotide ajouté à un brin d'ADN en voie de formation est en fait un nucléoside triphosphate, c'est-à-dire un nucléoside (un glucide et une base azotée) portant trois groupements phosphate. Ce sont des molécules qui ressemblent à l'ATP (adénosine triphosphate ; voir la figure 8.8). En fait, l'ATP (qui alimente le métabolisme énergétique) ne diffère du nucléoside triphosphate (qui fournit l'adénine à l'ADN) que par son glucide. L'ATP a un ribose, alors que l'ADN a un désoxyribose. Comme l'ATP, les monomères triphosphatés intervenant dans la synthèse de l'ADN sont chimiquement actifs, en partie parce que leur queue triphosphate contient un regroupement instable de charges négatives. En se fixant au bout du brin d'ADN en cours de synthèse, chaque monomère perd deux groupements phosphate sous la forme d'une molécule de pyrophosphate (Ⓟ – Ⓟ$_i$). L'hydrolyse subséquente du pyrophosphate en deux molécules de phosphate inorganique (Ⓟ$_i$) constitue une réaction exergonique. Celle-ci fournit l'énergie nécessaire à la polymérisation des nucléotides menant à la formation de l'ADN **(figure 16.13)**.

L'élongation antiparallèle

Nous avons déjà signalé dans le présent chapitre que les deux extrémités d'un brin d'ADN sont différentes (voir la figure 16.5). De plus, les deux brins dans la double hélice d'ADN sont *antiparallèles*, ce qui signifie qu'ils ont des directions opposées (voir la figure 16.13). Manifestement, les deux nouveaux brins formés durant la réplication doivent aussi être antiparallèles à leur brin complémentaire.

De quelle façon la structure antiparallèle de la double hélice influe-t-elle sur la réplication ? Les ADN polymérases ajoutent toujours des nucléotides à l'extrémité libre 3′ d'un brin d'ADN en croissance, jamais à l'extrémité 5′ (voir la figure 16.13). Par conséquent, le nouveau brin ne peut s'allonger que dans le sens

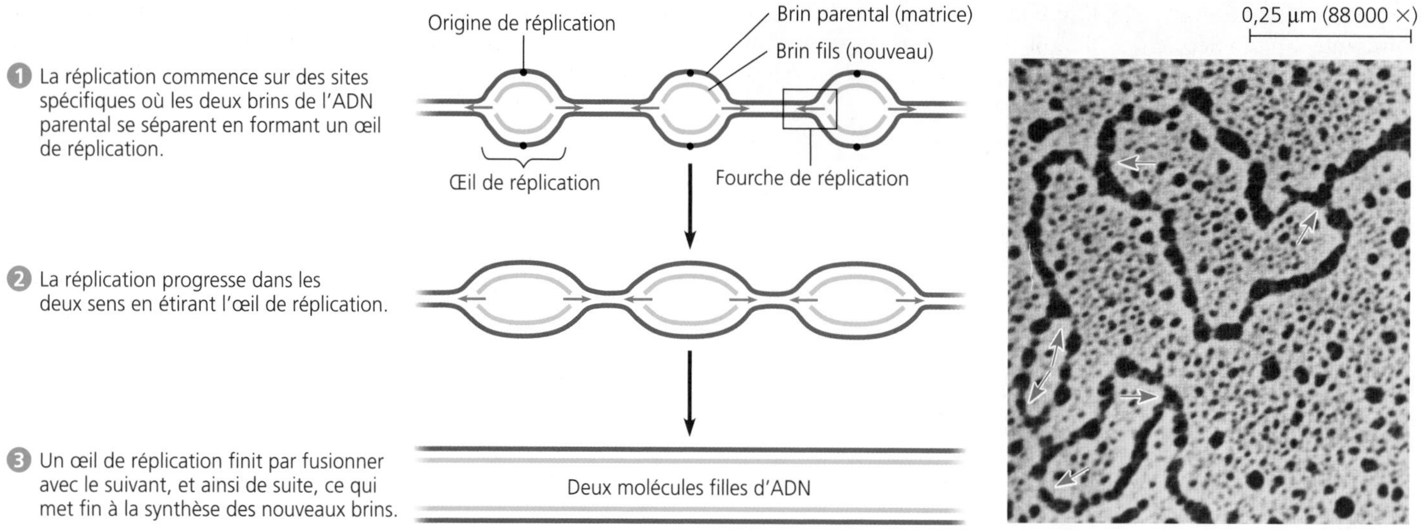

Origine de réplication

Brin parental (matrice)

Brin fils (nouveau)

0,25 μm (88 000 ×)

1 La réplication commence sur des sites spécifiques où les deux brins de l'ADN parental se séparent en formant un œil de réplication.

Œil de réplication

Fourche de réplication

2 La réplication progresse dans les deux sens en étirant l'œil de réplication.

3 Un œil de réplication finit par fusionner avec le suivant, et ainsi de suite, ce qui met fin à la synthèse des nouveaux brins.

Deux molécules filles d'ADN

(a) Chez les Eucaryotes, la réplication de l'ADN commence sur de nombreux sites situés le long de la molécule géante d'ADN de chaque chromosome.

(b) Sur cette micrographie de l'ADN de cellules cultivées de Hamster chinois (*Cricetulus griseus*), on peut voir trois exemplaires d'un œil de réplication (MET).

▲ **Figure 16.12 Origines de réplication chez les Eucaryotes.** Les flèches rouges (dans le schéma et dans la micrographie) montrent le mouvement des fourches de réplication, ce qui indique le sens de la réplication de l'ADN à l'intérieur de chaque œil de réplication.

5′ → 3′. Revenons maintenant à la fourche de réplication en gardant cette caractéristique à l'esprit **(figure 16.14)**. L'ADN polymérase III (ADN pol III) peut synthétiser, à partir d'une origine de réplication et le long du brin matrice, un brin complémentaire continu. L'élongation du nouvel ADN se fait nécessairement dans le sens 5′ → 3′. L'ADN pol III se loge dans la fourche de réplication, sur le brin qui sert de matrice. Elle ajoute un nucléotide à la fois au brin complémentaire au fur et à mesure que la fourche se déplace. Le brin d'ADN ainsi synthétisé est appelé **brin directeur** (ou parfois *brin avancé* ou encore *brin précoce*).

L'élongation de l'autre brin d'ADN en croissance, dans le sens 5′ → 3′, se fait différemment. L'ADN pol III doit suivre la matrice en *s'éloignant* de la fourche de réplication. Le brin d'ADN ainsi formé est appelé **brin discontinu*** (ou parfois *brin tardif* ou encore *brin retardé*). Contrairement au brin directeur, son élongation ne se réalise pas de manière continue : de courts segments sont synthétisés, avant d'être reliés par une enzyme. On appelle ces segments *fragments d'Okazaki*, du nom du scientifique japonais, Reiji Okazaki, qui les a découverts. Voici comment les choses

* La synthèse du brin directeur et celle du brin discontinu se produisent simultanément et à la même vitesse. Cependant, la synthèse du brin discontinu est légèrement décalée par rapport à celle du brin directeur ; la formation d'un nouveau fragment ne peut commencer que lorsqu'une longueur suffisante de matrice a été exposée à la fourche de réplication.

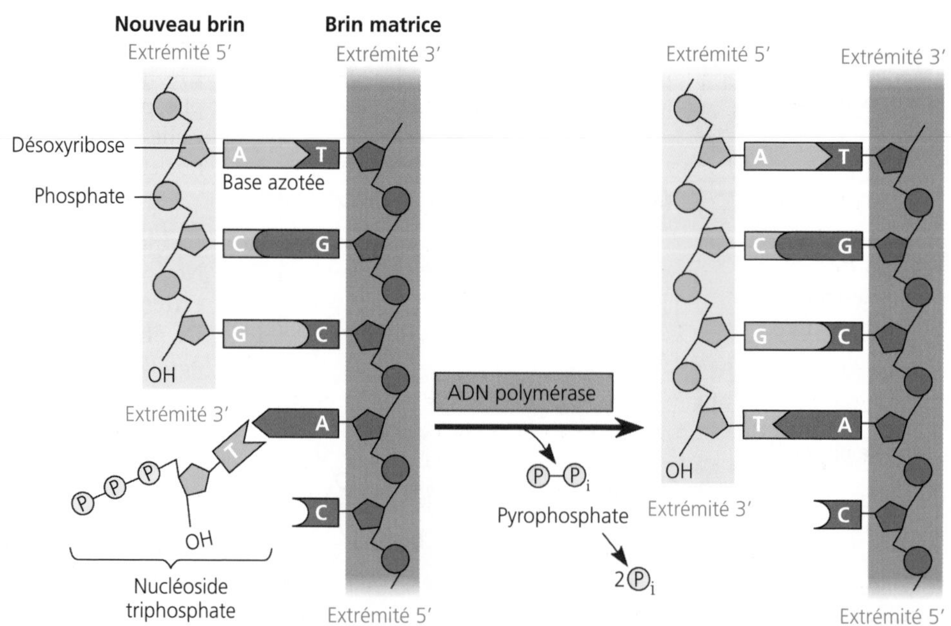

► **Figure 16.13 Ajout d'un nucléotide à un brin d'ADN.** L'ADN polymérase catalyse l'addition d'un nucléoside triphosphate qui se lie à l'extrémité 3′ d'un brin d'ADN en cours de synthèse.

se passent : lorsque l'œil de réplication se forme sur une longueur suffisante, une molécule d'ADN pol III se fixe à la matrice du brin discontinu et synthétise un court fragment d'ADN en s'éloignant de la fourche de réplication. Au fur et à mesure que l'œil de réplication s'agrandit, un autre fragment est synthétisé de la même façon. Chacun a une longueur de 1 000 à 2 000 nucléotides chez *E. coli*, et de 100 à 200 nucléotides chez les Eucaryotes. Une enzyme appelée **ADN ligase** relie ensuite les squelettes désoxyribose-phosphate des fragments d'Okazaki ; ainsi, un brin d'ADN ininterrompu est formé.

L'amorçage de la synthèse de l'ADN

Les ADN polymérases sont incapables d'*amorcer* la synthèse d'un polynucléotide. Elles ne peuvent qu'ajouter des nucléotides à l'extrémité 3′ d'une chaîne préexistante déjà appariée avec les bases du brin matrice (voir la figure 16.13). C'est une courte chaîne de nucléotides, appelée **amorce**, qui assure le début de la synthèse d'un nouveau brin. Il peut s'agir d'un brin d'ADN ou d'ARN (l'autre type d'acide nucléique) ; lors de l'initiation de la réplication de l'ADN cellulaire, l'amorce est un court brin d'ARN doté d'une extrémité 3′ libre. Une enzyme appelée **primase** (de l'anglais *primer* qui signifie « amorce ») peut commencer la synthèse d'une chaîne d'ARN *de novo*, c'est-à-dire qu'elle n'a pas besoin d'une amorce. Elle unit les nucléotides de l'ARN un par un, en les appariant avec ceux d'un brin de l'ADN, ce qui crée une amorce complémentaire du brin matrice à l'endroit où l'initiation d'un nouveau brin d'ADN va se produire. (Les amorces ont généralement une longueur de 5 à 10 nucléotides.) L'ADN pol III ajoute alors un nucléotide de l'ADN à l'extrémité 3′ de l'amorce et continue d'additionner des nucléotides au brin d'ADN en croissance conformément aux règles d'appariement des bases. Il suffit d'une seule amorce pour que l'ADN pol III puisse commencer la synthèse d'un nouveau brin directeur. Dans le cas des brins discontinus, par contre, il faut une amorce pour chaque fragment d'Okazaki **(figure 16.15)**. Une autre polymérase, l'ADN polymérase I (ADN pol I), remplace ensuite les nucléotides d'ARN de chaque amorce par leur équivalent en ADN ; elle les ajoute un par un à l'extrémité 3′ du fragment d'Okazaki adjacent (le fragment 2 dans la figure 16.15). Mais l'ADN pol I est incapable de lier le nucléotide final de ce fragment d'ADN de remplacement au premier nucléotide d'ADN du fragment d'Okazaki dont l'amorce vient d'être remplacée (fragment 1 dans la figure 16.15). L'ADN ligase accomplit la tâche qui consiste à relier les squelettes désoxyribose-phosphate de tous les fragments d'Okazaki en un brin d'ADN continu.

Autres protéines importantes dans la réplication de l'ADN

Vous connaissez déjà trois sortes de protéines qui interviennent dans la synthèse de l'ADN : les ADN polymérases, l'ADN ligase et la primase. D'autres protéines entrent également en jeu, dont l'hélicase, la topoisomérase et les protéines fixatrices d'ADN monocaténaire (*monocaténaire* signifie « constitué d'une seule chaîne », par opposition à bicaténaire, « une chaîne double »). Une **hélicase** est une enzyme qui intervient dans l'angle de la fourche de réplication : elle déroule la double hélice, brisant les liaisons hydrogène entre les bases azotées à l'aide de l'énergie fournie par l'hydrolyse de l'ATP, et sépare les deux brins parentaux, ce qui les rend disponibles pour servir de brins matrices. (Il faut se rappeler que les liaisons hydrogène qui retiennent les deux brins ensemble sont relativement faibles et donc faciles à briser.) Ce déroulement de la double hélice cause des torsions importantes et une tension en amont de la fourche de réplication ; c'est la **topoisomérase** qui fait diminuer cette tension. Après la séparation des deux brins parentaux par l'hélicase, les **protéines fixatrices d'ADN monocaténaire** (ou protéines SSB, *single-strand binding proteins*) s'attachent aux brins d'ADN non appariés et les empêchent de s'enrouler à nouveau jusqu'à ce qu'ils servent de matrices pour la synthèse de nouveaux brins complémentaires.

Le **tableau 16.1** et la **figure 16.16** résument la réplication de l'ADN. Étudiez-les attentivement avant de continuer.

La machine de réplication de l'ADN : un complexe stationnaire

On représente souvent les molécules d'ADN polymérase comme des locomotives avançant sur une « voie ferrée » formée d'ADN (ce qui est commode), mais ce modèle est inexact pour deux

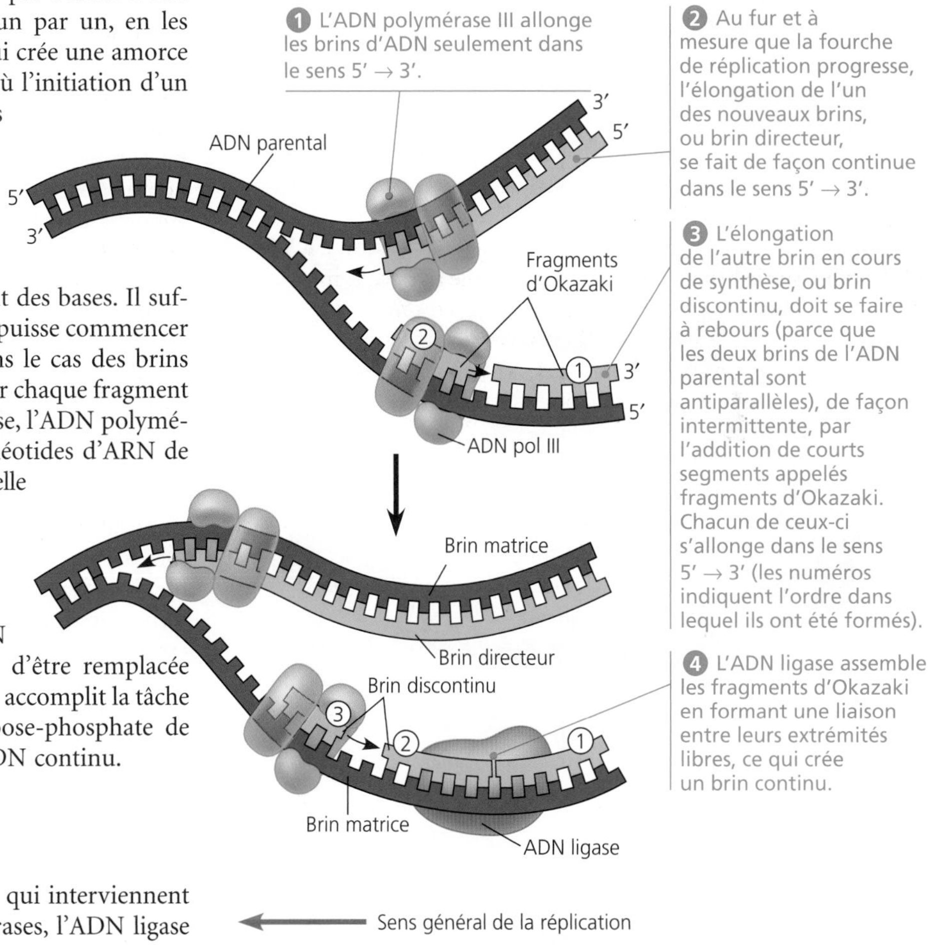

▲ **Figure 16.14 Synthèse du brin directeur et du brin discontinu pendant la réplication de l'ADN.** L'ADN polymérase III (ADN pol III) est étroitement liée à une protéine qui encercle comme un beigne la double hélice nouvellement synthétisée. Notez que les fragments d'Okazaki sont en réalité beaucoup plus longs que ceux qui apparaissent dans l'illustration. Afin de simplifier le schéma, nous ne représentons ici que cinq bases azotées par fragment.

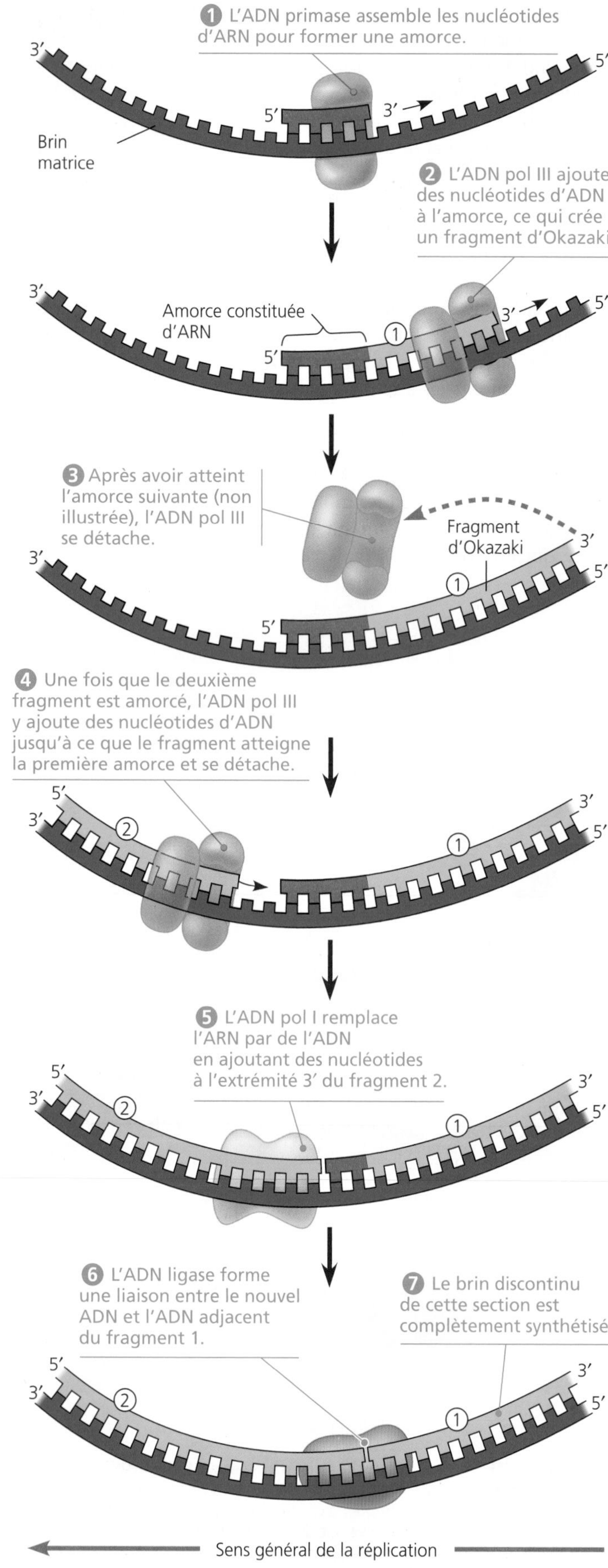
1 L'ADN primase assemble les nucléotides d'ARN pour former une amorce.
3′
5′
5′
3′
Brin matrice
2 L'ADN pol III ajoute des nucléotides d'ADN à l'amorce, ce qui crée un fragment d'Okazaki.
Amorce constituée d'ARN
1
3 Après avoir atteint l'amorce suivante (non illustrée), l'ADN pol III se détache.
Fragment d'Okazaki
4 Une fois que le deuxième fragment est amorcé, l'ADN pol III y ajoute des nucléotides d'ADN jusqu'à ce que le fragment atteigne la première amorce et se détache.
2
5 L'ADN pol I remplace l'ARN par de l'ADN en ajoutant des nucléotides à l'extrémité 3′ du fragment 2.
6 L'ADN ligase forme une liaison entre le nouvel ADN et l'ADN adjacent du fragment 1.
7 Le brin discontinu de cette section est complètement synthétisé.
Sens général de la réplication

▲ **Figure 16.15 Synthèse du brin discontinu.**

raisons principales. Premièrement, les différentes protéines qui assurent la réplication de l'ADN forment un seul grand complexe (appelé *réplisome*), qui est en quelque sorte une «machine» à reproduire l'ADN. De nombreuses interactions entre les protéines du réplisome contribuent à rendre la machine plus efficace. Par exemple, l'hélicase fonctionne beaucoup plus rapidement quand elle est en contact avec la primase. Deuxièmement, la machine à reproduire l'ADN est probablement stationnaire pendant la réplication. Dans les cellules eucaryotes, il est possible que de multiples exemplaires de cette machine regroupés en «usines» soient fixés à la matrice nucléaire (un réseau de fibres occupant l'intérieur du noyau). Des études récentes donnent à penser que le brin discontinu est enroulé en une boucle d'environ un millier de bases à travers le complexe, de sorte que, lorsqu'elle termine la synthèse d'un fragment d'Okazaki et se dissocie, une ADN polymérase n'a pas à se déplacer très loin pour atteindre l'amorce du fragment suivant, près de la fourche de réplication. L'enroulement du brin discontinu permet la synthèse d'un plus grand nombre de fragments d'Okazaki en moins de temps.

«Correction d'épreuves» et réparation de l'ADN

La précision de la réplication de l'ADN ne résulte pas uniquement de la spécificité de l'appariement des bases azotées. Dans le nouvel ADN d'une cellule fille produite par mitose, le nombre d'erreurs n'est que d'une par 10 milliards de nucléotides. Au départ, cependant, les erreurs d'appariement entre les nouveaux nucléotides et ceux du brin matrice sont 100 000 fois plus nombreuses: elles sont de l'ordre de 1 sur 100 000 paires de bases. Pendant la réplication, l'ADN polymérase relit elle-même chacun des nucléotides ajoutés et le compare à la matrice aussitôt qu'il est intégré au brin en croissance. Lorsqu'elle trouve une paire erronée au cours de cette «correction d'épreuves», elle enlève le nucléotide inadéquat et refait la synthèse. (Cette correction est analogue à celle qui consiste à utiliser la touche «supprimer» pour corriger une faute de frappe et à taper ensuite la bonne lettre.)

Il arrive parfois que les nucléotides mal appariés échappent à la vigilance de l'ADN polymérase lors de la «correction d'épreuves» dont nous venons de parler ou qu'ils apparaissent après la fin de la synthèse de l'ADN (à la suite d'un dommage subi par une base nucléotidique, par exemple). Les cellules effectuent la **réparation des mésappariements des bases** à l'aide d'enzymes spécifiques, dont la fonction est de corriger les paires erronées. Les chercheurs ont commencé à comprendre le rôle de ces enzymes lorsqu'ils ont découvert qu'une anomalie héréditaire touchant l'une d'entre elles est liée à une forme de cancer du côlon. Il semble que cette anomalie permette aux erreurs cancérogènes de s'accumuler dans l'ADN à une vitesse plus grande que la normale.

L'information génétique ainsi codée doit être entretenue. Elle exige de fréquentes réparations, parce que l'ADN subit divers types de lésions. Les molécules d'ADN sont constamment exposées à des agents physiques et chimiques nocifs, comme nous le verrons au chapitre 17. Les substances chimiques réactives (présentes dans l'environnement ou apparaissant naturellement dans les cellules), la radioactivité, les rayons X et les rayons ultraviolets peuvent modifier les nucléotides, altérant ainsi l'information génétique codée. Cela a habituellement des conséquences néfastes. De plus, les bases de l'ADN subissent souvent des modifications chimiques spontanées dans les conditions qui existent normalement

Tableau 16.1 Protéines intervenant dans la réplication de l'ADN bactérien et leurs fonctions

Protéine	Fonction dans la formation du brin directeur et du brin discontinu	
Hélicase	Déroule la double hélice parentale aux fourches de réplication.	
Protéines fixatrices d'ADN monocaténaire	Se lie à l'ADN monocaténaire et le stabilise jusqu'à qu'il puisse servir de matrice.	
Topoisomérase	Corrige les surenroulements en amont des fourches de réplication en coupant et en recollant les brins d'ADN après avoir permis au brin clivé de se dérouler.	
	Fonction dans la formation du brin directeur	**Fonction dans la formation du brin discontinu**
Primase	Synthétise une seule amorce d'ARN à l'extrémité 5′ du brin directeur.	Synthétise une amorce d'ARN à l'extrémité 5′ de chaque fragment d'Okazaki.
ADN pol III	Synthétise de façon continue le brin directeur, par addition sur l'amorce.	Allonge chaque fragment d'Okazaki par addition sur son amorce.
ADN pol I	Enlève l'amorce de l'extrémité 5′ du brin directeur et la remplace par de l'ADN par addition à l'extrémité 3′ adjacente.	Enlève l'amorce de l'extrémité 5′ de chaque fragment et la remplace par de l'ADN par addition à l'extrémité 3′ du fragment adjacent.
ADN ligase	Lie l'extrémité 3′ de l'ADN qui remplace l'amorce au reste du brin directeur.	Réunit les fragments d'Okazaki.

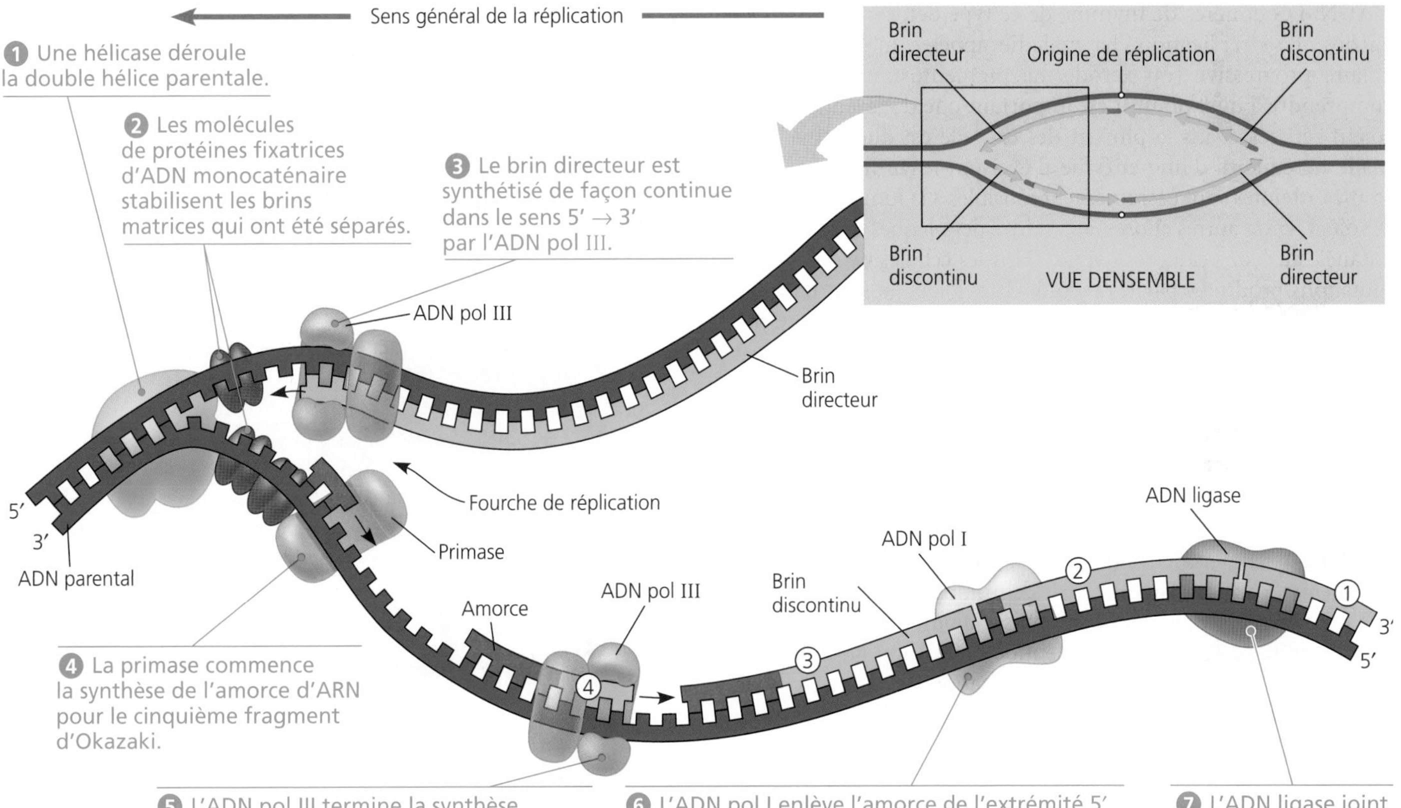

Sens général de la réplication
1 Une hélicase déroule la double hélice parentale.
2 Les molécules de protéines fixatrices d'ADN monocaténaire stabilisent les brins matrices qui ont été séparés.
3 Le brin directeur est synthétisé de façon continue dans le sens 5′ → 3′ par l'ADN pol III.
Brin directeur
Origine de réplication
Brin discontinu
Brin discontinu
VUE DENSEMBLE
Brin directeur
ADN pol III
Brin directeur
5′
3′
ADN parental
Fourche de réplication
Primase
Amorce
ADN pol III
Brin discontinu
ADN pol I
ADN ligase
3′
5′
4 La primase commence la synthèse de l'amorce d'ARN pour le cinquième fragment d'Okazaki.
5 L'ADN pol III termine la synthèse du quatrième fragment. Quand elle atteint l'amorce d'ARN sur le troisième fragment, elle se dissocie, se déplace vers la fourche de réplication et ajoute des nucléotides d'ADN à l'extrémité 3′ de l'amorce du cinquième fragment.
6 L'ADN pol I enlève l'amorce de l'extrémité 5′ du deuxième fragment et le remplace par des nucléotides d'ADN qu'elle ajoute un à un à l'extrémité 3′ du troisième fragment. Le remplacement du dernier nucléotide d'ARN par l'ADN laisse une extrémité 3′ libre au squelette désoxyribose-phosphate.
7 L'ADN ligase joint l'extrémité 3′ du second fragment à l'extrémité 5′ du premier fragment.

▲ **Figure 16.16 Résumé de la réplication de l'ADN bactérien.** Le schéma détaillé ci-dessus montre une fourche de réplication. Cependant, comme le rappelle la petite illustration donnant une vue d'ensemble un peu plus haut, à droite, la réplication se déroule simultanément aux deux fourches situées à chaque extrémité d'un œil de réplication. Remarquez dans la vue d'ensemble que la formation des brins directeurs est déclenchée par une amorce d'ARN (rouge), tout comme la plupart des fragments d'Okazaki des brins discontinus. Dans les deux fragments sans amorce, une ADN polymérase a déjà remplacé les nucléotides d'ARN par des nucléotides d'ADN. Si l'on regarde chacun des nouveaux brins, on remarque que la moitié de leur longueur est synthétisée de façon continue, sous forme de brin directeur, alors que l'autre moitié (de l'autre côté du point d'origine) est synthétisée par fragments, sous forme de brin discontinu.

dans la cellule. Heureusement, tous ces changements sont généralement corrigés avant qu'ils ne constituent des mutations héréditaires. Chaque cellule surveille et répare son matériel génétique en permanence. La réparation de l'ADN endommagé est essentielle à la survie de l'organisme. Il n'est donc pas surprenant que les enzymes de réparation de l'ADN soient apparues en si grand nombre au cours de l'évolution. On en connaît près de 100 chez *E. coli* et on en a identifié jusqu'ici 130 chez les humains.

La plupart des processus de réparation des dommages subis par l'ADN reposent sur le mécanisme de l'appariement des bases. En général, un segment du brin endommagé comportant quelques nucléotides tout au plus est enlevé (excisé) par une enzyme de découpage de l'ADN (une **endonucléase**) et remplacé par les nucléotides appariés avec les nucléotides du brin intact. Les enzymes qui effectuent ce remplacement sont l'ADN polymérase et l'ADN ligase. Ce type d'intervention est appelé **réparation par excision-resynthèse** (**figure 16.17**).

Dans les cellules de notre peau, l'une des fonctions des enzymes de réparation de l'ADN est de corriger les dommages infligés à notre matériel génétique par les rayons ultraviolets du Soleil. La figure 16.17 illustre un type de lésion ainsi causé: la liaison covalente de bases de thymine adjacentes sur un brin d'ADN. Les dimères de thymine de ce type déforment l'ADN et entravent sa réplication. La maladie appelée mélanose lenticulaire progressive (ou xeroderma pigmentosum) permet de comprendre à quel point il est important que de tels dommages soient réparés. Dans la plupart des cas, elle est due à une anomalie héréditaire d'une enzyme d'excision-resynthèse. Les personnes atteintes sont extrêmement sensibles à la lumière du Soleil et voient, entre autres choses, apparaître des plaques et des ulcères cutanés sur leur peau découverte. Dans les cellules de celle-ci, les mutations produites par les rayons ultraviolets ne sont pas corrigées. Elles finissent par provoquer un cancer de la peau. Cette maladie récessive autosomique entraîne généralement la mort pendant l'adolescence.

La réplication des extrémités des molécules d'ADN

Malgré le rôle primordial des ADN polymérases dans la réplication et la réparation de l'ADN, il existe une petite portion d'ADN cellulaire qu'elles ne peuvent répliquer ou réparer. Lorsque l'ADN est linéaire, comme dans le cas des chromosomes eucaryotes, le fait qu'une ADN polymérase ne puisse ajouter des nucléotides qu'à l'extrémité 3′ d'un polynucléotide préexistant pose un problème. Le mécanisme normal de réplication ne permet pas de synthétiser l'extrémité 5′ des brins d'ADN nouvellement formés. Même si une amorce d'ARN liée à l'extrémité du brin matrice peut commencer la synthèse d'un fragment d'Okazaki, une fois qu'elle est enlevée, cette amorce ne peut pas être remplacée par de l'ADN parce qu'il n'y a pas d'extrémité 3′ sur laquelle l'ADN polymérase peut ajouter des nucléotides d'ADN (**figure 16.18**). Par conséquent, les réplications successives produisent des molécules d'ADN de plus en plus courtes. Si aucun mécanisme correcteur n'intervenait, il se perdrait une dizaine de nucléotides par cycle de réplication chez les Eucaryotes, ce qui deviendrait rapidement catastrophique.

Le problème ne se pose pas chez les Procaryotes, qui ont un ADN circulaire (sans extrémités); mais que se passe-t-il donc chez les Eucaryotes? Au bout des molécules d'ADN chromosomique des Eucaryotes se trouvent des séquences nucléotidiques nommées **télomères** (**figure 16.19**), qui ne correspondent pas à un gène. Il s'agit en fait d'une même séquence nucléotidique courte, mais répétée un grand nombre de fois. Dans les télomères humains, par exemple, la séquence est constituée de six nucléotides: TTAGGG. Dans un télomère donné, le même ordre d'enchaînement de quelques nucléotides peut être répété de 100 à 1 000 fois environ. Cela empêche les gènes de l'organisme de disparaître peu à peu sous l'effet des réplications successives. De plus, les télomères ainsi que certaines protéines spécifiques qui leur sont associées empêchent les extrémités d'un chromosome d'activer le système d'alarme cellulaire. S'ils ne le faisaient pas, les bouts d'une molécule d'ADN seraient «perçus» comme des cassures de brin double. Cela pourrait déclencher les mécanismes de transduction du stimulus conduisant à l'arrêt du cycle cellulaire ou à la mort de la cellule.

Les télomères n'empêchent pas les molécules d'ADN d'être raccourcies par des réplications successives; ils ne font que retarder l'érosion des gènes près des extrémités des molécules d'ADN. Comme l'illustre la figure 16.18, les télomères deviennent plus courts à chaque réplication. L'ADN télomérique, on s'y attend, est généralement plus court dans les cellules somatiques qui se divisent chez les individus plus âgés et dans les cellules cultivées qui se sont

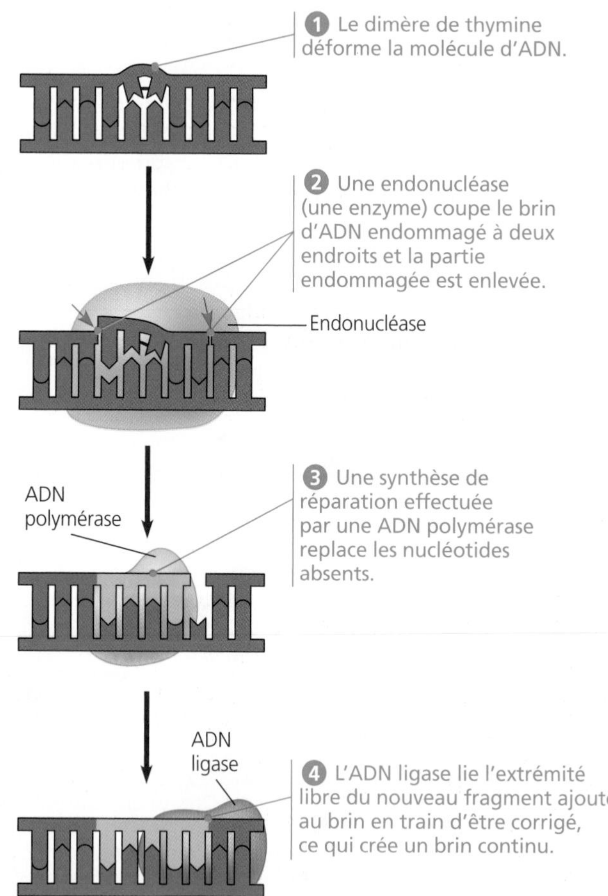

1 Le dimère de thymine déforme la molécule d'ADN.
2 Une endonucléase (une enzyme) coupe le brin d'ADN endommagé à deux endroits et la partie endommagée est enlevée.
Endonucléase
ADN polymérase
3 Une synthèse de réparation effectuée par une ADN polymérase replace les nucléotides absents.
ADN ligase
4 L'ADN ligase lie l'extrémité libre du nouveau fragment ajouté au brin en train d'être corrigé, ce qui crée un brin continu.

▲ **Figure 16.17 Réparation de l'ADN par excision-resynthèse.** Une escouade d'enzymes détecte les dommages subis par l'ADN et les répare. Nous avons illustré ici une portion d'ADN contenant un dimère de thymine, un type de lésion fréquemment produit par les rayons ultraviolets. Une endonucléase (une enzyme) coupe la partie endommagée de l'ADN, et une ADN polymérase (chez les Bactéries, l'ADN pol I) la remplace par un segment d'ADN normal. La ligase termine le processus en réparant le bris dans le squelette désoxyribose-phosphate.

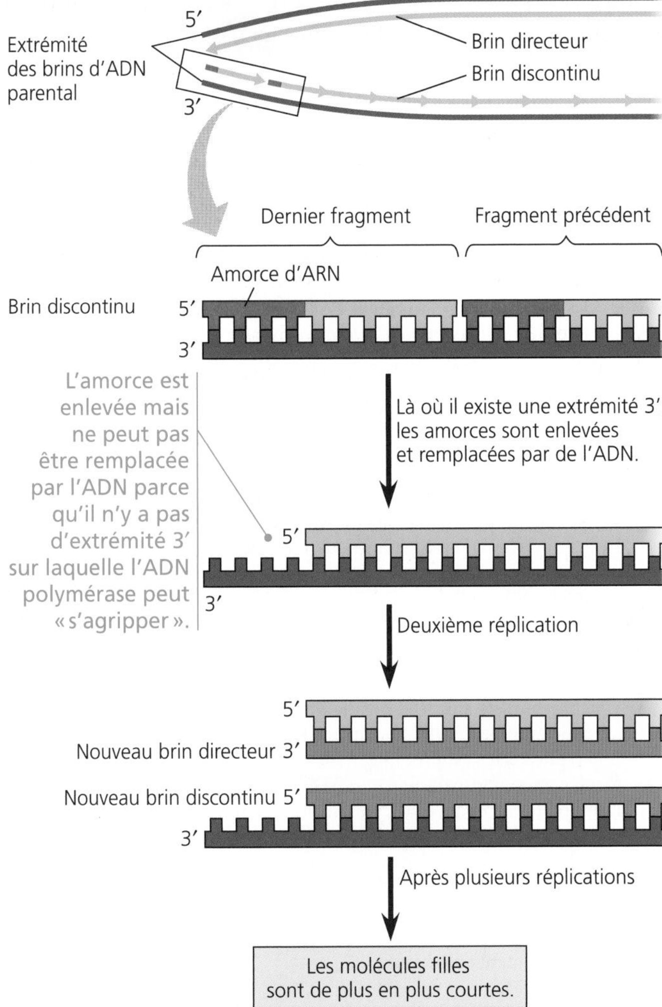
5′
Extrémité
des brins d'ADN
parental
3′
Brin directeur
Brin discontinu
Dernier fragment
Fragment précédent
Amorce d'ARN
Brin discontinu
5′
3′
L'amorce est
enlevée mais
ne peut pas
être remplacée
par l'ADN parce
qu'il n'y a pas
d'extrémité 3′
sur laquelle l'ADN
polymérase peut
« s'agripper ».
Là où il existe une extrémité 3′,
les amorces sont enlevées
et remplacées par de l'ADN.
5′
3′
Deuxième réplication
5′
Nouveau brin directeur 3′
Nouveau brin discontinu 5′
3′
Après plusieurs réplications
Les molécules filles
sont de plus en plus courtes.

▲ **Figure 16.18 Raccourcissement des extrémités de molécules d'ADN linéaires.** Dans la présente illustration, nous suivons l'extrémité d'un brin d'une molécule d'ADN qui subit deux réplications. Après la première réplication, le nouveau brin discontinu est plus court que sa matrice. Après la deuxième réplication, le brin directeur et le brin discontinu sont tous les deux raccourcis par rapport à l'ADN parental de départ. Les autres extrémités de ces ADN, qui ne sont pas représentées dans cette illustration, sont également raccourcies.

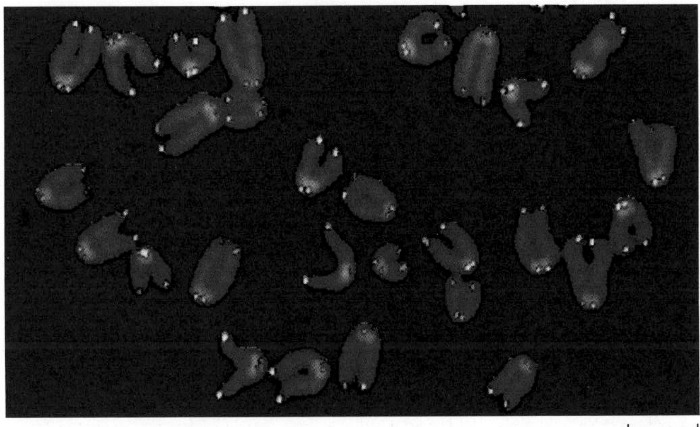
1 µm (8 000 ×)

▲ **Figure 16.19 Télomères.** Les extrémités de l'ADN des Eucaryotes comportent des séquences répétitives non codantes, appelées télomères. Le colorant orange vif marque les télomères de ces chromosomes de souris (MP).

divisées un grand nombre de fois. Il a été avancé que les télomères raccourcis soient en quelque sorte reliés au processus de vieillissement de certains tissus et même de l'organisme lui-même.

Mais qu'en est-il des cellules dont les génomes demeurent inchangés en passant d'un organisme à ses descendants pendant de nombreuses générations ? Si les chromosomes des cellules reproductrices (qui donnent naissance aux gamètes) devenaient plus courts à chaque cycle cellulaire, des gènes essentiels finiraient par être absents des gamètes qu'ils produisent. Heureusement, ce n'est pas ce qui se produit : une enzyme, appelée **télomérase**, produit l'élongation des télomères dans les cellules reproductrices eucaryotes. Elle restaure ainsi leur longueur originale et compense pour les chaînes d'ADN raccourcies au cours de leur réplication. La présence, dans la télomérase, d'une courte molécule d'ARN (quelques centaines de nucléotides) qui sert de matrice pour la synthèse de nouveaux segments TTAGGG du télomère rend possible le processus d'élongation. Dans la plupart des cellules somatiques, la télomérase n'est pas active, mais son activité dans les cellules reproductrices produit des télomères de longueur maximale dans le zygote.

Le raccourcissement normal des télomères peut protéger les organismes du cancer en limitant le nombre de divisions que les cellules somatiques peuvent subir. Les cellules provenant de grosses tumeurs ont souvent des télomères anormalement petits, comme on s'y attend dans le cas de cellules ayant subi un grand nombre de divisions. Ce raccourcissement progressif pourrait mener à l'autodestruction du cancer. Chose intéressante, les chercheurs ont également trouvé de la télomérase dans les cellules somatiques cancéreuses, ce qui semble indiquer que sa capacité à stabiliser la longueur des télomères pourrait permettre à ces cellules cancéreuses de survivre. De nombreuses cellules cancéreuses semblent capables de division cellulaire illimitée comme les souches immortelles de cellules cultivées (voir le chapitre 12). Si elle joue un rôle aussi important qu'on le croit dans de nombreux cancers, la télomérase pourrait servir de cible pour le diagnostic du cancer et pour la chimiothérapie.

Dans le présent chapitre, vous avez appris comment la réplication de l'ADN crée les copies des gènes que les parents transmettent à leurs enfants par l'intermédiaire des gamètes. Cependant, il ne suffit pas que les gènes soient copiés et transmis ; encore faut-il qu'ils soient exprimés. Dans le prochain chapitre, nous étudierons la façon dont une cellule traduit l'information génétique qui est codée sous forme d'ADN.

Retour sur le concept 16.2

1. Quel rôle joue l'appariement des bases complémentaires dans la réplication de l'ADN ?
2. Nommez deux fonctions importantes de l'ADN pol III dans la réplication de l'ADN.
3. Pourquoi l'ADN pol I est-elle essentielle afin que se termine la synthèse d'un brin directeur ? Indiquez sur la petite illustration présentant une vue d'ensemble dans la figure 16.16 où l'ADN pol I agirait sur le brin directeur du haut.
4. Quelle est l'importance des télomères dans la préservation des gènes eucaryotes ?

Voir les réponses proposées à la fin du chapitre.

Révision du chapitre 16

RÉSUMÉ DES CONCEPTS CLÉS

Concept 16.1

L'ADN constitue le matériel génétique

- **La recherche du matériel génétique (p. 319-323).** Des expériences menées sur des bactéries et sur des phages ont fourni les premières preuves convaincantes que le matériel génétique est bel et bien constitué d'ADN.
- **La modélisation structurale de l'ADN (p. 323-325).** Watson et Crick ont démontré que l'ADN a la forme d'une double hélice. Deux chaînes antiparallèles de désoxyribose-phosphate s'enroulent et délimitent l'extérieur de la molécule. Les bases azotées pointent vers l'intérieur, où elles forment des liaisons hydrogène en s'appariant de façon précise: A va avec T, et G avec C.

Concept 16.2

De nombreuses protéines travaillent de concert pour la réplication et la réparation de l'ADN

- **Le principe fondamental: l'appariement des bases azotées à un brin matrice (p. 325-326).** La réplication de l'ADN est semi-conservative: la molécule mère se déroule, et chaque brin sert de matrice pour la synthèse d'un nouveau brin, conformément aux règles d'appariement des bases azotées.
- **La réplication de l'ADN: *une étude détaillée* (p. 326-330).** La réplication de l'ADN commence aux origines de réplication. À chaque extrémité d'un œil de réplication, là où les deux brins d'ADN se séparent, une fourche de réplication en forme de Y apparaît. La synthèse de l'ADN commence à l'extrémité 3′ d'une amorce d'ARN, un court polynucléotide complémentaire du brin matrice. Les ADN polymérases catalysent la synthèse de deux nouveaux brins d'ADN en allant dans le sens 5′ → 3′. À la fourche de réplication, un brin directeur est synthétisé de façon continue, alors qu'un brin discontinu est formé à partir de courts segments discontinus, appelés fragments d'Okazaki. Ces segments sont ensuite assemblés par de l'ADN ligase.
- **«Correction d'épreuves» et réparation de l'ADN (p. 330-332).** Des ADN polymérases vérifient que l'ADN nouvellement synthétisé est conforme à ce qu'il devrait être et remplacent les nucléotides erronés. Dans le cas de la réparation des mésappariements, des enzymes de réparation corrigent les erreurs d'appariement des bases. Dans l'excision-resynthèse, les enzymes découpent et remplacent les segments d'ADN qui sont endommagés.
- **La réplication des extrémités des molécules d'ADN (p. 332-333).** Chez les Eucaryotes, les extrémités (télomères) des molécules d'ADN linéaires (chromosomes) deviennent de plus en plus courtes à chaque réplication. La présence des télomères, des séquences répétitives aux extrémités des molécules d'ADN linéaires, retarde l'érosion des gènes. La télomérase, une enzyme présente dans les cellules reproductrices, catalyse leur allongement.

VÉRIFIEZ VOS CONNAISSANCES

Autoévaluation

(Les questions dont les numéros sont en caractères gras font surtout appel à la compréhension.)

1. En étudiant des bactéries causant une pneumonie chez des souris, Griffith a découvert que:
   a) la capsule de protéines provenant de cellules lisses pathogènes peut transformer des cellules rugueuses inoffensives.
   b) les cellules lisses pathogènes tuées par la chaleur peuvent causer une pneumonie seulement lorsqu'elles sont transformées par l'ADN des cellules rugueuses.
   c) une certaine substance chimique provenant des cellules lisses pathogènes est transmise aux cellules rugueuses inoffensives et les rend pathogènes.
   d) la capsule de polysaccharides des cellules rugueuses cause la pneumonie.
   e) les bactériophages injectent l'ADN des cellules lisses pathogènes dans les cellules rugueuses inoffensives.

2. Des bactéries *E. coli* cultivées dans un milieu contenant du ^{15}N sont transférées dans un milieu contenant du ^{14}N, où on les laisse croître pendant deux générations (l'ADN se réplique deux fois). On centrifuge ensuite l'ADN extrait de ces bactéries. Quelle devrait être la distribution de la masse volumique de l'ADN à la suite de cette expérience? On devrait obtenir:
   a) une bande d'ADN lourd et une bande d'ADN léger.
   b) une bande de masse volumique intermédiaire.
   c) une bande d'ADN lourd et une bande d'ADN de masse volumique intermédiaire.
   d) une bande d'ADN léger et une bande d'ADN de masse volumique intermédiaire.
   e) une bande d'ADN léger.

3. Une biochimiste a isolé et purifié des molécules nécessaires à la réplication de l'ADN. Lorsqu'elle leur a ajouté un peu d'ADN, une réplication s'est produite, mais chaque molécule d'ADN qui s'est formée se compose d'un brin d'ADN normal apparié à un grand nombre de segments d'ADN d'une longueur de quelques centaines de nucléotides. Quel élément ne se trouvait probablement pas dans le mélange?
   a) L'ADN polymérase.
   b) L'ADN ligase.
   c) Les nucléotides.
   d) Les fragments d'Okazaki.
   e) La primase.

4. Pourquoi y a-t-il une différence entre la synthèse d'un brin directeur et celle d'un brin discontinu dans les molécules d'ADN?
   a) Les origines de réplication ne se trouvent qu'à l'extrémité 5′ de la molécule.
   b) Les hélicases et les protéines fixatrices d'ADN monocaténaire agissent à l'extrémité 5′.
   c) Les ADN polymérases ne peuvent ajouter de nouveaux nucléotides qu'à l'extrémité 3′ d'un brin en cours de synthèse.
   d) L'ADN ligase ne fonctionne que dans le sens 3′ → 5′.
   e) Les ADN polymérases ne peuvent fonctionner que sur un brin à la fois.

5. Si l'on comptait le nombre de bases de chaque type contenues dans un échantillon d'ADN, quel résultat serait en accord avec les règles d'appariement des bases?
   a) A = G.
   b) A + G = C + T.
   c) A + T = G + T.
   d) A = C.
   e) G = T.

6. Dans l'ADN d'un organe particulier d'une espèce X, les adénines représentent 31 % des bases azotées. Quel est alors le rapport entre les paires A-T et les paires C-G?
   a) 1,00.
   b) 0,82.
   c) 0,61.
   d) 3,26.
   e) 1,63.

7. Dans une molécule d'ADN, laquelle des caractéristiques suivantes peut varier?
   a) Le nombre de liaisons hydrogène entre deux bases azotées données.

b) La séquence linéaire des bases azotées formant chacun des brins de l'hélice double.
c) Le nombre de paires de bases azotées par tour d'hélice.
d) L'appariement d'une base azotée donnée avec les trois autres.
e) La constitution du squelette formant les cordes de l'échelle.

8. La synthèse d'un nouveau brin d'ADN commence habituellement par:
   a) une amorce d'ARN.
   b) une amorce d'ADN.
   c) un fragment d'Okazaki.
   d) l'ADN ligase.
   e) un dimère de thymine.
9. Une cellule eucaryote sans télomérase:
   a) ne pourrait pas prélever l'ADN dans la solution environnante.
   b) ne pourrait identifier et corriger les nucléotides mal appariés dans ses brins d'ADN nouvellement formés.
   c) subirait une réduction graduelle de la longueur de ses chromosomes à chaque réplication.
   d) aurait plus de chances de devenir cancéreuse.
   e) serait incapable de relier les fragments d'Okazaki.
10. Durant la synthèse de l'ADN, l'élongation du brin directeur:
    a) se poursuit à partir de la fourche de réplication.
    b) se déroule dans le sens 3′ → 5′.
    c) produit des fragments d'Okazaki.
    d) dépend de l'action de l'ADN polymérase.
    e) s'effectue sans brin matrice.
11. Dans quel ordre les molécules suivantes interviennent-elles lors de la synthèse des fragments d'Okazaki?
    a) ADN pol I, ligase, ADN pol III, primase.
    b) Primase, ADN pol III, ADN pol I, ligase.
    c) Ligase, primase, ADN pol I, ADN pol III.
    d) Primase, ADN pol I, ligase, ADN pol III.
    e) ADN pol III, ADN pol I, primase, ligase.
12. La perte spontanée de groupements amine par l'adénine produit de l'hypoxanthine, une base azotée anormale qui s'apparie à la thymine. À l'aide de quelle combinaison de molécules la cellule peut-elle réparer ce type de dommage?
    a) D'endonucléase, d'ADN polymérase et d'ADN ligase.
    b) De télomérase, d'ADN primase et d'ADN polymérase.
    c) De télomérase, d'hélicase et de protéines fixatrices d'ADN monocaténaire.
    d) D'ADN ligase, de protéines de réplication et d'adénylcyclase.
    e) D'endonucléase, de télomérase et d'ADN primase.
13. On a remarqué que les anomalies touchant les enzymes de réparation de l'ADN contribuent à l'apparition de certaines formes de cancer; quelle est la conclusion la plus logique de cette observation?
    a) Le cancer est généralement héréditaire.
    b) Sans correction d'épreuves, les modifications de l'ADN peuvent aboutir à un cancer.
    c) Le cancer ne peut pas apparaître lorsque les enzymes de réparation de l'ADN remplissent leurs fonctions de façon adéquate.
    d) Les mutations aboutissent généralement au cancer.
    e) Le cancer est provoqué par des facteurs environnementaux qui endommagent les enzymes de réparation de l'ADN.

Lien avec l'évolution

De nombreuses bactéries répondent au stress environnemental en accélérant la fréquence des mutations au cours de la division cellulaire. Comment ce phénomène peut-il se produire et quel pourrait être l'avantage de cette aptitude sur le plan de l'évolution?

Intégration

1. Démontrez votre compréhension de l'expérience de Meselson-Stahl en répondant aux questions suivantes.
   a) Décrivez dans vos propres mots ce que représente, à la figure 16.11, chacune des bandes dans les éprouvettes obtenues après centrifugation.
   b) Supposez que l'expérience est effectuée de la façon suivante: les bactéries sont d'abord cultivées pendant plusieurs générations dans un milieu contenant l'isotope de l'azote le plus léger, ^{14}N; puis, elles sont transférées dans un milieu contenant ^{15}N. Le reste de l'expérience se déroule de la même façon qu'à la figure 16.11. Dessinez une nouvelle figure qui rende compte de cette expérience et prédisez la position des bandes après une génération et après deux générations si chacun des trois modèles illustrés à la figure 16.10 était vrai.
2. Annie raconte à Viviane, enseignante en biologie, que depuis l'âge de 15 ans elle rédige un journal où elle note les événements quotidiens. Au début, elle avait le temps d'écrire tous les jours, mais depuis quelques années elle écrit tous les trois jours. Quand elle se met à écrire, elle commence alors par décrire les faits du jour présent, puis ceux de la veille et termine par ceux d'il y a deux jours. Viviane, toujours à l'affût de matériel pour ses cours, réalise en l'écoutant qu'Annie vient de lui fournir une belle comparaison qui va lui servir à expliquer la synthèse du brin directeur et des fragments d'Okazaki. Montrez en quoi les pratiques (anciennes et actuelles) d'Annie peuvent être comparées à la synthèse des deux brins de l'ADN.

Science, technologie et société

En science, la coopération et la rivalité sont deux phénomènes communs. Quel a été le rôle de ces deux comportements sociaux dans la découverte de la double hélice par Watson et Crick? En quoi la rivalité entre scientifiques peut-elle accélérer l'avancement d'un domaine scientifique? En quoi peut-elle le ralentir?

Réponses du chapitre 16

Retour sur le concept 16.1

1. L'ADN des cellules pathogènes mortes de la souche L est assimilé par les cellules vivantes de la souche inoffensive R. L'ADN des cellules L a permis aux cellules R de fabriquer une capsule qui les protège contre le système immunitaire de la souris. De cette façon, les cellules de la souche R ont été transformées en cellules pathogènes de la souche L.
2. Une fois les protéines marquées à l'aide d'isotopes radioactifs (milieu 1), la radioactivité serait détectée dans le culot des cellules bactériennes.
3. Selon les règles de Chargaff, les pourcentages de A et T et de G et C présents dans l'ADN sont à peu près égaux, et les données sur les mouches sont conformes à ces règles. (De légères variations sont dues aux limites des techniques d'analyse.)
4. Chaque A effectue des liaisons hydrogène avec un T; par conséquent, dans une double hélice, leurs nombres sont égaux. Le même raisonnement s'applique à G et C.

Retour sur le concept 16.2

1. L'appariement des bases complémentaires fait en sorte que les deux molécules filles sont des copies exactes de la molécule mère. Lorsque les deux brins de la molécule mère se séparent, chacun d'eux devient une matrice sur laquelle des nucléotides peuvent être ordonnés par appariement des bases et former un nouveau brin complémentaire.

2. L'ADN pol III ajoute des nucléotides aux nouveaux brins d'ADN par liaison covalente et effectue une « correction d'épreuves » de chacun des nouveaux nucléotides (vérification de l'appariement des bases).
3. La synthèse du brin directeur est initiée par une amorce d'ARN, qui doit être enlevée et remplacée par de l'ADN ; cette tâche est accomplie par l'ADN pol I. Dans la petite illustration de la figure 16.16, juste à gauche de l'origine de réplication, l'ADN pol I remplacerait l'amorce du brin directeur par des nucléotides d'ADN.
4. Les extrémités des chromosomes eucaryotes deviennent plus courtes à chaque réplication d'ADN, et les télomères aux extrémités des molécules d'ADN font en sorte que les gènes ne sont pas perdus après de nombreuses réplications.

Autoévaluation

1. c ; **2.** d ; **3.** b ; **4.** c ; **5.** b ; **6.** e ; 7. b ; 8. a ; 9. c ; **10.** d ; 11. b ; **12.** a ; **13.** b.

17

Du gène à la protéine

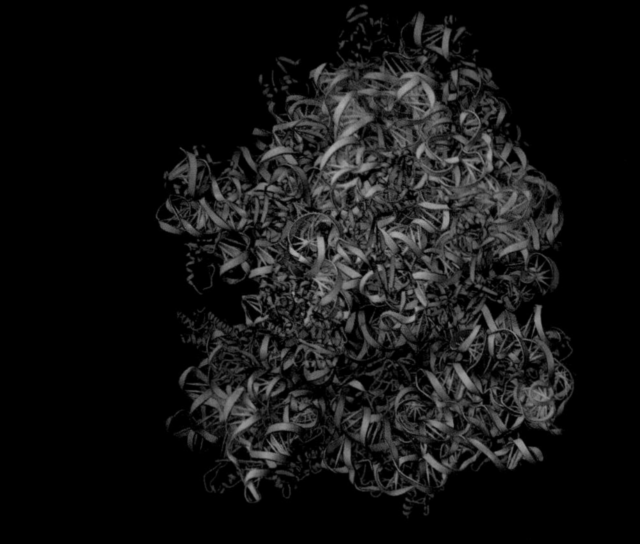

▲ **Figure 17.1 Un ribosome, un des éléments du dispositif de synthèse des protéines.**

Concepts clés

17.1 **Les gènes codent pour les protéines par l'intermédiaire de la transcription et de la traduction**

17.2 **La transcription est la synthèse de l'ARN à partir de l'ADN :** ***une étude détaillée***

17.3 **Dans les cellules eucaryotes, l'ARN est modifié après avoir été transcrit**

17.4 **La traduction est la synthèse d'un polypeptide à partir de l'ARN messager :** ***une étude détaillée***

17.5 **L'ARN a plusieurs fonctions dans la cellule :** ***une révision***

17.6 **La comparaison de l'expression génique chez les cellules procaryotes et les organismes eucaryotes révèle des différences importantes**

17.7 **Les mutations ponctuelles peuvent modifier la structure et la fonction des protéines**

Introduction

La transmission de l'information génétique

L'information contenue dans l'ADN, c'est-à-dire le matériel génétique, se présente sous la forme de séquences nucléotidiques précises, alignées sur les brins d'ADN. Mais comment s'opère le lien entre cette information et les caractères d'un organisme donné ? En d'autres termes, que dit vraiment le gène, et comment les cellules traduisent-elles son message en caractères précis, tels que la couleur des cheveux ou le groupe sanguin ?

Revenons aux pois de Mendel. Mendel avait notamment étudié la longueur des tiges (voir le tableau 14.1, p. 274). Il ignorait les causes physiologiques de la différence entre la variété de pois à tige longue et celle à tige naine, mais les botanistes en ont trouvé l'explication depuis lors : les pois à tige naine ne produisent pas les hormones de croissance appelées gibbérellines, qui stimulent le développement normal des tiges. S'il est traité aux gibbérellines provenant d'une source externe, un individu à tige naine atteindra une hauteur normale. Les sujets à tige naine ne produisent pas leurs propres gibbérellines, parce qu'il leur manque une enzyme clé sans laquelle ils ne peuvent les synthétiser. Et cette protéine est absente parce que le gène qui dirige sa synthèse ne fonctionne pas correctement.

Cet exemple illustre le thème principal de ce chapitre : c'est en dictant la synthèse de certaines protéines que l'ADN d'un organisme produit des caractères spécifiques. Autrement dit, les protéines représentent le lien entre le génotype et le phénotype. Le processus par lequel l'ADN régit la synthèse des protéines, l'*expression génique*, comporte deux étapes appelées transcription et traduction. À la **figure 17.1**, on peut voir l'image informatisée d'un ribosome, un des éléments du dispositif cellulaire de traduction lors de la synthèse polypeptidique. Dans le présent chapitre, nous étudierons en détail la transmission de l'information des gènes aux protéines. Dans la dernière partie, vous comprendrez comment les mutations génétiques, comme celle qui est responsable du nanisme chez les pois, influent sur les organismes en modifiant leurs protéines.

Concept 17.1

Les gènes codent pour les protéines par l'intermédiaire de la transcription et de la traduction

Avant d'étudier en détail la façon dont les gènes dirigent la synthèse des protéines, prenons le temps d'examiner comment la relation fondamentale qui existe entre les gènes et les protéines a été découverte.

Une preuve à partir de l'étude de maladies métaboliques

En 1909, le médecin britannique Archibald Garrod a émis l'hypothèse selon laquelle les gènes déterminent les phénotypes par l'intermédiaire d'enzymes catalysant certaines réactions chimiques précises dans la cellule. Il a posé comme postulat que les maladies héréditaires reflètent une incapacité à produire une enzyme particulière. Il a qualifié celles-ci d'« erreurs innées du métabolisme ». Il a pris comme exemple une maladie héréditaire appelée alcaptonurie. Les individus atteints de cette affection produisent une urine qui paraît noire et leur peau de même que leur sueur peuvent prendre une coloration foncée, parce que l'urine, le tissu conjonctif sous-cutané et la sueur contiennent de l'homogentisate (un sel autrefois appelé alcaptone). Il s'agit d'une substance chimique qui devient foncée au contact de l'air. Garrod a supposé que les individus normaux produisent une enzyme qui dégrade l'homogentisate, tandis que les personnes alcaptonuriques ont hérité d'une incapacité à fabriquer cette enzyme.

En formulant une telle hypothèse, Garrod était en avance sur son temps. Des recherches effectuées plusieurs décennies plus tard ont permis de confirmer que la fonction d'un gène est bel et bien de dicter la production d'une enzyme spécifique. Les biochimistes ont apporté de nombreux éléments de preuve pour expliquer comment les cellules synthétisent et dégradent la plupart des molécules organiques : elles empruntent des voies métaboliques dans lesquelles chacune des réactions chimiques d'une séquence particulière est catalysée par une enzyme spécifique. Ce sont ces voies métaboliques qui mènent, par exemple, à la synthèse des pigments qui confèrent une couleur donnée aux yeux des drosophiles (voir la figure 15.3). Dans les années 1930, George Beadle et Boris Ephrussi ont émis l'hypothèse selon laquelle chacune des diverses mutations affectant la couleur des yeux des drosophiles bloque la synthèse d'un pigment particulier. Ce blocage survient à un stade spécifique et empêche la production de l'enzyme catalysant l'étape correspondante. Cependant, à l'époque, on ignorait tout des réactions chimiques en question et des enzymes qui les catalysent.

*Les mutants auxotrophes** *de* Neurospora

Quelques années plus tard, George Beadle et Edward Tatum ont fait une découverte décisive touchant la relation entre gènes et enzymes. Ils ont effectué leurs recherches sur la moisissure rouge du pain, *Neurospora crassa*, un organisme qui passe la majeure partie de son cycle de développement, d'ailleurs très court, à l'état haploïde, ce qui empêche les mutations d'être masquées par l'allèle dominant. (Le cycle de développement de *Neurospora* sera vu au chapitre 31.) Beadle et Tatum ont bombardé cet organisme avec des rayons X et cherché, parmi les survivants, des mutants n'ayant pas les mêmes besoins nutritionnels que les individus du type sauvage. Précisons ici que ces derniers ont des besoins en nutriments limités. En laboratoire, *Neurospora* peut survivre sur de l'agar (un milieu de culture humide) auquel on a simplement ajouté un mélange de sels inorganiques, de saccharose et de biotine (une vitamine hydrosoluble). À partir de ce *milieu minimal*, la moisissure en question produit toutes les molécules (y compris les acides aminés) dont elle a besoin par l'intermédiaire de ses voies métaboliques. Mais Beadle et Tatum ont identifié des mutants incapables de survivre dans le milieu minimal : ils ne pouvaient apparemment pas synthétiser certaines molécules essentielles à partir des ingrédients disponibles. Toutefois, la plupart d'entre eux pouvaient survivre dans un *milieu de culture complet*, c'est-à-dire un milieu minimal auquel les 20 acides aminés et quelques autres nutriments avaient été ajoutés.

Déterminés à mettre en évidence l'anomalie métabolique présente chez les mutants, Beadle et Tatum ont prélevé des échantillons de chaque type de mutant survivant dans le milieu complet. Ils les ont répartis dans plusieurs récipients. Chacun de ceux-ci renfermait le milieu minimal ainsi qu'un seul nutriment supplémentaire. Les chercheurs ont pu établir la nature de l'anomalie métabolique en notant quel supplément permettait la croissance des organismes. Par exemple, si un mutant ne se développait que dans le récipient contenant un supplément d'arginine, c'est qu'il devait être atteint d'une déficience de la voie métabolique permettant la synthèse de cet acide aminé.

Beadle et Tatum ont ensuite entrepris de caractériser la déficience de chacun des mutants avec plus de précision. Les travaux qu'ils ont effectués sur ceux qui ont besoin d'arginine sont particulièrement instructifs. À partir de croisements génétiques, ils ont établi que leurs mutants pour l'arginine se regroupaient en trois catégories, chacune de celles-ci portant une mutation sur un gène différent. Ils ont ensuite démontré qu'ils pouvaient identifier les diverses catégories de mutants en effectuant d'autres tests sur leurs besoins de croissance **(figure 17.2)**. Ils supposaient que, dans la voie métabolique menant à l'arginine, un nutriment précurseur est transformé en ornithine, qui est elle-même transformée en citrulline, qui est à son tour transformée en arginine. Effectivement, lorsqu'ils ont placé les mutants pour l'arginine dans des milieux contenant de l'ornithine ou de la citrulline, ou les deux, ils ont noté trois choses : certains individus pouvaient se développer en présence de l'un ou l'autre de ces produits (ou encore d'arginine) ; d'autres avaient besoin soit de citrulline, soit d'arginine ; enfin, d'autres encore ne pouvaient se contenter ni d'ornithine ni de citrulline : il leur fallait absolument de l'arginine. Ils ont conclu que, chez ces trois catégories de mutants, il y avait un blocage à différentes étapes de la voie de synthèse de l'arginine et qu'il leur manquait l'enzyme catalysant l'étape correspondante.

Comme un seul gène était déficient dans chaque cas, les résultats obtenus par Beadle et Tatum constituaient un argument de taille en faveur de l'hypothèse qu'ils ont appelée *un gène, une enzyme* : selon celle-ci, chaque gène a pour fonction de diriger la production d'une enzyme particulière. Les chercheurs ont également montré que l'on peut allier la génétique et la biochimie pour comprendre les étapes d'une voie métabolique. Des expériences biochimiques ultérieures ont permis d'identifier les enzymes qui étaient absentes chez les mutants. Cela a renforcé l'hypothèse d'un gène, une enzyme.

Les produits de l'expression génique : une histoire à suivre

Au fur et à mesure que des connaissances plus précises sur les protéines ont été accumulées, il a fallu apporter de petites modifications à l'hypothèse d'un gène, une enzyme. En premier lieu, toutes les protéines ne sont pas des enzymes. Ainsi, la kératine, qui est la protéine structurale du poil des Mammifères, et l'insuline, une hormone, sont deux protéines non enzymatiques. Comme certains gènes commandent la synthèse de protéines qui ne sont pas des enzymes, les biologistes moléculaires se sont mis

* *Auxotrophe* se dit d'un mutant dont la croissance nécessite un apport extérieur d'un nutriment, ce mutant étant devenu incapable de le synthétiser par lui-même.

Figure 17.2

Investigation Est-ce que des gènes individuels codent pour la production de différentes enzymes dans la biosynthèse de l'arginine?

EXPÉRIENCE Au cours de leurs travaux sur la moisissure rouge du pain, *Neurospora crassa*, George Beadle et Edward Tatum ont isolé des mutants qui ont besoin d'arginine dans leur milieu de culture et, à partir de croisements génétiques, ils ont établi que leurs mutants se regroupaient en trois catégories, chacune de celles-ci portant une mutation sur un gène différent. D'autres études leur ont permis de supposer que la voie métabolique de la biosynthèse de l'arginine comportait l'ornithine et la citrulline comme précurseurs. Dans leur expérience la plus célèbre, que nous illustrons ci-dessous, ils ont mis à l'épreuve leur hypothèse un gène, une enzyme et leur postulat sur la voie métabolique de l'arginine. Dans cette expérience, ils ont placé leurs trois classes de mutants et la souche de type sauvage dans quatre milieux de croissance différents illustrés ci-dessous dans la section Résultats.

RÉSULTATS La souche de type sauvage peut croître dans un milieu de croissance minimal. Les trois types de mutants avaient des exigences différentes les uns des autres.

	Type sauvage	Mutants, catégorie I	Mutants, catégorie II	Mutants, catégorie III
Milieu minimal (MM) (témoin)				
MM + ornithine				
MM + citrulline				
MM + arginine (témoin)				

CONCLUSION À partir des résultats de l'expérience de croissance, Beadle et Tatum ont conclu qu'il manquait à chaque catégorie l'une des étapes de la voie de synthèse de l'arginine, probablement parce que les mutants ne produisaient pas l'enzyme correspondante. Étant donné que chacun des mutants portait une mutation sur un seul gène, ils en ont conclu que chaque gène mutant doit normalement coder pour la production d'une enzyme. Leurs résultats constituaient un argument en faveur de l'hypothèse un gène, une enzyme et confirmaient également la voie métabolique de l'arginine. (Notez qu'un mutant ne peut se développer que si on lui fournit un composé synthétisé *après* l'étape défectueuse.)

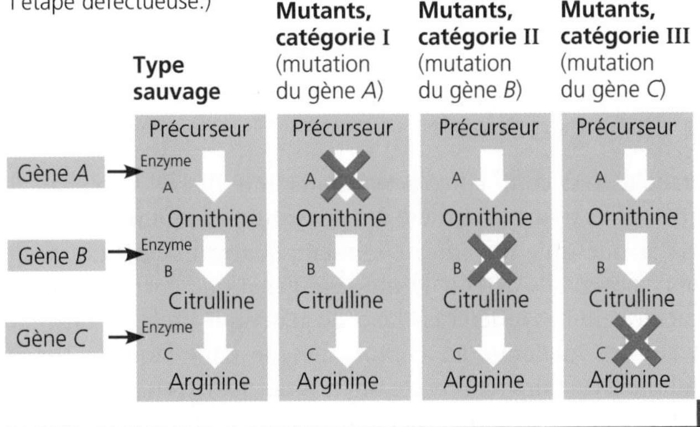

à penser qu'un gène correspondait à une protéine. Cependant, de nombreuses protéines sont construites à partir de deux ou de plusieurs chaînes polypeptidiques différentes, chacune ayant son propre gène. Par exemple, l'hémoglobine (une protéine des globules rouges des Vertébrés qui a pour fonction de transporter le dioxygène) est formée de deux types de polypeptides et est produite à partir de deux gènes (voir la figure 5.20). Il a donc fallu reformuler l'idée de Beadle et Tatum sous la forme **un gène, un polypeptide**. Toutefois, même sous cette forme, cet énoncé n'est pas tout à fait exact. Comme vous l'apprendrez plus loin dans le présent chapitre, certains gènes codent pour des molécules d'ARN qui ont des fonctions importantes dans les cellules même s'ils ne sont jamais traduits en protéines. Mais pour l'instant, nous nous limiterons aux gènes qui codent pour des polypeptides. Notons ici que l'on mentionne souvent les protéines plutôt que les polypeptides comme produits des gènes, et c'est la pratique qui a été adoptée dans le présent ouvrage.

Les principes généraux de la transcription et de la traduction

Les gènes contiennent les instructions qui permettent de fabriquer des protéines spécifiques, mais ils ne les construisent pas directement. C'est l'acide ribonucléique, ou ARN, qui établit le lien entre l'ADN et la synthèse des protéines. Comme vous l'avez appris au chapitre 5, l'ARN est semblable chimiquement à l'ADN. Cependant, dans l'ARN, un ribose (un glucide) remplace le désoxyribose, et l'uracile (une base azotée) remplace la thymine (voir la figure 5.26). Autrement dit, le long d'un brin d'ADN, chaque nucléotide est composé d'une base azotée qui peut être A, G, C ou T. Par contre, le long d'un brin d'ARN, chaque nucléotide est constitué d'une base azotée qui peut être A, G, C ou U. Par ailleurs, la molécule d'ARN est généralement formée d'un seul brin.

La description du passage de l'information du gène à la protéine se rapporte souvent à la linguistique: les acides nucléiques et les protéines contiennent des séquences spécifiques de monomères qui véhiculent une information, tout comme certaines séquences précises de lettres permettent de transmettre une information dans une langue donnée. Dans l'ADN et l'ARN, les quatre types de nucléotides constituent les monomères en question: ils diffèrent par leur base azotée. Les gènes se composent généralement de centaines ou de milliers de nucléotides, et chaque gène comporte une séquence de bases qui lui est spécifique. Dans les protéines aussi, chaque polypeptide présente des monomères alignés dans un ordre précis (la structure primaire des protéines). Toutefois, chacun de ceux-ci est l'un des 20 acides aminés qui caractérisent les êtres vivants. Les acides nucléiques et les protéines contiennent donc une information écrite dans deux langages chimiques différents. Le passage de l'un à l'autre se fait en deux étapes principales, appelées transcription et traduction.

La **transcription** est la synthèse d'ARN sous la direction de l'ADN. Les deux acides nucléiques utilisent le même langage, et l'information est simplement transcrite, ou transposée, d'une molécule à l'autre. La séquence de nucléotides d'ADN constitue une matrice servant à l'assemblage d'une séquence de nucléotides d'ARN, de la même façon qu'elle constitue une matrice pour la synthèse d'un brin complémentaire pendant la réplication de l'ADN. La molécule d'ARN qui en résulte est donc une transcription fidèle des instructions fournies par un gène en vue de la construction d'une protéine. Dans l'étude des gènes codant pour des protéines, ce type de molécule d'ARN est appelé **ARN messager (ARNm)**, parce qu'il joue le rôle de messager génétique entre l'ADN et le dispositif de synthèse protéique de la cellule. (D'une manière générale, on nomme transcription la synthèse de *tout type* d'ARN à partir d'une matrice d'ADN. Plus loin dans ce chapitre, vous verrez que l'ARNm n'est pas le seul type d'ARN produit par transcription.)

La **traduction** est la synthèse d'un polypeptide à partir de l'ARNm. À cette étape, il y a passage d'un langage à l'autre: la cellule doit traduire la séquence de bases d'une molécule d'ARNm en une séquence d'acides aminés appartenant à un polypeptide. La traduction se déroule dans les **ribosomes**, des particules complexes qui participent à la formation de chaînes polypeptidiques en permettant l'assemblage ordonné des acides aminés.

On peut se demander pourquoi les protéines ne sont pas tout simplement traduites directement à partir de l'ADN. Les raisons pour lesquelles l'ARN sert d'intermédiaire prennent leur source dans l'évolution. En premier lieu, cette façon de procéder garantit une protection de l'ADN et de son information génétique. Prenons une analogie: lorsqu'il trace le plan d'un édifice, un architecte conserve précieusement les plans originaux (analogues à l'ADN) et confie des *copies* (analogues à l'ARNm) aux ouvriers sur le site de la construction. Ainsi, les plans originaux demeurent intacts. En second lieu, utiliser l'ARNm comme intermédiaire permet de fabriquer simultanément plus de copies d'une protéine, étant donné qu'un gène produit de nombreux transcrits d'ARN. Ajoutons que chaque ARN transcrit peut être traduit à répétition.

Bien que le schéma général de la transcription et de la traduction soit semblable chez les organismes procaryotes et les organismes eucaryotes, il existe une différence importante sur le plan de la transmission de l'information au sein des cellules. Étant donné que les Bactéries n'ont pas de noyau, leur ADN côtoie les ribosomes et les autres outils essentiels à la synthèse protéique **(figure 17.3a)**. Comme vous le verrez plus loin, la traduction d'un ARN peut commencer pendant que sa transcription est en cours (voir la figure 17.22). Dans la cellule eucaryote, par contre, étant donné la présence de l'enveloppe nucléaire, la transcription et la traduction ne se déroulent ni au même endroit ni au même moment **(figure 17.3b)**. La transcription a lieu dans le noyau, puis l'ARNm est transporté dans le cytoplasme, où s'effectue la traduction. Cependant, avant de quitter le noyau, les transcrits d'ARN subissent diverses transformations. Ce n'est qu'après cela qu'ils deviennent des ARNm définitifs et fonctionnels. La transcription du gène eucaryote codant pour une protéine produit de l'*ARN prémessager*; ensuite, la **maturation de l'ARN** donne la version finale de l'ARNm. De façon plus générale, on appelle **transcrit primaire** la première version d'ARN qui résulte de la transcription d'un gène, y compris ceux qui codent pour un ARN qui n'est pas traduit en protéine.

Résumons donc: les gènes programment la synthèse des protéines par l'intermédiaire de messages génétiques qui se présentent sous la forme d'ARN messager. Autrement dit, les cellules sont régies par une chaîne de commandement de nature moléculaire: ADN → ARN → protéine; cette chaîne de commandement, qui a été proposée par Francis Crick, est devenue un dogme en biologie. On peut appliquer celui-ci à tous les organismes vivants (à l'exception de certains virus dont nous parlerons au chapitre 18). Dans la prochaine section, nous verrons comment les acides nucléiques encodent l'ordre d'assemblage des acides aminés.

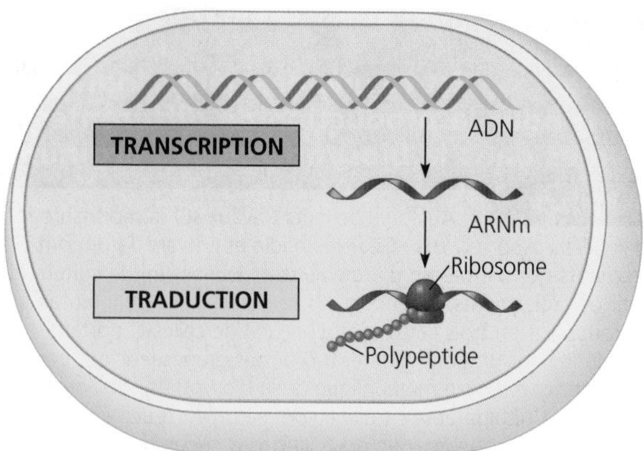

(a) Cellule procaryote. Dans une cellule sans noyau, l'ARNm produit par la transcription est immédiatement traduit, sans aucune maturation.

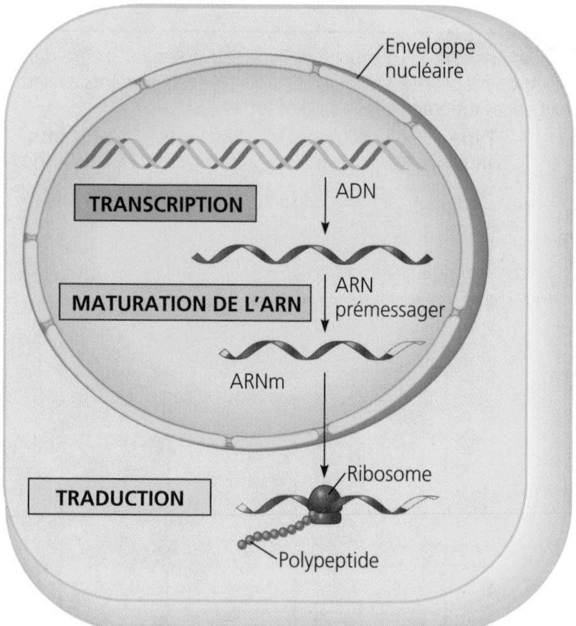

(b) Cellule eucaryote. Le noyau constitue un compartiment distinct, où se déroule la transcription. Le premier transcrit d'ARN, appelé ARN prémessager, subit une maturation en plusieurs étapes, puis il quitte le noyau sous forme d'ARNm.

▲ **Figure 17.3 Vue d'ensemble: le rôle de la transcription et de la traduction dans la transmission de l'information génétique.** Dans la cellule, l'information génétique passe de l'ADN à l'ARN, puis de l'ARN à la protéine. Les deux étapes principales de la transmission de l'information sont la transcription et la traduction. Plusieurs figures qui se trouvent plus loin dans ce chapitre sont accompagnées d'une image réduite de la partie a ou de la partie b. Cela vous aidera à situer les figures dans le processus global.

Le code génétique

Lorsqu'ils ont commencé à se douter que l'ADN contenait les instructions pour la synthèse des protéines, les biologistes se sont posé la question suivante: comment quatre nucléotides seulement peuvent-ils détenir le message génétique correspondant à 20 acides aminés différents? Le code génétique ne peut constituer un langage analogue au chinois, langue dans laquelle chaque symbole d'écriture représente un mot unique. Combien de bases, alors, correspondent à un acide aminé?

Les codons : des triplets de bases azotées

Si chaque base nucléotidique était traduite en un acide aminé, il ne pourrait y avoir que quatre acides aminés codés au lieu de 20. Alors, un langage avec des mots de deux lettres suffirait-il ? Par exemple, la séquence de bases AG désignerait un acide aminé, GT, un autre acide aminé, etc. Étant donné qu'il y a quatre bases, cela donnerait 16 (4^2) combinaisons possibles. Or, ce nombre ne suffit toujours pas à détenir le message génétique correspondant aux 20 acides aminés existants.

Les plus courtes séquences de longueur égale permettant de coder pour tous les acides aminés comprennent en fait trois bases azotées. En effet, si chaque combinaison de trois bases consécutives représente un acide aminé, il y a 4^3, soit 64, mots de code possibles ; c'est plus qu'il n'en faut pour représenter les 20 acides aminés. Des expériences ont permis de confirmer que le flux d'information allant du gène à la protéine repose sur un **code à triplets**. Les instructions pour la synthèse d'une chaîne polypeptidique se présentent sous la forme d'une série de mots composés chacun de trois nucléotides d'ADN. Par exemple, le triplet de bases AGT placé sur un certain site de l'ADN mène à l'insertion de l'acide aminé appelé sérine à la position correspondante sur la chaîne polypeptidique en cours de synthèse.

Au cours de la transcription, le gène détermine la séquence des bases d'une molécule d'ARNm **(figure 17.4)**. Un seul des deux brins d'ADN de chaque gène est transcrit. Nous l'appellerons **brin codant** (d'autres auteurs l'appellent *brin matrice* et réservent le terme *brin codant* pour le brin complémentaire) ; il sert de matrice pour l'agencement des séquences de nucléotides du transcrit d'ARN. Un brin d'ADN donné peut servir de brin codant pour certains gènes le long d'une molécule d'ADN, alors que pour d'autres gènes dans d'autres régions, c'est le brin complémentaire qui peut fonctionner comme matrice. Notez, cependant, que pour un gène donné, le même brin sert de matrice chaque fois qu'il est transcrit.

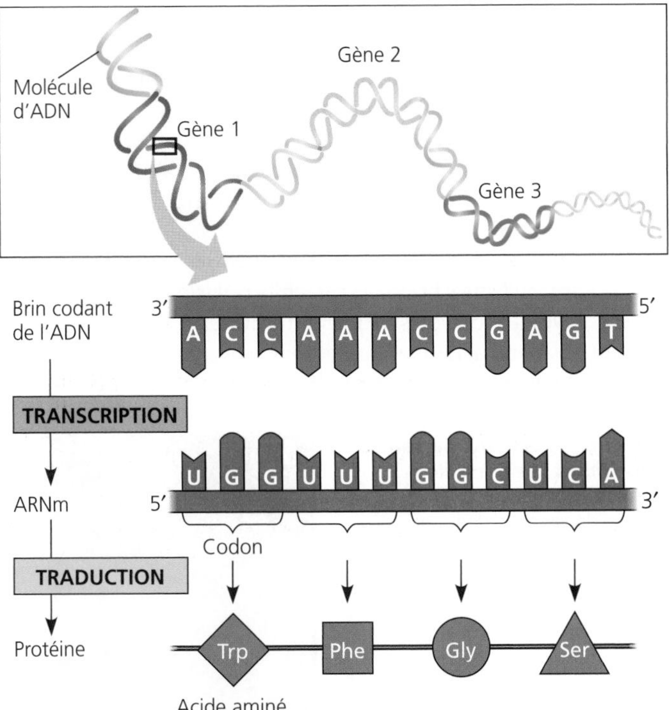

▲ **Figure 17.4 Le code à triplets.** Un seul brin d'ADN sert de matrice pour la transcription de chaque gène. Les règles de l'appariement des bases qui régissent la synthèse de l'ADN s'appliquent également à la transcription, mais l'uracile (U) remplace la thymine (T) dans l'ARN. Pendant la traduction, l'ARNm est lu comme une séquence de triplets de bases azotées appelés codons. Chaque codon représente un acide aminé qui doit être ajouté au bout de la chaîne polypeptidique en cours de synthèse. L'ARNm est lu dans le sens 5′ → 3′.

La molécule d'ARNm et sa matrice d'ADN ne sont pas identiques, mais complémentaires : les bases de l'ARN s'assemblent sur la matrice suivant les règles de l'appariement des bases. Les paires de bases sont identiques à celles qui se forment pendant la réplication de l'ADN, à une différence près : dans l'ARN, c'est U et non T qui s'apparie avec A, et les nucléotides contiennent le ribose au lieu du désoxyribose. Tout comme un nouveau brin d'ADN, la molécule d'ARN est synthétisée dans le sens antiparallèle du brin codant de l'ADN. (Pour revoir ce que signifie « antiparallèle » et ce que sont les extrémités 5′ et 3′ d'une chaîne d'acides nucléiques, consultez la figure 16.7.) Par exemple, le triplet ACC de l'ADN (écrit sous la forme 3′-ACC-5′) constitue la matrice pour 5′-UGG-3′ dans la molécule d'ARNm. Les triplets de l'ARNm sont appelés **codons**, et sont habituellement écrits dans le sens 5′ → 3′. Dans notre exemple, UGG est le codon de l'acide aminé appelé tryptophane (dont l'abréviation est Trp). Notons ici que le terme *codon* désigne parfois aussi les triplets de l'ADN sur le brin *non codant*. Ces codons sont complémentaires au brin codant et par conséquent de séquence identique à l'ARNm, à la différence près qu'ils comportent T et non U ; nous préférons appeler **génons** ces triplets d'ADN afin d'éviter toute confusion.

Au cours de la traduction, la séquence de codons alignés sur la molécule d'ARNm est décodée, ou traduite, en une séquence d'acides aminés constituant une chaîne polypeptidique. Le dispositif de traduction lit les codons dans le sens 5′ → 3′ le long de l'ARNm. Chaque codon présent sur la molécule d'ARNm détermine lequel des 20 acides aminés sera inséré à la position correspondante dans le polypeptide. Comme les codons sont des triplets de bases azotées, le nombre de nucléotides constituant le message génétique doit être trois fois plus élevé que le nombre d'acides aminés composant la protéine finale. Par exemple, il faut une séquence codante de 300 nucléotides sur un brin d'ARNm pour coder un polypeptide long de 100 acides aminés.

Le décryptage du code

Les biologistes moléculaires ont décrypté le code de la vie au début des années 1960. À cette époque, une série d'expériences remarquables ont permis de connaître la traduction de chaque codon d'ARNm en un acide aminé. Marshall Nirenberg et Heinrich Matthaei des National Institutes of Health, aux États-Unis, ont déchiffré le premier codon en 1961. Ils ont synthétisé un ARNm artificiel en reliant des nucléotides d'ARN identiques, dont la base était toujours l'uracile. Ainsi, peu importait où le message commençait ou finissait : il ne contenait qu'un seul codon, UUU, répété plusieurs fois. Dans une éprouvette, Nirenberg a ajouté ce « poly-U » à un mélange contenant des acides aminés, des ribosomes et les autres molécules nécessaires à la synthèse des protéines chez *E. coli.* Son système artificiel a traduit le poly-U en un polypeptide formé d'une longue chaîne de phénylalanine (Phe) ; le codon d'ARNm UUU représentait donc le code de la phénylalanine. Peu de temps après, on a trouvé les acides aminés correspondant aux codons AAA, GGG et CCC.

Il a fallu employer des techniques plus élaborées pour décoder des triplets mixtes, tels que AUA et CGA. Toutefois, vers le milieu des années 1960, les 64 codons étaient déchiffrés. Comme vous pouvez le voir à la **figure 17.5**, sur les 64 triplets, 61 codent pour les acides aminés. Les trois codons qui ne désignent pas des acides aminés (UAA, UAG et UGA) codent pour des signaux d'« arrêt » marquant la fin de la traduction. Remarquez que le triplet AUG a une double fonction : il détient le message génétique correspondant à un acide aminé, la méthionine (Met), et il sert aussi de signal de « départ ». Tous les messages génétiques commencent par le codon AUG. Celui-ci indique où le dispositif de synthèse protéique doit entreprendre la traduction de l'ARNm. (Étant donné que AUG code également pour la méthionine, toutes les chaînes peptidiques nouvellement synthétisées débutent par cet acide aminé. Plus tard, une enzyme peut détacher celui-ci du polypeptide.)

En consultant la figure 17.5, vous pouvez remarquer que le code génétique est *redondant*; il n'est cependant jamais ambigu. Le tryptophane et la méthionine sont les deux seuls acides aminés désignés par un unique codon. Tous les autres acides aminés sont désignés par au moins deux codons et certains par six (redondance). Par exemple, GAA et GAG donnent tous deux l'acide glutamique. Toutefois, aucun codon ne code pour plus d'un acide aminé (pas d'ambiguïté). La redondance du code n'est pas seulement l'effet du hasard. Dans de nombreux cas, les codons « synonymes » ne diffèrent que par la troisième base du triplet. Plus loin dans ce chapitre, nous verrons un des avantages de cette redondance.

Deuxième base de l'ARNm

Première base de l'ARNm (extrémité 5')	U	C	A	G	Troisième base de l'ARNm (extrémité 3')
U	UUU Phe	UCU Ser	UAU Tyr	UGU Cys	U
	UUC Phe	UCC Ser	UAC Tyr	UGC Cys	C
	UUA Leu	UCA Ser	UAA Arrêt	UGA Arrêt	A
	UUG Leu	UCG Ser	UAG Arrêt	UGG Trp	G
C	CUU Leu	CCU Pro	CAU His	CGU Arg	U
	CUC Leu	CCC Pro	CAC His	CGC Arg	C
	CUA Leu	CCA Pro	CAA Gln	CGA Arg	A
	CUG Leu	CCG Pro	CAG Gln	CGG Arg	G
A	AUU Ile	ACU Thr	AAU Asn	AGU Ser	U
	AUC Ile	ACC Thr	AAC Asn	AGC Ser	C
	AUA Ile	ACA Thr	AAA Lys	AGA Arg	A
	AUG Met ou départ	ACG Thr	AAG Lys	AGG Arg	G
G	GUU Val	GCU Ala	GAU Asp	GGU Gly	U
	GUC Val	GCC Ala	GAC Asp	GGC Gly	C
	GUA Val	GCA Ala	GAA Glu	GGA Gly	A
	GUG Val	GCG Ala	GAG Glu	GGG Gly	G

▲ **Figure 17.5 Le dictionnaire du code génétique.** Dans ce tableau, on désigne les trois bases d'un codon d'ARNm par première, deuxième et troisième base. Elles sont lues dans le sens 5′ → 3′ de l'ARNm. (Exercez-vous à vous servir de ce dictionnaire en trouvant les codons de la figure 17.4.) Le codon AUG code pour l'acide aminé méthionine (Met) ; il constitue aussi un signal de « départ » montrant l'endroit où les ribosomes doivent commencer à traduire l'ARNm. Trois des 64 codons sont des signaux d'« arrêt » : le message génétique se termine par l'un ou l'autre de ces codons de terminaison.

Un message écrit ne peut être compris que si les symboles sont lus dans le bon ordre et selon les bons groupements ; c'est ce que l'on appelle le **cadre de lecture**. Prenons, par exemple, la phrase suivante : « Ils ont élu roi mon ami qui fut ému. » Si l'on forme des groupements erronés en commençant au mauvais endroit, le message devient incompréhensible : « lso nté lur oim ona miq uif uté. » Le cadre de lecture revêt une importance cruciale dans le langage moléculaire de la cellule. La synthèse du court segment polypeptidique représenté à la figure 17.4 ne se fait correctement que si les nucléotides d'ARNm sont lus de gauche à droite (5′ → 3′) et selon les groupements suivants : UGG UUU GGC UCA. Bien qu'aucun espace ne sépare les différents codons dans le message génétique, celui-ci est lu comme une série de mots de trois lettres seulement par les enzymes de la synthèse protéique de la cellule. En d'autres termes, les codons ne chevauchent pas. Ils sont lus successivement et non comme une série de triplets qui se recouvrent (UGGUUU, etc.), ce qui produirait un message totalement différent.

L'évolution du code génétique

Le code génétique est presque universel ; il est le même chez des organismes aussi différents que les Archéobactéries, les Bactéries, les Protistes, les Eumycètes, les Végétaux et les Animaux les plus complexes. Par exemple, la traduction du codon CCG de l'ARNm donne l'acide aminé proline chez tous les organismes dont on a examiné le code génétique. Au cours d'expériences de laboratoire, des ARNm peuvent être traduits et des gènes peuvent être transcrits et traduits après avoir été transplantés d'une espèce à une autre **(figure 17.6)**. Il est possible, par exemple, de programmer des bactéries en y insérant un gène humain pour leur faire produire certaines protéines humaines utiles sur le plan médical. Dans le domaine de la biotechnologie, des applications de cette nature ont abouti à de nombreux développements très intéressants, dont nous parlerons au chapitre 20.

Le code génétique n'est pas absolument universel : il existe des systèmes de traduction dans lesquels certains codons diffèrent de ceux de la majorité des organismes. On trouve de légères variations dans le code génétique des gènes du noyau de certains Eucaryotes unicellulaires (paramécies, par exemple) et dans les gènes des organites (mitochondries et chloroplastes) chez certaines espèces. Des Procaryotes peuvent traduire des codons d'arrêt en l'un des deux acides aminés absents chez la plupart des organismes. Malgré ces exceptions, la signification évolutive de la

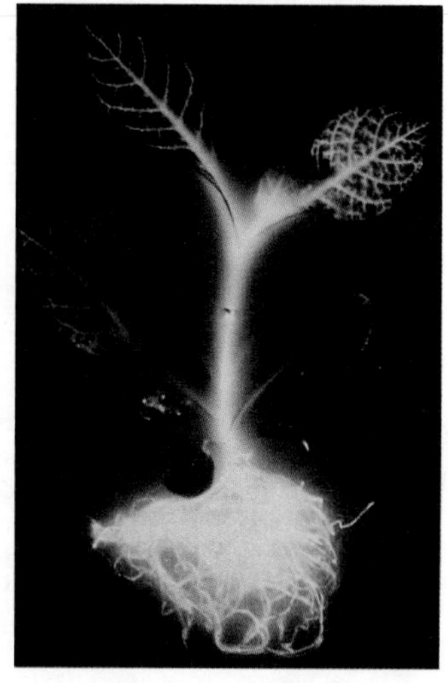

▶ **Figure 17.6 Plant de tabac exprimant un gène de luciole.** Comme les diverses formes de vie possèdent un code génétique commun, il est possible de programmer une espèce afin qu'elle produise des protéines propres à une autre espèce ; pour ce faire, on lui transplante de l'ADN provenant de cette dernière. Dans l'expérience illustrée ici, des chercheurs ont incorporé un gène de luciole dans l'ADN d'un plant de tabac. Le gène en question code pour l'enzyme catalysant une réaction chimique qui produit, chez la luciole, de l'énergie lumineuse.

quasi-universalité du code génétique est claire. Ce langage a dû apparaître assez tôt dans l'histoire de la vie pour se retrouver chez les ancêtres communs à tous les organismes actuels. L'existence d'un vocabulaire génétique commun nous rappelle les liens de parenté qui unissent toutes les formes de vie présentes sur Terre.

Retour sur le concept 17.1

1. Dessinez le brin non codant de l'ADN pour la matrice illustrée à la figure 17.4. Comparez la séquence de ses bases avec celle de la molécule d'ARNm.
2. Combien d'acides aminés la protéine produite par un ARNm poly-G long de trente nucléotides aura-t-elle et de quelle nature seront ces acides aminés?

Voir les réponses proposées à la fin du chapitre.

Concept 17.2

La transcription est la synthèse de l'ARN à partir de l'ADN: *une étude détaillée*

Après ces considérations sur l'aspect linguistique et la signification du code génétique du point de vue de l'évolution, abordons plus en détail la transcription, la première étape de l'expression génique.

Les composantes moléculaires de la transcription

L'ARN messager est transcrit à partir du brin codant d'un gène. Il transmet l'information de l'ADN aux structures cellulaires assurant la synthèse des protéines. Une enzyme appelée **ARN polymérase** écarte les deux brins d'ADN et assemble les nucléotides d'ARN au fur et à mesure que leur base s'apparie avec la matrice d'ADN **(figure 17.7)**. À l'instar des ADN polymérases, qui assurent la réplication de l'ADN, les ARN polymérases ne peuvent assembler un polynucléotide que dans le sens 5′ → 3′. Par contre, contrairement aux ADN polymérases, les ARN polymérases peuvent commencer la synthèse d'une chaîne sans l'aide d'une amorce.

Des séquences particulières de nucléotides dans l'ADN marquent le début et la fin de la transcription du gène. La séquence d'ADN à laquelle l'ARN polymérase se lie pour commencer la transcription est appelée **promoteur**. Celui-ci agit comme un guide qui oriente le travail de l'ARN polymérase. Chez les

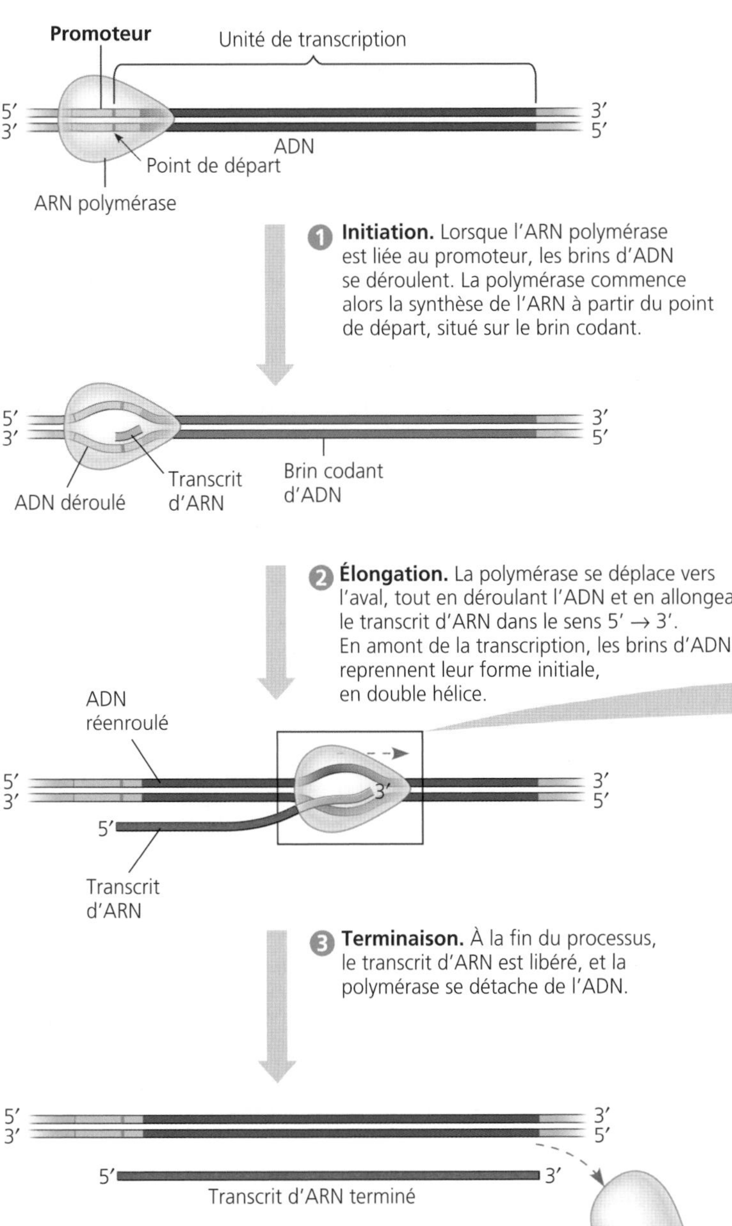

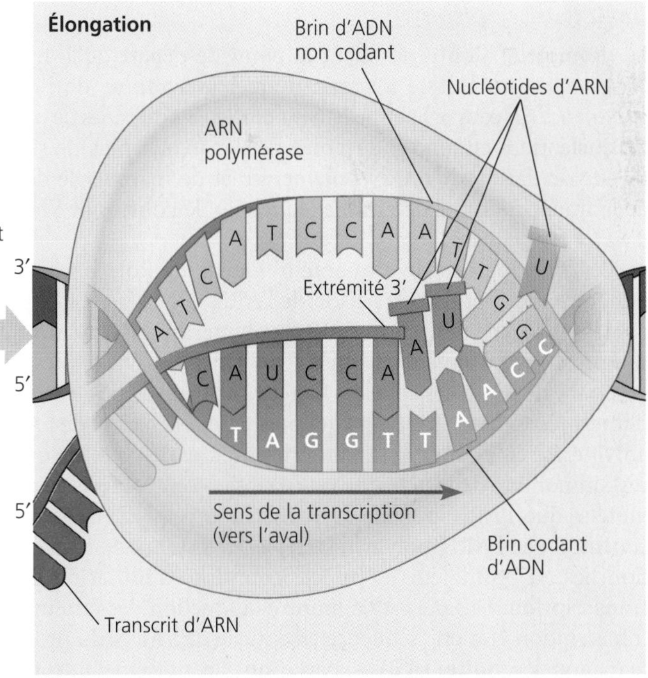

◄ **Figure 17.7 Les étapes de la transcription: initiation, élongation et terminaison.** Cette description générale de la transcription s'applique aussi bien aux cellules procaryotes qu'aux organismes eucaryotes; cependant, les détails de la terminaison varient quelque peu dans chacun des cas, comme nous le décrivons dans le texte. De plus, chez un Procaryote, l'ARN ainsi transcrit est aussitôt utilisé comme ARNm; chez un Eucaryote, par contre, il doit d'abord passer par l'étape de la maturation pour devenir un ARNm.

Procaryotes, la séquence qui marque la fin de la transcription est appelée **terminateur**. (Le mécanisme de la terminaison chez les Eucaryotes est différent; nous le décrirons plus loin.) En biologie moléculaire, on nomme «aval» le sens dans lequel s'effectue la transcription et «amont» le sens opposé. Ces termes désignent également les positions relatives des séquences de nucléotides de l'ADN et de l'ARN. Par conséquent, la séquence du promoteur dans l'ADN se situe en amont du terminateur. L'**unité de transcription** est le segment d'ADN transcrit en molécule d'ARN.

Chez les Archéobactéries et les Bactéries, un seul type d'ARN polymérase synthétise l'ARNm et d'autres sortes d'ARN intervenant dans la synthèse des protéines. Par contre, les noyaux des Eucaryotes renferment trois types d'ARN polymérase: ils sont appelés I, II et III. C'est l'ARN polymérase II qui effectue la synthèse de l'ARNm. Les deux autres ARN polymérases transcrivent les molécules d'ARN qui ne sont pas traduites en protéines. Dans cette section, consacrée à la transcription, nous commencerons par les aspects de la synthèse de l'ARNm qui sont communs aux cellules procaryotes et aux organismes eucaryotes. Ensuite, nous verrons quelques-unes des différences principales entre ces deux groupes.

La synthèse d'un transcrit d'ARN

Les trois étapes de la transcription illustrées à la figure 17.7 et dont il est question plus loin sont l'initiation, l'élongation et la terminaison de la chaîne d'ARN. À l'aide de la figure 17.7, apprenez à les reconnaître et familiarisez-vous avec les termes qui s'y rapportent.

Liaison de l'ARN polymérase et initiation de la transcription

Le promoteur d'un gène inclut le point de départ de la transcription (le nucléotide à partir duquel la synthèse de l'ARN commence). Il couvre habituellement plusieurs douzaines de paires de nucléotides en amont du point de départ. En plus de servir de site de liaison de l'ARN polymérase et de marquer le début de la transcription, il détermine lequel des deux brins de l'hélice d'ADN sera codant.

Certaines parties du promoteur jouent un rôle particulièrement important dans la liaison de l'ARN polymérase. Chez les cellules procaryotes, c'est l'ARN polymérase elle-même qui reconnaît le promoteur et qui s'y lie. Chez les Eucaryotes, un ensemble de protéines appelées **facteurs de transcription** servent d'intermédiaires: ce sont elles qui permettent la liaison de l'ARN polymérase et le début de la transcription. Ce n'est que lorsqu'un certain nombre de facteurs de transcription ont été fixés au promoteur que l'ARN polymérase II se lie à celui-ci. L'ensemble constitué par l'ARN polymérase II et les facteurs de transcription liés au promoteur est appelé **complexe d'initiation de la transcription.** La **figure 17.8** montre la fonction des facteurs de transcription et d'une séquence essentielle de l'ADN du promoteur, appelée **boîte TATA** – parce qu'elle présente une forte concentration de thymine (T) et d'adénine (A) –, lors de la formation du complexe d'initiation chez les Eucaryotes.

L'interaction entre l'ARN polymérase II et les facteurs de transcription illustre bien l'importance particulière que revêtent les interactions protéine-protéine dans le contrôle de la transcription chez les Eucaryotes (nous en reparlerons plus en détail au chapitre 19). Une fois que la polymérase est fermement liée au promoteur, les deux brins d'ADN se déroulent à cet endroit, et l'enzyme commence à transcrire le brin codant.

L'élongation du brin d'ARN

Pendant qu'elle se déplace le long de l'ADN, l'ARN polymérase continue de dérouler la double hélice; elle expose de 10 à 20 bases environ à la fois. Elle permet ainsi leur appariement avec les nouveaux nucléotides d'ARN qui sont présents dans le milieu sous la forme de ribonucléosides triphosphates (voir la figure 17.7).

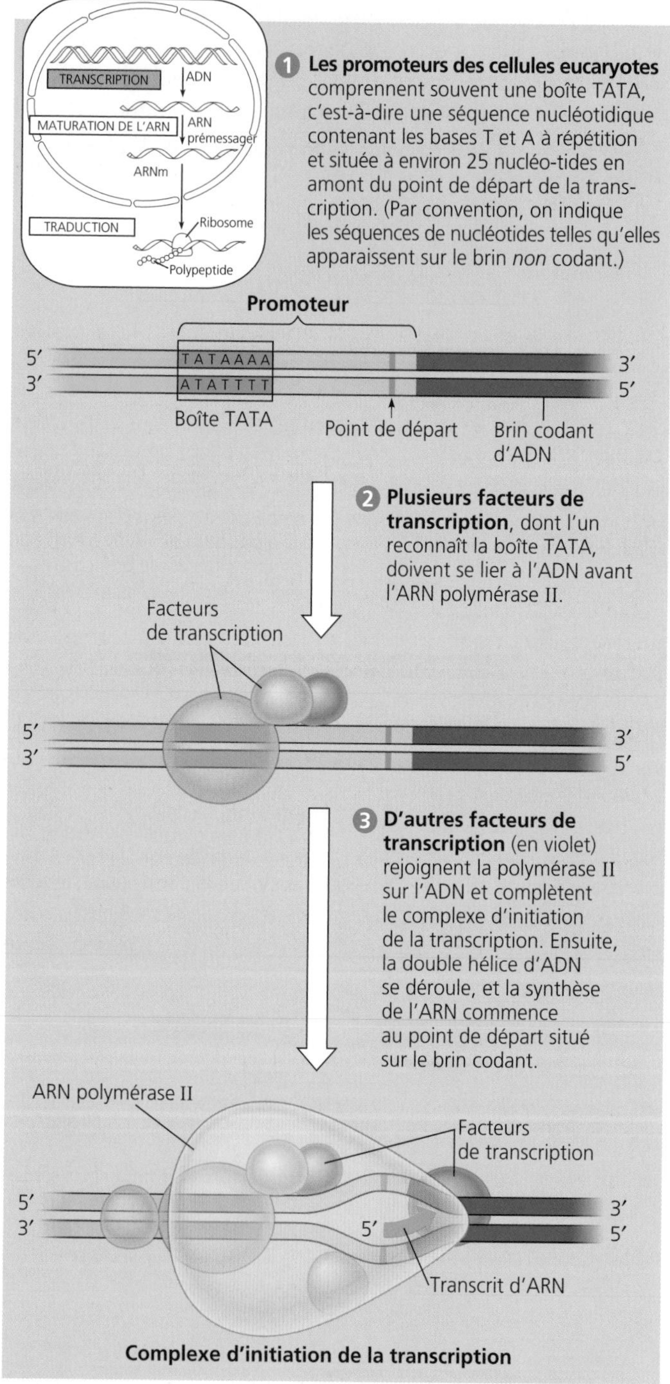

TRANSCRIPTION
ADN
MATURATION DE L'ARN
ARN prémessager
ARNm
TRADUCTION
Ribosome
Polypeptide
1 Les promoteurs des cellules eucaryotes comprennent souvent une boîte TATA, c'est-à-dire une séquence nucléotidique contenant les bases T et A à répétition et située à environ 25 nucléo-tides en amont du point de départ de la transcription. (Par convention, on indique les séquences de nucléotides telles qu'elles apparaissent sur le brin non codant.)
Promoteur
5'
3'
TATAAAA
ATATTTT
3'
5'
Boîte TATA
Point de départ
Brin codant d'ADN
2 Plusieurs facteurs de transcription, dont l'un reconnaît la boîte TATA, doivent se lier à l'ADN avant l'ARN polymérase II.
Facteurs de transcription
3 D'autres facteurs de transcription (en violet) rejoignent la polymérase II sur l'ADN et complètent le complexe d'initiation de la transcription. Ensuite, la double hélice d'ADN se déroule, et la synthèse de l'ARN commence au point de départ situé sur le brin codant.
ARN polymérase II
Facteurs de transcription
Transcrit d'ARN
Complexe d'initiation de la transcription

▲ **Figure 17.8 Initiation de la transcription à un promoteur d'Eucaryote.** Dans les cellules eucaryotes, des protéines appelées facteurs de transcription jouent un rôle d'intermédiaires lors de l'initiation de la transcription par l'ARN polymérase II.

Précisons qu'elle ajoute ceux-ci à l'extrémité 3′ de la molécule d'ARN en cours de synthèse, tout en avançant le long de la double hélice. Notons aussi que l'ARN polymérase n'effectue pas de « correction d'épreuves » comme le fait l'ADN polymérase si des erreurs surviennent au cours de l'appariement des paires de bases. Dans le prolongement de la synthèse du polypeptide qui progresse, la nouvelle molécule d'ARN se détache progressivement du brin codant d'ADN et la double hélice d'ADN se reconstitue. Chez les Eucaryotes, la vitesse de progression de la transcription est d'environ 60 nucléotides par seconde.

Un même gène peut être transcrit simultanément par plusieurs molécules d'ARN polymérase, qui se suivent tel un convoi de camions. De chaque molécule émerge un nouveau filament d'ARN en formation: sa longueur reflète la distance parcourue par l'enzyme sur le brin codant depuis le point de départ (voir la figure 17.22). La transcription simultanée d'un même gène par un grand nombre de molécules de polymérase accroît le nombre d'ARNm fabriqués; cela permet à la cellule de produire la protéine correspondante en grande quantité.

La terminaison de la transcription

Il existe des différences dans le mécanisme de la terminaison chez les cellules procaryotes et les organismes eucaryotes. Dans la cellule procaryote, la transcription se poursuit par l'intermédiaire d'une séquence de terminateur dans l'ADN. Le terminateur transcrit (une séquence d'ARN) joue le rôle de signal de terminaison: lorsqu'elle atteint cet endroit, l'ARN polymérase se détache de l'ADN et libère le transcrit, qui peut immédiatement servir d'ARNm. Par contre, dans la cellule eucaryote, l'ARN prémessager est coupé de la chaîne d'ARN en croissance alors que l'ARN polymérase II continue la transcription de l'ADN. En fait, la polymérase transcrit une séquence sur l'ADN, appelée séquence de polyadénylation, qui code pour un signal de polyadénylation (AAUAAA) de l'ARN prémessager. Ensuite, de 10 à 35 nucléotides en aval de cette séquence, les protéines associées au transcrit d'ARN en croissance (comprenant une endonucléase) le séparent de la polymérase, libérant l'ARN prémessager. La polymérase continue la transcription pour une centaine de nucléotides après le site où l'ARN prémessager a été libéré. Cette transcription se termine quand la polymérase finit par se détacher de l'ADN (grâce à un mécanisme qui n'est pas très bien compris). On estime qu'il faut quelques minutes pour transcrire un gène de longueur moyenne chez les Eucaryotes. La maturation de l'ARN modifie ensuite l'ARN prémessager formé; nous abordons ce sujet dans la prochaine section.

Retour sur le concept 17.2

1. Comparez le fonctionnement de l'ADN polymérase et de l'ARN polymérase.
2. Le promoteur est-il situé en amont ou en aval de l'unité de transcription?
3. Dans une cellule procaryote, comment l'ARN polymérase « sait »-elle où elle doit commencer à transcrire un gène?
4. Quelle est la différence entre le transcrit primaire produit par une cellule procaryote et celui qui est produit par un organisme eucaryote?

Voir les réponses proposées à la fin du chapitre.

Concept 17.3

Dans les cellules eucaryotes, l'ARN est modifié après avoir été transcrit

Dans le noyau de la cellule eucaryote, des enzymes apportent des modifications spécifiques à l'ARN prémessager avant que l'information génétique soit envoyée vers le cytoplasme. Habituellement, pendant cette maturation, les deux extrémités du transcrit primaire sont modifiées. Ensuite, dans la plupart des cas, certaines parties de l'intérieur de la molécule sont excisées, et les parties restantes sont réunies par épissage. Ces modifications contribuent à préparer une molécule d'ARNm pour la traduction.

La modification des extrémités de l'ARN prémessager

Chaque extrémité de la molécule d'ARN prémessager subit une transformation **(figure 17.9)**. L'extrémité 5′, créée en premier au cours de la transcription, est recouverte d'une coiffe, la **coiffe 5′**, constituée d'un nucléotide de guanine (G) modifié par

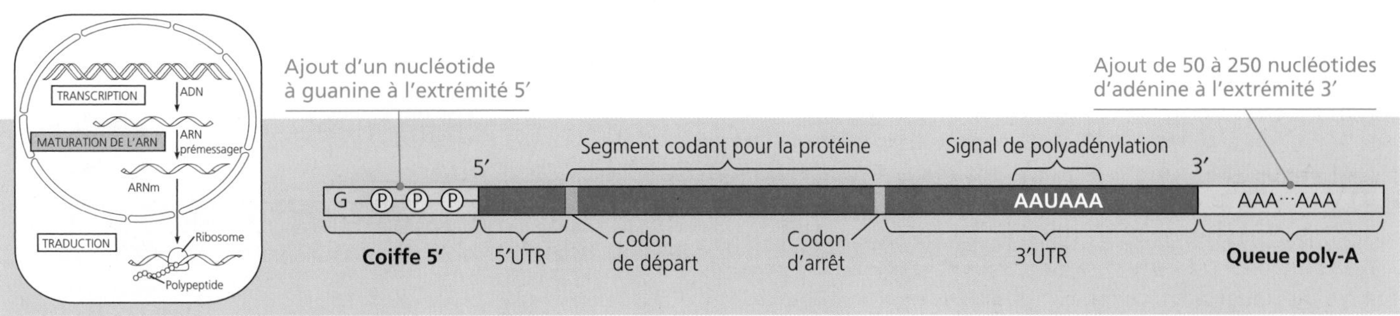

▲ Figure 17.9 Maturation de l'ARN: ajout de la coiffe 5′ et de la queue poly-A. Dans la cellule eucaryote, les enzymes modifient les deux extrémités de la molécule d'ARN prémessager. Les extrémités ainsi modifiées peuvent intervenir dans la sortie de l'ARNm du noyau et contribuent à protéger l'ARN de la dégradation. Lorsque l'ARNm parvient dans le cytoplasme, les extrémités modifiées, conjointement avec certaines protéines cytosoliques, facilitent la liaison aux ribosomes. La coiffe 5′ et la queue poly-A ne sont pas traduites en protéines, ni les séquences appelées séquence 5′ non traduite (5′UTR) et séquence 3′ non traduite (3′UTR).

méthylation, c'est-à-dire par l'ajout d'un groupement méthyle (—CH_3) après la transcription des 20 à 40 premiers nucléotides. Quant à l'extrémité 3′ de la molécule d'ARN prémessager, elle est elle aussi modifiée avant que l'ARNm quitte le noyau. Rappelez-vous que l'ARN prémessager est libéré peu après la transcription du signal de polyadénylation, AAUAAA. À l'extrémité 3′, une enzyme, la *poly-A polymérase*, produit une **queue poly-A** formée de 50 à 250 nucléotides d'adénine (A). La coiffe 5′ et la queue poly-A partagent plusieurs fonctions importantes: premièrement, elles semblent faciliter le transport de l'ARNm mature vers l'extérieur du noyau; deuxièmement, elles contribuent à protéger l'ARNm de la dégradation par les enzymes hydrolytiques; et troisièmement, les deux structures aident à la fixation des ribosomes à l'extrémité 5′ de l'ARNm lorsque celui-ci parvient dans le cytosol. La figure 17.9 montre une molécule d'ARNm eucaryote pourvue de sa coiffe 5′ et de sa queue poly-A. Cette figure illustre également les séquences non traduites (UTR: *UnTranslated Region*, en anglais) aux extrémités 5′ et 3′ de l'ARNm (on les désigne par 5′UTR et 3′UTR). Ces séquences sont des parties de l'ARNm qui ne seront pas traduites en protéines; par contre, elles ont d'autres fonctions, comme la liaison aux ribosomes.

Gènes discontinus et épissage de l'ARN

Dans le noyau de la cellule eucaryote, l'étape la plus étonnante de la maturation de l'ARN est l'élimination d'une grande partie de la molécule d'ARN nouvellement synthétisée. Cela se fait grâce à un processus d'excision et de recollage appelé **épissage de l'ARN** **(figure 17.10)**. La longueur moyenne d'une unité de transcription d'une molécule d'ADN d'Eucaryote est d'environ 8 000 nucléotides, comme celle du transcrit primaire d'ARN. Cependant, environ 1 200 nucléotides suffisent à coder pour une protéine de taille moyenne de 400 acides aminés (souvenez-vous que chaque acide aminé est codé par un *triplet* de nucléotides). La plupart des gènes d'Eucaryotes et leurs transcrits d'ARN ont donc de longues séquences nucléotidiques non codantes qui échappent à la traduction. Ce qui est encore plus surprenant, c'est que la plupart de celles-ci sont dispersées entre les segments codants d'un gène, donc entre les segments codants de l'ARN prémessager. Autrement dit, chez les Eucaryotes, la séquence de nucléotides d'ADN qui détient le message génétique correspondant à un polypeptide n'est généralement pas continue; elle est séparée en segments. Les segments d'acide nucléique qui se trouvent entre les régions codantes sont appelés **introns**; ils peuvent avoir quelques milliers de paires de nucléotides et leur nombre peut atteindre une dizaine par gène. Les autres régions, elles, sont appelées **exons**, parce qu'elles sont destinées à être *ex*primées: habituellement, elles sont traduites en des séquences d'acides aminés. (Les UTR des exons, situées aux extrémités de l'ARN, font exception; elles font partie de l'ARNm mais ne sont pas traduites en protéines. Par conséquent, il est utile de se souvenir que les exons sont les séquences de l'ARN qui parviennent à l'*extérieur* du noyau.) Les termes *intron* et *exon* s'appliquent à la fois aux séquences de l'ARN et à celles de l'ADN qui les encodent.

Lors de la synthèse du transcrit primaire à partir d'un gène, l'ARN polymérase II transcrit les introns et les exons de l'ADN. Toutefois, la molécule d'ARNm ne parvient dans le cytoplasme qu'après avoir été tronquée. Les introns sont séparés de la molécule, et les exons sont réunis par épissage, de sorte que la molécule d'ARNm ne comporte plus qu'une seule séquence codante continue. C'est en cela que consiste l'épissage de l'ARN prémessager.

Comment l'épissage de l'ARN prémessager se déroule-t-il? Les chercheurs ont découvert que les sites d'épissage sont constitués d'une courte séquence nucléotidique située à l'extrémité d'un intron et reconnue par des particules appelées *petites ribonucléoprotéines nucléaires*, ou *pRNPn*. Comme leur nom l'indique, celles-ci se trouvent dans le noyau de la cellule. Elles sont constituées d'ARN et de protéines. L'ARN situé dans une pRNPn est appelé *petit ARN nucléaire* (pARNn). Chacune des molécules de pARNn a une longueur de 150 nucléotides environ. Plusieurs pRNPn s'ajoutent à d'autres protéines de façon à former un ensemble encore plus volumineux, appelé **complexe d'épissage** (ou *splicéosome*). Ce dernier a presque la taille d'un ribosome. Il interagit avec certains sites d'épissage situés sur un intron. Il libère l'intron, puis il réunit les deux exons qui l'encadraient **(figure 17.11)**. On pense que le petit ARN nucléaire joue un rôle important dans la catalyse ainsi que dans l'assemblage du complexe d'épissage et dans la reconnaissance du site d'épissage.

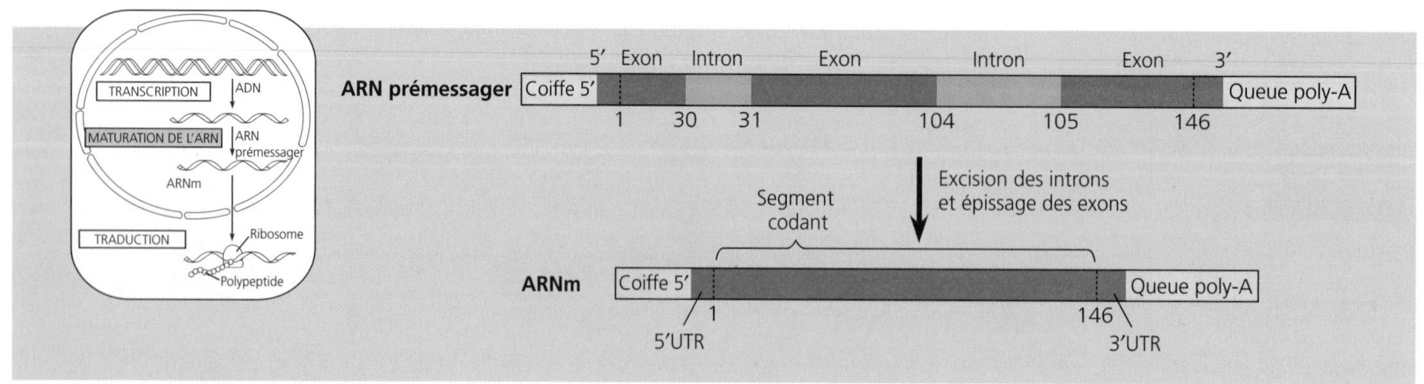

▲ **Figure 17.10 Maturation de l'ARN: épissage.** La molécule d'ARN illustrée ici code pour la β-globine, un des polypeptides de l'hémoglobine. Les nombres qui figurent sous l'ARN correspondent à des codons. La β-globine a une longueur de 146 acides aminés. Le gène et son transcrit d'ARN prémessager possèdent trois exons, correspondant à des séquences qui vont quitter le noyau sous forme d'ARNm. (La 5′UTR et la 3′UTR font partie des exons parce qu'elles sont incluses dans l'ARNm; cependant, elles ne codent pas pour des protéines.) Pendant la maturation de l'ARN, les introns sont excisés, et les exons sont réunis par épissage.

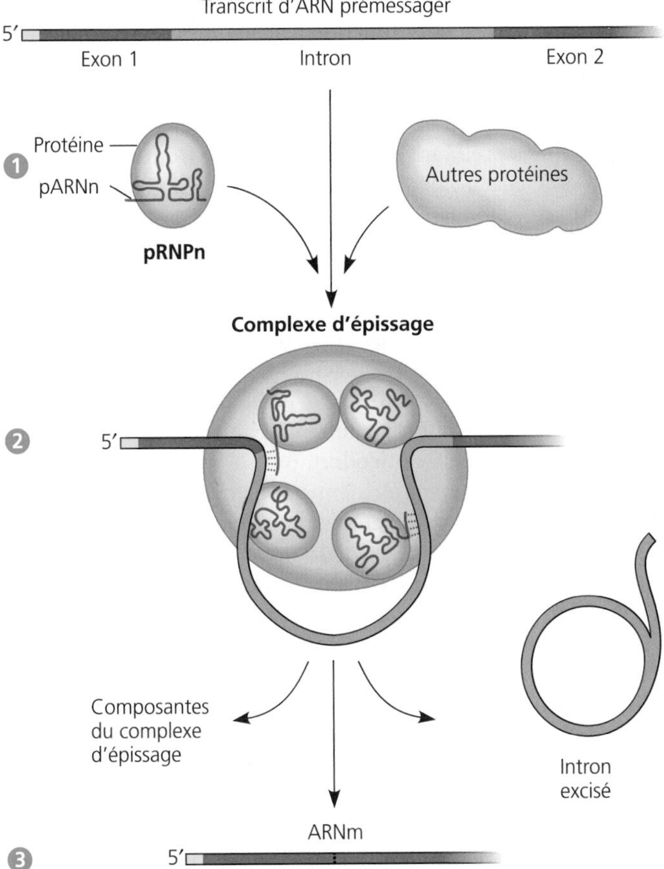

▲ **Figure 17.11 Rôles des complexes d'épissage et des pRNPn dans l'épissage de l'ARN prémessager.** Ce schéma ne montre qu'une partie du transcrit d'ARN prémessager; d'autres introns et exons se trouvent en aval de ceux qui sont représentés ici. ❶ De petites ribonucléoprotéines nucléaires (pRNPn) et d'autres protéines forment une association moléculaire appelée complexe d'épissage sur un ARN prémessager contenant des exons et des introns. ❷ À l'intérieur du complexe d'épissage, les bases azotées du petit ARN nucléaire (pARNn) et des nucléotides situés à des sites spécifiques le long de l'intron s'apparient. ❸ Le transcrit d'ARN est découpé, ce qui libère l'intron et, en même temps, réunit les exons par épissage. Puis, le complexe d'épissage se dissocie et libère l'ARN épissé, qui ne contient plus que des exons.

Les ribozymes

L'idée selon laquelle le petit ARN nucléaire a une fonction catalytique est née de la découverte des **ribozymes**, des molécules d'ARN agissant comme des enzymes. Chez certains organismes, il arrive que l'épissage de l'ARN se déroule en l'absence de toute protéine et même de toute autre molécule d'ARN, parce que l'ARN de l'intron joue le rôle de ribozyme et catalyse sa propre excision! Par exemple, chez le protozoaire *Tetrahymena*, il y a autoépissage lors de la production d'un ARN ribosomique (ARNr) entrant dans la composition des ribosomes de cet organisme. En fait, l'ARN préribosomique libère ses propres introns.

La structure monocaténaire (à simple brin) de l'ARN joue un rôle important pour permettre à certaines molécules d'ARN d'agir comme des ribozymes. Les bases d'une région de la molécule d'ARN peuvent s'apparier avec celles d'une région complémentaire située ailleurs dans la même molécule, ce qui confère une structure spécifique à la molécule d'ARN dans son ensemble. De plus, certaines bases comportent des groupements fonctionnels qui peuvent participer à la catalyse. Tout comme la structure spécifique d'une protéine enzymatique et les groupements fonctionnels sur les chaînes latérales de ses acides aminés permettent à une protéine d'agir comme catalyseur, la structure de certaines molécules d'ARN leur permet aussi de jouer ce rôle. La découverte des ribozymes a donc rendu caduque la notion voulant que tous les catalyseurs biologiques soient des protéines.

L'importance des introns des points de vue de la fonction et de l'évolution

Quelles sont les fonctions biologiques des introns et de l'épissage de l'ARN? On pense que les introns jouent un rôle régulateur dans la cellule; certains contiennent des séquences agissant sur l'activité des gènes d'une façon ou d'une autre. Le mécanisme d'épissage lui-même est nécessaire au passage de l'ARNm du noyau au cytoplasme.

La présence des exons et des introns dans les gènes a un avantage connu: ils permettent à un même gène de coder pour plusieurs types de polypeptides. On sait que certains gènes, que l'on nomme parfois *gènes mosaïque*, mènent à la synthèse de deux polypeptides différents ou plus, selon les segments traités comme des exons pendant la maturation de l'ARN. Ce phénomène est appelé **épissage différentiel de l'ARN** (voir la figure 19.8). Par exemple, l'appartenance sexuelle des drosophiles dépend dans une large mesure de différences dans la façon dont les mâles et les femelles procèdent à l'épissage de l'ARN transcrit à partir de certains gènes. Grâce à ce processus d'épissage différentiel, des protéines légèrement différentes peuvent être produites selon le type de tissu où le gène est présent et selon le stade de développement de l'organisme. Les résultats préliminaires du Projet génome humain (dont il est question au chapitre 20) permettent de penser que l'épissage différentiel de l'ARN est l'une des raisons qui font que les humains possèdent un nombre de gènes relativement limité (pas tout à fait le double de celui de la drosophile). C'est l'épissage différentiel de l'ARN qui explique pourquoi le nombre de protéines différentes que peut produire un organisme est beaucoup plus élevé que le nombre de ses gènes.

Les protéines ont souvent une architecture modulaire comportant des régions structurales et fonctionnelles discontinues, appelées **domaines**. Par exemple, un des domaines d'une protéine enzymatique peut comprendre le site actif de celle-ci, alors qu'un autre peut fixer la protéine à une membrane cellulaire. Dans de nombreux cas, des exons différents codent pour les multiples domaines d'une protéine donnée **(figure 17.12)**. La présence des introns dans un gène facilite peut-être l'apparition de nouvelles protéines utiles grâce à un processus appelé *échange d'exons*. Les introns peuvent rendre plus probables les enjambements bénéfiques entre les exons des allèles (par la simple création de nouveaux sites possibles d'enjambement et sans interrompre les séquences codantes). On peut également imaginer qu'il se produit occasionnellement un mélange ou l'ajout d'exons entre des gènes complètement différents. Ces deux sortes d'échanges peuvent aboutir à l'apparition de protéines ayant des fonctions nouvelles. Alors que la plupart des échanges n'aboutissent pas à des changements positifs, il arrive qu'une variante génétique bénéfique apparaisse.

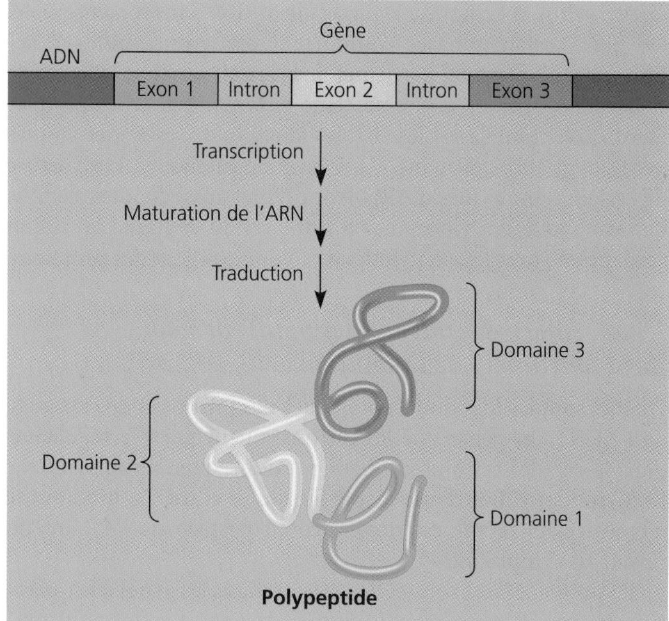

▲ **Figure 17.12 Correspondance entre les exons et les domaines des protéines.** Dans un grand nombre de gènes, chaque exon code pour un domaine donné d'une protéine particulière.

Retour sur le concept 17.3

1. Comment une modification des extrémités 5′ et 3′ de l'ARN prémessager influe-t-elle sur l'ARNm qui quitte le noyau?
2. Décrivez le rôle des pRNPn dans l'épissage de l'ARN.
3. Comment l'épissage différentiel de l'ARN peut-il générer un plus grand nombre de polypeptides qu'il y a de gènes?

Voir les réponses proposées à la fin du chapitre.

Concept 17.4

La traduction est la synthèse d'un polypeptide à partir de l'ARN messager: *une étude détaillée*

Nous allons étudier maintenant plus en détail la traduction, c'est-à-dire le mode de transmission de l'information génétique de l'ARNm à la protéine. Comme nous l'avons fait pour la transcription, nous nous intéresserons avant tout aux principales étapes de la traduction chez les cellules procaryotes et les organismes eucaryotes, tout en soulignant les différences essentielles qui existent entre ces deux groupes.

Les composantes moléculaires de la traduction

Au cours du processus de la traduction, la cellule construit une protéine à partir des instructions contenues dans le message génétique. Celui-ci consiste en une série de codons alignés sur une molécule d'ARNm, et il est interprété par une molécule d'ARN d'un autre type, qui porte le nom d'**ARN de transfert (ARNt)**. Cet ARN a pour fonction d'acheminer vers un ribosome les molécules d'acides aminés qui se trouvent dans le cytosol. Il faut savoir que la cellule garde en réserve les 20 acides aminés dans son cytosol, soit en les synthétisant à partir d'autres composés, soit en les prélevant dans la solution environnante. Le ribosome ajoute chacun des acides aminés que l'ARNt lui apporte à l'extrémité de la chaîne de polypeptides en cours de synthèse **(figure 17.13)**.

Les molécules d'ARNt ne sont pas toutes identiques. Chacune d'elles traduit un certain codon d'ARNm en acide aminé particulier. C'est ce qui constitue la clé de la traduction du message génétique en une séquence d'acides aminés. Lorsqu'elle atteint un ribosome, la molécule d'ARNt porte un acide aminé donné à l'une de ses extrémités; à l'autre extrémité se trouve un triplet de nucléotides appelé **anticodon**, qui se lie au codon complémentaire de l'ARNm conformément aux règles de l'appariement des bases. Prenons, par exemple, le codon d'ARNm UUU, qui commande l'acide aminé phénylalanine. Les liaisons hydrogène ne permettent au codon UUU de s'associer qu'avec l'ARNt ayant l'anticodon AAA à une de ses extrémités. Il se trouve que cet ARNt porte également de la phénylalanine à son autre extrémité (voir l'ARNt au milieu de la figure 17.13). À mesure que la molécule d'ARNm avance à travers le ribosome, de la phénylalanine est ajoutée à l'extrémité de la chaîne polypeptidique chaque fois que le codon UUU se présente au site de traduction. Notons que les ARNt traduisent le message génétique un codon à la fois: ils déposent les acides aminés dans l'ordre voulu et le ribosome unit les acides aminés en chaîne. La molécule d'ARNt est un traducteur parce qu'elle lit un mot (le codon) sur l'ARNm et l'interprète en termes d'acide aminé.

Dans son principe, la traduction est simple; en réalité, elle repose sur des phénomènes biochimiques et des mécanismes complexes, notamment chez les cellules eucaryotes. Nous allons analyser la traduction plus en détail. Nous commencerons par l'étudier chez les Procaryotes, où elle est un peu plus simple. Voyons d'abord quels sont les principaux acteurs à l'échelle cellulaire, et ensuite comment ils agissent conjointement pour fabriquer un polypeptide.

La structure et la fonction de l'ARN de transfert

À l'instar de l'ARNm et des autres types d'ARN de la cellule, les molécules d'ARNt sont transcrites à partir de matrices d'ADN. Dans la cellule eucaryote, l'ARNt, tout comme l'ARNm, est produit dans le noyau et doit passer de celui-ci au cytoplasme, où la traduction se déroule. Dans les cellules procaryotes ou eucaryotes, chaque molécule d'ARNt sert de nombreuses fois: elle se lie d'abord à l'acide aminé qui lui correspond dans le cytosol; elle le cède ensuite au ribosome, puis elle quitte ce dernier pour aller chercher un nouvel acide aminé identique dans le cytosol.

Comme on le voit à la **figure 17.14**, la molécule d'ARNt est formée d'un seul brin d'ARN qui n'a que 80 nucléotides de long environ (la plupart des molécules d'ARNm, elles, ont des centaines de nucléotides). À cause de la présence de séquences de bases complémentaires qui peuvent s'associer les unes aux autres par des liaisons hydrogène, ce brin d'ARN se replie sur lui-même, ce qui lui confère une structure tridimensionnelle. En effet, les bases des nucléotides de certaines régions du brin d'ARNt forment des liaisons hydrogène avec des bases complémentaires

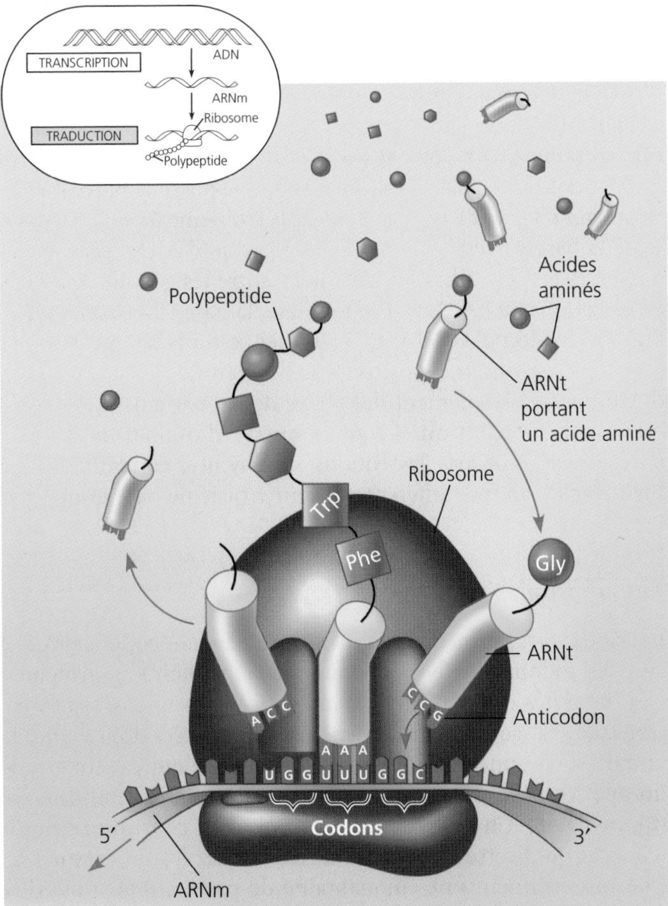

▲ **Figure 17.13 La traduction, concept de base.** Les codons sont traduits en acides aminés un par un, au fur et à mesure que la molécule d'ARNm traverse le ribosome. Ce sont des molécules d'ARNt qui les interprètent. Chaque type d'ARNt porte un anticodon donné à une de ses extrémités et un certain acide aminé à l'autre extrémité. Lorsque son anticodon se lie à un codon complémentaire situé sur l'ARNm, l'ARNt ajoute son acide aminé à l'extrémité de la chaîne polypeptidique en cours de synthèse. Il y a une relation de spécificité entre l'anticodon et l'acide aminé que l'ARNt transporte. Les figures qui suivent montrent certains détails de la traduction qui a lieu dans la cellule procaryote.

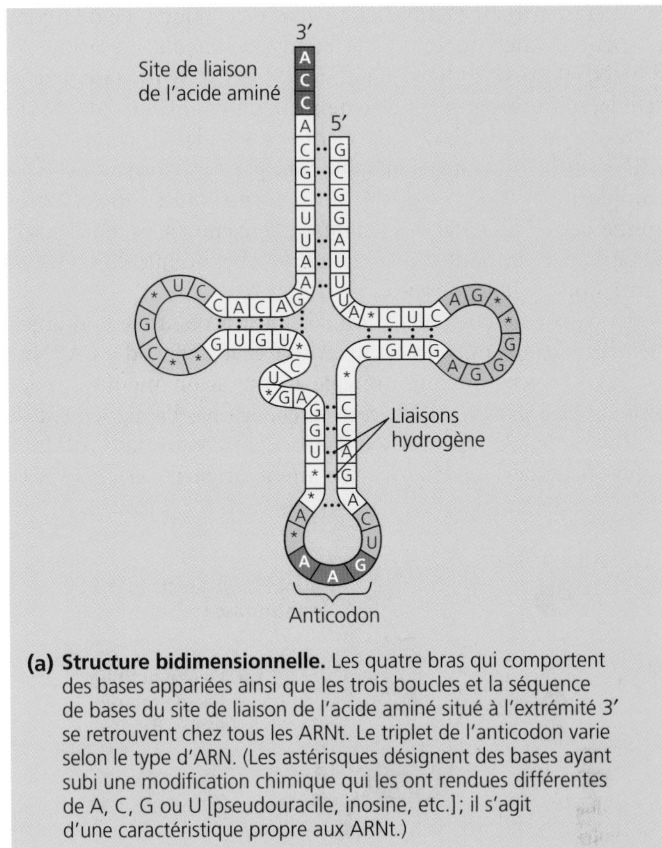

(a) Structure bidimensionnelle. Les quatre bras qui comportent des bases appariées ainsi que les trois boucles et la séquence de bases du site de liaison de l'acide aminé situé à l'extrémité 3′ se retrouvent chez tous les ARNt. Le triplet de l'anticodon varie selon le type d'ARN. (Les astérisques désignent des bases ayant subi une modification chimique qui les ont rendues différentes de A, C, G ou U [pseudouracile, inosine, etc.]; il s'agit d'une caractéristique propre aux ARNt.)

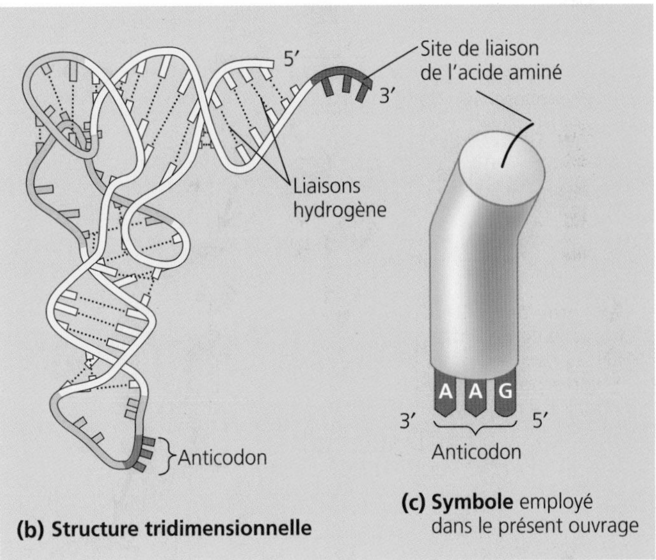

(b) Structure tridimensionnelle

(c) Symbole employé dans le présent ouvrage

▲ **Figure 17.14 Structure de l'ARN de transfert (ARNt).** Conventionnellement, on écrit les anticodons dans le sens 3′ → 5′ pour pouvoir les aligner avec les codons, qui sont écrits dans le sens 5′ → 3′ (voir la figure 17.13). Pour que les bases azotées puissent s'apparier, il faut que les brins d'ARN soient antiparallèles, comme dans le cas de l'ADN. Par exemple, l'anticodon 3′ – AAG – 5′ s'apparie avec le codon d'ARNm 5′ – UUC – 3′.

situées dans d'autres régions du même brin. Si l'on représente la molécule d'ARNt à plat pour montrer l'emplacement des zones d'appariement des bases, on voit qu'elle prend la forme d'une feuille de trèfle présentant quatre régions en forme de « tige » où le brin d'ARN est double et trois régions en forme de boucle où le brin est simple **(figure 17.14a)**. Cependant, en réalité, l'ARNt se tord et se replie de façon à former une structure tridimensionnelle compacte, qui ressemble vaguement à un L inversé **(figure 17.14b)**. L'anticodon (soit le triplet de bases spécialisé qui se lie à un codon d'ARNm spécifique) se trouve sur la boucle qui dépasse à l'extrémité de la partie longue du L inversé. L'extrémité 3′, qui est le site de liaison de l'acide aminé et qui porte toujours le triplet CCA, se trouve à l'extrémité de la partie courte du L inversé. La structure de l'ARNt reflète donc sa fonction.

Deux étapes de reconnaissance sont nécessaires pour permettre la traduction exacte du message génétique. Premièrement, il doit y avoir un appariement adéquat entre l'ARNt et un acide aminé. Un ARNt qui s'associe à un codon d'ARNm commandant un acide aminé précis ne doit pouvoir apporter que cet acide aminé au ribosome. Chaque acide aminé est lié à l'ARNt correspondant par une enzyme spécifique appelée **aminoacyl-ARNt**

synthétase (figure 17.15). Le site actif de chaque type d'enzyme ne peut former qu'une seule combinaison d'acide aminé et d'ARNt. Il existe 20 types d'aminoacyl-ARNt synthétase dans la cellule, soit une par sorte d'acide aminé. L'aminoacyl-ARNt synthétase catalyse la liaison covalente de l'acide aminé et de son ARNt suivant un processus alimenté par l'hydrolyse d'ATP. Le complexe acide aminé-ARNt ainsi formé (aussi appelé acide aminé activé) se détache ensuite de l'enzyme et va ajouter son acide aminé au bout d'une chaîne polypeptidique en cours de formation sur un ribosome.

La deuxième étape de reconnaissance nécessite le bon appariement entre l'anticodon d'un ARNt et le codon d'un ARNm. Des expériences ont montré que même si on modifie l'acide aminé porté par un ARNt, cela ne change pas l'appariement de l'ARNt et de l'ARNm : l'ARNt se placera toujours sur l'ARNm à l'endroit où devrait se lier l'acide aminé original, car c'est l'anticodon que porte l'ARNt et non son acide aminé qui dicte l'appariement.

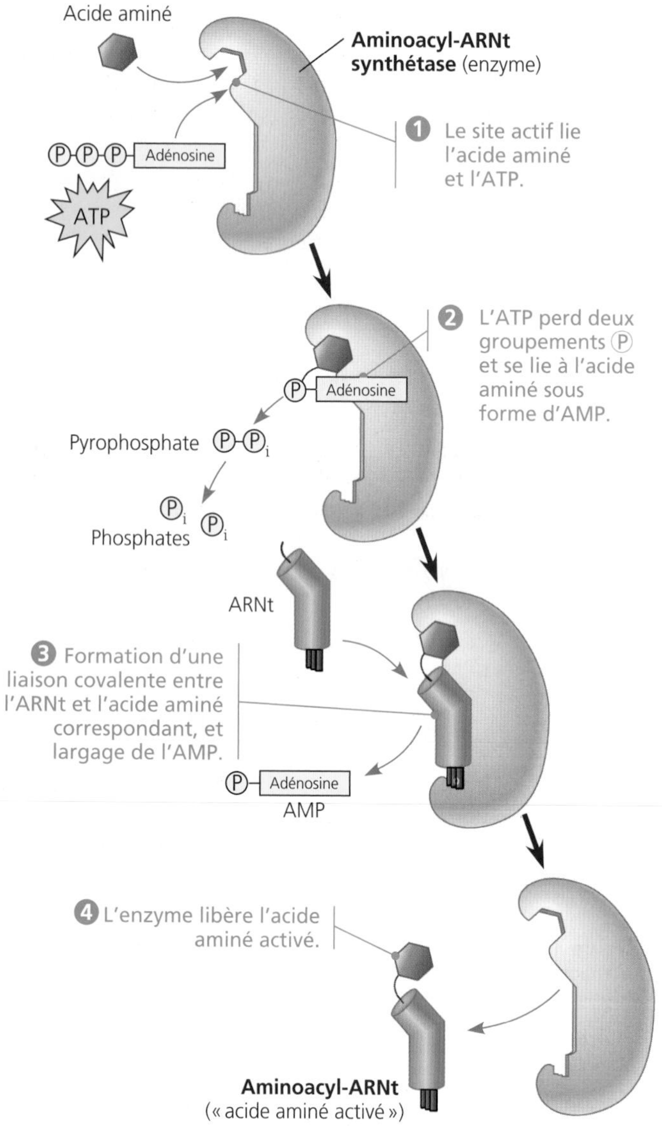

Si un ARNt différent correspondait à chacun des codons d'ARNm commandant un acide aminé, il y aurait 61 ARNt (voir la figure 17.5). En fait, il n'y en a que 45 environ, ce qui signifie que certains ARNt doivent avoir la possibilité de se lier à plus d'un codon. Une telle souplesse est rendue possible parce que les règles qui régissent l'appariement de la troisième base d'un codon et de la base correspondante de l'anticodon d'ARNt ne sont pas aussi strictes que celles qui prévalent entre les génons de l'ADN et les codons de l'ARNm. Par exemple, la base U à l'extrémité 5′ d'un anticodon d'ARNt peut s'associer soit à la base A, soit à la base G en troisième position (à l'extrémité 3′) d'un codon d'ARNm. Ce relâchement des règles de l'appariement des bases est appelé **oscillation**. Le phénomène d'oscillation permet d'expliquer pourquoi les codons synonymes, codant pour un même acide aminé, diffèrent par leur troisième base et non par les deux autres.

Acide aminé
Aminoacyl-ARNt synthétase (enzyme)
Adénosine
ATP
1 Le site actif lie l'acide aminé et l'ATP.
2 L'ATP perd deux groupements Ⓟ et se lie à l'acide aminé sous forme d'AMP.
Adénosine
Pyrophosphate Ⓟ-Ⓟi
Phosphates
ARNt
3 Formation d'une liaison covalente entre l'ARNt et l'acide aminé correspondant, et largage de l'AMP.
Adénosine
AMP
4 L'enzyme libère l'acide aminé activé.
Aminoacyl-ARNt
(« acide aminé activé »)

▲ **Figure 17.15 Appariement d'un acide aminé et d'un ARNt par une aminoacyl-ARNt synthétase.** La liaison de l'ARNt et de l'acide aminé est endergonique et consomme de l'ATP. Celle-ci perd deux groupements phosphate et se transforme en AMP (adénosine monophosphate).

Les ribosomes

Les ribosomes permettent l'appariement des anticodons d'ARNt avec les codons d'ARNm au cours de la synthèse des protéines. Ces organites cytoplasmiques sont visibles au microscope électronique ; ils sont formés de deux sous-unités, dont l'une, la grande sous-unité ribosomique, a une masse qui est environ le double de celle de l'autre, la petite sous-unité ribosomique **(figure 17.16)**. Chacune de ces sous-unités est constituée de protéines et de diverses molécules d'ARN. Chez les Procaryotes, le ribosome contient une cinquantaine de protéines et trois ARN dont le plus court n'a qu'une centaine de nucléotides et le plus long près de 3 000. Les molécules d'ARN du ribosome appartiennent à un type spécialisé appelé **ARN ribosomique (ARNr)**. La synthèse des différentes molécules d'ARNr est commandée par des gènes différents. Après la transcription de ces gènes, l'ARNr subit une maturation et est assemblé avec des protéines provenant du cytosol. Chez les Eucaryotes, les sous-unités sont produites dans le nucléole. Les sous-unités ribosomiques ainsi fabriquées sont ensuite exportées dans le cytosol par les pores nucléaires. Chez tous les organismes, la petite et la grande sous-unité ne se regroupent pour constituer un ribosome fonctionnel qu'au moment où elles se fixent à une molécule d'ARNm. Près des deux tiers de la masse d'un ribosome sont constitués d'ARNr. Comme la plupart des cellules contiennent des milliers de ribosomes, l'ARNr est le type d'ARN le plus abondant.

Si les ribosomes des cellules procaryotes et eucaryotes ont une structure et des fonctions très semblables, ceux des Eucaryotes sont un peu plus gros, et leur composition moléculaire est quelque peu différente. Cela a des incidences d'ordre médical : certains antibiotiques, dont la tétracycline et la streptomycine, peuvent paralyser les ribosomes des cellules procaryotes sans entraver la synthèse de protéines chez les Eucaryotes, car ils ne se lient qu'aux protéines des ribosomes bactériens. On s'en sert donc pour lutter contre les infections bactériennes.

La structure d'un ribosome reflète sa fonction, qui est de rapprocher les ARNm et les ARNt porteurs d'acides aminés. Chaque ribosome comprend, outre un site de liaison à l'ARNm, trois sites de liaison à l'ARNt : P, A et E (voir la figure 17.16). Le **site P** (site peptidyl-ARNt) retient l'ARNt qui porte la chaîne polypeptidique en cours de synthèse (on peut associer la lettre **P** à

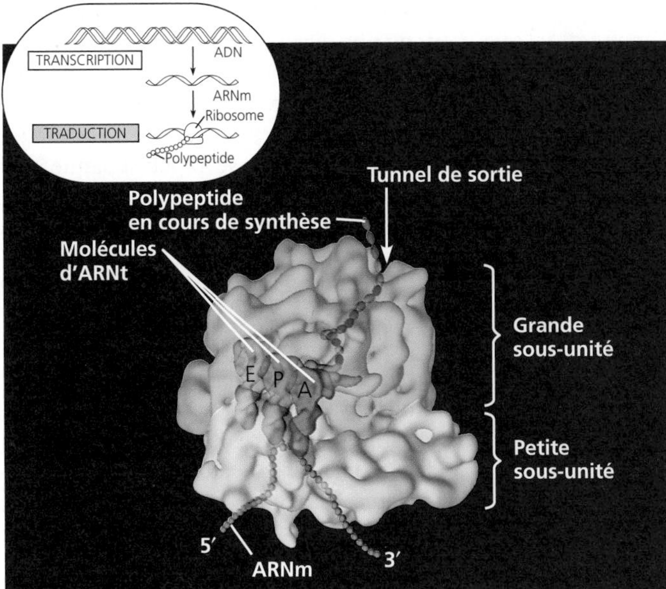

(a) Modèle informatisé d'un ribosome fonctionnel. Ce modèle montre la forme générale d'un ribosome bactérien. Les ribosomes des Eucaryotes sont à peu près semblables. Chaque sous-unité est un assemblage de molécules d'ARN ribosomique et de protéines.

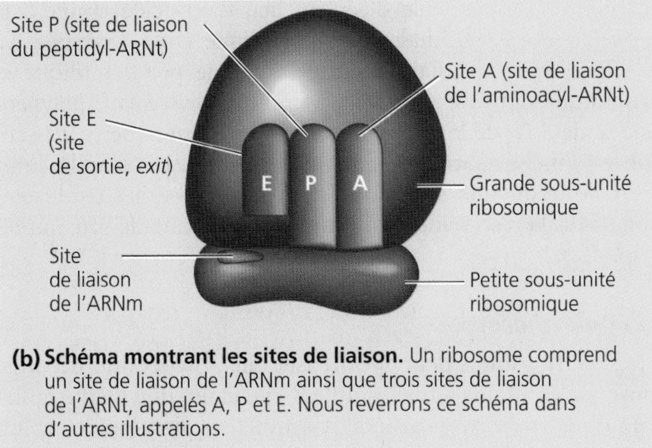

(b) Schéma montrant les sites de liaison. Un ribosome comprend un site de liaison de l'ARNm ainsi que trois sites de liaison de l'ARNt, appelés A, P et E. Nous reverrons ce schéma dans d'autres illustrations.

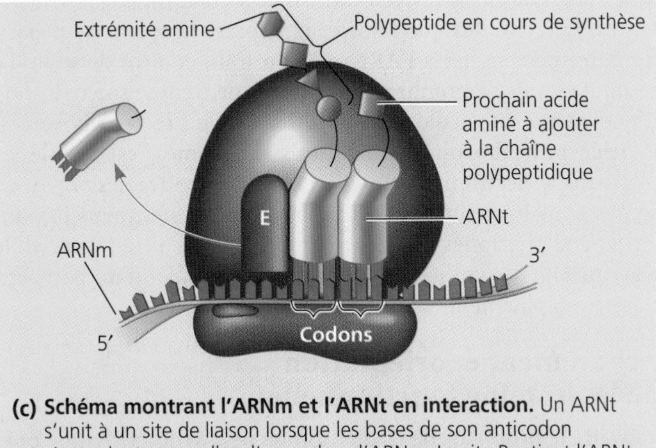

(c) Schéma montrant l'ARNm et l'ARNt en interaction. Un ARNt s'unit à un site de liaison lorsque les bases de son anticodon s'apparient avec celles d'un codon d'ARNm. Le site P retient l'ARNt attaché au polypeptide en cours de synthèse. Le site A retient l'ARNt qui porte le prochain acide aminé qu'il faut ajouter à la chaîne polypeptidique. L'ARNt libéré se détache du ribosome par le site E.

▲ **Figure 17.16 Anatomie d'un ribosome fonctionnel.**

« **p**olypeptide en voie de formation »). Le **site A** (site aminoacyl-ARNt) retient l'ARNt qui porte le prochain acide aminé qui sera ajouté à la chaîne (on peut associer la lettre **A** à « **a**rrivée de l'**a**cide **a**miné »). C'est à partir du **site E** (site de sortie) que l'ARNt quitte le ribosome (on peut associer la lettre **E** à « *exit* »). L'ensemble des sites du ribosome permettent de rapprocher l'ARNt et l'ARNm, de placer le nouvel acide aminé de façon à l'ajouter à l'extrémité carboxyle du polypeptide en cours de synthèse et de catalyser ensuite la formation de la liaison peptidique. À mesure qu'il poursuit son élongation, le polypeptide émerge par un *tunnel de sortie* dans la grande sous-unité ribosomique. Une fois sa synthèse terminée, c'est par cet orifice que le polypeptide passe dans le cytosol.

Après quatre décennies de recherches dans les domaines de la génétique et de la biochimie, on a enfin compris en détail la structure du ribosome bactérien, illustré sous forme de « rubans » à la figure 17.1. Des recherches récentes semblent confirmer l'hypothèse selon laquelle la structure et les fonctions de cet organite sont assumées par l'ARNr et non par les protéines. Ces protéines, localisées en grande partie sur la périphérie, prennent part aux modifications conformationnelles des molécules d'ARNr lorsque celles-ci effectuent la catalyse au cours de la traduction. L'ARN est la principale composante de l'interface entre les deux sous-unités ainsi que des sites A et P, et c'est lui qui catalyse la formation de la liaison peptidique. On peut donc considérer le ribosome comme un énorme ribozyme!

La synthèse d'un polypeptide

La traduction, ou synthèse d'un polypeptide, comprend trois étapes principales, qui rappellent celles de la transcription: il s'agit de l'initiation, de l'élongation et de la terminaison. Celles-ci ne peuvent se dérouler qu'en présence de « facteurs » protéiques assistant l'ARNm, l'ARNt et les ribosomes pendant la traduction. Certains aspects de l'initiation et de l'élongation de la chaîne nécessitent également un apport énergétique fourni par l'hydrolyse de GTP (guanosine triphosphate), une molécule étroitement apparentée à l'ATP.

Liaison au ribosome et initiation de la traduction

L'étape d'initiation (ou de démarrage), qui est l'étape la plus lente de la synthèse d'un polypeptide, met en jeu l'ARNm, un ARNt portant le premier acide aminé du polypeptide dont la formation va débuter et les deux sous-unités d'un ribosome **(figure 17.17)**. En premier lieu, la petite sous-unité s'attache à la fois à un ARNm et à un ARNt spécifique d'initiation qui porte l'acide aminé méthionine dont l'extrémité amine a subi une modification. La petite sous-unité se déplace ensuite en aval, ou effectue un *balayage*, sur l'ARNm jusqu'à ce qu'elle atteigne le codon d'initiation AUG, qui précise le point de départ de la traduction; cette étape est importante parce que c'est ce qui établit la phase de lecture de l'ARNm. L'anticodon de l'ARNt d'initiation déjà associé au complexe établit des liaisons hydrogène avec le codon AUG de départ; la signification de ce codon ne sera donc pas la même que celle d'un codon semblable situé à l'intérieur de l'ARNm: dans un cas (au début du polypeptide), ce codon entraînera la mise en place d'une méthionine à extrémité amine modifiée et dans l'autre cas (à l'intérieur du polypeptide), la mise en place d'une méthionine non modifiée.

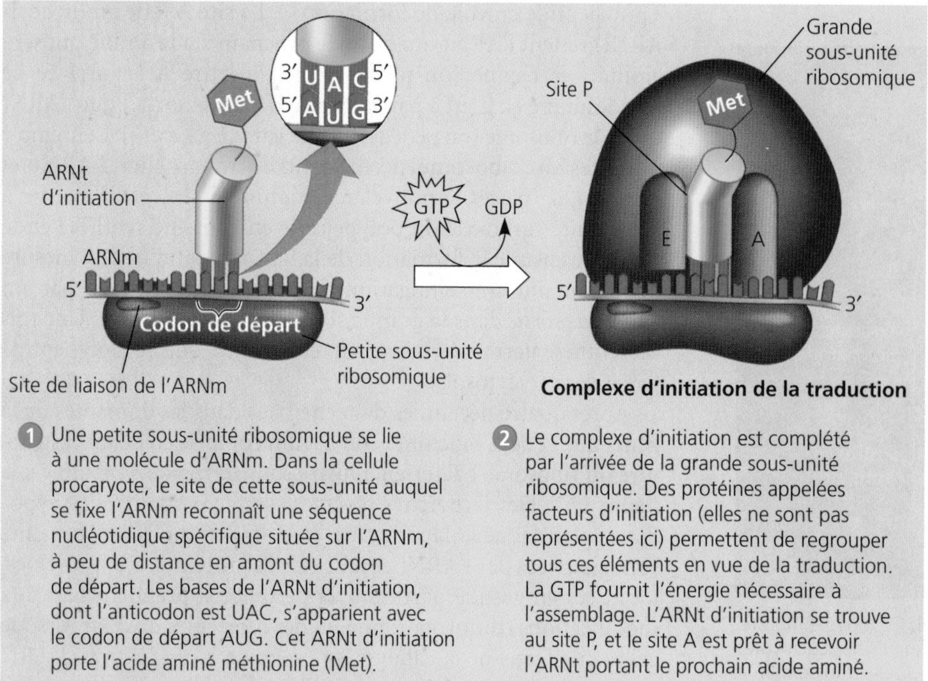

Grande
sous-unité
ribosomique
Met
3′ U A C 5′
5′ A U G 3′
Site P
ARNt
d'initiation
GTP
GDP
ARNm
5′
3′
Codon de départ
E
A
5′
3′
Petite sous-unité
ribosomique
Site de liaison de l'ARNm
Complexe d'initiation de la traduction
1 Une petite sous-unité ribosomique se lie à une molécule d'ARNm. Dans la cellule procaryote, le site de cette sous-unité auquel se fixe l'ARNm reconnaît une séquence nucléotidique spécifique située sur l'ARNm, à peu de distance en amont du codon de départ. Les bases de l'ARNt d'initiation, dont l'anticodon est UAC, s'apparient avec le codon de départ AUG. Cet ARNt d'initiation porte l'acide aminé méthionine (Met).
2 Le complexe d'initiation est complété par l'arrivée de la grande sous-unité ribosomique. Des protéines appelées facteurs d'initiation (elles ne sont pas représentées ici) permettent de regrouper tous ces éléments en vue de la traduction. La GTP fournit l'énergie nécessaire à l'assemblage. L'ARNt d'initiation se trouve au site P, et le site A est prêt à recevoir l'ARNt portant le prochain acide aminé.

▲ **Figure 17.17 Initiation de la traduction.**

L'union de l'ARNm, de l'ARNt d'initiation et de la petite sous-unité ribosomique est suivie de l'arrivée de la grande sous-unité ribosomique, qui vient compléter le complexe d'initiation. L'assemblage de toutes ces composantes ne peut se faire qu'en présence de protéines appelées *facteurs d'initiation*. Pour former un complexe d'initiation, la cellule puise de l'énergie dans la GTP. À la fin du processus d'initiation, l'ARNt d'initiation se retrouve sur le site P du ribosome, et le site A, vacant, est prêt à recevoir le prochain aminoacyl-ARNt. Notez qu'un polypeptide est toujours synthétisé dans le même sens, à partir de la méthionine à l'extrémité amine, aussi appelée N-terminale, vers l'acide aminé final à l'extrémité carboxyle, ou C-terminale (voir la figure 5.18). La méthionine modifiée qui a initié la synthèse du polypeptide est, dans près de la moitié des cas chez les Bactéries, retirée à la fin de la synthèse.

L'élongation de la chaîne polypeptidique

Au cours de l'étape de la traduction appelée élongation, les acides aminés sont ajoutés un à un, à la suite l'un de l'autre. Chaque ajout suppose la participation de plusieurs protéines appelées *facteurs d'élongation* et se déroule selon un cycle comptant trois phases décrites à la **figure 17.18**. La dépense énergétique s'effectue à la première et à la troisième étape. La reconnaissance du codon nécessite l'hydrolyse de deux molécules de GTP, ce qui augmente l'exactitude et l'efficacité de cette étape. Une autre molécule de GTP est hydrolysée à l'étape de la translocation.

L'ARNm traverse toujours le ribosome dans la même direction, c'est-à-dire en commençant par l'extrémité 5′. Cela revient à dire que le ribosome se déplace dans le sens 5′ → 3′ sur l'ARNm. Il suffit de se souvenir que le ribosome et l'ARNm bougent l'un par rapport à l'autre, en sens inverse et codon par codon. À tout instant, une trentaine de nucléotides d'ARNm (donc une dizaine de codons) se trouvent à l'intérieur du ribosome et deux ARNt sont fixés au ribosome. Le cycle d'élongation dure moins d'un dixième de seconde chez les Procaryotes et se répète chaque fois qu'un acide aminé est ajouté à la chaîne polypeptidique, et ce, jusqu'à ce que celle-ci soit complète.

La terminaison de la traduction

La dernière étape de la traduction est la terminaison **(figure 17.19)**. L'élongation se poursuit jusqu'à ce que l'un des codons d'arrêt de l'ARNm atteigne le site A du ribosome. Les triplets de bases azotées UAG, UAA et UGA de l'ARNm ne codent pas pour des acides aminés (ces codons n'ont pas d'anticodons complémentaires), mais servent de signal de fin de la traduction. Une protéine appelée *facteur de terminaison* se lie alors directement au codon de terminaison du site A et ajoute une molécule d'eau au lieu d'un acide aminé à la chaîne polypeptidique enfin terminée. La liaison entre la chaîne polypeptidique et l'ARNt qui se trouve au site P est ainsi hydrolysée, et le polypeptide se détache de la grande sous-unité ribosomique en passant par le tunnel de sortie (voir la figure 17.16a). Le reste du complexe de traduction se dissocie alors; les ribosomes retournent donc dans la réserve de ribosomes sous la forme de sous-unités dissociées.

Les polyribosomes

Un seul ribosome peut synthétiser un polypeptide de taille moyenne en moins d'une minute. Cependant, une même molécule d'ARNm sert en général à synthétiser simultanément un grand nombre de copies d'un polypeptide donné. Cela est possible parce que plusieurs ribosomes traduisent le message en même temps. En effet, dès que l'un d'eux dépasse le codon de départ, un autre peut se lier à l'ARNm à son tour, et ainsi de suite. Le résultat est que de nombreux ribosomes peuvent se suivre le long d'une même molécule d'ARNm. Une telle file de ribosomes, appelée **polyribosome** (ou parfois **polysome**), est visible au microscope électronique **(figure 17.20)**. On trouve des polyribosomes dans les cellules procaryotes et eucaryotes, mais ils sont en général plus longs chez les premières. Grâce à eux, une cellule a la capacité de synthétiser de nombreuses copies d'un polypeptide très rapidement.

Achèvement et orientation de la protéine fonctionnelle

Souvent, le processus de traduction ne peut synthétiser une protéine fonctionnelle sans aide. Dans la présente section, vous étudierez les modifications que les chaînes de polypeptides subissent après le processus de traduction ainsi que quelques mécanismes utilisés pour orienter la protéine achevée vers des sites spécifiques dans la cellule.

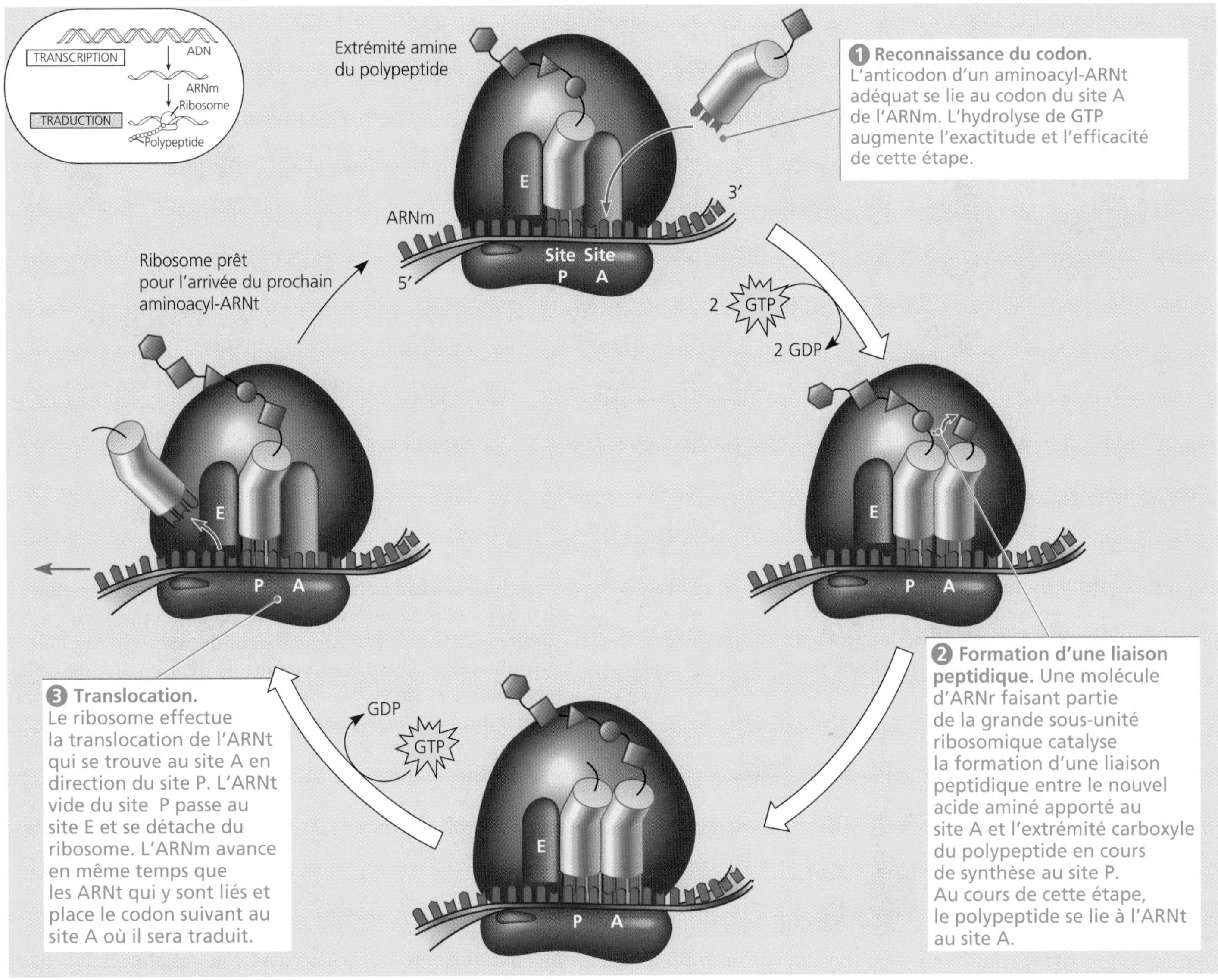

TRANSCRIPTION
ADN
ARNm
Ribosome
TRADUCTION
Polypeptide
Extrémité amine du polypeptide
1 Reconnaissance du codon. L'anticodon d'un aminoacyl-ARNt adéquat se lie au codon du site A de l'ARNm. L'hydrolyse de GTP augmente l'exactitude et l'efficacité de cette étape.
E
3'
ARNm
Site P
Site A
5'
Ribosome prêt pour l'arrivée du prochain aminoacyl-ARNt
2 GTP
2 GDP
E
P A
E
P A
2 Formation d'une liaison peptidique. Une molécule d'ARNr faisant partie de la grande sous-unité ribosomique catalyse la formation d'une liaison peptidique entre le nouvel acide aminé apporté au site A et l'extrémité carboxyle du polypeptide en cours de synthèse au site P. Au cours de cette étape, le polypeptide se lie à l'ARNt au site A.
3 Translocation. Le ribosome effectue la translocation de l'ARNt qui se trouve au site A en direction du site P. L'ARNt vide du site P passe au site E et se détache du ribosome. L'ARNm avance en même temps que les ARNt qui y sont liés et place le codon suivant au site A où il sera traduit.
GDP
GTP
E
P A

▲ **Figure 17.18 Cycle d'élongation de la traduction.** Ces schémas ne montrent pas les protéines appelées facteurs d'élongation. L'hydrolyse de GTP joue un rôle important dans le processus d'élongation.

Repliement des protéines et modifications post-traductionnelles

Pendant la synthèse, la chaîne polypeptidique s'enroule et se replie spontanément en formant une protéine fonctionnelle dotée d'une conformation spécifique. En d'autres termes, elle devient une molécule tridimensionnelle possédant une structure secondaire et tertiaire (voir la figure 5.20). C'est le gène qui détermine la structure primaire, et cette dernière détermine à son tour la conformation de la molécule. Dans de nombreux cas, une chaperonine (une protéine jouant le rôle de chaperon moléculaire) contribue à plier correctement le polypeptide nouvellement formé (voir la figure 5.23).

La protéine doit parfois passer par des étapes supplémentaires après la traduction (*modifications post-traductionnelles*) avant de pouvoir remplir sa fonction dans la cellule. Certains acides aminés sont modifiés chimiquement par l'ajout de glucides, de lipides, de groupements phosphate ou d'autres substances. Des enzymes peuvent détacher un ou plusieurs acides aminés de l'extrémité amine de la chaîne polypeptidique. Dans certains cas, une même chaîne polypeptidique est découpée en plusieurs morceaux par voie enzymatique. Par exemple, l'insuline (une protéine) est d'abord synthétisée sous la forme d'une chaîne polypeptidique; toutefois, elle ne devient active que lorsqu'une enzyme enlève un segment situé au centre de la chaîne. La protéine résultante est formée de deux chaînes polypeptidiques reliées par des ponts disulfure. Dans d'autres cas, plusieurs polypeptides synthétisés séparément s'unissent de façon à constituer les sous-unités d'une protéine pourvue d'une structure quaternaire.

L'acheminement des polypeptides vers des cibles spécifiques

L'observation au microscope électronique de cellules eucaryotes synthétisant des protéines permet de mettre en évidence deux

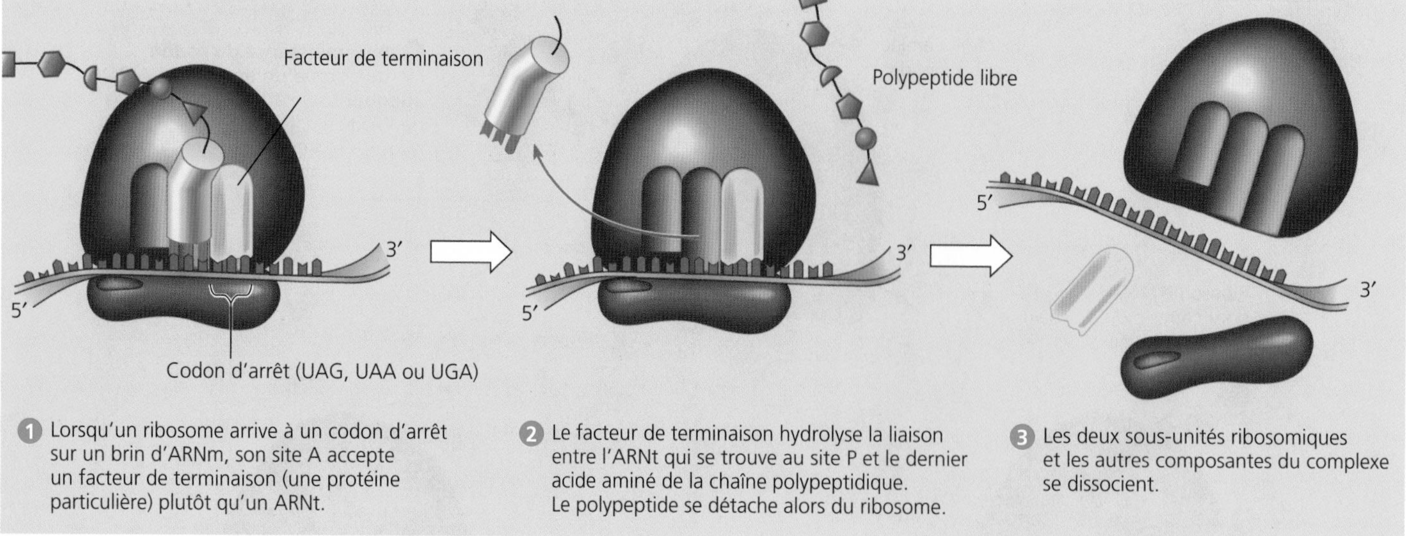

Facteur de terminaison
Polypeptide libre
5′
3′
5′
3′
5′
3′
Codon d'arrêt (UAG, UAA ou UGA)
1 Lorsqu'un ribosome arrive à un codon d'arrêt sur un brin d'ARNm, son site A accepte un facteur de terminaison (une protéine particulière) plutôt qu'un ARNt.
2 Le facteur de terminaison hydrolyse la liaison entre l'ARNt qui se trouve au site P et le dernier acide aminé de la chaîne polypeptidique. Le polypeptide se détache alors du ribosome.
3 Les deux sous-unités ribosomiques et les autres composantes du complexe se dissocient.

▲ **Figure 17.19 Terminaison de la traduction.**

populations de ribosomes (et de polyribosomes) : des ribosomes libres et d'autres qui sont liés (voir la figure 6.11). Les premiers sont en suspension dans le cytosol et synthétisent surtout des protéines qui se dissolvent dans le cytosol, où elles remplissent leurs fonctions. Les seconds sont fixés à la face cytoplasmique du réticulum endoplasmique (RE) rugueux, ou à l'enveloppe nucléaire ; ils synthétisent les protéines du réseau intracellulaire de membranes (l'enveloppe nucléaire, le RE, l'appareil de Golgi, les lysosomes, les vacuoles et la membrane plasmique) ainsi que celles qui doivent être sécrétées à l'extérieur de la cellule (comme l'insuline). Cependant, tous les ribosomes sont identiques, et ils peuvent passer de l'état libre à l'état lié.

Quel est le facteur qui détermine si un ribosome se trouve libre dans le cytosol ou lié au réticulum endoplasmique ? Il faut savoir que la synthèse de tout polypeptide commence dans le cytosol lorsqu'un ribosome libre entame la traduction d'une molécule d'ARNm. Le processus se poursuit entièrement dans ce milieu *sauf* si le polypeptide en cours de synthèse incite le ribosome, par une séquence particulière d'acides aminés, à se fixer au RE. Par exemple, les protéines destinées au réseau intracellulaire de membranes ou devant être sécrétées portent une **séquence signal** qui les oriente vers le RE (**figure 17.21**). Cette séquence compte environ 20 acides aminés et se situe à l'extrémité amine du polypeptide ou près de celle-ci. Au moment où la séquence signal émerge du ribosome, elle est reconnue par un complexe appelé **particule de reconnaissance du signal (PRS)**. Celle-ci est constituée de six protéines et d'un petit ARN. Elle agit alternativement comme un interrupteur de la synthèse protéique et comme un adaptateur entre le ribosome et la membrane du RE. Ce récepteur fait partie d'un complexe de translocation multiprotéique. La synthèse du polypeptide se poursuit à cet endroit, et le polypeptide en voie de formation commence à passer dans la lumière du RE en se faufilant à travers un canal protéique de la membrane. Sa séquence signal est habituellement enlevée par une peptidase. S'il est destiné à devenir une protéine de sécrétion, le polypeptide enfin complété est libéré dans la solution qui remplit la lumière du RE (voir la figure 17.21). S'il doit devenir une protéine membranaire, il reste partiellement enchâssé dans la membrane du RE.

D'autres types de séquences signal orientent les polypeptides vers les mitochondries, les chloroplastes, l'intérieur du noyau et d'autres organites qui ne font pas partie du réseau intracellulaire

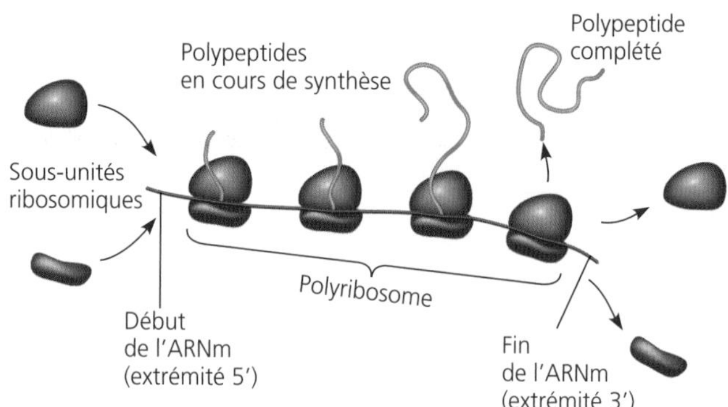

(a) Une molécule d'ARNm est généralement traduite simultanément par plusieurs ribosomes. L'ensemble de ceux-ci est appelé polyribosome.

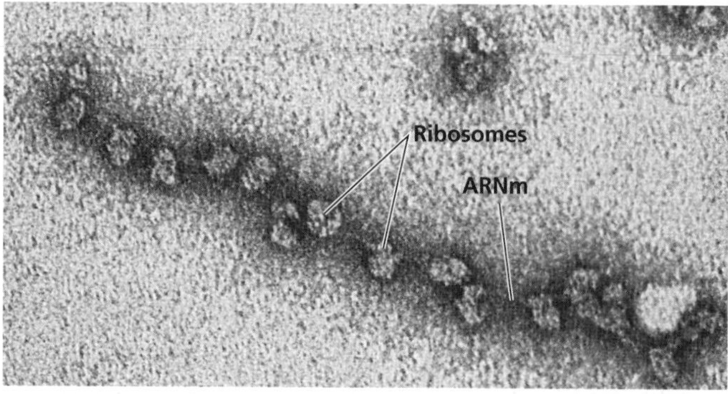

(b) Cette micrographie montre un polyribosome dans une cellule procaryote (MET).

▲ **Figure 17.20 Polyribosomes.**

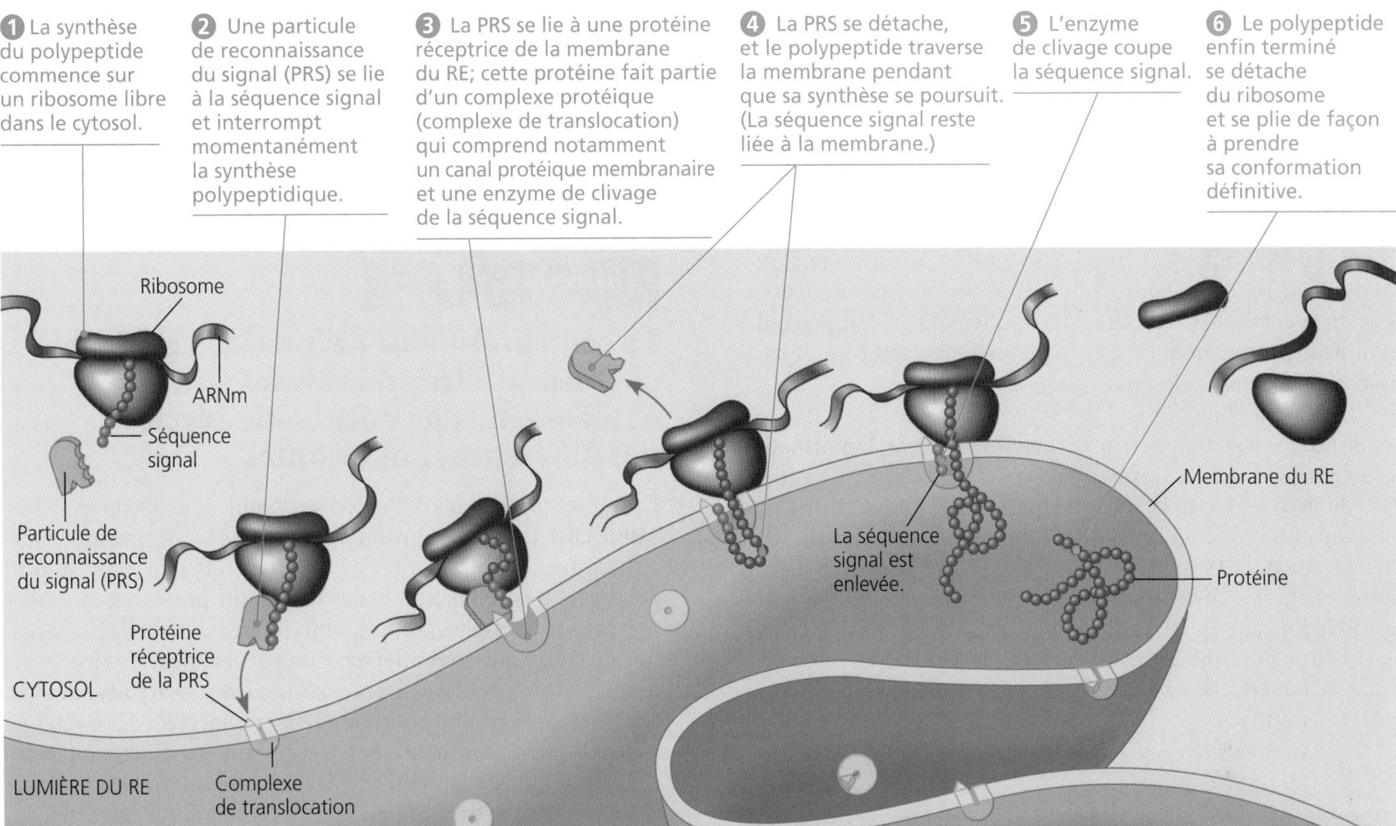

1 La synthèse du polypeptide commence sur un ribosome libre dans le cytosol.
2 Une particule de reconnaissance du signal (PRS) se lie à la séquence signal et interrompt momentanément la synthèse polypeptidique.
3 La PRS se lie à une protéine réceptrice de la membrane du RE; cette protéine fait partie d'un complexe protéique (complexe de translocation) qui comprend notamment un canal protéique membranaire et une enzyme de clivage de la séquence signal.
4 La PRS se détache, et le polypeptide traverse la membrane pendant que sa synthèse se poursuit. (La séquence signal reste liée à la membrane.)
5 L'enzyme de clivage coupe la séquence signal.
6 Le polypeptide enfin terminé se détache du ribosome et se plie de façon à prendre sa conformation définitive.
Ribosome
ARNm
Séquence signal
Particule de reconnaissance du signal (PRS)
Protéine réceptrice de la PRS
CYTOSOL
LUMIÈRE DU RE
Complexe de translocation
La séquence signal est enlevée.
Membrane du RE
Protéine

▲ **Figure 17.21 Mécanisme de signalisation pour l'acheminement des protéines au RE.** Les polypeptides devant être affectés au réseau intracellulaire de membranes ou sécrétés à l'extérieur de la cellule commencent par une séquence signal, c'est-à-dire par une série d'acides aminés qui leur assigne une destination précise, le RE. Ce schéma montre successivement le début de la synthèse d'une protéine destinée à la sécrétion et son arrivée dans le RE. Sa maturation se poursuit dans le RE, puis dans l'appareil de Golgi. Enfin, une vésicule de sécrétion l'achemine vers la membrane plasmique. C'est de là qu'elle sera sécrétée à l'extérieur de la cellule (voir la figure 7.10).

de membranes. Dans ces cas, la principale particularité est que la traduction prend fin dans le cytosol, avant que le polypeptide soit exporté vers l'organite auquel il est destiné. Les mécanismes de translocation sont également variables; mais, dans tous les cas qui ont été étudiés jusqu'à aujourd'hui, les étiquettes qui orientent les protéines vers un endroit de la cellule ou qui les destinent à devenir une protéine de sécrétion sont divers types de séquences signal. Les Procaryotes emploient également des séquences signal pour les protéines destinées à devenir des protéines de sécrétion.

Retour sur le concept 17.4

1. Quels sont les deux processus qui garantissent que l'acide aminé approprié soit ajouté à une chaîne polypeptidique en croissance?
2. Décrivez de quelle façon la formation des polyribosomes peut être utile à la cellule.
3. Décrivez comment un polypeptide destiné à être sécrété à l'extérieur de la cellule est transporté au réseau intracellulaire de membranes.

Voir les réponses proposées à la fin du chapitre.

Concept 17.5

L'ARN a plusieurs fonctions dans la cellule: *une révision*

Comme nous l'avons vu, les mécanismes cellulaires de synthèse protéique (et de ciblage du RE) reposent avant tout sur différentes sortes d'ARN: d'une part un ARN qui sera traduit en polypeptides, l'ARN messager (qui ne représente pas plus de 5 % de tout l'ARN d'une bactérie), et d'autre part des ARN qui ne sont pas traduits en polypeptides, soit l'ARN de transfert (15 % de l'ARN bactérien), l'ARN ribosomique (environ 80 % de l'ARN bactérien) et, chez les Eucaryotes, le petit ARN nucléaire et l'ARN de la particule de reconnaissance du signal **(tableau 17.1)**. Un type d'ARN appelé *petit ARN nucléolaire* contribue à la maturation des transcrits de l'ARN préribosomique dans le nucléole, un processus nécessaire à la formation des ribosomes. Ces petites molécules d'ARN ont diverses fonctions, notamment la participation à la structure, la transmission de l'information et la catalyse. Des recherches récentes ont également révélé la présence de petites molécules d'ARN monocaténaire et bicaténaire qui, de façon inattendue, jouent un rôle important dans la régulation du gène qui sera exprimé. On appelle ces types d'ARN *petit ARN interférent* (*pARNi*) et *microARN* (*miARN*) (voir le chapitre 19).

Trois propriétés permettent à l'ARN d'assumer des rôles aussi nombreux. Premièrement, l'ARN peut former des liaisons hydrogène avec d'autres molécules d'acides nucléiques (d'ADN ou d'ARN). Deuxièmement, il peut adopter une structure tridimensionnelle grâce à l'établissement de liaisons hydrogène entre des bases situées à différents endroits le long de sa chaîne nucléotidique (l'ARNt de la figure 17.14 offre un exemple de liaisons intramoléculaires de ce type). Troisièmement, il comporte des groupements fonctionnels qui lui permettent d'agir comme catalyseur (ribozyme). Ces trois propriétés confèrent à l'ARN de multiples fonctions.

Si l'ADN constitue le support moléculaire de l'information génétique de toutes les *cellules*, l'ARN est beaucoup plus polyvalent. Et vous verrez au chapitre 18 que c'est l'ARN, et non l'ADN, qui constitue le génome de nombreux virus. Au cours des dernières années, les scientifiques ont commencé à apprécier à leur juste valeur les diverses fonctions remplies par les molécules d'ARN. En fait, la revue *Science* a décerné en 2002 son prix Breakthrough of the Year (« Percée annuelle dans la recherche ») à la découverte des petites molécules d'ARN de régulation, pARNi et miARN.

Tableau 17.1 Types d'ARN dans la cellule eucaryote

Type d'ARN	Fonctions
ARN messager (ARNm)	Transmet aux ribosomes l'information de l'ADN définissant les séquences d'acides aminés des protéines.
ARN de transfert (ARNt)	Sert d'adaptateur lors de la synthèse des protéines; traduit les codons d'ARNm en acides aminés.
ARN ribosomique (ARNr)	Joue un rôle catalytique (ribozyme) et un rôle structural dans les ribosomes.
Transcrit primaire	Précurseur de l'ARNm, de l'ARNr ou de l'ARNt, avant de subir une maturation par épissage et par clivage. Certaines molécules d'ARN provenant des introns agissent comme des ribozymes et catalysent leur propre épissage.
Petit ARN nucléaire (pARNn)	Joue un rôle structural et catalytique dans les complexes d'épissage (formés de protéines et d'ARN) qui effectuent l'épissage de l'ARN prémessager.
ARN de la PRS	Composante de la particule de reconnaissance du signal (PRS), le complexe de protéines et d'ARN qui reconnaît la séquence signal des polypeptides destinés au RE.
Petit ARN nucléolaire (snoARN)	Contribue à la maturation des transcrits de l'ARN préribosomique pour la formation des sous-unités du ribosome dans le nucléole.
Petit ARN interférent (pARNi) et microARN (miARN)	Participent à la régulation de l'expression génique.

Retour sur le concept 17.5

1. Décrivez trois propriétés de l'ARN qui lui permettent de remplir divers rôles dans la cellule.

Voir les réponses proposées à la fin du chapitre.

Concept 17.6

La comparaison de l'expression génique chez les cellules procaryotes et les organismes eucaryotes révèle des différences importantes

La transcription et la traduction se déroulent de façon très semblable chez les cellules procaryotes et chez les organismes eucaryotes, mais nous avons relevé certaines différences sur le plan des structures cellulaires et des détails du processus. Les ARN polymérases des deux groupes sont différentes, et celles des organismes eucaryotes font intervenir un jeu complexe de facteurs de transcription. Chez les cellules eucaryotes et procaryotes, la transcription ne se termine pas de la même façon, et les ribosomes ne sont pas tout à fait identiques. Cependant, les différences principales sont dues à la division de la cellule eucaryote en compartiments. Ainsi, dans la cellule procaryote, le processus se déroule de façon ininterrompue. Comme il n'y a pas de noyau, la transcription et la traduction du même gène peuvent se dérouler simultanément **(figure 17.22)**, et la protéine qui vient d'être

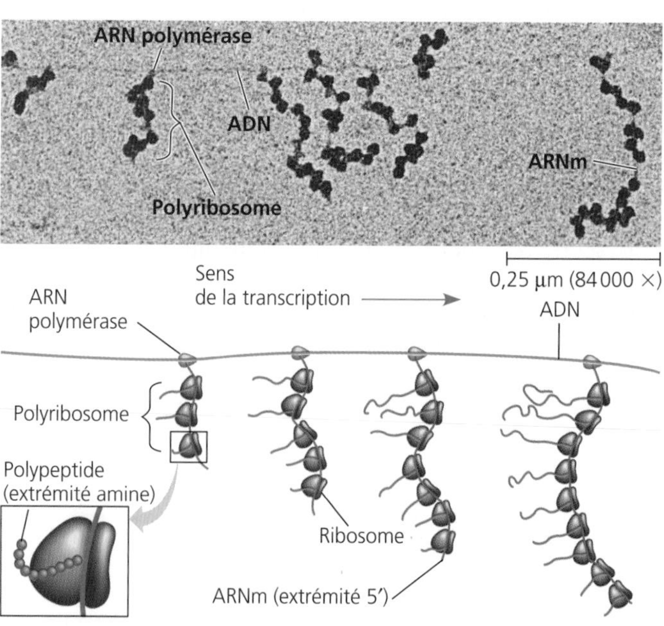

▲ **Figure 17.22 Couplage de la transcription et de la traduction chez les Archéobactéries et les Bactéries.** Dans les cellules procaryotes, la traduction de l'ARNm peut commencer dès que la première extrémité (5′) de la molécule d'ARNm se détache de la matrice d'ADN. La micrographie (MET) montre la transcription d'un brin d'ADN de *E. coli* par des molécules d'ARN polymérase. Chacune de celles-ci engendre un brin d'ARNm déjà en cours de traduction par les ribosomes. Les polypeptides nouvellement synthétisés ne sont pas visibles dans la microphotographie, mais sont illustrés dans le schéma.

synthétisée peut atteindre rapidement son site fonctionnel par diffusion. Dans la cellule eucaryote, par contre, l'enveloppe du noyau délimite deux compartiments, où la transcription et la traduction ont lieu respectivement. L'un de ces compartiments est également le siège d'une maturation très élaborée de l'ARN. Le processus de maturation inclut des étapes supplémentaires, dont la régulation permet de coordonner les activités complexes de la cellule eucaryote (voir le chapitre 19). Finalement, la cellule eucaryote possède des mécanismes complexes d'acheminement des protéines vers le compartiment cellulaire approprié (organite).

Où les êtres vivants ont-il acquis les gènes qui codent pour l'énorme diversité des protéines qu'ils synthétisent? Depuis plus de trois milliards d'années, de nouveaux gènes apparaissent par mutation de gènes préexistants; nous parlerons de ce phénomène dans la section qui suit.

Retour sur le concept 17.6

1. À la figure 17.22, numérotez les ARN polymérases dans l'ordre de l'initiation de leur transcription. Numérotez ensuite chacun des ribosomes des ARNm dans l'ordre de l'initiation de leur traduction.
2. Est-ce que l'arrangement illustré à la figure 17.22 pourrait se retrouver dans une cellule eucaryote? Expliquez votre réponse.

Voir les réponses proposées à la fin du chapitre.

Concept 17.7

Les mutations ponctuelles peuvent modifier la structure et la fonction des protéines

Les **mutations** sont des modifications du bagage génétique d'une cellule (ou d'un virus). Au chapitre 15, nous avons parlé des mutations chromosomiques: celles qui modifient le nombre de chromosomes d'un individu, et celles qui impliquent des remaniements chromosomiques touchant de longs segments d'ADN (voir la figure 15.14) et portant sur de nombreux gènes. Maintenant, nous pouvons aborder le deuxième grand type de mutations, plus important sur le plan de la fréquence et sur le plan de l'évolution, les **mutations ponctuelles**. Il s'agit de modifications chimiques touchant une paire de bases azotées d'un gène.

Si elle apparaît dans un gamète ou dans une cellule productrice de gamètes, une mutation ponctuelle peut être transmise à la descendance immédiate et aux générations suivantes. Quand elle a des effets nocifs sur le phénotype d'un organisme, on parle d'anomalie génétique ou de maladie héréditaire. Par exemple, on a trouvé la cause génétique de l'anémie à hématies falciformes: cette maladie est due à une mutation touchant une seule paire de bases du gène qui code pour l'un des polypeptides de l'hémoglobine. Cette modification d'un seul nucléotide de la matrice d'ADN entraîne la production d'une protéine anormale (**figure 17.23** et voir la figure 5.21). L'hémoglobine ainsi transformée des personnes homozygotes pour le gène mutant donne aux hématies (globules rouges) une forme de faucille qui réduit substantiellement la fixation du dioxygène. Cela fait apparaître les nombreux symptômes de l'anémie à hématies falciformes (voir le chapitre 14). Voyons maintenant comment les différents types de mutations ponctuelles se traduisent en protéines modifiées.

Les catégories de mutations ponctuelles

On peut classer les mutations ponctuelles survenant à l'intérieur d'un gène en deux grandes catégories: les substitutions de paires de bases, et les insertions ou les délétions de paires de bases. Au fur et à mesure que vous lirez la section consacrée aux effets de ces mutations sur les protéines, reportez-vous aux **figures 17.24** et **17.25**.

Les substitutions

La **substitution d'une paire de bases** est le remplacement d'un nucléotide et de son vis-à-vis par une paire de nucléotides différente. Certaines substitutions sont appelées *mutations silencieuses*, parce que la redondance du code génétique fait en sorte qu'elles n'ont aucun effet sur la protéine synthétisée. Autrement dit, la modification d'une paire de bases peut résulter en un codon dont la traduction donne le même acide aminé que celui pour lequel le codon initial aurait codé. Par exemple, si 3′-CCG-5′ sur le brin matrice devient 3′-CCA-5′ à la suite d'une mutation, le codon

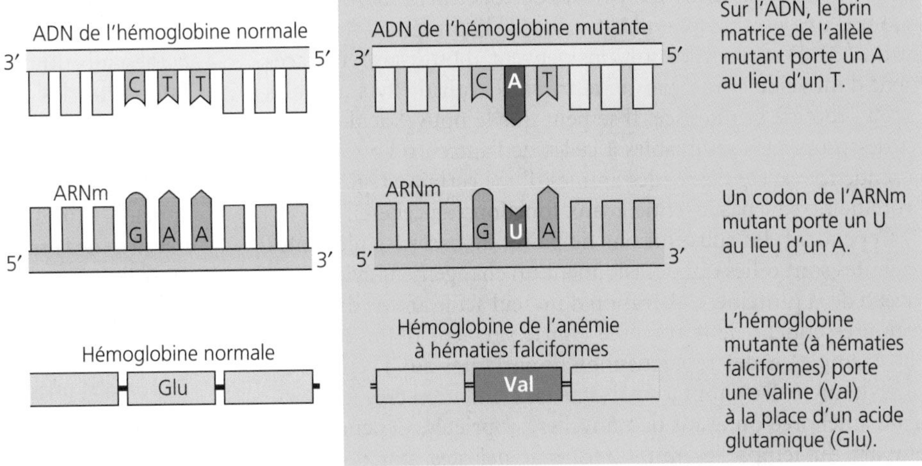

▶ **Figure 17.23 L'origine moléculaire de l'anémie à hématies falciformes, une mutation ponctuelle.** La différence entre l'allèle qui produit l'anémie à hématies falciformes et l'allèle normal est la modification d'une seule paire de bases de l'ADN.

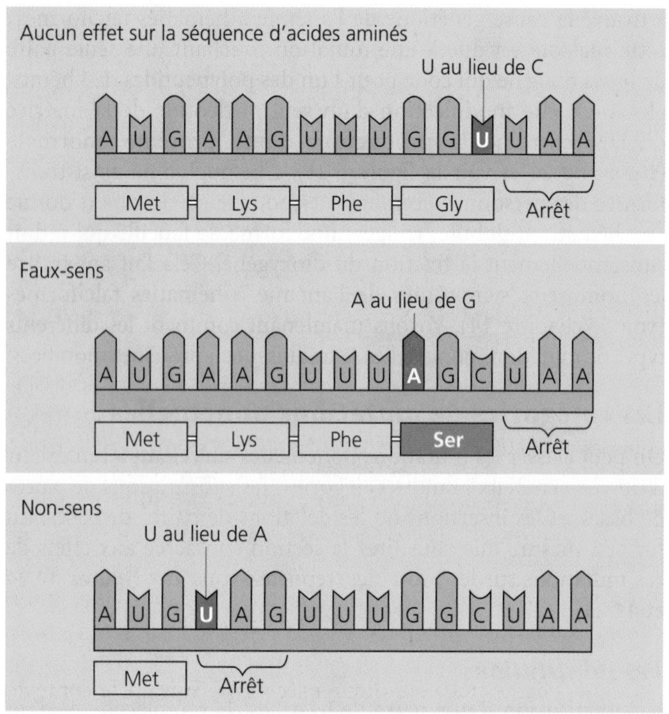

▲ **Figure 17.24 La substitution d'une paire de bases.** Les mutations sont des modifications de l'ADN, mais nous avons représenté ici les ARNm et les protéines qui en résultent. La substitution d'une paire de bases peut conduire à une mutation silencieuse, à un faux-sens ou à un non-sens.

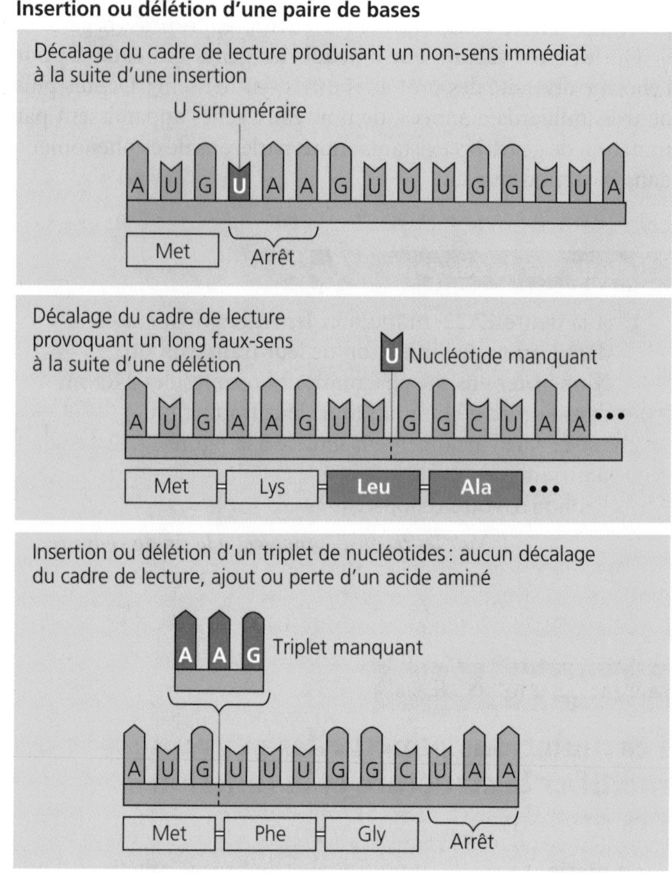

▲ **Figure 17.25 Insertion et délétion d'une paire de bases.** À vrai dire, l'exemple au bas de la figure n'est pas une mutation ponctuelle parce qu'il y a insertion ou délétion de plus d'un nucléotide.

d'ARNm GGC devient GGU ; or, ces deux derniers commandent l'ajout d'une glycine à l'endroit voulu de la protéine (voir la figure 17.5). D'autres substitutions peuvent aboutir au remplacement d'un acide aminé par un autre sans avoir d'effets notables sur la protéine synthétisée. Il se peut que le nouvel acide aminé ait des propriétés semblables à celles de l'ancien ou encore que la séquence exacte des acides aminés d'une certaine région de la protéine ne soit pas essentielle aux fonctions de celle-ci.

Cependant, les substitutions de paires de bases les plus intéressantes sont celles qui occasionnent un changement évident au niveau de la protéine. L'altération d'un seul acide aminé dans une région essentielle de la protéine (sur le site actif d'une enzyme, par exemple) a des répercussions importantes sur l'activité de cette dernière. De temps à autre, une telle mutation crée une protéine améliorée ou ayant de nouvelles propriétés. Cependant, la plupart du temps, les mutations sont néfastes, parce qu'elles engendrent une protéine inutile ou moins active qui entrave le fonctionnement de la cellule.

Les substitutions provoquent le plus souvent des **mutations faux-sens** : les codons touchés codent encore pour des acides aminés et ont donc un sens : celui-ci est cependant erroné. Mais une mutation ponctuelle peut transformer un codon correspondant à un acide aminé en un codon d'arrêt ; ces altérations sont appelées **mutations non-sens**, et elles conduisent à une fin prématurée de la traduction ; le polypeptide synthétisé est plus court que celui qui est encodé par le gène normal (voir la figure 17.24). Une mutation non-sens conduit presque toujours à la synthèse de protéines non fonctionnelles.

Les insertions et les délétions

Les **insertions** et les **délétions** correspondent à l'ajout ou à la perte d'une ou de plusieurs paires de nucléotides dans un gène.

Elles ont généralement des conséquences plus désastreuses que les substitutions. Étant donné que l'ARNm est lu sous forme d'une série de triplets pendant la traduction, l'insertion ou la délétion de nucléotides peut dissocier les triplets originaux du message génétique. Ce type de mutation, appelé **décalage du cadre de lecture**, apparaît chaque fois que le nombre de nucléotides insérés ou enlevés n'est pas un multiple de trois (voir la figure 17.25). Tous les nucléotides situés en aval de la modification sont alors regroupés en des codons erronés. Il en résulte un long faux-sens qui aboutit tôt ou tard à un non-sens et à une terminaison prématurée. À moins que le décalage du cadre de lecture survienne très près de la fin du gène, la protéine fabriquée ne sera probablement pas fonctionnelle.

Les mutagènes

Les mutations peuvent avoir des causes diverses. Les erreurs survenues lors de la réplication, de la réparation ou de la recombinaison de l'ADN peuvent engendrer des substitutions de paires de bases, des insertions, des délétions ou des mutations touchant des parties plus longues de l'ADN. Les mutations résultant de ce genre d'erreurs sont appelées *mutations spontanées*, et il est difficile d'en calculer le taux d'occurrence. Des estimations approximatives effectuées sur le taux de mutation au cours de la réplication de l'ADN chez *E. coli* et chez les Eucaryotes ont donné des valeurs similaires: environ 1 nucléotide sur 10^{10} est modifié et transmis à la génération suivante de cellules.

Certains agents physiques ou chimiques appelés **mutagènes** interagissent avec l'ADN et provoquent des changements. Dans les années 1920, Hermann Muller, un étudiant de T. H. Morgan et prix Nobel de médecine en 1946, a découvert que les rayons X causent des modifications génétiques chez les drosophiles. Ils lui ont permis d'obtenir des drosophiles mutantes, qu'il a ensuite utilisées au cours de ses recherches. Mais il s'est rendu compte des implications inquiétantes de sa découverte: les rayons X et les autres formes de radiations à haute énergie représentent un danger tant pour le génome humain que pour celui des organismes de laboratoire. Le rayonnement ultraviolet fait partie des mutagènes physiques; il contribue à la formation de dimères de thymine dans l'un ou l'autre des brins d'ADN (voir la figure 16.17).

Il existe plusieurs catégories de mutagènes chimiques. Les analogues des bases (comme la 5-bromouracile analogue de la thymine) sont des substances qui ressemblent aux bases azotées normales de l'ADN et qui s'insèrent dans celui-ci pendant sa réplication. Elles modifient ponctuellement l'information génétique, car elles sont plus susceptibles d'entraîner de mauvais appariements que les bases normales. D'autres mutagènes modifient chimiquement les bases en altérant aussi leur capacité d'appariement. Enfin, certains mutagènes chimiques entravent la réplication en s'insérant dans l'ADN et en déformant la double hélice.

Des chercheurs ont mis au point plusieurs méthodes pour tester, *in vitro*, l'activité mutagène de diverses substances chimiques. Le principal domaine d'application de ces tests est le dépistage préliminaire des substances chimiques qui peuvent causer le cancer. Cette approche est valable parce que la plupart des cancérogènes (qui peuvent provoquer le cancer) sont des mutagènes, et, inversement, la plupart des mutagènes sont cancérogènes.

Retour sur le concept 17.7

1. Que se passe-t-il lorsqu'une paire de nucléotides est enlevée au milieu de la séquence codante d'un gène?
2. Le brin codant d'un gène contient la séquence nucléotidique suivante: 3'-TACTTGTCCGATATC-5'. Dessinez le double brin de l'ADN et l'ARNm correspondant; indiquez les extrémités 5' et 3'. Déterminez la séquence des acides aminés. Montrez ensuite les mêmes acides nucléiques après une mutation qui a modifié la séquence de la matrice d'ADN en 3'-TACTTGTCCAATATC-5'. Que devient la séquence des acides aminés?

Voir les réponses proposées à la fin du chapitre.

Qu'est-ce qu'un gène? *Reconsidérons la question*

Notre définition du gène a progressé au cours des derniers chapitres. Nous avons commencé par le concept mendélien, selon lequel le gène est une unité héréditaire discontinue définissant un caractère phénotypique (chapitre 14). Puis, nous avons vu que Morgan et ses collaborateurs ont associé les gènes à des loci spécifiques situés sur les chromosomes (chapitre 15). Ensuite, nous avons montré qu'un gène est une région d'une molécule d'ADN portant une séquence nucléotidique précise (chapitre 16). Enfin, dans le présent chapitre, nous avons examiné une définition fonctionnelle du gène: il s'agit d'une séquence d'ADN codant pour une chaîne polypeptidique spécifique. Suivant le contexte dans lequel on étudie les gènes, toutes ces définitions peuvent être utiles (la **figure 17.26** résume le processus qui va du gène, selon la définition moderne, au polypeptide dans une cellule eucaryote).

Même le modèle «un gène, un polypeptide» doit être amélioré, et son application doit être sélective. Ainsi, chez les Eucaryotes, la plupart des gènes comportent des segments non codants (introns), de sorte qu'une grande partie de la chaîne d'ADN ne correspond à aucun segment au niveau des polypeptides. Les spécialistes de la biologie moléculaire incluent souvent dans le gène les promoteurs et certaines régions régulatrices de l'ADN. Ces séquences d'ADN ne sont pas transcrites, mais elles peuvent être considérées comme faisant partie du gène fonctionnel, étant donné qu'elles sont nécessaires à la transcription. Notre définition du gène au niveau moléculaire doit aussi être assez large pour englober les segments d'ADN qui sont transcrits en ARNr, en ARNt et en d'autres types d'ARN qui ne sont pas traduits. Comme ces gènes ne produisent aucun polypeptide, on en arrive à la définition suivante: *Un gène est une région de l'ADN dont le produit final est soit un polypeptide, soit une molécule d'ARN.*

En ce qui a trait à la plupart des gènes, cependant, il est encore utile de retenir le concept d'un gène, un polypeptide. Dans le présent chapitre, nous avons appris comment un gène ordinaire est exprimé au niveau moléculaire, à savoir par transcription en ARNm, puis par traduction en un polypeptide qui forme une protéine ayant une structure et une fonction spécifiques. Les protéines, pour leur part, expriment le phénotype observable de l'organisme.

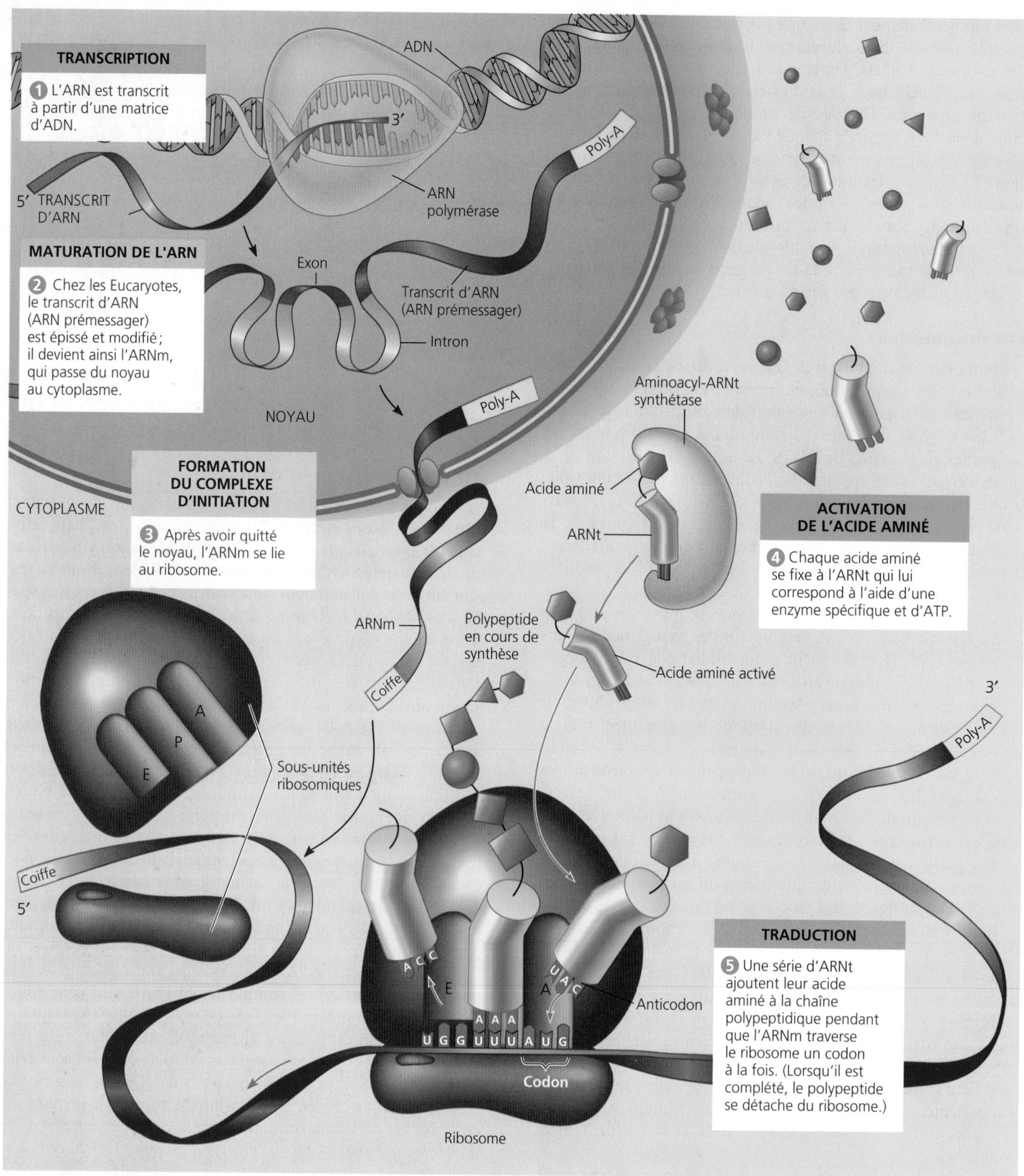

▲ **Figure 17.26 Résumé de la transcription et de la traduction dans une cellule eucaryote.** Ce schéma illustre le processus de synthèse d'un polypeptide à partir du gène qui détient le message génétique correspondant. Souvenez-vous que chaque gène peut être transcrit en ARNm à maintes reprises et que chaque ARNm peut être traduit en polypeptide de nombreuses fois. (Souvenez-vous également que le produit final de certains gènes n'est pas un polypeptide, mais une molécule d'ARN qui peut être un ARNt ou un ARNr.) De façon générale, les étapes de la transcription et de la traduction sont semblables dans les cellules procaryote et eucaryote. La différence principale est l'étape de la maturation de l'ARNm, qui se déroule dans le noyau de la cellule eucaryote. Les autres différences importantes concernent les étapes de l'initiation de la transcription et de la traduction ainsi que la terminaison de la transcription.

Les gènes sont soumis à une régulation. Nous étudierons la régulation de l'expression génique chez les Eucaryotes aux chapitres 19 et 21. Dans le prochain chapitre, nous aborderons l'étude de la régulation génique en examinant la biologie moléculaire des Bactéries et des Virus, qui est relativement simple.

Révision du chapitre 17

RÉSUMÉ DES CONCEPTS CLÉS

Concept 17.1

Les gènes codent pour les protéines par l'intermédiaire de la transcription et de la traduction

- **Une preuve à partir de l'étude de maladies métaboliques (p. 337-339).** L'ADN régit le métabolisme en ordonnant aux cellules de fabriquer des enzymes spécifiques et d'autres protéines. Les expériences de Beadle et Tatum sur des souches mutantes de *Neurospora* ont permis de confirmer l'hypothèse appelée un gène, une enzyme. Les gènes codent pour les chaînes polypeptidiques ou pour les molécules d'ARN.
- **Les principes généraux de la transcription et de la traduction (p. 339-340).** La transcription est le passage de l'information de l'ADN à l'ARN, c'est-à-dire de désoxyribonucléotides à des ribonucléotides; la traduction est le passage de l'information d'une séquence nucléotidique d'ARN à une séquence d'acides aminés formant un polypeptide.
- **Le code génétique (p. 340-343).** L'information génétique est encodée sous forme de séquence de triplets de bases azotées qui ne chevauchent pas, ou codons. Un codon est un triplet de nucléotides qui, dans l'ARNm, peut coder pour un acide aminé (61 codons codent pour les acides aminés) ou servir de signal d'arrêt de la traduction (3 codons). Pour synthétiser un polypeptide spécifique, les codons doivent être lus dans le bon sens.

Concept 17.2

La transcription est la synthèse de l'ARN à partir de l'ADN: *une étude détaillée*

- **Les composantes moléculaires de la transcription (p. 343-344).** La synthèse de l'ARN est catalysée par l'ARN polymérase. Elle obéit aux mêmes règles d'appariement des bases que la réplication de l'ADN. Toutefois, dans l'ARN, l'uracile remplace la thymine.
- **La synthèse d'un transcrit d'ARN (p. 344-345).** Les trois étapes de la transcription sont l'initiation, l'élongation et la terminaison. Des promoteurs signalent l'initiation de la synthèse de l'ARN. Chez les Eucaryotes, les facteurs de transcription aident l'ARN polymérase à reconnaître les séquences du promoteur. Les mécanismes de terminaison sont différents chez les Procaryotes et les Eucaryotes.

Concept 17.3

Dans les cellules eucaryotes, l'ARN est modifié après avoir été transcrit

- **La modification des extrémités de l'ARN prémessager (p. 345-346).** Chez les Eucaryotes, les molécules d'ARN prémessager subissent avant de quitter le noyau une maturation par modification de leurs extrémités et par épissage. L'extrémité 5′ reçoit une coiffe nucléotidique modifiée, alors que l'extrémité 3′ reçoit une queue poly-A.
- **Gènes discontinus et épissage de l'ARN (p. 346-348).** La plupart des gènes d'Eucaryotes contiennent des introns intercalés entre les régions codantes, ou exons. Pendant l'épissage de l'ARN, les introns sont enlevés et les exons sont réunis. L'épissage de l'ARN est catalysé par le complexe d'épissage. Dans certains cas, l'ARN catalyse seul l'épissage. Les molécules d'ARN catalytique sont appelées ribozymes. La présence d'introns permet l'épissage différentiel de l'ARN.

Concept 17.4

La traduction est la synthèse d'un polypeptide à partir de l'ARN messager: *une étude détaillée*

- **Les composantes moléculaires de la traduction (p. 348-351).** Une cellule traduit le message de l'ARNm en protéines avec l'aide de l'ARN de transfert (ARNt). Après avoir fixé l'acide aminé qui lui correspond, chaque molécule d'ARN de transfert aligne son anticodon sur le codon complémentaire de l'ARNm. Les ribosomes facilitent cet appariement grâce à leur site de liaison pour l'ARNm et à leur site de liaison pour l'ARNt.
- **La synthèse d'un polypeptide (p. 351-352).** Les ribosomes coordonnent les trois étapes de la traduction, qui sont l'initiation, l'élongation et la terminaison. L'ARNr catalyse la formation des liaisons polypeptidiques entre les acides aminés. Plusieurs ribosomes peuvent traduire une même molécule d'ARNm simultanément; ils forment alors un polyribosome.
- **Achèvement et orientation de la protéine fonctionnelle (p. 352-355).** Après la traduction, la protéine peut subir des modifications qui influent sur sa structure tridimensionnelle. Les ribosomes libres dans le cytosol amorcent la synthèse de toutes les protéines; cependant, celles qui sont destinées au réseau intracellulaire de membranes ou devant être sécrétées doivent être transportées dans le RE. Dans ce dernier cas, les protéines ont une séquence signal à laquelle se lie une particule de reconnaissance du signal (PRS), ce qui permet au ribosome de se lier au RE.

Concept 17.5

L'ARN a plusieurs fonctions dans la cellule: *une révision*

- L'ARN peut former des liaisons hydrogène avec d'autres molécules d'acides nucléiques (ADN ou ARN). Il peut prendre une structure tridimensionnelle spécifique et peut agir comme catalyseur **(p. 355-356)**.

Concept 17.6

La comparaison de l'expression génique chez les cellules procaryotes et les organismes eucaryotes révèle des différences importantes

- Dans une cellule procaryote qui n'a pas d'enveloppe nucléaire, la traduction peut commencer alors même que la transcription est en cours. Dans la cellule eucaryote, par contre, l'enveloppe nucléaire sépare les sites de transcription et de traduction; l'ARN subit une maturation importante dans le noyau **(p. 356-357)**.

Concept 17.7

Les mutations ponctuelles peuvent modifier la structure et la fonction des protéines

- **Les catégories de mutations ponctuelles (p. 357-359).** Une mutation ponctuelle est une modification d'une paire de bases de l'ADN qui peut entraîner la production d'une protéine non fonctionnelle ou empêcher la synthèse d'une protéine. Les substitutions de paires de bases peuvent provoquer une mutation faux-sens ou un non-sens. L'insertion et la délétion de paires de bases peuvent provoquer le décalage du cadre de lecture.

- **Les mutagènes (p. 359).** Des mutations spontanées peuvent apparaître pendant la réplication, la recombinaison ou la réparation de l'ADN. Des mutagènes chimiques ou physiques peuvent aussi modifier les gènes.

VÉRIFIEZ VOS CONNAISSANCES

Autoévaluation

(Les questions dont les numéros sont en caractères gras font surtout appel à la compréhension.)

1. Une substitution touchant la troisième paire de bases d'un génon risque moins d'entraîner une erreur au niveau du polypeptide, parce que:
   a) les substitutions de paires de bases sont corrigées avant le début de la transcription.
   b) les substitutions de paires de bases ne touchent que les introns.
   c) les règles d'appariement des bases sont moins strictes pour la troisième base des codons et des anticodons.
   d) une particule de reconnaissance du signal corrige les erreurs de codage.
   e) les erreurs de transcription attirent les petites ribonucléoprotéines nucléaires, qui stimulent l'épissage et la correction.

2. Dans les cellules eucaryotes, la transcription ne peut commencer tant que:
   a) les deux brins d'ADN ne se sont pas complètement séparés pour exposer le promoteur.
   b) plusieurs facteurs de transcription ne sont pas liés au promoteur.
   c) la coiffe 5′ n'a pas été enlevée de l'ARNm.
   d) les introns d'ADN n'ont pas été enlevés de la matrice.
   e) les endonucléases d'ADN n'ont pas isolé l'unité de transcription.

3. Parmi les affirmations suivantes concernant le codon, laquelle est *fausse*?
   a) Il est formé de trois nucléotides.
   b) Il peut coder pour le même acide aminé qu'un autre codon.
   c) Il ne code jamais pour plus d'un acide aminé.
   d) Il s'allonge à partir de l'une des extrémités de la molécule d'ARNt.
   e) C'est l'unité fondamentale du code génétique.

4. La voie métabolique de la synthèse de l'arginine est la suivante:

   Précurseur → Ornithine → Citrulline → Arginine
   A B C

   Beadle et Tatum ont découvert plusieurs catégories de mutants de *Neurospora* pouvant croître dans un milieu minimal enrichi d'arginine (voir la figure 17.2).

   À partir du comportement de leurs mutants, Beadle et Tatum ont conclu que:
   a) un seul gène code pour l'ensemble de la voie métabolique.
   b) le code génétique de l'ADN est un code à triplets.
   c) chez les mutants de la catégorie I, la mutation apparaît plus tard sur la chaîne nucléotidique que chez les mutants de la catégorie II.
   d) les mutants de la catégorie I ont une enzyme non fonctionnelle à l'étape A, alors que les mutants de la catégorie II ont une enzyme non fonctionnelle à l'étape B.
   e) les mutants de la catégorie III ont une enzyme non fonctionnelle à chacune des trois étapes.

5. L'anticodon d'une molécule d'ARNt:
   a) et le codon correspondant sur l'ARNm sont complémentaires.
   b) et le triplet correspondant sur l'ARNr sont complémentaires.
   c) est la partie de l'ARNt qui se lie à un acide aminé spécifique.
   d) peut être modifié, selon l'acide aminé qui se lie à l'ARNt.
   e) est un catalyseur, ce qui fait de l'ARNt un ribozyme.

6. Parmi les affirmations suivantes concernant la maturation de l'ARN, laquelle est *fausse*?
   a) Les exons sont coupés et hydrolysés avant que l'ARNm ne quitte le noyau.
   b) Les nucléotides peuvent être ajoutés aux deux extrémités de l'ARN.
   c) Les ribozymes peuvent jouer un rôle dans l'épissage de l'ARN.
   d) L'épissage de l'ARN peut être catalysé par les complexes d'épissage.
   e) Le transcrit primaire est souvent beaucoup plus long que la molécule d'ARNm qui finit par sortir du noyau.

7. Une des fonctions suivantes n'est *pas* réalisée par l'ARN: laquelle?
   a) Support moléculaire de l'information nécessaire pour fabriquer des protéines cellulaires spécifiques.
   b) Maturation des transcrits de l'ARN préribosomique.
   c) Régulation de gène.
   d) Catalyse de la formation d'une liaison peptidique entre un acide aminé et un polypeptide en voie de formation.
   e) Transmission d'informations de l'ADN aux ribosomes.

8. Parmi les affirmations suivantes, laquelle s'applique à la traduction à la fois chez les cellules procaryotes et chez les organismes eucaryotes?
   a) La traduction est couplée à la transcription.
   b) Le produit de la transcription est immédiatement prêt pour la traduction.
   c) Le codon UUU code pour la phénylalanine.
   d) Les ribosomes sont affectés par la streptomycine.
   e) La particule de reconnaissance du signal se lie aux 20 premiers acides aminés de certains polypeptides.

9. Lequel des énoncés suivants est faux? Chez les Procaryotes:
   a) un seul type d'ARN polymérase synthétise l'ARNm et les autres types d'ARN.
   b) c'est l'ARN polymérase elle-même qui reconnaît le promoteur et s'y lie, ce qui n'est pas le cas chez les Eucaryotes.
   c) une séquence d'ARN joue le rôle de signal de terminaison.
   d) il y a production d'ARN prémessager comme chez les Eucaryotes.
   e) la protéine nouvellement synthétisée est rapidement dirigée vers son site fonctionnel par le simple processus de la diffusion.

10. À l'aide de la figure 17.5, identifiez une séquence possible de nucléotides (que vous lirez dans le sens 5′ → 3′) de la matrice d'ADN qui produit un ARNm codant pour la séquence de polypeptides Phe-Pro-Lys.
   a) UUU-GGG-AAA.
   b) GAA-CCC-CTT.
   c) AAA-ACC-TTT.
   d) CTT-CGG-GAA.
   e) AAA-CCC-UUU.

11. Parmi les mutations suivantes, laquelle risque *le plus* d'avoir un effet nocif sur l'organisme touché?
   a) La substitution d'une paire de bases.
   b) La délétion de trois bases près du milieu d'un gène.
   c) La délétion d'une seule base au milieu d'un intron.
   d) La délétion d'une seule base près de la fin de la séquence codante.
   e) L'insertion d'une seule base en aval et près du début d'une séquence codante.

12. Quelle est la composante qui *n'intervient pas directement* dans le mécanisme appelé traduction?
   a) L'ARNm.
   b) L'ADN.
   c) L'ARNt.
   d) Les ribosomes.
   e) La GTP.

Lien avec l'évolution

Le code génétique (figure 17.5) reflète l'évolution. Par exemple, remarquez que les 20 acides aminés ne sont pas dispersés au hasard, mais que la plupart d'entre eux sont codés par des codons qui se ressemblent (c'est ainsi que la leucine est codée par 4 codons qui sont CUU, CUC, CUA et CUG). Quelle explication relative à l'évolution peut-on donner à ce phénomène? (*Indice:* il existe une explication liée aux lignées ancestrales et d'autres explications moins évidentes, du type «la structure reflète la fonction».)

Intégration

1. Un biologiste insère un gène provenant d'une cellule de foie humain dans le chromosome d'une bactérie. La bactérie transcrit ce gène en ARNm, puis traduit celui-ci en protéine. La protéine en question

est inutile et contient beaucoup plus d'acides aminés que celle qui est produite par la cellule eucaryote. Expliquez pourquoi.

2. Au début des années 1960, on a découvert chez les bactéries et les champignons microscopiques l'existence d'une deuxième voie pour la synthèse de protéines. Cette voie ne nécessite ni ARNm, ni ribosomes, mais elle fait intervenir des enzymes bien particulières (les peptides synthétases non ribosomiques ou NRPS) qui assemblent elles-mêmes les acides aminés. Le polypeptide synthétisé par ce mécanisme non ribosomique de synthèse des protéines renferme d'autres acides aminés que les 20 acides aminés « classiques » et certains de ces acides aminés sont dextrogyres au lieu de lévogyres. (Voir *La Recherche*, n° 370, décembre 2003.) Quelle peut être l'utilité de cette nouvelle voie de synthèse pour les organismes qui l'utilisent et quel avantage l'humain pourrait-il en tirer ?

Science, technologie et société

Notre société produit un grand nombre de substances chimiques qui peuvent être mutagènes (les pesticides, par exemple). En outre, elle modifie l'environnement d'une façon qui accroît l'exposition à d'autres types de mutagènes, notamment le rayonnement ultraviolet. Quel devrait être le rôle de l'État en matière d'identification des mutagènes et de réglementation de leur libération dans l'environnement ?

Réponses du chapitre 17

Retour sur le concept 17.1

1. Le brin non codant serait 5′-TGGTTTGGCTCA-3′. Le sens 5′ → 3′ est le même que pour l'ARNm ; la séquence des bases est la même excepté que l'ARNm porte la base U alors que le brin non codant de l'ADN porte la base T.
2. Un polypeptide composé de 10 acides aminés Gly (glycine).

Retour sur le concept 17.2

1. Les deux polymérases catalysent la formation d'une chaîne d'acides nucléiques à partir de nucléotides monomères ; pour ce faire, elles effectuent l'appariement de bases complémentaires sur un brin matrice. Les deux enzymes effectuent la synthèse dans le sens 5′ → 3′, antiparallèle à la matrice. L'ADN polymérase nécessite la présence d'une amorce, tandis que l'ARN polymérase n'en a pas besoin. L'ADN polymérase utilise des nucléotides comportant le désoxyribose et la base T, tandis que l'ARN polymérase utilise des nucléotides comportant le ribose et la base U.
2. L'extrémité en amont.
3. Dans une cellule procaryote, l'ARN polymérase reconnaît le promoteur d'un gène et s'y fixe. Dans un Eucaryote, les facteurs de transcription assistent la liaison de l'ARN polymérase au promoteur.
4. Le transcrit primaire d'une cellule procaryote est immédiatement utilisable comme ARNm, tandis qu'un transcrit primaire d'une cellule eucaryote doit subir des modifications avant d'agir comme ARNm.

Retour sur le concept 17.3

1. La coiffe 5′ et la queue poly-A facilitent le transport de l'ARNm vers l'extérieur du noyau, empêchent sa dégradation par les enzymes hydrolytiques et aident à la fixation des ribosomes.
2. Les pRNPn s'ajoutent à d'autres protéines de façon à former des complexes d'épissage qui libèrent les introns de la molécule d'ARNm et réunissent les exons.
3. L'épissage différentiel de l'ARN produit différents types de molécules d'ARNm à partir de l'ARN prémessager selon les exons qui sont inclus dans l'ARNm et ceux qui ne le sont pas. En créant plus d'une version de l'ARNm, un seul gène peut coder pour plus d'un polypeptide.

Retour sur le concept 17.4

1. Premièrement, chaque aminoacyl-ARNt synthétase reconnaît spécifiquement un seul acide aminé et ne l'apparie qu'à un ARNt approprié. Deuxièmement, un ARNt qui porte un acide aminé donné possède un anticodon qui ne se lie qu'à un codon de l'ARNm spécifique à cet acide aminé.
2. Les polyribosomes confèrent à la cellule la capacité de synthétiser de nombreuses copies d'un polypeptide très rapidement.
3. La particule de reconnaissance du signal reconnaît une séquence signal sur la première extrémité du polypeptide en voie de formation et transporte le ribosome à la membrane du RE. Le ribosome se fixe à cette membrane et poursuit la synthèse du polypeptide, puis le dépose dans la lumière du RE.

Retour sur le concept 17.5

1. L'ARN peut former des liaisons hydrogène avec l'ADN ou l'ARN, adopter une structure tridimensionnelle spécifique et catalyser des réactions chimiques. Ces propriétés confèrent à l'ARN la capacité d'interagir avec tous les principaux types de molécules dans la cellule.

Retour sur le concept 17.6

1. L'ARN polymérase le plus loin à droite est la première, étant donné qu'elle s'est déplacée le plus loin sur l'ADN (et que son ARNm est le plus long). Le premier ribosome est en haut de chaque ARNm parce qu'il s'est déplacé le plus loin sur l'ARNm à partir de l'extrémité 5′ et que c'est à lui qu'est relié le polypeptide dont la synthèse est la plus avancée ; le deuxième ribosome est juste en dessous du premier, et ainsi de suite.
2. Non. Dans une cellule eucaryote, les processus de transcription et de traduction sont séparés dans l'espace et le temps ; cette différence est due à la division de la cellule eucaryote en compartiments.

Retour sur le concept 17.7

1. Dans l'ARNm, il y a décalage du cadre de lecture en aval de la délétion, ce qui a pour effet de produire une longue chaîne d'acides aminés erronés (mutation faux sens) dans le polypeptide et, dans la plupart des cas, une terminaison prématurée (mutation non-sens). Le polypeptide ne sera fort probablement pas fonctionnel.
2. La séquence des acides aminés de la protéine normale est Met-Asn-Arg-Leu. La séquence des acides aminés de la protéine mutante serait la même, parce que les codons 5′-CUA-3′ et 5′-UUA-3′ de l'ARNm codent tous les deux pour Leu.

Autoévaluation

1. c ; **2.** b ; 3. d ; 4. d ; 5. a ; **6.** a ; 7. a ; 8. c ; 9. d ; **10.** d ; **11.** e ; **12.** b.

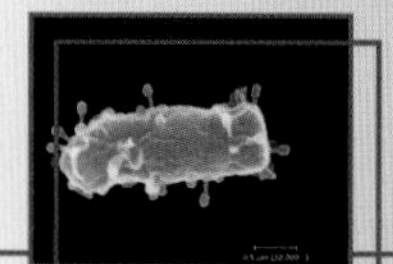

18

La génétique des Virus et des Procaryotes

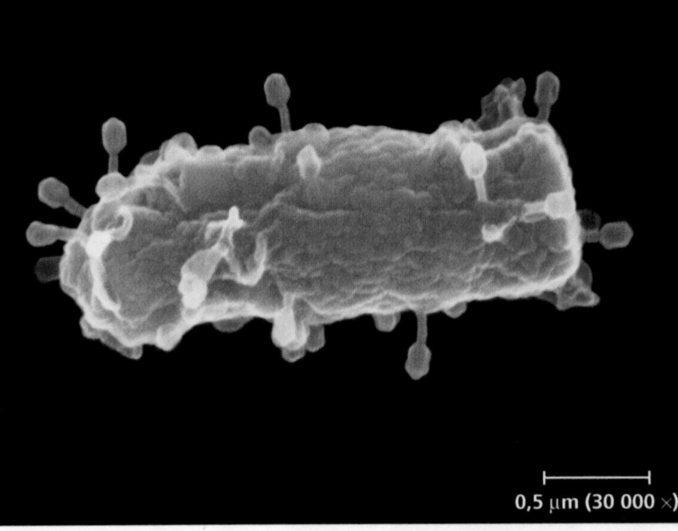

▲ **Figure 18.1 Bactériophage T4 infectant une bactérie *E. coli*.**

Concepts clés

18.1 **Un virus possède un génome mais ne peut se reproduire qu'à l'intérieur d'une cellule hôte**

18.2 **Les Virus, les viroïdes et les prions sont des agents pathogènes redoutables qui affectent les Animaux et les Végétaux**

18.3 **La reproduction rapide, les mutations et la recombinaison génétique contribuent à la diversité génétique des Bactéries**

18.4 **Les Archéobactéries et les Bactéries s'ajustent aux fluctuations de leur milieu en régulant leur expression génique**

Introduction

Les modèles microbiens

La photographie de la **figure 18.1** montre un événement remarquable: l'attaque d'une cellule bactérienne par de nombreuses structures qui ressemblent à des sucettes miniatures, des bonbons fixés à l'extrémité d'un bâtonnet. Dans cette MEB colorée, on voit ces structures, un type de Virus appelé bactériophage (ou phage) T4, qui infectent la bactérie *Escherichia coli*. En injectant son ADN à la cellule, le phage amorce la prise de contrôle des gènes de la bactérie. La biologie moléculaire est née dans les laboratoires de microbiologistes étudiant des virus et des bactéries comme ceux-ci. *E. coli* et ses virus constituent des *modèles* pour la recherche en raison de leur utilisation fréquente par les chercheurs dans des études conduisant à la découverte de grands principes en biologie. Ce sont des expériences avec des virus et des bactéries qui ont fourni la plus grande partie des preuves montrant que les gènes sont formés d'ADN; ces microorganismes ont également joué un rôle déterminant dans la compréhension des mécanismes moléculaires de processus fondamentaux, soit la réplication, la transcription et la traduction de l'ADN.

Outre leur valeur en tant que modèles pour la recherche en biologie, les Virus et les Bactéries possèdent des mécanismes génétiques particuliers qui sont intéressants en soi. Ces mécanismes spécialisés sont des outils précieux pour ceux qui cherchent à comprendre comment les Virus et les Bactéries provoquent des maladies. De plus, leur étude a permis aux scientifiques de manipuler des gènes et de les faire passer d'un organisme à l'autre. Ces techniques ont des retombées importantes en recherche fondamentale et dans le domaine de la biotechnologie (voir le chapitre 20).

Dans le présent chapitre, nous allons étudier la génétique des Virus et des Bactéries. Souvenez-vous que les Archéobactéries et les Bactéries sont des organismes procaryotes et que la cellule procaryote est beaucoup plus petite et simple que la cellule eucaryote (Protistes, Eumycètes, Végétaux et Animaux). Quant aux Virus, ils sont encore plus petits et plus rudimentaires **(figure 18.2)**; comme il leur manque les structures et les outils métaboliques qui existent dans les cellules, la plupart des Virus ne sont guère plus que des gènes emballés dans une coque de protéines. Nous commencerons donc par l'étude de la structure des Virus, les plus simples de tous les modèles génétiques, et de leur rôle en tant qu'agents pathogènes, ou susceptibles de causer une maladie. Nous allons examiner ensuite la génétique des Bactéries et la régulation de leur expression génique.

Concept 18.1

Un virus possède un génome mais ne peut se reproduire qu'à l'intérieur d'une cellule hôte

Les scientifiques savaient détecter les Virus de façon indirecte longtemps avant d'être en mesure de les voir. En effet, l'histoire de la découverte des Virus remonte à la fin du XIXe siècle.

La découverte des Virus

La maladie de la mosaïque du tabac entrave la croissance des plants de tabac (*Nicotiana tabacum*) et donne à leurs feuilles une coloration marbrée (d'où le nom *mosaïque*) **(figure 18.3)**. En 1883, Adolf Mayer, un scientifique allemand, a découvert qu'il

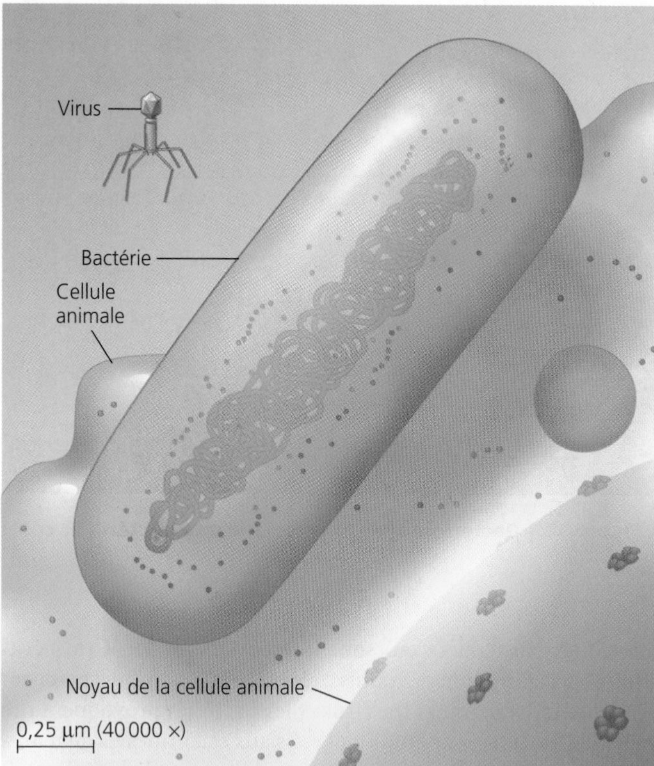

▲ **Figure 18.2 Comparaison de la taille d'un virus, d'une bactérie et d'une cellule animale.** L'illustration ne montre qu'une partie d'une cellule animale type. Son diamètre est environ dix fois plus grand que la longueur de *E. coli*.

pouvait transmettre cette maladie à une plante saine en frottant celle-ci de sève extraite des feuilles d'une plante atteinte. Après avoir recherché vainement un microorganisme contagieux dans la sève, Mayer a conclu que la maladie était provoquée par une bactérie exceptionnellement petite et invisible au microscope. Cette hypothèse a été mise à l'épreuve une décennie plus tard par le Russe Dimitri Ivanowsky : celui-ci a fait passer la sève provenant de feuilles de tabac infectées à travers un filtre permettant d'éliminer les bactéries. Il a constaté que, bien qu'elle ait été ainsi filtrée, la sève déclenchait encore la maladie.

Ivanowsky a continué de croire que la mosaïque du tabac était due à une bactérie pathogène. Selon lui, il se pouvait que cette dernière soit d'une taille assez petite pour passer à travers le filtre, ou encore qu'elle produise une toxine traversant le filtre et causant la maladie. Cette deuxième hypothèse a été éliminée par le botaniste hollandais Martinus Beijerinck, qui a découvert que l'agent infectieux présent dans la sève filtrée se reproduisait. En effet, il a frotté des plantes saines de sève filtrée et, après qu'elles ont été atteintes par la maladie, il a répété l'opération pour produire une série d'infections. Il a conclu que l'agent pathogène devait se reproduire, parce que son pouvoir infectieux n'était nullement réduit après plusieurs transferts d'un plant à un autre.

Beijerinck a remarqué que le mystérieux agent pathogène de la mosaïque ne pouvait se reproduire qu'à l'intérieur de son hôte. Contrairement aux Bactéries, il était impossible à cultiver dans des milieux nutritifs placés dans des éprouvettes ou dans des boîtes de Pétri. Beijerinck a donc imaginé une particule qui se reproduisait et qui était beaucoup plus petite et plus simple qu'une Bactérie. Son hypothèse a été confirmée en 1935 par un

▲ **Figure 18.3 Infection par le virus de la mosaïque du tabac.** Comparaison entre une feuille de tabac saine (à gauche) et une feuille infectée expérimentalement par le virus de la mosaïque du tabac (à droite).

scientifique américain, Wendell Stanley, qui est parvenu à cristalliser la particule infectieuse aujourd'hui appelée virus de la mosaïque du tabac. Plus tard, grâce au microscope électronique, on a pu observer ce virus ainsi que de nombreux autres.

La structure des Virus

Les plus petits Virus ont un diamètre de 20 nm seulement (c'est la taille approximative d'un ribosome) ; des millions d'entre eux pourraient donc facilement tenir sur la tête d'une épingle. Même les plus gros sont à peine visibles au microscope photonique. Stanley a constaté que certains Virus peuvent cristalliser, en raison de leur structure chimique bien particulière ; il s'agit là d'une découverte à la fois intéressante et étonnante. En effet, même les cellules les plus simples ne peuvent pas s'assembler en cristaux réguliers. Alors, s'ils ne sont pas des cellules, que sont les Virus ? Ce sont des particules infectieuses constituées d'acide nucléique enfermé dans une coque de protéines et, dans certains cas, dans une membrane. Nous commencerons par étudier la structure des Virus plus en détail ; nous examinerons ensuite leur mode de reproduction.

Les génomes viraux

On pense généralement que les gènes se composent d'ADN bicaténaire (soit de la double hélice classique), mais il existe de nombreuses exceptions à cette règle chez les diverses classes de Virus : leur génome peut être fait d'ADN bicaténaire, d'ADN monocaténaire (c'est-à-dire d'une seule chaîne de nucléotides), d'ARN bicaténaire ou d'ARN monocaténaire. On parle de virus à ADN ou de virus à ARN suivant le type d'acide nucléique qui constitue leur génome. Dans les deux cas, le génome viral contient généralement une seule molécule d'acide nucléique. Celle-ci est linéaire ou circulaire. Les plus petits Virus n'ont que quatre gènes, alors que les plus gros en ont plusieurs centaines.

Les capsides recouvertes d'une enveloppe

La coque de protéines qui entoure le génome viral est appelée **capside**. Selon le type de Virus, elle peut avoir une forme hélicoïdale (qui ressemble à un bâtonnet), polyédrique ou plus complexe encore (comme T4). Les capsides se composent d'un grand nombre de sous-unités protéiques appelées *capsomères*, mais le nombre de *types* de protéines est habituellement faible. Le virus de la mosaïque du tabac a une capside rigide en forme de bâtonnet constituée de plus de mille molécules de la même protéine disposées en hélice **(figure 18.4a)**. Les adénovirus qui infectent les voies respiratoires des Animaux ont une capside polyédrique à 20 facettes triangulaires (un icosaèdre) et qui est formée de 252 molécules protéiques identiques **(figure 18.4b)**.

Certains Virus ont des structures accessoires qui leur permettent d'infecter leur hôte. Par exemple, la capside du virus de la grippe et de nombreux autres virus d'Animaux est recouverte d'une **enveloppe membraneuse (figure 18.4c)**. Celle-ci est constituée d'une partie de la membrane de la cellule hôte. Elle contient, outre les phosphoglycérides et les protéines provenant de la membrane, des protéines et des glycoprotéines d'origine virale (les glycoprotéines sont des protéines ayant une liaison covalente avec un glucide). La capside de certains Virus contient aussi quelques enzymes virales.

Les capsides les plus complexes sont celles des virus qui infectent les bactéries. Les virus bactériens sont appelés **Bactériophages** ou, plus simplement, **Phages**. Sept des premiers à avoir été étudiés infectent la bactérie *E. coli*, et ils ont été nommés type 1 (T1), type 2 (T2), etc., selon l'ordre de leur découverte. Il se trouve que les trois phages T-pairs (soit T2, T4 et T6) ont une structure très semblable : leur capside est formée d'une tête icosaédrique allongée qui contient leur ADN. Une queue protéique munie de fibres caudales est attachée à leur tête. Ils se fixent aux bactéries à l'aide de ces fibres **(figure 18.4d)**.

Les caractéristiques générales du cycle de réplication des Virus

Les Virus sont des parasites intracellulaires obligatoires : ils ne peuvent se multiplier qu'à l'intérieur d'une cellule hôte. Un virus isolé, que l'on désigne sous le nom de *virion*, n'est pas en mesure de se reproduire (ni d'accomplir quoi que ce soit d'autre ; il ne

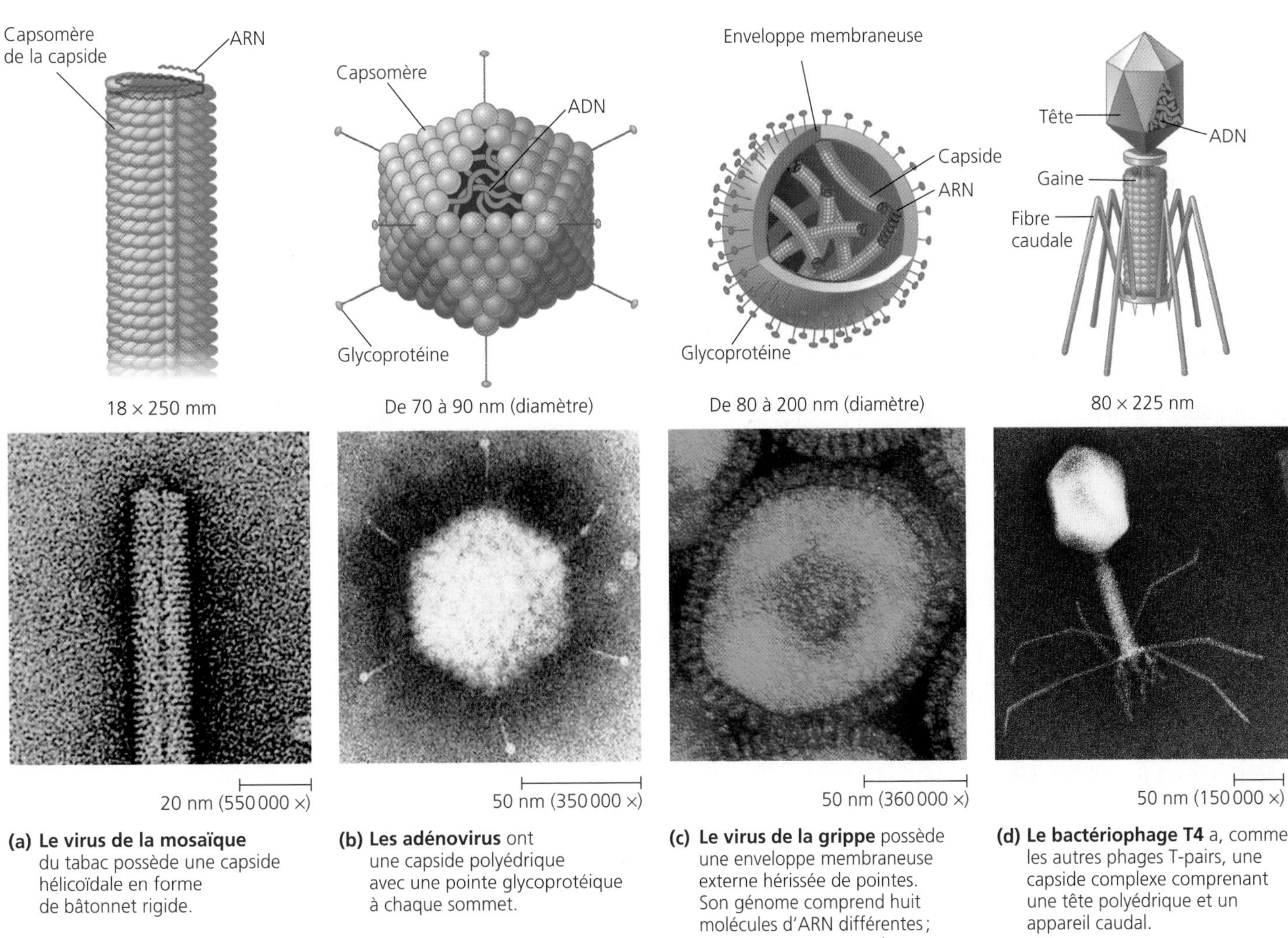

(a) Le virus de la mosaïque du tabac possède une capside hélicoïdale en forme de bâtonnet rigide.

(b) Les adénovirus ont une capside polyédrique avec une pointe glycoprotéique à chaque sommet.

(c) Le virus de la grippe possède une enveloppe membraneuse externe hérissée de pointes. Son génome comprend huit molécules d'ARN différentes ; chacune est entourée d'une capside hélicoïdale.

(d) Le bactériophage T4 a, comme les autres phages T-pairs, une capside complexe comprenant une tête polyédrique et un appareil caudal.

▲ **Figure 18.4 La structure des Virus.** Les Virus sont constitués d'acide nucléique (d'ADN ou d'ARN) enfermé dans une coque de protéines appelée capside. Celle-ci est parfois elle-même recouverte d'une enveloppe membraneuse. Les sous-unités protéiques qui forment la capside sont appelées capsomères. Bien qu'ils aient des formes et des dimensions différentes, les Virus ont en commun certaines caractéristiques structurales dont la plupart apparaissent dans les quatre exemples illustrés ici. (Toutes les images sont des MET colorées.)

peut qu'infecter une cellule hôte appropriée). Les Virus ne possèdent ni les enzymes nécessaires au métabolisme ni les ribosomes et autres structures nécessaires à la production de leurs propres protéines. Ils ne sont donc qu'un ensemble de gènes enveloppé dans des protéines qui va d'une cellule hôte à une autre.

Chaque type de Virus ne peut infecter et parasiter qu'une gamme limitée de cellules hôtes, appelée **spectre d'hôtes**. Cette spécificité provient de l'apparition d'un processus de reconnaissance chez les Virus. L'identification des cellules hôtes se fait par un mécanisme du type «clé et serrure» entre les protéines présentes sur la face externe d'un virus et les molécules réceptrices correspondantes situées à la surface d'une cellule. (Il est probable que les récepteurs sont apparus parce qu'ils avaient des fonctions utiles à l'organisme en question.) Le spectre d'hôtes de certains virus peut être large. Par exemple, le virus du Nil occidental, qui a fait cinq victimes humaines au Québec depuis 2002, peut s'attaquer aux moustiques, aux Oiseaux et à l'humain, et celui de l'encéphalite équine peut infecter les moustiques, les Oiseaux, le cheval et l'humain. D'autres Virus ont un spectre d'hôtes si réduit qu'ils ne s'attaquent qu'à une seule espèce. Le virus de la rougeole et celui de la poliomyélite, par exemple, ne peuvent infecter que l'humain. De plus, les Virus des Eucaryotes multicellulaires n'infectent qu'un certain type de tissu. Ainsi, chez l'humain, les virus du rhume n'infectent que les muqueuses des voies respiratoires supérieures et le virus du sida (VIH), lui, se lie à un récepteur spécifique qui se trouve sur certains types de globules blancs.

L'infection virale commence lorsque le génome du virus parvient à l'intérieur d'une cellule hôte **(figure 18.5)**. Le mécanisme d'entrée de l'acide nucléique dans l'hôte varie selon le type de Virus et le type de cellule hôte. Par exemple, les phages T-pairs injectent leur ADN dans une bactérie à l'aide d'un appareil caudal complexe (voir la figure 18.4d). Une fois qu'il est entré dans une cellule hôte, le génome viral la contrôle et la reprogramme de sorte qu'elle le recopie. Elle fabrique par la suite ses protéines à lui. La synthèse des acides nucléiques viraux se fait à partir des nucléotides de la cellule hôte et celle des protéines virales, dictée par les gènes du virus, s'effectue à l'aide des enzymes, des ribosomes, des ARNt, des acides aminés, de l'ATP et des autres composantes de l'hôte. La plupart des virus à ADN utilisent les ADN polymérases de la cellule hôte pour synthétiser de nouveaux génomes. C'est l'ADN viral qui sert de matrice. Par contre, les virus à ARN doivent se servir de polymérases spéciales qu'ils possèdent et qui effectuent la réplication à partir de leur matrice d'ARN. (Les cellules non infectées n'ont généralement pas d'enzymes propres leur permettant d'effectuer cette dernière opération.)

Une fois fabriquées, les molécules d'acide nucléique viral et les capsomères s'assemblent souvent de façon spontanée (autoassemblage), formant de nouveaux virus. En laboratoire, on peut même séparer l'ARN et les capsomères de virus de la mosaïque du tabac, puis reconstituer des virus complets en en mélangeant simplement les composantes dans les bonnes conditions. Le cycle de réplication le plus simple des Virus se termine lorsque des centaines, voire des milliers de virus sortent de la cellule hôte infectée, un processus qui cause souvent des dommages à la cellule ou la détruit. Certains symptômes des infections virales humaines sont dus aux dommages subis par des cellules et à la mort de celles-ci ainsi qu'aux réactions que ces phénomènes provoquent dans l'organisme. Les virus de la nouvelle génération qui sortent d'une cellule hôte peuvent parasiter de nouvelles cellules et propager l'infection.

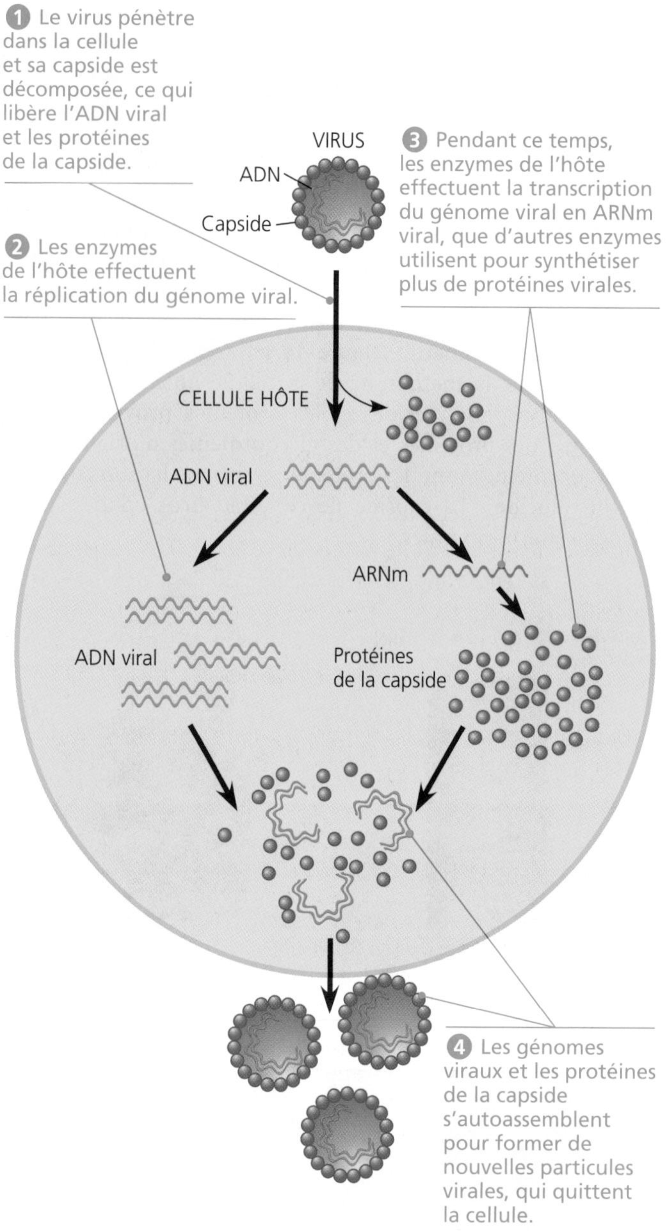

1 Le virus pénètre dans la cellule et sa capside est décomposée, ce qui libère l'ADN viral et les protéines de la capside.

VIRUS
ADN
Capside

2 Les enzymes de l'hôte effectuent la réplication du génome viral.

3 Pendant ce temps, les enzymes de l'hôte effectuent la transcription du génome viral en ARNm viral, que d'autres enzymes utilisent pour synthétiser plus de protéines virales.

CELLULE HÔTE
ADN viral
ARNm
ADN viral
Protéines de la capside

4 Les génomes viraux et les protéines de la capside s'autoassemblent pour former de nouvelles particules virales, qui quittent la cellule.

▲ **Figure 18.5 Représentation simplifiée du cycle de réplication d'un virus.** Un virus est un parasite intracellulaire obligatoire qui se multiplie grâce aux structures et aux composants biochimiques de la cellule hôte. Dans cet exemple de cycle de réplication d'un virus, le plus simple de tous, le parasite est un virus à ADN dont la capside ne comporte qu'une seule sorte de protéine.

Le cycle de réplication simplifié que nous avons décrit dans cette vue d'ensemble présente de nombreuses variantes. Nous en étudierons quelques-unes plus en détail chez certains Virus affectant les Bactéries (Phages) et les Animaux; plus loin dans le chapitre, nous examinerons les virus qui affectent les Végétaux.

Le cycle de réplication des Phages

Les Phages sont les mieux connus de tous les Virus, bien que certains d'entre eux comptent parmi les plus complexes. Les recherches sur des phages ont permis de découvrir que les virus à ADN bicaténaire peuvent se reproduire par deux mécanismes: le cycle lytique ou le cycle lysogénique.

Le cycle lytique

On nomme **cycle lytique** le processus de réplication virale qui aboutit à la mort de la cellule hôte. Ce terme fait référence au dernier stade de l'infection, qui est la lyse (éclatement) de la bactérie et la libération des phages fabriqués en son sein. Chacun de ceux-ci est alors prêt à infecter une autre cellule saine, de sorte que quelques cycles lytiques successifs suffisent à détruire toute une population bactérienne en quelques heures. On appelle **phage virulent** un phage qui se multiplie uniquement suivant un cycle lytique. La **figure 18.6** montre les principales étapes du cycle lytique de T4, un phage virulent caractéristique. Elle décrit le processus en question, que vous devriez bien connaître avant de poursuivre.

Après avoir lu ce qui précède, vous vous demandez sans doute pourquoi les Phages n'ont pas exterminé les Bactéries. En fait, dans certains pays (notamment en Russie), des traitements par les phages ont été utilisés en médecine pour contrôler les infections bactériennes. Mais les Bactéries ne sont pas dépourvues de moyens de défense. En premier lieu, la sélection naturelle favorise les mutants bactériens dont les sites récepteurs ne sont plus reconnus par un type donné de phage. Deuxièmement, lorsqu'il parvient à pénétrer dans une bactérie, l'ADN d'un phage peut être reconnu comme étranger et découpé par des enzymes cellulaires appelées *endonucléases de restriction* ou, plus simplement, **enzymes de restriction.** L'ADN des cellules bactériennes, lui, est modifié chimiquement de sorte à ne pas pouvoir être attaqué par les enzymes de restriction. Cependant, tout comme elle avantage les bactéries pourvues d'enzymes de restriction efficaces, la sélection naturelle favorise les phages mutants capables de résister à ces mêmes enzymes. La relation parasite-hôte évolue donc constamment.

Un troisième facteur explique la survie des Bactéries: de nombreux phages peuvent coexister avec leurs cellules hôtes au lieu de les lyser. C'est ce qui caractérise le cycle lysogénique.

Le cycle lysogénique

Contrairement au cycle lytique, qui aboutit à la mort de la cellule hôte, le **cycle lysogénique** permet la réplication du génome viral sans entraîner la destruction de l'hôte. Il existe des virus capables de suivre les deux modes de réplication dans une bactérie; ils sont appelés **virus tempérés.** Les chercheurs en biologie utilisent communément un virus tempéré appelé phage λ (il s'agit de la lettre grecque lambda). Le phage λ ressemble au phage T4, mais sa queue ne comporte qu'une seule fibre caudale, qui est courte.

L'infection d'une bactérie *E. coli* débute lorsqu'un phage λ se lie à la surface de la cellule et injecte son ADN **(figure 18.7).** À l'intérieur de l'hôte, la molécule d'ADN du phage prend une forme circulaire. Ce qui se passe ensuite dépend du mode de réplication (le cycle lytique ou le cycle lysogénique). Si le virus suit le cycle lytique, les gènes viraux transforment immédiatement

▶ **Figure 18.6 Cycle lytique du phage T4, un phage virulent.** Le phage T4 possède environ 100 gènes, qui sont transcrits et traduits par les structures de la cellule hôte. Une fois que l'ADN viral a pénétré dans la cellule hôte, l'un des premiers gènes du phage à être traduits code pour une enzyme qui dégrade l'ADN de la cellule hôte (étape 2). L'ADN du phage n'est pas découpé, parce qu'il contient une forme modifiée de cytosine que l'enzyme ne reconnaît pas. L'ensemble du cycle lytique – à partir du contact entre le phage et la surface de la bactérie jusqu'à la lyse de la cellule – ne dure que de 20 à 30 minutes à 37 °C.

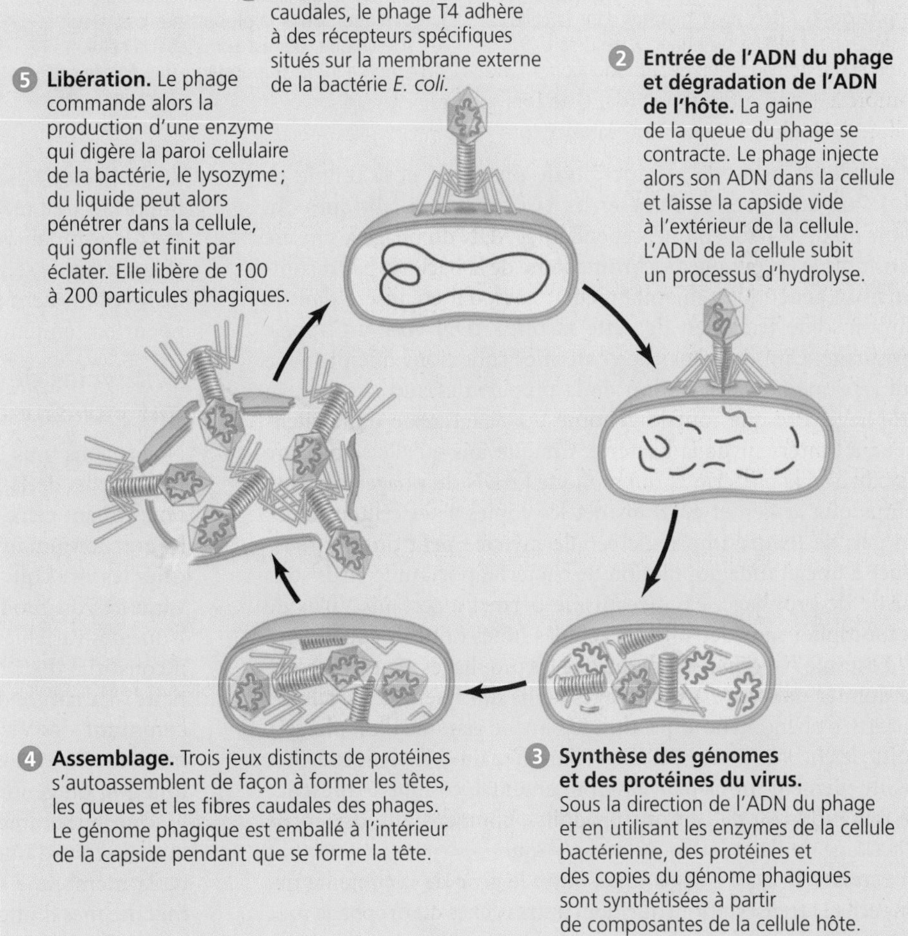

1 Attachement. À l'aide de ses fibres caudales, le phage T4 adhère à des récepteurs spécifiques situés sur la membrane externe de la bactérie E. coli.
2 Entrée de l'ADN du phage et dégradation de l'ADN de l'hôte. La gaine de la queue du phage se contracte. Le phage injecte alors son ADN dans la cellule et laisse la capside vide à l'extérieur de la cellule. L'ADN de la cellule subit un processus d'hydrolyse.
3 Synthèse des génomes et des protéines du virus. Sous la direction de l'ADN du phage et en utilisant les enzymes de la cellule bactérienne, des protéines et des copies du génome phagiques sont synthétisées à partir de composantes de la cellule hôte.
4 Assemblage. Trois jeux distincts de protéines s'autoassemblent de façon à former les têtes, les queues et les fibres caudales des phages. Le génome phagique est emballé à l'intérieur de la capside pendant que se forme la tête.
5 Libération. Le phage commande alors la production d'une enzyme qui digère la paroi cellulaire de la bactérie, le lysozyme; du liquide peut alors pénétrer dans la cellule, qui gonfle et finit par éclater. Elle libère de 100 à 200 particules phagiques.

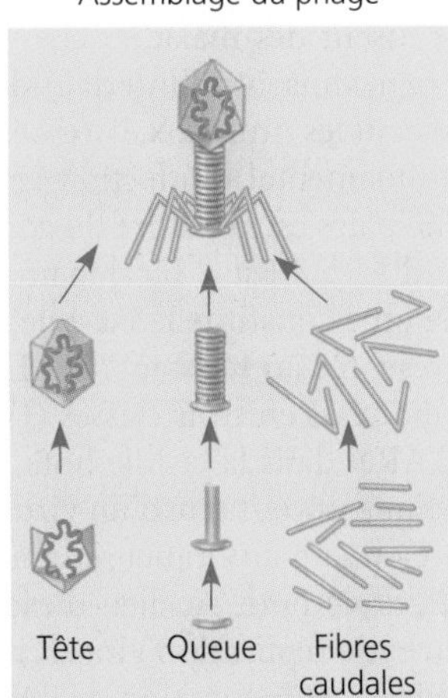

Assemblage du phage
Tête
Queue
Fibres caudales

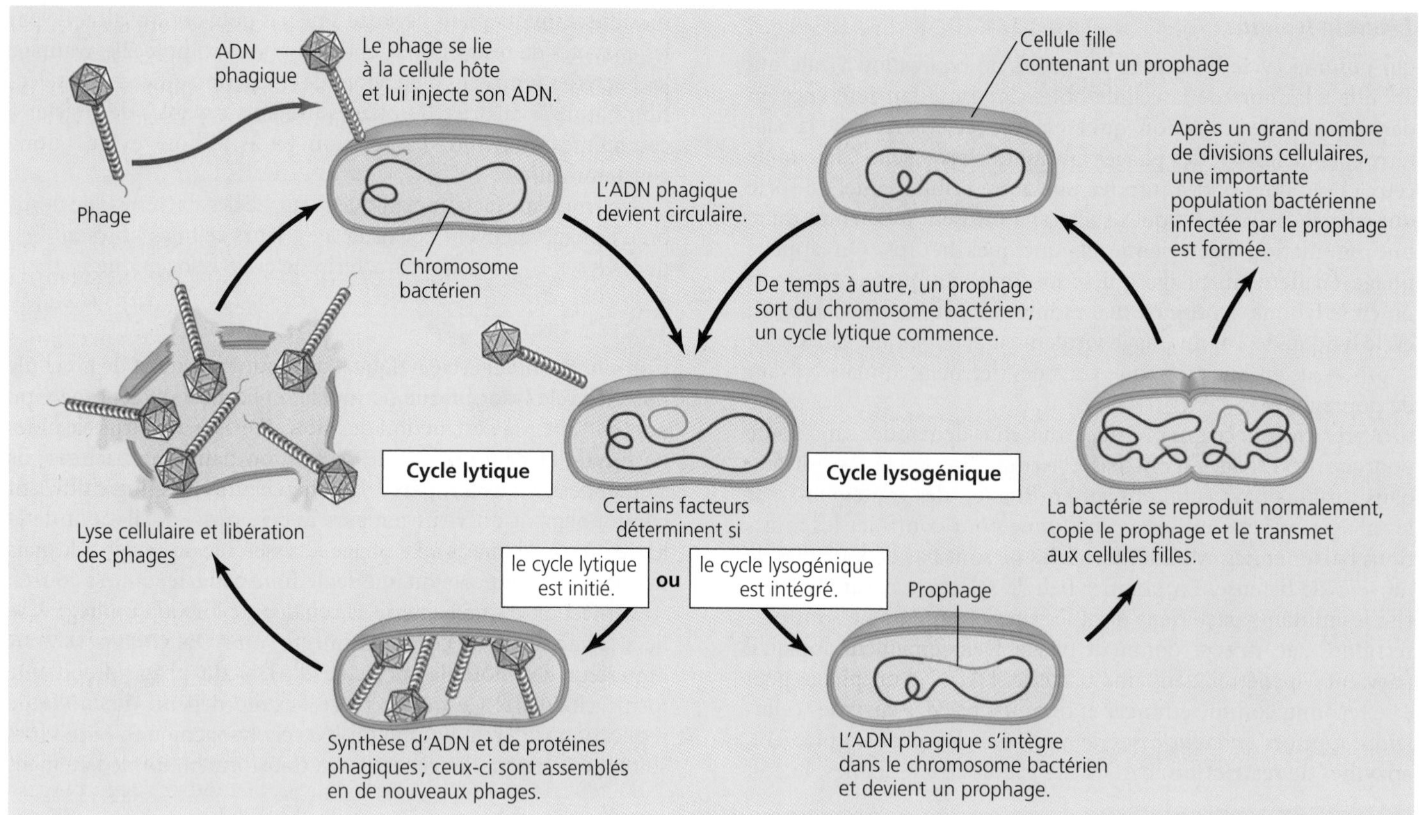
ADN phagique
Le phage se lie à la cellule hôte et lui injecte son ADN.
Phage
L'ADN phagique devient circulaire.
Chromosome bactérien
Cellule fille contenant un prophage
Après un grand nombre de divisions cellulaires, une importante population bactérienne infectée par le prophage est formée.
De temps à autre, un prophage sort du chromosome bactérien; un cycle lytique commence.
Cycle lytique
Cycle lysogénique
Lyse cellulaire et libération des phages
Certains facteurs déterminent si
le cycle lytique est initié.
ou
le cycle lysogénique est intégré.
Prophage
La bactérie se reproduit normalement, copie le prophage et le transmet aux cellules filles.
Synthèse d'ADN et de protéines phagiques; ceux-ci sont assemblés en de nouveaux phages.
L'ADN phagique s'intègre dans le chromosome bactérien et devient un prophage.

▲ **Figure 18.7 Le cycle lytique et le cycle lysogénique chez un phage tempéré, le phage λ.** Après avoir pénétré dans la cellule bactérienne, l'ADN d'un phage λ peut soit commander immédiatement la production d'un grand nombre de phages λ (cycle lytique), soit s'intégrer au chromosome bactérien (cycle lysogénique). Dans la plupart des cas, il suit le cycle lytique, qui est semblable à celui de la figure 18.6. Cependant, une fois le cycle lysogénique amorcé, le prophage peut demeurer dans le chromosome de la cellule hôte pendant de nombreuses générations. Le phage λ n'a qu'une seule fibre caudale, qui est courte.

la cellule en usine de production de phages λ, et la cellule ne tarde pas à se lyser et à libérer les virus qu'elle a fabriqués. Au cours du cycle lysogénique, cependant, l'ADN du phage λ s'insère dans un site spécifique du chromosome de la bactérie par recombinaison génétique (enjambement). Lorsqu'il est inséré dans le chromosome bactérien de cette façon, l'ADN viral est appelé **prophage**. L'un des gènes de ce dernier code pour une protéine qui réprime la transcription de la plupart des autres gènes du prophage. Presque tout le génome du phage reste donc silencieux à l'intérieur de la bactérie. Chaque fois qu'elle se prépare à se diviser, la bactérie *E. coli* réplique l'ADN du phage en même temps que le sien et en transmet les copies à ses cellules filles. En peu de temps, une seule cellule infectée peut donner naissance à une grande population de bactéries portant le virus sous forme de prophage. Ce mécanisme permet à certains Virus de se multiplier sans détruire les cellules hôtes dont ils dépendent.

Le terme *lysogénique* indique que les prophages sont en mesure de donner naissance à des phages actifs qui lyseront les cellules hôtes. Ce phénomène se produit lorsque le génome d'un phage λ quitte le chromosome bactérien et amorce un cycle lytique. C'est habituellement un facteur environnemental, comme la présence de radiations ou de certains produits chimiques, qui déclenche le passage de l'état latent au cycle lytique.

Pendant le cycle lysogénique, outre le gène de la protéine qui empêche la transcription, quelques autres gènes du prophage sont exprimés. L'expression de ces gènes peut modifier le phénotype de la bactérie hôte. Ce phénomène peut revêtir une grande importance en médecine. Par exemple, les bactéries qui provoquent chez les humains des maladies comme la diphtérie, le botulisme et la scarlatine seraient inoffensives si certains gènes de prophages ne les poussaient pas à produire des toxines qu'elles ne fabriqueraient pas en temps normal.

Les cycles de réplication des virus qui parasitent les Animaux

Nous avons tous été atteints d'infections virales, qu'il s'agisse de la varicelle, de la grippe ou d'un simple rhume. Tous les Virus, notamment ceux qui causent des maladies chez les humains et les autres Animaux, se reproduisent à l'intérieur de cellules hôtes. Chez les virus qui parasitent les Animaux, il existe de nombreuses variantes du modèle fondamental d'infection et de réplication. L'une des variables principales est la nature du génome viral : est-il constitué d'ADN ou d'ARN ? Est-il bicaténaire ou monocaténaire ? La nature du génome constitue la base de la classification commune des Virus présentée au **tableau 18.1**. Les virus à ARN monocaténaire sont subdivisés en trois classes (IV à VI) selon la fonction du génome d'ARN dans la cellule hôte.

Une autre caractéristique importante d'un virus est la présence ou l'absence d'une enveloppe membraneuse virale qui provient de la membrane de la cellule hôte. Au lieu d'examiner tous les mécanismes d'infection et de réplication virales, nous étudierons le rôle des enveloppes virales et la fonction de l'ARN en tant que

Tableau 18.1 Classification des virus parasites d'Animaux

Classe, famille	Enveloppe	Exemples, maladies
I. ADN bicaténaire		
Adenoviridæ (Mastadenovirus, aviadenovirus)	Non	Maladies respiratoires; tumeurs chez les Animaux
Papovaviridæ (Papovavirus)	Non	Papillomes (chez l'humain: verrues, cancer du col utérin); polyomes (tumeurs chez certaines espèces animales)
Herpesviridæ (Simplexvirus, varicellovirus)	Oui	Herpès simplex I et II (herpès labial, herpès génital); virus varicelle-zona (zona, varicelle); virus d'Epstein-Barr (mononucléose, lymphome de Burkitt)
Poxviridæ (Orthopoxvirus)	Oui	Variole; vaccine
II. ADN monocaténaire		
Parvoviridae (Parvovirus)	Non	Parvovirus B19 (érythème bénin)
III. ARN bicaténaire		
Reoviridæ (Orthoreovirus)	Non	Rotavirus (diarrhée); virus de la fièvre à tiques du Colorado
IV. ARN monocaténaire; peut jouer le rôle d'ARNm		
Picornaviridae (Enterovirus, rhinovirus)	Non	Rhinovirus (rhume); polyovirus, virus de l'hépatite A et autres entérovirus (maladies intestinales)
Coronaviridæ (Coronavirus) (voir la figure 18.11b)	Oui	Syndrome respiratoire aigu sévère (SRAS)
Flaviviridæ (Flavivirus)	Oui	Virus de la fièvre jaune; virus du Nil occidental; virus de l'hépatite C
Togaviridæ (Rubivirus, alphavirus)	Oui	Virus de la rubéole; virus de l'encéphalite équine
V. ARN monocaténaire; sert de matrice pour l'ARNm		
Filoviridæ (Filovirus)	Oui	Virus Ebola (fièvre hémorragique)
Orthomyxoviridæ (Orthomyxovirus) (voir la figure 18.4c)	Oui	Virus de la grippe
Paramyxoviridæ (Morbillivirus, rubulavirus)	Oui	Virus de la rougeole (morbillivirus); virus des oreillons (rubulavirus)
Rhabdoviridæ (Lyssavirus)	Oui	Virus rabique (rage)
VI. ARN monocaténaire; sert de matrice pour la synthèse de l'ADN		
Retroviridæ (Lentivirus) (voir la figure 18.9)	Oui	VIH, virus de l'immunodéficience humaine (sida); virus oncogènes à ARN (leucémie)

matériel génétique chez de nombreux virus. Alors que peu de Bactériophages possèdent une enveloppe ou un génome d'ARN, presque tous les virus à génomes d'ARN qui parasitent les Animaux ont une enveloppe, de même que quelques virus à génomes d'ADN (voir le tableau 18.1).

Les virus à enveloppe

Les virus parasites d'Animaux qui ont une membrane externe, ou enveloppe virale, utilisent cette dernière pour pénétrer dans la cellule hôte. Des glycoprotéines protubérantes à la surface externe de cette enveloppe se lient à des molécules réceptrices spécifiques situées à la surface de la cellule hôte. La **figure 18.8** résume les événements dans le cycle de réplication d'un virus à enveloppe dont le génome est constitué d'ARN. On peut voir que les glycoprotéines virales des nouvelles enveloppes sont synthétisées par les enzymes cellulaires dans le réticulum endoplasmique (RE) de la cellule hôte. Ces glycoprotéines, incluses dans la membrane du RE, sont transportées à la surface de la cellule. Les capsides des nouveaux virus s'enveloppent dans une portion de la membrane en sortant de la cellule par bourgeonnement (un mécanisme qui ressemble à l'exocytose). Autrement dit, l'enveloppe virale provient de la membrane plasmique de la cellule hôte. Cependant, celle-ci contient certaines molécules dont la synthèse a été commandée par des gènes viraux. Les virus ainsi pourvus d'une enveloppe et libérés sont prêts à infecter d'autres cellules. Contrairement au cycle lytique des Phages, ce cycle de réplication ne tue pas nécessairement la cellule hôte.

D'autres virus possèdent une enveloppe qui ne provient pas de la membrane plasmique de la cellule hôte. Chez les *Herpesviridæ*, par exemple, elle provient de la membrane nucléaire de la cellule hôte. Ces virus ont un génome constitué d'ADN bicaténaire et ils se reproduisent dans le noyau de la cellule. La réplication et la transcription de leur ADN se font à l'aide de diverses enzymes virales et cellulaires. Dans certains cas, des copies de l'ADN de l'herpèsvirus demeurent dans le noyau de certaines cellules nerveuses sous la forme de minichromosomes. Elles y restent à l'état latent jusqu'à ce qu'un stress physique ou émotionnel déclenche une reprise de la production active de virus. L'infection d'autres cellules par ces nouveaux virus cause des vésicules qui caractérisent l'herpès, comme l'herpès labial ou l'herpès génital. Les personnes atteintes d'une infection herpétique sont sujettes à des récurrences tout au long de leur vie.

Les virus à ARN

Certains Phages et la plupart des virus qui parasitent les Végétaux sont des virus à ARN, mais ce sont les virus qui infectent les Animaux qui présentent la plus grande variété de génomes d'ARN. Parmi les trois types de génomes d'ARN monocaténaire présents dans les virus parasitant les Animaux, le génome des virus de la classe IV peut servir directement d'ARNm et être traduit en une protéine virale aussitôt après l'infection. La figure 18.8, elle, illustre le cas d'un virus de la classe V dont le génome d'ARN sert de *matrice* pour la synthèse d'ARNm. Le génome d'ARN est transcrit en un brin d'ARN complémentaire, qui servira à la fois d'ARNm et de matrice pour la synthèse de nouvelles copies du génome viral. Comme tous les virus qui synthétisent de l'ARNm par la voie ARN → ARN, ce virus utilise une enzyme virale qui est emballée avec son génome à l'intérieur de la capside.

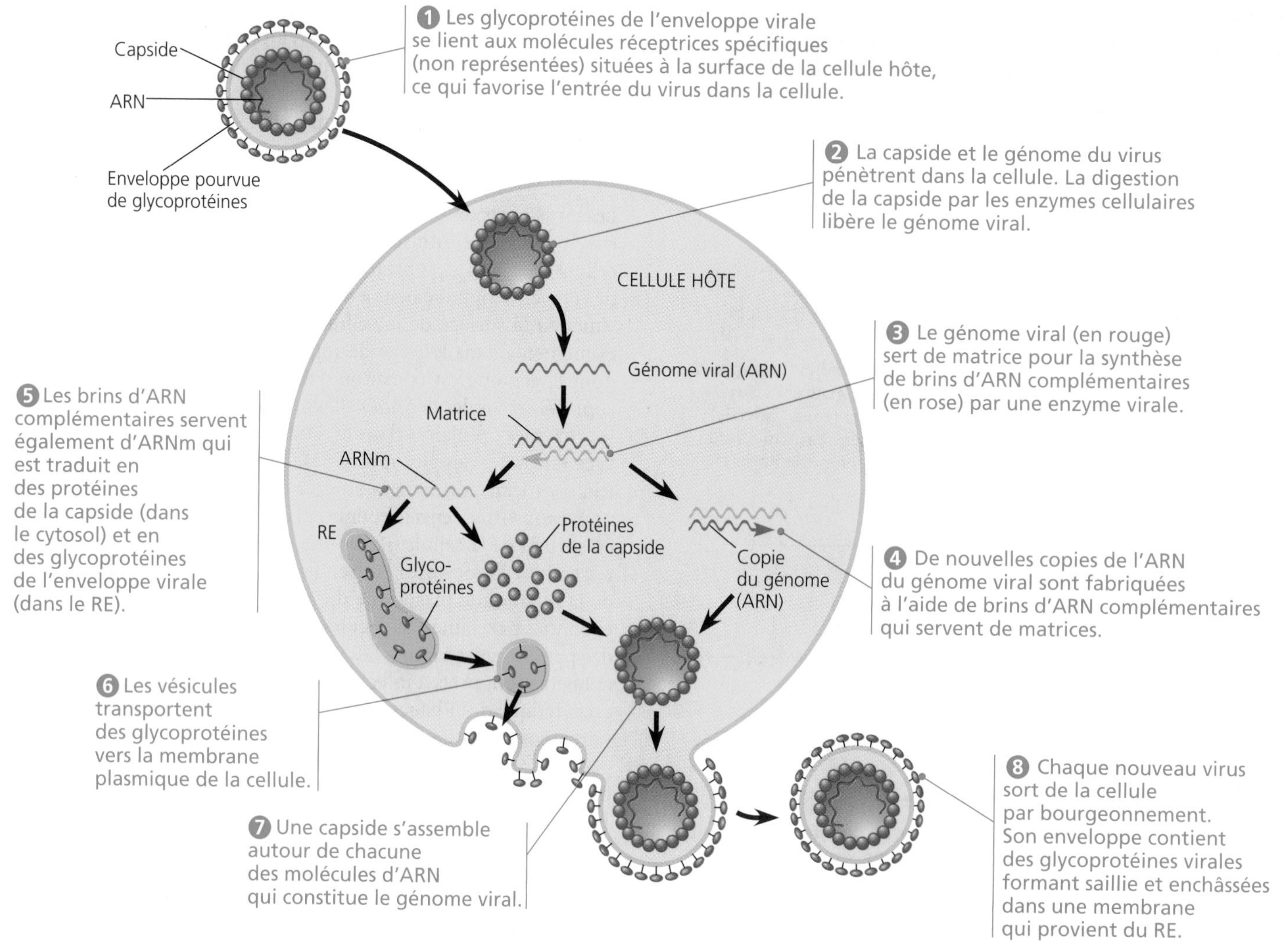

Capside
ARN
Enveloppe pourvue de glycoprotéines

❶ Les glycoprotéines de l'enveloppe virale se lient aux molécules réceptrices spécifiques (non représentées) situées à la surface de la cellule hôte, ce qui favorise l'entrée du virus dans la cellule.

❷ La capside et le génome du virus pénètrent dans la cellule. La digestion de la capside par les enzymes cellulaires libère le génome viral.

CELLULE HÔTE

Génome viral (ARN)

Matrice

ARNm

RE

Glyco-protéines

Protéines de la capside

Copie du génome (ARN)

❸ Le génome viral (en rouge) sert de matrice pour la synthèse de brins d'ARN complémentaires (en rose) par une enzyme virale.

❹ De nouvelles copies de l'ARN du génome viral sont fabriquées à l'aide de brins d'ARN complémentaires qui servent de matrices.

❺ Les brins d'ARN complémentaires servent également d'ARNm qui est traduit en des protéines de la capside (dans le cytosol) et en des glycoprotéines de l'enveloppe virale (dans le RE).

❻ Les vésicules transportent des glycoprotéines vers la membrane plasmique de la cellule.

❼ Une capside s'assemble autour de chacune des molécules d'ARN qui constitue le génome viral.

❽ Chaque nouveau virus sort de la cellule par bourgeonnement. Son enveloppe contient des glycoprotéines virales formant saillie et enchâssées dans une membrane qui provient du RE.

▲ **Figure 18.8 Cycle de réplication d'un virus à ARN qui a une enveloppe.** Le virus illustré ici est constitué d'un génome d'ARN monocaténaire qui sert de matrice pour la synthèse de l'ARNm. Certains virus à enveloppe pénètrent dans la cellule hôte en fusionnant leur enveloppe avec la membrane plasmique de la cellule ; d'autres virus entrent par endocytose. Pour tous les virus à ARN qui ont une enveloppe, la formation de nouvelles enveloppes pour les virus de la génération suivante se produit selon le mécanisme illustré dans cette figure.

Parmi les virus à ARN qui parasitent les Animaux, les **rétrovirus** (*Retroviridæ*, classe VI) ont les cycles de réplication les plus complexes. Ces virus possèdent en effet une enzyme spécifique, appelée **transcriptase inverse**, qui transcrit une matrice d'ARN en ADN (d'où l'inversion du mode de transmission de l'information génétique : ARN → ADN). Ce phénomène inusité a donné naissance au terme rétrovirus (en latin, *retro* signifie « en arrière »). Le **VIH (virus de l'immunodéficience humaine)**, qui cause le **sida (syndrome d'immunodéficience acquise)**, est un rétrovirus qui revêt une importance particulière. Le VIH et d'autres rétrovirus sont des virus à enveloppe comportant deux molécules identiques d'ARN monocaténaire et deux molécules de transcriptase inverse **(figure 18.9)**.

Une fois qu'il pénètre dans une cellule hôte, le VIH libère dans le cytoplasme ses molécules de transcriptase inverse qui catalysent la synthèse de l'ADN viral. L'ADN viral nouvellement formé pénètre alors dans le noyau de la cellule et s'insère dans l'ADN d'un chromosome. L'ADN viral inséré, appelé **provirus**, ne quitte jamais le génome de l'hôte (contrairement au prophage) et reste un résidant permanent de la cellule. L'ARN polymérase

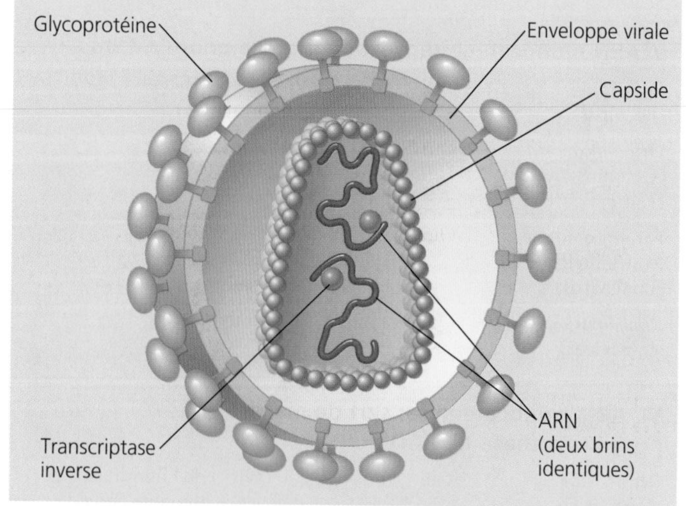

▲ **Figure 18.9 Structure du VIH, le rétrovirus qui cause le sida.** Les glycoprotéines de son enveloppe permettent à ce rétrovirus de se lier aux récepteurs spécifiques situés à la surface de certains globules blancs.

de la cellule hôte le transcrit alors en molécules d'ARN; il peut s'agir soit d'ARNm servant à la synthèse de protéines virales, soit du génome de nouveaux virus, qui seront libérés par la cellule. La **figure 18.10** illustre le cycle de réplication du VIH, qui est semblable à celui de nombreux autres rétrovirus. Au chapitre 43, nous décrirons comment le VIH cause la déficience du système immunitaire qui se produit dans le sida.

L'évolution des Virus

Les Virus ne se conforment pas tout à fait à notre définition des organismes vivants. Un virus isolé est biologiquement inerte et il ne peut recopier ses gènes ni reconstituer sa réserve d'ATP. Cependant, son programme génétique est écrit dans le langage universel de la vie. Devons-nous considérer les Virus comme les molécules naturelles les plus complexes ou comme les formes de

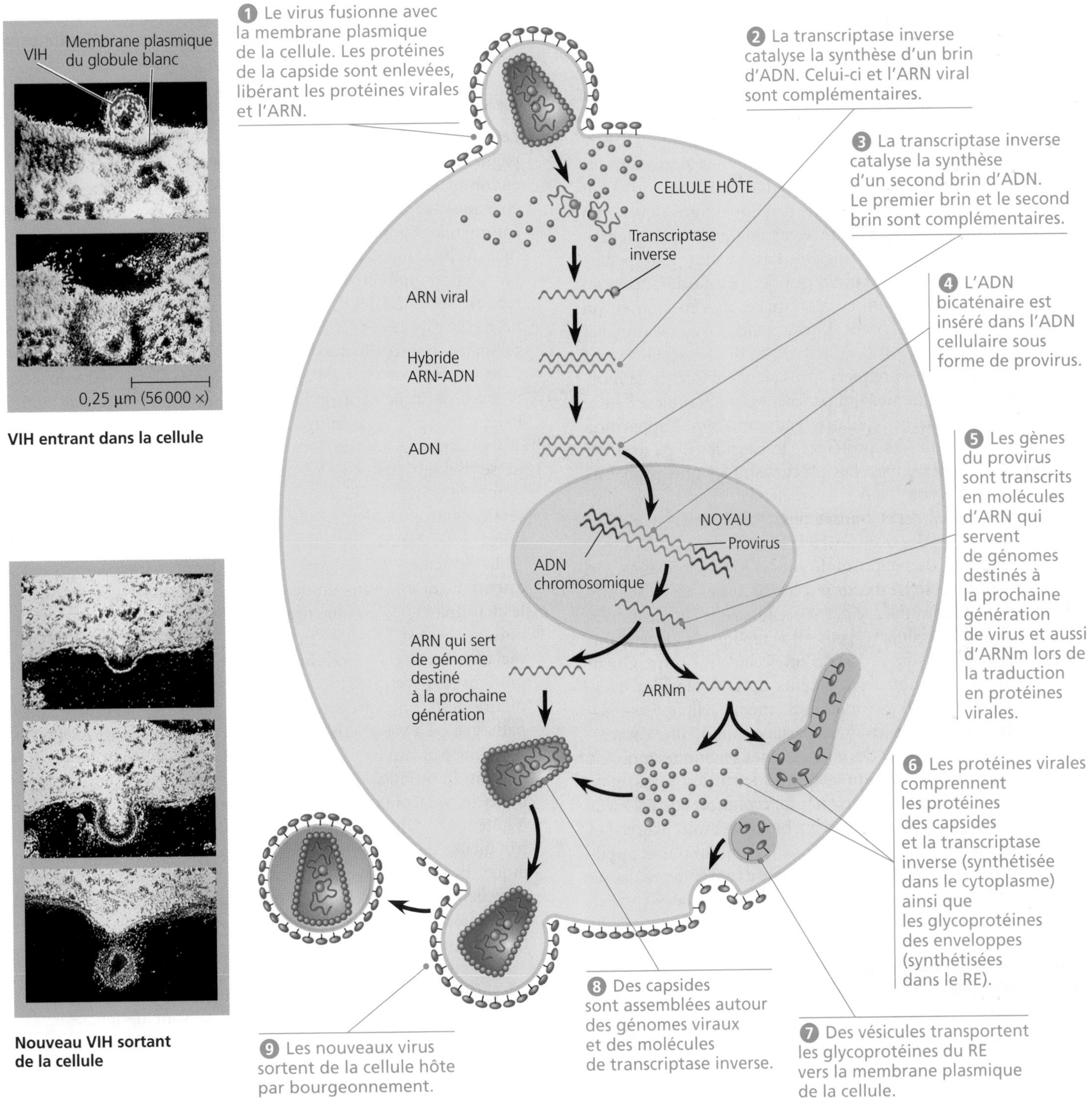

VIH
Membrane plasmique du globule blanc
0,25 μm (56 000 ×)
VIH entrant dans la cellule
Nouveau VIH sortant de la cellule
1 Le virus fusionne avec la membrane plasmique de la cellule. Les protéines de la capside sont enlevées, libérant les protéines virales et l'ARN.
2 La transcriptase inverse catalyse la synthèse d'un brin d'ADN. Celui-ci et l'ARN viral sont complémentaires.
3 La transcriptase inverse catalyse la synthèse d'un second brin d'ADN. Le premier brin et le second brin sont complémentaires.
4 L'ADN bicaténaire est inséré dans l'ADN cellulaire sous forme de provirus.
5 Les gènes du provirus sont transcrits en molécules d'ARN qui servent de génomes destinés à la prochaine génération de virus et aussi d'ARNm lors de la traduction en protéines virales.
6 Les protéines virales comprennent les protéines des capsides et la transcriptase inverse (synthétisée dans le cytoplasme) ainsi que les glycoprotéines des enveloppes (synthétisées dans le RE).
7 Des vésicules transportent les glycoprotéines du RE vers la membrane plasmique de la cellule.
8 Des capsides sont assemblées autour des génomes viraux et des molécules de transcriptase inverse.
9 Les nouveaux virus sortent de la cellule hôte par bourgeonnement.
CELLULE HÔTE
Transcriptase inverse
ARN viral
Hybride ARN-ADN
ADN
NOYAU
Provirus
ADN chromosomique
ARN qui sert de génome destiné à la prochaine génération
ARNm

▲ **Figure 18.10 Le cycle de réplication du VIH, un rétrovirus.** Les clichés à gauche (MET, colorées artificiellement) montrent le VIH entrant dans un globule blanc humain et en sortant. Notez à l'étape 4 que l'ADN synthétisé à partir du génome de l'ARN viral est inséré dans l'ADN chromosomique de la cellule hôte, une caractéristique unique aux rétrovirus.

vie les plus simples? Quoi qu'il en soit, ils nous forcent à revoir les définitions auxquelles nous sommes habitués. Bien que les Virus soient des parasites intracellulaires obligatoires incapables de se répliquer de façon autonome, on ne peut nier, du point de vue de l'évolution, leur parenté avec le monde vivant.

Comment les Virus sont-ils apparus? Étant donné que leur réplication ne peut se faire en l'absence de cellules, il est très probable qu'ils ne descendent pas de formes de vie précellulaires et qu'ils sont apparus *après* les premières cellules, peut-être à de nombreuses reprises. La plupart des spécialistes de la biologie moléculaire penchent pour l'hypothèse selon laquelle les Virus proviennent de fragments d'acides nucléiques capables de se déplacer d'une cellule à l'autre. Effectivement, le génome d'un virus ressemble généralement davantage à celui de sa cellule hôte qu'à celui de virus infectant d'autres hôtes. Certains gènes viraux sont même pratiquement identiques à ceux de l'hôte. D'autre part, le séquençage récent de nombreux génomes viraux a montré que les séquences génétiques de certains Virus sont tout à fait similaires à celles de Virus semblant peu apparentés (tels qu'un virus parasitant un animal et un virus attaquant une plante). La similitude génétique pourrait être l'expression de la persistance de groupes de gènes viraux qui ont connu du succès au cours des débuts de l'évolution des Virus et des Eucaryotes qui leur servaient de cellules hôtes. L'origine des Virus est un sujet fort débattu.

Il est possible que les premiers Virus aient été formés de morceaux d'acide nucléique nus qui passaient d'une cellule à l'autre en traversant les surfaces cellulaires endommagées. L'apparition de gènes codant pour les protéines de capsides a pu faciliter l'infection de cellules saines. Les précurseurs les plus probables des génomes viraux sont deux types d'éléments génétiques cellulaires nommés *plasmides* et *transposons.* (Nous parlerons davantage des plasmides et des transposons plus loin dans ce chapitre.) Les plasmides sont de petites molécules d'ADN circulaires. On les trouve chez les Archéobactéries, les Bactéries et les levures (ces dernières sont des Eucaryotes unicellulaires). Les plasmides, distincts du génome cellulaire, peuvent se répliquer indépendamment et, dans certains cas, passer d'une cellule à l'autre. Quant aux transposons, ce sont des segments d'ADN capables de se déplacer à l'intérieur du génome d'une même cellule. Les plasmides, les transposons et les Virus partagent donc une caractéristique importante: ce sont des composantes génétiques mobiles.

C'est parce que la relation continue entre les Virus et le génome de leurs cellules hôtes est liée à l'évolution que les Virus constituent des modèles si utiles en biologie moléculaire. Les connaissances sur les Virus ont également de nombreuses applications pratiques, étant donné leur capacité à causer des maladies chez tous les organismes vivants.

Retour sur le concept 18.1

1. Comparez l'effet sur une cellule hôte d'un phage lytique (virulent) et d'un phage lysogénique (tempéré).
2. Comment certains Virus peuvent-ils se reproduire sans contenir ou même synthétiser d'ADN?
3. Pourquoi dit-on que le VIH est un rétrovirus?

Voir les réponses proposées à la fin du chapitre.

Concept 18.2

Les Virus, les viroïdes et les prions sont des agents pathogènes redoutables qui affectent les Animaux et les Végétaux

Les maladies causées par les infections virales touchent les humains, les récoltes et le bétail partout dans le monde. D'autres entités, plus petites et moins complexes, appelées viroïdes et prions provoquent également des maladies chez les Végétaux et les Animaux.

Les maladies virales affectant les Animaux

Le lien entre une infection virale et les symptômes qui l'accompagnent est souvent difficile à cerner. Certains virus peuvent endommager ou tuer des cellules en provoquant la libération des enzymes hydrolytiques contenues dans les lysosomes. D'autres commandent la production, par les cellules infectées, de toxines causant les symptômes de la maladie. D'autres encore possèdent des composantes toxiques (telles que les protéines de l'enveloppe). L'étendue des dégâts suscités par un virus dépend en partie de la capacité du tissu infecté à se régénérer par division cellulaire. Habituellement, nous nous remettons complètement d'un rhume parce que l'épithélium des voies respiratoires se reconstitue facilement de lui-même après une infection virale. Par contre, les lésions infligées par le poliovirus (un entérovirus) à des cellules nerveuses sont irréversibles parce que ces cellules ne se divisent pas et ne peuvent donc pas être remplacées. De nombreux symptômes passagers qui accompagnent les infections virales (fièvre, douleurs) sont dus aux réactions de défense de l'organisme contre l'infection.

Le système immunitaire est une composante complexe et essentielle des moyens de défense naturels de l'organisme (voir le chapitre 43). C'est sur lui que repose le principe de la vaccination, qui est l'un des principaux outils de prévention des maladies virales. Les **vaccins** sont des variantes ou des dérivés inoffensifs d'agents pathogènes; ils stimulent le système immunitaire de façon à préparer sa défense contre le véritable agent pathogène. La vaccination a permis d'éradiquer la variole, qui a constitué pendant longtemps un terrible fléau dans de nombreuses régions du monde. Les virus qui causent la variole, la poliomyélite et la rougeole ne s'attaquent qu'aux humains. Cette gamme d'hôte tout à fait étroite s'est avérée importante dans l'entreprise fructueuse de l'Organisation mondiale de la santé visant à éradiquer la variole; des campagnes de vaccination semblables sont actuellement en marche pour éradiquer les deux autres virus. Il existe des vaccins efficaces contre la rubéole, les oreillons, l'hépatite B et bon nombre d'autres maladie virales.

Si les vaccins permettent de prévenir certaines maladies virales, la médecine actuelle ne réussit généralement pas à guérir les infections virales une fois qu'elles se sont déclenchées. Les antibiotiques, qui nous permettent de lutter contre les infections bactériennes, n'ont aucun effet sur les Virus. En effet, ils tuent les Bactéries en inhibant les processus catalysés par des enzymes propres à ces agents pathogènes; or, les Virus possèdent peu ou pas d'enzymes propres. Heureusement, on a découvert quelques médicaments efficaces contre certains Virus. La plupart des médicaments antiviraux ressemblent à des nucléosides, de sorte qu'ils empêchent la synthèse des acides nucléiques viraux. L'un de ces produits est l'acyclovir, qui empêche la reproduction de l'herpès-virus en inhibant la polymérase virale qui synthétise l'ADN viral. De façon analogue, la zidovudine (ou azidothymidine, AZT) freine la reproduction du VIH en entravant la synthèse de l'ADN par la transcriptase inverse. Au cours des dix dernières années, des efforts considérables ont été consacrés à la mise au point de médicaments contre le VIH. Actuellement, on constate que les multithérapies, parfois appelés cocktails, sont les plus efficaces. De tels schémas posologiques comprennent habituellement une combinaison de deux analogues de nucléosides et d'un inhibiteur de protéase qui interfère avec une enzyme requise pour l'assemblage de particules des virus.

Les nouveaux virus

On qualifie de *nouveaux virus* ceux qui semblent faire leur apparition soudainement ou qui attirent tout à coup l'attention des chercheurs en médecine. Le VIH, ou virus du sida, en est un exemple classique: ce virus, jusque-là inconnu, est apparu à San Francisco au début des années 1980. Le virus Ebola, découvert en 1976, en Afrique centrale, est un nouveau virus qui cause une *fièvre hémorragique*, un syndrome souvent fatal qui se caractérise par de la fièvre, des vomissements, des hémorragies internes et externes et un collapsus cardiovasculaire. Certains nouveaux virus causent une encéphalite (une inflammation du cerveau). On peut citer l'exemple du virus du Nil occidental qui est apparu pour la première fois en Amérique du Nord en 1999 et s'est propagé dans les 48 États limitrophes des États-Unis.

Encore plus récemment, une autre maladie virale est apparue dans le sud de la Chine en novembre 2002: le *syndrome respiratoire aigu sévère (SRAS)* **(figure 18.11a)**. Au cours d'une flambée à l'échelle mondiale entre novembre 2002 et juillet 2003, on a rapporté qu'environ 8 000 personnes ont été infectées, dont plus de 700 sont mortes par la suite. Au Canada, on a enregistré environ 438 cas (surtout en Ontario), qui ont fait 44 victimes. Les chercheurs ont rapidement identifié l'agent responsable du SRAS, un *coronavirus*, c'est-à-dire un virus à génome d'ARN monocaténaire (classe IV); jusque-là, ce type de coronavirus n'avait pas causé de maladies connues chez les humains **(figure 18.11b)**.

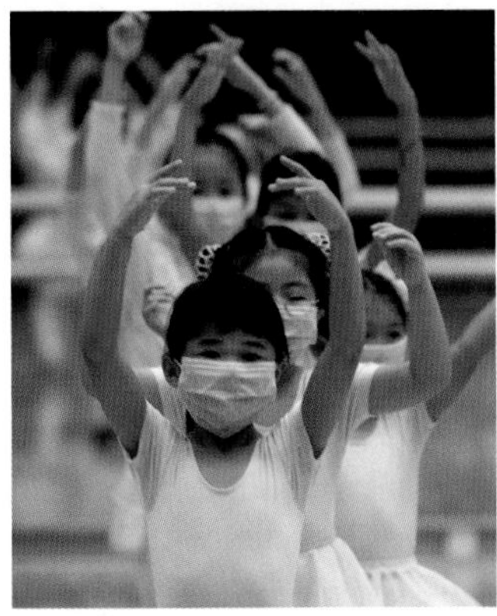

(a) À Hong-Kong, de jeunes ballerines portent un masque pour se protéger contre le virus du SRAS.

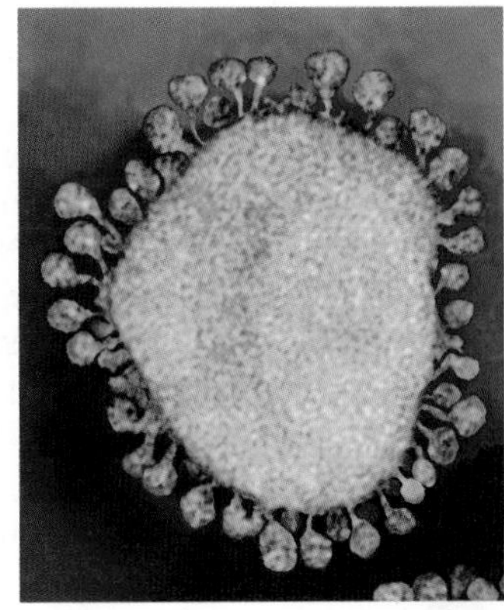

(b) L'agent qui cause le SRAS est un coronavirus comme celui de la figure (MET colorée); on le nomme ainsi à cause de la « couronne » que forment les pointes glycoprotéiques dont l'enveloppe est hérissée.

▲ **Figure 18.11 Le SRAS (syndrome respiratoire aigu sévère), une maladie virale récemment apparue.**

D'où proviennent ces souches virales et comment sont-elles apparues sur la scène humaine, engendrant des maladies autrefois rares ou inconnues? Trois phénomènes contribuent à l'émergence de maladies virales. Mentionnons d'abord la mutation de virus existants. Les virus à ARN ont un taux de mutation exceptionnellement élevé, parce que les erreurs dans la réplication de leurs génomes d'ARN ne sont pas corrigées par les étapes de relecture. Certaines mutations leur permettent de former de nouvelles variantes génétiques (souches) capables de rendre malades des individus immunisés contre le virus ancestral. Les épidémies de grippe, par exemple, sont dues à des nouvelles souches de virus génétiquement assez différentes des souches précédentes; c'est la raison pour laquelle l'immunité acquise lors d'infections grippales précédentes a peu d'effets sur elles.

Une autre source de nouvelles maladies virales est la propagation de virus d'une espèce hôte à une autre; des chercheurs ont, par exemple, récemment montré qu'un virus de la grippe pouvait être transmis du cheval au chien. Les chercheurs estiment que près des trois quarts des nouvelles maladies humaines sont d'abord apparues chez d'autres animaux. Par exemple, l'hantavirus est commun chez les Rongeurs, notamment chez les souris sylvestres (*Peromyscus maniculatus*). En 1993, la population de souris sylvestres du sud-ouest des États-Unis a connu une croissance spectaculaire, parce que le temps avait été exceptionnellement humide et qu'elle disposait d'une nourriture plus abondante que d'habitude. De nombreuses personnes qui ont inhalé de la poussière contenant des traces d'urine et de déjections de souris infectées étaient à leur tour infectées par l'hantavirus; des dizaines en sont mortes. Et, au début de 2004, en Asie du Sud-Est, on a rapporté les premiers cas d'humains infectés par un virus de la grippe jusque-là présent seulement chez les Oiseaux (grippe aviaire). En février 2006, la grippe aviaire avait fait, sur ce continent surtout, 88 victimes sur 150 individus atteints, et les autorités médicales de tous les pays du monde étaient sur un pied d'alerte et surveillaient l'apparition de la souche H5N1 de ce virus sur leur territoire; cette souche est la seule, sur une quinzaine, à se transmettre de l'oiseau à l'humain. Si le virus de cette souche se transforme de façon à pouvoir se propager facilement d'une personne à l'autre, la probabilité est élevée que survienne une flambée importante (pandémie) chez les humains. En effet, il existe de fortes indications que l'épidémie de grippe de 1918-1919, qui a tué environ 40 millions de personnes, a pris naissance chez les Oiseaux. En mai 2003, des chercheurs croyaient avoir identifié au moins une des sources possibles du virus: il s'agirait de la civette, petit mammifère sauvage vendu sur les marchés du sud de la Chine. Mais il restait à savoir comment le virus pouvait avoir été transmis de l'animal à l'humain.

Enfin, la propagation d'une maladie virale à partir d'une petite population isolée peut mener à une épidémie de grande envergure. Par exemple, le sida est passé pratiquement inaperçu pendant des décennies avant qu'on l'identifie et qu'il se propage dans le monde entier. C'est grâce à des facteurs technologiques et sociaux (le prix abordable des voyages internationaux, les transfusions sanguines, la promiscuité sexuelle et la consommation de drogues par voie intraveineuse) que cette maladie, qui était rare chez les humains, est devenue un fléau mondial.

Généralement, les virus que nous qualifions de nouveaux ne sont pas véritablement « nouveaux ». Ce sont plutôt des virus préexistants qui subissent des mutations, affectent de nouvelles espèces ou se disséminent plus largement chez les espèces hôtes déjà touchées. Les modifications de l'environnement et celles du comportement des hôtes peuvent faciliter leur propagation. Par exemple, les nouvelles routes qui conduisent à des régions reculées permettent parfois à des virus de se déplacer entre des populations humaines jusque-là isolées les unes des autres. Un autre facteur est la destruction des forêts au profit des terres agricoles. Il s'agit là d'un bouleversement environnemental qui met des humains en contact avec d'autres espèces animales pouvant héberger des virus susceptibles de les infecter, eux.

Les maladies virales chez les Végétaux

Plus de 2 000 types de maladies virales connues s'attaquent aux Végétaux; dans le monde entier, on leur attribue des pertes annuelles évaluées à 15 milliards de dollars, en agriculture et en horticulture. Les symptômes communs d'une infection virale se manifestent par des feuilles ou des fruits décolorés ou marqués de taches brunes, une croissance ralentie et des fleurs ou des racines endommagées; tous ces défauts finissent par diminuer le rendement et la qualité des récoltes **(figure 18.12)**.

Les virus qui attaquent les Végétaux possèdent la même structure de base et le même mode de réplication que les virus des Animaux. La majorité d'entre eux, dont le virus de la mosaïque du tabac, possèdent un génome d'ARN. Beaucoup possèdent une capside ayant la forme d'un bâtonnet; c'est le cas, par exemple, du virus de la mosaïque du tabac (voir la figure 18.4a). D'autres ont une capside polyédrique.

Les maladies virales des Végétaux se propagent principalement par deux voies: la transmission horizontale et la transmission verticale. La *transmission horizontale* est l'infection d'une plante par une source externe. Le virus envahisseur doit traverser la couche de cellules protectrices externes (l'épiderme) de la plante; celle-ci est plus vulnérable aux infections virales si elle a été endommagée par le vent, le froid, une blessure ou des insectes. Certains insectes (comme les pucerons) représentent une menace en partie parce qu'ils agissent aussi comme des vecteurs et qu'ils propagent une maladie virale d'une plante à une autre. Les agriculteurs et les jardiniers eux-mêmes peuvent transmettre des virus de plantes involontairement, par l'intermédiaire de leurs cisailles ou d'autres outils. Quant à la *transmission verticale*, c'est l'infection virale d'une plante transmise par une plante mère. Elle peut également se produire lors de la reproduction asexuée (par les boutures, par exemple) ou lors de la reproduction sexuée par l'intermédiaire de semences infectées.

Une fois qu'un virus a pénétré dans une cellule végétale et qu'il a commencé à se répliquer, les composantes virales se répandent dans l'ensemble de la plante en passant par les plasmodesmes (les canaux cytoplasmiques qui traversent les parois entre les cellules végétales voisines) (voir la figure 6.28). Les protéines codées par les gènes viraux peuvent modifier le diamètre des plasmodesmes afin de permettre le passage des protéines ou des génomes viraux. Les agronomes n'ont trouvé aucun remède contre la plupart des maladies virales touchant les Végétaux. Ils cherchent donc surtout à empêcher leur propagation et à produire des variétés génétiques de cultures résistantes à certains Virus.

▲ **Figure 18.12 Infection virale de plantes.** L'infection due à des virus spécifiques cause des traînées de couleurs sur une tulipe (photo du haut), des plaques brunes irrégulières sur des tomates (à gauche, au centre) et des marbrures noires sur cette courge d'été (photo du bas).

Viroïdes et prions: les agents infectieux les plus simples

Bien qu'ils aient de très petites dimensions et une structure très simple, les Virus sont encore beaucoup plus gros que les **viroïdes**, une autre catégorie de pathogènes. Il s'agit de molécules d'ARN circulaire, d'une longueur de quelques centaines de nucléotides seulement, qui infectent certaines plantes. Le cadang cadang, une maladie provoquée par un viroïde identifié en 1975, tue chaque année plusieurs dizaines de milliers de cocotiers (*Cocos nucifera*) aux Philippines. Les viroïdes ne codent pas pour des protéines, mais ils peuvent se répliquer dans les cellules des plantes hôtes, apparemment par l'intermédiaire des enzymes cellulaires. Ces petites molécules d'ARN semblent produire des erreurs dans le système régulateur de la croissance végétale. Les symptômes généralement associés aux maladies à viroïdes sont un développement anormal et un ralentissement de la croissance.

Comme on le constate dans le cas des viroïdes, une simple molécule peut constituer un agent infectieux susceptible de propager une maladie. Il reste que les viroïdes sont des acides nucléiques, et que ceux-ci sont bien connus pour leur capacité de réplication. Les indices concernant l'existence des *protéines* infectieuses appelées **prions** sont encore plus étonnants. Les prions semblent causer diverses maladies dégénératives du cerveau chez différentes espèces animales, dont la tremblante du mouton, l'encéphalopathie spongiforme bovine (la « maladie de la vache folle », qui a fait des ravages dans le secteur de l'élevage bovin en Europe au cours des dernières années) et la maladie de Creutzfeldt-Jacob chez les humains, responsable de la mort de 125 Britanniques au cours de la dernière décennie. Les prions sont très probablement transmis dans les aliments, par exemple lorsque des personnes consomment de la viande de bœuf provenant d'animaux atteints de la maladie de la vache folle. Deux caractéristiques des prions sont particulièrement inquiétantes. La première, c'est que les prions sont des agents à action lente ; la période d'incubation avant l'apparition des symptômes s'élève à environ dix ans. La deuxième caractéristique alarmante est le fait que les prions sont à peu près indestructibles ; le chauffage à des températures normales de cuisson ne peut ni les détruire ni les désactiver. À ce jour, il n'existe aucun remède connu contre les maladies à prion ; le seul espoir de trouver des traitements efficaces repose sur la compréhension du mécanisme de l'infection. Un espoir à l'horizon : en 2005, des chercheurs ont mis au point une technique permettant l'étude des prions *in vitro* (en utilisant des cultures de cellules nerveuses) plutôt que *in vivo*, ce qui permet d'obtenir des résultats beaucoup plus rapidement.

Comment une protéine, qui ne peut pas se répliquer, peut-elle devenir un agent pathogène transmissible ? Selon l'hypothèse la plus plausible, un prion est une variante mal configurée d'une protéine normalement présente dans les cellules du cerveau. Lorsqu'il pénètre dans une cellule contenant une protéine sous sa configuration normale, un prion transforme cette protéine normale en prion **(figure 18.13)**. Cette particule protéique infectieuse peut se multiplier et déclencher des réactions en chaîne. Ce modèle, proposé la première fois au début des années 1980, est aujourd'hui largement accepté.

Retour sur le concept 18.2

1. Décrivez deux façons dont un virus préexistant peut devenir un « nouveau virus ».
2. Comparez la transmission horizontale et la transmission verticale des virus chez les Végétaux.
3. Pourquoi la longue période d'incubation des prions augmente-t-elle leur danger comme cause de maladie humaine ?

Voir les réponses proposées à la fin du chapitre.

Concept 18.3

La reproduction rapide, les mutations et la recombinaison génétique contribuent à la diversité génétique des Bactéries

En étudiant les mécanismes de réplication des Virus, les chercheurs apprennent également à connaître les mécanismes cellulaires de régulation de la réplication de l'ADN et de l'expression génique. Les Bactéries constituent des modèles microbiens tout aussi précieux, mais pour des raisons différentes. Les chercheurs utilisent ces cellules procaryotes pour étudier la génétique moléculaire des organismes les plus simples. Des informations sur de nombreuses espèces procaryotes ont été accumulées récemment grâce à l'avènement du séquençage à grande échelle du génome. Toutefois, sauf indication contraire, nous allons nous limiter aux connaissances que nous ont livrées les nombreuses études sur la bactérie intestinale *Escherichia coli*, l'organisme le mieux connu à l'échelle moléculaire.

Le génome bactérien et sa réplication

La composante principale du génome dans la plupart des Bactéries est une molécule d'ADN bicaténaire de forme circulaire associée avec une petite quantité de protéines. Nous appelons cette structure *chromosome bactérien*, bien qu'elle soit très différente des chromosomes eucaryotes. Ces derniers sont en effet constitués de molécules d'ADN linéaire associées à de grandes quantités de protéines. Le chromosome d'*E. coli* comprend environ 4,6 millions de paires de nucléotides dont une partie compose quelque 4 400 gènes. Il contient donc 100 fois plus d'ADN qu'un virus ordinaire, mais 1 000 fois moins qu'une cellule humaine moyenne. Il reste que cela représente beaucoup d'ADN à emballer dans un récipient aussi petit.

L'ADN déployé d'une cellule d'*E. coli* mesurerait environ un millimètre de longueur, ce qui est 500 fois plus grand que la taille de la cellule elle-même. Cependant, à l'intérieur de la bactérie, certaines protéines forcent le chromosome à s'enrouler en hélice et en superhélice ; il devient si ramassé qu'il n'occupe qu'une partie du volume de la bactérie. Cette région dense où se trouve l'ADN, et que l'on appelle **nucléoïde**, n'est pas délimitée par une enveloppe membraneuse, comme l'est le noyau d'une cellule eucaryote. Outre un chromosome, de nombreuses bactéries contiennent des plasmides, des anneaux d'ADN beaucoup plus petits, qui comptent chacun tout au plus quelques douzaines de gènes. Nous étudierons les plasmides plus loin dans la présente section.

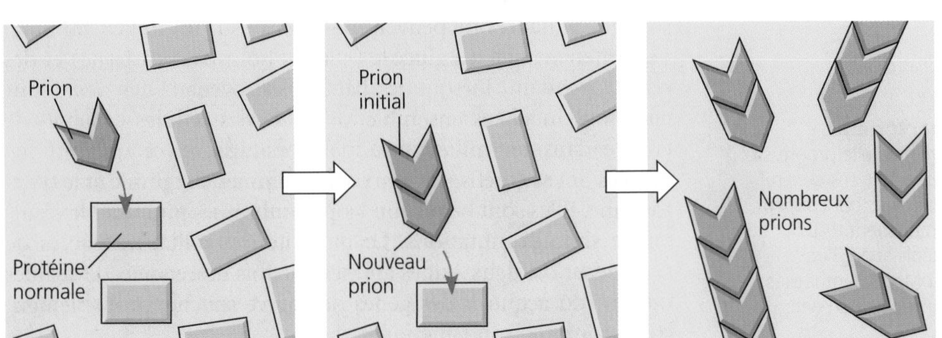

◄ **Figure 18.13 Modèle du mode de propagation des prions.** Les prions sont des variantes mal configurées de protéines cérébrales normales. Lorsqu'il entre en contact avec une protéine de configuration normale qui lui ressemble, un prion la contraint à prendre la forme anormale qui le caractérise. Le nouveau prion transforme à son tour une autre protéine, et ainsi de suite. La réaction en chaîne ainsi amorcée peut se poursuivre jusqu'à ce que la concentration de prions atteigne des niveaux dangereux, ce qui entrave le fonctionnement des cellules et aboutit à la dégénérescence du cerveau.

Les Archéobactéries et les Bactéries se divisent par scissiparité (ou fission binaire). Celle-ci survient après la réplication du chromosome bactérien (voir la figure 12.11). La synthèse de l'ADN se fait à partir d'une origine de réplication unique, mais elle progresse dans les deux sens le long du cercle formé par le chromosome **(figure 18.14)**. Dans un milieu favorable, qu'il s'agisse d'un habitat naturel ou d'une culture de laboratoire, les Archéobactéries et les Bactéries se multiplient très rapidement. Par exemple, *E. coli* se divise toutes les 20 minutes dans des conditions optimales. Une culture issue d'une seule cellule sur une gélose contenant des nutriments peut produire une masse, ou *colonie*, de 10^7 à 10^8 individus en une nuit (12 heures). Dans son habitat naturel, qui est le gros intestin (côlon) des Mammifères, le taux de reproduction de cet organisme peut être beaucoup plus lent. Dans le côlon humain, par exemple, la quantité d'*E. coli* double en 12 heures, mais c'est suffisant pour remplacer les 2×10^{10} bactéries qui sont perdues chaque jour dans les matières fécales.

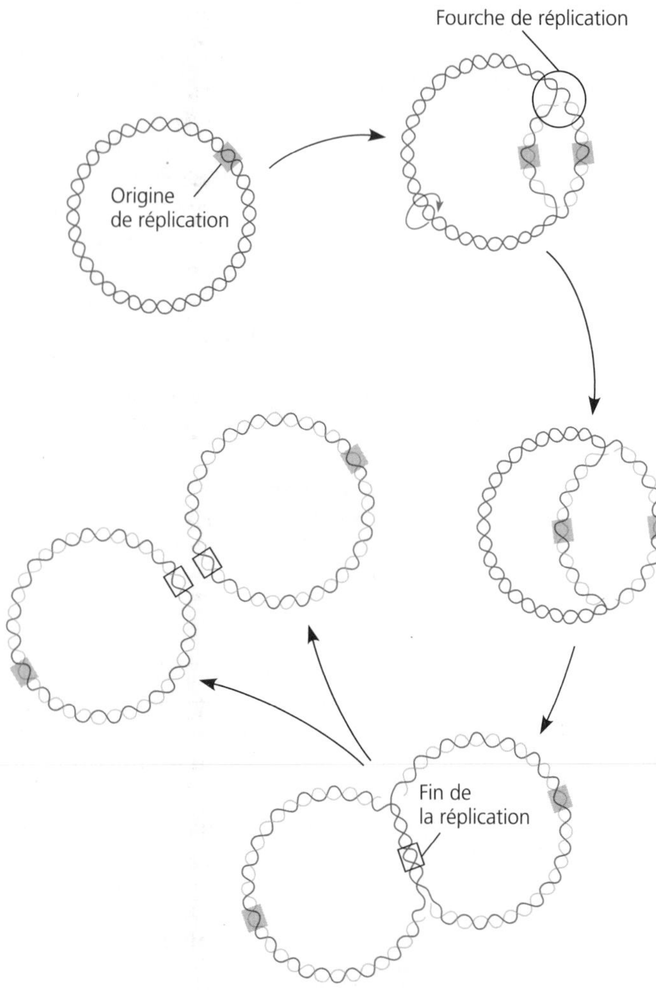

Fourche de réplication

Origine de réplication

Fin de la réplication

▲ **Figure 18.14 Réplication du chromosome bactérien.**
La réplication de l'ADN se fait à partir d'une origine unique ; elle progresse dans les deux sens le long du cercle formé par le chromosome (sens *général*), jusqu'à ce que celui-ci soit entièrement répliqué. Les enzymes qui coupent, enroulent (flèche rouge) et soudent la double hélice empêchent l'ADN de s'emmêler. Il faut retenir que, à chaque fourche de réplication, l'un des nouveaux brins est formé à partir de tronçons discontinus synthétisés en sens inverse, c'est-à-dire en direction de l'origine de réplication (voir la figure 16.16).

Mutations et recombinaisons génétiques comme sources de variation génétique

La scissiparité étant un processus asexué (c'est la production de descendants à partir d'un seul parent), la plupart des individus d'une colonie sont génétiquement identiques à la cellule mère. Un certain nombre de descendants possède, sous l'effet de mutations, un bagage génétique légèrement différent. Pour un gène donné d'*E. coli*, par exemple, la probabilité qu'une mutation spontanée se produise est seulement de 1×10^{-7} en moyenne par division cellulaire, soit de une chance sur 10 millions. Mais, comme 2×10^{10} nouvelles cellules d'*E. coli* apparaissent chaque jour dans un côlon humain, sur ce chiffre, il y a environ $(2 \times 10^{10})(1 \times 10^{-7}) = 2\,000$ nouveaux individus chez qui ce gène particulier a subi une mutation. Pour l'ensemble des 4 300 gènes d'*E. coli*, le nombre total de mutations est d'environ $4\,300 \times 2\,000 = 8{,}6$ millions par jour par hôte humain. Retenons que les nouvelles mutations, bien qu'elles soient relativement rares à l'échelle individuelle, contribuent grandement à la diversité génétique des organismes dont les générations sont courtes et dont le taux de reproduction est très élevé. Cette diversité influe à son tour sur l'évolution des populations bactériennes : les populations bactériennes composées d'individus possédant des caractères génétiques bien adaptés à leur milieu se reproduisent plus vite que celles dont les individus sont moins bien pourvus.

Par contre, les nouvelles mutations apportent une contribution relativement faible à la variation génétique des populations d'organismes à reproduction lente, tels que les humains. La majeure partie de la variation héréditaire que l'on observe dans une population humaine ne résulte pas de l'apparition de nouveaux allèles par mutation, mais de la recombinaison génétique des allèles existants au cours de la reproduction sexuée (voir le chapitre 15). Chez les Archéobactéries et les Bactéries, les mutations sont une grande source de variation individuelle, mais la recombinaison génétique, que nous définissons comme la combinaison de l'ADN provenant de deux sources, ajoute encore à la diversité. Dans la plupart des cas que nous allons examiner ici, les deux sources d'ADN sont les génomes de deux cellules bactériennes distinctes, l'ADN génomique d'une cellule se retrouvant dans celui de l'autre cellule.

La **figure 18.15** illustre un type d'expérience qui fournit une preuve que la recombinaison génétique se produit chez les Bactéries. Cette expérience utilise deux souches mutantes d'*E. coli*, qui sont incapables de synthétiser un acide aminé dont elles ont besoin, le tryptophane ou l'arginine. Il s'ensuit que les souches mutantes ne peuvent pas croître sur un milieu minimal ne contenant que du glucose (comme source de carbone) et des sels. Cependant, lorsque les bactéries provenant des deux souches sont incubées ensemble, de nouvelles cellules capables de croître dans un milieu minimal apparaissent, ce qui indique qu'elles ont synthétisé les deux acides aminés, l'arginine et le tryptophane. Elles sont beaucoup trop nombreuses pour être le résultat de simples mutations. La majorité des cellules capables de synthétiser ces deux acides aminés à la fois descendent de cellules qui ont dû acquérir des gènes de l'autre souche, probablement par recombinaison génétique.

Les mécanismes de transfert génique et de recombinaison génétique chez les Bactéries

L'ADN provenant de deux souches bactériennes ne se regroupe pas dans une cellule unique par le même processus que chez les Eucaryotes. Dans le cas d'un organisme eucaryote, l'ADN de deux individus se retrouve dans un zygote grâce aux mécanismes sexuels que sont la méiose et la fécondation (voir le chapitre 13). Mais, chez les Procaryotes, la méiose et la fécondation n'existent pas; le regroupement de l'ADN provenant de deux individus distincts se fait plutôt par trois autres mécanismes: la transformation, la transduction et la conjugaison.

La transformation

En génétique bactérienne, le processus de **transformation** est la modification du génotype et du phénotype d'une bactérie par l'absorption d'un ADN nu et étranger présent dans le milieu environnant. C'est ce mécanisme qui a permis à Frederick Griffith d'orienter dans la bonne direction les recherches sur l'identification du matériel génétique. Le travail de Griffith, que nous avons décrit au chapitre 16, montre que les bactéries d'une souche inoffensive de *Streptococcus pneumoniæ* peuvent être transformées en une souche constituée de bactéries causant la pneumonie. Il suffit à ces bactéries de se trouver dans un milieu contenant des cellules mortes, éclatées, de la souche pathogène et d'absorber un ADN (voir la figure 16.2). Ainsi, lorsqu'elle absorbe un morceau d'ADN contenant l'allèle de la pathogénicité qui code pour la capsule protégeant la bactérie contre le système immunitaire de l'hôte, une cellule vivante non pathogène se transforme. L'allèle étranger s'insère dans le chromosome de la bactérie non pathogène à la place de l'allèle qui code pour l'absence de capsule. Cela se fait par recombinaison génétique (échange de segments d'ADN lors de l'enjambement de chromosomes). La cellule résultante est recombinée, puisque son chromosome contient de l'ADN en provenance de deux cellules distinctes.

Pendant des années après la découverte de la transformation dans les milieux de culture, la majorité des biologistes ont persisté à croire que ce phénomène était trop rare et aléatoire, et qu'il ne jouait pas un rôle important dans les populations bactériennes naturelles. Cependant, il est clair maintenant que de nombreuses Bactéries portent à leur surface des protéines qui reconnaissent et transportent l'ADN provenant d'espèces bactériennes apparentées dans la cellule, qui peut alors incorporer l'ADN étranger dans son génome. *E. coli* et quelques autres Bactéries ne semblent pas avoir ce mécanisme de transformation. Toutefois, si l'on place des cellules d'*E. coli* dans un milieu de culture contenant notamment une concentration relativement élevée d'ions calcium, elles absorbent de petits fragments d'ADN. En biotechnologie, on se sert de cette technique artificielle pour introduire des gènes étrangers dans le génome d'*E. coli* (par exemple, des gènes codant pour des protéines particulièrement précieuses, comme l'insuline et l'hormone de croissance humaines).

La transduction

Dans le processus appelé **transduction**, des bactériophages (les Virus qui infectent les Bactéries) transfèrent des gènes bactériens d'une cellule hôte à une autre. Ce mécanisme résulte d'anomalies des cycles de réplication phagiques.

La **figure 18.16** illustre les événements de la *transduction généralisée*, un processus par lequel le phage transfère les gènes bactériens au hasard, d'une cellule à une autre. Souvenez-vous que, à la fin du cycle lytique d'un phage, les molécules d'acide nucléique du virus sont emballées dans des capsides; ce sont des phages complets qui sont libérés par la lyse de la bactérie hôte. De temps à autre, un petit fragment d'ADN de la cellule hôte se trouve enfermé dans une capside à la place du génome du phage. Le virus ainsi formé est défectueux, parce qu'il est dépourvu de son matériel génétique. Cependant, après sa libération, il peut se fixer à une autre bactérie (receveuse) et lui injecter le fragment d'ADN provenant de la première bactérie (donneuse). Une partie de cet ADN peut ensuite prendre la place de la région homologue du chromosome de la bactérie receveuse, si un enjambement se produit aux deux extrémités du fragment. Dans ce cas, le chromosome de la bactérie receveuse devient une combinaison de l'ADN provenant de deux cellules distinctes; il s'est produit une recombinaison génétique.

Les phages tempérés, ceux qui sont capables d'insérer leur génome sous forme de prophage dans le chromosome d'une bactérie (voir la figure 18.7), peuvent effectuer une *transduction*

Figure 18.15

Investigation Une cellule bactérienne peut-elle acquérir les gènes d'une autre cellule bactérienne ?

EXPÉRIENCE Des chercheurs ont deux souches de mutants; une souche peut synthétiser l'arginine, mais pas le tryptophane (*arg*⁺ *trp*⁻), et une autre peut synthétiser le tryptophane, mais pas l'arginine (*arg*⁻ *trp*⁺). Chaque souche mutante et un mélange des deux souches sont incubés dans un milieu liquide contenant tous les acides aminés dont elles ont besoin. Des échantillons de chaque culture sont étalés sur des géloses contenant un milieu minimal (une solution de glucose et de sels inorganiques).

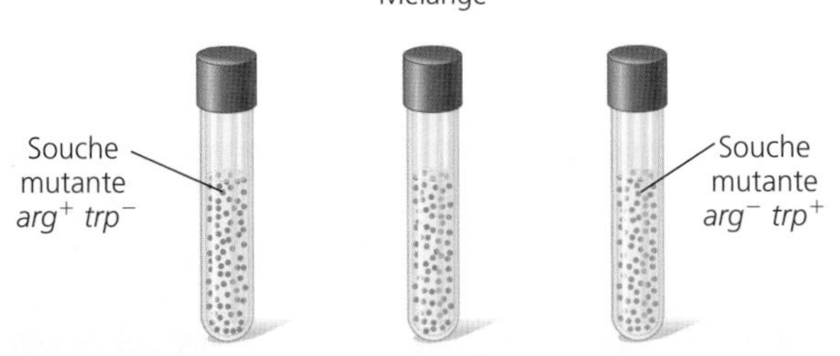

RÉSULTATS Seuls les échantillons de la culture du mélange contiennent des cellules qui forment des colonies sur une gélose contenant le milieu minimal, sans les acides aminés.

Mélange
Souche mutante arg^+ trp^- — Aucune colonie (groupe témoin)
Colonies
Souche mutante arg^- trp^+ — Aucune colonie (groupe témoin)

CONCLUSION Étant donné que seules les cellules qui peuvent synthétiser l'arginine et le tryptophane (cellules arg^+ trp^+) peuvent former des colonies dans un milieu minimal, l'absence de colonies sur les deux plaques témoins montre qu'aucune mutation ne s'est produite pour restaurer cette capacité des cellules des souches mutantes. Par conséquent, chaque cellule du mélange qui a formé une colonie dans le milieu minimal a dû acquérir des gènes d'une cellule de l'autre souche par recombinaison génétique.

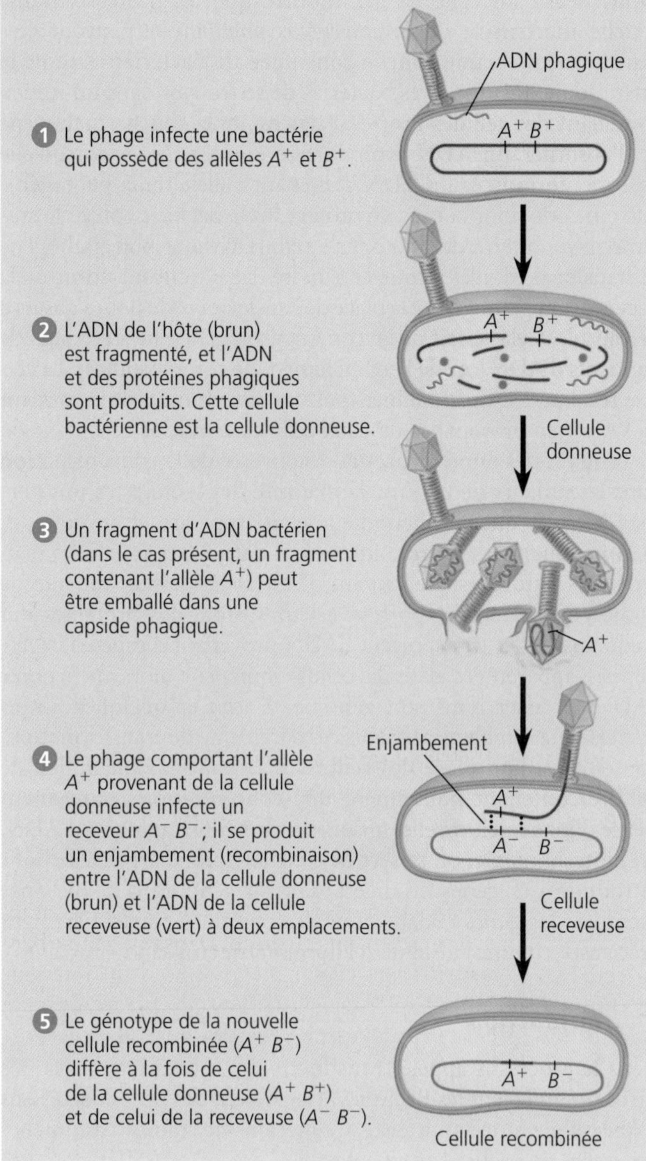

ADN phagique
1 Le phage infecte une bactérie qui possède des allèles A^+ et B^+.
A^+ B^+
2 L'ADN de l'hôte (brun) est fragmenté, et l'ADN et des protéines phagiques sont produits. Cette cellule bactérienne est la cellule donneuse.
A^+ B^+
Cellule donneuse
3 Un fragment d'ADN bactérien (dans le cas présent, un fragment contenant l'allèle A^+) peut être emballé dans une capside phagique.
A^+
4 Le phage comportant l'allèle A^+ provenant de la cellule donneuse infecte un receveur A^- B^- ; il se produit un enjambement (recombinaison) entre l'ADN de la cellule donneuse (brun) et l'ADN de la cellule receveuse (vert) à deux emplacements.
Enjambement
A^+
A^- B^-
Cellule receveuse
5 Le génotype de la nouvelle cellule recombinée (A^+ B^-) diffère à la fois de celui de la cellule donneuse (A^+ B^+) et de celui de la receveuse (A^- B^-).
A^+ B^-
Cellule recombinée

▲ **Figure 18.16 Transduction généralisée.** De temps en temps, des bactériophages transportent d'une cellule (donneuse) à l'autre (receveuse) des fragments du chromosome de l'hôte pris au hasard. L'ADN transféré peut se recombiner avec le génome de la cellule receveuse, ce qui donne une cellule recombinée.

localisée. Dans ce processus, un prophage capte seulement quelques gènes bactériens adjacents au moment où il quitte le chromosome et les transfère à une nouvelle cellule hôte. Ce processus peut produire un transfert efficace, mais seuls les gènes du chromosome qui se trouvent près du site d'insertion du prophage sont touchés.

Conjugaison et plasmides

La **conjugaison** est un transfert direct de matériel génétique entre deux cellules bactériennes temporairement liées. Le transfert d'ADN s'effectue de façon unidirectionnelle : une cellule donne de l'ADN, alors qu'une autre le reçoit. La bactérie donneuse d'ADN (appelée parfois « bactérie mâle ») s'attache à la bactérie receveuse (parfois appelée « bactérie femelle ») au moyen d'un appendice appelé *pilus sexuel* (**figure 18.17**). Une fois qu'il est entré en contact avec la bactérie receveuse, le pilus se raccourcit ; ce faisant, il tire les deux cellules l'une vers l'autre, à la manière d'un grappin. Un *pont de conjugaison* cytoplasmique temporaire par où l'ADN passe s'établit alors entre ces dernières.

Dans la plupart des cas, la capacité de former des pili sexuels et de transférer de l'ADN par conjugaison résulte de la présence d'un segment d'ADN appelé **facteur F** (F pour fertilité). Le facteur F peut être soit une partie de l'ADN du chromosome bactérien, soit un plasmide. Un **plasmide** est une petite molécule d'ADN circulaire distincte du chromosome bactérien et capable de se répliquer de façon autonome. Certains plasmides, comme les plasmides F, s'insèrent de façon réversible dans un chromosome bactérien. On appelle **épisome** un élément génétique pouvant se répliquer soit en tant que segment du chromosome bactérien, soit indépendamment. Outre certains plasmides, certains virus tempérés (comme le phage l) sont des épisomes.

Les plasmides ne contiennent que quelques gènes qui, dans des conditions normales, ne servent ni à la survie ni à la reproduction des Procaryotes. Cependant, il arrive que ces gènes soient utiles aux Procaryotes vivant dans un environnement changeant et difficile. Par exemple, le facteur F facilite la recombinaison génétique, ce qui est avantageux dans un milieu devenu hostile aux souches bactériennes existantes.

Le plasmide F et la conjugaison. Le facteur F, aussi appelé facteur de fertilité extrachromosomique ou **plasmide F**, contient environ 25 gènes. La plupart de ceux-ci participent à la production de pili sexuels. On désigne par le symbole F^+ une bactérie contenant le plasmide F ; au cours de la conjugaison, elle agit comme donneuse d'ADN. La réplication du plasmide F est synchronisée avec celle de l'ADN chromosomique, et la division d'une bactérie F^+ donne habituellement naissance à deux descendantes F^+. Quant aux bactéries dépourvues de facteur F, elles sont appelées F^- ; elles jouent le rôle de receveuses d'ADN lors de

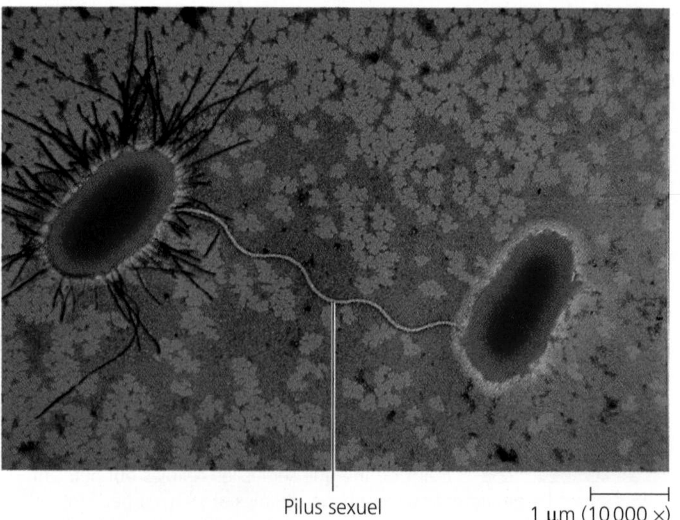

▲ **Figure 18.17 Conjugaison bactérienne.** La bactérie donneuse *E. coli*, située à gauche, étend un pilus sexuel en direction de la bactérie receveuse et le fixe à elle. Les deux cellules sont ensuite tirées l'une vers l'autre. Un pont de conjugaison cytoplasmique peut désormais se former entre elles. Grâce à ce pont, la bactérie donneuse transfère de l'ADN à la bactérie receveuse (cliché pris au MET et coloré).

la conjugaison. Notez cependant que l'état F^+ est transférable; la bactérie F^+ transforme la bactérie F^- en bactérie F^+ lors de la conjugaison, comme l'illustre la **figure 18.18a**. La bactérie F^+ de départ, elle, ne change pas d'état parce que le processus de transfert met en jeu un type spécial de réplication de l'ADN: un brin parental de l'ADN du facteur F est transféré par le pont de conjugaison, et chaque brin parental sert de matrice pour la synthèse du second brin dans sa cellule respective. Bref, lors de la conjugaison de F^+ et de F^-, seul l'ADN d'un plasmide F est transféré.

Les gènes du chromosome bactérien peuvent être transférés au cours de la conjugaison lorsque la bactérie donneuse a un facteur F inséré dans son chromosome **(figure 18.18b, en haut)**. Une telle bactérie est appelée *bactérie Hfr* (« à haute fréquence de recombinaison »). À l'instar de la bactérie F^+, la bactérie Hfr joue le rôle de donneuse pendant la conjugaison: la réplication de l'ADN est amorcée en un point spécifique de l'ADN du facteur F inséré; puis un seul des deux brins de l'ADN du facteur F se déplace vers le partenaire F^-, traînant à sa suite l'ADN chromosomique adjacent **(figure 18.18b, au centre)**. Les mouvements aléatoires des bactéries interrompent presque toujours la conjugaison avant que la bactérie F^- reçoive un brin entier du chromosome Hfr. Le simple brin dans chaque cellule sert de matrice pour la synthèse d'un second brin. Par conséquent, l'ADN de la bactérie Hfr demeure inchangé, alors que la bactérie F^- acquiert un nouvel ADN, dont une partie est chromosomique. La bactérie receveuse devient pour un temps partiellement diploïde: elle possède son propre chromosome F^- complet en plus de l'ADN chromosomique transféré de la bactérie donneuse. Si une partie de l'ADN nouvellement acquis s'aligne sur une région homologue du chromosome F^-, un échange de segments d'ADN peut se produire **(figure 18.18b, en bas)**. La réplication de cette cellule donne naissance à une population de bactéries recombinées dont les gènes proviennent de deux cellules différentes. Ce processus de conjugaison et de recombinaison explique les résultats de l'expérience de la figure 18.15, où l'une des souches bactériennes était Hfr, et l'autre, F^-.

Les plasmides R et la résistance aux antibiotiques. Au cours des années 1950, des médecins japonais ont remarqué que certains patients hospitalisés pour une dysenterie bactérienne (une maladie qui provoque une diarrhée grave) ne réagissaient pas à des antibiotiques jusqu'alors efficaces. Certaines souches de *Shigella dysenteriæ*, le pathogène en cause, étaient apparemment devenues résistantes aux antibiotiques administrés. Les chercheurs ont fini par identifier les gènes de la résistance aux antibiotiques chez *Shigella dysenteriæ* et d'autres bactéries pathogènes. Parfois, ce sont des mutations dans un gène chromosomique du pathogène qui peuvent causer la résistance. Par exemple, une mutation dans un gène peut réduire la capacité du pathogène à transporter un antibiotique donné dans la cellule. Une mutation dans un gène différent peut modifier la protéine cible intracellulaire pour une molécule d'antibiotique, réduisant ainsi son effet inhibiteur. Certaines Bactéries ont des gènes de résistance qui codent pour des enzymes qui dégradent spécifiquement certains antibiotiques, comme la tétracycline et l'ampicilline. Les gènes qui confèrent ce type de résistance se trouvent habituellement sur des plasmides appelés **plasmides R** (R pour résistance).

Si l'on expose une population bactérienne à un antibiotique donné (que ce soit dans un milieu de culture ou dans un organisme hôte, comme un être humain), on tue les bactéries sensibles à ce produit, mais pas celles qui possèdent le plasmide R correspondant. La théorie de la sélection naturelle prédit que, dans ces conditions, la proportion de la population de bactéries qui héritent des gènes de résistance à l'antibiotique en question augmentera, et c'est exactement ce qui se passe. On devine facilement les conséquences que cela entraîne du point de vue médical: les souches d'agents pathogènes résistants deviennent de plus en plus communes, ce qui complique le traitement de certaines infections bactériennes. Le problème se trouve aggravé par le fait que de nombreux plasmides R, tout comme les plasmides F, portent les gènes des pili sexuels et se transmettent donc d'une cellule bactérienne à l'autre par conjugaison. Pire encore, certains plasmides R portent jusqu'à 10 gènes de résistance à autant d'antibiotiques. Comment un seul plasmide peut-il porter un tel nombre de gènes de résistance aux antibiotiques? Avant de répondre à cette question, nous devons étudier un autre type d'élément génétique mobile appelé transposon.

La transposition d'éléments génétiques

Dans la section précédente, vous avez appris comment l'ADN d'une bactérie peut être transféré à une autre et recombiné pour former le génome de la bactérie receveuse. L'ADN d'une cellule unique peut également subir une recombinaison grâce au déplacement à l'intérieur du génome cellulaire de ce qu'on appelle les *éléments génétiques transposables*, ou simplement **éléments transposables.** Contrairement au plasmide et au prophage, ils n'existent pas indépendamment; ils font toujours partie de l'ADN d'un chromosome ou de l'ADN d'un plasmide. Pendant le déplacement de ces éléments, appelé *transposition*, l'élément transposable se déplace d'un site de l'ADN d'une cellule à un autre (site cible) par un type de processus de recombinaison. Dans une cellule bactérienne, un élément transposable peut se déplacer à l'intérieur du chromosome, ou bien passer d'un plasmide au chromosome ou d'un chromosome à un plasmide, ou encore aller d'un plasmide à un autre.

On appelle parfois les éléments transposables « gènes sauteurs », mais l'expression prête quelque peu à confusion parce qu'ils ne se détachent jamais complètement de l'ADN cellulaire. (Les sites de l'ADN initial et du nouvel ADN sont rapprochés les uns des autres par repliement de l'ADN.) Certains d'entre eux se déplacent effectivement d'un site à l'autre au sein du génome grâce à un mécanisme appelé « couper-coller ». D'autres éléments se déplacent par un mécanisme « copier-coller », au cours duquel un élément se réplique sur son site d'origine. C'est sa *copie* qui va s'insérer ailleurs. Autrement dit, l'élément transposable s'ajoute à un nouveau site sans être perdu par le site d'origine.

Bien que certains éléments transposables ciblent un site particulier, la plupart d'entre eux peuvent gagner un grand nombre de sites dans l'ADN. La capacité de disséminer certains gènes dans l'ensemble du génome fait de la transposition un phénomène fondamentalement différent de tous les autres mécanismes de brassage génétique. Au cours de la transformation bactérienne, de la transduction généralisée et de la conjugaison (et aussi de la méiose chez les Eucaryotes), la recombinaison se produit entre des régions homologues de l'ADN dont les séquences de bases azotées identiques ou très semblables peuvent effectuer un appariement. Par contre, l'insertion d'un élément transposable dans un nouveau site ne dépend aucunement de la présence de séquences de bases qui lui sont complémentaires. Un élément

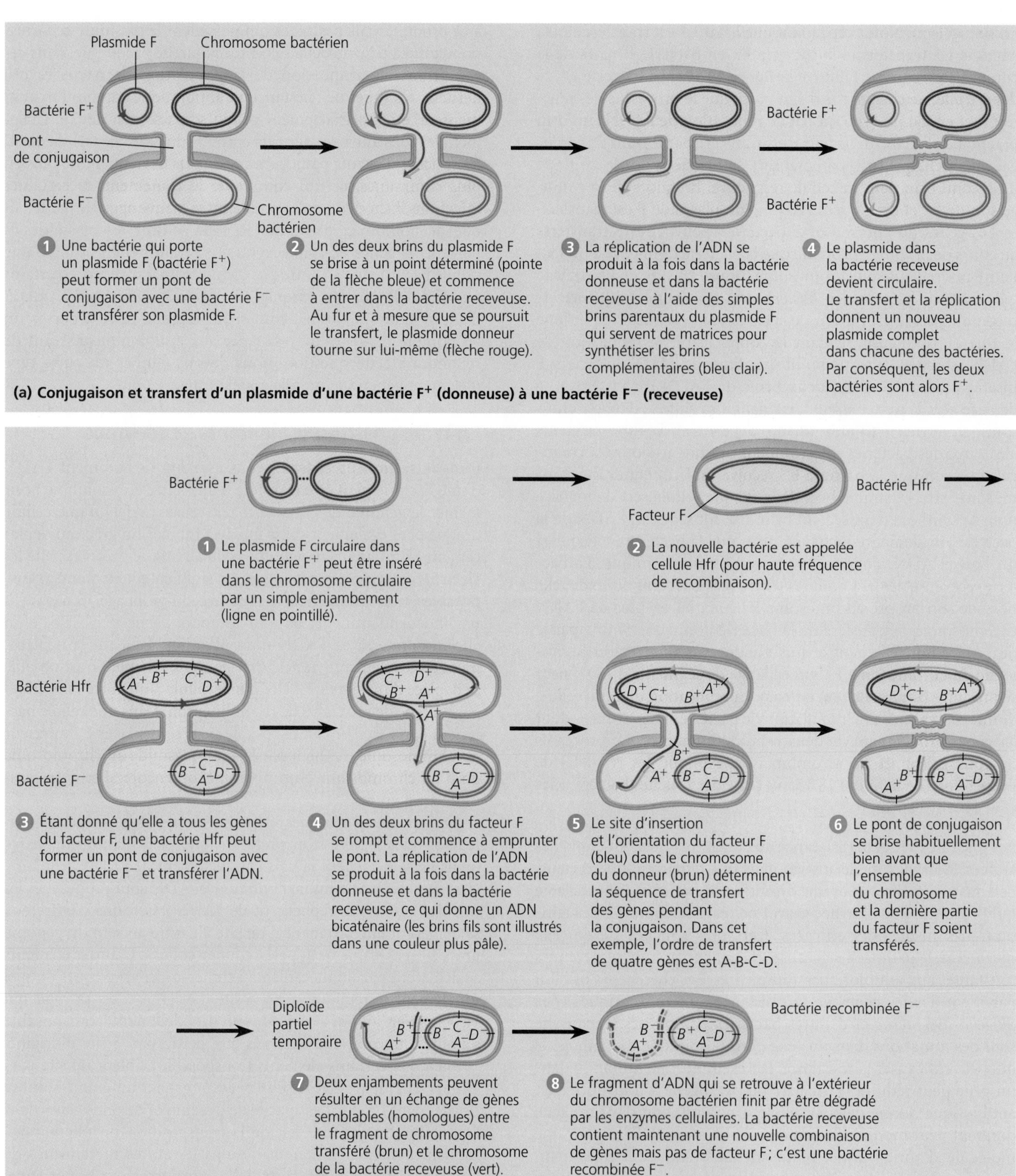

Plasmide F
Chromosome bactérien
Bactérie F+
Pont de conjugaison
Bactérie F−
Chromosome bactérien
1 Une bactérie qui porte un plasmide F (bactérie F+) peut former un pont de conjugaison avec une bactérie F− et transférer son plasmide F.
2 Un des deux brins du plasmide F se brise à un point déterminé (pointe de la flèche bleue) et commence à entrer dans la bactérie receveuse. Au fur et à mesure que se poursuit le transfert, le plasmide donneur tourne sur lui-même (flèche rouge).
3 La réplication de l'ADN se produit à la fois dans la bactérie donneuse et dans la bactérie receveuse à l'aide des simples brins parentaux du plasmide F qui servent de matrices pour synthétiser les brins complémentaires (bleu clair).
Bactérie F+
Bactérie F+
4 Le plasmide dans la bactérie receveuse devient circulaire. Le transfert et la réplication donnent un nouveau plasmide complet dans chacune des bactéries. Par conséquent, les deux bactéries sont alors F+.
(a) Conjugaison et transfert d'un plasmide d'une bactérie F+ (donneuse) à une bactérie F− (receveuse)
Bactérie F+
Bactérie Hfr
Facteur F
1 Le plasmide F circulaire dans une bactérie F+ peut être inséré dans le chromosome circulaire par un simple enjambement (ligne en pointillé).
2 La nouvelle bactérie est appelée cellule Hfr (pour haute fréquence de recombinaison).
Bactérie Hfr
Bactérie F−
A+ B+ C+ D+
A− B− C− D−
3 Étant donné qu'elle a tous les gènes du facteur F, une bactérie Hfr peut former un pont de conjugaison avec une bactérie F− et transférer l'ADN.
4 Un des deux brins du facteur F se rompt et commence à emprunter le pont. La réplication de l'ADN se produit à la fois dans la bactérie donneuse et dans la bactérie receveuse, ce qui donne un ADN bicaténaire (les brins fils sont illustrés dans une couleur plus pâle).
5 Le site d'insertion et l'orientation du facteur F (bleu) dans le chromosome du donneur (brun) déterminent la séquence de transfert des gènes pendant la conjugaison. Dans cet exemple, l'ordre de transfert de quatre gènes est A-B-C-D.
6 Le pont de conjugaison se brise habituellement bien avant que l'ensemble du chromosome et la dernière partie du facteur F soient transférés.
Diploïde partiel temporaire
Bactérie recombinée F−
7 Deux enjambements peuvent résulter en un échange de gènes semblables (homologues) entre le fragment de chromosome transféré (brun) et le chromosome de la bactérie receveuse (vert).
8 Le fragment d'ADN qui se retrouve à l'extérieur du chromosome bactérien finit par être dégradé par les enzymes cellulaires. La bactérie receveuse contient maintenant une nouvelle combinaison de gènes mais pas de facteur F ; c'est une bactérie recombinée F−.
(b) Conjugaison et transfert d'une partie de chromosome bactérien d'un donneur Hfr à un receveur F−, entraînant une recombinaison

▲ **Figure 18.18 Conjugaison et recombinaison chez *E. coli*.** La réplication de l'ADN qui accompagne le transfert d'un plasmide F ou d'une partie d'un chromosome bactérien Hfr est appelée *réplication en cercle roulant*. On l'appelle aussi modèle du « papier hygiénique » à cause de la façon dont le simple brin se sépare de l'ADN de la cellule donneuse et se déplace vers la cellule receveuse.

transposable peut introduire des gènes dans un site qui ne contenait auparavant aucun gène semblable.

Les séquences d'insertion

Les éléments transposables les plus simples, appelés **séquences d'insertion**, n'existent que chez les Bactéries. Une séquence d'insertion contient un gène unique qui code pour la transposase, une enzyme catalysant le déplacement de la séquence d'insertion d'un site à un autre à l'intérieur du génome. Le gène de la transposase est encadré par une paire de séquences d'ADN longues d'environ 20 à 40 nucléotides. Ces séquences sont appelées *répétitions inversées* parce que la séquence de bases à une extrémité se retrouve en sens inverse sur l'autre brin d'ADN, à l'extrémité opposée de la séquence d'insertion (image inversée) **(figure 18.19a)**. La transposase reconnaît ces répétitions inversées comme les limites de la séquence d'insertion. Pendant la transposition, les molécules de l'enzyme en question se lient aux répétitions inversées et à un site cible situé ailleurs dans le génome. Elles catalysent l'excision et l'épissage nécessaires à la transposition.

Une séquence d'insertion provoque des mutations lorsqu'elle se transpose à l'intérieur de la séquence codante d'un gène ou dans une région assurant la régulation de l'expression génique. Ce mécanisme de mutation de la cellule est intrinsèque, contrairement à la mutagenèse, qui résulte de facteurs extrinsèques, tels que les radiations ou les substances chimiques présentes dans l'environnement. Les séquences d'insertion représentent environ 1,5 % du génome d'*E. coli.* Cependant, il est très rare qu'un gène donné subisse une mutation par transposition ; cela arrive environ 1 fois sur 10 millions de générations. Ce taux correspond approximativement à celui des mutations spontanées dues à d'autres facteurs.

Les transposons

Des éléments transposables plus longs et plus complexes que les séquences d'insertion, appelés **transposons**, se déplacent aussi dans le génome bactérien. Un transposon comporte l'ADN nécessaire à la transposition ainsi que d'autres gènes (par exemple, des gènes de résistance aux antibiotiques), qu'il entraîne avec lui lorsqu'il bouge. Dans certains transposons bactériens, ces gènes sont encadrés par deux séquences d'insertion **(figure 18.19b)**. Tout se passe comme si deux séquences d'insertion situées à proximité l'une de l'autre se déplaçaient ensemble et entraînaient tout l'ADN situé entre elles, formant un élément transposable unique. D'autres transposons bactériens ne contiennent pas de séquences d'insertion ; chacune de leurs extrémités comporte une répétition inversée.

Contrairement aux séquences d'insertion qui, apparemment, ne représentent aucun avantage pour les Archéobactéries et les Bactéries, il semble que les transposons permettent à celles-ci de s'adapter à de nouveaux milieux. Nous avons déjà vu qu'un même plasmide R peut porter plusieurs gènes de résistance à différents antibiotiques. Ce phénomène s'explique par l'existence de transposons capables d'insérer un gène de résistance à un antibiotique dans un plasmide portant déjà un gène de résistance à un autre antibiotique. Ce plasmide complexe peut ensuite être transmis à d'autres bactéries par division cellulaire ou par conjugaison. C'est ainsi que la résistance simultanée à plusieurs antibiotiques peut se propager à l'ensemble d'une population bactérienne. Dans un milieu riche en antibiotiques, la sélection naturelle favorise les bactéries qui possèdent des plasmides R de ce type possédant de nombreux gènes de résistance aux antibiotiques, formés par une série de transpositions.

Les transposons n'existent pas uniquement chez les Archéobactéries et les Bactéries ; ce sont également des composantes importantes du génome des Eucaryotes. Nous reparlerons des éléments transposables chez les Eucaryotes au chapitre 19.

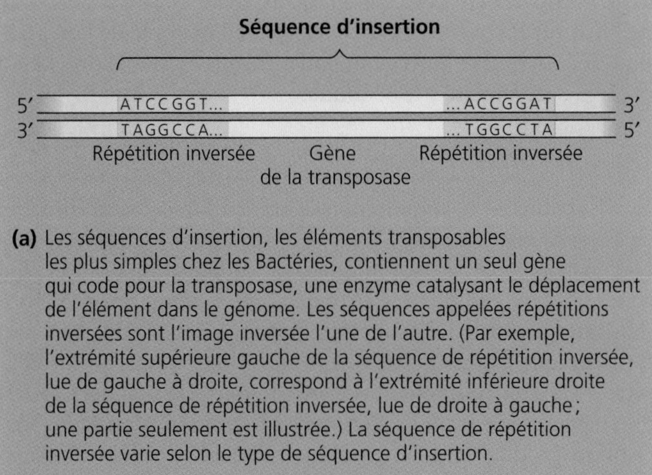

(a) Les séquences d'insertion, les éléments transposables les plus simples chez les Bactéries, contiennent un seul gène qui code pour la transposase, une enzyme catalysant le déplacement de l'élément dans le génome. Les séquences appelées répétitions inversées sont l'image inversée l'une de l'autre. (Par exemple, l'extrémité supérieure gauche de la séquence de répétition inversée, lue de gauche à droite, correspond à l'extrémité inférieure droite de la séquence de répétition inversée, lue de droite à gauche ; une partie seulement est illustrée.) La séquence de répétition inversée varie selon le type de séquence d'insertion.

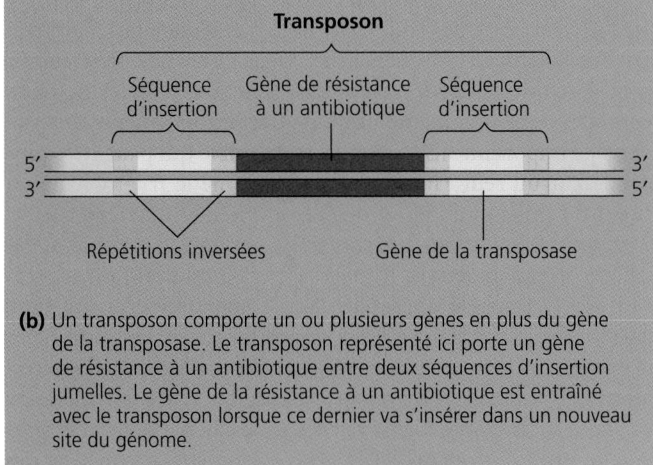

(b) Un transposon comporte un ou plusieurs gènes en plus du gène de la transposase. Le transposon représenté ici porte un gène de résistance à un antibiotique entre deux séquences d'insertion jumelles. Le gène de la résistance à un antibiotique est entraîné avec le transposon lorsque ce dernier va s'insérer dans un nouveau site du génome.

▲ **Figure 18.19 Les éléments génétiques transposables chez les Bactéries.** Ces schémas ne sont pas à l'échelle ; la plupart des transposons sont considérablement plus longs que les séquences d'insertion.

Retour sur le concept 18.3

1. Faites la distinction entre les trois mécanismes de transfert d'ADN d'une bactérie à une autre.
2. Quelles sont les ressemblances et les différences entre l'ADN de phage lysogénique et un plasmide ?
3. Expliquez pourquoi le processus de conjugaison peut conduire à une recombinaison génétique de l'ADN chromosomique lors de la conjugaison Hfr × F^-, mais pas lors de la conjugaison F^+ × F^-.

Voir les réponses proposées à la fin du chapitre.

Concept 18.4

Les Archéobactéries et les Bactéries s'ajustent aux fluctuations de leur milieu en régulant leur expression génique

Les mutations et les divers mécanismes de transfert génique engendrent une variabilité génétique qui rend possible la sélection naturelle. Par son action sur un grand nombre de générations d'une population bactérienne, la sélection naturelle accroît la proportion d'individus adaptés à de nouvelles conditions du milieu. Mais comment une cellule procaryote ayant hérité d'un génome fixe peut-elle s'adapter aux fluctuations de son environnement?

Prenons l'exemple d'une bactérie *E. coli* vivant dans un intestin humain. Son milieu est extrêmement variable, et son approvisionnement en nutriments dépend des caprices alimentaires de son hôte. Si le tryptophane, un acide aminé dont elle a besoin pour survivre, est absent du milieu, la bactérie réagit en activant une voie métabolique qui lui permet de synthétiser cette substance à partir d'un autre composé. Plus tard, si son hôte absorbe un repas riche en tryptophane, elle cesse d'en produire elle-même, évitant ainsi de gaspiller ses ressources pour fabriquer une substance déjà toute prête dans la solution environnante. Cet exemple illustre le mode d'adaptation du métabolisme bactérien aux variations du milieu.

La régulation métabolique s'exerce à deux niveaux **(figure 18.20)**. En premier lieu, les cellules peuvent agir sur l'activité des enzymes

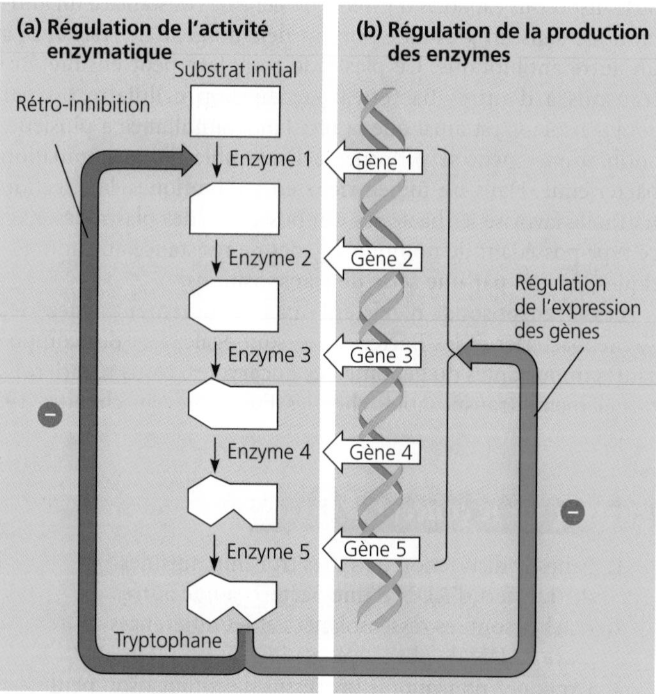

Figure 18.20 Régulation d'une voie métabolique. Dans la voie de synthèse du tryptophane, une forte concentration de cet acide aminé peut avoir pour effets **(a)** d'inhiber l'activité de la première enzyme de la voie (rétro-inhibition), une réaction rapide, et **(b)** de réprimer l'expression des gènes de toutes les enzymes de la voie de synthèse, une réaction à plus long terme. Le symbole ⊖ désigne une inhibition.

déjà présentes. Ce mode de régulation, immédiat, est rendu possible par la sensibilité d'un grand nombre d'enzymes à des stimulus chimiques qui font augmenter ou diminuer leur activité catalytique (voir le chapitre 8). Par exemple, l'activité de la première enzyme de la voie de synthèse du tryptophane est inhibée lorsque le produit final de la voie est présent en grande quantité. Par conséquent, s'il s'accumule dans la cellule, le tryptophane met fin à sa propre synthèse en inhibant l'activité de l'enzyme. Grâce à ce type de *rétro-inhibition* caractéristique des voies anaboliques (de biosynthèse), la cellule peut s'adapter aux fluctuations à court terme de l'approvisionnement d'une substance dont elle a besoin.

Deuxièmement, les cellules peuvent ajuster la quantité de certaines enzymes qu'elles synthétisent; c'est-à-dire qu'elles peuvent réguler l'expression des gènes qui codent pour ces enzymes. Si, dans notre exemple, le milieu continue de fournir des quantités suffisantes de tryptophane, la cellule arrête de produire les enzymes de la voie du tryptophane. Cette régulation de la production enzymatique s'exerce au niveau de la transcription, soit de la synthèse de l'ARN messager codant pour ces enzymes. D'une manière plus générale, de nombreux gènes du génome bactérien sont activés et inactivés par les fluctuations de l'état métabolique de la cellule. Le mécanisme fondamental de ce mode de régulation de l'expression génique, appelé *modèle de l'opéron*, a été découvert en 1961 par François Jacob et Jacques Monod, de l'Institut Pasteur de Paris. À partir de l'exemple de la régulation de la synthèse du tryptophane, voyons en quoi consiste un opéron et comment il fonctionne.

Les opérons: concept de base

E. coli synthétise le tryptophane à partir d'un substrat initial et en passant par une série d'étapes, où chaque réaction est catalysée par une enzyme spécifique (voir la figure 18.20). Les cinq gènes qui codent pour ces enzymes sont regroupés sur le chromosome bactérien. Un seul promoteur dessert les cinq gènes, qui forment une unité de transcription. (Nous avons vu au chapitre 17 qu'un promoteur est un site de l'ADN auquel l'ARN polymérase se lie avant de commencer la transcription.) La transcription produit donc une longue molécule d'ARNm. Celle-ci code pour les cinq enzymes de la voie du tryptophane. La bactérie peut traduire cet ARNm en cinq polypeptides distincts, parce que l'ARNm porte des codons de départ et d'arrêt qui marquent le début et la fin de la séquence de codage de chaque polypeptide.

Le fait que les gènes ayant des fonctions connexes soient regroupés dans une même unité de transcription représente un avantage important: ils forment un ensemble qui peut être commandé par un seul «interrupteur». Lorsque le tryptophane est absent du milieu nutritif et qu'elle doit le fabriquer elle-même, la bactérie *E. coli* synthétise toutes les enzymes de la voie métabolique en même temps. L'interrupteur en question est un segment d'ADN appelé **opérateur**. Son emplacement et son nom reflètent bien sa fonction: il est situé à l'intérieur du promoteur ou entre le promoteur et les gènes codant pour les enzymes nécessaires; cela lui permet de réguler l'accès de l'ARN polymérase à ces gènes. L'ensemble formé par les gènes, l'opérateur et le promoteur (tout le tronçon d'ADN nécessaire à la production des enzymes de la voie du tryptophane) constitue un **opéron**. Celui que nous étudions ici est l'opéron *trp* (*trp* pour tryptophane), l'un des nombreux opérons découverts dans le génome d'*E. coli* **(figure 18.21)**.

Si l'opérateur est l'interrupteur qui exerce la régulation de la transcription, comment fonctionne cet interrupteur? En fait, à l'état naturel, l'opéron *trp* est activé. L'ARN polymérase peut se lier au promoteur et transcrire les gènes de l'opéron. Mais l'opéron peut être inactivé par une protéine appelée **répresseur** de *trp*. Celui-ci se lie à l'opérateur et empêche l'ARN polymérase de se fixer au promoteur, interrompant ainsi la transcription des gènes. Les répresseurs protéiques sont spécifiques, c'est-à-dire qu'ils ne reconnaissent que l'opérateur d'un certain opéron et ne peuvent se lier qu'à lui. Le répresseur qui inactive l'opéron *trp* en se liant à l'opérateur *trp* n'a aucun effet sur les autres opérons présents dans le génome d'*E. coli*.

Le répresseur de *trp* est le produit d'un **gène régulateur** appelé *trpR*, qui se trouve à une certaine distance de l'opéron qu'il contrôle et qui possède son propre promoteur. Les gènes régulateurs sont exprimés de façon continue, mais à un rythme lent, et il y a toujours quelques molécules de répresseur de *trp* dans la cellule d'*E. coli*. Mais si tel est le cas, pourquoi l'opéron *trp* n'est-il pas inactivé en permanence? Premièrement, la liaison entre un répresseur et un opérateur est réversible. L'opérateur oscille entre les deux états: un état où le répresseur est lié et un autre où il ne l'est pas. La durée relative de chacun de ces états dépend du nombre de molécules de répresseur actives qui sont présentes dans la cellule. Deuxièmement, le répresseur de *trp* est, à l'instar de la plupart des protéines régulatrices, une protéine allostérique, c'est-à-dire qu'il peut lui-même revêtir deux formes: active ou inactive (voir la figure 8.20). Le répresseur de *trp* est synthétisé sous sa forme inactive, qui a peu d'affinité pour l'opérateur *trp*. Il n'adopte sa configuration active que si le tryptophane se lie à lui sur un site allostérique; il peut alors se lier à l'opérateur et inactiver l'opéron.

Dans ce processus, le tryptophane joue le rôle de **corépresseur**. Un corépresseur est une petite molécule qui agit conjointement avec un répresseur protéique pour désactiver un opéron. Lorsque la concentration de tryptophane augmente, un nombre croissant de molécules de cette substance se lie aux molécules de répresseur de *trp*; l'une de celles-ci peut alors se fixer à l'opérateur *trp* et inactiver la production des enzymes de la voie du tryptophane. Lorsque la concentration de tryptophane diminue, la transcription des gènes de l'opéron reprend. Cet exemple montre comment l'expression génique permet de répondre rapidement aux fluctuations des milieux interne et externe de la cellule.

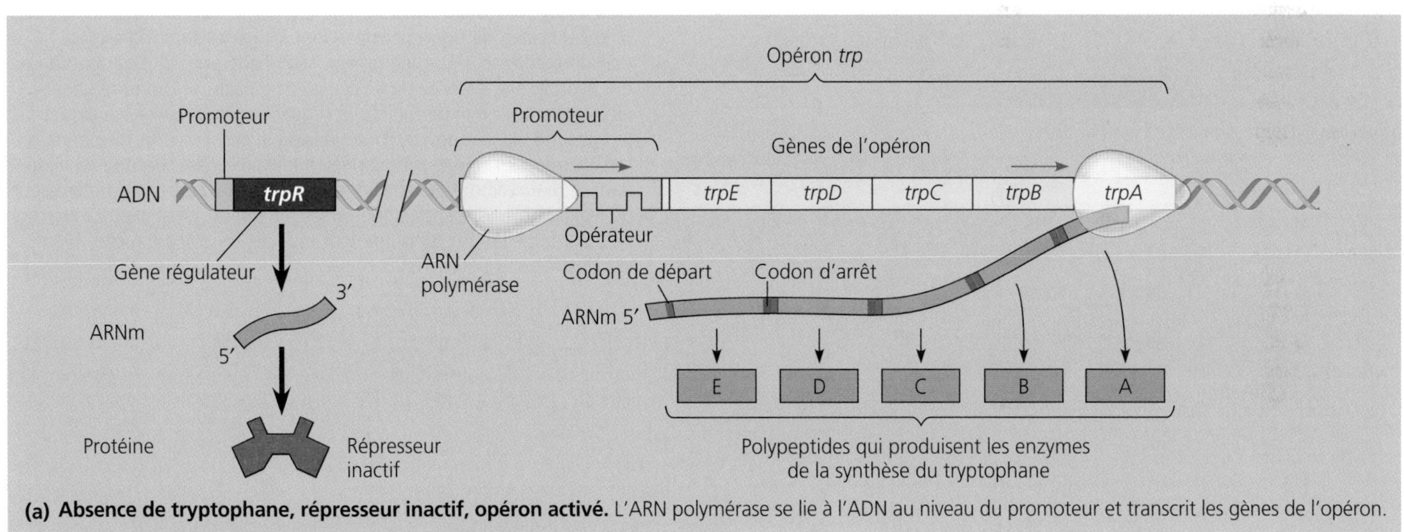

(a) Absence de tryptophane, répresseur inactif, opéron activé. L'ARN polymérase se lie à l'ADN au niveau du promoteur et transcrit les gènes de l'opéron.

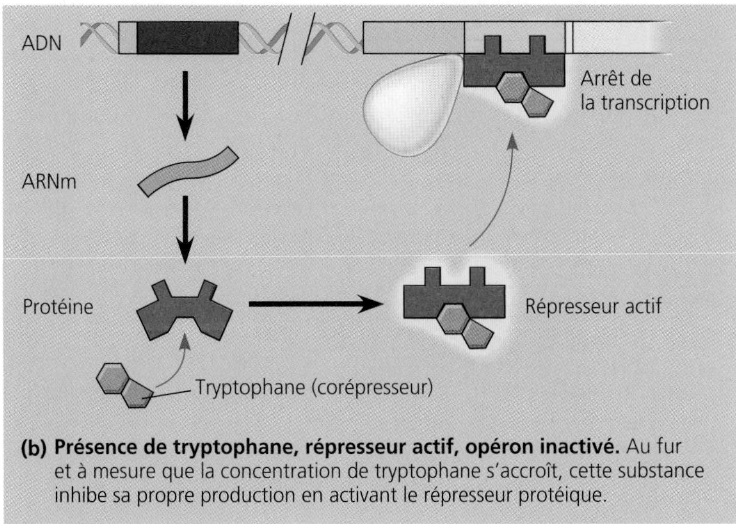

(b) Présence de tryptophane, répresseur actif, opéron inactivé. Au fur et à mesure que la concentration de tryptophane s'accroît, cette substance inhibe sa propre production en activant le répresseur protéique.

◄ **Figure 18.21 L'opéron *trp*: régulation de la synthèse des enzymes répressibles.** Le tryptophane est un acide aminé produit par l'intermédiaire d'une voie métabolique catalysée par des enzymes répressibles. **(a)** Cinq gènes codant pour les polypeptides constituant les enzymes de cette voie de synthèse sont regroupés en un opéron *trp*; cet opéron contient aussi un promoteur et un opérateur. (L'opérateur *trp* se situe à l'intérieur du promoteur.) **(b)** L'accumulation de tryptophane (le produit final de cette voie de synthèse) a pour effet de réprimer la transcription de l'opéron *trp*, ce qui bloque la synthèse de toutes les enzymes de cette voie. Le mécanisme présent chez *E. coli* est illustré ici.

Opérons répressibles et inductibles : deux types de régulation génique négative

L'opéron *trp* est un *opéron répressible*, parce que sa transcription est habituellement active mais peut être *inhibée* (répression) par la liaison allostérique d'une petite molécule spécifique (tryptophane) et d'une protéine régulatrice. À l'inverse, un *opéron inductible* est habituellement inactif mais peut être stimulé (induction) par l'interaction entre une petite molécule spécifique et une protéine régulatrice. L'exemple classique d'un opéron inductible est l'opéron *lac* (*lac* pour lactose), qui a été le sujet des recherches innovatrices de Jacob et Monod.

Lorsque son hôte humain boit du lait, la bactérie *E. coli* dispose du disaccharide nommé lactose (sucre du lait). Le métabolisme du lactose commence par l'hydrolyse de ce disaccharide en deux composantes, le glucose et le galactose (des monosaccharides). L'enzyme qui catalyse cette réaction est appelée β-galactosidase. Dans une bactérie *E. coli* qui s'est développée en l'absence de lactose, il n'y a que quelques molécules de cette enzyme. Cependant, si l'on ajoute du lactose dans le milieu nutritif de la bactérie, il suffit de 15 minutes environ pour que le nombre de molécules de β-galactosidase soit multiplié par mille.

Le gène de la β-galactosidase fait partie de l'opéron *lac*, qui comprend également deux autres gènes codant pour des enzymes du métabolisme du lactose. L'ensemble de cette unité de transcription est régulé par un seul opérateur et par un seul promoteur. Le gène régulateur *lacI*, situé à l'extérieur de l'opéron, code pour un répresseur allostérique capable d'inactiver l'opéron *lac* en se liant à l'opérateur. Jusqu'ici, ce mécanisme ressemble beaucoup à celui de la régulation de l'opéron *trp*. Il y a néanmoins une différence importante. Souvenez-vous que le répresseur de *trp* est par nature inactif et qu'il a besoin du tryptophane comme corépresseur pour se lier à l'opérateur. À l'inverse, le répresseur de *lac* est par nature actif : il se lie à l'opérateur et inactive l'opéron *lac*. Ici, le répresseur peut être *inactivé* par une petite molécule spécifique appelée **inducteur**.

Pour ce qui est de l'opéron *lac*, l'inducteur est l'allolactose, un isomère du lactose. Il est formé en petite quantité à partir du lactose qui pénètre dans la cellule. En l'absence de lactose (et donc d'allolactose), le répresseur de *lac* adopte sa conformation active, et les gènes de l'opéron *lac* ne sont pas transcrits **(figure 18.22a)**. Si l'on ajoute du lactose dans le milieu de la cellule, l'allolactose se lie au répresseur de *lac* et modifie sa conformation ; le répresseur

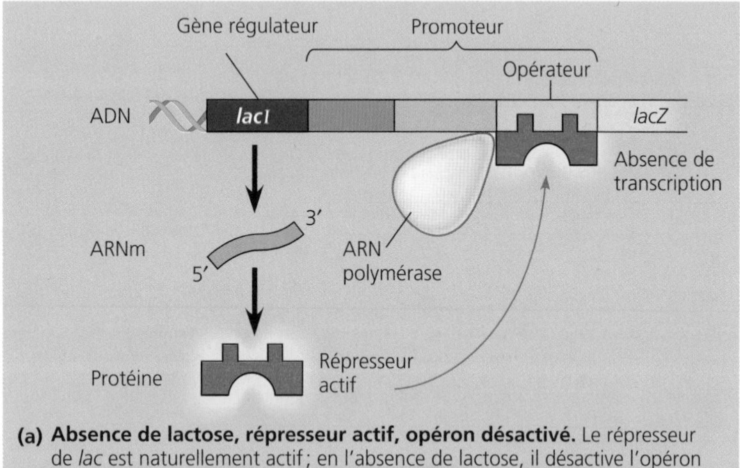

(a) Absence de lactose, répresseur actif, opéron désactivé. Le répresseur de *lac* est naturellement actif ; en l'absence de lactose, il désactive l'opéron en se liant à l'opérateur.

◀ **Figure 18.22 L'opéron *lac* : régulation de la synthèse des enzymes inductibles.** Pour assimiler et métaboliser le lactose, *E. coli* a besoin de trois enzymes, dont les gènes sont regroupés dans l'opéron *lac*. L'un d'entre eux, *lacZ*, code pour la β-galactosidase, qui hydrolyse le lactose en glucose et en galactose. Un autre gène, *lacY*, code pour une perméase, la protéine membranaire qui assure le transport du lactose vers l'intérieur de la cellule. Le troisième gène, *lacA*, code pour une enzyme appelée transacétylase, dont la fonction dans le métabolisme du lactose reste incertaine. Le gène du répresseur de *lac*, *lacI*, est adjacent à l'opéron *lac*, ce qui est inhabituel. La fonction de l'extrémité amont du promoteur (en vert foncé), à gauche, est illustrée à la figure 18.23.

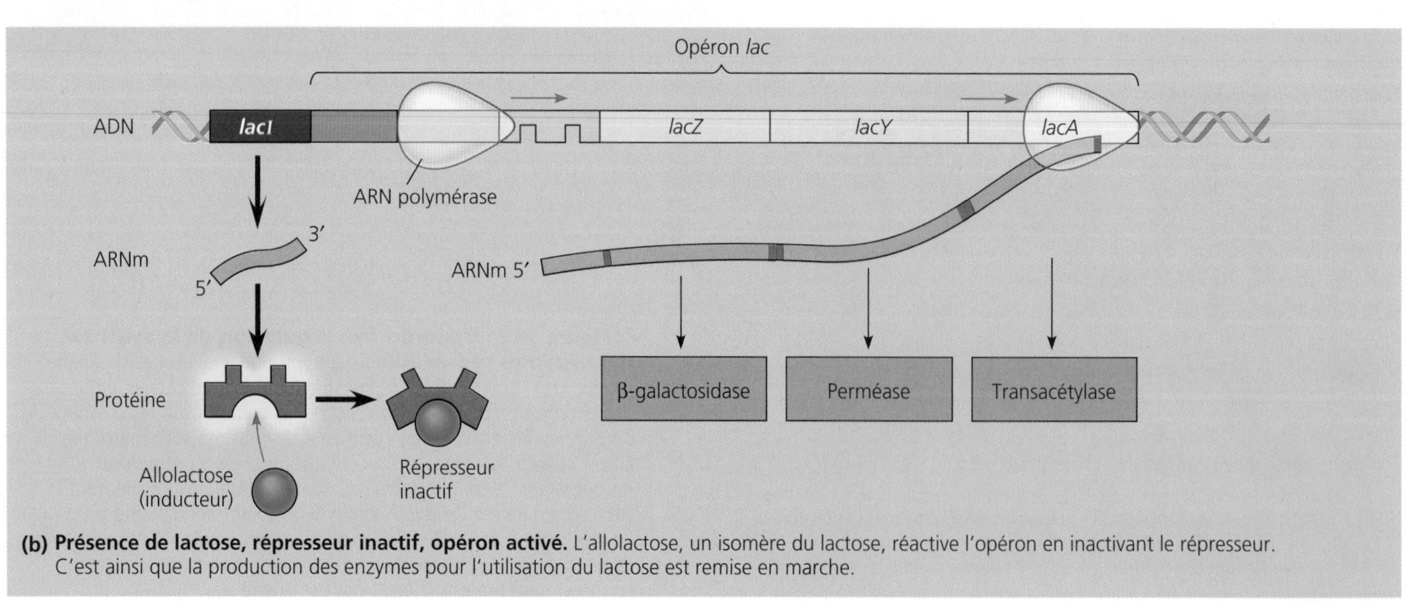

(b) Présence de lactose, répresseur inactif, opéron activé. L'allolactose, un isomère du lactose, réactive l'opéron en inactivant le répresseur. C'est ainsi que la production des enzymes pour l'utilisation du lactose est remise en marche.

est désormais incapable de s'associer à l'opérateur. Sans la liaison avec le répresseur, l'opéron *lac* est transcrit en ARNm pour la synthèse des enzymes qui utilisent du lactose **(figure 18.22b)**.

Dans le contexte de la régulation génique, on qualifie d'*inductibles* les enzymes de la voie du lactose, parce que leur synthèse est stimulée (induite) par la présence d'un stimulus chimique (l'allolactose, en l'occurrence). Quant aux enzymes de la synthèse du tryptophane, elles sont dites répressibles. Les *enzymes répressibles* interviennent généralement dans les voies *anaboliques*, c'est-à-dire dans la synthèse de produits essentiels à partir de substrats de départ (précurseurs). En arrêtant de produire ces substances lorsqu'elles sont présentes en quantité suffisante, la bactérie peut consacrer les précurseurs organiques et son énergie à d'autres fonctions. Quant aux enzymes inductibles, elles entrent habituellement en jeu dans les voies *cataboliques*, qui assurent la dégradation des nutriments en des molécules plus simples. La bactérie produit les enzymes appropriées à la dégradation d'un nutriment seulement lorsque celui-ci est disponible. Elle évite ainsi de gaspiller de l'énergie et des précurseurs pour fabriquer des protéines inutiles.

La régulation de l'opéron *trp* et de l'opéron *lac* met en jeu la régulation génique *négative*, parce que les opérons sont *inactivés* par les répresseurs protéiques dont la conformation est active. Cela est facile à comprendre dans le cas de l'opéron *trp*, mais est peut-être moins évident dans le cas de l'opéron *lac*. L'allolactose entraîne la synthèse des enzymes non pas en agissant directement sur le génome, mais en relâchant l'emprise du répresseur sur l'opéron. Cependant, on ne parle de régulation génique *positive* que lorsqu'une protéine régulatrice déclenche la transcription en interagissant directement avec le génome. Examinons un exemple de régulation génique positive qui fait intervenir encore une fois l'opéron *lac*.

La régulation génique positive

Pour que les enzymes qui utilisent du lactose soient synthétisées en grande quantité, il ne suffit pas que la cellule bactérienne contienne du lactose. Il faut également qu'il y ait peu de glucose (un monosaccharide). En effet, si elle a le choix entre plusieurs substrats lui permettant d'effectuer la glycolyse et d'autres voies cataboliques, *E. coli* consomme en priorité du glucose. Les enzymes de dégradation du glucose (glycolyse; voir la figure 9.9) sont toujours synthétisées par la bactérie.

Comment la bactérie *E. coli* perçoit-elle la concentration de glucose, et comment cette information parvient-elle à son génome? Là encore, le mécanisme en question repose sur l'interaction entre une protéine régulatrice allostérique et une petite molécule organique, dans le cas présent l'adénosine monophosphate cyclique, ou **AMP cyclique (AMPc)**; sa concentration augmente lorsque le glucose est présent en toute petite quantité (voir la structure de l'AMPc à la figure 11.9). La protéine régulatrice, appelée *protéine activatrice du catabolisme* ou *protéine CAP* (pour *catabolite activator protein*), est un **activateur** de la transcription. Lorsque l'AMPc se lie au site allostérique de la protéine CAP, celle-ci retrouve sa conformation active et se lie à son tour à un site spécifique situé en amont du promoteur *lac* **(figure 18.23a)**. La fixation de la protéine CAP au promoteur stimule directement l'expression génique. Dans ce cas, on peut parler de mécanisme de régulation positive.

Si la concentration de glucose augmente dans la cellule, la concentration d'AMPc diminue et la protéine CAP quitte l'opéron. Quand la protéine CAP devient inactive, la transcription de l'opéron *lac* se poursuit au ralenti, même en présence de lactose **(figure 18.23b)**. L'opéron *lac* subit donc une double régulation: une régulation négative par le répresseur de *lac*, et une régulation positive par la protéine CAP. L'état dans lequel le répresseur de *lac* (avec ou sans allolactose) se trouve détermine si la transcription des gènes de l'opéron *lac* aura lieu. Quant à l'état de la protéine CAP (avec ou sans AMPc), il détermine la *vitesse* de transcription si l'opéron est exempt de répresseur. C'est comme si l'opéron était muni à la fois d'un interrupteur et d'un bouton de volume.

La protéine CAP contribue à la régulation de l'opéron *lac*, mais aussi à celle de plusieurs autres opérons codant pour les enzymes de diverses voies cataboliques. Lorsque le milieu contient du glucose et que la protéine CAP est inactive, il y a un

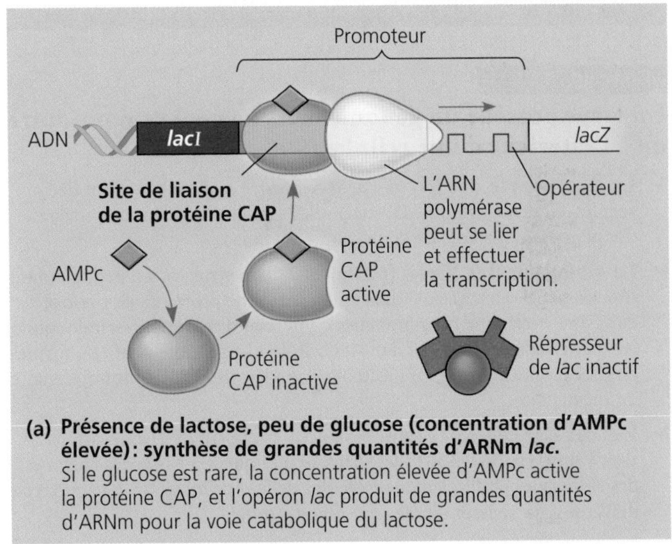

(a) Présence de lactose, peu de glucose (concentration d'AMPc élevée): synthèse de grandes quantités d'ARNm *lac*. Si le glucose est rare, la concentration élevée d'AMPc active la protéine CAP, et l'opéron *lac* produit de grandes quantités d'ARNm pour la voie catabolique du lactose.

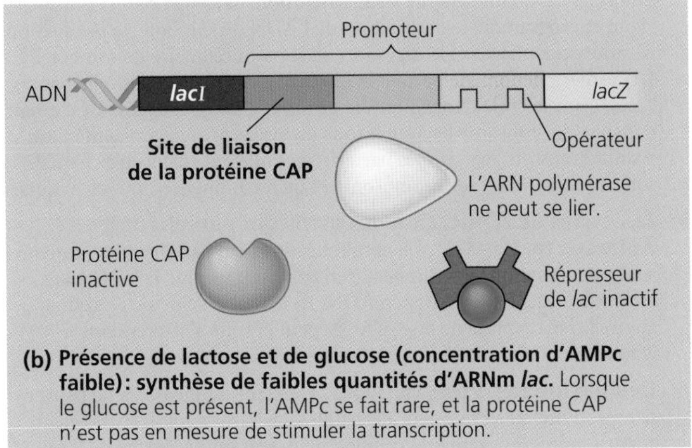

(b) Présence de lactose et de glucose (concentration d'AMPc faible): synthèse de faibles quantités d'ARNm *lac*. Lorsque le glucose est présent, l'AMPc se fait rare, et la protéine CAP n'est pas en mesure de stimuler la transcription.

▲ **Figure 18.23 Régulation positive de l'opéron *lac* par la protéine activatrice du catabolisme (CAP).** L'ARN polymérase a une forte affinité pour le promoteur de *lac* seulement lorsque la protéine activatrice du catabolisme (CAP) s'unit à l'ADN à l'extrémité amont du promoteur. La protéine CAP se lie à l'ADN seulement si elle est associée à l'AMP cyclique (AMPc), dont la concentration augmente dans la cellule lorsque celle du glucose diminue. Donc, quand le glucose est présent, même s'il y a aussi du lactose, la cellule catabolise en priorité le glucose et ne synthétise pas les enzymes qui utilisent le lactose.

ralentissement général de la synthèse des enzymes nécessaires au catabolisme de substances autres que le glucose. La possibilité de cataboliser d'autres composés, tels que le lactose, permet à la cellule de survivre en l'absence de glucose. La nature des composés présents à un moment donné détermine l'identité des opérons activés. Ces multiples mécanismes d'urgence conviennent à un organisme qui ne peut exercer aucune régulation sur le régime alimentaire de son hôte humain. Les Procaryotes possèdent une capacité d'adaptation remarquable, que ce soit à long terme, par l'évolution de leur génome, ou à court terme, par la régulation de leur expression génique. Bien entendu, les divers mécanismes de régulation sont aussi des produits de l'évolution: ils existent parce qu'ils ont été perpétués par la sélection naturelle.

Retour sur le concept 18.4

1. Une certaine mutation survenue chez *E. coli* modifie l'opérateur *lac*, ce qui rend impossible sa liaison avec le répresseur actif. Quel effet cela a-t-il sur la production de β-galactosidase par la bactérie?
2. Comment la liaison du corépresseur de *trp* et de l'inducteur de *lac* à leurs répresseurs respectifs modifie-t-elle la fonction et la transcription du répresseur dans chaque cas?

Voir les réponses proposées à la fin du chapitre.

Révision du chapitre 18

RÉSUMÉ DES CONCEPTS CLÉS

Concept 18.1

Un virus possède un génome mais ne peut se reproduire qu'à l'intérieur d'une cellule hôte

- **La découverte des Virus (p. 365-366).** Les chercheurs ont découvert les Virus à la fin du XIXe siècle alors qu'ils étudiaient une maladie des plantes, la maladie de la mosaïque du tabac.
- **La structure des Virus (p. 366-367).** Un virus est un petit génome d'acide nucléique enfermé dans une capside de protéines et, parfois, dans une enveloppe membraneuse contenant des protéines virales qui facilitent l'entrée des virus dans les cellules. Le génome peut être formé d'ADN monocaténaire ou bicaténaire, ou encore d'ARN monocaténaire ou bicaténaire.
- **Les caractéristiques générales du cycle de réplication des Virus (p. 367-368).** Les Virus se répliquent à l'aide des enzymes, des ribosomes et des petites molécules de leur cellule hôte. Chaque type de Virus a un spectre d'hôtes qui lui est propre.
- **Le cycle de réplication des Phages (p. 368-370).** Le cycle lytique s'amorce lorsqu'un génome viral s'incorpore dans une cellule procaryote et programme la destruction de l'ADN de son hôte, la production de nouveaux phages et la digestion de la paroi cellulaire de son hôte. Le dernier phénomène permet la libération des phages nouvellement créés. Dans le cycle lysogénique, le génome d'un phage tempéré s'insère dans un chromosome bactérien sous forme de prophage. Celui-ci est ensuite transmis aux cellules bactériennes filles, et ce, jusqu'à ce qu'il soit induit à quitter le chromosome et qu'il commence un cycle lytique.
- **Les cycles de réplication des virus qui parasitent les Animaux (p. 370-373).** De nombreux virus qui parasitent les Animaux sont pourvus d'une enveloppe. Les rétrovirus (comme le VIH) transcrivent leur génome d'ARN en ADN. Ils le font à l'aide de l'enzyme appelée transcriptase inverse. L'ADN peut ensuite s'insérer dans le génome de l'hôte sous forme de provirus.
- **L'évolution des Virus (p. 373-374).** Étant donné qu'ils ne peuvent se reproduire qu'à l'intérieur de cellules, les Virus sont probablement apparus après les premières cellules, peut-être sous la forme de fragments d'acide nucléique cellulaire entourés d'une coque.

Concept 18.2

Les Virus, les viroïdes et les prions sont des agents pathogènes redoutables qui affectent les Animaux et les Végétaux

- **Les maladies virales affectant les Animaux (p. 374-375).** Les symptômes de l'infection virale d'une cellule peuvent être causés directement par les virus ou par une réaction du système immunitaire de l'organisme. Les vaccins antiviraux stimulent les mécanismes de défense de l'hôte contre une infection par le virus correspondant.
- **Les nouveaux virus (p. 375-376).** Les «nouveaux virus» qui provoquent des épidémies chez les humains sont généralement des virus préexistants qui ont étendu leur spectre d'hôtes.
- **Les maladies virales chez les Végétaux (p. 376).** Les virus pénètrent dans les cellules végétales par la paroi cellulaire endommagée (transmission horizontale) ou bien ils sont hérités d'un parent (transmission verticale).
- **Viroïdes et prions: les agents infectieux les plus simples (p. 376-377).** Les viroïdes sont des molécules d'ARN nues qui infectent les Végétaux et entravent leur croissance. Les prions sont des protéines infectieuses pratiquement indestructibles qui agissent lentement. Ils provoquent des maladies du cerveau chez les Mammifères.

Concept 18.3

La reproduction rapide, les mutations et la recombinaison génétique contribuent à la diversité génétique des Bactéries

- **Le génome bactérien et sa réplication (p. 377-378).** Le chromosome bactérien est une molécule d'ADN circulaire à laquelle un petit nombre de protéines est lié. Les plasmides sont des molécules d'ADN circulaires de plus petite taille qui peuvent se répliquer indépendamment du chromosome.
- **Mutations et recombinaisons génétiques comme sources de variation génétique (p. 378).** Les Archéobactéries et les Bactéries prolifèrent rapidement. Ainsi, leurs mutations peuvent entraîner des variations génétiques rapides dans une population bactérienne donnée. La recombinaison de l'ADN provenant de deux cellules bactériennes différentes ajoute encore à la diversité.
- **Les mécanismes de transfert génique et de recombinaison génétique chez les Bactéries (p. 379-381).** Le transfert d'ADN d'une cellule à l'autre peut produire de nouvelles souches de Procaryotes. Lors de la transformation, un ADN nu pénètre dans une bactérie à partir du milieu environnant. La transduction est le transfert d'ADN bactérien d'une cellule à l'autre à l'aide d'un phage. Lors de la conjugaison, une bactérie F^+ donneuse contenant un plasmide F transfère de l'ADN du plasmide à une bactérie F^- receveuse. Dans une bactérie Hfr, le facteur F est inséré dans le chromosome bactérien, et il entraîne avec lui une partie de l'ADN chromosomique pendant son transfert à une bactérie F^-. Les plasmides R confèrent une résistance à divers antibiotiques.
- **La transposition d'éléments génétiques (p. 381-383).** Les segments d'ADN qui peuvent s'insérer dans plusieurs sites de l'ADN d'une cellule contribuent au brassage des gènes chez les

Archéobactéries et les Bactéries. Les séquences d'insertion, les plus simples éléments transposables des Bactéries, sont constituées de répétitions inversées d'ADN encadrant un gène de transposase. Les transposons bactériens contiennent d'autres gènes, comme ceux de la résistance aux antibiotiques.

Les Archéobactéries et les Bactéries s'ajustent aux fluctuations de leur milieu en régulant leur expression génique

▶ **Les opérons: concept de base (p. 384-385).** Les cellules ajustent leur métabolisme en assurant la régulation de l'activité enzymatique ou de l'expression des gènes qui codent pour les enzymes. Chez les Bactéries, les gènes sont souvent regroupés en opérons. Un même promoteur dessert plusieurs gènes contigus situés sur le même opéron. Un opérateur situé sur l'ADN active ou inactive l'opéron correspondant.

▶ **Opérons répressibles et inductibles: deux types de régulation génique négative (p. 386-387).** Dans le cas d'un opéron répressible, la liaison d'un répresseur protéique à l'opéron a pour effet d'inactiver la transcription. Le répresseur est lui-même activé lorsqu'il se lie à un corépresseur (qui est généralement le produit final d'une voie anabolique). Dans le cas d'un opéron inductible, la liaison d'un inducteur à un répresseur naturellement actif inactive le répresseur et active la transcription. Les enzymes inductibles jouent habituellement un rôle dans les voies cataboliques.

▶ **La régulation génique positive (p. 387-388).** Certains opérons peuvent également faire l'objet d'une régulation positive par l'intermédiaire d'une protéine activatrice stimulatrice; par exemple, la protéine activatrice du catabolisme (protéine CAP) stimule la transcription en se liant à un site du promoteur.

VÉRIFIEZ VOS CONNAISSANCES

Autoévaluation

(Les questions dont les numéros sont en caractères gras font surtout appel à la compréhension.)

1. Une bactérie est infectée par un bactériophage assemblé à partir de la coque protéique d'un phage T2 et de l'ADN d'un phage T4. Les nouveaux phages produits dans la cellule hôte posséderaient:
a) les protéines de T2 et l'ADN de T4.
b) les protéines et l'ADN de T2.
c) un mélange de l'ADN et des protéines des deux phages.
d) les protéines et l'ADN de T4.
e) les protéines de T4 et l'ADN de T2.

2. Les virus à ARN ont besoin d'avoir leur propre provision de certaines enzymes, parce que:
a) la cellule hôte détruit rapidement les virus.
b) les cellules hôtes n'ont pas les enzymes qui permettent la réplication du génome viral.
c) ces enzymes traduisent l'ARNm viral en protéines.
d) ces enzymes traversent les membranes de la cellule hôte.
e) ces enzymes ne peuvent pas être produites dans la cellule hôte.

3. Parmi les affirmations suivantes, laquelle s'applique à un plasmide R?
a) Son transfert a pour effet de convertir une bactérie F^- en une bactérie F^+.
b) Il contient les gènes de la résistance aux antibiotiques, et peut-être des pili sexuels.
c) Il est transféré d'une bactérie à l'autre par transduction.
d) C'est un bon exemple de transposon ayant une structure complexe.
e) Il rend les bactéries résistantes aux phages.

4. La transposition diffère des autres mécanismes de recombinaison génétique:
a) parce qu'elle ne se produit que chez les Bactéries.
b) parce qu'elle déplace les gènes entre des régions homologues de l'ADN.
c) parce qu'elle joue un rôle très réduit ou nul dans l'évolution.
d) parce qu'elle ne se produit que chez les Eucaryotes.
e) parce qu'elle dissémine les gènes sur de nouveaux loci dans le génome.

5. Si un certain opéron produit des enzymes qui permettent la synthèse d'un acide aminé essentiel et si sa régulation se déroule comme celle de l'opéron *trp*:
a) l'acide aminé inactive le répresseur.
b) les enzymes produites sont appelées enzymes inductibles.
c) le répresseur est actif en l'absence de l'acide aminé.
d) l'acide aminé joue le rôle de corépresseur.
e) l'acide aminé active la transcription de l'opéron.

6. La mutation du répresseur d'un opéron inductible qui l'empêcherait de se lier à l'opérateur aurait comme conséquence:
a) la transcription continue des gènes de l'opéron.
b) le ralentissement de la transcription des gènes de l'opéron.
c) l'accumulation du substrat de la voie dont l'opéron assure la régulation.
d) la liaison irréversible du répresseur au promoteur.
e) la surproduction de la protéine activatrice du catabolisme (protéine CAP).

7. Lors de la conjugaison entre une bactérie Hfr et une bactérie F^-:
a) la bactérie F^- devient une bactérie F^+.
b) la bactérie F^- devient une bactérie Hfr.
c) le chromosome de la bactérie F^- est dégradé.
d) certains gènes de la bactérie Hfr peuvent remplacer ceux de la bactérie F^- par recombinaison.
e) de l'ADN de la bactérie F^- passe dans la bactérie Hfr, et de l'ADN de la cellule Hfr passe dans la bactérie F^-.

8. Parmi les mécanismes suivants, lequel ne produit jamais de variabilité génétique dans une population bactérienne?
a) La transduction.
b) La transformation.
c) La conjugaison.
d) La mutation.
e) La méiose.

9. Quel composant ou quel mécanisme parmi les suivants est commun aux Bactéries et aux Virus?
a) La scissiparité.
b) Les ribosomes.
c) Un matériel génétique constitué d'acide nucléique.
d) La mitose.
e) La conjugaison.

10. Les «nouveaux» virus apparaissent par:
a) mutation des virus existants.
b) propagation des virus existants à de nouvelles espèces hôtes.
c) la propagation plus générale de virus existant dans l'espèce hôte.
d) Toutes les réponses ci-dessus.
e) Aucune des réponses ci-dessus.

11. Déterminez l'énoncé qui est faux. Lors du cycle lytique d'un virus:
a) la cellule hôte est détruite.
b) l'ADN du phage s'insère dans le chromosome bactérien.
c) les acides nucléiques et les protéines des phages sont assemblés à l'intérieur de la cellule hôte.
d) les gènes du virus sont transcrits et traduits par la cellule hôte.
e) le phage utilise des enzymes de la cellule hôte.

12. Laquelle des caractéristiques suivantes *ne* s'applique *pas* aux prions?
a) Ce sont des protéines qui peuvent causer des infections.
b) Ils s'attaquent au tissu nerveux chez l'animal et l'humain.
c) Ils prennent beaucoup de temps avant de produire leurs effets.
d) Ils peuvent se répliquer.
e) Ils sont presque indestructibles.

Lien avec l'évolution

Le succès de certains Virus tient à leur capacité à évoluer à l'intérieur même de l'organisme infecté. Ces virus échappent aux défenses de l'hôte en mutant rapidement: ils produisent des générations de virus qui changent d'aspect avant même que l'organisme puisse contre-attaquer.

Les virus qui sont présents aux derniers stades de l'infection sont donc différents de ceux qui ont amorcé l'infection. Commentez ce phénomène en vous servant comme d'un exemple d'évolution dans un microcosme. Quelles sont les lignées virales qui survivent le plus facilement?

Intégration

Lorsque des bactéries infectent un animal, la quantité de bactéries présentes dans l'organisme de celui-ci s'accroît selon une courbe exponentielle (graphique A). Après l'infection d'un animal par un virus virulent qui a un cycle de réplication lytique, il n'y a aucun signe d'infection pendant un certain temps. Puis, le nombre de virus augmente brusquement et, par la suite, on observe une nouvelle augmentation sous la forme d'une série de plateaux (graphique B). Expliquez les différences entre les deux courbes.

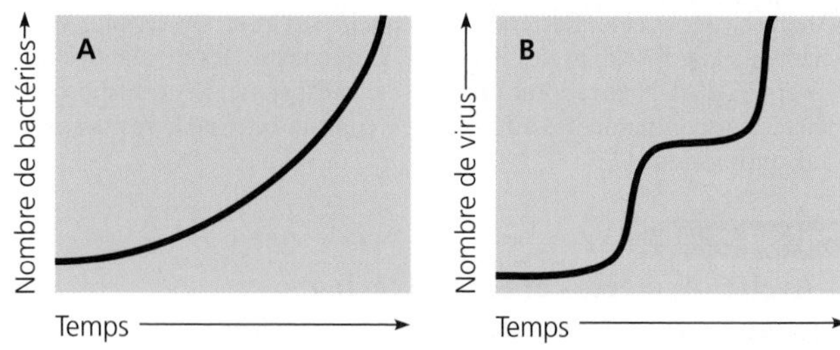

Science, technologie et société

Expliquez pourquoi l'utilisation abusive ou inadéquate d'antibiotiques représente un danger pour la santé des populations humaines.

Réponses du chapitre 18

Retour sur le concept 18.1

1. Les phages lytiques effectuent la lyse de la cellule hôte, alors que les phages lysogéniques peuvent soit lyser la cellule hôte, soit s'insérer dans le chromosome de l'hôte. Dans ce dernier cas, l'ADN viral (prophage) est simplement répliqué en même temps que le chromosome de l'hôte. Sous certaines conditions, un prophage peut quitter le chromosome bactérien et amorcer un cycle lytique.
2. Le matériel génétique de ces virus est constitué d'ARN; il est répliqué à l'intérieur de la cellule infectée par des enzymes particulières qui sont codées par le virus. Le génome viral (ou son complément) joue le rôle d'ARNm pour la synthèse des protéines virales.
3. Parce qu'il synthétise de l'ADN à partir de son génome d'ARN, ce qui est l'inverse («rétro») du flux d'information que l'on observe habituellement dans la synthèse ADN $\rightarrow$ ARN.

Retour sur le concept 18.2

1. Des mutations peuvent créer une nouvelle souche de virus que le système immunitaire ne peut plus reconnaître, même si un animal a été exposé à la souche initiale; un virus peut se propager d'une espèce à un nouvel hôte; et un virus rare peut se disséminer si une population devient moins isolée.
2. Dans la transmission horizontale, une plante est infectée par une source externe de virus. Le virus peut pénétrer dans la plante par une blessure de l'épiderme causée par des insectes ou d'autres animaux. Dans la transmission verticale, une plante hérite d'un virus transmis par une plante mère, soit par des semences infectées (reproduction sexuée), soit par l'intermédiaire d'une bouture infectée (reproduction asexuée).
3. Une source d'infection, comme du bétail infecté par des prions, peut ne révéler aucun symptôme pendant de nombreuses années. La viande de bœuf provenant de ces animaux asymptomatiques ne serait pas considérée comme dangereuse et pourrait transmettre l'infection à des personnes qui en mangent.

Retour sur le concept 18.3

1. Lors de la transformation, un ADN étranger nu provenant du milieu environnant est capté par une cellule bactérienne. La transduction est le transfert de gènes bactériens d'une cellule à l'autre à l'aide d'un phage. La conjugaison est le transfert direct par une cellule bactérienne de l'ADN d'un plasmide ou de l'ADN chromosomique à une autre cellule par l'intermédiaire d'un pont de conjugaison temporaire qui unit les deux cellules.
2. Ce sont tous les deux des épisomes, c'est-à-dire qu'ils peuvent exister indépendamment ou en tant que segment du chromosome bactérien. Cependant, l'ADN de phage peut quitter la cellule dans une enveloppe protéique (sous la forme d'un phage complet), alors que le plasmide ne le peut pas. De plus, les plasmides peuvent représenter un avantage pour la cellule, alors que l'ADN de phage peut diriger la production de phages complets pouvant endommager ou tuer la cellule.
3. Lors de la conjugaison $F^+ \times F^-$, seuls les gènes du plasmide sont transférés, mais dans une conjugaison Hfr $\times$ F^- les gènes bactériens peuvent être transférés, parce que le facteur F est inséré dans le chromosome de la cellule donneuse. Dans ce dernier cas, les gènes transférés peuvent se recombiner avec le chromosome de la cellule F^- receveuse.

Retour sur le concept 18.4

1. La cellule produirait de la β-galactosidase et les deux autres enzymes sans interruption pour l'utilisation du lactose, même en absence de lactose, gaspillant ainsi les ressources de la cellule.
2. La liaison par le corépresseur de *trp* (tryptophane) active le répresseur de *trp*, interrompant la transcription de l'opéron *trp*; la liaison par l'inducteur de *lac* (allolactose) inactive le répresseur de *lac*, ce qui entraîne la transcription de l'opéron *lac*.

Autoévaluation

1. d; 2. b; 3. b; 4. e; **5.** d; 6. a; **7.** d; 8. e; 9. c; 10. d; 11. b; 12. d.

19

Les génomes eucaryotes
Structure, régulation et évolution

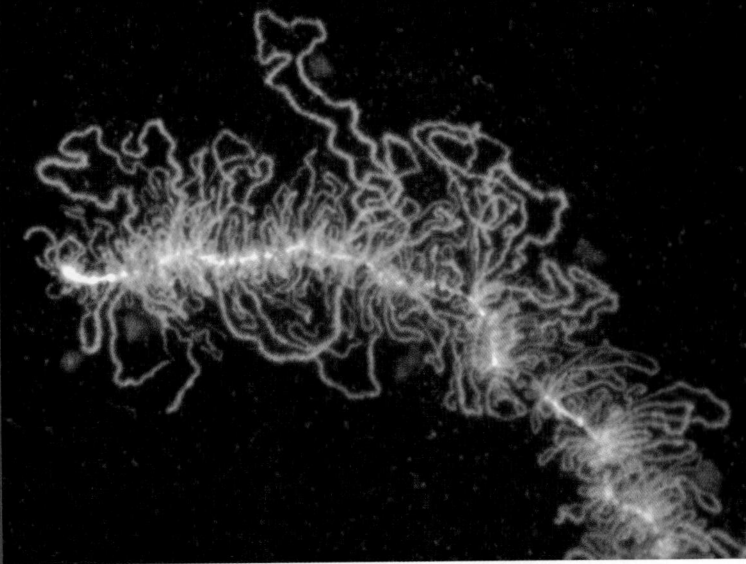

▲ **Figure 19.1 ADN dans un chromosome eucaryote provenant d'un ovule de salamandre en cours de développement.**

Concepts clés

19.1 **La structure de la chromatine reflète les niveaux successifs de repliement de l'ADN**

19.2 **La régulation de l'expression génique peut s'exercer à n'importe quel stade, mais l'étape clé est la transcription**

19.3 **Le cancer résulte de modifications génétiques qui altèrent la régulation du cycle cellulaire**

19.4 **En plus des gènes, de nombreuses séquences d'ADN non codantes forment les génomes des Eucaryotes**

19.5 **Les duplications, les réarrangements et les mutations de l'ADN contribuent à l'évolution du génome**

Introduction

Fonctionnement et évolution des génomes eucaryotes

Pour exprimer leurs gènes, les cellules eucaryotes font face aux mêmes obstacles que les cellules procaryotes, à la différence que le génome des Eucaryotes a une taille beaucoup plus grande et que, chez les Eucaryotes multicellulaires, la spécialisation des cellules est cruciale. Ces deux facteurs font que la cellule eucaryote doit effectuer un travail de traitement de l'information colossal.

Par exemple, on estime que le génome d'une cellule humaine contient environ 25 000 gènes, soit 5 fois plus que celui d'un Procaryote ordinaire. Celui-ci renferme également une quantité énorme d'ADN qui ne code pas pour de l'ARN ni pour des protéines. Sa gestion n'est possible que si le génome est finement structuré. Chez tous les organismes, des protéines se lient à l'ADN de façon à le condenser. Chez les Eucaryotes, le complexe entre l'ADN et les protéines, appelé **chromatine**, a une structure plus organisée que celui des Procaryotes. La micrographie en fluorescence de la **figure 19.1** donne une idée de la structure complexe de la chromatine dans un chromosome eucaryote. Une partie de la chromatine est compactée le long de l'axe principal (en blanc) du chromosome, et les parties en cours de transcription sont étalées en boucles (en rouge).

Les Eucaryotes comme les Procaryotes doivent modifier leur mode d'expression génique en réaction aux fluctuations des conditions de leur milieu. Les Eucaryotes multicellulaires doivent, de plus, développer des cellules multiples et en assurer le maintien. Chaque type de ces cellules contient le même génome mais exprime un sous-ensemble de gènes distinct, faisant en sorte que la régulation de l'expression génique constitue un défi de taille.

Dans le présent chapitre, nous étudierons d'abord la structure de la chromatine et apprendrons comment les modifications de cette structure influent sur l'expression génique. Puis, nous examinerons d'autres mécanismes de régulation de l'expression des gènes eucaryotes. Chez les Eucaryotes comme chez les Procaryotes, la régulation de l'expression génique s'effectue le plus souvent à l'étape de la transcription. Par la suite, nous verrons comment des bouleversements de la régulation génique peuvent mener au cancer. Dans le reste du chapitre seront abordés les différents types de séquences nucléotidiques dans le génome des Eucaryotes; nous expliquerons comment ils sont apparus et quelles modifications ils ont subies au cours de l'évolution du génome. La connaissance des forces qui ont formé (et qui continuent de former) les génomes nous aidera à comprendre comment est apparue la diversité biologique.

Concept 19.1

La structure de la chromatine reflète les niveaux successifs de repliement de l'ADN

L'ADN des Eucaryotes est lié de façon précise à de grandes quantités de protéines, et la chromatine ainsi formée subit des changements importants au cours du cycle cellulaire (voir la figure 12.6). Dans les cellules à l'interphase, qu'on a colorées en vue de les observer au microscope photonique, la chromatine apparaît généralement comme une masse diffuse à l'intérieur du noyau, ce qui donne à penser qu'elle est en grande partie déroulée. Lorsqu'une cellule se prépare à la mitose, sa chromatine s'enroule et se replie (se condense) en formant un nombre prédéterminé de chromosomes courts et épais, visibles au microscope photonique.

Les chromosomes des Eucaryotes à l'état condensé ne sont pas longs par rapport à la quantité énorme d'ADN qu'ils contiennent. Chacun est constitué d'une double hélice d'ADN linéaire. Chez l'humain, celle-ci contient en moyenne $1{,}5 \times 10^8$ paires de nucléotides. Si elle était entièrement déroulée, une telle molécule d'ADN aurait une longueur d'environ 4 cm, un chiffre des milliers de fois plus grand que le diamètre du noyau cellulaire. Tout cet ADN ainsi que celui des 45 autres chromosomes humains (soit l'équivalent d'une molécule d'environ 2 m de long) sont logés dans un noyau de quelques microns de diamètre grâce à un système complexe de condensation à plusieurs niveaux, tel qu'illustré à la **figure 19.2**.

Les nucléosomes ou le « collier de perles »

Dans la chromatine, des protéines appelées **histones** assurent le premier niveau de condensation de l'ADN. Leur masse équivaut à peu près à celle de l'ADN. Les histones contiennent une forte proportion d'acides aminés de charge positive (lysine et arginine), et elles se lient solidement à l'ADN, qui porte des charges négatives. (Souvenez-vous que les groupements phosphate de l'ADN confèrent à celui-ci des charges négatives sur toute sa longueur; voir la figure 16.7.) Les histones sont très semblables d'une espèce eucaryote à l'autre, et on trouve même des protéines similaires chez les Procaryotes. La conservation apparente des gènes à l'origine des histones au cours de l'évolution reflète probablement le rôle clé que jouent ces protéines dans la structure de l'ADN à l'intérieur des cellules.

Sur les micrographies électroniques, la chromatine déroulée ressemble à un collier de perles, comme on peut le voir à la **figure 19.2a**. Dans cette configuration, une fibre de chromatine a un diamètre de 10 nm; elle est appelée *fibre de 10 nm.* Chacune des « perles » forme un **nucléosome**, l'unité fondamentale de la condensation de l'ADN; le « fil » entre les perles porte le nom d'*ADN internucléosomique.* Un nucléosome est formé d'ADN enroulé autour d'un noyau protéique (la particule cœur). Selon le modèle classique, l'ADN s'enroule autour du noyau protéique en formant une hélice simple; ce modèle a cependant été récemment remis en question et des chercheurs croient que l'enroulement se ferait plutôt en zigzag. Quoi qu'il en soit, le noyau protéique est un octamère constitué de deux molécules de chacun des quatre types d'histones suivants: H2A, H2B, H3 et H4. L'extrémité amine (N-terminale) de chaque protéine (la *queue de l'histone*) pointe à l'extérieur d'un nucléosome. Une molécule de la cinquième sorte d'histone, H1, se lie à l'ADN près du nucléosome lorsqu'une fibre de chromatine de 10 nm passe au stade de condensation suivant.

Dans les nucléosomes, l'association de l'ADN et des histones semble demeurer essentiellement intacte pendant tout le cycle cellulaire. Les histones ne se séparent de l'ADN que de façon temporaire, pendant la réplication de celui-ci. Sauf pour de rares exceptions, elles restent associées à lui au cours de la transcription. Comment l'ADN peut-il être transcrit alors qu'il est enroulé autour des histones dans un nucléosome? Les chercheurs ont constaté que les nucléosomes peuvent changer de forme et de position pour permettre aux ARN polymérases de se déplacer le long de l'ADN. Plus loin dans le chapitre, nous signalerons certaines découvertes récentes concernant la fonction des queues des histones et des nucléosomes dans la régulation de l'expression génique.

Les niveaux supérieurs de condensation de l'ADN

Le niveau de condensation suivant est le résultat des interactions entre les queues des histones d'un nucléosome et l'ADN internucléosomique et les nucléosomes qui l'entourent. Grâce à l'histone H1, ces interactions permettent à la fibre de 10 nm de s'enrouler et de former une fibre de chromatine d'environ 30 nm d'épaisseur, appelée *fibre de 30 nm* **(figure 19.2b)**. Celle-ci forme à son tour des boucles, les *domaines en boucle,* qui sont liées à la charpente du chromosome. Cette dernière est constituée de protéines autres que des histones. Il se forme donc une fibre de 300 nm **(figure 19.2c)**. Dans un chromosome mitotique, les domaines en boucle s'enroulent et se replient eux aussi, de sorte que la chromatine devient plus compacte et donne au chromosome métaphasique son aspect caractéristique, illustré dans la micrographie au bas de la **figure 19.2d**. Certains gènes se retrouvent toujours au même endroit sur les chromosomes pendant la métaphase, ce qui indique que les étapes de la condensation sont extrêmement spécifiques et précises.

Pendant l'interphase, la chromatine est généralement beaucoup moins condensée que pendant la mitose. On peut tout de même y observer certains niveaux de condensation d'ordre supérieur. Une grande quantité de chromatine correspondant à un chromosome est présente sous la forme d'une fibre de 10 nm, mais une partie est groupée sous la forme d'une fibre de 30 nm, elle-même repliée en domaines en boucle dans certaines régions. Bien que le chromosome interphasique n'ait pas de charpente protéique évidente, ses domaines en boucle semblent être liés à la lamina nucléaire située sur la face interne de l'enveloppe nucléaire, et peut-être aux fibres de la matrice nucléaire. Ces liens contribuent probablement à stabiliser l'ADN des régions en cours de transcription. Pendant l'interphase, la chromatine de chaque chromosome occupe un secteur spécifique réduit à l'intérieur du noyau, et les fibres de chromatine des différents chromosomes ne s'emmêlent pas; cette situation précise de l'ADN des différents chromosomes semble avoir son importance, car on a constaté que l'emplacement d'un chromosome dans le noyau d'une cellule fille est le même que celui qu'il avait dans la cellule mère.

Même au cours de cette phase, dans certaines cellules, les centromères et les télomères des chromosomes, de même que d'autres régions chromosomiques, se trouvent à l'état hautement condensé illustré à la figure 19.2d. Ce type de chromatine interphasique, visible au microscope photonique sous forme d'amas irréguliers, est appelé **hétérochromatine**, par opposition à l'**euchromatine** (« vraie chromatine »), moins compacte. En raison de sa compaction, l'ADN hétérochromatique est en grande partie inaccessible aux enzymes de transcription et n'est donc habituellement pas transcrit. Par contre, la compaction moindre de l'euchromatine rend son ADN accessible aux enzymes et disponible pour la transcription. Dans la prochaine section, nous allons examiner comment les modifications dans la chromatine et d'autres mécanismes permettent à une cellule de réguler l'expression des gènes.

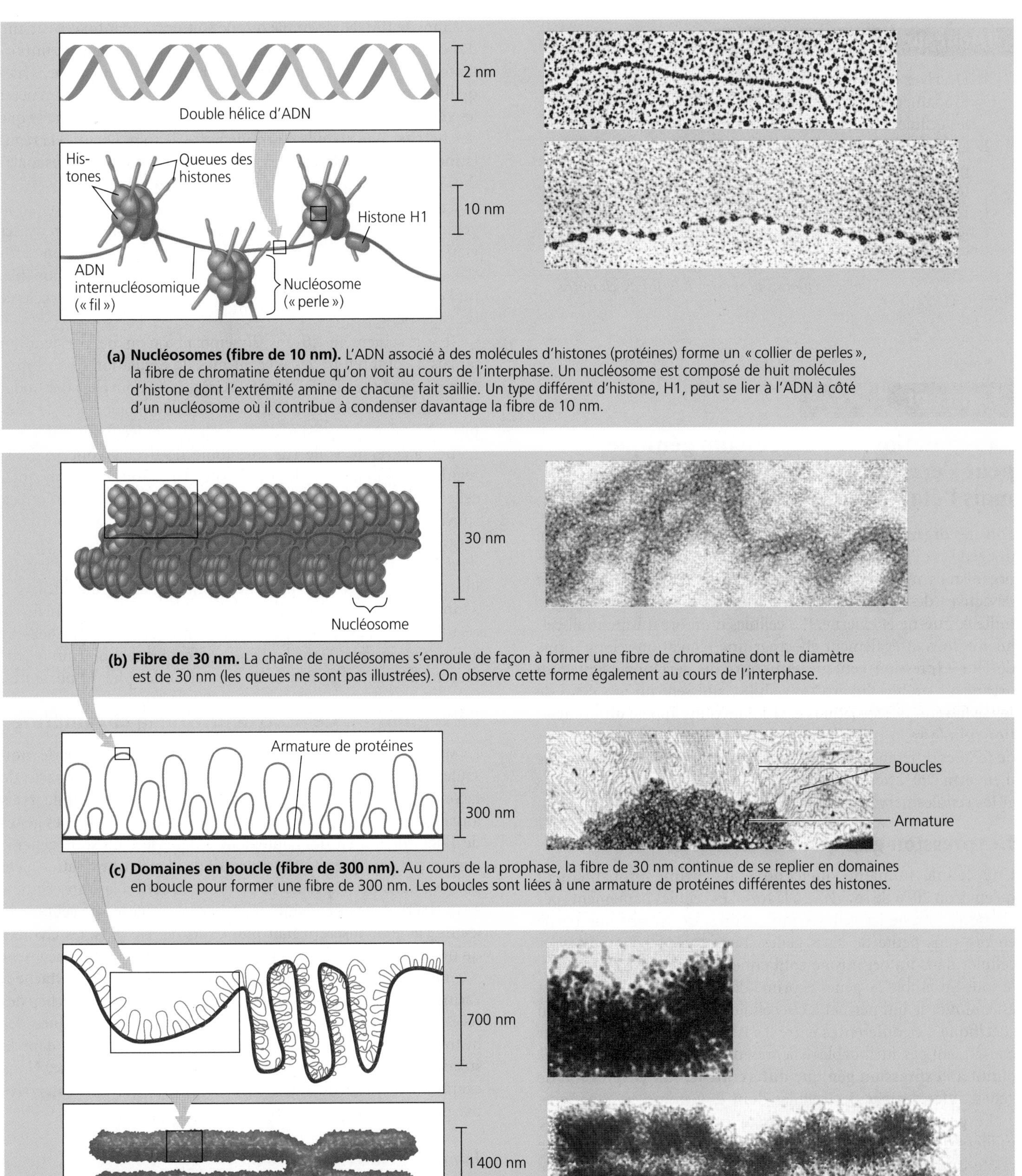

(a) Nucléosomes (fibre de 10 nm). L'ADN associé à des molécules d'histones (protéines) forme un « collier de perles », la fibre de chromatine étendue qu'on voit au cours de l'interphase. Un nucléosome est composé de huit molécules d'histone dont l'extrémité amine de chacune fait saillie. Un type différent d'histone, H1, peut se lier à l'ADN à côté d'un nucléosome où il contribue à condenser davantage la fibre de 10 nm.

(b) Fibre de 30 nm. La chaîne de nucléosomes s'enroule de façon à former une fibre de chromatine dont le diamètre est de 30 nm (les queues ne sont pas illustrées). On observe cette forme également au cours de l'interphase.

(c) Domaines en boucle (fibre de 300 nm). Au cours de la prophase, la fibre de 30 nm continue de se replier en domaines en boucle pour former une fibre de 300 nm. Les boucles sont liées à une armature de protéines différentes des histones.

(d) Chromosome métaphasique. La chromatine continue de se replier jusqu'à ce que le chromosome atteigne sa forme la plus compacte, telle qu'on l'observe à la métaphase. Chaque chromosome métaphasique est constitué de deux chromatides sœurs.

▲ **Figure 19.2 Niveaux de condensation de la chromatine.** Cette série de diagrammes et de photographies prises au microscope électronique à transmission montre un modèle actuel des stades d'enroulement et de repliement de l'ADN.

Retour sur le concept 19.1

1. Décrivez la structure d'un nucléosome, l'unité fondamentale de condensation de l'ADN dans les cellules eucaryotes.
2. Quelles propriétés chimiques des histones et de l'ADN permettent à ces molécules de se lier ensemble fortement?
3. D'une manière générale, comment un état hautement condensé de l'ADN des chromosomes empêche-t-il l'expression des gènes?

Voir les réponses proposées à la fin du chapitre.

Concept 19.2

La régulation de l'expression génique peut s'exercer à n'importe quel stade, mais l'étape clé est la transcription

Tous les organismes doivent, en tout temps, réguler l'expression des gènes. À l'instar des organismes unicellulaires, les cellules des organismes multicellulaires doivent continuellement activer et désactiver des gènes en réponse à des stimulus provenant des milieux interne et externe. Les cellules d'un organisme multicellulaire doivent également effectuer une régulation à long terme de leur expression génique. Au cours du développement d'un organisme multicellulaire, ses cellules subissent un processus de spécialisation des structures et des fonctions appelé **différenciation cellulaire**, ce qui crée plusieurs ou même de nombreux types de cellules différenciées. À maturité, le corps humain est composé d'environ 200 différents types de cellules. Les cellules musculaires et les cellules nerveuses en sont des exemples.

L'expression génique différentielle

Une cellule humaine quelconque n'exprime probablement qu'environ 20 % de ses gènes à la fois. Les cellules hautement spécialisées, comme les cellules musculaires, expriment une partie encore plus petite de leurs gènes. Bien que presque toutes les cellules dans un organisme contiennent un génome identique*, le sous-ensemble de gènes exprimé dans chaque type de cellules est unique, ce qui permet à ces cellules de remplir leur fonction spécifique. Les différences entre les types de cellules ne sont par conséquent pas attribuables à la présence de différents gènes, mais plutôt à l'**expression génique différentielle**, soit l'expression de gènes différents par des cellules dont le génome est identique.

Le génome des Eucaryotes peut contenir des dizaines de milliers de gènes, mais, pour quelques espèces, seulement une petite quantité d'ADN (environ 1,5 % chez les humains) code pour des protéines. De l'ADN restant, une très petite fraction est constituée de gènes qui codent pour des ARN comme l'ARN ribosomique et l'ARN de transfert. Quant à la majeure partie restante de l'ADN, il semble qu'elle soit non codante; cependant, des chercheurs ont récemment observé qu'une quantité importante peut être transcrite en ARN de fonction inconnue. Quoi qu'il en soit, les enzymes qui transcrivent l'ADN doivent repérer les gènes qu'il faut au moment voulu, ce qui est aussi difficile que de chercher une aiguille dans une botte de foin. Lorsque la régulation génique est déréglée, des déséquilibres sérieux et des maladies graves peuvent apparaître, notamment le cancer.

La **figure 19.3** résume l'ensemble du processus d'expression génique qui a lieu dans la cellule eucaryote. Elle met en relief les étapes principales de l'expression d'un gène codant pour une protéine. Chacune de ces étapes est un point de régulation possible, où l'expression génique peut être activée ou désactivée, accélérée ou ralentie.

Il y a seulement 40 ans, il semblait qu'on ne parviendrait jamais à comprendre les mécanismes de régulation de l'expression génique chez les Eucaryotes. Grâce à de nouvelles méthodes de recherche, dont les progrès en biotechnologie (voir le chapitre 20), des spécialistes de la biologie moléculaire ont commencé à lever le voile sur une foule de détails concernant la régulation génique chez les Eucaryotes. Chez tous les organismes, celle-ci s'exerce généralement à l'étape de la transcription et, souvent, en réaction à des stimulus extérieurs. C'est pour cette raison qu'on emploie fréquemment le terme *expression génique* dans le sens de transcription autant chez les cellules procaryotes qu'eucaryotes. Cependant, étant donné que la cellule eucaryote a une plus grande complexité structurale et fonctionnelle, la régulation de l'expression génique peut aussi s'exercer chez elle à d'autres niveaux. Dans les trois prochaines sections, nous étudierons certaines des étapes de régulation les plus importantes.

La régulation de la structure de la chromatine

La structure de la chromatine, dont nous avons déjà parlé, non seulement permet à l'ADN d'adopter une forme compacte de façon qu'il puisse être contenu dans le noyau de la cellule, mais aussi contribue à la régulation de l'expression génique. Les gènes de l'hétérochromatine, hautement condensée, ne sont généralement pas exprimés. L'effet répressif de l'hétérochromatine a été observé dans des expériences où un gène actif à la transcription a été inséré dans une région de l'hétérochromatine de cellules de levure; le gène inséré n'était plus exprimé. De plus, les chances qu'un gène soit transcrit peuvent dépendre de son emplacement par rapport aux nucléosomes et des sites où l'ADN s'attache à l'armature chromosomique ou à la lamina nucléaire. Des recherches récentes montrent que certaines modifications chimiques des histones et de l'ADN de la chromatine jouent un rôle dans la structure de la chromatine et dans l'expression génique. Nous examinons ici les effets de ces modifications qui sont catalysées par des enzymes spécifiques.

Les modifications des histones

Des preuves de plus en plus nombreuses tendent à montrer que les modifications chimiques des histones jouent un rôle direct dans la régulation de la transcription génique. L'extrémité N-terminale de chaque molécule d'histone fait saillie à la surface d'un nucléosome **(figure 19.4a)**. Ces extrémités, les queues des histones, sont accessibles pour une modification par diverses enzymes, qui catalysent l'addition ou l'élimination de groupements chimiques spécifiques.

---

* Les cellules du système immunitaire constituent une exception. Au cours de la différenciation de celles-ci, le remaniement des gènes de l'immunoglobuline produit une modification dans le génome; nous traiterons ce sujet au chapitre 43.

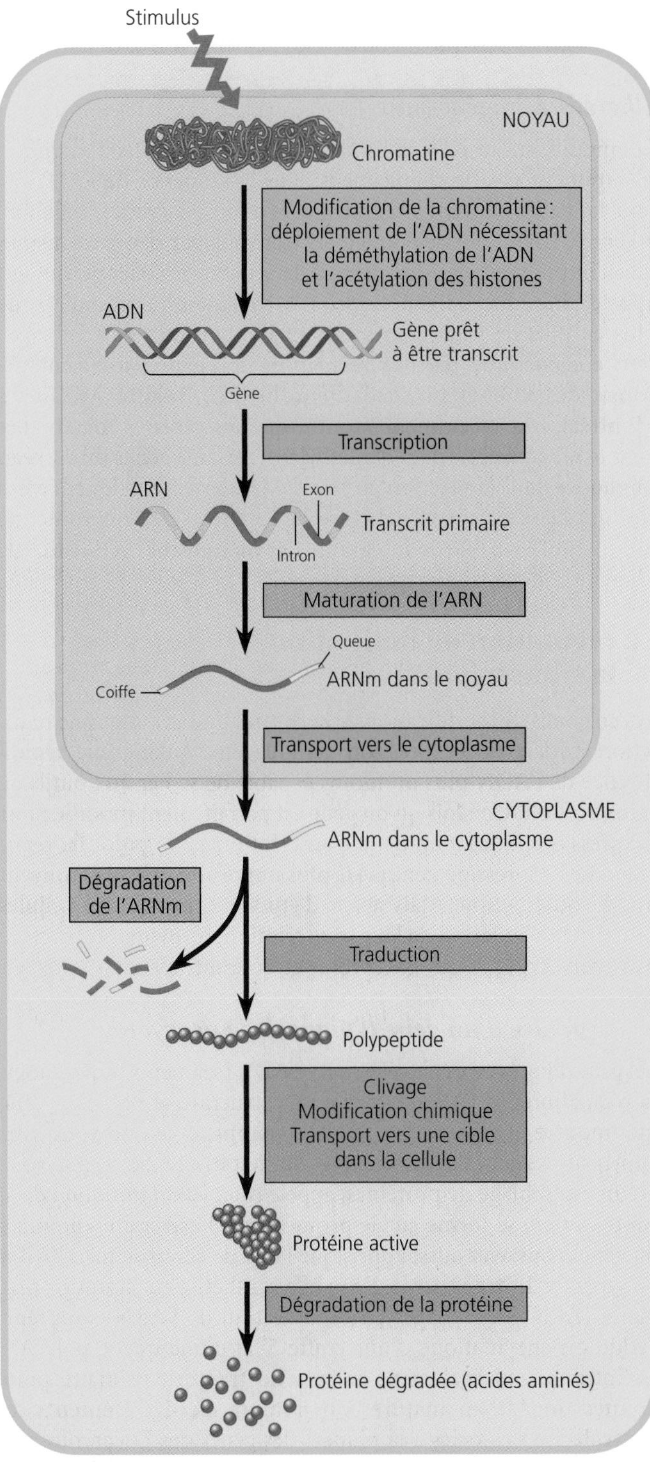

▲ **Figure 19.3 Étapes possibles de régulation de l'expression génique dans la cellule eucaryote.** Dans ce diagramme, les rectangles en couleurs indiquent les processus les plus souvent soumis à la régulation. Contrairement à la cellule procaryote, la cellule eucaryote possède une enveloppe nucléaire qui sépare le lieu de la transcription de celui de la traduction. Cela lui permet d'assurer une régulation après la transcription, à l'étape de la maturation de l'ARN (processus absent chez les Procaryotes). De plus, la cellule eucaryote dispose d'un plus grand nombre de mécanismes de contrôle avant la transcription et après la traduction. L'expression d'un gène donné, cependant, ne passe pas nécessairement par toutes les étapes illustrées ici ; par exemple, tous les polypeptides ne subissent pas le clivage. Chez les Eucaryotes comme chez les Procaryotes, l'étape de régulation la plus importante est l'initiation de la transcription.

L'**acétylation des histones** est l'ajout d'un groupement acétyle (—$COCH_3$) à des lysines de charge positive situées dans les queues des histones ; inversement, la désacétylation est l'élimination de groupements acétyle. Lorsque les queues des histones d'un nucléosome sont acétylées, leurs charges positives sont neutralisées et elles ne se lient plus aux nucléosomes voisins **(figure 19.4b)**. Souvenez-vous que ces liaisons favorisent le repliement de la chromatine en une structure plus compacte ; quand ces liaisons n'ont pas lieu, la chromatine a une structure plus lâche. Les facteurs de transcription ont donc plus facilement

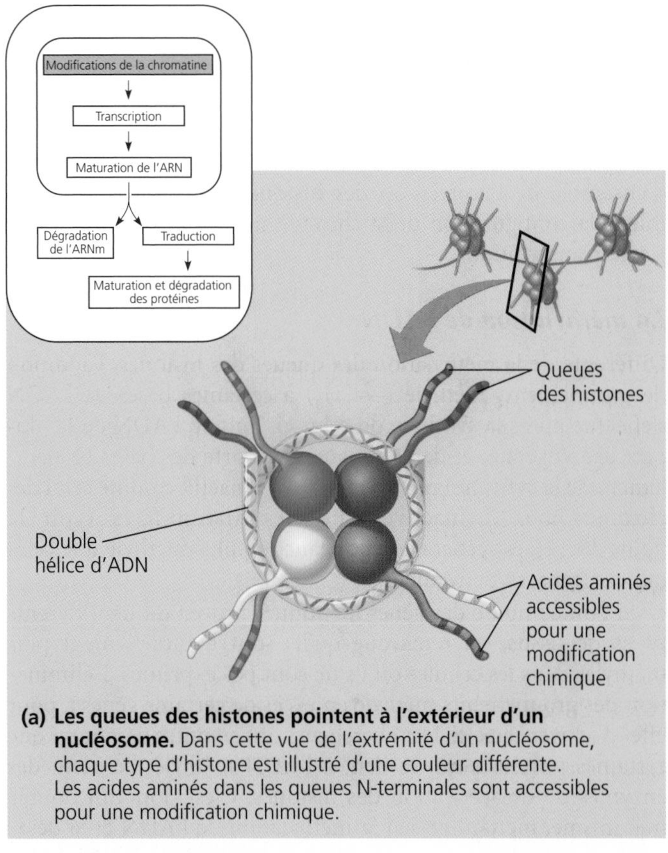

(a) Les queues des histones pointent à l'extérieur d'un nucléosome. Dans cette vue de l'extrémité d'un nucléosome, chaque type d'histone est illustré d'une couleur différente. Les acides aminés dans les queues N-terminales sont accessibles pour une modification chimique.

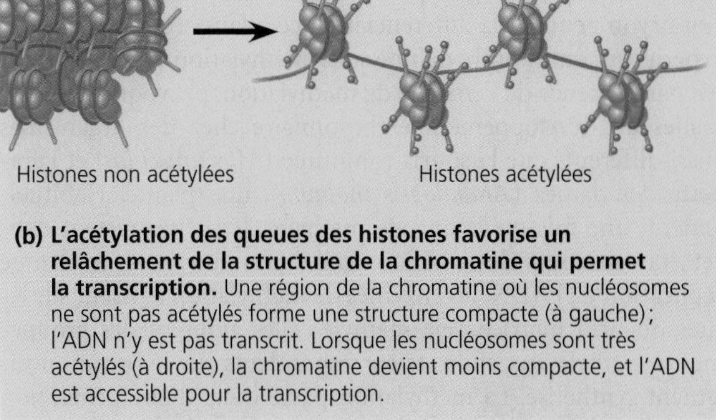

(b) L'acétylation des queues des histones favorise un relâchement de la structure de la chromatine qui permet la transcription. Une région de la chromatine où les nucléosomes ne sont pas acétylés forme une structure compacte (à gauche) ; l'ADN n'y est pas transcrit. Lorsque les nucléosomes sont très acétylés (à droite), la chromatine devient moins compacte, et l'ADN est accessible pour la transcription.

▲ **Figure 19.4 Modèle simple sur les queues des histones et effet de l'acétylation des histones.** En plus de l'acétylation, les histones peuvent subir plusieurs autres types de modifications qui contribuent également à déterminer la configuration de la chromatine dans une région.

accès aux gènes de la région acétylée. Des chercheurs ont démontré que certaines enzymes d'acétylation ou de désacétylation des histones sont étroitement associées aux facteurs de transcription qui se lient aux promoteurs, ou qu'elles en sont des composantes (voir la figure 17.8). Autrement dit, les enzymes de l'acétylation des histones peuvent favoriser l'initiation de la transcription non seulement en modifiant la structure de la chromatine, mais également en se liant aux composantes des mécanismes de transcription et donc en les «recrutant».

Dans les queues des histones, plusieurs autres groupements chimiques peuvent être liés de façon réversible aux acides aminés. Par exemple, l'addition de groupements méthyle (—CH_3) aux queues des histones (la méthylation) peut entraîner la condensation de la chromatine. La découverte récente que cette modification (et de nombreuses autres) des queues des histones peut changer la structure de la chromatine et l'expression génique a mené à l'*hypothèse du code histone*. Selon ce modèle, des combinaisons spécifiques de modifications, plutôt que le niveau d'ensemble de l'acétylation des histones, contribuent à déterminer la configuration de la chromatine qui, à son tour, influe sur la transcription.

La méthylation de l'ADN

Différente de la méthylation des queues des histones, l'addition de groupements méthyle (—CH_3) à certaines bases de l'ADN s'effectue après la synthèse de celui-ci. En fait, l'ADN de la plupart des Végétaux et des Animaux comporte des bases (généralement de la cytosine) méthylées. L'ADN inactif, comme celui des chromosomes *X* inactivés chez les Mammifères (voir la figure 15.11), est généralement beaucoup plus méthylé que celui qui est transcrit activement.

Si l'on compare des gènes identiques provenant de différents types de tissus, on remarque qu'ils sont habituellement plus méthylés dans les cellules où ils ne sont pas exprimés. L'élimination des groupements méthyle en excès de certains gènes a pour effet d'activer ceux-ci. Des chercheurs ont en outre démontré que certaines protéines qui se lient à l'ADN méthylé recrutent des enzymes de désacétylation des histones. C'est donc un double mécanisme, mettant en jeu la méthylation de l'ADN et la désacétylation des histones, qui peut réprimer la transcription.

Chez certaines espèces, la méthylation de l'ADN semble essentielle à l'inactivation génique à long terme qui se produit dans l'embryon pendant la différenciation cellulaire. Par exemple, des expériences ont montré qu'une sous-méthylation de l'ADN, causée par l'absence de l'enzyme de méthylation, provoque des anomalies du développement embryonnaire chez des organismes aussi différents que la souris commune (*Mus musculus*) et l'arabette des dames (*Arabidopsis thaliana*), une plante. Habituellement, une fois qu'ils ont été méthylés, les gènes restent dans cet état au cours des divisions cellulaires suivantes. À chaque réplication de l'ADN, les enzymes de méthylation agissent sur les sites du brin matrice déjà méthylé: elles ajoutent des groupements méthyle aux endroits correspondants sur le brin nouvellement synthétisé. La méthylation passe donc d'une génération cellulaire à l'autre; c'est ainsi que la mémoire chimique des événements survenus au cours du développement cellulaire est transmise à toutes les cellules des tissus spécialisés. Chez les Mammifères, cette forme de transmission de la méthylation explique également le phénomène de l'**empreinte génomique**, soit l'inactivation permanente de l'allèle maternel ou paternel de certains gènes dès le début du développement (voir le chapitre 15).

L'hérédité épigénétique

Les modifications de la chromatine que nous venons d'examiner n'entraînent pas de changement dans la séquence de l'ADN, et pourtant elles peuvent être transmises d'une génération cellulaire à l'autre. L'hérédité des caractères transmis par des mécanismes qui n'impliquent pas directement la séquence nucléotidique est appelée **hérédité épigénétique**. Les chercheurs accumulent de plus en plus de preuves confirmant l'importance de l'information épigénétique dans la régulation de l'expression génique. Ainsi, des chercheurs canadiens de l'Université McGill, à Montréal, ont récemment montré que les caresses maternelles chez le rat activent, en les déméthylant, certains gènes du cerveau impliqués dans la réaction au stress. Manifestement, les enzymes clés qui agissent sur la structure de l'ADN et de la chromatine font, semble-t-il, partie intégrante des mécanismes cellulaires de régulation de la transcription.

La régulation de l'initiation de la transcription

Les enzymes de modification de la chromatine assurent une régulation initiale de l'expression génique en rendant une région donnée de l'ADN plus ou moins capable de se lier aux outils de transcription. Une fois qu'un gène est parfaitement modifié pour l'expression, l'initiation de la transcription est le point de régulation de l'expression génique le plus important et le plus souvent mis à contribution. Mais avant d'étudier comment les cellules assurent la régulation de leur transcription, revoyons la structure d'un gène typique des Eucaryotes et de son transcrit.

La structure d'un gène typique des Eucaryotes

Un gène d'Eucaryote et les éléments d'ADN (segments) qui assurent sa régulation ont habituellement une structure semblable à celle que montre la **figure 19.5**. Celle-ci complète ce que vous avez appris sur les gènes des Eucaryotes au chapitre 17. Souvenez-vous qu'un assemblage de protéines, appelé *complexe d'initiation de la transcription*, se forme sur le promoteur à l'extrémité «amont» du gène. Vous avez aussi appris que l'une de ces protéines, l'ARN polymérase II, transcrit le gène; elle synthétise un transcrit primaire (ARN prémessager). La maturation de l'ARN comprend l'addition enzymatique d'une coiffe 5′ et d'une queue poly(A); les introns sont également enlevés du transcrit primaire pour donner un ARNm mature. Un nombre élevé d'**éléments de contrôle** sont associés à la plupart des gènes des Eucaryotes. Ce sont tout simplement des segments d'ADN non codants qui contribuent à réguler la transcription d'un gène en liant certaines protéines. Ces éléments de contrôle et les protéines qu'ils lient sont importants pour une régulation précise de l'expression génique qu'on observe dans différents types de cellules.

Les rôles des facteurs de transcription

Chez les Eucaryotes, la transcription d'un gène ne peut être effectuée par l'ARN polymérase seule. Elle nécessite la présence de protéines, les **facteurs de transcription** (voir la figure 17.8). Ceux dont il est question au chapitre 17 sont essentiels à la transcription de *tous* les gènes codant pour des protéines; on les appelle

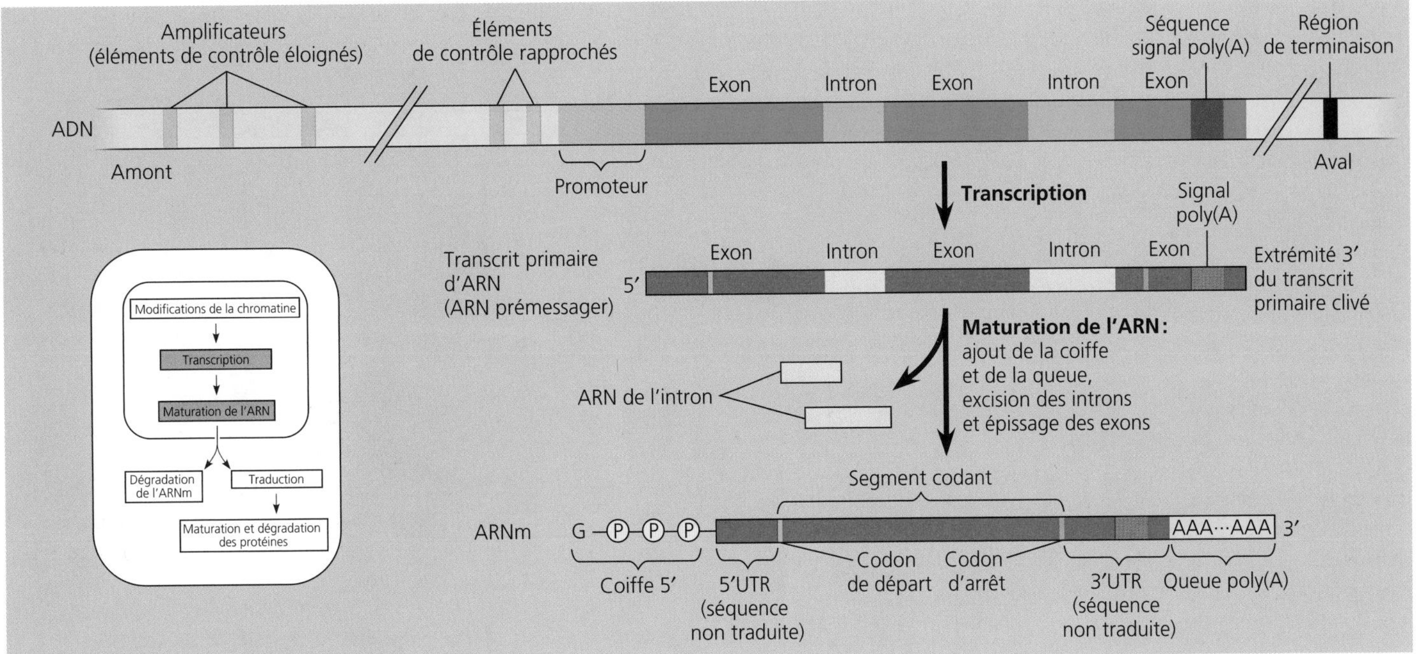

▲ **Figure 19.5 Gène d'eucaryote et son transcrit.** Chez les Eucaryotes, chaque gène comporte un promoteur, soit une séquence d'ADN à laquelle l'ARN polymérase se lie et où elle commence la transcription, en se dirigeant vers l'« aval ». Des éléments de contrôle (en doré) jouent un rôle dans la régulation de l'initiation de la transcription; ce sont des séquences d'ADN situées près (proximales) ou loin (distales) du promoteur. Les éléments de contrôle éloignés peuvent être groupés en tant qu'amplificateurs. Un signal de polyadénylation, poly(A), dans le dernier exon du gène est transcrit en séquence d'ARN qui détermine où le transcrit est clivé et où la queue de poly(A) est ajoutée. La transcription peut continuer pour des centaines de nucléotides au-delà du signal de poly(A) avant de se terminer. La maturation de l'ARN du transcrit primaire en ARNm fonctionnel comporte trois étapes: l'addition d'une coiffe 5′, l'addition de la queue poly(A) et l'épissage. Dans la cellule, la coiffe 5′ est ajoutée peu après l'initiation de la transcription; l'épissage et l'addition de la queue poly(A) peuvent également avoir lieu pendant que la transcription est encore en marche (voir la figure 17.9).

parfois *facteurs de transcription généraux.* Il n'y a que quelques facteurs de transcription généraux qui se lient indépendamment à une séquence d'ADN, comme la boîte TATA, située à l'intérieur du promoteur. Ceux qui restent s'unissent avant tout aux protéines, y compris les autres facteurs de transcription et l'ARN polymérase II. Les interactions protéine-protéine sont essentielles à l'initiation de la transcription chez les Eucaryotes. Ce n'est que lorsque le complexe d'initiation est entièrement assemblé que l'ARN polymérase commence à se déplacer le long du brin d'ADN servant de matrice et à produire un brin d'ARN complémentaire.

L'interaction entre les facteurs de transcription généraux, l'ARN polymérase II et le promoteur aboutit habituellement à un taux d'initiation peu élevé, et les transcrits d'ARN sont peu nombreux. Chez les Eucaryotes, les niveaux élevés de transcription de gènes particuliers au moment et à l'endroit voulus dépendent de l'interaction des éléments de contrôle avec d'autres protéines qu'on peut considérer comme des facteurs de transcription *spécifiques.*

Amplificateurs et facteurs de transcription spécifiques. Comme on le voit à la figure 19.5, des éléments de contrôle (ou éléments régulateurs), appelés *éléments de contrôle proximaux,* se trouvent près du promoteur. (Contrairement à certains biologistes, nous ne les englobons pas dans le promoteur.) Quant aux éléments plus éloignés, les *éléments de contrôle distaux,* ils sont appelés **amplificateurs.** Ils peuvent être situés à des milliers de nucléotides de distance (jusqu'à 100 000) en aval ou en amont d'un gène, ou à l'intérieur d'un intron. Un gène donné peut posséder de multiples amplificateurs, chacun étant actif à un moment donné ou dans un type de cellule ou un emplacement différents dans l'organisme.

Les interactions entre les amplificateurs et les facteurs de transcription spécifiques, appelés *activateurs* ou *répresseurs,* jouent un rôle important dans la régulation de l'expression génique. Un **activateur** est une protéine qui se lie à un amplificateur et stimule la transcription d'un gène. La **figure 19.6** illustre un modèle actuel qui montre comment la liaison des activateurs aux amplificateurs situés loin du promoteur peut exercer une influence sur la transcription. La courbure de l'ADN résultant de l'intervention d'une protéine semble permettre aux activateurs déjà liés d'entrer en contact avec un groupe de *protéines médiatrices* qui, à leur tour, interagissent avec les protéines situées sur le promoteur. Ces multiples interactions protéine-protéine aident à assembler et à placer le complexe d'initiation sur le promoteur.

On a découvert des centaines de facteurs de transcription chez les Eucaryotes. Les chercheurs ont trouvé deux éléments de structure communs dans un grand nombre d'activateurs: un domaine de liaison à l'ADN, c'est-à-dire une partie de sa structure tridimensionnelle qui se lie à l'ADN, et un ou plusieurs domaines d'activation. Ceux-ci se lient aux autres protéines régulatrices ou composantes du mécanisme de transcription, ce qui permet une séquence d'interactions protéine-protéine qui aboutissent à la transcription d'un gène donné.

Certains facteurs de transcription spécifiques servent de **répresseurs** et inhibent l'expression d'un gène particulier. Les

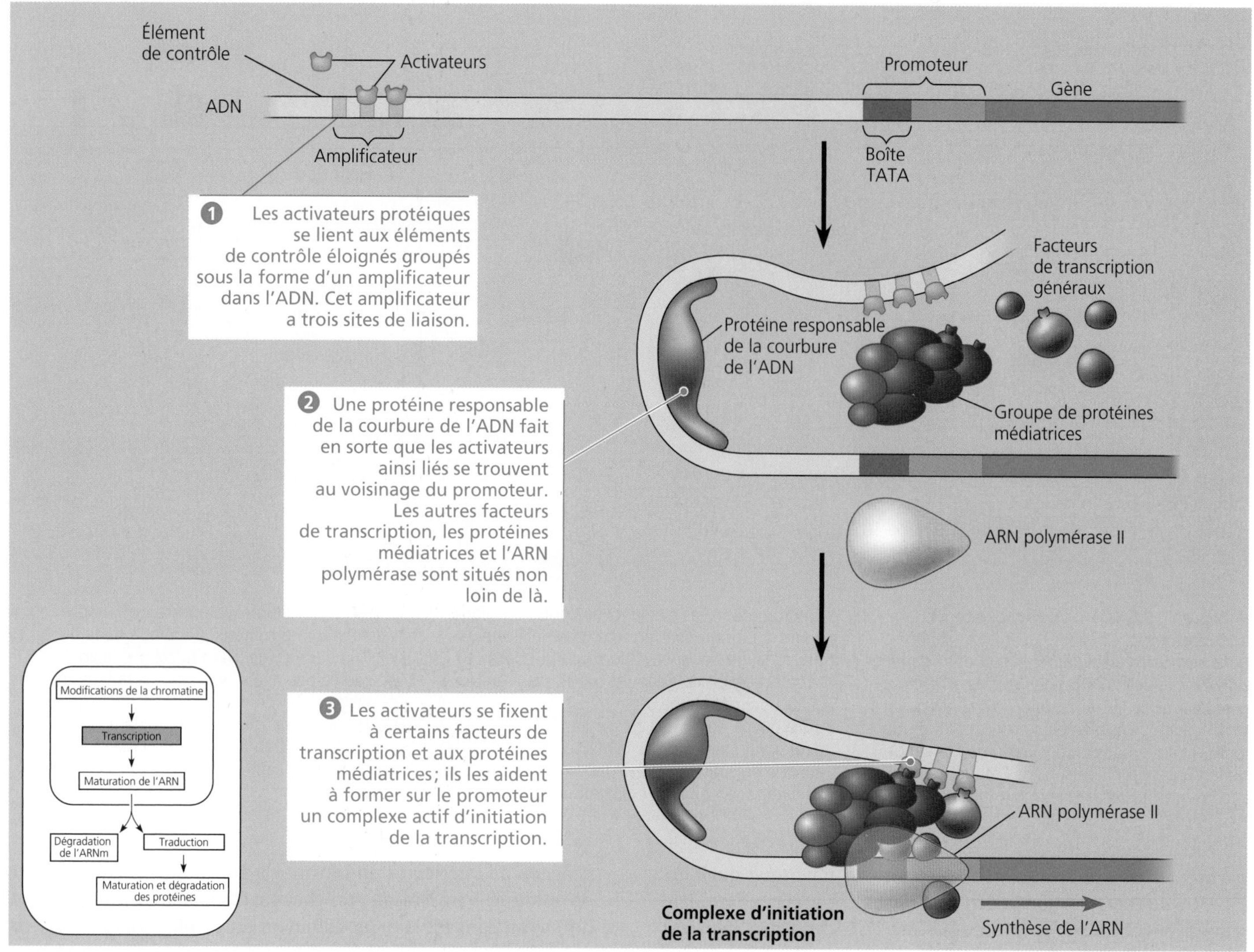

▲ **Figure 19.6 Modèle d'action d'un amplificateur et des activateurs de transcription.** La courbure de l'ADN par une protéine permet à un amplificateur d'exercer une influence sur un promoteur situé à des centaines ou même à des milliers de nucléotides de distance. Les facteurs de transcription spécifiques (appelés *activateurs*) se lient aux séquences d'ADN de l'amplificateur, puis à un groupe de protéines médiatrices, qui à leur tour s'unissent aux facteurs de transcription généraux formant le complexe d'initiation de la transcription. Ces interactions protéine-protéine facilitent le positionnement du complexe sur le promoteur et l'initiation de la synthèse de l'ARN. Un seul amplificateur est illustré dans cette figure, mais un gène peut en avoir plusieurs qui agissent à des moments différents et dans divers types de cellules.

répresseurs eucaryotes peuvent provoquer l'inhibition de l'expression génique de plusieurs façons. Certains répresseurs bloquent la liaison des activateurs soit à leurs éléments de contrôle, soit aux composantes du mécanisme de transcription. D'autres se lient directement à leurs propres éléments de contrôle dans des séquences d'ADN particulières, les *silenceurs*, et agissent pour désactiver la transcription même en présence d'activateurs.

Outre qu'ils exercent une influence directe sur l'assemblage du mécanisme de transcription, certains activateurs et répresseurs agissent indirectement sur le plan de la structure de la chromatine. Souvenez-vous qu'un gène présent dans une région de la chromatine où les niveaux d'acétylation des histones sont élevés a la capacité de se lier à l'ensemble moléculaire assurant la transcription, alors qu'un gène dans une région de la chromatine où les histones sont peu acétylées n'a pas cette capacité (voir la figure 19.4). Des études sur les levures et les Mammifères démontrent que certains activateurs recrutent des protéines qui acétylent les histones près des promoteurs de gènes spécifiques, ce qui facilite la transcription. Par contre, d'autres répresseurs recrutent des protéines qui désacétylent les histones, ce qui se traduit par une diminution de la transcription, phénomène appelé *silençage*. En effet, le recrutement de protéines modificatrices de la chromatine semble être le mécanisme de répression le plus courant chez les Eucaryotes.

Le contrôle combinatoire de l'activation des gènes. Chez les Eucaryotes, la régulation de la transcription dépend en grande partie de la liaison des activateurs aux éléments de contrôle de l'ADN. Vu la complexité de la régulation du nombre très élevé de gènes d'une cellule animale ou végétale, il est surprenant que les éléments de contrôle comprennent un si petit nombre de séquences nucléotidiques entièrement différentes. Une douzaine de courtes séquences réapparaissent à de nombreux endroits dans les éléments de contrôle de différents gènes. En moyenne, chaque amplificateur est composé d'environ dix éléments de contrôle, chacun pouvant se lier à seulement un ou deux facteurs de transcription spécifiques. La *combinaison* particulière des éléments de contrôle dans un amplificateur associés au gène s'avère plus importante que la présence d'un seul élément de contrôle donné propre au gène pour la régulation de sa transcription.

Même avec seulement une douzaine de séquences d'éléments de contrôle disponibles, un grand nombre de combinaisons est possible. Une combinaison particulière d'éléments de contrôle aura la capacité d'activer la transcription seulement si les protéines des activateurs appropriées sont présentes, par exemple, à un moment précis pendant le développement ou dans un type de cellules en particulier. L'exemple de la **figure 19.7** illustre comment l'utilisation de différentes combinaisons d'éléments de contrôle pour activer la transcription permet une régulation parfaite de celle-ci avec un petit ensemble d'éléments de contrôle.

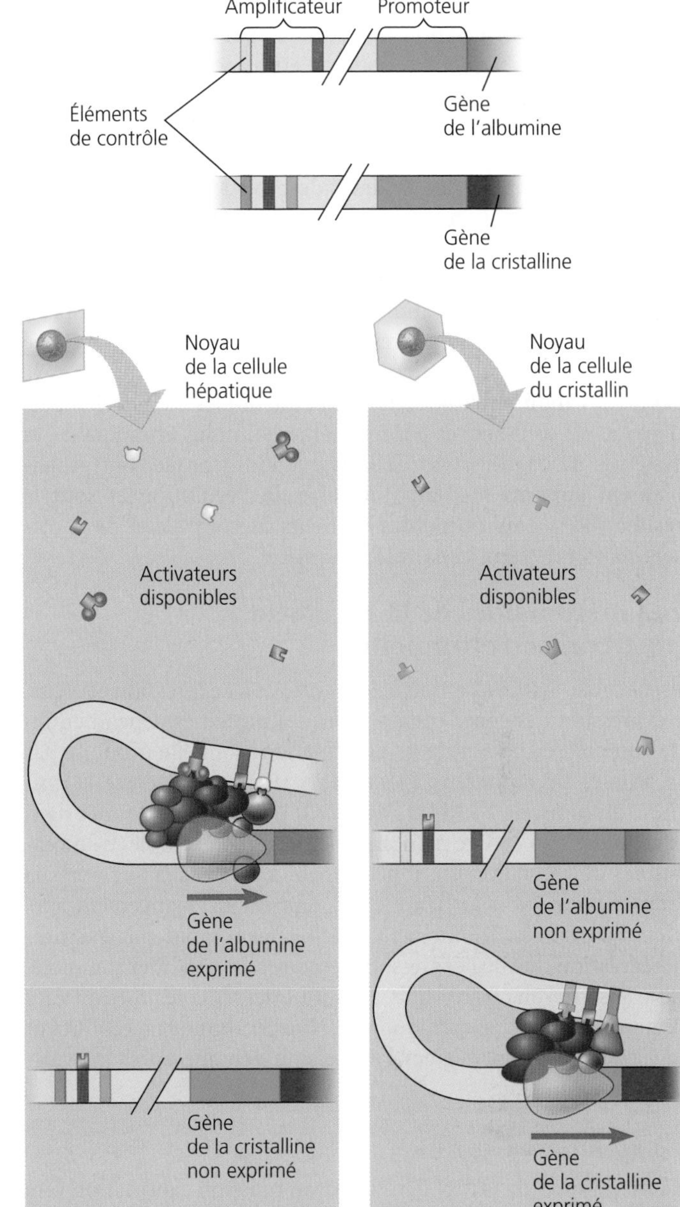

(a) Cellule hépatique. Le gène de l'albumine est exprimé ; le gène de la cristalline ne l'est pas.

(b) Cellule du cristallin. Le gène de la cristalline est exprimé ; le gène de l'albumine ne l'est pas.

▲ **Figure 19.7 Transcription spécifique au type de cellules.** Les cellules hépatiques et les cellules du cristallin possèdent les gènes capables de synthétiser la protéine albumine et la protéine cristalline, mais seules les cellules hépatiques fabriquent l'albumine (protéine du sang) et seules les cellules du cristallin fabriquent la cristalline (composante principale du cristallin de l'œil). Les facteurs de transcription spécifiques (activateurs et répresseurs) synthétisés dans un type particulier de cellules déterminent quels gènes sont exprimés. Ici, les gènes de l'albumine et ceux de la cristalline sont illustrés en haut, chacun ayant un amplificateur composé de trois éléments de contrôle différents. Bien que les amplificateurs pour les deux gènes partagent un élément de contrôle (bande verte), chacun possède une combinaison d'éléments unique. Tous les activateurs nécessaires à une expression à haut niveau du gène de l'albumine ne sont présents que dans les cellules hépatiques (en **a**), alors que les activateurs nécessaires à l'expression du gène de la cristalline ne se trouvent que dans les cellules du cristallin (en **b**). Pour plus de simplicité, nous n'examinons ici que le rôle des activateurs, bien que la présence ou l'absence de répresseurs puisse aussi influer sur la transcription dans certains types de cellules.

Les gènes à régulation coordonnée

Comment la cellule eucaryote régule-t-elle les gènes aux fonctions apparentées qui doivent être activés ou désactivés simultanément? Au chapitre 18, vous avez vu que, chez les cellules procaryotes, les gènes à régulation coordonnée sont souvent groupés en un opéron; un seul promoteur en assure la régulation et il est transcrit en une seule molécule d'ARNm. Les gènes sont donc exprimés ensemble, et les protéines codées sont produites simultanément. On n'a pas découvert d'opéron fonctionnant ainsi dans les cellules eucaryotes, à quelques rares exceptions près.

Des études récentes sur les génomes de plusieurs espèces eucaryotes ont montré que certains gènes exprimés simultanément sont groupés près l'un de l'autre sur le même chromosome. Parmi les exemples, on trouve certains gènes dans le testicule de la drosophile et des gènes liés au muscle chez le petit ver appelé *nématode.* Contrairement aux gènes dans les opérons des Procaryotes, cependant, chaque gène d'Eucaryote dans ces amas de gènes a son propre promoteur et est transcrit séparément. La régulation coordonnée des gènes groupés dans les cellules eucaryotes semble faire intervenir des modifications dans la structure de la chromatine qui rendent le groupe de gènes dans son ensemble prêt ou non pour la transcription.

Plus couramment, les gènes d'Eucaryotes exprimés simultanément, tels que les gènes qui codent pour les enzymes d'une même voie métabolique, sont souvent disséminés, voire situés sur des chromosomes différents. Dans de tels cas, l'expression coordonnée des gènes d'Eucaryotes dépend de l'association d'un élément de contrôle spécifique – ou encore d'un ensemble d'éléments de contrôle – et de chacun des gènes d'un groupement disséminé. Des exemplaires des activateurs reconnaissent ces éléments de contrôle et se lient à eux, facilitant la transcription simultanée de gènes, peu importe où ils sont situés sur le génome.

La régulation coordonnée de gènes dispersés dans une cellule d'Eucaryote se produit souvent en réaction à des stimulus moléculaires externes. Une hormone stéroïde, par exemple, pénètre dans la cellule et se lie à un récepteur protéique spécifique intracellulaire, formant un complexe hormone-récepteur qui sert d'activateur de la transcription (voir la figure 11.6). Chaque gène dont la transcription est stimulée par une hormone stéroïde particulière, quel que soit son emplacement sur un chromosome, porte un élément de contrôle reconnu par le complexe hormone-récepteur.

De nombreux stimulus moléculaires, tels que les hormones non stéroïdiennes et les facteurs de croissance, se lient à des récepteurs situés à la surface de la cellule. Ils ne pénètrent jamais dans celle-ci. Ce genre de stimulus peut assurer la régulation génique indirectement, en mettant en marche des voies de transduction menant à l'activation de facteurs de transcription spécifiques (activateurs ou répresseurs) (voir la figure 11.14). Le principe de la régulation coordonnée est le même que dans le cas des hormones stéroïdes: les gènes qui ont les mêmes éléments de contrôle sont activés par les mêmes stimulus chimiques. Les systèmes de coordination de la régulation génique sont probablement apparus tôt dans l'histoire de l'évolution et sont le résultat de la duplication des éléments de contrôle et de la dissémination de ceux-ci dans le génome.

Les mécanismes de la régulation post-transcriptionnelle

À elle seule, la transcription n'équivaut pas à l'expression génique. L'expression des gènes codant pour des protéines dépend en fin de compte de la quantité de protéine fonctionnelle produite par la cellule. De nombreux événements surviennent entre la synthèse du transcrit d'ARN et l'activité d'une protéine donnée dans la cellule. On découvre un nombre croissant d'exemples de mécanismes de régulation qui fonctionnent à diverses étapes après la transcription (voir la figure 19.3). Lorsqu'un changement survient dans son environnement, la cellule peut rapidement assurer la régulation fine de l'expression génique sans modifier son mode de transcription: il lui suffit de faire intervenir les mécanismes régulateurs post-transcriptionnels. Nous examinons ici comment les cellules peuvent réguler l'expression génique après la transcription d'un gène.

La maturation de l'ARN

La maturation de l'ARN dans le noyau puis son exportation vers le cytoplasme constituent des étapes soumises à une régulation de l'expression génique (elles n'existent pas chez les cellules procaryotes). Prenons, par exemple, l'**épissage différentiel de l'ARN**, qui a lieu à l'étape de la maturation de celui-ci: des molécules d'ARNm différentes sont produites à partir d'un même transcrit primaire, selon les segments d'ARN qui sont traités comme des exons ou comme des introns **(figure 19.8)**. Les protéines régulatrices caractéristiques d'un type donné de cellules déterminent le choix des introns et des exons en se liant aux séquences régulatrices du transcrit primaire.

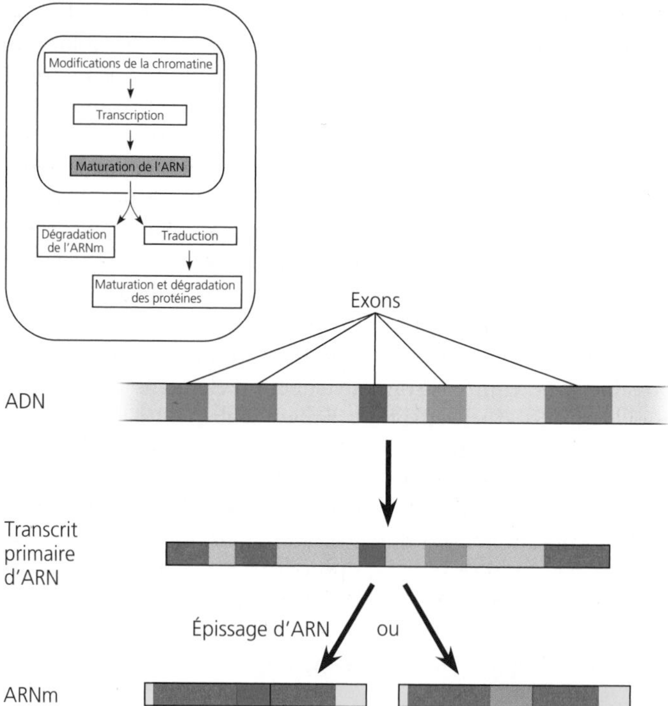

▲ **Figure 19.8 Épissage différentiel de l'ARN.** Les transcrits primaires de certains gènes peuvent être épissés de plusieurs façons, ce qui mène à la création de molécules d'ARNm différentes. Notez que, dans cet exemple, une molécule d'ARNm se retrouve avec l'exon vert, et l'autre, avec l'exon violet pâle. L'épissage différentiel permet à un organisme de produire plusieurs sortes de polypeptides à partir d'un même gène.

La dégradation de l'ARNm

La durée de vie des molécules d'ARNm dans le cytoplasme constitue un facteur de régulation important de la synthèse protéique qui a lieu dans une cellule. Les enzymes dégradent généralement les molécules d'ARNm des Procaryotes quelques minutes seulement après leur synthèse. Cette courte durée de vie est l'une des raisons pour lesquelles les cellules procaryotes ajustent si rapidement leur synthèse protéique aux conditions de leur milieu. Pour leur part, les molécules d'ARNm des Eucaryotes multicellulaires survivent des heures ou des jours, voire des semaines. Par exemple, l'ARNm des polypeptides de l'hémoglobine (α-globine et β-globine) dans les globules rouges en voie de formation a une stabilité peu commune et est traduit un grand nombre de fois.

Des recherches effectuées sur des levures permettent de penser qu'une voie commune de dégradation de l'ARNm commence par la scission enzymatique de la queue poly(A), qui contribue à activer les enzymes retirant la coiffe 5′ (voir la figure 19.5). (Les deux extrémités de l'ARNm peuvent être maintenues ensemble un court instant par les protéines en question.) L'enlèvement de la coiffe constitue une étape critique; il est aussi contrôlé par des séquences nucléotidiques particulières de l'ARNm. Une fois que la coiffe a été retirée, les nucléases dégradent rapidement l'ARNm.

Les séquences nucléotidiques qui influent sur la durée pendant laquelle l'ARNm demeure intact se situent souvent dans la séquence non traduite (UTR), à l'extrémité 3′ de la molécule (voir la figure 19.5). Des chercheurs ont réalisé l'expérience suivante: ils ont prélevé une telle séquence provenant d'un ARNm ayant une courte durée de vie (il était destiné à la synthèse d'un facteur de croissance). Ensuite, ils l'ont insérée à l'extrémité 3′ d'un ARNm de globine normalement stable. Celui-ci a été rapidement dégradé.

Au cours des dernières années, un autre mécanisme qui bloque l'expression de molécules d'ARNm spécifiques a été découvert. Des chercheurs ont trouvé de petites molécules d'ARN monocaténaire appelées **microARN (miARN)**, qui peuvent se lier à des séquences complémentaires de molécules d'ARNm. Les miARN sont formés à partir de précurseurs d'ARN plus longs qui se replient sur eux-mêmes et forment une longue structure bicaténaire en épingle à cheveux retenue par des liaisons hydrogène **(figure 19.9)**. Une enzyme appelée *Dicer* (en anglais, *to dice* signifie « couper en cubes ») coupe la molécule d'ARN bicaténaire en courts fragments. Un des deux brins est dégradé, et l'autre brin (miARN) s'associe avec un gros complexe protéique et agit comme une tête chercheuse, dirigeant le complexe vers toute molécule d'ARNm qui possède la séquence complémentaire. Selon divers facteurs, le complexe miARN-protéine dégrade alors l'ARNm cible ou bloque sa traduction.

L'inhibition de l'expression génique par les molécules d'ARN a été observée la première fois par des biologistes qui ont remarqué que l'injection de molécules d'ARN bicaténaire dans une cellule désactivait d'une façon ou d'une autre un gène ayant la même séquence. On a aussi montré que des molécules d'ARN de virus infectant les Végétaux peuvent être découpées par des enzymes des cellules hôtes et que les fragments produits peuvent servir à reconnaître et à détruire les ARN viraux. Ce phénomène a été appelé **ARN interférence** (ou **ARNi**) et les responsables en sont les **petits ARN interférents** (**pARNi**), des acides nucléiques dont la taille et la fonction sont semblables à celles des miARN. En fait, d'autres recherches ont prouvé que le mécanisme cellulaire qui engendre les pARNi est exactement le même que celui qui produit naturellement les miARN dans la cellule. Le mode de fonctionnement de ces petits ARN s'avère également semblable.

Étant donné que la voie de l'ARNi cellulaire peut conduire à la destruction des ARN dont les séquences sont complémentaires à celles des molécules d'ARN bicaténaire, on croit généralement que ce phénomène est apparu comme une défense naturelle contre l'infection par des virus à ARN. Cependant, la voie d'ARNi qui peut influer sur l'expression des gènes cellulaires admet également d'autres modèles. Quoi qu'il en soit, il est clair que l'ARNi joue un rôle important dans la régulation de l'expression génique.

L'initiation de la traduction

La traduction présente une autre possibilité de régulation de l'expression génique ; cette régulation se produit plus généralement au stade de l'initiation (voir la figure 17.17). L'initiation de la traduction de certains ARNm peut être suspendue par des protéines régulatrices, qui se lient à des segments ou à des structures spécifiques de la séquence non traduite située à l'extrémité 5′ (5′UTR) de l'ARNm. Cela empêche les ribosomes de se fixer à l'ARNm. Un mécanisme différent bloque la traduction dans une variété d'ARNm présents dans les ovules de nombreux organismes : ces ARN entreposés n'ont pas de queues poly(A) d'une taille suffisante pour permettre l'initiation de la traduction. Au moment voulu au cours du développement embryonnaire, une enzyme cytoplasmique ajoute plus de bases A, ce qui permet à la traduction de commencer.

Autrement, la régulation de la traduction de l'*ensemble* des ARNm d'une cellule peut s'effectuer simultanément. Chez les cellules eucaryotes, la régulation « globale » de ce type met habituellement en jeu l'activation ou l'inactivation d'un ou de plusieurs des facteurs protéiques nécessaires à l'initiation de la traduction. Ce mécanisme joue également un rôle dans le début de la traduction des ARN entreposés dans les ovules. Immédiatement après la fécondation, la traduction est déclenchée par l'activation soudaine des facteurs d'initiation de la traduction. Il en résulte une augmentation brutale de la synthèse de protéines codées par les ARNm entreposés. Quelques espèces de plantes supérieures et d'algues entreposent les ARNm durant les périodes d'obscurité ; la lumière déclenche alors la réactivation du mécanisme de traduction.

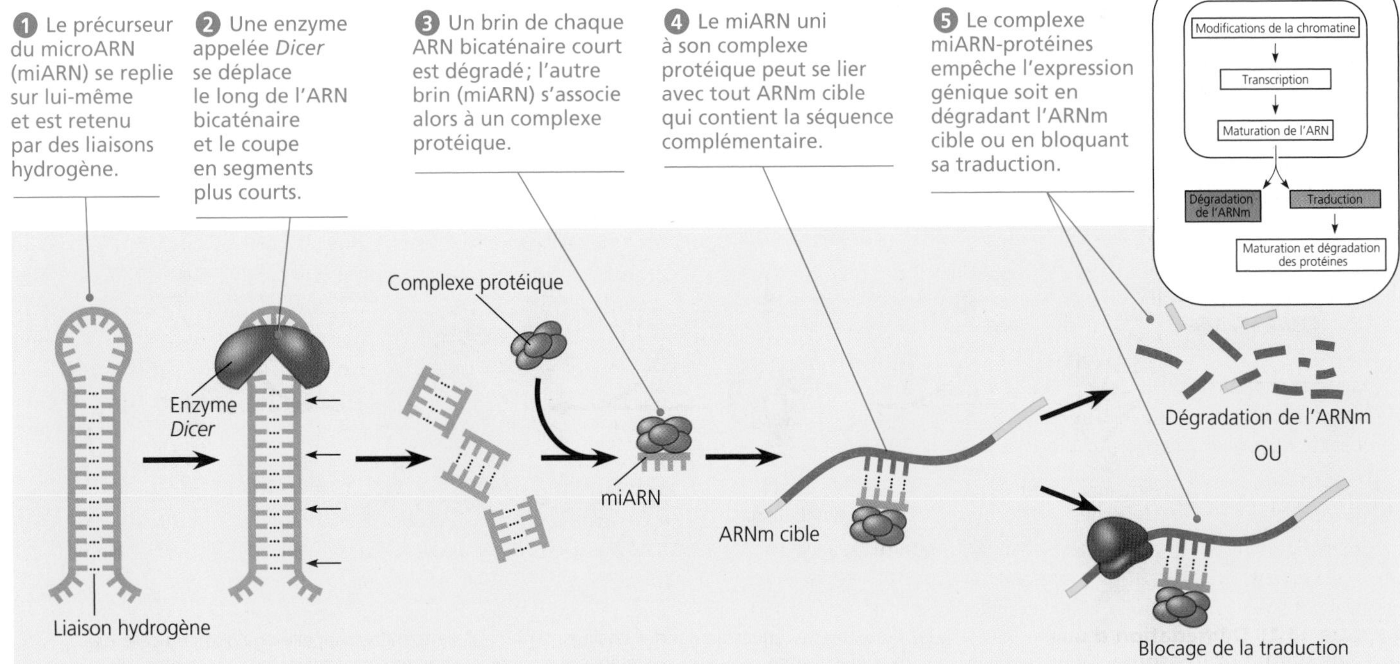

1 Le précurseur du microARN (miARN) se replie sur lui-même et est retenu par des liaisons hydrogène.
2 Une enzyme appelée Dicer se déplace le long de l'ARN bicaténaire et le coupe en segments plus courts.
3 Un brin de chaque ARN bicaténaire court est dégradé ; l'autre brin (miARN) s'associe alors à un complexe protéique.
4 Le miARN uni à son complexe protéique peut se lier avec tout ARNm cible qui contient la séquence complémentaire.
5 Le complexe miARN-protéines empêche l'expression génique soit en dégradant l'ARNm cible ou en bloquant sa traduction.
Modifications de la chromatine
Transcription
Maturation de l'ARN
Dégradation de l'ARNm
Traduction
Maturation et dégradation des protéines
Complexe protéique
Enzyme Dicer
miARN
ARNm cible
Liaison hydrogène
Dégradation de l'ARNm
OU
Blocage de la traduction

▲ **Figure 19.9 Régulation de l'expression génique par les microARN (miARN).** Les transcrits d'ARN provenant des gènes qui codent pour les miARN sont transformés en miARN qui empêchent l'expression d'ARNm complémentaires (on croit que les pARNi sont produits et fonctionnent de la même façon).

La maturation et la dégradation des protéines

La dernière étape où la régulation de l'expression génique peut s'exercer a lieu après la traduction. Chez les Eucaryotes, les polypeptides doivent souvent subir une maturation avant de devenir des protéines fonctionnelles. Par exemple, c'est le clivage du polypeptide initial de l'insuline (proinsuline) qui aboutit à la formation d'une hormone active; dans d'autres cas, c'est le repliement de la protéine qui lui permettra d'effectuer ses fonctions. Les protéines peuvent aussi subir un mécanisme d'épissage: ce phénomène était connu chez les Végétaux et les Procaryotes et il vient d'être récemment mis en évidence dans des cellules de Mammifères. De plus, de nombreuses protéines ne peuvent être fonctionnelles que si elles sont modifiées chimiquement. Ainsi, les protéines régulatrices sont souvent activées ou inactivées par l'ajout réversible de groupements phosphate; de même, des glucides doivent être ajoutés aux protéines destinées à la face externe des membranes plasmiques animales. Ces dernières (et de nombreuses autres) ne peuvent être fonctionnelles que si elles sont transportées vers des sites précis de la cellule. La régulation peut s'exercer à n'importe quelle étape de la modification (qui peut être permanente ou réversible) ou du transport des protéines.

Enfin, la durée de vie des protéines normales dans la cellule est strictement limitée par une dégradation sélective. De nombreuses protéines, comme les cyclines régulant le cycle cellulaire, doivent avoir une durée de vie relativement courte pour permettre à la cellule de fonctionner de façon adéquate (voir la figure 12.16). La cellule marque souvent celles qui doivent être détruites en leur ajoutant des molécules d'ubiquitine (petite protéine). Des complexes protéiques géants appelés **protéasomes** reconnaissent cette dernière et dégradent la protéine ainsi marquée **(figure 19.10)**. On a découvert que les mutations qui rendent les protéines du cycle cellulaire insensibles à cette forme de dégradation peuvent déclencher le cancer; cela permet de mieux comprendre l'importance des protéasomes.

Retour sur le concept 19.2

1. En général, quelle influence l'acétylation des histones et la méthylation de l'ADN exercent-elles sur l'expression génique?
2. Comparez les rôles des facteurs de transcription généraux et spécifiques dans la régulation de l'expression génique.
3. Que doit-on s'attendre à trouver dans les amplificateurs de trois gènes à régulation coordonnée si l'on compare les séquences nucléotidiques des éléments de contrôle distaux? Pourquoi?
4. Lorsqu'un ARNm codant pour une protéine donnée atteint le cytoplasme, quatre mécanismes permettent de réguler la quantité de protéine active dans la cellule. Quels sont-ils?

Voir les réponses proposées à la fin du chapitre.

Concept 19.3

Le cancer résulte de modifications génétiques qui altèrent la régulation du cycle cellulaire

Au chapitre 12, vous avez vu que le terme *cancer* fait référence à un ensemble de maladies dans lesquelles les cellules échappent aux mécanismes de régulation limitant normalement leur croissance. Maintenant que vous connaissez les fondements moléculaires de l'expression génique et de sa régulation, vous êtes prêt à étudier le cancer plus en détail. Les systèmes de régulation du gène qui tombent en panne pendant un cancer sont tout à fait

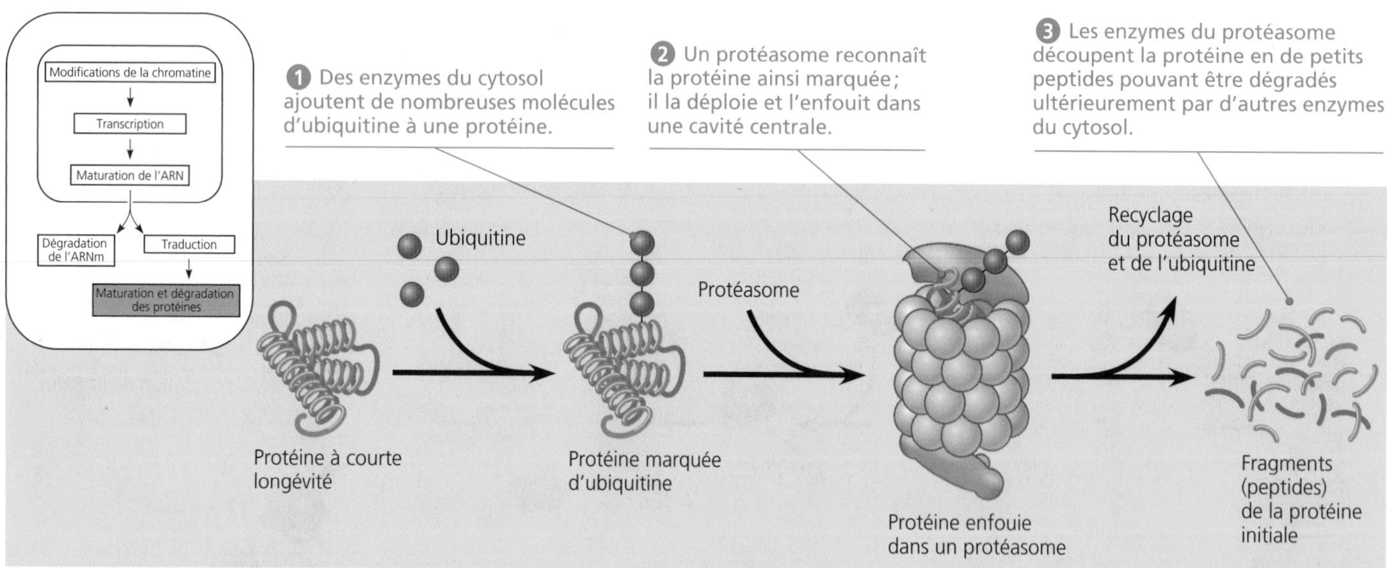

▲ **Figure 19.10 Dégradation d'une protéine par un protéasome.** Un protéasome est un énorme complexe protéique dont la forme rappelle celle d'un tonneau. Sa fonction est de découper les protéines inutiles qui se trouvent dans la cellule. Dans la plupart des cas, il attaque les protéines marquées de courtes chaînes d'ubiquitine (petite protéine). Les étapes 1 et 3 nécessitent la présence d'ATP. Les protéasomes des cellules eucaryotes sont aussi massifs que les sous-unités ribosomiques et ils sont dispersés dans l'ensemble de la cellule. Leur forme de tonneau rappelle quelque peu celle des chaperonines, ces complexes protéiques qui protègent la conformation de la protéine au lieu de la détruire (voir la figure 5.23).

les mêmes qui jouent des rôles importants dans le développement de l'embryon, la réponse immunitaire et une foule d'autres processus biologiques. Par conséquent, les recherches portant sur les fondements moléculaires du cancer ont tiré profit de nombreux autres domaines de la biologie et les ont documentés.

Les types de gènes associés au cancer

En temps normal, les gènes qui assurent la régulation de la croissance et de la division de la cellule (le cycle cellulaire) comprennent les gènes associés aux facteurs de croissance, leurs récepteurs et les molécules intracellulaires des voies de signalisation. (Pour réviser le cycle cellulaire, reportez-vous au chapitre 12.) Les mutations qui altèrent ces gènes dans les cellules somatiques peuvent mener au cancer. C'est le cas, notamment, des mutations aléatoires spontanées. Il est aussi probable que de nombreuses mutations causant le cancer sont attribuables à des facteurs environnementaux, tels que les produits chimiques cancérogènes, les rayons X et certains Virus.

L'une des premières percées dans le domaine du cancer a été réalisée en 1911, lorsque Peyton Rous a découvert un Virus qui cause le cancer chez le poulet. Depuis cette époque, les scientifiques ont trouvé de nombreux *Virus oncogènes* capables de provoquer l'apparition d'un cancer chez divers Animaux, dont les humains (voir le tableau 18.1, p. 371). Le virus Epstein-Barr, un herpès-virus qui cause une mononucléose infectieuse, a été relié à plusieurs types de cancer, notamment au lymphome de Burkitt. Les virus du papillome (du groupe des papovavirus) sont associés au cancer du col de l'utérus. Un des rétrovirus appelé *HTLV-1* (virus du lymphome humain à cellules T de type 1) entraîne une sorte de leucémie chez l'adulte. Tous les virus oncogènes transforment les cellules en cellules cancéreuses en insérant l'acide nucléique viral dans l'ADN de la cellule hôte.

Les oncogènes et les proto-oncogènes

Les recherches sur les tumeurs déclenchées par des Virus ont mené à la découverte de gènes cancérogènes, les **oncogènes** (du grec *onkos*, « grosseur », « tumeur »), chez certains rétrovirus. Plus tard, on a trouvé des parents proches de ces oncogènes dans le génome des humains et des autres Animaux. On connaît actuellement une centaine d'oncogènes. Les gènes cellulaires normaux, appelés **proto-oncogènes**, codent pour des protéines stimulant une croissance et une division normales de la cellule.

Comment un proto-oncogène (un gène qui a une fonction essentielle dans la cellule normale) peut-il devenir un oncogène, c'est-à-dire un gène provoquant le cancer ? D'une manière générale, un oncogène apparaît sous l'effet d'une modification génétique menant à l'accroissement de la quantité de protéines codées par le proto-oncogène ou de l'activité intrinsèque de chaque protéine. Il existe trois modes principaux de transformation d'un proto-oncogène en oncogène : le déplacement d'ADN dans le génome, l'amplification d'un proto-oncogène et la mutation ponctuelle d'un élément de contrôle ou du proto-oncogène lui-même **(figure 19.11)**.

En ce qui a trait au premier mode, on constate souvent que les cellules cancéreuses ont subi des translocations : certains de leurs chromosomes se sont brisés et reconstitués de façon erronée, de telle sorte que les fragments des chromosomes cassés ont été transférés sur d'autres chromosomes (voir l'exemple du chromosome de Philadelphie à la figure 15.16). Si un proto-oncogène qui a subi une translocation se retrouve dans une position adjacente à un promoteur (ou à un autre élément de contrôle) particulièrement actif, il augmente sa vitesse de transcription, ce qui en fait un oncogène. Le déplacement d'éléments transposables peut également placer un promoteur plus actif près d'un proto-oncogène, ce qui augmente son expression. (Les éléments transposables des Eucaryotes sont décrits plus loin dans le présent chapitre.) Le deuxième mode de transformation génétique, l'amplification génique, mène à l'accroissement du nombre de copies du proto-oncogène dans la cellule. Le troisième mode est la mutation ponctuelle soit dans le promoteur ou un amplificateur qui contrôle un proto-oncogène, ce qui cause une augmentation de son expression, soit dans la séquence codante, ce qui implique la transformation de la protéine produite par le gène en une substance plus active ou plus résistante à la dégradation. Tous ces mécanismes risquent de provoquer une stimulation anormale du cycle cellulaire et de prédisposer la cellule en question à devenir cancéreuse.

Les gènes suppresseurs de tumeurs

Les cellules ne contiennent pas que les gènes dont les produits favorisent normalement la division cellulaire. Elles contiennent

▼ Figure 19.11 Modifications génétiques pouvant transformer un proto-oncogène en oncogène.

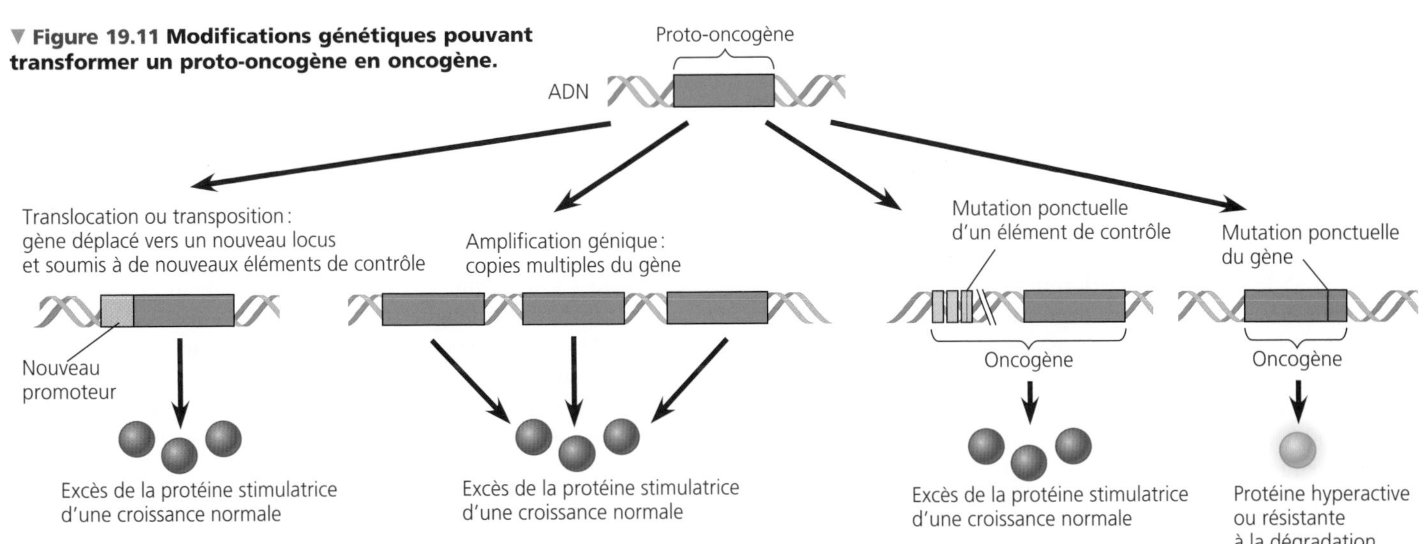

aussi des gènes dont les produits normaux *inhibent* la division cellulaire. Les gènes en question sont appelés **gènes suppresseurs de tumeurs**, parce que les protéines pour lesquelles ils devraient coder contribuent à empêcher une croissance cellulaire anarchique. Toute mutation entraînant la diminution de l'activité normale d'une protéine de suppression des tumeurs risque de déclencher un cancer, du fait que la croissance cellulaire est stimulée par l'absence de contrôle.

Les protéines produites par les gènes suppresseurs de tumeurs ont diverses fonctions. Certaines servent normalement à réparer l'ADN endommagé, une fonction qui empêche la cellule d'accumuler des mutations cancérogènes. D'autres régulent la liaison des cellules entre elles ou leur fixation à une matrice extracellulaire. (L'ancrage cellulaire joue un rôle crucial dans la plupart des tissus et est souvent absent dans les cancers.) D'autres enfin interviennent dans les voies de transduction des stimulus inhibant le cycle cellulaire.

Le dérèglement du fonctionnement des voies normales de transduction des stimulus cellulaires

Les protéines codées par de nombreux proto-oncogènes et les gènes de suppression des tumeurs sont des composantes des voies de transduction des stimulus cellulaires. Regardons plus en détail le mode de fonctionnement de ces protéines dans les cellules normales et examinons ce qui leur fait défaut dans les cellules cancéreuses. Considérons plus précisément deux gènes clés, le proto-oncogène *Ras* (d'abord découvert sur des rats ayant développé un sarcome ou cancer du tissu conjonctif; par convention, on écrit *RAS* pour désigner la version humaine de ce gène) et le gène suppresseur de tumeurs *p53*. Les mutations de *Ras* surviennent dans environ 30 % des cas de cancers humains; celles de *p53* dans plus de 50 %.

Ras est une protéine G, codée par le **gène *Ras***, qui transmet un stimulus d'un récepteur de facteurs de croissance situé sur la membrane plasmique à une cascade de protéines kinases. La réponse cellulaire déclenchée par cette voie est la synthèse d'une protéine stimulant le cycle cellulaire **(figure 19.12a)**. Normalement, une voie de cette nature ne peut être mise en marche que par le facteur de croissance approprié. Cependant, certaines mutations dans le gène *Ras* mènent à la production d'une protéine Ras hyperactive qui déclenche la cascade de kinases; il en résulte une augmentation du rythme de la division cellulaire, et ce, même en l'absence de tout facteur de croissance. En fait, que la cellule comporte des protéines devenues hyperactives ou des quantités excessives de n'importe quelle composante de cette voie, le résultat est le même: les divisions cellulaires se produisent à un rythme accéléré.

La **figure 19.12b** illustre une voie dans laquelle le stimulus mène à la synthèse d'une protéine stoppant le cycle cellulaire. Dans ce cas, le stimulus est le dommage causé à l'ADN de la cellule, peut-être à la suite d'une exposition au rayonnement ultraviolet. La mise en marche de cette voie bloque le cycle cellulaire jusqu'à ce que l'ADN endommagé soit réparé. Autrement, les dommages pourraient contribuer à la formation de tumeurs en provoquant des mutations ou des anomalies chromosomiques. Par conséquent, les gènes des composantes de cette voie sont des gènes suppresseurs de tumeurs. La protéine codée par le gène *p53* de type sauvage est un facteur de transcription spécifique stimulant la synthèse des protéines d'inhibition du cycle cellulaire. C'est pour cette raison qu'une mutation qui rend le gène *p53* non fonctionnel, autant qu'une mutation qui favorise la synthèse d'une protéine Ras hyperactive, peut mener à une croissance cellulaire excessive et à la formation d'une tumeur **(figure 19.12c)**.

Le gène qui porte le nom de ***p53*** (la masse moléculaire de la protéine qu'il produit étant de 53 000 u) est souvent qualifié d'*ange gardien du génome*. Une fois activée, par exemple par les dommages infligés à l'ADN d'une cellule, la protéine p53 devient un activateur de plusieurs gènes. Elle agit donc toujours en se liant à l'ADN. Elle active souvent un autre gène, appelé *p21*, dont le produit interrompt le cycle cellulaire en se liant aux kinases dépendantes des cyclines. Cela laisse à la cellule le temps de réparer son ADN. La protéine p53 peut également activer des gènes qui contribuent directement à la réparation de l'ADN. Lorsque les dommages subis par ce dernier sont irréparables, p53 active les gènes de «suicide», dont les produits protéiques tuent la cellule par un processus appelé *apoptose* (voir la figure 21.18). Ainsi, lorsque l'ADN d'une cellule est endommagé, p53 agit d'au moins trois façons pour empêcher celle-ci de transmettre les mutations. Si les mutations s'accumulent et si la cellule survit à de nombreuses divisions (ce qui est plus que probable quand le gène suppresseur de tumeurs *p53* est défectueux ou absent), un cancer peut apparaître.

Le modèle d'apparition du cancer suivant des étapes multiples

Pour qu'un cancer se développe, il faut que plusieurs facteurs, de différente nature, interviennent. Sur le plan strictement génétique, il faut généralement qu'un certain nombre de mutations somatiques se produisent pour que tous les changements caractéristiques d'une véritable cellule cancéreuse se produisent. Cela pourrait expliquer en partie la raison pour laquelle l'incidence du cancer s'accroît beaucoup avec l'âge. Si cette maladie est le résultat d'une accumulation de mutations et si ces dernières apparaissent au cours de l'existence, alors plus nous vivons longtemps, plus nous risquons d'avoir le cancer.

Le modèle d'apparition de cette maladie suivant des étapes multiples est corroboré par des études portant sur le cancer colorectal, l'un des cancers humains les mieux compris. Chaque année, on diagnostique environ 17 000 nouveaux cas de cancers de ce type au Canada, et on enregistre environ 6 500 décès dans le même intervalle; en France, où 35 000 nouveaux cas sont déclarés tous les ans, c'est le type de cancer le plus répandu. Selon l'Institut national du cancer du Canada, c'est la deuxième cause la plus fréquente de décès attribuables à cette maladie. À l'instar de la plupart des cancers, le cancer colorectal apparaît graduellement **(figure 19.13)**. Le premier signe est souvent un polype, soit une petite excroissance bénigne de l'épithélium du côlon. Les cellules du polype ont une apparence normale, mais elles se divisent à une fréquence inhabituelle. La tumeur grossit et peut finir par devenir maligne et envahir d'autres tissus. L'apparition d'une tumeur maligne s'accompagne d'une accumulation graduelle de mutations transformant les proto-oncogènes en oncogènes et rendant les gènes suppresseurs de tumeurs non fonctionnels. Un oncogène *Ras* et un gène suppresseur de tumeurs muté *p53* entrent souvent en jeu.

L'ADN doit subir une demi-douzaine de changements environ avant que la cellule devienne entièrement cancéreuse. Ces changements comprennent habituellement l'apparition d'au

(a) Voie d'activation du cycle cellulaire. Cette voie est déclenchée par ① un facteur de croissance qui se lie à ② son récepteur dans la membrane plasmique. Le stimulus est transmis à ③ une protéine G appelée Ras. Comme toutes les protéines G, la protéine Ras est active lorsqu'elle est liée à une molécule de GTP. Ras transmet l'information à ④ une série de protéines kinases. La dernière kinase active ⑤ un facteur de transcription, qui active à son tour un ou plusieurs gènes codant pour des protéines. Celles-ci stimulent le cycle cellulaire. Si Ras (ou toute autre composante de la voie) devient anormalement active à l'issue d'une mutation, il peut en résulter une division cellulaire excessive et la formation d'une tumeur.

① Facteur de croissance
MUTATION
La protéine Ras hyperactive (produit de l'oncogène) émet son propre stimulus.
Ras
GTP
③ Protéine G
② Récepteur
P
④ Protéines kinases (cascade de phosphorylations)
NOYAU
⑤ Facteur de transcription (activateur)
ADN
Expression du gène
Protéine **stimulant** le cycle cellulaire

(b) Voie d'inhibition du cycle cellulaire. Dans cette voie, ① un dommage causé à l'ADN est un stimulus intracellulaire qui passe par l'intermédiaire de ② protéines kinases et mène à l'activation de ③ p53. La protéine p53 activée facilite la transcription du gène pour une protéine qui inhibe le cycle cellulaire. La suppression de la division cellulaire qui en résulte empêche l'ADN endommagé de se répliquer. Les mutations aboutissant à l'anomalie d'une des composantes de cette voie peuvent mener au cancer.

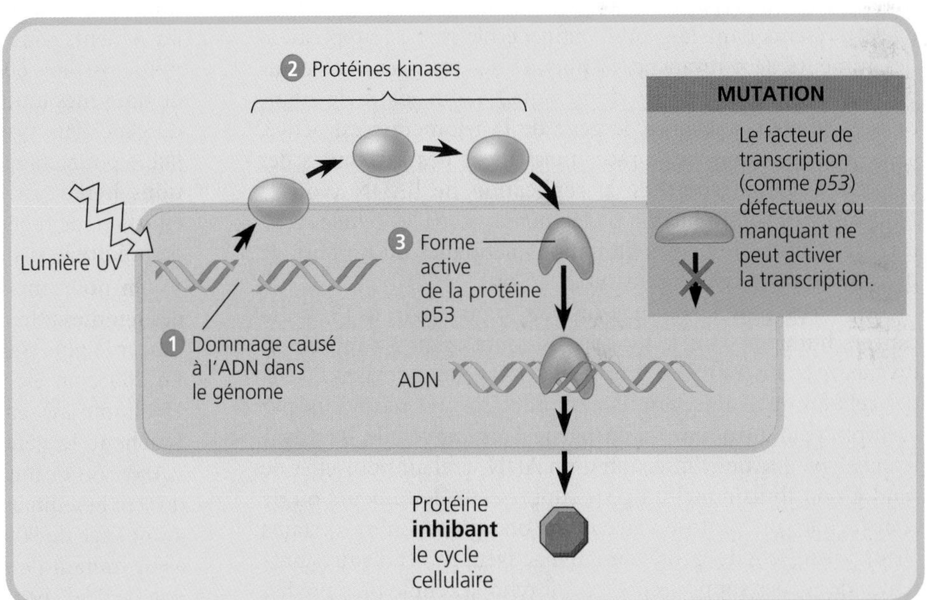

(c) Effets des mutations. Si le cycle cellulaire subit une stimulation excessive (comme en a), ou s'il n'est pas inhibé alors qu'il devrait l'être (comme en b), le résultat est le même : les divisions cellulaires se produisent à un rythme accéléré, ce qui risque de mener au cancer.

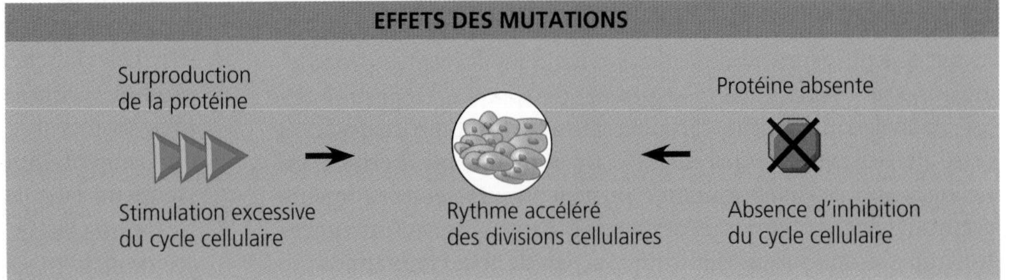

▲ **Figure 19.12 Voies de transduction du stimulus qui régulent la division cellulaire.** Le cycle cellulaire est contrôlé par des voies d'activation aussi bien que par des voies d'inhibition. Ces voies agissent souvent à l'étape de la transcription. Les anomalies qui les touchent, et d'autres facteurs, peuvent entraîner l'apparition d'un cancer.

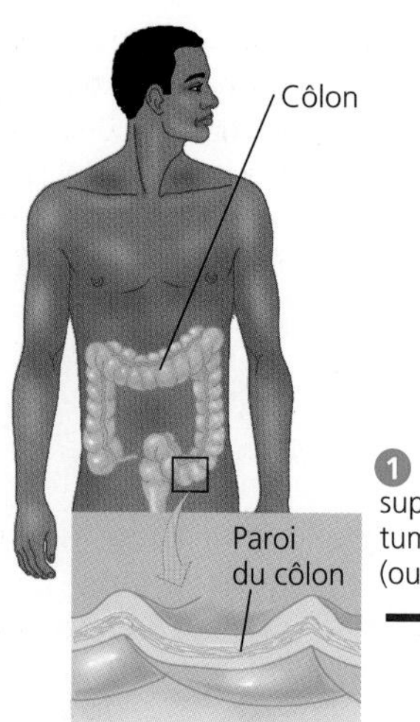

Cellules épithéliales normales du côlon

❶ Perte du gène suppresseur de tumeurs *PAC* (ou d'un autre)

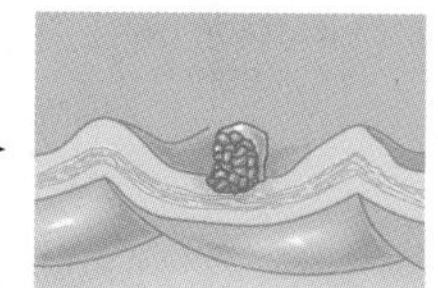

Petite excroissance bénigne (polype)

❷ Activation de l'oncogène *Ras*

❸ Perte du gène suppresseur de tumeurs *DOCC*

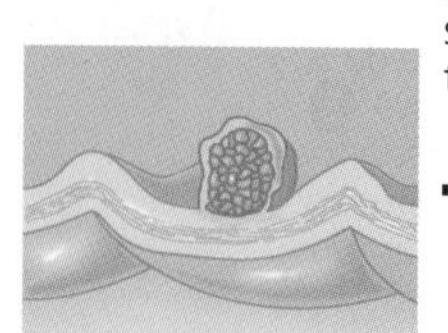

Excroissance bénigne plus grosse (adénome)

❹ Perte du gène suppresseur de tumeurs *p53*

❺ Autres mutations

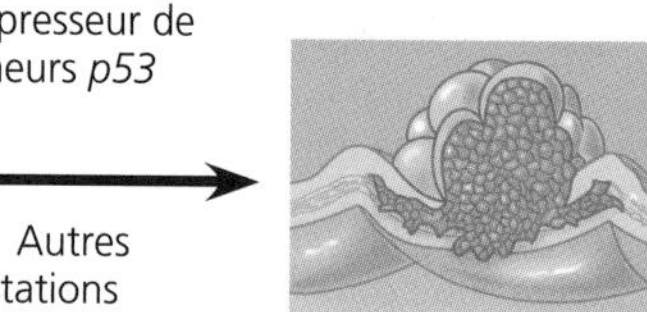

Tumeur maligne (carcinome)

▼ **Figure 19.13 Modèle d'apparition du cancer colorectal suivant des étapes multiples.** Ce cancer, qui touche le côlon, le rectum ou ces deux parties du gros intestin, est l'un des mieux compris. L'apparition d'une tumeur s'accompagne d'une série de modifications génétiques, dont des mutations touchant plusieurs gènes suppresseurs de tumeurs (tels que *p53*) ainsi que le proto-oncogène *Ras*. Les mutations qui touchent des gènes suppresseurs de tumeurs entraînent souvent la perte (délétion) de ces gènes. *PAC* signifie « polypose adénomateuse colique ». Le sigle *DOCC*, qui figure à l'étape 3, signifie « délétion à l'origine du cancer colorectal ». D'autres séquences de mutations peuvent également mener au cancer.

moins un oncogène actif ainsi que la mutation ou la perte de plusieurs gènes suppresseurs de tumeurs; en outre, pour que les cellules tumorales deviennent malignes et envahissent les tissus environnants, des gènes appartenant à d'autres classes doivent aussi intervenir. De plus, comme les allèles mutants des suppresseurs de tumeurs sont habituellement récessifs, les mutations doivent dans la plupart des cas rendre non fonctionnels les *deux allèles* présents dans le génome afin de bloquer la suppression des tumeurs. (En revanche, la plupart des oncogènes se comportent comme des allèles dominants.) Enfin, dans de nombreuses tumeurs malignes, le gène de la télomérase est activé. Cette enzyme empêche le raccourcissement des extrémités des chromosomes au cours de la réplication de l'ADN (voir la figure 16.19). La production de télomérase dans les cellules cancéreuses élimine l'une des limitations naturelles du nombre de divisions qu'une cellule peut subir.

Les Virus semblent jouer un rôle dans environ 15 % des cancers humains dans le monde. Ils contribuent à l'apparition du cancer en insérant leur propre matériel génétique dans l'ADN des cellules qu'ils infectent. Par ce processus, un rétrovirus, par exemple, peut introduire un oncogène dans une cellule. Il est également possible que l'insertion d'un ADN viral ait pour effet de rendre non fonctionnel un gène suppresseur de tumeurs ou de transformer un proto-oncogène en oncogène. Enfin, certains Virus produisent des protéines qui inactivent *p53* et d'autres protéines des gènes suppresseurs, ce qui rend la cellule plus prédisposée à devenir cancéreuse.

La prédisposition héréditaire au cancer

Le fait que plusieurs modifications génétiques doivent se produire avant qu'un cancer apparaisse permet d'expliquer en partie l'observation selon laquelle certaines familles sont prédisposées à cette maladie. Les probabilités qu'un individu qui hérite d'un oncogène ou de l'allèle mutant d'un gène suppresseur de tumeurs accumule les mutations nécessaires à l'apparition d'un cancer sont plus grandes que celui qui n'a pas de telles mutations; le premier a déjà franchi une ou quelques étapes du processus.

Les généticiens font actuellement beaucoup d'efforts pour déterminer les allèles héréditaires du cancer; la détection de ceux-ci permettrait de savoir assez tôt dans la vie qui est prédisposé à certains cancers. Environ 15 % des cancers colorectaux, par exemple, font intervenir des mutations héréditaires. Beaucoup de ces mutations touchent les gènes de réparation de l'ADN. Beaucoup d'autres affectent un gène suppresseur de tumeurs appelé *polypose adénomateuse colique*, ou *PAC* (voir la figure 19.13). Celui-ci a des fonctions multiples dans la cellule; il régule notamment la migration et l'adhérence cellulaires. Même chez les patients sans antécédents familiaux, le gène *PAC* subit une mutation dans 60 % des cancers colorectaux. Chez ces personnes, de nouvelles mutations doivent se produire dans les deux allèles du gène *PAC* avant que sa fonction soit perdue. Étant donné le faible pourcentage des cancers colorectaux associés à des mutations héréditaires connues, les chercheurs poursuivent leurs efforts pour repérer des « marqueurs » qui pourraient permettre de prédire le risque d'apparition de ce type de cancer.

On note une forte prédisposition héréditaire chez 5 à 10 % des femmes atteintes du cancer du sein. C'est le premier type de cancer le plus souvent diagnostiqué chez les femmes au Canada. En 2005, on estime qu'il a touché environ 21 600 femmes (et 150 hommes), et qu'environ 5 300 en mourront. Des mutations touchent le gène *BRCA1* ou *BRCA2* (*BRCA* signifie *BReast CAncer* ou « cancer du sein ») dans environ la moitié des cancers du sein héréditaires. La probabilité d'apparition du cancer du sein avant l'âge de 50 ans est de 60 % chez la femme qui a hérité d'un allèle mutant de *BRCA1*; en comparaison, cette probabilité n'est que de 2 % chez un individu homozygote pour l'allèle normal. Ces deux gènes (*BRCA1* et *BRCA2*) sont considérés comme des suppresseurs de tumeurs, car leurs allèles de type sauvage protègent contre le cancer du sein et leurs allèles mutants sont récessifs. Les chercheurs n'ont pas encore déterminé la nature des produits normaux de ces gènes dans la cellule. Cependant, des preuves récentes portent à croire que la protéine de *BRCA2* est directement impliquée dans la réparation des dommages qui surviennent dans les deux brins de l'ADN.

L'étude de ces gènes ainsi que d'autres gènes associés à un cancer dont la prédisposition est héréditaire débouchera peut-être sur de nouvelles méthodes de diagnostic précoce et de traitement de toutes les formes de cancer. Cette étude accroît également notre compréhension des processus normaux de la régulation du génome.

Retour sur le concept 19.3

1. Comparez les fonctions habituelles des protéines codées par un proto-oncogène et de celles qui sont codées par un gène suppresseur de tumeurs.
2. Expliquez la différence entre les types de mutations qui aboutissent à l'apparition d'un cancer selon qu'elles surviennent dans un proto-oncogène ou un gène suppresseur de tumeurs.
3. Dans quelles circonstances peut-on considérer qu'un cancer possède une composante héréditaire?

Voir les réponses proposées à la fin du chapitre.

Concept 19.4

En plus des gènes, de nombreuses séquences d'ADN non codantes forment les génomes des Eucaryotes

Dans la majeure partie du chapitre et, en fait, de la présente partie, nous avons mis l'accent sur les gènes qui codent pour des protéines. Pourtant, les régions codantes de ces gènes et les gènes pour les ARN comme l'ARNr et l'ARNt ne constituent qu'une petite partie du génome de la plupart des Eucaryotes multicellulaires. La majeure partie de la plupart de ces génomes consiste en des séquences d'ADN non codantes, souvent décrites dans le passé par le terme *ADN égoïste.* Cependant, de nombreuses preuves démontrent que l'ADN non codant joue un rôle important dans la cellule, concept corroboré par sa persistance dans divers génomes sur des centaines de générations. Dans la présente section, nous allons examiner la répartition des gènes et des séquences non codantes d'ADN dans les génomes des Eucaryotes; le génome humain nous servira de principal exemple. La structure du génome nous renseigne beaucoup sur la façon dont les génomes sont apparus et continuent à évoluer; nous aborderons ce sujet dans la dernière section du chapitre.

La relation entre la composition génomique et la complexité des organismes

Plusieurs tendances semblent évidentes quand on compare les génomes des Procaryotes et ceux des Eucaryotes, y compris les groupes plus complexes comme les Mammifères. Bien qu'il y ait des exceptions, on trouve une progression générale, les génomes plus petits devenant plus gros, mais contenant moins de gènes dans une longueur donnée d'ADN. Par exemple, les humains possèdent de 500 à 1 000 fois plus de paires de bases dans leurs génomes que les Procaryotes, mais, en moyenne, seulement 5 à 15 fois plus de gènes (donc, beaucoup moins de gènes dans une longueur donnée d'ADN).

Chez les Procaryotes, la plus grande partie de l'ADN du génome code pour des protéines, de l'ARNt ou de l'ARNr; les petites quantités d'ADN non codant sont principalement constituées de séquences régulatrices, comme les promoteurs. De plus, le segment nucléotidique codant des gènes de Procaryote est ininterrompu (sans introns). Dans le génome des Eucaryotes, par contre, la plus grande partie de l'ADN ne code *ni* pour des protéines *ni* pour de l'ARN et il comporte des séquences régulatrices plus complexes. En fait, les humains possèdent 10 000 fois plus d'ADN non codant que les Procaryotes. Une partie de l'ADN non codant chez les Eucaryotes multicellulaires est présent sous forme d'introns dans le gène. En réalité, la majeure partie de la différence dans la longueur moyenne entre les gènes des humains (27 000 paires de bases) et ceux des Procaryotes (1 000 paires de bases) est attribuable aux introns.

Maintenant que la séquence complète du génome humain est connue, nous savons ce qui constitue la majeure partie des 98,5 % qui ne codent pas pour les protéines, les ARNr ou les ARNt **(figure 19.14)**. Les séquences régulatrices et les introns apparentés aux gènes représentent 24 % du génome humain. Les autres séquences, situées entre les gènes fonctionnels, comportent un ADN non codant unique, tels des fragments de gènes et des gènes non fonctionnels ayant subi des mutations. Presque toute la région intergénique, toutefois, est formée d'**ADN répétitif**, c'est-à-dire d'un grand nombre de copies de séquences nucléotidiques qui se trouvent dans le génome. Il est plutôt surprenant de constater qu'environ les trois quarts de cet ADN répétitif (44 % de l'ensemble du génome humain) sont formés d'éléments transposables et de séquences qui leur sont apparentées.

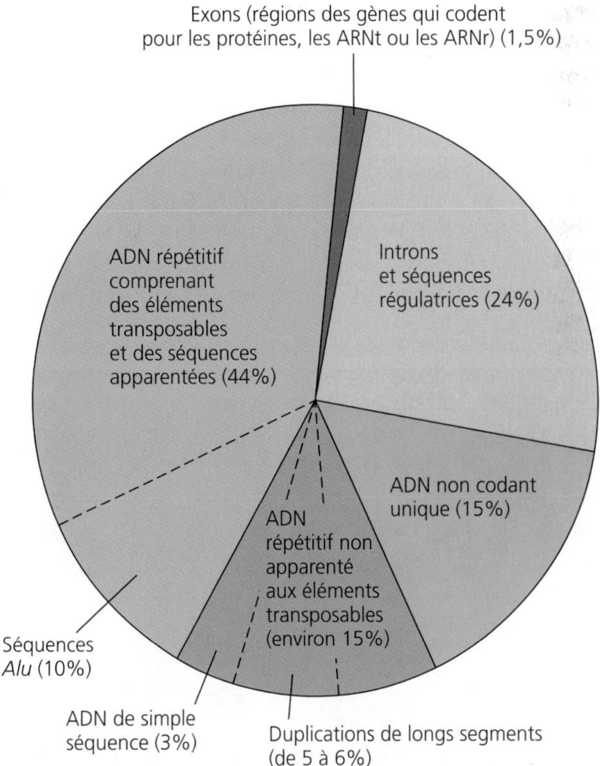

▲ **Figure 19.14 Types de séquences d'ADN dans le génome humain.** Les séquences codantes dans les gènes (violet foncé) ne forment que 1,5 % du génome humain, alors que les introns et les séquences régulatrices associés aux gènes (violet pâle) en forment le quart. La majeure partie du génome humain ne code pas pour les protéines ou les ARN; une bonne part de ce dernier est constituée d'ADN répétitif (vert foncé et vert pâle). Comme l'ADN répétitif est le plus difficile à séquencer et à analyser, la classification de certaines portions n'est qu'un essai, et les pourcentages donnés pourront varier légèrement au fur et à mesure que l'analyse du génome se poursuit.

Les éléments transposables et les séquences apparentées

Il semble que tous les organismes possèdent des portions d'ADN capables de se déplacer d'un endroit à un autre dans le génome; chez certaines plantes, ces portions mobiles d'ADN peuvent constituer jusqu'à 75 % du génome. Au chapitre 18, nous avons décrit les éléments transposables chez les Procaryotes; ces éléments peuvent être la source des Virus au cours de l'évolution. Cependant, la première démonstration de l'existence de tels segments d'ADN mobiles n'a pas été faite grâce à des expériences sur les Procaryotes; elle a plutôt été fournie par la généticienne américaine Barbara McClintock, alors qu'elle effectuait des expériences de croisement sur le maïs (*Zea mays*) pendant les années 1940 et la décennie suivante **(figure 19.15)**. La scientifique a relevé des changements de couleur de grains de maïs qui ne pouvaient s'expliquer que par l'existence d'éléments génétiques mobiles, capables d'influer sur les gènes de la couleur des grains à partir d'autres emplacements dans le génome. La découverte de Barbara McClintock est passée presque inaperçue pendant de nombreuses années, jusqu'à ce qu'on trouve également des éléments transposables chez les Bactéries et que des spécialistes de la génétique des microorganismes comprennent mieux les fondements moléculaires de ce phénomène.

Le déplacement des transposons et des rétrotransposons

Il existe deux types d'éléments transposables eucaryotes: les **transposons**, qui se déplacent à l'intérieur d'un génome par l'intermédiaire d'un ADN, et les **rétrotransposons**, qui sont transportés à l'intérieur du génome par l'intermédiaire d'un ARN. Celui-ci est une transcription de l'ADN du rétrotransposon. Les transposons peuvent se déplacer grâce à un mécanisme de type « couper-coller », qui enlève l'élément du site original, ou de type « copier-coller », qui laisse une copie au site original **(figure 19.16a)**.

Les rétrotransposons laissent toujours une copie au site original au cours de la transposition, étant donné qu'ils sont initialement transcrits en un intermédiaire d'ARN **(figure 19.16b)**. Pour pouvoir s'introduire dans un autre site, l'intermédiaire d'ARN doit être reconverti en ADN par la transcriptase inverse, une enzyme qui est encodée dans le rétrotransposon lui-même. Par conséquent, la transcriptase inverse peut être présente dans des cellules qui ne sont pas infectées par des rétrovirus. (En fait, il est possible que les rétrovirus descendent de rétrotransposons.) Une enzyme cellulaire catalyse l'insertion à un nouveau site de l'ADN reconverti par la transcriptase inverse. La plupart des éléments transposables dans les génomes des Eucaryotes sont des rétrotransposons.

▲ **Figure 19.15 Effet des éléments transposables sur la couleur de grains de maïs.** Barbara McClintock a été la première à proposer le concept d'éléments génétiques mobiles après avoir observé des bigarrures dans la couleur de grains de maïs. Son idée, qui a été reçue avec scepticisme quand elle l'a proposée dans les années 1940, a été confirmée par la suite. En 1983, la généticienne a reçu un prix Nobel pour ses recherches novatrices; elle était alors âgée de 81 ans.

Les séquences apparentées aux éléments transposables

Une multitude d'exemplaires d'éléments transposables et de séquences qui leur sont apparentées sont dispersés dans l'ensemble du génome eucaryote. Une seule de ces unités est habituellement longue de plusieurs centaines, voire de milliers de paires de bases. Les « copies » dispersées sont semblables, mais généralement non identiques. Certaines d'entre elles sont des éléments transposables qui se déplacent au moyen d'enzymes encodées soit par eux-mêmes, soit par d'autres éléments transposables; et certaines autres unités sont des séquences apparentées et qui ont complètement perdu la capacité de se déplacer. Les éléments transposables et les séquences apparentées constituent de 25 à 50 % du génome de la plupart des Mammifères et les pourcentages sont encore plus élevés chez les Amphibiens et les plantes supérieures (voir la figure 19.14).

Chez les humains et les autres Primates, une grande partie de l'ADN apparenté aux éléments transposables est formée d'une famille de séquences semblables, appelées **séquences *Alu***. Ces séquences seules représentent environ 10 % du génome humain. Les séquences *Alu*, qui peuvent être répétées près de un million de fois chez l'humain, ont une longueur d'environ 300 nucléotides, une séquence beaucoup plus courte que la plupart des éléments transposables fonctionnels, et elles ne codent pour aucune protéine. Cependant, de nombreux éléments *Alu* sont transcrits en molécules d'ARN dont la fonction dans la cellule reste inconnue, si fonction il y a.

Bien que de nombreux éléments transposables codent pour des protéines, ces dernières n'accomplissent pas des fonctions cellulaires normales. Par conséquent, on décrit souvent ces éléments ainsi que d'autres séquences répétitives comme de l'ADN « non codant », ce qui ne veut pas dire qu'ils sont inutiles ou que leur expression est sans conséquence. Une forme d'hémophilie héréditaire, par exemple, est causée par une protéine devenue anormale (le facteur VIII) par suite de l'insertion d'un transposon dans le chromosome *X* en provenance du chromosome 22.

Les autres ADN répétitifs, dont l'ADN de simple séquence

L'ADN répétitif qui n'est pas apparenté aux éléments transposables est probablement apparu à la suite d'erreurs survenues au cours de la réplication ou de la recombinaison de l'ADN. Il représente autour de 15 % du génome humain (voir la figure 19.14). Environ un tiers de ce pourcentage (5 % du génome humain) consiste en des duplications de grands segments, dans lesquels une longue portion d'ADN (entre 10 000 et 300 000 paires de nucléotides) semble avoir été copiée d'un locus chromosomique à un autre, sur le même chromosome ou sur un chromosome différent.

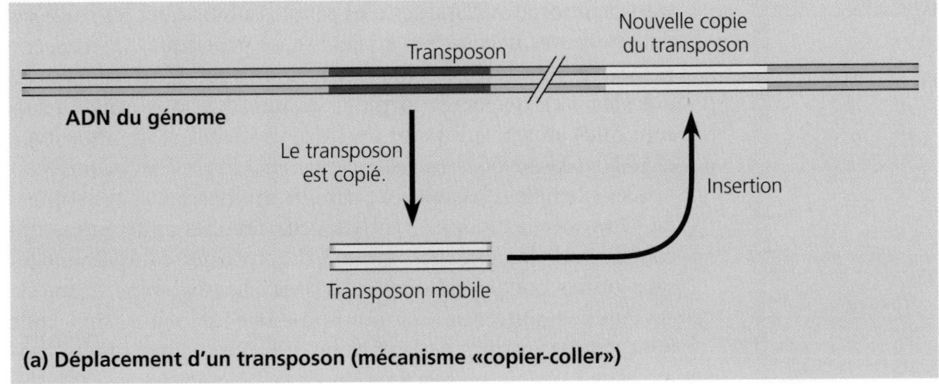

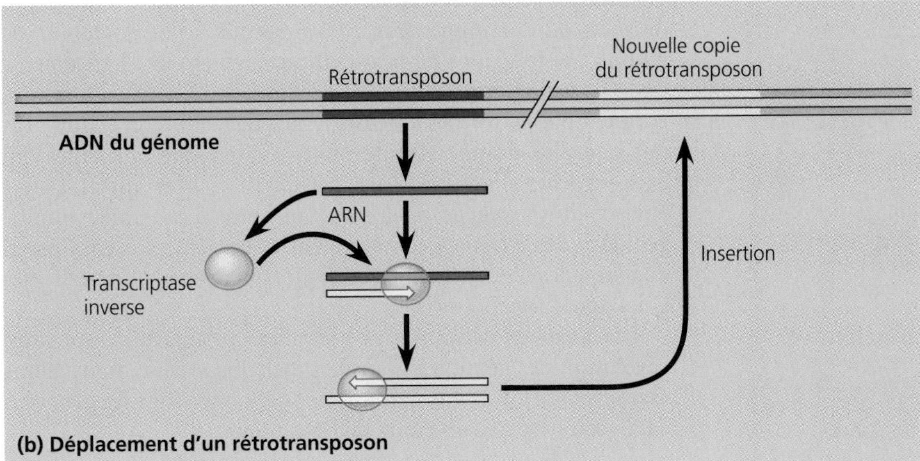

▲ **Figure 19.16 Déplacement des éléments transposables eucaryotes. (a)** Le déplacement des transposons soit par un mécanisme « couper-coller », soit par un mécanisme « copier-coller » (illustré ici) implique un intermédiaire d'ADN bicaténaire qui est inséré dans le génome. **(b)** Le déplacement des rétrotransposons commence avec la formation d'un intermédiaire d'ARN monocaténaire. Le reste des étapes est essentiellement identique à une partie du cycle de réplication des rétrovirus (voir la figure 18.10). Dans le déplacement des transposons par le mécanisme « copier-coller » et dans le déplacement des rétrotransposons, la séquence d'ADN reste au site original tout en apparaissant dans un nouveau site.

Contrairement à de simples duplications de longues séquences, l'*ADN de simple séquence* contient de nombreux exemplaires de courtes séquences répétitives en tandem, comme dans l'exemple suivant (montrant un seul brin d'ADN):

… GTTACGTTACGTTACGTTACGTTACGTTAC …

Dans ce cas, l'unité répétée consiste en cinq nucléotides (GTTAC). Les unités répétées contiennent souvent moins de 15 nucléotides, mais elles peuvent en inclure jusqu'à 500. Le nombre d'unités répétées à un site particulier dans le génome varie également. Par exemple, il pourrait y avoir plusieurs centaines de milliers de répétitions de l'unité GTTAC à un site. Dans l'ensemble, l'ADN de simple séquence forme 3 % du génome humain.

L'ADN de simple séquence a souvent une composition nucléotidique assez différente du reste de l'ADN et il ne possède pas la même masse volumique que celui-ci. Si l'on découpe l'ADN génomique en morceaux et qu'on le centrifuge, les segments de masse volumique distincte migrent vers des positions différentes dans le tube à centrifuger. À l'origine, l'ADN répétitif isolé de cette manière était appelé *ADN satellite*, parce qu'il apparaît comme une bande « satellite » distincte du reste de l'ADN dans le tube à centrifuger. Aujourd'hui, ce terme est souvent employé indifféremment avec le terme *ADN de simple séquence.*

Dans un génome donné, une grande partie de l'ADN de simple séquence est située dans les télomères et dans les centromères. Cela permet de penser que cet ADN joue un rôle structural dans les chromosomes. L'ADN des centromères joue un rôle essentiel au cours de la séparation des chromatides, pendant la division cellulaire (voir le chapitre 12). De plus, il contribue peut-être à structurer pendant l'interphase – et ce, conjointement avec l'ADN de simple séquence situé à un autre emplacement – la chromatine contenue dans le noyau. L'ADN de simple séquence des télomères, à l'extrémité des chromosomes, permet d'éviter la perte de gènes lorsque l'ADN est raccourci à chaque réplication (voir le chapitre 16). L'ADN des télomères protège également les chromosomes en se liant à des protéines qui empêchent les extrémités de ceux-ci de se dégrader ou de se joindre à d'autres chromosomes.

Les gènes et les familles multigéniques

Nous terminerons notre examen des divers types de séquences d'ADN dans les génomes d'Eucaryotes par une étude plus détaillée des gènes. Souvenez-vous que les séquences qui codent pour les protéines et les ARN de structure constituent un simple 1,5 % du génome humain (voir la figure 19.14). Si l'on inclut les introns et les séquences régulatrices associés aux gènes, la quantité totale d'ADN apparenté aux gènes (codants et non codants) compte pour environ 25 % du génome humain.

Le génome de la plupart des Eucaryotes, comme celui des Procaryotes, ne renferme qu'un exemplaire de la plupart des gènes, c'est-à-dire qu'il n'y a qu'un seul exemplaire par jeu haploïde de chromosomes. Mais, dans le génome humain, ces gènes solitaires ne forment qu'environ la moitié de la totalité de l'ADN codant. Le reste existe sous forme de **familles multigéniques**, ensemble de gènes identiques ou très semblables.

Certaines familles multigéniques sont constituées de séquences de gènes *identiques*, habituellement groupés en tandem. Les familles multigéniques de gènes identiques sont le plus souvent constituées de gènes codant pour de l'ARN (les gènes détenant le message génétique correspondant aux histones représentent une exception importante à cette règle). On peut citer l'exemple de la famille de séquences identiques codant pour les trois plus grandes molécules d'ARN ribosomique (ARNr) **(figure 19.17a)**. Celles-ci sont encodées sous forme d'une même unité de transcription, qui est répétée en tandem des centaines ou des milliers de fois dans un ou plusieurs regroupements dans le génome des Eucaryotes multicellulaires; chez l'humain, on a trouvé près de 300 de ces séquences identiques réparties sur 5 chromosomes. Ces nombreux exemplaires d'unités de

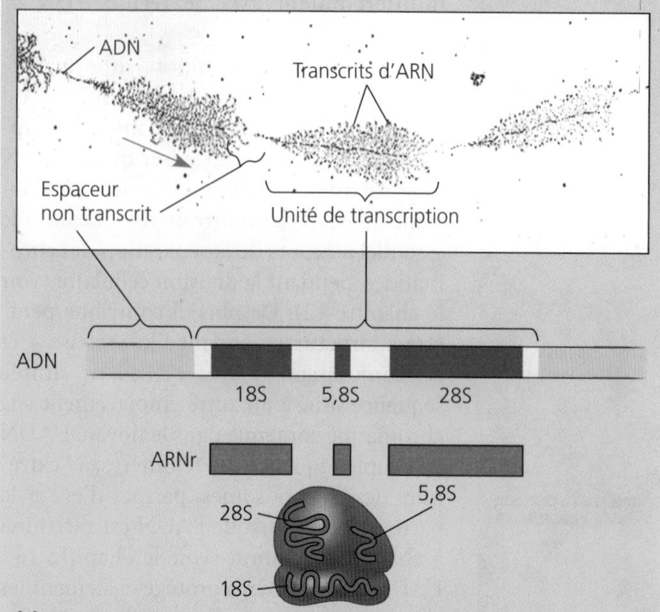

(a) Partie d'une famille de gènes de l'ARN ribosomique. La micrographie ci-dessus montre trois exemplaires (il en existe des centaines) d'unités de transcription d'ARNr présents dans le génome d'une salamandre (MET). Chacune des «plumes» correspond à une unité de transcription en train d'être transcrite par environ 100 molécules d'ARN polymérase (les points foncés situés le long de l'ADN). Celles-ci se déplacent de gauche à droite. Les transcrits d'ARN en cours de synthèse se détachent peu à peu de l'ADN. Le diagramme au-dessous de la micrographie illustre une unité de transcription. Celle-ci comprend les gènes de trois types d'ARNr (en bleu), adjacents aux régions transcrites mais qui sont enlevés par la suite (en jaune). Un seul transcrit est produit puis subit une maturation pour donner une molécule de chacun des trois ARNr qui forment une partie d'un ribosome. Un quatrième ARNr (ARNr 5S) est également présent dans le ribosome, mais le gène qui code pour celui-ci ne fait pas partie de cette unité de transcription.

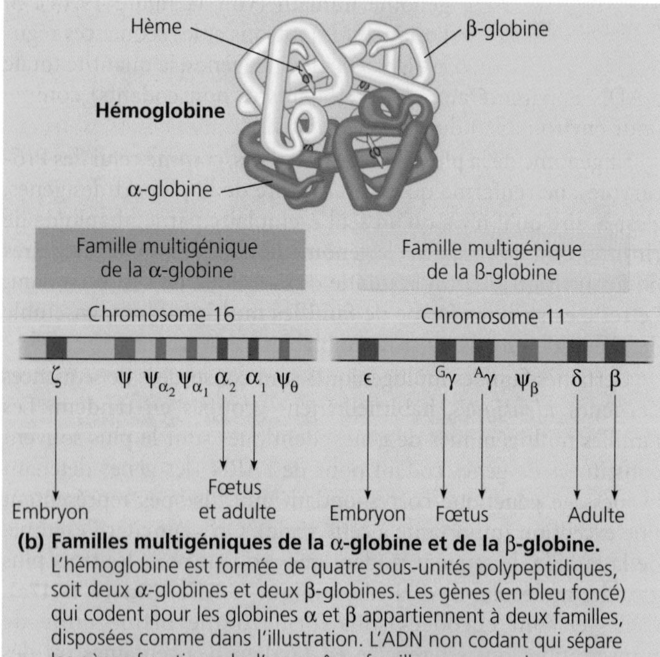

(b) Familles multigéniques de la α-globine et de la β-globine. L'hémoglobine est formée de quatre sous-unités polypeptidiques, soit deux α-globines et deux β-globines. Les gènes (en bleu foncé) qui codent pour les globines α et β appartiennent à deux familles, disposées comme dans l'illustration. L'ADN non codant qui sépare les gènes fonctionnels d'une même famille comporte des pseudogènes (en vert et désignés par la lettre grecque ψ), des versions non fonctionnelles de gènes fonctionnels. Les gènes et les pseudogènes sont désignés par des lettres grecques.

▲ **Figure 19.17 Familles de gènes.**

transcription d'ARN aident les cellules à fabriquer les millions de ribosomes nécessaires à la synthèse protéique. Le transcrit primaire est découpé de façon à donner trois molécules d'ARNr. Ces dernières forment ensuite des sous-unités ribosomiques en se combinant avec des protéines et un autre type d'ARNr (ARNr 5S).

Des exemples classiques de familles multigéniques constituées de gènes *non identiques* sont les deux familles apparentées qui codent pour les globines, groupe de protéines comprenant les sous-unités polypeptidiques α et β de l'hémoglobine. L'une de ces familles (située sur le chromosome 16 chez les humains) code pour diverses formes de la α-globine; l'autre (située sur le chromosome 11), pour plusieurs formes de la β-globine **(figure 19.17b)**. Les diverses formes de chaque sous-unité s'expriment à des stades distincts du développement, ce qui permet à l'hémoglobine de remplir ses fonctions de façon efficace, malgré les changements dans le milieu où l'individu se développe. Chez l'humain, par exemple, les formes d'hémoglobine de l'embryon et du fœtus ont une plus grande affinité pour le dioxygène que celles qui existent chez l'adulte. Cela permet d'assurer un transfert efficace du dioxygène de la mère au fœtus. Les familles multigéniques des globines comprennent également plusieurs **pseudogènes**, des séquences nucléotidiques qui ressemblent beaucoup à des gènes fonctionnels.

La classification des gènes en familles a permis de comprendre l'évolution des génomes. Dans la prochaine section, nous allons examiner quelques-uns des processus qui ont formé les génomes de diverses espèces au cours de l'évolution.

Retour sur le concept 19.4

1. Discutez des caractéristiques qui font que les génomes des Mammifères sont plus gros que ceux des Procaryotes.
2. Comment la répartition dans le génome des introns, des éléments transposables et de l'ADN de simple séquence diffère-t-elle?
3. Discutez des différences dans la structure de la famille de gènes des ARNr et des familles de gènes des globines. Quels avantages ces familles de gènes apportent-elles aux organismes?

Voir les réponses proposées à la fin du chapitre.

Concept 19.5

Les duplications, les réarrangements et les mutations de l'ADN contribuent à l'évolution du génome

Les mutations constituent le fondement des modifications au niveau du génome; elles sont à l'origine de son évolution. Il semble probable que les premières formes de vie ne possédaient qu'un nombre minimal de gènes, soit ceux qui étaient nécessaires à la survie et à la reproduction. Si tel était le cas, un des aspects de l'évolution doit avoir été une augmentation de la taille du génome, c'est-à-dire que le matériel génétique supplémentaire fournissait la matière première pour la diversification du gène. Dans la présente section, nous allons d'abord décrire comment les exemplaires supplémentaires du génome en tout ou en partie peuvent apparaître, puis nous allons examiner les processus subséquents qui peuvent mener à l'évolution des protéines (ou des molécules d'ARN) possédant des fonctions apparentées ou entièrement nouvelles.

La duplication des jeux de chromosomes

Un accident au cours de la méiose peut donner naissance à un ou plusieurs jeux supplémentaires de chromosomes, état appelé *polyploïdie*. Chez un organisme polyploïde, un jeu complet de gènes peut fournir les fonctions essentielles à l'organisme. Les gènes dans le ou les jeux supplémentaires peuvent diverger en accumulant les mutations ; ces variations peuvent persister si l'organisme qui les porte survit et se reproduit. De cette façon, les gènes ayant de nouvelles fonctions peuvent évoluer. Pourvu qu'une copie d'un gène crucial soit exprimée, la divergence d'une autre copie peut mener à sa protéine codée qui joue un nouveau rôle, changeant ainsi le phénotype de l'organisme. L'accumulation des mutations dans de nombreux (ou même quelques) gènes peut mener à l'apparition d'une nouvelle espèce, comme il se produit souvent chez les Végétaux (voir le chapitre 24). Bien qu'il existe des Animaux polyploïdes, ceux-ci sont rares.

La duplication et la divergence de segments d'ADN

Les erreurs au cours de la méiose peuvent également aboutir à la duplication de gènes individuels. Un enjambement inégal à la prophase I de la méiose, par exemple, peut donner un chromosome avec une délétion et un autre avec une duplication d'une région particulière. Comme le montre la **figure 19.18**, des éléments transposables dans le génome constituent des sites où des chromatides non sœurs peuvent effectuer un enjambement, même lorsque les séquences de gènes homologues ne sont pas correctement alignées.

De plus, il peut survenir un glissement pendant la réplication de sorte que la matrice se déplace par rapport au nouveau brin complémentaire, et une région de brin matrice n'est pas copiée ou est copiée deux fois. Il y a donc délétion ou duplication d'une région de l'ADN. Il est facile d'imaginer comment de telles erreurs peuvent se produire dans des régions de séquences répétées telles que l'ADN de simple séquence décrit précédemment. La variabilité des nombres d'unités répétées d'ADN de simple séquence au même site est probablement attribuable à de telles erreurs. L'existence de familles multigéniques fournit une preuve que des événements moléculaires tels que l'enjambement inégal et le glissement produisent la duplication de gènes.

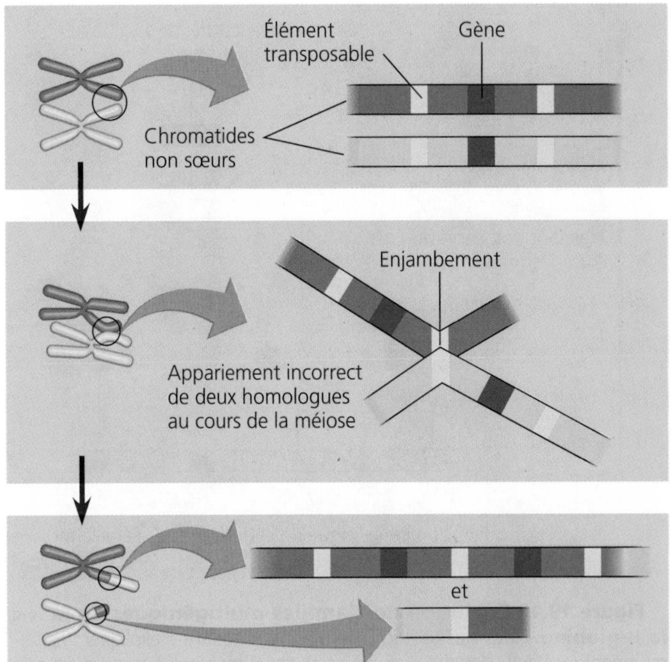

▲ **Figure 19.18 Duplication de gènes attribuable à un enjambement inégal.** La recombinaison au cours de la méiose entre des exemplaires d'un élément transposable flanquant le gène est un des mécanismes par lequel un gène (ou un autre segment d'ADN) peut être dupliqué. Cette recombinaison entre des chromatides non sœurs mal alignées de chromosomes homologues produit une chromatide ayant deux exemplaires du gène et une chromatide sans aucun exemplaire.

L'évolution des gènes à fonctions apparentées : les gènes de la globine humaine

Les événements de duplication, comme ceux des familles multigéniques de la α-globine et de la β-globine, peuvent mener à l'évolution de gènes dont les fonctions sont apparentées (voir la figure 19.17b). Une comparaison entre des séquences de gènes à l'intérieur d'une famille multigénique peut laisser entrevoir l'ordre dans lequel les gènes sont apparus. Cette approche, qui consiste à recréer l'histoire de l'évolution des divers gènes de la globine, indique qu'ils ont tous évolué à partir d'un gène ancestral commun, qui a subi une duplication et une divergence en gènes ancestraux de la α-globine et de la β-globine il y a 450 à 500 millions d'années **(figure 19.19)**. Tous ces gènes ont par la suite été dupliqués plusieurs fois, et les copies ont alors divergé à la suite les unes des autres pour donner les membres des familles actuelles. En fait, le gène ancestral commun de la globine a également donné naissance à la myoglobine, la protéine musculaire qui stocke l'oxygène, et à la protéine végétale appelée *leghémoglobine*, présente dans les racines des Légumineuses (voir le concept 37.4). Ces deux dernières protéines fonctionnent comme des monomères et leurs gènes font partie d'une « superfamille des gènes de la globine ».

Après les événements de duplication, les différences entre les gènes des familles de la globine sont sans doute apparues à la suite de mutations qui se sont accumulées dans les exemplaires des gènes pendant de nombreuses générations. Selon le modèle actuel, la fonction nécessaire assurée par une α-globine, par exemple, était remplie par un gène, alors que d'autres copies du gène de la α-globine accumulaient des mutations aléatoires. Certaines mutations peuvent avoir eu un effet négatif sur l'organisme et d'autres peuvent n'avoir produit aucun effet ; toutefois, quelques mutations peuvent avoir modifié la fonction de la protéine de façon avantageuse pour l'organisme à un stade particulier de sa vie sans changements substantiels pour ce qui est de sa capacité de transport de l'oxygène. La sélection naturelle a probablement agi sur ces gènes modifiés pour les maintenir dans la population, aboutissant à la production de formes variantes d'une α-globine.

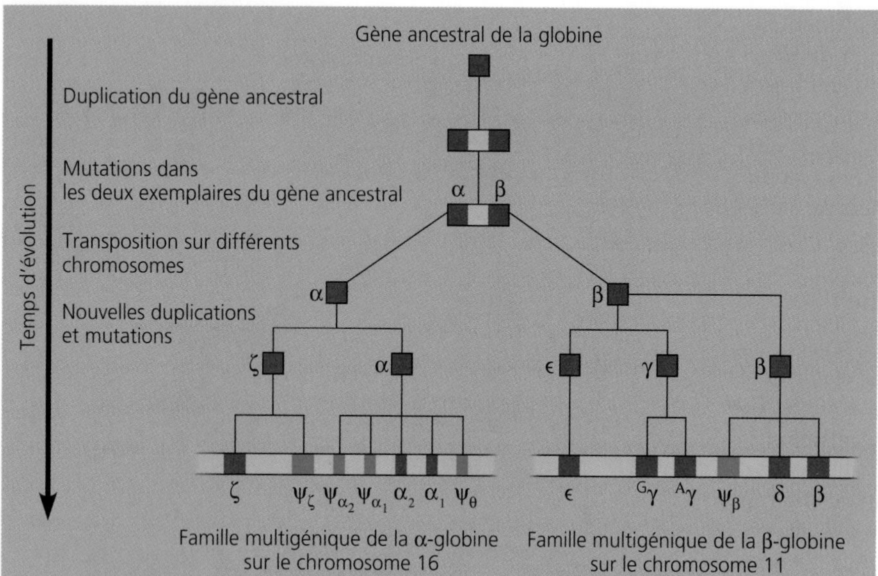

▲ **Figure 19.19 Évolution des familles multigéniques de la α-globine et de la β-globine.** Nous illustrons ici un modèle permettant d'expliquer l'apparition des familles multigéniques actuelles des α-globines et des β-globines à partir d'un seul gène ancestral de la globine.

La similitude entre les séquences des acides aminés de la α-globine et de la β-globine corrobore ce modèle de duplication et de mutation des gènes **(tableau 19.1)**. Les séquences d'acides aminés des β-globines, par exemple, sont beaucoup plus semblables les unes aux autres que celles des α-globines. L'existence de plusieurs pseudogènes parmi les gènes fonctionnels des globines fournit une preuve additionnelle en faveur de ce modèle (voir la figure 19.17b). Autrement dit, les mutations aléatoires dans ces « gènes » pendant le temps d'évolution ont détruit leur fonction.

L'évolution des gènes assurant de nouvelles fonctions

Au cours de l'évolution des familles de gènes de la globine, la duplication des gènes et la divergence qui s'ensuivit ont donné naissance à des membres dont les protéines qu'ils synthétisaient remplissaient des fonctions apparentées. Par ailleurs, un exemplaire d'un gène dupliqué peut subir des modifications qui mènent à une fonction complètement nouvelle pour la protéine. Les gènes pour le lysozyme et l'α-lactalbumine en sont de bons exemples.

Le lysozyme est une enzyme qui aide à prévenir l'infection en hydrolysant les parois cellulaires des Bactéries; l'α-lactalbumine est une protéine non enzymatique qui joue un rôle dans la production du lait chez les Mammifères. Les séquences des acides aminés et les structures tridimensionnelles de ces deux protéines sont très semblables. On trouve les deux gènes chez les Mammifères, alors que chez les Oiseaux seul le lysozyme est présent. Ces constatations portent à croire que, quelque temps après la séparation des lignées aboutissant aux Mammifères et aux Oiseaux, le gène du lysozyme a subi un événement de duplication dans la lignée des Mammifères, mais pas dans celle des Oiseaux. Par la suite, une copie du gène du lysozyme dupliqué a évolué vers un gène qui code pour l'α-lactalbumine, protéine de fonction totalement différente.

Les réarrangements de parties de gènes : la duplication d'exons et le brassage d'exons

Le réarrangement de séquences d'ADN existantes a également contribué à l'évolution du génome. La présence d'introns dans la plupart des gènes eucaryotes peut avoir favorisé l'évolution de protéines nouvelles et potentiellement utiles en facilitant la duplication et le repositionnement des exons dans le génome. Au chapitre 17, vous avez vu qu'un exon code souvent pour un domaine, région structurale ou fonctionnelle distincte d'une protéine.

Nous avons déjà vu qu'un enjambement inégal au cours de la méiose peut conduire à la duplication d'un gène sur un chromosome et à sa perte par le chromosome homologue (voir la figure 19.18). Grâce à un processus semblable, un exon donné dans un gène peut subir une duplication sur un chromosome et une délétion du chromosome homologue. Le gène ayant un exon dupliqué pourrait coder pour une protéine contenant une deuxième copie du domaine encodé. Cette modification de la structure de la protéine pourrait accroître sa fonction en augmentant sa stabilité, en amplifiant sa capacité à se lier à un ligand particulier ou en altérant une autre propriété quelconque. Un bon nombre de gènes codant pour des protéines possèdent de multiples copies d'exons apparentés, qui sont probablement apparus par duplication suivie d'une divergence. Le gène qui code pour le collagène, protéine de la matrice extracellulaire, en est un bon exemple. Le collagène est une protéine de structure dont la séquence d'acides aminés est très répétitive, ce qui se reflète dans le schéma répétitif des exons dans le gène du collagène.

On peut également imaginer le mélange occasionnel et l'appariement de différents exons soit dans un gène, soit entre deux gènes non alléliques, causés par des erreurs au cours de la recombinaison méiotique. Ce processus, appelé *brassage d'exons*, pourrait conduire à de nouvelles protéines ayant une nouvelle combinaison de fonctions. Par exemple, examinons le gène pour l'activateur tissulaire du plasminogène (tPA). Le tPA est une protéine extracellulaire dont l'action consiste à limiter la coagulation

Tableau 19.1 Pourcentage de similitude dans la séquence d'acides aminés entre les globines humaines

		α-globines		β-globines		
		α	ζ	β	γ	ε
α-globines	α	100	58	42	39	37
	ζ	58	100	34	38	37
β-globines	β	42	34	100	73	75
	γ	39	38	73	100	80
	ϵ	37	37	75	80	100

sanguine. Il possède quatre domaines de trois types, tous codés par un exon ; un des exons est présent en deux exemplaires. Étant donné que chaque type d'exon se trouve aussi dans d'autres protéines, on pense que le gène pour le tPA est apparu à la suite de plusieurs événements de brassage et de duplication d'exons **(figure 19.20)**. Cette protéine ralentit la réaction de coagulation et limite donc les dommages qui peuvent être causés par une crise cardiaque et certains types d'accidents vasculaires cérébraux, pourvu qu'elle soit administrée immédiatement aux victimes.

La contribution des éléments transposables à l'évolution du génome

La persistance des éléments transposables comme fraction substantielle de certains génomes eucaryotes est conforme à l'idée qu'ils peuvent jouer un rôle important dans la formation d'un génome au fil de l'évolution. Ces éléments peuvent contribuer de plusieurs façons à l'évolution du génome. Ils peuvent faciliter la recombinaison, dérégler les gènes cellulaires ou les éléments de contrôle et déplacer des gènes entiers ou des exons individuels à de nouveaux emplacements.

La présence de séquences d'éléments transposables homologues dispersées dans l'ensemble du génome permet la recombinaison entre différents chromosomes. La plupart de ces altérations sont probablement nuisibles, car elles provoquent des translocations chromosomiques et d'autres modifications dans le génome qui peuvent être létales. Mais, au fil de l'évolution, une telle recombinaison occasionnelle peut être favorable à l'organisme.

Le déplacement d'éléments transposables dans le génome peut avoir plusieurs conséquences directes. Par exemple, s'il « saute » au milieu d'une séquence codante d'un gène qui code pour une protéine, un élément transposable empêche le fonctionnement normal du gène interrompu. Si un élément transposable s'insère dans une séquence régulatrice, la transposition peut conduire à l'augmentation ou à la diminution de la production d'une ou de plusieurs protéines. La transposition était la cause des deux types d'effets sur les gènes codant pour les enzymes de synthèse des pigments dans les grains de maïs de Barbara McClintock. Là encore, alors qu'elles peuvent être généralement nuisibles, de telles modifications peuvent s'avérer avantageuses sur une longue période.

Pendant une transposition, un élément transposable peut déplacer un gène ou un groupe de gènes vers une nouvelle position dans le génome. Ce mécanisme est probablement responsable de l'emplacement des familles multigéniques de la α-globine et de la β-globine sur différents chromosomes humains, de même que de la dispersion des gènes de certaines autres familles. Par un processus d'étiquetage semblable, un exon d'un gène peut être inséré dans un autre gène grâce à un mécanisme s'apparentant à celui du brassage d'exons au cours de la recombinaison. Par exemple, un exon peut être inséré par transposition dans l'intron d'un gène codant pour une protéine. Si l'exon inséré est retenu dans le transcrit d'ARN au cours de l'épissage d'ARN, la protéine en voie de synthèse aura un domaine additionnel qui peut lui conférer une nouvelle fonction.

Une recherche récente révèle encore un autre moyen pour les éléments transposables de mener à de nouvelles séquences codantes. Ces travaux montrent qu'un élément *Alu* peut sauter dans des introns de façon à créer un site d'épissage alternatif faible dans le transcrit d'ARN. Au cours de la maturation du transcrit, les sites d'épissage réguliers sont utilisés plus souvent, de sorte que la protéine originale est produite. À l'occasion, toutefois, l'épissage se produit au niveau du site faible, ce qui a pour conséquence qu'une partie de l'élément *Alu* aboutit dans l'ARNm, codant pour une nouvelle portion de la protéine. De cette façon, d'autres combinaisons génétiques possibles peuvent être « mises à l'essai » tandis que la fonction du produit original du gène est retenue.

Manifestement, ces processus ne produisent aucun effet ou entraînent des effets nuisibles dans la plupart des cas individuels. Cependant, sur une longue période, la génération d'une diversité génétique fournit plus de matière première sur laquelle la sélection naturelle peut intervenir au cours de l'évolution. Des progrès récents dans les techniques d'analyse de l'ADN ont permis aux chercheurs de séquencer et de comparer les génomes de nombreuses espèces, ce qui a accru notre compréhension de l'évolution des génomes. Vous en apprendrez plus sur ces sujets au prochain chapitre.

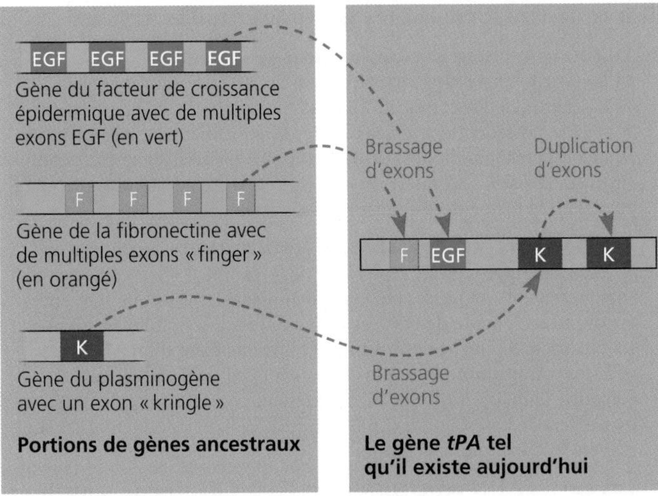

▲ **Figure 19.20 Évolution d'un nouveau gène par brassage d'exons.** Le brassage d'exons peut avoir déplacé les exons des formes ancestrales des gènes codant pour le facteur de croissance épidermique (EGF, pour *epidermal growth factor*), la fibronectine et le plasminogène (à gauche) vers le gène en développement pour l'activateur tissulaire du plasminogène, tPA (à droite). L'ordre dans lequel ces événements peuvent s'être déroulés est inconnu. La duplication de l'exon « kringle » du plasminogène après son déplacement pourrait expliquer les deux copies de cet exon dans le gène *tPA*. Chaque type d'exon code pour un domaine particulier dans la protéine tPA.

Retour sur le concept 19.5

1. Décrivez trois exemples d'erreurs, dans les processus cellulaires, qui aboutissent à des duplications d'ADN.
2. Quels processus semblent avoir conduit à l'évolution des familles multigéniques des globines ?
3. Examinez les portions des gènes de la fibronectine et de l'EGF illustrées à la figure 19.20 (à gauche). Comment ces gènes peuvent-ils être apparus ?
4. Il semble que les éléments transposables contribuent de trois façons à l'évolution du génome. Quelles sont ces trois façons ?

Voir les réponses proposées à la fin du chapitre.

Révision du chapitre 19

RÉSUMÉ DES CONCEPTS CLÉS

Concept 19.1

La structure de la chromatine reflète les niveaux successifs de repliement de l'ADN

- **Les nucléosomes ou le « collier de perles » (p. 392).** Chez les Eucaryotes, la chromatine est principalement constituée d'ADN et d'histones, des protéines qui se lient les unes aux autres et à l'ADN en formant des nucléosomes. Les nucléosomes sont les structures fondamentales de la condensation de l'ADN. Les queues des histones font saillie sur chaque particule cœur des nucléosomes en forme de perles.

- **Les niveaux supérieurs de condensation de l'ADN (p. 392-394).** D'autres formes de repliement aboutissent à la formation de l'hétérochromatine ; c'est la chromatine hautement condensée typique des chromosomes métaphasiques. Dans les cellules en interphase, la plus grande partie de la chromatine se trouve sous une forme très déroulée, appelée *euchromatine*.

Concept 19.2

La régulation de l'expression génique peut s'exercer à n'importe quel stade, mais l'étape clé est la transcription

- **L'expression génique différentielle (p. 394).** Chaque cellule d'un Eucaryote multicellulaire n'exprime qu'une petite partie des gènes de l'organisme. Dans chaque type de cellules différenciées, un sous-ensemble unique de gènes est exprimé. Les étapes clés de la régulation de l'expression génique sont les modifications subies par la structure de la chromatine, l'initiation de la transcription, la maturation de l'ARN, la dégradation de l'ARNm, la traduction ainsi que la maturation et la dégradation des protéines.

- **La régulation de la structure de la chromatine (p. 394-396).** Les gènes de l'hétérochromatine, qui est hautement condensée, ne sont généralement pas exprimés. Des modifications chimiques des queues des histones peuvent modifier la configuration de la chromatine et, par conséquent, influer sur l'expression génique. L'acétylation des histones semble avoir pour effets de relâcher la structure de la chromatine et de faciliter la transcription. La méthylation de l'ADN est associée à la réduction du taux de transcription.

- **La régulation de l'initiation de la transcription (p. 396-400).** Chez les Eucaryotes, les multiples éléments de contrôle éloignés du promoteur (dans un ou plusieurs amplificateurs) se lient à des facteurs de transcription spécifiques (activateurs ou répresseurs) qui assurent la régulation de l'initiation de la transcription des gènes spécifiques dans le génome. La courbure de l'ADN permet aux activateurs liés aux amplificateurs d'entrer en contact avec les protéines présentes sur le promoteur. Contrairement aux gènes d'un opéron de Procaryote, chacun des gènes d'Eucaryotes à régulation coordonnée a son propre promoteur et ses propres éléments de contrôle. Toutefois, tous les gènes d'un groupe donné ont les mêmes séquences régulatrices ; cela permet la reconnaissance par les mêmes facteurs de transcription.

- **Les mécanismes de la régulation post-transcriptionnelle (p. 400-402).** L'épissage différentiel de l'ARN, dont nous avons parlé au chapitre 17, est un exemple de régulation à l'étape de la maturation de l'ARN. Chaque molécule d'ARNm a une durée de vie caractéristique, en partie déterminée par les séquences non traduites (5'UTR et 3'UTR). Le dérèglement de l'ARN par les microARN monocaténaires peut dégrader un ARNm ou bloquer sa traduction. L'initiation de la traduction peut être régulée par le contrôle des facteurs d'initiation. Après la traduction, diverses formes de maturation des protéines (comme le clivage et l'ajout de groupements fonctionnels) sont assujetties à une régulation ; c'est le cas de la dégradation des protéines par les protéasomes.

Concept 19.3

Le cancer résulte de modifications génétiques qui altèrent la régulation du cycle cellulaire

- **Les types de gènes associés au cancer (p. 403-404).** Les produits des proto-oncogènes et des gènes suppresseurs de tumeurs assurent la régulation de la division cellulaire. Une modification qui entraîne l'activité trop intense d'un proto-oncogène transforme celui-ci en un oncogène capable de déclencher une croissance cellulaire excessive et de provoquer le cancer. Un gène suppresseur de tumeurs code pour une protéine qui empêche toute division cellulaire anormale. Une mutation de ce type de gène qui diminue l'activité de ses protéines a des effets semblables à ceux de l'activation d'un oncogène.

- **Le dérèglement du fonctionnement des voies normales de transduction des stimulus cellulaires (p. 404).** De nombreux proto-oncogènes et gènes de suppression des tumeurs codent respectivement pour les composantes des voies de stimulation et d'inhibition de la croissance. Si une protéine d'une voie de stimulation, telle que Ras (protéine G), existe sous une forme hyperactive, elle devient oncogène. Si une protéine d'une voie d'inhibition, comme p53 (activateur de la transcription), est défectueuse, elle n'agit plus en tant que suppresseur de tumeurs.

- **Le modèle d'apparition du cancer suivant des étapes multiples (p. 404-406).** L'accumulation de mutations multiples touchant les proto-oncogènes et les gènes suppresseurs de tumeurs modifie les cellules normales en cellules cancéreuses. Certains Virus favorisent l'apparition du cancer par l'intégration de l'ADN viral dans le génome des cellules.

- **La prédisposition héréditaire au cancer (p. 406-407).** Un individu qui hérite d'un oncogène ou de l'allèle mutant d'un gène suppresseur de tumeurs a une prédisposition plus élevée à développer certains types de cancer.

Concept 19.4

En plus des gènes, de nombreuses séquences d'ADN non codantes forment les génomes des Eucaryotes

- **La relation entre la composition génomique et la complexité des organismes (p. 407).** En comparaison des génomes de Procaryotes, ceux des Eucaryotes sont généralement plus gros, possèdent des gènes plus longs et contiennent une quantité beaucoup plus grande d'ADN non codant à la fois associé aux gènes (introns, séquences régulatrices) et situé entre les gènes (presque entièrement formé de séquences répétitives).

- **Les éléments transposables et les séquences apparentées (p. 408).** Le type d'ADN répétitif le plus abondant chez les Eucaryotes supérieurs consiste en des éléments transposables et en des séquences apparentées. Il existe deux types d'éléments transposables eucaryotes : les transposons, qui se déplacent par l'intermédiaire d'un ADN, et les rétrotransposons (les plus courants), qui se déplacent par l'intermédiaire d'un ARN. Chaque élément peut être long de centaines de milliers de bases, et des copies semblables mais non identiques sont dispersées dans tout le génome.

- **Les autres ADN répétitifs, dont l'ADN de simple séquence (p. 408-409).** De courtes séquences non codantes qui sont répétées en tandem des milliers de fois (ADN de simple séquence) sont particulièrement courantes dans les centromères et les télomères, où elles jouent probablement un rôle structural dans le chromosome.

- **Les gènes et les familles multigéniques (p. 409-410).** Chez les Eucaryotes, un jeu haploïde de chromosomes ne renferme qu'un exemplaire des gènes. Cependant, l'unité de transcription codant pour les trois plus grandes molécules d'ARNr est répétée en tandem des centaines ou des milliers de fois à un ou plusieurs sites du chromosome, ce qui aide les cellules à fabriquer en peu de temps l'ARNr nécessaire à des millions de ribosomes. Les multiples gènes, légèrement différents, des deux familles de gènes de la globine codent pour des polypeptides intervenant à divers stades du développement animal.

Les duplications, les réarrangements et les mutations de l'ADN contribuent à l'évolution du génome

► **La duplication des jeux de chromosomes (p. 411).** Des accidents au cours de la division cellulaire peuvent donner naissance à des copies supplémentaires d'une partie ou de l'ensemble d'un génome; les gènes dans le ou les jeux supplémentaires peuvent alors diverger si un jeu accumule les modifications de séquences.

► **La duplication et la divergence de segments d'ADN (p. 411-412).** Les gènes codant pour les diverses globines ont évolué à partir d'un gène ancestral commun de la globine qui a subi une duplication et une divergence en gènes ancestraux des α-globines et des β-globines. Des duplications subséquentes de ces gènes et des mutations au hasard ont donné naissance aux gènes actuels des globines, qui codent tous pour des protéines qui stockent l'oxygène. Les copies de quelques gènes dupliqués ont divergé au cours de l'évolution à un point tel que les fonctions de leurs protéines encodées sont maintenant substantiellement différentes.

► **Les réarrangements de parties de gènes: la duplication d'exons et le brassage d'exons (p. 412-413).** Les remaniements d'exons dans et entre les gènes au cours de l'évolution ont produit des gènes contenant de multiples copies d'exons semblables ou plusieurs différents exons dérivés d'autres gènes.

► **La contribution des éléments transposables à l'évolution du génome (p. 413).** Le déplacement d'éléments transposables ou la recombinaison entre des copies du même élément engendre parfois des combinaisons de nouvelles séquences qui sont favorables à l'organisme. Ces mécanismes peuvent altérer les fonctions des gènes ou leurs modes d'expression et de régulation.

VÉRIFIEZ VOS CONNAISSANCES

Autoévaluation

(Les questions dont les numéros sont en caractères gras font surtout appel à la compréhension.)

1. Dans un nucléosome, l'ADN est enroulé autour:
   a) de molécules de polymérase.
   b) de ribosomes.
   c) d'histones.
   d) du nucléole.
   e) d'ADN satellite.

2. Nos cellules musculaires semblent différentes de nos cellules nerveuses, principalement:
   a) parce qu'elles n'expriment pas les mêmes gènes.
   b) parce qu'elles ne contiennent pas les mêmes gènes.
   c) parce qu'elles utilisent un code génétique différent.
   d) parce qu'elles ont des ribosomes qui leur sont propres.
   e) parce qu'elles n'ont pas les mêmes chromosomes.

3. Voici une des caractéristiques des rétrotransposons:
   a) Ils codent pour une enzyme qui synthétise l'ADN en se servant d'une matrice d'ARN.
   b) On ne les trouve que dans les cellules animales.
   c) Ils se déplacent par un mécanisme «couper-coller».
   d) Ils contribuent de façon importante à la variabilité génétique d'une population de gamètes.
   e) Leur amplification dépend d'un rétrovirus.

4. Le fonctionnement des amplificateurs est:
   a) un exemple de régulation de l'expression génique au niveau de la transcription.
   b) un exemple de mécanisme de modification de l'ARNm après la transcription.
   c) un exemple de stimulation de la traduction par les facteurs d'initiation.
   d) un exemple de régulation postérieure à la traduction grâce à l'activation de certaines protéines.
   e) chez les Eucaryotes, l'équivalent du fonctionnement du promoteur chez les cellules procaryotes.

5. Les familles multigéniques sont:
   a) des groupes d'amplificateurs qui assurent la régulation de la transcription.
   b) habituellement groupées au niveau des télomères.
   c) les équivalents des opérons des Procaryotes.
   d) des jeux de gènes à régulation coordonnée.
   e) des ensembles de gènes identiques ou semblables qui sont apparus par duplication génique.

6. Parmi les énoncés suivants concernant l'ADN de l'une des cellules de votre cerveau, lequel est vrai?
   a) Certaines séquences d'ADN sont présentes en de multiples exemplaires.
   b) La plus grande partie de l'ADN code pour des protéines.
   c) La majorité des gènes a de bonnes chances d'être transcrite.
   d) Chaque gène est adjacent à un amplificateur.
   e) De nombreux gènes forment des groupements qui ressemblent à des opérons.

7. Deux protéines eucaryotes ont un domaine en commun mais elles sont pour le reste très différentes. Parmi les processus suivants, lequel a le plus de chances d'avoir contribué à ce phénomène?
   a) La duplication génique.
   b) L'épissage d'ARN.
   c) Le brassage d'exons.
   d) La modification d'histones.
   e) Les mutations ponctuelles au hasard.

8. Parmi les événements suivants, lequel constitue une étape possible dans le contrôle de l'expression génique après la transcription?
   a) L'ajout de groupements méthyle aux bases de cytosine de l'ADN.
   b) La liaison de facteurs de transcription sur un promoteur.
   c) L'excision d'introns et l'épissage d'exons.
   d) L'amplification génique à une étape donnée du développement.
   e) Le repliement de l'ADN pendant la formation de l'hétérochromatine.

9. Dans une cellule, la quantité de protéine fabriquée à partir d'une molécule donnée d'ARNm dépend en partie:
   a) du degré de méthylation de l'ADN.
   b) du taux de dégradation de l'ARNm.
   c) de la présence de certains facteurs de transcription.
   d) du nombre d'introns présents dans l'ARNm.
   e) des types de ribosomes présents dans le cytoplasme.

10. Les proto-oncogènes risquent de devenir des oncogènes capables de provoquer le cancer. Quelle est la meilleure explication de la présence de ces bombes à retardement dans les cellules eucaryotes?
   a) Les proto-oncogènes sont apparus à la suite d'infections virales.
   b) Normalement, les proto-oncogènes contribuent à la régulation de la division cellulaire.
   c) Les proto-oncogènes sont des «débris» génétiques.
   d) Les proto-oncogènes sont des gènes normaux ayant subi des mutations.
   e) Les cellules produisent les proto-oncogènes en vieillissant.

11. Lesquels des éléments suivants sont des protéines (et non des segments d'ADN)?
   1. Activateurs
   2. Amplificateurs
   3. Éléments de contrôle
   4. Facteurs de transcription
   5. Promoteurs
   6. Répresseurs

   a) 1, 2, 4 et 6.
   b) 2, 3, 4 et 5.
   c) 1, 4 et 6.
   d) 1 et 6.
   e) 2, 3 et 5.

12. Quel est l'énoncé *incorrect*? Un gène suppresseur de tumeurs, comme le gène *p53*, code pour des facteurs de transcription qui stimulent la synthèse de protéines; ces protéines:
    a) font partie du groupe des protéines G dont l'action dépend de la présence des facteurs de croissance.
    b) ont un effet d'inhibition sur le cycle cellulaire.
    c) peuvent agir sur d'autres gènes contrôlant le cycle cellulaire.
    d) peuvent mener au suicide de la cellule.
    e) peuvent activer des gènes qui interviennent dans la réparation de l'ADN.

Lien avec l'évolution

1. L'une des révélations du séquençage du génome humain est l'existence de reliques de séquences de Procaryotes (en d'autres termes, des gènes de Procaryotes sont insérés dans notre génome, mais ce sont des « fossiles » moléculaires sans activité). Qu'est-ce qui a pu introduire des gènes bactériens dans notre génome?
2. Comparez le contrôle de l'expression des gènes chez les Procaryotes (vu au chapitre 18) et chez les Eucaryotes, et mettez en évidence au moins trois grandes différences. Montrez comment ces différences sont liées aux caractéristiques du génome et aux besoins particuliers de ces deux groupes d'organismes.

Intégration

1. La testostérone et d'autres androgènes sont habituellement nécessaires à la survie des cellules prostatiques. Mais certaines cellules cancéreuses de la prostate survivent en dépit des traitements visant à éliminer les androgènes généralement nécessaires à la survie des cellules prostatiques. On a émis l'hypothèse que les gènes normalement contrôlés par les androgènes peuvent être activés par l'œstrogène (qu'on a longtemps considéré comme une hormone féminine) dans ces cellules cancéreuses. Décrivez une ou plusieurs expériences permettant de tester cela. (Pour réviser le mode d'action de ces hormones stéroïdes, reportez-vous à la figure 11.6.)
2. Des chercheurs ont récemment trouvé 481 séquences parfaitement identiques dans le génome de l'homme, du rat et de la souris. Ce qui est étonnant, c'est que ce sont de longues séquences (plus de 200 paires de bases) qui se trouvent, pour plus de la moitié, dans les introns ou dans les séquences séparant les gènes. Tout cet ADN non codant aurait-il donc des fonctions essentielles? Quelles pourraient être les fonctions de ces séquences? Décrivez les types d'expériences qu'il faudrait mener pour découvrir ces fonctions.

Science, technologie et société

L'agent orange, défoliant épandu sur la végétation pendant la guerre du Vietnam, contenait des traces de dioxine. Des tests effectués sur des animaux permettent de penser que la dioxine peut provoquer des anomalies congénitales, le cancer, des dommages au foie et au thymus, et une inhibition du système immunitaire; elle peut être parfois mortelle. Cependant, les résultats des tests effectués sur des animaux sont peu convaincants; par exemple, une dose qui peut tuer un cobaye n'a aucun effet sur un hamster. La dioxine agit un peu comme une hormone stéroïde: elle pénètre dans la cellule et se lie à un récepteur protéique, qui s'unit ensuite à l'ADN de la cellule. Comment ce mécanisme peut-il contribuer à expliquer la diversité des effets de la dioxine sur différents systèmes et sur différentes espèces animales? Comment peut-on déterminer si un type de maladie est en relation avec l'exposition à la dioxine? Ou encore si une personne en particulier est tombée malade à la suite d'une exposition à celle-ci? Laquelle de ces deux démonstrations serait la plus difficile à faire? Pourquoi?

Réponses du chapitre 19

Retour sur le concept 19.1

1. Un nucléosome est constitué de huit protéines appelées *histones*, deux molécules de chacun des quatre types différents autour desquelles s'enroule l'ADN. L'ADN internucléosomique relie les nucléosomes entre eux.
2. Les histones contiennent de nombreux acides aminés basiques (de charge positive), comme la lysine et l'arginine, qui peuvent former des liaisons faibles avec les groupements phosphate de charge négative situés sur le squelette désoxyribose-phosphate de la molécule d'ADN.
3. L'ARN polymérase et les autres protéines nécessaires à la transcription n'ont pas accès à l'ADN dans les régions hautement condensées du chromosome.

Retour sur le concept 19.2

1. L'acétylation des histones est généralement associée à l'expression génique, alors que la méthylation de l'ADN est la plupart du temps associée à l'absence d'expression.
2. La fonction des facteurs de transcription généraux est l'assemblage du complexe d'initiation de la transcription sur le promoteur de tous les gènes. Les facteurs de transcription spécifiques se lient aux éléments de contrôle associés à un gène particulier et, une fois liés, soit ils augmentent (activateurs), soit ils diminuent (répresseurs) la transcription de ce gène.
3. Les trois gènes doivent avoir quelques séquences similaires ou identiques dans les éléments de contrôle de leurs amplificateurs. En raison de cette similarité, les mêmes facteurs de transcription spécifiques pourraient se lier aux amplificateurs des trois gènes et stimuler leur expression de façon coordonnée.
4. La dégradation de l'ARNm, la régulation de la traduction, l'activation de la protéine (par modification chimique, par exemple) et la dégradation de la protéine.

Retour sur le concept 19.3

1. La protéine produite par un proto-oncogène est habituellement impliquée dans une voie qui stimule la division cellulaire. La protéine produite par un gène suppresseur de tumeurs est généralement impliquée dans une voie qui inhibe la division cellulaire.
2. Généralement, une mutation causant le cancer dans un proto-oncogène rend le produit génique hyperactif, alors qu'une mutation causant le cancer dans un gène suppresseur de tumeurs rend le gène non fonctionnel.
3. Quand un individu a hérité d'un oncogène ou d'un allèle mutant d'un gène suppresseur de tumeurs.

Retour sur le concept 19.4

1. Le nombre de gènes est de 5 à 15 fois plus grand chez les Mammifères, et la quantité d'ADN non codant est environ 10 000 fois plus élevée. La présence d'introns dans les gènes des Mammifères les rend environ 27 fois plus longs, en moyenne, que les gènes procaryotes.
2. Les introns sont dispersés dans les séquences codantes des gènes. De nombreux exemplaires de chaque élément transposable sont répartis partout dans le génome. L'ADN de simple séquence est concentré dans les centromères et les télomères.
3. Dans la famille des gènes à ARNr, des unités de transcription identiques qui codent pour trois différents ARNr sont présentes dans de longues suites répétées en tandem. Le grand nombre d'exemplaires de gènes à ARNr permet aux organismes de produire l'ARNr pour suffisamment de ribosomes nécessaires à une synthèse protéique active. Chaque famille de gènes de la globine est constituée d'un nombre relativement petit de gènes non identiques regroupés près les uns des autres. Les différences que présentent les globines codées par ces gènes aboutissent à la production de molécules d'hémoglobine adaptées à des stades particuliers du développement de l'organisme.

Retour sur le concept 19.5

1. Si la cytocinèse est défectueuse, deux exemplaires du génome entier peuvent se retrouver dans une seule cellule. Des erreurs dans l'enjambement au cours de la méiose peuvent mener à la duplication d'un segment et à la délétion d'un autre. Durant la réplication de l'ADN, un glissement vers l'arrière le long du brin matrice peut produire une duplication.
2. La duplication et la divergence des gènes par mutation. Le déplacement des gènes vers différents chromosomes s'est également produit.
3. Pour les deux gènes, une erreur peut être survenue dans l'enjambement de deux exemplaires de ce gène pendant la méiose, de sorte que l'un des deux s'est retrouvé avec un exon dupliqué. Cela peut s'être produit plusieurs fois, aboutissant à de multiples exemplaires d'un exon particulier dans chaque gène.
4. Les éléments transposables homologues dispersés dans tout le génome fournissent des sites où peut se produire la recombinaison entre différents chromosomes. Le déplacement de ces éléments dans les séquences codantes ou régulatrices peut modifier l'expression des gènes. Les éléments transposables peuvent également transporter des gènes avec eux, ce qui provoque la dispersion des gènes et, dans certains cas, entraîne différents modes d'expression. Ou encore, le transport d'un exon durant la transposition et son insertion dans un gène peuvent ajouter un nouveau domaine fonctionnel à la protéine originalement codée; cela constitue un type de brassage d'exons.

Autoévaluation

1. c; 2. a; 3. a; 4. a; 5. e; **6.** a; 7. c; **8.** c; **9.** b; 10. b; 11. c; 12. a.

La biotechnologie

▲ **Figure 20.1 Microréseau à ADN révélant les niveaux d'expression de 2 400 gènes humains (photographie agrandie).**

Concepts clés

20.1 Le clonage d'ADN permet la production d'un grand nombre de copies d'un gène spécifique ou d'un autre segment d'ADN

20.2 L'analyse de fragments de restriction permet de détecter des variations dans l'ADN des sites de restriction

20.3 Il est possible de cartographier l'ADN de génomes entiers

20.4 Les séquences du génome fournissent des indices sur des questions biologiques importantes

20.5 Les applications de la biotechnologie influent sur nos vies de multiples façons

Introduction

Connaître et manipuler les génomes

Le séquençage du génome humain, l'une des grandes réalisations de la science moderne, a été en grande partie réalisé avant 2003. Le séquençage du premier génome complet, celui d'une bactérie, n'avait été effectué que huit ans auparavant. Durant les années qui s'écoulèrent entre-temps, les chercheurs accélérèrent le rythme du séquençage de l'ADN, tout en travaillant sur d'autres génomes, grâce à la mise au point de machines de plus en plus performantes. Ces réalisations ont été rendues possibles grâce aux progrès accomplis dans le domaine de la biotechnologie, à commencer par l'invention de techniques de fabrication de l'**ADN recombiné**, une molécule d'ADN contenant des séquences nucléotidiques regroupées *in vitro* et provenant d'au moins deux sources différentes (souvent d'espèces différentes).

Les techniques de fabrication d'ADN recombiné jouent également un rôle essentiel dans le domaine du **génie génétique**, qui réunit les techniques portant sur la manipulation directe de gènes à des fins pratiques. Les applications de ce champ touchent la fabrication de centaines de produits protéiques, tels que les hormones et les facteurs de coagulation sanguine. La biotechnologie permet de produire de l'ADN recombiné, puis de l'insérer dans des cellules en culture qui en assurent la réplication, en expriment les gènes et synthétisent une protéine donnée.

La **biotechnologie** a engendré une révolution dans le monde scientifique. Au sens large, elle est l'application des méthodes et des techniques utilisant des êtres vivants, leurs parties ou leurs produits, que ce soit sous leur forme naturelle ou modifiée, à des fins pratiques ou industrielles. Certaines pratiques vieilles de plusieurs siècles sont des exemples de biotechnologies: il n'est qu'à penser, entre autres choses, à l'utilisation de microorganismes dans la fabrication du vin et du fromage, à la sélection du bétail. Ces pratiques reposaient toujours sur des mécanismes génétiques naturels, comme la mutation et la recombinaison génétique. Mais la biotechnologie moderne fondée sur la manipulation de l'ADN *in vitro* et les anciennes pratiques présentent des différences; en effet, la première permet de modifier des gènes spécifiques et de les transférer entre des organismes aussi distincts que des bactéries, des plantes et des animaux.

La biotechnologie a maintenant des applications dans des domaines variés, tels que l'agriculture et la criminologie. Mais ce qui est plus important encore, c'est l'usage qu'en font les chercheurs dans presque tous les domaines de la biologie; la biotechnologie leur permet de s'attaquer à de vieilles questions de façon plus étendue. Par exemple, on peut maintenant mesurer en même temps le niveau d'expression de milliers de gènes différents, comme l'illustre le microréseau à ADN de la **figure 20.1**. Dans la photographie, la couleur de chaque point représente l'expression relative de l'un des 2 400 gènes humains dans un tissu particulier. Grâce à cette technique, les chercheurs peuvent désormais comparer l'expression des gènes dans divers types de tissus et dans des conditions variées. Il y a seulement quelques décennies, les connaissances acquises par de telles études globales d'expression étaient en grande partie inaccessibles.

Dans le présent chapitre, nous décrirons d'abord les principales techniques de manipulation de l'ADN. Nous traiterons ensuite de l'analyse et de la comparaison des génomes au niveau de l'ADN. Dans la dernière section, nous passerons en revue les applications pratiques de la biotechnologie et, pour conclure, nous nous pencherons sur certaines questions sociales et éthiques découlant de la présence de plus en plus grande de la biotechnologie dans nos vies.

Concept 20.1

Le clonage d'ADN permet la production d'un grand nombre de copies d'un gène spécifique ou d'un autre segment d'ADN

Le biologiste moléculaire qui étudie un gène donné se heurte à un problème: les molécules naturelles d'ADN sont très longues, et une même molécule porte habituellement un grand nombre de gènes. De plus, les gènes n'occupent parfois qu'une petite proportion de l'ADN du chromosome, le reste étant constitué de séquences nucléotidiques non codantes. Un gène humain, par exemple, représente parfois seulement 1/100 000 de la molécule d'ADN d'un chromosome. De plus, les différences existant entre le gène lui-même et l'ADN voisin sont subtiles; elles ne consistent qu'en des différences de séquence nucléotidique. Pour pouvoir travailler directement avec des gènes spécifiques, les scientifiques ont mis au point des méthodes de préparation d'un grand nombre de copies identiques de segments d'ADN bien définis, de la taille d'un gène; ce processus est appelé **clonage génique**.

Le clonage d'ADN et ses applications: *un aperçu*

La plupart des méthodes de clonage en laboratoire de segments d'ADN ont un certain nombre de caractéristiques communes. Une approche courante se fonde sur l'utilisation de bactéries (le plus souvent *Escherichia coli* [*E. coli*]) et de leurs plasmides. Comme nous l'avons vu au chapitre 18, les plasmides bactériens sont des molécules circulaires d'ADN assez petites qui se répliquent indépendamment du chromosome des bactéries. Pour cloner des gènes ou d'autres fragments d'ADN en laboratoire, on commence par isoler un plasmide de cellules bactériennes dans lequel on insère un ADN étranger **(figure 20.2)**. Le plasmide devient ainsi une molécule d'ADN recombiné: il contient de l'ADN provenant de deux sources différentes. Il est ensuite replacé dans une bactérie, donnant un *recombinant bactérien* qui se reproduit en formant un **clone** de cellules identiques. Le gène étranger est «cloné» simultanément, puisque la bactérie, en se divisant, réplique le plasmide recombiné et le transmet à ses descendants; autrement dit, le clone cellulaire contient un grand nombre de copies du gène.

Les gènes clonés servent à deux fins importantes: fabriquer beaucoup de copies d'un gène particulier et produire une protéine. À partir de bactéries, les chercheurs peuvent isoler des copies d'un gène cloné pour les utiliser en recherche fondamentale ou pour doter un organisme de nouvelles capacités métaboliques, comme lui conférer une résistance aux ravageurs. Ainsi, il est possible qu'un gène de résistance présent dans une plante

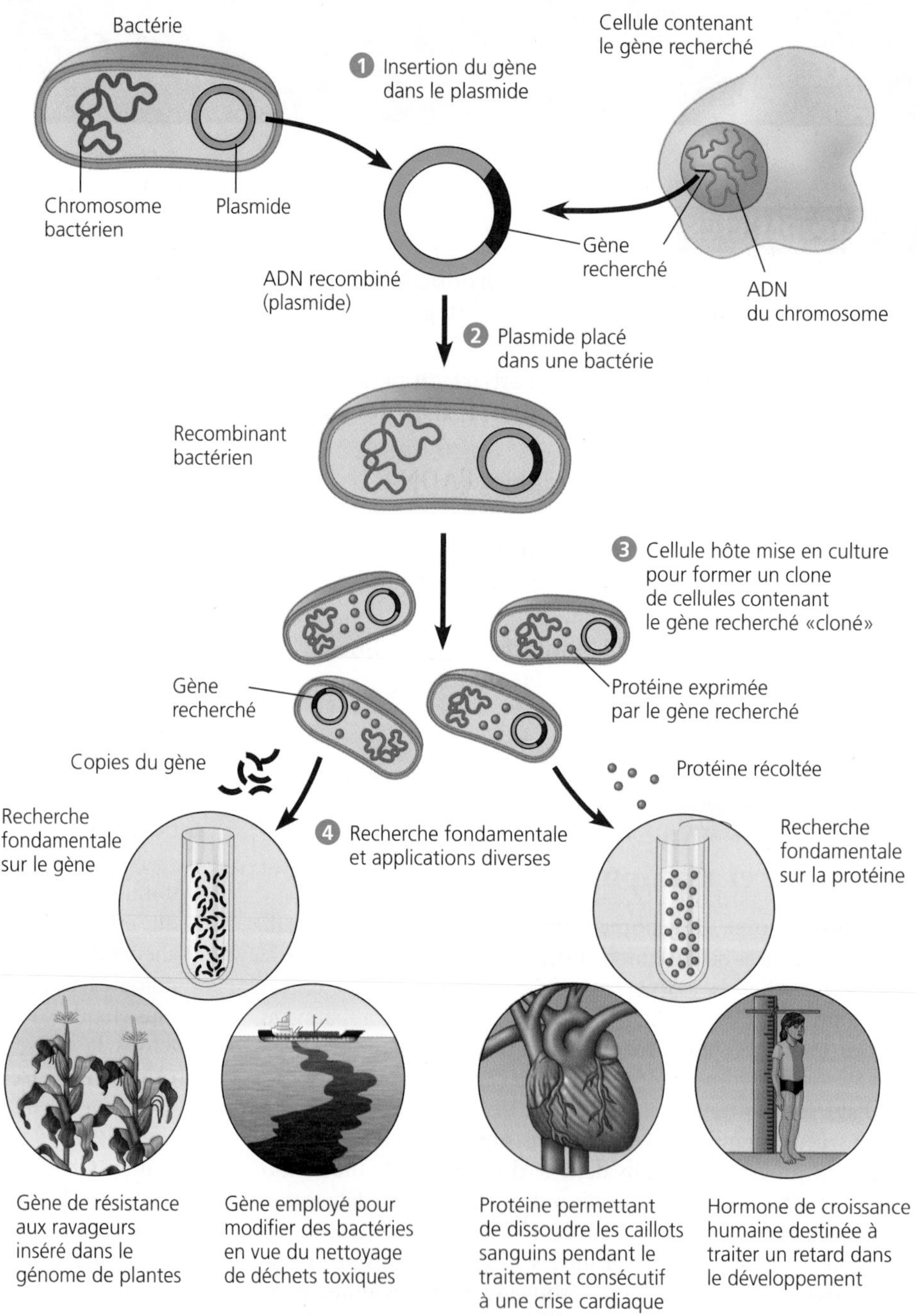

▲ **Figure 20.2 Vue d'ensemble du clonage génique à l'aide d'un plasmide bactérien montrant les divers usages des gènes clonés.** Dans ce schéma simplifié du clonage génique en laboratoire, on isole d'abord un plasmide d'une bactérie et le gène recherché à partir d'un autre organisme. Dans le haut de la figure, seulement une copie du plasmide et une copie du gène recherché sont illustrées; en réalité, les produits de départ contiennent de nombreuses copies de chacun.

soit cloné et transféré à une autre espèce. Il est aussi possible de récolter de grandes quantités d'une protéine utile en médecine, comme l'hormone de croissance humaine, à partir de cultures bactériennes contenant le gène cloné pour cette protéine.

Comme la plupart des gènes ne sont présents qu'en un seul exemplaire dans le génome, soit quelque chose comme une partie d'ADN par million, la possibilité de cloner des fragments d'ADN peu abondants est extrêmement intéressante. Dans le reste du chapitre, nous étudierons plus en détail les techniques décrites dans la figure 20.2 ainsi que des méthodes connexes.

L'utilisation d'enzymes de restriction dans la fabrication d'ADN recombiné

Le clonage génique et plusieurs techniques du génie génétique ont été rendus possibles grâce à la découverte d'enzymes découpant les molécules d'ADN en un nombre limité de sites bien précis. Ces enzymes, appelées **enzymes de restriction** ou endonucléases de restriction, ont été identifiées à la fin des années 1960 par des chercheurs étudiant des bactéries. Avant cette découverte, il fallait s'en remettre aux ultrasons ou à l'agitation mécanique, méthodes plus ou moins fiables. Dans la nature, les enzymes de restriction protègent la cellule bactérienne contre de l'ADN étranger provenant d'autres organismes, que ce soit encore des cellules bactériennes ou des phages. Leur mode d'action consiste à couper l'ADN intrus grâce à un mécanisme nommé *restriction.*

On a découvert et isolé plus de 400 enzymes de restriction. Chaque enzyme de restriction est très spécifique; elle reconnaît une courte séquence particulière d'ADN, appelée **site de restriction** (ou *séquence de reconnaissance*), et coupe les deux brins d'ADN à des points précis dans ce site. L'ADN d'une cellule bactérienne est protégé de ses propres enzymes de restriction par l'ajout, au cours de la réplication de l'ADN, de groupements méthyle (—CH_3) aux adénines et aux cytosines des séquences pouvant être reconnues par les enzymes.

Le schéma du haut de la **figure 20.3** montre un site de restriction reconnu par une certaine enzyme de restriction issue de *E. coli.* Comme on peut le voir dans cet exemple, la plupart des sites de restriction sont symétriques; ce sont des palindromes (ou séquences pouvant être lues dans les deux sens, comme le mot *Laval*). Autrement dit, les deux brins portent la même séquence de nucléotides lue dans la direction $5' \rightarrow 3'$. La plupart des enzymes de restriction reconnaissent des séquences contenant de quatre à huit nucléotides. Étant donné qu'une séquence aussi courte se trouve habituellement (par hasard) plusieurs fois sur une longue molécule d'ADN, l'enzyme coupe celle-ci en de nombreux endroits, produisant un ensemble de **fragments de restriction**; l'enzyme *Eco*Ri, par exemple, reconnaît une séquence qui est présente toutes les 4 000 paires de bases environ. Le traitement des copies d'une molécule d'ADN par une enzyme donnée produit toujours le même ensemble de fragments de restriction. En d'autres mots, l'enzyme de restriction coupe la molécule d'ADN de façon reproductible. (Nous verrons plus loin comment ces différents fragments peuvent être séparés.)

Certaines enzymes de restriction coupent l'ADN au niveau de la même paire de bases (coupure franche), mais celles qui sont les plus utiles coupent les squelettes désoxyribose-phosphate dans les deux brins d'ADN de façon décalée, comme le montre la figure 20.3; les fragments de restriction bicaténaires ont alors au moins une extrémité monocaténaire, appelée **extrémité cohésive.** Les bases de ces courts prolongements forment des liaisons hydrogène avec les parties monocaténaires complémentaires portées par d'autres molécules d'ADN découpées par la même enzyme. Les ensembles ainsi constitués sont temporaires. Cependant, ces liaisons peuvent devenir permanentes sous l'effet d'une enzyme, dont nous avons déjà parlé au chapitre 16, appelée **ADN ligase.** Celle-ci catalyse la formation de liaisons covalentes qui referment les squelettes désoxyribose-phosphate. Comme on peut le voir au bas de la figure 20.3, l'association catalysée par la ligase de l'ADN provenant de deux sources distinctes produit une molécule d'ADN recombiné stable.

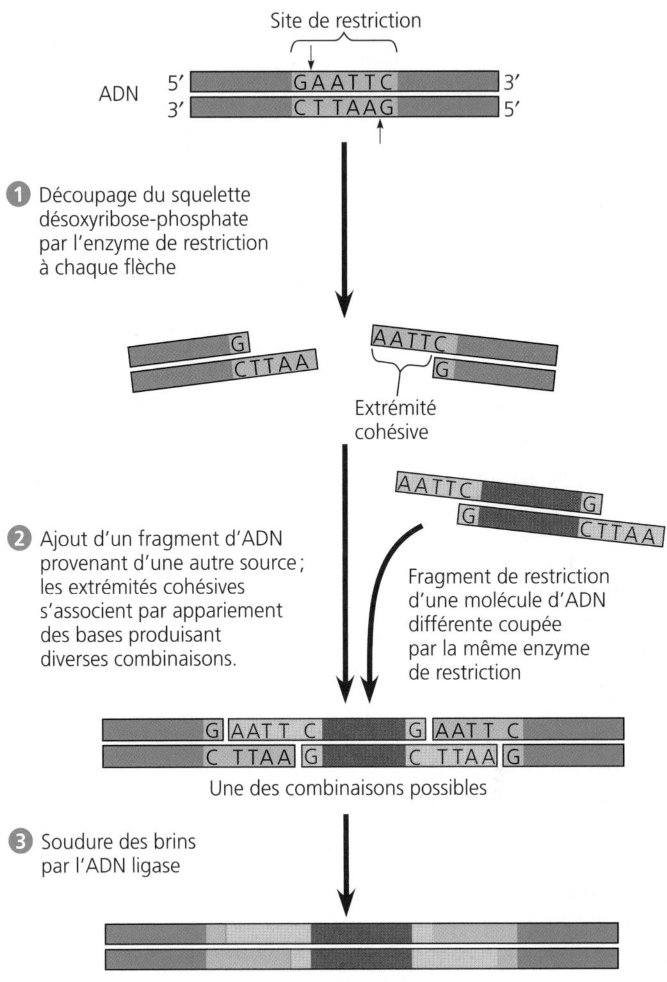

▲ **Figure 20.3 Production d'un ADN recombiné à l'aide d'une enzyme de restriction et d'ADN ligase.** Dans cet exemple, l'enzyme de restriction (appelée *EcoRI* pour « *Escherichia coli* restriction I ») reconnaît une séquence de six paires de bases, le site de restriction. Elle effectue des coupures décalées dans le squelette désoxyribose-phosphate de la séquence et produit ainsi des fragments aux extrémités cohésives. Ces extrémités cohésives complémentaires établissent des liaisons entre les bases; si les fragments proviennent de sources différentes, il en résulte un ADN recombiné.

La procédure de clonage d'un gène d'Eucaryote dans un plasmide bactérien

Maintenant que vous connaissez les enzymes de restriction et l'ADN ligase, nous allons examiner de plus près la procédure de clonage des gènes dans les plasmides. Le plasmide d'origine est appelé **vecteur de clonage**; c'est une molécule d'ADN servant à introduire un ADN étranger dans une cellule et à l'y faire répliquer. Les plasmides bactériens sont largement utilisés en tant que vecteurs de clonage pour plusieurs raisons. On peut facilement les isoler à partir de bactéries, les manipuler pour former des plasmides recombinés par insertion d'ADN étranger *in vitro* et ensuite les replacer dans des cellules bactériennes. En outre, les cellules bactériennes se reproduisent rapidement et, au cours du processus, elles multiplient tout ADN étranger qu'elles contiennent.

La production de clones cellulaires

La **figure 20.4** montre en détail une technique de clonage d'un certain gène humain ou d'une autre espèce eucaryote en utilisant un plasmide bactérien comme vecteur de clonage. Les numéros du texte qui suit renvoient à ceux de la figure.

❶ On commence par isoler le plasmide bactérien choisi comme vecteur à partir de cellules d'*E. coli* et de l'ADN contenant le gène recherché. Ce dernier est issu de cellules humaines cultivées en laboratoire. Quant au plasmide, il est modifié pour contenir deux gènes qui seront utiles par la suite. L'un de ces gènes est *amp*[R], qui confère à *E. coli* une résistance à l'ampicilline (un antibiotique); l'autre gène, *lacZ*, code pour la β-galactosidase, l'enzyme qui hydrolyse le lactose (un disaccharide contenant une molécule de glucose, et une autre, de galactose). Le *lacZ* hydrolyse aussi un analogue moléculaire de synthèse appelé *X-gal*. L'enzyme de restriction utilisée à l'étape suivante ne reconnaît sur le plasmide qu'une seule copie du site de restriction située à l'intérieur du gène *lacZ* (les plasmides n'ont qu'un seul site de restriction).

❷ On expose le plasmide et l'ADN humain à la même enzyme de restriction, qui produit des extrémités cohésives. Celle-ci coupe l'ADN du plasmide au seul site

Figure 20.4

Méthode de recherche Le clonage d'un gène humain dans un plasmide bactérien

APPLICATION Le clonage est utilisé pour préparer de nombreuses copies d'un gène recherché qui serviront à séquencer le gène, à produire sa protéine encodée, à effectuer un traitement par thérapie génique ou à servir de matériel en recherche fondamentale.

TECHNIQUE Dans cet exemple, un gène humain est inséré dans un plasmide provenant d'*E. coli*. Le plasmide contient le gène *amp*[R] qui confère à *E. coli* une résistance à l'ampicilline (antibiotique). Il contient également le gène *lacZ* qui code pour la β-galactosidase. Cette enzyme hydrolyse un analogue moléculaire du lactose (X-gal) pour former un produit bleu. Seulement trois plasmides et trois fragments d'ADN humain sont illustrés, mais des millions de copies du plasmide et un mélange hétérogène contenant des millions de fragments d'ADN humain seraient présents dans les échantillons.

❶ Isolement de l'ADN du plasmide à partir de cellules bactériennes et de l'ADN de cellules humaines contenant le gène recherché.

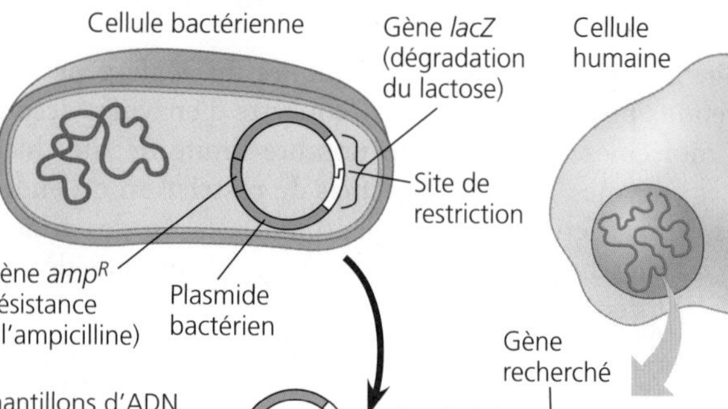

Gène recherché

❷ Découpage des deux échantillons d'ADN avec la même enzyme de restriction, une qui ne coupe qu'à un seul site dans le gène *lacZ* et à de nombreux endroits dans l'ADN humain.

Extrémités cohésives

Fragments d'ADN humain

❸ Mélange des morceaux de plasmides et des fragments d'ADN. Certains s'associent par appariement de leurs bases; ajout d'ADN ligase pour les souder ensemble. Les produits sont des plasmides recombinés (illustrés ici) et de nombreux plasmides non recombinés.

Plasmides d'ADN recombiné

❹ Introduction des plasmides (et de tous les éléments du mélange effectué à l'étape précédente) dans les cellules bactériennes qui ont subi une mutation dans leur gène *lacZ*. Dans des conditions appropriées, certaines cellules vont absorber un plasmide recombinant ou une autre molécule d'ADN par transformation.

Bactéries recombinées

❺ Bactéries étalées sur une gélose nutritive contenant de l'ampicilline et du X-gal. Incubation jusqu'à la croissance de colonies.

RÉSULTATS Seule une cellule qui a absorbé un plasmide contenant le gène *amp*[R] se reproduit et forme une colonie. Les colonies formées de plasmides non recombinés sont bleues, parce qu'elles peuvent hydrolyser le X-gal. Les colonies contenant des plasmides recombinés, dans lesquels *lacZ* est interrompu par suite de la coupure par l'enzyme de restriction, sont blanches, parce qu'elles ne peuvent pas hydrolyser le X-gal. En sélectionnant les colonies blanches au moyen d'une sonde nucléique (voir la figure 20.5), les chercheurs peuvent reconnaître les clones de cellules bactériennes qui portent le gène recherché.

Colonie portant un plasmide non recombiné ayant un gène *lacZ* intact

Colonie portant un plasmide recombiné ayant un gène *lacZ* interrompu

Clone bactérien

de restriction à l'intérieur du gène *lacZ*. Par contre, elle découpe l'ADN humain à de multiples sites, produisant plusieurs milliers de fragments. L'un de ces fragments d'ADN humain porte le gène recherché.

3 On mélange les fragments d'ADN humain avec les plasmides coupés, ce qui permet à leurs extrémités cohésives complémentaires de s'associer par appariement des bases. Puis on ajoute de l'ADN ligase qui lie de façon permanente chaque fragment d'ADN humain aux plasmides associés par appariement de leurs bases. Il en résulte des plasmides recombinés dont certains contiennent des fragments d'ADN, comme les trois illustrés à la figure 20.4. À cette étape peuvent également être engendrés d'autres produits tels qu'un plasmide contenant plusieurs fragments d'ADN humain, une combinaison de deux plasmides ou une version non recombinée du plasmide d'origine qui se reforme.

4 L'ADN préparé à l'étape 3 est mélangé avec des bactéries qui ont subi une mutation dans leur propre gène *lacZ*, ce qui les empêche d'hydrolyser le lactose. Dans des conditions expérimentales appropriées, les cellules absorbent de l'ADN par transformation (voir p. 379). Certaines cellules acquièrent un plasmide recombiné portant le gène recherché. De nombreuses autres cellules, cependant, absorbent un plasmide recombiné portant un gène différent, un plasmide non recombiné ou un fragment d'ADN humain. Plus loin, nous distinguerons ces possibilités.

5 Dans l'étape du clonage proprement dit, les bactéries sont étalées sur une gélose (agar) contenant de l'ampicilline et du X-gal, l'analogue moléculaire du lactose. L'utilisation de ce milieu nous permet de distinguer les clones des cellules transformées à l'aide d'un plasmide recombiné.

Comment reconnaît-on les clones cellulaires qui portent les plasmides recombinés? Premièrement, seules les cellules possédant un plasmide se reproduisent, parce qu'elles ont le gène amp^R de la résistance à l'ampicilline dans le milieu nutritif. En se reproduisant, chaque bactérie donne naissance à un clone par divisions cellulaires répétées, ce qui donne naissance à un grand groupe de cellules qui descendent toutes de la cellule mère. Lorsqu'il contient environ 10^5 cellules, le clone est visible sur l'agar sous forme de masse, ou *colonie*. À mesure que les cellules se reproduisent, tout gène étranger porté par un plasmide recombiné est également copié, ou cloné.

Deuxièmement, la couleur des colonies nous permet de distinguer celles dont les bactéries possèdent des plasmides recombinés de celles qui ont des plasmides non recombinés. Ces dernières, qui portent le gène *lacZ* dans son intégrité, sont bleues, parce qu'elles produisent la β-galactosidase fonctionnelle qui hydrolyse le X-gal dans le milieu en un produit bleu. En revanche, les colonies qui contiennent des plasmides recombinés portant un ADN étranger inséré dans le gène *lacZ* ne produisent pas de β-galactosidase fonctionnelle, car le gène *lacZ* est interrompu; par conséquent, ces colonies sont de couleur blanche.

Jusqu'ici, cette procédure a permis de cloner un grand nombre de fragments d'ADN humain différents, et pas seulement celui auquel on s'intéresse. La dernière partie du clonage d'un gène particulier, la plus difficile, consiste à reconnaître une colonie qui contient ce gène parmi des milliers de colonies contenant d'autres fragments d'ADN humain.

L'identification de clones contenant un gène recherché

Pour cribler toutes les colonies contenant des plasmides recombinés (les colonies blanches de la méthode présentée précédemment) en vue de trouver un clone de cellules contenant un gène recherché, on peut chercher le gène lui-même ou la protéine qu'il produit. Dans la première approche, que nous décrivons ici, l'ADN du gène est détecté par sa capacité à s'associer par l'appariement des bases de ce dernier à une séquence complémentaire portée par une autre molécule d'acide nucléique. Ce procédé est appelé **hybridation moléculaire**. La molécule complémentaire est un court acide nucléique monocaténaire (de l'ARN ou de l'ADN), appelé **sonde nucléique**. Si au moins une partie de la séquence nucléotidique du gène est connue (grâce à la protéine qu'il code ou à sa séquence dans le génome d'une espèce apparentée, par exemple), il est possible de synthétiser une sonde qui lui est complémentaire. Ainsi, si une partie de la séquence d'un brin du gène recherché se présentait comme suit:

5′ ···GGCTAACTTAGC··· 3′,

on synthétiserait alors cette sonde de la façon suivante:

3′ CCGATTGAATCG 5′

Chaque molécule de la sonde qui s'associe spécifiquement à un brin monocaténaire complémentaire porté par le gène recherché en formant des liaisons hydrogène est marquée à l'aide d'un isotope radioactif ou d'un marqueur fluorescent qui permet de la repérer.

Par exemple, on pourrait transférer quelques cellules de chaque colonie blanche de la figure 20.4 (étape 5) à un point sur une gélose et laisser chacune croître pour former une nouvelle colonie. La **figure 20.5** montre comment on peut sélectionner simultanément toutes celles qui ont un ADN complémentaire à la sonde d'ADN. La **dénaturation** de l'ADN des cellules (soit la séparation de ses deux brins) constitue une étape essentielle de cette méthode. À l'instar des protéines, l'ADN peut être facilement dénaturé par des substances chimiques ou sous l'effet de la chaleur.

Après avoir trouvé l'emplacement d'une colonie contenant le gène recherché, on peut cultiver quelques cellules de cette colonie dans une culture liquide, dans un grand réservoir, et isoler facilement une grosse quantité de copies du gène. Le gène cloné peut lui-même servir de sonde pour l'identification de gènes semblables ou identiques contenus dans de l'ADN provenant d'autres sources (l'ADN d'autres espèces, par exemple).

L'entreposage de gènes clonés dans des banques d'ADN

La procédure de clonage génique illustrée à la figure 20.4, qui porte sur un mélange de fragments issus de l'ensemble du génome d'un organisme, est appelée *procédure «en aveugle»*; le clonage ne vise aucun gène particulier. L'étape 3 produit des milliers de plasmides recombinés différents. À l'étape 5, chaque colonie (blanche) contient un clone de l'un d'eux. On appelle

Figure 20.5

Méthode de recherche L'hybridation moléculaire à l'aide d'une sonde nucléique

APPLICATION L'hybridation moléculaire à l'aide d'une sonde nucléique complémentaire détecte un ADN spécifique dans un mélange de molécules d'ADN. Dans cet exemple, on crible un ensemble de clones bactériens (colonies) afin de trouver ceux qui contiennent un plasmide portant un gène recherché.

TECHNIQUE On transfère les cellules de toutes les colonies qui contiennent des plasmides recombinés (les colonies blanches de la figure 20.4) à des emplacements séparés sur une nouvelle gélose, et on les laisse croître jusqu'à ce qu'elles deviennent visibles. L'ensemble des colonies bactériennes constitue la gélose maîtresse.

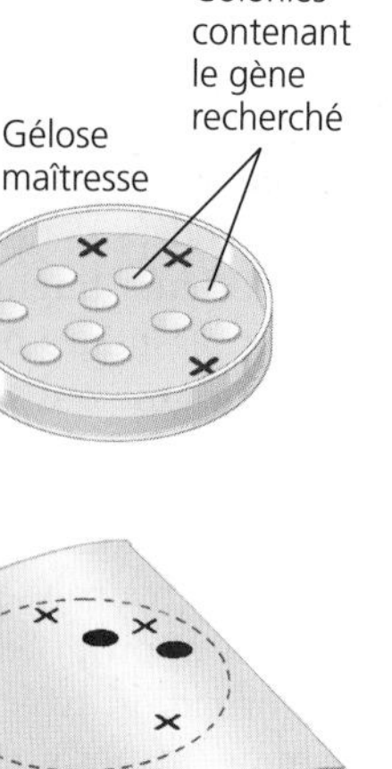

1. On applique sur la gélose maîtresse un papier-filtre spécial, sur le dessous duquel adhèrent des bactéries. On place des marques (X) sur le papier et l'agar pour établir la position de chaque colonie individuelle par rapport aux marques.

2. On traite le papier de sorte à ouvrir les cellules et à dénaturer leur ADN ; les brins d'ADN monocaténaire ainsi obtenus adhèrent au filtre. Les molécules de la sonde radioactive complémentaire à une partie du gène recherché sont mises à incuber avec le filtre. La sonde monocaténaire s'associe par appariement de bases avec l'ADN complémentaire présent sur le filtre ; l'excès d'ADN est éliminé par rinçage. (Les colonies contenant des complexes hybrides de sonde radioactive-ADN sont illustrées en orange, mais elles ne sont pas encore visibles.)

3. On place le filtre sous une pellicule photographique sensible aux rayons X qui enregistre la position de toutes les parties radioactives (autoradiographie). Les points noirs correspondent aux endroits sur le filtre où se trouve l'ADN qui s'est hybridé avec la sonde.

4. On retourne la pellicule développée et on aligne les marques sur la pellicule et la gélose maîtresse de façon à pouvoir repérer les colonies qui contiennent le gène recherché.

RÉSULTATS Les colonies de cellules qui contiennent le gène recherché ont été isolées par hybridation moléculaire. Les cellules provenant des colonies étiquetées à l'aide de la sonde peuvent être cultivées dans une culture liquide, dans de grands réservoirs. Une grande quantité de l'ADN contenant le gène recherché peut être isolé de ces cultures. L'utilisation de sondes ayant des séquences nucléotidiques différentes permet de cribler la collection de clones bactériens pour différents gènes.

banque génomique, ou *génothèque* **(figure 20.6a)**, l'ensemble formé par les clones de plasmides recombinés, dont chacun porte une copie d'un segment particulier du génome initial. Les scientifiques obtiennent souvent une banque génomique (ou même des gènes clonés particuliers) d'un autre chercheur ou d'une source commerciale.

On emploie couramment certains bactériophages comme vecteurs de clonage pour la constitution de banques génomiques. Il est possible d'insérer des fragments d'ADN étranger dans un génome phagique comme dans un plasmide, c'est-à-dire par épissage, à l'aide d'une enzyme de restriction et d'une ADN ligase. Un avantage d'utiliser un phage comme vecteur est qu'il peut transporter une plus grande séquence d'ADN étranger qu'un plasmide bactérien (quatre fois plus pour le phage lambda). L'ADN phagique recombiné est ensuite emballé *in vitro* dans des capsides et introduit dans des bactéries par le mécanisme d'infection normal. À l'intérieur de la bactérie, l'ADN phagique se réplique et produit de nouvelles particules phagiques, portant toutes l'ADN étranger. Une banque génomique constituée à partir de phages est entreposée sous la forme d'une collection de clones phagiques **(figure 20.6b)**. Étant donné que les enzymes de restriction ne reconnaissent pas les limites des gènes, certains gènes dans l'un ou l'autre type de banques génomiques sont découpés et répartis entre deux clones ou plus.

Les chercheurs peuvent constituer un autre type de banque d'ADN à partir d'ARNm extrait de cellules. Une enzyme, la transcriptase inverse (extraite d'un rétrovirus) est utilisée *in vitro* pour fabriquer des transcrits d'ADN monocaténaire à partir des molécules d'ARNm. Après la dégradation enzymatique de l'ARNm, un second brin d'ADN, complémentaire du premier, est synthétisé

▶ **Figure 20.6 Banques d'ADN.** Une banque d'ADN comprend un grand nombre de clones bactériens ou phagiques, chacun contenant une copie d'un segment d'ADN issu d'un génome étranger. Dans une banque d'ADN complète (banque génomique), les segments d'ADN étranger couvrent tout le génome d'un organisme. **(a)** On a représenté ici trois « échantillons » parmi les milliers qui constituent la banque génomique plasmidique. Chacun est un clone de cellules bactériennes contenant des copies d'un certain fragment du génome étranger (coloré en rose, en jaune ou en noir) dans son plasmide recombiné. **(b)** Les trois mêmes segments de génome étranger apparaissent dans trois « échantillons » d'une banque génomique phagique.

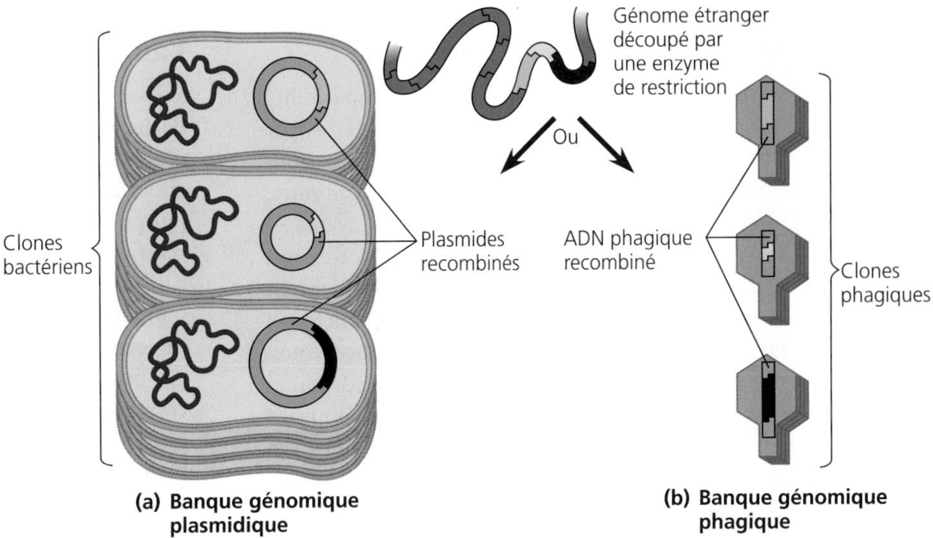

par l'ADN polymérase. On a donc un ADN bicaténaire, appelé **ADN complémentaire (ADNc)**; celui-ci est alors modifié par l'ajout des séquences de reconnaissance de l'enzyme de restriction à chaque extrémité. Enfin, l'ADNc est inséré dans l'ADN vecteur d'une manière semblable à l'insertion des fragments d'ADN génomique. L'ARNm isolé est en fait un mélange de toutes les molécules d'ARNm transcrites à partir de divers gènes de la cellule. Par conséquent, les ADNc clonés constituent une banque d'ADN. Cependant, une **banque d'ADNc** ne représente qu'une partie du génome de l'organisme (elle ne contient que la portion des gènes transcrits dans les cellules de départ).

Les banques génomiques et les banques d'ADNc présentent chacune leur avantage selon ce qui est étudié. Si on veut cloner un gène et qu'on n'est pas sûr dans quel type de cellules il est exprimé ou qu'on est incapable d'obtenir ce type de cellules, il est à peu près certain qu'une banque génomique contient le gène. De plus, si ce sont les séquences régulatrices ou les introns associés à un gène qui nous intéressent, une banque génomique est alors nécessaire, car ces séquences sont absentes des ARNm complètement transformés qui sont utilisés pour constituer une banque d'ADNc. Pour cette raison même, si seule la séquence codante d'un gène nous intéresse, on peut obtenir une version simplifiée du gène dans une banque d'ADNc. Une banque d'ADNc est également utile lorsqu'on désire étudier des gènes codant pour les fonctions spécialisées d'un type donné de cellules, comme celles du cerveau ou du foie. Enfin, on peut également reconnaître les changements de l'expression génique au cours du développement en fabriquant de l'ADNc à partir de cellules du même type prélevées à différents stades de la vie d'un organisme.

En plus des banques d'ADN, les chercheurs peuvent aussi disposer de gènes synthétiques, fabriqués en laboratoire. On peut en effet, à l'aide du code génétique, assembler dans le bon ordre les nucléotides d'une séquence d'ADN si on connaît la séquence des acides aminés de la protéine pour laquelle cet ADN code. Ainsi, à partir de la séquence connue des 51 acides aminés constituant les deux chaînes de la molécule d'insuline humaine, on a synthétisé, en 1979, le gène correspondant, et c'est ce gène qui est utilisé dans la fabrication d'insuline dont il sera question plus loin.

Le clonage et l'expression des gènes d'Eucaryotes

Il existe une autre solution au crible d'une banque d'ADN pour obtenir une séquence nucléotidique particulière : on peut parfois cribler les clones pour trouver un gène recherché en se basant sur la détection de la protéine qu'il code. Par exemple, si la protéine est une enzyme, on peut mesurer son activité ; ou encore, on peut détecter la protéine à l'aide d'anticorps se liant spécifiquement à l'enzyme. Et quand un gène particulier a été cloné dans des cellules hôtes, la protéine qu'il produit peut être synthétisée en quantités plus grandes pour les besoins de la recherche ou pour des applications intéressantes.

Les systèmes d'expression bactériens

Il peut être difficile de faire exprimer dans des cellules hôtes bactériennes le gène cloné d'un Eucaryote, parce que ces deux types de cellules se distinguent en ce qui a trait à l'expression génique. Pour remédier au problème que posent les différences concernant les promoteurs et les autres séquences de contrôle, on se sert habituellement d'un **vecteur d'expression**, c'est-à-dire un vecteur de clonage contenant le promoteur d'un Procaryote hautement actif juste en amont d'un site de restriction, où le gène eucaryote peut être inséré dans le bon cadre de lecture. La cellule hôte bactérienne reconnaît alors le promoteur et exprime le gène étranger qui lui est associé. De tels vecteurs d'expression permettent la synthèse d'un grand nombre de protéines d'Eucaryotes par des cellules bactériennes.

La présence de longues régions non codantes (introns) dans la plupart des gènes d'Eucaryotes est un autre obstacle à l'expression de gènes d'Eucaryotes clonés par des bactéries. Les gènes contenant des introns sont souvent très longs et difficiles à manipuler. De plus, les cellules bactériennes, qui n'ont pas d'outils d'épissage de l'ARN, sont incapables de les traduire correctement. On peut résoudre ce problème en utilisant une forme d'ADNc du gène qui ne contient que les exons. Une bactérie est en mesure d'exprimer un gène porté par un ADNc d'Eucaryote si le vecteur contient un promoteur bactérien et tout élément de contrôle nécessaire à la transcription et à la traduction du gène.

Le clonage et les systèmes d'expression eucaryotes

Les biologistes moléculaires peuvent pallier l'incompatibilité entre Eucaryotes et Procaryotes en remplaçant les bactéries par des cellules eucaryotes, comme les levures, servant d'hôtes pour le clonage ou l'expression (ou les deux) de gènes d'Eucaryotes. Les levures (champignons unicellulaires) offrent plusieurs avantages à cet égard : elles sont aussi faciles à cultiver que les Bactéries, ont un rythme de division rapide (quelques heures), présentent un très grand nombre de formes phénotypiques distinctes et contiennent des plasmides, ce qui est rare chez les Eucaryotes. Les scientifiques ont même conçu des plasmides recombinés contenant à la fois de l'ADN de levure et de bactérie, et pouvant se répliquer dans l'un ou l'autre de ces deux types de cellules. On a également fabriqué des vecteurs appelés **chromosomes artificiels de levure** (ou *YAC*, pour *yeast artificial chromosome*) et renfermant les éléments essentiels d'un chromosome d'Eucaryote (une origine de réplication de l'ADN, un centromère et deux télomères) ainsi que de l'ADN étranger. Ces vecteurs semblables à des chromosomes se comportent normalement pendant la mitose ; ils clonent donc l'ADN étranger lorsque la cellule de levure se divise. Étant donné qu'un chromosome artificiel de levure peut porter un segment d'ADN beaucoup plus long que ne le peut un plasmide (jusqu'à 1 000 000 de paires de bases comparativement à 5 000), un fragment cloné a plus de chances de contenir un gène complet plutôt qu'une seule portion.

Un autre facteur joue en faveur de l'emploi de cellules eucaryotes en tant qu'hôtes servant à l'expression de gènes clonés d'Eucaryotes. De nombreuses protéines d'Eucaryotes ne sont fonctionnelles que si elles sont modifiées après leur traduction, par exemple par l'ajout d'un glucide (glycoprotéine) ou d'un lipide (lipoprotéine). Les Bactéries sont incapables d'effectuer ces modifications ; de plus, si la protéine devant subir cette transformation provient d'un mammifère, même les cellules de levure ne peuvent pas la modifier correctement. Il est donc parfois nécessaire d'employer des cellules hôtes provenant d'une culture cellulaire d'origine animale.

Les scientifiques ont mis au point plusieurs méthodes d'introduction d'ADN recombiné dans les cellules eucaryotes. L'**électroporation** est l'application d'une brève impulsion électrique de haut voltage à une solution contenant des cellules. Le courant électrique crée dans la membrane plasmique des trous temporaires, par lesquels l'ADN peut pénétrer. (Aujourd'hui, on emploie couramment cette technique dans le cas de bactéries également, après avoir fait disparaître leur paroi cellulaire.) Il est aussi possible d'injecter l'ADN directement dans les grosses cellules eucaryotes comme les ovocytes au moyen d'aiguilles microscopiques. Pour insérer l'ADN dans des cellules végétales, on peut utiliser *Agrobacterium*, qui est une bactérie du sol, comme nous le verrons plus loin. Si l'ADN inséré est incorporé dans le génome d'une cellule par recombinaison génétique, alors il peut être exprimé par la cellule. On peut aussi insérer l'ADN dans des vésicules lipidiques appelées *liposomes* qui fusionnent avec la membrane de la cellule et la traversent. Enfin, on peut introduire mécaniquement de l'ADN dans une cellule animale ou végétale à l'aide d'un « canon à gènes » qui permet de bombarder une cellule de particules de tungstène ou d'or recouvertes d'ADN.

L'amplification de l'ADN *in vitro* : l'amplification en chaîne par polymérase (ACP)

Le clonage d'ADN *dans des cellules* demeure la meilleure méthode de production de grandes quantités d'un gène ou d'une autre séquence d'ADN. Cependant, lorsque la source d'ADN est peu abondante ou impure, la technique de l'**amplification en chaîne par polymérase**, ou **ACP** (en anglais *PCR*, pour *polymerase chain reaction*) est plus rapide et plus sélective ; elle permet l'amplification (soit la production de nombreuses copies) rapide de n'importe quel segment spécifique visé dans une ou plusieurs molécules d'ADN *dans une éprouvette*. L'amplification en chaîne par polymérase automatisée permet de produire des milliards de copies d'un segment donné en quelques heures, alors qu'il faut plusieurs jours pour obtenir le même nombre de copies en criblant une banque d'ADN afin de trouver un clone portant le gène recherché et en le laissant se répliquer dans des cellules hôtes. Mise au point dans les années 1980 par Kary Mullis, biochimiste américain, qui a par ailleurs mérité le prix Nobel de chimie en 1993, l'ACP est considérée par certains comme une percée aussi importante pour la biologie que l'invention du microscope.

La procédure de l'amplification en chaîne par polymérase **(figure 20.7)** est la répétition cyclique d'une réaction en chaîne qui se déroule en trois étapes et qui accroît une population de molécules d'ADN de façon exponentielle. Au cours de chaque cycle, qui ne dure que quelques minutes, on chauffe le mélange réactionnel afin de dénaturer (séparer) les brins d'ADN, puis on le refroidit pour permettre la renaturation (ou reformation) de liaisons hydrogène entre de courtes amorces d'ADN monocaténaire et leurs séquences complémentaires sur les brins opposés à chaque extrémité de la séquence visée ; enfin, une ADN polymérase résistante à la chaleur allonge les amorces dans le sens $5' \rightarrow 3'$. Si une ADN polymérase normale était utilisée, la protéine qui constitue cette enzyme serait dénaturée en même temps que l'ADN au moment du chauffage de la première étape, et il faudrait la remplacer après chaque cycle. La clé qui a permis d'automatiser l'ACP a été la découverte d'une ADN polymérase peu commune, isolée pour la première fois à partir de Procaryotes vivant dans des sources hydrothermales (la bactérie *Thermus aquaticus* principalement). Cette enzyme résiste aux fortes températures (plus de 90 °C) au début de chaque cycle.

La spécificité de l'ACP est tout aussi étonnante que sa rapidité. Il suffit de minuscules quantités d'ADN (même s'il n'est pas intact) dans le matériel de départ. La clé de cette grande spécificité réside dans les amorces ; celles-ci sont des séquences de 17 à 30 nucléotides synthétisées en laboratoire pour ne former des liaisons hydrogène qu'avec les séquences aux extrémités opposées du segment visé. À la fin du troisième cycle, un quart des molécules sont identiques au segment visé, les deux brins ayant la longueur appropriée. Avec chaque cycle successif, le nombre de molécules de segment visé de la bonne longueur double, et leur nombre l'emporte rapidement sur celui de toutes les autres molécules d'ADN dans la réaction.

Malgré sa vitesse et sa spécificité, l'ACP ne peut pas remplacer le clonage d'un gène dans des cellules quand ce gène doit être produit en grande quantité. Des erreurs occasionnelles surviennent pendant la réplication, ce qui limite le nombre de copies exactes fournies grâce à cette technique. De plus en plus, cependant, l'ACP est utilisée pour fabriquer suffisamment d'un

Figure 20.7

Méthode de recherche L'amplification en chaîne par polymérase (ACP)

APPLICATION L'ACP permet de produire un grand nombre de fois des copies d'un segment donné d'ADN (la séquence visée). Elle se déroule entièrement *in vitro*.

TECHNIQUE Les matériaux de départ de l'ACP sont un ADN bicaténaire contenant la séquence nucléotidique visée en vue du recopiage, une ADN polymérase résistante à la chaleur, les quatre nucléotides ainsi que deux courtes molécules d'ADN monocaténaire qui servent d'amorces. Une amorce est complémentaire à un brin à une extrémité de la séquence visée; la seconde est complémentaire à l'autre brin à l'autre extrémité de la séquence.

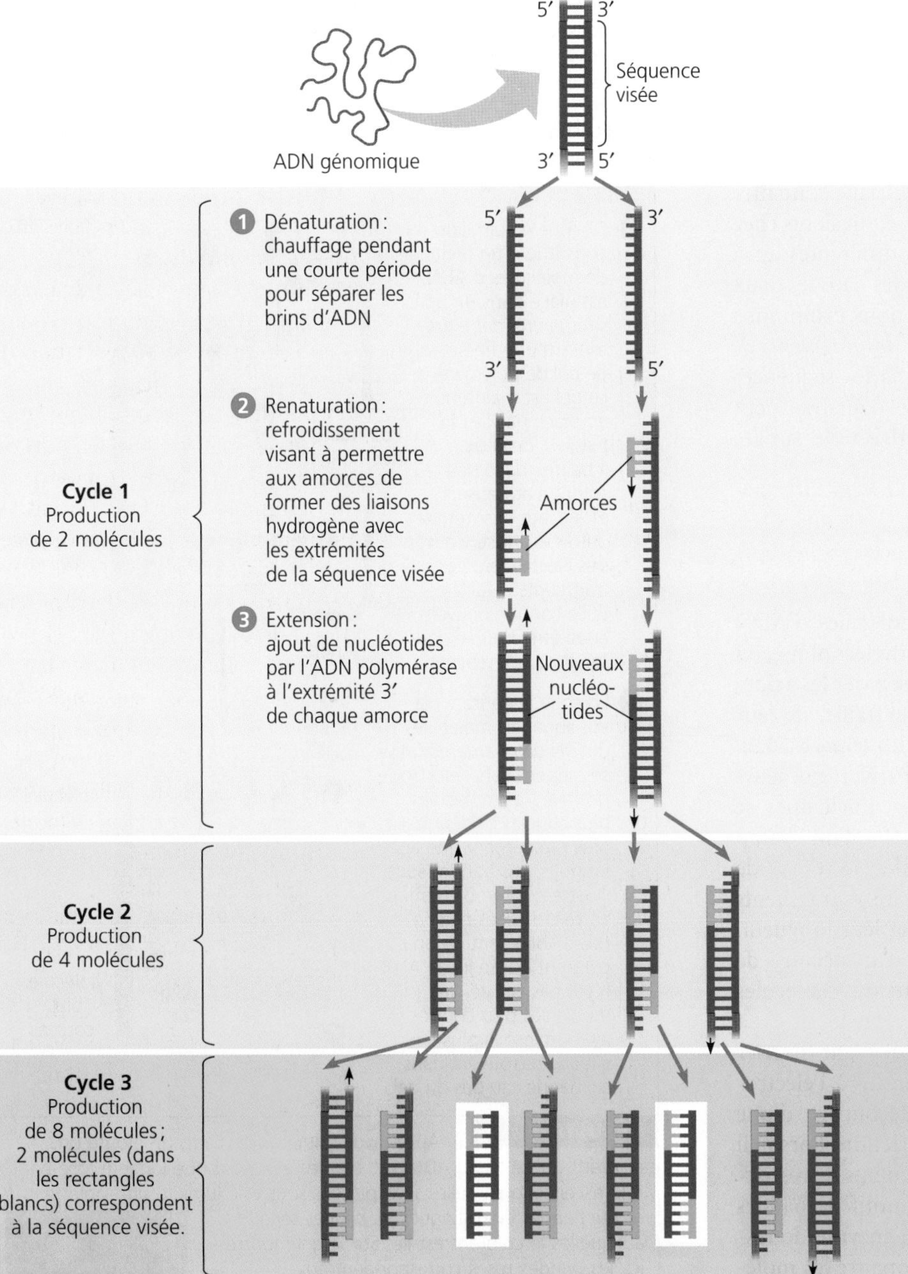

5′
3′
Séquence visée
ADN génomique
3′
5′
Dénaturation: chauffage pendant une courte période pour séparer les brins d'ADN
Renaturation: refroidissement visant à permettre aux amorces de former des liaisons hydrogène avec les extrémités de la séquence visée
Amorces
Extension: ajout de nucléotides par l'ADN polymérase à l'extrémité 3′ de chaque amorce
Nouveaux nucléotides
Cycle 1
Production de 2 molécules
Cycle 2
Production de 4 molécules
Cycle 3
Production de 8 molécules; 2 molécules (dans les rectangles blancs) correspondent à la séquence visée.

RÉSULTATS Pendant chaque cycle de la procédure de l'ACP, la séquence de l'ADN visée est doublée. À la fin du troisième cycle, un quart des molécules correspondent exactement à la séquence visée, les deux brins ayant la longueur correcte (voir les rectangles blancs ci-dessus). Après environ 20 cycles, le nombre de molécules de la séquence visée l'emporte sur celui de toutes les autres par un facteur de l'ordre de un milliard. *Remarque:* Les fragments d'ADN en grisé ne font pas partie de la séquence visée par l'amplification.

fragment d'ADN spécifique afin de le cloner simplement en l'insérant dans un vecteur.

L'amplification en chaîne par polymérase a eu de grandes répercussions sur les domaines de la recherche biologique et de la biotechnologie. On s'en sert pour amplifier de l'ADN de provenances très diverses: d'une momie découverte dans une pyramide, d'un mammouth laineux congelé depuis 40 000 ans, d'empreintes digitales ou de minuscules échantillons de sang, de tissu ou de sperme prélevés sur les lieux de crimes, d'une cellule embryonnaire unique dans le but de poser un diagnostic prénatal rapide de maladies génétiques, de gènes viraux provenant de cellules infectées par des virus difficiles à détecter (comme le VIH), etc. Nous reparlerons des applications de l'ACP plus loin dans le chapitre.

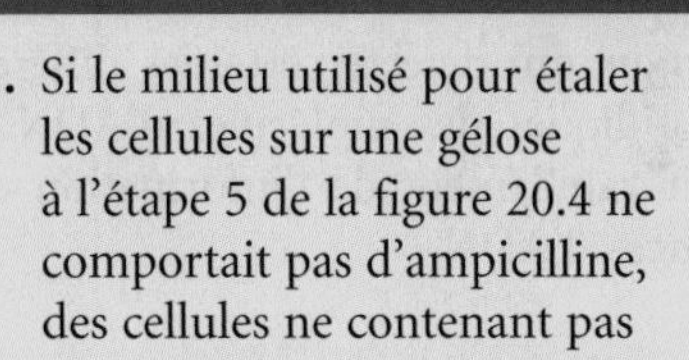

Retour sur le concept 20.1

1. Si le milieu utilisé pour étaler les cellules sur une gélose à l'étape 5 de la figure 20.4 ne comportait pas d'ampicilline, des cellules ne contenant pas de plasmide pourraient croître en colonies. De quelle couleur seraient ces colonies? Expliquez pourquoi.
2. Supposons que vous vouliez étudier la β-globine humaine, protéine présente dans les globules rouges. Afin d'obtenir des quantités suffisantes de cette protéine, vous décidez de cloner le gène de la β-globine. Est-il préférable de constituer une banque génomique ou une banque d'ADNc? Quel matériel utiliseriez-vous comme source d'ADN ou d'ARN?
3. Quelles sont les deux difficultés potentielles qu'entraîne l'utilisation de vecteurs plasmidiques et de cellules hôtes bactériennes pour produire de grandes quantités de protéines humaines à partir de gènes clonés?

Voir les réponses proposées à la fin du chapitre.

Concept 20.2

L'analyse des fragments de restriction permet de détecter des variations dans l'ADN des sites de restriction

Grâce aux techniques de préparation d'échantillons homogènes contenant un grand nombre de segments identiques d'ADN, on peut commencer à poser des questions intéressantes concernant les gènes et leurs fonctions. Un gène particulier varie-t-il d'une personne à l'autre, et certains de ses allèles sont-ils liés à une maladie héréditaire? Où et quand est-il exprimé dans l'organisme? Quel est son emplacement dans le génome? Son expression a-t-elle un lien avec l'expression d'autres gènes? On peut également tenter de savoir comment le gène varie d'une espèce à l'autre et commencer à éclaircir l'histoire de son évolution.

Pour apporter des réponses à ces questions, il faut connaître toute la séquence nucléotidique du gène et de ses équivalents chez des individus de la même espèce ou d'espèces différentes ainsi que son mode d'expression. Ces sujets sont abordés dans les deux prochaines sections. Dans la présente section, nous examinons une approche moins indirecte, appelée *analyse des fragments de restriction*, qui détecte certaines différences dans les séquences nucléotidiques des molécules d'ADN. Ce type d'analyse peut fournir rapidement de l'information comparative utile sur les séquences d'ADN.

L'électrophorèse sur gel et le buvardage de Southern

De nombreuses approches pour étudier les molécules d'ADN s'appuient sur l'**électrophorèse sur gel.** Dans cette technique, on emploie un gel comme tamis moléculaire pour séparer les acides nucléiques ou les protéines en fonction de leur taille, de leur charge électrique et d'autres propriétés physiques **(figure 20.8).** Étant donné qu'elles portent des charges négatives sur leurs groupements phosphate, les molécules d'acides nucléiques se déplacent toutes vers l'électrode positive sous l'effet d'un champ électrique. Pendant le déplacement des molécules, le réseau de fibres de polymère du gel ralentit davantage les longs fragments que les courts; les molécules sont séparées selon leur longueur. Par conséquent, l'électrophorèse sur gel sépare un mélange de molécules d'ADN linéaires en bandes contenant des molécules de la même longueur.

Dans l'analyse des fragments de restriction, il s'agit de trier des fragments d'ADN selon leur taille en recourant à l'électrophorèse sur gel. Les fragments résultent du découpage d'une molécule d'ADN à l'aide d'une enzyme de restriction. Lorsqu'il est soumis à l'électrophorèse, le mélange de fragments de restriction issus d'une molécule d'ADN produit un motif de bandes caractéristique de la molécule de départ et de l'enzyme de restriction employée. Il est même possible de reconnaître les molécules d'ADN relativement petites provenant de plasmides et de virus grâce aux motifs formés par leurs fragments de restriction. (Les molécules d'ADN plus longues, comme celles des chromosomes d'Eucaryotes, produisent trop de fragments de sorte que les bandes sont diffuses plutôt que distinctes.) Étant donné que l'ADN peut être extrait des gels de sorte à rester intact, cette

Figure 20.8

Méthode de recherche

L'électrophorèse sur gel

APPLICATION L'électrophorèse sur gel est utilisée pour séparer les acides nucléiques ou les protéines selon leur taille, leur charge électrique ou d'autres propriétés physiques. Les molécules d'ADN sont séparées par l'électrophorèse sur gel dans l'analyse des fragments de restriction des gènes clonés (voir la figure 20.9) et de l'ADN génomique (voir la figure 20.10).

TECHNIQUE L'électrophorèse sur gel consiste à séparer les macromolécules en fonction de leur vitesse de déplacement dans un gel sous l'effet d'un champ électrique. Dans le cas de l'ADN, la vitesse de migration (la distance parcourue pendant que le courant passe) est inversement proportionnelle à sa longueur. Un mélange de molécules d'ADN, habituellement des fragments produits par la digestion effectuée grâce à une enzyme de restriction, est séparé en « bandes » ; chaque bande contient des milliers de molécules de la même longueur.

1. Chaque échantillon, constitué d'un mélange de molécules d'ADN, est placé dans un puits situé à une des extrémités d'une fine plaque de gel de polymère. Le gel est maintenu en place par des plaques de verre ; il baigne dans une solution aqueuse et à chaque extrémité du dispositif se trouvent des électrodes. Des fragments d'ADN de taille connue peuvent aussi être ajoutés pour servir de référence.

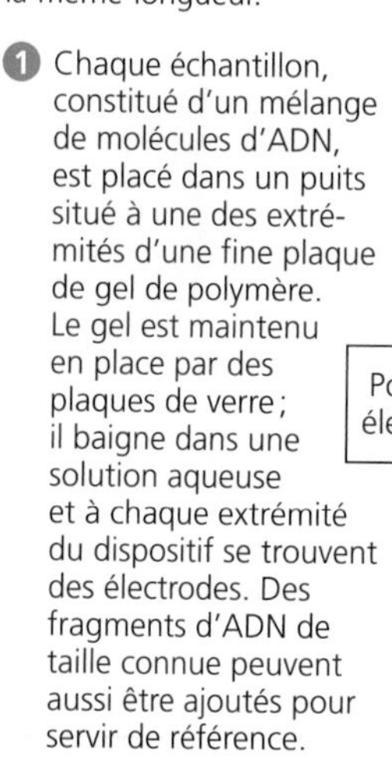
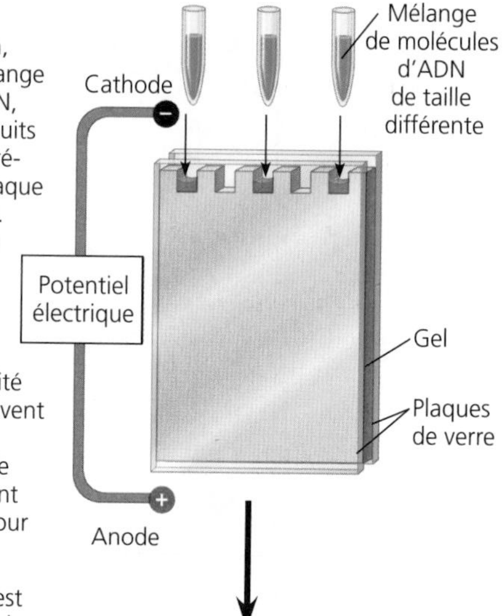

2. Lorsque le courant est appliqué, les molécules d'ADN de charge négative se dirigent vers l'électrode positive ; les molécules plus courtes se déplacent plus rapidement que les longues. Les bandes sont illustrées ici en bleu, mais, en réalité, elles ne sont pas visibles tant qu'un colorant qui se lie à l'ADN n'est pas ajouté. Les molécules plus courtes ayant migré le plus loin, elles se retrouvent dans les bandes au bas du gel.

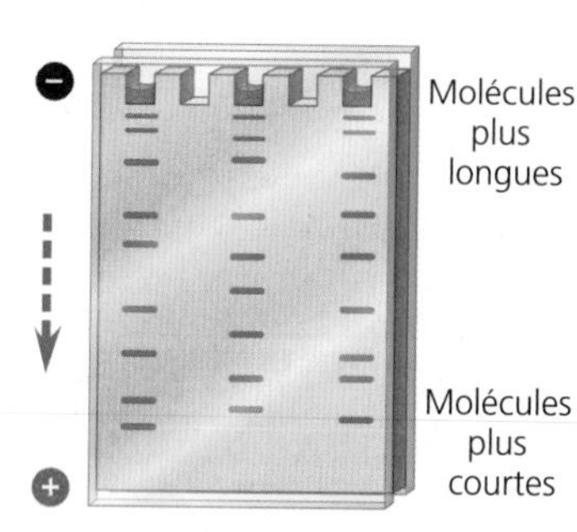

RÉSULTATS Après avoir coupé le courant, on ajoute un colorant qui se lie à l'ADN. Les bandes émettent une lumière rose par fluorescence lorsqu'elles sont placées sous une lumière ultraviolette, ce qui permet de distinguer les bandes séparées auxquelles le colorant est lié. Sur le gel montré ici, les bandes roses correspondent aux fragments d'ADN de longueurs différentes séparés par électrophorèse. Si tous les échantillons sont au départ coupés par la même enzyme de restriction, les motifs de bandes différents indiquent alors qu'ils proviennent de différentes sources.

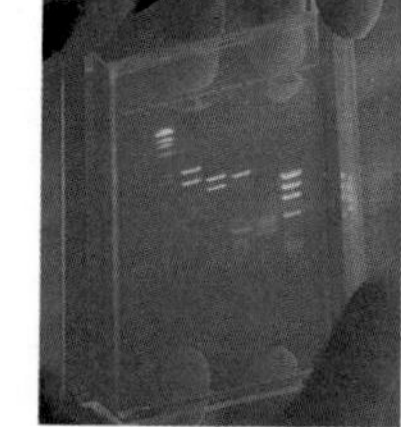

procédure permet de préparer des échantillons purs de fragments individuels.

L'analyse de fragments de restriction est également utile pour comparer deux molécules distinctes d'ADN représentant, par exemple, deux allèles d'un gène. Une enzyme de restriction reconnaît une séquence spécifique de nucléotides, et une modification dans une seule paire de bases l'empêche de couper à un site particulier. Par conséquent, si les différences de nucléotides entre les allèles se trouvent dans la séquence de reconnaissance d'une enzyme de restriction, la digestion à l'aide de cette enzyme produira un mélange différent de fragments provenant de chaque allèle. Et dans l'électrophorèse, chaque mélange produit son propre motif de bandes. Par exemple, l'anémie à hématies falciformes est causée par une mutation dans un seul nucléotide qui est situé dans une séquence de restriction du gène de la β-globine (voir la figure 17.23 et les pages 287-288). Comme l'illustre la **figure 20.9**, l'analyse des fragments de restriction par électrophorèse permet de distinguer les allèles normaux et ceux de l'anémie à hématies falciformes du gène de la β-globine.

À la figure 20.9, les matériaux de départ sont des échantillons de gènes clonés et purifiés d'allèles de la β-globine. Cependant, supposons qu'on veuille comparer des échantillons d'ADN génomique de trois individus : une personne homozygote pour l'allèle normal de la β-globine ; une personne souffrant d'anémie à hématies falciformes, homozygote pour l'allèle mutant ; et un porteur hétérozygote. L'électrophorèse de l'ADN génomique digéré par une enzyme de restriction produit trop de bandes pour qu'on soit capable de les reconnaître individuellement. Cependant, au moyen d'une autre méthode appelée **buvardage de Southern** (ou *transfert de Southern*, d'après Ed Southern, celui qui l'a mise au point en 1975), qui combine l'électrophorèse sur gel et l'hybridation des acides nucléiques, on peut détecter seulement les bandes qui contiennent des parties du gène de la β-globine. Le principe est le même que celui qui est utilisé dans le cas de l'hybridation des acides nucléiques pour sélectionner les clones bactériens (voir la figure 20.5). Dans le cas présent, la sonde est une molécule d'ADN monocaténaire radioactive qui est complémentaire au gène de la β-globine. La **figure 20.10** résume l'ensemble de la procédure et montre comment on peut s'en servir pour comparer des échantillons d'ADN provenant des trois individus mentionnés précédemment. Le buvardage de Southern permet non seulement de savoir si une séquence particulière est présente dans un échantillon d'ADN, mais également de connaître la taille des fragments de restriction contenant la séquence en question. L'une de ses nombreuses applications, comme dans notre exemple de la β-globine, consiste à isoler les porteurs hétérozygotes d'allèles mutants associés à des maladies génétiques.

Allèle normal de la β-globine

175 bp — 201 bp — Fragment long

*Dde*I *Dde*I *Dde*I *Dde*I

Allèle mutant à cellules falciformes de la β-globine

376 bp — Fragment long

*Dde*I *Dde*I *Dde*I

(a) Sites de restriction de *Dde*I dans les allèles normaux et dans les allèles des cellules falciformes du gène de la β-globine. Nous représentons ici les allèles clonés, séparés de l'ADN vecteur mais incluant un peu d'ADN voisin de la séquence de codage. L'allèle normal contient deux sites dans la séquence de codage reconnus par l'enzyme de restriction *Dde*I. Il manque un de ces sites à l'allèle des cellules falciformes.

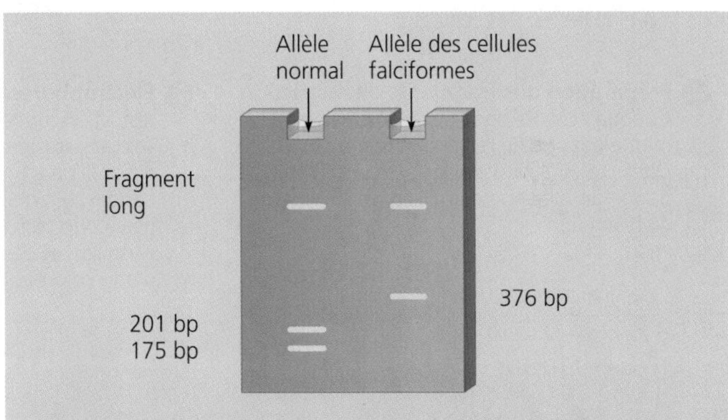

(b) Électrophorèse des fragments de restriction d'allèles normaux et d'allèles de cellules falciformes. Les échantillons de chaque allèle purifié ont été découpés par l'enzyme *Dde*I puis soumis à l'électrophorèse sur gel ; il en résulte trois bandes pour l'allèle normal et deux bandes pour l'allèle des cellules falciformes. (Les minuscules fragments aux extrémités des deux molécules d'ADN de départ sont identiques et ne sont pas visibles ici.)

▲ **Figure 20.9 Reconnaissance de l'ADN provenant d'allèles normaux et d'allèles de cellules falciformes du gène de la β-globine à partir de l'analyse des fragments de restriction.** **(a)** La mutation portée par les cellules falciformes détruit un des sites de restriction de l'enzyme *Dde*I dans le gène de la β-globine. **(b)** Après cette étape, la digestion par l'enzyme *Dde*I produit différents fragments provenant des allèles normaux et des allèles de cellules falciformes.

Les différences de taille des fragments de restriction comme marqueurs génétiques

L'analyse des fragments de restriction s'est avérée précieuse dans le cas de l'étude de l'ADN *non codant*, qui constitue la majeure partie du génome des Animaux et des Végétaux (voir la figure 19.14). En étudiant des segments clonés d'ADN non codant provenant de différents individus à l'aide de procédures semblables à celle qui est décrite à la figure 20.8, des chercheurs ont eu la surprise de constater de nombreuses différences entre les motifs de bandes obtenus. Comme les différents allèles d'un gène, les séquences d'ADN non codant sur les chromosomes homologues peuvent comporter de petites différences dans les nucléotides.

Les différences dans les sites de restriction des chromosomes homologues présentent des variantes qui se reflètent parfois dans les motifs formés par les fragments de restriction. Dans tous les génomes, y compris le génome humain, les variations de ce type, appelées **polymorphismes de taille des fragments de restriction** ou **PTFR** (en anglais *RFLP*, pour *restriction fragment length polymorphisms*), sont très abondantes. Elles sont analogues à celles qui existent dans les séquences codantes. Comme dans le cas de l'unique différence de paire de bases qui désigne l'allèle des

Figure 20.10

Méthode de recherche L'analyse de fragments d'ADN par la technique de buvardage de Southern

APPLICATION Cette méthode permet aux chercheurs de détecter des séquences nucléotidiques particulières dans un échantillon d'ADN. Le buvardage de Southern est utile notamment pour comparer les fragments de restriction produits à partir de différents échantillons d'ADN génomique.

TECHNIQUE Dans cet exemple, nous comparons des échantillons d'ADN génomique provenant de trois individus : un homozygote pour l'allèle normal de la β-globine (I), un homozygote pour l'allèle mutant des cellules falciformes (II) et un hétérozygote (III).

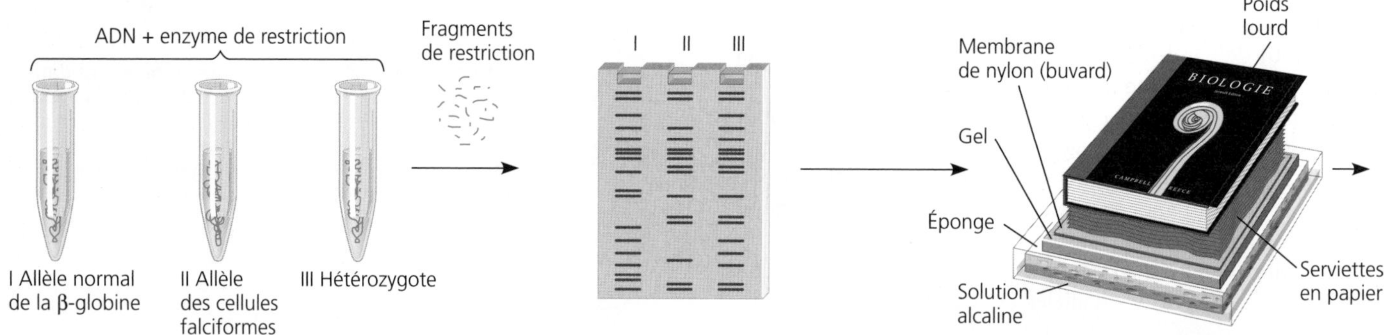

1 Préparation des fragments de restriction. Chaque échantillon d'ADN est mélangé à la même enzyme de restriction (dans ce cas, *Dde*I). La digestion de chaque échantillon donne un mélange de milliers de fragments de restriction.

2 Électrophorèse sur gel. Les fragments de restriction formés à partir de chaque échantillon sont séparés par électrophorèse. Chaque échantillon a un motif caractéristique en bandes. (En réalité, les bandes devraient être beaucoup plus nombreuses que celles qui sont illustrées, et elles seraient invisibles, à moins d'être colorées.)

3 Buvardage. Le gel étant disposé tel qu'illustré ci-dessus, une solution alcaline, sous l'effet de la capillarité, monte et passe à travers le gel ; l'ADN se trouve ainsi transféré sur une membrane en nylon (buvard) et dénaturé. Les brins d'ADN monocaténaire adhèrent à la membrane de nylon en formant des bandes identiques à celles qui sont présentes dans le gel.

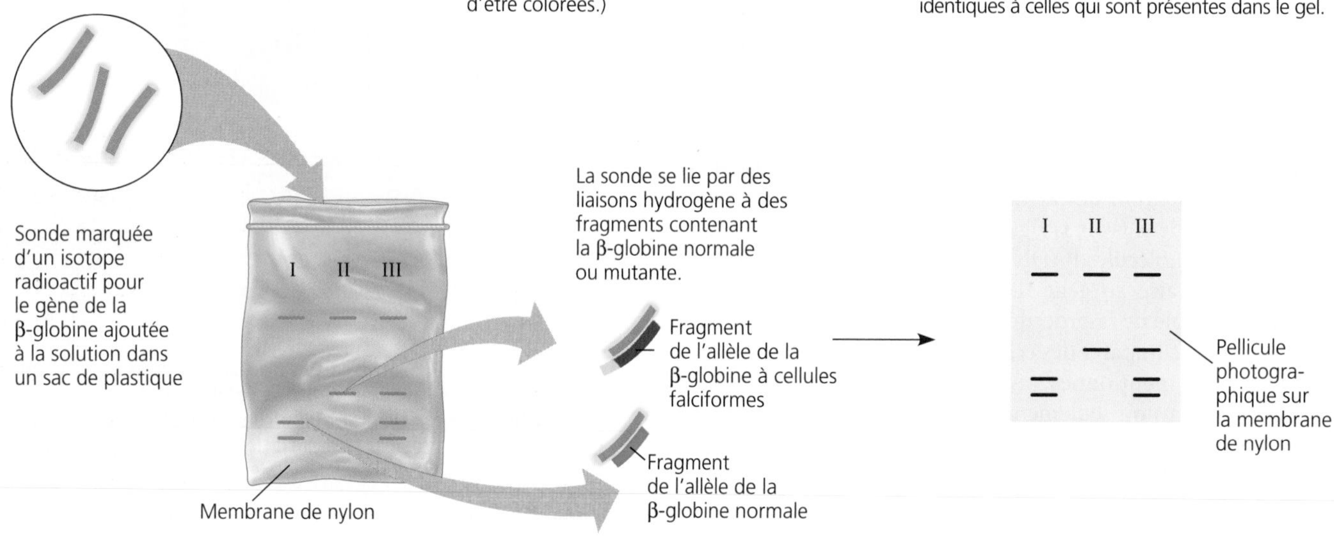

4 Hybridation à l'aide d'une sonde radioactive. La membrane de nylon est mise en présence d'une solution contenant une sonde marquée d'un isotope radioactif. Dans cet exemple, la sonde est un ADN monocaténaire complémentaire au gène de la β-globine. Les molécules de la sonde se lient par appariement des bases avec les fragments de restriction contenant une partie du gène de la β-globine. (Les bandes ne seraient pas visibles encore.)

5 Autoradiographie. Une pellicule photographique est placée sur la membrane de nylon. La radioactivité de la sonde liée mène à la reproduction, sur la pellicule, de l'image des bandes contenant l'ADN dont les bases sont appariées avec la sonde.

RÉSULTATS Étant donné que les motifs de bandes pour les trois échantillons sont tout à fait différents, on peut utiliser cette méthode pour isoler les porteurs hétérozygotes de l'allèle des cellules falciformes (III), de même que ceux qui souffrent de la maladie, qui ont deux allèles mutants (II), et les individus qui ne sont pas touchés, qui ont deux allèles normaux (I). Les motifs de bandes pour les échantillons I et II ressemblent à ceux qui sont observés pour les allèles normal et mutant purifiés, respectivement, qu'on voit à la figure 20.9b. Le motif de bandes pour l'échantillon provenant de l'hétérozygote (III) est une combinaison des motifs pour les deux homozygotes (I et II).

cellules falciformes, un PTFR peut servir de marqueur génétique d'un certain emplacement (locus) du génome. Dans une population donnée, un marqueur PTFR particulier présente souvent de nombreuses variantes. (Le mot *polymorphisme* vient du grec *polus*, « nombreux », et *morphè*, « forme ».)

Les polymorphismes de taille des fragments de restriction sont détectés et analysés à l'aide de la technique du buvardage de Southern; la sonde utilisée est une séquence complémentaire à la séquence à l'étude. La figure 20.10 pourrait tout aussi bien illustrer la détection d'un PTFR dans un ADN non codant que la détection d'une différence entre les séquences codantes de deux allèles. Étant donné la sensibilité de l'hybridation de l'ADN, l'opération peut se faire à partir du génome entier. (On extrait généralement les échantillons d'ADN humain des leucocytes.)

Comme ils sont transmis selon le modèle mendélien, les marqueurs PTFR permettent de dessiner des cartes génétiques. Les généticiens emploient le raisonnement que nous avons vu à la figure 15.6: la fréquence de transmission simultanée de deux marqueurs PTFR (ou d'un PTFR et d'un allèle) est une mesure de la proximité de deux loci sur un chromosome. Grâce à la découverte des PTFR, le nombre de marqueurs rendant possible la cartographie du génome humain s'est énormément accru. Les généticiens ne sont plus contraints de se limiter aux variantes génétiques donnant lieu à des différences génotypiques évidentes (comme les maladies génétiques) ou à des différences au niveau des protéines.

Retour sur le concept 20.2

1. Supposons que vous effectuez l'électrophorèse d'un échantillon d'ADN génomique isolé d'un individu et traité à l'aide d'une enzyme de restriction. Après avoir coloré le gel avec un colorant qui se lie à l'ADN, que verriez-vous? Expliquez votre réponse.
2. Expliquez pourquoi les polymorphismes de taille des fragments de restriction (PTFR) peuvent servir de marqueurs génétiques même s'ils ne produisent aucune différence phénotypique visible.

Voir les réponses proposées à la fin du chapitre.

Concept 20.3

Il est possible de cartographier l'ADN de génomes entiers

Dès 1980, le biologiste moléculaire David Botstein et ses collaborateurs ont émis l'idée que les variations de l'ADN se reflétant au niveau du polymorphisme de taille des fragments de restriction pouvaient servir de point de départ pour l'établissement d'une cartographie extrêmement détaillée de l'ensemble du génome humain. Depuis, les chercheurs ont employé les marqueurs de ce type, simultanément avec les outils et les techniques de la biotechnologie, pour cartographier avec toujours plus de détails le génome de plusieurs autres organismes.

Le projet de recherche le plus ambitieux à ce jour a été le séquençage du génome humain; c'est le **Projet génome humain**, officiellement lancé en 1990. Il était en grande partie terminé en 2003 lorsque la séquence nucléotidique de la vaste majorité de l'ADN de chacun des chromosomes humains (les 22 autosomes et la paire de chromosomes sexuels) a été obtenue. Ce projet a été mis sur pied par un consortium international financé par le secteur public et réunissant des chercheurs employés par des universités et des instituts de recherche. Il a suivi trois étapes centrées sur une étude qui a fourni progressivement de plus en plus de détails sur le génome humain: la cartographie de liaison génétique, la cartographie physique et le séquençage de l'ADN.

Outre la cartographie de l'ADN humain, les chercheurs du projet travaillent aussi à cartographier le génome d'autres espèces importantes pour la recherche en biologie. Ils ont terminé notamment la détermination des séquences de *E. coli* et de nombreux autres Procaryotes, de *Saccharomyces cerevisiæ* (levure), de *Cænorhabditis elegans* (Nématode ou Ver rond), de *Drosophila melanogaster* (mouche du vinaigre) et de *Mus musculus* (souris commune). Ces génomes sont très intéressants en eux-mêmes; ils nous fournissent aussi des renseignements précieux sur la biologie en général, comme nous le verrons plus loin. De plus, les premiers travaux effectués sur eux ont facilité l'élaboration de stratégies, de méthodes et de nouvelles techniques en vue de décoder le génome humain, qui est beaucoup plus vaste.

La cartographie de liaison génétique: l'ordonnancement relatif des marqueurs

Même avant le début du Projet génome humain, les premières recherches avaient donné une image approximative de la structure des génomes de nombreux organismes. Par exemple, le caryotype d'une espèce montre le nombre de chromosomes et leur motif de bandes complet (voir la figure 13.3). En outre, quelques gènes avaient déjà été repérés sur une région particulière d'un chromosome entier par hybridation *in situ* en fluorescence (en anglais *FISH*, pour *fluorescence* in situ *hybridization*), qui est une technique dans laquelle on laisse des sondes marquées en fluorescence s'hybrider avec un réseau immobilisé de chromosomes entiers (voir la figure 15.1). Les cartes chromosomiques qui sont fondées sur ce type d'information ont fourni le point de départ pour une cartographie plus détaillée.

Avec les cartes chromosomiques en main, la première étape de la cartographie d'un génome de grande taille est la construction d'une **carte de liaison génétique** de plusieurs milliers de marqueurs génétiques espacés sur l'ensemble des chromosomes (**figure 20.11**, étape ❶). L'ordre des marqueurs et leurs distances relatives sont déterminés à partir des fréquences de recombinaison (voir le chapitre 15). Les marqueurs peuvent être des gènes ou toute autre séquence d'ADN identifiable, telle qu'un PTFR ou un ADN de simple séquence dont il a été question au chapitre 19. Les chercheurs ont établi une carte du génome humain comportant environ 5 000 marqueurs à partir de l'ADN de simple séquence abondant dans le génome humain et comportant divers « allèles » de longueur variable. Cette carte leur permet de repérer les autres marqueurs, y compris les gènes, en mesurant le degré

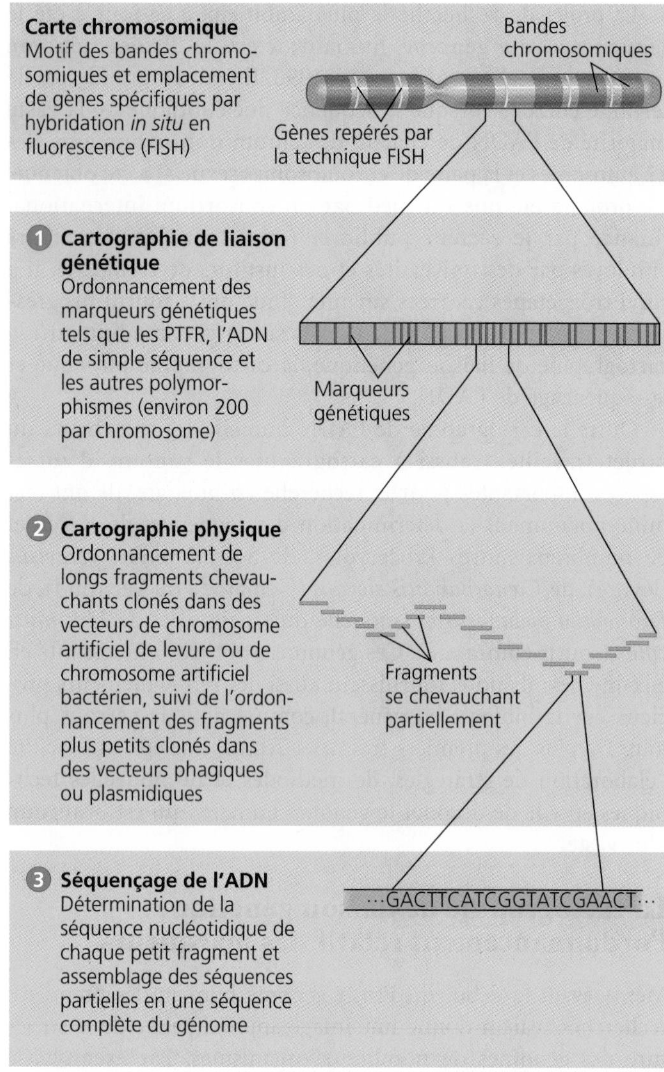

Carte chromosomique
Motif des bandes chromosomiques et emplacement de gènes spécifiques par hybridation *in situ* en fluorescence (FISH)
Bandes chromosomiques
Gènes repérés par la technique FISH
1 Cartographie de liaison génétique
Ordonnancement des marqueurs génétiques tels que les PTFR, l'ADN de simple séquence et les autres polymorphismes (environ 200 par chromosome)
Marqueurs génétiques
2 Cartographie physique
Ordonnancement de longs fragments chevauchants clonés dans des vecteurs de chromosome artificiel de levure ou de chromosome artificiel bactérien, suivi de l'ordonnancement des fragments plus petits clonés dans des vecteurs phagiques ou plasmidiques
Fragments se chevauchant partiellement
3 Séquençage de l'ADN
Détermination de la séquence nucléotidique de chaque petit fragment et assemblage des séquences partielles en une séquence complète du génome
···GACTTCATCGGTATCGAACT···

▲ **Figure 20.11 Approche en trois étapes pour cartographier un génome entier.** Les chercheurs du Projet génome humain ont commencé avec une carte chromosomique de chaque chromosome, puis ont entrepris une méthode de cartographie en trois étapes afin d'atteindre le but final, c'est-à-dire obtenir la séquence nucléotidique presque complète de chaque chromosome.

de liaison génétique avec les marqueurs connus. Elle constitue également un cadre de travail précieux pour la préparation de cartes plus détaillées de certaines régions.

La cartographie physique : l'ordonnancement des fragments d'ADN

Sur une **carte physique**, les distances entre les marqueurs sont exprimées en fonction d'une grandeur physique, généralement le nombre de paires de bases (pb) d'ADN. Pour cartographier l'ensemble du génome, on trace une carte physique en découpant l'ADN de chacun des chromosomes en un certain nombre de fragments de restriction, puis on détermine l'ordre dans lequel ceux-ci se trouvaient sur l'ADN du chromosome. Il est essentiel de produire des fragments qui se recouvrent partiellement, puis de trouver les zones de recouvrement à l'aide de sondes ou grâce au séquençage nucléotidique automatisé des extrémités (figure 20.11, étape 2). De cette façon, on peut assigner de plus en plus de fragments à un ordre séquentiel qui correspond à cet ordre dans un chromosome.

Les fragments d'ADN employés pour établir la cartographie physique sont préparés par clonage. Lorsqu'ils travaillent avec des génomes de grande taille, les chercheurs effectuent plusieurs cycles de découpage de l'ADN, de clonage et de cartographie physique. Le premier vecteur de clonage est souvent un chromosome artificiel de levure, dans lequel on peut insérer des fragments longs de 1 000 000 de paires de bases, ou encore un **chromosome artificiel bactérien**, dans lequel on peut insérer de 100 000 à 500 000 paires de bases. Après avoir déterminé l'ordre de ces longs fragments, on découpe chacun d'eux en des morceaux plus petits, que l'on clone dans un plasmide ou dans un phage ; on ordonne ces petits fragments à leur tour, et enfin on les séquence.

Le séquençage de l'ADN

La meilleure cartographie imaginable d'un génome est la détermination de la séquence nucléotidique complète de chaque chromosome (figure 20.11, étape 3). Si l'on dispose d'une préparation purifiée d'un grand nombre de copies d'un fragment d'ADN jusqu'à une longueur d'environ 800 paires de bases, un séquenceur permet de déterminer la séquence de ce fragment. La technique habituelle de séquençage décrite à la **figure 20.12** a été mise au point par le Britannique Frederick Sanger ; elle est souvent appelée *méthode de Sanger* ou *méthode de terminaison de chaîne par un didésoxyribonucléotide* (*méthode didésoxy*, en abrégé). Même lorsqu'il est automatisé, le séquençage des 2,9 milliards de paires de bases d'un jeu haploïde de chromosomes humains représente une tâche monumentale. Parmi les événements qui ont eu un effet décisif sur le Projet génome humain figurent la mise au point d'une technique de séquençage plus rapide et le perfectionnement des programmes informatiques d'analyse et d'assemblage des séquences partielles.

Dans la pratique, les trois étapes illustrées à la figure 20.11 se recoupent, ce que le schéma ne montre pas ; mais elles constituent encore la stratégie globale du consortium public de recherche. En 1992, encouragé par les progrès réalisés dans le domaine des séquenceurs et de l'informatique, le biologiste moléculaire J. Craig Venter a proposé une autre stratégie de séquençage de génomes entiers. Son idée était essentiellement de sauter les étapes de la cartographie de liaison génétique et de la cartographie physique, et de passer directement au séquençage de fragments d'ADN pris au hasard. Ensuite, de puissants programmes informatiques regrouperaient les courtes séquences, très nombreuses, ainsi produites et se recouvrant partiellement de sorte à former une seule séquence continue **(figure 20.13)**.

Malgré le scepticisme de beaucoup de ses collègues, les mérites de l'approche de Venter sont devenus évidents en 1995. Cette année-là, le chercheur et ses collaborateurs ont publié la première séquence complète du génome de la bactérie *Hæmophilus influenzæ*. Il est évident que les deux approches sont valables et qu'elles ont contribué à réaliser le séquençage du génome d'un bon nombre d'espèces.

Le séquençage du génome humain est maintenant presque complet, bien qu'il subsiste encore quelques vides. Certaines

Figure 20.12

Méthode de recherche La méthode de terminaison de chaîne par un didésoxyribonucléotide pour le séquençage de l'ADN

APPLICATION Grâce à des appareils spécialisés qui effectuent les réactions de séquençage et séparent les produits marqués selon la longueur, on peut déterminer rapidement la séquence des nucléotides dans un fragment d'ADN cloné pouvant atteindre une longueur de 800 paires de bases.

TECHNIQUE Cette méthode consiste à synthétiser un ensemble de brins d'ADN complémentaires au fragment d'ADN original. Chaque brin débute par la même amorce et se termine avec un didésoxyribonucléotide (ddNTP), c'est-à-dire un nucléotide modifié. L'incorporation d'un ddNTP met fin à un brin d'ADN en croissance, parce qu'il lui manque le groupement 3'—OH qui rendrait possible l'insertion du nucléotide suivant (voir la figure 16.13). Dans l'ensemble de brins synthétisés, la position de chaque nucléotide sur la séquence initiale est représentée par des brins qui se terminent à ce point par le ddNTP complémentaire. Étant donné que chaque type de ddNTP est marqué à l'aide d'un marqueur fluorescent distinct, on peut déterminer l'identité des nucléotides de terminaison des nouveaux brins et, finalement, la séquence originale entière.

1. Le fragment d'ADN à séquencer est dénaturé en simples brins et incubé dans une éprouvette avec les ingrédients nécessaires pour la synthèse de l'ADN : une amorce conçue pour se lier par des liaisons hydrogène à l'extrémité 3' connue du brin matrice, l'ADN polymérase, les quatre désoxyribonucléotides et les quatre didésoxyribonucléotides, chacun étant marqué avec une molécule fluorescente spécifique.

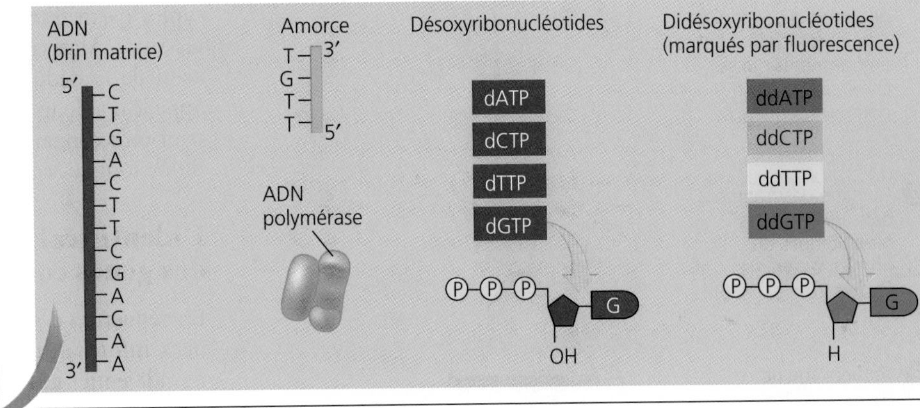

2. La synthèse des nouveaux brins commence à l'extrémité 3' de l'amorce et se poursuit jusqu'à l'insertion du didésoxyribonucléotide, de façon aléatoire, à la place du nucléotide normal équivalent. L'insertion du didésoxyribonucléotide empêche la poursuite de l'élongation du brin, alors que celle du nucléotide normal la permet. Finalement, on obtient un ensemble de brins marqués, de longueurs différentes. La couleur du marqueur représente le dernier nucléotide dans la séquence.

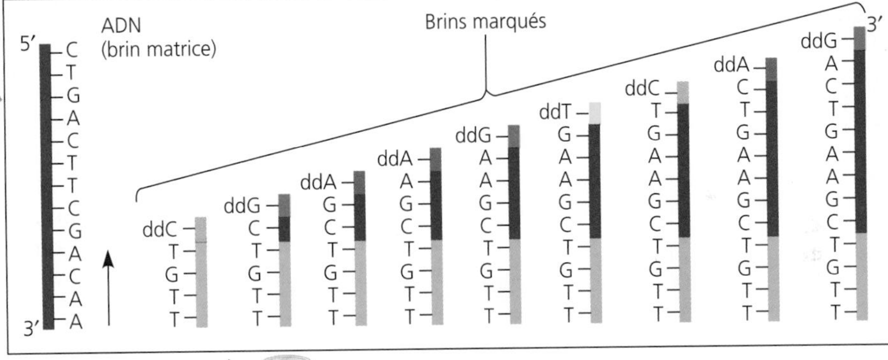

3. Les brins d'ADN marqués dans le mélange sont séparés par passage sur gel de polyacrylamide dans un tube capillaire ; les brins plus courts se déplacent plus vite. Un détecteur de fluorescence détecte la couleur de chaque marqueur fluorescent à mesure que les brins traversent le gel. On peut distinguer des brins qui ne diffèrent de longueur que par aussi peu qu'un seul nucléotide.

Sens du déplacement des brins

Laser

Détecteur

RÉSULTATS La couleur du marqueur fluorescent sur chaque brin indique la nature du nucléotide à son extrémité. Il est possible d'imprimer les résultats sous forme de spectrogramme ; la séquence, qui est complémentaire au brin matrice, peut être lue de bas en haut (remarquez que la séquence commence après l'amorce).

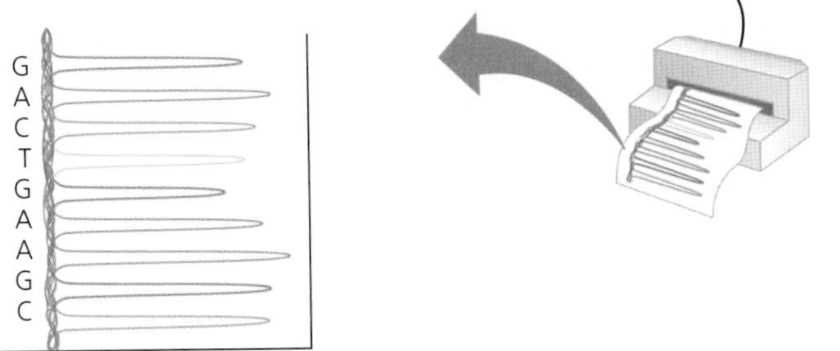

parties des chromosomes des organismes multicellulaires sont en effet difficiles à cartographier en détail par les méthodes habituelles. Cela est attribuable à la présence d'ADN répétitif et à d'autres raisons que l'on comprend mal.

Sur un plan, les séquences de génomes des humains et d'autres organismes ne sont que des listes monotones de bases nucléotidiques (une succession interminable de millions de A, de T, de C et de G). Sur un autre, les analyses des séquences de diverses espèces et les comparaisons entre celles-ci nous amènent vers des découvertes très intéressantes, dont nous allons parler dans la prochaine section.

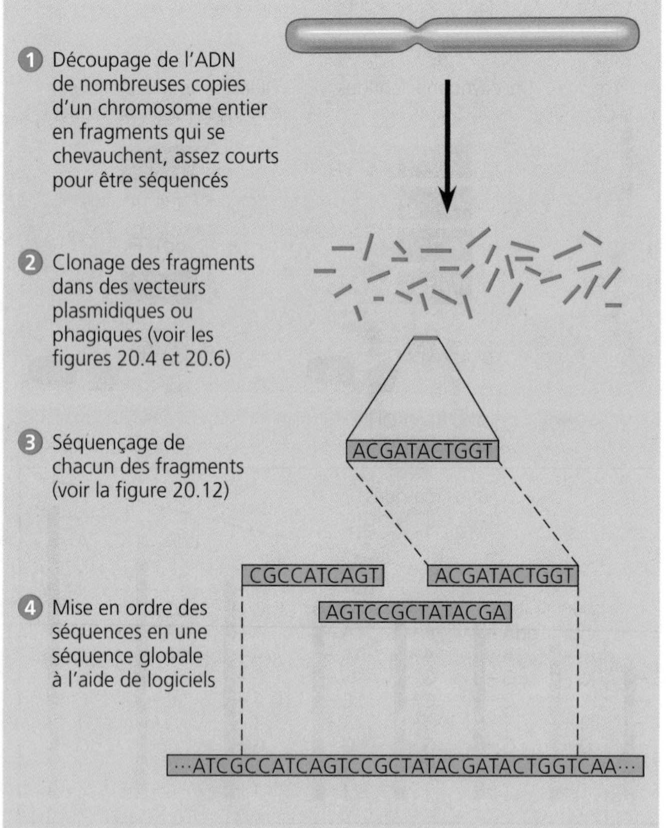

1 Découpage de l'ADN de nombreuses copies d'un chromosome entier en fragments qui se chevauchent, assez courts pour être séquencés
2 Clonage des fragments dans des vecteurs plasmidiques ou phagiques (voir les figures 20.4 et 20.6)
3 Séquençage de chacun des fragments (voir la figure 20.12)
ACGATACTGGT
CGCCATCAGT
ACGATACTGGT
AGTCCGCTATACGA
4 Mise en ordre des séquences en une séquence globale à l'aide de logiciels
…ATCGCCATCAGTCCGCTATACGATACTGGTCAA…

▲ **Figure 20.13 Approche de séquençage en aveugle sur l'ensemble du génome.** Dans cette approche conçue par Celera Genomics, des fragments d'ADN aléatoires sont séquencés et classés les uns par rapport aux autres. Comparez cette approche avec l'approche hiérarchisée en trois étapes illustrée à la figure 20.11.

Retour sur le concept 20.3

1. Quelle est la principale différence entre une carte de liaison génétique et une carte physique d'un chromosome?
2. En général, en quoi la stratégie appliquée par le Projet génome humain pour cartographier le génome est-elle différente de celle de l'approche en aveugle?

Voir les réponses proposées à la fin du chapitre.

Concept 20.4

Les séquences du génome fournissent des indices sur des questions biologiques importantes

Maintenant que les séquences de génomes entiers sont connues, les scientifiques peuvent étudier des ensembles complets de gènes et leurs interactions grâce à la **génomique**. Cette démarche jette une lumière nouvelle sur des questions fondamentales concernant la structure des génomes, la régulation de l'expression génique, la croissance et le développement ainsi que l'évolution. Les méthodes de la biotechnologie permettent aux généticiens d'étudier les gènes directement, sans avoir à déduire un génotype à partir d'un phénotype, comme c'était le cas en génétique classique. Mais cette nouvelle approche pose le problème inverse, celui de la déduction du phénotype à partir du génotype; on appelle d'ailleurs ce type d'approche *génétique inverse*. Comment peut-on reconnaître les gènes et déterminer leur fonction en partant d'une longue séquence d'ADN?

L'identification dans les séquences d'ADN des gènes codant pour les protéines

Les séquences d'ADN sont rassemblées dans des banques de données informatisées mises à la disposition des chercheurs du monde entier grâce à Internet. Afin d'identifier les gènes codant pour des protéines jusqu'à maintenant inconnus, les scientifiques se servent de programmes informatiques pour les parcourir et y rechercher des séquences associées aux signaux de départ et d'arrêt de la transcription et de la traduction, et aux sites d'épissage de l'ARN; ils y trouvent aussi d'autres indices de la présence de gènes codant pour des protéines. Ces programmes permettent également de rechercher les séquences semblables à celles de gènes connus. Des milliers de séquences de ce type, appelées *étiquettes de séquences exprimées* (ou *EST*, pour *expressed sequences tags*), sont actuellement cataloguées dans des bases de données informatisées. Ce type d'analyse détermine les séquences qui peuvent être de «nouveaux» gènes codant pour des protéines, communément appelés *gènes potentiels*.

Bien que la taille du génome augmente généralement en passant des Procaryotes aux Eucaryotes, il n'y a pas toujours de corrélation avec la complexité biologique chez ces derniers. Par exemple, le génome de *Fritillaria assyriaca*, un angiosperme, contient 120×10^9 pb, soit environ 40 fois la taille du génome humain. De plus, le nombre de gènes que possède un organisme est souvent plus faible que prévu si on se base sur la taille du génome. Notamment, on estime que le nombre de gènes humains (à peine 25 000 environ) est de loin inférieur à ce que l'on s'attendait à trouver (entre 50 000 et 100 000). Le nombre de nos gènes représente seulement une fois et demie celui des drosophiles et des vers ronds **(tableau 20.1)**. Cela parut d'abord surprenant, étant donné la plus grande diversité de types de cellules chez les humains et d'autres Vertébrés ainsi que leur complexité biologique généralement plus grande. La proportion du génome constituée de gènes est beaucoup plus faible chez l'humain que chez les autres organismes étudiés jusqu'ici. Dans le génome humain, l'énorme quantité d'ADN non codant est composée en grande partie d'ADN répétitif et aussi d'introns.

Tableau 20.1 Taille du génome et nombre estimé de gènes*

Organisme	Taille du génome haploïde (Mb)	Nombre de gènes	Gènes par Mb
Hæmophilus influenzæ (Bactérie)	1,8	1 700	940
Escherichia coli (Bactérie)	4,6	4 400	950
Saccharomyces cerevisiæ (levure)	12	5 800	480
Cænorhabditis elegans (Nématode)	97	19 000	200
Arabidopsis thaliana (plante)	118	25 500	215
Drosophila melanogaster (drosophile)	180	13 700	76
Oryza sativa (riz)	430	60 000	140
Danio rerio (poisson zèbre)	1 700	22 000	13
Mus musculus (souris commune)	2 600	25 000	11
Homo sapiens (humain)	2 900	25 000	10
Fritillaria assyriaca (plante)	120 000	AD	AD

* Une définition rigoureuse de « génome » fait référence au génome *haploïde* d'un organisme. Certaines valeurs présentées dans le tableau sont susceptibles d'être révisées à mesure que l'analyse des génomes se poursuit. Mb : million de paires de bases ou mégabase ; AD : aucune donnée.

Alors, qu'est-ce qui rend les humains et les autres Vertébrés apparemment plus complexes que les mouches ou les vers ? En premier lieu, la régulation de l'expression génique s'effectue de façon plus subtile et compliquée chez les Vertébrés que chez les autres organismes. Il est possible qu'une partie de cette grande quantité d'ADN non codant présente chez ceux-ci serve aux mécanismes de régulation. De plus, il semble que les séquences codantes des génomes des Vertébrés soient plus « productives », parce que leurs transcrits d'ARN sont plus sujets à l'épissage différentiel. Souvenons-nous que ce processus engendre plus d'une protéine fonctionnelle à partir d'un seul gène (voir la figure 19.8). Par exemple, presque tous les gènes humains contiennent de multiples exons, et on estime que 75 % de ces gènes multi-exons peuvent subir un épissage différentiel. Si l'on suppose qu'en moyenne chacun de ces gènes code pour 3 polypeptides distincts, le nombre total de polypeptides différents serait donc d'environ 75 000 chez l'humain (25 000 gènes $\times$ 3 polypeptides). À cela s'ajoute la diversité des polypeptides résultant des variations dans le clivage post-traductionnel ou de l'ajout de glucides dans différents types de cellules ou à divers stades de développement. Le nombre beaucoup plus élevé d'interactions possibles entre les gènes et entre les produits des gènes qui sont attribuables à une plus grande diversité des polypeptides constitue un autre apport possible à la complexité biologique des Vertébrés. Plus loin, nous examinerons les méthodes expérimentales qui permettent de mettre au jour ces interactions.

Environ la moitié des gènes humains étaient déjà connus lorsque le Projet génome humain a été lancé. Mais qu'en est-il des autres, les nouveaux gènes révélés par l'analyse des séquences d'ADN ? On peut obtenir des indices sur leur identité en comparant les séquences de gènes potentiels à celles de gènes connus provenant de divers organismes. Dans certains cas, une séquence nouvellement déterminée correspond, au moins en partie, à celle d'un gène dont on connaît déjà la fonction (qui code, par exemple, pour une protéine kinase). Cela permet de penser que le gène nouvellement séquencé a la même fonction. Dans d'autres cas, cependant, la nouvelle séquence peut être semblable à une autre déjà connue, mais dont on ignore la fonction. Il peut aussi arriver qu'elle soit entièrement inédite. Chez les organismes dont on a séquencé le génome jusqu'ici, on a trouvé beaucoup de séquences de gènes potentiels entièrement nouvelles. Par exemple, environ un tiers des gènes de *E. coli* était tout à fait inconnu, bien que ce soit l'organisme le plus étudié !

La détermination de la fonction des gènes

Comment les chercheurs s'y prennent-ils pour déterminer la fonction d'un nouveau gène découvert au cours du séquençage du génome et de l'analyse comparative ? L'approche la plus courante est peut-être celle qui consiste à désactiver le gène puis à observer les conséquences dans la cellule ou l'organisme. Dans une application de cette approche, appelée **mutagenèse** ***in vitro*** (ou *mutagenèse dirigée*), on effectue des mutations précises (substitutions d'une base par une autre, délétions, etc.) dans la séquence d'un gène cloné, après quoi ce gène muté est de nouveau introduit dans une cellule. Si les mutations ainsi obtenues altèrent ou neutralisent le fonctionnement de la protéine codée par le gène, le phénotype du mutant peut aider à déterminer la fonction de la protéine normale manquante. Les chercheurs peuvent même introduire un gène ainsi muté dans les cellules de l'embryon d'un organisme multicellulaire (comme une souris) pour étudier le rôle du gène dans le développement et le fonctionnement de l'ensemble de l'organisme.

Une technique plus simple et plus rapide de blocage de l'expression de gènes sélectionnés exploite le phénomène d'**interférence par ARN**, que nous avons décrit au chapitre 19. Dans cette approche expérimentale, on utilise des molécules d'ARN bicaténaire artificielles dont la séquence correspond à celle du gène visé pour amorcer la dégradation de l'ARN messager du gène ou pour bloquer sa traduction. Jusqu'à maintenant, l'interférence par ARN n'a eu que des succès limités dans les cellules de Mammifères, dont des cellules humaines en culture. Mais, chez d'autres types d'organismes, comme les Nématodes et la drosophile, l'interférence par ARN avait déjà fait ses preuves dans l'analyse à grande échelle des fonctions des gènes. Dans une étude, l'interférence par ARN a été utilisée pour empêcher l'expression de 86 % des gènes chez des embryons de Nématodes, un gène à la fois. L'analyse des phénotypes de vers qui se sont développés à partir de ces embryons a permis aux chercheurs de grouper la plupart des gènes dans un petit nombre de groupes fonctionnels. Il est sûr que ce type d'analyse des fonctions des gènes à la grandeur du génome deviendra plus courant à mesure que la recherche se concentrera sur l'importance des interactions entre les gènes dans un système global, le fondement de la biologie des systèmes (voir le chapitre 1).

L'étude de l'expression des groupes de gènes en interaction

Un des principaux buts de la génomique consiste à comprendre comment les gènes interagissent de façon à créer un organisme et à assurer son fonctionnement. Comme nous l'avons mentionné précédemment, l'existence de réseaux complexes d'interactions entre les gènes et leurs produits explique probablement en grande partie pourquoi un si petit nombre de gènes nous suffit. Dès que la détermination des séquences de génomes entiers de quelques organismes fut presque complète, des chercheurs ont commencé à les utiliser pour trouver quels gènes sont transcrits dans diverses circonstances, comme dans différents tissus ou à divers stades de développement. Ils étudient également quels groupes de gènes sont exprimés d'une manière coordonnée, dans le but de déterminer les modes ou réseaux d'expression dans une perspective globale. Les résultats de ces études vont commencer à révéler comment les gènes interagissent en tant que réseau fonctionnel dans un organisme.

Dans les études d'expression globale, la stratégie de base consiste à isoler l'ARNm produit par certaines cellules particulières, à fabriquer une banque d'ADNc par transcription inverse à partir de ces matrices, puis à comparer les ADNc en question avec d'autres fragments d'ADN provenant de banques d'ADN génomique. C'est la biotechnologie qui rend possible ce genre d'études sur l'expression des gènes. Quant à l'automatisation, elle permet d'en effectuer toutes les étapes facilement et à grande échelle. Les scientifiques peuvent aujourd'hui mesurer l'expression de milliers de gènes à la fois.

Actuellement, la principale approche qui rend possibles les études sur l'expression de l'ensemble du génome fait appel à des **essais sur microréseau à ADN** (voir la figure 20.1). Ce dispositif consiste en de minuscules quantités d'un grand nombre de fragments d'ADN monocaténaire représentant différents gènes qui sont fixés sur une plaque de verre sous forme de réseau dense. (Le réseau est également appelé *puce à ADN*, par analogie avec les puces informatiques.) Idéalement, ces fragments représentent l'ensemble des gènes d'un organisme; cela est possible dans le cas d'organismes dont le génome a déjà été entièrement séquencé. La **figure 20.14** résume comment sont effectués les essais des fragments d'ADN sur un microréseau; la technique repose sur l'hybridation de ces fragments avec des échantillons de molécules d'ADNc préparés à partir d'ARNm dans des cellules particulières qui présentent un intérêt et marquées par un colorant fluorescent.

Dans une étude, par exemple, les chercheurs ont effectué des essais sur microréseaux de plus de 90 % des gènes de *Cænorhabditis elegans* au cours de chacun des stades de son cycle de développement. Les résultats ont montré que l'expression de près de 60 % des gènes a énormément changé au cours du développement et beaucoup ont été exprimés selon un mode spécifique au sexe. De telles études illustrent l'efficacité des microréseaux à ADN pour déterminer les profils généraux de l'expression génique pendant la durée de vie d'un organisme.

Outre qu'ils permettent de découvrir les interactions entre les gènes et de mieux connaître leur fonctionnement, les essais sur microréseaux à ADN peuvent contribuer à une meilleure compréhension de certaines maladies et pourraient mener à la mise en œuvre de nouvelles techniques de diagnostic ou thérapies. Par exemple, la comparaison des modes d'expression génique entre les tumeurs du cancer du sein et les tissus mammaires non cancéreux a déjà débouché sur des protocoles thérapeutiques mieux documentés et plus efficaces. En fin de compte, l'information obtenue grâce aux essais sur microréseaux devrait nous donner une meilleure vision globale du domaine et nous faire mieux comprendre comment les gènes interagissent pour former un être vivant.

La comparaison de génomes de différentes espèces

En mars 2006, les génomes de 355 espèces étaient déjà entièrement ou presque entièrement séquencés, et plus de 1 900 déterminations étaient en cours. La très grande majorité de ces génomes provenaient de Procaryotes, dont environ 20 génomes d'Archéobactéries. Parmi les quelque 20 espèces eucaryotes dans le groupe, on trouve des Vertébrés, des Invertébrés et des Végétaux. Le premier Eucaryote dont le génome a été entièrement séquencé est la levure du boulanger, *Saccharomyces cerevisiæ*, organisme unicellulaire, et le premier organisme multicellulaire est le Nématode *Cænorhabditis elegans*, Ver rond rudimentaire. On a aussi entièrement séquencé le génome de l'arabette des dames (*Arabidopsis thaliana*), plante très employée en recherche. Les autres espèces dont les génomes ont été ou sont actuellement séquencés sont l'abeille domestique, le chien, le rat, le poulet et la grenouille.

Les comparaisons entre les séquences génomiques provenant d'espèces différentes nous permettent de déterminer les liens de parenté entre ces espèces. Deux espèces différentes sont d'autant plus étroitement apparentées dans leur histoire évolutive que les séquences d'un gène sont semblables dans ces deux espèces. De même, la comparaison de multiples gènes entre des espèces peut révéler l'histoire évolutive des groupements supérieurs des espèces. En effet, les comparaisons effectuées entre les séquences complètes de génomes de Bactéries, d'Archéobactéries et d'Eucaryotes confirment que ce sont là les trois domaines fondamentaux du monde vivant.

En plus de leur intérêt en biologie de l'évolution, les études comparatives des génomes montrent également que les recherches menées sur des organismes simples sont un moyen de mieux comprendre la biologie en général et la biologie humaine en particulier. La ressemblance entre les gènes d'organismes disparates peut sembler surprenante; un chercheur a même déclaré qu'il considérait maintenant les drosophiles comme « de petites personnes dotées d'ailes ». Le génome de la levure s'avère également utile pour nous aider dans notre connaissance du génome humain. Par exemple, la grande quantité d'ADN non codant dans le génome humain empêchait initialement la recherche d'éléments de contrôle. Mais les comparaisons des séquences non codantes dans le génome humain avec celles du génome de la levure, beaucoup plus petit, ont révélé des régions de séquences hautement conservées; ces dernières se sont avérées d'importantes séquences régulatrices chez les deux organismes. Dans un autre exemple, les chercheurs sont arrivés à comprendre les fonctions des gènes de maladies génétiques humaines en étudiant leurs équivalents normaux chez la levure, car plusieurs gènes de la levure codant pour des protéines ressemblent assez à certains gènes responsables de maladies chez les humains.

Comparer les génomes de deux espèces étroitement apparentées peut également s'avérer très utile, parce qu'il est probable que les structures de leurs génomes soient similaires. Une fois

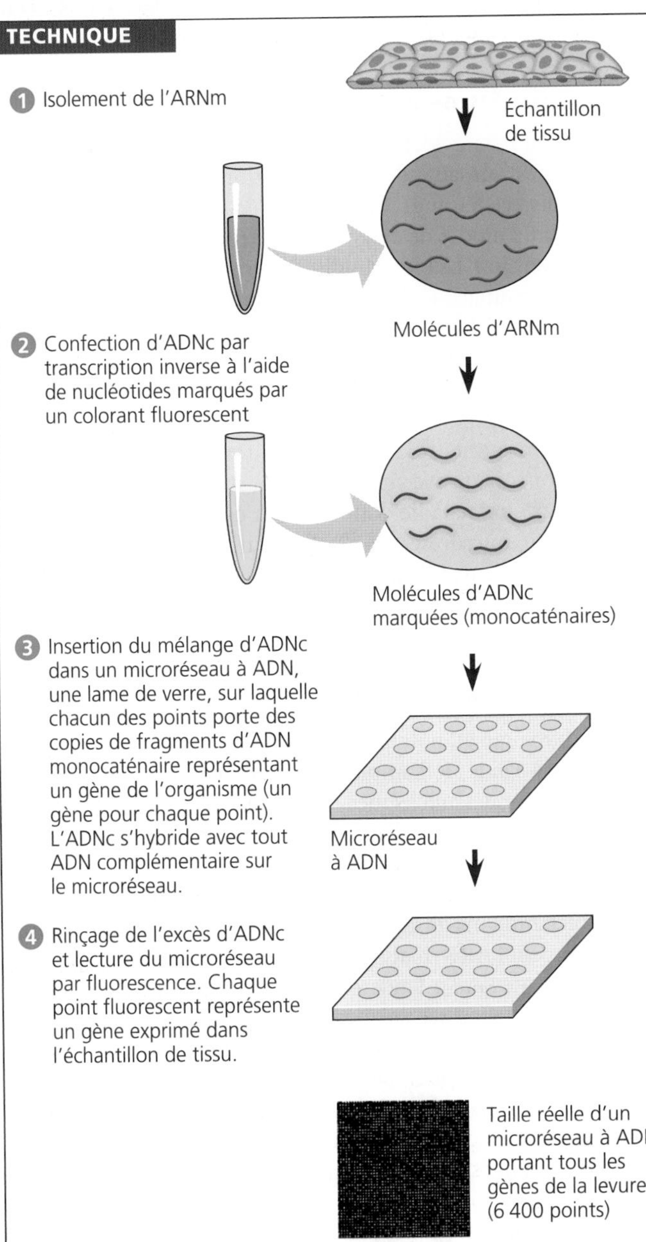

que la séquence et la structure d'un génome sont connues, cela peut servir d'ébauche pour organiser les séquences d'ADN provenant d'une espèce étroitement apparentée à mesure qu'elles sont déterminées, ce qui accélère énormément la cartographie du second génome.

Figure 20.14
Méthode de recherche L'essai de niveaux d'expression génique sur un microréseau à ADN
APPLICATION
Grâce à cette méthode, les chercheurs peuvent tester des milliers de gènes simultanément pour déterminer lesquels sont exprimés dans un tissu dans différentes conditions du milieu, dans des états de maladie variés ou à divers stades de développement. Ils peuvent également chercher de l'expression génique coordonnée.
TECHNIQUE
1 Isolement de l'ARNm
Échantillon de tissu
Molécules d'ARNm
2 Confection d'ADNc par transcription inverse à l'aide de nucléotides marqués par un colorant fluorescent
Molécules d'ADNc marquées (monocaténaires)
3 Insertion du mélange d'ADNc dans un microréseau à ADN, une lame de verre, sur laquelle chacun des points porte des copies de fragments d'ADN monocaténaire représentant un gène de l'organisme (un gène pour chaque point). L'ADNc s'hybride avec tout ADN complémentaire sur le microréseau.
Microréseau à ADN
4 Rinçage de l'excès d'ADNc et lecture du microréseau par fluorescence. Chaque point fluorescent représente un gène exprimé dans l'échantillon de tissu.
Taille réelle d'un microréseau à ADN portant tous les gènes de la levure (6 400 points)
RÉSULTATS
L'intensité de la fluorescence à chaque point est une mesure de l'expression du gène représenté par ce point dans l'échantillon de tissu. Habituellement, on teste ensemble deux échantillons différents en marquant l'ADNc préparé à partir de chaque échantillon avec des marqueurs fluorescents de couleur différente. La couleur résultante d'un point révèle les niveaux relatifs d'expression d'un gène particulier dans deux échantillons, représentant différents tissus ou le même type de tissu soumis à diverses conditions.

Par exemple, le génome de la souris commune, dont la taille est similaire à celle du génome humain, a été cartographié à un rythme rapide grâce à la séquence du génome humain qui servait de guide. Cette approche est particulièrement utile quand l'une des deux espèces apparentées possède un génome beaucoup plus court que l'autre espèce. Par exemple, le génome de la mouche tsé-tsé (*Glossina palpalis*), qui transmet le parasite causant la trypanosomiase africaine (maladie du sommeil), contient 7×10^9 paires de bases (plus du double de la taille du génome humain), mais il existe une mouche, qui lui est étroitement liée, dont le génome n'a qu'un dixième de sa taille. Les chercheurs déterminent d'abord la séquence du plus petit génome. Puis ils se tourneront vers le génome beaucoup plus gros de la mouche tsé-tsé, en se concentrant sur les séquences codantes que les deux espèces partagent probablement.

Le peu d'écart que présentent les gènes de deux espèces étroitement liées facilite également la corrélation des variantes phénotypiques entre les espèces ayant des différences génétiques particulières. Par exemple, un gène qui est manifestement différent chez l'humain et chez le chimpanzé semble exercer une fonction sur la parole, une caractéristique qui distingue visiblement les deux espèces. Aussi, la similitude génétique entre la souris et l'humain, qui partagent 80 % de leurs gènes, peut être exploitée dans l'étude de certaines maladies génétiques humaines. S'ils connaissent ou peuvent avancer une hypothèse sur l'organe ou le tissu dans lequel un gène défectueux cause une maladie particulière, les chercheurs peuvent examiner des gènes exprimés aux mêmes emplacements dans des expériences sur les souris. Cette approche a ainsi révélé plusieurs gènes humains présentant un intérêt, dont un qui pourrait être impliqué dans le syndrome de Down.

D'autres travaux de recherche sont en cours pour étendre les études génomiques à beaucoup plus d'espèces microbiennes et à des espèces négligées dans diverses branches de l'arbre de la vie. Ces études feront progresser notre connaissance de tous les aspects de la biologie, y compris la santé, l'écologie et l'évolution.

Les orientations de la génomique

Les succès enregistrés dans le domaine du séquençage des génomes et de l'étude d'ensembles de gènes ont incité les scientifiques à tenter l'étude systématique de jeux complets de protéines (*protéomes*) codés par un génome, appelée la **protéomique**. Pour des raisons déjà mentionnées, le nombre de protéines présentes chez l'humain et chez les espèces voisines dépasse sans aucun doute de loin celui des gènes. Cependant, les protéines, et non les gènes, sont les molécules qui assurent les diverses fonctions cellulaires, et il faut étudier quand et où elles sont produites dans un organisme, et aussi comment elles interagissent, si l'on veut comprendre le fonctionnement des cellules et des organismes. L'assemblage et l'analyse de protéomes posent de nombreux défis expérimentaux, mais les progrès techniques en cours mèneront à la création des outils nécessaires permettant de relever ces défis.

Grâce à la génomique et à la protéomique, les biologistes ont maintenant une vision de plus en plus globale du monde vivant.

Ils sont aujourd'hui en mesure de dresser des catalogues de gènes et de protéines, des listes complètes de « pièces de rechange » qui contribuent au fonctionnement des cellules, des tissus et des organismes. Grâce à la disponibilité de ces catalogues, les chercheurs détournent leur attention des parties individuelles au profit de l'intégration fonctionnelle dans les systèmes biologiques. Une première étape dans cette approche de la biologie des systèmes consiste à définir les circuits de gènes et les réseaux d'interaction entre les protéines (voir la figure 1.10). L'application de l'informatique et des mathématiques au traitement et à l'intégration d'une foule de données biologiques permettra aux chercheurs de détecter et de quantifier les nombreuses combinaisons d'interactions.

Une autre perspective intéressante réside dans le fait que nous sommes en voie de comprendre tout le spectre des variations génétiques chez les humains. L'ADN humain présente relativement peu de variantes, parce que l'histoire de notre espèce est assez courte, comparativement à celle des autres espèces. La plus grande partie de notre diversité semble se présenter sous la forme de **polymorphismes nucléotidiques** (en anglais ***SNP***, pour *single nucleotide polymorphisms*), c'est-à-dire des variations du génome ne touchant qu'une seule paire de bases, habituellement détectées par séquençage. Dans le génome humain, on trouve en moyenne un polymorphisme nucléotidique pour 1 000 paires de bases. Autrement dit, si vous compariez votre ADN à celui d'une personne de votre sexe (que ce soit votre voisin ou voisine de classe ou une personne vivant à l'autre bout du monde), vous constateriez qu'ils sont identiques à 99,9 %.

Dans le cadre du Projet Hapmap, les scientifiques ont achevé à la fin de 2005 une première version de la cartographie des variations génétiques humaines. On y trouve les quelque 10 millions de polymorphismes nucléotidiques du génome humain. Ceux-ci constitueront des marqueurs génétiques utiles pour l'étude de l'évolution de l'espèce humaine, des différences entre les populations et leurs routes migratoires au cours de l'histoire. Avec d'autres polymorphismes dans l'ADN non codant (et codant), ils seront également utiles pour l'identification des gènes causant des maladies et des gènes affectant notre santé de façon plus insidieuse. Il est probable que la pratique de la médecine au XXIe siècle s'en trouvera transformée. Cependant, les retombées de la recherche sur l'ADN et des technologies connexes ont déjà des répercussions multiples sur nos vies, comme nous le verrons dans la dernière section du chapitre.

Retour sur le concept 20.4

1. On estime actuellement que le génome humain contient 25 000 gènes, mais certains indices permettent de penser que notre espèce possède beaucoup plus de polypeptides différents. Comment cet écart pourrait-il s'expliquer ?
2. Quelle est la principale utilité de l'analyse sur microréseau à ADN dans l'étude de l'expression génique ?
3. Pourquoi le spectre des variations génétiques entre les individus chez l'humain est-il si peu étendu en comparaison des différences qui existent entre les individus chez de nombreuses autres espèces ?

Voir les réponses proposées à la fin du chapitre.

Concept 20.5

Les applications de la biotechnologie influent sur nos vies de multiples façons

Il se passe rarement une journée sans qu'on nous parle de biotechnologie dans l'actualité. Le plus souvent, ce sont des prédictions concernant une nouvelle application prometteuse en médecine ; mais ce n'est là qu'un exemple parmi les nombreux domaines qui profitent des contributions apportées par les techniques d'analyse de l'ADN et le génie génétique.

Les applications en médecine

L'un des résultats évidents de la biotechnologie est l'identification de gènes humains dont les mutations jouent un rôle dans les anomalies génétiques. Ce type de découverte pourrait mener à de nouveaux modes de diagnostic, de traitement et même peut-être de prévention. La biotechnologie contribue également à améliorer notre connaissance des maladies « non génétiques », telles que l'arthrite ou le sida, étant donné que la susceptibilité d'un individu à contracter ces maladies est influencée par ses gènes. De plus, tous les types de maladie entraînent des modifications de l'expression génique dans les cellules affectées et, souvent, dans le système immunitaire des personnes touchées. Les chercheurs espèrent pouvoir trouver une grande partie des gènes activés ou inactivés par une maladie donnée ; pour ce faire, ils se serviraient des essais sur microréseau à ADN ou d'autres techniques permettant de comparer l'expression génique dans des tissus sains et malades. Ces gènes et leurs produits sont des cibles potentielles pour la prévention ou le traitement.

Le diagnostic de maladies

La biotechnologie et, notamment, la recherche de certains agents pathogènes à l'aide de l'amplification en chaîne par polymérase (ACP) et de sondes nucléiques ont ouvert de nouvelles perspectives dans le domaine du diagnostic des maladies infectieuses. Par exemple, comme la séquence du matériel génétique (ARN) du VIH est connue, l'ACP permet d'amplifier et donc de déceler cet ARN dans des échantillons de sang ou de tissu. L'ACP ne peut pas amplifier directement l'ARN, mais le génome à ARN est d'abord converti en ADNc bicaténaire à l'aide de la transcriptase inverse (RTase). L'ACP est alors effectuée sur l'ADNc, à partir d'une sonde spécifique pour un des gènes du VIH. Cette technique, appelée *RT-PCR* (pour *reverse transcriptase-polymerase chain reaction*), est souvent la meilleure forme de détection d'un agent infectieux très discret.

Les spécialistes de la médecine peuvent aujourd'hui diagnostiquer des centaines d'anomalies génétiques chez l'humain grâce à l'ACP et aux amorces correspondant aux gènes causant des maladies et ayant été clonés ; ils déterminent ensuite la séquence du produit amplifié pour trouver la mutation responsable de la maladie. Parmi les gènes de maladies humaines qui ont été clonés, on trouve ceux de l'anémie à hématies falciformes, de l'hémophilie, de la mucoviscidose (fibrose kystique), de la chorée de Huntington et de la myopathie de Duchenne. Il est possible de savoir quelles personnes seront atteintes de telles maladies avant l'apparition des symptômes, et même avant leur naissance. On peut aussi reconnaître des transmetteurs asymptomatiques d'allèles récessifs risquant d'avoir des effets nocifs (voir la figure 20.10).

Même lorsqu'un gène d'une maladie n'a pas encore été cloné, la présence d'un allèle anormal peut être diagnostiquée avec une précision raisonnable si l'on a déjà trouvé un marqueur PTFR (polymorphisme de taille des fragments de restriction) voisin du gène visé **(figure 20.15)**. Les allèles de la chorée de Huntington et de plusieurs autres maladies génétiques ont été détectés pour la première fois grâce à cette méthode indirecte. Si le marqueur est assez près du gène en question, tout enjambement entre les deux au moment de la formation des gamètes est très improbable. Par conséquent, le marqueur et le gène sont presque toujours « légués » ensemble, même si le marqueur PTFR ne fait pas partie du gène. Le même principe est valable pour tous les types de marqueurs, y compris les polymorphismes nucléotidiques.

La thérapie génique humaine

La **thérapie génique**, soit la modification de gènes anormaux chez un patient, offre un grand potentiel de traitement de maladies causées à un seul gène défectueux. Il est théoriquement possible d'insérer un allèle normal dans les cellules somatiques des tissus affectés.

Pour que la thérapie génique des cellules somatiques soit permanente, les cellules recevant l'allèle normal doivent se multiplier pendant toute la durée de vie du patient. Les cellules de la moelle osseuse rouge comprennent les cellules souches donnant naissance à l'ensemble des cellules sanguines et à celles du système immunitaire. Ce sont donc des cibles de choix à cet égard. La **figure 20.16** présente une procédure possible dans le cas d'un individu dont les cellules de la moelle osseuse rouge ne produisent pas une enzyme vitale, car elles contiennent un gène défectueux. On prélève quelques cellules de moelle osseuse rouge chez le patient; on y insère l'allèle normal au moyen d'un vecteur viral et on réinjecte les cellules modifiées au patient. Un type de déficit immunitaire combiné sévère (ou *SCID* en anglais, pour *severe combined immunodeficiency*) est causé par cette sorte de défaut. Si le traitement réussit, les cellules de la moelle osseuse rouge commenceront à produire la protéine manquante, et le patient sera guéri.

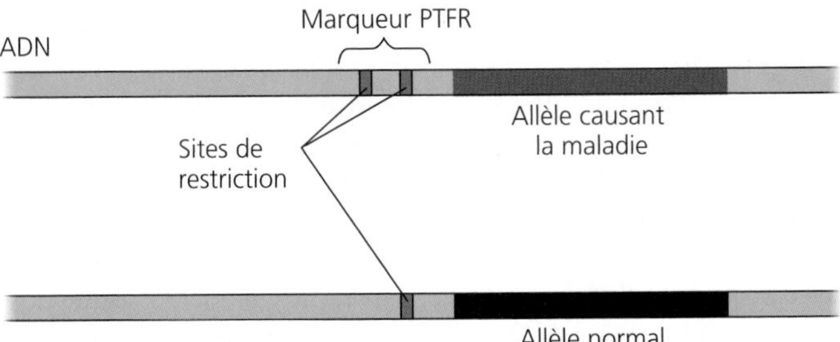
Marqueur PTFR
ADN
Allèle causant la maladie
Sites de restriction
Allèle normal

▲ **Figure 20.15 Marqueurs PTFR pour les allèles causant des maladies.** Ce schéma montre des segments homologues d'ADN provenant de membres d'une même famille, dont certains sont atteints d'une maladie génétique. Dans cette famille, des versions différentes d'un marqueur PTFR sont présentes chez des membres qui ne sont pas atteints de la maladie et chez ceux qui le sont. Si un membre de la famille a hérité de la version du marqueur PTFR pourvu de deux sites de restriction près du gène (au lieu d'un seul), il est très probable qu'il a également hérité de l'allèle causant la maladie.

La procédure illustrée à la figure 20.16 a été utilisée dans la première expérience de thérapie génique effectuée en 1990, dans un cas de SCID chez une fillette de 4 ans. Mais les résultats cliniques de cette étude et d'autres qui ont suivi durant cette décennie n'ont pas démontré de façon convaincante l'efficacité du traitement. Dans une autre expérience débutée en 2000, dix jeunes enfants atteints de SCID ont été traités par la même procédure. Neuf d'entre eux ont présenté une amélioration définitive importante après deux ans; c'est le premier succès incontestable de thérapie génique. Cependant, deux des patients ont par la suite développé une leucémie (type de cancer des cellules sanguines). Les chercheurs ont découvert que, dans les deux cas, le vecteur rétroviral utilisé pour porter l'allèle normal dans les cellules de moelle osseuse rouge s'était placé près d'un gène impliqué dans la prolifération et le développement de cellules sanguines, causant la leucémie. Les expériences de thérapie génique basée sur un rétrovirus ont été temporairement suspendues dans plusieurs

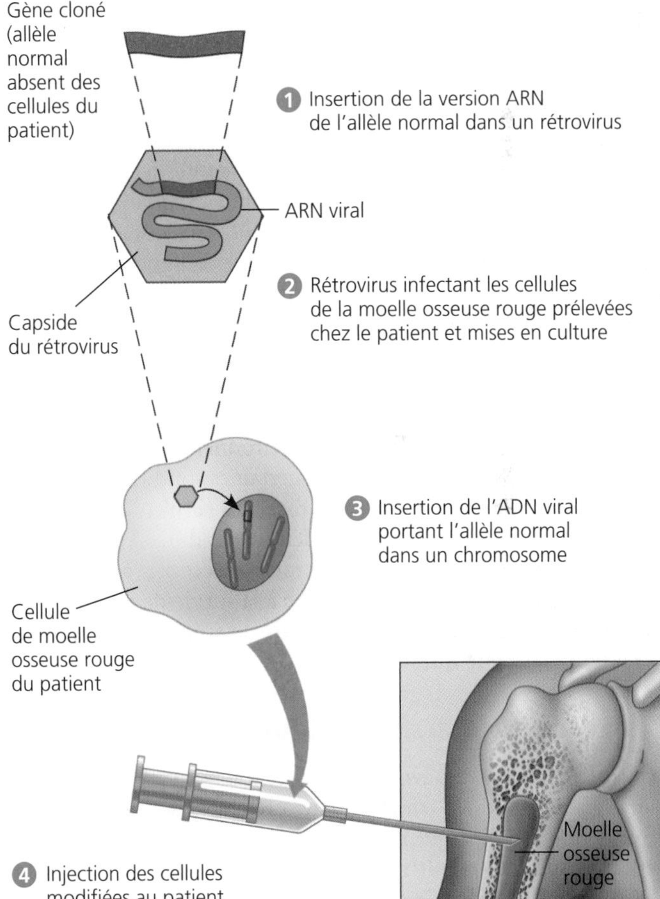
Gène cloné (allèle normal absent des cellules du patient)
1 Insertion de la version ARN de l'allèle normal dans un rétrovirus
ARN viral
Capside du rétrovirus
2 Rétrovirus infectant les cellules de la moelle osseuse rouge prélevées chez le patient et mises en culture
3 Insertion de l'ADN viral portant l'allèle normal dans un chromosome
Cellule de moelle osseuse rouge du patient
4 Injection des cellules modifiées au patient
Moelle osseuse rouge

▲ **Figure 20.16 Thérapie génique utilisant un vecteur rétroviral.** Un rétrovirus rendu inoffensif sert de vecteur dans cette procédure qui repose sur le fait que le rétrovirus produit un transcrit d'ADN à partir de son génome d'ARN et qu'il l'insère dans l'ADN chromosomique de la cellule hôte (voir la figure 18.10). Si le gène étranger porté par le vecteur rétroviral est exprimé, la cellule et ses descendantes posséderont le produit correspondant, et le patient pourra guérir. Les cellules qui se reproduisent pendant toute la vie de l'individu, comme celles de la moelle osseuse rouge, sont des cibles idéales pour ce type de traitement.

pays. Une compréhension accrue du comportement des rétrovirus donnera aux chercheurs la capacité de contrôler l'insertion des vecteurs rétroviraux à un emplacement qui pourrait éviter un tel problème.

La thérapie génique soulève plusieurs autres questions d'ordre technique. Par exemple, comment peut-on ajuster l'activité du gène transféré pour que les cellules synthétisent le produit correspondant en quantité adéquate, au bon moment et au bon endroit ? Comment peut-on être sûr que l'insertion du gène n'entrave pas d'autres fonctions cellulaires essentielles ? De nouvelles lumières sur les éléments de contrôle et les interactions entre les gènes permettront peut-être aux chercheurs de répondre à ces questions.

En plus des défis techniques qu'elle pose, la thérapie génique soulève également des questions éthiques épineuses. Certains critiques avancent qu'on ne devrait pas toucher aux gènes humains de quelque façon que ce soit. Ils font valoir que cela mènera inévitablement à l'eugénisme, soit à un effort visant délibérément à influencer la constitution génétique des populations humaines. D'autres observateurs ne voient aucune différence fondamentale entre la transplantation de gènes dans des cellules somatiques et la transplantation d'organes.

Le traitement des cellules de la lignée reproductrice dans l'espoir de corriger une anomalie dans les générations à venir soulève d'autres questions éthiques. Dans les souris de laboratoire, on pratique couramment ce genre d'expériences de génie génétique et on finira par résoudre les difficultés techniques qui empêchent encore de réaliser avec succès une manipulation génétique semblable chez l'humain. Dans quelles circonstances, s'il en est, est-il souhaitable de modifier le génome de lignées reproductrices humaines ou d'embryons ? D'une certaine façon, on pourrait considérer que ces réalisations peuvent influencer l'évolution. Du point de vue biologique, l'élimination des allèles indésirables du patrimoine génétique pourrait avoir l'effet inverse de celui qui est recherché. La variabilité génétique est nécessaire à la survie de l'espèce lorsque les conditions environnementales changent avec le temps. Des gènes nocifs dans certaines conditions peuvent être bénéfiques dans d'autres circonstances (il n'est qu'à penser à l'allèle de l'anémie à hématies falciformes, dont il a été question au chapitre 14). Accepterions-nous de recourir à des modifications génétiques capables de nuire à la survie de notre espèce dans l'avenir ? Il est possible que nous devions trouver bientôt des réponses à cette question.

Les produits pharmaceutiques

Dans ce chapitre, nous avons vu que le clonage d'ADN et les systèmes d'expression permettent de produire, sur une grande échelle, une protéine qui n'est présente naturellement qu'en très petite quantité. On peut même modifier les cellules hôtes utilisées dans ces systèmes d'expression pour leur faire sécréter la protéine en question au fur et à mesure qu'elle est produite. Cela simplifie l'étape de la purification par les méthodes biochimiques traditionnelles.

L'insuline et l'hormone de croissance humaine ont été parmi les premières substances pharmaceutiques « fabriquées » par cette méthode. L'insuline ainsi produite pourra servir à traiter les 200 millions de diabétiques dans le monde ; diverses formes d'insuline, différant par leur rapidité ou leur durée d'action, sont maintenant disponibles ou en voie de l'être. Quant à la synthèse de l'hormone de croissance humaine, c'est une bénédiction pour les enfants atteints à leur naissance d'une forme de nanisme causée par une production insuffisante de cette hormone. L'activateur tissulaire du plasminogène (tPA, ou *tissue plasminogen activator*) dont nous avons parlé au chapitre 19 est une autre substance pharmaceutique importante issue du génie génétique. Cette substance remplace la streptokinase, enzyme bactérienne, qui pouvait causer des réactions immunitaires et d'autres problèmes. S'il est administré très peu de temps après une première crise cardiaque, le tPA permet de dissoudre les caillots sanguins et réduit le risque de souffrir d'une crise subséquente.

Les derniers développements du domaine pharmaceutique sont relatifs à de nouvelles méthodes de lutte contre des maladies sur lesquelles les traitements médicamenteux traditionnels n'ont aucun effet. L'une de ces stratégies consiste à fabriquer des protéines génétiquement modifiées qui bloquent ou imitent les récepteurs de la membrane plasmique. Un médicament expérimental de ce type imite une protéine réceptrice à laquelle le VIH se lie lorsqu'il pénètre dans les leucocytes. Lorsque ce médicament est administré, c'est à ses molécules que le virus se lie ; ce dernier n'entre donc pas dans les leucocytes.

La biotechnologie sert également à produire des vaccins qui stimulent le système immunitaire et lui permettent de combattre l'organisme pathogène (voir le chapitre 43). Les vaccins traditionnels sont de deux types : des microorganismes inactivés (tués) et des microorganismes provenant d'une souche affaiblie (atténuée) qui ne causent généralement pas la maladie. La plupart des agents pathogènes possèdent à leur surface une ou plusieurs protéines spécifiques qui déclenchent une réponse immunitaire. Les techniques de l'ADN recombiné permettent de produire de grandes quantités de ce type de protéines qui peuvent servir de vaccin. Le génie génétique permet aussi de modifier le génome du microbe pathogène de façon à l'atténuer.

Les preuves médicolégales

Lorsqu'un crime violent est commis, des liquides de l'organisme ou de petits échantillons de tissus humains peuvent rester sur les lieux du délit, sur les vêtements de la victime ou sur n'importe quel autre objet lui appartenant ou appartenant à son assaillant. Dans le cas où ils disposent de quantités suffisantes de sang, de tissu ou de sperme, les laboratoires d'enquête peuvent déterminer le groupe sanguin ou le type tissulaire de l'individu concerné. Ils se servent d'anticorps pour chercher des protéines spécifiques peut-être présentes à la surface des cellules. Cependant, ces tests nécessitent une quantité relativement importante d'échantillons frais. De plus, comme de nombreux individus ont le même groupe sanguin ou le même type tissulaire, cette méthode permet seulement d'innocenter un suspect, pas de prouver sa culpabilité.

Les tests d'ADN, eux, permettent d'identifier un coupable avec beaucoup plus de certitude, parce que chaque personne possède une séquence d'ADN qui lui est propre (sauf dans le cas de jumeaux identiques). L'analyse des polymorphismes de taille des fragments de restriction (PTFR) par la technique de buvardage de Southern est un outil de détection puissant des ressemblances et des différences entre des échantillons d'ADN. Elle ne nécessite que de très petites quantités de liquide ou de tissu (environ 1 000 cellules). En cas de meurtre, par exemple, elle permet de comparer de petits échantillons de sang, prélevés sur les lieux du crime, avec l'ADN du suspect et celui de la victime. L'expert en criminalistique effectue habituellement des tests sur environ cinq marqueurs; autrement dit, un test ne porte que sur quelques portions sélectionnées de l'ADN. Cependant, un ensemble aussi réduit de marqueurs suffit à produire une **empreinte génétique**, c'est-à-dire un motif de bandes pouvant être employé dans le cadre de l'enquête criminelle. En effet, la probabilité que deux personnes (autres que des jumeaux identiques) aient exactement le même jeu de marqueurs PTFR est très faible. Les pièces à conviction présentées aux jurés des procès pour meurtre ressemblent à l'autoradiographie de la **figure 20.17**.

L'emploi des empreintes génétiques peut également servir à établir la paternité. La comparaison de l'ADN d'une mère, de son enfant et du père supposé peut apporter une solution définitive à une affaire de paternité. Il arrive aussi parfois que la paternité revête un intérêt d'ordre historique. Récemment, des empreintes génétiques ont permis de montrer de façon probante que le troisième président des États-Unis, Thomas Jefferson (1743-1826), ou l'un de ses proches parents était le père d'au moins un des enfants de son esclave Sally Hemings.

Aujourd'hui, au lieu des PTFR, on se sert de plus en plus des variations de longueur de certaines séquences de bases répétées dans l'ADN de simple séquence du génome en tant que marqueurs pour établir des empreintes génétiques. Ces séquences d'ADN répétitif, de deux à cinq nucléotides de long et extrêmement variables d'une personne à l'autre, fournissent encore plus de marqueurs que les PTFR. Par exemple, l'unité ACA peut être répétée 65 fois à un locus et 118 fois à un autre dans le cas d'un individu, alors que chez un autre le nombre de répétitions à ces mêmes loci est différent. Les loci polymorphes de ce type sont généralement appelés *répétitions courtes en tandem* (en anglais *STR*, pour *simple tandem repeats*). Plus le nombre de marqueurs examinés dans un échantillon d'ADN est grand, plus il est probable que l'empreinte génétique ainsi obtenue soit celle d'un même individu. On se sert souvent de l'amplification en chaîne par polymérase (ACP) pour développer sélectivement certaines répétitions courtes en tandem ou d'autres marqueurs avant l'électrophorèse. L'ACP est particulièrement précieuse lorsque l'ADN est en mauvais état ou qu'on n'en a que de petites quantités. Elle peut porter sur un échantillon de tissu ne contenant que 20 cellules.

À quel point l'empreinte génétique est-elle fiable? Dans la plupart des affaires criminelles, la probabilité que deux personnes aient des empreintes génétiques identiques se situe entre 1 sur 100 000 et 1 sur un 1 000 000 000. Le chiffre exact dépend du nombre de marqueurs comparés et de la fréquence de ces marqueurs dans la population en général (aux États-Unis, on utilise un ensemble de 10 à 13 séquences STR de 4 nucléotides de long). Il est essentiel de disposer de données sur la fréquence, selon les groupes ethniques qui composent une population, parce que les fréquences de ces marqueurs peuvent varier considérablement entre les groupes ethniques de même qu'entre un groupe ethnique particulier et la population dans son ensemble. La disponibilité croissante de ces données permet aux experts en criminalistique d'effectuer des calculs statistiques extrêmement précis. Par conséquent, malgré les problèmes pouvant résulter de l'insuffisance des données statistiques, de l'erreur humaine ou de témoignages faussés, l'empreinte génétique est maintenant considérée comme une preuve concluante par les experts juristes et les scientifiques. En fait, au cours des dernières années, l'analyse de l'ADN sur des prélèvements conservés dans des banques a fourni les preuves nécessaires à la solution de nombreux crimes non résolus et surtout sauvé la réputation et même la vie de nombreux innocents.

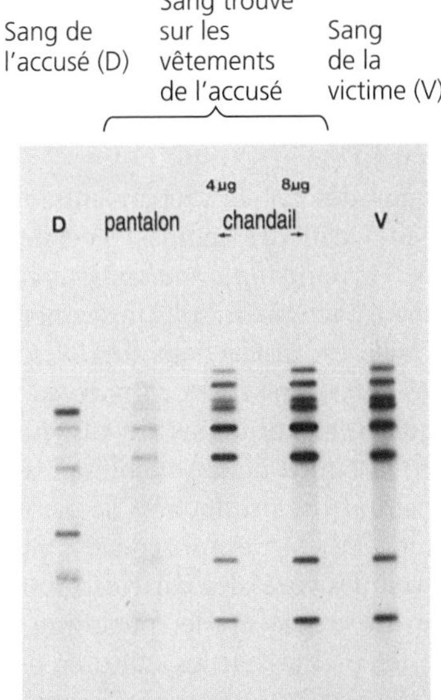

▲ **Figure 20.17 Empreintes génétiques dans une affaire de meurtre.** Cette autoradiographie montre que l'empreinte génétique de l'ADN provenant de taches de sang trouvées sur les vêtements de l'accusé est la même que celle de la victime, mais différente de celle de l'accusé. C'est donc la preuve que le sang qui a taché les vêtements de l'accusé est bien celui de la victime. Les trois échantillons d'ADN ont été soumis à la technique de buvardage de Southern à l'aide de sondes radioactives (voir la figure 20.10). Les bandes obtenues grâce à l'électrophorèse sont successivement traitées à l'aide de sondes pour plusieurs marqueurs PTFR différents; chacune de celles-ci est enlevée par rinçage avant l'ajout de la suivante.

La dépollution de l'environnement

On exploite de plus en plus souvent la capacité des microorganismes à transformer les substances chimiques dans des opérations de dépollution de l'environnement. Les scientifiques travaillent actuellement à doter d'autres organismes de capacités métaboliques qui en feront des outils de protection de l'environnement. Par exemple, de nombreuses bactéries peuvent extraire des métaux lourds de leur milieu (cuivre, plomb, nickel) et les transformer en des composés comme le sulfate de cuivre ou le sulfate de plomb, dont l'extraction est facile. Les microorganismes génétiquement modifiés pourraient jouer un rôle important dans le domaine minier (particulièrement dans le cas où les réserves de minerai sont épuisées) et dans le traitement des déchets miniers hautement toxiques. Les biotechnologistes tentent de modifier des microorganismes de façon à leur permettre de dégrader les hydrocarbures chlorés et d'autres composés toxiques. Ces microorganismes seraient employés dans les stations de traitement des eaux usées ou par les industries avant le rejet des composés dans l'environnement.

Un domaine de recherche connexe est celui de l'identification et de la création de microorganismes capables de détoxifier les déchets dans les rejets et les dépotoirs. Par exemple, on a mis au point des souches bactériennes dégradant certaines substances chimiques présentes dans les déversements pétroliers. La capacité de transplanter les gènes qui permettent ces transformations dans différents organismes donne aux bioingénieurs la possibilité de créer des souches en mesure de survivre sur les lieux de désastres environnementaux et de détoxifier les déchets qui s'y trouvent.

Les applications en agriculture

Le génome des plantes et des animaux les plus utilisés en agriculture fait également l'objet de recherches, et il y a des années que l'on se sert de la biotechnologie pour tenter d'améliorer la productivité agricole.

L'élevage et les animaux « pharmaceutiques »

Grâce à la biotechnologie, on produit des vaccins et des hormones de croissance servant au traitement du bétail. À titre largement expérimental, les scientifiques peuvent également insérer un gène provenant d'un animal dans le génome d'un autre ; celui-ci devient alors un animal **transgénique**. Pour créer de tels animaux, on commence par prélever les ovocytes d'une femelle que l'on féconde *in vitro*. (On a pendant ce temps cloné le gène recherché à partir d'un autre organisme.) Puis, on injecte l'ADN cloné directement dans le noyau des ovocytes fécondés. Certaines cellules insèrent l'ADN étranger, le *transgène*, dans leur génome et sont en mesure de l'exprimer. Les ovocytes ainsi transformés sont ensuite implantés chirurgicalement dans une mère porteuse. Si l'embryon se développe comme prévu, il devient un animal transgénique contenant le gène d'un « troisième » parent appartenant peut-être à une autre espèce.

La création d'animaux transgéniques poursuit souvent les mêmes objectifs que la sélection traditionnelle : elle vise, notamment, à produire un mouton donnant une laine de meilleure qualité, un porc dont la viande est plus maigre ou une vache qui atteindra l'âge adulte en moins de temps. Les scientifiques, par exemple, peuvent isoler et cloner un gène qui permet un meilleur développement des muscles (les muscles représentent la plus grande partie de la viande que nous consommons) dans une variété de bovins et le transférer à d'autres bovins, ou même à des moutons.

On a également modifié les animaux transgéniques pour en faire des « usines » pharmaceutiques ; ils produisent de grandes quantités d'une substance organique naturellement rare et pouvant être employée en médecine. Par exemple, on a ajouté le transgène d'une protéine humaine recherchée (hormone, facteur de coagulation du sang) au génome d'un animal d'élevage, de sorte que celui-ci sécrète la substance en question dans son lait **(figure 20.18)**. La protéine peut alors être purifiée, généralement plus facilement que si elle provenait d'une culture cellulaire. Récemment, des chercheurs ont modifié des poulets transgéniques qui expriment de grandes quantités du produit du transgène dans leurs œufs. Leur réussite laisse entrevoir que ces animaux pourraient devenir des usines pharmaceutiques bon marché dans un avenir prochain.

Les protéines humaines produites par les animaux d'élevage peuvent être de quelque façon différentes des protéines humaines naturelles équivalentes ; on doit donc les tester avec grand soin pour s'assurer qu'elles ne provoqueront pas de réactions allergiques ou d'autres effets néfastes chez les patients à qui elles seront administrées. De plus, la santé et le bien-être des animaux d'élevage portant des gènes provenant d'humains ou d'autres espèces sont des questions qui ont leur importance. Des complications telles qu'une faible fécondité et une sensibilité accrue à la maladie ne sont pas rares.

▲ **Figure 20.18 Animaux « pharmaceutiques ».** Ces moutons transgéniques portent le gène d'une protéine du sang humain ; ils la sécrètent dans leur lait. La protéine inhibe une enzyme (alpha-1-antitrypsine) qui endommage les poumons chez les patients atteints de mucoviscidose et de certaines autres maladies respiratoires chroniques. La protéine, qui est facilement purifiée à partir du lait des moutons, est actuellement testée comme traitement de la mucoviscidose.

Le génie génétique et les cultures végétales

On a déjà produit plusieurs variétés agricoles portant les gènes de caractères recherchés (maturation plus tardive, résistance à la détérioration ou à la maladie, etc.). Les Végétaux sont beaucoup plus faciles à modifier que la plupart des Animaux. Chez de nombreuses espèces végétales, une seule cellule de tissu mise en culture peut donner une plante adulte (voir la figure 21.5). Par conséquent, il est possible d'opérer des manipulations génétiques sur une seule cellule, à partir de laquelle on crée un organisme ayant de nouveaux caractères.

Dans la plupart des cas, le vecteur employé pour introduire de nouveaux gènes dans les cellules végétales est un plasmide, appelé **plasmide Ti** (pour *tumor inducing*), provenant d'*Agrobacterium tumefaciens,* bactérie du sol. Un segment de l'ADN (ADN-T) de son plasmide est inséré dans l'ADN chromosomique des cellules végétales hôtes. On se sert, comme vecteur, d'une variante du plasmide qui ne produit pas de tumeur (galle du collet) comme le fait le plasmide de la souche sauvage. La **figure 20.19** présente une méthode de production de plantes transgéniques à l'aide du plasmide Ti. On peut insérer des plasmides Ti recombinés dans des cellules végétales par électroporation. Il est également possible de replacer le plasmide recombiné dans *Agrobacterium*; les plantes ou les cultures de cellules végétales sont alors infectées par les bactéries qui contiennent le plasmide recombiné.

Le génie génétique remplace rapidement les programmes traditionnels de sélection des plantes, surtout dans les cas où les caractères recherchés, comme la résistance aux ravageurs ou aux herbicides, sont déterminés par un ou quelques gènes. Par exemple, les cultures modifiées à l'aide d'un gène bactérien qui rend les plantes résistantes aux herbicides peuvent croître alors que les mauvaises herbes sont détruites. De la même façon, les espèces cultivées qui ont été génétiquement modifiées pour

Figure 20.19

Méthode de recherche L'utilisation du plasmide Ti pour produire des plantes transgéniques

APPLICATION On peut transférer des gènes qui confèrent des caractères recherchés (résistance aux ravageurs, résistance aux herbicides, maturation plus tardive, amélioration de la valeur nutritive) d'une variété de plante ou d'une espèce à une autre en utilisant le plasmide Ti comme vecteur.

TECHNIQUE

1. On isole le plasmide Ti à partir de la bactérie *Agrobacterium tumefaciens*. Le segment du plasmide qui s'insère dans le génome des cellules hôtes s'appelle *ADN-T*.

2. Les plasmides isolés et l'ADN étranger contenant un gène ciblé sont incubés avec une enzyme de restriction qui coupe au milieu de l'ADN-T. Après l'appariement des bases entre les extrémités cohésives des plasmides et des fragments d'ADN étrangers, l'ADN ligase est ajoutée. Certains plasmides recombinés stables résultants contiennent le gène ciblé.

3. Les plasmides recombinés peuvent être introduits dans des cellules de plantes cultivées par la technique d'électroporation. Ou bien, les plasmides peuvent être retournés à *Agrobacterium*, qui est alors appliquée sous forme de suspension liquide sur les feuilles des plantes réceptives et les infecte. Lorsque le plasmide est absorbé dans une cellule de plante, l'ADN-T s'intègre dans son ADN chromosomique.

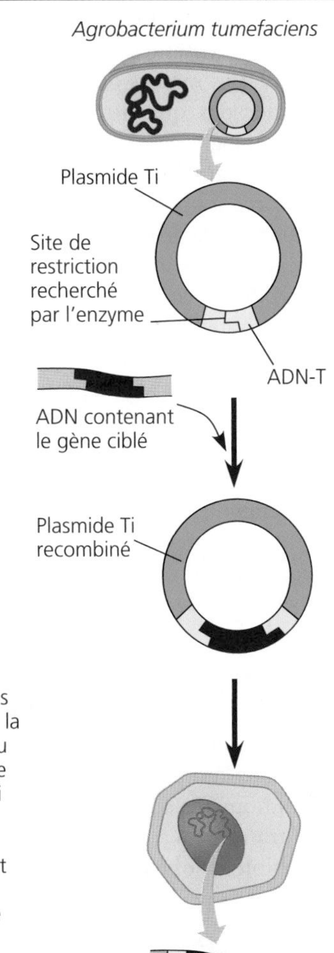

RÉSULTATS Les cellules transformées qui portent le transgène ciblé peuvent créer des plantes complètes qui présentent le nouveau caractère conféré par le transgène.

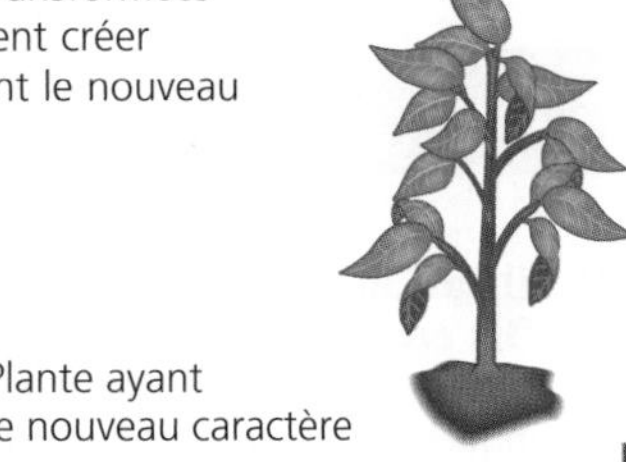

résister aux microorganismes et aux insectes destructeurs permettent de réduire l'emploi des insecticides chimiques.

Le génie génétique possède également un énorme potentiel pour améliorer la valeur nutritive des plantes cultivées. Par exemple, les scientifiques ont mis au point une variété très intéressante de riz transgénique dont les grains dorés contiennent du β-carotène, substance à partir de laquelle notre organisme fabrique la vitamine A (voir la figure 38.16). Ce riz « doré » pourrait permettre de lutter contre les carences en vitamine A dont souffre la moitié de la population mondiale, pour qui le riz constitue un aliment de base. (Le riz ordinaire ne contient à peu près pas de précurseur de la vitamine A.) C'est un problème de santé très répandu. Actuellement, un grand nombre de jeunes enfants d'Asie du Sud-Est âgés de moins de cinq ans souffrent de cette carence, qui se répercute sur la vue et qui accroît la sensibilité à la maladie.

On cherche également à introduire dans des plantes cultivées le gène de fixation de l'azote que possèdent certaines espèces, ce qui permettrait à des plantes comme le blé de transformer l'azote de l'air en composés qui pourraient servir à la synthèse d'acides aminés et de protéines; cela diminuerait d'autant l'emploi d'engrais chimiques (voir le chapitre 37, concept 37.3).

L'industrie pharmaceutique a pris un nouveau virage et commence à créer des plantes « pharmaceutiques » analogues aux animaux « pharmaceutiques ». Les plantes naturelles ont longtemps été exploitées comme source de substances médicamenteuses. Aujourd'hui, cependant, les scientifiques créent des plantes produisant des protéines humaines à usage médical et des protéines virales capables de servir de vaccins. Plusieurs de ces produits font actuellement l'objet d'essais cliniques: des vaccins contre l'hépatite B, un anticorps contre l'herpès génital et un autre qui est produit par une variété transgénique de tabac et qui empêche le développement de bactéries causant la carie dentaire. La production de ces protéines en grande quantité serait peut-être plus économique si elle était assurée par des plantes plutôt que par des cultures cellulaires.

Les questions sur la sécurité et l'éthique soulevées par la biotechnologie

À propos des dangers potentiels associés à la technologie de recombinaison de l'ADN, on s'est d'abord préoccupé du risque de création d'agents pathogènes dangereux. Que se passerait-il, par exemple, si les gènes de cellules cancéreuses étaient introduits dans des bactéries ou des virus? Par mesure de précaution contre des microorganismes indésirables, les scientifiques ont adopté un ensemble de lignes directrices, devenues des règlements officiels dans plusieurs pays. Parmi les mesures de sécurité figurent des procédures strictes de travail en laboratoire qui visent à protéger les chercheurs contre l'infection par des microorganismes modifiés et aussi à empêcher que ceux-ci s'échappent accidentellement du laboratoire. De plus, les souches de microorganismes employées dans les expériences portant sur l'ADN recombiné sont modifiées génétiquement, de sorte qu'elles ne peuvent survivre hors du laboratoire. Enfin, on a interdit certains types d'expériences présentant un risque évident.

Aujourd'hui, le public s'inquiète surtout des risques liés non pas aux microorganismes recombinés, mais plutôt aux **organismes génétiquement modifiés (OGM)** dont on se sert à des fins alimentaires. Dans le langage commun, l'OGM est un organisme auquel on a ajouté un ou plusieurs gènes par des moyens artificiels; les gènes en question proviennent de la même espèce ou d'une autre. Le saumon, par exemple, a été génétiquement modifié par l'ajout d'un gène de l'hormone de croissance plus actif. Cependant, la majorité des OGM qui assurent notre approvisionnement alimentaire ne sont pas des animaux, mais des plantes.

Certains pays se sont méfiés de la révolution génétique; les principales inquiétudes portaient sur la sécurité des aliments génétiquement modifiés et les conséquences environnementales possibles de la culture des plantes transgéniques. En 1999, par exemple, l'Union européenne a suspendu l'introduction de nouvelles cultures génétiquement modifiées en attendant l'adoption d'une nouvelle loi. Au début de 2000, les négociateurs de 130 pays se sont entendus sur un protocole sur la prévention des risques biotechnologiques. Ce document, le Protocole de Carthagène, stipule que les exportateurs sont tenus d'indiquer quels sont les organismes génétiquement modifiés présents dans leurs livraisons de denrées alimentaires en vrac. Le protocole, entré en vigueur en 2003, spécifie également que les pays importateurs sont libres de déterminer si ces denrées posent un risque pour l'environnement ou la santé.

Ceux qui préconisent une approche prudente face aux cultures génétiquement modifiées craignent que les plantes transgéniques puissent transmettre leurs nouveaux gènes à des espèces apparentées situées dans des zones voisines restées à l'état naturel. On sait que les Graminées des pelouses ou des cultures, par exemple, échangent souvent des gènes avec leurs parentes sauvages par l'intermédiaire du pollen. Si le pollen des plantes cultivées portant des gènes de résistance aux herbicides, aux maladies ou aux insectes ravageurs féconde des espèces sauvages, celles-ci pourraient devenir de « super-mauvaises herbes » très difficiles à éliminer. Une étude en laboratoire laisse entrevoir un autre danger potentiel : un transgène qui code pour une protéine de type pesticide pourrait faire en sorte que des plantes produisent du pollen toxique pour les papillons. Cependant, après une étude de deux ans, les scientifiques de l'Agricultural Research Service américain ont conclu que la probabilité pour les papillons d'être exposés à des niveaux toxiques de pollen était très faible.

Quant aux risques pour la santé humaine que posent les aliments génétiquement modifiés, certaines personnes craignent que les protéines produites par les transgènes créent des réactions allergiques. Bien que des signes montrent que cela puisse se produire, les défenseurs réclament que ces protéines soient testées pour déterminer leur capacité à causer des réactions allergiques.

Les gouvernements et les agences de réglementation du monde entier s'efforcent de favoriser l'emploi des biotechnologies dans l'agriculture, l'industrie et la médecine, tout en veillant à ce que les nouveaux produits et procédés ne posent aucun danger. Au Canada, la Direction générale de la protection de la santé (DGPS, Santé Canada), Agriculture Canada, l'Agence canadienne d'inspection des aliments et le Comité consultatif national sur la biotechnologie partagent la responsabilité en ce qui concerne l'établissement des principes directeurs et la réglementation des nouvelles réalisations en biotechnologie. En France, le contrôle est exercé par la Commission du génie génétique et la Commission du génie biomoléculaire. Ces organismes subissent des pressions croissantes de la part de certains groupes de consommateurs. Ces mêmes organismes et le public doivent également examiner des questions éthiques en fonction des nouvelles biotechnologies.

La cartographie complète du génome humain, par exemple, nous force à aborder des questions éthiques importantes. Qui devrait avoir le droit d'examiner les gènes d'une autre personne ? Comment cette information devrait-elle être utilisée ? Devrait-on prendre en compte le génome d'un individu pour déterminer s'il peut obtenir un emploi ou contracter une assurance ? Il est probable que les considérations éthiques ainsi que les inquiétudes suscitées par les dangers pour la santé et l'environnement ralentiront la mise en œuvre de certaines applications de la biotechnologie. En même temps, l'excès de réglementation risque de nuire à la recherche fondamentale et à l'avènement de ses retombées bénéfiques. Cependant, la puissance de la biotechnologie, qui nous permet de modifier radicalement et rapidement des espèces qui évoluent depuis des millénaires, nous oblige à faire preuve d'humilité et de prudence.

Retour sur le concept 20.5

1. Quel avantage présenterait l'emploi de cellules souches dans la thérapie génique ?
2. Énumérez au moins trois caractéristiques qui ont été transmises à des plantes cultivées grâce à la biotechnologie.

Voir les réponses proposées à la fin du chapitre.

Révision du chapitre 20

RÉSUMÉ DES CONCEPTS CLÉS

Concept 20.1

Le clonage d'ADN permet la production d'un grand nombre de copies d'un gène spécifique ou d'un autre segment d'ADN

▶ **Le clonage d'ADN et ses applications : *un aperçu* (p. 420-421).** Le clonage d'ADN et d'autres techniques, collectivement appelés *biotechnologie*, peuvent être utilisés pour manipuler et analyser l'ADN ; ils permettent de créer de nouveaux produits et organismes utiles.

▶ **L'utilisation d'enzymes de restriction dans la fabrication d'ADN recombiné (p. 421).** Des enzymes de restriction bactériennes coupent les molécules d'ADN dans de courtes séquences nucléotidiques spécifiques ; elles créent ainsi un ensemble de fragments d'ADN bicaténaire pourvus d'extrémités cohésives monocaténaires. Les bases des extrémités cohésives s'apparient facilement avec les segments monocaténaires complémentaires situés sur les autres molécules d'ADN. L'ADN ligase, qui est une enzyme, peut lier ces fragments en produisant des molécules d'ADN recombiné.

▶ **La procédure de clonage d'un gène d'Eucaryote dans un plasmide bactérien (p. 422-423).** On forme un plasmide recombiné par insertion de fragments de restriction provenant d'un ADN contenant un gène recherché en utilisant comme vecteur un plasmide qui a été découpé par la même enzyme. Il y a clonage de gènes lorsque le plasmide recombiné est introduit dans une cellule hôte bactérienne et que les gènes étrangers sont répliqués en même temps que le chromosome bactérien qui joue le rôle de cellule hôte. Il est possible d'identifier les clones cellulaires portant le gène recherché à l'aide d'une sonde nucléique marquée par radioactivité et ayant une séquence complémentaire à celle du gène.

- **L'entreposage de gènes clonés dans des banques d'ADN (p. 423-425).** On appelle *banque génomique* l'ensemble formé par les clones de plasmides recombinés produits par le clonage de fragments d'ADN provenant d'un génome entier. On peut aussi constituer une banque d'ADNc (ADN complémentaire) en clonant l'ADN fabriqué *in vitro* à partir de la transcription inverse de tous les ARNm produits par un certain type de cellules.
- **Le clonage et l'expression des gènes d'Eucaryotes (p. 425-426).** Plusieurs difficultés techniques empêchent l'expression de gènes d'Eucaryotes clonés dans les cellules hôtes bactériennes. L'utilisation de cellules d'Eucaryotes provenant de cultures, comme cellules hôtes, et de chromosomes artificiels de levure, comme vecteurs, permet d'éviter ces problèmes.
- **L'amplification de l'ADN *in vitro* : l'amplification en chaîne par polymérase (ACP) (p. 426-427).** L'ACP permet de faire rapidement de nombreuses copies d'un certain segment cible d'ADN, parce qu'elle fait intervenir une ADN polymérase résistante à la chaleur et des amorces qui encadrent la séquence recherchée.

Concept 20.2

L'analyse des fragments de restriction permet de détecter des variations dans l'ADN des sites de restriction

- **L'électrophorèse sur gel et le buvardage de Southern (p. 428-429).** L'électrophorèse sur gel permet de séparer les fragments de restriction d'ADN selon leur longueur. Des fragments spécifiques peuvent être détectés par la technique de buvardage de Southern; ce procédé consiste à employer des sondes marquées qui s'hybrident avec l'ADN ayant adhéré à la copie « buvard » du gel.
- **Les différences de taille des fragments de restriction comme marqueurs génétiques (p. 429-431).** Les polymorphismes de taille des fragments de restriction (PTFR) sont des différences dans la séquence d'ADN sur des chromosomes homologues qui se reflètent dans des fragments de restriction de différentes longueurs pouvant être détectés par buvardage de Southern. Les milliers de PTFR présents dans tout l'ADN d'Eucaryotes peuvent servir de marqueurs génétiques.

Concept 20.3

Il est possible de cartographier l'ADN de génomes entiers

- **La cartographie de liaison génétique : l'ordonnancement relatif des marqueurs (p. 431-432).** L'ordre des gènes et des autres marqueurs héréditaires dans le génome ainsi que leurs distances relatives peuvent être déterminés à partir des fréquences de recombinaison.
- **La cartographie physique : l'ordonnancement des fragments d'ADN (p. 432).** On trace une carte physique en découpant une molécule d'ADN en de nombreux fragments courts, puis on les dispose en ordre en déterminant les zones de recouvrement. Une carte physique donne la distance réelle entre les marqueurs en fonction du nombre de paires de bases.
- **Le séquençage de l'ADN (p. 432-434).** La méthode de terminaison de chaîne par un didésoxyribonucléotide permet de séquencer des fragments d'ADN relativement courts; cette technique de séquençage peut être automatisée.

Concept 20.4

Les séquences du génome fournissent des indices sur des questions biologiques importantes

- **L'identification dans les séquences d'ADN des gènes codant pour les protéines (p. 434-435).** L'analyse informatique des séquences de génome aide les chercheurs à détecter les séquences qui sont susceptibles d'encoder des protéines. On estime actuellement que le génome humain contient environ 25 000 gènes, mais le nombre de protéines est beaucoup plus grand. La comparaison de séquences de « nouveaux » gènes avec celles de gènes connus provenant d'autres espèces peut aider à isoler les nouveaux gènes.
- **La détermination de la fonction des gènes (p. 435).** Dans le cas d'un gène de fonction inconnue, son inactivation expérimentale et l'observation des effets phénotypiques résultants peuvent apporter des indices concernant sa fonction.
- **L'étude de l'expression des groupes de gènes en interaction (p. 436).** Les essais sur microréseau à ADN permettent aux chercheurs de comparer les motifs d'expression génique de différents tissus, à différents moments ou dans des conditions diverses.
- **La comparaison de génomes de différentes espèces (p. 436-437).** Les études de comparaison des génomes provenant d'espèces apparentées et d'espèces très divergentes fournissent de l'information précieuse dans de nombreux domaines de la biologie.
- **Les orientations de la génomique (p. 437-438).** La génomique est l'étude systématique de génomes entiers; la protéomique est l'étude systématique de l'ensemble des protéines codées par un génome. Les polymorphismes nucléotidiques constituent des marqueurs utiles pour l'étude des variations génétiques chez l'humain.

Concept 20.5

Les applications de la biotechnologie influent sur nos vies de multiples façons

- **Les applications en médecine (p. 438-440).** La biotechnologie est de plus en plus utilisée pour diagnostiquer des maladies génétiques et autres; elle offre la possibilité de meilleurs traitements de certains troubles génétiques et même de guérisons.
- **Les produits pharmaceutiques (p. 440).** La biotechnologie rend possible la production à grande échelle d'hormones humaines et d'autres protéines à usage thérapeutique, incluant des vaccins plus sécuritaires.
- **Les preuves médicolégales (p. 440-441).** Les « empreintes » génétiques, obtenues par analyse des tissus ou des liquides de l'organisme trouvés sur les lieux de crimes, constituent des pièces à conviction qui permettent d'inculper ou de disculper un suspect. On s'en sert également pour régler des litiges sur la paternité.
- **La dépollution de l'environnement (p. 441-442).** Le génie génétique peut permettre de modifier le métabolisme des microorganismes de façon qu'ils puissent être utilisés pour extraire des minéraux de l'environnement ou pour dégrader divers types de déchets potentiellement toxiques.
- **Les applications en agriculture (p. 442-443).** L'objectif de développer des plantes et des animaux transgéniques est d'améliorer la productivité agricole et la qualité des aliments.
- **Les questions sur la sécurité et l'éthique soulevées par la biotechnologie (p. 443-444).** Les avantages potentiels de la biotechnologie doivent être soigneusement évalués à la lumière des dangers pouvant découler de la création de nouveaux produits, ou de la mise au point de procédés susceptibles de nuire aux humains ou à l'environnement.

VÉRIFIEZ VOS CONNAISSANCES

Autoévaluation

(Les questions dont les numéros sont en caractères gras font surtout appel à la compréhension.)

1. Parmi les outils suivants issus de la biotechnologie, lequel *n'est pas* associé à son utilisation ?
a) Enzyme de restriction – production de PTFR.
b) ADN ligase – enzyme qui découpe l'ADN en créant des fragments de restriction à extrémités cohésives.
c) ADN polymérase – employée dans une amplification en chaîne par polymérase pour développer des fragments d'ADN.
d) Transcriptase inverse – production d'ADNc à partir d'ARNm.
e) Électrophorèse – séparation de fragments d'ADN.

2. Parmi les affirmations suivantes, laquelle *ne s'appliquerait pas* à un ADNc produit à partir d'un échantillon de tissu de cerveau humain ?
a) Il peut être développé au moyen de l'amplification en chaîne par polymérase.
b) Il peut servir à constituer une banque génomique.
c) Il est produit à partir d'ARNm et à l'aide de la transcriptase inverse.
d) Il peut servir de sonde nucléique pour repérer des gènes exprimés au cerveau.
e) Il ne contient pas les introns des gènes humains et peut donc probablement être inséré dans des vecteurs phagiques.

3. Il est plus facile de manipuler par biotechnologie des plantes que des animaux, car :
a) les gènes des cellules végétales ne contiennent pas d'introns.
b) il existe un plus grand nombre de vecteurs pour transférer l'ADN recombiné dans les cellules végétales.
c) une cellule somatique végétale peut souvent donner une plante complète.
d) les gènes peuvent être insérés dans les cellules végétales par micro-injection.
e) les cellules végétales ont de plus gros noyaux.

4. Un paléontologue a prélevé un morceau de la peau préservée d'un dodo (oiseau disparu) vieux de 400 ans. Il aimerait comparer l'ADN de cet échantillon avec celui d'oiseaux vivants. Parmi les techniques suivantes, laquelle permettrait le mieux d'accroître la quantité d'ADN de dodo disponible pour ces tests ?
a) L'analyse des PTFR.
b) L'amplification en chaîne par polymérase (ACP).
c) L'électroporation.
d) L'électrophorèse sur gel.
e) Le buvardage de Southern.

5. L'expression d'un gène eucaryote cloné par une cellule de Procaryote soulève de nombreuses difficultés. L'emploi de l'ARNm et de la transcriptase inverse s'inscrit dans une stratégie qui vise à résoudre le problème suivant :
a) La maturation après la transcription.
b) L'électroporation.
c) La maturation après la traduction.
d) L'hybridation des acides nucléiques.
e) La liaison des fragments de restriction.

6. La biotechnologie donne lieu à de nombreuses applications dans le domaine médical. Parmi les opérations suivantes, laquelle *n'est pas encore* effectuée de façon régulière ?
a) La production d'hormones pour le traitement du diabète et du nanisme.
b) La production de sous-unités virales pour des vaccins.
c) L'introduction de gènes modifiés dans des gamètes humains.
d) La détection prénatale de gènes de maladies génétiques.
e) Les tests génétiques sur les transmetteurs d'allèles nocifs.

7. Parmi les organismes suivants, lequel a le plus grand génome et le plus petit nombre de gènes par million de paires de bases ?
a) *Hæmophilus influenzæ* (bactérie).
b) *Saccharomyces cerevisiæ* (levure).
c) *Arabidopsis thaliana* (plante).
d) *Drosophila melanogaster* (drosophile).
e) *Homo sapiens* (humain).

8. Parmi les séquences suivantes d'ADN bicaténaire, laquelle a le plus de chances d'être reconnue et coupée par une enzyme de restriction ?

a) AAGG TTCC	b) AGTC TCAG	c) GGCC CCGG	d) ACCA TGGT	e) AAAA TTTT

9. Dans les méthodes de production de l'ADN recombiné, le terme *vecteur* peut désigner :
a) l'enzyme qui découpe l'ADN en fragments de restriction.
b) l'extrémité cohésive d'un fragment d'ADN.
c) un marqueur PTFR.
d) un plasmide employé pour introduire de l'ADN dans une cellule vivante.
e) une sonde d'ADN servant à détecter un gène particulier.

10. Quand ils utilisent l'approche en aveugle pour cartographier le génome, les scientifiques effectuent :
a) une cartographie de liaison génétique de chaque chromosome.
b) une cartographie physique poussée de chaque chromosome à partir de grands fragments chromosomiques.
c) le séquençage de petits fragments d'ADN, puis la détermination de la séquence nucléotidique globale par assemblage des fragments.
d) a et b.
e) a, b et c.

11. Déterminez l'énoncé *incorrect*. L'amplification en chaîne par polymérase :
a) s'effectue entièrement *in vitro*.
b) est utile lorsque la quantité d'ADN disponible est peu abondante.
c) est rapide et spécifique.
d) nécessite l'emploi d'une ADN polymérase résistante à la chaleur.
e) utilise, comme matériel de départ de l'ARNm, des amorces et des nucléotides libres.

12. Un microréseau à ADN permet de mettre en évidence l'*expression* des gènes par le fait que, sur une lame où sont déjà fixés des fragments d'ADN représentant l'ensemble des gènes d'un organisme, sont déposés :
a) des fragments d'ADN bicaténaire provenant des cellules étudiées.
b) des fragments d'ADNc monocaténaire fabriqué à partir de l'ARNm isolé des cellules étudiées.
c) des fragments d'ARNm provenant des cellules étudiées.
d) des protéines codées par les gènes qu'on veut isoler.
e) des plasmides recombinés contenant des fragments des gènes étudiés.

Lien avec l'évolution

Si la biotechnologie devenait omniprésente, quelle pourrait être son influence sur les mécanismes d'évolution qui sont appliqués depuis quatre milliards d'années ?

Intégration

Vous tentez d'étudier un gène qui code pour un neurotransmetteur protéique des neurones du cerveau humain, et vous connaissez la séquence d'acides aminés de cette protéine. Expliquez comment vous pouvez : a) identifier les gènes exprimés par un type spécifique de neurones ; b) trouver le gène du neurotransmetteur ; c) produire un grand nombre de copies de ce gène à des fins de recherche ; d) produire le neurotransmetteur en quantité suffisante pour pouvoir évaluer son emploi éventuel comme médicament.

Science, technologie et société

1. Existe-t-il un risque de discrimination fondée sur les tests de détection de gènes « nocifs » ? Quelles orientations générales proposeriez-vous d'adopter pour prévenir de tels abus ?

2. La transplantation de gènes (thérapie génique) dans les cellules somatiques vous paraît-elle aussi acceptable ou moins acceptable, sur le plan éthique, que la transplantation d'organes ? Et qu'en est-il pour la transplantation de gènes dans les cellules de la lignée reproductrice ?

Réponses du chapitre 20

Retour sur le concept 20.1

1. Blanches, car il n'y a pas de gène *lacZ* fonctionnel présent.
2. Une banque d'ADNc, qu'on constitue en utilisant l'ARNm provenant de cellules de la moelle osseuse produisant les globules rouges qui devraient contenir de nombreuses copies d'ARNm de la β-globine.
3. Certains gènes humains sont trop gros pour être insérés dans des plasmides bactériens. Les cellules bactériennes n'ont pas les moyens de modifier les transcrits d'ARN et, même si on évite le besoin de maturation de l'ARN en utilisant l'ADNc, les bactéries ne possèdent pas l'enzyme qui catalyse la maturation post-traductionnelle que subissent de nombreuses protéines humaines.

Retour sur le concept 20.2

1. Les enzymes de restriction découpent l'ADN génomique en de nombreux endroits, ce qui crée un grand nombre de fragments qui apparaîtraient sous forme de bandes étalées plutôt que distinctes lorsque le gel est coloré après l'électrophorèse.
2. Les marqueurs PTFR sont transmis selon le modèle mendélien, et les variations des PTFR parmi les individus peuvent être détectées par buvardage de Southern.

Retour sur le concept 20.3

1. Dans une carte de liaison génétique, les gènes et les autres marqueurs sont classés les uns par rapport aux autres, mais seules les distances relatives entre eux sont connues. Dans une carte physique, les distances réelles entre les marqueurs, exprimées en nombre de paires de bases, sont connues.
2. L'approche en trois étapes employée dans le Projet génome humain implique la cartographie de liaison génétique, la cartographie physique, puis le séquençage de courts fragments superposés qui ont été classés précédemment les uns par rapport aux autres (voir la figure 20.11). L'approche en aveugle élimine les étapes de la cartographie de liaison génétique et de la cartographie physique ; de courts fragments engendrés par de nombreuses enzymes de restriction sont plutôt séquencés, puis par la suite classés à l'aide de programmes informatiques qui définissent les régions superposées (voir la figure 20.13).

Retour sur le concept 20.4

1. L'épissage différentiel de transcrits d'ARN provenant d'un gène et la maturation post-traductionnelle de polypeptides.
2. Elle permet d'examiner simultanément l'expression de milliers de gènes, ce qui fournit une vue d'ensemble du génome pour savoir quels gènes sont exprimés dans différents tissus, dans des conditions particulières, ou à divers stades du développement.
3. Parce que l'espèce humaine est apparue plus récemment que de nombreuses autres espèces, il s'est écoulé moins de temps pour que les variations génétiques dans l'ADN codant et non codant s'accumulent.

Retour sur le concept 20.5

1. Elles continuent de se reproduire par elles-mêmes.
2. La résistance aux herbicides, la résistance aux ravageurs, la résistance à la maladie, le retard de la maturation, l'amélioration de la valeur nutritive et autres.

Autoévaluation

1. b ; **2.** b ; **3.** c ; 4. b ; **5.** a ; **6.** c ; 7. e ; **8.** c ; 9. d ; 10. c ; 11. e ; **12.** b.

21

La génétique du développement embryonnaire

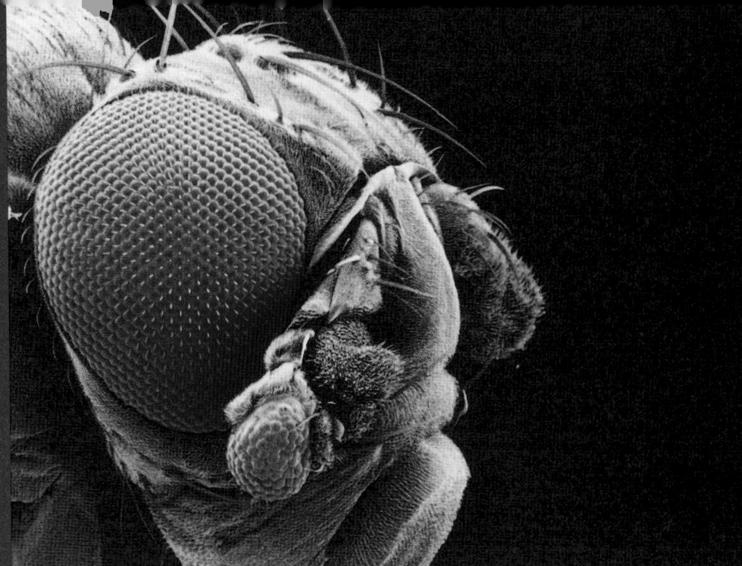

▲ **Figure 21.1 Mutant de la drosophile portant un petit œil supplémentaire sur son antenne.**

Concepts clés

21.1 **Le développement embryonnaire comprend la division cellulaire, la différenciation cellulaire et la morphogenèse**

21.2 **Les différents types de cellules sont le résultat de l'expression génique différentielle dans des cellules qui ont le même ADN**

21.3 **Chez les Animaux et les Végétaux, les plans d'organisation sont établis par des mécanismes génétiques et cellulaires similaires**

21.4 **Des études comparatives permettent d'expliquer comment l'évolution du développement mène à la diversité morphologique**

Introduction

De la cellule à l'organisme multicellulaire

Dans le présent chapitre, nous allons partir de ce que nous avons appris sur les molécules, les cellules et les gènes pour examiner l'un des aspects principaux de la biologie : le développement d'un organisme multicellulaire complexe à partir d'une seule cellule. L'étude du développement au moyen de l'analyse génétique et de la technologie de l'ADN a engendré une révolution dans ce domaine. Tout comme ils se sont servis des mutations pour élucider les voies métaboliques cellulaires, les chercheurs se fondent sur des mutations pour analyser les voies du développement. Nous retenons l'exemple de chercheurs suisses qui ont démontré en 1995 qu'un certain gène constitue un interrupteur déclenchant le développement de l'œil chez la drosophile (*Drosophila melanogaster*). La micrographie électronique à balayage de la **figure 21.1** montre la tête d'une drosophile anormale portant un petit œil sur une antenne. C'est l'expression du gène responsable du développement des yeux qui a provoqué la formation de cet organe à cet endroit inhabituel. Un gène semblable active le développement des yeux chez les souris et les autres Mammifères. Les spécialistes de la biologie du développement découvrent des ressemblances étonnantes entre les mécanismes régissant la formation d'organismes différents.

L'étude scientifique du développement embryonnaire a commencé il y a environ 130 ans, à la même époque que la génétique. Cependant, ces deux disciplines ont en grande partie évolué séparément durant des décennies. Les biologistes du développement se sont penchés sur l'embryologie, c'est-à-dire l'étude de la transformation d'un ovule fécondé en un organisme complètement formé. Ils ont étudié les Animaux qui pondent leurs œufs dans de l'eau, notamment les Invertébrés marins et les Vertébrés amphibiens d'eau douce, comme les grenouilles. C'est grâce à l'étude de ces espèces, entre autres, ainsi que celle de Végétaux, que les biologistes ont pu décrire le développement animal (chapitre 47) et végétal (chapitre 35) aux niveaux macroscopique et microscopique.

Récemment, les scientifiques ont appliqué les concepts et les outils de la génétique moléculaire à l'étude de la biologie du développement avec des résultats remarquablement efficaces. Dans le présent chapitre, nous verrons quelques mécanismes fondamentaux du développement embryonnaire chez les Végétaux et les Animaux. Nous nous attarderons sur ce que les études ont révélé sur le plan tant moléculaire que génétique. Après une introduction aux mécanismes cellulaires fondamentaux qui régissent le développement, nous étudierons la façon dont les cellules se différencient les unes des autres et les facteurs qui établissent les structures spatiales de ces différents types de cellules dans l'embryon. Puis, nous examinerons plus en détail les fondements moléculaires de quelques phénomènes associés au développement comme exemples de certains principes généraux de développement. Enfin, nous examinerons ce que les chercheurs peuvent apprendre sur l'évolution en comparant les mécanismes de développement chez différentes espèces.

Lorsque l'objectif premier de la recherche est d'établir des principes biologiques généraux, l'être vivant que l'on choisit d'étudier est appelé **organisme modèle**. Les chercheurs optent

Figure 21.2

Panorama Organismes modèles servant aux études génétiques du développement

DROSOPHILA MELANOGASTER (MOUCHE DU VINAIGRE)

Les chercheurs disposent d'une mine de renseignements sur la mouche du vinaigre (*Drosophila melanogaster,* souvent appelée *drosophile*), l'un des organismes modèles les plus importants en génétique du développement. La drosophile a d'abord été choisie comme organisme modèle par le pionnier de la génétique, l'Américain T. H. Morgan, au début du XXe siècle. Elle a, par la suite, été très étudiée par plusieurs générations de généticiens. La drosophile est petite et s'élève facilement en laboratoire; les générations se succèdent à un intervalle de deux à trois semaines seulement. La mouche produit une descendance nombreuse et le développement des embryons se déroule à l'extérieur de l'organisme maternel, ce qui, dans les deux cas, en facilite l'étude. La séquence de l'ADN du génome de la drosophile est entièrement connue depuis 2000; celui-ci comporte 180×10^6 pb (180 millions de bases [Mb]) et contient environ 13 700 gènes. Bien que le début de son développement soit assez différent du processus rencontré chez de nombreux autres Animaux, les recherches effectuées sur *Drosophila melanogaster* ont permis de très bien comprendre les principes fondamentaux régissant le développement animal.

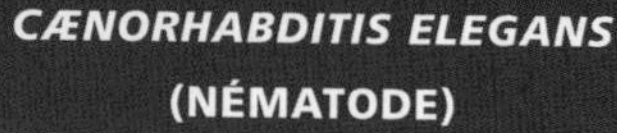

CÆNORHABDITIS ELEGANS (NÉMATODE)

Le Nématode (Ver rond) *Cænorhabditis elegans* (ou *C. elegans*) vit dans le sol, mais il est facile de l'élever en laboratoire dans des boîtes de Pétri. Il ne mesure qu'un millimètre de long environ; son corps est simple et transparent, et il ne comporte que quelques types de cellules. Ce Ver passe de l'état de zygote à celui d'adulte en trois jours et demi. Son génome a une longueur de 97 Mb et on estime qu'il contient 19 000 gènes. La plupart des individus de cette espèce sont hermaphrodites, c'est-à-dire qu'ils produisent à la fois des ovocytes secondaires (stade cellulaire précédant la formation d'un ovule) et des spermatozoïdes. Les hermaphrodites sont de bons sujets d'étude génétique parce que, dans leur cas, les mutations récessives sont faciles à détecter. Si un individu ayant un phénotype sauvage s'autoféconde et qu'un quart des individus de la génération suivante ont un phénotype mutant (homozygotes pour l'allèle mutant), le parent (un seul puisqu'il s'agit d'autofécondation) doit alors être hétérozygote pour l'allèle mutant récessif. Même si les homozygotes ayant la mutation récessive ne se reproduisent pas, la mutation peut être maintenue chez les hétérozygotes. Pour les embryologistes, *C. elegans* présente un autre avantage: chaque adulte hermaphrodite a exactement 959 cellules somatiques qui descendent du zygote à peu près de la même façon chez tous les individus. Des biologistes ont suivi au microscope toutes les divisions cellulaires qui se produisent à partir de la formation du zygote; ils ont ainsi pu établir la provenance de chaque cellule de l'adulte.

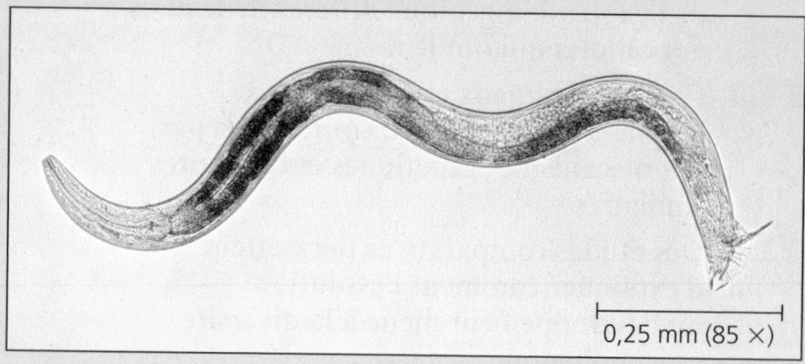

pour des organismes modèles qui se prêtent bien à l'examen d'un aspect particulier, qui sont représentatifs d'un groupe plus vaste et qui s'élèvent facilement en laboratoire. Pour des travaux de recherche qui visent à saisir les liens existant entre les gènes et le développement, les biologistes se sont tournés vers des organismes dont les générations ont une durée de vie relativement courte et dont les génomes sont petits, et sur lesquels ils possèdent déjà de nombreux renseignements; ceux qui possèdent ces caractéristiques se prêtent mieux à l'analyse génétique. Parmi les organismes modèles utilisés en génétique du développement embryonnaire, on trouve la mouche du vinaigre (*Drosophila melanogaster*), le Nématode (*Cænorhabditis elegans*), la souris commune (*Mus musculus*), le poisson zèbre (*Danio rerio*) et une plante, l'arabette des dames (*Arabidopsis thaliana*). Avant de continuer, prenez connaissance de ces modèles à la **figure 21.2**. Les principes relatifs au développement que les études sur ces organismes nous ont révélés seront présentés tout au long du chapitre.

Concept 21.1

Le développement embryonnaire comprend la division cellulaire, la différenciation cellulaire et la morphogenèse

Chez la plupart des organismes, le développement embryonnaire se fait à partir d'un zygote unicellulaire (ovule fécondé); celui-ci donne naissance à de nombreux types de cellules qui ont toutes une structure et une fonction propres. Par exemple, les Animaux possèdent des cellules musculaires qui leur permettent de se déplacer, ainsi que des neurones (cellules nerveuses) qui transmettent des stimulus aux cellules musculaires. Chez les Végétaux, les cellules du mésophylle effectuent la photosynthèse, et les cellules stomatiques autour des stomates (pores) régissent la circulation d'air entre l'intérieur et l'extérieur des feuilles.

***MUS MUSCULUS* (SOURIS COMMUNE)**	***DANIO RERIO* (POISSON ZÈBRE)**	***ARABIDOPSIS THALIANA* (ARABETTE DES DAMES)**

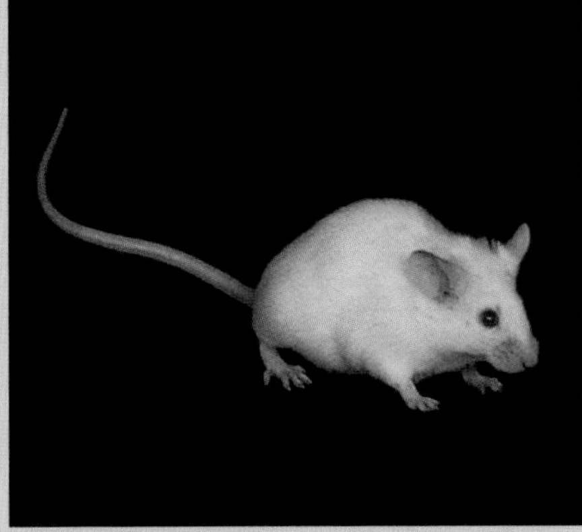

Parmi les Vertébrés, la souris commune (*Mus musculus*) et le poisson zèbre (*Danio rerio*) se prêtent particulièrement bien à l'analyse génétique du développement embryonnaire. La souris commune est employée comme modèle de Mammifère depuis très longtemps, et on connaît très bien sa biologie. Son génome a une longueur de 2 600 Mb et comporte 25 000 gènes, soit à peu près le même nombre que le génome humain. Les chercheurs savent maintenant manipuler ses gènes de façon à produire des individus transgéniques ou des individus dont certains gènes ont été « neutralisés » par des mutations. Cependant, les souris ont des générations dont la durée de vie est d'environ neuf semaines, et le développement de leurs embryons se déroule dans l'utérus de la mère; cela rend l'observation difficile. Ces deux caractéristiques constituent des inconvénients dans les études du développement.

De nombreux inconvénients présents chez la souris commune comme modèle des Vertébrés n'existent pas chez le poisson zèbre. Ces petits poissons (d'une longueur de 2 cm à 4 cm) s'élèvent facilement en laboratoire. En outre, leurs embryons transparents se développent à l'extérieur de l'organisme maternel. Bien que la durée des générations soit relativement longue (de deux à quatre mois), le début du développement se déroule rapidement: 24 heures après la fécondation, la plupart des organes et des tissus sont déjà ébauchés, et le poisson minuscule éclot au bout de 2 jours. La cartographie du génome du poisson zèbre (dont le total des quelque 1 700 Mb a été séquencé) est encore en cours, mais des chercheurs ont décelé de nombreux gènes intervenant dans le développement de l'animal.

Les chercheurs utilisent souvent une petite plante appelée *Arabidopsis thaliana* (arabette des dames, de la famille de la moutarde) pour étudier la génétique moléculaire du développement végétal. Cette plante peut pousser dans une éprouvette et produire des milliers de descendants en 8 ou 10 semaines. Comme chez les pois de Mendel, chaque fleur produit à la fois des oosphères et des spermatozoïdes. En vue de recherches sur la fonction des gènes, on peut fabriquer des *Arabidopsis* transgéniques (voir la figure 20.19). Comparée à certaines autres espèces de plantes, *Arabidopsis thaliana* a un génome relativement petit (environ 118 Mb) qui contient 25 500 gènes, selon les estimations.

Dans un organisme multicellulaire, les cellules de types différents sont groupées en tissus, les tissus en organes, et les organes en systèmes; ces derniers constituent l'ensemble de l'organisme lui-même. Le mécanisme du développement embryonnaire doit donc mener non seulement à la création de différents types de cellules, mais également à la formation de structures d'ordre supérieur ayant une configuration tridimensionnelle.

Les photos de la **figure 21.3** illustrent la transformation remarquable d'un zygote en un organisme. La division cellulaire, la différenciation cellulaire et la morphogenèse sont les trois processus interdépendants qui effectuent cette transformation. Le zygote passe par une série de divisions mitotiques successives qui créent une multitude de cellules. Cependant, à elle seule, la division cellulaire ne produirait qu'une grosse boule de cellules identiques, non un animal ou une plante. Au cours du développement embryonnaire, les cellules, tout en se multipliant, subissent une **différenciation cellulaire**; c'est le processus par lequel elles acquièrent des structures et des fonctions spécialisées. Les cellules de différents types ne sont pas distribuées au hasard: elles

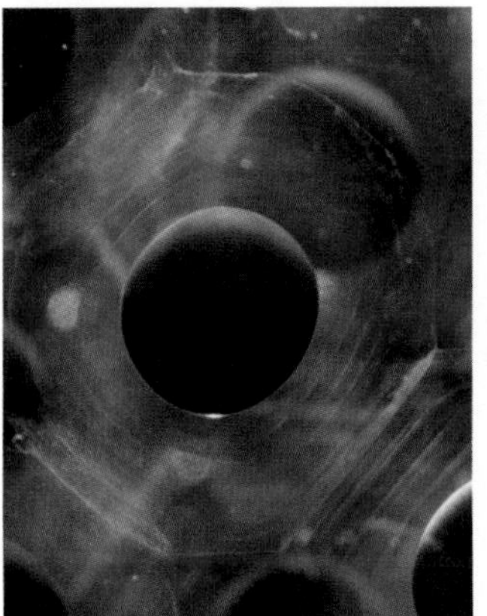

(a) Zygote de grenouille

(b) Éclosion du têtard

▲ **Figure 21.3 D'un zygote à un animal: quel changement en une semaine!** En quelques jours seulement, la division cellulaire, la différenciation et la morphogenèse ont transformé ce zygote de grenouille **(a)** en un têtard prêt à éclore. **(b)** Une couche de gelée protège les zygotes et le têtard.

sont groupées en tissus et en organes. La **morphogenèse** (terme signifiant « création de la forme ») est l'ensemble des mécanismes physiques déterminant la forme de l'organisme.

Les processus de division cellulaire, de différenciation et de morphogenèse se chevauchent dans le temps **(figure 21.4)**. C'est au cours des premières étapes de la morphogenèse – qui se déroulent au tout début du développement embryonnaire – que la structure générale de l'organisme s'établit. L'extrémité de l'embryon animal qui deviendra la tête ou l'extrémité de la plante qui se transformera en racines sont alors déterminées. Ces premières étapes définissent les axes corporels de l'organisme tels que l'axe antéropostérieur (tête→queue) et l'axe dorsoventral (dos→ventre). Les étapes suivantes de la morphogenèse fixent l'emplacement relatif des structures dans des régions plus petites de l'embryon (les appendices sur le corps d'une mouche, les nageoires sur un poisson ou les doigts sur un membre de Vertébré), puis dans des régions encore plus petites.

La division et la différenciation cellulaires jouent un rôle important dans la morphogenèse de toutes les espèces, à l'instar de la mort programmée (apoptose) de certaines cellules. Relevons ici que la morphogenèse suit des modèles généraux très différents chez les Animaux et les Végétaux. En effet, bien que partageant de nombreux mécanismes, le développement des Animaux et des Végétaux diverge principalement de deux façons :

- Chez les Animaux, les *migrations* de cellules et de tissus permettent au jeune embryon de devenir l'organisme tridimensionnel que l'on connaît, ce qui n'est pas le cas chez les Végétaux.
- Chez les Végétaux, la morphogenèse et l'accroissement général de la taille ne sont pas restreints aux périodes embryonnaire et juvénile : ils se poursuivent pendant toute la vie de l'individu, ce qui n'est pas le cas chez les Animaux.

Les structures qui assurent la croissance continue des plantes et la formation de nouveaux organes sont les **méristèmes apicaux**, régions situées dans l'apex des pousses et des racines ; ceux-ci restent toujours à l'état embryonnaire. Chez les Animaux adultes, le développement est restreint à la génération des cellules qui doivent être remplacées durant toute la vie de l'individu. Les globules sanguins, les cellules de la peau et celles qui tapissent la muqueuse intestinale en constituent des exemples.

(a) Développement d'un Animal. La plupart des Animaux passent par une variante des stades de blastula et de gastrula. La blastula est une sphère de cellules entourant une cavité remplie de liquide. La gastrula, elle, résulte de l'invagination d'une partie de la blastula ; une cavité intestinale rudimentaire (un tube) est ainsi formée. Une fois qu'un animal atteint l'âge adulte, la différenciation devient très limitée ; elle vise à remplacer des cellules endommagées ou perdues.

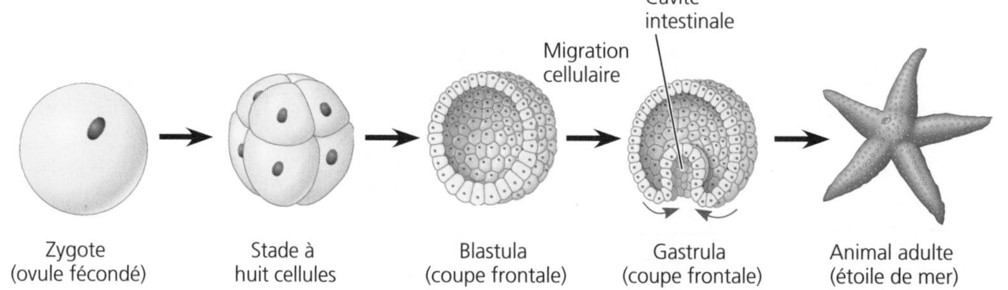

(b) Développement d'une plante. Chez les plantes à graines, un embryon complet se développe dans la graine même. La morphogenèse, qui se produit par division cellulaire et expansion des parois cellulaires plutôt que par migration de cellules ou de tissus, se poursuit pendant toute la vie des plantes. Les méristèmes apicaux (en violet) ne cessent jamais de se former et de donner naissance aux divers organes des plantes au fur et à mesure que celles-ci poursuivent leur croissance, jusqu'à atteindre une taille indéterminée.

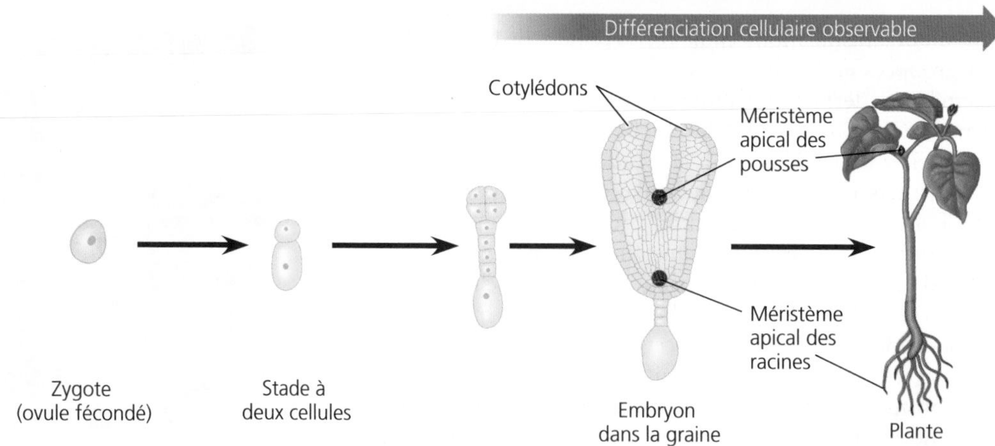

▲ **Figure 21.4 Quelques étapes clés du développement des Animaux et des Végétaux.** La division cellulaire, la morphogenèse et la différenciation cellulaire sont communes au développement des Animaux et des Végétaux. Les étapes moléculaires menant à la différenciation cellulaire s'amorcent dès le stade à deux cellules, mais des différences observables parmi les cellules ne sont évidentes que beaucoup plus tard.

Durant la différenciation et la morphogenèse, les cellules embryonnaires se comportent et fonctionnent différemment les unes des autres, bien qu'elles proviennent toutes de la même cellule, le zygote. Dans la prochaine section, nous étudierons le mécanisme le plus important de ce phénomène.

Retour sur le concept 21.1

1. Comme nous l'avons vu au chapitre 12, la mitose produit deux cellules filles génétiquement identiques à la cellule mère. Pourtant, votre organisme, qui est le produit de nombreuses divisions mitotiques, n'est pas qu'un amas de cellules identiques. Expliquez pourquoi.
2. Quelles sont les différences fondamentales entre le mécanisme de développement des Végétaux et celui des Animaux?

Voir les réponses proposées à la fin du chapitre.

Concept 21.2

Les différents types de cellules sont le résultat de l'expression génique différentielle dans des cellules qui ont le même ADN

Dans les chapitres précédents, nous avons mentionné que les différences entre les cellules d'un organisme multicellulaire résultent presque entièrement de variations de l'*expression* génique et non de disparités entre les génomes des cellules. (Il existe quelques exceptions, comme les cellules productrices d'anticorps; voir la figure 43.11.) Nous avons également vu que ces divergences sont l'effet de mécanismes régulateurs activant et désactivant des gènes spécifiques au cours du développement embryonnaire. Voyons maintenant certaines preuves qui ont permis de démontrer cela.

Les preuves de l'équivalence génomique

Les résultats de nombreuses expériences permettent de croire qu'il y a *équivalence génomique* de presque toutes les cellules d'un même organisme, c'est-à-dire que celles-ci ont les mêmes gènes. Qu'arrive-t-il à ces derniers lorsque la cellule commence à se différencier? On peut élucider partiellement cette question en tentant de savoir si la différenciation s'accompagne de l'inactivation irréversible de certains gènes. Par exemple, dans une cellule de l'épiderme d'un doigt, un gène de la couleur des yeux est-il fonctionnel ou bien a-t-il été définitivement inactivé, voire détruit?

La totipotence chez les Végétaux

Pour résoudre la question de l'équivalence génomique, on peut examiner expérimentalement si une cellule différenciée peut engendrer un organisme complet. De telles expériences ont été réalisées dans les années 1950 par F. C. Steward et ses étudiants, de la Cornell University. En travaillant sur la carotte (*Daucus carotta*), ils ont établi que des cellules différenciées extraites de la racine et placées dans un milieu de culture peuvent devenir des plantes adultes normales, génétiquement identiques à la plante «mère» **(figure 21.5)**. Les résultats montrent que la différenciation n'entraîne pas toujours des modifications irréversibles de l'ADN. Chez les Végétaux au moins, une cellule adulte peut donc se dédifférencier et donner naissance à tous les types de cellules spécialisées d'un organisme adulte. Les cellules qui possèdent cette capacité sont dites **totipotentes**.

On nomme **clonage** l'emploi d'une ou de plusieurs cellules somatiques, issues d'un organisme multicellulaire, dans le but de fabriquer un autre individu qui lui est génétiquement identique. Chacun des individus ainsi produits est appelé **clone** (du grec *klôn*, qui signifie «pousse»). En biologie, toute la descendance obtenue porte aussi le nom de *clone*. Le clonage des Végétaux est

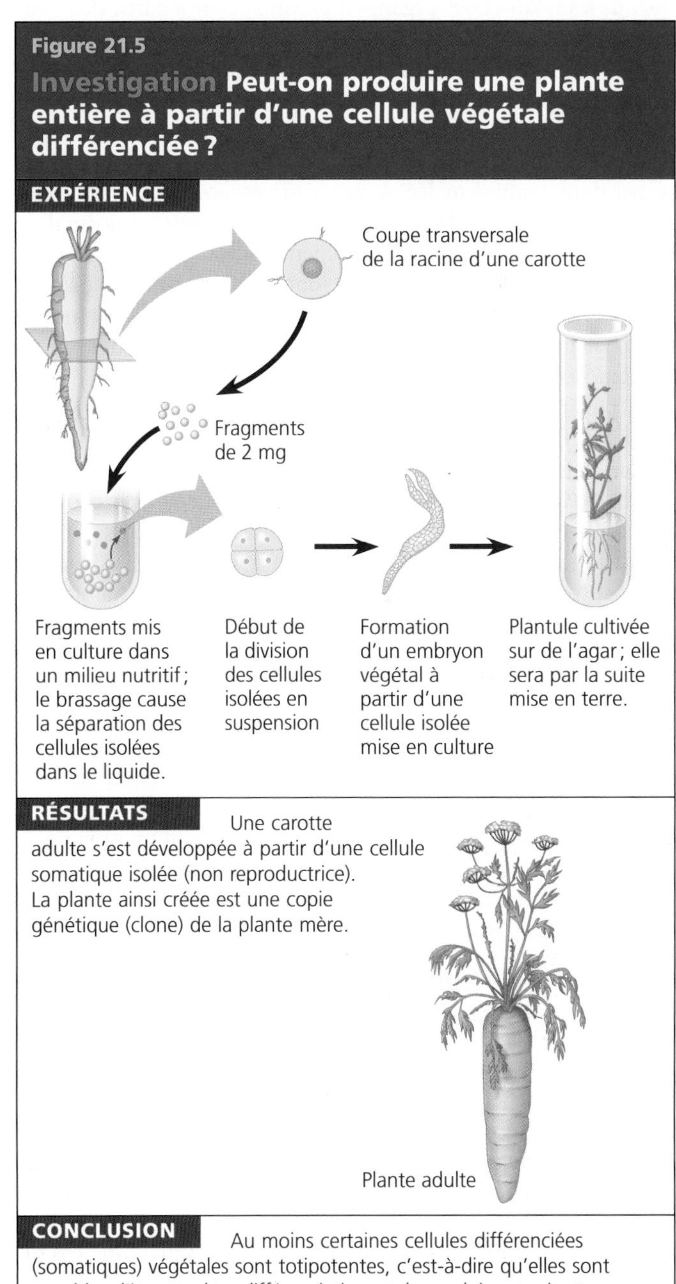

Figure 21.5
Investigation Peut-on produire une plante entière à partir d'une cellule végétale différenciée?
EXPÉRIENCE
Coupe transversale de la racine d'une carotte
Fragments de 2 mg
Fragments mis en culture dans un milieu nutritif; le brassage cause la séparation des cellules isolées dans le liquide.
Début de la division des cellules isolées en suspension
Formation d'un embryon végétal à partir d'une cellule isolée mise en culture
Plantule cultivée sur de l'agar; elle sera par la suite mise en terre.
RÉSULTATS
Une carotte adulte s'est développée à partir d'une cellule somatique isolée (non reproductrice). La plante ainsi créée est une copie génétique (clone) de la plante mère.
Plante adulte
CONCLUSION
Au moins certaines cellules différenciées (somatiques) végétales sont totipotentes, c'est-à-dire qu'elles sont capables d'inverser leur différenciation et de produire ensuite tous les types de cellules dans une plante adulte.

maintenant très courant en agriculture. En fait, si vous avez déjà obtenu une nouvelle plante par bouturage, vous avez bel et bien effectué un clonage.

La transplantation de noyaux chez les Animaux

Généralement, des cellules animales différenciées mises en culture ne se diviseront pas, et elles ne produiront pas les nombreux types de cellules d'un nouvel organisme. Par conséquent, les chercheurs dans ce domaine ont abordé différemment la question de savoir si les cellules animales différenciées peuvent être totipotentes. Ils ont remplacé le noyau d'un ovocyte de deuxième ordre ou d'un zygote par le noyau d'une cellule différenciée, par une technique appelée *transplantation de noyaux.* S'il conserve sa pleine capacité génétique, un noyau tiré d'une cellule donneuse différenciée peut alors commander le développement de tous les tissus et des organes d'un organisme à partir de l'ovocyte receveur.

De telles expériences ont été effectuées sur des grenouilles par Robert Briggs et Thomas King pendant les années 1950. Elles ont été poursuivies par John Gurdon trente ans plus tard. Ces chercheurs transplantaient un noyau d'une cellule d'embryon de têtard dans l'œuf énucléé de la même espèce. Le noyau transplanté avait la capacité d'assurer un développement normal de l'œuf en têtard **(figure 21.6)**. Cependant, la « totipotence » du noyau transplanté à régir un développement normal s'est avérée inversement liée à l'âge de l'organisme donneur : plus le noyau du donneur est vieux, plus le pourcentage de têtards qui se développent normalement est faible.

À partir de ces résultats, on peut conclure que les noyaux *subissent effectivement* certains changements pendant la différenciation cellulaire. Chez les grenouilles et la plupart des autres Animaux, la « totipotence » du noyau semble disparaître progressivement au cours du développement embryonnaire et de la différenciation cellulaire. Des recherches ont montré que la structure de la chromatine est modifiée de façon spécifique (habituellement, il y a des changements chimiques des histones ou sur le plan de la méthylation de l'ADN ; voir le chapitre 19), bien que la séquence de bases dans l'ADN ne change habituellement pas. Cependant, les changements qui touchent la chromatine sont parfois réversibles, et les biologistes s'entendent pour dire que les noyaux de la plupart des cellules animales différenciées contiennent tous les gènes nécessaires au développement d'un organisme entier. Autrement dit, ils pensent que les cellules d'un organisme animal diffèrent par leur structure et leur fonction non pas parce qu'elles contiennent des gènes différents, mais parce qu'elles expriment des parties différentes d'un même génome.

Figure 21.6

Investigation Un noyau tiré d'une cellule animale différenciée peut-il commander le développement d'un organisme ?

EXPÉRIENCE Les chercheurs ont détruit les noyaux d'œufs de grenouille en les exposant à un rayonnement ultraviolet. Ils ont transplanté dans des œufs énucléés des noyaux provenant de cellules d'embryons jusqu'au stade de têtard.

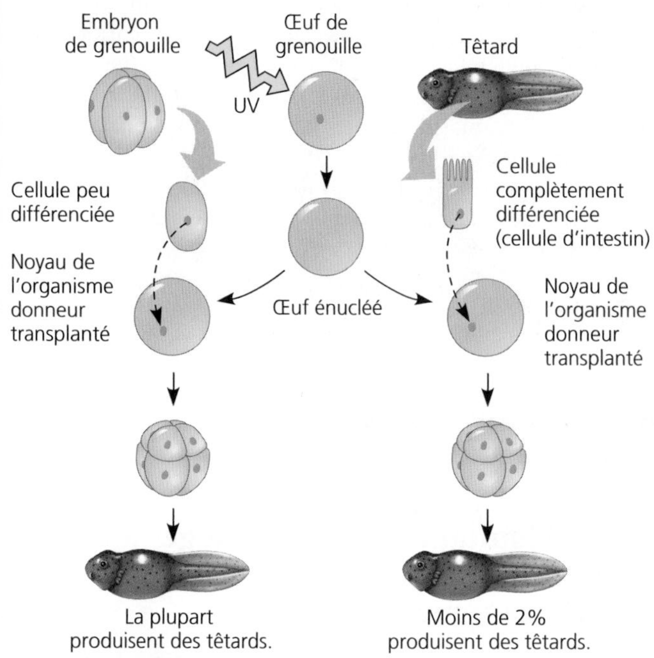

RÉSULTATS La plupart des œufs ayant reçu des noyaux de cellules relativement non différenciées, issues de jeunes embryons, produisent des têtards. À l'opposé, moins de 2 % de ceux qui ont reçu des noyaux de cellules d'intestin de grenouille complètement différenciées donnent des têtards normaux ; de plus, dans ce dernier cas, la plupart des embryons meurent au cours des premières étapes du développement.

CONCLUSION Le noyau tiré d'une cellule de grenouille différenciée peut commander le développement d'un têtard. Cependant, la capacité de ce noyau à assurer un développement normal diminue à mesure que la cellule de l'organisme donneur devient plus différenciée, probablement en raison des changements subis par les noyaux.

Le clonage reproductif de Mammifères. Des preuves que toutes les cellules d'un organisme ont le même ADN proviennent également d'expériences avec les Mammifères. Les chercheurs savent depuis longtemps cloner ces animaux à partir de cellules ou de noyaux issus de jeunes embryons de divers types. Mais, on ignorait s'il était possible de « reprogrammer » un noyau issu d'une cellule complètement différenciée pour qu'il soit totipotent. En 1997, des chercheurs écossais ont fait sensation en annonçant la naissance de Dolly, une brebis qu'ils avaient clonée à partir d'un agneau adulte de six ans au moyen de la transplantation d'un noyau provenant d'une cellule différenciée **(figure 21.7)**. Ils ont obtenu la dédifférenciation cellulaire nécessaire du noyau donneur en cultivant les cellules mammaires sur un milieu pauvre en nutriments. Les chercheurs ont ensuite fusionné celles-ci avec des ovocytes de deuxième ordre de brebis dont les noyaux avaient été préalablement enlevés. Les cellules diploïdes ainsi créées se sont divisées, formant de jeunes embryons qui ont été implantés chez des mères porteuses. Sur plusieurs centaines d'embryons, un seul a connu un développement normal, et Dolly est née ; celle-ci a pu avoir, à son tour, un rejeton de façon toute naturelle.

Plus tard, les analyses ont montré que l'ADN nucléaire de Dolly était effectivement identique à celui de l'individu ayant fourni le noyau. (L'ADN mitochondrial de Dolly provenait de l'individu ayant fourni l'ovocyte de deuxième ordre, comme on s'y attendait.) Dolly a dû être euthanasiée en 2003, à l'âge de six ans (alors que la longévité moyenne de ces animaux est de

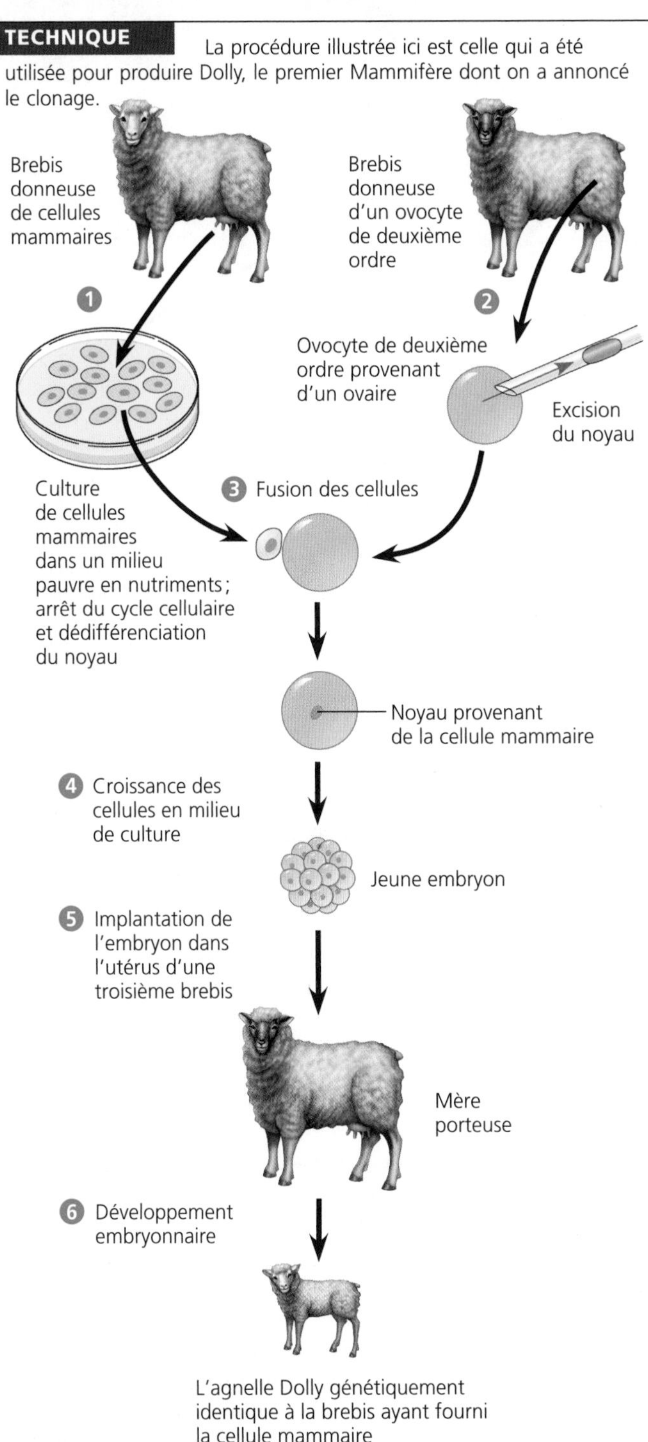

l'ordre d'une douzaine d'années). Au cours de sa dernière année de vie, la brebis souffrait de troubles respiratoires, une maladie qui touche habituellement des brebis beaucoup plus âgées. La mort prématurée de Dolly, de même que son état arthritique, ont alimenté l'hypothèse selon laquelle ses cellules étaient plus « vieilles » que celles d'une brebis normale, ce qui constituait l'expression probable d'une reprogrammation incomplète du noyau original transplanté.

Depuis 1997, on a cloné de nombreuses espèces de Mammifères, dont des souris, des rats, des lapins, des chats, des vaches, des chevaux et des porcs. Dans la plupart des cas, l'objectif visé était la production de nouveaux individus, ce qu'on appelle *clonage reproductif*. Ces expériences nous ont permis d'acquérir des connaissances d'un grand intérêt. Par exemple, l'apparence ou le comportement d'Animaux clonés de la même espèce *ne sont pas* toujours une copie conforme de l'original. Dans un troupeau de vaches clonées provenant de la même lignée cellulaire, certaines sont dominantes et d'autres, plus soumises. Le premier chat cloné (en 2001), Copy Cat **(figure 21.8)**, constitue un autre exemple. Son pelage est calicot comme celui de sa mère, son unique parent, mais la couleur et les motifs sont différents en raison de l'inactivation aléatoire du chromosome *X*, ce qui est un événement normal pendant le développement embryonnaire (voir la figure 15.11). Il est clair que des effets provoqués par le milieu et des phénomènes aléatoires peuvent jouer un rôle important au cours du développement.

Le clonage réussi de divers Mammifères a donné lieu à de nombreuses conjectures au sujet de la reproduction exacte d'humains. Au début de 2004, des chercheurs sud-coréens ont annoncé qu'ils avaient accompli avec succès la première étape du clonage reproductif d'humains. Dans leurs travaux, ils étaient censés avoir transplanté avec succès des noyaux tirés de cellules humaines différenciées dans des œufs non fécondés après en avoir retiré les noyaux. On a toutefois découvert, à la fin de 2005, que les résultats de ces recherches avaient été falsifiés. Le clonage reproductif humain reste donc encore au stade de projet.

Les problèmes associés au clonage des Animaux. Dans la plupart des études sur la transplantation de noyaux entreprises jusqu'ici, seul un petit pourcentage des embryons clonés se développent normalement jusqu'à la naissance. À l'instar de Dolly, de nombreux Animaux clonés présentent diverses anomalies: des souris, par exemple, sont sujettes à des troubles d'obésité, de pneumonie, d'insuffisance hépatique et de mort prématurée. Les scientifiques croient que même les Animaux clonés qui semblent normaux ont probablement de légères anomalies.

Au cours des dernières années, nous avons commencé à connaître les raisons probables qui expliquent la faible efficacité du clonage et la forte incidence des anomalies. Dans les noyaux des cellules complètement différenciées, un petit sous-groupe de gènes est activé et l'expression du reste est réprimée. Cette régulation est souvent attribuable à des changements épigénétiques de la chromatine tels que l'acétylation des histones ou la méthylation de l'ADN (voir la figure 19.4). Un grand nombre de ces changements doivent être inversés dans le noyau issu d'un animal donneur afin que les gènes soient exprimés ou réprimés d'une façon qui convienne aux premiers stades du développement. Les chercheurs ont trouvé que l'ADN dans les cellules embryonnaires issues d'embryons

▲ **Figure 21.8 Copy Cat, le premier chat cloné.**

clonés, comme celui des cellules différenciées, a souvent plus de groupements méthyle que l'ADN dans des cellules équivalentes issues d'embryons non clonés de la même espèce. Cette découverte porte à croire que la reprogrammation des noyaux de l'organisme donneur n'est pas toujours complète. Étant donné que la méthylation de l'ADN intervient dans la régulation de l'expression génique, des groupements méthyle en mauvaise position dans l'ADN des noyaux de l'organisme donneur peuvent entraver le mécanisme de l'expression génique essentielle à un développement embryonnaire normal.

Les cellules souches animales

L'étude d'un groupe de cellules appelées *cellules souches* vient renforcer le concept selon lequel les cellules se différencient en exprimant des ensembles de gènes différents à partir du même génome. Une **cellule souche** est une cellule relativement peu spécialisée qui continue à se diviser et, dans des conditions appropriées, se différencie en cellules spécialisées d'un ou de plusieurs types. Par conséquent, les cellules souches ont la capacité à la fois de reconstituer leur propre population et de produire des cellules qui empruntent des voies de différenciation variées.

De nombreux jeunes embryons d'Animaux contiennent des cellules souches totipotentes capables de donner naissance à des cellules différenciées de n'importe quel type. On peut isoler les cellules souches de jeunes embryons au stade de la blastula, ou son équivalent chez les humains, le stade de blastocyste **(figure 21.9)**. En culture, ces *cellules souches embryonnaires* se reproduisent indéfiniment; de plus, selon les conditions de culture, elles peuvent se différencier en diverses cellules spécialisées, notamment des ovules et des spermatozoïdes.

L'organisme adulte contient plusieurs variétés de cellules souches qui remplacent au besoin les cellules spécialisées autres que celles de la lignée germinale. Contrairement aux cellules souches embryonnaires totipotentes, les cellules souches adultes sont qualifiées de **pluripotentes**, c'est-à-dire qu'elles sont capables de donner naissance à plusieurs mais pas à tous les types cellulaires. Par exemple, les cellules souches de la moelle osseuse rouge produisent tous les différents types de globules sanguins (voir la figure 21.9) et celles de la paroi intestinale régénèrent les diverses cellules qui forment la muqueuse intestinale. Une autre découverte qui a récemment surpris le monde scientifique concerne l'existence dans l'encéphale adulte de cellules souches continuant de produire certains types de neurones. Bien que le nombre de cellules souches soit très réduit chez les Animaux adultes, les scientifiques apprennent à les reconnaître, à les isoler à partir de divers tissus et, dans certains cas, à les mettre en culture. Ce type de recherche a été poussé plus loin; on a découvert que, en présence de conditions de culture adéquates (par exemple, l'ajout de facteurs de croissance précis), les cellules souches provenant d'Animaux adultes peuvent se différencier en plusieurs types de cellules spécialisées.

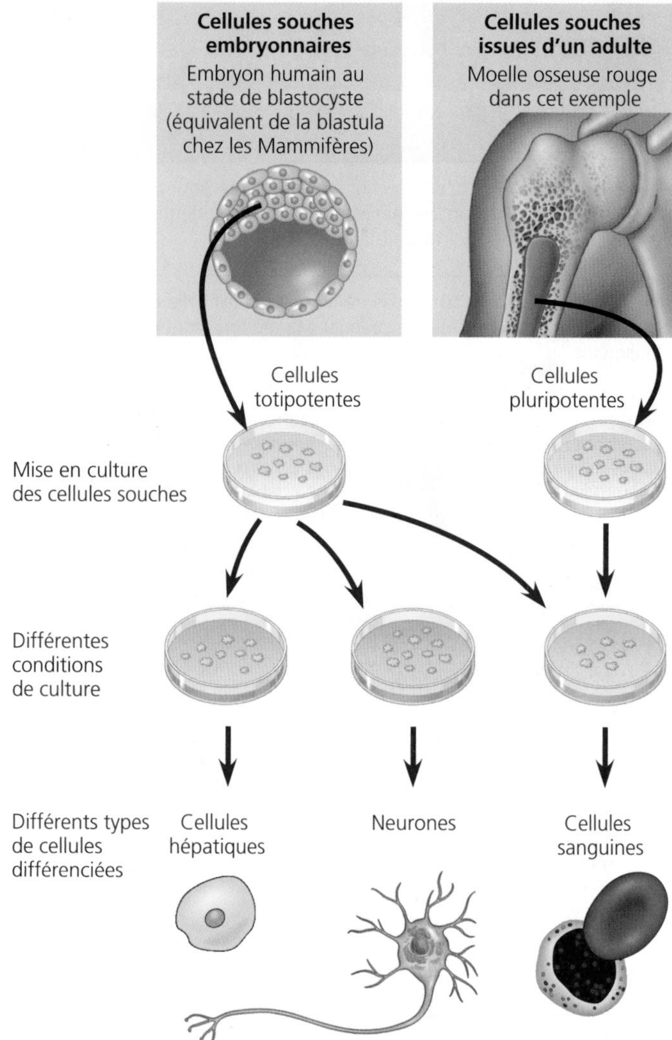

▲ **Figure 21.9 Utilisation des cellules souches.** Les cellules souches animales qui peuvent être isolées à partir de jeunes embryons ou de tissus provenant d'un adulte, puis mises en culture, sont des cellules relativement non différenciées, qui se reproduisent naturellement. Les cellules souches embryonnaires sont plus faciles à mettre en culture que les cellules souches adultes et peuvent théoriquement donner *tous* les types de cellules. La gamme de types de cellules que peuvent donner les cellules souches adultes n'est pas encore bien comprise.

Outre qu'elle constitue un excellent moyen d'étudier la différenciation, la recherche sur les cellules embryonnaires ou les cellules souches adultes a un énorme potentiel dans le domaine médical. L'objectif majeur est de produire des cellules dans le but de soigner des organes endommagés ou malades, comme des cellules pancréatiques productrices d'insuline pour les diabétiques ou certains types de neurones pour les patients souffrant de la maladie de Parkinson ou de la chorée de Huntington. Aujourd'hui, en ce qui a trait à ce type d'application, l'utilisation de cellules souches embryonnaires semble plus prometteuse que celle de cellules souches adultes; cependant, étant donné que les cellules sont extraites d'embryons humains, cela pose des difficultés d'ordre éthique et politique.

Actuellement, les cellules souches proviennent d'embryons donnés par des patientes suivant des traitements contre la stérilité ou de cultures cellulaires continues établies au départ avec des cellules isolées d'embryons donnés. Grâce au clonage récent d'embryons humains jusqu'au stade de blastocyte, les scientifiques pourraient à l'avenir utiliser ces copies comme sources de cellules souches embryonnaires. Lorsque le but principal du clonage est de produire des cellules embryonnaires pour traiter des maladies, le processus s'appelle *clonage thérapeutique*. Bien que la plupart des gens croient que le clonage reproductif d'humains est contraire à l'éthique, les opinions varient au sujet de la moralité du clonage thérapeutique. Certaines personnes considèrent comme répréhensible de créer des embryons qui seront détruits, alors que d'autres, pour reprendre les paroles du chercheur qui a créé Dolly, croient que « le clonage constitue une promesse de retombées si intéressantes qu'il serait immoral de ne pas le faire ».

La preuve que nous avons examinée montre que presque toutes les cellules végétales ou animales contiennent les mêmes ensembles de gènes. Dans ce qui suit, nous allons étudier les principaux mécanismes qui donnent naissance aux différents types de cellules, soit les fondements moléculaires de la différenciation cellulaire.

La régulation transcriptionnelle de l'expression génique au cours du développement

Au fur et à mesure que les tissus et les organes d'un embryon prennent forme, les cellules acquièrent de toute évidence des structures et des fonctions différentes. Ces modifications observables résultent en fait du développement des cellules à partir des premières divisions mitotiques du zygote. Cependant, les premières modifications qui annoncent leur spécialisation sont subtiles et ne se manifestent qu'au niveau moléculaire. À une époque où ils connaissaient mal les phénomènes moléculaires ayant lieu dans les embryons, les biologistes ont inventé le terme **détermination** pour désigner les événements menant à la différenciation observable d'une cellule. À la fin de ce processus, celle-ci atteint le stade où sa destinée est fixée de façon irréversible ; on dit alors qu'elle est *déterminée*. Si elle est en fait déplacée à un autre endroit dans l'embryon, une telle cellule se différenciera en cellules du même type que celui qui constituait sa destinée normale.

Actuellement, la notion de détermination fait référence à des modifications moléculaires. La détermination (la différenciation cellulaire observable) se manifeste par l'expression des gènes codant pour les *protéines spécifiques aux tissus*. Ces protéines n'existent que dans certains types de cellules en particulier et leur confèrent la structure et les fonctions qui leur sont propres. Le premier signe de différenciation est l'apparition de l'ARNm correspondant à ces protéines. Plus tard, la différenciation peut être observée au microscope sous la forme de modifications de la structure cellulaire. Dans la plupart des cas, l'expression génique d'une cellule différenciée est régulée au niveau de la transcription (*contrôle transcriptionnel*).

Les cellules différenciées ont pour fonction de produire les protéines spécifiques à chaque tissu. Par exemple, à la suite de la régulation transcriptionnelle, les cellules hépatiques jouent un rôle spécialisé dans la fabrication de l'albumine, et les cellules d'un cristallin synthétisent des cristallines (voir la figure 19.7). En fait, les cellules d'un cristallin consacrent 80 % de leur capacité de synthèse des protéines à la production de cristallines ; ces molécules confèrent au cristallin sa transparence et son pouvoir de résolution. La différenciation des cellules des muscles squelettiques est un autre exemple intéressant. Les « cellules » de ces muscles sont de longues fibres comportant de nombreux noyaux enfermés dans une seule membrane plasmique. Elles contiennent des concentrations très élevées de protéines spécifiques au tissu musculaire : des versions particulières de filaments de myosine et de microfilaments d'actine (protéines contractiles) ainsi que des protéines membranaires réceptrices des stimulus en provenance des neurones.

Les cellules musculaires se développent à partir de cellules précurseurs embryonnaires ayant le potentiel de donner divers types de cellules (cartilagineuses, adipeuses). Cependant, ces cellules précurseurs sont soumises à des conditions qui les destinent à devenir des cellules musculaires. Bien que l'examen au microscope ne le révèle pas, elles ont subi une détermination et sont appelées *myoblastes*. Au bout d'un certain temps, les myoblastes commencent à produire de grandes quantités de protéines spécifiques aux muscles, et ils fusionnent en devenant des cellules musculaires squelettiques parvenues à maturité, multinucléées et allongées (**figure 21.10**, à gauche).

Pour élucider ce qui se passe à l'échelle moléculaire au moment de la détermination des cellules musculaires, les chercheurs ont cultivé des myoblastes et appliqué certaines techniques dont nous avons parlé au chapitre 20. Ils ont constitué une banque d'ADNc contenant tous les gènes qui sont exprimés dans les myoblastes mis en culture, puis ont inséré chacun des gènes clonés dans des cellules précurseurs embryonnaires distinctes. Une fois la différenciation en myoblastes et en cellules musculaires réalisée, les chercheurs ont pu reconnaître plusieurs « gènes maîtres régulateurs » dont les protéines destinent les cellules à devenir des cellules musculaires squelettiques. Par conséquent, dans le cas des cellules musculaires, les fondements moléculaires de la détermination se trouvent au niveau de l'expression d'un ou de plusieurs gènes maîtres régulateurs.

Pour mieux comprendre le déroulement de la détermination au cours de la différenciation des cellules musculaires, nous étudierons le gène maître régulateur appelé *myoD* (pour *myoblast determination*) (voir la figure 21.10, à droite). Ce gène code pour la protéine MyoD, un facteur de transcription qui se lie aux éléments de contrôle spécifiques (amplificateurs) de divers gènes cibles et qui stimule leur expression (voir la figure 19.6). Certains de ces gènes codent à leur tour pour d'autres facteurs de transcription spécifiques aux muscles. La protéine MyoD stimule également l'expression du gène *myoD* lui-même, ce qui lui permet de continuer à exercer son influence en maintenant la cellule dans son état différencié. On peut supposer que tous ces gènes cibles comportent des amplificateurs reconnus par la protéine MyoD ; ils sont donc soumis à une régulation coordonnée. Enfin, les facteurs de transcription secondaires activent les gènes des protéines, tels que la myosine et l'actine, qui confèrent aux cellules musculaires squelettiques leurs propriétés caractéristiques.

La protéine MyoD a des effets très marqués. Les chercheurs ont pu s'en servir pour transformer certains types de cellules entièrement différenciées et autres que musculaires (adipeuses et hépatiques) en cellules musculaires. Mais pourquoi cette protéine n'agit-elle pas sur *tous* les types de cellules ? Une explication

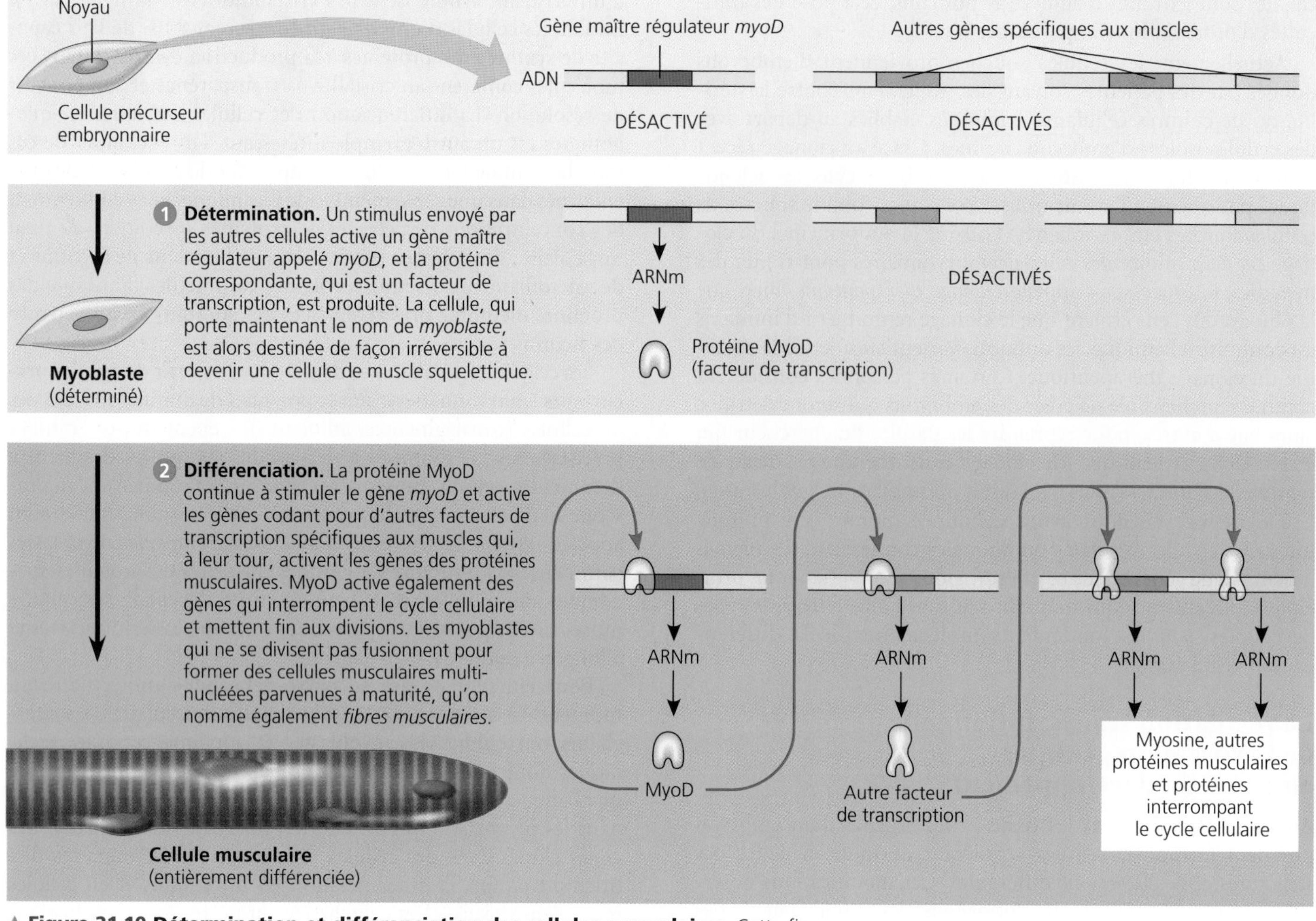

▲ **Figure 21.10 Détermination et différenciation des cellules musculaires.** Cette figure illustre de façon simplifiée la formation d'une cellule de muscle squelettique à partir de cellules embryonnaires ressemblant à des fibroblastes (voir la photo de la figure 12.17).

plausible est que l'activation des gènes spécifiques des muscles ne dépend pas uniquement de l'action de MyoD; elle nécessite une certaine *combinaison* de protéines régulatrices. Certaines de celles-ci seraient donc absentes des cellules qui ne répondent pas à MyoD. Il est possible que la détermination et la différenciation des autres types de tissus se déroulent d'une façon similaire.

Les déterminants cytoplasmiques et les stimulus intercellulaires dans la différenciation cellulaire

Même si l'on a élucidé le rôle du gène *myoD* dans la différenciation des cellules musculaires, on est loin d'avoir compris l'ensemble du développement embryonnaire d'un organisme. Il faut d'abord se demander ce qui déclenche l'expression du gène *myoD* en particulier, puis se poser toute une série de questions semblables, qui ramènent au zygote. Comment expliquer les *premières* divergences apparaissant entre les cellules d'un jeune embryon? Qu'est-ce qui détermine la morphogenèse et la différenciation des divers types de cellules pendant le développement de l'embryon? Comme nous l'avons vu dans le cas des cellules musculaires, cela revient à demander quels gènes sont transcrits dans les cellules d'un organisme en cours de développement. Deux sources d'information (utilisées à divers degrés dans des espèces différentes) «indiquent» à la cellule les gènes qu'elle doit exprimer à un moment donné pendant le développement embryonnaire.

Le cytoplasme de l'ovocyte de deuxième ordre, qui contient des molécules d'ARN et de protéines codées par l'ADN de la mère, constitue la première source d'information importante exerçant son influence au début du développement embryonnaire. Le cytoplasme d'un ovocyte de deuxième ordre non fécondé n'est pas un milieu homogène. L'ARN messager, les protéines et d'autres substances, ainsi que les organites, ont une distribution inégale à l'intérieur de l'ovocyte. Chez de nombreuses espèces, cette hétérogénéité influence fortement le développement du futur embryon. On appelle **déterminants cytoplasmiques** les substances maternelles présentes dans l'ovocyte de deuxième ordre et influençant le déroulement du début du développement. Après la fécondation, les premières divisons mitotiques répartissent le cytoplasme du zygote dans des cellules séparées. Les noyaux d'un grand nombre de ces cellules sont donc exposés à différents déterminants cytoplasmiques, selon les portions du cytoplasme zygotique que recevra une cellule **(figure 21.11a)**. L'ensemble des déterminants cytoplasmiques reçus par une cellule assurent la destinée de celle-ci par la régulation de l'expression de ses gènes au cours de la différenciation cellulaire.

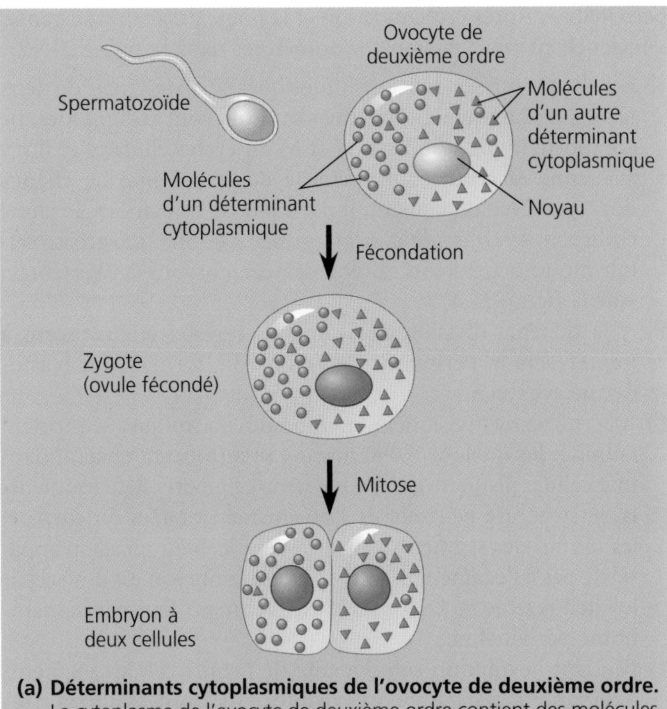

(a) Déterminants cytoplasmiques de l'ovocyte de deuxième ordre. Le cytoplasme de l'ovocyte de deuxième ordre contient des molécules codées par les gènes maternels et influençant le cours du développement du futur embryon. Beaucoup de ces déterminants cytoplasmiques, comme les deux qui sont illustrés ici, ne sont pas distribués également dans l'ovocyte. Après la fécondation et la division mitotique, les noyaux cellulaires de l'embryon sont exposés à des jeux différents de déterminants cytoplasmiques ; par conséquent, ils expriment des gènes différents.

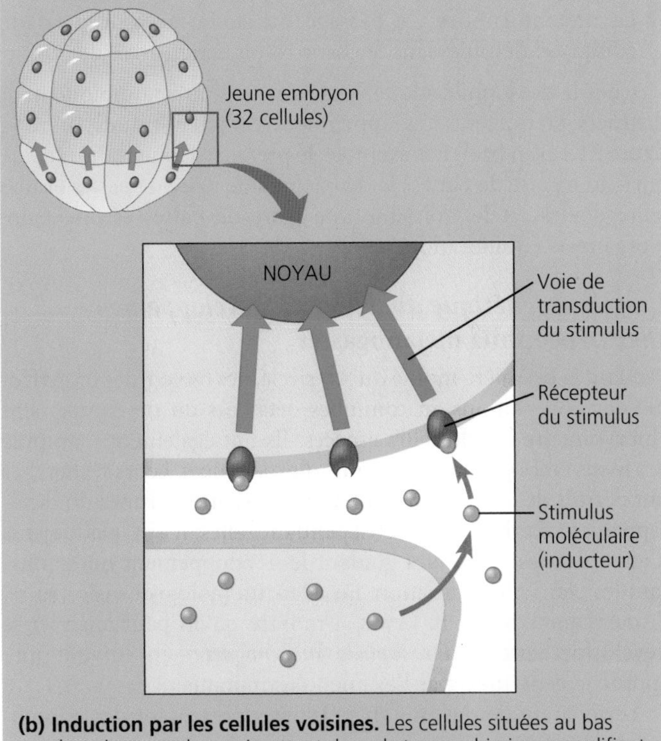

(b) Induction par les cellules voisines. Les cellules situées au bas de ce jeune embryon émettent des substances chimiques modifiant l'expression des gènes des cellules voisines.

▲ **Figure 21.11 Sources d'information régissant le développement du jeune embryon.**

L'environnement d'une cellule embryonnaire constitue l'autre source d'information concernant le développement embryonnaire. Il gagne en importance au fur et à mesure que le nombre de cellules embryonnaires s'accroît. Une cellule embryonnaire est principalement influencée par les stimulus provenant des cellules embryonnaires situées dans son voisinage. Chez les Animaux, ces stimulus comprennent le contact avec des molécules de la surface cellulaire situées sur les cellules voisines et la liaison de facteurs de croissance sécrétés par les cellules voisines. Chez les Végétaux, les jonctions intercellulaires appelées *plasmodesmes* permettent aux molécules transmettant ces stimulus de migrer d'une cellule à l'autre. Ces molécules sont des protéines exprimées par les gènes de l'embryon lui-même. Les stimulus moléculaires provoquent des changements dans les cellules cibles situées à proximité par un mécanisme appelé **induction (figure 21.11b).** D'une façon générale, les stimulus moléculaires font passer une cellule dans une voie de développement spécifique en changeant son expression génique, ce qui produit des modifications cellulaires observables. Les interactions entre les cellules de l'embryon finissent donc par provoquer la différenciation des nombreux types de cellules spécialisées constituant le nouvel organisme.

Pour étudier les déterminants cytoplasmiques et l'induction plus en détail, nous nous pencherons dans la prochaine section sur quelques mécanismes génétiques et cellulaires jouant un rôle important dans le développement embryonnaire de trois organismes modèles : *Drosophila melanogaster, Cænorhabditis elegans* et *Arabidopsis thaliana.*

Retour sur le concept 21.2

1. Pourquoi une cellule souche embryonnaire seule ne peut-elle pas devenir un embryon ?
2. Si vous clonez une carotte, toutes les plantes produites (« clones ») seront-elles identiques ? Pourquoi ?
3. Les stimulus moléculaires émis par une cellule souche embryonnaire peuvent induire des changements dans une cellule voisine sans pénétrer à l'intérieur de celle-ci. Comment cela est-il possible ?

Voir les réponses proposées à la fin du chapitre.

Concept 21.3

Chez les Animaux et les Végétaux, les plans d'organisation sont établis par des mécanismes génétiques et cellulaires similaires

Avant qu'un Animal ou un Végétal puisse se former par morphogenèse, la *structure* générale tridimensionnelle de l'organisme doit s'établir. Les déterminants cytoplasmiques et les stimulus d'induction contribuent à ce processus, mais quel rôle jouent-ils ? Nous allons étudier cette question du point de vue des **plans d'organisation**, c'est-à-dire du développement d'une organisation spatiale dans laquelle les tissus et les organes occupent un emplacement caractéristique. Au cours de la vie d'une plante, les plans d'organisation se produisent de façon continue dans les méristèmes apicaux (voir la figure 21.4b). Au cours de la vie d'un Animal, par contre, ce phénomène est en grande partie limité aux embryons et aux individus juvéniles, excepté chez les espèces dont les parties perdues peuvent être remplacées.

Chez les espèces animales, les plans d'organisation apparaissent au stade du jeune embryon lorsque les axes principaux de l'organisme animal sont définis. Avant la construction d'un nouvel édifice, on détermine la position de la façade, de l'arrière et des côtés. De la même façon, la position relative de la tête et de la queue, des côtés gauche et droit, de même que de l'avant et de l'arrière, est fixée avant même que les organes ou les tissus spécialisés soient formés, ce qui détermine les trois axes principaux de l'organisme. Chez les Végétaux, l'axe racine-tige est également déterminé à un stade précoce du développement. Les indices moléculaires déterminant les plans d'organisation et groupés sous le nom générique d'**information de positionnement** sont fournis par les déterminants cytoplasmiques et les stimulus d'induction (voir la figure 21.11). Ces indices reflètent l'emplacement de la cellule par rapport aux axes de l'organisme et aux cellules voisines. Ce sont eux qui conditionnent la réponse de chaque cellule et de ses cellules filles aux stimulus moléculaires ultérieurs.

Le développement de *Drosophila melanogaster* : l'activation en cascade des gènes

C'est chez *Drosophila melanogaster* que les plans d'organisation ont été les plus étudiés, et les méthodes de recherche employées en génétique ont donné des résultats impressionnants. Il a été montré que les gènes commandent le développement, et les rôles clés joués par des molécules spécifiques dans le positionnement et la différenciation ont aussi été élucidés. Les chercheurs ont compris le développement de *Drosophila melanogaster* en cumulant des approches anatomiques, génétiques et biochimiques. Ils ont ainsi découvert que celui-ci est régi par des principes communs à de nombreuses autres espèces, y compris l'espèce humaine.

Le cycle vital de Drosophila melanogaster

Les drosophiles et autres Arthropodes ont une structure modulaire, constituée de segments corporels disposés en une série ordonnée. Ces segments délimitent les trois grandes parties du corps des Arthropodes: la tête, le thorax (milieu du corps sur lequel les ailes et les pattes sont fixées) et l'abdomen. Comme les autres Animaux à symétrie bilatérale, *Drosophila melanogaster* possède un axe antéropostérieur (tête→queue) et un axe dorsoventral (dos→ventre). Chez cette espèce, les déterminants cytoplasmiques localisés dans l'ovocyte non fécondé constituent une information de positionnement déterminant l'emplacement des deux axes avant la fécondation. Une fois que cette dernière a lieu, l'information de positionnement agit à une échelle de plus en plus fine et définit un nombre prédéterminé de segments convenablement orientés. Enfin, elle déclenche la formation des structures propres à chacun de ces segments.

L'ovocyte de *Drosophila melanogaster* se développe dans l'ovaire, où il est entouré de cellules nourricières et de cellules folliculaires (**figure 21.12**, en haut). Celles-ci lui apportent les nutriments, des ARNm et les autres substances nécessaires au développement de l'œuf et à la fabrication de la membrane périvitelline. Après la fécondation et la ponte, les étapes suivantes s'enclenchent (voir les repères numérotés dans la figure 21.12):

1. Les dix premières divisions mitotiques se distinguent de deux façons. Premièrement, ces divisions, qui sont très rapides, ne comportent que les phases S et M du cycle cellulaire et il n'y a aucune croissance; la quantité de cytoplasme ne change donc pas. Deuxièmement, il n'y a pas de cytocinèse; le jeune embryon de *Drosophila melanogaster* est donc une grosse cellule multinucléée (contrairement aux embryons des Vertébrés; voir la figure 21.4).
2. À la dizième division nucléaire, les noyaux commencent à migrer vers la périphérie de l'embryon, formant un blastoderme syncytial.
3. À la treizième division, les membranes plasmiques se forment enfin, et les quelque 6 000 noyaux se retrouvent chacun dans une cellule distincte du blastoderme cellulaire. À ce moment-là, la structure générale de l'organisme (les axes du corps et les limites des segments) est déjà définie, bien qu'elle n'apparaisse pas à l'examen microscopique. L'embryon est nourri par le vitellus situé au centre, et il est encore protégé par la membrane périvitelline.
4. Pendant l'évolution subséquente de l'embryon, les segments deviennent parfaitement visibles. Ils sont d'abord très semblables.
5. Certaines cellules migrent vers de nouveaux emplacements, les organes se forment, et une larve vermiforme (juvénile) sort de la membrane périvitelline. *Drosophila melanogaster* passe par trois stades larvaires pendant lesquels elle mange, croît et mue (elle se débarrasse de sa cuticule rigide).
6. Le troisième stade larvaire finit par former une pupe enfermée dans un cocon.
7. La métamorphose (le passage du stade larvaire au stade adulte) se déroule dans le cocon, d'où émerge l'adulte.

Chez la drosophile adulte, les segments sont anatomiquement distincts et portent des appendices caractéristiques (voir la figure 21.12, en bas). Par exemple, le premier segment thoracique porte une paire de pattes; le deuxième une paire de pattes et une paire d'ailes; et le troisième une paire de pattes et une paire d'organes d'équilibration, appelés *haltères*.

L'analyse génétique du début du développement chez Drosophila melanogaster

Pendant la première moitié du XXe siècle, des biologistes ont effectué des observations anatomiques détaillées du développement embryonnaire de plusieurs espèces. Ils ont également manipulé des tissus embryonnaires au cours d'expériences. Leurs recherches ont permis de jeter les bases de l'étude des mécanismes du développement embryonnaire. Cependant, elles n'ont pas permis d'identifier les molécules guidant le développement ou établissant les plans d'organisation. En 1940, un biologiste visionnaire, l'Américain Edward B. Lewis, a montré qu'on peut analyser le développement de *Drosophila melanogaster* en suivant une approche génétique, par l'examen des mutants.

Lewis a étudié des mutants étranges présentant des anomalies de développement, notamment des ailes ou des pattes excédentaires **(figure 21.13)**. Il a repéré les mutations correspondantes sur la carte génétique de l'animal et a ainsi établi des liens entre des anomalies du développement et des gènes spécifiques. Pour la première fois, ces recherches ont prouvé concrètement que des

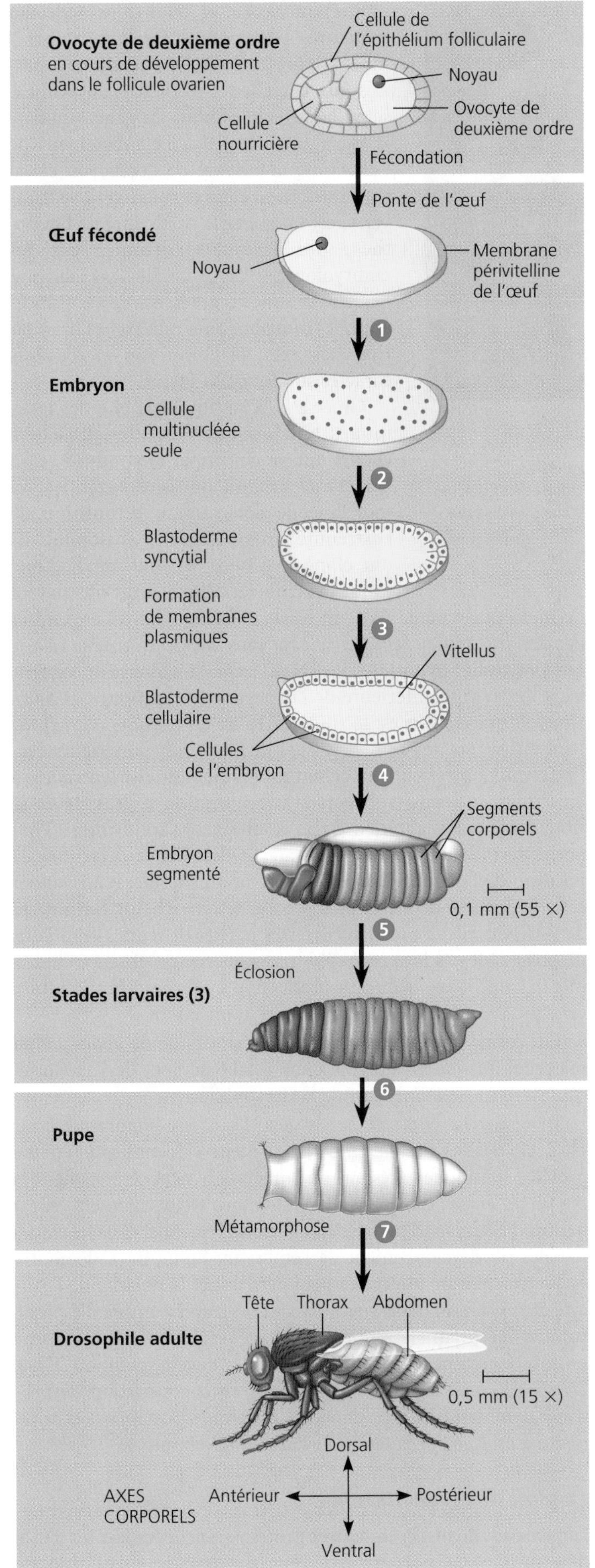

gènes guident les mécanismes du développement étudiés par les embryologistes. Les gènes découverts par Lewis commandent le plan d'organisation de l'embryon à un stade *avancé*, un aspect que nous aborderons bientôt.

Il a fallu attendre une trentaine d'années pour mieux comprendre les plans d'organisation *au début* du développement, lorsque deux chercheurs allemands, Christiane Nüsslein-Volhard et Eric Wieschaus, ont entrepris d'identifier l'*ensemble* des gènes déterminant les plans d'organisation chez *Drosophila melanogaster*. Leur projet était monumental pour trois raisons. Tout d'abord, le nombre de gènes de cette espèce tourne autour de 13 700. Les gènes ayant un effet sur la segmentation pouvaient donc représenter quelques aiguilles à chercher dans une botte de foin, ou encore être si nombreux et variés qu'il serait impossible de les comprendre. Ensuite, les mutations affectant un processus aussi fondamental que la segmentation devaient être **létales au stade embryonnaire**, c'est-à-dire produire des phénotypes conduisant à la mort des embryons ou des larves. Dans ce cas, il serait impossible de reproduire ces derniers de sorte à les étudier génétiquement. Enfin, on sait que les déterminants cytoplasmiques présents dans l'ovocyte jouent un rôle dans la détermination des axes; il fallait donc étudier les gènes de la mère en plus de ceux de l'embryon.

Afin de régler le problème de la létalité à l'état embryonnaire, Nüsslein-Volhard et Wieschaus ont orienté leur recherche vers les mutations récessives transmissibles par des individus hétérozygotes. Leur méthode de travail était la suivante: ils exposaient les drosophiles à une substance chimique mutagène afin de provoquer la mutation de leurs gamètes. Puis, ils recherchaient parmi leurs descendants les embryons morts (ou les larves) portant une segmentation anormale. En effectuant des croisements appropriés, ils pouvaient détecter les hétérozygotes vivants porteurs d'allèles de mutations embryonnaires létales et un allèle normal du même gène. Les deux chercheurs espéraient comprendre le fonctionnement normal des gènes touchés en examinant les anomalies visibles des embryons morts.

Nüsslein-Volhard et Wieschaus ont réussi à isoler environ 1 200 gènes nécessaires au développement embryonnaire. Parmi ceux-ci, 120 sont essentiels aux plans d'organisation conduisant à une segmentation normale. Au bout de plusieurs années, les deux chercheurs ont été en mesure de grouper ces gènes de segmentation selon leurs fonctions générales, de les cartographier et d'en cloner un grand nombre. Grâce à leurs études, on connaît maintenant en détail les aspects moléculaires des premières étapes des plans d'organisation de *Drosophila melanogaster*. Leurs travaux ainsi que ceux de Lewis ont permis de tracer une image cohérente du développement embryonnaire de *Drosophila melanogaster*. Cela a valu aux trois chercheurs un prix Nobel en 1995.

◀ **Figure 21.12 Étapes principales dans le cycle de développement de *Drosophila melanogaster*.** L'ovocyte de deuxième ordre (en haut, en jaune) est entouré de cellules formant l'épithélium folliculaire. Les follicules se trouvent dans les ovaires. Les cellules nourricières rétrécissent et disparaissent; l'ovocyte de deuxième ordre croît pendant sa maturation et finit par remplir l'espace délimité par la membrane périvitelline de l'œuf. Cette dernière est sécrétée par les cellules de l'épithélium folliculaire. L'œuf est fécondé dans l'organisme maternel, puis pondu. Voir le texte pour une description des sept étapes qui mènent à la production des segments d'une drosophile adulte, chaque segment portant un appendice caractéristique.

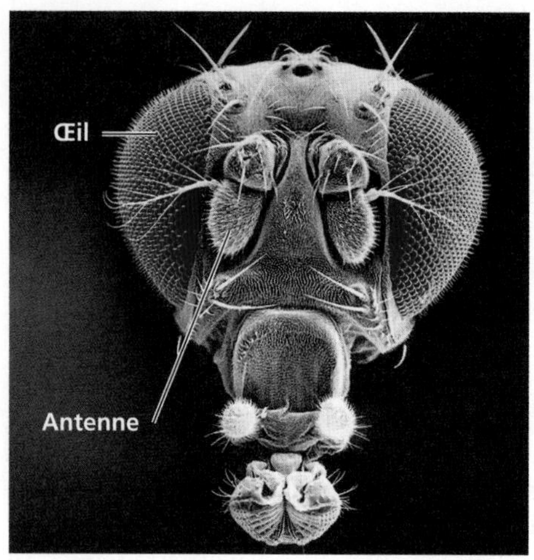

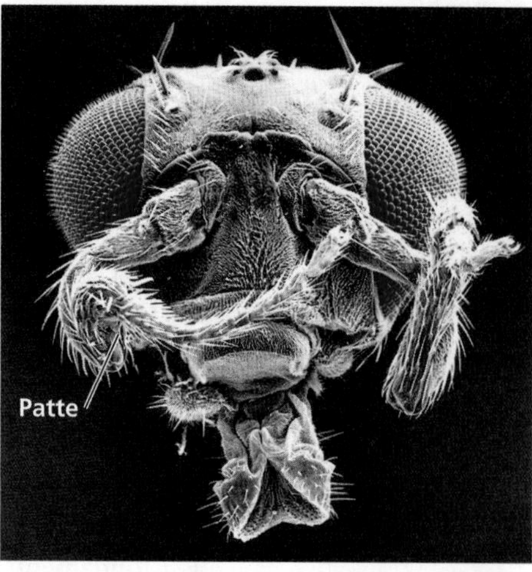

Type sauvage Mutant

▲ **Figure 21.13 Plans anormaux d'organisation chez *Drosophila melanogaster*.** Les mutations de certains gènes, appelées *mutations homéotiques*, provoquent l'apparition de structures à des endroits inhabituels chez l'animal. Ces micrographies montrent la tête d'une drosophile de type sauvage portant une paire de courtes antennes et celle d'un individu, dont un gène homéotique a subi une mutation, sur laquelle a poussé une paire de pattes au lieu des courtes antennes (MEB).

Avant de parler du fonctionnement des gènes de segmentation, nous devons revenir en arrière et examiner les déterminants cytoplasmiques déposés dans l'ovocyte par l'organisme maternel, car ce sont eux qui commandent l'expression des gènes de segmentation.

La fixation de l'orientation des axes

Comme nous l'avons déjà vu, les déterminants cytoplasmiques dans l'ovocyte sont les substances conduisant, au début, à la mise en place des axes corporels de *Drosophila melanogaster.* Ils sont codés par des gènes maternels nommés, avec à-propos, **gènes à effet maternel**. Dans le cas d'une mutation récessive, lorsqu'ils sont présents chez la mère à l'état homozygote, ces gènes produisent un phénotype mutant chez tous les descendants, et ce, quel que soit le génotype de ceux-ci (et du père) ; ces gènes particuliers se distinguent donc des autres gènes (gènes à effet zygotique) par leur comportement. En ce qui a trait au développement de la drosophile, les protéines ou l'ARNm produits par les gènes à effet maternel sont introduits dans l'ovocyte pendant qu'il se trouve encore dans l'ovaire. Si l'un de ces gènes est mutant chez la mère, son produit est défectueux (ou inexistant). Les ovocytes sont anormaux et ne se développent pas adéquatement après avoir été fécondés.

Comme ils commandent l'orientation (polarité) de l'œuf et, par conséquent, de l'embryon, les gènes à effet maternel sont aussi appelés **gènes de polarité de l'œuf**. Un groupe de gènes de ce type détermine l'orientation de l'axe antéropostérieur de l'embryon, et un autre groupe établit l'axe dorsoventral. Généralement, les mutations de ces gènes sont, à l'instar des mutations des gènes de la segmentation, létales au stade embryonnaire.

Afin d'illustrer comment les gènes à effet maternel déterminent l'orientation des axes de l'organisme en train de se former, prenons un de ces gènes, le gène *bicoïd* (mot anglais signifiant « à deux queues »), et voyons comment il agit. Lorsque ce gène est défectueux chez la mère, il manque à l'embryon sa moitié antérieure, et celui-ci possède des structures postérieures à ses deux extrémités **(figure 21.14a)**. Ce phénotype a permis aux chercheurs d'émettre l'hypothèse selon laquelle le produit du gène *bicoïd* de la mère est essentiel à l'établissement de l'extrémité antérieure de l'embryon et est concentré là où cette dernière doit se trouver. C'est un exemple particulier de l'hypothèse des gradients formulée par les embryologistes il y a un siècle, et suivant laquelle ce sont les gradients de substances appelées **morphogènes** qui fixent l'orientation des axes de l'embryon et d'autres caractéristiques de sa forme.

Grâce à la biotechnologie et à des techniques biochimiques récentes, les chercheurs ont pu confirmer l'hypothèse selon laquelle le produit du gène *bicoïd* est un morphogène déterminant la position de l'extrémité antérieure de la drosophile. Ils ont cloné le gène et se sont servis d'une sonde d'acide nucléique produite par ce dernier pour repérer l'ARNm *bicoïd* dans les ovocytes engendrés par des drosophiles femelles de type sauvage. Conformément à ce que prévoyait l'hypothèse, l'ARNm *bicoïd* est hautement concentré à l'extrémité antérieure de l'ovocyte mature **(figure 21.14b)**. Une fois que celui-ci est fécondé, l'ARNm est traduit en une protéine Bicoïd ; cette dernière diffuse de l'extrémité antérieure vers l'extrémité postérieure en créant un gradient de concentration à l'intérieur du jeune embryon, la concentration la plus élevée se situant à la partie antérieure. Ces résultats sont conformes à l'hypothèse voulant que c'est la protéine Bicoïd qui détermine la position de l'extrémité antérieure de la drosophile. Pour valider cette hypothèse de façon plus précise, les chercheurs ont injecté de l'ARNm *bicoïd* pur dans diverses parties de jeunes embryons ne possédant pas le gène *bicoïd* (par suite de son absence chez la mère). La protéine issue de sa traduction a provoqué la formation de structures antérieures sur les sites d'injection.

On connaît maintenant plus d'une douzaine de gènes à effet maternel qui jouent un rôle dans l'établissement de l'axe antéropostérieur de l'embryon de la drosophile.

La recherche effectuée sur le gène *bicoïd* est importante pour plusieurs raisons. Premièrement, elle a mené à l'identification d'une protéine spécifique nécessaire au bon déroulement de certaines des premières étapes des plans d'organisation. Deuxièmement, elle a permis d'élucider en partie le rôle maternel essentiel dans les étapes initiales du développement de l'embryon. Enfin, on a démontré qu'un gradient de molécules peut déterminer la polarité de l'ovocyte et la position des extrémités chez un grand nombre d'espèces, comme les premiers embryologistes l'avaient pensé. C'est une notion fondamentale en matière de développement. Chez *Drosophila melanogaster*, des gradients de concentration de protéines commandent la position des extrémités postérieure et antérieure ainsi que l'orientation de l'axe dorsoventral.

Le plan de segmentation

La protéine Bicoïd et les autres protéines encodées par les gènes déterminant la polarité de l'œuf assurent la régulation de

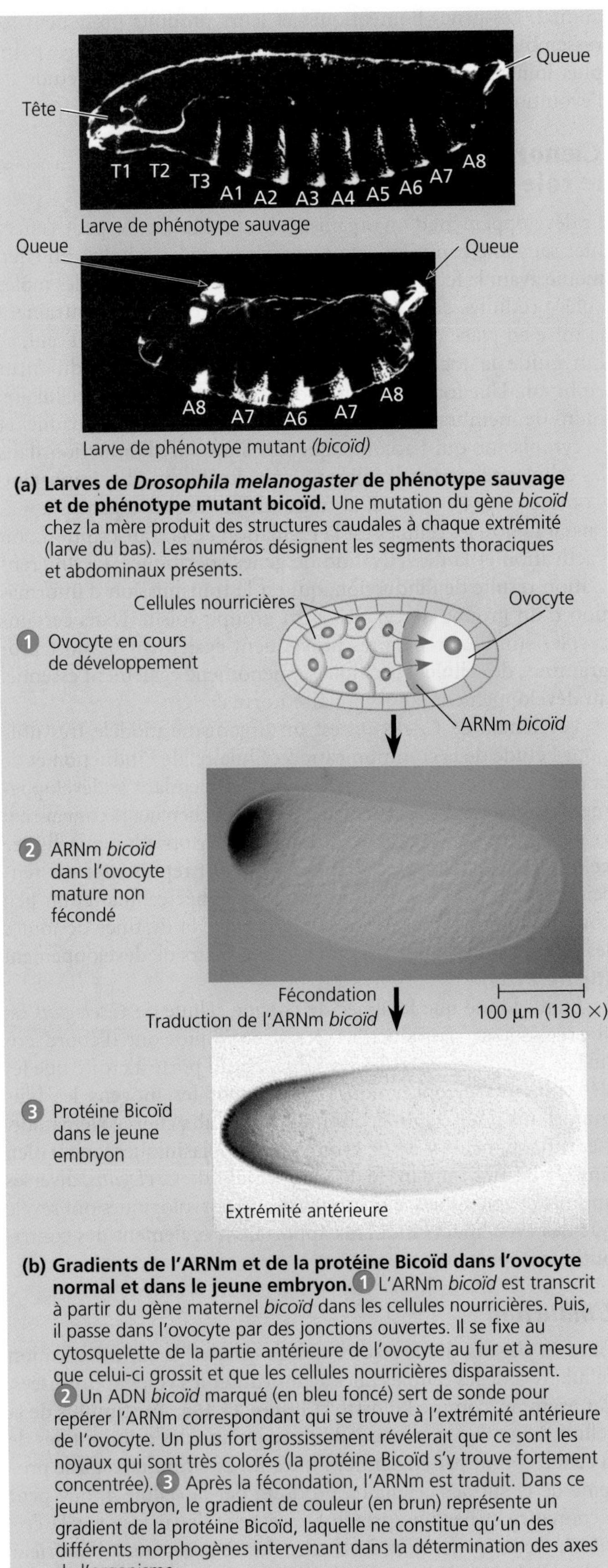

(a) Larves de *Drosophila melanogaster* de phénotype sauvage et de phénotype mutant bicoïd. Une mutation du gène *bicoïd* chez la mère produit des structures caudales à chaque extrémité (larve du bas). Les numéros désignent les segments thoraciques et abdominaux présents.

(b) Gradients de l'ARNm et de la protéine Bicoïd dans l'ovocyte normal et dans le jeune embryon. 1 L'ARNm *bicoïd* est transcrit à partir du gène maternel *bicoïd* dans les cellules nourricières. Puis, il passe dans l'ovocyte par des jonctions ouvertes. Il se fixe au cytosquelette de la partie antérieure de l'ovocyte au fur et à mesure que celui-ci grossit et que les cellules nourricières disparaissent. 2 Un ADN *bicoïd* marqué (en bleu foncé) sert de sonde pour repérer l'ARNm correspondant qui se trouve à l'extrémité antérieure de l'ovocyte. Un plus fort grossissement révélerait que ce sont les noyaux qui sont très colorés (la protéine Bicoïd s'y trouve fortement concentrée). 3 Après la fécondation, l'ARNm est traduit. Dans ce jeune embryon, le gradient de couleur (en brun) représente un gradient de la protéine Bicoïd, laquelle ne constitue qu'un des différents morphogènes intervenant dans la détermination des axes de l'organisme.

▲ **Figure 21.14 Effet du gène *bicoïd*, gène à effet maternel (polarité de l'ovocyte) chez *Drosophila melanogaster*.**

l'expression de certains gènes de l'embryon. Leur gradient crée des différences régionales dans l'expression des **gènes de segmentation**, c'est-à-dire des gènes de l'embryon (25 gènes au total) dont les produits commandent la formation des segments lorsque les axes principaux de l'embryon sont définis.

Il se produit alors une activation en cascade de certains gènes : en fait, trois ensembles de gènes de segmentation sont activés à tour de rôle. Ils fournissent l'information de positionnement qui détermine la structure corporelle modulaire de l'animal avec une précision croissante. Les trois ensembles sont appelés *gènes de délétion* (ou *gènes gap*), *gènes de parité segmentaire* et *gènes de polarité segmentaire.* La participation de chaque ensemble à la segmentation est la suivante : division de l'embryon en cinq grandes régions (gènes de délétion), subdivision de ces régions en segments plus étroits (gènes de parité segmentaire) et détermination de la polarité antéropostérieure de chacun de ces segments (gènes de polarité segmentaire). Les mutations dans ces trois ensembles de gènes entraînent la perte de segments consécutifs (pour le premier ensemble) ou la perte d'un segment sur deux (deuxième ensemble), ou encore la perte d'une partie de chaque segment et son remplacement par une duplication en miroir de la partie qui reste (troisième ensemble).

Les produits de nombreux gènes de segmentation, tels que les gènes de polarité de l'œuf, sont des facteurs de transcription activant directement l'ensemble suivant de gènes dans la hiérarchie des plans d'organisation. Tel est le cas des gènes qui agissent lorsque le blastoderme est encore au stade syncytial. D'autres gènes de segmentation agissent de diverses façons et de manière plus subtile dans la synthèse de facteurs de transcription. Certains de ceux-ci (les gènes de parité segmentaire, par exemple) dirigent la synthèse d'intermédiaires dans les voies de communication cellulaire, qu'il s'agisse de molécules servant de stimulus dans la communication intercellulaire ou de récepteurs membranaires qui les reconnaissent (voir le chapitre 11). Les molécules de la communication cellulaire jouent un rôle essentiel lorsque les membranes plasmiques ont divisé l'embryon en des compartiments cellulaires distincts (stade de blastoderme cellulaire). Le mode d'action de ces gènes diffère donc selon la présence ou l'absence de membrane cellulaire : c'est un autre bel exemple de la relation entre la structure et la fonction.

Agissant de concert, les produits des gènes de la polarité de l'œuf, comme le gène *bicoïd*, ajustent l'expression des gènes de délétion selon les parties corporelles. Puis, les gènes de délétion régulent à leur tour l'expression des gènes de parité segmentaire. Enfin, ces derniers activent des gènes de polarité segmentaire spécifiques dans différentes parties de chacun des segments. Les limites et les axes des segments sont alors définis. Dans la hiérarchie génique des plans d'organisation, les prochains gènes à être activés sont ceux qui déterminent l'anatomie propre à chacun des segments le long de l'embryon.

L'identité des parties corporelles

Chez une drosophile normale, les organes comme les antennes, les pattes et les ailes se développent sur les segments appropriés. L'identité anatomique des segments est déterminée par un ensemble de gènes maîtres régulateurs souvent regroupés sur le chromosome ; ils sont appelés **gènes homéotiques** (l'*homéose* est le remplacement d'une structure par une autre). Ceux-ci ont été découverts par Edward B. Lewis, dont il a déjà été question. Une fois que les gènes de segmentation ont délimité des segments, les gènes homéotiques définissent les types de structures et d'appendices que chaque segment formera (c'est en précisant l'identité d'un segment et son emplacement dans l'embryon qu'ils dictent les structures du segment). Les mutations des gènes homéotiques peuvent causer l'apparition d'une structure entière ailleurs que là où elle devrait se trouver normalement, comme l'a observé Lewis chez les drosophiles (voir la figure 21.13).

Les gènes homéotiques codent pour des facteurs de transcription, à l'instar de beaucoup de gènes de polarité de l'œuf ou de gènes de segmentation. Ces protéines régulatrices sont des activateurs et des répresseurs géniques qui commandent l'expression de gènes détenant le message génétique correspondant à des structures anatomiques précises. Par exemple, une protéine homéotique synthétisée dans les cellules d'un segment donné de la tête peut déterminer la formation d'antennes; ou encore, une protéine homéotique active dans un certain segment thoracique peut activer sélectivement les gènes qui déclenchent le développement des pattes. Un gène mutant qui code pour la protéine homéotique thoracique provoque également l'expression de la protéine dans le segment de la tête. Cette protéine peut se substituer à la protéine qui active normalement le gène de l'antenne en marquant le segment comme faisant partie du « thorax » au lieu de la « tête » et entraîner la formation de pattes à la place des antennes. D'autres mutations peuvent même produire une deuxième paire d'ailes (une paire d'ailes apparaissant à la place des haltères).

Les scientifiques s'affairent maintenant à identifier les gènes activés par les protéines homéotiques, c'est-à-dire les gènes codant pour les protéines assurant la formation même des structures. Le diagramme suivant résume la cascade d'activités géniques dans l'embryon de *Drosophila melanogaster*:

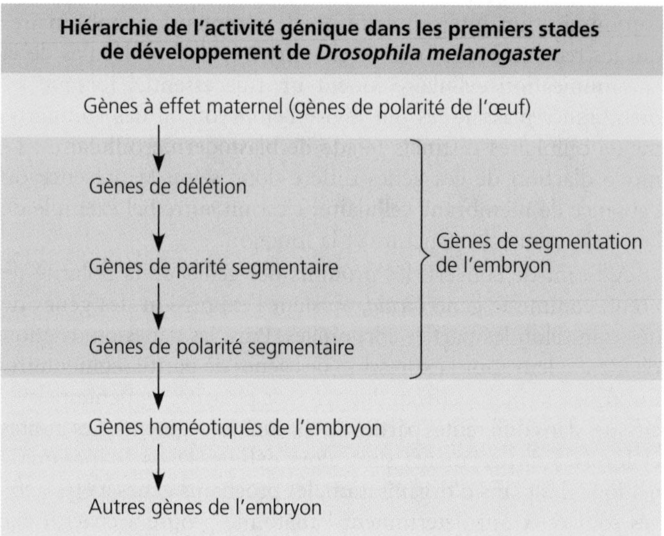

Bien que ce résumé simplifié permette de penser que les actions des gènes suivent une séquence stricte, la réalité est plus complexe. Par exemple, les gènes dans chaque ensemble non seulement activent l'ensemble suivant de gènes, mais maintiennent leur propre expression dans la plupart des cas.

Ce qui est le plus étonnant, c'est qu'une grande partie des molécules et des mécanismes découverts au cours de recherches portant sur les plans d'organisation chez la drosophile ont des équivalents étroitement apparentés dans l'ensemble du monde animal. Les gènes homéotiques et leurs produits présentent les ressemblances les plus frappantes. Nous reviendrons sur ce point plus loin dans le chapitre lorsque nous aborderons l'étude de l'évolution du développement.

Cænorhabditis elegans : le rôle des stimulus cellulaires

Le développement d'un organisme multicellulaire ne peut s'effectuer sans une communication précise entre les cellules. En effet, même avant la fécondation de *Drosophila melanogaster*, les molécules produites dans les cellules nourricières voisines entraînent la mise en place de l'ARNm *bicoïd* à une extrémité de l'œuf, ce qui guide la localisation de l'extrémité antérieure du futur embryon. Une fois que celui-ci devient vraiment multicellulaire, muni de membranes qui enferment chaque noyau individuel et le cytoplasme qui l'accompagne, les stimulus d'induction dans les cellules se mettent à jouer un rôle de plus en plus important. Comme nous l'avons vu, la cause ultime des divergences apparaissant entre les cellules est la régulation de la transcription, soit l'activation et la désactivation de gènes spécifiques. La différenciation résulte de l'induction, qui est la transmission d'information d'un groupe de cellules à un groupe voisin. Dans certains cas, les stimulus cellulaires provoquent également la mort programmée de cellules spécifiques, phénomène également essentiel au développement embryonnaire normal.

Le Nématode *C. elegans* est un organisme modèle très utile pour l'étude de la communication cellulaire, de l'induction et de la mort cellulaire programmée ayant lieu pendant le développement embryonnaire (voir la figure 21.2). Les chercheurs connaissent la provenance de chaque cellule de *C. elegans* adulte, la **lignée cellulaire** complète de ce dernier. On peut représenter ces renseignements dans un diagramme de la lignée cellulaire, un peu comme un arbre généalogique qui montre la destinée de toutes les cellules somatiques de l'embryon en cours de développement **(figure 21.15)**.

Étant donné que la lignée de chaque cellule de *C. elegans* est si précisément reproductible, les scientifiques ont d'abord cru qu'elle devait être fixée dès l'origine, ce qui porte à croire que les déterminants cytoplasmiques constituent les moyens les plus importants pour établir la destinée des cellules chez le Nématode. Cependant, même si les déterminants cytoplasmiques jouent bien un rôle clé très tôt dans le développement de *C. elegans*, diverses approches génétiques, biochimiques et embryologiques ont révélé que des événements inductifs apportaient également des contributions importantes.

L'induction

Chez *C. elegans*, dès le stade à quatre cellules, la communication cellulaire aide les cellules filles à emprunter les voies appropriées. Par exemple, comme l'illustre la **figure 21.16a**, un stimulus de la cellule 4 agit sur la cellule 3 de sorte qu'une des cellules filles de la cellule 3 finit par engendrer l'intestin. Le stimulus est une protéine de la surface cellulaire, produite par la cellule 4, que peut reconnaître et lier une protéine récepteur de surface sur la cellule 3. Cette interaction déclenche des événements à l'intérieur de la cellule 3, qui entraînent la différenciation des extrémités de la cellule : la partie postérieure devient distincte de la partie antérieure. Lorsque la cellule 3 se divise, la cellule fille postérieure continue à former l'intestin, alors que la cellule fille antérieure a une destinée différente. Si, expérimentalement, on enlève la cellule 4 au début du stade à quatre cellules, il ne se forme pas d'intestin ; par contre, si une cellule 3 et une cellule 4 sont recombinées, l'organe se développe normalement. Ces résultats ont permis aux chercheurs de reconnaître le rôle de l'induction au début du développement du Nématode.

L'induction est également essentielle plus tard dans le développement de *C. elegans*, car, avant de devenir adulte, l'animal passe par trois stades larvaires. La vulve (ouverture minuscule par laquelle ce dernier pond ses œufs) est formée à partir de six cellules présentes sur la face ventrale de la larve de deuxième stade **(figure 21.16b)**. Une seule cellule de la gonade embryonnaire, la *cellule d'ancrage*, amorce une cascade de stimulus d'induction déterminant la destinée des six cellules précurseurs de la vulve. Si l'on détruit la cellule d'ancrage avec un rayon laser, la vulve ne se forme pas, et les cellules précurseurs deviennent tout simplement une partie de l'épiderme de l'animal.

Les mécanismes de communication dans ces deux exemples sont semblables à ceux que nous avons étudiés au chapitre 11. Des facteurs de croissance sécrétés ou des protéines de surface se lient à un récepteur (récepteur à domaine tyrosine kinase dans le cas du développement de la vulve) sur la cellule appropriée, ce qui amorce les voies de transduction intracellulaire. Les résultats habituels sont la régulation de la transcription et l'expression génique différentielle dans la cellule induite.

Ces deux exemples d'induction au cours du développement du Nématode illustrent plusieurs notions importantes, qui s'appliquent ailleurs au développement de *C. elegans* et de nombreuses autres espèces animales :

- Une séquence d'inductions conduit à la formation des organes de l'embryon en cours de développement.
- L'effet d'un inducteur peut dépendre de sa concentration (comme on l'a vu dans le cas des déterminants cytoplasmiques chez *Drosophila melanogaster*).
- Les inducteurs exercent leurs effets par l'intermédiaire de voies de transduction du stimulus semblables à celles qui existent dans les cellules adultes.
- La réponse des cellules visées par l'induction est souvent l'activation (ou l'inactivation) de gènes – c'est la régulation de la transcription. Cette réponse détermine à son tour le type d'activité génique caractérisant les cellules différenciées d'un type donné.

La mort cellulaire programmée (apoptose)

L'analyse des lignées cellulaires de *C. elegans* a montré que la communication cellulaire peut mener à un autre résultat, qui joue un rôle crucial dans le développement des organismes animaux : la mort cellulaire programmée ou **apoptose**. Cette forme de suicide cellulaire opportun se produit précisément 131 fois (soit dans un peu plus de 10 % des cellules) au cours du développement normal de *C. elegans*, et ce, toujours à la même génération dans la lignée cellulaire de chaque nouvel individu. Chez les Vers et d'autres espèces, des stimulus déclenchent l'activation d'une

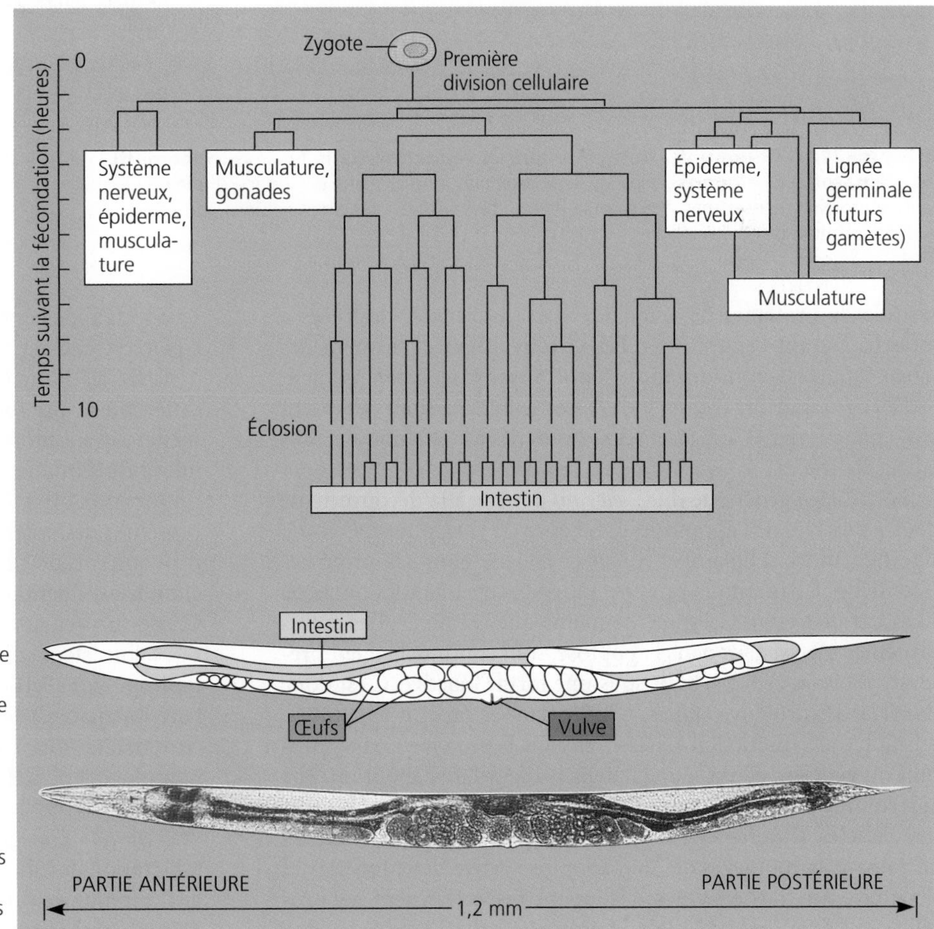

▶ Figure 21.15 Lignée cellulaire de *C. elegans*. Le Nématode *Cænorhabditis elegans* est transparent. Cela permet de reconstituer la lignée de chacune de ses cellules, du zygote à l'adulte (MP). La seule lignée cellulaire que le schéma montre en détail est celle de l'intestin (en jaune) ; celui-ci descend entièrement de l'une des quatre premières cellules formées à partir du zygote. La lignée des cellules intestinales ne comprend aucune mort cellulaire programmée, un phénomène qui joue un rôle important dans la formation d'autres organes de l'animal. Les grosses cellules blanches sont des œufs qui seront fécondés de façon interne et libérés en passant par la vulve.

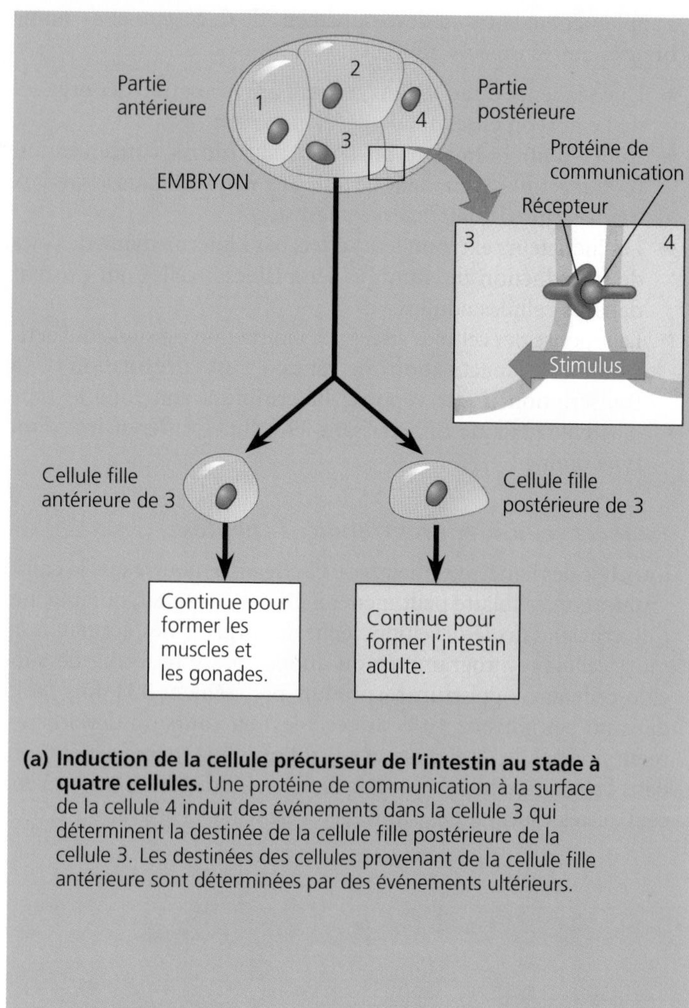

(a) Induction de la cellule précurseur de l'intestin au stade à quatre cellules. Une protéine de communication à la surface de la cellule 4 induit des événements dans la cellule 3 qui déterminent la destinée de la cellule fille postérieure de la cellule 3. Les destinées des cellules provenant de la cellule fille antérieure sont déterminées par des événements ultérieurs.

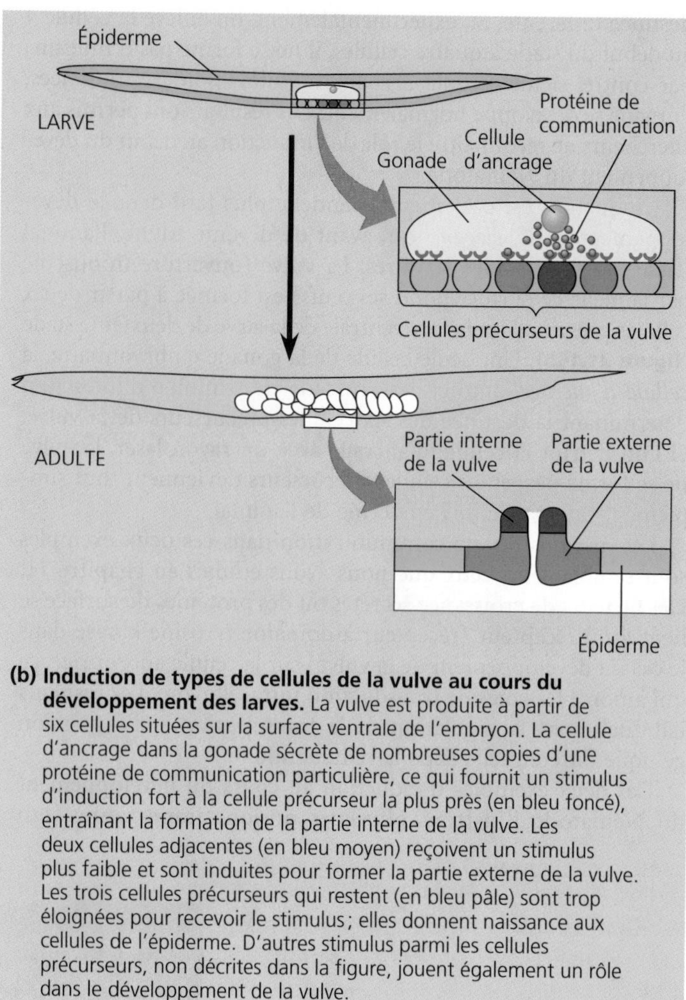

(b) Induction de types de cellules de la vulve au cours du développement des larves. La vulve est produite à partir de six cellules situées sur la surface ventrale de l'embryon. La cellule d'ancrage dans la gonade sécrète de nombreuses copies d'une protéine de communication particulière, ce qui fournit un stimulus d'induction fort à la cellule précurseur la plus près (en bleu foncé), entraînant la formation de la partie interne de la vulve. Les deux cellules adjacentes (en bleu moyen) reçoivent un stimulus plus faible et sont induites pour former la partie externe de la vulve. Les trois cellules précurseurs qui restent (en bleu pâle) sont trop éloignées pour recevoir le stimulus ; elles donnent naissance aux cellules de l'épiderme. D'autres stimulus parmi les cellules précurseurs, non décrites dans la figure, jouent également un rôle dans le développement de la vulve.

▲ **Figure 21.16 Communication cellulaire et induction dans le développement du Nématode *C. elegans*.** Dans les deux exemples, une protéine de surface d'une cellule, ou une protéine sécrétée par elle, stimule une ou plusieurs cellules cibles voisines, induisant la différenciation des cellules cibles.

cascade de protéines de « suicide » dans les cellules destinées à mourir. Durant l'apoptose, celles-ci rétrécissent et forment des lobes (appelés *protubérances*), leurs noyaux se condensent et l'ADN est fragmenté **(figure 21.17)**. Les cellules voisines ne tardent pas à phagocyter et à digérer leurs restes liés à la membrane, sans laisser de traces.

Le criblage génétique de *C. elegans* a mené à la découverte de deux gènes clés de l'apoptose : *ced-3* et *ced-4* (*ced*, pour *cell death*, signifie « mort cellulaire »). Ceux-ci codent pour les protéines essentielles à l'apoptose, qui portent respectivement les noms de Ced-3 et de Ced-4. Celles-ci, de même que la plupart des autres protéines intervenant dans l'apoptose, sont continuellement présentes dans les cellules, mais sous une forme inactive. C'est donc l'*activité* des protéines qui est régulée dans ce cas et non la transcription ou la traduction. Chez *C. elegans*, la protéine Ced-9 (produit du gène *ced-9*) est le régulateur principal de l'apoptose. Elle agit comme un frein en l'absence d'un stimulus favorisant la mort des cellules **(figure 21.18)**. Si une cellule reçoit un stimulus entraînant la mort, la voie de l'apoptose active des protéases et des nucléases, des enzymes découpant respectivement les protéines et l'ADN de la cellule. Les protéases principales de l'apoptose sont appelées *caspases*. Chez les Nématodes, la caspase principale est Ced-3.

Chez les humains et les autres Mammifères, plusieurs voies différentes, qui font intervenir environ 15 caspases, peuvent mener à l'apoptose. La voie empruntée dépend du type de cellule et du stimulus particulier qui déclenche l'apoptose. Une voie importante met en jeu des protéines mitochondriales. Les protéines des voies de l'apoptose ou d'autres stimulus connexes provoquent des fuites de la membrane externe des mitochondries, libérant des protéines entraînant la mort cellulaire. Chose surprenante, elles incluent le cytochrome *c* dont les fonctions consistent en le transport d'électrons dans les cellules saines (voir la figure 9.15), mais qui agit comme facteur de mort cellulaire lorsqu'il est libéré par les mitochondries. L'apoptose mitochondriale des Mammifères fait intervenir des protéines homologues à celles qui sont présentes chez les Vers : Ced-3, Ced-4 et Ced-9. Les cellules de Mammifères doivent prendre des « décisions » concernant leur survie en effectuant une certaine intégration des stimulus qu'elles reçoivent ; ceux-ci comprennent des stimulus de « mort » et des stimulus de « vie », comme les facteurs de croissance.

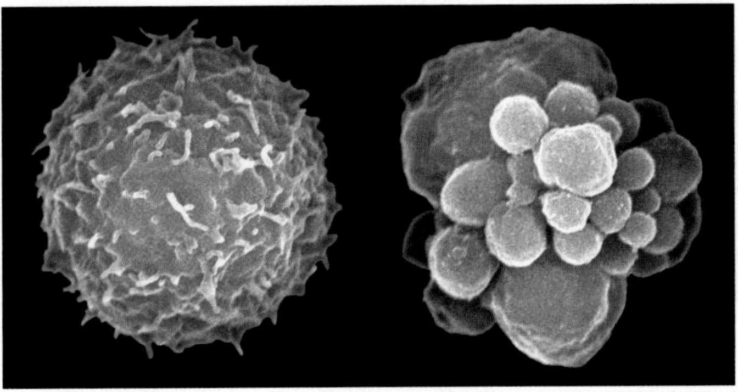

▲ **Figure 21.17 Apoptose de leucocytes humains.** Un leucocyte normal (à gauche) est comparé à un leucocyte subissant l'apoptose (à droite). La cellule apoptotique rétrécit et forme des protubérances qui finissent par se séparer sous forme de fragments cellulaires liés à la membrane.

Les mécanismes intrinsèques du suicide cellulaire sont essentiels au développement de tous les Animaux. Les ressemblances entre les gènes de l'apoptose chez les Nématodes et ceux des autres espèces, ainsi que l'observation que l'apoptose a lieu chez les Eumycètes multicellulaires et les levures unicellulaires, montrent que ce mécanisme fondamental est apparu au début de l'évolution animale. En outre, l'apoptose est essentielle au développement normal du système nerveux des Vertébrés, au bon fonctionnement de leur système immunitaire et à la morphogenèse des mains et des pieds des humains, et des pattes chez d'autres Mammifères **(figure 21.19)**. Un niveau inférieur d'apoptose dans les membres en voie de développement explique les pattes palmées des canards et d'autres Oiseaux aquatiques, contrairement aux poulets et aux autres Oiseaux terrestres qui n'ont pas ce type de pattes. Dans le cas des humains, l'absence d'une mort cellulaire normale peut entraîner la formation de doigts et d'orteils palmés. Les chercheurs tentent aussi de savoir si certaines maladies dégénératives du système nerveux résultent de l'activation inopportune de gènes de l'apoptose, et si certains cancers sont attribuables à l'absence d'apoptose de certaines cellules. Normalement, les cellules qui ont subi des dommages irréparables, infligés notamment à leur ADN et capables de mener au cancer, engendrent des stimulus *internes* déclenchant l'apoptose.

Les études portant sur le rôle de l'induction et de l'apoptose au cours du développement de *C. elegans* ont été amorcées il y a moins de 30 ans par Sydney Brenner, John E. Sulston et H. Robert Horvitz. L'importance de leurs travaux a été mise en évidence en 2003, par l'attribution du prix Nobel de médecine pour leur contribution à la connaissance du mode de régulation génique du développement des organes (comme la vulve du Nématode) et du mécanisme de la mort cellulaire programmée.

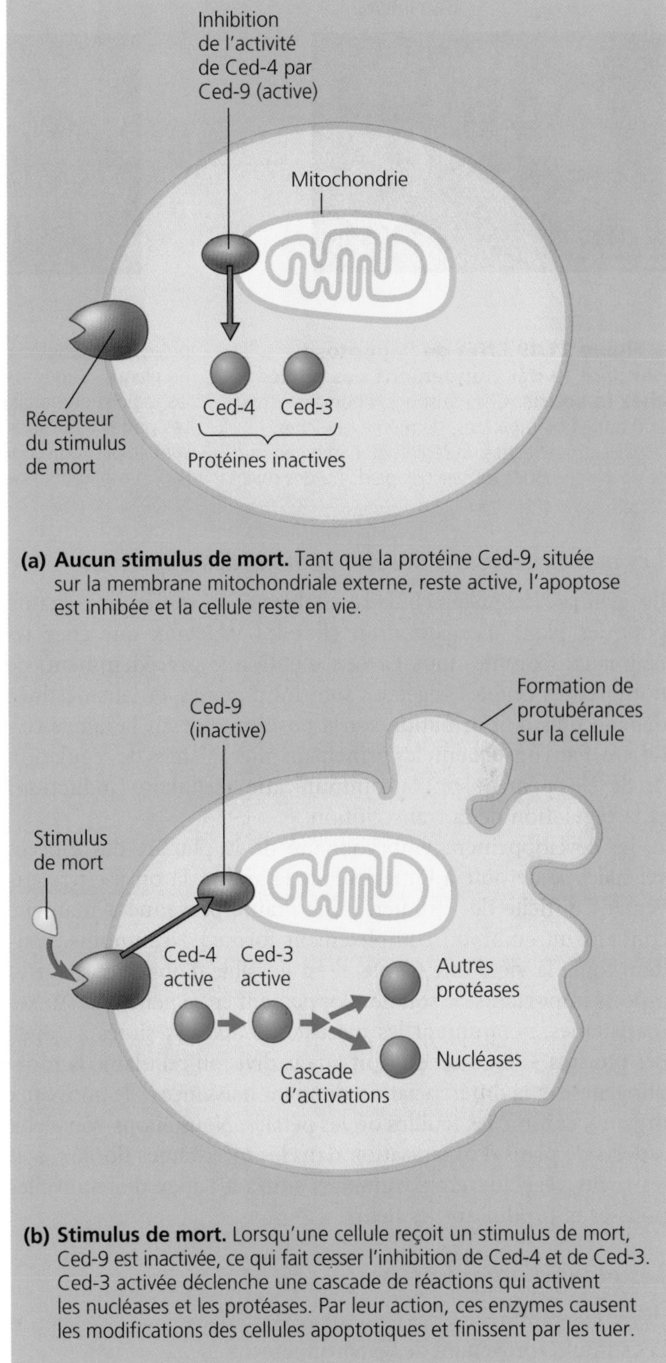

(a) Aucun stimulus de mort. Tant que la protéine Ced-9, située sur la membrane mitochondriale externe, reste active, l'apoptose est inhibée et la cellule reste en vie.

(b) Stimulus de mort. Lorsqu'une cellule reçoit un stimulus de mort, Ced-9 est inactivée, ce qui fait cesser l'inhibition de Ced-4 et de Ced-3. Ced-3 activée déclenche une cascade de réactions qui activent les nucléases et les protéases. Par leur action, ces enzymes causent les modifications des cellules apoptotiques et finissent par les tuer.

▲ **Figure 21.18 Fondement moléculaire de l'apoptose chez *C. elegans*.** Trois protéines (Ced-3, Ced-4 et Ced-9) sont essentielles à l'apoptose et à sa régulation chez le Nématode. L'apoptose est plus complexe chez les Mammifères, mais elle fait intervenir des protéines semblables à celles du Nématode.

Le développement des Végétaux : la communication cellulaire et la régulation de la transcription

L'analyse génétique du développement des Végétaux à l'aide d'organismes modèles, comme *Arabidopsis thaliana* (voir la figure 21.2), a accusé un certain retard par rapport aux modèles animaux tout bonnement parce que moins de chercheurs étudient les Végétaux. En 2000, par exemple, lorsque la séquence d'ADN d'*Arabidopsis* a été complètement déterminée, moins de 5 % de ses gènes avaient été définis par analyse mutationnelle, alors que chez *Drosophila melanogaster* et *Cænorhabditis elegans*, plus de 25 % des gènes avaient été identifiés par cette méthode. On commence à peine à comprendre les détails des fondements moléculaires du développement végétal. Les recherches sur les Végétaux font actuellement des progrès rapides grâce à la biotechnologie et aux indices fournis par la recherche sur les Animaux.

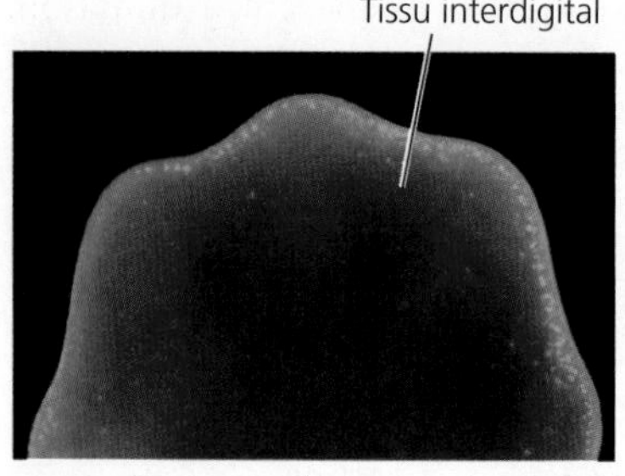

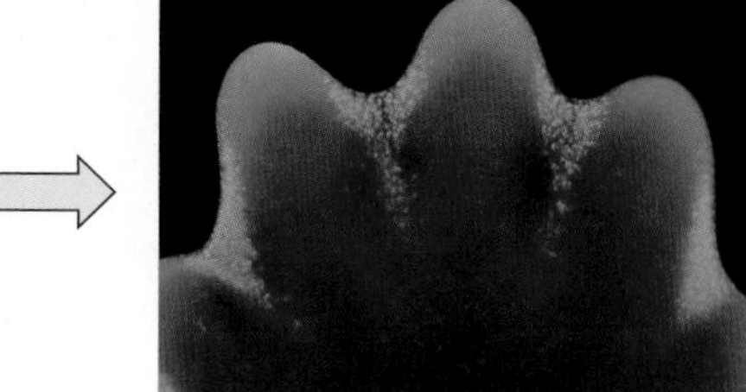

▲ **Figure 21.19 Effet de l'apoptose pendant le développement des pattes chez la souris.** Chez la souris, l'humain et d'autres Mammifères, de même que chez les Oiseaux terrestres, la région de l'embryon qui se développe pour former des pieds ou des mains présente à l'origine une structure solide en forme de plaque. L'apoptose élimine les cellules dans les régions interdigitales, formant ainsi les doigts. Les pattes de la souris embryonnaire illustrées ici sont colorées de sorte que les cellules qui subissent l'apoptose apparaissent en vert brillant. L'apoptose des cellules commence à la limite de chaque région interdigitale (à gauche), atteint un maximum quand le tissu de ces régions est réduit (au centre) et n'est plus visible une fois que le tissu interdigital a été éliminé.

Les mécanismes du développement des Végétaux

En général, la lignée cellulaire est beaucoup moins importante pour les plans d'organisation chez les Végétaux que chez les Animaux. Comme nous l'avons mentionné précédemment, de nombreuses cellules végétales sont totipotentes, et leur destinée dépend plus d'information sur la position que sur la lignée cellulaire. Par conséquent, les principaux mécanismes de régulation du développement sont la communication cellulaire (induction) et la régulation de la transcription.

Le développement embryonnaire de la plupart des espèces végétales se déroule à l'intérieur de la graine, là où il est relativement difficile de l'étudier. (Une graine parvenue à maturité contient un embryon complètement formé.) Néanmoins, pendant toute la vie d'une plante, il est possible d'observer d'autres aspects importants de son développement en se penchant sur ses méristèmes, notamment les méristèmes apicaux situés à l'apex des pousses. C'est à cet endroit que la division cellulaire, la morphogenèse et la différenciation donnent naissance à de nouveaux organes, comme les feuilles ou les pétales. Nous allons voir deux aspects de plans d'organisation dans les méristèmes floraux, soit les tissus végétaux embryonnaires situés à l'apex des nouvelles pousses et produisant les fleurs.

Les plans d'organisation dans les fleurs

Les stimulus provenant de l'environnement, tels que la durée de l'éclairement diurne et la température ambiante, activent des voies de transduction entraînant la transformation des méristèmes apicaux ordinaires en des méristèmes floraux, ce qui provoque la floraison des plantes. Les chercheurs ont étudié le rôle et les mécanismes de l'induction dans le développement des fleurs de la tomate (*Lycopersicum esculentum*) en employant une approche génétique conjointement avec des transplantations de tissus. Comme le montre la **figure 21.20**, le méristème floral apparaît comme un renflement constitué de trois couches de cellules (de L1 à L3). Celles-ci participent à la formation d'une fleur, une structure servant à la reproduction et dotée de quatre types d'organes: les *carpelles* (contenant les oosphères, soit les gamètes femelles), les *étamines* (contenant le pollen porteur de spermatozoïdes, ou gamètes mâles), les *pétales* et les *sépales* (structures ressemblant à des feuilles et situées à l'extérieur des pétales). Dans une plante parvenue à maturité, les quatre types d'organes sont disposés de façon radiale plutôt que linéaire, comme les structures de l'organisme de *Drosophila melanogaster*.

Les plants de tomate homozygotes pour un allèle mutant appelé *fascié* (*f*) produisent des fleurs ayant un nombre anormalement élevé d'organes. Afin d'étudier ce qui commande le nombre d'organes, les chercheurs ont effectué les expériences de greffes décrites à la **figure 21.21**. Ils ont greffé des tiges de plantes fasciées sur celles de plants de type sauvage (*FF*, homozygote pour l'allèle normal). Ensuite, ils ont fait croître de nouveaux plants à partir des pousses qui ont germé près des sites des greffes. Un grand nombre des nouvelles plantes sont des **chimères**, c'est-à-dire des organismes constitués d'un mélange de cellules génétiquement différentes. Certaines chimères produisent des méristèmes floraux dont les couches de cellules L1, L2 et L3 ne descendent pas du même «parent». Les chercheurs ont trouvé l'origine parentale des couches des méristèmes en observant

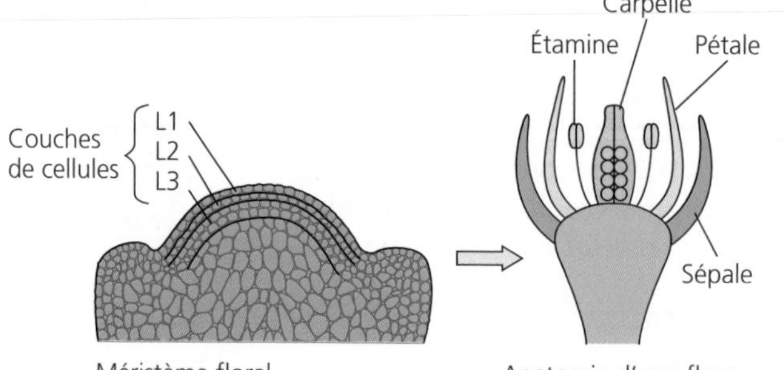

▲ **Figure 21.20 Développement de la fleur.** La fleur se développe à partir de trois couches de cellules (de L1 à L3) dans un méristème floral. Sa formation résulte de modes précis de division cellulaire, de différenciation et de grandissement sélectif. La fleur est constituée de quatre types d'organes disposés en cercles concentriques (les verticilles): les carpelles, les étamines, les pétales et les sépales. Chaque espèce possède un nombre caractéristique d'organes dans chaque verticille. La tomate a six sépales, six pétales, six étamines et quatre carpelles.

Figure 21.21

Investigation Quelles couches cellulaires dans le méristème floral déterminent le nombre d'organes floraux ?

EXPÉRIENCE Des plants de tomates ayant la mutation de type *fascié (ff)* développent des organes floraux surnuméraires.

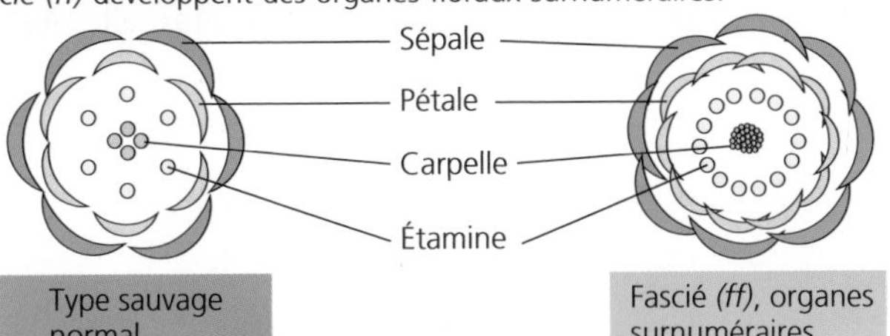

Les chercheurs ont greffé des tiges provenant de plants mutants sur des plants de type sauvage. Puis, ils ont planté les pousses qui sont apparues près des sites de greffes, dont un grand nombre étaient des chimères.

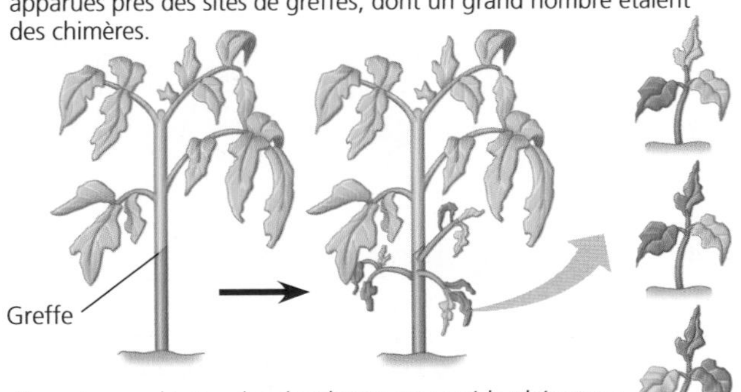

Chimères

Pour chaque chimère, les chercheurs ont noté le phénotype des fleurs : type sauvage ou fascié. L'analyse au moyen d'autres marqueurs génétiques a permis de déterminer la source parentale de chacune des trois couches cellulaires du méristème floral (de L1 à L3) dans les chimères.

RÉSULTATS Les fleurs des plants chimériques ont le phénotype fascié seulement quand la couche L3 provient du parent fascié.

Légende

- Type sauvage *(FF)*
- Fascié *(ff)*

Méristème floral (L1, L2, L3)

Plante	Fleur	Phénotype	Méristème floral
Parent de type sauvage		Type sauvage	
Parent fascié *(ff)*		Fascié	
Chimère 1		Fascié	
Chimère 2		Fascié	
Chimère 3		Type sauvage	

CONCLUSION Les cellules de la couche L3 déclenchent, par induction des couches L1 et L2, la formation de fleurs ayant un nombre particulier d'organes. (La nature du stimulus d'induction provenant de L3 n'est pas entièrement comprise.)

d'autres marqueurs génétiques (comme une autre mutation indépendante, produisant des feuilles jaunes). Les résultats ont montré que le nombre d'organes d'une fleur normalement ou anormalement élevé dépend de l'origine de la couche cellulaire L3 ; celle-ci peut provenir de cellules de type sauvage ou de cellules de type mutant. Par conséquent, la couche L3 déclenche par induction la formation, par les couches qui la recouvrent (L1 et L2), d'un nombre donné d'organes. On ne connaît pas encore le mécanisme de communication intercellulaire permettant cette induction ; la question est actuellement à l'étude.

Outre les gènes déterminant le nombre d'organes des fleurs, il y a des gènes qui fixent l'identité des organes. Un **gène d'identité des organes** établit le type de structure qui se formera à partir d'un méristème (par exemple, si une certaine excroissance d'un méristème floral deviendra un pétale ou une étamine). La plus grande partie de ce que l'on sait sur ces gènes d'identité des organes vient des recherches effectuées sur le développement des fleurs d'*Arabidopsis thaliana*.

Les gènes d'identité des organes sont analogues aux gènes homéotiques des Animaux et sont souvent qualifiés de *gènes homéotiques végétaux*. Tout comme la mutation d'un gène homéotique peut produire l'apparition de pattes à la place d'antennes chez une drosophile, la mutation d'un gène d'identité des organes peut provoquer la formation de carpelles à la place de sépales chez une plante. Grâce à la collecte et à l'étude de mutants ayant des fleurs anormales, les chercheurs ont pu isoler et cloner un certain nombre de gènes d'identité des organes floraux. Chez les Végétaux ayant subi une mutation « homéotique », des organes manquent ou sont répétés **(figure 21.22)**. Certains de ces phénotypes mutants rappellent ceux qui sont causés par des mutations affectant le gène *bicoïd* ou d'autres gènes fixant les plans d'organisation chez *Drosophila melanogaster*. À l'instar des gènes homéotiques des Animaux, les gènes d'identité des organes végétaux codent pour des facteurs de transcription qui se lient à l'ADN au niveau d'amplificateurs, assurant ainsi la régulation d'autres gènes. Au chapitre 35, nous allons étudier un modèle portant sur la façon dont ces gènes déterminent le développement des organes.

Il est clair que les mécanismes de développement chez les Végétaux sont semblables à ceux des espèces animales, comme nous

Type sauvage

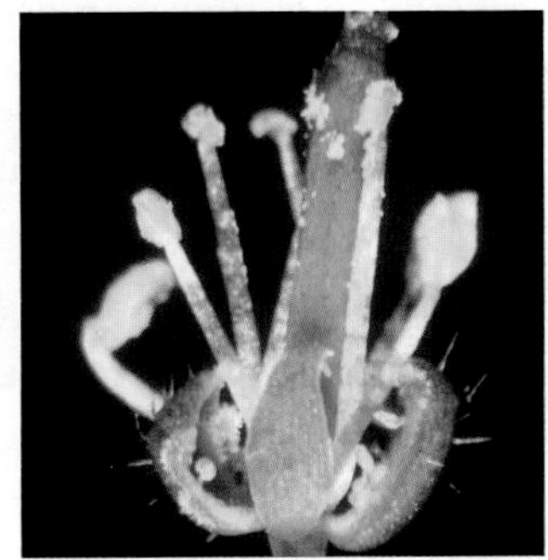

Mutant

▲ **Figure 21.22 Mutations des gènes d'identité des organes floraux.** *Arabidopsis* de type sauvage possède quatre sépales, quatre pétales, six étamines et deux carpelles. Si un gène d'identité des organes appelé *apetala2* subit une mutation, l'identité des organes dans les quatre verticilles sont : carpelles, étamines, étamines et carpelles (il n'y a ni pétales, ni sépales).

l'avons vu précédemment. Dans la prochaine section, nous aborderons la comparaison de stratégies du développement et les mécanismes moléculaires chez tous les organismes multicellulaires.

Retour sur le concept 21.3

1. Pourquoi les gènes à effet maternel de *Drosophila melanogaster* sont-ils également appelés *gènes de polarité de l'œuf*?
2. Si un chercheur enlève la cellule d'ancrage de l'embryon de *C. elegans*, la vulve n'apparaît pas, malgré la présence de toutes les cellules qui auraient pu la former. Pourquoi?
3. Expliquez pourquoi couper et bouturer une pousse d'une plante, puis la transplanter avec succès, fournit une preuve que cette plante est totipotente.

Voir les réponses proposées à la fin du chapitre.

Concept 21.4

Des études comparatives permettent d'expliquer comment l'évolution du développement mène à la diversité morphologique

Les biologistes spécialistes du champ disciplinaire de la biologie de l'évolution du développement (surnommé *concept évo-dévo*) comparent les processus de développement de divers organismes multicellulaires. Ils cherchent à comprendre comment ces mécanismes sont apparus et comment des changements dans ceux-ci peuvent modifier les caractéristiques existantes d'un organisme ou en créer de nouvelles. L'avènement des techniques de la biologie moléculaire et le récent déluge d'information en génomique nous révèlent que les génomes d'espèces apparentées, mais qui se distinguent de façon étonnante par leurs formes, peuvent ne présenter que des différences mineures dans la séquence ou la régulation des gènes. Découvrir le fondement moléculaire de ces différences, par ailleurs, nous aide à saisir comment la myriade de formes diverses qui cohabitent sur Terre sont apparues, ce qui constitue un apport d'information à l'étude de l'évolution.

La conservation généralisée des gènes du développement chez les Animaux

L'analyse moléculaire des gènes homéotiques de *Drosophila melanogaster* a montré qu'ils comprennent tous une séquence de 180 nucléotides appelée **boîte homéotique**. Celle-ci code pour un *domaine homéotique* de 60 acides aminés d'une protéine. On a découvert une séquence nucléotidique identique ou très semblable dans les gènes homéotiques de nombreux Vertébrés et Invertébrés. Chez les Vertébrés, les gènes homologues aux gènes homéotiques des drosophiles ont même conservé l'ordre qu'ils occupaient sur les chromosomes; ils sont cependant répartis sur quatre chromosomes différents **(figure 21.23)**. (Chez les Animaux, les gènes homéotiques sont souvent appelés *gènes* Hox.) De plus, des séquences apparentées ont également été trouvées dans les gènes régulateurs d'Eucaryotes beaucoup plus éloignés, dont des Végétaux et des levures, et même dans les gènes de Procaryotes. Ces ressemblances nous permettent de conclure que la séquence d'ADN de la boîte homéotique est apparue très tôt au cours de l'histoire de la vie; de plus, elle doit être

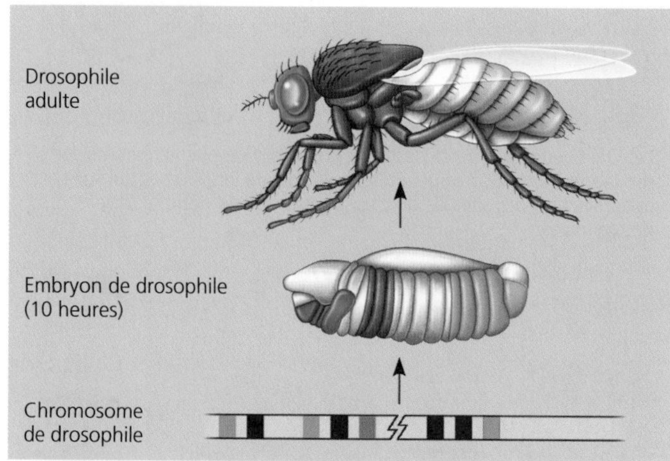

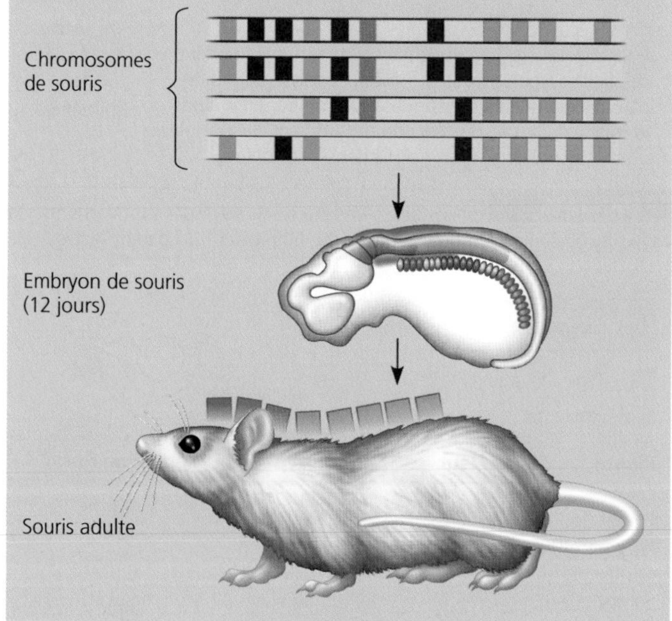

▲ **Figure 21.23 Conservation de gènes homéotiques chez la drosophile et la souris.** Les gènes homéotiques commandant la forme des structures antérieures et postérieures de l'organisme sont placés dans le même ordre sur les chromosomes de la drosophile et de la souris. Chacune des bandes colorées qui figurent ici sur les chromosomes désigne un gène homéotique. Chez la drosophile, tous ces gènes se situent sur le même chromosome. Chez la souris et les autres Mammifères, on trouve le même ensemble de gènes ou des ensembles similaires sur quatre chromosomes. Les couleurs renvoient aux parties de l'embryon où ces gènes s'expriment et aux régions correspondantes de l'organisme adulte. On constate que la disposition des gènes sur le chromosome reflète fidèlement la disposition des structures de l'animal sur lesquelles ils agissent. Tous ces gènes sont presque identiques chez les drosophiles et les souris, excepté ceux qui sont représentés par des bandes noires; ces derniers se ressemblent moins chez les deux espèces.

assez précieuse pour avoir été conservée à peu près intacte chez les Animaux et les Végétaux durant des centaines de millions d'années.

Tous les gènes contenant une boîte homéotique ne sont pas nécessairement homéotiques : certains ne déterminent pas directement l'identité des parties de l'organisme. Cependant, la plupart sont liés au développement, du moins chez les Animaux, ce qui laisse penser qu'ils jouent un rôle fondamental dans ce processus depuis des temps reculés. Par exemple, chez la drosophile, les boîtes homéotiques sont présentes non seulement dans les gènes homéotiques, mais aussi dans les gènes *bicoïd* de polarité de l'œuf, dans plusieurs gènes de segmentation et dans le gène régulateur principal du développement de l'œil.

Les chercheurs ont découvert que le domaine homéotique encodé par la boîte homéotique est la partie de la protéine qui se lie à l'ADN lorsque cette dernière agit en tant que régulateur de transcription. Cependant, un domaine homéotique a une forme qui lui permet de se lier à n'importe quel segment d'ADN ; il ne peut par lui-même choisir une séquence précise. Ce sont plutôt d'autres domaines plus variables de la protéine contenant un domaine homéotique qui déterminent la nature des gènes dont la protéine assurera la régulation. L'interaction de ces domaines avec d'autres facteurs de transcription fait que la protéine contenant un domaine homéotique reconnaît certains amplificateurs ou certaines séquences régulatrices présentes sur l'ADN. Les protéines contenant un domaine homéotique assurent probablement la régulation du développement en coordonnant la transcription d'un ensemble de gènes du développement qu'elles activent ou désactivent. Chez la drosophile et d'autres espèces animales, diverses combinaisons de gènes à boîte homéotique sont actives dans les différentes parties de l'embryon. L'expression sélective des gènes régulateurs et les fluctuations de cette expression dans le temps et dans l'espace sont essentielles à la réalisation des plans d'organisation.

Les biologistes du développement ont découvert qu'en plus des gènes homéotiques de nombreux autres gènes participant au développement sont très bien conservés d'une espèce à l'autre. Parmi ceux-ci, on en trouve bon nombre qui codent pour les composantes des voies de communication. L'extraordinaire ressemblance entre les gènes de développement particuliers chez diverses espèces animales suscite la question suivante : comment les mêmes gènes peuvent-ils jouer un rôle dans le développement des Animaux dont les formes diffèrent tellement d'une espèce à l'autre ?

Les études actuelles semblent indiquer les éléments de réponse suivants. Dans certains cas, des changements minimes dans les séquences de régulation de gènes particuliers peuvent mener à des modifications majeures de la forme d'un organisme. Par exemple, les divers modes d'expression des gènes *Hox* le long de l'axe corporel des Insectes et des Crustacés peuvent expliquer le nombre différent de segments porteurs de pattes chez ces Animaux segmentés **(figure 21.24)**. Dans d'autres cas, des gènes similaires commandent des processus différents de développement chez les organismes, ce qui entraîne la diversité des formes du corps. Ainsi, plusieurs gènes *Hox* sont exprimés aux stades embryonnaire ou larvaire des oursins, des Animaux non segmentés qui ont un plan d'organisation corporelle très différent de celui des Insectes et des souris. Les oursins parvenus à l'âge adulte fabriquent leur coquille ayant la forme d'une pelote à épingles ; vous en avez probablement déjà vu sur la plage. Ils font partie des organismes utilisés depuis longtemps dans les études d'embryologie classique (voir le chapitre 47).

Le séquençage du génome d'*Arabidopsis* nous a appris que les Végétaux ont bien quelques gènes contenant des boîtes homéotiques. Cependant, il semble que ces gènes ne fonctionnent pas comme des interrupteurs généraux de régulation, comme le font les gènes homéotiques contenant des boîtes homéotiques chez les Animaux. Chez les Végétaux, d'autres gènes semblent effectuer les processus de base des plans de formation.

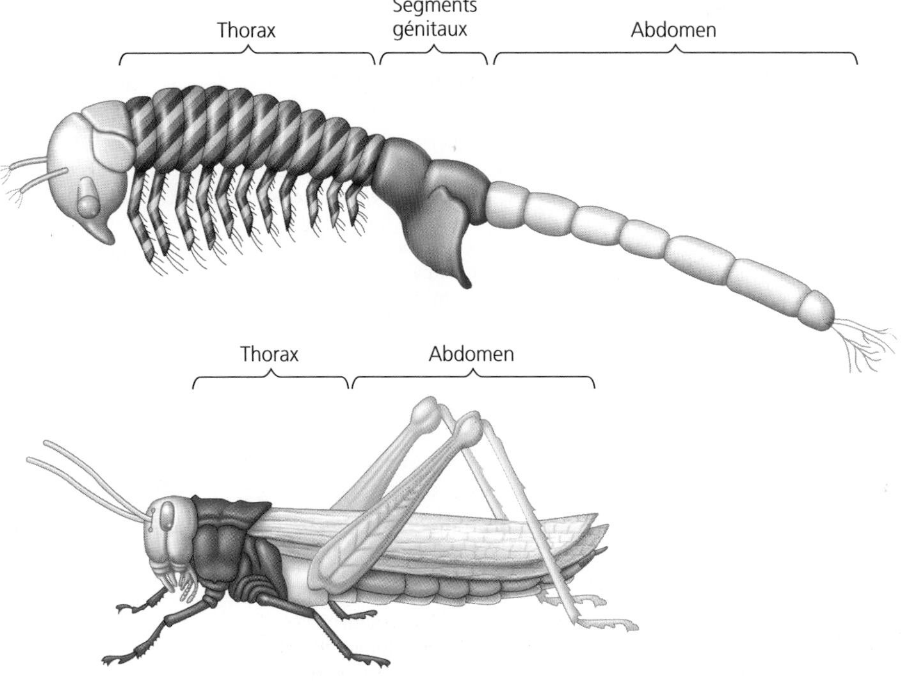

▶ Figure 21.24 Effet des différences dans l'expression du gène *Hox* au cours du développement des Crustacés et des Insectes. Des changements dans les modes d'expression de quatre gènes *Hox* se sont produits au cours de l'évolution. Ces changements expliquent en partie les plans d'organisation corporelle différents de la crevette des salines, *Artemia*, un Crustacé (en haut), et de la sauterelle, un Insecte. L'illustration montre en couleurs distinctes les régions du corps de l'animal adulte correspondant à l'expression des gènes *Hox* qui déterminent la formation de parties particulières du corps au cours du développement de l'embryon. Remarquez que chez la crevette chacun des segments du thorax (tous identiques entre eux) possède trois couleurs reflétant le fait que trois gènes *Hox* s'expriment ensemble dans cette région, ce qui n'est pas le cas chez la sauterelle.

La comparaison entre le développement des Animaux et celui des Végétaux

Le dernier ancêtre commun des Végétaux et des Animaux était probablement un microorganisme unicellulaire ayant vécu il y a des centaines de millions d'années. Les mécanismes du développement ont donc dû évoluer séparément dans les deux groupes. Les Végétaux ont acquis des parois cellulaires rigides empêchant presque tout déplacement de cellules ou de tissus. Ce phénomène a rendu impossibles les migrations morphogénétiques des cellules et des tissus qui jouent un rôle important chez les espèces animales. La morphogenèse des Végétaux résulte plutôt de la formation de différents plans de division cellulaire et du grandissement sélectif de cellules particulières. (Ces mécanismes sont étudiés au chapitre 35.) Cependant, en dépit de ces différences, les Végétaux et les Animaux ont des mécanismes de développement (remontant à leurs origines cellulaires communes) qui présentent des ressemblances fondamentales.

Tant chez les Végétaux que chez les Animaux, le développement dépend d'une cascade de régulateurs de transcription qui activent ou désactivent les gènes de façon finement ajustée (par exemple, mettre en place l'axe tête→queue de *Drosophila melanogaster* et établir l'identité, selon un mode radial, des organes de la fleur d'*Arabidopsis*). Mais les gènes qui commandent ces processus diffèrent considérablement chez les Végétaux et les Animaux. Alors qu'une bonne partie des interrupteurs généraux de régulation de la drosophile sont des gènes *Hox* contenant une boîte homéotique, ceux d'*Arabidopsis* appartiennent à une famille de gènes tout à fait différente; ce sont les gènes *Mads-box* (ou la boîte de gènes *Mads*). De plus, les gènes contenant une boîte homéotique peuvent être présents chez les Végétaux et les gènes *Mads-box*, chez les Animaux, mais, ni dans l'un ni dans l'autre cas, ces gènes ne jouent les mêmes rôles essentiels au développement qu'ils exercent dans l'autre groupe.

Dans ce dernier chapitre de la partie portant sur la génétique, nous avons appris comment les études dans ce domaine peuvent nous en apprendre beaucoup sur les mécanismes moléculaire et cellulaire responsables du développement. L'unité de la vie est révélée dans la similitude des mécanismes biologiques qui servent à établir le plan d'organisation corporelle, bien que les gènes qui commandent le développement puissent différer parmi les organismes. Ces ressemblances reflètent l'existence d'ancêtres communs de la vie sur Terre. Mais les différences jouent aussi un rôle essentiel, parce que ce sont elles qui ont fait apparaître l'énorme diversité des organismes actuels. Le reste du présent ouvrage va au-delà des molécules, des cellules et des gènes. Il vous amènera à explorer le vivant au niveau des organismes et de leur environnement.

Retour sur le concept 21.4

1. Les séquences d'ADN appelées *boîtes homéotiques* – qui assistent les gènes homéotiques commandant le développement embryonnaire – sont communes aux drosophiles et aux souris. Alors pourquoi ces Animaux ne se ressemblent-ils pas davantage?

Voir les réponses proposées à la fin du chapitre.

Révision du chapitre 21

RÉSUMÉ DES CONCEPTS CLÉS

Concept 21.1

Le développement embryonnaire comprend la division cellulaire, la différenciation cellulaire et la morphogenèse

- Le développement embryonnaire comprend la division cellulaire, la différenciation cellulaire et la morphogenèse. En plus de la mitose, les cellules embryonnaires subissent une différenciation, et elles acquièrent des structures et des fonctions spécialisées. La morphogenèse englobe les processus donnant forme à l'organisme et à ses diverses parties. Plusieurs organismes modèles servent couramment à l'étude de divers aspects des fondements génétiques du développement **(p. 450-453)**.

Concept 21.2

Les différents types de cellules sont le résultat de l'expression génique différentielle dans des cellules qui ont le même ADN

- **Les preuves de l'équivalence génomique (p. 453-457).** Les cellules diffèrent par leurs structures et leurs fonctions non pas parce qu'elles contiennent des gènes différents, mais parce qu'elles expriment des parties différentes d'un génome commun. Il y a équivalence génomique entre elles. Les cellules différenciées de plantes parvenues à maturité sont souvent totipotentes, c'est-à-dire qu'elles peuvent donner naissance à un nouvel individu. Le noyau d'une cellule animale différenciée peut parfois donner naissance à un nouvel individu s'il est transplanté dans un ovocyte énucléé. Les cellules souches pluripotentes provenant d'embryons humains ou de tissus d'adultes peuvent se reproduire et se différencier *in vitro* comme *in vivo*, ce qui permet d'entrevoir des applications médicales.
- **La régulation transcriptionnelle de l'expression génique au cours du développement (p. 457-458).** La différenciation se manifeste par la présence de protéines spécifiques aux tissus. Celles-ci permettent aux cellules différenciées d'assurer leurs fonctions spécialisées.
- **Les déterminants cytoplasmiques et les stimulus intercellulaires dans la différenciation cellulaire (p. 458-459).** Les déterminants cytoplasmiques présents dans le cytosol des ovocytes non fécondés assurent la régulation de l'expression des gènes dans le zygote, ce qui contrôle la destinée des cellules au cours du développement embryonnaire. L'induction est la production par les cellules embryonnaires de stimulus moléculaires modifiant la transcription dans des cellules cibles voisines.

Concept 21.3

Chez les Animaux et les Végétaux, les plans d'organisation sont établis par des mécanismes génétiques et cellulaires similaires

- La réalisation des plans d'organisation (soit la mise en place de tissus et d'organes selon une certaine configuration spatiale) est un processus continu chez les Végétaux; par contre, elle est principalement limitée aux embryons et aux individus juvéniles chez les Animaux. L'information de positionnement (indices moléculaires commandant la réalisation des plans d'organisation) indique à la cellule son emplacement par rapport aux axes de l'organisme et aux autres cellules **(p. 459-460)**.

▶ **Le développement de *Drosophila melanogaster*: l'activation en cascade des gènes (p. 460-464).** Après la fécondation, l'information de positionnement commande la formation des segments de *Drosophila melanogaster* à une échelle de plus en plus fine. Elle finit par déclencher la mise en place des structures caractéristiques de chacun des segments. Les gradients des morphogènes codés par les gènes à effet maternel, comme *bicoïd*, produisent des différences régionales dans l'expression séquentielle de trois ensembles de gènes de segmentation. Ces derniers codent pour des produits qui dirigent la formation des segments eux-mêmes. Enfin, l'identité anatomique des segments de *Drosophila melanogaster* est déterminée par des gènes maîtres régulateurs, appelés *gènes homéotiques*; ces derniers commandent les types d'appendices et les autres structures devant se former sur chaque segment. Les facteurs de transcription codés par les gènes homéotiques sont des protéines régulatrices. Celles-ci agissent sur l'expression des gènes commandant la formation de structures anatomiques spécifiques.

▶ ***Cænorhabditis elegans*: le rôle des stimulus cellulaires (p. 464-467).** Chez *C. elegans*, la lignée cellulaire complète est connue. La communication cellulaire et l'induction sont essentielles dans la détermination des destinées des cellules du Nématode, y compris l'apoptose (mort cellulaire programmée). Un stimulus inducteur produit par une cellule de l'embryon peut lancer une chaîne d'inductions qui aboutissent à la formation d'un organe donné, comme l'intestin ou la vulve. Dans le cas de l'apoptose, des stimulus coordonnés avec précision déclenchent l'activation en cascade de protéines de « suicide » dans les cellules destinées à mourir.

▶ **Le développement des Végétaux: la communication cellulaire et la régulation de la transcription (p. 467-470).** L'induction par la communication intercellulaire contribue à déterminer le nombre d'organes floraux devant se former dans un méristème. Les gènes d'identité des organes déterminent le type de structure (carpelle, étamine, pétale ou sépale) qui se formera sur chaque verticille du méristème floral. Les gènes d'identité des organes agissent apparemment comme des gènes maîtres régulateurs; chacun d'eux contrôle l'activité d'autres gènes commandant plus directement l'apparition de la structure et de la fonction de l'organe.

Concept 21.4

Des études comparatives permettent d'expliquer comment l'évolution du développement mène à la diversité morphologique

▶ **La conservation généralisée des gènes du développement chez les Animaux (p. 470-471).** Les gènes homéotiques et quelques autres gènes associés au développement des Animaux contiennent une boîte homéotique dont la séquence est identique ou similaire chez diverses espèces animales. Des séquences apparentées sont présentes dans les gènes de levures, de Végétaux et même de Procaryotes. D'autres gènes du développement sont très bien conservés chez les espèces animales. Dans de nombreux cas, les gènes ayant des séquences conservées jouent des rôles distincts chez des espèces différentes. Chez les Végétaux, par exemple, les gènes contenant une boîte homéotique n'interviennent pas dans la formation des plans d'organisation comme ils le font chez de nombreux Animaux.

▶ **La comparaison entre le développement des Animaux et celui des Végétaux (p. 472).** Au cours du développement embryonnaire des Végétaux et des Animaux, une cascade de régulateurs de transcription activent et désactivent les gènes dans une séquence soigneusement régulée. Mais les gènes qui commandent des processus de développement analogues ont des séquences considérablement différentes chez les Végétaux et chez les Animaux en raison de leur origine ancestrale éloignée.

VÉRIFIEZ VOS CONNAISSANCES

Autoévaluation

(Les questions dont les numéros sont en caractères gras font surtout appel à la compréhension.)

1. Parmi les processus suivants, lequel est le plus directement responsable de l'absence de formation de doigts palmés chez la plupart des humains?
a) Les plans d'organisation.
b) La régulation de la transcription.
c) L'apoptose.
d) La division cellulaire.
e) L'induction.

2. Parmi les critères de choix d'un organisme modèle pour l'étude du développement embryonnaire, on trouverait probablement tous les éléments suivants, *sauf*:
a) un développement embryonnaire observable.
b) des générations courtes.
c) un génome relativement petit.
d) une connaissance préalable du cycle de développement de l'organisme.
e) un mode de développement peu fréquent en comparaison de la plupart des organismes.

3. La totipotence est démontrée dans le cas suivant:
a) Des mutations touchant des gènes homéotiques entraînent l'apparition d'appendices à des endroits inadéquats.
b) Une cellule prélevée sur une feuille de plante devient un individu adulte normal.
c) Une cellule embryonnaire se divise et se différencie.
d) Le remplacement du noyau d'un ovocyte non fécondé par le noyau d'une cellule intestinale transforme l'ovocyte en une cellule intestinale.
e) Les organes caractéristiques de chacun des segments apparaissent sur l'axe antéropostérieur de l'embryon de *Drosophila melanogaster*.

4. Parmi les énoncés suivants concernant le clonage de la brebis Dolly, lequel est faux?
a) Dans cette expérience de clonage, il s'est produit un phénomène de dédifférenciation dans le noyau du donneur.
b) Cette expérience met en lumière, notamment, l'équivalence génomique.
c) Dans cette expérience, le noyau transplanté provenait d'un ovocyte de jeune embryon de brebis.
d) Cette expérience a montré qu'un noyau de cellule différenciée peut être reprogrammé plus ou moins complètement.
e) Dans cette expérience, l'ADN chromosomique de Dolly était identique à l'ADN de l'individu ayant fourni le noyau transplanté.

5. Les cellules souches:
a) ont perdu la propriété de se diviser.
b) peuvent encore se diviser si elles sont embryonnaires uniquement.
c) peuvent encore se diviser en donnant exclusivement d'autres cellules souches.
d) peuvent encore se diviser en donnant soit d'autres cellules souches, soit des cellules spécialisées.
e) n'existent plus chez l'organisme adulte.

6. La différenciation cellulaire comprend toujours:
a) la production de protéines typiques des tissus, comme l'actine des muscles.
b) la migration des cellules.
c) la transcription du gène *myoD*.
d) la perte sélective de certains gènes du génome.
e) la sensibilité de la cellule aux indices présents dans son milieu, comme la lumière ou la chaleur.

7. Le développement de *Drosophila melanogaster* est quelque peu atypique, parce que:
a) les premières divisions mitotiques se déroulent en l'absence de cytocinèse.
b) la métamorphose se produit au stade de larve et non au stade de pupe, comme c'est le cas chez les autres Insectes.
c) les gènes homéotiques sont mutés.
d) la migration cellulaire n'a pas lieu dans ce type d'embryon.
e) pendant les premières divisions cellulaires, la phase G_1 est prolongée.

8. Chez *Drosophila melanogaster*, quels sont les gènes, parmi les choix de réponses, qui amorcent une activation en cascade de tous les autres gènes indiqués ci-dessous?
   a) Les gènes homéotiques.
   b) Les gènes de délétion.
   c) Les gènes de parité segmentaire.
   d) Les gènes de polarité de l'œuf.
   e) Les gènes de polarité segmentaire.
9. Dans l'œuf de *Drosophila melanogaster*, l'absence de l'ARNm *bicoïd* entraîne la formation d'une larve dépourvue de parties antérieures et un dédoublement en miroir de ses parties postérieures. C'est la preuve que le produit du gène *bicoïd*:
   a) est transcrit dans le jeune embryon.
   b) entraîne normalement la formation des structures postérieures.
   c) entraîne normalement la formation des structures antérieures.
   d) est une protéine présente dans toutes les structures antérieures.
   e) aboutit à la mort cellulaire programmée.
10. Les gènes homéotiques:
    a) codent pour des facteurs de transcription qui assurent la régulation de l'expression des gènes commandant des structures anatomiques spécifiques.
    b) n'existent que chez *Drosophila melanogaster* et les autres Arthropodes.
    c) commandent la mise en place de l'axe antéropostérieur de chacun des segments de *Drosophila melanogaster*.
    d) mettent en place les subdivisions principales de l'axe antéropostérieur de l'embryon de *Drosophila melanogaster*.
    e) commandent la mort cellulaire programmée qui se produit pendant la morphogenèse.
11. Le développement embryonnaire de *Cænorhabditis elegans* illustre toutes les notions suivantes, *sauf une*. Laquelle?
    a) L'effet d'un inducteur peut dépendre de son gradient de concentration.
    b) La réponse d'une cellule visée par l'induction comprend la mise en place d'un modèle d'activité génique qui lui est propre.
    c) Les voies de transduction du stimulus activées par les inducteurs n'existent que chez les cellules embryonnaires.
    d) Les inductions séquentielles commandent la formation de structures complexes dans l'embryon en cours de développement.
    e) Les inducteurs agissent par l'intermédiaire de l'activation ou de l'inactivation des gènes codant pour les régulateurs de la transcription.
12. Bien qu'ils possèdent une structure différente, les Animaux et les Végétaux ont des ressemblances fondamentales qui se manifestent au cours de leur développement embryonnaire, notamment:
    a) l'importance des migrations cellulaires et tissulaires.
    b) l'importance du grandissement sélectif de certaines cellules.
    c) l'importance des gènes homéotiques contenant une boîte homéotique.
    d) la persistance des tissus méristématiques chez l'adulte.
    e) la présence de gènes maîtres régulateurs codant pour des protéines qui se lient à l'ADN.

Lien avec l'évolution

Les gènes qui jouent un rôle important dans le développement embryonnaire des Animaux, par exemple ceux qui contiennent une boîte homéotique, ont été relativement bien conservés au cours de l'évolution. Cela revient à dire que, d'une espèce à l'autre, ils se ressemblent plus que de nombreux autres gènes. Pourquoi?

Intégration

1. Dans un organisme adulte, les cellules souches peuvent se diviser pour former deux cellules souches filles; elles maintiennent donc une population de cellules relativement indifférenciées. Il est également possible qu'au terme de la division mitotique l'une des deux cellules filles résultantes soit une cellule souche, alors que l'autre amorce une voie de différenciation distincte. Proposez une ou plusieurs hypothèses pour expliquer comment ce phénomène peut se produire. (*Remarque:* Il n'y a pas de réponse facile à cette question, mais cela vaut la peine d'y réfléchir. Pour un indice, examinez la figure 21.16a.)
2. La brebis clonée Dolly semble avoir vieilli prématurément. La reprogrammation incomplète des gènes est mise en cause, mais on croit également que les télomères sont impliqués dans le processus. D'après ce que vous savez de la fonction des télomères et de la provenance du noyau à partir duquel s'est développée la brebis, expliquez pourquoi les télomères peuvent effectivement être responsables du vieillissement accéléré de Dolly.

Science, technologie et société

Le financement par l'État de la recherche sur les cellules souches d'origine embryonnaire a donné lieu à de nombreuses controverses sur la scène politique. Pourquoi ce débat suscite-t-il tant de passions? Résumez les arguments pour et contre la recherche sur les cellules souches embryonnaires, et donnez votre point de vue sur la question.

Réponses du chapitre 21

Retour sur le concept 21.1

1. Les cellules subissent la différenciation au cours du développement embryonnaire, devenant différentes les unes des autres; chez l'organisme parvenu à l'âge adulte, il y a de nombreux types de cellules hautement spécialisées.
2. Au cours du développement animal, la migration des cellules et des tissus est un mécanisme important, ce qui n'est pas le cas chez les Végétaux. Chez ces derniers, la croissance et la morphogenèse se poursuivent pendant toute la durée de la vie des plantes. Cela n'existe que chez quelques types de cellules animales.

Retour sur le concept 21.2

1. L'information laissée par la mère dans l'ovocyte (déterminants cytoplasmiques) est essentielle au développement de l'embryon.
2. Non, principalement en raison de différences subtiles (et peut-être pas si subtiles) de leur environnement.
3. Les molécules se lient à un récepteur situé à la surface de la cellule; elles déclenchent une voie de transduction du stimulus qui influence l'expression génique.

Retour sur le concept 21.3

1. Parce que leurs produits, qui proviennent de l'organisme maternel, déterminent la position des extrémités antérieure et postérieure, de même que celle des extrémités dorsale et ventrale de l'œuf (et, par conséquent, de la drosophile adulte).
2. Les cellules potentielles de la vulve nécessitent un stimulus d'induction provenant de la cellule d'ancrage avant de pouvoir se différencier en cellules de la vulve.
3. Une pousse est une structure différenciée, mais certaines cellules peuvent se dédifférencier et se redifférencier, et donner naissance à tous les types d'organes d'une nouvelle plante entière.

Retour sur le concept 21.4

1. Les gènes homéotiques diffèrent par leurs séquences non homéotiques, ce qui détermine leurs interactions avec d'autres facteurs de transcription et, par conséquent, établit quels gènes sont soumis à la régulation par les gènes homéotiques. De plus, ces gènes commandés par les gènes homéotiques ne sont pas les mêmes chez ces deux espèces, de même que les modes d'expression des gènes contenant une boîte homéotique.

Autoévaluation

1. c; 2. e; 3. b; 4. c; 5. d; **6.** a; 7. a; 8. d; 9. c; 10. a; **11.** c; 12. e.

22 La « descendance avec modification » : l'évolution selon Darwin

▲ **Figure 22.1 Iguane terrestre. Cet organisme est bien adapté à son habitat rocailleux des îles Galápagos.**

Concepts clés

22.1 La théorie de Darwin a révolutionné l'idée voulant que la Terre soit jeune et peuplée d'espèces immuables

22.2 Dans *De l'origine des espèces*, Darwin soutient que les espèces évoluent par sélection naturelle

22.3 La théorie de Darwin explique un large éventail d'observations

Introduction

Darwin présente une théorie révolutionnaire

La biologie a gagné ses lettres de noblesse le 24 novembre 1859, le jour où Charles Darwin a publié *De l'origine des espèces au moyen de la sélection naturelle ou La conservation des espèces dans la lutte pour la survie.* Cet ouvrage trace un portrait cohérent de la vie, en rassemblant sous forme d'ensemble ordonné une variété étonnante de faits apparemment indépendants. Il a amené les biologistes à se concentrer sur la grande diversité des organismes : leurs origines et leurs relations, leurs points communs et leurs différences, leur répartition géographique et leur adaptation à des environnements divers **(figure 22.1)**.

Darwin en arrive à deux grands constats dans *De l'origine des espèces.* D'une part, il soutient en s'appuyant sur des preuves que les espèces d'organismes peuplant la Terre descendent d'espèces ancestrales différentes des espèces modernes. D'autre part, il présente un mécanisme justifiant le processus de l'évolution, qu'il appelle la **sélection naturelle**. D'après ce grand principe, une population peut changer au fil des générations si des individus possédant certaines caractéristiques transmissibles ont une descendance plus nombreuse que d'autres individus. La sélection naturelle a pour résultat l'**évolution adaptative**, c'est-à-dire l'accumulation de caractères héréditaires favorisant l'aptitude des organismes à survivre et à se reproduire dans certains environnements. En reprenant un vocabulaire plus moderne, on peut définir l'**évolution** comme la modification graduelle de la composition génétique des populations. À la longue, une population peut avoir accumulé suffisamment de petites modifications pour devenir une nouvelle espèce – une nouvelle forme de vie. Donc, il est aussi possible d'employer le mot *évolution* de manière beaucoup plus large pour désigner l'apparition graduelle de toute la richesse biologique, depuis les tout premiers microorganismes jusqu'à la diversité phénoménale des organismes modernes.

L'évolution est un concept si fondamental que son étude éclaire la biologie dans son ensemble, du niveau moléculaire à celui des écosystèmes, et elle continue de transformer la médecine, l'agriculture, la biotechnologie et l'aménagement du territoire. Signe que c'est un sujet toujours d'actualité, elle est considérée, par la revue américaine *Science*, comme le domaine dans lequel il s'est produit les plus grandes percées scientifiques au cours de l'année 2005. Vous avez déjà constaté que l'évolution est le fil conducteur de ce manuel. Dans le présent chapitre, vous explorerez le développement historique de la vision darwinienne de la vie.

Concept 22.1

La théorie de Darwin a révolutionné l'idée voulant que la Terre soit jeune et peuplée d'espèces immuables

Les incidences d'une révolution intellectuelle comme celle que le darwinisme a lancée s'inscrivent dans un développement historique et dépendent de processus logiques. Pour comprendre la portée révolutionnaire de la vision de Darwin, il faut l'examiner en regard d'autres visions occidentales concernant la Terre et la vie qu'elle supporte **(figure 22.2)**.

Le rejet des grands principes de l'évolution

L'ouvrage *De l'origine des espèces* bouscule les idées scientifiques dominantes de l'époque, mais ébranle aussi les assises de la culture occidentale. La vision de Darwin s'oppose radicalement à la perspective classique d'une planète âgée d'à peine quelques

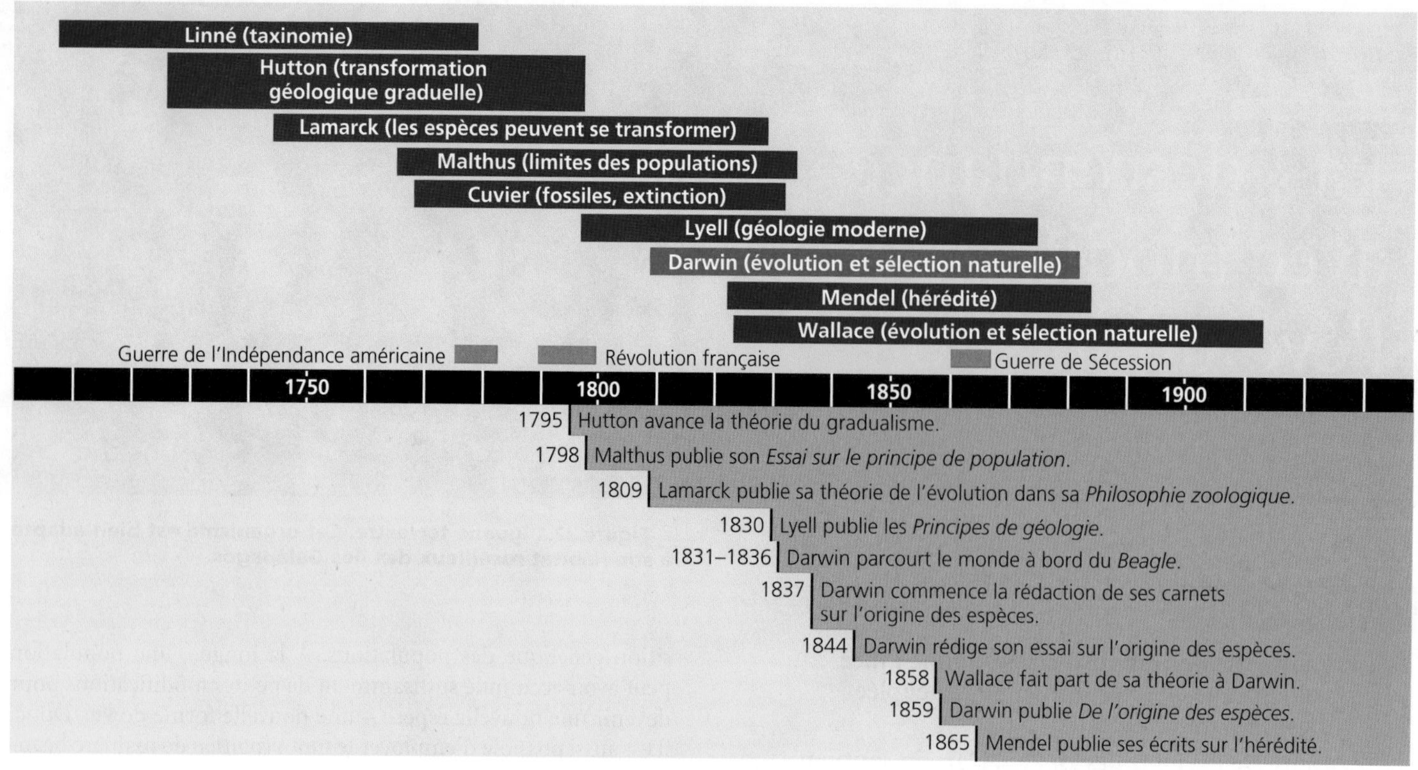

▲ **Figure 22.2 Contexte historique de la vie et des idées de Darwin.** Les scientifiques dont les noms sont inscrits dans les barres bleues au-dessus de la ligne de temps sont ceux dont les théories ont contribué à la compréhension que nous avons aujourd'hui de l'évolution.

milliers d'années et peuplée de formes de vie créées à l'origine et demeurées inchangées depuis. Bref, elle remet en question une vision du monde qui était perpétuée depuis des siècles.

L'échelle de la nature et la classification des espèces

Divers philosophes grecs de l'époque classique ont formulé des idées relatives à l'évolution graduelle de la vie, mais il y en a un qui a marqué profondément les débuts de la science occidentale: Aristote (384-322 av. J.-C.), qui croyait que les espèces étaient fixes (immuables). En observant la nature, il a observé certaines « affinités » entre les organismes, d'où sa conclusion que les formes de vie pouvaient être classées selon une échelle de complexité croissante, que les savants appelleront par la suite *scala naturæ* (échelle de la nature). Selon cette échelle, chaque forme de vie est parfaite et permanente, et occupe un rang.

Cette vision des choses concorde avec le récit de la Création dans l'Ancien Testament, qui renforce l'idée selon laquelle les espèces sont conçues par Dieu indépendamment l'une de l'autre, et sont donc parfaites. Dans les années 1700, un grand nombre de scientifiques considéraient que les formidables adaptations des organismes à leur environnement prouvaient que le Créateur avait destiné chaque espèce à une fin précise.

Carl Von Linné (1707-1778) était l'un de ces scientifiques. Le médecin et botaniste suédois a cherché à classifier la diversité du vivant, « pour la plus grande gloire de Dieu ». Il est le père de la **taxinomie** (on dit aussi *taxonomie*), science visant à nommer et à classifier les organismes. Linné a élaboré la nomenclature binominale, encore en usage de nos jours, qui désigne chaque organisme par son genre et son espèce. Contrairement à la hiérarchie linéaire de la *scala naturæ*, il a établi un système de groupement des espèces semblables, sous forme de catégories hiérarchisées de plus en plus générales. Par exemple, les espèces semblables forment un genre, les genres semblables une famille, et ainsi de suite (voir la figure 1.14).

Cependant, pour Linné, le fait que certaines espèces se ressemblent n'indiquait aucune parenté sur le plan de l'évolution. Il faisait plutôt un lien avec le plan de leur création. Un siècle plus tard, son système taxinomique a pourtant servi d'argument en faveur de l'évolution, sous la plume de Darwin.

Cuvier, les fossiles et le catastrophisme

L'étude des fossiles a aussi jeté les bases des idées de Darwin. Les **fossiles** sont des vestiges ou des empreintes d'organismes anciens. La plupart se trouvent dans les **roches sédimentaires** formées par la boue et le sable déposés au fond des mers, des lacs et des marais. Les nouvelles couches de sédiments recouvrent les anciennes et les compriment; des couches de roches superposées appelées **strates** sont ainsi créées. Par la suite, sous l'effet de l'érosion, les strates supérieures (les plus récentes) s'effritent ou se creusent, exposant les strates plus anciennes, qui avaient été enterrées. Dans chaque strate, les fossiles donnent un aperçu des organismes qui ont peuplé la Terre à l'époque où cette strate s'est constituée **(figure 22.3)**.

C'est Georges Cuvier (1769-1832) qui a établi les fondements de la **paléontologie**. En examinant les couches rocheuses dans les environs de Paris, l'anatomiste français a constaté que plus une strate est enfouie profondément (donc plus elle est ancienne), plus les fossiles qu'elle contient se démarquent des espèces

▶ **Figure 22.3 Fossiles issus de la stratification de la roche sédimentaire.** Le fleuve Colorado a creusé le Grand Canyon, entaille de 2 000 m dans la roche, exposant des strates sédimentaires qui sont autant de pages marquantes du livre de la vie. Chacune des couches renferme des fossiles qui témoignent de la présence de certains organismes vivant à une époque donnée. Le fossile de feuille de Fougère vient de la couche Hermit Shale, plus superficielle (elle date de 265 millions d'années), et le fossile de Trilobite (sous celui de la Fougère) est tiré de la couche Bright Angel Shale, qui remonte à 530 millions d'années. La disposition verticale relative des différentes espèces fossiles est la même, quelle que soit la localité où ces fossiles se trouvent.

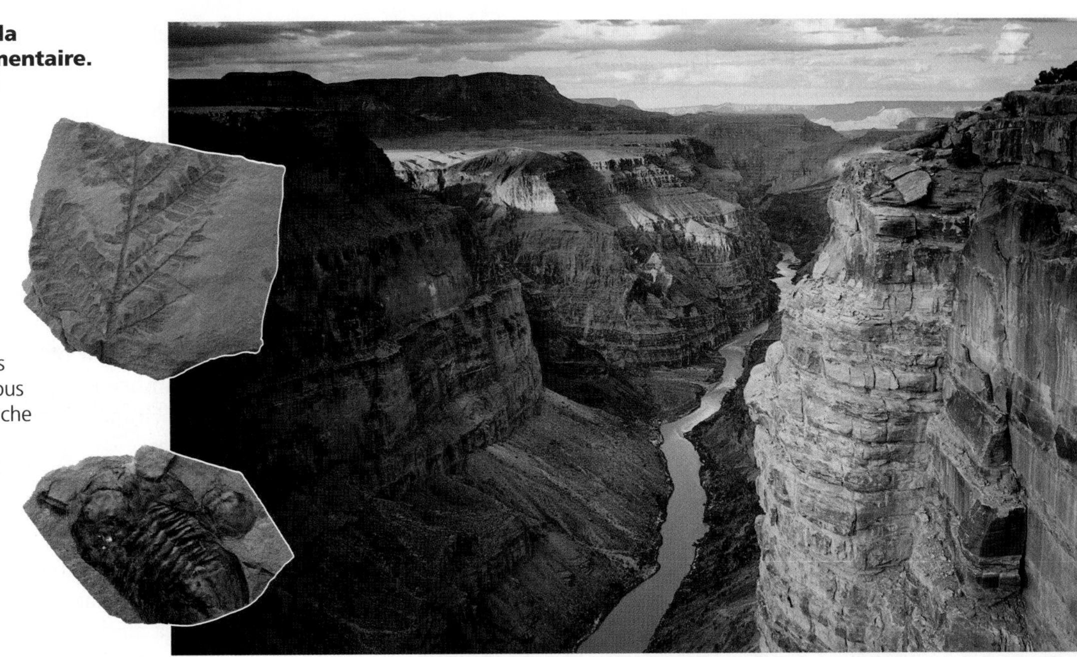

contemporaines. Il a également observé que des espèces apparaissent alors que d'autres disparaissent; il en a déduit que les phénomènes d'extinction devaient être fréquents dans l'histoire de la vie. Pourtant, il s'est vigoureusement opposé aux évolutionnistes de son temps et a plutôt défendu le **catastrophisme**. Pour lui, les limites entre les strates correspondent à des catastrophes dans le temps (sécheresses ou inondations) qui ont détruit un grand nombre des espèces vivant à l'endroit étudié. Toujours selon Cuvier, les catastrophes périodiques sont généralement limitées dans l'espace; une région dévastée est repeuplée ultérieurement par des espèces venues d'ailleurs.

Les théories du gradualisme

Le catastrophisme de Cuvier se heurtait à l'époque aux travaux des scientifiques qui défendaient l'idée du **gradualisme**, en vertu duquel un changement profond résulte du cumul de processus lents mais continuels. En 1795, en effet, le géologue écossais James Hutton (1726-1797) a posé que les mécanismes graduels *encore à l'œuvre* dans le monde pouvaient expliquer les caractéristiques géologiques de la Terre. D'après lui, les vallées ont été creusées par des fleuves, et les roches sédimentaires contenant des fossiles marins sont constituées de particules détachées du sol et emportées par les fleuves jusque dans la mer.

Le géologue le plus respecté de l'époque de Darwin, l'Écossais Charles Lyell (1797-1875), s'est appuyé sur le gradualisme de Hutton pour formuler une théorie plus complète: **l'uniformitarisme.** Selon lui, les processus géologiques qui sont à l'œuvre aujourd'hui sont les mêmes que par le passé, et leur vitesse est la même.

Darwin a été très influencé par les idées de Hutton et de Lyell. Il était d'accord avec eux que si le changement géologique résulte d'actions lentes et continues, et non d'événements soudains, alors la Terre est très ancienne; elle a certainement bien plus que les 6 000 ans que lui ont attribués des théologiens. Plus tard, il a conclu que des processus aussi lents et ténus peuvent agir sur les organismes à la longue et causer des changements importants. Notons ici que Darwin n'est pas le premier à avoir appliqué le principe du gradualisme à l'évolution biologique.

La théorie de l'évolution de Lamarck

Au cours du XVIIIe siècle, plusieurs naturalistes (dont Erasmus Darwin, le grand-père de Charles Darwin) estimaient que la vie avait évolué en fonction de changements dans l'environnement. Mais un seul des prédécesseurs de Charles Darwin a imaginé un modèle pour expliquer les modalités de l'évolution biologique: le biologiste français Jean-Baptiste de Monet, chevalier de Lamarck (1744-1829). Hélas, aujourd'hui, on se souvient de lui surtout pour le mécanisme erroné qu'il a proposé pour expliquer l'évolution; ce qu'on se rappelle moins, c'est qu'il a compris que l'évolution explique les archives fossiles et les adaptations des organismes à leur environnement.

Lamarck a publié sa théorie en 1809, année de naissance de Charles Darwin. En comparant des espèces contemporaines à des formes fossiles, il a cru déceler des lignées, c'est-à-dire des séries chronologiques de fossiles menant à des espèces modernes. Selon lui, les espèces peuvent se transformer en d'autres espèces (c'est la raison pour laquelle on appelle sa théorie *transformisme*) produisant des lignées qui n'auraient toutefois pas d'origine commune.

En guise d'explication, Lamarck s'appuyait sur deux principes répandus à l'époque. Le premier est celui de l'*usage* et du *non-usage*: les organes qu'un organisme utilise intensivement se développent et se renforcent, tandis que ceux dont il ne se sert pas s'atrophient. L'exemple des yeux atrophiés de la taupe est d'ailleurs donné pour représenter le non-usage. Pour illustrer l'effet de l'usage, Lamarck cite la girafe, qui allonge le cou pour atteindre les feuilles situées à la cime des arbres.

Le second principe est celui de l'*hérédité des caractères acquis*, selon lequel un organisme peut transmettre ses modifications à ses descendants. Lamarck prétend que le long cou des girafes (de même que les longues pattes antérieures) se sont formés au fil de nombreuses générations, au cours desquelles ces animaux essayaient d'atteindre des feuilles toujours plus hautes. Lamarck croyait aussi que les organismes évoluent parce qu'ils ont la capacité innée de changer en devenant de plus en plus complexes; il invoquait la génération spontanée continuelle pour expliquer le fait qu'il existe toujours des formes simples (unicellulaires).

Darwin rejetait ces idées en faveur de la sélection naturelle, mais lui aussi croyait que la variation vient de la transmission héréditaire des caractères acquis. Cependant, notre compréhension moderne de la génétique réfute ce principe ; rien ne prouve que les caractères acquis puissent se transmettre **(figure 22.4)**. On aura beau couper la queue à des souris, et ce sur une période couvrant un grand nombre de générations, les petits qui naîtront auront toujours une queue !

Lamarck a fait l'objet de calomnies, particulièrement de la part de Cuvier, qui ne voulait rien entendre de l'évolution. Il faut aujourd'hui rendre à Lamarck les honneurs qui lui reviennent ; il a fait des observations perspicaces sur la nature et a compris que seuls des changements évolutifs graduels pouvaient expliquer ces observations.

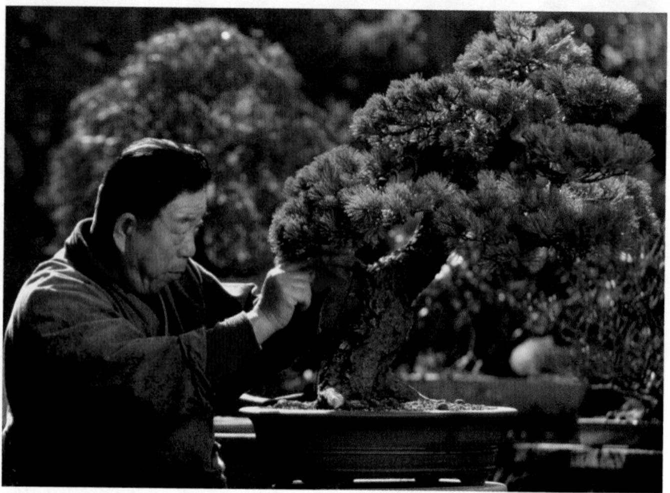

▲ **Figure 22.4 Les caractères acquis ne peuvent pas être héréditaires.** Ce bonsaï a acquis son style et sa taille naine grâce au travail d'un horticulteur expert. Cependant, les graines de cet arbre vont produire des rejetons ayant une taille et une forme normales.

Retour sur le concept 22.1

1. Parmi les scientifiques mentionnés dans la section, lesquels affirmaient que les espèces étaient immuables et lesquels croyaient plutôt qu'elles étaient capables de se modifier avec le temps ?
2. Quelle était la théorie de l'évolution de Lamarck ? Expliquez en quoi elle était erronée.

Voir les réponses proposées à la fin du chapitre.

Concept 22.2

Dans *De l'origine des espèces*, Darwin soutient que les espèces évoluent par sélection naturelle

À l'aube du XIXe siècle, la majorité croyait encore que les espèces étaient demeurées inchangées depuis leur création. Quelques nuages de doute jetaient de l'ombre sur la permanence des espèces, mais nul n'aurait pu prévoir la tempête qui se préparait à l'horizon.

Les travaux de Darwin

Charles Darwin (1809-1882) est né à Shrewsbury, dans l'ouest de l'Angleterre. Dès sa plus tendre enfance, il s'est passionné pour la nature. Il ne fermait ses livres d'histoire naturelle que pour pêcher, chasser et collectionner des Insectes. Son père, un médecin réputé qui jugeait la carrière de naturaliste sans avenir pour son fils de 16 ans, a fini par l'envoyer étudier la médecine à la University of Edinburgh. Cependant, le jeune Charles trouvait les études de médecine ennuyeuses et la chirurgie de l'époque, épouvantable (l'anesthésie n'existait pas encore). Il a donc quitté Édimbourg avant d'avoir obtenu son diplôme et s'est inscrit à la University of Cambridge dans l'intention de devenir pasteur. À cette époque, en Grande-Bretagne, la plupart des savants étaient des ecclésiastiques.

À Cambridge, Darwin est devenu le protégé du révérend John Henslow, professeur de botanique. Il a été reçu bachelier en 1831. Peu après, le professeur Henslow l'a recommandé au capitaine Robert Fitz-Roy, qui se préparait à faire le tour du monde en mission de reconnaissance cartographique à bord du navire *Beagle*. Fitz-Roy a choisi Darwin en raison de son éducation, et aussi parce qu'ils étaient tous deux de la même classe sociale et du même âge environ.

Le voyage du Beagle

Darwin n'avait que 22 ans lorsque le *Beagle* a levé l'ancre et quitté la Grande-Bretagne ; c'était en décembre 1831. L'expédition avait pour mission principale de tracer la cartographie des portions mal connues du littoral de l'Amérique du Sud. Le navire a ainsi contourné le continent et, pendant que l'équipage faisait des relevés, Darwin débarquait. Il se consacrait à l'observation et à la collecte de milliers de spécimens de Végétaux et d'Animaux. Durant ses excursions, il a pu voir les adaptations de Végétaux et d'Animaux peuplant des milieux aussi différents que la luxuriante jungle brésilienne, les vastes prairies de la pampa argentine, les contrées désolées de la Terre de Feu, près de l'Antarctique, ainsi que les sommets vertigineux de la cordillère des Andes.

Le naturaliste a constaté que les espèces végétales et animales vivant dans les régions tempérées de l'Amérique du Sud étaient plus proches des espèces issues des régions tropicales de ce continent que des espèces des régions tempérées d'Europe. En outre, il a remarqué que les fossiles qu'il avait découverts au cours de cette partie du voyage trahissaient indubitablement leur origine sud-américaine du fait de leur ressemblance avec les organismes de ce continent.

Darwin a également été impressionné par les observations géologiques qu'il a pu faire pendant son voyage. Entre ses accès de mal de mer, il a lu les *Principes de géologie* de Lyell à bord du *Beagle*. Il a même fait l'expérience d'un changement géologique lorsqu'un violent tremblement de terre a frappé la côte du Chili, ce qui lui a permis d'observer directement que le séisme avait haussé la côte de quelques mètres. Par ailleurs, en découvrant des fossiles d'organismes marins dans les hauteurs des Andes, Darwin a déduit que les roches contenant ces fossiles s'étaient retrouvées là-haut à la suite de plusieurs tremblements de terre semblables à celui qu'il venait d'observer. Ces observations confirmaient les propos de Lyell : les preuves physiques n'appuyaient pas l'idée selon laquelle la Terre était une entité stable vieille d'à peine quelques milliers d'années.

L'intérêt de Darwin pour la distribution géographique des espèces a été comblé par sa visite des Galápagos, archipel volcanique d'origine relativement récente situé au niveau de l'équateur, à environ 960 km à l'ouest du littoral sud-américain **(figure 22.5)**. Darwin s'est étonné des singularités de la faune des Galápagos. Parmi les Oiseaux qu'il a observés figurent divers types de géospizes (autrefois appelés *pinsons*); quoique semblables, ceux-ci semblaient former des espèces distinctes. Certaines d'entre elles étaient propres à une île, tandis que d'autres se retrouvent sur deux ou plusieurs îles rapprochées. Mais Darwin n'a saisi l'importance de ses observations qu'à son retour en Angleterre, en 1836, après avoir étudié en profondeur ses collections de spécimens. Il a alors compris que la plupart des espèces des Galápagos n'existaient nulle part ailleurs, même si elles ressemblaient à d'autres vivant sur le continent sud-américain. Il posait l'hypothèse que l'archipel avait été colonisé par des organismes qui s'étaient écartés du continent, puis qui s'étaient établis et diversifiés dans les îles. Les organismes qui pouvaient parcourir la grande distance séparant l'archipel du continent ne montraient pas, eux, une telle diversification.

L'adaptation, concept fondamental dans la pensée de Darwin

En réévaluant toutes les observations qu'il avait faites pendant son voyage à bord du *Beagle*, Darwin a commencé à comprendre que l'adaptation à l'environnement et la formation de nouvelles espèces constituent des processus étroitement liés. Une nouvelle espèce peut-elle émerger d'une forme ancestrale par suite d'une accumulation graduelle d'adaptations à un milieu différent? Bien des années après l'expédition, des biologistes ont réalisé des études et en sont arrivés à la conclusion que c'est précisément ce qui s'est produit dans le cas des géospizes des Galápagos. Leurs becs et leur comportement étaient adaptés aux aliments particuliers disponibles dans leur île respective **(figure 22.6)**. Darwin avait compris la nécessité d'expliquer le mécanisme de telles adaptations pour comprendre l'évolution.

Au début des années 1840, Darwin avait déjà formulé les points principaux de sa théorie de l'évolution au moyen de la sélection naturelle, mais il n'avait pas encore publié ses travaux. D'une santé chancelante, il sortait rarement de sa maison située près de Londres. Il n'était pas pour autant isolé: ses lettres et les spécimens qu'il avait envoyés en Grande-Bretagne pendant son voyage l'avaient déjà rendu célèbre, et il entretenait une correspondance assidue avec Lyell, Henslow et d'autres savants. Ceux-ci lui rendaient aussi visite.

En 1844, Darwin a enfin rédigé un long essai sur l'origine des espèces et la sélection naturelle. Il a hésité toutefois à le faire paraître, sans doute parce qu'il redoutait le scandale que sa théorie soulèverait. Il a demandé à son épouse, Emma Wedgewood, de publier l'ouvrage s'il mourait avant d'avoir terminé un traité plus approfondi. En attendant, repoussant l'échéance de jour en jour, il a continué d'accumuler les preuves étayant sa théorie. Lyell, qui n'avait pas encore adhéré à la théorie de l'évolution, l'exhortait malgré tout à publier sur le sujet avant qu'un autre savant en arrive aux mêmes conclusions que lui et lui dame le pion.

En juin 1858, les prédictions de Lyell se sont accomplies: Darwin a reçu une lettre signée par Alfred Wallace (1823-1913), un jeune naturaliste britannique qui travaillait dans les Indes orientales et qui avait conçu une théorie de la sélection naturelle semblable à la sienne. Wallace lui demandait d'évaluer son travail et de le faire parvenir à Lyell s'il méritait d'être publié. Darwin a obtempéré et a répondu à Lyell: « Vos prédictions se

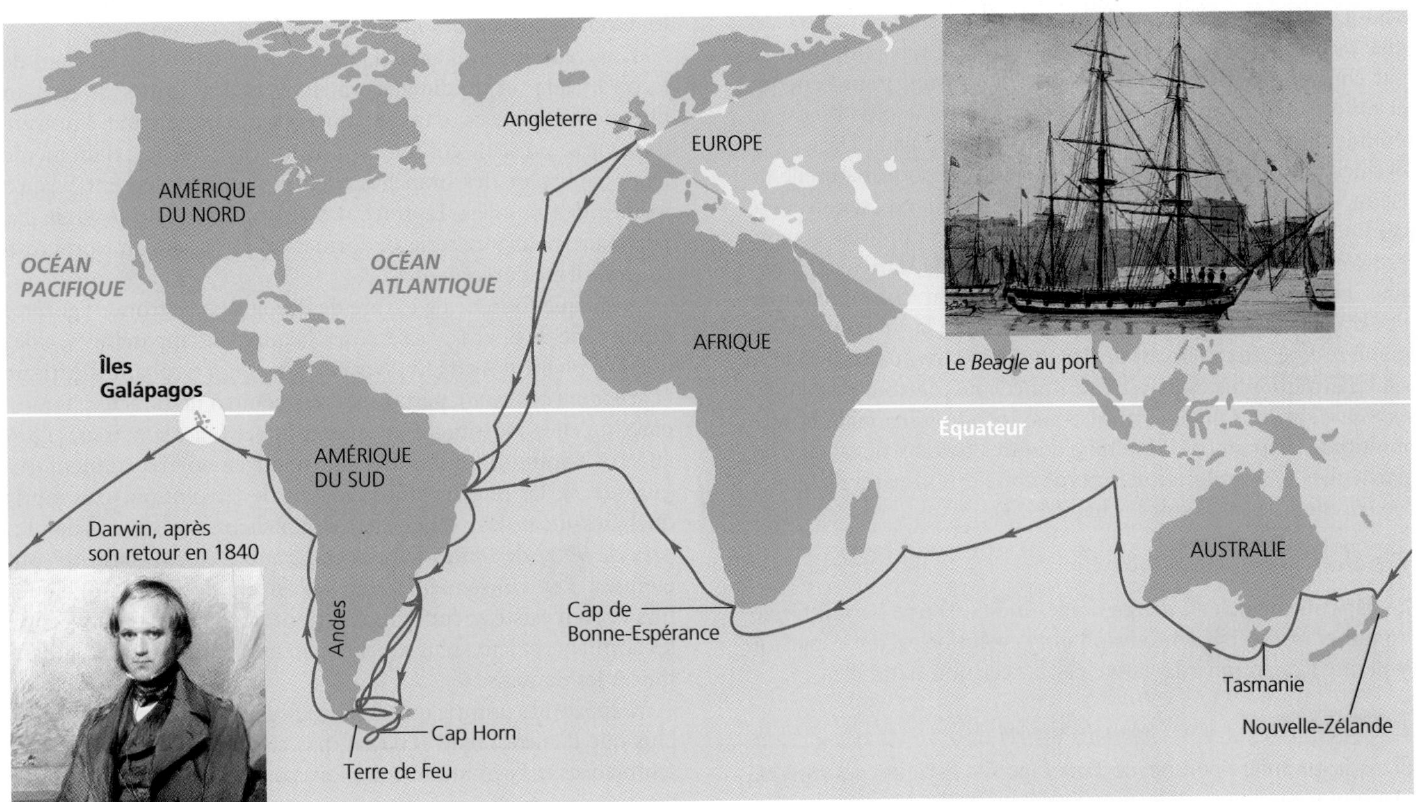

▲ **Figure 22.5 Voyage du *Beagle*.**

▶ Figure 22.6 Types de becs chez les géospizes des Galápagos. L'archipel des Galápagos abrite 14 espèces de géospizes étroitement apparentées, dont certaines ne se trouvent que sur une seule île. Les espèces se distinguent principalement par leur bec : celui-ci est adapté à des régimes alimentaires particuliers.

(a) Mangeur de cactus. Le bec effilé du géospize des cactus (*Geospiza scandens*) lui permet de déchirer les cactus afin d'en manger les fleurs et la pulpe.

(c) Granivore. Le géospize à gros bec (*Geospiza magnirostris*) possède un bec adapté au cassage des graines, lesquelles tombent des plantes et se retrouvent au sol.

(b) Insectivore. Le géospize olive (*Certhidea olivacea*) utilise son bec étroit et pointu pour attraper les insectes.

sont réalisées avec éclat. [...] Je n'ai jamais vu coïncidence plus frappante [...] Toute mon originalité, quelle qu'en soit l'importance, sera anéantie. » Le 1er juillet 1858, Lyell et l'un de ses collègues ont présenté le manuscrit de Wallace avec des extraits de l'essai inédit de Darwin (de 1844) à la Société linnéenne de Londres ; cette seule présentation n'eut pas beaucoup d'impact. Mais Darwin s'est empressé de mettre la dernière main à *De l'origine des espèces* et a publié l'ouvrage l'année suivante ; celui-ci, par contre, fut un succès de librairie foudroyant pour l'époque et on dit qu'il demeure l'ouvrage scientifique le plus vendu au monde. Bien que Wallace ait été prêt à publier avant Darwin, ce dernier a exposé et étayé la théorie de la sélection naturelle de façon tellement plus complète que c'est lui qui en est considéré comme le principal architecte. Cela aurait sans doute été accepté par Wallace, lui-même un grand admirateur de Darwin. Dix ans plus tard, la majorité des biologistes étaient convaincus par l'ouvrage de Darwin et par ses partisans que la diversité biologique résulte effectivement de l'évolution. Darwin a triomphé là où les évolutionnistes précédents ont échoué, surtout parce qu'il exposait son raisonnement avec une logique sans faille et une multitude de preuves. Il a publié d'autres travaux novateurs, en particulier une exploration du type de sélection naturelle appelée *sélection sexuelle* (voir le chapitre 23).

De l'origine des espèces

Le darwinisme défend deux grandes thèses. D'une part, il fonde l'unité et la diversité du vivant sur l'évolution ; d'autre part, il explique l'évolution adaptative par la sélection naturelle.

La descendance avec modification

Dans la première édition de l'ouvrage *De l'origine des espèces*, Darwin n'emploie pas le mot *évolution* avant le tout dernier paragraphe, lui préférant plutôt les termes **descendance avec modification**. Toute sa vision du monde se concentre dans cette expression. Selon lui, la vie se distingue par son unité, tous les organismes étant issus d'un prototype inconnu ayant vécu dans un passé très lointain. En se répandant dans les divers habitats au fil de millions d'années, les descendants de cet organisme primordial ont accumulé des modifications diverses, ou adaptations, les rendant aptes à des modes de vie particuliers.

Contrairement à Lamarck, pour qui les espèces évoluaient de façon linéaire et unidimensionnelle vers des formes de plus en plus perfectionnées, dans la conception darwinienne, l'histoire de la vie se présente comme un buisson ou un arbre : d'un même tronc jaillissent des branches multiples qui se divisent jusqu'à former des ramilles. Le tracé des ramifications ne produit pas nécessairement une série de formes représentant un « progrès » sur les formes précédentes.

À chaque fourche de l'arbre de l'évolution se trouve l'ancêtre d'une série de lignées. Les espèces étroitement apparentées, telles que l'éléphant d'Asie (*Elephas maximus*) et l'éléphant d'Afrique (*Loxodonta africana*), partagent énormément de caractéristiques, parce qu'elles constituent une même lignée (elles sont issues d'un ancêtre commun) qui a divergé relativement récemment **(figure 22.7)**. La plupart des branches de l'évolution, y compris quelques-unes des principales, débouchent sur un cul-de-sac : près de 99 % de toutes les espèces ayant vécu sur Terre se sont éteintes. Par conséquent, bien qu'on ait découvert quelques fossiles, il n'existe aucun Animal vivant qui comble l'espace entre les éléphants et leurs plus proches parents aujourd'hui, les lamantins et les damans.

Linné avait compris que certains organismes se ressemblaient plus que d'autres, mais il n'avait pas établi de lien entre ces ressemblances et l'évolution. Toutefois, comme il avait reconnu que l'immense variété des organismes peut être rangée en « groupes subordonnés aux groupes » (c'est l'expression de Darwin), sa

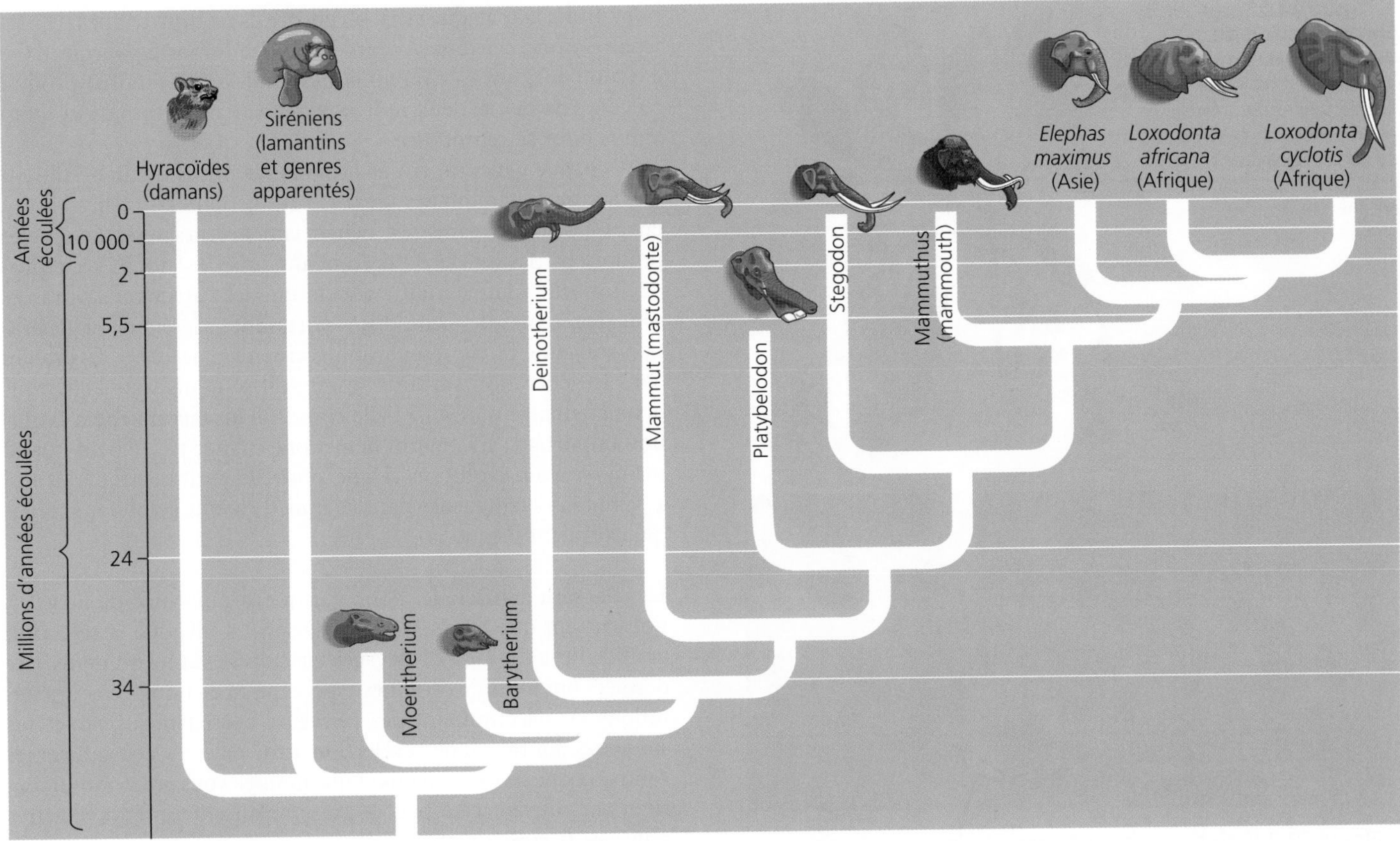

▲ **Figure 22.7 Descendance avec modification.** Cet arbre généalogique retrace l'évolution de la famille des Éléphantidés. Il se fonde principalement sur les fossiles : leur anatomie, leur ordre d'apparition selon la strate et leur distribution géographique. Remarquez que plusieurs branches se terminent par une extinction. Malgré leurs apparences très différentes, les lamantins et les damans sont aujourd'hui les plus proches parents vivants des éléphants. (L'axe du temps n'est pas à l'échelle.)

taxinomie concorde en grande partie avec la théorie darwinienne. La hiérarchie de Linné montre l'historique des ramifications de l'arbre généalogique de la vie : les organismes situés aux différents niveaux taxinomiques sont apparentés, car ils descendent d'ancêtres communs.

La sélection naturelle et l'adaptation

Quel est le mécanisme de la sélection naturelle, et comment celle-ci explique-t-elle l'adaptation ? Ernst Mayr, biologiste de l'évolution, a décomposé la théorie darwinienne de la sélection naturelle en cinq propositions desquelles découlent trois inférences* :

PROPOSITION 1 : Pour n'importe quelle espèce, l'effectif croîtrait de manière exponentielle si tous les descendants engendrés réussissaient à se reproduire **(figure 22.8)**.

PROPOSITION 2 : Cependant, en dehors des fluctuations saisonnières, la taille des populations reste généralement stable.

PROPOSITION 3 : Les ressources (espace et nourriture) sont limitées.

INFÉRENCE 1 : La présence d'un nombre d'individus trop élevé par rapport aux ressources du milieu entraîne une lutte pour l'existence entre les membres d'une population ; une fraction seulement des descendants survit à chaque génération.

PROPOSITION 4 : Les caractéristiques des individus d'une population varient énormément ; il n'existe pas deux individus parfaitement identiques **(figure 22.9)**.

PROPOSITION 5 : Les variations sont en grande partie héréditaires.

INFÉRENCE 2 : La survie dépend en partie des caractères héréditaires. Les individus dont la constitution héréditaire favorise leur survie et leur reproduction dans leur environnement sont les plus aptes ; ils produisent vraisemblablement plus de descendants que les autres.

INFÉRENCE 3 : Les individus n'ayant pas les mêmes aptitudes à la survie et à la reproduction, la population se modifie graduellement ; les caractères favorables s'accumulent au fil des générations.

* Adaptation d'après E. Mayr, *The Growth of Biological Thought : Diversity, Evolution and Inheritance*, Cambridge (Massachusetts), Harvard University Press, 1982. Selon *Le Nouveau Petit Robert*, une inférence est une opération logique par laquelle on admet une proposition en vertu de son lien avec d'autres propositions tenues pour vraies.

▶ **Figure 22.8 Surproduction de descendants.** Une seule branche d'érable porte des douzaines de graines ailées. Si tous les descendants de l'arbre survivaient, nous serions rapidement envahis par des forêts d'érables.

▲ **Figure 22.9 Variations chez une population.** La sélection naturelle peut influer sur la variation des couleurs et des taches chez ces coccinelles, dans la mesure où cette variation est héréditaire.

Darwin a établi des rapports importants entre la sélection naturelle, qui résulte de ce qu'il appelle la *lutte pour l'existence*, et la capacité des organismes à trop se reproduire. Les spécialistes estiment que le naturaliste a admis le principe de la lutte pour l'existence après avoir lu l'ouvrage écrit par Thomas Malthus, économiste anglais, en 1798 au sujet de la population humaine. Malthus y affirmait que la majorité des souffrances de l'humain – la maladie, la famine, l'itinérance et la guerre – découlent inéluctablement de sa tendance à croître plus rapidement que les aliments et les autres ressources. La capacité de se reproduire à l'excès semble caractériser toutes les espèces (voir la figure 22.8); Darwin avait lui-même calculé qu'un seul couple d'éléphants pourrait théoriquement donner naissance à près de 20 millions d'éléphanteaux en 750 ans. Cependant, sur le grand nombre d'œufs pondus, de jeunes mis au monde et de graines disséminées, une infime fraction seulement d'individus mènent à terme leur développement et se reproduisent à leur tour. Les autres sont dévorés par des prédateurs ou meurent pour d'autres raisons (le gel, l'absence de nourriture, la maladie, etc.), ou encore ils ne trouvent pas de partenaire ou ne peuvent se reproduire, peu importe pourquoi. On a estimé que, sur les cinq millions d'œufs qu'une morue produit au cours de sa vie, deux individus seulement vivront assez longtemps pour se reproduire.

À chaque génération, des facteurs environnementaux filtrent les variations héréditaires, de sorte que certaines de celles-ci sont favorisées. Les organismes bénéficiant de caractères favorables produisent davantage de descendants que les autres. La reproduction différentielle fait en sorte que les caractères favorables sont représentés de façon disproportionnée au sein de la génération suivante. La représentation accrue des caractères favorables dans la génération suivante se produit toujours, que l'environnement change ou non, et elle constitue un mécanisme d'évolution important; si l'environnement ne change pas, il peut quand même y avoir évolution si une nouvelle aptitude apparaît qui s'avère plus avantageuse dans ce milieu (même stable) que celles qui existaient jusque-là.

La sélection artificielle. Pour illustrer la puissance de la sélection en tant que force évolutive, Darwin a invoqué la **sélection artificielle**, c'est-à-dire l'élevage et la culture par les humains. Ces derniers ont modifié certaines espèces au fil de nombreuses générations en sélectionnant des géniteurs possédant les caractères souhaités. En raison de la sélection artificielle, les Végétaux et les Animaux que nous cultivons et que nous élevons pour nous nourrir n'ont souvent que peu de ressemblance avec leurs ancêtres sauvages **(figure 22.10)**. Et les produits de notre sélection artificielle montrent souvent aussi un vaste éventail de formes: on n'a qu'à penser aux différentes races de chiens que l'humain a créées.

Si la sélection artificielle engendre autant de changements en un laps de temps relativement court, se disait Darwin, alors ce

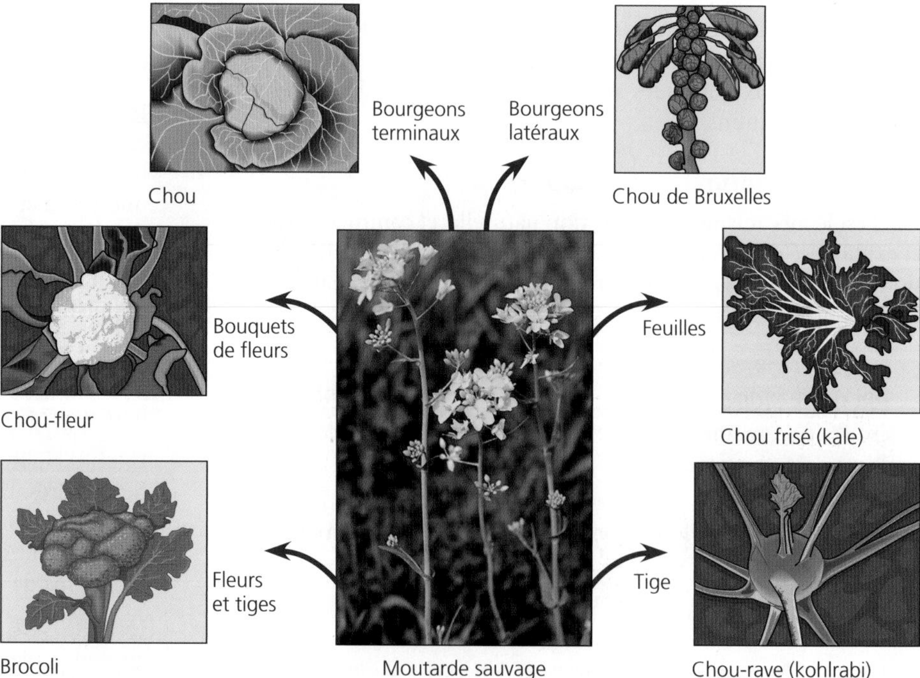

▲ **Figure 22.10 Sélection artificielle.** Ces légumes ont tous pour ancêtre commun la moutarde sauvage (*Brassica oleracea*). En accentuant artificiellement certains caractères de la plante d'origine, les producteurs ont obtenu ces résultats divergents.

qu'il appelait *sélection naturelle* devrait produire des modifications considérables sur une période couvrant des centaines ou des milliers de générations. Même si les bénéfices de certains caractères héréditaires sont ténus, les variations avantageuses vont s'accumuler dans la population après de nombreuses générations de sélection naturelle, alors que les variations moins favorables seront diminuées.

La sélection naturelle en résumé. On peut résumer ainsi les idées principales de Darwin:

- La sélection naturelle correspond au succès différentiel dans la reproduction. (Tous les individus n'ont pas les mêmes capacités de survie et de reproduction.) Ce succès repose sur une interaction entre le milieu et la variabilité propre aux organismes composant une population.
- Au fil du temps, la sélection naturelle augmente l'adaptation des populations à leur environnement **(figure 22.11)**.
- Si un environnement change au fil du temps, ou si des individus d'une espèce donnée se déplacent vers un environnement nouveau, la sélection naturelle peut aboutir à l'adaptation à ce nouveau milieu et, parfois, à l'apparition de nouvelles espèces.

Avant de poursuivre, il nous faut expliquer trois subtilités de la sélection naturelle. D'abord, la sélection naturelle met en jeu des interactions entre les individus et leur milieu, mais les *individus* eux-mêmes n'évoluent pas. La *population* représente la plus petite unité capable d'évolution. (Pour l'instant, nous définirons une population comme un groupe d'individus interféconds appartenant à une espèce donnée et occupant une même zone géographique.) L'évolution ne peut se mesurer qu'en fonction des changements observés dans les proportions des variations héréditaires au sein d'une population donnée et au cours de générations successives.

Ensuite, rappelons-nous que la sélection naturelle peut amplifier ou diminuer *seulement* les caractères héréditaires, c'est-à-dire les caractères transmis par les organismes à leur descendance. Bien qu'un organisme puisse se modifier à la suite de ses interactions avec le milieu au cours de sa vie, et que ses caractères acquis puissent favoriser son adaptation à son milieu, rien ne prouve que les caractères acquis pendant la vie se transmettent génétiquement à la descendance. Il faut donc faire la distinction entre les adaptations qu'un organisme développe au cours de son existence et les adaptations héréditaires qui s'accumulent graduellement dans une population, après de nombreuses générations, par sélection naturelle.

Enfin, il faut également souligner que les facteurs environnementaux varient d'un endroit à l'autre et d'une époque à l'autre. Un caractère favorable dans une situation particulière peut devenir inutile, voire nuisible, dans des circonstances différentes. La sélection naturelle est toujours à l'œuvre, mais les caractères qui s'avéreront favorables dépendent du milieu.

En somme, Darwin considérait que la vie évolue par une accumulation graduelle de changements minuscules. Il postulait que la sélection naturelle, opérant dans divers contextes et sur de longues périodes, peut rendre compte de toute la diversité de la vie.

(a) Mante de Malaisie (*Deroplatys lobata*), qui se confond avec une fleur.

(b) Mante d'Afrique (*Blepharopsis mendica*), qui prend l'aspect (forme et couleur) du rameau sur lequel elle s'est posée.

▲ **Figure 22.11 Le camouflage, exemple de l'évolution adaptative.** Les espèces apparentées de mantes ont diverses formes et couleurs, apparues en fonction de leur évolution dans des environnements variés.

Retour sur le concept 22.2

1. Décrivez comment les concepts suivants s'insèrent dans la théorie de Darwin sur l'évolution par sélection naturelle: reproduction différentielle d'une population, ressources limitées et variations héréditaires.
2. Expliquez pourquoi un organisme n'évolue pas individuellement.

Voir les réponses proposées à la fin du chapitre.

Concept 22.3

La théorie de Darwin explique un large éventail d'observations

La recherche scientifique cherche les causes *naturelles* de phénomènes naturels (voir le chapitre 1). Si l'évolution est le fil conducteur en biologie, c'est parce qu'elle fournit une explication naturelle à une foule de données très diverses de ce domaine. Et, comme toutes les théories scientifiques générales, la théorie de l'évolution de Darwin est mise à l'épreuve chaque fois que la recherche rend compte de nouvelles observations ou qu'elle produit de nouveaux résultats, et plus particulièrement chaque fois que des scientifiques peuvent étudier la sélection naturelle à l'œuvre.

La sélection naturelle à l'œuvre

Examinons deux exemples qui montrent que la sélection naturelle est le mécanisme de l'évolution des populations.

La prédation différentielle et les populations de guppys

Les guppys (*Pœcilia reticulata*) sont de petits poissons d'eau douce que l'on trouve dans bon nombre d'aquariums domestiques. Pendant plusieurs années, David Reznick, de la University of California à Riverside, et John Endler, de la University of California à Santa Barbara, ont étudié les différences entre des populations de guppys qui vivent dans le fleuve Aripo et ses affluents à la Trinité, île des Petites Antilles. Reznick et Endler ont observé des différences entre certains paramètres biologiques, notamment la grosseur et l'âge moyens des guppys au moment où ils atteignent la maturité sexuelle et commencent à se reproduire. Les chercheurs ont pu établir une corrélation entre quelques variations des paramètres biologiques et les types de prédateurs vivant dans les différents bassins. Dans certains de ceux-ci, le prédateur principal est un petit poisson, une espèce d'épiplatys, qui s'attaque aux petits et aux jeunes guppys. Ailleurs, un prédateur plus gros, de la famille des Cichlidés, se nourrit surtout de guppys relativement gros et sexuellement matures. Les guppys des populations exposées à ce prédateur se reproduisent plus jeunes et sont, en moyenne, plus petits à maturité que les guppys qui cohabitent avec des épiplatys.

Bien qu'il semble exister une corrélation avec le type de prédateur, elle ne constitue pas nécessairement une relation de cause à effet. Pour vérifier si les différences observées sont attribuables à la sélection naturelle, Reznick et Endler ont prélevé des guppys dans des bassins peuplés de Cichlidés et les ont introduits dans des bassins habités par des épiplatys mais dépourvus de guppys (**figure 22.12**). Ensuite, durant 11 ans, ils ont comparé la grosseur et l'âge moyens des populations transplantées avec ceux des populations restées dans les bassins de Cichlidés. Au bout de cette période, soit de 30 à 60 générations de poissons plus tard, la masse moyenne des guppys transplantés ayant atteint la maturité sexuelle avait augmenté d'environ 14 % comparativement à celle des guppys non transplantés. L'âge moyen à maturité avait aussi augmenté. Ces résultats appuient l'hypothèse selon laquelle la sélection naturelle est à l'origine de cette différence entre les populations de guppys. Conclusion : lorsque les prédateurs que sont les Cichlidés s'attaquent principalement aux guppys adultes, reproducteurs, ceux-ci ont peu de chances de survivre assez longtemps pour se reproduire plusieurs fois. Dans ces conditions, les individus atteignant la maturité jeunes et petits, et produisant au moins une génération avant d'atteindre la grosseur que leurs prédateurs préfèrent, se reproduisent davantage. En revanche, dans les bassins d'épiplatys, les guppys qui survivent à la prédation alors qu'ils sont jeunes peuvent croître lentement et produire encore plusieurs générations de petits. Les travaux de Reznick et Endler font partie des nombreux cas probants d'évolution en milieu naturel sur des périodes de temps relativement courtes.

Figure 22.12

Investigation La prédation sélective peut-elle influer sur l'évolution des populations de guppys ?

EXPÉRIENCE Reznick et Endler ont prélevé des guppys dans des bassins peuplés de Cichlidés et les ont introduits dans des bassins habités par des épiplatys mais dépourvus de guppys. Ensuite, durant 11 ans (l'équivalent de 30 à 60 générations), ils ont comparé la grosseur et l'âge moyens des populations transplantées avec ceux des populations restées dans les bassins habités par des Cichlidés.

Bassin peuplé d'épiplatys mais dépourvu de guppys avant la transplantation

Transplantation expérimentale de guppys

Prédateur : épiplatys ; s'attaque principalement aux petits guppys.

Guppys : plus grands au moment d'atteindre la maturité sexuelle que les sujets vivant dans les bassins peuplés de Cichlidés

Prédateur : Cichlidé ; s'attaque principalement aux gros guppys.

Guppys : plus petits au moment d'atteindre la maturité sexuelle que les sujets vivant dans les bassins peuplés d'épiplatys

RÉSULTATS Au bout de 11 ans, la masse moyenne des guppys transplantés ayant atteint la maturité sexuelle a augmenté d'environ 14 % comparativement à celle des guppys non transplantés. L'âge moyen à maturité a aussi augmenté.

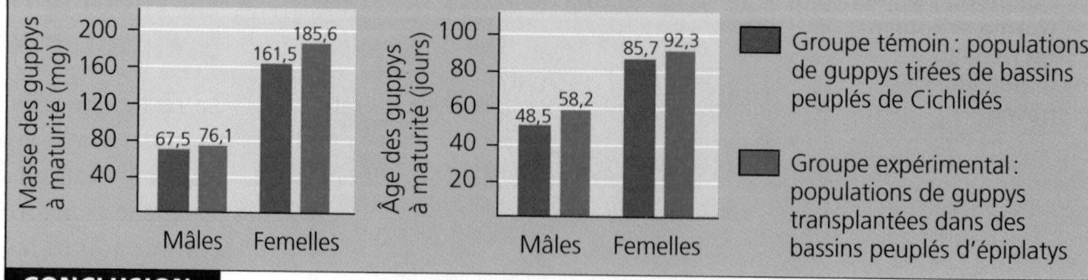

CONCLUSION Reznick et Endler ont conclu que le changement de prédateur avait fait en sorte que certaines variations dans la population (masse et âge supérieurs à maturité) devenaient favorisées. Sur une courte période de temps, la prédation différentielle aboutit à un changement évolutif observable dans la population.

L'évolution du VIH vers des formes pharmacorésistantes

Parmi les exemples les plus inquiétants de la sélection naturelle et les plus proches de notre vie de tous les jours, on peut donner celui de l'évolution des agents pathogènes pharmacorésistants. C'est un problème important chez les Bactéries et les Virus qui se reproduisent rapidement, car une variation qui rend certains individus résistants à un médicament en particulier peut augmenter en fréquence très rapidement au sein de la population.

Prenons le cas du virus de l'immunodéficience humaine (VIH), qui provoque le sida (voir les chapitres 18 et 43). Les chercheurs ont mis au point de nombreux médicaments pour lutter contre cet agent pathogène, mais l'utilisation de ces médicaments a un effet sélectif sur les virus résistants. Quelques rares virus pharmacorésistants peuvent être présents au début du traitement. Ceux parmi eux qui survivent aux premières doses transmettent à leur descendance ces mêmes gènes qui leur permettent de résister au médicament, ce qui augmente rapidement le nombre de virus résistants. La **figure 22.13** illustre l'évolution de la résistance du VIH au médicament 3TC.

Les scientifiques ont élaboré le 3TC (3-thio-cytidine ou lamivudine) dans le but de gêner le processus appliqué par la transcriptase inverse, l'enzyme utilisée par le VIH pour convertir son génome à ARN en ADN qui s'insère par la suite dans l'ADN de la cellule hôte humaine (voir la figure 18.10). Comme la molécule de 3TC ressemble assez au nucléotide C (cytosine) de l'ADN, la transcriptase inverse du VIH la prend, elle, au lieu d'un nucléotide C, et l'introduit dans la chaîne de l'ADN en formation. Cette erreur met fin à l'élongation de l'ADN et interrompt donc la réplication du VIH.

La souche de VIH résistante au 3TC possède une version légèrement différente de la transcriptase inverse et est capable de distinguer entre la molécule de médicament et le nucléotide C normal. Les virus qui héritent de ces gènes sont désavantagés dans un milieu duquel le 3TC est absent ; en effet, leur ARN se réplique plus lentement que celui de la variété plus courante de VIH. Cependant, une fois qu'elles sont introduites dans le milieu où les deux sortes de virus évoluent, des molécules de 3TC constituent une force puissante qui influe sur la sélection naturelle et favorise la réplication des spécimens résistants.

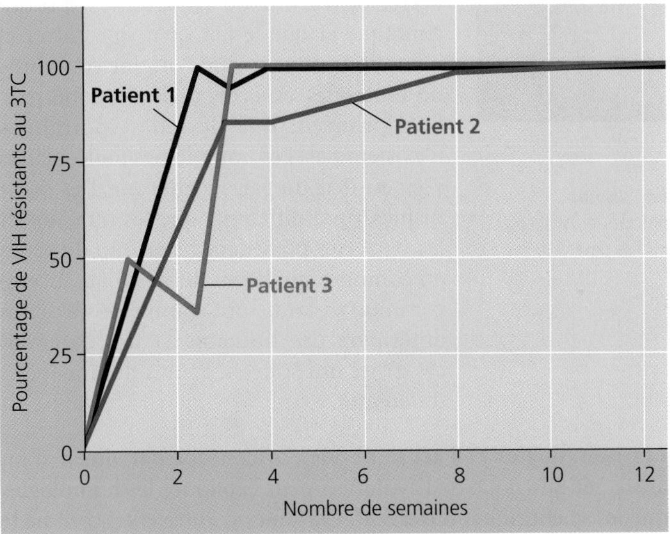

▲ **Figure 22.13 Évolution de la pharmacorésistance chez le VIH.** Les rares virus pharmacorésistants se multiplient rapidement chez les patients traités avec l'anti-VIH 3TC. Après quelques semaines seulement, les souches résistantes à la molécule de 3TC composent jusqu'à 100 % de la population de virus présente dans l'organisme.

Ces exemples illustrent bien deux points clés de la sélection naturelle. Tout d'abord, la sélection naturelle est un processus de transformation graduelle et non de création. Ainsi, un médicament ne provoque pas la *création* d'agents pathogènes résistants ; il opère une *sélection* des agents résistants déjà présents dans la population visée. Ensuite, la sélection naturelle est tributaire du temps et de l'espace. Dans une population génétiquement variable, elle favorise les caractères qui permettent la meilleure adaptation au milieu immédiat. Un caractère favorable dans une situation particulière peut devenir inutile, voire nuisible, dans des circonstances différentes. Dans notre exemple des guppys, les individus qui étaient jeunes et petits à maturité étaient avantagés dans un bassin de Cichlidés, mais désavantagés dans un bassin d'épiplatys.

L'homologie, la biogéographie et les archives géologiques

Les deux exemples que nous venons de mentionner sont des cas d'évolution par sélection naturelle qui surviennent assez rapidement pour être observés directement. Dans les domaines de l'anatomie, de l'embryologie, de la biologie moléculaire, de la biogéographie et de la paléontologie, les nouvelles découvertes confirment la vision darwinienne de la vie.

L'homologie

Le concept darwinien de « descendance avec modification » peut expliquer pourquoi certains caractères d'espèces apparentées présentent des similarités sous-jacentes même s'ils ont parfois des fonctions très différentes. La ressemblance de caractères résultant d'ancêtres communs est appelée **homologie**.

Les homologies anatomiques. L'anatomie comparée, qui consiste à analyser en parallèle les structures corporelles de diverses espèces, permet de confirmer que l'évolution est un processus de remodelage. Les membres antérieurs de l'humain, du chat, de la baleine, de la chauve-souris et de tous les autres Mammifères se composent des mêmes éléments osseux depuis l'épaule jusqu'au bout des doigts, quoique ces appendices remplissent des fonctions fort différentes – soulever, marcher, nager et voler **(figure 22.14)**. Ces similarités anatomiques étonnantes n'existeraient pas si ces structures étaient apparues individuellement dans chaque espèce. On parle, dans ce cas, de **structures homologues**, qui sont autant de variations fonctionnelles sur un même thème structural présent chez l'ancêtre commun.

L'embryologie comparative, qui consiste à comparer les premiers stades du développement animal, révèle des homologies anatomiques qui ne sont pas visibles chez les organismes adultes. Par exemple, à certains stades de leur développement, tous les embryons des Vertébrés ont une queue derrière l'anus ainsi que des structures appelées **sacs branchiaux** dans la région de la gorge **(figure 22.15)**. Ces structures se développent en des éléments homologues ayant des fonctions extrêmement différentes : par exemple, les sacs branchiaux se transforment en branchies chez les Poissons, et en parties auditives et gutturales chez l'humain et d'autres Mammifères.

indépendante de celle des autres Vertébrés. L'appendice chez l'humain, le coccyx, de même que la présence d'os inutiles chez la baleine (ils sont destinés à l'articulation des membres postérieurs inexistants), sont d'autres exemples d'organes vestigiaux.

Comme elle peut seulement modifier les structures et les fonctions existantes, et non en créer de toutes pièces, l'évolution produit parfois des résultats imparfaits. Ainsi, la rotule et la colonne vertébrale de l'humain proviennent de structures ancestrales convenant à des Mammifères tétrapodes (du grec *tetra*, « quatre », et *pode*, « pied »). Dans les dernières années de leur vie, presque tous les humains auront des problèmes de genoux ou de dos. Si ceux-ci avaient pris forme de manière à soutenir expressément la posture bipède, ils seraient moins susceptibles de se blesser. Le remodelage anatomique qui a accompagné la démarche des bipèdes s'est opéré dans les contraintes de l'histoire de l'évolution.

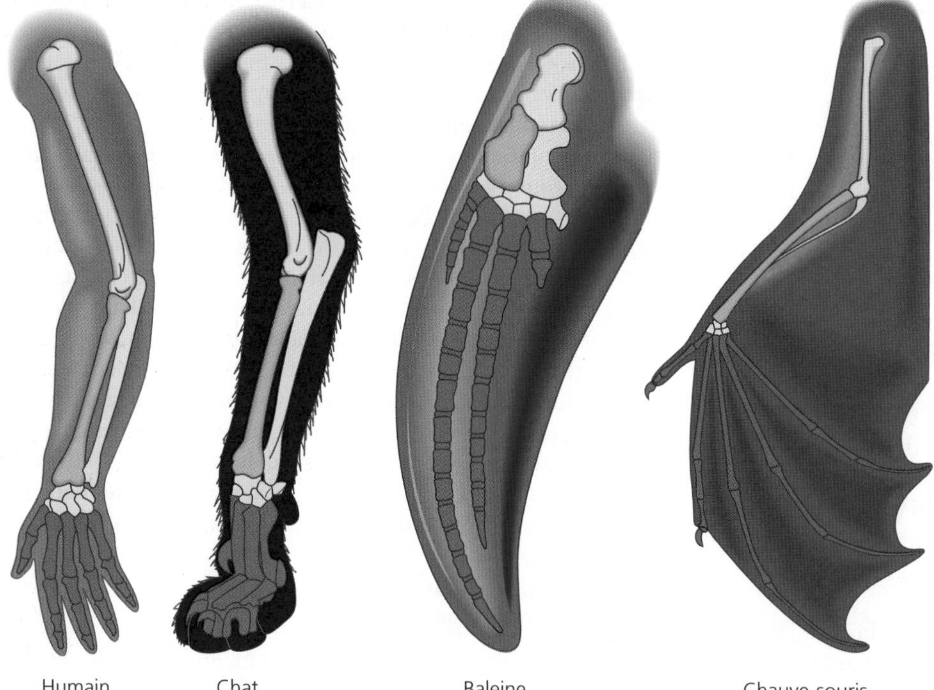

▲ **Figure 22.14 Structures homologues des membres antérieurs des Mammifères.** Bien qu'ils se soient adaptés pour des fonctions différentes, les membres antérieurs de tous les Mammifères comprennent les mêmes éléments osseux : un os volumineux (en gris), attaché à deux os plus petits (en orangé foncé et clair), eux-mêmes attachés à plusieurs petits os (en jaune), à leur tour attachés à environ cinq doigts ou phalanges (en brun).

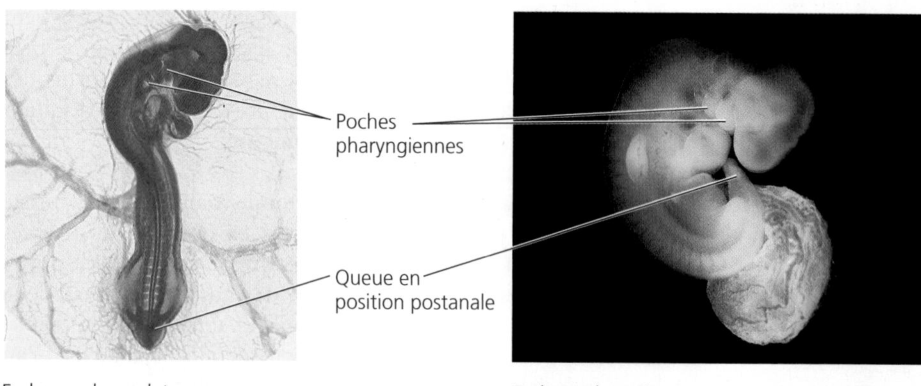

▲ **Figure 22.15 Similitudes anatomiques chez les embryons de Vertébrés.** À un certain stade de leur développement embryonnaire, tous les Vertébrés présentent une queue localisée à la partie postérieure de l'anus ainsi que des poches pharyngiennes. De telles similitudes peuvent s'expliquer par le fait qu'ils possèdent un ancêtre commun.

Parmi les structures homologues les plus singulières figurent les **organes vestigiaux** (structures atrophiées ayant une utilité secondaire ou nulle). Ceux-ci représentent des témoignages historiques de structures qui remplissaient des fonctions importantes chez les ancêtres des organismes qui les portent. Par exemple, le squelette de certains serpents a gardé des vestiges des os du bassin et des pattes de certains de leurs ancêtres marcheurs. Étant donné que la présence de pattes constitue une contrainte pour ces Reptiles, la sélection naturelle a favorisé les ancêtres ayant des pattes de plus en plus courtes. On ne pourrait s'attendre à ce que les serpents aient de telles structures s'ils avaient eu une origine indépendante de celle des autres Vertébrés.

Les homologies moléculaires. Les biologistes observent aussi des similarités moléculaires entre les organismes. Toutes les formes de vie font appel aux mêmes modalités de codage de l'information génétique (ADN et ARN) : un même acide aminé est associé à un triplet de bases azotées donné chez tous les vivants. Le code génétique est en quelque sorte universel (voir le chapitre 17, p. 340-343). Comme tous les organismes le partagent, il est probable que toutes les espèces descendent d'un ancêtre commun. On pourrait objecter que le code est universel en raison de contraintes d'ordre chimique et que le fait qu'il soit universel n'implique donc pas une origine commune de toutes les espèces, mais de nombreux faits prouvent que de telles contraintes n'existent pas. Les homologies moléculaires vont au-delà du partage du code. Des organismes aussi différents que les humains et les Bactéries possèdent beaucoup de gènes en commun qu'ils ont hérités d'un ancêtre commun distant. Tout comme les membres antérieurs des humains et des baleines, ces gènes ont souvent acquis des fonctions différentes.

Les homologies et l'arbre de vie. Le concept darwinien d'un arbre généalogique de l'évolution peut expliquer les homologies que les scientifiques observent. Certaines d'entre elles, comme le code génétique, sont partagées par toutes les formes de vie, car elles appartiennent à un passé ancestral lointain, mais commun. En revanche, les homologies qui sont le fruit d'une évolution plus récente ne sont partagées que par des ramifications secondaires de l'arbre de la vie. Par exemple, tous les Tétrapodes, branche des Vertébrés groupant la plupart des Amphibiens, les Reptiles, les Oiseaux et les Mammifères, ont la même structure de membre à cinq doigts (celle de certains Mammifères est illustrée à la figure 22.14). Les homologies forment donc une configuration ramifiée : tous les êtres vivants partagent un tronc commun de caractéristiques lointaines ; la succession de nouveaux embranchements a permis l'ajout de nouvelles homologies, qui ont contribué à caractériser des groupes de rang supérieur, et ainsi de suite. Cette configuration hiérarchique correspond exactement au modèle de l'ascendance commune.

Les similarités anatomiques entre les espèces sont généralement visibles dans leur constitution moléculaire, c'est-à-dire dans leurs gènes (ADN) et dans les produits géniques (protéines). La **figure 22.16** compare l'ordre d'enchaînement des acides aminés de l'hémoglobine humaine – une protéine du sang qui assure le transport du dioxygène – avec celui de l'hémoglobine d'autres Vertébrés. Sur le plan de l'évolution, les données indiquent les mêmes relations que celles qui sont obtenues lorsqu'on compare d'autres protéines. D'après la vision darwinienne de l'évolution à partir d'un ancêtre commun, il ne pourrait en être autrement.

La biogéographie

C'est son observation de la répartition géographique des espèces, soit la **biogéographie**, qui a amené Darwin à imaginer sa théorie de l'évolution. Les espèces étroitement apparentées ont tendance à se trouver dans la même région, tandis que les mêmes niches écologiques de régions distantes sont occupées par des espèces très différentes (bien que parfois très semblables en apparence). Par exemple, l'Australie abrite un groupe de Mammifères, les Marsupiaux, qui se distingue d'un autre groupe de Mammifères, les Placentaires, qui se trouve ailleurs sur la Terre. (Le développement embryonnaire des Placentaires se déroule entièrement dans l'utérus, tandis que celui des Marsupiaux commence dans l'utérus, puis se poursuit dans une poche ventrale.) Il est vrai que certains Marsupiaux australiens ressemblent à des Mammifères placentaires habitant d'autres continents : ils présentent des adaptations semblables. Ainsi, le phalanger du sucre (*Petaurus breviceps*), Marsupial arboricole, ressemble en apparence à l'écureuil volant (*Glaucomys volans*), un Placentaire qui saute d'un arbre à l'autre dans les forêts d'Amérique du Nord **(figure 22.17)**. Cependant, le phalanger a tous les caractères du Marsupial, et il est beaucoup plus proche des kangourous et d'autres Marsupiaux australiens que des écureuils volants, voire de tout autre Mammifère placentaire, issus d'un autre continent.

Encore une fois, la théorie de Darwin est éclairante. Ces deux Mammifères se sont adaptés de la même manière à un même mode de vie, mais ils ont évolué indépendamment, à partir d'ancêtres différents. Le phalanger appartient au groupe des Marsupiaux non pas parce qu'il faut être un Marsupial pour planer d'un arbre à l'autre, mais simplement parce que ses ancêtres étaient des Marsupiaux. La faune unique d'Australie s'est diversifiée une fois que cette île-continent a été isolée des grandes masses terrestres sur lesquelles les Mammifères placentaires se sont diversifiés.

La ressemblance fonctionnelle entre les phalangers du sucre et les écureuils volants n'est pas homologue ; elle constitue plutôt un exemple de ce que les biologistes appellent l'*évolution convergente*. Deux espèces de lignées différentes peuvent finir par se ressembler du fait qu'elles occupent un environnement semblable ou qu'elles jouent un rôle similaire (nous y reviendrons au chapitre 25).

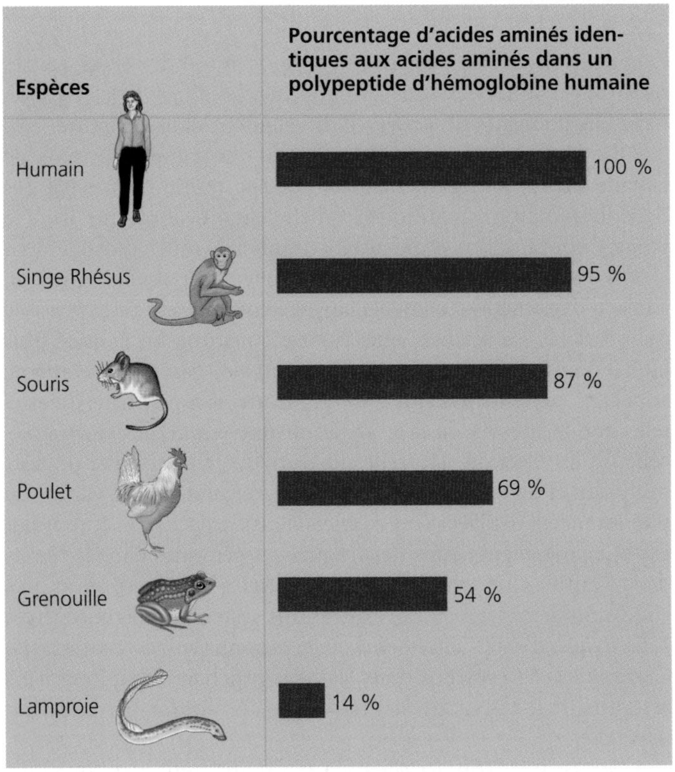

Espèces	Pourcentage d'acides aminés identiques aux acides aminés dans un polypeptide d'hémoglobine humaine
Humain	100 %
Singe Rhésus	95 %
Souris	87 %
Poulet	69 %
Grenouille	54 %
Lamproie	14 %

▲ **Figure 22.16 Comparaison d'une protéine présente chez plusieurs Vertébrés.**

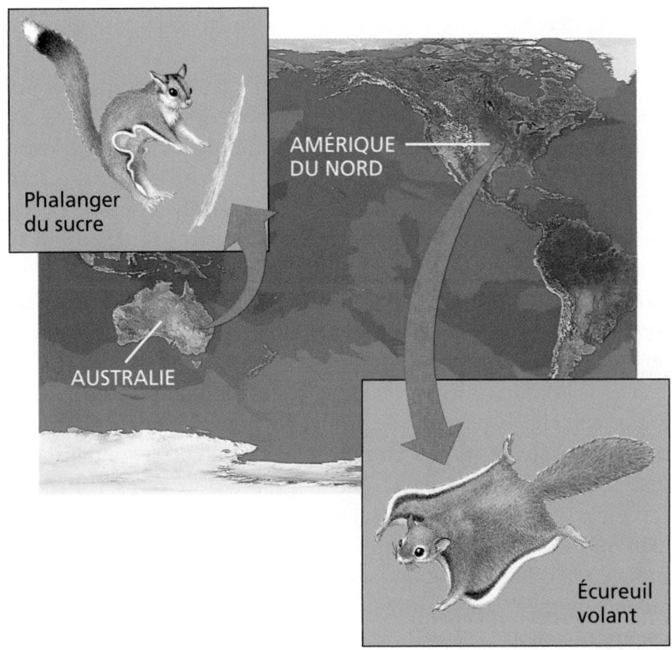

▲ **Figure 22.17 Des régions éloignées, des Mammifères de nature différente.** Le phalanger du sucre (*Petaurus breviceps*) est un exemple de la diversité des Marsupiaux ayant évolué dans l'isolement du continent australien. Il ressemble à l'écureuil volant (*Glaucomys volans*), Mammifère placentaire d'Amérique du Nord. La capacité de planer est le résultat d'une évolution indépendante pour ces deux cousins éloignés.

Il n'est guère étonnant que les expériences de Darwin aux îles Galápagos aient été si déterminantes pour l'élaboration de sa théorie, car les îles sont des environnements particulièrement précieux en tant que sources de preuves biogéographiques de l'évolution. Elles comptent généralement de nombreuses espèces de Végétaux et d'Animaux **endémiques**, c'est-à-dire qui n'existent nulle part ailleurs dans le monde. Et pourtant, comme l'a constaté Darwin quand il a réévalué ses spécimens prélevés pendant l'expédition du *Beagle*, la plupart des espèces insulaires entretiennent des liens de parenté étroits avec les espèces des îles voisines ou du continent le plus proche. C'est pourquoi deux îles comportant des environnements semblables, mais situées dans des régions différentes du globe, peuvent être peuplées non pas par des espèces étroitement apparentées, mais par des espèces affiliées sur le plan taxinomique aux Végétaux et aux Animaux du continent le plus proche, où l'environnement est souvent très différent.

Les archipels présentent des caractéristiques particulièrement intéressantes sur le plan de la biogéographie. Si elle gagne une île et s'y adapte bien, une espèce qui se propage à partir du continent pourra donner naissance à toute une gamme de nouvelles espèces, dont les populations se diffuseront dans d'autres îles de l'archipel. Nous avons déjà donné l'exemple des géospizes des Galápagos (voir les figures 1.23 et 22.6).

Les archives géologiques

La succession des formes fossiles correspond aux principaux embranchements de l'arbre de la vie qu'on a établis en se fondant sur diverses preuves. Par exemple, d'après la biochimie, la biologie moléculaire et la microbiologie, les Procaryotes sont les ancêtres de tous les êtres vivants; ils devraient donc commencer à se retrouver dans des couches géologiques plus vieilles que celles dans lesquelles on a retrouvé les plus anciens fossiles d'organismes eucaryotes. De fait, les plus anciens fossiles connus sont des Procaryotes (voir le chapitre 26).

Selon la vision darwinienne de la vie, les transitions survenues au cours de l'évolution doivent laisser des preuves dans les archives géologiques. En effet, les paléontologues ont découvert des fossiles qui représentent de nombreuses formes transitoires: ils relient des organismes encore plus anciens à des espèces modernes. Par exemple, des chercheurs ont trouvé des preuves fossiles que les Oiseaux descendent d'une même branche de Dinosaures; ils ont aussi découvert des fossiles de baleines qui font le lien entre ces Mammifères aquatiques et leurs ancêtres terrestres **(figure 22.18)**.

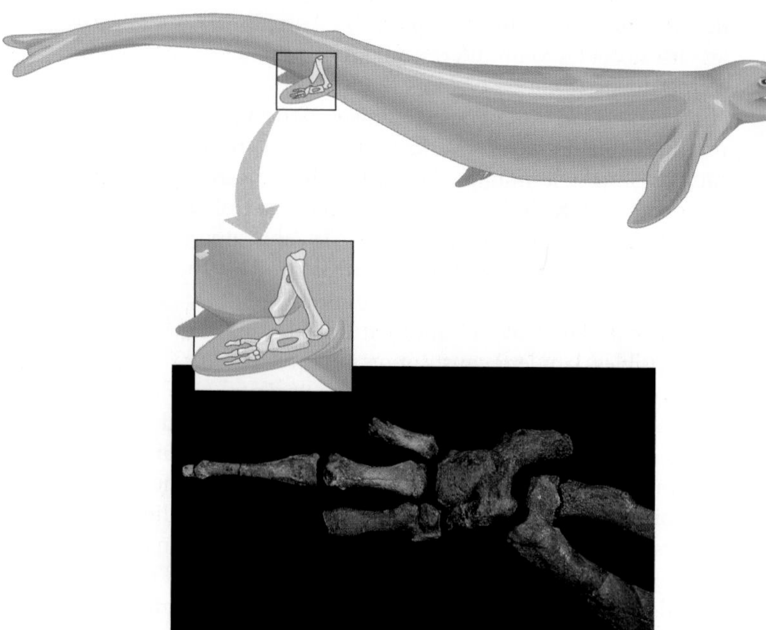

▲ **Figure 22.18 Fossile transitionnel liant passé et présent.** Soutenir l'hypothèse que les baleines descendent d'ancêtres terrestres (évoluant sur la terre ferme), c'est poser l'existence d'une créature à quatre membres dans l'arbre généalogique de ces Cétacés. Des paléontologues se livrant à des fouilles en Égypte et au Pakistan ont réussi à mettre au jour des fossiles de baleines d'une espèce aujourd'hui disparue, qui possédait des membres postérieurs. Voici les os fossilisés d'une patte de *Basilosaurus*, l'une de ces anciennes baleines. D'autres fossiles de baleines ont été découverts, qui comportaient des membres antérieurs plus petits ou plus gros, et toutes ces baleines étaient apparentées à des animaux encore plus anciens qui partageaient leur temps entre la terre et l'eau.

La vision darwinienne de la vie reste dominante dans la biologie, car elle explique une foule de preuves indépendantes: homologies anatomiques et moléculaires qui correspondent à la distribution dans l'espace (biogéographie) et dans le temps (archives géologiques). La sélection naturelle peut également expliquer comment des adaptations semblables peuvent évoluer indépendamment l'une de l'autre dans des espèces qui ne sont pas étroitement apparentées, comme le phalanger du sucre et l'écureuil volant.

Quels sont les éléments purement théoriques dans la vision darwinienne du vivant?

Certains rejettent le darwinisme en prétendant qu'il ne s'agit que d'« une simple théorie ». Pourtant, nous avons pu constater que l'explication de Darwin permet de comprendre d'immenses quantités de données, sans compter que les effets de la sélection naturelle peuvent être observés directement dans la nature.

Que reste-t-il alors de proprement théorique à propos de l'évolution? Il faut garder en tête que le terme *théorie* n'a pas dans le domaine scientifique la même signification que dans le langage courant. Dans son emploi familier, le mot a sensiblement le sens que les scientifiques attribuent au terme *hypothèse* ; quelque chose d'hypothétique, dans le langage courant, est aussi possible qu'incertain. En science, une théorie constitue un énoncé plus global qu'une hypothèse et se fonde sur des bases solides même si elle ne prétend pas offrir de certitude absolue. Une théorie, telle que la théorie de la gravitation universelle de Newton ou celle de la sélection naturelle de Darwin, rend compte de faits multiples et tente d'expliquer et d'intégrer une grande variété de phénomènes: déplacement d'objets dans l'espace dans le premier cas et changements dans des fréquences géniques dans le temps dans l'autre. Une telle théorie unificatrice n'est reconnue qu'à condition de résister à des vérifications systématiques et répétées sous forme d'expériences et d'observations (voir le chapitre 1). Comme nous le verrons dans les trois prochains chapitres, c'est assurément le cas pour la théorie de l'évolution par sélection naturelle.

Quoi qu'il en soit, les scientifiques demeurent sceptiques sur les théories qu'ils vérifient, ce qui les empêche d'ériger celles-ci en dogmes. Par exemple, de nombreux biologistes de l'évolution se demandent aujourd'hui si la sélection naturelle suffit à elle seule à expliquer les modifications dont font état les archives géologiques. Un peu plus loin dans la présente partie, nous examinerons d'autres facteurs qui ont joué un rôle important, surtout dans l'évolution des gènes et des protéines. L'étude de l'évolution est plus vivante que jamais, car les scientifiques trouvent de plus en plus de moyens de vérifier les prédictions darwiniennes.

Darwin a procuré à la biologie une base scientifique solide en attribuant la diversité du vivant à des causes naturelles. Malgré tout, la variété et l'harmonie des produits de l'évolution ne cessent de nous émerveiller. Comme l'indique Darwin dans le paragraphe de conclusion de son ouvrage *De l'origine des espèces*: « Il y a de la grandeur dans cette vision de la vie. »

Retour sur le concept 22.3

1. Expliquez pourquoi l'énoncé suivant est inexact: « Les médicaments pour traiter le VIH ont créé une pharmacorésistance chez le virus. »
2. Comment la théorie de Darwin explique-t-elle que les membres antérieurs de certains Mammifères soient similaires mais aient des fonctions différentes (figure 22.14) et que les modes de vie de deux cousins mammifères éloignés soient similaires (figure 22.17)?
3. Expliquez comment les archives géologiques peuvent servir à vérifier certaines prédictions de la théorie de l'évolution.

Voir les réponses proposées à la fin du chapitre.

Révision du chapitre 22

RÉSUMÉ DES CONCEPTS CLÉS

Concept 22.1

La théorie de Darwin a révolutionné l'idée voulant que la Terre soit jeune et peuplée d'espèces immuables

- **Le rejet des grands principes de l'évolution (p. 475-477).** La théorie de Darwin selon laquelle la sélection naturelle entraîne des changements au cours de l'évolution s'écartait radicalement des idées religieuses et philosophiques dominantes de l'époque.
- **Les théories du gradualisme (p. 477).** Les géologues Hutton et Lyell ont compris que les changements survenus à la surface de la Terre peuvent résulter d'actions continuelles et lentes qui sont toujours à l'œuvre aujourd'hui.
- **La théorie de l'évolution de Lamarck (p. 477-478).** Lamarck supposait que les espèces évoluent, mais les preuves n'appuient pas les mécanismes qu'il proposait.

Concept 22.2

Dans *De l'origine des espèces*, Darwin soutient que les espèces évoluent par sélection naturelle

- **Les travaux de Darwin (p. 478-480).** C'est grâce aux expériences qu'il a réalisées au cours de l'expédition du *Beagle* que Darwin a pu formuler sa théorie de l'évolution. Le naturaliste a montré que de nouvelles espèces dérivent d'espèces ancestrales par l'accumulation graduelle d'adaptations. Après son retour en Angleterre, il a précisé sa théorie. En 1859, après avoir appris que Wallace était parvenu aux mêmes conclusions, Darwin a publié sa théorie.
- ***De l'origine des espèces* (p. 480-483).** Dans son livre, Darwin décrit son idée de la descendance avec modification. Selon lui, il existe des variations héréditaires au sein des populations, et certaines de ces variations sont mieux adaptées que d'autres au milieu dans lequel les populations vivent. Comme ils ont tendance à produire plus de descendants que l'environnement ne peut en soutenir, les organismes se livrent une lutte pour survivre et ce sont les mieux adaptés au milieu qui ont plus de chances de survivre et de se reproduire, transmettant à leur descendance les caractères héréditaires favorables. Avec le temps, le processus de sélection naturelle peut déboucher sur l'adaptation, c'est-à-dire la présence chez les êtres vivants de caractères héréditaires adaptés à l'environnement local.

Concept 22.3

La théorie de Darwin explique un large éventail d'observations

- **La sélection naturelle à l'œuvre (p. 484-485).** Des chercheurs ont observé que la sélection naturelle donnait lieu à une évolution adaptative chez des populations de guppys sauvages. Chez les humains, les médicaments favorisent la survie des agents pathogènes qui résistent aux effets de ces médicaments. La capacité des Bactéries et des Virus d'évoluer rapidement est un problème pour la société.
- **L'homologie, la biogéographie et les archives géologiques (p. 485-488).** La théorie de l'évolution est soutenue par toutes sortes de preuves, dont des similarités structurales et moléculaires, la biogéographie et les archives fossiles.
- **Quels sont les éléments purement théoriques dans la vision darwinienne du vivant? (p. 488-489)** La théorie de Darwin sur la sélection naturelle a unifié la biologie et suscite plusieurs questions de recherche nouvelles.

VERIFIEZ VOS CONNAISSANCES

Autoévaluation

(Les questions dont les numéros sont en caractères gras font surtout appel à la compréhension.)

1. Lequel des énoncés suivants représente une partie du gradualisme de Hutton et de Lyell dont s'est inspiré Darwin?
   a) Les populations luttent pour survivre et se reproduire.
   b) La sélection naturelle agit sur les variations héréditaires.
   c) Les petits changements s'accumulent sur de très longues périodes et peuvent produire des résultats très sensibles.
   d) Les caractères acquis graduellement par un organisme au cours de sa vie peuvent aboutir à des changements dans les caractères de la génération suivante.
   e) Les structures homologues s'observent chez les organismes qui ont un ancêtre commun.

2. Lequel des énoncés suivants *ne relève pas* de la théorie de la sélection naturelle ?
   a) Il existe des variations héréditaires entre les individus.
   b) Les individus peu adaptés ne produisent jamais de descendants.
   c) Les individus luttent pour obtenir une part des ressources limitées, et une fraction seulement des descendants survit.
   d) Les individus qui sont le mieux adaptés à leur milieu grâce à leurs caractères laissent plus de descendants que les autres.
   e) L'inégalité des chances de reproduction entraîne des adaptations.

3. L'analyse anatomique des membres inférieurs des humains, des chauves-souris et des baleines montre que les structures osseuses des humains et des chauves-souris sont assez semblables, tandis que les formes et les proportions des os des baleines sont assez différentes. Cependant, l'analyse de plusieurs gènes de ces espèces laisse penser que ces trois Mammifères se sont séparés de leur ancêtre commun environ au même moment. Lequel des énoncés suivants fournit la meilleure explication de ces données ?
   a) Les humains et les chauves-souris ont évolué par sélection naturelle, tandis que les baleines ont évolué par le mécanisme décrit par Lamarck.
   b) L'évolution des membres antérieurs des humains et des chauves-souris était adaptative, mais pas celle des baleines.
   c) La sélection naturelle en milieu aquatique a produit des changements considérables dans l'anatomie des membres antérieurs de la baleine.
   d) Les gènes mutent plus rapidement chez les baleines que chez les humains ou les chauves-souris.
   e) Les baleines ne sont pas à proprement parler des Mammifères.

4. Laquelle des observations suivantes a aidé Darwin à formuler son idée de la descendance avec modification ?
   a) La diversité des espèces diminue à mesure que la distance par rapport à l'équateur augmente.
   b) Le nombre d'espèces vivant sur les îles était inférieur au nombre d'espèces trouvées sur les continents les plus proches.
   c) Les oiseaux vivaient sur des îles situées à une distance du continent supérieure à leur distance maximale de vol.
   d) Les plantes du climat tempéré d'Amérique du Sud étaient plus semblables aux plantes tropicales d'Amérique du Sud qu'aux plantes des climats tempérés d'Europe.
   e) Les tremblements de terre changent le visage de la vie, car ils provoquent des extinctions massives.

5. Quel énoncé, parmi les suivants, traduirait le *mieux* le concept d'évolution ?
   a) L'évolution correspond à un changement du caractère phénotypique d'une population.
   b) L'évolution est un changement des conditions du milieu.
   c) L'évolution correspond à un changement du bagage génétique d'une population.
   d) L'évolution correspond à un changement dans le génome d'un individu.
   e) L'évolution correspond à un changement dans la composition des espèces d'une communauté.

6. Dans quel cas la sélection naturelle aurait-elle le plus de chances de se manifester ?
   a) Au sein d'une population très homogène.
   b) Dans une population qui subit la prédation dans un milieu où les ressources n'abondent pas.
   c) Chez un groupe d'individus adaptés à un milieu stable.
   d) Au sein d'une population insulaire.
   e) Dans une population qui trouve suffisamment de nourriture et de territoire pour se perpétuer.

7. Déterminez lesquels, parmi les énoncés suivant ayant trait à la théorie de l'évolution par la sélection naturelle, sont *vrais*.
   a) Les organismes ont tendance à trop se reproduire.
   b) C'est la sélection naturelle qui crée la transformation graduelle d'une population.
   c) La sélection naturelle favorise toujours les mêmes caractères, quel que soit le temps ou le milieu.
   d) Les organismes bénéficiant de caractères favorables produisent moins de descendants que les autres, car ils ont plus de chances de survie.
   e) Avec le temps, la sélection naturelle tend à augmenter l'adaptation d'une population à son environnement.

8. Quelques semaines après qu'on a commencé à administrer à un patient séropositif le médicament 3TC, la population de VIH dans son organisme se compose entièrement de virus résistants au traitement. Comment expliquer ce résultat ?
   a) Le VIH est en mesure de modifier ses protéines de surface et de résister au vaccin.
   b) Le patient a subi une réinfection causée par des virus résistants au 3TC.
   c) Le VIH a commencé à synthétiser une variante résistante de la transcriptase inverse en réaction au médicament.
   d) Quelques spécimens de souches résistantes au 3TC étaient déjà présents au début du traitement, et le processus de sélection naturelle a augmenté leur nombre.
   e) Le médicament provoque un changement dans l'ARN du VIH.

9. Quelle est la plus petite unité biologique susceptible d'évoluer au fil du temps ?
   a) La cellule.
   b) L'organisme.
   c) La population.
   d) L'espèce.
   e) L'écosystème.

10. Laquelle de ces idées est commune à la théorie de l'évolution de Darwin et à celle de Lamarck ?
   a) L'adaptation résulte d'un succès reproductif différentiel.
   b) L'évolution amène les organismes à avoir une complexité croissante.
   c) L'évolution adaptative résulte des interactions entre les organismes et leur milieu.
   d) L'adaptation provient de l'utilisation et de la non-utilisation des structures anatomiques.
   e) Les archives géologiques prouvent que les espèces ne changent pas au fil du temps.

11. Parmi les structures suivantes, lesquelles ont le *moins* de chances de correspondre à une homologie ?
   a) Les ailes de la chauve-souris et les membres antérieurs d'un humain.
   b) L'hémoglobine du babouin et l'hémoglobine du gorille.
   c) Les mitochondries des Végétaux et celles des Animaux.
   d) Les ailes de l'Oiseau et celles de l'Insecte.
   e) Le cerveau du chat et celui du chien.

Lien avec l'évolution

Expliquez pourquoi les homologies anatomiques et moléculaires appartiennent généralement à la même configuration hiérarchique.

Intégration

1. L'argument de Darwin qui soutient l'idée de l'évolution est principalement inductif, tandis que son argument qui défend le mécanisme de la sélection naturelle est essentiellement déductif. Résumez dans vos propres mots les éléments inductifs et déductifs de la théorie de Darwin. (Au besoin, passez en revue les principes de l'induction et de la déduction présentés au chapitre 1.)
2. Durant de nombreuses années, certains biologistes ont observé diverses populations animales dans leur milieu naturel dans le but d'établir le pourcentage d'albinos (individus sans pigmentation) selon l'espèce. Leur étude révèle que le pourcentage d'albinos chez les Mammifères est le plus élevé qui soit et qu'il se démarque très nettement de ceux des autres classes animales (Poissons, Reptiles, Amphibiens, Oiseaux). De plus, parmi les Mammifères, on constate que ce sont les humains qui ont le pourcentage d'albinos le plus élevé, et ce, de loin. Expliquez cette différence d'un point de vue darwinien.

Science, technologie et société

1. Un sondage récent a révélé que, dans l'État du Texas (États-Unis), près de 60 % des gens sont favorables à ce que la « théorie du dessein intelligent » et la théorie de l'évolution par sélection naturelle de

Darwin soient toutes deux enseignées. Les défenseurs de la « théorie du dessein intelligent » prétendent que la théorie de Darwin ne pourrait pas expliquer à elle seule la complexité de la vie et prônent la nécessité de l'intervention d'une intelligence supérieure. On a lancé l'argument suivant dans le débat : « La présentation des différentes écoles de pensée fait partie de l'éducation. » À votre avis, le « dessein intelligent » devrait-il être enseigné dans un cours de biologie au même titre que la théorie de l'évolution par la sélection naturelle ? La théorie de Darwin devrait-elle être considérée comme une « école de pensée » ?

2. En 1850, l'immigration humaine a introduit en Amérique du Nord, à partir de l'Angleterre et de l'Allemagne, le moineau domestique. Depuis, cet Oiseau a proliféré dans toute l'Amérique, délogeant par sa combativité des populations entières d'hirondelles, de bruants, de parulines, etc., notamment au Québec. Outre le fait qu'elle nous fournit un bon exemple d'évolution sur une courte période (en 100 ans, les moineaux se sont diversifiés, selon les localités, sur le plan de la taille et du plumage notamment), cette introduction contribue à restreindre la diversité. À votre avis, devrait-on s'incliner devant la sélection naturelle et favoriser le développement de cette espèce ? Son introduction a-t-elle été une erreur monumentale ? Savez-vous s'il existe des lois canadiennes interdisant l'introduction d'espèces végétales ou animales étrangères ?

Réponses du chapitre 22

Retour sur le concept 22.1

1. Aristote, Linné et Cuvier considéraient les espèces comme des entités immuables (bien que Cuvier ait remarqué que les espèces présentes dans un lieu donné pouvaient changer avec le temps). Lamarck, Erasmus Darwin et son petit-fils Charles Darwin croyaient qu'elles pouvaient changer.
2. Lamarck a noté des preuves que les espèces changent au fil du temps et a compris que l'évolution peut donner lieu à l'adaptation des organismes à leur milieu, mais sa théorie reposait sur une conception erronée selon laquelle les modifications acquises par un organisme pendant sa vie pouvaient être transmises à sa descendance.

Retour sur le concept 22.2

1. Les espèces ont le potentiel de produire plus de descendants que ne peut en soutenir le milieu (reproduction différentielle), ce qui entraîne une lutte pour les ressources, qui sont limitées. Les populations présentent un éventail de variations héréditaires dont certaines favorisent l'adaptation au milieu. À la longue, cette sélection naturelle peut produire une proportion supérieure de caractères favorables chez une population (évolution adaptative).
2. Bien qu'un individu puisse, au cours de sa vie, subir des modifications de par ses interactions avec son milieu, il ne s'agit pas là d'évolution. Une évolution est un changement dans les proportions des variations héréditaires de génération en génération.

Retour sur le concept 22.3

1. Un facteur environnemental (par exemple, un médicament) ne crée pas de nouveaux caractères (comme la pharmacorésistance). Il opère plutôt une sélection parmi les caractères déjà présents dans la population.
2. Bien que leurs fonctions diffèrent, les membres antérieurs des Mammifères ont une structure semblable parce qu'ils sont tous issus des modifications d'une structure présente chez un ancêtre commun. Les similarités entre le phalanger du sucre et l'écureuil volant indiquent que des adaptations similaires se sont faites dans des milieux semblables en dépit d'un ancêtre différent.
3. Si la biologie moléculaire ou la biogéographie indiquent un type de ramification particulier qui commence avec un seul groupe d'organismes ancestraux, les représentants de ce groupe ancestral devraient apparaître plus tôt dans les archives géologiques que les représentants des groupes subséquents. De même, les nombreuses formes transitionnelles qui lient les anciennes espèces aux espèces modernes sont des preuves de « descendance avec modification ».

Autoévaluation

1. c ; **2.** b ; **3.** c ; 4. d ; **5.** c ; **6.** b ; 7. a, e ; **8.** d ; 9. c ; **10.** c ; **11.** d.

23 L'évolution des populations

▲ **Figure 23.1 Variation dans une population naturelle.**

Concepts clés

23.1 **La génétique des populations permet d'étudier l'évolution**

23.2 **Les mutations et les recombinaisons produisent la variation génétique qui rend possible l'évolution**

23.3 **La sélection naturelle, la dérive génétique et le flux génétique peuvent altérer la composition génétique d'une population**

23.4 **La sélection naturelle est le principal mécanisme de l'évolution adaptative**

Introduction

La plus petite unité d'évolution

Une des idées fausses couramment répandues à propos de l'évolution est la suivante: les organismes évoluent à titre *individuel*, au sens darwinien, pendant leur vie. Il est vrai que la sélection naturelle agit sur les individus: c'est de la combinaison de ses caractères que dépendent les chances de survie et le succès reproductif de chaque organisme par rapport aux autres. Toutefois, les répercussions évolutives de cette sélection naturelle ne sont évidentes que dans les changements subis, avec le temps, par une *population* d'organismes. Prenons pour exemple la collection de coquillages appartenant à une population d'escargots arboricoles de Cuba (*Polymita picta*) qu'on peut voir à la **figure 23.1**. Leurs coloris et motifs variés correspondent principalement à des différences génétiques entre les individus. Supposons que les prédateurs d'escargots aient moins tendance à se nourrir de proies ayant une couleur particulière, peut-être parce que celles-ci se camouflent mieux dans leur environnement; la proportion de ces proies aura alors tendance à augmenter d'une génération à l'autre. Par conséquent, c'est la population, et non ses individus, qui évolue. Certains caractères seront plus fréquents dans l'ensemble de la population, alors que d'autres seront plus rares.

Concept 23.1

La génétique des populations permet d'étudier l'évolution

Aujourd'hui, on peut définir l'évolution à la plus petite échelle possible, appelée **microévolution**, comme tout changement de la composition génétique d'une population d'une génération à l'autre **(figure 23.2)**. Darwin, lui, ne définissait pas l'évolution de cette façon. Pour lui, la sélection naturelle était le mécanisme par lequel les espèces changent au fil du temps. Il ne comprenait pas, cependant, comment les variations héréditaires nécessaires à la sélection naturelle apparaissent dans les populations ni comment

▲ **Figure 23.2 La sélection naturelle agit sur les individus, mais c'est la population qui évolue.** L'agrostis commun (*Agrostis tenuis*) à l'avant-plan pousse parmi les résidus d'une mine abandonnée. Cette population de plantes tolère une concentration de métaux lourds qui est toxique pour les individus de la population poussant dans le pâturage situé de l'autre côté de la clôture. De nombreuses graines atterrissent sur les déchets de la mine. Mais les seuls plants qui germent, croissent et se reproduisent sont ceux qui ont hérité de gènes leur permettant de tolérer la forte présence de métaux lourds dans le sol.

les organismes transmettent ces variations à leur descendance. À l'époque de Darwin, les idées que l'on avait de l'hérédité ne permettaient pas d'expliquer comment les variations héréditaires se maintiennent au sein d'une population. Par exemple, on acceptait l'hypothèse selon laquelle les caractères des parents se fusionnent chez les descendants. Darwin et d'autres se disaient qu'au fil du temps cette fusion finirait par éliminer les différences entre les individus. Les expériences et les recherches réfutaient cette prédiction, mais Darwin n'avait toujours pas de modèle d'hérédité pouvant soutenir son hypothèse.

Quelques années après la publication du livre de Darwin, *De l'origine des espèces*, Gregor Mendel a proposé le modèle dont Darwin avait besoin: la théorie particulaire de l'hérédité, selon laquelle les parents transmettent des unités héréditaires discrètes (appelées *gènes*) qui conservent leur identité une fois transmises. Malheureusement, Darwin n'a jamais vu les travaux de Mendel, et les quelques scientifiques qui en ont pris connaissance à l'époque n'ont pas compris leur portée. Une cinquantaine d'années se sont écoulées avant que les idées de Mendel soient intégrées à la théorie de l'évolution de Darwin.

La théorie synthétique de l'évolution

Par une ironie du sort, quand les travaux de Mendel ont été réexaminés au début du XXe siècle, de nombreux généticiens ont cru que les lois de l'hérédité qui y étaient exposées entraient en contradiction avec la théorie de Darwin. D'après ce dernier, les matières premières de la sélection naturelle sont les caractères quantitatifs, c'est-à-dire les caractéristiques d'une population qui varient de manière continue, telles que la longueur des poils des Mammifères ou la vitesse à laquelle une proie fuit ses prédateurs. Or, Mendel et d'autres généticiens de l'époque en étaient arrivés à la conclusion que seuls les caractères discontinus et mutuellement exclusifs, comme la couleur violette ou blanche des fleurs du pois, sont héréditaires. Par conséquent, la génétique n'apportait en apparence aucune explication à l'action de la sélection naturelle sur les variations plus ténues autour desquelles s'articulait la théorie de Darwin. Quelques dizaines d'années après, toutefois, des généticiens ont compris que les caractères quantitatifs sont déterminés par de nombreux loci et que les allèles de chacun de ces loci suivent le modèle héréditaire de Mendel (voir le chapitre 14). Ces découvertes ont permis d'intégrer les idées de Mendel et de Darwin, et de mettre au point la **génétique des populations**, soit l'étude des changements génétiques au sein des populations au fil du temps.

C'est au début des années 1940 qu'une théorie globale de l'évolution a été élaborée; elle a pris le nom de **théorie synthétique de l'évolution.** Elle est dite *synthétique* parce qu'elle intègre les découvertes et les principes de nombreux domaines. Parmi les auteurs de la théorie synthétique moderne figurent le statisticien et biologiste britannique R. A. Fisher (1890-1962), qui a su démontrer les règles de transmission des caractères héréditaires de Mendel, et le biologiste indien d'origine britannique J. B. S. Haldane (1892-1964), qui a étudié les règles de la sélection naturelle. D'autres scientifiques ont contribué à la théorie synthétique: les généticiens russe Theodosius Dobzhansky (1900-1975) et américain Sewall Wright (1889-1988), le biogéographe allemand Ernst Mayr (1904-2005), le paléontologue américain George Gaylord Simpson (1902-1984) et le botaniste américain G. Ledyard Stebbins (1906-2000).

Bien sûr, nul modèle scientifique ne reste inchangé. Par exemple, on essaie actuellement d'intégrer à la théorie synthétique la découverte de changements génétiques causés par des mécanismes autres que la sélection naturelle. La théorie synthétique continue d'évoluer, mais son principe et l'accent mis sur les populations ont modelé la plupart de nos idées sur les mécanismes de l'évolution.

Le patrimoine génétique et les fréquences alléliques

Avant de continuer notre étude de la génétique des populations, il nous faut définir le terme *population.* Une **population** représente un groupe particulier d'individus capables de se reproduire entre eux et de donner naissance à une descendance féconde. Des populations de la même espèce peuvent se retrouver isolées les unes des autres et n'échanger que rarement, voire jamais, du matériel génétique. Cet isolement touche particulièrement les populations habitant des îles éloignées ou des lacs. Cependant, les populations n'ont pas nécessairement des limites géographiques bien définies **(figure 23.3).** Les individus vivant près du cœur de la population ont plus de chances de s'accoupler avec des membres de leur propre population qu'avec ceux d'une autre population; par conséquent, ils restent en moyenne plus étroitement apparentés les uns aux autres qu'aux membres d'autres populations.

Le **patrimoine génétique** (parfois appelé *pool génique* ou *fonds génétique*) d'une population est l'ensemble des gènes que celle-ci possède à un moment donné. Il comprend donc les allèles de tous les membres de la population. Si un seul allèle existe pour

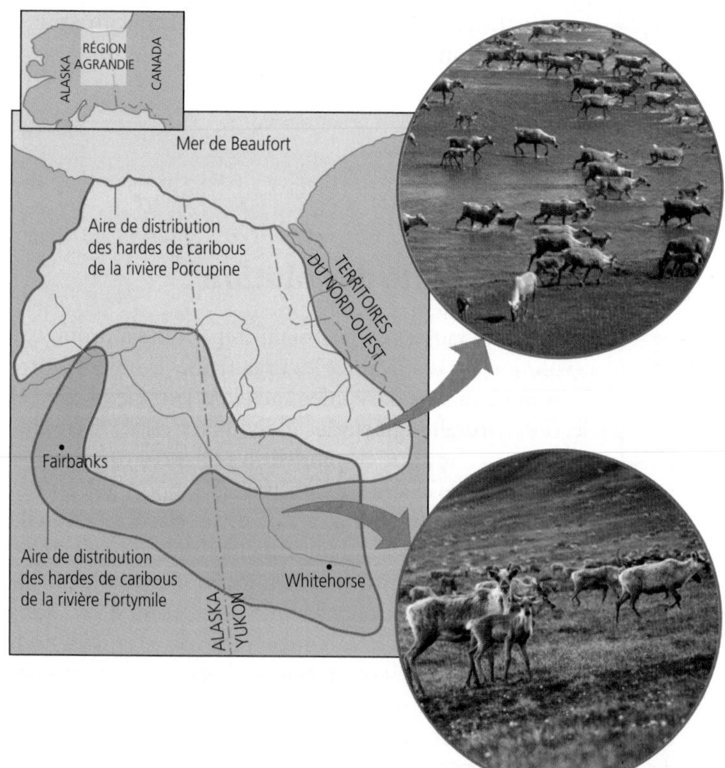

▲ **Figure 23.3 Une espèce, deux populations.** Ces deux populations de caribous du Yukon ne sont pas totalement isolées: elles se retrouvent parfois dans la même région. Cependant, les individus tendent à s'accoupler avec des membres de leur propre population plutôt qu'avec ceux de l'autre population.

un locus donné dans une population, on dit qu'il y a *fixation* de l'allèle dans le patrimoine génétique, et tous les individus sont homozygotes pour cet allèle. (Rappelons que les homozygotes possèdent deux allèles identiques pour un locus donné, tandis que les hétérozygotes ont deux allèles différents pour ce locus.) Toutefois, s'il existe deux allèles ou davantage pour un locus donné dans une population, les individus peuvent être soit homozygotes, soit hétérozygotes.

Dans une population, chaque allèle a une fréquence (une proportion). Par exemple, imaginons une population de 500 plantes à fleurs sauvages ayant deux allèles, *Cr* et *Cb*, pour un locus qui code pour le pigment des fleurs. Les plantes homozygotes pour l'allèle *Cr* (*CrCr*) produisent un pigment rouge et ont des pétales rouges; les plantes homozygotes pour l'allèle *Cb* (*CbCb*) ne produisent aucun pigment rouge et ont des pétales blancs; et les plantes hétérozygotes (*CrCb*) produisent un peu de pigment rouge et ont des pétales roses. Dans notre population, il y a 320 plantes à pétales rouges, 160 à pétales roses et 20 à pétales blancs. Ces allèles présentent une dominance incomplète (voir le chapitre 14).

Comme ce sont des organismes diploïdes, cette population de 500 individus renferme un total de 1 000 allèles (2 × 500) déterminant la couleur des pétales. L'allèle dominant *Cr* représente à lui seul 800 gènes (soit 320 × 2 = 640 gènes relatifs aux plants *CrCr*, plus 160 × 1 = 160 gènes relatifs aux plants *CrCb*). Dans le cas d'un locus pour lequel il n'y a que deux allèles dans une population, les généticiens des populations représentent la fréquence d'un des allèles par la lettre p, et celle de l'autre, par la lettre q. Par conséquent, p, la fréquence de l'allèle *Cr* dans le patrimoine génétique de la population, s'élève à 800/1 000 = 0,8 = 80 %. Comme il n'existe que deux formes alléliques du gène de la couleur des pétales, nous savons que la fréquence de l'allèle *Cb*, représenté par q, doit être de 0,2, c'est-à-dire de 20 %. Aux loci qui ont plus que deux allèles, la somme de toutes les fréquences doit aussi égaler 1 (100 %).

On peut facilement mesurer la variabilité génétique du locus codant la couleur, car chaque génotype a un phénotype distinct. Même si plusieurs loci d'un patrimoine génétique comportent plus d'un allèle, cette variabilité est habituellement moins facile à quantifier que celle de notre exemple de plantes à fleurs, parce qu'un allèle peut être complètement dominant ou parce que les allèles peuvent ne pas avoir d'effets évidents sur les phénotypes.

La loi de Hardy-Weinberg

Un peu plus loin, nous allons explorer comment les fréquences des allèles et des gènes peuvent changer au fil du temps et alimenter l'évolution. Toutefois, pour disposer d'un point de comparaison qui nous permettra de mesurer les changements évolutifs, commençons par examiner les propriétés des patrimoines génétiques qui *n'évoluent pas*. Ce cas est décrit par la **loi de Hardy-Weinberg**, ainsi baptisée d'après les deux scientifiques, le mathématicien anglais Godfrey Harold Hardy (1877-1947) et le médecin allemand Wilhelm Weinberg (1862-1937), qui l'ont énoncée chacun de son côté, en 1908. Cette loi veut que, de génération en génération, les fréquences alléliques du patrimoine génétique d'une population ainsi que ses fréquences génotypiques restent constantes, à condition que seules la ségrégation mendélienne et la recombinaison d'allèles soient à l'œuvre **(figure 23.4)**.

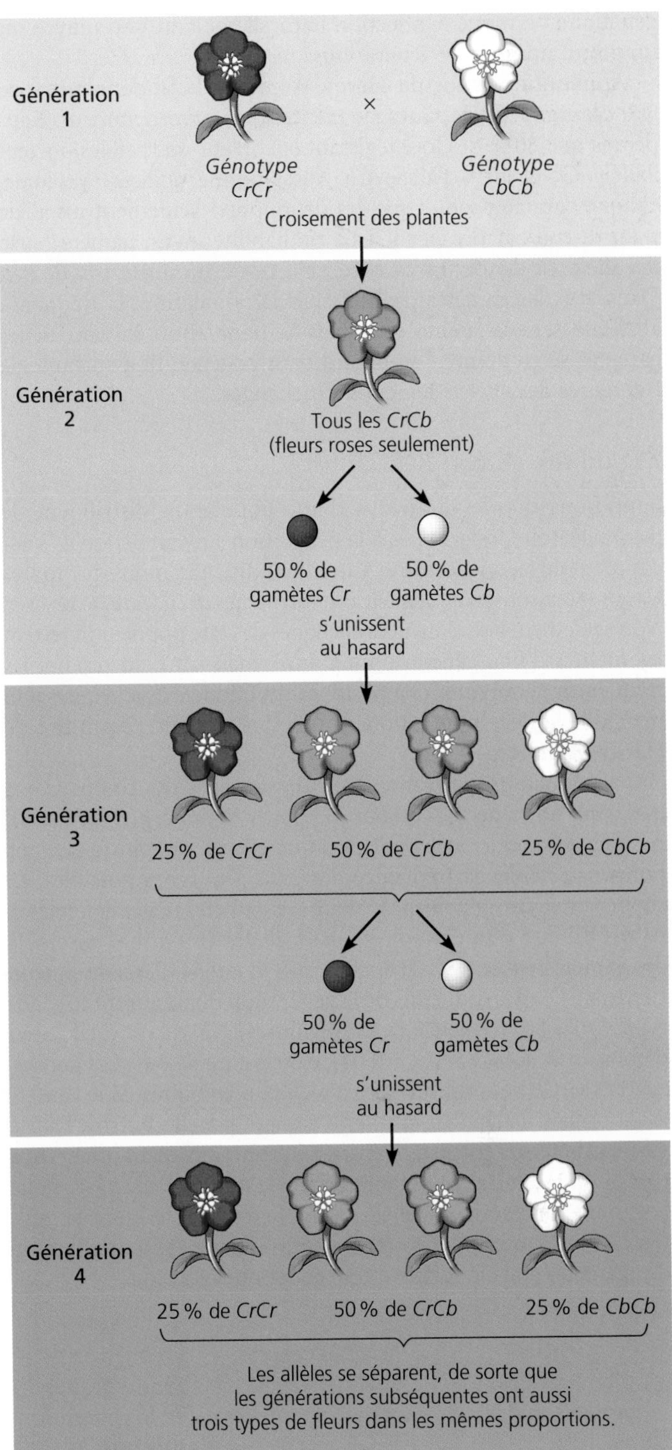

▲ **Figure 23.4 L'hérédité mendélienne préserve la variation génétique d'une génération à la suivante.**

La préservation de la fréquence des allèles

La loi de Hardy-Weinberg illustre comment l'hérédité mendélienne préserve la variation génétique d'une génération à l'autre dans les populations qui n'évoluent pas, mais elle explique bien plus encore. De fait, elle permet de comprendre les changements évolutifs à long terme que Darwin ne pouvait interpréter, faute de connaissances génétiques. La préservation de la variation génétique permet à la sélection naturelle de faire son œuvre sur un grand nombre de générations.

Appliquons la loi de Hardy-Weinberg à la population de 500 plantes à fleurs sauvages mentionnée précédemment. Rappelons que 80 % des loci régissant la couleur des pétales portent l'allèle *Cr*, et 20 % l'allèle *Cb*. Étant donné qu'il est haploïde, chaque gamète produit par les fleurs porte seulement un allèle pour la couleur des pétales. La probabilité qu'un gamète porte un allèle *Cr* est de 0,8 et celle qu'il porte un allèle *Cb*, de 0,2. Dans tous les gamètes produits par la population, la fréquence allélique sera la même que dans la population initiale. Si les gamètes se combinent au hasard dans la génération suivante, la fréquence des allèles demeurera inchangée.

L'équilibre de Hardy-Weinberg

Supposons que les individus d'une population distribuent de façon aléatoire les gamètes à la génération suivante et qu'ils s'accouplent de façon aléatoire. Autrement dit, imaginons que toutes les combinaisons mâle-femelle ont les mêmes chances de se réaliser. Non seulement les fréquences alléliques de cette population restent les mêmes d'une génération à l'autre, mais on peut prédire les fréquences génotypiques à partir de ces fréquences alléliques. On peut dire de ces populations qu'elles respectent l'**équilibre de Hardy-Weinberg**.

La population de plantes à fleurs sauvages dont nous avons parlé plus tôt respecte l'équilibre de Hardy-Weinberg **(figure 23.5)**. À l'aide de la règle de la multiplication (voir le chapitre 14), nous pouvons calculer la fréquence des trois génotypes possibles, en supposant la combinaison aléatoire des gamètes mâles et femelles. La probabilité d'une union de deux allèles *Cr* parmi l'ensemble des gamètes est de $0{,}8 \times 0{,}8 = p \times p = p^2 = 0{,}64$. Par conséquent, environ 64 % des individus de la génération filiale auront le génotype *CrCr*. La fréquence des individus *CbCb*, quant à elle, sera d'environ 0,04 ($0{,}2 \times 0{,}2 = 0{,}04$), c'est-à-dire de 4 %. Les hétérozygotes *CrCb* peuvent provenir de deux possibilités. Si le gamète mâle fournit l'allèle *Cr* et que le gamète femelle fournit l'allèle *Cb*, les hétérozygotes qui en résulteront représenteront 16 % ($0{,}8 \times 0{,}2$) du total. Si le gamète femelle fournit l'allèle *Cr* et que le gamète mâle fournit l'allèle *Cb*, les hétérozygotes qui en résulteront représenteront $0{,}2 \times 0{,}8 = 16\,\%$. On peut résumer l'union des gamètes sous la forme d'une équation algébrique :

$(p + q)$	$\times$	$(p + q)$	$=$	$p^2 + 2pq + q^2$
Fréquences alléliques des gamètes mâles		**Fréquences alléliques des gamètes femelles**		**Fréquences génotypiques de la génération suivante**

Comme pour les fréquences alléliques, le total des fréquences génotypiques est 1. Par conséquent, l'équation de la loi de Hardy-Weinberg indique que, pour un locus de deux allèles, les trois génotypes seront dans les proportions suivantes :

$$p^2 + 2pq + q^2 = 1$$

Si une population respectait la loi de Hardy-Weinberg et que ses membres continuaient de s'accoupler de manière aléatoire d'une génération à l'autre, alors les fréquences alléliques et génotypiques seraient constantes. Établissons un parallèle entre l'équilibre de Hardy-Weinberg et un jeu de cartes. On a beau mélanger les cartes d'un paquet plusieurs fois avant chaque distribution, le contenu du paquet demeure inchangé. Il n'y aura jamais plus d'as que de valets. Ainsi, le brassage répété du patrimoine génétique d'une population ne peut en lui-même accroître, au fil des générations, la fréquence d'un allèle par rapport à un autre allèle.

Remarquez qu'une population n'a pas besoin d'être à l'équilibre pour que ses fréquences alléliques demeurent constantes. De nombreuses espèces, tel le pois que Mendel a utilisé dans ses expériences, ne s'unissent pas de manière aléatoire. Comme il atteint généralement la maturité avant l'ouverture de la fleur, le pollen de pois féconde la fleur même qui le contient. (En fait,

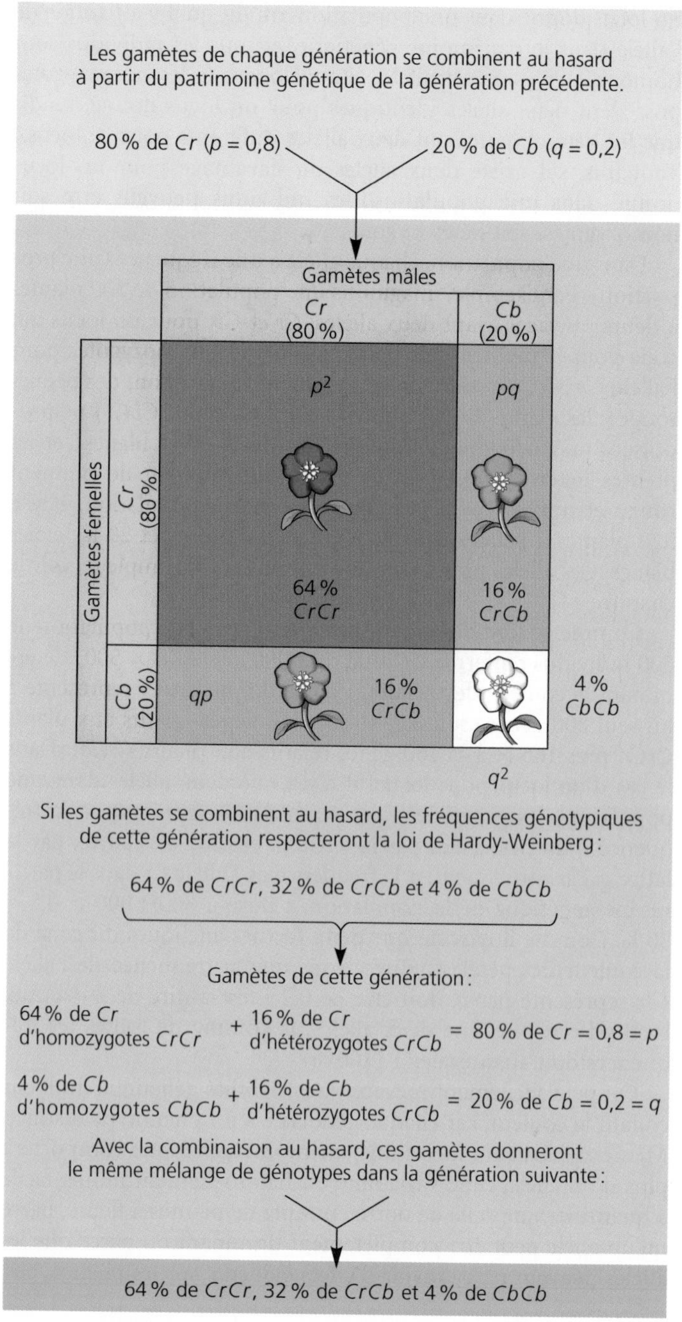

Les gamètes de chaque génération se combinent au hasard à partir du patrimoine génétique de la génération précédente.

80 % de *Cr* ($p = 0{,}8$) — 20 % de *Cb* ($q = 0{,}2$)

	Gamètes mâles: *Cr* (80 %)	Gamètes mâles: *Cb* (20 %)
Gamètes femelles: *Cr* (80 %)	p^2 — 64 % *CrCr*	pq — 16 % *CrCb*
Gamètes femelles: *Cb* (20 %)	qp — 16 % *CrCb*	q^2 — 4 % *CbCb*

Si les gamètes se combinent au hasard, les fréquences génotypiques de cette génération respecteront la loi de Hardy-Weinberg :

64 % de *CrCr*, 32 % de *CrCb* et 4 % de *CbCb*

Gamètes de cette génération :

64 % de *Cr* d'homozygotes *CrCr* + 16 % de *Cr* d'hétérozygotes *CrCb* = 80 % de $Cr = 0{,}8 = p$

4 % de *Cb* d'homozygotes *CbCb* + 16 % de *Cb* d'hétérozygotes *CrCb* = 20 % de $Cb = 0{,}2 = q$

Avec la combinaison au hasard, ces gamètes donneront le même mélange de génotypes dans la génération suivante :

64 % de *CrCr*, 32 % de *CrCb* et 4 % de *CbCb*

▲ **Figure 23.5 Loi de Hardy-Weinberg.** Dans notre population imaginaire de plantes à fleurs, le patrimoine génétique reste constant d'une génération à l'autre. Les processus mendéliens ne peuvent à eux seuls modifier les fréquences alléliques ou génotypiques.

Mendel pouvait croiser des plantes seulement par fécondation artificielle.) En raison de l'autofécondation (autogamie), les populations de pois sont loin de l'équilibre de Hardy-Weinberg. Toutes les plantes homozygotes produisent uniquement des homozygotes, tandis qu'environ la moitié des descendants des plantes hétérozygotes sont homozygotes. En quelques générations seulement, presque toutes les plantes de la population deviennent homozygotes. Cependant, même s'ils ne s'unissent pas de manière aléatoire, les individus de telles espèces produisent leurs gamètes de manière aléatoire à partir de leurs patrimoines génétiques. En l'absence d'autres facteurs, leurs fréquences alléliques resteront inchangées de génération en génération. Tout comme dans les populations où les individus s'accouplent au hasard, la variation génétique (la matière première du changement évolutif) est préservée même dans les pois qui s'autofécondent.

Les conditions de la loi de Hardy-Weinberg

La loi de Hardy-Weinberg décrit une population hypothétique qui n'évolue pas. Or, dans les populations réelles, les fréquences alléliques et génotypiques *changent* avec le temps. C'est que, dans ces populations, les cinq conditions qui font qu'une population n'évolue pas sont rarement réunies:

1. *La taille de la population est extrêmement grande.* Plus la population est petite, plus le rôle du hasard dans les fluctuations des fréquences alléliques d'une génération à l'autre est grand; on appelle ce phénomène *dérive génétique.*
2. *Il n'y a pas de flux génétique.* Le flux génétique, c'est-à-dire le déplacement des allèles entre des populations en raison de la migration d'individus ou de gamètes, peut modifier les fréquences alléliques.
3. *Il n'y a pas de mutation.* En introduisant des gènes, en retirant des gènes de chromosomes ou en modifiant un allèle, les mutations altèrent le patrimoine génétique.
4. *L'accouplement se fait de manière aléatoire.* Si les individus choisissent de préférence des partenaires possédant certaines caractéristiques, dont des proches parents (autofécondation), alors la rencontre des gènes ne se fait pas au hasard. (On appelle *pangamie* la rencontre aléatoire des gamètes et *panmixie* la rencontre aléatoire des individus.)
5. *Il n'y a pas de sélection naturelle.* L'inégalité des chances de survie et de succès reproductif des individus portant différents génotypes modifie les fréquences alléliques.

L'absence de ces conditions est habituellement le signe d'une évolution. Bien que les populations naturelles s'approchent rarement de la loi de Hardy-Weinberg, sinon jamais, le taux de changement évolutif de nombreuses populations est si lent que ces populations *semblent* constantes, à l'équilibre. Cela nous permet d'obtenir une approximation des fréquences alléliques et génotypiques, comme le montre l'exemple suivant.

La génétique des populations et la santé humaine

L'équation de Hardy-Weinberg permet de calculer le pourcentage approximatif de la population humaine qui porte l'allèle d'une maladie héréditaire. Aux États-Unis, par exemple, environ 1 nouveau-né sur 10 000 (au Québec, 1 sur 25 600 environ et en France, 1 sur 17 000) est atteint de phénylcétonurie, un trouble métabolique qui, s'il n'est pas traité, entraîne une déficience intellectuelle et d'autres difficultés. Normalement, l'acide aminé phénylalanine se transforme en un autre acide aminé, la tyrosine, grâce à l'enzyme phénylalanine hydroxylase. Chez les malades, la phénylalanine s'accumule d'abord dans le sang et les tissus; par la suite, une voie métabolique mineure transforme l'excédent en phénylpyruvate, qui se retrouve en partie dans le sang et dans l'urine. L'accumulation de la phénylalanine et de ses dérivés nuit à la synthèse d'autres acides aminés et à leur transport membranaire, ce qui touche grandement le développement du cerveau. Les nouveau-nés font aujourd'hui l'objet d'un test systématique d'urine. Lorsque la phénylcétonurie est décelée peu après la naissance, on peut la soigner par un régime alimentaire strict.

Pour utiliser l'équation de Hardy-Weinberg, on doit supposer que les personnes s'accouplent au hasard et non en fonction du patrimoine génétique, et qu'elles ne s'unissent pas avec des proches parents (consanguinité). On doit aussi écarter les effets possibles du flux génétique des populations immigrantes, l'introduction de mutations de la phénylcétonurie, ainsi que les taux de survie et de reproduction différentiels des génotypes de la phénylcétonurie. Ces suppositions sont raisonnables étant donné que la consanguinité en Amérique du Nord est peu courante, que les populations étrangères ont des fréquences alléliques semblables pour le gène de la phénylcétonurie, que le taux de mutation du gène de la phénylcétonurie est bas et que la sélection se réalise seulement contre les rares homozygotes.

Si toutes ces suppositions sont bonnes, alors la fréquence des individus nés avec le gène de la phénylcétonurie dans la population correspondra au q^2 de l'équation de Hardy-Weinberg (q^2 est la fréquence des homozygotes pour cet allèle). Étant donné que cet allèle est récessif, on doit estimer le nombre d'hétérozygotes au lieu de les dénombrer directement, comme nous l'avons fait avec les plantes à fleurs roses. Puisque nous savons qu'il y a 1 cas de phénylcétonurie sur 10 000 naissances aux États-Unis ($q^2 = 0{,}0001$), la fréquence de l'allèle récessif de la phénylcétonurie est:

$$q = \sqrt{0{,}0001} = 0{,}01$$

On peut connaître à présent la fréquence de l'allèle dominant en appliquant la règle suivante:

$$p = 1 - q = 1 - 0{,}01 = 0{,}99$$

Enfin, la fréquence des transmetteurs sains, c'est-à-dire des hétérozygotes qui n'ont pas la maladie mais qui peuvent léguer leur allèle récessif à leurs enfants, est la suivante:

$$2\,pq = 2 \times 0{,}99 \times 0{,}01 = 0{,}0198 \text{ (environ 2\% de la population américaine)}$$

Rappelez-vous qu'on suppose que la population respecte la loi de Hardy-Weinberg et qu'on obtient ainsi une approximation; le nombre réel de transmetteurs peut être différent. Cependant, on peut conclure que de nombreux allèles récessifs néfastes pour ce locus et d'autres loci se trouvent dissimulés dans la population parce qu'ils sont transportés par des hétérozygotes sains.

Retour sur le concept 23.1

1. Qu'est-ce que les découvertes génétiques de Mendel ont ajouté à la théorie darwinienne de l'évolution par sélection naturelle?
2. Supposez qu'une population d'organismes ayant 500 loci est fixe pour la moitié de ces loci et a deux allèles pour chacun des autres loci. Combien y a-t-il d'allèles dans le patrimoine génétique de cette population? Expliquez.
3. Quel terme ou quels termes de l'équation de Hardy-Weinberg ($p^2 + 2pq + q^2 = 1$) correspondent à la fréquence des individus porteurs du gène de la phénylcétonurie?

Voir les réponses proposées à la fin du chapitre.

Concept 23.2

Les mutations et les recombinaisons produisent la variation génétique qui rend possible l'évolution

Comme nous l'avons vu, la sélection naturelle agit sur les différences héréditaires, souvent très petites, qui existent entre les individus d'une population. Deux processus aléatoires, la mutation et la recombinaison, introduisent dans le patrimoine génétique d'une population des variations qui contribuent à ces différences individuelles.

La mutation

Les nouveaux gènes et les nouveaux allèles résultent uniquement de mutations **(figure 23.6)**, c'est-à-dire de changements dans la séquence de nucléotides de l'ADN. Une mutation est un coup de dés: on ne peut pas prédire comment elle altérera l'ADN et quels seront ses effets. La plupart des mutations se produisent dans des cellules somatiques et disparaissent à la mort de l'individu. Seules les mutations de lignées cellulaires produisant les gamètes peuvent être transmises aux descendants, et seule une petite fraction de ces mutations se dissémine dans les populations.

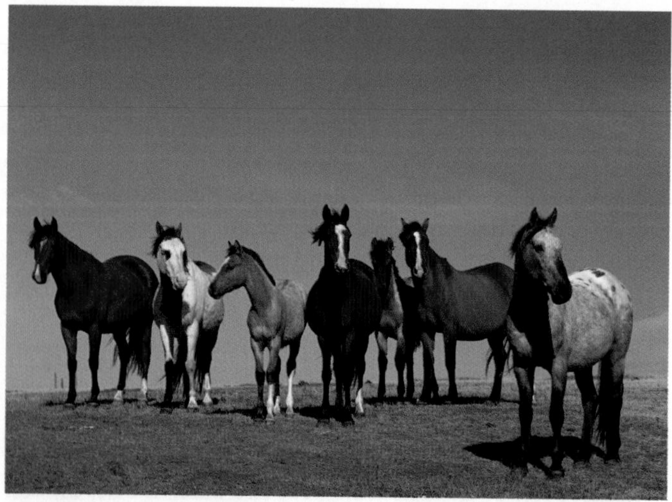

▲ **Figure 23.6 Toutes les variations héréditaires proviennent de mutations.** Les différentes couleurs de robe de ces mustangs sauvages sont issues des mutations s'étant produites sur plusieurs générations.

Les mutations ponctuelles

Aussi minime soit-elle, la modification d'une seule base d'un gène (mutation ponctuelle) peut avoir un effet considérable sur le phénotype; c'est le cas de la mutation causant la drépanocytose ou anémie à hématies falciformes (voir la figure 5.21) où il y a eu substitution d'une adénine par une thymine. Mais la plupart des mutations ponctuelles sont relativement sans effet. C'est en partie attribuable au fait que la majeure partie de l'ADN du génome eucaryote ne code pour aucune protéine. Et étant donné la redondance du code génétique, même les mutations ponctuelles dans les gènes qui codent pour une protéine n'ont qu'une incidence minime, car elles ne modifient pas la composition d'acides aminés de cette protéine (voir la figure 17.24). Cependant, certaines régions de l'ADN ne codent pas mais contribuent à la *régulation* de l'expression des gènes. Les changements qui se produisent dans ces régions régulatrices peuvent avoir des effets considérables.

Les organismes sont le produit de milliers de générations soumises à la sélection, et une seule mutation a peu de chances d'améliorer un génome. Il arrive toutefois qu'un allèle mutant augmente l'adaptation d'un individu à son milieu et favorise son succès reproductif. Ce processus a plus de chances de se réaliser lorsque le milieu subit des changements et que les mutations éliminées précédemment par la sélection deviennent favorables. Par exemple, comme nous l'avons vu au chapitre 22, certaines mutations qui rendent le VIH résistant aux antiviraux ralentissent aussi la réplication du virus. Ce n'est qu'une fois les médicaments présents dans l'environnement que les allèles mutants sont favorisés, et la sélection naturelle accroît leur fréquence dans la population de VIH.

Les mutations modifiant le nombre ou la séquence des gènes

Les mutations chromosomiques qui éliminent, perturbent ou réarrangent un grand nombre de loci à la fois ont presque toujours un impact nuisible sur le développement d'un organisme. Toutefois, il arrive que ces mutations qui n'affectent pas l'intégrité des gènes aient des effets relativement neutres. Dans de rares cas, le réarrangement de chromosomes peut même être bénéfique. Par exemple, la translocation d'un segment chromosomique vers un chromosome différent peut réunir des gènes qui assurent un avantage à l'organisme lorsqu'ils sont transmis ensemble.

La **duplication** des gènes est une source de variation importante. Les duplications de segments chromosomiques, à l'instar des autres mutations chromosomiques, sont presque toujours nuisibles. Mais de plus petits segments d'ADN sont souvent introduits dans un génome à la suite de l'activité d'éléments transposables (voir le chapitre 19). Si un tel segment répété ne perturbe pas gravement l'équilibre génétique, il peut persister d'une génération à l'autre. Il ajoute alors au génome des loci nouveaux qui, à un moment donné, risquent d'exercer de nouvelles fonctions (modifications dans la régulation de l'expression des gènes) à la suite d'autres mutations auxquelles succédera une sélection. Ainsi, un nouveau gène du système immunitaire chez la souris a été découvert; il serait le résultat de la duplication et de la transposition. La création de nouveaux gènes peut aussi avoir lieu quand les portions codantes des gènes (exons) se mélangent dans le génome.

Ces augmentations bénéfiques du nombre de gènes semblent avoir joué un rôle important dans l'évolution. Par exemple, les ancêtres éloignés des Mammifères portaient un seul gène olfactif qui s'est multiplié par toutes sortes de mécanismes de mutation, avec pour résultat que les humains d'aujourd'hui possèdent près de 1 000 gènes de récepteurs olfactifs; les souris en comptent 1 300. Environ 60 % de ces gènes chez les humains ont été inactivés par des mutations subséquentes, tandis que les souris ont perdu seulement 20 % des leurs. Cela montre bien qu'un odorat bien développé est plus important pour les souris que pour nous!

Les taux de mutation

Les taux de mutation tendent à être assez faibles chez les Animaux et les Végétaux, avec environ 1 mutation par 100 000 gènes pour chaque génération. Chez les microorganismes qui ont un temps de génération très court (le temps de génération est la période moyenne comprise entre la naissance d'un individu et celle de ses rejetons), les mutations produisent des variations génétiques très rapidement. Par exemple, le VIH a un temps de génération d'environ deux jours et un génome à ARN, lequel a un taux de mutation beaucoup plus élevé que celui des génomes à ADN. C'est pourquoi les traitements consistant en un seul médicament ne restent pas longtemps efficaces contre le VIH: les formes mutantes du virus qui sont résistantes à un médicament donné apparaissent rapidement. Il en va de même lorsque deux médicaments sont administrés durant une longue période: tous les jours, des VIH ayant subi une double mutation leur permettant de résister aux *deux* substances apparaissent. Ainsi, les traitements les plus efficaces contre le sida font appel à diverses combinaisons de médicaments. Des mutations multiples conférant rapidement aux virus l'immunité à *tous* ces médicaments ont moins de chances d'apparaître que des mutations simples ou doubles.

La recombinaison

D'une génération à l'autre dans les populations à reproduction sexuée, la recombinaison est beaucoup plus déterminante que la mutation pour la production de variations propices à l'adaptation. Presque toutes les variations phénotypiques liées à des différences génotypiques sont le résultat de la recombinaison des allèles dont elles ont hérité et qui sont issus du patrimoine génétique. (Bien sûr, la variation allélique dépend en fait des mutations précédentes.) Une population contient des milliers de combinaisons possibles, et la fécondation réunit les gamètes d'individus qui ont des bagages génétiques différents. À chaque génération, la reproduction sexuée réarrange les allèles en de nouvelles combinaisons.

Les Bactéries et de nombreux Virus peuvent aussi subir une recombinaison, mais moins régulièrement que les Animaux et les Végétaux, et souvent d'une manière qui leur permet de franchir les barrières des espèces (voir le chapitre 18). Plusieurs des gènes de la bactérie *Escherichia coli* 0157 :H7, fréquemment responsable d'empoisonnement alimentaire, sont en fait des « mosaïques » de gènes de différents types de Bactéries. En raison de leur grande capacité d'évoluer rapidement par recombinaison et de leur fort taux de mutation, les agents pathogènes sont des adversaires particulièrement redoutables.

Retour sur le concept 23.2

1. Pourquoi seule une faible fraction des mutations se dissémine-t-elle dans le patrimoine génétique?
2. Comment la recombinaison produit-elle de la variation génétique?

Voir les réponses proposées à la fin du chapitre.

Concept 23.3

La sélection naturelle, la dérive génétique et le flux génétique peuvent altérer la composition génétique d'une population

Examinons encore une fois les cinq conditions de l'équilibre de Hardy-Weinberg à la page 497. Toute déviation par rapport à cet équilibre est une source potentielle d'évolution. Cependant, même si de nouvelles mutations peuvent modifier les fréquences alléliques, le changement sera peu perceptible d'une génération à une autre. La recombinaison produit un nouvel assortiment d'allèles, mais ne change pas leurs fréquences. L'accouplement non aléatoire peut influer sur les fréquences relatives des génotypes homozygotes et hétérozygotes, mais il n'a habituellement aucun effet sur les fréquences alléliques. Les trois principaux facteurs pouvant modifier les fréquences alléliques et causer un processus évolutif sont la sélection naturelle, la dérive génétique et le flux génétique.

La sélection naturelle

Comme nous l'avons vu au chapitre 22, la conception darwinienne de la sélection naturelle repose sur le succès reproductif différentiel: les individus d'une population présentent des variations dans leurs caractères héréditaires; ceux qui sont dotés des variations les mieux adaptées à l'environnement ont plus de chances de se reproduire que ceux qui affichent des variations moins adaptées.

Nous savons maintenant que la sélection naturelle fait en sorte que certains allèles se transmettent à la génération filiale d'une façon disproportionnée par rapport à leur fréquence relative dans la génération parentale. Par exemple, toujours dans notre population hypothétique de plantes à fleurs sauvages, les individus à pétales blancs (*CbCb*) sont repérés plus facilement que les individus à pétales rouges par les insectes herbivores, de sorte qu'ils sont consommés en plus grand nombre. Les plantes à pétales rouges (*CrCr*) attirent davantage les pollinisateurs et ont donc de meilleures chances de produire plus de descendants. Ces différences dans la survie et le succès reproductif perturberaient l'équilibre de Hardy-Weinberg: la fréquence de l'allèle *Cr* augmenterait dans le patrimoine génétique, tandis que celle de l'allèle *Cb* diminuerait. Plus loin dans le chapitre, nous verrons de plus près le processus de la sélection naturelle.

La dérive génétique

Si vous lancez une pièce de monnaie à 1 000 reprises et que vous obtenez 700 fois le côté face et 300 fois le côté pile, vous soupçonnerez votre pièce de présenter un défaut. Mais si vous vous contentez de lancer celle-ci 10 fois et que vous obtenez 7 fois le côté face et 3 fois le côté pile, vous ne vous poserez pas de questions. Pourquoi ? Parce que plus un échantillon est petit, plus il y a de chances de déviation par rapport à un résultat idéal (dans le cas présent, d'obtenir un nombre égal de pile et de face).

Un tel écart par rapport aux résultats attendus (produit parce que les populations réelles ont une taille limitée et non illimitée) explique la fluctuation imprévisible des fréquences alléliques d'une génération à la suivante. Cette fluctuation est appelée **dérive génétique**. Prenons l'exemple présenté à la **figure 23.7**. Remarquez que, dans cet exemple, un des allèles s'est perdu de manière fortuite : la disparition de l'allèle *Cb* plutôt que de *Cr* tenait au hasard. Avec le temps, la perte d'allèles qui se produit dans la dérive génétique tend à réduire la variation génétique.

La répartition des groupes sanguins (A, B, AB et O) constitue aussi un exemple de dérive génétique : la fréquence de l'allèle *i* (le génotype *ii* produit le groupe sanguin O) dans les populations autochtones d'Amérique du Sud est de 100 % (il y a eu fixation de l'allèle et tous les autochtones sont du groupe sanguin O) par suite de ce phénomène ; c'est l'apport des gènes d'immigrants européens qui fait que les allèles A et B sont maintenant présents dans les populations sud-américaines.

Deux situations mènent à une réduction si importante de la taille d'une population qu'une dérive génétique se produit et a de profondes conséquences : l'effet d'étranglement et l'effet fondateur.

L'effet d'étranglement

Un désastre causé par un changement soudain dans l'environnement (catastrophe naturelle ou intervention humaine) peut réduire radicalement la taille d'une population. En effet, la petite population survivante est celle qui a évité le désastre par hasard, et sa composition génétique n'est peut-être plus représentative de la population initiale. C'est ce qu'on appelle l'**effet d'étranglement** (**figure 23.8a**). Le hasard fera que certains allèles seront surreprésentés, alors que d'autres seront sous-représentés ; certains disparaîtront même complètement. La dérive génétique continuera d'influer de manière importante sur la population pendant de nombreuses générations, jusqu'à ce que celle-ci redevienne suffisamment grande pour réduire l'importance des fluctuations attribuables au hasard. Il est important de comprendre le phénomène d'étranglement, car l'action des humains peut provoquer des effets d'étranglement graves chez certaines espèces. Par exemple, dans les années 1890, les chasseurs ont réduit à environ 20 individus la population d'éléphants de mer du Nord (*Mirounga angustirostris*) en Californie. Depuis, ce Mammifère est devenu une espèce protégée, et la population a remonté à plus de 30 000 (**figure 23.8b**). Toutefois, cette espèce est du type où un mâle dominant, toujours le même, féconde les femelles ; cela réduit considérablement la diversité génétique chez les descendants. De fait, en examinant 24 loci d'un échantillon représentatif de ces éléphants de mer, les chercheurs n'ont trouvé *aucune* variation : pour chacun des 24 gènes, il y avait seulement 1 allèle. Par comparaison, les populations d'éléphants de mer du Sud (*Mirounga leonina*), cousins proches vivant en Patagonie notamment et n'ayant pas subi l'effet d'étranglement, présentent une variation génétique abondante.

L'effet fondateur

Lorsqu'ils sont isolés de leur population, des individus peuvent s'implanter et former une nouvelle population dont le patrimoine

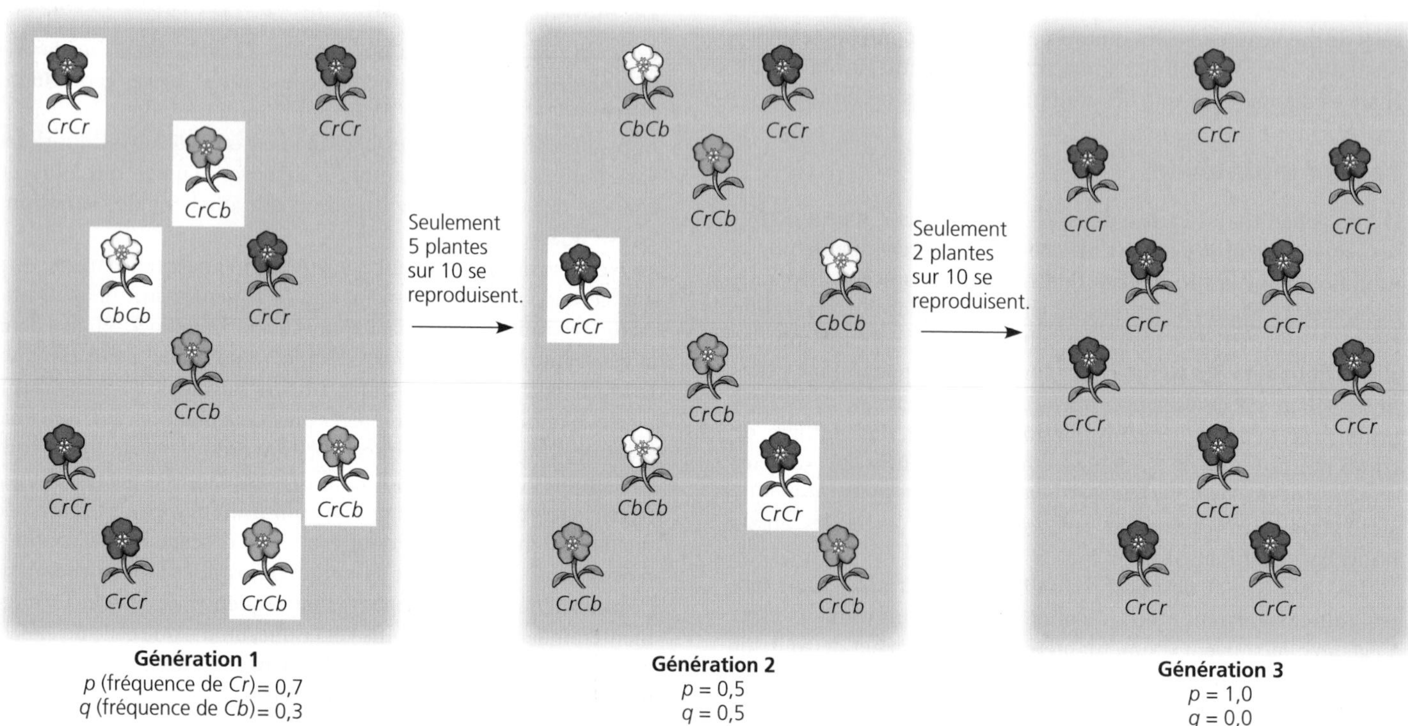

▲ **Figure 23.7 Dérive génétique.** Cette petite population de plantes à fleurs sauvages a une taille stable de dix individus. Seules les cinq plantes de la génération 1 (celles dans les encadrés blancs) produisent des semences fertiles. À la génération 2, par hasard, deux plantes seulement laissent des semences fertiles. L'allèle *Cb* augmente d'abord à la génération 2, puis il est réduit à zéro à la génération 3.

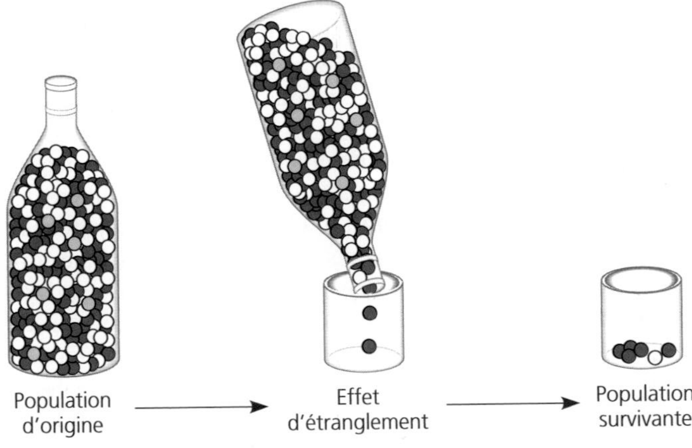

(a) En agitant la bouteille de manière à ne faire glisser que quelques billes par le goulot jusque dans le verre, on peut représenter la réduction brutale et considérable d'une population décimée par une catastrophe naturelle. Le hasard fait que, dans la nouvelle population, les billes bleues sont surreprésentées par rapport aux blanches; quant aux billes jaunes, elles sont carrément absentes.

(b) Dans une population réelle, l'effet d'étranglement diminue de la même façon la variabilité génétique, comme chez ces éléphants de mer du Nord, en Californie, que l'on a chassés presque jusqu'à l'extinction.

▲ **Figure 23.8 Effet d'étranglement.**

génétique ne sera pas représentatif de la population d'origine; on appelle ce phénomène **effet fondateur**. On peut observer cet effet lorsque, par exemple, quelques membres d'une population colonisent un nouvel habitat. Ces fondateurs subissent un «étranglement par isolement» et portent un patrimoine génétique distinct dont les fréquences alléliques sont distinctes de celles de la population parentale.

L'effet fondateur explique probablement la fréquence relativement élevée de certains troubles héréditaires observés dans les populations humaines isolées. Par exemple, en 1814, 15 personnes ont fondé la petite colonie britannique de Tristan da Cunha, archipel de l'Atlantique situé à mi-chemin entre l'Afrique et l'Amérique du Sud. L'une d'elles portait l'allèle récessif de la rétinopathie pigmentaire, forme progressive de cécité atteignant les homozygotes. Sur les 240 descendants vivant encore dans l'archipel à la fin des années 1960, 4 étaient atteints de rétinopathie et au moins 9 étaient des transmetteurs sains, d'après l'analyse des arbres généalogiques. La fréquence de cet allèle demeure dix fois plus élevée à Tristan da Cunha que dans les populations desquelles proviennent les colons fondateurs. Plus près de nous dans le temps, on constate que certaines maladies génétiques sont plus courantes que d'autres, et cela relève d'un effet fondateur. Ainsi, dans les régions de Charlevoix et du Saguenay–Lac-Saint-Jean, au Québec, les cas de dystrophie myotonique sont plus fréquents que la normale. La dystrophie myotonique est une maladie génétique à transmission autosomique dominante qui se manifeste, en partie et à des degrés divers, par des atteintes oculaire, musculaire et endocrinienne, par des irrégularités du rythme cardiaque et par des troubles neurologiques parfois associés à une légère déficience intellectuelle. Dans les régions de Charlevoix et du Saguenay–Lac-Saint-Jean, donc, on compte 189 cas de dystrophie myotonique sur 100 000 habitants, alors qu'il y en a 4 sur 100 000 en Europe. On attribue cet écart considérable à une fréquence plus élevée que la normale de l'allèle de la dystrophie myotonique au sein de la très petite population colonisatrice ayant quitté la Vendée et la Charente-Maritime, en France, pour s'établir au Québec. Précisons ici que l'effet fondateur ne modifie pas uniquement la fréquence d'allèles responsables de maladies héréditaires; il touche aussi celle de nombreux allèles déterminant des traits moins évidents.

Le flux génétique

Une population peut gagner ou perdre des allèles par suite de la migration d'individus féconds ou d'échange de gamètes avec une autre population (ou les deux): c'est ce qu'on appelle le **flux génétique**. Imaginons que, non loin de notre population imaginaire de plantes à fleurs sauvages, se trouve une population nouvellement établie composée principalement d'individus à pétales blancs (*Cb*). Les insectes pollinisateurs de ces fleurs pourraient apporter du pollen de cette population à notre population initiale; les allèles *Cb* modifieront alors les fréquences alléliques de notre population initiale à la génération suivante.

Le flux génétique tend à atténuer les différences entre les groupes en contact. S'il est suffisamment intense, il peut même amalgamer des populations voisines, qui partageront alors le même patrimoine génétique. Par exemple, comme les humains voyagent beaucoup plus dans le monde aujourd'hui que par le passé, le flux génétique est devenu un important agent d'évolution de populations humaines jusqu'alors assez isolées.

Retour sur le concept 23.3

1. Dans quelle mesure la sélection naturelle est-elle plus «prévisible» que la dérive génétique?
2. Quelle est la différence entre la dérive génétique et le flux génétique du point de vue de la façon dont ils se produisent et de leur incidence sur la variation génétique future d'une population?

Voir les réponses proposées à la fin du chapitre.

Concept 23.4

La sélection naturelle est le principal mécanisme de l'évolution adaptative

Parmi tous les facteurs qui peuvent modifier le patrimoine génétique, seule la sélection naturelle débouche sur une adaptation à l'environnement. Elle accumule et perpétue des génotypes favorables dans une population. Comme nous l'avons vu, le processus de sélection dépend de la présence de variations génétiques.

Les variations génétiques

Vous n'avez probablement aucun mal à reconnaître un ami dans une foule. Chaque personne possède un génome unique, qui est reflété par les particularités de son apparence, de sa voix et de son tempérament. La variation individuelle existe dans les populations de toutes les espèces. Nous sommes pour la plupart très sensibles à la diversité humaine, mais nous le sommes généralement beaucoup moins à celle des autres organismes. Or, il y a toujours des variations et, comme Darwin le disait, les variations héréditaires constituent la matière première de la sélection naturelle. Aux différences visibles s'ajoutent des variations génétiques complexes, qui ne peuvent être observées qu'au niveau moléculaire. Par exemple, il est impossible de déceler, en regardant une personne, à quel groupe sanguin elle appartient (A, B, AB ou O).

Les variations phénotypiques observées dans une population ne sont pas toutes héréditaires **(figure 23.9)**. Le phénotype résulte d'un génotype dont on a hérité et d'une multitude d'influences environnementales. Par exemple, les culturistes modifient leur phénotype de manière considérable, mais ils ne transmettent pas leur importante musculature à leur descendance. Il faut garder à l'esprit que seuls les éléments de la variation inscrits dans les gènes peuvent avoir des conséquences évolutives par suite de la sélection naturelle.

La variation au sein des populations

Les caractères qualitatifs et quantitatifs contribuent à la variation *au sein* d'une population. Les *caractères qualitatifs*, par exemple les pétales rouges, roses et blancs de notre population imaginaire de plantes à fleurs sauvages, varient du tout au tout (chaque individu a des pétales soit tous rouges, soit tous roses, soit tous blancs). Les caractères qualitatifs dépendent d'un locus unique, dont les allèles produisent des phénotypes distincts. Cependant, comme nous l'avons vu au chapitre 22, la plupart des variations héréditaires se composent de *caractères quantitatifs*, qui varient le long d'une échelle continue au sein d'une population. Les variations quantitatives héréditaires résultent de l'effet conjugué d'au moins deux gènes sur un même caractère phénotypique.

(a) Carte géographique printanière : orange et brun

(b) Carte géographique estivale : noir et blanc

▲ **Figure 23.9 Différence non héréditaire marquant une population.** Ces deux papillons eurasiatiques appelés *cartes géographiques* (*Araschnia levana*) sont en fait deux formes saisonnières de la même espèce. En raison d'une variation saisonnière des concentrations d'hormones, **(a)** les spécimens qui naissent au printemps sont orange et brun ; **(b)** les spécimens qui naissent à la fin de l'été sont noir et blanc. En fait, les deux formes présentées ici ont le même patrimoine génétique aux loci déterminant la couleur. Par conséquent, même si le taux de succès reproductif de ces deux types différait, il n'y aurait pas pour cette seule raison de changement dans la capacité de ces papillons à se développer de deux façons distinctes.

Le polymorphisme. Lorsque des individus ont des caractères qualitatifs distincts, on appelle *types morphologiques* les différentes expressions de ce caractère. Une population est dite **polymorphe** pour un caractère si au moins deux types morphologiques ont une fréquence suffisamment élevée pour être observables. (Bien sûr, la définition du mot *observable* est plutôt subjective, mais on ne peut qualifier une population de *polymorphe* si elle est composée principalement d'un seul type morphologique, les autres types étant extrêmement rares.)

Par comparaison, la variation de la taille dans la population humaine ne présente pas de polymorphisme, parce qu'elle ne consiste pas en des types morphologiques distincts et séparés : la taille varie plutôt d'un individu à l'autre selon une échelle continue. Cependant, les polymorphes jouent un rôle dans ces caractères au niveau génétique. La composante héréditaire de la taille est le résultat des **polymorphes génétiques** pour les allèles des différents loci qui déterminent la taille.

La mesure de la variation génétique. Les généticiens des populations mesurent le nombre de polymorphes d'une population en déterminant l'hétérozygosité sur le plan du patrimoine génétique (diversité génétique) et sur le plan moléculaire (diversité nucléotidique) par l'analyse de l'ADN. Pour comprendre comment cette mesure fonctionne, prenons l'exemple d'une population de mouches du vinaigre (*Drosophila melanogaster*). Le génome de cette espèce compte environ 13 000 loci. L'**hétérozygosité moyenne** de *Drosophila melanogaster* correspond au pourcentage moyen de loci hétérozygotes. En moyenne, les mouches du vinaigre sont hétérozygotes (ont deux allèles différents) dans environ 14 % des loci. Cela revient à dire qu'elles ont une hétérozygosité de 14 %, ce qui signifie que la mouche du vinaigre est hétérozygote pour environ 1 800 loci sur 13 000, et homozygote pour le reste des loci.

On mesure la diversité nucléotidique d'une population en comparant les séquences de nucléotides de l'ADN d'un échantillon représentatif de cette dernière. Les généticiens procèdent en faisant la moyenne des données. Ils groupent ensuite toutes les données obtenues. Le génome de la mouche du vinaigre compte environ 180 millions de nucléotides et les séquences de deux mouches, n'importe lesquelles, ne diffèrent que de 1 % environ. Pourquoi l'hétérozygosité moyenne a-t-elle tendance à être plus grande que la diversité nucléotidique ? C'est parce qu'un gène peut contenir des milliers de bases d'ADN. Une différence dans une des bases suffit pour que les deux allèles de ce gène soient différents et accroissent l'hétérozygosité moyenne.

Selon les mesures de la diversité nucléotidique, les humains ont relativement peu de variation génétique entre eux comparativement aux autres espèces. Seulement 0,1 % des bases environ diffèrent entre deux individus humains, ce qui équivaut à un dixième de la diversité nucléotidique observée chez la drosophile. De toute évidence, sur le plan génétique, nous sommes tous beaucoup plus semblables que différents, sans compter que cette diversité nucléotidique de 0,1 % représente *toute* la part héréditaire des différences visibles (comme le physique, la voix, les façons d'agir) et des différences non visibles (comme le groupe sanguin).

La variation entre les populations

La plupart des espèces présentent une **variation géographique**, c'est-à-dire que le patrimoine génétique des populations d'une même espèce ou des groupes composant une même population diffère. La **figure 23.10** donne un exemple de la variation géographique observée chez des populations isolées de souris communes (*Mus musculus*) introduites sans le vouloir sur la petite île de Madère, dans l'Atlantique, quand des colons portugais s'y sont établis pour la première fois au XVe siècle.

Certains facteurs environnementaux changent d'un endroit à l'autre, et la sélection naturelle peut contribuer à la variation géographique. Par exemple, chez une de nos populations imaginaires de plantes à fleurs sauvages rouges ou blanches, la fréquence de l'allèle récessif de la couleur des pétales peut être plus élevée que dans d'autres populations en raison d'une prédominance locale de pollinisateurs préférant les plantes à fleurs blanches. La dérive génétique peut aussi produire des différences dans les fréquences alléliques entre les populations par accumulation de fluctuations aléatoires dans les fréquences plutôt que par sélection naturelle.

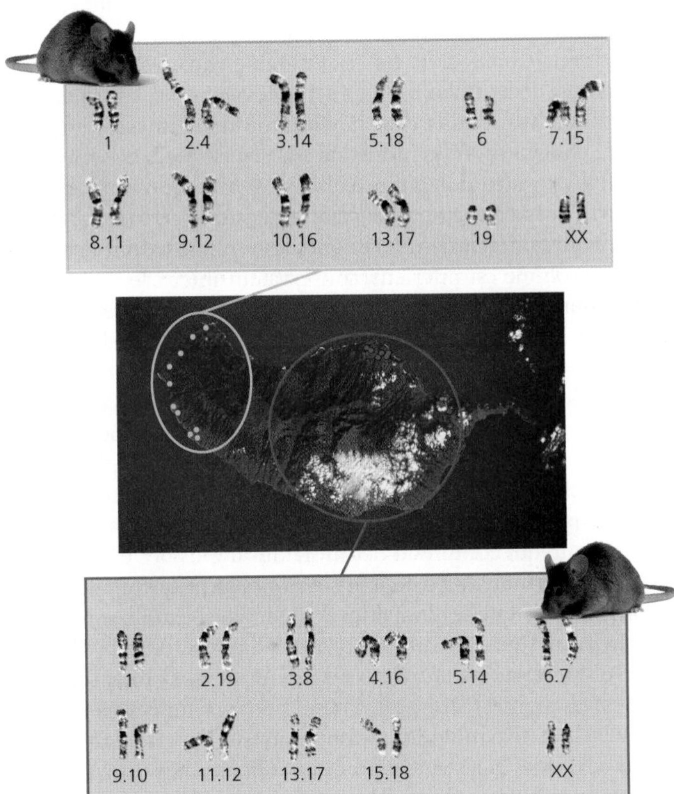

▲ **Figure 23.10 Variations géographiques dans des mutations chromosomiques.** Étant donné que les premiers villages fondés étaient généralement séparés par des montagnes, diverses populations de la souris commune de l'île de Madère ont évolué dans l'isolement. Des chercheurs ont observé des différences dans les caryotypes (ensembles de chromosomes) de ces populations isolées. Chez certaines, les chromosomes originaux ont fusionné. Par exemple, « 2.4 » indique la fusion du chromosome 2 et du chromosome 4. Toutefois, les modalités de fusion diffèrent en fonction des populations de souris. Le caryotype des spécimens vivant dans les zones indiquées par les points jaunes est visible au haut de la figure ($2n = 24$); les individus habitant les localités désignées par des points rouges ont les modalités de fusion indiquées dans l'encadré rouge. Comme ces mutations laissent intacts les gènes, leurs effets sur les souris semblent neutres.

Parmi les types particuliers de variations géographiques, on peut donner l'exemple du **cline**, qui est le changement graduel d'un caractère le long d'un axe géographique. Dans certains cas, le cline représente une région dans laquelle se succèdent des zones d'hybridation où des membres de populations voisines s'accouplent. Dans d'autres cas, il résulte de la gradation d'une variable environnementale. Ainsi, la taille moyenne de nombreuses espèces d'Oiseaux et de Mammifères d'Amérique du Nord augmente avec la latitude. On présume que la diminution du rapport surface-volume accompagnant l'accroissement de la taille constitue une adaptation qui aide les Animaux à conserver leur chaleur en milieu froid. Les études expérimentales de nombreux clines confirment que l'environnement autant que la variation génétique jouent un rôle dans les différences géographiques des phénotypes **(figure 23.11)**.

L'étude détaillée de la sélection naturelle

En puisant dans le capital de variations qui existe dans une population, la sélection naturelle accroît la fréquence de certains génotypes et adapte les organismes à leur environnement au fil des

Figure 23.11

Investigation La variation géographique observée chez les achillées millefeuille a-t-elle une composante génétique ?

EXPÉRIENCE Des chercheurs ont observé que la taille moyenne des achillées millefeuille (*Achillea millefolium*) qui poussent sur les pentes des montagnes de la Sierra Nevada californienne diminue à mesure que l'altitude augmente. Pour éliminer l'effet des différences environnementales à différentes altitudes, les chercheurs ont prélevé des graines à diverses élévations et les ont semées dans un même jardin. Ensuite, ils ont mesuré la taille des plants obtenus.

RÉSULTATS La taille moyenne des plants obtenus s'est révélée effectivement en corrélation avec l'altitude à laquelle les graines avaient été recueillies, bien que les différences de taille fussent moins marquées que celles qui avaient été observées dans le milieu naturel des achillées.

Taille des achillées millefeuille ayant poussé dans un même jardin

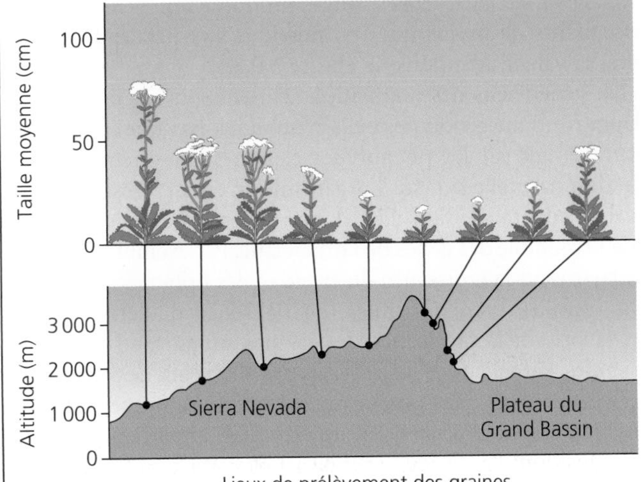

CONCLUSION La variation de la taille est moindre mais mesurable chez les achillées ayant poussé à la même altitude. Cela prouve le rôle des différences génétiques de même qu'environnementales.

générations. Dans la présente section, nous nous pencherons plus attentivement sur la sélection naturelle en tant que mécanisme de l'évolution adaptative.

La valeur adaptative

Pour décrire la sélection naturelle, on emploie souvent les expressions *lutte pour l'existence* et *survie du plus apte*, mais celles-ci peuvent être trompeuses et laisser entendre que seule une concurrence directe entre les individus est en cause. Il existe *effectivement* des espèces dont certains individus, généralement les mâles, luttent pour avoir le privilège de s'accoupler. Toutefois, le succès reproductif s'obtient souvent d'une manière plus subtile et dépend de nombreux facteurs autres que la lutte pour la femelle ou le mâle avec qui s'accoupler. Par exemple, certaines balanes produisent plus d'œufs que leurs voisines parce qu'elles se nourrissent avec plus d'efficacité. De même, certains papillons de nuit engendrent en moyenne plus de descendants que d'autres membres de la même population, parce que la coloration de leur corps les dissimule mieux et qu'ils courent moins de risques d'être vus par des prédateurs. Certaines plantes à fleurs sauvages ont un plus grand succès reproductif que les autres parce que, grâce à de légères variations dans la couleur, la forme ou le parfum de leurs fleurs, elles attirent mieux les pollinisateurs. Ce sont tous des exemples des avantages adaptatifs, c'est-à-dire de la contribution que chaque individu apporte au fonds génétique de la génération suivante par rapport aux contributions des autres individus.

Abordant la sélection naturelle dans une optique quantitative, la génétique des populations définit la **valeur adaptative** comme la contribution d'un génotype à la génération suivante par rapport à celle des autres génotypes pour le même locus. Revenons à notre population imaginaire de plantes à fleurs sauvages. Supposons qu'en moyenne les individus aux pétales rouges produisent moins de descendants que les individus aux pétales blancs ou roses, qui engendrent des nombres de descendants comparables. Pour les besoins de la comparaison, la valeur adaptative des variétés les plus fécondes est fixée à 1 ; dans ce cas, la valeur adaptative des plants à pétales blancs ou à pétales roses s'établit à 1. Si la variété aux pétales rouges produit en moyenne 80 % de descendants de moins que les individus aux pétales blancs ou roses, sa valeur adaptative se chiffre à 0,8.

Les généticiens des populations parlent souvent de la valeur adaptative d'un génotype, mais n'oublions pas que la sélection naturelle agit sur les phénotypes et non sur les génotypes. La sélection naturelle agit sur l'organisme en entier. C'est pourquoi la valeur adaptative d'un allèle donné dépend de l'environnement et de l'ensemble des gènes de l'organisme. Par exemple, les allèles qui favorisent la croissance du tronc et des branches d'un arbre sont inutiles, voire nuisibles, en l'absence d'allèles d'autres loci favorisant la croissance des racines supportant ces parties aériennes. Par ailleurs, il se peut que des allèles qui ne contribuent en rien au succès d'un organisme, ou qui nuisent quelque peu à son adaptation, se perpétuent du fait qu'ils appartiennent à des individus dont l'aptitude générale est élevée. De cette façon, des milliers de composantes de vieux rétrovirus et d'éléments transposables se sont accumulées et continuent de s'accumuler dans nos génomes. Ces composantes non fonctionnelles d'ADN sont transmises d'une génération à la suivante parce qu'elles ne sont pas nuisibles.

La survie à elle seule ne garantit pas le succès reproductif. La valeur adaptative s'établit à zéro dans le cas d'un plant ou d'un individu stérile, même s'il est en bonne santé et qu'il vit plus longtemps que d'autres membres de sa population. Pourtant, bien sûr, la survie est nécessaire à la reproduction ; la longévité augmente la valeur adaptative s'il en résulte une fécondité plus grande que celle des autres. Précisons ici qu'un individu qui grandit rapidement et qui devient fécond précocement, même s'il vit très peu de temps, aura peut-être plus de chances de se reproduire que des individus qui vivent plus longtemps que lui, mais qui atteignent la maturité sexuelle plus tard. Il y a donc plusieurs facteurs qui influencent séparément ou simultanément la survie et la fertilité, et qui contribuent à la valeur adaptative.

La sélection directionnelle, la sélection divergente et la sélection stabilisante

Suivant les phénotypes favorisés dans une population qui évolue, on distingue trois modes de sélection naturelle : la sélection directionnelle, la sélection divergente et la sélection stabilisante.

La **sélection directionnelle** **(figure 23.12a)** opère principalement lorsque le milieu où habite une population subit des changements ou que des membres d'une population émigrent dans un nouvel habitat dont les conditions environnementales sont différentes de leur habitat premier. Elle déplace la courbe de fréquence des variations d'un phénotype dans un sens ou dans l'autre en favorisant les individus qui dévient de la moyenne. Par exemple, la paléontologie révèle que la taille moyenne des ours noirs d'Europe a augmenté à chaque glaciation et diminué durant les périodes interglaciaires. Les ours les plus gros, dont le rapport surface-volume est inférieur, conservaient mieux leur chaleur et survivaient aux périodes de grand froid. L'effet général le plus fréquent de la sélection directionnelle est de réduire la variation génétique.

La **sélection divergente** ou disruptive **(figure 23.12b)** se produit lorsque les conditions environnementales procurent un net avantage aux phénotypes extrêmes, aux dépens des phénotypes intermédiaires. Par exemple, au Cameroun, il existe une population de pyrénestes ponceau (*Pyrenestes ostrinus*), granivores au ventre noir, qui comprend des individus à gros bec et d'autres, à petit bec. Les individus à petit bec se nourrissent surtout de graines molles, tandis que les individus à gros bec consomment principalement des graines dures. On peut supposer que la sélection naturelle élimine les individus à bec moyen, qui broient les deux genres de graines avec peu d'efficacité : ces individus ont une valeur adaptative moindre. Comme nous le verrons dans le prochain chapitre, la sélection divergente peut jouer un rôle clé au début de la différenciation des espèces.

La **sélection stabilisante** ou normalisante **(figure 23.12c)** élimine les phénotypes extrêmes et favorise ceux qui sont intermédiaires. Ce mode de sélection naturelle réduit les variations et maintient le *statu quo* relatif à un phénotype particulier. Ainsi, la majorité des humains ont, à la naissance, une masse comprise entre trois et quatre kilogrammes ; la mortinatalité affecte davantage les bébés beaucoup plus légers ou beaucoup plus lourds que la moyenne.

Bien que nous parlions de trois modes de sélection naturelle, le mécanisme fondamental est le même : la sélection naturelle favorise certains traits héréditaires par le truchement de l'inégalité du succès reproductif.

▶ **Figure 23.12 Modes de sélection naturelle.** Ces illustrations indiquent trois modalités possibles de l'évolution d'une population imaginaire de souris sylvestres (*Peromyscus maniculatus*) ayant une variation héréditaire pour la couleur du pelage (teinte claire à teinte foncée). Les graphiques montrent les changements qui se produisent au fil du temps dans la fréquence des individus dont la couleur du pelage est différente. Les flèches blanches symbolisent l'action exercée par la sélection naturelle contre certains phénotypes.

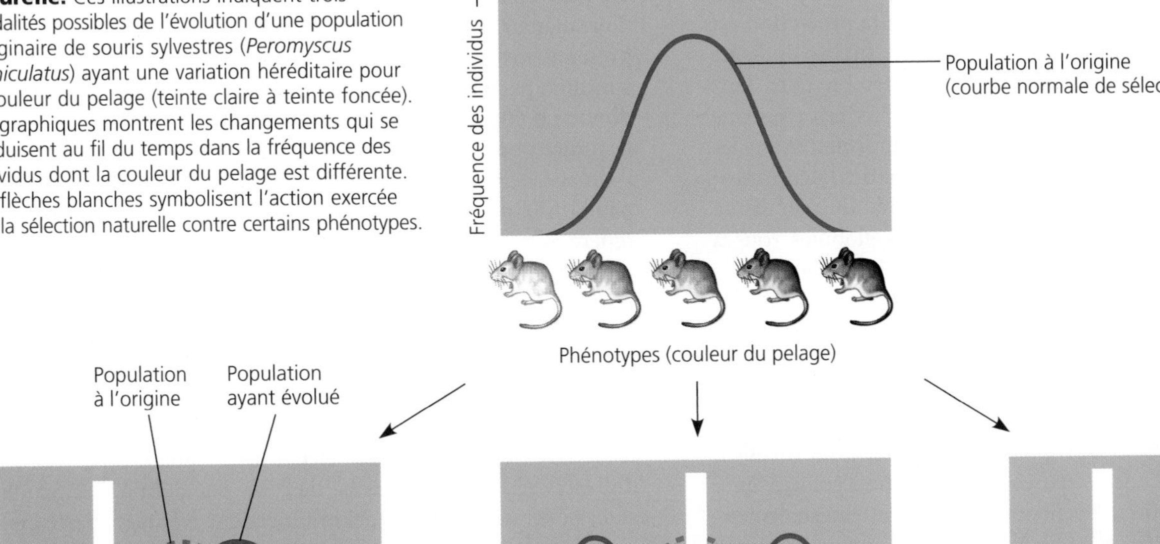

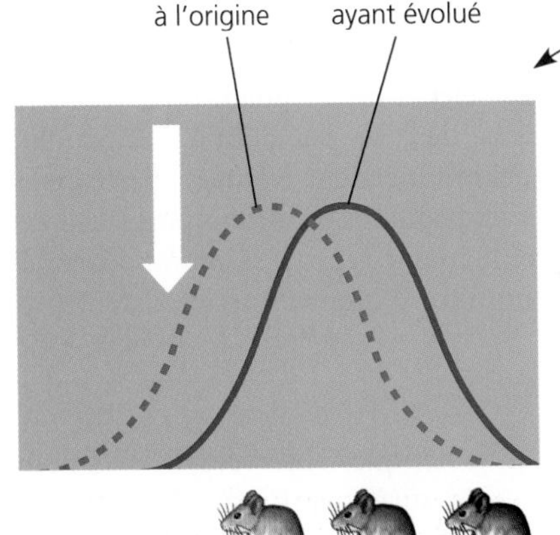

(a) La sélection directionnelle modifie la composition générale de la population en favorisant les phénotypes situés à une seule extrémité de la distribution. Dans ce cas-ci, elle favorise les individus plus sombres, parce que ceux-ci vivent entre les roches foncées, ce qui les camoufle des prédateurs.

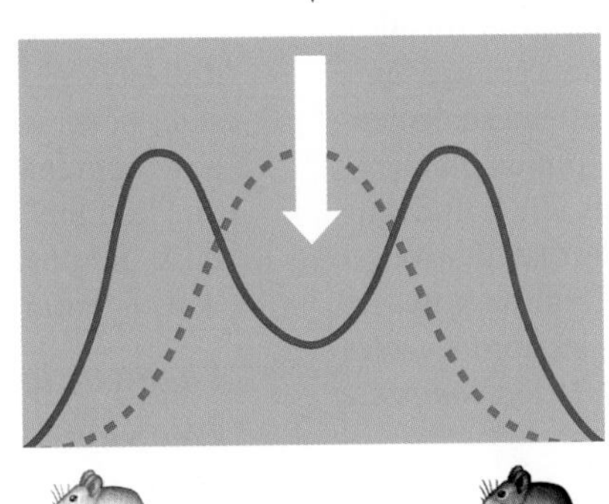

(b) La sélection divergente favorise les deux phénotypes extrêmes : les fréquences relatives des souris sylvestres au pelage très clair et très foncé ont augmenté. Ces individus ont colonisé un habitat hétérogène, par exemple le sous-bois foncé d'une forêt de feuillus ou de Conifères parsemée de nombreuses clairières aux teintes plus pâles, ce qui désavantage les souris aux couleurs intermédiaires.

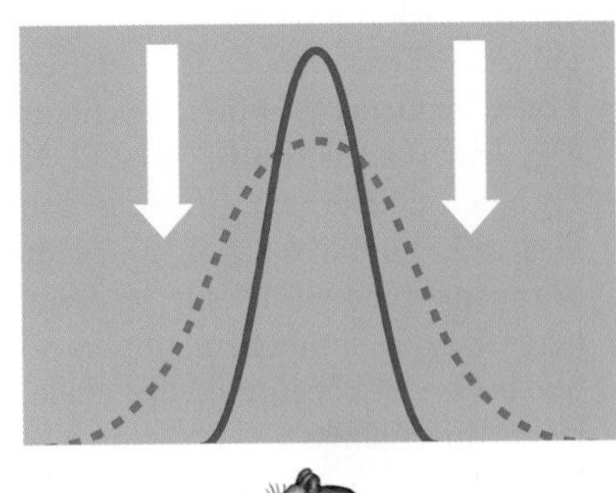

(c) La sélection stabilisante élimine les phénotypes extrêmes de la population et favorise les individus aux couleurs intermédiaires. Si le milieu se compose de roches ni très foncées ni très pâles, les souris très foncées ou très pâles seront désavantagées par la sélection.

La préservation de la variation génétique

Si la sélection naturelle élimine tous les génotypes défavorables, qu'est-ce qui l'empêche d'aplanir la variation dans une population ? La tendance à la sélection directionnelle et à la sélection stabilisante qu'elle pourrait engendrer est contrée par des mécanismes qui maintiennent ou qui rétablissent les variations.

La diploïdie

Comme la majorité des Eucaryotes sont diploïdes, une part considérable de leur variation génétique échappe à la sélection naturelle, car elle est cachée chez les hétérozygotes sous forme d'allèles récessifs. Les allèles récessifs moins favorables que leurs équivalents dominants (y compris les allèles nuisibles dans l'environnement où ils se trouvent) peuvent persister dans une population grâce aux individus hétérozygotes. Cette variation latente n'est soumise à la sélection que lorsque deux parents transmettent le même allèle récessif à un zygote. Une telle situation survient rarement quand la fréquence de l'allèle récessif est très faible. En effet, plus des allèles récessifs sont rares, moins il y a d'homozygotes récessifs qui se manifestent ; par conséquent, la sélection naturelle a plus de difficulté à éliminer les allèles récessifs nocifs ou moins avantageux. La « protection hétérozygote » entretient une énorme réserve d'allèles, qui ne sont peut-être pas avantageux dans les conditions actuelles, mais qui pourraient le devenir si le milieu venait à changer.

La sélection équilibrée

La sélection naturelle peut aussi soutenir la variation à certains loci. La **sélection équilibrée** fait référence à cette capacité de la sélection naturelle de maintenir les fréquences de plusieurs phénotypes dans une population ; cet état s'appelle **polymorphisme équilibré.** Ce type de sélection comprend l'avantage de l'hétérozygote et la sélection dépendant de la fréquence.

L'avantage de l'hétérozygote. Si les individus hétérozygotes à un locus donné ont plus de valeur d'adaptation que les homozygotes, alors au moins deux des allèles du locus en question seront sauvegardés grâce à la sélection naturelle. On peut citer comme exemple de l'avantage de l'hétérozygote le locus qui, chez l'humain, code pour l'une des sous-unités peptidiques de l'hémoglobine (la protéine des globules rouges qui transporte le dioxygène). Un allèle récessif spécifique de ce locus cause l'anémie à hématies falciformes (ou drépanocytose) chez les homozygotes (voir les figures 5.21 et 17.23). En revanche, les hétérozygotes sont modérément affectés par l'anémie mais sont par contre protégés contre les effets les plus graves du paludisme, bien qu'ils ne soient pas résistants (au sens strict du terme) à l'infection. Cette protection est un avantage précieux dans les régions tropicales, où le paludisme constitue une cause importante de mortalité. En fait, dans les régions tropicales, les hétérozygotes sont plus favorisés que les homozygotes dominants, vulnérables au paludisme, et que les homozygotes récessifs, atteints d'anémie à hématies falciformes; on a avancé l'hypothèse que l'agent responsable du paludisme se développerait moins efficacement dans des globules rouges déformés par ce type d'anémie. En Afrique, la fréquence de l'allèle de l'anémie à hématies falciformes atteint généralement son niveau le plus élevé dans les régions particulièrement touchées par le parasite qui cause le paludisme, le protozoaire *Plasmodium falciparum* **(figure 23.13)**. Dans le patrimoine génétique de certaines tribus, l'allèle récessif représente jusqu'à 20 % des allèles de l'hémoglobine; c'est une proportion très élevée pour un allèle qui a des conséquences désastreuses chez les homozygotes. Même à cette fréquence ($q = 0,2$), cependant, la maladie atteint seulement 4 % de la population ($q^2 = 0,04$). Il y a beaucoup plus d'hétérozygotes relativement protégés contre les effets du paludisme ($2pq = 2 \times 0,8 \times 0,2 = 0,32$). Même si leur valeur adaptative est beaucoup plus petite que le désavantage de l'homozygote, les hétérozygotes sont tellement plus nombreux que les homozygotes que le bénéfice accumulé de l'allèle dans la population *compense* les inconvénients.

La sélection dépendant de la fréquence. Dans la **sélection dépendant de la fréquence**, la valeur adaptative des individus ayant un phénotype particulier diminue si elle est trop répandue dans la population. La **figure 23.14** illustre une expérience simulant la sélection dépendant de la fréquence. Dans la nature, les geais bleus repèrent et mangent les papillons qui restent sans

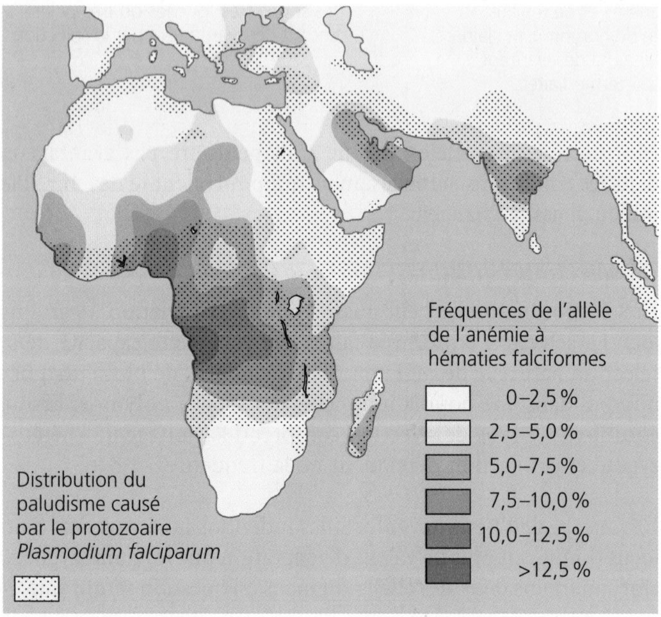

▲ **Figure 23.13 Répartition géographique du paludisme et de l'allèle associé à l'anémie à hématies falciformes.** L'allèle de l'anémie à hématies falciformes est plus courant en Afrique, mais le polymorphisme équilibré conférant une protection contre le paludisme s'observe aussi dans des populations vivant ailleurs dans le monde, comme autour de la Méditerranée et en Asie du Sud-Est, où cette maladie est répandue.

bouger sur les troncs d'arbre durant le jour. On peut entraîner des geais en captivité à trouver des proies virtuelles sur des écrans d'ordinateur. Dans l'expérience présentée à la figure 23.14, on présente aux geais une série d'images montrant un arrière-plan à motifs; parfois, il y a un papillon à l'avant-plan. Lorsqu'un geai donne un coup de bec sur l'image de papillon, on lui donne une friandise pour le récompenser. Les geais apprennent rapidement l'« image à chercher », une façon rapide de reconnaître le type de papillon le plus commun. À mesure qu'ils deviennent habiles à repérer l'image, le programme informatique ajuste la fréquence d'apparition de la proie virtuelle, rendant rare le type de papillon le plus commun et, à l'inverse, commun le type de papillon plus rare, tout comme la sélection naturelle le ferait. Les chercheurs ont aussi programmé des « mutations » qui introduisent de nouveaux types de papillons. Chaque fois qu'un type de papillon devenait commun, les geais apprenaient une nouvelle « image à chercher » et la visaient. La sélection dépendant de la fréquence a préservé le polymorphisme de cette population. Les papillons rares portant n'importe quel motif étaient avantagés parce que les geais apprenaient à trouver les papillons communs plus facilement que les rares. On a observé le même type de sélection dépendant de la fréquence pour le nombre d'interactions prédateur-proie dans la nature.

La variation neutre

Comme certaines variations génétiques observées dans les populations ont des effets négligeables sur le plan du succès reproductif, la sélection naturelle a peu d'effet sur ces allèles. Par exemple, la plupart des différences dans les bases de l'ADN que l'on a remarquées dans les parties non traduites du génome humain semblent ne conférer aucun avantage et, par conséquent, sont considérées comme une **variation neutre**. Dans les **pseudogènes**, qui sont des gènes inactivés par des mutations, des « bruits » génétiques peuvent s'accumuler dans toutes les parties du gène. Les fréquences relatives des variations neutres ne sont pas soumises à l'action de la sélection naturelle. Certains allèles neutres augmenteront en fréquence dans le patrimoine génétique alors que d'autres diminueront à la suite des effets aléatoires de la dérive génétique. Même les mutations qui altèrent des protéines peuvent être neutres. Par exemple, les données accumulées sur *Drosophila* semblent indiquer qu'environ la moitié des mutations qui modifient des acides aminés et qui deviennent ensuite fixées n'ont aucun effet sélectif, c'est-à-dire qu'elles n'influent pas sur la fonction des protéines.

Évidemment, il se peut que les différences génétiques qui semblent neutres exercent sur la survie et la reproduction des influences difficiles à mesurer. En outre, une variation peut s'avérer neutre dans un milieu, et utile ou néfaste dans un autre environnement. Le débat se poursuit à ce sujet (comme vous le verrez au chapitre 25), mais une certitude s'impose: même si une fraction seulement des variations innombrables du patrimoine génétique d'une population a un effet marqué sur la valeur adaptative, elle constitue une réserve gigantesque de matière première que la sélection naturelle pourra transformer, entraînant une évolution adaptative.

La sélection sexuelle

Charles Darwin a été le premier à étudier les répercussions de la **sélection sexuelle**, c'est-à-dire la sélection naturelle en rapport exclusivement avec la reproduction. Ce type de sélection peut

Figure 23.14

Méthode de recherche L'utilisation d'une population virtuelle pour étudier les effets de la sélection

APPLICATION À partir d'organismes virtuels pouvant « se reproduire » et transmettre certains caractères à leurs descendants, les biologistes peuvent modéliser les effets de la sélection sur plusieurs générations au cours d'une période de temps comprimée. Cette méthode leur permet également d'isoler l'effet de la variable en contrôlant les autres influences sur l'évolution de la population, objectif presque impossible à atteindre dans la nature.

TECHNIQUE Les études portant sur des populations virtuelles sont plus significatives lorsqu'elles sont basées sur un système naturel. Par exemple, Alan Bond et Alan Kamil, de la University of Nebraska, ont créé une « écologie virtuelle » basée sur une relation abondamment étudiée : la relation prédateur-proie entre les geais bleus d'Amérique du Nord (*Cyanocitta cristata*) et une espèce de papillon nocturne des forêts. Les chercheurs ont tout d'abord converti les images à niveaux de gris des papillons en papillons numériques. Les motifs des ailes ont été déterminés par un génome informatique complexe basé sur le génome réel de ces Insectes et rendant compte de l'hérédité polygénique, de l'enjambement et de la mutation. Ces papillons virtuels peuvent s'accoupler virtuellement ; les génotypes et les phénotypes des descendants sont déterminés au moyen de différents modèles mathématiques.

Bond et Kamil ont entraîné des geais bleus en captivité à « chasser » des papillons numériques affichés sur des arrière-plans à motifs, tout comme les geais bleus sauvages chassent les papillons camouflés qui se tiennent immobiles durant la journée sur des troncs d'arbre dans la nature. Pour simuler les effets de la prédation du geai bleu sur la population de papillons, les chercheurs ont présenté chaque papillon à un geai et mesuré le temps de détection (ou l'absence de détection). À l'aide d'une méthode statistique, ils ont ensuite calculé, pour chaque papillon, les chances de s'accoupler et de produire une autre génération de proies potentielle. Ils ont répété le procédé pour 100 générations du groupe expérimental (exposé à la sélection dépendant de la fréquence) et de deux groupes témoins. Dans un des groupes témoins (aucune présentation d'image et donc aucune sélection par les geais), les chercheurs ont recombiné au hasard les génotypes de chaque génération. Dans l'autre groupe témoin (exposé à la sélection indépendante de la fréquence), les geais ont sélectionné des papillons, mais c'est un programme informatique qui éliminait l'effet de l'« image à chercher ».

Quand le geai repère une image de papillon, on lui donne une friandise. Si l'oiseau ne détecte de papillon sur aucun des deux écrans, il donne un coup de bec sur le cercle vert pour recevoir une nouvelle série d'images (une autre chance de recevoir une friandise).

RÉSULTATS L'utilisation d'une population de proies virtuelles a permis aux chercheurs de modéliser l'impact évolutif à long terme de la sélection par des prédateurs réels. Dans cette étude, on a rendu la population expérimentale de papillons plus difficile à détecter contre les arrière-plans à motifs comparativement au témoin sans sélection (le groupe exposé à la sélection indépendante de la fréquence était, lui aussi, présenté sur fond d'arrière-plans à motifs). Les geais détectent les papillons affichant les motifs d'ailes les plus souvent représentés et non pas les plus visibles (car moins bien camouflés) ; les types de papillons portant les motifs les plus rares peuvent alors se reproduire et devenir majoritaires. Comme le montre le diagramme ci-dessous, dans trois essais, le groupe expérimental (lignes de couleur) présente une variation phénotypique beaucoup plus grande que le groupe témoin indépendant de la fréquence (ligne noire). Ce résultat soutient l'hypothèse de Bond et Kamil selon laquelle la sélection dépendant de la fréquence par des prédateurs visuels favorise le polymorphisme au sein d'une population de proies.

Échantillon de la population parentale : les différents motifs d'ailes sont d'apparence assez semblable

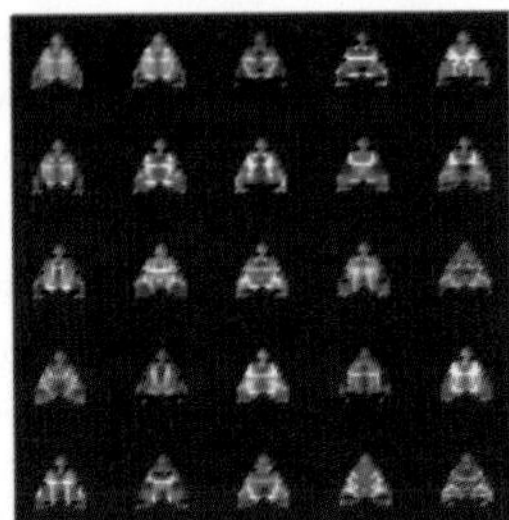

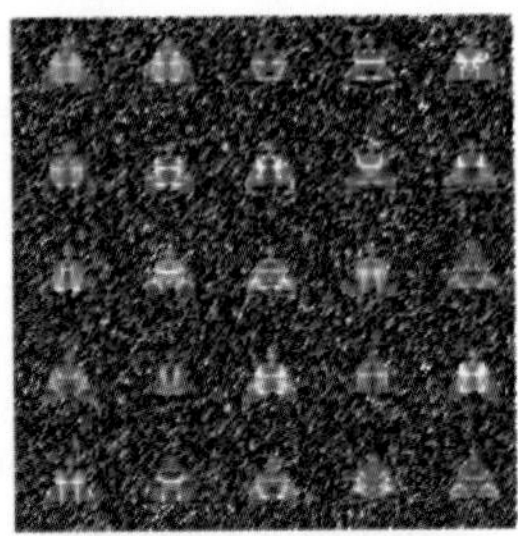

Échantillon du groupe expérimental (après 100 générations) : la diversité phénotypique a considérablement augmenté

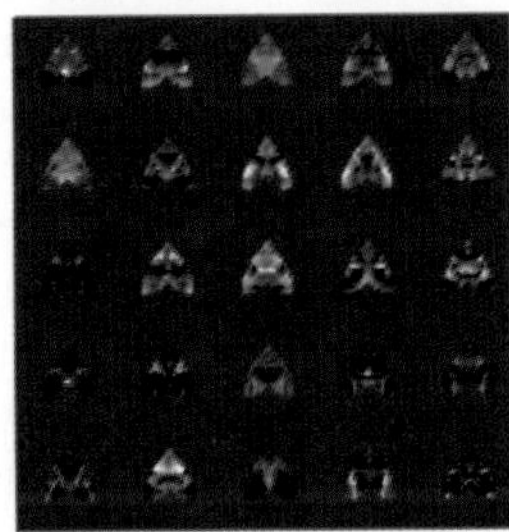

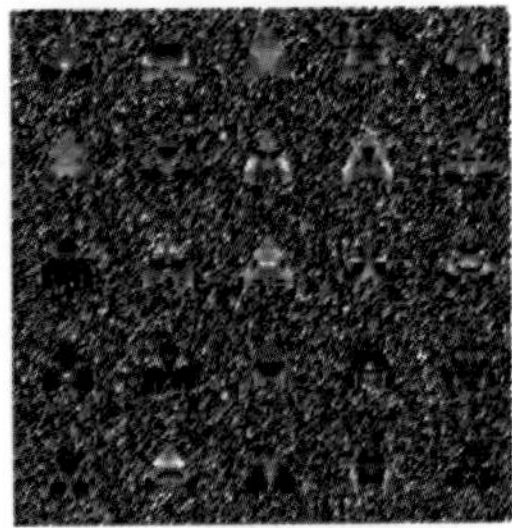

Arrière-plan uni — Arrière-plan à motifs

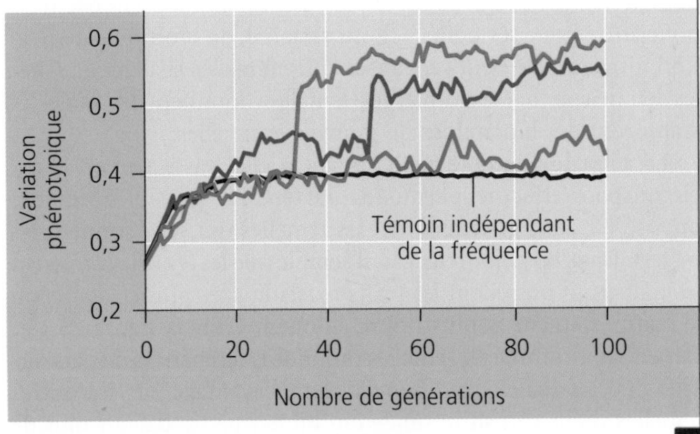

donner lieu au **dimorphisme sexuel**, qui s'exprime par des différences marquées dans les caractères sexuels secondaires, lesquels ne sont pas directement associés à la reproduction **(figure 23.15)**. Darwin avait remarqué que ces différences se remarquent surtout chez les espèces *polygynes* (espèces où un seul mâle féconde plusieurs femelles). Ces différences touchent notamment la taille et la couleur. Chez les Vertébrés, les mâles sont habituellement dotés des phénotypes les plus impressionnants : par exemple, les

▲ **Figure 23.15 Dimorphisme sexuel et sélection sexuelle.** Le paon et la paonne ont un dimorphisme sexuel extrême. Il y a sélection intrasexuelle entre les mâles concurrents, suivie d'une sélection intersexuelle lorsque les femelles choisissent parmi les mâles les plus éclatants.

bois de *Megaloceros* (l'élan irlandais, espèce aujourd'hui disparue) avaient une envergure qui pouvait atteindre 4 mètres.

Il importe de faire la distinction entre la sélection *intra*sexuelle et la sélection *inter*sexuelle. La **sélection intrasexuelle** désigne la sélection qui a lieu entre des individus de même sexe. Elle passe par la concurrence directe pour gagner les faveurs d'un partenaire de sexe opposé. La sélection intrasexuelle est généralement plus évidente chez les mâles, car pour le mâle, le succès de la reproduction dépend beaucoup plus de la capacité de se trouver une partenaire que de produire les cellules nécessaires à cette fonction (alors que ce sera l'inverse pour la femelle). Par exemple, chez plusieurs espèces, c'est un mâle seul qui exerce son emprise sur un groupe de femelles et empêche les autres mâles de s'accoupler avec celles-ci. Pour défendre son statut, ce mâle doit parfois combattre les mâles plus petits, plus faibles ou moins acharnés que lui, et les vaincre. Le plus souvent, cependant, il se livre à des parades ritualisées qui découragent ses rivaux; il évite de se blesser afin de ne pas réduire sa propre valeur adaptative (voir le chapitre 51). De façon encore plus pacifique, le mâle peut aussi se gagner les faveurs de la femelle en lui apportant une proie qu'elle pourra manger et qui prouvera sa valeur comme pourvoyeur de nourriture pour ses petits. Chose certaine, on croit que la sélection intrasexuelle peut se réaliser entre femelles également. Chez les lémuriens, par exemple, les femelles dominent les mâles et établissent des hiérarchies de pouvoir entre elles.

La **sélection intersexuelle**, quant à elle, passe par un choix circonspect effectué parmi les partenaires possibles de sexe opposé (ce sont généralement les femelles qui sélectionnent les mâles). Dans de nombreux cas, il semble que les femelles préfèrent les mâles qui possèdent les traits masculins les plus éclatants ou le comportement le plus impressionnant (voir la figure 23.15). Cependant, comme les femelles ont moins de chances de s'accoupler que les mâles, une femelle aura l'avantage sur les autres femelles si elle choisit un mâle qui lui permettra d'avoir plus de descendants adaptés que les autres femelles.

Ce genre de manifestations a d'ailleurs intrigué Darwin. Bien sûr, les caractéristiques éclatantes du comportement mâle facilitent l'obtention des faveurs d'une femelle. Cependant, en d'autres circonstances, elles ne présentent aucune valeur adaptative et peuvent même comporter certains risques. Ainsi, un plumage éclatant peut rendre les oiseaux mâles plus visibles pour leurs prédateurs, et donc plus vulnérables. Toutefois, si des caractères sexuels secondaires aident des mâles à s'accoupler et que cet avantage l'emporte sur le risque, alors le plumage éclatant et la préférence de la femelle pour celui-ci se maintiendront pour la plus darwinienne des raisons: ils favorisent le succès reproductif. Chaque fois qu'elle choisit un mâle en fonction d'un comportement ou d'une caractéristique corporelle, une femelle perpétue les allèles qui l'ont amenée à faire son choix; elle permet ainsi au mâle portant un phénotype particulièrement impressionnant de transmettre ses allèles à sa progéniture.

Comment les préférences des femelles pour certains caractères du mâle évoluent-elles? Divers chercheurs procèdent à des études en vue de vérifier si de tels caractères secondaires éclatants ne reflètent pas plutôt l'état de santé général. Par exemple, les Oiseaux mâles qui souffrent d'une infection parasitique grave ont un plumage terne et ébouriffé. Ils ne réussissent généralement pas à gagner les faveurs de nombreuses femelles. Un mâle aux caractères éclatants, qui a réussi à survivre malgré ses caractéristiques qui le rendent plus vulnérable, est probablement aussi bien-portant; la femelle qui l'a choisi aura ainsi plus de chances de donner naissance à des descendants en pleine santé.

La reproduction sexuée, énigme de l'évolution

Les biologistes qui étudient les mécanismes de la sélection naturelle ne cessent de s'émerveiller devant l'évolution de la reproduction sexuée. Celle-ci exige davantage de conditions pour se concrétiser que la reproduction asexuée, ce qui la rend moins facile à réaliser. Prenons, par exemple, une population d'Insectes dans laquelle la moitié des femelles se reproduit de manière sexuée, et l'autre moitié de manière asexuée. Même si les deux groupes de femelles produisent le même nombre de descendants à chaque génération, la reproduction asexuée augmentera en fréquence, parce que tous les descendants qui en sont issus seront des femelles, qui produiront elles-mêmes davantage de femelles. Par contre, la moitié des descendants des femelles à reproduction sexuée seront des mâles (nécessaires à la perpétuation du mode de reproduction sexué); or, les mâles ne peuvent donner eux-mêmes naissance à des descendants, ce qui réduit l'occurrence de la reproduction sexuée dans la population **(figure 23.16)**.

Or, on constate que la reproduction sexuée est maintenue chez la majorité des espèces eucaryotes, même chez celles qui sont aussi capables de se reproduire de façon asexuée. Cela doit sûrement accroître le succès reproductif, autrement la sélection naturelle aurait opéré en faveur des allèles favorisant la reproduction asexuée. Mais quel avantage la reproduction sexuée représente-t-elle? L'explication classique est que les processus de méiose et de fécondation aléatoire produisent les variations génétiques sur lesquelles la sélection naturelle agit. On présume que la sélection maintient la reproduction sexuée en dépit des désavantages reproductifs parce que la variation génétique permet l'adaptation *future* à un milieu qui change constamment. Or, cette idée est difficile à défendre. La sélection naturelle agit dans le *présent*, en favorisant le succès des individus qui se reproduisent le mieux dans leur milieu.

On devrait donc se demander en quoi la variation génétique résultant de la reproduction sexuée confère un avantage aux individus qui se reproduisent sexuellement à court terme, c'est-à-dire

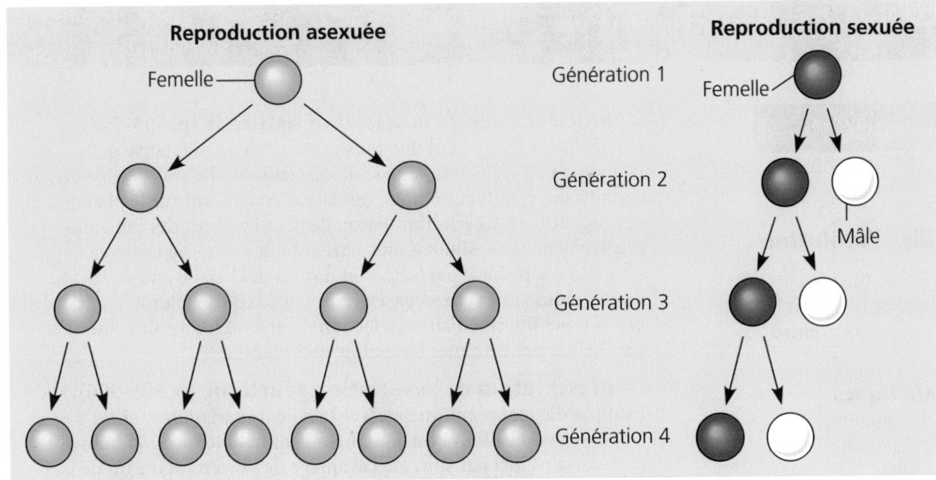

▲ **Figure 23.16 La reproduction asexuée possède un net avantage sur la reproduction sexuée.** Ces diagrammes mettent en parallèle les possibilités de réalisation des modes de reproduction asexué et sexué. Les cercles bleus représentent les femelles, et les cercles blancs les mâles d'une même population. Le diagramme de gauche montre les fruits de la reproduction asexuée au terme de quatre générations. Les scénarios comportent deux descendants vivants par femelle. La population asexuée dépasse rapidement la population sexuée.

d'une génération à l'autre. La réponse réside peut-être dans le rôle capital de la variation génétique dans la résistance aux maladies. De nombreux agents pathogènes, notamment des Virus, des Bactéries et des Protozoaires, reconnaissent et infectent un hôte précis en se fixant à des molécules réceptrices situées sur ses cellules. Une population a avantage à produire des descendants qui varient sur le plan de leur résistance aux différentes maladies. Par exemple, une fraction peut développer des molécules réceptrices situées sur la membrane plasmique qui lui permettent de résister à un virus A; une autre fraction peut produire des molécules réceptrices capables de résister à un virus B. Le nombre d'allèles augmente particulièrement dans le cas de loci codant pour les récepteurs auxquels les agents pathogènes se fixent. Les faits confirment cette idée. Chez l'humain, par exemple, on dénombre des centaines d'allèles pour chacun des deux loci codant pour les protéines qui procurent aux surfaces cellulaires leurs particularités moléculaires (nous vous en dirons plus sur ces marqueurs cellulaires au chapitre 43). Bien sûr, étant donné que la plupart des agents pathogènes évoluent extrêmement vite, de même que leur capacité à se fixer à des récepteurs spécifiques de l'hôte, la résistance à la maladie d'un génotype hôte particulier n'est pas permanente. Il reste que la reproduction sexuée est un mécanisme de modification des paramètres et de variation de la descendance.

Pourquoi la sélection naturelle ne peut produire des organismes parfaits

Comme nous l'avons vu au chapitre 22, la nature abonde en organismes qui semblent plus ou moins bien « conçus » pour leur style de vie. En voici les raisons.

1. *L'évolution est limitée par des contraintes historiques.* Chaque espèce provient d'une longue lignée ancestrale modifiée au fil des générations. L'évolution ne se débarrasse pas de l'anatomie ancestrale pour construire une structure complexe à partir de rien; elle travaille plutôt sur les structures existantes et les adapte à des situations nouvelles. Par exemple, on pourrait se dire que certaines espèces d'Oiseaux auraient avantage à avoir à la fois des ailes pour le vol et *quatre* pattes au lieu de deux pour courir plus vite et plus efficacement. Toutefois, les Oiseaux descendent des Reptiles; or, ces derniers possédaient seulement deux paires de membres, et la sélection des membres antérieurs pour voler ne laisse que les deux membres postérieurs pour se déplacer sur le sol.

2. *De nombreuses adaptations sont des compromis.* Chaque organisme exerce des activités diverses qui peuvent entrer en contradiction les unes avec les autres. Par exemple, le phoque passe une partie de son temps sur des rochers; il marcherait probablement mieux s'il avait des pattes au lieu de nageoires. Cependant, dans un tel cas, il ne pourrait pas évoluer aussi bien dans l'eau. L'humain, lui, doit son habileté et sa force à ses mains préhensiles et à ses membres flexibles, qui l'amènent toutefois à subir des entorses, des déchirures ligamentaires et des luxations. La diminution de notre résistance structurale est le prix à payer pour notre agilité.

3. *Le hasard et la sélection naturelle interagissent.* Le hasard influe sur l'histoire évolutive subséquente des populations. Ainsi, quand un vent violent emporte des Insectes ou des Oiseaux jusqu'à une île située à des centaines de kilomètres de leur habitat, il ne choisit pas les espèces ou les individus les mieux adaptés au nouveau milieu. Les allèles du patrimoine génétique de la population fondatrice ne sont pas tous mieux adaptés au nouvel environnement que les allèles « laissés derrière ».

4. *La sélection ne peut que modifier des variations existantes.* La sélection naturelle favorise les phénotypes les mieux adaptés au milieu parmi ceux qui existent déjà dans une population. Or, ceux-ci ne sont pas toujours les phénotypes idéaux. Les nouveaux allèles n'apparaissent pas sur demande.

Compte tenu de toutes ces contraintes, nous ne pouvons nous attendre à ce que des organismes parfaits soient produits sous l'effet de la sélection naturelle. Cette dernière privilégie les meilleurs éléments disponibles en fonction du milieu. L'une des preuves que l'évolution n'agit pas toujours de façon idéale réside dans les subtiles imperfections des organismes qu'elle engendre.

Retour sur le concept 23.4

1. La diversité nucléotidique dans une population correspond-elle toujours au polymorphisme phénotypique? Pourquoi?
2. Quelle est la valeur adaptative d'un mulet (hybride stérile)? Expliquez votre réponse.
3. Comment la sélection sexuelle aboutit-elle au dimorphisme sexuel?
4. Expliquez ce qu'est le désavantage de la reproduction sexuée.

Voir les réponses proposées à la fin du chapitre.

Révision du chapitre 23

RÉSUMÉ DES CONCEPTS CLÉS

La génétique des populations permet d'étudier l'évolution

- **La théorie synthétique de l'évolution (p. 494).** La théorie synthétique de l'évolution intègre les idées de Mendel avec la théorie darwinienne de l'évolution par sélection naturelle, et elle se concentre sur les populations en tant qu'unités de l'évolution.
- **Le patrimoine génétique et les fréquences alléliques (p. 494-495).** Une population est un groupe localisé d'organismes appartenant à la même espèce. Elle est unie par son patrimoine génétique, c'est-à-dire par l'accumulation de tous ses allèles.
- **La loi de Hardy-Weinberg (p. 495-498).** La loi de Hardy-Weinberg stipule que les fréquences alléliques et génotypiques d'une population restent constantes si la ségrégation mendélienne et l'accouplement au hasard sont les seuls processus agissant sur le patrimoine génétique. Si p et q représentent les fréquences relatives des deux seuls allèles possibles d'un locus, alors $p^2 + 2pq + q^2 = 1$; p^2 et q^2 correspondent aux fréquences des génotypes homozygotes, et $2pq$ représente la fréquence du génotype hétérozygote. Même si de nombreuses populations s'approchent de l'équilibre de Hardy-Weinberg, cet équilibre ne peut s'appliquer intégralement qu'à une population très grande et génétiquement isolée dont les individus s'accouplent de manière aléatoire et ont un succès reproductif égal, et où la mutation est négligeable.

Les mutations et les recombinaisons produisent la variation génétique qui rend possible l'évolution

- **La mutation (p. 498-499).** De nouveaux gènes et de nouveaux allèles apparaissent seulement par mutation. La plupart des mutations sont sans effet ou encore nuisibles, mais certaines d'entre elles ont une valeur adaptative.
- **La recombinaison (p. 499).** La recombinaison génétique entre des organismes sexués est la source de la plupart des variations de caractères rendant possible l'adaptation.

La sélection naturelle, la dérive génétique et le flux génétique peuvent altérer la composition génétique d'une population

- **La sélection naturelle (p. 499).** Le succès reproductif différentiel fait en sorte que certains allèles se retrouvent en plus grand nombre que d'autres dans la génération suivante.
- **La dérive génétique (p. 499-501).** Les fluctuations aléatoires dans les fréquences alléliques d'une génération à l'autre tendent à réduire la variation génétique au sein des populations.
- **Le flux génétique (p. 501).** L'échange génétique entre les populations tend à réduire les différences entre les populations au fil du temps.

La sélection naturelle est le principal mécanisme de l'évolution adaptative

- **Les variations génétiques (p. 502-503).** Les variations génétiques comprennent la variation individuelle des caractères qualitatifs et quantitatifs d'une population, ainsi que les variations géographiques entre les populations.
- **L'étude détaillée de la sélection naturelle (p. 503-504).** Un génotype bénéficie d'une plus grande valeur adaptative qu'un autre génotype s'il produit davantage de descendants. La sélection favorise certains des génotypes d'une population en agissant sur le phénotype des organismes. La sélection naturelle peut favoriser des individus relativement rares, situés à une extrémité de la courbe normale de sélection des phénotypes (sélection directionnelle), ou encore favoriser les individus situés aux deux extrêmes de la courbe plutôt que les phénotypes intermédiaires (sélection divergente), ou enfin éliminer les phénotypes extrêmes (sélection stabilisante).
- **La préservation de la variation génétique (p. 505-506).** La diploïdie maintient une réserve latente de variation chez les hétérozygotes. La sélection équilibrée peut maintenir la variation dans certains loci par suite de l'avantage de l'hétérozygote ou de la sélection dépendant de la fréquence.
- **La sélection sexuelle (p. 506-508).** La sélection sexuelle débouche sur la production de caractères sexuels secondaires ; ces derniers procurent aux individus certains avantages au cours de l'accouplement.
- **La reproduction sexuée, énigme de l'évolution (p. 508-509).** Les variations génétiques issues de la reproduction sexuée aboutissent souvent à une résistance accrue aux maladies. Cela peut expliquer en partie pourquoi la sélection naturelle maintient ce mode de reproduction, en dépit de sa faible occurrence et de sa complexité plus grande que celle de la reproduction asexuée.
- **Pourquoi la sélection naturelle ne peut produire des organismes parfaits (p. 509).** Les structures anatomiques résultent de la modification de la lignée ancestrale ; les adaptations constituent le plus souvent des compromis ; le patrimoine génétique peut être modifié par la dérive génétique ; enfin, la sélection naturelle ne peut intervenir que sur la gamme de variations déjà existantes.

VÉRIFIEZ VOS CONNAISSANCES

Autoévaluation

(Les questions dont les numéros sont en caractères gras font surtout appel à la compréhension.)

1. Dans le patrimoine génétique d'une population de 100 individus, l'allèle fixe du locus d'un gène a une fréquence de :
   a) 0.
   b) 0,5.
   c) 1.
   d) 100.
   e) On ne peut la calculer à partir de cette information.

2. Des chercheurs examinent un des gènes d'une population de mouches du vinaigre. Ils découvrent que ce gène peut avoir l'une ou l'autre de deux séquences légèrement différentes (A1 et A2). Un examen plus approfondi montre que 70 % des gamètes produits par cette population contiennent la séquence A1. Si la population respecte l'équilibre de Hardy-Weinberg, quelle proportion de ces mouches portent à la fois A1 et A2 ?
   a) 0,7.
   b) 0,49.
   c) 0,21.
   d) 0,42.
   e) 0,09.

3. Pour un locus ayant un allèle dominant et un allèle récessif qui ont atteint l'équilibre de Hardy-Weinberg, 16 % des individus sont homozygotes pour l'allèle récessif. Quelle est la fréquence de l'allèle dominant dans la population ?
   a) 0,84.
   b) 0,36.
   c) 0,6.
   d) 0,4.
   e) 0,48.

4. Plus on avance vers le nord, plus la longueur moyenne des oreilles des renards diminue. À quoi correspond cette variation?
   a) À un cas de sélection directionnelle.
   b) À une variation qualitative.
   c) À un cas de polymorphisme.
   d) À un cas de dérive génétique.
   e) À un cas de sélection divergente.

5. Parmi les éléments suivants, lequel constitue un exemple de caractère polymorphe chez l'humain?
   a) La variation de la taille du corps.
   b) Une faible variation de l'intelligence.
   c) La présence de lobes attachés ou non attachés (voir la figure 14.14b).
   d) La variation du nombre de doigts.
   e) La variation de la longueur du nez.

6. La sélection naturelle modifie les fréquences alléliques au sein des populations parce que certains (ou certaines) ____________ survivent et se reproduisent davantage que d'autres.
   a) allèles
   b) individus
   c) patrimoines génétiques
   d) loci de gène
   e) espèces

7. On a constaté que, chez l'hirondelle rustique (*Hirundo rustica*), les queues les plus longues des mâles avaient évolué parce que les femelles préféraient s'accoupler avec ceux qui possèdent la queue la plus longue. Cette observation constitue un exemple:
   a) de dérive génétique qui change les fréquences alléliques pour la longueur de la queue.
   b) de sélection naturelle en fonction de la reproduction sexuée, laquelle maintient la variation des gènes influant sur la longueur de la queue.
   c) de sélection intersexuelle de caractères qui, comme les longues queues, aident les mâles à attirer les femelles.
   d) de sélection intrasexuelle de caractères qui, comme les longues queues, aident les mâles à combattre avec d'autres pour accéder aux femelles.
   e) de sélection directionnelle de caractères qui, comme les longues queues, favorisent les capacités de vol, donc la possibilité de chercher de la nourriture en couvrant de plus longues distances.

8. Chaque humain est unique, sauf les jumeaux identiques. Quelle est la première source de variation entre les individus d'une population?
   a) Des mutations survenues à la génération précédente.
   b) La recombinaison.
   c) Une dérive génétique, imputable à la petite taille de la population.
   d) Une variation géographique au sein de la population.
   e) Des facteurs environnementaux.

9. La construction d'une route a isolé une petite partie d'une population de coccinelles. Après quelques générations, la population isolée présente des différences génétiques radicales par rapport à la population initiale. Quelle est la cause la plus probable?
   a) Les mutations sont plus courantes dans un nouvel environnement.
   b) Par hasard, les fréquences alléliques des coccinelles isolées différaient dès le départ des fréquences alléliques de la population parentale, et une dérive génétique a eu lieu qui a exacerbé les différences d'avec le patrimoine initial.
   c) Le nouvel environnement est différent de l'ancien, ce qui favorise la sélection divergente.
   d) Le flux génétique augmente dans un nouveau milieu.
   e) Les membres d'une petite population ont tendance à migrer, ce qui retire des allèles du patrimoine génétique.

10. Chez une espèce particulière de moineau, les individus possédant des ailes de taille moyenne survivent mieux que les autres en cas de tempête violente, en raison de:
   a) l'effet d'étranglement.
   b) la sélection stabilisante.
   c) la sélection dépendant de la fréquence.
   d) la variation neutre.
   e) la sélection divergente.

11. Laquelle des populations suivantes est la moins susceptible de voir ses fréquences alléliques varier dans une prochaine génération?
   a) Celle qui respecte les conditions de la loi de Hardy-Weinberg.
   b) Celle qui subit un effet d'étranglement.
   c) Celle qui subit l'effet fondateur.
   d) Celle qui affiche de la dérive génétique.
   e) Celle qui est sous l'influence de la sélection naturelle.

12. Déterminez l'énoncé *incorrect*:
   a) La sélection sexuelle est une forme de sélection naturelle.
   b) Les humains affichent du dimorphisme sexuel.
   c) La sélection sexuelle est généralement la plus forte chez le sexe qui investit le plus d'énergie dans la «production» des descendants.
   d) Le dimorphisme sexuel est une conséquence de la sélection sexuelle.
   e) Pour la femelle, le succès reproductif dépend beaucoup plus de l'aptitude à produire les cellules reproductrices nécessaires et à assurer le développement des petits que de la recherche d'un partenaire.

13. Déterminez le *seul* énoncé *correct*, parmi les énoncés suivants ayant trait à la diversité génétique.
   a) D'après la loi de Hardy-Weinberg, la fréquence de l'allèle dominant a tendance à croître de génération en génération et finira par éliminer l'allèle récessif.
   b) La sélection directionnelle tend à augmenter la diversité génétique.
   c) Le flux génétique tend à diversifier les caractères de deux populations.
   d) La dérive génétique peut mener à la fixation d'allèles.
   e) Étant donné qu'elles se produisent de façon aléatoire, les mutations ne peuvent pas constituer un facteur évolutif important.

Lien avec l'évolution

Comment le processus de l'évolution se révèle-t-il dans les imperfections des organismes?

Intégration

1. Dans la population de plantes à fleurs sauvages utilisées pour illustrer la loi de Hardy-Weinberg, la fréquence de *Cr*, l'allèle dominant des pétales rouges, est de 0,8, alors que la fréquence de *Cb*, l'allèle récessif des pétales blancs, est de 0,2. Dans une autre population de ces mêmes plantes, les fréquences des génotypes ne respectent pas l'équilibre de Hardy-Weinberg: 60 % des plantes ont le génotype *CrCr*, et 40 % le génotype *CrCb*. En admettant que toutes les conditions nécessaires à la loi de Hardy-Weinberg soient réunies, prouvez que les génotypes atteindront l'équilibre à la génération suivante. Supposez, au contraire, que les plantes se reproduisent par autofécondation. Quelles seront les fréquences alléliques et génotypiques dans la génération suivante?

2. Une population théorique est dans un état correspondant à l'équilibre de Hardy-Weinberg. Dans cette population, il y a trois allèles (A_1, A_2 et A_3) pour un certain locus. Les fréquences respectives de ces allèles sont p, q et r. Quelles seront, de génération en génération, les proportions (fréquences respectives) des différents génotypes des individus formant cette population?

Science, technologie et société

Dans quelle mesure les humains d'une société technologique échappent-ils à la sélection naturelle? Justifiez votre réponse.

Réponses du chapitre 23

Retour sur le concept 23.1

1. Mendel a montré que l'hérédité est particulaire. Par la suite, on a compris que cette hérédité peut préserver la variation sur laquelle la sélection opère.
2. 750. La moitié des loci (250) sont fixés, ce qui signifie qu'il y a seulement un allèle pour chaque locus : $250 \times 1 = 250$. Il y a deux allèles pour chacun des autres loci : $250 \times 2 = 500$; $250 + 500 = 750$.
3. $2pq + q^2$; $2pq$ représente des hétérozygotes ayant un allèle pour la phénylcétonurie et q^2 correspond aux homozygotes ayant deux allèles pour cette maladie.

Retour sur le concept 23.2

1. La plupart des mutations ont lieu dans les cellules somatiques qui ne produisent pas de gamètes ; elles disparaissent donc à la mort de l'organisme. Parmi les mutations qui ont lieu dans les lignées cellulaires, qui produisent des gamètes, bon nombre n'ont pas d'effet phénotypique sur lequel la sélection pourrait opérer. D'autres mutations ont des effets néfastes et sont donc moins susceptibles de se propager d'une génération à l'autre au sein d'une population, puisque ces mutations réduisent le succès reproductif des individus porteurs.
2. Une population contient un très grand nombre de combinaisons reproductives possibles, et la fécondation réunit les gamètes d'individus possédant différents patrimoines génétiques. La reproduction sexuée mélange les allèles et produit des combinaisons nouvelles à chaque génération.

Retour sur le concept 23.3

1. La sélection naturelle est plus « prévisible » dans la mesure où elle tend à accroître ou décroître les fréquences alléliques qui correspondent aux variations qui avantagent ou désavantagent un organisme dans son milieu. Les allèles sujets à la dérive génétique ont tous la même probabilité d'augmenter ou de diminuer.
2. La dérive génétique provient des fluctuations aléatoires des fréquences alléliques d'une génération à l'autre ; elle tend à réduire la variation au fil du temps. Le flux génétique correspond à l'échange d'allèles entre les populations ; il tend à accroître la variation au sein d'une population, mais à décroître les différences dans les fréquences alléliques entre les populations.

Retour sur le concept 23.4

1. Non ; de nombreux nucléotides se trouvent dans les parties non codantes de l'ADN ou dans les pseudogènes (gènes inactivés par des mutations). Un changement dans un nucléotide peut même n'avoir aucun effet sur l'acide aminé encodé, en raison de la redondance du code génétique.
2. Zéro, parce que le succès reproductif contribue à la valeur adaptative, et un mulet stérile ne peut pas produire de descendants.
3. Dans la sélection sexuelle, les organismes font valoir certains comportements ou caractères physiques éclatants pour s'attirer les faveurs d'un individu de l'autre sexe et s'accoupler ; la sélection agit seulement sur les caractères des individus appartenant au sexe chez qui il y a une lutte pour l'accouplement.
4. Seulement la *moitié* des membres (les femelles) d'une population à reproduction sexuée produisent des descendants, tandis que ce sont *tous* les membres d'une population à reproduction asexuée qui peuvent se reproduire.

Autoévaluation

1. c ; **2.** d ; **3.** c ; **4.** a ; **5.** c ; 6. b ; **7.** c ; **8.** b ; 9. b ; **10.** b ; 11. a ; **12.** c ; 13. d.

24

L'origine des espèces

▲ **Figure 24.1 Le cormoran aptère (*Nannopterum harrisi*) est une des nombreuses espèces nées dans l'isolement des îles Galápagos.**

Concepts clés

24.1 Le concept biologique de l'espèce s'appuie sur l'isolement reproductif

24.2 La spéciation peut avoir lieu en présence ou en l'absence d'isolement géographique

24.3 Les changements participant à la macroévolution peuvent s'accumuler par spéciation

Introduction

Le « mystère des mystères »

Quand il s'est rendu aux îles Galápagos, Darwin était impatient d'explorer cette topographie nouvellement émergée de la mer. Il a constaté que ces îles volcaniques abritaient, malgré leur origine géologique récente, des plantes et des animaux inconnus ailleurs. Plus tard, il a compris que ces espèces étaient comme les îles: nouvelles **(figure 24.1)**. Après avoir visité l'archipel, Darwin a écrit dans son journal: « Dans le temps et dans l'espace, il semble que nous approchions d'un fait grandiose, du mystère des mystères: l'apparition de nouveaux êtres sur la Terre. »

L'origine des espèces, c'est-à-dire la **spéciation**, constitue le point central de la théorie évolutionniste, car la naissance de nouvelles formes de vie est la source de la diversité biologique. Il ne suffit pas d'expliquer l'évolution des adaptations dans les populations, sujet que nous avons abordé dans le chapitre 23; ces adaptations, qui se limitent à un patrimoine génétique unique, forment la **microévolution**. La théorie de l'évolution doit également expliquer l'origine des nouvelles espèces, leur subdivision et la différenciation subséquente des patrimoines génétiques. Les archives géologiques révèlent les effets cumulatifs de la spéciation sur de très longues périodes de temps. Le terme **macroévolution** fait référence aux changements évolutifs qui touchent plusieurs espèces, comme l'apparition de plumes au cours de l'évolution des Oiseaux à partir d'un groupe de Dinosaures et les autres « nouveautés évolutives » qu'on peut utiliser pour définir un nouveau groupe taxinomique.

On distingue deux voies empruntées par la spéciation: l'anagenèse et la cladogenèse **(figure 24.2)**. L'anagenèse (du grec *ana*, « nouveau », et *genesis*, « naissance »), aussi appelée *évolution phylétique*, désigne l'accumulation, avec le temps, de changements qui transforment graduellement une espèce en une espèce dotée de caractères différents. La cladogenèse (du grec *klados*, « branche »), aussi nommée *évolution divergente*, est la séparation d'un patrimoine génétique en deux ou trois patrimoines distincts qui peuvent donner naissance à une ou plusieurs nouvelles espèces. Seule la cladogenèse peut favoriser la diversité biologique, et ce, en accroissant le nombre des espèces (l'anagenèse n'augmente pas le nombre

▲ **Figure 24.2 Deux voies de transformation évolutive.** **(a)** L'anagenèse désigne l'accumulation de changements héréditaires qui modifient les caractères d'une espèce. **(b)** La cladogenèse porte sur l'évolution divergente: une nouvelle espèce émerge d'une petite population issue d'une espèce mère. (Notez que l'espèce « parentale » peut changer également.) La cladogenèse est la source de la diversité biologique.

d'espèces ; elle ne fait que modifier les caractéristiques des représentants d'une espèce).

Dans le présent chapitre, nous explorerons les mécanismes de spéciation et nous nous pencherons sur les origines possibles de certaines caractéristiques nouvelles définissant des groupes taxinomiques de rang supérieur. Mais, d'abord, voyons ce que signifie exactement le mot *espèce*.

Concept 24.1

Le concept biologique de l'espèce s'appuie sur l'isolement reproductif

Le terme **espèce** vient du mot latin *species*, qui signifie « type » ou « apparence ». On distingue les catégories de Végétaux ou d'Animaux (les chiens et les chats, par exemple) d'après les différences dans leur apparence. Cependant, est-il réaliste de penser qu'on peut classer les organismes dans ces unités distinctes que nous appelons *espèces* ? Ou est-ce un désir humain que de vouloir ordonner le monde naturel ? Pour répondre à cette question, les biologistes doivent comparer non seulement les caractéristiques morphologiques (forme du corps) de divers groupes d'organismes, mais aussi les différences moins évidentes dans la physiologie, la biochimie et les séquences d'ADN. Ces comparaisons confirment généralement que les espèces morphologiquement distinctes forment effectivement des groupes distincts qui présentent de nombreuses différences autres que morphologiques.

Le concept biologique de l'espèce

On pourrait trouver dans la littérature scientifique une centaine de définitions de l'espèce. Celle sur laquelle nous nous appuierons le plus souvent dans le présent manuel a été proposée en 1942 par le biologiste de l'évolution Ernst Mayr.

Selon le **concept biologique de l'espèce**, une espèce est une population ou un groupe de populations dont les individus sont en mesure de se reproduire les uns avec les autres dans la nature et d'engendrer une descendance viable et féconde ; ils sont, par contre, le plus souvent dans l'impossibilité d'avoir une telle descendance avec les individus d'autres populations **(figure 24.3)**. Autrement dit, une espèce, au sens biologique du terme, représente la plus grande unité de population partageant un pool génétique commun. Dans cette population, le flux génétique est possible et elle est isolée sur le plan génétique des autres populations, dans des conditions *naturelles* ; l'isolement génétique entre deux individus pourrait être éliminé *en captivité* même s'ils sont considérés comme des représentants d'espèces différentes. Tous les humains, par exemple, appartiennent à la même espèce au sens biologique. En revanche, les humains et les chimpanzés sont des espèces distinctes, même dans les zones où ils cohabitent, car ils ne sont pas interféconds. La notion d'espèce biologique dépend donc de l'isolement reproductif : chaque espèce est isolée des autres par des facteurs (des barrières ou des obstacles à la reproduction) qui empêchent l'interfécondité, rendant impossible le mélange des gènes. En peu de mots, selon la définition biologique de l'espèce, celle-ci présente une *communauté de procréation.*

L'isolement reproductif

Comme les espèces biologiques se distinguent par leur incompatibilité reproductive, le concept biologique de l'espèce s'appuie sur l'**isolement reproductif**, c'est-à-dire sur les facteurs biologiques (barrières) qui empêchent les membres de deux espèces de produire des hybrides viables et féconds.

Il n'existe pas de barrière unique qui puisse à elle seule bloquer tout échange génétique entre les espèces, mais plutôt une combinaison de diverses barrières qui peuvent isoler le patrimoine génétique d'une espèce.

S'il est clair que la mouche domestique (*Musca domestica*) ne peut s'accoupler avec la grenouille léopard du Nord (*Rana pipiens*) ou la grande fougère (*Pteridium aquilinum*), les barrières reproductives entre des espèces plus étroitement apparentées

(a) Similarité entre des espèces différentes. La sturnelle des prés (*Sturnella magna*, à gauche), une espèce qui fréquente les régions agricoles du Québec à l'ouest de Rivière-du-Loup, et la sturnelle de l'Ouest (*Sturnella neglecta*, à droite) ont une forme et des couleurs semblables. Elles constituent pourtant deux espèces distinctes, car leur chant et leurs comportements sont suffisamment différents pour que les femelles d'une espèce ne soient pas incitées à la reproduction par les mâles de l'autre espèce s'ils se rencontraient dans la nature.

(b) Diversité au sein d'une même espèce. Bien qu'ils présentent une très grande variété de traits, les humains appartiennent tous à la même espèce biologique (*Homo sapiens*) : ils sont interféconds.

▲ **Figure 24.3 La définition biologique de l'espèce repose sur le potentiel d'interfécondité et non sur la ressemblance physique.**

sont moins évidentes. Ces barrières peuvent être prézygotiques ou postzygotiques, selon qu'elles contribuent à l'isolement reproductif avant ou après la fécondation.

Les **barrières prézygotiques** (« avant le zygote ») empêchent la copulation d'individus d'espèces différentes ou encore entravent la fécondation des ovules dans le cas de l'accouplement d'individus d'espèces distinctes. Si un spermatozoïde franchit une barrière prézygotique et féconde un ovule d'une autre espèce, certaines **barrières postzygotiques** (« après le zygote »), présentes surtout chez les Animaux, empêchent généralement le zygote hybride de devenir un adulte viable et fécond (isolement reproductif postzygotique). La **figure 24.4** décrit les barrières prézygotiques et postzygotiques (d'après Theodosius Dobzhansky, un des pères de la théorie synthétique de l'évolution).

Les lacunes du concept biologique de l'espèce

Le fait que le concept biologique de l'espèce s'appuie sur l'isolement reproductif a considérablement influencé la théorie de l'évolution, mais il n'y a pas beaucoup d'espèces auxquelles on peut appliquer ce concept de manière utile. Par exemple, il est impossible d'évaluer l'isolement reproductif des fossiles ou des organismes asexués tels les Procaryotes. (De nombreuses Bactéries échangent des gènes grâce à la conjugaison et à d'autres processus, comme nous l'avons vu au chapitre 18, mais ce transfert est différent de la recombinaison. En outre, il y a souvent transfert de gènes entre Procaryotes peu apparentés.) Il est également difficile d'appliquer le concept biologique de l'espèce aux nombreux organismes sexués dont on connaît peu la capacité de s'accoupler avec d'autres types d'organismes. On peut affirmer que deux individus peuvent s'accoupler si cela a déjà été observé, mais peut-on être certain qu'ils ne le peuvent pas si l'accouplement n'a jamais été noté ? On doit donc employer d'autres concepts de l'espèce dans certaines situations.

Les autres concepts de l'espèce

Le concept biologique de l'espèce fait ressortir les processus qui *séparent* les espèces les unes des autres en fonction des obstacles à la reproduction. D'autres concepts soulignent plutôt les processus qui *unissent* les individus d'une même espèce. Par exemple, le **concept morphologique de l'espèce** définit une espèce d'après la forme de son corps, sa taille et d'autres caractéristiques structurales. Ce concept a des avantages : on peut l'appliquer aux organismes sexués et asexués, et il peut être utile même si on ne connaît pas l'ampleur du flux génétique. En pratique, voilà comment les scientifiques distinguent les espèces. Un des inconvénients de ce concept réside toutefois dans la subjectivité de sa définition de l'espèce : les chercheurs ne s'entendent pas toujours sur les caractéristiques structurales qui permettent de distinguer une espèce d'une autre.

Le **concept paléontologique de l'espèce** s'appuie sur les différences morphologiques entre les espèces que seules les archives géologiques nous permettent de connaître. Nous devons utiliser ce concept pour distinguer une foule d'espèces dont la capacité de s'accoupler n'est pas connue ou l'est peu.

Le **concept écologique de l'espèce** tient compte de la niche écologique d'une espèce, de son rôle dans la communauté biologique (voir le chapitre 53, où nous nous pencherons plus en détail sur le principe de la niche écologique). Par exemple, deux espèces de géospizes des Galápagos peuvent se ressembler physiquement mais se distinguer du point de vue de l'alimentation (voir la figure 22.6). Contrairement au concept biologique de l'espèce, cette définition peut s'appliquer aussi bien aux espèces asexuées qu'aux espèces sexuées.

Selon le **concept phylogénétique de l'espèce**, une espèce rassemble des organismes dotés d'antécédents génétiques uniques, c'est-à-dire une ramification de l'arbre de la vie. Pour retracer l'histoire phylogénétique d'une espèce, les biologistes comparent ses caractéristiques physiques ou ses séquences d'ADN avec celles d'autres organismes. Une telle analyse peut permettre de faire la distinction entre des groupes d'individus suffisamment différents pour être considérés comme des espèces distinctes. (Évidemment, la difficulté réside dans la détermination du degré de différence nécessaire pour établir une distinction.) Le concept phylogénétique de l'espèce peut s'appliquer aux espèces fossiles et à celles qui se reproduisent de façon asexuée. L'information phylogénétique révèle parfois l'existence d'« espèces jumelles », dont les caractéristiques sont si semblables qu'elles ne permettent pas de les distinguer (par exemple, *Drosophila pseudoobscura* et *Drosophila persimilis* dont les légères différences morphologiques ne se trouvent que dans les organes génitaux mâles). Les scientifiques peuvent appliquer le concept biologique de l'espèce pour déterminer si une incompatibilité reproductive confirme la distinction phylogénétique.

Chacun des concepts cités a une certaine utilité, selon la situation abordée et les questions posées. Le concept biologique de l'espèce, qui s'appuie sur les barrières reproductives, est particulièrement utile pour étudier la spéciation.

Retour sur le concept 24.1

1. Deux espèces d'Oiseaux vivent dans une même forêt et ne s'accouplent pas ensemble. Une des deux espèces se nourrit et s'accouple dans le haut des arbres, tandis que l'autre se nourrit et s'accouple au sol. Cependant, en captivité, les deux espèces peuvent s'accoupler et produire des descendants viables et féconds. Quel type de barrière reproductive est le plus susceptible de maintenir ces espèces séparées ? Expliquez votre réponse.
2. **a)** Quel concept de l'espèce s'applique tant aux espèces asexuées qu'aux espèces sexuées ? **b)** Quel concept s'applique seulement aux espèces sexuées ? **c)** Quel concept décrit le plus utilement des espèces sur le terrain ?

Voir les réponses proposées à la fin du chapitre.

Concept 24.2

La spéciation peut avoir lieu en présence ou en l'absence d'isolement géographique

On considère généralement qu'il existe deux grands modes de spéciation : la spéciation allopatrique et la spéciation sympatrique. (Nous ne traiterons pas de la spéciation parapatrique, qui semble moins importante.) Les deux grands modes de spéciation diffèrent par la manière dont le flux génétique est interrompu entre deux ou plusieurs populations **(figure 24.5)**.

Figure 24.4
Panorama Les barrières reproductives

Les barrières prézygotiques empêchent l'accouplement ou la fécondation.

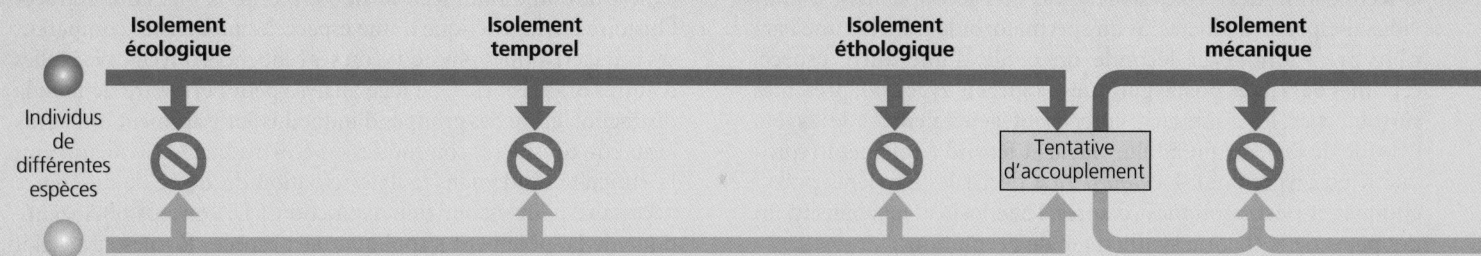

ISOLEMENT ÉCOLOGIQUE	ISOLEMENT TEMPOREL	ISOLEMENT ÉTHOLOGIQUE	ISOLEMENT MÉCANIQUE

ISOLEMENT ÉCOLOGIQUE

Deux espèces vivant dans des habitats différents compris dans une même région peuvent ne jamais se rencontrer ou encore se rencontrer rarement, même si elles ne sont pas isolées par des barrières évidentes comme une chaîne de montagnes.

Exemple: Deux espèces de serpent jarretière appartenant au genre *Thamnophis* vivent dans la même région; cependant, une espèce est surtout aquatique (a) tandis que l'autre est surtout terrestre (b).

ISOLEMENT TEMPOREL

Des espèces qui se reproduisent à des heures, à des semaines, à des saisons ou à des années différentes ne peuvent unir leurs gamètes.

Exemple: En Amérique du Nord, les aires de distribution géographique de deux espèces de moufettes tachetées se chevauchent; cependant, la moufette tachetée orientale (*Spilogale putorius*) (c) se reproduit vers la fin de l'hiver, alors que la moufette tachetée occidentale (*Spilogale gracilis*) (d) le fait vers la fin de l'été.

ISOLEMENT ÉTHOLOGIQUE

Les comportements de parade nuptiale qui attirent les partenaires sexuels, de même que les autres comportements uniques à une espèce, sont des barrières reproductives efficaces, même entre espèces étroitement apparentées.

Exemple: Les fous à pieds bleus (*Sula nebouxii*), qui vivent aux Galápagos, s'accouplent seulement après une parade nuptiale unique à leur espèce. Au cours de cette parade, le mâle lève les pieds bien haut pour en exposer à la vue des femelles le ton bleu vif (e).

ISOLEMENT MÉCANIQUE

Certaines différences morphologiques dans les organes reproducteurs (organes génitaux ou organes floraux) peuvent empêcher l'accouplement; mis à part les Insectes chez qui les organes reproducteurs sont très spécialisés, ce type d'isolement est rarement l'unique facteur d'isolement reproductif.

Exemple: Même chez des espèces végétales étroitement apparentées, les fleurs ont souvent des anatomies distinctes qui attirent des pollinisateurs différents. Les deux espèces de mimule (*Mimulus*) montrées ici ont des fleurs de couleurs et de formes très différentes (f, g). Par conséquent, la pollinisation entre ces plantes n'a pas lieu.

Les barrières postzygotiques empêchent un zygote hybride de devenir un adulte viable et fécond.

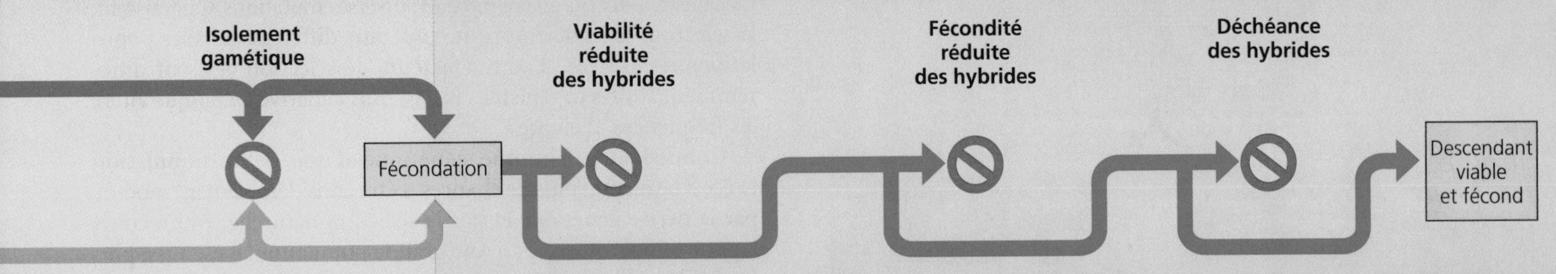

ISOLEMENT GAMÉTIQUE

Les spermatozoïdes d'une espèce donnée ne sont généralement pas capables de féconder les ovules d'une autre espèce. Cet isolement peut être le résultat de divers mécanismes. Par exemple, les spermatozoïdes peuvent être incapables de survivre dans le système génital féminin d'une autre espèce, ou des mécanismes biochimiques peuvent empêcher les spermatozoïdes de pénétrer dans la membrane entourant l'ovule de l'autre espèce.

Exemple : L'isolement gamétique sépare certaines espèces aquatiques étroitement apparentées, comme les oursins (h). Les spermatozoïdes et les ovules des oursins de mer sont libérés dans l'eau environnante, où ils fusionnent et forment des zygotes. Les gamètes de différentes espèces, comme ceux des oursins rouges et ceux des oursins pourpres montrés ici, sont incapables de fusionner. Des variations dans la structure primaire d'une protéine (la bindine) présente à la surface des spermatozoïdes est responsable de cette barrière gamétique.

(h)

VIABILITÉ RÉDUITE DES HYBRIDES

Les gènes d'espèces parentales différentes peuvent interagir et empêcher le développement de l'hybride. En ce qui concerne ce facteur et le suivant (la fécondité réduite des hybrides), c'est presque toujours l'individu de sexe hétérogamétique (celui qui a deux hétérochromosomes différents, c'est-à-dire le mâle chez les Mammifères) qui est en cause.

Exemple : Certaines sous-espèces de salamandres du genre *Ensatina* vivent dans les mêmes régions et habitats où elles peuvent hybrider occasionnellement. Mais la plupart des hybrides ne peuvent pas réussir à se développer complètement, et ceux qui y parviennent sont frêles (i).

(i)

(j)

FÉCONDITÉ RÉDUITE DES HYBRIDES

Même s'ils sont vigoureux, les hybrides peuvent être stériles. Il arrive que deux espèces se croisent et engendrent des descendants hybrides robustes. Chez l'hybride, la méiose ne produit pas de gamètes normaux si les deux espèces parentales ne possèdent pas le même nombre de chromosomes ou des chromosomes de même structure. Comme les hybrides stériles ne peuvent pas produire de descendants lorsqu'ils s'accouplent avec l'une ou l'autre des deux espèces parentales, les gènes des deux espèces ne peuvent pas circuler librement entre elles.

Exemple : Le mulet (l) est un animal robuste, mais stérile, né du croisement d'un âne (j) et d'une jument (k).

(k)

(l)

DÉCHÉANCE DES HYBRIDES

Certains hybrides de la première génération sont viables et féconds. Toutefois, lorsqu'ils s'accouplent entre eux ou lorsqu'ils se croisent avec l'une des espèces parentales, leur progéniture est frêle ou stérile.

Exemple : Certaines lignées de riz commun ont accumulé des allèles récessifs mutants à deux loci au cours de leur divergence d'un ancêtre commun. Les hybrides issus de ces lignées sont vigoureux et féconds (m, à gauche et à droite), mais les individus de la génération suivante portent un trop grand nombre de ces allèles récessifs ; ils naissent petits et stériles (m, au centre). Même si elles ne sont pas encore considérées comme des espèces distinctes, ces lignées de riz ont déjà commencé à être séparées par des barrières postzygotiques.

(m)

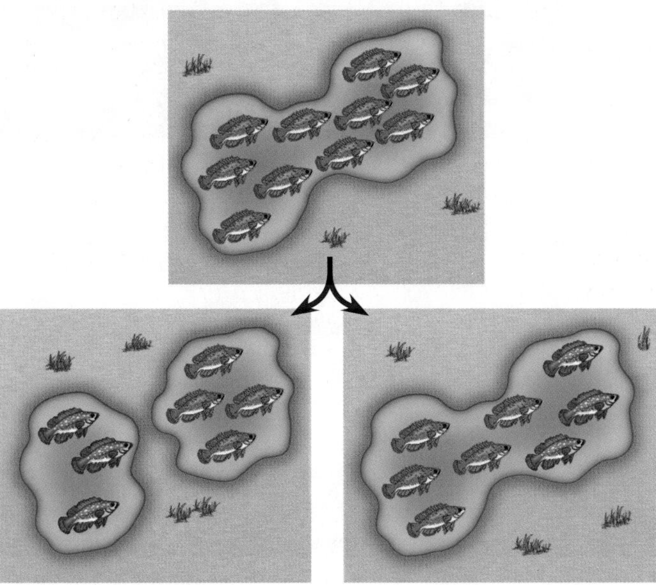

(a) Spéciation allopatrique : une population forme une nouvelle espèce à la suite d'un isolement géographique qui l'a séparée de la population mère.

(b) Spéciation sympatrique : une petite population forme une nouvelle espèce, bien qu'elle ne soit pas isolée géographiquement.

▲ **Figure 24.5 Les deux principaux modes de spéciation.**

La spéciation allopatrique (« autre patrie »)

Dans le cas de la **spéciation allopatrique** (du grec *allos*, « autre », et du latin *patria*, « patrie »), le flux génétique est réduit ou interrompu lorsqu'une population se divise en sous-populations isolées géographiquement. La séparation peut produire des sous-ensembles de taille à peu près égale ou au contraire très inégale ; dans ce dernier cas, une petite population est isolée de la population principale en marge de celle-ci (on parle alors d'*isolement périphérique* ou de *spéciation péripatrique*, que certains considèrent comme une forme de spéciation allopatrique). Les barrières géographiques responsables de l'isolement peuvent être de plusieurs types : la dérive des continents, dont nous reparlerons au chapitre 26, constitue un facteur majeur d'isolement génétique, de même que la descente de glaciers. À une échelle plus réduite, la baisse du niveau d'eau d'un lac peut engendrer l'apparition de plusieurs petits lacs qui abriteront des populations séparées (voir la figure 24.5). L'action humaine peut aussi intervenir : la construction d'une route, par exemple, peut constituer l'obstacle qui isole deux populations de grenouilles. La spéciation allopatrique peut également avoir lieu sans transformation géologique, par exemple quand des individus colonisent une région éloignée de la population mère. La spéciation qui s'est produite dans les îles Galápagos après leur colonisation par des organismes venus du continent en est un exemple. Enfin, la présence, entre deux populations, d'un habitat qui soit défavorable à l'une et à l'autre peut aussi les isoler sur le plan génétique.

Quelle ampleur doit avoir une barrière géographique pour favoriser une spéciation allopatrique ? Tout dépend de la capacité de déplacement des organismes. Les Oiseaux, les couguars (*Felis concolor*) et les coyotes (*Canis latrans*) peuvent franchir des collines, des rivières et des canyons. De même, de telles barrières ne s'opposent nullement au transit de pollen ou de graines de plantes à fleurs transportés par le vent. En revanche, pour les petits Rongeurs, un canyon profond ou un vaste fleuve constitue une barrière infranchissable **(figure 24.6)**.

Une fois la population isolée géographiquement, les patrimoines génétiques isolés se séparent par un ou plusieurs des mécanismes décrits au chapitre 23 : diverses mutations apparaissent, la sélection sexuelle emprunte un cours différent dans les populations respectives, d'autres facteurs de sélection agissent différemment sur les organismes isolés, puis la dérive génétique altère les fréquences alléliques.

Comme le patrimoine génétique d'une petite population isolée a beaucoup plus de chances d'être considérablement modifié par la dérive génétique et par la sélection naturelle, en un court laps de temps, que celui d'une grande population, il est aussi plus probable qu'il subisse une spéciation allopatrique. Par exemple, en moins de deux millions d'années, les quelques Végétaux et Animaux égarés provenant du continent sud-américain qui ont réussi à coloniser les îles Galápagos sont à l'origine de toutes les espèces endémiques qui peuplent aujourd'hui l'archipel. Cependant, les populations qui se retrouvent dans un nouvel environnement ne formeront pas toutes de nouvelles espèces ; la vie de pionnier est difficile, et la plupart d'entre elles disparaîtront.

La spéciation étant un processus qui s'effectue avec le temps, des populations peuvent avoir amorcé leur divergence génétique sans l'avoir complétée, de sorte qu'elles peuvent ne pas encore manifester d'isolement reproductif au moment où elles deviennent à nouveau en contact ; elles pourront alors former des hybrides qui pourront être fertiles ou stériles, plus ou moins adaptés à leur environnement. Pour reconnaître un cas de spéciation allopatrique, on doit déterminer si les populations allopatriques sont suffisamment différentes et si elles ont développé des mécanismes d'isolement prézygotique ou postzygotique suffisants pour ne plus pouvoir se reproduire entre elles et engendrer une descendance féconde. Parfois, pour vérifier si une spéciation a eu lieu, les chercheurs mettent en contact, dans le cadre d'expériences en laboratoire, des individus issus de populations isolées **(figure 24.7)**.

▲ **Figure 24.6 Spéciation allopatrique des écureuils-antilopes habitant les rives opposées du Grand Canyon.** L'écureuil-antilope de Harris (*Ammospermophilus harrisi*) habite le versant sud du canyon (à gauche). À quelques kilomètres de là, sur le versant nord, on trouve son proche parent, l'écureuil-antilope à queue blanche (*Ammospermophilus leucurus*). En comparaison, il n'y a pas eu formation d'espèces nouvelles de part et d'autre du fleuve chez les Oiseaux et les autres organismes capables de traverser le canyon sans difficulté.

Figure 24.7

Investigation La divergence des populations allopatriques de drosophiles peut-elle aboutir à l'isolement reproductif ?

EXPÉRIENCE Diane Dodd, de la Yale University, a divisé en laboratoire un échantillon de drosophiles de l'espèce *Drosophila pseudoobscura* en quelques populations. Elle les a élevées indépendamment, pendant plusieurs générations, en leur donnant des sources de nutriments différentes (amidon ou maltose). Au fil des générations, la sélection naturelle a favorisé les individus les mieux adaptés aux nutriments offerts. Les populations nourries à l'amidon se sont mises à digérer de plus en plus efficacement ce glucide, alors que les populations alimentées en maltose ont montré de meilleures aptitudes à digérer celui-ci.

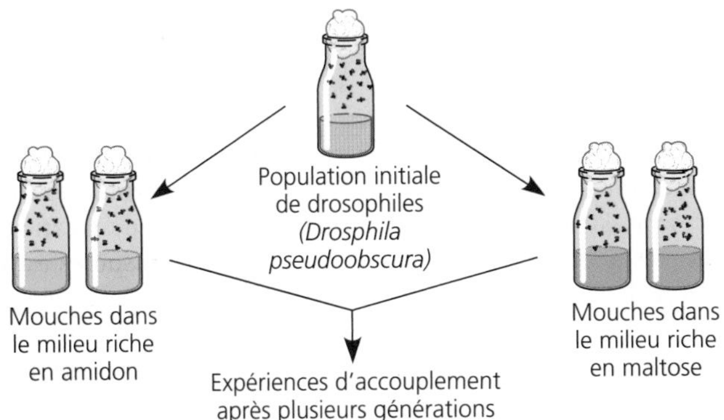

RÉSULTATS Lorsque les populations du milieu riche en amidon ont été mêlées aux populations du milieu riche en maltose, les drosophiles avaient tendance à s'accoupler avec des partenaires semblables. Dans le groupe témoin, des drosophiles issues de populations différentes qui étaient adaptées au même milieu nutritif avaient autant de chances de s'accoupler entre elles qu'avec des drosophiles issues de leur propre population.

Mâle \ Femelle	Amidon	Maltose
Amidon	22	9
Maltose	8	20

Fréquences d'accouplement dans le groupe expérimental

Mâle \ Femelle	Même population	Populations différentes
Même population	18	15
Populations différentes	12	15

Fréquences d'accouplement dans le groupe témoin

CONCLUSION La forte préférence des « mouches à amidon » et des « mouches à maltose » pour l'accouplement avec des mouches semblablement adaptées, même si elles sont issues de populations différentes, indique qu'une barrière reproductive se forme entre les populations divergentes de mouches. La barrière n'est pas absolue (quelques accouplements ont eu lieu entre des mouches à amidon et des mouches à maltose), mais elle semble s'ériger après quelques générations de divergence résultant de la séparation de ces populations allopatriques dans différents environnements.

Les biologistes peuvent aussi évaluer la spéciation allopatrique dans la nature. Par exemple, dans l'archipel des Galápagos, les femelles de *Geospiza difficilis* réagissent au chant des mâles habitant la même île, mais elles ignorent le chant des mâles issus de la même espèce mais vivant sur d'autres îles de l'archipel (populations allopatriques). Cette découverte indique que certaines barrières éthologiques (prézygotiques) se sont érigées entre les populations allopatriques de *G. difficilis*.

Il est bien évident que l'isolement géographique empêche l'accouplement entre populations allopatriques, mais il faut se rappeler qu'il n'est pas pour autant en lui-même un mécanisme d'isolement biologique. Il existe de tels mécanismes qui sont propres aux organismes et qui empêchent l'accouplement, même en l'absence d'isolement géographique.

Maintenant, examinons les mécanismes qui peuvent donner naissance à une nouvelle espèce *en l'absence* d'isolement géographique par rapport à la population mère.

La spéciation sympatrique (« même patrie »)

La **spéciation sympatrique** (du grec *sun*, « avec »), quant à elle, survient dans le cas de populations dont les aires se chevauchent. Les cas évidents de ce phénomène, surtout chez les Animaux, ne sont pas nombreux. En 2006, des chercheurs ont annoncé la découverte de deux exemples de spéciation sympatrique. Dans un cas, il s'agit de palmiers d'une île australienne (*Howea forsteriana* et *H. belmoreana*), deux espèces qui ne fleurissent pas au même moment (isolement temporel). Dans l'autre cas, ce sont deux espèces de Cichlidés habitant un lac du Nicaragua. Ces Poissons (*Amphilophus citrinellus* et *A. zaliosus*) ont un comportement différent lors de l'accouplement (isolement éthologique). Comment naissent les mécanismes d'isolement reproductif entre des populations sympatriques quand les membres de ces populations demeurent en contact les uns avec les autres ? Les mécanismes de spéciation sympatrique comprennent les altérations chromosomiques, la différentiation de l'habitat et l'accouplement non aléatoire qui réduit le flux génétique.

La polyploïdie

Un très grand nombre d'espèces de plantes à fleurs (de 50 à 80 %, selon les estimés) sont nées d'anomalies de la division cellulaire qui se traduisent par un assortiment supplémentaire de chromosomes, un cas de mutation qui entraîne la **polyploïdie** ; le fait qu'il existe beaucoup plus de plantes à fleurs ayant un nombre haploïde de chromosomes pairs plutôt qu'impairs vient appuyer cette affirmation. Un **autopolyploïde** (du grec *autos*, « soi-même ») est un individu qui possède plus de deux ensembles de chromosomes provenant d'une même espèce. Par exemple, une perturbation de la division cellulaire (une non-disjonction ou une absence de cytocinèse après la division du noyau) peut faire doubler le nombre de chromosomes d'une cellule : celui-ci passe alors d'un nombre diploïde ($2n$) à un nombre tétraploïde ($4n$) **(figure 24.8)**. Cette mutation empêche un tétraploïde de se croiser avec succès avec des plantes diploïdes de la population d'origine ; les hybrides triploïdes ($3n$) issus de telles unions sont stériles, puisque les chromosomes qui ne s'apparient pas empêchent le déroulement normal de la méiose : si des gamètes arrivaient à se former, les chromosomes n'y seraient pas répartis adéquatement. Cependant, les individus tétraploïdes peuvent produire des descendants tétraploïdes féconds par reproduction asexuée, par autofécondation ou par croisement avec d'autres tétraploïdes qui, quoique rares, peuvent quand même exister. Par conséquent, en une seule génération, l'autopolyploïdie peut engendrer un isolement reproductif sans isolement géographique.

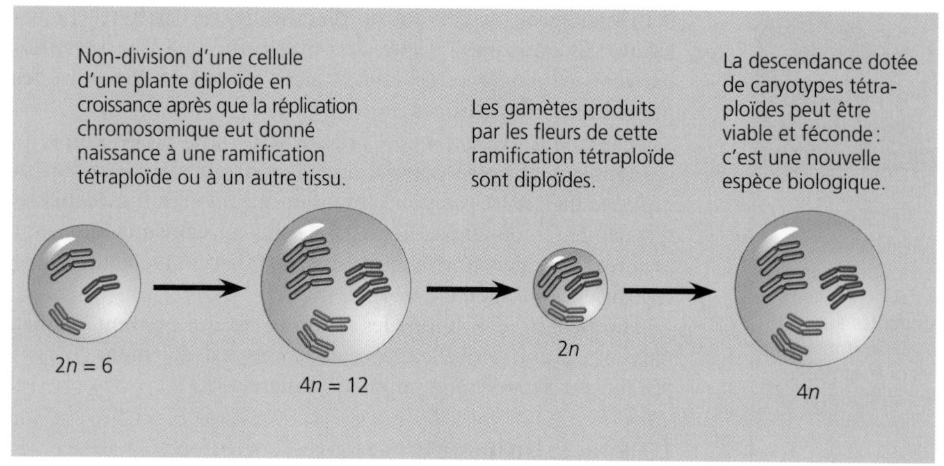

Non-division d'une cellule d'une plante diploïde en croissance après que la réplication chromosomique eut donné naissance à une ramification tétraploïde ou à un autre tissu.
Les gamètes produits par les fleurs de cette ramification tétraploïde sont diploïdes.
La descendance dotée de caryotypes tétraploïdes peut être viable et féconde : c'est une nouvelle espèce biologique.
2n = 6
4n = 12
2n
4n

▲ **Figure 24.8 Spéciation sympatrique par voie d'autopolyploïdie chez les Végétaux.**

Il existe une forme plus commune de polyploïdie, celle qui a lieu quand deux espèces se croisent et produisent un hybride. Les hybrides interspécifiques sont généralement stériles, car les chromosomes des deux jeux dont ils ont hérité (un de chacun des parents) sont incapables de s'apparier pendant la méiose. Toutefois, les hybrides stériles peuvent parfois se multiplier d'une manière asexuée (ce que font nombre de Végétaux). Dans les générations suivantes, divers mécanismes transforment des hybrides stériles en hybrides fertiles appelés **allopolyploïdes** (voir l'exemple de la **figure 24.9**). Les allopolyploïdes sont interféconds, mais ils ne peuvent se reproduire avec les espèces parentales. Ils constituent donc une nouvelle espèce biologique.

L'apparition d'une nouvelle espèce végétale polyploïde est assez courante et rapide pour que les scientifiques aient pu en observer le développement. Par exemple, de nouvelles espèces de plantes du genre *Tragopogon* sont nées sur la côte pacifique nord-ouest des États-Unis vers le milieu des années 1900. À l'origine, le genre *Tragopogon* est européen ; cependant, au début du XXe siècle, trois espèces de *Tragopogon* ont été introduites en Amérique par l'être humain : le salsifis majeur (*T. dubius*), le salsifis des prés (*T. pratensis*) et le salsifis à feuilles de poireau (*T. porrifolius*). Ces mauvaises herbes sont devenues communes dans les terrains vagues et dans d'autres zones urbaines désaffectées. Dans les années 1950, les botanistes ont découvert deux nouvelles espèces de *Tragopogon* dans certaines régions de l'Idaho et de l'État de Washington, où les trois espèces européennes sont répandues. L'une d'elles, *T. miscellus*, est un hybride tétraploïde ($4n = 12$) de *T. dubius* ($2n = 6$) et de *T. pratensis* ($2n = 6$) ; l'autre, *T. mirus*, est aussi un allopolyploïde ($4n = 12$), mais ses ancêtres sont *T. dubius* et *T. porrifolius*. La population de *T. mirus* croît principalement grâce au croisement entre ses propres membres et, dans une moindre mesure, grâce à de nouvelles hybridations des espèces ancestrales. Nous sommes donc en présence d'un exemple de processus de spéciation encore en cours, dont le succès est tel que l'aire de distribution de ces deux nouvelles espèces polyploïdes est maintenant plus vaste que celle des espèces parentales.

Bon nombre d'espèces végétales cultivées d'une grande importance commerciale sont polyploïdes : c'est le cas, notamment, de l'avoine, du coton, de la pomme de terre, du tabac et du blé. Le blé (*Triticum æstivum*), qui entre dans la composition du pain, est un allohexaploïde (6 jeux de chromosomes, 3 espèces différentes ayant contribué 2 jeux de 7 chromosomes chacune, pour un total de 42 chromosomes). Le premier des événements polyploïdes qui ont abouti à l'apparition du blé moderne né spontanément voilà quelque 8 000 ans au Moyen-Orient est probablement l'apparition d'un hybride issu d'un blé cultivé et d'une Graminée indigène possédant chacun 14 chromosomes ; l'hybride à 28 chromosomes aurait par la suite, à son tour, hybridé avec

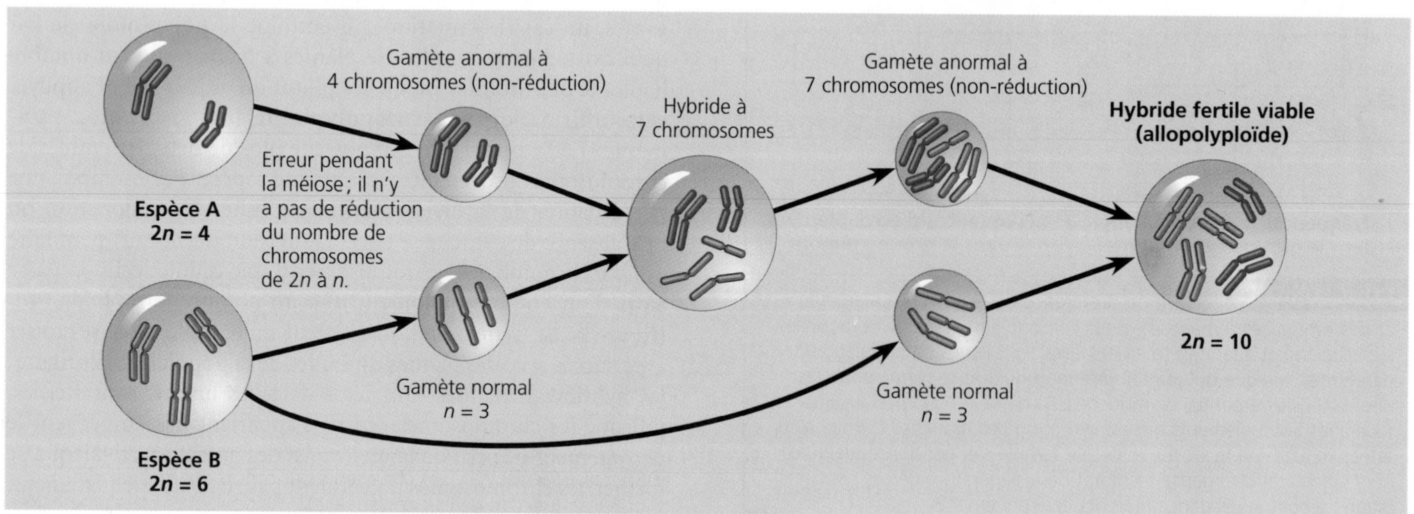

▲ **Figure 24.9 Mécanisme de spéciation allopolyploïde chez certaines plantes.** Les hybrides interspécifiques sont généralement stériles, car leurs chromosomes ne sont pas homologues et ne peuvent s'apparier pendant la méiose. Cependant, ils sont capables de se reproduire de façon asexuée. Le schéma montre l'un des mécanismes susceptibles de produire des hybrides féconds (allopolyploïdes) constituant une nouvelle espèce. Celle-ci compte un nombre de chromosomes diploïde égal à la somme des chromosomes diploïdes des deux espèces parentales.

un troisième blé ayant aussi 14 chromosomes. Les généticiens croisent aujourd'hui beaucoup de nouvelles plantes diploïdes en laboratoire à l'aide de produits chimiques ; cela cause parfois des erreurs méiotiques et mitotiques (la colchicine, par exemple, empêche la séparation des chromosomes durant la division cellulaire). En se servant du processus de l'évolution, des chercheurs peuvent produire de nouveaux hybrides dotés des qualités désirées, comme un hybride pouvant combiner le rendement supérieur du blé et la résistance aux maladies du seigle (*Secale cereale*).

La différenciation de l'habitat et la sélection sexuelle

On connaît quelques exemples de spéciation par polyploïdie chez les Animaux, comme celui de la rainette versicolore (*Hyla versicolor*), espèce tétraploïde d'Amérique du Nord, résultat de l'hybridation de deux populations de rainettes géographiquement séparées durant une très longue période. Cependant, ce mode de spéciation est beaucoup moins courant chez les Animaux que chez les Végétaux. D'autres mécanismes peuvent être source de spéciation sympatrique, tant dans le règne animal que végétal. Par exemple, un isolement reproductif peut avoir lieu lorsque des facteurs génétiques permettent à une sous-population d'exploiter une ressource non utilisée par la population mère. Tel est le cas pour la larve de la mouche *Rhagoletis pomonella*. L'habitat de cette larve était à l'origine des aubépines (*Cratægus*) indigènes, mais, il y a environ 150 ans, certaines populations ont colonisé des pommiers (*Malus*) introduits par des colons européens (elles se sont aussi installées sur d'autres types de fruits depuis). Les œufs déposés sur les fruits deviennent des larves qui se nourrissent de ces derniers et en mémorisent l'odeur en se développant. Une fois adultes, les mâles et les femelles de ces mouches iront se reproduire sur le type de fruits où ils se sont formés. Ce comportement constitue un premier type d'isolement. De plus, comme la pomme parvient à maturité plus rapidement que le fruit de l'aubépine, la sélection a favorisé les larves se développant rapidement parmi celles qui se nourrissent de pommes. Ces dernières populations croissent en 40 jours ; elles sont maintenant isolées temporellement des populations de *R. pomonella* se nourrissant du fruit de l'aubépine, qui elles mettent de 55 à 60 jours à devenir adultes : les deux populations n'atteignent pas leur maturité sexuelle au même moment (et n'ont pas non plus la même plante hôte). Bien que ces deux populations soient encore classées comme des sous-espèces (ou des races) plutôt que comme des espèces distinctes, la spéciation semble suivre son cours.

Ce dernier exemple n'est pas le seul qui soit connu d'un tel mécanisme de spéciation. En 2005, des chercheurs français ont prouvé, à l'aide d'une combinaison de marqueurs génétiques et biochimiques, qu'un isolement reproductif presque absolu s'était constitué entre des populations de pyrale du maïs (*Ostrinia nubilalis*), insecte qui se nourrissait de plantes hôtes différentes, et ce, même en l'absence d'isolement d'ordre temporel.

Le lac Victoria, en Afrique de l'Est, constitue une zone propice à l'étude de la spéciation animale. Ce plan d'eau, vaste et peu profond, se remplit et s'assèche tour à tour en réaction aux fluctuations du climat. Le dernier assèchement remonte à 12 000 ans et le lac abrite maintenant plus de 500 espèces de Cichlidés. Ces espèces sont génétiquement si semblables qu'on peut probablement affirmer que plusieurs sont apparues après l'apparition du lac. Parmi les facteurs favorisant la spéciation rapide de ces Poissons, on peut citer la division de la population d'origine en sous-populations adaptées à l'exploitation des diverses ressources. Toutefois, des biologistes de l'Université de Leyde, aux Pays-Bas, ont fait ressortir un autre facteur possible : l'accouplement non aléatoire (sélection sexuelle), dans lequel les femelles choisissent les mâles en fonction de traits particuliers.

Les chercheurs de cette université ont étudié deux espèces de Cichlidés qui diffèrent principalement par leur coloration : le dos de *Pundamilia pundamilia* est bleu, alors que celui de *Pundamilia nyererei* est rouge. On peut poser comme hypothèse qu'une préférence des femelles pour les mâles ayant une couleur précise constitue un obstacle éthologique au croisement des deux espèces en question. Lorsqu'elles étaient placées dans un aquarium éclairé par une lumière naturelle, les femelles des deux espèces choisissaient exclusivement des mâles de leur propre espèce. Par contre, les femelles qui se trouvaient dans un aquarium éclairé par une lumière orangée monochromatique, rendant les deux espèces identiques sur le plan de la couleur, s'accouplaient sans discrimination avec les mâles **(figure 24.10)** ; et les hybrides issus de croisements de *P. pundamilia* avec *P. nyererei* étaient viables et féconds.

À partir des résultats de ces expériences, on peut déduire que le choix de partenaires en fonction de leur couleur constitue le

Figure 24.10

Investigation La sélection naturelle chez les Cichlidés produit-elle un isolement reproductif ?

EXPÉRIENCE Des chercheurs de l'Université de Leyde, aux Pays-Bas, ont placé des mâles et des femelles de *Pundamilia pundamilia* et de *Pundamilia nyererei* ensemble dans deux aquariums, l'un éclairé par une lumière naturelle et l'autre par une lumière orangée monochromatique. Sous la lumière naturelle, les deux espèces ont des couleurs facilement distinguables ; sous la lumière orangée, elles semblent de la même couleur. Les chercheurs ont ensuite observé le choix des partenaires par les femelles des deux aquariums.

RÉSULTATS Sous un éclairage normal, les femelles de chaque espèce s'accouplent uniquement avec les mâles de leur propre espèce. Sous un éclairage orangé monochromatique, les femelles ne sont pas en mesure de distinguer les mâles selon leur espèce, et elles s'accouplent sans discrimination, produisant des hybrides viables et fertiles.

CONCLUSION Les chercheurs ont conclu que le choix des mâles en fonction de leur couleur est la principale barrière reproductive qui maintient séparés les patrimoines génétiques de ces deux espèces. Comme ces espèces peuvent encore se croiser si on élimine la barrière éthologique prézygotique en laboratoire, la divergence génétique entre les espèces est probablement faible. Cela semble indiquer que la spéciation dans la nature a eu lieu relativement récemment.

principal mécanisme d'isolement reproductif empêchant normalement les patrimoines génétiques des deux espèces de Cichlidés de fusionner. D'après leur capacité de se croiser en laboratoire, on peut aussi conclure que, comme les larves d'asticot se nourrissant de pomme, ces espèces ne sont qu'au début du processus de divergence. Il semble plausible que la population ancestrale possédait des couleurs multiples et que la divergence est née quand deux niches écologiques sont apparues et ont divisé la population en sous-populations. La dérive génétique a engendré des différences aléatoires dans leur composition génétique, de sorte que les femelles d'une des sous-populations ont favorisé les partenaires rouges et les femelles de l'autre sous-population ont favorisé les partenaires bleus. La sélection sexuelle a alors renforcé les différences de coloris, les femelles s'accouplant de préférence avec des mâles portant des gènes codant pour la couleur la plus repérable (se reporter au chapitre 23 pour passer en revue la sélection sexuelle). Comme la pollution (causée notamment par la déforestation entraînant des particules de sol dans l'eau) contribue actuellement à brouiller les eaux du lac Victoria, le processus de divergence des Cichlidés connaîtra peut-être une inversion. Il sera vraisemblablement de plus en plus difficile pour les femelles de distinguer les mâles bleus des mâles rouges, auquel cas les patrimoines génétiques de *P. pundamilia* et *P. nyererei* se mélangeront à nouveau.

La spéciation allopatrique et la spéciation sympatrique : *un résumé*

Avant de poursuivre, résumons les deux principaux modes de spéciation qui participent à l'apparition de nouvelles espèces. Dans la spéciation allopatrique, une nouvelle espèce naît par isolement géographique de la population mère. À mesure que la population séparée évolue par sélection naturelle et dérive génétique, l'isolement reproductif par rapport à l'espèce ancestrale peut donner naissance à un sous-produit de cette modification génétique. Ces barrières reproductives empêchent l'interfécondation avec la population mère, même si les populations sont de nouveau en contact.

Par contre, pour qu'une spéciation sympatrique se produise, il faut qu'un mécanisme d'isolement reproductif émerge et qu'il isole une sous-population de la population mère, et ce, sans pour autant qu'il y ait une barrière géographique entre les deux. Un des mécanismes les plus courants, surtout chez les Végétaux, est celui de l'hybridation entre des espèces étroitement apparentées, assortie de non-disjonction pendant la méiose : il en résulte des polyploïdes féconds. La spéciation sympatrique peut aussi découler de l'isolement reproductif d'une sous-population qui s'est mise à recourir à des ressources alimentaires, à un habitat, etc., non utilisés par la population mère (la spéciation chez les larves de mouche *Rhagoletis pomonella* en est un exemple). Le processus peut aussi résulter d'une stricte préférence en matière d'accouplement, les femelles privilégiant certains types de mâles issus d'une population polymorphe (c'est l'exemple de la spéciation des Cichlidés).

La radiation adaptative

La **radiation adaptative** est l'évolution relativement rapide, à partir d'un ancêtre commun, de nombreuses espèces qui se dotent d'adaptations diverses après l'exposition à un tout nouvel environnement aux multiples possibilités. En général, elle se produit lorsque quelques organismes se trouvent dans un milieu nouveau, occupé par un petit nombre d'espèces et souvent éloigné du milieu d'origine **(figure 24.11)**. Des changements environnementaux provoquant l'extinction de nombreux individus et faisant naître des niches écologiques qui seront utilisées par les survivants peuvent également donner lieu à de la radiation adaptative. Par exemple, les archives géologiques indiquent que les Mammifères ont connu une radiation adaptative radicale après l'extinction des Dinosaures il y a 65 millions d'années. Ce mécanisme peut aussi agir sans qu'il y ait changement de milieu, si une nouvelle adaptation apparaît qui permet d'exploiter différemment les ressources de ce milieu ; nous verrons, au chapitre 34, comment cela s'applique à l'apparition des Reptiles.

Les îles volcaniques Hawaii constituent peut-être la plus grande vitrine de la radiation adaptative. Elles sont situées à environ 3 500 km du continent le plus proche et très éloignées de tout autre archipel. À mesure qu'on se dirige du nord-ouest au sud-est de l'archipel, elles sont de plus en plus récentes ; la plus jeune et la plus grande, Hawaii, date de moins de un million d'années, et on y trouve encore des volcans actifs. À l'origine dénudées, toutes ces îles ont été progressivement colonisées par des espèces issues d'individus égarés, que les vents et les courants océaniques ont amenés d'îles ou de continents lointains, ou encore d'îles plus vieilles de l'archipel lui-même. La diversité physique de l'archipel, où l'altitude et la pluviosité varient immensément, s'avère propice à l'évolution divergente par voie de sélection naturelle **(figure 24.12)**. Les invasions répétées et la spéciation allopatrique et sympatrique ont déclenché une radiation adaptative explosive : par exemple, la dizaine de milliers d'espèces d'Insectes actuels auraient pour ancêtres quelques centaines d'espèces seulement. Sur les milliers d'espèces végétales et animales qui peuplent les îles, la plupart sont endémiques (elles ne se trouvent nulle part ailleurs sur la planète).

L'étude de la génétique de la spéciation

Les progrès rapides de la génétique permettent aux chercheurs de repérer des gènes qui jouent un rôle clé dans certains cas de spéciation. Ainsi, Douglas Schemske et ses collègues de la Michigan State University ont examiné deux espèces de mimule (*Mimulus* ; voir la figure 24.4f et g). Les populations de *Mimulus lewesii* et

▲ **Figure 24.11 Dissémination d'une espèce très loin de la population mère.** Des graines d'un arbre, le pisonia (*Pisonia lanceolata*), s'accrochent comme du velcro à ce noddi noir (*Anous minutus*), Oiseau migrateur vivant sur la côte d'Australie. Ce mécanisme leur permet de se disperser sur de longues distances. (En fait, c'est en étudiant comment des graines de ce type s'attachaient aux plumes de manière solide mais réversible que des chercheurs ont eu l'idée du velcro.)

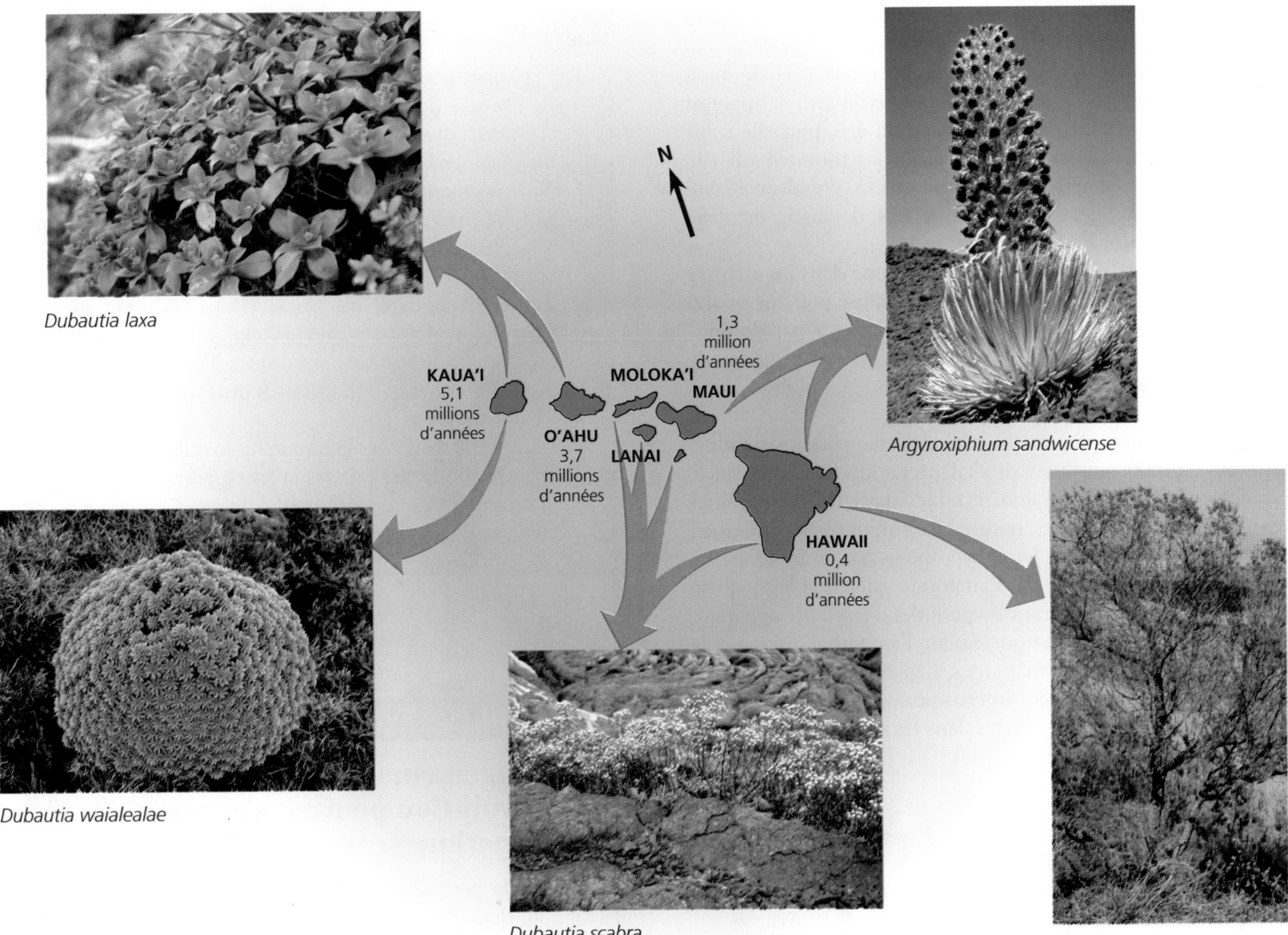

▲ **Figure 24.12 Radiation adaptative.** Les plantes hawaïennes extrêmement variées illustrées ci-dessus sont connues collectivement sous le nom de *sabres d'argent* (*silverswords*); c'est un groupe de plantes appartenant à la famille des Astéracées, comprenant 28 espèces réparties en 3 genres: *Argyroxiphium*, *Dubautia* et *Wilkesia* (non illustré). Ces espèces sont toutes issues d'une espèce ancestrale apparue dans l'archipel il y a environ 5 millions d'années, en provenance d'Amérique du Nord. Depuis, elles se sont dispersées dans de nombreux habitats dans les îles; leur évolution par spéciation allopatrique et sympatrique a donné des formes très distinctes les unes des autres et beaucoup plus variées que sur le continent d'où l'espèce ancestrale provient.

de *Mimulus cardinalis* sont pollinisées par des abeilles et des colibris, respectivement, et elles maintiennent des patrimoines génétiques distincts par isolement prézygotique. Jusqu'à maintenant, on n'a observé aucun isolement postzygotique; en serre, on réussit facilement le croisement des deux espèces. Les hybrides obtenus produisent des descendants dont la couleur et la forme des fleurs varient. En observant les pollinisateurs qui viennent butiner, puis en examinant les différences génétiques entre les individus butinés, les chercheurs ont conclu que le choix des pollinisateurs est grandement tributaire de deux loci du gène. Un des loci influe sur la couleur de la fleur, et l'autre sur la quantité de nectar produit par la fleur. Par conséquent, en déterminant le pouvoir d'attraction des fleurs sur un type de pollinisateur en particulier, la diversité allélique pour ces loci a entraîné la spéciation.

Jusqu'ici, la génétique évolutive s'était surtout intéressée aux portions codantes de l'ADN. Des études effectuées en 2005 sur la drosophile suggèrent cependant que des régions non codantes de l'ADN pourraient jouer un rôle majeur dans la spéciation.

Le rythme de la spéciation

Les archives géologiques indiquent plusieurs périodes au cours desquelles de nouvelles espèces apparaissent soudainement dans une couche de roches, demeurent à peu près inchangées dans plusieurs couches, puis semblent disparaître. Les paléontologistes Niles Eldredge, de l'American Museum of Natural History, et Stephen Jay Gould, de la Harvard University, ont proposé, en 1972, le terme **équilibre ponctué** pour décrire ces périodes de *stabilité* (ou stase) apparente *ponctuées* d'un changement morphologique soudain.

Certains chercheurs croient que cette progression peut être expliquée par un modèle autre que le modèle darwinien de descendance avec modification, mais ils ont peut-être tort. Tout d'abord, le passage d'une période à une autre est peut-être moins abrupt que les archives géologiques ne le laissent penser. Supposons qu'une espèce donnée vit 5 millions d'années et qu'elle subit la plupart de ses changements morphologiques au cours des 50 000 premières années de son existence, c'est-à-dire que son épisode de spéciation occupe seulement 1 % de sa vie. Comme on ne peut souvent pas distinguer une période aussi courte dans les strates fossilifères, l'espèce en question apparaît soudainement dans des roches d'un certain âge, puis elle subit peu de changements, voire aucun, jusqu'au moment où elle s'éteint. Même si l'émergence de cette espèce prend en réalité des dizaines de milliers d'années, la période de changement ne laissera pas de traces fossiles **(figure 24.13)**.

En fait, Darwin lui-même a noté ce rythme dans les archives géologiques. Il soulevait le concept de l'équilibre ponctué quand il écrivait: « Bien que chaque espèce ait dû passer par de multiples stades de transition, il est probable que les périodes de modification, malgré leur nombre et leur durée, ont été courtes par rapport aux périodes de stabilité. »

On peut aussi expliquer les périodes d'apparente stabilité. Toutes les espèces continuent de s'adapter après leur émergence, mais leurs variations sont indétectables dans les fossiles (par exemple les modifications de nature biochimique). Par nécessité, les paléontologues fondent leurs hypothèses concernant l'évolution presque exclusivement sur l'anatomie externe et le squelette de leurs objets d'étude. Durant les périodes d'équilibre apparent, les changements dans le comportement, l'anatomie interne et la physiologie peuvent passer inaperçus. Cependant, si l'environnement change, la stabilité sera interrompue par des périodes de spéciation qui laisseront des traces dans les archives géologiques.

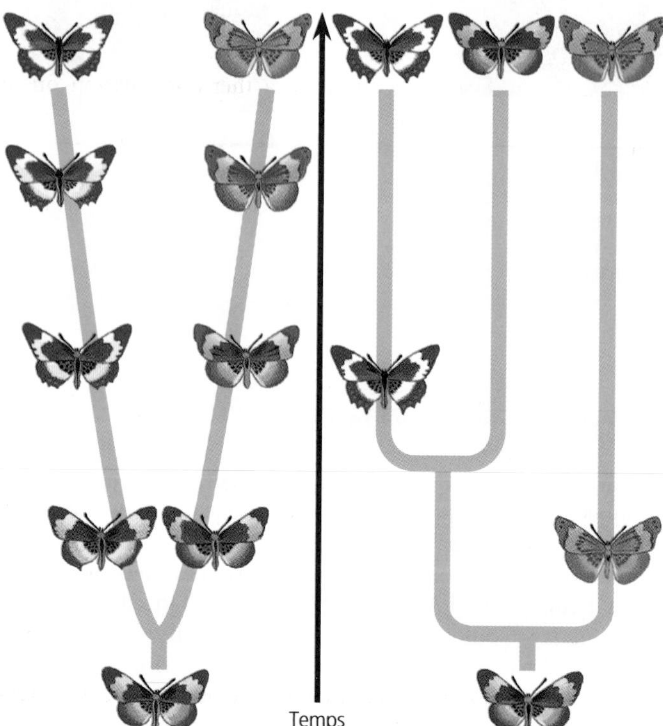

(a) Gradualisme. Les espèces issues d'un ancêtre commun divergent petit à petit morphologiquement, à mesure qu'elles acquièrent des adaptations uniques.

(b) Équilibre ponctué. La nouvelle espèce évolue le plus au moment où sa spéciation a lieu; elle change peu durant le reste de son existence.

▲ **Figure 24.13 Deux modèles du rythme de la spéciation.**

Retour sur le concept 24.2

1. Expliquez pourquoi la spéciation allopatrique a moins de chances de se produire sur une île proche du continent que sur une île de même taille mais éloignée du continent.
2. Normalement, le melon d'eau est une plante diploïde ($2n = 22$), mais on a réussi à produire des melons d'eau tétraploïdes ($4n = 44$). Si on hybride des individus tétraploïdes avec des individus diploïdes, on obtient des semences triploïdes ($3n = 33$). Ces descendants peuvent produire des melons triploïdes sans pépins qu'on peut multiplier par bouture. Les individus diploïdes et tétraploïdes sont-ils des espèces distinctes? Expliquez votre réponse.
3. Dans les archives géologiques, les fossiles de transition entre les nouvelles espèces et les espèces anciennes sont relativement rares. Comment expliquez-vous cela?

Voir les réponses proposées à la fin du chapitre.

Concept 24.3

Les changements participant à la macroévolution peuvent s'accumuler par spéciation

La spéciation peut résulter de différences subtiles, comme nous l'avons vu dans l'exemple des deux espèces de Cichlidés (l'une au dos rouge, l'autre au dos bleu). Cependant, à mesure que la divergence et la spéciation se succèdent, les différences s'accumulent et deviennent plus prononcées. Par conséquent, la spéciation marque le début du processus de macroévolution. Les transformations qui conduisent à la macroévolution, comme les changements touchant un seul patrimoine génétique (microévolution), s'accumulent par les processus que nous avons vus au chapitre 23 (la sélection naturelle, la mutation, la dérive génétique et le flux génétique). Ce sont les changements accumulés pendant des milliers d'épisodes de spéciation qui conduisent aux changements radicaux. Voyons maintenant comment ces transformations majeures peuvent se produire.

Les innovations apparues au cours de l'évolution

On peut élargir la notion darwinienne de descendance avec modification pour tenir compte des grandes transformations morphologiques. Dans la plupart des cas, des structures complexes ont évolué en plusieurs phases successives à partir de versions beaucoup plus simples, accomplissant la même fonction fondamentale.

Par exemple, l'œil de l'être humain est un organe optique complexe composé de structures multiples collaborant pour former une image et la transmettre au cerveau. Comment l'œil humain a-t-il pu évoluer graduellement? Si l'œil a besoin de toutes ses composantes pour fonctionner, alors comment un œil « partiel » a-t-il pu être utile à nos ancêtres?

Cette question, comme l'a fait remarquer Darwin lui-même, suppose à tort que seul un œil complexe est utile. En fait, de nombreux Animaux possèdent des yeux beaucoup moins complexes que les nôtres **(figure 24.14)**. La version la plus simple de l'œil correspond à un groupement de cellules photoréceptrices sensibles à la lumière. Ces yeux simples semblent avoir une origine unique dans l'évolution, et on les trouve chez plusieurs Animaux, dont les patelles, de petits Mollusques. Ils ne comportent ni lentille ni mécanisme de mise au point des images, mais ils permettent à l'animal de distinguer l'ombre de la lumière. Les patelles s'agrippent plus fermement à leur rocher lorsqu'une ombre arrive. C'est une adaptation comportementale qui réduit sans doute leurs risques d'être dévorées par un prédateur. Compte tenu que les patelles existent depuis fort longtemps, on peut dire que des yeux aussi « simples » que les leurs répondent plutôt bien à leurs besoins de survie et de reproduction.

Dans le règne animal, les différents types d'yeux complexes ont évolué indépendamment, à partir de structures aussi rudimentaires. Certains Mollusques, comme les pieuvres et les calmars, possèdent des yeux aussi complexes que ceux des humains et des autres Vertébrés (voir la figure 24.14). Bien que les yeux complexes de certains Mollusques aient évolué indépendamment des yeux complexes des Vertébrés, les deux se sont transformés à partir d'un simple amas ancestral de cellules photoréceptrices. Cette divergence a eu lieu petit à petit, au fil de changements graduels qui avantageaient les individus à chaque stade de la macroévolution. On le constate en faisant l'analyse phylogénétique des gènes qui régissent le développement de l'œil et qui sont présents chez tous les Animaux dotés d'yeux.

L'évolution de l'œil a permis de perfectionner un organe qui a conservé sa fonction première, de base : la vision. Cependant, l'innovation peut aussi se traduire par un raffinement graduel de structures existantes, qui exercent alors de *nouvelles* fonctions. De telles structures portent le nom d'*exaptations* pour les distinguer de l'origine adaptative de la structure originale.

Mais attention ! Cela ne sous-entend pas qu'une structure évolue en fonction d'un usage futur. Bien évidemment, la sélection naturelle n'est pas en mesure de prédire l'avenir ; elle ne peut qu'améliorer une structure selon son utilité *présente*. Par exemple, les Oiseaux ont des os légers à structure lacunaire (voir la figure 34.28b) qui sont homologues aux os de leurs ancêtres terrestres. Toutefois, ceux-ci n'ont pas vu leurs os évoluer à titre d'adaptation en vue d'un vol futur ; ils avaient sûrement une fonction utile au sol. On a découvert en Chine des fossiles d'animaux pouvant être étroitement apparentés aux Oiseaux. Ces petits animaux étaient incapables de voler, mais possédaient des pieds qui leur permettaient de grimper aux arbres et de s'y percher. La présence d'os légers favoriserait ce mode de vie. Il est aussi possible que la structure en forme d'aile des membres antérieurs, à l'instar des plumes (qui ont permis d'accroître la surface des membres antérieurs), ait acquis une fonction de vol après avoir été utile à un autre égard ; elle a peut-être servi à des activités telles que la parade nuptiale, la thermorégulation ou le camouflage (fonctions qu'assument les plumes encore aujourd'hui). Les premiers vols se résumaient vraisemblablement à de courts glissements (de type vol plané). De fait, les premières plumes qui ont laissé des traces dans les archives géologiques étaient courtes et duveteuses ; celles qui étaient adaptées au vol sont apparues plus tard. Au fil du temps, la sélection naturelle a remodelé les plumes et les ailes pour mieux les conformer à leur fonction supplémentaire.

Le concept d'exaptation permet d'expliquer comment des caractéristiques nouvelles surviennent graduellement et passent par une série d'étapes intermédiaires, dont chacune exerce une fonction dans le contexte contemporain de l'organisme. Comme l'indique Karel Liem, zoologue à la Harvard University, « l'évolution consiste en quelque sorte à modifier une machine en cours de fonctionnement ».

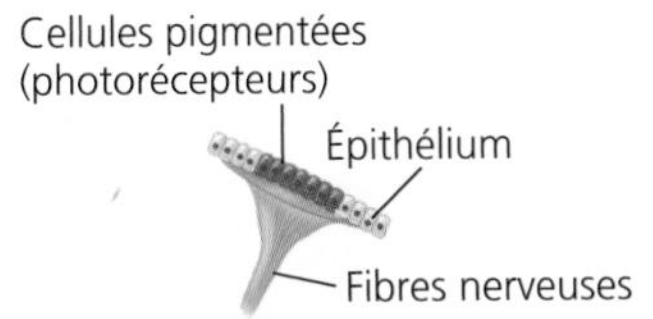

(a) Tache oculaire. La patelle (*Patella sp.*) possède une simple zone de cellules pigmentées (photorécepteurs) constituant une tache oculaire.

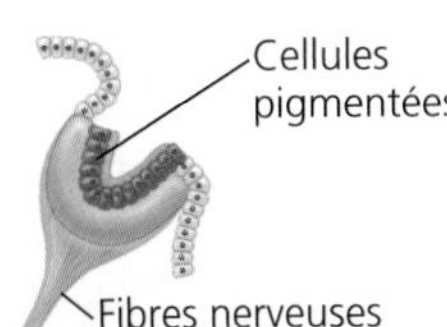

(b) Cupule optique. Le mollusque *Pleurotomaria sp.* est doté d'une cupule optique.

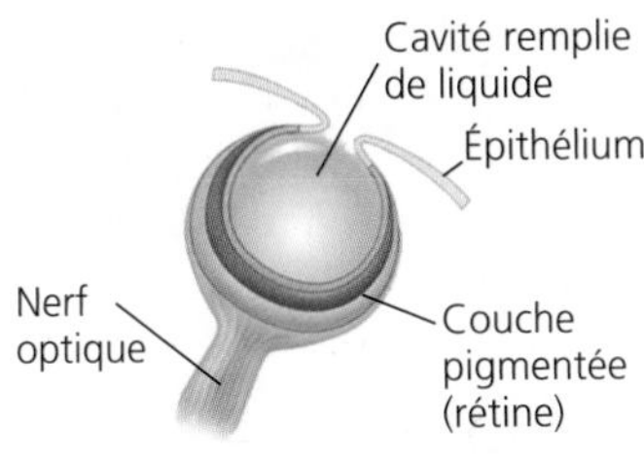

(c) Cupule optique à petit orifice. La cupule optique à petit orifice du nautile (*Nautilus sp.*) fonctionne comme un appareil photo rudimentaire (dit *à sténopé*, c'est-à-dire qu'il est muni d'un petit trou servant d'objectif photographique).

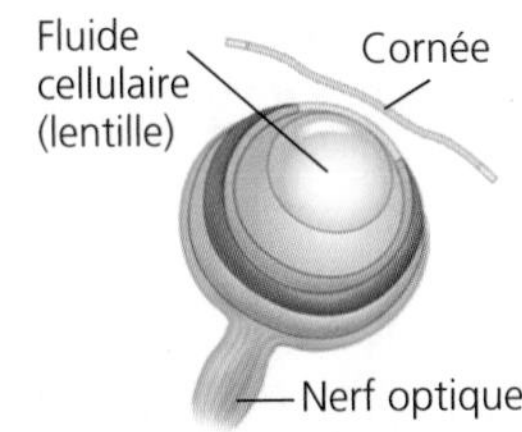

(d) Œil simple muni d'une lentille rudimentaire. L'escargot de mer (*Murex sp.*) possède une lentille rudimentaire constituée d'une masse de cellules translucides. La cornée correspond à une région transparente de l'épithélium (couche extérieure de la peau) ; celui-ci protège l'œil et facilite la focalisation de la lumière.

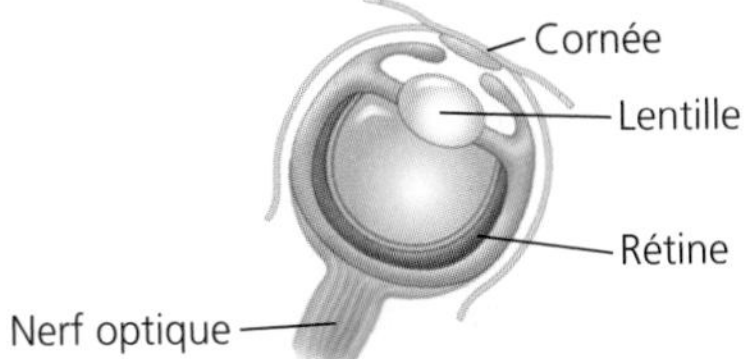

(e) Œil complexe. Le calmar (*Loligo sp.*) possède un œil complexe comprenant une cornée, une lentille et une rétine.

▲ **Figure 24.14 Aperçu de la complexité de l'œil chez les Mollusques.**

L'évolution des gènes régissant le développement

Comme nous l'avons vu au chapitre 21, les recherches interdisciplinaires dans les domaines propres à la biologie de l'évolution et à la biologie du développement commencent à expliquer de quelles manières de légères variations génétiques peuvent se traduire par des écarts morphologiques importants entre les espèces. Les gènes qui programment le développement contrôlent la vitesse, le déclenchement et l'organisation spatiale des changements que subit un organisme, depuis la fécondation jusqu'au passage à l'âge adulte.

Les changements dans la vitesse ou le déroulement des étapes du développement

L'évolution s'accompagne d'une foule de transformations saisissantes qui résultent de l'**hétérochronie** (du grec *heteros*, « différent », et *khrônos*, « temps ») ; c'est, en d'autres termes, un changement touchant la vitesse ou le déroulement des étapes du développement. Par exemple, la morphologie d'un organisme dépend en partie du rythme de croissance relatif des différentes parties du corps pendant le développement. Ce développement proportionnel, qui donne au corps sa forme particulière, porte le nom de **croissance allométrique** (du grec *allos*, « autre », et *metron*, « mesure »). La **figure 24.15a** indique les effets de l'allométrie sur les proportions du corps humain pendant son développement. Il suffit de modifier légèrement les vitesses de croissance des diverses parties de l'organisme pour changer considérablement la forme de l'adulte. Par exemple, les différences morphologiques entre le crâne de l'humain et celui du chimpanzé résultent de différences dans la croissance allométrique **(figure 24.15b)**.

L'hétérochronie a aussi joué un rôle dans l'évolution des pieds des salamandres **(figure 24.16)**. La plupart des salamandres vivent au sol, mais certaines espèces sont arboricoles. Les pieds des salamandres grimpeuses sont adaptés à l'ascension verticale et non aux déplacements à l'horizontale sur le sol; par exemple, leurs doigts sont plus courts que ceux des salamandres fouisseuses et comportent une membrane interdigitale proportionnellement plus grande. Cette adaptation résulte sans doute de la sélection d'allèles des gènes déterminant le déroulement du développement des pieds. Selon cette hypothèse, les pieds de la salamandre ancestrale grandissaient jusqu'à ce que les protéines commandées par certains gènes régulateurs interrompent leur croissance; ils atteignaient ainsi une certaine taille. Une mutation touchant un ou plusieurs gènes régulateurs pourrait avoir interrompu plus tôt la croissance des pieds des salamandres grimpeuses. Ainsi, quelques mutations peuvent avoir des résultats amplificateurs et mener à des changements morphologiques importants.

L'hétérochronie peut aussi altérer la vitesse du développement des organes reproducteurs. Si ce développement est plus rapide que celui des organes somatiques (destinés à toute autre fonction que la reproduction), il est probable que la morphologie de l'espèce parvenue à la maturité sexuelle conserve des caractéristiques juvéniles typiques d'une espèce ancestrale. C'est un processus appelé **pédomorphose** (du grec *pædos*, « enfant », et *morphosis*, « formation »). Par exemple, la plupart des espèces de salamandres subissent une métamorphose, qui les fait passer du stade larvaire à la forme adulte. Mais, certaines espèces conservent des branchies et d'autres caractéristiques larvaires même après qu'elles ont atteint la taille adulte et la maturité sexuelle **(figure 24.17)**. À la limite, une telle modification de la chronologie du développement peut produire des individus dont l'apparence s'éloigne fortement de celle de leurs ancêtres, même si le changement génétique qui a eu lieu reste dans son ensemble peu important. En effet, des découvertes récentes indiquent que la modification génétique d'un seul locus est probablement suffisante pour causer la pédomorphose chez l'amphibien axolotl, bien que d'autres gènes puissent jouer un rôle également.

En résumé, l'hétérochronie influe sur l'évolution morphologique en modifiant la vitesse du développement de divers organes, ou encore le moment du déclenchement ou de l'achèvement de la croissance d'un organe ou d'un membre en particulier.

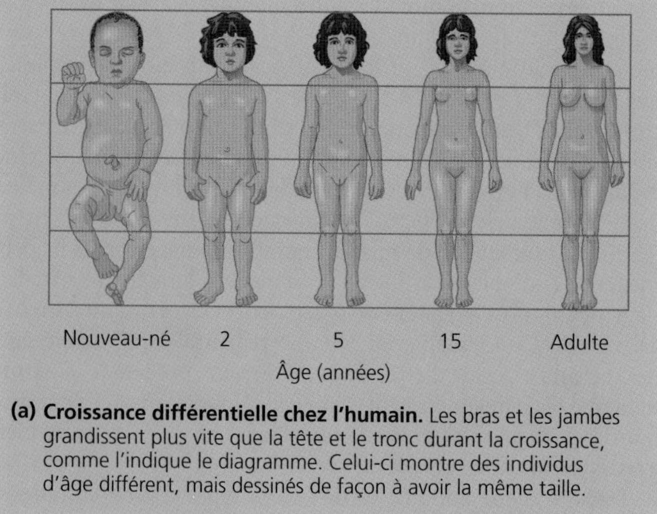

(a) Croissance différentielle chez l'humain. Les bras et les jambes grandissent plus vite que la tête et le tronc durant la croissance, comme l'indique le diagramme. Celui-ci montre des individus d'âge différent, mais dessinés de façon à avoir la même taille.

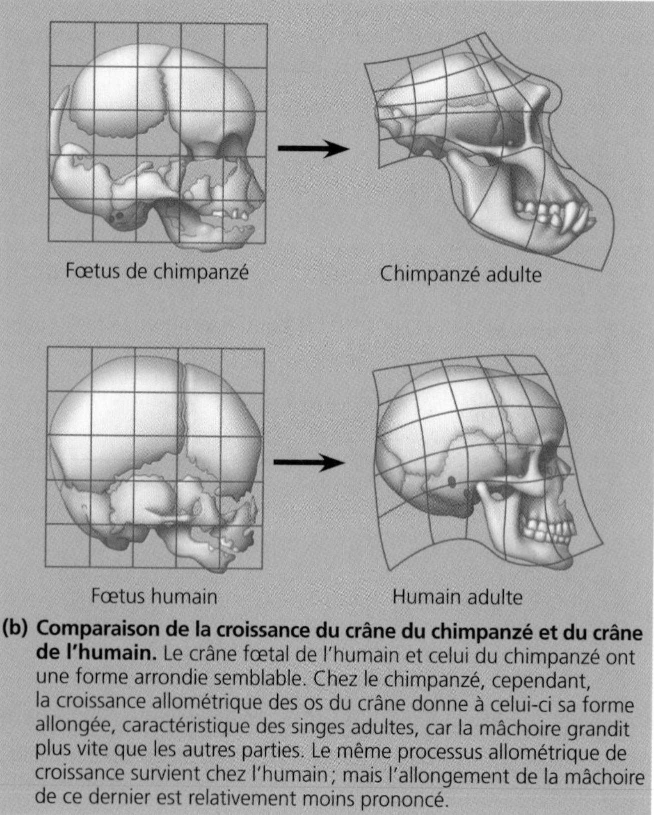

(b) Comparaison de la croissance du crâne du chimpanzé et du crâne de l'humain. Le crâne fœtal de l'humain et celui du chimpanzé ont une forme arrondie semblable. Chez le chimpanzé, cependant, la croissance allométrique des os du crâne donne à celui-ci sa forme allongée, caractéristique des singes adultes, car la mâchoire grandit plus vite que les autres parties. Le même processus allométrique de croissance survient chez l'humain; mais l'allongement de la mâchoire de ce dernier est relativement moins prononcé.

▲ **Figure 24.15 Croissance allométrique.** L'écart entre les vitesses de croissance des différentes parties du corps détermine les proportions corporelles.

Les changements d'ordre spatial

Les changements évolutifs substantiels peuvent aussi résulter de changements dans les gènes régissant l'emplacement et l'organisation spatiale des parties corporelles. Par exemple, comme nous l'avons vu au chapitre 21, les **gènes homéotiques** déterminent les caractéristiques fondamentales de l'emplacement d'une paire d'ailes et d'une paire de pattes sur le corps d'un Oiseau, ou bien la disposition des parties florales d'une plante.

(a) Salamandre fouisseuse. Le pied grandit plus longtemps ; il en résulte des doigts plus longs et une membrane interdigitale plus petite.

(b) Salamandre grimpeuse. La croissance du pied se termine plus tôt. Ce changement dans le déroulement du développement du pied explique pourquoi les doigts sont proportionnellement plus courts, et la membrane interdigitale plus grande. Cela permet aux salamandres de mieux s'agripper aux ramilles des arbres.

▲ **Figure 24.16 Hétérochronie et évolution du pied chez des espèces de salamandres étroitement apparentées.**

Les produits d'une catégorie particulière de gènes homéotiques (les gènes *Hox*) fournissent des renseignements sur la position des cellules de l'embryon animal. Cette information incite les cellules à se développer de façon à former les structures convenant à un emplacement particulier du corps. Les changements affectant les gènes *Hox* et les gènes régissant ceux-ci peuvent avoir des répercussions morphologiques importantes. Prenons, par exemple, l'évolution des Tétrapodes (c'est-à-dire des Vertébrés terrestres dont la plupart des Amphibiens, les Oiseaux, les Reptiles et les Mammifères) à partir des Poissons (qui sont des Vertébrés aquatiques). Durant ce processus, quatre des nageoires se sont transformées en membres ambulatoires. Les adaptations du membre du Tétrapode comprennent les doigts (doigts et orteils chez l'humain) contribuant à la fonction de soutien du squelette jusqu'à l'extrémité du membre.

Pendant le développement d'un Poisson, un gène *Hox* s'exprime dans une bande de cellules parcourant le bord du bourgeon de la nageoire **(figure 24.18)**. Au cours de la croissance d'un Tétrapode, le même gène *Hox* s'exprime à l'extrémité distale

▲ **Figure 24.17 Pédomorphose.** Certaines espèces conservent à l'âge adulte des caractéristiques propres au stade juvénile chez leurs ancêtres. Cette salamandre, l'axolotl (*Ambystoma mexicanum*), garde certaines caractéristiques larvaires (du têtard), notamment des branchies, même après qu'elle a atteint sa taille adulte et qu'elle est devenue apte à se reproduire.

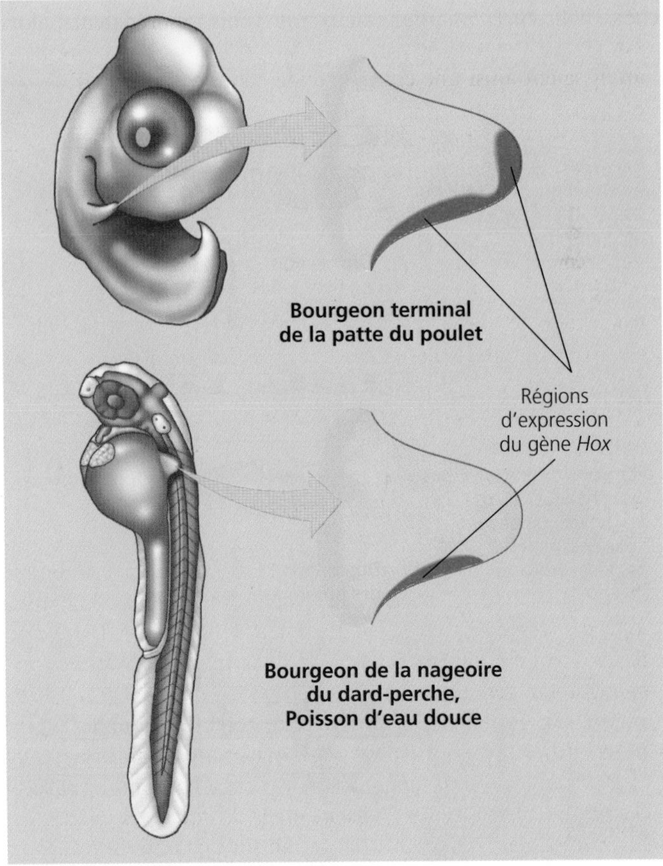

▲ **Figure 24.18 Gènes *Hox* et évolution des membres des Tétrapodes.** Les zones rouges indiquent la région où un gène *Hox* régissant le développement du squelette s'exprime.

du bourgeon du membre, c'est-à-dire de la structure embryonnaire qui se développe pour former la jambe antérieure ou postérieure. Le produit du gène fournit des renseignements positionnels sur la croissance des doigts et des autres os vers l'extrémité distale.

L'évolution des Vertébrés à partir des Invertébrés constitue un événement encore plus important dans l'ordre de la macroévolution; celui-ci a été associé lui aussi à des changements touchant les gènes *Hox* et les gènes les régissant **(figure 24.19)**. Les modifications de la dynamique du développement sont la source d'innovations morphologiques et, de ce fait, elles ont joué un rôle clé sur le plan de la macroévolution.

L'évolution ne vise aucun objectif

Les archives géologiques semblent souvent révéler des tendances dans l'évolution. Par exemple, dans certaines lignées évolutives, la taille du corps augmente ou diminue au fil du temps. On peut donner l'exemple de l'évolution du cheval moderne (*Equus caballus*), descendant d'un ancêtre beaucoup plus petit, nommé *Hyracotherium* **(figure 24.20)**, qui vivait il y a quelque 40 millions d'années. Cet animal avait la taille d'un grand chien, possédait quatre orteils sur les pattes antérieures, trois orteils sur les pattes postérieures, des dents adaptées au broutage de bourgeons et de ramilles poussant sur des arbustes et des arbres, et des yeux situés à peu près au milieu de la tête. Le cheval moderne, lui, est plus grand que son ancêtre. Il ne possède plus qu'un orteil fonctionnel qui s'est élargi, et ses dents ont évolué et sont adaptées au broutage de l'herbe grâce à des molaires à large surface et à croissance continue. Les yeux sont en position plus élevée sur la tête que chez *Hyracotherium*, pour mieux voir venir les prédateurs, alors que la tête est près du sol pendant que l'animal broute. Ces changements correspondent-ils vraiment à des tendances? Si c'est le cas, comment les expliquer?

Il serait erroné de déduire de l'observation d'archives géologiques qu'une progression uniforme a eu lieu au cours de l'évolution. Cela reviendrait à affirmer qu'un buisson grandit en direction d'un point précis parce qu'on aura seulement tenu compte des ramifications qui mènent à une ramille en particulier. Par exemple, en se fondant sur les fossiles de certaines espèces mis au jour jusqu'à maintenant, on pourrait établir une succession d'animaux intermédiaires entre *Hyracotherium* et *Equus caballus*. On pourrait aussi noter une progression dans un sens précis: l'accroissement de la taille, la réduction du nombre de doigts, la modification des dents en faveur du broutage de l'herbe et le changement de la position des yeux sur la tête (voir la ligne jaune de la figure 24.20). Cependant, si l'on tient compte de tous les chevaux fossiles connus aujourd'hui, cette apparente tendance n'existe pas. Le genre *Equus* n'a pas évolué en ligne droite; il est l'unique ramification survivante d'un arbre généalogique si touffu qu'il faudrait plutôt parler de *buisson généalogique*. *Equus* est né après une série d'événements de spéciation comprenant diverses radiations adaptatives, dont certaines n'ont pas débouché sur l'apparition de grands Équidés ongulés et brouteurs. Par exemple, en examinant la figure 24.20, on remarque que seules les lignées dérivées de *Parahippus* comprennent des animaux brouteurs d'herbe; les lignées issues de *Miohippus*, qui n'existent plus aujourd'hui, sont restées des animaux brouteurs de feuilles, de bourgeons et de ramilles durant 35 millions d'années. Tout compte fait, l'évolution dont est issu le cheval moderne représente davantage un exemple de cladogenèse que d'anagenèse.

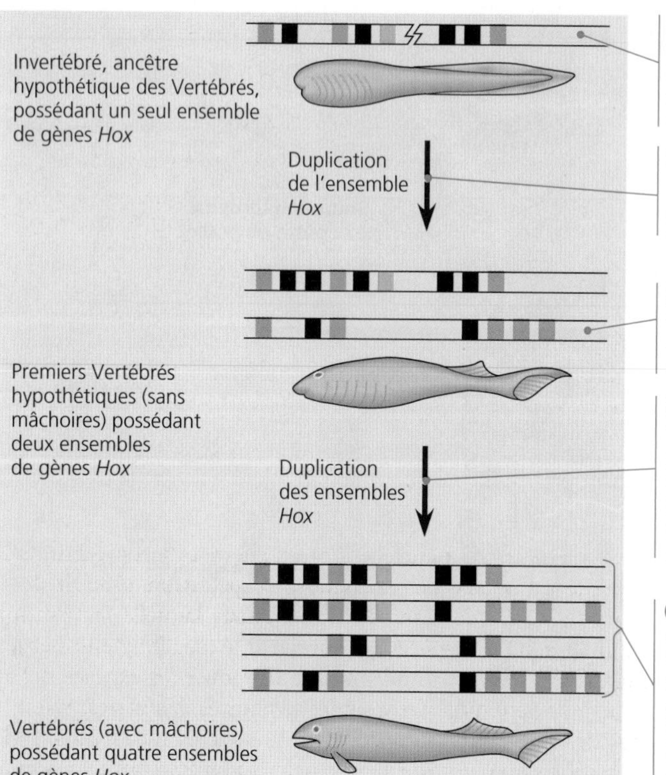

1. La plupart des Invertébrés possèdent un seul ensemble de gènes homéotiques (complexe *Hox*). Celui-ci est montré ici sous la forme de rayures colorées marquant un chromosome. Les gènes *Hox* régissent le développement des parties principales du corps.
2. Une mutation (duplication) de l'unique complexe *Hox* initial a eu lieu il y a 520 millions d'années ; cette mutation pourrait avoir fourni les matériaux génétiques associés à l'origine des premiers Vertébrés.
3. Chez un des premiers Vertébrés, le deuxième ensemble de gènes (issu de la duplication du complexe *Hox* initial) a joué des rôles entièrement nouveaux, notamment dans le développement de la colonne vertébrale.
4. Une seconde duplication du complexe *Hox* a eu lieu plus tard, voilà environ 425 millions d'années. Elle est à l'origine des quatre ensembles de gènes *Hox* que l'on trouve chez la plupart des Vertébrés. Cette duplication, qui résulte probablement d'une polyploïdie, aurait permis la formation de structures encore beaucoup plus complexes, telles que les mâchoires et les membres.
5. Le complexe *Hox* des Vertébrés contient des doubles de plusieurs des gènes qui figurent dans l'unique ensemble de gènes des Invertébrés selon le même ordre linéaire sur les chromosomes, et ils dirigent le développement séquentiel des mêmes régions du corps. Ainsi, les scientifiques déduisent que les quatre ensembles du complexe *Hox* des Vertébrés sont homologues à l'unique ensemble de gènes *Hox* des Invertébrés.

▲ **Figure 24.19 Mutations *Hox* et origine des Vertébrés.**

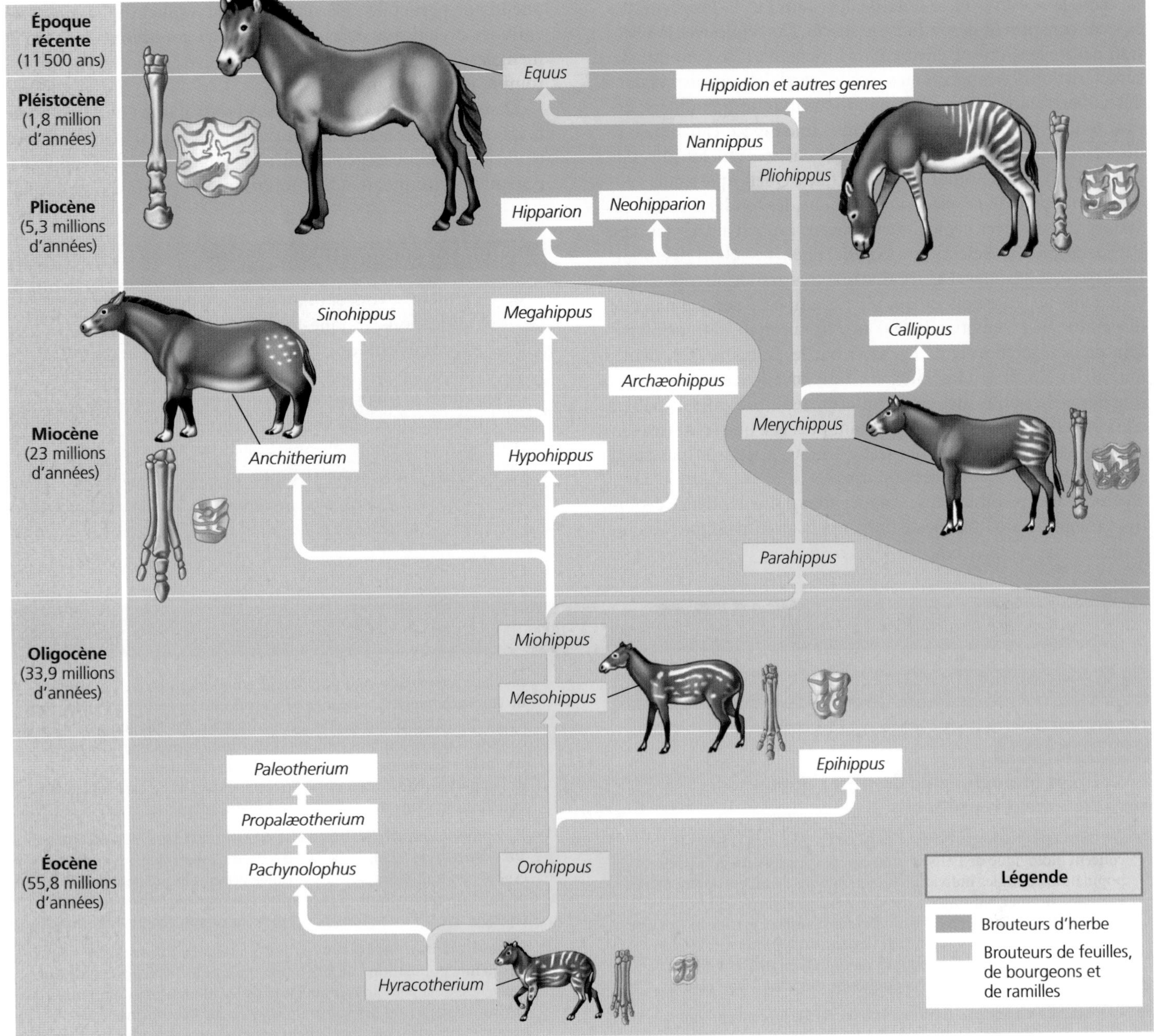

▲ **Figure 24.20 Évolution divergente du cheval.** Si nous utilisons un surligneur jaune pour tracer l'ordre séquentiel des espèces de chevaux fossiles constituant des formes intermédiaires entre le cheval moderne et son ancêtre de l'Éocène *Hyracotherium*, nous créons l'illusion d'une progression vers l'augmentation de la taille, la diminution du nombre de doigts, l'apparition de dents adaptées au broutage de l'herbe et l'élévation de la position des yeux sur la tête. En réalité, le cheval moderne ne constitue que la ramification survivante d'un véritable buisson évolutif comportant de nombreuses tendances divergentes. (*Remarque :* La figure montre aussi l'évolution du membre et celle d'une molaire dont on a représenté la surface.)

L'évolution divergente peut prendre la forme d'une tendance évolutive, même si de nouvelles espèces contredisent celle-ci. Par exemple, selon le modèle de tendances de longue durée proposé par Steven Stanley, de la Johns Hopkins University, il existe une analogie entre les espèces et les individus : les espèces naissent (émergence par spéciation), se reproduisent (production de nouvelles espèces par divergence) et meurent (on estime que 99 % des espèces ayant déjà vécu sur la Terre sont éteintes). D'après le modèle de Stanley, chaque espèce est soumise à une **sélection spécifique**, de la même façon que chaque individu subit une sélection naturelle. Comme la mutation produit de la diversité à l'échelle des individus, la spéciation produit de la diversité à celle des espèces, diversité sur laquelle la sélection naturelle agit. Les espèces qui survivent le plus longtemps et qui engendrent le plus grand nombre de nouvelles espèces déterminent l'orientation des grandes tendances évolutives. Selon le modèle de la sélection spécifique, le « succès différentiel de la spéciation » joue un rôle dans la macroévolution qui s'apparente à celui que joue le succès différentiel de la reproduction dans la microévolution.

Dans la mesure où le taux de spéciation et la longévité des espèces constituent des indices de succès, l'analogie avec la sélection naturelle s'impose encore plus fortement. Il se peut que des caractéristiques étrangères au succès général des organismes dans des milieux particuliers deviennent importantes quand la sélection touche une espèce entière. Ainsi, une espèce capable de se disperser facilement a peut-être plus de chances que les autres de produire un grand nombre d'espèces filles. Quelle que soit la validité du modèle de la sélection spécifique, les tendances qui ressortent des archives géologiques peuvent avoir d'autres sources. Par exemple, la sélection sexuelle chez les élans irlandais (*Megaloceros giganteus*) a entraîné une très grande augmentation de la taille de leurs bois, ce qui n'a pas empêché ces Animaux de disparaître, il y a environ 10 000 ans, en raison de la transformation de la végétation et de la chasse par les humains. De même, quand les ancêtres des chevaux ont envahi les nombreuses prairies à l'époque des Mammifères, les brouteurs capables d'échapper aux prédateurs en courant plus vite que les autres ont été favorisés par la sélection. Cette tendance n'aurait pas surgi sans la présence d'immenses prairies.

Quelle qu'en soit la cause, l'apparition d'une tendance évolutive ne signifie pas qu'il existe une impulsion intrinsèque vers un phénotype particulier. L'évolution est le résultat des interactions entre les organismes et leur milieu. Si les conditions environnementales changent, une tendance évolutive évidente peut s'interrompre et même s'inverser.

Dans le prochain chapitre, nous poursuivrons notre étude de la spéciation et de la divergence des organismes en regardant plus en détail les archives géologiques et certains des effets des changements environnementaux importants.

Retour sur le concept 24.3

1. Comment le concept darwinien de descendance avec modification explique-t-il l'évolution de structures aussi complexes que l'œil ou le cœur d'un Vertébré?
2. Expliquez pourquoi le concept d'exaptation ne veut pas dire qu'une structure évolue en prévision d'un changement environnemental futur.
3. Comment l'hétérochronie engendre-t-elle l'évolution de différentes caractéristiques morphologiques?

Voir les réponses proposées à la fin du chapitre.

Révision du chapitre 24

RÉSUMÉ DES CONCEPTS CLÉS

Concept 24.1

Le concept biologique de l'espèce s'appuie sur l'isolement reproductif

- **Le concept biologique de l'espèce (p. 514-515).** Selon le concept biologique de l'espèce, une espèce constitue un groupe de populations dont les individus sont en mesure de se reproduire entre eux et de donner naissance à des descendants interféconds, mais incapables de se croiser avec les individus d'autres espèces. Le concept biologique de l'espèce s'appuie sur l'isolement reproductif; ce sont des barrières prézygotiques et postzygotiques qui peuvent entraîner l'isolement des patrimoines génétiques de différentes populations.
- **Les autres concepts de l'espèce (p. 515).** Le concept biologique de l'espèce aide à mieux comprendre les processus de spéciation, mais il présente certaines lacunes. Par exemple, il ne s'applique pas aux fossiles ou aux organismes qui se reproduisent uniquement de manière asexuée. Par conséquent, les scientifiques continuent de proposer d'autres concepts de l'espèce, comme le concept morphologique de l'espèce, qui sont utiles dans divers contextes.

Concept 24.2

La spéciation peut avoir lieu en présence ou en l'absence d'isolement géographique

- **La spéciation allopatrique (« autre patrie ») (p. 518-519).** La spéciation allopatrique survient quand deux populations d'une même espèce sont isolées sur le plan géographique. L'une d'elles ou les deux peuvent subir des changements évolutifs durant la période d'isolement. Si elles sont en contact de nouveau, les deux populations peuvent être isolées par des mécanismes prézygotiques et postzygotiques qui se seront accumulés.
- **La spéciation sympatrique (« même patrie ») (p. 519-522).** Une nouvelle espèce peut apparaître dans l'aire de distribution de l'espèce parentale. De nombreuses espèces végétales ont évolué de manière sympatrique par polyploïdie (multiplication du nombre de chromosomes). C'est par ce processus que les autopolyploïdes sont apparus à partir d'une seule espèce ancestrale. Les allopolyploïdes, eux, comptent des ensembles multiples de chromosomes issus d'espèces parentales distinctes. La spéciation sympatrique peut aussi provenir de l'apparition de nouvelles niches écologiques et de l'accouplement non aléatoire dans des populations polymorphes.
- **La spéciation allopatrique et la spéciation sympatrique: *un résumé* (p. 522).** Dans la spéciation allopatrique, une nouvelle espèce apparaît alors qu'elle est isolée géographiquement de la population mère. Dans la spéciation sympatrique, une barrière reproductive isole une sous-population, mais non géographiquement.
- **La radiation adaptative (p. 522).** La radiation adaptative a lieu lorsqu'une population fait face à une multitude de niches écologiques nouvelles. Cela peut arriver au cours de la colonisation d'un nouvel environnement (des îles volcaniques nouvellement formées, par exemple) ou après un changement environnemental qui a provoqué des extinctions de masse d'autres espèces vivant dans la même région.
- **L'étude de la génétique de la spéciation (p. 522-523).** L'explosion de la génomique permet aux chercheurs de repérer les gènes qui participent à certains cas de spéciation.
- **Le rythme de la spéciation (p. 523-524).** Le modèle de l'équilibre ponctué d'Eldredge et Gould s'appuie sur les archives géologiques qui montrent que les espèces changent le plus au moment où elles émergent de l'espèce ancestrale; durant le reste de leur existence, elles ne subiront que peu de variations. Ce modèle diffère des modèles qui s'appuient sur la transformation graduelle d'une espèce tout au long de son existence.

Concept 24.3

Les changements participant à la macroévolution peuvent s'accumuler par spéciation

- **Les innovations apparues au cours de l'évolution (p. 524-525).** La majorité des nouvelles structures biologiques se sont formées en passant par de nombreuses phases et elles dérivent de structures existantes. Dans certains cas, comme dans celui de l'œil, la fonction de l'organe est sans doute restée constante à toutes les étapes de l'évolution. Dans d'autres cas, comme dans celui des plumes, la fonction de l'organe a changé (exaptation).

▶ **L'évolution des gènes régissant le développement (p. 525-528).** De nombreux changements évolutifs importants ont été associés à la mutation de gènes régulateurs du développement. Les mutations peuvent se répercuter sur le déroulement des étapes du développement (hétérochronie) ou sur l'organisation spatiale des parties corporelles. Certains de ces changements résultent de mutations dans les gènes homéotiques et dans les gènes qui régissent ceux-ci.

▶ **L'évolution ne vise aucun objectif (p. 528-530).** Les tendances à long terme de l'évolution peuvent résulter d'une adaptation à un milieu en pleine évolution. En outre, selon l'hypothèse de la sélection spécifique, elles se manifestent quand des espèces possédant certaines caractéristiques survivent plus longtemps et produisent davantage d'espèces que les espèces ayant d'autres caractéristiques moins avantageuses.

VÉRIFIEZ VOS CONNAISSANCES

Autoévaluation

(Les questions dont les numéros sont en caractères gras font surtout appel à la compréhension.)

1. Le concept biologique de l'espèce *n'est pas* utilisé pour les organismes connus seulement sous leur forme fossile, pour la raison suivante:
   a) Les fossiles sont rarement assez bien préservés pour qu'on distingue des espèces à partir de leur morphologie.
   b) Il n'est pas possible de vérifier l'isolement reproductif des formes fossiles.
   c) Il n'est pas possible de déduire les types d'habitats occupés par les formes fossiles avant leur extinction.
   d) Quand on examine les organismes fossiles, il n'est pas possible de distinguer les mâles des femelles.
   e) Les registres fossiles peuvent servir seulement à étudier l'anagenèse, mais pas la cladogenèse.

2. Quelle est l'unité la *plus importante* (la plus vaste) dans laquelle le flux génétique peut se produire?
   a) La population.
   b) L'espèce.
   c) Le genre.
   d) L'hybride.
   e) L'embranchement.

3. Les manuels d'identification des Oiseaux indiquaient autrefois que la paruline à croupion jaune et la paruline d'Audubon constituaient deux espèces distinctes. Récemment, ces Oiseaux ont été classés comme étant deux formes (l'une, de l'Ouest, et l'autre, de l'Est) d'une seule et même espèce, la paruline à croupion jaune. Lequel des énoncés suivants explique cette nouvelle classification?
   a) Les deux formes se croisent avec succès là où leurs habitats se chevauchent.
   b) Les deux formes vivent dans des habitats semblables.
   c) Les deux formes ont de nombreux gènes en commun.
   d) Les deux formes ont des besoins nutritionnels semblables.
   e) Les deux formes ont une couleur très semblable.

4. Les mâles de différentes espèces de *Drosophila* qui vivent dans certaines parties de l'archipel d'Hawaii ont diverses sortes de parades nuptiales, dont la lutte contre d'autres mâles et les mouvements flamboyants qui attirent les femelles. Quel type de mécanisme d'isolement reproductif cela représente-t-il?
   a) L'isolement écologique.
   b) L'isolement temporel.
   c) L'isolement éthologique.
   d) L'isolement gamétique.
   e) L'isolement reproductif postzygotique.

5. Parmi les facteurs suivants, lequel ne contribuerait pas à la spéciation allopatrique?
   a) La population est isolée géographiquement de la population mère.
   b) La population séparée est de petite taille, et elle connaît une dérive génétique.
   c) La population isolée est exposée à des pressions de sélection naturelle différentes de celles que subit la population ancestrale.
   d) Différentes mutations rendent peu à peu distincts les patrimoines génétiques des populations isolées l'une de l'autre.
   e) Le flux génétique entre les deux populations est très important.

6. L'espèce végétale A possède un nombre diploïde de chromosomes qui est égal à 12. L'espèce végétale B possède un nombre diploïde de chromosomes qui est égal à 16. La nouvelle espèce allopolyploïde C provient des espèces A et B. Son nombre diploïde de chromosomes est sans doute:
   a) 12.
   b) 14.
   c) 16.
   d) 28.
   e) 56.

7. L'épisode de spéciation décrit à la question 6 constitue fort probablement un cas:
   a) de spéciation allopatrique.
   b) de spéciation sympatrique.
   c) de spéciation par voie de sélection sexuelle.
   d) de radiation adaptative.
   e) d'anagenèse.

8. Lequel des facteurs suivants *n'est pas* susceptible de donner lieu au phénomène de radiation adaptative?
   a) L'absence de spéciation allopatrique et sympatrique.
   b) La colonisation d'un nouvel environnement.
   c) Un changement climatique important.
   d) Une extinction massive d'espèces.
   e) L'apparition d'une multitude de niches écologiques nouvelles.

9. *Mimulus lewisii* et *Mimulus cardinalis* sont des plantes qui ne s'hybrident pas dans la nature mais qu'on peut croiser facilement en laboratoire pour produire des descendants féconds. Lequel des facteurs suivants est le *moins* susceptible de maintenir séparés les patrimoines génétiques de ces deux plantes dans la nature?
   a) L'incompatibilité gamétique.
   b) L'attrait de différents pollinisateurs.
   c) Des niches écologiques différentes.
   d) Des aires de distribution différentes.
   e) Des saisons de floraison différentes.

10. Selon les défenseurs du modèle de l'équilibre ponctué:
   a) la sélection naturelle n'est pas un mécanisme important de l'évolution.
   b) avec le temps, la plupart des espèces existantes pourront former des embranchements et donner naissance à de nouvelles espèces.
   c) une nouvelle espèce acquiert la plupart de ses caractères distinctifs peu de temps après son apparition: par la suite, elle change très peu jusqu'à son extinction.
   d) l'évolution se réalise en grande partie sous forme d'anagenèse.
   e) la spéciation est généralement imputable à une mutation unique.

11. Un changement génétique ayant fait en sorte qu'un gène *Hox* s'exprime le long de l'extrémité d'un bourgeon de membre d'un Vertébré plutôt que dans une région postérieure a permis l'évolution des membres du Tétrapode. Ce type de changement est un exemple:
   a) d'influence de l'environnement sur le développement d'un individu.
   b) de pédomorphose, c'est-à-dire de rétention de structures juvéniles ancestrales chez un organisme adulte.
   c) de changement dans un gène régissant le développement ou dans sa régulation, changement qui a altéré l'organisation spatiale des parties du corps.
   d) d'équilibre ponctué.
   e) de la naissance d'une nouvelle espèce par allopolyploïdie.

12. L'évolution de l'œil, chez les Animaux:
   a) est un exemple d'exaptation.
   b) s'est produite de façon graduelle par étapes successives.
   c) n'a pu se faire selon le modèle darwinien de descendance avec modification, car seul l'œil dans sa structure complexe actuelle peut avoir une utilité.

d) montre qu'une structure évolue en fonction de son usage futur.
e) s'est faite à partir de structures simples qu'aucun groupe animal n'a conservées.

Lien avec l'évolution

1. Dans la marge de ses cahiers, Darwin a griffonné une note pour se souvenir qu'il ne faut jamais appliquer les termes *inférieur* ou *supérieur* aux espèces. Il était courant à l'époque – et c'est encore le cas aujourd'hui – de considérer certaines espèces ou certains genres comme plus ou moins évolués que d'autres. Cette façon de voir les choses vient sans doute de la notion de « progrès » que l'on associe à l'évolution. Peut-on défendre l'idée d'un progrès de l'évolution ? Pourquoi ? Débattez de cette question.
2. Des paléontologues britanniques ont découvert, en 2003, un fossile d'une nouvelle espèce de Crustacé ostracode, qu'ils ont baptisé *Colymbosathon ecplecticos* (nageur avec un grand pénis). Celui-ci est morphologiquement presque identique aux Ostracodes actuels. Or, il date de 425 millions d'années. Par ailleurs, 14 espèces de pinsons se sont formées à partir d'une seule et même espèce, en un peu moins de 600 000 ans dans l'archipel des Galápagos. Le rythme avec lequel les espèces apparaissent et évoluent semble donc varier considérablement d'une lignée d'organismes à l'autre. Citez un certain nombre de facteurs pouvant être responsables d'une telle variation et montrez comment chacun de ces facteurs pourrait agir.

Intégration

1. Vous êtes botaniste et vous aimez voyager au Québec. Au cours d'un périple qui vous amène sur les deux rives du Saint-Laurent, dans la zone estuarienne du fleuve, vous vous attardez à l'observation d'une espèce de plante de la famille des Cypéracées, le carex noir (*Carex nigra*), communément appelé *teigne*. Dans votre carnet d'observations, vous notez que les populations situées à une centaine de kilomètres environ ont une taille moyenne différente et que le nombre moyen d'épis varie, de même que leur longueur. À l'extrémité sud de l'estuaire, sur les deux rives, vous notez que les populations de carex noir sont identiques. Y aurait-il manifestement spéciation ? Le cas échéant, à quel mode de spéciation aurions-nous affaire ? À quel concept (ou quels concepts) de l'espèce feriez-vous appel dans cet exemple ? Comment procéderiez-vous expérimentalement pour vérifier s'il y a bel et bien spéciation ? Répondez à toutes ces questions avec le plus de précision possible.
2. « Malgré le fait qu'il existe un continuum de ressources dans l'environnement, il n'y a pas un continuum d'espèces qui se soit développé dans cet environnement, mais plutôt un certain nombre d'espèces relativement bien distinctes les unes des autres. » Discutez de cette affirmation en vous basant sur les notions et les exemples vus dans les trois derniers chapitres concernant l'évolution.

Science, technologie et société

Quel est le fondement biologique de l'idée selon laquelle toutes les populations humaines appartiennent à la même espèce ? Pouvez-vous imaginer un scénario dans lequel une seconde espèce humaine pourrait éventuellement apparaître par cladogenèse ?

Réponses du chapitre 24

Retour sur le concept 24.1

1. On sait que les Oiseaux se croisent facilement en captivité, alors la barrière reproductive qui existe dans la nature est forcément prézygotique. Étant donné que les différentes espèces ont une préférence pour différents habitats, la barrière reproductive est sans doute l'isolement écologique.
2. **a)** À part le concept biologique, tous les concepts d'espèces peuvent s'appliquer à la fois aux espèces sexuées et asexuées, car ils définissent les espèces à partir de caractéristiques autres que la capacité de se reproduire. **b)** Le concept biologique de l'espèce s'applique seulement aux espèces sexuées qui existent encore. **c)** Le concept de l'espèce le plus facile à appliquer sur le terrain est le concept morphologique, car il est basé seulement sur l'apparence de l'organisme. L'information sur les habitudes écologiques, l'histoire évolutive et la reproduction n'est pas nécessaire.

Retour sur le concept 24.2

1. Le flux génétique continu entre les populations du continent et celles qui vivent sur une île voisine réduit la probabilité qu'une divergence génétique puisse aboutir à une spéciation allopatrique.
2. Les melons d'eau diploïdes et tétraploïdes sont des espèces distinctes. Leurs hybrides sont triploïdes et donc stériles parce qu'ils ne peuvent assurer la méiose.
3. Selon le modèle de l'équilibre ponctué, la plupart des cas de spéciation (de changements qui distinguent des espèces) prennent peu de temps comparativement à la durée totale de l'existence de l'espèce. Par conséquent, à la très grande échelle des archives géologiques, la transition d'une espèce à l'autre semble abrupte, et les exemples de changement graduel sont rares. En outre, certains de ces changements subis par les espèces transitionnelles ne sont pas toujours évidents dans les fossiles.

Retour sur le concept 24.3

1. Des structures aussi complexes n'évoluent pas d'un seul coup, mais graduellement, et la sélection naturelle favorise les variantes adaptées des versions précédentes.
2. Même si une exaptation se produit pour répondre aux fonctions qui s'ajoutent dans un nouvel environnement, elle existait déjà avant, puisqu'elle servait dans le milieu d'origine.
3. Le déroulement du développement chez les organismes peut varier de différentes façons (hétérochronie). Ainsi, la croissance peut être modifiée, comme dans l'évolution des pieds des salamandres.

Autoévaluation

1. b ; 2. b ; **3.** a ; **4.** c ; 5. e ; **6.** d ; **7.** b ; 8. a ; **9.** a ; **10.** c ; **11.** c ; **12.** b.

25

Phylogenèse et systématique

▲ **Figure 25.1 Fossile de libellule du Brésil, datant de plus de 100 millions d'années.**

Concepts clés

25.1 **La phylogenèse est l'étude des ancêtres communs à partir de données fossiles, morphologiques et moléculaires**

25.2 **La systématique phylogénétique fait le lien entre la taxinomie et l'histoire évolutive**

25.3 **La systématique phylogénétique permet de construire des arbres phylogénétiques à partir de caractères partagés**

25.4 **Le génome recèle une grande partie de l'histoire évolutive de tout organisme**

25.5 **Les horloges moléculaires rendent compte du temps d'évolution**

Introduction

L'étude de l'arbre de la vie

La **biologie de l'évolution** s'intéresse à la fois aux processus et à l'histoire. Dans la présente partie, nous avons étudié les processus de l'évolution. Nous avons en effet exploré la sélection naturelle et les autres mécanismes qui font évoluer la composition des populations (voir le chapitre 23) et qui sont à l'origine de nouvelles espèces (voir le chapitre 24). La biologie de l'évolution s'efforce aussi de reconstruire les fruits de ces processus depuis le début, c'est-à-dire l'histoire entière de la vie sur la Terre.

Nous verrons ici comment les biologistes s'y prennent pour établir la **phylogenèse** (du grec *phulon*, «race», et *genesis*, «origine»), soit l'histoire de l'évolution d'une espèce ou d'un groupe d'espèces apparentées. Pour reconstruire la phylogenèse, les biologistes s'appuient sur les archives géologiques, qui regorgent d'information au sujet des organismes ancestraux **(figure 25.1)**. Ils ont également recours à la **systématique**, une méthode d'analyse qui permet de comprendre la diversité des formes de vie et leurs liens de parenté, autant celles d'aujourd'hui que celles qui ont disparu il y a longtemps. Les systématiciens étudient les ressemblances morphologiques et biochimiques dans le but d'établir les liens évolutifs entre les organismes. Au cours des dernières décennies, ils se sont dotés d'un nouvel outil très puissant: la **systématique moléculaire**, qui s'appuie sur la comparaison des molécules d'ADN, d'ARN, etc., pour dégager les liens évolutifs entre des gènes individuels et même entre des génomes entiers **(figure 25.2)**. La systématique moléculaire produit une mine de données qui permettent aux biologistes de l'évolution de construire l'arbre de vie universel, dont la ramure se complexifie au même rythme que grossissent les bases de données sur les séquences d'ADN et d'ARN.

▲ **Figure 25.2 Liens inattendus.** Quel est le lien évolutif entre les humains, les champignons et les tulipes? La systématique moléculaire nous révèle que, malgré les apparences, les Animaux (dont les humains) et les Mycètes (comme les champignons) sont plus apparentés les uns aux autres qu'aux Végétaux.

Concept 25.1

La phylogenèse est l'étude des ancêtres communs à partir de données fossiles, morphologiques et moléculaires

Pour construire une phylogenèse, on doit recueillir le plus de données possible sur la morphologie, le développement et la biochimie des organismes qui vivent actuellement. Mais il est également essentiel d'étudier les fossiles, les restes préservés ou les traces d'organismes qui ont existé dans le passé. Les fossiles peuvent aider à établir des liens entre les organismes actuels, car ils révèlent des caractéristiques ancestrales qui ont peut-être disparu de certaines lignées au fil du temps.

Les archives géologiques

Les roches sédimentaires sont les sources de fossiles les plus riches. Des particules de sable et de limon détachées des sols par l'érosion sont emportées par les cours d'eau jusque dans les marais et dans les mers, où elles se déposent au fond en même temps que les restes d'organismes morts. Durant des millions d'années, les dépôts s'accumulent et compriment les sédiments sous-jacents, les transformant en couches appelées **strates** **(figure 25.3)**. Les **archives géologiques** correspondent à l'ordre d'apparition des fossiles dans ces strates de roches sédimentaires.

Les fossiles sédimentaires sont les plus courants, mais les paléontologues étudient également d'autres types de fossiles **(figure 25.4)**. Les fossiles ne peuvent enrichir la phylogenèse que dans la mesure où on peut les dater, c'est-à-dire établir à quel moment diverses caractéristiques sont apparues et disparues. Au chapitre 26, nous verrons les méthodes employées pour dater les fossiles à l'échelle des temps géologiques. Pour l'instant, retenons que les archives géologiques constituent un dossier volumineux, mais incomplet, de l'histoire de l'évolution. D'abord, il est fort probable qu'une foule d'espèces ne figurent pas dans les archives parce qu'elles ne sont pas mortes au bon endroit ni au bon moment. Ensuite, parmi tous les fossiles qui existent, bon nombre ont probablement été détruits par d'autres processus géologiques. Enfin, seule une fraction des fossiles existants a été découverte.

En somme, les archives fossiles ne représentent pas très fidèlement la diversité des formes de vie passées, car elles avantagent les espèces qui ont existé sur une très longue période, dont les populations étaient très nombreuses et répandues, et dont les représentants possédaient une coquille, un squelette ou une quelconque partie dure qui a favorisé la fossilisation. Toutefois, même lacunaires, elles forment un compte rendu remarquablement détaillé des changements biologiques qui ont eu lieu sur la vaste échelle des temps géologiques.

Les homologies morphologiques et moléculaires

L'histoire phylogénétique s'appuie sur les fossiles, mais aussi sur les ressemblances morphologiques et moléculaires entre les organismes vivants. Nous avons vu au chapitre 22 qu'une ressemblance attribuable à une ascendance commune est appelée **homologie**. Par exemple, la ressemblance entre le nombre et l'arrangement des os des membres inférieurs des Mammifères s'explique par le fait qu'ils descendent d'un ancêtre commun ayant la même structure osseuse; c'est là un exemple d'homologie morphologique (voir la figure 22.14). De la même façon, des gènes ou des séquences d'ADN sont homologues si la nature de leur ressemblance indique qu'ils sont issus de séquences portées par un ancêtre commun.

En général, les organismes dotés de morphologies ou de séquences d'ADN très semblables ont plus de chances d'être étroitement apparentés que ceux qui ont des structures ou des séquences très différentes. Dans certains cas, cependant, des espèces apparentées présentent une grande divergence morphologique et une petite divergence génétique (ou vice versa). Reprenons l'exemple des espèces d'*Argyroxiphium* d'Hawaii que nous avons vu au chapitre 24. Ces espèces ont des morphologies très différentes d'une région à l'autre de l'archipel: certaines sont des arbres hauts et clairsemés, tandis que d'autres sont des buissons

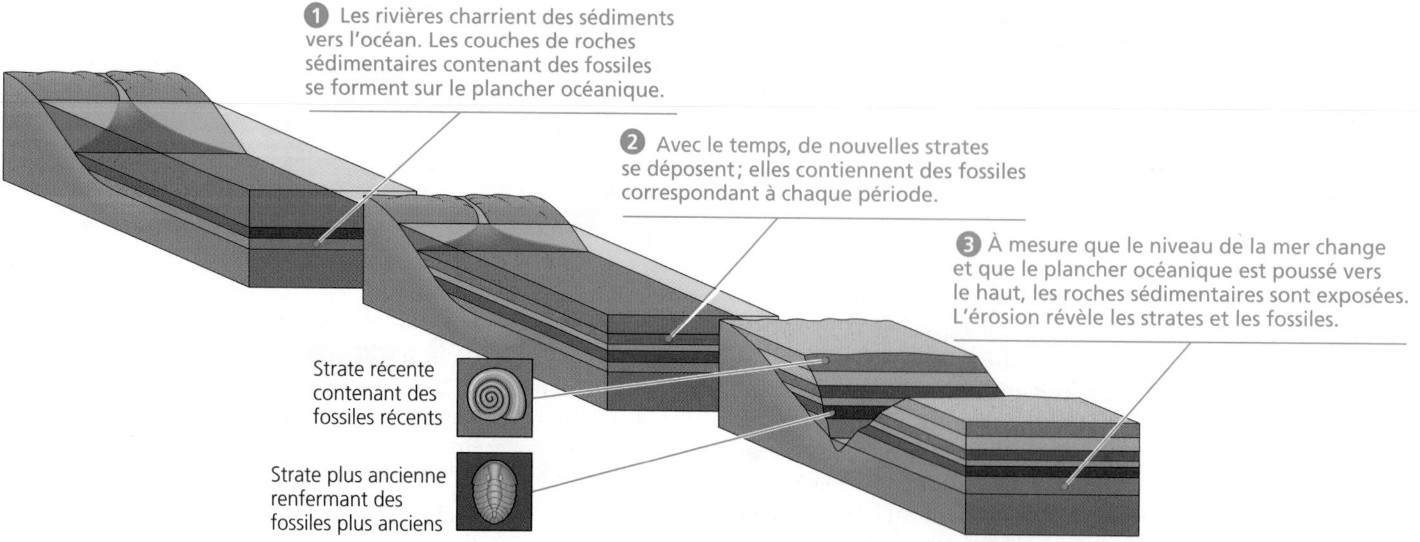

1 Les rivières charrient des sédiments vers l'océan. Les couches de roches sédimentaires contenant des fossiles se forment sur le plancher océanique.
2 Avec le temps, de nouvelles strates se déposent; elles contiennent des fossiles correspondant à chaque période.
3 À mesure que le niveau de la mer change et que le plancher océanique est poussé vers le haut, les roches sédimentaires sont exposées. L'érosion révèle les strates et les fossiles.
Strate récente contenant des fossiles récents
Strate plus ancienne renfermant des fossiles plus anciens

▲ **Figure 25.3 Formation de strates contenant des fossiles.**

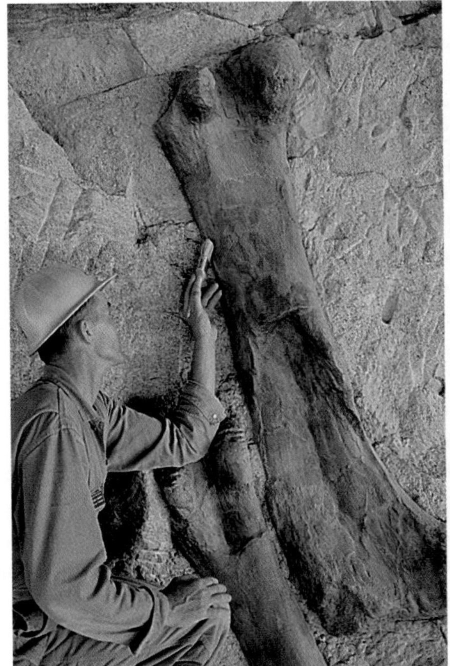

(a) Excavation d'ossements de Dinosaure fossilisés dans le grès

(b) Arbre pétrifié de l'Arizona, datant d'environ 190 millions d'années

(c) Feuille datant d'environ 40 millions d'années

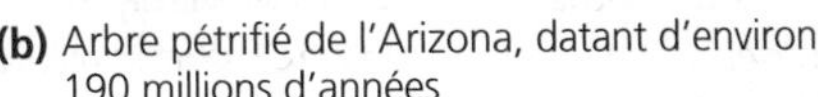

(d) Moulages de Céphalopodes (Ammonites), datant d'environ 375 millions d'années

(f) Insectes préservés entiers dans de l'ambre

(g) Défenses de mammouth vieilles de 23 000 ans, conservées entières dans les glaces sibériennes

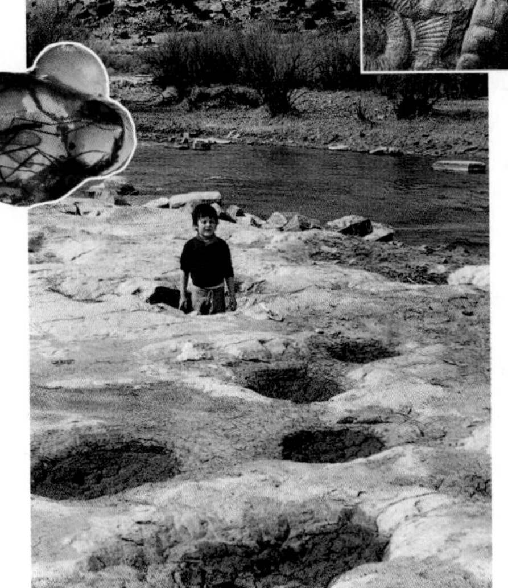

(e) Garçon se tenant dans une empreinte de Dinosaure vieille de 150 millions d'années, au Colorado

▲ **Figure 25.4 Fossiles variés. (a)** Les parties dures d'un organisme, c'est-à-dire celles qui contiennent des minéraux (par exemple les os, les coquilles ou les dents), sont les plus susceptibles de se fossiliser. **(b)** Les fossiles peuvent durcir davantage si des minéraux s'infiltrent dans les cellules des organismes et remplacent très lentement leur matière organique. **(c)** Certains fossiles trouvés dans des roches sédimentaires contiennent encore de la matière organique dont les scientifiques peuvent extraire des molécules pour les analyser. **(d)** Les organismes enfouis peuvent se décomposer et laisser des moules, qui se remplissent de minéraux dissous dans l'eau. Les moulages qui se forment quand les minéraux durcissent constituent des répliques des organismes en question. **(e)** Les traces fossiles correspondent aux empreintes, aux tanières et aux autres vestiges qui font état des activités d'organismes anciens. **(f)** Des organismes entiers sont parfois préservés dans de l'ambre (résine d'arbre durcie). **(g)** La glace ou un milieu acide préserve le corps de très gros organismes, bien que cela se produise rarement.

bas et denses (voir la figure 24.12). Mais, en dépit de ces différences phénotypiques frappantes, les gènes de ces plantes sont très semblables. D'après ces petites divergences moléculaires, les scientifiques estiment que la divergence du groupe des *Argyroxiphium* a commencé il y a 5 millions d'années, soit à peu près en même temps que la formation de la plus vieille île de l'archipel. On peut en conclure que la diversité morphologique des plantes de ce groupe dépend d'un nombre relativement peu élevé de différences génétiques.

Distinguer homologie et analogie

La construction d'une phylogenèse se heurte à une difficulté particulière : il ne faut pas confondre les ressemblances attribuables à la convergence, appelées **analogies**, avec celles qui sont imputables à des ancêtres communs (homologies) ; seules les homologies sont utiles pour nous aider à construire des arbres phylogénétiques. Comme nous l'avons vu au chapitre 22, l'évolution convergente a lieu quand les facteurs environnementaux et la sélection naturelle produisent des adaptations semblables (analogues) chez des organismes de lignées évolutives distinctes (voir la figure 22.17). Par exemple, les taupes d'Australie et d'Amérique du Nord se ressemblent beaucoup **(figure 25.5)**. Cependant, leurs systèmes reproductifs sont très dissemblables: les taupes australiennes sont des Marsupiaux (leurs petits terminent leur développement embryonnaire dans la poche ventrale de la mère), tandis que les taupes nord-américaines sont des Euthériens (leurs petits terminent leur développement embryonnaire dans l'utérus de la mère). De fait, les comparaisons génétiques et les archives géologiques démontrent que l'ancêtre commun de ces taupes a vécu il y a 120 millions d'années, soit à peu près au moment où les Mammifères marsupiaux et euthériens ont divergé. Cet ancêtre et la plupart de ses descendants ne ressemblent pas aux taupes, mais des caractéristiques semblables ont évolué de manière indépendante dans ces deux lignées à mesure que celles-ci se sont adaptées à des modes de vie similaires.

Pour reconstruire des phylogenèses, il est essentiel de distinguer l'homologie de l'analogie. Les ailes des chauves-souris et des Oiseaux, par exemple, sont des adaptations qui autorisent le vol. Cette ressemblance superficielle pourrait signifier que les chauves-souris sont plus étroitement apparentées aux Oiseaux qu'aux chats, qui ne peuvent pas voler. Pourtant, un examen plus approfondi montre que la structure complexe de l'appareil de vol de la chauve-souris s'apparente beaucoup plus aux membres antérieurs des chats et des autres Mammifères qu'aux ailes des Oiseaux. Les données fossiles indiquent également que les membres antérieurs des chauves-souris et les ailes des Oiseaux sont apparus indépendamment, à partir de membres antérieurs déambulateurs d'ancêtres différents. On peut donc affirmer que les membres antérieurs des chauves-souris sont *homologues* à ceux des autres Mammifères, mais *analogues* à ceux des Oiseaux à titre d'ailes. Les structures analogues qui ont évolué indépendamment, tels les membres antérieurs des chauves-souris et les ailes des Oiseaux, sont parfois appelées **homoplasies** (d'un mot grec qui signifie « même modèle ») ; les homoplasies peuvent être autant le résultat d'une évolution convergente que d'une *réversion*, c'est-à-dire un retour à un état caractérisant un stade précédent.

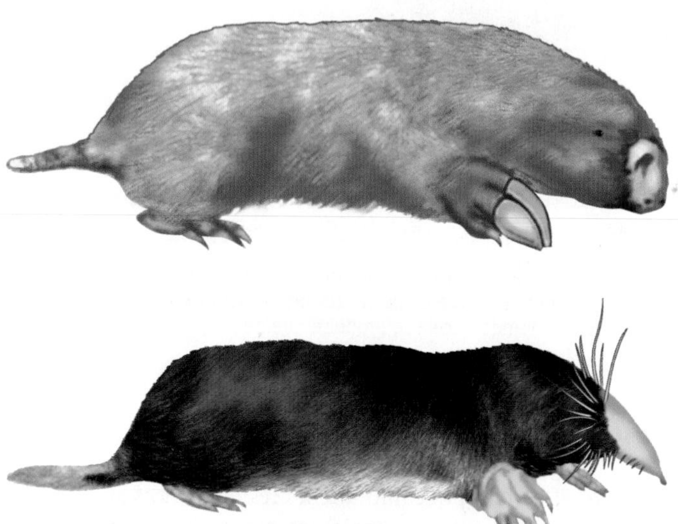

▲ **Figure 25.5 Évolution convergente des caractéristiques analogues.** Le corps allongé, les pattes antérieures larges, les petits yeux et le coussin de peau qui protège le nez effilé sont des caractéristiques qui ont évolué indépendamment chez la taupe marsupiale australienne (en haut) et la taupe euthérienne nord-américaine (en bas).

Afin de distinguer les homologies et les analogies, on peut procéder à la recherche de ressemblances ou de données qui permettent de soutenir les hypothèses, et examiner la complexité des caractéristiques comparées. Plus le nombre de ressemblances entre deux structures complexes est grand, moins il y a de chances que ces structures aient évolué indépendamment l'une de l'autre. Par exemple, le crâne des humains et celui des chimpanzés ne se composent pas d'un os unique, mais de plusieurs os fusionnés. La composition du crâne de l'humain correspond presque parfaitement, os pour os, à celle du crâne du chimpanzé. Il est donc fort improbable que des structures aussi complexes et aussi ressemblantes aient des origines distinctes. Toutefois, les gènes participant à la constitution des deux crânes viennent d'un ancêtre commun.

On peut affirmer la même chose quand on compare les gènes eux-mêmes, qui sont des séquences de milliers de nucléotides. La position de chaque nucléotide le long d'un brin d'ADN ou d'ARN représente une caractéristique héréditaire sous la forme d'une des quatre bases de l'ADN: A (adénine), G (guanine), C (cytosine) ou T (thymine). Donc, des régions comparables d'ADN longues de 1 000 nucléotides fournissent autant de points de comparaison entre deux espèces. Pour évaluer les liens entre deux espèces, les systématiciens comparent de longs brins d'ADN et même des génomes entiers. Si les gènes de deux organismes ont en commun plusieurs portions de leurs séquences nucléotidiques, il y a de bonnes chances que ces gènes soient homologues.

L'évaluation des homologies moléculaires

Les comparaisons de l'ADN posent certains défis techniques. La première étape dans l'analyse des données génétiques consiste à aligner les séquences homologues d'ADN issues de deux espèces comparées. Si ces dernières ont divergé d'un même ancêtre relativement récent, les séquences des régions homologues de l'ADN seront sans doute de longueur identique. Bien sûr, cela n'empêche pas qu'elles puissent contenir des bases différentes dans certains sites ou même dans un seul site. Les espèces moins proches, elles, peuvent avoir des séquences d'ADN homologues différant non seulement sur le plan des bases de certains sites, mais aussi sur le plan de la longueur totale des séquences. C'est que l'accumulation des mutations (notamment les insertions et les délétions) risque fort de modifier la longueur des gènes (revoir le chapitre 23). Imaginons, par exemple, que deux séquences d'ADN issues de deux espèces soient très semblables, mais qu'une délétion ait supprimé la première base de la séquence provenant de l'une des espèces. Dans ce cas, toute la suite restante de nucléotides serait décalée, et une comparaison point par point des deux séquences étudiées aboutirait à une fausse conclusion: on pourrait croire à une différence marquée entre elles, alors qu'en fait il y aurait une concordance générale. La **figure 25.6** donne un exemple simplifié des techniques employées par les systématiciens pour traiter les données génétiques à l'aide de logiciels, en vue d'aligner les segments d'ADN homologues dont la longueur varie.

La comparaison moléculaire révèle qu'un grand nombre de substitutions de bases et d'autres différences se sont accumulées entre les gènes comparables des taupes australiennes et nord-américaines, ce qui indique que leurs lignées ont grandement divergé depuis leur ancêtre commun. Par conséquent, on peut

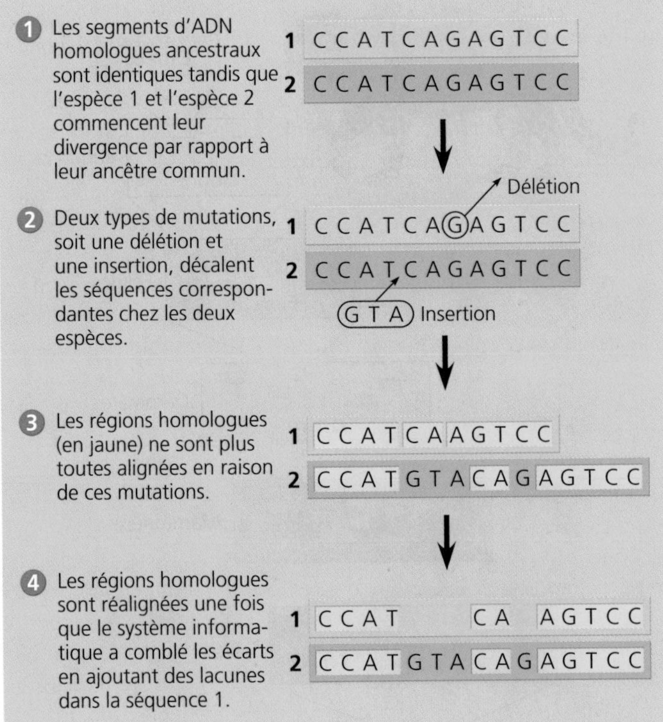

1 Les segments d'ADN homologues ancestraux sont identiques tandis que l'espèce 1 et l'espèce 2 commencent leur divergence par rapport à leur ancêtre commun.
1 C C A T C A G A G T C C
2 C C A T C A G A G T C C
Délétion
2 Deux types de mutations, soit une délétion et une insertion, décalent les séquences correspondantes chez les deux espèces.
1 C C A T C A G A G T C C
2 C C A T C A G A G T C C
G T A Insertion
3 Les régions homologues (en jaune) ne sont plus toutes alignées en raison de ces mutations.
1 C C A T C A A G T C C
2 C C A T G T A C A G A G T C C
4 Les régions homologues sont réalignées une fois que le système informatique a comblé les écarts en ajoutant des lacunes dans la séquence 1.
1 C C A T C A A G T C C
2 C C A T G T A C A G A G T C C

▲ **Figure 25.6 Alignement des segments d'ADN.** Les systématiciens utilisent des logiciels qui repèrent et réalignent les séquences semblables des segments d'ADN provenant des deux espèces étudiées. (Dans cet exemple, aucune base n'a changé et les séquences comparables sont encore identiques une fois l'alignement rétabli.)

dire que ces espèces vivantes ne sont pas étroitement apparentées. En revanche, la grande ressemblance des séquences de gènes dans le groupe des *Argyroxiphium* d'Hawaii soutient l'hypothèse selon laquelle ces plantes sont toutes très étroitement apparentées en dépit de différences morphologiques considérables.

Le fait que des molécules aient subi une divergence entre deux espèces ne nous indique pas à quelle époque a vécu l'ancêtre commun. Parfois, comme dans l'exemple des taupes, les archives géologiques nous fournissent cette information. Dans le cas des *Argyroxiphium*, cependant, peu de fossiles ont été mis au jour. Les chercheurs pourraient comparer la divergence moléculaire de cette lignée avec la divergence de lignées végétales géologiquement mieux documentées. Les résultats d'une telle comparaison peuvent servir d'étalons moléculaires pour mesurer la durée approximative de certains degrés de divergence. (C'est ainsi que les chercheurs ont déterminé que l'ancêtre commun des *Argyroxiphium* a vécu il y a environ cinq millions d'années, comme nous l'avons déjà fait remarquer.) Comme pour les caractéristiques morphologiques, il importe de distinguer l'homologie de l'analogie pour déterminer la pertinence des ressemblances moléculaires dans les études sur l'évolution. Deux séquences qui se ressemblent sur une bonne partie de leur longueur ont des chances d'être homologues (voir la figure 25.6). Toutefois, chez les organismes qui ne semblent pas étroitement apparentés, les séquences peuvent présenter des bases semblables même si elles sont très différentes, mais ces ressemblances peuvent être purement fortuites. Ce sont des homoplasies moléculaires **(figure 25.7)**. Les scientifiques ont mis au point des outils mathématiques qui permettent de distinguer les homologies « distantes » issues de ressemblances fortuites entre séquences par ailleurs extrêmement divergentes (l'épithète *distantes* fait allusion à la méthode de distances qui évalue la différence globale entre deux taxons en fonction d'une variable appelée *distance*). Par exemple, des analyses moléculaires de ce genre ont montré que, malgré leur dissemblance sur le plan morphologique, les humains et les Bactéries ont un ancêtre commun, même si cet ancêtre est très lointain.

Jusqu'à maintenant, les scientifiques ont séquencé les acides nucléiques de plus de 20 milliards de bases issues de milliers d'espèces. Cette prodigieuse collection de données a beaucoup fait avancer l'étude de la phylogenèse et a permis de clarifier une foule de liens évolutifs, comme ceux qui existent entre les taupes australiennes et nord-américaines et ceux qui ont été observés entre les différentes populations d'*Argyroxiphium*. Dans le reste du chapitre et la prochaine partie, nous aurons quelques occasions de constater la très forte incidence de la systématique moléculaire.

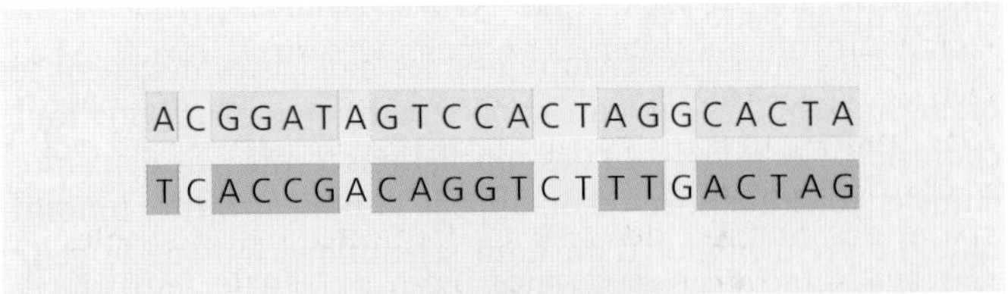

A C G G A T A G T C C A C T A G G C A C T A

T C A C C G A C A G G T C T T T G A C T A G

▲ **Figure 25.7 Homoplasie moléculaire.** Dans ces séquences d'ADN issues de deux organismes peu apparentés, 25 % des bases sont semblables, par pure coïncidence. Plusieurs outils mathématiques permettent de déterminer si les séquences d'ADN très semblables sont homologues.

Retour sur le concept 25.1

1. Indiquez si chaque paire de structures suivantes représente une analogie ou une homologie, puis expliquez votre raisonnement : **a)** les piquants d'un hérisson et les épines d'un cactus ; **b)** la patte d'un chat et la main d'un humain ; **c)** l'aile d'un hibou et l'aile d'un frelon.
2. Quelles espèces sont le plus susceptibles d'être étroitement apparentées : deux espèces ayant une apparence semblable mais des séquences de gènes très divergentes, ou deux espèces ayant une apparence très dissemblable mais des séquences de gènes presque identiques ? Expliquez votre réponse.

Voir les réponses proposées à la fin du chapitre.

Concept 25.2

La systématique phylogénétique fait le lien entre la taxinomie et l'histoire évolutive

La systématique, qui est l'étude de la diversité des vivants et de leurs relations phylogénétiques, date du XVIIIe siècle. En 1748, le naturaliste suédois Carl von Linné (1707-1778) publia un ouvrage intitulé *Systema naturæ* (« Système de la nature »), qui se voulait une classification taxinomique de toutes les formes de vie connues à l'époque. La **taxinomie** (ou taxonomie) est la désignation et la classification des organismes en catégories selon un ensemble de caractéristiques utilisées pour évaluer les ressemblances et les différences. Bien que la classification de Linné ne soit pas basée sur des liens évolutifs mais plutôt sur les ressemblances, plusieurs aspects de son système demeurent utiles en systématique phylogénétique. Deux de ces aspects sont la nomenclature binominale et la classification hiérarchique.

La nomenclature binominale

Dans le langage courant, on désigne les formes de vie par leurs noms «vernaculaires» (communs). On dira, par exemple, un *singe*, un *merle*, un *lilas*. Ces noms peuvent toutefois causer la confusion, d'abord parce qu'ils désignent plus d'une espèce, mais aussi parce qu'ils ne sont pas toujours représentatifs des organismes qu'ils sont censés désigner. Pensons, par exemple, au poisson d'argent, qui est en fait un insecte (lépisme), au chien de mer, qui est un requin, ou encore à l'éléphant de mer, qui est un phoque. Et c'est sans compter tous les noms employés selon la langue qu'on parle.

Dans les ouvrages scientifiques, les biologistes désignent les organismes étudiés par leurs noms scientifiques pour éviter toute confusion. Ces noms sont des appellations formées de deux mots latins et constituent ce qu'on appelle la **nomenclature binominale**. Le premier mot d'un nom scientifique indique le **genre** auquel l'espèce appartient (il pourrait être comparé au nom de famille d'une personne); le deuxième nom désigne l'**espèce** en tant que telle (il pourrait correspondre au prénom de la personne). Par exemple, le nom scientifique du léopard est *Panthera pardus*. Seule la première lettre du genre s'écrit en majuscule, et le genre et l'espèce sont composés en italique (cette règle s'applique au nom scientifique latin et non au nom commun français). Un genre peut comprendre plusieurs espèces, qui portent chacune un nom spécifique. On peut aussi «latiniser» un nom; ainsi, un chercheur qui découvre un nouvel insecte peut le baptiser en l'honneur d'un ami, mais il doit ajouter la terminaison latine appropriée. Une bonne partie des appellations scientifiques encore employées de nos jours a été créée par Linné, qui a attribué un nom scientifique à plus de 11 000 espèces végétales et animales. En fait, sans doute dans un élan d'optimisme, celui-ci a donné aux humains le nom scientifique d'*Homo sapiens*, ce qui signifie «homme sage».

La classification hiérarchique

Linné a non seulement baptisé les espèces, il les a aussi classées hiérarchiquement en groupes de plus en plus généraux. Le groupe le plus étroit, situé au bas de la hiérarchie, porte le nom de la première partie de l'appellation scientifique et correspond donc au genre. Ainsi, les espèces qui semblent étroitement apparentées sont groupées au sein d'un même genre. Par exemple, le léopard (*Panthera pardus*) appartient à un genre qui comprend également le lion d'Afrique (*Panthera leo*), le tigre (*Panthera tigris*) et le jaguar (*Panthera onca*).

Au-delà du groupement au sein d'un même genre, les systématiciens emploient des catégories de classement de plus en plus vastes **(figure 25.8)**. Ainsi, ils rassemblent les genres semblables en **familles**, les familles en **ordres**, les ordres en **classes**, les classes en **embranchements**, les embranchements en **règnes** et, depuis peu, les règnes en **domaines**. Les taxinomistes créent, au besoin, des catégories intermédiaires, comme les sous-familles, les sous-ordres, les sous-espèces, etc. Un rang taxinomique, peu importe sa catégorie de classement, est appelé **taxon**. Par exemple, *Panthera* est un taxon de genre, tandis que Mammifères est un taxon de classe qui inclut tous les ordres de Mammifères. Remarquez que les taxons plus vastes que celui du genre ne s'écrivent pas en italique, mais prennent une majuscule à la première lettre. La classification biologique d'un organisme suit donc la même logique qu'une adresse: on indique d'abord, le cas échéant, le numéro d'unité (l'appartement, par exemple), le numéro municipal de l'immeuble où se trouve l'unité, le type de rue et le nom de la rue où se trouve l'immeuble, le nom de la municipalité où se trouve la rue, le nom de la province où se trouve la ville, et ainsi de suite.

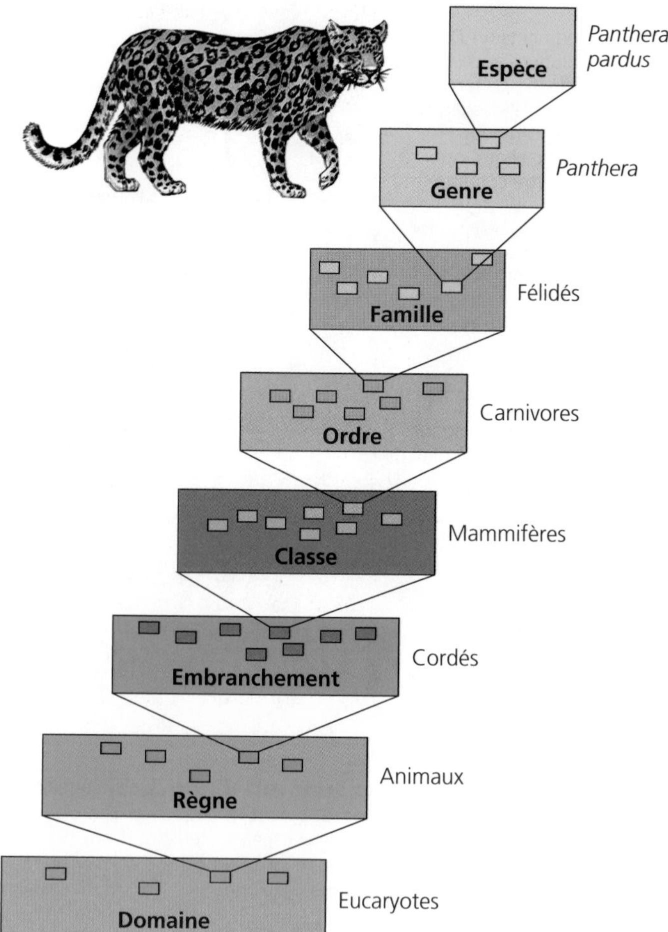

▲ **Figure 25.8 Classification hiérarchique.** Les espèces sont classées dans des groupes relevant de groupes plus vastes.

La classification des espèces nous semble naturelle; c'est pour nous une façon de structurer notre vision du monde. Nous groupons des arbres semblables et nous les appelons *chênes*, par exemple, pour les distinguer d'autres feuillus, comme les châtaigniers. De fait, les taxinomistes ont déterminé que les chênes et les châtaigniers étaient suffisamment différents pour appartenir à des genres distincts (*Quercus* et *Castanea*, respectivement). Cependant, ces deux espèces sont jugées assez semblables pour être classées dans la même famille, soit celle des Fagacées. Cette décision était arbitraire, en fin de compte, puisque les niveaux de classification plus élevés sont généralement définis selon des caractéristiques morphologiques déterminées par les taxinomistes plutôt que selon une mesure quantitative applicable à tous les organismes. C'est pour cela que les catégories plus vastes ne sont souvent pas comparables entre lignées. Par exemple, un ordre d'escargots ne présentera pas nécessairement le même degré de diversité morphologique ou génétique qu'un ordre de Mammifères.

La classification et la phylogenèse

Plus tôt dans le présent chapitre, nous avons vu que les systématiciens explorent la phylogenèse en examinant les diverses caractéristiques des organismes vivants et fossiles. Ils utilisent des diagrammes arborescents appelés **arbres phylogénétiques** pour représenter leurs hypothèses au sujet des liens évolutifs. La ramure de ces arbres phylogénétiques reflète la classification hiérarchisée des groupes taxinomiques en fonction de ceux qui sont les plus inclusifs **(figure 25.9)**. On les construit souvent selon un modèle dichotomique, c'est-à-dire au moyen d'une série de fourches à deux branches. Chaque point de bifurcation (ou nœud) correspond à la divergence de deux espèces issues d'un ancêtre commun. Par exemple, on pourrait représenter comme suit un point de bifurcation dans la famille des Félidés:

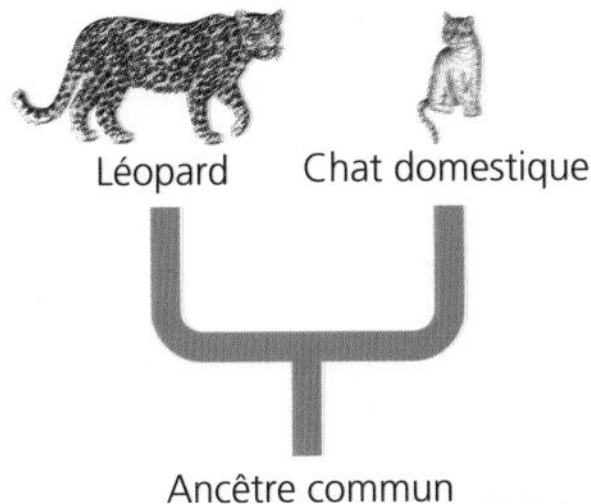

Comme à la figure 25.9, il est aussi possible d'établir une clé dichotomique de taxons plus inclusifs que celui des espèces, comme les taxons des familles et des ordres. Une ramification accrue équivaut à une divergence accrue.

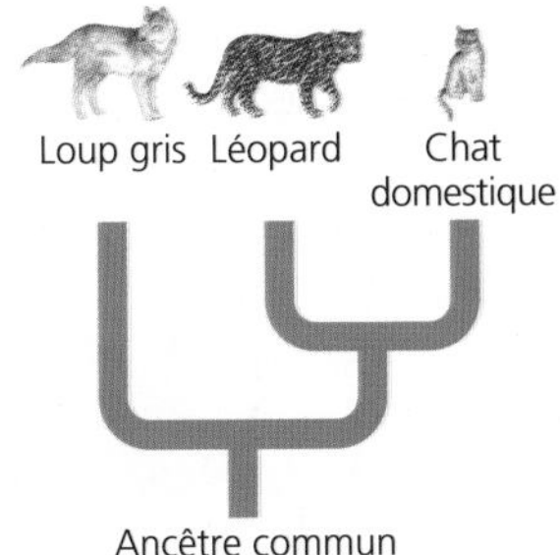

Tous les arbres phylogénétiques qui seront vus dans le présent chapitre sont des arbres *enracinés*, c'est-à-dire des arbres où la position de l'ancêtre le plus éloigné, situé à la racine de l'arbre, est représentée. On peut aussi construire des arbres *non enracinés*, où les relations entre les descendants de l'ancêtre commun sont représentées mais pas la position de cet ancêtre. Un arbre non enraciné peut correspondre à plusieurs arbres enracinés; comme il ne tient pas compte du temps, il peut être dessiné à l'horizontale plutôt qu'à la verticale et avoir l'aspect qui suit:

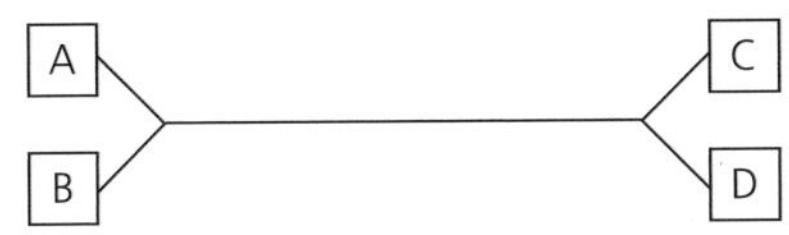

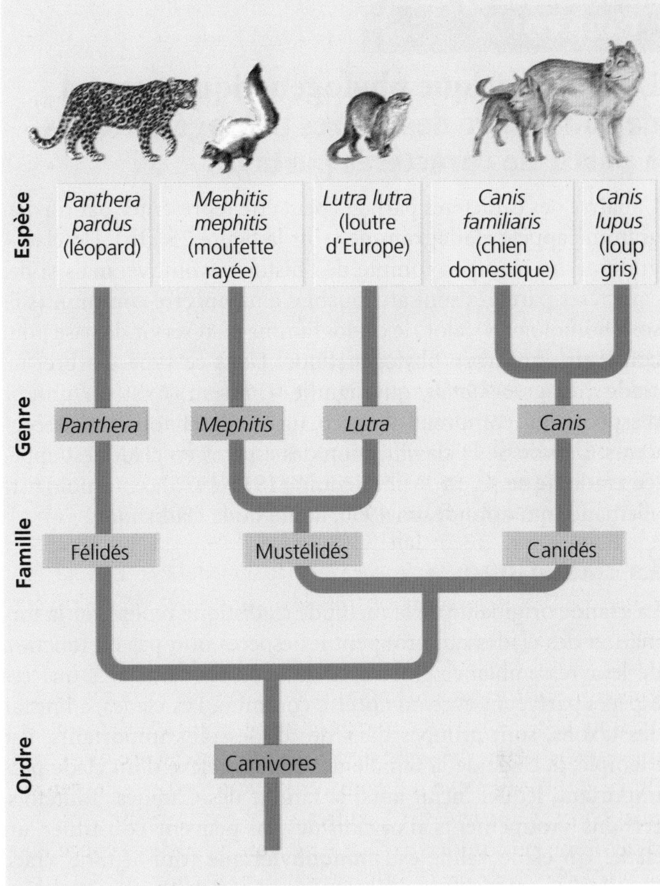

▲ **Figure 25.9 Lien entre la classification et la phylogenèse.** La classification hiérarchique est reflétée par les ramifications de plus en plus précises des arbres phylogénétiques au cours de l'évolution. L'arbre illustré ici schématise les relations possibles entre certains taxons de l'ordre des Carnivores, qui relève de la classe des Mammifères.

Il ne faut pas confondre la séquence chronologique des ramifications phylogénétiques avec les dates d'apparition des organismes comparés. Ainsi, l'arbre de la figure 25.9 *n'indique pas* que le loup est apparu plus récemment que la loutre d'Europe; il montre seulement que leur ancêtre commun est né avant le dernier ancêtre commun du loup et du chien domestique.

Le pionnier des méthodes de construction d'une phylogenèse est Darwin qui, contrairement à Linné, comprenait les incidences évolutives de la classification hiérarchique. Le naturaliste britannique jetait déjà les bases de la systématique phylogénétique dans *De l'origine des espèces* (1859), quand il écrivait: « Nos classifications, aussi loin qu'elles pourront remonter, en viendront à être des généalogies. »

Retour sur le concept 25.2

1. Quels niveaux de la hiérarchie de la figure 25.8 les humains partagent-ils avec les léopards?
2. Que nous indique l'arbre phylogénétique de la figure 25.9 au sujet des relations évolutives entre le léopard, la moufette rayée et le loup?

Voir les réponses proposées à la fin du chapitre.

Concept 25.3

La systématique phylogénétique permet de construire des arbres phylogénétiques à partir de caractères partagés

L'analyse des caractères partagés peut être représentée par un diagramme appelé **cladogramme** (voir la figure 25.11b). Un cladogramme ne rend pas compte de l'histoire évolutive, mais si des caractères partagés sont attribuables à un ancêtre commun (s'ils sont homologues), alors le cladogramme peut servir de base pour construire un arbre phylogénétique. Dans ce type d'arbre, un **clade** (du grec *klados*, qui signifie « rameau ») est un groupe d'espèces qui comprend l'espèce ancestrale et tous ses descendants. L'étude de la classification des espèces en clades est appelée **cladistique**. C'est Willi Hennig (1913-1976), entomologiste allemand, qui a fondé, en 1950, la méthode cladistique.

La cladistique

La grande originalité de la méthode cladistique repose sur la formation des clades qui groupent les espèces non pas en fonction de leur ressemblance globale, mais selon les caractères que ces espèces partagent avec un ancêtre commun. Les clades, à l'instar des taxons, sont groupés dans des clades plus importants. Par exemple, le clade de la famille des Félidés relève d'un clade plus important, lequel inclut aussi la famille des Canidés. Toutefois, certains groupements d'organismes ne peuvent constituer un clade. Un clade valide est **monophylétique** (qui signifie « race unique »), c'est-à-dire qu'il comprend l'espèce ancestrale et *tous* ses descendants **(figure 25.10a)**. Si des données manquent au sujet de certains membres d'un clade, on est en présence d'un groupe **paraphylétique**, lequel renferme l'espèce ancestrale et *une partie* seulement de ses descendants **(figure 25.10b)**. On peut également être en présence d'un groupe **polyphylétique**, qui contient plusieurs espèces mais pas leur ancêtre commun **(figure 25.10c)**. Ces groupes nécessitent une reconstruction plus poussée permettant de déterminer les espèces qui feront le lien entre eux et qui en feront des clades monophylétiques.

Les caractères dérivés ancestraux et partagés

Une fois qu'ils ont séparé les similarités homologues des similarités analogues, les systématiciens doivent faire un tri parmi les homologies pour distinguer les caractères dérivés ancestraux et partagés. Le mot *caractère* désigne ici toute particularité d'un taxon précis. Les caractères pertinents pour la phylogenèse sont, comme nous l'avons déjà souligné, les éléments homologues. Par exemple, tous les Mammifères possèdent une colonne vertébrale (caractéristique homologue). Toutefois, la présence de la colonne vertébrale ne distingue pas les Mammifères des autres Vertébrés, comme les Poissons et les Reptiles. Cette structure constitue une homologie qui précède dans le temps l'apparition du clade mammalien dans l'arbre généalogique des Vertébrés. C'est un **caractère ancestral partagé** (appelé aussi *symplésiomorphie*), c'est-à-dire un caractère qui est partagé au-delà du taxon que nous essayons de définir. En revanche, la présence de poils, un caractère qui n'existe que chez les Vertébrés mammifères, est un **caractère dérivé partagé** (ou *synapomorphie*), une innovation apparue au cours de l'évolution qui relève exclusivement d'un clade particulier, en l'occurrence celui des Mammifères.

Précisons que la colonne vertébrale peut faire partie des caractères dérivés partagés, mais à une ramification antérieure distinguant *tous* les Vertébrés des autres Animaux. *Parmi* les Vertébrés, la colonne vertébrale est considérée comme un caractère ancestral partagé, parce qu'elle a pris naissance chez l'ancêtre de tous les Vertébrés.

Les groupes extérieurs

Les systématiciens recourent à la comparaison avec un groupe extérieur pour distinguer les caractères partagés *dérivés* des caractères partagés *ancestraux*. Pour montrer comment ils procèdent, construisons un cladogramme simplifié avec cinq Vertébrés : un léopard, une tortue, une salamandre, un thon et une lamproie (un Vertébré aquatique sans mâchoires). Ceux-ci composent le **groupe intérieur** (ou *groupe à l'étude*, pour *ingroup* en anglais). Pour fonder notre comparaison et établir un cladogramme, il nous faut choisir en plus un **groupe extérieur** (ou *groupe de référence*, pour *outgroup* en anglais), soit une espèce ou un groupe

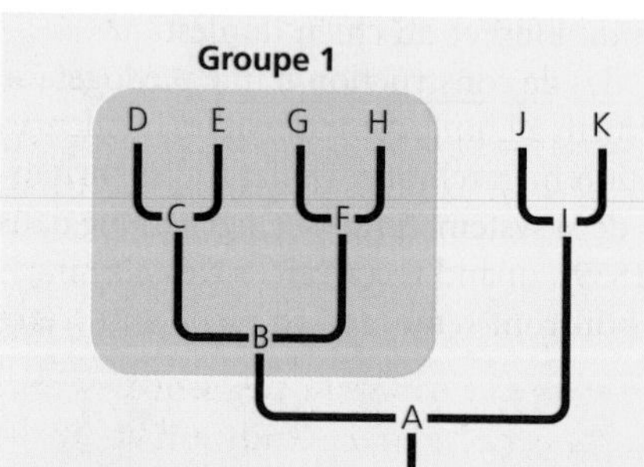

(a) Groupe monophylétique. Dans ce cladogramme, le groupe 1, qui comprend les sept espèces de B à H, constitue un groupe monophylétique, c'est-à-dire un clade. Un groupe monophylétique est composé d'une espèce ancestrale (l'espèce B, dans ce cas) et de toutes ses espèces descendantes. Seuls les groupes monophylétiques peuvent constituer une classification cladistique.

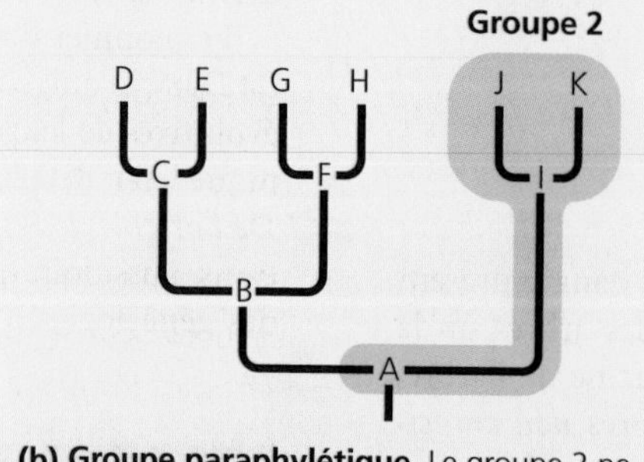

(b) Groupe paraphylétique. Le groupe 2 ne respecte pas les critères cladistiques. C'est un groupe paraphylétique, c'est-à-dire qu'il comprend un ancêtre (désigné par la lettre A) et certains, mais non tous les descendants de cet ancêtre. (Le groupe 2 inclut les descendants I, J et K, mais exclut les descendants de B à H, qui sont pourtant issus de A.)

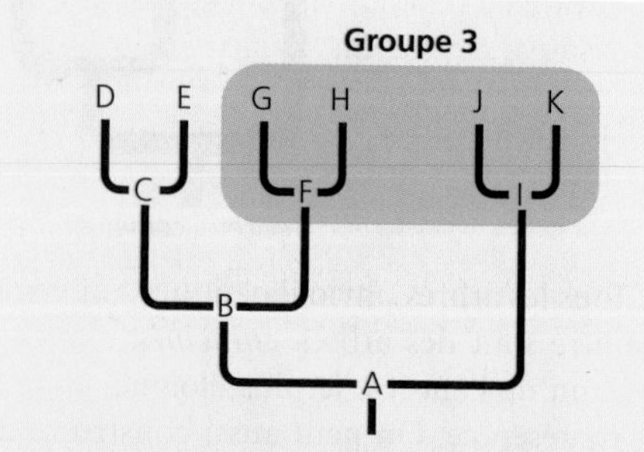

(c) Groupe polyphylétique. Le groupe 3 ne peut respecter les critères de l'épreuve cladistique. C'est un groupe polyphylétique, qui exclut l'ancêtre commun A. En outre, un groupe valide incluant les espèces encore existantes G, H, J et K renfermerait nécessairement D et E, qui descendent également de A.

▲ **Figure 25.10 Groupe monophylétique, paraphylétique ou polyphylétique.**

d'espèces extrêmement proche des espèces étudiées, mais ayant un lien de proximité moins serré que celui qui existe entre celles-ci d'après les preuves de diverses provenances (paléontologie, analyse du développement embryonnaire et séquences génétiques, par exemple). Optons pour les amphioxus à titre de groupe extérieur. Ces petits animaux vivent dans des vasières et appartiennent (comme les Vertébrés) au phylum des Cordés, mais ne possèdent pas de colonne vertébrale.

Pour construire notre cladogramme, commençons par comparer le groupe intérieur avec le groupe extérieur. La comparaison avec le groupe extérieur se fonde sur une hypothèse: les homologies existant entre le groupe extérieur et le groupe intérieur doivent représenter des caractères ancestraux déjà présents chez l'ancêtre commun des deux groupes. C'est le cas, par exemple, d'une structure appelée *corde dorsale*, tige rigide et élastique s'étendant sur toute la longueur de l'organisme. Les amphioxus ont une telle corde toute leur existence, tandis que les Vertébrés ont une corde dorsale seulement au stade embryonnaire, laquelle est remplacée par une colonne vertébrale plus tard en cours de développement. Les espèces qui composent le groupe intérieur partagent un ensemble de caractéristiques dérivées partagées et ancestrales. La comparaison avec le groupe extérieur nous permet de nous concentrer exclusivement sur les caractères dérivés dans les diverses ramifications de l'évolution des Vertébrés. La **figure 25.11a** en montre certains. On constate que *tous* les animaux du groupe intérieur possèdent une colonne vertébrale; c'est un caractère ancestral partagé, présent chez l'ancêtre vertébré, mais absent dans le groupe extérieur. On note également que les mâchoires sont un caractère absent chez la lamproie, mais présent chez les autres membres du groupe intérieur. Cela permet de faire le point sur une bifurcation ancienne dans le clade des Vertébrés. La **figure 25.11b** indique comment les données du tableau des homologies sont converties en cladogramme.

Notez que le cladogramme de la figure 25.11b est un arbre (ou *dendrogramme*), mais *pas* un arbre phylogénétique. Il se peut qu'il rende compte d'une histoire évolutive, mais le convertir en arbre phylogénétique nécessiterait plus de données (par exemple, des fossiles qui indiqueraient quand et dans quels groupes les caractères ont fait leur apparition).

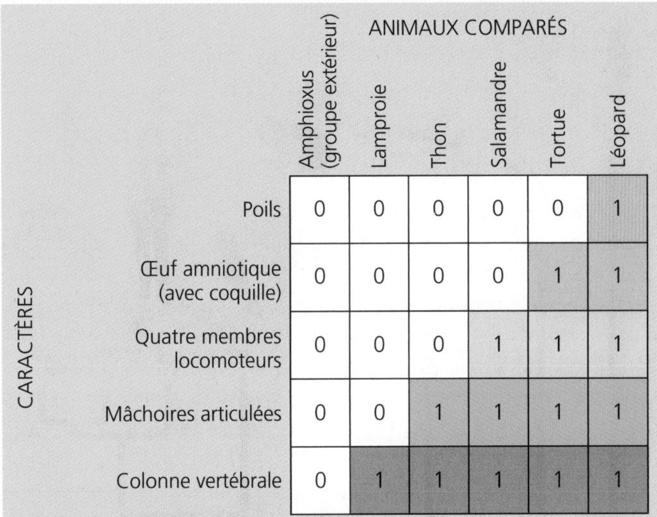

ANIMAUX COMPARÉS

CARACTÈRES	Amphioxus (groupe extérieur)	Lamproie	Thon	Salamandre	Tortue	Léopard
Poils	0	0	0	0	0	1
Œuf amniotique (avec coquille)	0	0	0	0	1	1
Quatre membres locomoteurs	0	0	0	1	1	1
Mâchoires articulées	0	0	1	1	1	1
Colonne vertébrale	0	1	1	1	1	1

(a) Tableau des caractères. L'information est codée selon un mode de calcul binaire : la mention 0 indique l'absence d'un caractère, et la mention 1, sa présence.

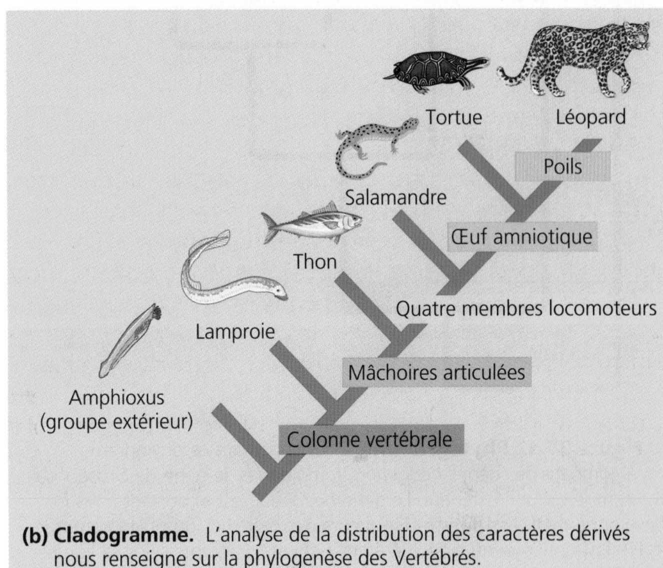

(b) Cladogramme. L'analyse de la distribution des caractères dérivés nous renseigne sur la phylogenèse des Vertébrés.

▲ **Figure 25.11 Conception d'un cladogramme.**

Les arbres phylogénétiques et la chronologie

La chronologie indiquée par la ramure d'un arbre phylogénétique est relative plutôt qu'absolue (elle indique si un élément est apparu avant ou après un autre, mais elle ne précise pas il y a combien de millions d'années). Toutefois, il existe deux types de diagrammes arborescents qui fournissent des données temporelles plus précises: les phylogrammes, qui renseignent sur la *séquence* de certains événements par rapport à d'autres; et les arbres ultramétriques, qui indiquent à quel *moment* certains événements ont eu lieu.

Les phylogrammes

Dans un **phylogramme**, la longueur d'une branche reflète le nombre de changements survenus dans une séquence d'ADN d'une lignée **(figure 25.12)**. Dans celui de la figure, la *longueur totale* des lignes verticales entre la base de l'arbre et la souris est moindre que celle des lignes montant jusqu'à l'espèce du groupe extérieur, *Drosophila*. Cette différence laisse supposer qu'il y a eu plus de changements génétiques dans la lignée de *Drosophila* que dans les lignées des Oiseaux et des Mammifères depuis leur divergence. Plus loin dans le chapitre, nous verrons comment les scientifiques estiment le temps qui a dû s'écouler avant qu'un certain nombre de changements se produisent dans une séquence d'ADN ou d'ARN.

Les arbres ultramétriques

Bien que les ramifications d'un phylogramme puissent avoir différentes longueurs, toutes les lignées qui descendent d'un même ancêtre commun ont survécu le même nombre d'années. Prenons un exemple extrême: les humains et les Bactéries ont un ancêtre commun qui a vécu il y a plus de trois milliards d'années. Les preuves indiquent que cet ancêtre était un Procaryote unicellulaire et qu'il devait ressembler davantage aux Bactéries modernes qu'aux humains. Même si elles ont peu changé dans leur structure depuis cet ancêtre commun, les Bactéries n'ont pas moins connu trois milliards d'années d'évolution dans la lignée des Bactéries, tout comme il s'est écoulé trois milliards d'années d'évolution dans la lignée eucaryote à laquelle appartiennent les

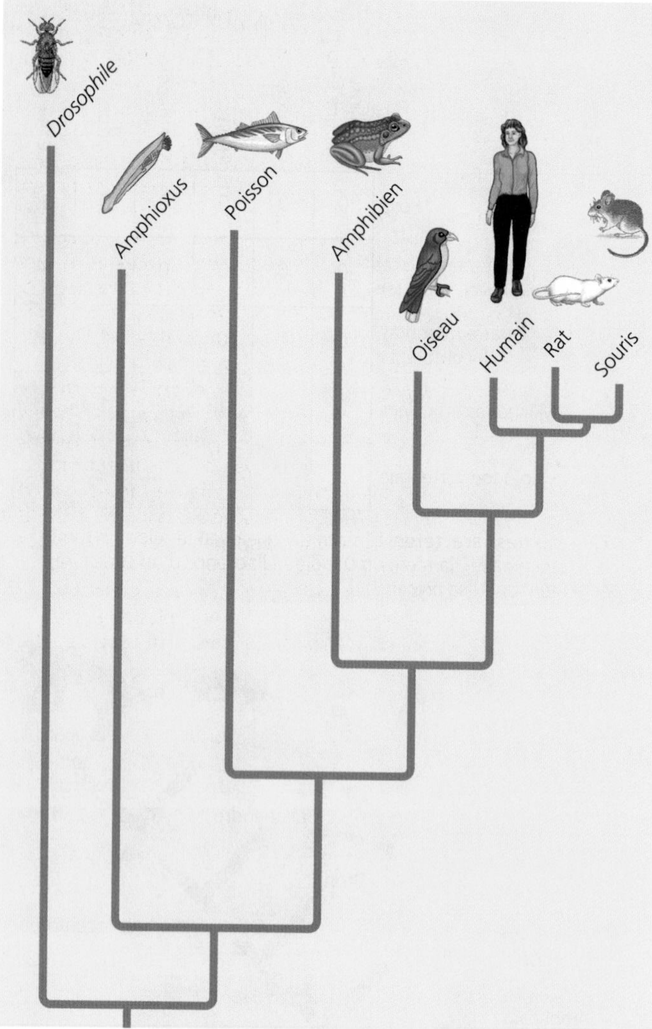

▲ **Figure 25.12 Phylogramme.** Pour construire ce phylogramme, on a comparé des gènes *hedgehog* homologues, le gène de *Drosophila* formant le groupe extérieur. Le gène *hedgehog* est important dans le développement. Les diverses longueurs des branches du phylogramme indiquent que le gène a évolué à des rythmes différents selon la lignée.

humains. Ces périodes de temps équivalentes peuvent être représentées dans un **arbre ultramétrique**. Dans ce type d'arbre, la ramure est la même que dans un phylogramme, mais toutes les branches pouvant relier l'ancêtre commun aux espèces actuelles sont de la même longueur **(figure 25.13)**. Les arbres ultramétriques ne renseignent pas sur les différents rythmes d'évolution comme le font les phylogrammes, mais ils peuvent, selon les archives géologiques, situer une portion de branche dans le contexte des temps géologiques.

La parcimonie maximale et la probabilité maximale

Nos connaissances sur les séquences d'ADN augmentent et nous permettent de faire de plus en plus de liens entre les espèces; aussi est-il de plus en plus complexe de construire l'arbre phylogénétique qui décrit le mieux l'histoire évolutive. Supposons que nous analysions des données sur 50 espèces: il y aurait environ 3×10^{76} arbres phylogénétiques possibles! Lequel serait le bon? Les systématiciens ne sont jamais certains de trouver le meilleur arbre phylogénétique parmi cette profusion de possibilités, mais ils peuvent en réduire le nombre en appliquant les principes de parcimonie maximale et de probabilité maximale.

Selon le principe de **parcimonie maximale**, toute théorie doit proposer l'explication la plus simple possible dans le respect des faits. (Le principe de parcimonie s'inspire des idées de Guillaume d'Occam, théologien et philosophe anglais du XIVe siècle, qui préconisait cette approche minimaliste de la résolution des problèmes.) Pour les arbres fondés sur les caractères morphologiques, l'arbre le plus simple est celui qui fait appel au plus petit nombre possible de caractères dérivés partagés (chaque caractère correspondant à un événement évolutif). Pour les phylogrammes construits à partir de séquences d'ADN, l'arbre le plus simple est celui qui fait appel au plus petit nombre possible de changements de bases. Le même raisonnement général s'applique à ces deux cas: un même caractère observé chez deux espèces différentes a de plus fortes probabilités d'être apparu chez un ancêtre commun (donc un seul événement évolutif) plutôt que séparément dans chacune des deux espèces (deux événements évolutifs).

Selon le principe de **probabilité maximale**, on peut, à partir de certaines règles sur les changements d'ADN au fil du temps, trouver un arbre qui reflète la séquence d'événements évolutifs la plus plausible. Les méthodes de probabilité maximale incorporent autant d'information que possible. Pour illustrer ce que sont des arbres probables et des arbres peu probables, reprenons l'exemple des liens phylogénétiques entre les humains, les champignons et les tulipes. La **figure 25.14** montre deux arbres possibles, aussi simples l'un que l'autre, pour ce trio. Dans l'arbre 1, l'humain est plus étroitement apparenté au champignon qu'à la tulipe; dans l'arbre 2, il est plus étroitement apparenté à la tulipe qu'au champignon. L'arbre 1 est plus probable si on suppose que les changements d'ADN ont eu lieu à des rythmes équivalents le long de toutes les ramifications de l'arbre à partir de l'ancêtre commun. L'arbre 2 est également possible, mais il faudrait présumer que le rythme de l'évolution a ralenti considérablement dans le clade des champignons et a accéléré grandement dans celui des tulipes. Si on assume que des rythmes équivalents sont plus communs que des rythmes inégaux, l'arbre 1 serait plus probable. Nous verrons bientôt qu'un grand nombre de gènes ont effectivement fait leur apparition à des rythmes à peu près égaux dans différentes lignées. Notez, cependant, que si des données venaient prouver que les gènes sont apparus à des rythmes inégaux, alors l'arbre 2 serait plus probable que l'arbre 1! La probabilité d'un arbre dépend donc des hypothèses de départ.

De nombreux logiciels ont été mis au point pour trouver des arbres qui soient simples et probables. Ces logiciels sont basés sur les approches suivantes:

1. Des méthodes de « distance » minimisent le total de toutes les différences de pourcentages parmi toutes les séquences.
2. Des méthodes plus complexes sur l'état des caractères minimisent le nombre total de changements de base ou trouvent le profil de changement de base le plus probable parmi toutes les séquences.

Les chercheurs ne peuvent jamais dire avec certitude quel arbre représente parfaitement une phylogenèse. Cependant, s'ils prennent la peine de recueillir une grande quantité de données précises, les différentes méthodes employées devraient donner des arbres semblables. La **figure 25.15** des pages 544 et 545 montre la construction de l'arbre moléculaire le plus simple pour une problématique phylogénétique comptant quatre espèces.

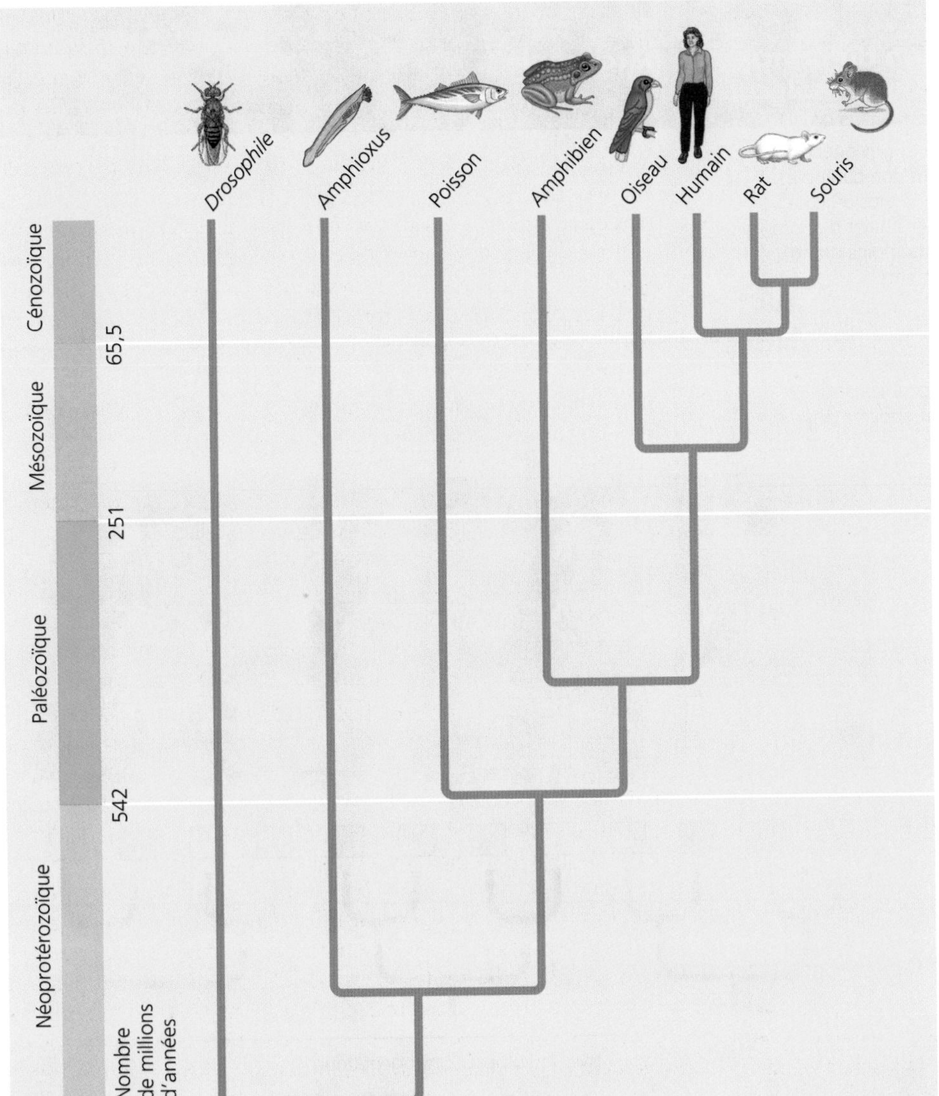

◀ **Figure 25.13 Arbre ultramétrique.** Cet arbre ultramétrique est construit à partir des mêmes données moléculaires que le phylogramme de la figure 25.12. On a fait correspondre ces données aux événements représentant des points de bifurcation selon les archives géologiques. Dans cet arbre ultramétrique, toutes les branches sont de la même longueur si on part de la base de l'arbre et qu'on remonte les segments verticaux jusqu'à chacune des lignées du haut. Cette égalité montre que la divergence de toutes les lignées (au haut de l'arbre) par rapport à l'ancêtre commun (au bas de l'arbre) est de même durée. À mesure qu'on remonte dans l'arbre, chaque point de bifurcation donne naissance à deux lignées d'égale longueur, ce qui représente des temps de divergence égaux par rapport à l'ancêtre commun. Étant donné que la racine de l'arbre date d'une époque peu documentée par les archives géologiques, sa date est moins précise. *Remarque :* Dans ce schéma, comme dans tous les schémas d'arbres phylogénétiques, si la longueur des lignes verticales a une signification, celle des lignes horizontales n'en a pas ; celles-ci n'ont pas de rapport avec la plus ou moins grande ressemblance entre deux taxons.

	Humain	Champignon	Tulipe
Humain	0	30 %	40 %
Champignon		0	40 %
Tulipe			0

(a) Différences (en pourcentage) entre les séquences

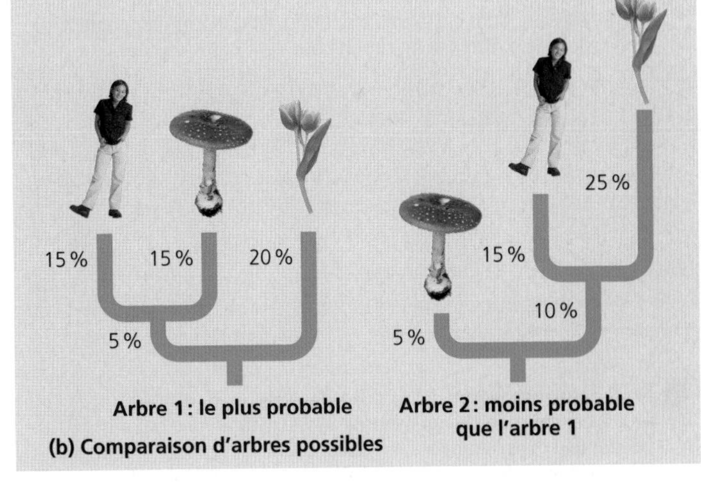

▲ **Figure 25.14 Arbres plus ou moins probables.** À partir des différences, exprimées en pourcentage, entre les gènes des humains, des champignons et des tulipes (a), on peut construire deux phylogrammes dont la longueur totale des ramifications est la même (b). La somme des pourcentages à partir d'un point de bifurcation est égale aux pourcentages de différence indiqués en (a). Par exemple, dans l'arbre 1, la divergence humain-tulipe est de 15 % + 5 % + 20 % = 40 %. Dans l'arbre 2, cette divergence est aussi égale à 40 % (15 % + 25 %). Si nous assumons que les gènes ont évolué au même rythme dans les différentes ramifications, l'arbre 1 est plus probable que l'arbre 2.

Figure 25.15

Méthode de recherche L'application du principe de parcimonie à une problématique de systématique moléculaire

APPLICATION Lorsqu'ils étudient les différentes phylogenèses possibles pour un groupe d'espèces, les systématiciens comparent les données moléculaires des espèces étudiées. La façon la plus efficace d'étudier les hypothèses phylogénétiques consiste à examiner d'abord la plus simple, c'est-à-dire l'hypothèse faisant appel au moins grand nombre possible d'événements évolutifs (de changements moléculaires).

TECHNIQUE Suivons les étapes numérotées pour voir comment appliquer le principe de parcimonie à une problématique phylogénétique comptant quatre espèces étroitement apparentées.

❶ Nous traçons les arbres phylogénétiques possibles pour ces espèces (uniquement 3 arbres sont illustrés sur les 15 possibles pour ces 4 espèces).

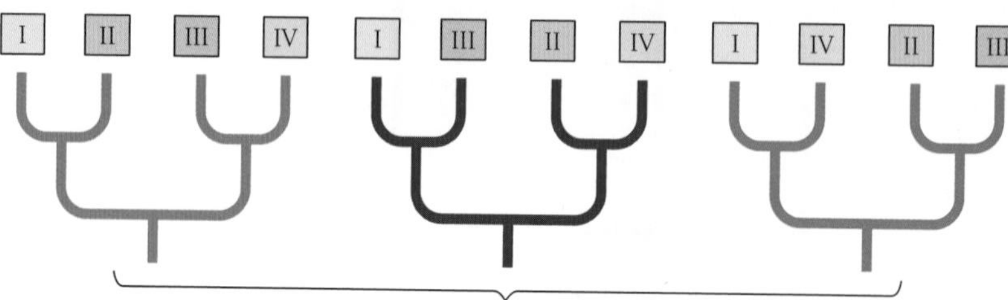

❷ Nous établissons un tableau des données moléculaires pour les quatre espèces. Dans cet exemple simplifié, les données représentent une séquence d'ADN qui ne compte que sept bases azotées.

Sites de la séquence d'ADN

Espèces	1	2	3	4	5	6	7
I	A	G	G	G	G	G	T
II	G	G	G	A	G	G	G
III	G	A	G	G	A	A	T
IV	G	G	A	G	A	A	G

❸ Nous nous concentrons sur le site 1 de la séquence d'ADN. Un seul événement de changement de bases, marqué par la barre horizontale dans la ramification débouchant sur l'espèce I, peut rendre compte des données du site 1.

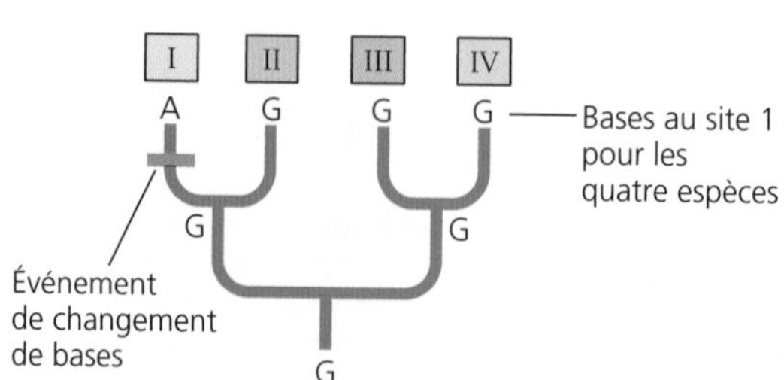

❹ En continuant la comparaison des bases des sites 2 à 4, nous constatons que chacun des arbres possibles nécessite un total de quatre événements, ou changements de bases (signalés par les barres horizontales dans les branches). Par conséquent, les quatre premiers sites de la séquence d'ADN ne nous aideront pas à choisir l'arbre le plus simple.

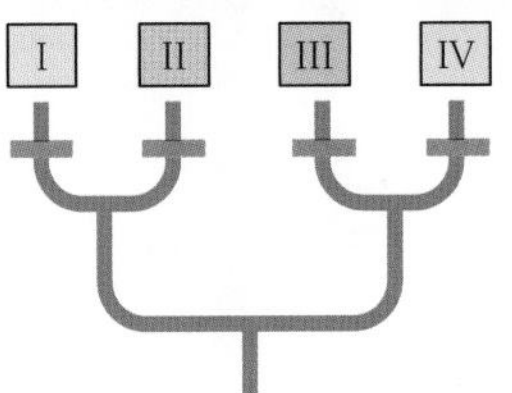

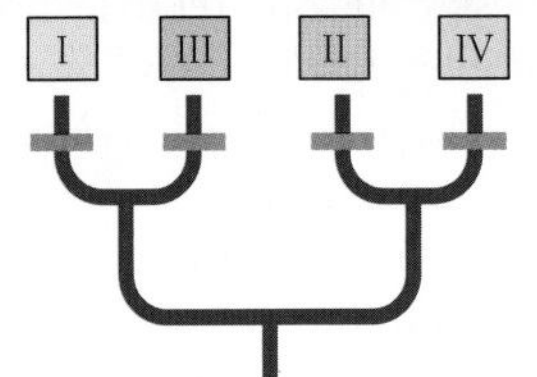

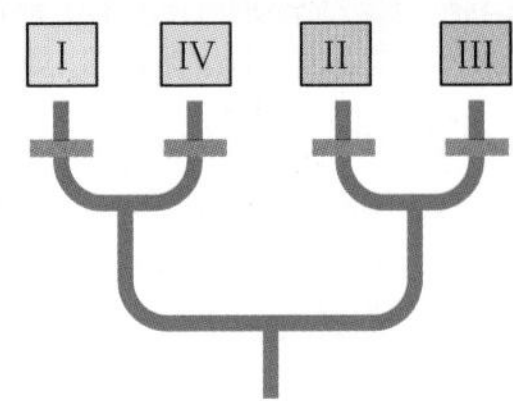

❺ Après avoir analysé les sites 5 et 6, nous constatons que le premier arbre nécessite moins d'événements que les deux autres arbres (deux changements de bases comparativement à quatre). Dans ces diagrammes, nous supposons que l'ancêtre commun possède la combinaison GG aux sites 5 et 6. Mais si nous commençons plutôt par un ancêtre AA, nous constatons encore que la première tentative de phylogenèse ne commande que deux changements, tandis que quatre changements sont nécessaires pour que les deux autres arbres phylogénétiques hypothétiques soient vrais. Rappelons-nous que le principe de parcimonie s'applique uniquement au nombre total d'événements, et non à la nature exacte de ceux-ci (c'est-à-dire la probabilité des types de changements de bases).

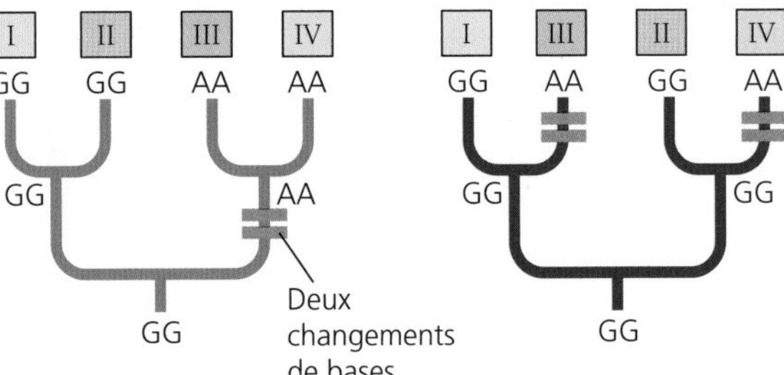

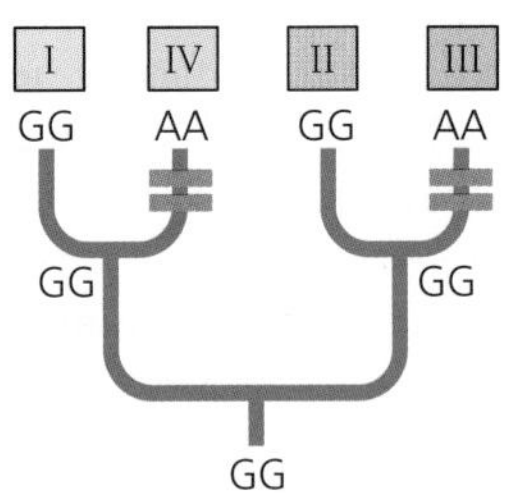

❻ Pour le site 7, les trois arbres diffèrent aussi dans le nombre d'événements nécessaires pour expliquer les données de l'ADN.

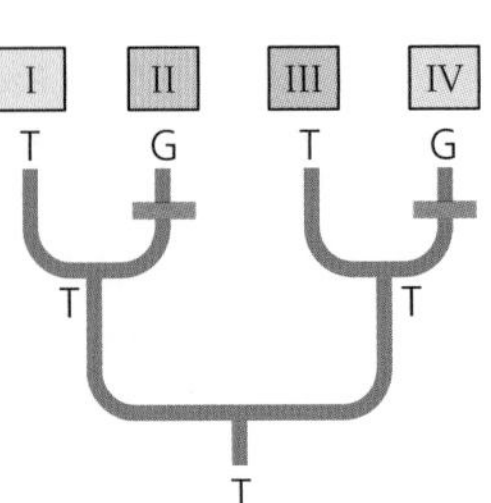

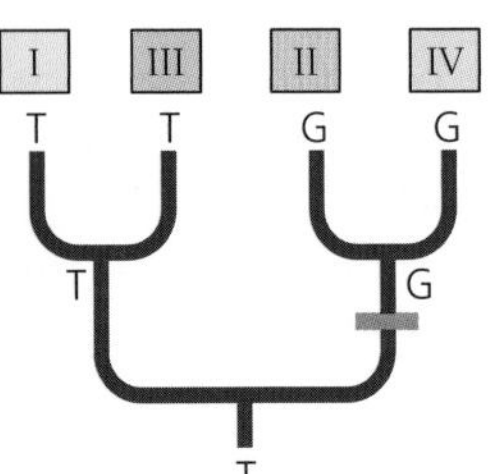

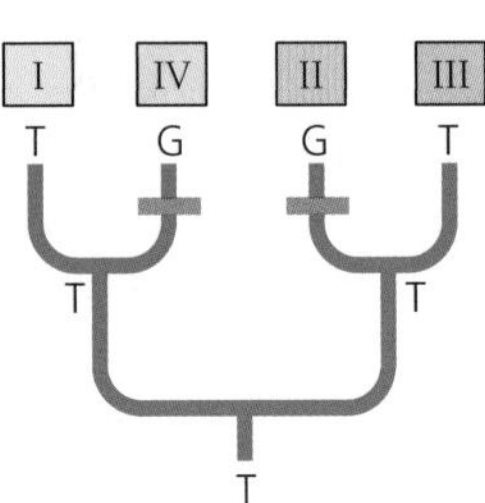

RÉSULTATS Pour trouver l'arbre le plus simple, nous additionnons tous les événements indiqués aux étapes 3 à 6 (n'oublions pas d'inclure les changements pour le site 1, à la page précédente). Nous pouvons conclure que le premier arbre est le plus simple, pour l'évaluation de ces trois tentatives de phylogenèse. (Nous devons cependant étudier les 12 autres arbres possibles pour terminer le problème.)

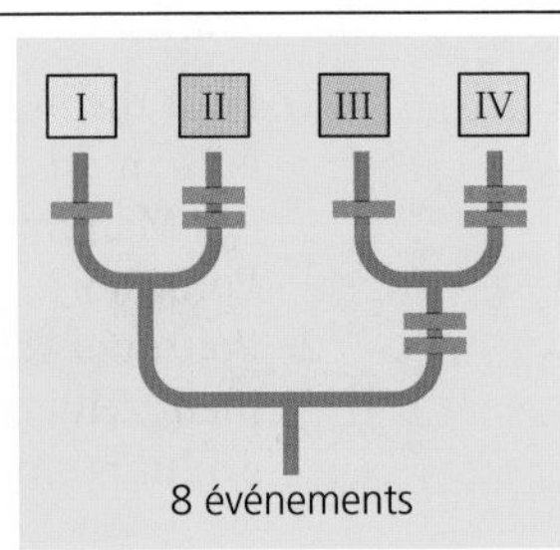

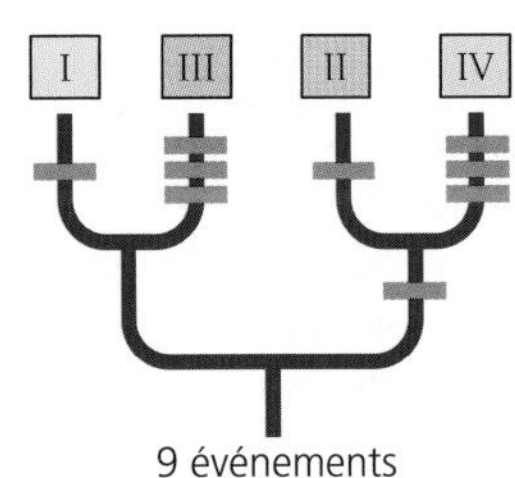

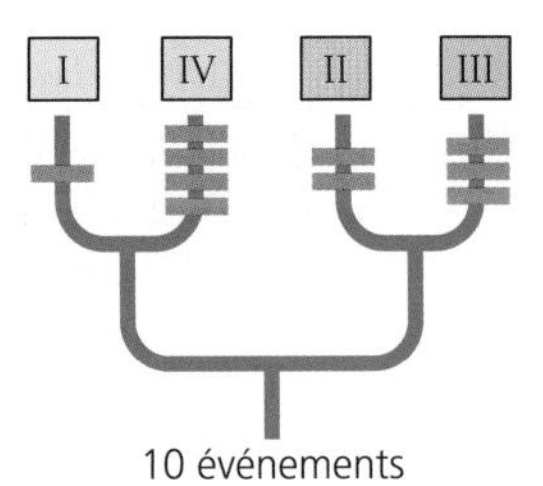

Les arbres phylogénétiques: hypothèses

À ce stade-ci, il serait bon de se rappeler que tout arbre phylogénétique constitue un ensemble d'hypothèses sur les liens qui existent entre les différents organismes représentés par le diagramme. La meilleure hypothèse est celle qui rend le mieux compte de toutes les données disponibles. Elle peut être modifiée lorsque de nouvelles données obligent les systématiciens à réviser les arbres existants. Ainsi, depuis l'avènement des méthodes moléculaires qui permettent de comparer les espèces et de construire des phylogenèses, les chercheurs ont dû changer ou rejeter des hypothèses phylogénétiques qui ne correspondaient plus à la réalité.

Souvent, en l'absence d'information conflictuelle, l'arbre le plus simple est souvent le plus probable. Toutefois, dans certains cas, des preuves frappantes indiquent que la meilleure hypothèse correspond à un arbre phylogénétique *qui n'est pas* le plus simple **(figure 25.16)**. La nature ne fait pas toujours les choses simplement. Il est possible que le caractère morphologique ou moléculaire utilisé pour trier les taxons soit *effectivement* issu de divers ancêtres et d'évolutions multiples. Par exemple, les Oiseaux et les Mammifères ont un cœur qui comporte quatre compartiments, tandis que les lézards, les serpents et les tortues ont un cœur à trois compartiments (deux oreillettes et un ventricule partiellement cloisonné; voir le chapitre 42). D'après l'hypothèse la plus simple, le cœur à quatre compartiments aurait évolué une seule fois et serait présent chez un ancêtre unique, qu'auraient en commun les Oiseaux et les Mammifères, mais pas les lézards, les serpents, les tortues et les crocodiles. Toutefois, des preuves abondantes indiquent que les Oiseaux sont plus étroitement apparentés aux lézards, aux serpents, aux tortues et aux crocodiles qu'aux Mammifères. C'est pourquoi le cœur à quatre compartiments semble avoir évolué indépendamment chez les Oiseaux et chez les Mammifères. De fait, les études ont montré que les cœurs à quatre compartiments des Oiseaux et des Mammifères se sont développés différemment, ce qui soutient l'hypothèse selon laquelle ils auraient évolué indépendamment. L'arbre simple de la figure 25.16a ne concorde pas avec ces nouvelles données, contrairement à celui de la figure 25.16b.

Dans cet exemple, le problème n'est pas posé par le principe de parcimonie, mais plutôt par la dichotomie analogie-homologie. Les cœurs à quatre compartiments des Oiseaux et des Mammifères s'avèrent des structures analogues mais non homologues. Des changements correspondants des bases dans les séquences d'ADN peuvent aussi survenir indépendamment chez deux espèces, mais, plus le nombre de bases touchées est élevé, moins il y a de chances que les changements correspondants témoignent d'une coïncidence. L'application de la parcimonie dans la systématique moléculaire est plus fiable quand l'arbre phylogénétique est fondé sur une importante base de données de comparaisons séquentielles d'ADN relatives à l'ensemble des espèces concernées. De même, une erreur de jugement occasionnelle, qui nous amènerait à croire qu'une similarité analogue dans la morphologie constitue en fait un caractère dérivé partagé (homologue), a moins tendance à perturber l'arbre phylogénétique si chacun des clades est défini par *plusieurs* caractères dérivés. Les hypothèses phylogénétiques les plus solides sont celles qu'appuient des preuves à la fois moléculaires et morphologiques, et, éventuellement, des preuves apportées par la découverte de fossiles.

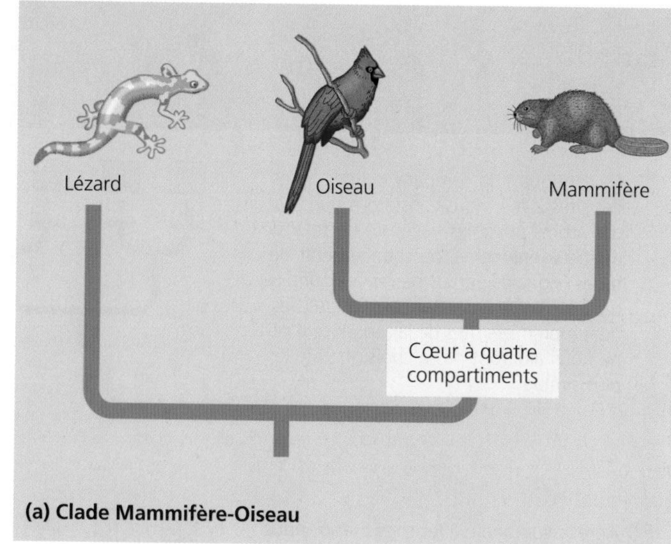

(a) Clade Mammifère-Oiseau

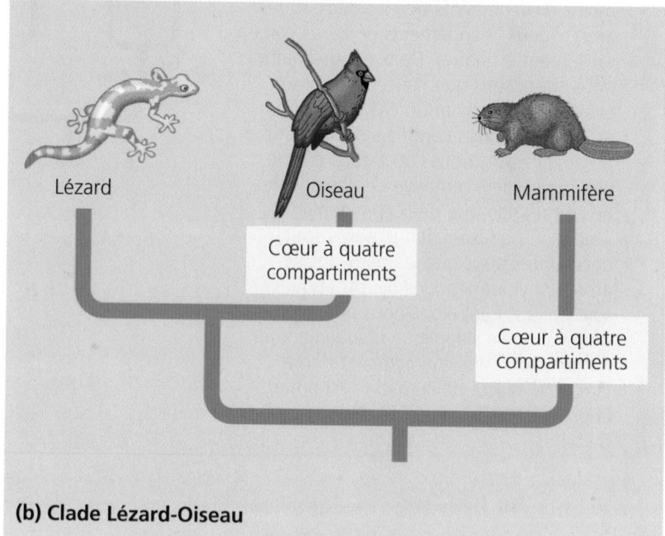

(b) Clade Lézard-Oiseau

▲ **Figure 25.16 Parcimonie et écueil de la dichotomie analogie-homologie.** Si on établit à tort que les cœurs à quatre compartiments des Oiseaux et des Mammifères sont des structures homologues plutôt qu'analogues et si nous nous basons exclusivement sur cette supposition, nous pourrions choisir l'arbre du schéma (a), car c'est l'hypothèse la plus simple. Pourtant, toute une gamme de données soutiennent l'hypothèse voulant que les Oiseaux et les lézards soient de plus proches parents que les Oiseaux et les Mammifères, et que le cœur à quatre compartiments soit apparu plus d'une fois, ce que reflète l'arbre du schéma (b).

Retour sur le concept 25.3

1. Pour distinguer un clade particulier de Mammifères au sein du clade plus vaste qui correspond à la classe des Mammifères, le poil serait-il un caractère utile? Pourquoi?
2. Pourquoi l'arbre le plus simple n'est-il pas nécessairement celui qui représente le plus justement les liens évolutifs entre les espèces d'un même groupe?

Voir les réponses proposées à la fin du chapitre.

Concept 25.4

Le génome recèle une grande partie de l'histoire évolutive de tout organisme

Tout au long du présent chapitre, nous avons vu que la systématique moléculaire, c'est-à-dire la comparaison des acides nucléiques ou d'autres molécules pour en dégager des liens, est un outil précieux pour reconstituer l'histoire évolutive des organismes. Cette approche nous aide à comprendre les liens phylogénétiques qu'on ne peut pas mesurer par des méthodes non moléculaires comme l'anatomie comparative. Par exemple, la systématique moléculaire nous permet de préciser les liens évolutifs entre des groupes qui ont peu de ressemblances morphologiques à comparer, tels les Mammifères et les Bactéries. Il est possible de reconstruire des phylogenèses pour des groupes de Bactéries modernes et pour d'autres microorganismes inexistants dans les archives géologiques. La systématique moléculaire permet aux scientifiques de comparer la divergence génétique au sein d'une espèce. La biologie moléculaire aide à appliquer la systématique aux relations évolutives, mais à un niveau au-dessus comme au-dessous des espèces, soit des branches principales jusqu'aux ramifications les plus fines de l'arbre de vie. Les résultats, cependant, ne sont pas toujours concluants, comme dans les cas où il y a divergence de taxons presque au même moment dans un passé éloigné. Les différences peuvent être évidentes, mais pas l'ordre de leur apparition.

La capacité des arbres moléculaires de rendre compte de périodes de temps courtes ou longues est attribuable au fait que différents types de gènes ont évolué à différents rythmes, même dans la même lignée évolutive. Ainsi, l'ADN nucléaire qui code pour l'ARN ribosomique (ARNr) évolue relativement lentement. De ce fait, la comparaison de séquences d'ADN de ces gènes (ou de leurs produits, c'est-à-dire l'ARNr) est utile lorsqu'on enquête sur les relations entre des taxons qui ont divergé il y a des centaines de millions d'années. Les études sur les séquences d'ARN indiquent, par exemple, que les Eumycètes sont plus étroitement apparentés aux Animaux qu'aux Végétaux (voir la figure 25.2). Par comparaison, l'ADN mitochondrial (ADNmt) évolue relativement vite et peut servir à explorer des événements récents de l'évolution. Ainsi, une équipe de recherche a recouru au séquençage de l'ADNmt pour faire le point sur les relations entre les divers groupes d'Amérindiens. Les résultats qu'elle a obtenus confirment certaines preuves indiquant que les Pimas de l'Arizona, les Mayas du Mexique et les Yanomamis du Venezuela sont étroitement apparentés. Ces populations humaines descendent sans doute de la première des trois vagues d'immigrants ayant traversé le détroit de Béring, passant de l'Asie à l'Amérique, il y a environ 13 000 ans.

Les duplications de gènes et les familles de gènes

La duplication de gènes est une des formes de mutations les plus importantes de l'évolution, parce qu'elle augmente le nombre de gènes dans le génome et, par le fait même, les possibilités de changements évolutifs. Aujourd'hui, il est possible de suivre de près les phylogenèses moléculaires des duplications génétiques et l'influence de ces duplications sur l'évolution du génome. Ces phylogenèses doivent rendre compte des duplications répétées qui ont donné naissance à des familles de gènes. Les familles de gènes sont des groupes de gènes apparentés à l'intérieur du génome d'un organisme (voir la figure 19.17). Comme les gènes homologues des différentes espèces, les gènes répliqués ont un ancêtre commun. Il existe deux types de gènes homologues : les gènes orthologues et les gènes paralogues.

Le terme **gènes orthologues** (du grec *orthos*, qui signifie « droit ») désigne les gènes homologues qui sont transmis en ligne droite d'une génération à la suivante, mais qui se retrouvent dans des patrimoines génétiques différents en raison d'une spéciation **(figure 25.17a)**. Les gènes de l'hémoglobine β chez les humains et les souris sont des exemples de gènes orthologues.

Les **gènes paralogues** (du grec *para*, qui signifie « à côté de ») sont issus d'une duplication génétique et se trouvent donc à plus d'un exemplaire dans le même génome **(figure 25.17b)**. Au chapitre 23, nous en avons vu un exemple lorsque nous avons parlé des gènes des récepteurs olfactifs qui ont subi de nombreuses duplications chez les Vertébrés. Par exemple, les humains et les souris ont d'immenses familles de gènes de plus de 1 000 gènes paralogues.

Il est possible de décrire la plupart des gènes qui composent un génome en les représentant comme l'un ou l'autre de ces types d'homologie. Rappelez-vous que, pour les gènes orthologues, la divergence n'est possible qu'après spéciation, qui fait que ces gènes se retrouvent dans des patrimoines génétiques distincts. Par exemple, les humains et les souris ont chacun un gène pour l'hémoglobine β. Ces gènes accomplissent des fonctions similaires, mais leurs séquences ont divergé depuis l'époque où les humains et les souris avaient un ancêtre commun. Dans le cas des gènes paralogues, la divergence peut avoir lieu pendant que les gènes sont dans le même patrimoine, car ils sont présents à plus d'un exemplaire dans le génome. Les gènes paralogues

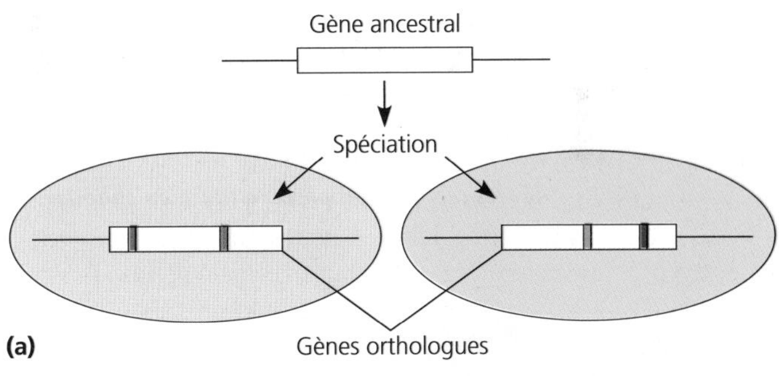

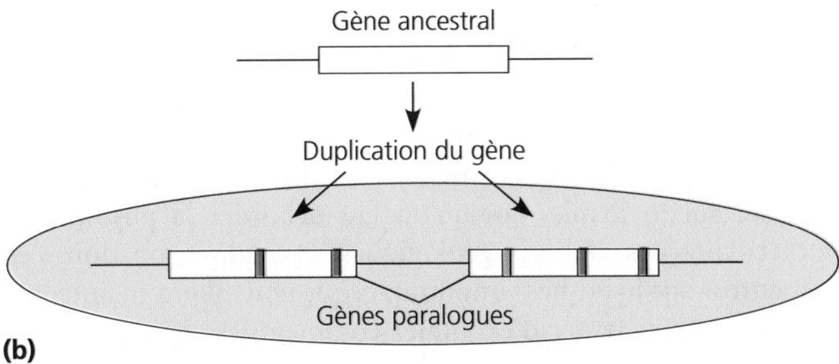

▲ **Figure 25.17 Deux types de gènes homologues.** Les bandes colorées indiquent les régions des gènes où les différences dans les séquences de bases se sont accumulées. Dans le cas des gènes orthologues, la divergence est possible seulement après spéciation ; dans le cas des gènes paralogues, elle peut avoir lieu au sein de la même lignée évolutive.

comprenant la famille des gènes des récepteurs olfactifs chez les humains ont divergé les uns des autres au cours de notre longue histoire évolutive. Ces gènes déterminent maintenant les protéines qui confèrent une sensibilité à une gamme impressionnante d'odeurs, depuis celles de la nourriture jusqu'à celles des phéromones sexuelles.

L'évolution du génome

Maintenant que les chercheurs ont la possibilité de comparer les génomes entiers de différents organismes, y compris le nôtre, deux faits remarquables ressortent. Premièrement, les gènes orthologues sont répandus et peuvent franchir des distances évolutives gigantesques. On sait que 99 % des gènes des humains et des souris sont orthologues, et que 50 % de nos gènes sont orthologues par rapport à ceux des levures. Ce point commun étonnant montre bien que tous les organismes ont de nombreuses voies communes sur les plans biochimique et développemental.

Deuxièmement, le nombre de gènes ne semble pas avoir augmenté par duplication au même rythme que la complexité phénotypique. Les humains ont seulement 5 fois plus de gènes environ que les levures, des Eucaryotes unicellulaires simples, même si (contrairement aux cellules des levures) nous avons un cerveau volumineux et complexe, de même qu'un corps qui comporte plus de 200 types de tissus. Les recherches indiquent de plus en plus clairement qu'un grand nombre de gènes humains sont plus polyvalents que ceux des levures et capables d'accomplir une grande variété de tâches dans les différents tissus du corps. Devant nous s'annonce un défi scientifique de taille : préciser les mécanismes qui permettent la polyvalence génomique.

Retour sur le concept 25.4

1. Expliquez comment les comparaisons entre les protéines de deux espèces peuvent renseigner sur leur lien évolutif.
2. Faites ressortir les différences entre les gènes orthologues et les gènes paralogues.

Voir les réponses proposées à la fin du chapitre.

Concept 25.5

Les horloges moléculaires rendent compte du temps d'évolution

Comme nous en avons fait mention au début du chapitre, un des buts de la biologie de l'évolution est de comprendre les relations entre tous les organismes, y compris ceux pour lesquels il n'existe aucun fossile. Lorsqu'on fait déborder la phylogenèse moléculaire des archives géologiques, cependant, on doit s'en remettre à une hypothèse importante, que nous allons maintenant présenter, pour tenter d'expliquer comment les changements se produisent au niveau moléculaire.

Les horloges moléculaires

Nous avons déjà dit que l'ancêtre commun des *Argyroxiphium* a probablement vécu il y a cinq millions d'années. Comment les chercheurs ont-ils fait pour arriver à cette estimation ? Ils s'appuient sur le concept de l'**horloge moléculaire** dont les bases furent jetées, en 1965, par Emil Zuckerkandl et Linus Pauling, qui déterminèrent les séquences d'acides aminés des molécules d'hémoglobine de plusieurs espèces de Vertébrés et qui comparèrent l'information avec les dates estimées d'apparition de chacune des espèces. L'horloge moléculaire est une échelle de valeurs qui sert à mesurer le temps absolu des changements évolutifs à partir de l'observation voulant que certaines régions du génome, dont les gènes, aient évolué à des vitesses constantes. Selon l'hypothèse qui sous-tend le concept de l'horloge moléculaire, le nombre de substitutions de nucléotides dans les gènes orthologues et d'acides aminés désignés par ces gènes est proportionnel au temps écoulé depuis la ramification des lignées à partir de leur ancêtre commun. Dans le cas des gènes paralogues, le nombre de substitutions est proportionnel au temps écoulé depuis la duplication des gènes.

Dans le cas d'un gène ayant une vitesse moyenne d'évolution fiable, il est possible d'étalonner l'horloge moléculaire en temps réel. On trace un graphique dans lequel le nombre de différences entre les acides aminés ou les nucléotides est mis en rapport avec les dates d'une série de ramifications révélées par les archives géologiques. Le graphique faisant état de la vitesse d'évolution de l'horloge moléculaire sert ensuite à estimer à quelle époque certains épisodes évolutifs sont survenus, quand il est impossible de le savoir d'après les archives géologiques, comme c'est le cas pour l'origine des *Argyroxiphium.*

Aucun gène ne peut marquer le déroulement du temps avec une précision totale, en fonction de la rapidité d'évolution des séquences de bases. En fait, certaines zones du génome évoluent par poussées subites, sans respecter un rythme précis. Même les gènes qui permettent de constituer une horloge moléculaire ne sont précis qu'au sens statistique d'une vitesse de changement *moyenne* plutôt uniforme. Au fil du temps, il pourra encore survenir des déviations aléatoires ne suivant pas la vitesse moyenne. Enfin, même parmi les gènes qui respectent un rythme précis, ce rythme peut varier considérablement d'un gène à un autre (un gène particulier peut avoir un rythme très différent selon le groupe taxinomique considéré) ; certains gènes évoluent un million de fois plus rapidement que d'autres.

La théorie de la neutralité

La régularité qui caractérise les changements de séquences et qui permet d'utiliser certains gènes comme horloges moléculaires soulève la possibilité que plusieurs de ces changements soient le résultat de la dérive génétique et qu'ils soient neutres la plupart du temps, c'est-à-dire ni adaptatifs, ni nuisibles. Dans les années 1960, Jack King et Thomas Jukes, de la University of California, à Berkeley, et Matoo Kimura, du Japanese National Institute of Genetics, ont publié une recherche sur la **théorie de la neutralité**, selon laquelle une grande partie des changements évolutifs qui ont lieu dans les gènes et les protéines n'ont aucun effet sur la valeur adaptative d'un organisme et, donc, ne sont pas influencés par la sélection darwinienne. D'après Kimura, plusieurs nouvelles mutations sont nuisibles et supprimées rapidement. Mais si la majorité des autres changements sont neutres et sans effets ou presque sur la valeur adaptative, alors la vitesse des changements moléculaires devrait effectivement être régulière comme une horloge. Les différences de vitesse de l'horloge pour les différents gènes dépendent de l'importance du gène. Si la séquence exacte d'acides aminés que précise un gène est essentielle à la survie, alors la majorité des changements par mutation seront nuisibles et seulement une minorité seront neutres. Les gènes de ce type changent lentement. Toutefois, si la séquence exacte d'acides aminés revêt une moindre importance, un moins grand nombre de mutations seront nuisibles et une plus grande proportion seront neutres. Les gènes de ce type changent rapidement.

Le défi des horloges moléculaires

Dans les faits, l'horloge moléculaire ne fonctionne pas aussi rondement que la théorie de la neutralité l'indique. De nombreuses irrégularités peuvent survenir en raison de la sélection naturelle, et certains changements de l'ADN sont avantagés par rapport à d'autres. Conséquemment, certains biologistes continuent à avoir des doutes quant à l'utilité des horloges moléculaires. Leur scepticisme touche un débat général : dans quelle mesure les variations génétiques neutres peuvent-elles rendre compte de la diversité de l'ADN ? De fait, des études récentes laissent penser que presque la moitié des différences d'acides aminés entre les protéines de deux espèces de *Drosophila*, *D. simulans* et *D. yakuba*, ne sont pas neutres, mais plutôt imputables à la sélection naturelle directionnelle. Il est néanmoins plausible qu'au cours de périodes de temps extrêmement longues les fluctuations du rythme évolutif attribuables à la sélection naturelle s'équilibrent, de sorte que même les gènes ayant des horloges irrégulières peuvent servir à marquer approximativement le temps écoulé.

Une autre question surgit quand les chercheurs essaient d'appliquer les horloges moléculaires à des durées autres que celles qui sont étalonnées selon les archives géologiques. Il existe des fossiles vieux de trois milliards d'années, mais ils sont rarissimes. Les archives géologiques abondantes sont celles qui sont âgées de moins de 550 millions d'années, mais on a déjà utilisé des horloges moléculaires pour dater des divergences évolutives survenues il y a 1 milliard d'années ou plus. Pour faire ces datations, les scientifiques supposent que les horloges moléculaires ont été constantes durant toute cette période ; leurs calculs peuvent donc avoir un degré d'incertitude élevé.

L'application d'une horloge moléculaire pour dater l'origine du VIH

Récemment, une équipe de chercheurs du laboratoire national de Los Alamos, au Nouveau-Mexique, s'est servie de l'horloge moléculaire pour dater l'origine de l'infection de l'humain par le virus de l'immunodéficience humaine (VIH), le virus qui provoque le sida. Les analyses phylogénétiques montrent que le VIH provient de virus apparentés qui ont infecté certains chimpanzés et d'autres Primates. (Ces premiers virus ne provoquent pas d'affections associées au sida chez les Primates en question.) À quel moment ce virus a-t-il évolué, pour quitter ces singes et s'attaquer à l'être humain ? Il est difficile de trouver une réponse simple à cette question, parce que le VIH a assailli les humains à plusieurs reprises. Ces origines multiples sont encore aujourd'hui présentes dans les divers grands types de souches génétiques du VIH. Le matériel génétique du virus est fait d'ARN et, comme tous les virus à ARN, il évolue rapidement.

La souche la plus répandue dans le monde est le VIH-1 M. Pour faire le point sur le moment de la première infection au VIH-1 M, les chercheurs de Los Alamos ont comparé des prélèvements de virus faits à divers moments de l'évolution de l'épidémie, dont une séquence d'ADN partielle datant de 1959. Les prélèvements montrent que le virus a évolué à un rythme remarquablement régulier depuis 1959. En extrapolant à partir de cette horloge moléculaire, les chercheurs ont conclu que c'est sans doute dans les années 1930 que le VIH-1 M s'est attaqué aux humains pour la première fois.

L'arbre de la vie universel

Dans les années 1960, les chercheurs étudiant le code génétique ont découvert qu'il était universel dans toutes les formes de vie. Ils en ont déduit que tous les organismes modernes ont nécessairement un ancêtre commun. Aujourd'hui, les scientifiques appliquent la systématique pour établir des liens entre tous les organismes de l'arbre de la vie **(figure 25.18)**. Ils se basent sur deux critères pour repérer les régions des molécules d'ADN pouvant représenter la ramure de l'arbre de la vie : ces régions doivent être « séquençables » et doivent avoir évolué assez lentement pour que les homologies soient détectables même entre organismes peu apparentés. Les gènes de l'ARNr, qui codent pour les parties constituées d'ARN dans les ribosomes, satisfont à ces deux critères. Comme les gènes de l'ARNr sont essentiels au fonctionnement de la cellule, leur horloge moléculaire est si lente qu'elle peut servir de base pour un arbre de la vie universel. Nous étudierons cet arbre en détail dans la prochaine série de chapitres. Pour l'instant, contentons-nous d'examiner les deux principes suivants.

1. **L'arbre de la vie comprend trois grands domaines : les Bactéries, les Archéobactéries et les Eucaryotes.** Le domaine des Bactéries rassemble la plupart des Procaryotes actuellement connus, dont les Bactéries étroitement apparentées aux chloroplastes et aux mitochondries (nous examinerons

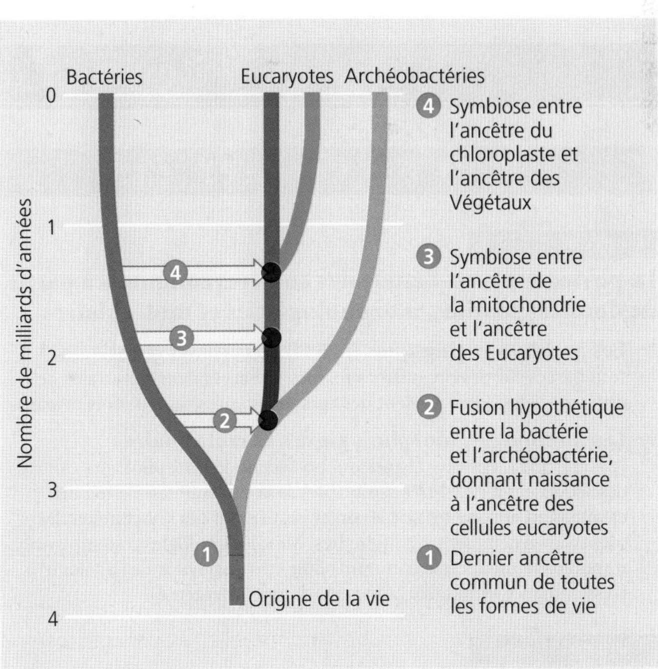

▲ **Figure 25.18 L'arbre de la vie universel.** Tous les organismes appartiennent à l'un des trois domaines suivants : les Bactéries, les Archéobactéries et les Eucaryotes. Les fines ramifications de cet arbre changeront en fonction des données qui émergeront, mais sa ramure globale demeurera probablement la même.

plus en détail les origines bactériennes de ces organites au chapitre 26). Le deuxième domaine, celui des Archéobactéries, contient un groupe varié d'organismes procaryotes qui vivent dans toutes sortes d'environnements. Certaines Archéobactéries peuvent utiliser l'hydrogène comme source d'énergie, et certaines sont les principales sources des dépôts de gaz naturel qui se trouvent un peu partout dans la croûte terrestre. (Le chapitre 27 explore en détail les Bactéries et les Archéobactéries.) Le troisième domaine, les Eucaryotes, comprend tous les organismes dont les cellules ont un vrai noyau. Ce domaine (qui sera traité aux chapitres 28 à 34) renferme de nombreux groupes d'organismes unicellulaires de même que des organismes pluricellulaires, les Eumycètes (champignons) et les Animaux.

2. **L'origine de ces domaines n'est pas encore élucidée.** Les comparaisons de génomes complets provenant des trois domaines montrent qu'il y a eu d'importantes translocations réciproques de gènes entre les organismes des différents domaines, surtout au début de l'histoire de la vie. Ces translocations se sont faites par **transfert horizontal**, au cours duquel des gènes passent d'un génome à un autre grâce à des mécanismes comme les éléments transposables (vus au chapitre 19), et peut-être aussi grâce à la fusion d'organismes différents. Le premier Eucaryote est peut-être issu d'une fusion entre une Bactérie ancestrale et une Archéobactérie ancestrale. Étant donné que les arbres phylogénétiques sont basés sur l'hypothèse voulant que les gènes soient transmis verticalement d'une génération à la suivante, la possibilité qu'il se produise des événements horizontaux signifie que les arbres universels construits à partir de différents gènes donnent souvent des résultats incohérents, surtout près de la racine de l'arbre. C'est pourquoi on révise constamment les ramifications fines de l'arbre de la vie. Les trois branches principales correspondant aux trois grands domaines, elles, sont cependant demeurées inchangées depuis que les systématiciens ont tracé les grandes lignes de l'arbre universel.

Dans la prochaine partie, nous explorerons l'histoire de la diversité biologique ainsi que sa variété actuelle à la lumière des concepts d'évolution et de systématique que nous venons de voir dans les derniers chapitres.

Retour sur le concept 25.5

1. Qu'est-ce qu'une horloge moléculaire? Quelle hypothèse sous-tend son utilisation?
2. Expliquez comment de nombreux changements de bases peuvent se produire dans l'ADN sans avoir d'effet sur la valeur adaptative de l'organisme.

Voir les réponses proposées à la fin du chapitre.

Révision du chapitre 25

RÉSUMÉ DES CONCEPTS CLÉS

Concept 25.1

La phylogenèse est l'étude des ancêtres communs à partir de données fossiles, morphologiques et moléculaires

- **Les archives géologiques (p. 534).** Les archives géologiques sont basées sur des organismes fossiles préservés dans des strates de différents âges. Elles révèlent des caractères ancestraux parfois disparus.
- **Les homologies morphologiques et moléculaires (p. 534-537).** Les organismes qui possèdent des morphologies ou des séquences d'ADN très semblables sont susceptibles d'être plus étroitement apparentés que les organismes ayant des structures et des séquences génétiques très différentes. Mais l'homologie (ressemblance imputable à un ancêtre commun) doit être distinguée de l'analogie (ressemblance imputable à une évolution convergente).

Concept 25.2

La systématique phylogénétique fait le lien entre la taxinomie et l'histoire évolutive

- **La nomenclature binominale (p. 538).** Selon le système de Linné, les noms des organismes sont constitués de deux parties, soit le genre suivi de l'espèce.
- **La classification hiérarchique (p. 538-539).** Linné a mis au point un système de classification des espèces qui consiste en des groupes de plus en plus généraux.
- **La classification et la phylogenèse (p. 539).** Les systématiciens représentent les liens évolutifs par des arbres phylogénétiques dont les ramures sont fondées sur diverses données.

Concept 25.3

La systématique phylogénétique permet de construire des arbres phylogénétiques à partir de caractères partagés

- **La cladistique (p. 540-541).** Le clade est un taxon monophylétique, qui comprend un ancêtre et tous ses descendants. Dans l'analyse cladistique, les clades sont définis par leurs innovations évolutives, en fonction des caractères dérivés partagés, au cours de l'évolution. Pour les déterminer, on compare les espèces d'un groupe intérieur avec les espèces d'un groupe extérieur qui ne possède pas les caractères dérivés partagés.
- **Les arbres phylogénétiques et la chronologie (p. 541-542).** Dans un phylogramme, la longueur d'une ramification reflète le nombre de changements évolutifs qui ont eu lieu dans cette lignée. Les arbres ultramétriques permettent de représenter les points de bifurcation dans le contexte des temps géologiques.

▶ **La parcimonie maximale et la probabilité maximale (p. 542).** Parmi les hypothèses phylogénétiques, celle de l'arbre le plus simple nécessite le moins de changements au cours de l'évolution, et celle de l'arbre le plus probable est basée sur le type de changements le plus plausible.

▶ **Les arbres phylogénétiques : hypothèses (p. 546).** Les meilleures théories phylogénétiques sont celles qui intègrent le plus grand nombre de données morphologiques, moléculaires et fossiles.

Concept 25.4

Le génome recèle une grande partie de l'histoire évolutive de tout organisme

▶ **Les duplications de gènes et les familles de gènes (p. 547-548).** Les gènes orthologues sont présents en un seul exemplaire dans le génome ; leur divergence peut avoir lieu seulement après spéciation. Les gènes paralogues sont issus d'une duplication dans le génome ; leur divergence peut avoir lieu à l'intérieur d'un clade, ce qui leur ajoute souvent de nouvelles fonctions.

▶ **L'évolution du génome (p. 548).** Les gènes orthologues sont souvent partagés par des espèces peu apparentées. La variation relativement petite du nombre total de gènes dans des organismes de diverses complexités indique que les gènes des organismes complexes sont extrêmement polyvalents et que chacun peut accomplir plusieurs fonctions.

Concept 25.5

Les horloges moléculaires rendent compte du temps d'évolution

▶ **Les horloges moléculaires (p. 548-549).** Les séquences de bases de certaines régions de l'ADN évoluent à une vitesse suffisamment constante pour constituer de véritables horloges servant à dater des événements évolutifs. Ces horloges moléculaires peuvent provenir de la fixation de mutations neutres, mais même quand la sélection joue un rôle, un grand nombre de gènes ont tendance à changer à un rythme régulier sur de longues périodes de temps. Les chercheurs ont mesuré certaines horloges moléculaires et ont montré qu'elles étaient remarquablement constantes. D'autres gènes, cependant, changent d'une manière moins prévisible.

▶ **L'arbre de la vie universel (p. 549-550).** L'arbre de la vie est basé sur trois grands clades (domaines) : les Bactéries, les Archéobactéries et les Eucaryotes.

VÉRIFIEZ VOS CONNAISSANCES

Autoévaluation

(Les questions dont les numéros sont en caractères gras font surtout appel à la compréhension.)

1. Parmi les affirmations suivantes se rapportant aux archives géologiques, déterminez celle qui est *fausse*.
   a) Beaucoup d'espèces n'ont pas laissé de fossiles.
   b) Les archives fossiles favorisent les espèces qui ont existé le plus longtemps.
   c) Seules les espèces qui possédaient des parties dures peuvent avoir des représentants ayant été conservés à travers le temps.
   d) C'est dans les roches sédimentaires que l'on trouve le plus de fossiles.
   e) On peut obtenir de l'information sur l'ordre d'apparition des espèces dans les archives fossiles.

2. Si les humains et les pandas appartiennent à la même classe, alors ils appartiennent aussi :
   a) au même ordre.
   b) au même embranchement.
   c) à la même famille.
   d) au même genre.
   e) à la même espèce.

3. Les trois espèces vivantes X, Y et Z ont un ancêtre commun, appelé T, qui est également l'ancêtre commun des espèces disparues U et V. Le groupement des espèces T, X, Y et Z forme :
   a) un taxon valide.
   b) un clade monophylétique.
   c) un groupe paraphylétique.
   d) un groupe polyphylétique.
   e) un groupe intérieur à comparer avec l'espèce U du groupe extérieur.

4. Lorsqu'on compare les Oiseaux aux Mammifères, la présence de quatre membres constitue :
   a) un caractère ancestral partagé.
   b) un caractère dérivé partagé.
   c) un caractère utile pour distinguer les Oiseaux des Mammifères.
   d) un exemple d'analogie et non d'homologie.
   e) un caractère utile pour classer les espèces d'Oiseaux.

5. Comment appliquer le principe de parcimonie à la construction d'un arbre phylogénétique ?
   a) Choisir un arbre pour lequel on suppose des probabilités égales pour tous les changements évolutifs.
   b) Choisir un arbre dans lequel les ramifications sont fondées sur le plus de caractères dérivés partagés possible.
   c) Fonder les arbres phylogénétiques uniquement sur les archives géologiques, en vue de fournir l'explication la plus simple de l'évolution.
   d) Choisir l'arbre qui représente le moins de changements au cours de l'évolution, soit dans les séquences d'ADN, soit dans les caractères morphologiques.
   e) Choisir l'arbre qui comporte le moins de ramifications.

6. Quelles seraient les meilleures sources de données pour déterminer les liens phylogénétiques des lignées de Protistes qui ont connu la divergence il y a des centaines de millions d'années ?
   a) Les fossiles du Protérozoïque.
   b) Les caractères morphologiques partagés et dérivés.
   c) Les séquences des acides aminés, pour les diverses molécules de chlorophylle.
   d) Les séquences de l'ADNmt.
   e) Les séquences de l'ARNr.

7. Si vous faisiez appel à l'analyse cladistique pour bâtir un arbre phylogénétique des Félidés, lequel des animaux suivants constituerait un choix valable pour former le groupe extérieur ?
   a) Le lion.
   b) Le chat domestique.
   c) Le loup gris.
   d) Le léopard.
   e) Le tigre.

8. Parmi les éléments qui suivent, lequel serait le plus utile pour tracer un arbre phylogénétique de plusieurs espèces de Poissons ?
   a) Plusieurs caractéristiques analogues partagées par tous les Poissons.
   b) Une seule caractéristique homologue partagée par tous les Poissons.
   c) Le degré général de similarité morphologique entre les diverses espèces de Poissons.
   d) Plusieurs caractéristiques qui auraient évolué après divergence de plusieurs espèces de Poissons.
   e) Une caractéristique unique différente chez tous les Poissons.

9. Les longueurs relatives des ramifications des Amphibiens et des souris dans le phylogramme de la figure 25.12 indiquent que :
   a) les Amphibiens ont évolué avant les souris.
   b) les souris ont évolué avant les Amphibiens.
   c) les gènes des Amphibiens et des souris ont des homoplasies purement fortuites.
   d) le gène homologue a évolué plus rapidement chez les Amphibiens.
   e) le gène homologue a évolué plus rapidement chez les souris.

10. Indiquez la paire de gènes orthologues parmi les suivantes :
   a) gène de l'hémoglobine β de l'humain et gène de l'hémoglobine β du chimpanzé.
   b) deux allèles du gène de l'hémoglobine β de l'humain.
   c) gène de l'insuline de la souris et gène du type sexuel de la levure.
   d) deux gènes différents des récepteurs olfactifs du rat.
   e) exemplaires multiples de gènes d'ARN dans un génome eucaryote.

11. Les chercheurs évaluent que la souche VIH-1 M a muté pour passer des chimpanzés et d'autres Primates aux humains dans les années 1930. Sur quoi se fondent-ils pour arriver à cette conclusion?
   a) Les premières preuves cliniques du sida, enregistrées dans les archives d'un village africain.
   b) Une horloge moléculaire qui a tracé les changements dans les séquences d'un gène du VIH prélevé chez des patients sur une période de 40 ans, avec calcul rétroactif pour évaluer l'origine approximative.
   c) Une comparaison des gènes homologues du VIH trouvés chez les chimpanzés et d'autres Primates d'une part, et chez les humains d'autre part.
   d) Une explication simplifiée des relations phylogénétiques entre les diverses souches du VIH chez l'humain actuel.
   e) La découverte du VIH dans un échantillon de sang datant des années 1930.

Lien avec l'évolution

Darwin a proposé d'étudier les proches parents d'une espèce intéressante pour mieux comprendre à quoi pouvaient ressembler ses ancêtres. Dans quelle mesure sa suggestion annonce-t-elle l'utilisation d'un groupe extérieur dans le cadre de l'analyse cladistique moderne?

Intégration

1. Certains changements nucléotidiques pendant l'évolution moléculaire amènent des substitutions d'acides aminés dans les protéines encodées (mutations faux-sens), et d'autres ne causent pas ces substitutions (mutations silencieuses). Dans une comparaison de gènes entre les Rongeurs et les humains, il a été constaté que les Rongeurs accumulent les mutations silencieuses 2,0 fois plus vite que les humains, et les mutations faux-sens 1,3 fois plus vite. Quels facteurs pourraient expliquer ces différences? Dans quelle mesure ces données compliquent-elles le recours aux horloges moléculaires pour la datation absolue?
2. Dans un arbre non enraciné, l'ancêtre commun à toutes les espèces n'est pas situé; la racine de l'arbre peut donc se trouver à plusieurs endroits. Représentez les cinq arbres enracinés qui pourraient correspondre à l'arbre non enraciné dessiné pour les quatre espèces A, B, C, D de la page 539.

Science, technologie et société

La possibilité de comparer des génomes a ouvert une foule d'avenues nouvelles pour les chercheurs en médecine. Comme les humains et les souris ont en commun un grand nombre de gènes orthologues, il est possible de déduire la fonction des gènes humains par l'inactivation (ou *knock-out*) des gènes orthologues correspondants des souris. Sur quelles applications médicales ces découvertes peuvent-elles déboucher? Quelles pourraient être les conséquences de ces découvertes pour la société?

Réponses du chapitre 25

Retour sur le concept 25.1

1. **a)** Une analogie, parce que les hérissons et les cactus ne sont pas étroitement apparentés, et aussi parce que la plupart des autres Animaux et Végétaux n'ont pas de structures semblables; **b)** une homologie, parce que les chats et les humains sont tous deux des Mammifères et ont des membres antérieurs homologues, la main et la patte en constituant l'extrémité distale; **c)** une analogie, parce que les hiboux et les frelons sont peu apparentés, et aussi parce que la structure de leurs ailes est très différente.
2. La seconde paire d'espèces, car des changements génétiques peu importants suffisent pour produire des morphologies divergentes; par contre, s'il existe une grande divergence entre les gènes, cela suppose que les lignées ont évolué séparément un certain temps.

Retour sur le concept 25.2

1. Nous appartenons à la même classe; le léopard et l'humain sont tous deux des Mammifères. Les léopards appartiennent à l'ordre des Carnivores, mais pas les humains.
2. La ramure de l'arbre indique que la moufette et le loup ont un ancêtre commun plus récent que l'ancêtre qu'ils partagent avec le léopard.

Retour sur le concept 25.3

1. Non, le poil est un caractère ancestral partagé par tous les Mammifères et, donc, qui ne peut pas aider à distinguer des sous-groupes de Mammifères.
2. Selon le principe de parcimonie maximale, la meilleure théorie est celle qui constitue l'explication la plus simple des faits étudiés. Toutefois, la nature ne fait pas toujours les choses simplement; par conséquent, l'arbre le plus simple (celui qui fait appel au moins grand nombre de changements évolutifs) ne reflète pas toujours la réalité.

Retour sur le concept 25.4

1. Les protéines sont les produits des gènes. Leurs séquences d'acides aminés sont déterminées par les séquences de nucléotides de l'ADN qui code pour ces gènes. Donc, les différences entre les protéines comparables de deux espèces correspondent à des différences génétiques.
2. Les gènes orthologues sont des gènes homologues qui se sont retrouvés dans des patrimoines génétiques différents après spéciation, tandis que les gènes paralogues se trouvent en plusieurs exemplaires dans un génome unique parce qu'ils sont issus d'une duplication.

Retour sur le concept 25.5

1. L'horloge moléculaire est une méthode servant à estimer le moment réel d'événements évolutifs selon le nombre de changements de bases survenus dans les gènes orthologues. Cette méthode suppose que les régions des génomes comparés ont évolué à des vitesses constantes.
2. Dans plusieurs portions du génome ne codant pas pour des gènes, il se produit des changements de bases qui peuvent s'accumuler par dérive sans causer d'effet notable sur la valeur adaptative d'un organisme. Même dans les régions codantes du génome, certaines mutations peuvent n'avoir que peu d'effet sur les gènes ou les protéines.

Autoévaluation

1. c; 2. b; 3. c; **4.** a; **5.** d; **6.** e; **7.** c; **8.** d; **9.** d; **10.** a; 11. b.

26

L'arbre de la vie : une introduction à la diversité biologique

▲ **Figure 26.1 La Terre, il y a trois milliards d'années, représentée par un artiste.**

Concepts clés

26.1 **Les conditions sur la Terre primitive ont permis l'apparition de la vie**

26.2 **Les archives géologiques font la chronique de la vie sur Terre**

26.3 **Au cours de leur évolution, les Procaryotes ont exploité et modifié la Terre primitive**

26.4 **Les cellules eucaryotes sont nées de symbioses et d'échanges génétiques entre les Procaryotes**

26.5 **L'état multicellulaire a évolué plusieurs fois chez les Eucaryotes**

26.6 **De nouvelles données modifient notre compréhension de l'arbre de la vie**

Introduction

L'évolution de la vie sur une planète qui se transforme

L'histoire de la vie est un continuum qui s'étend de l'apparition des tout premiers organismes aux espèces très variées qui existent aujourd'hui. Dans la présente partie, nous ferons un tour d'horizon de la diversité des formes de vie et nous suivrons son évolution.

L'interaction entre les organismes et leur environnement est l'un des thèmes du présent ouvrage (voir le chapitre 1). Tout au long de cette partie, nous verrons des exemples qui illustrent les rapports entre la biologie et la géologie. Les événements géologiques qui modifient l'environnement influent également sur le cours de l'évolution biologique. Ainsi, lorsqu'un grand lac se divise en plusieurs petits lacs, certaines des populations d'organismes qu'il abrite se trouvent isolées et peuvent évoluer de façon à former de nouvelles espèces (voir le chapitre 24). De son côté, la vie a façonné la planète qui l'héberge. Par exemple, l'apparition des organismes photosynthétiques qui libéraient du dioxygène a radicalement transformé l'atmosphère terrestre. (Ces organismes primitifs comprenaient des Procaryotes analogues à ceux qui forment les amas représentés dans la **figure 26.1**.) Ce qui s'est produit lorsque des Végétaux se sont établis sur les terres émergées est un autre exemple de la transformation de la Terre par le vivant. Beaucoup plus récemment, *Homo sapiens* a modifié le sol, l'eau et l'air dans une mesure et à une vitesse sans précédent pour une seule espèce. L'histoire de la Terre et celle de la vie qu'elle porte sont indissociables.

Les chapitres de la présente partie font également ressortir d'importants tournants de l'évolution qui ont ponctué l'histoire de la diversité biologique. L'histoire de la Terre et celle de la vie se sont en effet déroulées par épisodes ; elles portent en outre la marque de véritables révolutions qui ont ouvert la voie à une multitude de formes de vie.

Toute étude historique est vouée à l'inexactitude, car elle est tributaire de l'état de conservation et de la représentativité des vestiges du passé, de même que de l'interprétation qu'on en fait. En règle générale, plus nous remontons dans le passé, moins les archives géologiques sont complètes. Heureusement, tout organisme porte dans ses molécules, dans son métabolisme et dans son anatomie des traces de son évolution. Comme nous l'avons vu dans la quatrième partie, ces vestiges nous donnent sur le passé des indices qui viennent compléter ceux que nous offrent les fossiles. Il n'en reste pas moins que les plus anciens épisodes de l'évolution sont habituellement les plus obscurs.

Dans le présent chapitre, nous traiterons d'abord de l'origine de la vie. Cette section sera la plus spéculative de la partie, car il ne subsiste aucune trace fossile de cet épisode fondamental. Nous passerons ensuite aux archives géologiques et au lien qui unit les événements biologiques et l'histoire physique de la Terre. Puis, nous présenterons une vue d'ensemble des principaux jalons des 3,8 milliards d'années que compte l'histoire de la vie sur Terre. Enfin, en guise de préparation aux chapitres 27 à 34, qui portent sur la diversité biologique, nous verrons comment les biologistes interprètent aujourd'hui l'arbre de la vie.

Concept 26.1

Les conditions sur la Terre primitive ont permis l'apparition de la vie

De plus en plus de preuves scientifiques appuient l'hypothèse selon laquelle des phénomènes chimiques et physiques s'étant déroulés dans l'environnement de la Terre primitive ont, aidés de la force naissante de la sélection, fini par produire des cellules très simples, en une série de quatre grandes étapes : 1) la synthèse abiotique (sans vie) et l'accumulation de petites molécules organiques, ou monomères, tels des acides aminés et des nucléotides ; 2) la fusion de ces monomères en polymères, notamment des protéines et des acides nucléiques ; 3) l'agrégation de toutes ces molécules en protobiontes, c'est-à-dire en gouttelettes dotées d'une membrane maintenant les différences chimiques entre l'intérieur et l'extérieur ; 4) l'apparition de molécules capables d'autoréplication, grâce auxquelles l'hérédité est devenue possible. Ce scénario comporte de nombreuses incertitudes, mais il débouche sur des prévisions qu'on peut vérifier en laboratoire. Nous allons maintenant examiner de plus près quelques-uns des résultats qui appuient les quatre étapes hypothétiques.

La synthèse des composés organiques sur la Terre primitive

La Terre et les autres planètes ont été formées il y a environ 4,6 milliards d'années par suite de la condensation d'un immense nuage de poussières et de roches qui entourait le jeune Soleil. Pendant les centaines de millions d'années qui ont suivi sa naissance, la planète a été bombardée d'énormes morceaux de roc et de glace issus de la formation du système solaire. C'est pourquoi la vie n'aurait sans doute pu s'y épanouir. Les chocs engendraient suffisamment de chaleur pour vaporiser tous les plans d'eau et empêcher la formation des mers. Cette phase s'est probablement terminée il y a quelque 3,9 milliards d'années. Les plus anciennes roches connues se trouvent à Issua, au Groenland, et ont 3,8 milliards d'années. Certaines de leurs propriétés chimiques laissent croire que la vie aurait pu être possible à l'époque, mais cette observation ouvre la voie à diverses interprétations, et personne n'a encore trouvé de fossiles dans des roches aussi vieilles.

Lorsque les bombardements sont devenus moins intenses, les conditions qui existaient sur la planète étaient extrêmement différentes de celles que l'on connaît aujourd'hui. À l'origine, l'atmosphère, composée de vapeur d'eau et de divers composés issus des éruptions volcaniques, dont l'azote et ses oxydes, le dioxyde de carbone, le méthane, l'ammoniac, l'hydrogène et l'hydrogène sulfuré, était probablement dense. Au cours du refroidissement de la Terre, la condensation de la vapeur d'eau a formé les océans, et une grande partie de l'hydrogène s'est rapidement échappée dans l'espace.

Dans les années 1920, le chimiste russe A. I. Oparin (1894-1980) et le scientifique britannique J. B. S. Haldane (1892-1964) ont postulé indépendamment l'un de l'autre que l'atmosphère primitive de la Terre était un milieu réducteur (qui ajoute des électrons), dans lequel des composés organiques pouvaient se former à partir de simples molécules. L'énergie nécessaire à ces synthèses organiques aurait pu provenir de la foudre et d'un intense rayonnement ultraviolet. Haldane a avancé que les océans primitifs consistaient en une solution de molécules organiques, une « soupe primitive » dans laquelle la vie aurait pris naissance. En 1953, Stanley Miller et Harold Urey, de la University of Chicago, ont vérifié l'hypothèse d'Oparin et de Haldane en recréant en laboratoire des conditions comparables à celles de la Terre primitive (selon les scientifiques de l'époque). Leur expérience a permis de produire, en l'espace de quelques jours seulement, différents acides aminés et d'autres composés organiques présents dans les organismes contemporains (**figure 26.2**; voir aussi la figure 4.2). De nombreux laboratoires ont depuis répété l'expérience en modifiant la composition de l'atmosphère et les sources

Figure 26.2

Investigation Des molécules organiques peuvent-elles se former dans une atmosphère réductrice ?

EXPÉRIENCE Stanley Miller et Harold Urey ont conçu en laboratoire un système fermé en vue de simuler les conditions censées avoir existé sur la Terre primitive. Un flacon rempli d'eau chauffée représentait l'océan primitif. L'« atmosphère » fortement réductrice se composait d'hydrogène (H_2), de méthane (CH_4) et d'ammoniac (NH_3), ainsi que de vapeur d'eau. On provoquait des décharges électriques dans cette atmosphère synthétique pour simuler la foudre. Un tube réfrigérant produisait la condensation d'une partie de l'atmosphère, créant de la pluie et ramenant tout composé dissous dans l'océan miniature.

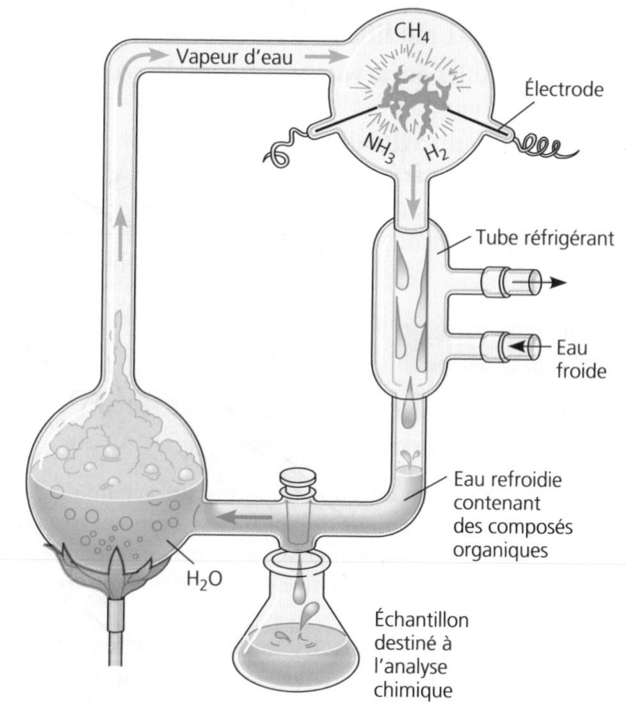

RÉSULTATS Miller et Urey prélevaient périodiquement des substances qui circulaient dans l'appareil des échantillons destinés à l'analyse. Ils y ont trouvé diverses molécules organiques, dont des acides aminés comme l'alanine et l'acide glutamique qui entrent fréquemment dans la composition des protéines des organismes, de même que de nombreux autres acides aminés et des chaînes hydrocarbonées d'acides gras.

CONCLUSION Les molécules organiques, dont la formation constitue l'un des premiers processus à l'origine de la vie, peuvent naître dans une atmosphère fortement réductrice.

d'énergie (radiations UV, radiations ionisantes, chaleur). Ces modèles modifiés ont également produit des composés organiques.

Toutefois, on ne sait pas si l'atmosphère de la jeune Terre contenait assez de méthane et d'ammoniac pour être réductrice. De plus en plus de scientifiques croient que l'atmosphère primitive se composait surtout d'azote et de dioxyde de carbone, et qu'elle n'était ni réductrice ni oxydante (qui enlève des électrons). Des expériences du type de celle de Miller et Urey, dans lesquelles on a utilisé une telle atmosphère, n'ont produit aucune molécule organique. Tout de même, il est possible que de petites « poches » de l'atmosphère primitive, peut-être près des cratères des volcans, aient été réductrices.

Plutôt que dans l'atmosphère, les premiers composés organiques pourraient avoir été synthétisés près des volcans submergés et des sources hydrothermales, c'est-à-dire des ouvertures de la croûte terrestre qui crachent de l'eau chaude et des minéraux dans les océans **(figure 26.3)**. Ces régions sont aussi riches en composés inorganiques de soufre et de fer, lesquels jouent un rôle important dans la synthèse de l'ATP chez les organismes contemporains.

Les sources extraterrestres de composés organiques

Certains des composés organiques qui sont à l'origine de la vie sur Terre pourraient être venus de l'espace. Parmi les météorites qui tombent sur la Terre, on trouve des chondrites charbonneuses, c'est-à-dire des roches qui contiennent de 1 à 2 % de composés du carbone. Des fragments d'une chondrite vieille de 4,5 milliards d'années trouvée dans le sud de l'Australie en 1969 renferment plus de 80 acides aminés, dont certains sont abondants. Fait étonnant, les proportions de ces acides aminés sont comparables à celles qui ont été obtenues dans l'expérience de Miller et Urey. Les acides aminés des chondrites ne peuvent être des dépôts provenant de la Terre, car ils consistent en un mélange égal d'isomères D et L (voir le chapitre 4) ; or, à quelques rares exceptions près, les organismes ne fabriquent et n'utilisent que les isomères L. Les acides aminés qui ont été transportés sur la Terre primitive au moyen des chondrites se sont peut-être adjoints à la soupe primitive, mais des calculs récents donnent à penser que cette contribution a probablement été peu importante. Le retour sur Terre, en janvier 2006, de la sonde Stardust qui a recueilli des particules de la comète Wild 2 nous permet de croire que bientôt nous pourrons trouver le moyen d'aller nous-mêmes chercher de précieuses données sur ce sujet, plutôt que d'attendre que le ciel nous les envoie.

▲ **Figure 26.3 Une fenêtre ouverte sur l'origine de la vie ?** Un appareil attaché à un bras robotisé installé sur le sous-marin de recherche *Alvin* prélève des échantillons d'eau près d'une source hydrothermale de la mer de Cortés. À plus de 1,5 km de la surface, la source libère du sulfure d'hydrogène et du sulfure de fer, dont la réaction produit de la pyrite (l'« or des fous ») et du H_2, lequel sert de source d'énergie aux cellules procaryotes vivant à proximité. Ces environnements comptent parmi les plus hostiles où on trouve aujourd'hui des organismes vivants, et certains chercheurs pensent qu'ils pourraient avoir constitué le berceau de la vie.

La recherche d'indices extraterrestres sur l'origine de la vie

La science dispose de moyens de plus en plus nombreux de vérifier la possibilité que la vie se soit épanouie ailleurs que sur la Terre. La planète Mars se prête bien à la vérification des hypothèses sur les réactions chimiques qui ont eu lieu sur la Terre avant l'apparition de la vie (réactions chimiques prébiotiques). Sa surface est aujourd'hui un désert sans aucune forme de vie, mais les scientifiques sont de plus en plus convaincus que, il y a des milliards d'années, elle a été relativement chaude pendant une brève période et qu'il s'y trouvait de l'eau à l'état liquide et une atmosphère riche en CO_2. Durant cette période, des réactions chimiques prébiotiques semblables à celles de la Terre primitive se sont peut-être produites sur la planète rouge. La vie s'y est-elle développée pour ensuite disparaître, ou le refroidissement des températures et la raréfaction de l'atmosphère y ont-ils stoppé les réactions chimiques prébiotiques avant l'apparition de celle-ci ? Des sondes spatiales recueillent actuellement des données qui pourraient permettre de répondre à ces questions au cours de la prochaine décennie. En 2005, la sonde européenne Mars Express a détecté dans l'atmosphère des quantités très élevées de formaldéhyde qui pourraient avoir été engendrées par une activité bactérienne.

Des mesures prises par la sonde Galilée indiquent que la surface gelée d'Europa, une des lunes de Jupiter, recouvre de l'eau à l'état liquide pouvant contenir des organismes procaryotes. À l'extérieur de notre système solaire, plus de 160 planètes en orbite autour d'autres étoiles ont été découvertes depuis une dizaine d'années ; presque toutes ces exoplanètes sont à une distance inférieure à 200 années-lumière de la Terre. Toutes sont au moins aussi grosses que Jupiter cependant et semblent des géantes gazeuses qui ne ressemblent en rien à notre planète bleue. En janvier 2006, toutefois, on a découvert une planète ressemblant à la nôtre par sa masse (cinq fois et demie celle de la Terre) et par son état solide. Qui plus est, cette découverte a été faite à l'aide d'une nouvelle technique de recherche très prometteuse qui, croit-on, permettra de détecter des planètes plus petites ainsi que des lunes gravitant autour de grosses planètes. Si l'une d'elles émettait un puissant signal spectroscopique révélant la présence de dioxygène libre dans son atmosphère, nous aurions une preuve qu'il s'y trouve des organismes photosynthétiques producteurs d'oxygène. Actuellement, toutefois, on ne connaît pas les propriétés atmosphériques susceptibles de témoigner de la présence d'autres formes de vie.

La synthèse abiotique des polymères

Évidemment, les cellules vivantes sont plus qu'un ensemble d'acides aminés. Toute cellule possède un grand assortiment de macromolécules (dont des protéines et les acides nucléiques qui sont essentiels à l'autoreproduction), de sorte qu'il est difficile d'imaginer l'apparition de la vie dans un milieu qui en serait dépourvu. Les chercheurs ont obtenu des polymères d'acides aminés en versant des solutions d'acides aminés sur du sable, de l'argile ou de la roche très chauds (170 °C durant plusieurs heures). Les polymères se sont formés spontanément, sans l'aide d'enzymes ni de ribosomes. Mais, contrairement aux protéines, ils constituent une combinaison complexe d'acides aminés liés et réticulés (appelée *protéinoïde*), et chacune est unique. Quoi qu'il en soit, ces macromolécules pourraient avoir été de faibles catalyseurs dans diverses réactions à l'époque de la Terre primitive.

Les protobiontes

La vie est en partie caractérisée par deux propriétés, la réplication exacte et le métabolisme, qui ne peuvent exister l'une sans l'autre. Les molécules d'ADN contiennent de l'information génétique, y compris les instructions nécessaires pour se répliquer avec exactitude. Mais la réplication de l'ADN compte sur un mécanisme enzymatique élaboré, de même qu'une abondante provision de nucléotides, soit les éléments constitutifs qui doivent être fournis par le métabolisme des cellules (voir le chapitre 16). Si elles ont permis d'obtenir certaines des bases azotées de l'ADN et de l'ARN, les expériences du type de celle de Miller et Urey n'ont rien engendré qui ressemble à des nucléotides. Par conséquent, les éléments constitutifs des acides nucléiques ne faisaient vraisemblablement pas partie des ingrédients de la soupe organique primitive. Les molécules capables d'autoréplication et une source d'éléments constitutifs apparentée au métabolisme sont nécessairement apparues ensemble. Mais comment cela s'est-il produit?

Les conditions nécessaires pourraient avoir été remplies par les **protobiontes**, c'est-à-dire des agrégats de molécules produites par voie abiotique et entourées d'une membrane ou d'une structure apparentée à une membrane. Les protobiontes présentent certaines des propriétés associées à la vie, dont une reproduction et un métabolisme rudimentaires, ainsi que la conservation d'un milieu chimique interne distinct du milieu externe.

Certaines expériences menées en laboratoire démontrent que les protobiontes ont pu se former spontanément à partir de composés organiques produits par voie abiotique. Ainsi, de petites gouttelettes entourées d'une membrane, appelées *liposomes*, peuvent se constituer lorsque des lipides ou d'autres molécules organiques sont ajoutés à de l'eau **(figure 26.4)**. Les molécules hydrophobes présentes dans le mélange forment à la surface de la gouttelette une bicouche moléculaire analogue à la bicouche lipidique des membranes plasmiques. Comme la bicouche lipidique est dotée d'une perméabilité sélective, les liposomes se gonflent ou se contractent selon la concentration de la solution dans laquelle ils sont placés. Certains de ces liposomes emmagasinent de l'énergie sous la forme d'un potentiel de membrane, c'est-à-dire d'un potentiel électrique (ou tension) existant à travers la membrane. Ils peuvent propager cette tension à la façon d'une cellule nerveuse. Or, cette forme d'excitabilité caractérise tous les êtres vivants (cela ne signifie pas que les liposomes soient vivants, mais seulement qu'ils présentent certaines des caractéristiques de la vie). Si des gouttelettes semblables formées dans des étangs de la Terre primitive incorporaient au hasard à leur membrane des polymères d'acides aminés liés et si certains de ces polymères rendaient les membranes perméables à certaines molécules organiques, alors ces gouttelettes auraient pu absorber sélectivement des molécules organiques provenant du milieu environnant.

La naissance de la sélection naturelle dans un « monde d'ARN »

Le premier matériel génétique a probablement été l'ARN et non l'ADN. Thomas Cech, de la University of Colorado, et Sidney Altman, de la Yale University, ont découvert, en 1982, en travaillant avec un organisme unicellulaire du genre *Tetrahymena*, que l'ARN, en plus du rôle déterminant qu'il joue dans la synthèse des protéines, peut exécuter un certain nombre de fonctions catalytiques semblables à celles des enzymes. (Altman et Cech ont reçu un prix Nobel en 1989 pour leurs travaux.) Cech a appelé **ribozymes** ces ARN catalyseurs. Certains ribozymes peuvent fabriquer des copies complémentaires de courts brins d'ARN, à condition de disposer des éléments constitutifs que sont les nucléotides **(figure 26.5)**. D'autres peuvent exciser des segments d'eux-mêmes (autoépissage d'introns; voir le chapitre 17) ou agir sur différentes molécules, comme l'ARN de transfert, excisant des segments de ces molécules et les rendant complètement fonctionnels. Les réactions catalysées par les ribozymes sont relativement lentes, mais les protéines normalement associées aux ribozymes peuvent multiplier leur vitesse par plus de 1 000.

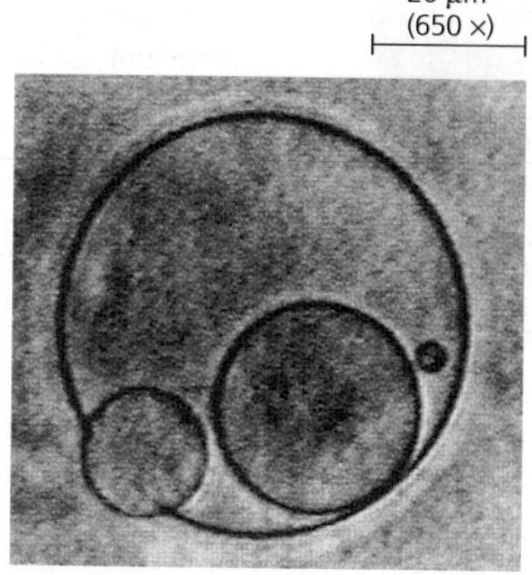

(a) Reproduction rudimentaire. Ce liposome « donne naissance » à des liposomes plus petits (MP).

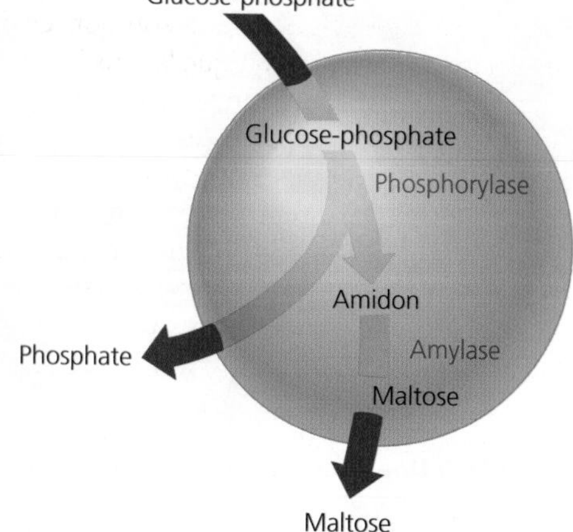

(b) Métabolisme rudimentaire. Si la solution dans laquelle les gouttelettes se forment contient des enzymes (la phosphorylase et l'amylase dans ce cas-ci), certains protobiontes peuvent opérer des réactions métaboliques simples et en exporter les produits.

▲ **Figure 26.4 Production de protobiontes en laboratoire.**

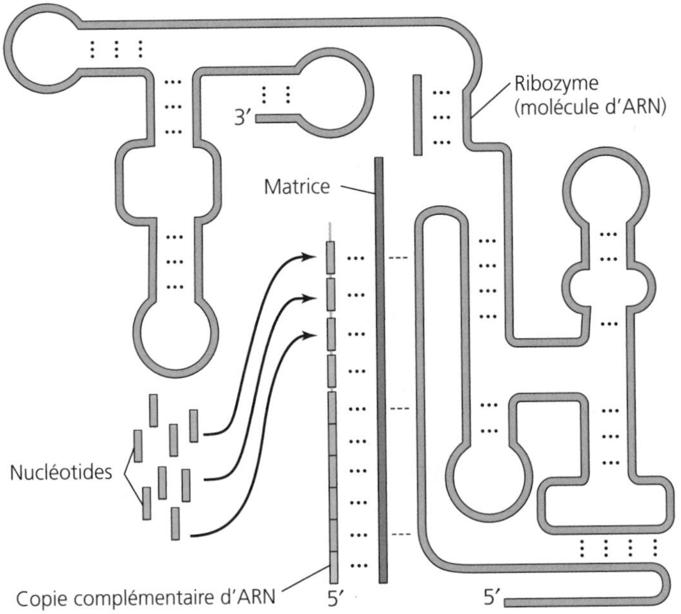

▲ **Figure 26.5 Ribozyme pouvant répliquer l'ARN.** Cette molécule d'ARN peut fabriquer une copie complémentaire d'un autre segment d'ARN (la matrice) contenant jusqu'à 14 nucléotides.

En laboratoire, les chercheurs ont observé le fait que la sélection naturelle s'exerce au niveau moléculaire sur des populations de molécules d'ARN. Contrairement au double brin d'ADN, qui se présente sous la forme d'une double hélice régulière, le brin unique des molécules d'ARN adopte diverses conformations tridimensionnelles déterminées par la séquence nucléotidique. Ainsi, la molécule possède à la fois un génotype (sa séquence nucléotidique) et un phénotype (sa conformation, qui interagit de façon particulière avec les molécules environnantes). Dans un milieu donné, les molécules d'ARN possédant certaines séquences de bases azotées sont plus stables et se répliquent plus rapidement et plus fidèlement que les autres. En présence d'une multitude de molécules d'ARN qui se font concurrence pour l'obtention des monomères nécessaires à leur réplication, une seule séquence l'emporte: celle qui est la mieux adaptée à la température, à la salinité et aux autres caractéristiques de la solution environnante, et qui présente l'activité autocatalytique la plus intense. Étant donné les erreurs de transcription, cette séquence engendre une famille de séquences étroitement apparentées et non une seule espèce d'ARN. La sélection filtre les mutations de la séquence initiale, et parfois une erreur de transcription engendre une molécule qui adoptera une forme encore plus stable ou encore plus apte à l'autoréplication que la séquence ancestrale. Des événements de sélection semblables ont peut-être eu lieu sur la Terre primitive. Ainsi, la biologie moléculaire d'aujourd'hui pourrait avoir été précédée par un « monde d'ARN » dans lequel de petites molécules d'ARN contenant de l'information génétique pouvaient se répliquer et stocker l'information relative aux protobiontes qui les transportaient.

Le physicien Freeman Dyson, de la Princeton University, a avancé que les premières molécules d'ARN étaient peut-être de courtes séquences semblables à des Virus et que ces séquences opéraient leur réplication à l'aide de polymères d'acides aminés pris au hasard et dotés de capacités catalytiques rudimentaires. Cette réplication primitive aurait pu avoir lieu à l'intérieur de protobiontes ayant accumulé de grandes quantités de monomères organiques. Si certaines de ces molécules d'ARN pouvaient aussi lier certains acides aminés à des bases sur une partie de leur étendue, cette liaison aurait pu retenir ensemble quelques acides aminés assez longtemps pour former des peptides. (De fait, c'est là une des fonctions de l'ARNr dans les ribosomes modernes, sites de la synthèse des protéines dans la cellule.) Certains de ces peptides auraient pu se comporter comme des enzymes en aidant les molécules d'ARN à se répliquer. D'autres auraient pu se fixer dans la membrane des protobiontes, leur permettant ainsi d'utiliser des molécules inorganiques à haute énergie comme l'hydrogène sulfuré pour engendrer des réactions organiques, dont la production des éléments constitutifs de l'ARN.

Un protobionte contenant de l'ARN capable d'autoréplication et doté d'un pouvoir catalytique aurait été différent de ses nombreux voisins dépourvus d'ARN ou contenant de l'ARN ne possédant pas de telles capacités. Si ce protobionte avait pu croître, se diviser et transmettre ses molécules d'ARN à ses descendants, ceux-ci auraient hérité de certaines des propriétés de leur parent. L'information génétique contenue dans ces premiers protobiontes aurait sans doute été limitée, de sorte que seules quelques propriétés auraient pu être spécifiées; néanmoins, elles auraient été héréditaires et soumises à la sélection naturelle. Les mieux adaptés de ces protobiontes auraient augmenté en nombre parce qu'ils étaient en mesure d'exploiter efficacement leurs ressources et de transmettre leurs habiletés aux générations suivantes. L'apparition de tels protobiontes peut sembler improbable, mais il faut se rappeler que les étendues d'eau de la Terre primitive pouvaient contenir des billions de protobiontes. Même ceux dont la capacité de transmission héréditaire était limitée auraient eu un énorme avantage sur les autres.

Une fois que les séquences d'ARN contenant de l'information génétique sont apparues chez les protobiontes, de nombreux autres changements sont devenus possibles. Par exemple, l'ARN a pu constituer la matrice pour l'assemblage des nucléotides d'ADN. En tant que dépositaire de l'information génétique, l'ADN bicaténaire est beaucoup plus stable que le fragile ARN monocaténaire, et sa réplication est plus précise. La précision de la réplication est devenue indispensable quand les génomes ont pris de l'ampleur par suite de la duplication des gènes et d'autres processus, et quand les propriétés des protobiontes ont été plus nombreuses à être encodées dans l'information génétique. Après l'apparition de l'ADN, les molécules d'ARN ont peut-être commencé à jouer leur rôle actuel, c'est-à-dire à servir d'intermédiaires dans la traduction des programmes génétiques. Le « monde de l'ARN » a cédé la place au « monde de l'ADN ». Tout était alors en place pour permettre l'explosion des formes de vie qui, gouvernée par la sélection naturelle, s'est poursuivie jusqu'à nos jours.

Retour sur le concept 26.1

1. Quelles hypothèses Miller et Urey ont-ils vérifiées grâce à leur expérience?
2. Pourquoi l'apparition de protobiontes entourés d'une membrane semble-t-elle avoir été une étape cruciale de la naissance de la vie?
3. Qu'est-ce qu'un ribozyme?

Voir les réponses proposées à la fin du chapitre.

Concept 26.2

Les archives géologiques font la chronique de la vie sur Terre

Il se peut bien qu'on ne puisse jamais résoudre tout à fait les questions relatives aux plus anciennes étapes de la naissance de la vie sur Terre, car, à notre connaissance, il n'existe aucun registre de ces événements anciens. Toutefois, de nombreux événements plus récents sont bien démontrés par les archives géologiques. L'étude attentive de ces archives ouvre une fenêtre sur la vie des organismes qui existaient il y a très longtemps et fournit des données sur l'évolution de la vie pendant des milliards d'années.

La datation des roches et des fossiles

Nous avons vu au chapitre 25 qu'on trouve la plupart des fossiles dans les roches sédimentaires. Les organismes morts fixés dans les sédiments sont figés dans le temps. Ainsi, les fossiles présents dans chaque strate de roche sédimentaire constituent un échantillon local des organismes qui existaient à l'époque où s'est formé le dépôt de sédiments. Comme des sédiments plus récents se superposent aux anciens, la roche sédimentaire constitue en quelque sorte un livre dont les pages révèlent les âges relatifs des fossiles (voir la figure 25.3).

La présence de fossiles semblables, appelés *fossiles stratigraphiques*, permet souvent d'établir une corrélation entre les strates d'un site et celles d'un autre. Pour mettre en corrélation des strates très éloignées les unes des autres, les meilleurs fossiles stratigraphiques sont les coquilles d'organismes marins autrefois très répandus **(figure 26.6)**. Les fossiles stratigraphiques révèlent que, quel que soit le site, la séquence peut être interrompue. En effet, un site peut avoir été au-dessus du niveau de la mer durant certaines périodes, de sorte qu'aucune sédimentation n'a eu lieu; ou certaines des couches sédimentaires déposées lorsqu'il était submergé peuvent avoir été éliminées par érosion.

La succession relative des fossiles dans les strates rocheuses révèle l'ordre dans lequel ils se sont fixés, mais pas leur âge. Lorsqu'on examine leur position relative dans les strates, c'est comme si on décollait des couches de papier peint dans une très vieille maison où se sont succédé de nombreux occupants. On peut déterminer l'ordre dans lequel les couches ont été superposées, mais non la date à laquelle chacune a été appliquée.

▲ **Figure 26.6 Fossiles stratigraphiques.** Les animaux à coquille, appelés *Brachiopodes*, étaient extrêmement abondants dans les mers anciennes. Leurs fossiles sont des indicateurs précieux des âges relatifs des strates rocheuses se trouvant dans divers sites.

Les géologues ont mis au point plusieurs méthodes pour obtenir l'âge absolu des fossiles. (Notez que le terme *âge absolu* ne signifie pas que la datation est parfaitement exacte, mais seulement que l'âge est exprimé en années plutôt qu'évoqué à l'aide de termes relatifs comme *avant* et *après*.) L'une des techniques les plus répandues est la **datation radiométrique**, qui se fonde sur la désintégration des isotopes radioactifs. Chaque isotope radioactif a une vitesse de désintégration fixe. La **demi-vie** d'un isotope, soit le nombre d'années nécessaires à la désintégration de 50 % de l'échantillon original, n'est aucunement modifiée par la température, la pression ou les autres variables du milieu **(figure 26.7)**.

Les fossiles contiennent des isotopes d'éléments qui se sont accumulés pendant la vie des organismes. Par exemple, le carbone qui se trouve dans un organisme vivant comprend l'isotope le plus commun, le carbone 12, de même qu'un isotope radioactif, le carbone 14. Lorsqu'il meurt, l'organisme cesse d'accumuler du carbone, et le carbone 14 qu'il contient alors se désintègre lentement pour produire un autre élément, l'azote 14. Ainsi, en mesurant la proportion de carbone 14 par rapport à la quantité totale de carbone ou d'azote 14 dans un fossile, on peut déterminer son âge. La demi-vie de 5 730 ans du carbone 14 permet de dater des fossiles ayant jusqu'à 75 000 ans environ. Les fossiles plus vieux ne contiennent pas une quantité de carbone 14 suffisante pour être détectée à l'aide des techniques actuelles. (Après 13 demi-vies, soit 74 490 ans, un fossile contient seulement $\frac{1}{2}^{13}$ [ou 0,012 %] du carbone 14 qui était présent au moment de sa formation.) Pour dater les fossiles plus vieux, on utilise des isotopes radioactifs dont la demi-vie est plus longue.

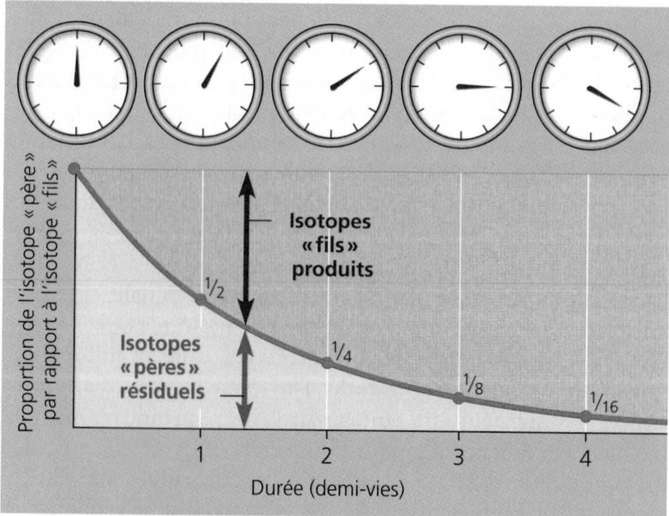

▲ **Figure 26.7 Datation radiométrique.** Un isotope radioactif « père » subit à une vitesse constante une désintégration, produisant un isotope « fils ». La vitesse de désintégration est représentée par la demi-vie, soit le temps nécessaire pour que 50 % de l'isotope « père » résiduel se désagrège (dans ce diagramme, chaque division de l'horloge représente une demi-vie). Chaque type d'isotope radioactif possède une demi-vie caractéristique. Par exemple, le carbone 14, qui se détruit assez vite, a une demi-vie de 5 730 ans; la désintégration de l'uranium 238 est lente: sa demi-vie est de 4,5 milliards d'années.

Les paléontologues arrivent souvent à déterminer l'âge des fossiles intercalés entre deux couches de roches volcaniques en mesurant la quantité d'isotopes radioactifs de potassium 40 qu'elles contiennent. La désintégration du potassium 40 produit de l'argon 40 (gaz chimiquement non réactif retenu dans la roche). Lorsque la roche est chauffée au cours d'une éruption volcanique, l'argon s'en échappe, mais le potassium y reste. Ce processus ramène à zéro l'horloge de la désintégration du potassium 40. La proportion de potassium 40 par rapport à l'argon 40 qu'on mesure dans une couche de roche volcanique permet d'estimer le moment de sa formation. Ainsi, si on trouve des fossiles dans une strate sédimentaire située entre deux couches volcaniques âgées respectivement de 530 et de 520 millions d'années, on peut déduire que les fossiles proviennent d'organismes ayant vécu voilà quelque 525 millions d'années.

Le magnétisme des roches peut aussi fournir des données utiles à la datation. Au cours de la formation des roches volcaniques ou sédimentaires, les particules de fer qui s'y trouvent s'orientent dans la direction du champ magnétique terrestre. Quand la roche durcit, leur orientation est ainsi figée dans le temps. En mesurant le magnétisme des roches à l'aide d'un instrument appelé *magnétomètre*, les géologues ont déterminé que les pôles magnétiques Nord et Sud ont été inversés à maintes reprises par le passé. Étant donné qu'elles se répercutent sur toute la planète, ces **inversions du champ magnétique terrestre** ont laissé des traces dans les roches un peu partout dans le monde. Par conséquent, lorsqu'on ne peut employer les autres méthodes, on peut comparer les caractéristiques des inversions du champ magnétique dans un site avec les caractéristiques correspondantes dans un autre site pour dater des roches.

Les archives géologiques

Les géologues ont établi les **archives géologiques** de l'histoire de la Terre, qui se divise en trois éons **(tableau 26.1)**. Les deux premiers éons, l'Archéen et le Protérozoïque, ont duré approximativement quatre milliards d'années. On parle souvent du Précambrien pour désigner collectivement ces deux éons. Le troisième, le Phanérozoïque, qui englobe en gros le dernier demi-milliard d'années, couvre la majeure partie de l'époque où la vie existait sur Terre sous forme d'Eucaryotes multicellulaires; il est lui-même divisé en trois ères: le Paléozoïque, le Mésozoïque et le Cénozoïque. Chaque ère représente un âge distinct dans l'histoire de la Terre et de sa vie. Par exemple, le Mésozoïque est parfois appelé l'« ère des Reptiles » en raison de l'abondance de ses fossiles reptiliens, dont ceux des Dinosaures. Les frontières entre les ères correspondent aux périodes d'extinctions massives apparaissant clairement dans les archives géologiques: de nombreuses formes de vie sont alors disparues et ont été remplacées par d'autres qui ont évolué à partir des organismes survivants.

Des extinctions moins importantes délimitent aussi bon nombre des périodes qui divisent chaque ère. Les périodes sont elles-mêmes subdivisées en intervalles appelés *époques*. On trouve au tableau 26.1 la liste des époques de l'ère actuelle, le Cénozoïque.

Les extinctions massives

L'extinction d'une espèce peut avoir de nombreuses causes. Il se peut que son habitat ait été détruit ou que son milieu ait subi des modifications qui lui sont défavorables. Si la température de l'océan baisse ne serait-ce que de quelques degrés, de nombreuses espèces qui étaient pourtant bien adaptées risquent d'être anéanties. Par ailleurs, même si les facteurs physiques du milieu demeurent stables, les facteurs biologiques peuvent varier; le milieu dans lequel vit une espèce compte d'autres organismes, et un changement attribuable à l'évolution d'une espèce est susceptible de se répercuter sur d'autres espèces.

Les archives géologiques font la chronique de nombreuses occasions où des changements écologiques planétaires ont été si rapides et si profonds que la majorité des espèces ont été emportées **(figure 26.8)**. Ces extinctions massives sont surtout connues en raison de la destruction des Animaux à corps dur qui vivaient dans les mers peu profondes; ce sont en effet les organismes pour lesquels les archives géologiques sont les plus complètes. Les deux phases d'extinction massive qui ont surtout été étudiées sont celles du Permien et du Crétacé. L'extinction massive du Permien, qui détermine la limite entre le Paléozoïque et le Mésozoïque, a

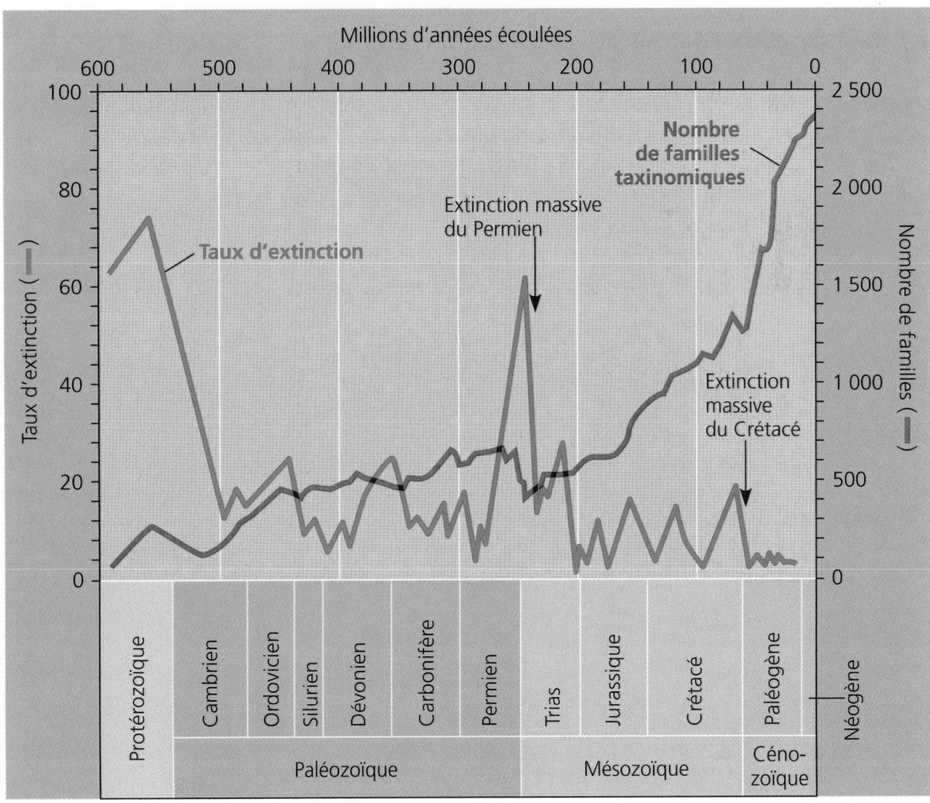

▲ **Figure 26.8 Diversité du vivant et périodes d'extinctions massives.** Les archives géologiques des organismes terrestres et marins révèlent une augmentation de la diversité des organismes au fil du temps (tracé rouge, selon l'ordonnée de droite). Les extinctions massives, représentées par les crêtes de la courbe du taux d'extinction (tracé bleu, selon l'ordonnée de gauche), ont interrompu l'augmentation de la diversité. Le taux d'extinction correspond au pourcentage estimatif des familles taxinomiques qui sont disparues à chaque période du temps géologique.

Tableau 26.1 Archives géologiques

Durée relative des éons	Ère	Période	Époque	Âge (millions d'années écoulées)	Jalons de l'histoire de la vie
Phanérozoïque	Cénozoïque	Néogène	Holocène	0,01	Temps historique
			Pléistocène	1,8	Époque glaciaire ; apparition des humains
			Pliocène	5,3	Apparition du genre *Homo*
			Miocène	23	Poursuite de la radiation adaptative des Mammifères et des Angiospermes ; apparition des ancêtres des humains apparentés aux Hominoïdes
		Paléogène	Oligocène	33,9	Origine de nombreux groupes de Primates, dont les Hominoïdes
			Éocène	55,8	Suprématie accrue des Angiospermes ; poursuite de la radiation adaptative de la plupart des ordres de Mammifères modernes
			Paléocène	65,5	Importante radiation adaptative des Mammifères, des Oiseaux et des Insectes pollinisateurs
	Mésozoïque	Crétacé		145,5	Apparition des plantes à fleurs (Angiospermes) ; extinction de nombreux groupes d'organismes, dont les Dinosaures, à la fin de la période (extinctions du Crétacé)
		Jurassique		199,6	Persistance de la suprématie des Gymnospermes chez les Végétaux ; abondance et diversité des Dinosaures
		Trias		251	Domination des paysages par les Conifères (Gymnospermes) ; radiation adaptative des Dinosaures ; origine des Reptiles prémammaliens
	Paléozoïque	Permien		299	Radiation adaptative des Reptiles ; origine de la plupart des ordres d'Insectes modernes ; extinction de nombreux organismes marins et terrestres à la fin de la période
		Carbonifère		359,2	Immenses forêts de plantes vasculaires ; apparition des premières plantes à graines ; origine des Reptiles; suprématie des Amphibiens
		Dévonien		416	Diversification des Poissons osseux ; premiers Tétrapodes et premiers Insectes
		Silurien		443,7	Diversification des premières plantes vasculaires
		Ordovicien		488,3	Abondance des Algues marines ; colonisation de la terre ferme par les Végétaux et les Arthropodes
		Cambrien		542	Augmentation soudaine de la diversité de nombreux embranchements d'Animaux (explosion du Cambrien)
Protérozoïque				600	Présence de diverses Algues et d'Invertébrés à corps mou
				2 200	Fossiles d'Eucaryotes les plus anciens
				2 500	
Archéen				2 700	Accumulation de dioxygène dans l'atmosphère
				3 500	Fossiles de Procaryotes les plus anciens
				3 800	Roches les plus anciennes connues à la surface de la Terre
				Approx. 4 600	Origine de la Terre

entraîné la disparition d'environ 96 % des espèces d'Animaux marins. La vie terrestre a aussi été touchée. Par exemple, 8 ordres d'Insectes sur 27 ont été éliminés. Cette phase de disparitions a duré moins de cinq millions d'années, peut-être même beaucoup moins, ce qui ne représente qu'un instant à l'échelle du temps géologique. Il y a 65 millions d'années, l'extinction massive du Crétacé, qui marque la transition entre le Mésozoïque et le Cénozoïque, a causé la perte de plus de la moitié des espèces marines et exterminé de nombreuses familles de Végétaux et d'Animaux terrestres (surtout ceux de grande taille), dont la plupart des Dinosaures qui « régnaient » pourtant depuis plus de deux cents millions d'années.

L'extinction massive du Permien s'est produite à une époque où d'énormes éruptions volcaniques ont eu lieu dans la région où se trouve aujourd'hui la Sibérie. Cette époque marque en fait la période d'activité volcanique la plus intense qui a été enregistrée depuis un demi-milliard d'années. Les éruptions, qui ont projeté de la lave et de la cendre dans l'atmosphère, pourraient aussi avoir produit assez de dioxyde de carbone pour réchauffer le climat de la planète entière. La réduction des écarts de température entre l'équateur et les pôles aurait ralenti le brassage des eaux océaniques, ce qui aurait fait diminuer la quantité de dioxygène à la disposition des organismes marins. Ce déficit pourrait avoir joué un rôle important dans l'extinction du Permien.

La mince couche d'argile enrichie d'iridium (concentration de l'ordre de 100 fois plus élevée que la moyenne) qui sépare les sédiments du Mésozoïque et du Cénozoïque et qui se serait déposée en un temps relativement court constitue l'indice d'une cause possible de l'extinction de masse du Crétacé. L'iridium est un élément très rare sur la Terre mais commun dans beaucoup de météorites et d'autres corps célestes qui s'abattent occasionnellement sur notre planète. Selon ce qu'ont proposé en 1980 Walter et Luis Alvarez, de même que leurs collègues de la University of California, cette argile pourrait provenir d'un gigantesque nuage de débris formé dans l'atmosphère à la suite d'un impact entre la Terre et un astéroïde ou une grosse comète ; la violence de l'impact, qui a sûrement créé des tsunamis gigantesques, aurait probablement aussi pulvérisé le corps céleste ; les poussières d'iridium qu'il contenait se seraient alors dispersées à la surface de la Terre. Ce nuage aurait fait écran à la lumière solaire et profondément perturbé le climat planétaire durant plusieurs mois. Ce bouleversement climatique aurait affecté d'abord les Végétaux, qui ont besoin de la lumière solaire pour la photosynthèse, puis les herbivores (soit la majorité des Dinosaures), et, enfin, les carnivores.

Où l'impact de l'astéroïde ou de la comète s'est-il produit ? Les recherches ont porté principalement sur le cratère de Chicxulub, cicatrice vieille de 65 millions d'années découverte sous des sédiments, au large de la côte du Yucatán, au Mexique **(figure 26.9)**. D'un diamètre d'environ 180 km, celui-ci pourrait avoir été creusé par un corps d'un diamètre de 10 km. Certains chercheurs croient cependant détenir les preuves que ce cratère a été formé au moins 300 000 ans avant la disparition des Dinosaures.

Les scientifiques poursuivent l'évaluation critique des diverses hypothèses expliquant la cause de ces extinctions massives, ainsi que d'autres. Au moment de l'extinction massive du Crétacé, l'activité volcanique a connu une pointe dans la région aujourd'hui occupée par l'Inde. Cette pointe a-t-elle été déclenchée par l'impact de Chicxulub ? Certains supposent que l'activité volcanique de la Sibérie, qui a coïncidé avec l'extinction massive du Permien, pourrait aussi avoir été provoquée par un corps céleste. Selon des observations récentes, il pourrait y avoir eu un énorme impact

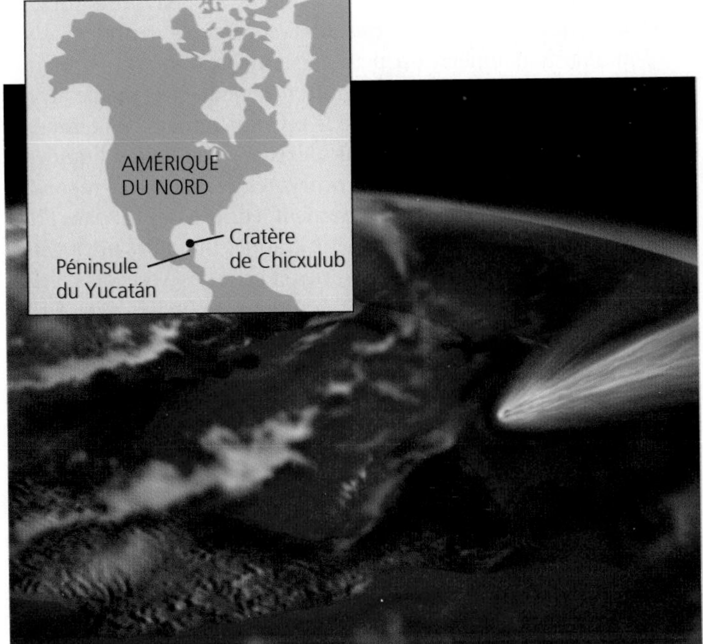

▲ **Figure 26.9 Choc pour la Terre et perturbation de la vie au Crétacé.** Vieux de 65 millions d'années, le cratère de Chicxulub se trouve dans la mer des Caraïbes, près de la péninsule du Yucatán, au Mexique. Sa forme de fer à cheval et la configuration des débris dans les roches sédimentaires indiquent que l'astéroïde ou la comète a frappé la Terre de biais, selon l'axe sud-est. L'illustration représente l'impact et son effet immédiat, un nuage de vapeur chaude et de débris susceptible, d'après certains scientifiques, d'avoir tué la plupart des Végétaux et des Animaux de l'Amérique du Nord en l'espace d'une très courte période de temps.

de météorite au large des côtes de l'Australie à ce moment. Toutefois, cette interprétation est controversée, en partie parce qu'on n'a détecté aucune couche riche en iridium dans les roches du Permien. Selon une autre explication, un astéroïde ou un autre corps qui aurait évité la Terre de justesse ou l'aurait frôlée aurait pu suffire à accélérer l'activité volcanique[1].

On en a encore beaucoup à apprendre sur les causes des extinctions massives, mais on sait qu'elles ont constitué pour la vie des occasions sans pareil de produire des radiations adaptatives dans des niches écologiques qui venaient d'être libérées. Dans le reste du chapitre, nous allons examiner certains des principaux événements de l'histoire de la vie. Dans la **figure 26.10**, l'analogie de l'horloge est utilisée pour situer ces événements par rapport aux archives géologiques. Cette horloge réapparaîtra à divers endroits du chapitre afin de vous permettre de situer d'un coup d'œil le moment où ont eu lieu les événements dont il est question.

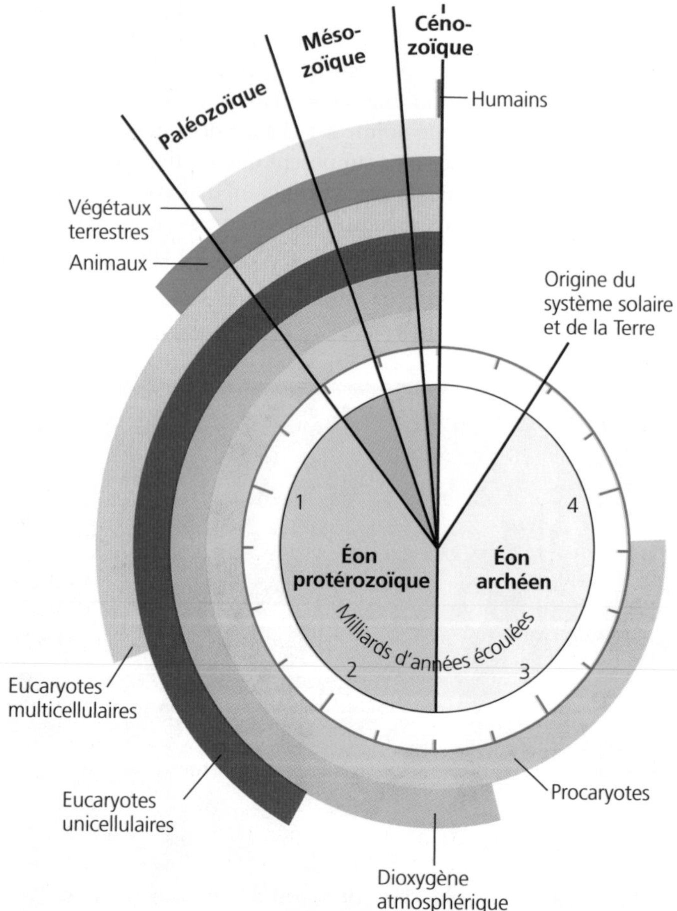

▲ **Figure 26.10 Représentation sous forme d'horloge de quelques événements clés de l'histoire de la Terre.** L'horloge représente dans le sens des aiguilles d'une montre la période comprise entre l'origine de la Terre, il y a 4,6 milliards d'années, et le présent.

1. On peut lire à ce sujet l'article « Fin des dinosaures », *La Recherche*, octobre 2004, p. 29-40.

Retour sur le concept 26.2

1. Selon vos mesures, le ratio carbone 14-carbone 12 du crâne fossilisé que vous avez découvert représente environ $^{1}/_{16}$e de celui des crânes des animaux actuels. Quel est l'âge approximatif du crâne fossilisé?
2. D'après le tableau 26.1, combien de temps les Procaryotes ont-ils habité la Terre avant l'apparition des Eucaryotes?

Voir les réponses proposées à la fin du chapitre.

Concept 26.3

Au cours de leur évolution, les Procaryotes ont exploité et modifié la Terre primitive

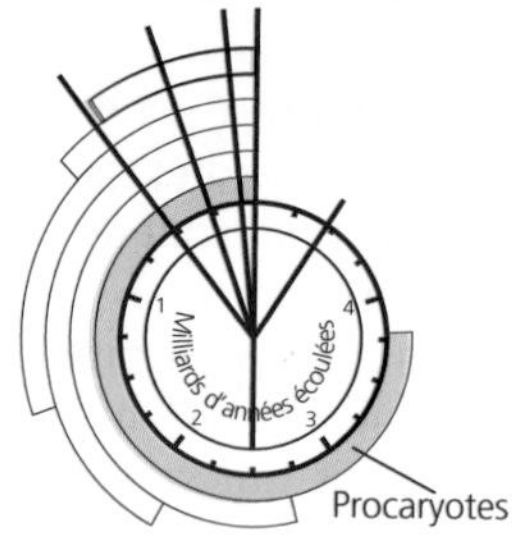

Datant de 3,5 milliards d'années, les plus anciens fossiles connus sont enfermés dans des **stromatolithes** (« tapis de pierre »), des structures en forme de disque ou de mamelon semblables à de la roche et composées de nombreuses couches de bactéries et de sédiments **(figure 26.11)**; ces dépôts de carbonate de calcium (calcaire) sont le résultat indirect de l'absorption par les bactéries photosynthétiques de dioxyde de carbone qui précipite sur le voile formé par les sécrétions des bactéries. Jadis très présents, on ne trouve aujourd'hui des stromatolithes que dans quelques baies salées chaudes et peu profondes. Si des communautés de Bactéries aussi complexes existaient il y a 3,5 milliards d'années, on peut raisonnablement supposer que la vie est apparue beaucoup plus tôt, peut-être même il y a 3,9 milliards d'années, alors que le refroidissement des températures terrestres a permis à l'eau d'exister sous forme liquide. Il apparaît clairement que les Procaryotes étaient déjà répandus quand la Terre était encore relativement jeune. Assez tôt dans l'histoire de ce monde procaryote, deux grandes branches phylogénétiques ont émergé : celle des Bactéries et celle des Archéobactéries. Diverses espèces appartenant à ces deux branches prospèrent encore aujourd'hui dans des environnements très divers.

Les premiers Procaryotes

Les premiers protobiontes capables de s'autorépliquer et de métaboliser des substances ont forcément utilisé pour leur croissance des molécules déjà présentes dans la soupe primitive. Toutefois, même les tout premiers protobiontes qui ont prospéré devaient probablement fabriquer au moins certaines des molécules dont ils avaient besoin. Ils ont fini par être remplacés par des organismes capables de fabriquer tous les composés qui leur étaient nécessaires à partir de molécules présentes dans leur milieu. La diversification de ces protobiontes a produit une riche variété d'autotrophes, dont certains étaient en mesure d'utiliser l'énergie lumineuse. La diversification des autotrophes a probablement favorisé l'apparition des hétérotrophes, qui pouvaient se nourrir des produits excrétés par les autotrophes ou des autotrophes eux-mêmes.

(a) Lynn Margulis (en haut, à droite), de la University of Massachusetts, et Kenneth Nealson, de la University of Southern California, ramassent des tapis bactériens dans une lagune de Basse-Californie. Ces tapis sont produits par des colonies de bactéries vivant dans des environnements inhospitaliers pour la plupart des autres formes de vie. La coupe d'un tapis (en médaillon) montre des couches de sédiments qui adhèrent aux bactéries au fur et à mesure que celles-ci migrent vers le haut.

(b) Des tapis bactériens forment des structures semblables à de la roche, appelées *stromatolithes*. Ceux qu'on voit ici se trouvent à Shark Bay, en Australie occidentale. Ces stromatolithes ont commencé à se former il y a environ 3 000 ans. On voit en médaillon une section de stromatolithe vieux de 3,5 milliards d'années.

▲ **Figure 26.11 Tapis bactériens et stromatolithes.**

Les autotrophes et les hétérotrophes ont été les premiers Procaryotes et les seuls organismes vivants sur la Terre à partir d'il y a au moins 3,5 milliards d'années jusqu'à il y a quelque 2 milliards d'années. Comme nous allons le voir, ces organismes ont transformé la biosphère de notre planète.

Les chaînes de transport d'électrons

Le mécanisme chimiosmotique de la synthèse de l'ATP, grâce auquel un ensemble complexe de protéines membranaires transmettent des électrons à des accepteurs réductibles pour produire de l'ATP à partir d'ADP (voir le chapitre 9), est commun aux trois domaines de la vie : les Bactéries, les Archéobactéries et les Eucaryotes. On a de fortes raisons de croire que ce mécanisme a effectivement pris naissance chez des organismes qui vivaient avant le dernier ancêtre commun de toutes les formes de vie actuelles. La première de ces chaînes de transport d'électrons s'est organisée avant qu'il y ait du dioxygène libre dans l'environnement et avant l'apparition de la photosynthèse ; les organismes qui l'utilisaient avaient besoin d'une grande provision de composés riches en énergie comme l'hydrogène moléculaire, le méthane et l'hydrogène sulfuré. Les scientifiques qui étudient l'origine de la vie font face à un défi de taille : déterminer les étapes de l'évolution de ce mécanisme et l'importance que ses premières versions ont eue dans l'émergence des premières cellules.

Au chapitre 27, nous examinerons en détail l'utilisation de différents types de transport d'électrons chez les Procaryotes, qui présentent une grande diversité métabolique. Mais, pour l'instant, ce qu'il est important de souligner est que, chez les Procaryotes vivant dans divers milieux, cette diversité métabolique était déjà considérable il y a plus de 3 milliards d'années. L'évolution qui a eu lieu par la suite a davantage touché leur structure que leur métabolisme.

La photosynthèse et la révolution du dioxygène

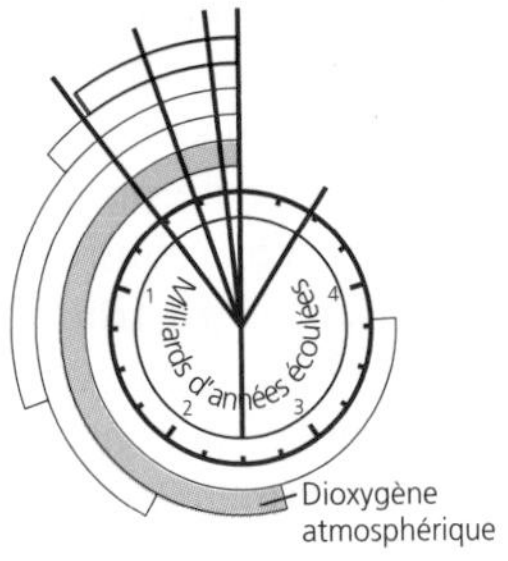

La photosynthèse est probablement apparue très tôt dans l'histoire des Procaryotes, mais sous des formes métaboliques qui ne divisaient pas la molécule d'eau et ne libéraient pas de dioxygène. Nous verrons au chapitre 27 des exemples de photosynthèse ne produisant pas de dioxygène (O_2) chez les Procaryotes modernes. Les seuls Procaryotes photosynthétiques produisant de l'O_2 sont appelés *Cyanobactéries.*

La majeure partie de l'O_2 atmosphérique est d'origine biologique et provient de la scission de la molécule d'eau pendant la photosynthèse. Lorsque la photosynthèse est apparue, l'O_2 libre qu'elle produisait s'est probablement dissous dans l'eau environnante, jusqu'à ce que les mers et les lacs en soient saturés. L'O_2 additionnel aurait ensuite réagi avec le fer dissous pour donner l'oxyde de fer (communément appelé *rouille*) sous forme de précipité. Les sédiments marins résultant de la réaction ont été à l'origine des formations ferrifères rubanées, les couches de roche rouge riches en oxyde de fer qui constituent aujourd'hui de précieuses sources de minerai de fer **(figure 26.12)**. Une fois

▲ **Figure 26.12 Formations ferrifères rubanées révélant l'existence d'une photosynthèse productrice de dioxygène.** Ces rubans d'oxyde de fer situés à Jasper Knob, au Michigan, datent de 2 milliards d'années environ.

que tout le fer dissous a précipité sous forme d'oxyde de fer, l'O_2 additionnel a enfin commencé à s'échapper des mers et des lacs et à s'accumuler dans l'atmosphère. L'oxydation des roches terrestres riches en fer, qui a commencé il y a approximativement 2,7 milliards d'années, est la trace laissée par ce phénomène. Selon cette chronologie, les Cyanobactéries seraient apparues il y a 3,5 milliards d'années, alors que les tapis bactériens à l'origine des stromatolithes commençaient à se former.

L'accumulation d'O_2 atmosphérique s'est faite graduellement au cours de la période comprise entre 2,7 et 2,2 milliards d'années avant notre ère. Elle s'est ensuite accélérée, et l'O_2 a alors atteint un niveau correspondant à plus de 10 % de la quantité actuelle. Cette « révolution du dioxygène » a eu des conséquences déterminantes pour la vie. Sous forme de molécules ou d'ions libres, ou de composés comme le peroxyde d'hydrogène, le dioxygène s'attaque aux liaisons chimiques; il peut inhiber les enzymes et endommager les cellules. L'augmentation de sa concentration dans l'atmosphère a probablement causé la perte de nombreux groupes de Procaryotes. Certaines espèces ont survécu dans des habitats qui étaient restés anaérobies, dans lesquels on trouve encore aujourd'hui leurs descendants, des anaérobies stricts (voir le chapitre 27). Les autres survivants se sont adaptés de diverses manières à la modification de l'atmosphère, notamment grâce à la respiration cellulaire, qui fait intervenir le dioxygène et permet d'exploiter l'énergie emmagasinée dans les molécules organiques. Autre conséquence importante de l'accumulation de dioxygène dans l'atmosphère: une couche d'ozone commence à se former qui va éventuellement protéger les organismes terrestres de l'effet néfaste des radiations UV.

La première augmentation graduelle de la concentration d'O_2 dans l'atmosphère a été associée à la photosynthèse chez les Cyanobactéries primitives. Qu'est-ce qui a causé l'accélération de production d'O_2 quelques centaines de millions d'années plus tard? Certains chercheurs pensent que l'apparition des cellules eucaryotes contenant des chloroplastes pourrait expliquer le phénomène. Nous traiterons de ce sujet dans la prochaine section.

Retour sur le concept 26.3

1. Que semblent indiquer les fossiles des stromatolithes au sujet de l'évolution des Procaryotes?
2. La première apparition de dioxygène libre dans l'atmosphère a forcément déclenché une immense vague d'extinctions chez les Procaryotes de cette époque. Expliquez pourquoi.

Voir les réponses proposées à la fin du chapitre.

Concept 26.4

Les cellules eucaryotes sont nées de symbioses et d'échanges génétiques entre les Procaryotes

Les cellules eucaryotes diffèrent à de nombreux égards de celles des Bactéries et des Archéobactéries (voir le chapitre 6). Même le plus petit Eucaryote unicellulaire possède une structure beaucoup plus complexe que n'importe quel Procaryote. L'une des questions les plus fondamentales en biologie est de savoir comment les cellules eucaryotes complexes se sont développées à partir des cellules beaucoup plus simples des Procaryotes.

Les premiers Eucaryotes

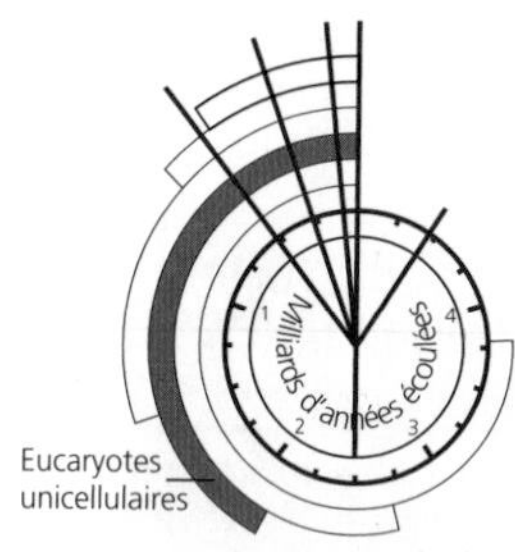

Les fossiles qu'une majorité de chercheurs considèrent comme étant les plus anciens Eucaryotes remontent à 2,1 milliards d'années environ. D'autres fossiles d'organismes en forme de tire-bouchon semblables à des Algues unicellulaires sont légèrement plus anciens (2,2 milliards d'années), mais on est moins certain que ce soient des Eucaryotes. Par ailleurs, l'existence de traces de molécules semblables au cholestérol trouvées dans des roches datant de 2,7 milliards d'années pousse certains chercheurs à penser que l'origine des Eucaryotes est encore plus lointaine. En effet, ces molécules ne sont produites que par des cellules eucaryotes pouvant respirer par voie aérobie. Si cette découverte se confirme, cela pourrait vouloir dire que les Eucaryotes sont apparus au moment où la révolution du dioxygène commençait à modifier du tout au tout l'environnement.

L'origine endosymbiotique des mitochondries et des plastes

De nombreuses structures qui caractérisent les cellules eucaryotes, comme la membrane nucléaire, le réticulum endoplasmique et l'appareil de Golgi, sont absentes chez les Procaryotes. Les cellules procaryotes n'ont pas de cytosquelette et possèdent généralement une paroi cellulaire rigide, de sorte qu'elles sont en général incapables de modifier leur forme. Une bonne partie des cellules eucaryotes, quant à elles, n'ont pas de paroi cellulaire et sont dotées d'un cytosquelette qui leur permet de changer de forme pour entourer et absorber d'autres cellules. Donc, il se peut très bien que les premiers Eucaryotes aient été des prédateurs d'autres cellules. Grâce à son cytosquelette, la cellule eucaryote peut aussi déplacer ses structures internes et faciliter ainsi la régularité du mouvement des chromosomes au cours de la mitose et de la méiose (voir les chapitres 12 et 13). La mitose a rendu possible la reproduction des grands génomes des Eucaryotes, et la méiose, mécanisme étroitement apparenté à la mitose, est devenu un élément essentiel de la recombinaison sexuelle des gènes chez les Eucaryotes.

Comment l'organisation complexe de la cellule eucaryote a-t-elle pu évoluer à partir de celle, plus simple, de la cellule procaryote? Un processus appelé *endosymbiose* est probablement à l'origine des mitochondries et des plastes, terme général qui désigne les chloroplastes et les organites connexes, tant photosynthétiques que non photosynthétiques. (Les peroxysomes sont peut-être aussi apparus de la même façon, et ce, avant les mitochondries et les plastes.) Selon la théorie de l'endosymbiose, émise il y a une centaine d'années et reprise sous forme d'hypothèse par la biologiste américaine Lynn Margulis en 1967, les mitochondries et les plastes étaient antérieurement de petits Procaryotes vivant dans des cellules plus grandes. On appelle *endosymbionte* une cellule qui vit à l'intérieur d'une autre, la *cellule hôte*. Les ancêtres présumés des mitochondries étaient des Procaryotes hétérotrophes aérobies qui sont devenus des endosymbiontes; les ancêtres présumés des plastes étaient des Procaryotes photosynthétiques qui sont devenus des endosymbiontes.

Les ancêtres procaryotes des mitochondries et des plastes ont probablement eu accès à la cellule hôte en tant que proies non digérées ou de parasites internes. Un tel mécanisme suppose le développement antérieur d'un réseau intracellulaire de membranes et la présence d'un cytosquelette permettant à des cellules d'absorber des cellules procaryotes, plus petites, et de les enfermer dans des vacuoles. Quel que soit le moyen à l'origine de la relation, on peut facilement s'imaginer que la symbiose a fini par devenir avantageuse pour les deux cellules. En effet, un hôte hétérotrophe pouvait utiliser les nutriments libérés par les endosymbiontes photosynthétiques; en outre, dans un monde de plus en plus aérobie, une cellule elle-même anaérobie pouvait bénéficier des endosymbiontes aérobies qui tiraient profit du dioxygène. Devenant de plus en plus interdépendants, l'hôte et les endosymbiontes auraient formé un organisme unique, dont les éléments étaient indissociables. Tous les Eucaryotes, qu'ils soient hétérotrophes ou autotrophes, ont des mitochondries ou des traces génétiques de ces organites. En revanche, les Eucaryotes ne sont pas tous pourvus de plastes. Donc, selon l'hypothèse de l'**endosymbiose en série** (suite d'événements endosymbiotiques), les mitochondries seraient apparues avant les plastes **(figure 26.13)**. Quant aux plastes, ils seraient apparus, à trois reprises, chez trois grands groupes d'Algues (Algues vertes, Algues rouges et Algues brunes).

Les arguments en faveur de l'origine endosymbiotique des plastes et des mitochondries sont extrêmement probants. Les membranes internes de ces deux organites comportent des enzymes et des mécanismes de transport analogues à ceux qu'on trouve dans les membranes plasmiques des Procaryotes actuels. La réplication des mitochondries et des plastes s'accomplit par un processus de division qui rappelle la scission binaire chez certains Procaryotes. Chaque organite contient une seule molécule d'ADN circulaire qui, comme les chromosomes des Bactéries, n'est pas associée à des histones ou à d'autres protéines. Ces organites contiennent les molécules d'ARN de transfert, les ribosomes et d'autres molécules nécessaires à la transcription

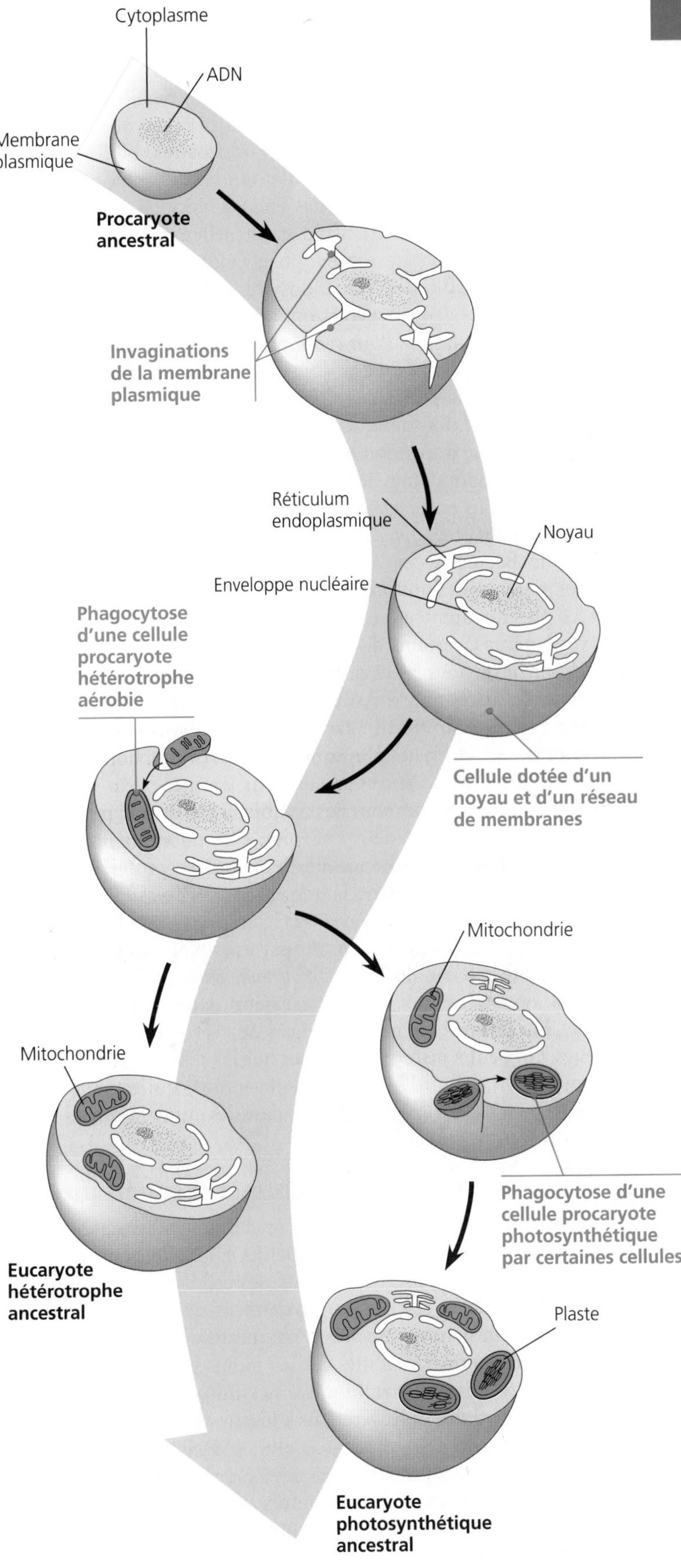

▲ **Figure 26.13 Modèle expliquant l'origine des Eucaryotes par l'endosymbiose en série.**

de l'ADN et à la traduction de l'ARN en protéines. En ce qui concerne la taille, la séquence de nucléotides et la sensibilité à certains antibiotiques, les ribosomes des mitochondries et des plastes s'apparentent davantage aux ribosomes des Procaryotes qu'aux ribosomes cytoplasmiques des cellules eucaryotes. Enfin, il existe aujourd'hui des organismes (Protozoaires, Mollusques, etc.) qui abritent des algues unicellulaires ou des bactéries aérobies; celles-ci constituent donc des endosymbiontes modernes. Et la bactérie qu'un globule blanc est actuellement en train de capturer dans votre organisme, par phagocytose, représente aussi, temporairement du moins, un endosymbionte.

Quelles lignées de Procaryotes ont donné naissance aux mitochondries et aux plastes? Pour répondre à cette question, les taxinomistes se sont penchés sur la séquence de nucléotides de l'ARN dans l'une des sous-unités des ribosomes. Le gène de cette petite sous-unité d'ARN ribosomique (SSU-ARNr) est présent dans tous les organismes, ce qui en fait une cible de choix pour l'étude des branches les plus lointaines de l'arbre de la vie (voir le chapitre 25). Les comparaisons entre les SSU-ARNr provenant des mitochondries, des plastes et de divers Procaryotes actuels indiquent qu'un groupe de Bactéries, les Alpha-Protéobactéries, sont les plus proches parents des mitochondries et que les Cyanobactéries sont les plus apparentées aux plastes.

Avec le temps, certains des gènes présents à l'origine dans les mitochondries et les plastes ont été transférés dans le noyau par un processus susceptible d'avoir été suivi par des éléments transposables (voir le chapitre 18). Par conséquent, certaines protéines mitochondriales et plastidiales sont codées par l'ADN même des organites, alors que d'autres le sont par des gènes du noyau. D'autres protéines encore sont des combinaisons de polypeptides codés par des gènes aux deux endroits; c'est notamment le cas de l'ATP synthase mitochondriale, le complexe protéique qui engendre de l'ATP pendant la respiration cellulaire (voir le chapitre 9). Le transfert des gènes vers le noyau s'est perfectionné davantage chez certains Eucaryotes: par exemple, les mitochondries du protiste d'eau douce *Reclinomonas americana* comptent 97 gènes, dont plusieurs ont été transférés dans le noyau chez d'autres Eucaryotes; les mitochondries des Vertébrés n'ont que 34 gènes. On peut à juste titre affirmer que les cellules eucaryotes ne contiennent aujourd'hui qu'*un seul* génome, qui est surtout nucléaire, mais que l'ADN demeuré dans les mitochondries et les plastes vient compléter.

Les cellules eucaryotes ou chimères génétiques

Dans la mythologie grecque, la chimère était un monstre tenant à la fois de la chèvre, du lion et du serpent. Or, la cellule eucaryote est une chimère composée d'éléments des cellules procaryotes: ses mitochondries et ses plastes proviennent de deux types de Bactéries, et son génome nucléaire comporte des éléments des génomes de ces endosymbiontes et d'au moins une autre cellule, la cellule hôte des endosymbiontes. Les mitochondries et les plastes ont fourni des indices relatifs à leurs origines parce qu'ils contiennent encore de petites molécules d'ADN présentant des gènes orthologues aux gènes des Procaryotes (voir la figure 25.17). Par ailleurs, les indices relatifs à d'autres aspects de l'origine des cellules eucaryotes sont beaucoup plus nombreux et beaucoup plus déroutants. Par exemple, certains chercheurs ont avancé que le noyau de celles-ci s'est développé à partir d'un endosymbionte appartenant au domaine des Archéobactéries. On a trouvé des gènes étroitement apparentés à la fois aux Bactéries et aux Archéobactéries dans des noyaux de cellules eucaryotes, mais cet indice demeure nébuleux, car les combinaisons de ces gènes varient selon les noyaux.

Le génome des cellules eucaryotes pourrait résulter d'un **annelage génétique**, processus par lequel des transferts de gènes horizontaux ont eu lieu entre de nombreuses lignées de Bactéries et d'Archéobactéries. Carl Woese, de la University of Illinois, a récemment avancé que ces transferts se sont produits au début de l'évolution de la vie, mais, selon de nouvelles observations, des transferts de gènes horizontaux se sont produits à maintes reprises jusqu'à nos jours. Ford Doolittle, de la Dalhousie University, s'est servi de ces observations sur la répétition des transferts pour proposer une variante de l'annelage génétique: l'hypothèse « vous êtes ce que vous mangez » selon laquelle, au cours de leur évolution, les Eucaryotes ont consommé diverses Bactéries et Archéobactéries et ont occasionnellement intégré à leurs noyaux certains gènes des Procaryotes absorbés.

On étudie activement l'origine d'autres structures des cellules eucaryotes. L'appareil de Golgi et le réticulum endoplasmique pourraient provenir des invaginations de la membrane plasmique. On a trouvé dans des Bactéries des protéines qui semblent être homologues à l'actine et à la tubuline; ces protéines du cytosquelette prennent part au « pincement » des cellules bactériennes pendant la division cellulaire. Une étude plus poussée de ces protéines bactériennes et de leurs activités pourrait fournir de l'information sur l'origine du cytosquelette des Eucaryotes. Certains chercheurs ont émis l'hypothèse que les flagelles* et les cils des Eucaryotes proviennent des Bactéries symbiotiques, idée corroborée par l'observation que les Bactéries ont établi des relations symbiotiques plus récentes avec certains Protistes **(figure 26.14)**. Toutefois, aucun Procaryote ne présente l'appareil microtubulaire de type 9 + 2 des flagelles et des cils des Eucaryotes (voir le chapitre 6).

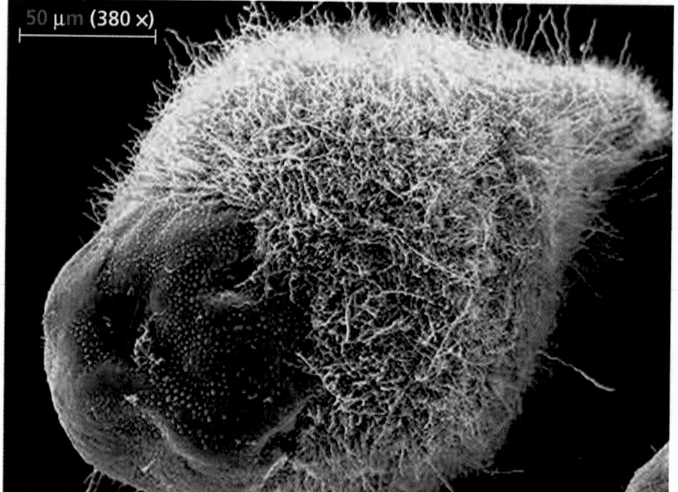

▲ **Figure 26.14 Symbiose complexe.** Trois types de Bactéries fixées à la surface du remarquable Protiste *Mixotricha paradoxa*, qui vit dans l'intestin des termites, lui permettent de se mouvoir (MEB). Un quatrième type de Bactérie, qui vit à l'intérieur de ce Protiste, digère les fragments de bois ingérés par les termites.

* On désigne maintenant les flagelles (et les cils) des cellules eucaryotes par le terme commun de *undulipodia* pour les distinguer des flagelles des procaryotes, qui n'ont pas la même structure complexe.

Un orchestre peut jouer une plus grande variété de compositions musicales qu'un violoniste soliste. Autrement dit, plus la complexité s'accroît, plus le nombre de variations possibles augmente. L'apparition de la cellule eucaryote a catalysé l'évolution de structures beaucoup plus diverses que ne le permettait la cellule procaryote, plus simple. Cette apparition a été déterminée par la première grande radiation adaptative, la diversification métabolique des Procaryotes. Une troisième vague de diversification a suivi le développement d'organismes multicellulaires chez plusieurs lignées d'Eucaryotes.

Retour sur le concept 26.4

1. Quelle preuve confirme l'hypothèse que les mitochondries ont précédé les plastes au cours de l'évolution des cellules eucaryotes?
2. En quoi la cellule eucaryote ressemble-t-elle à une chimère?

Voir les réponses proposées à la fin du chapitre.

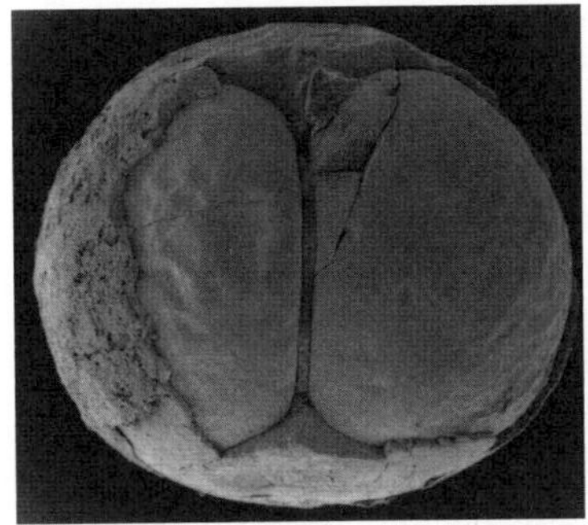

(a) Stade bicellulaire 150 μm (90 ×) **(b) Stade ultérieur** 200 μm (60 ×)

▲ **Figure 26.15 Embryons animaux fossilisés datant du Protérozoïque (MEB).**

Concept 26.5

L'état multicellulaire a évolué plusieurs fois chez les Eucaryotes

Le développement des formes de vie unicellulaires très variées qui a suivi l'apparition des premiers Eucaryotes est à l'origine de la diversité des Eucaryotes unicellulaires qui continuent de se multiplier aujourd'hui. Mais des formes de vie multicellulaires ont aussi évolué. Parmi leurs descendants, on compte un grand nombre d'Algues, de Végétaux, d'Eumycètes et d'Animaux.

Les premiers Eucaryotes multicellulaires

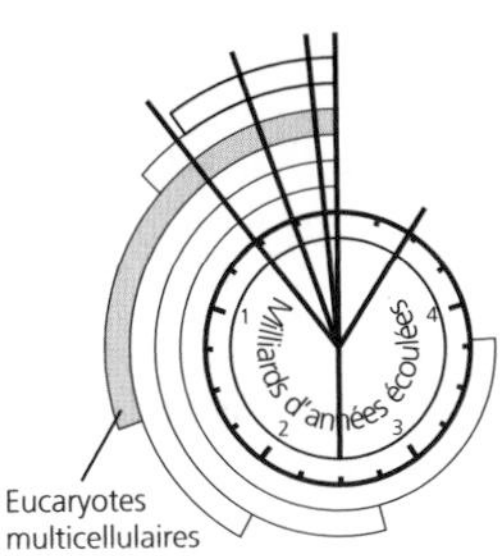

Les horloges moléculaires font remonter l'ancêtre commun des Eucaryotes multicellulaires à 1,5 milliard d'années. Cependant, les plus anciens fossiles connus d'Eucaryotes multicellulaires proviennent d'Algues relativement petites qui ont vécu il y a environ 1,2 milliard d'années. Les grands organismes n'apparaissent dans les archives géologiques que plusieurs centaines de millions d'années plus tard, soit à la fin du Protérozoïque. Il y a quelques années, des paléontologues chinois ont découvert un site fossilifère particulièrement riche, remontant à 570 millions d'années; ce site renfermait des Algues et des Animaux divers, dont quelques structures magnifiquement conservées qui sont vraisemblablement des embryons animaux **(figure 26.15)**.

Pourquoi la taille, la diversité et la distribution des Eucaryotes multicellulaires ont-elles été relativement limitées jusqu'à la fin du Protérozoïque? Les géologues ont récemment découvert les traces d'une ère glaciaire rigoureuse qui a commencé il y a 750 millions d'années et s'est terminée 180 millions d'années plus tard. Pendant cette période, les terres émergées étaient couvertes de glaciers d'un pôle à l'autre, et les mers étaient également recouvertes de glace. Selon l'hypothèse de la **Terre boule de neige**, la majeure partie des formes de vie auraient été confinées aux régions situées près des sources hydrothermales et des volcans sous-marins ainsi qu'aux rares endroits où la glace aurait fondu suffisamment pour laisser la lumière pénétrer dans l'eau. Les archives géologiques de la première grande diversification des Eucaryotes multicellulaires coïncident avec l'époque de la fonte de la Terre boule de neige.

L'étape des colonies

Les premiers organismes multicellulaires étaient des **colonies**, soit des ensembles de cellules qui se répliquent de façon autonome **(figure 26.16)**. Au sein de ces colonies, certaines cellules se sont spécialisées dans différentes fonctions. Dans le monde des Procaryotes, les premières de ces spécialisations avaient déjà fait leur apparition. Par exemple, certaines cellules de la Cyanobactérie filamenteuse *Nostoc* deviennent des cellules fixatrices d'azote,

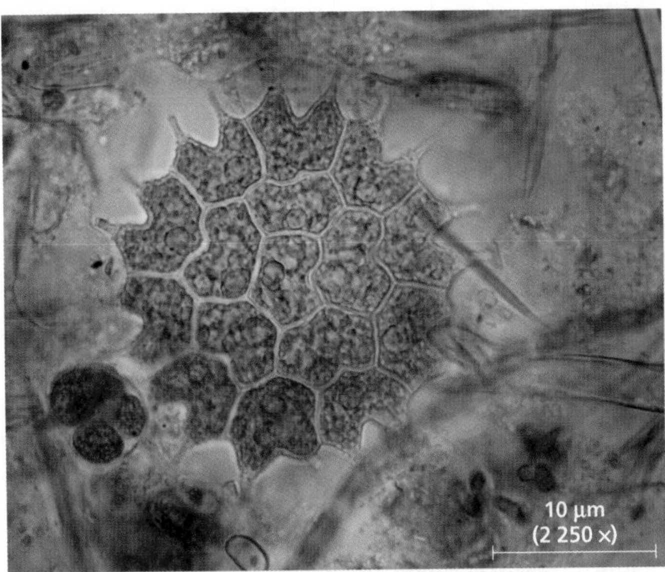

▲ **Figure 26.16 Colonie eucaryote.** *Pediastrum* est un Eucaryote photosynthétique qui forme des colonies bidimensionnelles (MP).

appelées *hétérocystes*, lesquelles perdent leur capacité de réplication. Les cellules non différenciées sont photosynthétiques et peuvent se répliquer, de sorte que les filaments s'allongent et finissent par se séparer en filaments plus petits. *Nostoc* possède plus de 7 000 gènes, soit deux fois plus que ses proches parents unicellulaires, comme *Synechocystis*, et beaucoup de ces gènes additionnels interviennent dans la régulation des mécanismes développementaux qui peuvent conduire à la différenciation cellulaire.

Chez les Eucaryotes, l'évolution des colonies et de la spécialisation cellulaire a été beaucoup plus poussée. Un Eucaryote multicellulaire, comme un Animal, se développe en général à partir d'une seule cellule, l'œuf fertilisé, ou zygote, dans le cas de la reproduction sexuée (voir la figure 13.5). La division et la différenciation cellulaires participent à la transformation de cette cellule unique en un organisme multicellulaire présentant de nombreux types de cellules spécialisées. Le développement de la spécialisation a permis aux organismes multicellulaires de diviser des fonctions vitales particulières, comme l'obtention de nutriments et la perception de l'environnement, entre certains groupes de cellules. Cette division des fonctions a abouti à l'évolution de tissus, d'organes et de systèmes organiques chez de nombreux Eucaryotes.

La complexité de la structure des cellules s'est accrue grâce à l'évolution des Eucaryotes unicellulaires ; de même, le développement des Eucaryotes multicellulaires a permis le franchissement d'un nouveau seuil dans l'organisation structurelle et a fourni la matière nécessaire à de nouvelles vagues de diversification. L'état multicellulaire s'est modifié à maintes reprises chez les Eucaryotes primitifs, donnant naissance à plusieurs lignées d'Algues de même qu'aux Végétaux, aux Eumycètes et aux Animaux.

L'« explosion du Cambrien »

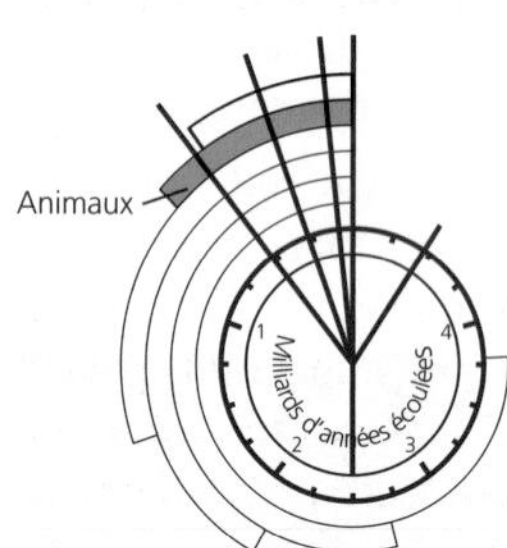

La majorité des grands embranchements d'Animaux apparaissent soudainement dans les archives géologiques remontant aux 20 premiers millions d'années du Cambrien ; ce phénomène porte le nom d'*explosion du Cambrien*. Datant de la fin du Protérozoïque, les fossiles des Cnidaires (l'embranchement qui comprend les Méduses et leurs proches parents) et des Porifères (les Éponges) sont sensiblement plus vieux **(figure 26.17)**. On a trouvé, à Ediacara, en Australie, dans des sites vieux de 650 millions d'années, des fossiles de 1 400 animaux multicellulaires. Toutefois, les horloges moléculaires semblent indiquer que de nombreux embranchements d'Animaux sont apparus et ont commencé à se diversifier encore beaucoup plus tôt, soit il y a entre 1 milliard et 700 millions d'années. À ce propos, le paléontologue Simon Conway Morris, de la University of Cambridge, a eu ce mot mémorable : « La mèche à l'origine de l'explosion du Cambrien était longue. » Au début de cette période, pour des raisons qu'on ne comprend pas encore, la diversification des embranchements s'est intensifiée de façon relativement soudaine et simultanée. Or, cette « explosion » de la diversité s'appliquait à de nombreux grands Animaux munis de structures externes dures et d'un exosquelette qui se fossilisaient facilement. Nous évaluerons au chapitre 32 quelques hypothèses pouvant expliquer cette diversification.

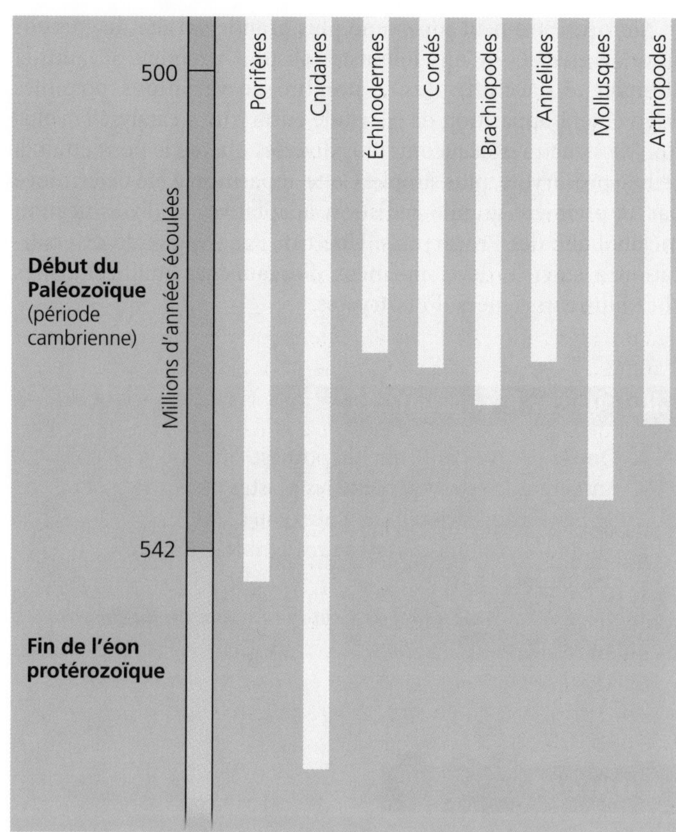

▲ **Figure 26.17 Radiation adaptative des Animaux au Cambrien.** Les barres de ce diagramme montrent le moment où sont apparus plusieurs embranchements d'Animaux dans les archives géologiques. Toutefois, les données moléculaires semblent indiquer que l'apparition de ces embranchements remonte beaucoup plus loin.

La colonisation des milieux terrestres par les Végétaux, les Eumycètes et les Animaux

La colonisation des milieux terrestres marque un jalon crucial dans l'histoire du vivant. Des fossiles prouvent que les Cyanobactéries et d'autres Procaryotes photosynthétiques recouvraient les surfaces terrestres humides il y a déjà plus de 1 milliard d'années. Cependant, les organismes macroscopiques comme les Végétaux, les Eumycètes et les Animaux ont commencé à coloniser les milieux terrestres il y a 500 millions d'années seulement, soit au début de l'ère paléozoïque. Cette avancée progressive hors des milieux aquatiques ancestraux a été associée à l'apparition d'adaptations prévenant la déshydratation et permettant la reproduction sur la terre ferme. Ainsi, les feuilles des Végétaux (lesquels descendent des Algues vertes) sont recouvertes d'une couche de cire imperméable qui ralentit la déperdition d'eau.

Les Végétaux ont colonisé les milieux terrestres en compagnie des Eumycètes. Encore aujourd'hui, les racines de la plupart des Végétaux sont associées à des Eumycètes microscopiques qui facilitent l'absorption de l'eau et des minéraux contenus dans le sol (voir le chapitre 31). Les Eumycètes, pour leur part, tirent des nutriments organiques des Végétaux. Ces associations symbiotiques entre Végétaux et Eumycètes sont manifestes dans quelques-unes des racines fossilisées les plus anciennes, ce qui fait remonter la relation aux débuts de la propagation de la vie dans les milieux terrestres.

Bien que de nombreux groupes d'Animaux soient représentés dans les environnements terrestres, les plus répandus et les plus diversifiés des Animaux terrestres sont des Arthropodes (en particulier les Insectes et les Araignées) et des Vertébrés (principalement les Amphibiens, les Reptiles, dont les Oiseaux, et les Mammifères). Les Vertébrés terrestres sont appelés *Tétrapodes* en raison de leurs quatre membres munis de doigts, qui les distinguent des Vertébrés aquatiques. Le groupe des Tétrapodes comprend les humains, dont l'apparition est cependant tardive; en effet, la lignée humaine a divergé de celle d'autres Hominoïdes (singes anthropoïdes) il y a seulement six ou sept millions d'années. Si on modifiait l'horloge de l'histoire de la Terre de façon qu'elle représente une heure, elle indiquerait qu'il ne s'est écoulé qu'une seconde depuis l'apparition des humains.

La dérive des continents

Au terme de ce survol de l'évolution de la vie sur la Terre, il convient de noter que cette évolution s'inscrit à la fois dans l'espace et dans le temps. En effet, c'est la biogéographie qui a d'abord amené Darwin et Wallace au XIXe siècle (voir le chapitre 22) à considérer la vie sous l'angle de l'évolution. À l'échelle planétaire, le principal facteur géographique en corrélation avec la distribution spatiale de la vie est la dérive des continents. Ce terme évoque le fait que les continents ne sont pas fixes; ils dérivent à la surface de la planète sur d'immenses fragments de croûte terrestre, les plaques tectoniques, qui flottent sur la roche en fusion du manteau. Souvent, ces plaques s'éloignent d'autres plaques ou les touchent en exerçant sur elles une poussée **(figure 26.18)**. Par exemple, l'Amérique du Nord et l'Europe s'éloignent d'environ 2 cm par année, et la tristement célèbre faille de San Andreas, en Californie, fait partie d'une bordure le long de laquelle deux plaques glissent l'une sur l'autre. Les mouvements des plaques font et défont lentement la géographie, mais leurs effets cumulatifs sont spectaculaires. Beaucoup de processus géologiques importants, dont la formation des montagnes et des îles, se produisent en bordure des plaques tectoniques ou là où celles-ci présentent des points faibles **(figure 26.19)**.

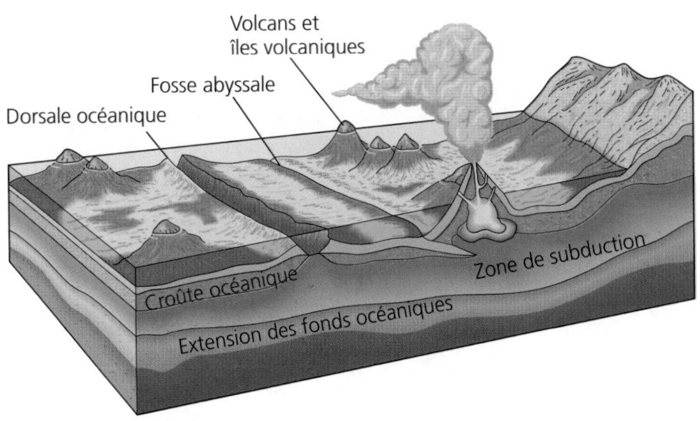

▲ Figure 26.19 Événements aux frontières des plaques. À la frontière entre deux plaques qui s'écartent, comme dans le cas des dorsales océaniques (indiquées par les paires de flèches opposées à la figure 26.18), des roches en fusion remontent du manteau pour combler le vide. Elles se solidifient, puis s'intègrent symétriquement aux deux plaques, ce qui contribue à l'expansion des fonds océaniques. Dans les zones où les plaques se rapprochent les unes des autres, la plaque la plus dense s'enfonce sous la moins dense; ce phénomène appelé *subduction* crée des fosses abyssales. C'est le relâchement soudain de la tension accumulée dans les zones de subduction qui déclenche les tremblements de terre. Lorsque les continents portés par différentes plaques entrent en collision, l'amoncellement des matières provenant des continents et des fonds océaniques forme des chaînes de montagnes.

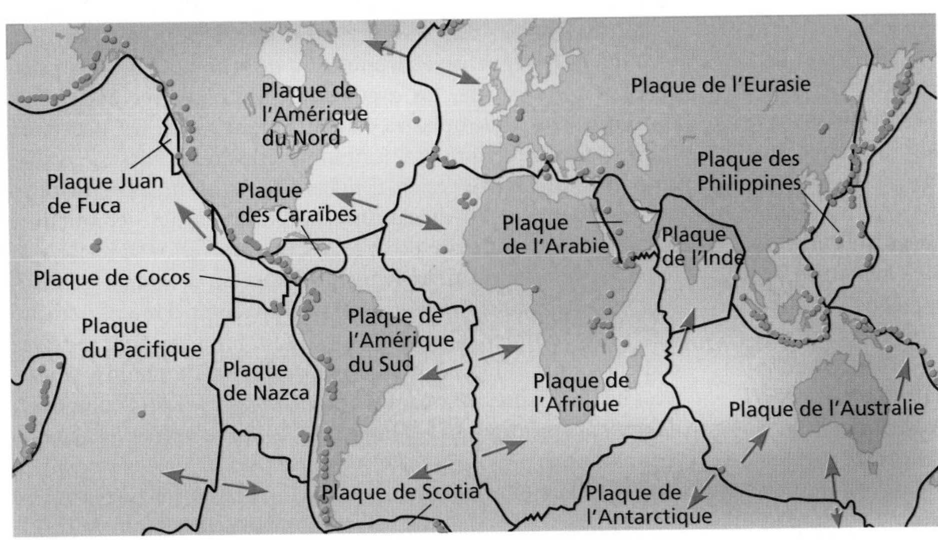

▲ Figure 26.18 Principales plaques tectoniques. Les plaques se modifient sans cesse; ainsi, une nouvelle frontière (n'apparaissant pas ici) se forme entre l'Afrique orientale et le reste du continent. Les points rouges indiquent les zones où se produisent de violents événements tectoniques; beaucoup sont des zones de subduction (voir la figure 26.19).

Deux chapitres de la continuelle saga de la dérive des continents ont eu des répercussions particulièrement profondes sur la vie. Le premier s'est joué il y a environ 250 millions d'années, vers la fin du Paléozoïque, au moment où les mouvements des plaques ont réuni tous les continents en un mégacontinent appelé **Pangée**, ce qui signifie « toute terre » **(figure 26.20)**. L'approfondissement des bassins océaniques a alors fait baisser le niveau des eaux et asséché les mers côtières peu profondes. À cette époque, tout comme aujourd'hui, la plupart des espèces marines vivaient dans des eaux peu profondes, et la formation de la Pangée a détruit une importante partie de cet habitat. Froid et sec, l'intérieur du vaste continent constituait probablement un milieu encore plus rude que celui de l'Asie centrale aujourd'hui. La formation de la Pangée a eu sur l'environnement un impact formidable qui a remodelé la diversité biologique par suite des extinctions survenues et des nouvelles possibilités offertes aux groupes taxinomiques qui ont survécu à la crise.

Le second chapitre de l'histoire de la dérive des continents a été joué il y a environ 180 millions d'années, au cours du Mésozoïque. S'éloignant les uns des autres, les continents sont devenus des milieux d'évolution distincts, où les lignées de Végétaux et d'Animaux ont divergé de celles qui existaient ailleurs.

Les modalités de fragmentation et de fusion des continents permettent de résoudre un grand nombre d'énigmes

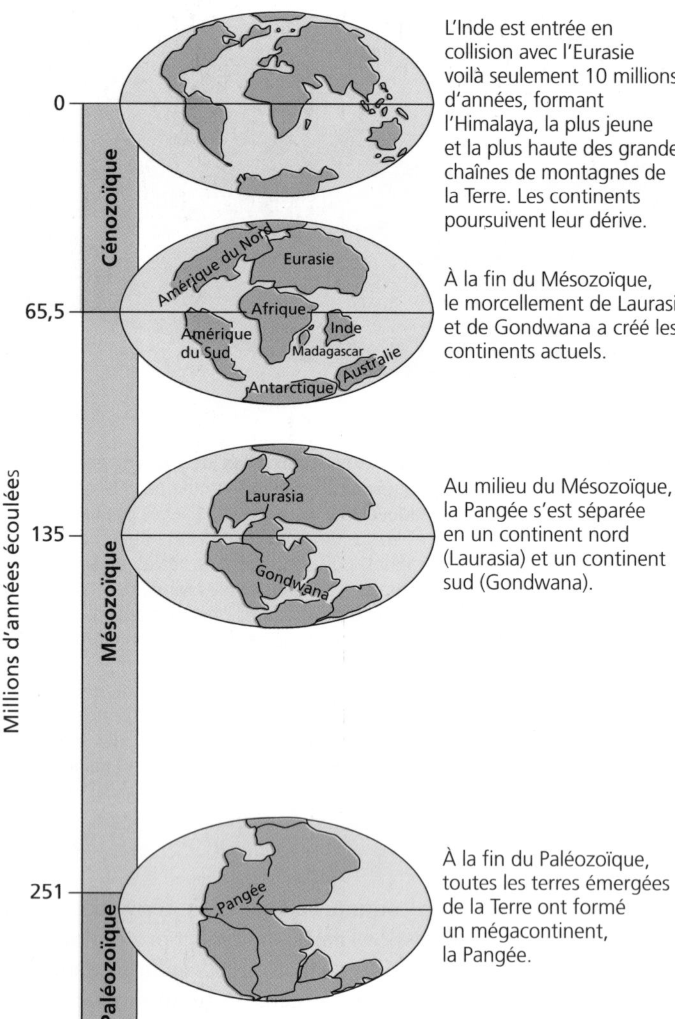
L'Inde est entrée en collision avec l'Eurasie voilà seulement 10 millions d'années, formant l'Himalaya, la plus jeune et la plus haute des grandes chaînes de montagnes de la Terre. Les continents poursuivent leur dérive.
À la fin du Mésozoïque, le morcellement de Laurasia et de Gondwana a créé les continents actuels.
Au milieu du Mésozoïque, la Pangée s'est séparée en un continent nord (Laurasia) et un continent sud (Gondwana).
À la fin du Paléozoïque, toutes les terres émergées de la Terre ont formé un mégacontinent, la Pangée.
Millions d'années écoulées
0
65,5
135
251
Cénozoïque
Mésozoïque
Paléozoïque
Amérique du Nord
Eurasie
Afrique
Inde
Amérique du Sud
Madagascar
Australie
Antarctique
Laurasia
Gondwana
Pangée

▲ **Figure 26.20 Histoire de la dérive des continents au cours du Phanérozoïque.**

biogéographiques. Par exemple, les paléontologues ont découvert au Ghana (Afrique occidentale) et au Brésil des fossiles semblables de Reptiles dulcicoles permiens. Ces deux parties du monde, aujourd'hui séparées par 3 000 km d'océan, ont été réunies de la fin du Paléozoïque au début du Mésozoïque. La dérive des continents explique aussi en grande partie la distribution actuelle des organismes, notamment pourquoi la faune et la flore australiennes se distinguent si nettement de celles du reste du monde. Les Mammifères marsupiaux occupent en Australie les mêmes niches que les Euthériens (Mammifères placentaires) sur les autres continents (voir la figure 25.5). Les Marsupiaux sont probablement d'abord apparus là où se trouve aujourd'hui l'Amérique du Nord; ils ont ensuite atteint l'Australie via l'Amérique du Sud et l'Antarctique alors que les continents étaient encore soudés. À la suite du morcellement du continent du Sud, l'Australie est devenue l'«arche de Noé» des Marsupiaux. Sur ce continent, les Marsupiaux se sont diversifiés, alors que sont disparus les quelques Euthériens primitifs qui y vivaient; sur d'autres continents, la majorité des Marsupiaux ont disparu, et ce sont les Euthériens qui se sont diversifiés.

Retour sur le concept 26.5

1. Quelle différence y a-t-il entre les organismes unicellulaires et les organismes multicellulaires en ce qui a trait à la division des fonctions?
2. En quoi le terme *explosion du Cambrien* constitue-t-il une bonne description de la première partie des archives géologiques relatives à l'histoire des Animaux? Que signifie la métaphore de la «longue mèche» à l'origine de l'explosion du Cambrien?

Voir les réponses proposées à la fin du chapitre.

Concept 26.6

De nouvelles données modifient notre compréhension de l'arbre de la vie

Comme il a été expliqué au chapitre 25, la systématique est une méthode analytique visant à reconstituer les relations évolutives entre les diverses formes de vie. Au cours des dernières décennies, les données moléculaires ont fourni de nouvelles connaissances sur les branches les plus proches de la base de l'arbre de la vie, et les recherches en cours incitent les biologistes à réviser sans cesse les plus fines ramifications de ces branches.

Les systèmes taxinomiques antérieurs

Nombre de gens pensent qu'il n'existe que deux règnes d'êtres vivants: les Végétaux et les Animaux. Nous vivons en effet dans un monde macroscopique et terrestre où nous rencontrons rarement des organismes qui n'entrent pas dans l'une ou l'autre de ces deux catégories. Du reste, ce système taxinomique à deux règnes s'appuie sur une longue tradition de la taxinomie classique. Linné, en effet, a classé tous les organismes connus dans les règnes végétal et animal.

La classification fondée sur deux règnes a persisté même après la découverte de l'univers microbien. On classait alors les Bactéries dans le règne végétal, en raison de la rigidité de leur paroi cellulaire. De même, les organismes unicellulaires eucaryotes possédant des chloroplastes étaient rangés parmi les Végétaux. Enfin, on considérait aussi les Eumycètes comme des Végétaux, en partie parce qu'ils étaient sédentaires. Pourtant, les Eumycètes ne possèdent aucun mécanisme de photosynthèse et ont une structure très différente de celle des plantes vertes. Dans le système taxinomique à deux règnes, on appelait *Animaux* les créatures unicellulaires qui se meuvent et ingèrent de la nourriture (les Protozoaires). Quant aux microorganismes tels que les euglènes, qui se déplacent mais sont capables de photosynthèse, ils étaient réclamés tant par les botanistes que par les zoologistes; ils ont fini par figurer à la fois dans le règne végétal et dans le règne animal.

On a bien proposé des classifications comprenant d'autres règnes, mais aucune n'a su rallier la majorité des biologistes. Ce n'est qu'en 1969 qu'un scientifique de la Cornell University, Robert H. Whittaker (1920-1980), a pu faire accepter une classification fondée sur cinq règnes: les Monères, les Protistes, les Végétaux, les Eumycètes et les Animaux **(figure 26.21)**. Le système de

Whittaker tient compte des deux types fondamentaux de cellules, procaryotes et eucaryotes, et distingue les cellules procaryotes de tous les Eucaryotes en les classant dans un règne à part: les Monères.

Whittaker distinguait trois règnes d'Eucaryotes multicellulaires, les Végétaux, les Eumycètes et les Animaux, en s'appuyant notamment sur le critère de la consommation de matière organique. Les Végétaux sont autotrophes, c'est-à-dire qu'ils fabriquent leur matière organique par photosynthèse. Les Eumycètes et les Animaux, eux, sont hétérotrophes, c'est-à-dire qu'ils se nourrissent en absorbant la matière organique présente dans leur environnement immédiat. La plupart des Eumycètes sont des décomposeurs qui vivent enfouis dans leur source de nourriture, sécrétant des enzymes digestives et absorbant les petites molécules organiques produites par la digestion. La plupart des Animaux ingèrent la matière organique et la digèrent dans des cavités spécialisées.

Dans la classification fondée sur cinq règnes, le règne des Protistes n'était pas aussi clairement défini. Il comprenait tous les Eucaryotes qui ne répondaient pas à la définition de Végétal, d'Eumycète ou d'Animal. La majorité des Protistes sont des organismes unicellulaires. Les limites tracées par Whittaker ont cependant été repoussées de façon que le règne des Protistes englobe certains organismes multicellulaires, tels que les Algues, en raison de leurs liens avec certains Protistes unicellulaires. Ainsi révisée, la classification fondée sur cinq règnes de Whittaker a dominé en biologie pendant plus de 20 ans.

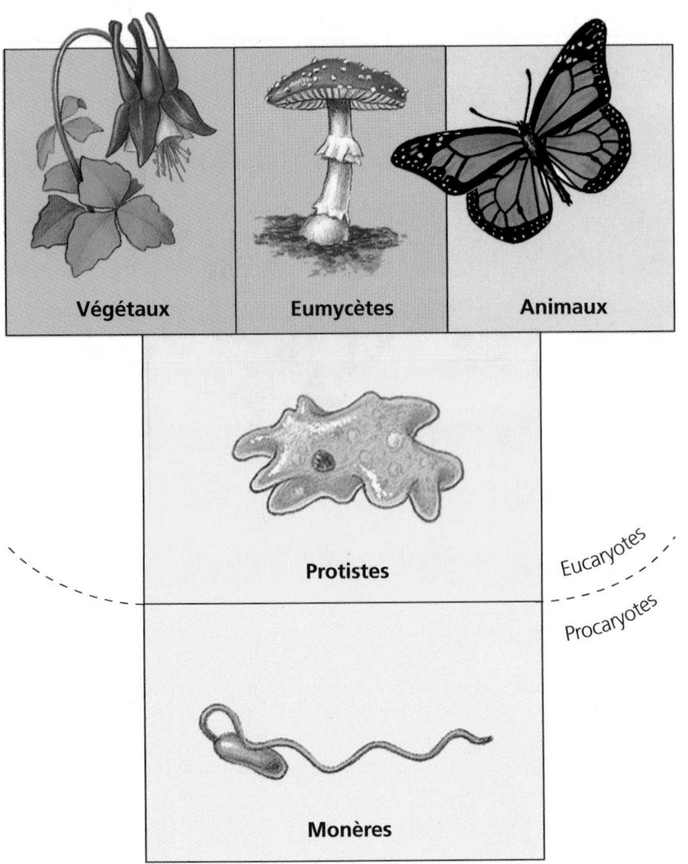

▲ **Figure 26.21 Système à cinq règnes de Whittaker.**

La reconstitution de l'arbre de la vie: une œuvre en cours d'élaboration

Les systèmes taxinomiques sont issus de l'esprit humain; ils visent à ordonner la diversité des organismes d'une manière qui soit utile et représentative des liens phylogéniques. Depuis les 30 dernières années, les systématiciens recourent à l'analyse cladistique en taxinomie et utilisent notamment des cladogrammes fondés sur des données moléculaires. Nous avons vu au chapitre 25 que ces données ont conduit les biologistes à adopter une **classification fondée sur trois domaines** comprenant les Bactéries, les Archéobactéries (ou Archées) et les Eucaryotes. Ces domaines constituent en quelque sorte des superrègnes, des catégories taxinomiques supérieures aux règnes. Les Bactéries et les Archéobactéries présentent des différences se rapportant à un grand nombre de leurs principales caractéristiques structurelles, biochimiques et physiologiques, lesquelles seront soulignées au chapitre 27. Or, ces différences justifient la classification des Bactéries et des Archéobactéries dans des domaines distincts. Notez par ailleurs qu'avec la classification fondée sur trois domaines le règne des Monères n'existe plus, car ses membres sont répartis entre deux domaines. De fait, nombre de microbiologistes divisent aujourd'hui chacun des deux domaines d'organismes procaryotes en plusieurs règnes, s'appuyant pour cela sur l'analyse phylogénique des données moléculaires **(figure 26.22)**.

La classification fondée sur cinq règnes résiste mal aux attaques des systématiciens qui étudient la phylogénie des divers organismes eucaryotes auparavant groupés sous le règne des Protistes. Les biologistes divisent à présent le règne de ces organismes en au moins cinq nouveaux règnes, dont l'ancêtre commun se trouve près du nœud de l'embranchement des Eucaryotes. Les spécialistes discutent toujours de l'opportunité de reclasser certains Protistes unicellulaires dans les règnes des Végétaux, des Eumycètes ou des Animaux.

Les chercheurs ne sont pas prêts d'arriver à un consensus quant aux liens entre les trois domaines du vivant et au nombre de règnes que devrait compter chaque domaine. Grâce à l'étude des communautés de microbes récemment découvertes, comme celles qui vivent dans les profondeurs souterraines, et à la mise au point de méthodes permettant de faire des cultures d'un plus grand nombre de ces organismes, nous découvrirons sans aucun doute de nouveaux groupes qui nous obligeront à repenser encore une fois la taxinomie. Lorsque nous étudierons la diversité du vivant, dans les chapitres 27 à 34, rappelons-nous que les arbres phylogéniques et les catégories taxinomiques sont des hypothèses qui correspondent aux données les plus récentes. C'est l'étude incessante d'hypothèses vérifiables qui place la biologie de l'évolution au rang de science naturelle.

Retour sur le concept 26.6

1. Dans le système fondé sur cinq règnes de Whittaker, quels règnes comprennent des organismes actuellement classés dans le domaine des Eucaryotes?
2. D'après la figure 26.22, pourquoi le règne des Monères n'est-il plus considéré comme un taxon valable?

Voir les réponses proposées à la fin du chapitre.

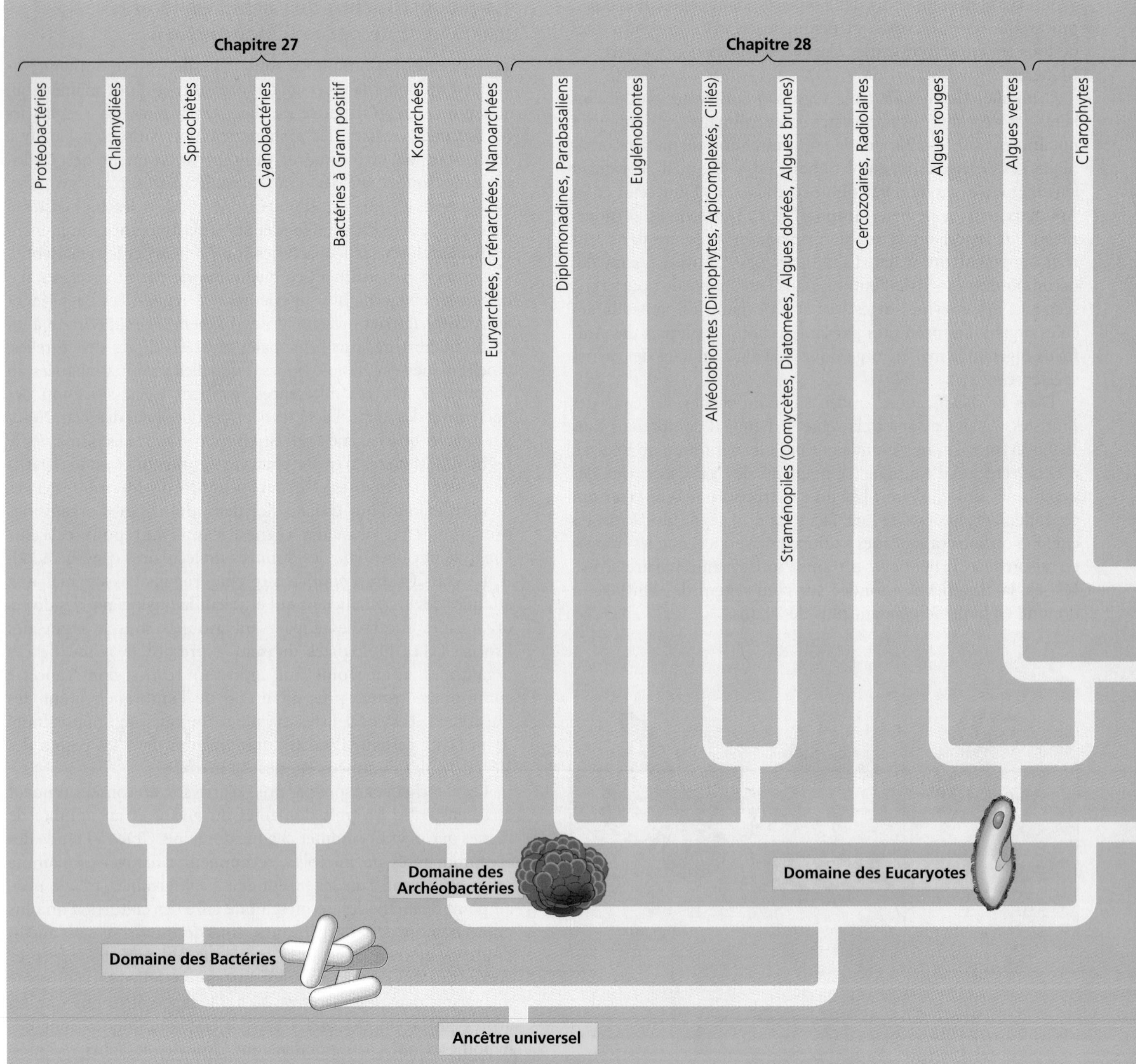

▲ **Figure 26.22 Représentation actuelle de la diversité biologique.** L'arbre résume la diversification des formes de vie à l'échelle du temps de l'évolution. C'est une œuvre en cours d'élaboration, et certains des liens montrés ici font l'objet d'un débat animé. Les chapitres dont le numéro est indiqué en haut des branches de l'arbre traitent des organismes qui y figurent.

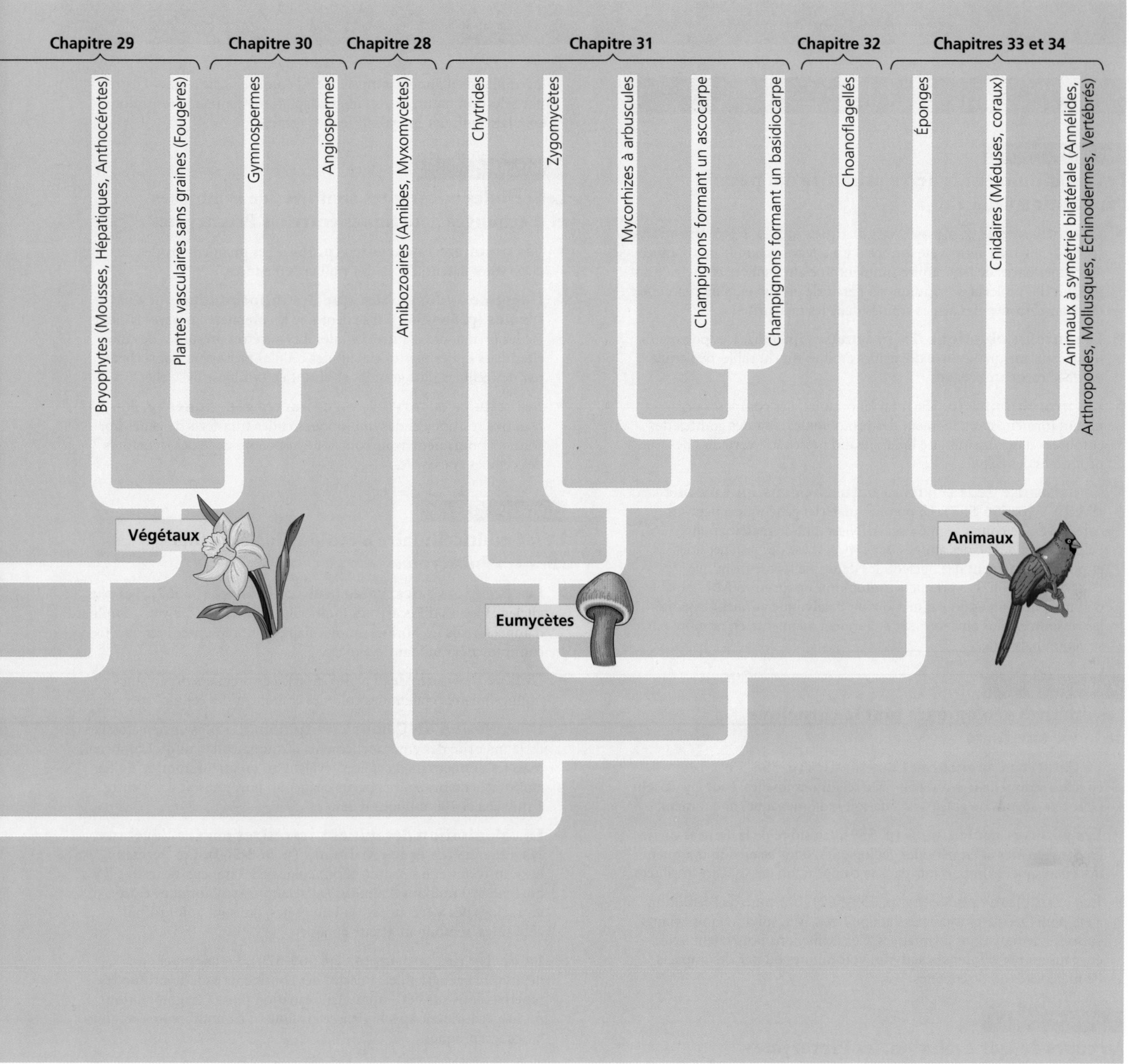
Chapitre 29
Chapitre 30
Chapitre 28
Chapitre 31
Chapitre 32
Chapitres 33 et 34
Bryophytes (Mousses, Hépatiques, Anthocérotes)
Plantes vasculaires sans graines (Fougères)
Gymnospermes
Angiospermes
Amibozoaires (Amibes, Myxomycètes)
Chytrides
Zygomycètes
Mycorhizes à arbuscules
Champignons formant un ascocarpe
Champignons formant un basidiocarpe
Choanoflagellés
Éponges
Cnidaires (Méduses, coraux)
Animaux à symétrie bilatérale (Annélides, Arthropodes, Mollusques, Échinodermes, Vertébrés)
Végétaux
Eumycètes
Animaux

Révision du chapitre 26

RÉSUMÉ DES CONCEPTS CLÉS

Concept 26.1

Les conditions sur la Terre primitive ont permis l'apparition de la vie

- **La synthèse des composés organiques sur la Terre primitive (p. 554-556).** La Terre a été formée il y a environ 4,6 milliards d'années. Des expériences de laboratoire simulant une atmosphère réductrice ont produit des molécules organiques à partir de précurseurs inorganiques. On a aussi trouvé des acides aminés dans les météorites.
- **La synthèse abiotique des polymères (p. 556).** Des polymères se forment lorsqu'on verse des acides aminés sur du sable, de l'argile ou de la roche très chauds.
- **Les protobiontes (p. 556).** En laboratoire, des composés organiques forment spontanément des protobiontes, soit des gouttelettes entourées d'une membrane lipidique qui présentent certaines des propriétés des cellules.
- **La naissance de la sélection naturelle dans un « monde d'ARN » (p. 556-557).** Le premier matériel génétique a peut-être consisté en de courts segments d'ARN servant de matrice pour l'alignement des acides aminés dans la synthèse des polypeptides et pour l'alignement des nucléotides dans une forme primitive d'autoréplication. Les premiers protobiontes pourvus d'ARN capable d'autoréplication et doté d'un pouvoir catalytique auraient exploité les ressources plus efficacement et auraient augmenté en nombre par sélection naturelle.

Concept 26.2

Les archives géologiques font la chronique de la vie sur Terre

- **La datation des roches et des fossiles (p. 558-559).** Les couches sédimentaires révèlent l'âge relatif des fossiles. Leur âge absolu peut être déterminé grâce à la datation radiométrique, notamment.
- **Les archives géologiques (p. 559).** L'histoire de la Terre se divise en éons, en ères et en périodes géologiques, dont beaucoup marquent des changements importants dans la composition des espèces fossilisées.
- **Les extinctions massives (p. 559-562).** L'histoire de l'évolution a été ponctuée de plusieurs extinctions massives, suivies d'importants épisodes de radiations adaptatives. Ces extinctions pourraient avoir été causées par d'intenses activités volcaniques ou par des impacts de météorites ou de comètes.

Concept 26.3

Au cours de leur évolution, les Procaryotes ont exploité et modifié la Terre primitive

- **Les premiers Procaryotes (p. 562-563).** Les Procaryotes ont été les seuls organismes vivants sur la Terre pendant une période qui a commencé il y a 3,5 milliards d'années et s'est terminée il y a 2 milliards d'années.
- **Les chaînes de transport d'électrons (p. 563).** Les premières chaînes de transport d'électrons mettaient probablement en réserve l'ATP en couplant l'oxydation des acides organiques au transport du H^+ hors de la cellule.
- **La photosynthèse et la révolution du dioxygène (p. 563-564).** Les premières formes de photosynthèse ne libéraient pas de dioxygène. La photosynthèse productrice de dioxygène est probablement apparue il y a quelque 3,5 milliards d'années chez les Cyanobactéries. L'accumulation de dioxygène dans l'atmosphère qui a eu lieu il y a environ 2,7 milliards d'années a mis la vie à l'épreuve, mais a aussi favorisé par sélection naturelle certaines adaptations comme la respiration cellulaire, qui fait intervenir le dioxygène.

Concept 26.4

Les cellules eucaryotes sont nées de symbioses et d'échanges génétiques entre les Procaryotes

- **Les premiers Eucaryotes (p. 564).** Les premiers fossiles de cellules eucaryotes datent d'il y a 2,1 milliards d'années.
- **L'origine endosymbiotique des mitochondries et des plastes (p. 564-566).** Il se peut que les premiers Eucaryotes aient été les prédateurs d'autres cellules. Les ancêtres présumés des mitochondries et des plastes étaient des cellules procaryotes absorbées par des cellules plus grandes et vivant en symbiose avec elles.
- **Les cellules eucaryotes ou chimères génétiques (p. 566-567).** D'autres relations endosymbiotiques et des transferts de gènes horizontaux pourraient avoir contribué à la complexité des structures des cellules eucaryotes.

Concept 26.5

L'état multicellulaire a évolué plusieurs fois chez les Eucaryotes

- **Les premiers Eucaryotes multicellulaires (p. 567).** Les plus anciens fossiles d'Eucaryotes multicellulaires datent d'il y a 1,2 milliard d'années, mais les horloges moléculaires font remonter leur ancêtre commun à 1,5 milliard d'années.
- **L'étape des colonies (p. 567-568).** Les premiers organismes multicellulaires étaient des colonies contenant des cellules spécialisées.
- **L'« explosion du Cambrien » (p. 568).** Les plus anciens fossiles de la majorité des embranchements d'Animaux datent du Cambrien, mais les données moléculaires révèlent qu'un grand nombre de ces embranchements sont apparus beaucoup plus tôt, soit il y a entre 1 milliard et 700 millions d'années.
- **La colonisation des milieux terrestres par les Végétaux, les Eumycètes et les Animaux (p. 568-569).** Les Végétaux, les Eumycètes et les Animaux ont colonisé les milieux terrestres il y a quelque 500 millions d'années. Les relations symbiotiques entre les racines des Végétaux et les Eumycètes, qui sont aujourd'hui courantes, remontent à cette époque.
- **La dérive des continents (p. 569-570).** En faisant et en défaisant la géographie, la dérive des continents a eu de profondes répercussions sur l'évolution. La formation puis la fragmentation du mégacontinent appelé *Pangée* expliquent de nombreuses énigmes biogéographiques.

Concept 26.6

De nouvelles données modifient notre compréhension de l'arbre de la vie

- **Les systèmes taxinomiques antérieurs (p. 570-571).** Les premiers systèmes taxinomiques comptaient deux règnes: les Végétaux et les Animaux. On a ensuite proposé un système fondé sur cinq règnes: les Monères, les Protistes, les Végétaux, les Eumycètes et les Animaux.
- **La reconstitution de l'arbre de la vie: une œuvre en cours d'élaboration (p. 571).** Une classification basée sur trois domaines (les Bactéries, les Archéobactéries et les Eucaryotes) a remplacé celle qui était fondée sur cinq règnes. Les taxinomistes ont divisé chacun des trois domaines en de nombreux règnes.

VÉRIFIEZ VOS CONNAISSANCES

Autoévaluation

(Les questions dont les numéros sont en caractères gras font surtout appel à la compréhension.)

1. Selon une conception actuelle de l'origine de la vie, les premiers composés organiques ne se seraient pas formés dans l'atmosphère, mais :
   a) sur la terre ferme.
   b) près des sources hydrothermales sous-marines.
   c) proviendraient de virus.
   d) en Afrique du Nord.
   e) lorsque la Terre a été bombardée par de gros fragments qui se sont détachés de la Lune.

2. Lequel des résultats suivants *n'a pas* encore été obtenu par les scientifiques qui étudient l'origine de la vie ?
   a) La synthèse de petits polymères d'ARN par les ribozymes.
   b) La synthèse abiotique de polypeptides.
   c) La formation d'agrégats moléculaires dotés de membranes à perméabilité sélective.
   d) La formation de protobiontes dans lesquels l'ADN dirige la polymérisation des acides aminés.
   e) La synthèse abiotique de molécules organiques.

3. Chez les populations de protobiontes, la sélection naturelle n'a conduit à des changements évolutifs qu'au moment où :
   a) les protobiontes ont commencé à catalyser des réactions chimiques.
   b) un quelconque mécanisme de transmission héréditaire est apparu.
   c) les protobiontes ont commencé à croître et à se diviser.
   d) la photosynthèse est apparue.
   e) l'ADN est apparu.

4. Lequel des énoncés suivants *n'appuie pas* l'hypothèse selon laquelle l'ARN a servi de matériel génétique pour les premiers protobiontes ?
   a) Les courtes séquences d'ARN peuvent ajouter des quantités limitées de bases complémentaires en présence de monomères de nucléotides.
   b) Il a été démontré que l'ARN avait un pouvoir catalytique dans les cellules contemporaines.
   c) La variation des séquences de bases azotées produit des molécules de stabilité variable selon l'environnement.
   d) L'ARN sert de matrice à la synthèse des protéines dans les cellules contemporaines.
   e) L'ARN sert de matrice à l'enchaînement des nucléotides de l'ADN dans les cellules contemporaines.

5. Au moment de sa formation, une roche contenait 12 mg de potassium 40. Aujourd'hui, elle n'en contient plus que 3 mg. Or, la demi-vie du potassium 40 est de 1,3 milliard d'années. Quel est donc l'âge de la roche ?
   a) 0,4 milliard d'années.
   b) 0,3 milliard d'années.
   c) 1,3 milliard d'années.
   d) 2,6 milliards d'années.
   e) 5,2 milliards d'années.

6. Les fossiles des stromatolithes :
   a) ont tous 2,7 milliards d'années.
   b) se sont formés autour des sources hydrothermales sous-marines.
   c) ressemblent aux communautés bactériennes qu'on trouve aujourd'hui dans certaines baies salées chaudes et peu profondes.
   d) prouvent que les Végétaux ont colonisé les milieux terrestres en s'associant aux Eumycètes il y a environ 500 millions d'années.
   e) constituent les premiers fossiles avérés d'organismes eucaryotes et datent d'il y a 2,1 milliards d'années.

7. La révolution du dioxygène a bouleversé l'environnement de la Terre. Laquelle des adaptations suivantes a tiré parti de la présence de dioxygène libre dans les océans et l'atmosphère ?
   a) L'évolution des chloroplastes après l'assimilation des Cyanobactéries photosynthétiques par les premiers Protistes.
   b) La persistance de certains groupes d'Animaux dans les habitats anaérobies.
   c) L'apparition de pigments photosynthétiques qui protégeaient les premières algues des effets corrosifs du dioxygène.
   d) L'évolution de la respiration cellulaire, dans laquelle le dioxygène sert à dégager l'énergie des molécules combustibles.
   e) L'évolution de colonies d'organismes eucaryotes multicellulaires à partir de communautés symbiotiques d'organismes procaryotes.

8. Laquelle, parmi les caractéristiques suivantes, *n'est pas* un argument en faveur de l'origine endosymbiotique des plastes et des mitochondries ?
   a) Le chromosome unique constitué d'ADN circulaire chez les plastes et les mitochondries.
   b) La présence de protéines apparentées à l'actine et à la tubuline découvertes chez les Bactéries.
   c) Le mode de réplication des Bactéries semblable à celui des deux types d'organites.
   d) La présence d'ARNt et de ribosomes dans les mitochondries et les plastes.
   e) La nature des enzymes et des systèmes de transport dans les membranes internes des deux types d'organites et dans la membrane plasmique des Procaryotes actuels.

9. Laquelle des chronologies suivantes pourrait s'appliquer aux événements de l'histoire biologique de la Terre ?
   a) Le métabolisme suivi de la mitose.
   b) Une atmosphère oxydante suivie d'une atmosphère réductrice.
   c) Les organismes eucaryotes suivis des organismes procaryotes.
   d) Les gènes d'ADN suivis des gènes d'ARN.
   e) Les Animaux suivis des Algues.

10. La faune et la flore de l'Inde sont très différentes de celles de l'Asie du Sud-Est, pourtant située à proximité. Comment cela se fait-il ?
   a) Les organismes ont été séparés par l'évolution convergente.
   b) Les climats des deux régions sont complètement différents.
   c) L'Inde est en train de s'écarter du reste de l'Asie.
   d) Il y a très longtemps, la vie en Inde a été supprimée par des activités volcaniques.
   e) L'Inde était un continent séparé il n'y a pas si longtemps.

11. Les controverses à propos du nombre de règnes du vivant et de leurs limites sont centrées *principalement* sur :
   a) les Végétaux et les Animaux.
   b) les Végétaux et les Eumycètes.
   c) les Procaryotes et les Eucaryotes unicellulaires.
   d) les Eumycètes et les Animaux.
   e) les Amphibiens et les Reptiles.

Lien avec l'évolution

Décrivez les caractéristiques structurales, métaboliques et génétiques minimales que doit posséder le protobionte pour être considéré comme une véritable cellule.

Intégration

1. Si on découvrait des formes de vie ailleurs que sur la Terre, dans le système solaire, les biologistes se demanderaient aussitôt si ces formes de vie ont la même origine que les organismes terriens. Supposons qu'il soit possible d'étudier les caractéristiques physiques et chimiques d'organismes extraterrestres. Quels types de preuves confirmeraient l'hypothèse d'une origine commune ? Quelles questions les scientifiques se poseraient-ils si on avait la preuve que les organismes terriens et extraterrestres ont la même origine ? qu'ils ont des origines différentes ?

2. En 2002, une équipe de chercheurs américains dirigée par le professeur Eckard Wimmer a annoncé qu'elle avait créé de toutes pièces un virus de la polio en laboratoire, à partir de fragments d'ADN maintenant vendus sur le marché ; on a assemblé ces fragments puis on les a transcrits en ARN. On a ensuite injecté ces virus synthétiques à des souris qui ont contracté la polio. Peut-on conclure de cet exploit que la création de la vie en laboratoire sera chose bientôt réalisable et que l'humain pourra récrire l'histoire de la vie ? Donnez un aperçu de quelques-unes des difficultés qu'il faudrait surmonter avant de pouvoir créer des organismes vivants à partir d'acides nucléiques et d'autres substances manipulées en laboratoire.

Science, technologie et société

Les experts estiment que les activités humaines entraînent chaque année l'extinction de centaines d'espèces. Or, le taux d'extinction naturel ne serait en moyenne que de quelques espèces par année. Si nous continuons à détériorer l'environnement terrestre, surtout en détruisant les forêts tropicales humides et en modifiant le climat, les vagues de disparitions d'espèces que nous provoquerons risquent d'égaler celles de la fin du Crétacé. Compte tenu du fait que les formes de vie ont connu de nombreuses extinctions massives, l'extinction actuelle devrait-elle nous préoccuper? En quoi diffère-t-elle des extinctions antérieures? Quelles conséquences pourrait-elle avoir sur les espèces survivantes, y compris l'espèce humaine?

Réponses du chapitre 26

Retour sur le concept 26.1

1. L'hypothèse selon laquelle les conditions qui existaient sur la Terre primitive auraient pu permettre la synthèse de molécules organiques à partir d'ingrédients inorganiques.
2. Contrairement au mélange aléatoire des molécules dans une solution à l'air libre, la ségrégation des systèmes moléculaires au moyen de membranes pouvait concentrer les molécules organiques, et les gradients d'énergie électrique de part et d'autre de la membrane pouvaient faciliter les réactions biochimiques.
3. Une molécule d'ARN qui joue le rôle de catalyseur.

Retour sur le concept 26.2

1. 22 920 ans (4 fois la demi-vie).
2. Environ 1 500 millions, ou 1,5 milliard d'années.

Retour sur le concept 26.3

1. Que les Procaryotes existaient sûrement il y a au moins 3,5 milliards d'années, au moment de la formation des plus anciens fossiles des stromatolithes.
2. Le dioxygène libre s'attaque aux liaisons chimiques et peut inhiber les enzymes et endommager les cellules. Toutefois, certains organismes ont pu s'adapter.

Retour sur le concept 26.4

1. Tous les Eucaryotes ont des mitochondries ou des traces génétiques de ces organites, mais ils ne sont pas tous pourvus de plastes.
2. La chimère de la mythologie grecque se composait d'éléments de divers Animaux. De même, la cellule eucaryote intègre certains éléments des cellules procaryotes: ses mitochondries et ses plastes proviennent de deux types de Bactéries, et son génome nucléaire comprend des éléments des génomes de ces endosymbiontes et d'au moins une autre cellule procaryote.

Retour sur le concept 26.5

1. Un organisme unicellulaire doit exécuter toutes les fonctions nécessaires à sa survie. La plupart des organismes multicellulaires sont dotés de nombreux types de cellules spécialisées, entre lesquelles sont divisées les fonctions vitales.
2. Des fossiles de la majorité des principaux embranchements d'Animaux apparaissent soudainement dans les 20 premiers millions d'années du Cambrien. Selon les horloges moléculaires, bon nombre de ces embranchements auraient pris naissance beaucoup plus tôt.

Retour sur le concept 26.6

1. Les règnes des Protistes, des Végétaux, des Eumycètes et des Animaux.
2. Le règne des Monères comprend les Bactéries et les Archéobactéries; or, les Archéobactéries sont plus étroitement apparentées aux Eucaryotes qu'aux Bactéries.

Autoévaluation

1. b; **2.** d; 3. b; 4. e; **5.** d; 6. c; **7.** d; 8. b; **9.** a; 10. e; 11. c.

27

Les Procaryotes

▲ **Figure 27.1 Colonies de Procaryotes thermophiles de couleur jaune dans l'eau chaude d'un geyser, au Nevada (sud-ouest des États-Unis).**

Concepts clés

27.1 Des adaptations structurales, fonctionnelles et génétiques contribuent au succès des Procaryotes

27.2 De très nombreuses adaptations nutritionnelles et métaboliques sont apparues chez les Procaryotes

27.3 La systématique moléculaire fait la lumière sur la phylogenèse des Procaryotes

27.4 Les Procaryotes jouent des rôles essentiels dans la biosphère

27.5 Les Procaryotes ont des effets tant défavorables que bénéfiques sur les humains

Introduction

Les Procaryotes sont partout... ou presque

La plupart des Procaryotes sont microscopiques, mais leur nombre compense leur petite taille. Leur biomasse (masse sèche de matière organique de tous les organismes procaryotes d'un écosystème) est au moins dix fois supérieure à celle de tous les Eucaryotes réunis. Le nombre d'organismes procaryotes contenus dans une seule poignée de sol fertile dépasse le nombre d'humains qui ont vu le jour depuis le début de l'humanité. Qu'est-ce qui a permis à ces minuscules organismes de dominer la biosphère depuis le début de leur histoire? Leur succès est en partie redevable à l'abondance des adaptations grâce auxquelles divers Procaryotes ont pu vivre dans des environnements variés. En effet, les Procaryotes prospèrent presque partout, y compris dans les habitats trop acides, trop salés, trop froids ou trop chauds pour la plupart des autres organismes **(figure 27.1)**. On a même découvert des cellules procaryotes dans des roches situées à plus de trois kilomètres de profondeur. En reconstituant l'histoire de l'évolution sous-jacente aux divers modes de vie des Procaryotes, les biologistes découvrent que la diversité génétique de ces derniers est stupéfiante. Par exemple, une comparaison de l'ARN ribosomique de deux souches de la bactérie *Escherichia coli* révèle qu'elles présentent sur le plan génétique plus de différences que l'humain et l'ornithorynque.

Comme il est indiqué au chapitre 26, les Procaryotes appartiennent à deux domaines, les Bactéries et les Archéobactéries, qui présentent de nombreuses caractéristiques structurales, physiologiques et biochimiques distinctes. Le présent chapitre traite des remarquables adaptations des Procaryotes ainsi que de certains des services écologiques essentiels qu'ils assurent, comme le recyclage des substances chimiques. Il aborde aussi la minorité d'espèces qui causent des maladies graves chez les humains. Enfin, il explique que la survie même des humains est subordonnée aux Procaryotes inoffensifs et que la biotechnologie commence à exploiter les pouvoirs métaboliques de ces organismes omniprésents.

Concept 27.1

Des adaptations structurales, fonctionnelles et génétiques contribuent au succès des Procaryotes

Les organismes procaryotes sont presque tous unicellulaires. Toutefois, certaines espèces tendent à s'assembler en colonies, de façon provisoire ou permanente.

La plupart des cellules procaryotes ont un diamètre variant entre 1 et 5 mm, alors que la majorité des cellules eucaryotes ont un diamètre variant entre 10 et 100 mm. (Il existe toutefois une exception notable : le Procaryote géant *Thiomargarita namibiensis*, découvert en 1999 au large de la Namibie, en Afrique, d'un diamètre d'environ 750 µm, qui est tout juste visible à l'œil nu.) Les cellules procaryotes ont diverses formes ; les trois plus fréquentes sont la sphère (cocci), le bâtonnet (bacilles) et la spirale (spirilles et Spirochètes) **(figure 27.2)**.

Les structures de la surface cellulaire

Chez presque tous les Procaryotes, la paroi cellulaire, qui maintient la forme de la cellule, lui assure une protection mécanique et l'empêche d'éclater si elle se retrouve dans un milieu hypotonique, constitue l'une des caractéristiques les plus importantes

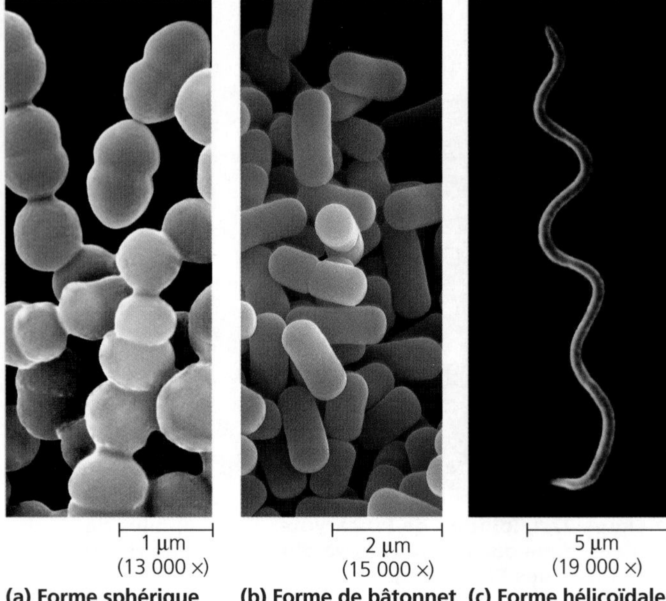

(a) Forme sphérique (cocci) **(b) Forme de bâtonnet (bacilles)** **(c) Forme hélicoïdale**

▲ **Figure 27.2 Formes les plus courantes de Procaryotes.** **(a)** Les cocci (coccus au singulier), ou Procaryotes sphériques, vivent seuls, deux par deux (diplocoques), en chaînes de plusieurs cellules (streptocoques, montrés ici) ou en amas semblables à des grappes de raisin (staphylocoques). **(b)** Les bacilles, dont la forme rappelle un bâtonnet, vivent le plus souvent seuls, mais peuvent aussi s'organiser en chaînes (streptobacilles). **(c)** Les Procaryotes de forme hélicoïdale comprennent les spirilles, qui peuvent prendre la forme d'une virgule ou d'un long filament, et les Spirochètes en forme de tire-bouchon. (MEB, clichés artificiellement colorés.)

(voir le chapitre 7) ; la présence de cette paroi permet aux Bactéries de pouvoir résister à des pressions osmotiques pouvant aller jusqu'à 25 atmosphères. Cependant, comme d'autres cellules dotées d'une paroi, les Procaryotes subissent une plasmolyse (ils perdent de l'eau et leur membrane plasmique se ratatine) dans un milieu hypertonique. Comme les Procaryotes qui ont subi une forte déperdition d'eau ne peuvent se reproduire, on utilise le sel pour conserver certains aliments, comme le porc ou le poisson.

La composition moléculaire et la formation des parois cellulaires des Procaryotes diffèrent de celles des Eucaryotes. Comme nous l'avons vu au chapitre 5, les parois cellulaires des Eucaryotes sont en général constituées de cellulose ou de chitine. La plupart des parois bactériennes, elles, contiennent une substance particulière appelée **peptidoglycane**, qui consiste en un réseau de polymères de monosaccharides modifiés qui sont reliés transversalement par de courts polypeptides. Ce « tissu » moléculaire entoure entièrement la bactérie et ancre d'autres molécules situées à sa surface. Les parois cellulaires des Archéobactéries contiennent divers polysaccharides et protéines, mais sont dépourvues de peptidoglycane.

À l'aide d'une technique appelée **coloration de Gram**, mise au point au XIXe siècle par un physicien danois du nom de Hans Christian Gram, les scientifiques peuvent distinguer deux catégories de Bactéries d'après l'une des caractéristiques de leur paroi cellulaire. Les Bactéries à **Gram positif** possèdent une paroi simple qui contient une quantité relativement importante de peptidoglycane **(figure 27.3a)**. Les Bactéries à **Gram négatif** contiennent moins de peptidoglycane et présentent une structure plus complexe, qui comprend une membrane externe composée de lipopolysaccharides, glucides liés à des lipides **(figure 27.3b)**.

La coloration de Gram est particulièrement utile en médecine. Parmi les bactéries pathogènes (causant des maladies), les espèces à Gram négatif sont habituellement plus dangereuses que les espèces à Gram positif. Tout d'abord, elles possèdent une paroi dont les lipopolysaccharides sont souvent toxiques et une membrane externe qui les protège des défenses de leur hôte. De plus, les Bactéries à Gram négatif opposent souvent plus de résistance aux antibiotiques que les espèces à Gram positif, car leur membrane externe entrave la pénétration de ces médicaments.

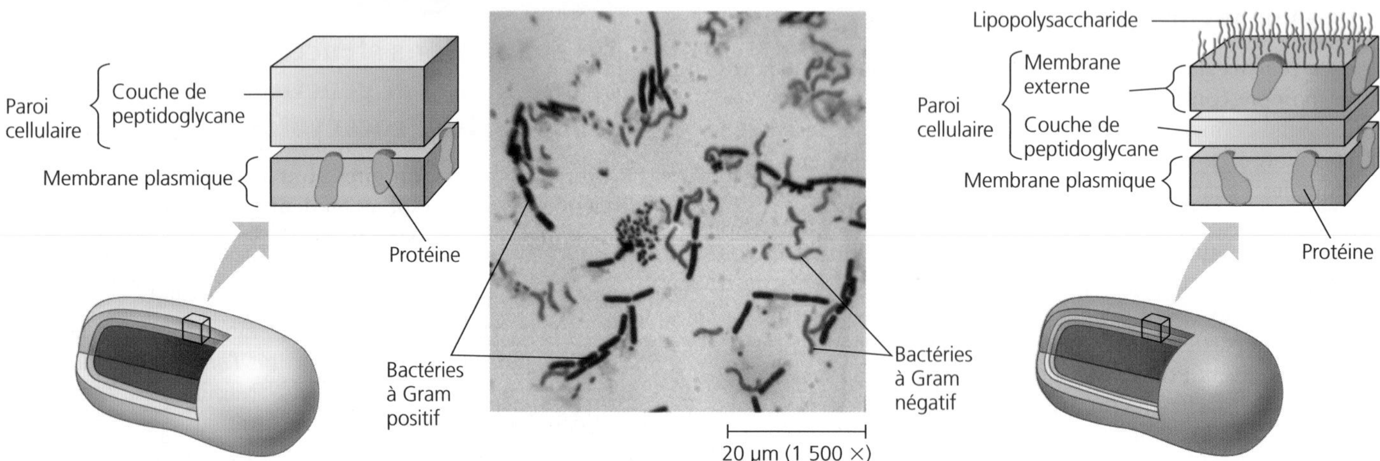

(a) Bactéries à Gram positif. Les Bactéries à Gram positif, dont la paroi contient beaucoup de peptidoglycane, retiennent la coloration violette dans le cytoplasme. L'alcool n'élimine pas le colorant violet, qui masque le colorant rouge ajouté par la suite.

(b) Bactéries à Gram négatif. Les Bactéries à Gram négatif possèdent moins de peptidoglycane, lequel se trouve dans un espace situé entre la membrane plasmique et la membrane externe. L'alcool élimine facilement le colorant violet du cytoplasme, et la cellule prend une teinte rose ou rouge.

▲ **Figure 27.3 Coloration de Gram.** Cette technique consiste à colorer des bactéries avec un colorant violet et de l'iode, à les rincer dans de l'alcool, puis à les colorer encore, cette fois avec un colorant rouge. La réaction de la bactérie à la coloration dépend de la structure de sa paroi cellulaire (MP).

L'efficacité de certains antibiotiques, dont la pénicilline, tient à leur capacité d'inhiber la synthèse des ponts transversaux entre les polymères de monosaccharides du peptidoglycane. Cela désorganise alors la paroi, en particulier chez les espèces à Gram positif. Les antibiotiques neutralisent de nombreuses espèces de bactéries infectieuses sans produire d'effet indésirable sur les cellules humaines, qui ne contiennent pas de peptidoglycane.

La paroi cellulaire de bon nombre de Procaryotes est recouverte d'une couche gluante de polysaccharides ou de protéines appelée **capsule** (**figure 27.4**), qui permet aux Procaryotes de se fixer à leur substrat ou à d'autres individus de la colonie. La capsule peut aussi protéger les Procaryotes pathogènes des attaques provenant du système immunitaire de leur hôte.

Certains Procaryotes adhèrent les uns aux autres ou à un substrat grâce à de courts et fins appendices appelés ***fimbriæ*** et ***pili*** (**figure 27.5**). Les *fimbriæ* sont en général plus nombreux et plus courts que les *pili*. Par exemple, *Neisseria gonorrhoeæ*, l'agent pathogène de la gonorrhée, utilise ses *fimbriæ* pour se fixer aux muqueuses de son hôte. Des *pili* spécialisés, qu'on nomme *pili sexuels*, servent à réunir deux cellules procaryotes assez longtemps pour que s'effectue un transfert d'ADN au moment de la conjugaison bactérienne (voir la figure 18.17).

La motilité

Environ la moitié des Procaryotes sont capables de locomotion orientée. Certaines espèces dépassent la vitesse de 50 mm/s, soit jusqu'à 50 fois leur longueur par seconde.

Diverses structures leur permettent de se déplacer. Les plus courantes sont les flagelles, qui sont soit dispersés sur toute la surface de la cellule, soit concentrés à l'un de ses deux pôles ou aux deux. Les flagelles des cellules procaryotes diffèrent de ceux des cellules eucaryotes par leur structure et leur fonction (**figure 27.6**). Ils sont dix fois plus fins et ne sont pas recouverts d'un prolongement de la membrane plasmique (voir les figures 6.24 et 6.25, qui illustrent la structure et le mode de fonctionnement des flagelles eucaryotes).

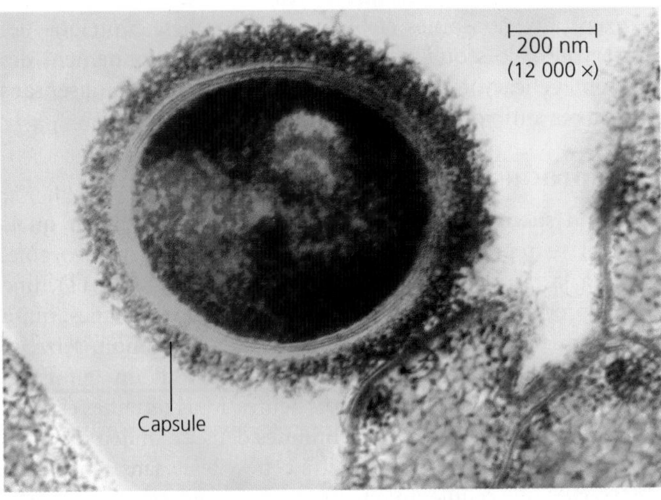

▲ **Figure 27.4 Capsule.** La capsule de polysaccharides qui entoure cette bactérie appartenant au genre *Streptococcus* permet au Procaryote pathogène de s'attacher aux cellules qui tapissent les voies respiratoires des humains, en l'occurrence une cellule d'amygdale (MET, cliché artificiellement coloré).

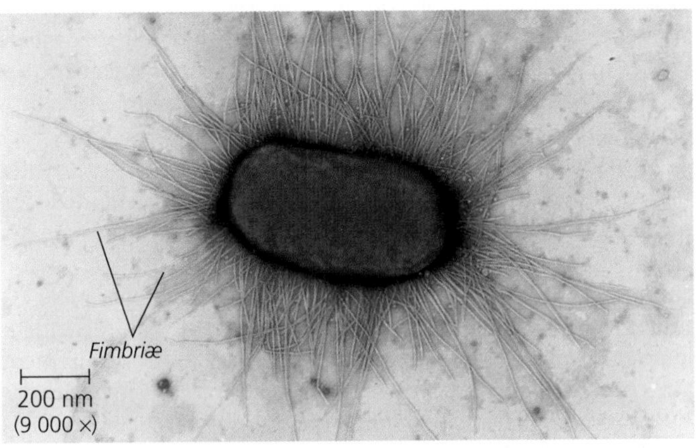

▲ **Figure 27.5 *Fimbriæ*.** Les nombreux appendices permettent à certains organismes procaryotes de se fixer aux surfaces ou à d'autres Procaryotes (MET, cliché artificiellement coloré).

◄ **Figure 27.6 Flagelle procaryote.** C'est le corpuscule basal qui constitue le moteur du flagelle procaryote. Cet appareil consiste en un système d'anneaux enchâssés dans la paroi cellulaire et la membrane plasmique (MET). Le corpuscule basal, qui fait pivoter un crochet incurvé, fonctionne grâce à la diffusion de protons dans la cellule. Ces protons ont été éjectés par des pompes à protons alimentées par l'ATP. Le crochet est fixé à un filament composé de chaînes de flagelline (protéine globulaire). (Les structures représentées dans cette figure sont caractéristiques des Bactéries à Gram négatif.)

Dans un milieu relativement homogène, les Procaryotes flagellés errent au hasard. Dans un milieu hétérogène, cependant, de nombreux Procaryotes sont capables de **taxie** (du grec *taxis*, « arrangement, ordre »). La taxie est une réaction de locomotion orientée par laquelle le Procaryote se rapproche ou s'éloigne d'un stimulus quelconque. Par exemple, dans la chimiotaxie, le Procaryote réagit à un stimulus de nature chimique: il *se rapproche* d'une source de nourriture ou de dioxygène (chimiotaxie positive) ou *s'éloigne* d'une substance toxique (chimiotaxie négative). En 2003, des scientifiques de la Princeton University et de l'Institut Curie, à Paris, ont démontré que les cellules *E. coli* isolées présentent une chimiotaxie positive envers les autres individus de leur espèce, ce qui permet la formation de colonies.

La structure interne et l'organisation du génome

Les cellules procaryotes sont plus simples que les cellules eucaryotes. Leur structure interne et celle de leur génome ne possèdent pas la compartimentation complexe des cellules eucaryotes (voir la figure 6.6). Cependant, certains Procaryotes ont des membranes spécialisées qui accomplissent des fonctions métaboliques **(figure 27.7)**. Ces membranes correspondent habituellement à des régions invaginées de la membrane plasmique.

Sur le plan de la structure, le génome des cellules procaryotes est très différent de celui des Eucaryotes; de plus, il contient en moyenne 1 000 fois moins d'ADN que lui. Dans la majorité des cellules procaryotes, presque tout le génome consiste en un anneau d'ADN associé à une quantité relativement faible de protéines. Cet anneau de matériel génétique porte habituellement le nom de *chromosome procaryote* **(figure 27.8)**. Contrairement aux chromosomes eucaryotes, qui se trouvent dans le noyau, les chromosomes procaryotes sont situés dans une région nommée **nucléoïde**. Au microscope électronique, le nucléoïde prend une coloration plus claire que celle du cytoplasme environnant.

En plus de son unique chromosome, la cellule procaryote comporte ordinairement des **plasmides**, c'est-à-dire des anneaux d'ADN beaucoup plus petits, composés pour la plupart de quelques gènes seulement. Les gènes des plasmides permettent à la cellule de résister aux antibiotiques, de diriger le métabolisme de nutriments inhabituels et de faire face à d'autres situations imprévues. Dans la plupart des milieux, les Procaryotes peuvent survivre sans plasmides, car toutes leurs fonctions essentielles sont programmées par le chromosome. Mais, dans certaines circonstances, notamment lorsqu'on utilise des antibiotiques pour traiter une infection, la présence d'un plasmide peut augmenter considérablement les chances de survie du Procaryote. Les plasmides se répliquent indépendamment du chromosome principal, et bon nombre d'entre eux peuvent changer de cellule au moment de la conjugaison (voir la figure 18.18).

Comme nous l'avons vu aux chapitres 16 et 17, la réplication, la transcription et la traduction de l'ADN se ressemblent, dans les grandes lignes, chez les Eucaryotes et les Procaryotes. Mais elles présentent tout de même quelques différences. Ainsi, le ribosome procaryote est légèrement plus petit que son homologue eucaryote, et les deux diffèrent en ce qui concerne leur contenu en protéines et en ARN. Cette différence suffit pour que certains antibiotiques, tels que l'érythromycine et la tétracycline, se fixent aux ribosomes et bloquent la synthèse protéique des Procaryotes, alors qu'ils n'entravent pas le fonctionnement des ribosomes eucaryotes. Par conséquent, nous pouvons utiliser sans danger ces antibiotiques pour tuer les bactéries.

La reproduction et l'adaptation

Le grand succès des Procaryotes tient en partie au fait qu'ils peuvent se reproduire rapidement dans un milieu favorable. Grâce à la division par scissiparité (voir la figure 12.11), une cellule procaryote se segmente pour former deux cellules, qui à leur tour se divisent pour en donner quatre, puis huit, seize, et ainsi de suite. La majorité des Procaryotes ont un temps de génération de l'ordre de une à trois heures. Mais certaines espèces peuvent se diviser toutes les 20 minutes dans un milieu optimal. Si la reproduction se poursuivait à cette vitesse sans rencontrer d'obstacles, une cellule unique pourrait engendrer, en trois jours seulement, une colonie dont la masse dépasserait celle de la Terre ! Dans la réalité, bien sûr, la reproduction des Procaryotes est limitée, parce que la colonie finit par épuiser les nutriments,

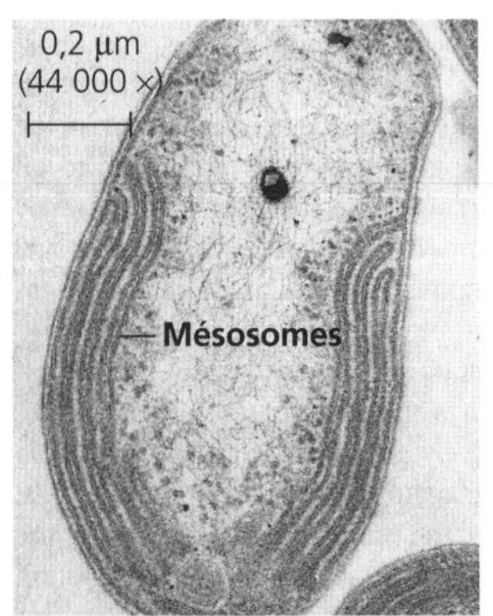

(a) Procaryote aérobie

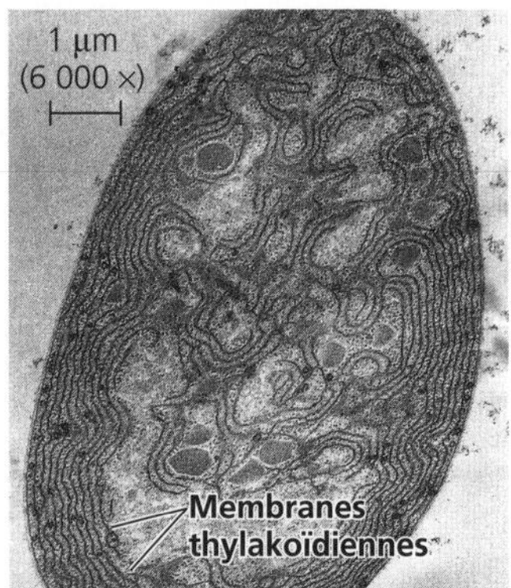

(b) Procaryote photosynthétique

▲ **Figure 27.7 Membranes spécialisées des cellules procaryotes.** **(a)** Ces invaginations de la membrane plasmique, qui rappellent les crêtes des mitochondries, pourraient, selon certains auteurs, servir à la respiration cellulaire de certains Procaryotes aérobies (MET). **(b)** Les Procaryotes photosynthétiques appelés *Cyanobactéries* possèdent des membranes thylakoïdiennes, très semblables à celles des chloroplastes (MET).

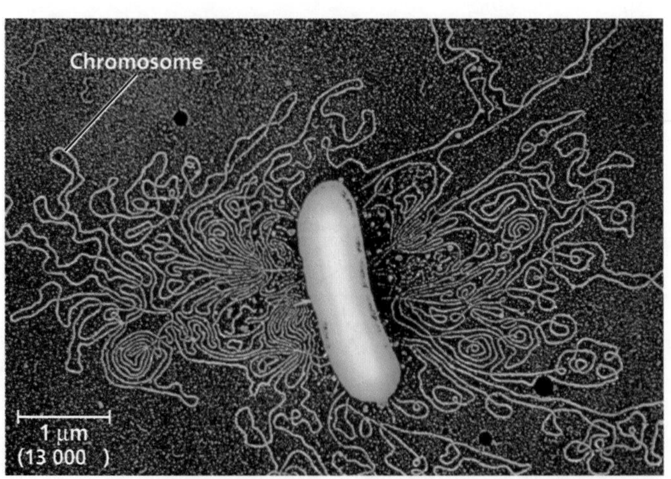

▲ **Figure 27.8 Chromosome procaryote.** Les minces boucles enchevêtrées entourant cette cellule de l'espèce *E. coli* éclatée constituent des éléments d'un anneau unique d'ADN (MET, cliché artificiellement coloré).

parce qu'elle s'empoisonne elle-même avec ses déchets métaboliques ou parce qu'elle est consommée par d'autres organismes. Dans la nature, les Procaryotes entrent aussi en compétition avec d'autres microorganismes, dont beaucoup produisent des substances antibiotiques qui ralentissent leur reproduction.

La résistance de certains Procaryotes aux agressions du milieu contribue également à leur succès. Certaines Bactéries, par exemple, produisent des cellules résistantes appelées **endospores** lorsque le milieu est dépourvu d'un nutriment essentiel **(figure 27.9)**. Pour former une endospore (processus qui prend une dizaine d'heures), la cellule initiale effectue une copie de son chromosome et l'entoure d'une paroi résistante. L'endospore se déshydrate, et son métabolisme s'arrête. Le reste de la cellule originale se désintègre, tandis que l'endospore subsiste. La plupart des endospores sont si résistantes qu'elles peuvent survivre plusieurs heures dans de l'eau bouillante; elles résistent bien aussi à un certain nombre des substances chimiques couramment employées pour la stérilisation. Pour les éliminer, les microbiologistes doivent chauffer leurs instruments de laboratoire à la vapeur, à une température de 121 °C et sous une pression élevée. Dans des milieux moins hostiles, les endospores peuvent rester inactives durant des siècles, voire des millions d'années. Elles ne se réhydratent et ne reprennent leur métabolisme que lorsque certains signes leur indiquent que les conditions sont redevenues plus hospitalières.

Grâce à la sélection naturelle, les Procaryotes s'adaptent rapidement aux modifications de leur environnement. En raison de la rapidité avec laquelle ils se reproduisent, les mutations qui favorisent leur adaptation se répandent promptement dans une population. Pour cette raison, ils constituent d'importants organismes modèles pour les scientifiques qui étudient l'évolution en laboratoire. Ainsi, Richard Lenski et son équipe, de la Michigan State University, ont préservé des colonies de *E. coli* sur plus de 20 000 générations depuis 1988. Les chercheurs congèlent régulièrement des échantillons de ces colonies, puis les décongèlent plus tard afin de comparer leurs caractéristiques avec celles des générations qui les ont suivies. Ces comparaisons ont révélé que, dans les mêmes conditions, les colonies actuelles croissent à une vitesse de 60 % supérieure à celle des colonies de 1988. L'équipe de Lenski examine de près les modifications génétiques sur lesquelles repose l'adaptation des colonies à leur milieu. En 2003, elle a relevé que, comparativement aux colonies originales, deux colonies présentaient des modifications parallèles relativement à l'expression des mêmes 59 gènes. La reproduction rapide de *E. coli* a permis aux scientifiques de documenter cet exemple d'évolution adaptative.

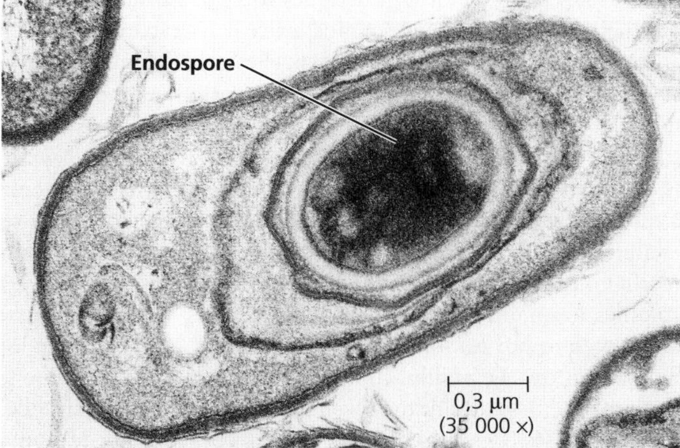

▲ **Figure 27.9 Endospore.** *Bacillus anthracis*, la bactérie qui cause le charbon, maladie mortelle, produit des endospores (MET). Entourée d'une épaisse enveloppe protectrice, l'endospore peut survivre des années dans le sol.

Le transfert de gènes horizontal (voir le chapitre 25) contribue aussi à la rapidité de l'évolution chez les Procaryotes. Par exemple, la conjugaison peut permettre l'échange d'un plasmide contenant quelques gènes ou même de grands groupes de gènes. Une fois qu'ils sont intégrés au génome d'un Procaryote, les gènes transférés sont soumis à la sélection naturelle au cours des cycles subséquents de division par scissiparité. Le transfert de gènes horizontal constitue une force déterminante dans l'évolution à long terme des bactéries pathogènes, sujet dont il sera question plus loin dans le chapitre.

Retour sur le concept 27.1

1. Indiquez et expliquez au moins deux exemples d'adaptations qui permettent aux Procaryotes de survivre dans des milieux trop inhospitaliers pour d'autres organismes.
2. Comparez les organisations cellulaire et génomique des Procaryotes et des Eucaryotes.
3. Expliquez en quoi la rapidité de reproduction des Procaryotes leur permet de s'adapter à des milieux changeants.

Voir les réponses proposées à la fin du chapitre.

Concept 27.2

De très nombreuses adaptations nutritionnelles et métaboliques sont apparues chez les Procaryotes

Tous les organismes peuvent être classés en fonction de la nutrition, c'est-à-dire l'obtention de l'énergie et du carbone nécessaires à la constitution des molécules organiques qui composent les cellules. La diversité nutritionnelle est plus grande chez les Procaryotes que chez l'ensemble des Eucaryotes. En effet, tous les types de nutrition observés chez ces derniers existent chez les Procaryotes, qui présentent aussi certains modes de nutrition qui leur sont propres.

On nomme *phototrophes* les espèces qui utilisent la lumière comme source d'énergie. On désigne par le terme *chimiotrophes* les espèces qui, elles, puisent leur énergie dans les substances chimiques de leur milieu. Les *autotrophes* sont des organismes qui n'ont besoin que de CO_2, composé inorganique, comme source de carbone. Les *hétérotrophes*, quant à eux, ont besoin d'au moins un nutriment organique, comme le glucose, pour synthétiser d'autres composés organiques. On peut combiner ces sources d'énergie et de carbone possibles pour classer les organismes procaryotes selon les quatre grandes catégories expliquées ici et résumées au **tableau 27.1**.

Tableau 27.1 Principaux modes de nutrition

Mode de nutrition	Source d'énergie	Source de carbone	Types d'organismes
Autotrophe			
Photoautotrophe	Lumière	CO_2	Procaryotes photosynthétiques (les Cyanobactéries, par exemple), Végétaux, certains Protistes (Algues)
Chimioautotrophe	Substances chimiques inorganiques	CO_2	Certains Procaryotes (*Sulfolobus*, par exemple)
Hétérotrophe			
Photohétérotrophe	Lumière	Composés organiques	Certains Procaryotes (*Rhodobacter*, *Chloroflexus*, par exemple)
Chimiohétérotrophe	Composés organiques	Composés organiques	De nombreux organismes procaryotes (*Clostridium*, par exemple) et de nombreux Protistes; Eumycètes; Animaux; certains Végétaux

1. Les **photoautotrophes** sont des organismes photosynthétiques qui exploitent l'énergie solaire pour alimenter la synthèse de composés organiques à partir de CO_2. Parmi les nombreux groupes de Procaryotes photoautotrophes figurent les Cyanobactéries. Les Végétaux et les Algues entrent aussi dans la catégorie des photoautotrophes.
2. Les **chimioautotrophes**, eux aussi, n'ont besoin que de CO_2 comme source de carbone. Toutefois, au lieu d'utiliser la lumière, ces organismes obtiennent leur énergie en oxydant des substances inorganiques comme le sulfure d'hydrogène (H_2S), l'ammoniac (NH_3) et des ions ferreux (Fe^{2+}). Ce mode de nutrition est propre à certains Procaryotes.
3. Les **photohétérotrophes** utilisent la lumière comme source d'énergie, mais doivent se procurer le carbone sous forme organique. Ce mode de nutrition se rencontre chez certains organismes procaryotes marins.
4. Les **chimiohétérotrophes** doivent consommer des molécules organiques pour obtenir énergie et carbone. Ce type de nutrition est très répandu chez les organismes procaryotes ainsi que chez les Protistes, les Eumycètes, les Animaux et même chez certaines plantes parasites.

Le métabolisme et le dioxygène

Le dioxygène constitue une autre variable métabolique chez les organismes procaryotes (voir le chapitre 9). Les **aérobies stricts** utilisent l'O_2 pour leur respiration cellulaire; ils ne peuvent croître sans lui. Les **anaérobies facultatifs**, eux, utilisent l'O_2 s'ils en trouvent, mais peuvent aussi se développer par fermentation dans un milieu anaérobie. Quant aux **anaérobies stricts**, ils ne survivent pas en présence d'O_2; certains subsistent uniquement grâce à la fermentation. D'autres espèces extraient l'énergie chimique au moyen de la **respiration cellulaire anaérobie**, mécanisme par lequel des substances autres que l'O_2, comme les ions nitrate (NO_3^-) ou des ions sulfate (SO_4^{2-}), acceptent des électrons dans la phase «descendante» de la chaîne de transport d'électrons.

Le métabolisme de l'azote

Chez tous les organismes, l'azote est essentiel à la production des acides aminés et des acides nucléiques. Alors que les organismes eucaryotes ne peuvent utiliser que certains composés azotés, les Procaryotes peuvent métaboliser de très nombreuses formes d'azote. Par exemple, diverses espèces de Procaryotes, notamment certaines Cyanobactéries, convertissent le diazote atmosphérique (N_2) en ammoniac (NH_3) par un processus appelé **fixation de l'azote**. Les cellules peuvent ensuite incorporer cet azote «fixé» à des acides aminés et à d'autres molécules organiques. Sur le plan nutritionnel, les Cyanobactéries fixatrices d'azote sont les plus autonomes de tous les organismes. Elles n'ont besoin pour croître que d'énergie lumineuse, de CO_2, de N_2, d'eau et de quelques minéraux. Le chapitre 54 traite des rôles essentiels joués par les Procaryotes dans les cycles de l'azote à l'intérieur des écosystèmes.

La coopération métabolique

Grâce à la coopération, les cellules procaryotes sont en mesure d'utiliser les ressources du milieu dont elles ne pourraient profiter autrement. Dans certains cas, cette coopération a lieu entre des cellules spécialisées appartenant à une colonie. Ainsi, la Cyanobactérie *Anabæna* possède des gènes pour l'encodage des protéines nécessaires à la photosynthèse et à la fixation de l'azote, mais une même cellule ne peut accomplir les deux processus en même temps. En effet, la photosynthèse produit de l'O_2, lequel inactive les enzymes qui prennent part à la fixation de l'azote. Chez certaines espèces de Cyanobactéries, la solution à ce problème réside dans la séparation des deux processus dans le temps: la photosynthèse s'effectue le jour et la fixation de l'azote, la nuit. Les cellules de *Anabæna* ont préféré, quant à elles, la voie de la coopération métabolique: au lieu de vivre isolées, les cellules forment des colonies filamenteuses **(figure 27.10)**. Dans un filament, la plupart des cellules effectuent seulement la photosynthèse, et quelques cellules spécialisées, appelées *hétérocystes*, prennent part seulement à la fixation de l'azote. Les hétérocystes sont entourées d'une paroi épaissie qui restreint l'entrée de l'O_2 produit par les cellules photosynthétiques voisines. Les liaisons intercellulaires leur permettent de transporter l'azote fixé aux cellules adjacentes en échange de glucides qu'elles ne peuvent fabriquer.

Chez certains Procaryotes, la coopération métabolique a lieu dans des colonies formant un film qui se dépose sur une surface. Ces colonies sont appelées **biofilms** ou *films biologiques* **(figure 27.11)**. Les cellules qui en font partie peuvent appartenir à quelques espèces distinctes dont les activités métaboliques se complètent. Elles sécrètent des molécules de signalisation qui recrutent les cellules se trouvant à proximité, de sorte que les colonies prennent de l'expansion. Les cellules produisent aussi des protéines qui les font adhérer au substrat de même que les unes aux autres. Le biofilm comprend des canaux qui permettent aux nutriments d'atteindre les cellules intérieures et aux déchets d'être expulsés. Ces microcolonies organisées causent de nombreux problèmes dans le domaine de la santé: elles peuvent se fixer sur les implants artificiels (sondes urinaires, verres de contact, etc.) et sur les tissus humains (dents, voies respiratoires, etc.). Elles sont de plus très difficiles à éliminer par les antibiotiques ou les

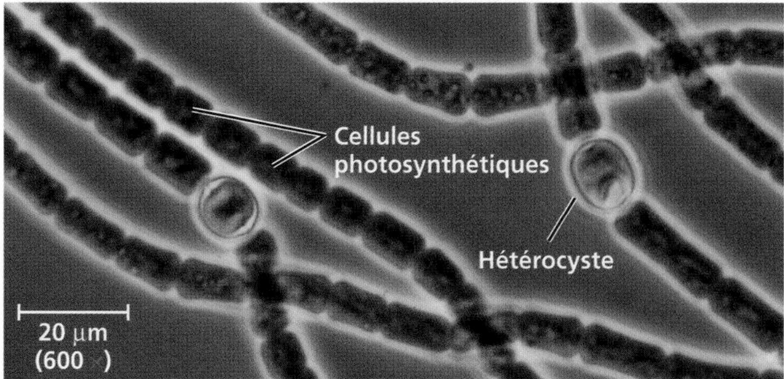

▲ **Figure 27.10 Coopération métabolique dans une colonie procaryote.** Chez la Cyanobactérie filamenteuse *Anabæna*, des cellules appelées *hétérocystes* fixent l'azote tandis que les autres accomplissent la photosynthèse (MP). *Anabæna* vit dans de nombreux lacs d'eau douce.

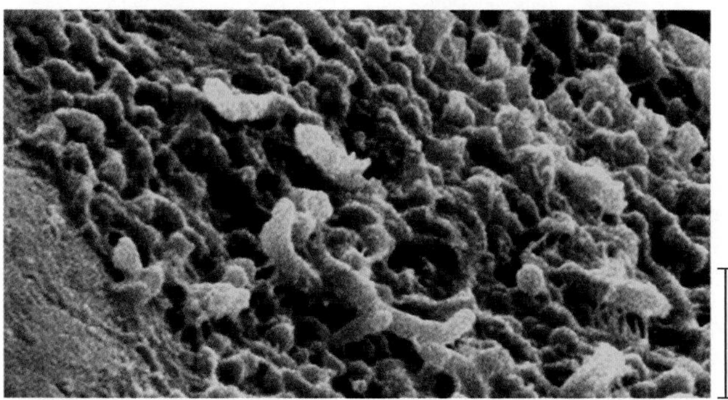

▲ **Figure 27.11 Biofilm.** La masse jaune apparaissant sur ce cliché artificiellement coloré (MEB) est de la plaque dentaire, un biofilm qui se forme à la surface des dents.

antiseptiques en raison de leur organisation en multiples couches, ce qui rend un grand nombre de cellules impossibles à atteindre, et de la dormance des cellules situées en profondeur.

Des Procaryotes appartenant à différentes espèces ont aussi recours à la coopération. Par exemple, des Bactéries et des Archéobactéries qui absorbent respectivement du sulfate et du méthane coexistent sur le plancher océanique sous forme d'agrégats sphériques. Les Bactéries semblent utiliser les déchets des Archéobactéries, notamment des composés organiques et de l'hydrogène. En retour, elles produisent des composés qui facilitent l'absorption du méthane par les Archéobactéries. Ce partenariat a des répercussions à l'échelle planétaire : chaque année, ces Archéobactéries consomment une quantité de méthane, un gaz qui contribue fortement à l'effet de serre, estimée à 300 milliards de kilogrammes (voir le chapitre 54).

Retour sur le concept 27.2

1. Une Bactérie qui vit dans des cavernes privées de lumière n'a besoin que d'un acide aminé, la méthionine, comme nutriment organique. Quel est son mode de nutrition ? Expliquez votre réponse.
2. Quelles sont les sources de carbone et d'azote de la Cyanobactérie *Anabæna* ?

Voir les réponses proposées à la fin du chapitre.

Concept 27.3

La systématique moléculaire fait la lumière sur la phylogenèse des Procaryotes

Jusqu'à la fin du XXe siècle, la taxinomie des Procaryotes reposait sur des caractères phénotypiques tels que la forme, la motilité, le mode de nutrition et la réaction à la coloration de Gram. Ces critères demeurent utiles dans certains contextes, notamment pour l'identification rapide des bactéries pathogènes cultivées à partir du sang d'un patient. Mais, en ce qui concerne la phylogenèse des Procaryotes, la comparaison de ces caractéristiques est assez peu révélatrice. L'application de la systématique moléculaire aux recherches sur la phylogenèse de ces organismes a toutefois donné des résultats remarquables.

Les leçons tirées de la systématique moléculaire

Comme l'explique le chapitre 25, les microbiologistes ont commencé à comparer les séquences des gènes des Procaryotes dans les années 1970. Utilisant comme marqueur des liens de l'évolution l'ARN de la plus petite sous-unité ribosomique (SSU-ARNr), Carl Woese et ses collègues ont conclu que de nombreux Procaryotes auparavant classés parmi les Bactéries étaient en réalité davantage apparentés aux Eucaryotes et appartenaient à un domaine distinct, celui des Archéobactéries. Depuis, grâce à l'analyse de quantités considérables de données génétiques, dans certains cas des génomes entiers, les microbiologistes ont découvert que quelques groupes taxinomiques traditionnels, comme les Cyanobactéries, sont en fait monophylétiques. Toutefois, d'autres groupes, par exemple les Bactéries à Gram négatif, sont répartis entre plusieurs lignées. La **figure 27.12** représente un arbre phylogénétique provisoire comprenant quelques-uns des principaux groupes de Procaryotes, selon la systématique moléculaire.

Les travaux portant sur la phylogenèse des Procaryotes sont loin d'être terminés, mais on en a déjà tiré deux importantes leçons. La première est que la diversité génétique de ces organismes est immense. Lorsqu'ils ont commencé à effectuer le séquençage des gènes des Procaryotes ; les chercheurs devaient se contenter d'étudier les espèces qu'on pouvait faire croître en laboratoire, soit une petite minorité d'espèces. Les méthodes que Norman Pace, de la University of Colorado, a été l'un des premiers à appliquer dans les années 1980 permettent aujourd'hui aux chercheurs d'obtenir directement de l'environnement des échantillons de matériel génétique. Chaque année, grâce à cette « prospection génétique », de nouvelles branches s'ajoutent à l'arbre de la vie. (Des chercheurs croient que certaines branches représentent en fait de nouveaux règnes complets.) Seulement 4 500 espèces de Procaryotes ont été complètement caractérisées ; or, selon certaines estimations, une seule poignée de sol fertile pourrait contenir 10 000 espèces de ces organismes. On comprend aisément pourquoi l'inventaire complet de cette diversité nécessitera encore de nombreuses années de recherche.

La seconde leçon concernant la phylogenèse des Procaryotes est l'importance manifeste qu'a eue le transfert de gènes horizontal dans l'évolution de ceux-ci. Pendant des centaines de

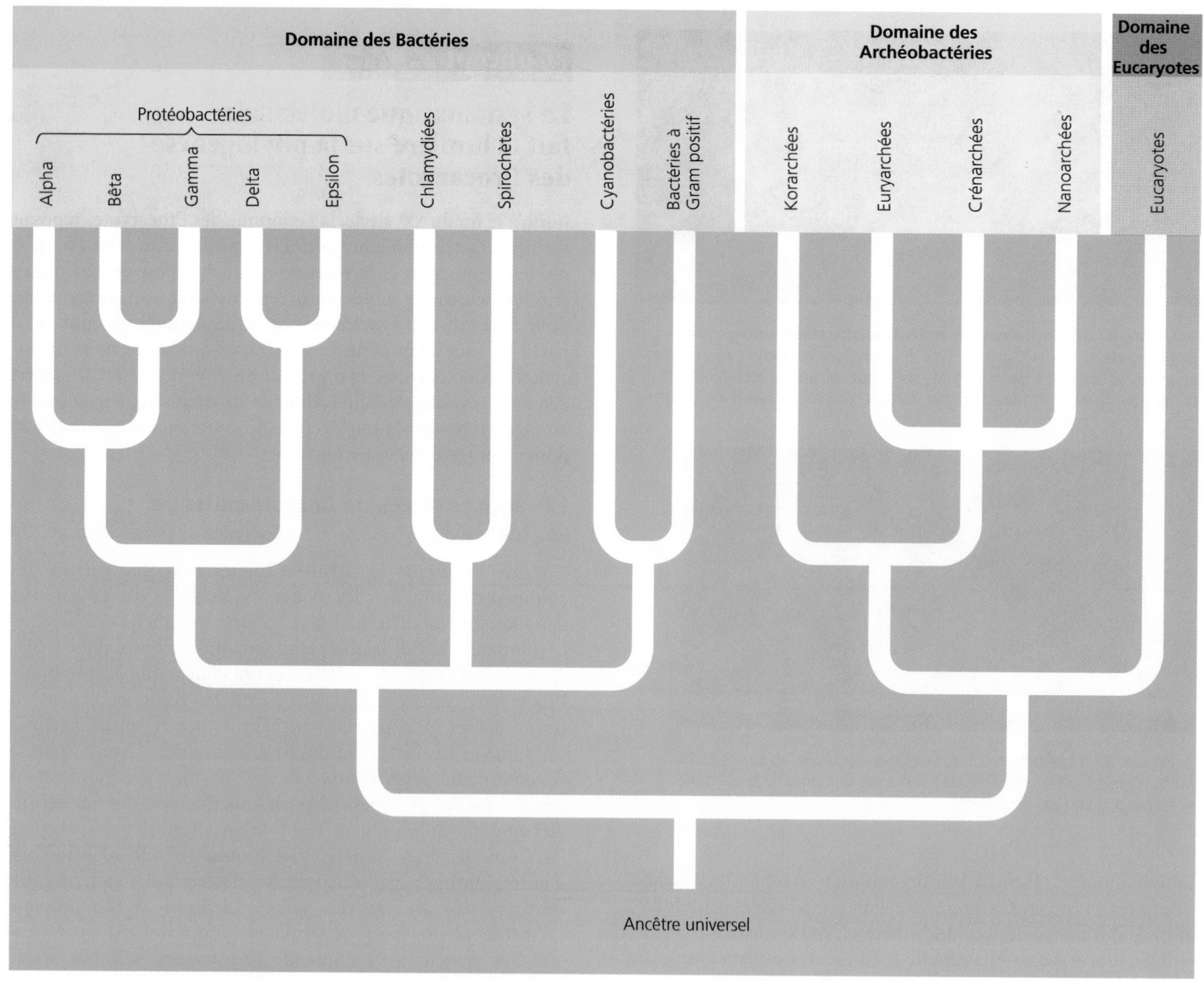

▲ **Figure 27.12 Arbre phylogénétique simplifié des Procaryotes.** Cet arbre phylogénétique fondé sur la systématique moléculaire met en relief les liens entre les principaux groupes de Procaryotes dont il est question dans le présent chapitre.

millions d'années, ces organismes ont acquis des gènes provenant d'espèces sans lien de parenté directe avec eux, et ces transferts se poursuivent encore aujourd'hui. Par conséquent, d'importantes parties du génome de nombreux Procaryotes constituent en fait des mosaïques de gènes importés d'autres espèces.

Vous noterez, en revenant à la figure 27.12, la très importante déduction que permet de faire la systématique moléculaire : très tôt, les Procaryotes se sont divisés en deux grandes lignées, les Bactéries et les Archéobactéries.

Les Bactéries

La grande majorité des Procaryotes connus de la plupart des gens sont des Bactéries qui appartiennent tant aux espèces pathogènes responsables de l'angine streptococcique et d'autres maladies qu'aux espèces utiles servant à la fabrication du fromage. Les principaux modes de nutrition se rencontrent chez les Bactéries, et on peut trouver, même dans un petit groupe taxinomique, des espèces présentant de nombreux modes de nutrition différents. Pour en apprendre davantage sur les principaux groupes de Bactéries, consultez la **figure 27.13**, aux pages 586 et 587.

Les Archéobactéries

Les Archéobactéries ont certains points en commun avec les Bactéries, et d'autres, avec les Eucaryotes **(tableau 27.2)**. Elles n'en possèdent pas moins de nombreuses caractéristiques exclusives, comme on peut s'y attendre d'un groupe d'organismes qui a suivi si longtemps une évolution distincte. Un point, entre autres, qui les distingue des Bactéries est le fait qu'on ne connaît pas d'espèces d'Archéobactéries pathogènes pour les humains ou même pour les animaux.

Les premiers Procaryotes qui ont été classés dans le domaine des Archéobactéries appartiennent à des espèces qui vivent là où peu d'autres peuvent subsister. Ces organismes portent le nom d'**extrêmophiles** (du grec *philos*, « ami »), ce qui signifie qu'ils

Tableau 27.2 Comparaison des trois domaines du vivant

CARACTÉRISTIQUES	DOMAINES		
	Bactéries	**Archéobactéries**	**Eucaryotes**
Enveloppe nucléaire	Absente	Absente	Présente
Organites membraneux	Absents	Absents	Présents
Peptidoglycane dans la paroi cellulaire	Présent	Absent	Absent
Lipides membranaires	Chaînes carbonées linéaires	Quelques chaînes carbonées ramifiées	Chaînes carbonées linéaires
ARN polymérase	Un type	Plusieurs types	Plusieurs types
Premier acide aminé dans la synthèse des protéines	Formylméthionine	Méthionine	Méthionine
Introns (parties non codantes des gènes)	Rares	Présents dans certains gènes	Présents
Réaction à la streptomycine et au chloramphénicol (antibiotiques)	Inhibition de la croissance	Aucune inhibition de la croissance	Aucune inhibition de la croissance
Histones associées à l'ADN	Absentes	Présentes	Présentes
Chromosome en forme d'anneau	Présent	Présent	Absent
Capacité de croître à des températures supérieures à 100 °C	Non	Oui, chez certaines espèces	Non

sont des « adeptes » des milieux extrêmes. Les extrêmophiles comprennent trois groupes: les thermophiles extrêmes, les halophiles extrêmes et les méthanogènes.

Les **thermophiles extrêmes** (du grec *thermos*, « chaud ») prospèrent dans des milieux très chauds (voir la figure 27.1). *Sulfolobus*, par exemple, habite des sources volcaniques sulfureuses à des températures qui peuvent atteindre 90 °C. *Pyrolobus fumarii*, vivant près des sources hydrothermales sous-marines de la ride médio-atlantique, peut survivre à des températures allant jusqu'à 113 °C. Un autre, *Pyrococcus furiosus*, est utilisé en biotechnologie comme source d'ADN polymérase pour la technique de l'amplification en chaîne par polymérase (ACP) (voir le chapitre 20).

Les **halophiles extrêmes** (du grec *halo*, « sel ») vivent dans des milieux très salés, comme le Grand Lac Salé (au nord de l'Utah, aux États-Unis) et la mer Morte, en Israël. Certaines espèces ne font que tolérer la salinité, tandis que d'autres ont besoin d'un environnement passablement plus salé que l'eau de mer (c'est-à-dire des concentrations pouvant aller jusqu'à 35 % de sel). Les colonies de certaines Archéobactéries halophiles forment une mousse qui doit sa couleur rose à un pigment photosynthétique, la bactériorhodopsine, très semblable aux pigments visuels présents dans la rétine de l'humain **(figure 27.14)**.

Les Archéobactéries **méthanogènes** forment le plus grand sous-groupe de ce domaine; elles sont ainsi nommées en raison du mécanisme très particulier par lequel elles obtiennent de l'énergie: elles utilisent le CO_2 pour oxyder le H_2, produisant ainsi du méthane (CH_4); la production de ce dernier peut aussi s'effectuer par réduction d'acides organiques. Les Archéobactéries méthanogènes comptent parmi les anaérobies les plus stricts; le dioxygène les empoisonne. Certaines espèces vivent dans les marécages et les marais où d'autres microorganismes ont consommé tout le dioxygène; le méthane formant des bulles à la surface de ces lieux était autrefois appelé *gaz des marais*. D'autres habitent l'intérieur anaérobie de l'intestin des bovins, des termites et d'autres herbivores, où elles jouent un rôle essentiel dans la nutrition de ces Animaux. Les Archéobactéries méthanogènes sont par ailleurs des décomposeurs importants qu'on utilise dans le traitement des eaux usées.

Toutes les Archéobactéries méthanogènes et halophiles extrêmes font partie du clade des Euryarchées. (L'élément grec *eury* signifie « large » et dénote la diversité et la multitude d'habitats de ces Procaryotes.) Ce groupe comprend aussi quelques Archéobactéries thermophiles extrêmes. Mais la plupart des espèces thermophiles appartiennent à un autre clade, celui des Crénarchées. (L'élément *cren* signifie « source », en référence aux sources hydrothermales.) La prospection génétique a révélé que les Euryarchées et les Crénarchées comptent aussi de nombreuses espèces non extrêmophiles. Ces espèces occupent divers habitats allant des terres agricoles aux sédiments lacustres, en passant par les eaux de surface de l'océan.

L'actualisation de la phylogenèse des Archéobactéries se poursuit grâce à de nouvelles découvertes. En 1996, des chercheurs qui prélevaient des échantillons dans une source thermale du Yellowstone National Park (nord-ouest des États-Unis) ont découvert des Archéobactéries qui ne semblent appartenir ni aux Euryarchées ni aux Crénarchées. Ils ont placé ces organismes dans un nouveau clade, celui des Korarchées (du grec *koron*, « jeune homme »). Les Korarchées, qui représentent la plus ancienne lignée du domaine des Archéobactéries, pourraient fournir des indices sur les premiers stades de l'évolution de la vie sur Terre. En 2002, des chercheurs qui exploraient des sources hydrothermales sous-marines au large des côtes de l'Islande ont trouvé des cellules archéobactériennes d'un diamètre de seulement 0,4 μm fixées à une Crénarchée beaucoup plus grosse. Le génome de la minuscule Archéobactérie est l'un des plus petits de tous les organismes connus: il ne contient que 500 000 paires de bases. Son analyse indique que ce Procaryote appartient à un quatrième clade d'Archéobactéries, celui des Nanoarchées (du grec *nanos*, « nain »). Dans l'année qui a suivi la création de ce nouveau clade, on a isolé trois autres séquences d'ADN appartenant à différentes espèces de Nanoarchées: la première provient des sources thermales de Yellowstone, la deuxième de sources thermales situées en Sibérie, et la troisième d'une source hydrothermale sous-marine du Pacifique. La poursuite de cette prospection conduira sans doute au cours des prochaines années à de nouvelles modifications de l'arbre de la figure 27.12.

Figure 27.13

Panorama Les principaux groupes de Bactéries

GROUPE ET DESCRIPTION	EXEMPLE

PROTÉOBACTÉRIES

Ce clade vaste et diversifié de Bactéries à Gram négatif comprend des photoautotrophes, des chimioautotrophes et des hétérotrophes. Certaines Protéobactéries sont anaérobies et d'autres, aérobies. Les spécialistes de la systématique moléculaire distinguent cinq sous-groupes de Protéobactéries.

SOUS-GROUPE : PROTÉOBACTÉRIES ALPHA (α)

De nombreuses espèces de Protéobactéries α sont étroitement associées à des hôtes eucaryotes. Ainsi, les espèces du genre *Rhizobium* vivent dans des nodules, à l'intérieur des racines des Légumineuses (famille du haricot, du trèfle, de la luzerne, etc.). Là, elles convertissent le N_2 atmosphérique en composés que la plante hôte peut utiliser pour synthétiser des protéines. Les espèces du genre *Agrobacterium* sont des agents pathogènes qui provoquent la formation de tumeurs chez les Végétaux. En génie génétique, on utilise ces bactéries pour incorporer un ADN étranger dans le génome de plantes cultivées (voir la figure 20.19). Des scientifiques pensent que les mitochondries se sont développées par endosymbiose à partir de Protéobactéries α aérobies (voir le chapitre 26).

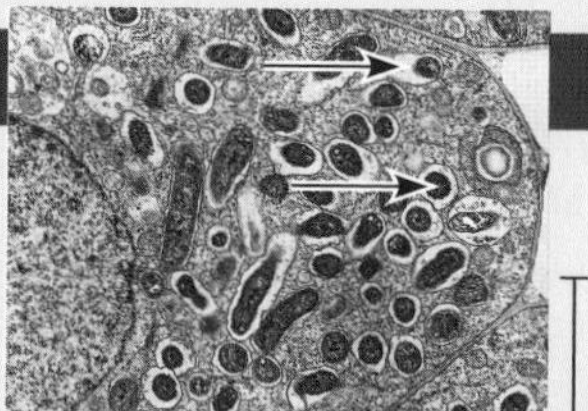

Rhizobium. Les flèches montrent la bactérie, à l'intérieur des cellules de la racine d'une Légumineuse (MET).

SOUS-GROUPE : PROTÉOBACTÉRIES BÊTA (β)

Diversifié sur le plan nutritionnel, le groupe des Protéobactéries β comprend *Nitrosomonas*, une bactérie qui vit dans le sol et joue un rôle important dans le recyclage de l'azote dans les écosystèmes. En effet, *Nitrosomonas* oxyde l'ammonium (NH_4^+) ou l'ammoniac (NH_3) et libère du nitrite (NO_2^-) comme sous-produit.

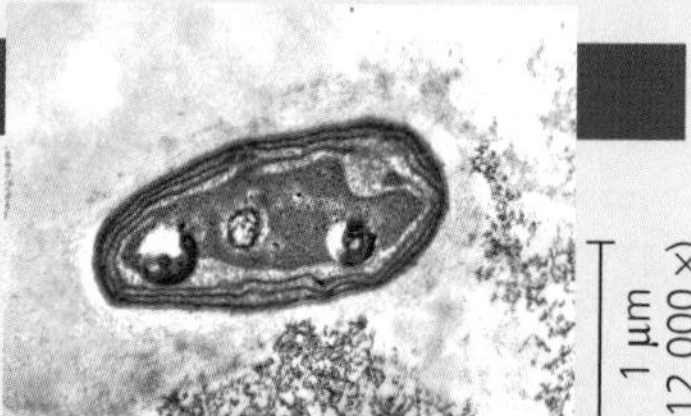

Nitrosomonas
(MET, cliché coloré artificiellement).

SOUS-GROUPE : PROTÉOBACTÉRIES GAMMA (γ)

C'est le groupe de Protéobactéries le plus vaste et le plus diversifié. Parmi les membres photosynthétiques, on trouve des bactéries sulfureuses comme *Chromatium*. Cette bactérie obtient de l'énergie en oxydant la molécule de H_2S, ce qui produit des résidus de soufre. Les Protéobactéries hétérotrophes γ comptent quelques agents pathogènes, notamment *Legionella*, ainsi baptisée parce qu'elle cause la maladie du légionnaire. *Salmonella* est parfois responsable d'intoxications alimentaires, et *Vibrio choleræ* cause le choléra. *Escherichia coli*, qui vit fréquemment dans l'intestin des humains et d'autres Mammifères, n'est généralement pas pathogène.

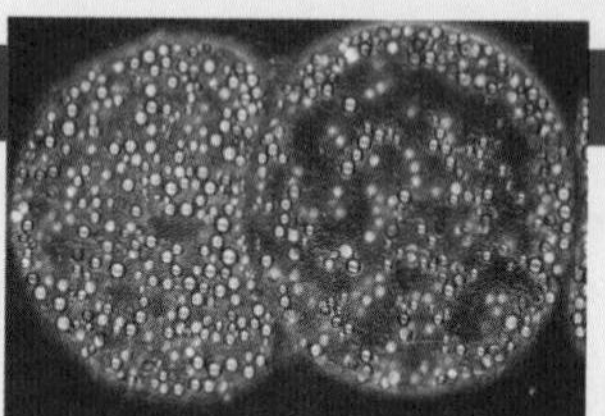

Chromatium. Les granules jaunes sont des résidus de soufre (MP).

SOUS-GROUPE : PROTÉOBACTÉRIES DELTA (δ)

Parmi les Protéobactéries δ se trouve le groupe des Myxobactéries, soit des Procaryotes qui sécrètent un substrat gluant et forment des colonies élaborées. Quand le sol s'assèche ou que la nourriture se fait rare, les cellules s'agglutinent et forment une « fructification » bulbeuse qui libère des spores résistantes, lesquelles deviennent actives et fondent de nouvelles colonies dans des milieux favorables. Parmi les Protéobactéries δ se trouve aussi le groupe des Bdellovibrionacées, qui sont des prédateurs des autres Bactéries. *Bdellovibrio* poursuit sa proie à la vitesse de 100 µm/s (ce qui équivaut à 600 km/h pour un humain). Le prédateur se transforme ensuite en perceuse et pénètre dans sa proie à la vitesse de 100 t/s.

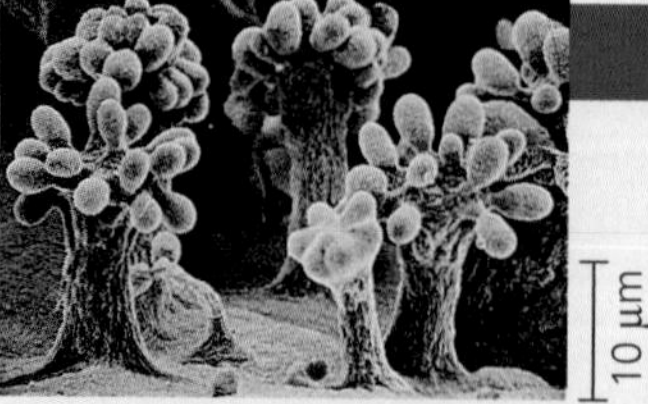

Fructifications de la Myxobactérie *Chondromyces crocatus* (MEB).

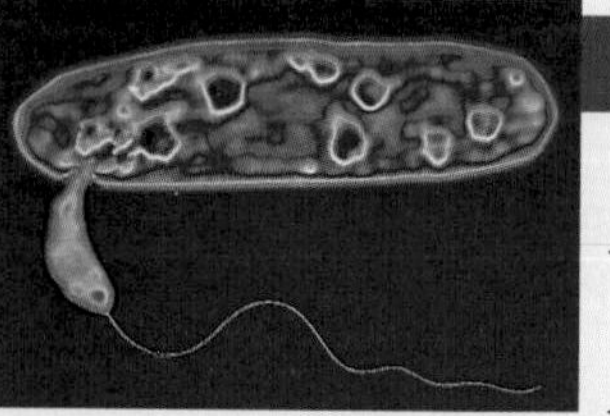

Bdellovibrio bacteriophorus attaquant une bactérie plus grosse (MET, cliché artificiellement coloré).

SOUS-GROUPE : PROTÉOBACTÉRIES EPSILON (ϵ)

La plupart des espèces de ce sous-groupe sont pathogènes pour les humains et d'autres Animaux. Les Protéobactéries ϵ comprennent *Campylobacter jejuni*, qui cause la septicémie et l'inflammation intestinale, et *Helicobacter pylori*, qui provoque les ulcères gastriques et duodénaux (dont la cause principale était, il n'y a pas si longtemps, attribuée au stress).

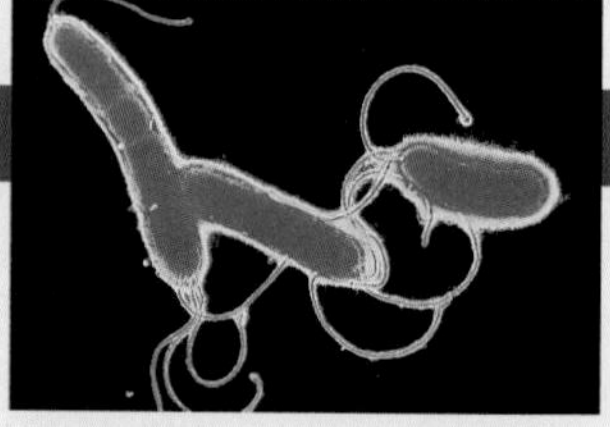

Helicobacter pylori
(MET, cliché artificiellement coloré).

GROUPE ET DESCRIPTION	EXEMPLE

CHLAMYDIÉES

Les Chlamydiées sont des parasites qui ne peuvent survivre qu'à l'intérieur de cellules animales et qui soutirent à leur hôte des ressources aussi fondamentales que l'ATP. La paroi à Gram négatif des Chlamydiées a ceci de particulier qu'elle ne contient pas de peptidoglycane. L'espèce *Chlamydia trachomatis* est la cause la plus répandue de cécité dans le monde. Elle cause aussi l'urétrite non gonococcique, l'infection transmissible sexuellement (ITS) la plus fréquente en Amérique du Nord.

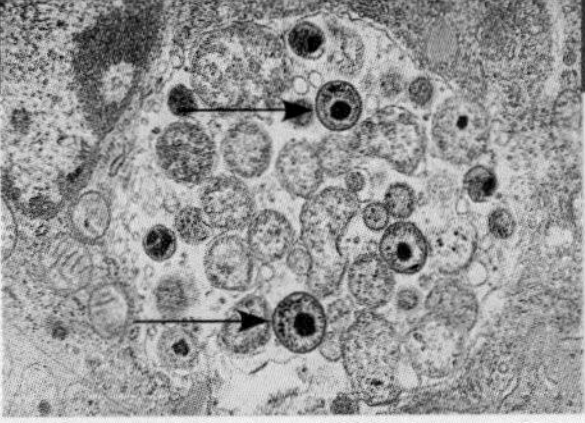

Chlamydia trachomatis (désignée par les flèches) vivant dans une cellule animale (MET, cliché artificiellement coloré).

SPIROCHÈTES

Les Spirochètes sont des hétérotrophes de forme hélicoïdale qui se déplacent en décrivant une spirale au moyen de filaments internes pivotants semblables à des flagelles. De nombreux Spirochètes sont autonomes, mais certains sont des parasites pathogènes notoires. Ainsi, *Treponema pallidum* cause la syphilis et *Borrelia burgdorferi* la maladie de Lyme ou borréliose.

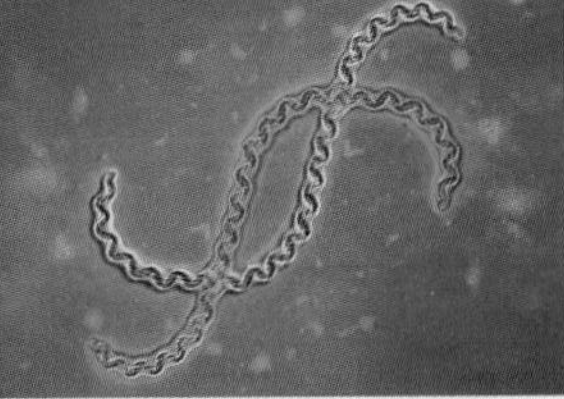

Spirochète *Leptospira* (MET, cliché artificiellement coloré).

BACTÉRIES À GRAM POSITIF

Les Bactéries à Gram positif rivalisent avec les Protéobactéries pour ce qui est de la diversité. (Mentionnons que les microbiologistes divisent ce groupe en deux sous-groupes, en tenant compte du rapport G + C, c'est-à-dire le pourcentage de paires de bases azotées guanine-cytosine dans l'ensemble des bases du génome d'une espèce ; il y a les Bactéries à Gram positif où le rapport G + C est fort et celles où le rapport est faible. Nous ne tiendrons pas compte de ce critère ici.) Un sous-groupe des Bactéries à Gram positif, les Actinobactéries (autrefois Actinomycètes), forment des colonies ramifiées (l'élément *mycète* dénote que ces bactéries étaient autrefois confondues avec les Eumycètes). Deux espèces faisant partie du groupe des Actinobactéries causent la tuberculose et la lèpre. Cependant, la plupart des Actinobactéries sont autonomes et concourent à la décomposition des débris organiques dans le sol. Leurs sécrétions sont en partie responsables de l'odeur « terreuse » des sols riches. Les sociétés pharmaceutiques cultivent les espèces vivant dans le sol du genre *Streptomyces* pour produire de nombreux antibiotiques, notamment la streptomycine.

En plus des Actinobactéries vivant en colonies, les Bactéries à Gram positif comprennent diverses espèces solitaires telles que *Bacillus anthracis* (voir la figure 27.9), qui cause la maladie du charbon, *Clostridium botulinum*, qui cause le botulisme, et *C. difficile*, responsable du décès de plusieurs centaines de patients dans les hôpitaux, notamment du Québec, depuis 2003. Les diverses espèces de *Staphylococcus* et de *Streptococcus* font aussi partie des Bactéries à Gram positif (la bactérie « mangeuse de chair » appartient à l'espèce *Steptococcus pyogenes*).

Les Mycoplasmes sont les seules Bactéries dépourvues de paroi cellulaire. Ce sont aussi, après les Nanobactéries, les plus petites cellules connues. Avec un diamètre de 0,1 μm, elles sont seulement cinq fois plus grosses qu'un ribosome. Les Mycoplasmes ont des génomes remarquablement petits : ainsi, *Mycoplasma genitalium* ne possède que 517 gènes. Beaucoup de Mycoplasmes sont des Bactéries autonomes qui vivent dans le sol, mais certains sont pathogènes, notamment une espèce qui cause la pneumonie atypique chez l'humain.

Streptomyces, source de nombreux antibiotiques (MEB, cliché artificiellement coloré).

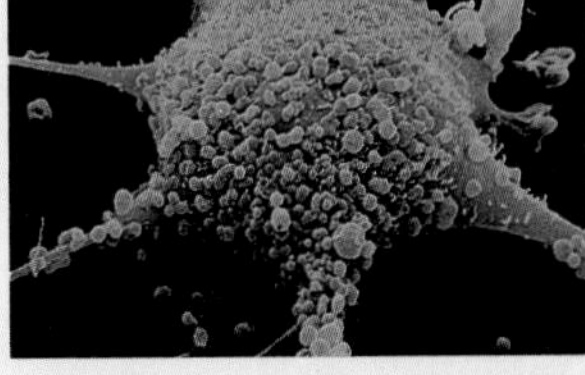

Des centaines de Mycoplasmes recouvrent ce fibroblaste humain (MEB, cliché artificiellement coloré).

CYANOBACTÉRIES

Photoautotrophes, les Cyanobactéries sont les seuls Procaryotes capables de photosynthèse productrice de dioxygène. (De fait, les chloroplastes sont probablement issus d'une Cyanobactérie endosymbiotique ; voir le chapitre 26). Les Cyanobactéries solitaires et coloniales sont abondantes partout où l'on trouve de l'eau. Elles fournissent une énorme quantité de nourriture aux écosystèmes d'eau douce ou d'eau salée. Certaines colonies filamenteuses comprennent des cellules spécialisées dans la fixation du diazote, processus métabolique qui convertit le N_2 atmosphérique en composés pouvant s'incorporer dans des protéines et d'autres molécules organiques (voir la figure 27.10).

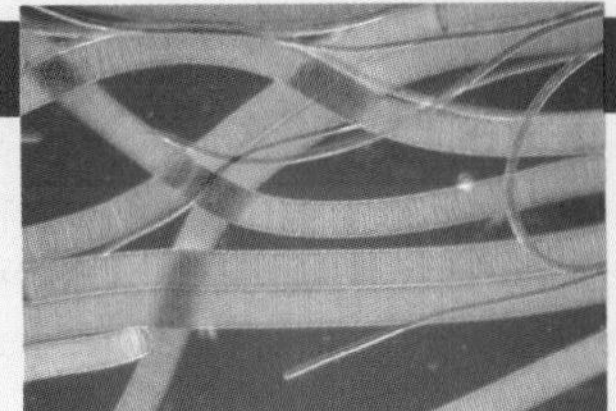

Deux espèces de *Oscillatoria*, Cyanobactérie filamenteuse (MP).

▲ **Figure 27.14 Archéobactéries halophiles extrêmes.** Des Archéobactéries halophiles aux couleurs vives prospèrent dans des marais salants, aux abords de la baie de San Francisco. L'eau de ces marais qui servent à la production commerciale de sel contient de cinq à six fois plus de sel que l'eau de mer.

Retour sur le concept 27.3

1. Expliquez pourquoi la systématique moléculaire a grandement amélioré notre compréhension de la phylogenèse des Procaryotes.
2. Qu'ont en commun la syphilis et la maladie de Lyme?
3. Quelles caractéristiques permettent à certaines espèces d'Archéobactéries de vivre dans des conditions extrêmes?

Voir les réponses proposées à la fin du chapitre.

Concept 27.4

Les Procaryotes jouent des rôles essentiels dans la biosphère

Si, dès demain, les humains disparaissaient de la planète, la plupart des autres espèces survivraient. Les Procaryotes, par contre, sont si indispensables à la biosphère que leur disparition ne laisserait à toute autre forme de vie qu'une bien faible chance de survivre.

Le recyclage des éléments chimiques

Les atomes qui constituent les molécules organiques présentes dans tous les organismes vivants faisaient autrefois partie de composés inorganiques du sol, de l'air et de l'eau. Ils en referont d'ailleurs partie un jour. Les écosystèmes dépendent de la circulation continuelle des éléments chimiques entre les composantes vivantes et non vivantes de l'environnement, et les Procaryotes jouent un rôle essentiel dans ce processus. Ainsi, les Procaryotes chimiohétérotrophes agissent à titre de **décomposeurs**, c'est-à-dire qu'ils dégradent les cadavres, les Végétaux morts et les déchets, libérant du même coup des réserves de carbone, d'azote et d'autres éléments. (Voir le chapitre 54, qui traite en détail des cycles des éléments chimiques.)

Les Procaryotes transforment également des composés inorganiques de sorte qu'ils puissent être absorbés par d'autres organismes. Les Procaryotes autotrophes, par exemple, utilisent du CO_2 pour produire des composés organiques qui circulent ensuite jusqu'aux niveaux supérieurs des chaînes alimentaires. Les Cyanobactéries, quant à elles, produisent de l'O_2 atmosphérique, et certaines espèces fixent aussi le diazote sous une forme que d'autres organismes peuvent utiliser pour fabriquer des protéines.

Les relations symbiotiques

Si certaines espèces de Procaryotes forment des associations profitables avec d'autres Procaryotes (coopération métabolique), d'autres établissent des relations tout aussi étroites avec des Eucaryotes. Le terme **symbiose** (qui vient du grec *sun*, «avec», et *bios*, «vie», et signifie «vie avec» ou «vie commune») désigne les relations écologiques qu'entretiennent des organismes d'espèces différentes vivant en contact direct. Chacun des organismes associés en symbiose est appelé **symbionte** (ou *symbiote*). Si l'un des symbiontes est beaucoup plus gros que l'autre, il est appelé **hôte**. Il existe trois types de relations symbiotiques: le mutualisme, le commensalisme et le parasitisme. Dans le **mutualisme**, les deux symbiontes tirent profit de la relation **(figure 27.15)**. Dans le **commensalisme**, un seul des deux symbiontes profite de la relation, sans toutefois nuire à l'autre ni l'aider de manière importante. (Comme il est expliqué plus en détail au chapitre 53, le commensalisme est rare dans la nature.) Dans le **parasitisme**, l'un des symbiontes, appelé **parasite**, vit aux dépens de l'hôte.

Le bien-être de nombreux Eucaryotes, y compris vous-même, dépend des Procaryotes mutualistes. Ainsi, on estime que l'intestin des humains contient de 500 à 1 000 espèces de Bactéries dont les cellules sont au moins 10 fois plus nombreuses que la totalité des cellules du corps humain. Beaucoup de ces espèces sont mutualistes: elles digèrent les aliments que notre intestin ne peut dégrader. En 2003, des scientifiques de la Washington University, à St. Louis, au Missouri, ont publié le premier génome complet de l'un de ces mutualistes intestinaux, *Bacteroides thetaiotaomicron*. Ce génome comprend un vaste ensemble de gènes qui participent à la synthèse des glucides, des vitamines et d'autres nutriments dont les humains ont besoin. Les signaux émis par cette bactérie activent les gènes humains responsables de la construction du réseau de vaisseaux

▲ **Figure 27.15 Cas de mutualisme: des «phares» bactériens.** L'ovale lumineux situé sous l'œil de ce poisson des grands fonds, *Photoblepharon palpebratus*, est un organe qui contient des bactéries symbiotiques bioluminescentes. Le poisson se sert de ses «phares» pour attirer des proies et signaler sa présence à d'éventuels partenaires. La bactérie reçoit des nutriments du poisson.

sanguins intestinaux nécessaires à l'absorption des aliments. D'autres signaux déclenchent chez les cellules humaines la production de composés antimicrobiens auxquels *B. thetaiotaomicron* n'est pas sensible. Empêcher les espèces de bactéries concurrentes de s'installer dans l'intestin est avantageux à la fois pour *B. thetaiotaomicron* et pour son hôte humain.

Retour sur le concept 27.4

1. Bien que, individuellement, les Procaryotes soient minuscules, ils ont collectivement un impact gigantesque sur la Terre et sur le vivant. Expliquez pourquoi.
2. Expliquez pourquoi la relation entre l'humain et la bactérie *B. thetaiotaomicron* est un exemple de mutualisme.

Voir les réponses proposées à la fin du chapitre.

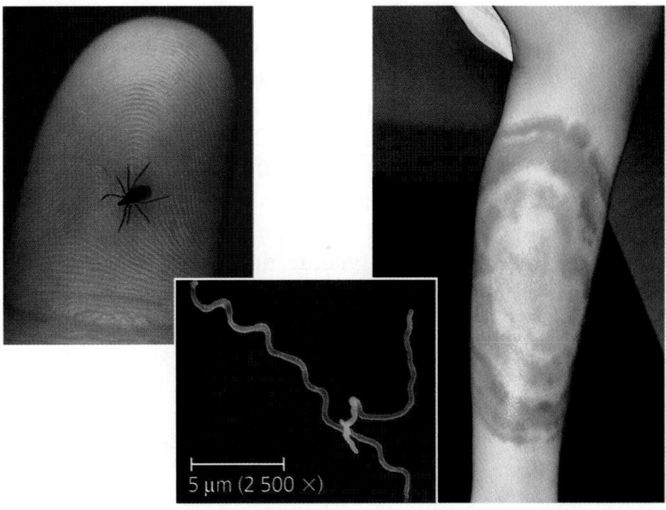

▲ **Figure 27.16 Maladie de Lyme.** Les tiques du genre *Ixodes* répandent la maladie en transmettant (en Amérique du Nord) le Spirochète *Borrelia burgdorferi* (MEB, cliché coloré artificiellement); en Europe, les agents responsables sont *B. garinii* et *B. afzelii*. Une éruption cutanée étendue et de forme circulaire peut apparaître au siège de la morsure de tique, comme on le voit sur cette photo de la partie inférieure de la jambe d'une personne.

Concept 27.5

Les Procaryotes ont des effets tant défavorables que bénéfiques sur les humains

Les Procaryotes les plus connus sont souvent ceux qui causent des maladies chez les humains. Pourtant, ces agents pathogènes ne représentent qu'une petite fraction des espèces procaryotes. De nombreux autres entretiennent avec les humains des relations bénéfiques et constituent même des outils indispensables dans les domaines de l'agriculture et de l'industrie.

Les Procaryotes pathogènes

Les espèces procaryotes qui parasitent les humains méritent bien leur mauvaise réputation. Tout compte fait, les Procaryotes sont responsables d'environ la moitié de toutes les maladies qui affligent l'humain. Entre deux et trois millions de personnes meurent chaque année de tuberculose, une maladie pulmonaire causée par le bacille *Mycobaterium tuberculosis*, et deux millions succombent à diverses affections diarrhéiques provoquées par d'autres Procaryotes. Aux États-Unis, la maladie de Lyme (ou borréliose) est l'affection transmise par des Animaux nuisibles la plus fréquente; en France, où le vecteur est plus répandu dans les régions du Nord-Est, on déclare de 7 000 à 8 000 nouveaux cas chaque année **(figure 27.16)**. Causée par une Bactérie transmise par des tiques qui, au stade adulte, vivent sur les cerfs et les mulots et même sur des Animaux domestiques, la maladie de Lyme peut entraîner une arthrite invalidante, des maladies cardiaques et des troubles nerveux si elle n'est pas traitée.

Les Procaryotes pathogènes causent en général des maladies en produisant des poisons appelés *exotoxines* et *endotoxines*. Les **exotoxines** sont des protéines sécrétées par des Bactéries. Le choléra, affection diarrhéique dangereuse, est entraîné par une exotoxine produite par la Protéobactérie *Vibrio choleræ*. L'exotoxine agit sur les cellules intestinales, qui libèrent des ions chlorure dans l'intestin, où l'eau pénètre ensuite par osmose. Les exotoxines peuvent provoquer la maladie même en l'absence des Procaryotes qui les fabriquent. Par exemple, le botulisme, maladie souvent mortelle, est provoqué par la toxine botulinique, une exotoxine sécrétée par la Bactérie à Gram positif *Clostridium botulinum* qui fait fermenter les aliments mis en conserve de manière inadéquate. Ces dernières années, on a trouvé un usage inattendu pour cette toxine (plus précisément celle du type A): sous le nom commercial de Botox, elle est injectée dans la peau ou les muscles sous la peau du visage pour faire disparaître (pour un temps) les rides d'expression (rides du front, pattes d'oie). La toxine paralyse les muscles responsables de la formation des rides.

Les **endotoxines** sont des lipopolysaccharides qui font partie de la membrane externe de la paroi de certaines Bactéries à Gram négatif. Contrairement aux exotoxines, elles ne sont libérées qu'au moment où la cellule meurt et où sa paroi se rompt. Parmi les Bactéries produisant des endotoxines figurent presque toutes celles du genre *Salmonella*, qui sont normalement absentes chez les animaux sains. *Salmonella typhi* cause la fièvre typhoïde, et plusieurs autres espèces de *Salmonella*, dont certaines se trouvent fréquemment dans la volaille, provoquent des intoxications alimentaires.

Depuis le XIXe siècle, les mesures sanitaires appliquées dans les pays industrialisés ont grandement contribué à réduire la menace représentée par les Procaryotes pathogènes. De même, les antibiotiques ont sauvé un grand nombre de vies et réduit la fréquence des maladies. Toutefois, une résistance aux antibiotiques est en train de se développer chez de nombreuses souches de Procaryotes. Comme nous l'avons mentionné plus tôt, sous l'effet de la sélection naturelle, la reproduction rapide des Procaryotes permet aux gènes qui procurent cette résistance de se multiplier promptement dans les populations de Procaryotes, sans compter que ces gènes peuvent atteindre d'autres espèces par l'intermédiaire du transfert de gènes horizontal.

Le transfert de gènes horizontal peut aussi répandre des gènes associés à la virulence, transformant ainsi des Procaryotes normalement inoffensifs en agents pathogènes mortels. *E. coli*, par exemple, est un symbionte ordinairement inoffensif qui se trouve dans l'intestin de l'humain, mais de nouvelles souches pathogènes de cette bactérie causent une diarrhée sanglante. L'une des souches les plus dangereuses, O157:H7, a été observée par les microbiologistes pour la première fois en 1982. Aujourd'hui, elle constitue une menace mondiale. Au Canada, elle a entraîné la mort de 7 personnes et affecté 2 300 autres quand elle s'est retrouvée dans les eaux potables de la municipalité de Walkerton, en Ontario, en mai 2000, à la suite d'un violent orage. La souche O157:H7 présente dans la viande de bœuf contaminée est également responsable de milliers d'intoxications alimentaires chaque année. En 2001, une équipe internationale de scientifiques a procédé au séquençage de son génome et l'a comparé à celui d'une souche inoffensive de *E. coli* appelée *K-12*. Elle a découvert que 1 387 des 5 416 gènes de O157:H7 n'ont aucune contrepartie chez K-12. Ces 1 387 gènes ont nécessairement été incorporés au génome de O157:H7 par transfert de gènes horizontal, fort probablement sous l'action de bactériophages (voir la figure 18.16). Beaucoup des gènes importés sont associés à l'invasion de l'hôte par la bactérie pathogène. Par exemple, certains gènes codent pour les exotoxines qui permettent à O157:H7 de s'attacher à la paroi intestinale et d'en extraire les nutriments.

L'utilisation de Procaryotes pathogènes comme armes pour le bioterrorisme constitue une menace potentielle. En octobre 2001, des endospores de *Bacillus anthracis*, la bactérie responsable du charbon, ont été trouvées dans des enveloppes postées à des membres de la presse et du Sénat américain. Des 18 personnes qui ont contracté la maladie, 5 en sont mortes. D'autres Procaryotes pourraient être utilisés comme armes; ce sont notamment *Clostridium botulinum* et *Yersinia pestis*, la bactérie qui cause la peste. Cette menace a fortement activé les recherches sur les espèces procaryotes pathogènes. En mai 2003, les scientifiques de l'Institute for Genomic Research, au Maryland, ont publié le génome complet de la souche de *B. anthracis* qui avait été utilisée dans l'attaque d'octobre 2001; ils espèrent ainsi que de nouveaux vaccins et antibiotiques pourront être mis au point.

L'utilisation des Procaryotes pour la recherche et la technologie

Pour continuer sur une note plus positive, mentionnons que les humains tirent de nombreux bienfaits des capacités métaboliques des Procaryotes. Par exemple, nous utilisons depuis longtemps les Bactéries pour transformer le lait en fromage et en yogourt. Ces dernières années, les nouvelles connaissances que nous avons sur les Procaryotes ont donné lieu à une explosion de nouvelles applications en biotechnologie; l'utilisation de *E. coli* pour le clonage moléculaire et de *Agrobacterium tumefaciens* pour la production de plantes transgéniques en sont deux exemples (voir le chapitre 20).

Les Procaryotes sont les principaux agents de la **biorestauration**, dans laquelle on se sert d'organismes pour éliminer les polluants du sol, de l'air ou de l'eau. Ainsi, des Bactéries anaérobies et des Archéobactéries décomposent la matière organique contenue dans les eaux usées et la convertissent en une substance qui, une fois stérilisée chimiquement, peut servir de matériau de remblai ou d'engrais. D'autres applications de la biorestauration consistent à utiliser des bactéries pour dégrader les déchets radioactifs et nettoyer les lieux après les déversements de pétrole **(figure 27.17)**.

Dans l'industrie minière, les Procaryotes aident à retirer les métaux contenus dans le minerai. Des bactéries participent ainsi chaque année à l'extraction de plus de 30 milliards de kilogrammes de cuivre provenant de sulfures de cuivre. Grâce à l'utilisation de Procaryotes qui extraient l'or du minerai, une usine du Ghana, en Afrique, traite un million de kilogrammes de minerai aurifère concentré par jour, ce qui représente environ la moitié de la valeur des devises de ce pays.

Grâce au génie génétique, les humains sont aujourd'hui en mesure de modifier les Procaryotes de sorte qu'ils produisent des vitamines, des antibiotiques, des hormones, etc. (voir le chapitre 20). L'une des idées les plus radicales en cette matière provient de l'Américain Craig Venter (un des responsables du Projet génome humain). Ce biologiste a en effet annoncé que lui et ses collègues tentent de créer des « chromosomes synthétiques » pour les Procaryotes: il s'agit en fait d'inventer des espèces entièrement nouvelles. Venter espère « concevoir » des Procaryotes capables d'accomplir des tâches précises, comme produire de grandes quantités d'hydrogène pour réduire notre dépendance à l'égard des combustibles fossiles.

L'utilité des Procaryotes provient en grande partie de la diversité de leurs formes de nutrition et de métabolisme. Cette polyvalence métabolique s'est développée avant les innovations structurales qui ont ouvert la voie à l'évolution des organismes eucaryotes, sujet dont traite le reste de la présente partie.

▲ **Figure 27.17 Biorestauration après un déversement de pétrole.** Un travailleur pulvérise des engrais sur une plage imbibée de pétrole, en Alaska. Les engrais stimulent la croissance de bactéries indigènes qui peuvent amorcer la dégradation du pétrole et, dans certains cas, quintupler la vitesse du processus naturel de dégradation.

Retour sur le concept 27.5

1. Expliquez la différence entre les exotoxines et les endotoxines.
2. Quelles caractéristiques des Procaryotes font de ces organismes des armes potentielles pour le bioterrorisme?
3. Nommez au moins deux moyens par lesquels vous avez profité aujourd'hui des effets bénéfiques des Procaryotes dans votre vie.

Voir les réponses proposées à la fin du chapitre.

Révision du chapitre 27

RÉSUMÉ DES CONCEPTS CLÉS

Concept 27.1

Des adaptations structurales, fonctionnelles et génétiques contribuent au succès des Procaryotes

- **Les structures de la surface cellulaire (p. 577-579).** Presque tous les Procaryotes possèdent une paroi cellulaire. Les Bactéries à Gram positif et les Bactéries à Gram négatif diffèrent les unes des autres par la structure de leur paroi. Chez de nombreuses espèces, l'extérieur de la paroi est muni d'une capsule, de *fimbriæ* ou de *pili* qui permettent aux cellules d'adhérer les unes aux autres ou à un substrat.
- **La motilité (p. 579-580).** La plupart des Bactéries mobiles se propulsent à l'aide de flagelles, dont la structure et la fonction diffèrent de celles des Eucaryotes. Dans les milieux hétérogènes, de nombreux Procaryotes peuvent s'approcher ou s'éloigner de certains stimulus.
- **La structure interne et l'organisation du génome (p. 580).** En général, les cellules procaryotes ne présentent pas de compartimentation complexe. Le génome des Procaryotes consiste habituellement en un anneau d'ADN qui n'est pas entouré d'une membrane. Certaines espèces possèdent aussi des plasmides, c'est-à-dire des anneaux d'ADN plus petits.
- **La reproduction et l'adaptation (p. 580-581).** Les Procaryotes se reproduisent rapidement par un mode de division cellulaire appelé *scissiparité*. Beaucoup produisent des endospores, qui peuvent demeurer sous une forme de dormance dans des conditions inhospitalières durant des siècles. La rapidité de la reproduction et le transfert de gènes horizontal facilitent l'adaptation évolutive des Procaryotes aux modifications de l'environnement.

Concept 27.2

De très nombreuses adaptations nutritionnelles et métaboliques sont apparues chez les Procaryotes

- Chez les Procaryotes, on rencontre des exemples des quatre principaux modes de nutrition: photoautotrophe, chimioautotrophe, photohétérotrophe et chimiohétérotrophe **(p. 581-582)**.
- **Le métabolisme et le dioxygène (p. 582).** Les aérobies stricts ont besoin d'O_2, les anaérobies stricts sont empoisonnés par l'O_2 et les anaérobies facultatifs peuvent survivre avec ou sans O_2.
- **Le métabolisme de l'azote (p. 582).** Les Procaryotes peuvent métaboliser de très nombreux composés azotés. Certains sont capables de convertir le diazote atmosphérique en ammoniac par un processus appelé *fixation de l'azote*.
- **La coopération métabolique (p. 582-583).** De nombreux Procaryotes dépendent des activités métaboliques d'autres Procaryotes. Chez la Cyanobactérie *Anabæna*, les cellules photosynthétiques et les cellules fixatrices d'azote échangent des sous-produits du métabolisme. Certains Procaryotes constituent des colonies formant un film qui se dépose sur une surface. Ces colonies, qui portent le nom de *biofilms*, peuvent comprendre différentes espèces.

Concept 27.3

La systématique moléculaire fait la lumière sur la phylogenèse des Procaryotes

- **Les leçons tirées de la systématique moléculaire (p. 583-584).** La systématique moléculaire permet une classification phylogénique des Procaryotes; son application conduit à la détermination d'importants nouveaux clades.
- **Les Bactéries (p. 584).** Divers modes de nutrition se rencontrent parmi les principaux groupes de Bactéries. Les Protéobactéries et les Bactéries à Gram positif forment les deux plus grands groupes de Bactéries.
- **Les Archéobactéries (p. 584-588).** Les Archéobactéries ont certains points en commun avec les Bactéries et d'autres avec les Eucaryotes. Certaines Archéobactéries vivent dans des milieux extrêmes: ce sont les thermophiles extrêmes, les halophiles extrêmes et les méthanogènes.

Concept 27.4

Les Procaryotes jouent des rôles essentiels dans la biosphère

- **Le recyclage des éléments chimiques (p. 588).** La décomposition effectuée par les Procaryotes hétérotrophes et les activités de synthèse accomplies par les Procaryotes autotrophes et les Procaryotes fixateurs d'azote contribuent au recyclage des éléments chimiques au sein des écosystèmes.
- **Les relations symbiotiques (p. 588-589).** Beaucoup de Procaryotes entretiennent des relations symbiotiques avec d'autres organismes: le mutualisme, le commensalisme ou le parasitisme.

Concept 27.5

Les Procaryotes ont des effets tant défavorables que bénéfiques sur les humains

- **Les Procaryotes pathogènes (p. 589-590).** En général, les Procaryotes pathogènes agissent en libérant des exotoxines ou des endotoxines. Ils constituent des armes potentielles pour le bioterrorisme. Le transfert de gènes horizontal peut permettre à des gènes associés à la virulence d'atteindre des souches inoffensives.
- **L'utilisation des Procaryotes pour la recherche et la technologie (p. 590).** Des expériences mettant en jeu des Procaryotes comme *E. coli* et *A. tumefaciens* ont débouché sur d'importants progrès en biotechnologie. Les Procaryotes sont d'importants outils dans les domaines de la biorestauration et de l'industrie minière ainsi que pour la synthèse de vitamines, d'antibiotiques et d'autres produits.

VÉRIFIEZ VOS CONNAISSANCES

Autoévaluation

(Les questions dont les numéros sont en caractères gras font surtout appel à la compréhension.)

1. Laquelle des affirmations suivantes sur le peptidoglycane est *fausse*?
   a) Il est composé de polymères de sucre modifiés.
   b) Il fixe d'autres molécules à la surface d'une bactérie.
   c) Les Bactéries à Gram positif en possèdent une assez grande quantité.
   d) On le trouve dans les parois cellulaires de tous les Procaryotes.
   e) Il se trouve à l'extérieur de la membrane plasmique de la plupart des Bactéries.

2. Les associations suivantes concernent différentes adaptations caractéristiques des Procaryotes; déterminez l'association qui est *incorrecte*.
   a) capsule: protection contre les attaques du système immunitaire de l'hôte
   b) transfert de gènes horizontal: évolution adaptative rapide
   c) endospores: résistance aux conditions hostiles de l'environnement
   d) peptidoglycane: résistance à la plasmolyse
   e) plasmides: résistance aux antibiotiques

3. Les photoautotrophes utilisent:
   a) la lumière comme source d'énergie et le CO_2 comme source de carbone.
   b) la lumière comme source d'énergie et le méthane comme source de carbone.
   c) le N_2 comme source d'énergie et le CO_2 comme source de carbone.
   d) le CO_2 à la fois comme source d'énergie et comme source de carbone.
   e) le H_2S comme source d'énergie et le CO_2 comme source de carbone.
4. Laquelle des affirmations suivantes est *fausse*?
   a) La composition lipidique de la membrane plasmique diffère chez les Archéobactéries et chez les Bactéries.
   b) Les Archéobactéries et les Bactéries sont généralement dépourvues d'organites membraneux.
   c) La paroi cellulaire des Archéobactéries est dépourvue de peptidoglycane.
   d) Seules les Bactéries possèdent des histones associées à l'ADN.
   e) Les Bactéries englobent les Spirochètes.
5. Parmi les caractéristiques suivantes des Procaryotes, laquelle donne lieu à une coopération métabolique entre les cellules?
   a) La division par scissiparité.
   b) La formation des endospores.
   c) La libération d'exotoxines.
   d) Les films biologiques.
   e) Le mode de nutrition photoautotrophe.
6. Laquelle des affirmations suivantes sur les Archéobactéries est *fausse*?
   a) Les Archéobactéries comprennent les Euryarchées et les Crénarchées.
   b) Les Archéobactéries comprennent les méthanogènes et les thermophiles extrêmes.
   c) On ne trouve pas d'Archéobactéries dans les habitats terrestres.
   d) Les Archéobactéries ont des caractéristiques en commun avec les Bactéries et les Eucaryotes.
   e) La distinction entre les Archéobactéries et les Bactéries se fonde en partie sur la systématique moléculaire.
7. Laquelle des associations suivantes est *erronée*?
   a) Protéobactéries et Bactéries à Gram négatif diverses.
   b) Chlamydiées et parasites intracellulaires.
   c) Spirochètes et hétérotrophes en forme de spirale.
   d) Bactéries à Gram positif et symbiontes se trouvant dans des nodules à l'intérieur des racines des Légumineuses.
   e) Cyanobactéries et photoautotrophes solitaires ou vivant en colonies.
8. Quel est le type de relation entre la bactérie *B. burgdorferi*, responsable de la maladie de Lyme, et les humains?
   a) Le mutualisme.
   b) Le commensalisme.
   c) Le parasitisme.
   d) La coopération métabolique.
   e) Aucune de ces réponses.
9. L'action antibiotique de l'érythromycine consiste principalement à empêcher un Procaryote de:
   a) produire des spores.
   b) répliquer l'ADN.
   c) synthétiser une paroi normale.
   d) synthétiser des protéines dans les ribosomes.
   e) synthétiser de l'ATP.
10. Quels Procaryotes possèdent un mécanisme de photosynthèse ressemblant à celui des Végétaux?
    a) Les Cyanobactéries.
    b) Les Chlamydiées.
    c) Les Archéobactéries.
    d) Les Actinobactéries.
    e) Les Bactéries chimioautotrophes.
11. La biorestauration consiste notamment à:
    a) utiliser des Procaryotes pour traiter les eaux usées ou pour nettoyer les lieux après les déversements de pétrole.
    b) produire des antibiotiques par la culture de Bactéries.
    c) utiliser des Bactéries pour produire des plantes transgéniques.
    d) utiliser une Bactérie parasite pour tuer d'autres Bactéries.
    e) Toutes ces réponses sont bonnes.

Lien avec l'évolution

Partout dans le monde, les responsables de la santé sont préoccupés par la résurgence de maladies causées par des bactéries résistantes aux antibiotiques usuels. En ce moment, par exemple, certaines bactéries antibiorésistantes sont à l'origine d'une épidémie de tuberculose, maladie pulmonaire qui se transmet par l'intermédiaire de gouttelettes projetées dans l'air. Les médicaments soulagent les symptômes de la tuberculose en quelques semaines. Mais l'infection proprement dite cède beaucoup plus lentement. Aussi les patients ont-ils tendance à cesser le traitement alors que leur organisme contient encore des bactéries. Pourquoi les Procaryotes peuvent-ils causer rapidement une réinfection s'ils ne sont pas complètement éliminés? Comment ce phénomène peut-il favoriser l'apparition d'agents pathogènes résistants aux médicaments?

Intégration

Vous apprenez que des scientifiques étudient la possibilité de créer des espèces de Procaryotes entièrement nouvelles grâce au génie génétique (voir la section Intégration du chapitre 26, n° 2). Quels sont les risques et les bienfaits potentiels d'un tel projet? Comment l'histoire naturelle et la biologie de l'évolution des Procaryotes peuvent-elles éclairer cette recherche?

Science, technologie et société

1. De nombreux journaux publient chaque semaine la liste des restaurants que des inspecteurs ont mis à l'amende pour insalubrité. Procurez-vous une liste de ce genre et déterminez les cas possibles de contamination des aliments par des Procaryotes pathogènes.
2. Au tout début du chapitre, nous avons affirmé que les Procaryotes étaient partout... ou presque. Nous aurions pu écrire aussi qu'il y a des bactéries partout. Nous en sommes tous convaincus. Et comme on a tendance à associer bactéries à infections et maladies, la publicité peut facilement nous convaincre de la nécessité de se protéger contre les bactéries omniprésentes en se procurant toutes sortes de produits capables de détruire les envahisseurs potentiels. Que penser par exemple de l'emploi de plus en plus répandu des savons antibactériens? Quels effets sur les bactéries et la santé pourrait avoir l'emploi généralisé de tels produits?

Réponses du chapitre 27

Retour sur le concept 27.1

1. La capsule (qui protège les Procaryotes du système immunitaire de leur hôte), les plasmides (qui dotent les Procaryotes de fonctions d'« urgence », comme la résistance aux antibiotiques) et la formation d'endospores (qui permettent aux cellules de survivre dans des milieux hostiles et de reprendre leur métabolisme lorsque les conditions sont redevenues plus hospitalières).
2. Les cellules procaryotes ne possèdent pas la compartimentation interne des cellules eucaryotes. Leur génome contient beaucoup moins d'ADN que celui des cellules eucaryotes, et presque tout cet ADN se trouve dans un seul chromosome de forme circulaire situé dans une région nommée *nucléoïde* et non dans un véritable noyau entouré d'une membrane. De plus, beaucoup de Procaryotes ont aussi des plasmides, soit de petites molécules d'ADN en forme d'anneau qui renferment quelques gènes seulement.
3. La rapidité de reproduction permet aux mutations favorables de se répandre promptement dans une population de Procaryotes grâce à la sélection naturelle.

Retour sur le concept 27.2

1. Le mode de nutrition chimiohétérotrophe; la Bactérie doit tirer son énergie de substances chimiques, car elle n'est pas exposée à la lumière; de plus, si elle a besoin d'une source organique de carbone plutôt que de CO_2, elle est nécessairement hétérotrophe.
2. *Anabæna* est un organisme photoautotrophe qui obtient son carbone du CO_2. Ce Procaryote fixateur d'azote obtient son azote du N_2.

Retour sur le concept 27.3

1. Avant la systématique moléculaire, les taxinomistes classaient les Procaryotes en fonction de caractéristiques phénotypiques qui ne clarifiaient pas les liens de l'évolution. La comparaison des caractéristiques moléculaires révèle des divergences fondamentales entre les lignées de Procaryotes.
2. Ces deux maladies sont causées par des Spirochètes.
3. Ces espèces sont capables d'utiliser l'hydrogène, le soufre et d'autres éléments chimiques comme sources d'énergie; elles peuvent survivre et même prospérer sans oxygène. Ces caractéristiques leur permettent de vivre dans des milieux dépourvus des ressources dont la plupart des autres organismes ont besoin.

Retour sur le concept 27.4

1. Bien qu'ils soient de petits organismes pour la plupart unicellulaires, les Procaryotes assument d'importantes fonctions dans les écosystèmes : ils décomposent les déchets, recyclent les éléments chimiques et fournissent des nutriments aux autres organismes.
2. *Bacteroides thetaiotaomicron*, qui vit dans l'intestin humain, obtient des nutriments du système digestif et est protégée des bactéries concurrentes grâce aux composés antimicrobiens produits par son hôte et auxquels elle n'est pas sensible. Son hôte humain tire avantage de cette bactérie, car elle fabrique des glucides, des vitamines et d'autres nutriments.

Retour sur le concept 27.5

1. Les exotoxines sont des protéines sécrétées par les Procaryotes; les endotoxines sont des lipopolysaccharides provenant de la membrane externe des Bactéries à Gram négatif mortes.
2. La rapidité de leur reproduction peut les rendre difficiles à combattre à l'aide d'antibiotiques, surtout parce qu'elles sont susceptibles de devenir résistantes à ces médicaments. Certaines peuvent aussi former des endospores capables de résister à des milieux inhospitaliers et de survivre jusqu'à ce que les conditions redeviennent plus favorables.
3. Exemples de réponses : Consommer des aliments fermentés comme le yogourt, le pain au levain ou le fromage; disposer d'une eau propre provenant d'une usine de traitement des eaux usées; prendre des médicaments produits par des Procaryotes.

Autoévaluation

1. d; 2. d; 3. a; 4. d; **5.** d; 6. c; 7. d; **8.** c; 9. d; 10. a; 11. a.

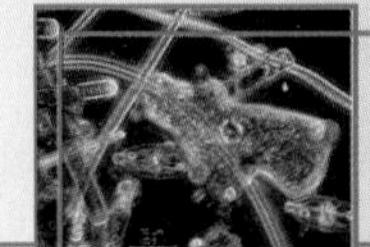

28

Les Protistes

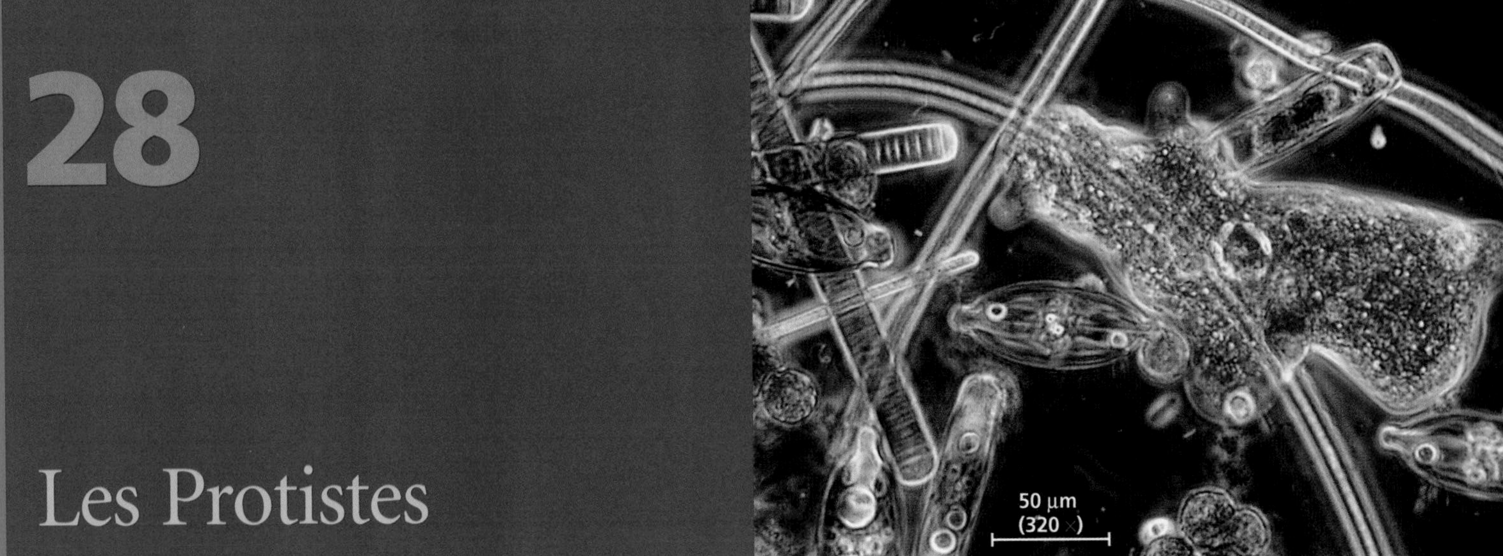

▲ **Figure 28.1 Eucaryotes unicellulaires et Eucaryotes vivant en colonies dans une goutte d'eau provenant d'un étang.**

Concepts clés

28.1 **Les Protistes constituent un groupe d'Eucaryotes extrêmement diversifié**

28.2 **Les Diplomonadines et les Parabasaliens possèdent des mitochondries modifiées**

28.3 **Les Euglénobiontes sont pourvus de flagelles dont la structure interne est unique**

28.4 **Les Alvéolobiontes comportent des vésicules sous leur membrane plasmique**

28.5 **Les Straménopiles sont munis de flagelles « velus » et de flagelles « glabres »**

28.6 **Les Cercozoaires et les Radiolaires possèdent des pseudopodes filiformes**

28.7 **Les Amibozoaires sont dotés de pseudopodes en forme de lobe**

28.8 **Les Algues rouges et les Algues vertes sont les organismes les plus étroitement apparentés aux Végétaux terrestres**

Introduction

Un univers dans une goutte d'eau

Dans une seule goutte d'eau prélevée dans un étang, on peut apercevoir, même à l'aide d'un microscope optique de faible grossissement, un incroyable assortiment d'organismes **(figure 28.1)**. Certains de ces minuscules organismes se déplacent grâce aux battements de leurs flagelles, tandis que d'autres rampent à l'aide d'appendices semblables à des taches. Plusieurs ressemblent à des bijoux miniatures; d'autres, à des sphères vertes qui tournoient. Ces splendides créatures appartiennent aux nombreux règnes qui rassemblent les organismes eucaryotes, pour la plupart unicellulaires, qu'on appelle communément **Protistes**. Elles suscitent toujours la curiosité des scientifiques, bien qu'il se soit écoulé plus de 300 ans depuis que le microscopiste hollandais Antoni van Leeuwenhoek (1632-1723) les a observés pour la première fois. Le souvenir de leur découverte lui a d'ailleurs inspiré ces mots: « Je n'ai jamais rien vu d'aussi agréable. »

Auparavant, les taxinomistes classaient tous les Protistes dans un seul règne. Ce règne n'a cependant pas résisté aux progrès de la systématique des Eucaryotes. En effet, il apparaît aujourd'hui clairement que les Protistes sont en réalité paraphylétiques (voir la figure 25.10): certains sont plus étroitement apparentés aux Végétaux, aux Eumycètes ou aux Animaux qu'à d'autres Protistes. Le règne des Protistes a donc été abandonné et, maintenant, certains biologistes sont d'avis que diverses lignées de ces organismes constituent à elles seules des règnes distincts. La plupart des spécialistes emploient encore le terme *Protiste*, mais seulement parce que c'est une façon pratique de désigner un Eucaryote qui n'est ni un Végétal, ni un Animal, ni un Eumycète.

Dans le présent chapitre, nous allons prendre connaissance des principaux groupes de Protistes. Nous découvrirons aussi leurs adaptations structurales et biochimiques de même que leur énorme impact sur les écosystèmes, l'industrie et la santé humaine.

Concept 28.1

Les Protistes constituent un groupe d'Eucaryotes extrêmement diversifié

Étant donné la nature paraphylétique du groupe qui portait auparavant le nom de *Protistes*, vous ne serez pas surpris d'apprendre qu'il existe peu de caractéristiques générales s'appliquant sans exception à tous ces organismes. En fait, la diversité anatomique et physiologique est plus grande chez les Protistes que chez tout autre groupe d'organismes.

La majorité des Protistes étant unicellulaires – on trouve aussi des espèces vivant en colonies et des espèces multicellulaires –, on les considère à juste titre comme les plus simples des organismes eucaryotes. Néanmoins, à l'échelle cellulaire, bon nombre présentent une extrême complexité et constituent de fait les cellules les plus perfectionnées qui soient. On ne pouvait en attendre moins, du reste, d'organismes qui doivent accomplir dans les limites d'une seule cellule toutes les fonctions de base qui échoient aux cellules spécialisées des organismes multicellulaires.

De tous les Eucaryotes, les Protistes sont ceux qui possèdent les modes de nutrition les plus diversifiés. Certains sont photo-autotrophes et renferment des chloroplastes. D'autres sont hétérotrophes et absorbent des molécules organiques ou ingèrent des particules alimentaires plus volumineuses. D'autres encore, dits **mixotrophes**, tirent leur énergie *à la fois* de la photosynthèse et de la nutrition hétérotrophe. Les différents modes de nutrition sont apparus indépendamment chez de nombreuses lignées de Protistes. La distinction entre ces modes de nutrition nous aide à comprendre les rôles que jouent ces organismes dans les communautés biologiques. C'est ainsi que, dans le contexte écologique, nous pouvons diviser les Protistes en trois catégories : les Protistes qui, comme les Végétaux, sont photosynthétiques, soit les Algues ; les Protistes qui, comme les Animaux, ingèrent leur nourriture, soit les Protozoaires ; les Protistes qui, comme les Eumycètes, se nourrissent par absorption, soit les Mycétozoaires. N'oubliez pas, toutefois, que si les termes *Algues* et *Protozoaires* sont utiles pour traiter de l'écologie des Protistes, ils ne désignent pas des groupes monophylétiques.

Les habitats des Protistes, eux aussi, sont diversifiés **(figure 28.2)**. La plupart des Protistes sont des organismes aquatiques, qu'on trouve dans presque tous les milieux où il y a de l'eau, y compris les habitats terrestres comme le sol humide et les feuilles en décomposition. De nombreux Protistes vivent au fond des océans, des étangs et des lacs. Ils s'attachent aux pierres et à d'autres substrats ou rampent dans le sable et la vase. Certains sont également un élément constitutif important du plancton (du grec *planktos*, « errant »), groupement d'organismes qui dérivent passivement près de la surface de l'eau. Le phytoplancton (formé d'Algues planctoniques et de Cyanobactéries) constitue la base de la plupart des réseaux alimentaires d'eau douce et d'eau salée. En plus des Protistes qui vivent à l'état libre, il en existe un grand nombre qui vivent comme symbiontes dans d'autres organismes.

Le mode de reproduction et le cycle de développement varient considérablement d'un Protiste à l'autre. Certains se reproduisent seulement par voie asexuée. D'autres peuvent aussi se multiplier par voie sexuée, ou du moins utiliser la méiose et la fécondation (union de deux gamètes). On trouve les trois types de cycles chez les Protistes (voir la figure 13.6), de même que des variantes qui ne sont tout à fait conformes à aucun d'entre eux. Nous examinerons au fil du chapitre les cycles de développement de plusieurs groupes de Protistes.

L'endosymbiose et l'évolution des Eucaryotes

Quelle est l'origine de l'immense diversité qui existe aujourd'hui chez les Protistes ? On dispose actuellement d'un nombre considérable de données indiquant que la source d'une grande partie de cette diversité est l'endosymbiose, qui est un processus par lequel certains organismes unicellulaires ont absorbé d'autres cellules, qui sont devenues des endosymbiontes, puis, plus tard, des organites intégrés à la cellule hôte. Par exemple, comme il a été expliqué au chapitre 26, les premiers Eucaryotes ont probablement acquis leurs mitochondries en absorbant des Protéobactéries alpha. L'apparition précoce des mitochondries est confirmée par le fait que tous les Eucaryotes étudiés jusqu'ici ont des mitochondries ou présentent des vestiges de ces organites.

Des biologistes présument que, plus tard dans l'histoire des Eucaryotes, une lignée d'organismes hétérotrophes a acquis un

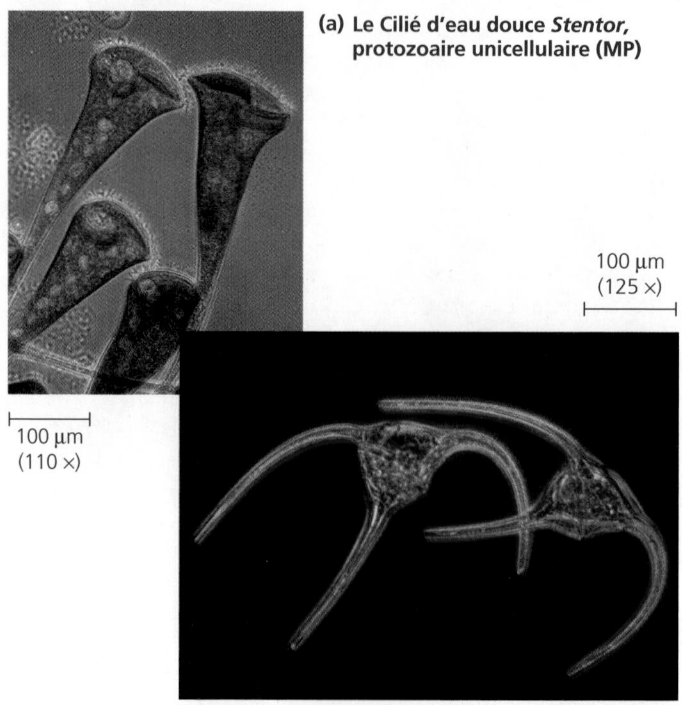

(a) **Le Cilié d'eau douce *Stentor*, protozoaire unicellulaire (MP)**

(b) ***Ceratium tripos*, Dinophyte unicellulaire marin (MP)**

(c) ***Delesseria sanguinea*, Algue rouge multicellulaire marine**

(d) ***Spirogyra*, une Algue verte filamenteuse d'eau douce (en médaillon, MP)**

▲ **Figure 28.2 Aperçu de la diversité des Protistes.**

autre endosymbionte, une Cyanobactérie photosynthétique, dont l'évolution a ensuite conduit à l'apparition des plastes. Dans le modèle illustré à la **figure 28.3**, cette lignée contenant des plastes a ultérieurement donné naissance aux Algues rouges et aux Algues vertes. Ces hypothèses sont appuyées par le fait que l'ADN des gènes des plastes chez les Algues rouges et les Algues vertes ressemble beaucoup à celui des Cyanobactéries. De plus, les plastes chez les Algues rouges et les Algues vertes sont limités par deux membranes qui correspondent à la membrane intérieure et à la membrane extérieure des Cyanobactéries à Gram négatif endosymbiontes.

Plusieurs fois, au cours de l'évolution des Eucaryotes, les Algues rouges et les Algues vertes ont été soumises à une **endosymbiose secondaire**: elles ont été ingérées dans la vacuole digestive d'un Eucaryote hétérotrophe et sont devenues elles-mêmes des endosymbiontes. Par exemple, les Algues appelées *Chlorarachniophytes* sont apparues à la suite de l'absorption d'une Algue verte par un Eucaryote hétérotrophe. Ce processus est relativement récent à l'échelle du temps de l'évolution, car l'Algue qui a été absorbée effectue encore la photosynthèse au moyen de ses plastes et contient une minuscule structure, le *nucléomorphe*, qui est un vestige de son propre noyau. Le fait que les plastes des Chlorarachniophytes soient entourés de *quatre* membranes concorde avec l'hypothèse selon laquelle ces organismes se sont développés à partir d'un Eucaryote qui en avait englobé un autre. Les deux membranes intérieures étaient les membranes intérieure et extérieure de la Cyanobactérie ancestrale. La troisième provient de la membrane plasmique de l'Algue absorbée, et la quatrième, la membrane extérieure, de la vacuole digestive de l'Eucaryote hétérotrophe.

Parmi les lignées à l'intérieur desquelles l'endosymbiose secondaire a eu lieu dans un passé plus lointain, de nombreuses parties de l'Algue absorbée se sont amenuisées ou sont complètement disparues. Dans la plupart de ces lignées, par exemple, le nucléomorphe n'existe plus.

Retour sur le concept 28.1

1. Indiquez au moins quatre exemples de la diversité anatomique et physiologique des Protistes.
2. Immédiatement après l'ingestion d'une Cyanobactérie à Gram négatif par une cellule eucaryote au cours de l'endosymbiose primaire, combien de membranes séparent le cytoplasme de la bactérie du liquide qui se trouve à l'extérieur de la cellule eucaryote? Indiquez la provenance de chaque membrane.

Voir les réponses proposées à la fin du chapitre.

▼ **Figure 28.3 Diversité des plastes produits par endosymbiose secondaire.** Des études sur les Eucaryotes contenant des plastes indiquent que tous ces organites se sont développés à partir d'une Cyanobactérie à Gram négatif absorbée par un Eucaryote hétérotrophe ancestral (endosymbiose primaire). La diversification de cet Eucaryote ancestral a ensuite donné naissance aux Algues rouges et aux Algues vertes, dont certains individus ont ultérieurement été absorbés par d'autres Eucaryotes (endosymbiose secondaire).

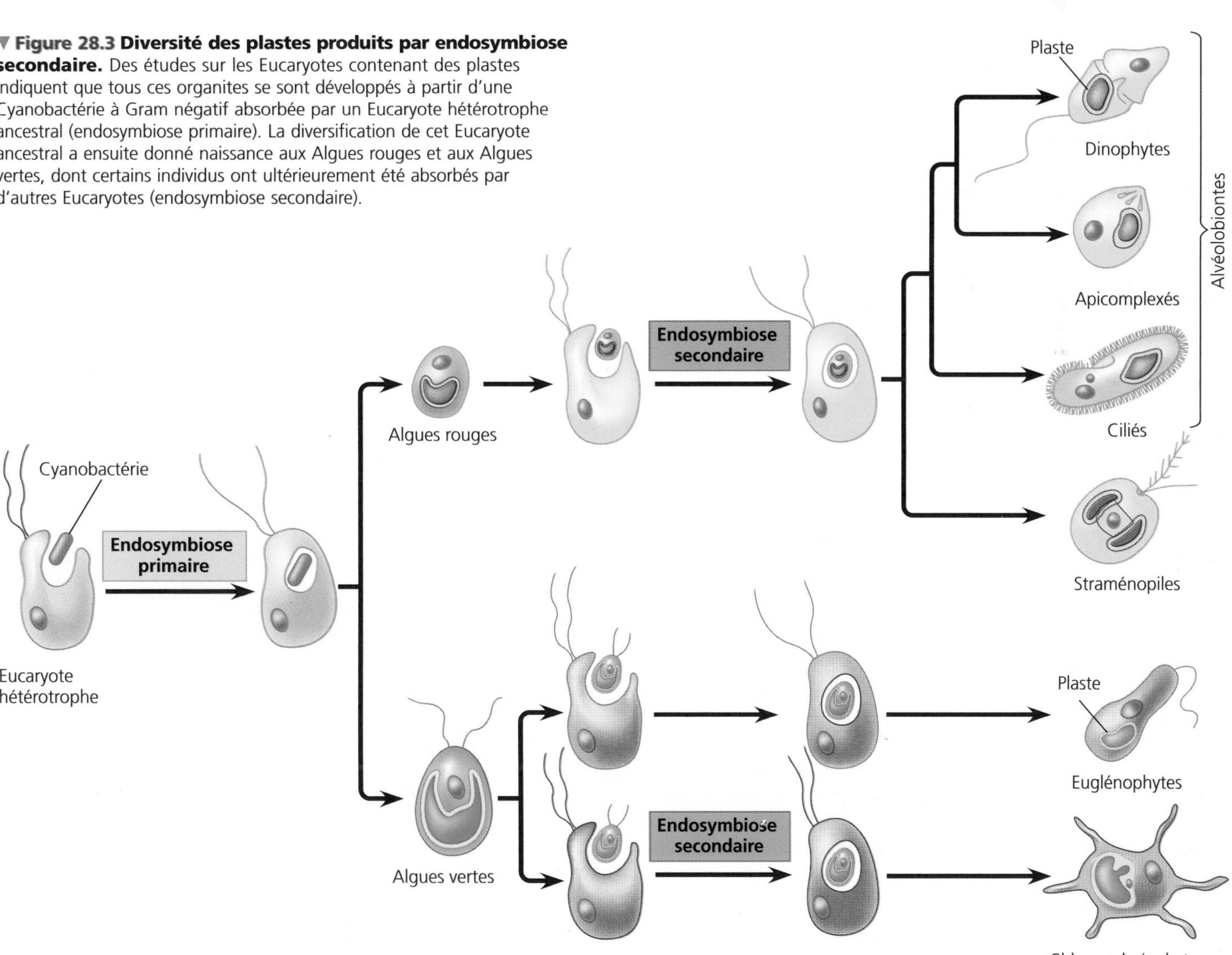

Les Diplomonadines et les Parabasaliens possèdent des mitochondries modifiées

Après avoir examiné certaines des caractéristiques générales de l'évolution des Eucaryotes, nous allons maintenant nous intéresser de plus près à quelques-uns des principaux clades de Protistes **(figure 28.4)**.

Notre tour d'horizon commence par les Diplomonadines (sous-groupe des Métamonadines) et les Parabasaliens. Les Protistes qui appartiennent à ces deux clades sont dépourvus de plastes, et leurs mitochondries ne possèdent ni ADN, ni chaînes de transport d'électrons, ni enzymes normalement nécessaires au cycle de Krebs. Chez certaines espèces, les mitochondries sont très petites et produisent des cofacteurs pour les enzymes participant à la production de l'ATP dans le cytosol. La plupart des Diplomonadines et des Parabasaliens vivent en milieu anaérobie.

Les Diplomonadines

Les **Diplomonadines** comportent deux noyaux d'égale grosseur et de multiples flagelles. Rappelez-vous que les flagelles des Eucaryotes sont des extensions du cytoplasme et qu'ils consistent en des faisceaux de microtubules recouverts par la membrane plasmique de la cellule (voir la figure 6.24). Ils sont très différents des flagelles des Procaryotes, qui sont des filaments composés d'une protéine globulaire, la flagelline, fixés à la surface de la cellule (voir la figure 27.6).

C'est à ce sous-groupe qu'appartient le tristement célèbre *Giardia intestinalis* **(figure 28.5a)**, parasite de l'intestin des Mammifères qui cause une infection. Le plus souvent, celle-ci fait suite à la consommation d'eau contaminée par des matières fécales contenant le parasite sous forme de kyste. Aussi faut-il s'abstenir de boire l'eau d'un ruisseau ou d'une rivière, même si elle paraît claire et pure. L'ébullition détruit les kystes.

Les Parabasaliens

Les **Parabasaliens** tirent leur nom d'une structure particulière appelée *corps parabasal* (appareil de Golgi associé à des fibres).

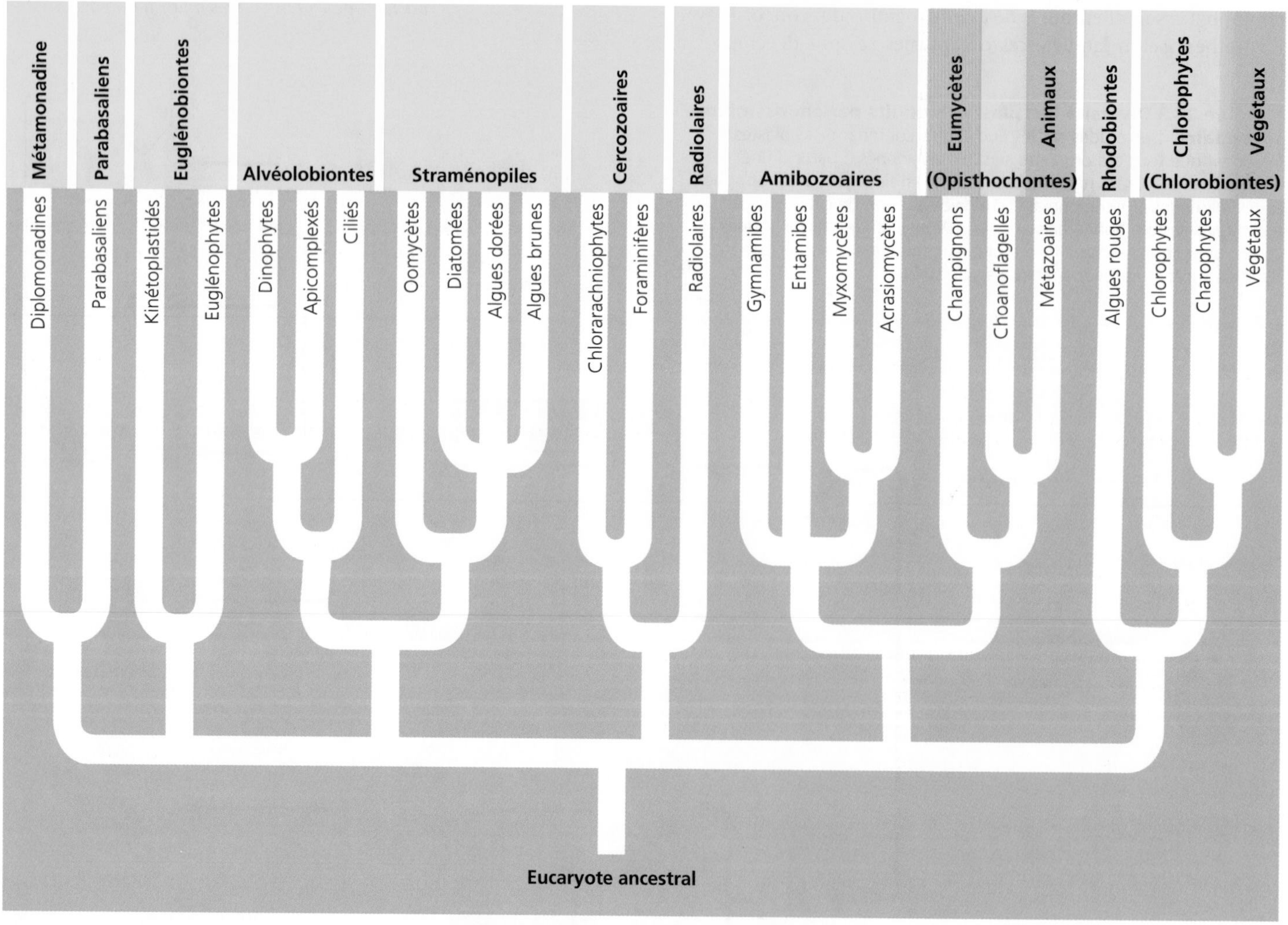

Métamonadine
Parabasaliens
Euglénobiontes
Alvéolobiontes
Straménopiles
Cercozoaires
Radiolaires
Amibozoaires
Eumycètes
Animaux
(Opisthochontes)
Rhodobiontes
Chlorophytes
Végétaux
(Chlorobiontes)
Diplomonadines
Parabasaliens
Kinétoplastidés
Euglénophytes
Dinophytes
Apicomplexés
Ciliés
Oomycètes
Diatomées
Algues dorées
Algues brunes
Chlorarachniophytes
Foraminifères
Radiolaires
Gymnamibes
Entamibes
Myxomycètes
Acrasiomycètes
Champignons
Choanoflagellés
Métazoaires
Algues rouges
Chlorophytes
Charophytes
Végétaux
Eucaryote ancestral

▲ **Figure 28.4 Phylogénie hypothétique des Eucaryotes.** Les groupes d'Eucaryotes dont les noms sont indiqués, à titre d'exemple, sur les ramifications font partie de clades dont les noms figurent au sommet de l'arbre phylogénétique. Les règnes des Eumycètes, des Animaux et des Végétaux ont survécu à la refonte de la classification fondée sur cinq règnes, mais leurs limites ont été modifiées. Les clades qui faisaient autrefois partie du règne des Protistes sont signalés par la couleur jaune.

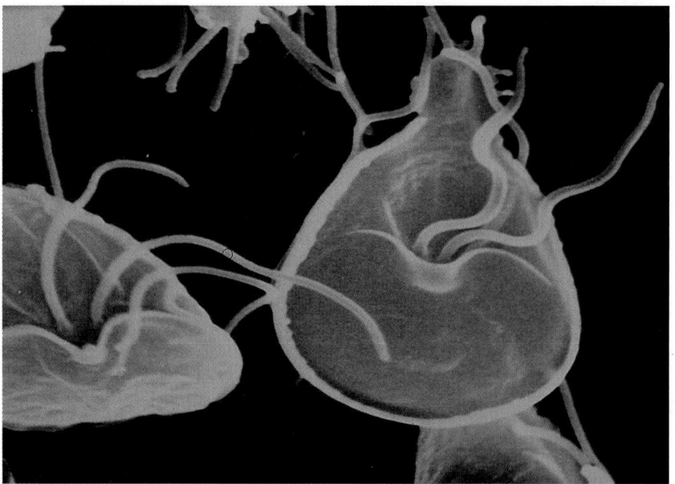

(a) ***Giardia intestinalis,*** **du sous-groupe des Diplomonadines (MEB, cliché artificiellement coloré)**

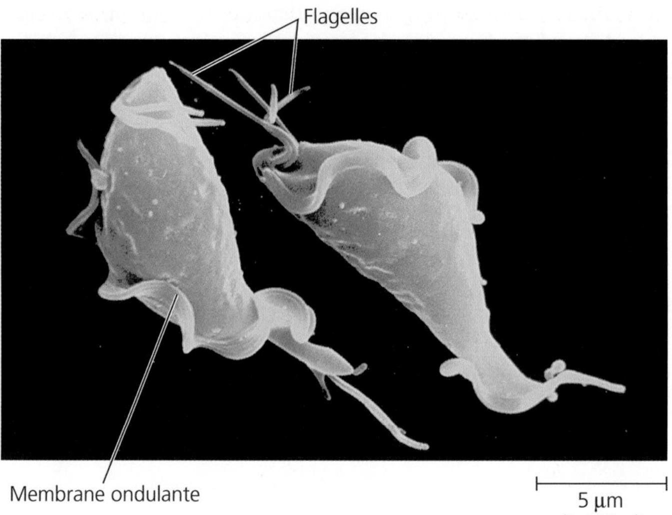

(b) ***Trichomonas vaginalis,*** **du groupe des Parabasaliens (MEB, cliché artificiellement coloré)**

▲ **Figure 28.5 Diplomonadines et Parabasaliens.**

Ce sont des parasites flagellés. Ce groupe comprend les Trichomonadines dont l'espèce la plus connue est *Trichomonas vaginalis*, qui vit dans le vagin des femmes **(figure 28.5b)**. *T. vaginalis* se déplace sur la muqueuse des voies génitales et urinaires de son hôte grâce aux mouvements de ses flagelles et aux ondulations d'une partie de sa membrane plasmique. Si l'acidité normale du vagin est perturbée, ce microorganisme peut prendre le dessus sur les populations microbiennes utiles et infecter la muqueuse vaginale. L'infection, susceptible de se propager au cours des rapports sexuels, peut aussi toucher l'urètre masculin, mais souvent sans causer de symptômes. Des études génétiques portant sur *T. vaginalis* semblent indiquer que l'espèce est devenue pathogène en raison du transfert horizontal d'un gène provenant de Bactéries vivant également dans le vagin. Le gène en question permet à *T. vaginalis* de se nourrir de cellules épithéliales, ce qui provoque l'infection. D'autres représentants des Parabasaliens vivent dans les intestins des termites où ils digèrent la cellulose pour le compte de leur hôte.

Retour sur le concept 28.2

1. Pourquoi certains biologistes emploient-ils l'expression *très réduites* lorsqu'ils parlent des mitochondries des Diplomonadines et des Parabasaliens ?
2. Pourquoi la structure de *Trichomonas vaginalis* est-elle bien adaptée à son mode de vie, qui consiste à parasiter les voies génitales et urinaires de son hôte ?
3. Les étudiants qui observent pour la première fois des préparations microscopiques de *Giardia lamblia* sont souvent impressionnés par ce qui semble être deux gros yeux au centre ou à une extrémité de la cellule ; à quoi correspondent-ils ?

Voir les réponses proposées à la fin du chapitre.

Concept 28.3

Les Euglénobiontes sont pourvus de flagelles dont la structure interne est unique

Les Euglénobiontes forment un clade diversifié, dont font partie des prédateurs hétérotrophes, des autotrophes photosynthétiques et des parasites pathogènes. La principale caractéristique qui distingue les Protistes de ce clade est la présence, à l'intérieur des flagelles, d'un bâtonnet hélicoïdal ou cristallin dont la fonction est inconnue **(figure 28.6)**. La majorité des Euglénobiontes sont aussi dotés de crêtes mitochondriales en forme de disque. Les deux groupes d'Euglénobiontes les plus étudiés sont les Kinétoplastidés et les Euglénophytes.

Les Kinétoplastidés

Les **Kinétoplastidés** possèdent une seule mitochondrie volumineuse, qui contient une masse structurée d'ADN, le kinétoplaste. Ce groupe de Protistes comprend des organismes autonomes consommateurs de Procaryotes, qui vivent tant dans les écosystèmes dulcicoles et

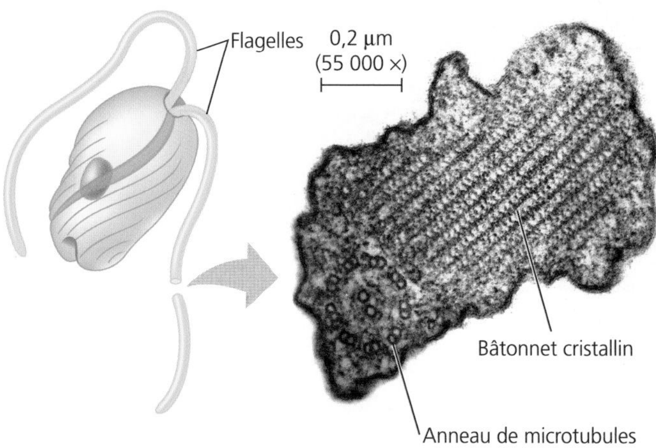

▲ **Figure 28.6 Flagelle des Euglénobiontes.** Chez la plupart des Euglénobiontes, un bâtonnet cristallin se trouve à l'intérieur d'un des flagelles (MET). Ce bâtonnet est situé près de l'anneau de microtubules 9 + 2 dont sont munis tous les flagelles eucaryotes (comparez avec la figure 6.24).

marins que dans les écosystèmes terrestres humides, de même que des espèces qui parasitent des Animaux, des Végétaux et d'autres Protistes. Par exemple, des Kinétoplastidés du genre *Trypanosoma* (*Trypanosoma brucei gambiense* et *T. b. rhodesiense*) causent chez les humains la maladie du sommeil, une affection qui, transmise par la mouche tsé-tsé (*Glossina sp.*), est invariablement mortelle en l'absence de traitement **(figure 28.7)**. Les trypanosomes (*T. cruzi*) provoquent aussi la maladie de Chagas, qui touche 17 millions de personnes en Amérique latine; cette maladie transmise par des insectes hématophages peut entraîner une insuffisance cardiaque congestive.

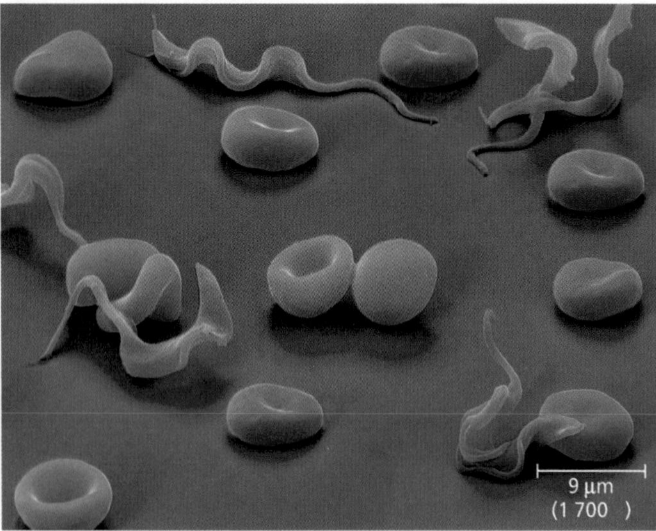
9 µm
(1 700)

▲ **Figure 28.7 Kinétoplastidés du genre *Trypanosoma* responsables de la maladie du sommeil.** Les structures qui ondulent entre les globules rouges sont des trypanosomes (MEB, cliché artificiellement coloré).

Les trypanosomes échappent à la détection immunologique grâce à un mécanisme efficace « d'appât et de substitution ». La surface d'un trypanosome est recouverte de millions de copies d'une seule protéine. Toutefois, avant que le système immunitaire de l'hôte arrive à reconnaître cette protéine et à organiser son attaque, de nouvelles générations du parasite adoptent une protéine membranaire ayant une structure moléculaire légèrement différente. Les fréquentes modifications de cette structure empêchent le développement de l'immunité chez l'hôte. Le tiers du génome de ces trypanosomes est consacré à la production des protéines membranaires.

Les Euglénophytes

Les cellules des **Euglénophytes** se caractérisent par la présence, à l'une de leurs extrémités, d'une dépression d'où émergent un ou deux flagelles **(figure 28.8)**. De plus, elles renferment du paramylon, un polymère de glucose qui diffère légèrement de l'amidon et qui sert de substance de réserve. De nombreuses espèces d'Euglénophytes du genre *Euglena* sont autotrophes, mais, en l'absence de lumière solaire, elles peuvent devenir hétérotrophes: elles absorbent alors des nutriments organiques issus de leur milieu. De nombreux autres Euglénophytes phagocytent des proies.

Retour sur le concept 28.3

1. Les trypanosomes peuvent produire une vaste gamme de protéines membranaires. En quoi cette capacité contribue-t-elle à leur survie?
2. Les Euglénophytes du genre *Euglena* sont-ils des Algues? Expliquez votre réponse.

Voir les réponses proposées à la fin du chapitre.

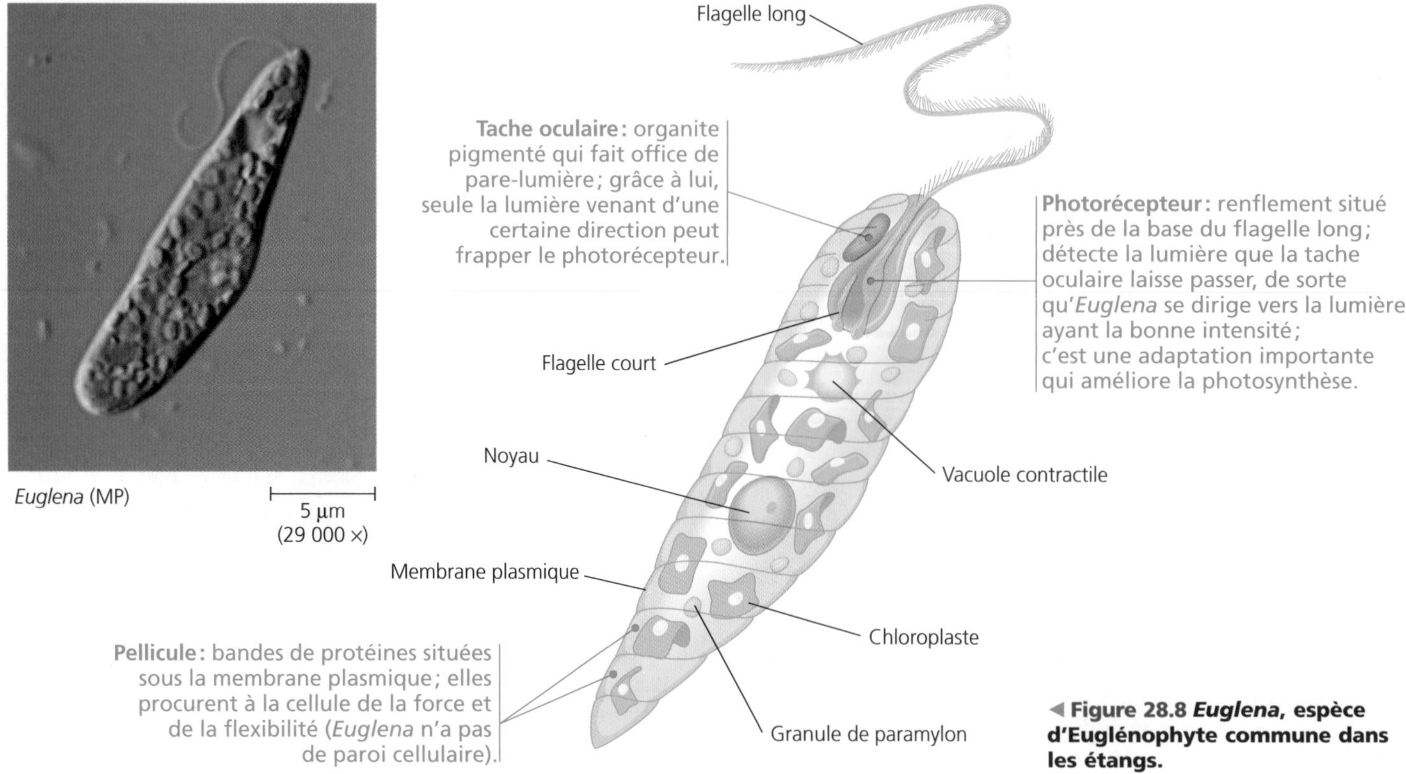
Euglena (MP)
5 µm
(29 000 ×)
Flagelle long
Tache oculaire: organite pigmenté qui fait office de pare-lumière; grâce à lui, seule la lumière venant d'une certaine direction peut frapper le photorécepteur.
Photorécepteur: renflement situé près de la base du flagelle long; détecte la lumière que la tache oculaire laisse passer, de sorte qu'Euglena se dirige vers la lumière ayant la bonne intensité; c'est une adaptation importante qui améliore la photosynthèse.
Flagelle court
Noyau
Vacuole contractile
Membrane plasmique
Chloroplaste
Pellicule: bandes de protéines situées sous la membrane plasmique; elles procurent à la cellule de la force et de la flexibilité (Euglena n'a pas de paroi cellulaire).
Granule de paramylon

◄ **Figure 28.8 *Euglena*, espèce d'Euglénophyte commune dans les étangs.**

Concept 28.4

Les Alvéolobiontes comportent des vésicules sous leur membrane plasmique

Le clade des Alvéolobiontes, établi grâce à la systématique moléculaire, est caractérisé par la présence, sous la membrane plasmique, de petites vésicules aplaties, les alvéoles, dont la fonction est inconnue **(figure 28.9)**. On a émis l'hypothèse que ces alvéoles peuvent contribuer à stabiliser la surface cellulaire ou à réguler le contenu hydrique ou ionique des cellules.

Les Alvéolobiontes comptent trois groupes: un groupe de flagellés (Dinophytes), un groupe de parasites (Apicomplexés) et un groupe de Protistes qui se déplacent au moyen de cils (Ciliés).

Les Dinophytes

Les **Dinophytes** sont abondants dans le phytoplancton tant en eau douce qu'en eau salée. Il existe également des espèces hétérotrophes. Parmi les milliers d'espèces connues de Dinophytes, la plupart sont unicellulaires, mais certaines vivent en colonies. Chaque espèce a une forme caractéristique, renforcée dans certains cas par des plaques internes de cellulose. Le mouvement des deux flagelles, fixés perpendiculairement dans deux sillons de cette « armure » de cellulose, produit un tourbillon, d'où le nom de ces organismes, qui vient du grec *dinos*, « tourbillon » **(figure 28.10)**. Les espèces hétérotrophes capturent leurs proies à l'aide de leur long flagelle postérieur. Les Dinophytes sont les seuls Protistes ne possédant pas d'histones associées à l'ADN dans les chromosomes.

Quand les Dinophytes traversent des périodes d'explosion démographique, on observe des marées rouges dans les eaux côtières. La couleur brun-rouge ou rose orangé de ces marées vient des pigments caroténoïdes, qui prédominent dans les chloroplastes de ces organismes. Les toxines produites par certains Dinophytes (du genre *Alexandrium* notamment) peuvent tuer massivement des Invertébrés et des Poissons; ceux-ci peuvent aussi périr par manque d'oxygène, conséquence de la décomposition de toute cette masse de Dinophytes. Les humains qui consomment des Mollusques non affectés par la toxine paralysante (que l'on dit des milliers de fois plus puissante que le cyanure), mais dans lesquels ces toxines se sont cependant accumulées, sont aussi touchés, parfois mortellement.

Chez certains Dinophytes, une réaction chimique alimentée par l'ATP produit de la lumière. Cela crée une étrange lueur, la nuit, lorsque des vagues, des embarcations ou des animaux nageurs agitent l'eau contenant de denses populations de Dinophytes. Quelle est la fonction de la bioluminescence? On peut supposer que lorsque les organismes qui se nourrissent de Dinophytes remuent l'eau de surface la lumière attire des Poissons carnivores qui mangent ces petits herbivores.

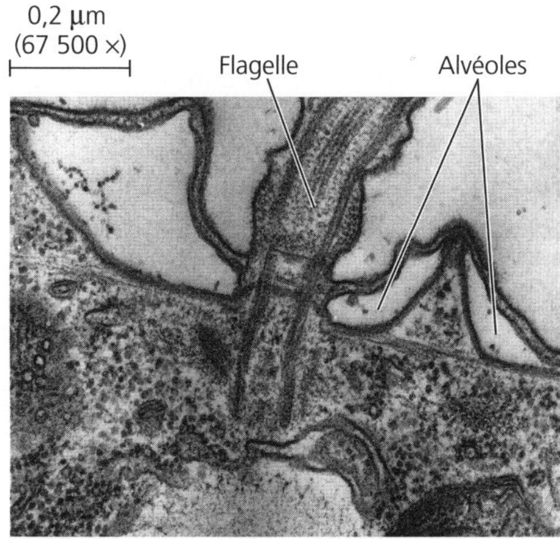

◄ **Figure 28.9 Alvéoles.** Ces vésicules situées sous la membrane plasmique constituent une caractéristique propre aux Alvéolobiontes (MET).

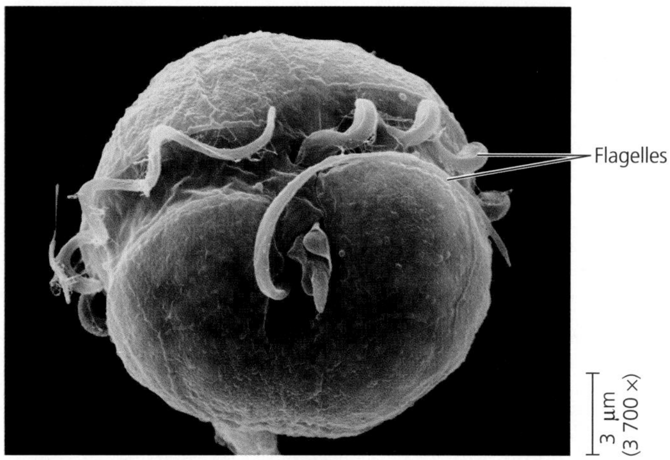

▲ **Figure 28.10 Dinophyte *Pfiesteria shumwayae*.** Le mouvement du flagelle hélicoïdal, qui se trouve dans le sillon encerclant la cellule, fait tourbillonner cet Alvéolobionte (MEB, cliché artificiellement coloré).

Certains Dinophytes vivent en symbiose mutualiste avec les Cnidaires, ces Animaux qui érigent des récifs de corail. La production photosynthétique de ces Dinophytes constitue la principale source de nourriture pour les communautés vivant dans les récifs de coraux.

Les Apicomplexés

Tous les **Apicomplexés** sont des parasites d'Animaux; certains causent d'ailleurs de graves maladies chez l'humain. Ces parasites disséminent chez leur hôte de minuscules cellules infectieuses appelées **sporozoïtes**. Les Apicomplexés doivent leur nom au fait qu'on observe, à l'extrémité *apicale* de la cellule sporozoïte, un *complexe* d'organites spécialisés qui lui permettent de pénétrer dans les cellules et les tissus de l'hôte. Ces organismes possèdent également un plaste non photosynthétique appelé *apicoplaste*. Bien que les Apicomplexés ne soient pas photosynthétiques, leur apicoplaste remplit des fonctions vitales, comme la synthèse des acides gras.

La plupart des Apicomplexés ont un cycle de développement compliqué qui comporte des stades sexués et asexués, et qui nécessite deux espèces d'hôtes ou plus. Par exemple, l'agent du paludisme, *Plasmodium*, parasite à la fois les moustiques et les humains (**figure 28.11**; voir aussi la figure 23.13).

Dans les années 1960, deux facteurs ont grandement contribué à diminuer l'incidence du paludisme: la réduction, à l'aide d'insecticides, des populations du moustique du genre *Anopheles*, dont la piqûre transmet la maladie; et la mise au point de médicaments préventifs ou curatifs qui tuent les parasites chez l'humain (quinine, chloroquine et méfloquine notamment). Cependant, la multiplication de souches résistantes de *Anopheles* et de *Plasmodium* a engendré un nouvel essor de la maladie. Selon les chiffres officiels, il y aurait environ 300 millions de personnes aujourd'hui infectées par le paludisme, mais, d'après des chercheurs

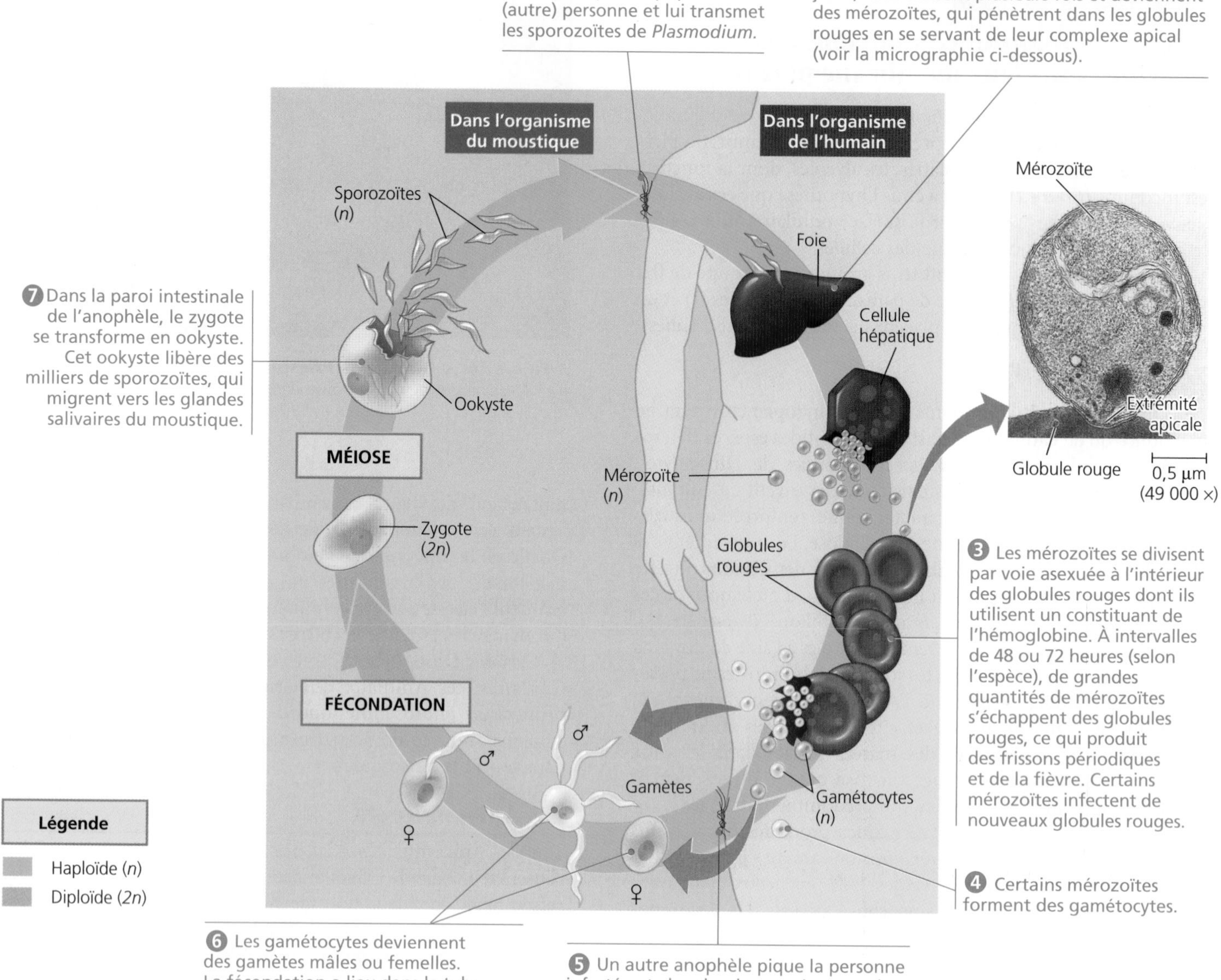

1 La femelle du moustique infecté *Anopheles* pique une (autre) personne et lui transmet les sporozoïtes de *Plasmodium*.
2 Les sporozoïtes pénètrent dans les cellules hépatiques de la victime. Au bout de quelques jours, ils se divisent plusieurs fois et deviennent des mérozoïtes, qui pénètrent dans les globules rouges en se servant de leur complexe apical (voir la micrographie ci-dessous).
Dans l'organisme du moustique
Dans l'organisme de l'humain
Mérozoïte
Sporozoïtes (n)
Foie
7 Dans la paroi intestinale de l'anophèle, le zygote se transforme en ookyste. Cet ookyste libère des milliers de sporozoïtes, qui migrent vers les glandes salivaires du moustique.
Cellule hépatique
Ookyste
Extrémité apicale
MÉIOSE
Mérozoïte (n)
Globule rouge
0,5 µm (49 000 ×)
Zygote (2n)
Globules rouges
3 Les mérozoïtes se divisent par voie asexuée à l'intérieur des globules rouges dont ils utilisent un constituant de l'hémoglobine. À intervalles de 48 ou 72 heures (selon l'espèce), de grandes quantités de mérozoïtes s'échappent des globules rouges, ce qui produit des frissons périodiques et de la fièvre. Certains mérozoïtes infectent de nouveaux globules rouges.
FÉCONDATION
♂
♂
Gamètes
Gamétocytes (n)
♀
♀
Légende
Haploïde (n)
Diploïde (2n)
4 Certains mérozoïtes forment des gamétocytes.
6 Les gamétocytes deviennent des gamètes mâles ou femelles. La fécondation a lieu dans le tube digestif du moustique et produit un zygote. C'est le seul stade diploïde du cycle de développement.
5 Un autre anophèle pique la personne infectée et absorbe des gamétocytes de *Plasmodium* en même temps que du sang.

▲ **Figure 28.11 Cycle de développement des *Plasmodium*, Apicomplexés causant le paludisme.** (Les couleurs ne sont pas représentatives de la réalité.)

anglais, ce chiffre s'élèverait à plus de 500 millions ; 2 milliards d'individus y sont exposés et au moins 2 millions succombent chaque année à la maladie.

La mise au point de vaccins antipaludéens est difficile, car les *Plasmodium* vivent la plupart du temps à l'abri du système immunitaire de leur hôte, dans les cellules humaines. En outre, comme les trypanosomes, les *Plasmodium* modifient continuellement leurs protéines membranaires. Les 5 300 gènes (23 000 000 de bases azotées) de *Plasmodium falciparum* ont été séquencés en 2002 et, dès 2003, les chercheurs avaient détecté l'expression de la plupart des gènes du parasite à de nombreux stades de son cycle de développement. Ces résultats pourraient aider les scientifiques à mettre au point des vaccins et des médicaments efficaces.

Parmi les parasites appartenant aux Apicomplexés, outre l'agent du paludisme, on trouve *Toxoplasma gondii*. On estime que le tiers des Canadiens ont déjà été infectés par ce parasite qui cause la toxoplasmose ; cette maladie qui peut être transmise par les chats passe souvent inaperçue mais peut avoir des conséquences sérieuses lorsque *T. gondii* atteint le fœtus via le placenta d'une femme enceinte ou chez les individus atteints du VIH.

Les Ciliés

Les Protistes qui forment le groupe vaste et diversifié des **Ciliés** se déplacent et se nourrissent à l'aide de milliers de cils. Certains Ciliés sont complètement couverts de cils, tandis que chez d'autres ceux-ci sont disposés en rangées ou en touffes. Chez certaines espèces, comme celles du genre *Stentor* (voir la figure 28.2a), des rangées de cils denses servent collectivement de membranelles locomotrices. D'autres espèces se déplacent rapidement grâce à des faisceaux de cils semblables à des pattes. Un complexe sous-membranaire de microtubules coordonne les mouvements ciliaires.

Les Ciliés possèdent une caractéristique génétique exclusive: ils ont deux types de noyaux, le macronoyau et le micronoyau. La cellule peut posséder un ou plusieurs noyaux de chaque type. Le macronoyau renferme de multiples copies du génome du Cilié. Les gènes ne sont pas assemblés en chromosomes ordinaires, mais apparaissent plutôt en un grand nombre de petites unités de chromatine, dont chacune contient des milliers de copies d'un très petit nombre de gènes. Les gènes du macronoyau régissent les fonctions courantes de la cellule, comme l'alimentation, l'élimination des déchets et le maintien de l'équilibre hydrique. La partie supérieure de la **figure 28.12** présente un panorama de ces fonctions chez l'espèce *Paramecium.*

Les Ciliés se reproduisent généralement par scissiparité, et non par mitose: le macronoyau s'allonge et se divise. La variation génétique résulte de la **conjugaison**, processus sexué au cours duquel deux individus échangent des micronoyaux haploïdes. La partie inférieure de la figure 28.12 montre que la reproduction et la conjugaison sont des processus distincts chez les Ciliés. En 2003, une équipe de scientifiques du Fred Hutchinson Cancer Research Center, à Seattle, dans l'État de Washington, a découvert que la conjugaison permet aussi aux Ciliés d'éliminer les transposons et d'autres types d'ADN «égoïste» susceptibles de se répliquer dans le génome. Pendant la conjugaison, les éléments génétiques étrangers sont excisés lorsque les micronoyaux se changent en macronoyaux. Chaque fois qu'une conjugaison a lieu chez un Cilié, jusqu'à 15% de son génome peut ainsi être éliminé.

Retour sur le concept 28.4

1. Sur quelle caractéristique morphologique reposent les données moléculaires selon lesquelles on estime que les Dinophytes, les Apicomplexés et les Ciliés appartiennent au même clade?
2. Pourquoi les personnes qui consomment des fruits de mer pêchés à un endroit où on observe une «marée rouge» devraient-elles s'inquiéter?
3. Pourquoi est-il inexact de dire que la conjugaison chez les Ciliés est une forme de reproduction?

Voir les réponses proposées à la fin du chapitre.

Concept 28.5

Les Straménopiles sont munis de flagelles «velus» et de flagelles «glabres»

Le clade des **Straménopiles** comprend plusieurs groupes de Protistes hétérotrophes ainsi que certains groupes d'Algues. Le nom du clade (du latin *stramen*, «paille», et *pilos*, «cheveu») dénote les nombreux prolongements filiformes des flagelles qui caractérisent ces organismes. Dans la plupart des cas, le flagelle «velu» est associé à un flagelle «glabre» **(figure 28.13)**. Lorsque deux flagelles appartenant à la même cellule diffèrent par leur forme, leur orientation ou leur fonctionnement, on les qualifie d'*hétérochontes.* Chez certains groupes de Straménopiles, les seules cellules flagellées sont des cellules reproductrices mobiles.

Les Oomycètes (Saprolégniales et organismes apparentés)

Les **Oomycètes** comprennent les Saprolégniales, les Rouilles blanches et les agents du mildiou. Les premières études morphologiques semblaient indiquer que ces organismes étaient des Eumycètes (en fait, *Oomycète* signifie «champignon contenant des œufs»); par exemple, de nombreux Oomycètes sont pourvus de filaments plurinucléés (hyphes) qui ressemblent aux filaments des Eumycètes. Toutefois, il existe de nombreuses différences entre les Oomycètes et les Eumycètes. La paroi cellulaire des Oomycètes est généralement composée de cellulose, tandis que celle des Eumycètes est constituée d'un autre polysaccharide, la chitine. De plus, le stade diploïde occupe la majeure partie du cycle de développement de la plupart des Oomycètes, alors qu'il est réduit chez les Eumycètes. Enfin, les Oomycètes produisent des cellules à deux flagelles, tandis que presque tous les Eumycètes sont dépourvus de flagelles. La systématique moléculaire a confirmé que les Oomycètes ne sont pas étroitement apparentés aux Eumycètes. Leur similarité apparente est un exemple d'évolution convergente (voir le chapitre 25). Tant chez les Oomycètes que chez les Eumycètes, le rapport surface-volume élevé des structures filamenteuses favorise l'absorption des nutriments provenant des organismes du milieu.

Même si leurs ancêtres possédaient des plastes, les Oomycètes en sont aujourd'hui dépourvus et n'effectuent plus la photosynthèse. Ces organismes obtiennent plutôt leurs nutriments surtout en décomposant ou en parasitant d'autres organismes. La plupart des Saprolégniales sont des décomposeurs qui croissent en masses duveteuses sur des Algues et des Animaux morts, principalement en eau douce **(figure 28.14)**. Les Rouilles blanches et les agents du mildiou, quant à eux, vivent habituellement en parasites de plantes terrestres. Ils se reproduisent grâce au vent qui disperse leurs spores, mais aussi grâce à la formation de zoospores flagellées durant l'un des stades de leur cycle de développement.

L'impact écologique des Oomycètes peut être important. Ainsi, *Phytophthora infestans* cause le mildiou de la pomme de terre, qui transforme le pied et la tige des plants en une substance noire et visqueuse. Au XIXe siècle, cette maladie a causé en Irlande une désastreuse famine à la suite de laquelle un million de personnes sont mortes et au moins autant ont été forcées de quitter le pays. La maladie demeure aujourd'hui un problème sérieux, car elle entraîne en général des pertes qui représentent 15% des récoltes en Amérique du Nord et 70% des récoltes dans certaines parties de la Russie où on ne dispose pas de pesticides. Pour mieux comprendre cet agent pathogène, les biologistes moléculaires ont isolé l'ADN d'un spécimen de *P. infestans* conservé depuis l'épidémie des années 1840 en Irlande. Des études génétiques montrent que, au cours des dernières décennies, l'Oomycète a acquis des gènes qui le rendent plus agressif et plus résistant aux pesticides. Les scientifiques examinent le génome de *Phytophthora* et celui des pommes de terre en vue de trouver de nouvelles armes contre cette maladie. En 2003, par exemple, une équipe de chercheurs a produit des pommes de terre résistantes au mildiou en effectuant un transfert de gènes provenant d'une souche de pommes de terre sauvages que cette maladie n'atteint pas.

Figure 28.12

Panorama L'anatomie et la physiologie de la paramécie (*Paramecium caudatum*)

ALIMENTATION, ÉLIMINATION DES DÉCHETS ET ÉQUILIBRE HYDRIQUE

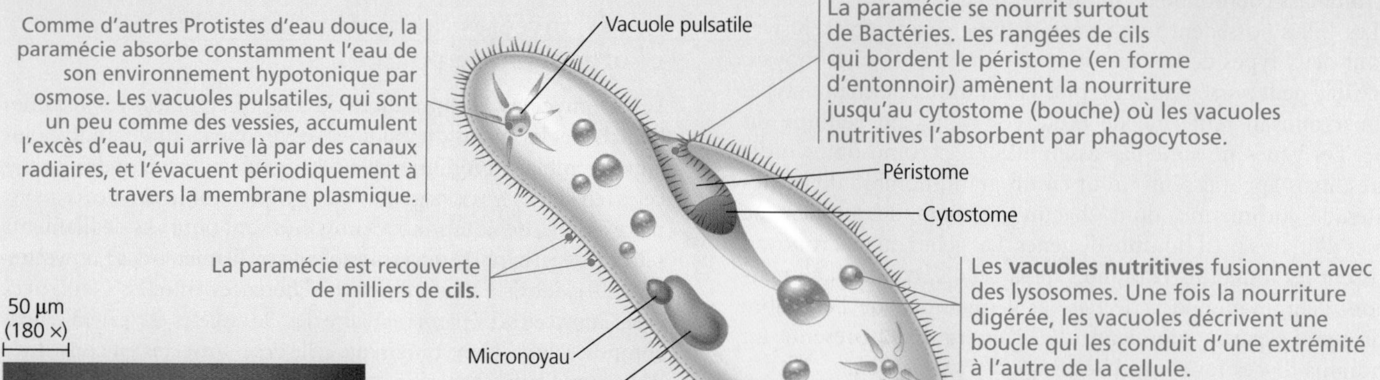

Comme d'autres Protistes d'eau douce, la paramécie absorbe constamment l'eau de son environnement hypotonique par osmose. Les vacuoles pulsatiles, qui sont un peu comme des vessies, accumulent l'excès d'eau, qui arrive là par des canaux radiaires, et l'évacuent périodiquement à travers la membrane plasmique.
Vacuole pulsatile
La paramécie se nourrit surtout de Bactéries. Les rangées de cils qui bordent le péristome (en forme d'entonnoir) amènent la nourriture jusqu'au cytostome (bouche) où les vacuoles nutritives l'absorbent par phagocytose.
Péristome
Cytostome
La paramécie est recouverte de milliers de **cils**.
Les **vacuoles nutritives** fusionnent avec des lysosomes. Une fois la nourriture digérée, les vacuoles décrivent une boucle qui les conduit d'une extrémité à l'autre de la cellule.
Micronoyau
Macronoyau
Les restes non digérés sont évacués lorsque les vacuoles fusionnent avec une région spéciale de la membrane plasmique qui joue le rôle de pore anal (ou cytoprocte).

50 µm
(180 ×)

CONJUGAISON ET REPRODUCTION

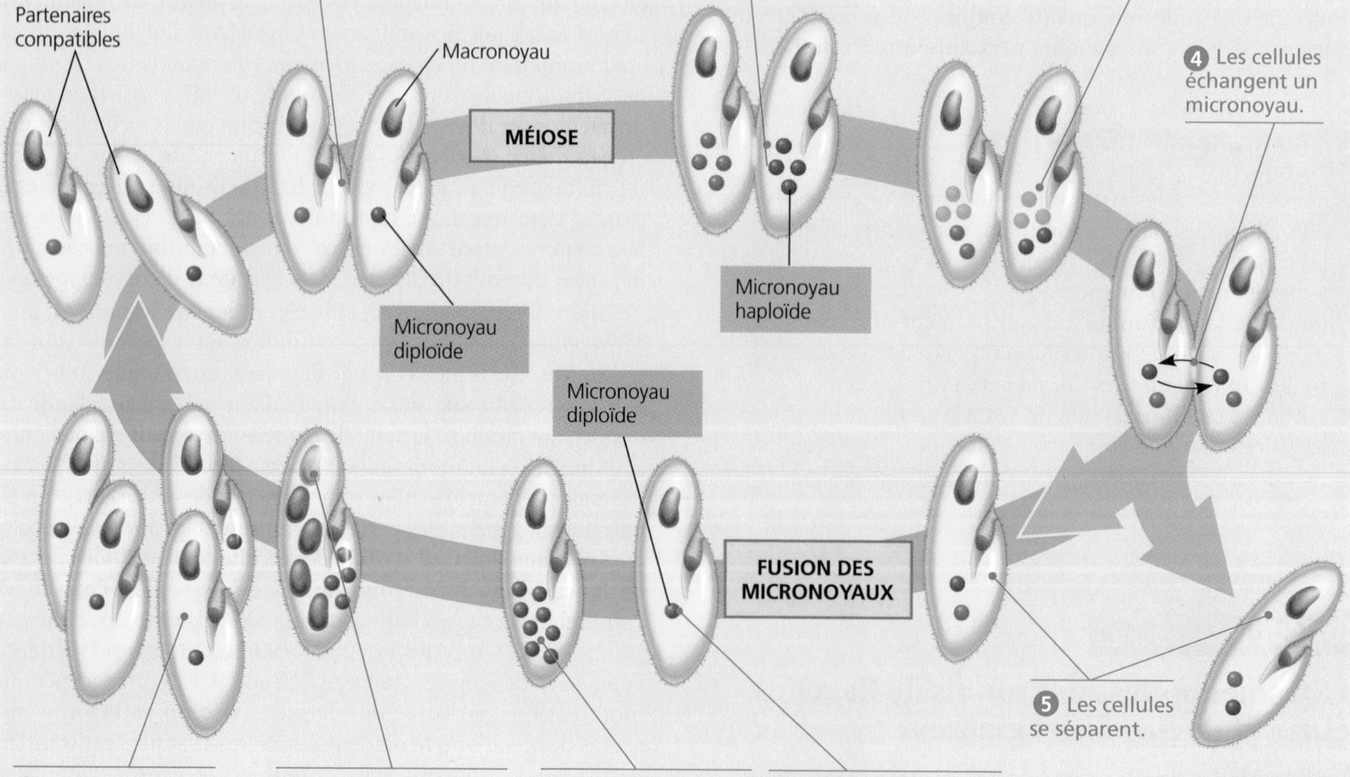

Partenaires compatibles

1 Deux cellules de souches compatibles s'accolent et fusionnent partiellement.

Macronoyau

MÉIOSE

Micronoyau diploïde

2 Dans chaque cellule, le micronoyau subit une méiose qui produit quatre micronoyaux haploïdes.

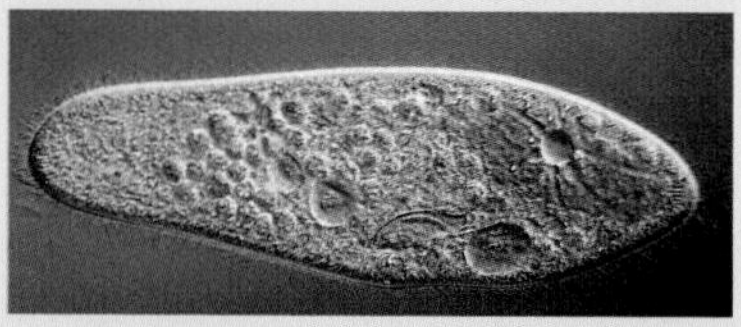

Micronoyau haploïde

3 L'un des micronoyaux haploïdes se divise par mitose pendant que les trois autres se désintègrent.

4 Les cellules échangent un micronoyau.

5 Les cellules se séparent.

FUSION DES MICRONOYAUX

Micronoyau diploïde

6 Les micronoyaux fusionnent pour former un micronoyau diploïde.

7 Trois divisions par mitose sans cytocinèse produisent huit micronoyaux.

8 Le macronoyau initial se désintègre. Quatre micronoyaux deviennent de nouveaux macronoyaux, et les quatre autres ne se transforment pas.

9 Après deux cycles de cytocinèse, quatre nouvelles cellules comptent chacune un macronoyau et un micronoyau.

Légende

Conjugaison

Reproduction

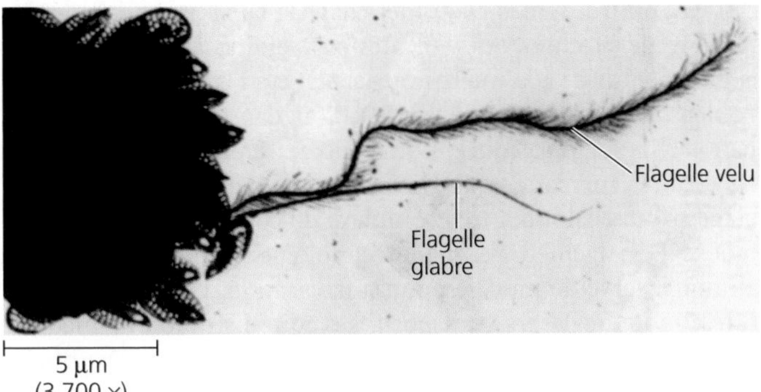

5 µm
(3 700 ×)

▲ **Figure 28.13 Flagelles des Straménopiles.** La plupart des Straménopiles, comme *Synura petersenii*, possèdent deux flagelles : l'un est couvert de poils fins et raides (ou *mastigonèmes*), et l'autre est lisse.

Les Diatomées

Les **Diatomées** (aussi appelées *Bacillariophycées*) sont des Algues unicellulaires qui possèdent une paroi unique en son genre, semblable à du verre et constituée de silice hydratée enchâssée dans une matrice organique. Cette paroi est composée de deux parties qui s'imbriquent l'une dans l'autre, comme les éléments d'une boîte de Pétri **(figure 28.15)**. Elle offre une protection efficace contre l'étreinte des mâchoires des prédateurs : en 2003, des chercheurs allemands ont découvert que des Diatomées vivantes pouvaient résister à une pression atteignant 1,4 M kg/m^2, ce qui équivaut à la pression exercée sur chaque pied d'une table supportant un éléphant ! La force des Diatomées leur vient surtout des délicats motifs formés par les trous et les rainures de leur paroi : si cette paroi était lisse, une force inférieure de 60 % suffirait à l'écraser. Les ouvertures dans la paroi permettent aussi aux Diatomées une certaine mobilité par glissement au moyen de microtubules.

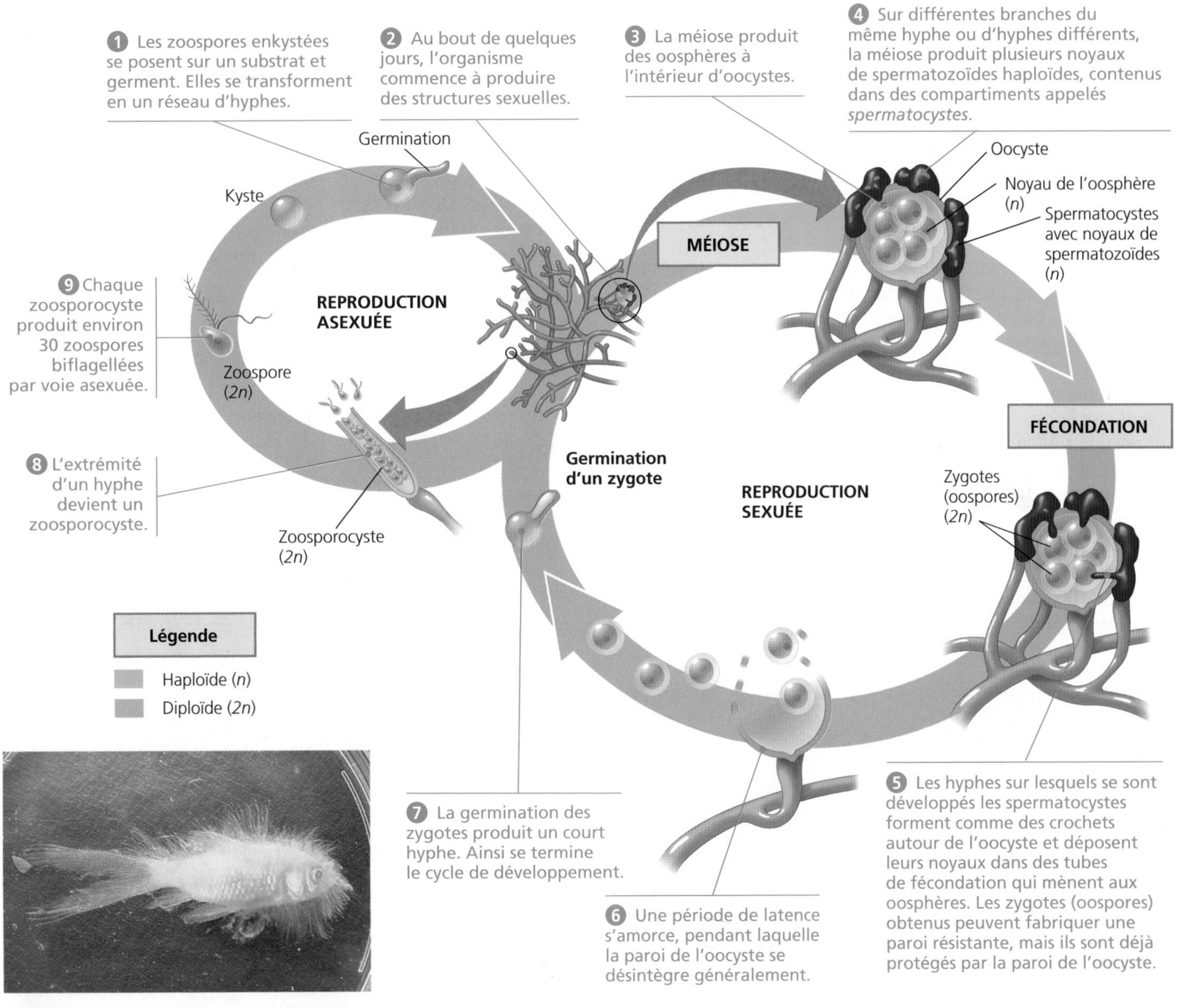

❶ Les zoospores enkystées se posent sur un substrat et germent. Elles se transforment en un réseau d'hyphes.

❷ Au bout de quelques jours, l'organisme commence à produire des structures sexuelles.

❸ La méiose produit des oosphères à l'intérieur d'oocystes.

❹ Sur différentes branches du même hyphe ou d'hyphes différents, la méiose produit plusieurs noyaux de spermatozoïdes haploïdes, contenus dans des compartiments appelés *spermatocystes*.

Germination

Kyste

Oocyste

Noyau de l'oosphère (*n*)

Spermatocystes avec noyaux de spermatozoïdes (*n*)

MÉIOSE

REPRODUCTION ASEXUÉE

❾ Chaque zoosporocyste produit environ 30 zoospores biflagellées par voie asexuée.

Zoospore (*2n*)

FÉCONDATION

❽ L'extrémité d'un hyphe devient un zoosporocyste.

Germination d'un zygote

REPRODUCTION SEXUÉE

Zygotes (oospores) (*2n*)

Zoosporocyste (*2n*)

Légende

Haploïde (*n*)

Diploïde (*2n*)

❼ La germination des zygotes produit un court hyphe. Ainsi se termine le cycle de développement.

❻ Une période de latence s'amorce, pendant laquelle la paroi de l'oocyste se désintègre généralement.

❺ Les hyphes sur lesquels se sont développés les spermatocystes forment comme des crochets autour de l'oocyste et déposent leurs noyaux dans des tubes de fécondation qui mènent aux oosphères. Les zygotes (oospores) obtenus peuvent fabriquer une paroi résistante, mais ils sont déjà protégés par la paroi de l'oocyste.

▲ **Figure 28.14 Cycle de développement des Saprolégniales.** Les Saprolégniales contribuent à la décomposition d'Insectes, de Poissons et d'autres Animaux morts immergés dans de l'eau douce. (Notez la présence de la toison d'hyphes sur le poisson rouge apparaissant en médaillon.)

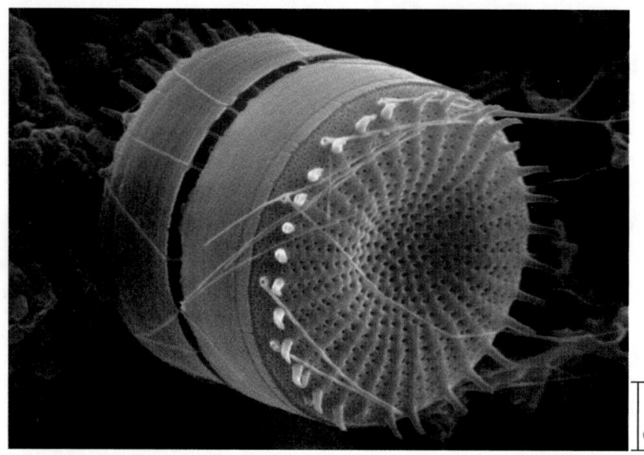

▲ **Figure 28.15 Diatomée d'eau douce (MEB, cliché artificiellement coloré).**

Durant presque toute l'année, les Diatomées se reproduisent de façon asexuée par mitose : chaque cellule fille reçoit la moitié de la paroi de la cellule mère et fabrique elle-même une nouvelle moitié qui s'y adapte. Ce processus fait en sorte que les cellules issues de la moitié la plus petite diminuent de taille d'une mitose à l'autre. La reproduction sexuée doit alors intervenir : le zygote formé par la fusion des gamètes (amiboïdes ou flagellés, selon les espèces) se développe en une cellule de taille normale. Certaines espèces passent par des stades de résistance au cours desquels elles se transforment en kystes.

Comptant un nombre estimatif de 100 000 espèces, les Diatomées forment un groupe extrêmement diversifié de Protistes **(figure 28.16)**. Tant dans les océans que dans les lacs, elles abondent dans le phytoplancton. Ainsi, un seau rempli d'eau recueillie à la surface de la mer peut contenir des millions de ces Algues microscopiques. On estime que ces Protistes produisent par photosynthèse le quart de l'oxygène de la planète et absorbent une proportion tout aussi importante du gaz carbonique produit par l'activité humaine. Comme les Algues dorées et les Algues brunes, les Diatomées emmagasinent de la nourriture sous forme de laminarine, qui est un polymère du glucose. Certaines Diatomées se constituent des réserves alimentaires sous forme d'huile.

La roche sédimentaire appelée *diatomite* est composée en grande partie de parois fossilisées de Diatomées. On extrait cette roche parce qu'elle constitue notamment un excellent produit de filtrage ; on trouve des Diatomées dans la fabrication d'un grand nombre de produits qui vont des cosmétiques à la peinture, de la pâte dentifrice à la litière pour chats. Les Diatomées font aussi l'objet d'une intéressante exploitation dans le domaine de la nanotechnologie : la conception d'appareils microscopiques. Pour construire leur coque, les Diatomées effectuent un autoassemblage tridimensionnel très complexe de composantes microscopiques. Les ingénieurs en nanotechnologie étudient ce processus afin qu'il serve de modèle pour la fabrication d'appareils miniatures : moteurs, lasers et dispositifs d'administration de médicaments. Ils envisagent même de modifier l'ADN des Diatomées en vue d'obtenir des structures destinées aux humains.

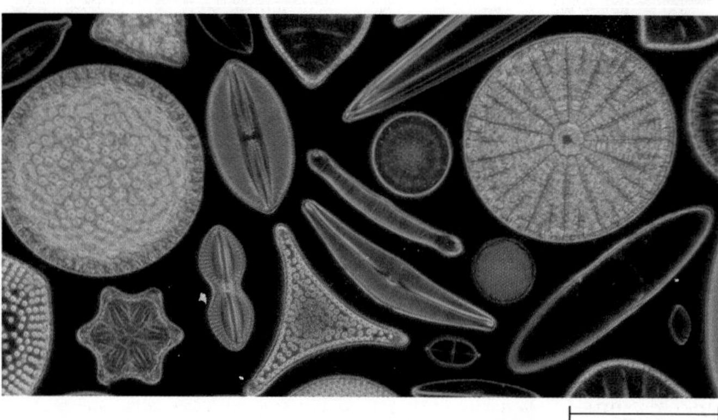

▲ **Figure 28.16 Diversité des Diatomées (MP).**

Les Algues dorées

Les **Algues dorées**, ou Chrysophycées (du grec *khrusos*, « or »), tirent leur nom de leur couleur brun-jaune produite par les caroténoïdes, des pigments accessoires. Une Algue dorée type possède deux flagelles fixés près de l'une des extrémités de la cellule. De nombreuses Algues dorées vivent parmi le plancton d'eau douce et d'eau salée. Toutes les espèces de ce groupe sont photosynthétiques, mais certaines sont mixotrophes : elles peuvent absorber des composés organiques dissous ou ingérer des particules de nutriments et des Procaryotes par phagocytose. La plupart des Algues dorées sont unicellulaires, mais certaines, telles les espèces d'eau douce du genre *Dinobryon*, constituent des colonies **(figure 28.17)**. Si la densité de population augmente trop, de nombreuses espèces se transforment en kystes résistants qui peuvent rester viables durant des décennies.

Les Algues brunes

Les **Algues brunes**, ou Phéophycées (du grec *phaios*, « brun », et *phucos*, « Algue »), sont les Algues les plus grandes et les plus

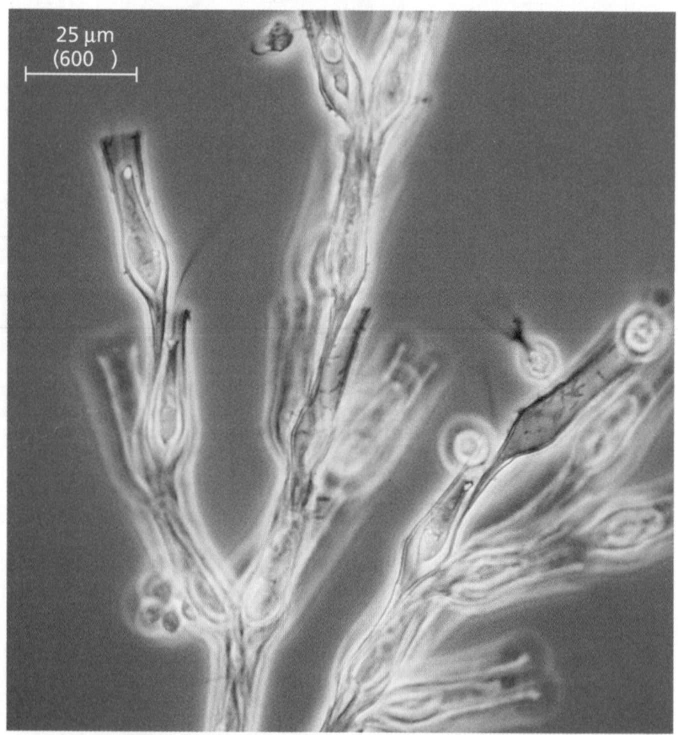

▲ **Figure 28.17 *Dinobryon sp.*, Algue dorée d'eau douce vivant en colonies (MP).**

complexes. Toutes sont multicellulaires, et la plupart vivent en eau salée. Les Algues brunes sont particulièrement abondantes sur les côtes tempérées, en eau froide. Elles doivent leur couleur brune ou olive caractéristique aux pigments caroténoïdes de leurs chloroplastes, qui sont homologues à ceux des Algues dorées et des Diatomées.

Les Algues brunes comprennent de nombreuses espèces généralement appelées *Algues marines.* (Certaines espèces d'Algues rouges et d'Algues vertes multicellulaires de grande taille sont aussi appelées ainsi. Nous les étudierons un peu plus loin dans le chapitre.) De toutes les Algues, les Algues marines sont celles qui présentent l'anatomie multicellulaire la plus complexe. Certaines espèces possèdent même des tissus différenciés et des organes qui ressemblent à ceux des Végétaux. Cependant, les ressemblances sont apparues indépendamment dans chaque lignée. Ce sont donc des structures analogues et non homologues.

Le **thalle** (du grec *thallos*, « rameau », « pousse ») est l'appareil végétatif d'une Algue marine qui ressemble à une plante. Mais il ne possède ni racines, ni tiges, ni feuilles véritables. Un thalle d'Algue marine se compose d'un **crampon** semblable à une racine, d'un **stipe** qui s'apparente à une tige et de **frondes** ressemblant à des feuilles **(figure 28.18)**. La fronde constitue la plus grande partie de la surface de photosynthèse. Certaines Algues brunes (*Fucus*, par exemple) sont dotées de vésicules aérifères qui maintiennent les frondes près de la surface de l'eau. Au-delà de la zone intertidale, en eau profonde, on trouve l'Algue marine géante appelée *varech* **(figure 28.19)**. Son stipe peut mesurer jusqu'à 60 m. La mer des Sargasses, dans l'Atlantique au nord-est des Bermudes, est une étendue de plusieurs millions de kilomètres carrés où flottent librement des thalles d'Algues brunes du genre *Sargassum* arrachés par les courants.

Les Algues marines qui occupent la zone intertidale doivent résister aux vagues et aux vents qui agitent les eaux de même qu'aux marées basses qui les exposent deux fois par jour à l'effet desséchant de l'atmosphère et aux intenses rayons du Soleil. Elles doivent leur survie à des adaptations remarquables. Par exemple, leur paroi cellulaire contient de la cellulose et des polysaccharides gélifiants qui protègent leur thalle contre l'agitation des vagues et les empêchent de trop s'assécher lorsqu'elles sont exposées à l'air.

▲ **Figure 28.18 Algues marines, organismes bien adaptés à la vie littorale.** *Postelsia palmæformis* (palmier de mer) vit sur des rochers le long des côtes nord-ouest des États-Unis et du Canada. Bien adapté, le thalle de cette Algue brune (Phéophycée) se cramponne fermement aux rochers afin de résister au violent ressac des vagues.

▲ **Figure 28.19 Forêt de varech.** Les grands lits de varech des eaux côtières tempérées fournissent habitat et nourriture à divers organismes, dont un grand nombre de Poissons qui sont pêchés par l'humain. Le varech (*Macrocystis pyrifera*), une Algue brune (Phéophycée) qu'on trouve un peu partout sur la côte pacifique de l'Amérique du Nord, peut atteindre une longueur de plus de 60 m en une seule saison ; c'est l'organisme qui connaît la croissance linéaire la plus rapide.

L'exploitation des Algues marines par l'humain

Les Algues marines – tant les Algues brunes que certaines espèces d'Algues rouges et d'Algues vertes multicellulaires de grande taille, dont nous parlerons plus loin dans le chapitre – constituent d'importantes ressources pour l'humain. En effet, de nombreuses espèces servent d'aliments. Ainsi, l'Algue brune du genre *Laminaria* sert à faire des soupes (le kombu japonais) et l'Algue rouge du genre *Porphyra* (le nori japonais) se mange sous forme de feuilles croustillantes ou sert à envelopper les sushis **(figure 28.20)**. Les substances gélifiantes contenues dans leur paroi cellulaire (l'algine dans le cas des Algues brunes, l'agar-agar et la carragénine dans le cas des Algues rouges) sont aussi utilisées comme épaississants dans les aliments préparés tels que les poudings, les crèmes glacées et les vinaigrettes.

L'alternance de générations

Les Algues multicellulaires présentent divers cycles de développement. Les plus complexes se caractérisent par l'**alternance de générations**, c'est-à-dire la succession des formes haploïdes unicellulaire et multicellulaire et des formes diploïdes unicellulaire et multicellulaire. Bien que les états haploïdes et diploïdes alternent dans *tous* les cycles de développement sexuels – les gamètes

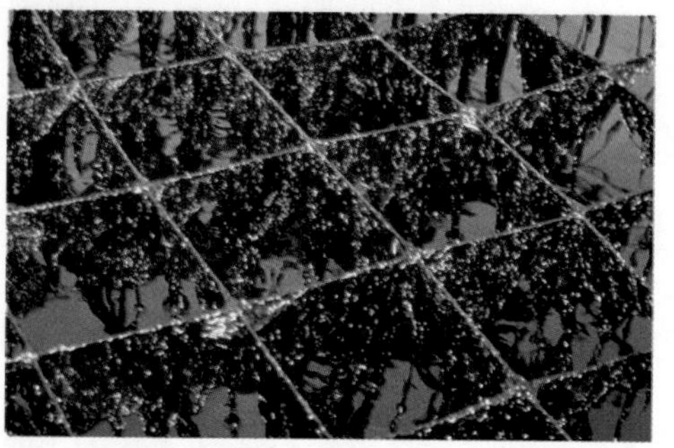

(a) L'Algue marine est cultivée sur des filets placés dans les eaux côtières peu profondes.

(b) Après la récolte, un ouvrier l'étend sur des claies de bambou pour la faire sécher.

(c) Des feuilles de nori luisantes et minces comme du papier constituent une enveloppe riche en minéraux pour le riz, les fruits de mer et les légumes utilisés dans la confection des sushis.

▲ **Figure 28.20 Algue marine comestible.** Le nori est un aliment traditionnel du Japon fourni par une Algue rouge du genre *Porphyra* (dont il sera question plus loin dans le chapitre).

humains, par exemple, sont haploïdes –, le terme *alternance de générations* ne s'applique qu'aux cycles dans lesquels les stades haploïdes et diploïdes sont multicellulaires. Comme nous le verrons au chapitre 29, l'alternance de générations caractérise également le cycle de développement de tous les Végétaux.

L'Algue brune du genre *Laminaria* fournit un bon exemple d'organisme ayant un cycle de développement complexe caractérisé par l'alternance de générations **(figure 28.21)**. L'individu diploïde est appelé *sporophyte*, car il fabrique des cellules reproductrices appelées *zoospores*. Les zoospores deviennent des gamétophytes haploïdes mâles et femelles, qui produisent des gamètes. L'union de deux gamètes (fécondation) donne un zygote diploïde, qui engendre un nouveau sporophyte.

Dans le cas des *Laminaria*, les deux générations sont **hétéromorphes**, c'est-à-dire que le sporophyte et le gamétophyte ont une structure différente. D'autres Algues présentent une alternance de générations **isomorphes**. Autrement dit, le sporophyte et le gamétophyte semblent identiques, mais ne possèdent pas le même nombre de chromosomes.

Retour sur le concept 28.5

1. Quelle est la caractéristique propre aux cellules de tous les Straménopiles?
2. Comparez le mode de nutrition des Oomycètes avec celui des Algues dorées.
3. Pourquoi la structure d'une Algue brune comme celle du genre *Laminaria* est-elle bien adaptée à la vie en zone intertidale?

Voir les réponses proposées à la fin du chapitre.

Concept 28.6

Les Cercozoaires et les Radiolaires possèdent des pseudopodes filiformes

Récemment reconnu, le clade des Cercozoaires comprend diverses espèces qui font partie des organismes appelés **amibes**. On définissait auparavant les amibes comme des Protistes qui se déplacent et se nourrissent au moyen de **pseudopodes**, c'est-à-dire des prolongements qui peuvent surgir de n'importe quel point de la surface cellulaire. Pour se déplacer, l'amibe étire un pseudopode et en ancre l'extrémité, ce qui crée un mouvement du cytoplasme vers celui-ci. Toutefois, grâce à la systématique moléculaire, il apparaît aujourd'hui clairement que les amibes ne constituent pas un groupe monophylétique; elles sont plutôt réparties dans de nombreux taxons d'Eucaryotes sans parenté directe. Celles qui appartiennent au clade des Cercozoaires se distinguent sur le plan morphologique de la plupart des autres amibes par leurs pseudopodes filiformes. Les Cercozoaires comprennent les Chlorarachniophytes (groupe qui ne compte que deux espèces et dont il a été question plus tôt dans le chapitre à propos de l'endosymbiose secondaire) et les Foraminifères. Protistes faisant partie d'un autre clade, les Radiolaires sont aussi pourvus de pseudopodes filiformes et sont étroitement apparentés aux Cercozoaires.

Les Foraminifères

Les **Foraminifères** (du latin *foramen*, « petit trou », et *ferre*, « porter ») doivent leur nom à leur coque poreuse, le **test (figure 28.22)**. Le test d'un Foraminifère renferme habituellement plusieurs compartiments et se compose de matériaux organiques renforcés avec du carbonate de calcium. Les pseudopodes, qui émergent des pores, permettent à l'organisme de nager, de constituer son test et de se nourrir. Un grand nombre de Foraminifères se nourrissent des produits issus de la photosynthèse des Algues qui vivent en symbiose sous leur test.

Les Foraminifères vivent tant en eau salée qu'en eau douce. La plupart des espèces habitent dans le sable ou se fixent aux rochers et aux algues. Certaines abondent dans le plancton. Bien qu'ils soient unicellulaires, les plus gros Foraminifères atteignent un diamètre de plusieurs centimètres.

Des espèces connues de Foraminifères, 90 % sont des fossiles. Avec les restes calcaires d'autres Protistes, leurs tests entrent dans la composition des sédiments marins et même des roches sédimentaires qui ont émergé. Ces fossiles sont d'excellents marqueurs pour la datation comparative de roches sédimentaires de diverses régions du monde.

Les Radiolaires

Les **Radiolaires** sont pour la plupart des Protistes marins dont le test est formé d'une seule pièce délicate composée le plus

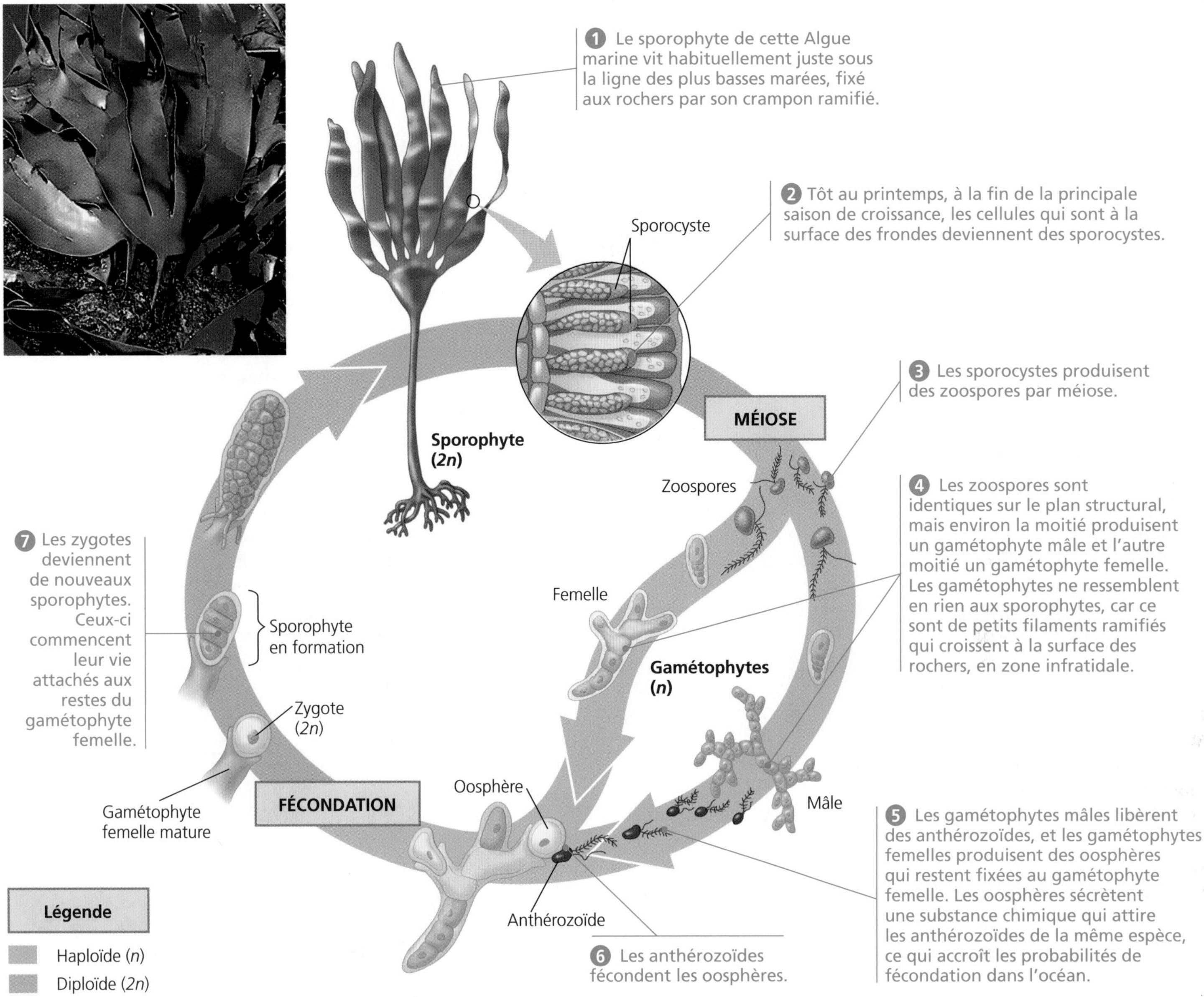

1 Le sporophyte de cette Algue marine vit habituellement juste sous la ligne des plus basses marées, fixé aux rochers par son crampon ramifié.

2 Tôt au printemps, à la fin de la principale saison de croissance, les cellules qui sont à la surface des frondes deviennent des sporocystes.

Sporocyste

Sporophyte ($2n$)

MÉIOSE

3 Les sporocystes produisent des zoospores par méiose.

Zoospores

4 Les zoospores sont identiques sur le plan structural, mais environ la moitié produisent un gamétophyte mâle et l'autre moitié un gamétophyte femelle. Les gamétophytes ne ressemblent en rien aux sporophytes, car ce sont de petits filaments ramifiés qui croissent à la surface des rochers, en zone infratidale.

Femelle

Gamétophytes (n)

Mâle

5 Les gamétophytes mâles libèrent des anthérozoïdes, et les gamétophytes femelles produisent des oosphères qui restent fixées au gamétophyte femelle. Les oosphères sécrètent une substance chimique qui attire les anthérozoïdes de la même espèce, ce qui accroît les probabilités de fécondation dans l'océan.

Oosphère

Anthérozoïde

6 Les anthérozoïdes fécondent les oosphères.

FÉCONDATION

Gamétophyte femelle mature

Zygote ($2n$)

Sporophyte en formation

7 Les zygotes deviennent de nouveaux sporophytes. Ceux-ci commencent leur vie attachés aux restes du gamétophyte femelle.

Légende

Haploïde (n)

Diploïde ($2n$)

▲ **Figure 28.21 Alternance de générations dans le cycle de développement des *Laminaria*.**

◄ **Figure 28.22 *Globigerina sp.*, Foraminifère doté d'un test ressemblant à la coquille de l'escargot.** Des pseudopodes filiformes (*filopodes*) émergent des pores du test (MP). Le test calcaire d'un Foraminifère apparaît en médaillon (MEB).

souvent de silice. Les pseudopodes des Radiolaires, appelés *axopodes*, sont disposés en rayons autour de leur corps central et sont renforcés avec des faisceaux de microtubules **(figure 28.23)**. Les microtubules sont recouverts d'une mince couche de cytoplasme, qui, par phagocytose, entoure les microorganismes plus petits qui s'attachent aux axopodes. Les mouvements cytoplasmiques font ensuite passer la proie dans la partie principale de la cellule. Lorsque les Radiolaires meurent, leurs squelettes siliceux s'accumulent au fond de la mer et y forment une boue dont l'épaisseur peut atteindre plusieurs centaines de mètres par endroits.

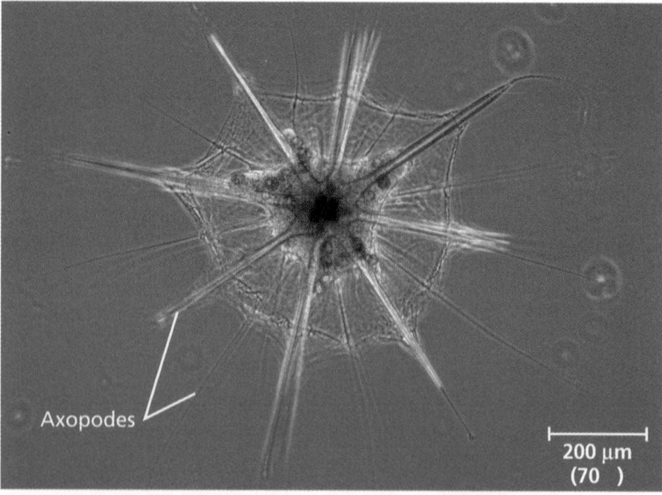

▲ **Figure 28.23 Radiolaire.** De nombreux axopodes filiformes sont disposés en rayons autour du corps central de ce Radiolaire, qui vit dans la mer Rouge (MP).

Retour sur le concept 28.6

1. Pourquoi les archives géologiques sont-elles riches en fossiles de Foraminifères?
2. Comparez les modes de nutrition des Foraminifères et des Radiolaires.

Voir les réponses proposées à la fin du chapitre.

Concept 28.7

Les Amibozoaires sont dotés de pseudopodes en forme de lobe

Beaucoup d'espèces d'amibes dotées de pseudopodes en forme de lobe au lieu de pseudopodes filiformes appartiennent au clade des Amibozoaires, qui comprend les Gymnamibes, les Entamibes et les Mycétozoaires.

Les Gymnamibes

Les Gymnamibes forment un groupe nombreux et varié d'Amibozoaires. Ces Protistes unicellulaires sont très abondants dans le sol ainsi qu'en eau douce et en eau salée. La plupart sont des hétérotrophes qui recherchent activement des Bactéries et d'autres Protistes pour s'en nourrir **(figure 28.24)**. Certaines Gymnamibes se nourrissent aussi de détritus (matières organiques non vivantes).

Les Entamibes

La majorité des Amibozoaires sont des organismes autonomes, mais ceux qui appartiennent au genre *Entamœba* sont des parasites qui infectent toutes les classes de Vertébrés ainsi que certains Invertébrés. Les humains sont les hôtes d'au moins six espèces d'*Entamœba*, dont une seule, *E. histolytica*, est connue pour être pathogène; elle cause la dysenterie amibienne et se propage par l'intermédiaire d'eau, d'aliments ou d'ustensiles de cuisine contaminés. Responsable de quelque 100 000 décès dans le monde annuellement, cette maladie est la troisième cause de mortalité attribuable aux parasites, après le paludisme et la schistosomiase (voir le chapitre 33).

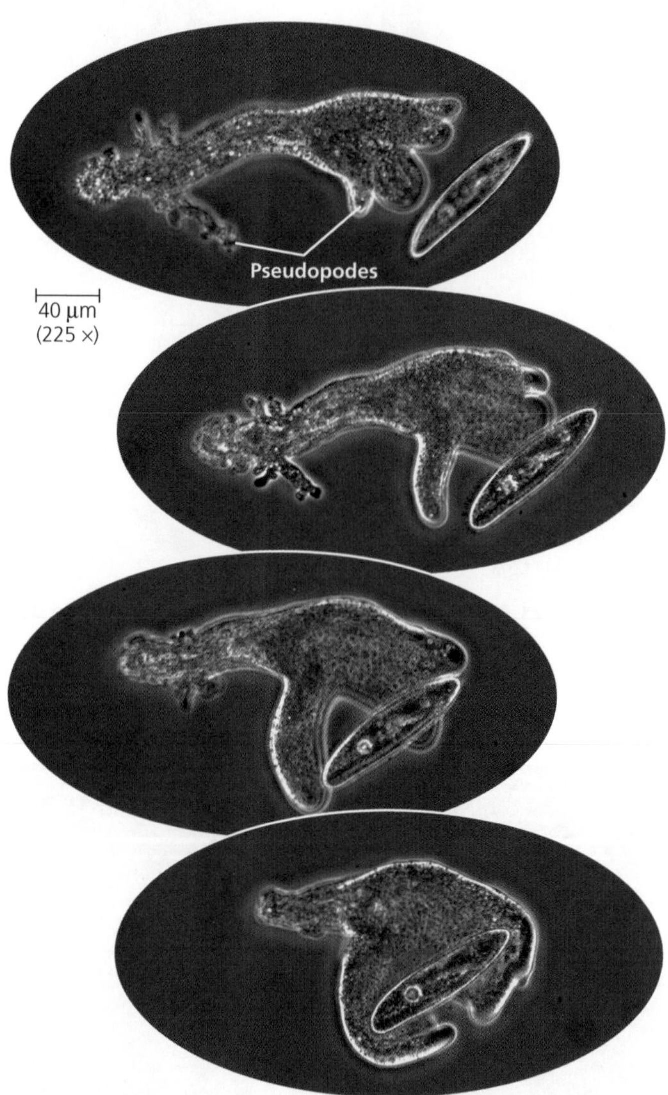

▲ **Figure 28.24 Gymnamibe s'alimentant.** Cette série d'images tirée d'une vidéo montre une Gymnamibe (*Amœba sp.*) qui s'approche de sa proie, un Cilié, et la phagocyte à l'aide de ses pseudopodes en forme de lobe.

Nægleria fowleri est une autre espèce d'amibes appartenant à ce groupe qui peut se retrouver dans les eaux contaminées de lacs et de piscines, et qui peut infecter les baigneurs par voie nasale; elle peut alors causer une méningo-encéphalite amibienne primitive (MEAP) souvent fatale, car elle s'attaque aux tissus cérébraux.

Les Mycétozoaires

Les Mycétozoaires (du latin signifiant «animaux fongiques») étaient auparavant considérés comme des Eumycètes, car, comme eux, ils produisent des appareils sporifères aidant à la dispersion des spores. Toutefois, la ressemblance entre les Mycétozoaires et les Eumycètes semble être un autre exemple d'évolution convergente. La systématique moléculaire place les Mycétozoaires dans le clade des Amibozoaires et semble indiquer que leurs ancêtres sont des organismes unicellulaires apparentés aux Gymnamibes. Les Mycétozoaires se sont divisés en deux grandes branches, les Myxomycètes et les Acrasiomycètes, qui se distinguent en partie par leurs cycles de développement.

Les Myxomycètes

De nombreuses espèces de **Myxomycètes** possèdent une pigmentation brillante, habituellement jaune ou orange **(figure 28.25)**. Au stade de croissance de leur cycle de développement, ils se présentent sous la forme d'une masse amiboïde appelée **plasmode**. Le plasmode peut s'étendre sur plusieurs centimètres carrés **(figure 28.26)**. (Il ne faut pas confondre le plasmode des Myxomycètes avec le parasite apicomplexe du genre *Plasmodium*.)

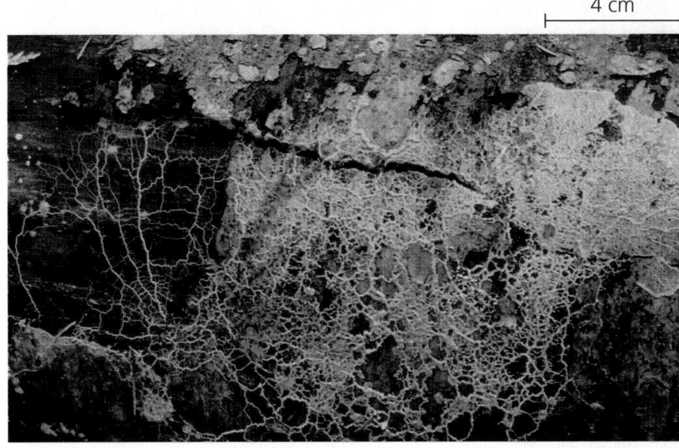

▲ **Figure 28.25 Myxomycète *Physarum polycephalum*.**

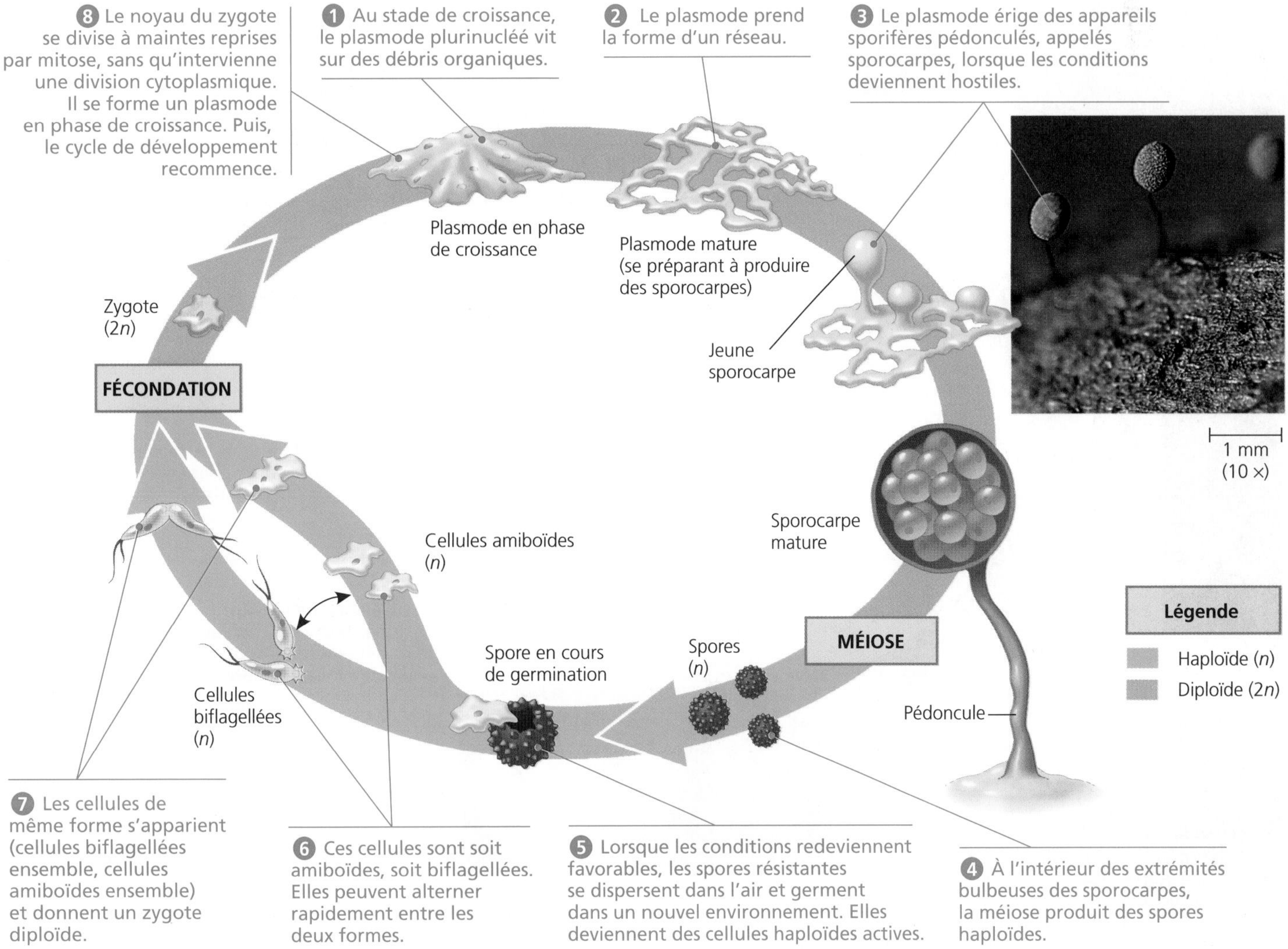

8 Le noyau du zygote se divise à maintes reprises par mitose, sans qu'intervienne une division cytoplasmique. Il se forme un plasmode en phase de croissance. Puis, le cycle de développement recommence.

1 Au stade de croissance, le plasmode plurinucléé vit sur des débris organiques.

2 Le plasmode prend la forme d'un réseau.

3 Le plasmode érige des appareils sporifères pédonculés, appelés sporocarpes, lorsque les conditions deviennent hostiles.

Plasmode en phase de croissance

Plasmode mature (se préparant à produire des sporocarpes)

Jeune sporocarpe

1 mm (10 ×)

Zygote ($2n$)

FÉCONDATION

Sporocarpe mature

Cellules amiboïdes (n)

MÉIOSE

Spores (n)

Spore en cours de germination

Cellules biflagellées (n)

Pédoncule

Légende

Haploïde (n)

Diploïde ($2n$)

7 Les cellules de même forme s'apparient (cellules biflagellées ensemble, cellules amiboïdes ensemble) et donnent un zygote diploïde.

6 Ces cellules sont soit amiboïdes, soit biflagellées. Elles peuvent alterner rapidement entre les deux formes.

5 Lorsque les conditions redeviennent favorables, les spores résistantes se dispersent dans l'air et germent dans un nouvel environnement. Elles deviennent des cellules haploïdes actives.

4 À l'intérieur des extrémités bulbeuses des sporocarpes, la méiose produit des spores haploïdes.

▲ **Figure 28.26 Cycle de développement des Myxomycètes.**

Aussi gros soit-il, le plasmode n'est pas multicellulaire. Il s'agit plutôt d'une masse de cytoplasme qui n'est pas séparée par des membranes et qui renferme plusieurs noyaux diploïdes. Cette « supercellule » provient de divisions mitotiques des noyaux qui n'ont pas été suivies de cytocinèse, c'est-à-dire de division du cytoplasme. Chez la plupart des espèces, les divisions se font de façon synchronisée. Ainsi, les milliers de noyaux exécutent chaque phase de la mitose au même moment. C'est pourquoi on recourt aux Myxomycètes pour étudier les détails moléculaires du cycle cellulaire.

À l'intérieur des fins canaux du plasmode, le cytoplasme circule dans un sens puis dans l'autre, en un mouvement pulsatile fascinant à observer au microscope. Il semble que ce courant cytoplasmique favorise la distribution des nutriments et du dioxygène. Pour assurer sa croissance, le plasmode étend ses pseudopodes dans le sol humide, le paillis de feuilles ou le bois pourri, puis phagocyte les particules alimentaires. Lorsqu'il y a une sécheresse ou une pénurie de nourriture, il cesse de croître et se différencie. Il entre alors dans un stade de production de sporocarpes, lesquels interviennent dans la reproduction sexuée. Chez la plupart des Myxomycètes, l'état diploïde domine le cycle de développement.

Les Acrasiomycètes

Les **Acrasiomycètes** nous obligent à remettre en question la définition même du mot *organisme.* Au stade de croissance de leur cycle de développement, les Acrasiomycètes sont des cellules individuelles. En l'absence de nourriture, cependant, les cellules se groupent en un amas (pseudoplasmode) qui fonctionne comme un individu **(figure 28.27)**. Bien que cette masse

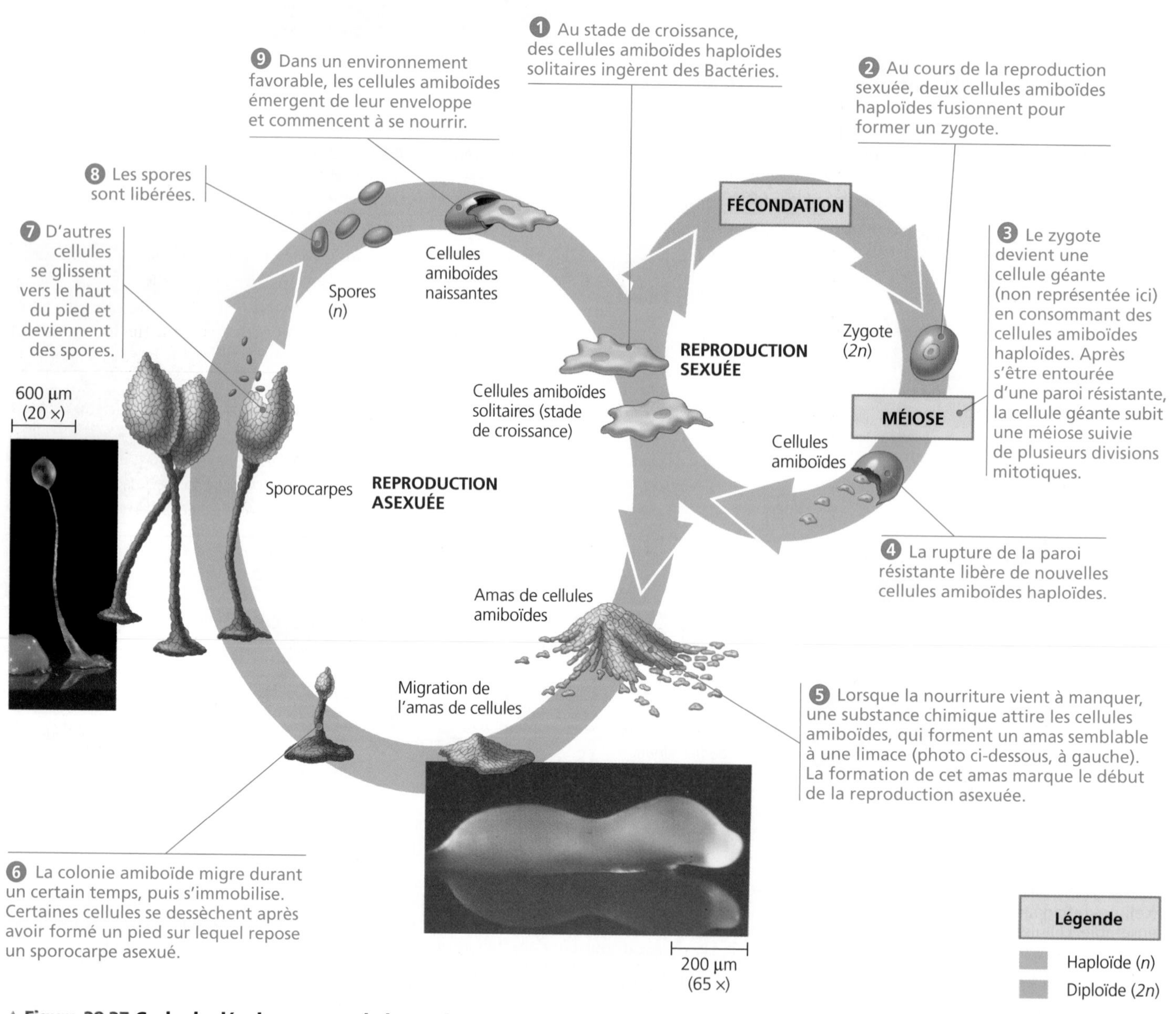

1 Au stade de croissance, des cellules amiboïdes haploïdes solitaires ingèrent des Bactéries.
2 Au cours de la reproduction sexuée, deux cellules amiboïdes haploïdes fusionnent pour former un zygote.
3 Le zygote devient une cellule géante (non représentée ici) en consommant des cellules amiboïdes haploïdes. Après s'être entourée d'une paroi résistante, la cellule géante subit une méiose suivie de plusieurs divisions mitotiques.
4 La rupture de la paroi résistante libère de nouvelles cellules amiboïdes haploïdes.
5 Lorsque la nourriture vient à manquer, une substance chimique attire les cellules amiboïdes, qui forment un amas semblable à une limace (photo ci-dessous, à gauche). La formation de cet amas marque le début de la reproduction asexuée.
6 La colonie amiboïde migre durant un certain temps, puis s'immobilise. Certaines cellules se dessèchent après avoir formé un pied sur lequel repose un sporocarpe asexué.
7 D'autres cellules se glissent vers le haut du pied et deviennent des spores.
8 Les spores sont libérées.
9 Dans un environnement favorable, les cellules amiboïdes émergent de leur enveloppe et commencent à se nourrir.
FÉCONDATION
MÉIOSE
REPRODUCTION SEXUÉE
REPRODUCTION ASEXUÉE
Zygote (2n)
Cellules amiboïdes
Cellules amiboïdes solitaires (stade de croissance)
Cellules amiboïdes naissantes
Spores (n)
Sporocarpes
Amas de cellules amiboïdes
Migration de l'amas de cellules
600 µm (20 ×)
200 µm (65 ×)
Légende
Haploïde (n)
Diploïde (2n)

▲ **Figure 28.27 Cycle de développement de l'Acrasiomycète *Dictyostelium sp.***

cellulaire ressemble en apparence au plasmode des Myxomycètes, les cellules qui la composent demeurent séparées par leur membrane plasmique.

Les Acrasiomycètes diffèrent des Myxomycètes par d'autres aspects. Tout d'abord, ils sont des organismes haploïdes (seul le zygote est diploïde). En outre, ils produisent un appareil sporifère (sporocarpe) qui intervient dans la reproduction asexuée. Enfin, la plupart des Acrasiomycètes n'ont pas de stade flagellé.

Dictyostelium discoideum, Acrasiomycète abondant dans les tapis forestiers, est devenu un organisme modèle pour l'étude de l'évolution de la multicellularité. Les recherches portent notamment sur le stade du développement de l'appareil sporifère. À ce stade, les cellules qui forment le pied des sporocarpes s'assèchent et meurent, alors que celles qui se trouvent dans la partie supérieure survivent et peuvent se reproduire. Les scientifiques ont découvert que des mutations touchant un seul gène peuvent transformer des cellules individuelles de *Dictyostelium* en « tricheuses » qui ne s'intègrent jamais au pied. Comme ces cellules mutantes présentent un important avantage reproductif sur les non mutantes, on se demande pourquoi toutes les cellules de *Dictyostelium* ne sont pas des tricheuses.

En 2003, des scientifiques de la Rice University, au Texas, et de l'Université de Turin, en Italie, ont découvert pourquoi la plupart des cellules ne se transforment pas en tricheuses. En effet, la surface des cellules mutantes est dépourvue d'une protéine, différence que les cellules non mutantes reconnaissent. Ces dernières s'unissent de préférence à leurs semblables, privant de ce fait les cellules mutantes de la possibilité de les exploiter. Or, ce système de reconnaissance pourrait avoir eu une incidence importante sur l'évolution des Eucaryotes multicellulaires comme les Animaux et les Végétaux.

Retour sur le concept 28.7

1. Comparez les pseudopodes des Amibozoaires et ceux des Foraminifères.
2. Dans quel sens le terme *Animal fongique* constitue-t-il une description qui convient aux Mycétozoaires ? Dans quel sens cette description ne leur convient-elle pas ?
3. Chez les Amibozoaires, la coopération entre les cellules existe-t-elle ? Expliquez votre réponse.

Voir les réponses proposées à la fin du chapitre.

Concept 28.8

Les Algues rouges et les Algues vertes sont les organismes les plus étroitement apparentés aux Végétaux terrestres

Comme il a été expliqué au chapitre 26, la systématique moléculaire et les études portant sur la structure cellulaire corroborent le scénario phylogénétique suivant. Il y a plus d'un milliard d'années, un Protiste hétérotrophe a acquis un endosymbionte (Cyanobactérie), et les descendants photosynthétiques de ce Protiste primitif se sont divisés en Algues rouges et en Algues vertes (voir la figure 28.3). Il y a au moins 475 millions d'années, la lignée ayant engendré les Algues vertes a donné naissance aux Végétaux terrestres, que nous examinerons aux chapitres 29 et 30 ; mais traitons d'abord de la diversité de leurs plus proches parents, les Algues rouges et les Algues vertes.

Les Algues rouges

Parmi les quelque 6 000 espèces connues d'**Algues rouges**, ou Rhodobiontes (du grec *rhodon*, « rose »), beaucoup doivent leur couleur rougeâtre à un pigment accessoire appelé *phycoérythrine*, qui masque le vert de la chlorophylle. Toutefois, chez les espèces adaptées à la vie en eau peu profonde, la phycoérythrine se fait moins abondante. Ainsi, les Algues rouges peuvent être presque noires en eau profonde, rouge vif à des profondeurs moyennes et verdâtres en eau très peu profonde. Certaines espèces ont perdu leur pigmentation et vivent en parasites hétérotrophes d'autres Algues rouges.

Les Algues rouges sont les plus abondantes des grandes Algues dans les eaux côtières chaudes des tropiques. Leurs pigments accessoires leur permettent d'absorber la lumière bleue et la lumière verte, qui pénètrent assez profondément dans l'eau. On vient de découvrir, près des Bahamas, une espèce d'Algue rouge qui vit à une profondeur de plus de 260 m, ce qui est un record pour un organisme photosynthétique. Il existe aussi des espèces qui vivent en eau douce et en milieu terrestre.

La plupart des Algues rouges sont multicellulaires. Les plus grandes d'entre elles font partie du groupe des « Algues marines » **(figure 28.28)**. Mais aucune Algue rouge ne rivalise en taille avec les Algues brunes géantes (Laminaires). Chez un grand nombre d'Algues rouges, le thalle filamenteux se ramifie fortement et s'entrelace en de fins motifs de dentelle. La base du thalle se termine habituellement par un crampon simple.

Les Algues rouges présentent des cycles de développement variés, et l'alternance de générations est fréquente chez elles. Mais, contrairement à celui des autres Algues, leur cycle de développement ne présente pas de stade flagellé (les centrioles sont absents), et les gamètes se rencontrent à la faveur des courants.

Les Algues vertes

Les **Algues vertes** doivent leur nom à la couleur de leurs chloroplastes. L'ultrastructure et les pigments de ceux-ci ressemblent beaucoup à ceux des chloroplastes végétaux. De fait, la systématique moléculaire et l'étude de la morphologie cellulaire confirment que les Algues vertes et les Végétaux terrestres sont étroitement apparentés. Certains systématiciens recommandent même de classer les Algues vertes avec les Végétaux dans un règne étendu, celui des Chlorobiontes.

Les Algues vertes se divisent en deux grands groupes, les Chlorophytes (du grec *chloros*, « vert ») et les Charophytes (voir la figure 28.4). On a relevé plus de 7 000 espèces d'Algues vertes appartenant aux Chlorophytes. La plupart vivent en eau douce, mais on trouve également un grand nombre d'espèces marines. Les Chlorophytes les plus simples sont unicellulaires et possèdent deux flagelles. Tel est le cas de *Chlamydomonas*, qui ressemble aux gamètes et aux zoospores des Chlorophytes plus complexes. Diverses espèces d'Algues vertes unicellulaires entrent dans la

(a) ***Bonnemaisonia hamifera.*** Cette Algue rouge est filamenteuse.

(b) **Dulse ou rhodyménie palmé (*Palmaria palmata*).** Cette Algue comestible a la forme d'une feuille.

(c) **Algue coralline.** La paroi cellulaire de cette Algue (*Corallina gracilis*) doit sa rigidité au carbonate (ou trioxocarbonate) de calcium. On trouve cette espèce dans les grands récifs de corail.

▲ **Figure 28.28 Algues rouges.**

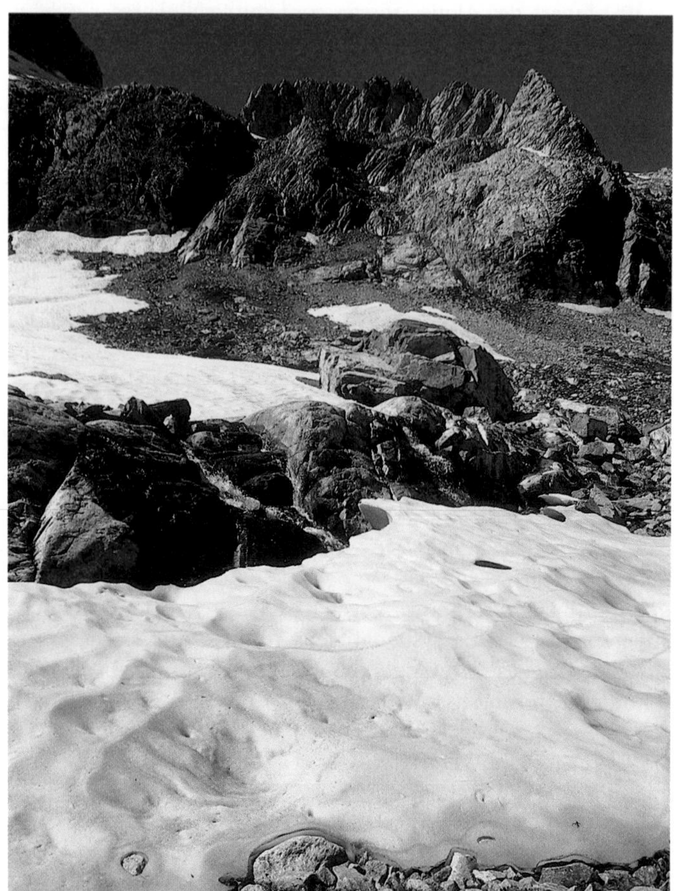

▲ **Figure 28.29 Neige rouge.** Les pigments caroténoïdes de certains Chlorophytes vivant dans la neige, comme *Chlamydomonas nivalis*, donnent une teinte rougeâtre à la neige.

composition du plancton, prolifèrent dans les sols humides ou vivent en symbiose avec d'autres Eucaryotes en contribuant, au moyen de la photosynthèse, à l'apport alimentaire de leur hôte. Certains Chlorophytes vivent aussi en symbiose avec des Eumycètes, avec lesquels ils forment une association, le Lichen (voir la figure 31.24). Certains Chlorophytes sont adaptés à un habitat des plus inattendus: la neige. Par exemple, *Chlamydomonas nivalis* peut former de denses populations sur des glaciers et des champs de neige en haute altitude, où ses pigments rougeâtres donnent à la neige une teinte rappelant celle du melon d'eau **(figure 28.29).** Ces Chlorophytes effectuent la photosynthèse en dépit de températures qui se situent au-dessous du point de congélation, et de l'intensité des rayons visibles et ultraviolets. Ils sont protégés par des composés antirayonnement qui se trouvent dans leur cytoplasme et par la neige elle-même, qui agit comme un écran.

L'augmentation de la taille et de la complexité des Chlorophytes au cours de l'évolution est attribuable à trois mécanismes: 1) la formation de colonies de cellules individuelles, comme chez *Volvox sp.* **(figure 28.30a)** et chez les formes filamenteuses qui entrent dans la composition de ce qu'on appelle l'*écume d'étang*; 2) la division répétée des noyaux sans division cytoplasmique, comme dans les filaments plurinucléés de *Caulerpa sp.* **(figure 28.30b)**; 3) l'apparition de formes multicellulaires véritables, comme *Ulva lactuca* **(figure 28.30c)**, par suite de la division et de la différenciation cellulaires. Certains Chlorophytes multicellulaires marins sont assez grands et assez complexes pour être considérés comme des Algues marines.

La plupart des Chlorophytes ont un cycle de développement complexe qui comprend des stades de reproduction sexuée et asexuée. Ils peuvent presque tous se reproduire par voie sexuée, en produisant des gamètes à deux flagelles dotés de chloroplastes

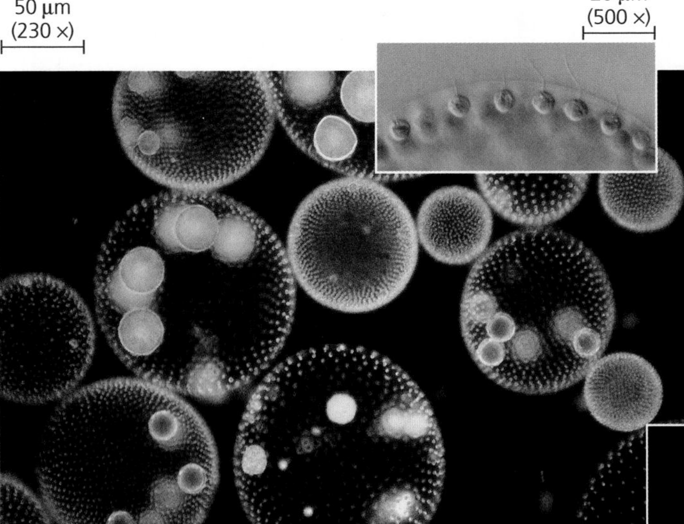

(a) ***Volvox sp.*, Chlorophyte vivant en colonies, en eau douce.** La colonie forme une sphère creuse dont la paroi est composée de centaines ou de milliers de cellules à deux flagelles enchâssées dans une matrice gélatineuse (voir la micrographie en médaillon [MP]). Les cellules sont habituellement reliées par des filets de cytoplasme (isolées, elles ne peuvent se reproduire). Les grosses colonies qu'on voit ici finiront par libérer les petites « colonies filles » qu'elles contiennent (MP).

(b) ***Caulerpa sp.*, Chlorophyte vivant dans les zones marines intertidales.** Ses filaments ramifiés ne possèdent pas de paroi intercellulaire et sont plurinucléés. De fait, le thalle constitue une énorme « supercellule ».

(c) ***Ulva lactuca*, ou laitue de mer.** Cette Algue marine comestible possède un thalle multicellulaire qui produit des frondes ressemblant à des feuilles. Son crampon semblable à une racine l'ancre assez solidement pour empêcher les vagues normales et les marées de la détacher de son substrat.

▲ **Figure 28.30 Chlorophytes vivant en colonies et Chlorophytes multicellulaires.**

en forme de godet **(figure 28.31)**. Les Algues qui se reproduisent par conjugaison font cependant exception. Ainsi, *Spirogyra* (voir la figure 28.2d) produit des gamètes amiboïdes. L'alternance de générations est apparue dans le cycle de développement de quelques Algues vertes, y compris *Ulva*, chez qui une génération sur deux est isomorphe.

L'autre grand groupe d'Algues vertes, les Charophytes, est celui qui est le plus étroitement apparenté aux Végétaux terrestres. Nous en parlerons donc au chapitre 29, qui traite des Végétaux.

Retour sur le concept 28.8

1. Indiquez deux différences entre les Algues rouges et les Algues brunes.
2. Pourquoi est-il exact de dire que *Ulva* est un véritable organisme multicellulaire, mais non *Caulerpa*?

Voir les réponses proposées à la fin du chapitre.

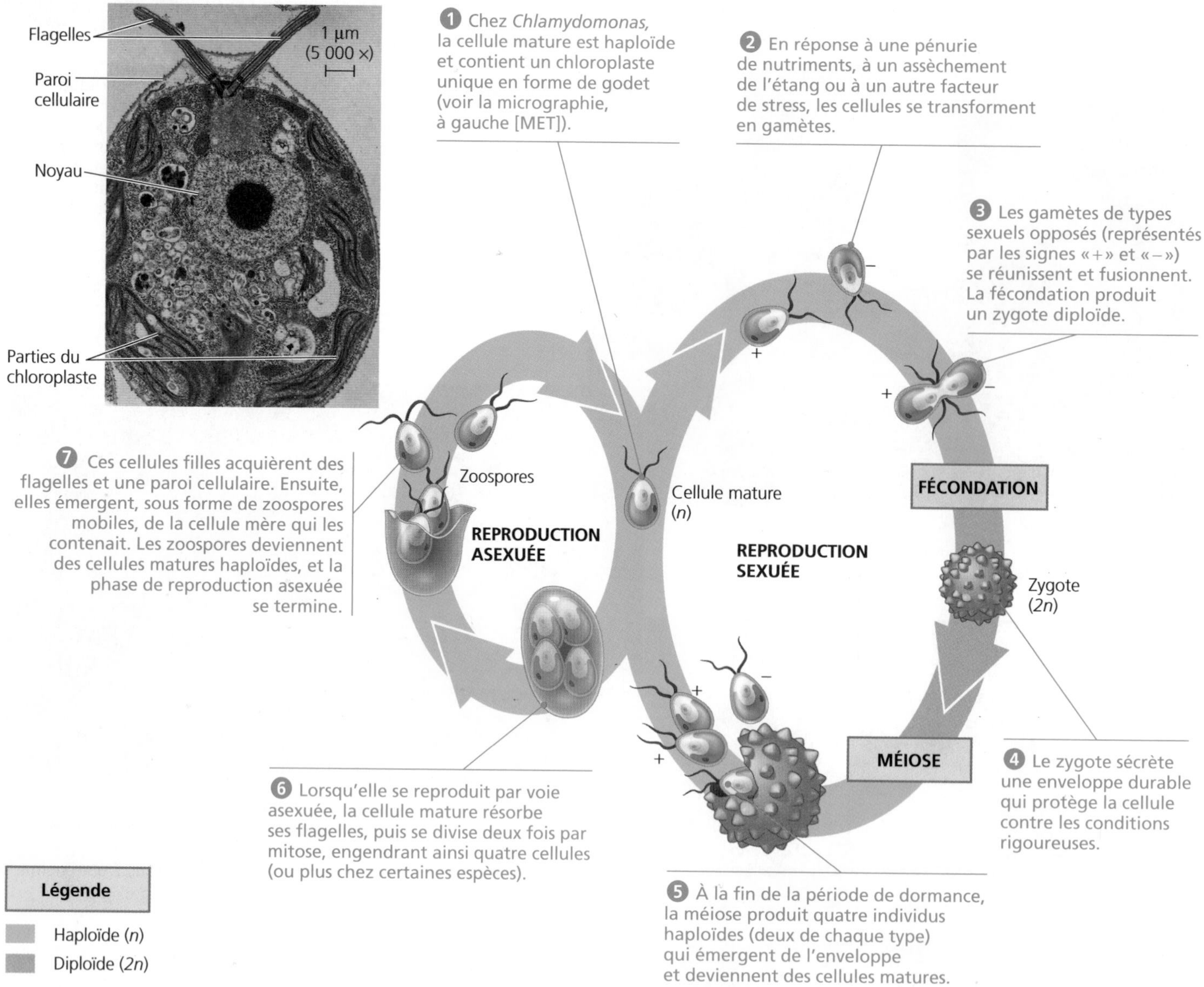

Flagelles
Paroi cellulaire
Noyau
Parties du chloroplaste
1 μm (5 000 ×)

❶ Chez *Chlamydomonas,* la cellule mature est haploïde et contient un chloroplaste unique en forme de godet (voir la micrographie, à gauche [MET]).

❷ En réponse à une pénurie de nutriments, à un assèchement de l'étang ou à un autre facteur de stress, les cellules se transforment en gamètes.

❸ Les gamètes de types sexuels opposés (représentés par les signes «+» et «–») se réunissent et fusionnent. La fécondation produit un zygote diploïde.

FÉCONDATION

Zygote (2*n*)

❹ Le zygote sécrète une enveloppe durable qui protège la cellule contre les conditions rigoureuses.

MÉIOSE

❺ À la fin de la période de dormance, la méiose produit quatre individus haploïdes (deux de chaque type) qui émergent de l'enveloppe et deviennent des cellules matures.

REPRODUCTION SEXUÉE

Cellule mature (*n*)

REPRODUCTION ASEXUÉE

Zoospores

❻ Lorsqu'elle se reproduit par voie asexuée, la cellule mature résorbe ses flagelles, puis se divise deux fois par mitose, engendrant ainsi quatre cellules (ou plus chez certaines espèces).

❼ Ces cellules filles acquièrent des flagelles et une paroi cellulaire. Ensuite, elles émergent, sous forme de zoospores mobiles, de la cellule mère qui les contenait. Les zoospores deviennent des cellules matures haploïdes, et la phase de reproduction asexuée se termine.

Légende

Haploïde (*n*)
Diploïde (2*n*)

▲ **Figure 28.31 Cycle de développement de *Chlamydomonas,* Chlorophyte unicellulaire.**

Révision du chapitre 28

RÉSUMÉ DES CONCEPTS CLÉS

Les Protistes constituent un groupe d'Eucaryotes extrêmement diversifié

▶ Les Protistes présentent davantage de diversité que tous les autres Eucaryotes et ne sont plus classés dans un seul règne. La plupart sont unicellulaires; certains vivent en colonies, et d'autres sont multicellulaires. On trouve parmi eux des espèces photoautotrophes, hétérotrophes et mixotrophes. La majorité des espèces sont aquatiques, mais certaines vivent dans des milieux terrestres humides. Enfin, certaines espèces se reproduisent exclusivement par voie asexuée, et d'autres par voie sexuée. Le **tableau 28.1** présente une révision des groupes de Protistes étudiés dans le chapitre **(p. 595-596)**.

▶ **L'endosymbiose et l'évolution des Eucaryotes (p. 596-597).** Certains biologistes émettent l'hypothèse que les mitochondries et les plastes descendent respectivement de Protéobactéries alpha et de Cyanobactéries qui, absorbées par des cellules eucaryotes, sont devenues des endosymbiontes. La lignée porteuse de plastes a ultérieurement donné naissance aux Algues rouges et aux Algues vertes. D'autres groupes de Protistes sont issus de processus d'endosymbiose secondaire, au cours desquels des Algues rouges ou des Algues vertes ont elles-mêmes été absorbées.

Concept 28.2

Les Diplomonadines et les Parabasaliens possèdent des mitochondries modifiées

▶ Les Diplomonadines et les Parabasaliens sont adaptés aux milieux anaérobies. Ils sont dépourvus de plastes, et leurs mitochondries ne possèdent ni ADN, ni chaînes de transport d'électrons, ni enzymes nécessaires au cycle de Krebs **(p. 598)**.

Tableau 28.1 Aperçu de la diversité des Protistes

PRINCIPAUX CLADES	CARACTÉRISTIQUES ESSENTIELLES	EXEMPLES TIRÉS DU CHAPITRE
Métamonadines (Diplomonadines)	Deux noyaux d'égale grosseur; mitochondries modifiées	*Giardia*
Parabasaliens	Ondulations de la membrane plasmique; mitochondries modifiées	*Trichomonas*
Euglénobiontes	Bâtonnet hélicoïdal ou cristallin à l'intérieur des flagelles	
Kinétoplastidés	Kinétoplaste (masse organisée d'ADN dans la mitochondrie)	*Trypanosoma*
Euglénophytes	Paramylon (molécule servant de substance de réserve)	*Euglena*
Alvéolobiontes	Alvéoles sous la membrane plasmique	
Dinophytes	Forme renforcée par des plaques de cellulose	*Ceratium, Pfiesteria*
Apicomplexés	Complexe d'organites à l'extrémité apicale	*Plasmodium*
Ciliés	Cils servant aux déplacements et à l'alimentation; macronoyau et micronoyau	*Paramecium, Stentor*
Straménopiles	Flagelles velus et flagelles glabres	
Oomycètes	Hyphes absorbant les nutriments	Saprolégniales, Rouilles blanches, agents du mildiou
Bacillariophycées (Diatomées)	Paroi vitreuse en deux parties	
Chrysophycées (Algues dorées)	Flagelles fixés près de l'une des extrémités de la cellule	*Dinobryon*
Phéophycées (Algues brunes)	Toutes multicellulaires; pour certaines, cycle de développement caractérisé par l'alternance de générations	*Laminaria, Macrocystis, Postelsia*
Cercozoaires et Radiolaires	Amibes munies de pseudopodes filiformes	
Foraminifères	Coque poreuse	*Globigerina*
Radiolaires	Pseudopodes disposés en rayons autour du corps central	
Amibozoaires	Amibes munies de pseudopodes en forme de lobe	
Gymnamibes	Abondantes dans le sol, en eau douce et en eau salée	*Amœba*
Entamibes	Parasites	*Entamœba*
Myxomycètes	Plasmode plurinucléé; sporocarpes servant à la reproduction sexuée	*Physarum*
Acrasiomycètes	Masse multicellulaire formant des sporocarpes asexués	*Dictyostelium*
Rhodobiontes (Algues rouges)	Phycoérythrine (pigment accessoire); pas de stade flagellé	*Bonnemaisonia, Delesseria, Palmaria*
Chlorophytes (un des deux groupes d'Algues vertes)	Chloroplastes semblables à ceux des Végétaux	*Caulerpa, Chlamydomonas, Spirogyra, Ulva, Volvox*

▶ **Les Diplomonadines (p. 598).** Les Diplomonadines possèdent de multiples flagelles et deux noyaux.

▶ **Les Parabasaliens (p. 598-599).** Le groupe des Parabasaliens comprend les Trichomonadines, qui se déplacent grâce aux mouvements de leurs flagelles et aux ondulations d'une partie de leur membrane plasmique.

Concept 28.3

Les Euglénobiontes sont pourvus de flagelles dont la structure interne est unique

▶ Les Euglénobiontes se distinguent par la présence, à l'intérieur de leurs flagelles, d'un bâtonnet hélicoïdal ou cristallin; la plupart sont aussi dotés de crêtes mitochondriales en forme de disque. Ce groupe comprend des autotrophes, des hétérotrophes prédateurs et des parasites **(p. 599)**.

▶ **Les Kinétoplastidés (p. 599-600).** Les Kinétoplastidés possèdent une volumineuse mitochondrie, qui contient une masse structurée d'ADN, le kinétoplaste. Des espèces parasites appartenant à ce groupe causent la maladie du sommeil et la maladie de Chagas.

▶ **Les Euglénophytes (p. 600).** Les Euglénophytes se caractérisent par la présence, à l'une de leurs extrémités, d'une dépression d'où émergent un ou deux flagelles. Ces Protistes renferment du paramylon (polymère de glucose) qui sert de substance de réserve. En l'absence de lumière solaire, certaines espèces autotrophes peuvent devenir hétérotrophes.

Les Alvéolobiontes comportent des vésicules sous leur membrane plasmique

▶ Les alvéoles, de petites vésicules situées sous la membrane plasmique, distinguent les Alvéolobiontes des autres Protistes **(p. 601)**.

▶ **Les Dinophytes (p. 601).** Les Dinophytes forment un groupe diversifié de photoautotrophes et d'hétérotrophes aquatiques. Leurs mouvements rotatoires caractéristiques sont produits par deux flagelles fixés perpendiculairement dans les sillons qui se trouvent à la surface de la cellule. La croissance rapide de certaines populations de Dinophytes entraîne la formation de marées rouges.

▶ **Les Apicomplexés (p. 601-602).** Les Apicomplexés sont des parasites qui présentent un complexe apical d'organites spécialisés leur permettant de pénétrer dans les cellules de l'hôte. Ils sont aussi munis d'un plaste non photosynthétique, l'apicoplaste. L'Apicomplexe *Plasmodium* cause le paludisme.

▶ **Les Ciliés (p. 602-603).** Les Ciliés se déplacent et se nourrissent à l'aide de cils. Ils possèdent un macronoyau et un micronoyau. Celui-ci est mis à contribution durant la conjugaison, processus sexué dont résulte la variation génétique. La conjugaison se distingue de la reproduction, qui s'opère en général par scissiparité.

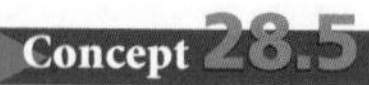

Les Straménopiles sont munis de flagelles « velus » et de flagelles « glabres »

- **Les Oomycètes (Saprolégniales et organismes apparentés) (p. 603).** La plupart des Oomycètes sont des décomposeurs ou des parasites munis de filaments (hyphes) qui facilitent l'absorption des nutriments. L'Oomycète *Phytophthora infestans* cause le mildiou de la pomme de terre.
- **Les Diatomées (p. 605-606).** Les Diatomées sont entourées d'une paroi semblable à du verre divisée en deux parties et constituent un des principaux éléments du phytoplancton. La roche sédimentaire connue sous le nom de *diatomite* est composée en grande partie de parois de diatomées fossilisées.
- **Les Algues dorées (p. 606).** Les Algues dorées possèdent généralement deux flagelles fixés près de l'une des extrémités de la cellule. De nombreuses espèces vivent parmi le plancton. Leur couleur est attribuable aux pigments caroténoïdes qu'elles contiennent.
- **Les Algues brunes (p. 606-608).** Les Algues brunes sont pour la plupart des Protistes marins multicellulaires. Ce groupe comprend certaines des Algues les plus complexes qu'on appelle communément *Algues marines* et dont beaucoup représentent une importance commerciale pour l'humain. Comme certaines Algues rouges et Algues vertes, et comme tous les Végétaux, certaines Algues brunes ont un cycle de développement caractérisé par l'alternance de générations, dans laquelle les formes multicellulaires diploïde et haploïde alternent.

Les Cercozoaires et les Radiolaires possèdent des pseudopodes filiformes

- **Les Foraminifères (p. 608).** Les Foraminifères sont des amibes vivant tant en eau salée qu'en eau douce; ils sont munis d'une coque poreuse (le test) qui comprend en général plusieurs compartiments et est composée de matériaux organiques et de carbonate de calcium. Des pseudopodes émergent de leurs pores. Les tests des Foraminifères qui se trouvent dans les sédiments marins constituent de riches archives géologiques.
- **Les Radiolaires (p. 608-610).** Les Radiolaires possèdent un test formé d'une seule pièce le plus souvent composée de silice. Ils ingèrent des microorganismes par phagocytose à l'aide de leurs pseudopodes (axopodes) disposés en rayons autour de leur corps central.

Concept 28.7

Les Amibozoaires sont dotés de pseudopodes en forme de lobe

- **Les Gymnamibes (p. 610).** Les Gymnamibes sont des Amibozoaires unicellulaires qui abondent dans le sol ainsi qu'en eau douce et en eau salée. La plupart sont hétérotrophes.
- **Les Entamibes (p. 610-611).** Les Entamibes sont des parasites des Vertébrés et de certains Invertébrés. *Entamœba histolytica* cause la dysenterie amibienne chez l'humain.
- **Les Mycétozoaires (p. 611-613).** Les Myxomycètes se présentent sous la forme d'un plasmode, c'est-à-dire une masse de cytoplasme qui renferme plusieurs noyaux et n'est pas séparée par des membranes. Le plasmode étend ses pseudopodes dans les matières en décomposition, puis phagocyte les particules alimentaires. Les Acrasiomycètes forment des agrégats dans lesquels les cellules demeurent séparées par des membranes. L'Acrasiomycète *Dictyostelium discoideum* est devenu un organisme modèle pour l'étude de l'évolution multicellulaire.

Concept 28.8

Les Algues rouges et les Algues vertes sont les organismes les plus étroitement apparentés aux Végétaux terrestres

- **Les Algues rouges (p. 613).** La couleur des Algues rouges varie du vert au noir selon la concentration d'un pigment accessoire appelé *phycoérythrine*. La plupart des Algues rouges sont multicellulaires. Les plus grandes d'entre elles font partie du groupe des Algues marines. Ce sont les grandes Algues les plus abondantes dans les eaux côtières des tropiques.
- **Les Algues vertes (p. 613-615).** Les Algues vertes (Chlorophytes et Charophytes) sont étroitement apparentées aux Végétaux terrestres. La plupart des Chlorophytes vivent en eau douce, mais il existe également beaucoup d'espèces marines; d'autres vivent dans le sol humide, dans la neige ou en association symbiotique dans les Lichens. Certains Chlorophytes sont unicellulaires, d'autres vivent en colonies et d'autres encore sont multicellulaires. La plupart présentent des cycles de développement complexes.

VÉRIFIEZ VOS CONNAISSANCES

Autoévaluation

(Les questions dont les numéros sont en caractères gras font surtout appel à la compréhension.)

1. La présence de plus de deux membranes autour de certains plastes constitue une preuve que:
a) ces plastes se sont développés à partir de mitochondries.
b) ces plastes ont fusionné.
c) ces plastes sont issus d'Archéobactéries.
d) ces plastes résultent de l'endosymbiose secondaire.
e) ces plastes ont bourgeonné à partir de l'enveloppe nucléaire.

2. Les biologistes postulent que l'endosymbiose a donné naissance aux mitochondries avant les plastes, parce que:
a) les produits de la photosynthèse n'auraient pas pu être métabolisés sans enzymes mitochondriales.
b) presque tous les Eucaryotes possèdent des mitochondries, tandis que seuls les Eucaryotes autotrophes comportent des plastes.
c) l'ADN mitochondrial ressemble moins à l'ADN procaryote que l'ADN des plastes.
d) sans production de dioxygène dans les mitochondries, la photosynthèse était impossible.
e) les plastes utilisent leurs propres ribosomes, tandis que les protéines mitochondriales sont synthétisées à l'aide des ribosomes du cytosol.

3. Parmi les Eucaryotes suivants, lequel possède des mitochondries dépourvues de chaîne de transport d'électrons?
a) Les Algues dorées.
b) Les Diplomonadines.
c) Les Apicomplexés.
d) Les Kinétoplastidés.
e) Les Diatomées.

4. Parmi les groupes d'organismes suivants, lequel *n'est pas* bien décrit?
a) Cercozoaires: amibes munies de pseudopodes filiformes.
b) Euglénophytes: Protistes qui emmagasinent du paramylon.
c) Foraminifères: Algues ciliées comportant de nombreux noyaux.
d) Apicomplexés: parasites présentant un cycle de développement complexe.
e) Rhodobiontes: Protistes surtout multicellulaires possédant de la phycoérythrine.

5. Les Dinophytes, les Apicomplexés et les Ciliés sont classés dans le clade des Alvéolobiontes, car tous:
a) ont des flagelles ou des cils.
b) sont des parasites d'Animaux.
c) vivent exclusivement en eau douce ou en eau salée.
d) ont des mitochondries.
e) ont de petites vésicules sous leur membrane plasmique.

6. Chez les Ciliés, le processus qui engendre la variation génétique par l'intermédiaire d'un échange de noyaux est:
a) la mixotrophie.
b) l'endosymbiose.
c) la méiose.
d) la conjugaison.
e) la scissiparité.

7. Parmi les énoncés suivants se rapportant au cycle de développement de la paramécie, lequel est *vrai*?
   a) Après la conjugaison, le micronoyau provenant d'une cellule fusionne avec le micronoyau provenant de l'autre cellule.
   b) La méiose se produit dans le macronoyau.
   c) Le micronoyau demeure toujours au stade haploïde.
   d) Pendant la conjugaison, les deux cellules en présence s'échangent un micronoyau diploïde.
   e) Le micronoyau provient du macronoyau.
8. Le Protiste responsable du mildiou de la pomme de terre qui a causé une famine en Irlande au XIXe siècle était:
   a) un Foraminifère.
   b) un Cilié.
   c) un Oomycète.
   d) un Myxomycète.
   e) un Acrasiomycète.
9. Laquelle des descriptions suivantes est *fausse*?
   a) Dinophytes: coque siliceuse en deux parties.
   b) Algues vertes: organismes les plus étroitement apparentés aux Végétaux.
   c) Algues rouges: aucun stade flagellé dans le cycle de développement.
   d) Algues brunes: groupe comprenant les plus grandes Algues marines.
   e) Diatomées: un des principaux éléments du phytoplancton.
10. Dans les cycles de développement caractérisés par l'alternance de générations, les formes multicellulaires haploïdes alternent avec:
   a) les formes unicellulaires haploïdes.
   b) les formes unicellulaires diploïdes.
   c) les formes multicellulaires haploïdes.
   d) les formes multicellulaires diploïdes.
   e) les formes multicellulaires polyploïdes.
11. Parmi les Protistes suivants, lesquels forment des masses colorées comptant plusieurs noyaux?
   a) Les Euglénophytes.
   b) Les Myxomycètes.
   c) Les Acrasiomycètes.
   d) Les Foraminifères.
   e) Les Saprolégniales.

Lien avec l'évolution

Expliquez pourquoi les systématiciens ne considèrent plus le règne des Protistes comme un taxon valable.

Intégration

Sur la base de la logique «si… et… alors» de la démarche scientifique (voir le chapitre 1), indiquez quelques-unes des prédictions qui découlent de l'hypothèse selon laquelle les Végétaux sont issus des Algues vertes. Autrement dit, comment pouvez-vous vérifier cette hypothèse?

Science, technologie et société

1. S'il est si difficile de mettre au point un vaccin antipaludéen, c'est notamment parce que le parasite du paludisme, *Plasmodium*, est capable de se mettre à l'abri du système immunitaire. Mais c'est aussi parce que la recherche sur le paludisme occupe moins de scientifiques et reçoit moins de financement que la recherche sur des maladies qui, comme la fibrose kystique, touchent pourtant beaucoup moins de gens. Quelles sont les raisons possibles de ce déséquilibre?
2. Les Protistes, comme constituants du phytoplancton, absorbent une très grande partie du gaz carbonique de l'atmosphère dont l'effet sur le réchauffement du climat de la planète est maintenant généralement reconnu. On a récemment proposé, comme remède à ce problème de réchauffement climatique, de «fertiliser» les océans avec du fer pour stimuler la croissance des organismes formant le phytoplancton et ainsi augmenter l'absorption du gaz carbonique, diminuant d'autant sa concentration dans l'atmosphère. Seriez-vous en accord avec une telle proposition? Discutez-en. Énumérez quelques-uns des risques liés à ce genre d'intervention.

Réponses du chapitre 28

Retour sur le concept 28.1

1. *Exemples de réponses:* Les Protistes comprennent des organismes unicellulaires, vivant en colonies et multicellulaires; des organismes photoautotrophes, hétérotrophes et mixotrophes; des organismes qui se reproduisent par voie asexuée, par voie sexuée et à la fois par voie asexuée et sexuée; des organismes qui vivent en eau salée, en eau douce et dans des milieux terrestres humides.
2. Quatre: les membranes intérieure et extérieure de la Cyanobactérie; la membrane de la vacuole digestive et la membrane plasmique de la cellule eucaryote.

Retour sur le concept 28.2

1. Leurs mitochondries ne possèdent ni ADN, ni chaînes de transport d'électrons, ni enzymes nécessaires au cycle de Krebs.
2. Ses flagelles et les ondulations de sa membrane lui permettent de se déplacer sur la muqueuse des voies génitales et urinaires de son hôte.
3. *Giardia* appartient au groupe des Diplomonadines, dont une des caractéristiques est la présence de deux noyaux.

Retour sur le concept 28.3

1. Les protéines ont des structures légèrement différentes, mais l'organisme n'en produit qu'une seule à la fois. Les fréquentes modifications de la structure empêchent le développement de l'immunité chez l'hôte.
2. Organismes photosynthétiques autotrophes, les *Euglena* peuvent être rangées parmi les Algues. Toutefois, comme elles sont capables d'absorber des nutriments organiques provenant de leur milieu, elles peuvent aussi être considérées comme des Protistes semblables aux Eumycètes.

Retour sur le concept 28.4

1. La présence de vésicules limitées par une membrane (alvéoles) sous la membrane plasmique.
2. Une marée rouge est causée par la prolifération de Dinophytes, dont certains produisent des toxines qui s'accumulent dans les Mollusques et peuvent mettre en péril la vie des personnes qui les consomment.
3. Au cours de la conjugaison, deux Ciliés échangent un micronoyau, mais aucun nouvel individu n'est formé.

Retour sur le concept 28.5

1. La présence de deux flagelles, dont l'un est velu et l'autre glabre.
2. Les Oomycètes se nourrissent principalement en décomposant ou en parasitant d'autres organismes; les Algues dorées, elles, sont photosynthétiques, mais certaines absorbent aussi des composés organiques dissous, ou ingèrent des particules alimentaires ou des Bactéries par phagocytose.
3. Le crampon fixe l'Algue au substrat rocheux, tandis que les larges frondes plates constituent des surfaces de photosynthèse. La cellulose et l'algine présentes dans leurs parois cellulaires protègent le thalle contre l'agitation des vagues et l'assèchement.

Retour sur le concept 28.6

1. Leur test étant renforcé par du carbonate de calcium, les Foraminifères forment des fossiles durables dans les sédiments marins et les roches sédimentaires.
2. Les Foraminifères se nourrissent en étendant les pseudopodes qui émergent des pores de leur test. Les Radiolaires utilisent les axopodes qui irradient de leur corps central pour ingérer par phagocytose des microorganismes; les mouvements cytoplasmiques font ensuite passer la proie dans la partie principale de la cellule où elle peut être digérée.

Retour sur le concept 28.7

1. Les pseudopodes des Amibozoaires sont en forme de lobe, tandis que ceux des Foraminifères sont filiformes.
2. Les Mycétozoaires ressemblent aux Eumycètes, car ils produisent des sporocarpes qui permettent la dispersion des spores; ils ressemblent aux Animaux, car ils sont mobiles et ingèrent de la nourriture. Toutefois, ces organismes sont plus étroitement apparentés aux Gymnamibes et aux Entamibes qu'aux Eumycètes et aux Animaux.
3. Dans le cycle de développement des Acrasiomycètes, des cellules amiboïdes peuvent se rassembler en réponse à un signal chimique; elles constituent alors un amas semblable à une limace et capable de se mouvoir. Ensuite, certaines des cellules forment un pied qui supporte un sporocarpe asexué.

Retour sur le concept 28.8

1. Beaucoup d'Algues rouges contiennent un pigment accessoire, la phycoérythrine, qui leur donne une teinte rougeâtre et leur permet d'effectuer la photosynthèse dans des eaux côtières assez profondes. De plus, contrairement à celui des Algues brunes, le cycle de développement des Algues rouges ne comporte pas de stade flagellé, de sorte que les gamètes se rencontrent à la faveur des courants.
2. Le thalle de *Ulva* contient de nombreuses cellules et comprend des frondes semblables à des feuilles et un crampon qui ressemble à des racines. Le thalle de *Caulerpa* est composé de filaments multicellulaires sans paroi intercellulaire: il constitue en réalité une seule grosse cellule.

Autoévaluation

1. d; **2.** b; 3. b; 4. c; 5. e; 6. d; 7. a; 8. c; 9. a; **10.** d; 11. b.

29

La diversité des Végétaux I : la colonisation des milieux terrestres

▲ **Figure 29.1 Fougères arborescentes et tronc d'arbre couvert de Mousses.**

Concepts clés

29.1 **Les Végétaux terrestres se sont développés à partir des Algues vertes**

29.2 **Les Végétaux terrestres possèdent un ensemble de caractères dérivés qui constituent des adaptations à la vie sur la terre ferme**

29.3 **Le stade du gamétophyte domine les cycles de développement des Mousses et d'autres Bryophytes**

29.4 **Les Fougères et d'autres Vasculaires sans graines ont formé les premières forêts**

Introduction

Une Terre de verdure

Quand on admire un paysage luxuriant comme la forêt qui apparaît à la **figure 29.1**, on a du mal à imaginer la terre ferme dépourvue de plantes ou d'autres organismes. Pourtant, pendant les trois premiers milliards d'années de son histoire, la Terre était dénuée de vie à sa surface. Des observations géochimiques indiquent que de minces couches de Cyanobactéries recouvraient le sol il y a environ 1,2 milliard d'années. Mais seulement quelque 500 millions d'années se sont écoulées depuis que les Végétaux, les Eumycètes et les Animaux ont commencé à coloniser la terre ferme.

Dans le présent chapitre, nous allons nous pencher sur les Végétaux terrestres et sur leur développement à partir d'Algues vertes aquatiques vivant probablement en eau douce. Bien que certaines espèces soient retournées à des habitats aquatiques au cours de leur évolution (comme la zostère marine [*Zostera marina*], plante de la famille des Graminées que l'on trouve notamment dans l'estuaire du fleuve Saint-Laurent), la plupart des Végétaux vivent dans des milieux terrestres. Nous allons donc employer le terme *Végétaux terrestres* pour désigner tous les Végétaux, même ceux qui sont à présent aquatiques, afin de les distinguer des Algues, qui sont des Protistes photosynthétiques. Depuis qu'ils ont commencé à coloniser la terre ferme, les Végétaux se sont diversifiés, de sorte qu'on en compte aujourd'hui à peu près 290 000 espèces, dont certaines occupent les milieux les plus hostiles, tels les pics montagneux, de même que les régions désertiques et polaires. La présence des Végétaux a permis à d'autres formes de vie, celle des humains comprise, de subsister sur la terre ferme. En stabilisant les paysages, les racines des Végétaux ont créé des habitats pour d'autres organismes. Plus important encore, les Végétaux constituent la source de dioxygène des Animaux terrestres et leur première ressource alimentaire.

Nous allons donc suivre les 100 premiers millions d'années de l'évolution des Végétaux, au cours desquels sont notamment apparues les plantes sans graines comme les Mousses et les Fougères. Au chapitre 30, nous traiterons de l'évolution plus récente des plantes à graines.

Concept 29.1

Les Végétaux terrestres se sont développés à partir des Algues vertes

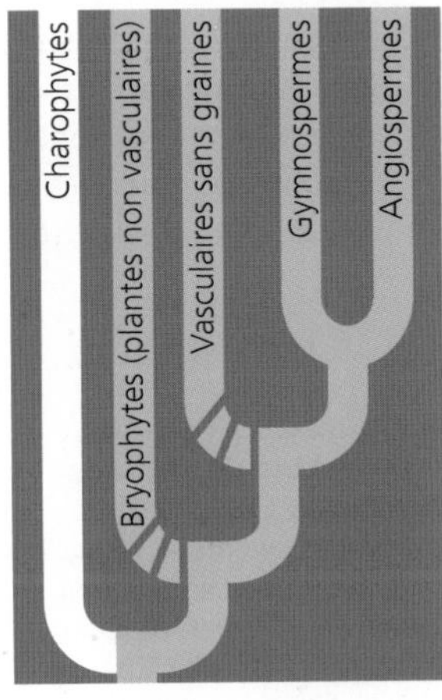

Comme il est mentionné au chapitre 28, les chercheurs considèrent un groupe d'Algues vertes, les Charophytes, comme les organismes les plus étroitement apparentés aux Végétaux terrestres. Examinons les caractéristiques qui prouvent l'existence de ce lien et ce qu'elles indiquent à propos des adaptations susceptibles d'avoir permis aux ancêtres des Végétaux terrestres de se déplacer vers la terre ferme.

Les preuves morphologiques et biochimiques

Bon nombre des principales caractéristiques des Végétaux terrestres existent aussi chez divers Protistes, surtout les Algues. Par exemple, comme les Algues brunes, les Algues rouges et certaines Algues vertes (voir le chapitre 28), les Végétaux sont des organismes multicellulaires, eucaryotes, photoautotrophes. Les Végétaux sont munis de parois cellulaires faites de cellulose, tout comme les Algues vertes, les Dinophytes et les Algues brunes. Enfin, des chloroplastes contenant les chlorophylles *a* et *b* et des pigments caroténoïdes accessoires sont présents chez les Algues vertes, les Euglénophytes et quelques Dinophytes, de même que chez les Végétaux.

Toutefois, quatre caractéristiques essentielles ne sont partagées que par les Végétaux terrestres et les Charophytes, d'où la forte présomption d'un lien étroit entre les deux groupes.

- **Complexes circulaires pour la synthèse de la cellulose.** Les cellules des Végétaux terrestres et des Charophytes renferment des **complexes en rosettes de cellulose synthase**. Ce sont des complexes circulaires de protéines qui se trouvent dans la membrane plasmique et qui synthétisent les microfibrilles de cellulose des parois cellulaires **(figure 29.2)**. Chez les Algues qui ne sont pas des Charophytes, les protéines productrices de cellulose sont disposées de façon linéaire. De plus, les parois cellulaires des Végétaux et des Charophytes contiennent un pourcentage plus élevé de cellulose que celles des autres Algues. Ces différences indiquent que les parois de cellulose des Végétaux et des Charophytes sont apparues indépendamment de celles des autres Algues.
- **Enzymes des peroxysomes.** Les peroxysomes (voir la figure 6.19) des Végétaux terrestres et des Charophytes contiennent des enzymes (glycolate oxydase, par exemple) qui concourent à réduire les pertes de molécules organiques attribuables à la photorespiration (voir le chapitre 10). On ne les trouve pas dans les peroxysomes des autres Algues.
- **Structure des spermatozoïdes flagellés.** Les spermatozoïdes flagellés que possèdent certains Végétaux terrestres présentent une structure très semblable à celle des spermatozoïdes des Charophytes.
- **Formation d'un phragmoplaste.** Certains détails de la division cellulaire n'ont lieu que chez les Végétaux terrestres et chez certaines Charophytes, comme *Chara sp.* et *Coleochæte sp.* Par exemple, la synthèse de parois transversales au cours de la division cellulaire passe par la formation d'un **phragmoplaste**. Cette structure est constituée d'éléments du cytosquelette et de vésicules dérivées de l'appareil de Golgi qui s'alignent le long de l'axe médian de la cellule en division (voir la figure 12.10). Au cours de la formation du phragmoplaste, des voies de communications appelées *plasmodesmes* (voir la figure 6.30) s'établissent entre les nouvelles cellules; cela constitue aussi un caractère distinctif.

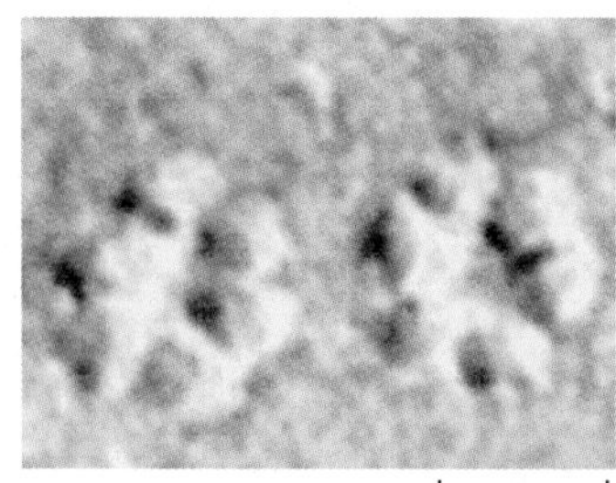

Figure 29.2 Complexe en rosettes de cellulose synthase. Ces complexes protéiques ayant une forme nettement circulaire existent seulement chez les Végétaux terrestres et chez les Charophytes. Cette caractéristique commune est un indice de leur étroite parenté (MEB).

Les preuves génétiques

Au cours de la dernière décennie, des chercheurs participant à un projet d'envergure internationale baptisé *Deep Green* ont mené une étude à grande échelle sur les principales transitions de l'évolution des Végétaux. Ils ont analysé les gènes d'une vaste gamme d'espèces de Végétaux et d'Algues. Les comparaisons des gènes des noyaux et des chloroplastes confirment les données morphologiques et biochimiques qui désignent les Charophytes (*Chara sp.* et *Coleochæte sp.* en particulier) comme les organismes modernes les plus étroitement apparentés aux Végétaux terrestres **(figure 29.3)**. Il faut cependant noter que ces Algues *modernes* ne sont pas les ancêtres des Végétaux. Elles donnent tout de même une idée de ce à quoi ressemblaient ces ancêtres.

Une équipe de l'Université Laval, à Québec, a quant à elle annoncé en 2000 qu'elle avait identifié, en étudiant l'ADN de son chloroplaste, une Algue d'eau douce qui serait l'ancêtre commun des Végétaux terrestres et des Algues vertes: cette Algue unicellulaire biflagellée a pour nom *Mesostigma viride.*

Les adaptations à la vie sur la terre ferme

Un grand nombre d'espèces de Charophytes vivent en eau peu profonde, au bord des étangs et des lacs. Dans ce milieu sujet à l'assèchement, la sélection naturelle favorise les individus capables de survivre à des périodes où l'immersion n'est que partielle. De fait, les zygotes des Charophytes sont entourés d'une couche de polymère durable, la **sporopollénine**, qui prévient la déshydratation jusqu'à ce que les organismes se retrouvent dans l'eau. Il se peut qu'une forme ancestrale de cette adaptation chimique ait préparé le terrain pour la constitution des parois résistantes de sporopollénine qui entourent les spores des Végétaux.

L'acquisition de cette adaptation par au moins une population de Charophytes a probablement permis aux descendants (les premiers Végétaux) de vivre au-dessus de la ligne des eaux de

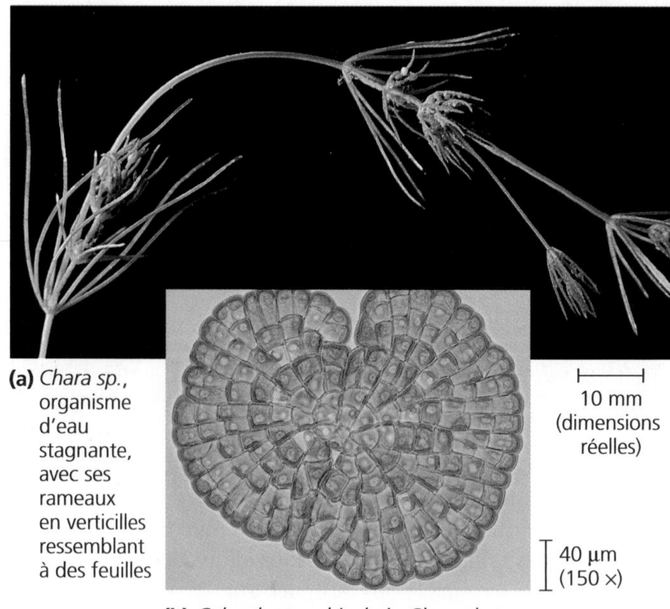

(a) *Chara sp.*, organisme d'eau stagnante, avec ses rameaux en verticilles ressemblant à des feuilles

(b) *Coleochæte orbicularis*, Charophyte en forme de disque (MP)

Figure 29.3 Exemples de Charophytes, les Algues les plus étroitement apparentées aux Végétaux terrestres.

manière permanente. Ces innovations produites par l'évolution ont ouvert aux premières plantes terrestres de vastes habitats, une nouvelle frontière offrant d'énormes avantages. Là, la lumière n'était plus filtrée par l'eau et le plancton, l'atmosphère était riche en dioxyde de carbone, le sol regorgeait de nutriments minéraux et, au début du moins, les herbivores et les agents pathogènes se faisaient assez rares. Les Végétaux ont pu profiter de ces avantages grâce à l'acquisition des adaptations qui leur ont permis de survivre et de se reproduire sur la terre ferme.

Retour sur le concept 29.1

1. Indiquez les caractéristiques qui prouvent l'existence d'un lien entre les Végétaux et leurs ancêtres, les Charophytes.

Voir les réponses proposées à la fin du chapitre.

Concept 29.2

Les Végétaux terrestres possèdent un ensemble de caractères dérivés qui constituent des adaptations à la vie sur la terre ferme

Beaucoup des adaptations qui sont apparues après que les Végétaux terrestres ont divergé de leurs ancêtres Charophytes ont facilité leur survie et leur reproduction sur la terre ferme. Nous allons d'abord examiner les principaux caractères dérivés des Végétaux. Ensuite, nous parlerons des observations paléontologiques prouvant que les Végétaux ont évolué à partir des Charophytes. Enfin, nous effectuerons un survol des principaux groupes appartenant au règne des Végétaux.

La définition du règne des Végétaux

Où exactement faut-il tracer la limite entre les Végétaux terrestres et les Algues? Les systématiciens ne s'entendent pas encore sur la définition des frontières du règne des Végétaux **(figure 29.4)**. La version traditionnelle fait coïncider celui-ci avec le clade des Embryophytes (plantes produisant des embryons; *phyte* est un mot grec qui signifie «plante»). Or, certains botanistes soutiennent à présent qu'il faut repousser les limites du règne des Végétaux de manière à inclure les Algues vertes les plus étroitement apparentées aux Végétaux (les Charophytes et quelques autres groupes). Ils ont même trouvé un nom pour cette nouvelle version: le règne des Streptophytes. D'autres scientifiques vont encore plus loin et proposent d'intégrer les Chlorophytes (Algues vertes qui ne sont pas des Charophytes) pour former le règne des Chlorobiontes (voir le chapitre 28). Le débat se poursuit encore. Nous avons opté pour la prudence et conservé le modèle traditionnel. Nous emploierons ainsi l'expression *règne des Végétaux* (ou *règne végétal*).

Les caractères dérivés des Végétaux

Presque tous les Végétaux terrestres présentent cinq caractères fondamentaux qui sont absents chez les Charophytes: les méristèmes apicaux, l'alternance de générations, les spores entourées d'une paroi produites dans les sporanges, les gamétanges multicellulaires et les embryons multicellulaires dépendants. La **figure 29.5**, qui occupe les deux prochaines pages, décrit ces caractères. On peut supposer que ces caractères étaient absents chez l'ancêtre commun des Végétaux terrestres et des Charophytes, mais qu'ils constituent des caractères dérivés qui se sont développés indépendamment chez les Végétaux terrestres. Certains ne sont pas exclusifs aux Végétaux, car ils sont apparus séparément dans d'autres lignées, et d'autres n'existent plus dans certaines lignées de Végétaux. Il n'en reste pas moins que ces caractères fondamentaux distinguent les Végétaux terrestres des Algues qui sont leurs plus proches parents.

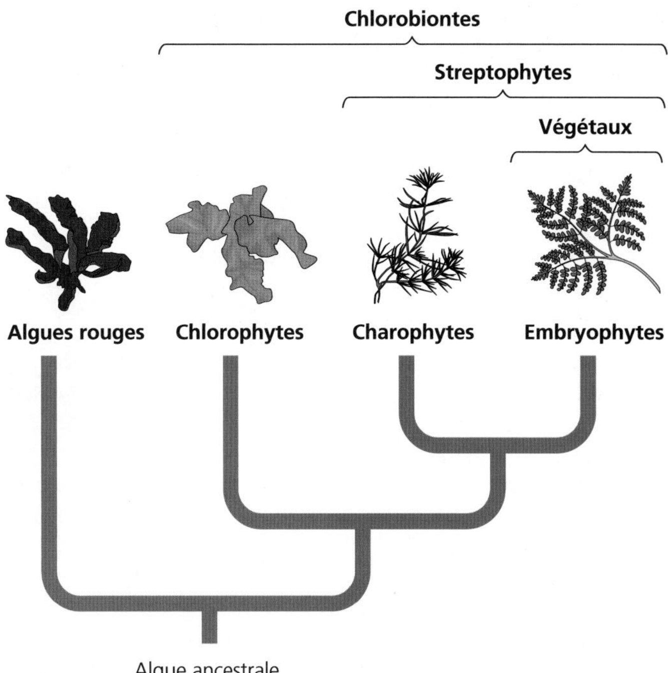

▲ **Figure 29.4 Trois versions du règne des Végétaux.** Dans le présent ouvrage, nous faisons correspondre le règne des Végétaux (ou règne végétal) aux Embryophytes.

D'autres caractères dérivés se rapportant à la vie terrestre sont apparus chez de nombreuses espèces de Végétaux. Constamment exposés à l'air, les Végétaux terrestres sont beaucoup plus sujets au dessèchement que les Algues dont ils descendent. L'épiderme de la plupart des Végétaux terrestres est recouvert d'une **cuticule** composée de polymères appelés *polyesters* et *cires*. La cuticule est un agent imperméabilisant qui prévient l'assèchement des organes aériens de la plante tout en la protégeant contre les microorganismes.

Un grand nombre de Végétaux terrestres produisent des molécules appelées *composés secondaires*. Ces composés sont qualifiés de *secondaires* parce qu'ils proviennent de voies métaboliques secondaires, c'est-à-dire de ramifications des voies principales qui produisent les lipides, les glucides, les acides aminés et tous les autres composés communs à tous les organismes. Parmi les composés secondaires qu'engendrent les Végétaux, on compte les alcaloïdes, les terpènes, les tanins et des phénols tels que les flavonoïdes. Les alcaloïdes, les terpènes et les tanins ont souvent un goût amer, une odeur prononcée ou des effets toxiques qui repoussent les animaux herbivores et les parasites. Les flavonoïdes absorbent les rayons ultraviolets nocifs. De plus, quelques-uns servent de stimulus chimiques dans la relation

Figure 29.5

Panorama Les caractères dérivés des Végétaux terrestres

MÉRISTÈMES APICAUX

Dans les habitats terrestres, les ressources dont un organisme photosynthétique a besoin sont situées en deux endroits fort différents. La lumière et le dioxyde de carbone se trouvent surtout au-dessus du sol. Quant à l'eau et aux nutriments minéraux, ils sont présents surtout dans le sol. Les Végétaux ne peuvent pas se déplacer, mais l'allongement et la ramification de leurs pousses et de leurs racines accroissent leurs contacts avec les ressources du milieu. L'augmentation de la longueur repose, pendant toute la vie d'une plante, sur l'activité des **méristèmes apicaux**, des zones de division cellulaire situées aux extrémités des pousses et des racines. Les cellules produites par les méristèmes se différencient pour donner les tissus de la plante, notamment un épiderme protecteur et divers tissus internes. Ce sont en outre les méristèmes des pousses qui engendrent les feuilles chez la plupart des Végétaux. Les organismes complexes que sont les Végétaux possèdent donc des organes souterrains et des organes aériens qui présentent divers degrés de spécialisation structurale. Chez la plupart des Végétaux, ces organes sont respectivement les racines et les pousses porteuses de feuilles.

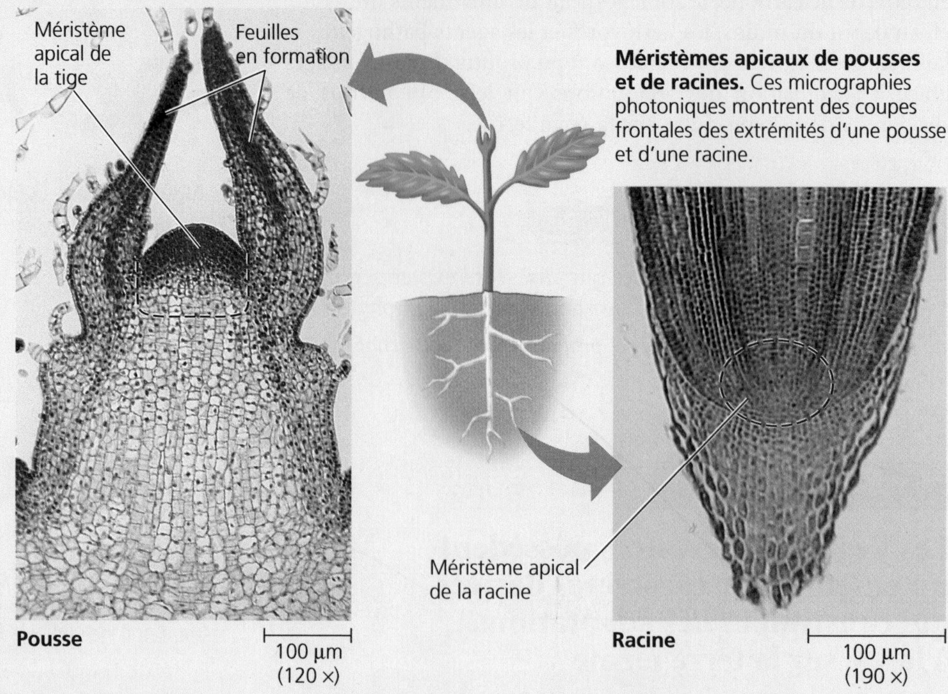

Méristèmes apicaux de pousses et de racines. Ces micrographies photoniques montrent des coupes frontales des extrémités d'une pousse et d'une racine.

ALTERNANCE DE GÉNÉRATIONS

Deux formes multicellulaires se succèdent en s'engendrant tour à tour au cours du cycle de développement de tous les Végétaux terrestres. Ce mode de reproduction, appelé **alternance de générations**, se trouve aussi chez divers groupes d'Algues. Cependant, *il n'y a pas* d'alternance de générations chez les Charophytes, les Algues qui sont le plus étroitement apparentées aux Végétaux. On peut en déduire que l'alternance de générations est un caractère dérivé qui est apparu indépendamment chez les Végétaux terrestres, et qu'il n'existait pas chez l'ancêtre commun aux Végétaux terrestres et aux Charophytes.

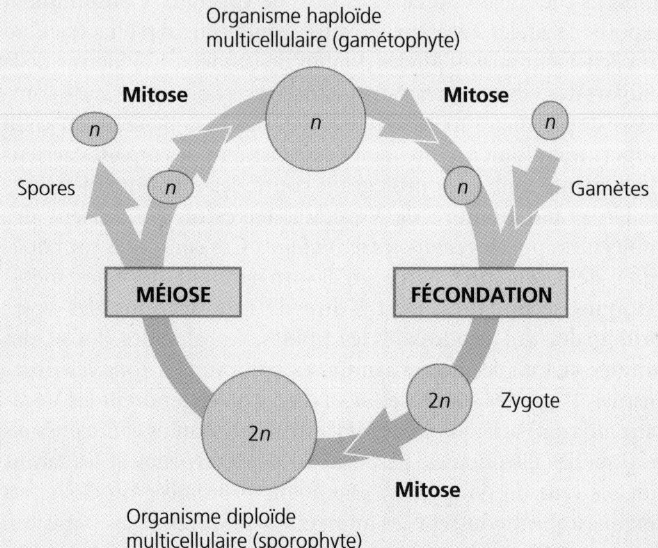

Cycle de développement caractérisé par l'alternance de générations

Il ne faut pas confondre l'alternance de générations avec la présence de formes haploïdes et diploïdes dans le cycle de développement de *tous* les organismes à reproduction sexuée (voir la figure 13.6). Ainsi, chez l'humain, la méiose dans les gonades (ovaires et testicules) produit des gamètes haploïdes dont l'union donne des zygotes diploïdes qui se divisent et deviennent multicellulaires. La seule forme haploïde dans le cycle de développement de l'humain est le gamète unicellulaire. L'alternance de générations a ceci de particulier que la forme haploïde et la forme diploïde sont *toutes les deux* multicellulaires.

Les deux formes multicellulaires qui alternent dans le cycle de développement des Végétaux terrestres sont le gamétophyte et le sporophyte. Les cellules du **gamétophyte** sont haploïdes, c'est-à-dire qu'elles possèdent un seul ensemble de chromosomes. Comme son nom l'indique, le gamétophyte produit des gamètes haploïdes: les oosphères et les spermatozoïdes. La fusion des gamètes au cours de la fécondation donne un zygote diploïde. La mitose du zygote produit un **sporophyte** multicellulaire, la forme qui engendre les spores. Par conséquent, les cellules du sporophyte sont diploïdes: un de leurs ensembles de chromosomes provient de l'oosphère et l'autre, du spermatozoïde. Dans un sporophyte mature, la méiose produit des cellules reproductrices haploïdes appelées **spores.** La spore peut donner naissance à un nouvel organisme sans fusionner avec une autre cellule. Les gamètes, au contraire, ne peuvent engendrer individuellement des organismes multicellulaires; ils doivent s'unir pour former un zygote. La mitose d'une spore végétale donne un nouveau gamétophyte multicellulaire. L'alternance de générations constitue donc un cycle: les sporophytes produisent des spores; les spores engendrent des gamétophytes; les gamétophytes donnent naissance à des gamètes; les gamètes fusionnent et forment un zygote; le zygote donne un sporophyte.

PRODUCTION DE SPORES ENTOURÉES D'UNE PAROI DANS LES SPORANGES

Les spores végétales sont des cellules reproductrices haploïdes qui sont capables de produire, par mitose, des gamétophytes multicellulaires haploïdes. La paroi des spores végétales est composée d'un polymère très résistant appelé *sporopollénine*, qui lui permet de survivre dans des milieux inhospitaliers. Grâce à cette caractéristique chimique, les spores transportées par le vent peuvent se disperser dans l'air sec et rester intactes.

Les spores sont produites par des organes multicellulaires du sporophyte, les **sporanges.** Dans le sporange, des cellules diploïdes appelées **sporocytes**, ou cellules mères des spores, se divisent par méiose et engendrent les spores haploïdes. Les tissus externes du sporange protègent les spores en formation jusqu'au moment de leur libération.

Les sporanges multicellulaires et les spores résistantes, avec leur paroi de sporopollénine, constituent des adaptations clés chez les Végétaux terrestres. Les Charophytes donnent naissance à des spores, certes, mais ces Algues sont dénuées de sporanges multicellulaires. De plus, leurs spores flagellées se dispersent dans l'eau et ne contiennent pas de sporopollénine.

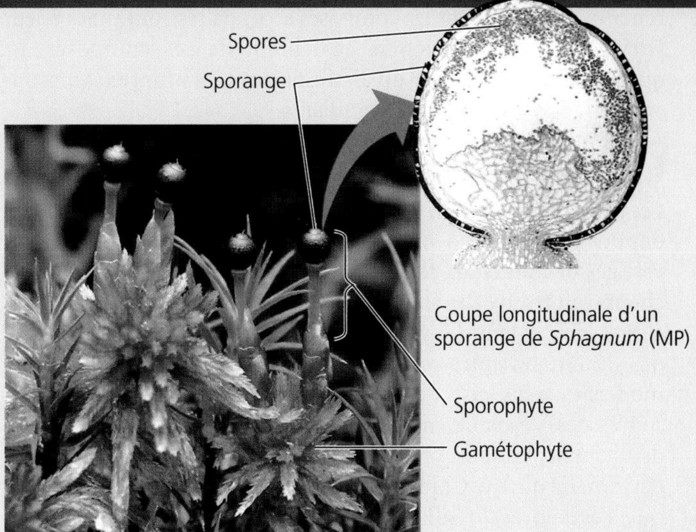

Sporophyte et sporange de *Sphagnum* (Mousse)

GAMÉTANGES MULTICELLULAIRES

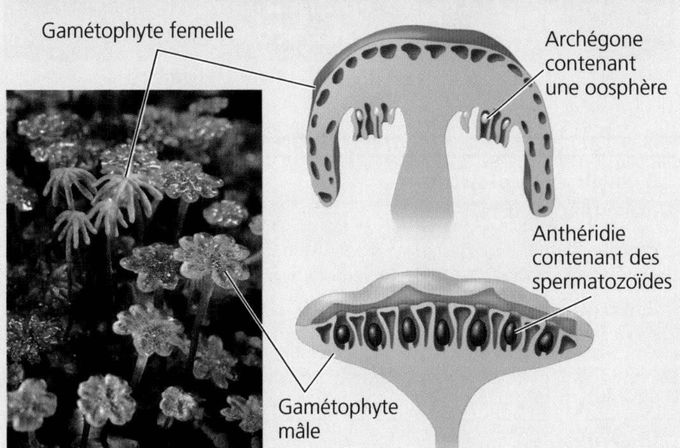

Archégones et anthéridies de *Marchantia* (Hépatique)

La production de gamètes dans des organes multicellulaires appelés **gamétanges** est une autre caractéristique qui distingue les Végétaux terrestres primitifs des Algues qui sont leurs ancêtres. Le gamétange femelle est appelé **archégone.** En forme de vase, il donne une seule oosphère, qui reste à sa base. Le gamétange mâle, appelé **anthéridie**, produit un grand nombre de spermatozoïdes qui, arrivés à maturité, sont libérés dans l'environnement. Chez de nombreux grands groupes de Végétaux modernes, les spermatozoïdes portent des flagelles et nagent dans des gouttes d'eau ou dans de fines couches d'eau pour rejoindre les oosphères. Celles-ci sont fécondées à l'intérieur des archégones. C'est là que le zygote amorce son développement et se transforme en embryon. Comme nous le verrons au chapitre 30, les gamétophytes des plantes à graines ont une taille si réduite que l'archégone et l'anthéridie ont disparu dans certaines lignées.

EMBRYONS MULTICELLULAIRES DÉPENDANTS

Un embryon végétal multicellulaire se développe à partir d'un zygote qui reste à l'intérieur des tissus de la plante mère. Les tissus maternels lui fournissent des nutriments tels que des monosaccharides et des acides aminés. L'embryon possède des cellules spécialisées appelées **cellules de transfert**, qu'on trouve aussi parfois dans le tissu maternel adjacent. Ces cellules favorisent le transfert des nutriments du parent à l'embryon grâce aux invaginations complexes de leur surface (constituée de la membrane plasmique et de la paroi cellulaire). Cette interface est analogue à celle que présentent les Mammifères placentaires. L'embryon multicellulaire dépendant des Végétaux terrestres constitue un caractère dérivé si important que les Végétaux terrestres sont aussi appelés **Embryophytes**.

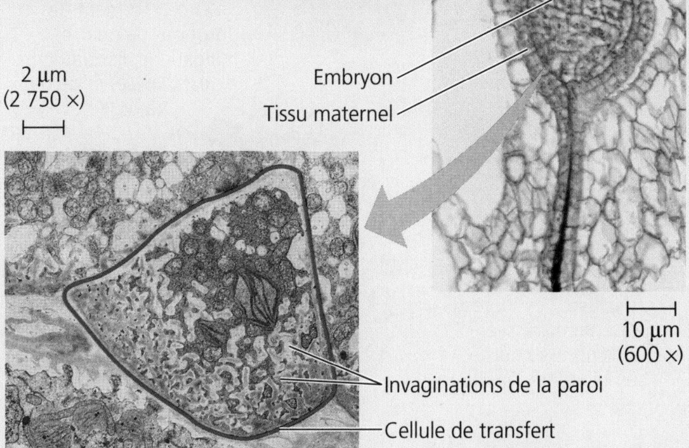

Embryon et cellules de transfert de *Marchantia* (Hépatique)

symbiotique entre la plante et des microorganismes utiles du sol. Certains phénols protègent la plante contre les microorganismes pathogènes. En étudiant les principaux groupes de Végétaux, on remarque à quel point les composés secondaires sont utiles à leur survie. L'humain bénéficie également de ces composés. La quinine, par exemple, est un alcaloïde dont les propriétés antimicrobiennes préviennent le paludisme.

L'origine et la diversification des Végétaux

Les paléobotanistes qui étudient l'origine des Végétaux cherchent depuis longtemps à déterminer quels sont les plus anciens vestiges des Végétaux terrestres. Dans les années 1970, des chercheurs ont trouvé des spores fossilisées remontant à l'Ordovicien, c'est-à-dire datant d'il y a jusqu'à 475 millions d'années. Il existe des similitudes entre ces spores fossilisées et celles des Végétaux modernes, mais aussi des différences frappantes. Par exemple, les spores des Végétaux modernes se dispersent en général individuellement; les spores fossilisées, elles, sont unies par groupes de deux ou de quatre. Compte tenu de cette différence, il se pourrait que ces spores fossilisées n'aient pas été produites par des Végétaux, mais par une Algue apparentée aujourd'hui disparue. Par ailleurs, les plus anciens fragments de tissus végétaux connus ont 50 millions d'années de moins que les mystérieuses spores.

En 2003, des scientifiques de Grande-Bretagne et d'Oman, pays du Moyen-Orient, ont en partie levé le voile sur ce mystère après avoir extrait des spores de roches vieilles de 475 millions d'années provenant d'Oman **(figure 29.6a)**. Contrairement aux spores datant de la même époque découvertes antérieurement, ces spores étaient enchâssées dans une matière végétale similaire au tissu contenant les spores chez les Végétaux modernes **(figure 29.6b)**. La découverte d'autres petits fragments de tissu appartenant de toute évidence à des Végétaux a ensuite permis aux scientifiques de conclure que les spores d'Oman constituent des fossiles de Végétaux et non d'Algues.

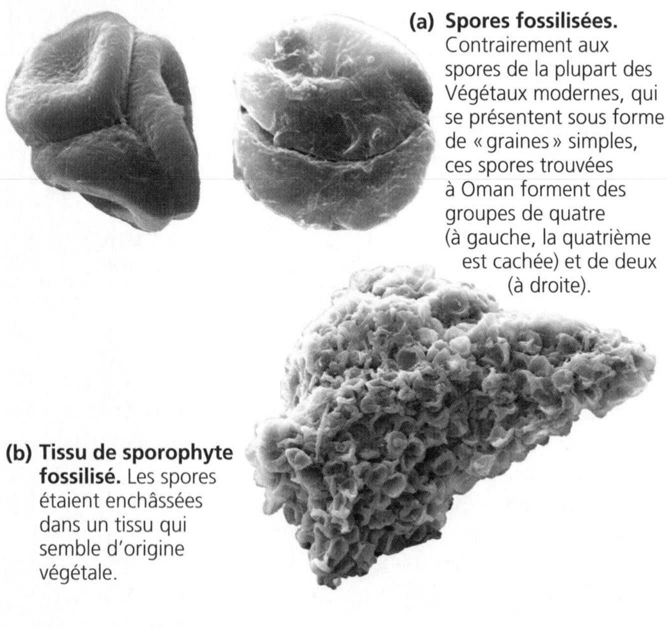

(a) Spores fossilisées. Contrairement aux spores de la plupart des Végétaux modernes, qui se présentent sous forme de « graines » simples, ces spores trouvées à Oman forment des groupes de quatre (à gauche, la quatrième est cachée) et de deux (à droite).

(b) Tissu de sporophyte fossilisé. Les spores étaient enchâssées dans un tissu qui semble d'origine végétale.

▲ **Figure 29.6 Spores et tissus végétaux anciens.**

Une étude sur les Végétaux faisant appel à l'« horloge moléculaire » (voir le chapitre 25) menée en 2001 semble indiquer que l'ancêtre commun des Végétaux modernes existait il y a 700 millions d'années. Si cela est vrai, alors les archives géologiques sont muettes sur les 225 premiers millions d'années de l'évolution des Végétaux. En 2003, toutefois, Michael Sanderson, de la University of California, a fait état d'une estimation fondée sur des données moléculaires selon laquelle les Végétaux seraient apparus il y a entre 490 et 425 millions d'années, ce qui correspond en gros à l'âge des spores découvertes à Oman.

Quel que soit l'âge précis des premiers Végétaux terrestres, ces espèces ancestrales sont à l'origine de la grande diversité des plantes modernes. Le **tableau 29.1** dresse la liste des 10 embranchements de la classification taxinomique utilisée dans le présent chapitre et dans le suivant. Lorsque vous prendrez connaissance des explications qui suivent sur les Végétaux terrestres, il sera bon de consulter le tableau 29.1 et de vous reporter à la **figure 29.7**, qui illustre une phylogénie hypothétique fondée sur la morphologie, la biochimie et la génétique des Végétaux.

De façon officieuse, on peut grouper les Végétaux selon la présence ou l'absence d'un réseau complexe de **tissu conducteur**, ou **vasculaire**, composé de cellules formant des tubes permettant à l'eau et aux nutriments de circuler dans la plante. La plupart

Tableau 29.1 Les dix embranchements de Végétaux actuels

	Nom vernaculaire	Nombre approximatif d'espèces actuelles
Bryophytes (plantes non vasculaires)		
Embranchement des Hépatophytes	Hépatiques	9 000
Embranchement des Anthocérophytes	Anthocérotes	100
Embranchement des Muscinées	Mousses	15 000
Vasculaires		
Vasculaires sans graines		
Embranchement des Lycophytes	Lycopodes, Sélaginelles, Isoètes	1 200
Embranchement des Ptérophytes	Fougères, Prêles et Psilotes	12 000
Vasculaires à graines		
Gymnospermes		
Embranchement des Ginkgophytes	Ginkgo	1
Embranchement des Cycadophytes	Cycas	130
Embranchement des Gnétophytes	Gnètes (*Gnetum*, *Ephedra* et *Welwitschia*)	75
Embranchement des Pinophytes	Conifères	600
Angiospermes		
Embranchement des Anthophytes	Plantes à fleurs	250 000

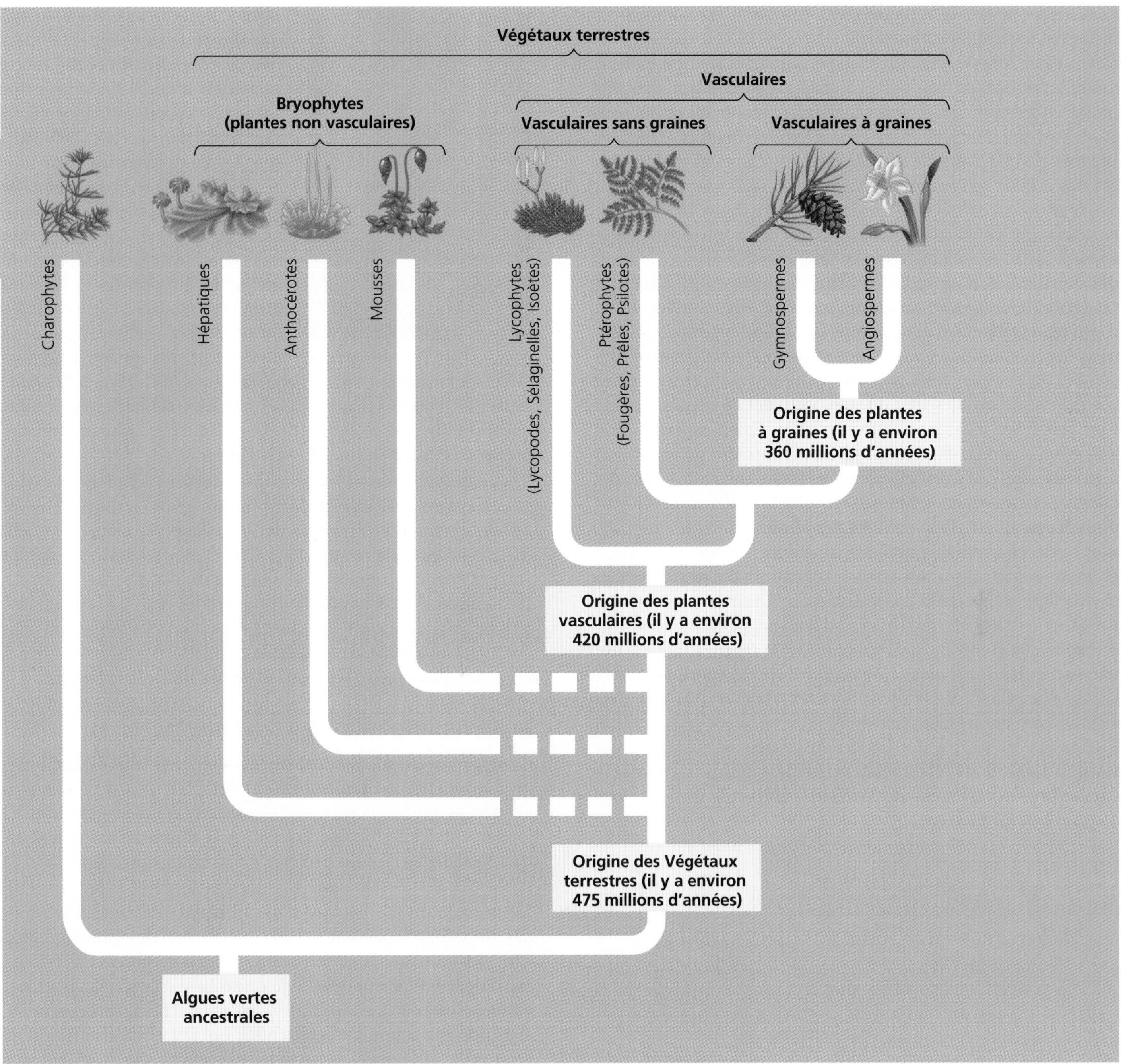

▲ **Figure 29.7 Quelques grands épisodes de l'évolution des Végétaux.** Ce diagramme représente une hypothèse sur les grands liens de parenté entre les groupes de Végétaux. Les lignes pointillées indiquent que la phylogénie des Bryophytes est incertaine. Le tableau 29.1 donne les noms des embranchements que nous examinerons dans le présent chapitre et dans le suivant.

des Végétaux possèdent un tel réseau. On les appelle **plantes vasculaires** ou simplement **Vasculaires.** Les Végétaux qui en sont dépourvus, soit les Hépatiques, les Anthocérotes et les Mousses, sont pour leur part qualifiés de *plantes non vasculaires,* bien que certaines Mousses possèdent un tissu conducteur simple. Souvent, on appelle familièrement **Bryophytes** (du grec *bryon,* « mousse », et *phyton,* « plante ») les plantes non vasculaires.

Malgré le fait qu'on emploie un seul et même terme pour désigner toutes les plantes non vasculaires, on ne s'entend toujours pas sur les liens qui existent entre les Hépatiques, les Anthocérotes et les Mousses ni sur ceux qui unissent ce groupe et celui des Vasculaires. Même si certaines études moléculaires ont conclu que les Bryophytes ne sont pas monophylétiques, une récente analyse des séquences d'acides aminés présentes dans les chloroplastes révèle que les Bryophytes forment un clade. Les lignes pointillées de la figure 29.7 témoignent de l'incertitude actuelle à propos de la phylogénie des Bryophytes. Que les Bryophytes soient monophylétiques ou non, elles et les Vasculaires ont en commun certains traits dérivés, comme les embryons multicellulaires et les méristèmes apicaux; elles sont toutefois dépourvues d'un bon nombre des innovations propres aux Vasculaires, notamment les racines et les feuilles véritables.

Les Vasculaires forment un clade rassemblant environ 93 % de toutes les espèces de Végétaux. Ce clade comprend trois subdivisions. Les deux premières comprennent les **Lycophytes** (Lycopodes et plantes apparentées) et les **Ptérophytes** (Fougères et plantes apparentées). Chacune de ces subdivisions réunit des plantes sans graines, d'où le terme familier **Vasculaires sans graines** souvent employé pour les désigner collectivement. La figure 29.7 montre toutefois que les Vasculaires sans graines ne sont pas monophylétiques. La troisième subdivision regroupe les Vasculaires à graines, qui constituent la grande majorité des espèces de Végétaux modernes. Une **graine** est composée d'un embryon végétal et d'une réserve de nourriture à l'intérieur d'une enveloppe protectrice. Les plantes à graines (ou Spermatophytes) peuvent être divisées en deux groupes, soit les Gymnospermes et les Angiospermes, selon qu'elles sont ou non pourvues de cavités fermées dans lesquelles les graines mûrissent. Les **Gymnospermes** (du grec *gumnos*, « nu », et *spermos*, « graine ») forment un groupe dit *à graines nues*, car leurs graines ne sont pas enfermées dans des cavités. Les espèces survivantes, surtout des Conifères, constituent probablement un clade. Les **Angiospermes** (du grec *aggeion*, « capsule », et *spermos*, « graine ») constituent un immense clade groupant toutes les plantes à fleurs. Les graines des Angiospermes se développent dans des cavités appelées *ovaires*, qui prennent naissance à l'intérieur des fleurs et deviennent ensuite des fruits.

Notez que la phylogénie représentée à la figure 29.7 ne porte que sur les liens qui unissent les lignées de Végétaux *existantes*, c'est-à-dire celles qui comptent des membres survivants en plus de membres disparus. Les paléobotanistes ont aussi découvert des fossiles appartenant à des lignées disparues. Beaucoup de ces fossiles révèlent les étapes intermédiaires qui ont conduit à l'apparition des groupes de Végétaux distinctifs qu'on trouve aujourd'hui sur la Terre.

Retour sur le concept 29.2

1. Indiquez trois caractères dérivés qui distinguent les Végétaux des Charophytes *et* qui facilitent la vie sur la terre ferme. Expliquez votre réponse.
2. Dites si chacune des structures suivantes est haploïde ou diploïde : a) le sporophyte ; b) la spore ; c) le gamétophyte ; d) le zygote ; e) le spermatozoïde ; f) l'oosphère.

Voir les réponses proposées à la fin du chapitre.

Concept 29.3

Le stade du gamétophyte domine les cycles de développement des Mousses et d'autres Bryophytes

Les Bryophytes se divisent aujourd'hui en trois embranchements de petites plantes herbacées (non ligneuses) : les **Hépatophytes** (**Hépatiques** ou Marchantiophytes), les **Anthocérophytes** (**Anthocérotes**) et les **Muscinées** (**Mousses**). Les Hépatiques et les Anthocérotes doivent leur nom au fait que leurs formes évoquent respectivement un foie (*hêpatos*) pour le gamétophyte des Hépatiques et une corne (*keratos*) pour le sporophyte des Anthocérotes. Les Mousses sont les Bryophytes les plus familières. Cependant, il faut préciser que certains organismes communément appelés *Mousses* ne sont pas véritablement des Mousses ni même des Bryophytes. C'est ainsi le cas de la mousse d'Irlande (*Chondrus crispus*, qui est une Algue rouge marine), de la mousse à caribou (*Cladina rangiferina*, Lichen) et de la mousse d'Espagne (*Tillandsia usneoides*, plante à fleurs). Notez que les systématiciens ne s'entendent toujours pas sur l'ordre dans lequel les trois embranchements de Bryophytes se sont développés.

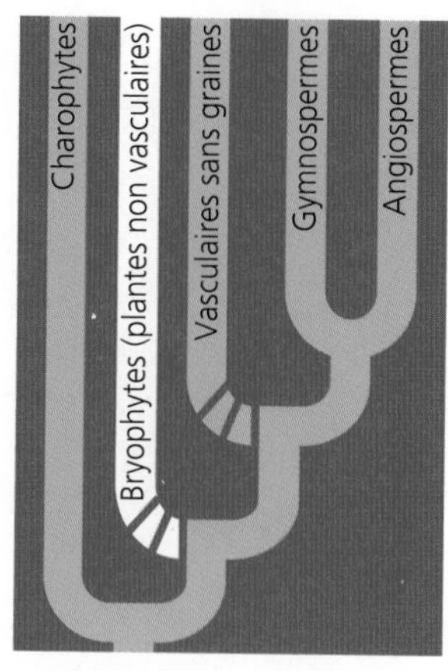

Les Bryophytes ont acquis de nombreuses adaptations exclusives après avoir divergé des ancêtres qu'elles ont en commun avec les Vasculaires modernes. Néanmoins, elles portent apparemment la marque de certains caractères des plantes primitives. Les plus anciens fossiles connus de fragments de plantes, par exemple, contiennent des tissus qui s'apparentent beaucoup à ceux de l'intérieur des Hépatiques. Les chercheurs désirent vivement découvrir d'autres parties de ces plantes ancestrales afin de vérifier si cette ressemblance se révélera d'une manière plus générale.

Les gamétophytes des Bryophytes

Contrairement aux Vasculaires, dans les trois embranchements de Bryophytes, les gamétophytes sont plus gros et vivent plus longtemps que les sporophytes, comme le montre le cycle de développement d'une Mousse présenté à la **figure 29.8.** En général, les sporophytes ne sont présents qu'à certains moments.

Si elles aboutissent dans un milieu favorable, à la surface d'un sol humide ou sur l'écorce d'un arbre, par exemple, les spores des Bryophytes peuvent germer et donner des gamétophytes. Chez les Mousses, la germination de la spore produit la plupart du temps un filament qui n'a qu'une cellule d'épaisseur, le **protonéma** (du grec *prôtos*, « premier », et *nêma*, « fil »). Vert et ramifié, le protonéma a une surface étendue qui favorise l'absorption de l'eau et des minéraux. Quand les ressources sont suffisantes, il produit un ou plusieurs « bourgeons » qui sont pourvus d'un méristème apical. Le méristème engendre la structure qui porte les gamètes, le **gamétophore** (du grec *phoros*, « porteur »). Le protonéma et les gamétophores constituent le gamétophyte.

Les gamétophytes des Bryophytes forment généralement un tapis au ras du sol ayant seulement une ou deux cellules d'épaisseur. Une structure aussi mince ne saurait supporter une plante de grande taille. De plus, la plupart des Bryophytes sont dépourvues de tissus conducteurs capables de distribuer l'eau et les composés organiques à l'intérieur de tissus épais. En revanche, la minceur de la structure de leurs organes permet la distribution des matières en l'absence de tissus conducteurs spécialisés. Certaines Mousses, dont celles du genre *Polytrichum*, possèdent toutefois des tissus spécialisés au centre de leurs « tiges », et quelques-unes d'entre elles peuvent par conséquent atteindre une hauteur allant jusqu'à 2 m. Les botanistes tentent de déterminer si ces tissus conducteurs sont homologues aux tissus des plantes vasculaires ou s'ils sont le produit d'une évolution convergente.

Les gamétophytes se fixent au substrat à l'aide de délicats **rhizoïdes**, lesquels sont de longues cellules tubulaires (chez les Hépatiques et les Anthocérotes) ou des filaments de cellules (chez les Mousses). Ils ne sont pas formés de tissus, ne possèdent pas de cellules conductrices spécialisées et ne jouent pas un rôle important dans l'absorption de l'eau et des minéraux. En tout cela, ils diffèrent des racines des Vasculaires.

Parvenus à maturité, les gamétophytes des Bryophytes produisent, par mitose, des gamètes dans des gamétanges recouverts d'un tissu protecteur. Le gamétophyte peut contenir de multiples gamétanges. Les oosphères sont formées une à une dans les archégones en forme de vase, tandis que les anthéridies produisent chacune de nombreux spermatozoïdes. Certains gamétophytes sont bisexuels, mais, chez les Mousses, les archégones et les anthéridies sont en général portés par des gamétophytes femelles et mâles distincts. Les spermatozoïdes flagellés sont libérés dans de minces filets d'eau et nagent vers les oosphères. Attirés par des substances chimiques, ils s'introduisent dans les ouvertures des archégones. Les oosphères, quant à elles, restent à la base des archégones. Après la fécondation, les embryons demeurent dans les archégones. Les

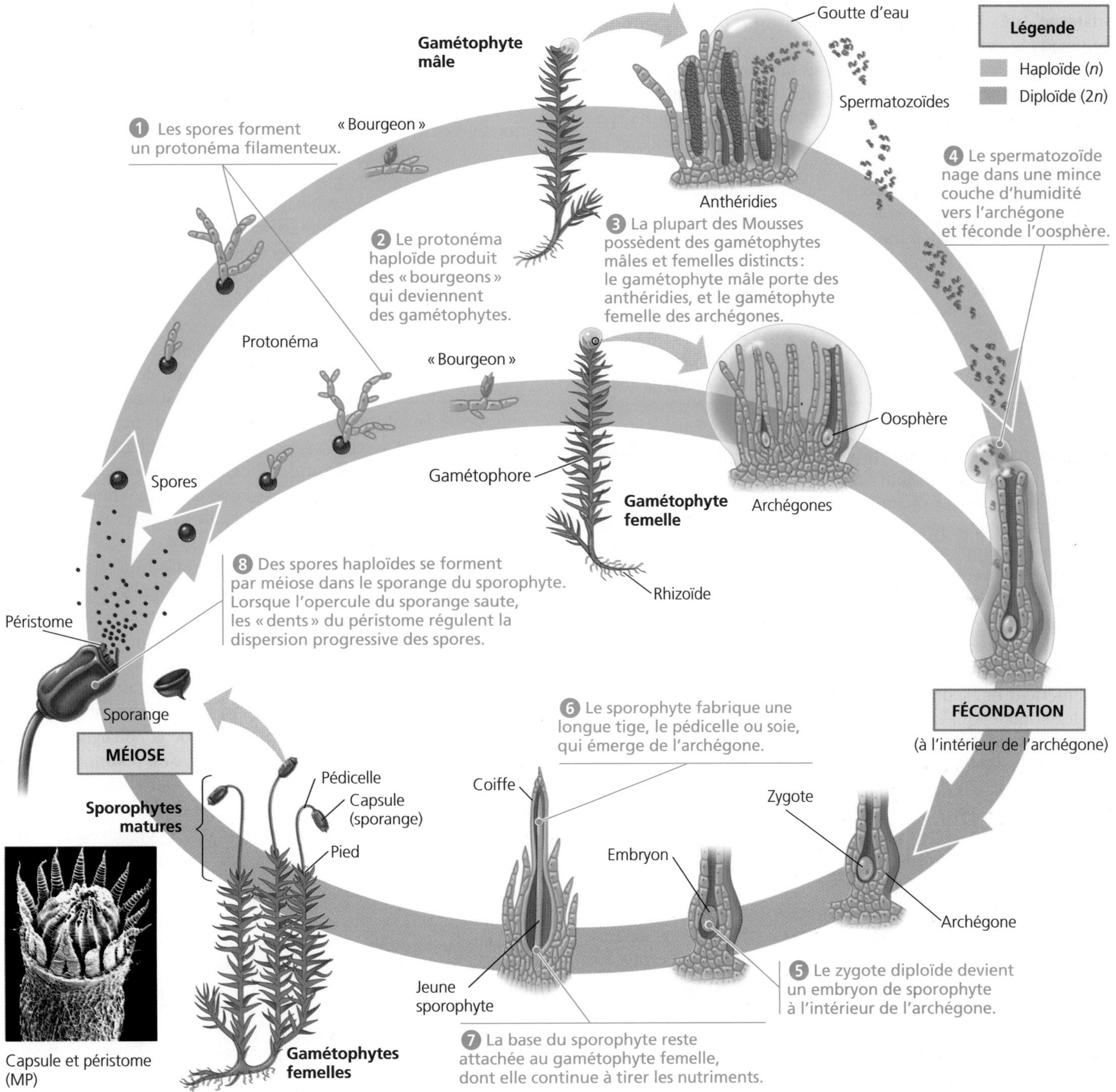

▲ **Figure 29.8 Cycle de développement de *Polytrichum sp.* (Mousse).**

matières nutritives parviennent jusqu'à eux par l'intermédiaire d'une couche de cellules de transfert pendant qu'ils se transforment en sporophytes.

Les Bryophytes peuvent également se multiplier de façon asexuée : des amas de cellules appelés *propagules* parfois contenus dans des *corbeilles* et situés sur les gamétophytes se détachent de la plante mère quand les conditions sont favorables et reconstituent, par mitose, un gamétophyte identique à celle-ci.

Les sporophytes des Bryophytes

Chez les Bryophytes, les sporophytes sont habituellement verts et photosynthétiques pendant leur jeunesse, mais ils n'ont aucune autonomie. Ils restent attachés toute leur vie à leur gamétophyte maternel, qui leur procure monosaccharides, acides aminés, minéraux et eau.

De toutes les plantes modernes, les Bryophytes sont celles qui possèdent les sporophytes les plus petits et les plus simples. Cette observation va dans le sens de l'hypothèse selon laquelle les sporophytes, petits et simples à l'origine, ont gagné en taille et en complexité chez les Vasculaires. Le sporophyte est habituellement composé d'un pied, d'un pédicelle et d'un sporange. Enfermé dans l'archégone, le **pied** absorbe les nutriments provenant du gamétophyte. Le **pédicelle** achemine ces matières jusqu'au sporange, aussi appelé **capsule**, qui les utilise pour produire des spores par méiose. Une seule capsule peut engendrer jusqu'à 50 millions de spores.

Chez la plupart des Mousses, le pédicelle s'allonge, ce qui élève la capsule et favorise la dispersion des spores. Lorsqu'elle est immature, la capsule porte un capuchon protecteur composé de tissus du gamétophyte : c'est la **coiffe**. Quand la capsule s'apprête à libérer les spores, cette coiffe disparaît. Chez la majorité des espèces, la partie supérieure de la capsule présente un anneau de structures dentelées, le **péristome** (voir la figure 29.8), qui libère progressivement les spores en profitant des rafales périodiques susceptibles de les transporter sur de longues distances.

Les sporophytes des Anthocérotes et des Mousses sont plus gros et plus complexes que ceux des Hépatiques. Chez les deux groupes, ils portent des pores spécialisés, les **stomates**, qui sont aussi présents chez toutes les plantes vasculaires (les Hépatiques possèdent aussi des ouvertures, mais ce ne sont pas de véritables stomates). Ces pores contribuent à la photosynthèse en permettant l'échange de dioxyde de carbone et de dioxygène entre l'air ambiant et l'intérieur des sporophytes (voir la figure 10.3). De plus, c'est par les stomates que la majeure partie de l'eau s'échappe des sporophytes. Par temps chaud et sec, les stomates peuvent se refermer de manière à réduire la déperdition d'eau.

Comme les stomates sont présents chez les Mousses et les Anthocérotes mais non chez les Hépatiques, trois hypothèses pourraient expliquer leur évolution. Si les Hépatiques constituent la lignée de Végétaux terrestres la plus ancienne, alors les stomates sont apparus une seule fois chez l'ancêtre des Anthocérotes, des Mousses et des Vasculaires. Si ce sont les Anthocérotes qui sont la plus ancienne lignée, alors les stomates pourraient être apparus une fois puis être disparus chez les Hépatiques. Ou encore, les Anthocérotes pourraient avoir acquis les stomates indépendamment des Mousses et des Vasculaires. Cette question est importante pour comprendre l'évolution des Végétaux, car les stomates jouent un rôle crucial dans le succès des Vasculaires, comme nous le verrons au chapitre 36.

La **figure 29.9** présente des exemples de gamétophytes et de sporophytes provenant des trois embranchements de Bryophytes.

L'importance écologique et économique des Bryophytes

Grâce au vent et à la légèreté de leurs spores, les Bryophytes se sont disséminées sur toute la planète. Ces plantes sont particulièrement abondantes et diversifiées dans les forêts humides, ainsi que dans les milieux humides où elles constituent l'habitat d'une multitude de petits animaux. On trouve même des Mousses dans des milieux aussi hostiles que les sommets des montagnes, la toundra et les déserts (voir le chapitre 50). De nombreuses espèces survivent dans des habitats très froids ou très secs, car elles peuvent tolérer une déshydratation presque complète puis se réhydrater lorsque revient l'humidité. Rares sont les Vasculaires qui sont capables de survivre au même degré de dessèchement. En outre, les composés phénoliques contenus dans la paroi cellulaire des Mousses absorbent les rayons ultraviolets et les autres rayonnements de courte longueur d'onde présents dans les déserts, en altitude et aux latitudes froides. Les Mousses constituent également, comme les Lichens, de bons bio-indicateurs de la qualité de l'air, en fixant et en accumulant les divers polluants.

Les Mousses du genre *Sphagnum* (Sphaignes) sont particulièrement abondantes et répandues. Vivant dans les milieux humides, elles forment d'immenses dépôts de matière organique non décomposée, la **tourbe (figure 29.10)**. Aussi sont-elles communément appelées *mousses de tourbe*. Les milieux humides où ces Mousses prédominent portent le nom de *tourbières*; dans certaines régions, elles forment d'immenses étendues (au Canada, par exemple, un peu plus de 10 % du territoire est constitué de tourbières). Les Sphaignes luttent contre la dégradation grâce aux composés phénoliques résistants qui sont contenus dans leurs parois cellulaires. De plus, elles sécrètent des composés qui inhiberaient l'activité bactérienne. Le froid, la forte acidité et la faible teneur en nutriments des tourbières ralentissent aussi la dégradation. Ainsi, les tourbières peuvent préserver durant des milliers d'années des corps momifiés.

On estime à 400 milliards de tonnes la masse de carbone organique contenue dans les tourbières de la planète. En tant que réservoirs de carbone, les tourbières concourent à stabiliser la concentration atmosphérique de CO_2 à l'échelle mondiale (voir le chapitre 54).

La tourbe a longtemps été utilisée comme carburant en Europe et en Asie, et on la récolte encore à cette fin, notamment en Irlande et au Canada. Les grosses cellules mortes de la Sphaigne lui permettent d'absorber 20 fois sa masse en eau ; c'est pourquoi elle sert également à préparer les sols et à protéger les racines des plantes pendant le transport. La surexploitation dont fait actuellement l'objet la Sphaigne pourrait réduire ses effets favorables sur l'environnement.

Retour sur le concept 29.3

1. En quoi les Bryophytes diffèrent-elles des autres Végétaux ?
2. Donnez trois exemples qui illustrent la relation entre la structure et la fonction chez les Bryophytes.

Voir les réponses proposées à la fin du chapitre.

Figure 29.9

Panorama La diversité des Bryophytes

HÉPATIQUES (EMBRANCHEMENT DES HÉPATOPHYTES)

Les Hépatiques (du grec *hêpatos*, « foie ») doivent leur nom aux gamétophytes en forme de foie de *Marchantia*, genre répandu dans l'hémisphère Nord. À l'époque médiévale, alors que la *doctrine des signatures* avait cours, on pensait que leur forme était une indication du pouvoir thérapeutique de ces plantes à l'égard des maladies du foie. Certaines Hépatiques, comme celles du genre *Marchantia*, sont dites *thalloïdes* en raison de la forme aplatie de leurs gamétophytes. (Au chapitre 28, on mentionne que le corps des Algues multicellulaires est appelé *thalle*.) Les gamétanges de *Marchantia* s'élèvent sur des gamétophores ayant l'aspect d'arbres miniatures (voir aussi la figure 29.5). Il faudrait une loupe pour voir les sporophytes, qui sont munis d'un court pédicelle (tige) portant un sporange rond. Certaines Hépatiques sont qualifiées de *feuillues*, car leurs gamétophytes possèdent des structures semblables à des tiges, qui portent de nombreux appendices ressemblant à des feuilles. Vivant habituellement dans les régions tropicales et subtropicales, les Hépatiques feuillues sont beaucoup plus répandues que les espèces thalloïdes.

***Marchantia polymorpha*, Hépatique « thalloïde »**

Sporophyte de *Marchantia* (MP)

***Plagiochila deltoidea*, une Hépatique « feuillue »**

ANTHOCÉROTES (EMBRANCHEMENT DES ANTHOCÉROPHYTES)

Les Anthocérotes doivent leur nom à leurs sporophytes en forme de corne, qui ressemblent aussi à de petits brins d'herbe. Le sporophyte atteint habituellement 5 cm de hauteur. Un sporange s'étend sur toute la longueur du sporophyte et se fend à partir de l'extrémité supérieure de ce dernier pour libérer les spores matures. Les gamétophytes, dont le diamètre est en général de 1 cm à 2 cm, poussent surtout à l'horizontale et portent souvent de multiples sporophytes.

Anthocérote du genre *Anthoceros*

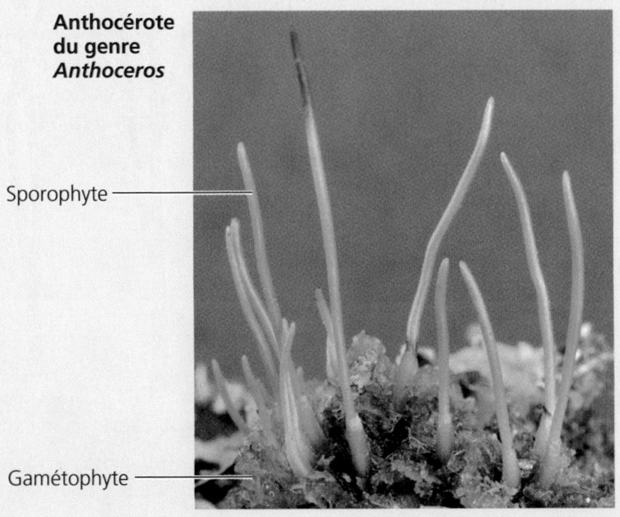

MOUSSES (EMBRANCHEMENT DES MUSCINÉES)

Contrairement à ceux des Hépatiques et des Anthocérotes, les gamétophytes des Mousses croissent davantage à la verticale qu'à l'horizontale. Leur hauteur varie entre moins de 1 mm et plus de 50 cm, mais ne dépasse pas 15 cm chez la plupart des espèces. Les gamétophytes sont les principales structures qui composent les tapis formés par les Mousses. Leurs « feuilles » n'ont habituellement qu'une cellule d'épaisseur, mais il en existe des plus complexes qui sont munies de crêtes recouvertes d'une cuticule chez la Mousse *Polytricum commune* et chez ses proches parents. Les sporophytes des Mousses sont en général allongés et visibles à l'œil nu ; leur hauteur peut atteindre 20 cm. Verts et photosynthétiques lorsqu'ils sont jeunes, les sporophytes prennent une teinte brunâtre lorsqu'ils sont prêts à libérer leurs spores.

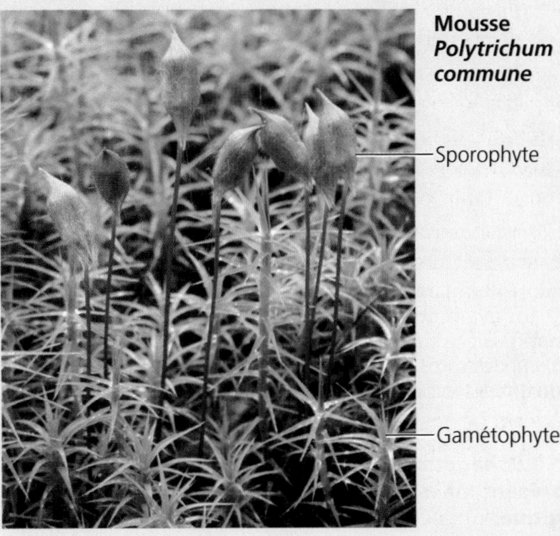

Mousse *Polytrichum commune*

(a) **Récolte de la Sphaigne dans une tourbière**

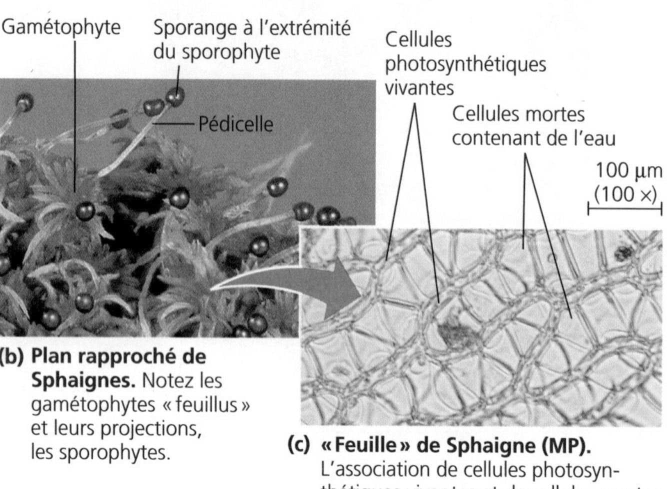

(b) **Plan rapproché de Sphaignes.** Notez les gamétophytes « feuillus » et leurs projections, les sporophytes.

(c) **« Feuille » de Sphaigne (MP).** L'association de cellules photosynthétiques vivantes et de cellules mortes contenant de l'eau donne à la Mousse sa texture spongieuse.

(d) **L'homme de Tollund, momie des tourbières datant d'il y a entre 400 et 100 ans avant notre ère (conservée au Silkeborg Museum, au Danemark).** Grâce au milieu acide et pauvre en dioxygène produit par *Sphagnum*, des corps humains ou d'autres animaux peuvent y être préservés durant des milliers d'années.

▲ **Figure 29.10 *Sphagnum*, ou mousse de tourbe, Bryophyte présentant un intérêt économique, écologique et archéologique.**

Concept 29.4

Les Fougères et d'autres Vasculaires sans graines ont formé les premières forêts

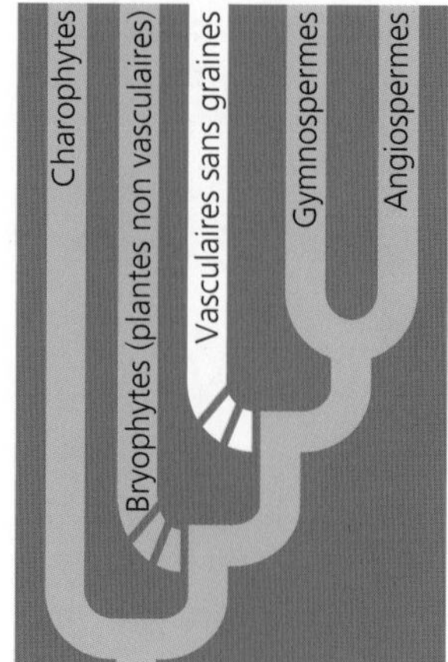

Si les Bryophytes ou des plantes apparentées ont dominé la végétation au cours des 100 premiers millions d'années de l'évolution des Végétaux, ce sont les Vasculaires qui occupent la première place dans la plupart des paysages d'aujourd'hui. Les Vasculaires sans graines modernes nous fournissent des indices sur l'évolution des Végétaux durant le Carbonifère, période où les Vasculaires ont commencé à se diversifier, mais où la plupart des plantes à graines n'avaient pas encore fait leur apparition. Les spermatozoïdes des Fougères et de toutes les autres Vasculaires sans graines sont flagellés et doivent nager dans une mince couche d'eau pour atteindre les oosphères, comme chez les Bryophytes. Compte tenu de cette particularité de leurs spermatozoïdes et de la fragilité de leurs gamétophytes, les Vasculaires sans graines modernes colonisent surtout des milieux humides. Ainsi, il est probable que, avant l'apparition des plantes à graines, la vie végétale sur Terre se limitait aux habitats relativement humides.

L'origine et les caractères des Vasculaires

Les fossiles des ancêtres des Vasculaires modernes datent d'environ 420 millions d'années. Contrairement aux Bryophytes, ces espèces possédaient des sporophytes ramifiés dont la croissance n'était pas tributaire des gamétophytes (**figure 29.11**). Bien que la taille de ces Végétaux ne dépassât pas 50 cm, leur ramification

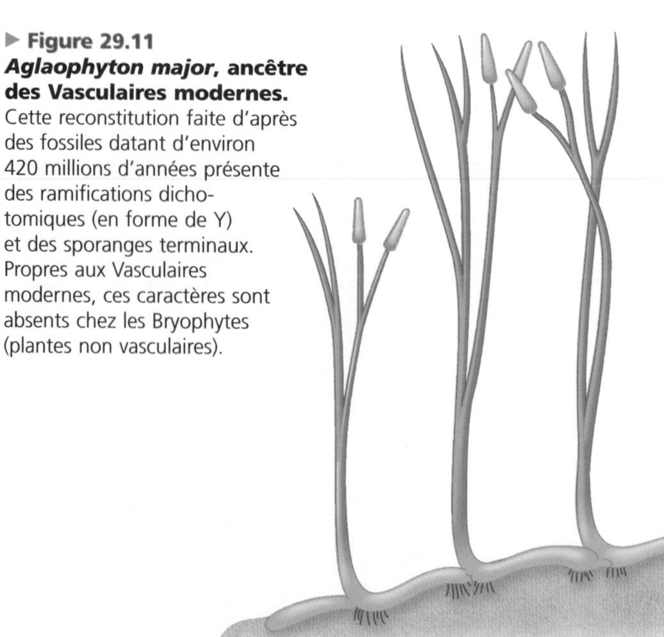

► **Figure 29.11**
***Aglaophyton major*, ancêtre des Vasculaires modernes.**
Cette reconstitution faite d'après des fossiles datant d'environ 420 millions d'années présente des ramifications dichotomiques (en forme de Y) et des sporanges terminaux. Propres aux Vasculaires modernes, ces caractères sont absents chez les Bryophytes (plantes non vasculaires).

permettait le développement de corps plus complexes munis de multiples sporanges. Cette innovation évolutive a facilité la production des spores et amélioré la survie en dépit de l'herbivorisme, car même si des Animaux dévoraient un certain nombre de sporanges, d'autres subsistaient.

Les ancêtres des Vasculaires modernes comportaient déjà certains de leurs caractères dérivés, mais d'autres adaptations cruciales ne sont apparues que plus tard. La présente section traite des principaux caractères des Vasculaires : forme dominante des sporophytes dans les cycles de développement, tissus conducteurs (xylème et phloème) et présence de racines et de feuilles, dont les sporophylles, qui portent des spores.

La prédominance des sporophytes dans les cycles de développement

Les fossiles indiquent que, chez les ancêtres des Vasculaires, les cycles de développement étaient caractérisés par des gamétophytes et des sporophytes de taille à peu près égale. Toutefois, chez les Vasculaires actuelles, le sporophyte (diploïde) est la forme la plus volumineuse et la plus complexe dans l'alternance de générations. Ainsi, les Fougères feuillues que nous connaissons bien sont des sporophytes. Il faut s'agenouiller, ouvrir grands les yeux et fouiller le sol avec beaucoup de délicatesse pour trouver des gamétophytes de Fougères, qui sont de minuscules structures qui croissent à la surface du sol ou sous terre. En attendant de pouvoir le faire, examinez la **figure 29.12**, qui représente le cycle de développement des Vasculaires sans graines, dont la forme dominante est le sporophyte, à partir de l'exemple de la Fougère. Ensuite, afin de vous rafraîchir la mémoire, comparez cette figure à la figure 29.8, qui illustre le cycle de développement des Bryophytes (où domine le gamétophyte). Au chapitre 30, nous verrons que le gamétophyte a encore perdu de l'importance au cours de l'évolution des plantes à graines.

Le xylème et le phloème

Les Vasculaires possèdent deux types de tissu conducteur : le xylème et le phloème. Le **xylème** assure la majeure partie du transport de l'eau et des minéraux. Chez toutes les Vasculaires, le xylème comporte des **trachéides**, soit des cellules en forme de tube qui transportent l'eau et les minéraux depuis les racines

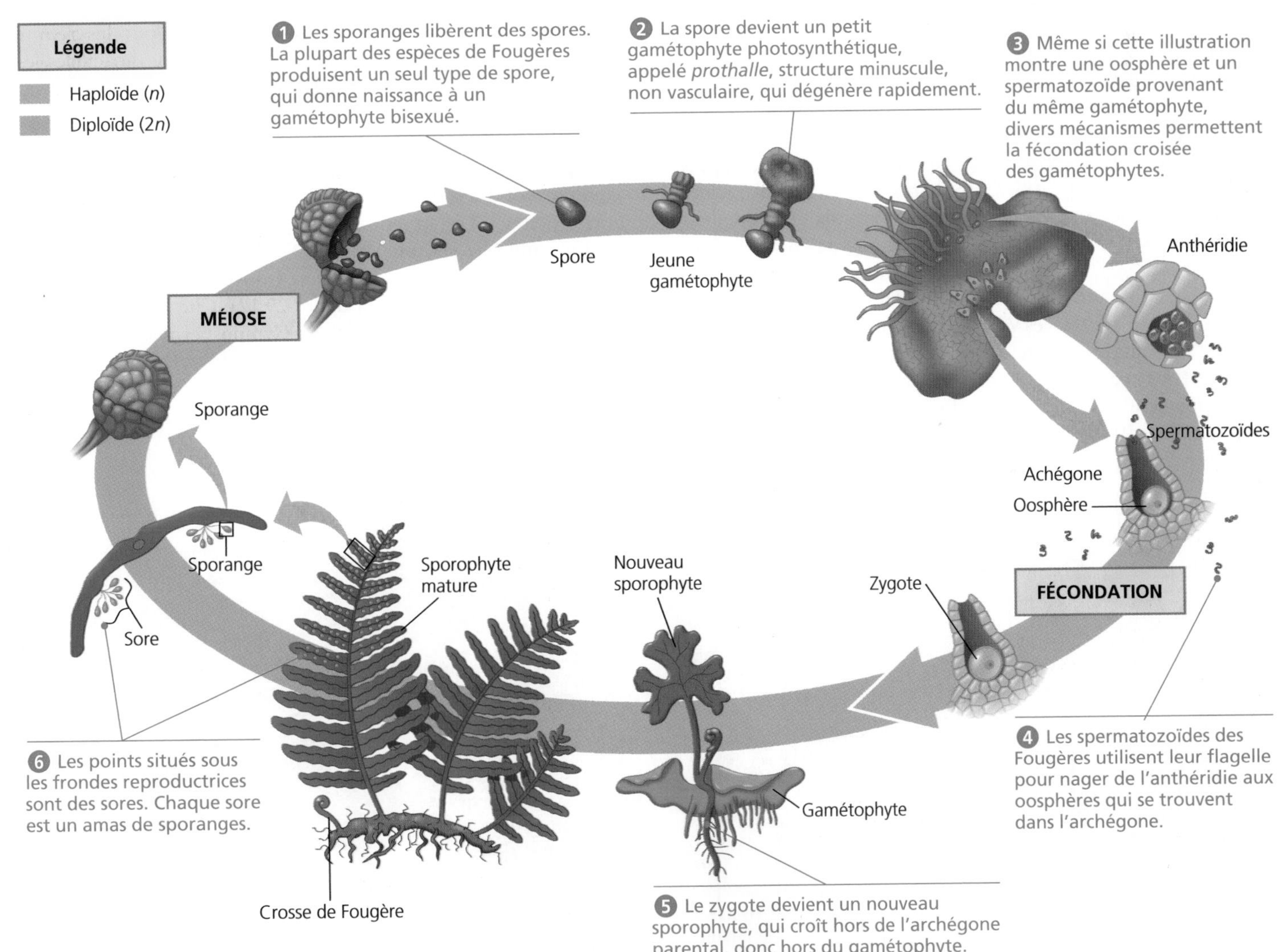

Légende
Haploïde (n)
Diploïde (2n)
1 Les sporanges libèrent des spores. La plupart des espèces de Fougères produisent un seul type de spore, qui donne naissance à un gamétophyte bisexué.
2 La spore devient un petit gamétophyte photosynthétique, appelé prothalle, structure minuscule, non vasculaire, qui dégénère rapidement.
3 Même si cette illustration montre une oosphère et un spermatozoïde provenant du même gamétophyte, divers mécanismes permettent la fécondation croisée des gamétophytes.
MÉIOSE
Spore
Jeune gamétophyte
Anthéridie
Spermatozoïdes
Archégone
Oosphère
Sporange
Sporange
Sore
Sporophyte mature
Nouveau sporophyte
Zygote
FÉCONDATION
Gamétophyte
Crosse de Fougère
6 Les points situés sous les frondes reproductrices sont des sores. Chaque sore est un amas de sporanges.
4 Les spermatozoïdes des Fougères utilisent leur flagelle pour nager de l'anthéridie aux oosphères qui se trouvent dans l'archégone.
5 Le zygote devient un nouveau sporophyte, qui croît hors de l'archégone parental, donc hors du gamétophyte.

▲ **Figure 29.12 Cycle de développement de la Fougère.**

jusque vers le haut (voir la figure 35.9). En raison de l'absence de trachéides chez les plantes non vasculaires, les Vasculaires sont parfois appelées *Trachéophytes.* Les trachéides sont en fait des cellules mortes : seules leurs parois subsistent pour former des conduits microscopiques. Les cellules conductrices des Vasculaires sont *lignifiées,* c'est-à-dire que leur paroi est renforcée par un polymère phénolique, la **lignine**. Le **phloème**, lui, est un tissu composé de cellules vivantes conductrices de saccharose formant des tubes qui distribuent les monosaccharides, les acides aminés et d'autres produits organiques (voir la figure 35.9).

Le tissu conducteur lignifié a permis aux Vasculaires d'atteindre des hauteurs plus élevées que les Bryophytes. Leurs tiges, devenues assez solides pour résister à l'affaissement, sont capables de transporter l'eau et les minéraux loin au-dessus du sol.

L'origine des racines

Les tissus conducteurs lignifiés offrent aussi des avantages sous la surface du sol. Au lieu des rhizoïdes qu'on trouve chez les Bryophytes, ce sont des racines qui sont apparues chez presque toutes les Vasculaires. Les **racines** sont des organes qui fixent solidement les Vasculaires et leur permettent d'absorber l'eau et les nutriments provenant du sol. Grâce aux racines, le système foliacé peut aussi atteindre une hauteur plus élevée.

Les tissus des racines des Végétaux modernes ressemblent beaucoup à ceux des tiges d'espèces fossiles de Vasculaires primitives. Les racines pourraient donc s'être développées à partir des parties souterraines des tiges des Vasculaires primitives. On ne sait pas si les racines ne sont apparues qu'une seule fois chez l'ancêtre commun de toutes les Vasculaires ou si elles se sont développées indépendamment dans différentes lignées. Bien que les racines des membres modernes de ces lignées de Vasculaires présentent de nombreuses similitudes, les observations paléontologiques semblent indiquer qu'il y aurait eu évolution convergente. Par exemple, les plus anciens fossiles de Lycophytes révèlent que, il y a 400 millions d'années, ces Végétaux présentaient déjà des racines simples alors que les ancêtres des Fougères et des plantes à graines n'en portaient pas encore. L'étude des gènes qui déterminent le développement des racines chez diverses espèces de Vasculaires pourrait aider à résoudre cette question.

L'origine des feuilles

Les **feuilles** sont des organes qui, en augmentant la surface des Vasculaires, leur permettent d'absorber une plus grande quantité d'énergie solaire pour la photosynthèse. Selon leur taille et leur complexité, on peut les diviser en deux groupes : les microphylles et les mégaphylles. Toutes les Lycophytes (la plus ancienne lignée de Vasculaires modernes) sont dotées de **microphylles**, des feuilles petites, généralement en forme d'aiguille, avec une seule nervure. Presque toutes les autres Vasculaires ont des **mégaphylles**, soit des feuilles au système vasculaire très ramifié. Les mégaphylles sont ainsi nommées parce qu'elles sont généralement plus grandes que les microphylles. Grâce à la présence d'un réseau de nervures sur la surface plus étendue des mégaphylles, le rendement de la photosynthèse est plus élevé dans celles-ci que dans les microphylles. Les microphylles figurent pour la première fois dans les archives géologiques datant de 410 millions d'années, mais ce n'est qu'il y a environ 370 millions d'années que les mégaphylles sont apparues, soit presque à la fin du Dévonien.

Selon une théorie sur l'origine des feuilles, les microphylles sont apparues sous forme de petites excroissances des tiges. Ces excroissances reposaient sur un filet non ramifié de tissu conducteur **(figure 29.13a)**. Les mégaphylles, elles, proviennent de ramifications d'une tige qui étaient rapprochées. Les ramifications se seraient aplaties et le tissu aurait proliféré pour les réunir **(figure 29.13b)**. Afin de mieux comprendre l'origine des feuilles, les scientifiques étudient les gènes qui déterminent leur développement.

Les variations des sporophylles et des spores

L'apparition des **sporophylles**, c'est-à-dire des feuilles modifiées qui portent des sporanges, constitue une étape clé de l'évolution des Végétaux. Les structures des sporophylles sont très variées. Par exemple, les sporophylles des Fougères produisent des amas de sporanges appelés **sores**, qui se trouvent habituellement sur leur face inférieure (voir la figure 29.12). Chez de nombreuses Lycophytes et chez la plupart des Gymnospermes, des groupes de sporophylles forment des cônes, les **strobiles** (du grec *strobilos,* « cône »). Au chapitre 30, nous verrons comment les sporophylles forment des strobiles chez les Gymnospermes et des parties de fleurs chez les Angiospermes.

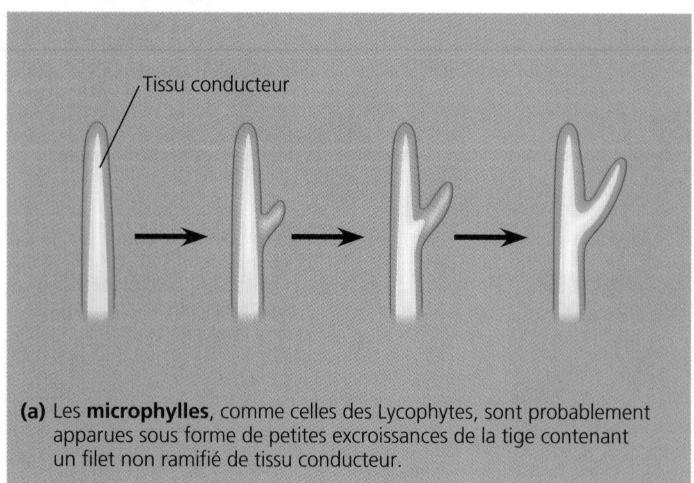

(a) Les **microphylles**, comme celles des Lycophytes, sont probablement apparues sous forme de petites excroissances de la tige contenant un filet non ramifié de tissu conducteur.

(b) Les **mégaphylles** renferment un réseau vasculaire ramifié. Elles sont probablement apparues à la suite de la fusion de tiges ramifiées.

▲ **Figure 29.13 Hypothèses sur l'origine des feuilles.**

La plupart des espèces de Vasculaires sans graines sont **homosporées**: elles possèdent un seul type de sporophylle qui produit un seul type de spores, lesquelles deviennent en général des gamétophytes bisexués, comme chez presque toutes les Fougères. Quant aux espèces **hétérosporées**, elles comportent deux types de sporophylles et engendrent deux types de spores. Les mégasporanges dans les mégasporophylles donnent des **mégaspores**, qui deviennent des gamétophytes femelles. Les microsporanges dans les microsporophylles produisent des **microspores**, qui deviennent des gamétophytes mâles. Toutes les plantes à graines et quelques Vasculaires sans graines sont hétérosporées. Les schémas suivants présentent une comparaison des deux modes de production.

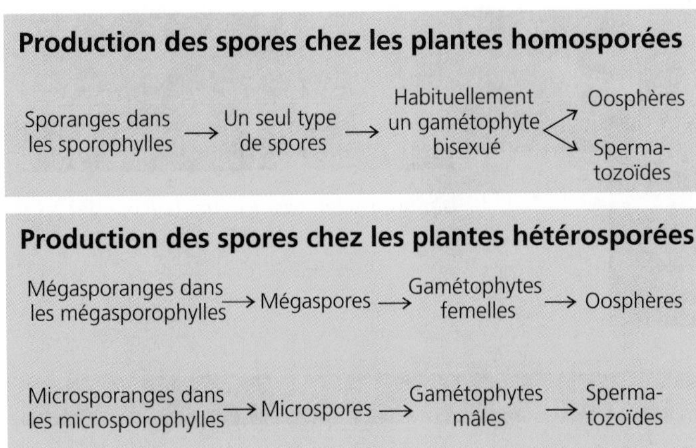

La classification des Vasculaires sans graines

Comme nous l'avons mentionné plus tôt, les Vasculaires sans graines modernes sont divisées en deux embranchements: les Lycophytes et les Ptérophytes. Les Lycophytes comprennent les Lycopodes, les Sélaginelles et les Isoètes. Les Ptérophytes rassemblent les Fougères, les Prêles ainsi que les Psilotes et autres plantes apparentées. Comme elles sont d'aspect très différent, on a longtemps considéré que les Fougères, les Prêles et les Psilotes formaient des embranchements distincts: les Ptérophytes (Fougères), les Sphénophytes (Prêles) et les Psilophytes (Psilotes et un genre apparenté). Toutefois, de récentes comparaisons moléculaires démontrent de façon convaincante que ces trois groupes forment un clade. En conséquence, de nombreux systématiciens les classent ensemble dans l'embranchement des Ptérophytes, comme nous le faisons ici. D'autres considèrent qu'elles forment trois embranchements distincts à l'intérieur d'un clade.

La **figure 29.14** présente les grands groupes de Vasculaires sans graines.

L'embranchement des Lycophytes: les Lycopodes, les Sélaginelles et les Isoètes

Les espèces modernes de Lycophytes, le plus ancien groupe de Vasculaires, sont les vestiges d'un passé brillant. Il en existait deux lignées au Carbonifère. Les individus de la première lignée étaient de petites plantes herbacées, et ceux de la seconde lignée, des «arbres» (il serait plus exact de parler de plantes au port arborescent, car elles ne possédaient pas de bois) pouvant mesurer plus de 2 m de diamètre et 40 m de hauteur. Les Lycophytes géantes ont évolué durant des millions d'années dans les marais du Carbonifère, période chaude et humide. Mais elles ont disparu quand le climat s'est refroidi et asséché, à la fin de la période. Les petites Lycophytes ont, quant à elles, survécu. On en trouve aujourd'hui environ 1 200 espèces.

L'embranchement des Ptérophytes: les Fougères, les Prêles ainsi que les Psilotes et les plantes apparentées

Depuis leur apparition pendant le Dévonien, les Fougères se sont considérablement diversifiées, si bien qu'il en existe plus de 12 000 espèces aujourd'hui. Elles ont côtoyé les Lycophytes géantes et les Prêles dans les grandes forêts marécageuses du Carbonifère. Ce sont de loin les Vasculaires sans graines les plus répandues aujourd'hui. Leur diversité culmine dans les régions tropicales. On en trouve aussi un grand nombre dans les forêts tempérées et quelques-unes dans les habitats arides.

Les Prêles étaient très diversifiées au Carbonifère. Elles pouvaient alors atteindre une hauteur de 15 m. Aujourd'hui, cependant, il n'en existe plus qu'une quinzaine d'espèces qui font partie d'un genre unique mais très répandu, *Equisetum*. On les trouve dans les endroits marécageux et le long des cours d'eau.

Les Psilotes et les plantes d'un genre étroitement apparenté, *Tmesipteris*, forment un clade constitué principalement d'épiphytes tropicaux. Les Psilotes, les seules Vasculaires sans racines ni feuilles véritables, sont considérés comme des «fossiles vivants» en raison de leur ressemblance frappante avec les fossiles d'espèces primitives apparentées aux Vasculaires modernes (voir les figures 29.11 et 29.14). Toutefois, de nombreuses observations, dont l'analyse des séquences d'ADN et de la structure des spermatozoïdes, indiquent que les Psilotes et *Tmesipteris* sont étroitement apparentés aux Fougères. Selon cette hypothèse, les racines et les feuilles véritables de leurs ancêtres auraient disparu au cours de l'évolution.

L'importance des Vasculaires sans graines

Les ancêtres des Lycophytes, des Prêles et des Fougères, de même que d'autres Vasculaires sans graines apparentées, atteignaient des hauteurs considérables au cours du Carbonifère, où elles ont formé les premières forêts **(figure 29.15)**. Grâce à l'apparition des tissus conducteurs, des racines et des feuilles, la vitesse de la photosynthèse effectuée par ces plantes a augmenté, de sorte que de plus grandes quantités de CO_2 étaient retirées de l'atmosphère. Les scientifiques estiment que les concentrations de CO_2 sont devenues au moins cinq fois moindres pendant cette période, ce qui a entraîné un refroidissement planétaire suivi de la formation de glaciers très étendus.

Les Vasculaires sans graines des forêts du Carbonifère se sont transformées en charbon avec le temps. Dans les eaux stagnantes des marais, la végétation morte ne se décomposait pas complètement. Cette matière organique a formé d'épaisses couches de tourbe qui ont plus tard été envahies par la mer et recouvertes de sédiments. La chaleur et la pression ont transformé progressivement la tourbe en charbon. Les dépôts de charbon du Carbonifère sont en fait les plus importants de l'histoire de la Terre. Le charbon a alimenté la révolution industrielle, au XIXe siècle, et aujourd'hui, on en utilise encore chaque année six milliards de tonnes un peu partout dans le monde. Ironiquement, la combustion du charbon, formé à partir de plantes ayant contribué au refroidissement de la planète, participe maintenant

Figure 29.14

Panorama La diversité des Vasculaires sans graines

LYCOPHYTES

Nombre d'espèces de Lycophytes sont des plantes tropicales épiphytes (plantes non parasites utilisant un autre organisme comme substrat) qui croissent sur des arbres. D'autres espèces croissent sur le sol des forêts des régions tempérées. Selon l'espèce, les minuscules gamétophytes prennent soit la forme de plantes photosynthétiques aériennes, soit la forme de plantes souterraines nourries par des champignons symbiotiques.

Les sporophytes possèdent des tiges verticales qui portent de nombreuses petites feuilles disposées en spirale, de même que des tiges horizontales qui courent sur le sol et produisent des racines dichotomiques. Chez les Lycopodes, les sporophylles portant les sporanges forment des amas coniques (les strobiles). En général plus petites, les Sélaginelles poussent souvent à l'horizontale. Les Isoètes, qui font partie d'un genre unique, vivent dans les endroits marécageux. Les Lycopodes sont homosporés, tandis que les Sélaginelles et les Isoètes sont hétérosporés. Les spores, riches en huile et inflammables, se dispersent en nuages lorsqu'elles parviennent à maturité. Jadis, les magiciens et les photographes mettaient le feu à des spores de Lycophytes pour produire de la fumée ou des éclairs.

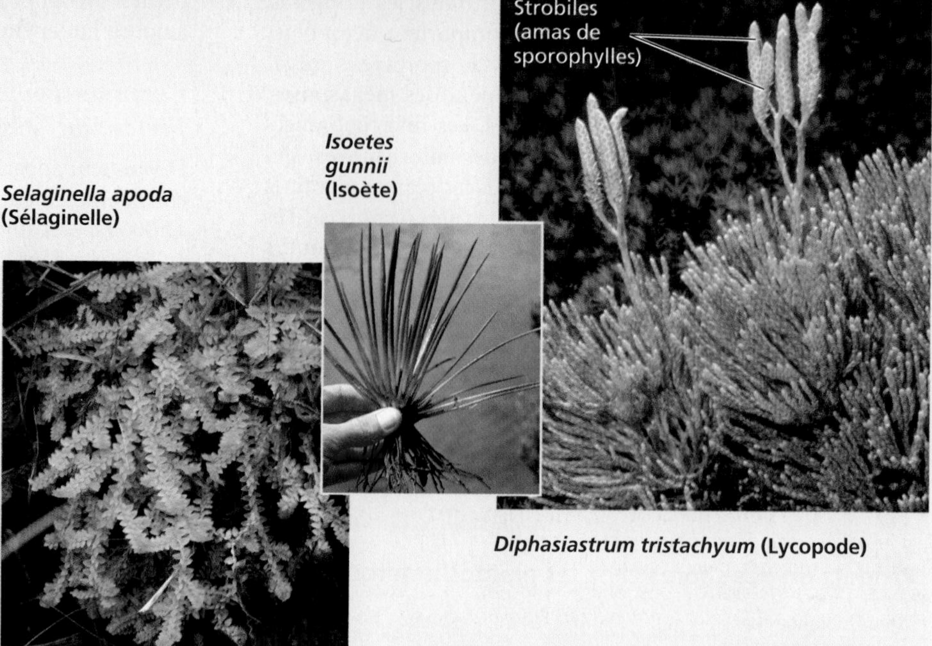

***Selaginella apoda* (Sélaginelle)**

***Isoetes gunnii* (Isoète)**

***Diphasiastrum tristachyum* (Lycopode)**

PTÉROPHYTES

***Psilotum nudum* (Psilote)**

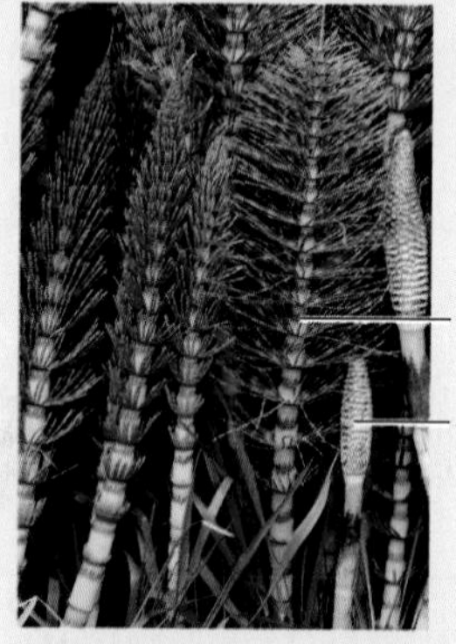

***Equisetum arvense* (Prêle des champs)**

***Athyrium filix-femina* (Fougère femelle)**

PSILOTES ET PLANTES APPARENTÉES

Comme chez les fossiles des Vasculaires primitives, les sporophylles des Psilotes possèdent des tiges dichotomiques, mais pas de racines. Les tiges présentent des excroissances semblables à des écailles et dépourvues de tissu conducteur, qui sont peut-être devenues des feuilles très réduites. Chacun des boutons jaunes portés par les tiges est formé de trois sporanges fusionnés. Étroitement apparentées aux Psilotes, les espèces du genre *Tmesipteris*, qu'on ne trouve que dans le Pacifique Sud, sont également dépourvues de racines, mais leurs tiges portent de petites excroissances semblables à des feuilles, ce qui leur donne l'apparence de vignes. Les deux genres sont homosporés: ils produisent des spores engendrant des gamétophytes bisexués qui poussent sous terre et ne mesurent à peu près qu'un centimètre de long.

PRÊLES

Les tiges des Prêles, dont l'épiderme est riche en silice et la texture grumeleuse, servaient autrefois de «joncs à récurer» pour les marmites et les casseroles. Certaines espèces possèdent des tiges fertiles (qui portent des cônes) non photosynthétiques et des tiges végétatives photosynthétiques distinctes. Les Prêles sont homosporées: leurs cônes libèrent des spores produisant de minuscules gamétophytes mâles ou bisexués.

Les Prêles sont aussi appelées *Arthrophytes* («plantes à articulations»), car leurs tiges présentent des articulations. Des anneaux de petites feuilles dont les bases soudées forment une gaine ou de petites branches forment des verticilles émergeant de chaque articulation, mais la tige demeure le principal organe de la photosynthèse. De grands canaux aérifères transportent le dioxygène vers les racines, qui croissent souvent dans des sols gorgés d'eau.

FOUGÈRES

Contrairement à la plupart des autres Vasculaires sans graines, les Fougères possèdent des mégaphylles (voir la figure 29.13b). Les sporophytes ont habituellement des tiges horizontales d'où émergent de grandes feuilles appelées *frondes*, souvent divisées en folioles. À mesure que la fronde croît, son bout enroulé, la crosse, se déroule.

Presque toutes les espèces de Fougères sont homosporées. Le gamétophyte se flétrit et meurt après que le jeune sporophyte s'en est détaché. Chez la majorité des espèces, les sporophytes possèdent des sporanges pédonculés munis d'un mécanisme qui catapulte les spores à plusieurs mètres. Les spores peuvent alors parcourir de longues distances au gré du vent. Certaines espèces produisent plus d'un billion de spores au cours de leur vie.

▲ **Figure 29.15 Forêt du Carbonifère peinte par un artiste à partir de fossiles.** La plupart des grands arbres au tronc droit sont des Lycophytes. À gauche, l'arbre qui porte des branches en forme de plumes est une Prêle. Les Fougères arborescentes, bien qu'elles soient absentes de cette toile, abondaient elles aussi dans les forêts du Carbonifère. Ces milieux abritaient également un grand nombre d'Animaux, notamment des libellules géantes.

à son réchauffement en renvoyant du carbone dans l'atmosphère (voir le chapitre 54).

Au cours du Carbonifère, les Vasculaires sans graines ont poussé aux côtés des Vasculaires à graines primitives, dans les marais. Ces Gymnospermes ne dominaient pas le paysage. Mais, après l'assèchement des marais, à la fin de la période, elles ont fini par prendre une place prépondérante. Au chapitre 30, nous en examinerons l'origine et la diversification à la lumière de notre thème, l'adaptation aux milieux terrestres.

Retour sur le concept 29.4

1. Indiquez quelques-unes des principales différences entre les Vasculaires sans graines et les Bryophytes.
2. Quelle est la principale différence entre la plupart des Lycophytes, d'une part, et la grande majorité des Fougères et des plantes apparentées, d'autre part?

Voir les réponses proposées à la fin du chapitre.

Révision du chapitre 29

RÉSUMÉ DES CONCEPTS CLÉS

Concept 29.1

Les Végétaux terrestres se sont développés à partir des Algues vertes

▶ **Les preuves morphologiques et biochimiques** (p. 621-622). Les Végétaux et les Charophytes ont en commun certains caractères, dont les suivants: complexes en rosettes de cellulose synthase, enzymes des peroxysomes, structure des spermatozoïdes flagellés et formation d'un phragmoplaste au cours de la division cellulaire.

▶ **Les preuves génétiques** (p. 622). Les ressemblances entre les gènes des noyaux et des chloroplastes des deux groupes d'organismes semblent indiquer que les Charophytes sont les organismes modernes les plus étroitement apparentés aux Végétaux terrestres.

▶ **Les adaptations à la vie sur la terre ferme** (p. 622-623). Des caractères comme la présence de sporopollénine permettent aux Charophytes de résister à la déshydratation à laquelle elles sont parfois exposées au bord des étangs et des lacs. De tels caractères ont peut-être permis aux Algues dont descendent les Végétaux de survivre dans des milieux terrestres, ouvrant ainsi la voie à la colonisation de la terre ferme.

Concept 29.2

Les Végétaux terrestres possèdent un ensemble de caractères dérivés qui constituent des adaptations à la vie sur la terre ferme

▶ **La définition du règne des Végétaux** (p. 623). Certains biologistes sont d'avis qu'il faut repousser les limites du règne des Végétaux de manière qu'il englobe certaines espèces ou même toutes les espèces d'Algues vertes. Comme le débat sur la phylogénie des Végétaux se poursuit, nous nous en tenons au modèle traditionnel, qui fait correspondre le règne des Végétaux aux Embryophytes.

▶ **Les caractères dérivés des Végétaux** (p. 623-626). Parmi les caractères dérivés qui distinguent le clade des Végétaux de celui des Charophytes, leurs plus proches parents, citons les méristèmes apicaux, l'alternance de générations, les spores entourées d'une paroi produites dans les sporanges, les gamétanges multicellulaires et les embryons multicellulaires dépendants. D'autres caractères dérivés, comme la cuticule et les composés secondaires, sont apparus chez de nombreuses espèces de Végétaux.

▶ **L'origine et la diversification des Végétaux** (p. 626-628). Des observations paléontologiques indiquent que les Végétaux se sont établis sur la terre ferme il y a au moins 475 millions d'années. Par la suite, ils ont divergé pour former plusieurs grands groupes, dont les Bryophytes (plantes non vasculaires), les Vasculaires sans graines, comme les Lycophytes et les Fougères, et les deux groupes de Vasculaires à graines, les Gymnospermes et les Angiospermes (plantes à fleurs). La plupart des systématiciens divisent les Végétaux en dix embranchements.

Le stade du gamétophyte domine les cycles de développement des Mousses et d'autres Bryophytes

- On n'a pas déterminé si les trois embranchements de Bryophytes, soit les Hépatiques, les Anthocérotes et les Mousses, forment un clade. De plus, on ne s'entend toujours pas sur l'ordre dans lequel ceux-ci se sont développés **(p. 628)**.
- **Les gamétophytes des Bryophytes (p. 628-630)**. Contrairement à ceux des Hépatiques et des Anthocérotes, les gamétophytes des Mousses croissent davantage à la verticale qu'à l'horizontale. Dominant le cycle de développement, les gamétophytes sont en général les plus visibles : ils forment par exemple les tapis de mousse. Les rhizoïdes leur permettent de se fixer au substrat. Les spermatozoïdes flagellés produits par les anthéridies doivent se déplacer dans une mince couche d'humidité pour atteindre les oosphères qui se trouvent dans les archégones.
- **Les sporophytes des Bryophytes (p. 630)**. Les sporophytes émergent de l'archégone et restent attachés au gamétophyte haploïde dont ils dépendent pour se nourrir. Plus petits et plus simples que ceux des Vasculaires, ces sporophytes se composent habituellement d'un pied, d'un pédicelle (soie) et d'une capsule (sporange). Les sporophytes des Anthocérotes et des Mousses possèdent des stomates.
- **L'importance écologique et économique des Bryophytes (p. 630)**. Les Mousses du genre *Sphagnum* recouvrent de grandes étendues de terrain, les tourbières. Elles jouent un rôle important dans le cycle du carbone.

Les Fougères et d'autres Vasculaires sans graines ont formé les premières forêts

- **L'origine et les caractères des Vasculaires (p. 632-635)**. Les fossiles des ancêtres des Vasculaires modernes datent d'environ 420 millions d'années. Ils indiquent que ces minuscules plantes possédaient des sporophytes ramifiés indépendants, mais non d'autres caractères dérivés présents chez les Vasculaires, comme le xylème, le phloème, les racines et les feuilles.

  La prédominance des sporophytes dans les cycles de développement. Contrairement à ceux des Bryophytes, les sporophytes des Vasculaires sans graines constituent la forme la plus volumineuse dans l'alternance de générations, comme en témoigne l'exemple des Fougères feuillues que nous connaissons bien. Les gamétophytes sont de minuscules structures qui croissent à la surface du sol ou sous terre.

  Le xylème et le phloème. Les Vasculaires possèdent deux types de tissu conducteur : le xylème et le phloème. Le xylème assure la majeure partie du transport de l'eau et des minéraux. Chez toutes les Vasculaires, il se compose de cellules mortes appelées *trachéides.* La lignine contenue dans le xylème permet à la plupart des Vasculaires d'atteindre des hauteurs plus élevées que les Bryophytes. Le phloème est un tissu vivant qui transporte les monosaccharides et d'autres nutriments organiques.

  L'origine des racines. Contrairement aux rhizoïdes des Bryophytes, les racines jouent un rôle important dans l'absorption de l'eau et des nutriments. Elles pourraient s'être développées à partir des parties souterraines des tiges. On ne sait pas si les racines sont apparues indépendamment dans différentes lignées.

  L'origine des feuilles. Sur le plan de l'évolution, les feuilles sont divisées en deux groupes : les microphylles et les mégaphylles. Les microphylles, feuilles à une seule nervure, sont apparues les premières et caractérisent les Lycophytes. Presque toutes les autres Vasculaires sont dotées de mégaphylles, feuilles au système vasculaire très ramifié. Le rendement photosynthétique est plus élevé chez les mégaphylles, qui sont généralement plus grandes que les microphylles.

  Les variations des sporophylles et des spores. Les sporophylles sont des feuilles modifiées portant des sporanges. La plupart des Vasculaires sans graines sont homosporées, c'est-à-dire qu'elles produisent un seul type de spores, qui deviennent habituellement des gamétophytes bisexués. Toutes les Vasculaires à graines et certaines espèces de Vasculaires sans graines sont hétérosporées, c'est-à-dire qu'elles produisent deux types de spores qui engendrent des gamétophytes mâles et femelles.
- **La classification des Vasculaires sans graines (p. 635)**. Les Vasculaires sans graines se divisent en deux embranchements : les Lycophytes (Lycopodes, Sélaginelles et Isoètes) et les Ptérophytes (Fougères, Prêles ainsi que Psilotes et plantes apparentées). Les ancêtres des Lycophytes modernes étaient des plantes herbacées et des plantes ligneuses qui dominaient les premières forêts. Les Lycophytes modernes sont de petites plantes herbacées. Leurs sporophytes présentent des tiges verticales portant de nombreuses microphylles et des tiges horizontales qui courent sur le sol. Les Fougères sont les Vasculaires sans graines les plus diversifiées. La plupart des espèces de Fougères sont homosporées et produisent des amas de sporanges, les sores. Les Prêles et les Psilotes sont en réalité étroitement apparentés aux Fougères.
- **L'importance des Vasculaires sans graines (p. 635-637)**. Les Vasculaires sans graines ont dominé les premières forêts. Leur croissance pourrait avoir joué un rôle dans le grand refroidissement de la planète qui a marqué la fin du Carbonifère. La matière organique en décomposition provenant des premières forêts s'est transformée en charbon avec le temps.

VÉRIFIEZ VOS CONNAISSANCES

Autoévaluation

(Les questions dont les numéros sont en caractères gras font surtout appel à la compréhension.)

1. Laquelle des preuves suivantes *ne démontre pas* que les Charophytes sont les organismes les plus étroitement apparentés aux Végétaux ?
   a) La similarité de la structure des spermatozoïdes.
   b) La similarité des types de chlorophylles présents dans les chloroplastes.
   c) La similarité de la formation des parois cellulaires pendant la division cellulaire.
   d) La similarité des gènes des chloroplastes.
   e) La similarité des protéines qui synthétisent la cellulose.
2. Laquelle des caractéristiques suivantes est absente chez les Charophytes, qui sont les organismes les plus étroitement apparentés aux Végétaux ?
   a) La chlorophylle *b*.
   b) La cellulose dans la paroi cellulaire.
   c) L'alternance de générations multicellulaires.
   d) La reproduction sexuée.
   e) La formation d'une paroi transversale pendant la cytocinèse.
3. Lequel des groupes suivants forme un clade (groupe monophylétique) ?
   a) Les Bryophytes et les Vasculaires sans graines.
   b) Les Lycophytes et les Ptérophytes.
   c) Les Hépatiques, les Anthocérotes et les Mousses.
   d) Les Vasculaires sans graines et les plantes à graines.
   e) Les Charophytes et les Bryophytes.
4. Les caractéristiques communes à toutes les Bryophytes (Mousses, Hépatiques et Anthocérotes) sont :
   a) des cellules reproductrices enfermées dans des gamétophytes ; des embryons.
   b) des sporophytes ramifiés.
   c) des tissus conducteurs, de vraies feuilles et une cuticule cireuse.
   d) des graines.
   e) une paroi cellulaire lignifiée.
5. Quel caractère, parmi les suivants, s'applique aux Muscinées *et* est associé au fait que la plupart de celles-ci sont toujours de petite taille ?
   a) Le gamétophyte est haploïde.
   b) Elles ne possèdent pas de trachéides ou de vaisseaux.
   c) Le sporophyte est dépendant du gamétophyte.
   d) Elles vivent en milieu humide.
   e) Elles ne possèdent pas de méristème apical.

30 La diversité des Végétaux II : l'évolution des plantes à graines

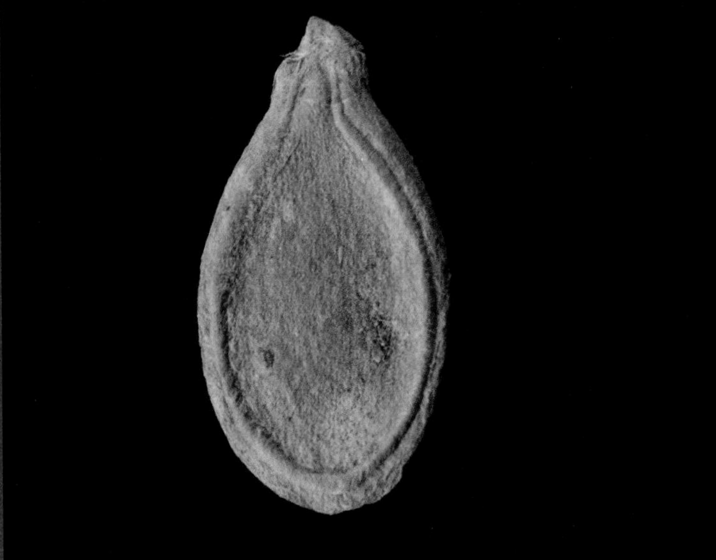

▲ **Figure 30.1 Graine de courge ancienne.**

Concepts clés

30.1 Les minuscules gamétophytes des Vasculaires à graines sont contenus dans des ovules et des grains de pollen qui les protègent

30.2 Les Gymnospermes portent des graines « nues », la plupart du temps sur des cônes

30.3 Chez les Angiospermes, les fleurs et les fruits comptent parmi les adaptations à la reproduction

30.4 Le bien-être des humains est fortement tributaire des Vasculaires à graines

Introduction

Une ressource alimentaire mondiale

La saga de la transformation de la Terre par les Végétaux se poursuit dans le présent chapitre, qui traite de l'émergence et de la diversification des plantes à graines. Les fossiles et les études comparatives portant sur des Végétaux modernes donnent des indices sur l'origine de ces plantes, qui sont apparues il y a quelque 360 millions d'années. Les graines ont changé le cours de l'évolution des Végétaux, car elles ont permis à leurs porteurs de devenir les principaux producteurs de la plupart des écosystèmes terrestres et de constituer la vaste majorité de la biodiversité végétale.

Les plantes à graines ont aussi eu d'énormes répercussions sur la société humaine. Il y a environ 13 000 ans, les humains ont commencé à domestiquer le blé, le maïs, les bananes et d'autres plantes à graines sauvages. Cette pratique est apparue isolément dans diverses régions du monde, dont le Proche-Orient, l'Asie du Sud-Est, la Nouvelle-Guinée, l'Afrique et les Amériques. La graine de courge merveilleusement conservée montrée à la **figure 30.1** en témoigne. Découverte dans une caverne située au Mexique, elle date de 8 000 à 10 000 ans. Cette graine, qui diffère des graines de courges sauvages, semble indiquer que la plante était cultivée à cette époque. La domestication des plantes à graines, particulièrement les Angiospermes, a donné lieu à la transformation culturelle la plus importante de l'histoire des humains. En effet, les bandes errantes de chasseurs-cueilleurs qui formaient la majorité des sociétés sont devenues des peuplements permanents attachés à leur territoire par l'agriculture.

Nous allons d'abord examiner les caractéristiques générales des plantes à graines, puis nous allons traiter des particularités et de l'évolution des Gymnospermes et des Angiospermes.

Concept 30.1

Les minuscules gamétophytes des Vasculaires à graines sont contenus dans des ovules et des grains de pollen qui les protègent

Commençons par un survol des adaptations importantes que les plantes à graines ont acquises, en plus de celles que possédaient déjà les Bryophytes et les Vasculaires sans graines (voir le chapitre 29). Outre les graines, les éléments suivants sont présents chez toutes les plantes à graines que nous appellerons dorénavant *Vasculaires à graines*: gamétophytes de taille réduite, hétérosporie, ovules et pollen. Les Vasculaires sans graines ne présentent pas ces adaptations, à l'exception de l'hétérosporie, qui existe chez quelques espèces.

Les avantages de la taille réduite des gamétophytes

Le cycle de développement des Bryophytes et des Mousses est dominé par le stade du gamétophyte, tandis que celui des Fougères et d'autres Vasculaires sans graines l'est par le stade du sporophyte. La tendance à la réduction de la taille (et de la longévité) du gamétophyte s'est maintenue dans la lignée des Vasculaires, qui a mené à l'apparition des Vasculaires à graines. En effet, les gamétophytes des Vasculaires sans graines sont visibles à l'œil nu, mais ceux des Vasculaires à graines sont pour la plupart microscopiques.

Cette miniaturisation a permis une innovation évolutive importante chez les Vasculaires à graines. Leurs minuscules gamétophytes peuvent ainsi se former à partir de spores qui restent dans les sporanges du sporophyte parent (les spores ne sont pas libérées dans le milieu extérieur, contrairement à ce qui se produit chez les Vasculaires sans graines et les Bryophytes). De cette façon, les délicats gamétophytes femelles (contenant les oosphères) sont protégés des facteurs de stress environnementaux. Logés dans les tissus reproducteurs humides du sporophyte parent, ils restent à l'abri de la sécheresse et des rayons ultraviolets nocifs. Cette relation permet aussi aux gamétophytes dépendants de tirer leur nourriture des sporophytes. Les gamétophytes autonomes des Vasculaires sans graines doivent, quant à eux, assurer eux-mêmes leur subsistance. La **figure 30.2** présente une comparaison des relations entre les sporophytes et les gamétophytes chez les Bryophytes, les Vasculaires sans graines et les Vasculaires à graines.

L'hétérosporie : la règle chez les Vasculaires à graines

Le chapitre 29 indique que presque toutes les Vasculaires sans graines sont homosporées, c'est-à-dire qu'elles ne produisent qu'un seul type de spores qui engendrent habituellement des gamétophytes bisexués. Les plantes les plus étroitement apparentées aux Vasculaires à graines sont toutes homosporées, ce qui donne à penser que leurs ancêtres l'étaient également. À un certain moment, les Vasculaires à graines ou leurs ancêtres sont devenues hétérosporées. Les mégasporanges des mégasporophylles produisent des mégaspores qui donnent des gamétophytes femelles, et les microsporanges des microsporophylles produisent des microspores qui donnent des gamétophytes mâles. Dans chaque mégasporange (appelé aussi *nucelle* chez les Vasculaires à graines), il n'y a qu'une seule mégaspore fonctionnelle, tandis que chaque microsporange contient d'énormes quantités de microspores.

Comme nous l'avons déjà mentionné, la miniaturisation des gamétophytes des Vasculaires à graines a contribué à l'immense succès de ce clade. Nous allons maintenant étudier le développement du gamétophyte femelle à l'intérieur d'un ovule et celui du gamétophyte mâle à l'intérieur d'un grain de pollen. Ensuite, nous expliquerons la transformation de l'ovule en graine après la fécondation.

Les ovules et la production des oosphères

Bien que quelques espèces de Vasculaires sans graines soient hétérosporées, il n'y a que chez les Vasculaires à graines que la mégaspore demeure à l'intérieur du sporophyte parent (voir la figure 30.2c). Des couches de tissu du sporophyte forment un **tégument** qui entoure et protège le mégasporange. Chez les Gymnospermes, les mégaspores sont entourées d'un seul tégument, alors que celles des Angiospermes en comptent habituellement deux. L'ensemble constitué par le tégument, le mégasporange et la mégaspore est appelé **ovule (figure 30.3a)**. Dans chaque ovule (du latin *ovulum*, « petit œuf »), un gamétophyte femelle se développe à partir d'une mégaspore et produit une ou plusieurs oosphères.

Le pollen et la production des spermatozoïdes

Les microspores deviennent des **grains de pollen**, qui logent les gamétophytes mâles des Vasculaires à graines. Protégés par une enveloppe résistante renfermant de la sporopollénine, polymère contenant des caroténoïdes et très résistant, les grains de pollen sont transportés par le vent ou par des Animaux qui se sont approchés de la plante pour s'en nourrir. Le transfert du pollen à la partie de la plante abritant les ovules est appelé **pollinisation**. Si un grain de pollen germe (commence à se développer), il fabrique un tube qui expulse deux spermatozoïdes dans le gamétophyte femelle situé dans l'ovule, comme le montre la **figure 30.3b**.

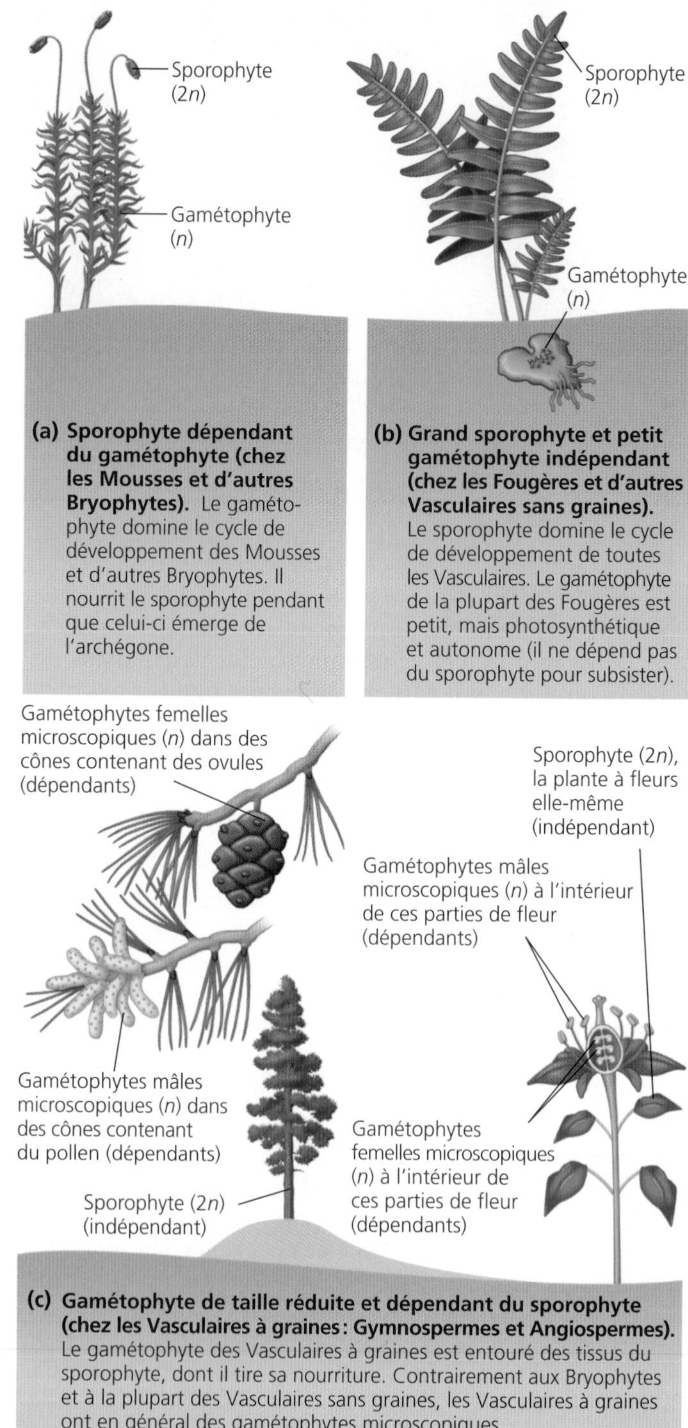
Sporophyte
(2*n*)
Gamétophyte
(*n*)
Sporophyte
(2*n*)
Gamétophyte
(*n*)
(a) Sporophyte dépendant du gamétophyte (chez les Mousses et d'autres Bryophytes). Le gamétophyte domine le cycle de développement des Mousses et d'autres Bryophytes. Il nourrit le sporophyte pendant que celui-ci émerge de l'archégone.
(b) Grand sporophyte et petit gamétophyte indépendant (chez les Fougères et d'autres Vasculaires sans graines). Le sporophyte domine le cycle de développement de toutes les Vasculaires. Le gamétophyte de la plupart des Fougères est petit, mais photosynthétique et autonome (il ne dépend pas du sporophyte pour subsister).
Gamétophytes femelles microscopiques (*n*) dans des cônes contenant des ovules (dépendants)
Sporophyte (2*n*), la plante à fleurs elle-même (indépendant)
Gamétophytes mâles microscopiques (*n*) à l'intérieur de ces parties de fleur (dépendants)
Gamétophytes mâles microscopiques (*n*) dans des cônes contenant du pollen (dépendants)
Gamétophytes femelles microscopiques (*n*) à l'intérieur de ces parties de fleur (dépendants)
Sporophyte (2*n*) (indépendant)
(c) Gamétophyte de taille réduite et dépendant du sporophyte (chez les Vasculaires à graines : Gymnospermes et Angiospermes). Le gamétophyte des Vasculaires à graines est entouré des tissus du sporophyte, dont il tire sa nourriture. Contrairement aux Bryophytes et à la plupart des Vasculaires sans graines, les Vasculaires à graines ont en général des gamétophytes microscopiques.

▲ **Figure 30.2 Relations entre les sporophytes et les gamétophytes.**

Rappelez-vous que, chez les Bryophytes et les Vasculaires sans graines, comme les Fougères, des gamétophytes autonomes libèrent des spermatozoïdes flagellés qui doivent se déplacer dans une mince couche d'humidité pour atteindre les oosphères. La longueur de leur trajet dépasse rarement quelques centimètres. Chez les Vasculaires à graines, en revanche, le gamétophyte femelle ne quitte jamais l'ovule du sporophyte, et les gamétophytes mâles contenus dans les grains de pollen sont des voyageurs tenaces que le vent ou les pollinisateurs, selon l'espèce, peuvent transporter sur de longues distances. Les Gymnospermes modernes témoignent de cette transition évolutive. En effet, chez certaines espèces, les spermatozoïdes ont conservé les flagelles de leurs ancêtres, mais chez la majorité des espèces de ce groupe et chez toutes les Angiospermes, ils n'ont plus de flagelles. Pour se déplacer, ces spermatozoïdes n'ont besoin ni d'eau ni de mobilité, car le pollen qui les contient est transporté passivement jusqu'au gamétophyte femelle, et c'est le tube pollinique qui les dirige ensuite vers l'ovule.

L'avantage des graines sur le plan de l'évolution

Jusqu'ici, nous avons parlé des caractéristiques des Vasculaires à graines. Mais en quoi une graine consiste-t-elle exactement? Chez une Vasculaire à graines, lorsqu'un spermatozoïde féconde une oosphère, le zygote se transforme en un embryon de sporophyte. Comme le montre la **figure 30.3c**, l'ovule entier devient une graine composée d'un embryon de sporophyte et d'une réserve de nourriture qui sont enfermés dans une enveloppe protectrice formée d'un ou deux téguments.

L'apparition des graines a permis aux plantes de mieux résister aux rigueurs de l'environnement et de disperser leur progéniture sur de plus grandes distances. Avant leur venue, la spore était le seul stade protégé des cycles de développement de tous les Végétaux. Ainsi, les spores des Mousses peuvent survivre à des conditions de froid, de chaleur ou de sécheresse qui seraient fatales à la plante elle-même. De plus, grâce à leur taille minuscule, les spores en état de dormance peuvent se disperser et aboutir dans un nouvel endroit. Là, elles pourront germer et donner naissance à de nouveaux gamétophytes si les conditions sont propices à l'interruption de la dormance. La spore fut le principal moyen de propagation des Végétaux au cours des 100 premiers millions d'années de leur existence.

Contrairement à la spore, la graine est une structure multicellulaire. Elle est aussi beaucoup plus résistante et complexe que la spore. Son enveloppe protectrice est formée à partir du seul ou des deux téguments de l'ovule. Une fois détachée de la plante parente, la graine peut rester en état de dormance durant des jours, des mois, voire des années. Elle germe quand les conditions sont favorables. L'embryon de sporophyte émerge alors du tégument sous forme de plantule. Certaines graines se posent à proximité de leurs parents, tandis que d'autres sont transportées au loin par le vent ou des Animaux.

Retour sur le concept 30.1

1. Comparez l'acheminement des spermatozoïdes chez les Vasculaires sans graines et chez les Vasculaires à graines.
2. Quelles sont les autres caractéristiques qui, absentes chez les Vasculaires sans graines, ont contribué à l'énorme succès des Vasculaires à graines sur la terre ferme?

Voir les réponses proposées à la fin du chapitre.

Concept 30.2

Les Gymnospermes portent des graines « nues », la plupart du temps sur des cônes

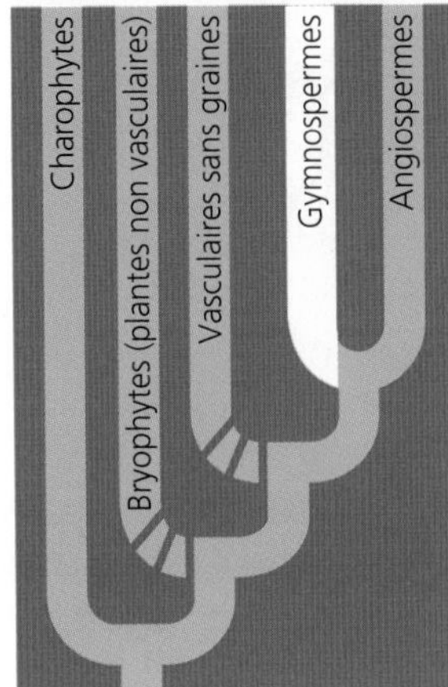

Au chapitre 29, nous avons vu que les Gymnospermes sont des plantes à graines « nues », c'est-à-dire non enfermées dans des ovaires. Leurs graines apparentes sont portées par des feuilles modifiées formant généralement des cônes (strobiles). Pour leur part, les graines des Angiospermes sont contenues dans des fruits, lesquels sont des ovaires matures. Le groupe des Gymnospermes comprend de nombreuses variétés bien connues de **Conifères** (du latin *conus*, « cône », et *ferre*, « porter »), terme qui signifie « arbres porteurs de cônes », dont le pin, le sapin et le séquoia. Parmi les dix embranchements de Végétaux que compte la taxinomie que nous avons adoptée (voir le tableau 29.1), quatre appartiennent au groupe des Gymnospermes: les Cycadophytes, les Ginkgophytes, les Gnétophytes et les Pinophytes. Les liens entre ces quatre embranchements sont incertains. La **figure 30.4**, qui occupe les deux prochaines pages, donne un aperçu de la diversité des Gymnospermes modernes.

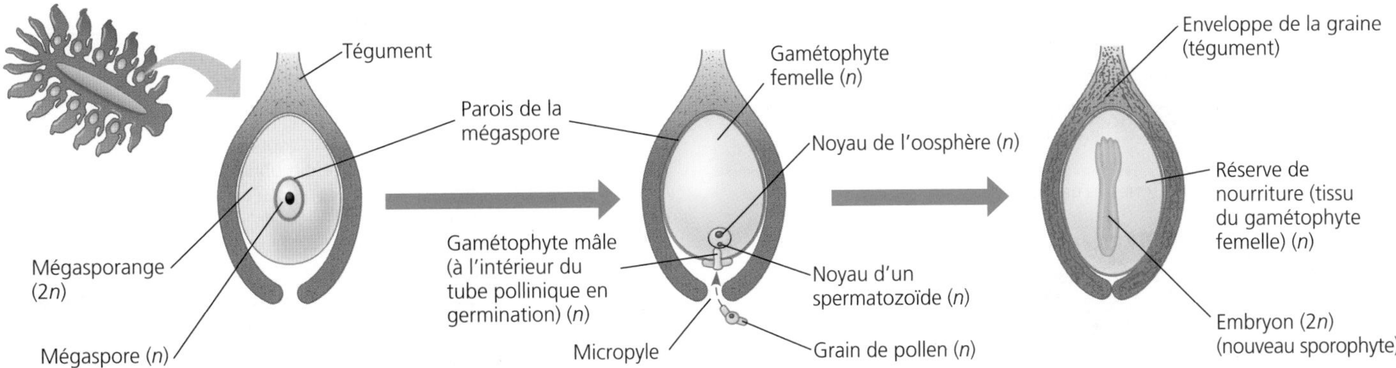

(a) Ovule non fécondé. Dans ce schéma en coupe d'un ovule de pin (Gymnosperme), un mégasporange charnu est entouré de couches de tissu protecteur qui forment le tégument. (Les Angiospermes possèdent deux téguments.)

(b) Ovule fécondé. Une mégaspore devient un gamétophyte femelle multicellulaire. Le micropyle, l'unique ouverture du tégument, permet à un grain de pollen d'entrer. Ce dernier contient un gamétophyte mâle qui projette ses spermatozoïdes à travers un tube pollinique.

(c) Graine de Gymnosperme. La fécondation déclenche la transformation de l'ovule en une graine composée d'un embryon de sporophyte, d'une réserve de nourriture et d'une enveloppe protectrice formée par un tégument.

▲ **Figure 30.3 De l'ovule à la graine.**

Figure 30.4

Panorama La diversité des Gymnospermes

EMBRANCHEMENT DES CYCADOPHYTES

Les Cycadophytes constituent le groupe de Gymnospermes le plus important après les Conifères. Ils possèdent de gros cônes, et des feuilles et un port semblables à celui des palmiers (qui sont des Angiospermes) ou des Fougères arborescentes. Seules quelque 130 espèces survivent aujourd'hui, mais les cycas ont prospéré au cours du Mésozoïque, qualifié aussi bien d'*ère des cycas* que d'*ère des Dinosaures.*

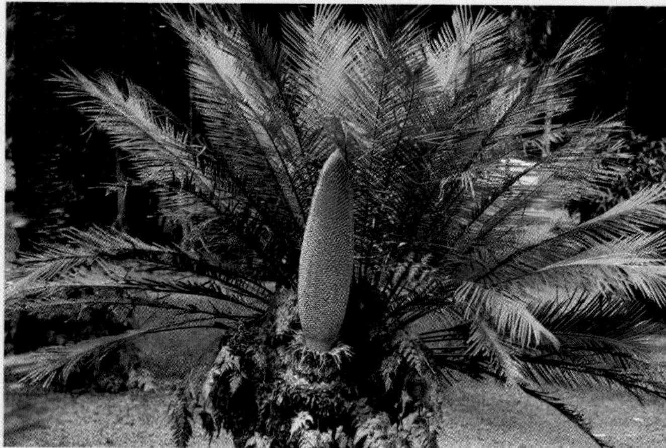

Cycas revoluta

EMBRANCHEMENT DES GINKGOPHYTES

Ginkgo biloba est la seule espèce actuelle de cet embranchement, et on croit qu'elle n'existe plus à l'état sauvage. Aussi appelé *arbre aux quarante écus,* il possède des feuilles en forme d'éventail qui prennent une couleur dorée et tombent à l'automne. *Ginkgo biloba* apparaît souvent dans les aménagements urbains, car il résiste bien à la pollution atmosphérique. Les architectes paysagistes ont l'habitude de planter seulement des arbres mâles (cette espèce est dioïque, c'est-à-dire que les deux sexes ne se trouvent pas sur le même individu), car les graines charnues produites par les arbres femelles émettent une odeur rance lorsqu'elles se décomposent.

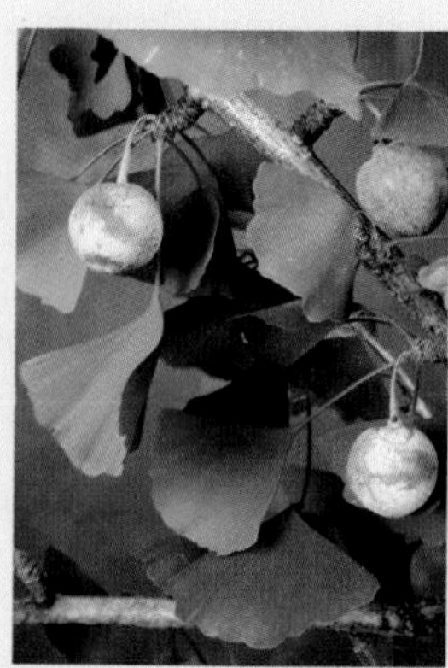

EMBRANCHEMENT DES GNÉTOPHYTES

L'embranchement des Gnétophytes réunit trois genres : *Welwitschia, Gnetum* et *Ephedra.* Certaines espèces sont tropicales, et d'autres vivent dans le désert. Bien qu'ils soient très différents d'apparence, ces trois genres sont groupés sur la foi de données moléculaires.

Welwitschia. Ce genre compte une seule espèce, *Welwitschia mirabilis,* une plante qu'on ne trouve que dans les déserts du sud-ouest de l'Afrique. Ses feuilles en forme de lanière, qui croissent sans cesse, sont les plus grandes qu'on connaisse.

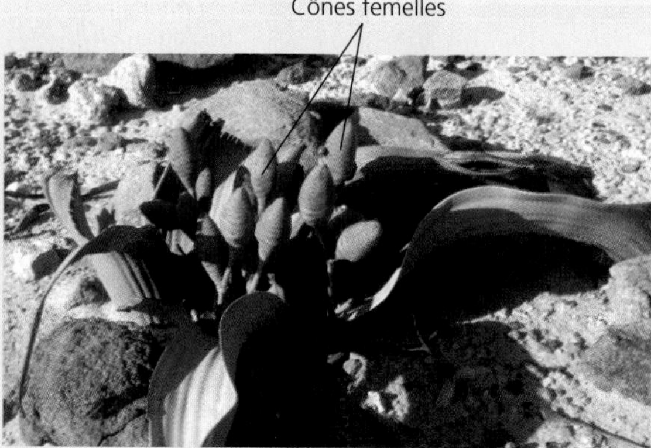

Gnetum. Ce genre rassemble environ 35 espèces d'arbres, d'arbustes et de plantes grimpantes tropicaux surtout originaires d'Afrique et d'Asie. Les feuilles ressemblent à celles des plantes à fleurs, et les graines ont un peu l'aspect de fruits.

Ephedra. Ce genre comprend environ 40 espèces qu'on trouve dans des régions arides un peu partout dans le monde. Cet arbuste xérophile, *Ephedra trifurca,* produit l'éphédrine, composé chimique utilisé en médecine comme décongestif.

EMBRANCHEMENT DES PINOPHYTES

Comptant environ 600 espèces, l'embranchement des Pinophytes, ou Conifères, est de loin le plus vaste des quatre embranchements de Gymnospermes. Parmi ces espèces, beaucoup sont de grands arbres, comme le cyprès et le séquoia. Quelques espèces dominent de vastes régions forestières de l'hémisphère Nord, où la saison de végétation est relativement courte en raison de la latitude ou de l'altitude.

La majorité des Conifères gardent leurs feuilles toute l'année. L'hiver, ils présentent une certaine activité photosynthétique quand le temps est ensoleillé. Au retour du printemps, ils ont déjà des feuilles matures prêtes pour la photosynthèse. Quelques Conifères perdent leurs feuilles à l'automne. C'est le cas du métaséquoia (*Metasequoia glyptostroboides*) et du mélèze laricin (*Larix laricina*).

Douglas taxifolié. Le douglas taxifolié (*Pseudotsuga menziesii*) est l'arbre qui fournit le plus de bois de construction en Amérique du Nord. Son bois sert à fabriquer des charpentes, du contreplaqué, de la pâte à papier, des traverses de chemin de fer, des boîtes et des caisses.

If occidental. L'écorce de l'if occidental (*Taxus brevifolia*) est une source de taxol, qui sert à traiter le cancer de l'ovaire chez la femme. Les feuilles d'une espèce européenne d'if produisent un composé semblable, qu'on peut récolter sans détruire l'arbre. Les sociétés pharmaceutiques s'attachent à perfectionner les techniques qui permettent de synthétiser des substances ayant les mêmes propriétés que le taxol.

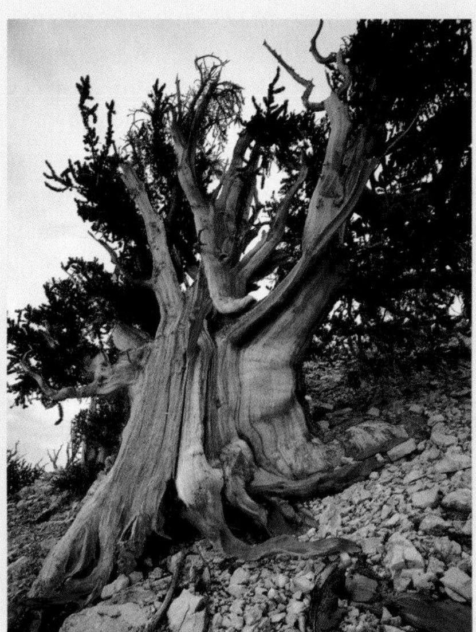

Pin aristé. Cette espèce (*Pinus longæva*), qui croît dans les White Mountains, en Californie, comprend quelques-uns des plus vieux organismes vivants, dont l'âge peut atteindre plus de 4 600 ans. L'un d'eux (n'apparaissant pas sur la photo) est surnommé Mathusalem, car ce pourrait être le plus vieil arbre au monde. Afin de le protéger, les scientifiques gardent son emplacement secret.

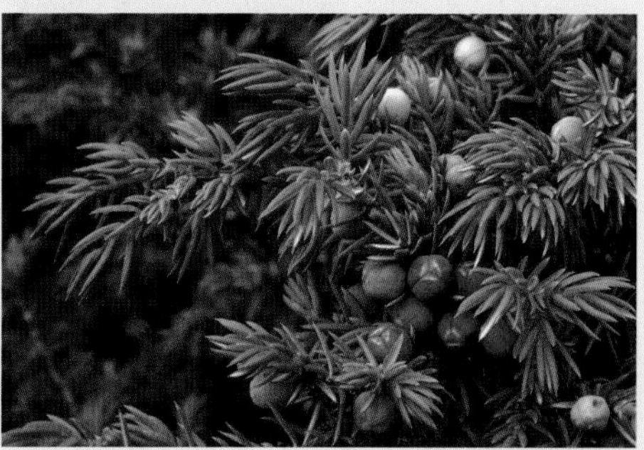

Genévrier commun. Les « baies » du genévrier commun (*Juniperus communis*) sont en réalité des cônes femelles formés de sporophylles charnues.

Pin de Wollemi. Le pin de Wollemi (*Wollemia nobilis*) est le survivant d'un groupe de Conifères dont on ne connaissait autrefois que des fossiles. On a découvert un individu de cette espèce, bien vivant, en 1994, dans le Wollemi National Park, situé à 150 km à peine de Sydney, en Australie. L'espèce ne compterait aujourd'hui que 40 individus répartis en 2 bosquets. La photo en médaillon permet de comparer les feuilles disposées sur quatre rangées de ce « fossile vivant » à celles d'un véritable fossile. Depuis sa découverte, l'ADN de *W. nobilis* fait l'objet d'analyses afin de clarifier les relations phylogénétiques des diverses espèces auxquelles il est apparenté.

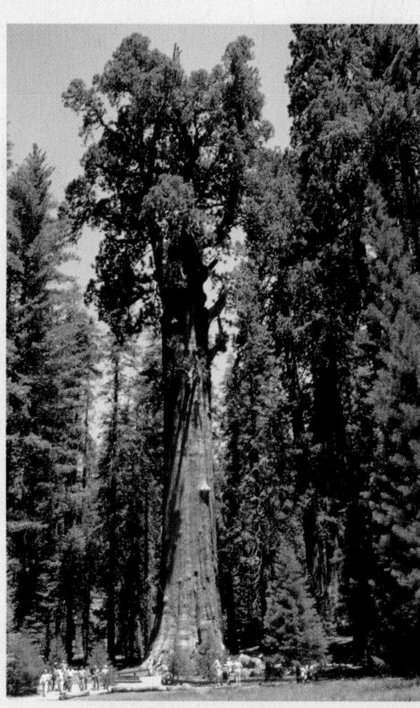

Séquoia. Ce séquoia géant (*Sequoiadendron giganteum*), situé dans le Sequoia National Park, en Californie, pèse environ 2 500 t, ce qui équivaut à peu près au poids de 24 rorquals bleus (les plus gros Animaux) ou de 40 000 personnes. Le séquoia géant est non seulement l'un des plus gros organismes vivants, mais aussi l'un de ceux qui atteignent le plus grand âge, certains individus de cette espèce ayant entre 1 800 et 2 700 ans. Son cousin, le séquoia de Californie (*Sequoia sempervirens*), peut mesurer plus de 110 m (plus que la statue de la Liberté) et ne croît que dans une étroite bande côtière située dans le nord de la Californie et le sud de l'Oregon.

L'évolution des Gymnospermes

Les archives géologiques révèlent que, dès la fin du Dévonien, certains Végétaux avaient commencé à acquérir des adaptations propres aux Vasculaires à graines. Par exemple, *Archæopteris* était un organisme ligneux hétérosporé **(figure 30.5)**. Il ne portait toutefois pas de graines. Ces espèces de Vasculaires sans graines transitionnelles sont parfois appelées **Progymnospermes**.

Les premières Vasculaires à graines apparaissant dans les archives géologiques sont des Gymnospermes datant d'il y a environ 360 millions d'années; elles précèdent de plus de 200 millions d'années les plus anciens fossiles d'Angiospermes. Ces premières Gymnospermes ainsi que plusieurs lignées ultérieures ont disparu. Bien que les liens phylogénétiques entre les lignées éteintes et survivantes de Vasculaires à graines demeurent obscurs, des observations morphologiques et moléculaires permettent de diviser les lignées qui ont subsisté en deux clades: les Gymnospermes et les Angiospermes (voir la figure 29.7).

Les premières Gymnospermes vivaient dans les écosystèmes du Carbonifère encore dominés par les Lycopodes, les Prêles, les Fougères et d'autres Vasculaires sans graines. Au cours de la transition entre le Carbonifère et le Permien, des conditions climatiques sensiblement plus chaudes et plus sèches ont favorisé la propagation des Gymnospermes. La flore et la faune se sont radicalement transformées au fil de la disparition et de la prépondérance de nombreux groupes d'organismes (voir le chapitre 26). C'est dans les mers que le changement a été le plus marqué, mais les milieux terrestres n'ont pas été épargnés. Dans le règne animal, les Amphibiens ont perdu de leur diversité et cédé la place aux Reptiles, particulièrement bien adaptés à l'aridité. De même, dans le règne des Végétaux, les Lycopodes, les Prêles et les Fougères, qui dominaient les marais du Carbonifère, ont été supplantés par les Gymnospermes, mieux adaptées à la sécheresse du climat. Ainsi, les écailles des thuyas et les aiguilles recouvertes d'une épaisse cuticule et relativement petites des pins et des sapins représentent une des adaptations des Gymnospermes aux conditions arides: la cuticule imperméabilise et la faible surface des aiguilles et des écailles réduit les pertes par évaporation.

Les géologues situent maintenant à la fin du Permien, il y a environ 250 millions d'années, la limite entre l'ère paléozoïque («vie ancienne») et l'ère mésozoïque («vie nouvelle»). La prépondérance des Gymnospermes dans les écosystèmes terrestres a profondément transformé la vie tout au long du Mésozoïque, car ces Végétaux servaient de nourriture aux Dinosaures, herbivores géants. À la fin du Mésozoïque, des extinctions massives ont entraîné la disparition des Dinosaures et de nombreux autres groupes, et le climat de la planète s'est progressivement refroidi. Bien que les Angiospermes dominent à présent la majorité des écosystèmes terrestres, un grand nombre de Gymnospermes ont subsisté et constituent toujours une importante composante de la flore.

▶ Figure 30.5
Progymnosperme.
Archæopteris, qui a vécu il y a 360 millions d'années, était un organisme ligneux hétérosporé, mais non porteur de graines. Sa hauteur pouvait atteindre 20 m, et ses feuilles étaient semblables à celles des Fougères.

Le cycle de développement du pin

Nous avons indiqué plus haut que trois adaptations à la reproduction sont apparues avec les Vasculaires à graines: la prédominance du sporophyte, la graine résistante et apte à la dispersion et, enfin, le pollen en tant qu'agent de la fécondation. Pour mieux comprendre ces adaptations, examinons la **figure 30.6**, qui montre le cycle de développement du pin (*Pinus sp.*), Conifère typique.

Le pin est un sporophyte. Ses mégasporanges sont situés dans des «cônes», structures constituées d'écailles disposées en spirale autour d'un axe central. Les Conifères, comme toutes les Vasculaires à graines, sont hétérosporés: les deux types de spores sont produites dans des cônes, soit de petits cônes mâles (de 1 à 2 cm) et de gros cônes femelles. Chez la plupart des espèces de Conifères, chaque arbre porte les deux types de cônes (ce sont des espèces dites *monoïques*). Dans les cônes mâles, les microsporocytes (les cellules mères des microspores) se divisent par méiose et produisent des microspores haploïdes. Chaque microspore devient un grain de pollen contenant un gamétophyte mâle qui produira deux gamètes (spermatozoïdes). Chez les pins et chez d'autres Conifères, le pollen jaune est transporté en grande quantité par le vent, qui en laisse une couche partout sur son passage. Pendant ce temps, dans les cônes femelles, le mégasporocyte (la cellule mère des mégaspores) se divise par méiose et produit quatre mégaspores haploïdes. L'unique mégaspore survivante devient un gamétophyte femelle, qui demeure à l'intérieur du sporange et dont le développement est très lent (plusieurs mois). À partir du moment où le jeune pollen et les jeunes cônes femelles apparaissent, il s'écoule presque trois ans avant que les gamétophytes mâles et femelles se forment et s'unissent, et que des graines matures se développent à partir des ovules fécondés. Au moment de la pollinisation, les écailles du cône femelle étaient écartées pour laisser pénétrer les grains de pollen; une fois ces derniers déposés sur le micropyle, les écailles se referment. Elles s'écartent à nouveau lorsque les graines ailées sont matures, et le vent les emporte. Les graines qui se posent dans un habitat propice germent et produisent des embryons de pin qui sortent de terre.

Retour sur le concept 30.2

1. En vous reportant à la figure 30.4, expliquez pourquoi on peut dire que les divers types de Gymnospermes se ressemblent, mais présentent néanmoins des caractéristiques distinctives.
2. Expliquez comment le cycle de développement du pin (voir la figure 30.6) fait ressortir les caractéristiques essentielles des Vasculaires à graines.

Voir les réponses proposées à la fin du chapitre.

▼ **Figure 30.6 Cycle de développement du pin.**

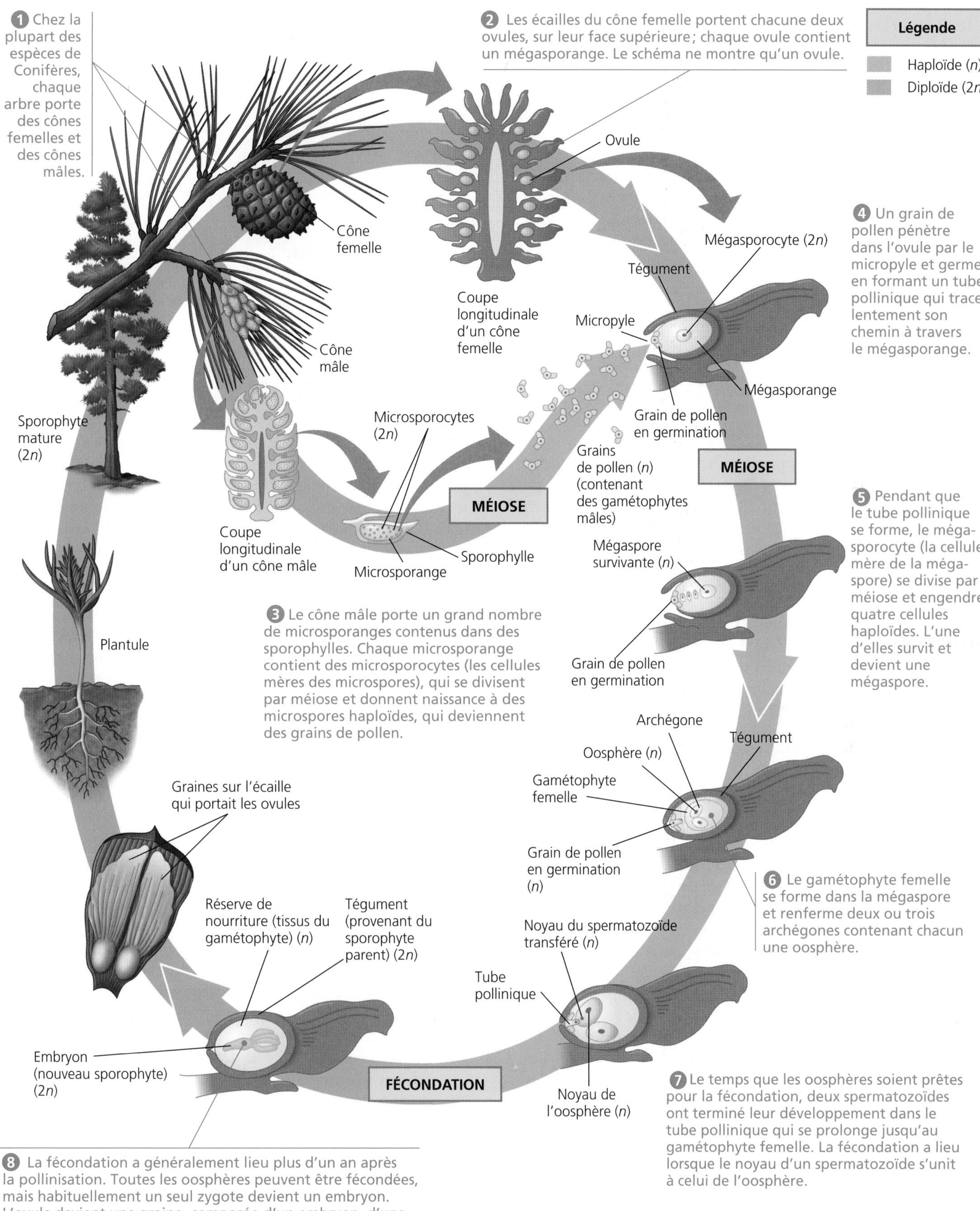

1 Chez la plupart des espèces de Conifères, chaque arbre porte des cônes femelles et des cônes mâles.
2 Les écailles du cône femelle portent chacune deux ovules, sur leur face supérieure; chaque ovule contient un mégasporange. Le schéma ne montre qu'un ovule.
Légende
Haploïde (n)
Diploïde (2n)
Ovule
Cône femelle
Coupe longitudinale d'un cône femelle
Cône mâle
Mégasporocyte (2n)
Tégument
Micropyle
4 Un grain de pollen pénètre dans l'ovule par le micropyle et germe en formant un tube pollinique qui trace lentement son chemin à travers le mégasporange.
Mégasporange
Grain de pollen en germination
Sporophyte mature (2n)
Microsporocytes (2n)
Grains de pollen (n) (contenant des gamétophytes mâles)
MÉIOSE
MÉIOSE
Coupe longitudinale d'un cône mâle
Microsporange
Sporophylle
Mégaspore survivante (n)
5 Pendant que le tube pollinique se forme, le mégasporocyte (la cellule mère de la mégaspore) se divise par méiose et engendre quatre cellules haploïdes. L'une d'elles survit et devient une mégaspore.
Plantule
3 Le cône mâle porte un grand nombre de microsporanges contenus dans des sporophylles. Chaque microsporange contient des microsporocytes (les cellules mères des microspores), qui se divisent par méiose et donnent naissance à des microspores haploïdes, qui deviennent des grains de pollen.
Grain de pollen en germination
Archégone
Tégument
Oosphère (n)
Gamétophyte femelle
Graines sur l'écaille qui portait les ovules
Grain de pollen en germination (n)
6 Le gamétophyte femelle se forme dans la mégaspore et renferme deux ou trois archégones contenant chacun une oosphère.
Réserve de nourriture (tissus du gamétophyte) (n)
Tégument (provenant du sporophyte parent) (2n)
Noyau du spermatozoïde transféré (n)
Tube pollinique
Embryon (nouveau sporophyte) (2n)
FÉCONDATION
Noyau de l'oosphère (n)
7 Le temps que les oosphères soient prêtes pour la fécondation, deux spermatozoïdes ont terminé leur développement dans le tube pollinique qui se prolonge jusqu'au gamétophyte femelle. La fécondation a lieu lorsque le noyau d'un spermatozoïde s'unit à celui de l'oosphère.
8 La fécondation a généralement lieu plus d'un an après la pollinisation. Toutes les oosphères peuvent être fécondées, mais habituellement un seul zygote devient un embryon. L'ovule devient une graine, composée d'un embryon, d'une réserve de nourriture et d'une enveloppe protectrice.

Concept 30.3

Chez les Angiospermes, les fleurs et les fruits comptent parmi les adaptations à la reproduction

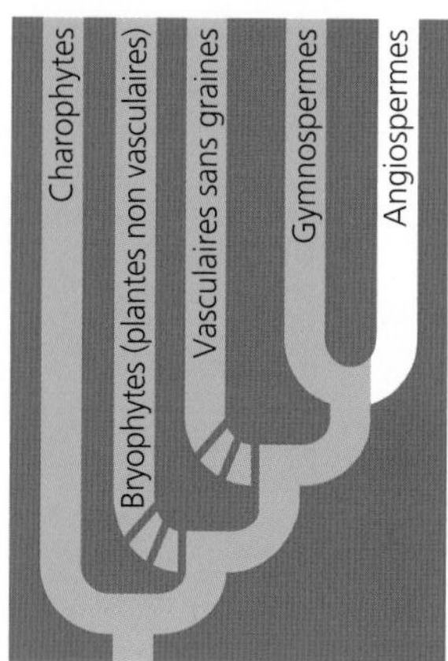

Les Angiospermes, plus connues sous le nom de *plantes à fleurs*, sont des Vasculaires à graines qui fabriquent des structures reproductrices appelées *fleurs* et *fruits*. Ces plantes se nomment *Angiospermes* (du grec *angion*, « contenant »), car leurs graines sont contenues dans des fruits, les ovaires matures. De nos jours, les Angiospermes sont les Végétaux les plus variés et les plus répandus. Ce groupe compte plus de 250 000 espèces (environ 90 % de toutes les espèces de Végétaux).

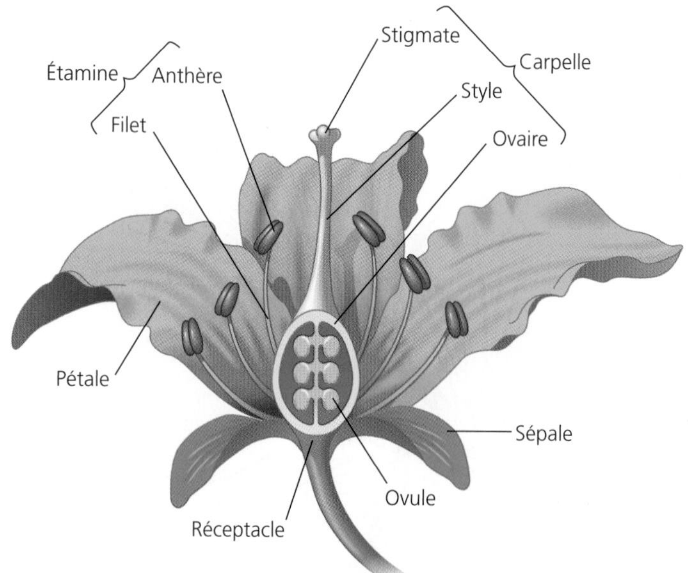

▲ **Figure 30.7 Structure d'une fleur type.**

Les caractéristiques des Angiospermes

Toutes les Angiospermes appartiennent à l'embranchement des **Anthophytes** (du grec *anthos*, « fleur »). Avant de parler de l'évolution des Angiospermes, nous allons étudier leurs adaptations les plus importantes, les fleurs et les fruits, ainsi que le rôle de ces adaptations dans leur cycle de vie.

Les fleurs

La **fleur** est la structure qui sert à la reproduction d'une Angiosperme. Chez de nombreuses Angiospermes, ce sont des Insectes et d'autres Animaux qui acheminent le pollen d'une fleur jusqu'aux organes sexuels femelles d'une autre fleur. Ainsi, la pollinisation des Angiospermes dépend moins du hasard que celle de la plupart des Gymnospermes, qui est tributaire du vent. On observe néanmoins une pollinisation anémophile (par le vent) chez certaines plantes à fleurs, surtout chez celles qui forment des populations denses, telles que les Graminées et les arbres des forêts tempérées.

Une fleur est une pousse spécialisée qui est composée de quatre verticilles de feuilles modifiées appelées *organes floraux*: les sépales, les pétales, les étamines et au moins un carpelle **(figure 30.7)**. À la base de la fleur se trouvent les **sépales**, généralement verts. Ceux-ci enveloppent la fleur avant l'éclosion (pensez à un bouton de rose). Viennent ensuite les **pétales**, qui sont la plupart du temps vivement colorés. Ils contribuent à attirer les pollinisateurs. Les plantes à pollinisation anémophile ont souvent une fleur terne. Les sépales et les pétales sont des parties stériles de la fleur, c'est-à-dire qu'ils n'interviennent pas directement dans la reproduction. À l'intérieur du verticille des pétales se trouvent les sporophylles fertiles, les organes qui produisent les spores. Les deux verticilles de sporophylles sont les étamines et les carpelles. Les **étamines**, les microsporophylles, produisent les microspores qui donnent naissance aux grains de pollen contenant les gamétophytes mâles. Une étamine se compose d'une tige, appelée **filet**, coiffée d'un sac, l'**anthère**, qui produit le pollen. Les **carpelles** sont, quant à eux, les mégasporophylles enroulées longitudinalement. Ils produisent les mégaspores qui donnent naissance aux gamétophytes femelles. De nombreuses Angiospermes ont des fleurs dotées de multiples carpelles. À l'extrémité supérieure du carpelle se trouve le **stigmate** gluant qui reçoit le pollen. Le **style** relie le stigmate à l'**ovaire**, qui se trouve à la base du carpelle et contient un ou plusieurs ovules. Lorsqu'il est fécondé, l'ovule devient une graine. Les verticilles d'organes floraux, les sépales, les pétales, les étamines et les carpelles, sont attachés à une partie de la tige qu'on appelle le **réceptacle**.

Les fleurs de certaines Angiospermes, comme les pois, possèdent un seul carpelle. Celles d'autres espèces, tels les magnolias, portent plusieurs carpelles distincts. Enfin, les fleurs comme les lys comprennent deux carpelles fusionnés ou plus qui forment habituellement un ovaire divisé en plusieurs cavités contenant chacune un ovule. On appelle parfois **pistil** la structure qui se compose d'un ou de plusieurs carpelles fusionnés.

Les fruits

Un **fruit** est un ovaire mature, mais il englobe parfois aussi d'autres parties de la fleur. La paroi de l'ovaire s'épaissit après la fécondation, à mesure que les graines se forment. La gousse du pois (*Pisum sativum*) constitue un exemple de fruit dont les graines (les ovules matures, c'est-à-dire les pois) sont enfermées dans un ovaire mûr (la gousse). Les fruits protègent les graines en dormance et contribuent à leur dispersion.

La pollinisation déclenche des changements hormonaux qui entraînent le grossissement de l'ovaire, puis la formation du fruit. La paroi de l'ovaire devient le **péricarpe**, la paroi épaissie du fruit. Chez de nombreuses espèces, à mesure que l'ovaire croît, les autres parties de la fleur se fanent. Une fleur qui n'a pas été pollinisée ne produit pas de fruit; elle se flétrit et tombe.

Les fruits matures sont soit charnus, soit secs **(figure 30.8)**. Les oranges, les fraises et les raisins sont des exemples de fruits charnus. Pendant qu'ils mûrissent, une ou plusieurs couches du péricarpe se ramollissent. Les fruits secs comprennent les fèves, les noix et les grains. Les fruits secs des Graminées sont dispersés par le vent. Récoltés lorsqu'ils sont encore rattachés à la plante parente, ils constituent la base de l'alimentation humaine. Nombreux sont ceux qui pensent que les grains du blé, du riz, du maïs

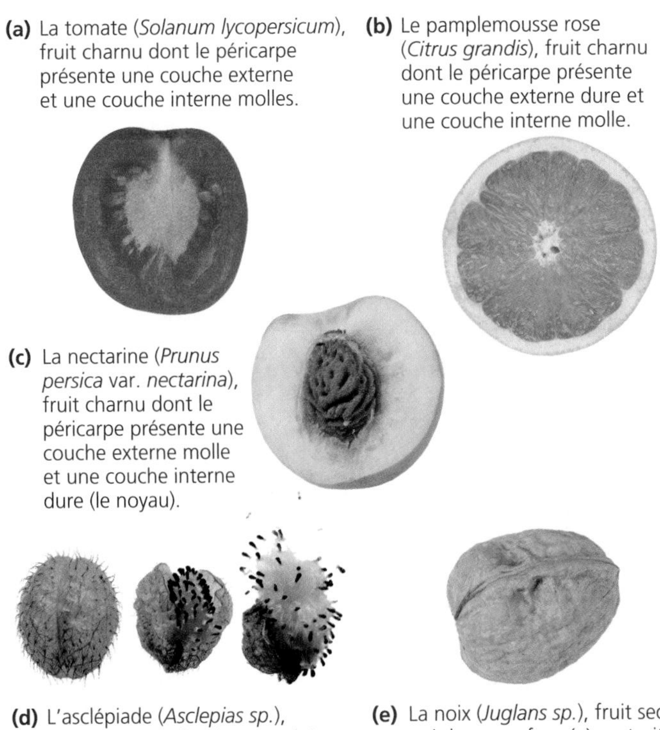

(a) La tomate (*Solanum lycopersicum*), fruit charnu dont le péricarpe présente une couche externe et une couche interne molles.

(b) Le pamplemousse rose (*Citrus grandis*), fruit charnu dont le péricarpe présente une couche externe dure et une couche interne molle.

(c) La nectarine (*Prunus persica* var. *nectarina*), fruit charnu dont le péricarpe présente une couche externe molle et une couche interne dure (le noyau).

(d) L'asclépiade (*Asclepias sp.*), fruit sec qui se fend à maturité.

(e) La noix (*Juglans sp.*), fruit sec qui demeure fermé à maturité.

▲ **Figure 30.8 Diverses structures de fruits.**

(a) Des ailes permettent au fruit de l'érable (samare) d'être facilement transporté par le vent.

(b) Les graines contenues dans les baies et dans d'autres fruits comestibles sont souvent dispersées par les excréments des Animaux.

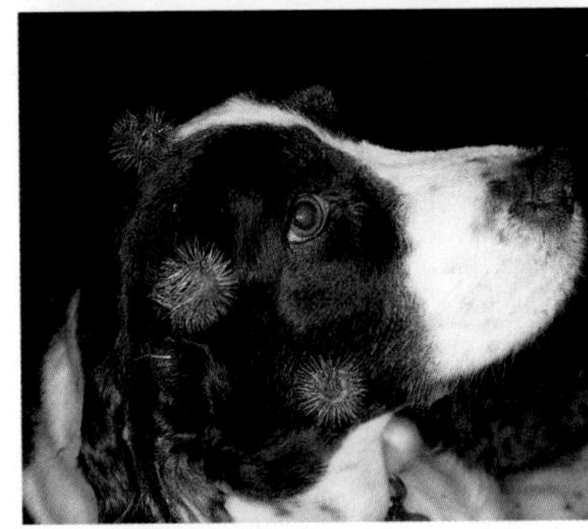

(c) Les fruits des lampourdes (*Xanthium sp.*) s'accrochent à la fourrure des Animaux.

▲ **Figure 30.9 Adaptations des fruits favorisant la dispersion des graines.**

et d'autres céréales sont des graines. Or, ce sont en réalité des fruits dont le péricarpe sec adhère fermement au tégument de l'unique graine qu'ils contiennent. Pendant que le fruit sec mûrit, ses tissus vieillissent et se dessèchent.

On peut aussi classer les fruits en plusieurs catégories, selon qu'ils se forment à partir d'un seul ovaire, d'ovaires multiples ou même à partir de plus d'une fleur. Au chapitre 38, nous examinerons plus en détail la transition entre la fleur et le fruit.

Diverses adaptations favorisent la dispersion des graines **(figure 30.9)**. Ainsi, les graines de certaines Angiospermes comme le pissenlit (*Taraxacum sp.*) et l'érable (*Acer sp.*) sont contenues dans des fruits qui se déplacent au gré du vent, tels des cerfs-volants et des hélices. D'autres graines, comme celles de la noix de coco (*Cocos nucifera*), utilisent l'eau pour se disperser. Par ailleurs, de nombreuses Angiospermes ont besoin des Animaux pour disséminer leurs graines. Certaines ont des fruits dont l'enveloppe piquante s'accroche à leur fourrure (ou à nos vêtements). D'autres produisent des fruits comestibles. Ces derniers ont souvent une valeur nutritive, une saveur agréable et des couleurs vives qui signalent leur maturité. L'Animal qui les avale en digère la chair. Mais son système digestif n'altère pas les graines, qui sont très résistantes. Les Animaux peuvent ainsi expulser les graines, auxquelles ils fournissent un engrais naturel, à des kilomètres de l'endroit où ils ont mangé les fruits.

Le cycle de développement des Angiospermes

La **figure 30.10**, à la page suivante, présente le cycle de développement type des Angiospermes. La fleur du sporophyte produit à la fois des microspores, qui forment des gamétophytes mâles, et des mégaspores, qui forment des gamétophytes femelles. Les gamétophytes mâles immatures sont contenus dans les **grains de pollen**, lesquels se forment dans les microsporanges contenus dans les anthères, à l'extrémité des étamines. Chaque grain de pollen possède deux cellules haploïdes produites par mitose de la microspore : une *cellule génératrice* qui se divise pour former deux spermatozoïdes, et une *cellule végétative* qui produit un tube pollinique. Les **ovules**, qui croissent dans l'ovaire, contiennent chacun un gamétophyte femelle, aussi appelé **sac embryonnaire**. Celui-ci est composé de quelques cellules seulement, dont l'une est l'oosphère. Nous décrirons plus en détail la formation des gamétophytes au chapitre 38.

Une fois libéré par l'anthère, le pollen est transporté jusqu'à un stigmate gluant situé à l'extrémité d'un carpelle. Bien que certaines fleurs se reproduisent par autopollinisation, la plupart possèdent un mécanisme qui assure la **pollinisation croisée**, c'est-à-dire le transfert du pollen de l'anthère au stigmate d'une autre plante de la même espèce. La pollinisation croisée contribue à la variabilité génétique. Chez certaines espèces, les étamines et les carpelles d'une même fleur n'atteignent pas leur maturité en même temps. Chez d'autres, la disposition des organes de la fleur fait obstacle à l'autopollinisation.

Une fois collé au stigmate du carpelle, le grain de pollen germe. Devenu un gamétophyte mâle mature, il fabrique un tube pollinique qui s'insinue dans le style du carpelle jusqu'à l'ovaire. Lorsqu'il a atteint l'ovaire, le tube pollinique pénètre dans un ovule par le **micropyle** (pore du tégument de l'ovule) et dépose deux spermatozoïdes dans le gamétophyte femelle (sac embryonnaire). L'un des noyaux de spermatozoïde s'unit à l'oosphère pour donner un zygote diploïde. L'autre noyau de spermatozoïde se lie aux deux noyaux (appelés *noyaux polaires*) de la grosse cellule centrale du gamétophyte femelle. Ce phénomène, caractéristique des Angiospermes, porte le nom de **double fécondation**.

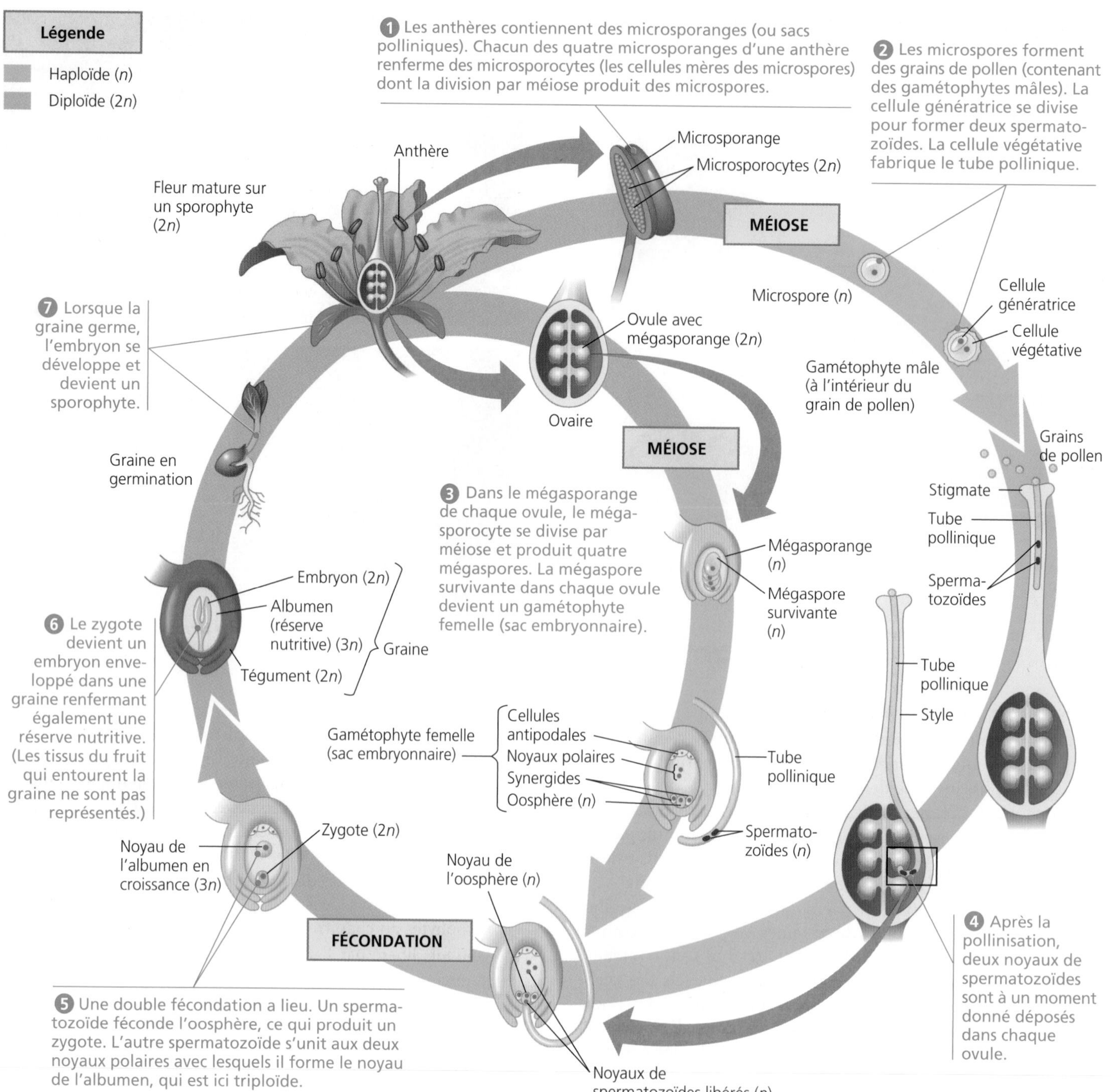
Légende
Haploïde (n)
Diploïde (2n)
1 Les anthères contiennent des microsporanges (ou sacs polliniques). Chacun des quatre microsporanges d'une anthère renferme des microsporocytes (les cellules mères des microspores) dont la division par méiose produit des microspores.
2 Les microspores forment des grains de pollen (contenant des gamétophytes mâles). La cellule génératrice se divise pour former deux spermatozoïdes. La cellule végétative fabrique le tube pollinique.
Anthère
Microsporange
Microsporocytes (2n)
Fleur mature sur un sporophyte (2n)
MÉIOSE
Microspore (n)
Cellule génératrice
Cellule végétative
7 Lorsque la graine germe, l'embryon se développe et devient un sporophyte.
Ovule avec mégasporange (2n)
Gamétophyte mâle (à l'intérieur du grain de pollen)
Ovaire
MÉIOSE
Grains de pollen
Graine en germination
3 Dans le mégasporange de chaque ovule, le mégasporocyte se divise par méiose et produit quatre mégaspores. La mégaspore survivante dans chaque ovule devient un gamétophyte femelle (sac embryonnaire).
Stigmate
Tube pollinique
Mégasporange (n)
Mégaspore survivante (n)
Sperma-tozoïdes
Embryon (2n)
Albumen (réserve nutritive) (3n)
Graine
Tégument (2n)
6 Le zygote devient un embryon enveloppé dans une graine renfermant également une réserve nutritive. (Les tissus du fruit qui entourent la graine ne sont pas représentés.)
Tube pollinique
Style
Gamétophyte femelle (sac embryonnaire)
Cellules antipodales
Noyaux polaires
Synergides
Oosphère (n)
Tube pollinique
Spermato-zoïdes (n)
Zygote (2n)
Noyau de l'albumen en croissance (3n)
Noyau de l'oosphère (n)
FÉCONDATION
4 Après la pollinisation, deux noyaux de spermatozoïdes sont à un moment donné déposés dans chaque ovule.
5 Une double fécondation a lieu. Un spermatozoïde féconde l'oosphère, ce qui produit un zygote. L'autre spermatozoïde s'unit aux deux noyaux polaires avec lesquels il forme le noyau de l'albumen, qui est ici triploïde.
Noyaux de spermatozoïdes libérés (n)

▲ **Figure 30.10 Cycle de développement d'une Angiosperme.**

(Chez les Gnétophytes, il y a aussi double fécondation, mais celle-ci produit un embryon supplémentaire; chez les Angiospermes, le résultat est tout autre, comme nous le verrons très bientôt.)

Après la double fécondation, l'ovule se transforme en graine. Le zygote, lui, devient un embryon de sporophyte portant une racine rudimentaire et une ou deux feuilles embryonnaires, les **cotylédons.** Le noyau de la cellule centrale du gamétophyte femelle se divise plusieurs fois pour devenir l'**albumen**, tissu riche en amidon et en d'autres réserves nutritives.

Quelle est la fonction de la double fécondation? Certains experts pensent qu'elle synchronise la constitution, dans la graine, de la réserve nutritive avec le développement de l'embryon. Si une fleur n'est pas pollinisée ou si les spermatozoïdes ne sont pas libérés dans les sacs embryonnaires, la fécondation n'a pas lieu. Résultat, l'embryon et l'albumen ne se forment pas. La double fécondation constitue peut-être une adaptation qui évite aux plantes à fleurs de consacrer de précieux nutriments à des ovules infertiles.

Certaines espèces de Gymnospermes appartenant à l'embranchement des Gnétophytes présentent un autre type de double fécondation. Toutefois, chez ces espèces, le processus donne naissance à deux embryons plutôt qu'à un embryon et à un albumen. Cette différence indique que la double fécondation est apparue indépendamment chez les Angiospermes et les Gymnospermes.

Nous l'avons mentionné plus tôt, la graine est composée de l'embryon, de l'albumen, du mégasporange, des restes du sporange et d'un tégument issu des couches externes de l'ovule. Au fur et à mesure que les ovules se transforment en graines, l'ovaire devient un fruit. Après avoir été dispersées par le vent ou par des Animaux, les graines germent si elles trouvent un environnement favorable. Leur enveloppe se brise ; l'embryon émerge, puis devient un jeune plant qui consomme les réserves entreposées dans l'albumen et dans les cotylédons.

L'évolution des Angiospermes

La clarification de l'origine et de la diversification des Angiospermes, ce que Charles Darwin a un jour qualifié d'*affreux mystère*, représente pour les biologistes de l'évolution un défi fascinant. Les Angiospermes sont apparues il y a au moins 140 millions d'années, et les principaux embranchements du clade ont divergé de leur ancêtre commun au cours de la dernière partie du Mésozoïque. Mais ce n'est qu'à la fin de cette ère que les Angiospermes ont commencé à dominer de nombreux écosystèmes terrestres. Les paysages ont énormément changé quand les Pinophytes, les Cycadophytes et d'autres Gymnospermes ont cédé la place à des plantes à fleurs dans de nombreuses parties du monde.

Avec leurs fleurs et leurs fruits, les Angiospermes diffèrent profondément des Gymnospermes modernes ou fossiles, ce qui complique la détermination de leurs origines. Pour comprendre comment est apparu le plan d'organisation des Angiospermes, les scientifiques étudient des fossiles récemment découverts et les gènes de développement associés à l'apparition des fleurs et d'autres innovations de ce groupe de Végétaux (voir le chapitre 35).

Les fossiles d'Angiospermes

À la fin des années 1990, des scientifiques ont découvert en Chine de surprenants fossiles d'Angiospermes vieux de 125 millions d'années. Ces fossiles, aujourd'hui appelés *Archæfructus liaoningensis* et *Archæfructus sinensis* **(figure 30.11)**, présentent à la fois des caractères dérivés et des caractères primitifs. *A. sinensis*, par exemple, porte des anthères et des graines qui se trouvent dans des carpelles fermés, mais n'a ni pétales ni sépales. En 2002, des scientifiques ont fait paraître une étude phylogénétique comparative portant sur *A. sinensis* et 173 plantes modernes. (*A. liaoningensis* a été exclue de l'étude en raison du mauvais état de conservation de ses fossiles.) Les chercheurs ont conclu que, de tous les fossiles de plantes connus, *Archæfructus* est celui qui s'apparente le plus étroitement à toutes les Angiospermes modernes.

Si *Archæfructus* est effectivement une « proto-Angiosperme », alors les ancêtres des plantes à fleurs pourraient avoir été des plantes herbacées plutôt que des plantes ligneuses. Découverte en même temps que des fossiles de Poissons, *Archæfructus* présente des structures bulbeuses pouvant être des adaptations à la vie dans l'eau, ce qui donne à penser que les Angiospermes étaient à l'origine des plantes aquatiques. Les scientifiques qui ont découvert *Archæfructus* pensent que des plantes herbacées à croissance rapide seraient retournées vivre dans l'eau où, soustraites à la compétition avec d'autres Vasculaires à graines, elles auraient prospéré pour ensuite revenir occuper la terre ferme.

Plus récemment, toutefois, des paléobotanistes ont mis en doute cette interprétation. En effet, des lignées d'Angiospermes possédant davantage de caractères dérivés sont aussi devenues aquatiques et, au fil du temps, leurs fleurs se sont simplifiées, de sorte qu'elles ressemblent aux fleurs « primitives » d'*Archæfructus.* La découverte de fossiles qui semblent marquer une transition suscite presque toujours des débats comme celui-ci. Pour le trancher, il faudra mettre au jour d'autres fossiles et d'autres types de preuves.

Une hypothèse « évo-dévo » sur l'origine des fleurs

Au chapitre 24, on a expliqué que l'étude des gènes du développement permet de faire des hypothèses sur l'évolution des Animaux. Il en est de même pour les plantes à fleurs. Le botaniste Michael Frohlich, du Natural History Museum, à Londres, s'est servi de l'axe de recherche « évo-dévo », synthèse de la biologie de l'évolution et de la biologie du développement, pour émettre des hypothèses sur la façon dont des structures productrices de pollen et des structures productrices d'ovules se sont associées pour former la fleur. Il suppose que l'ancêtre des Angiospermes possédait des structures distinctes pour la production du pollen et pour celle des ovules. Puis, à la suite d'une mutation, des ovules se sont développés sur certaines microsporophylles, qui sont devenues des carpelles.

Comme Frohlich soutient que la fleur s'est développée principalement à partir de la structure productrice de pollen (« mâle ») d'un ancêtre du groupe des Gymnospermes, sa théorie est appelée en anglais « *mostly male theory* ». Les preuves à l'appui de sa théorie sont notamment des comparaisons portant sur les gènes qui

(a) *Archæfructus sinensis*, fossile vieux de 125 millions d'années. Cette espèce représente peut-être le groupe frère de toutes les Angiospermes.

Carpelle
Étamine

(b) *Archæfructus sinensis*, reconstituée par un artiste

▲ **Figure 30.11 Une plante à fleurs primitive ?**

régissent le développement des fleurs et des cônes. Les gènes responsables du développement des fleurs sont en général apparentés aux gènes responsables de la production du pollen chez les Gymnospermes. En outre, à la suite de certaines mutations, des ovules apparaissent sur les sépales et les pétales des plantes à fleurs, ce qui démontre que la position des ovules peut facilement être modifiée (ce serait un exemple de mutation de gène homéotique ; voir le chapitre 21, p. 468-469). En comparant les gènes des Angiospermes et des Gymnospermes, des botanistes vérifient l'hypothèse de Frohlich et d'autres théories évo-dévo sur l'origine des fleurs.

La diversité des Angiospermes

Depuis leurs humbles débuts, au Mésozoïque, les Angiospermes se sont diversifiées au point que plus de 250 000 espèces dominent aujourd'hui la majorité des écosystèmes terrestres. Jusqu'à la fin des années 1990, les taxinomistes s'accordaient généralement pour diviser les Angiospermes en deux classes, s'appuyant en partie sur le nombre de cotylédons, ou feuilles séminales, présents dans l'embryon. Les espèces qui possédaient un cotylédon étaient appelées **Monocotylédones**, et celles qui en possédaient deux, **Dicotylédones.** D'autres caractéristiques, comme la structure des fleurs et des feuilles, servaient aussi à distinguer les deux groupes. Par exemple, la plupart des Monocotylédones portent des feuilles parallélinerves, c'est-à-dire que leurs nervures principales sont disposées dans le sens de la longueur (pensez à un brin d'herbe). Au contraire, la plupart des Dicotylédones ont des feuilles dont les nervures principales ont un aspect ramifié (pensez à une feuille de chêne). Les Monocotylédones comprennent notamment les Orchidées, les palmiers et les céréales (maïs, blé, riz, etc.). Les roses, les pois, les tournesols et les érables sont des exemples de Dicotylédones.

De récentes études génétiques indiquent toutefois que la distinction entre les Monocotylédones et les Dicotylédones n'est peut-être pas complètement représentative des liens de l'évolution. Les recherches actuelles confirment le point de vue selon lequel les Monocotylédones forment un clade, mais révèlent que les autres espèces d'Angiospermes ne sont pas monophylétiques. En revanche, le clade des **Eudicotylédones** (« véritables » Dicotylédones) réunit aujourd'hui la grande majorité des espèces traditionnellement appelées *Dicotylédones*, mais les autres sont maintenant divisées en plusieurs petites lignées. Trois de ces lignées portent officieusement le nom d'**Angiospermes basales,** car elles semblent comprendre les plantes à fleurs appartenant aux plus anciennes lignées. Une autre lignée, celle des **Magnoliidées,** est apparue plus tard. La **figure 30.12** donne un aperçu de la diversité des Angiospermes.

Figure 30.12

Panorama La diversité des Angiospermes

ANGIOSPERMES BASALES

On croit actuellement que les Angiospermes basales survivantes appartiennent à trois petites lignées totalisant environ 100 espèces seulement. La plus ancienne lignée semble être représentée par une seule espèce, *Amborella trichopoda.* Deux autres lignées survivantes ont divergé plus tard : un clade comprenant le nymphéa tubéreux et un autre, l'anis étoilé et les plantes apparentées.

Amborella trichopoda. Ce petit arbuste, qui croît seulement en Nouvelle-Calédonie, île de la mer de Corail (océan Pacifique), pourrait être le seul survivant d'une branche située à la base de l'arbre des Angiospermes. *Amborella* ne possède pas de vaisseaux, lesquels sont présents chez les Angiospermes ayant davantage de caractères dérivés. Constitués de cellules du xylème disposées de façon à former des tubes continus, les vaisseaux transportent l'eau plus efficacement que les trachéides. Leur absence chez *Amborella* indique qu'ils sont apparus après que la lignée lui ayant donné naissance a divergé.

Nymphéa tubéreux (*Nymphæa tuberosa*). Les nymphéas tubéreux (l'illustration représente la variété René-Gérard) sont les membres modernes d'un clade qui vient juste après la lignée d'*Amborella* pour ce qui est de l'ancienneté.

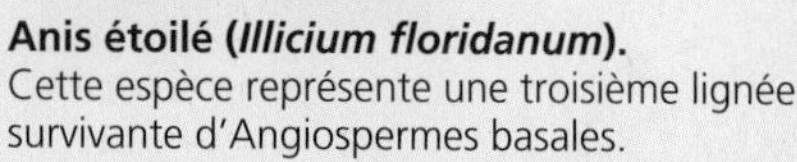

Anis étoilé (*Illicium floridanum*). Cette espèce représente une troisième lignée survivante d'Angiospermes basales.

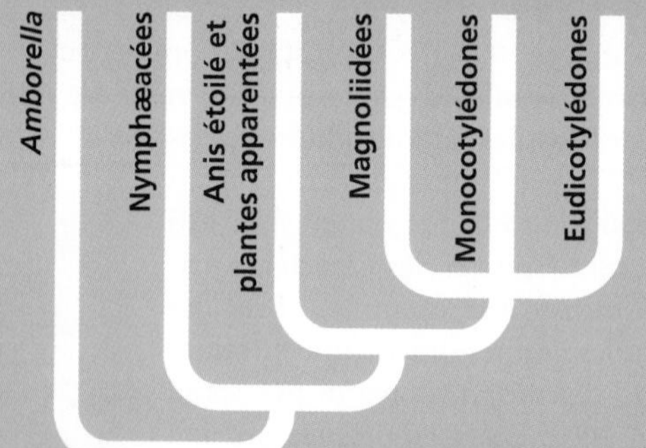

MAGNOLIIDÉES

Les Magnoliidées comptent environ 8 000 espèces ; les genres les plus connus sont le magnolia, le laurier et le poivrier. Ce groupe comprend à la fois des espèces ligneuses et des espèces herbacées. Bien qu'elles aient certains caractères primitifs en commun avec les Angiospermes basales, comme la disposition des organes floraux en spirale plutôt qu'en verticille, les Magnoliidées sont en réalité plus étroitement apparentées aux Monocotylédones et aux Eudicotylédones.

Magnolia à grandes fleurs (*Magnolia grandiflora*). Ce membre de la famille des magnolias est une plante ligneuse. La variété montrée ici, Goliath, donne des fleurs dont le diamètre peut atteindre 30 cm.

MONOCOTYLÉDONES

Plus du quart des Angiospermes font partie du groupe des Monocotylédones, soit environ 70 000 espèces. Ces exemples représentent quelques-unes des plus grandes familles de ce groupe.

EUDICOTYLÉDONES

Plus des deux tiers des espèces d'Angiospermes font partie du groupe des Eudicotylédones, soit à peu près 170 000 espèces. Les espèces indiquées ci-dessous témoignent de la diversité des fleurs de ce groupe.

Orchidée (*Lemboglossum rossii*)

Dattier nain (*Phœnix rœbelenii*)

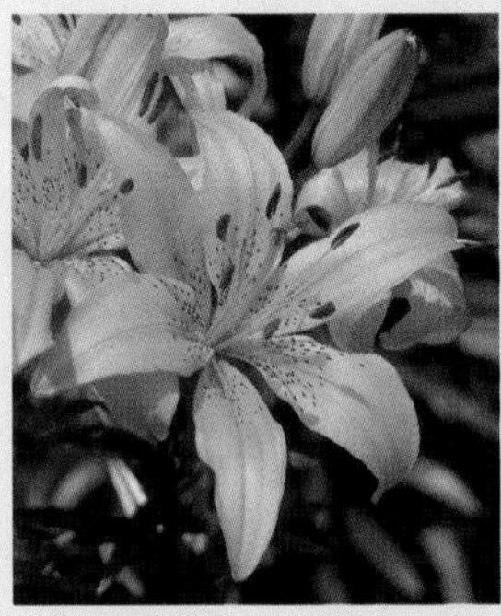

Lys (*Lilium asiaticum*, var. *Enchantment*)

Orge (*Hordeum vulgare*), Graminée

Caractéristiques des Monocotylédones		Caractéristiques des Eudicotylédones
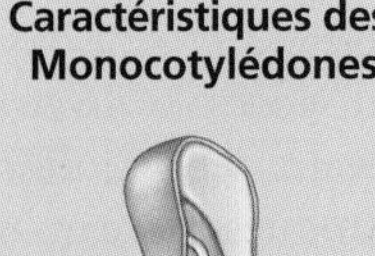 Un cotylédon	**Embryons**	 Deux cotylédons
Nervures principales en général parallèles	**Nervation des feuilles**	Nervures principales en général ramifiées
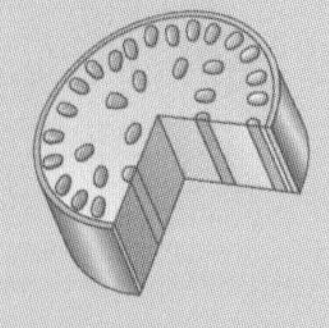 Disposition complexe des faisceaux libéroligneux	**Tiges**	 Faisceaux libéroligneux habituellement disposés en anneau
Système racinaire habituellement fasciculé (pas de racine principale)	**Racines**	Racine pivotante (racine principale) habituellement présente
 Grain de pollen monocolpé (à une seule aperture pour le passage du tube pollinique)	**Pollen**	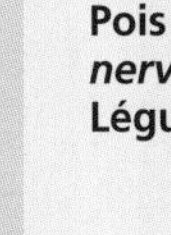 Grain de pollen tricolpé (à trois apertures pour le passage du tube pollinique)
 Pièces florales habituellement organisées en multiples de trois	**Fleurs**	 Pièces florales habituellement organisées en multiples de quatre ou cinq

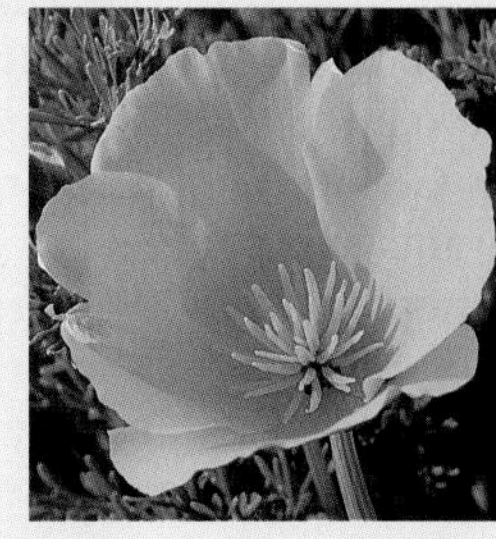

Pavot de Californie (*Eschscholzia californica*)

Chêne tauzin (*Quercus pyrenaica*)

Églantier (*Rosa canina*), rose sauvage

Pois (*Lathyrus nervosus,*), Légumineuse

Courgette (*Curcurbita pepo*), fleurs femelle (à gauche) et mâle

Les liens évolutifs entre les Angiospermes et les Animaux

Depuis qu'ils ont colonisé la terre ferme, les Animaux n'ont jamais cessé d'influer sur l'évolution des Végétaux terrestres, et vice versa. Par exemple, dans les forêts où des Animaux fouillent le sol pour se nourrir, la sélection a dû favoriser les plantes dont les spores et les gamétophytes s'élevaient au-dessus du sol, hors de la portée de la plupart d'entre eux. À son tour, la hauteur des structures reproductrices a peut-être constitué un facteur de sélection dans l'évolution des Insectes volants.

Ce type d'influence réciproque entre les espèces est souvent avantageux pour les deux parties. Par exemple, au cours de l'évolution des fleurs et des fruits, certains Animaux ont rendu service aux Angiospermes en transportant leur pollen et leurs graines. Ce faisant, ils profitaient de la situation en se nourrissant de leur nectar, de leurs graines et de leurs fruits.

Les relations entre les plantes et leurs pollinisateurs ont sans doute contribué à l'augmentation de la diversité des Angiospermes et des Animaux **(figure 30.13)**. La plus étroite de ces relations a lieu entre une espèce de fleur qui ne peut être pollinisée que par une seule espèce d'Animal. À Madagascar, par exemple, une espèce d'Orchidée possède un nectaire d'une longueur de 28 cm, de sorte que son nectar ne peut être consommé que par un Lépidoptère muni d'une trompe de 28 cm ! Des adaptations aussi solidaires, nécessitant des modifications génétiques réciproques chez les deux espèces, sont désignées par le terme *coévolution*. Des explications plus détaillées à ce sujet sont données au chapitre 53.

Dans la plupart des cas, ces relations sont toutefois moins étroites. Ainsi, certaines fleurs attirent des Insectes plutôt que des Oiseaux, mais peuvent être pollinisées par plusieurs espèces d'Insectes. Inversement, une même espèce animale, l'abeille par exemple, peut polliniser différentes espèces végétales. Cependant, même dans ces relations peu spécifiques, la couleur, l'odeur et la structure de la fleur sont souvent adaptées à un *groupe* particulier de pollinisateurs, comme diverses espèces d'abeilles, de Coléoptères ou de colibris. La diversité des fleurs peut aussi être influencée par d'autres relations impliquant, par exemple, des Animaux qui se nourrissent de fleurs sans effectuer de pollinisation.

L'évolution des Angiospermes a particulièrement contribué à la diversification des Insectes. Mais l'expansion des prairies (vastes étendues d'herbes) au cours des 65 derniers millions d'années a aussi accru la diversité des Mammifères herbivores comme les chevaux. Les Graminées photosynthétiques de type C_4 se sont répandues parce qu'une baisse des concentrations de CO_2 atmosphérique a favorisé par sélection naturelle la photosynthèse de type C_4 (voir le chapitre 10). De plus, comme nous le verrons au chapitre 34, le remplacement des forêts par des prairies en Afrique il y a entre dix et deux millions d'années a été un facteur crucial dans l'évolution de notre propre lignée.

Retour sur le concept 30.3

1. On dit que le chêne est pour le gland un moyen de fabriquer d'autres glands. Expliquez cela à l'aide des termes suivants : *sporophyte, gamétophyte, ovule, graine, ovaire* et *fruit.*
2. Comparez un cône de pin et une fleur sur le plan de la structure et de la fonction.
3. Expliquez l'emploi des termes *Monocotylédone, Dicotylédone* et *Eudicotylédone.*

Voir les réponses proposées à la fin du chapitre.

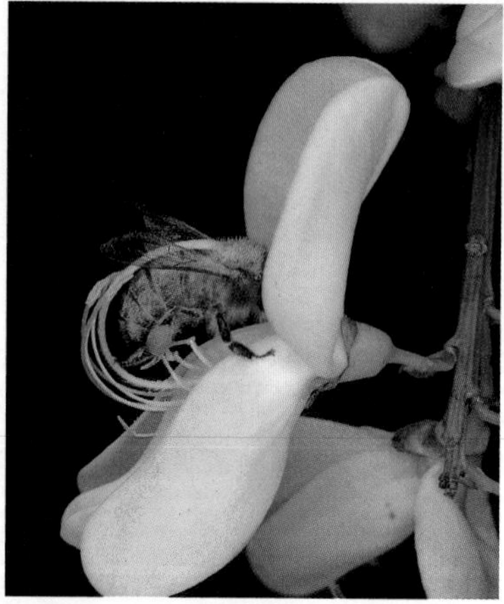

(a) Fleur pollinisée par des abeilles. Cette abeille (*Apis mellifera*) butine une fleur de genêt à balai (*Cystisus scoparius*), dont elle récolte le pollen et le nectar (solution sucrée sécrétée par les glandes de la fleur). La fleur du genêt à balai est dotée d'un mécanisme qui recourbe les étamines par-dessus l'abeille pour enduire celle-ci de pollen. L'abeille répandra ensuite un peu de pollen sur le stigmate de la prochaine fleur qu'elle butinera.

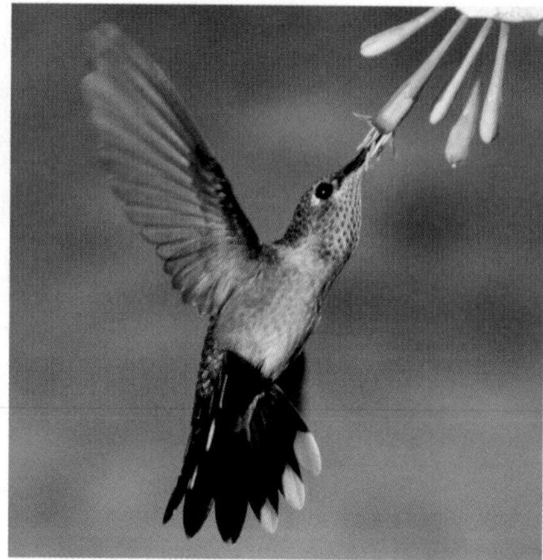

(b) Fleur pollinisée par des colibris. Grâce à sa langue et à son bec longs et minces, ce colibri roux (*Selaphorus rufus*) peut recueillir le nectar au fond des tubes floraux. Quand il reprendra son vol, son bec et les plumes de sa tête seront recouverts de pollen. Les fleurs pollinisées par des Oiseaux sont souvent roses ou rouges, des couleurs auxquelles les yeux de ces derniers sont particulièrement sensibles.

(c) Fleur pollinisée par des Animaux nocturnes. Certaines Angiospermes, tel ce cactus, sont pollinisées par des Animaux nocturnes, comme cette chauve-souris. Ces plantes portent habituellement de grosses fleurs pâles et odorantes, faciles à repérer par des pollinisateurs nocturnes.

▲ **Figure 30.13 Relations entre les fleurs et leurs pollinisateurs.**

Concept 30.4

Le bien-être des humains est fortement tributaire des Vasculaires à graines

Dans la présente partie du manuel, nous avons mis l'accent sur l'importance de la dépendance des humains par rapport à divers groupes d'organismes. Or, les Vasculaires à graines forment le groupe le plus essentiel à notre survie. En foresterie et en agriculture, elles constituent des sources essentielles de nourriture, de combustible, de produits du bois et de médicaments; l'humain tire aussi des Vasculaires des fibres qu'il utilise pour confectionner certains tissus et le papier. En raison de cette dépendance, il est indispensable de préserver la diversité des plantes.

Les produits des Vasculaires à graines

La plupart des aliments que nous consommons proviennent des Angiospermes. Six plantes cultivées, le blé, le riz, le maïs, la pomme de terre, le manioc et la patate, représentent à elles seules 80 % de toutes les calories absorbées par les humains. Nous avons aussi besoin des Angiospermes pour l'alimentation du bétail élevé pour la viande: il faut plus de 2 kg de grains pour produire 500 g de bœuf.

Les plantes cultivées modernes sont les produits d'une explosion relativement récente de modifications génétiques issues de la sélection artificielle effectuée après que les humains ont commencé à domestiquer les plantes il y a approximativement 13 000 ans. Pour se faire une idée de l'ampleur des transformations, il suffit de comparer la taille des plantes domestiquées et celle de leurs parentes sauvages, plus petites, comme le maïs et la téosinte (voir la figure 38.14). Sur le plan génétique, les scientifiques peuvent aussi glaner des renseignements sur la domestication en comparant les gènes des plantes cultivées à ceux de leurs parentes sauvages. Dans le cas du maïs, des changements marquants, comme l'augmentation de la grosseur de l'épi et la disparition de l'enveloppe dure qui recouvrait les grains de téosinte, ont probablement été provoqués par seulement cinq mutations génétiques.

Comment les plantes sauvages ont-elles pu se transformer si profondément en relativement si peu de temps? Depuis des milliers d'années, les cultivateurs sélectionnent les graines des plantes en fonction de leurs caractères désirables (de gros fruits, par exemple) pour les semer en vue de la prochaine récolte. Mais il arrive aussi que les humains domestiquent inconsciemment certaines autres plantes; c'est le cas, notamment, des amandes sauvages. Les amandes contiennent un composé amer appelé *amygdaline*, qui repousse les Oiseaux et d'autres Animaux. Or, en se dégradant, l'amygdaline produit du cyanure, si bien que la consommation d'une grande quantité d'amandes peut être mortelle. Mais, en réduisant la concentration d'amygdaline, des mutations peuvent faire disparaître l'amertume des amandes. Des Oiseaux sauvages se nourrissent d'amandes provenant d'arbres ayant subi de telles mutations. Selon une hypothèse, ayant observé des Oiseaux en train de manger des amandes, les humains en ont eux-mêmes consommé puis ont éliminé des graines dans leurs fèces. Ces graines ont alors germé autour des peuplements humains et sont devenues des plantes donnant des amandes plus douces, moins dangereuses.

Les plantes à fleurs ne fournissent pas seulement des aliments de base. En effet, deux des boissons les plus populaires au monde proviennent des feuilles de thé (*Camelia sinensis*) et des fèves de café (*Coffea arabica* et *C. robusta*), sans parler du cacaoyer (*Theobroma cacao*), auquel on doit le cacao et le chocolat. Les épices sont tirées de diverses parties de plantes, comme les fleurs (le clou de girofle [*Eugenia caryophyllus*], le safran [*Crocus sativus*]), les fruits et les graines (la vanille [*Vanilla planifolia*], le poivre noir [*Piper nigrum*], la moutarde [*Sinapis alba*], le cumin [*Cuminum cyminum*]), les feuilles (le basilic [*Ocimum basilicum*], la menthe [*Mentha sp.*], la sauge [*Salvia officinale*]) et même l'écorce (la cannelle [*Cinnamomum cassia*]).

Beaucoup de Vasculaires à graines, tant des Gymnospermes que des Angiospermes, fournissent du bois, matière que n'offre aucune Vasculaire sans graines moderne. Le bois consiste en une accumulation de cellules du xylème à paroi résistante (voir le chapitre 35). Il est le principal combustible dans un grand nombre de pays, et la pâte de bois, qui provient en général de Conifères comme le pin et le sapin, est utilisée pour fabriquer le papier. Partout dans le monde, le bois demeure le matériau de construction le plus répandu.

Durant des siècles, les humains s'en sont aussi remis aux Vasculaires à graines pour se soigner. Dans beaucoup de cultures, l'usage des plantes médicinales constitue une longue tradition. Grâce à la recherche, on a déterminé les composés (ou métabolites) secondaires présents dans un grand nombre de ces plantes, ce qui a permis de produire des médicaments de synthèse. Par exemple, depuis les temps anciens, on utilise les feuilles et l'écorce du saule pour préparer des analgésiques, qui ont notamment été prescrits par le médecin grec Hippocrate. Or, dans les années 1800, des scientifiques ont découvert que la propriété médicinale du saule était attribuable à un produit chimique, la salicine. L'acide acétylsalicilique, communément appelé *aspirine*, est un dérivé synthétique de la salicine. Bien que la chimie moderne facilite la création de médicaments de synthèse, beaucoup de composés médicinaux proviennent toujours directement des plantes. Ainsi, aux États-Unis, environ 25 % des médicaments d'ordonnance contiennent un ou plusieurs ingrédients extraits de Végétaux, le plus souvent des Vasculaires à graines. D'autres ingrédients, d'abord découverts dans des Vasculaires à graines, ont été synthétisés artificiellement. Le **tableau 30.1** présente une liste de certains usages médicinaux des composés secondaires des Vasculaires à graines.

La diversité des plantes: une richesse menacée

Si les plantes constituent une ressource renouvelable, leur diversité, elle, ne l'est pas. L'explosion démographique s'accompagne d'une telle augmentation des besoins d'espace et de ressources naturelles qu'elle provoque l'extinction d'espèces végétales à un rythme sans précédent. Le problème est particulièrement grave sous les tropiques, où vit plus de la moitié des humains et où la croissance de la population est la plus rapide. On détruit les forêts tropicales humides à un rythme effréné. On les coupe et on les brûle pour les remplacer par des terres cultivables (voir le chapitre 55). Chaque année, on défriche 50 millions d'hectares, soit à peu près le tiers de la superficie du Québec. À cette cadence, on aura complètement éliminé les forêts tropicales de la surface de la Terre dans 25 ans. La disparition de la forêt entraîne celle de milliers d'espèces de plantes, et le phénomène est irréversible.

La disparition des espèces végétales va souvent de pair avec celle d'Insectes et d'autres Animaux des forêts tropicales humides. Les chercheurs estiment que la destruction d'habitats dans les forêts humides et les autres écosystèmes emporte des centaines d'espèces chaque année. Ce rythme de disparition est le plus rapide que la Terre ait jamais connu, même pendant les extinctions massives du Permien et du Crétacé. Bien que les conséquences soient plus graves sous les tropiques, la menace est mondiale. La « Liste rouge » des espèces menacées publiée en 2004 par l'Union internationale pour la conservation de la nature (UICN)) contient plus de 15 500 espèces, soit 5 188 Vertébrés, 1 992 Invertébrés et 8 323 Végétaux. Au Québec seulement, une soixantaine d'espèces végétales sont menacées et une quinzaine sont considérées comme vulnérables.

Tableau 30.1 Quelques exemples de médicaments extraits des Vasculaires à graines

Composé	Source végétale	Exemple d'utilisation
Atropine	Belladone (*Atropa belladona*)	Dilatation des pupilles pendant les examens de la vue
Digitaline	Digitale pourpre (*Digitalia purpurea*)	Traitement des troubles cardiaques
Menthol	Eucalyptus (*Eucalyptus dives*)	Traitement de la toux
Morphine	Pavot somnifère (*Papaver somniferum*)	Analgésie
Quinine	Quinquina rouge (*Cinchona succirubra*) (voir la photo ci-dessous)	Prévention du paludisme
Taxol	If occidental (*Taxus brevifolia*)	Traitement du cancer de l'ovaire
Turbocurarine	Plantes diverses: *Strychnos toxifera*, *Chondrodendron tomentosum*	Relâchement musculaire pendant les interventions chirurgicales
Vinblastine	Pervenche (*Vinca rosea*)	Traitement de la leucémie

Écorce de quinquina rouge, source de la quinine

Nombreuses sont les personnes qui sont préoccupées moralement à l'idée de participer à l'extinction d'espèces. Mais la réduction de la diversité végétale a aussi de quoi nous inquiéter sur le plan pratique. Jusqu'à présent, nous avons étudié les usages possibles d'une minuscule fraction des 290 000 espèces végétales connues. Ainsi, presque toute notre nourriture provient de la culture d'une vingtaine d'espèces. En outre, on n'a étudié le potentiel médicinal que d'environ 5 000 espèces. La forêt tropicale humide pourrait receler des plantes médicinales qui risquent l'extinction avant même que leur existence nous soit connue. Si nous nous mettons à considérer les forêts tropicales et d'autres écosystèmes comme des trésors vivants dont la régénération ne peut qu'être lente, nous apprendrons peut-être à exploiter leurs produits à un rythme permettant leur renouvellement. Que pouvons-nous faire d'autre pour préserver la diversité des plantes? C'est là une question de la plus haute importance.

Retour sur le concept 30.4

1. Expliquez pourquoi il est juste de considérer la diversité des plantes comme une ressource non renouvelable.

Voir les réponses proposées à la fin du chapitre.

Révision du chapitre 30

RÉSUMÉ DES CONCEPTS CLÉS

Concept 30.1

Les minuscules gamétophytes des Vasculaires à graines sont contenus dans des ovules et des grains de pollen qui les protègent

- **Les avantages de la taille réduite des gamétophytes (p. 641-642).** Les gamétophytes des Vasculaires à graines se forment à l'intérieur des parois de spores qui restent dans les tissus du sporophyte parent, ce qui leur assure protection et subsistance.
- **L'hétérosporie: la règle chez les Vasculaires à graines (p. 642).** Les Vasculaires à graines se sont développées à partir de plantes possédant des mégasporanges (qui produisent des mégaspores devenant des gamétophytes femelles) et des microsporanges (qui produisent des microspores devenant des gamétophytes mâles).
- **Les ovules et la production des oosphères (p. 642).** Un ovule est constitué d'un mégasporange, d'une mégaspore et d'un ou deux téguments. Le gamétophyte femelle se développe à partir de la mégaspore et produit un ou plusieurs oosphères.
- **Le pollen et la production des spermatozoïdes (p. 642-643).** Le pollen, qui peut être transporté par le vent ou par des Animaux, constitue une adaptation qui a permis d'éliminer le besoin d'eau pour la fécondation.
- **L'avantage des graines sur le plan de l'évolution (p. 643).** Une graine est composée d'un embryon de sporophyte et d'une réserve de nourriture enfermés dans une enveloppe protectrice. Les graines sont plus résistantes que les spores et peuvent être transportées sur de grandes distances par le vent ou par des Animaux.

Concept 30.2

Les Gymnospermes portent des graines « nues », la plupart du temps sur des cônes

- Les Gymnospermes modernes comprennent les Cycadophytes, les Ginkgophytes, les Gnétophytes et les Pinophytes **(p. 643).**
- **L'évolution des Gymnospermes (p. 646).** Les archives géologiques révèlent que les Gymnospermes sont apparues tôt dans l'histoire des Végétaux et qu'elles ont dominé les écosystèmes terrestres au cours du Mésozoïque. Les Vasculaires à graines modernes peuvent être divisées en deux groupes: les Gymnospermes et les Angiospermes.
- **Le cycle de développement du pin (p. 646).** Le cycle de développement des Gymnospermes présente habituellement les grandes caractéristiques suivantes: la prédominance du sporophyte, le développement de graines à partir d'ovules fertilisés et le rôle du pollen en tant qu'agent de la fécondation.

Concept 30.3

Chez les Angiospermes, les fleurs et les fruits comptent parmi les adaptations à la reproduction

- **Les caractéristiques des Angiospermes (p. 648-651).** La fleur se compose en général de quatre anneaux de feuilles modifiées: les sépales, les pétales, les étamines (qui produisent le pollen) et les carpelles (qui produisent les ovules). Le fruit est un ovaire mature, que le vent, l'eau ou des Animaux dispersent. Dans le cycle de développement des Angiospermes, une double fécondation a lieu lorsque, à l'intérieur d'un ovule, le tube pollinique dépose deux spermatozoïdes dans le gamétophyte femelle (le sac embryonnaire). Un spermatozoïde féconde l'oosphère, tandis que l'autre s'unit aux deux noyaux de la cellule centrale du gamétophyte femelle pour former l'albumen, un tissu qui constitue une réserve nutritive pour l'embryon en développement.
- **L'évolution des Angiospermes (p. 651-652).** Les Angiospermes ont connu une radiation adaptative vers la fin du Mésozoïque. L'étude des fossiles et l'axe de recherche évo-dévo donnent aux scientifiques un aperçu de l'évolution des fleurs.
- **La diversité des Angiospermes (p. 652).** Les deux principaux groupes d'Angiospermes sont les Monocotylédones et les Eudicotylédones. Les Angiospermes basales possèdent moins de caractères dérivés. Les Magnoliidées ont certains caractères en commun avec les Angiospermes basales, mais elles sont plus étroitement apparentées aux Monocotylédones et aux Eudicotylédones.
- **Les liens évolutifs entre les Angiospermes et les Animaux (p. 654).** Les Animaux et les Végétaux entretiennent d'importantes relations dans les écosystèmes. Ainsi, les Animaux contribuent à la pollinisation des fleurs et à la dispersion des graines.

Le bien-être des humains est fortement tributaire des Vasculaires à graines

- **Les produits des Vasculaires à graines (p. 655).** Les humains ne peuvent se passer des Vasculaires à graines qui leur fournissent de la nourriture, du bois et de nombreux médicaments.
- **La diversité des plantes: une richesse menacée (p. 655-656).** La destruction des habitats provoque l'extinction de nombreuses espèces végétales et des Animaux qui s'en nourrissent.

VÉRIFIEZ VOS CONNAISSANCES

Autoévaluation

(Les questions dont les numéros sont en caractères gras font surtout appel à la compréhension.)

1. Chez une Angiosperme, le mégasporange se trouve:
   a) dans le style de la fleur.
   b) à l'intérieur de l'archégone du gamétophyte femelle, où il produit une mégaspore.
   c) à l'intérieur du stigmate d'une fleur.
   d) à l'intérieur d'un ovule situé dans l'ovaire d'une fleur.
   e) à l'intérieur des sacs polliniques, dans les anthères situées à l'extrémité d'une étamine.
2. Un fruit est:
   a) un ovaire mature.
   b) un style épaissi.
   c) un ovule hypertrophié.
   d) une racine modifiée.
   e) un gamétophyte femelle mature.
3. Parmi les cellules d'Angiosperme suivantes, laquelle *n'est pas* associée au nombre correct de chromosomes (n ou $2n$)?
   a) Oosphère – n
   b) Mégaspore – $2n$
   c) Microspore – n
   d) Zygote – $2n$
   e) Spermatozoïde – n
4. Les caractéristiques suivantes permettent de distinguer les Angiospermes et les Gymnospermes des autres Végétaux, *sauf* une. Laquelle?
   a) L'alternance de générations.
   b) Les ovules.
   c) Les téguments.
   d) Le pollen.
   e) Les gamétophytes dépendants.
5. Les caractères suivants sont communs à toutes les espèces appartenant au groupe le plus vaste des Angiospermes, *sauf* un. Lequel?
   a) Deux cotylédons.
   b) Les vaisseaux.
   c) La racine pivotante.
   d) Les grains de pollen à trois apertures.
   e) Les feuilles à nervures parallèles.
6. Les Gymnospermes et les Angiospermes ont en commun toutes les caractéristiques suivantes *sauf* une. Laquelle?
   a) Les graines.
   b) Le pollen.
   c) Le tissu conducteur.
   d) Les ovaires.
   e) Les ovules.

Questions **7** à **10**

Dans le cladogramme ci-dessous, associez les caractères dérivés suivants aux ramifications numérotées:
   a) Les fleurs.
   b) Les embryons.
   c) Les graines.
   d) Le tissu conducteur.

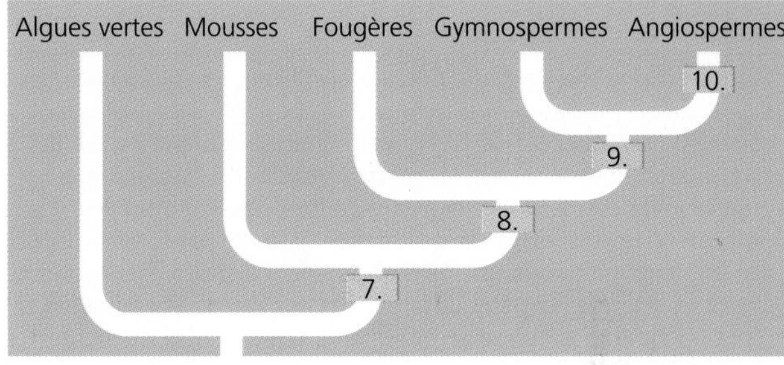

11. Quels caractères, parmi les suivants, ne s'appliquent pas aux gamétophytes femelles des Vasculaires à graines?
    a) Ils sont microscopiques.
    b) Ils dépendent du sporophyte.
    c) Ils sont photosynthétiques.
    d) Ils sont unicellulaires.
    e) Ils sont inclus dans le sporophyte.
12. Lequel des énoncés suivants est *faux*?
    a) Les Gymnospermes produisent des spores de deux types.
    b) Chez les Pinophytes, les cônes femelles sont généralement plus gros que les cônes mâles.
    c) Un pin (l'arbre lui-même) est un sporophyte, et il est diploïde.
    d) Le gamétophyte mâle se trouve dans le grain de pollen chez les Gymnospermes.
    e) Chez les Gymnospermes, pendant la fécondation, un des spermatozoïdes s'unit à un noyau du gamétophyte femelle et produit de l'albumen (réserve nutritive).

Lien avec l'évolution

1. Le groupe des Angiospermes comprend au-delà de 300 fois plus d'espèces que celui des Gymnospermes; par contre, les Gymnospermes occupent de très vastes étendues où elles l'emportent sur le plan du nombre d'individus. Peut-on dire que l'un des groupes est un plus grand succès évolutif que l'autre? Discutez de cette question.

2. Plusieurs extinctions massives ont ponctué l'histoire de la vie sur Terre. Par exemple, la chute d'une météorite a peut-être causé la disparition des Dinosaures et d'un grand nombre d'espèces marines, à la fin du Crétacé (voir le chapitre 26). Les fossiles indiquent que les Végétaux ont été beaucoup moins gravement touchés par cet événement et par les autres extinctions de masse. Quelles adaptations ont permis leur survie dans ce contexte?
3. Le tableau 30.1 présente une liste non exhaustive de composés secondaires produits par les Vasculaires à graines et utilisés par l'humain à des fins médicinales. En quoi cette capacité de synthèse de composés secondaires constitue-t-elle une adaptation importante pour la survie de ces Végétaux?

Intégration

1. En révisant les notions présentées dans les chapitres 29 et 30, groupez les innovations et les caractères dérivés suivants qui ont jalonné l'évolution des Végétaux et leur ont permis de s'installer sur la terre ferme, en montrant l'ordre dans lequel elles seraient apparues dans le temps:

   alternance de générations – cuticule – dominance du sporophyte – embryon multicellulaire se développant sur la plante parentale – fleurs – graines – hétérosporie – sporopollénine – stomates – trachéides – vaisseaux.
2. Proposez une façon de vérifier l'hypothèse selon laquelle une espèce d'Angiospermes particulière n'est pollinisée que par des Coléoptères.

Science, technologie et société

1. Pourquoi détruit-on les forêts tropicales humides à un rythme aussi effréné? Quels facteurs sociaux, technologiques et économiques entrent en jeu? La majeure partie des forêts des pays industrialisés de l'hémisphère Nord ont déjà été rasées. Les pays industrialisés ont-ils le droit d'exiger des pays en voie de développement de l'hémisphère Sud qu'ils freinent ou arrêtent la destruction de leurs forêts? Justifiez votre réponse. Quelles sortes d'avantages, de mesures incitatives ou de programmes permettraient de ralentir la destruction des forêts tropicales?
2. Le pin de Wollemi, dont nous avons parlé dans ce chapitre (voir la figure 30.4), a été découvert dans un parc national (aire protégée). Au Québec, seulement 3,4 % du territoire a été déclaré «aire protégée», alors que la moyenne au Canada est de 8,6 % et en Australie (patrie de *Wollemi nobilis*) de 18,4 %. De nombreux groupes environnementaux («Aux arbres citoyens!» notamment) pressent le gouvernement du Québec de protéger la nature sur une plus grande partie de son territoire contre les envahisseurs de toutes sortes. Devrait-on appuyer ces revendications (au Québec comme ailleurs sur la planète)? Quelle est l'importance de telles aires protégées? Et est-ce suffisant de déclarer un site «aire protégée»?
3. Une journée dans la vie d'un Européen ou d'un Nord-Américain du XXIe siècle serait transformée du tout au tout s'il fallait que disparaissent subitement toutes les Vasculaires à graines qui l'entourent, ainsi que tous leurs dérivés. Dressez une liste des principaux biens et des principales activités que nous considérons comme nécessaires, utiles ou agréables et qui seraient alors perdus.

Réponses du chapitre 30

Retour sur le concept 30.1

1. Pour avoir une chance d'atteindre les oosphères, les spermatozoïdes flagellés des Vasculaires sans graines doivent nager dans une mince couche d'humidité, et leur parcours se limite en général à quelques centimètres. Pour leur part, les spermatozoïdes des Vasculaires à graines prennent naissance dans des grains de pollen durables pouvant être transportés sur de longues distances par le vent ou par des Animaux pollinisateurs. Bien qu'ils soient flagellés chez certaines espèces, les spermatozoïdes de la plupart des Vasculaires à graines n'ont pas besoin d'eau, car les tubes polliniques leur permettent de parvenir directement aux oosphères.
2. Les minuscules gamétophytes des Vasculaires à graines sont nourris par les sporophytes, qui les protègent des facteurs de stress, comme la sécheresse et les rayons ultraviolets. Comme les grains de pollen sont entourés d'une enveloppe protectrice résistante et peuvent être transportés sur de longues distances, les spermatozoïdes n'ont pas besoin d'eau pour se déplacer. Plus résistantes que les spores, les graines supportent mieux les agressions du milieu et se disséminent davantage.

Retour sur le concept 30.2

1. Les Gymnospermes se ressemblent en ce que leurs graines ne sont pas enfermées dans des ovaires et dans des fruits, mais les structures qui portent ces graines varient beaucoup d'un embranchement à l'autre. Ainsi, les Cycadophytes possèdent de gros cônes, tandis que, chez les Ginkgophytes et les Gnétophytes, les cônes sont petits et ressemblent un peu à des baies. La forme des feuilles des Gymnospermes varie aussi grandement: chez de nombreux Conifères, ce sont des aiguilles, chez les Cycadophytes, elles ressemblent à des feuilles de palmier, et chez les Gnétophytes, elles sont semblables à celles des plantes à fleurs.
2. Le cycle de développement du pin illustre l'hétérosporie. En effet, les cônes femelles produisent des mégaspores et les cônes mâles, des microspores. Le schéma montre les minuscules gamétophytes mâles à l'intérieur de grains de pollen microscopiques, et un gamétophyte femelle microscopique à l'intérieur d'une mégaspore. On y voit aussi une oosphère qui se développe dans un ovule, et le tube pollinique contenant les spermatozoïdes. Le schéma montre également l'enveloppe protectrice et la réserve de nourriture de la graine.

Retour sur le concept 30.3

1. Dans le cycle de développement du chêne, l'arbre (le sporophyte) produit des fleurs, qui contiennent des gamétophytes enfermés dans des grains de pollen et dans des ovules; les oosphères des ovules sont fécondées; les ovaires matures deviennent des fruits secs appelés *glands*; ensuite, les graines des glands germent, permettant à des embryons de devenir des plantules puis des arbres matures, lesquels produisent des fleurs puis des glands.
2. Les cônes de pins et les fleurs possèdent tous deux des sporophylles, c'est-à-dire des feuilles modifiées produisant des spores. Les pins ont des cônes mâles (contenant des grains de pollen) et des cônes femelles (dont l'écaille porte des ovules) distincts. Dans les fleurs, les grains de pollen sont produits par les anthères des étamines, et les ovules sont compris dans les ovaires des carpelles. Contrairement aux cônes de pin, beaucoup de fleurs engendrent à la fois du pollen et des ovules.
3. Depuis longtemps, on s'appuyait sur certains caractères, notamment le nombre de cotylédons, pour diviser les Angiospermes en deux classes: les Monocotylédones et les Dicotylédones. Toutefois, de récentes observations moléculaires révèlent que les Monocotylédones forment un clade, mais qu'il n'en est pas de même pour les Dicotylélones. Compte tenu de leurs liens phylogénétiques, la *plupart* des Dicotylédones forment un clade, celui des Eudicotylédones.

Retour sur le concept 30.4

1. L'extinction des espèces végétales étant irréversible, elle entraîne une baisse de la diversité de l'ensemble des plantes, dont beaucoup auraient pu être grandement utiles aux humains.

Autoévaluation

1. d; 2. a; 3. b; 4. a; 5. e; 6. d; **7.** b; **8.** d; **9.** c; **10.** a; 11. c et d; 12. e.

31

Les Eumycètes

▲ **Figure 31.1 Deux espèces d'Eumycètes décomposant un arbre mort.**

Concepts clés

31.1 Les Eumycètes sont des organismes hétérotrophes qui se nourrissent par absorption

31.2 Les Eumycètes produisent des spores au cours de cycles de développement sexués ou asexués

31.3 Les Eumycètes descendent d'un Protiste aquatique, unicellulaire et flagellé

31.4 Les Eumycètes ont connu des radiations conduisant à un ensemble diversifié de lignées

31.5 Les Eumycètes exercent une profonde influence sur les écosystèmes et le bien-être des humains

Introduction

Les champignons : tout un monde !

Si vous aviez l'occasion de vous promener dans Malheur National Forest, en Oregon (au nord-ouest des États-Unis), vous remarqueriez peut-être quelques bouquets d'armillaires communs (*Armillaria ostoyæ*) éparpillés sous de grands arbres. Bien que ces arbres semblent des géants par rapport aux armillaires communs, c'est en réalité le contraire, aussi étonnant que cela puisse paraître. En effet, ces champignons ne constituent que la partie aérienne d'un énorme Eumycète. Son réseau souterrain de filaments s'étend sur 890 hectares de forêt, soit plus que la superficie de 1 600 terrains de football. Se fondant sur sa vitesse de croissance actuelle, les scientifiques estiment que cet Eumycète, qui pèse des centaines de tonnes, croît depuis 2 600 ans.

Les inoffensifs armillaires communs croissant sous la surface du sol de la forêt témoignent de la grandeur méconnue du règne des Eumycètes. La majorité des gens se rendent à peine compte de leur existence, sauf lorsqu'ils se trouvent en contact avec une maladie comme le pied d'athlète, des aliments gâtés ou des objets envahis par les moisissures. Pourtant, les Eumycètes constituent une partie énorme et essentielle de la biosphère. À elle seule, leur diversité est stupéfiante : on en connaît à l'heure actuelle quelque 100 000 espèces, mais on estime qu'il en existe effectivement jusqu'à 1,5 million. Certains sont unicellulaires, mais la majorité sont de complexes organismes multicellulaires qui, dans bien des cas, comprennent les structures aériennes que nous appelons *champignons*. Cette diversité a permis aux Eumycètes de coloniser à peu près tous les habitats terrestres imaginables : ils prolifèrent autant dans le sol que dans l'eau de mer, et on a même observé leurs spores aériennes à 160 km au-dessus du sol.

L'importance des Eumycètes tient non seulement à leur diversité et à leur distribution, mais aussi au rôle essentiel qu'ils jouent dans la majorité des écosystèmes terrestres. Ils dégradent les matières organiques et recyclent les nutriments **(figure 31.1)**, de sorte que d'autres organismes peuvent assimiler des éléments chimiques essentiels. Presque tous les Végétaux ont besoin de vivre en symbiose avec ces organismes qui aident leurs racines à absorber l'eau et les minéraux. En outre, les humains profitent des services rendus par les Eumycètes dans les domaines de l'agriculture et de la foresterie ; ceux-ci sont aussi indispensables à la fabrication de nombreux produits allant du pain aux antibiotiques. Il est vrai, par contre, qu'une infime proportion cause des maladies chez les Végétaux et les Animaux (y compris l'humain).

Dans le présent chapitre, nous allons étudier la structure des Eumycètes, passer en revue les membres de leur règne et traiter de leur portée écologique et commerciale.

Concept 31.1

Les Eumycètes sont des organismes hétérotrophes qui se nourrissent par absorption

En dépit de leur grande diversité, les Eumycètes ont certains caractères en commun, dont le plus important est le mode de nutrition.

La nutrition et les modes de vie des Eumycètes

Comme les Animaux, les Eumycètes sont des organismes hétérotrophes, c'est-à-dire qu'ils ne peuvent fabriquer leur nourriture ainsi que le font les Végétaux et les Algues. Mais, contrairement aux Animaux, les Eumycètes n'ingèrent pas leur nourriture : ils la digèrent alors qu'elle se trouve encore dans l'environnement, en sécrétant de puissantes enzymes hydrolytiques qui se répandent autour d'eux. Ces enzymes, appelées **exoenzymes**, décomposent les molécules complexes en composés simples que les Eumycètes peuvent absorber, utiliser ou mettre en réserve sous forme de glycogène ou même de lipides, comme c'est le cas chez les Animaux (pour ce qui est des Végétaux, c'est l'amidon qui constitue la principale forme de réserve énergétique).

En raison de leur mode de nutrition, les Eumycètes présentent des modes de vie diversifiés : certains vivent en saprophytes, d'autres en parasites, et d'autres encore en symbiontes mutualistes. Les Eumycètes saprophytes absorbent leurs nutriments en décomposant la matière organique non vivante, comme les arbres morts, les cadavres d'Animaux et les déchets organiques. Pour leur part, les Eumycètes parasites absorbent leurs nutriments aux dépens des cellules de leur hôte vivant. Certains d'entre eux, comme ceux qui infectent les poumons de l'humain, sont pathogènes ; d'autres sont à l'origine de 80 % des maladies végétales. Enfin, les Eumycètes mutualistes tirent eux aussi leurs nutriments d'un autre organisme (mais ce dernier bénéficie de la relation). Ainsi, ils permettent à certains Végétaux d'absorber des minéraux que ceux-ci ne peuvent extraire du sol.

La structure de l'appareil végétatif

Bien qu'il existe des Eumycètes unicellulaires, qu'on nomme *levures*, la plupart des Eumycètes sont multicellulaires, et leur morphologie accroît leur capacité d'absorber les nutriments présents autour d'eux **(figure 31.2)**. L'appareil végétatif de ces Eumycètes forme un réseau de minuscules filaments appelés **hyphes**. Les hyphes se composent de parois tubulaires entourant la membrane plasmique et le cytoplasme des cellules. La paroi cellulaire des Eumycètes diffère de celle des Végétaux. En effet, chez la plupart des Eumycètes, le principal constituant n'est pas la cellulose, mais la **chitine**, polysaccharide aminé qui est à la fois flexible et plus résistant à la dégradation que la cellulose. On trouve également de la chitine dans l'exosquelette des Insectes et d'autres Arthropodes.

Les hyphes forment un réseau de filaments ramifiés, le **mycélium**, qui entoure et infiltre les matières dont se nourrit l'Eumycète. La structure du mycélium maximise le rapport entre sa surface et son volume, ce qui rend l'absorption plus efficace. Ainsi, 1 cm^3 d'un sol riche en matière organique contient jusqu'à 1 km d'hyphes offrant une surface de contact de 300 cm^2 avec le sol. Ce qui rend possible la croissance rapide du mycélium, c'est le fait que les protéines et les autres molécules qu'il synthétise sont acheminées grâce au mouvement de cyclose (courants cytoplasmiques) jusqu'aux extrémités des hyphes en expansion. Les Eumycètes consacrent leur énergie et leurs ressources à faire croître leurs hyphes en longueur plutôt qu'en épaisseur, ce qui améliore leur capacité d'absorption. Tous les mycéliums sont immobiles. Afin de compenser ce handicap, les Eumycètes font croître rapidement leurs hyphes dans de nouveaux territoires.

Les hyphes, dont le diamètre varie entre 1 et 10 μm environ, sont divisés en cellules par des **cloisons**. Ces cloisons possèdent généralement des pores assez grands pour permettre aux ribosomes, aux mitochondries et même aux noyaux de circuler d'une cellule à l'autre **(figure 31.3a)**. Certains Eumycètes ont des hyphes sans cloisons ; ils sont appelés **cénocytes** (ou *siphons*). Un cénocyte est une masse cytoplasmique continue qui possède des centaines, voire des milliers de noyaux **(figure 31.3b)**. Il résulte de divisions répétées du noyau, sans division cytoplasmique (cytocinèse). Cette description vous rappellera sans doute les Myxomycètes dont il est question au chapitre 28 et qui consistent en des masses de cytoplasme contenant de nombreux noyaux. Cette similitude explique notamment pourquoi les Myxomycètes

▲ **Figure 31.2 Structure d'un Eumycète multicellulaire.** La photo du haut montre les structures sexuelles, appelées *carpophores*, d'un bolet comestible (*Boletus edulis*). En bas, la photo de gauche présente une vue macroscopique d'un mycélium croissant sur des aiguilles d'un Conifère mort, et celle de droite, une vue microscopique d'un mycélium (MP).

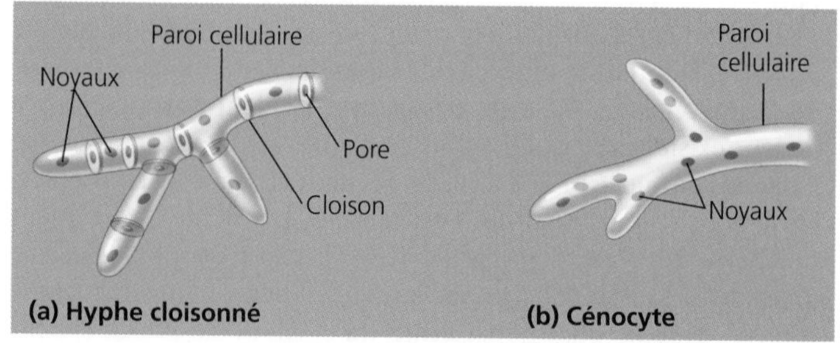

► **Figure 31.3 Structure des hyphes.**

étaient auparavant classés parmi les Eumycètes; des comparaisons moléculaires ont depuis confirmé que ces deux groupes d'organismes appartiennent en fait à deux clades non étroitement apparentés.

Certains Eumycètes possèdent des hyphes spécialisés grâce auxquels ils se nourrissent d'Animaux vivants **(figure 31.4a)**. D'autres espèces possèdent des hyphes spécialisés appelés **suçoirs**, ou *haustoria*, qui leur permettent de pénétrer dans les tissus de leur hôte **(figure 31.4b)**. L'association mutualiste entre ce dernier groupe d'Eumycètes et les racines des Végétaux est appelée **mycorhize** (des mots grecs *mukès* et *ridza*, qui signifient respectivement « champignon » et « racine »). Les Eumycètes mycorhiziens (qui forment une mycorhize) peuvent apporter des ions phosphate et d'autres minéraux aux Végétaux, qui ne peuvent les obtenir par eux-mêmes. En échange, ceux-ci fournissent des nutriments organiques aux Eumycètes. Il existe différents types d'Eumycètes mycorhiziens. Les **Eumycètes ectomycorhiziens** (du grec *ektos*, « en dehors ») forment des enveloppes d'hyphes à la surface de la racine et croissent aussi dans les espaces extracellulaires de son écorce (voir la figure 37.12a). Les **Eumycètes endomycorhiziens** (du grec *entos*, « en dedans ») étendent leurs hyphes à travers la paroi des cellules de la racine et dans des tubes formés par l'invagination (retournement vers l'intérieur) de la membrane des cellules de la racine (voir la figure 37.12b). Nous reparlerons de ces types d'Eumycètes mycorhiziens plus loin dans le chapitre.

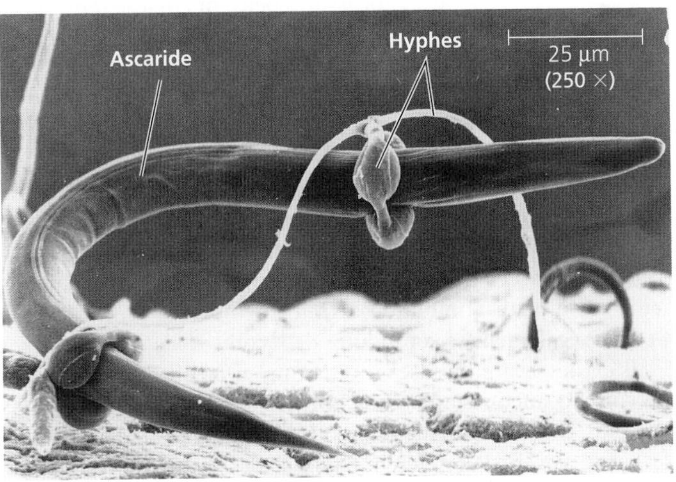

(a) Hyphes adaptés à la prédation. Chez *Arthrobotrys dactyloides*, Eumycète vivant dans le sol, des segments d'hyphes forment des boucles qui gonflent et se resserrent en moins d'une seconde autour d'un ascaride (ver faisant partie des Nématodes). Avec ses hyphes, l'Eumycète pénètre alors sa proie, dont il digère les tissus internes (MEB).

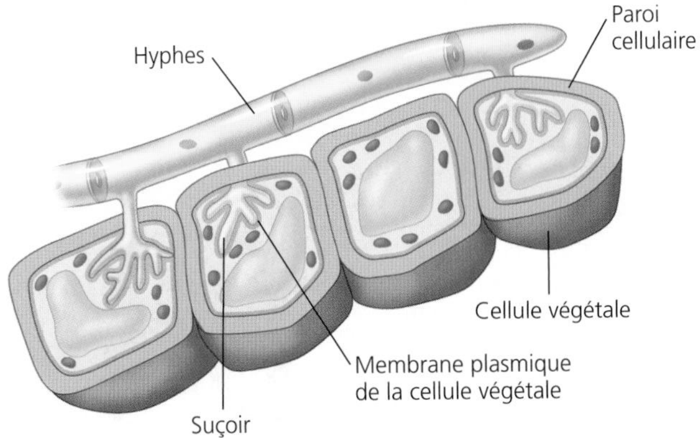

(b) Suçoirs. Les Eumycètes mutualistes et parasites portent des hyphes spécialisés appelés suçoirs, qui peuvent pénétrer les parois cellulaires des Végétaux. Les suçoirs sont isolés du cytoplasme de la cellule végétale par la membrane plasmique de cette dernière (en orangé).

▲ **Figure 31.4 Hyphes spécialisés.**

Retour sur le concept 31.1

1. Comparez votre mode de nutrition avec celui d'un Eumycète.
2. Expliquez en quoi la structure d'un Eumycète est adaptée à son mode de nutrition.

Voir les réponses proposées à la fin du chapitre.

Concept 31.2

Les Eumycètes produisent des spores au cours de cycles de développement sexués ou asexués

Les Eumycètes se multiplient en produisant des spores en très grand nombre, de façon sexuée ou asexuée. Ainsi, les vesses-de-loup ont des structures reproductrices qui peuvent répandre des nuages de billions de spores (voir la figure 31.18d). Emportées par le vent ou l'eau, les spores qui aboutissent sur un substrat adéquat, en terrain humide, vont germer. Pour se rendre compte de l'efficacité reproductrice des spores, il suffit de laisser une tranche de melon exposée à l'air. Après une semaine environ, un mycélium pelucheux se sera formé à partir des spores microscopiques qui tombent continuellement sur la tranche du fruit.

La **figure 31.5** présente le cycle de développement type au cours duquel les Eumycètes produisent des spores. Dans cette section, nous allons examiner les aspects généraux des cycles de développement sexués et asexués des Eumycètes. Plus loin dans le chapitre, nous traiterons plus en détail des cycles de développement propres à certains embranchements.

La reproduction sexuée

Chez la plupart des espèces, les noyaux des hyphes et des spores sont haploïdes, sauf pendant les stades diploïdes transitoires du cycle de développement. En général, la reproduction sexuée s'amorce lorsque des hyphes provenant de deux mycéliums distincts libèrent des molécules sexuelles de signalisation appelées **phéromones**. Si les mycéliums appartiennent à des types sexuels différents, les phéromones de chacun des partenaires se lient aux récepteurs qui se trouvent à la surface de l'autre, et les hyphes s'étendent vers la source des phéromones. Lorsqu'ils se rencontrent, les hyphes fusionnent. Ce « test de compatibilité » contribue à la variabilité génétique en empêchant la fusion des hyphes provenant d'un même mycélium ou de deux mycéliums possédant le même génotype.

On appelle **plasmogamie** la fusion des cytoplasmes à la suite de la rencontre des deux mycéliums parents. Chez de nombreuses

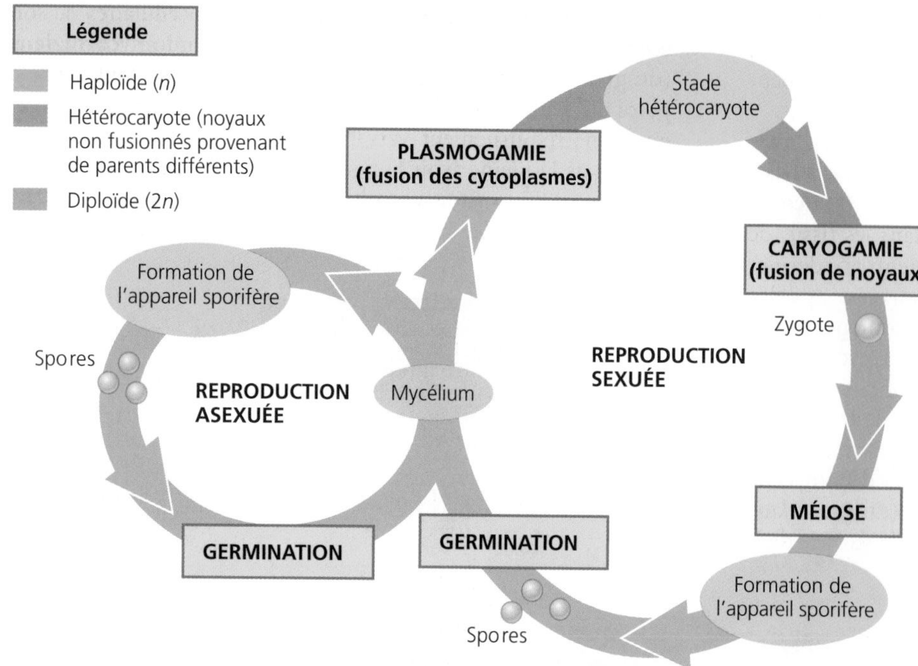

▲ **Figure 31.5 Cycle de développement type des Eumycètes.** Tous les Eumycètes ne se reproduisent pas nécessairement au moyen des deux modes de reproduction, sexué et asexué. Certains se multiplient uniquement de manière asexuée ; d'autres, uniquement de manière sexuée.

espèces, les noyaux haploïdes issus de chacun des parents ne fusionnent pas immédiatement. Des noyaux génétiquement différents coexistent plutôt dans certaines parties des mycéliums. Les mycéliums de ce type sont des **hétérocaryons** (ce qui signifie « noyaux différents »). Chez certaines espèces, les mycéliums hétérocaryotes deviennent des mosaïques où des noyaux différents demeurent dans des parties distinctes du réseau. Chez d'autres espèces, les noyaux différents se mêlent les uns aux autres et peuvent même échanger des chromosomes et des gènes au cours d'un processus semblable à l'enjambement (voir le chapitre 13).

Chez certains Eumycètes, les différents noyaux haploïdes provenant des parents s'apparient sans toutefois fusionner. Le mycélium constitue alors un **dicaryon** (ce qui signifie « deux noyaux »). Les paires de noyaux se divisent en tandem sans fusionner, à mesure que le mycélium dicaryote croît.

Des heures, des jours ou même des siècles peuvent s'écouler entre la plasmogamie et le stade suivant du cycle de développement sexué, la **caryogamie**. Au cours de celle-ci, les noyaux haploïdes provenant de chacun des parents fusionnent et donnent naissance à des cellules diploïdes. Chez la majorité des Eumycètes, les zygotes et les autres structures transitoires formées par caryogamie sont les seules étapes diploïdes du cycle de développement. Par la suite, la méiose restitue l'état haploïde. Puis, les structures reproductrices spécialisées du mycélium produisent des spores et les dispersent.

Bien sûr, la caryogamie et la méiose engendrent une importante variation génétique, sans quoi l'évolution adaptative n'aurait pas lieu (voir les chapitres 13 et 23 pour une révision de la diversité génétique, issue de la reproduction sexuée, au sein d'une population). Le stade hétérocaryote offre aussi certains des avantages de l'état diploïde ; en effet, l'un des deux génomes haploïdes a des chances de neutraliser les mutations nuisibles survenues chez l'autre.

La reproduction asexuée

De nombreux Eumycètes peuvent se reproduire de manière tant sexuée qu'asexuée. La production mitotique de spores, qui peuvent être disséminées par l'air ou l'eau, engendre des clones. En revanche, certaines espèces se reproduisent exclusivement par voie asexuée. Comme ceux de la reproduction sexuée, les processus de la reproduction asexuée diffèrent grandement selon les espèces.

Certains Eumycètes capables de se reproduire de manière asexuée se développent sous forme de **moisissures**. On observe souvent des moisissures dans la cuisine, où elles recouvrent d'une couche duveteuse les fruits, le pain et d'autres aliments **(figure 31.6)**. Les moisissures croissent rapidement grâce aux spores produites par les mycéliums. Beaucoup d'espèces formant des moisissures peuvent aussi se reproduire de manière sexuée lorsqu'elles entrent en contact avec d'autres types sexuels.

D'autres Eumycètes asexués, les **levures**, vivent en milieu humide, y compris dans la sève de Végétaux et les tissus d'Animaux. Elles ne se reproduisent pas au moyen de spores, mais par simple division cellulaire ou par un bourgeonnement des cellules parentales **(figure 31.7)**. Certaines espèces peuvent aussi former des mycéliums filamenteux, selon la disponibilité des nutriments. Parfois, les levures peuvent également se reproduire de façon sexuée.

Il existe de nombreuses moisissures et levures auxquelles on ne connaît aucun stade sexué. On les appelle **Deutéromycètes** ou, plus communément, **Eumycètes imparfaits** (en botanique, le terme *parfait* fait référence aux stades sexués des cycles de développement). Si un mycologue découvre un stade sexué chez l'un de ces Eumycètes, alors l'espèce se déplace des Eumycètes

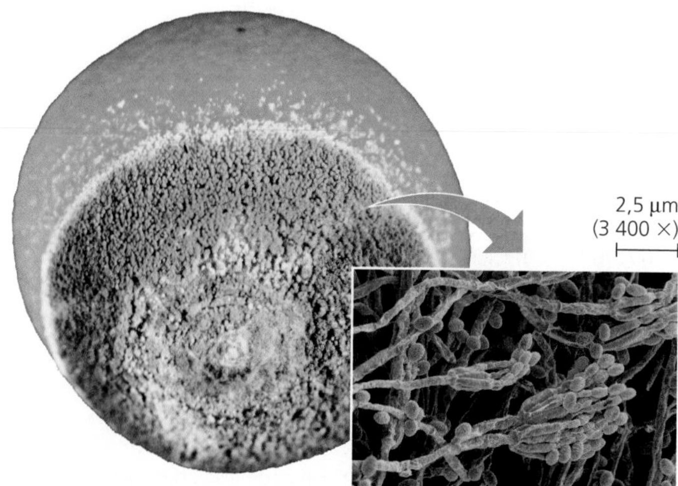

▲ **Figure 31.6 *Penicillium*, moisissure vivant souvent en saprophyte sur les aliments.** Les agrégats de petits corps sphériques apparaissant sur le cliché en médaillon sont des structures associées à la reproduction asexuée, appelées *conidies* (MEB).

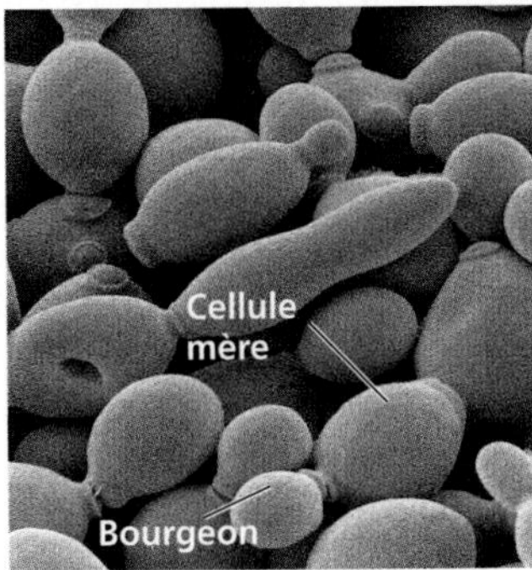

▶ **Figure 31.7 Levure *Saccharomyces cerevisiæ*, à différents stades de bourgeonnement (MEB).**

imparfaits vers l'embranchement auquel correspondent ses structures reproductrices. Pour déterminer à quel taxon appartiennent les Eumycètes non classés, les spécialistes recherchent leurs stades sexués peu connus et peuvent aussi avoir recours aux techniques génétiques maintenant à leur disposition.

Retour sur le concept 31.2

1. En ce qui concerne l'état haploïde et l'état diploïde, en quoi les cycles de développement des humains et des Eumycètes diffèrent-ils?
2. Vous prélevez des échantillons d'ADN sur deux champignons que vous avez trouvés en des endroits différents de votre cour et découvrez qu'ils sont identiques. Formulez deux hypothèses plausibles pour expliquer ce résultat.

Voir les réponses proposées à la fin du chapitre.

Concept 31.3

Les Eumycètes descendent d'un Protiste aquatique, unicellulaire et flagellé

Les observations faites dans les domaines de la paléontologie et de la systématique moléculaire donnent un aperçu de l'évolution primitive des Eumycètes. Les systématiciens reconnaissent aujourd'hui que les Eumycètes et les Animaux appartiennent à des règnes frères. En d'autres termes, les Eumycètes et les Animaux sont plus étroitement apparentés les uns aux autres qu'aux Végétaux et à d'autres Eucaryotes.

L'origine des Eumycètes

Selon la systématique phylogénétique, les Eumycètes descendraient d'un ancêtre flagellé. La majorité sont dépourvus de flagelles, mais les lignées qu'on croit les premières à avoir divergé (les Chytridiomycètes, dont il sera question plus loin dans le chapitre), elles, en possèdent. Ces trois groupes d'Eucaryotes, soit les Eumycètes, les Animaux et leurs parents Protistes, font partie du clade des **Opisthochontes** (du grec *opisthen*, «en arrière»). Ce nom fait référence à l'emplacement du flagelle, qui se trouve dans la partie postérieure de ces organismes et qui joue donc un rôle de propulsion de la cellule plutôt qu'un rôle de traction, comme c'est le cas pour les flagelles placés en avant.

Des observations phylogénétiques semblent aussi indiquer que l'ancêtre des Eumycètes était un organisme unicellulaire. Le fait que d'autres données prouvent que les Animaux sont plus étroitement apparentés à certains Opisthochontes unicellulaires qu'aux Eumycètes donne à penser que, chez les Animaux et les Eumycètes, la multicellularité s'est développée indépendamment, à partir d'ancêtres unicellulaires différents.

Se fondant sur les horloges moléculaires (voir le chapitre 25), les scientifiques estiment que les ancêtres des Animaux et des Eumycètes ont divergé pour former des lignées distinctes il y a 1,5 milliard d'années. Toutefois, les plus anciens fossiles d'Eumycètes incontestés datent d'environ 460 millions d'années seulement **(figure 31.8)**. Cet écart pourrait s'expliquer par le fait qu'il est difficile de trouver à l'état de fossiles les ancêtres microscopiques des Eumycètes terrestres.

Le passage à la terre ferme

L'origine phylogénétique d'une grande partie de la diversité que nous observons aujourd'hui chez les Eumycètes pourrait être une radiation adaptative survenue au moment où la vie a commencé à coloniser la terre ferme. En effet, les fossiles des Vasculaires les plus primitives connues, qui remontent à la fin du Silurien, révèlent la présence de mycorhizes, ces associations symbiotiques entre des Végétaux et des Eumycètes souterrains dont nous avons parlé plus tôt. Des Végétaux ont probablement formé de telles associations dès les premiers temps de la colonisation de la terre ferme.

▶ **Figure 31.8 Hyphes et spores d'Eumycètes fossilisés datant de l'Ordovicien, il y a quelque 460 millions d'années (MP).**

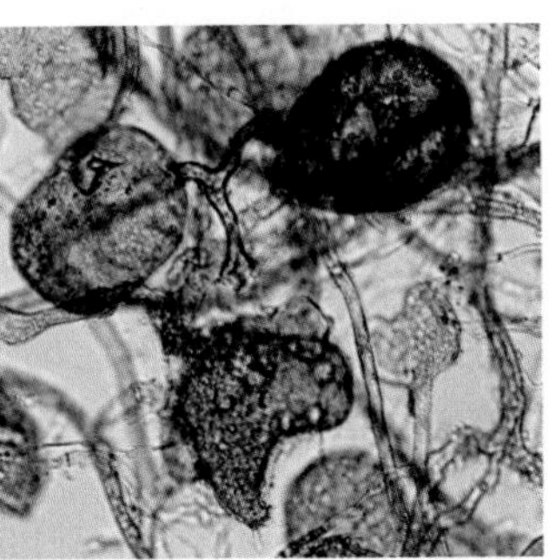

Retour sur le concept 31.3

1. Pourquoi les Eumycètes sont-ils classés dans le clade des Opisthochontes, alors que la plupart d'entre eux sont dépourvus de flagelles?
2. Du point de vue de l'évolution, expliquez l'importance de la présence de mycorhizes chez les premières Vasculaires.

Voir les réponses proposées à la fin du chapitre.

Concept 31.4

Les Eumycètes ont connu des radiations conduisant à un ensemble diversifié de lignées

La phylogenèse des Eumycètes fait actuellement l'objet de nombreuses recherches. Au cours de la dernière décennie, l'analyse moléculaire a permis de clarifier les liens de l'évolution entre les différents groupes d'Eumycètes, mais certaines incertitudes subsistent. La **figure 31.9** présente la version simplifiée d'une phylogenèse hypothétique actuelle. Dans la présente section, nous allons étudier chacun des grands groupes d'Eumycètes figurant dans cet arbre phylogénétique.

Les Chytridiomycètes

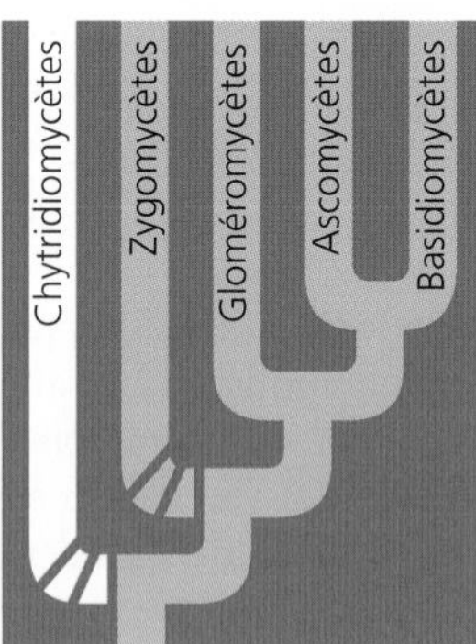

Les Eumycètes appartenant à l'embranchement des **Chytridiomycètes** se trouvent partout dans les lacs et dans le sol; on en connaît près de 800 espèces. Certains sont saprophytes, d'autres parasitent des Protistes, des Végétaux ou des Animaux; les Amphibiens (les grenouilles, notamment) semblent particulièrement sensibles aux infections causées par ce groupe d'Eumycètes.

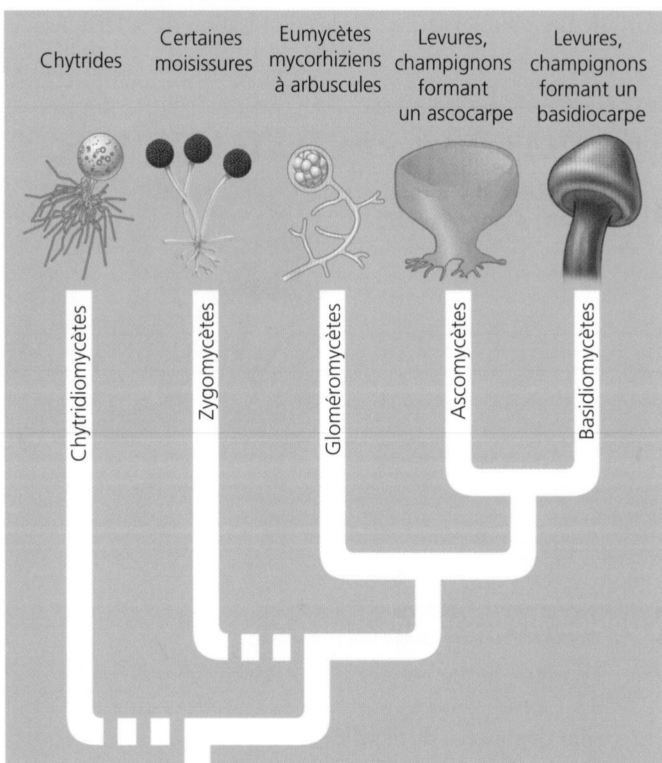

▲ **Figure 31.9 Phylogenèse des Eumycètes.** La plupart des mycologues reconnaissent actuellement l'existence de cinq embranchements d'Eumycètes. La systématique moléculaire fournit de l'information sur les liens entre ces embranchements; les lignes pointillées se rapportent aux groupes qu'on croit paraphylétiques (voir la figure 31.11).

La biologie moléculaire a fourni des preuves soutenant l'hypothèse selon laquelle les Chytridiomycètes appartiendraient à la lignée qui a divergé le plus tôt. Comme les autres Eumycètes, ceux-ci possèdent des parois cellulaires faites de chitine; ils ont aussi en commun avec certains groupes d'Eumycètes des enzymes et des voies métaboliques essentielles, de même qu'une persistance de la membrane nucléaire pendant la mitose. Certains Chytridiomycètes forment des colonies munies d'hyphes, tandis que d'autres sont des organismes unicellulaires sphériques. Ce groupe présente toutefois une caractéristique qui le distingue de tous les autres: des spores flagellées appelées **zoospores** **(figure 31.10)**; au cours de la reproduction sexuée, il y a production de gamètes qui sont aussi flagellés.

Jusqu'à tout récemment, les systématiciens croyaient que les Eumycètes n'avaient perdu leurs flagelles qu'une seule fois au cours de leur histoire, après que les Chytridiomycètes eurent divergé des autres lignées. Or, des données moléculaires indiquent que certains « Chytridiomycètes » sont en réalité plus étroitement apparentés à un autre groupe, les Zygomycètes. Si cela est vrai, alors les flagelles sont disparus à plus d'une occasion au cours de l'évolution des Eumycètes **(figure 31.11)**. Pour cette raison, nombreux sont les systématiciens qui considèrent les embranchements des Chytridiomycètes et des Zygomycètes comme paraphylétiques (comparez les figures 31.9 et 31.11).

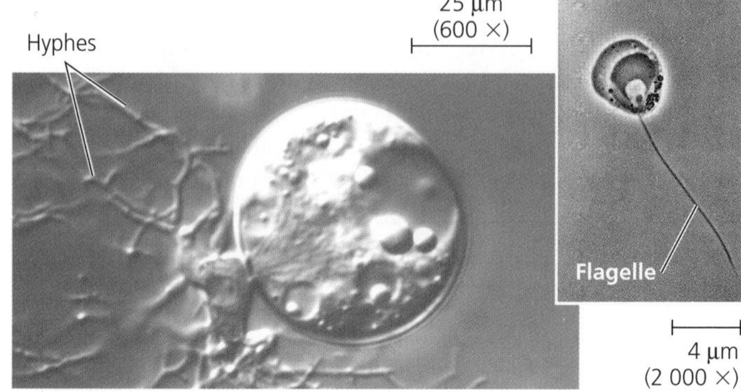

▲ **Figure 31.10 Chytridiomycètes.** De l'appareil sporifère globulaire de *Chytridium* émergent des hyphes ramifiés (MP). En médaillon: spore flagellée (zoospore) produite au cours d'un des stades de développement des Chytridiomycètes (MET).

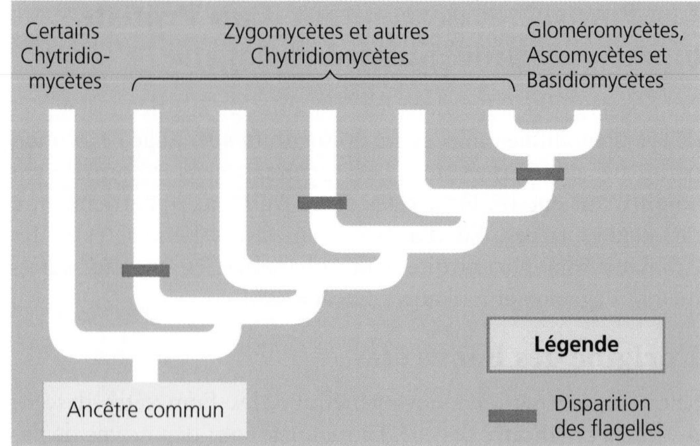

▲ **Figure 31.11 Disparitions répétées des flagelles au cours de l'évolution.** Des études phylogénétiques indiquent que l'ancêtre commun des Eumycètes portait des flagelles, qui sont disparus de façon indépendante dans plusieurs lignées.

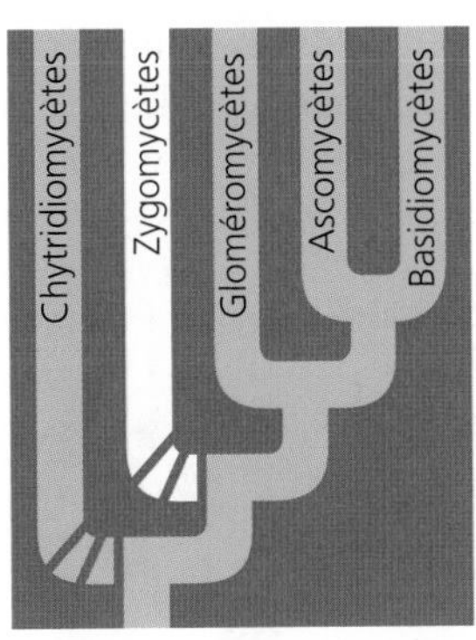

Les Zygomycètes

L'évolution biologique des quelque 1 000 espèces de **Zygomycètes** est très diversifiée. Cet embranchement comprend des moisissures à croissance rapide responsables de la décomposition de produits agricoles mal entreposés, comme les pêches, les fraises et les patates. D'autres Zygomycètes vivent en parasites ou en symbiontes commensaux (neutres) sur des Animaux. Un nombre important de Zygomycètes s'associent par mutualisme aux racines de certaines plantes, formant ainsi des mycorhizes. Certaines espèces enfin peuvent causer des infections chez les humains.

Le cycle de développement de *Rhizopus stolonifer* (moisissure chevelue) est assez typique des Zygomycètes **(figure 31.12)**. Cette moisissure possède des hyphes horizontaux qui s'étendent sur l'aliment, le pénètrent et absorbent des nutriments. Ses hyphes sont des cénocytes; ils ne présentent des cloisons que là où les cellules reproductrices sont formées. En phase asexuée, des sporanges bulbeux et noirs se forment aux extrémités d'hyphes

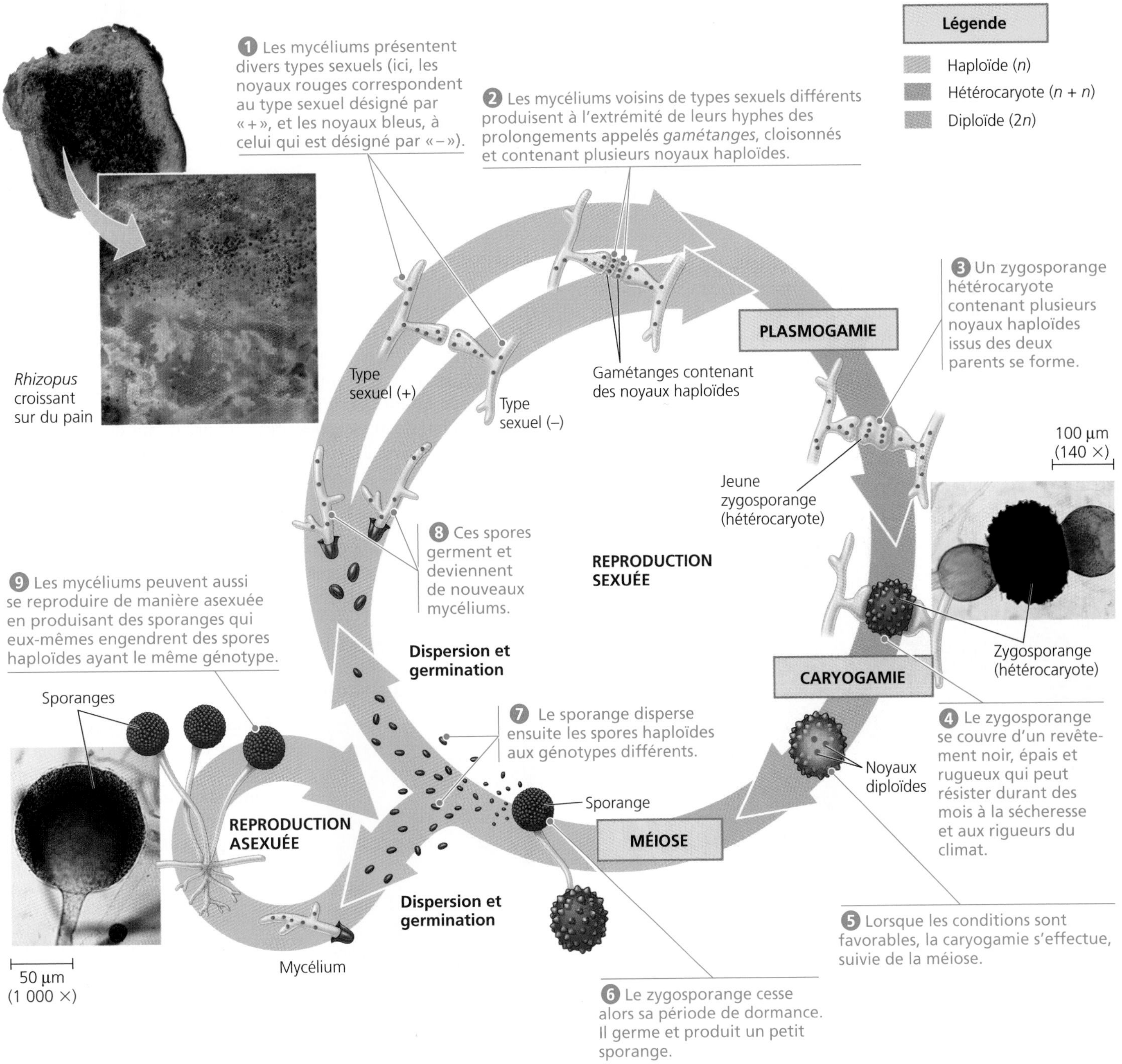

Légende

Haploïde (*n*)

Hétérocaryote (*n* + *n*)

Diploïde (2*n*)

Rhizopus croissant sur du pain

❶ Les mycéliums présentent divers types sexuels (ici, les noyaux rouges correspondent au type sexuel désigné par « + », et les noyaux bleus, à celui qui est désigné par « – »).

❷ Les mycéliums voisins de types sexuels différents produisent à l'extrémité de leurs hyphes des prolongements appelés *gamétanges*, cloisonnés et contenant plusieurs noyaux haploïdes.

Type sexuel (+)

Type sexuel (–)

Gamétanges contenant des noyaux haploïdes

PLASMOGAMIE

❸ Un zygosporange hétérocaryote contenant plusieurs noyaux haploïdes issus des deux parents se forme.

Jeune zygosporange (hétérocaryote)

100 μm (140 ×)

Zygosporange (hétérocaryote)

CARYOGAMIE

❹ Le zygosporange se couvre d'un revêtement noir, épais et rugueux qui peut résister durant des mois à la sécheresse et aux rigueurs du climat.

Noyaux diploïdes

❺ Lorsque les conditions sont favorables, la caryogamie s'effectue, suivie de la méiose.

MÉIOSE

Sporange

❻ Le zygosporange cesse alors sa période de dormance. Il germe et produit un petit sporange.

❼ Le sporange disperse ensuite les spores haploïdes aux génotypes différents.

Dispersion et germination

REPRODUCTION SEXUÉE

❽ Ces spores germent et deviennent de nouveaux mycéliums.

❾ Les mycéliums peuvent aussi se reproduire de manière asexuée en produisant des sporanges qui eux-mêmes engendrent des spores haploïdes ayant le même génotype.

Sporanges

REPRODUCTION ASEXUÉE

Dispersion et germination

Mycélium

50 μm (1 000 ×)

▲ **Figure 31.12 Cycle de développement du Zygomycète *Rhizopus stolonifer*.**

verticaux. Des centaines de spores haploïdes prennent ensuite naissance à l'intérieur de chaque sporange et sont dispersées dans l'air. Certaines atterrissent sur des aliments humides, germent et constituent chacun un nouveau mycélium. Certains Zygomycètes, comme *Pilobolus*, peuvent effectivement orienter leurs sporanges vers les conditions associées aux bonnes sources de nutriments **(figure 31.13)**.

Si les conditions du milieu se détériorent (si, par exemple, les nutriments viennent à manquer), *Rhizopus stolonifer* se reproduit de façon sexuée. Les mycéliums qui s'unissent sont de types sexuels opposés, identiques en apparence mais différents du point de vue des marqueurs chimiques, propres à chaque type sexuel. (Cette espèce est donc *hétérothallique*, alors que d'autres espèces, où des hyphes de même type peuvent s'unir, sont dites *homothalliques*.) La plasmogamie donne naissance à une structure résistante appelée **zygosporange**, qui est tour à tour le siège de la caryogamie et celui de la méiose. Remarquez qu'un zygosporange, qui est le zygote ($2n$) du cycle de développement, n'est pas un zygote au sens habituel, c'est-à-dire une cellule munie d'un seul noyau diploïde. C'est plutôt une structure aux noyaux multiples. En effet, l'union des deux mycéliums parentaux produit une structure hétérocaryote possédant plusieurs noyaux haploïdes provenant des deux parents. Puis, la caryogamie engendre de nombreux noyaux diploïdes.

Les zygosporanges ainsi formés offrent une très grande résistance au froid et au dessèchement. Leur métabolisme reste inactif jusqu'à ce que les conditions s'améliorent. Les zygosporanges libèrent alors, après la méiose, des spores haploïdes aux génotypes différents, qui vont coloniser le nouveau substrat.

Les Microsporidies

Les Microsporidies sont des parasites unicellulaires des Animaux et des Protistes **(figure 31.14)**. On les utilise souvent comme pesticides biologiques. Ces organismes, qui n'infectent pas les humains en bonne santé, présentent toutefois un risque pour les personnes infectées par le VIH ou d'autres hôtes immunodéprimés. L'infection s'effectue par des spores qui possèdent un appareil complexe leur permettant d'inoculer leur contenu dans les tissus de l'hôte.

▲ **Figure 31.13 *Pilobolus* orientant ses sporanges vers les zones de lumière.** Ce Zygomycète décompose le fumier. Le mycélium dirige les hyphes portant un sporange vers la lumière, là où l'herbe a des chances de pousser. Le Zygomycète libère ensuite ses sporanges en les éjectant comme des boulets de canon à une vitesse pouvant atteindre 50 km/h et à une distance de 2 m ou plus. Des herbivores, comme la vache, ingèrent le Zygomycète en se nourrissant, puis dispersent les spores par leurs excréments.

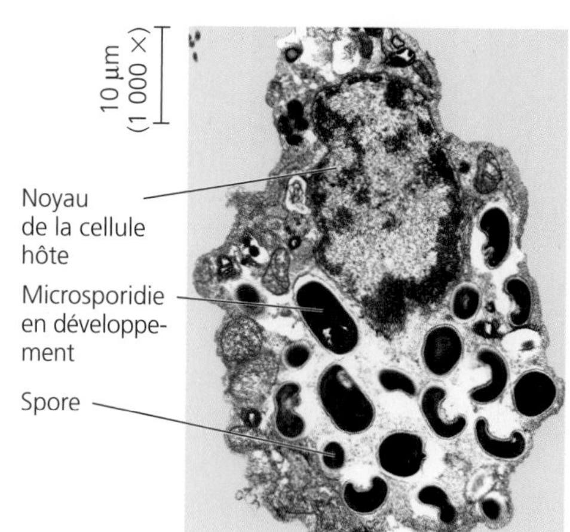

▶ **Figure 31.14 Cellule eucaryote infectée par des Microsporidies.** Une grande vacuole à l'intérieur de cette cellule eucaryote hôte contient des spores et des formes du parasite *Encephalitozoon intestinalis* à divers stades de développement (MET).

À bien des égards, les Microsporidies diffèrent de la plupart des autres Eucaryotes. Par exemple, elles ne possèdent pas de véritables mitochondries. Les taxinomistes étaient donc intrigués par l'origine mystérieuse de ces organismes, qui formaient selon certains une lignée ancienne, située à la base de l'arbre des Eucaryotes. Ces dernières années, toutefois, il est devenu évident que les Microsporidies ne sont pas des Eucaryotes primitifs, mais plutôt des parasites présentant de très nombreux caractères dérivés. En 2002, Bryony Williams et ses collègues du National History Museum, à Londres, ont découvert que les Microsporidies possèdent en fait de minuscules organites provenant des mitochondries. Entre-temps, des comparaisons moléculaires ont révélé que les Microsporidies sont plus étroitement apparentées aux Eumycètes qu'à tout autre Eucaryote. Enfin, une analyse effectuée en 2003 a fourni des données selon lesquelles les Microsporidies appartiendraient au groupe des Zygomycètes.

Les Microsporidies témoignent des extraordinaires modifications que subissent les organismes qui s'adaptent à un mode de vie parasitique. Au gré de ces modifications, elles ont perdu presque toute ressemblance avec leurs parents Eumycètes.

Les Gloméromycètes

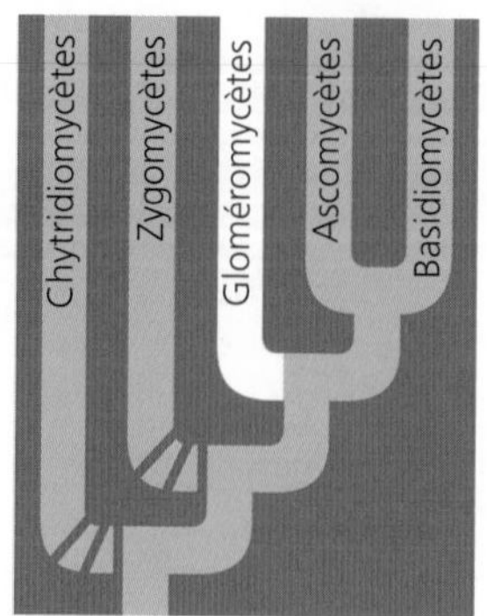

Les **Gloméromycètes** sont des Eumycètes qu'on classait auparavant parmi les Zygomycètes. Mais l'analyse de centaines de génomes d'Eumycètes indique que les Gloméromycètes forment un clade distinct (groupe monophylétique). Malgré leur petit nombre (seules 160 espèces sont actuellement connues), les Gloméromycètes constituent un groupe important sur le plan de l'écologie. Ils forment tous un type d'endomycorhizes appelées **mycorhizes à arbuscules (figure 31.15)**. Les extrémités des hyphes qui pénètrent les cellules des racines végétales comportent de minuscules structures ramifiées, les arbuscules. Environ 90 % des Végétaux forment de telles associations symbiotiques avec des Gloméromycètes.

2,5 µm
(8 200 ×)

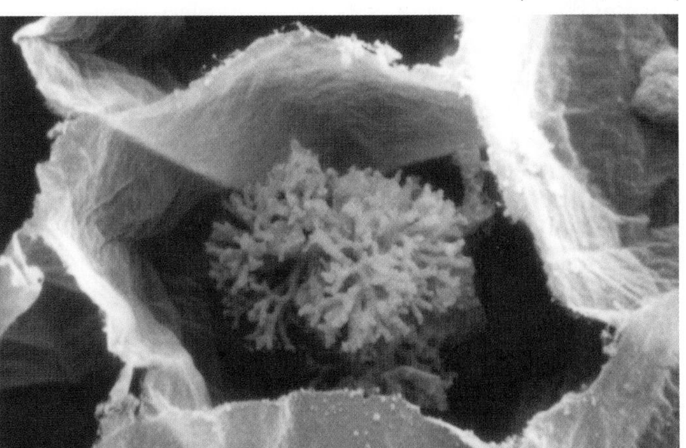

▲ **Figure 31.15 Mycorhizes à arbuscules.** Les Gloméromycètes forment des endomycorhizes avec les racines des Végétaux, auxquels ils fournissent des minéraux et d'autres nutriments. Ce cliché MEB montre les hyphes ramifiés, les arbuscules, de *Glomus mosseæ* qui pénètrent à l'intérieur d'une cellule de racine en enfonçant sa membrane (le cytoplasme de la cellule a été retiré).

Les Ascomycètes

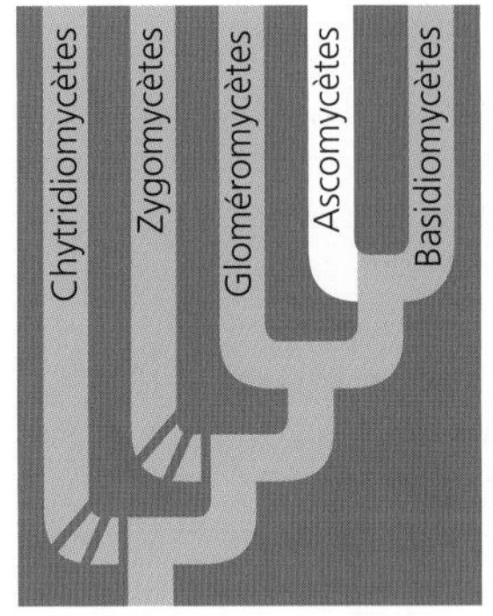

Les mycologues ont décrit plus de 32 000 espèces d'**Ascomycètes**, qui vivent dans l'eau de mer, l'eau douce et les milieux terrestres. Les Ascomycètes se caractérisent par la production de spores sexuées dans des **asques**, structures en forme de sac. Contrairement aux Zygomycètes, la plupart des Ascomycètes effectuent leur stade sexué dans des appareils sporifères microscopiques ou macroscopiques, appelés **ascocarpes**, qui contiennent les asques.

La taille et la complexité des Ascomycètes varient grandement, depuis la levure unicellulaire jusqu'aux Eumycètes complexes comme les Discomycètes et les morilles **(figure 31.16)**. L'embranchement des Ascomycètes comprend les agents pathogènes les plus dévastateurs pour les Végétaux (nous y reviendrons plus loin), mais aussi un grand nombre de saprophytes, qui absorbent surtout des débris de matières végétales. Par ailleurs, près de 40 % des espèces d'Ascomycètes s'associent par symbiose à des Algues vertes et à des Cyanobactéries pour former le Lichen. Certains Ascomycètes forment des mycorhizes avec des racines de Végétaux. D'autres vivent entre les cellules du mésophylle de certaines plantes et libèrent des produits toxiques qui, semble-t-il, protègent les tissus de la plante contre les Insectes.

Neurospora crassa, moisissure du pain, est l'un des Ascomycètes les mieux connus (voir la figure 31.16d). Souvent trouvée sur le pain, elle croît dans la nature sur la végétation calcinée. Comme le mentionne le chapitre 17, dans les années 1930, les biologistes se sont servis de *N. crassa* pour formuler l'hypothèse baptisée *Un gène, une enzyme.* Aujourd'hui, cet Ascomycète est toujours un organisme modèle; en 2003, on a publié son génome entier.

(a) Ascocarpes en forme de coupe (appareils sporifères) de la pézize orangée (*Aleuria aurantia*)

(b) Ascocarpe comestible de la morille commune (*Morchella esculenta*), ce champignon succulent qu'on trouve souvent au pied des arbres, dans les vergers.

(c) La truffe *Tuber melanosporum* est un ascocarpe qui croît sous terre et dégage une odeur forte. Ces truffes ont été déterrées, et celle du milieu a été coupée en deux.

10 µm
(1 400 ×)

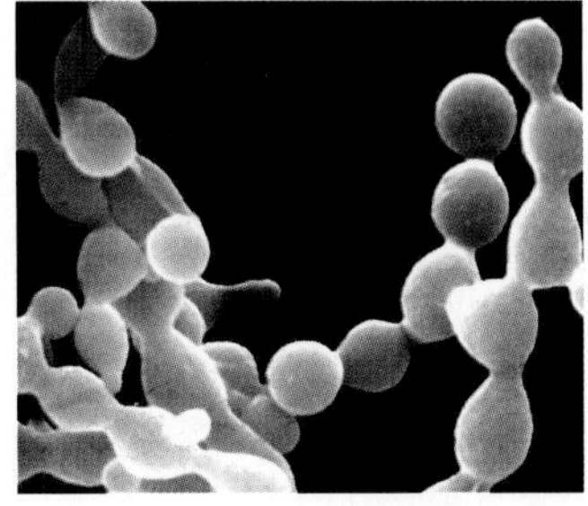

(d) *Neurospora crassa* croît sous forme de moisissure sur le pain et d'autres aliments (MEB).

▲ **Figure 31.16 Ascomycètes.**

Comptant 10 000 gènes, le génome de ce minuscule Eumycète correspond aux trois quarts de la taille du génome de *Drosophila* et au tiers de celui des humains ! Toutefois, le génome de *Neurospora* est relativement compact : les séquences d'ADN non codant qui occupent beaucoup d'espace dans les génomes des humains et de nombreux autres Eucaryotes s'y trouvent en petit nombre. Les biologistes ont fait des observations indiquant que *Neurospora* possède un mécanisme génomique de défense qui empêche cet « ADN égoïste » de s'accumuler jusqu'à devenir nuisible.

Bien que les particularités des structures et des processus reproductifs des cycles de développement des divers groupes d'Ascomycètes varient, ces cycles présentent certains éléments communs. Les Ascomycètes se reproduisent de façon asexuée en libérant d'énormes quantités de spores asexuées appelées **conidies (figure 31.17)**. Ces spores ne se forment pas à l'intérieur de sporanges, comme les spores asexuées de la plupart des Zygomycètes. Elles apparaissent plutôt aux extrémités d'hyphes spécialisés, les conidiophores, et forment fréquemment de longues chaînes ou des grappes que le vent disperse. Les conidies jouent aussi un rôle dans la reproduction sexuée lorsqu'elles s'unissent aux hyphes d'un mycélium appartenant à un type sexuel opposé, comme cela se produit chez *Neurospora* (voir la figure 31.17).

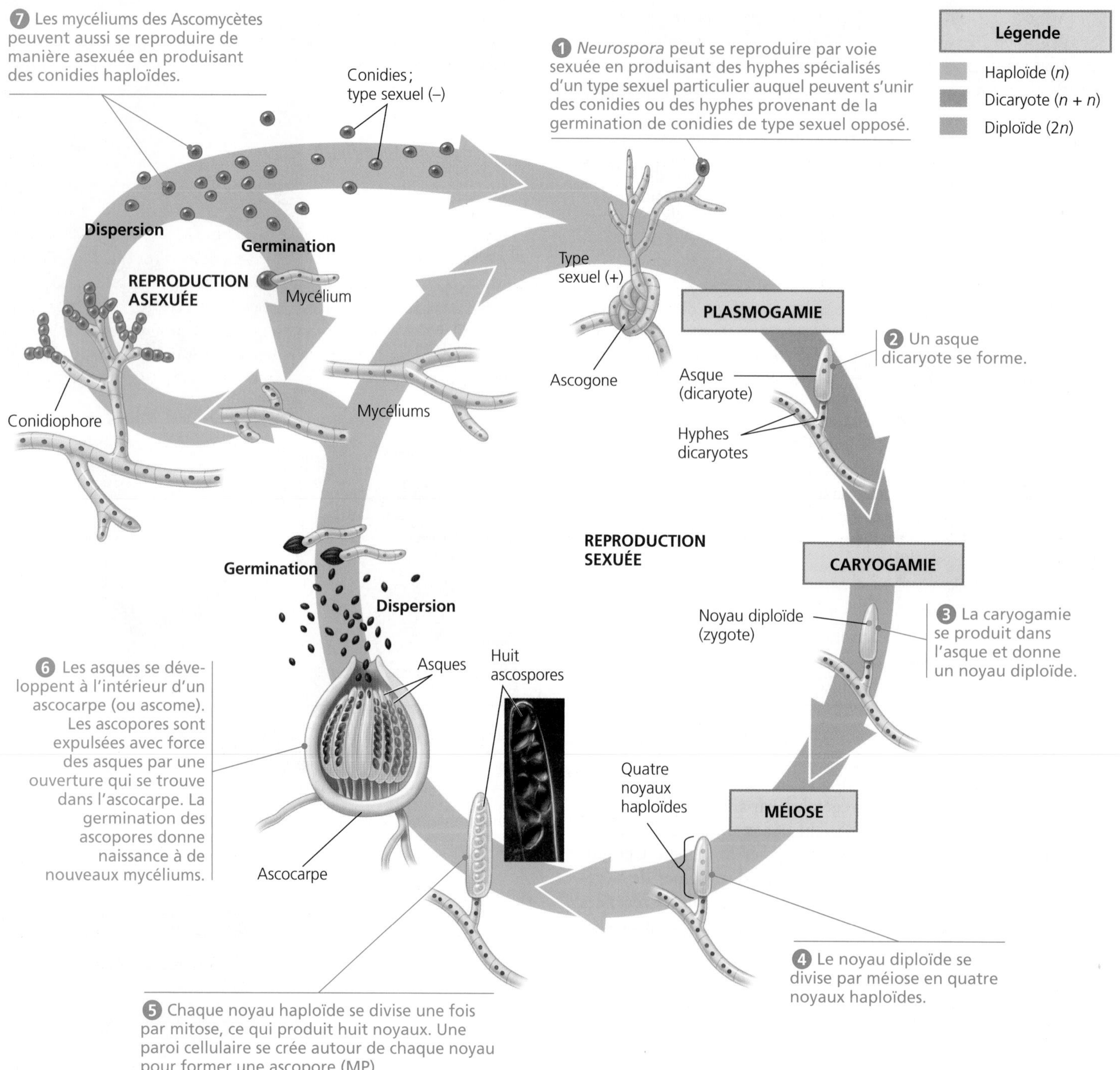

7 Les mycéliums des Ascomycètes peuvent aussi se reproduire de manière asexuée en produisant des conidies haploïdes.
Conidies ; type sexuel (–)
1 *Neurospora* peut se reproduire par voie sexuée en produisant des hyphes spécialisés d'un type sexuel particulier auquel peuvent s'unir des conidies ou des hyphes provenant de la germination de conidies de type sexuel opposé.
Légende
Haploïde (*n*)
Dicaryote (*n* + *n*)
Diploïde (2*n*)
Dispersion
Germination
REPRODUCTION ASEXUÉE
Mycélium
Type sexuel (+)
PLASMOGAMIE
2 Un asque dicaryote se forme.
Conidiophore
Mycéliums
Ascogone
Asque (dicaryote)
Hyphes dicaryotes
REPRODUCTION SEXUÉE
CARYOGAMIE
Germination
Dispersion
Noyau diploïde (zygote)
3 La caryogamie se produit dans l'asque et donne un noyau diploïde.
6 Les asques se développent à l'intérieur d'un ascocarpe (ou ascome). Les ascopores sont expulsées avec force des asques par une ouverture qui se trouve dans l'ascocarpe. La germination des ascopores donne naissance à de nouveaux mycéliums.
Asques
Huit ascospores
Quatre noyaux haploïdes
MÉIOSE
Ascocarpe
4 Le noyau diploïde se divise par méiose en quatre noyaux haploïdes.
5 Chaque noyau haploïde se divise une fois par mitose, ce qui produit huit noyaux. Une paroi cellulaire se crée autour de chaque noyau pour former une ascopore (MP).

▲ **Figure 31.17 Cycle de développement de l'Ascomycète *Neurospora crassa*.**

Après la fusion des hyphes spécialisés de deux types sexuels opposés, la plasmogamie a lieu. Le renflement non cloisonné, l'ascogone ou gamétange femelle, est maintenant hétérocaryote. L'ascogone cénocytique produit des hyphes dicaryotes cloisonnés qui contiennent chacun deux noyaux haploïdes issus de parents distincts. Les extrémités de ces hyphes dicaryotes deviendront les asques, à l'intérieur desquels la caryogamie combine les deux génomes parentaux. Par la suite, la méiose engendre quatre noyaux génétiquement différents. Puis, huit ascopores se forment par mitose. Dans de nombreux asques, les huit ascospores se trouvent alignées dans l'ordre où elles ont été conçues à partir du noyau diploïde d'un zygote. Les ascopores se développent dans l'ascocarpe, d'où elles sont plus tard expulsées lorsque l'asque éclate. L'ascocarpe peut être microscopique ou macroscopique, complètement ouvert (en forme de coupe), complètement fermé (comme chez les truffes) ou en forme de bouteille (avec un pore au sommet).

Contrairement à celui des Zygomycètes, le cycle de développement des Ascomycètes (et des Basidiomycètes) comporte un stade dicaryote prolongé qui augmente la possibilité de recombinaison génétique. Par exemple, chez certains Ascomycètes, des cellules dicaryotes fusionnent de façon répétée. Cette recombinaison génétique engendre une multitude de descendants génétiquement différents issus d'un même cycle de reproduction.

Les Basidiomycètes

L'embranchement des **Basidiomycètes** comprend environ 30 000 espèces, dont les polypores et les champignons à carpophore volumineux, qu'on appelle couramment *champignons à chapeau* **(figure 31.18)**. Cet embranchement comprend aussi des

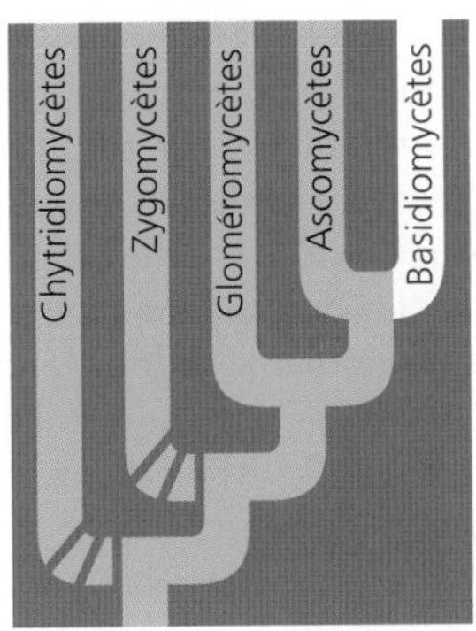

moisissures, des mutualistes formant des mycorhizes ainsi que deux groupes de parasites particulièrement destructeurs pour les Végétaux, les Rouilles et les Charbons. Le nom *Basidiomycètes* vient de la structure en forme de massue, la **baside** (du latin *basis*, « base »), qui apparaît pendant le stade diploïde transitoire du cycle de développement des représentants de ce groupe.

Les Basidiomycètes sont d'importants décomposeurs du bois et d'autres matières végétales. Ce sont les Eumycètes qui décomposent le plus efficacement la lignine, polymère complexe qui abonde dans le bois. Un grand nombre de polypores vivent en parasites sur le bois des arbres qui sont en mauvaise santé ou qui sont endommagés. Ils y vivent ensuite en saprophytes lorsque les arbres en question meurent.

Le mycélium dicaryote qui se forme au cours du cycle de développement des Basidiomycètes a habituellement une longue durée de vie. Comme chez les Ascomycètes, ce stade dicaryote prolongé offre des conditions favorisant de nombreuses recombinaisons génétiques, ce qui a pour effet de multiplier les résultats d'un même cycle de reproduction. Périodiquement, en réponse à des stimulus environnementaux, le mycélium se reproduit par voie sexuée en produisant des appareils sporifères complexes, à savoir des carpophores appelés **basidiocarpes** (voir la figure 31.20). Le champignon est un exemple bien connu de basidiocarpe.

(a) Amanite tue-mouche (*Amanita muscaria*), espèce toxique commune dans les forêts de Conifères de l'hémisphère Nord

(b) *Dictyophora indusiata*, champignon dont l'odeur rappelle celle de la viande en décomposition.

(c) Polypores, d'importants décomposeurs du bois

(d) Vesses-de-loup émettant des spores

▲ **Figure 31.18 Basidiomycètes.**

En concentrant son énergie sur la croissance des hyphes, le mycélium d'un Basidiomycète peut produire un appareil sporifère en quelques heures ; le champignon surgit de terre au fur et à mesure qu'il absorbe de l'eau et que croissent les hyphes du mycélium dicaryote. Ainsi, l'anneau de basidiocarpes, qu'on appelle « rond de sorcière », apparaît sur la pelouse pendant la nuit **(figure 31.19)**. Le diamètre du rond de sorcière augmente au même rythme que le mycélium souterrain, qui progresse de 30 cm par année tout en décomposant la matière organique présente dans le sol. Certains ronds de sorcière géants ont plusieurs centaines d'années.

Les nombreuses basides contenues dans le basidiocarpe produisent les spores sexuées appelées *basidiospores* **(figure 31.20)**. Le chapeau du champignon soutient et protège une grande surface de lamelles tapissées de basides. Les lamelles d'un champignon blanc ordinaire, vendu dans le commerce, ont une surface d'environ 200 cm^2 et peuvent libérer un milliard de basidiospores, qui, après être tombées du chapeau, sont emportées par le vent. La reproduction par voie asexuée est beaucoup moins fréquente chez les Basidiomycètes que chez les Ascomycètes.

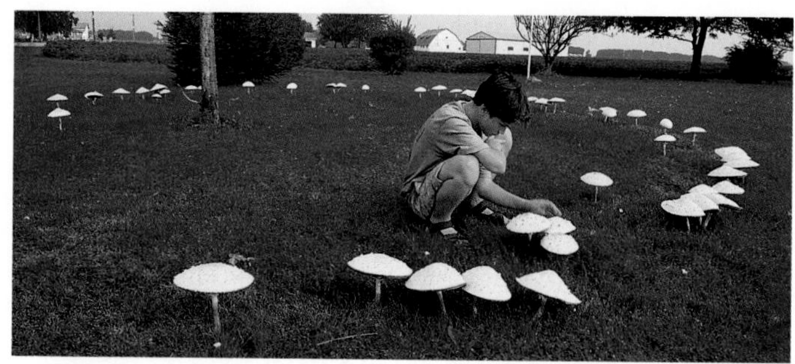

▲ **Figure 31.19 Rond de sorcière.** Selon la légende, ces champignons surgissent à l'endroit où des fées ont fait une ronde par une nuit de pleine lune. (Le présent manuel donne une explication biologique de la formation de ces cercles.)

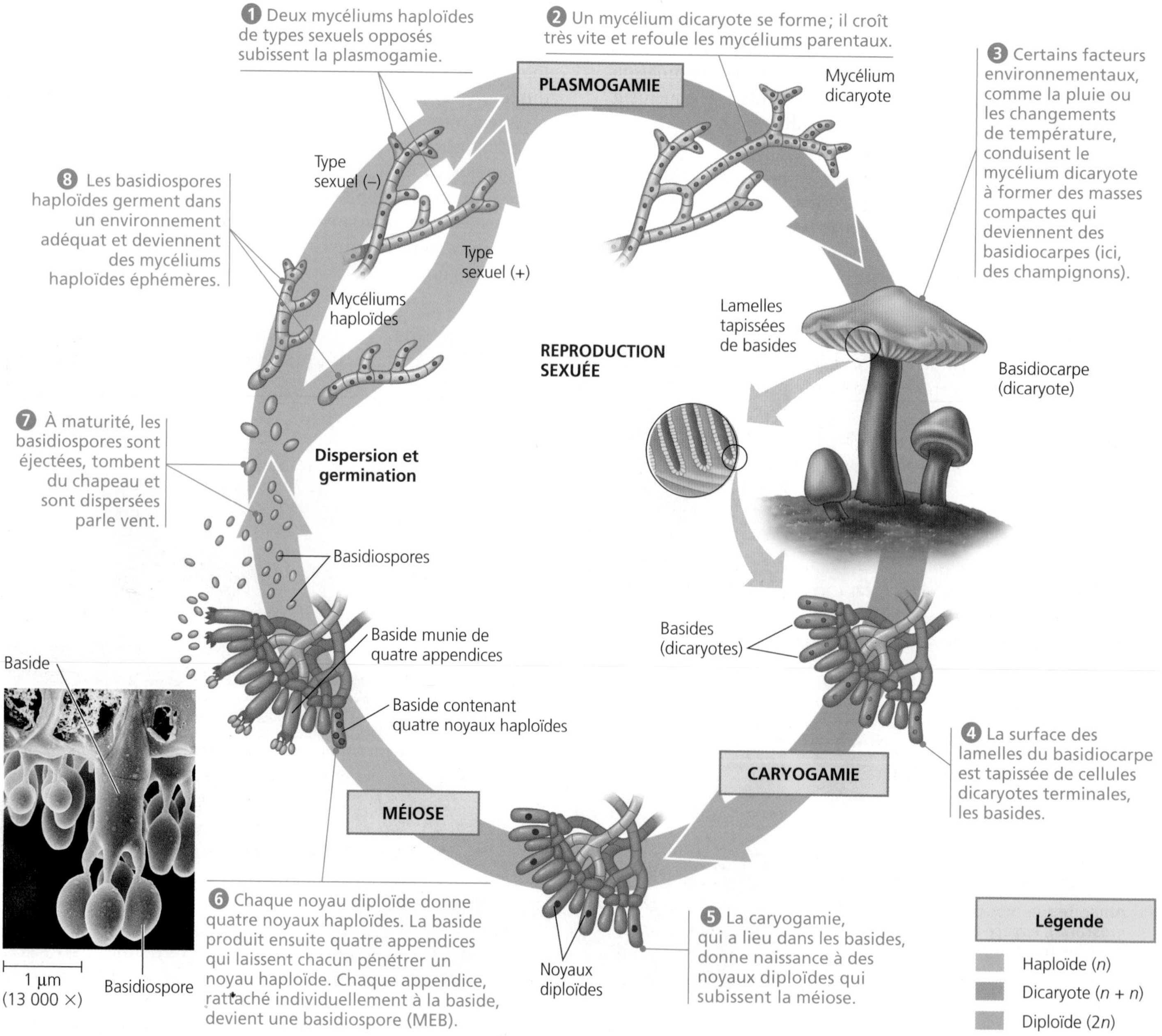

❶ Deux mycéliums haploïdes de types sexuels opposés subissent la plasmogamie.

❷ Un mycélium dicaryote se forme ; il croît très vite et refoule les mycéliums parentaux.

PLASMOGAMIE

Mycélium dicaryote

❸ Certains facteurs environnementaux, comme la pluie ou les changements de température, conduisent le mycélium dicaryote à former des masses compactes qui deviennent des basidiocarpes (ici, des champignons).

Type sexuel (–)

Type sexuel (+)

❽ Les basidiospores haploïdes germent dans un environnement adéquat et deviennent des mycéliums haploïdes éphémères.

Mycéliums haploïdes

Lamelles tapissées de basides

REPRODUCTION SEXUÉE

Basidiocarpe (dicaryote)

❼ À maturité, les basidiospores sont éjectées, tombent du chapeau et sont dispersées parle vent.

Dispersion et germination

Basidiospores

Baside munie de quatre appendices

Basides (dicaryotes)

Baside

Baside contenant quatre noyaux haploïdes

❹ La surface des lamelles du basidiocarpe est tapissée de cellules dicaryotes terminales, les basides.

CARYOGAMIE

MÉIOSE

1 µm (13 000 ×)

Basidiospore

❻ Chaque noyau diploïde donne quatre noyaux haploïdes. La baside produit ensuite quatre appendices qui laissent chacun pénétrer un noyau haploïde. Chaque appendice, rattaché individuellement à la baside, devient une basidiospore (MEB).

Noyaux diploïdes

❺ La caryogamie, qui a lieu dans les basides, donne naissance à des noyaux diploïdes qui subissent la méiose.

Légende

Haploïde (*n*)

Dicaryote (*n* + *n*)

Diploïde (2*n*)

▲ **Figure 31.20 Cycle de développement des Basidiomycètes formant des champignons.**

Retour sur le concept 31.4

1. Sur quelle caractéristique des Chytridiomycètes se fonde l'hypothèse selon laquelle ils représentent la plus ancienne lignée d'Eumycètes?
2. Pourquoi les Gloméromycètes ont-ils une si grande importance sur le plan écologique?
3. Donnez différents exemples démontrant que la structure des Zygomycètes, des Ascomycètes et des Basidiomycètes est adaptée à leur fonction.

Voir les réponses proposées à la fin du chapitre.

Concept 31.5

Les Eumycètes exercent une profonde influence sur les écosystèmes et le bien-être des humains

Notre étude de la classification des Eumycètes nous a donné un aperçu de l'influence des Eumycètes sur les autres organismes, y compris les humains. Nous allons maintenant examiner cet aspect de plus près.

La décomposition

Les Eumycètes sont bien adaptés à leur rôle de décomposeurs de matière organique, y compris la cellulose et la lignine composant la paroi des cellules végétales. Toutefois, presque tout substrat contenant du carbone, même le carburéacteur et la peinture, peut être consommé par au moins quelques espèces d'Eumycètes. Les Eumycètes, les Archéobactéries et les Bactéries sont les principaux décomposeurs (saprophytes) qui maintiennent, dans les écosystèmes, les réserves de nutriments inorganiques essentiels à la croissance des Végétaux. Sans les saprophytes, le carbone, l'azote et les autres éléments s'accumuleraient dans les déchets organiques et ne seraient plus disponibles pour la nutrition des Végétaux et des Animaux. La disparition des saprophytes mettrait un terme aux cycles biogéochimiques, et par conséquent à l'existence même des Végétaux et des Animaux (voir le chapitre 54).

La symbiose

Les Eumycètes forment, avec les Végétaux, les Algues, les Cyanobactéries et les Animaux, des associations symbiotiques qui ont toutes des effets profonds sur l'environnement.

Les mycorhizes

Les mycorhizes jouent un rôle crucial dans l'équilibre des écosystèmes et dans l'agriculture. Comme nous l'avons mentionné, presque tous les Végétaux vasculaires possèdent des mycorhizes et ont besoin de leurs partenaires eumycètes pour obtenir des nutriments essentiels. Il est assez facile de démontrer l'importance des mycorhizes en comparant la croissance de Végétaux avec et sans mycorhizes **(figure 31.21)**. Les forestiers inoculent fréquemment à de jeunes plants de pin des Eumycètes endomycorhiziens pour favoriser leur croissance.

Figure 31.21
Investigation Les mycorhizes ont-elles un effet bénéfique sur les plantes?

EXPÉRIENCE Des chercheurs ont cultivé un groupe expérimental de plants de soja dans un sol contenant un fongicide (poison tuant les Eumycètes) afin de prévenir la formation de mycorhizes. Ils ont exposé un groupe témoin de plants de soja à des Eumycètes qui ont formé des mycorhizes dans leurs racines.

RÉSULTATS Le plant de soja de gauche caractérise le groupe expérimental. Son retard de croissance est probablement attribuable à un manque de phosphore. Le plant de droite, plus gros et en meilleure santé, marque le groupe témoin et possède des mycorhizes.

CONCLUSION Les résultats indiquent que la présence de mycorhizes a un effet bénéfique sur les plants de soja; ils confirment l'hypothèse selon laquelle les mycorhizes augmentent leur capacité d'absorption du phosphore et d'autres minéraux indispensables.

La symbiose entre les Eumycètes et les Animaux

Certains Eumycètes rendent des services digestifs aux Animaux. Ainsi, ils contribuent à la dégradation des matières végétales dans l'intestin des bœufs et d'autres Mammifères herbivores; en outre, le système digestif de nombreux Arthropodes contient des Eumycètes (Zygomycètes). Par ailleurs, de nombreuses espèces de fourmis et de termites profitent des capacités de digestion des Eumycètes en pratiquant leur «culture». Les Insectes fouillent les forêts tropicales afin d'y trouver des feuilles qu'ils transportent jusqu'à leurs nids pour en nourrir les Eumycètes **(figure 31.22)**. Ceux-ci transforment les feuilles en une substance que les Insectes peuvent digérer. Dans certaines forêts tropicales, les Eumycètes ont aidé ces Insectes à devenir les principaux consommateurs de feuilles.

L'évolution de ces Insectes jardiniers et celle des Eumycètes qu'ils «cultivent» sont très étroitement liées depuis plus de 50 millions d'années. Les Eumycètes sont devenus si dépendants de leurs pourvoyeurs que, dans bien des cas, ils ne peuvent plus survivre sans eux.

▲ **Figure 31.22 Insectes jardiniers.** Ces fourmis coupeuses de feuilles ont besoin des Eumycètes pour transformer la matière végétale en une substance qu'elles peuvent digérer. Pour leur part, les Eumycètes ont besoin des nutriments qu'ils tirent des feuilles dont les nourrissent les fourmis.

Les Lichens

Les **Lichens** sont le résultat d'associations symbiotiques réunissant des millions de microorganismes photosynthétiques qui sont enchevêtrés dans un treillis d'hyphes. Ils croissent au ras des roches, des troncs d'arbre en décomposition, des arbres et des toits sous diverses formes: fructiculeuse (semblables à des arbustes), foliacée (semblables à des feuilles) ou crustacée (constitués d'une croûte) **(figure 31.23)**. Le partenaire photosynthétique est une Algue verte unicellulaire ou filamenteuse, ou une Cyanobactérie. La partie fongique est le plus souvent un Ascomycète, bien qu'elle puisse parfois être un Basidiomycète. C'est habituellement l'Eumycète qui donne au Lichen sa structure et sa forme. De même, les tissus fabriqués par les hyphes représentent la plus grande partie de la masse du Lichen. L'Algue ou la Cyanobactérie en constitue généralement la couche interne **(figure 31.24)**. La fusion entre l'Eumycète et l'Algue ou la Cyanobactérie est si complète qu'on donne aux Lichens des noms scientifiques, comme s'ils étaient des organismes individuels. Plus de 14 000 espèces ont été décrites à ce jour, ce qui représente un cinquième de tous les Eumycètes connus.

Dans la plupart des cas, chaque partenaire fournit à l'autre des éléments que celui-ci ne pourrait obtenir seul. Ainsi, l'Algue fournit des composés du carbone (entre 60 et 90 % de sa production de glucides par photosynthèse); la Cyanobactérie fixe aussi le diazote (voir le chapitre 27) et le transforme en azote organique. Quant à l'Eumycète, il procure à ses partenaires photosynthétiques un environnement physique idéal pour leur croissance. La disposition physique des hyphes assure les échanges gazeux, protège le partenaire photosynthétique et permet de retenir l'eau et les minéraux, dont la plupart sont absorbés soit par la poussière transportée par le vent, soit par la pluie. L'Eumycète sécrète aussi des acides qui facilitent l'absorption des minéraux. De plus, ses pigments protègent l'Algue ou la Cyanobactérie de l'intensité de la lumière du Soleil. Enfin, certains composés toxiques produits par l'Eumycète empêchent les herbivores de se nourrir du Lichen.

Les Eumycètes d'un grand nombre de Lichens se reproduisent de façon sexuée en produisant des ascocarpes ou des basidiocarpes. Les Algues des Lichens se reproduisent indépendamment de l'Eumycète, par division cellulaire asexuée. Comme on peut s'y attendre de ce type d'« organisme mixte », la reproduction de la partie symbiotique a lieu de façon asexuée, soit par fragmentation du Lichen parent, soit par formation de **sorédies**, petits amas d'hyphes incrustés d'algues (voir la figure 31.24).

Des études phylogénétiques portant sur l'ADN des Lichens ont permis de mieux comprendre l'évolution de cette symbiose. En 2001, des études moléculaires ont confirmé l'hypothèse selon laquelle tous les Lichens modernes sont issus de trois associations mettant en jeu un Eumycète et un symbionte photosynthétique. Elles ont aussi indiqué que de nombreux Eumycètes vivant à l'état libre ont pour ancêtres des Eumycètes lichéniques. *Penicillium*, un Eumycète libre dont on tire la pénicilline, par exemple, descendrait d'un Eumycète lichénique. En 2005, on a découvert, en Chine, des fossiles de Lichens datant d'environ 600 millions d'années, donc avant l'apparition des Vasculaires.

Les Lichens sont souvent les premiers à croître sur des rochers et des sols nouvellement mis à nu par des feux de forêt ou des éruptions volcaniques. Ils brisent la surface des rochers en la pénétrant physiquement et en l'attaquant chimiquement, et stabilisent les sols. Les Lichens qui fixent le diazote contribuent également à procurer de l'azote organique à leur écosystème. Ces

(a) Lichen fructiculeux (semblable à un arbuste)

(b) Lichen foliacé (semblable à une feuille)

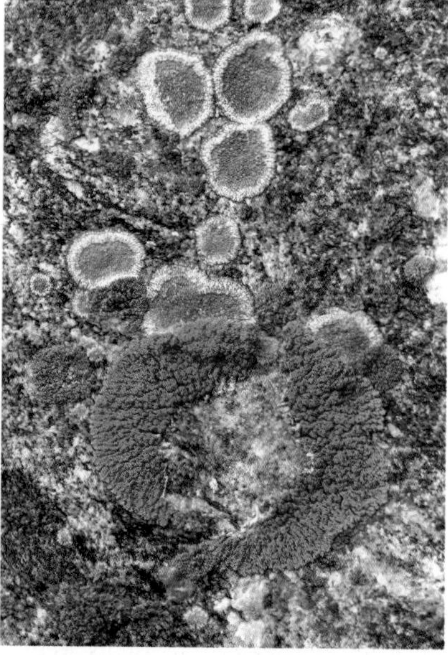

(c) Lichens crustacés (constitués d'une croûte)

▲ **Figure 31.23 Diverses formes de Lichens.**

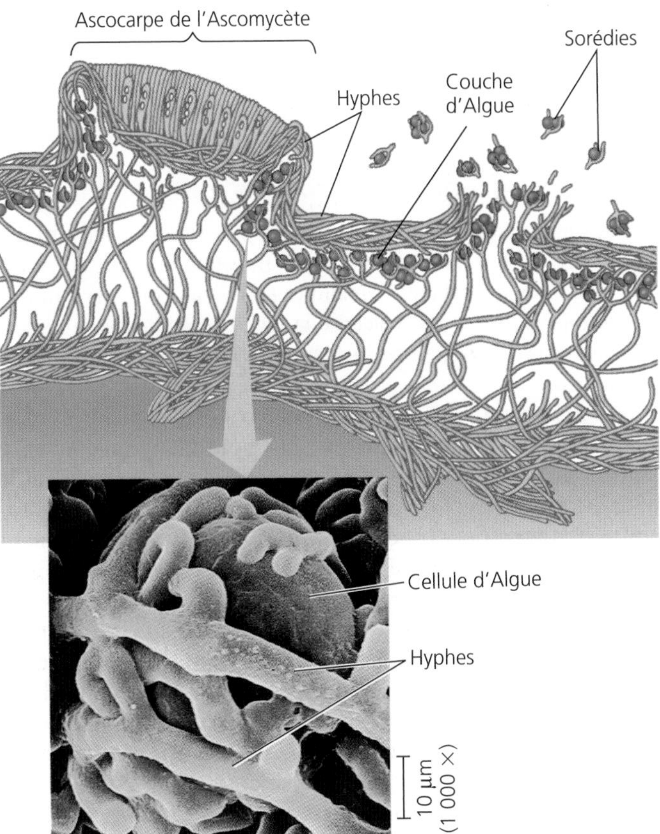

▲ **Figure 31.24 Anatomie d'un Lichen composé d'une Algue et d'un Ascomycète (MEB, cliché artificiellement coloré).**

processus permettent l'établissement d'une succession végétale. En climat aride, les Lichens ont une croissance très lente qui se limite souvent à moins de un millimètre par an. Certains Lichens vivent depuis des milliers d'années. Ils rivalisent avec les plus vieilles plantes pour le titre de plus vieux organismes de la Terre.

Malgré leur grande résistance, de nombreux Lichens sont particulièrement sensibles à la pollution de l'air. Leur mode passif d'absorption des minéraux contenus dans la pluie et l'humidité les rend vulnérables au dioxyde de soufre et aux autres poisons contenus dans l'air. La mort, dans une région donnée, des Lichens les plus sensibles et la multiplication des espèces plus résistantes constituent l'un des premiers signes de détérioration de la qualité de l'air.

Les Eumycètes pathogènes

Des 100 000 espèces connues d'Eumycètes, 30 % environ sont des parasites infestant les plantes par l'extérieur ou l'intérieur **(figure 31.25)**. Ainsi, l'Ascomycète *Ophiostoma* (ou *Ceratocystis*) *ulmi*, qui cause la maladie hollandaise de l'orme, a radicalement transformé le paysage du nord-est des États-Unis et du sud du Québec. Ce champignon a envahi l'Amérique du Nord après être arrivé aux États-Unis sur des billes qui venaient d'Europe et constituaient le paiement de dettes accumulées pendant la Première Guerre mondiale. Transporté d'un arbre à l'autre par un Insecte vivant sous l'écorce (le Coléoptère *Scolytus multistriatus*), il aura bientôt complètement éliminé l'orme d'Amérique (*Ulmus americana*) en bloquant la circulation de la sève dans les vaisseaux de l'arbre. En mai 2006, la ville de Québec a dû faire abattre l'un des plus vieux et des plus célèbres représentants de cette espèce, qui était atteint de la maladie. Un autre Ascomycète (*Cryphonectria parasitica*), introduit accidentellement de Chine au début du XXe siècle, a tué quatre milliards de châtaigniers d'Amérique (*Castanea dentata*) dans l'est des États-Unis. Par ailleurs, certaines espèces fongiques causent de sérieux dommages dans le domaine de l'agriculture. Chaque année, entre 10 et 50 % des récoltes de fruits sont détruites par des Eumycètes; les récoltes de

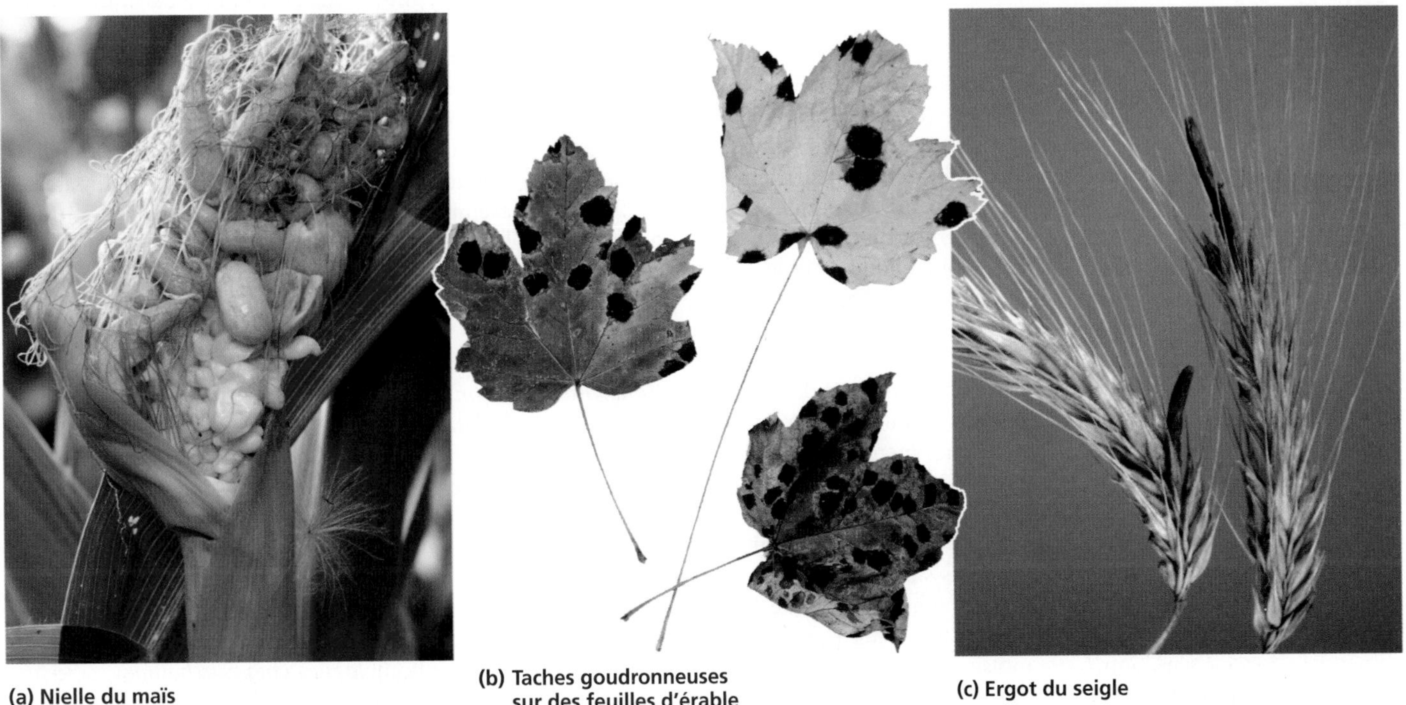

(a) Nielle du maïs

(b) Taches goudronneuses sur des feuilles d'érable

(c) Ergot du seigle

▲ **Figure 31.25 Exemples de maladies fongiques touchant les Végétaux.**

céréales sont aussi gravement touchées par le Basidiomycète *Puccinia graminis*, responsable de la rouille noire du blé.

Certains des Eumycètes qui s'attaquent aux cultures vivrières sont toxiques pour l'humain. Ainsi, quelques espèces de la Moisissure *Aspergillus* contaminent le grain et les arachides mal entreposés en sécrétant des aflatoxines, substances cancérogènes. L'Ascomycète qui a pour nom *Claviceps purpurea* produit des structures pourpres appelées *ergots du seigle.* Si, par mégarde, on consomme le seigle malade, le poison contenu dans les ergots cause la gangrène (en provoquant la vasoconstriction qui réduit la circulation sanguine), des spasmes nerveux, des sensations de brûlure, des hallucinations et une démence temporaire. En l'an 994, une épidémie provoquée par l'ergot du seigle (*Secale cereale*) a tué plus de 40 000 personnes en France. L'une des substances hallucinogènes extraite de l'ergot est l'acide lysergique, principal constituant du LSD (en allemand *Lysergik Saüre Diethylamide* [acide lysergique diéthylamide]).

Les Animaux sont beaucoup moins affectés par les Eumycètes parasites que les Végétaux. Environ une centaine d'espèces d'Eumycètes vivent aux dépens des humains et des autres Animaux. Ces Eumycètes présentent souvent du *dimorphisme* selon la température de leur milieu: ils peuvent se présenter sous forme de levure (unicellulaire) quand ils parasitent un organisme animal ou sous forme de moisissure (multicellulaire) quand ils vivent en saprophytes dans la nature. En dépit de leur pauvre diversité taxinomique, ils causent un dommage considérable à leurs hôtes. Le terme général sous lequel on groupe les infections fongiques est **mycose**.

Les dermatomycoses comprennent notamment la teigne, qui se caractérise par l'apparition de lésions circulaires sur la peau. Les Ascomycètes responsables de la teigne peuvent infecter n'importe quelle partie de l'épiderme. Mais ils s'attaquent le plus souvent aux pieds, où ils provoquent des démangeaisons intenses et des vésicules. On parle alors du *pied d'athlète.* En dépit de leur très haut risque de transmission, la teigne et le pied d'athlète se traitent avec diverses lotions et poudres fongicides.

Les mycoses systémiques sont très dangereuses et s'étendent à tout l'organisme. La contamination débute habituellement par l'inhalation de spores. Parmi ces mycoses très graves figure la coccidioïdomycose, causée par *Coccidioides immitis*, dont les symptômes sont apparentés à la tuberculose. Elle est si meurtrière qu'on la considère maintenant comme une arme biologique.

Certaines mycoses sont opportunistes, c'est-à-dire qu'elles ne surviennent que lorsque l'équilibre microbiologique, chimique ou immunologique de l'organisme est rompu. Par exemple, *Candida albicans* fait partie de la flore normale des épithéliums humides, comme celui qui recouvre le vagin. Mais, dans certaines circonstances, cette levure peut croître trop rapidement et devenir pathogène, causant des infections telles que les vaginites. Le nombre d'infections opportunistes, de mycoses notamment, s'est accru au cours des dernières décennies, en partie à cause du sida, qui affaiblit le système immunitaire. *Pneumocystis carinii* est un champignon microscopique qui cause une forme de pneumonie responsable de la majorité des décès chez les sidatiques.

Au cours des dernières années, les prétendus dangers de la moisissure *Stachybotrys chartarum*, qui est un Ascomycète, ont alimenté la presse à sensation. Cette moisissure prospère dans les bâtiments humides, et certaines études ont avancé qu'elle était la cause d'une grande variété de maladies. Ces études ont eu pour conséquence l'abandon complet d'édifices dits *hermétiques.* Pourtant, il n'existe aucune preuve qui confirme l'existence d'un lien entre la présence de *S. chartarum* et ces maladies. De nombreux autres facteurs, dont des Bactéries, des substances chimiques synthétiques et d'autres Eumycètes, peuvent être responsables des symptômes qu'on attribue à la moisissure.

Les applications pratiques des Eumycètes

Les dangers auxquels nous exposent les Eumycètes ne doivent pas nous faire oublier les immenses bienfaits que nous procurent ces remarquables Eucaryotes. Ainsi, nous dépendons d'eux pour la décomposition et le recyclage de la matière organique. De plus, sans les mycorhizes, notre agriculture serait beaucoup moins productive.

Les «champignons» sont des aliments fort populaires, mais ce ne sont pas les seuls Eumycètes que nous mangeons. Ainsi, le goût particulier de certains fromages tels que le roquefort et le gorgonzola provient des Ascomycètes qui ont participé à leur processus de maturation. L'industrie des boissons gazeuses fait, quant à elle, appel à une espèce d'Ascomycète, *Aspergillus*, pour produire l'acide citrique qui entre dans la composition des colas. Les morilles et les truffes, qui constituent les appareils sporifères comestibles de divers Ascomycètes, sont grandement appréciées pour leurs saveurs complexes (voir la figure 31.16b et c). Un kilogramme de ces Eumycètes peut valoir des centaines de dollars sur le marché. Les truffes dégagent une odeur forte qui attire certains Animaux et Insectes. Ces derniers déterrent alors les truffes et en dispersent les spores. Parfois, l'odeur imite celle des substances attractives sexuelles de certains mammifères. Auparavant, les cueilleurs de truffes utilisaient des porcs pour trouver ces précieux champignons. De nos jours, ils se servent plus souvent de chiens.

Depuis des milliers d'années, les humains manipulent les levures pour fabriquer des boissons alcoolisées et du pain. En milieu anaérobie, des levures transforment les sucres en alcool et en CO_2, ce qui fait lever la pâte. Toutefois, l'obtention, à partir des levures en question, de cultures pures dont on maîtrise mieux l'usage est relativement récente. De tous les Eumycètes de culture, c'est la levure *Saccharomyces cerevisiæ* qui est la plus importante (voir la figure 31.7). Elle compte de nombreuses souches entrant dans la fabrication du pain et de la bière.

De nombreux Eumycètes possèdent une valeur inestimable en médecine. Par exemple, un composé extrait des ergots est utilisé pour réduire l'hypertension artérielle et juguler les hémorragies consécutives aux accouchements. Certains Eumycètes produisent des antibiotiques indispensables au traitement des infections bactériennes. D'ailleurs, le premier antibiotique qui a été découvert, la pénicilline, est fabriqué par une moisissure commune nommée *Penicillium notatum* **(figure 31.26)**. Et c'est d'un champignon, *Tolypocladium inflatum*, découvert dans le sol d'un haut plateau de Norvège, que l'on a isolé la cyclosporine, substance utilisée pour empêcher le rejet d'un organe après une transplantation.

Les Eumycètes occupent aussi une place importante dans les recherches effectuées en biologie moléculaire et en biotechnologie. Les chercheurs se servent de *Saccharomyces* pour étudier la génétique moléculaire des Eucaryotes, car ses cellules sont faciles à cultiver et à manipuler (voir le chapitre 19). L'examen des interactions entre les gènes homologues chez *Saccharomyces* permet aux scientifiques de mieux comprendre le rôle des gènes associés à des affections comme la maladie de Parkinson et la chorée de Huntington.

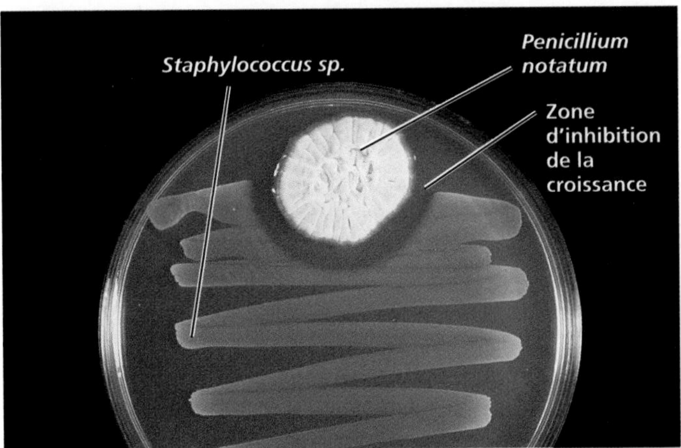

▲ **Figure 31.26 Production d'un antibiotique par la moisissure *Penicillium notatum*.** Dans cette boîte de Pétri, la région transparente située entre la moisissure et les colonies bactériennes (*Staphylococcus sp.*) montre l'inhibition de croissance attribuable à l'antibiotique produit par *Penicillium notatum*.

Certains Eumycètes génétiquement modifiés sont très prometteurs. Bien qu'elles puissent produire certaines protéines utiles, des Bactéries comme *Escherichia coli* sont incapables de synthétiser les glycoprotéines, car elles ne contiennent pas les enzymes nécessaires à la fixation des glucides aux protéines. Or, les Eumycètes, eux, en contiennent. En 2003, des scientifiques ont réussi à créer une souche de *S. cerevisiæ* produisant des glycoprotéines humaines, comme l'insuline. Ces glycoprotéines pourraient être utilisées pour traiter les personnes atteintes de maladies inhibant la production de tels composés. Entre-temps, d'autres chercheurs travaillent au séquençage du génome de *Phanerochæte chrysosporium*, Basidiomycète digérant le bois, aussi connu sous le nom de *pourriture blanche*. Ils espèrent décoder les voies métaboliques par lesquelles la pourriture blanche dégrade le bois, dans le but d'exploiter ces voies pour produire de la pâte à papier.

Notre survol du règne des Eumycètes est maintenant terminé. Les derniers chapitres de la présente partie seront consacrés à l'étude du règne frère des Eumycètes, celui des Animaux, auquel appartiennent les humains.

Retour sur le concept 31.5

1. Les Algues présentes dans les Lichens tirent des avantages de leur association avec des Eumycètes. Nommez-en quelques-uns.
2. Quelles caractéristiques des Eumycètes pathogènes contribuent à l'efficacité de leur propagation?

Voir les réponses proposées à la fin du chapitre.

Révision du chapitre 31

RÉSUMÉ DES CONCEPTS CLÉS

Concept 31.1

Les Eumycètes sont des organismes hétérotrophes qui se nourrissent par absorption

▶ **La nutrition et les modes de vie des Eumycètes (p. 659-660).** Tous les Eumycètes sont des organismes hétérotrophes, y compris les saprophytes et les symbiontes, qui se nourrissent par absorption. Ils sécrètent des enzymes qui décomposent les molécules complexes des nutriments en des molécules plus petites qu'ils peuvent absorber.

▶ **La structure de l'appareil végétatif (p. 660-661).** L'appareil végétatif des Eumycètes est le mycélium, réseau d'hyphes ramifiés adapté à la nutrition par absorption. La paroi de la plupart des Eumycètes se compose de chitine. Bien que certains Eumycètes aient des hyphes non cloisonnés (cénocytes), la plupart possèdent des hyphes séparés en cellules par des cloisons. Les cloisons sont percées de pores qui permettent les échanges entre les cellules. Les Eumycètes mycorhiziens forment des associations symbiotiques avec des Végétaux.

Concept 31.2

Les Eumycètes produisent des spores au cours de cycles de développement sexués ou asexués

▶ **La reproduction sexuée (p. 661-662).** Le cycle de développement comporte une fusion cytoplasmique (plasmogamie), puis une fusion nucléaire (caryogamie) au cours de laquelle intervient une phase hétérocaryote (noyaux haploïdes reçus des deux parents). La phase diploïde résultant de la caryogamie est courte et laisse rapidement place à la méiose, qui produit des spores haploïdes.

▶ **La reproduction asexuée (p. 662-663).** Les moisissures sont des Eumycètes à croissance rapide qui se reproduisent de manière asexuée. Les levures sont des Eumycètes unicellulaires adaptés à la vie en milieu liquide, comme la sève des Végétaux. Les Eumycètes auxquels on ne connaît aucun stade sexué ont traditionnellement été appelés *Deutéromycètes*, mais les mycologues appliquent aujourd'hui des techniques génétiques pour déterminer l'embranchement auquel appartiennent un bon nombre d'entre eux.

Concept 31.3

Les Eumycètes descendent d'un Protiste aquatique, unicellulaire et flagellé

▶ **L'origine des Eumycètes (p. 663).** Des preuves dérivées de la phylogenèse moléculaire appuient l'hypothèse selon laquelle les Eumycètes et les Animaux divergent d'un ancêtre commun unicellulaire et flagellé.

▶ **Le passage à la terre ferme (p. 663).** Les Eumycètes comptent parmi les premiers organismes à avoir colonisé la terre ferme, probablement à la faveur d'associations symbiotiques avec des Végétaux primitifs.

Concept 31.4

Les Eumycètes ont connu des radiations conduisant à un ensemble diversifié de lignées

▶ Le **tableau 31.1** passe en revue les embranchements du règne des Eumycètes et certains de leurs caractères distinctifs.

Tableau 31.1 Embranchements du règne des Eumycètes

Embranchement	Caractère distinctif
Chytridiomycètes	Spores et gamètes mobiles munis d'un flagelle
Zygomycètes	Zygosporange résistant (stade sexué)
Gloméromycètes	Mycorhizes à arbuscules
Ascomycètes	Spores sexuées contenues dans des structures en forme de sac appelées *asques*
Basidiomycètes	Appareil sporifère complexe appelé *basidiocarpe*

▶ **Les Chytridiomycètes (p. 664).** Les Chytridiomycètes vivent en saprophytes ou en parasites dans des habitats dulcicoles ou terrestres. Ce sont les seuls Eumycètes qui produisent des spores et des gamètes flagellés.

▶ **Les Zygomycètes (p. 665-666).** Les Zygomycètes, comme *Rhizopus stolonifer* (moisissure chevelue), doivent leur nom aux zygosporanges qu'ils engendrent par voie sexuée. Ce sont des structures hétérocaryotes capables de résister à des conditions défavorables. On croit aujourd'hui que les parasites unicellulaires appelés *Microsporidies* appartiennent au groupe des Zygomycètes.

▶ **Les Gloméromycètes (p. 666).** La grande majorité des Végétaux établissent avec des Gloméromycètes des relations symbiotiques qui prennent la forme de mycorhizes à arbuscules.

▶ **Les Ascomycètes (p. 667-669).** Les Ascomycètes se reproduisent de manière asexuée grâce à la production d'un très grand nombre de spores asexuées appelées *conidies*. La reproduction sexuée donne lieu à la formation de spores dans des structures en forme de sac, les asques, qui se trouvent aux extrémités d'hyphes dicaryotes, en général contenus dans des appareils sporifères appelés *ascocarpes*.

▶ **Les Basidiomycètes (p. 669-671).** Les Basidiomycètes sont d'importants décomposeurs du bois. Leurs mycéliums peuvent croître durant des années au stade hétérocaryote de leur cycle de développement. La reproduction sexuée donne lieu à la formation d'appareils sporifères, appelés *basidiocarpes*, qui produisent des spores sur des basides en forme de massue situées aux extrémités d'hyphes dicaryotes.

Concept 31.5

Les Eumycètes exercent une profonde influence sur les écosystèmes et le bien-être des humains

▶ **La décomposition (p. 671).** Les Eumycètes jouent un rôle essentiel dans le recyclage des éléments chimiques qui circulent entre le monde du vivant et celui du non-vivant.

▶ **La symbiose (p. 671-673).** Les mycorhizes accroissent la productivité des Végétaux. Les Eumycètes permettent à des Animaux comme les bœufs, les fourmis et les termites de digérer des tissus végétaux. Les Lichens sont des associations symbiotiques fortement intégrées entre des Eumycètes et des Algues ou des Cyanobactéries.

▶ **Les Eumycètes pathogènes (p. 673-674).** Environ 30 % de toutes les espèces d'Eumycètes connues sont des parasites qui infestent surtout des Végétaux. Certains Eumycètes causent aussi des maladies chez les humains.

▶ **Les applications pratiques des Eumycètes (p. 674-675).** Les humains consomment un grand nombre d'Eumycètes et en utilisent d'autres pour fabriquer des fromages, des boissons alcoolisées et du pain. Les antibiotiques produits par certains Eumycètes servent à traiter des infections bactériennes. Des recherches d'ordre génétique portant sur les Eumycètes débouchent sur des applications dans le domaine de la biotechnologie.

VÉRIFIEZ VOS CONNAISSANCES

Autoévaluation

(Les questions dont les numéros sont en caractères gras font surtout appel à la compréhension.)

1. *Tous* les Eumycètes sont:
   a) symbiotiques.
   b) hétérotrophes.
   c) flagellés.
   d) pathogènes.
   e) saprophytes.
2. Lequel (ou lesquels) parmi les caractères suivants n'appartient (ou n'appartiennent) pas aux Eumycètes?
   a) La présence d'un noyau entouré d'une enveloppe nucléaire.
   b) Le développement embryonnaire.
   c) La reproduction sexuée ou asexuée.
   d) La paroi cellulaire constituée de chitine.
   e) Les cellules qui forment des tissus.
3. Déterminez l'énoncé qui est *faux.*
   a) Les racines de la plupart des Vasculaires à graines sont associées à des champignons microscopiques qui favorisent leur croissance.
   b) L'association entre les mycorhizes et les racines des Végétaux est à sens unique: seuls les Végétaux tirent profit de cette association.
   c) Les hyphes des champignons mycorhiziens peuvent pénétrer à l'intérieur des cellules des racines des Vasculaires à graines pour établir leur relation de mutualisme avec les Végétaux.
   d) L'association entre les mycorhizes et les racines des Végétaux date probablement des premiers temps où les Végétaux ont envahi la terre ferme.
   e) Plusieurs embranchements d'Eumycètes forment des mycorhizes, dont les Gloméromycètes, les Ascomycètes et les Basidiomycètes.
4. Quelles cellules ou structures sont associées à la reproduction *asexuée* chez certains Eumycètes?
   a) Les ascospores.
   b) Les basidiospores.
   c) Les conidiophores.
   d) Les zygosporanges.
   e) Les ascocarpes.
5. **5.** Lequel des énoncés suivants décrit un organisme pathogène opportuniste qui cause une mycose?
   a) *Claviceps purpurea* produit sur le seigle des ergots dont la consommation rend malade.
   b) *Ophiostoma ulmi* cause la maladie hollandaise de l'orme.
   c) Des Ascomycètes sont responsables de la teigne.
   d) *Candida albicans* cause des infections vaginales à levures.
   e) La moisissure *Penicillium notatum* est un Ascomycète qui croît en culture et produit des antibiotiques.

6. La nature filamenteuse du mycélium est une adaptation bénéfique qui sert principalement à :
   a) produire des suçoirs en vue de parasiter d'autres organismes.
   b) empêcher la reproduction sexuée jusqu'à ce que le milieu soit favorable.
   c) coloniser n'importe quel milieu terrestre.
   d) augmenter les chances de contact entre les types sexuels différents.
   e) augmenter la surface d'absorption de nourriture.
7. Chez quel type d'Eumycète trouve-t-on des sporanges qui émergent d'hyphes verticaux et produisent des spores asexuées ?
   a) Les Ascomycètes.
   b) Les Basidiomycètes.
   c) Les Chytridiomycètes.
   d) Les Zygomycètes.
   e) Les Lichens.
8. Quelle caractéristique distingue les Basidiomycètes des autres Eumycètes ?
   a) Ils ne possèdent aucun stade sexué connu.
   b) Leur mycélium dicaryote a une longue durée de vie.
   c) Ils produisent des sporanges qui ne sont plus hétérocaryotes après la caryogamie et la méiose.
   d) Ils forment une association symbiotique avec des Algues dans les Lichens.
   e) Pendant la méiose, leurs spores s'alignent dans un asque suivant leur ordre de formation.
9. Quel énoncé décrit le mieux les moisissures ?
   a) Ce sont des Deutéromycètes (Eumycètes imparfaits) qui n'ont aucun stade sexué connu.
   b) Ce sont des mycéliums qui se développent rapidement et qui sont composés de cénocytes.
   c) Ce sont des mycorhizes qui entourent les racines des Végétaux et se reproduisent sans fabriquer de spores.
   d) Ce sont des Eumycètes unicellulaires qui se multiplient rapidement dans un milieu humide.
   e) Ce sont les mycéliums de n'importe lequel des Eumycètes dont le mode de reproduction est asexué ; ils prolifèrent rapidement.
10. Dans un Lichen, quel est généralement le symbionte photosynthétique ?
   a) Une Mousse.
   b) Une Algue verte.
   c) Une Algue brune.
   d) Un Ascomycète.
   e) Une petite plante vasculaire.
11. Les plus proches parents des Eumycètes sont vraisemblablement :
   a) les Animaux.
   b) les Vasculaires à graines.
   c) les Mousses.
   d) les Algues brunes.
   e) les Myxomycètes.

Lien avec l'évolution

On croit que les différents embranchements du règne des Eumycètes ont subi indépendamment plusieurs transformations qui ont abouti à la symbiose mutualiste Eumycète-Algue des Lichens. Toutefois, il est possible de diviser les Lichens en trois groupes bien définis, selon leur forme de croissance (voir la figure 31.23). Quelles recherches entreprendriez-vous pour vérifier ces deux hypothèses ?

1) Les Lichens de formes crustacée, foliacée et fruticuleuse constituent trois groupes monophylétiques.
2) L'évolution d'Eumycètes distincts sur le plan taxinomique a convergé vers ces trois formes de croissance.

Intégration

1. Les Lichens colonisent les pierres tombales, comme sur la photo ci-dessous, peu de temps après qu'elles sont mises en place. Puis, ils continuent à croître durant des décennies, voire des siècles. Comment procéderiez-vous pour calculer la vitesse de croissance d'une espèce de Lichen provenant d'un vieux cimetière ?

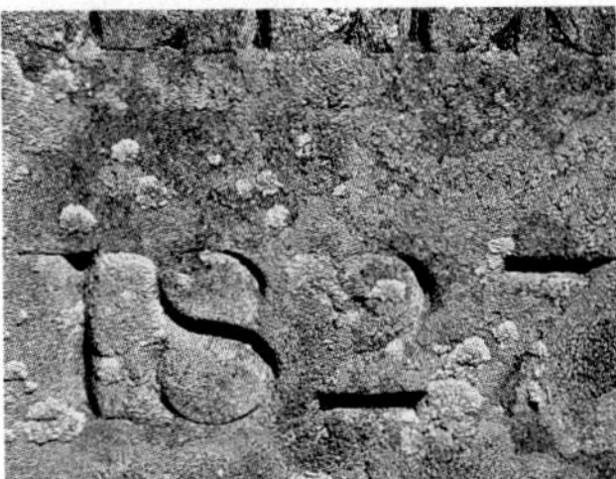

2. En Amérique et en Europe, on a constaté, au cours des dernières années, un déclin rapide du nombre de champignons dans les forêts (il y a moins d'individus et moins d'espèces). Expliquez l'effet que pourrait avoir à plus ou moins long terme cette diminution des Eumycètes sur la survie des forêts. Proposez des hypothèses pour expliquer la cause (ou les causes) de ce déclin.

Science, technologie et société

1. Les châtaigniers d'Amérique (*Castanea dentata*) ont déjà représenté jusqu'à 25 % des forêts feuillues de l'est des États-Unis. Ces arbres ont été détruits par une maladie, le chancre du châtaignier, causée par un Ascomycète (*Cryphonectria parasitica* ou *Endothia parasitica*). On a introduit accidentellement ce dernier en Amérique en important des châtaigniers d'Asie qui étaient contaminés par lui, mais qui lui étaient résistants. Plus récemment, un autre champignon a détruit un grand nombre de cornouillers à feuilles alternes (*Cornus alternifolia*). Certains experts pensent qu'on a importé ce parasite accidentellement. Pourquoi les Végétaux sont-ils particulièrement vulnérables aux Eumycètes provenant d'autres régions ? Quels types d'activités humaines contribuent à la dispersion des maladies végétales ? L'introduction d'organismes pathogènes pour les Végétaux risque-t-elle de devenir plus fréquente à l'avenir ? Pourquoi ?
2. Les Eumycètes (les Microsporidies notamment) constituent de bons pesticides biologiques qui pourraient s'attaquer, en tant que parasites, aux Insectes qui ravagent les cultures. Quels arguments apporteriez-vous à un groupe d'agriculteurs pour les convaincre d'utiliser des pesticides fongiques plutôt que chimiques ?

Réponses du chapitre 31

Retour sur le concept 31.1

1. Les Eumycètes et les humains sont hétérotrophes. Les Eumycètes digèrent leurs nutriments alors qu'ils se trouvent encore dans l'environnement, puis absorbent les petites molécules issues de cette digestion. Pour leur part, les humains (et d'autres Animaux) ingèrent des morceaux d'aliments relativement gros et les digèrent à l'intérieur de leur organisme.
2. Grâce à sa grande étendue, le réseau d'hyphes augmente la surface en contact avec la source de nourriture ; de plus, la croissance rapide du mycélium permet aux hyphes d'atteindre de nouveaux territoires.

Retour sur le concept 31.2

1. Chez les Eumycètes, les stades haploïdes dominent la majorité des cycles de développement. Chez les humains, ce sont les stades diploïdes qui l'emportent.
2. Les deux champignons sont peut-être des structures reproductrices appartenant au même mycélium (au même organisme). Ils peuvent aussi appartenir à deux organismes distincts issus d'un seul parent s'étant reproduit de manière asexuée, d'où la similitude de leur information génétique.

Retour sur le concept 31.3

1. La lignée d'Eumycètes qu'on croit la plus primitive, les Chytridiomycètes, porte des flagelles postérieurs, comme la plupart des Opisthochontes. Il se pourrait donc que les autres lignées d'Eumycètes aient perdu leurs flagelles après avoir divergé de la lignée des Chytridiomycètes.
2. La présence de mycorhizes indique que les Eumycètes avaient déjà établi des relations symbiotiques avec des Végétaux à l'époque de la fossilisation des premières Vasculaires.

Retour sur le concept 31.4

1. Les spores flagellées.
2. La plupart des Végétaux forment des mycorhizes à arbuscules avec des Gloméromycètes; sans les Eumycètes, ils auraient de la difficulté à s'alimenter.
3. *Exemples de réponses possibles:* Chez les Zygomycètes, le zygosporange résistant, aux parois épaisses, peut supporter des conditions inhospitalières puis être soumis à la caryogamie et à la méiose lorsque les conditions du milieu sont favorables à la reproduction. Chez les Ascomycètes, les spores asexuées (les conidies) forment aux extrémités des conidiophores des chaînes ou des grappes que le vent disperse facilement. Souvent en forme de coupe, les ascocarpes portent des appareils sporifères appelés *asques*. Chez les Basidiomycètes, le basidiocarpe soutient et protège une grande surface de basides d'où tombent les spores avant d'être dispersées.

Retour sur le concept 31.5

1. Un milieu qui favorise la croissance, la rétention de l'eau et des minéraux, une protection contre les rayons du Soleil et les prédateurs.
2. La résistance de leurs spores leur permet de se propager chez l'hôte au moyen de divers mécanismes; grâce à leur capacité de croître rapidement dans un nouvel environnement favorable, ils sont en mesure de tirer profit des ressources de leur hôte.

Autoévaluation

1. b; 2. b et e; 3. b; 4. c; **5.** d; 6. e; 7. d; 8. b; **9.** e; 10. b; 11. a.

32 Introduction à la diversité des Animaux

▲ **Figure 32.1 Photo sous-marine donnant un aperçu de la diversité des Animaux évoluant à l'intérieur et autour d'un récif de corail.**

Concepts clés

32.1 **Les Animaux sont des organismes eucaryotes multicellulaires et hétérotrophes, dont les tissus se développent à partir de feuillets embryonnaires**

32.2 **L'histoire des Animaux couvre peut-être plus d'un milliard d'années**

32.3 **Les Animaux peuvent être classés selon leurs « plans d'organisation corporelle »**

32.4 **Les principales hypothèses concordent quant aux grandes caractéristiques de l'arbre phylogénétique des Animaux**

Introduction

Bienvenue chez vous

À la lecture des derniers chapitres, vous vous êtes peut-être senti comme un étranger au milieu d'organismes assez mal connus, comme les Myxomycètes, les Psilotes et les Ascomycètes. Le sujet que nous abordons maintenant vous est sans doute plus familier, car il s'agit du règne des Animaux, dont vous faites bien sûr partie. Mais, comme l'évoque la **figure 32.1**, la diversité des Animaux est loin de se limiter aux humains ou même aux chiens, aux chats, aux Oiseaux et aux autres Animaux que nous côtoyons régulièrement. Les biologistes ont relevé 1,3 million d'espèces animales existantes, mais les estimations du nombre total de ces espèces atteignent des chiffres beaucoup plus élevés : ils se situent entre 10 à 20 millions et 100 à 200 millions. Cette vaste diversité s'étend à une gamme extraordinaire de variations morphologiques s'appliquant à des organismes aussi différents que les coraux, les cancrelats et les crocodiles.

Avec le présent chapitre commence une exploration du règne des Animaux qui se poursuivra dans les deux chapitres suivants. Nous allons examiner les caractéristiques communes à tous les Animaux ainsi que celles qui distinguent les groupes taxinomiques auxquels ils appartiennent. Cette information est indispensable pour comprendre pourquoi la phylogenèse des Animaux est actuellement l'un des domaines de la biologie où les recherches et les débats suscitent le plus d'intérêt, comme nous le verrons plus loin dans le chapitre.

Concept 32.1

Les Animaux sont des organismes eucaryotes multicellulaires et hétérotrophes, dont les tissus se développent à partir de feuillets embryonnaires

Définir correctement le terme *Animal* semble facile à première vue. Pourtant, il n'en est rien. On rencontre en effet des exceptions à presque tous les critères qui permettent de distinguer les Animaux des autres organismes. On serait peut-être porté, par exemple, à considérer la mobilité comme un caractère commun à tous les Animaux : or, les Éponges ne sont pas mobiles. Cependant, les Animaux présentent plusieurs caractéristiques qui, lorsqu'elles sont considérées en bloc, permettent d'établir une définition acceptable.

Le mode de nutrition

Le mode de nutrition des Animaux diffère de ceux des Végétaux et des Eumycètes. En effet, les Végétaux sont des Eucaryotes autotrophes capables de produire des molécules organiques au moyen de la photosynthèse ; les Eumycètes, eux, sont des hétérotrophes qui croissent sur leurs nutriments ou près d'eux et sécrètent des exoenzymes qui les digèrent à l'extérieur de leur organisme. Contrairement aux Végétaux, les Animaux sont incapables de fabriquer la totalité de leurs propres molécules organiques, de sorte que, dans la plupart des cas, ils les ingèrent soit en dévorant d'autres organismes vivants, soit en consommant des matières organiques non vivantes. De plus, contrairement aux Eumycètes, la plupart des Animaux utilisent des enzymes pour digérer leurs aliments seulement une fois qu'ils les ont ingérés.

La structure et la spécialisation des cellules

Organismes eucaryotes, les Animaux, tels les Végétaux et les Eumycètes (mais non comme la plupart des Protistes), sont multicellulaires. Toutefois, contrairement aux cellules des Végétaux et des Eumycètes, les cellules animales ne s'entourent pas d'une paroi renforçant la structure de l'organisme. Le corps des Animaux doit plutôt sa cohésion à des protéines structurales, dont la plus abondante est le collagène (voir la figure 6.29). Outre celui-ci, qu'on trouve principalement dans la matrice extracellulaire dont la constitution est fort semblable chez tous les Animaux, les tissus animaux comportent trois types uniques de jonctions intercellulaires, soit les jonctions serrées, les desmosomes et les jonctions ouvertes, qui se composent d'autres protéines structurales (voir la figure 6.31).

Il existe deux formes spécialisées de cellules animales qu'on ne rencontre pas chez les autres organismes multicellulaires : les cellules musculaires et les cellules nerveuses. Chez la plupart des Animaux, ces cellules spécialisées forment respectivement les tissus musculaires et les tissus nerveux, et sont responsables du mouvement et de la conduction des influx nerveux.

La reproduction et le développement

La plupart des Animaux se reproduisent de façon sexuée, et c'est habituellement le stade diploïde qui prédomine au cours de leur cycle de développement. Chez la majorité des espèces, un petit spermatozoïde flagellé féconde un ovule plus gros qui ne se déplace pas par lui-même ; cela donne un zygote diploïde. Le zygote subit ensuite une série de divisions cellulaires mitotiques appelée **segmentation**. Au cours du développement de la plupart des Animaux, la segmentation aboutit à la formation d'un stade multicellulaire appelé **blastula**, qui prend souvent la forme d'une sphère creuse **(figure 32.2)**. Vient ensuite la **gastrulation**, pendant laquelle se développent les feuillets de tissus embryonnaires destinés à former les diverses parties de l'organisme adulte. Le stade de développement qui lui est associé est appelé **gastrula** (voir la figure 21.4).

Certains Animaux passent directement au stade adulte après avoir franchi différentes étapes de maturation, mais un grand nombre doivent d'abord passer par des stades larvaires. La **larve** est une forme sexuellement immature. Sa morphologie, ses besoins nutritifs et parfois même son habitat diffèrent de ceux de l'adulte, comme on peut l'observer chez le têtard (stade larvaire des Amphibiens). La larve subit finalement une **métamorphose**, changement radical qui permet à l'Animal d'acquérir sa forme adulte.

Malgré l'extraordinaire diversité de la morphologie des Animaux adultes, le réseau génétique de base qui régit leur développement est demeuré relativement le même. Tous les Eucaryotes possèdent des gènes qui régulent l'expression d'autres gènes. Nombre de ces gènes régulateurs ont en commun des unités d'ADN de même séquence appelées *boîtes homéotiques* (voir le chapitre 21). Le fait que tous les Animaux possèdent une famille de gènes uniques contenant des boîtes homéotiques, les gènes *Hox*, semble indiquer que cette famille de gènes est apparue dans la lignée d'Eucaryotes qui a donné naissance aux Animaux. Les gènes *Hox* remplissent d'importantes fonctions dans le développement des embryons animaux, car ils régissent l'expression de douzaines, voire de centaines d'autres gènes. Ce faisant, ils peuvent commander la division et la différenciation des cellules, de manière à créer les caractéristiques morphologiques des Animaux.

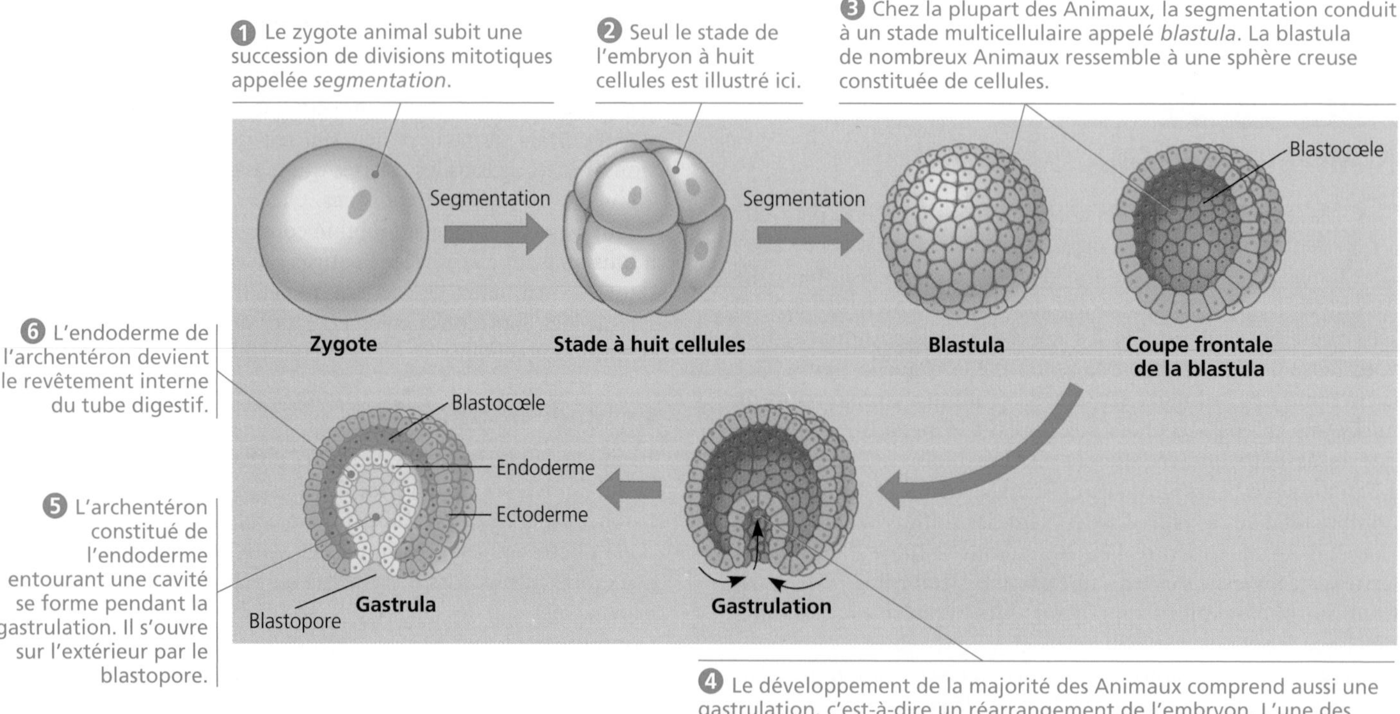

1 Le zygote animal subit une succession de divisions mitotiques appelée *segmentation*.
2 Seul le stade de l'embryon à huit cellules est illustré ici.
3 Chez la plupart des Animaux, la segmentation conduit à un stade multicellulaire appelé *blastula*. La blastula de nombreux Animaux ressemble à une sphère creuse constituée de cellules.
Segmentation
Segmentation
Blastocœle
Zygote
Stade à huit cellules
Blastula
Coupe frontale de la blastula
6 L'endoderme de l'archentéron devient le revêtement interne du tube digestif.
Blastocœle
Endoderme
Ectoderme
5 L'archentéron constitué de l'endoderme entourant une cavité se forme pendant la gastrulation. Il s'ouvre sur l'extérieur par le blastopore.
Blastopore
Gastrula
Gastrulation
4 Le développement de la majorité des Animaux comprend aussi une gastrulation, c'est-à-dire un réarrangement de l'embryon. L'une des extrémités de l'embryon s'invagine alors jusqu'à remplir la blastocœle, ce qui produit des feuillets de tissus embryonnaires : l'ectoderme (couche externe) et l'endoderme (couche interne).

▲ **Figure 32.2 Premiers stades du développement embryonnaire chez les Animaux.**

Les Éponges, qui représentent la lignée des Animaux modernes les plus simples, sont dotées de gènes *Hox* qui régissent la formation des pores inhalants qui percent leur paroi corporelle, ce qui constitue la principale caractéristique morphologique de ces organismes (voir le chapitre 33). Chez les Animaux plus complexes, la famille des gènes *Hox* a subi davantage de duplications, de sorte que la «boîte à outils» servant à la régulation du développement offre de plus nombreuses possibilités. Chez les Bilatériens (regroupement comprenant les Vertébrés, les Insectes et la plupart des autres Animaux), les gènes *Hox* régissent la structuration de l'axe antéropostérieur, ainsi que d'autres aspects du développement. C'est le même réseau génétique qui a subsisté et qui commande le développement de la mouche et de l'humain, en dépit de leurs évidentes différences et de leurs centaines de millions d'années d'évolution divergente.

Retour sur le concept 32.1

1. Les Végétaux et les Animaux sont deux groupes d'organismes eucaryotes multicellulaires. Nommez quatre caractéristiques qui les différencient les uns des autres.
2. De complexes stades de développement initiaux comme la formation d'une blastula et d'une gastrula sont communs à tous les Animaux, des sauterelles jusqu'aux humains, en passant par les myes. Que révèle cette observation au sujet du moment de l'apparition de ces processus au cours de l'évolution des Animaux?

Voir les réponses proposées à la fin du chapitre.

Concept 32.2

L'histoire des Animaux couvre peut-être plus d'un milliard d'années

Le règne des Animaux s'étend non seulement à la grande diversité des espèces existantes, mais aussi à celle des espèces disparues, plus considérable encore. (Certains paléontologues estiment que 99 % de toutes les espèces animales sont disparues.) Diverses études indiquent que la diversification des Animaux s'est amorcée il y a plus d'un milliard d'années. Par exemple, d'après certains calculs fondés sur les horloges moléculaires, on estime que les ancêtres des Animaux ont divergé des ancêtres des Eumycètes il y a 1,5 milliard d'années. Selon des études semblables, l'ancêtre commun des Animaux modernes aurait vécu il y a entre 1,2 milliard et 800 millions d'années. Il ressemblait peut-être aux Choanoflagellés modernes **(figure 32.3)**, les Protistes qui sont les plus proches parents vivants des Animaux, et était probablement lui-même un Protiste flagellé vivant en colonies **(figure 32.4)**.

Dans cette section, nous allons examiner les observations paléontologiques qui témoignent de l'évolution des Animaux au cours de quatre ères géologiques.

L'ère néoprotérozoïque (il y a entre 1 milliard et 542 millions d'années)

Selon les données moléculaires, les Animaux seraient apparus beaucoup plus tôt, mais les plus anciens fossiles généralement reconnus ne sont âgés que de 575 millions d'années. Ces fossiles portent collectivement le nom de **faune d'Ediacara**; ils sont ainsi appelés parce que les premiers ont été découverts dans les collines d'Ediacara, en Australie **(figure 32.5)**. Par la suite, on a trouvé des fossiles semblables sur d'autres continents. Certains semblent apparentés à des Cnidaires modernes comme les coraux (voir le chapitre 33). D'autres représenteraient des Mollusques au corps mou, et de nombreuses galeries et traces fossilisées indiquent la présence de plusieurs formes de vers.

En plus de ces fossiles macroscopiques, les roches du Néoprotérozoïque portent des signes microscopiques d'Animaux primitifs. Comme nous l'avons expliqué au chapitre 26, des embryons vieux de 570 millions d'années découverts en Chine présentent clairement l'organisation structurale de base des embryons animaux actuels, quoique les paléontologues ne sachent pas encore avec certitude à quel clade ils appartiennent. Il se peut très bien qu'on découvre des fossiles plus âgés dans les années à venir, mais, dans l'état actuel des choses, les archives géologiques donnent fortement à penser que la fin du Néoprotérozoïque a connu une intensification de la diversité animale.

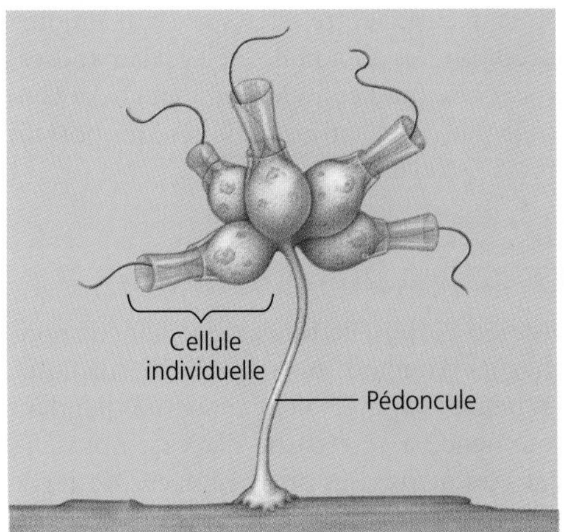

▲ **Figure 32.3 Colonie de Choanoflagellés.** Une telle colonie mesure environ 0,02 mm de hauteur.

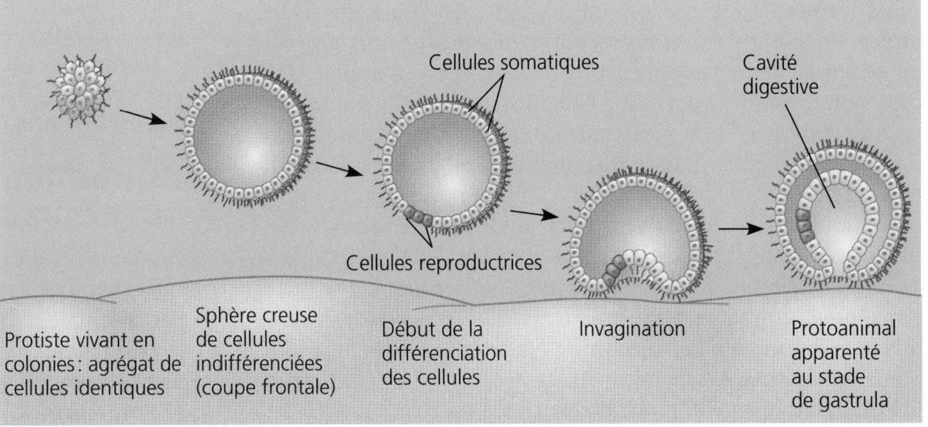

▲ **Figure 32.4 Hypothèse sur l'évolution des Animaux à partir d'un Protiste flagellé.** (Les flèches symbolisent le temps de l'évolution.)

▼ **Figure 32.5 Fossiles d'Ediacara.** Ces fossiles datant d'il y a 575 millions d'années comprennent des Animaux présentant : **(a)** des formes étoilées simples et **(b)** des segments corporels et des pattes multiples.

(a)

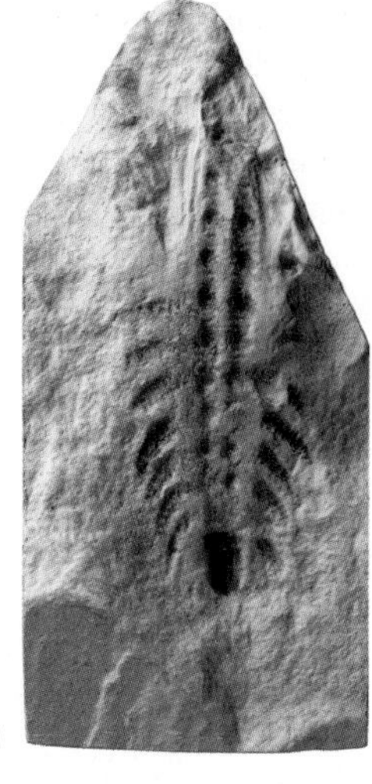

(b)

▲ **Figure 32.6 Paysage marin de la période cambrienne.** Sur cette reconstitution réalisée par un artiste, on voit divers organismes dont les fossiles proviennent du site de Burgess Shale, en Colombie-Britannique, au Canada. Ces Animaux sont notamment : *Pikaia* (le Cordé semblable à une anguille, qui nage, en haut, à gauche), *Hallucigenia* (l'Animal muni d'épines semblables à des cure-dents, au fond de l'eau), *Anomalocaris* (le gros Animal muni de pinces recourbées) et *Marella* (l'Arthropode qui nage, à gauche).

L'ère paléozoïque (il y a entre 542 et 251 millions d'années)

La diversification des Animaux semble s'être énormément accélérée il y a entre 542 et 525 millions d'années, soit au début de la période cambrienne de l'ère paléozoïque, phénomène désigné par l'expression **explosion du Cambrien.** Dans les strates formées avant l'explosion du Cambrien, on ne discerne qu'une poignée d'embranchements d'Animaux. Mais dans celles qui datent de la période comprise entre 542 et 525 millions d'années avant notre ère, des paléontologues ont découvert les plus anciens fossiles d'environ la moitié de tous les embranchements modernes. Beaucoup de ces fossiles distinctifs, parmi lesquels se trouvent les premiers Animaux au squelette dur recouvert d'une couche minérale, ont une apparence très différente de la plupart des Animaux modernes (**figure 32.6**). Pourtant, les paléontologues ont établi que la majorité de ces fossiles cambriens appartiennent à des embranchements d'Animaux existants ou qu'ils leur sont du moins étroitement apparentés.

Il existe actuellement plusieurs hypothèses relatives à la cause de l'explosion du Cambrien. Une première hypothèse concerne certaines observations indiquant que les nouvelles relations prédateurs-proies qui ont vu le jour pendant cette période ont créé de la diversité par l'intermédiaire de la sélection naturelle. Les prédateurs ont acquis des adaptations, notamment de nouvelles formes de locomotion, qui les ont aidés à attraper leurs proies ; pour leur part, les proies ont acquis de nouveaux moyens de défense, des enveloppes protectrices, par exemple. Une deuxième hypothèse porte sur l'augmentation de la concentration du dioxygène atmosphérique qui a précédé l'explosion du Cambrien. La plus grande disponibilité du dioxygène aurait donné l'occasion de prospérer aux Animaux possédant une taille plus grande et un métabolisme plus rapide que les autres. Selon une troisième hypothèse, l'évolution du groupe des gènes *Hox* a assuré la flexibilité du développement dont les variations morphologiques sont la conséquence. Ces hypothèses ne sont toutefois pas incompatibles ; chacun des facteurs, soit les relations prédateurs-proies, les changements atmosphériques et la flexibilité du développement, pourrait avoir joué un rôle.

Le Cambrien a été suivi de l'Ordovicien, du Silurien et du Dévonien, périodes au cours desquelles la diversité animale a poursuivi sa progression, bien qu'elles aient été ponctuées d'épisodes d'extinctions massives. Les Vertébrés (les Poissons) sont devenus les principaux prédateurs du réseau alimentaire marin. Il y a 460 millions d'années, les « innovations » qui étaient apparues au cours du Cambrien se répercutaient déjà sur la terre ferme. À cette époque, les Arthropodes ont en effet commencé à s'adapter aux habitats terrestres, comme l'indique l'apparition des Millipèdes et des Centipèdes. Par ailleurs, la galle de la Fougère, excroissance dont la formation est stimulée par des Insectes résidents auxquels elle procure une protection, remonte à au moins 302 millions d'années avant notre ère, ce qui autorise à penser que les Insectes et les Végétaux exerçaient déjà à cette époque une influence mutuelle sur leur évolution.

Les Vertébrés ont effectué la transition vers la terre ferme il y a environ 360 millions d'années, puis se sont divisés en de nombreuses lignées terrestres. Deux d'entre elles survivent aujourd'hui : les Amphibiens (comme les grenouilles et les salamandres) et les Amniotes (comme les Reptiles et les Mammifères). Au chapitre 34, nous étudierons plus en détail ces groupes, qui portent collectivement le nom de *Tétrapodes.*

L'ère mésozoïque (il y a entre 251 et 65,5 millions d'années)

Peu de plans d'organisation corporelle fondamentalement nouveaux sont apparus chez les Animaux au cours du Mésozoïque. Par contre, les embranchements qui s'étaient constitués pendant le Paléozoïque ont commencé à se répartir dans de nouvelles niches écologiques. Dans les océans, les premiers récifs de corail se sont formés, procurant de nouveaux habitats à d'autres Animaux. Certains Reptiles sont retournés vivre dans l'eau et sont devenus de grands prédateurs aquatiques. Sur la terre ferme, le plan d'organisation corporelle des Tétrapodes a subi des modifications telles que les ailes et les autres organes de vol acquis par les Ptérosaures et les Oiseaux. De grands Dinosaures, tant prédateurs qu'herbivores, ont fait leur apparition. Au même moment, les premiers Mammifères, de minuscules insectivores nocturnes, sont entrés en scène.

L'ère cénozoïque (à partir d'il y a 65,5 millions d'années jusqu'à nos jours)

Comme il est mentionné au chapitre 30, les Insectes et les Angiospermes (plantes à fleurs) ont connu une extraordinaire diversification au cours du Cénozoïque. Avant le début de cette ère, des extinctions de masse avaient touché des Animaux à la fois terrestres et marins. Parmi les groupes d'espèces disparues, on compte les grands Dinosaures non volants et les Reptiles marins. Les archives géologiques datant du début du Cénozoïque témoignent de l'essor des grands Mammifères herbivores et carnivores, qui ont exploité les niches écologiques libérées. Le climat terrestre s'est progressivement refroidi tout au cours du Cénozoïque, si bien que de nombreuses lignées d'Animaux ont subi d'importants changements. Chez les Primates, par exemple, certaines espèces vivant en Afrique se sont adaptées aux terrains boisés et aux savanes, des habitats ouverts qui ont remplacé les forêts denses. Les ancêtres de notre propre espèce faisaient partie de ces Anthropoïdes des prairies.

Retour sur le concept 32.2

1. Rétablissez l'ordre chronologique des jalons suivants de l'évolution des Animaux, du moins récent au plus récent : (a) l'apparition des Mammifères, (b) la plus ancienne preuve de la présence d'Arthropodes sur la terre ferme, (c) la faune d'Ediacara, (d) l'extinction des grands Dinosaures non volants.
2. Expliquez comment la radiation relativement rapide des embranchements d'Animaux qui s'est produite au Cambrien pourrait être la conséquence de facteurs tant internes qu'externes.

Voir les réponses proposées à la fin du chapitre.

Concept 32.3

Les Animaux peuvent être classés selon leurs « plans d'organisation corporelle »

Les zoologistes classent les Animaux notamment en fonction des grandes caractéristiques de leur morphologie et de leur développement. Un groupe d'espèces présentant la même complexité sur le plan de l'organisation corporelle forme ce qu'on appelle un **grade**. Il est important de se rappeler que les grades ne correspondent pas nécessairement aux *clades*. Prenons le cas des limaces : la classe des Gastéropodes comprend de nombreuses espèces dépourvues de coquille, les limaces, ainsi que de nombreuses espèces à coquille, tels les escargots. Vous avez peut-être déjà vu des limaces dans un jardin ; beaucoup d'autres espèces occupent des habitats aquatiques. Or, ces espèces, qui ne descendent pas toutes d'un ancêtre commun, ne forment pas un clade monophylétique (voir la figure 25.10). Les études phylogénétiques révèlent plutôt que la coquille est disparue indépendamment dans plusieurs lignées de Gastéropodes, qui sont devenus des « limaces ». En d'autres termes, le grade des limaces est polyphylétique.

L'ensemble des caractères relatifs à la morphologie et au développement propres à un grade forme en général un tout fonctionnel appelé **plan d'organisation corporelle**. Nous allons maintenant étudier les principales caractéristiques des plans d'organisation corporelle chez les Animaux.

La symétrie

On peut classer les Animaux en se fondant sur la symétrie de leur corps (ou sur son absence). La plupart des Éponges, par exemple, ne présentent aucune symétrie. Chez les Animaux au corps symétrique, la symétrie peut prendre diverses formes. Certains Animaux présentent une **symétrie radiaire**, la forme représentée par un pot à fleurs **(figure 32.7a)**. Ainsi, les anémones de mer possèdent un dessus et un dessous, un pôle oral et un pôle aboral (éloigné de la bouche), mais pas de devant ni de derrière, et pas de côté droit ni de côté gauche. Dans les faits cependant, pour beaucoup d'Animaux à symétrie radiaire, il n'y a qu'un seul plan de coupe qui pourrait produire deux moitiés identiques en raison de l'emplacement de structures particulières.

La symétrie à deux côtés d'une pelle est un exemple de **symétrie bilatérale (figure 32.7b)**. Un Animal bilatérien présente non seulement une face **dorsale** (dessus) et une face **ventrale** (dessous), mais aussi une région **antérieure** (tête) munie d'une bouche, une région **postérieure** (queue), un côté gauche et un côté droit. Les côtés sont les seules parties symétriques ; les faces et les régions ne le sont pas. Chez de nombreux Animaux à symétrie bilatérale (comme les Arthropodes et les Mammifères), des organes sensoriels et les structures liées à la nutrition sont concentrés dans la région antérieure (la région par laquelle l'Animal entre d'abord en contact avec un nouveau milieu), et un système nerveux central (le « cerveau ») est contenu dans la tête. Cette tendance évolutive est appelée **céphalisation** (du grec *kephale*, « tête »).

La symétrie d'un Animal s'accorde généralement avec son mode de vie. Ainsi, de nombreux Radiaires sont sessiles (fixés à un substrat) ou planctoniques (dérivant ou nageant faiblement, comme les méduses) et ont une symétrie qui leur permet d'entrer en contact avec leur environnement par toutes les parties de leur corps ; les organes sensoriels sont répartis à peu près également sur le pourtour de l'Animal. Pour leur part, les Animaux bilatériens se déplacent, de façon autonome, d'un endroit à l'autre. Leur système nerveux central leur permet de coordonner des mouvements complexes comme ramper, creuser, voler ou nager. Les deux types de symétrie, fondamentalement différents, sont probablement apparus au tout début de l'évolution des Animaux (voir la figure 32.5).

Les tissus

Les plans d'organisation corporelle des Animaux varient aussi en fonction de la structure de leurs tissus. Les vrais tissus sont des groupes de cellules spécialisées isolées des autres tissus par des couches membraneuses ; les Éponges en sont dépourvues. Chez tous les autres Animaux, les cellules de l'embryon s'organisent en feuillets pendant la gastrulation, comme nous l'avons vu précédemment (voir la figure 32.2). Au cours du développement,

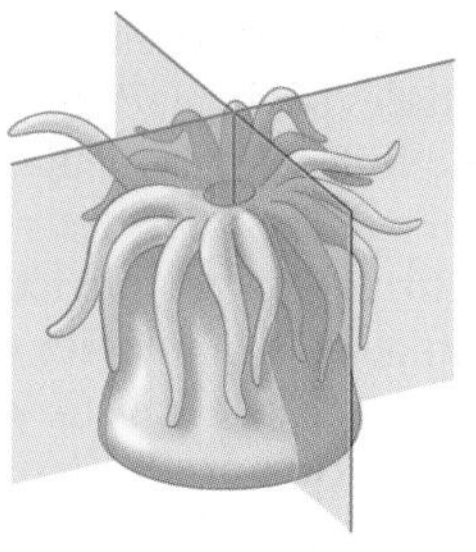
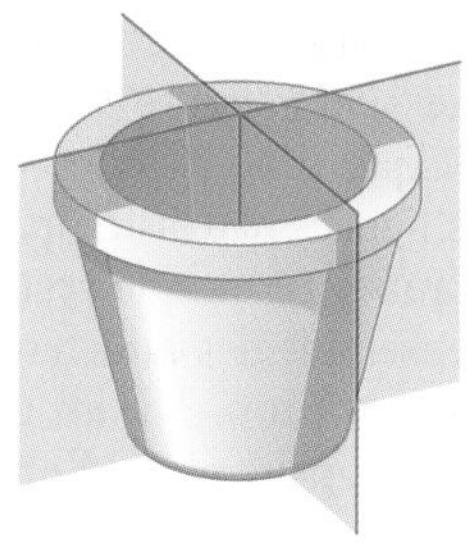

(a) Symétrie radiaire. Les parties des Animaux radiaires comme l'anémone de mer (Cnidaire) rayonnent à partir du centre. Théoriquement, *toute* coupe, pourvu qu'elle passe par l'axe central de l'Animal, donne deux parties qui se ressemblent comme un objet et son image dans un miroir.

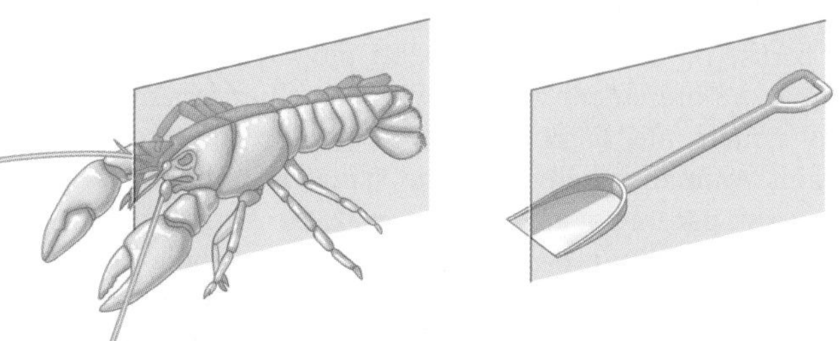

(b) Symétrie bilatérale. Les Animaux à symétrie bilatérale comme le homard (Arthropode) possèdent un côté droit et un côté gauche. *Un seul* type de coupe permet de les diviser en deux images identiques.

▲ **Figure 32.7 Symétrie corporelle.** Le pot à fleurs et la pelle sont des analogies qui vous permettent de distinguer les deux types de symétrie.

ces **feuillets embryonnaires** concentriques forment les divers tissus et organes. L'**ectoderme**, feuillet qui recouvre l'embryon, devient la couche externe de l'Animal et, dans certains embranchements, le système nerveux central. L'**endoderme**, feuillet embryonnaire profond, tapisse l'intestin primitif, ou **archentéron**. Il donne naissance, notamment, au revêtement intérieur du tube digestif et aux organes qui en sont issus, comme le foie et les poumons des Vertébrés.

Les Animaux qui ne possèdent que ces deux feuillets embryonnaires sont dits **diploblastiques**. Cette catégorie inclut les Cnidaires (les méduses et les coraux, par exemple) et les Cténophores (voir le chapitre 33). D'autres Animaux produisent un troisième feuillet embryonnaire, le **mésoderme**, situé entre l'ectoderme et l'endoderme : on les qualifie de **triploblastiques** (pourvus de trois feuillets embryonnaires). Le mésoderme donne naissance aux muscles et aux autres organes situés entre le tube digestif et le revêtement externe de l'Animal. Cette catégorie comprend tous les Animaux à symétrie bilatérale, des Vers plats aux Vertébrés en passant par les Arthropodes ; la réciproque est aussi vraie (tous les Animaux triploblastiques ont une symétrie bilatérale), à l'exception des Échinodermes dont la symétrie est radiaire au stade adulte. (Certains Animaux diploblastiques sont munis d'un troisième feuillet, mais celui-ci est loin d'être aussi bien développé que le mésoderme des Animaux qu'on considère comme triploblastiques.)

Les cavités corporelles

Certains Animaux triploblastiques possèdent une **cavité corporelle**, c'est-à-dire un espace rempli de liquide qui se trouve entre le tube digestif et l'enveloppe corporelle. Cette cavité corporelle s'appelle aussi **cœlome** (du grec **koilos**, « creux »). Un « vrai » cœlome se forme à partir de tissus provenant du mésoderme. Les couches interne et externe du tissu qui tapisse le cœlome constituent une membrane appelée *péritoine*; ces couches se relient dorsalement et ventralement. Elles forment les mésentères, qui enveloppent et suspendent les organes internes dans la cavité. Les Animaux qui possèdent ce type de structure sont les **Cœlomates** **(figure 32.8a)**.

Certains Animaux triploblastiques ont une cavité qui se développe à partir de la blastocœle plutôt que du mésoderme **(figure 32.8b)**. Une telle cavité porte le nom de *pseudocœlome* (du grec *pseudo*, « faux »), et les Animaux qui possèdent ce type de structure s'appellent **Pseudocœlomates** ; chez ces Animaux, le mésoderme se trouve *sous* l'ectoderme, mais non *sur* l'endoderme. Malgré son nom, le pseudocœlome n'est pas faux ; c'est une cavité entièrement fonctionnelle même si elle ne se forme pas de la même manière que la cavité des Cœlomates.

Enfin, certains Animaux triploblastiques n'ont pas de cœlome **(figure 32.8c)**. Ce sont les **Acœlomates** (du grec *a*, « sans », et *koilos*, « creux ») : les organes internes sont logés dans un tissu appelé *mésenchyme*.

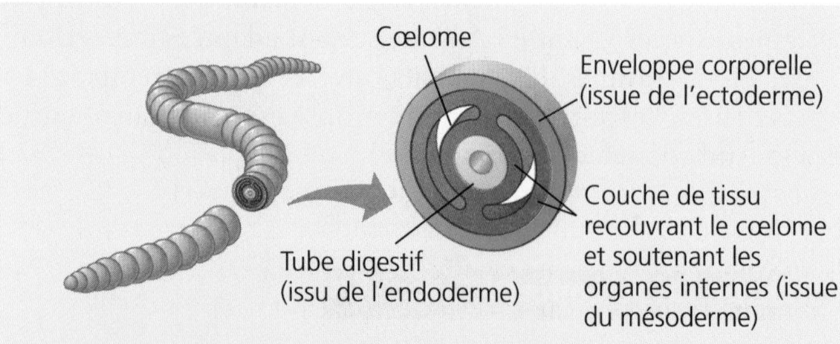

(a) Cœlomates (un ver annelé, par exemple). Les Cœlomates ont un vrai cœlome, c'est-à-dire une cavité corporelle *entièrement* tapissée de tissu provenant du mésoderme.

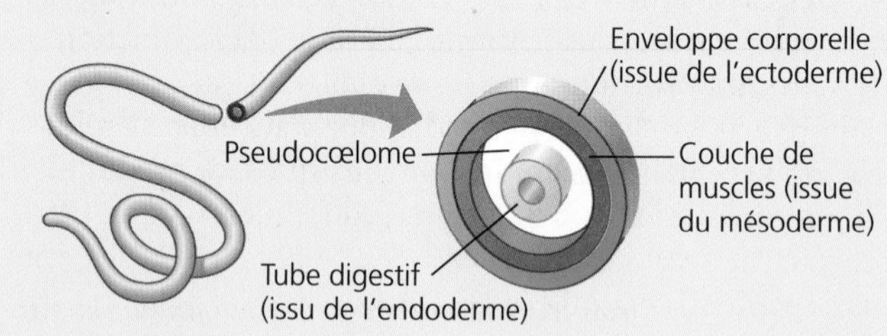

(b) Pseudocœlomates (un ver rond, par exemple). Les Pseudocœlomates ont une cavité corporelle *partiellement* couverte de tissu provenant du mésoderme.

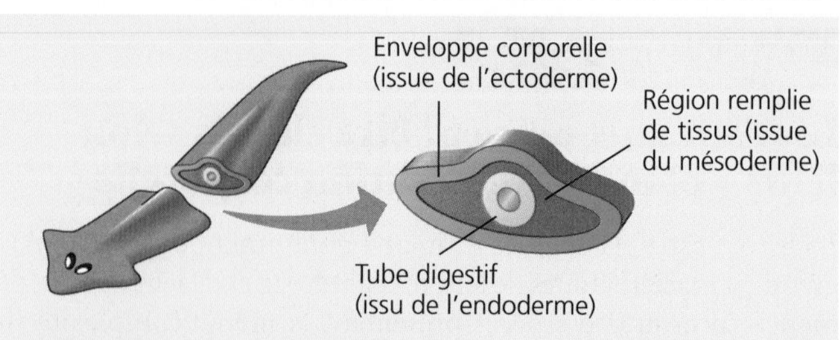

(c) Acœlomates (un ver plat, par exemple). Les Acœlomates n'ont pas de cavité corporelle entre le tube digestif et l'enveloppe corporelle externe.

▲ **Figure 32.8 Organisation corporelle des Animaux triploblastiques.** Les différents organes des Animaux se développent à partir des trois feuillets embryonnaires. Par convention, les feuillets embryonnaires portent des couleurs précises : l'ectoderme est en bleu, le mésoderme en rouge et l'endoderme en jaune.

La cavité corporelle a de nombreuses fonctions. Tout d'abord, le liquide qu'elle contient protège les organes et amortit les chocs qui pourraient causer des blessures internes. Chez les Cœlomates à corps mou comme le ver de terre, le liquide incompressible qui emplit la cavité fait office de squelette hydrostatique contre lequel les muscles prennent appui pour exécuter des mouvements; ces Animaux peuvent donc se déplacer même s'ils ne possèdent pas de membres. Le cœlome permet aussi aux organes internes de croître (notre tube digestif ne pourrait avoir autant de replis ni être aussi long si nous n'avions pas de cœlome), de prendre l'expansion nécessaire pour remplir leur fonction (permettre le développement des embryons, par exemple) et de bouger indépendamment de l'enveloppe corporelle externe. Si, par exemple, vous ne possédiez pas de cœlome, chaque battement de votre cœur ou chaque mouvement de votre intestin créerait une déformation à la surface de votre corps.

Selon les études phylogénétiques actuelles, des cœlomes et des pseudocœlomes sont apparus et disparus à maintes reprises au cours de l'évolution des Animaux. Donc, les termes *Cœlomates* et *Pseudocœlomates* se rapportent à des grades et non à des clades.

Les modes de développement protostomien et deutérostomien

En se fondant sur certaines caractéristiques du développement embryonnaire, de nombreux Animaux peuvent être caractérisés par l'un ou l'autre des deux modes de développement suivants: le **développement protostomien** et le **développement deutérostomien**. Trois éléments distinguent souvent ces modes.

La segmentation

Un grand nombre de Protostomiens se développent par **segmentation spirale**, c'est-à-dire que la division cellulaire se fait en diagonale par rapport à l'axe vertical de l'embryon; le plan de division (ou l'orientation du fuseau mitotique) est oblique par rapport à cet axe. Au stade à huit cellules de la segmentation spirale, on peut voir que la base des petites cellules repose dans les sillons séparant les plus grandes cellules **(figure 32.9a)**. Par ailleurs, chez certains Protostomiens, ce type de division appelée aussi **segmentation déterminée** définit très tôt le sort de chaque cellule embryonnaire. Ainsi, si on prélève une cellule d'un Protostomien (un escargot, par exemple) pendant le stade à quatre cellules, cette cellule donnera naissance à quelque chose comme un quart d'embryon, c'est-à-dire un embryon non viable auquel il manquera de nombreuses parties.

Chez les Deutérostomiens, le mode de division est différent. Chez un grand nombre d'entre eux, il est caractérisé par la **segmentation radiaire**. Dans ce type de segmentation, la division cellulaire se fait parallèlement ou perpendiculairement à l'axe vertical de l'embryon. Comme on peut l'observer au stade à huit cellules, les cellules sont bien alignées les unes au-dessus des autres. La plupart des Deutérostomiens se caractérisent également par une **segmentation indéterminée**, ce qui signifie que chaque cellule produite au début de la segmentation a la capacité de devenir un embryon complet. Ainsi, si on sépare les cellules de l'embryon de l'étoile de mer au stade où celui-ci possède quatre cellules, chacune pourra donner une larve normale. C'est la segmentation indéterminée du zygote humain qui explique la formation des jumeaux monozygotes. Cette caractéristique rend également compte de la polyvalence du développement des cellules souches embryonnaires. Ces cellules pourraient un jour servir à traiter des maladies comme le diabète juvénile, la maladie de Parkinson et la maladie d'Alzheimer (voir le chapitre 21).

La formation du cœlome

Une autre différence entre les modes de développement protostomien et deutérostomien apparaît plus tard dans le processus. Pendant la gastrulation, il se crée une structure en cul-de-sac, une sorte de poche interne, l'archentéron, qui deviendra le tube digestif de l'embryon **(figure 32.9b)**. À mesure que le Protostomien se constitue et que l'archentéron se développe, le cœlome se forme à partir de fentes situées dans les masses de mésoderme. On appelle ce mode de formation la **schizocœlie** (du grec *schizein*, « fendre »). Chez les Deutérostomiens, le mésoderme émerge de la paroi de l'archentéron et forme des enclaves qui deviendront les cœlomes. On appelle ce mode de formation l'**entérocœlie** (voir la figure 32.9b).

La destinée du blastopore

La troisième différence fondamentale entre les deux modes de développement a trait au sort du **blastopore**, l'ouverture qui, pendant la gastrulation, aboutit à la formation de l'archentéron **(figure 32.9c)**. Après le développement de celui-ci, une seconde ouverture se forme à l'extrémité opposée de la gastrula. Plus tard, le blastopore et cette nouvelle ouverture deviennent les deux ouvertures du tube digestif (la bouche et l'anus). Chez les Protostomiens, la bouche se forme à partir (ou sur l'emplacement) de la première ouverture, le blastopore. C'est ce qui explique le nom *Protostomiens* (du grec *prôtos*, « premier », et *stoma*, « bouche »). Par contre, la bouche des Deutérostomiens (du grec *deuteros*, « deuxième ») se forme à partir (ou sur l'emplacement) de la seconde ouverture, et le blastopore devient habituellement l'anus.

Retour sur le concept 32.3

1. Pourquoi est-il important de faire la distinction entre les caractéristiques qui se rapportent aux *grades* et celles qui permettent de déterminer les *clades*?
2. Comparez trois éléments qui caractérisent les premiers stades du développement d'un escargot (un Mollusque) et d'un humain (un Cordé).

Voir les réponses proposées à la fin du chapitre.

Concept 32.4

Les principales hypothèses concordent quant aux grandes caractéristiques de l'arbre phylogénétique des Animaux

À l'heure actuelle, les zoologistes reconnaissent l'existence d'environ 35 embranchements d'Animaux. Mais le débat sur les liens entre ces embranchements se poursuit toujours. Bien que beaucoup d'étudiants en biologie puissent trouver frustrant que les arbres phylogénétiques présentés dans les manuels ne constituent pas des vérités immuables qu'ils peuvent mémoriser, l'incertitude

▶ **Figure 32.9 Comparaison des modes de développement protostomien et deutérostomien.** Bien que ces modèles de développement présentent de nombreuses variations et admettent beaucoup d'exceptions, les différences indiquées ici constituent des distinctions générales utiles. (Le bleu désigne l'ectoderme, le rouge le mésoderme, et le jaune l'endoderme.)

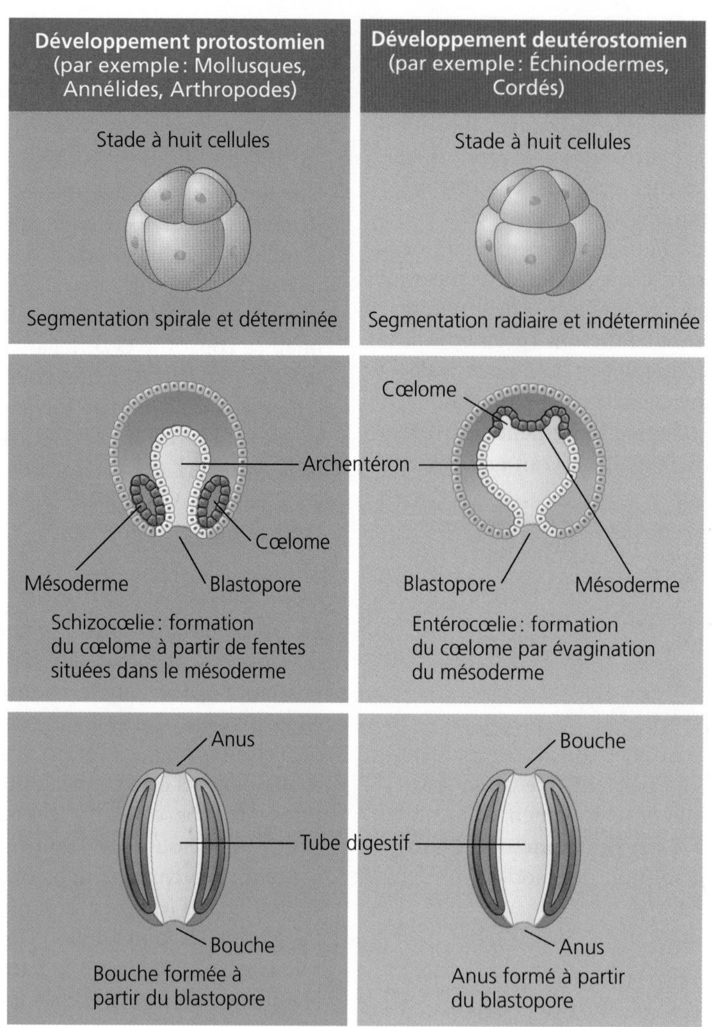

(a) Segmentation. La majorité des Protostomiens subissent une segmentation spirale et déterminée, tandis que la plupart des Deutérostomiens subissent une segmentation radiaire et indéterminée.

(b) Formation du cœlome. La formation du cœlome se produit pendant le stade de la gastrula. Dans le développement protostomien, le cœlome se forme par schizocœlie, c'est-à-dire à partir de fentes situées dans le mésoderme. Dans le développement deutérostomien, il se forme par entérocœlie, c'est-à-dire par évagination du mésoderme depuis la paroi de l'archentéron.

(c) Destinée du blastopore. Le blastopore devient la bouche chez les Protostomiens, tandis que c'est l'ouverture du côté opposé qui devient la bouche chez les Deutérostomiens.

inhérente à ces diagrammes a l'avantage de leur rappeler que la démarche scientifique est un processus de recherche et qu'elle est par le fait même dynamique.

Les chercheurs ont depuis longtemps recours aux études morphologiques pour vérifier leurs hypothèses sur la phylogenèse des Animaux. Au milieu des années 1990, des zoologistes ont aussi commencé à se tourner vers la systématique moléculaire. Grâce à de nouvelles études portant sur des embranchements moins connus, ainsi qu'à des analyses de fossiles susceptibles de les aider à distinguer les caractères primitifs des caractères dérivés chez divers groupes d'Animaux, les spécialistes en ont appris davantage sur la phylogenèse animale. N'oubliez pas que, en science, les modes d'acquisition des connaissances se distinguent par le fait que les hypothèses *peuvent* être réfutées par des expériences, des observations et de nouvelles méthodes analytiques.

La systématique phylogénétique moderne se fonde sur la détermination de clades, c'est-à-dire des groupes de taxons monophylétiques définis par les caractères dérivés qui sont propres à ces taxons et à leur ancêtre commun. (Revoir le chapitre 25, qui traite de l'analyse cladistique et de la systématique phylogénétique.) Construit selon des méthodes cladistiques, un arbre phylogénétique représente une hiérarchie de clades emboîtés suivant leur importance, représentant les branches secondaires et les branches principales de l'arbre. La définition des caractères dérivés communs permet de vérifier une hypothèse particulière. Un clade peut être déterminé par des similitudes anatomiques ou embryologiques fondamentales que les chercheurs considèrent comme homologues. Plus récemment, des comparaisons interspécifiques portant sur des séquences de monomères dans des protéines ou des acides nucléiques ont fourni une autre source de données permettant d'obtenir des indices sur l'ascendance et de déterminer les clades. Mais que les données soient des caractères morphologiques traditionnels, de « nouvelles » séquences moléculaires ou une combinaison des deux, les hypothèses et les déductions inhérentes aux arbres qui en résultent sont les mêmes.

Afin de nous faire une idée du débat suscité par la systématique animale, examinons deux hypothèses phylogénétiques actuelles. Ces hypothèses sont présentées dans les deux prochaines pages sous forme d'arbres phylogénétiques. L'arbre de la **figure 32.10** se fonde sur des analyses systématiques de caractères morphologiques. Celui de la **figure 32.11** présente une compilation simplifiée des résultats de récentes études moléculaires.

Les points d'accord

Les hypothèses concordent quant à un certain nombre de points déterminants de la phylogenèse animale. Après avoir lu chacun de ces points, on peut vérifier comment l'énoncé se reflète dans les arbres phylogénétiques des figures 32.10 et 32.11.

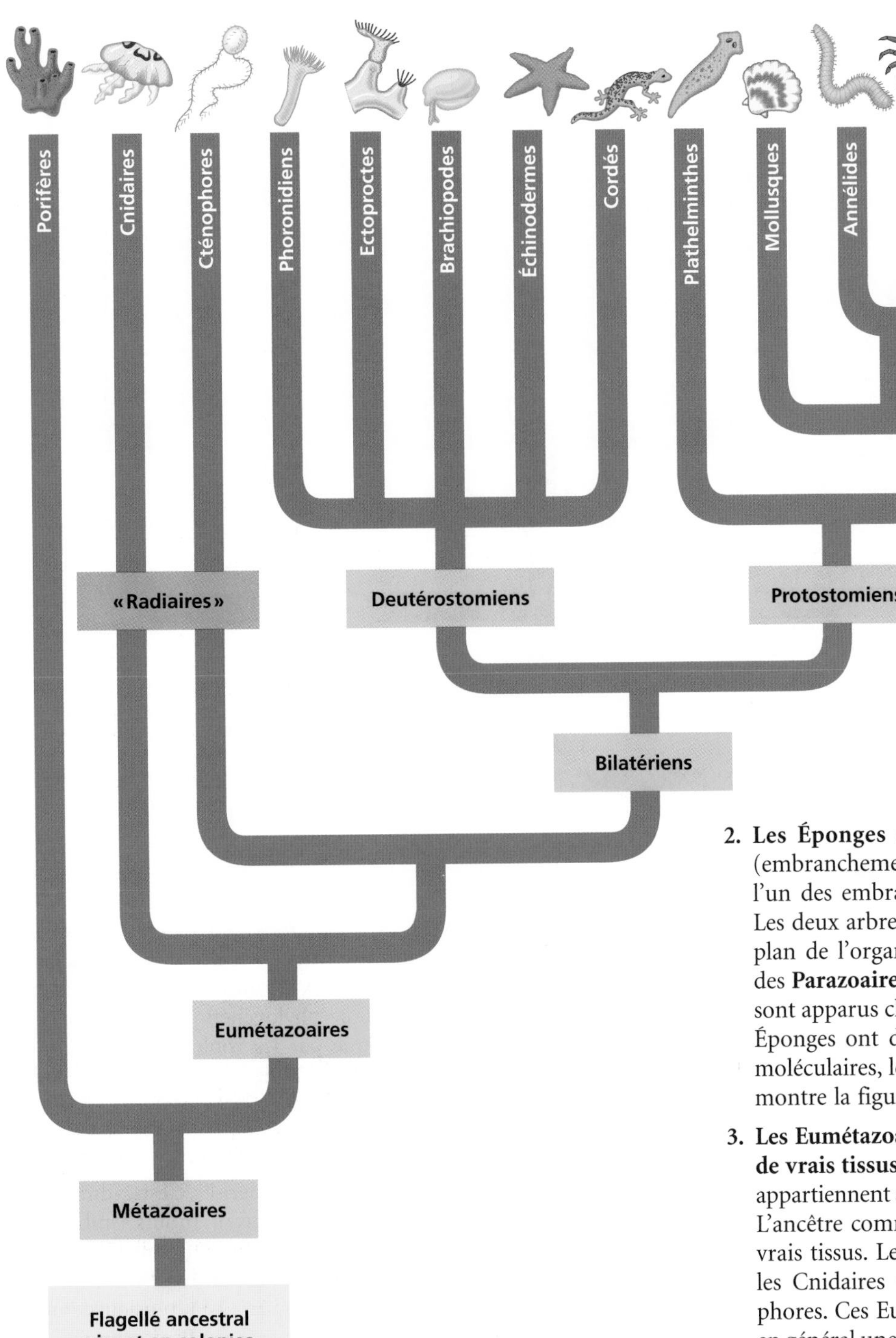

▲ **Figure 32.10 Hypothèse sur la phylogenèse des Animaux fondée principalement sur des comparaisons morphologiques et développementales.** Les Bilatériens sont divisés en Protostomiens et en Deutérostomiens.

1. **Tous les Animaux ont en commun le même ancêtre.** Les deux arbres indiquent que le règne des Animaux est monophylétique et qu'il correspond au clade des Métazoaires. Autrement dit, si on pouvait établir l'origine de toutes les lignées d'Animaux tant existantes que disparues, elles convergeraient vers un même ancêtre.

2. **Les Éponges sont des Animaux primitifs.** Les Éponges (embranchement des Porifères ou Spongiaires) constituent l'un des embranchements qui existent encore de nos jours. Les deux arbres indiquent qu'elles ont divergé très tôt. Sur le plan de l'organisation corporelle, elles font partie du grade des **Parazoaires** (signifiant « à côté des Animaux »). Les tissus sont apparus chez les autres Animaux seulement après que les Éponges ont divergé. Notez que, selon de récentes analyses moléculaires, les Éponges seraient paraphylétiques, comme le montre la figure 32.11.

3. **Les Eumétazoaires forment un clade d'Animaux possédant de vrais tissus.** À l'exception des Éponges, tous les Animaux appartiennent au clade des **Eumétazoaires** (« vrais Animaux »). L'ancêtre commun des Eumétazoaires modernes a acquis de vrais tissus. Les membres primitifs de ce clade comprennent les Cnidaires (dont font partie les méduses) et les Cténophores. Ces Eumétazoaires sont diploblastiques et présentent en général une symétrie radiale. Pour cette raison, on les classe souvent dans un grade non officiel, celui des Radiaires.

4. **La plupart des embranchements d'Animaux appartiennent au clade des Bilatériens.** La symétrie bilatérale est un caractère dérivé partagé qui permet de déterminer un clade (*et* un grade) groupant la majorité des embranchements d'Animaux, celui des **Bilatériens**. L'explosion du Cambrien a été avant tout une diversification rapide des Bilatériens.

5. **Les Vertébrés et quelques autres embranchements appartiennent au clade des Deutérostomiens.** Le terme *Deutérostomien* désigne non seulement un grade, mais aussi un clade qui comprend les Vertébrés. (Il est à noter toutefois que les deux hypothèses présentées ne coïncident pas quant aux autres embranchements qui font aussi partie des Deutérostomiens.)

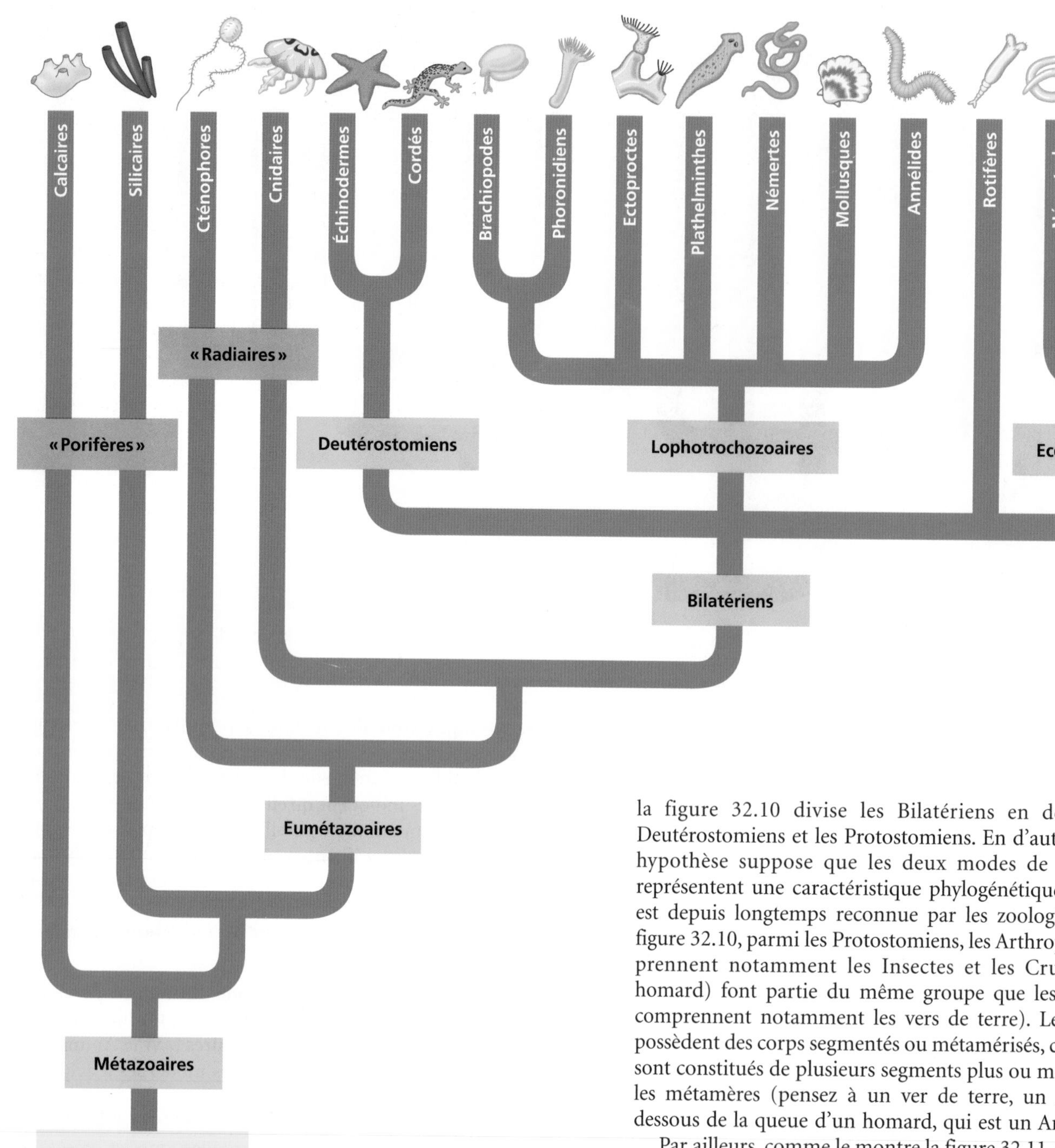

▲ **Figure 32.11 Hypothèse sur la phylogenèse des Animaux fondée principalement sur des données moléculaires.** Les Bilatériens comprennent les Deutérostomiens, les Lophotrochozoaires et les Ecdysozoaires, en plus des Rotifères.

Les points de désaccord relatifs aux Bilatériens

Les deux hypothèses concordent quant à la structure générale de l'arbre des Animaux, mais elles présentent certains points de désaccord importants, dont le principal concerne les liens entre les Bilatériens. L'arbre fondé sur des données morphologiques de la figure 32.10 divise les Bilatériens en deux clades: les Deutérostomiens et les Protostomiens. En d'autres termes, cette hypothèse suppose que les deux modes de développement représentent une caractéristique phylogénétique. Cette division est depuis longtemps reconnue par les zoologistes. Ainsi, à la figure 32.10, parmi les Protostomiens, les Arthropodes (qui comprennent notamment les Insectes et les Crustacés, dont le homard) font partie du même groupe que les Annélides (qui comprennent notamment les vers de terre). Les deux groupes possèdent des corps segmentés ou métamérisés, c'est-à-dire qu'ils sont constitués de plusieurs segments plus ou moins semblables, les métamères (pensez à un ver de terre, un Annélide, et au dessous de la queue d'un homard, qui est un Arthropode).

Par ailleurs, comme le montre la figure 32.11, plusieurs études moléculaires récentes divisent en général les Protostomiens en deux taxons frères: les **Ecdysozoaires** et les **Lophotrochozoaires**. Le terme *Ecdysozoaire* se rapporte à une caractéristique qu'ont en commun les Nématodes, les Arthropodes et certains des autres embranchements d'Ecdysozoaires (qui ne font pas partie de notre étude). Ces Animaux sécrètent des squelettes externes (exosquelettes); l'enveloppe rigide d'un grillon en est un exemple. Au fil de sa croissance, l'Animal mue, se dépouillant de son vieux squelette, puis en sécrète un autre, plus grand. C'est de ce processus de mue, appelé *ecdysis*, que les Ecdysozoaires tiennent leur nom **(figure 32.12)**. Malgré ce fait, ce clade est en réalité déterminé par des données moléculaires prouvant que ses membres ont un ancêtre commun. De plus, certains taxons exclus de ce clade sur la foi de leurs données moléculaires subissent la mue, comme certaines sangsues.

▶ **Figure 32.12 Ecdysis (mue).** Cette cigale en mue s'extirpe de son exosquelette, avant d'en sécréter un plus grand.

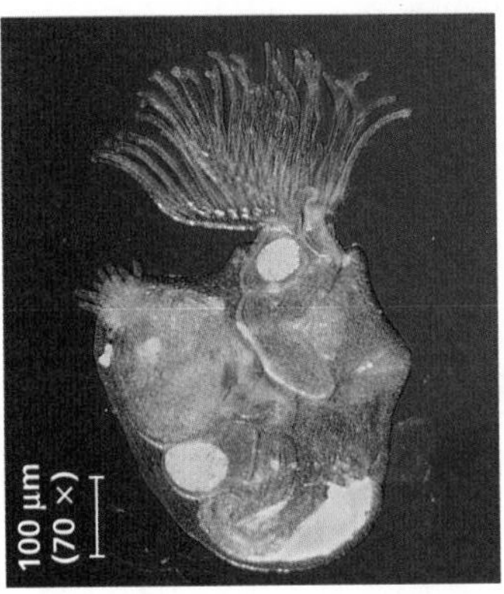

(a) Un Ectoprocte, du groupe des Lophophoriens

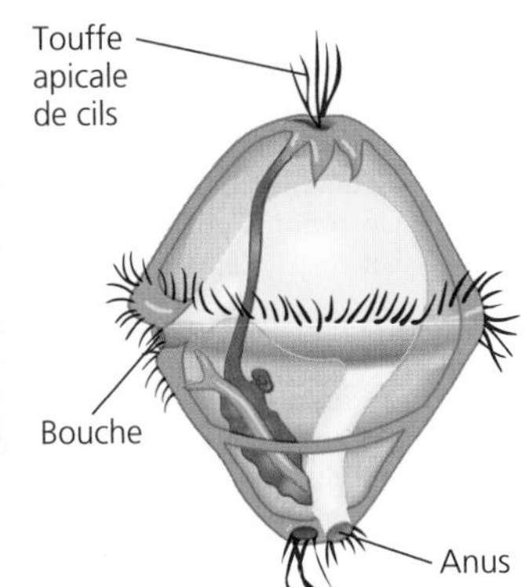

(b) Structure de la larve trochophore

▲ **Figure 32.13 Caractéristiques des Lophotrochozoaires.**

Le nom *Lophotrochozoaire* se rapporte à deux structures différentes observées chez les Animaux appartenant à ce clade. Certains de ces Animaux, comme les Ectoproctes, sont munis d'un **lophophore** (du grec *lophos*, « crête », et *pherein*, « porter »), qui est une couronne de tentacules ciliés servant à la nutrition **(figure 32.13a)**. D'autres embranchements, dont les Annélides et les Mollusques, présentent un stade larvaire distinctif appelé **larve trochophore (figure 32.13b)**.

Les orientations futures de la systématique animale

Comme tous les domaines de la recherche scientifique, la systématique animale est en constante évolution. Grâce à l'émergence de nouvelles sources d'information, les hypothèses en cours peuvent être vérifiées, puis modifiées ou remplacées. Les systématiciens effectuent en ce moment des analyses à grande échelle portant sur de multiples gènes tirés d'un vaste échantillon d'embranchements d'Animaux. Une meilleure compréhension des liens qui existent entre ces embranchements permettra aux scientifiques de se faire une idée plus claire de l'origine de la diversité des plans d'organisation corporelle. Aux chapitres 33 et 34, nous allons examiner de plus près les embranchements d'Animaux modernes et l'histoire de leur évolution.

Retour sur le concept 32.4

1. Quelle observation prouve que l'ancêtre commun aux Cnidaires et au reste des Animaux est plus récent que l'ancêtre commun aux Éponges et au reste des Animaux?
2. En quoi les hypothèses phylogénétiques présentées aux figures 32.10 et 32.11 diffèrent-elles quant à la disposition des principales branches du clade des Bilatériens?
3. Pourquoi est-il avantageux de réunir de multiples formes de données pour évaluer les liens évolutifs entre les embranchements d'Animaux?

Voir les réponses proposées à la fin du chapitre.

Révision du chapitre 32

RÉSUMÉ DES CONCEPTS CLÉS

Concept 32.1

Les Animaux sont des organismes eucaryotes multicellulaires et hétérotrophes, dont les tissus se développent à partir de feuillets embryonnaires

▶ **Le mode de nutrition (p. 679).** Les Animaux sont des organismes hétérotrophes qui ingèrent leur nourriture.

▶ **La structure et la spécialisation des cellules (p. 680).** Les Animaux sont des Eucaryotes multicellulaires. Les cellules de leur corps ne sont pas entourées d'une paroi; elles doivent leur cohésion à des protéines structurales comme le collagène. Les tissus nerveux et musculaires sont propres aux Animaux.

▶ **La reproduction et le développement (p. 680-681).** La formation de la blastula est suivie de la gastrulation, pendant laquelle se développent les feuillets de tissus embryonnaires. Tous les Animaux, et seulement eux, possèdent des gènes *Hox*, qui régissent le développement de la morphologie. Bien qu'elle soit demeurée presque inchangée, la famille des gènes *Hox* peut produire une grande variété de caractères morphologiques.

Concept 32.2

L'histoire des Animaux couvre peut-être plus d'un milliard d'années

▶ **L'ère néoprotérozoïque (il y a entre 1 milliard et 542 millions d'années) (p. 681).** Parmi les plus anciens fossiles d'Animaux se trouve la faune d'Ediacara.

- **L'ère paléozoïque (il y a entre 542 et 251 millions d'années) (p. 682).** L'explosion du Cambrien marque l'apparition des plus anciens fossiles d'un grand nombre des principaux groupes d'Animaux modernes.
- **L'ère mésozoïque (il y a entre 251 et 65,5 millions d'années) (p. 682-683).** Au cours du Mésozoïque, les Dinosaures, qui sont des Vertébrés, ont dominé les habitats terrestres. L'apparition des récifs de corail a fourni d'importantes niches écologiques marines à d'autres organismes.
- **L'ère cénozoïque (à partir d'il y a 65,5 millions d'années jusqu'à nos jours) (p. 683).** Les ordres de Mammifères modernes se sont diversifiés au cours du Cénozoïque. C'est aussi le cas des Insectes.

Concept 32.3

Les Animaux peuvent être classés selon leurs « plans d'organisation corporelle »

- **La symétrie (p. 683).** Certains Animaux ne présentent aucune symétrie, d'autres présentent une symétrie radiale et d'autres encore, une symétrie bilatérale. Les Animaux bilatériens ont une face dorsale, une face ventrale, de même que des extrémités antérieure et postérieure. Beaucoup d'entre eux ont subi une céphalisation.
- **Les tissus (p. 683-684).** Les cellules des embryons animaux s'organisent en feuillets embryonnaires; les Animaux qui possèdent deux feuillets sont dits *diploblastiques*, et ceux qui en comptent trois, *triploblastiques*.
- **Les cavités corporelles (p. 684-685).** Chez les Animaux triploblastiques, la cavité corporelle peut être présente ou absente. Elle est soit un pseudocœlome (formé à partir de la blastocœle), soit un vrai cœlome (formé à partir du mésoderme).
- **Les modes de développement protostomien et deutérostomien (p. 685).** Trois caractéristiques distinguent ces deux modes de développement: la segmentation, la formation du cœlome et la destinée du blastopore.

Concept 32.4

Les principales hypothèses concordent quant aux grandes caractéristiques de l'arbre phylogénétique des Animaux

- **Les points d'accord (p. 686-687).** Le règne des Animaux est monophylétique. L'ancêtre commun était probablement un Choanoflagellé vivant en colonies. Sur le plan de l'organisation corporelle, les Éponges font partie du grade des Parazoaires. À l'exception des Éponges, tous les Animaux appartiennent au clade des « vrais Animaux », car ils possèdent de vrais tissus. Les Cnidaires et les Cténophores sont parfois classés dans le grade des Radiaires. La symétrie bilatérale est un caractère commun aux membres du clade réunissant les autres embranchements d'Animaux.
- **Les points de désaccord relatifs aux Bilatériens (p. 688-689).** La détermination des clades varie selon les analyses effectuées par les systématiciens.
- **Les orientations futures de la systématique animale (p. 689).** Des études phylogénétiques s'appuyant sur des bases de données plus étendues permettront sans doute de mieux comprendre l'histoire de l'évolution des Animaux.

VÉRIFIEZ VOS CONNAISSANCES

Autoévaluation

(Les questions dont les numéros sont en caractères gras font surtout appel à la compréhension.)

1. Laquelle des caractéristiques suivantes est propre aux Animaux?
   a) La gastrulation.
   b) La multicellularité.
   c) La reproduction sexuée.
   d) Les spermatozoïdes flagellés.
   e) Le mode de nutrition hétérotrophe.

2. Quel facteur parmi les suivants aurait le *moins* contribué à l'explosion du Cambrien?
   a) L'émergence de la relation prédateur-proie chez les Animaux.
   b) Le cumul de plusieurs adaptations comme la formation d'une coquille et les différents modes de locomotion.
   c) La colonisation de la terre ferme par les Animaux.
   d) L'évolution des gènes *Hox* qui régissent le développement.
   e) Une concentration suffisante de dioxygène atmosphérique pour subvenir aux grands besoins métaboliques des Animaux mobiles.

3. Dans le règne animal, la symétrie bilatérale est principalement associée:
   a) à la capacité de percevoir son milieu dans toutes les directions.
   b) à la présence d'un squelette.
   c) à la mobilité, à la prédation active et à la fuite.
   d) au développement d'un vrai cœlome.
   e) à l'adaptation aux milieux terrestres.

4. Qu'est-ce qui caractérise les Acœlomates?
   a) L'absence de cerveau.
   b) L'absence de mésoderme.
   c) Le développement des Deutérostomiens.
   d) Un cœlome qui n'est pas complètement tapissé de mésoderme.
   e) Un corps plein, sans cavité autour des organes internes.

5. La segmentation indéterminée se caractérise par:
   a) la formation d'un archentéron.
   b) la capacité qu'ont les cellules prélevées aux premiers stades de l'embryon de se développer en individus viables.
   c) des plans de segmentation perpendiculaires à l'axe vertical de l'embryon.
   d) la formation non prévisible d'une cavité corporelle par schizocœlie ou entérocœlie.
   e) une bouche qui se forme à partir du blastopore.

6. La distinction entre les Éponges et les autres embranchements d'Animaux se fonde surtout sur l'absence ou la présence:
   a) d'une cavité corporelle.
   b) d'un tube digestif complet.
   c) de vrais tissus.
   d) d'un système cardiovasculaire.
   e) d'un mésoderme.

7. Sur lequel des points suivants les analyses phylogénétiques des figures 32.10 et 32.11 *ne concordent-elles pas*?
   a) Le caractère monophylétique du règne animal.
   b) L'existence des deux clades de Bilatériens suivants: les Lophotrochozoaires et les Ecdysozoaires.
   c) Le caractère primitif des Éponges.
   d) Le classement des Cordés parmi les Deutérostomiens.
   e) Le caractère monophylétique des Bilatériens.

8. Quelle est la principale raison pour laquelle les Arthropodes et les Nématodes sont classés parmi les Ecdysozoaires?
   a) Les Animaux des deux embranchements sont segmentés.
   b) Les Animaux des deux embranchements subissent l'ecdysis (la mue).
   c) Les Animaux des deux embranchements subissent une segmentation radiaire et déterminée, et leur développement embryonnaire est semblable.
   d) Les archives géologiques ont mis au jour un ancêtre commun aux deux embranchements.
   e) L'analyse des gènes révèle que leurs séquences sont très similaires et diffèrent de celles des Lophotrochozoaires et des Deutérostomiens.

9. Laquelle des associations suivantes entre un embranchement et ses caractéristiques est *inexacte*?
   a) Échinodermes: symétrie bilatérale, cœlome issu de l'archentéron.
   b) Nématodes: Vers ronds, pseudocœlome.
   c) Cnidaires: symétrie radiaire, diploblastiques.
   d) Plathelminthes: Vers plats, pas de cavité corporelle.
   e) Porifères: Cœlomates, bouche issue du blastopore.

10. Laquelle de ces subdivisions du règne animal englobe toutes les autres?
    a) Les Protostomiens.
    b) Les Bilatériens.
    c) Les Radiaires.
    d) Les Eumétozoaires.
    e) Les Deutérostomiens.
11. Laquelle des caractéristiques suivantes *ne s'applique pas* à l'organisme humain?
    a) Symétrie bilatérale.
    b) Protostomien.
    c) Cœlomate.
    d) Triploblastique.
    e) Segmentation indéterminée.
12. Déterminez l'énoncé général qui est *faux*.
    a) Les Animaux diploblastiques ont généralement une symétrie bilatérale.
    b) Les Animaux à symétrie bilatérale sont généralement triploblastiques.
    c) Les Cœlomates ont généralement une symétrie bilatérale.
    d) Tous les Animaux ayant des tissus ont une certaine symétrie (soit radiaire, soit bilatérale).
    e) Les Protostomiens et les Deutérostomiens sont tous des Animaux triploblastiques.

Lien avec l'évolution

Certains scientifiques avancent que l'expression *effervescence du Cambrien* serait plus appropriée que *explosion du Cambrien* pour décrire la diversification des Animaux qui s'est produite au cours de cette période géologique. Dans le même esprit, Lynn Margulis, de la University of Massachusetts, a fait remarquer qu'observer une explosion de la diversité animale dans les strates du Cambrien, c'est comme examiner la Terre à partir d'un satellite et noter l'apparition des villes seulement lorsqu'elles sont assez grandes pour être visibles à cette distance. Que laissent entendre ces observations à propos de l'histoire de l'évolution des Animaux à cette époque?

Intégration

1. On décrit souvent l'architecture de base d'un Animal de la façon suivante: «un tube à l'intérieur d'un autre tube».
    a) Précisez à quels groupes d'Animaux (Acœlomates, Pseudocœlomates ou Cœlomates) cette comparaison s'applique et expliquez en quoi elle leur convient.
    b) Sachant que les Vers ronds appartiennent au groupe des Pseudocœlomates, expliquez pourquoi leur *tube* digestif ne fait pas de péristaltisme (ondes de contractions musculaires qui font cheminer la nourriture dans le tube digestif).
2. Si vous construisiez un arbre phylogénétique du règne des Animaux fondé sur la comparaison des caractéristiques morphologiques, pourquoi la présence de flagelles ne serait-elle pas un bon critère pour classifier les embranchements par clades?

Science, technologie et société

L'étude de la phylogenèse animale est parfois considérée comme «de la science pour le plaisir de la science». Certains organismes qui financent la recherche scientifique ont tendance à favoriser des projets dont les applications ont un aspect visiblement plus pratique pour les humains. Mais, d'un autre côté, les articles de périodiques qui portent sur les récentes découvertes paléontologiques montrent que l'intérêt général pour l'évolution est vif. Supposons que vous ayez l'occasion de vous joindre à une équipe de recherche travaillant sur la phylogenèse animale. Écrivez à un non-initié une courte lettre lui expliquant pourquoi il vaut la peine de financer cette recherche.

Réponses du chapitre 32

Retour sur le concept 32.1

1. Les Végétaux sont autotrophes, tandis que les Animaux sont hétérotrophes. Les cellules des Végétaux ont des parois qui renforcent la structure de l'organisme; les cellules des Animaux n'ont pas de parois résistantes (elles sont retenues ensemble par des protéines structurales, dont le collagène). Les Animaux possèdent des formes uniques de cellules et de tissus (nerveux et musculaires) et des modes de développement qui leur sont propres, dont le stade multicellulaire appelé *blastula*.
2. Ces stades fondamentaux du développement initial sont apparus tôt dans l'évolution des Animaux et ont été conservés dans les divers embranchements qui appartiennent à ce clade aujourd'hui.

Retour sur le concept 32.2

1. c, b, a, d.
2. Cette diversification pourrait être la conséquence de facteurs externes comme la modification des relations écologiques (par exemple les interactions prédateur-proie) et des conditions du milieu (comme l'augmentation des concentrations de dioxygène), ainsi qu'à des facteurs internes comme l'apparition du groupe des gènes *Hox*.

Retour sur le concept 32.3

1. Les caractéristiques des grades sont communes à de multiples lignées, sans égard à l'histoire de leur évolution. Certaines peuvent être apparues à maintes reprises, de façon indépendante. Les caractéristiques qui permettent de déterminer les clades appartenaient à un ancêtre commun, qui les a transmises aux divers descendants.
2. L'escargot se développe par segmentation spirale et déterminée, et l'humain par segmentation radiaire et indéterminée. Le cœlome de l'escargot se forme par schizocœlie (à partir des tissus provenant du mésoderme), et celui de l'humain par entérocœlie (à partir des replis de l'archentéron). Chez un escargot, le blastopore devient la bouche, et chez l'humain il devient l'anus.

Retour sur le concept 32.4

1. Contrairement aux Éponges, les Cnidaires possèdent de vrais tissus et présentent une symétrie corporelle, bien que celle-ci soit radiaire et non bilatérale, comme chez les autres embranchements d'Animaux.
2. L'arbre fondé sur des données morphologiques divise les Bilatériens en deux clades: les Deutérostomiens et les Protostomiens. L'arbre fondé sur des données moléculaires en reconnaît trois: les Deutérostomiens, les Ecdysozoaires et les Lophotrochozoaires, en plus de l'embranchement des Rotifères.
3. Chaque forme de données procure aux scientifiques un autre moyen de vérifier les hypothèses sur les liens évolutifs; plus nombreux sont les types de données qui confirment une hypothèse particulière, plus grande est la possibilité qu'elle soit valable.

Autoévaluation

1. a; 2. c; 3. c; 4. e; **5.** b; 6. c; **7.** b; **8.** e; **9.** e; 10. d; **11.** b; **12.** a.

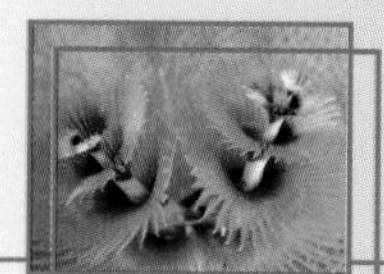

33

Les Invertébrés

▲ **Figure 33.1 Ver arbre de Noël (*Spirobranchus giganteus*), Invertébré marin.**

Concepts clés

33.1 Les Éponges sont des Animaux sessiles au corps poreux tapissé de choanocytes

33.2 Les Cnidaires présentent une symétrie radiaire, et comportent une cavité gastrovasculaire et des cnidocytes

33.3 La plupart des Animaux présentent une symétrie bilatérale

33.4 Les Mollusques sont constitués d'un pied musculeux, d'une masse viscérale et d'un manteau

33.5 Les Annélides sont des Vers annelés

33.6 Les Nématodes sont des pseudocœlomates non segmentés recouverts d'une cuticule résistante

33.7 Les Arthropodes sont des cœlomates segmentés munis d'un exosquelette et d'appendices articulés

33.8 Les Échinodermes et les Cordés sont des Deutérostomiens

Introduction

Les Animaux sans colonne vertébrale

À première vue, on pourrait prendre l'organisme montré à la **figure 33.1** pour une espèce d'Algue. Or, cet habitant vivement coloré des récifs de corail est en réalité un Animal. C'est plus précisément un Ver segmenté communément appelé *ver arbre de Noël*. Les deux spires sont des tentacules, qui servent aux échanges gazeux et à la capture de petits organismes en suspension dans l'eau. Elles émergent d'un tube de calcaire sécrété par le Ver afin de protéger et de soutenir son corps mou. Des structures photosensibles situées sur les tentacules peuvent détecter l'ombre projetée par un prédateur et déclencher des contractions musculaires qui font rapidement rentrer les tentacules à l'intérieur du tube.

Les vers arbres de Noël sont des **Invertébrés**, c'est-à-dire des Animaux dépourvus de colonne vertébrale. Ce regroupement d'organismes, qui ne constituent pas un clade, représente 95 % des espèces animales connues et tous les embranchements d'Animaux qui ont été décrits (environ 35), à l'exception d'un seul (celui des Cordés). Les Invertébrés occupent presque tous les habitats de la Terre, de l'eau brûlante qui s'échappe des sources hydrothermales des grandes profondeurs au sol rocheux et gelé de l'Antarctique.

Dans le présent chapitre, nous allons effectuer une courte visite du monde des Invertébrés, en utilisant comme guide l'arbre phylogénétique de la **figure 33.2**. La **figure 33.3**, qui occupe les trois prochaines pages, passe en revue deux douzaines

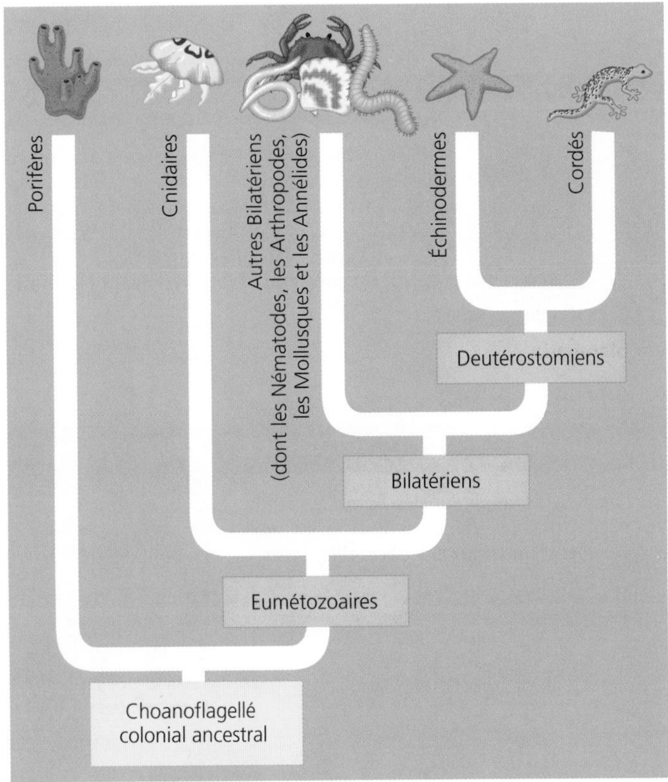

▲ **Figure 33.2 Phylogenèse animale : une révision.**

Figure 33.3
Panorama La diversité des Invertébrés

Le règne des Animaux est divisé en quelque 35 embranchements, qui englobent 1,3 million d'espèces connues. On estime toutefois que le nombre total des espèces appartenant à ce règne se situe entre 10 et 200 millions. Nous présentons ici 24 embranchements, qui comprennent tous des Invertébrés. Parmi ces embranchements, ceux qui sont illustrés par les plus petites photos (extraites des prochaines sections) seront étudiés de façon plus approfondie dans le présent chapitre.

EMBRANCHEMENT DES PORIFÈRES (5 500 ESPÈCES)

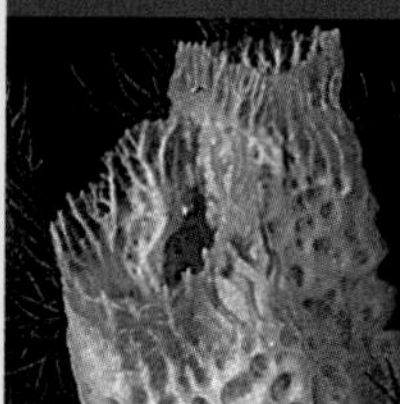
Éponge

Les Éponges sont des Animaux sessiles simples, dépourvus de vrais tissus. Elles se nourrissent des particules en suspension qui traversent les canaux internes de leur corps (voir le concept 33.1).

EMBRANCHEMENT DES CNIDAIRES (10 000 ESPÈCES)

Les Cnidaires comprennent notamment les coraux, les méduses et les hydres. Ces Animaux présentent un plan d'organisation corporelle particulier, qui comporte une cavité gastrovasculaire munie d'une seule ouverture servant à la fois de bouche et d'anus (voir le concept 33.2).

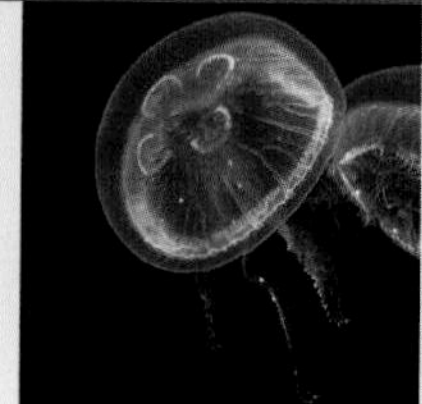
Méduse

EMBRANCHEMENT DES PLACOZOAIRES (1 ESPÈCE)

À première vue, la seule espèce connue de cet embranchement, *Trichoplax adhærens*, n'a rien d'un Animal. Cet organisme consiste en quelques milliers de cellules ciliées formant une plaque à double épaisseur d'un diamètre de 2 mm. Se nourrissant de déchets organiques, *Trichoplax* se reproduit soit en se divisant en deux individus, soit en produisant par bourgeonnement de nombreux individus multicellulaires.

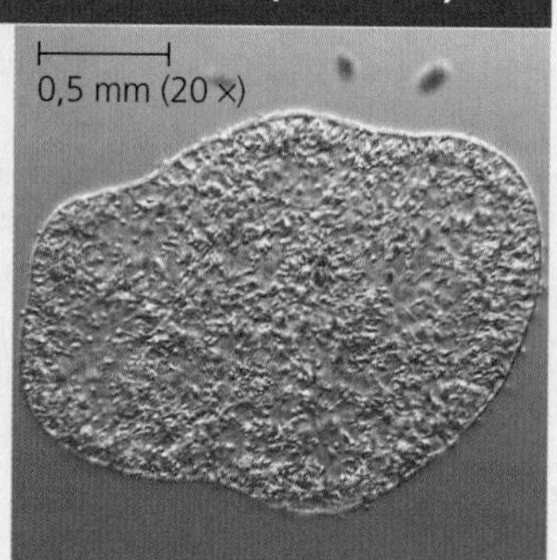

Placozoaire (MP)

EMBRANCHEMENT DES KINORHYNQUES (150 ESPÈCES)

Kinorhynque (MP)

Presque tous les Kinorhynques mesurent moins de 1 mm de longueur. Ils vivent dans le sable et la boue des océans un peu partout dans le monde, et leurs habitats s'étendent de la zone intertidale jusqu'à des profondeurs de 8 000 m. Le corps d'un Kinorhynque est formé de 13 segments recouverts de plaques et la bouche, dont l'extrémité porte un anneau d'épines, peut se rétracter dans celui-ci.

EMBRANCHEMENT DES PLATHELMINTHES (20 000 ESPÈCES)

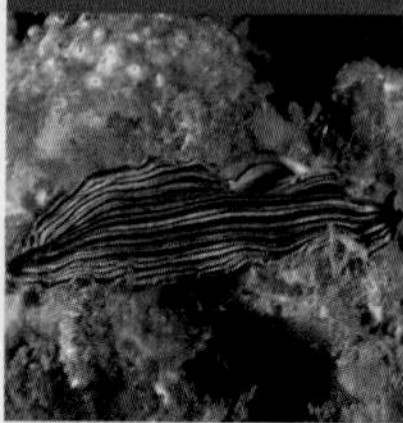
Ver plat marin

Les Plathelminthes, ou Vers plats (qui comprennent les ténias, les planaires et les douves), présentent une symétrie bilatérale et un système nerveux central qui traite l'information provenant des yeux et d'autres structures sensorielles. Ils n'ont ni cavité corporelle ni appareil circulatoire (voir le concept 33.3).

EMBRANCHEMENT DES ROTIFÈRES (1 800 ESPÈCES)

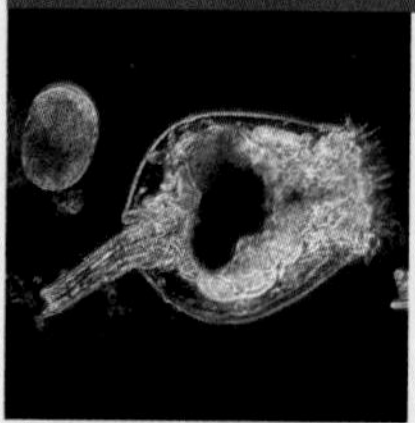
Rotifère (MP)

Malgré leur taille microscopique, les Rotifères possèdent des systèmes organiques spécialisés, dont un tube digestif. Ils se nourrissent de microorganismes en suspension dans l'eau (voir le concept 33.3).

EMBRANCHEMENT DES ECTOPROCTES (4 500 ESPÈCES)

Les Ectoproctes (aussi appelés *Bryozoaires*) sont des organismes sessiles qui vivent en colonies et possèdent un exosquelette rigide (voir le concept 33.3).

Ectoproctes

EMBRANCHEMENT DES PHORONIDIENS (20 ESPÈCES)

Phoronidiens

Les Phoronidiens sont des Vers marins. Ils vivent sur le plancher océanique, dans des tubes. Pour capturer les particules alimentaires, ils étendent leurs tentacules hors de ces tubes (voir le concept 33.3).

EMBRANCHEMENT DES BRACHIOPODES (335 ESPÈCES)

Brachiopode

Il est facile de confondre les Brachiopodes avec les palourdes et d'autres Mollusques. Or, la plupart sont pourvus d'un pédoncule unique, qui les retient à leur substrat (voir le concept 33.3).

EMBRANCHEMENT DES NÉMERTES (900 ESPÈCES)

Les Némertes, ou Vers rubanés, vivent dans l'eau ou le sable. Ils capturent leurs proies au moyen d'une trompe unique en son genre. Comme les Vers plats, ils ne possèdent pas de vrai cœlome; ils sont toutefois munis d'un tube digestif (voir le concept 33.3).

Ver rubané

EMBRANCHEMENT DES ACANTHOCÉPHALES (1 100 ESPÈCES)

Les Acanthocéphales (du grec *acanthias*, «épineux», et *cephalo*, «tête») sont communément appelés *vers à tête épineuse* en raison des crochets recourbés dont est munie la trompe rétractile située à l'extrémité antérieure de leur corps. Toutes les espèces sont des parasites. Les larves se développent dans des Arthropodes, et les adultes vivent dans des Vertébrés. Certains de ces Vers agissent sur leurs hôtes intermédiaires de façon à augmenter leurs chances d'atteindre leurs hôtes définitifs. Ainsi, les Acantocéphales qui infectent des crabes de vase de la Nouvelle-Zélande forcent leurs hôtes à se diriger vers des endroits plus visibles de la plage, où ils ont davantage de chances d'être dévorés par des Oiseaux, leurs hôtes définitifs.

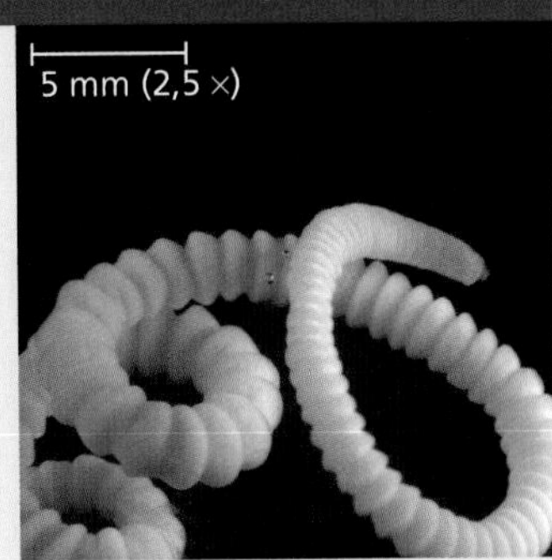

Acanthocéphale

EMBRANCHEMENT DES CTÉNOPHORES (100 ESPÈCES)

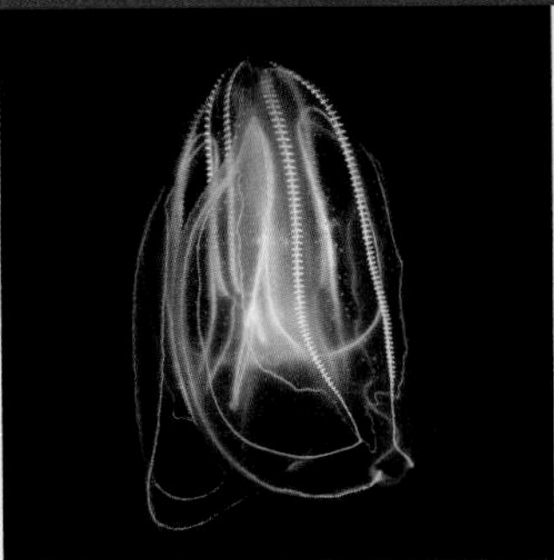

Cténophore

Comme les Cnidaires, les Cténophores (ou Cténaires) sont diploblastiques, ce qui semble indiquer que les deux embranchements ont divergé très tôt des autres Animaux. Bien qu'ils ressemblent un peu à certains Cnidaires, les Cténophores possèdent un certain nombre de caractères distinctifs, dont une série de huit rangées de plaques ciliées formant des «peignes» (*cténos* en grec, d'où leur nom) grâce auxquels ils se propulsent dans l'eau. En outre, ils ont une manière particulière de capturer leurs proies: lorsqu'un petit Animal entre en contact avec l'un de leurs deux tentacules, des cellules spécialisées éclatent et libèrent des filaments visqueux qui le recouvrent. Les Cténophores composent une grande partie de la biomasse planctonique de l'océan.

EMBRANCHEMENT DES MOLLUSQUES (93 000 ESPÈCES)

Les Mollusques (dont font partie les escargots, les palourdes, les calmars et les pieuvres) possèdent un corps mou qui, chez de nombreuses espèces, est protégé par une coquille (voir le concept 33.4).

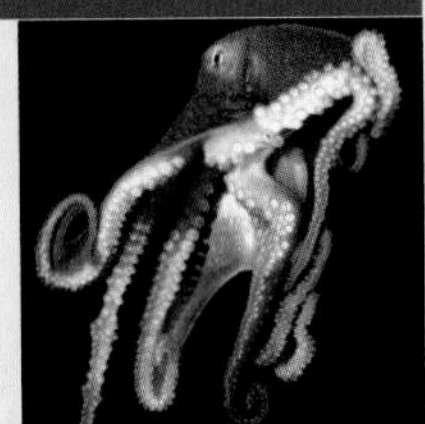

Pieuvre

EMBRANCHEMENT DES ANNÉLIDES (16 500 ESPÈCES)

Les Annélides, ou Vers annelés, se distinguent des autres Vers par leur apparence segmentée. Les vers de terre sont les Annélides les plus connus, mais l'embranchement comprend également des espèces marines et dulcicoles (voir le concept 33.5).

Annélide marin

EMBRANCHEMENT DES LORICIFÈRES (10 ESPÈCES)

Les Loricifères (du latin *lorica*, «corset», et *ferre*, «porter») sont des Animaux des grands fonds qui mesurent seulement de 0,1 à 0,4 mm de longueur. Ils peuvent replier la tête, le cou et le thorax à l'intérieur de la lorica, cavité formée par six plaques entourant l'abdomen. Bien que l'histoire naturelle de cet embranchement soit à peu près inconnue, il semble qu'au moins quelques espèces se nourrissent de Bactéries.

Loricifère (MP)

EMBRANCHEMENT DES PRIAPULIDES (16 ESPÈCES)

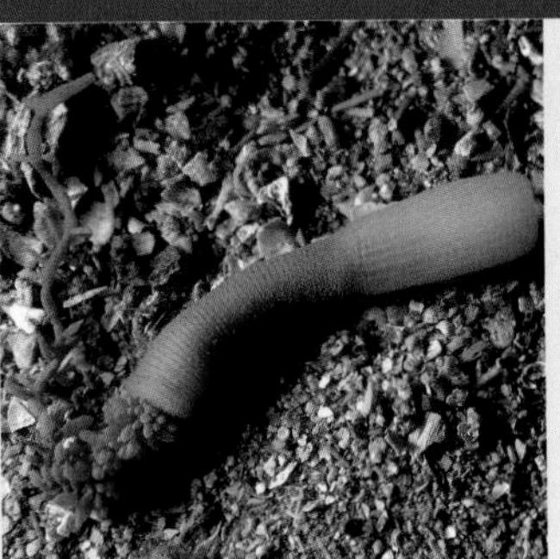

Priapulide

Les Priapulides sont des Vers dont l'extrémité antérieure est munie d'une grande trompe arrondie. (Ils doivent leur nom à Priapos, le dieu grec de la fertilité, qui était symbolisé par un pénis géant.) D'une longueur variant de 0,5 mm à 20 cm, la plupart des espèces vivent enfouies sous les sédiments du plancher océanique. Les observations paléontologiques révèlent que les Priapulides comptaient parmi les principaux prédateurs du Cambrien.

Figure 33.3 (*suite*)

Panorama La diversité des Invertébrés

EMBRANCHEMENT DES NÉMATODES (25 000 ESPÈCES)

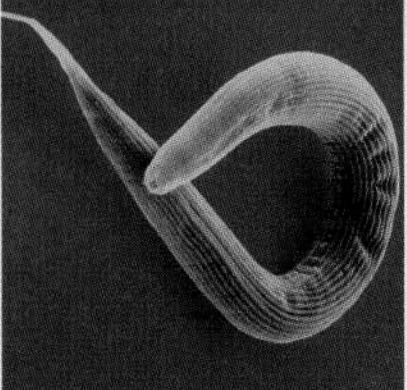

Ver rond

Les Nématodes, ou Vers ronds, sont extrêmement abondants et diversifiés ; on les trouve autant dans le sol que dans les milieux aquatiques. De nombreuses espèces vivent en parasites sur des Végétaux et des Animaux. Leur caractéristique la plus distinctive est la cuticule résistante qui recouvre leur corps (voir le concept 33.6).

EMBRANCHEMENT DES ARTHROPODES (PLUS DE 1 000 000 D'ESPÈCES)

La vaste majorité des espèces animales connues, dont les Insectes, les Crustacés et les Arachnides, sont des Arthropodes. Tous les Arthropodes possèdent un exosquelette segmenté et des appendices articulés (voir le concept 33.7).

Scorpion (classe des Arachnides)

EMBRANCHEMENT DES CYCLIOPHORES (1 ESPÈCE)

La seule espèce de Cycliophores connue, *Symbion pandora*, a été découverte en 1995 sur les pièces buccales d'un homard. Cette minuscule créature acœlomate en forme de vase possède un plan d'organisation corporelle unique et un cycle de développement particulièrement bizarre. Les mâles fécondent des femelles en cours de développement dans le corps de leur mère. Les femelles fécondées quittent celui-ci et s'installent ailleurs sur le homard où elles donnent naissance à leurs petits. Il semble que les petits partent ensuite à la recherche d'un autre homard, auquel ils se fixent.

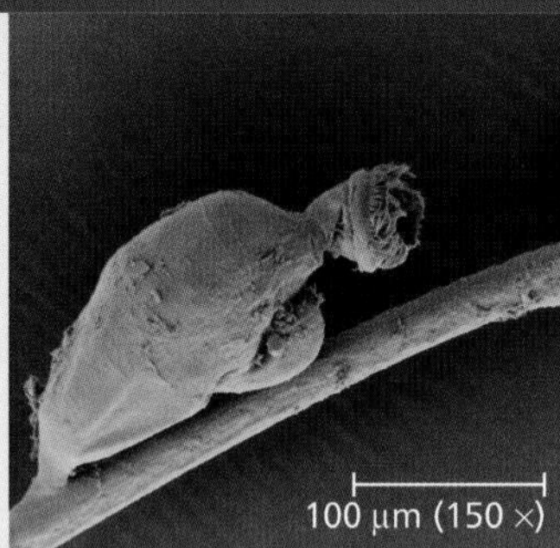

***Symbion pandora*, la seule espèce connue de Cycliophore (cliché artificiellement coloré [MEB])**

EMBRANCHEMENT DES TARDIGRADES (800 ESPÈCES)

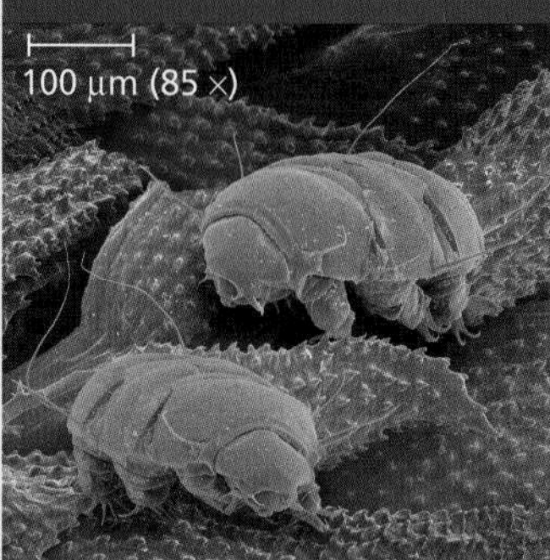

Tardigrades (cliché artificiellement coloré [MEB])

Les Tardigrades (du latin *tardus*, « lent », et *gradus*, « pas ») ont une forme arrondie, des appendices courts et une démarche lourde qui rappelle celle des ours. La plupart mesurent moins 0,5 mm de longueur. Certains vivent en eau salée ou en eau douce, et d'autres, sur des Végétaux ou des Animaux dont ils se nourrissent à l'aide d'appendices suceurs. Dans un mètre carré de mousse, on peut trouver jusqu'à deux millions de Tardigrades. Lorsque le milieu devient inhospitalier, ces Animaux peuvent connaître une période de léthargie ; ils arrivent alors à survivre à des températures de –272 °C, ce qui est près du zéro absolu !

EMBRANCHEMENT DES ONYCHOPHORES (110 ESPÈCES)

L'apparition des Onychophores date de l'explosion du Cambrien (voir le chapitre 32). Au début, ceux-ci ont prospéré dans l'océan, mais, à un certain moment, ils ont réussi à coloniser la terre ferme. Aujourd'hui, ils vivent exclusivement dans les forêts humides. Les Onychophores possèdent une antenne charnue et plusieurs douzaines de paires de pattes en forme de sac.

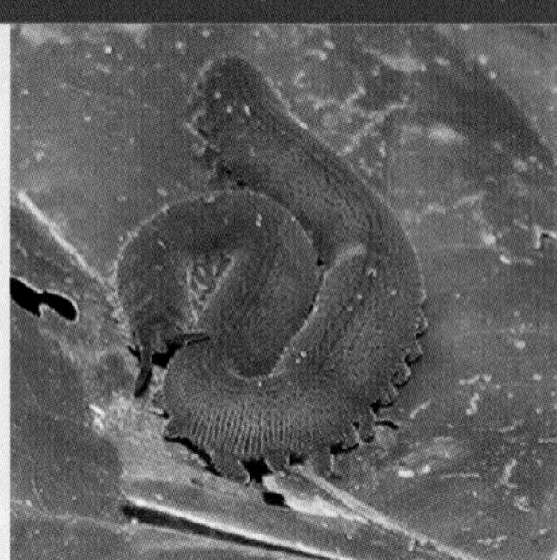

Onychophore

EMBRANCHEMENT DES HÉMICORDÉS (85 ESPÈCES)

Ver à gland

Comme les Échinodermes et les Cordés, les Hémicordés sont des Deutérostomiens (voir le chapitre 32). Ils ont aussi d'autres caractères en commun avec les Cordés, comme des fentes branchiales et un tube neural dorsal. Les plus connus sont les Entéropneustes, ou Vers à gland, des Animaux marins qui vivent en général enfouis dans la boue ou dissimulés sous des roches ; ils peuvent atteindre une longueur de plus de 2 m.

EMBRANCHEMENT DES ÉCHINODERMES (7 000 ESPÈCES)

Oursin

Les Échinodermes, dont font partie le dollar des sables, l'étoile de mer et l'oursin, sont des Animaux aquatiques qui présentent une symétrie radiaire à l'âge adulte. Ils se déplacent et se nourrissent grâce à un réseau de canaux internes qui aspirent l'eau dans les diverses parties de leur corps (voir le concept 33.8).

EMBRANCHEMENT DES CORDÉS (52 000 ESPÈCES)

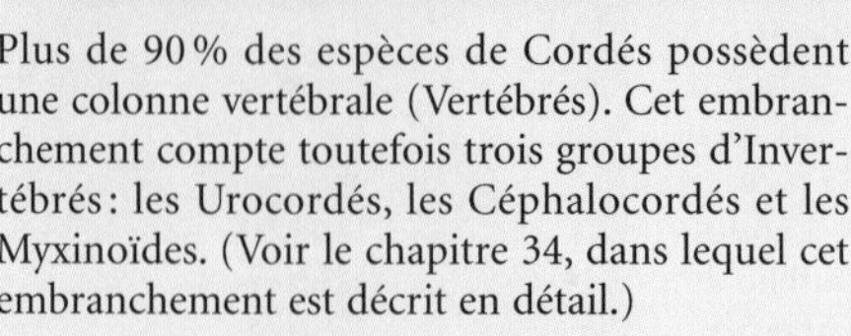

Plus de 90 % des espèces de Cordés possèdent une colonne vertébrale (Vertébrés). Cet embranchement compte toutefois trois groupes d'Invertébrés : les Urocordés, les Céphalocordés et les Myxinoïdes. (Voir le chapitre 34, dans lequel cet embranchement est décrit en détail.)

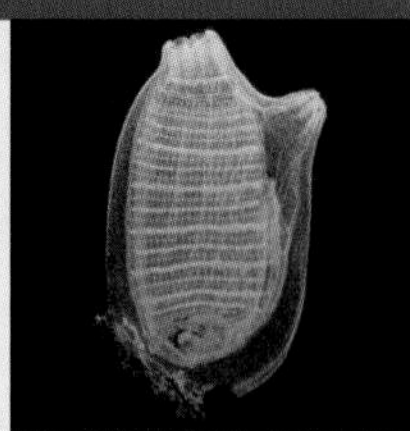

Urocordé (Tunicier)

d'embranchements d'Invertébrés. Quatorze d'entre eux feront l'objet d'un examen plus détaillé dans le reste du chapitre.

Concept 33.1

Les Éponges sont des Animaux sessiles au corps poreux tapissé de choanocytes

Les Éponges (embranchement des Porifères) sont des Animaux qui semblent tellement inertes que les Grecs de l'Antiquité les prenaient pour des plantes. Vivant tant en eau douce qu'en eau salée, elles sont **suspensivores** : elles se nourrissent des particules en suspension qui traversent leur corps à l'aspect d'un sac percé de pores (*Porifera* signifie « qui porte des pores »). Ces pores inhalants permettent à l'eau de pénétrer à l'intérieur d'une cavité gastrique centrale, le **spongocœle**. L'eau ressort par une ouverture plus grande appelée **oscule (figure 33.4)**. Les Éponges complexes possèdent une paroi repliée, un spongocœle ramifié et plusieurs oscules. Dans certaines conditions, les cellules situées à l'embouchure des pores inhalants et de l'oscule se contractent pour refermer les ouvertures. La taille des Éponges varie de quelques millimètres à quelques mètres.

Contrairement aux Eumétozoaires, les Éponges sont dépourvues de vrais tissus, soit des groupes de cellules semblables formant un ensemble fonctionnel et isolées des autres tissus par des couches membraneuses (lame basale). Leur corps contient néanmoins plusieurs types de cellules. Des cellules flagellées tapissent l'intérieur du spongocœle. Ce sont les **choanocytes**, qu'on appelle aussi *cellules à collerette* en raison du cylindre membraneux qui entoure la base de leur flagelle. Le mouvement des flagelles engendre un courant d'eau qui permet aux collerettes de retenir les particules alimentaires et de les ingérer par phagocytose : la digestion est donc intracellulaire. La ressemblance entre les choanocytes et les cellules des Choanoflagellés s'ajoute aux données moléculaires pour appuyer l'hypothèse d'un Choanoflagellé ancestral commun à tous les Animaux (voir le chapitre 32).

Le corps d'une Éponge est formé de deux feuillets de cellules séparés par une couche gélatineuse appelée **mésoglée.** Dans la couche gélatineuse errent les **amibocytes**, une sorte de cellules qui utilisent des pseudopodes. Les amibocytes remplissent plusieurs fonctions. Ils absorbent les aliments qui viennent des choanocytes, les digèrent et acheminent les nutriments vers les autres cellules. Ils produisent aussi des fibres squelettiques résistantes à l'intérieur de la mésoglée. Chez certaines classes d'Éponges, ces fibres sont des spicules pointus composés de calcaire ou de silice. Chez d'autres, les amibocytes forment des fibres plus flexibles qui sont constituées d'une protéine apparentée au collagène, qu'on appelle *spongine.* Ce sont ces squelettes souples qui servent d'éponges de bain.

La plupart des Éponges sont **hermaphrodites** (terme issu de la fusion du nom du dieu grec Hermès et de celui de la déesse

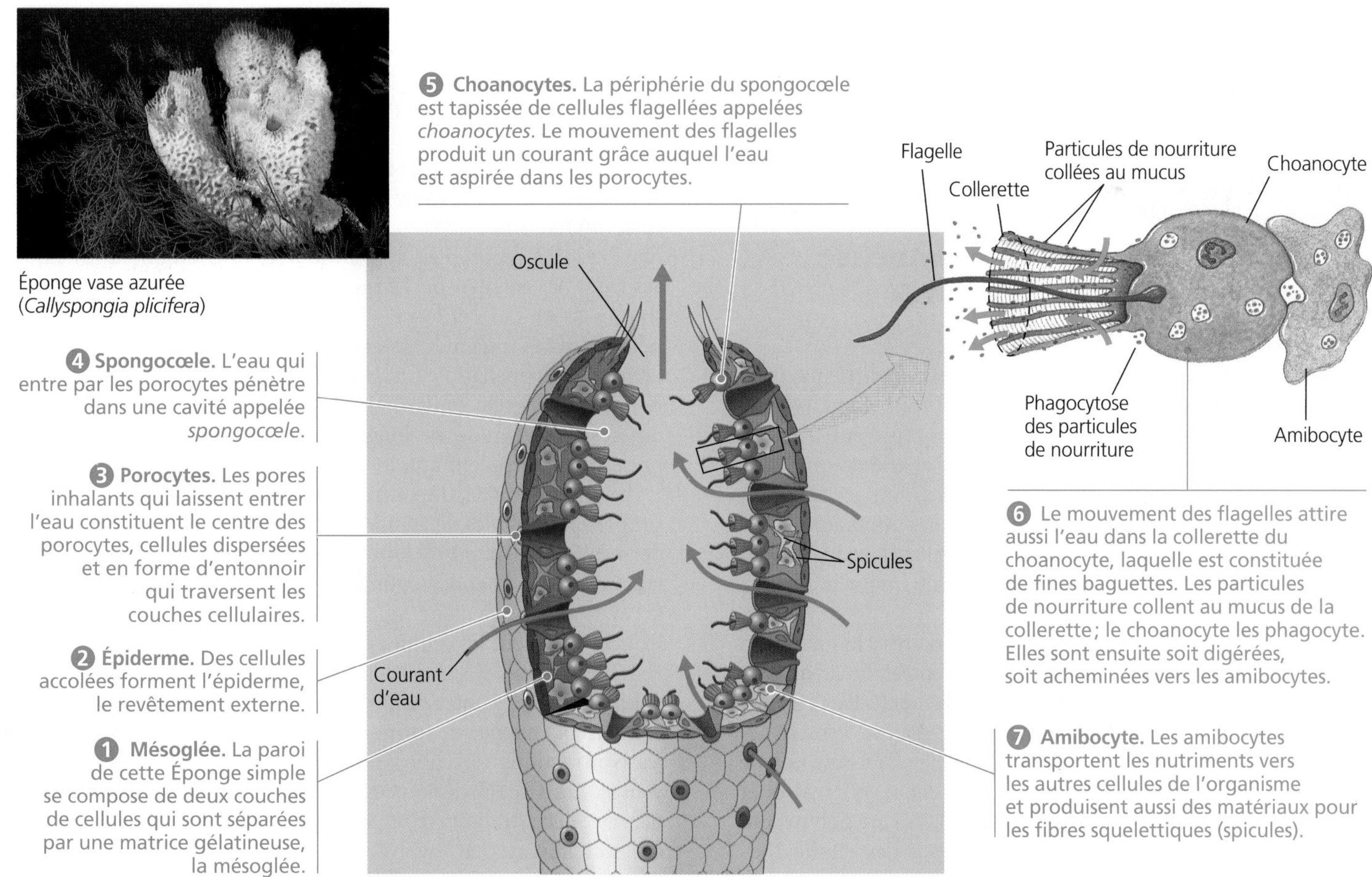

Éponge vase azurée
(*Callyspongia plicifera*)
5 Choanocytes. La périphérie du spongocœle est tapissée de cellules flagellées appelées *choanocytes*. Le mouvement des flagelles produit un courant grâce auquel l'eau est aspirée dans les porocytes.
Flagelle
Collerette
Particules de nourriture collées au mucus
Choanocyte
Oscule
Phagocytose des particules de nourriture
Amibocyte
4 Spongocœle. L'eau qui entre par les porocytes pénètre dans une cavité appelée *spongocœle*.
3 Porocytes. Les pores inhalants qui laissent entrer l'eau constituent le centre des porocytes, cellules dispersées et en forme d'entonnoir qui traversent les couches cellulaires.
Spicules
6 Le mouvement des flagelles attire aussi l'eau dans la collerette du choanocyte, laquelle est constituée de fines baguettes. Les particules de nourriture collent au mucus de la collerette ; le choanocyte les phagocyte. Elles sont ensuite soit digérées, soit acheminées vers les amibocytes.
2 Épiderme. Des cellules accolées forment l'épiderme, le revêtement externe.
Courant d'eau
7 Amibocyte. Les amibocytes transportent les nutriments vers les autres cellules de l'organisme et produisent aussi des matériaux pour les fibres squelettiques (spicules).
1 Mésoglée. La paroi de cette Éponge simple se compose de deux couches de cellules qui sont séparées par une matrice gélatineuse, la mésoglée.

▲ **Figure 33.4 Anatomie de l'Éponge.**

Aphrodite): elles portent à la fois les gonades mâles et femelles, et peuvent donc produire des spermatozoïdes *et* des ovules. Presque toutes les Éponges présentent un hermaphrodisme séquentiel, c'est-à-dire qu'elles possèdent d'abord les organes reproductifs d'un sexe et ensuite ceux de l'autre sexe.

Les gamètes proviennent des choanocytes ou des amibocytes. Les ovules restent dans la mésoglée, mais les spermatozoïdes sont entraînés par le courant à l'extérieur de l'Animal. La fécondation croisée a lieu lorsque certains des spermatozoïdes expulsés se retrouvent à l'intérieur d'une autre Éponge. La fécondation se produit dans la mésoglée. Elle donne naissance à un zygote qui devient une larve flagellée. Celle-ci sort par l'oscule en nageant. Après s'être établie sur un substrat adéquat, elle commence son existence sessile, propre aux Éponges, et se développe.

Les Éponges produisent divers antibiotiques et d'autres composés de défense. Des chercheurs sont en train d'isoler ces composés qui, espère-t-on, combattront certaines maladies humaines. Ainsi, Robert Pettit et ses collègues, de l'Arizona State University, ont découvert chez des Éponges marines (*Cribrochalina sp.*) le cribrostatin, composé capable de détruire des souches de *Streptococcus* résistantes à la pénicilline. L'équipe étudie aussi la possibilité d'utiliser d'autres composés provenant des Éponges comme agents anticancéreux.

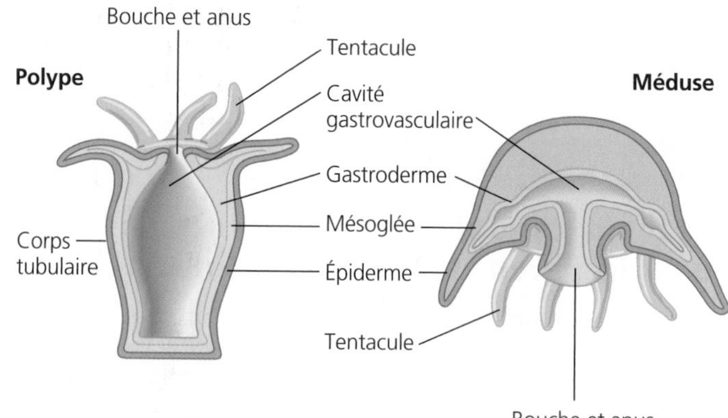

▲ **Figure 33.5 Polype et méduse: les deux formes des Cnidaires.** L'enveloppe corporelle des Cnidaires se compose de deux couches de cellules: l'épiderme (provenant de l'ectoderme), couche externe; et le gastroderme (provenant de l'endoderme), couche interne. La digestion, qui commence dans la cavité gastrovasculaire, se termine dans les vacuoles nutritives des cellules gastrodermiques. Le flagelle se trouvant sur les cellules gastrodermiques sert à maintenir en mouvement le contenu de la cavité, afin d'assurer la distribution des nutriments. Une couche gélatineuse et parfois épaisse, la mésoglée, se trouve entre l'épiderme et le gastroderme.

Retour sur le concept 33.1

1. Décrivez la manière dont les Éponges se nourrissent.
2. Expliquez en quoi la modification des courants d'eau peut influer sur la reproduction des Éponges.

Voir les réponses proposées à la fin du chapitre.

Concept 33.2

Les Cnidaires présentent une symétrie radiaire, et comportent une cavité gastrovasculaire et des cnidocytes

À l'exception des Éponges, tous les Animaux appartiennent au clade des Eumétazoaires, qui possèdent de vrais tissus (voir le chapitre 32). L'embranchement des Cnidaires représente l'un des plus anciens groupes de ce clade. Il s'est diversifié en une vaste gamme d'organismes tant sessiles que mobiles, dont les méduses, les coraux et les hydres. Ce sont toutefois des Animaux diploblastiques, dont le plan d'organisation corporelle relativement simple, à symétrie radiaire, demeure le même qu'il y a quelque 570 millions d'années.

Le plan d'organisation corporelle des Cnidaires a l'aspect d'un sac renfermant un compartiment digestif central, la **cavité gastrovasculaire**, qui communique avec le milieu extérieur par une seule ouverture servant à la fois de bouche et d'anus. Cette structure corporelle de base existe sous deux formes: la forme polype sessile et la forme méduse flottante **(figure 33.5)**. Les hydres et les anémones de mer sont des exemples de la **forme polype**, qui est cylindrique. Elles adhèrent au substrat par l'extrémité aborale (opposée à la bouche) de leur corps et déploient leurs tentacules en attendant une proie. La **forme méduse** quant à elle est une version aplatie et renversée du polype ayant l'aspect d'une cloche. La méduse se déplace librement dans l'eau grâce à de faibles contractions et à sa flottaison. Ses tentacules pendent de la bouche, qui pointe vers le bas. Certains Cnidaires existent seulement sous la forme polype et d'autres, seulement sous la forme méduse; d'autres encore passent du stade polype au stade méduse.

Les Cnidaires sont carnivores. Leurs tentacules, disposés en anneau autour de la bouche, servent à capturer des proies et à les pousser à l'intérieur de la cavité gastrovasculaire, où s'amorce la digestion. Les résidus de la digestion sont évacués par l'ouverture, qui fait office de bouche et d'anus. Les tentacules possèdent une batterie de cellules, les **cnidocytes** (ou cnidoblastes), qui assurent la défense de l'organisme et la capture des proies **(figure 33.6)**. Les cnidocytes contiennent des vésicules appelées **nématocystes** (ou cnidocystes) qui peuvent libérer une substance urticante. L'appellation *Cnidaire* vient d'ailleurs de cette caractéristique (du grec *knidê*, «ortie, plante urticante»). Certaines espèces possèdent de très longs filaments qui adhèrent aux petites proies ou s'enroulent autour d'elles.

Les tissus contractiles et nerveux des Cnidaires sont des plus simples. Les cellules de l'épiderme (feuillet externe) et du gastroderme (feuillet interne) sont pourvues de faisceaux de microfilaments disposés en fibres contractiles (voir le chapitre 6). C'est la cavité gastrovasculaire qui sert de squelette hydraulique contre lequel s'appuient les cellules contractiles pour exécuter un mouvement. Quand l'Animal a la bouche fermée, la cavité a un volume fixe. La contraction de certaines cellules amène alors le Cnidaire à changer de forme. Le mouvement lent provoqué par les contractions est coordonné par un réseau de cellules nerveuses. Les Cnidaires ne possèdent pas de cerveau. Leur réseau nerveux décentralisé se compose de récepteurs sensoriels simples qui sont répartis en rayons dans tout le corps. Ainsi, l'Animal détecte les stimulus provenant de toutes les directions, et y répond.

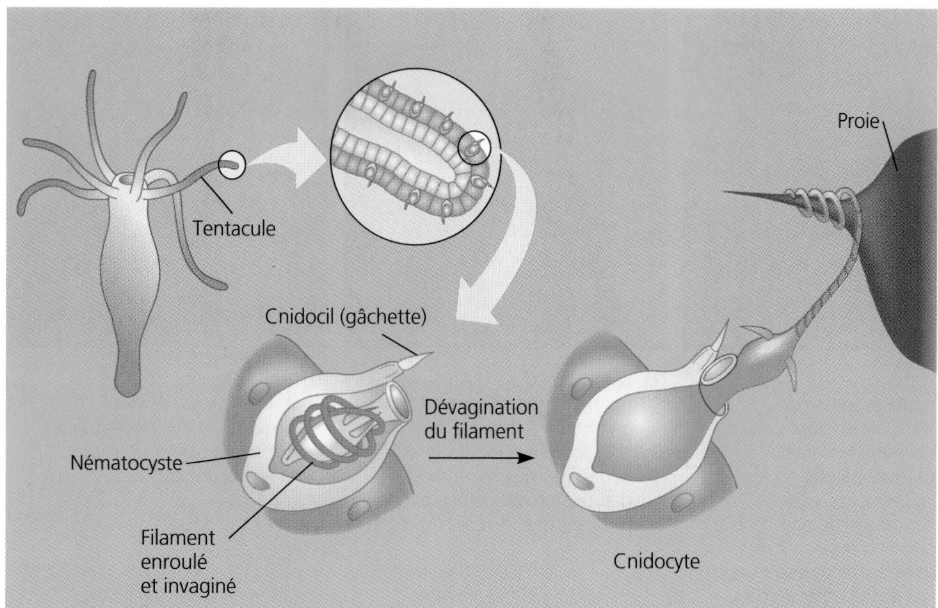

▲ **Figure 33.6 Cnidocyte d'une hydre.** Ce type de cnidocyte contient une capsule urticante, le nématocyste, dans laquelle se trouve un filament invaginé. Lorsqu'il reçoit une stimulation tactile ou chimique, un appendice sensoriel, appelé *cnidocil*, agit comme une gâchette et provoque la dévagination du filament. Celui-ci s'enfonce alors dans la proie et lui injecte un poison.

Comme l'indique le **tableau 33.1**, l'embranchement des Cnidaires comporte quatre classes principales: les Hydrozoaires, les Scyphozoaires, les Cubozoaires et les Anthozoaires **(figure 33.7)**.

Les Hydrozoaires

Chez la plupart des Hydrozoaires alternent le stade polype et le stade méduse, comme le montre le cycle de développement d'*Obelia* **(figure 33.8)**. Le stade polype qui, dans le cas d'*Obelia*, se présente sous la forme d'une colonie de polypes qui sont reliés, est le plus visible. L'hydre, l'un des rares Cnidaires à vivre en eau douce, est un Hydrozoaire assez particulier qui n'existe que sous la forme polype. Dans des conditions favorables, l'hydre se reproduit de façon asexuée, par bourgeonnement, c'est-à-dire en formant des excroissances qui se détachent ensuite du parent (voir la figure 13.2). Lorsque les conditions se détériorent, elle se reproduit de façon sexuée en engendrant des zygotes résistants qui restent enkystés jusqu'à l'amélioration des conditions environnementales.

Tableau 33.1 Classes de l'embranchement des Cnidaires

Classe et exemples	Caractéristiques principales
Hydrozoaires (physalie, hydres, *Obelia*, certains coraux; voir les figures 33.7a et 33.8)	Marins pour la plupart, dulcicoles pour certains. La majorité des espèces existent à la fois sous la forme polype et sous la forme méduse. La forme polype est surtout présente chez les espèces qui vivent en colonies.
Scyphozoaires (méduses, *Chrysaora fuscescens*; voir la figure 33.7b)	Tous marins. Stade polype réduit. Nagent librement. Certaines méduses mesurent jusqu'à 2 m de diamètre.
Cubozoaires (cuboméduses; voir la figure 33.7c)	Tous marins. Forme cubique. Yeux complexes.
Anthozoaires (anémones de mer, la majorité des coraux, gorgones; voir la figure 33.7d)	Tous marins. Stade méduse absent. La plupart sont sessiles. Beaucoup d'espèces forment des colonies.

Les Scyphozoaires

Dans cette classe, le stade méduse domine le cycle de développement. Ces Animaux qu'on appelle *méduses* vivent surtout parmi le plancton. La plupart des Scyphozoaires côtiers passent une courte période de leur cycle de développement sous la forme polype. Cependant, les méduses qui vivent en haute mer ont pour la plupart éliminé le stade polype sessile.

Les Cubozoaires

Comme leur nom l'indique, les Cubozoaires (terme qui signifie «Animaux cubiques») présentent un stade méduse de forme cubique. D'autres caractéristiques importantes les distinguent des Scyphozoaires, notamment leurs yeux complexes enchâssés dans le pourtour de leur corps. Les Cubozoaires, qui vivent en général dans les océans tropicaux, sont souvent pourvus de cnidocytes extrêmement toxiques. La cuboméduse d'Australie ou guêpe de mer (*Chironex fleckeri*), un Cubozoaire qui vit au large de la côte nord de l'Australie, est l'un des organismes les plus dangereux de la Terre: sa brûlure cause une douleur intense et peut entraîner une insuffisance respiratoire, un arrêt cardiaque et la mort en quelques minutes seulement. D'ailleurs, une seule cuboméduse d'Australie contient assez de poison pour tuer 60 personnes. Toutefois, ce poison n'est pas fatal pour tous; les tortues de mer possèdent des défenses contre lui, ce qui leur permet de dévorer de grandes quantités de cuboméduses.

Les Anthozoaires

Les anémones de mer et les coraux appartiennent à la classe des Anthozoaires. Ils n'existent que sous la forme polype. Les coraux sont des Animaux qui vivent seuls ou en colonies. Ils sécrètent un squelette externe rigide qui est composé de calcaire. (Ce sont ces squelettes que nous baptisons *corail*.) Chaque nouvelle génération s'établit sur les débris squelettiques des générations précédentes. Les coraux construisent ainsi des récifs dont les formes caractérisent l'espèce.

Les récifs coralliens sont aux mers tropicales ce que les forêts humides sont aux habitats terrestres: ils abritent une faune et une flore très riches. Malheureusement, comme les forêts humides, les récifs de corail sont détruits à une vitesse alarmante par l'activité humaine. La pollution et la surpêche constituent les principales menaces, et le réchauffement de la planète semble aussi contribuer à leur dégradation. Nous examinerons ce problème de plus près au chapitre 54.

(a) Ces polypes appartiennent à une espèce de la classe des Hydrozoaires, qui vit en colonies.

(b) De nombreuses espèces de méduses (classe des Scyphozoaires), dont celle-ci, sont bioluminescentes. Les espèces les plus volumineuses possèdent des tentacules de plus de 100 m de longueur qui pendent d'une ombrelle pouvant mesurer jusqu'à 2 m de diamètre.

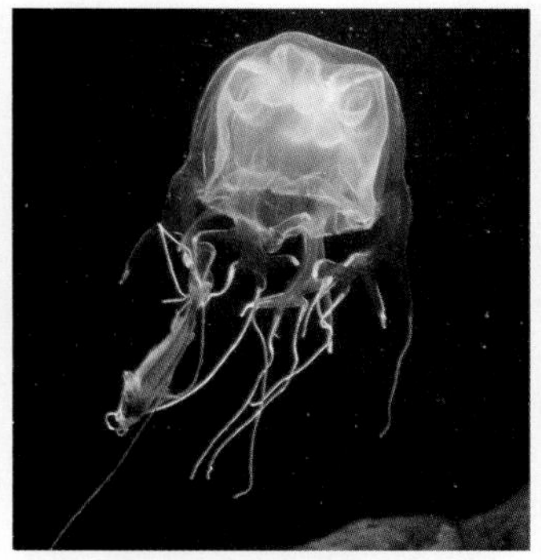

(c) La cuboméduse d'Australie ou guêpe de mer (*Chironex fleckeri*) appartient à la classe des Cubozoaires. Son poison, qui peut neutraliser des Poissons et d'autres grosses proies,est plus puissant que le venin du cobra.

(d) Les anémones de mer et les autres membres de la classe des Anthozoaires n'existent que sous la forme polype.

▲ **Figure 33.7 Cnidaires.**

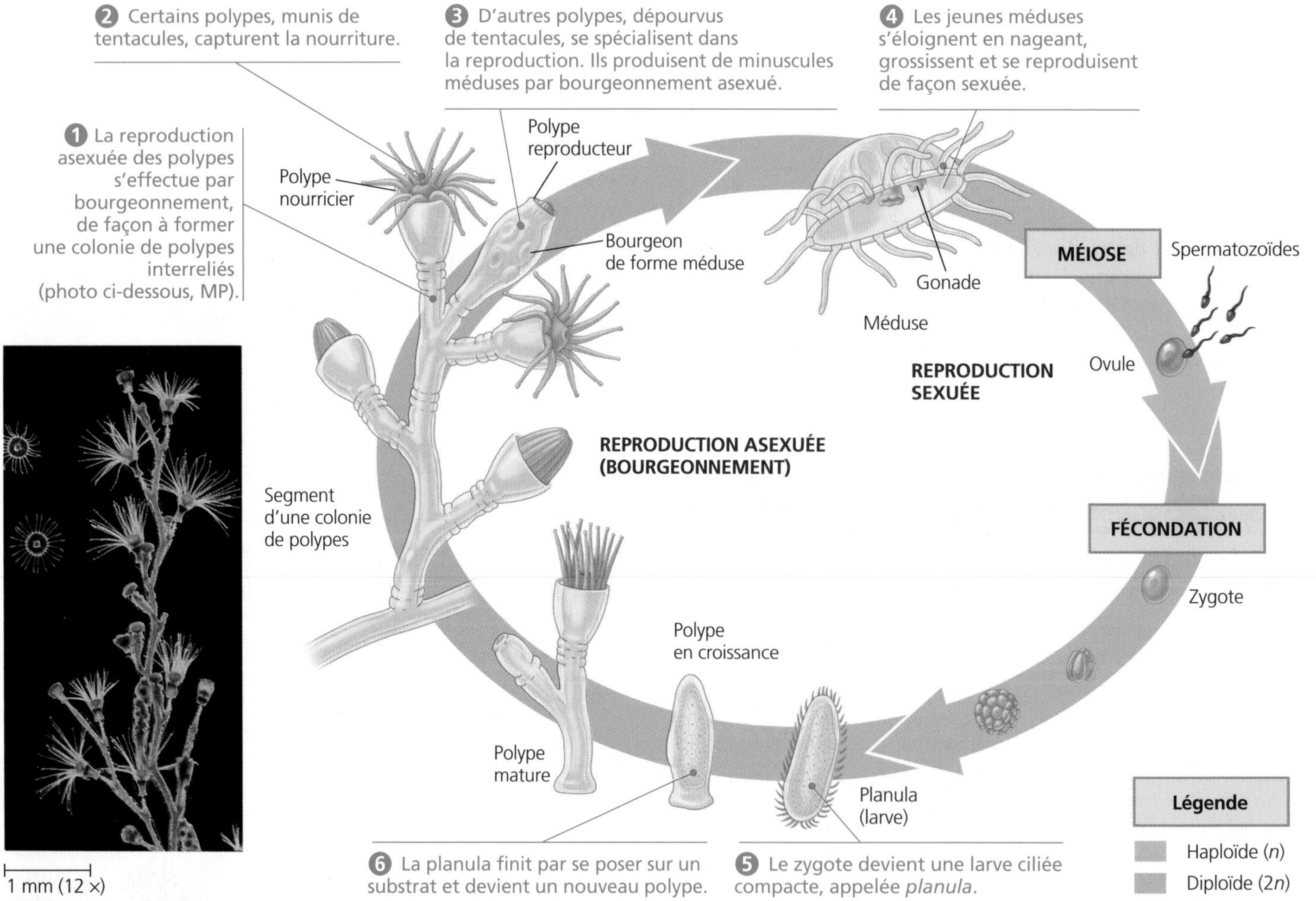

❶ La reproduction asexuée des polypes s'effectue par bourgeonnement, de façon à former une colonie de polypes interreliés (photo ci-dessous, MP).

❷ Certains polypes, munis de tentacules, capturent la nourriture.

❸ D'autres polypes, dépourvus de tentacules, se spécialisent dans la reproduction. Ils produisent de minuscules méduses par bourgeonnement asexué.

❹ Les jeunes méduses s'éloignent en nageant, grossissent et se reproduisent de façon sexuée.

Polype nourricier

Polype reproducteur

Bourgeon de forme méduse

Gonade

Méduse

MÉIOSE

Spermatozoïdes

Ovule

REPRODUCTION SEXUÉE

REPRODUCTION ASEXUÉE (BOURGEONNEMENT)

Segment d'une colonie de polypes

FÉCONDATION

Zygote

Polype en croissance

Polype mature

Planula (larve)

1 mm (12 ×)

❻ La planula finit par se poser sur un substrat et devient un nouveau polype.

❺ Le zygote devient une larve ciliée compacte, appelée *planula*.

Légende

Haploïde (n)

Diploïde ($2n$)

▲ **Figure 33.8 Cycle de développement de l'Hydrozoaire *Obelia*.** Le stade polype est asexué, tandis que le stade méduse est sexué. Les deux stades alternent et s'engendrent l'un et l'autre. Il ne faut cependant pas confondre ce processus avec l'alternance de générations qu'on rencontre chez les Végétaux et chez certaines Algues. Les formes méduse et polype correspondent toutes les deux à des organismes diploïdes. (L'état diploïde est caractéristique des Animaux; seuls les gamètes d'*Obelia* sont haploïdes.) Chez les Végétaux, les générations sont successivement haploïdes puis diploïdes.

Retour sur le concept 33.2

1. Comparez la forme polype et la forme méduse des Cnidaires.
2. Décrivez la structure et la fonction des cellules urticantes qui donnent leur nom aux Cnidaires.

Voir les réponses proposées à la fin du chapitre.

La plupart des Animaux présentent une symétrie bilatérale

La grande majorité des espèces animales appartiennent au clade des Bilatériens, dont les membres présentent une symétrie bilatérale et sont triploblastiques (voir le chapitre 32). La plupart des Bilatériens sont aussi des Cœlomates. Quoique leur ordre d'apparition fasse encore l'objet d'actives recherches, les chercheurs admettent en général que le plus récent ancêtre commun des Bilatériens modernes existait probablement à la fin du Protérozoïque. Pendant l'explosion du Cambrien, presque tous les grands groupes de ce clade ont fait leur apparition. La présente section se limite à l'étude de six des principaux embranchements de Bilatériens; les concepts 33.4 à 33.8 sont consacrés à six autres d'entre eux.

Les Plathelminthes

Les Plathelminthes, ou Vers plats, vivent en eau douce, en eau salée ou en terrain humide. Bien que certaines espèces, comme les douves et les ténias (vers solitaires), parasitent certains Animaux, un grand nombre d'espèces vivent à l'état libre. Leur corps est généralement aplati (plus large qu'épais), d'où leur nom (du grec *platus*, «large», et *helmins*, «ver»). Certaines espèces sont microscopiques; les ténias quant à eux peuvent mesurer jusqu'à 20 m de longueur. (Notez que le terme *ver* ne désigne pas un groupe taxinomique; c'est plutôt un terme général qui s'applique aux Animaux au corps long et étroit.)

Bien que les Plathelminthes soient triploblastiques, ce sont des Acœlomates (des Animaux sans cavité corporelle). Comme ils ont un corps aplati, toutes leurs cellules se trouvent tout près de l'eau environnante, de sorte que les échanges gazeux et l'élimination des déchets azotés (ammoniac) s'effectuent par diffusion sur toute la surface de leur corps. Les Plathelminthes ne possèdent pas d'organes spécialisés dans les échanges gazeux et la circulation, et leur appareil excréteur relativement simple a pour principale fonction le maintien de l'équilibre osmotique avec le milieu. Cet appareil se compose de cellules ciliées, appelées *cellules-flammes*, qui acheminent les liquides vers des canaux ramifiés ouverts sur l'extérieur (voir la figure 44.10). La plupart des Plathelminthes possèdent une cavité gastrovasculaire munie d'une seule ouverture. Les fines ramifications de cette cavité permettent la distribution de la nourriture à toutes les parties du corps.

Les Plathelminthes sont divisés en quatre classes **(tableau 33.2)**: les Turbellariés (planaires, Vers plats vivant le plus souvent à l'état libre), les Monogènes (*Benedenia, Encotyllabe*), les Trématodes (douves, schistosomes) et les Cestodes (ténias).

Tableau 33.2 Classes de l'embranchement des Plathelminthes

Classe et exemples	Caractéristiques principales
Turbellariés (Vers plats vivant pour la plupart à l'état libre; par exemple les planaires; voir les figures 33.9 et 33.10)	Marins pour la plupart. Certains sont dulcicoles ou terrestres. Prédateurs et charognards. La surface du corps est ciliée.
Monogènes (*Benedenia, Encotyllabe*)	Parasites marins ou dulcicoles. La majorité infectent les organes externes de certains Poissons. Cycle de développement simple. C'est une larve ciliée qui infecte l'hôte.
Trématodes (douves et schistosomes; voir la figure 33.11)	Parasites de Vertébrés généralement. Deux ventouses se fixent à l'hôte. Le cycle de développement comprend un hôte intermédiaire.
Cestodes (ténias; voir la figure 33.12)	Parasites de Vertébrés. Le scolex se fixe à l'hôte. Les proglottis contiennent les œufs et se détachent après la fécondation. Sans tête ni système digestif. Le cycle de développement comprend un ou plusieurs hôtes intermédiaires.

Les Turbellariés

Presque tous les Turbellariés vivent à l'état libre (et non en parasites), en milieu marin **(figure 33.9)**. Les plus connus appartiennent au genre *Planaria* et *Dugesia*, et vivent dans les étangs et les ruisseaux. Les **planaires** sont carnivores et se nourrissent de petits Animaux et de charogne.

Les planaires se déplacent au moyen des cils qui tapissent leur épiderme ventral, glissant sur la pellicule de mucus qu'elles sécrètent. Certains Turbellariés utilisent aussi leurs muscles pour exécuter des mouvements ondulatoires qui leur permettent de nager.

Les planaires ont une tête sur laquelle se trouve une paire de cupules optiques (yeux primitifs) pouvant détecter la lumière, mais aussi deux prolongements latéraux, appelés *auricules*, qui

▲ **Figure 33.9 Ver plat marin (classe des Turbellariés).**

contiennent des cellules chimioréceptrices procurant le sens de l'odorat. Le système nerveux des planaires est plus complexe et centralisé que le réseau nerveux des Cnidaires **(figure 33.10)**. Les planaires peuvent en effet apprendre à modifier leurs réactions à des stimulus.

Les planaires se reproduisent de façon asexuée par régénération. Après un étranglement au milieu du ver adulte, les deux moitiés reconstituent la portion manquante. Les planaires peuvent aussi se reproduire par voie sexuée. Bien que ce soient des hermaphrodites, leur accouplement permet la fécondation croisée.

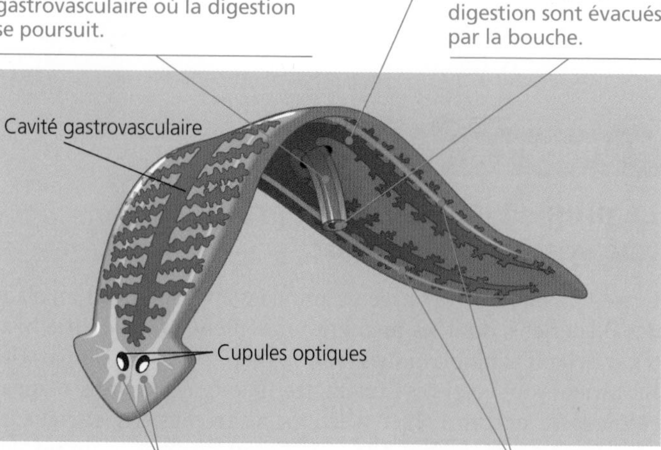

Pharynx. La bouche de la planaire se trouve à l'extrémité d'un pharynx musculaire qui fait saillie au milieu de sa face ventrale. L'Animal arrose sa proie de sucs digestifs, puis il aspire les petits morceaux de nourriture prédigérés avec son pharynx, qui les achemine vers la cavité gastrovasculaire où la digestion se poursuit.
La digestion se termine à l'intérieur des cellules qui tapissent la cavité gastrovasculaire, laquelle est pourvue de trois branches qui se ramifient de façon à augmenter la surface gastrovasculaire.
Les déchets de la digestion sont évacués par la bouche.
Cavité gastrovasculaire
Cupules optiques
Ganglions. À son extrémité antérieure, près des principaux centres de perception, la planaire possède une paire de ganglions, deux amas denses de cellules nerveuses.
Cordons nerveux ventraux. Une paire de cordons nerveux partent des ganglions et traversent tout le corps de la planaire.

▲ **Figure 33.10 Anatomie de la planaire, de la classe des Turbellariés.**

Les Monogènes et les Trématodes

Les Monogènes (*Benedenia, Encotyllabe*) et les Trématodes (douves et schistosomes ou bilharzies) vivent en parasites internes ou externes de certains Animaux. Nombre d'entre eux possèdent des ventouses qui leur permettent de se fixer aux organes internes ou à la surface de leur hôte. Une enveloppe résistante les protège. Les organes reproducteurs occupent la totalité ou presque de leur corps.

Le groupe des Trématodes parasite une grande variété d'hôtes, et le cycle de développement de presque toutes les espèces comprend une alternance des stades sexué et asexué. Plusieurs ont besoin d'un hôte intermédiaire (dans lequel la larve se développe) pour devenir adultes et infecter l'hôte définitif (souvent un Vertébré). Ainsi, les schistosomes qui parasitent l'humain passent leur stade larvaire dans l'escargot **(figure 33.11)**. Près de 200 millions de personnes dans le monde sont infectées par un schistosome (*Schistosoma mansoni*) qui provoque la schistosomiase caractérisée par des lésions au foie et à la rate, des douleurs abdominales, de l'anémie et le syndrome dysentérique. Un médicament appelé *praziquantel* (Biltricide) paralyse les Trématodes et les tue au moyen d'une lyse cellulaire attribuable à une modification de la perméabilité membranaire au calcium.

Vivre en parasites dans différents hôtes soumet les Trématodes à des contraintes que ne connaissent pas les Animaux vivant à l'état libre. Un schistosome, par exemple, doit échapper au système immunitaire de l'escargot et de l'humain. En simulant les protéines membranaires de son hôte, il se crée un camouflage immunitaire partiel. Il libère aussi des molécules qui agissent sur le système immunitaire de ses hôtes de façon à lui faire tolérer sa présence. Ces défenses sont si efficaces que des schistosomes peuvent survivre chez un hôte humain durant plus de 40 ans.

La plupart des Monogènes infectent les organes externes de certains Poissons, tels que la peau et les branchies. Leur cycle de développement est relativement simple et comprend une forme larvaire ciliée et mobile vivant à l'état libre, à l'origine de l'infection de l'hôte. Si les Monogènes ont toujours été associés aux Trématodes, certains indices

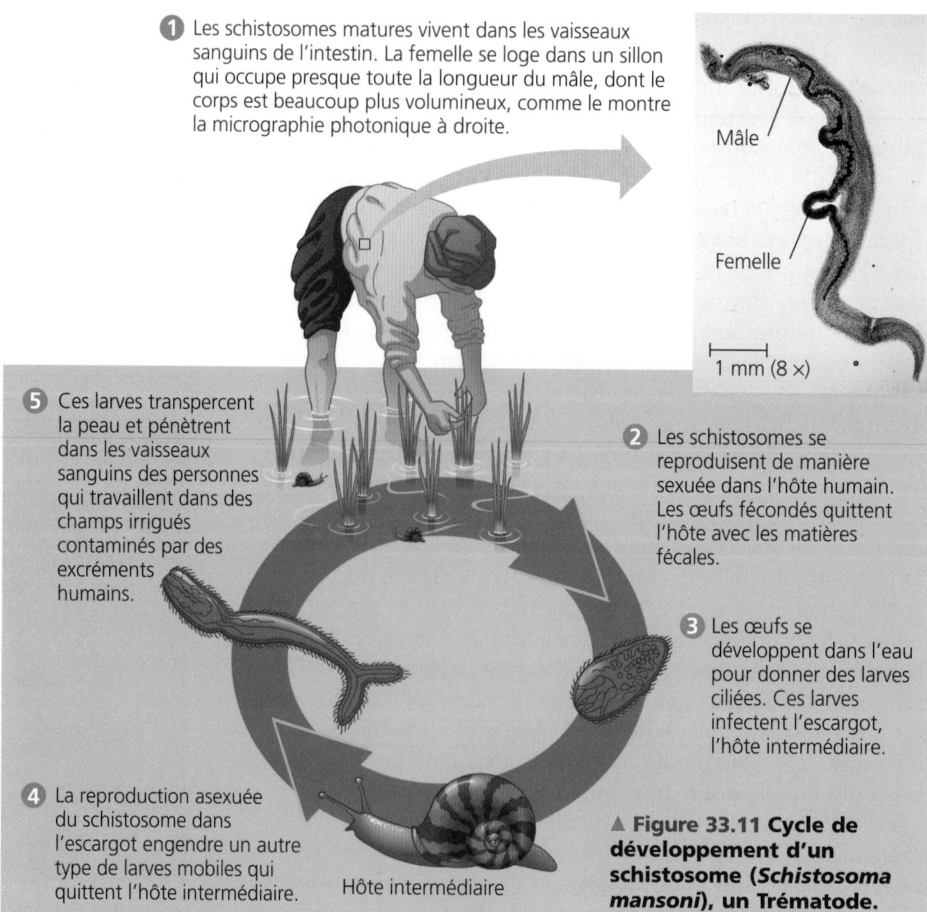

1 Les schistosomes matures vivent dans les vaisseaux sanguins de l'intestin. La femelle se loge dans un sillon qui occupe presque toute la longueur du mâle, dont le corps est beaucoup plus volumineux, comme le montre la micrographie photonique à droite.
Mâle
Femelle
1 mm (8 ×)
2 Les schistosomes se reproduisent de manière sexuée dans l'hôte humain. Les œufs fécondés quittent l'hôte avec les matières fécales.
3 Les œufs se développent dans l'eau pour donner des larves ciliées. Ces larves infectent l'escargot, l'hôte intermédiaire.
4 La reproduction asexuée du schistosome dans l'escargot engendre un autre type de larves mobiles qui quittent l'hôte intermédiaire.
Hôte intermédiaire
5 Ces larves transpercent la peau et pénètrent dans les vaisseaux sanguins des personnes qui travaillent dans des champs irrigués contaminés par des excréments humains.

▲ **Figure 33.11 Cycle de développement d'un schistosome (*Schistosoma mansoni*), un Trématode.**

liés à leur structure et à leur composition chimique donnent à penser qu'ils seraient plus proches des ténias.

Les Cestodes

Les ténias sont des Cestodes qui, une fois adultes, parasitent surtout les Vertébrés, notamment l'humain **(figure 33.12)**. Chez beaucoup d'espèces, la tête, appelée *scolex*, porte des ventouses et souvent des crochets qui lui permettent de se fixer à la muqueuse intestinale de son hôte. Les Cestodes n'ont pas de cavité gastrovasculaire; ils absorbent les nutriments libérés par le système digestif de leur hôte. L'absorption s'effectue sur toute la surface de leur corps.

Derrière le scolex se trouve un long ruban d'anneaux, appelés *proglottis*, qui sont essentiellement des sacs contenant les organes reproducteurs. Lorsqu'ils sont arrivés à maturité, les proglottis contiennent des milliers d'œufs. Le Cestode les libère alors de son extrémité postérieure dans les excréments de son hôte. Dans l'un des cycles de développement, ces excréments contaminent la nourriture ou l'eau d'hôtes intermédiaires comme les porcs ou les bovins, et les œufs du Cestode deviennent des larves qui s'enkystent dans les muscles de ces derniers. L'humain est infecté s'il mange une viande contaminée qui n'est pas assez cuite. Une fois dans celui-ci, les larves deviennent des adultes qui parasitent l'intestin. Le ténia adulte, qui peut atteindre plus de 20 m, peut causer une occlusion intestinale et détourner suffisamment de nutriments pour que son hôte souffre de carences nutritionnelles. Un médicament appelé *niclosamide* (Trédémine), administré par voie orale, élimine les vers adultes en perturbant leur métabolisme des glucides et en causant leur désinsertion de la paroi intestinale.

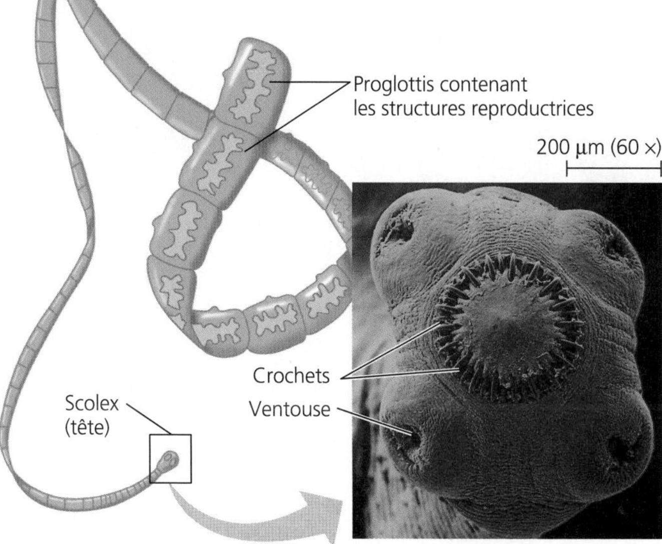

▲ **Figure 33.12 Anatomie du Cestode.** En médaillon, gros plan du scolex (cliché artificiellement coloré [MEB]).

Les Rotifères

Les Rotifères sont de minuscules Animaux dont la forme ressemble généralement à une trompette et qui vivent en eau douce, en eau salée ou dans les sols humides. Ils mesurent entre 50 µm et 2 mm, et sont donc plus petits que bon nombre de Protistes. Malgré leur taille, ils présentent une organisation multicellulaire véritable ainsi que d'autres systèmes spécialisés **(figure 33.13)**. Contrairement aux Cnidaires et aux Vers plats, qui possèdent une cavité gastrovasculaire, les Rotifères sont munis d'un **tube digestif** comprenant une bouche et un anus. Les organes internes se trouvent à l'intérieur du pseudocœlome, cavité corporelle partiellement tapissée de mésoderme (voir la figure 32.8b). Le liquide du pseudocœlome sert de squelette hydraulique (voir le chapitre 49). Les mouvements de l'organisme répartissent le liquide dans tout le corps, assurant ainsi la diffusion des nutriments et des déchets.

Le terme *Rotifère* (du latin *rota*, « roue ») fait référence à la couronne de cils qui entoure la bouche et y fait entrer l'eau dans un mouvement de tourbillon; les cils jouent aussi un rôle dans la locomotion. À l'intérieur de la bouche, dans le pharynx, se trouve un appareil masticateur (le *mastax*) constitué de sept pièces dures et mobiles qui servent à broyer la nourriture, des microorganismes en suspension dans l'eau essentiellement.

Les Rotifères ont des modes de reproduction plutôt étranges. En effet, certaines espèces ne comptent que des femelles qui donnent naissance à d'autres femelles à partir d'œufs non fécondés; ce type de reproduction porte le nom de **parthénogenèse**. D'autres produisent deux sortes d'œufs qui se développent par parthénogenèse: la première sorte d'œufs donne des femelles, et la seconde engendre des mâles simplifiés qui sont incapables de se nourrir. Cependant, ces mâles produisent des spermatozoïdes qui fécondent les ovules des femelles. Les zygotes qui en résultent peuvent survivre même en cas d'assèchement de l'étang. Lorsque les conditions s'améliorent, les zygotes sortent de leur léthargie. Ils deviennent alors de nouvelles femelles qui se reproduisent par parthénogenèse.

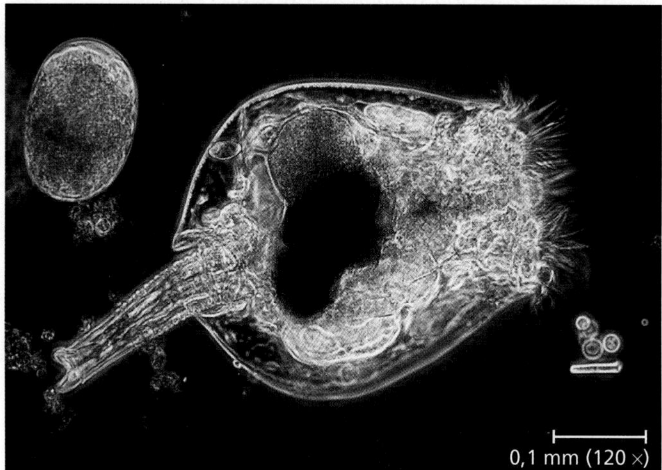

▲ **Figure 33.13 Rotifère.** L'anatomie de ce pseudocœlomate, plus petit que de nombreux Protistes, est en général plus complexe que celle des Vers plats (MP).

Il est curieux qu'un si grand nombre d'espèces de Rotifères survivent sans mâles. En effet, la vaste majorité des Animaux et des Végétaux se reproduisent par voie sexuée au moins une partie du temps, sans compter que la reproduction sexuée présente certains avantages par rapport à la reproduction asexuée. Par exemple, les espèces qui se reproduisent de manière asexuée tendent à accumuler des mutations nuisibles dans leur génome plus rapidement que celles qui se reproduisent de manière sexuée. Les espèces asexuées sont donc susceptibles de connaître des taux d'extinction plus élevés et des taux de spéciation plus faibles que les espèces sexuées.

Le biologiste Matthew Meselson, de la Harvard University, a étudié une classe de Rotifères asexués appelés *Bdelloïdés*. Quelque 360 espèces de Bdelloïdés sont connues, et toutes se reproduisent par parthénogenèse, donc sans mâles. Des paléontologues ont découvert des Bdelloïdés conservés dans de l'ambre vieux de 35 millions d'années; or, la morphologie de ces fossiles ne correspond qu'à la forme femelle, et aucune preuve de l'existence d'une forme mâle n'a été découverte. En comparant l'ADN des Bdelloïdés avec celui de leurs plus proches parents, des Rotifères qui se reproduisent par voie sexuée, Meselson et ses collègues ont conclu que les Bdelloïdés sont vraisemblablement asexués depuis beaucoup plus que 35 millions d'années. Personne ne sait encore comment ces Animaux ont réussi à faire fi de la règle générale conformément à laquelle les espèces asexuées ne survivent pas longtemps.

Les Lophophoriens : Ectoproctes, Phoronidiens et Brachiopodes

Les Bilatériens appartenant aux embranchements des Ectoproctes, des Phoronidiens et des Brachiopodes sont groupés sous l'appellation de **Lophophoriens**, car ils possèdent tous une structure nommée *lophophore*. Cette structure en forme d'anneau ou de fer à cheval entourant la bouche de l'Animal porte des tentacules ciliés (voir la figure 32.13a). Les cils de ces Animaux suspensivores créent un mouvement qui entraîne l'eau vers la bouche. Les tentacules contribuent alors à retenir les particules de nourriture. La présence de cet organe complexe chez les Lophophoriens laisse supposer que les trois embranchements sont apparentés. Cependant, d'autres caractéristiques communes, comme la forme en U du tube digestif et l'absence d'une tête distincte, constituent des adaptations à un mode de vie sessile. Contrairement aux Vers plats, qui sont dépourvus de cavité corporelle, et aux Rotifères, qui possèdent un pseudocœlome, les Lophophoriens sont pourvus d'un vrai cœlome entièrement tapissé de mésoderme (voir la figure 32.8a).

Les **Ectoproctes** (du grec *ecto*, « à l'extérieur », et *procta*, « anus ») sont des Animaux qui vivent en colonies et ressemblent un peu à des plantes. (Leur nom usuel, Bryozoaires, vient du grec *bruon*, « mousse », et *zôon*, « Animal ».) Chez la plupart des espèces, la colonie est enfermée dans un exosquelette dur dont les pores permettent aux Animaux de faire sortir leur lophophore ; celui-ci peut alors se balancer à la recherche de nourriture et se rétracter complètement en cas de danger **(figure 33.14a)**. Chez certaines espèces, il y a répartition du travail (nutrition, défense, nettoyage) entre les individus de la colonie. La majorité des espèces d'Ectoproctes vivent dans la mer, où elles constituent l'un des groupes d'Animaux sessiles les plus répandus. Plusieurs espèces sont d'importants constructeurs de récifs. Il existe aussi des Ectoproctes qui vivent dans les lacs et les rivières. Des colonies d'une espèce dulcicole, *Pectinatella magnifica*, se forment sur des branches ou des roches submergées et peuvent former une boule gélatineuse d'un diamètre de plus de 10 cm.

Les **Phoronidiens** sont des Animaux marins au corps vermiforme qui habitent dans des tubes et dont la taille varie de 1 mm à 50 cm. Certains d'entre eux vivent ensevelis dans le sable dans un tube de chitine. Ils sortent leur lophophore par l'ouverture du tube et le ramènent dans celui-ci lorsqu'ils se sentent menacés **(figure 33.14b)**.

Les **Brachiopodes** sont des Animaux marins qui ressemblent un peu aux palourdes et aux Bivalves, sauf que la position des valves diffère : chez les Brachiopodes, une valve est dorsale et l'autre ventrale, tandis que chez les palourdes les deux valves sont latérales (une à droite, l'autre à gauche) **(figure 33.14c)**. Tous les Brachiopodes sont marins. La plupart vivent attachés à leur substrat par un long pédoncule flexible. Ils entrouvrent leur coquille pour faire circuler l'eau entre les deux valves et dans le lophophore. Les Brachiopodes sont les derniers représentants d'un embranchement autrefois très important qui comptait 30 000 espèces au Paléozoïque et au Mésozoïque. *Lingula*, un genre moderne, est presque identique aux Brachiopodes qui ont vécu il y a 400 millions d'années.

Les Némertes

Les membres de l'embranchement des Némertes, parfois appelés *Vers rubanés*, possèdent une trompe (un proboscis) **(figure 33.15)**.

(a) Les Ectoproctes, comme cette croûte de dentelle (*Membranipora membranacea*), sont des Lophophoriens vivant en colonies.

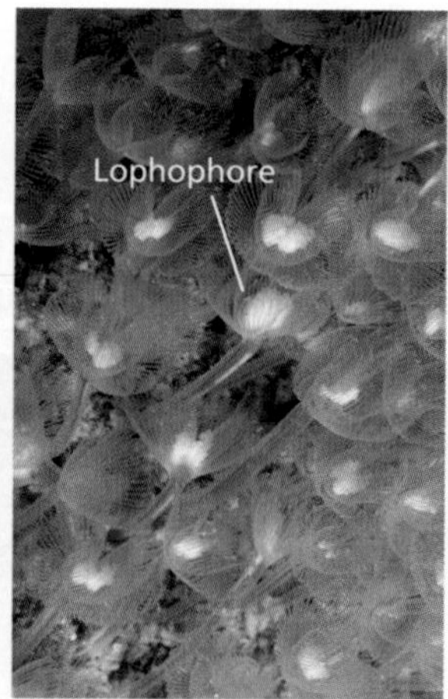

(b) Chez les Phoronidiens, comme *Phoronis hippocrepia*, le lophophore et la bouche se trouvent à une des extrémités d'un tronc allongé.

(c) Les Brachiopodes sont des Lophophoriens pourvus d'une coquille à charnière. Leurs valves sont en positions dorsale et ventrale.

▲ **Figure 33.14 Lophophoriens.**

▲ **Figure 33.15 Némerte, ou Ver rubané.**

Leur corps est acœlomate, comme celui des Vers plats, mais il contient un petit sac rempli de liquide (le rhynchocœle) que certains zoologistes considèrent comme la version réduite d'un vrai cœlome. Le contenu de ce sac sert à dévaginer le proboscis extensible au moyen duquel, dans bien des cas, les Némertes émettent une toxine destinée à leurs proies.

La longueur des Némertes varie de moins de 1 mm à plus de 30 m. Presque tous les membres de cet embranchement sont marins, les autres vivant en eau douce et dans les sols humides. Certains nagent activement, alors que d'autres se creusent des trous dans le sable.

Les Plathelminthes et les Némertes disposent d'un système excréteur et d'un système nerveux similaires. Cependant, outre leur proboscis unique, les Némertes possèdent deux autres structures que les Plathelminthes n'ont pas : un tube digestif et un **système cardiovasculaire clos**. En effet, le sang circulant dans les vaisseaux diffère du fluide de la cavité corporelle. Les Némertes n'ont pas de cœur ; la circulation du sang s'effectue grâce à des muscles qui compriment les vaisseaux.

Retour sur le concept 33.3

1. Expliquez comment les Cestodes peuvent survivre en l'absence d'un cœlome, d'une bouche, d'un système digestif et d'un système excréteur.
2. La présence ou l'absence d'un tube digestif a-t-elle un rapport avec la taille d'un Animal ? Donnez deux exemples pour justifier votre réponse.
3. Qu'est-ce qui permet aux Rotifères de posséder une organisation beaucoup plus complexe que les Plathelminthes même si leur taille est beaucoup plus petite que ces derniers ?
4. Expliquez comment, en ce qui concerne la fonction, les Ectoproctes ont davantage de points en commun avec les coraux, qui ne sont pas des Bilatériens, qu'avec d'autres organismes auxquels ils sont plus étroitement apparentés.

Voir les réponses proposées à la fin du chapitre.

Concept 33.4

Les Mollusques sont constitués d'un pied musculeux, d'une masse viscérale et d'un manteau

Escargots, limaces, huîtres, palourdes, pieuvres et calmars font tous partie de l'embranchement des Mollusques. Bien que certains Mollusques vivent en eau douce et que d'autres, comme les escargots et les limaces, colonisent la terre ferme, la plupart se trouvent dans la mer. Les Mollusques ont un corps mou (du latin *molluscus*, « écorce molle »), mais la plupart sont protégés par une coquille de calcaire. Cependant, au cours de l'évolution, certains Mollusques ont perdu une partie (calmars) ou la totalité (pieuvres) de leur coquille.

En dépit de leur apparente diversité, les Mollusques possèdent tous la même structure **(figure 33.16)**. Leur corps se compose de trois parties principales : un **pied** musculeux servant habituellement aux mouvements, une **masse viscérale** contenant la plupart des organes internes et un **manteau** constitué d'une épaisse tunique de tissu recouvrant la masse viscérale et pouvant sécréter une coquille. Chez de nombreuses espèces, le prolongement du manteau forme un compartiment rempli d'eau, appelé **cavité palléale**, abritant les branchies, l'anus et les pores excréteurs ; cette cavité est ouverte sur le milieu extérieur. À l'opposé de cette cavité se trouve un organe rugueux en forme de râpe, la **radula**, qu'un grand nombre de Mollusques utilisent pour ramasser leur nourriture.

La plupart des Mollusques sont unisexués, sauf les escargots, qui sont hermaphrodites. Les gonades (les ovaires et les testicules) sont situées dans la masse viscérale. Le cycle de développement d'un grand nombre de Mollusques marins comporte un stade de larve ciliée appelée **trocophore**, caractéristique qu'ont en commun les Annélides marins (Vers annelés) et certains autres Lophotrochozoaires (voir la figure 32.13b).

Le plan d'organisation corporelle de base des Mollusques a évolué de diverses façons dans les huit classes de cet embranchement. Nous allons étudier quatre de ces classes **(tableau 33.3)** : les Polyplacophores (chitons), les Gastéropodes (escargots et limaces), les Bivalves (palourdes, huîtres et autres) et les Céphalopodes (calmars, pieuvres, seiches et nautiles).

Les Polyplacophores

Les Polyplacophores, ou chitons, sont des Animaux marins ovales recouverts d'une coquille formée de huit plaques dorsales **(figure 33.17)** ; toutefois, le corps lui-même n'est pas segmenté. On les trouve accrochés aux rochers des rivages à marée basse. Ils y sont si bien agrippés, grâce à leur pied qui sert de ventouse, qu'il est toujours surprenant de constater à quel point il est difficile de les déloger. Les chitons utilisent aussi leur pied musculeux pour ramper lentement à la surface des rochers. À l'aide de leur radula, ils râpent la surface du rocher à la recherche de morceaux d'Algues, dont ils se nourrissent.

Les Gastéropodes

Les Gastéropodes représentent 75 % de toutes les espèces de Mollusques modernes **(figure 33.18)**. La plupart des espèces sont marines, mais beaucoup sont dulcicoles ; d'autres, comme les escargots et les limaces, se sont adaptées à la vie sur la terre ferme.

Tableau 33.3 Principales classes de l'embranchement des Mollusques

Classe et exemples	Caractéristiques principales
Polyplacophores (chitons; voir la figure 33.17)	Marins. Coquille dorsale munie de huit plaques. Pied musculeux pour la locomotion. Présence d'une radula. Tête absente.
Gastéropodes (escargots, limaces; voir les figures 33.18 et 33.19)	Marins, dulcicoles ou terrestres. Corps asymétrique; coquille habituellement en spirale. Coquille réduite ou absente chez certaines espèces. Pied musculeux pour la locomotion. Présence d'une radula.
Bivalves (palourdes, moules, pétoncles, huîtres; voir les figures 33.20 et 33.21)	Marins ou dulcicoles. Coquille aplatie formée de deux valves. Tête réduite. Une paire de branchies ciliées. Absence de radula. Suspensivores pour la plupart. Deux siphons dans le manteau.
Céphalopodes (calmars, pieuvres, seiches, nautiles; voir la figure 33.22)	Marins. Tête entourée de tentacules souvent munis de ventouses. Coquille externe, interne ou absente. Bouche avec ou sans radula. Locomotion par propulsion grâce au siphon créé par le pied.

La caractéristique la plus marquante des Gastéropodes est la **torsion** qu'ils subissent au cours de leur développement embryonnaire. Pendant ce processus, la masse viscérale fait une rotation de 180°, ce qui amène l'anus et la cavité palléale en position antérodorsale, près de la tête **(figure 33.19)**. On pense que ce processus est une adaptation permettant à la larve gastéropode de s'enfouir complètement dans sa coquille pour se protéger. Après la torsion, certains organes qui étaient bilatéraux s'atrophient sur l'un des côtés du corps. Il ne faut pas confondre la torsion et la formation en hélice de la coquille, qui constitue un processus distinct.

Une coquille en forme de spirale protège la plupart des Gastéropodes. Cette coquille est souvent conique, sauf chez les ormeaux (par exemple, *Haliotis tuberculata*) et les patelles (comme *Patella vulgata*), chez qui elle est plate. Chez un grand nombre d'espèces, les yeux se trouvent au bout de tentacules situés sur une tête qui se distingue du reste du corps. Les Gastéropodes avancent très lentement grâce au mouvement ondulatoire de leur pied ou au moyen de cils. La plupart d'entre eux se servent de leur radula pour gratter la surface de matières végétales ou d'algues. Toutefois, les Gastéropodes prédateurs ont une radula modifiée qui leur permet de trouer les coquilles des autres Mollusques ou de déchirer leurs proies. Chez les escargots, les individus appartenant aux cônes (tel *Conus genuanus*) possèdent sur leur radula des dents creuses qui se terminent par un barbillon empoisonné pénétrant la proie.

Les escargots terrestres ont remplacé les branchies des Gastéropodes aquatiques par un système dans lequel la cavité palléale vascularisée sert de poumon et assure les échanges de gaz respiratoires avec l'air ambiant.

Les Bivalves

La classe des Bivalves, ou Lamellibranches, comprend de nombreuses espèces de palourdes, d'huîtres, de moules et de pétoncles. La coquille se divise en deux parties reliées par une charnière au milieu du dos **(figure 33.20)**. Lorsque survient un danger, de

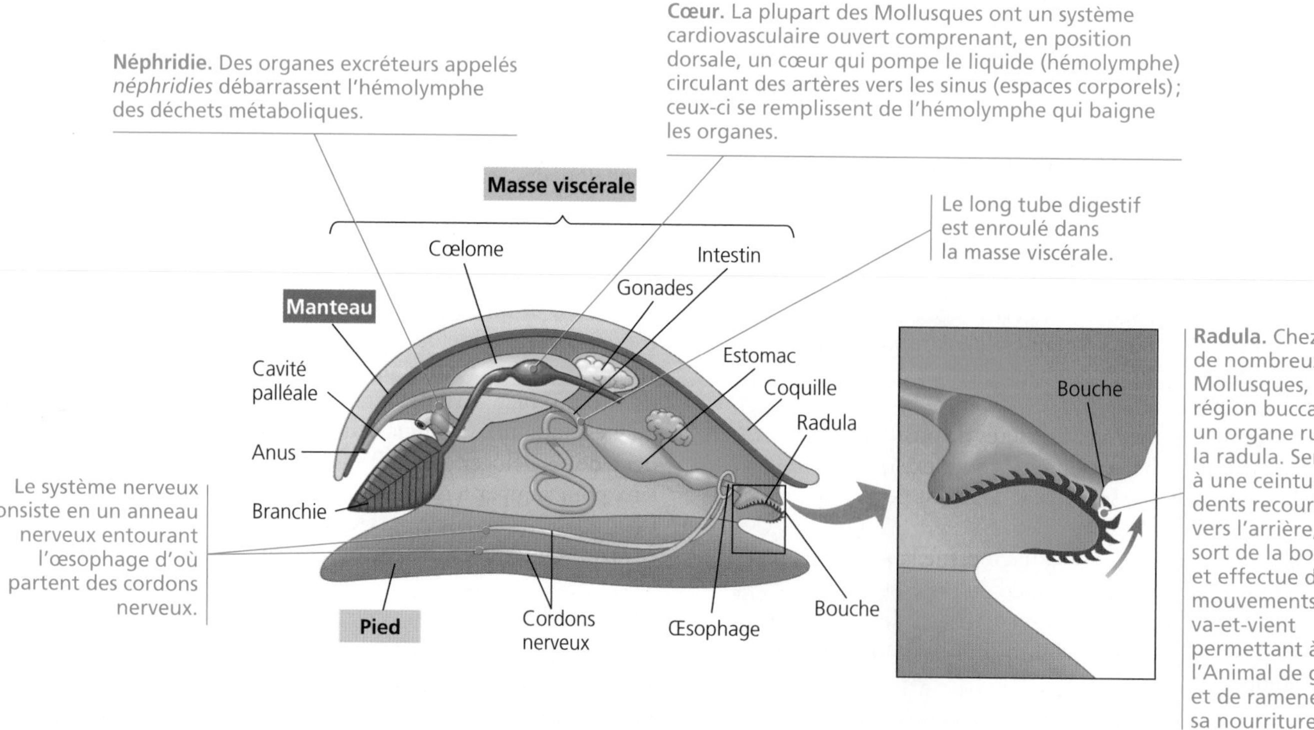

Néphridie. Des organes excréteurs appelés *néphridies* débarrassent l'hémolymphe des déchets métaboliques.
Cœur. La plupart des Mollusques ont un système cardiovasculaire ouvert comprenant, en position dorsale, un cœur qui pompe le liquide (hémolymphe) circulant des artères vers les sinus (espaces corporels); ceux-ci se remplissent de l'hémolymphe qui baigne les organes.
Masse viscérale
Cœlome
Intestin
Gonades
Le long tube digestif est enroulé dans la masse viscérale.
Manteau
Cavité palléale
Estomac
Coquille
Radula
Anus
Branchie
Le système nerveux onsiste en un anneau nerveux entourant l'œsophage d'où partent des cordons nerveux.
Pied
Cordons nerveux
Œsophage
Bouche
Bouche
Radula. Chez de nombreux Mollusques, la région buccale porte un organe rugueux, la radula. Semblable à une ceinture de dents recourbées vers l'arrière, celle-ci sort de la bouche et effectue des mouvements de va-et-vient permettant à l'Animal de gratter et de ramener sa nourriture.

▲ **Figure 33.16 Plan d'organisation corporelle typique des Mollusques.**

▲ **Figure 33.17 Chiton.** Se cramponnant aux rochers en zone intertidale, ce chiton (classe des Polyplacophores) a une coquille dorsale composée de huit plaques, caractéristique de cette classe de Mollusques.

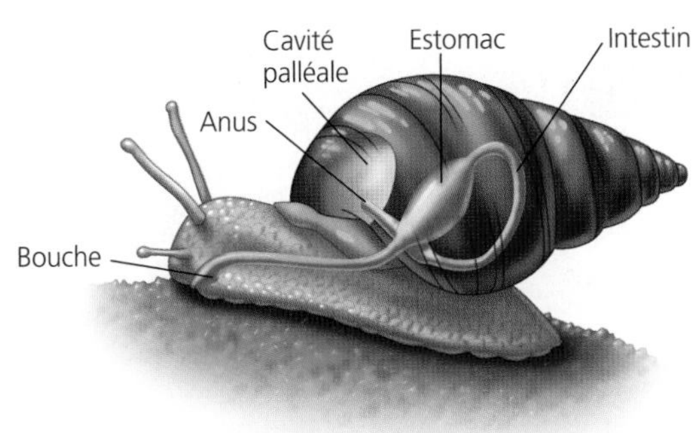

▲ **Figure 33.19 Résultat de la torsion chez un Gastéropode.** Sous l'action de la torsion (rotation de la masse viscérale) que subissent les Gastéropodes durant leur développement embryonnaire, le tube digestif s'enroule; l'anus est déplacé à l'arrière de la tête, vers le pôle antérieur de l'Animal.

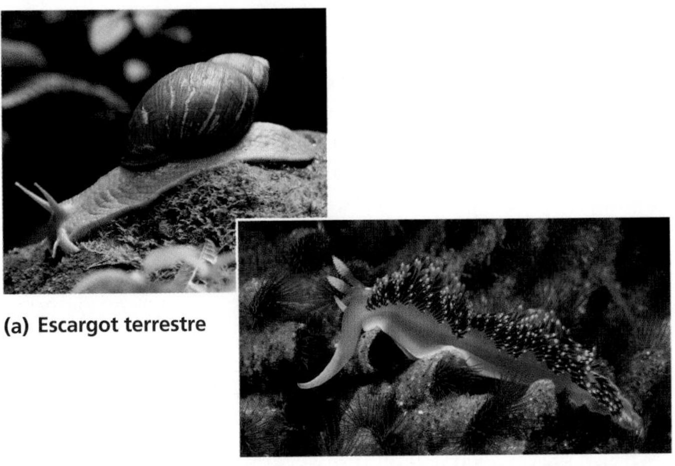

(a) Escargot terrestre

(b) Limace de mer. Les limaces de mer (ordre des Nudibranches) ont perdu leur coquille au cours de l'évolution.

▲ **Figure 33.18 Gastéropodes.**

▲ **Figure 33.20 Bivalve.** Ce pétoncle possède un grand nombre d'yeux (points foncés) situés le long des deux moitiés de sa coquille à charnière.

puissants muscles adducteurs referment solidement les deux parties et protègent le corps mou de l'Animal. Les Bivalves n'ont pas de tête et ont perdu leur radula au cours de l'évolution. Chez certains, le bord extérieur du manteau est pourvu d'yeux et de tentacules sensoriels.

La cavité palléale des Bivalves renferme des branchies ciliées qui servent autant à l'alimentation qu'aux échanges gazeux **(figure 33.21)**. La plupart des espèces de cette classe sont suspensivores. Elles captent de fines particules alimentaires grâce au mucus qui tapisse leurs branchies et utilisent leurs cils pour amener ces particules vers la bouche. Un siphon inhalant amène l'eau dans la cavité palléale et lui fait traverser les branchies. Un siphon exhalant propulse ensuite l'eau hors de la cavité palléale.

En raison de leur mode de nutrition, les Bivalves mènent une vie plutôt sédentaire. Les moules sessiles sécrètent des fils solides qui les attachent aux rochers, aux quais, aux coques de bateaux et aux coquilles d'autres Animaux. Les palourdes, quant à elles, se déplacent dans le sable ou la vase en creusant à l'aide de leur pied musculeux. Outre qu'ils creusent le sol, les pétoncles se déplacent en faisant claquer brusquement les valves de leur coquille à la manière de castagnettes.

Les Céphalopodes

Les Céphalopodes sont d'actifs prédateurs. Ils utilisent leurs tentacules pour saisir leur proie et leurs mâchoires en forme de bec pour lui injecter un venin qui l'immobilise. Leur pied, qui a subi des modifications au cours de l'évolution, comprend le siphon exhalant et une partie des tentacules et de la tête (« Céphalopodes » vient de *cephalo*, « tête », et *podos*, « pied »). La plupart des pieuvres rampent sur le plancher océanique à la recherche de crabes et d'autres proies **(figure 33.22a)**. Le calmar se déplace de façon saccadée en remplissant sa cavité palléale d'eau, puis en l'expulsant avec force par un siphon exhalant **(figure 33.22b)**. Il se dirige en pointant ce dernier dans la direction contraire au déplacement.

Un manteau recouvre la masse viscérale des Céphalopodes. Mais, en général, la coquille est réduite et interne (calmars), ou complètement absente (majorité des pieuvres). Seuls les nautiles ont conservé leur coquille externe jusqu'à nos jours **(figure 33.22c)**.

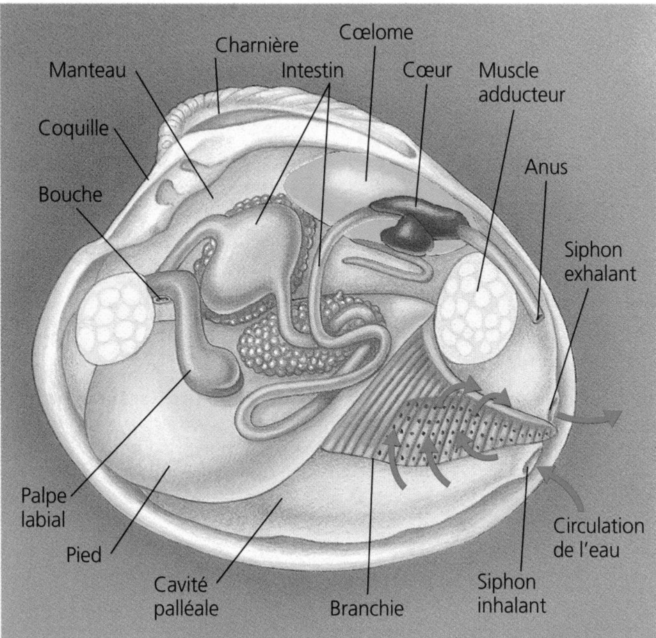

▲ **Figure 33.21 Anatomie de la palourde.** (La valve gauche de ce Bivalve a été retirée.) Une fois aspirées par le siphon inhalant, les particules de nourriture en suspension dans l'eau sont recueillies par les branchies ciliées et amenées à la bouche par quatre lobes ciliés et allongés appelés *palpes labiaux*.

Les Céphalopodes sont les seuls Mollusques à posséder un système cardiovasculaire clos. Ils sont aussi pourvus d'un système nerveux bien développé comprenant un cerveau organisé. Comme ils doivent se déplacer rapidement, ces prédateurs ont une plus grande faculté d'apprentissage et un comportement plus complexe que des Animaux sédentaires comme les palourdes.

Les ancêtres des pieuvres et des calmars étaient probablement des Mollusques munis d'une coquille qui ont adopté le mode de vie des prédateurs. Au fil de l'évolution, la coquille aurait disparu. Les Céphalopodes à coquille appelés **Ammonites**, dont plusieurs étaient très grands, étaient des prédateurs invertébrés qui ont dominé les mers durant des centaines de millions d'années. Ils ont disparu lors des extinctions massives de la fin du Crétacé (voir le chapitre 26).

La plupart des espèces de calmars mesurent moins de 75 cm de longueur, mais certaines ont une taille beaucoup plus considérable. *Architeuthis dux* a longtemps été le plus gros calmar connu : la longueur de son manteau peut atteindre 2,25 m, et celle de son corps entier, 18 m. En 2003, cependant, on a capturé près de l'Antarctique un spécimen appartenant à l'espèce rare *Mesonychoteuthis hamiltoni*, dont le manteau mesurait 2,5 m. Certains biologistes croient que ce spécimen était un jeune ; ils estiment que les adultes de son espèce pourraient être deux fois plus gros ! Contrairement à *A. dux*, qui possède de grosses ventouses et dont les tentacules sont munis de petites dents, *M. hamiltoni* présente à l'extrémité de ceux-ci des griffes rotatives qui peuvent causer des lacérations mortelles.

Il est probable que *A. dux* et *M. hamiltoni* demeurent presque en permanence en eau profonde, où ils peuvent se nourrir de gros Poissons. On a trouvé des restes de ces deux espèces dans l'estomac de cachalots, qui sont vraisemblablement leurs seuls prédateurs naturels. Les scientifiques n'ayant jamais observé ces deux espèces de calmars dans leur habitat naturel, ces géants marins demeurent un des grands mystères du monde des Invertébrés.

Retour sur le concept 33.4

1. Expliquez en quoi la modification du pied musculeux des Gastéropodes et des Céphalopodes est liée au mode de vie de chacun de ces groupes.
2. Expliquez en quoi le plan d'organisation corporelle des Bivalves diffère du plan d'organisation corporelle typique des Mollusques.

Voir les réponses proposées à la fin du chapitre.

(a) On croit que les pieuvres figurent parmi les Invertébrés les plus intelligents.

(b) Les calmars sont des carnivores rapides pourvus de mâchoires en forme de bec et d'yeux bien développés.

(c) Les nautiles sont les seuls Céphalopodes actuels à posséder une coquille externe.

▲ **Figure 33.22 Céphalopodes.**

Concept 33.5

Les Annélides sont des Vers annelés

Les Annélides (du latin *anellus*, «petit anneau») sont des Vers annelés qui se caractérisent par leur apparence segmentée. Ils vivent dans la mer, en eau douce et dans les sols humides. Leur taille varie de moins de 1 mm à 3 m, le plus grand Annélide étant le lombric géant d'Australie (*Megascolides australis*) (voir la **figure 33.23**). L'embranchement des Annélides est divisé en trois classes **(tableau 33.4)**: les Oligochètes (Vers annelés terrestres et organismes apparentés), les Polychètes (Vers annelés marins) et les Hirudinées (sangsues).

Les Oligochètes

Les Oligochètes (du grec *oligos*, «peu», et *chaité*, «long poil») doivent leur nom au fait que leurs soies, ou poils, faites de chitine sont relativement clairsemées. Cette classe de Vers annelés

Chaque segment est entouré d'un muscle longitudinal, lui-même recouvert d'un muscle circulaire. Le ver de terre se meut grâce à la contraction coordonnée de ces deux séries de muscles (voir la figure 49.25). Ces muscles accomplissent leur travail en prenant appui contre le liquide incompressible du cœlome qui sert de squelette hydraulique.
Cœlome. Le cœlome est compartimenté par des cloisons intersegmentaires (dissépiments, ou septa).
Métanéphridie. Chaque anneau d'un ver de terre contient une paire d'organes tubulaires excréteurs, appelés métanéphridies, qui sont reliés à des entonnoirs ciliés, les néphrostomes. Les métanéphridies se terminent par des pores qui déversent à l'extérieur les déchets provenant du sang et du liquide cœlomique.
Bon nombre des structures internes se répètent à chaque anneau.
Épiderme
Cuticule
Muscle circulaire
Septum (cloison intersegmentaire)
Muscle longitudinal
Vaisseau dorsal
Soies. À l'extérieur, chaque anneau possède quatre paires de soies permettant au ver de ramper et de s'ancrer pendant qu'il creuse le sol.
Intestin
Cordons nerveux
Vaisseau central
Néphrostome
Anus
Les minuscules vaisseaux sanguins qui abondent à la surface de la peau font office d'organe respiratoire. Le sang contient de l'hémoglobine, pigment qui assure le transport de l'oxygène.
Lombric d'Australie (*Megascolides australis*)
Clitellum
Œsophage
Pharynx
Jabot
Métanéphridie
Intestin
Gésier
Ganglions cérébraux. Le système nerveux du ver de terre comprend une paire de ganglions cérébraux ressemblant à un cerveau, qui sont situés devant le pharynx, en haut. De là partent des nerfs qui contournent le pharynx et s'unissent à un ganglion sous-pharyngien. Deux cordons nerveux jumelés partent de ce ganglion et longent la face ventrale du ver jusqu'à l'extrémité postérieure.
Bouche
Ganglion sous-pharyngien
Le système cardiovasculaire, qui consiste en un réseau de vaisseaux, est clos. Dans chaque segment, les vaisseaux ventral et dorsal sont reliés par une paire de vaisseaux latéraux. Le vaisseau dorsal et cinq paires de vaisseaux (cœurs latéraux) encerclant l'œsophage contiennent du tissu musculaire qui pompe le sang dans le système cardiovasculaire.
Cordons nerveux ventraux liés aux ganglions segmentaires. Les cordons nerveux pénètrent la cloison intersegmentaire et s'étendent sur toute la longueur de l'Animal, comme le système digestif et les vaisseaux sanguins longitudinaux.

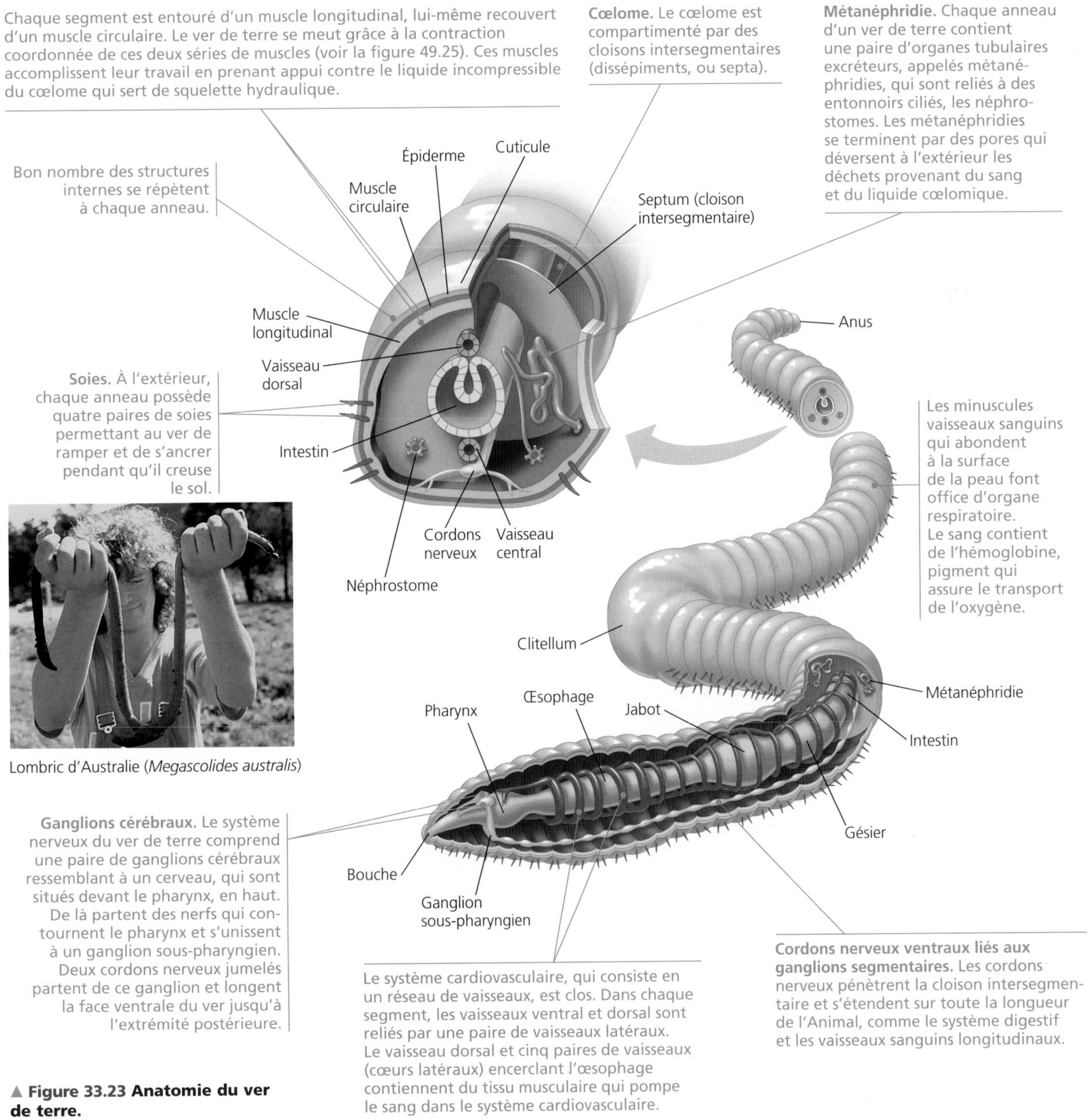

▲ **Figure 33.23 Anatomie du ver de terre.**

Tableau 33.4 Classes de l'embranchement des Annélides	
Classe et exemples	**Caractéristiques principales**
Oligochètes (Vers annelés dulcicoles, marins et terrestres, comme les vers de terre; voir la figure 33.23)	Tête réduite. Absence de parapodes mais présence de soies.
Polychètes (Vers annelés marins pour la plupart; voir la figure 33.24)	Tête bien développée. Anneaux comportant chacun habituellement des parapodes munis de soies. Vivent dans un tube et à l'état libre.
Hirudinées (sangsues; voir la figure 33.25)	Corps peu segmenté, généralement aplati, pourvu d'un cœlome réduit. Absence de soies. Ventouses aux extrémités antérieure et postérieure. Parasites, prédateurs et charognards.

comprend les vers de terre et une variété d'espèces aquatiques. Le ver de terre ingère de la terre, dont il extrait les nutriments au fur et à mesure qu'elle passe dans son système digestif. Les matières non digérées, mélangées au mucus sécrété par le tube digestif, sortent par l'anus sous forme de déjections. Les agriculteurs apprécient ces vers, car ils labourent la terre et en améliorent la texture avec leurs excréments. (Au XIXe siècle, Charles Darwin a estimé qu'en Angleterre, dans chaque hectare de terre cultivée, on trouvait 125 000 vers de terre pouvant produire 45 t de déjections par année.) La figure 33.23 explique l'anatomie du ver de terre, qui représente bien les Annélides.

Les vers de terre sont des hermaphrodites qui pratiquent la fécondation croisée. Deux vers s'accouplent en se plaçant de telle sorte qu'ils puissent échanger leur sperme, puis se séparent. Le sperme reçu est emmagasiné temporairement, le temps qu'un organe appelé *clitellum* sécrète un manchon de mucus autour de chaque ver. Le manchon de mucus glisse le long de l'Animal et ramasse au passage les ovules et le sperme gardé en réserve. Puis, il se détache de la tête du ver et s'enfouit dans le sol, où l'embryon se développera. Certains vers de terre se reproduisent aussi de façon asexuée, par fragmentation et régénération.

Les Polychètes

Les anneaux d'un Polychète possèdent chacun une paire de structures de locomotion ressemblant à des rames ou à des crêtes et appelées *parapodes* (mot qui signifie « presque un pied ») **(figure 33.24)**. Chaque parapode comporte des soies de chitine, qui sont plus nombreuses que celles des Oligochètes. Chez un grand nombre de Polychètes, ces parapodes sont très vascularisés et servent de branchies.

Les Polychètes constituent une classe nombreuse et diversifiée, dont la plupart des membres sont marins. Certaines formes adultes dérivent et nagent parmi le plancton. D'autres rampent ou creusent les sédiments au fond de la mer, ou vivent dans des tubes. Quelques-uns, comme les sabelles, fabriquent eux-mêmes leur tube en mélangeant du mucus avec un peu de sable et des morceaux de coquilles. Plusieurs, comme les vers arbres de Noël (voir la figure 33.1), forment leur tube uniquement à l'aide de leurs propres sécrétions.

◀ **Figure 33.24 Polychète.** *Hesiolyra bergi* vit au fond de l'océan, près des sources hydrothermales.

Les Hirudinées

La majorité des Hirudinées, ou sangsues, vivent en eau douce, mais il existe des espèces marines et des espèces qui vivent dans la végétation terrestre humide. Leur taille varie de 1 à 30 cm. Beaucoup d'entre elles s'alimentent avec de petits Invertébrés, tandis que d'autres parasitent temporairement des Animaux, dont l'humain, et se nourrissent de leur sang **(figure 33.25)**. Certaines possèdent des mâchoires très coupantes dont elles se servent pour entailler la peau de leur hôte. D'autres sécrètent des enzymes qui digèrent et perforent la peau. L'hôte ne se rend habituellement compte de rien, car les sangsues produisent en même temps un anesthésique. Après l'incision, les sangsues sécrètent un autre composé, l'hirudine, qui empêche la coagulation du sang. Les parasites peuvent alors sucer autant de sang qu'ils peuvent en contenir, c'est-à-dire plus de dix fois leur propre masse; leur intestin possède des diverticules où le sang ingéré peut être mis en réserve. Lorsqu'elles sont rassasiées, les sangsues peuvent vivre plusieurs mois sans nourriture.

Jusqu'au XXe siècle, les médecins utilisaient souvent les sangsues pour faire des saignées. On se sert encore de ces Animaux pour drainer le sang qui s'accumule dans les tissus à la suite d'accidents ou d'opérations chirurgicales. Par ailleurs, des chercheurs étudient la possibilité d'utiliser l'hirudine pour dissoudre les caillots de sang qui se forment pendant une opération ou qui résultent d'une cardiopathie. On a par ailleurs mis au point une forme d'hirudine recombinée, qui fait actuellement l'objet d'essais cliniques.

◀ **Figure 33.25 Sangsue.** Cette sangsue médicinale (*Hirudo medicinalis*) a été appliquée sur le pouce d'un patient afin de traiter un hématome (accumulation anormale de sang au siège d'une lésion interne).

Retour sur le concept 33.5

1. Un bon nombre d'organes se trouvent dans chacun des segments d'un Annélide. Certains cependant n'appartiennent qu'à des segments particuliers; donnez-en un exemple.
2. Expliquez comment un ver de terre utilise les muscles et le cœlome de chacun de ses anneaux pour se mouvoir.

Voir les réponses proposées à la fin du chapitre.

Concept 33.6

Les Nématodes sont des pseudocœlomates non segmentés recouverts d'une cuticule résistante

Les **Nématodes**, ou Vers ronds, font partie des embranchements qui comptent le plus grand nombre d'individus et d'espèces. On en trouve dans la plupart des habitats aquatiques, dans les sols humides, dans les tissus humides des Végétaux ainsi que dans les liquides corporels et les tissus des Animaux. Contrairement au corps des Annélides, le corps cylindrique des Nématodes n'est pas segmenté. Il a une extrémité postérieure en pointe effilée et une extrémité antérieure ronde **(figure 33.26)**. Sa taille varie de moins de 1 mm à plus de 1 m. Les Nématodes sont revêtus d'un exosquelette résistant appelé **cuticule**. Au cours de leur développement, ils s'extirpent régulièrement de leur vieille cuticule et en sécrètent une autre, plus grande. Après un nombre déterminé de mitoses, la croissance chez ces Animaux s'effectue exclusivement par augmentation de la taille des cellules. Les Nématodes possèdent un tube digestif complet, mais pas de système cardiovasculaire. Le liquide qui circule dans leur pseudocœlome apporte des nutriments à toutes les cellules du corps. Les Nématodes ne possèdent que des muscles longitudinaux dont la contraction produit des mouvements saccadés.

Les Vers ronds se reproduisent généralement par voie sexuée. Chez la plupart des espèces, les individus mâles et femelles sont distincts, les femelles étant habituellement plus grandes que les mâles. La fécondation s'effectue à l'intérieur de l'Animal. Une femelle peut pondre plus de 100 000 œufs fécondés par jour. Les zygotes de la majorité des espèces peuvent survivre dans des conditions difficiles.

Un grand nombre de Vers ronds vivent dans les sols humides et dans les matières organiques en décomposition au fond des lacs et des océans. On en connaît 25 000 espèces, mais il en existe peut-être 20 fois plus. On prétend que s'il ne restait sur Terre que des Nématodes, la planète conserverait grâce à eux son aspect et un grand nombre de ses caractéristiques. Extrêmement nombreux, ces Vers qui vivent à l'état libre jouent un rôle très important dans la décomposition et le recyclage des nutriments. Pourtant, on les connaît très peu. *Cænorhabditis elegans*, qui vit dans le sol, fait exception: cet organisme est l'un des Animaux les plus étudiés en biologie du développement (voir le chapitre 21). Des études en cours portant sur cette espèce révèlent notamment certains des mécanismes du vieillissement chez les humains.

Les Nématodes parasites représentent aussi un fléau pour les agriculteurs. En effet, nombreux sont ceux qui s'attaquent aux racines de certaines plantes. D'autres vivent aux dépens des Animaux. Ainsi, il existe au moins 50 espèces de Nématodes qui parasitent l'humain, dont les oxyures (par exemple, l'oxyure vermiculaire, *Enterobius vermicularis*) et les ankylostomes (tel l'ankylostome duodénal, *Ancylostoma duodenale*). Le plus connu des Nématodes parasites est la trichine (*Trichinella spiralis*), agent de la trichinose **(figure 33.27)**. L'humain contracte cette maladie en consommant de la viande (des tissus musculaires) de porc ou d'un autre Animal contenant des larves enkystées. Une fois dans l'intestin, les larves deviennent des adultes sexuellement matures. Les femelles s'enfoncent dans les muscles de l'intestin et donnent naissance à d'autres larves qui se dispersent par l'intermédiaire du système lymphatique et vont s'enkyster dans d'autres organes ainsi que dans les muscles squelettiques.

Les Nématodes possèdent un outillage moléculaire extraordinaire qui leur permet de réorienter quelques-unes des fonctions cellulaires de leurs hôtes. Certains injectent aux Végétaux sur lesquels ils vivent des molécules qui déclenchent le développement de cellules racinaires, lesquelles fournissent ensuite des

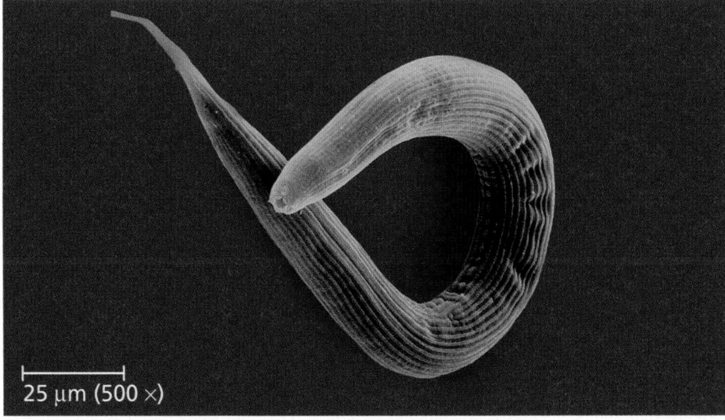

▲ **Figure 33.26 Nématode vivant à l'état libre (cliché artificiellement coloré [MEB]).**

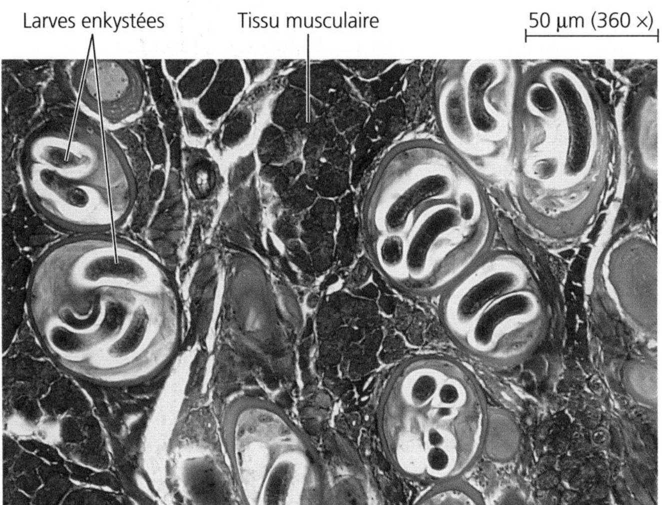

▲ **Figure 33.27 Larves du Nématode parasite *Trichinella spiralis* enkystées dans du tissu musculaire humain (MP).**

nutriments aux parasites. *Trichinella* envahit des cellules musculaires et régit l'expression de gènes particuliers, lesquels codent pour des protéines qui rendent la cellule assez élastique pour l'abriter. En outre, la cellule émet des signaux destinés à attirer les vaisseaux sanguins, qui apportent alors des nutriments au Nématode. Ces remarquables parasites ont été surnommés les « Animaux qui agissent comme des virus ».

Retour sur le concept 33.6

1. Pourquoi est-il dangereux de commander des côtelettes de porc saignantes au restaurant?
2. En quoi le plan d'organisation corporelle des Nématodes diffère-t-il de celui des Annélides?

Voir les réponses proposées à la fin du chapitre.

▲ **Figure 33.28 Trilobite fossilisé.** Les Trilobites étaient très répandus dans les mers peu profondes tout au long de l'ère paléozoïque, mais ils ont disparu au cours des grandes extinctions du Permien, il y a environ 250 millions d'années. Les paléontologues ont décrit environ 4 000 espèces de Trilobites.

Concept 33.7

Les Arthropodes sont des cœlomates segmentés munis d'un exosquelette et d'appendices articulés

On croit que la population mondiale d'Arthropodes (Crustacés, araignées et Insectes, entre autres) s'élève à environ un milliard de milliards (10^{18}) d'individus. Jusqu'à ce jour, près d'un million d'espèces d'Arthropodes ont été décrites, la plupart étant des Insectes. En fait, les deux tiers des organismes connus appartiennent à l'embranchement des Arthropodes, dont on rencontre les membres dans presque tous les habitats de la biosphère. Les Arthropodes sont les plus diversifiés, les plus répandus et les plus nombreux des Animaux.

Les caractéristiques générales des Arthropodes

C'est grâce à leur segmentation, à leur exosquelette rigide et à leurs appendices articulés que les **Arthropodes** sont si diversifiés et si abondants. Le terme *Arthropoda* signifie « pied articulé ». Les premiers Arthropodes, dont les **Trilobites**, présentaient des segments très définis mais dont les appendices variaient peu d'un à l'autre **(figure 33.28)**. Au fil de l'évolution, les segments ont peu à peu fusionné, de sorte que leur nombre a diminué; les appendices, quant à eux, se sont spécialisés dans diverses fonctions. Ces modifications ont donné lieu non seulement à une grande diversification, mais aussi à une structure corporelle efficace qui permet la répartition des tâches entre les différentes régions du corps. Ainsi, les appendices servent à la marche, à la quête de nourriture, à la perception sensorielle, à la copulation et à la défense. La **figure 33.29** illustre les différentes parties du homard d'Amérique (*Homarus americanus*), notamment ses appendices.

Le corps des Arthropodes est complètement recouvert d'une cuticule, un **exosquelette** (squelette externe) composé de couches de protéines et de chitine polysaccharidique. La cuticule peut être solide et épaisse comme une armure à certains endroits sensibles du corps, ou flexible et mince comme du papier à d'autres endroits, comme les articulations. L'exosquelette protège l'Animal et fournit des points d'attache aux muscles qui permettent de bouger les appendices. Cependant, en raison de la rigidité de leur exosquelette, la croissance des Arthropodes exige qu'ils s'en débarrassent occasionnellement et en sécrètent un nouveau, plus grand. Ce phénomène, qui porte le nom de **mue** (ou *ecdysis*), nécessite une grande dépense d'énergie et expose l'Animal aux prédateurs et à d'autres dangers, car le nouvel exosquelette met un certain temps à durcir.

Lorsque l'exosquelette est apparu chez les Arthropodes marins, ses principales fonctions étaient vraisemblablement la protection et l'établissement d'un point d'attache pour les muscles. Plus tard, toutefois, il a aussi permis à certains Arthropodes de vivre sur la terre ferme. En effet, sa relative imperméabilité prévenait la déshydratation, et sa rigidité apportait la solution au problème d'appui des Arthropodes qui ne pouvaient plus compter sur la poussée de l'eau. Les Arthropodes ont commencé à se diversifier sur la terre ferme à la suite de la colonisation de ce milieu par les Végétaux, au début du Paléozoïque. En 2004, un chasseur de fossiles amateur a trouvé en Écosse un millipède fossilisé vieux de 428 millions d'années. On a trouvé d'autres fossiles d'Arthropodes terrestres datant d'il y a environ 450 millions d'années.

Les Arthropodes possèdent des organes sensoriels développés, entre autres les yeux, les récepteurs olfactifs et les antennes pour toucher et sentir. Pour la plupart, les organes sensoriels se trouvent à l'extrémité antérieure de l'Animal.

Comme beaucoup de Mollusques, les Arthropodes sont dotés d'un **système cardiovasculaire ouvert** dans lequel un cœur propulse un liquide appelé *hémolymphe* (le terme *sang* ne s'emploie que pour désigner un liquide contenu dans un système cardiovasculaire clos). L'hémolymphe quitte le cœur par de petites artères qui l'amènent jusqu'à des espaces, qui portent le nom de *sinus*, entourant les tissus et les organes. Elle retourne ensuite dans le cœur par des pores habituellement munis de valves. L'ensemble des sinus s'appelle *hémocœle* et ne fait pas partie du cœlome. Chez la plupart des Arthropodes, le cœlome de l'embryon régresse graduellement au profit de l'hémocœle, qui devient la cavité corporelle principale de l'Animal adulte. Bien que ce système cardiovasculaire ouvert ressemble à celui des

Mollusques, on pense que les deux systèmes ont fait leur apparition indépendamment au cours de l'évolution.

Les Arthropodes disposent d'une grande variété d'organes spécialisés dans les échanges gazeux. Ces organes doivent permettre la diffusion des gaz respiratoires, malgré la présence de l'exosquelette. La plupart des espèces aquatiques possèdent des branchies pourvues d'extensions duveteuses qui maximisent la surface en contact avec l'eau. Les Arthropodes terrestres, quant à eux, ont habituellement recours à des structures internes spécialisées dans les échanges gazeux. Ainsi, la majorité des Insectes possèdent un système de trachées, c'est-à-dire des conduits qui amènent l'air à l'intérieur, grâce aux pores que contient la cuticule.

Comme pour d'autres branches de l'arbre de la vie, les découvertes issues de la systématique moléculaire amènent les biologistes à imaginer de nouvelles hypothèses sur les liens de l'évolution des Arthropodes. Les observations indiquent maintenant que les Arthropodes modernes se divisent en quatre grandes lignées qui ont divergé tôt dans l'histoire de cet embranchement **(tableau 33.5)**: les **Chélicériformes** (araignées de mer, limules, scorpions, tiques, mites et araignées), les **Myriapodes** (centipèdes et millipèdes), les **Hexapodes** (Insectes et organismes apparentés sans ailes et à six pattes) et les **Crustacés** (crabes, homards, crevettes, balanes, etc.).

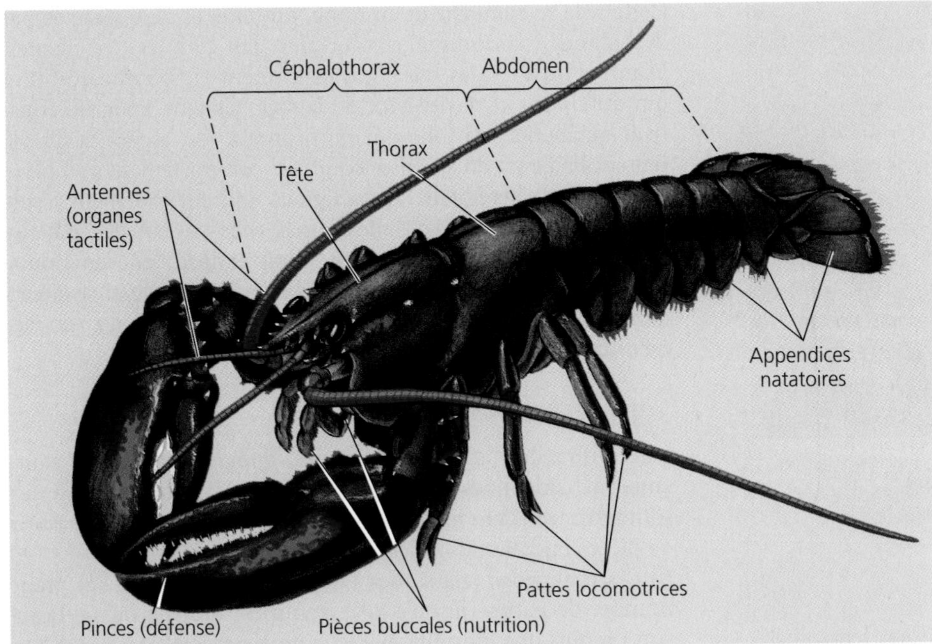

▲ **Figure 33.29 Anatomie externe du homard (Arthropode).** Cette vue dorsale d'un homard d'Amérique (*Homarus americanus*) montre plusieurs des traits distinctifs des Arthropodes et certaines caractéristiques des Crustacés. Les Arthropodes ont un corps segmenté, mais cette caractéristique n'est évidente que sur la partie abdominale du homard. Tous les appendices sont articulés (pinces, pièces buccales, pattes locomotrices et appendices natatoires). La tête comprend une paire d'yeux composés (à lentilles multiples) situés chacun à l'extrémité d'un pédoncule mobile. Le corps, avec les appendices, est recouvert d'un exosquelette.

Tableau 33.5 Sous-embranchements de l'embranchement des Arthropodes

Sous-embranchement et exemples	Caractéristiques principales
Chélicériformes (limules, araignées, scorpions, tiques, mites; voir les figures 33.30 à 33.32)	Tronc constitué d'une ou deux parties. Six paires d'appendices (chélicères, pédipalpes et quatre paires de pattes locomotrices). Surtout terrestres ou marins.
Myriapodes (millipèdes et centipèdes; voir les figures 33.33 et 33.34)	Tête distincte des autres parties du corps, munie d'antennes et d'un appareil buccal masticateur. Terrestres. Les millipèdes sont herbivores; chaque segment de leur tronc porte deux paires de pattes locomotrices. Les centipèdes sont carnivores; chaque segment de leur tronc porte une paire de pattes locomotrices; le premier segment du tronc est muni de crochets à venin.
Hexapodes (Insectes, Collemboles; voir les figures 33.35 à 33.37)	Corps divisé en trois parties: tête, thorax et abdomen. Présence d'antennes. Pièces buccales conçues pour mastiquer, sucer et lécher. Trois paires de pattes et, en général, deux paires d'ailes. Surtout terrestres.
Crustacés (crabes, homards, écrevisses, crevettes; voir les figures 33.29 et 33.38)	Corps divisé en deux ou trois parties. Présence d'antennes. Pièces buccales conçues pour la mastication. Trois paires de pattes ou plus. Surtout marins et dulcicoles.

Les Chélicériformes

Le sous-embranchement des Chélicériformes (du grec *cheilos*, « lèvres », et *cheir*, « bras ») doit son nom aux **chélicères**, les appendices en forme de pince qui permettent à l'Animal de s'alimenter. Leur corps est composé d'un céphalothorax antérieur et d'un abdomen postérieur. Ils n'ont pas d'antennes, et la plupart sont munis d'yeux simples (avec une seule lentille).

Les premiers Chélicériformes étaient des **Euryptérides**, ou scorpions de mer. Ces prédateurs majoritairement marins et dulcicoles pouvaient atteindre 3 m de longueur. La plupart des Chélicériformes marins, dont les Euryptérides, ont disparu. Les araignées de mer (Pycnogonides) et les limules comptent parmi les espèces marines qui ont survécu jusqu'aujourd'hui **(figure 33.30)**.

La majeure partie des Chélicériformes modernes sont classés parmi les **Arachnides**, auxquels appartiennent les scorpions, les araignées, les tiques et les mites **(figure 33.31)**. Parmi les Arthropodes figurent de nombreux parasites, notamment les tiques et les mites. Presque toutes les tiques sont des parasites qui se nourrissent du sang des Reptiles et des Mammifères. Elles vivent à la surface du corps de ces Animaux. Les mites parasites vivent à l'intérieur ou à l'extérieur d'une grande variété de Vertébrés, d'Invertébrés et de Végétaux.

Les Arachnides possèdent un céphalothorax pourvu de six paires d'appendices: une paire de chélicères; une paire d'appendices appelés *pédipalpes* et servant à la perception sensorielle et à la préhension de la nourriture; et quatre paires de pattes

▲ **Figure 33.30 Limules (*Limulus polyphemus*).** Ces « fossiles vivants » n'ont guère changé depuis des centaines de millions d'années. Ils ont survécu au grand nombre de Chélicériformes qui peuplaient autrefois les mers, et abondent sur les côtes de l'Atlantique et de la partie américaine du golfe du Mexique.

locomotrices **(figure 33.32)**. Les araignées utilisent leurs chélicères, en forme de crochet et munies de glandes à venin, pour attaquer leur proie. Pendant qu'elles débitent leur proie en menus fragments avec leurs chélicères, elles déversent des sucs digestifs sur les tissus déchirés pour les ramollir. Elles aspirent ensuite l'aliment liquéfié.

Chez la plupart des araignées, les échanges gazeux se font dans des **poumons lamellaires** qui sont constitués d'un ensemble de lamelles empilées contenues dans une chambre interne (voir la figure 33.32). L'étendue de ces organes respiratoires découle d'une adaptation structurale visant à augmenter les échanges O_2-CO_2 entre l'hémolymphe et l'air.

Un grand nombre d'araignées ont acquis la faculté unique d'attraper des Insectes au moyen d'une toile tissée de fils de soie. Cette soie se compose de fibroïne, protéine liquide sécrétée par des glandes abdominales spéciales, les glandes séricigènes. D'autres organes, les filières, transforment la fibroïne en fibres qui durcissent et deviennent de la soie. Chaque araignée construit un modèle de toile qui est propre à son espèce et qu'elle réussit d'ailleurs du premier coup. Ce comportement complexe est sans doute héréditaire. Les araignées utilisent également la soie à d'autres fins que leurs toiles. Ainsi, celle-ci peut devenir une voie pour descendre rapidement d'un endroit, une enveloppe pour protéger des œufs et même un emballage-cadeau pour certains mâles qui l'utilisent pour offrir de la nourriture aux femelles qu'ils courtisent.

Les Myriapodes

Les millipèdes et les centipèdes appartiennent au sous-embranchement des Myriapodes. Tous les Myriapodes modernes sont terrestres. Leur tête porte une paire d'antennes et trois paires de pièces buccales, dont les **mandibules**.

Les millipèdes (classe des Diplopodes) possèdent un grand nombre de pattes (jusqu'à 80), ce qui est tout de même beaucoup moins que les mille que leur nom suggère **(figure 33.33)** ! Chaque segment de leur tronc est formé de deux segments fusionnés et est muni de deux paires de pattes. Les millipèdes se nourrissent de feuilles en décomposition et d'autres débris végétaux ; ils s'enroulent sur eux-mêmes dès qu'ils se sentent menacés. Ils comptent probablement parmi les premiers Animaux terrestres : ils vivaient sur les Mousses et les premières Vasculaires.

Contrairement aux millipèdes, les centipèdes (classe des Chilopodes) sont carnivores. Chaque segment du tronc possède une paire de pattes locomotrices **(figure 33.34)**. Les centipèdes utilisent des crochets à venin (les forcipules) situés sur le premier segment du tronc, juste derrière la tête, pour paralyser leur proie et se défendre.

(a) Les scorpions possèdent des pédipalpes, soit des pinces spéciales qui leur permettent de se défendre et d'attraper leurs proies. Le bout de leur queue porte un dard venimeux.

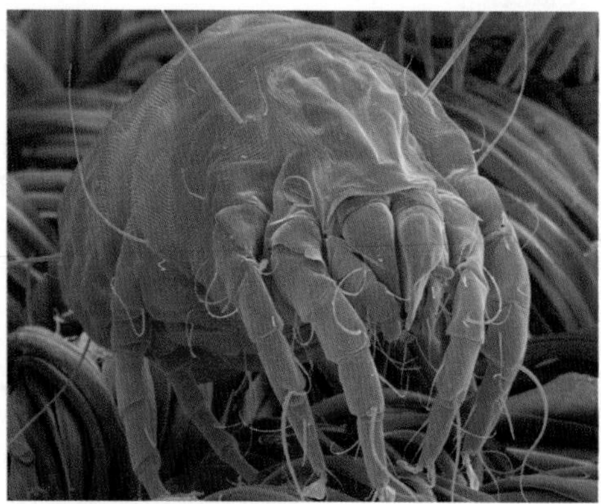

(b) Les Acariens de la poussière sont des charognards omniprésents dans les maisons. Ils sont inoffensifs, sauf pour les personnes qui leur sont allergiques (cliché artificiellement coloré [MEB]).

(c) Les araignées qui tissent des toiles sont habituellement plus actives le jour.

▲ **Figure 33.31 Arachnides.**

▶ **Figure 33.32 Anatomie de l'araignée.**

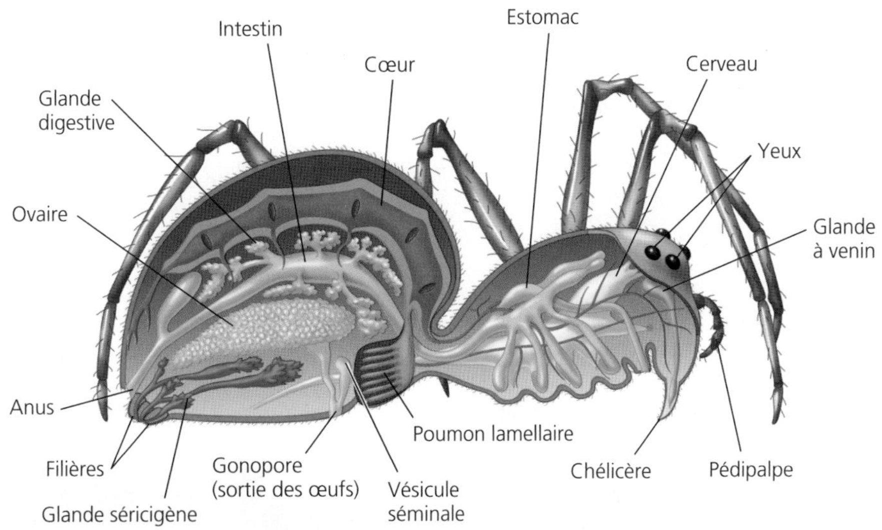

▲ **Figure 33.33 Millipède.**

▲ **Figure 33.34 Centipède.**

Les Insectes

Les Insectes et leurs parents (sous-embranchement des Hexapodes) présentent une diversité d'espèces plus grande que celle de toutes les autres classes combinées. Ils vivent dans presque tous les habitats terrestres, en eau douce ou dans les airs. Mais ils sont rares dans les mers, où les Arthropodes les plus nombreux sont les Crustacés. L'intérieur du corps d'un Insecte contient plusieurs organes complexes, que la **figure 33.35** met en évidence.

Les plus vieux fossiles d'Insectes remontent à la période dévonienne, qui a débuté il y a quelque 415 millions d'années. Cependant, l'évolution du vol durant le Carbonifère et le Permien a provoqué une explosion de la diversité des Insectes. Ceux-ci ont connu une autre période de radiation adaptative à l'apparition des Gymnospermes et d'autres plantes du Carbonifère, dont ils ont pu se nourrir, comme l'indiquent les pièces buccales fossiles. Une hypothèse à laquelle souscrivent largement les paléontologues avance que la plus importante diversification des Insectes s'est faite parallèlement à la radiation adaptative des Angiospermes, pendant le Crétacé et le début du Tertiaire, il y a environ 60 à 65 millions d'années. Cette supposition est mise en doute par de nouvelles recherches qui indiquent que la diversification des Insectes est antérieure à la radiation des Angiospermes. Si ces derniers ont coévolué avec les Insectes herbivores qui les pollinisaient, la diversité des Insectes serait autant une cause de la radiation des Angiospermes qu'un de ses effets.

Le vol est sans contredit un facteur important du succès des Insectes. L'Animal qui vole peut échapper à ses prédateurs, s'accoupler et trouver de la nourriture et un nouvel habitat plus rapidement que celui qui rampe. Chez de nombreux Insectes, une ou deux paires d'ailes sont reliées à la partie dorsale du thorax. Comme leurs ailes constituent des prolongements de la cuticule et non des appendices, les Insectes ont pu voler sans perdre de pattes. En revanche, les Vertébrés volants, tels les Oiseaux et les chauves-souris, ont transformé l'une de leurs deux paires de pattes en ailes, ce qui les rend moins habiles au sol.

Les ailes des Insectes ont peut-être d'abord été, avant de devenir des organes pour le vol, des prolongements de la cuticule qui aidaient le corps à absorber la chaleur. Selon d'autres hypothèses, elles permettaient à ces Animaux de planer d'une plante jusqu'au sol, servaient de branchies aux Insectes aquatiques ou encore tenaient lieu de nageoires.

Selon des données morphologiques et moléculaires, les ailes ne sont apparues qu'une seule fois chez les Insectes. Les libellules, pourvues de deux paires d'ailes similaires, font partie des tout

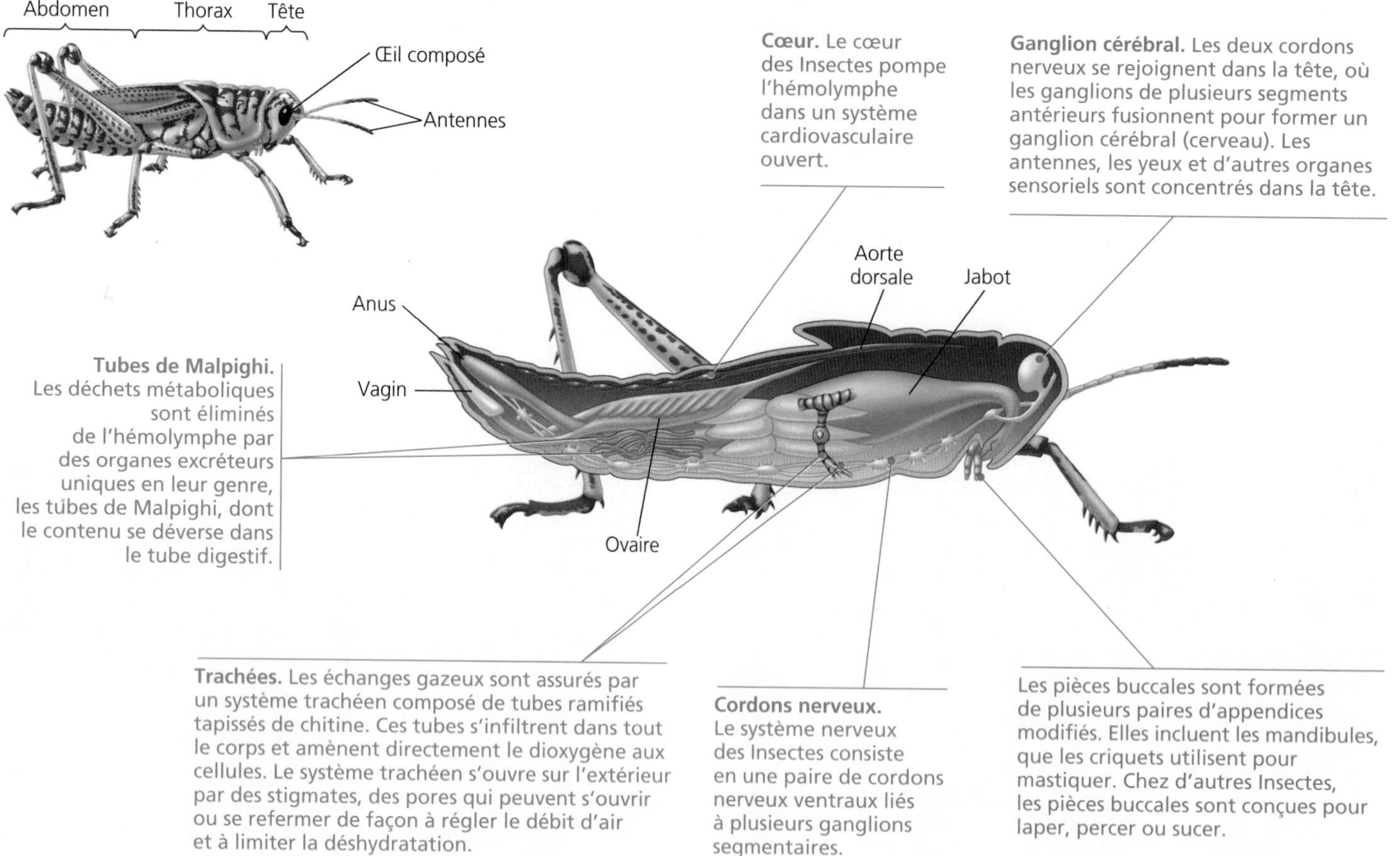

Le corps des Insectes (du latin *insectus*, « divisé en parties ») se compose de trois parties : la tête, le thorax et l'abdomen. La segmentation est apparente sur le thorax (trois segments) et l'abdomen (onze segments plus ou moins fusionnés), mais les six segments de la tête sont tout à fait fusionnés.
Abdomen
Thorax
Tête
Œil composé
Antennes
Cœur. Le cœur des Insectes pompe l'hémolymphe dans un système cardiovasculaire ouvert.
Ganglion cérébral. Les deux cordons nerveux se rejoignent dans la tête, où les ganglions de plusieurs segments antérieurs fusionnent pour former un ganglion cérébral (cerveau). Les antennes, les yeux et d'autres organes sensoriels sont concentrés dans la tête.
Aorte dorsale
Jabot
Anus
Vagin
Tubes de Malpighi. Les déchets métaboliques sont éliminés de l'hémolymphe par des organes excréteurs uniques en leur genre, les tubes de Malpighi, dont le contenu se déverse dans le tube digestif.
Ovaire
Trachées. Les échanges gazeux sont assurés par un système trachéen composé de tubes ramifiés tapissés de chitine. Ces tubes s'infiltrent dans tout le corps et amènent directement le dioxygène aux cellules. Le système trachéen s'ouvre sur l'extérieur par des stigmates, des pores qui peuvent s'ouvrir ou se refermer de façon à régler le débit d'air et à limiter la déshydratation.
Cordons nerveux. Le système nerveux des Insectes consiste en une paire de cordons nerveux ventraux liés à plusieurs ganglions segmentaires.
Les pièces buccales sont formées de plusieurs paires d'appendices modifiés. Elles incluent les mandibules, que les criquets utilisent pour mastiquer. Chez d'autres Insectes, les pièces buccales sont conçues pour laper, percer ou sucer.

▲ **Figure 33.35 Anatomie du criquet (Insecte).**

premiers Insectes volants. Plusieurs ordres d'Insectes qui sont apparus après les libellules ont des ailes modifiées. Ainsi, les abeilles et les guêpes ont deux paires d'ailes reliées qu'elles font battre comme une seule paire. Les papillons obtiennent le même résultat en faisant se chevaucher leurs ailes antérieures et postérieures. Chez les Coléoptères, les ailes postérieures servent à voler, tandis que les ailes antérieures se sont spécialisées de façon à couvrir et à protéger les vraies ailes lorsque l'Animal est au sol ou qu'il creuse.

Un grand nombre d'Insectes se métamorphosent au cours de leur développement. Les sauterelles et certains individus appartenant à d'autres ordres subissent des **métamorphoses incomplètes**. Le corps de l'Insecte juvénile (appelé *nymphe*), bien qu'il soit plus petit, proportionné différemment et sans ailes, ressemble alors à celui d'un adulte. Une succession de mues amène la nymphe à ressembler de plus en plus à l'adulte. À la mue finale, l'Insecte acquiert sa taille définitive, des ailes et la maturité sexuelle. Les Insectes qui subissent des **métamorphoses complètes** passent quant à eux par un stade larvaire, qu'on appelle notamment *asticot* ou *chenille*, au cours duquel le corps de l'Animal juvénile diffère complètement de celui de l'adulte. Le rôle principal de la larve est de manger et de croître, tandis que celui de l'adulte est de trouver un adulte de sexe opposé et de se reproduire. La métamorphose qui se déroule entre le stade larvaire et le stade adulte correspond au stade nymphal, de chrysalide ou de pupe (**figure 33.36**).

La reproduction des Insectes est habituellement sexuée et a lieu entre un mâle et une femelle distincts (les Insectes ne sont pas hermaphrodites). Les adultes se rencontrent et reconnaissent les membres de leur espèce grâce à des couleurs brillantes (papillons), des sons (grillons) ou des odeurs (phalènes). La fécondation est en général interne. Chez la plupart des espèces, le mâle dépose le sperme directement dans le vagin de la femelle pendant la copulation. Mais chez certaines, le mâle dépose le sperme à côté de la femelle, qui le ramasse et l'emmagasine dans un réceptacle interne, la spermathèque, de façon à en posséder suffisamment pour féconder plus d'une ponte. Bon nombre d'Insectes ne s'accouplent qu'une fois dans leur vie. Après l'accouplement, la femelle pond ses œufs à même une source d'aliments dont les larves pourront se nourrir dès l'éclosion.

Les Insectes sont divisés en 26 ordres, dont 15 sont présentés dans la **figure 33.37**, qui occupe les pages 718 et 719.

Les Insectes sont tellement nombreux, divers et répandus qu'ils ont une influence sur tous les organismes terrestres, l'humain compris. D'une part, nous dépendons de certains Insectes comme les abeilles et les mouches pour la pollinisation d'une grande partie de nos cultures et de nos vergers. D'autre part, certains Insectes véhiculent des maladies, comme la maladie du sommeil (transmise par la mouche tsé-tsé qui transporte *Trypanosoma*; voir la figure 28.7) et la malaria (transmise par des anophèles vecteurs de *Plasmodium*; voir la figure 28.11). De plus, les Insectes et les humains se font concurrence pour la nourriture. Ainsi, dans certaines régions d'Afrique, des Insectes consomment près de 75 % des récoltes. En France, les agriculteurs répandent chaque année quelque 110 000 tonnes de pesticides sur leurs cultures. Aux États-Unis et au Japon, les doses sont encore plus massives. Malgré toutes ses tentatives, l'humain ne peut ébranler la suprématie des Insectes et des Arthropodes en général. Thomas Eisner, de la Cornell University, dans l'État de New York, présente le problème de cette façon: « Les Insectes n'hériteront pas de la Terre. Ils la possèdent déjà. Il vaudrait donc mieux faire la paix avec les propriétaires. »

Les Crustacés

Pendant que les Arachnides et les Insectes prospéraient sur la terre ferme, la plupart des membres du sous-embranchement des Crustacés restaient dans les mers et les étangs. Les Crustacés possèdent en général un exosquelette calcifié et des appendices ramifiés très spécialisés. Ainsi, les homards et les écrevisses sont pourvus d'un ensemble de 19 paires d'appendices (voir la figure 33.29). Ceux qui sont situés le plus en avant sont des antennes; les Crustacés sont les seuls Arthropodes à en posséder deux paires. Trois paires d'appendices ou plus sont des pièces buccales, notamment des mandibules rigides. Les pattes émergent du thorax. De plus, contrairement aux Insectes, les Crustacés ont des appendices sur l'abdomen. Ils peuvent d'ailleurs régénérer un appendice perdu.

Les petits Crustacés effectuent les échanges gazeux par diffusion à travers les régions minces de leur cuticule. Les plus grands possèdent quant à eux des branchies. Les Crustacés excrètent les déchets azotés par diffusion à travers les régions minces de leur cuticule. Une paire de glandes maintient l'équilibre salin de l'hémolymphe.

Les individus sont unisexués chez la plupart des espèces. Pendant la copulation, le homard et l'écrevisse mâles utilisent une paire d'appendices spécialisés pour transférer le sperme dans le pore reproducteur (gonopore) de la femelle. La plupart des Crustacés aquatiques passent par un ou plusieurs stades larvaires avant de devenir adultes.

Les **Isopodes** constituent un des groupes de Crustacés les plus nombreux, car ils comptent près de 10 000 espèces. Beaucoup d'entre eux vivent dans le fond des océans. Parmi les Isopodes terrestres se trouvent les cloportes, qui vivent souvent dans les endroits humides, par exemple sous les bûches et dans les feuilles.

Les homards, les écrevisses, les crabes et les crevettes sont tous des Crustacés relativement gros appartenant à l'ordre des

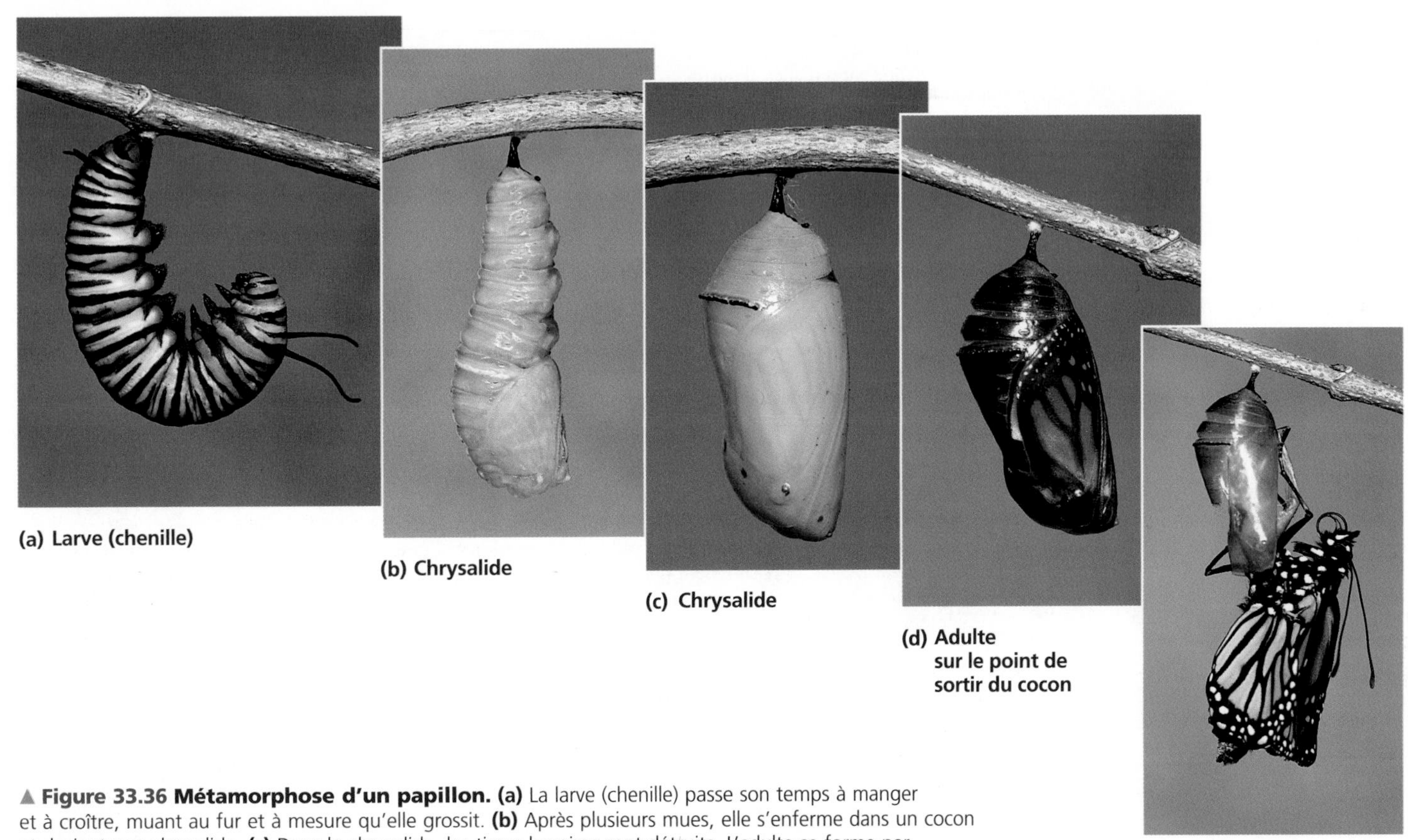

(a) Larve (chenille)

(b) Chrysalide

(c) Chrysalide

(d) Adulte sur le point de sortir du cocon

(e) Adulte

▲ **Figure 33.36 Métamorphose d'un papillon. (a)** La larve (chenille) passe son temps à manger et à croître, muant au fur et à mesure qu'elle grossit. **(b)** Après plusieurs mues, elle s'enferme dans un cocon et devient une chrysalide. **(c)** Dans la chrysalide, les tissus larvaires sont détruits. L'adulte se forme par des divisions et des différenciations cellulaires inhibées pendant le stade larvaire. **(d)** Finalement, l'adulte sort du cocon. **(e)** L'hémolymphe poussée dans les nervures fait déployer les ailes, puis est évacuée. Les nervures durcissent ensuite à l'air pour servir d'armature aux ailes. L'Insecte peut maintenant s'envoler et se reproduire. Il puise une grande partie de son énergie dans les réserves qu'il a emmagasinées au stade larvaire.

Figure 33.37

Panorama La diversité des Insectes

ORDRE	NOMBRE APPROXIMATIF D'ESPÈCES	CARACTÉRISTIQUES PRINCIPALES	EXEMPLE
Aphaniptères	2 400	Les puces sont des ectoparasites qui se nourrissent du sang des Oiseaux et des Mammifères. Elles sont dépourvues d'ailes et comprimées latéralement. Leurs pattes sont conçues pour s'accrocher à l'hôte et pour effectuer de longs sauts. Elles subissent une métamorphose complète.	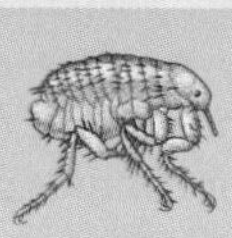 Puce
Chéleutoptères	2 600	Les phasmes et les phyllies imitent parfaitement les plantes. Chez certaines espèces, les œufs imitent même les graines des plantes sur lesquelles vivent les Insectes. Leur corps est cylindrique ou aplati dorsoventralement. Dépourvus d'ailes antérieures, ces Insectes possèdent des ailes postérieures en forme d'éventail. Leur appareil buccal est de type piqueur ou broyeur.	Phasme 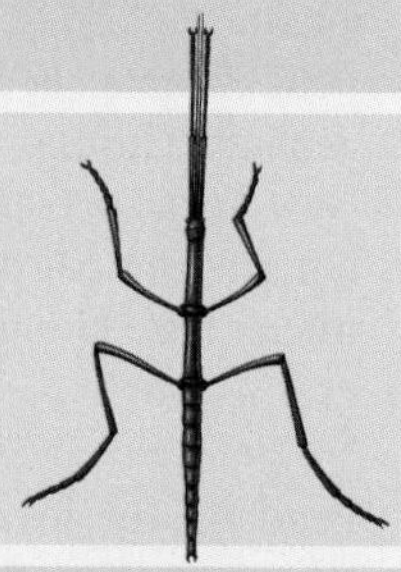
Coléoptères	350 000	Les Coléoptères constituent l'ordre d'Insectes qui compte le plus d'espèces. Ils ont deux paires d'ailes : les ailes antérieures sont épaisses et cornées, et les ailes postérieures membraneuses. Leur exosquelette est dur et coriace ; leurs pièces buccales sont conçues pour broyer et mastiquer. Les Coléoptères subissent une métamorphose complète.	Scarabée japonais 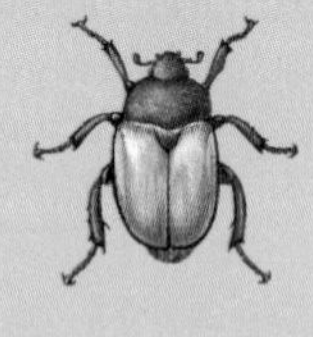
Dermaptères	1 200	Les Dermaptères sont des charognards nocturnes. Si certaines espèces sont dépourvues d'ailes, d'autres en ont deux paires : les antérieures sont épaisses et cornées, et les postérieures, membraneuses. Ils possèdent des pièces buccales conçues pour broyer et de grosses pinces postérieures. Les Dermaptères subissent une métamorphose incomplète.	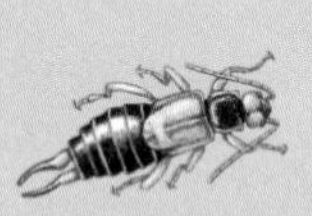 Perce-oreille
Dictyoptères	4 000	Les Dictyoptères ont un corps aplati dorsoventralement et des pattes conçues pour la course rapide. Les ailes antérieures, lorsqu'elles sont présentes, sont cornées, tandis que les ailes postérieures sont en forme d'éventail. Moins de 40 espèces de Dictyoptères habitent les maisons ; les autres occupent des habitats aussi diversifiés que la couverture morte des forêts tropicales, les cavernes et les déserts.	Blatte germanique 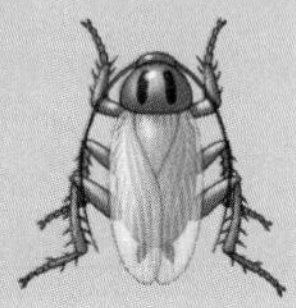
Diptères	151 000	Les Diptères ont une seule paire d'ailes ; leur seconde paire s'est transformée en des organes stabilisateurs appelés *balanciers*. Leur tête est grosse et mobile ; leur appareil buccal est de type suceur, piqueur ou lécheur. Les Diptères subissent une métamorphose complète. Les mouches et les moustiques comptent parmi les mieux connus des Diptères, qui sont des charognards, des prédateurs ou des parasites.	Taon du cheval 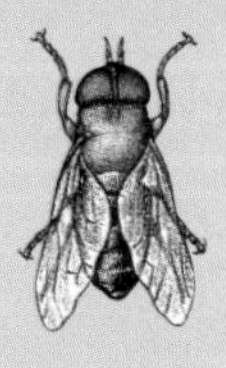
Hémiptères	85 000	Les Hémiptères comprennent notamment les punaises, les notonectes et les patineurs. Ils ont deux paires d'ailes : les antérieures sont partiellement cornées, et les postérieures membraneuses. Leur appareil buccal est de type piqueur ou suceur. Les Hémiptères subissent une métamorphose incomplète.	Punaise à pied feuillu 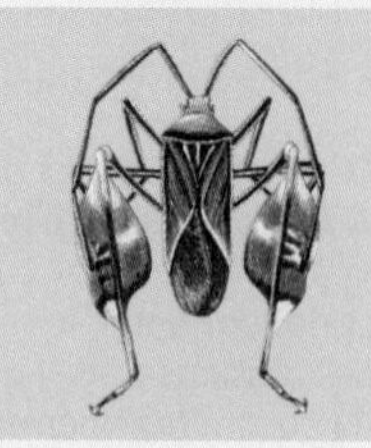

ORDRE	NOMBRE APPROXIMATIF D'ESPÈCES	CARACTÉRISTIQUES PRINCIPALES	EXEMPLE
Hyménoptères	125 000	Les fourmis, les abeilles et les guêpes sont en général des Insectes très sociaux. Elles possèdent deux paires d'ailes membraneuses, une tête mobile et un appareil buccal de type broyeur-suceur. Chez de nombreuses espèces, les femelles sont pourvues d'un aiguillon postérieur. Les Hyménoptères subissent une métamorphose complète.	Guêpe (*Sphecius speciosus*)
Isoptères	2 000	Les Isoptères sont des Insectes sociaux très répandus qui forment d'énormes colonies. On estime que, pour chaque personne sur Terre, les Isoptères forment une masse de 700 kg ! Certains possèdent deux paires d'ailes membraneuses, tandis que d'autres n'ont pas d'ailes. Aidés par des symbiontes microbiens contenus dans des cavités spécialisées de leur intestin postérieur, les Isoptères se nourrissent de bois.	Termite
Lépidoptères	120 000	Les papillons et les phalènes comptent parmi les Lépidoptères (et même les Insectes) les plus connus. Ils possèdent deux paires d'ailes recouvertes d'écailles minuscules. Pour se nourrir, ils déroulent une longue trompe. La plupart se nourrissent de nectar, mais certaines espèces consomment d'autres substances, dont du sang ou des larmes d'Animaux.	Papillon tigré du Canada
Odonates	5 000	Les libellules et les demoiselles ont deux paires de grandes ailes membraneuses, un abdomen allongé, de gros yeux composés et un appareil buccal de type broyeur. Elles subissent une métamorphose incomplète et sont d'actives prédatrices.	Libellule
Orthoptères	13 000	Les sauterelles, les grillons et leurs parents sont principalement herbivores. Ils possèdent de grosses pattes postérieures conçues pour sauter, deux paires d'ailes (une paire d'ailes cornées et une paire d'ailes membraneuses), et un appareil buccal de type piqueur ou broyeur. En courtisant les femelles, les mâles émettent souvent des sons en frottant ensemble des parties de leur corps, par exemple les crêtes de leurs pattes postérieures. Les Orthoptères subissent une métamorphose incomplète.	Sauterelle verte
Phthiraptères	2 400	Communément appelés *poux suceurs*, ces Insectes vivent exclusivement en ectoparasites dans le poil ou les plumes d'un seul hôte. Leurs pattes pourvues de tarses en forme de crochets leur permettent de s'accrocher. Ils n'ont pas d'ailes, et leurs yeux sont réduits. Les poux suceurs subissent une métamorphose incomplète.	Pou de l'humain
Thysanoures	450	Les lépismes sont de petits Insectes sans ailes au corps aplati et aux yeux réduits. Ils vivent dans les couvertures de feuilles mortes ou sous l'écorce des arbres. Ils peuvent aussi devenir nuisibles en infestant des bâtiments.	Lépisme
Trichoptères	7 100	Les larves des phryganes vivent dans des ruisseaux, où elles construisent des abris faits de grains de sable, de fragments de bois ou d'autres matières retenues ensemble par de la soie. Les adultes possèdent deux paires d'ailes velues et un appareil buccal de type broyeur ou lécheur. Les phryganes subissent une métamorphose complète.	Phrygane

Décapodes (figure 33.38a). Leur exosquelette, ou cuticule, est durci par du calcaire ($CaCO_3$). La section qui couvre la partie dorsale du céphalothorax forme un bouclier portant le nom de *carapace*. La majorité des Décapodes vivent en milieu marin. Mais les écrevisses vivent en eau douce, et certains crabes des tropiques, sur la terre ferme.

De nombreux petits Crustacés sont d'importants membres des communautés planctoniques marines et dulcicoles. Ils comprennent de nombreuses espèces de **Copépodes**, l'un des groupes animaux les plus nombreux, ainsi que le krill, constitué d'organismes semblables à des crevettes et pouvant atteindre 3 cm de longueur **(figure 33.38b)**. Principale source alimentaire de plusieurs espèces de baleines (dont le rorqual bleu et la baleine noire), le krill est aujourd'hui recueilli pour servir de nourriture et de fertilisant. Les larves de nombreux Crustacés plus gros sont aussi planctoniques.

Les Cirripèdes forment un groupe de Crustacés qui sont pour la plupart sessiles et dont certaines parties de la cuticule sont durcies par du calcaire **(figure 33.38c)**. La plupart se fixent aux rochers, aux coques des bateaux, aux pilotis et à d'autres surfaces immergées. La substance adhésive qu'ils utilisent à cette fin est aussi forte que n'importe quelle colle synthétique. Ils se nourrissent en filtrant leur nourriture à l'aide de leurs appendices. D'autres Cirripèdes au corps semblable aux racines d'une plante vivent en parasites dans des hôtes comme les crabes. Ce n'est que dans les années 1800 qu'on a constaté que les Cirripèdes faisaient partie des Crustacés. En effet, des naturalistes ont découvert à cette époque que leurs larves ressemblaient à celles des autres Crustacés. Le remarquable mélange de caractères uniques et d'analogies avec les Crustacés que présentent les Cirripèdes a été une grande inspiration pour Charles Darwin au moment où il a formulé sa théorie de l'évolution.

(a) Les crabes du genre *Ocypode* vivent sur les rives sablonneuses des océans un peu partout dans le monde. Surtout nocturnes, ils s'abritent dans des terriers pendant le jour.

(b) Le krill est constitué de minuscules Crustacés planctoniques (*Euphausa superba*) que les baleines consomment en quantité phénoménale.

(c) Les appendices articulés (cirres) qui sortent de la coquille de ces Cirripèdes servent à capturer des organismes et des particules de matières organiques en suspension dans l'eau.

▲ **Figure 33.38 Crustacés.**

Retour sur le concept 33.7

1. Contrairement à nos mâchoires, qui se déplacent à la verticale, les pièces buccales des Arthropodes présentent un mouvement horizontal. Expliquez cette caractéristique des Arthropodes en tenant compte de l'origine de leur appareil buccal.
2. A-t-on raison de dire que les Arthropodes constituent l'embranchement animal qui connaît le plus grand succès ? Expliquez votre réponse.
3. Décrivez deux adaptations ayant permis aux Insectes de prospérer sur la terre ferme.

Voir les réponses proposées à la fin du chapitre.

Concept 33.8

Les Échinodermes et les Cordés sont des Deutérostomiens

À première vue, les étoiles de mer et les autres Échinodermes semblent avoir très peu en commun avec l'embranchement des Cordés, qui comprend les Vertébrés, soit les Animaux qui possèdent une colonne vertébrale. En fait, ces Animaux ont en commun des caractéristiques propres aux Deutérostomiens : la segmentation radiaire, la formation d'un cœlome à partir de l'archentéron et la formation de la bouche à l'extrémité opposée au blastopore chez l'embryon (voir la figure 32.9). La systématique moléculaire a confirmé le caractère monophylétique des Deutérostomiens chez les Bilatériens.

Les Échinodermes

Les étoiles de mer et la plupart des autres **Échinodermes** (du grec *ekhinos*, « hérisson », et *derma*, « peau ») sont des Animaux sessiles ou qui se déplacent lentement. Un tégument mince couvre leur squelette constitué de dures plaques calcaires. La majorité des Échinodermes portent des épines et des bosses destinées à plusieurs usages. Ils possèdent un **système ambulacraire** (ou aquifère) unique en son genre. Ce système se compose d'un réseau de canaux hydrauliques ramifiés en prolongements érectiles appelés **pieds ambulacraires** et empli d'un liquide dont la pression osmotique est plus élevée que celle de l'eau de mer, ce qui assure une entrée d'eau continuelle dans les canaux et donc une pression constante dans le réseau. Les pieds ambulacraires servent à la locomotion, à la capture des proies et aux échanges gazeux **(figure 33.39)**. Chez les Échinodermes, les mâles et les femelles libèrent leurs gamètes dans l'eau de la mer.

La plupart des Échinodermes possèdent une partie centrale d'où rayonnent les parties internes et externes, formant souvent cinq bras. Toutefois, l'anatomie radiaire des adultes est une adaptation secondaire, car leurs larves présentent une symétrie bilatérale. De plus, même à maturité, les Échinodermes adultes ne sont pas parfaitement radiaires. Par exemple, l'ouverture (la plaque madréporique) du système ambulacraire de l'étoile de mer n'est pas située au centre, mais sur un côté de l'Animal.

Les Échinodermes modernes sont divisés en six classes **(tableau 33.6; figure 33.40)**: les Astérides (étoiles de mer), les Ophiurides (ophiures), les Échinides (oursins, dollars des sables), les Crinoïdes (lis de mer, comatules), les Holothurides (concombres de mer) et les Concentricycloïdes (*Borrichia frutescens*).

Les Astérides

Les étoiles de mer possèdent un disque central d'où rayonnent de multiples bras (jusqu'à une cinquantaine). La face inférieure des bras porte des pieds ambulacraires. Chacun de ces pieds se termine par une ventouse. Un système hydraulique et musculaire complexe permet de créer ou de relâcher la succion (voir la figure 33.39). L'étoile de mer coordonne les mouvements de ses pieds ambulacraires pour adhérer aux rochers ou pour ramper lentement. Ses pieds s'étendent, s'agrippent, se contractent et se

Tableau 33.6 Classes de l'embranchement des Échinodermes

Classe et exemples	Principales caractéristiques
Astérides (étoiles de mer; voir les figures 33.39 et 33.40a)	Corps étoilé formé de multiples bras. Bouche dirigée vers le substrat.
Ophiurides (ophiures; voir la figure 33.40b)	Partie centrale distincte. Bras longs et flexibles. Pieds ambulacraires dépourvus de ventouses.
Échinides (oursins, dollars des sables; voir la figure 33.40c)	Corps plus ou moins sphérique ou discoïde. Absence de bras. Déplacements lents grâce à cinq rangées de pieds ambulacraires. Bouche entourée de structures complexes ressemblant à des mâchoires.
Crinoïdes (lis de mer, comatules; voir la figure 33.40d)	Bras plumeux disposés autour d'une bouche qui pointe vers le haut.
Holothurides (concombres de mer; voir la figure 33.40e)	Corps allongé. Cinq rangées de pieds ambulacraires. D'autres pieds ambulacraires se sont transformés en tentacules que l'Animal utilise pour se nourrir. Squelette réduit. Absence d'épines.
Concentricycloïdes (*Borrichia frutescens*; voir la figure 33.40f)	Corps discoïde entouré de petites épines. Système digestif incomplet. Vivent sur des troncs d'arbres submergés.

▼ Figure 33.39 Anatomie de l'étoile de mer (embranchement des Échinodermes).

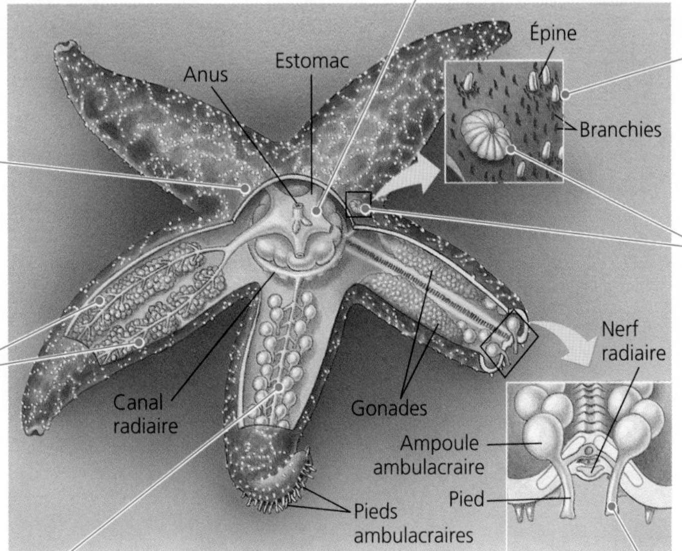

Un court tube digestif part de la bouche, au fond du disque central, et va jusqu'à l'anus, au-dessus du disque.
La surface de l'étoile de mer est recouverte d'épines qui lui permettent de se défendre contre les prédateurs. Elle est aussi recouverte de branchies qui serviraient plus à l'osmo-régulation qu'aux échanges gazeux.
Épine
Branchies
Anus
Estomac
Disque central. Le disque central possède un anneau nerveux, d'où rayonnent des cordons nerveux vers les bras.
Plaque madréporique. La plaque madréporique est une ouverture qui permet à l'eau de circuler dans le système ambulacraire.
Cæca gastriques. Les cinq paires de cæca gastriques sécrètent des sucs digestifs et contribuent à l'absorption et à l'entreposage des nutriments.
Nerf radiaire
Canal radiaire
Gonades
Ampoule ambulacraire
Pied
Pieds ambulacraires
Canal radiaire. Le système ambulacraire consiste en un anneau rempli de liquide d'où rayonnent cinq canaux radiaires dans des sillons situés le long des bras.
Chaque canal radiaire se ramifie en centaines de pieds ambulacraires, tubes creux et musculaires à l'intérieur desquels se trouve du liquide qui circule dans tout le système. Chaque pied ambulacraire est composé d'une vésicule appelée *ampoule ambulacraire* et d'une extrémité munie d'une ventouse. Sur les surfaces dures, ces pieds permettent la locomotion de la façon suivante: lorsque l'ampoule se comprime, elle expulse l'eau qu'elle contient dans le pied grâce à une valve qui empêche celle-ci de refluer dans les canaux; le pied s'allonge alors et entre en contact avec le substrat. Lorsqu'ils se contractent, les muscles de la paroi du pied renvoient l'eau dans l'ampoule, ce qui entraîne le raccourcissement et le repli du pied.

(a) Étoile de mer (classe des Astérides)

(b) Ophiure (classe des Ophiurides)

(c) Oursin (classe des Échinides)

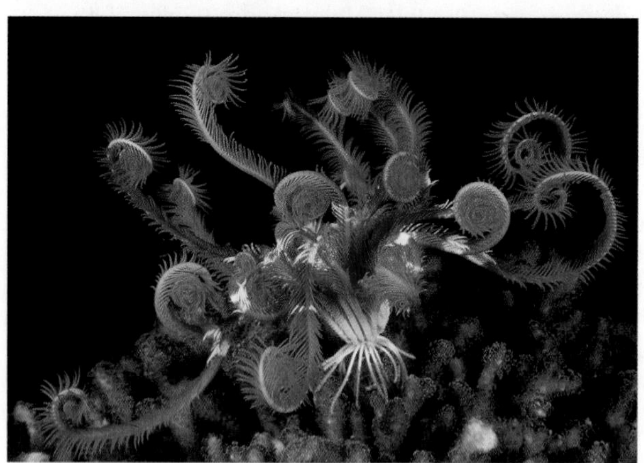

(d) Lis de mer (classe des Crinoïdes)

(e) Concombre de mer (classe des Holothurides)

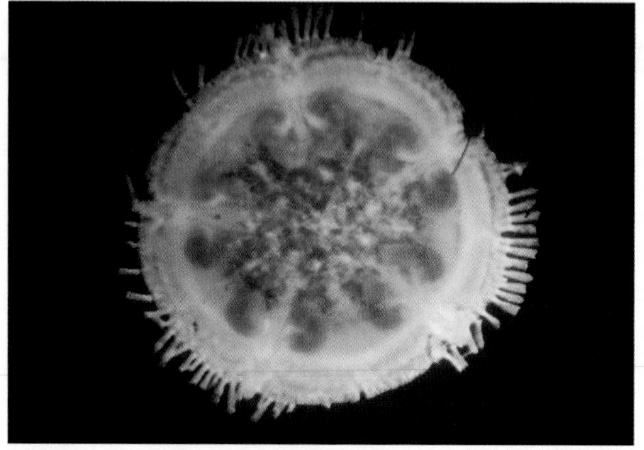

(f) *Borrichia frutescens* (classe des Concentricycloïdes)

▲ **Figure 33.40 Échinodermes.**

relâchent, pour ensuite recommencer. L'Animal utilise aussi ses pieds ambulacraires pour capturer ses proies, par exemple une palourde ou une huître. Elle enlace d'abord avec ses bras le Bivalve fermé, puis s'y accroche fermement avec les ventouses de ses pieds ambulacraires. Ses systèmes musculaire et ambulacraire font contracter ses pieds, ce qui crée une traction suffisante pour entrouvrir la coquille de sa proie. L'étoile de mer dévagine alors son estomac par la bouche et l'introduit entre les valves du mollusque. Son tube digestif sécrète des sucs qui amorcent la digestion du corps mou du Bivalve, qui est toujours à l'intérieur de sa coquille.

Les étoiles de mer et certains autres Échinodermes possèdent une grande capacité de régénération. Les étoiles de mer peuvent régénérer des bras perdus, mais le processus est très lent. Il existe même un genre (*Linckia*) qui peut reconstituer un corps entier à partir d'un seul bras.

Les Ophiures

Les Ophiures ont un disque central distinct des bras, qui sont longs et flexibles. Leurs pieds ambulacraires ne possèdent pas de ventouses. Elles se déplacent donc en exécutant des mouvements ondulatoires avec leurs bras. Certaines espèces sont suspensivores, alors que d'autres sont prédatrices ou charognardes.

Les Échinides

Les oursins et les dollars des sables ne possèdent pas de bras, mais plutôt cinq rangées de pieds ambulacraires qui leur permettent de se déplacer lentement. Afin de faciliter leurs déplacements, ces Échinodermes utilisent aussi leurs muscles pour faire pivoter leurs longues épines. Chez les oursins, la bouche comporte un anneau de structures complexes ressemblant à des mâchoires. Les oursins peuvent ainsi manger des algues marines et d'autres aliments. Les oursins sont sphériques, et les dollars des sables discoïdes.

Les Crinoïdes

Les lis de mer vivent attachés à un substrat par des pédoncules. Les comatules rampent grâce à leurs longs bras flexibles. Les lis de mer et les comatules sont suspensivores. Les bras encerclent la bouche qui pointe vers le haut, à l'opposé du substrat. La classe des Crinoïdes est ancienne et a peu évolué. D'ailleurs, les lis de mer fossilisés datant de 500 millions d'années sont extrêmement semblables aux membres actuels de cette classe.

Les Holothurides

À première vue, les concombres de mer ne ressemblent pas beaucoup aux autres Échinodermes. Leur endosquelette intradermique est réduit à de minuscules spicules (bâtonnets) épars. De plus, ils ont une forme allongée dans l'axe oral-aboral, d'où leur nom de concombres. Cette caractéristique contribue à camoufler leur parenté avec les étoiles de mer et les oursins. Toutefois, un examen attentif révèle cinq rangées de pieds ambulacraires. Certains de ceux-ci, qui ceinturent la bouche, sont des tentacules conçus pour nourrir l'Animal.

Les Concentricycloïdes

Les Concentricycloïdes ont été découverts en 1986. Cette classe ne compte que deux espèces connues, qui vivent sur des troncs d'arbres submergés près des côtes de la Nouvelle-Zélande et des Bahamas. Leur corps dépourvu de bras est discoïde et présente cinq parties symétriques. Leur diamètre est de moins de 1 cm. Le pourtour de leur corps est garni de petites épines. Les Concentricycloïdes absorbent les nutriments par la membrane qui entoure leur corps. Le lien de parenté entre les Concentricycloïdes et les autres Échinodermes est incertain; certains taxinomistes estiment que ce sont des Astérides aberrants.

Les Cordés

L'embranchement des Cordés contient deux sous-embranchements d'Invertébrés, en plus des Myxinoïdes et des Vertébrés. Bien qu'il existe un lien étroit entre les Échinodermes et les Cordés, on ne doit pas en déduire qu'un embranchement est l'ancêtre de l'autre, car ils ont en effet évolué en tant qu'embranchements distincts durant au moins un demi-milliard d'années. Nous étudierons au chapitre 34 la phylogenèse des Cordés, plus particulièrement l'évolution des Vertébrés.

Retour sur le concept 33.8

1. Expliquez pourquoi la symétrie des Échinodermes et des Cnidaires est un exemple d'évolution convergente.
2. Décrivez les mécanismes hydrauliques et musculaires grâce auxquels les pieds ambulacraires de l'étoile de mer se meuvent.

Voir les réponses proposées à la fin du chapitre.

Révision du chapitre 33

RÉSUMÉ DES CONCEPTS CLÉS

Le **tableau 33.7** récapitule les embranchements des Animaux que nous avons abordés dans ce chapitre.

Concept 33.1

Les Éponges sont des Animaux sessiles au corps poreux tapissé de choanocytes

- Les Éponges ne possèdent ni vrais tissus ni organes. Elles se nourrissent par filtration en faisant entrer l'eau à travers des pores. Les choanocytes (cellules à collerette flagellées) ingèrent des Bactéries et de minuscules particules de nourriture en suspension dans l'eau **(p. 697-698)**.

Concept 33.2

Les Cnidaires présentent une symétrie radiaire, et comportent une cavité gastrovasculaire et des cnidocytes

- Les Cnidaires sont principalement des carnivores marins qui possèdent des tentacules armés de cnidocytes urticants dont le rôle est de défendre l'Animal et de capturer des proies. On les trouve sous les formes de polypes sessiles ou de méduses flottantes **(p. 698-699)**.
- **Les Hydrozoaires (p. 699)**. Chez les Hydrozoaires, le stade polype et le stade méduse alternent en général, bien que le premier soit plus visible que le second.

Tableau 33.7 Embranchements d'Animaux choisis

Métazoaires · Eumétozoaires · Bilatériens · Deutérostomiens

Embranchement	Description
Porifères (Éponges)	Absence de vrais tissus. Présence de choanocytes (cellules à collerette flagellées uniques ingérant des Bactéries et de petites particules de nourriture).
Cnidaires (hydres, méduses, anémones de mer, coraux)	Des cellules spécialisées (cnidocytes) contiennent des structures urticantes uniques (nématocystes). Cavité gastrovasculaire (compartiment digestif muni d'une seule ouverture).
Plathelminthes (planaires, ténias)	Acœlomates non segmentés au corps aplati dorsoventralement. Cavité gastrovasculaire ou absence de structures liées à la digestion.
Rotifères (*Philodina, Kératella*)	Pseudocœlomates pourvus d'un tube digestif avec bouche et anus. Mâchoire située dans le pharynx. Tête pourvue d'une couronne de cils.
Lophophoriens : Ectoproctes, Phoronidiens, Brachiopodes	Cœlomates munis d'un lophophore (structure de nutrition bordée de tentacules ciliés).
Némertes (*Carinella, Lineus*)	Cavité remplie de liquide contenant un proboscis unique sur sa partie antérieure. Tube digestif. Système cardiovasculaire clos.
Mollusques (palourdes, escargots, pieuvres)	Cœlomates composés de trois parties : pied musculeux, masse viscérale et manteau. Cœlome réduit. Chez la plupart, coquille rigide faite de calcaire.
Annélides (lombrics, néréides)	Cœlomates segmentés munis de cloisons et d'organes internes dont certains se trouvent dans chaque segment.
Nématodes (ascaris, trichines)	Pseudocœlomates cylindriques et non segmentés, aux extrémités fuselées. Absence de système cardiovasculaire.
Arthropodes (Crustacés, Insectes, araignées)	Cœlomates segmentés aux appendices articulés. Exosquelette fait de protéines et de chitine.
Échinodermes (étoiles de mer, oursins)	Cœlomates à symétrie radiaire secondaire (larves à symétrie bilatérale et adultes à symétrie radiaire). Système ambulacraire unique. Endosquelette.
Cordés (Urocordés, Céphalocordés, Vertébrés)	Cœlomates pourvus d'une corde dorsale, d'un tube neural dorsal creux, de fentes branchiales et d'une queue postanale.

- **Les Scyphozoaires (p. 699)**. Dans cette classe, le stade méduse domine le cycle de développement.
- **Les Cubozoaires (p. 699)**. Chez les Animaux appartenant à cette classe, la forme méduse est cubique et pourvue d'yeux complexes.
- **Les Anthozoaires (p. 699-701)**. La classe des Anthozoaires comprend les anémones de mer et les coraux, qui n'existent que sous la forme polype.

La plupart des Animaux présentent une symétrie bilatérale

- **Les Plathelminthes (p. 701-703)**. Les Plathelminthes, ou Vers plats, sont des Animaux au corps dorsoventralement aplati qui sont pourvus d'une cavité gastrovasculaire. La classe des Turbellariés se compose d'espèces surtout marines qui vivent à l'état libre. Les membres de la classe des Trématodes et des Monogènes parasitent l'intérieur ou l'extérieur de certains Animaux. Enfin, les membres de la classe des Cestodes (ténias), tous parasites, ne possèdent pas de tube digestif.

- **Les Rotifères (p. 703-704).** Vivant surtout en eau douce, de nombreuses espèces de Rotifères se reproduisent par parthénogenèse.
- **Les Lophophoriens: Ectoproctes, Phoronidiens et Brachiopodes (p. 704).** Les Lophophoriens sont tous dotés d'un lophophore, organe en forme de fer à cheval qui porte des tentacules ciliés et filtre la nourriture.
- **Les Némertes (p. 704-705).** Les membres de l'embranchement des Némertes possèdent une trompe rétractable unique, appelée *proboscis*, qu'ils utilisent pour se défendre et capturer leurs proies. Une cavité remplie de liquide sert à dévaginer le proboscis.

Concept 33.4

Les Mollusques sont constitués d'un pied musculeux, d'une masse viscérale et d'un manteau

- **Les Polyplacophores (p. 705).** Les Polyplacophores, ou chitons, sont des Animaux marins ovales recouverts d'une coquille formée de huit plaques dorsales.
- **Les Gastéropodes (p. 705-706).** Bon nombre de Gastéropodes, par exemple les escargots, sont protégés par une coquille en spirale. La torsion que le corps des Gastéropodes subit au cours du développement embryonnaire est la caractéristique la plus marquante de ces Animaux. De nombreuses espèces de limaces ont une coquille réduite ou n'ont pas du tout de coquille.
- **Les Bivalves (p. 706-707).** Les palourdes et les organismes apparentés font partie de la classe des Bivalves. Ceux-ci possèdent une coquille formée de deux moitiés reliées par une charnière.
- **Les Céphalopodes (p. 707-708).** Les calmars et les pieuvres font partie de la classe des Céphalopodes. Ces carnivores ont une puissante mâchoire chitineuse qui est située au centre de tentacules provenant d'un pied musculeux modifié.

Concept 33.5

Les Annélides sont des Vers annelés

- **Les Oligochètes (p. 709-710).** La classe des Oligochètes comprend les vers de terre et diverses espèces aquatiques.
- **Les Polychètes (p. 710).** Les Polychètes ont des parapodes vascularisés qui servent de branchies et contribuent à la locomotion.
- **Les Hirudinées (p. 710-711).** Beaucoup des membres de la classe des Hirudinées sont des parasites hématophages.

Concept 33.6

Les Nématodes sont des pseudocœlomates non segmentés recouverts d'une cuticule résistante

- L'embranchement des Nématodes (Vers ronds) fait partie des embranchements animaux qui comptent le plus grand nombre d'individus et d'espèces. Ces Vers vivent pour la plupart dans des habitats aquatiques. Certaines espèces parasitent les Végétaux et les Animaux **(p. 711-712)**.

Concept 33.7

Les Arthropodes sont des cœlomates segmentés munis d'un exosquelette et d'appendices articulés

- **Les caractéristiques générales des Arthropodes (p. 712-713).** C'est surtout la spécialisation de groupes de segments et d'appendices qui différencie les Arthropodes sur le plan morphologique.
  Ces Animaux subissent régulièrement une mue (ecdysis), c'est-à-dire qu'ils se débarrassent de leur exosquelette, fait de protéines et de chitine, pour en sécréter un plus grand.
- **Les Chélicériformes (p. 713-714).** Les Chélicériformes comprennent les araignées, les tiques et les mites. Ils possèdent un céphalothorax antérieur et un abdomen postérieur. Leurs appendices situés le plus en avant sont des chélicères (des pinces ou des crochets).
- **Les Myriapodes (p. 714).** Les millipèdes ressemblent à des Vers et possèdent un grand nombre de pattes locomotrices. Ils figurent parmi les premiers Animaux à avoir colonisé la terre ferme. Les centipèdes sont des carnivores terrestres munis de crochets à venin.
- **Les Insectes (p. 715-717).** Les Insectes présentent une diversité d'espèces plus grande que celle de toutes les autres classes combinées. Le vol constitue un facteur important de leur succès.
- **Les Crustacés (p. 717-720).** Les Crustacés (homards, écrevisses, crabes, crevettes et Cirripèdes) sont des Animaux surtout aquatiques. Ils possèdent de nombreux appendices, dont beaucoup sont spécialisés pour la nutrition et la locomotion.

Concept 33.8

Les Échinodermes et les Cordés sont des Deutérostomiens

- **Les Échinodermes (p. 720-723).** Les Échinodermes (étoiles de mer et organismes apparentés) sont dotés d'un système ambulacraire (ou aquifère) se terminant par des pieds ambulacraires qu'ils utilisent pour se mouvoir et se nourrir. L'anatomie radiaire de nombreuses espèces est une adaptation secondaire, car leurs ancêtres présentaient une symétrie bilatérale, tout comme la larve des espèces actuelles.
  Un mince tégument bosselé ou épineux recouvre leur squelette calcaire intradermique.
- **Les Cordés (p. 723).** L'embranchement des Cordés réunit deux sous-embranchements d'Invertébrés et tous les Vertébrés. Il a en commun avec les Échinodermes de nombreuses caractéristiques relatives à leur développement embryonnaire.

VÉRIFIEZ VOS CONNAISSANCES

Autoévaluation

1. Quels clades parmi les suivants sont directement issus d'un ancêtre eumétazoaire commun?
   a) Les Porifères et les Bilatériens.
   b) Les Porifères et les Cnidaires.
   c) Les Cnidaires et les Bilatériens.
   d) Les Rotifères et les Deutérostomiens.
   e) Les Deutérostomiens et les Bilatériens.
2. Dans une Éponge, l'eau suivrait le parcours suivant:
   a) Porocyte, spongocœle, oscule.
   b) Blastopore, cavité gastrovasculaire, protostome.
   c) Choanocyte, mésoglée, spongocœle.
   d) Porocyte, choanocyte, mésoglée.
   e) Choanocyte, cœlome, porocyte.
3. Bien que le groupe des Cnidaires présente une grande diversité, tous ses membres se caractérisent par:
   a) une cavité gastrovasculaire.
   b) une modification de structure entre le stade méduse et le stade polype.
   c) un certain degré de céphalisation.
   d) un tissu musculaire issu du mésoderme.
   e) l'absence de mode de reproduction asexué.
4. Qu'est-ce que l'escargot terrestre, la palourde et la pieuvre ont en commun?
   a) Un manteau.
   b) Une radula.
   c) Des branchies.
   d) Une torsion de l'embryon.
   e) Une céphalisation distincte.

5. Laquelle des caractéristiques suivantes *ne s'applique pas* à la plupart des Annélides?
   a) Un squelette hydraulique.
   b) La segmentation.
   c) Des métanéphridies.
   d) Un pseudocœlome.
   e) Un système cardiovasculaire clos.
6. Quel embranchement se caractérise par des Animaux au corps segmenté?
   a) Les Cnidaires.
   b) Les Plathelminthes.
   c) Les Porifères.
   d) Les Arthropodes.
   e) Les Mollusques.
7. Quel énoncé *ne concerne pas* les Chélicériformes?
   a) Ils possèdent des antennes.
   b) Leur corps se divise en un céphalothorax et un abdomen.
   c) La limule est le seul organisme marin survivant de ce groupe.
   d) Les tiques, les scorpions et les araignées en font partie.
   e) Leurs appendices antérieurs sont modifiés en pinces ou en crochets.
8. Quelle caractéristique expliquerait l'incroyable diversité des Insectes?
   a) La segmentation.
   b) Leurs antennes.
   c) Leur système trachéen.
   d) La symétrie bilatérale.
   e) Le vol.
9. Le système ambulacraire des Échinodermes:
   a) fonctionne comme un système cardiovasculaire qui distribue les nutriments aux cellules.
   b) sert à la locomotion, à la capture des proies et aux échanges gazeux.
   c) est à symétrie bilatérale, même si l'Animal adulte présente une symétrie radiaire.
   d) déplace l'eau à travers le corps de l'Animal dans le but de la filtrer.
   e) est semblable à la cavité gastrovasculaire des Annélides.
10. Laquelle des associations suivantes entre un embranchement et ses caractéristiques est *inexacte*?
    a) Échinodermes: symétrie radiaire et bilatérale, cœlome issu de l'archentéron.
    b) Nématodes: Vers ronds, pseudocœlomates.
    c) Cnidaires: symétrie radiaire, formes méduse et polype.
    d) Plathelminthes: Vers plats, cavité gastrovasculaire, acœlomates.
    e) Porifères: cavité gastrovasculaire, présence d'un cœlome.
11. À quel groupe animal la description suivante correspond-elle? Ce sont des Animaux à symétrie bilatérale, possédant un ectoderme, un mésoderme et un endoderme, mais sans cœlome; ils vivent en parasites dans le tube digestif de Vertébrés à la paroi desquels ils se fixent par des crochets.
    a) Les Némertes.
    b) Les Oligochètes.
    c) Les Turbellariés.
    d) Les Cestodes.
    e) Les Trématodes.
12. Chez quels groupes animaux, parmi les suivants, le liquide circulant dans l'organisme *n'est pas* véritablement du sang?
    a) Les Oligochètes.
    b) Les Céphalopodes.
    c) Les Arthropodes.
    d) Les Gastéropodes.
    e) Les Némertes.

Lien avec l'évolution

1. Les limules sont appelées *fossiles vivants* parce que les archives géologiques ont démontré la constance de leur morphologie depuis des millions d'années. Pourquoi ces organismes ont-ils conservé la même morphologie aussi longtemps? Selon vous, quelles autres caractéristiques biologiques, moins évidentes que la structure, se sont modifiées?
2. Les Arthropodes (les Insectes en particulier) constituent le groupe animal par excellence pour illustrer le phénomène de la radiation adaptative. En vous basant sur la description des ordres d'Insectes (voir la figure 33.37), donnez des exemples de l'éventail des adaptations se rapportant aux différentes caractéristiques morphologiques, physiologiques ou comportementales que manifeste dans son ensemble le monde des Insectes.

Intégration

1. Une biologiste de la vie marine a découvert un Animal inconnu vivant au fond de l'océan. Indiquez certaines des caractéristiques qu'elle doit examiner pour déterminer à quel embranchement il appartient.
2. Proposez une explication au fait que la presque totalité des quelque 900 000 espèces d'Insectes identifiées soient de petite taille.

Science, technologie et société

Dans certaines régions d'Afrique, la construction de réservoirs et de canaux d'irrigation a permis aux agriculteurs d'augmenter leurs récoltes. Auparavant, les semis n'étaient mis en terre qu'après les pluies du printemps, car le reste de l'année la terre était trop asséchée. Maintenant, les champs peuvent être irrigués en toute saison. Toutefois, ce bienfait a eu un effet inattendu: une augmentation phénoménale des cas de schistosomiase (bilharziose). Observez le cycle de vie des schistosomes, à la figure 33.11. En tant que coopérant, vous êtes appelé à seconder les autorités sanitaires dans le contrôle de la propagation de la maladie. Expliquez pourquoi une meilleure irrigation a une incidence sur le nombre de cas. La maladie se traite difficilement et les médicaments sont onéreux. Suggérez trois autres moyens de prévenir la maladie.

Réponses du chapitre 33

Retour sur le concept 33.1

1. Les choanocytes sont pourvus de flagelles dont le mouvement attire l'eau dans des collerettes qui retiennent les particules de nourriture. Les particules sont ensuite absorbées par phagocytose puis digérées, soit par les choanocytes, soit par les amibocytes.
2. Les Éponges disséminent leurs spermatozoïdes dans l'eau environnante; la modification des courants d'eau influe sur les chances des spermatozoïdes de pénétrer dans les individus qui se trouvent à proximité.

Retour sur le concept 33.2

1. Les formes polype et méduse comportent un feuillet externe, l'épiderme, et un feuillet interne, le gastroderme, qui sont séparés par une couche gélatineuse, appelée *mésoglée*. Le polype est cylindrique et adhère au substrat par son extrémité aborale; la méduse est aplatie et se déplace librement dans l'eau; sa bouche pointe vers le bas.
2. Les cellules urticantes des Cnidaires (cnidocytes) assurent leur défense et la capture de leurs proies. Elles contiennent des vésicules (nématocystes, ou cnidocystes) dans lesquelles se trouvent des filaments invaginés. Ces filaments peuvent soit injecter du poison, soit s'enrouler autour de petites proies.

Retour sur le concept 33.3

1. Les Cestodes ont un corps très plat, dont toute la surface absorbe les nutriments présents dans le milieu, puis élimine les déchets azotés.
2. Non. Les Rotifères, qui sont microscopiques, possèdent un tube digestif, tandis que les Cestodes, qui peuvent être très gros, en sont dépourvus.
3. Les Rotifères sont des pseudocœlomates : ils possèdent donc un cœlome où peuvent se loger des organes. Les Plathelminthes sont des acœlomates (ils n'ont pas de cœlome).
4. Les Ectoproctes et les coraux sont des Animaux sessiles qui se nourrissent de particules en suspension dans l'eau à l'aide de leurs tentacules et qui construisent des récifs avec leurs exosquelettes.

Retour sur le concept 33.4

1. La fonction du pied correspond au mode de locomotion utilisé par chaque classe. Les Gastéropodes utilisent leur pied pour se cramponner à leur substrat ou se déplacer lentement. Chez les Céphalopodes, le pied forme un ensemble comprenant un siphon et des tentacules.
2. Chez les Bivalves, la coquille est divisée en deux moitiés reliées par une charnière, et la cavité du manteau renferme de grandes branchies qui servent tant à la nutrition qu'aux échanges gazeux. La radula est disparue, car les Bivalves sont devenus des suspensivores.

Retour sur le concept 33.5

1. Le tube digestif n'est pas segmenté : la bouche, le pharynx, l'œsophage, le jabot, le gésier sont localisés dans des segments particuliers. De même, les ganglions cérébraux et les ganglions sous-pharyngiens ne se retrouvent que dans un segment situé à la partie antérieure de l'Animal.
2. Chaque anneau est entouré d'un muscle longitudinal et d'un muscle circulaire. Ces muscles accomplissent leur travail en prenant appui contre le liquide incompressible du cœlome, qui sert de squelette hydraulique. Le ver se meut grâce à la contraction coordonnée des deux séries de muscles.

Retour sur le concept 33.6

1. Une cuisson incomplète est insuffisante pour détruire les Nématodes ou d'autres parasites susceptibles d'être présents dans la viande.
2. Contrairement à celui des Annélides, le corps des Nématodes ne possède ni segments ni vrai cœlome.

Retour sur le concept 33.7

1. L'appareil buccal des Arthropodes est constitué d'appendices modifiés, disposés en paires de chaque côté du corps.
2. Les deux tiers de toutes les espèces animales connues sont des Arthropodes, qu'on trouve dans presque tous les habitats de la biosphère.
3. L'exosquelette qui était apparu chez les Arthropodes marins a permis aux espèces terrestres de prévenir la déshydratation et leur a procuré la rigidité nécessaire pour vivre sur la terre ferme. Grâce à leurs ailes, les Insectes ont pu atteindre rapidement de nouveaux habitats où ils ont trouvé de la nourriture et des partenaires.

Retour sur le concept 33.8

1. Les Échinodermes et les Cnidaires présentent une symétrie radiaire. Toutefois, les ancêtres des Échinodermes présentaient une symétrie bilatérale, et les adultes de ce groupe se développent à partir de larves à symétrie bilatérale. Par conséquent, la symétrie radiaire des Échinodermes et des Cnidaires est analogue (elle résulte d'une évolution convergente) et non homologue.
2. Chaque pied ambulacraire est constitué d'une ampoule et d'une ventouse. Lorsqu'elle se comprime, l'ampoule expulse l'eau qu'elle contient dans le pied, qui s'allonge. Lorsque les muscles de la paroi du pied se contractent, l'eau est renvoyée dans l'ampoule ; le pied raccourcit et se plie.

Autoévaluation

1. c ; 2. a ; 3. a ; 4. a ; 5. d ; 6. d ; 7. a ; 8. e ; 9. b ; 10. e ; 11. d ; 12. c et d.

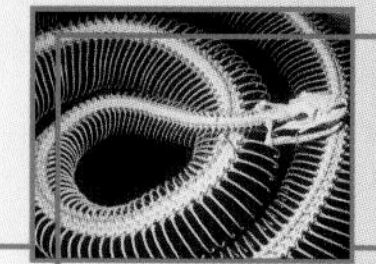

34

Les Vertébrés

▲ **Figure 34.1 Vertèbres et crâne d'un serpent, Vertébré terrestre.**

Concepts clés

34.1 Les Cordés possèdent une corde dorsale et un tube neural dorsal creux
34.2 Les Crâniates sont des Cordés pourvus d'une tête
34.3 Les Vertébrés sont des Crâniates pourvus d'une colonne vertébrale
34.4 Les Gnathostomes sont des Vertébrés pourvus de mâchoires
34.5 Les Tétrapodes sont des Gnathostomes pourvus de membres et de pieds
34.6 Les Amniotes sont des Tétrapodes dont l'œuf est adapté au milieu terrestre
34.7 Les Mammifères sont des Amniotes pourvus de poils et produisant du lait
34.8 Les humains sont des Hominoïdes bipèdes pourvus d'un cerveau volumineux

Introduction

Un demi-milliard d'années d'évolution pour les Vertébrés

À l'aube de la période cambrienne, il y a environ 540 millions d'années, les océans de la Terre abritaient une incroyable diversité d'êtres vivants. Les prédateurs utilisaient leurs pinces et leurs mandibules pour transpercer leurs proies. De nombreux Animaux étaient munis de pointes et d'enveloppes protectrices, de même que de pièces buccales complexes qui leur permettaient de filtrer les particules alimentaires présentes dans l'eau. Les Vers ondulaient dans la vase afin de se nourrir de matière organique. Au milieu de toute cette agitation flottaient doucement de minces créatures longues de 2 cm qui auraient facilement pu passer inaperçues. Dépourvues d'armure, d'yeux et d'appendices, elles ont pourtant laissé un remarquable héritage. En effet, ces créatures sont à l'origine de l'un des groupes d'Animaux qui a connu le plus de succès dans l'eau, sur la terre ferme et dans les airs: les **Vertébrés**. Ceux-ci doivent leur nom aux vertèbres, la série d'os dont est constituée la colonne vertébrale, ou épine dorsale **(figure 34.1)**. Durant presque 200 millions d'années, les Vertébrés n'ont vécu que dans les océans, mais il y a environ 360 millions d'années, l'apparition de pattes et de pieds dans une lignée a permis le passage de ces Animaux à la terre ferme. C'est là qu'ils se sont diversifiés en Amphibiens, en Reptiles (dont les Oiseaux) et en Mammifères.

Il existe approximativement 52 000 espèces de Vertébrés, nombre relativement peu élevé en regard du million d'espèces d'Insectes qui vivent sur la Terre. Mais les Vertébrés compensent la pauvreté de leur diversité spécifique par d'autres statistiques. Ainsi, des Dinosaures herbivores dont la masse pouvait atteindre 40 000 kg ont été les plus lourds Animaux à fouler le sol de la planète. Le plus gros Animal de tous les temps est le rorqual bleu (Mammifère), d'une masse pouvant dépasser 100 000 kg. De plus, les Vertébrés sont capables de voyager d'un bout à l'autre du globe: par exemple, les sternes arctiques sont des Oiseaux qui s'accouplent principalement près des côtes de l'océan Arctique; elles se rendent ensuite en Antarctique, où elles passent le reste de l'année avant de refaire le voyage en sens inverse. Enfin, les Vertébrés comprennent aussi la seule espèce capable de communiquer au moyen d'un véritable langage, de fabriquer des outils complexes et de pratiquer un art symbolique: les humains.

Dans le présent chapitre, nous examinerons les hypothèses actuelles sur le développement des Vertébrés à partir d'ancêtres invertébrés. Nous suivrons les étapes de l'évolution du plan d'organisation corporelle, de la corde dorsale à la tête puis au squelette ossifié, et nous étudierons les principaux groupes de Vertébrés (tant vivants que disparus) ainsi que l'histoire de l'évolution de notre propre espèce.

Concept 34.1

Les Cordés possèdent une corde dorsale et un tube neural dorsal creux

Les Vertébrés sont un sous-embranchement de l'embranchement des **Cordés**, Animaux bilatériens (à symétrie bilatérale) qui appartiennent au clade des Deutérostomiens (voir le chapitre 32). Outre les Vertébrés, les Deutérostomiens les plus connus sont les Échinodermes, embranchement dont font partie les étoiles de mer et les oursins. Toutefois, comme le montre la **figure 34.2**, à la page opposée, deux groupes d'Invertébrés deutérostomiens, les Urocordés et les Céphalocordés, sont plus proches des Vertébrés que des autres Invertébrés. Avec les Myxinoïdes et les Vertébrés, ils forment l'embranchement des Cordés.

Les caractères dérivés des Cordés

Tous les Cordés ont en commun un ensemble de caractères dérivés, bien que, chez beaucoup d'espèces, certains de ces caractères n'existent qu'au stade embryonnaire. La **figure 34.3** illustre les quatre principales caractéristiques des Cordés: la corde dorsale, le tube neural dorsal creux, les rainures (ou fentes branchiales) et la queue musculaire postanale.

La corde dorsale

Les embryons de tous les Cordés ainsi que certains Cordés adultes sont pourvus d'une **corde dorsale**, qui est à l'origine du nom de cet embranchement, c'est-à-dire une tige flexible longitudinale située entre le tube digestif et le tube neural. Celle-ci se compose de cellules volumineuses qui sont remplies de liquide et recouvertes d'un tissu fibreux assez rigide. Elle constitue un squelette relativement simple qui s'étend sur presque toute la longueur de l'Animal, et chez les larves ou chez les adultes qui la conservent, elle présente une structure ferme mais flexible contre laquelle les muscles prennent appui pour exécuter les mouvements de natation. Mais, chez la plupart des Vertébrés, la corde dorsale cède la place à un squelette articulé plus complexe, l'adulte ne conservant que des résidus de la corde dorsale embryonnaire (chez l'humain, elle se réduit à la matière gélatineuse des disques intervertébraux).

Le tube neural dorsal creux

Le tube neural de l'embryon d'un Cordé se forme à partir d'un feuillet de l'ectoderme qui s'enroule en position dorsale par rapport au tube digestif et à la corde dorsale. Ce tube neural dorsal *creux* est propre aux Cordés. Les Invertébrés, eux, ont des cordons nerveux *pleins*, situés habituellement dans la partie ventrale. Le tube neural des Cordés donne naissance au système nerveux central, qui comprend le cerveau et la moelle épinière.

Les rainures branchiales ou fentes branchiales

Le tube digestif des Cordés s'étend de la bouche à l'anus. La région située juste à l'arrière de la bouche est le pharynx. Chez tous les embryons se forme sur les côtés du pharynx une série de petits sacs séparés par des sillons (appelés **rainures branchiales**). Dans la plupart des espèces, ces sillons deviennent des fentes qui s'ouvrent sur l'extérieur du corps. Ces **fentes branchiales** permettent à l'eau qui entre dans la bouche de ressortir sans avoir à parcourir tout le tube digestif. Pour un grand nombre de Cordés invertébrés, elles servent à filtrer les aliments. Chez les Vertébrés (à l'exception des Vertébrés terrestres, les Tétrapodes), ces fentes et les structures qui les soutiennent se sont modifiées de façon à permettre notamment les échanges gazeux et portent le nom de *branchies*. Les rainures branchiales des Tétrapodes ne se transforment pas en fentes. Elles jouent plutôt un rôle important dans le développement de certaines parties de l'oreille et d'autres structures du cou et de la tête.

La queue musculaire postanale

Les Cordés possèdent une queue qui s'étend au-delà de l'anus, bien que, chez bon nombre d'espèces, celle-ci disparaisse au cours du stade embryonnaire. Par contre, chez la majorité des Animaux autres que les Cordés, le tube digestif occupe presque toute la longueur de l'organisme. La queue des Cordés comprend des éléments squelettiques et musculaires, et fournit une bonne partie de la force propulsive d'un grand nombre d'espèces aquatiques.

Les Urocordés

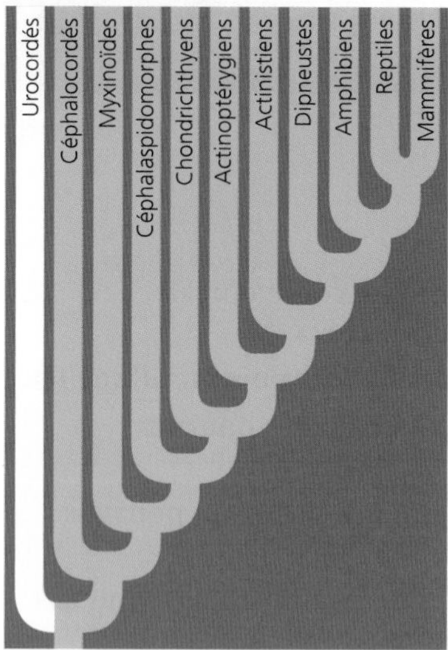

Des données fournies par diverses études morphologiques et moléculaires confirment l'hypothèse que le sous-embranchement des **Urocordés** (appelés communément *Tuniciers*) appartient à la lignée située le plus près de la base de l'arbre phylogénétique des Cordés. C'est au cours de leur stade larvaire, qui ne dure parfois que quelques minutes, que les Urocordés ressemblent le plus aux autres Cordés. Chez de nombreuses espèces, la larve se déplace dans l'eau à l'aide de ses muscles caudaux et de sa corde dorsale pour trouver un substrat où elle peut se fixer. Elle est guidée dans cette recherche par les signaux que lui envoient des cellules sensibles à la lumière et à la gravité.

Une fois qu'elle s'est fixée à un substrat, la larve subit une métamorphose radicale au cours de laquelle beaucoup des caractères des Cordés disparaissent. Ainsi, sa queue et sa corde dorsale se résorbent; son système nerveux dégénère; ses autres organes effectuent une rotation de 90°. Chez l'Urocordé adulte, l'eau de mer pénètre à l'intérieur de l'organisme par un siphon buccal inhalant, puis passe par les fentes branchiales pour arriver dans un compartiment appelé *cavité péribranchiale*, d'où elle sort par un siphon cloacal exhalant **(figure 34.4)**. Les particules de nourriture qui se trouvent dans l'eau sont filtrées par un filet de mucus, puis acheminées par des cils dans l'œsophage. Chez certaines espèces, le siphon cloacal projette du liquide lorsque l'Animal se sent attaqué.

Les Céphalocordés

Les Animaux qui appartiennent au sous-embranchement des **Céphalocordés** ont une forme qui rappelle celle d'une lame **(figure 34.5)**. Au cours de leur stade larvaire, ils acquièrent une corde dorsale, un tube neural dorsal creux, de nombreuses fentes branchiales et une queue musculaire postanale. Les larves se nourrissent de plancton alternant entre un mouvement ascendant et une plongée passive. En descendant, elles retiennent dans leur pharynx du plancton et d'autres matières en suspension.

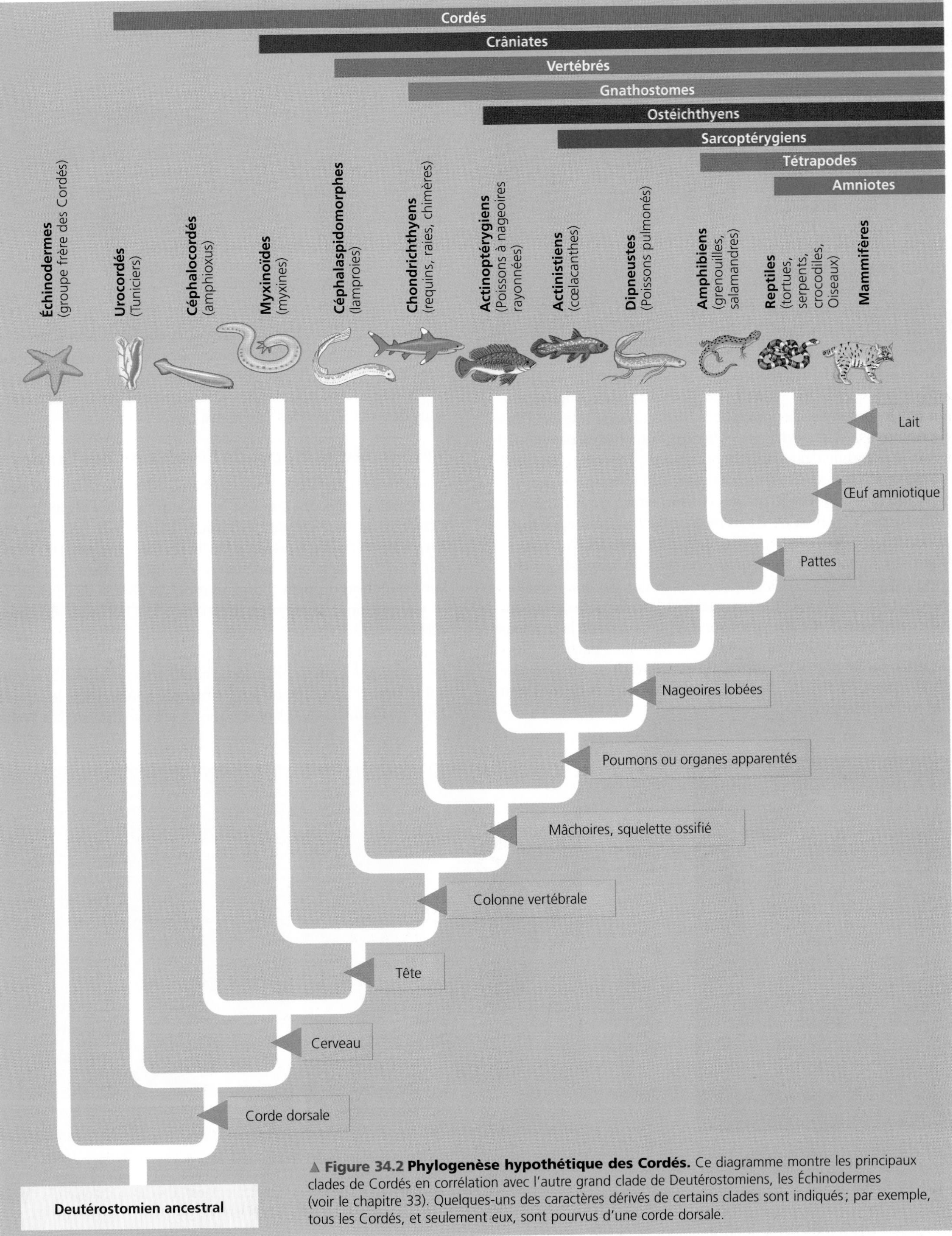

▲ **Figure 34.2 Phylogenèse hypothétique des Cordés.** Ce diagramme montre les principaux clades de Cordés en corrélation avec l'autre grand clade de Deutérostomiens, les Échinodermes (voir le chapitre 33). Quelques-uns des caractères dérivés de certains clades sont indiqués; par exemple, tous les Cordés, et seulement eux, sont pourvus d'une corde dorsale.

Au stade adulte, les Céphalocordés conservent les principaux caractères des Cordés et peuvent atteindre 5 cm de longueur. Ils ressemblent alors beaucoup au Cordé type représenté à la figure 34.3. Après sa métamorphose, l'amphioxus adulte se tortille à reculons dans le sable, ne laissant sortir que sa partie antérieure. Il se nourrit en faisant pénétrer de l'eau de mer dans sa bouche grâce au mouvement de succion provoqué par les battements de ses cils. Les minuscules particules de nourriture sont alors retenues par le filet muqueux qui recouvre les fentes branchiales. L'eau sort par ces fentes, tandis que les particules de nourriture se dirigent vers l'intestin. Chez l'amphioxus, le pharynx et les fentes branchiales participent jusqu'à un certain degré aux échanges gazeux, qui s'effectuent principalement à travers certaines parties de l'enveloppe externe.

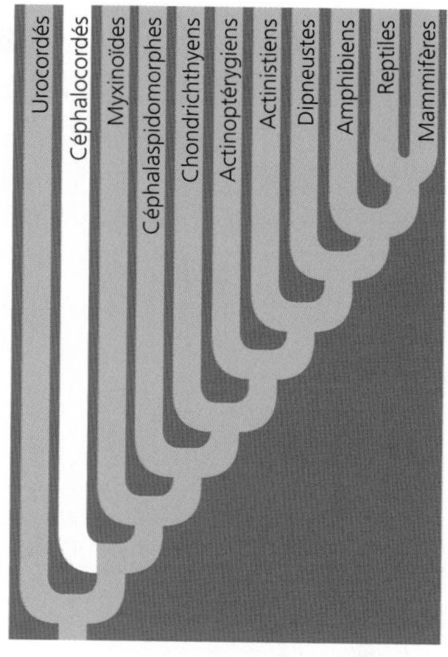

L'amphioxus quitte fréquemment son terrier pour nager vers un nouveau site. Bien qu'il soit piètre nageur, il utilise, de façon rudimentaire, la même technique de nage que les Poissons. Il contracte de manière coordonnée ses muscles disposés en chevrons successifs (<<<<) le long de sa corde dorsale, qui peut alors exécuter un mouvement sinusoïdal (~) latéral. Cette musculature constituée d'une série de myomères témoigne de la segmentation de l'amphioxus. Les myomères se forment à partir de blocs de mésoderme appelés **somites** qui se trouvent de chaque côté de la corde dorsale chez l'embryon des Cordés. Les Cordés sont des Animaux segmentés.

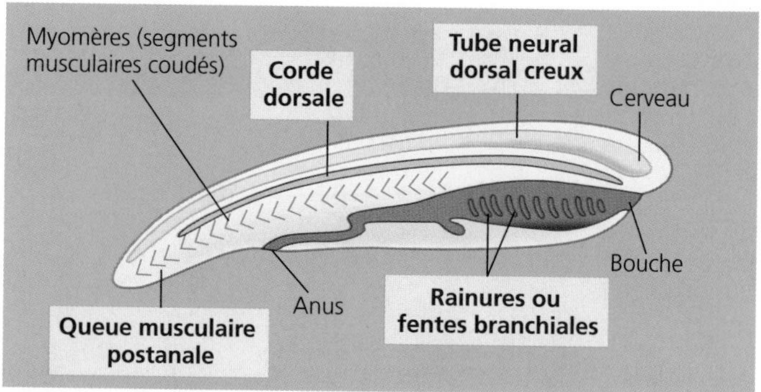

▲ **Figure 34.3 Caractéristiques des Cordés.** Tous les Cordés possèdent, à un stade ou à un autre de leur développement, les quatre caractéristiques propres à leur embranchement.

Présents notamment dans les eaux côtières européennes, les amphioxus se font généralement rares ; dans quelques régions cependant (dont celle de la baie de Tampa, sur la côte ouest de la Floride), leurs populations atteignent parfois une densité de plus de 5 000 individus par mètre carré.

Les premières étapes de l'évolution des Cordés

Bien que les Urocordés et les Céphalocordés soient des Animaux relativement obscurs, on s'est beaucoup intéressé à eux grâce à l'essor de la biologie de l'évolution. Pourvus de beaucoup des caractères dérivés propres aux Vertébrés (sans toutefois les posséder tous), ces deux embranchements peuvent fournir des indices sur l'évolution du plan d'organisation corporelle de ce clade.

Comme nous l'avons déjà mentionné, les Urocordés présentent certains caractères des Cordés uniquement au stade larvaire, tandis que les Céphalocordés les conservent au stade adulte. Par conséquent, un Céphalocordé adulte ressemble beaucoup plus à une larve d'Urocordé qu'à un Urocordé adulte. Dans les années 1920, à la lumière de ces observations, le biologiste anglais Walter

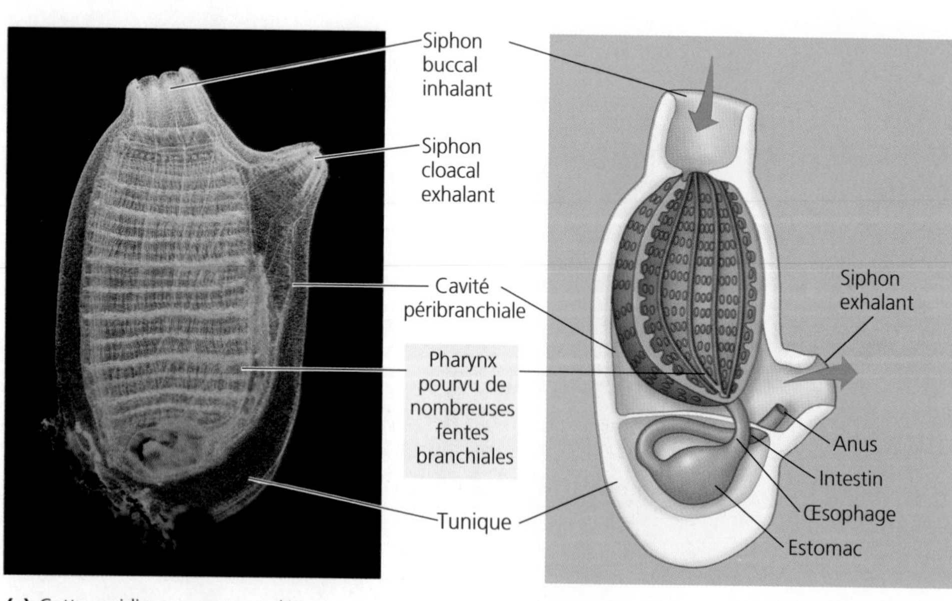

(a) Cette ascidie, souvent appelée *outre de mer*, est un Animal sessile (taille réelle).

(b) Chez l'ascidie adulte, les fentes branchiales permettent à l'Animal de se nourrir par filtration. Les autres caractéristiques des Cordés ont disparu.

(c) La larve nageuse en forme de « têtard » des Urocordés ne se nourrit qu'après sa métamorphose. Les caractéristiques des Cordés sont bien visibles dans la forme larvaire.

▲ **Figure 34.4 Ascidie (sous-embranchement des Urocordés).**

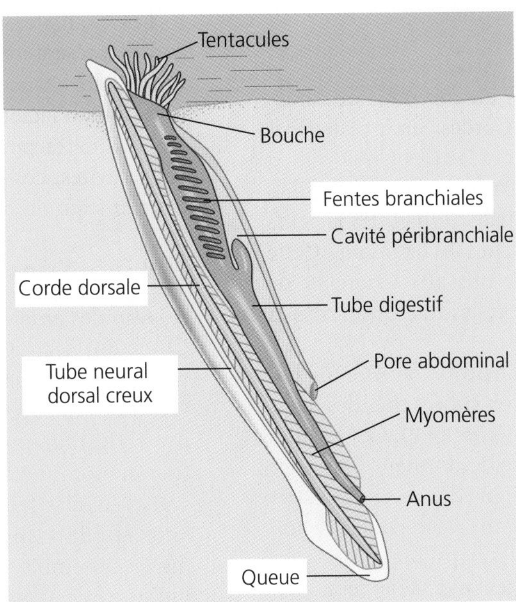

▶ **Figure 34.5 Amphioxus *Branchiostoma lanceolatum* (sous-embranchement des Céphalocordés).** Ce petit Animal invertébré possède les quatre principales caractéristiques des Cordés. L'eau entre par la bouche, traverse les fentes branchiales, entre dans la cavité péribranchiale et ressort par le pore abdominal. Les particules de nourriture restent prises dans un filet de mucus et sont acheminées par des cils dans le tube digestif. Grâce à ses myomères (muscles segmentés visibles sur la photo), cet amphioxus se déplace en faisant des mouvements sinusoïdaux.

Garstang a avancé que les Urocordés représentaient un stade primitif de l'évolution des Cordés. Selon lui, des Cordés ancestraux semblables aux Urocordés auraient connu une maturité sexuelle précoce et seraient devenus adultes alors qu'ils étaient encore au stade larvaire. Ainsi, eux et les Cordés dont ils sont les ancêtres ont conservé au stade adulte la corde dorsale et d'autres caractéristiques. Ce processus, qui a été attesté dans un certain nombre de transitions évolutives, est appelé *pédomorphose* (voir le chapitre 24).

Bien que l'idée de Garstang soit demeurée populaire durant plusieurs décennies, aujourd'hui tout indique qu'elle ne s'applique pas au cas des Urocordés. En effet, le stade adulte dégénéré des Urocordés semble être un caractère dérivé qui est apparu seulement après que leur lignée a divergé des autres Cordés. Même la larve des Urocordés semble très aberrante, et non une fidèle reproduction du plan d'organisation corporelle des Cordés primitifs. Selon des études portant sur l'expression des gènes *Hox* (voir le chapitre 21), les régions postérieures de l'axe du corps ne se développent pas chez la larve des Urocordés, qui présente plutôt une région antérieure allongée contenant un cœur et un système digestif.

Des recherches portant sur des Céphalocordés ont révélé plusieurs indices importants sur l'évolution du cerveau des Cordés.

Tube neural de l'embryon des Céphalocordés

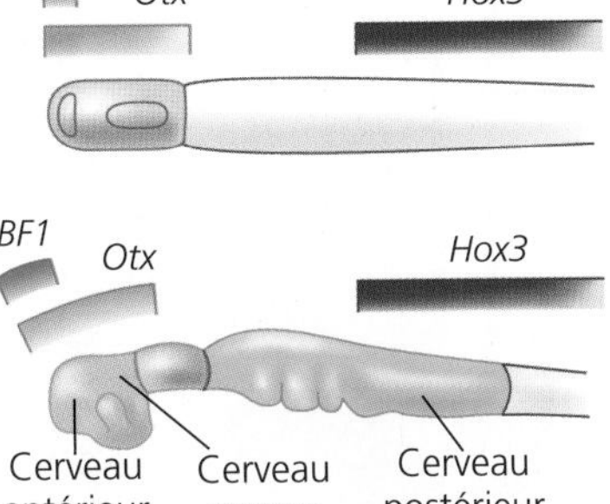

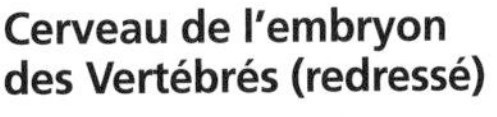

▲ **Figure 34.6 Expression des gènes du développement chez les Céphalocordés et les Vertébrés.** Les gènes *Hox* (notamment *BF1*, *Otx* et *Hox3*) régissent le développement des principales régions du cerveau des Vertébrés. Ils s'expriment dans le même ordre antéropostérieur chez les Céphalocordés et les Vertébrés.

Les Céphalocordés ne possèdent pas un véritable cerveau, mais seulement une partie légèrement renflée à l'extrémité antérieure du tube neural dorsal. Or, les gènes *Hox* qui structurent les principales régions du cerveau antérieur, du cerveau moyen et du cerveau postérieur des Vertébrés s'expriment selon les mêmes modalités dans le petit amas de cellules du tube neural des Céphalocordés (**figure 34.6**). Cette observation donne à penser que le cerveau des Vertébrés résulterait du perfectionnement d'une structure ancestrale semblable à l'extrémité simple du tube neural des Céphalocordés.

Retour sur le concept 34.1

1. Les humains sont des Cordés. Pourtant, la plupart des principaux caractères dérivés de cet embranchement sont absents chez eux. Expliquez ce phénomène.
2. Comment les fentes branchiales permettent-elles aux Urocordés et aux Céphalocordés de se nourrir?

Voir les réponses proposées à la fin du chapitre.

Concept 34.2

Les Crâniates sont des Cordés pourvus d'une tête

Après l'apparition du plan d'organisation corporelle type des Cordés, qu'on observe tant chez les Urocordés que chez les Céphalocordés, la principale transition évolutive a été l'apparition de la tête. Les Cordés qui en sont pourvus font partie du groupe des **Crâniates** (du latin *cranium*, «crâne»). La tête, qui est constituée d'un cerveau à l'extrémité antérieure du tube neural dorsal, d'yeux et d'autres organes sensoriels ainsi que d'un crâne, a fourni aux Cordés un moyen complètement différent de s'alimenter: la prédation active. (Notez que la tête est apparue de façon indépendante chez d'autres lignées d'Animaux, comme il est expliqué au chapitre 33.)

Les caractères dérivés des Crâniates

Les Crâniates modernes ont en commun un ensemble de caractères dérivés qui les distinguent des autres Cordés. Sur le plan génétique, ils possèdent deux groupes de gènes *Hox* (les Urocordés et les Céphalocordés n'en ont qu'un). D'autres importantes familles de gènes produisant des molécules de signalisation et des facteurs de transcription existent aussi en double chez les Crâniates. Cette complexité génétique additionnelle a permis aux Crâniates de prendre des formes plus complexes que celles des Urocordés et des Céphalocordés.

La **crête neurale** est une caractéristique propre aux Crâniates. C'est un ensemble de cellules embryonnaires situées près des replis dorsaux du tube neural en formation **(figure 34.7)**. Ces cellules se dispersent dans tout l'organisme, où elles donnent naissance à diverses structures, dont les dents, certains des os et des cartilages du crâne, la couche profonde de la peau (derme) de la région faciale, plusieurs types de neurones et les capsules sensorielles dans lesquelles les yeux et d'autres organes se développent.

Chez les Crâniates aquatiques, les fentes branchiales sont devenues des branchies. Contrairement aux fentes branchiales des Céphalocordés, qui servent principalement à filtrer les aliments en suspension, les branchies sont associées à des muscles et à des nerfs qui permettent à l'eau de traverser les fentes par pompage. Cette action, qui peut contribuer à l'aspiration des aliments, facilite aussi les échanges gazeux. (Chez les Crâniates terrestres, les rainures branchiales deviennent d'autres structures, comme nous l'expliquerons plus loin.)

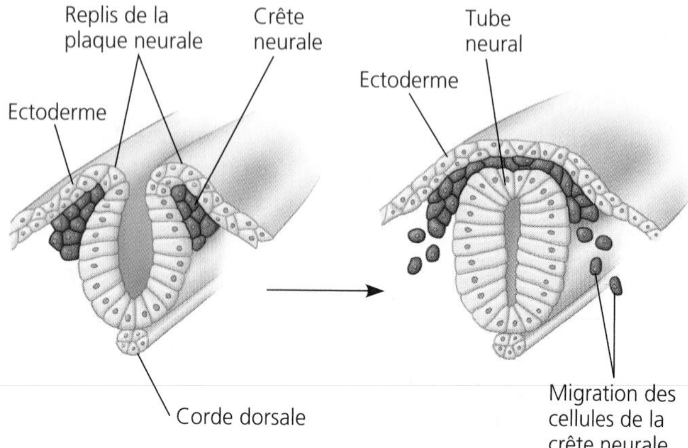

(a) La crête neurale est constituée de plusieurs couches de cellules situées près des replis de la plaque neurale. En se rejoignant, ces replis forment le tube neural dorsal creux.

(b) Les cellules de la crête neurale migrent ailleurs dans l'embryon.

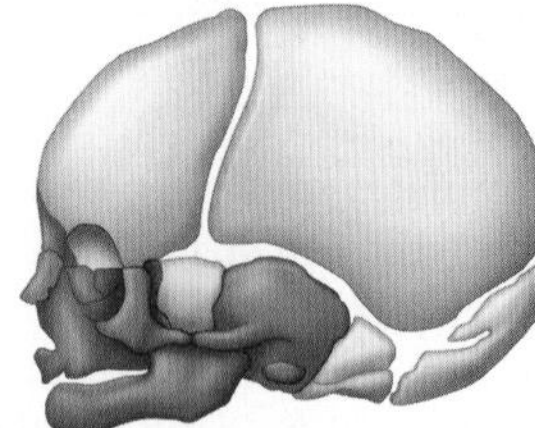

(c) Là, elles donnent naissance à certaines des structures anatomiques types des Vertébrés, notamment les os et les cartilages (chez l'embryon) qui constituent le crâne.

▲ **Figure 34.7 Crête neurale de l'embryon, à l'origine de plusieurs caractéristiques des Vertébrés.**

Les Crâniates, plus actifs que les Urocordés et les Céphalocordés, présentent aussi un métabolisme plus élevé et un système musculaire beaucoup plus complet. Les muscles qui tapissent leur tube digestif facilitent la digestion en y faisant circuler les aliments. Les Crâniates possèdent aussi un cœur comportant au moins deux cavités, des globules rouges et de l'hémoglobine, ainsi que des reins qui éliminent les déchets du sang.

L'origine des Crâniates

À la fin des années 1990, des paléontologues qui travaillaient en Chine ont découvert une vaste réserve de fossiles de Cordés primitifs qui semblent être les chaînons intermédiaires de l'évolution vers les Crâniates. Ces fossiles datent de l'explosion du Cambrien, il y a 530 millions d'années, période marquée par la diversification de nombreux groupes d'Animaux (voir le chapitre 32).

Les fossiles les plus primitifs sont ceux de *Haikouella*, d'une longueur de 3 cm **(figure 34.8a)**. À de nombreux égards, cet organisme ressemble à un Céphalocordé. La structure de sa bouche indique que, comme ce dernier, il était probablement suspensivore. Toutefois, *Haikouella* possédait aussi certaines des caractéristiques des Crâniates. Par exemple, il présentait un cerveau petit mais bien formé, des yeux et des myomères semblables à ceux des Vertébrés. De plus, des structures calcifiées comparables à des dents, les denticules, se trouvaient dans son pharynx. En revanche, *Haikouella* n'avait pas de crâne, ce qui donne à penser que l'apparition de ce caractère a accompagné les innovations relatives au système nerveux des Cordés.

Dans d'autres roches datant du Cambrien, les paléontologues ont découvert des fossiles de Cordés encore plus évolués, comme *Haikouichthys*. À peu près de la même taille que *Haikouella*, *Haikouichthys* était pourvu d'un crâne probablement composé de cartilage **(figure 34.8b)**. Compte tenu de cette observation et de la présence d'autres caractères, les scientifiques ont déterminé que *Haikouichthys* était un véritable Crâniate.

Les Myxinoïdes

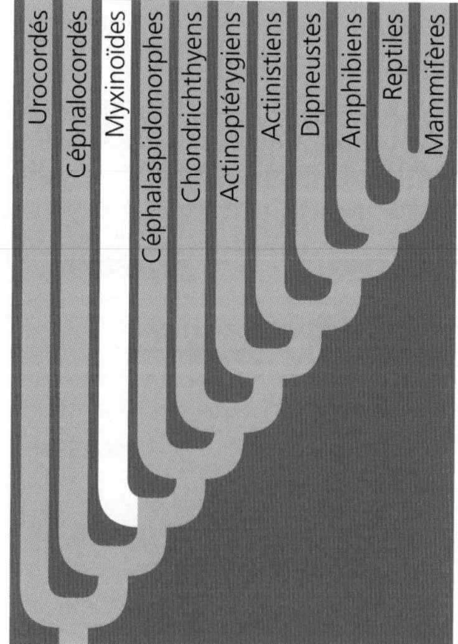

La classe des Myxinoïdes, comprenant les myxines, représente la lignée de Crâniates modernes qui possède le moins de caractères dérivés **(figure 34.9)**. Les myxines ont un crâne fait de cartilage, mais pas de mâchoires ni de vertèbres. Le mouvement ondulatoire de leur nage est rendu possible grâce à la force exercée par les myomères sur la corde dorsale, qu'elles conservent au stade adulte sous la forme d'une tige de cartilage résistante mais souple. Les myxines possèdent un petit cerveau, des yeux, des oreilles et une ouverture nasale qui communique avec le pharynx. Leur bouche contient des structures semblables à des dents constituées d'une protéine, la kératine.

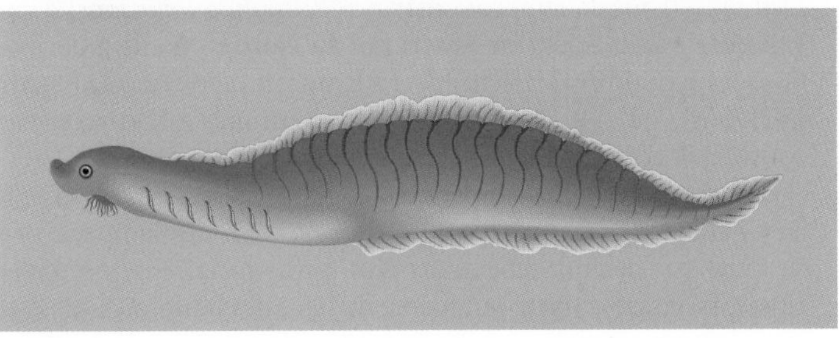

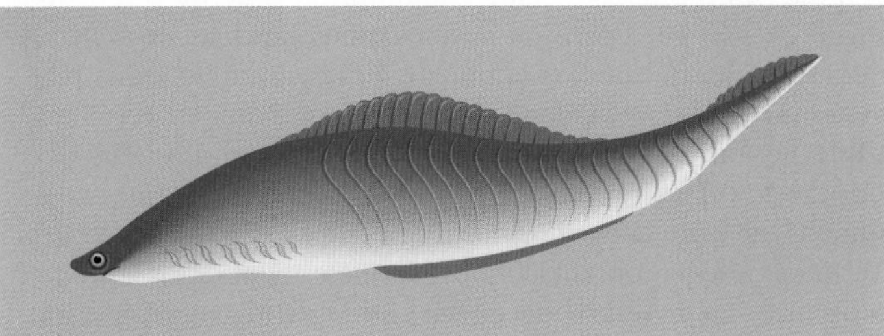

(a) ***Haikouella.*** Découvert en 1999 dans le sud de la Chine, *Haikouella* possédait des yeux et un cerveau, mais pas de crâne, qui est un caractère dérivé des Crâniates.

(b) ***Haikouichthys.*** Ce Cordé possédait un crâne et est considéré de ce fait comme un véritable Crâniate.

▲ **Figure 34.8 Fossiles de Cordés primitifs.** Les couleurs des illustrations sont imaginaires.

▲ **Figure 34.9 Myxine.**

Les 30 espèces de myxines modernes sont toutes marines. Elles mesurent jusqu'à 60 cm de longueur, et la plupart sont des charognardes qui vivent dans les fonds marins et se nourrissent notamment de Vers et de Poissons malades ou morts. À la surface de la peau des myxines, des rangées de glandes sécrètent une substance qui, en absorbant de l'eau, forme une matière gluante susceptible de repousser les autres charognards quand l'Animal se nourrit (figure 34.9). Quand un prédateur les attaque, les myxines peuvent produire plusieurs litres de matière gluante en moins d'une minute. Celle-ci enrobe les branchies des Poissons prédateurs, lesquels s'enfuient ou meurent étouffés. Plusieurs équipes de biologistes et d'ingénieurs étudient les propriétés de cette substance visqueuse dans l'espoir de produire artificiellement une matière qui pourrait agir comme un gel de remplissage servant, par exemple, à juguler les hémorragies pendant les opérations.

Les systématiciens qui étudient les Vertébrés ne considèrent pas les myxines comme des Poissons. Depuis longtemps, le terme *Poisson* s'applique à tous les Crâniates, sauf les Tétrapodes. Mais employé de cette façon, il ne désigne pas un groupe monophylétique; par conséquent, les systématiciens ne s'en servent que pour désigner un clade précis de Vertébrés, les Actinoptérygiens (voir le concept 34.4). Nous allons nous conformer à cet usage dans le présent chapitre.

Retour sur le concept 34.2

1. Quelle espèce de Cordés disparue, *Haikouichthys* ou *Haikouella*, est la plus étroitement apparentée aux humains? Expliquez votre réponse.
2. Les myxines présentent des caractéristiques qui sont absentes chez les Urocordés et les Céphalocordés. Quelles sont-elles?

Voir les réponses proposées à la fin du chapitre.

Concept 34.3

Les Vertébrés sont des Crâniates pourvus d'une colonne vertébrale

Pendant la période cambrienne, une lignée de Crâniates a donné naissance aux Vertébrés. Pourvus d'un système nerveux et d'un squelette plus complexes que ceux de leurs ancêtres, les Vertébrés sont devenus des prédateurs actifs.

Les caractères dérivés des Vertébrés

Après avoir divergé des autres Crâniates, les Vertébrés ont connu une autre duplication génétique associée cette fois à un groupe de gènes produisant des facteurs de transcription, soit la famille *Dlx*. La complexité génétique additionnelle issue de ce phénomène est liée à l'apparition d'innovations touchant le système nerveux et le squelette, notamment la présence d'un crâne plus volumineux et d'une colonne vertébrale composée de vertèbres. Chez certains Vertébrés, les vertèbres ne sont pour ainsi dire que de petites pointes de cartilage disposées dorsalement d'une extrémité à l'autre de la corde dorsale. Toutefois, chez la plupart des Vertébrés, elles entourent la moelle épinière et ont repris les fonctions mécaniques de la corde dorsale. Les Vertébrés aquatiques ont aussi acquis des nageoires dorsales, ventrales et anales renforcées par des rayons qui permettent à ces Animaux de se propulser et de se diriger lorsqu'ils nagent. L'accélération de la natation a été favorisée par d'autres adaptations, dont un système d'échanges gazeux plus efficace dans les branchies.

Les lamproies

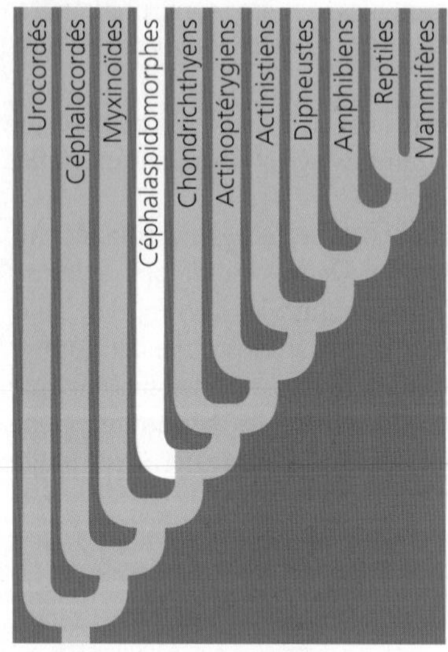

Les lamproies (classe des Céphalaspidomorphes) représentent la plus ancienne lignée moderne de Vertébrés. Comme les myxines, elles peuvent nous renseigner sur l'évolution des premiers Vertébrés, mais elles ont aussi acquis des caractéristiques uniques.

Il existe environ 35 espèces de lamproies vivant dans divers milieux marins et dulcicoles **(figure 34.10)**. La plupart sont des parasites qui se nourrissent en se cramponnant avec leur bouche circulaire au flanc d'un Poisson vivant et en utilisant leur langue râpeuse pour pénétrer l'épiderme de leur proie dont elles sucent le sang.

À l'état larvaire, les lamproies vivent en eau douce. La larve est suspensivore; elle ressemble à un amphioxus et passe beaucoup de temps partiellement enfouie dans la couche sédimentaire. Certaines espèces de lamproies ne se nourrissent qu'à l'état larvaire. Après avoir passé plusieurs années dans des ruisseaux, elles atteignent leur maturité sexuelle, se reproduisent et meurent quelques jours plus tard. Toutefois, la majorité des lamproies migrent vers la mer ou dans un lac lorsqu'elles deviennent adultes.

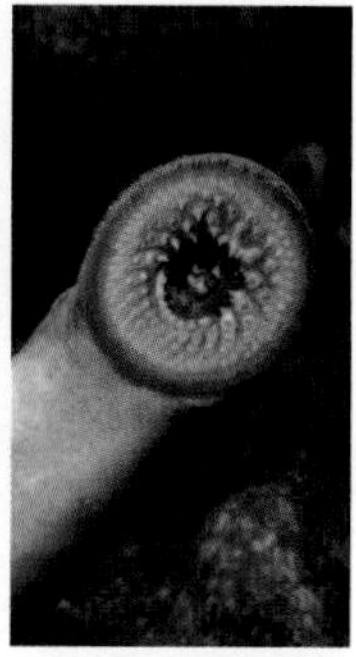

▲ **Figure 34.10 Lamproie marine.** La plupart des lamproies utilisent leur bouche (agrandissement, à droite) et leur langue pour percer le flanc d'un Poisson. Elles ingèrent ensuite le sang et certains tissus de leur hôte.

Depuis 170 ans, la lamproie marine (*Petromyzon marinus*) a envahi les Grands Lacs (en Amérique du Nord), où elle a dévasté un certain nombre de pêcheries. La lamproie de rivière (*Lampetra fluviatilis*), qui vit dans les rivières d'Europe, est, par contre, considérée comme une espèce menacée.

Le squelette des lamproies est fait de cartilage. Contrairement au cartilage de la plupart des Vertébrés, celui des lamproies ne contient pas de collagène, mais plutôt une matrice de protéines rigide. La corde dorsale (en forme de tige) des lamproies subsiste chez l'adulte. Comme chez les myxines, elle tient lieu de principal squelette axial. Toutefois, un tube cartilagineux entoure la corde dorsale. Le long de celui-ci, des paires de fibres cartilagineuses rappelant les vertèbres remontent dorsalement et recouvrent partiellement le tube neural.

Les fossiles des Vertébrés primitifs

Après que les ancêtres des lamproies ont divergé des autres Vertébrés au cours du Cambrien, de nombreuses autres lignées de Vertébrés sont apparues. Leur ressemblance avec les lamproies se limitait cependant à l'absence de mâchoires.

Les **Conodontes** étaient de minces Vertébrés au corps mou; ils étaient munis d'yeux proéminents dont les mouvements étaient commandés par de nombreux muscles. La partie antérieure de leur bouche présentait une série de crochets acérés faits de tissus dentaires minéralisés **(figure 34.11)**. La majorité des Conodontes mesuraient de 3 à 10 cm de longueur, mais on croit que certains pouvaient atteindre 30 cm. Leurs gros yeux les aidaient probablement à chasser des proies qu'ils embrochaient sur leurs crochets. La nourriture était ensuite acheminée vers le pharynx, où une autre série d'éléments dentaires servaient à la découper et à la broyer.

Les Conodontes ont été extrêmement abondants pendant plus de 300 millions d'années. Leurs éléments dentaires fossilisés sont si nombreux que, durant des décennies, les géologues pétroliers les ont utilisés comme guides pour déterminer l'âge des strates rocheuses dans lesquelles ils prospectaient du pétrole. (Les Conodontes doivent d'ailleurs leur nom, qui signifie « dents coniques », à ces éléments.)

Des Vertébrés présentant d'autres innovations sont apparus au cours des périodes ordovicienne, silurienne et dévonienne. Ils possédaient des nageoires jumelées et une oreille interne munie de deux canaux semi-circulaires qui leur procuraient le sens de l'équilibre. Bien qu'ils fussent dépourvus eux aussi de mâchoires, ils possédaient un pharynx musculaire dont ils se servaient

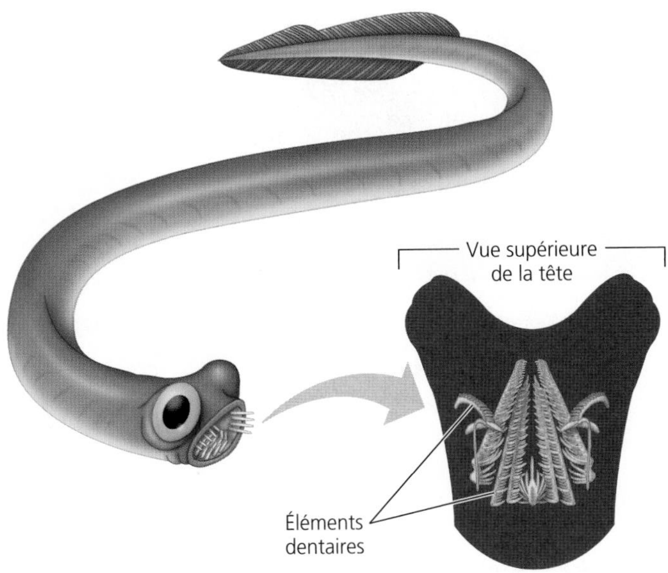

▲ **Figure 34.11 Conodonte.** Les Conodontes étaient des Vertébrés primitifs qui ont vécu de la fin du Cambrien jusqu'à la fin du Trias. Contrairement aux lamproies, ils possédaient des parties buccales minéralisées, qu'ils utilisaient pour capturer des proies ou pour se nourrir de charogne.

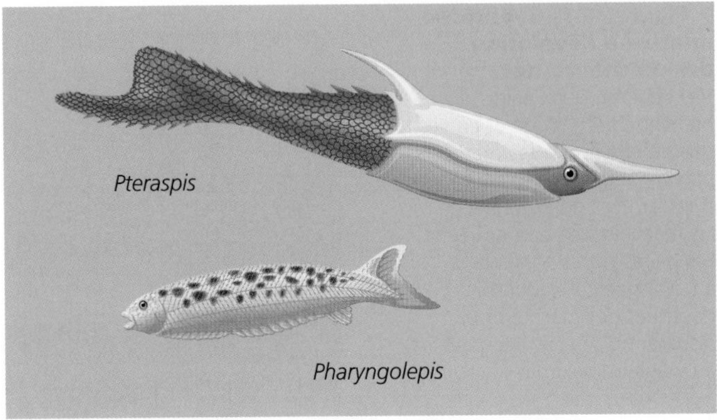

▲ **Figure 34.12 Vertébrés cuirassés, sans mâchoires.** *Pteraspis* et *Pharyngolepis* représentent deux des nombreux genres de Vertébrés sans mâchoires qui sont apparus au cours des périodes ordovicienne, silurienne et dévonienne.

probablement pour aspirer les organismes ou les détritus des fonds marins. Ils portaient également une cuirasse constituée de tissu osseux, dont l'étendue variait selon les espèces **(figure 34.12)**. Cette cuirasse qui, chez certaines espèces, comprenait des épines, les protégeait sans doute des prédateurs. Ces vertébrés cuirassés faisaient auparavant partie d'un groupe appelé *Ostracodermes* (« peau recouverte d'une coquille »). Toutefois, de récentes études indiquent que c'est un groupe paraphylétique : certaines lignées sont en effet plus étroitement apparentées aux Vertébrés à mâchoires qu'aux autres membres du groupe. Ces Vertébrés cuirassés sans mâchoires étaient exceptionnellement diversifiés, mais, à la fin du Dévonien, ils avaient tous disparu.

L'origine des os et des dents

Le squelette humain est fortement minéralisé, et le cartilage y joue un rôle assez secondaire. Mais c'est une innovation relativement récente dans l'histoire des Vertébrés. Comme nous l'avons vu, le squelette des Vertébrés était à l'origine une structure constituée de cartilage non minéralisé. La minéralisation s'est amorcée seulement après que les lamproies ont divergé des autres Vertébrés.

Qu'est-ce qui a déclenché le processus de minéralisation chez les Vertébrés ? Philip Donoghue, de la University of Birmingham, en Angleterre, croit que la minéralisation est liée à une transition relative aux mécanismes d'alimentation. Les Cordés primitifs étaient sans doute suspensivores, comme les Céphalocordés, mais, au fil du temps, ils sont devenus plus gros et donc capables d'ingérer des particules plus volumineuses, y compris certains petits Animaux. Chez les Vertébrés, les plus anciennes structures minéralisées connues, soit les éléments dentaires des Conodontes, constituent une adaptation qui a permis à ces Animaux de devenir des charognards et des prédateurs. La minéralisation du corps des Vertébrés a commencé au niveau de la bouche, selon Donoghue. C'est seulement chez les Vertébrés possédant davantage de caractères dérivés que l'endosquelette a commencé à se minéraliser à partir du crâne. Comme vous l'apprendrez dans la prochaine section, les lignées plus récentes de Vertébrés ont subi une minéralisation encore plus poussée.

Retour sur le concept 34.3

1. Comment les différences anatomiques entre les lamproies et les Conodontes se reflètent-elles dans les modes de nutrition respectifs de ces Animaux ?
2. Quels rôles déterminants la minéralisation des os a-t-elle joués chez les premiers Vertébrés ?

Voir les réponses proposées à la fin du chapitre.

Concept 34.4

Les Gnathostomes sont des Vertébrés pourvus de mâchoires

Les myxines et les lamproies sont des Animaux qui ont survécu à un âge où les Crâniates sans mâchoires abondaient. Aujourd'hui, elles sont cependant beaucoup moins nombreuses que les Vertébrés à mâchoires, qu'on appelle **Gnathostomes.**

Les caractères dérivés des Gnathostomes

Les Gnathostomes (ce qui signifie « bouche munie de mâchoires ») tiennent leur nom de leurs mâchoires, des structures articulées qui, en particulier grâce à des dents, leur permettent de tenir fermement leurs aliments et de les découper. Selon une hypothèse, les mâchoires des Gnathostomes résulteraient d'une modification des arcs branchiaux soutenant les fentes branchiales antérieures **(figure 34.13)**. Les autres fentes branchiales, dès lors inutiles pour la filtration de la nourriture, sont devenues des organes spécialisés dans les échanges gazeux avec le milieu environnant. Selon d'autres hypothèses, diverses structures seraient à l'origine des mâchoires. Des chercheurs qui comparent les gènes responsables du développement de la bouche chez les lamproies et les Gnathostomes vérifient actuellement ces hypothèses.

▶ **Figure 34.13 Hypothèse relative à l'évolution des mâchoires des Vertébrés.** Deux paires d'arcs branchiaux (en rouge et en vert) situés entre les fentes branchiales, près de la bouche, se sont transformées pour donner les mâchoires et leurs soutiens. Les paires d'arcs branchiaux à l'avant de celles qui sont devenues des mâchoires ont disparu, ou se sont intégrées au crâne ou aux mâchoires.

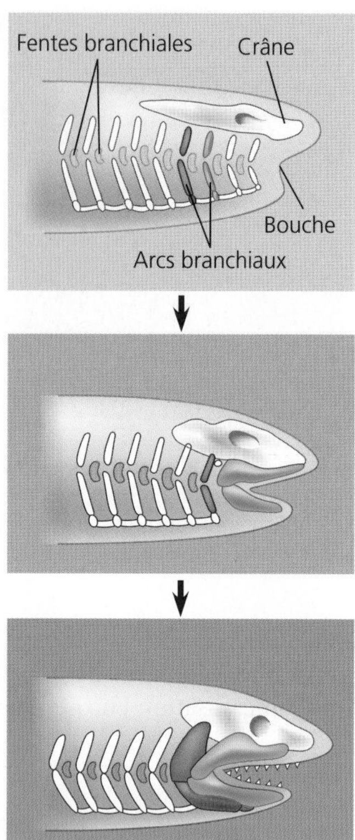

(a) ***Coccosteus*, Placoderme**

(b) ***Climatius*, Acanthodien**

▲ **Figure 34.14 Gnathostomes primitifs.**

Outre les mâchoires, les Gnathostomes possèdent d'autres caractères dérivés. Les ancêtres communs à tous les Gnathostomes ont connu une autre duplication des gènes *Hox*, de telle sorte que l'unique groupe présent chez les premiers Cordés a été multiplié par quatre. D'autres groupes de gènes ont aussi subi une duplication, ce qui a permis une plus grande complexité dans le développement des embryons de Gnathostomes. Leur cerveau antérieur est plus gros que celui des autres Crâniates, une expansion surtout associée au perfectionnement des sens de l'odorat et de la vue. L'**organe sensoriel de la ligne latérale** est une rangée d'organes microscopiques sensibles aux vibrations du milieu environnant. Il s'étend sur toute la longueur de chacun des côtés du corps des Gnathostomes aquatiques.

Comme nous l'avons mentionné plus tôt, un endosquelette minéralisé a fait son apparition chez les ancêtres des Gnathostomes. Chez l'ancêtre commun des Gnathostomes modernes, le squelette axial, la ceinture thoracique et les appendices jumelés étaient minéralisés.

Les fossiles des Gnathostomes

Les premiers Gnathostomes qui figurent dans les archives géologiques datent du milieu de l'Ordovicien, il y a environ 470 millions d'années. À partir de cette période, leur diversification a constamment progressé. Ces Animaux doivent probablement leur succès à deux caractéristiques anatomiques: des nageoires jumelées et une queue, qui leur permettaient de pourchasser efficacement leurs proies, et des mâchoires, grâce auxquelles ils pouvaient saisir ces proies ou simplement mordre dans leur chair.

Les plus anciens Gnathostomes représentent une lignée disparue de Vertébrés cuirassés appelés **Placodermes** (du grec *plakos*, «plaque», et *derma*, «peau») **(figure 34.14a)**. La majorité des Placodermes mesuraient moins de 1 m de longueur, mais certaines espèces géantes atteignaient 10 m. Un autre groupe de Vertébrés à mâchoires, les **Acanthodiens**, a connu une radiation pendant le Dévonien, et a donné naissance à de nombreuses nouvelles formes vivant tant en eau douce qu'en eau salée **(figure 34.14b)**. Les Acanthodiens étaient apparentés aux ancêtres des Ostéichthyens (Actinoptérygiens et Sarcoptérygiens). Dès le début du Carbonifère, soit il y a environ 360 millions d'années, les Placodermes et les Acanthodiens avaient disparu.

Les Chondrichthyens (requins, raies et organismes apparentés)

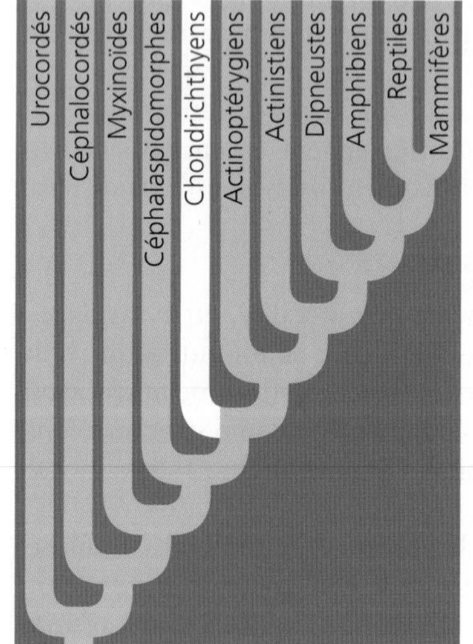

Chez les requins, les raies et leurs parents, on trouve certains des plus gros et des plus prospères prédateurs des océans. Ils appartiennent à la classe des Chondrichthyens (ce qui signifie «Poissons cartilagineux»). Comme leur nom l'indique, les **Chondrichthyens** possèdent un squelette constitué principalement de cartilage, souvent renforcé de calcium.

Lorsque le nom *Chondrichthyens* a été inventé dans les années 1800, les scientifiques croyaient que ce groupe représentait un stade primitif de l'évolution du squelette des Vertébrés et que la minéralisation n'était apparue que dans des lignées plus évoluées (comme les «Poissons osseux»). Cette idée était renforcée par le fait que le squelette des embryons de ces lignées est d'abord constitué en grande partie de cartilage. Plus tard, presque tout ce cartilage s'ossifie, c'est-à-dire qu'il est remplacé par une matrice rigide de phosphate de calcium. On a cependant abandonné cette conception. En effet, comme le montrent les Conodontes et les Vertébrés cuirassés sans mâchoires, la minéralisation du squelette des Vertébrés avait commencé avant que la lignée des Chondrichthyens diverge des autres Vertébrés. De plus, des traces de tissu osseux sont visibles chez les Chondrichthyens modernes : on en trouve dans leurs écailles, à la base de leurs dents et, chez certains requins, dans une mince couche à la surface des vertèbres. La distribution limitée des tissus osseux dans le corps des Chondrichthyens semble être un caractère dérivé qui serait apparu après qu'ils ont divergé des autres Gnathostomes.

Il existe environ 750 espèces de Chondrichthyens modernes, dont les requins et les raies constituent la sous-classe la plus diversifiée et la plus répandue **(figure 34.15a** et **b)**. L'autre sous-classe comprend quelques douzaines d'espèces de chimères **(figure 34.15c)**.

La plupart des requins ont un corps hydrodynamique. Ils nagent ainsi rapidement, certes, mais leurs manœuvres sont un peu gauches. De puissants mouvements du tronc et de la nageoire caudale (nageoire de la queue) permettent la propulsion. Les nageoires dorsales assurent la stabilité de l'Animal, tandis que les paires de nageoires pectorales (à l'avant) et pelviennes (à l'arrière) assurent la portance. Le requin peut augmenter sa flottabilité en emmagasinant une grande quantité d'huile dans son foie volumineux. Mais il possède une masse volumique supérieure à celle de l'eau, ce qui fait qu'il coule dès qu'il cesse de nager. En nageant continuellement, il s'assure que l'eau pénètre dans sa bouche et sort par ses branchies, où les échanges gazeux ont lieu. Cependant, certains requins ainsi qu'un grand nombre de raies et de torpilles passent beaucoup de temps à se reposer au fond de l'eau. Ils doivent alors, à l'aide des muscles de leurs mâchoires et de leur pharynx, aspirer l'eau activement pour l'amener jusqu'à leurs branchies ; deux évents, situés de chaque côté de la tête derrière les yeux, contribuent aussi à l'aspiration de l'eau.

Les requins et les raies les plus volumineux se nourrissent en filtrant le plancton. La plupart des requins sont toutefois carnivores. Ils avalent leur proie entière ou se servent de leurs puissantes mâchoires et de leurs dents tranchantes pour déchirer la chair des Animaux qu'ils ne peuvent avaler en un seul morceau. Les requins possèdent plusieurs rangées de dents qui arrivent graduellement à la partie antérieure de la bouche au fur et à mesure que les vieilles dents tombent. Chez un grand nombre d'espèces, le tube digestif est proportionnellement plus petit que celui de beaucoup d'autres Vertébrés. Cependant, l'intestin possède une **valvule spirale**, c'est-à-dire un repli en forme de tire-bouchon qui accroît la surface d'absorption et ralentit le passage des aliments.

Le mode de vie actif des requins carnivores résulte de certaines adaptations qui se traduisent par une grande acuité sensorielle. Ces Animaux ont une bonne vision, mais ne peuvent discerner les couleurs. Leurs narines ne servent pas à la respiration, car elles se terminent par une impasse et ne peuvent donc conduire l'eau vers les branchies. Elles constituent plutôt des organes olfactifs, comme chez la plupart des Poissons. Sous la peau de la tête et du rostre, des récepteurs détectent le potentiel électrique engendré par les contractions musculaires des Poissons et des autres Animaux qui se trouvent autour. Comme la plupart des autres Vertébrés aquatiques, les requins n'ont pas de tympans, ces structures qui, chez les Vertébrés terrestres, transmettent aux organes auditifs les ondes voyageant dans l'air. Les sons parviennent aux requins par l'intermédiaire de l'eau, et se transmettent à travers tout le corps de l'Animal aux organes auditifs présents dans l'oreille interne.

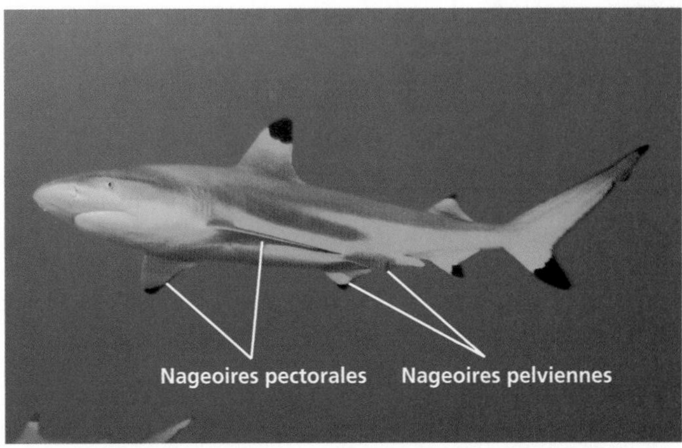

(a) Requin à pointes noires (*Carcharhinus melanopterus*). Les requins sont des nageurs rapides dotés d'une grande acuité sensorielle. Ils sont munis de paires de nageoires pectorales et pelviennes.

(b) Pastenague américaine (*Dasyatis americana*). La plupart des raies sont aplaties et se nourrissent de Mollusques et de Crustacés qu'elles broient avec leurs mâchoires. La majorité des raies vivent au fond de l'eau, mais certaines espèces se déplacent en eau libre et se nourrissent par filtration.

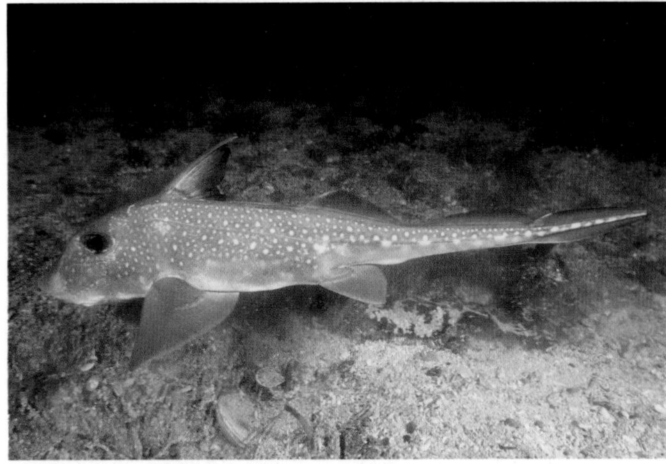

(c) Chimère d'Amérique (*Hydrolagus colliei*). Les chimères vivent pour la plupart à des profondeurs dépassant 80 m et se nourrissent de crevettes, de Mollusques et d'oursins. Certaines espèces possèdent une épine empoisonnée située à l'avant de leur nageoire dorsale.

▲ **Figure 34.15 Chondrichthyens.**

Les requins sont des Animaux à fécondation interne. Grâce à une paire d'appendices copulateurs (les ptérygopodes) placés sur le bord interne des nageoires pelviennes, le mâle peut transférer son sperme dans le système reproducteur de la femelle. Certaines espèces de requins sont **ovipares**, c'est-à-dire que les femelles pondent des œufs qui vont éclore en dehors de leur corps. Avant de libérer leurs œufs, les femelles les enveloppent d'une couche protectrice. D'autres espèces sont **ovovivipares**, c'est-à-dire que les femelles gardent les œufs fécondés dans l'oviducte. L'embryon se nourrit du vitellus de l'œuf et éclot à l'intérieur de l'utérus. Enfin, quelques espèces sont **vivipares**, c'est-à-dire que l'embryon se développe dans l'utérus jusqu'à la naissance et se nourrit des nutriments qui lui parviennent par le placenta muni d'un sac vitellin le reliant au sang de sa mère, absorbe le liquide nutritif produit par l'utérus ou dévore d'autres œufs. Les conduits du système reproducteur aboutissent à une chambre appelée **cloaque**, où se terminent également le système urinaire et le système digestif. Le cloaque s'ouvre sur l'extérieur par un seul orifice.

Le mode de vie des raies diffère grandement de celui des requins, même si les deux types d'Animaux ont des liens de parenté très étroits. La plupart des raies vivent au fond de l'eau. De forme aplatie, elles se nourrissent de Mollusques et de Crustacés qu'elles broient avec leurs mâchoires. Leurs nageoires pectorales sont très allongées et servent à la propulsion. Leur queue ressemble souvent à un fouet et porte, chez un grand nombre d'espèces, un dard venimeux qui aide le Poisson à se défendre.

Les Chondrichthyens ont peu changé depuis plus de 300 millions d'années. Aujourd'hui, ils sont toutefois gravement menacés par la surpêche. En 2003, des chercheurs ont rapporté que, dans le nord-ouest de l'Atlantique, les stocks de requins avaient diminué de 75 % en 15 ans.

Les Actinoptérygiens et les Sarcoptérygiens

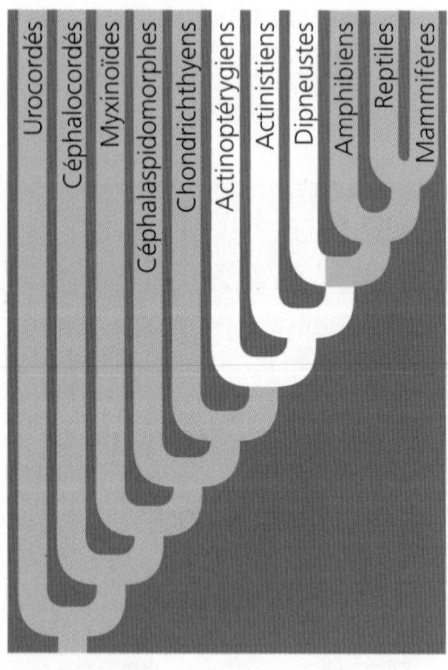

Presque tous les Vertébrés appartiennent à un clade de Gnathostomes, celui des Ostéichthyens. Comme beaucoup de noms taxinomiques, *Ostéichthyens* (qui signifie « Poissons osseux ») a été inventé bien avant l'avènement de la systématique phylogénétique. Au départ, le groupe excluait les Tétrapodes, mais nous savons maintenant qu'un tel taxon serait en fait paraphylétique (voir la figure 34.2). Par conséquent, les systématiciens placent aujourd'hui les Tétrapodes avec les Poissons osseux dans le clade des Ostéichthyens. Il est évident que le nom du groupe ne définit pas avec précision tous ses membres.

Contrairement aux Chondrichthyens, presque tous les **Ostéichthyens** modernes possèdent un endosquelette ossifié (osseux) dont la structure est renforcée par une matrice contenant du phosphore et du calcium. On ne sait pas à quel moment de l'évolution des Gnathostomes s'est produit le passage à un squelette osseux. Il est possible, par exemple, que l'ancêtre commun aux Chondrichthyens et aux Ostéichthyens ait possédé un squelette très ossifié et que les Chondrichthyens aient par la suite perdu une grande partie de ce tissu osseux. Seule la découverte d'autres fossiles de Chondrichthyens et d'Ostéichthyens pourra permettre de résoudre cette question.

Les Ostéichthyens aquatiques sont les Vertébrés que nous appelons familièrement *Poissons*. Leur respiration est assurée par quatre ou cinq paires de branchies situées dans des cavités recouvertes d'une plaque osseuse protectrice appelée **opercule** **(figure 34.16)**. L'eau entre par la bouche, passe par le pharynx et traverse les branchies, d'où elle est expulsée par le mouvement de l'opercule et les contractions des muscles qui se trouvent dans les cavités branchiales.

La majorité des Ostéichthyens peuvent modifier à leur guise leur flottabilité grâce à une poche de gaz appelée **vessie natatoire**. L'arrivée des gaz provenant du sang dans la vessie natatoire augmente la flottabilité, de sorte que l'Animal remonte ; lorsque les gaz retournent vers le sang, l'Animal coule. Charles Darwin, au XIXe siècle, a avancé que les poumons des Tétrapodes s'étaient développés à partir de la vessie natatoire, mais, curieusement, le contraire semble aussi vrai. En effet, les Ostéichthyens appartenant à de nombreuses lignées ayant divergé tôt sont aussi pourvus de poumons, qu'ils utilisent pour respirer de l'air afin de suppléer aux échanges gazeux assurés par leurs branchies. Tout indique donc que les poumons seraient apparus en premier pour ensuite devenir des vessies natatoires dans certaines lignées.

La peau des Ostéichthyens est souvent recouverte d'écailles osseuses plates, tandis que celle des requins est pourvue d'écailles dont la composition ressemble à celle de leurs dents. La viscosité de la peau des Poissons osseux est attribuable à des glandes cutanées qui sécrètent un mucus. Cette adaptation réduit la friction pendant les déplacements. Les Poissons osseux ont en commun avec les requins l'organe sensoriel de la ligne latérale, composé d'une rangée de minuscules dépressions bien visibles de chaque côté du corps.

Le mode de reproduction des Poissons osseux varie d'une espèce à l'autre. La plupart des espèces sont ovipares, c'est-à-dire qu'il y a fécondation externe après la ponte d'une grande quantité de petits œufs par la femelle. Cependant, la fécondation et le développement embryonnaire internes existent chez certaines espèces.

Les Actinoptérygiens (Poissons à nageoires rayonnées)

La presque totalité des Ostéichthyens aquatiques que nous connaissons font partie des Poissons à nageoires rayonnées, ou **Actinoptérygiens** (du grec *aktis*, « rayon », et *pterugion*, « nageoire »). Les diverses espèces d'achigans, de truites, de perches, de thons et de harengs en sont des exemples **(figure 34.17)**. Leurs nageoires, soutenues par de longs rayons flexibles, se sont modifiées notamment pour accroître la souplesse du corps et assurer la défense.

Les Poissons à nageoires rayonnées semblent avoir d'abord vécu en eau douce puis s'être ensuite répandus dans les mers. (Le chapitre 44 traite des adaptations qui résolvent les problèmes osmotiques associés au passage à l'eau salée.) Au cours de leur évolution, de nombreuses espèces de Poissons à nageoires

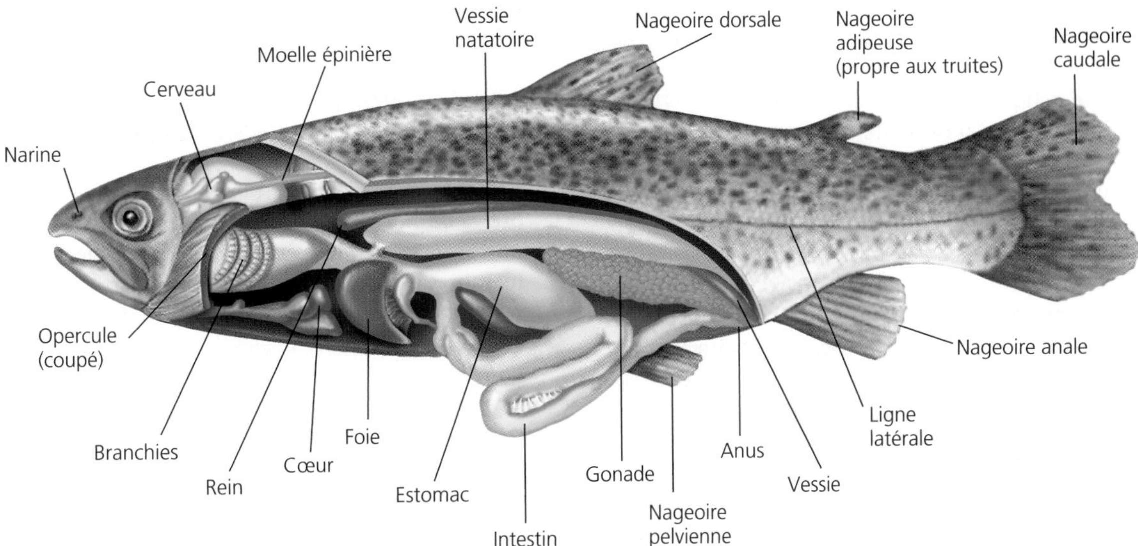

▲ **Figure 34.16 Anatomie d'un Ostéichthyen aquatique, la truite.**

rayonnées sont retournées vivre en eau douce. Certaines d'entre elles, comme les saumons et les truites de mer, revivent d'ailleurs ce passage de l'eau douce à la mer et ce retour à l'eau douce au cours de leur cycle de développement.

Les Poissons à nageoires rayonnées constituent une des principales sources de protéines pour les humains, qui les pêchent depuis des dizaines de milliers d'années. Toutefois, la pêche pratiquée à l'échelle industrielle menace d'effondrement certaines des plus importantes pêcheries au monde. Les Poissons à nageoires rayonnées subissent aussi d'autres contraintes de la part des humains, comme la dérivation des eaux des cours d'eau par des barrages.

Les Sarcoptérygiens (cœlacanthes, Dipneustes et Tétrapodes)

Les Poissons à nageoires rayonnées sont apparus au cours du Dévonien en même temps qu'une autre grande lignée d'Ostéichthyens, les **Sarcoptérygiens**. Le principal caractère dérivé des Sarcoptérygiens est la présence d'os en forme de tige entourés d'une épaisse couche musculaire (*sarcos* signifie « chair », « charnu ») dans les nageoires pectorales et pelviennes. Au cours du Dévonien, de nombreux Sarcoptérygiens vivaient dans des eaux saumâtres, comme celles des milieux humides côtiers. Certains étaient de gigantesques prédateurs. En effet, on trouve

(a) Albacore (*Thunnus albacares*), Poisson rapide vivant en bancs et présentant une importante valeur commerciale dans le monde entier.

(b) Poisson-clown à trois bandes (*Amphiprion ocellaris*), vivant en association mutualiste avec les anémones de mer.

(c) Hippocampe moucheté (*Hippocampus ramulosus*), Poisson présentant une caractéristique inhabituelle pour le règne animal : c'est le mâle qui porte les petits pendant leur développement embryonnaire.

(d) Murène maculée (*Gymnothorax dovii*), prédateur se tapissant dans les fissures des récifs de corail pour surprendre ses proies.

◄ **Figure 34.17 Poissons à nageoires rayonnées, ou Actinoptérygiens.**

souvent des fossiles de dents pointues de la grosseur d'un pouce humain ayant appartenu à ces Animaux du Dévonien. Les Sarcoptérygiens se servaient probablement de leurs nageoires pour nager ou « marcher » sous la surface de l'eau.

Dès la fin du Dévonien, la diversité des Sarcoptérygiens était en décroissance, si bien qu'aujourd'hui seules trois lignées ont survécu. L'une d'entre elles, les cœlacanthes (classe des Actinistiens), est allée habiter dans l'océan **(figure 34.18)**. Les scientifiques croyaient que les cœlacanthes avaient disparu il y a 75 millions d'années, mais, en 1938, des pêcheurs ont capturé un cœlacanthe vivant au large des îles Comores, à l'ouest de l'océan Indien. Ce n'est qu'en 1999 qu'on a découvert une seconde population ailleurs, à l'est de cet océan, près de l'Indonésie. Cette population pourrait représenter une espèce distincte de la première.

La deuxième lignée de Sarcoptérygiens est représentée aujourd'hui par trois genres de Dipneustes, qui vivent tous dans l'hémisphère Sud. Les Dipneustes sont apparus en milieu océanique, mais on ne les trouve aujourd'hui qu'en milieu dulcicole, en général dans les étangs d'eau stagnante et dans les marais. Ils remontent à la surface pour remplir d'air leurs poumons connectés à leur pharynx. Ils possèdent aussi des branchies. Chez les Dipneustes australiens, les branchies sont les principaux organes des échanges gazeux. Pendant la saison sèche, certains Dipneustes s'enfouissent dans la vase et entrent en estivation, c'est-à-dire qu'ils vivent dans un état d'engourdissement comparable à l'état d'hibernation; voir le chapitre 40).

La troisième lignée de Sarcoptérygiens qui a survécu jusqu'à nos jours est beaucoup plus diversifiée que les cœlacanthes et les Dipneustes. Au cours du Dévonien moyen, ces organismes se sont adaptés à la vie sur la terre ferme et ont donné naissance aux Vertébrés terrestres, les Tétrapodes, dont font partie les humains. Le clade des Tétrapodes est le sujet de la prochaine section.

▲ **Figure 34.18 Cœlacanthe (*Latimeria*).** Ce Sarcoptérygien vit en eau profonde, au large des régions côtières du sud de l'Afrique et en Indonésie.

Retour sur le concept 34.4

1. Quels caractères dérivés les requins et les thons ont-ils en commun? Nommez quelques-unes des caractéristiques qui les différencient.
2. Comparez les habitats des trois lignées survivantes de Sarcoptérygiens.

Voir les réponses proposées à la fin du chapitre.

Concept 34.5

Les Tétrapodes sont des Gnathostomes pourvus de membres et de pieds

L'un des événements les plus marquants de l'histoire des Vertébrés a eu lieu il y a environ 360 millions d'années, au moment où les nageoires de certains Sarcoptérygiens sont devenues les membres et les pieds des Tétrapodes. Jusque-là, tous les Vertébrés ressemblaient fondamentalement à des Poissons. Après s'être établis sur la terre ferme, les Tétrapodes ont pris de nombreuses nouvelles formes: certains se déplaçaient en sautant, comme les grenouilles, d'autres volaient, comme les aigles, et d'autres encore étaient bipèdes, comme les humains.

Les caractères dérivés des Tétrapodes

Les **Tétrapodes** (« qui possèdent quatre pieds ») doivent leur nom à leur principal caractère dérivé. Chez eux, les nageoires pectorales et pelviennes ont fait place à des membres les supportant sur la terre ferme dont les pieds munis de doigts leur permettent de transférer au sol les forces créées par les muscles pendant la marche.

La vie sur la terre ferme a apporté beaucoup d'autres modifications au plan d'organisation corporelle des Tétrapodes. Ainsi, les os de la ceinture pelvienne, auxquels sont attachées les pattes postérieures, se sont soudés à la colonne vertébrale, de sorte que les forces créées par ces pattes lorsqu'elles prennent appui sur le sol peuvent être transférées au reste du corps. Les Tétrapodes modernes n'ont pas de fentes branchiales; pendant le développement embryonnaire, les rainures branchiales donnent plutôt naissance à certaines parties des oreilles, à des glandes et à d'autres structures. Les oreilles sont adaptées à la détection des sons aériens.

Comme nous le verrons, certains de ces caractères furent perdus ou profondément modifiés chez diverses lignées de Tétrapodes. Chez les Oiseaux, par exemple, les nageoires pectorales sont devenues des ailes tandis que, chez les baleines, le corps dans son ensemble a pris la forme d'un Poisson (autre exemple de convergence).

L'origine des Tétrapodes

Comme nous l'avons déjà indiqué, les milieux humides côtiers du Dévonien abritaient une grande variété de Sarcoptérygiens. Ceux qui se trouvaient dans des eaux particulièrement peu profondes, pauvres en dioxygène, utilisaient leurs poumons pour respirer. Certaines espèces se servaient sans doute de leurs robustes nageoires pour se déplacer sur des troncs d'arbres ou sur un substrat vaseux. Ainsi, le plan d'organisation corporelle des Tétrapodes n'est pas « tombé du ciel », il s'est simplement modifié à partir d'un plan préexistant.

Dans une certaine lignée de Sarcoptérygiens, les nageoires sont progressivement devenues semblables à des membres, alors que le reste du corps conservait ses adaptations à la vie aquatique. *Acanthostega*, Animal étroitement apparenté aux Tétrapodes qui a vécu au Groenland il y a 365 millions d'années, avait des pattes bien formées, des chevilles et des doigts **(figure 34.19a)**, tout en étant toujours adapté à la vie aquatique. Il était pourvu d'un squelette capable de soutenir des branchies, et sa queue portait des rayons supportant une délicate nageoire qui le propulsait dans l'eau. Ses ceintures pectorale et pelvienne n'avaient cependant pas la force nécessaire pour lui permettre de se déplacer sur la terre ferme. *Acanthostega* se glissait peut-être parfois hors de l'eau, mais c'était avant tout un Animal aquatique.

En 2006, sur l'île d'Ellesmere, dans l'Arctique canadien (Nunavut), des chercheurs américains ont découvert une espèce qu'ils ont baptisée *Tiktaalik roseæ* et qui serait antérieure à *Acanthostega*. Certains des squelettes de *T. roseæ* **(figure 34.19b)**, qui datent de 375 millions d'années, sont très bien conservés. Ils montrent un mélange de caractères des Poissons et de caractères des Tétrapodes. *T. roseæ* possédait des nageoires comme les Poissons; celles-ci avaient une structure osseuse articulée qui rapproche cet Animal des Tétrapodes. Toutefois, il n'avait encore que des ébauches de doigts, contrairement à *Acanthostega*, qui possédait déjà huit doigts aux membres antérieurs.

D'extraordinaires découvertes de fossiles survenues au cours des 20 dernières années ont permis aux paléontologues de reconstruire pour la première fois avec assurance la phylogenèse des Tétrapodes **(figure 34.20)**. Ceux-ci se sont énormément diversifiés au cours du Carbonifère, et certaines espèces atteignaient 2 m de longueur. Si on en juge par la morphologie et l'emplacement de leurs fossiles, la plupart de ces Tétrapodes primitifs demeuraient liés au milieu aquatique, caractéristique qu'ils partagent avec certains membres d'un groupe de Tétrapodes modernes, les Amphibiens.

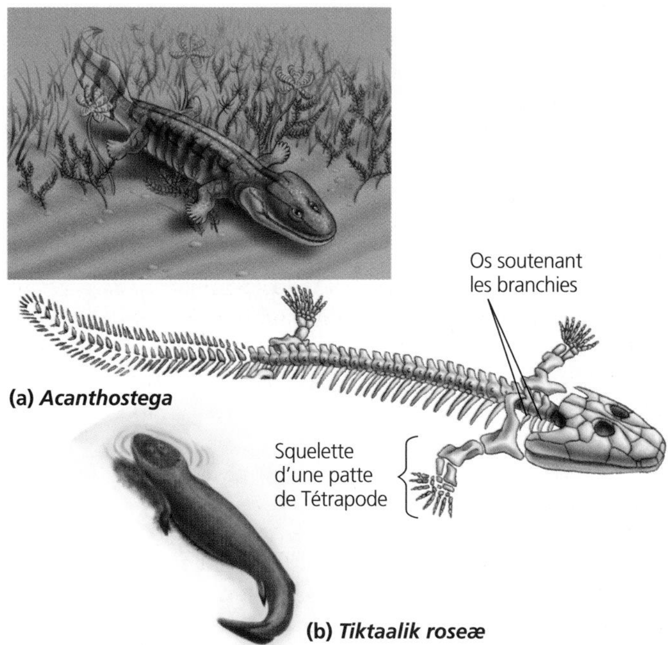

▲ **Figure 34.19 Entre Poissons et Tétrapodes. (a)** Pourvu des appendices caractéristiques des Tétrapodes (des doigts notamment), *Acanthostega* conservait des adaptations primitives à la vie aquatique, comme les branchies. **(b)** *Tiktaalik roseæ*, découvert dans l'Arctique canadien, serait antérieur à *Acanthostega* (ébauches de doigts seulement).

Les Amphibiens

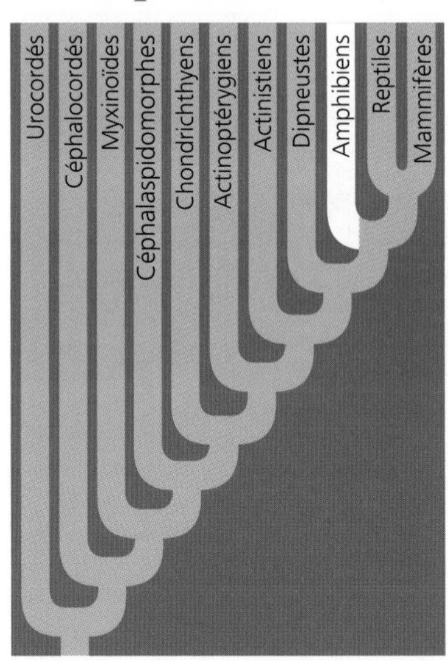

De nos jours, il existe environ 4 800 espèces d'**Amphibiens** réparties en trois ordres: les Urodèles (« présence d'une queue »; salamandres), les Anoures (« absence de queue »; grenouilles, crapauds et rainettes) et les Apodes (« absence de pattes »; cécilies et autres Gymnophiones).

On ne compte que 500 espèces environ d'Urodèles. Certaines d'entre elles vivent uniquement dans l'eau, tandis que d'autres habitent le milieu terrestre toute leur vie ou seulement à l'âge adulte **(figure 34.21a)**. La plupart des salamandres terrestres marchent en se dandinant d'un côté et de l'autre, comme le faisaient les premiers Amphibiens. La pédomorphose est fréquente chez les salamandres aquatiques; l'axolotl (*Ambystoma mexicanum*), par exemple, conserve des caractéristiques larvaires lorsqu'il atteint la maturité sexuelle (voir la figure 24.17).

Les Anoures comptent près de 4 200 espèces. Ils sont mieux adaptés que les Urodèles aux déplacements sur la terre ferme **(figure 34.21b)**. Les grenouilles adultes utilisent leurs puissantes pattes postérieures pour sauter. Elles déploient leur langue gluante, fixée à l'avant de la bouche, pour attraper des Insectes. Elles ont acquis une grande variété de caractéristiques qui les protègent des prédateurs plus gros qu'elles. Ainsi, leurs glandes sous-cutanées peuvent sécréter un mucus désagréable, parfois même toxique. De nombreuses espèces venimeuses affichent des couleurs brillantes, que les prédateurs semblent associer au danger (voir la figure 53.6). D'autres présentent des motifs qui leur permettent de se camoufler (voir la figure 53.5).

On dénombre environ 150 espèces d'Apodes (ou Gymnophiones), dont les cécilies. Ces Amphibiens ne possèdent pas de pattes, sont presque aveugles et ressemblent à des vers de terre **(figure 34.21c)**. Leur absence de pattes constitue un caractère secondaire, car ils sont issus d'un ancêtre qui en était pourvu. La plupart des espèces d'Apodes creusent le sol humide des forêts tropicales, mais quelques-unes vivent dans les étangs et les ruisseaux d'Amérique du Sud.

Le terme *amphibien* signifie « deux vies » et fait référence à la métamorphose qui a lieu chez de nombreuses espèces de grenouilles **(figure 34.22)**. Le stade larvaire de la grenouille est le têtard. Celui-ci est habituellement un herbivore aquatique possédant des branchies, un organe sensoriel de la ligne latérale semblable à celui des Poissons et une longue queue organisée comme une nageoire. Dépourvu de pattes, le têtard nage grâce au mouvement ondulatoire de sa queue. Pendant la métamorphose qui conduit l'Animal à sa « seconde vie » se forment des pattes, des poumons, une paire de tympans externes et un système digestif capable d'assimiler des protéines animales. En même temps disparaissent les branchies et, chez la plupart des espèces, la ligne latérale. Le jeune Tétrapode monte ensuite sur la rive et entreprend sa vie de prédateur terrestre. Malgré leur nom, un grand nombre d'Amphibiens, dont certaines grenouilles, ne connaissent pas le stade aquatique de têtard, et beaucoup ne vivent pas de « double vie ». On trouve, parmi les trois ordres d'Amphibiens, des espèces exclusivement aquatiques et des espèces exclusivement terrestres. De plus, chez les Urodèles et les Apodes, les larves ont presque la même forme que les adultes et sont carnivores comme eux.

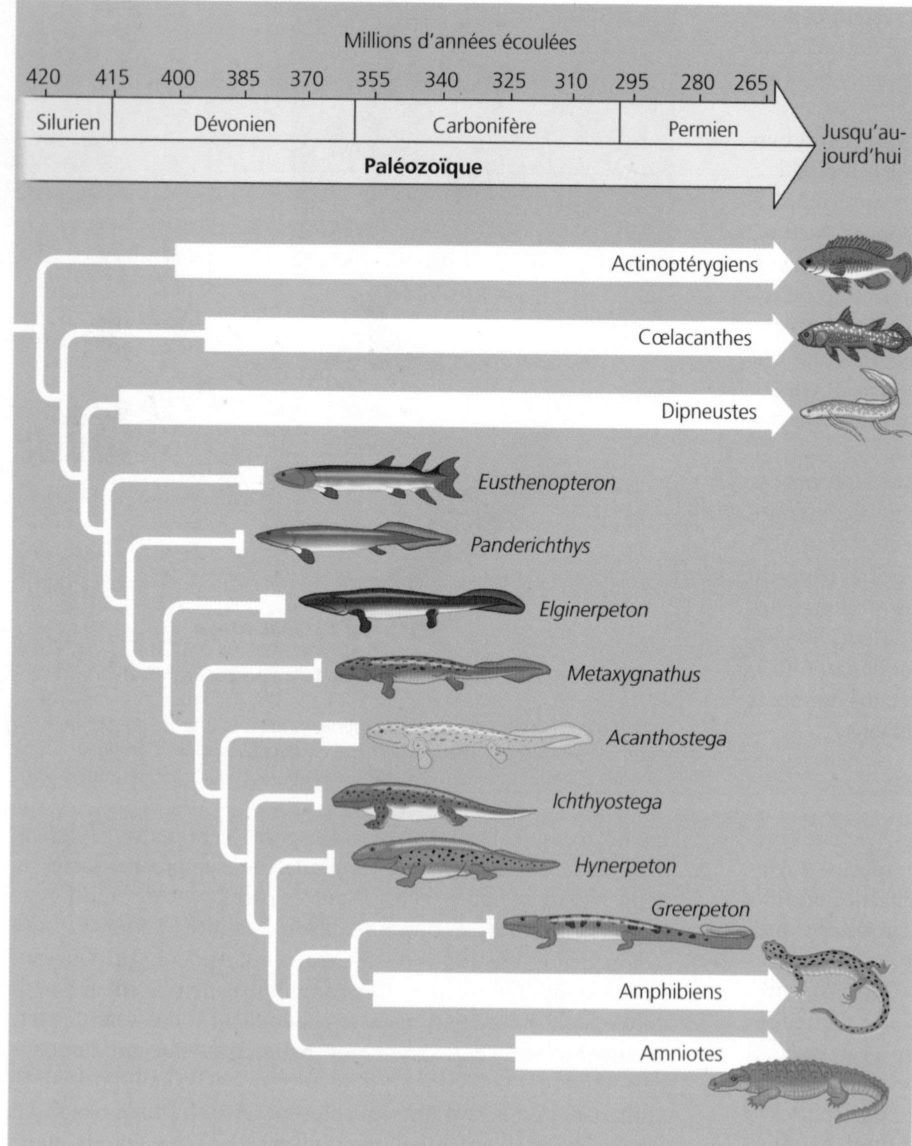

▲ **Figure 34.20 Phylogenèse des Tétrapodes.** La section élargie de chacune des branches représente la période pendant laquelle le fossile a existé (la flèche indique une persistance de la lignée jusqu'aujourd'hui). Les silhouettes des Animaux disparus ont été reconstituées à partir de fossiles. Les couleurs sont une fantaisie de l'artiste.

(a) Ordre des Urodèles. Les Urodèles (salamandres) conservent leur queue à l'âge adulte.

(b) Ordre des Anoures. Les Anoures, comme ce dendrobate fraise (*Dendrobates pumilio*), n'ont pas de queue à l'âge adulte.

(c) Ordres des Apodes. Les Apodes, aussi appelés *Gymnophiones*, sont des Amphibiens sans pattes, qui vivent surtout dans des terriers, comme la cécilie.

▲ **Figure 34.21 Amphibiens.**

La plupart des Amphibiens vivent dans des habitats humides tels que les marais et les forêts tropicales. Même les grenouilles qui se sont adaptées à des habitats plus secs passent une bonne partie de leur temps dans des terriers ou sous des feuilles mouillées, où le taux d'humidité est élevé. La plupart des espèces dépendent, pour leur respiration, de leur peau, par où se font de 25 à 50 % des échanges gazeux. Certaines espèces terrestres n'ont pas de poumons; elles respirent uniquement par la peau et la bouche.

La fécondation a lieu à l'extérieur du corps chez la plupart des Amphibiens: le mâle agrippe la femelle et répand son sperme sur les œufs à mesure que celle-ci les pond (voir la figure 34.22a). Les Amphibiens déposent habituellement leurs œufs dans l'eau ou dans des milieux terrestres humides. Dépourvus de coquille, ces œufs se déshydratent rapidement lorsqu'ils sont exposés à l'air. Certaines espèces pondent une très grande quantité d'œufs dans des étangs temporaires; le taux de mortalité est élevé. Mais on en trouve qui pondent une quantité restreinte d'œufs auxquels elles prodiguent divers soins parentaux. Les mâles ou les femelles, selon l'espèce, incubent les œufs sur leur dos, dans leur bouche ou même leur estomac. Certaines grenouilles vivant sur les arbres tropicaux déposent leurs œufs dans des nids mousseux, dont le taux d'humidité assure une protection contre le dessèchement. Il existe aussi des espèces ovovivipares et même des espèces vivipares chez lesquelles la femelle porte les œufs dans son système reproducteur, où les embryons se développent sans risquer de se dessécher.

Les Amphibiens manifestent des comportements sociaux complexes et diversifiés, particulièrement pendant la saison des amours. Les grenouilles sont habituellement des Animaux calmes. Toutefois, en période de reproduction, elles deviennent très bruyantes. Les mâles émettent des sons pour défendre leur territoire d'accouplement ou attirer des femelles. Certaines espèces terrestres migrent vers des sites d'accouplement précis en utilisant la communication de type vocal ou en s'orientant d'après les étoiles ou des stimulus chimiques.

(b) Le têtard est un herbivore aquatique possédant des branchies internes et une queue en forme de nageoire.

(a) En agrippant la femelle, le mâle stimule la ponte des œufs. La ponte et la fécondation ont lieu sous l'eau, car les œufs, recouverts de gelée mais dépourvus de coquille, se dessécheraient à l'air libre.

(c) Pendant la métamorphose, les branchies et la queue se résorbent, tandis que les pattes se forment.

▲ **Figure 34.22 Cycle de développement de la grenouille rousse (*Rana temporaria*).**

Depuis 25 ans, les zoologistes s'alarment du déclin rapide de la population d'Amphibiens dans le monde. Les causes sont multiples. Le phénomène serait attribuable notamment à la dégradation de l'environnement de ces Animaux et à la propagation d'un Chytridiomycète pathogène (voir le chapitre 31). Parmi les facteurs environnementaux nuisibles, on compte les précipitations acides, qui sont particulièrement dommageables, car les Amphibiens ont besoin d'un milieu humide pour effectuer leur cycle de développement.

Retour sur le concept 34.5

1. *Acanthostega* était-il un Tétrapode terrestre ? Expliquez votre réponse.
2. Certains Amphibiens ne quittent jamais le milieu aquatique, alors que d'autres peuvent survivre dans des environnements terrestres relativement secs. Comparez les adaptations qui favorisent ces deux modes de vie.

Voir les réponses proposées à la fin du chapitre.

Concept 34.6

Les Amniotes sont des Tétrapodes dont l'œuf est adapté au milieu terrestre

Les **Amniotes** forment un groupe de Tétrapodes dont les membres modernes sont les Reptiles (groupe qui comprend les Oiseaux) et les Mammifères **(figure 34.23)**. Au cours de leur évolution, les Amniotes ont acquis de nombreuses nouvelles adaptations à la vie sur la terre ferme.

Les caractères dérivés des Amniotes

Le nom **Amniotes** provient du principal caractère du clade, l'œuf amniotique, qui contient des membranes spécialisées protégeant l'embryon **(figure 34.24)**. Comme leur nom l'indique, ces **membranes extraembryonnaires**, qui ne font pas partie du corps de l'embryon, se développent à partir de couches tissulaires produites par celui-ci. Elles permettent les échanges gazeux, l'entreposage des déchets et le transfert à l'embryon des nutriments mis en réserve. L'œuf amniotique tire son nom de l'une de ces membranes : l'amnios, qui entoure une cavité remplie de liquide amniotique qui amortit les chocs et dans laquelle baigne l'embryon.

Contrairement aux œufs des Amphibiens, les œufs amniotiques de la plupart des Reptiles et de certains Mammifères sont protégés par une coquille. La coquille des œufs des Oiseaux est calcique (composée de carbonate de calcium) et inflexible, tandis que celle de nombreux autres Reptiles est tannée et flexible. La coquille ralentit considérablement la déshydratation de l'œuf exposé à l'air ; c'est une adaptation qui a permis aux Amniotes d'occuper une plus grande variété d'habitats terrestres que les Amphibiens, leurs plus proches parents. (Les graines ont joué un rôle semblable dans l'évolution des Végétaux terrestres, comme il est indiqué au chapitre 29.) Chez la plupart des Mammifères, la coquille est devenue superflue, car l'embryon se développe à l'intérieur du corps de la mère.

Les Amniotes présentent aussi d'autres adaptations à la vie sur la terre ferme, dont une peau moins perméable et la capacité d'utiliser la cage thoracique pour ventiler les poumons. Les pattes des Tétrapodes les plus primitifs et celles des Amphibiens

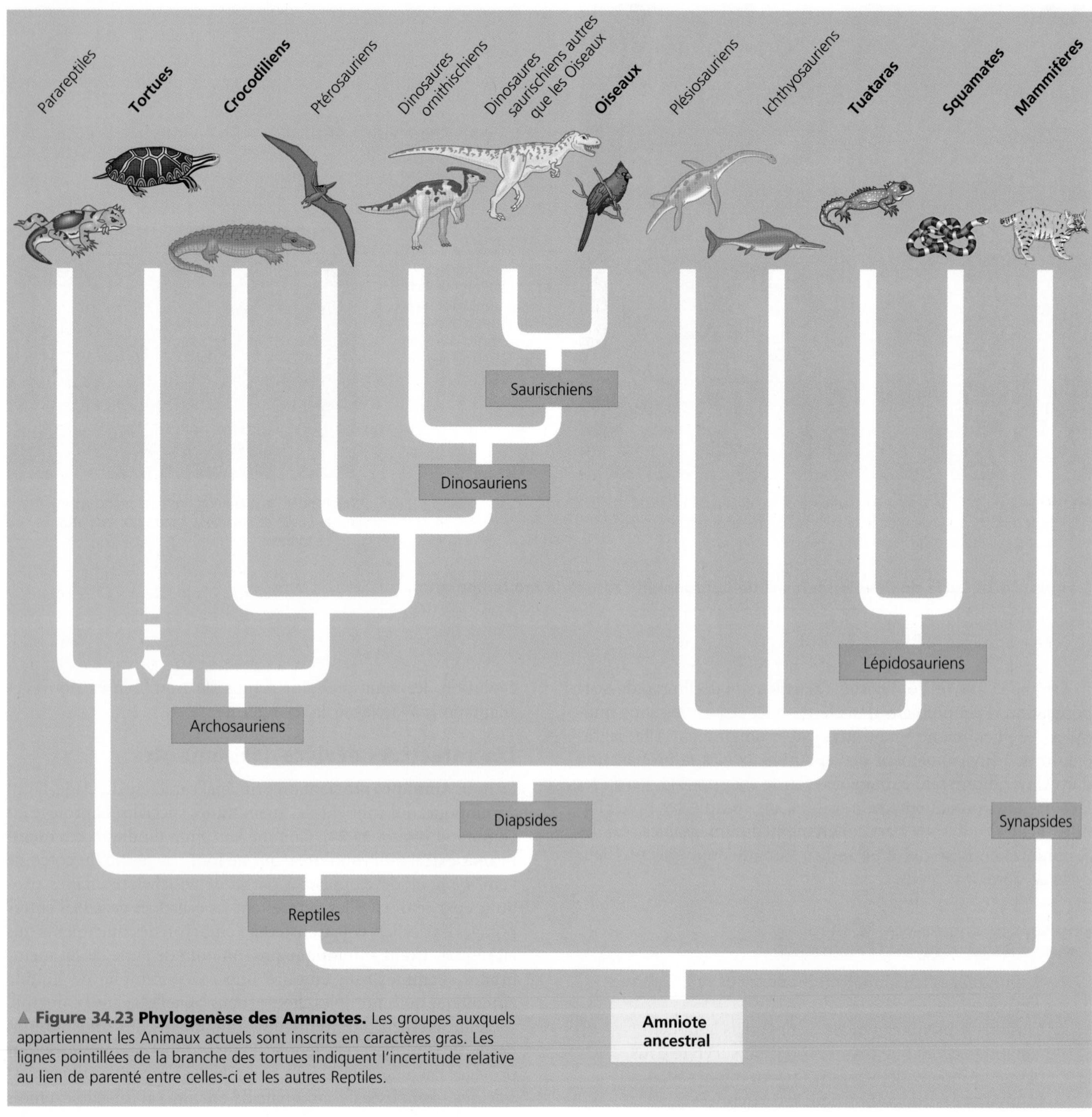

▲ **Figure 34.23 Phylogenèse des Amniotes.** Les groupes auxquels appartiennent les Animaux actuels sont inscrits en caractères gras. Les lignes pointillées de la branche des tortues indiquent l'incertitude relative au lien de parenté entre celles-ci et les autres Reptiles.

modernes s'étendent en général vers l'extérieur, tandis que celles des Amniotes modernes leur permettent, à divers degrés, de s'élever au-dessus du sol.

Les premiers Amniotes

Le plus récent ancêtre commun des Amphibiens et des Amniotes modernes a vécu il y a environ 340 millions d'années, au cours du Carbonifère. On n'a découvert aucun œuf amniotique fossilisé remontant à cette période, ce qui n'a rien d'étonnant compte tenu de sa fragilité. Ainsi, on ne sait pas encore quand l'œuf amniotique est apparu, bien qu'il ait sûrement existé chez le dernier ancêtre commun des Amniotes modernes, qui produisent tous des œufs amniotiques.

Les fossiles des premiers Amniotes et de leurs plus proches parents révèlent cependant qu'ils vivaient dans des milieux plus secs que les Tétrapodes qui les ont précédés. Certains étaient herbivores, comme le prouvent leurs dents broyeuses et d'autres caractéristiques. Les Amniotes herbivores ont commencé à consommer de grandes quantités de matières végétales, puis sont devenus à leur tour des proies chassées par de grands Amniotes.

Les Reptiles

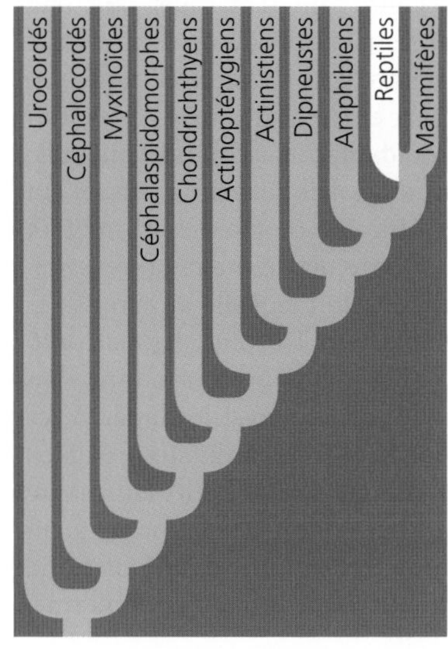

Le clade des **Reptiles** comprend les tuataras, les lézards, les serpents, les tortues, les Crocodiliens et les Oiseaux, ainsi qu'un certain nombre de groupes disparus, par exemple les grands Dinosaures non volants. Comme tous les Reptiles modernes possèdent de très nombreux caractères dérivés, aucun d'entre eux ne peut représenter directement les premiers Reptiles, qui ont vécu il y a quelque 320 millions d'années. Quoi qu'il en soit, des études comparatives permettent de découvrir par déduction certains des caractères dérivés susceptibles d'avoir distingué les Reptiles primitifs des autres Tétrapodes.

Contrairement aux Amphibiens, les Reptiles portent des écailles contenant de la kératine. Les écailles procurent une imperméabilité qui aide à prévenir la déshydratation causée par la sécheresse de l'air. (Chez les crocodiles, qui sont adaptés à la vie aquatique, des écailles plus perméables, les scutelles, sont apparues.) Les écailles empêchent les Reptiles de respirer par la peau comme les Amphibiens; chez la plupart des Reptiles, les échanges gazeux sont assurés exclusivement par les poumons. Les tortues font cependant exception à cette règle; chez beaucoup d'espèces, les surfaces humides du cloaque servent aux échanges gazeux.

La majorité des Reptiles pondent, sur le sol, des œufs amniotiques protégés par une coquille **(figure 34.25)**. La fécondation de ces œufs est interne. Elle doit se produire avant la sécrétion de la substance qui forme la coquille. De nombreuses espèces de serpents et de lézards sont vivipares. Leur embryon s'entoure de plusieurs membranes extraembryonnaires qui forment le placenta. Ce dernier permet à l'embryon de recevoir les nutriments fournis par la mère.

On dit des Reptiles qu'ils sont des «Animaux à sang froid», car ils utilisent peu leur métabolisme pour produire leur chaleur corporelle. Cependant, les Reptiles adoptent certains comportements qui leur permettent d'adapter leur température corporelle. Ainsi, un grand nombre de lézards se font chauffer sous les rayons du Soleil lorsque l'air est frais, mais cherchent l'ombre si celui-ci devient trop chaud. Les Reptiles sont donc des **ectothermes**, c'est-à-dire qu'ils absorbent la chaleur externe plutôt que de produire entièrement leur propre chaleur. (La régulation de la température corporelle est traitée au chapitre 40.) En se servant de l'énergie solaire comme source de chaleur, ils peuvent survivre avec moins de 10 % de l'apport énergétique dont ont besoin les Mammifères de même taille. Les Animaux qui font partie du clade des Reptiles ne sont pas tous ectothermes; les Oiseaux sont **endothermes**, c'est-à-dire qu'ils peuvent conserver la chaleur corporelle grâce à leur métabolisme.

L'origine et la radiation adaptative des Reptiles

Les plus anciens fossiles reptiliens datent de la fin du Carbonifère et ont environ 300 millions d'années. Ils ont été retrouvés dans des roches sédimentaires du Kansas, aux États-Unis. Le premier grand groupe de Reptiles était celui des **Parareptiles**, pour la plupart des herbivores quadrupèdes gros et trapus. La peau de certains était recouverte de plaques dermiques qui les protégeaient vraisemblablement des prédateurs (surtout les Synapsides, les ancêtres des Mammifères, dont il sera question plus loin dans le chapitre). Les Parareptiles ont disparu il y a environ 200 millions d'années, à la fin du Trias. Selon certains systématiciens, ils auraient donné naissance aux tortues, compte tenu de la possible homologie entre les plaques dermiques des Parareptiles et la carapace des tortues. Mais des études moléculaires indiquent que les tortues seraient plutôt issues d'autres Reptiles. Les experts ne s'entendent toujours pas sur cette question.

Pendant que les Parareptiles déclinaient, un clade tout aussi ancien de Reptiles, les **Diapsides**, se diversifiait. L'un des plus

Membranes extraembryonnaires

Allantoïde. L'allantoïde est un genre de sac où sont entreposés les déchets métaboliques produits par l'embryon. Avec le chorion, elle est l'organe respiratoire de l'embryon.

Chorion. Le chorion et l'allantoïde sont responsables des échanges gazeux entre l'embryon et l'environnement. Le dioxygène et le dioxyde de carbone diffusent librement à travers la coquille de l'œuf.

Sac vitellin. Le sac vitellin s'étend tout autour du vitellus, qui est une réserve de nutriments. Les vaisseaux sanguins du sac vitellin acheminent les nutriments du vitellus jusqu'à l'embryon. L'albumine (blanc de l'œuf) constitue l'autre réserve de nutriments.

Amnios. L'amnios protège l'embryon contre le dessèchement et les chocs. Il constitue la paroi d'une cavité remplie de liquide.

Embryon

Cavité amniotique remplie de liquide amniotique

Vitellus (nutriments)

Coquille

Albumine

▲ **Figure 34.24 Œuf amniotique.** Les embryons des Reptiles et des Mammifères produisent quatre membranes extraembryonnaires: l'amnios, le sac vitellin, l'allantoïde et le chorion. Sur cette illustration, on voit les membranes extraembryonnaires qui se trouvent à l'intérieur d'un œuf de Reptile.

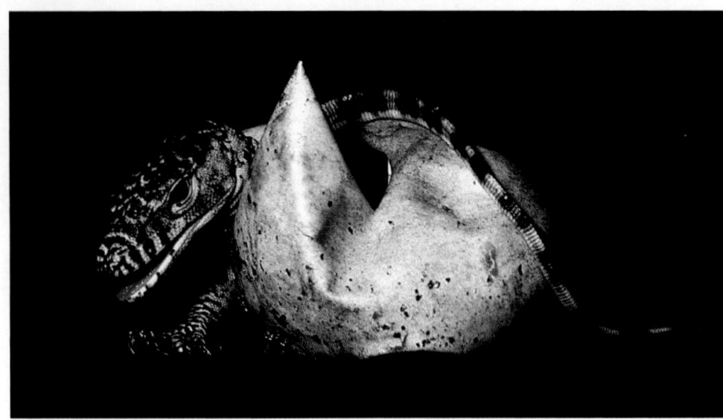

▲ **Figure 34.25 Éclosion d'un Reptile.** Ce varan de Komodo (*Varanus komodœnsis*) brise la coquille molle de son œuf. La plupart des Reptiles autres que les Oiseaux pondent ce type d'œuf, dont la coquille a une texture semblable à celle d'un papier-parchemin.

manifestes caractères dérivés des Diapsides est la paire d'orifices de chaque côté de leur crâne, derrière l'orbite de l'œil. Les Diapsides comptent deux grandes lignées. La première a donné naissance aux **Lépidosauriens**, qui comprennent les tuataras, les lézards et les serpents. Elle est aussi à l'origine d'un certain nombre de Reptiles marins, dont les Plésiosauriens et les Ichthyosauriens (voir la figure 34.23), qui, dans certains cas, atteignaient une longueur comparable à celle des rorquals d'aujourd'hui; tous sont disparus. (Il sera bientôt question des Lépidosauriens modernes.)

L'autre lignée de Diapsides, les **Archosauriens**, a engendré les Crocodiliens (dont nous parlerons plus loin) et de nombreux groupes aujourd'hui éteints, dont les **Ptérosauriens**, qui, apparus vers la fin du Trias, ont été les premiers Tétrapodes volants. L'aile des Ptérosauriens était complètement différente de celle des Oiseaux et des chauves-souris. Elle était constituée d'une membrane velue qui s'étirait du tronc ou de la patte postérieure jusqu'à un doigt très allongé sur la patte antérieure. Des fossiles bien préservés révèlent la présence de muscles, de vaisseaux sanguins et de nerfs dans cette membrane, ce qui donne à penser que les Ptérosauriens pouvaient la rectifier dynamiquement de façon à faciliter leur vol.

Les plus petits Ptérosauriens n'étaient pas plus gros qu'une mouette, alors que les ailes des plus gros avaient une envergure de presque 11 m. Ces Animaux semblent avoir convergé vers de nombreux rôles écologiques ultérieurement assumés par les Oiseaux; certains étaient insectivores, d'autres saisissaient des Poissons nageant à la surface des océans, et d'autres encore filtraient de petits Animaux à l'aide d'un long bec. À la fin du Crétacé, il y a 65 millions d'années, les Ptérosauriens avaient disparu.

Sur la terre ferme, les **Dinosauriens**, ou Dinosaures, ont adopté une vaste gamme de formes et de tailles, allant du bipède pas plus gros qu'un pigeon au quadrupède de 45 m de longueur doté d'un cou s'étirant jusqu'à la cime des arbres. Une branche de Dinosaures, les Ornithischiens, était herbivore; elle comprenait de nombreuses espèces possédant des défenses complexes contre les prédateurs, comme les massues caudales et les crêtes cornues. L'autre grande branche de Dinosaures, les Saurischiens, incluait les géants au cou allongé et un groupe de carnivores bipèdes appelés **Théropodes**. Le fameux *Tyrannosaurus rex* ainsi que les ancêtres des Oiseaux faisaient partie des Théropodes.

Les scientifiques ne s'entendent pas quant au métabolisme des Dinosaures. Certains chercheurs font remarquer que, dans une grande partie de l'aire de distribution de ces Animaux, le climat du Mésozoïque était relativement chaud et uniforme. Ils avancent que le faible rapport entre la surface et le volume des grands Dinosaures, et des adaptations comportementales comme l'exposition aux rayons du Soleil peuvent avoir été suffisants pour permettre à un ectotherme de maintenir une température corporelle satisfaisante. Toutefois, certaines observations anatomiques appuient l'hypothèse selon laquelle au moins certains Dinosaures étaient endothermes. De plus, les paléontologues ont découvert des fossiles de Dinosaures tant dans l'Antarctique que dans l'Arctique; or, même si le climat de ces régions était plus doux à l'époque où ces Animaux existaient qu'aujourd'hui, il était assez frais pour que de petits Dinosaures aient de la difficulté à maintenir par endothermie une température corporelle élevée. Les Dinosaures qui ont donné naissance aux Oiseaux étaient pour leur part *certainement* endothermes, comme tous les Oiseaux.

On a longtemps cru que les Dinosaures étaient des Animaux lents et apathiques. Mais, depuis le début des années 1970, la découverte de nouveaux fossiles et des recherches permettent de conclure que beaucoup d'entre eux étaient probablement agiles, rapides et, dans le cas de certaines espèces, sociables. Les paléontologues ont aussi découvert que certains prodiguaient des soins à leurs petits **(figure 34.26)**.

À la fin du Crétacé, tous les Dinosaures (sauf les Oiseaux) avaient disparu. Toutefois, les archives géologiques indiquent que le nombre de leurs espèces avait commencé à diminuer plusieurs millions d'années avant la fin de cette période. On ignore encore si l'extinction des Dinosaures a été précipitée par l'impact de l'astéroïde ou de la comète dont il a été question au chapitre 26, car de nombreux autres Vertébrés terrestres, y compris la plupart des Mammifères, ont survécu.

Les Lépidosauriens

Deux espèces de tuataras, des Reptiles apparentés aux lézards, représentent une lignée survivante de Lépidosauriens **(figure 34.27a)**. Des Animaux apparentés aux tuataras ont vécu il y a au moins 220 millions d'années; d'une longueur pouvant atteindre un mètre, ils ont prospéré sur de nombreux continents pendant une bonne partie du Crétacé. Aujourd'hui, on ne trouve cependant les tuataras que sur 30 îles situées au large des côtes de la Nouvelle-Zélande. Lorsque les humains sont arrivés dans ce pays il y a 750 ans, les rats qui les accompagnaient ont dévoré les œufs des tuataras, si bien qu'ils ont fini par éliminer ces Reptiles dans les îles principales. Les tuataras qui subsistent dans les îles avoisinantes mesurent environ 50 cm de longueur et se nourrissent d'Insectes, de petits lézards, ainsi que d'œufs et de petits d'Oiseaux. Ils peuvent vivre jusqu'à 100 ans. Leur survie dépend de l'absence de rats dans les habitats qu'ils ont conservés.

L'autre grande lignée de Lépidosauriens moderne est celle des Squamates (lézards et serpents). Aujourd'hui, les lézards forment le groupe de Reptiles le plus important et le plus diversifié **(figure 34.27b)**. Ils sont pour la plupart petits; découvert en République dominicaine en 2001, le lézard Jaragua, qui ne mesure que 16 mm, tiendrait aisément sur une pièce de 10 cents. Par contre, le dragon de Komodo, qui vit en Indonésie, peut atteindre

▲ **Figure 34.26 Soins parentaux chez les Dinosaures.** Ce fossile de Dinosaure (découvert en Mongolie) en train de couver ses œufs nous renseigne sur la façon dont ces Animaux prenaient soin de leurs œufs et de leurs petits. Appelé *Oviraptor*, ce Dinosaure, qui a vécu il y a 80 millions d'années, couvrait ses œufs de ses membres, qui portaient peut-être des plumes.

3 m de longueur. Il chasse les cerfs et d'autres grosses proies en leur transmettant par sa morsure des bactéries mortelles. Il traque ensuite lentement l'Animal blessé qui meurt des suites de l'infection.

Les serpents sont des Lépidosauriens sans pattes qui descendent de lézards étroitement apparentés au dragon de Komodo **(figure 34.27c)**. Aujourd'hui, certaines espèces de serpents conservent des vestiges des os qui formaient le bassin et les membres, ce qui confirme leur ascendance.

Bien qu'ils n'aient pas de pattes, les serpents se déplacent avec beaucoup de facilité sur la terre ferme, le plus souvent à l'aide de mouvements ondulatoires latéraux qui se propagent de la tête à la queue. Ce sont les forces exercées par les mouvements ondulatoires contre des objets solides qui permettent au serpent d'avancer. Les serpents peuvent aussi se mouvoir en utilisant leurs écailles ventrales pour agripper le sol en plusieurs endroits de leur corps : les écailles situées aux points intermédiaires sont alors soulevées légèrement du sol et entraînées vers l'avant.

Les serpents sont carnivores et présentent des adaptations qui favorisent la prédation. Ils possèdent des chimiorécepteurs très sensibles et, s'ils n'ont pas de tympans, ils peuvent sentir les vibrations du sol et ainsi détecter les mouvements de leurs proies. Les Vipéridés, par exemple les crotales, possèdent entre leurs yeux et leurs narines des détecteurs de chaleur (thermorécepteurs) grâce auxquels ils perçoivent d'infimes variations de température. Cette adaptation permet à ces chasseurs nocturnes de localiser leurs proies. Les serpents venimeux, eux, injectent leurs neurotoxines au moyen d'une paire de dents ou de crochets creux et pointus. Leur langue n'administre pas le venin, mais contribue à acheminer les odeurs vers les organes olfactifs situés dans la paroi supérieure de la cavité buccale. La majorité des serpents possèdent des mâchoires lâchement fixées au crâne qui leur permettent d'avaler des proies plus grandes que le diamètre de leur corps.

Les tortues

Les tortues forment le groupe de Reptiles modernes le plus particulier. Toutes sont pourvues d'une carapace en forme de coffre dont les parties supérieure et inférieure sont soudées aux vertèbres, aux clavicules et aux côtes **(figure 34.27d)**. Chez la plupart des espèces, la dureté de la carapace offre une excellente protection contre les prédateurs. Les plus anciens fossiles de tortues, qui datent d'il y a environ 220 millions d'années, présentent des carapaces bien formées. Tant que les scientifiques n'auront pas de fossiles transitionnels à analyser, l'origine de la carapace de la tortue demeurera mystérieuse. Comme nous l'avons mentionné plus tôt, certains paléontologues croient que la carapace de la tortue s'est développée à partir des plaques dermiques des Parareptiles. Par ailleurs, d'autres études établissent un lien de parenté entre les tortues et les Archosauriens ou les Lépidosauriens.

Les premières tortues étaient incapables de rentrer la tête dans leur carapace, mais les mécanismes nécessaires à cette action sont apparus indépendamment dans deux embranchements distincts. Les tortues au cou latéral (Pleurodires) replient leur cou horizontalement, tandis que les tortues au cou vertical (Cryptodires) le replient verticalement.

Certaines tortues se sont adaptées à la vie dans les déserts, et d'autres vivent presque exclusivement dans les étangs et les cours d'eau. D'autres encore sont retournées à la mer. Les tortues de mer possèdent une carapace réduite et des membres antérieurs élargis qui servent de nageoires. Cette radiation a produit les plus grosses tortues modernes, les tortues-luths, dont la masse peut atteindre 1 500 kg. Se nourrissant de méduses, celles-ci plongent jusqu'à 60 m de profondeur. Elles et d'autres tortues de mer sont menacées par les bateaux de pêche qui les capturent accidentellement dans leurs filets, ainsi que par l'exploitation par les humains des plages où elles pondent leurs œufs.

Les alligators et les crocodiles

Les crocodiles, les caïmans et les alligators (Crocodiliens) appartiennent à une lignée d'Archosauriens dont l'origine remonte à la fin du Trias **(figure 34.27e)**. Les premiers membres de cette lignée étaient de petits quadrupèdes terrestres aux pattes longues et fines. Au fil du temps, les espèces sont devenues plus grosses et se dont adaptées aux habitats aquatiques en respirant l'air au moyen de narines situées au sommet du crâne. Certains Crocodiliens du Mésozoïque atteignaient 10 m de longueur et s'attaquaient peut-être à de grands Dinosaures.

On trouve les Crocodiliens modernes dans les régions chaudes d'Afrique, de Chine, d'Indonésie, d'Inde, d'Australie et d'Amérique du Sud, ainsi que dans le sud-ouest des États-Unis. Dans cette dernière région, la population d'alligators croît aujourd'hui à un rythme soutenu, après avoir été menacée d'extinction durant plusieurs années.

(a) Tuatara (*Sphenodon punctatus*)

(b) Diable cornu d'Australie (*Moloch horridus*)

(c) Vipère de Wagler (*Tropidolæmus wagleri*)

(d) Tortue-boîte du Golfe (*Terrapene carolina carolina*)

(e) Alligator américain (*Alligator mississippiensis*)

▲ **Figure 34.27 Reptiles actuels (autres que les Oiseaux).**

Les Oiseaux

Il existe 8 600 espèces d'Oiseaux dans le monde. Comme les Crocodiliens, les Oiseaux sont des Archosauriens, mais presque toutes les caractéristiques de leur anatomie reptilienne ont subi des modifications en raison de leur adaptation au vol.

Les caractères dérivés des Oiseaux

Bon nombre des caractères des Oiseaux sont des adaptations qui facilitent le vol, notamment celles qui favorisent la réduction de la masse en vue de rendre le vol plus efficace. Ainsi, ces Animaux n'ont pas de vessie et, chez la plupart des espèces, les femelles ne possèdent qu'un seul ovaire. Les gonades des mâles et des femelles sont en général petites, sauf pendant la saison des amours, au cours de laquelle leur taille augmente. Les Oiseaux actuels sont aussi dépourvus de dents, une adaptation qui réduit le poids de la tête. Le crâne est particulièrement léger, bien que l'ensemble du squelette de l'Oiseau ne soit pas plus léger, par rapport à la masse corporelle, que celui d'un Mammifère d'une taille comparable.

Les ailes et les plumes constituent les adaptations au vol les plus manifestes **(figure 34.28)**. Les plumes sont constituées d'une protéine, la bêta-kératine, qu'on trouve également dans les écailles d'autres Reptiles. La forme et la disposition des plumes donnent leur profil aux ailes, qui obéissent à certains des mêmes principes d'aérodynamique que les ailes d'un avion. Les Oiseaux battent des ailes en contractant leurs grands muscles pectoraux (de la poitrine), qui sont reliés au sternum par un bréchet et qui produisent la force nécessaire au décollage et au vol par la suite. Certains Oiseaux, comme les buses et les pygargues, ont des ailes adaptées au vol plané; ils se laissent porter par les courants d'air et ne battent des ailes qu'occasionnellement (voir la figure 34.28). D'autres, comme le colibri, doivent battre des ailes continuellement pour rester dans les airs. Les martinets sont les plus rapides; ils peuvent voler sur de longs trajets à une vitesse de 170 km/h.

Le vol procure de nombreux avantages. Il facilite la chasse et le charognage; beaucoup d'Oiseaux se nourrissent d'Insectes volants, ressource alimentaire abondante et très nutritive. Le vol permet aussi de fuir rapidement devant les prédateurs terrestres; grâce à lui, certains Oiseaux peuvent voyager sur de grandes distances afin d'exploiter d'autres sources de nourriture et de nouvelles zones de reproduction saisonnières.

Le vol nécessite un métabolisme actif qui se traduit par de grandes dépenses d'énergie. Les Oiseaux étant endothermes, ils utilisent l'énergie produite par leur métabolisme pour maintenir une température corporelle élevée. Les plumes et la couche de gras qui enveloppent le corps de certaines espèces contribuent également à la thermorégulation. Les systèmes respiratoire et cardiovasculaire fournissent efficacement dioxygène et nutriments aux tissus, contribuant ainsi à maintenir un métabolisme élevé. Le cœur est pourvu de quatre cavités. Les poumons sont reliés à de minuscules tubes conduisant à des sacs élastiques (les sacs aériens) qui permettent la déperdition de chaleur et contribuent à réduire la masse volumique de l'Oiseau.

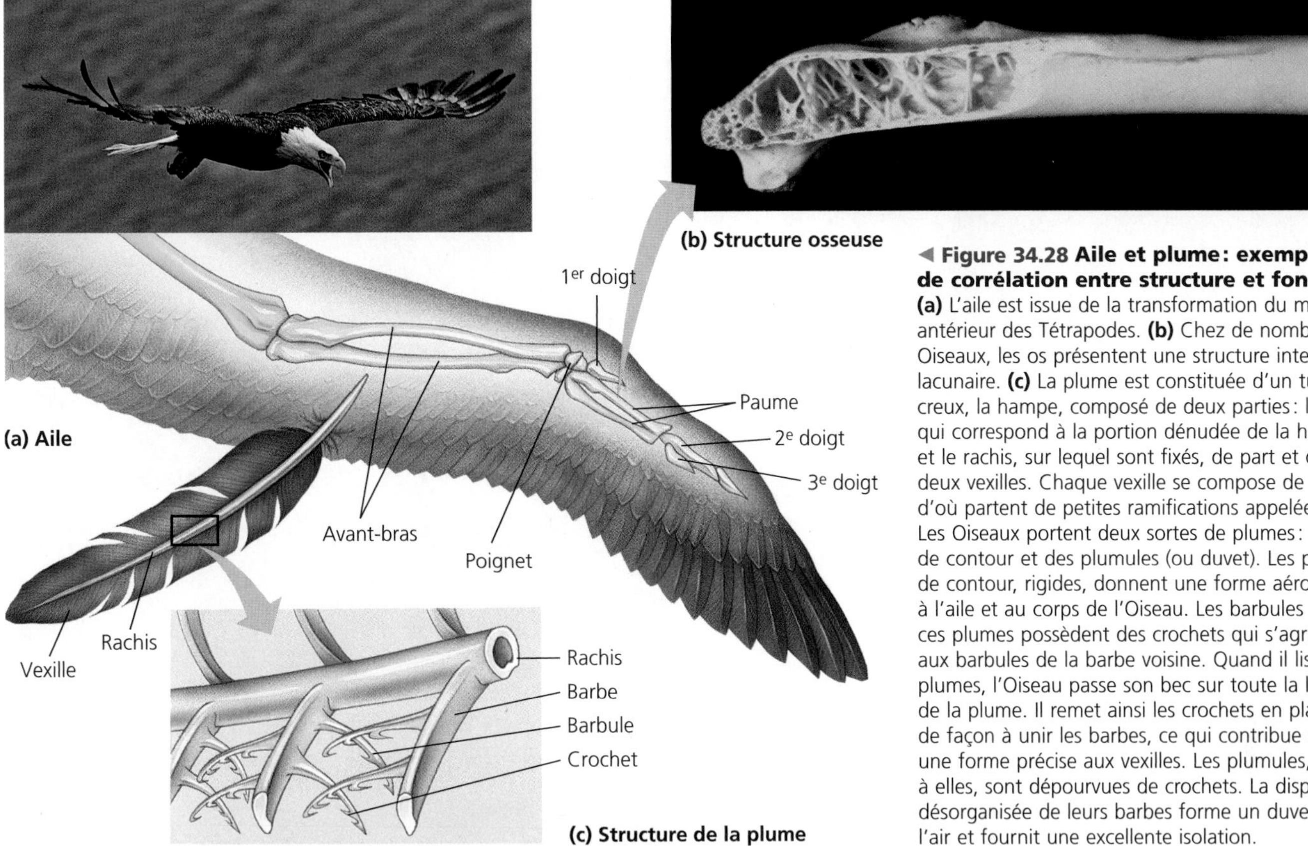

◄ **Figure 34.28 Aile et plume: exemple de corrélation entre structure et fonction.** **(a)** L'aile est issue de la transformation du membre antérieur des Tétrapodes. **(b)** Chez de nombreux Oiseaux, les os présentent une structure interne lacunaire. **(c)** La plume est constituée d'un tube central creux, la hampe, composé de deux parties: le calamus, qui correspond à la portion dénudée de la hampe, et le rachis, sur lequel sont fixés, de part et d'autre, deux vexilles. Chaque vexille se compose de barbes d'où partent de petites ramifications appelées *barbules*. Les Oiseaux portent deux sortes de plumes: des plumes de contour et des plumules (ou duvet). Les plumes de contour, rigides, donnent une forme aérodynamique à l'aile et au corps de l'Oiseau. Les barbules de ces plumes possèdent des crochets qui s'agrippent aux barbules de la barbe voisine. Quand il lisse ses plumes, l'Oiseau passe son bec sur toute la longueur de la plume. Il remet ainsi les crochets en place de façon à unir les barbes, ce qui contribue à donner une forme précise aux vexilles. Les plumules, quant à elles, sont dépourvues de crochets. La disposition désorganisée de leurs barbes forme un duvet qui retient l'air et fournit une excellente isolation.

Le vol exige aussi une bonne acuité visuelle et une coordination précise des mouvements. Les Oiseaux possèdent d'excellents yeux, peut-être les meilleurs de tous les Vertébrés. L'aire visuelle et l'aire motrice de leur cerveau sont bien développées. De fait, leur cerveau est proportionnellement plus gros que ceux des Amphibiens et des autres Reptiles.

La plupart des Oiseaux manifestent des comportements très complexes, surtout pendant la saison de reproduction au cours de laquelle ils exécutent de complexes rituels de parade nuptiale. Comme les œufs sont déjà enveloppés dans une coquille quand la femelle les pond, la fécondation doit être interne. Pour féconder la femelle, le mâle doit monter sur son dos et lui relever la queue de façon que leurs cloaques s'abouchent l'un avec l'autre. Une fois l'œuf pondu, l'embryon doit rester au chaud. C'est pourquoi la femelle, le mâle ou les deux, selon l'espèce, couvent les œufs.

L'origine des Oiseaux

L'analyse cladistique de squelettes fossilisés d'Oiseaux et de Reptiles autorise fortement à penser que les Oiseaux appartiennent au groupe de Saurischiens bipèdes appelés *Théropodes*. À la fin des années 1990, des paléontologues chinois ont découvert une mine extraordinaire de fossiles de Théropodes à plumes qui les renseignent sur les premiers Oiseaux. Plusieurs espèces de Dinosaures étroitement apparentés aux Oiseaux portaient des plumes munies de vexilles, et d'autres, plus nombreuses, des plumes filamenteuses. Ces observations indiquent que les plumes sont apparues longtemps avant le vol battu. Parmi les possibles fonctions de ces plumes primitives, on compte l'isolation, le camouflage et la mise en valeur des partenaires au cours des rites d'accouplement.

Les scientifiques ont étudié deux possibilités relatives à l'apparition du vol battu chez les Théropodes. Selon le premier scénario, les plumes auraient permis à de petits Dinosaures terrestres de s'élever plus haut dans les airs lorsqu'ils poursuivaient leurs proies ou fuyaient leurs prédateurs. Selon le second scénario, certains Dinosaures, aidés de leurs plumes, arrivaient à grimper aux arbres d'où ils effectuaient des vols planés.

Il s'est écoulé 150 millions d'années depuis que les Théropodes à plumes sont devenus des Oiseaux. *Archæopteryx*, découvert en Allemagne dans des sédiments calcaires, en 1861, demeure le plus ancien Oiseau connu **(figure 34.29)**. Il possédait des ailes recouvertes de plumes, mais conservait des caractères primitifs comme des membres supérieurs munis de griffes, des dents et une longue queue. La plupart des spécialistes croyaient jusqu'ici que *Archæopteryx* n'était pas particulièrement doué pour le vol; or, en utilisant une technique d'imagerie (la tomographie à haute résolution par rayons X), des chercheurs ont découvert, en analysant des restes de crâne, que l'Oiseau possédait les adaptations neurologiques lui permettant le vol battu. Les fossiles de nombreux Oiseaux datant du Crétacé révèlent la disparition progressive de certaines caractéristiques de l'anatomie des Dinosaures, comme les dents, ainsi que l'acquisition d'innovations que possèdent aujourd'hui tous les Oiseaux, notamment une courte queue recouverte de plumes disposées en éventail.

Les Oiseaux actuels

Des preuves manifestes de la présence des Néornithes, le clade qui regroupe les 28 ordres d'Oiseaux actuels, remontent à la période qui a suivi la transition entre le Crétacé et le Paléogène,

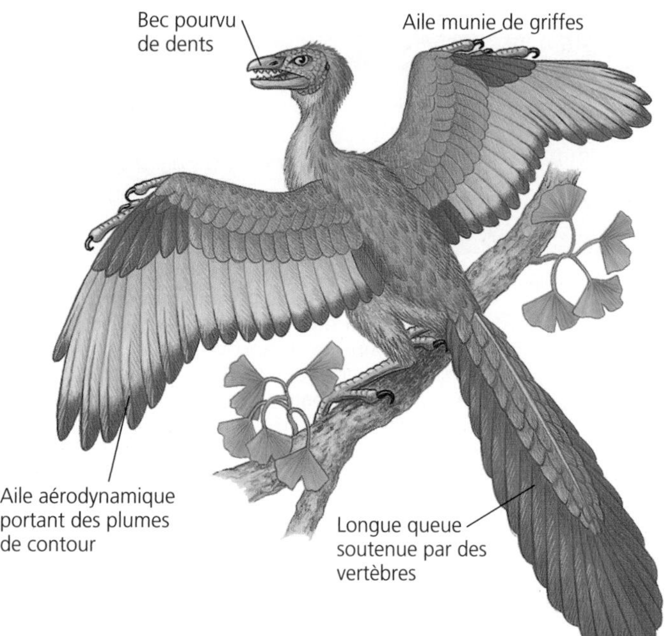

▲ **Figure 34.29 *Archæopteryx,* le plus ancien Oiseau connu, reconstitué par un artiste.** L'examen des fossiles nous indique que *Archæopteryx* était capable de vol battu tout en ayant conservé plusieurs caractères des Saurischiens.

il y a 65,5 millions d'années. La plupart des espèces volent, mais plusieurs ordres comptent au moins une espèce qui est incapable de voler. Les **Ratites** (du latin *ratis,* « radeau », par allusion au sternum plat de ces Oiseaux), soit les autruches, les nandous, les kiwis, les casoars et les émeus, sont tous inaptes au vol. Cet ordre des Struthioniformes est caractérisé par le sternum dépourvu de bréchet (lame osseuse médiane sur laquelle sont fixés les muscles du vol), et les muscles pectoraux qui ne sont pas fortement développés **(figure 34.30a)**. Les pingouins constituent l'ordre des Sphénisciformes, des Oiseaux qui ne volent pas mais utilisent leurs puissants pectoraux pour nager. Certaines espèces de râles, de canards et de pigeons ne volent pas non plus.

En raison des exigences du vol, beaucoup d'Oiseaux présentent des formes corporelles assez semblables les unes aux autres. Pourtant, les ornithologues amateurs arrivent à différencier les espèces en observant leur profil, leur vol, leur comportement, la couleur de leurs plumes et la forme de leur bec **(figure 34.30b, c et d)**. Le bec s'est révélé très adaptable au cours de l'évolution des Oiseaux, car il a pris une grande variété de formes appropriées à différents régimes alimentaires. La structure des pieds présente aussi de nombreuses variations **(figure 34.31)**. Certains Oiseaux se servent de leurs pieds pour se percher sur des branches, saisir les aliments, se défendre, nager ou marcher, et même pour attirer les femelles au cours de la parade nuptiale (voir la figure 24.4e).

Retour sur le concept 34.6

1. Défendez ou réfutez l'énoncé suivant : l'œuf amniotique d'un Reptile constitue un système clos à l'intérieur duquel l'embryon se développe isolément du milieu extérieur.
2. Indiquez quatre adaptations des Oiseaux au vol.

Voir les réponses proposées à la fin du chapitre.

(a) Émeu. Ce Ratite vit en Australie.

(b) Colverts. Comme chez beaucoup d'espèces d'Oiseaux, les couleurs du mâle et de la femelle présentent des différences marquées.

(c) Albatros de Laysan (*Diomedea immutabilis*). Comme la plupart des Oiseaux, les albatros de Laysan ont des comportements d'accouplement spécifiques, comme cette parade nuptiale.

(d) Hirondelles rustiques (*Hirundo rustica*). L'hirondelle rustique appartient à l'ordre des Passériformes. Les Passériformes portent aussi le nom d'Oiseaux percheurs, car leurs doigts peuvent s'agripper autour des branches ou des fils, ce qui leur permet de rester longtemps immobiles.

▲ **Figure 34.30 Quelques exemples des nombreuses espèces d'Oiseaux modernes.**

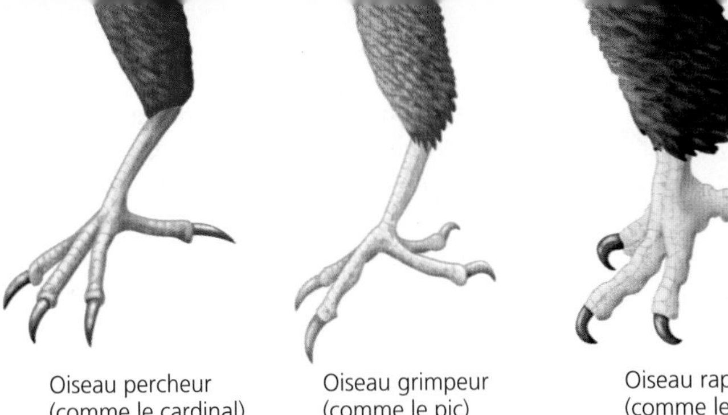

▲ **Figure 34.31 Diversité des formes et des fonctions des pieds des Oiseaux.**

Concept 34.7

Les Mammifères sont des Amniotes pourvus de poils et produisant du lait

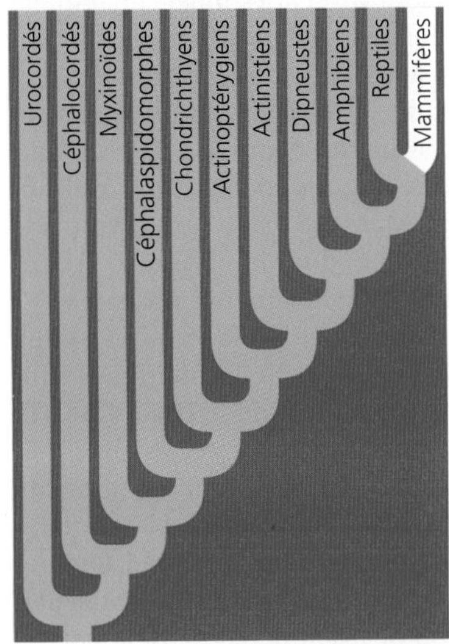

Les Reptiles (y compris les Oiseaux) représentent l'une des deux grandes lignées d'Amniotes. L'autre est notre propre lignée, celle des **Mammifères**. Aujourd'hui, il existe plus de 5 000 espèces de Mammifères sur la Terre.

Les caractères dérivés des Mammifères

Les glandes mammaires, qui produisent du lait, sont un caractère distinctif des Mammifères. Toutes les femelles mammifères nourrissent leurs petits de leur lait, lequel constitue un régime équilibré et riche en lipides, en glucides, en protéines, en minéraux et en vitamines. Les poils, une autre caractéristique des Mammifères, et la couche de lipides située sous la peau permettent au corps de conserver sa température. Comme les Oiseaux, les Mammifères sont endothermes et, chez la plupart, la vitesse du métabolisme est élevée. Celui-ci est entretenu par des systèmes respiratoire et cardiovasculaire efficaces. Dans le système respiratoire, un muscle aplati appelé *diaphragme* facilite la ventilation des poumons. Dans le système cardiovasculaire, le cœur est divisé en quatre cavités.

Les Mammifères ont un cerveau plus gros que les autres Vertébrés de même taille. Ils semblent aussi être les plus doués pour l'apprentissage. Les parents doivent passer un temps relativement long à prodiguer des soins à leur progéniture, qui a ainsi amplement l'occasion d'apprendre, par l'observation, d'importantes techniques de survie.

Les Mammifères se caractérisent également par la différenciation de leurs dents. Alors que les dents des Reptiles sont généralement coniques et de taille uniforme, celles des Mammifères sont adaptées, par leur taille et leur forme, à la mastication de différents types d'aliments. Notre dentition comprend, par exemple, des incisives qui servent à trancher, des canines qui servent à déchirer, et des prémolaires et des molaires qui servent à broyer.

Les premières étapes de l'évolution des Mammifères

Les Mammifères appartiennent à un groupe d'Amniotes qu'on appelle **Synapsides**. Les Synapsides non mammaliens étaient dépourvus de poils, avaient une démarche bancale et pondaient des œufs. La fenêtre (ou fosse) temporale, trait distinctif des Synapsides, est une ouverture unique (alors que les Diapsides possèdent deux ouvertures de ce type) située derrière l'orbite de l'œil, de chaque côté du crâne. Les humains ont conservé cette caractéristique; les muscles de la mâchoire traversent la fenêtre temporale avant de s'attacher à l'os temporal (la tempe). La mâchoire a subi des transformations au cours du développement des Mammifères à partir des Synapsides non mammaliens. Ainsi, deux des os formant l'articulation de la mâchoire ont été intégrés à l'oreille interne des Mammifères **(figure 34.32)**.

Les Synapsides sont devenus des herbivores et des carnivores de grande taille au cours du Permien. Ils ont été pendant un temps les Tétrapodes dominants. Toutefois, les extinctions du Permien et du Trias ont fait un grand nombre de victimes parmi eux, si bien que leur diversité a chuté au cours du Trias. Les Synapsides apparentés aux Mammifères sont apparus à la fin de cette période, il y a 200 millions d'années. Bien qu'ils ne fussent pas de véritables Mammifères, ces Animaux possédaient un certain nombre des caractères dérivés qui distinguent les Mammifères des autres Amniotes. Petits et probablement velus, ils se nourrissaient sans doute d'Insectes la nuit. Leur métabolisme était vraisemblablement plus rapide que celui des autres Synapsides, mais ils pondaient encore des œufs.

Le Jurassique a vu l'arrivée des premiers vrais Mammifères. Ceux-ci se sont ensuite divisés en un certain nombre de lignées, dont beaucoup sont disparues. Néanmoins, tout au long du Mésozoïque, presque tous les Mammifères étaient à peu près de la taille d'une musaraigne. Il se peut qu'ils aient conservé cette petite taille parce que les Dinosaures occupaient déjà les niches écologiques des grands Animaux.

Au cours du Mésozoïque, les trois principales lignées de Mammifères modernes sont apparues: les Monotrèmes (Mammifères qui pondent des œufs), les Marsupiaux (Mammifères munis d'une poche ventrale) et les Euthériens (Mammifères dotés d'un placenta complexe). Après l'extinction des grands Dinosaures, des Ptérosauriens et des Reptiles marins à la fin du Crétacé, les Mammifères ont subi une radiation adaptative qui a donné naissance aux prédateurs et aux herbivores de grande taille, ainsi qu'aux espèces volantes et aquatiques.

Les Monotrèmes

Les **Monotrèmes** n'existent qu'en Australie et en Nouvelle-Guinée, et sont représentés par une espèce d'ornithorynque (*Ornithorhyncus anatinus*) et deux espèces d'échidnés, l'échidné d'Australie (*Tachyglossus aculeatus*) et l'échidné à long bec (*Zaglossus bartoni*). Les Monotrèmes pondent des œufs, caractère primitif des Amniotes que la majorité des Reptiles ont conservé **(figure 34.33)**. Comme tous les Mammifères, les Monotrèmes sont poilus et fabriquent du lait pour leurs petits,

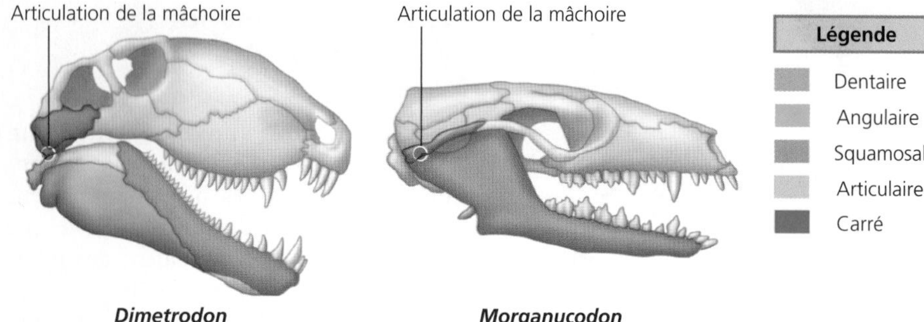

(a) La mâchoire inférieure de *Dimetrodon* se compose de plusieurs os soudés ensemble. Deux petits os, le carré et l'articulaire, forment une partie de l'articulation de la mâchoire. Chez *Morganucodon*, la mâchoire inférieure se résume à un seul os, le dentaire. L'articulation s'est déplacée.

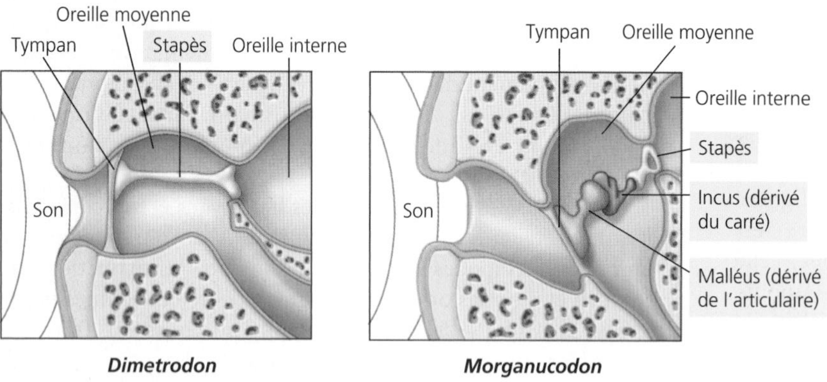

(b) Au cours de l'évolution du crâne des Mammifères, le carré et l'articulaire se sont intégrés à l'oreille moyenne, constituant deux des trois os qui acheminent les sons du tympan à l'oreille interne. Les étapes de cette transformation sont visibles chez des fossiles datant d'époques successives.

▲ **Figure 34.32 Évolution des os de la mâchoire et de l'oreille chez les Mammifères.** *Dimetrodon* était un Synapside primitif. Il faisait partie de la lignée d'Animaux apparentés aux Reptiles qui a plus tard donné naissance aux Mammifères. *Morganucodon* était un Mammaliforme, proche parent des Mammifères modernes, qui a vécu il y a 200 millions d'années.

mais n'ont pas de mamelons. Leur lait est sécrété par des glandes situées sur le ventre de la mère. Lorsqu'il sort de l'œuf, le bébé suce le lait qui coule sur la fourrure de sa mère.

Les Marsupiaux

Les opossums, les kangourous et les koalas sont des **Marsupiaux**. Les Euthériens et les Marsupiaux ont en commun des caractères dérivés qu'on ne trouve pas chez les Monotrèmes. Leur métabolisme est élevé, ils possèdent des mamelons et donnent naissance à des petits vivants. L'embryon se développe dans l'utérus, organe de l'appareil reproducteur de la femelle, et les membranes extraembryonnaires issues de l'embryon forment le **placenta**, structure à travers laquelle les nutriments provenant du sang de la mère parviennent à l'embryon.

Les Marsupiaux naissent très prématurément et poursuivent leur développement fœtal en se nourrissant du lait de leur mère. Chez la plupart des espèces, les petits demeurent à cette fin dans une poche ventrale appelée *marsupium* **(figure 34.34a)**. Ainsi, le kangourou roux a la taille d'une abeille à sa naissance, 33 jours seulement après la fécondation. Ses pattes postérieures sont alors à peine formées, mais ses pattes antérieures sont suffisamment fortes pour lui permettre de ramper de la sortie du système reproducteur jusqu'à la poche de sa mère, qui s'ouvre vers l'avant du corps. Ce périple ne dure que quelques minutes. Chez d'autres espèces, le marsupium s'ouvre vers l'arrière du corps de la mère; chez les bandicoots, les petits sont ainsi protégés pendant que la mère creuse le sol **(figure 34.34b)**.

Les Marsupiaux se sont répandus dans toutes les parties du monde pendant le Mésozoïque, mais aujourd'hui, on n'en trouve que dans la région australienne ainsi qu'en Amérique du Nord et en Amérique du Sud. Leur biogéographie illustre l'interaction entre l'évolution biologique et l'évolution géologique (voir le chapitre 26). Après le morcellement de la Pangée, l'Amérique du Sud et l'Australie sont devenus des continents isolés, et leurs Marsupiaux se sont diversifiés indépendamment des Euthériens, qui avaient amorcé une radiation adaptative sur les continents septentrionaux. L'Australie est séparée des autres continents depuis le Cénozoïque, c'est-à-dire depuis environ 65 millions d'années. Dans ce pays, une évolution convergente a donné naissance à une diversité de Marsupiaux qui ressemblent à certains Mammifères placentaires et qui jouent le même rôle écologique dans d'autres parties du monde **(figure 34.35)**. La faune des Marsupiaux était diversifiée en Amérique du Sud tout au long du Paléogène, mais ce continent a connu plusieurs migrations d'Euthériens. L'une des plus importantes s'est produite il y a environ 3 millions d'années, au moment où l'Amérique du Nord et l'Amérique du Sud ont été reliées par l'isthme de Panama: cette voie terrestre a permis à un grand nombre d'Animaux de circuler dans les deux sens.

▲ **Figure 34.33 Échidné d'Australie (*Tachyglossus aculeatus*), Monotrème.** Les Monotrèmes portent des poils et sécrètent du lait, mais ne possèdent pas de mamelons. Ce sont les seuls Mammifères qui pondent des œufs (voir en médaillon).

(a) Petit de phalanger-renard (*Trichosurus vulpecula*). Les petits des Marsupiaux naissent prématurément et terminent leur croissance en tétant une mamelle située, le plus souvent, à l'intérieur de la poche ventrale de leur mère.

(b) Bandicoot à long museau (*Perameles gunnii*). La majorité des bandicoots creusent le sol et s'enfouissent sous terre. Ils mangent surtout des Insectes, certains petits Vertébrés et des Végétaux. Placé dans une poche qui s'ouvre vers l'arrière, le petit est protégé de la poussière et de la terre lorsque sa mère creuse. Chez d'autres Marsupiaux, comme les kangourous, la poche s'ouvre vers l'avant.

▲ **Figure 34.34 Marsupiaux australiens.**

Aujourd'hui, seules trois familles de Marsupiaux subsistent hors de la région australienne, et une seule espèce, l'opossum, vit encore en Amérique du Nord.

Les Euthériens (Mammifères placentaires)

Les **Euthériens** sont communément appelés *Mammifères placentaires*, car leur placenta est plus complexe que celui des Marsupiaux. Comparativement à celle des Marsupiaux, la durée de la gestation des Euthériens est plus longue. L'embryon se forme complètement dans l'utérus, où un placenta bien développé le relie à sa mère. Le placenta des Euthériens permet une association étroite et durable entre la mère et son petit en gestation.

L'origine des ordres d'Euthériens modernes remonte à la fin du Crétacé. La **figure 34.36**, qui occupe les deux prochaines pages, présente les principaux ordres et les liens phylogénétiques qui pourraient exister entre les Euthériens et entre les Monotrèmes et les Marsupiaux.

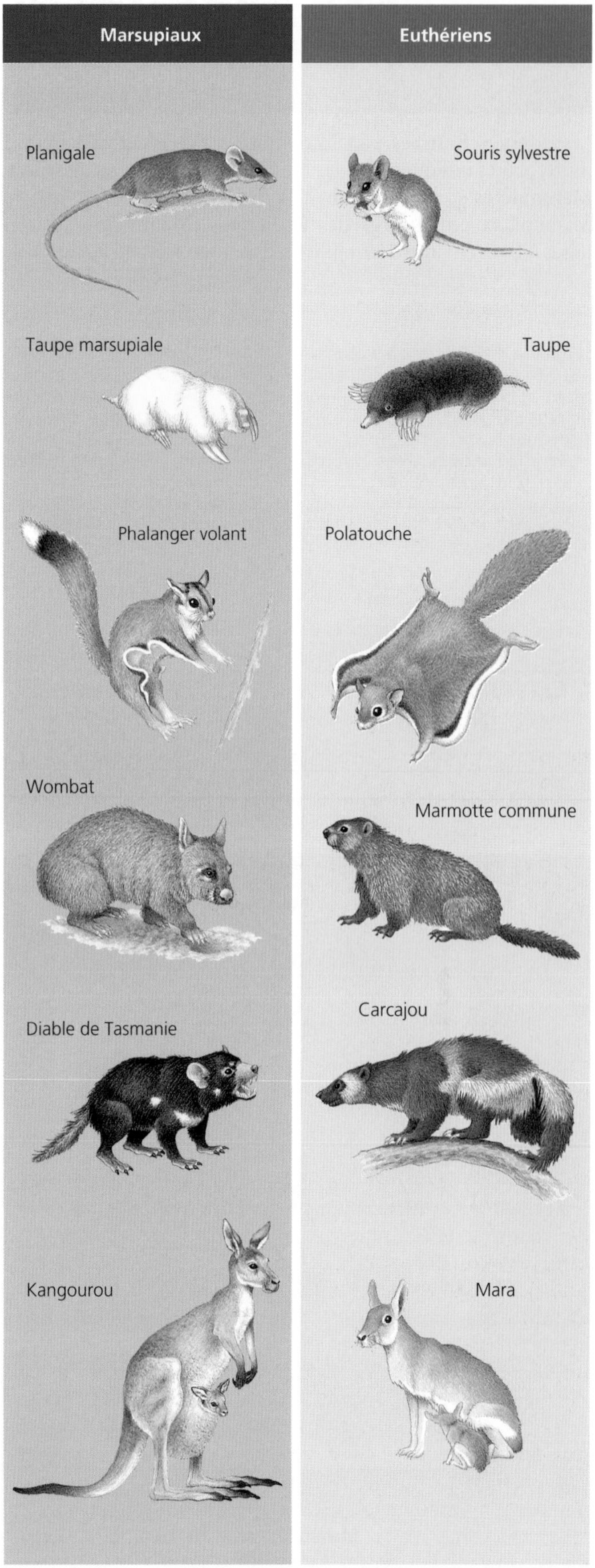

Marsupiaux	Euthériens
Planigale	Souris sylvestre
Taupe marsupiale	Taupe
Phalanger volant	Polatouche
Wombat	Marmotte commune
Diable de Tasmanie	Carcajou
Kangourou	Mara

▲ **Figure 34.35 Évolution convergente des Marsupiaux et des Euthériens.** (Les illustrations ne sont pas à l'échelle.)

Figure 34.36

Panorama La diversité des Mammifères

LIENS PHYLOGÉNÉTIQUES DES MAMMIFÈRES

Les données fournies par de nombreux fossiles et des analyses moléculaires indiquent que les Monotrèmes ont divergé des autres Mammifères il y a environ 200 millions d'années et que les Marsupiaux ont divergé des Euthériens (Mammifères placentaires) il y a environ 180 millions d'années. Bien qu'aucun arbre phylogénétique ne fasse encore l'objet d'un consensus général, la systématique moléculaire a contribué à la clarification des liens de l'évolution entre les ordres d'Euthériens. Selon une hypothèse, représentée par l'arbre ci-dessous, les ordres d'Euthériens sont divisés en quatre grands clades.

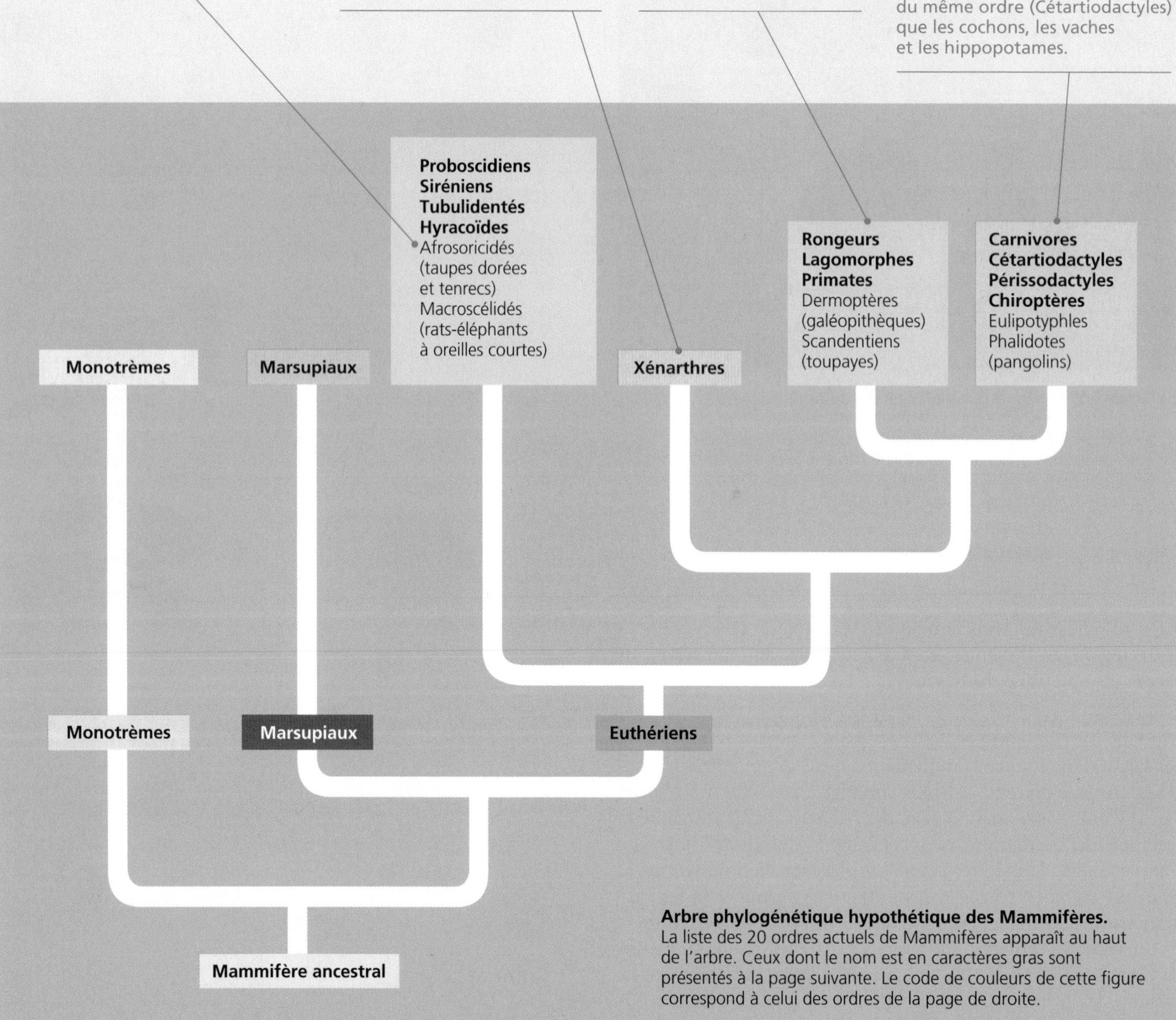

Ce clade d'Euthériens est apparu en Afrique lorsque le continent était isolé des autres. Il comprend le plus gros Animal qui vit actuellement sur la Terre (l'éléphant d'Afrique), ainsi que des espèces qui pèsent moins de 10 g.
Tous les membres de ce clade, qui a connu une radiation adaptative en Amérique du Sud, appartiennent à l'ordre des Xénarthres. Une espèce, le tatou à neuf bandes (*Dasypus novemcinctus*), vit dans le sud des États-Unis.
Voici le plus grand clade d'Euthériens. Il comprend les Rongeurs, l'ordre de Mammifères qui, avec ses quelque 1 770 espèces, est de loin le plus nombreux. Les humains appartiennent à l'ordre des Primates.
Ce clade diversifié compte des Mammifères tant terrestres que marins, ainsi que les chauves-souris, seuls Mammifères volants. Selon des observations de plus en plus nombreuses, dont des fossiles de rorquals pourvus de pieds datant de l'Éocène, les rorquals feraient partie du même ordre (Cétartiodactyles) que les cochons, les vaches et les hippopotames.
Proboscidiens
Siréniens
Tubulidentés
Hyracoïdes
Afrosoricidés (taupes dorées et tenrecs)
Macroscélidés (rats-éléphants à oreilles courtes)
Rongeurs
Lagomorphes
Primates
Dermoptères (galéopithèques)
Scandentiens (toupayes)
Carnivores
Cétartiodactyles
Périssodactyles
Chiroptères
Eulipotyphles
Phalidotes (pangolins)
Monotrèmes
Marsupiaux
Xénarthres
Monotrèmes
Marsupiaux
Euthériens
Mammifère ancestral

Arbre phylogénétique hypothétique des Mammifères. La liste des 20 ordres actuels de Mammifères apparaît au haut de l'arbre. Ceux dont le nom est en caractères gras sont présentés à la page suivante. Le code de couleurs de cette figure correspond à celui des ordres de la page de droite.

ORDRES ET EXEMPLES	PRINCIPALES CARACTÉRISTIQUES
Monotrèmes Ornythorynque, échidnés  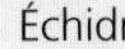 Échidné	Ovipares. Ne possèdent pas de mamelons. Les petits sucent le lait qui coule sur la fourrure de la mère.
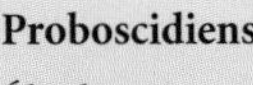 **Proboscidiens** Éléphants   Éléphant d'Afrique ou de savane	Possèdent une longue trompe musculeuse. Peau épaisse et lâche. Incisives supérieures allongées en défenses.
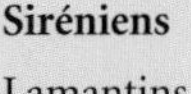 **Siréniens** Lamantins, dugong 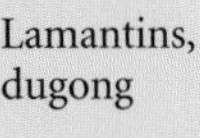 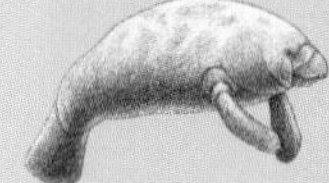 Lamantin	Herbivores aquatiques. Possèdent des membres antérieurs en forme de nageoire, mais pas de membres postérieurs.
Xénarthres Paresseux, fourmiliers, tatous 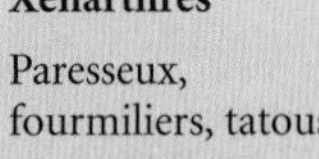  Tamandua	Absence de dents ou dents de taille réduite. Herbivores (paresseux) ou carnivores (fourmiliers, tatous).
Lagomorphes Lapins, lièvres, pikas  Lièvre de Californie	Possèdent des incisives tranchantes. Pattes postérieures adaptées au saut et à la course, plus longues que les pattes antérieures.
Carnivores Chiens, loups, ours, chats, belettes, loutres, phoques, morses  Coyote	Possèdent des canines pointues et tranchantes, et des molaires pour déchiqueter. Carnivores.
Cétartiodactyles **Artiodactyles** Moutons, porcs, bovins, cerfs, girafes Mouflon d'Amérique	Possèdent des sabots avec un nombre pair de doigts à chaque pied. Herbivores.
Cétacés Rorquals, dauphins, marsouins  Dauphin à flancs blancs du Pacifique	Animaux marins pisciformes. Possèdent des membres antérieurs en forme de nageoire. Dépourvus de membres postérieurs. Épaisse couche de graisse isolante. Carnivores.
Marsupiaux Kangourous, opossums, koalas  Koala	Le développement fœtal se termine dans la poche marsupiale.
Tubulidentés Oryctérope  Oryctérope	Possèdent des dents composées de minces tubes soudés les uns aux autres. Se nourrissent de fourmis et de termites.
Hyracoïdes Damans  Pika	Possèdent de courtes pattes et une queue courte et épaisse. Herbivores dotés d'un estomac complexe, à cavités multiples.
Rongeurs Écureuils, castors, rats, porcs-épics, souris  Écureuil roux	Usent en rongeant leurs incisives tranchantes qui poussent constamment. Herbivores.
Primates Lémurs, singes, grands singes, humains Tamarin lion	Possèdent un pouce opposable aux autres doigts. Yeux dirigés vers l'avant. Cortex cérébral bien développé. Omnivores.
Périssodactyles Chevaux, zèbres, tapirs, rhinocéros  Rhinocéros unicorne de l'Inde	Possèdent des sabots avec un nombre impair de doigts à chaque pied. Herbivores.
Chiroptères Chauves-souris  Trachops	Adaptés au vol. Possèdent un grand repli de peau qui s'attache aux doigts allongés et s'étend au corps et aux pattes. Carnivores ou herbivores.
Eulipotyphles Animaux essentiellement insectivores : certaines taupes, certaines musaraignes et les hérissons  Condylure étoilé	Se nourrissent surtout d'Insectes et d'autres petits Invertébrés.

Les Primates

L'ordre des **Primates** comprend les lémurs, les tarsiers, les singes et les grands singes, dont font partie les humains.

Les caractères dérivés des Primates. La plupart des Primates possèdent des mains et des pieds pour s'agripper. À la place des griffes effilées des autres Mammifères, ils ont des ongles plats à l'extrémité de leurs mains. Les mains et les pieds ont subi d'autres transformations au cours de l'évolution, pour donner, par exemple, les reliefs de la peau à l'extrémité des doigts (responsables des empreintes digitales). Les Primates ont un cerveau plus volumineux que les autres Mammifères; leurs mâchoires sont aussi plus courtes, ce qui fait qu'ils ont un visage aplati. Leurs yeux, rapprochés sur le devant du visage, leur permettent de regarder vers l'avant. Les Primates dépensent beaucoup d'énergie à soigner leurs petits et ont un comportement social complexe.

Les premiers Primates étaient probablement arboricoles, et bon nombre de leurs caractéristiques sont des adaptations aux exigences de ce mode de vie. Ainsi, leurs mains et leurs pieds permettent la saisie des branches d'arbres. Tous les Primates actuels, *Homo* excepté, ont aux pieds un gros orteil bien séparé des autres orteils, qui leur servent aussi à s'agripper aux branches. Tous les Primates possèdent un pouce relativement mobile et dissocié des autres doigts, mais les Anthropoïdés (singes, grands singes dont les humains) possèdent un **pouce opposable** complètement, c'est-à-dire qu'ils peuvent toucher avec le pouce l'extrémité intérieure des doigts de la même main. Chez les singes et les grands singes, ce pouce opposable sert à s'agripper fermement, mais chez les humains, il permet une manipulation fine des objets. La dextérité des humains repose sur la structure osseuse située à la base du pouce. Elle résulte d'une transformation des mains de nos ancêtres adaptées à la vie dans les arbres. Le déplacement dans les arbres nécessite aussi une excellente coordination entre les mouvement des yeux et ceux des mains. Ainsi, le chevauchement des champs de vision accroît la vision stéréoscopique (vision du relief), un avantage évident pendant la brachiation (déplacement effectué en se balançant d'une branche d'arbre à une autre).

Les Primates actuels. Il existe trois grands groupes de Primates modernes: les lémurs de Madagascar **(figure 34.37)**, les loris et les galagos d'Afrique tropicale et du sud de l'Asie; les tarsiers, qui vivent en Asie du Sud-Est; et les **Anthropoïdés**, qui comprennent les singes et les Hominoïdes, et sont répandus un peu partout dans le monde. Les lémurs, les loris et les galagos ressemblent probablement aux premiers Primates arboricoles. Les plus anciens fossiles d'Anthropoïdés ont été découverts en Chine et datent du milieu de l'époque éocène, il y a environ 45 millions d'années. Ils laissent supposer que les tarsiers sont plus proches des Anthropoïdés (voir la **figure 34.38**, qui indique aussi que les singes ne constituent pas un groupe monophylétique).

Les archives géologiques indiquent que les singes sont apparus dans le Nouveau Monde (Amérique du Sud) au cours de l'Oligocène. À cette époque, l'Afrique et l'Amérique du Sud s'étaient déjà séparées, en raison de la dérive des continents. Les premiers singes sont probablement nés dans l'Ancien Monde (Afrique et Asie) et ils auraient traversé l'océan de l'Afrique à l'Amérique du Sud, sur des troncs d'arbres ou d'autres débris. Mais une chose est certaine, les singes du Nouveau Monde et les singes de l'Ancien Monde ont suivi des voies différentes durant des millions d'années **(figure 34.39)**. Tous les singes du Nouveau Monde sont arboricoles, tandis que les singes de l'Ancien Monde comprennent des espèces arboricoles et des espèces terrestres. La plupart des singes des deux groupes sont diurnes (actifs durant le jour), vivent en bandes et mènent une existence régie par des comportements sociaux.

◄ **Figure 34.37 Propithèques de Verreaux (*Propithecus verreauxi*), des lémurs.**

L'autre groupe d'Anthropoïdés, les **Hominoïdes**, est composé des Primates appelés familièrement *grands singes* **(figure 34.40)**. Ce groupe comprend les genres *Hylobates* (gibbons), *Pongo* (orangs-outans), *Gorilla* (gorilles), *Pan* (chimpanzés) et *Homo* (humains). Les Hominoïdes ont divergé des singes de l'Ancien Monde il y a environ 20 à 25 millions d'années. Aujourd'hui, on trouve les Hominoïdes autres que les humains exclusivement dans les régions tropicales de l'Ancien Monde. À l'exception des gibbons, les Hominoïdes modernes sont plus gros que les singes. Tous les Hominoïdes actuels sont dépourvus de queue, et possèdent des membres antérieurs relativement longs et des membres postérieurs courts. Bien que tous les Hominoïdes autres que les humains passent du temps dans les arbres, seuls les gibbons et les orangs-outans ont conservé une existence principalement arboricole. L'organisation sociale varie d'un genre à l'autre. Ainsi, les gorilles et les chimpanzés ont une organisation sociale très évoluée. Les Hominoïdes sont dotés d'un cerveau plus gros, par rapport au reste du corps, que celui des autres Primates, ce qui explique leur plus grande adaptabilité.

Retour sur le concept 34.7

1. Comparez les façons dont les Monotrèmes, les Marsupiaux et les Euthériens portent leurs petits.
2. Indiquez au moins cinq caractères dérivés des Primates.

Voir les réponses proposées à la fin du chapitre.

▶ Figure 34.38 Arbre phylogénétique des Primates. Les archives géologiques indiquent que le point de divergence entre les Anthropoïdés et les autres Primates date d'environ 50 millions d'années. Les singes du Nouveau Monde, les singes de l'Ancien Monde et les Hominoïdes (le clade qui réunit les gibbons, les orangs-outans, les gorilles, les chimpanzés et les humains) ont évolué séparément durant plus de 30 millions d'années. La lignée qui a donné naissance aux humains a divergé de celles des autres Hominoïdes à un moment qui se situe quelque part au cours de la période s'étendant d'il y a 5 à 7 millions d'années.

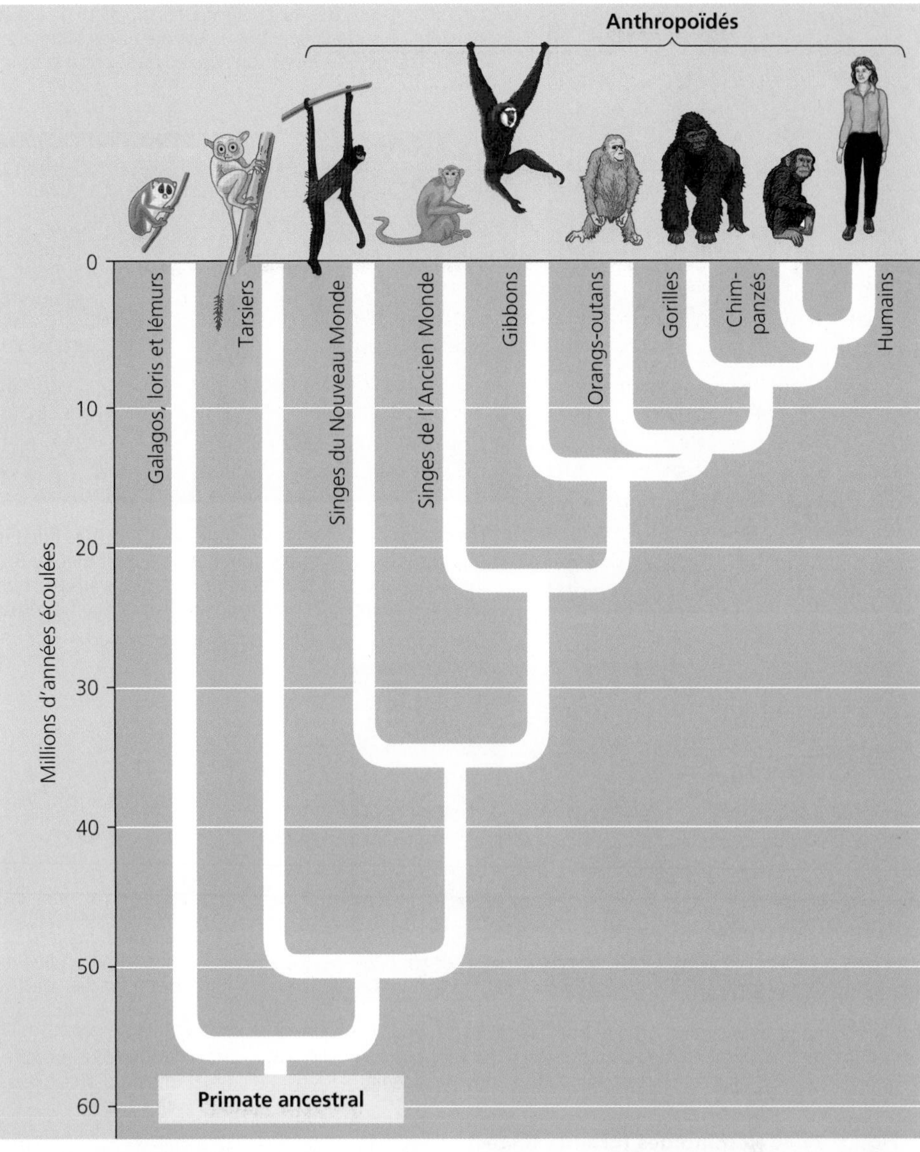

▼ Figure 34.39 Singes du Nouveau Monde et singes de l'Ancien Monde.

(a) Les singes du Nouveau Monde, comme les singes-araignées (représentés ici), les ouistitis et les capucins, possèdent une queue préhensile et des narines qui s'ouvrent sur les côtés du nez.

(b) Les singes de l'Ancien Monde, comme les macaques (représentés ici), les mandrills et les babouins, n'ont pas de queue préhensile et leurs narines s'ouvrent vers l'avant et vers le bas.

(a) Les gibbons gris de Müller (*Hylobates muelleri*) ne vivent que dans le sud-est de l'Asie. Leurs membres antérieurs et leurs doigts très longs sont des adaptations à la brachiation.

(b) Les orangs-outans sont des singes anthropoïdes timides et solitaires qui vivent dans les forêts humides de Sumatra et de Bornéo. Ils passent presque tout leur temps dans les arbres; remarquez leur pied adapté à la préhension et leur pouce opposable.

(c) Les gorilles sont les plus grands singes anthropoïdes; certains mâles atteignent près de 2 m et pèsent environ 200 kg. Ces herbivores vivent en Afrique seulement, en petits groupes d'environ 20 individus.

(d) Les chimpanzés vivent en Afrique tropicale. Ils se nourrissent et dorment dans les arbres, mais passent aussi beaucoup de temps au sol. Les chimpanzés sont intelligents, communicatifs et sociables.

(e) Les bonobos sont étroitement apparentés aux chimpanzés, mais sont plus petits qu'eux. On n'en trouve plus aujourd'hui qu'au Congo, en Afrique.

▲ **Figure 34.40 Hominoïdes (grands singes).**

Concept 34.8

Les humains sont des Hominoïdes bipèdes pourvus d'un cerveau volumineux

Notre exploration de la biodiversité de la Terre nous conduit enfin à l'étude de notre propre espèce, *Homo sapiens*, qui existe depuis environ 160 000 ans. Comme la vie est apparue sur la Terre il y a au moins 3,5 milliards d'années, nous y sommes manifestement des nouveaux venus.

Les caractères dérivés des humains

Un certain nombre de caractères distinguent les humains des autres Hominoïdes. La plus manifeste de ces différences est la station verticale des humains, qui sont bipèdes. En outre, leur cerveau est beaucoup plus volumineux que celui des autres Hominoïdes; le langage et la pensée symbolique sont à leur portée, et ils sont en mesure de fabriquer et d'utiliser des outils complexes. Les os et les muscles de leurs mâchoires sont réduits par rapport à ceux des autres Hominoïdes, et leur tube digestif est plus court. La liste des caractères dérivés à l'échelon moléculaire s'allonge au fur et à mesure que les scientifiques comparent les génomes des humains et des chimpanzés. Bien que les deux génomes soient identiques dans une proportion de 99 %, une disparité de 1 % peut se traduire par un grand nombre de différences lorsque 3 milliards de paires de bases sont en jeu.

N'oubliez pas que ces différences génomiques, et les caractères phénotypiques dérivés dont elles détiennent le message, distinguent les humains des autres Hominoïdes actuels. Mais beaucoup de ces nouveaux caractères sont d'abord apparus chez nos ancêtres, bien avant l'avènement de notre propre espèce. Examinons quelques-uns de ces ancêtres afin de comprendre l'origine de ces caractères.

Les premiers Homininés

La **paléoanthropologie** est l'étude de l'origine et de l'évolution de l'humain. Les paléoanthropologues ont découvert des fossiles d'environ 20 espèces d'Hominoïdes disparus, plus étroitement apparentés aux humains qu'aux chimpanzés. Ces espèces portent le nom d'**Homininés (figure 34.41)**. Depuis 1994, quatre espèces d'Homininés datant d'il y a plus de quatre millions d'années ont été mises au jour dans les archives géologiques. Le plus ancien, *Sahelanthropus tchadensis*, a vécu au cours d'une période qui se situe environ entre sept et six millions d'années avant notre ère ; ses fossiles ont été découverts en 2002.

Sahelanthropus et d'autres Homininés primitifs présentaient certains des caractères dérivés des humains. Par exemple, la taille de leurs canines était réduite, et certains fossiles semblent indiquer que leur visage était relativement plat. Certains signes révèlent qu'ils se tenaient plus droits que les autres Hominoïdes et qu'ils se déplaçaient plus souvent sur deux pieds qu'eux. Ainsi, chez les chimpanzés, le trou occipital, ouverture située à la base du crâne et traversée par la moelle épinière, se trouve relativement loin vers l'arrière du crâne, tandis que, chez les premiers Homininés (et chez les humains), il est placé au-dessous de lui. Ce trait dérivé permet à notre tête d'être en ligne droite avec notre corps, ce qui, semble-t-il, était aussi le cas chez les premiers Homininés. Les os des jambes de *Australopithecus anamemsis*, un Homininé qui a vécu il y a entre 4,5 et 4 millions d'années avant notre ère, indiquent aussi que les premiers Homininés étaient de plus en plus bipèdes. (Nous reparlerons plus loin de la bipédie.)

Les caractéristiques qui distinguent les humains des autres Hominoïdes actuels ne sont pas apparues simultanément. Chez des Homininés primitifs qui présentaient des signes de bipédie, le volume du cerveau demeurait faible : il atteignait environ 400 à 450 cm^3, comparativement à 1 300 cm^3 en moyenne chez *Homo sapiens.* De plus, les plus anciens Homininés étaient petits (on croit que *Ardipithecus ramidus*, qui a vécu il y a 4,5 millions d'années, ne pesait que 40 kg) ; leurs dents étaient relativement grosses, et leur mâchoire inférieure se prolongeait au-delà de la partie supérieure du visage. (Les humains, eux, ont un visage relativement plat. Comparez votre propre visage avec celui des chimpanzés de la figure 34.40d.) On utilise le terme **évolution en mosaïque** pour désigner le processus par lequel les différentes caractéristiques n'apparaissent pas au même rythme.

Il est important de se débarrasser de deux mythes courants relatifs aux Homininés primitifs. Évitons d'abord de croire que ce sont des chimpanzés. En effet, les chimpanzés représentent la partie supérieure d'une branche distincte de l'évolution des

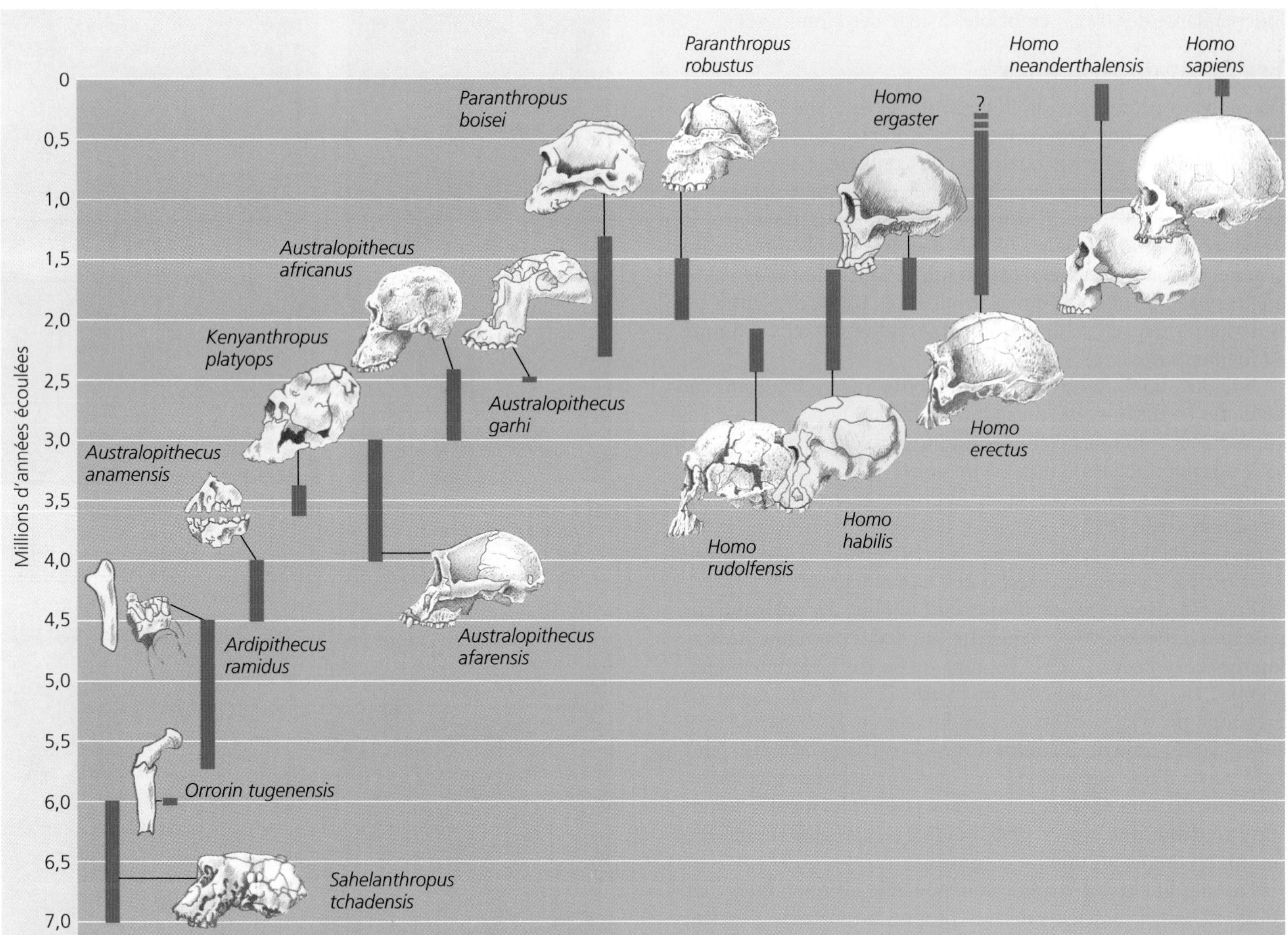

▲ **Figure 34.41 Chronologie de quelques espèces d'Homininés.** La plupart de ces fossiles proviennent de sites archéologiques situés dans l'est ou le sud de l'Afrique. Ce graphique nous permet de constater que deux Homininés ou plus ont coexisté à certaines époques de l'évolution de l'humain. Le nom de certaines espèces est encore sujet à controverse, ce qui témoigne des débats suscités par l'interprétation des structures squelettiques et de la biogéographie dans le domaine de la phylogénétique.

Hominoïdes, et ils ont acquis des caractères dérivés qui leur sont propres après qu'ils ont divergé de l'ancêtre qu'ils partagent avec les humains.

Ensuite, un autre mythe veut que l'évolution de l'humain se compare à une route unique qu'aurait suivie un ancêtre Anthropoïdé pour se transformer lentement en *Homo sapiens*. Vous avez sûrement déjà vu ces illustrations qui montrent des Homininés défilant l'un derrière l'autre, du plus primitif au plus contemporain et devenant de plus en plus semblable à l'humain actuel. Si on veut comparer l'évolution de l'humain à une sorte de défilé, on doit préciser que ce défilé est plutôt désordonné, puisque plusieurs groupes ont bifurqué et disparu. À certaines époques, plusieurs espèces d'Homininés ont coexisté, mais toutes se sont éteintes, à l'exception d'une seule lignée, laquelle a donné naissance à *Homo sapiens*. Certains paléoanthropologues croient que la convergence était courante au début de l'évolution des Homininés. Diverses lignées ont acquis diverses combinaisons de caractères dérivés tout en conservant divers ensembles de caractères primitifs. On a même avancé que certains des fossiles reconnus comme ceux d'Homininés primitifs, tel *Orrorin tugenensis* (voir la figure 34.41), n'appartiennent en fait pas du tout au clade des Homininés. Dans ce cas, ils ont sûrement acquis de façon indépendante des traits semblables à ceux des Homininés.

Les Australopithèques

Les archives géologiques indiquent que la diversité des Homininés a connu une croissance extraordinaire au cours d'une période qui se situe entre quatre et deux millions d'années avant notre ère. Beaucoup des Homininés de cette époque sont groupés sous l'appellation d'*Australopithèques*. Leur phylogenèse demeure incertaine à de nombreux égards, mais ils forment un groupe presque certainement paraphylétique. *Australopithecus anamensis*, dont il a été question plus tôt, fait le lien entre les Australopithèques et des Homininés plus anciens, comme *Ardipithecus ramidus*.

En 1924, on a découvert en Afrique du Sud *Australopithecus africanus* («Anthropoïdé du sud de l'Afrique»), qui a vécu il y a entre 3 et 2,4 millions d'années avant notre ère. C'est à lui que les Australopithèques doivent leur nom. Grâce à la découverte d'autres fossiles, on a acquis la certitude que *A. africanus* marchait en station verticale (il était bipède) et possédait des mains et des dents semblables à celles des humains. Cependant, son cerveau avait le tiers du volume de celui de l'humain actuel.

En 1974, dans la région d'Afar, en Éthiopie, des paléoanthropologues ont découvert le squelette (40 % des os) d'une Australopithèque. «Lucy» – c'est le nom qu'on lui a donné – était menue: elle ne mesurait qu'un mètre. Le squelette datait de 3,24 millions d'années. Lucy et les fossiles qui lui ressemblaient étaient suffisamment différents d'*Australopithecus africanus* pour faire partie d'une autre espèce, qu'on a appelée *Australopithecus afarensis* (du nom de la région d'Afar). D'après les fossiles découverts au début des années 1990, l'espèce *A. afarensis* aurait vécu durant au moins un million d'années.

En simplifiant à l'extrême, on pourrait affirmer que, chez *A. afarensis*, les caractères dérivés propres aux humains étaient moins nombreux dans la partie située au-dessus du cou que dans la partie située au-dessous. La tête de Lucy était grosse comme un pamplemousse, ce qui indique que le volume de son cerveau devait être environ celui d'un chimpanzé de sa taille. Les crânes d'*A. afarensis* présentent aussi une longue mâchoire inférieure. Leurs squelettes laissent aussi supposer un mode de locomotion arboricole: par rapport au corps, les bras sont relativement longs si on les compare à ceux des humains d'aujourd'hui. Toutefois, des fragments du bassin et du crâne indiquent que *A. afarensis* était bipède. Des empreintes de pieds fossilisées découvertes à Laetoli, en Tanzanie, confirment les données fournies par l'analyse des squelettes, selon lesquelles les Homininés vivant à l'époque de *A. afarensis* marchaient sur deux pieds **(figure 34.42)**.

Les Australopithèques «robustes» faisaient partie d'une autre lignée. Ces Homininés, auxquels appartenaient des espèces comme *Paranthropus boisei*, possédaient un crâne solide muni de mâchoires puissantes et de grosses dents faites pour la mastication et le broyage d'aliments coriaces. Ils se distinguent des Australopithèques «graciles», notamment de *A. afarensis* et de *A. africanus*, qui présentent un appareil masticateur moins puissant, conçu pour des aliments plus mous.

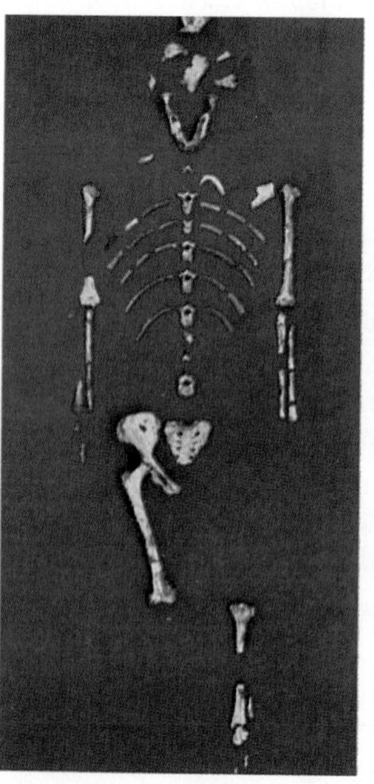

(a) «Lucy», dont le squelette date de 3,24 millions d'années, était un Homininé de l'espèce *Australopithecus afarensis*.

(b) Les empreintes de pieds de Laetoli, qui datent de plus de 3,5 millions d'années, confirment que la bipédie est apparue relativement tôt dans l'évolution des Homininés.

(c) Reconstitution de *A. afarensis* imaginée par un artiste.

▲ **Figure 34.42 La bipédie a précédé l'augmentation de volume du cerveau dans l'évolution des humains.**

Grâce aux observations provenant des premiers Homininés et à l'analyse des fossiles beaucoup plus nombreux d'Australopithèques plus récents, on peut formuler des hypothèses relatives aux grandes tendances de l'évolution des Homininés. Examinons deux de ces tendances: l'apparition de la bipédie et l'utilisation des outils.

La bipédie

Il y a entre 30 et 35 millions d'années, nos ancêtres anthropoïdés étaient encore arboricoles. Mais il y a environ 20 millions d'années, la plaque indienne est entrée en collision avec l'Asie, et le choc a donné naissance à la chaîne de l'Hymalaya (voir la figure 26.20). Le climat s'est ensuite asséché et, dans les régions qui forment aujourd'hui l'Afrique et l'Asie, les forêts ont rétréci. Ce phénomène a entraîné une augmentation de la superficie des habitats de savane (prairies), pauvres en arbres. Durant des décennies, les paléoanthropologues ont cru qu'il existait un lien étroit entre la progression des savanes et celle des Homininés bipèdes. Selon une hypothèse, les Homininés arboricoles ne pouvaient plus utiliser le couvert forestier pour se déplacer, de sorte que la sélection naturelle a favorisé les adaptations facilitant les déplacements en terrain découvert.

Bien que certains éléments de cette hypothèse subsistent, la situation semble aujourd'hui un peu plus complexe. En effet, même si tous les fossiles d'Homininés primitifs récemment découverts présentent des signes de bipédie, aucun ne vivait dans les savanes. Ces Homininés occupaient plutôt des habitats mixtes, dont la diversité s'étendait des forêts aux terrains boisés découverts. Selon une autre hypothèse, la bipédie serait une adaptation qui a permis aux premiers Homininés d'atteindre les fruits qui pendaient des branches basses des arbres.

Chez les Homininés, la bipédie n'a pas progressé de façon simple, linéaire. En effet, il semble que les Australopithèques utilisaient divers modes de locomotion et que certains passaient plus de temps au sol que d'autres. Les Homininés ont commencé à franchir de longues distances sur deux pieds il y a seulement 1,9 million d'années. Ils vivaient alors dans des milieux arides, où la bipédie exigeait une dépense énergétique moindre que les déplacements à quatre pattes.

L'utilisation des outils

Comme nous l'avons vu plus tôt, la fabrication et l'utilisation d'outils complexes est un caractère comportemental dérivé propre aux humains. Déterminer l'origine de l'utilisation des outils au cours de l'évolution des Homininés constitue aujourd'hui une entreprise des plus difficiles pour les paléoanthropologues. D'autres Hominoïdes sont capables de se servir d'outils étonnamment perfectionnés. Par exemple, les orangs-outans transforment de petites branches en un instrument dont ils se servent pour retirer des Insectes de leurs nids. Les chimpanzés sont encore plus habiles: ils utilisent des pierres pour fendre la coquille de certains aliments et protègent leurs pieds à l'aide de feuilles lorsqu'ils marchent sur des épines. Les Homininés primitifs pouvaient probablement utiliser des outils simples, mais il est pratiquement impossible de trouver des objets fossilisés comme des branches modifiées ou des feuilles utilisées comme chaussures.

Les plus anciennes preuves généralement reconnues de l'utilisation des outils par les Homininés sont des entailles vieilles de 2,5 millions d'années pratiquées sur des os d'Animaux découverts en Éthiopie. Ces entailles semblent indiquer que ces Homininés se servaient d'outils de pierre pour retirer la chair des os des Animaux. Fait intéressant, les Homininés dont les fossiles ont été trouvés près du site où ces os ont été mis au jour possédaient un cerveau relativement petit. Si ces Homininés, appelés *Australopithecus garhi*, ont effectivement été les créateurs des outils de pierre utilisés pour entailler les os, l'utilisation de tels outils serait antérieure à l'apparition d'un cerveau volumineux chez les Homininés.

Les premiers représentants du genre *Homo*

Les premiers fossiles qui ont été classés dans le genre auquel nous appartenons, c'est-à-dire *Homo*, font partie de l'espèce *Homo habilis*. Ils datent de 1,6 million à 2,4 millions d'années, et montrent clairement des caractères attribués aux Homininés modernes dans l'anatomie située au-dessus du cou. Par rapport aux Australopithèques, *H. habilis* possédait une mâchoire moins allongée et un cerveau plus gros, soit d'un volume d'environ 600 à 750 cm^3. À quelques reprises, les anthropologues ont trouvé des outils de pierre tranchants près de fossiles de *H. habilis*, qui signifie d'ailleurs « homme bien adapté ».

Des fossiles datant de la période comprise entre 1,9 et 1,6 million d'années avant notre ère témoignent par ailleurs d'une nouvelle étape de l'évolution des Homininés. Un certain nombre de paléoanthropologues considèrent que ces fossiles appartiennent à une espèce distincte, *Homo ergaster*. Du grec *ergon*, signifiant « travail », *H. ergaster* avait un cerveau beaucoup plus gros que celui de *H. habilis* (son volume dépassait 900 cm^3), ainsi que de longues jambes fines et des hanches bien adaptées à la marche sur de longues distances **(figure 34.43)**. Ses doigts relativement courts et droits semblent indiquer qu'il ne grimpait pas aux arbres comme les Homininés plus primitifs. *Homo ergaster* a été découvert dans des milieux beaucoup plus arides que les Homininés qui l'ont précédé, et on pense qu'il fabriquait des outils de pierre plus complexes qu'eux. En outre, la petite taille de ses dents autorise à penser qu'il avait un régime alimentaire différent de celui des Australopithèques (il consommait plus de viande et moins de matières végétales qu'eux) ou qu'il préparait certains de ses aliments avant de les mastiquer, peut-être en les cuisant ou en les broyant.

Homo ergaster marque une transition importante en ce qui concerne les tailles relatives des mâles et des femelles. Chez les Primates, la différence de taille entre les mâles et les femelles est un important élément de dimorphisme sexuel (voir le chapitre 23). En moyenne, les gorilles et les orangs-outans mâles ont une masse deux fois plus élevée que celle des femelles de leur espèce. Chez les chimpanzés et les bonobos, la masse des mâles équivaut en moyenne à 1,35 fois celle des femelles. Chez *Australopithecus afarensis*, la masse des mâles représentait 1,5 fois celle des femelles. Mais chez les premiers *Homo*, le dimorphisme sexuel était beaucoup moins accentué, tendance qui s'est perpétuée jusqu'à nous: chez les humains, la masse des mâles est en moyenne 1,2 fois plus élevée que celle des femelles.

L'atténuation du dimorphisme sexuel peut nous renseigner sur les systèmes sociaux des Homininés disparus. Chez les Primates modernes, le dimorphisme sexuel extrême est associé à une compétition intense entre des mâles qui se disputent de multiples femelles. Chez les espèces où existent davantage d'unions monogames (dont la nôtre), il est moins important. Les

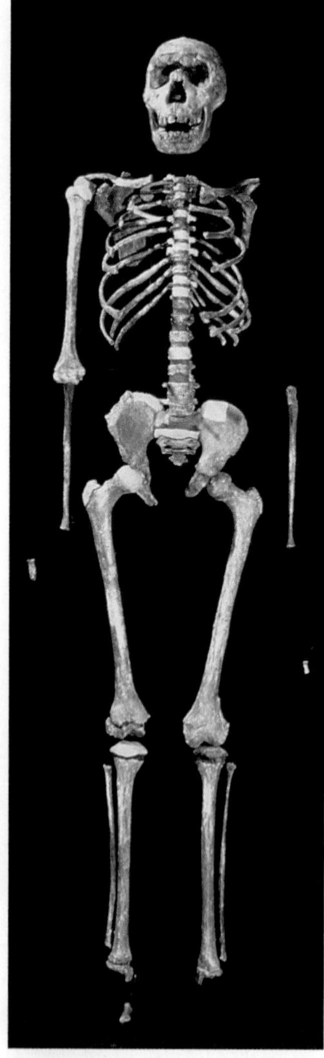

◄ **Figure 34.43 *Homo ergaster*: fossile et reconstitution effectuée par un artiste.** Ce fossile de 1,7 million d'années découvert au Kenya appartient à un jeune *Homo ergaster* mâle. Grand et mince, cet individu était complètement bipède et possédait un cerveau relativement volumineux.

mâles et les femelles *H. ergaster* formaient plus souvent des couples que les Homininés qui les avaient précédés. Ce changement était peut-être lié aux soins prodigués aux petits par les deux parents. Les petits des humains sont nourris et protégés par leurs parents beaucoup plus longtemps que ceux des chimpanzés et d'autres Hominoïdes.

Les fossiles aujourd'hui reconnus comme ceux de *Homo ergaster* étaient autrefois considérés comme les membres primitifs d'une autre espèce, *Homo erectus*, point de vue d'ailleurs encore défendu par certains paléoanthropologues. Apparu en Afrique, *Homo erectus* a été le premier Homininé à migrer hors de ce continent. Les plus anciens fossiles d'Homininés trouvés à l'extérieur de l'Afrique datent de 1,8 million d'années et ont été découverts en 2000 dans l'ancienne république soviétique de Géorgie. *Homo erectus* a plus tard migré jusqu'en Indonésie. Des comparaisons effectuées entre des fossiles de *H. erectus* et des humains ainsi que des études portant sur l'ADN humain indiquent que *H. erectus* a disparu à un moment indéterminé il y a plus de 200 000 ans.

Les Néanderthaliens

En 1856, des mineurs ont découvert de mystérieux fossiles humains dans une caverne de la vallée de Neander, en Allemagne. Ces fossiles vieux de 40 000 ans appartenaient à un Homininé robuste possédant de gros os et un front proéminent, qu'on a nommé *Homo neanderthalensis* ou, plus familièrement, *Néanderthalien*. À un certain moment, beaucoup de paléoanthropologues étaient d'avis que le Néanderthalien représentait la transition entre *Homo erectus* et *Homo sapiens*. Aujourd'hui, presque tous ont abandonné ce point de vue. Les Néanderthaliens semblent être les descendants d'une espèce plus ancienne, *Homo heidelbergensis*, qui, née en Afrique il y a environ 600 000 ans, s'est plus tard répandue en Europe. Les Néanderthaliens, apparus en Europe et au Proche-Orient il y a 200 000 ans, possédaient un cerveau aussi volumineux que celui des humains actuels et étaient capables de fabriquer des outils de chasse en pierre et en bois. Mais, en dépit de ces adaptations, ils semblent avoir disparu il y a 30 000 ans, sans avoir apporté la moindre contribution au patrimoine génétique des humains modernes.

L'analyse de l'ADN des Néanderthaliens confirme leur extinction. Les scientifiques ont extrait des fragments d'ADN des fossiles de quatre Néanderthaliens qui ont vécu à différentes époques en divers endroits d'Europe. Ils ont ensuite comparé cet ADN avec celui d'humains modernes originaires d'Europe, d'Afrique et d'Asie. Si les Néanderthaliens avaient donné naissance aux Européens, alors les deux groupes auraient le même ancêtre commun et seraient moins étroitement apparentés aux autres humains. Or, les analyses d'ADN révèlent que tous les Néanderthaliens forment un clade, alors que les Européens actuels sont plus étroitement apparentés aux Africains et aux Asiatiques actuels qu'aux Néanderthaliens.

Homo sapiens

Des données provenant de fossiles, de vestiges archéologiques et d'analyses d'ADN concourent à l'élaboration d'une hypothèse convaincante portant sur la façon dont notre espèce, *Homo sapiens*, est née et s'est répandue sur toute la planète.

On sait maintenant que les ancêtres des humains sont nés en Afrique. Des espèces anciennes (peut-être *H. ergaster* ou *H. erectus*) ont engendré de nouvelles espèces, comme *H. heidelbergensis* et, plus tard, *H. sapiens*. Une nouvelle datation, effectuée en 2005, de crânes découverts par Richard Leakey en 1967 près de la rivière Omo en Éthiopie révèle que ces crânes, baptisés Omo 1 et Omo 2, seraient vieux de 195 000 ans (cette date ne fait cependant pas l'unanimité dans la communauté scientifique). Il pourrait donc s'agir des plus anciens fossiles connus de notre espèce **(figure 34.44)**. Ces humains primitifs ne présentaient pas l'épaisse arcade sourcilière de *H. erectus* et des Néanderthaliens, et étaient plus élancés que les autres Homininés.

Les fossiles éthiopiens confirment les données moléculaires relatives à l'origine des humains. Comme nous l'avons mentionné plus tôt, des analyses d'ADN indiquent que tous les humains modernes sont plus étroitement apparentés les uns aux autres qu'aux Néanderthaliens. D'autres études portant sur l'ADN humain montrent que les Européens et les Asiatiques ont un ancêtre commun relativement récent avant l'apparition duquel beaucoup de lignées africaines ont formé des branches distinctes de l'arbre généalogique des humains. Ces observations donnent fortement à penser que tous les ancêtres des humains actuels sont des *Homo sapiens* provenant d'Afrique, hypothèse à laquelle donne encore plus de poids l'analyse de l'ADN mitochondrial et des chromosomes *Y* appartenant à des membres de diverses populations humaines.

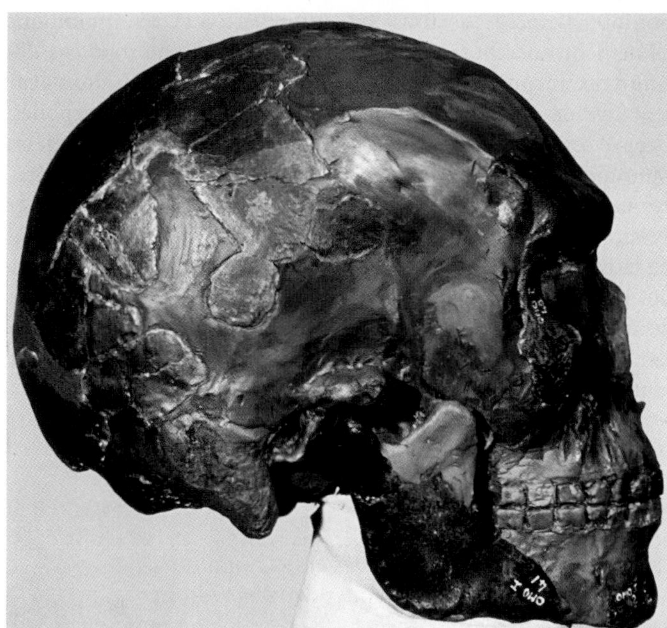

▲ **Figure 34.44 Ce qui pourrait être le plus ancien fossile d'*Homo sapiens* connu.** Reconstitution du crâne d'Omo 1. Ce crâne diffère peu de celui des humains actuels.

Les plus anciens fossiles d'*Homo sapiens* découverts hors de l'Afrique datent d'environ 50 000 ans. Des études portant sur le chromosome *Y* des humains indiquent qu'ils auraient quitté l'Afrique en une ou plusieurs vagues pour se rendre d'abord en Asie, puis en Europe et en Australie. On ne s'entend toujours pas sur la date à laquelle les premiers humains ont fait leur entrée dans le Nouveau Monde, mais, d'après les plus anciens fossiles généralement reconnus, ce serait il y a 15 000 ans.

De nouvelles découvertes viennent sans cesse actualiser notre compréhension du contexte de l'évolution de *H. sapiens.* Ainsi, en 2004, Peter Brown, de la University of New England, à New South Wales en Australie, Thomas Sutikna, de l'Indonesian Centre for Archæology, et leurs collègues ont signalé une découverte stupéfiante faite en 2003 : le squelette d'un Homininé adulte, de sexe féminin, vieux de 18 000 ans seulement et représentant une espèce auparavant inconnue, qu'on a appelée *Homo floresiensis.* Trouvé dans une caverne de calcaire située dans l'île indonésienne de Flores, l'individu, beaucoup plus petit que *H. sapiens*, a aussi un cerveau beaucoup moins volumineux que lui : il ressemble en fait davantage à un Australopithèque. Toutefois, son squelette présente aussi de nombreux caractères dérivés, dont l'épaisseur et les proportions du crâne ainsi que la forme des dents, indiquant qu'il pourrait descendre de *H. erectus*, espèce de plus grande taille. Voici une intéressante explication pour l'apparent « rétrécissement » de cette espèce : en raison de son isolement sur une île, la sélection naturelle a pu favoriser une importante réduction de sa taille. Une aussi remarquable réduction a souvent été observée chez d'autres espèces de Mammifères nains caractéristiques des îles, dont des éléphants nains primitifs trouvés à proximité du spécimen de *H. floresiensis.* Les découvertes anthropologiques et archéologiques de l'île de Flores permettront peut-être de résoudre de fascinantes questions. On en saura ainsi peut-être davantage sur l'origine de *H. floresiensis*, on apprendra si les membres de cette espèce utilisaient des outils et s'ils ont rencontré *H. sapiens*, avec lequel ils ont coexisté en Indonésie au cours de la dernière partie du Pléistocène. Mais le débat risque d'abord d'être relancé sur l'existence même de cette nouvelle espèce par des chercheurs qui ont découvert, en 2005, un village de Pygmées atteints de microcéphalie tout près du lieu où a été trouvé le squelette de Flores.

La rapide expansion de notre espèce (et le remplacement des Néanderthaliens) a peut-être été stimulée par l'apparition de la cognition chez *Homo sapiens*, alors qu'il vivait en Afrique. Bien qu'ils aient été capables de fabriquer des outils complexes, les Néanderthaliens et d'autres Homininés manifestaient, à notre connaissance, peu de créativité et de bien faibles aptitudes pour la pensée symbolique. Par ailleurs, les spécialistes commencent à découvrir des preuves que la pensée de *Homo sapiens* se raffinait parallèlement à son évolution. Par exemple, en 2002, des chercheurs ont signalé la découverte en Afrique du Sud d'œuvres d'art vieilles de 77 000 ans : des dessins géométriques tracés sur des morceaux d'ocre **(figure 34.45)**. De plus, en 2004, des archéologues travaillant dans le sud et l'est de l'Afrique ont trouvé des œufs d'autruche et des coquilles d'escargots vieux de 75 000 ans dans lesquels des trous avaient été soigneusement percés. Il y a 36 000 ans, les humains réalisaient dans des cavernes des peintures admirables.

L'apparition de la pensée symbolique pourrait avoir accompagné celle du véritable langage humain. Ces deux facultés pourraient avoir favorisé la survie et la reproduction des humains en leur permettant de créer de nouveaux outils et d'enseigner aux autres comment les fabriquer. Grâce à elles, des individus éloignés les uns des autres ont également pu échanger des ressources limitées. Les pressions démographiques engendrées par l'augmentation de la population en Afrique ont peut-être poussé les humains à migrer vers l'Asie et ensuite vers l'Europe. Par ailleurs, la disparition des Néanderthaliens a pu être causée par les contraintes engendrées à la fois par la dernière époque glaciaire et par la compétition consécutive à l'arrivée des humains.

On peut découvrir des indices de la transformation des humains sur le plan cognitif non seulement dans les sites archéologiques, mais aussi dans leur génome. En 2001, un gène appelé *FOXP2* a été reconnu comme essentiel au langage humain. Les personnes qui héritent de versions mutantes de ce gène souffrent

▲ **Figure 34.45 L'art, trait distinctif des humains.** Les dessins gravés sur ce morceau d'ocre vieux de 77 000 ans, découvert à Blombos Cave, en Afrique du Sud, comptent parmi les plus anciens signes de pensée symbolique chez les humains.

d'un éventail de défauts d'élocution et présentent une activité réduite au niveau de l'aire de Broca (voir le chapitre 48). En 2002, des généticiens ont effectué des comparaisons entre le gène *FOXP2* des humains et un gène homologue chez d'autres Mammifères. Ils ont constaté que la sélection naturelle avait fortement agi sur ce gène après que les ancêtres des humains et des chimpanzés ont divergé. En comparant des mutations survenues dans les régions situées de part et d'autre du gène, les chercheurs ont estimé que cette poussée de sélection naturelle s'était produite il y a moins de 200 000 ans. Certes, la faculté du langage mobilise de nombreuses régions du cerveau, et il est presque certain que beaucoup d'autres gènes sont essentiels au langage. Mais l'évolution du gène *FOXP2* pourrait être le premier indice génétique de l'origine du rôle exceptionnel joué dans le monde par notre espèce.

Notre étude de l'évolution des humains termine la partie du manuel portant sur la diversité biologique. Il ne faut cependant pas croire que la vie a gravi les échelons d'une hiérarchie ayant à sa base les microorganismes et à son sommet les humains. Quelle que soit la façon dont on l'étudie, la biodiversité est le fruit des différentes ramifications de l'arbre phylogénétique, non d'une progression hiérarchique. Le fait que le nombre d'espèces de Poissons à nageoires rayonnées est aujourd'hui plus élevé que le nombre d'espèces de tous les autres Vertébrés réunis indique clairement une chose: nos cousins à nageoires ne sont pas des Animaux incompétents et dépassés qui ont échoué dans leur tentative de coloniser la terre ferme. D'ailleurs, les Tétrapodes, c'est-à-dire les Amphibiens, les Reptiles, les Oiseaux et les Mammifères, sont tous issus d'une population de Sarcoptérygiens. Tandis qu'eux se sont diversifiés sur la terre ferme, les Poissons ont poursuivi leur évolution divergente dans la portion de la biosphère la plus volumineuse. De même, l'omniprésence des Procaryotes dans la biosphère est une preuve de la capacité de ces organismes relativement simples à se perpétuer en s'adaptant à leur milieu. L'étude du vivant célèbre toute la diversité, tant passée que présente.

Retour sur le concept 34.8

1. Comparez les Hominoïdes et les Homininés.
2. En quoi les caractéristiques de *Homo ergaster* illustrent-elles le processus d'évolution en mosaïque?

Voir les réponses proposées à la fin du chapitre.

Révision du chapitre 34

RÉSUMÉ DES CONCEPTS CLÉS

Les Cordés possèdent une corde dorsale et un tube neural dorsal creux

- **Les caractères dérivés des Cordés (p. 730).** Les caractères dérivés des Cordés sont notamment la corde dorsale, le tube neural dorsal creux, les fentes ou les rainures branchiales, et une queue musculaire postanale.
- **Les Urocordés (p. 730).** Les Urocordés sont des suspensivores marins communément appelés *outres de mer*. Au stade adulte, ils perdent certains des caractères dérivés des Cordés.
- **Les Céphalocordés (p. 730-732).** Les Céphalocordés sont des suspensivores marins qui conservent les caractéristiques du plan d'organisation corporelle des Cordés au stade adulte.
- **Les premières étapes de l'évolution des Cordés (p. 732-733).** L'évolution biologique actuelle des Urocordés ne correspond probablement pas à celle des Cordés ancestraux. L'expression des gènes chez les Céphalocordés nous renseigne sur l'évolution du cerveau des Vertébrés.

Concept 34.2

Les Crâniates sont des Cordés pourvus d'une tête

- **Les caractères dérivés des Crâniates (p. 734).** Les Crâniates possèdent une tête constituée d'un crâne, d'un cerveau, d'yeux et d'autres organes sensoriels. Chez eux, de nombreuses structures se développent à partir d'un ensemble original de cellules, la crête neurale.
- **L'origine des Crâniates (p. 734).** Les Crâniates sont apparus il y a au moins 530 millions d'années, au cours de l'explosion du Cambrien.
- **Les Myxinoïdes (p. 734-735).** Les Myxinoïdes (myxines) sont des Crâniates marins dépourvus de mâchoires, qui possèdent un crâne cartilagineux et une tige de cartilage longitudinale formée à partir de la corde dorsale. Ils n'ont pas de vertèbres.

Les Vertébrés sont des Crâniates pourvus d'une colonne vertébrale

- **Les caractères dérivés des Vertébrés (p. 736).** Les Vertébrés possèdent des vertèbres, un crâne complexe et, chez les formes aquatiques, des nageoires rayonnées.
- **Les lamproies (p. 736).** Les lamproies sont des Vertébrés sans mâchoires. Elles possèdent des paires de fibres cartilagineuses qui entourent la corde dorsale, remontent dorsalement et recouvrent partiellement le tube neural.
- **Les fossiles des Vertébrés primitifs (p. 736-737).** Les Conodontes ont été les premiers Vertébrés dont la bouche et le pharynx étaient munis d'éléments squelettiques minéralisés. Des Vertébrés cuirassés sans mâchoires (*Ostracodermes*) étaient protégés par des plaques osseuses qui recouvraient leur peau.
- **L'origine des os et des dents (p. 737).** Les pièces buccales semblent avoir été les premières structures minéralisées chez les Vertébrés; la minéralisation complète de leur endosquelette est beaucoup plus tardive.

Concept 34.4

Les Gnathostomes sont des Vertébrés pourvus de mâchoires

- **Les caractères dérivés des Gnathostomes (p. 737-738).** Les Gnathostomes possèdent des mâchoires issues de la modification des arcs branchiaux soutenant les fentes branchiales, des organes sensoriels perfectionnés, dont l'organe de la ligne latérale, un endosquelette fortement ossifié et des appendices jumelés.

- **Les fossiles de Gnathostomes (p. 738).** Les Placodermes étaient étroitement apparentés aux Gnathostomes modernes. Pour leur part, les Acanthodiens étaient de proches parents des Ostéichthyens.
- **Les Chondrichthyens (requins, raies et organismes apparentés) (p. 738-740).** Les Chondrichthyens, dont font partie les requins et les raies, possèdent un squelette cartilagineux, caractère secondaire qui s'est développé à partir d'un squelette minéralisé ancestral.
- **Les Actinoptérygiens et les Sarcoptérygiens (p. 740-742).** Les Ostéichthyens possèdent un squelette renforcé de phosphate de calcium. Les formes aquatiques sont pourvues de branchies recouvertes d'une plaque osseuse et possèdent une vessie natatoire; certaines ont aussi des poumons. Les Poissons à nageoires rayonnées sont dotés de nageoires maniables soutenues par de longs rayons flexibles. Les Sarcoptérygiens comprennent les cœlacanthes, les Dipneustes et les Tétrapodes. Les Sarcoptérygiens aquatiques portent des nageoires pectorales et pelviennes musculaires.

Concept 34.5

Les Tétrapodes sont des Gnathostomes pourvus de membres et de pieds

- **Les caractères dérivés des Tétrapodes (p. 742).** Les Tétrapodes ont quatre membres; leurs pieds sont munis de doigts. Ils possèdent aussi d'autres adaptations à la vie sur la terre ferme (des oreilles, par exemple).
- **L'origine des Tétrapodes (p. 742-743).** Des observations paléontologiques indiquent que les membres des Tétrapodes, qui servent aujourd'hui surtout à marcher sur la terre ferme, étaient à l'origine utilisés pour se déplacer dans l'eau.
- **Les Amphibiens (p. 743-745).** Les Amphibiens comprennent les salamandres, les grenouilles et les cécilies. La plupart ont une peau humide par laquelle s'effectuent des échanges gazeux qui suppléent à ceux qui sont assurés par les poumons. La majorité des grenouilles et certaines salamandres subissent une métamorphose au cours de laquelle une larve aquatique se transforme en un adulte terrestre.

Concept 34.6

Les Amniotes sont des Tétrapodes dont l'œuf est adapté au milieu terrestre

- **Les caractères dérivés des Amniotes (p. 745-746).** L'œuf amniotique contient des membranes extraembryonnaires qui assurent diverses fonctions, dont les échanges gazeux et la protection de l'embryon. Les Amniotes présentent d'autres adaptations à la vie sur la terre ferme, comme une peau relativement imperméable.
- **Les premiers Amniotes (p. 746).** L'apparition des Amniotes remonte au Carbonifère. Ce groupe comptait des herbivores et des prédateurs de grande taille.
- **Les Reptiles (p. 747-749).** Parmi les Reptiles, on trouve les tuataras, les lézards, les serpents, les tortues, les Crocodiliens et les Oiseaux. Les formes disparues sont notamment les Parareptiles, les Dinosaures, les Ptérosauriens et les Reptiles marins. La plupart des Reptiles sont ectothermes, mais les Oiseaux sont endothermes (comme l'étaient sans doute certains Dinosaures).
- **Les Oiseaux (p. 750-752).** Les ancêtres des Oiseaux sont probablement un groupe de petits Dinosaures carnivores appelés *Théropodes*. Ils présentent diverses adaptations à un mode de vie axé sur le vol.

Concept 34.7

Les Mammifères sont des Amniotes pourvus de poils et produisant du lait

- **Les caractères dérivés des Mammifères (p. 753).** Les poils et les glandes mammaires sont deux caractères dérivés des Mammifères.
- **Les premières étapes de l'évolution des Mammifères (p. 753).** Les Mammifères se sont développés à partir des Synapsides, à la fin du Trias. Les lignées modernes sont apparues au cours du Jurassique, mais n'ont pas connu de radiation adaptative importante avant le début du Paléogène.
- **Les Monotrèmes (p. 753-754).** Les Monotrèmes forment un petit groupe de Mammifères qui pondent des œufs; ils comprennent les échidnés et l'ornithorynque.
- **Les Marsupiaux (p. 754-755).** Les Marsupiaux comprennent les opossums, les kangourous et les koalas. L'embryon commence son développement dans l'utérus, relié à sa mère par un placenta, puis le termine dans la poche ventrale maternelle.
- **Les Euthériens (Mammifères placentaires) (p. 755-758).** Chez les Euthériens, l'embryon se développe complètement dans l'utérus, où un placenta le relie à sa mère. Tous les Primates possèdent des mains et (à l'exception des humains) des pieds qui leur servent à s'agripper. Les Primates modernes comprennent les lémurs et leurs parents, les tarsiers et les Anthropoïdés. Les Anthropoïdés se sont divisés tôt en singes du Nouveau Monde et en singes de l'Ancien Monde. Les Hominoïdes (gibbons, orangs-outans, gorilles, chimpanzés, bonobos et humains) se sont développés à partir des singes de l'Ancien Monde.

Concept 34.8

Les humains sont des Hominoïdes bipèdes pourvus d'un cerveau volumineux

- **Les caractères dérivés des humains (p. 760).** Les humains sont bipèdes; comparativement aux autres Hominoïdes, ils possèdent des mâchoires plus courtes et un cerveau plus volumineux.
- **Les premiers Homininés (p. 760-762).** Les Homininés sont apparus en Afrique il y a au moins six à sept millions d'années. Les premiers Homininés avaient un cerveau peu volumineux, mais marchaient en position verticale.
- **Les Australopithèques (p. 762-763).** Les Australopithèques forment un groupe paraphylétique d'Homininés qui ont vécu il y a entre quatre et deux millions d'années avant notre ère. Certaines espèces marchaient en position complètement verticale, et leurs mains et leurs dents ressemblaient à celles des humains.
- **La bipédie (p. 763).** Les Homininés ont commencé à franchir de longues distances sur deux pieds il y a environ 1,9 million d'années.
- **L'utilisation des outils (p. 763).** Les plus anciennes preuves de l'utilisation des outils par les Homininés (des entailles pratiquées sur des os d'Animaux) sont vieilles de 2,5 millions d'années.
- **Les premiers représentants du genre *Homo* (p. 763-764).** *Homo ergaster* a été le premier Homininé complètement bipède pourvu d'un cerveau volumineux. *Homo erectus* a été pour sa part le premier Homininé à quitter l'Afrique.
- **Les Néanderthaliens (p. 764).** Les Néanderthaliens ont vécu en Europe et au Proche-Orient au cours d'une période comprise entre 200 000 et 30 000 ans avant notre ère. Ils ont disparu quelques milliers d'années après l'arrivée d'*Homo sapiens* en Europe.
- ***Homo sapiens* (p. 764-766).** *Homo sapiens* est apparu en Afrique il y a au moins 160 000 ans et s'est répandu dans d'autres continents il y a environ 50 000 ans. Cette expansion a peut-être été précédée par des modifications du cerveau ayant rendu possibles la pensée symbolique et d'autres innovations d'ordre cognitif. L'étude des origines d'*Homo sapiens* et de ses contemporains, notamment la découverte d'une nouvelle espèce, *Homo floresiensis*, datant de la fin du Pléistocène, donne lieu à des recherches et à des débats intenses.

VÉRIFIEZ VOS CONNAISSANCES

Autoévaluation

(Les questions dont les numéros sont en caractères gras font surtout appel à la compréhension.)

1. Les Vertébrés et les Tuniciers ont en commun:
   a) des mâchoires adaptées à l'ingestion de nourriture.
   b) un degré élevé de céphalisation.
   c) des structures qui se forment à partir de la crête neurale.
   d) un endosquelette qui comprend un crâne.
   e) une corde dorsale et un tube neural dorsal creux.

2. Des Animaux qui ont vécu il y a 530 millions d'années ressemblaient à des Céphalocordés, mais possédaient un cerveau et un crâne. Ils pourraient représenter:
   a) les premiers Cordés.
   b) le «chaînon manquant» entre les Urocordés et les Céphalocordés.
   c) des Crâniates primitifs.
   d) des Marsupiaux.
   e) des Gnathostomes n'appartenant pas au groupe des Tétrapodes.

3. Les Chondrichthyens se distinguent des Ostéichthyens par:
   a) la présence d'un crâne chez les Ostéichthyens.
   b) la présence d'une ligne latérale chez les Ostéichthyens.
   c) la présence de nageoires non jumelées et de poumons chez les Chondrichthyens.
   d) l'absence d'une vessie natatoire chez les Chondrichthyens.
   e) l'absence d'organes sensoriels jumelés chez les Chondrichthyens.

4. Lequel des Animaux suivants pourrait être considéré comme le plus récent ancêtre commun des Tétrapodes modernes?
   a) Un Sarcoptérygien pourvu de nageoires solides, vivant dans des eaux peu profondes et ayant des appendices qui prennent appui sur le squelette comme chez les Vertébrés terrestres.
   b) Un Placoderme cuirassé muni de mâchoires et de deux paires d'appendices.
   c) Un Actinoptérygien primitif dont les paires de nageoires prennent appui sur le squelette.
   d) Une salamandre dont les pattes prenaient appui sur un squelette osseux, mais qui se déplaçait en se balançant d'un côté et de l'autre comme les Poissons.
   e) Une cécilie terrestre primitive dont les pattes ont disparu au cours de l'évolution.

5. Lequel, parmi les énoncés suivants, est *faux*?
   a) Les Urocordés et les Céphalocordés ne font pas partie des Vertébrés.
   b) Tous les Cordés ont un tube neural dorsal creux à un stade ou l'autre de leur vie.
   c) La complexité croissante que l'on observe dans l'évolution des Cordés est associée à des duplications de groupes de gènes.
   d) Les crêtes neurales, apparues chez les Crâniates, donnent naissance au cartilage et aux os.
   e) Les Poissons sont des Crâniates aquatiques qui constituent un groupe monophylétique.

6. Laquelle des caractéristiques suivantes *n'est pas* commune aux Oiseaux et aux Mammifères?
   a) L'endothermie.
   b) Un ancêtre commun appartenant aux Amniotes.
   c) Un tube neural dorsal creux.
   d) Une ouverture derrière l'orbite de l'œil de chaque côté du crâne.
   e) L'œuf amniotique.

7. Quelle caractéristique, parmi les suivantes, *ne convient pas* aux Oiseaux?
   a) Ce sont des Ovipares.
   b) Ce sont des Amniotes.
   c) Ce sont des Tétrapodes.
   d) Ce sont des Actinoptérygiens.
   e) Ce sont des Crâniates.

8. Qu'est-ce qui caractérise *à la fois* les Monotrèmes et les Marsupiaux, mais *pas* les Euthériens?
   a) L'absence de mamelons.
   b) Une partie du développement embryonnaire se fait hors de l'utérus de la mère.
   c) Ils pondent des œufs.
   d) Ils vivent en Afrique et en Australie.
   e) Ils sont exclusivement insectivores et herbivores.

9. Laquelle des caractéristiques suivantes est propre aux singes du Nouveau Monde?
   a) Des soins parentaux complexes.
   b) Des yeux rapprochés sur le devant du visage.
   c) Une queue préhensile.
   d) La marche bipède occasionnelle.
   e) L'orientation des narines vers le bas.

10. Auquel de ces clades suivants les humains *n'appartiennent-ils pas*?
   a) Les Synapsides.
   b) Les Sarcoptérygiens.
   c) Les Diapsides.
   d) Les Crâniates.
   e) Les Ostéichthyens.

11. Lorsque l'humain a divergé des autres Primates, par quel caractère s'en est-il distingué en premier lieu?
   a) L'avènement de la technologie.
   b) Le langage.
   c) Une station partiellement verticale.
   d) La fabrication d'outils.
   e) L'accroissement du volume du cerveau.

12. Des études portant sur l'ADN indiquent que:
   a) *Homo erectus* est né en Asie.
   b) *Homo sapiens* est né en Afrique.
   c) Les Néanderthaliens sont les ancêtres des Européens actuels.
   d) Les Australopithèques ont émigré de l'Afrique.
   e) La première population d'humains modernes s'est installée en Amérique du Nord.

13. Lesquels, parmi les énoncés suivants, sont *faux*?
   a) Le génome de l'humain est à 99 % identique à celui du chimpanzé.
   b) Les caractéristiques qui distinguent les humains des autres Hominoïdes sont apparues à peu près toutes en même temps.
   c) La présence d'ongles plats et celle d'un pouce opposable constituent deux caractéristiques des Primates.
   d) Les singes constituent un groupe monophylétique.
   e) Les Homininés primitifs étaient des chimpanzés.

14. À quel type d'organismes correspond la description qui suit? Parasites dont la larve ressemble à un amphioxus; squelette cartilagineux et corde qui persiste chez l'adulte et s'entoure d'un tube cartilagineux rappelant la colonne vertébrale.
   a) Les raies.
   b) Les myxines.
   c) Les lamproies.
   d) Les Urocordés.
   e) Les requins.

Lien avec l'évolution

Pour chacun des clades suivants, nommez une caractéristique qui permet d'y classer l'humain: Eucaryotes, Animaux, Deutérostomiens, Cordés, Vertébrés, Gnathostomes, Amniotes, Mammifères, Primates.

Intégration

La démarche scientifique consiste souvent à essayer d'expliquer les observations intéressantes. Il s'agit en particulier de se pencher sur l'opposition, chez certains groupes de Vertébrés, entre l'aspect génétique et l'aspect morphologique. Par exemple, les espèces d'Amphibiens sont très similaires sur le plan anatomique, mais se distinguent nettement sur le plan génétique. Chez les Oiseaux, dont l'anatomie est très diversifiée, c'est l'inverse. On observe un phénomène similaire avec les humains et les chimpanzés: ces deux genres sont assez divergents sur le plan morphologique, mais sont presque identiques sur le plan génétique. Proposez une ou plusieurs hypothèses pour expliquer ces phénomènes curieux.

Science, technologie et société

1. Si notre évolution biologique est darwinienne, notre évolution culturelle pourrait être qualifiée de *lamarckienne*. Expliquez cette différence après avoir révisé l'exposé sur Darwin et Lamarck qui figure au chapitre 22.
2. Hubert Reeves a écrit : « Les êtres humains prennent facilement pour acquise l'idée qu'ils sont le but, le chef-d'œuvre de l'évolution biologique, et qu'en conséquence ils sont exemptés de la destinée commune aux espèces vivantes*. » Montrez que cette idée qu'on pourrait se faire de la place de l'humain au sommet des vivants est à l'opposé de celle que l'on devrait garder à la suite de l'étude des neuf derniers chapitres consacrés à l'histoire évolutive de la diversité biologique.

* Hubert Reeves, *Chroniques du ciel et de la vie*, Paris, Éditions du Seuil-France Culture, 2005, p. 188.

Réponses du chapitre 34

Retour sur le concept 34.1

1. Chez les humains, ces caractères ne sont présents qu'au stade embryonnaire. Au stade adulte, la corde dorsale ne subsiste que sous forme de disques intervertébraux, la queue disparaît presque complètement et les fentes branchiales donnent naissance à diverses structures.
2. Lorsque l'eau traverse les fentes branchiales, les particules de nourriture qu'elle contient sont filtrées puis transportées vers le système digestif.

Retour sur le concept 34.2

1. *Haikouichthys*; il était pourvu d'un crâne et appartenait donc aux Crâniates, comme les humains. *Haikouella* n'avait pas de crâne.
2. Les myxines possèdent une tête et un crâne constitués de cartilage, un petit cerveau, des organes sensoriels et des structures semblables à des dents. Elles présentent une crête neurale, des branchies et des systèmes organiques plus complets que ceux des Urocordés. En outre, elles sont dotées de glandes sécrétant une matière gluante qui les protège des prédateurs et repousse vraisemblablement les autres charognards.

Retour sur le concept 34.3

1. Les lamproies possèdent une bouche circulaire et une langue râpeuse à l'aide de laquelle elles se cramponnent aux Poissons. Les Conodontes présentaient deux séries d'éléments dentaires minéralisés qu'ils utilisaient, semble-t-il, pour embrocher leurs proies et les découper.
2. Les éléments dentaires minéralisés ont permis aux Vertébrés de devenir des charognards et des prédateurs. Chez les Vertébrés cuirassés sans mâchoires, le tissu osseux formait une protection externe.

Retour sur le concept 34.4

1. Les requins et les thons sont des Gnathostomes qui possèdent des mâchoires, quatre groupes de gènes *Hox*, un cerveau antérieur plus gros que celui des autres Crâniates et un organe sensoriel de la ligne latérale. Chez les requins, le squelette osseux a fait place à un squelette constitué en grande partie de cartilage, tandis que chez les thons il est demeuré osseux. De plus, les requins possèdent une valvule spirale. Les thons, de leur côté, ont un opercule et une vessie natatoire, de même que des nageoires soutenues par des rayons flexibles.
2. Les cœlacanthes vivent en eau profonde, les Dipneustes dans les étangs et les marais, et les Vertébrés terrestres sur la terre ferme.

Retour sur le concept 34.5

1. Non. Il possédait quatre pattes bien formées pourvues de chevilles et de doigts, mais ses ceintures pectorale et pelvienne n'avaient pas la force nécessaire pour lui permettre de se déplacer sur la terre ferme. Il avait des branchies et une nageoire caudale qui le propulsait dans l'eau.
2. Certaines espèces uniquement aquatiques se développent selon un processus de pédomorphose, c'est-à-dire qu'elles conservent des caractéristiques larvaires à l'âge adulte. Les espèces qui vivent dans des environnements secs peuvent éviter la déshydratation en demeurant dans des terriers ou sous des feuilles mouillées ; des adaptations comme la fabrication de nids mousseux et l'ovoviviparité ou la viviparité leur permettent de protéger les œufs.

Retour sur le concept 34.6

1. L'œuf amniotique n'est pas un système entièrement clos. Les nutriments utilisés par l'embryon sont stockés à l'intérieur de l'œuf (dans le sac vitellin et l'albumine), tout comme le sont certains déchets métaboliques qu'il produit (dans l'allantoïde). Toutefois, des échanges de dioxygène et de dioxyde de carbone ont lieu entre l'embryon et le milieu extérieur par l'intermédiaire du chorion, de l'allantoïde et de la coquille.
2. Les Oiseaux présentent des adaptations qui favorisent la réduction de la masse, comme l'absence de dents et de vessie, et la présence d'un seul ovaire chez les femelles. Le vol est aussi facilité par les adaptations suivantes : les ailes et les plumes, et des systèmes respiratoire et cardiovasculaire qui permettent un métabolisme élevé.

Retour sur le concept 34.7

1. Les Monotrèmes pondent des œufs. Les Marsupiaux donnent naissance à de minuscules petits qui terminent leur développement fœtal dans la poche ventrale de la mère. Les Euthériens mettent au monde des petits bien développés.
2. Des mains et des pieds qui permettent de s'agripper, des ongles plats, un cerveau volumineux, des yeux rapprochés sur le devant d'un visage plat, des soins parentaux, un gros orteil et un pouce mobiles.

Retour sur le concept 34.8

1. Les Hominoïdes forment un clade auquel appartiennent les gibbons, les orangs-outans, les gorilles, les chimpanzés, les bonobos et les humains, ainsi que des espèces disparues qui descendaient du même ancêtre. Les Homininés forment, quant à eux, un clade groupant les humains et toutes les espèces plus étroitement apparentées aux humains qu'aux autres Hominoïdes actuels.
2. *Homo ergaster* se tenait complètement droit ; il était bipède et aussi grand que l'humain moderne, mais possédait un cerveau beaucoup plus petit que le sien. On parle d'*évolution en mosaïque* lorsque les diverses parties du corps ne se modifient pas au même rythme au cours de l'évolution.

Autoévaluation

1. e ; **2.** c ; 3. d ; 4. a ; 5. e ; 6. d ; 7. d ; **8.** b ; 9. c ; **10.** c ; **11.** c ; **12.** b ; 13. b, d et e ; 14. c.

35

Anatomie, croissance et développement des Végétaux

▲ **Figure 35.1 Cabomba (*Cabomba caroliniana*).**

Concepts clés

35.1 **La morphologie des Végétaux résulte d'une hiérarchie d'organes, de tissus et de cellules**

35.2 **Les méristèmes engendrent les cellules des nouveaux organes**

35.3 **La croissance primaire fait s'allonger les racines et les pousses**

35.4 **La croissance secondaire fait augmenter le diamètre des tiges et des racines des plantes ligneuses**

35.5 **La croissance, la morphogenèse et la différenciation façonnent la structure des Végétaux**

Introduction

Toutes les plantes sont uniques

Pour certains, la plante montrée à la **figure 35.1** est une mauvaise herbe aquatique qui encombre nos ruisseaux, nos rivières et nos lacs. Pour d'autres, c'est une plante qui décore joliment un aquarium. Chose certaine, le cabomba (*Cabomba caroliniana*) est un excellent exemple de **plasticité**, c'est-à-dire la capacité d'un organisme d'altérer ou de se « mouler » aux conditions de son environnement. Les feuilles subaquatiques de *Cabomba* ont un aspect plumeux (cette adaptation les protège du stress imposé par l'eau en mouvement), tandis que les feuilles de surface ont des coussinets qui favorisent la flottaison. Les cellules des deux types de feuilles sont génétiquement identiques, mais les environnements dissemblables font en sorte que les gènes responsables de la formation des feuilles s'expriment ou ne s'expriment pas. Une plasticité développementale aussi prononcée est beaucoup plus répandue chez les Végétaux que chez les Animaux, peut-être pour compenser le manque de mobilité des Végétaux. Par ailleurs, comme la forme d'une plante est toujours tributaire de facteurs environnementaux et génétiques, chaque plante est unique.

En plus de cette plasticité qui permet à chaque plante de s'adapter du point de vue structural à un milieu donné, les Végétaux ont accumulé, grâce à la sélection naturelle, une **morphologie**, c'est-à-dire une forme extérieure, qui varie peu d'un individu à l'autre de la même espèce. Par exemple, certaines plantes qui poussent dans le désert, comme les cactus, ont des feuilles si petites que la tige constitue leur principal organe photosynthétique. Cette réduction de la taille et donc de la surface des feuilles est une adaptation morphologique qui diminue les pertes d'eau. L'adaptation des feuilles favorise la survie et le succès reproductif dans l'environnement désertique.

Dans le présent chapitre, nous examinerons l'anatomie des Végétaux en guise de préparation aux autres chapitres de cette partie qui traite de biologie végétale. Dans les chapitres 29 et 30, nous avons déjà décrit l'évolution et les caractéristiques des Bryophytes, des Vasculaires sans graines, des Gymnospermes et des Angiospermes. Ce chapitre-ci ainsi que la sixième partie dans son ensemble porteront principalement sur les Vasculaires, particulièrement les Angiospermes, parce que les plantes à fleurs comprennent environ 90 % de toutes les espèces végétales et sont à la base de presque tous les réseaux alimentaires terrestres. La population mondiale augmente sans cesse, et on n'a jamais eu autant besoin des Végétaux pour approvisionner le monde en nourriture, en combustible, en fibres, en médicaments, en bois d'œuvre et en papier, d'où l'importance d'approfondir notre connaissance de la croissance et du développement des plantes.

Concept 35.1

La morphologie des Végétaux résulte d'une hiérarchie d'organes, de tissus et de cellules

Comme chez les Animaux multicellulaires, les organes des Végétaux sont composés de tissus qui sont eux-mêmes composés de cellules. Un **tissu** est un ensemble de cellules ayant une fonction commune, une structure commune ou les deux. Un **organe** est constitué de divers tissus qui, ensemble, exécutent des fonctions particulières. Au cours de notre étude des organes, des tissus et des cellules des Végétaux, nous nous concentrerons sur les organes parce qu'ils sont les éléments structuraux les plus faciles à observer.

Les trois composantes anatomiques fondamentales des Végétaux : les racines, les tiges et les feuilles

Les Vasculaires ont une morphologie fondamentale qui reflète leur évolution sur la terre ferme, où elles doivent puiser leurs ressources dans deux milieux très différents : l'un souterrain, l'autre aérien. Les Végétaux doivent tirer l'eau et les minéraux du sol, et capter le CO_2 et la lumière dans l'air. Pour pallier cette dispersion de ressources, les Végétaux terrestres ont privilégié trois grands systèmes au cours de leur évolution : les racines, les tiges et les feuilles. Le **système racinaire** comprend les racines, et le **système caulinaire** comprend les tiges et les feuilles **(figure 35.2)**. À part quelques exceptions, les deux systèmes sont essentiels à la survie des Angiospermes et autres Vasculaires. En général, les racines sont non photosynthétiques et ont besoin des nutriments organiques fabriqués par le système caulinaire. Inversement, les tissus du système caulinaire ont besoin de l'eau et des minéraux absorbés par le système racinaire.

Plus loin dans le présent chapitre, nous discuterons de la transition qui fait que les pousses végétatives du système caulinaire (éléments non reproducteurs) deviennent des éléments reproducteurs. Chez les Angiospermes, les éléments reproducteurs sont les fleurs, qui se composent de feuilles hautement différenciées pour la reproduction sexuelle.

Nous allons maintenant examiner plus précisément la morphologie des racines, des tiges et des feuilles. Nous tenterons de considérer ces organes du point de vue de l'évolution, c'est-à-dire de l'adaptation à la vie terrestre. Les types d'organes étudiés seront surtout ceux des deux principaux groupes d'Angiospermes : les Monocotylédones et les Dicotylédones (voir la figure 30.12).

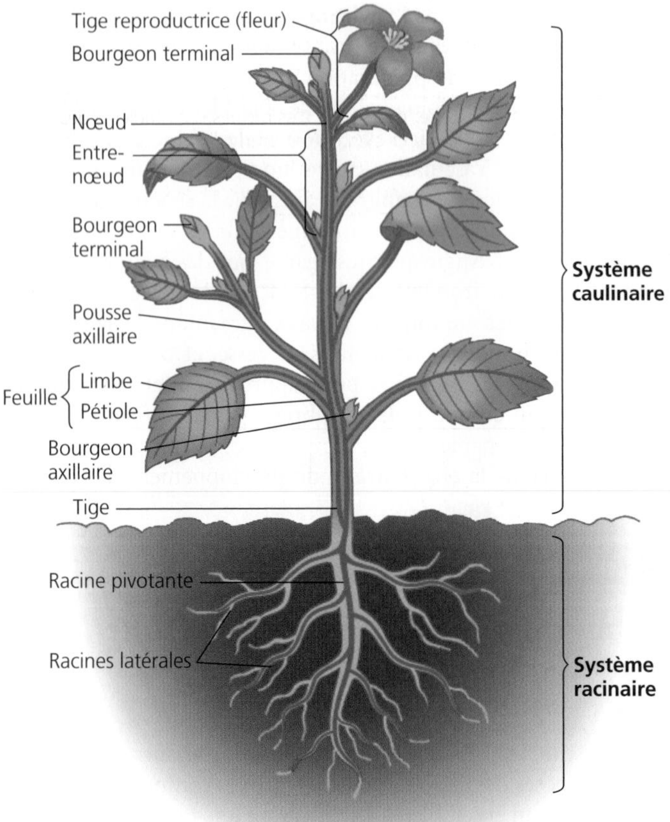

Tige reproductrice (fleur)
Bourgeon terminal
Nœud
Entre-nœud
Bourgeon terminal
Pousse axillaire
Feuille { Limbe, Pétiole }
Bourgeon axillaire
Tige
Racine pivotante
Racines latérales
Système caulinaire
Système racinaire

▲ **Figure 35.2 Aperçu d'une Angiosperme.** Les Angiospermes (ici une Dicotylédone) possèdent un système racinaire et un système caulinaire qui sont reliés par des tissus conducteurs (en violet dans l'illustration).

Les racines

Les racines fixent solidement les Vasculaires au sol, absorbent les minéraux et l'eau, et emmagasinent des réserves nutritives. La plupart des Dicotylédones et des Gymnospermes possèdent un **système racinaire pivotant**. Celui-ci est constitué d'une large racine verticale (la racine pivotante) qui se développe à partir d'une racine embryonnaire. Le système racinaire pivotant donne naissance à des **racines latérales** (voir la figure 35.2). Chez les Angiospermes, il emmagasine souvent les matières nutritives que les plantes utilisent lorsqu'elles fleurissent et produisent des fruits. C'est pourquoi on récolte les plantes-racines, comme la carotte (*Daucus carotta*), le rutabaga (*Brassica napus*) et la betterave à sucre (*Beta vulgaris*), avant la floraison. En général, la racine pivotante pénètre profondément dans le sol.

Chez les Vasculaires sans graines et la plupart des Monocotylédones, par exemple les Graminées, la racine embryonnaire meurt et ne donne pas naissance à une racine principale. Au lieu de cela, plusieurs petites racines croissent à partir de la tige, et chacune forme ses propres racines latérales. Il en résulte un **système racinaire fasciculé**, composé d'un ensemble de fines racines qui se répandent sous la surface du sol ; aucune ne devient la racine principale (voir la figure 30.12). Le système racinaire fasciculé est habituellement plus superficiel que le système racinaire pivotant. Les racines de l'herbe sont particulièrement superficielles ; elles sont concentrées dans les quelques premiers centimètres de sol. L'herbe est un excellent couvre-sol pour prévenir l'érosion, car ses racines maintiennent en place la couche de surface. Les grandes Monocotylédones, comme le palmier et le bambou, s'ancrent au sol grâce à des rhizomes, qui sont des tiges souterraines horizontales.

C'est le système racinaire au complet qui permet aux plantes de bien s'ancrer dans le sol, mais une partie seulement, située près de l'extrémité des racines, effectue des échanges avec le sol et réalise la majeure partie de l'absorption de l'eau et des minéraux. Près de l'extrémité des racines se trouvent un très grand nombre de minuscules **poils absorbants** qui augmentent considérablement la surface d'absorption **(figure 35.3)**. Ces poils sont des prolongements des cellules épidermiques situées à la surface

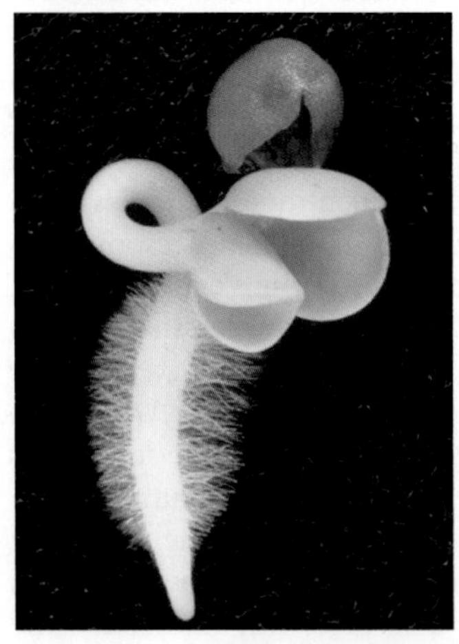

◀ **Figure 35.3 Poils absorbants et extrémité d'une tige.** Poussant par milliers juste avant l'extrémité de chaque racine, les poils absorbants augmentent la surface d'absorption de l'eau et des minéraux.

de la racine. Il ne faut toutefois pas les confondre avec les racines latérales, qui sont des organes multicellulaires. (Comme nous le verrons aux chapitres 36 et 37, l'absorption est souvent accrue par des relations symbiotiques entre les racines, certains Eumycètes et certaines Bactéries.)

La plupart des plantes ont des racines modifiées. Certaines surgissent des racines et d'autres sont **adventives** (du latin *adventicius*, « qui vient du dehors » ; ce terme désigne toute partie poussant à un endroit inhabituel sur une plante). Des racines adventives peuvent naître de tiges et, dans de rares cas, de feuilles. Certaines racines modifiées ajoutent au soutien et à l'ancrage, tandis que d'autres emmagasinent de l'eau et des nutriments, ou absorbent de l'oxygène ou de l'eau en les puisant dans l'air **(figure 35.4)**.

▼ **Figure 35.4 Racines modifiées.** Des adaptations environnementales peuvent apparaître dans les racines qui se modifient pour accomplir diverses fonctions. Beaucoup de racines modifiées sont des racines aériennes qui se trouvent normalement au-dessus du sol.

(a) Racines échasses. Les racines aériennes de maïs qu'on voit ici sont des racines échasses, appelées ainsi parce qu'elles supportent les plantes hautes et lourdes. Toutes les racines d'un plant de maïs mature sont adventives après la mort des racines originales. Les racines qui émergent ici finiront par pénétrer dans le sol.

(b) Racines de stockage. De nombreuses plantes, comme la patate, stockent les nutriments et l'eau dans leurs racines.

(c) Racines aériennes « étranglantes ». Les graines de ce figuier-étrangleur germent dans les branches de grands arbres et envoient beaucoup de racines aériennes au sol. Ces racines semblables à des serpents s'enroulent graduellement autour de l'arbre hôte ou d'objets tels que ce temple cambodgien en ruine. L'arbre hôte finit par mourir par strangulation et manque de lumière.

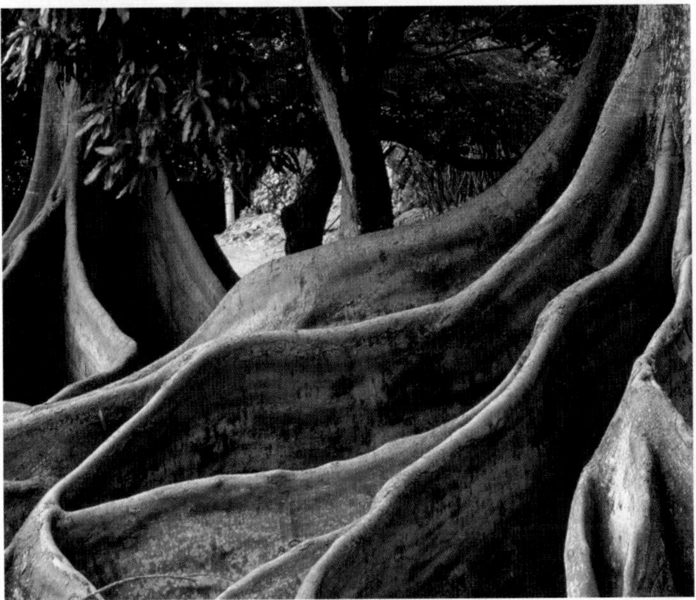

(d) Racines à contreforts. Les racines aériennes qui ressemblent à des contreforts supportent les grands troncs de certains arbres tropicaux, comme ce kapokier d'Amérique centrale (*Bombax costatum*).

(e) Pneumatophores. Aussi appelées racines respiratoires, les pneumatophores sont produites par des arbres comme les mangroves qui vivent dans les marais littoraux. En sortant de terre, les pneumatophores permettent au système racinaire d'obtenir de l'oxygène, qui manque dans cette boue épaisse et noyée d'eau.

Les tiges

Une **tige** est un organe sur lequel alternent des **nœuds**, qui sont les points d'attache des feuilles ou des branches, et des **entre-nœuds**, qui sont les segments de tige compris entre deux nœuds (voir la figure 35.2). À l'intersection (aisselle) d'une feuille et de la tige se trouve un **bourgeon axillaire**, structure capable de donner une pousse latérale couramment appelée *branche*. La plupart des bourgeons axillaires d'un jeune plant restent en dormance (ne croissent pas). L'élongation se concentre en effet à l'apex (extrémité) d'une pousse, où se trouve un **bourgeon terminal** comprenant des feuilles en développement et une série très compacte de nœuds et d'entre-nœuds.

La présence de bourgeons terminaux est en partie responsable de l'inhibition de la croissance des bourgeons axillaires. Ce phénomène porte le nom de **dominance apicale**. Grâce à cette dominance, qui est une adaptation attribuable à l'évolution, les plantes utilisent leurs ressources pour s'allonger et augmenter leur exposition à la lumière. Qu'arrive-t-il toutefois si un Animal mange l'extrémité d'une plante? Ou si la lumière est plus intense sur le côté de la plante que sur la partie terminale? Eh bien, dans de telles conditions, les bourgeons axillaires sortent de leur dormance et commencent à croître. Ils deviennent alors des pousses latérales complètes possédant un bourgeon terminal, des feuilles et des bourgeons axillaires. Ainsi, l'élimination du bourgeon terminal stimule habituellement la croissance des bourgeons axillaires. On joue avec ce phénomène quand on taille des arbres et des arbustes et quand on pince les pousses des plantes d'intérieur pour les rendre plus touffues.

L'évolution a engendré, chez un grand nombre de Végétaux, des tiges modifiées ayant diverses fonctions. Ces tiges sont des adaptations environnementales qui prennent la forme de stolons, de rhizomes, de tubercules et de bulbes. On les confond souvent avec des racines **(figure 35.5)**.

Les feuilles

Si les tiges vertes effectuent aussi la photosynthèse, les feuilles sont le principal organe photosynthétique chez la plupart des Vasculaires. Elles ont des formes qui varient considérablement, mais se composent généralement d'un **limbe** plat et d'une queue, le **pétiole**, qui relie la feuille au nœud de la tige (voir la figure 35.2). Les Graminées et la plupart des autres Monocotylédones qui font partie des Angiospermes n'ont pas de pétioles. La base de la feuille possède à la place une gaine qui enveloppe la tige. Certaines Monocotylédones, comme les palmiers, sont pourvues de pétioles.

(a) Les stolons de ce fraisier (*Fragaria sp.*) croissent à la surface du sol. Ces « filets » permettent à la plante mère de coloniser une grande surface de terre et de se reproduire de manière asexuée en produisant plusieurs petits plants en périphérie.

(b) Les bulbes sont des pousses verticales souterraines qui sont composées en grande partie de la base charnue des feuilles et qui emmagasinent de la matière nutritive. Cette coupe frontale d'un bulbe d'oignon (*Allium cepa*) montre le grand nombre de feuilles modifiées fixées à une courte tige.

(c) Les tubercules, comme ceux de la pomme de terre rouge (*Solanum tuberosum*), sont des extrémités renflées de rhizomes et sont spécialisés dans l'accumulation de réserves nutritives. Les «yeux» distribués en spirale à la surface d'une pomme de terre sont des grappes de bourgeons axillaires indiquant des nœuds.

(d) Les rhizomes, comme la base comestible de ce plant de gingembre (*Zingiber officinale*), sont des tiges horizontales qui croissent juste au-dessous du sol ou à fleur de terre.

▲ **Figure 35.5 Tiges modifiées.**

Les **nervures** constituent le tissu conducteur des feuilles. La disposition des nervures des feuilles de Monocotylédones diffère de celle des feuilles de Dicotylédones. Les feuilles de la plupart des Monocotylédones possèdent des nervures principales grossièrement parallèles qui traversent le limbe dans sa longueur. Les feuilles des Dicotylédones disposent quant à elles d'un réseau ramifié de nervures principales (voir la figure 30.12).

Les taxinomistes identifient et classent les Angiospermes selon la morphologie des fleurs, mais aussi selon celle des feuilles (forme, distribution spatiale sur la tige et disposition des nervures, notamment). La **figure 35.6** illustre une variation de la morphologie foliaire: une feuille simple par rapport à deux types de feuilles composées. La plupart des très grandes feuilles sont composées ou composées bipennées. Cette adaptation structurale permet aux feuilles de supporter les grands vents sans se déchirer et limite également certaines maladies à une seule foliole, au lieu de les laisser s'étendre à toute la feuille.

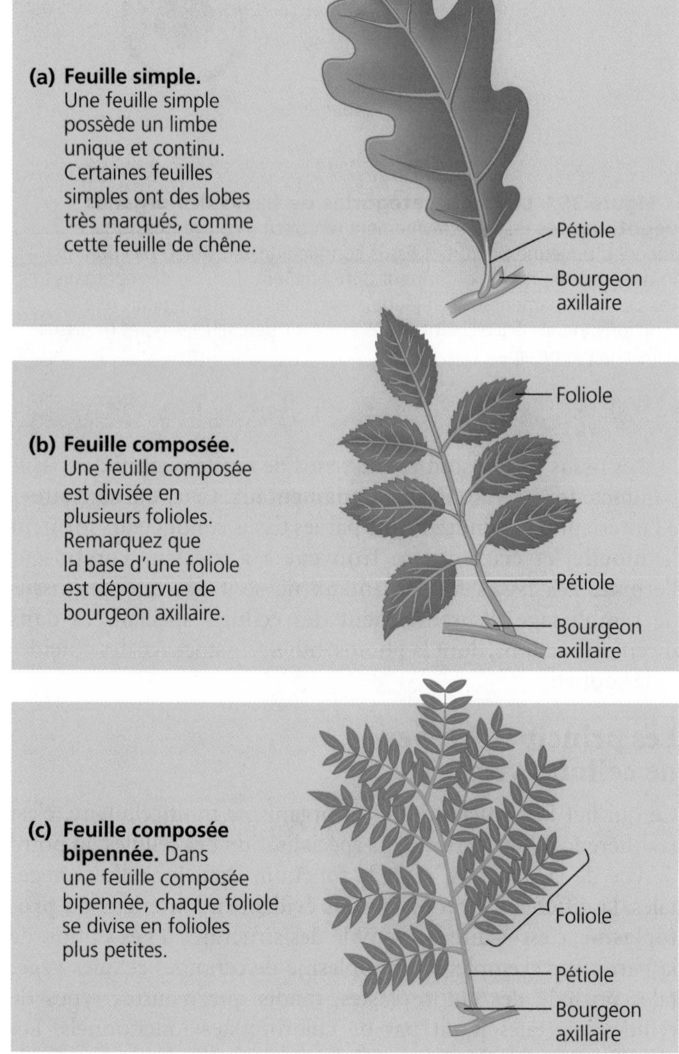
(a) Feuille simple. Une feuille simple possède un limbe unique et continu. Certaines feuilles simples ont des lobes très marqués, comme cette feuille de chêne.
Pétiole
Bourgeon axillaire
(b) Feuille composée. Une feuille composée est divisée en plusieurs folioles. Remarquez que la base d'une foliole est dépourvue de bourgeon axillaire.
Foliole
Pétiole
Bourgeon axillaire
(c) Feuille composée bipennée. Dans une feuille composée bipennée, chaque foliole se divise en folioles plus petites.
Foliole
Pétiole
Bourgeon axillaire

▲ **Figure 35.6 Feuille simple et feuilles composées.** Comment distinguer une feuille composée d'une tige portant plusieurs feuilles simples rapprochées? Il suffit de chercher les bourgeons axillaires: il n'y en a qu'un par feuille. Ainsi, une feuille composée est pourvue d'un bourgeon là où son pétiole s'attache à la tige, et non à la base de chaque foliole.

La plupart des feuilles sont spécialisées dans la photosynthèse. Cependant, les feuilles de certains Végétaux se sont adaptées, au cours de l'évolution, pour remplir d'autres fonctions, par exemple le support, la protection, le stockage ou la reproduction **(figure 35.7)**.

Les trois catégories de tissus: les tissus de revêtement, les tissus conducteurs et les tissus fondamentaux

Chacun des organes (feuille, tige et racine) des plantes est fait de trois catégories de tissus: les tissus de revêtement, les tissus conducteurs et les tissus fondamentaux. Une **catégorie de tissus** est un groupe d'au moins un type de tissus formant une unité fonctionnelle qui relie les organes d'une plante. Chacune existe de manière continue dans toute la plante, mais ses caractéristiques et sa position relative varient d'un organe à l'autre **(figure 35.8)**.

Les **tissus de revêtement** constituent la couche protectrice externe. Tout comme notre peau, cette couche est la première ligne de défense contre les agressions physiques et les agents pathogènes. Chez les plantes non ligneuses, les tissus de revêtement se composent normalement d'une seule couche de cellules étroitement serrées, appelée **épiderme.** Chez les plantes ligneuses, une couche protectrice appelée **périderme** remplace l'épiderme dans les plus vieilles régions des tiges et des racines au moyen d'un processus dont nous parlerons plus loin dans le présent chapitre. En plus de ses principales fonctions de protection contre la perte d'eau et la maladie, l'épiderme possède certaines caractéristiques qui sont liées à la fonction de l'organe qu'il recouvre. Par exemple, les poils absorbants qui participent à l'absorption de l'eau et des minéraux sont des prolongements des cellules de l'épiderme situées près des extrémités des racines. L'épiderme des feuilles et de la plupart des tiges sécrète une couche de substance cireuse appelée **cuticule.** Cette substance permet aux parties aériennes de la plante de retenir l'eau, adaptation importante à la vie terrestre. (Nous examinerons plus loin dans ce chapitre les cellules spécialisées des feuilles qui régulent les échanges de CO_2.) Les trichomes des feuilles, qui sont des productions épidermiques, sont également un exemple de spécialisation. Les trichomes de feuilles aromatiques comme la menthe sécrètent des huiles qui protègent la plante contre les herbivores et la maladie.

Les **tissus conducteurs** assurent le transport des substances des racines jusqu'aux pousses et inversement. Le xylème et le phloème sont les deux types de tissus conducteurs. Le **xylème** fait monter dans les pousses la sève brute et les minéraux dissous absorbés par les racines. Le **phloème** transporte les nutriments organiques depuis l'endroit où ils sont élaborés (habituellement les feuilles) jusqu'aux régions qui en ont besoin (généralement les racines et les zones de croissance, comme les feuilles immatures et les fruits). L'ensemble des tissus conducteurs d'une racine ou d'une tige s'appelle **stèle** (d'un mot grec signifiant «pilier»). L'arrangement d'une stèle varie d'une espèce à l'autre et d'un organe à l'autre. Chez les Angiospermes, la stèle de la racine est un **cylindre conducteur** plein situé au centre de la racine. Par contre, la stèle des tiges et des feuilles se divise en **faisceaux conducteurs**, qui sont des cordons de xylème et de phloème. Divers types de cellules composent le xylème et le phloème, dont des cellules hautement spécialisées pour le transport.

(a) Vrilles. Ce plant de pois (*Pisum sativum*) utilise une vrille, qui est une foliole modifiée, pour s'accrocher à un support. Une fois entortillée autour de son support, la vrille forme un ressort qui maintient la plante proche de celui-ci. Les vrilles sont habituellement des feuilles modifiées, mais certaines sont des tiges modifiées (sur les vignes, par exemple).

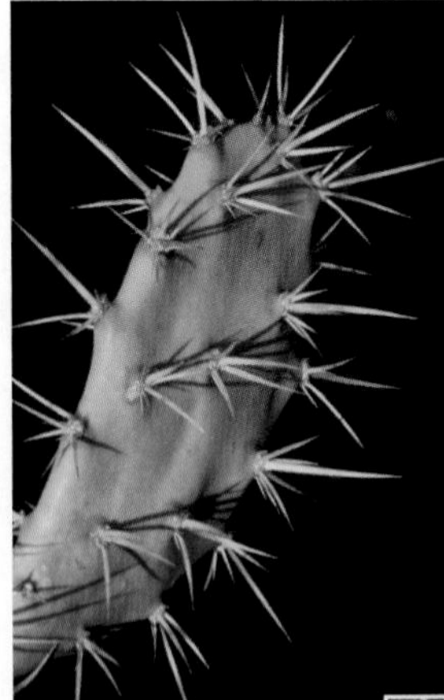

(b) Épines. Les épines des cactus, comme celles de ce figuier de Barbarie (*Opuntia ficus-indica*), sont en fait des feuilles. La photosynthèse s'effectue principalement dans les tiges vertes charnues.

(c) Feuilles de stockage. La plupart des plantes grasses, comme ce ficoïde glacial (*Lampranthus multiseriatus*), possèdent des feuilles modifiées qui emmagasinent l'eau.

(d) Bractées. Les «pétales» rouges de ce poinsettia (*Euphorbia pulcherrima*) sont en réalité des feuilles qui entourent un groupe de fleurs. Les feuilles aux couleurs vives d'un grand nombre de plantes attirent les pollinisateurs vers la fleur.

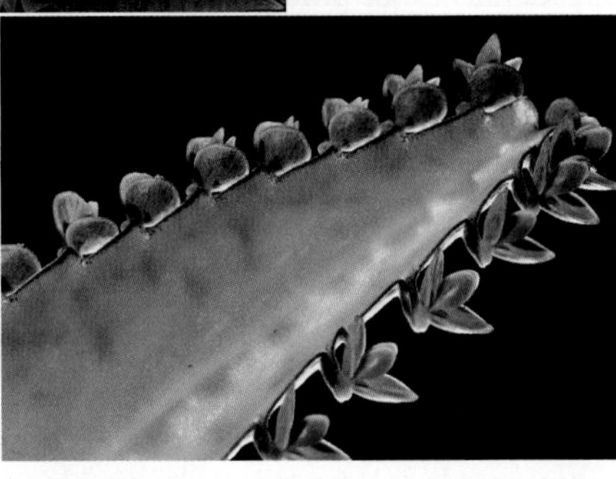

(e) Feuilles reproductives. Les feuilles de certaines plantes grasses, comme *Kalanchœ daigremontiana* (plante toxique), produisent des plantules foliaires qui tombent des feuilles et s'enracinent au sol.

▲ **Figure 35.7 Feuilles modifiées.**

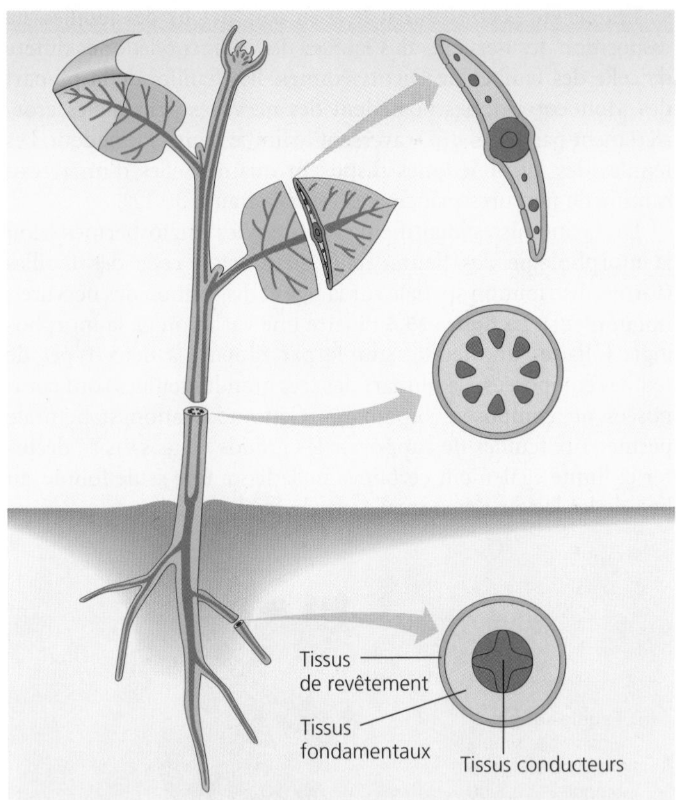

▲ **Figure 35.8 Les trois catégories de tissus des organes végétaux.** Les tissus de revêtement (en bleu) recouvrent la surface entière d'un jeune plant. Les tissus conducteurs (en violet) parcourent toute la plante, mais s'organisent différemment dans les divers organes. Les tissus fondamentaux (en jaune), responsables de la plupart des fonctions métaboliques, sont situés entre les deux autres types de tissus dans chaque organe.

Les tissus qui ne sont ni des tissus de revêtement ni des tissus conducteurs sont des **tissus fondamentaux.** Ceux qui sont situés à l'intérieur du cylindre formé par les tissus conducteurs forment la **moelle**, et ceux qui se trouvent à l'extérieur composent l'**écorce.** Les tissus fondamentaux ne sont pas que des tissus de remplissage. Ils renferment des cellules spécialisées dans diverses fonctions, dont la photosynthèse, le stockage des glucides et le soutien.

Les principaux types de cellules végétales

Ce qui fait la particularité d'un organisme multicellulaire, c'est la différenciation du travail, la spécialisation des cellules du point de vue de la structure et de la fonction. Dans les cellules végétales, la différenciation est parfois évidente à l'intérieur du **protoplasme**, c'est-à-dire l'ensemble des structures à l'exception de la paroi. Par exemple, le protoplasme de certaines cellules végétales possède des chloroplastes, tandis que d'autres types de cellules végétales n'ont pas de chloroplastes fonctionnels. Les modifications de la paroi cellulaire jouent également un rôle dans la différenciation des cellules végétales. La **figure 35.9** des pages 778 et 779 présente les principaux types de cellules végétales: les cellules parenchymateuses, les cellules collenchymateuses, les cellules sclérenchymateuses, les cellules conductrices d'eau du xylème et les cellules conductrices de sève du phloème. En observant ces sortes de cellules végétales, remarquez les adaptations structurales qui permettent à chacune de remplir des fonctions précises. Vous pouvez au besoin revoir les figures 6.9 et 6.28, qui montrent la structure générale des cellules végétales.

Retour sur le concept 35.1

1. Comment les tissus conducteurs permettent-ils aux feuilles et aux racines de combiner des fonctions qui favorisent la croissance et le développement de la plante entière?
2. Décrivez au moins trois spécialisations des organes végétaux et des cellules végétales qui sont des adaptations à la vie terrestre.
3. Décrivez le rôle de chacun des types de tissus présents dans une feuille.

Voir les réponses proposées à la fin du chapitre.

Concept 35.2

Les méristèmes engendrent les cellules des nouveaux organes

Jusqu'ici, nous avons décrit les cellules et les tissus végétaux en nous concentrant sur leur structure et leur disposition dans les organes matures. Nous pouvons maintenant nous demander comment tout cela s'organise. Contrairement à la plupart des Animaux, les Végétaux ont en effet une croissance qui ne se limite pas aux périodes embryonnaire et juvénile, mais qui peut durer toute la vie; ce phénomène est appelé **croissance indéfinie**. À tout moment de leur vie, les plantes possèdent des organes embryonnaires, des organes en croissance et des organes matures. Sauf en période de dormance, la plupart croissent de façon continue. La plupart des Animaux et certains organes végétaux, comme les feuilles, ont une **croissance définie**, c'est-à-dire qu'ils cessent de croître lorsqu'ils atteignent une certaine taille.

Bien qu'ils croissent durant toute leur vie, les Végétaux meurent comme tous les organismes. Selon la durée de leur cycle biologique, les plantes à fleurs sont annuelles, bisannuelles ou vivaces. Les **plantes annuelles** ont un cycle de développement – de la germination à la production de graines, en passant par la floraison – qui dure un an ou moins. Un grand nombre de plantes indigènes et de plantes alimentaires, comme celles qui nous donnent les céréales et les légumes, sont annuelles. Les **plantes bisannuelles** ont généralement une durée de vie de deux ans. Dans de nombreux cas, la plante passe par une période de températures froides (hiver), entre une période de croissance végétative (printemps et été de la première année) et une période de floraison (printemps et été de la seconde année). La betterave et la carotte sont des plantes bisannuelles dont nous voyons rarement la floraison, puisque nous les récoltons avant la seconde année. Les **plantes vivaces**, comme les arbres, les arbustes et certaines Graminées, peuvent vivre de nombreuses années. Certaines plantes herbacées des Prairies canadiennes vivraient depuis 10 000 ans; elles auraient germé à la fin de la dernière glaciation. La mort d'une plante vivace n'est habituellement pas causée par le vieillissement, mais par une infection ou un traumatisme environnemental, comme un incendie ou une sécheresse importante.

Les Végétaux croissent de façon illimitée parce qu'ils produisent constamment des tissus embryonnaires appelés **méristèmes**. Il existe deux types de méristèmes: les méristèmes apicaux et les méristèmes latéraux. Les **méristèmes apicaux**, situés à l'extrémité des racines et dans les bourgeons du système caulinaire, fournissent les cellules nécessaires à la croissance en longueur. Ce type d'allongement porte le nom de **croissance primaire**. Il permet aux racines d'étendre leurs ramifications dans le sol et aux pousses d'accroître leur exposition à la lumière et au CO_2. Les plantes **herbacées** (non ligneuses) n'ont qu'une croissance primaire. Chez les plantes ligneuses, les parties où la croissance primaire a cessé augmentent en circonférence (et donc en diamètre). Cet épaississement, appelé **croissance secondaire**, s'effectue grâce aux **méristèmes latéraux**, plus précisément le cambium (du latin *cambiare*, «changer») et le phellogène (du grec *phellos*, «liège»). Ces formations cylindriques creuses, ressemblant à des tuyaux et constituées de cellules en division, s'étendent le long des racines et des tiges **(figure 35.10)**. Le **cambium libéroligneux** produit des couches de tissus conducteurs supplémentaires appelées *xylème secondaire* (bois) et *phloème secondaire*. Le **phellogène** (anciennement *cambium subérophellodermique*), lui, remplace l'épiderme par du périderme, plus épais et plus solide.

Les cellules à l'intérieur des méristèmes se divisent assez fréquemment pour produire de nouvelles cellules. Certaines des cellules filles, dites **initiales**, restent dans les méristèmes afin de les régénérer. Les autres cellules, dites **dérivées**, se spécialisent et s'intègrent aux tissus et aux organes de la plante en croissance. Elles continuent de se diviser durant un certain temps, jusqu'à ce que les cellules qu'elles engendrent commencent à se spécialiser dans les tissus en développement.

Les plantes ligneuses ont une croissance primaire et une croissance secondaire qui se font simultanément, mais dans des parties différentes. Chaque année, la croissance primaire près des méristèmes apicaux produit un allongement des racines et des pousses, tandis que les méristèmes latéraux épaississent et renforcent les vieilles parties des plantes ligneuses **(figure 35.11)**. C'est dans la partie la plus vieille (par exemple, la base d'un tronc d'arbre) que l'on observe l'accumulation la plus importante de tissus issus de la croissance secondaire.

Retour sur le concept 35.2

1. Les cellules des couches inférieures de votre peau se divisent pour remplacer les cellules mortes en surface. Pourquoi ne peut-on pas comparer ces zones de division cellulaire avec un méristème végétal?
2. Quelles sont les différences entre la croissance dans les méristèmes apicaux et celle dans les méristèmes latéraux?

Voir les réponses proposées à la fin du chapitre.

Figure 35.9

Panorama Exemples de cellules végétales différenciées

CELLULES PARENCHYMATEUSES

Les **cellules parenchymateuses** (ou cellules du parenchyme) matures ont une paroi primaire relativement mince et flexible. La plupart d'entre elles n'ont aucune paroi secondaire. (Voir la figure 6.28 pour revoir les couches primaire et secondaire des parois cellulaires.) Une grande vacuole occupe généralement le centre du protoplasme. On décrit souvent ces cellules comme les cellules végétales «types», parce qu'elles semblent les moins spécialisées du point de vue structural.

Les cellules parenchymateuses assurent la majeure partie du métabolisme des plantes. Elles synthétisent et emmagasinent diverses substances organiques. Par exemple, la photosynthèse s'effectue à l'intérieur des chloroplastes, dans les cellules parenchymateuses des feuilles. Certaines cellules parenchymateuses situées dans les tiges et les racines possèdent des plastes incolores qui emmagasinent l'amidon (amyloplastes). De plus, les cellules parenchymateuses constituent la principale composante de la pulpe de la majorité des fruits.

Toutefois, la plupart ont la capacité de se diviser et de se différencier en d'autres types de cellules végétales dans des conditions particulières (après une blessure, par exemple, elles peuvent contribuer à la réparation et au remplacement des organes). Il est même possible de procéder, en laboratoire, à la régénération d'une plante complète à partir d'une seule cellule parenchymateuse.

Cellules parenchymateuses d'une feuille d'élodée (*Elodea canadensis*), avec chloroplastes — 60 μm (160 ×)

CELLULES COLLENCHYMATEUSES

Groupées en chaînes ou en cylindres, les **cellules collenchymateuses** (ou cellules du collenchyme) soutiennent les plus jeunes parties des pousses. Elles ont une paroi primaire d'épaisseur inégale, mais plus épaisse que celle des cellules parenchymateuses. Les tiges et les pétioles qui sont en début de croissance sont donc souvent constitués de brins de cellules collenchymateuses (les longues fibres de ce qu'on appelle une «branche» de céleri et qui est en réalité un pétiole, par exemple). Les cellules collenchymateuses ne possèdent ni paroi secondaire ni agent durcisseur (comme la lignine). Par conséquent, elles assurent un soutien à la plante tout en permettant sa croissance. Lorsqu'elles sont fonctionnellement matures, les cellules collenchymateuses sont vivantes et flexibles. Elles s'allongent en même temps que les tiges et les feuilles qu'elles soutiennent, contrairement aux cellules sclérenchymateuses, que nous décrivons ci-dessous.

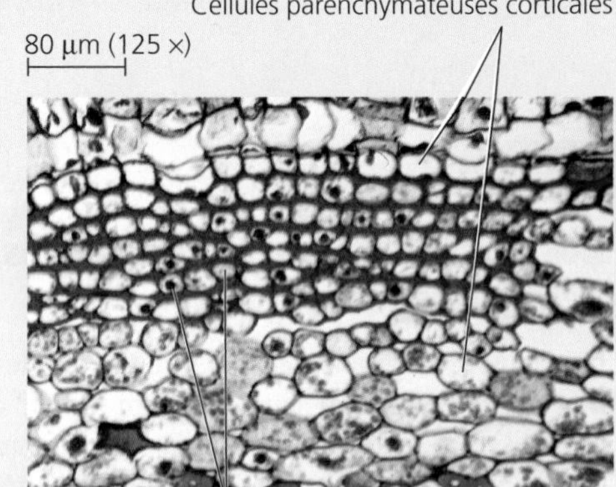

Cellules collenchymateuses (dans l'écorce d'un sureau [*Sambucus*]; les parois cellulaires apparaissent en rouge)

CELLULES SCLÉRENCHYMATEUSES

Ayant aussi une fonction de soutien mais possédant une paroi secondaire épaisse habituellement renforcée par la lignine, les **cellules sclérenchymateuses** (ou cellules du sclérenchyme) sont beaucoup plus rigides que les cellules collenchymateuses. Elles apparaissent dans les régions de la plante où la croissance en longueur a cessé, car elles ne peuvent s'allonger après leur maturité. Leur spécialisation dans le soutien de la plante est telle qu'un grand nombre d'entre elles meurent quand elles arrivent à maturité. Toutefois, avant de perdre leur cytoplasme, elles produisent une paroi secondaire. Cette paroi rigide fait office de «squelette» soutenant la plante, dans certains cas durant des centaines d'années. Dans les parties en croissance, la paroi secondaire des cellules sclérenchymateuses immatures se forme de manière inégale en spirale ou en anneau. Cela permet à la paroi cellulaire de s'étirer, à la manière d'un ressort, quand la cellule croît.

Il existe deux types de cellules sclérenchymateuses: les **cellules fibreuses** et les **sclérites**, qui se spécialisent uniquement dans le soutien et le renforcement. Les sclérites, plus courtes que les cellules fibreuses et de forme irrégulière, possèdent des parois secondaires lignifiées et très épaisses. Ce sont elles qui donnent une certaine dureté à la coquille d'une noix et à l'enveloppe d'une graine, et une texture graveleuse à la chair d'une poire. Habituellement organisées en faisceaux, les cellules fibreuses sont longues, minces et fusiformes. On utilise les fibres végétales du chanvre dans la fabrication de la corde et celles du lin dans le tissage de la toile.

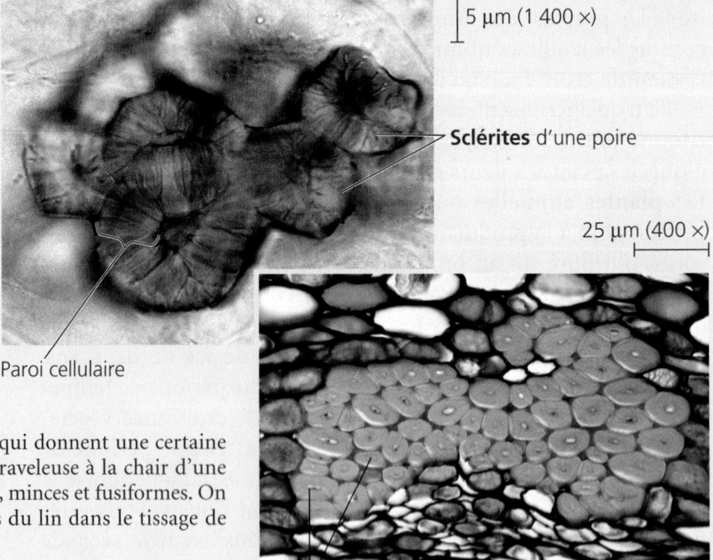

Sclérites d'une poire

Cellules fibreuses (coupe transversale d'un frêne [*Fraxinus*])

CELLULES CONDUCTRICES D'EAU DU XYLÈME

Les deux types de cellules conductrices du xylème, à savoir les **trachéides** et les **éléments de vaisseau**, sont des cellules allongées tubulaires qui sont mortes à maturité. Les trachéides se trouvent dans le xylème de toutes les Vasculaires. En plus des trachéides, la plupart des Angiospermes ainsi que quelques Gymnospermes et quelques Vasculaires sans graines ont des éléments de vaisseau. Quand la partie interne vivante d'une trachéide ou d'un élément de vaisseau se désintègre, la paroi secondaire épaisse subsiste, formant un conduit inerte dans lequel l'eau peut circuler. La paroi secondaire est souvent interrompue par des **ponctuations**, régions moins épaisses où seule la paroi primaire est présente (voir la figure 6.28 pour une révision des parois primaire et secondaire). L'eau peut circuler latéralement entre les cellules voisines, en passant par les ponctuations.

Les trachéides sont de longues cellules minces aux extrémités en pointe. L'eau circule d'une cellule à l'autre en passant par les ponctuations, où elle n'a pas à traverser l'épaisse paroi secondaire. Les trachéides possèdent une paroi secondaire durcie par la lignine qui les empêche de s'affaisser sous le poids de l'eau en circulation et qui assure le soutien de la plante.

Quant aux éléments de vaisseau, ils sont généralement plus larges et plus courts que les trachéides. Ils ont par ailleurs une paroi plus mince et des extrémités moins effilées. Alignés bout à bout, ils forment de longs tubes microscopiques, les **vaisseaux**. Les extrémités des éléments de vaisseau sont ouvertes. Ainsi, l'eau peut circuler librement dans les vaisseaux du xylème.

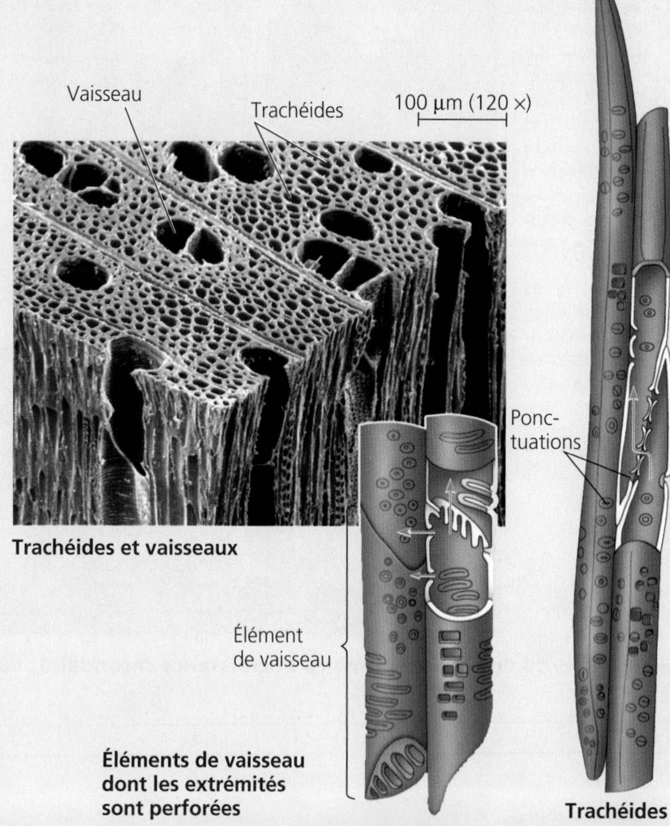

Trachéides et vaisseaux

Éléments de vaisseau dont les extrémités sont perforées

Trachéides

CELLULES CONDUCTRICES DE SÈVE DU PHLOÈME

Contrairement aux cellules conductrices d'eau du xylème, les cellules conductrices de sève du phloème sont vivantes à maturité. Dans les Vasculaires sans graines et les Gymnospermes, les sucres et les autres nutriments organiques circulent dans des cellules allongées et étroites appelées *cellules criblées*. Dans le phloème des Angiospermes, ce sont des tubes criblés qui assurent le transport de ces nutriments. Les tubes criblés sont constitués de chaînes de cellules qui portent le nom d'**éléments de tubes criblés**.

Les cellules criblées sont vivantes à maturité, bien qu'elles soient dépourvues de certains organites comme le noyau, les ribosomes et la vacuole centrale. Le petit nombre d'organites permet aux nutriments de circuler plus facilement dans la cellule. Les **cribles**, parois poreuses qui joignent les extrémités de deux cellules d'un tube criblé, facilitent la circulation du liquide d'une cellule à l'autre. Le long de chaque cellule criblée se trouve une **cellule compagne**. C'est une cellule non conductrice de sève qui est reliée à la cellule criblée par de nombreux canaux appelés *plasmodesmes* (voir la figure 6.28). La cellule compagne possède un noyau et des ribosomes qui peuvent également servir à la cellule criblée adjacente. Chez certains Végétaux, les cellules compagnes contribuent aussi au transfert, vers la cellule criblée, du saccharose produit dans la feuille. Le phloème transporte ensuite le saccharose vers les autres parties de la plante.

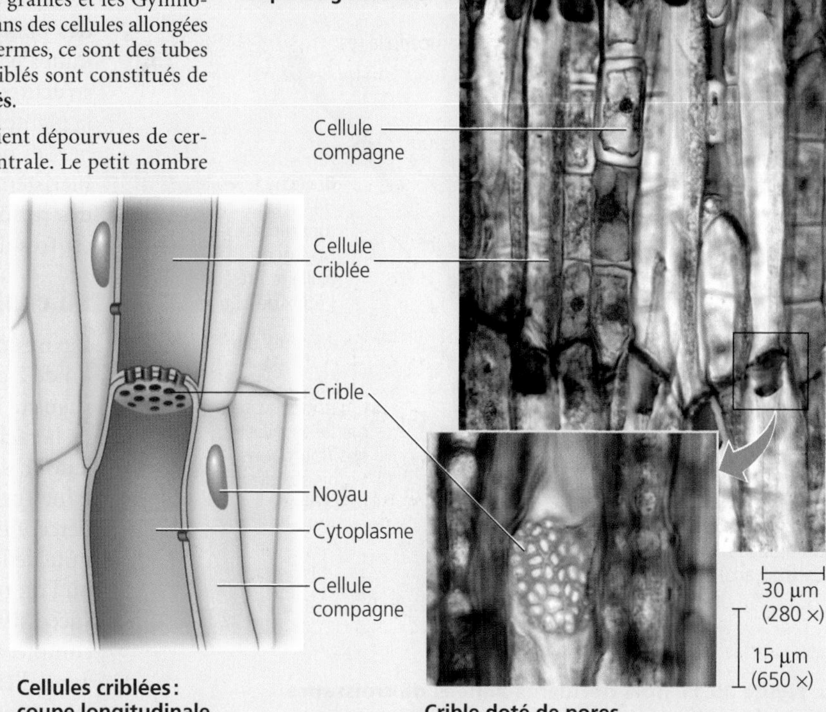

Cellules criblées : coupe longitudinale

Cellules criblées : coupe longitudinale

Crible doté de pores

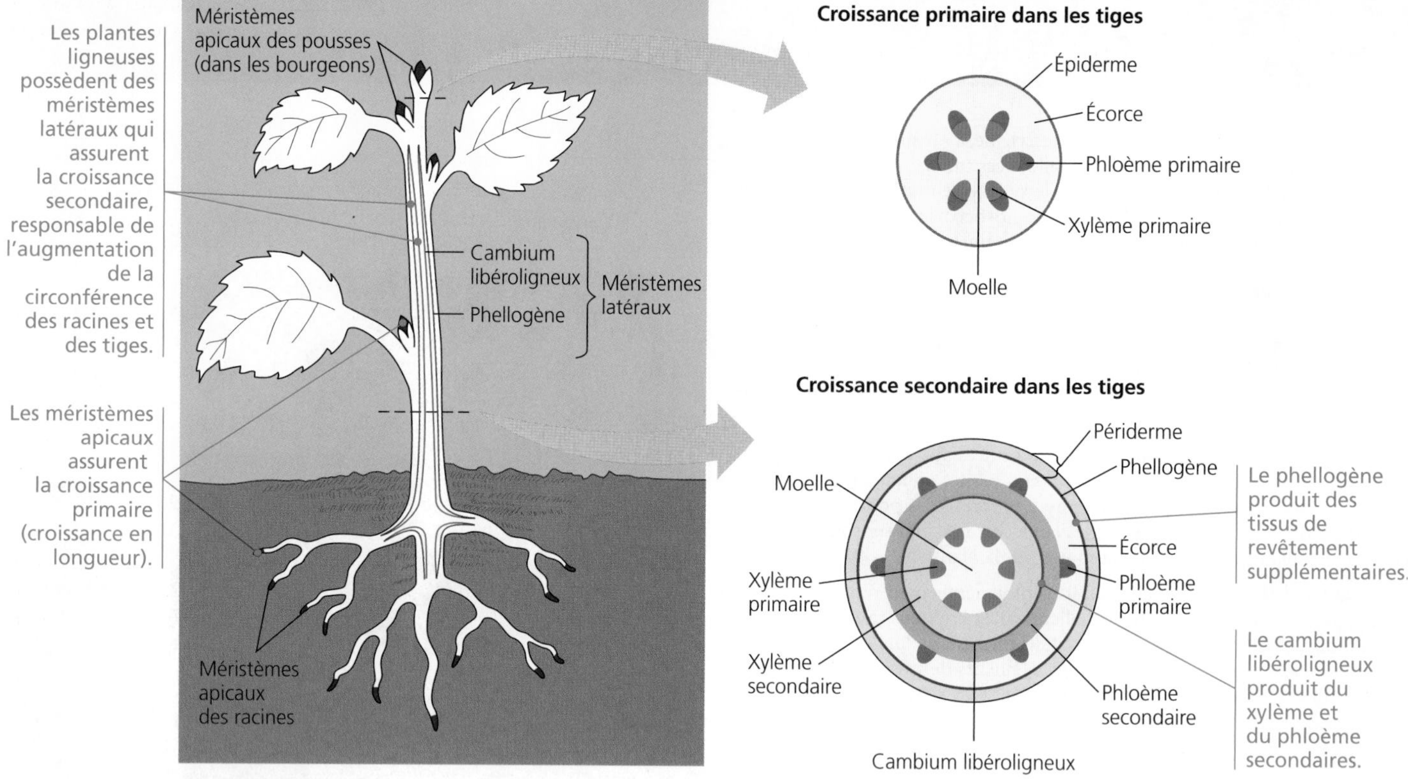

▲ **Figure 35.10 Croissance primaire et croissance secondaire : vue d'ensemble.**

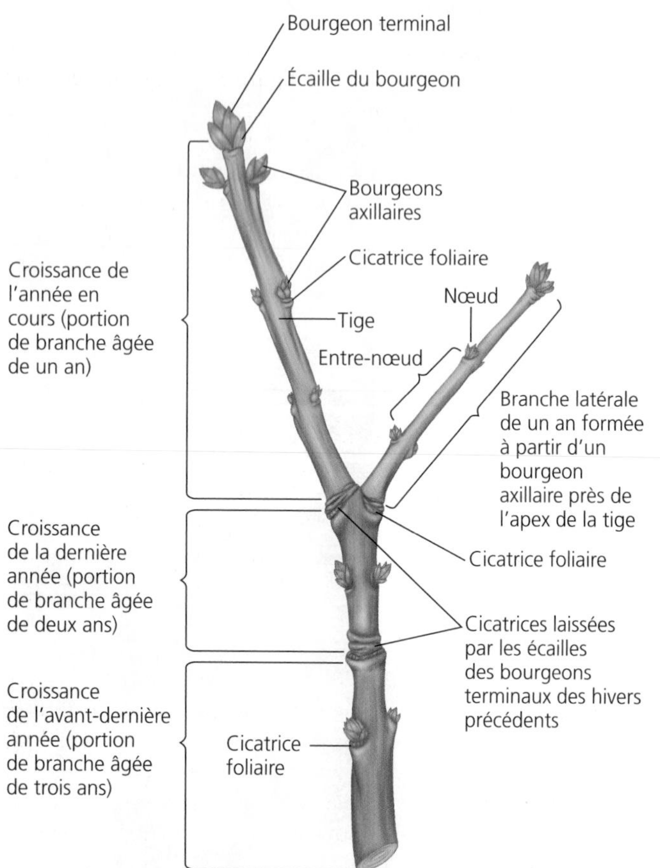

▲ **Figure 35.11 Trois dernières années de croissance d'une branche en hiver.**

Concept 35.3

La croissance primaire fait s'allonger les racines et les pousses

La croissance primaire donne naissance à la **structure primaire des plantes**, à savoir les parties des racines et des pousses produites par les méristèmes apicaux. Chez les plantes herbacées, la structure primaire de la plante correspond habituellement à toute la plante. Chez les plantes ligneuses, elle comprend seulement les parties nouvelles qui ne sont pas encore devenues du bois. Si les méristèmes apicaux sont responsables de l'allongement à la fois des racines et des pousses, la croissance primaire des premières est très différente de celle des secondes.

La croissance primaire des racines

L'extrémité d'une racine est recouverte d'une **coiffe**, semblable à un dé à coudre, qui protège le délicat méristème apical contre la rugosité du sol dans lequel la racine s'enfonce. De plus, la coiffe de la racine sécrète un polysaccharide visqueux qui lubrifie le sol autour de l'extrémité de la racine. On a aussi montré que certaines cellules de la coiffe, les *statocytes*, jouent un rôle dans la perception de la gravité. La croissance s'effectue près de l'extrémité de la racine, c'est-à-dire dans la partie qui précède la coiffe, où l'on trouve trois zones de cellules qui se trouvent à des stades successifs de la croissance primaire. À partir de la coiffe, on compte ainsi successivement la zone de division cellulaire, la zone d'élongation cellulaire et la zone de différenciation cellulaire **(figure 35.12)**.

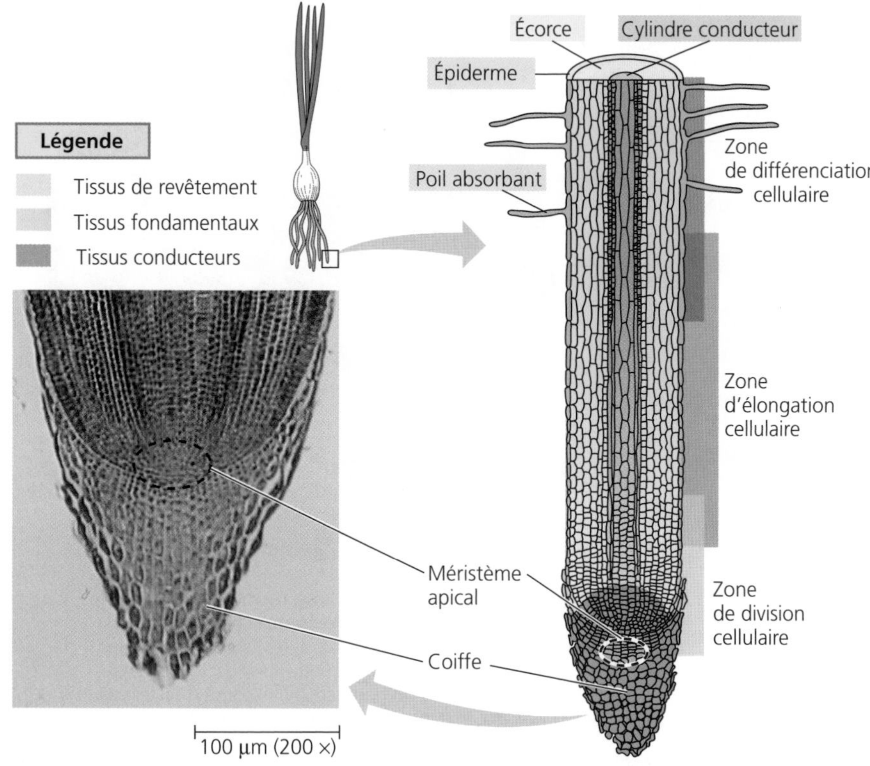

▲ **Figure 35.12 Croissance primaire d'une racine.** L'illustration et la micrographie nous montrent l'extrémité d'une racine d'oignon (*Allium cepa*). La mitose se concentre dans la zone de division cellulaire, là où se trouvent le méristème apical et ses productions immédiates. Le méristème apical compense les pertes cellulaires de la coiffe en produisant de nouvelles cellules. L'essentiel de l'allongement de la racine se fait dans la zone d'élongation cellulaire. Les cellules deviennent matures dans la zone de différenciation cellulaire. Toutefois, ces zones ne sont pas clairement délimitées.

La frontière entre les trois zones de cellules est floue. La **zone de division cellulaire** comprend le méristème apical de la racine et ses dérivés. De nouvelles cellules sont produites dans cette région, dont les cellules de la coiffe de la racine. Dans la **zone d'élongation cellulaire**, les cellules de la racine deviennent parfois jusqu'à dix fois plus longues et même davantage. C'est surtout grâce à l'élongation des cellules que l'extrémité de la racine s'enfonce dans le sol. Entre-temps, le méristème apical de la racine maintient la croissance en produisant continuellement des cellules à l'extrémité la plus jeune de la zone d'élongation. Avant même de terminer leur élongation, plusieurs cellules de la racine commencent à se différencier du point de vue de la structure et de la fonction. Dans la **zone de différenciation cellulaire**, les cellules effectuent leur différenciation et arrivent à maturité.

La croissance primaire des racines produit l'épiderme, les tissus fondamentaux et les tissus conducteurs. Les micrographies photoniques de la **figure 35.13** montrent, dans des coupes transversales, les trois catégories de tissus primaires d'une jeune racine de Dicotylédone (bouton d'or, *Ranunculus acris*) et d'une racine de Monocotylédone (maïs, *Zea mays*). L'eau et les minéraux du sol doivent traverser l'épiderme, unique couche de cellules couvrant les racines, pour pénétrer dans la plante. Les poils absorbants situés à la surface des cellules épidermiques augmentent considérablement la capacité d'absorption.

Dans la plupart des racines, la stèle est un cylindre conducteur composé presque entièrement de cellules différenciées de phloème et de xylème (voir la figure 35.13a). Les cellules du xylème proviennent du centre en suivant deux ou plusieurs rayons, tandis que les cellules du phloème se développent dans les zones situées entre ces rayons. Dans les racines de nombreuses Monocotylédones, la moelle de la stèle est entourée d'un anneau de tissus conducteurs dans lequel alternent le xylème et le phloème (voir la figure 35.13b). Cette région centrale est souvent appelée *moelle*, mais il ne faut pas la confondre avec la moelle de la tige, qui est faite de tissus fondamentaux et non de tissus conducteurs.

Les tissus fondamentaux, constitués principalement de cellules parenchymateuses, remplissent l'écorce (que l'on appelle aussi *cortex* ou *cylindre cortical*), région de la racine située entre le cylindre conducteur et l'épiderme. Les cellules des tissus fondamentaux racinaires emmagasinent les nutriments organiques. Leur membrane plasmique absorbe activement les minéraux du sol. La couche la plus centrale de l'écorce est l'**endoderme**, unique couche de cellules entre l'écorce et le cylindre conducteur. (Au chapitre 36, nous étudierons le rôle de barrière que joue l'endoderme dans la régulation sélective du passage dans le cylindre conducteur.)

Les racines latérales prennent naissance dans le **péricycle**, la couche périphérique du cylindre conducteur (voir la figure 35.13), sous l'effet de signaux hormonaux. Une racine latérale s'allonge et traverse l'écorce et l'épiderme jusqu'à ce qu'elle surgisse de la racine primaire **(figure 35.14)**. Elle ne peut pas prendre naissance près de la surface de la racine, parce qu'elle doit rester reliée au cylindre conducteur de la racine primaire et assurer ainsi la continuité des tissus conducteurs dans tout le système racinaire.

La croissance primaire des pousses

Le méristème apical d'une pousse est une masse bombée de cellules en division à l'extrémité du bourgeon terminal **(figure 35.15)**. Lorsqu'elles surgissent, les feuilles forment de minuscules renflements, appelés **primordiums foliaires**, sur les côtés du méristème apical bombé. Le bourgeon axillaire se forme à partir d'un îlot de cellules déposées par le méristème apical à la base du primordium foliaire. Il peut ultérieurement former une pousse latérale (voir la figure 35.2).

Dans un bourgeon, les primordiums foliaires s'entassent les uns sur les autres, parce que les entre-nœuds sont très courts. Une grande partie de l'allongement d'une pousse est le résultat de la croissance en longueur des premiers entre-nœuds formés dans le bourgeon. Cette croissance résulte tant de la division que de l'élongation des cellules situées à l'intérieur de l'entre-nœud. Certaines plantes, telles les Graminées, croissent sur toute la longueur de la pousse, parce qu'il y a des régions (appelées *méristèmes intercalaires*) à la base de chaque feuille. C'est pourquoi l'herbe continue de croître après avoir été tondue.

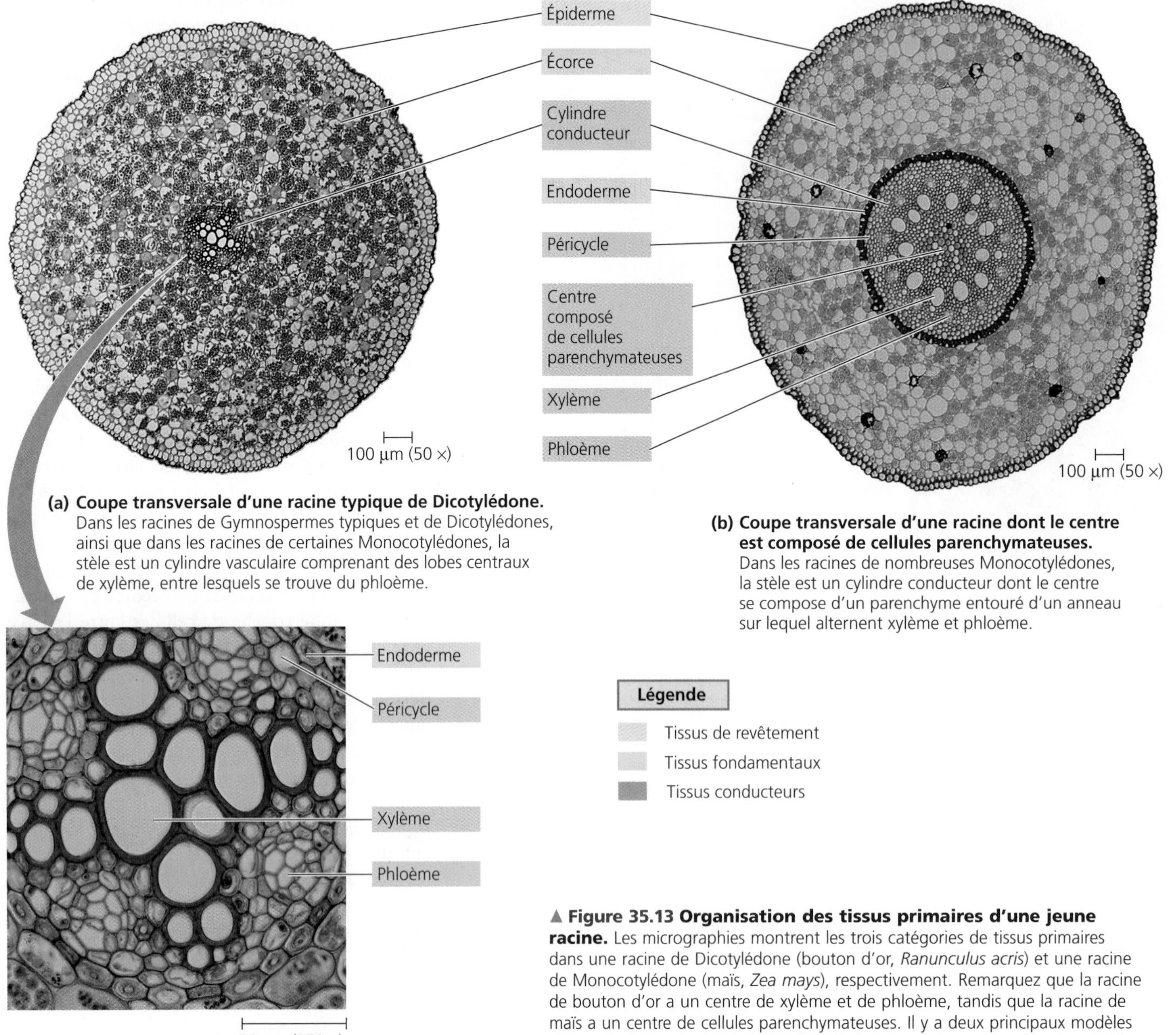

(a) Coupe transversale d'une racine typique de Dicotylédone. Dans les racines de Gymnospermes typiques et de Dicotylédones, ainsi que dans les racines de certaines Monocotylédones, la stèle est un cylindre vasculaire comprenant des lobes centraux de xylème, entre lesquels se trouve du phloème.

(b) Coupe transversale d'une racine dont le centre est composé de cellules parenchymateuses. Dans les racines de nombreuses Monocotylédones, la stèle est un cylindre conducteur dont le centre se compose d'un parenchyme entouré d'un anneau sur lequel alternent xylème et phloème.

▲ **Figure 35.13 Organisation des tissus primaires d'une jeune racine.** Les micrographies montrent les trois catégories de tissus primaires dans une racine de Dicotylédone (bouton d'or, *Ranunculus acris*) et une racine de Monocotylédone (maïs, *Zea mays*), respectivement. Remarquez que la racine de bouton d'or a un centre de xylème et de phloème, tandis que la racine de maïs a un centre de cellules parenchymateuses. Il y a deux principaux modèles d'organisation racinaire dont il existe plusieurs variations, selon l'espèce. (MP)

L'organisation des tissus de la tige

Le tissu de revêtement forme un tout continu dont fait partie l'épiderme qui recouvre les tiges. Les tissus conducteurs parcourent toute la tige en formant plusieurs groupes de conduits appelés *faisceaux libéroligneux*. Contrairement aux racines latérales qui naissent du tissu conducteur profond d'une racine (voir la figure 35.14), les tiges latérales naissent des bourgeons axillaires préexistants sur la surface d'une tige (voir la figure 35.15). Les faisceaux libéroligneux de la tige convergent avec le cylindre conducteur de la racine dans une zone de transition située près de la surface du sol.

Chez les Gymnospermes et la plupart des Dicotylédones, le tissu conducteur est composé de faisceaux libéroligneux disposés en anneau **(figure 35.16a)**. Le xylème de chaque faisceau libéroligneux se trouve du côté de la moelle, et le phloème du côté de l'écorce. Dans la tige de la plupart des Monocotylédones, les faisceaux libéroligneux sont dispersés dans les tissus fondamentaux au lieu de former un anneau (voir la **figure 35.16b**). Chez les Monocotylédones comme chez les Dicotylédones, le parenchyme est le principal constituant des tissus fondamentaux, mais le collenchyme, situé juste sous l'épiderme, renforce de nombreuses tiges. Le sclérenchyme participe également au soutien sous la forme de cellules fibreuses situées dans les faisceaux libéroligneux.

L'organisation des tissus de la feuille

La **figure 35.17** montre la structure générale d'une feuille. Les seules ouvertures qui percent la barrière de l'épiderme sont les **stomates**, qui permettent les échanges de CO_2 et de O_2 entre l'air ambiant et les cellules photosynthétiques de la feuille. Le terme *stomates* peut désigner les pores eux-mêmes ou le complexe stomatique, composé d'un pore entouré de deux **cellules**

▶ **Figure 35.14 Formation d'une racine latérale.** Une racine latérale émerge du péricycle, la couche externe du cylindre conducteur d'une racine. Elle traverse l'écorce et l'épiderme. Dans cette série de micrographies, la racine initiale apparaît en coupe transversale, et la racine latérale est montrée en coupe longitudinale.

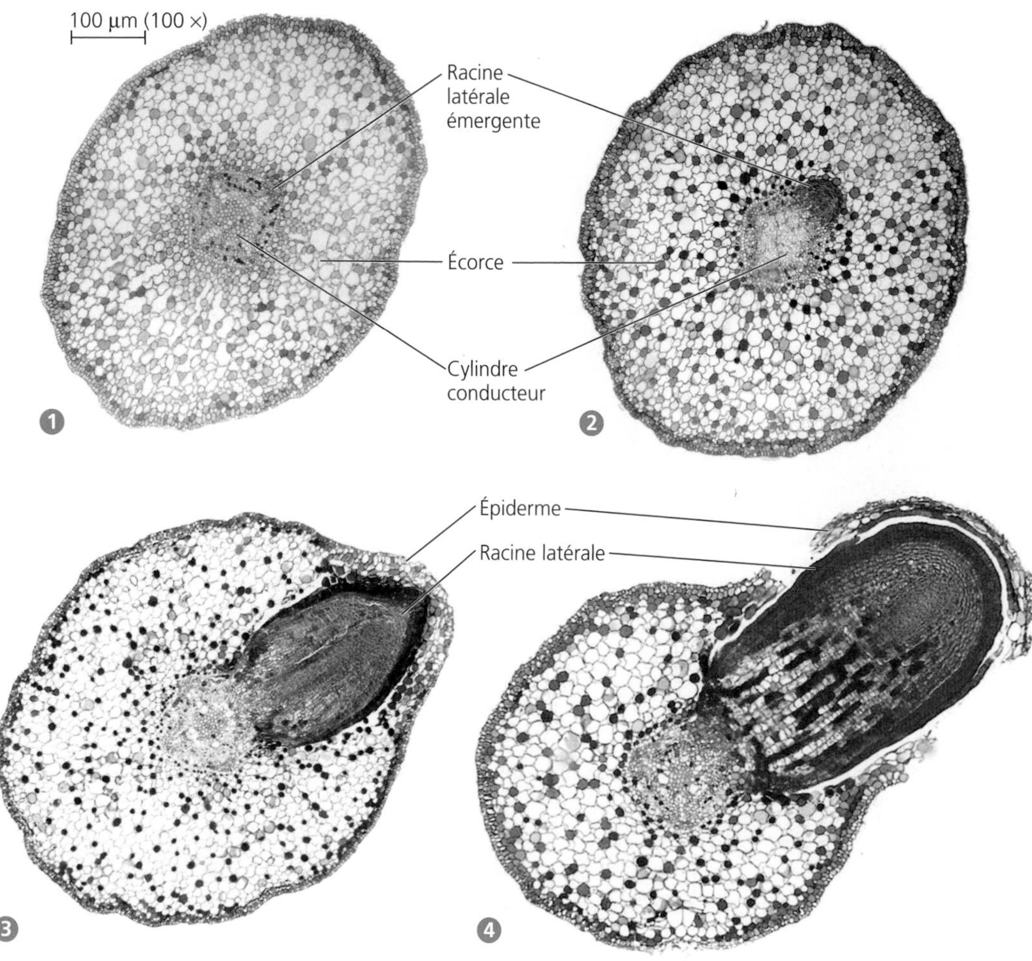

stomatiques. Les cellules stomatiques régissent l'ouverture et la fermeture du pore. En plus des échanges gazeux qu'elles permettent, les stomates ouvrent un passage pour la vaporisation de l'eau de la plante (comme nous le verrons au chapitre 36).

Les tissus fondamentaux prennent place entre l'épiderme supérieur et l'épiderme inférieur, dans une zone appelée **mésophylle** (du grec *mesos*, «au milieu», et *phullon*, «feuille»). Le mésophylle se compose principalement de cellules parenchymateuses spécialisées dans la photosynthèse. Chez un grand nombre de Dicotylédones, la feuille possède deux régions distinctes: le parenchyme palissadique et le parenchyme lacuneux. Dans la partie supérieure de la feuille se trouvent une ou plusieurs couches de **parenchyme palissadique** constituées de cellules prismatiques. Dans la partie inférieure de la feuille, sous le parenchyme palissadique, se trouve le **parenchyme lacuneux**, dont les cellules sont moins serrées les unes contre les autres et qui doit son nom aux espaces d'air (lacunes) qui forment un labyrinthe dans les tissus. Les lacunes permettent au dioxyde de carbone et au dioxygène de circuler autour des cellules photosynthétiques de forme irrégulière, et de monter dans la région palissadique. Elles sont particulièrement volumineuses à proximité des stomates, là où se font les échanges gazeux avec l'air ambiant.

Les tissus conducteurs d'une feuille sont reliés aux tissus conducteurs de la tige. Les **traces foliaires**, ramifications provenant des faisceaux libéroligneux de la tige, traversent le pétiole pour se rendre dans la feuille. Les nervures sont les faisceaux libéroligneux de la feuille; elles se subdivisent de manière répétée et se ramifient dans tout le mésophylle. Le xylème et le phloème se trouvent ainsi en contact direct avec les tissus photosynthétiques. Le xylème amène l'eau et les minéraux aux tissus photosynthétiques, tandis que le phloème achemine le saccharose et les substances organiques de la feuille vers les autres parties de la plante. Les tissus conducteurs jouent aussi le rôle de squelette en offrant un soutien à la structure de la feuille. Chaque nervure est entourée d'une **gaine périfasciculaire** formée d'une ou plusieurs couches de cellules, habituellement parenchymateuses.

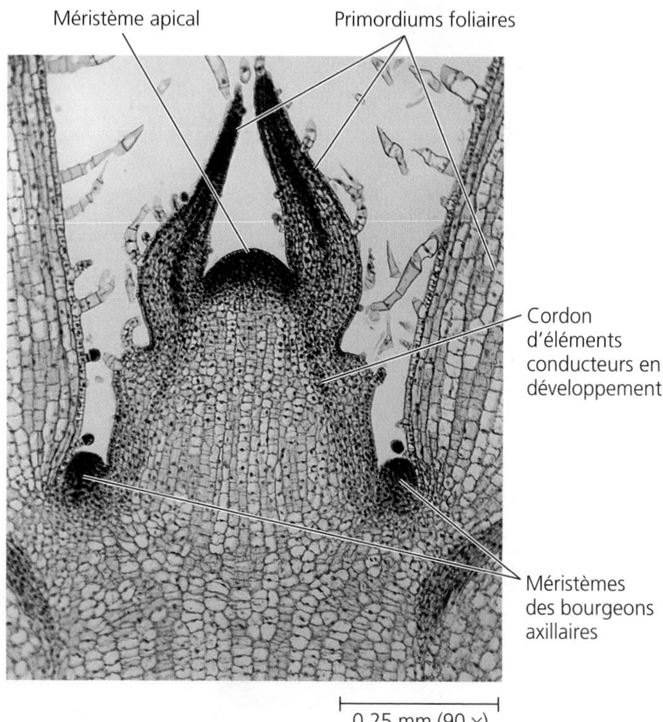

▲ **Figure 35.15 Bourgeon terminal et croissance primaire d'une pousse.** Les primordiums foliaires proviennent des flancs du méristème apical bombé. Cette micrographique montre une coupe frontale de l'extrémité d'une pousse de *Coleus* (MP).

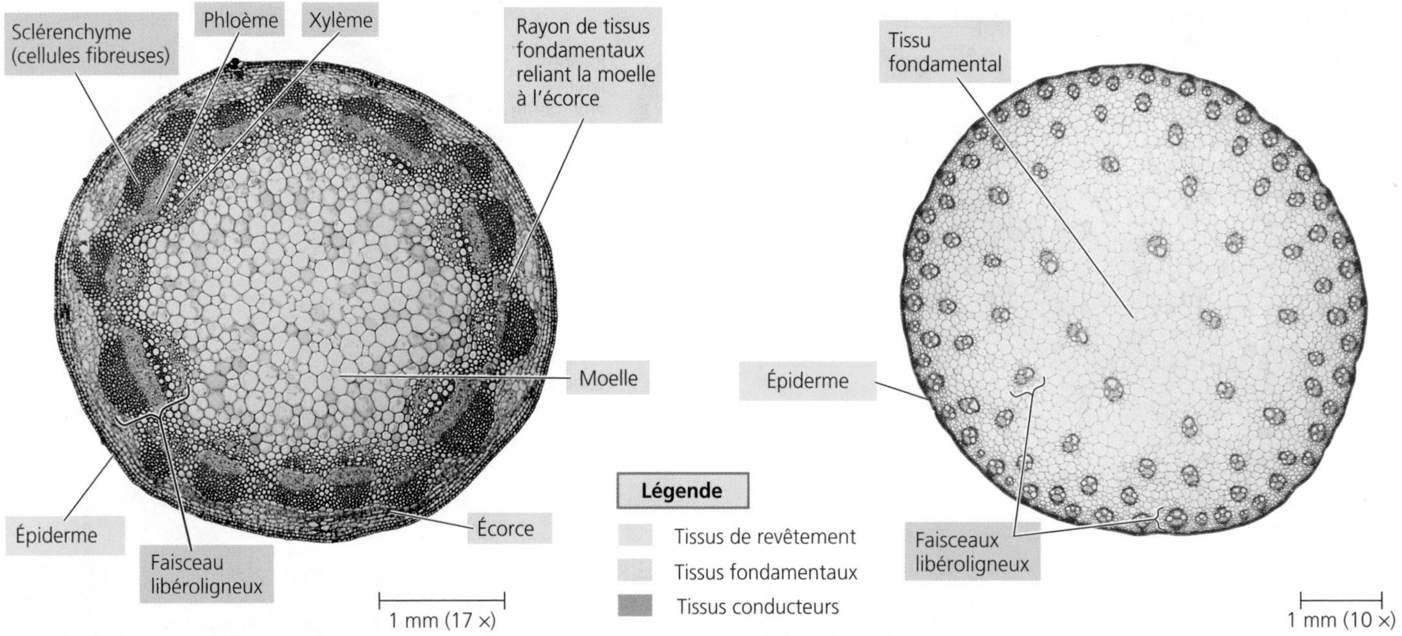

(a) Tige de Dicotylédone. Faisceaux libéroligneux disposés en anneau dans la tige d'une Dicotylédone (tournesol, *Helianthus annuus*). Les tissus fondamentaux à l'intérieur forment la moelle, et les tissus fondamentaux à l'extérieur forment l'écorce (MP d'une coupe transversale).

(b) Tige de Monocotylédone. Les faisceaux libéroligneux sont répartis inégalement dans les tissus fondamentaux de la tige d'une Monocotylédone (maïs, *Zea mays*). Dans une telle disposition, les tissus fondamentaux ne sont pas répartis en moelle et en écorce (MP d'une coupe transversale).

▲ **Figure 35.16 Organisation des tissus primaires des jeunes tiges.**

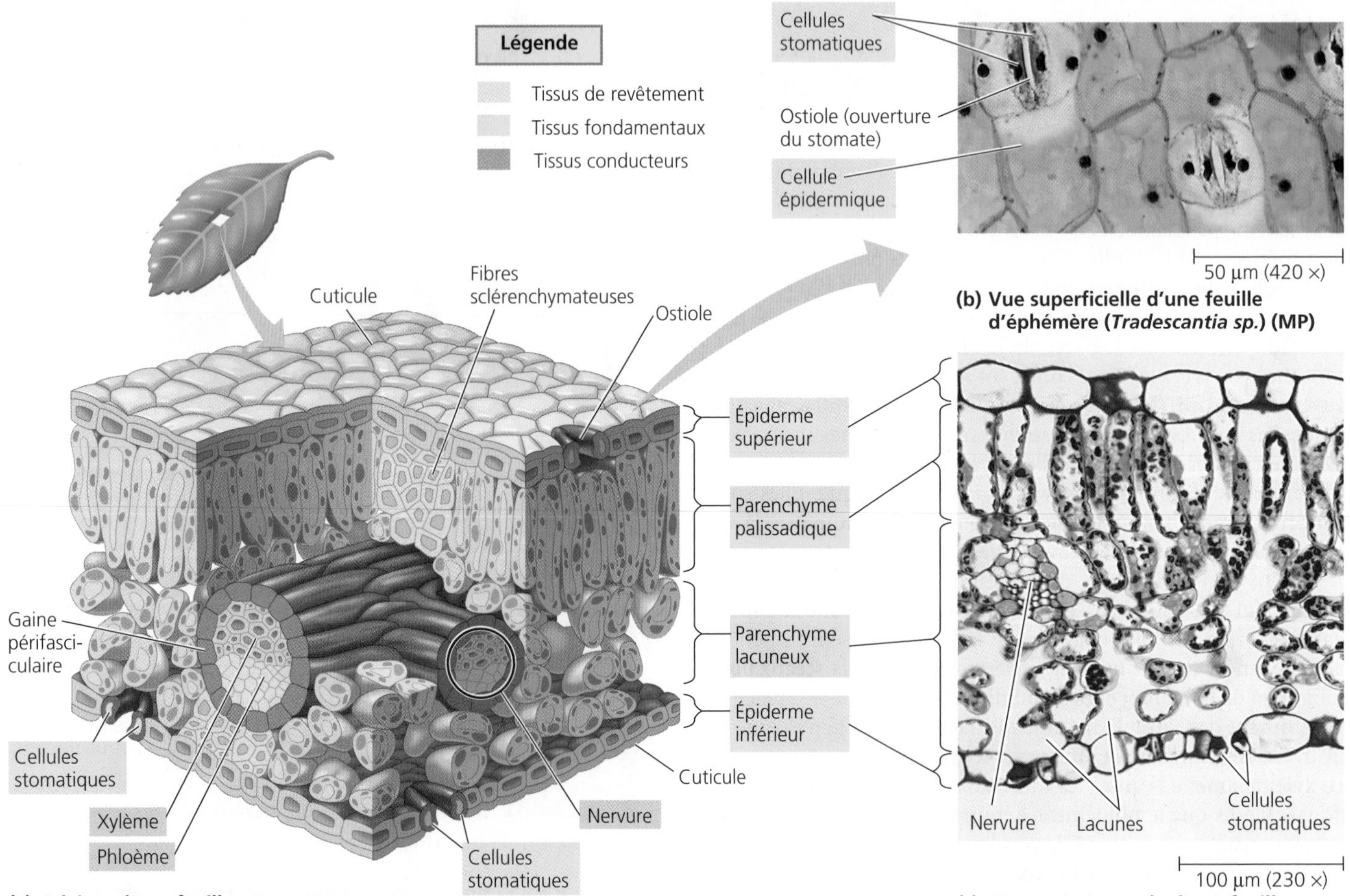

Légende
Tissus de revêtement
Tissus fondamentaux
Tissus conducteurs

Cuticule
Fibres sclérenchymateuses
Ostiole
Épiderme supérieur
Parenchyme palissadique
Parenchyme lacuneux
Épiderme inférieur
Gaine périfasciculaire
Cellules stomatiques
Xylème
Phloème
Cellules stomatiques
Nervure
Cuticule

(a) Schéma d'une feuille en coupe à la fois frontale et sagittale

Cellules stomatiques
Ostiole (ouverture du stomate)
Cellule épidermique
50 μm (420 ×)

(b) Vue superficielle d'une feuille d'éphémère (*Tradescantia sp.*) (MP)

Nervure
Lacunes
Cellules stomatiques
100 μm (230 ×)

(c) Coupe transversale d'une feuille de lilas (*Syringa sp.*) (MP)

▲ **Figure 35.17 Anatomie d'une feuille.**

Retour sur le concept 35.3

1. Décrivez en quoi les ramifications des racines et des pousses diffèrent.
2. Comparez la croissance primaire des racines avec celle des pousses.
3. Décrivez les fonctions des nervures des feuilles.

Voir les réponses proposées à la fin du chapitre.

Concept 35.4

La croissance secondaire fait augmenter le diamètre des tiges et des racines des plantes ligneuses

La croissance secondaire, c'est-à-dire l'épaississement produit par les méristèmes latéraux, a lieu dans les tiges et les racines des plantes ligneuses, mais rarement dans les feuilles. Les tissus fabriqués par le cambium libéroligneux et le phellogène constituent la **structure secondaire des plantes**. Le **cambium libéroligneux** ajoute le xylème secondaire (bois) et le phloème secondaire. Le **phellogène** produit une couche épaisse et résistante composée principalement de cellules subérophellodermiques.

Les croissances primaire et secondaire de la tige ont lieu simultanément, mais à des endroits différents. Alors qu'un méristème apical allonge une tige ou une racine, la croissance secondaire commence là où la croissance primaire s'arrête. Elle a lieu dans les plus vieilles régions de toutes les Gymnospermes et de nombreuses Dicotylédones, mais rarement dans les Monocotylédones. Le processus est semblable dans les tiges et les racines, qui se ressemblent beaucoup après une croissance secondaire importante. La **figure 35.18**, à la page suivante, schématise la croissance d'une tige ligneuse.

Le cambium libéroligneux et les tissus conducteurs secondaires

Le cambium libéroligneux est un cylindre de cellules méristématiques disposées en une seule couche. Sa circonférence augmente et il produit des couches successives de xylème secondaire à l'intérieur et de phloème secondaire à l'extérieur. Chaque couche a une circonférence supérieure à celle de la précédente (voir la figure 35.18). En somme, le cambium libéroligneux fait augmenter le diamètre des racines ou des tiges.

Le cambium libéroligneux provient soit de méristèmes primaires, soit de cellules parenchymateuses qui retrouvent la capacité de se diviser. Dans la tige d'une Gymnosperme ou d'une Dicotylédone ligneuse, il constitue une couche située entre le xylème et le phloème primaires de chaque faisceau libéroligneux, et dans les tissus fondamentaux situés entre ces faisceaux. Les bandes méristématiques qui se trouvent dans les faisceaux libéroligneux et entre ceux-ci s'unissent pour devenir un cylindre continu de cellules en division. Dans la racine d'une Gymnosperme ou d'une Dicotylédone ligneuse, le cambium libéroligneux forme des segments entre le phloème primaire, les lobes du xylème primaire et le péricycle, puis finit par devenir un cylindre.

En coupe transversale, le cambium libéroligneux ressemble à un anneau dans lequel alternent des zones de cellules appelées *cellules initiales des rayons* et *cellules initiales fusiformes*. Lorsqu'elles se divisent, ces cellules initiales font augmenter la circonférence du cambium libéroligneux. Elles ajoutent aussi du xylème secondaire à l'intérieur du cambium libéroligneux et du phloème secondaire à l'extérieur **(figure 35.19)**. Les **cellules initiales fusiformes** produisent des cellules de forme allongée telles que les trachéides, les éléments de vaisseau et les fibres du xylème, ainsi que les cellules criblées, les cellules compagnes, le parenchyme et les fibres du phloème. Elles ont une forme effilée (fusiforme) et sont orientées parallèlement à l'axe de la tige ou de la racine. Les **cellules initiales des rayons**, plus courtes et orientées perpendiculairement à l'axe de la tige ou de la racine, produisent des rayons conducteurs, c'est-à-dire des rayons principalement constitués de cellules parenchymateuses. Ces rayons conducteurs sont des voies où circulent l'eau, les matières nutritives et les signaux chimiques entre le xylème secondaire et le phloème secondaire. Ils servent aussi à la mise en réserve de l'amidon et d'autres substances organiques. La portion située dans le xylème secondaire est appelée *rayon ligneux* et la portion située dans le phloème secondaire, *rayon libérien.*

Au fil des ans, la croissance secondaire continue. Les couches de xylème secondaire (bois) s'accumulent, composées principalement de trachéides, d'éléments de vaisseau et de fibres (voir la figure 35.9). Les Gymnospermes ont des trachéides, tandis que les Angiospermes ont à la fois des trachéides et des éléments de vaisseau. Morts à maturité, ces deux types de cellules possèdent une épaisse paroi lignifiée qui donne au bois sa dureté et sa résistance. Les trachéides et les éléments de vaisseau qui apparaissent au début de la saison de croissance, habituellement au printemps, sont appelés *bois de printemps* et ont généralement un grand diamètre et une paroi mince (voir la figure 35.18b). La structure du bois de printemps maximise l'apport d'eau aux nouvelles feuilles. Les trachéides et les éléments de vaisseau fabriqués plus tard en saison, soit vers la fin de l'été ou au début de l'automne, forment du bois d'été. Les cellules à paroi épaisse du bois d'été ne transportent pas aussi bien l'eau que celles du bois de printemps, mais elles assurent un meilleur soutien physique à l'arbre.

Dans les régions tempérées, la croissance secondaire des plantes vivaces s'interrompt au cours de l'hiver, lorsque le cambium libéroligneux entre en dormance. Quand la croissance reprend, au printemps, la démarcation entre les grosses cellules du nouveau bois de printemps et les petites cellules du bois d'été produites au cours de la saison de croissance précédente a habituellement la forme d'un anneau qui est visible si on observe la coupe transversale d'une racine ou du tronc d'un arbre. On peut ainsi évaluer l'âge d'un arbre en comptant ses anneaux, dont l'épaisseur varie selon l'importance de la croissance saisonnière.

Lorsqu'un arbre ou un arbuste ligneux avance en âge, les plus vieilles couches de xylème secondaire ne transportent plus l'eau et les minéraux (sève brute). Situées au cœur de la tige ou de la racine, ces couches forment le **duramen (figure 35.20)**. Ce sont les couches extérieures qui assurent le transport de la sève brute ; on appelle d'ailleurs ces couches **aubier** ou *bois de sève.* C'est pourquoi un vieil arbre peut survivre même si le centre de son tronc est vide. Comme chaque nouvelle couche de xylème secondaire a une circonférence plus grande que la précédente, la croissance secondaire permet au xylème de transporter une plus grande quantité de sève brute d'année en année, afin de fournir

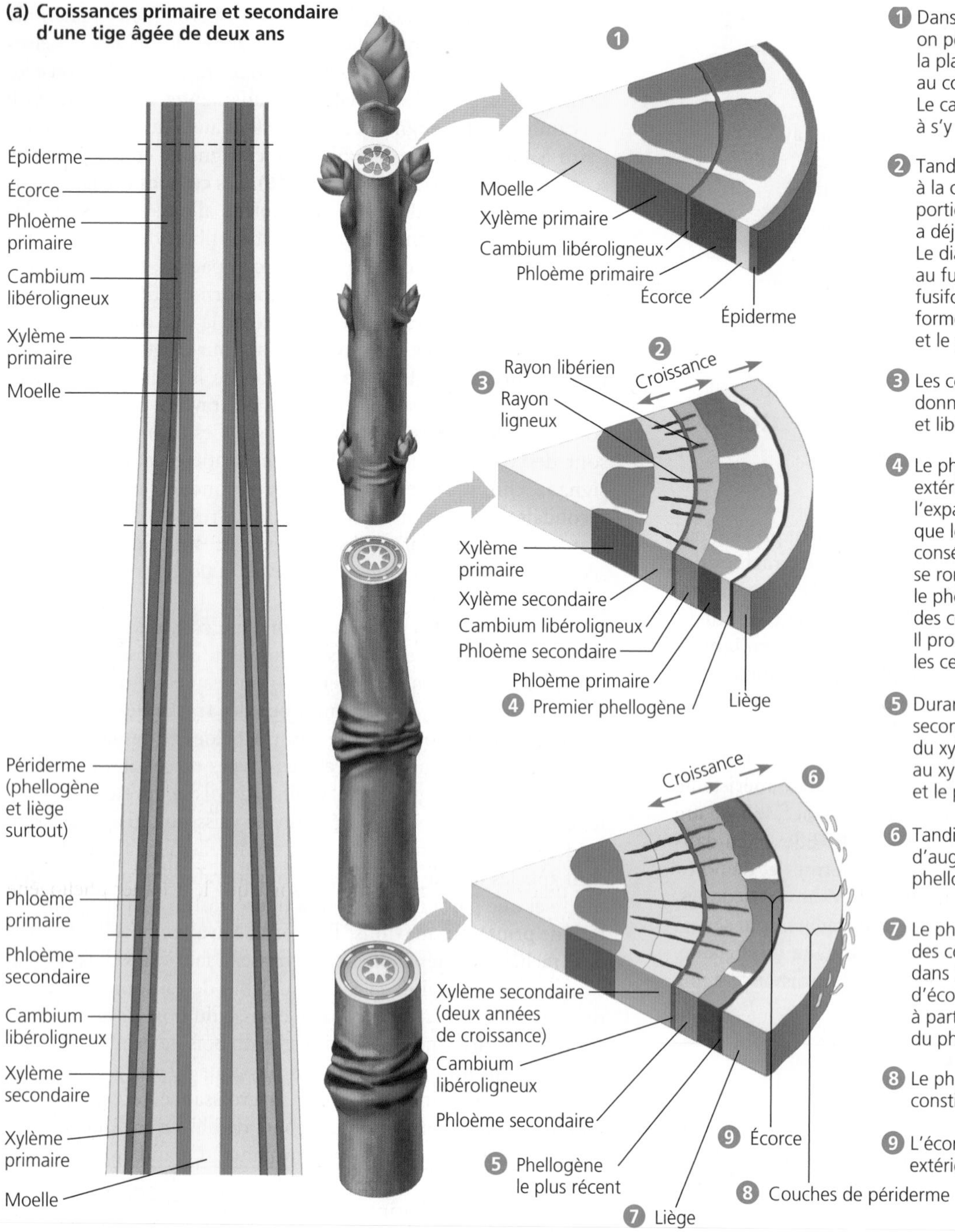

(a) Croissances primaire et secondaire d'une tige âgée de deux ans

Épiderme
Écorce
Phloème primaire
Cambium libéroligneux
Xylème primaire
Moelle

Périderme (phellogène et liège surtout)
Phloème primaire
Phloème secondaire
Cambium libéroligneux
Xylème secondaire
Xylème primaire
Moelle

Moelle
Xylème primaire
Cambium libéroligneux
Phloème primaire
Écorce
Épiderme

Rayon libérien
Rayon ligneux
Croissance
Xylème primaire
Xylème secondaire
Cambium libéroligneux
Phloème secondaire
Phloème primaire
4 Premier phellogène
Liège

Croissance
Xylème secondaire (deux années de croissance)
Cambium libéroligneux
Phloème secondaire
5 Phellogène le plus récent
7 Liège
9 Écorce
8 Couches de périderme

1 Dans la plus jeune partie de la tige, on peut voir la structure primaire de la plante produite par le méristème apical au cours de la croissance primaire. Le cambium libéroligneux commence à s'y former.

2 Tandis que la tige s'allonge grâce à la croissance primaire qui se poursuit, sa portion formée plus tôt dans la même année a déjà commencé sa croissance secondaire. Le diamètre de cette portion augmente au fur et à mesure que les cellules initiales fusiformes du cambium libéroligneux forment le xylème secondaire à l'intérieur et le phloème secondaire à l'extérieur.

3 Les cellules initiales des rayons du cambium donnent naissance aux rayons ligneux et libériens.

4 Le phloème secondaire et les autres tissus extérieurs au cambium ne peuvent suivre l'expansion du cambium libéroligneux, parce que leurs cellules ne se divisent plus. Par conséquent, ces tissus, y compris l'épiderme, se rompent. Un second méristème latéral, le phellogène, se forme alors à partir des cellules parenchymateuses de l'écorce. Il produit les cellules du liège qui remplacent les cellules de l'épiderme.

5 Durant la deuxième année de croissance secondaire, le cambium libéroligneux ajoute du xylème et du phloème secondaires au xylème et au phloème déjà existants, et le phellogène produit du liège.

6 Tandis que le diamètre de la tige continue d'augmenter, les tissus externes du phellogène se fendillent et se détachent.

7 Le phellogène se reforme en produisant des couches de plus en plus profondes dans l'écorce. Lorsqu'il ne reste plus d'écorce originale, le phellogène se forme à partir des cellules parenchymateuses du phloème secondaire.

8 Le phellogène et les tissus qu'il produit constituent une couche de périderme.

9 L'écorce comprend tous les tissus extérieurs au cambium libéroligneux.

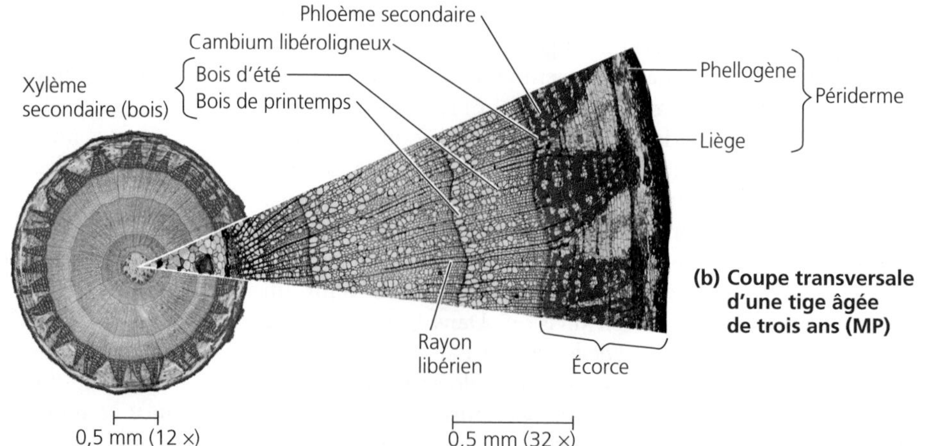

(b) Coupe transversale d'une tige âgée de trois ans (MP)

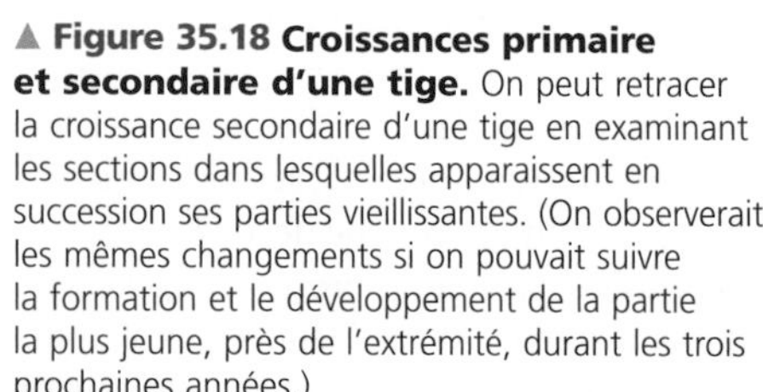

▲ **Figure 35.18 Croissances primaire et secondaire d'une tige.** On peut retracer la croissance secondaire d'une tige en examinant les sections dans lesquelles apparaissent en succession ses parties vieillissantes. (On observerait les mêmes changements si on pouvait suivre la formation et le développement de la partie la plus jeune, près de l'extrémité, durant les trois prochaines années.)

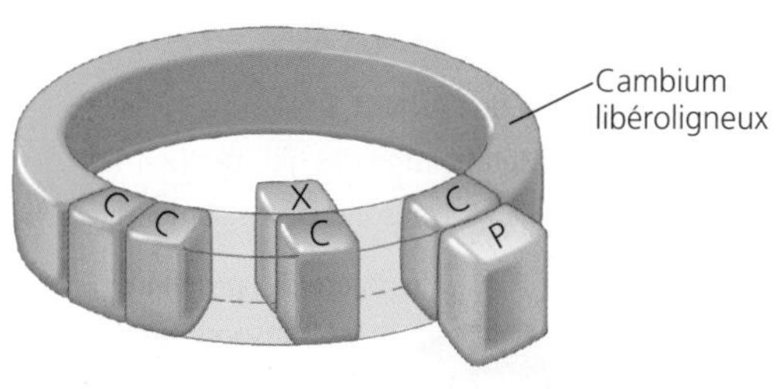

(a) Types de division cellulaire. Un rayon initial peut se diviser transversalement pour former deux cellules initiales (C) ou radialement pour former une cellule initiale et soit une cellule de xylème (X), soit une cellule de phloème (P).

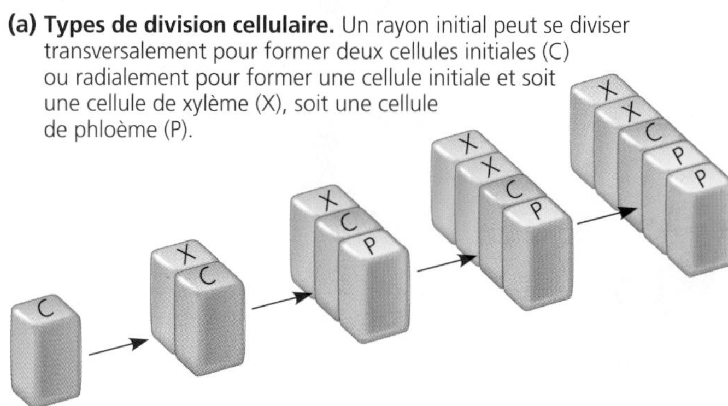

(b) Accumulation de croissance secondaire. L'illustration montre qu'une cellule initiale ajoute du xylème et du phloème en alternance; celle-ci produit habituellement beaucoup plus de xylème que de phloème.

▲ **Figure 35.19 Division cellulaire dans le cambium libéroligneux.**

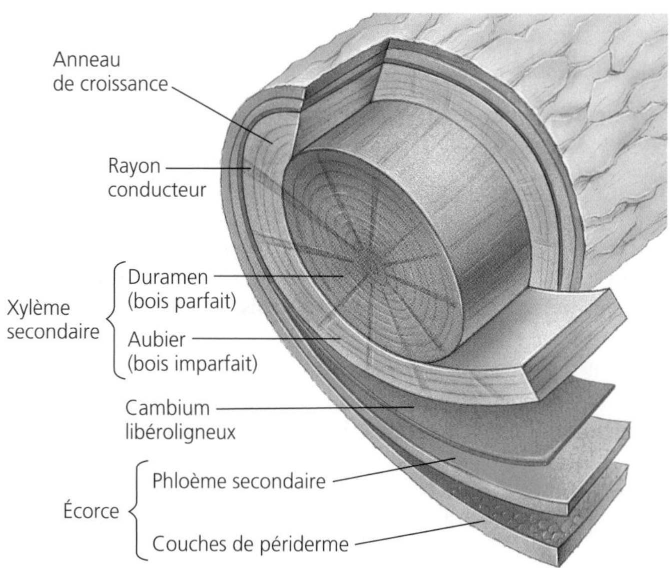

▲ **Figure 35.20 Anatomie d'un tronc d'arbre.**

aux feuilles de plus en plus nombreuses l'eau et les minéraux dont elles ont besoin. Le duramen est habituellement plus foncé que l'aubier en raison de la résine et des autres substances qui obstruent les cavités cellulaires et qui contribuent à protéger le noyau de l'arbre des champignons et des Insectes.

Du fait de sa proximité du cambium libéroligneux, seul le phloème secondaire le plus jeune joue un rôle dans le transport des sucres. À mesure que la circonférence de la tige ou de la racine augmente, le phloème secondaire plus vieux se détache; ainsi, il ne s'accumule pas autant que le xylème secondaire.

Le phellogène et la production de périderme

Au cours des premières étapes de la croissance secondaire, l'épiderme, poussé vers l'extérieur, se fendille, sèche et se détache de la tige ou de la racine. Il est remplacé par deux tissus produits par le premier phellogène, qui apparaît dans l'écorce externe de la tige (figure 35.18a) et dans la couche externe du péricycle de la racine. Un des deux tissus, appelé *phelloderme*, est composé d'une mince couche de cellules parenchymateuses qui se forme à l'intérieur du phellogène. L'autre couche est constituée de cellules du liège qui s'accumulent à l'extérieur du phellogène. À maturité, avant de mourir, les cellules du liège sécrètent une substance cireuse, la *subérine*, qui se dépose sur le côté interne de la paroi cellulaire. Le liège devient alors une barrière protectrice contre la perte d'eau, les agressions du milieu et les agents pathogènes. Le phellogène de même que les tissus qu'il produit forment une couche de périderme.

Étant donné que les cellules du liège ont de la subérine et qu'elles sont habituellement serrées les unes contre les autres, la majeure partie du périderme est imperméable à l'eau et aux gaz, contrairement à l'épiderme. Par conséquent, chez la plupart des Végétaux, l'absorption de l'eau et des minéraux a surtout lieu dans les jeunes parties des racines, principalement dans les poils absorbants. Les parties plus vieilles servent à ancrer la plante et à transporter l'eau et les solutés entre les racines et les pousses. Le périderme est parsemé de petits canaux surélevés appelés **lenticelles**, dans lesquels les cellules du liège sont moins tassées, ce qui permet aux cellules vivantes d'une tige ligneuse ou d'une racine d'effectuer des échanges respiratoires avec l'air ambiant.

Contrairement aux cellules du cambium libéroligneux, les cellules du phellogène ne continuent pas de se diviser; la circonférence de ce cambium n'augmente donc pas. L'expansion de la tige ou de la racine fait plutôt en sorte que le premier phellogène se fend, cessant son activité méristématique et se différenciant en cellules de liège. Un nouveau phellogène se forme alors de plus en plus profondément dans l'écorce. Une nouvelle couche de périderme apparaît chaque fois, tandis que les vieilles couches se détachent peu à peu. L'écorce très souvent fendillée de nombreux troncs d'arbres témoigne de ce phénomène.

On pense souvent que l'écorce n'est qu'un revêtement protecteur qui recouvre une tige ligneuse ou une racine. En fait, l'**écorce** désigne l'ensemble des tissus situés à l'extérieur du cambium libéroligneux. Elle comprend donc, de l'intérieur vers l'extérieur, le phloème secondaire (produit par le cambium libéroligneux), le plus récent périderme et toutes les anciennes couches de périderme (voir la figure 35.20).

Retour sur le concept 35.4

1. On cloue une pancarte sur un tronc d'arbre, à deux mètres de sa base. Si l'arbre mesure 10 m de hauteur et s'allonge de 1 m par année, à quelle hauteur la pancarte se trouvera-t-elle après 10 ans?
2. Un arbre peut survivre même si on creuse un tunnel en son centre. Cependant, si on enlève un anneau complet d'écorce autour de son tronc (par une technique appelée *annélation*), il mourra. Expliquez pourquoi.

Voir les réponses proposées à la fin du chapitre.

Concept 35.5

La croissance, la morphogenèse et la différenciation façonnent la structure des Végétaux

Jusqu'ici, nous avons décrit la formation de la structure des plantes à partir des méristèmes. Passons maintenant à l'étude des mécanismes qui sont à la base de la croissance et du développement des Végétaux.

Prenons une herbe quelconque, qui peut compter des milliards de cellules. Certaines cellules sont grosses, d'autres petites; certaines sont spécialisées, d'autres non. Mais toutes sont issues d'un seul zygote. L'augmentation de la masse et de la taille qui se produit durant la vie de la plante résulte de la division et de l'expansion cellulaires. Qu'est-ce qui régit ces processus? Pourquoi les feuilles cessent-elles de croître quand elles atteignent une certaine taille, alors que les méristèmes apicaux se divisent sans arrêt? Notons par ailleurs que les milliards de cellules qui composent une herbe ne constituent pas un amas de cellules indifférenciées. Toutes ces cellules sont en effet organisées en tissus et en organes reconnaissables. Les feuilles naissent des nœuds, contrairement aux racines (sauf les adventives). L'épiderme se forme sur les faces supérieure et inférieure de la feuille, le tissu conducteur dans le mésophylle; jamais le contraire.

Le développement de la forme et de l'organisation de la structure se nomme **morphogenèse**. Toutes les cellules d'une plante contiennent le même ensemble de gènes, réplique exacte du génome présent dans le zygote (œuf fécondé). Ce sont les différents modes d'expression des gènes d'une cellule à l'autre qui font que la différenciation cellulaire engendre la diversité cellulaire (voir le chapitre 21). Les trois mécanismes développementaux que sont la croissance, la morphogenèse et la différenciation cellulaire concourent à transformer en plante l'œuf fécondé.

La biologie moléculaire: une révolution dans l'étude des Végétaux

Les techniques moléculaires modernes permettent aux biologistes de mieux comprendre comment la croissance, la morphogenèse et la différenciation cellulaire donnent naissance à une plante. En cette époque où la biologie végétale connaît une véritable renaissance, les nouvelles techniques de laboratoire et de travail sur le terrain, associées aux choix astucieux des organismes expérimentaux, ont catalysé un foisonnement de la recherche. Ainsi, de nombreux scientifiques concentrent actuellement leurs efforts sur *Arabidopsis thaliana* (arabette des dames), plante délicate de la famille des Crucifères (voir la figure 21.2). La petite taille d'*A. thaliana* permet aux chercheurs de cultiver de nombreux individus dans quelques mètres carrés, en laboratoire **(figure 35.21)**. Cette plante produit une nouvelle génération en six semaines environ, depuis la germination jusqu'à la floraison, ce qui en fait un excellent modèle pour l'étude génétique; de plus, un seul plant peut produire des dizaines de milliers de graines. *A. thaliana* intéresse également les botanistes en raison de la petitesse de son génome. Ses cellules possèdent en effet moins d'ADN que celles de la plupart des plantes connues. Toutes ces caractéristiques ont fait en sorte qu'*Arabidopsis thaliana* fut la première plante dont on a complètement séquencé le génome; cela a demandé un effort multinational de six années.

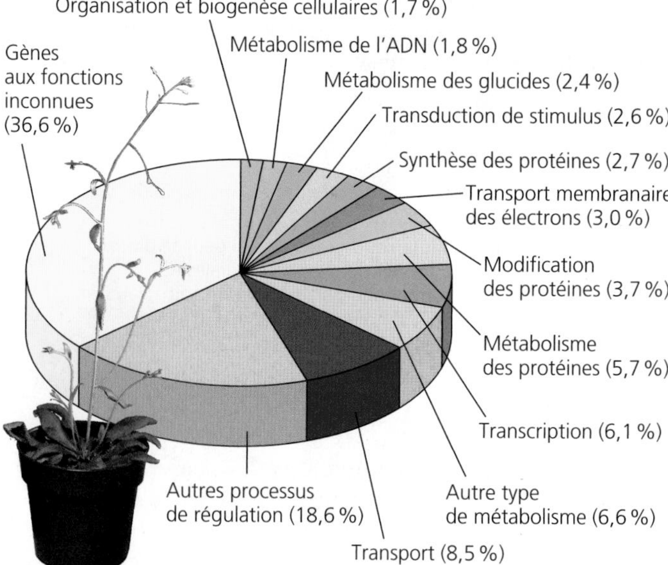

▲ **Figure 35.21** ***Arabidopsis thaliana.*** L'arabette des dames (*Arabidopsis thaliana*, en médaillon) fut la première plante dont on a complètement séquencé le génome. Les chercheurs l'ont choisie en raison de sa petite taille, de son cycle de développement rapide et de son petit génome (environ 26 000 gènes). Ce diagramme en forme de disque représente l'ensemble des gènes d'*Arabidopsis thaliana*. Chaque portion de couleur correspond à la proportion de gènes qui participent à une fonction donnée. (Données issues de TAIR, The *Arabidopsis* Information Resource, 2004.)

Arabidopsis thaliana possède 26 000 gènes environ, dont un grand nombre sont dupliqués. Il y a donc probablement moins de 15 000 gènes de types différents. Ce degré de complexité est semblable à celui que l'on rencontre chez la drosophile (*Drosophila melanogaster*). La connaissance du fonctionnement de certains des gènes d'*Arabidopsis thaliana* a déjà permis d'accroître notre compréhension du développement des plantes (voir la figure 35.21).

Pour éclaircir les mystères qui existent encore, les botanistes ont l'ambitieux projet de déterminer la fonction de chacun des gènes d'*Arabidopsis thaliana* avant 2010. Pour ce faire, ils essaient de créer des gènes mutants pour chaque gène du génome de la plante. Nous verrons un peu plus loin ce qu'il en est de ces mutants, lorsque nous aurons expliqué les mécanismes moléculaires de la croissance, de la morphogenèse et de la différenciation cellulaire. En déterminant la fonction de chaque gène et en retraçant chaque voie métabolique, les chercheurs espèrent établir le plan de développement des Végétaux, un des principaux objectifs de la **biologie des systèmes**. Certains prévoient la création prochaine d'une «plante virtuelle» à l'aide de l'informatique. Cela permettrait de visualiser les gènes qui sont activés dans les différentes parties de la plante tout au long de son développement.

La croissance: la division et l'expansion cellulaires

En augmentant le nombre de cellules, la division cellulaire qui a lieu dans les méristèmes augmente également le potentiel de croissance. Mais c'est l'expansion cellulaire qui est responsable de l'augmentation réelle de la masse de la plante. Nous avons décrit en détail la division cellulaire au chapitre 12 (voir la figure 12.10) et nous verrons l'allongement cellulaire au chapitre 39 (voir la figure 39.8). Nous nous attardons donc ici sur la façon dont ces processus contribuent à donner une forme à la plante.

Le plan et la symétrie de la division cellulaire

Le plan (direction) et la symétrie de la division cellulaire déterminent grandement la forme de la plante. Imaginez une cellule unique prête à subir une mitose. Si les plans de la division des cellules filles sont parallèles au plan de la première division cellulaire, il y aura production d'une chaîne linéaire de cellules **(figure 35.22a)**. Par contre, si les plans de la division varient au hasard, il en résultera un amas de cellules désorganisées. Entretemps, même si les chromosomes sont distribués à parts égales aux cellules filles durant la mitose, il peut arriver que le cytoplasme se divise de manière asymétrique. La **division cellulaire asymétrique**, qui fait en sorte que l'une des cellules filles reçoit plus de cytoplasme que l'autre au cours de la mitose, est relativement courante chez les cellules végétales. Elle est habituellement le signe d'un événement clé dans le développement. Par exemple, la formation des cellules stomatiques nécessite généralement une division asymétrique et une modification du plan de la division. Une cellule épidermique se divise de manière asymétrique pour donner une cellule volumineuse, qui restera une cellule épidermique non spécialisée, et une petite cellule, qui deviendra une cellule mère stomatique. Les cellules stomatiques se forment quand cette petite cellule mère se divise perpendiculairement à la première **(figure 35.22b)**.

Le plan selon lequel une cellule se divise est déterminé à la fin de l'interphase. La redisposition du cytosquelette constitue le premier signe de cette orientation spatiale. Les microtubules du cytoplasme forment un anneau appelé **bande préprophasique (figure 35.23)**. Cette bande disparaît avant la métaphase, mais elle détermine le plan de la division cellulaire. En effet, elle laisse derrière elle un réseau ordonné de microfilaments d'actine qui maintiennent le noyau dans son orientation jusqu'à la formation du fuseau.

L'orientation de l'expansion cellulaire

Avant d'aborder la contribution de l'expansion cellulaire à la formation de la plante, soulignons une différence entre les Végétaux et les Animaux. La croissance des cellules animales repose principalement sur la synthèse de cytoplasme riche en protéines, processus coûteux du point de vue métabolique. La croissance des cellules végétales nécessite aussi la fabrication de matière riche en protéines dans le cytoplasme. Mais l'absorption d'eau représente ici généralement 90 % de l'expansion cellulaire. La majeure partie de cette eau se trouve dans une grande vacuole centrale formée par la fusion, au cours de la croissance de la cellule, de nombreuses petites vacuoles. Une plante croît donc rapidement et à peu de frais, car une petite quantité de cytoplasme suffit. Par exemple, les pousses de bambou s'allongent de plus de deux mètres par semaine. L'allongement rapide des racines et des pousses favorise l'exposition à la lumière et augmente la surface d'absorption en contact avec le sol, ce qui représente une importante adaptation des Végétaux, au cours de l'évolution, à leur vie immobile.

Les cellules végétales croissent rarement de façon uniforme dans toutes les directions. Leur grande expansion est habituellement orientée selon l'axe principal de la plante. Ainsi, les cellules situées près de l'extrémité de la racine peuvent multiplier par 20 leur longueur initiale, mais s'élargissent relativement peu. On

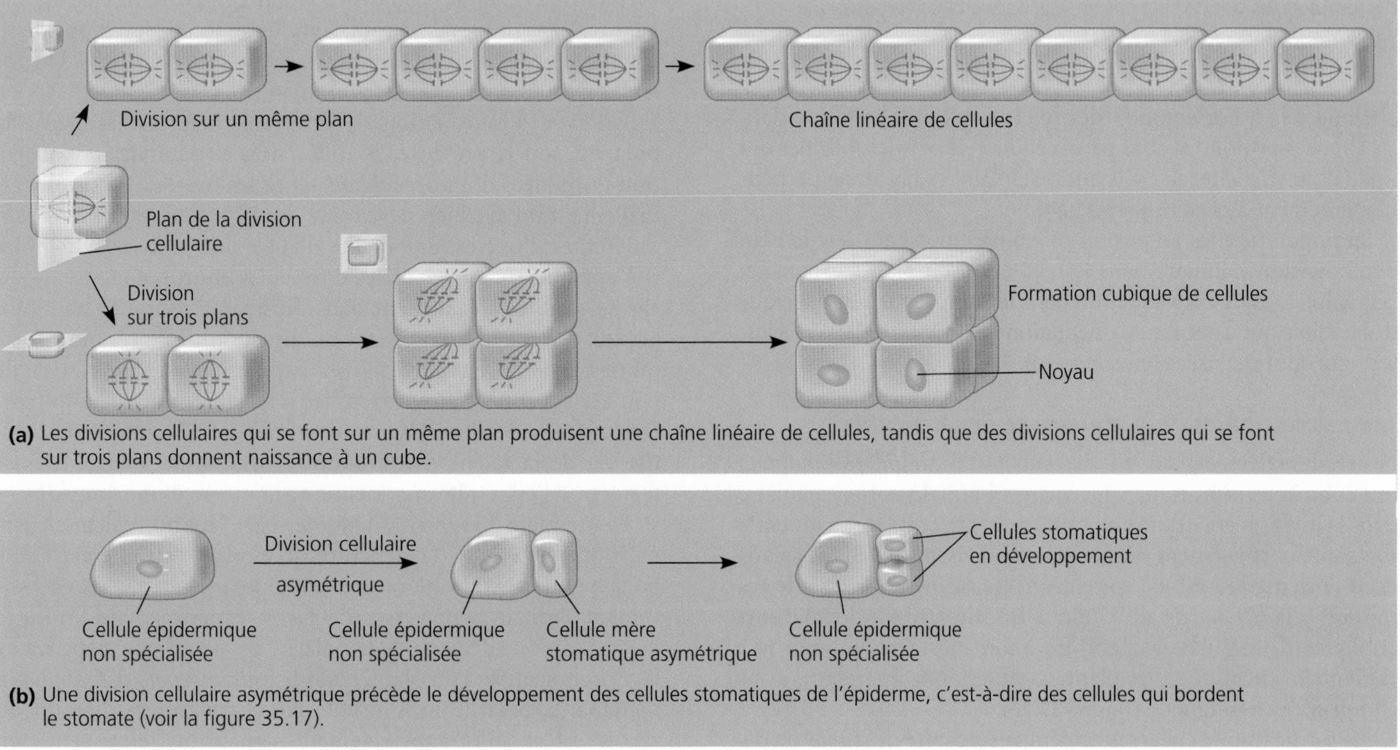

(a) Les divisions cellulaires qui se font sur un même plan produisent une chaîne linéaire de cellules, tandis que des divisions cellulaires qui se font sur trois plans donnent naissance à un cube.

(b) Une division cellulaire asymétrique précède le développement des cellules stomatiques de l'épiderme, c'est-à-dire des cellules qui bordent le stomate (voir la figure 35.17).

▲ **Figure 35.22 Influence du plan et de la symétrie de la division cellulaire sur le développement de la forme.**

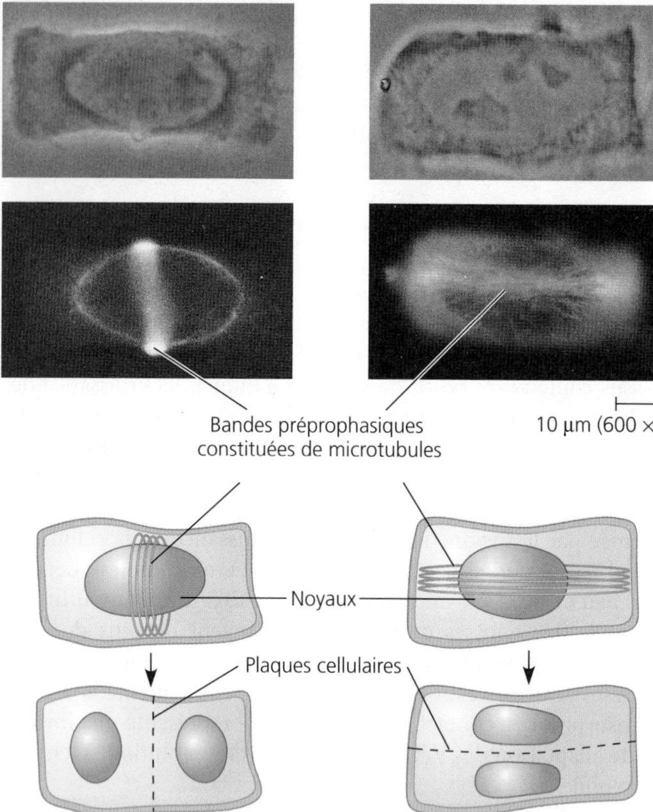

▲ **Figure 35.23 Bande préprophasique et plan de la division cellulaire.** L'emplacement de la bande préprophasique indique le plan que suivra la division cellulaire. Bien qu'elles soient de forme semblable, les deux cellules de gauche et de droite se diviseront selon des plans différents. Les deux micrographies du haut montrent les cellules au naturel. Celles du bas montrent les cellules après qu'elles ont été traitées avec un colorant fluorescent qui se lie spécifiquement aux microtubules. Les microtubules colorés forment un « halo » (bande préprophasique) dans le cytoplasme, autour du noyau.

attribue cela à l'orientation des microfibrilles de cellulose dans les couches profondes de la paroi cellulaire. Les microfibrilles ont une faible élasticité; la croissance cellulaire se fait donc perpendiculairement à elles **(figure 35.24)**.

Les microtubules jouent un rôle aussi important que le plan de la division cellulaire dans la régulation du plan d'expansion cellulaire. C'est leur orientation dans le cytoplasme périphérique de la cellule qui détermine l'orientation des microfibrilles de cellulose qui sont déposées dans la paroi.

Les microtubules et la croissance des Végétaux

Les études effectuées sur des mutants *fass* d'*Arabidopsis thaliana* ont confirmé l'importance des microtubules du cortex cellulaire dans la division et l'expansion cellulaires. Les cellules des mutants *fass* sont anormalement ramassées et se divisent suivant des plans dont l'orientation est aléatoire. Dans les racines et la tige de ces mutants, il n'y a pas de chaînes linéaires ni de formations cubiques de cellules. Malgré ces anomalies, les mutants *fass* deviennent de minuscules plantes adultes dont les organes sont comprimés en longueur **(figure 35.25)**.

La forme trapue et l'arrangement désorganisé des tissus de ces mutants témoignent de la disposition anormale des microtubules. Durant l'interphase, les microtubules sont disposés au hasard, et aucune bande préprophasique ne se forme avant la mitose (voir la figure 35.23). Par conséquent, la disposition des microfibrilles de cellulose dans la paroi cellulaire n'oriente pas l'élongation cellulaire (voir la figure 35.24). En raison de ce manque d'organisation, les cellules se dilatent uniformément dans toutes les directions et se divisent de façon anarchique.

La morphogenèse et le plan d'organisation

La structure des plantes est plus qu'un simple ensemble de cellules en division et en expansion. La morphogenèse est essentielle pour que le développement se produise adéquatement; c'est-à-dire que les cellules doivent s'organiser en structures multicellulaires telles que des tissus et des organes. La formation de structures précises en des endroits précis se nomme **plan d'organisation**.

Un grand nombre de biologistes du développement croient que le plan d'organisation tient compte de l'**information de positionnement**. Celle-ci prend la forme de différents types de stimulus qui précisent continuellement la position de chaque cellule dans une structure en développement. Selon ce postulat, chaque cellule d'un organe en développement reçoit l'information de positionnement et réagit, s'il y a lieu, en se différenciant. Les embryologistes accumulent des indices qui montrent que ce sont des gradients de molécules précises, généralement des protéines ou de l'ARNm, qui fournissent l'information de positionnement. Par exemple, une substance émise par le méristème apical d'une pousse peut « informer » les cellules situées plus bas de la distance qui les sépare de l'apex. Les cellules évaluent vraisemblablement leur position radiale à l'intérieur d'un organe en développement en détectant un second stimulus chimique émanant des cellules périphériques. Le gradient des deux substances permettrait à chaque cellule de connaître sa position par rapport aux axes longitudinal et radial de l'organe en développement. L'hypothèse des stimulus chimiques fait partie des diverses hypothèses que les embryologistes étudient.

Un type d'information de positionnement est associé à la **polarité**, soit la présence de différences structurales aux extrémités opposées d'un organisme. Chez les plantes, il existe habituellement un axe bien développé dont les deux extrémités sont différentes: l'une est une racine; l'autre une pousse. Cette polarité apparaît surtout dans les différences morphologiques. Mais elle se manifeste également dans plusieurs propriétés physiologiques, comme le mouvement unidirectionnel de certaines hormones (voir le chapitre 39) et l'apparition de racines et de pousses adventives aux extrémités appropriées des « boutures ». Des racines adventives se forment à l'extrémité inférieure de la tige ou de la racine d'une bouture; des pousses adventives se forment à l'extrémité supérieure de la racine d'une bouture.

La première division d'un zygote végétal est normalement asymétrique et polarise la structure de la plante en une extrémité pousse et une extrémité racine. Cette polarité établie est excessivement difficile à renverser de façon expérimentale. Ainsi, la détermination adéquate de la polarité axiale est une étape clé de la morphogenèse d'un plant. Chez le mutant *gnom* d'*Arabidopsis thaliana,* la polarité ne s'installe pas. La première division du zygote est en effet anormalement symétrique, et le semis en forme de boule qui en résulte ne possède ni racines ni feuilles **(figure 35.26)**.

▶ **Figure 35.24 Orientation de l'expansion des cellules végétales.** C'est principalement l'absorption d'eau qui permet l'expansion des cellules végétales. Dans une cellule en croissance, les enzymes affaiblissent les ponts transversaux de la paroi, qui peut ainsi prendre de l'expansion à mesure que l'eau y pénètre par osmose. Comme on peut le voir dans ces deux exemples d'orientations, la croissance de la cellule se fait surtout perpendiculairement aux microfibrilles de cellulose présentes dans la paroi. Ces microfibrilles sont enchâssées dans une matrice comportant d'autres polysaccharides (non cellulosiques), dont quelques-uns forment les ponts transversaux visibles sur cette micrographie (MET). Le relâchement de la paroi se produit lorsque les protons sécrétés par la cellule activent les enzymes de la paroi. Ces enzymes, à leur tour, rompent les ponts transversaux qui relient les polymères dans la paroi. Les limitations concernant la turgescence étant alors réduites, la cellule peut absorber un surplus d'eau et se dilater. Les petites vacuoles, qui renferment la majeure partie de l'eau, fusionnent et forment la vacuole centrale de la cellule.

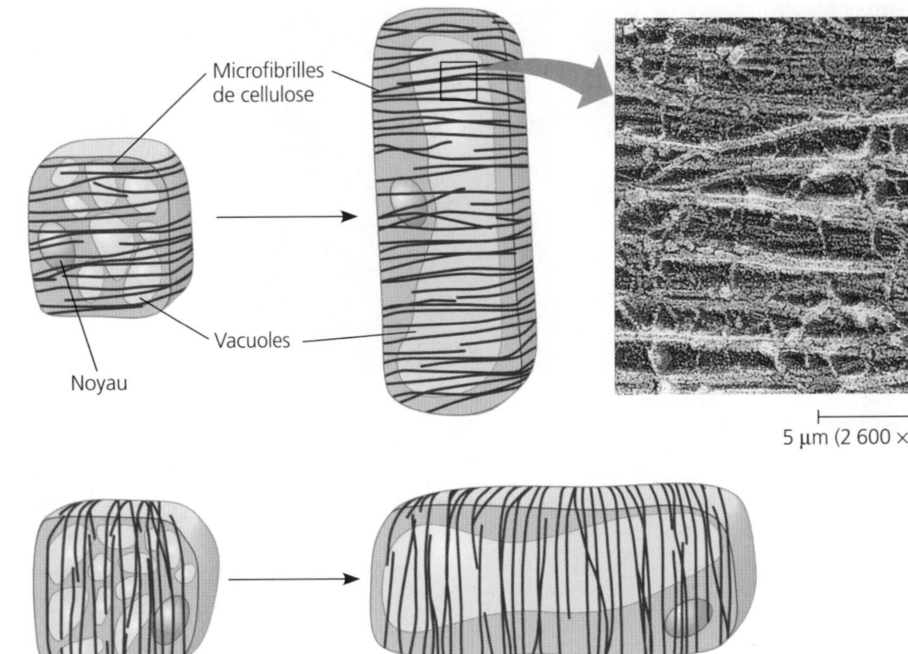

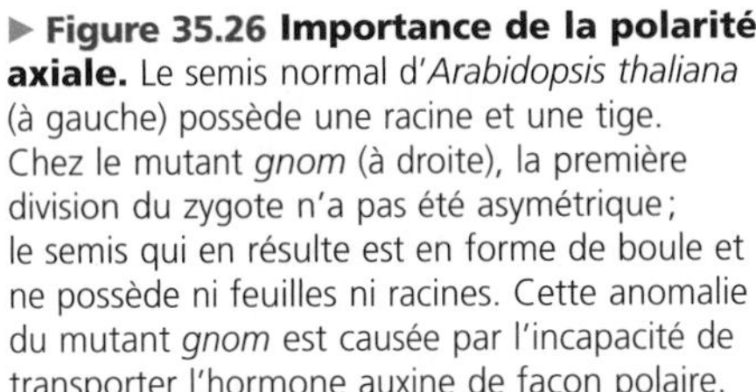

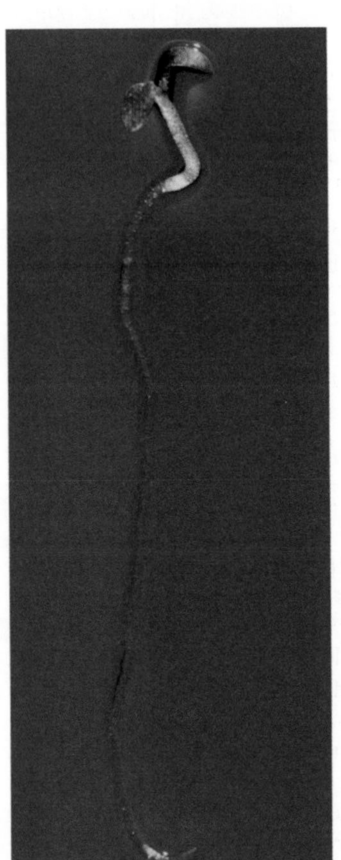

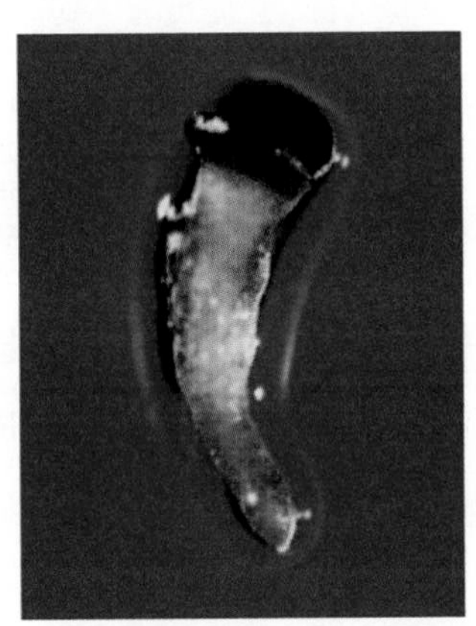

(b) **Semis d'un mutant *fass***

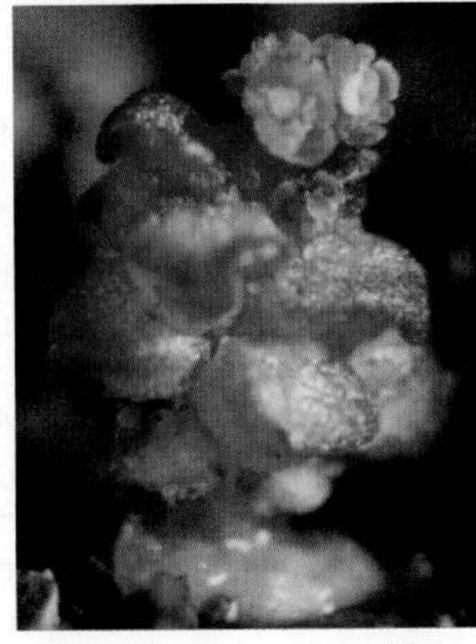

(a) Semis de type sauvage (normal) **(c) Mutant *fass* mature**

▲ **Figure 35.25 Mutant *fass* d'*Arabidopsis thaliana* confirmant l'importance des microtubules cytoplasmiques dans la croissance des Végétaux.** La forme ramassée du mutant *fass* est le résultat de la division et de l'expansion cellulaires qui s'orientent de façon désordonnée au lieu de suivre l'axe normal de la plante de type sauvage.

▶ **Figure 35.26 Importance de la polarité axiale.** Le semis normal d'*Arabidopsis thaliana* (à gauche) possède une racine et une tige. Chez le mutant *gnom* (à droite), la première division du zygote n'a pas été asymétrique; le semis qui en résulte est en forme de boule et ne possède ni feuilles ni racines. Cette anomalie du mutant *gnom* est causée par l'incapacité de transporter l'hormone auxine de façon polaire.

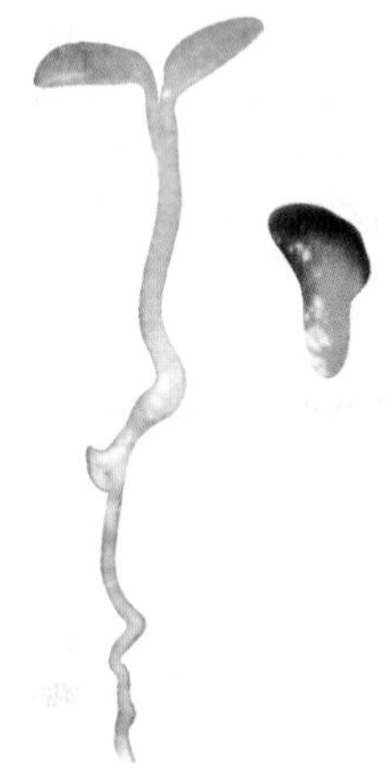

Comme chez les autres organismes multicellulaires, la morphogenèse des plantes dépend souvent de gènes régulateurs, dits *homéotiques*, qui déterminent plusieurs événements majeurs du développement d'un individu, comme l'apparition d'un organe (voir le chapitre 21). Par exemple, la protéine produite par le gène homéotique *KNOTTED*-1, présent chez de nombreuses espèces végétales, joue un rôle important dans la morphogenèse des feuilles, y compris des feuilles composées. Si l'expression du gène *KNOTTED*-1 est exagérée chez la tomate (*Lycopersicum esculentum*), les feuilles normalement composées deviennent « supercomposées » **(figure 35.27)**.

L'expression génique et la différenciation cellulaire

Ce qui rend l'étude de la différenciation cellulaire si fascinante, c'est que les cellules d'un organisme en développement synthétisent différentes protéines et ont différentes structures et fonctions, alors qu'elles ont le même génome. Le clonage de plantes entières à partir de cellules somatiques prouve que le génome

▲ **Figure 35.27 Expression exagérée d'un gène homéotique pendant la formation d'une feuille.** *KNOTTED*-1 est un gène homéotique qui participe à la formation des feuilles et des folioles. Son expression exagérée chez la tomate (*Lycopersicum esculentum*) donne des feuilles « supercomposées » (à droite) par rapport aux feuilles normales (à gauche).

d'une cellule différenciée n'a pas changé (voir la figure 21.5). Si, dans un milieu de culture, une cellule mature provenant d'une racine ou d'une feuille se « dédifférencie » et donne naissance aux divers types de cellules d'une plante, c'est qu'elle possède tous les gènes nécessaires à leur élaboration. Il s'ensuit que la différenciation cellulaire dépend dans une large mesure de la régulation de l'expression génique, autrement dit de la régulation de la transcription et de la traduction qui donne des protéines particulières. Les cellules expriment de façon sélective certains gènes à des moments précis de leur différenciation. Une cellule stomatique contient les gènes qui programment l'autodestruction du protoplasme d'un élément de vaisseau, mais ces gènes ne s'expriment pas. Dans un élément de vaisseau, ces gènes s'expriment, mais seulement à un moment précis de la différenciation, après que la cellule a allongé et produit sa paroi secondaire. Les chercheurs commencent à lever le voile sur les mécanismes moléculaires qui activent et désactivent les gènes à des moments cruciaux du développement d'une cellule (voir les chapitres 19 et 21).

La différenciation cellulaire dépend largement de l'information de positionnement, qui indique où une cellule donnée est située par rapport aux autres cellules. Par exemple, il se forme deux types de cellules dans l'épiderme de la racine d'*Arabidopsis thaliana*: les cellules qui produisent un poil absorbant (appelées *trichoblastes*) et celles qui n'en produisent pas. Le sort des cellules est lié à leur position dans l'épiderme. Les cellules épidermiques immatures qui sont en contact avec deux cellules sous-jacentes de l'écorce de la racine deviennent un poil absorbant, tandis que les cellules épidermiques immatures qui sont en contact avec une seule cellule de l'écorce deviennent des cellules matures sans poil absorbant. L'expression différentielle du gène homéotique appelé *GLABRA*-2 (du latin *glaber*, « chauve ») est responsable de la distribution adéquate des poils absorbants. Les chercheurs ont démontré ce phénomène en couplant le gène *GLABRA*-2 à un « gène indicateur » provoquant la coloration bleue de chaque cellule de la racine où le gène *GLABRA*-2 s'exprime après un traitement particulier **(figure 35.28)**. Ce gène ne s'exprime normalement que dans les cellules épidermiques qui ne porteront pas de poil absorbant. Si une mutation en inhibe l'expression, *toutes* les cellules épidermiques formeront un poil absorbant.

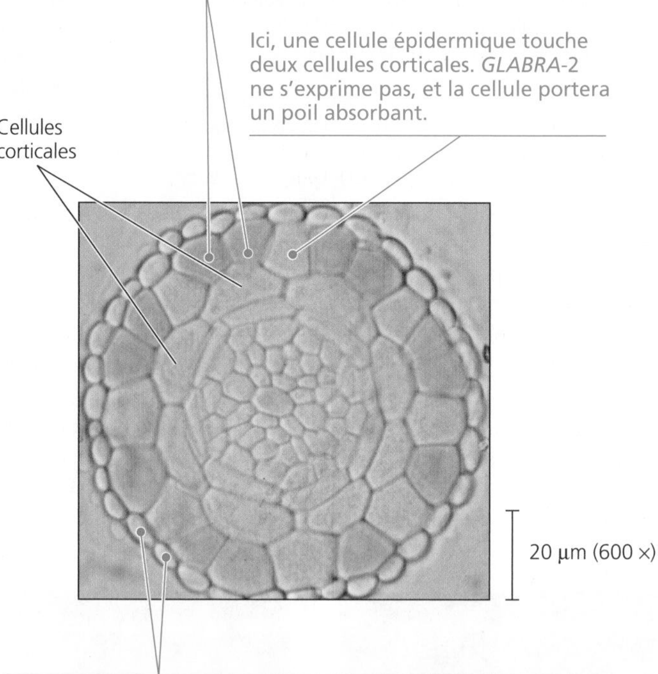

Quand une cellule épidermique est en contact avec une seule cellule de l'écorce sous-jacente (cellule corticale), le gène homéotique GLABRA-2 s'exprime (expression sélective). Ainsi, cette cellule ne portera pas de poil absorbant. (Dans la micrographie, la couleur bleu sarcelle indique les cellules dans lesquelles GLABRA-2 s'exprime.)
Ici, une cellule épidermique touche deux cellules corticales. GLABRA-2 ne s'exprime pas, et la cellule portera un poil absorbant.
Cellules corticales
20 μm (600 ×)
L'anneau de cellules périphériques qui recouvrent l'épiderme se compose de cellules de la coiffe qui se détacheront quand les poils absorbants apparaîtront.

▲ **Figure 35.28 Régulation de la différenciation cellulaire par un gène homéotique.** Deux types de cellules se forment dans l'épiderme de la racine d'*Arabidopsis thaliana*: les cellules qui ont un poil absorbant (trichoblastes) et celles qui n'en ont pas.

L'importance de l'emplacement dans le développement d'une cellule

Dans la formation d'un organe rudimentaire, les plans d'organisation de la division et de l'expansion cellulaires influent sur la différenciation des cellules en faisant en sorte que celles-ci occupent des positions précises les unes par rapport aux autres. L'information de positionnement est ainsi à la base de tous les processus du développement: la croissance, la morphogenèse et la différenciation. L'analyse clonale permet d'étudier les relations entre ces processus. C'est une méthode qui consiste à suivre les lignages (clones) de chaque cellule d'un méristème apical au fur et à mesure que les organes se forment et se développent. Pour ce faire, les chercheurs peuvent faire appel aux radiations ou aux substances chimiques pour déclencher des mutations somatiques qui modifient le nombre de chromosomes. Ils peuvent aussi marquer une cellule de l'apex de manière à la distinguer de ses voisines. Les cellules qui descendent par mitose et division cellulaire de la cellule méristématique mutante seront également « marquées ». Par exemple, une seule cellule du méristème apical d'une pousse peut subir une mutation somatique qui l'empêche de produire de la chlorophylle. Cette cellule et toutes ses descendantes seront «albinos», c'est-à-dire qu'elles apparaîtront comme une chaîne de cellules incolores sur la longueur de la pousse, qui sera verte ailleurs.

À quel moment une cellule voit-elle sa destinée déterminée par sa position dans la structure embryonnaire? Dans une certaine mesure, les destinées des cellules de l'apex d'une pousse sont prévisibles. En effet, les analyses clonales ont montré que presque toutes les cellules issues des cellules méristématiques périphériques, par exemple, forment les tissus de revêtement. Mais il est impossible de déterminer quelles cellules précisément du méristème donneront naissance à tels tissus ou à tels organes. Apparemment, des modifications aléatoires de vitesse et de plan dans la division cellulaire peuvent réorganiser le méristème. Par exemple, les cellules périphériques se divisent *habituellement* perpendiculairement à la surface de l'apex, ce qui ajoute des cellules à la couche de surface. Cependant, il arrive qu'une cellule périphérique se divise parallèlement à la surface de l'apex d'une pousse, plaçant ainsi une cellule fille sous la surface, parmi des cellules de lignages différents. De telles exceptions indiquent que la destinée des cellules du méristème ne s'établit pas très tôt. Autrement dit, l'appartenance à un lignage issu d'une cellule méristématique particulière n'établit pas le destin de la cellule. C'est plutôt la position *finale* dans un organe en formation qui détermine quel type de cellule deviendra la cellule en question. Et cette position finale dépend probablement de l'information de positionnement.

Les changements de phase

Les organismes multicellulaires doivent passer par des phases de développement. Ainsi, les humains passent par la petite enfance, l'enfance, l'adolescence et l'âge adulte, la puberté étant la ligne de démarcation entre la phase non reproductrice et la phase reproductrice. Les Végétaux, eux, passent de la phase végétative juvénile à la phase végétative mature, puis à la phase reproductrice mature. Chez les Animaux, les changements développementaux s'effectuent dans l'organisme tout entier, et une larve d'Insecte, par exemple, deviendra un Insecte adulte. Chez les Végétaux, en revanche, les changements développementaux touchent une seule région: le méristème apical de la pousse. Les changements morphologiques qui se produisent lorsqu'un individu passe d'une phase à l'autre de son développement sont appelés **changements de phase**. Durant la transition progressive d'un état végétatif juvénile (formation de feuilles) à un état végétatif mature, le changement morphologique le plus évident touche la forme et la taille des feuilles **(figure 35.29)**. Les nœuds et entre-nœuds juvéniles auxquels le méristème apical a donné naissance conservent leur statut juvénile même si la pousse continue de s'allonger et même si, plus tard, le méristème apical de la pousse passe à la phase adulte. Par conséquent, toutes les *nouvelles* feuilles qui apparaissent sur les branches émergeant des bourgeons axillaires des nœuds juvéniles seront elles aussi juvéniles, même si le méristème apical donne des nœuds matures depuis des années.

▲ **Figure 35.29 Changement de phase dans le système foliacé d'*Acacia koa*.** Cette plante originaire d'Hawaii a des feuilles juvéniles composées qui sont faites de nombreux petits folioles et de «feuilles» matures en forme de faucille (ce sont en fait des pétioles hautement modifiés). Ces deux sortes de feuillages reflètent un changement de phase dans le développement du méristème apical de chaque pousse. Dans la phase végétative juvénile d'un méristème apical, des feuilles composées se développent à chaque nœud. Dans la phase végétative mature, ce sont des feuilles en forme de faucille qui se développent. Une fois qu'un nœud est formé, la phase de développement – juvénile ou mature – est fixe, c'est-à-dire que les feuilles composées ne deviennent pas des «feuilles» en forme de faucille.

Les changements de phase illustrent la plasticité du développement des Végétaux. La transition de la phase juvénile à la phase mature est un changement de phase parmi d'autres. Le changement observé chez *Cabomba* (voir la figure 35.1), qui possède des feuilles subaquatiques plumeuses et des feuilles de surface en forme d'éventail, est un autre exemple de plasticité. Dans la prochaine section, nous allons nous pencher sur un changement de phase à la fois ordinaire et extraordinaire: la transformation du méristème apical d'une pousse végétative en méristème floral.

La régulation de la floraison par les gènes

La formation de fleurs comporte un changement de phase qui fait passer de l'état végétatif à l'état floral. Cette transition est provoquée par une combinaison de stimulus environnementaux, comme la longueur du jour, et de stimulus internes, telles les hormones. (Le chapitre 39 aborde plus en détail la floraison.) Contrairement à la croissance végétative, qui est indéfinie, la croissance reproductrice est définie: la production d'une fleur par le méristème apical d'une pousse met un terme à la croissance primaire de cette pousse. Le méristème apical se consume dans la production des organes floraux. Le passage de l'état végétatif à l'état floral est associé à l'activation des **gènes responsables de la formation du méristème floral**. Les protéines produites par ces gènes sont des facteurs de transcription qui régulent les gènes nécessaires à la conversion des méristèmes végétatifs indéfinis en méristèmes floraux définis.

Lorsque le méristème apical d'une pousse s'est engagé dans la phase de floraison, chaque primordium qui se forme deviendra un organe floral précis selon sa position relative: une étamine, un carpelle, un sépale ou un pétale (voir la figure 30.7 pour une révision de la structure de la fleur). Vus du dessus, les organes floraux se développent en quatre cercles concentriques, ou verticilles: les sépales forment le quatrième cercle (celui le plus à l'extérieur), les pétales le troisième, les étamines le deuxième, et les carpelles le premier (celui le plus au centre). Les botanistes ont identifié les **gènes d'identité des organes** qui déterminent ce développement floral caractéristique. Les gènes de l'identité des organes, aussi appelés *gènes homéotiques*, codent pour des facteurs de transcription. C'est l'information de positionnement qui détermine les gènes qui s'expriment dans un primordium floral particulier. Il en résulte le développement d'une jeune feuille en organe floral précis, par exemple un pétale ou une étamine. Tout comme une mutation dans un gène de drosophile peut faire en sorte que des pattes pousseront à la place d'antennes (voir la figure 21.13), une mutation dans un gène de l'identité des organes d'une plante peut causer une anomalie dans le développement de la fleur; par exemple, des pétales pousseront à la place des étamines, comme le montre la **figure 35.30**.

En prélevant puis en étudiant des mutants dotés de fleurs anormales, les chercheurs ont isolé et cloné trois classes de gènes d'identité des organes floraux. Aujourd'hui, ils commencent à découvrir le fonctionnement de ces gènes. L'**hypothèse ABC** sur le développement floral, illustrée à la **figure 35.31a**, tente d'expliquer comment ces gènes dirigent la formation des quatre types d'organes floraux. Selon cette hypothèse, chaque classe de gènes d'identité des organes s'exprime dans deux verticilles adjacents du méristème floral. Normalement, les gènes *A* s'expriment dans les 4e et 3e verticilles en partant de l'extérieur (sépales et pétales), les gènes *B* dans les 3e et 2e verticilles (pétales et étamines) et les gènes *C* dans les 2e et 1er verticilles (étamines et carpelles). Les sépales se forment dans la région du méristème où seuls les gènes *A* sont actifs. Les pétales se forment dans la région où les gènes *A et B* sont actifs. Les étamines naissent dans les régions où les gènes *B et C* sont actifs. Enfin, les carpelles dérivent des régions où seuls les gènes *C* sont actifs. L'hypothèse ABC explique les phénotypes des mutants dépourvus de gènes *A*, *B* ou *C*, avec la particularité suivante: dans les régions où le gène *A* est présent, il inhibe le gène *C*, et vice versa. Si le gène *A* est absent, le gène *C* prend sa place et si le gène *C* est absent, le gène *A* prend sa place. La **figure 35.31b** montre l'organisation florale chez les mutants dépourvus d'une des trois classes de gènes d'identité des organes et décrit l'explication de l'hypothèse ABC pour ces phénotypes floraux. C'est grâce à ce genre d'hypothèse et aux expériences qu'ils conçoivent pour les vérifier que les chercheurs définissent peu à peu le plan génétique du développement des Végétaux.

Lorsqu'on dissèque une plante pour en examiner les parties, comme on vient de le faire dans ce chapitre, on doit bien se rappeler que cette plante est un organisme dont les parties forment un tout. Dans les chapitres qui suivent, nous expliquerons plus en détail la façon dont s'effectuent le transport des substances (chapitre 36), l'absorption des nutriments (chapitre 37), la reproduction (chapitre 38) et la coordination des diverses fonctions (chapitre 39) chez les Végétaux. Pour bien comprendre le fonctionnement d'une plante, rappelez-vous que les structures et les fonctions sont reliées, et que l'anatomie et la physiologie reflètent les adaptations à la vie terrestre.

Retour sur le concept 35.5

1. Comment deux cellules végétales peuvent-elles avoir une structure très différente alors qu'elles possèdent le même génome?
2. Expliquez comment une mutation comme celle de *fass* chez *Arabidopsis* donne une plante trapue plutôt qu'une plante normalement élancée.

Voir les réponses proposées à la fin du chapitre.

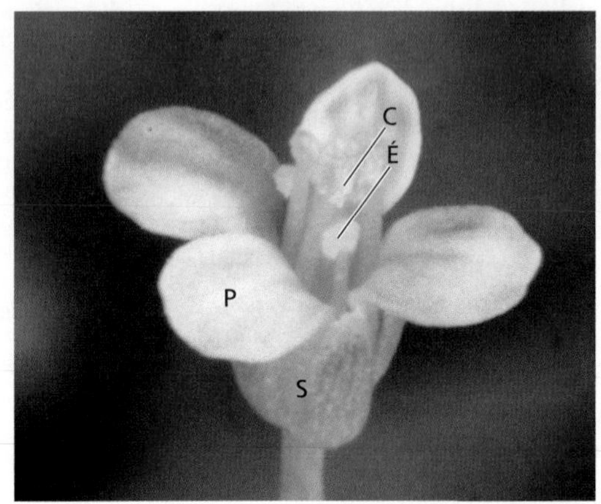

(a) Fleur normale d'*Arabidopsis*. Chaque fleur normale d'*Arabidopsis thaliana* possède quatre verticilles: les quatre sépales (S), les quatre pétales (P), les six étamines (É) et les deux carpelles (C).

(b) Fleur anormale d'*Arabidopsis*. Les chercheurs ont relevé plusieurs mutations des gènes d'identité des organes qui sont à l'origine de la formation de fleurs anormales. Ainsi, cette fleur possède un ensemble de pétales supplémentaire à la place des étamines et une fleur interne à la place des carpelles.

▶ **Figure 35.30 Gènes de l'identité des organes et plan d'organisation de la fleur.**

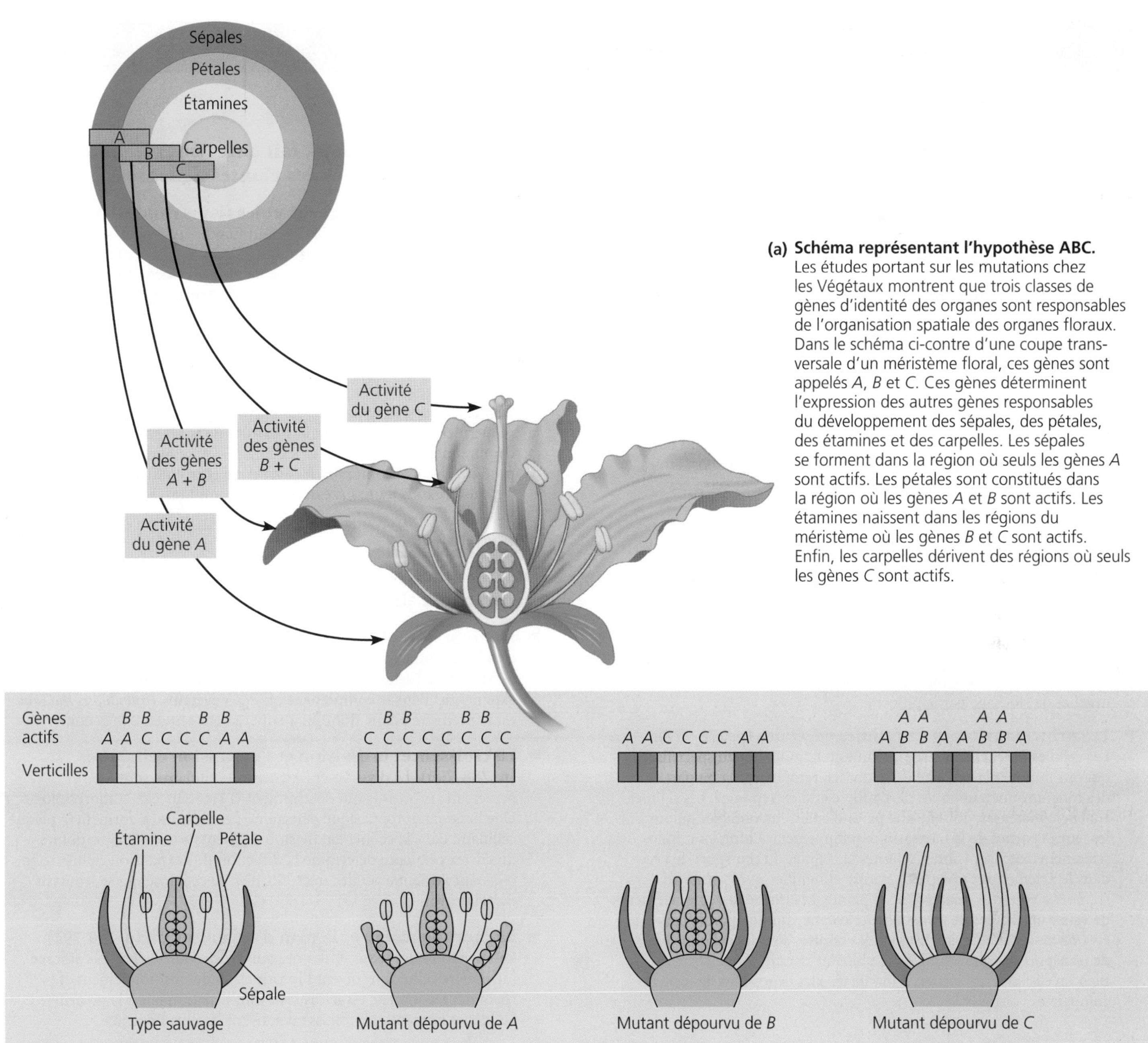

(a) Schéma représentant l'hypothèse ABC. Les études portant sur les mutations chez les Végétaux montrent que trois classes de gènes d'identité des organes sont responsables de l'organisation spatiale des organes floraux. Dans le schéma ci-contre d'une coupe transversale d'un méristème floral, ces gènes sont appelés *A*, *B* et *C*. Ces gènes déterminent l'expression des autres gènes responsables du développement des sépales, des pétales, des étamines et des carpelles. Les sépales se forment dans la région où seuls les gènes *A* sont actifs. Les pétales sont constitués dans la région où les gènes *A* et *B* sont actifs. Les étamines naissent dans les régions du méristème où les gènes *B* et *C* sont actifs. Enfin, les carpelles dérivent des régions où seuls les gènes *C* sont actifs.

(b) Vue latérale de fleurs mutantes. Si on combine le modèle montré à la partie **(a)** avec la règle voulant que la non-activité du gène *A* fait en sorte que l'activité du gène *C* se répand dans les quatre verticilles (et vice versa dans le cas de l'inactivité du gène *C*), on peut expliquer les phénotypes des mutants dépourvus d'un gène d'identité des organes *A*, *B* ou *C*.

▲ **Figure 35.31 Hypothèse ABC concernant le fonctionnement des gènes d'identité des organes dans le développement floral.**

Révision du chapitre 35

RÉSUMÉ DES CONCEPTS CLÉS

Concept 35.1

La morphologie des Végétaux résulte d'une hiérarchie d'organes, de tissus et de cellules

- **Les trois composantes anatomiques fondamentales des Végétaux: les racines, les tiges et les feuilles (p. 772-775).** Les racines ancrent la plante dans le sol, absorbent l'eau et les minéraux qu'elles transportent, et emmagasinent les matières nutritives. Le système caulinaire se compose d'une ou de plusieurs tiges, de feuilles et de fleurs chez les Angiospermes. Les pétioles attachent les feuilles aux nœuds de la tige, qui sont séparés par des entre-nœuds. Les bourgeons axillaires, situés aux aisselles des pétioles et des tiges, peuvent devenir des rameaux végétatifs et floraux. Les deux classes d'Angiospermes, les Monocotylédones et les Dicotylédones, présentent certaines différences anatomiques.
- **Les trois catégories de tissus: les tissus de revêtement, les tissus conducteurs et les tissus fondamentaux (p. 775-776).** Les tissus de revêtement (épidermes et péridermes), les tissus conducteurs (xylème et phloème) et les tissus fondamentaux se retrouvent dans toute la plante, mais leur arrangement et leurs fonctions varient dans les différents organes. Les tissus conducteurs relient les diverses parties de la plante. L'eau et les minéraux montent des racines dans le xylème. Les glucides quittent les feuilles ou les organes de stockage par le phloème.
- **Les principaux types de cellules végétales (p. 776-777).** Les cellules parenchymateuses, cellules relativement peu spécialisées qui ont toujours la capacité de se diviser, remplissent la plupart des fonctions métaboliques de synthèse et d'entreposage. Les cellules collenchymateuses, qui ont une paroi d'épaisseur variable, supportent les jeunes parties de la plante en développement. Enfin, les cellules sclérenchymateuses (fibres, sclérites et cellules du transport de l'eau dans le xylème) ont une paroi épaisse et lignifiée qui fournit un support aux parties matures de la plante. Les trachéides et les éléments de vaisseau, cellules de transport du xylème, ont une paroi épaisse et sont morts à maturité. Les cellules criblées sont les cellules de transport des glucides dans le phloème chez les Angiospermes. Bien qu'elles soient vivantes à maturité, elles dépendent des cellules compagnes voisines.

Concept 35.2

Les méristèmes engendrent les cellules des nouveaux organes

- Les méristèmes apicaux allongent les pousses et les racines; c'est ce qu'on appelle la *croissance primaire*. Les méristèmes latéraux font augmenter le diamètre des plantes ligneuses; c'est ce qu'on nomme la *croissance secondaire* (**p. 777**).

Concept 35.3

La croissance primaire fait s'allonger les racines et les pousses

- **La croissance primaire des racines (p. 780-781).** Les méristèmes apicaux produisent des cellules qui continuent de se diviser en cellules méristématiques. Dans les racines, le méristème apical se trouve près de l'extrémité, où il régénère la coiffe.
- **La croissance primaire des pousses (p. 781-785).** Dans les pousses, le méristème apical se trouve dans le bourgeon terminal, où il produit plusieurs entre-nœuds et nœuds porteurs de feuilles.

Concept 35.4

La croissance secondaire fait augmenter le diamètre des tiges et des racines des plantes ligneuses

- **Le cambium libéroligneux et les tissus conducteurs secondaires (p. 785-787).** Le cambium libéroligneux se forme à partir des cellules parenchymateuses. C'est un cylindre méristématique qui produit le xylème secondaire et le phloème secondaire. Les plus vieilles couches de xylème secondaire (duramen) deviennent inactives, tandis que les plus jeunes couches (aubier) continuent de transporter l'eau. Seul le phloème le plus récent est actif dans le transport des nutriments organiques.
- **Le phellogène et la production de périderme (p. 787).** Le phellogène donne naissance aux tissus de revêtement secondaire, ou périderme, qui protègent la structure de la plante. Ces tissus comprennent le phellogène et les couches de cellules de liège qu'il produit. L'écorce comprend le périderme et le phloème secondaire, c'est-à-dire tous les tissus extérieurs au cambium libéroligneux.

Concept 35.5

La croissance, la morphogenèse et la différenciation façonnent la structure des Végétaux

- **La biologie moléculaire: une révolution dans l'étude des Végétaux (p. 788).** Les nouvelles techniques et les plantes servant de modèles, dont *Arabidopsis thaliana*, permettent un progrès exponentiel dans la compréhension des Végétaux. *Arabidopsis thaliana* est la première plante dont on a entièrement séquencé le génome.
- **La croissance: la division et l'expansion cellulaires (p. 788-790).** La division et l'expansion cellulaires sont les principaux processus qui déterminent la croissance et la morphologie. Une bande préprophasique détermine l'endroit où se formera la plaque cellulaire dans la cellule en division. L'orientation des microtubules du cortex cellulaire détermine la direction de l'expansion cellulaire en régissant l'orientation des microfibrilles de cellulose qui se trouvent dans la paroi.
- **La morphogenèse et le plan d'organisation (p. 790-791).** La formation des tissus et des organes à des endroits précis s'amorce lorsque les cellules reçoivent l'information de positionnement et y répondent, comme c'est le cas avec l'information liée à la polarité. Les gènes homéotiques régissent souvent la morphogenèse.
- **L'expression génique et la différenciation cellulaire (p. 791-792).** Expliquer comment des cellules ayant le même génome donnent naissance à différentes structures ayant différentes fonctions représente un défi.
- **L'importance de l'emplacement dans le développement d'une cellule (p. 792-793).** La position qu'a une cellule dans un organe en développement détermine sa voie de différenciation.
- **Les changements de phase (p. 793).** Des stimulus internes ou environnementaux peuvent provoquer le passage d'une plante d'une phase de développement à l'autre – par exemple, de la production de feuilles juvéniles à la production de feuilles matures. Ces changements morphologiques sont appelés *changements de phase*.
- **La régulation de la floraison par les gènes (p. 793-794).** La recherche effectuée sur les gènes de l'identité des organes des fleurs en développement fournit un important modèle pour l'étude des plans d'organisation. L'hypothèse ABC sur la formation des fleurs explique comment trois classes de gènes d'identité des organes régissent la formation des sépales, des pétales, des étamines et des carpelles.

VÉRIFIEZ VOS CONNAISSANCES

Autoévaluation

(Les questions dont les numéros sont en caractères gras font surtout appel à la compréhension.)

1. Trouvez, parmi les associations structure-tissu suivantes, celle qui est *incorrecte.*
   a) Poil absorbant et tissu de revêtement.
   b) Parenchyme palissadique et tissu fondamental.
   c) Cellule stomatique et tissu de revêtement.
   d) Cellule compagne et tissu fondamental.
   e) Trachéide et tissu conducteur.

2. Dans quelle zone de croissance de la racine les éléments de vaisseau perdent-ils leur protoplasme?
   a) Dans la zone de division cellulaire.
   b) Dans la zone d'élongation cellulaire.
   c) Dans la zone de différenciation cellulaire.
   d) Dans la coiffe.
   e) Dans le méristème apical.

3. Le bois est constitué:
   a) d'écorce.
   b) de périderme.
   c) de xylème secondaire.
   d) de phloème secondaire.
   e) de liège.

4. Laquelle des structures suivantes *ne fait pas* partie de l'écorce d'un vieil arbre?
   a) Le liège.
   b) Le phellogène.
   c) Les lenticelles.
   d) Le xylème secondaire.
   e) Le phloème secondaire.

5. Le passage d'un méristème apical de la phase juvénile à la phase végétative mature se manifeste souvent par:
   a) une modification dans la morphologie des feuilles produites.
   b) le déclenchement de la croissance secondaire.
   c) la formation des racines latérales.
   d) un changement d'orientation des bandes préprophasiques et des microtubules des méristèmes latéraux.
   e) l'activation des gènes d'identité des organes du méristème floral.

6. Lequel des éléments suivants est issu de l'activité méristématique?
   a) Le xylème secondaire.
   b) La feuille.
   c) Les trichomes.
   d) Le tubercule.
   e) Tous ces éléments.

7. Lorsqu'on «pince» l'extrémité des tiges d'un muflier, le plant portera plus de fleurs que si on ne le pinçait pas. Pourquoi le pincement stimule-t-il la floraison?
   a) L'élimination d'un méristème apical incite le plan à passer de la phase végétative au développement floral.
   b) L'élimination d'un méristème apical fait en sorte que la division cellulaire devient désorganisée, un peu comme le mutant *fass* d'*Arabidopsis.*
   c) L'élimination d'un méristème apical favorise l'apport de nutriments aux méristèmes floraux.
   d) L'élimination d'un méristème apical provoque le développement des bourgeons latéraux qui se ramifient davantage, ce qui finit par produire plus de fleurs.
   e) L'élimination d'un méristème apical permet au périderme de produire de nouveaux rameaux latéraux.

8. __________ est au xylème ce que le __________ est au phloème.
   a) La cellule sclérenchymateuse; la cellule parenchymateuse
   b) Le méristème apical; le cambium libéroligneux
   c) L'élément de vaisseau; la cellule criblée
   d) L'écorce; la moelle
   e) Le cambium libéroligneux; le phellogène

9. Le type de cellule mature que deviendra une cellule végétale embryonnaire est principalement déterminé par:
   a) la perte sélective de gènes.
   b) la position finale de la cellule dans un organe en développement.
   c) le plan de migration de la cellule.
   d) l'âge de la cellule.
   e) le lignage méristématique particulier de la cellule.

10. Laquelle des affirmations suivantes est *correcte* et associée à la croissance généralement beaucoup plus rapide des Végétaux que des Animaux?
   a) La croissance des cellules végétales ne nécessite pas la fabrication de matière riche en protéines dans le cytoplasme.
   b) La diversité des tissus végétaux est bien moindre que la diversité des tissus animaux.
   c) Une petite quantité de cytoplasme est suffisante pour augmenter la taille des cellules, le reste étant surtout constitué d'eau.
   d) Les tissus végétaux croissent surtout par division cellulaire et il s'y produit peu de différenciation cellulaire.
   e) La croissance chez les Végétaux est primaire, c'est-à-dire qu'elle ne produit pas de tissus très complexes.

11. En vous appuyant sur l'hypothèse présentée à la figure 35.31, prédisez la morphologie de la fleur d'un plant mutant dont les gènes *B* sont inactifs.
   a) Carpelle, pétale, pétale, carpelle.
   b) Pétale, pétale, pétale, pétale.
   c) Sépale, sépale, carpelle, carpelle.
   d) Sépale, carpelle, carpelle, sépale.
   e) Carpelle, carpelle, carpelle, carpelle.

12. Une coupe transversale d'un organe végétal présente les éléments suivants: un épiderme, des faisceaux libéroligneux dont la disposition forme un cercle sous l'épiderme et une grande partie centrale constituée de moelle. De quel type d'organe peut-il s'agir?
   a) Une tige de Dicotylédone.
   b) Une tige de Monocotylédone.
   c) Une racine de Dicotylédone.
   d) Une racine de Monocotylédone.
   e) Une tige ou une racine de Dicotylédone.

13. Déterminez l'énoncé qui est *faux.*
   a) Les vrilles grâce auxquelles le pois s'attache à son tuteur sont des *feuilles* modifiées alors que celles de la vigne sont des *tiges* modifiées.
   b) Les pommes de terre sont des racines modifiées.
   c) Les longs «fils» du céleri sont constitués de cellules collenchymateuses.
   d) Carotte, betterave, radis et navet sont des exemples de plantes à système racinaire pivotant.
   e) Chez le cactus, les feuilles sont réduites aux épines et c'est la tige qui effectue la plus grande partie de la photosynthèse.

Lien avec l'évolution

On peut étudier l'évolution des structures végétales en observant les stratégies de croissance adoptées par des plantes apparentées qui poussent dans des environnements différents. À cet égard, Darwin au XIXe siècle fut l'un des premiers à noter que de nombreuses espèces végétales de type herbacé sur les continents ont des espèces apparentées de type ligneux sur les îles océaniques éloignées. Par exemple, dans les îles hawaiiennes, on peut trouver des lobélies ligneuses et de grandes violettes ligneuses, genres de plantes qui poussent sous forme de petites herbacées en Amérique du Nord. Émettez une hypothèse portant sur l'évolution pour expliquer cette tendance: pourquoi est-il courant, dans les îles isolées, que des formes ligneuses descendent d'ancêtres herbacés?

Intégration

1. Dans un tableau, comparez une racine, une tige et une feuille selon les cinq fonctions suivantes: l'entreposage, le soutien, la protection, le transport et les échanges avec le milieu.

2. À l'aide d'arguments d'ordre anatomique, confirmez ou réfutez l'énoncé suivant: «La croissance qui fait augmenter le diamètre se déroule au cœur d'un arbre.»

3. Construisez un schéma pour illustrer les relations entre les méristèmes et les tissus qu'ils produisent au cours de la croissance primaire et de la croissance secondaire, dans une tige ligneuse.

Science, technologie et société

1. Croyez-vous que le nombre de produits végétaux utilisés quotidiennement a augmenté ou diminué au cours du siècle dernier? Croyez-vous que ce nombre augmentera ou diminuera dans l'avenir? Pourquoi?
2. Les Graminées, grâce à leur méristème intercalaire à la base de chaque feuille, peuvent continuer à croître, même si on les coupe. C'est cette caractéristique de leur croissance qui fait qu'ils sont partout utilisés pour constituer les pelouses. Au Québec, on estime la superficie totale des pelouses à 250 000 ha, soit une surface équivalente à celle de l'ensemble des champs de maïs-grain de la province. Or, une pelouse, pour la plupart des citadins, doit idéalement ressembler à un vert de terrain de golf. Cette obsession pour le gazon vert a cependant ses effets négatifs: l'entretien qui nécessite l'emploi de pesticides, d'herbicides, de fertilisants chimiques et la consommation d'importantes quantités d'eau pour l'arrosage, notamment. Pour éviter cette menace à l'environnement, certains préconisent d'autres choix que la pelouse parfaite: une pelouse naturelle et fleurie, par exemple, où une tonte moins fréquente et moins rase permettraient à certaines espèces de fleurs sauvages de s'installer et d'attirer les Insectes. La pelouse fleurie remplacera-t-elle un jour la pelouse verte et bien rasée? Et cela serait-il souhaitable? Quel est votre avis sur cette question?

Réponses du chapitre 35

Retour sur le concept 35.1

1. Les tissus conducteurs relient les feuilles et les racines, ce qui permet aux sucres de passer des feuilles aux racines dans le phloème, et à l'eau et aux minéraux de circuler des racines jusque dans les feuilles dans le xylème.
2. Voici quelques exemples. Les structures tubulaires et creuses des trachéides et des éléments de vaisseau du xylème et les cribles des cellules criblées du phloème facilitent le transport. Les poils absorbants favorisent l'absorption de l'eau et des nutriments. La cuticule des feuilles et des tiges protège du dessèchement et des maladies. Les trichomes des feuilles protègent contre les herbivores et les maladies. Les cellules collenchymateuses et sclérenchymateuses ont d'épaisses parois qui contribuent au support de la plante.
3. Les tissus de revêtement sont les tissus protecteurs de la feuille. Les tissus conducteurs comprennent le xylème et le phloème, qui assurent le transport. Les tissus fondamentaux assurent les fonctions métaboliques comme la photosynthèse.

Retour sur le concept 35.2

1. Les cellules en division dans votre corps donnent normalement un type particulier de cellules. Par contre, les produits de la division cellulaire d'un méristème végétal se différencient pour donner tous les types de cellules présents dans l'organe végétal.
2. La croissance primaire a lieu dans les méristèmes apicaux; elle comprend la production et l'élongation des organes. La croissance secondaire, elle, se déroule dans les méristèmes latéraux; elle augmente le diamètre des racines et des tiges.

Retour sur le concept 35.3

1. Les racines latérales sortent de l'intérieur de la racine (du péricycle) en traversant les cellules corticales et épidermiques. Les ramifications de la pousse, elles, viennent de l'extérieur de celle-ci (des bourgeons axillaires).
2. Dans les racines, la croissance primaire a lieu en trois étapes successives, en partant de l'extrémité de la racine: les zones de division, d'élongation et de maturation des cellules. Dans les pousses, elle a lieu à l'extrémité des bourgeons terminaux, et les primordiums foliaires émergent sur les côtés des méristèmes apicaux. La majeure partie de l'élongation survient dans les entre-nœuds les plus vieux sous l'apex de la pousse.
3. Les nervures forment un réseau de tissus conducteurs qui apportent eau et minéraux aux cellules de la feuille et transportent les produits organiques de la photosynthèse aux autres parties de la plante; elles contribuent aussi au soutien de la structure foliaire.

Retour sur le concept 35.4

1. La pancarte se trouvera encore à deux mètres du sol puisque seule la croissance secondaire a lieu dans cette partie de l'arbre.
2. Un arbre creux peut survivre, car l'eau, les minéraux et les matières organiques sont transportés par les tissus conducteurs secondaires les plus jeunes, dont certains demeurent intacts: le xylème secondaire extérieur (aubier) et le phloème secondaire le plus récent. L'annélation, par contre, suppose l'élimination d'un anneau entier de phloème (partie de l'écorce), ce qui bloque complètement le transport des nutriments organiques entre les pousses et les racines.

Retour sur le concept 35.5

1. L'expression génique différentielle.
2. Chez les mutants *fass*, la disposition des microtubules est anormale, ce qui fait que la bande préprophasique ne se forme pas. Il s'ensuit que les plans de division cellulaire sont aléatoires plutôt qu'ordonnés. La désorganisation des microtubules empêche également le bon alignement des microfibrilles de cellulose qui déterminent le plan d'élongation de la cellule. En raison de ce facteur aléatoire, la croissance directionnelle est perturbée, et la plante devient trapue plutôt qu'élancée.

Autoévaluation

1. d; 2. c; 3. c; 4. d; 5. a; **6.** e; 7. d; **8.** c; 9. b; **10.** c; **11.** c; 12. a; 13. b.

36

Le transport des nutriments chez les Vasculaires

▲ **Figure 36.1 Séquoias (*Sequoia sempervirens*).**

Concepts clés

36.1 **Des processus physiques interviennent dans le transport des substances à l'échelle des cellules, des organes et de la plante entière**
36.2 **Les racines absorbent l'eau et les minéraux du sol**
36.3 **L'eau et les minéraux absorbés par les racines montent dans le xylème jusqu'aux pousses**
36.4 **Les stomates aident à réguler la transpiration**
36.5 **Le phloème transporte les nutriments organiques**

Introduction

Les voies de la survie

Les ancêtres des Végétaux, des Algues, absorbaient l'eau, les minéraux et le CO_2 directement du milieu dans lequel ils baignaient; toutes leurs cellules se trouvaient donc en contact direct avec ces substances nutritives. Les Bryophytes, également dépourvues d'un système de transport complexe, étaient confinées aux environnements très humides. Lorsqu'elles se sont répandues sur la terre ferme, les Vasculaires ont dû se doter d'un système racinaire et d'un système caulinaire. Les racines absorbent l'eau et les minéraux du sol, tandis que les pousses captent les rayons du Soleil et le CO_2 de l'air afin d'assurer la photosynthèse.

Le xylème transporte l'eau et les minéraux depuis les racines jusqu'aux pousses. Le phloème fait passer les glucides depuis la région où ils sont produits ou emmagasinés jusqu'aux régions où ils sont nécessaires pour la croissance et le métabolisme. Essentiel au fonctionnement de toute la plante, ce transport peut avoir lieu sur de grandes distances. Par exemple, les feuilles les plus hautes de certains séquoias se trouvent à plus de 100 m des racines **(figure 36.1)**. Qu'est-ce qui permet à une Vasculaire de transporter l'eau, les minéraux et les nutriments organiques sur de telles distances? C'est à cette question que le présent chapitre, qui porte sur les mécanismes de ce transport interne chez les Vasculaires, tentera de répondre.

Concept 36.1

Des processus physiques interviennent dans le transport des substances à l'échelle des cellules, des organes et de la plante entière

Chez les Végétaux, le transport de substances s'effectue à trois échelles: (1) à l'échelle cellulaire, c'est le transport de l'eau et des solutés par chaque cellule, par exemple les poils absorbants; (2) à l'échelle des tissus ou des organes, c'est le transport de nutriments d'une cellule à l'autre, par exemple le transport de glucides des cellules photosynthétiques d'une feuille jusqu'aux tubes criblés du phloème; et (3) au niveau de la plante entière, c'est le transport sur une grande distance, d'une extrémité à l'autre de la plante, dans le xylème et le phloème. Différents mécanismes physiques interviennent selon le type de transport. La **figure 36.2** illustre le transport sur une grande distance dans une Vasculaire.

La perméabilité sélective des membranes: *une révision*

Au chapitre 7, nous avons vu en détail le transport des solutés et de l'eau à travers les membranes biologiques. Nous allons revoir ici quelques-uns de ces processus dans un contexte végétal. La perméabilité sélective de la membrane plasmique des cellules végétales exerce une régulation sur le transport des solutés à travers cette membrane. Nous avons vu, toujours au chapitre 7, que les solutés tendaient à diffuser à travers la membrane plasmique selon un gradient de concentration ou un gradient électrique, et que cette diffusion à travers la membrane est appelée **transport passif** parce qu'elle a lieu sans apport énergétique direct de la cellule. Nous avons vu aussi que le **transport actif** acheminait des solutés à travers la membrane en s'opposant à leur gradient électrochimique. Rappelons que ce dernier résulte de l'action combinée du gradient de concentration et du gradient électrique (différence de charge électrique) à travers la membrane. Ce type de transport est dit *actif* parce que la cellule utilise de l'énergie

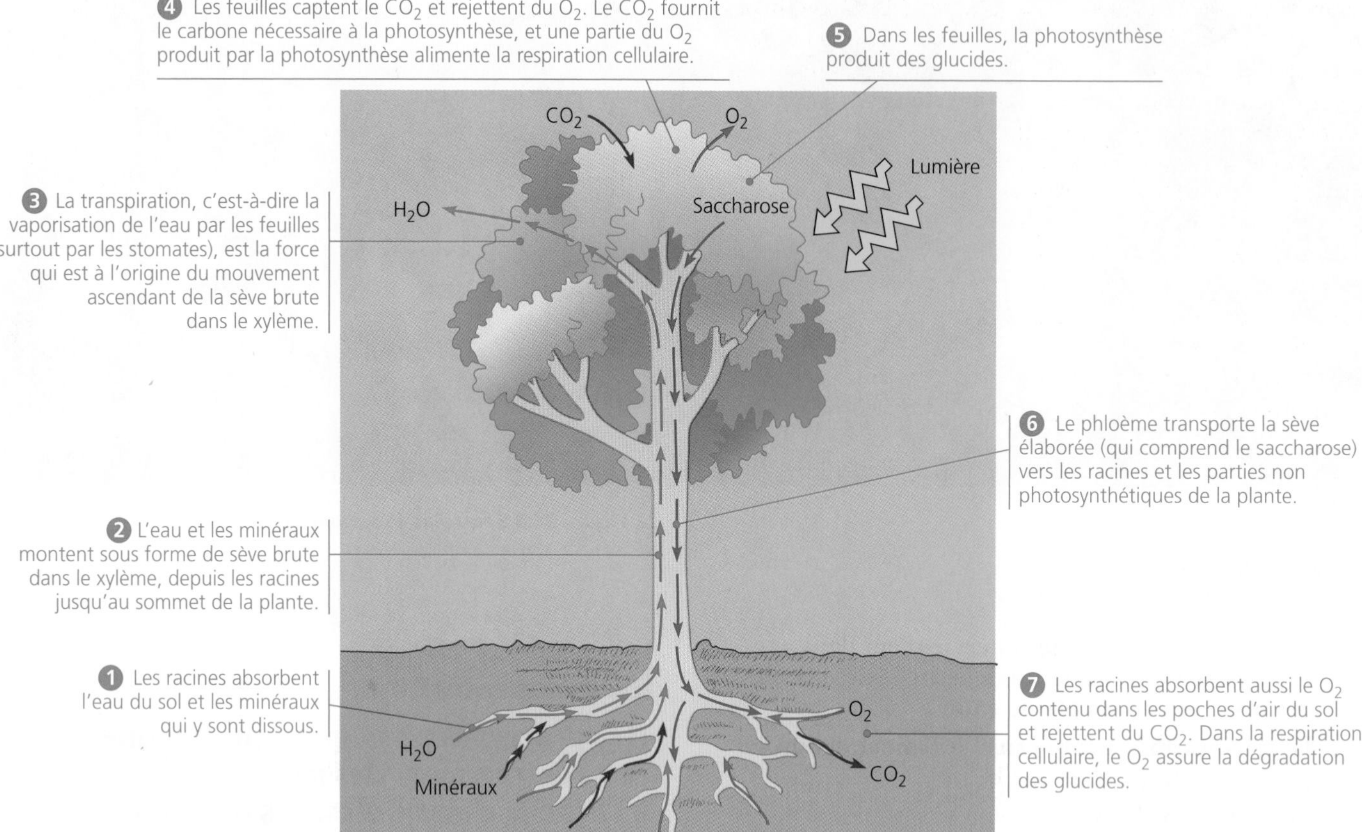

4 Les feuilles captent le CO_2 et rejettent du O_2. Le CO_2 fournit le carbone nécessaire à la photosynthèse, et une partie du O_2 produit par la photosynthèse alimente la respiration cellulaire.
5 Dans les feuilles, la photosynthèse produit des glucides.
CO_2
O_2
Lumière
H_2O
Saccharose
3 La transpiration, c'est-à-dire la vaporisation de l'eau par les feuilles (surtout par les stomates), est la force qui est à l'origine du mouvement ascendant de la sève brute dans le xylème.
6 Le phloème transporte la sève élaborée (qui comprend le saccharose) vers les racines et les parties non photosynthétiques de la plante.
2 L'eau et les minéraux montent sous forme de sève brute dans le xylème, depuis les racines jusqu'au sommet de la plante.
1 Les racines absorbent l'eau du sol et les minéraux qui y sont dissous.
O_2
H_2O
Minéraux
CO_2
7 Les racines absorbent aussi le O_2 contenu dans les poches d'air du sol et rejettent du CO_2. Dans la respiration cellulaire, le O_2 assure la dégradation des glucides.

▲ **Figure 36.2 Transport des substances dans une Vasculaire : vue d'ensemble.**

fournie par son métabolisme, habituellement sous forme d'ATP, pour transporter un soluté dans la direction opposée à celle de sa diffusion normale.

La plupart des solutés ne diffusent à travers les membranes que s'ils sont aidés par des **protéines de transport** intégrées à ces dernières. Certaines de ces protéines de transport, les perméases, se lient de manière sélective à un soluté qui se trouve d'un côté de la membrane et duquel elles se détachent de l'autre côté. D'autres protéines de transport forment des **canaux sélectifs**, qui permettent le passage de substances précises. Ainsi, les membranes (plasmique et intracellulaire) de la plupart des cellules végétales possèdent des canaux sélectifs pour le potassium. Ces canaux permettent le passage des ions potassium (K^+), mais pas celui d'autres ions, tels que les ions sodium (Na^+). Nous verrons plus loin de quelle façon la régulation des canaux sélectifs à potassium (K^+) présents dans les membranes des cellules stomatiques permet l'ouverture ou la fermeture des stomates. Certains canaux sélectifs s'ouvrent et se ferment en réponse à un stimulus.

Le rôle de premier plan des pompes à protons

La **pompe à protons** est le plus important des mécanismes de transport actif présents dans les membranes plasmiques des cellules végétales. Elle utilise l'énergie dégagée par l'ATP pour expulser les protons (H^+) de la cellule. Il résulte de cette expulsion de protons une concentration en H^+ plus élevée à l'extérieur de la cellule qu'à l'intérieur, ce qui donne un gradient de protons **(figure 36.3)**. Celui-ci est une forme d'énergie potentielle (emmagasinée), puisque les protons tendent à diffuser suivant le gradient de concentration, vers l'intérieur de la cellule, et ce « flux » de H^+ peut servir à faire du travail. En expulsant des charges positives (H^+) vers l'extérieur, la pompe à protons engendre une tension appelée **potentiel de membrane**, c'est-à-dire une séparation de charges opposées qui se trouvent de part et d'autre de la membrane. Les pompes à protons rendent l'intérieur de la cellule négatif, du point de vue des charges, par rapport à l'extérieur. Cette tension constitue une réserve d'énergie que la cellule végétale utilisera pour exécuter certaines tâches.

Les cellules végétales utilisent l'énergie contenue dans le gradient de protons et le potentiel de membrane pour transporter

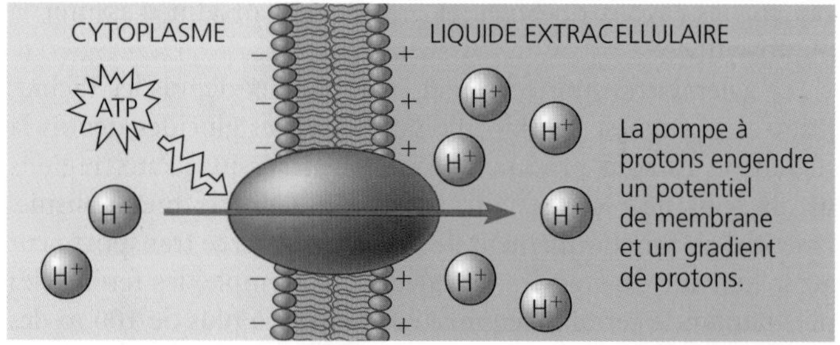

▲ **Figure 36.3 Pompes à protons alimentant le transport des solutés.** Les pompes à protons expulsent des protons de la cellule ; il en résulte un gradient de protons et une séparation de charges opposées, appelée *potentiel de membrane*. Ces deux formes d'énergie potentielle peuvent servir à alimenter le transport des solutés.

un grand nombre de solutés. Ainsi, le potentiel de membrane permet aux cellules des racines d'absorber les ions potassium (K^+) en solution dans le sol **(figure 36.4a)**. De plus, par un mécanisme appelé **cotransport**, une pompe alimentée par l'ATP et transportant activement un soluté donné peut amorcer indirectement le transport passif d'un autre soluté, à l'aide d'une perméase (protéine de transport; voir la figure 7.19). La perméase couple le passage transmembranaire d'un soluté (H^+ accumulé par transport actif) «selon» son gradient électrochimique et le passage d'un autre soluté (NO_3^-, dans le cas illustré à la **figure 36.4b**) «contre» son gradient. Ce type de cotransport permet aussi l'absorption du saccharose par les cellules végétales **(figure 36.4c)**. C'est grâce à une protéine intramembranaire précise que peut avoir lieu le cotransport du saccharose et d'un proton qui se déplace selon son gradient électrochimique.

Le rôle des pompes à protons dans le transport transmembranaire s'inscrit dans un mécanisme général appelé **chimiosmose** (voir la figure 9.15). Le principe clé de la chimiosmose est le gradient transmembranaire des protons; celui-ci associe des processus qui dégagent de l'énergie à d'autres processus qui en consomment. Par exemple, nous avons vu aux chapitres 9 et 10 que les mitochondries et les chloroplastes utilisaient les gradients de protons créés par les chaînes de transport d'électrons (qui dégagent de l'énergie) pour effectuer la synthèse de l'ATP (qui consomme de l'énergie). L'ATP synthase, c'est-à-dire l'enzyme qui couple la diffusion de protons et la synthèse d'ATP pendant la respiration cellulaire et la photosynthèse, fonctionne un peu comme une pompe à protons située dans la cellule végétale. Cependant, contrairement aux ATP synthases, les pompes à protons se servent de l'énergie fournie par l'ATP pour transporter un proton contre son gradient. Dans les deux cas, les gradients de protons permettent à un mécanisme d'en engendrer un autre.

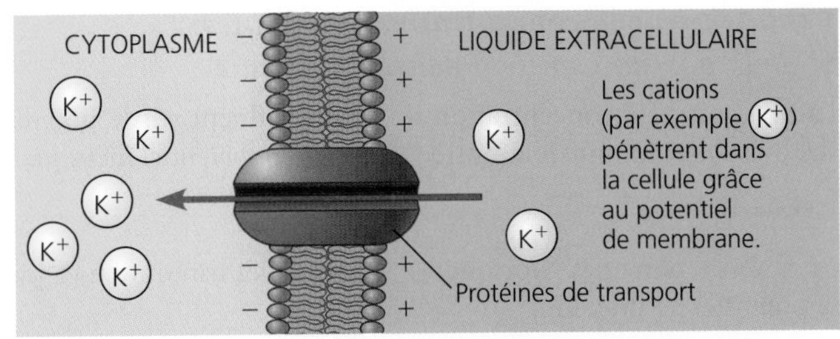

(a) Potentiel de membrane et absorption de cations

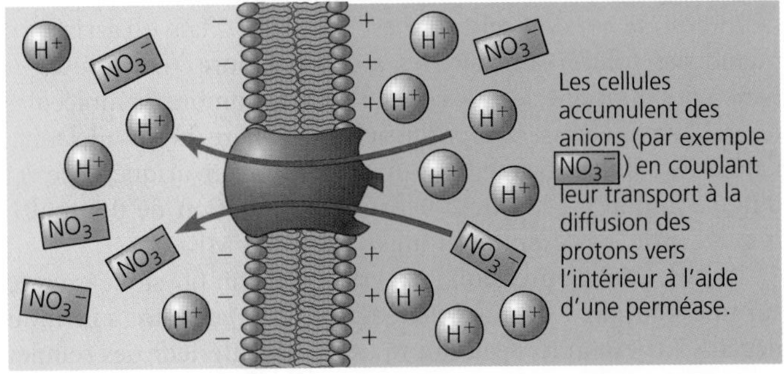

(b) Cotransport d'anions

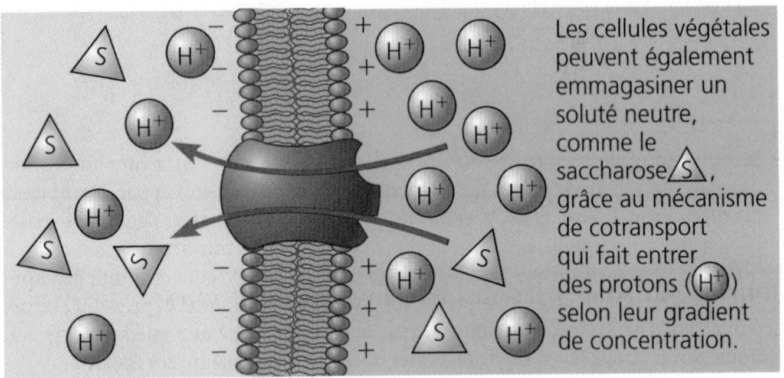

(c) Cotransport d'un soluté neutre

▲ **Figure 36.4 Transport des solutés dans les cellules végétales.**

Les effets des différences de potentiel hydrique

Pour survivre, les cellules végétales doivent absolument équilibrer l'absorption et la perte d'eau. L'**osmose**, transport passif de l'eau à travers une membrane, permet à une cellule d'absorber ou de perdre de l'eau (voir la figure 7.12). Dans quel sens l'osmose a-t-elle lieu lorsqu'une cellule baigne dans une solution particulière? Dans le cas d'une cellule animale, si la membrane plasmique est imperméable aux solutés, il suffit de savoir si la solution extracellulaire a une concentration de solutés faible ou forte par rapport au cytosol de la cellule: l'eau se déplace par osmose de la solution faiblement concentrée à la solution fortement concentrée, sur laquelle elle exerce une pression (dite *osmotique*). La cellule végétale, elle, est pourvue d'une paroi cellulaire, et cette paroi place l'osmose sous la dépendance d'un second facteur: la pression physique exercée par la paroi sur le protoplasme de la cellule. La mesure de l'action combinée de la concentration des solutés (qui engendre une pression osmotique) et de la pression exercée par la paroi cellulaire détermine le **potentiel hydrique**, dont l'abréviation est la lettre grecque psi (ψ).

Le potentiel hydrique détermine la direction du mouvement de l'eau. Au sujet du potentiel hydrique, il faut avant tout savoir que l'eau libre, c'est-à-dire l'eau qui n'est pas liée aux solutés ou aux surfaces, *circule de la solution où le potentiel hydrique est le plus élevé vers la solution où le potentiel hydrique est le plus bas.* Ainsi, une cellule végétale immergée dans une solution dont le potentiel hydrique est plus élevé que le sien gonfle par osmose. En se déplaçant, l'eau peut effectuer un travail (par exemple, faire gonfler la cellule). L'expression *potentiel hydrique* signifie «énergie potentielle de l'eau», c'est-à-dire la capacité de l'eau à effectuer un travail lorsqu'elle se déplace d'un endroit où le ψ est élevé vers un endroit où le ψ est bas. Le potentiel hydrique est un cas particulier de la tendance générale des systèmes à adopter spontanément un niveau d'énergie libre minimal (voir la figure 8.5).

Les biologistes mesurent le ψ en unités de pression appelées **mégapascals (MPa)**. Les physiciens ont donné la valeur zéro au potentiel hydrique de l'eau pure dans un contenant ouvert sur l'atmosphère ($\psi = 0$ MPa) dans des conditions normales (au niveau de la mer et à température ambiante). Ainsi, 1 MPa équivaut à une pression approximative de 10 atmosphères (1 atmosphère égale 101,3 kPa ou, anciennement, 760 mm de mercure [Hg]). Les exemples suivants vous donneront une meilleure idée de ce que représente 1 MPa: vos poumons exercent une pression inférieure à 0,1 MPa; la pression avec laquelle on gonfle le pneu d'une automobile est d'environ 0,2 MPa; la pression de l'eau dans la tuyauterie d'une maison se situe à environ 0,25 MPa. À titre de comparaison, la plupart des cellules végétales vivent à environ 1 MPa.

L'influence de la concentration des solutés et de la pression sur le potentiel hydrique

La pression et la concentration du soluté influent sur le potentiel hydrique, comme le montre l'*équation du potentiel hydrique*:

$$\psi = \psi_P + \psi_O$$

où ψ est le potentiel hydrique, ψ_O le potentiel osmotique et ψ_P le potentiel de pression.

Le **potentiel osmotique** (**ψ_O**) d'une solution est proportionnel au nombre de molécules de soluté dissoutes. Le soluté peut être n'importe quel type de substance chimique dissoute. Par définition, le ψ_O de l'eau pure est égal à 0*. Mais qu'arrive-t-il quand des solutés sont ajoutés à de l'eau pure? Les solutés se lient à des molécules d'eau, ce qui réduit le nombre de molécules d'eau libres et abaisse la capacité de l'eau de faire du travail. Donc, l'ajout de solutés abaisse toujours le potentiel hydrique, et le ψ_O d'une solution est toujours négatif. Une solution de 0,1 mol/L d'un glucide, par exemple, a un ψ_O de –0,23 MPa.

Le **potentiel de pression** (**ψ_P**) est la pression physique exercée sur une solution. Contrairement au ψ_O, le ψ_P peut être positif ou négatif. Par exemple, l'eau qui se trouve à l'intérieur des cellules mortes du xylème d'une plante en pleine transpiration est souvent sous une pression (tension) négative inférieure à –2,0 MPa. Inversement, un peu comme l'air dans un ballon, l'eau dans les cellules vivantes subit habituellement une pression positive. Le contenu des cellules comprime la membrane plasmique sur la paroi cellulaire. C'est cette pression qu'on appelle **pression de turgescence.**

* La contrainte de la convention qui fixe ψ à 0 MPa conduit à une aberration pour les physiciens. En effet, des valeurs négatives de pression apparaissent dans les mesures et les calculs. Or, selon les physiciens, la pression négative n'existe pas, et par conséquent on ne peut pas la mesurer. On aurait pu éviter ce problème si l'on avait donné au ψ de référence une valeur conventionnelle supérieure à zéro et prenant en compte la pression atmosphérique et la pression exercée par la paroi du récipient. Comme aucun auteur ne propose une valeur de ce genre, nous devons pour le moment respecter la convention, malgré ses écueils.

L'analyse quantitative du potentiel hydrique

Maintenant que nous avons expliqué l'équation du potentiel hydrique et ses composantes, étudions-en l'application, d'abord en examinant comment l'eau se déplace dans un système artificiel, puis en appliquant l'équation à une cellule végétale vivante.

Le modèle artificiel présenté à la **figure 36.5** montre le mouvement de l'eau dans un tube en U dont les deux branches sont séparées par une membrane perméable à l'eau mais pas aux solutés. Qu'arrive-t-il si on remplit la branche droite du tube avec une solution à 0,10 mol/L (ψ_O = –0,23 MPa) et la branche gauche avec de l'eau distillée (ψ_O = 0)? En l'absence de pression physique (c'est-à-dire quand ψ_P = 0), le potentiel hydrique ψ sera égal à ψ_O. Donc, le ψ de la branche gauche du tube (eau distillée) sera de 0, tandis que le ψ de la branche droite sera de –0,23 MPa. Comme l'eau se déplace toujours des régions où le potentiel hydrique est élevé aux régions où le potentiel hydrique est bas, le mouvement net de l'eau, dans ce cas-ci, se fera de la branche gauche du tube à la branche droite **(figure 36.5a)**. Mais si on exerce sur la solution une pression physique de +0,23 MPa, on fait passer son potentiel hydrique d'une valeur négative à 0 MPa (ψ = −0,23 + 0,23). Il en résulte une absence de déplacement net de l'eau entre le compartiment sous pression et le compartiment contenant l'eau distillée **(figure 36.5b)**. En fait, si on augmente ψ_P à +0,30 MPa, le potentiel hydrique de la solution atteindra +0,07 MPa (ψ = 0,30 – 0,23), et il y aura passage d'eau de la solution jusque dans le compartiment contenant l'eau distillée **(figure 36.5c)**. Enfin, imaginons que l'on tire sur le piston au lieu de pousser sur la solution. Une tension (baisse de pression) de –0,30 MPa sur le compartiment contenant l'eau distillée suffirait

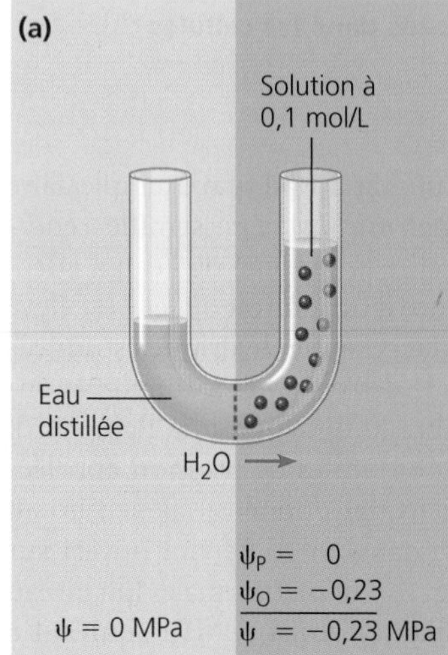

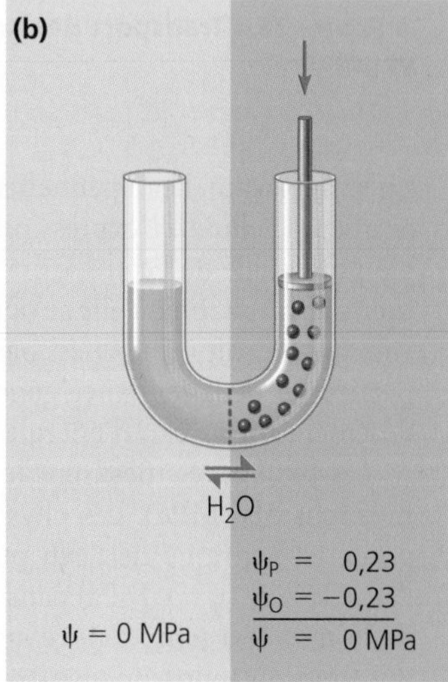

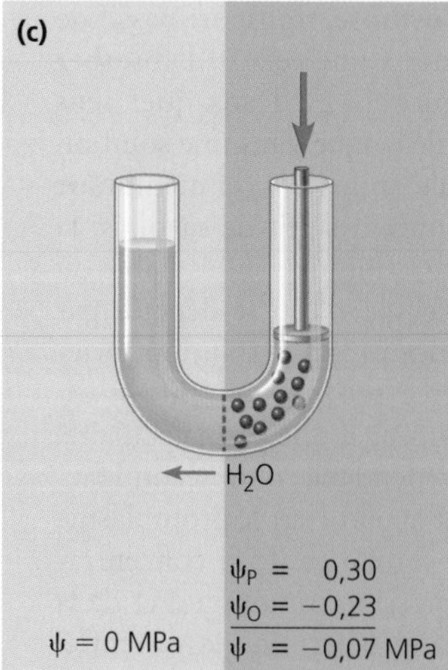

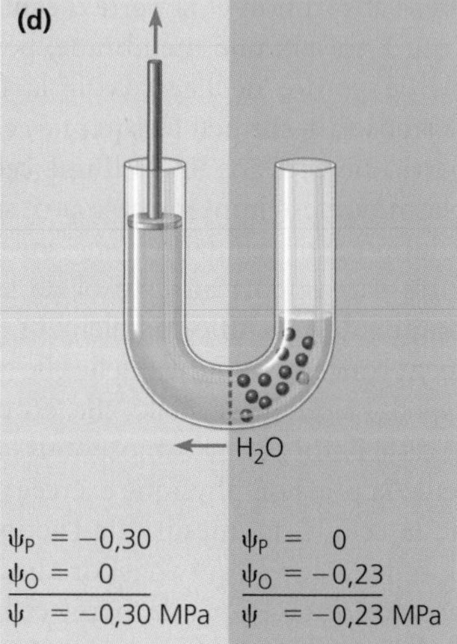

▲ **Figure 36.5 Modèle artificiel du potentiel hydrique.** Dans ce tube en forme de U, une membrane à perméabilité sélective sépare de l'eau distillée d'une solution à 0,1 mol/L et empêche le soluté de la traverser. L'eau traverse ce genre de membrane dans le sens suivant: du côté où le potentiel hydrique est le plus élevé jusqu'au côté où il est le plus faible. Le potentiel hydrique (ψ) de l'eau distillée à la pression atmosphérique est de 0 MPa. Quand on connaît les valeurs du potentiel de pression (ψ_P) appliquée sur la solution et du potentiel osmotique (ψ_O), on peut calculer le potentiel hydrique: ($\psi = \psi_P + \psi_O$). Les valeurs de ψ et de ψ_O données sous les branches gauche et droite du tube en forme de U équivalent aux conditions *initiales*, c'est-à-dire *avant* tout mouvement net de l'eau. **(a)** L'ajout de soluté réduit le potentiel hydrique (qui prend une valeur négative). **(b, c)** L'application d'une pression physique augmente le potentiel hydrique. **(d)** Une tension (baisse de la pression physique appliquée sur la solution) diminue le potentiel hydrique.

à faire passer l'eau de la solution, dont le potentiel hydrique est de –0,23 MPa, vers l'eau distillée **(figure 36.5d)**. En évaluant les effets opposés de la pression et du gradient de concentration des solutions sur le potentiel hydrique, il faut garder à l'esprit cette règle importante: *l'eau traverse une membrane pour aller vers le côté où le potentiel hydrique est le moins élevé.*

Voyons maintenant comment le potentiel hydrique influe sur les mouvements d'entrée et de sortie d'eau dans les cellules végétales. Dans un premier temps, imaginons une cellule **flasque**, dont ψ_P vaut 0. Supposons que cette cellule baigne dans une solution dont la concentration en solutés est plus élevée (potentiel osmotique plus élevé) que celle de la cellule **(figure 36.6a)**. Comme la solution externe a le potentiel hydrique le plus faible, l'eau sortira de la cellule par osmose. Il se produira ainsi une **plasmolyse**, c'est-à-dire que le protoplasme de la cellule rétrécira et que sa membrane plasmique s'éloignera de sa paroi. Plaçons maintenant cette cellule flasque dans de l'eau distillée ($\psi = 0$; **figure 36.6b**). La présence de solutés dans la cellule rend le potentiel hydrique de cette dernière plus faible que celui du milieu environnant. L'eau entre alors dans la cellule par osmose. Le contenu de la cellule va gonfler et le cytosol commencer à pousser contre la paroi cellulaire, de façon à produire une pression de turgescence. La paroi cellulaire étant partiellement élastique, elle va finalement résister et comprimer le contenu de la cellule. Lorsque la pression de cette paroi sera suffisante pour s'opposer à l'entrée d'eau dans la cellule en raison de la présence des solutés, alors ψ_P et ψ_O auront la même valeur, et ψ sera égal à 0. Le potentiel hydrique du contenu de la cellule égalera celui du milieu extracellulaire (0 MPa dans cet exemple). Un équilibre dynamique sera atteint, qui fera cesser tout mouvement net de l'eau.

Contrairement à la cellule flasque, la cellule à paroi dont la concentration en solutés est supérieure à celle de son environnement sera **turgescente**, c'est-à-dire très ferme. Les cellules végétales saines sont turgescentes la plupart du temps. Cette turgescence contribue au support des parties non ligneuses des Végétaux. Le **flétrissement** fait voir les conséquences d'une perte de turgescence. Une plante flétrie perd des feuilles et des tiges parce que les cellules de ses tissus sont flasques **(figure 36.7)**.

Les aquaporines et le transport de l'eau

Le potentiel hydrique est la force qui fait passer l'eau à travers les membranes des cellules végétales. Mais comment les molécules d'eau traversent-elles ces membranes? En fait, les molécules d'eau sont si petites qu'elles peuvent se déplacer assez librement dans la bicouche de phosphoglycérolipides des membranes, bien que la zone intermédiaire de cette bicouche soit hydrophobe (voir la figure 7.2). Cependant, le transport de l'eau à travers les membranes biologiques est trop spécifique et trop rapide pour s'expliquer uniquement par la diffusion à travers la bicouche de lipides. En effet, l'eau traverse généralement les membranes vacuolaire et plasmique avec l'aide de protéines de transport appelées **aquaporines** (voir le chapitre 7). Ces canaux spécifiques ne modifient pas le gradient de potentiel hydrique ni la direction du déplacement de l'eau, mais ils influent sur la *vitesse* à laquelle l'eau diffuse dans la direction du gradient de potentiel hydrique. Les recherches montrent de plus en plus que la vitesse à laquelle l'eau se déplace grâce à ces protéines dépend de la phosphorylation des protéines que déclenchent certains changements dans les seconds messagers, par exemple les ions calcium (Ca^{2+}).

Les trois compartiments majeurs des cellules végétales vacuolisées

Le transport dépend également des compartiments de la cellule végétale. À l'extérieur du protoplasme, une paroi maintient la forme de la cellule (voir la figure 6.9). C'est plutôt la membrane plasmique à perméabilité sélective qui participe directement à la régulation du passage des molécules vers l'intérieur ou l'extérieur du protoplasme. Elle fait office de barrière entre deux grands

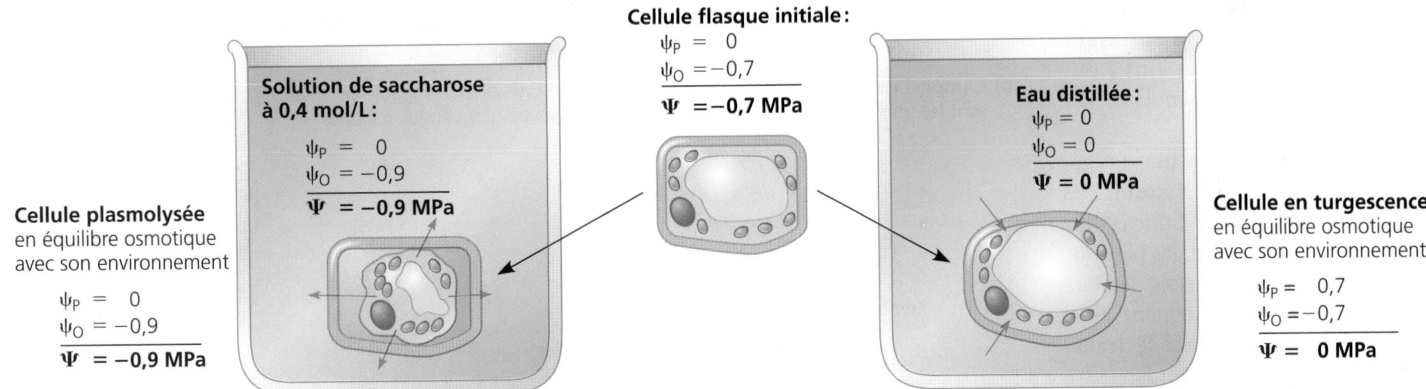

(a) Conditions initiales: Ψ intracellulaire > Ψ extracellulaire. La cellule perd de l'eau et subit une plasmolyse. Quand celle-ci est terminée, le potentiel hydrique de la cellule est identique à celui de l'environnement.

(b) Conditions initiales: Ψ intracellulaire < Ψ extracellulaire. Grâce à l'osmose, l'eau pénètre dans la cellule et la rend turgescente. Lorsque cette tendance qu'a l'eau de pénétrer dans la cellule est compensée par la pression exercée par la paroi cellulaire élastique vers l'intérieur de la cellule, le potentiel hydrique de la cellule devient identique à celui de l'environnement. (La variation du volume de la cellule est exagérée dans cette illustration.)

▲ **Figure 36.6 Cellules végétales et diffusion de l'eau.** Dans ces deux expériences, des cellules flasques identiques sont placées dans deux milieux différents. (Le protoplasme est en contact avec la paroi des cellules, mais n'exerce pas de pression de turgescence.) Les flèches bleues indiquent la direction du déplacement de l'eau dans les conditions initiales.

▲ **Figure 36.7 Plant d'impatiente (*Impatiens*) flétri, puis hydraté, retrouvant sa turgescence.**

compartiments : la paroi cellulaire et le cytosol (partie du cytoplasme située du côté interne de la membrane plasmique, mais à l'extérieur des organites). La plupart des cellules végétales matures contiennent un troisième compartiment, la vacuole centrale, organite volumineux qui peut occuper jusqu'à 90 % du volume du protoplasme (**figure 36.8a**). La **membrane vacuolaire**, ou **tonoplaste**, régule la circulation des molécules entre le cytosol et le contenu de la vacuole centrale, appelé *suc vacuolaire*. Les pompes à protons du tonoplaste font passer les protons du cytosol à l'intérieur de la vacuole centrale. Le gradient de pH qui en résulte sert à déplacer d'autres ions à travers la membrane vacuolaire par chimiosmose.

Dans la plupart des tissus végétaux, les parois et les cytosols des cellules sont continus d'une cellule à l'autre. Tout d'abord, les plasmodesmes relient les cytosols de deux cellules voisines et forment ainsi une voie continue pour le transport de certaines molécules entre les cellules. Ce réseau cytosolique se nomme **symplasme** (ou *symplaste*) (**figure 36.8b**). L'ensemble continu des parois cellulaires et des espaces extracellulaires porte le nom d'**apoplasme** (ou *apoplaste*). Enfin, la vacuole centrale, le troisième compartiment cellulaire, n'est pas reliée aux cellules voisines.

Le rôle du symplasme et de l'apoplasme dans le transport

Comment l'eau et les solutés se déplacent-ils d'un endroit à l'autre dans les tissus et les organes des Végétaux ? Par quel mécanisme, par exemple, l'eau et les minéraux absorbés par les poils absorbants d'une racine se rendent-ils jusque dans le cœur même de cette racine ? Ce type de transport sur une courte distance porte le nom de *transport radial*, car le chemin habituellement emprunté suit la direction de l'axe radial des organes végétaux, plutôt que celle de l'axe vertical.

Le transport emprunte trois voies différentes (voir la figure 36.8b). La première permet aux substances de sortir d'une cellule en traversant la membrane plasmique et la paroi cellulaire, et de pénétrer dans la cellule voisine. Le mécanisme en question se poursuit d'une cellule à l'autre sur toute la voie. Dans cette voie transmembranaire, les solutés doivent traverser à répétition les membranes plasmiques et les parois, sortant d'une cellule pour pénétrer dans la suivante.

La deuxième voie, qui suit le symplasme (réseau de cytosols dans un tissu végétal), ne nécessite la traversée que d'une seule membrane plasmique. Une fois qu'ils ont pénétré dans une cellule, les solutés et l'eau peuvent en effet passer d'une cellule à l'autre en utilisant les plasmodesmes.

La troisième voie de transport sur une courte distance dans les tissus ou les organes végétaux suit l'apoplasme, chemin constitué de l'ensemble des parois cellulaires, de la cavité des éléments

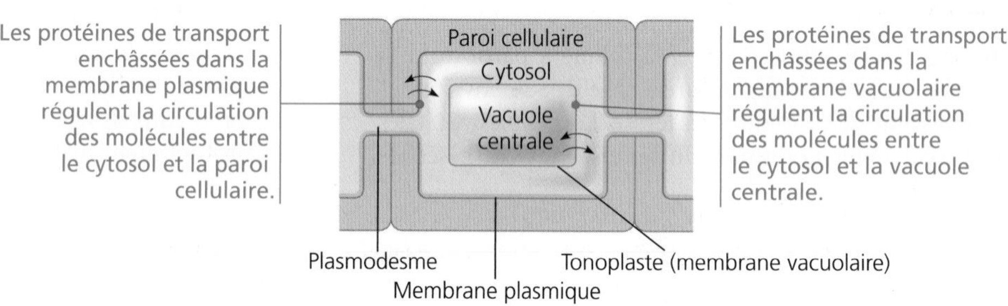

(a) Compartiments cellulaires. La paroi cellulaire, le cytosol et la vacuole centrale sont les principaux compartiments de la plupart des cellules végétales matures.

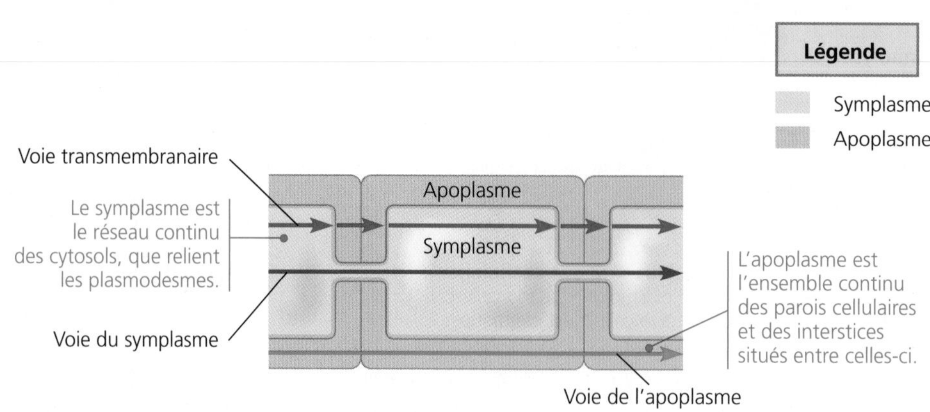

(b) Voies de transport entre les cellules. Au niveau tissulaire, il y a trois voies : la voie transmembranaire, la voie du symplasme et la voie de l'apoplasme. Les substances peuvent passer d'une voie à l'autre.

▲ **Figure 36.8 Compartiments et voies cellulaires pour le transport sur une courte distance.**

de vaisseau du xylème et des interstices entre les parois. Sans même pénétrer dans une cellule, l'eau et les solutés peuvent passer dans les interstices entre les parois cellulaires et aller d'un endroit à l'autre d'une racine ou d'un autre organe.

Le rôle du courant de masse dans le transport sur de longues distances

Si elle suffit au transport radial sur des distances de moins de 100 mm, la diffusion d'une solution s'effectue trop lentement pour permettre le transport de substances sur de longues distances. Par exemple, la diffusion d'une extrémité à l'autre d'une cellule s'effectue en quelques secondes, tandis que la diffusion des racines jusqu'au faîte d'un séquoia prendrait des décennies. C'est le **courant de masse** qui assure le transport sur de longues distances. Le courant de masse désigne le mouvement d'un fluide causé par une pression. Grâce à ce courant, l'eau et les solutés se déplacent dans les trachéides et les vaisseaux du xylème ainsi que dans les cellules criblées du phloème. Par exemple, dans le phloème, une pression hydrostatique s'exerce à une extrémité d'un tube criblé et force la sève à se déplacer vers l'autre extrémité. Dans le xylème, c'est la tension (diminution de pression) qui permet le transport sur de longues distances. La transpiration, vaporisation de l'eau au niveau des feuilles, réduit la pression dans le xylème foliaire et crée une tension qui fait monter la sève brute depuis les racines et dans tout le xylème.

Si le drain de votre évier a déjà été partiellement bouché, vous avez pu constater que la vitesse d'écoulement de l'eau dépendait du diamètre interne du conduit. Les déchets de nourriture ralentissent l'écoulement parce qu'ils réduisent le diamètre efficace du tuyau. Cette expérience domestique nous aide à comprendre la raison d'être des structures particulières des cellules végétales spécialisées dans le courant de masse, à savoir les cellules criblées du phloème, et les éléments de vaisseau et les trachéides du xylème. Au chapitre 35, nous avons vu que le cytoplasme des cellules criblées était presque dépourvu d'organites internes. Nous avons vu aussi que les éléments de vaisseau et les trachéides étaient morts à maturité et, donc, n'avaient pas de cytoplasme. L'absence (ou la quasi-absence) de cytoplasme permet le passage du courant de masse dans le xylème et le phloème. Les parois poreuses (cribles) qui joignent les cellules criblées contiguës et les extrémités perforées de la paroi des éléments de vaisseau (voir la figure 35.9) facilitent également le courant de masse.

Après cette vue d'ensemble des mécanismes de base du transport des nutriments aux niveaux cellulaire, tissulaire et général chez les Végétaux, nous allons étudier plus en détail la façon dont ces mécanismes collaborent pour assurer le transport des nutriments. Par exemple, le courant de masse créé par une différence de pression est le mécanisme qui assure le transport de la sève élaborée dans le phloème sur une longue distance. Mais c'est le mécanisme de cotransport du saccharose nécessitant une dépense d'énergie au niveau cellulaire qui maintient cette différence de pression. Les quatre fonctions associées au transport des nutriments que nous allons examiner en profondeur sont l'absorption de l'eau et des minéraux par les racines, l'ascension de la sève brute dans le xylème, la régulation de la transpiration et le transport de la sève élaborée dans le phloème.

Retour sur le concept 36.1

1. Certains fermiers irriguent leurs cultures avec de l'eau souterraine, relativement riche en sels dissous. Quel effet cette pratique a-t-elle sur le potentiel hydrique des cultures?
2. Si une cellule végétale immergée dans de l'eau distillée a un ψ_O de –0,70 MPa et un ψ de 0 MPa, quel est son ψ_P? Si on plaçait la même cellule dans un récipient ouvert contenant une solution dont le ψ est de –0,40 MPa, quel serait le ψ_P cellulaire à l'équilibre?

Voir les réponses proposées à la fin du chapitre.

Concept 36.2

Les racines absorbent l'eau et les minéraux du sol

L'eau et les minéraux du sol traversent l'épiderme des racines, franchissent l'écorce, entrent dans le cylindre vasculaire et empruntent finalement les trachéides et les vaisseaux du xylème pour se rendre dans le système caulinaire. Nous allons maintenant voir de quelle façon les substances provenant du sol se rendent jusqu'au xylème. En lisant la présente section, consultez la **figure 36.9** pour mieux comprendre les notions abordées.

Le rôle des poils absorbants, des mycorhizes et des cellules corticales

La majeure partie de l'absorption de l'eau et des minéraux s'effectue près de l'extrémité des racines, à l'endroit où l'épiderme est perméable à l'eau et où se trouvent les poils absorbants. Ces derniers, qui sont en fait des prolongements de cellules épidermiques, constituent la plus grande partie de la surface des racines (voir la figure 35.12). Les particules du sol, normalement recouvertes d'eau et de minéraux dissous, adhèrent fermement aux poils absorbants. Les solutions traversent alors la paroi hydrophile des cellules épidermiques et circulent librement dans l'apoplasme de l'écorce. Ainsi, le symplasme de toutes les cellules de l'écorce entre en contact avec les solutions. Cela représente une bien plus grande surface membranaire que la surface de l'épiderme seule.

Tandis que les solutions du sol circulent dans l'apoplasme des racines, les cellules de l'épiderme et de l'écorce absorbent l'eau et certains solutés pour les diriger vers le symplasme. Bien que les solutions du sol soient habituellement très diluées, le transport actif permet aux racines d'accumuler certains minéraux essentiels, comme les ions K^+, à des concentrations des centaines de fois plus élevées.

La plupart des plantes entretiennent des relations mutuellement bénéfiques avec les Eumycètes, qui facilitent l'absorption de l'eau et des minéraux du sol. Cette association mutualiste entre les racines des plantes et des Eumycètes prend la forme de **mycorhizes**, structures souterraines formées des racines de la plante et des hyphes (filaments) de certains champignons **(figure 36.10)**. Les hyphes absorbent l'eau et les minéraux, dont ils transfèrent une grande partie à la plante hôte. (Le chapitre 37 aborde le rôle des mycorhizes dans la nutrition minérale des plantes; le chapitre 31

▼ Figure 36.9 Transport radial des minéraux et de l'eau dans les racines.

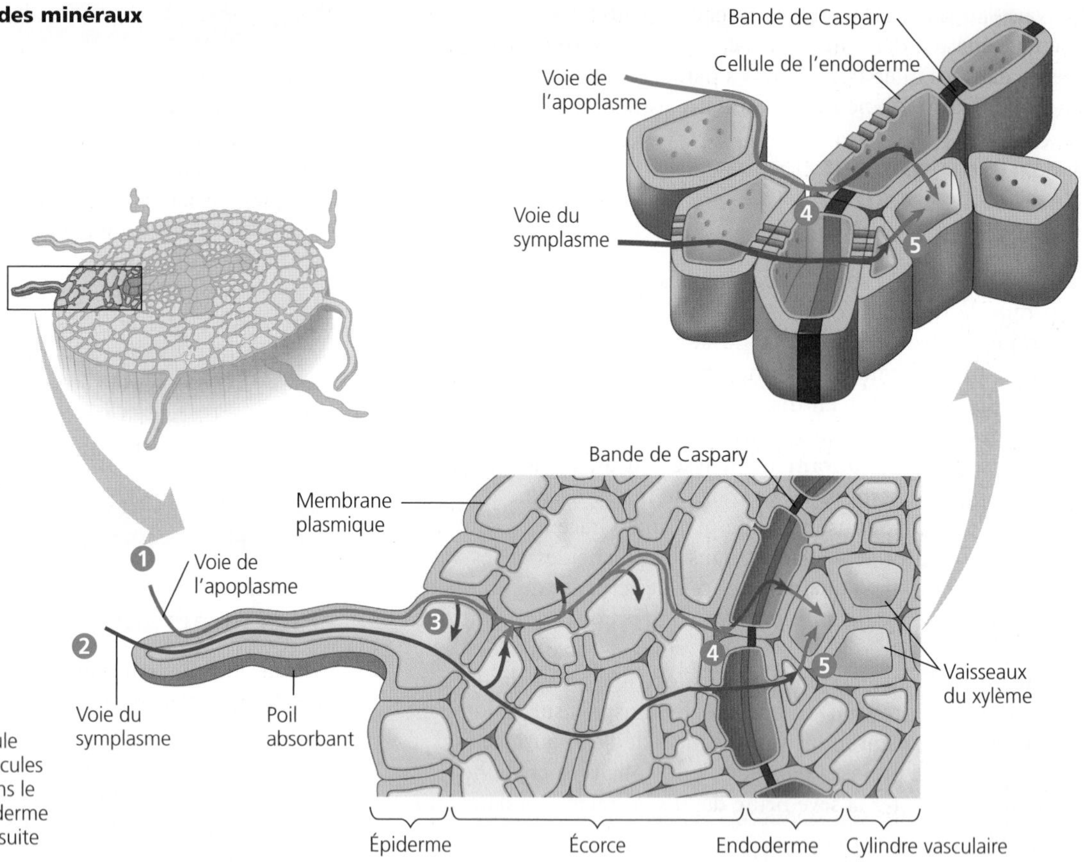

Bande de Caspary
Cellule de l'endoderme
Voie de l'apoplasme
Voie du symplasme
Bande de Caspary
Membrane plasmique
Voie de l'apoplasme
Voie du symplasme
Poil absorbant
Vaisseaux du xylème
Épiderme
Écorce
Endoderme
Cylindre vasculaire

1. La paroi hydrophile des poils absorbants permet l'entrée de la solution du sol et ouvre la voie de l'apoplasme. L'eau et les minéraux peuvent pénétrer dans l'écorce en suivant cet ensemble de parois cellulaires reliées les unes aux autres.

2. L'eau et les minéraux qui traversent la membrane plasmique des poils absorbants pénètrent dans le symplasme.

3. Tandis que la solution du sol circule dans l'apoplasme, certaines molécules d'eau et de minéraux passent dans le protoplasme des cellules de l'épiderme et de l'écorce, et se déplacent ensuite vers l'intérieur en empruntant la voie du symplasme.

4. Il y a, dans les parois transversale et radiale de chaque cellule endodermique, une ceinture constituée d'une substance cireuse, la bande de Caspary (représentée ici par la bande de couleur violette). Cette ceinture bloque le passage de l'eau et des minéraux dissous. Seuls les minéraux dissous qui se trouvent déjà dans le symplasme ou qui empruntent cette voie en traversant la membrane plasmique d'une cellule endodermique peuvent éviter la bande de Caspary et aller dans le cylindre vasculaire.

5. Les cellules endodermiques et les cellules parenchymateuses du cylindre vasculaire font passer l'eau et les minéraux dans leur paroi (apoplasme). Les éléments de vaisseau du xylème transportent ainsi l'eau et les minéraux jusque dans le système caulinaire.

a traité des Eumycètes qui participent à ces relations symbiotiques.) Il est important ici de comprendre que le mycélium (réseau d'hyphes) des champignons fournit aux mycorhizes, et donc aux racines de la plante, une énorme surface d'absorption. Le mycélium couvrant 1 cm de racine peut atteindre jusqu'à 3 m, occupant un plus grand volume de sol que ne pourrait le faire la racine seule. Les mycorhizes permettent aux vieilles zones des racines (situées loin des extrémités, où les poils absorbants abondent) de fournir de l'eau et des minéraux à la plante hôte.

L'endoderme : une barrière sélective

L'eau et les minéraux qui se trouvent dans l'écorce de la racine ne peuvent passer dans le reste de la plante tant qu'ils n'ont pas pénétré dans le xylème du cylindre vasculaire. L'**endoderme**, couche cellulaire interne de l'écorce des racines, entoure le cylindre vasculaire. Il effectue une dernière sélection des minéraux avant l'arrivée dans les tissus du xylème (voir la figure 36.9). Les minéraux qui se trouvent déjà dans le symplasme lorsqu'ils atteignent l'endoderme traversent les plasmodesmes des cellules endodermiques et pénètrent dans le cylindre vasculaire. Ces minéraux ont déjà fait l'objet d'une sélection lorsqu'ils ont traversé

▲ Figure 36.10 Mycorhize, association mutualiste d'un champignon et d'une racine. Le mycélium blanc de ce champignon (qui fait partie des Eumycètes) enveloppe les racines d'un pin rouge (*Pinus resinosa*). L'hyphe du champignon fournit une surface accrue pour l'absorption de l'eau et des minéraux.

la membrane plasmique pour pénétrer dans le symplasme de l'épiderme ou de l'écorce. Les minéraux qui atteignent l'endoderme par la voie de l'apoplasme butent quant à eux contre une barrière qui les empêche de pénétrer dans le cylindre vasculaire. En effet, dans les parois transversale et radiale de chaque cellule endodermique se trouve la **bande de Caspary**, ceinture faite d'une cire, la subérine, qui est imperméable à l'eau et aux minéraux dissous. L'eau et les minéraux ne peuvent donc emprunter la voie de l'apoplasme pour traverser l'endoderme et pénétrer dans les tissus conducteurs. Ils sont obligés de traverser la membrane plasmique d'une cellule endodermique et de pénétrer dans la stèle par le symplasme.

La bande de Caspary joue un rôle important dans l'endoderme: elle oblige les minéraux à traverser la membrane plasmique sélective pour atteindre le xylème de la racine. S'ils ne pénètrent pas dans les cellules de l'écorce, les minéraux doivent entrer dans les cellules endodermiques pour s'introduire dans les tissus conducteurs. L'endoderme empêche également les solutés accumulés dans la sève brute de retourner dans la solution provenant du sol. La structure de l'endoderme et sa position stratégique dans la racine confirment son rôle de sentinelle à la frontière entre l'écorce et le cylindre vasculaire. Ce rôle permet aux racines de transporter jusqu'au xylème certains minéraux du sol plutôt que d'autres.

Le dernier segment de la voie menant du sol au xylème est celui qui permet à l'eau et aux minéraux d'atteindre les trachéides et les éléments de vaisseau du xylème. Les cellules conductrices ne possèdent pas de protoplasme à maturité et, par conséquent, elles font partie de l'apoplasme. Les cellules endodermiques et les cellules parenchymateuses du cylindre vasculaire font passer les minéraux du protoplasme dans leur paroi. Ce transfert de solutés du symplasme à l'apoplasme s'effectue grâce à des mécanismes de diffusion et de transport actif. L'eau et les minéraux, dont nous avons suivi le parcours depuis le sol jusqu'au xylème de la racine, peuvent ensuite entrer librement dans les trachéides et les vaisseaux, et monter dans le système caulinaire sous la forme de sève brute du xylème.

Retour sur le concept 36.2

1. Pourquoi une culture peut-elle présenter une grave carence en phosphate après une pulvérisation de fongicide?
2. Un scientifique ajoute aux racines d'une plante un inhibiteur hydrosoluble de photosynthèse. Toutefois, ajouter ainsi une telle substance n'influe pas sur la photosynthèse. Pourquoi?

Voir les réponses proposées à la fin du chapitre.

Concept 36.3

L'eau et les minéraux absorbés par les racines montent dans le xylème jusqu'aux pousses

Dans la présente section, nous nous concentrerons sur le transport de la sève brute sur une longue distance. La sève brute monte dans les racines, puis dans le système caulinaire jusqu'aux nervures des feuilles. La survie de celles-ci dépend de l'efficacité du système d'approvisionnement en eau. En effet, les plantes perdent une quantité étonnante d'eau par **transpiration**, c'est-à-dire par vaporisation de l'eau par leurs feuilles et leurs autres parties aériennes. Prenons l'exemple du maïs. Au cours d'une seule saison de croissance, une plante perd 125 L d'eau par transpiration. Une récolte de maïs qui pousse à une densité standard de 75 000 plants par hectare perd donc environ 10 millions de litres (10 millions de kilogrammes) d'eau par hectare par saison de croissance. Ainsi, si l'eau perdue par transpiration n'est pas remplacée par de l'eau provenant des racines et amenée par le xylème, les feuilles se dessèchent progressivement et finissent par mourir. Par ailleurs, la circulation ascendante de la sève brute dans le xylème apporte les minéraux qui servent à nourrir le système caulinaire.

Les facteurs influant sur la montée de la sève brute dans le xylème

La sève brute réussit à atteindre le sommet des plus grands arbres, lesquels pourraient mesurer jusqu'à une hauteur estimée à environ 130 m (nous expliquerons plus loin pourquoi il existe une limite à la taille des arbres). Qu'est-ce donc qui explique l'ascension de la sève brute? Si la seule pression atmosphérique s'exerçant sur le sol et les racines était responsable de la montée de la sève, celle-ci ne dépasserait pas 10 m. Alors, la sève brute serait-elle *poussée* par les racines ou *aspirée* par les feuilles? Évaluons la contribution relative possible de chacun des deux mécanismes.

La poussée exercée sur la sève brute dans le xylème: la pression racinaire

Pendant la nuit, ou au printemps avant l'apparition des feuilles, lorsque la transpiration est très faible ou inexistante, les cellules de la racine dépensent encore de l'énergie pour acheminer les minéraux dans le xylème au moyen du transport actif seul ou du cotransport. Entre-temps, l'endoderme empêche les minéraux qu'elle contient de ressortir. L'accumulation de minéraux qui en résulte abaisse le potentiel hydrique dans le cylindre vasculaire. L'eau de l'écorce y pénètre par osmose, créant une **pression racinaire**, c'est-à-dire une poussée ascendante qui s'exerce sur la sève brute dans le xylème. La pression racinaire peut parfois faire entrer dans les feuilles plus d'eau que celles-ci en ont perdu, ce qui entraîne une **guttation**, c'est-à-dire l'écoulement de gouttelettes d'eau par des stomates particuliers (stomates aquifères ou hydathodes) situés à l'extrémité des nervures et dont les ostioles sont ouverts en permanence. On peut observer ces gouttelettes, le matin, à l'extrémité des brins d'herbe ou sur la bordure des feuilles de certaines Dicotylédones herbacées **(figure 36.11)**. Le liquide de la guttation est différent de la rosée, laquelle se compose de l'humidité condensée produite par la transpiration.

Chez la plupart des Végétaux, la pression racinaire ne constitue pas le principal mécanisme de la montée de la sève brute dans le xylème. Cette pression peut pousser l'eau sur quelques mètres seulement, au mieux. D'ailleurs, un grand nombre de Végétaux (les Conifères notamment) ne créent aucune pression racinaire. Mais même chez les plantes qui manifestent une guttation, la pression racinaire ne peut suffire à compenser la transpiration après le lever du jour. La poussée vers le haut de la sève brute par la pression racinaire est un phénomène moins important que l'effet d'aspiration créé par les feuilles.

▲ **Figure 36.11 Guttation.** La pression racinaire expulse l'excès d'eau de cette feuille de fraisier des champs (*Fragaria virginiana*).

L'aspiration de la sève brute du xylème : le mécanisme de transpiration-cohésion-tension

Pour déplacer un objet vers le haut, on peut soit le pousser d'en bas, soit le tirer d'en haut, un peu comme on aspire l'eau dans une paille. Dans la présente section, nous nous concentrerons sur le mécanisme par lequel l'eau est tirée vers le haut par la pression négative dans le xylème. En étudiant ce mécanisme de transport, nous allons voir que la transpiration crée un effet d'aspiration et que la cohésion que les liaisons hydrogène assurent entre les molécules d'eau transmet le mouvement ascendant sur toute la longueur du xylème, jusqu'aux racines.

L'effet d'aspiration créé par la transpiration. Les stomates, ouvertures microscopiques situées à la surface d'une feuille, donnent accès à un réseau de lacunes qui permet aux cellules du mésophylle d'entrer en contact avec le dioxyde de carbone de l'air nécessaire à la photosynthèse. L'air contenu dans les lacunes est saturé en vapeur d'eau, parce qu'il se trouve en contact avec les parois humides des cellules. La plupart du temps, l'air est plus sec à l'extérieur de la feuille, c'est-à-dire que la concentration en eau est plus faible à l'extérieur qu'à l'intérieur de celle-ci. Le potentiel hydrique de la feuille est donc supérieur à celui de l'environnement. Par conséquent, la vapeur d'eau dans les espaces aériens d'une feuille diffuse selon son gradient de concentration et quitte la feuille par les stomates. C'est cette perte de vapeur d'eau par diffusion et vaporisation que nous appelons *transpiration*.

Mais comment la perte de vapeur d'eau par les feuilles se transforme-t-elle en force d'aspiration qui fait monter l'eau dans la plante ? La principale hypothèse veut que la pression négative qui fait monter l'eau par le xylème apparaît à l'interface air-eau dans les parois des cellules du mésophylle. L'eau est amenée aux feuilles par le xylème des nervures, puis elle est aspirée vers les cellules du mésophylle, et dans leurs parois. Ce mouvement dépend de l'adhérence de l'eau aux microfibrilles de cellulose et aux autres composantes hydrophiles des parois des cellules végétales. D'abord, l'eau s'évapore d'une mince pellicule d'eau qui tapisse les espaces aériens entre les cellules de mésophylle. À mesure que l'eau se vaporise, l'interface air-eau est attirée vers l'intérieur de la cellule et se courbe **(figure 36.12)**. Lorsque la quantité d'eau vaporisée augmente encore, la courbure et la tension superficielle des molécules d'eau augmentent, et la pression qui existe à l'interface air-eau devient de plus en plus négative. Les molécules d'eau des parties plus hydratées de la feuille sont ainsi tirées vers l'intérieur dans cette région, ce qui réduit la tension. Ces forces de traction sont transférées au xylème parce que chaque molécule d'eau se lie par cohésion à la prochaine par des liens hydrogène. Donc, l'effet d'aspiration de la transpiration dépend des propriétés particulières de l'eau dont nous avons discuté au chapitre 3 : adhérence, cohésion et tension superficielle.

Le rôle de la pression négative correspond à ce que nous avons déjà vu à propos du potentiel hydrique. Selon l'équation du potentiel hydrique, une tension (baisse de pression) fait *diminuer* le potentiel hydrique de la zone qui la subit. Comme l'eau se déplace du compartiment où le potentiel hydrique est le plus élevé vers celui où il est le plus faible, les cellules du mésophylle perdent de l'eau au profit de la pellicule qui tapisse les lacunes, lesquelles perdent à leur tour de l'eau par transpiration. L'eau perdue par les stomates est remplacée par l'eau provenant du xylème de la feuille. Ainsi, la transpiration produit un effet d'aspiration, un effet de pompe, provoqué par les variations du potentiel hydrique dans les feuilles.

La cohésion et l'adhérence de l'eau dans le xylème. L'effet d'aspiration de la sève brute engendré par la transpiration s'étend à tout le xylème depuis les feuilles jusqu'à l'extrémité des racines, et même jusqu'à la solution contenue dans le sol **(figure 36.13)**. La cohésion et l'adhérence facilitent ce transport sur de grandes distances. La cohésion des molécules d'eau assurée par les liaisons hydrogène (revoir le chapitre 3) permet l'aspiration par le haut d'une colonne de sève brute sans séparation des molécules d'eau. Elle est si forte qu'on a comparé cette colonne d'eau à un fil solide de sève qui irait des racines jusqu'aux feuilles. Les molécules d'eau qui quittent le xylème pour entrer dans la feuille tirent sur les molécules adjacentes. Cette attraction est relayée d'une molécule à l'autre jusqu'au bas de la colonne d'eau qui s'est formée dans le xylème. De plus, la forte adhérence des molécules d'eau à la paroi hydrophile des cellules du xylème (attribuable elle aussi aux liaisons hydrogène) aide également à contrer la gravitation. On estime que cette force serait capable de soutenir le poids d'une colonne d'eau de plusieurs kilomètres de haut.

La transpiration crée une tension dans le xylème et aspire la sève brute. Quand on souffle dans un petit sac, celui-ci se dilate sous l'effet de la pression interne, qui augmente. Au contraire, quand on aspire l'air du sac, ses parois se rapprochent. Comme on crée une tension à l'entrée, l'air quitte le sac. Cela diminue la pression qui s'exerce sur les parois, lesquelles finissent par s'accoler. On observe un phénomène similaire dans une plante. Par temps chaud, la transpiration créant une tension maximale dans le xylème, il est possible de mesurer, à l'aide d'un appareil appelé *dendromètre*, la diminution du diamètre d'un tronc d'arbre. Cependant, les épaisses parois secondaires, qui forment des anneaux peu élastiques empêchant les vaisseaux du xylème de s'affaisser, limitent cette réduction de diamètre. On peut quand même observer une variation quotidienne du diamètre : une dilatation la nuit et une contraction le matin ; la mesure de cette

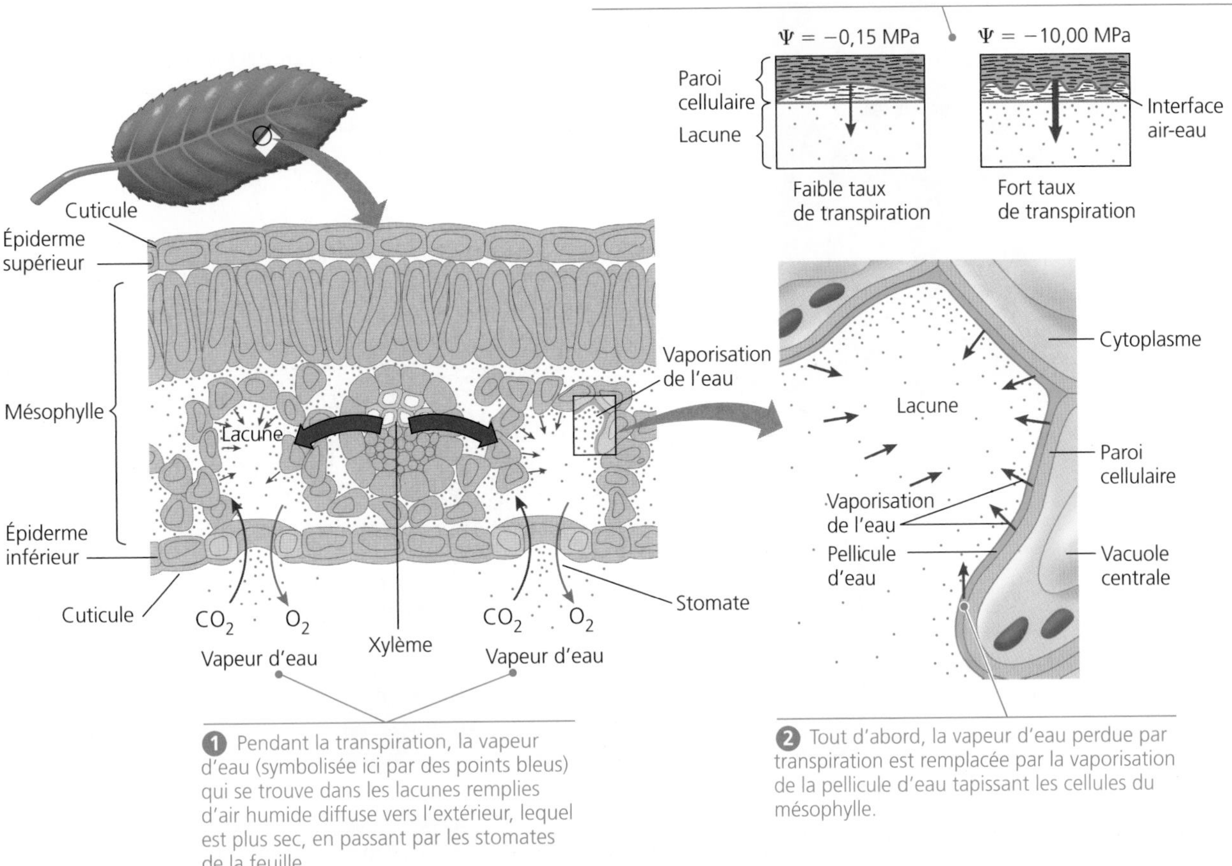

▲ **Figure 36.12 Tension créée dans une feuille par la transpiration et produisant une aspiration.** La pression négative qui se crée à l'interface air-eau dans la feuille constitue la manifestation physique de la transpiration qui tire l'eau du xylème comme le ferait une pompe.

contraction à différentes hauteurs sur le tronc suggère que l'eau est bel et bien aspirée vers le haut. La tension créée par l'effet d'aspiration provoqué par la transpiration réduit suffisamment le potentiel hydrique du xylème des racines pour entraîner un mouvement passif de l'eau du sol, laquelle traverse l'écorce des racines pour aller jusqu'au cylindre vasculaire.

L'effet d'aspiration attribuable à la transpiration (ou à l'utilisation de l'eau par les cellules de la feuille) ne peut se transmettre aux racines que si la chaîne de molécules d'eau reste intacte. Or, celle-ci peut se rompre. C'est le cas lorsque, par exemple, la sève brute gèle l'hiver et qu'une poche de vapeur d'eau se forme dans un vaisseau du xylème, phénomène qu'on appelle *cavitation.* C'est aussi ce phénomène qui explique qu'il existe une limite à la taille des arbres. Celle-ci a été estimée à 130 m, à la suite d'observations effectuées sur des séquoias de Californie qui sont les plus hauts arbres sur Terre. Au-delà de cette limite, la sève brute ne peut plus monter en raison de la rupture de la colonne d'eau par des bulles d'air. Ces bulles d'air créées par la cavitation se dilatent et deviennent des emboles qui bloquent les canaux d'eau du xylème. La dilatation rapide des bulles d'air durant la cavitation produit des cliquetis qu'on peut entendre en plaçant un microphone sensible à la surface de la tige.

La pression racinaire permet aux petites plantes de remplir les vaisseaux bloqués par les bulles d'air au printemps. Mais elle ne peut pousser l'eau jusqu'au sommet des arbres, de sorte qu'un vaisseau entravé par une cavitation ne peut donc plus jamais jouer son rôle de conduite d'eau. Cependant, la chaîne de molécules utilise une voie de contournement par les ponctuations des trachéides ou des vaisseaux. De plus, la croissance secondaire ajoute chaque année une couche de nouveaux vaisseaux dans le xylème. Seuls les plus jeunes anneaux de croissance, situés à la périphérie du xylème, transportent la majeure partie de l'eau. Bien qu'elles ne soient plus fonctionnelles dans le transport de l'eau, les plus vieilles zones du xylème servent à soutenir l'arbre (voir la figure 35.20).

La montée de la sève brute grâce au courant de masse: *une révision*

Le mécanisme de transpiration-cohésion-tension qui assure le transport de la sève brute du xylème contre la gravitation est un exemple qui illustre bien la façon dont les principes physiques

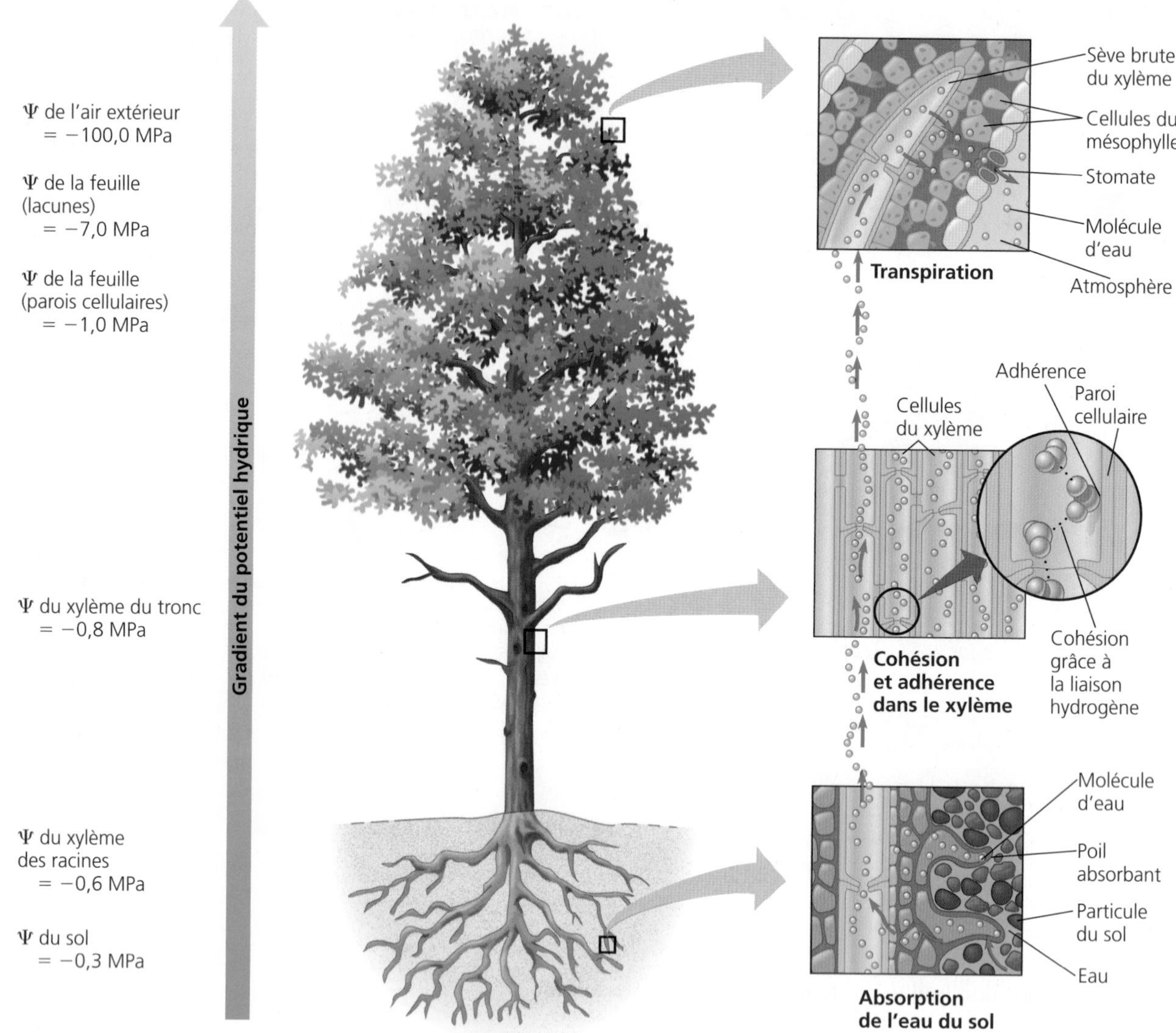

▲ **Figure 36.13 Ascension de la sève brute.** Les liaisons hydrogène permettent la formation d'une chaîne continue de molécules d'eau qui s'étend des feuilles jusqu'au sol. La force qui fait monter la sève brute dans le xylème est créée par un gradient de potentiel hydrique (ψ). Dans le cas du courant de masse sur une longue distance, le gradient de ψ est principalement attribuable au gradient de potentiel de pression (ψ_P). La transpiration provoque une diminution du ψ_P de l'extrémité du xylème qui se trouve dans la feuille. Ce ψ_P est alors inférieur au ψ_P de l'extrémité située dans la racine. Les valeurs du ψ montrées à gauche sont des « instantanés ». Durant le jour, ces valeurs peuvent varier, mais la direction du gradient du potentiel hydrique demeure la même.

s'appliquent aux processus biologiques. Le transport de l'eau sur de longues distances, des racines jusqu'aux feuilles, est assuré par le courant de masse. Le courant de masse est le déplacement d'un liquide provoqué par une différence de potentiel hydrique aux deux extrémités d'un conduit. Dans une plante, les conduits sont les éléments de vaisseau du xylème et les trachéides. La différence de potentiel hydrique est créée, à l'extrémité où se trouve la feuille, par l'effet d'aspiration de la transpiration, qui diminue le potentiel hydrique (et augmente donc la tension) à l'extrémité supérieure du xylème.

À plus petite échelle, les gradients de potentiel hydrique régissent le déplacement osmotique de l'eau d'une cellule à l'autre, dans les tissus des racines et des feuilles (voir la figure 36.13). La différence de concentration de solutés et la différence de pression de turgescence des deux côtés d'une paroi permettent ce transport sur une courte distance. À titre de comparaison, le courant de masse ne dépend que de la pression. De plus, contrairement à l'osmose, qui permet le déplacement d'eau seulement, le courant de masse déplace toute la solution, l'eau et les minéraux, ainsi que tout autre soluté dissous.

Grâce au courant de masse, la plante n'utilise aucune énergie pour faire monter l'eau. L'absorption de la lumière solaire fait transpirer la plante en vaporisant l'eau de la paroi humide des cellules du mésophylle et dans les lacunes des feuilles. C'est donc l'énergie solaire qui est à l'origine de l'ascension de la sève brute dans le xylème.

Retour sur le concept 36.3

1. Qu'arrive-t-il lorsqu'on fertilise une plante en période de sécheresse?
2. Les plantes appelées *épiphytes*, dont plusieurs espèces d'Orchidées, vivent dans des tropiques très humides et croissent sur des troncs d'arbres. Les épiphytes n'ont aucun contact avec le sol, mais ils peuvent absorber l'eau de l'air. Comment cela est-il possible?
3. Une des façons de prolonger la vie des fleurs coupées est de couper l'extrémité des tiges sous l'eau, puis de mettre les fleurs dans un vase pendant que des gouttelettes d'eau perlent encore sur les bouts coupés. Expliquez pourquoi ce truc prolonge la vie des fleurs coupées.

Voir les réponses proposées à la fin du chapitre.

Concept 36.4

Les stomates aident à réguler la transpiration

Les feuilles ont généralement une grande aire d'échange et présentent donc un rapport aire-volume élevé. Leur grande surface est une adaptation morphologique qui favorise l'absorption de la lumière nécessaire pour permettre la photosynthèse. Le rapport aire-volume élevé aide à capter le CO_2 pendant la photosynthèse et à libérer l'O_2, sous-produit de celle-ci. Après diffusion par les stomates, le CO_2 pénètre dans les espaces aériens alvéolés que forment les cellules lacuneuses du parenchyme (voir la figure 35.17). En raison de la forme irrégulière de ces cellules, la surface interne de la feuille peut être de 10 à 30 fois plus grande que la surface externe (la partie qu'on voit quand on observe une feuille).

La grande aire d'échange des feuilles ainsi que leur rapport aire-volume élevé favorisent la photosynthèse, mais ils présentent un inconvénient de taille: ils augmentent la perte d'eau par les stomates. Donc, une plante peut fabriquer sa nourriture à partir de la photosynthèse, mais, en contrepartie, ses besoins en eau sont énormes. En ouvrant et en fermant les stomates, les cellules stomatiques permettent à la plante d'équilibrer ses besoins en eau avec ses besoins en nourriture **(figure 36.14)**.

Les effets de la transpiration sur le flétrissement et la température de la feuille

Par la transpiration, une feuille peut perdre chaque jour une quantité d'eau supérieure à sa propre masse, et l'eau peut circuler dans le xylème à une vitesse de 75 cm/min, ce qui correspond à peu près à la vitesse de la trotteuse d'une horloge. Si la transpiration arrive à tirer suffisamment d'eau jusqu'aux feuilles, celles-ci ne flétriront pas. Toutefois, la transpiration augmente beaucoup par temps chaud, ensoleillé, sec et venteux, car ces facteurs climatiques augmentent la vaporisation de l'eau. Une plante peut s'adapter aux conditions déshydratantes en refermant ses stomates, mais elle perdra une certaine quantité d'eau par vaporisation même quand ceux-ci sont fermés. Ainsi, soumises à une sécheresse prolongée, les feuilles se mettent à flétrir parce que la pression de turgescence de leurs cellules diminue (voir la figure 36.7).

De plus, la transpiration a un effet de refroidissement par vaporisation sur la plante, et diminue la température d'une feuille de 10 à 15 °C par rapport à la température ambiante. Ainsi, la feuille n'atteint pas une température susceptible de dénaturer les différentes enzymes qui y catalysent les réactions photosynthétiques ou d'autres réactions métaboliques. Les feuilles des plantes grasses du désert, qui transpirent peu, peuvent supporter des températures élevées; la perte d'eau provoquée par la transpiration constitue une menace plus importante qu'une température très élevée. L'évolution de la biochimie des cactus a facilité leur survie à des températures très élevées.

Les stomates: les principales voies de la transpiration

Environ 90 % de l'eau perdue par la plante sort par les stomates, bien que ces pores ne représentent que 1 à 2 % de la surface externe des feuilles. La cuticule cireuse limite les pertes d'eau aux endroits de la feuille qui sont dépourvus de stomates. Chaque stomate est constitué de deux cellules stomatiques ayant chacune la forme d'un haricot chez les Dicotylédones et d'un haltère chez la plupart des Monocotylédones. La modification de la forme des cellules stomatiques fait varier le diamètre de l'ostiole, c'est-à-dire l'ouverture du stomate **(figure 36.15a)**. La quantité d'eau perdue par une feuille dépend du nombre de stomates et du diamètre moyen de leurs ouvertures.

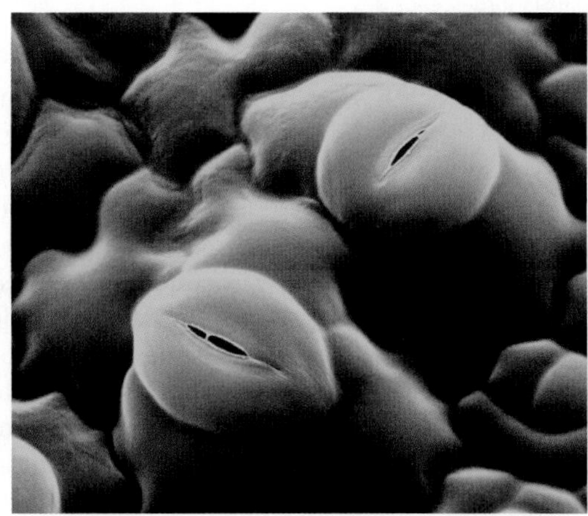

20 µm (625 ×)

◄ **Figure 36.14 Stomate ouvert (à gauche) et stomate fermé (à droite) (MP colorée).**

Cellules stomatiques turgescentes (stomate ouvert) | **Cellules stomatiques flasques (stomate fermé)**

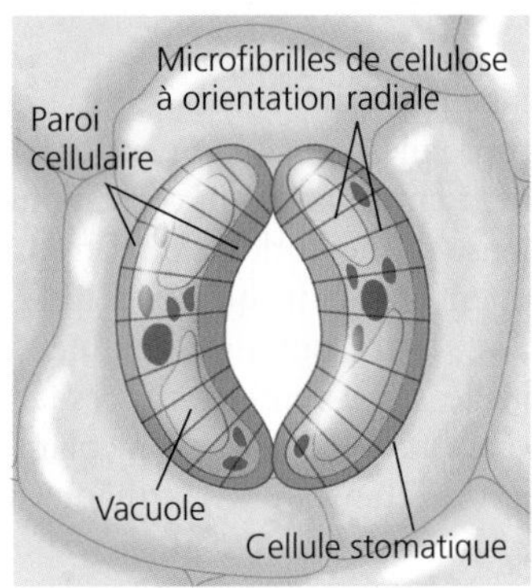

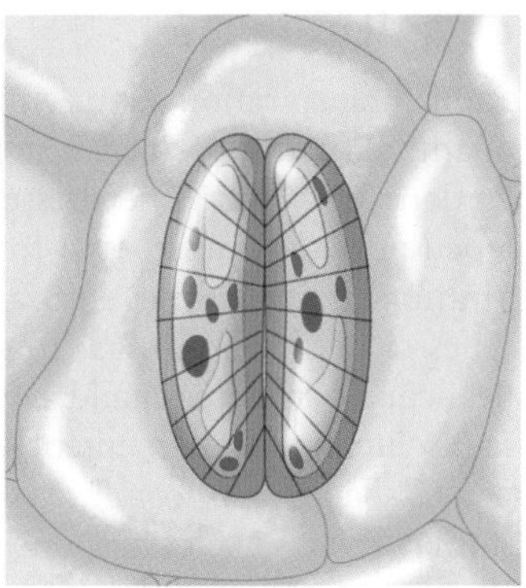

(a) Variations de forme des cellules stomatiques qui permettent l'ouverture et la fermeture du stomate (vue superficielle). Cette illustration montre les cellules stomatiques turgescentes (stomate ouvert) et flasques (stomate fermé) d'une Dicotylédone. Les cellules stomatiques se déforment vers les cellules épidermiques lorsqu'elles sont turgescentes. Des microfibrilles de cellulose situées dans leur paroi limitent l'étirement et la compression dans le même plan qu'elles. Ainsi, leur orientation radiale fait en sorte que les cellules se dilatent plus en longueur qu'en largeur quand il y a turgescence. Les cellules stomatiques étant reliées à leurs extrémités sur une certaine longueur qui demeure fixe, la pression de turgescence rencontre là une résistance accrue et agit davantage sur le côté épidermique de la paroi, plus mince et plus déformable. En exerçant une poussée sur la paroi mince, la pression de turgescence entraîne un déplacement des microfibrilles radiales vers les cellules épidermiques. En même temps, les microfibrilles tirent sur la paroi épaisse qui borde l'ostiole. Les cellules stomatiques prennent alors la forme d'un croissant.

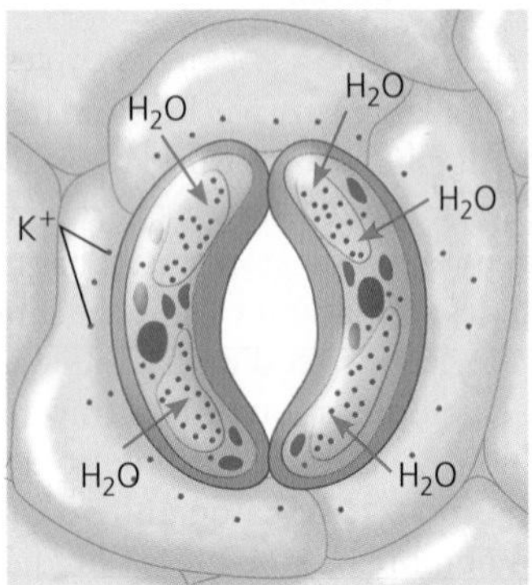

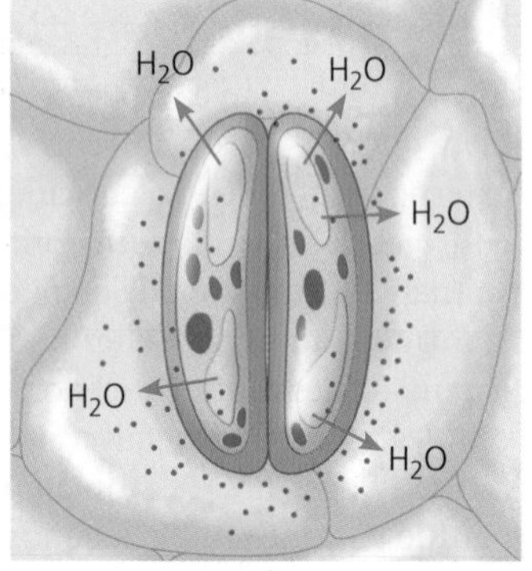

(b) Rôle du potassium dans l'ouverture et la fermeture du stomate. Le transport des ions K^+ (symbolisés ici par des points rouges), lesquels proviennent des cellules épidermiques et traversent la membrane plasmique et la membrane vacuolaire, modifie la turgescence des cellules stomatiques.

▲ **Figure 36.15 Mécanisme d'ouverture et de fermeture d'un stomate.**

La densité stomatique d'une feuille, qui peut s'élever à plus de 20 000 stomates par centimètre carré, dépend de facteurs génétiques et environnementaux. Par exemple, l'évolution par sélection naturelle a fait en sorte que les plantes désertiques ont une densité stomatique moins élevée que les plantes des marais. Chez plusieurs espèces végétales, la densité stomatique représente également une caractéristique plastique acquise au cours du développement. Ainsi, chez de nombreuses plantes, une intensité lumineuse élevée jumelée à un faible niveau de CO_2 pendant le développement des feuilles a tendance à augmenter la densité stomatique. En mesurant la densité stomatique de fossiles de feuilles, les scientifiques ont appris beaucoup sur les niveaux de CO_2 atmosphériques des climats qui remontent à très longtemps. Une récente étude britannique a permis d'établir que la densité stomatique de nombreuses espèces originaires de forêts-parcs a diminué depuis 1927, année où une étude du même type a été menée. Ce constat concorde avec la découverte que les niveaux atmosphériques de CO_2 ont considérablement augmenté au cours du XXe siècle en raison de l'utilisation grandissante des combustibles fossiles.

Lorsqu'elles absorbent par osmose de l'eau provenant des cellules voisines, les cellules stomatiques deviennent turgescentes et courbées. Chez la plupart des Angiospermes, les cellules stomatiques possèdent une paroi dont l'épaisseur n'est pas uniforme. Cette paroi contient des microfibrilles de cellulose dont l'orientation permet aux cellules stomatiques de se déformer vers l'extérieur quand elles sont turgescentes, comme nous l'avons vu à la figure 36.15a. Cette déformation augmente la taille de l'ostiole. Quand les cellules stomatiques perdent de l'eau et deviennent flasques, leur courbure s'affaisse, ce qui ferme l'ostiole.

Les variations de turgescence des cellules stomatiques, qui entraînent l'ouverture et la fermeture des stomates, dépendent de l'absorption et de la perte réversibles d'ions potassium (K^+). Les stomates s'ouvrent lorsque les cellules stomatiques accumulent des ions K^+ provenant des cellules épidermiques voisines **(figure 36.15b)**. L'apport de soluté diminue le potentiel hydrique à l'intérieur des cellules stomatiques. L'eau entre donc dans ces cellules par osmose, et augmente la turgescence. La majeure partie des ions K^+ et de l'eau est emmagasinée dans la vacuole centrale ; la membrane vacuolaire joue donc également un rôle dans la régulation du potentiel hydrique des cellules stomatiques. Inversement, les stomates se ferment lorsque les ions K^+ sortent des cellules stomatiques pour entrer dans les cellules voisines, causant une perte osmotique d'eau. La régulation assurée par les aquaporines peut également jouer un rôle dans le gonflement et le rétrécissement des cellules stomatiques en faisant varier la perméabilité des membranes à l'eau.

Le flux d'ions K^+ à travers la membrane des cellules stomatiques est associé à la création, par les pompes à protons, d'un potentiel de membrane. L'ouverture des stomates correspond à la sortie de protons (H^+), par transport actif, des cellules stomatiques. Le potentiel de membrane ainsi obtenu transporte les ions K^+ provenant des cellules épidermiques dans la cellule stomatique par l'intermédiaire des canaux spécifiques (perméases) de la membrane plasmique (voir la figure 36.4a). Normalement, les stomates sont ouverts le jour et fermés la nuit. De cette façon, la plante ne perd pas d'eau lorsqu'il fait trop sombre pour effectuer la photosynthèse. À l'aube, trois facteurs au moins provoquent l'ouverture des stomates. Premièrement, la lumière favorise l'accumulation de potassium dans les cellules stomatiques, qui deviennent turgescentes. Cette réaction est déclenchée par la lumière bleue du spectre visible qui excite des récepteurs situés dans le tonoplaste. L'activation de ces récepteurs stimule (grâce à l'énergie fournie par l'ATP) les pompes à protons présentes dans la membrane plasmique. Le côté interne des membranes devient alors plus négatif qu'auparavant, ce qui favorise l'entrée des ions K^+.

Deuxièmement, le manque de CO_2 dans les lacunes de la feuille provoque aussi l'ouverture des stomates. Cette carence survient lorsque la photosynthèse commence dans le mésophylle. On peut en fait forcer l'ouverture des stomates la nuit en plaçant la plante dans une pièce dépourvue de CO_2. Mais on ne sait pas, pour le moment, par quel mécanisme la concentration de CO_2 intervient dans l'ouverture et la fermeture des stomates.

Troisièmement, l'« horloge interne » des cellules stomatiques est un autre facteur qui cause l'ouverture des stomates. Une plante placée dans une pièce obscure continue de connaître le cycle quotidien d'ouverture et de fermeture des stomates. Tous les Eucaryotes possèdent des horloges internes qui régissent les processus cycliques. On appelle **rythmes circadiens** les cycles dont la période est d'environ 24 heures. (Nous étudierons les rythmes circadiens et les horloges biologiques qui les règlent au chapitre 39.)

Des facteurs environnementaux de toutes sortes peuvent provoquer la fermeture des stomates pendant la journée. Ainsi, lorsqu'une plante manque d'eau, la turgescence des cellules stomatiques diminue et les stomates se ferment. De plus, l'acide abscissique, hormone produite dans les racines en réponse à une carence en eau, commande aux cellules stomatiques de fermer les stomates. Cette réponse des stomates réduit la déshydratation, mais elle restreint également la captation de CO_2 et, par conséquent, la photosynthèse. Cela explique la baisse de rendement des cultures en période de sécheresse.

Ainsi, en analysant divers stimulus internes et externes, les cellules stomatiques régissent à chaque instant les processus complémentaires de la photosynthèse et de la transpiration. Le simple passage d'un nuage ou l'ensoleillement inégal au travers du toit de verdure d'une forêt peut influer sur la transpiration.

Les adaptations des xérophytes

Les **xérophytes** sont des plantes qui se sont adaptées à des climats arides. Leurs feuilles ont subi diverses modifications qui ont eu pour résultat de réduire leur vitesse de transpiration. Ainsi, un grand nombre possèdent de petites feuilles épaisses. C'est là une adaptation qui limite les pertes d'eau en réduisant la surface exposée par rapport au volume de la feuille. Une cuticule épaisse donne à certaines de ces feuilles l'aspect du cuir. Il existe d'autres adaptations, comme les feuilles très brillantes et les feuilles duveteuses qui emprisonnent une pellicule d'eau protectrice. Les stomates des xérophytes se concentrent sur la face inférieure des feuilles (à l'ombre) ; ils se trouvent souvent dans des dépressions semblables à des cryptes qui les protègent des vents secs **(figure 36.16)**. Durant les mois les plus secs de l'année, certaines plantes du désert perdent leurs feuilles. D'autres, tels les cactus, les conservent grâce aux réserves d'eau que la plante a emmagasinées dans sa tige charnue au cours de la saison des pluies.

Les adaptations les plus évoluées aux habitats arides se trouvent chez d'autres plantes grasses de la famille des Crassulacées, chez les Aïzoacées et plusieurs autres familles de Végétaux. Ces plantes assimilent le CO_2 grâce à un processus photosynthétique particulier appelé *métabolisme acide crassulacéen* (en anglais *crassulacean acid metabolism*, ou CAM) (voir la figure 10.20). Les cellules du mésophylle d'une plante qui effectue ce type de photosynthèse (CAM) possèdent des enzymes qui incorporent le CO_2 sous forme d'acides organiques au cours de la nuit. Le jour, ces acides organiques se dégradent pour libérer le CO_2 dans ces mêmes cellules. Les glucides sont ensuite synthétisés par la voie photosynthétique habituelle (C_3). Comme la feuille absorbe le CO_2 pendant la nuit, les stomates peuvent se refermer le jour, lorsque la transpiration est plus importante.

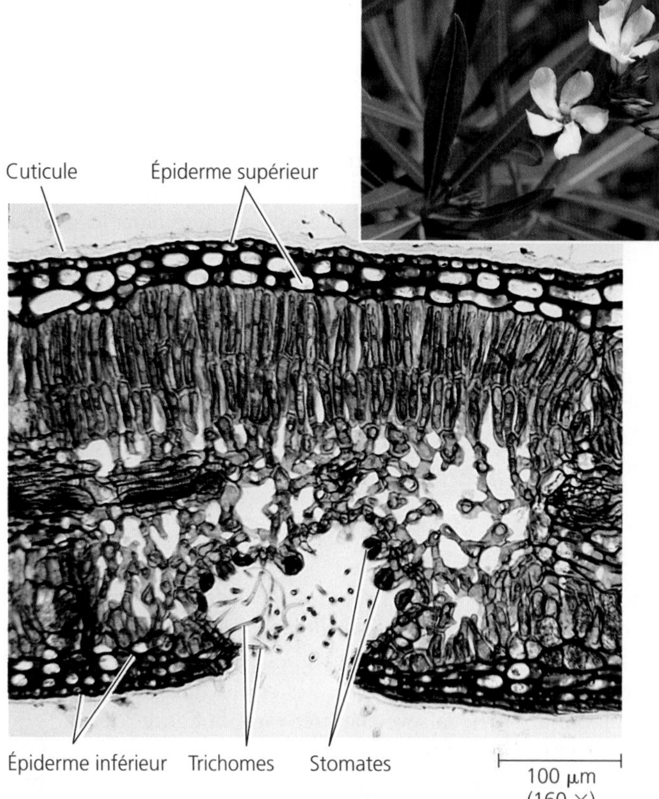

▲ **Figure 36.16 Adaptations structurales d'une feuille de xérophyte.** On trouve couramment le laurier-rose (*Nerium oleander*, en haut à droite) dans les régions arides. Ses feuilles possèdent une cuticule épaisse et un épiderme constitué de plusieurs couches qui réduisent la perte d'eau. Les stomates sont enfoncés dans des cryptes, adaptation structurale qui les protège des vents chauds et secs. Les trichomes, excroissances épidermiques qui ressemblent à des poils, contribuent également à réduire la transpiration en gênant la circulation d'air, ce qui permet de conserver un taux d'humidité plus élevé à l'intérieur de la crypte que dans l'environnement (MP).

Retour sur le concept 36.4

1. Les feuilles des plantes sont souvent parasitées par des moisissures (des Eumycètes). Ces moisissures sécrètent une substance chimique qui entraîne une accumulation d'ions K^+ dans les cellules stomatiques. Comment cette adaptation permet-elle aux moisissures d'infecter la plante ?
2. Décrivez les conditions environnementales qui minimiseraient le rapport transpiration-photosynthèse d'une plante C_3, par exemple un chêne.

Voir les réponses proposées à la fin du chapitre.

Concept 36.5

Le phloème transporte les nutriments organiques

La sève brute du xylème circule depuis les racines jusqu'aux feuilles, dans une direction qui l'empêche habituellement d'acheminer les glucides produits par photosynthèse dans les feuilles vers les autres parties de la plante. C'est la sève élaborée qui transporte ces glucides. Elle se compose en effet principalement de saccharose (les autres glucides sont en faible concentration), d'où sa consistance sirupeuse. Elle comprend également, en plus de l'eau, des acides aminés, des hormones et certains ions. La sève élaborée circule dans le phloème, l'autre tissu conducteur qui relie toutes les parties de la plante, généralement dans la direction opposée à celle de la sève brute dans le xylème.

Le transport des organes sources aux organes cibles

Chez les Angiospermes, les cellules spécialisées du phloème qui assurent le transport sont les cellules criblées. Elles sont disposées bout à bout pour former les tubes criblés. De plus, elles sont séparées par des parois poreuses, les cribles, qui permettent une circulation lente de la sève élaborée (voir la figure 35.9).

Contrairement au transport de la sève brute, qui est unidirectionnel (des racines aux feuilles), le transport de la sève élaborée se fait dans plusieurs directions. Toutefois, les tubes criblés transportent toujours la nourriture d'un organe source à un organe cible (qu'on appelle aussi le *puits*). Un **organe source** est un producteur net de glucides, par photosynthèse ou par hydrolyse de l'amidon. Les feuilles matures sont les principaux organes sources. Un **organe cible** consomme ou emmagasine les glucides. Les racines en croissance, les bourgeons, les tiges et les fruits constituent des organes cibles. Un organe d'entreposage, un tubercule ou un bulbe, par exemple, est, selon la saison, un organe source ou un organe cible. L'été, lorsqu'il assure le stockage des glucides, l'organe d'entreposage est un organe cible. Au début du printemps, après la dormance, l'organe d'entreposage devient un organe source, car l'amidon qu'il contient est dégradé en saccharose, qui est ensuite acheminé vers l'extrémité des pousses en croissance.

Un organe cible est alimenté par les organes sources les plus proches. Les feuilles supérieures d'une branche peuvent envoyer les glucides à l'extrémité de la pousse en croissance, tandis que les feuilles les plus basses envoient les glucides aux racines. Un fruit en croissance monopolise tous les organes sources qui se trouvent autour. La direction du transport dans chaque tube criblé ne dépend que des endroits où se trouvent l'organe source et l'organe cible qu'il relie. Par conséquent, les tubes voisins peuvent acheminer la sève dans des directions opposées. La direction peut aussi changer selon les saisons ou le stade de développement de la plante.

Les glucides doivent se rendre dans les tubes criblés avant de cheminer vers les organes cibles. Chez certaines espèces, ils peuvent circuler tels quels du mésophylle aux cellules criblées en empruntant le symplasme, c'est-à-dire en passant d'une cellule à l'autre par les plasmodesmes. Chez d'autres espèces, ils empruntent un itinéraire qui passe par le symplasme et l'apoplasme **(figure 36.17a)**. De nombreuses molécules de glucides entrent dans l'apoplasme et s'accumulent directement dans les cellules criblées ou les cellules compagnes. Chez certains

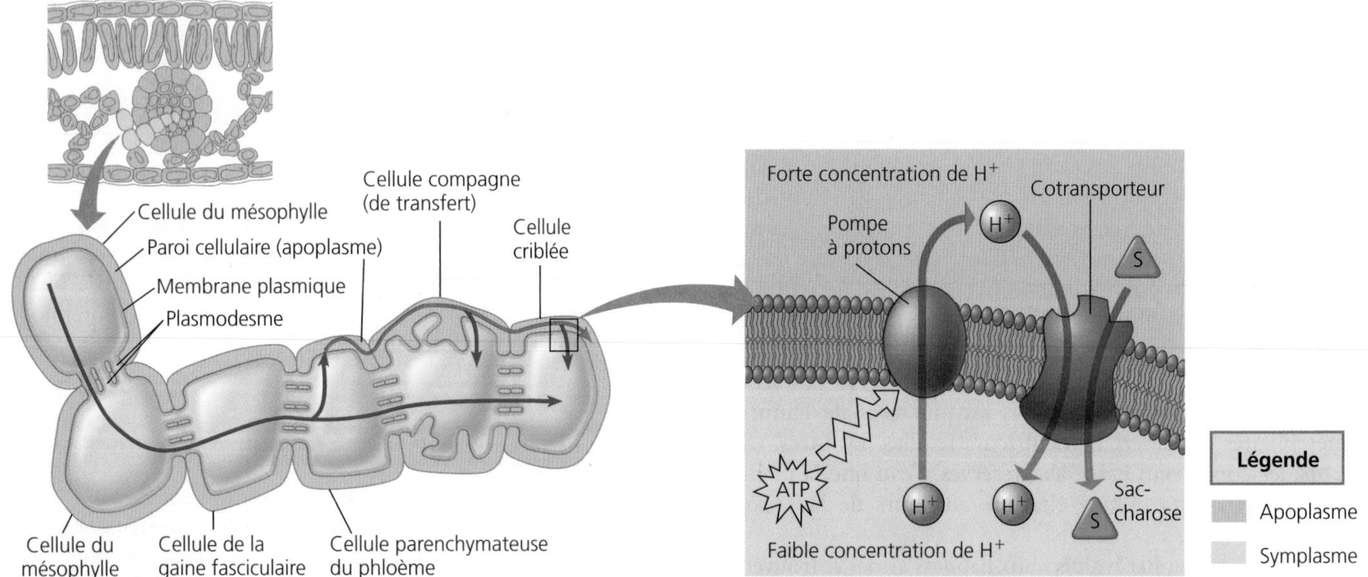

(a) Le saccharose produit dans les cellules du mésophylle peut emprunter la voie du symplasme (flèches bleues) pour se rendre dans les cellules criblées. Chez certaines espèces, il sort du symplasme (flèche rouge) près des tubes criblés et s'accumule par cotransport dans les cellules criblées et leurs cellules compagnes en passant par l'apoplasme.

(b) Un mécanisme chimiosmotique est responsable du cotransport du saccharose dans les cellules compagnes et les cellules criblées. Les pompes à protons (ATPase) engendrent un gradient électrochimique de H^+ de part et d'autre de la membrane. Les protons (H^+) ne peuvent regagner le cytosol que s'ils se lient à une protéine intramembranaire (une perméase) qui transporte également du saccharose. La perméase utilise l'énergie des protons pour acheminer ceux-ci, ainsi que le saccharose, vers le cytosol.

▲ **Figure 36.17 Remplissage du phloème en saccharose.**

Végétaux, les cellules compagnes ont une paroi qui comporte de nombreuses invaginations, ce qui favorise le transfert de solutés entre l'apoplasme et le symplasme. Ces cellules modifiées portent le nom de **cellules de transfert** (voir la figure 29.5).

Chez le maïs et de nombreux autres Végétaux, les cellules criblées emmagasinent le saccharose jusqu'à ce qu'il atteigne des concentrations deux ou trois fois plus élevées que dans le mésophylle. Le remplissage du phloème nécessite donc un transport actif (cotransport). Ce sont les pompes à protons de même que le cotransport du saccharose et des protons (H^+) qui permettent aux cellules d'accumuler le saccharose **(figure 36.17b)**.

Le phloème se décharge de son saccharose lorsque celui-ci atteint l'extrémité du tube criblé, près de l'organe cible. Ce processus varie selon l'espèce de la plante et le type d'organe. Cependant, la concentration de glucides libres dans l'organe cible est toujours inférieure à la concentration interne du tube criblé parce que le glucide déchargé est soit consommé pour assurer la croissance et le métabolisme des cellules cibles, soit converti en polymères insolubles comme l'amidon. Résultat de ce gradient de concentration de glucides : les molécules de glucide diffusent du phloème vers les tissus cibles ; l'eau suit par osmose.

Le courant de masse : le mécanisme de transport de la sève élaborée chez les Angiospermes

La sève élaborée du phloème circule de l'organe source à l'organe cible à une vitesse qui peut atteindre 1 m/h. On estime que cette vitesse est trop élevée pour n'être causée que par la diffusion. En étudiant les Angiospermes, des chercheurs ont conclu que la sève élaborée se déplace dans un tube criblé grâce au courant de masse, qui est créé par une pression positive, comme on peut le voir à la **figure 36.18**. L'accumulation de pression à une extrémité du tube (source) et la diminution de pression à l'autre extrémité (cible) amènent l'eau chargée de glucides à circuler de l'organe source vers l'organe cible. L'eau retourne ensuite à l'organe source en passant par les vaisseaux du xylème.

Cette hypothèse du gradient de pression qui crée un courant permet d'expliquer pourquoi la sève élaborée du phloème circule toujours de l'organe source à l'organe cible. Des expériences comme celle qui est décrite à la **figure 36.19** indiquent que ce modèle du gradient de pression s'applique particulièrement bien aux Angiospermes, mais on ignore s'il est valable pour les autres plantes vasculaires.

Nous avons vu des exemples de transport des glucides à trois niveaux : le transport à travers la membrane plasmique au niveau cellulaire (l'accumulation de saccharose par cotransport dans le

1 L'apport de glucides (principalement du saccharose), symbolisés ici par des points verts, dans le tube criblé situé à proximité de l'organe source réduit le potentiel hydrique dans les cellules criblées, ce qui provoque l'entrée par osmose de l'eau provenant des tissus environnants.

2 L'absorption d'eau engendre une pression positive qui pousse la sève élaborée dans le tube criblé.

3 La pression est libérée par la sortie des glucides (saccharose surtout) qui vont vers l'organe cible et de l'eau qui les suit par osmose.

4 Dans le cas du transport des feuilles aux racines, l'eau revient à l'organe source en passant par le xylème.

▲ **Figure 36.18 Courant de masse dans un tube criblé.**

Figure 36.19

Investigation Comment la sève élaborée circule-t-elle des organes sources aux organes cibles ?

EXPÉRIENCE Pour vérifier l'hypothèse du gradient de pression, des chercheurs ont utilisé des pucerons qui se nourrissent de sève élaborée. L'Insecte insère une pièce buccale modifiée, appelée *stylet*, dans la plante et explore l'intérieur jusqu'à ce que l'appendice pénètre dans une cellule criblée. Pendant que la pression interne du tube criblé pousse la sève élaborée dans le stylet, on peut séparer le puceron de son stylet, qui reste dans la plante ; celui-ci sert de minuscule robinet par lequel s'écoule la sève élaborée durant des heures. Les chercheurs ont mesuré le débit d'écoulement de la sève du stylet et sa concentration en glucides à différents endroits entre un organe source et un organe cible.

Le puceron se nourrit.

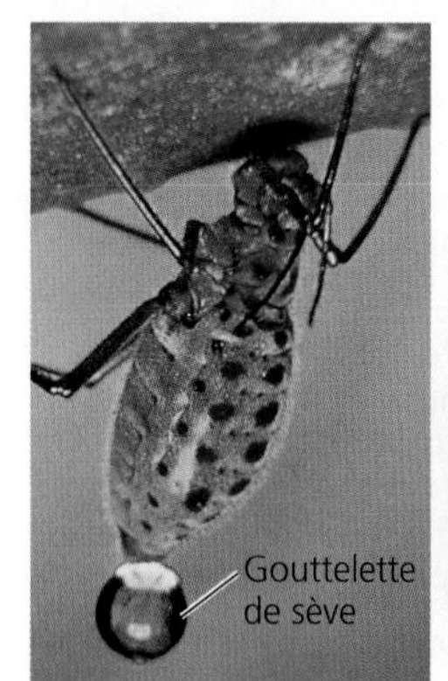

Le stylet pénètre dans une cellule criblée.

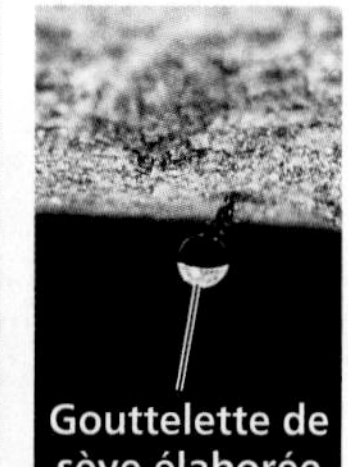

Le stylet amputé du puceron exsude la sève élaborée.

RÉSULTATS Plus le stylet se trouvait près d'un organe source, plus la sève élaborée coulait rapidement et plus sa concentration en glucides (surtout du saccharose) était élevée.

CONCLUSION Les résultats de cette expérience appuient l'hypothèse du courant de masse.

phloème) ; le transport dans les organes sur de courtes distances (le déplacement du saccharose qui emprunte le symplasme et l'apoplasme pour passer du mésophylle au phloème) ; le transport entre les organes sur de longues distances (le courant de masse dans les tubes criblés). Une meilleure compréhension de ces mécanismes est essentielle à l'avancement de l'agriculture. Les études de modélisation dans des conditions de croissance idéales indiquent que ce n'est pas la photosynthèse qui détermine le rendement d'une plante, mais la capacité de la plante à transporter les glucides. Par conséquent, le génie génétique qui cherche à obtenir des rendements élevés dans les cultures pourrait tirer parti d'une meilleure compréhension des facteurs qui limitent le courant de masse des glucides. Comme on peut le constater, la recherche fondamentale sur les Végétaux est intimement liée à la technologie agricole.

Retour sur le concept 36.5

1. Comparez les forces qui font circuler la sève élaborée et les forces qui font circuler la sève brute sur de longues distances.
2. À basse température, les pommes de terre transforment l'amidon en sucre. (Cela est d'ailleurs un problème pour l'industrie de la croustille, car le sucre des pommes de terre refroidies devient brun foncé au cours de la transformation.) Quel effet le refroidissement du sol autour d'un tubercule de pomme de terre aurait-il sur l'entrée des glucides dans ses cellules ?

Voir les réponses proposées à la fin du chapitre.

Révision du chapitre 36

RÉSUMÉ DES CONCEPTS CLÉS

Concept 36.1

Des processus physiques interviennent dans le transport des substances à l'échelle des cellules, des organes et de la plante entière

- **La perméabilité sélective des membranes : *une révision* (p. 799-800).** Des protéines de transport spécifiques permettent aux cellules végétales de conserver un milieu interne différent de leur environnement.
- **Le rôle de premier plan des pompes à protons (p. 800-801).** Le potentiel de membrane et le gradient de protons engendrés par les pompes à protons servent au transport de différents solutés.
- **Les effets des différences de potentiel hydrique (p. 801-803).** Les solutés diminuent le potentiel hydrique, tandis que la pression l'augmente. Par osmose, l'eau passe d'un compartiment dont le potentiel hydrique est élevé à un compartiment dont le potentiel hydrique est bas.
- **Les trois compartiments majeurs des cellules végétales vacuolisées (p. 803-804).** Les trois compartiments majeurs des cellules végétales vacuolisées sont la paroi cellulaire, le cytosol et la vacuole centrale. La membrane plasmique régule le transport entre le cytosol et la solution de la paroi cellulaire ; la membrane vacuolaire régule le transport entre le cytosol et le suc vacuolaire.
- **Le rôle du symplasme et de l'apoplasme dans le transport (p. 804-805).** Le symplasme est le réseau de plasmodesmes qui assure une continuité entre les cytosols. L'apoplasme est l'ensemble des parois cellulaires et des espaces extracellulaires.
- **Le rôle du courant de masse dans le transport sur de longues distances (p. 805).** Les différences de pression aux extrémités des conduits – les vaisseaux du xylème et les tubes criblés – permettent le transport de la sève brute et de la sève élaborée.

Concept 36.2

Les racines absorbent l'eau et les minéraux du sol

- **Le rôle des poils absorbants, des mycorhizes et des cellules corticales (p. 805-806).** Les poils absorbants représentent la voie d'absorption la plus importante près des extrémités des racines. Mais les mycorhizes, association mutualiste de champignons et de racines, sont responsables de la majeure partie de l'absorption pour tout le système racinaire. Quand la solution du sol pénètre dans la racine, la grande surface des cellules corticales augmente l'absorption de l'eau et des minéraux sélectionnés.
- **L'endoderme : une barrière sélective (p. 806-807).** L'eau peut traverser l'écorce en empruntant le symplasme ou l'apoplasme. Mais les minéraux qui atteignent l'endoderme par l'apoplasme doivent obligatoirement traverser la membrane plasmique sélective des cellules de l'endoderme. La bande de Caspary, bande cireuse de l'endoderme, empêche le transfert, par l'apoplasme, des minéraux de l'écorce au cylindre vasculaire.

Concept 36.3

L'eau et les minéraux absorbés par les racines montent dans le xylème jusqu'aux pousses

- **Les facteurs influant sur la montée de la sève brute dans le xylème (p. 807-809).** La perte de vapeur d'eau (transpiration) diminue le potentiel hydrique dans la feuille en provoquant une tension (baisse de pression). Ce potentiel hydrique faible provoque un effet d'aspiration de l'eau du xylème. La cohésion et l'adhérence de l'eau transmettent cette force d'aspiration dans tout le xylème, jusqu'aux racines.
- **La montée de la sève brute grâce au courant de masse : *une révision* (p. 809-811).** La transpiration permet le déplacement de la sève brute contre la gravitation.

Concept 36.4

Les stomates aident à réguler la transpiration

- **Les effets de la transpiration sur le flétrissement et la température de la feuille (p. 811).** Les plantes perdent une quantité d'eau étonnante par transpiration. Si l'absorption d'eau par les racines ne remplace par cette eau perdue, la plante se déshydratera et flétrira. Comme le refroidissement par évaporation est réduit, la plante flétrie risque de souffrir de la chaleur.
- **Les stomates : les principales voies de la transpiration (p. 811-813).** Les stomates permettent la photosynthèse en autorisant les échanges de CO_2 et d'O_2 entre la feuille et l'atmosphère. Mais

ces pores représentent également la principale voie de transpiration de la plante. Les variations de forme des cellules stomatiques provoquées par la turgescence, qui dépend de l'entrée et de la sortie des ions K^+ et de l'eau, régulent la taille de l'ostiole.

- **Les adaptations des xérophytes (p. 813).** La protection des stomates dans des invaginations de la feuille et d'autres adaptations structurales permettent à certaines plantes de survivre en milieu aride.

Concept 36.5

Le phloème transporte les nutriments organiques

- **Le transport des organes sources aux organes cibles (p. 814-815).** Les feuilles matures sont les principaux organes sources. Les organes d'entreposage, comme les bulbes, peuvent être des organes sources à certaines saisons. Les racines et les extrémités des pousses en croissance sont des organes cibles. Le remplissage et la vidange du phloème dépendent du cotransport du saccharose. Le saccharose est transporté avec les protons, qui diffusent dans le sens du gradient engendré par les pompes à protons.
- **Le courant de masse: le mécanisme de transport de la sève élaborée chez les Angiospermes (p. 815-816).** Le remplissage du tube criblé en glucides à l'extrémité située près d'un organe source et sa vidange à l'extrémité située près d'un organe cible maintiennent une différence de pression qui permet la circulation de la sève dans tout le tube criblé.

VÉRIFIEZ VOS CONNAISSANCES

Autoévaluation

(Les questions dont les numéros sont en caractères gras font surtout appel à la compréhension.)

1. Lequel des facteurs suivants *ne contribue pas* à faire entrer l'eau dans une cellule végétale?
a) Une augmentation du potentiel hydrique (ψ) de la solution environnante.
b) Une diminution de la pression exercée sur la cellule par la paroi.
c) L'absorption de solutés par la cellule.
d) Une diminution du ψ cytosolique.
e) Une augmentation de la tension dans la solution environnante.

2. Les stomates s'ouvrent quand les cellules stomatiques:
a) détectent une augmentation de CO_2 dans les lacunes de la feuille.
b) perdent leur turgescence.
c) deviennent plus turgescentes par suite d'une entrée de K^+, suivie d'une entrée d'eau par osmose.
d) désactivent leurs aquaporines, empêchant ainsi toute absorption d'eau.
e) accumulent de l'eau par transport actif.

3. Laquelle des modalités suivantes *ne fait pas* partie du mécanisme de transpiration-cohésion-tension responsable de l'ascension de la sève brute dans le xylème?
a) La perte d'eau des cellules du mésophylle, qui entraîne l'aspiration de l'eau située dans les cellules voisines.
b) La transmission de l'effet d'aspiration d'une molécule d'eau à l'autre grâce à la cohésion créée par les liaisons hydrogène.
c) La paroi hydrophile des trachéides et des vaisseaux du xylème, qui aide à maintenir la colonne d'eau malgré la force de gravitation.
d) Le pompage actif de l'eau dans le xylème des racines.
e) La diminution, par suite de la transpiration, du potentiel hydrique dans la pellicule d'eau située à la surface des cellules du mésophylle.

4. Lequel des transports suivants s'effectue *sans* ATP dans un organe d'une plante?
a) Le transport de minéraux de l'apoplasme au symplasme.
b) Le transport de saccharose des cellules du mésophylle aux cellules criblées chez le maïs.
c) Le transport de saccharose d'une cellule criblée à l'autre.
d) L'absorption des ions K^+ par les cellules stomatiques pendant l'ouverture des stomates.
e) Le transport de minéraux dans les cellules de l'écorce des racines.

5. Le transport de la sève élaborée d'un organe source à un organe cible:
a) s'effectue dans l'apoplasme des cellules criblées.
b) déplace les glucides obtenus par hydrolyse de l'amidon depuis les racines, où ce dernier est emmagasiné, jusqu'aux pousses en croissance.
c) est semblable à la circulation de la sève brute dans le xylème, laquelle dépend de la tension ou d'un gradient de pression.
d) dépend du pompage actif de l'eau dans les tubes criblés à l'extrémité où se trouve l'organe source.
e) est principalement engendré par la diffusion.

6. La productivité d'une culture décroît lorsque les feuilles commencent à se flétrir, surtout parce que:
a) la chlorophylle des feuilles qui se flétrissent se décompose.
b) les cellules flasques du mésophylle ne peuvent plus effectuer de photosynthèse.
c) les stomates se referment, empêchant le CO_2 de pénétrer dans la feuille.
d) la photolyse, étape où la molécule d'eau est scindée, ne peut avoir lieu quand l'eau manque.
e) l'accumulation de CO_2 dans la feuille inhibe les enzymes de la photosynthèse.

7. Vous coupez une branche vivante d'un arbre et en examinez la surface de coupe au moyen d'une loupe. Après avoir localisé les tissus conducteurs, vous observez une gouttelette de liquide qui grossit. Ce liquide est probablement:
a) de la sève élaborée.
b) de la sève brute.
c) de l'eau qui s'écoule par guttation.
d) issu du courant de transpiration.
e) composé entièrement de sève vacuolaire provenant de cellules non vasculaires.

8. Quelle structure ou quel compartiment *ne fait pas* partie de l'apoplasme dans une plante?
a) La lumière d'un vaisseau du xylème.
b) La lumière d'un tube criblé.
c) La paroi cellulaire d'une cellule du mésophylle.
d) La paroi cellulaire d'une cellule de transfert.
e) La paroi cellulaire d'un poil absorbant.

9. Parmi les structures ou processus suivants, laquelle ou lequel *n'est pas* une adaptation qui augmente l'absorption de l'eau et des minéraux par les racines?
a) Les mycorhizes, association mutualiste de racines et de champignons.
b) Les poils absorbants, qui augmentent la surface des racines près des extrémités.
c) L'absorption sélective de minéraux par les vaisseaux du xylème.
d) L'absorption sélective de minéraux par les cellules corticales.
e) Les plasmodesmes, qui facilitent le transport depuis les poils absorbants jusqu'à l'endoderme par le symplasme.

10. Une cellule végétale dont le potentiel osmotique est de –0,65 MPa garde un volume constant quand elle baigne dans une solution dont le potentiel osmotique est de –0,30 MPa et qui se trouve dans un récipient ouvert. Que savons-nous à propos de la cellule?
a) Son potentiel de pression est de +0,65 MPa.
b) Son potentiel hydrique est de –0,65 MPa.
c) Son potentiel de pression est de +0,35 MPa.
d) Son potentiel de pression est de +0,30 MPa.
e) Son potentiel hydrique est de 0 MPa.

11. Le courant de masse:
a) ne permet le transport de la sève que sur de courtes distances.
b) est responsable du déplacement de l'eau seulement (non des solutés).
c) ne s'applique qu'au xylème.
d) résulte d'une différence de potentiel hydrique entre deux points.
e) nécessite une dépense d'énergie provenant de l'hydrolyse de l'ATP pour le passage d'une cellule criblée à l'autre.

Lien avec l'évolution

L'analyse de feuilles prélevées sur des plantes herborisées depuis longtemps montre que le nombre de stomates par unité d'aire a diminué durant les 200 dernières années. Émettez une hypothèse faisant le lien entre cette tendance au cours de l'évolution et les changements environnementaux.

Intégration

Vous suspendez des jardinières autour de votre maison de telle sorte qu'elles soient exposées au Soleil de l'été toute la journée. Vous avez suffisamment enrichi la terre des pots. Pour maximiser le rendement de vos plantes, devriez-vous les arroser tôt le matin, à midi ou au crépuscule ? Donnez des arguments d'ordre anatomique, physiologique ou physicochimique pour appuyer votre réponse.

Science, technologie et société

La transpiration chez les Végétaux joue un rôle clé dans la montée de la sève brute, mais elle est aussi responsable d'une perte d'eau qu'il faut combler, dans le cas des plantes en culture, par l'irrigation. Or, l'irrigation des cultures consomme une énorme quantité d'eau : on estime qu'elle utilise, à elle seule, les trois quarts de tout le volume d'eau consommé dans le monde (dans certaines régions, en période estivale, on estime cette part à plus de 80 %). Certaines cultures, comme celle du maïs (nous l'avons vu dans le chapitre), sont plus gourmandes que d'autres. L'irrigation entraîne aussi des risques pour les sols et les plantes : si elle n'est pas adéquate, elle peut entraîner l'érosion des sols, leur salinisation et l'asphyxie des racines notamment. Compte tenu du fait que l'humain a autant besoin d'eau que d'aliments et que, selon la Food and Agriculture Organization of the United Nations (FAO), l'agriculture irriguée fournit 40 % de la production alimentaire mondiale, peut-on à la fois épargner l'eau et produire des aliments en quantité suffisante ? Imaginez que vous devez proposer des pistes de solution à ce problème ; de quels côtés dirigeriez-vous vos efforts : choix des cultures, techniques d'irrigation (nouvelles technologies), approvisionnement en eau (nouvelles pratiques), politique globale de gestion de l'eau, taxes sur l'eau ? Faites preuve d'imagination. Précisez vos propositions dans les différents domaines où vous auriez déterminé qu'il fallait intervenir.

Réponses du chapitre 36

Retour sur le concept 36.1

1. La concentration relativement élevée des sels dans la solution du sol peut faire en sorte que le potentiel hydrique devienne plus négatif, ce qui réduit l'absorption de l'eau en abaissant le gradient de potentiel hydrique du sol aux racines.
2. Le ψ_P est de 0,70 MPa. Dans une solution ayant un ψ de –0,40 MPa, le ψ_P de la cellule à l'équilibre serait de 0,30 MPa.

Retour sur le concept 36.2

1. Le fongicide peut tuer les mycorhizes qui jouent un rôle dans l'absorption du phosphate.
2. L'endoderme régule le passage des solutés hydrosolubles en les obligeant à traverser une membrane à perméabilité sélective.

Retour sur le concept 36.3

1. En abaissant le potentiel de soluté (et le potentiel hydrique) du sol, le fertilisant rendra plus difficile l'absorption de l'eau par la plante.
2. L'air humide a un potentiel hydrique plus élevé que les feuilles.
3. La transpiration des feuilles et des pétales (qui sont des feuilles modifiées) d'une fleur coupée continue de provoquer l'aspiration de la sève dans le xylème. Si l'on coupe la tige à l'air libre pour la mettre directement dans un vase, les poches d'air présentes dans le xylème empêchent l'eau du vase d'atteindre la fleur. Si, par contre, on coupe la tige à quelques centimètres de la base (c'est-à-dire de la première coupe) en la tenant immergée, on sectionne le xylème au-dessus de la poche d'air qui a pu s'y former pendant le transport ou l'emballage. De plus, les gouttes d'eau empêchent l'air de pénétrer dans le xylème et de former de nouvelles poches avant que l'on mette la fleur dans le vase.

Retour sur le concept 36.4

1. L'accumulation de potassium dans les cellules stomatiques entraîne une absorption osmotique de l'eau. La turgescence des cellules maintient le stomate ouvert. Les moisissures peuvent alors y pénétrer pour croître à l'intérieur de la feuille.
2. Une journée ensoleillée avec une température agréable, mais pas chaude ; une humidité élevée ; un vent léger.

Retour sur le concept 36.5

1. Dans les deux cas, le transport sur une longue distance est assuré par le courant de masse, qui est lui-même créé par une différence de pression aux extrémités opposées du tissu conducteur. Dans le phloème, à l'extrémité située près de l'organe source, la pression est engendrée par le remplissage en saccharose et l'entrée d'eau qui s'ensuit par osmose. Cette pression *pousse* la sève élaborée vers l'extrémité des tubes criblés située près de l'organe cible. Dans le xylème, la circulation est engendrée par la transpiration, qui est à l'origine d'une tension (baisse de pression) au sommet qui *aspire* la sève brute vers le haut.
2. À basse température, le contenu glucidique élevé du tubercule de pomme de terre en croissance abaissera le potentiel de soluté (et le potentiel hydrique) du tubercule et réduira le courant de masse des glucides vers celui-ci.

Autoévaluation

1. e; 2. c; **3.** d; 4. c; 5. b; **6.** c; **7.** a; 8. b; 9. c; **10.** c; 11. d.

37

La nutrition chez les Végétaux

▲ **Figure 37.1 Systèmes racinaire et caulinaire d'un plant de pois.**

Concepts clés

37.1 Le cycle de développement des Végétaux nécessite certains éléments chimiques

37.2 La qualité du sol est déterminante dans la chorologie et la croissance d'une plante

37.3 L'azote est souvent le minéral qui a le plus d'effet sur la croissance de la plante

37.4 Les adaptations nutritives des plantes comportent souvent des associations avec d'autres organismes

Introduction

Un échange continu de matière et d'énergie

Tout organisme est relié à son environnement par un échange continu d'énergie et de matière. À l'échelle de l'écosystème, les Végétaux et les autres autotrophes photosynthétiques effectuent le travail clé que constitue la transformation des composés inorganiques en composés organiques. Cependant, *autotrophes* ne signifie pas que les organismes en question sont autonomes. En effet, les Végétaux ont besoin de la lumière du Soleil comme source d'énergie pour la photosynthèse. De plus, ils réclament aussi, pour synthétiser de la matière organique, de la matière brute sous forme de substances inorganiques: eau, minéraux et dioxyde de carbone. En général, une plante puise l'eau et les minéraux dans le sol et capte le dioxyde de carbone dans l'air. Grâce aux systèmes racinaire et caulinaire ramifiés (voir la photo d'un plant de pois à la **figure 37.1**), les Vasculaires ont une grande surface de contact avec ces deux réservoirs de nutriments inorganiques.

Au chapitre 36, nous avons vu les mécanismes par lesquels les Vasculaires transportent l'eau, les minéraux et les nutriments organiques. Dans ce chapitre-ci, nous allons étudier les besoins nutritifs des Végétaux et examiner certaines des adaptations qu'ils ont dû acquérir pour se nourrir, souvent en association avec d'autres organismes.

Concept 37.1

Le cycle de développement des Végétaux nécessite certains éléments chimiques

Quand on suit la transformation d'une minuscule graine en une grande plante, on ne peut s'empêcher de se demander d'où vient toute cette masse. Aristote, au IVe siècle avant notre ère, croyait que c'était le sol qui fournissait à la plante la substance nécessaire à sa croissance, car elle semblait en émerger. Le philosophe grec pensait aussi que le rôle des feuilles des plantes à fleurs consistait à donner de l'ombre aux fruits en développement. Au XVIIe siècle, le médecin et chimiste flamand Jan Baptist Van Helmont mit au point une expérience visant à vérifier si la croissance végétale s'effectuait grâce à la consommation des constituants du sol. Il planta un petit saule (*Salix sp.*) dans un pot contenant 90,9 kg de sol. Cinq ans plus tard, le saule était devenu un arbre pesant 76,8 kg, mais il ne manquait que 0,06 kg de sol dans le pot. Van Helmont en conclut que la croissance du saule était principalement attribuable à l'eau qu'il avait ajoutée régulièrement. Un siècle plus tard, le physiologiste britannique Stephen Hales (1677-1760) émettait l'hypothèse que les Végétaux se nourrissent surtout d'air.

Il s'avère qu'il y a un peu de vérité dans chacune de ces hypothèses concernant la nutrition des Végétaux: le sol, l'eau et l'air contribuent à la croissance d'une plante **(figure 37.2)**. Il est vrai que les Végétaux extraient leurs minéraux du sol. Les **minéraux** sont les éléments chimiques essentiels que les Végétaux absorbent dans le sol sous forme d'ions inorganiques. Par exemple, les Végétaux ont besoin d'azote, qu'ils obtiennent principalement sous forme d'ions nitrate (ou trioxonitrates, NO_3^-). Cependant, les minéraux du sol n'ajoutent que peu à la masse totale d'une plante. En général, une plante se compose d'environ 80 à 90 % d'eau, et la croissance résulte principalement de l'accumulation d'eau dans la vacuole centrale de ses cellules. L'eau est également un nutriment qui fournit la plus grande partie de l'hydrogène et une partie de l'oxygène nécessaires à la fabrication de substances organiques par photosynthèse (voir la figure 10.4).

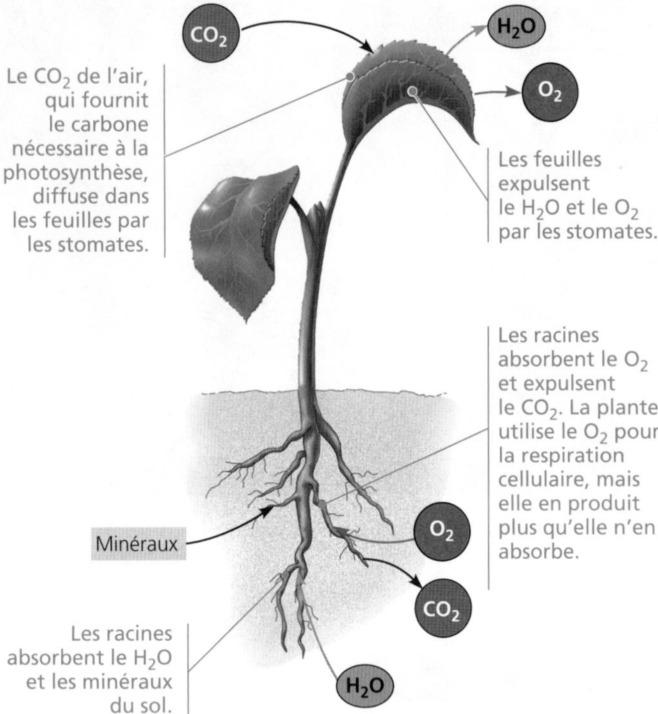

▲ **Figure 37.2 Absorption des nutriments par une plante: révision.** À partir de CO_2, de O_2, de H_2O et de minéraux, la plante produit toute sa matière organique. (Voir aussi la figure 36.2.)

Cependant, seule une petite partie des atomes de l'eau qui pénètre dans la plante entre dans la composition de substances organiques. Par exemple, on estime que le maïs perd par transpiration plus de 90 % de l'eau qu'il a absorbée. L'eau retenue par une plante a trois grandes fonctions: elle sert de solvant, fournit la majeure partie de la masse pour l'allongement cellulaire et permet aux tissus mous de conserver leur forme en favorisant leur turgescence. La masse de substances organiques d'une plante ne provient donc pas de l'eau ni des minéraux du sol, mais du CO_2 de l'air.

Il est possible de mesurer la quantité d'eau contenue dans une plante. Il suffit pour cela de comparer la masse initiale de la plante avec la masse après déshydratation complète. On peut aussi analyser la composition chimique des résidus secs. Les substances organiques représentent environ 96 % de la masse sèche; les minéraux inorganiques comblent les 4 % restants. Les glucides, dont la cellulose qui compose la paroi d'une cellule végétale, constituent la plupart des substances organiques. Ainsi, les éléments constitutifs des glucides, c'est-à-dire le carbone, l'hydrogène et l'oxygène, sont les éléments les plus abondants dans la masse sèche d'une plante. L'azote, le soufre et le phosphore, présents dans certaines molécules organiques, y sont aussi relativement abondants.

Les éléments majeurs et les éléments mineurs

On a relevé plus de 50 éléments constituant les substances inorganiques présentes chez les Végétaux. Cependant, il est improbable qu'ils soient tous essentiels. Un **élément essentiel** est un élément chimique dont une plante a besoin au cours de son cycle de développement, lequel consiste à devenir une plante adulte produisant une autre génération. Si on obtient des indications sur les besoins nutritifs des Végétaux en étudiant leur composition chimique, on doit bien faire la distinction entre les éléments essentiels et ceux qui sont tout simplement présents dans la plante. Les minéraux contenus dans une plante reflètent jusqu'à un certain point la composition du sol. Par exemple, une plante poussant sur des résidus miniers peut contenir de l'or ou de l'argent, mais ceux-ci n'ont aucune fonction nutritive.

Pour déterminer les éléments chimiques qui sont essentiels, les chercheurs utilisent la **culture hydroponique**, qui consiste à faire pousser des plantes sans sol, directement dans des solutions minérales ou dans un support inerte contenant ces solutions **(figure 37.3)**. Cette technique a permis de trouver 17 éléments essentiels à toute plante (**tableau 37.1** de la page suivante).

Neuf des éléments essentiels sont appelés **éléments majeurs** (ou *macronutriments*) parce que ce sont les éléments dont une

Figure 37.3

Méthode de recherche La culture hydroponique

APPLICATION La culture hydroponique consiste à faire pousser des plantes dans des solutions minérales, sans sol. Un des objectifs de ce type de culture est de déterminer les éléments essentiels dans les plantes.

TECHNIQUE On plonge les racines de la plante dans une solution aérée d'une composition minérale connue. L'aération de la solution fournit aux racines l'oxygène nécessaire pour la respiration cellulaire. On peut omettre un minéral donné, comme le potassium, pour vérifier s'il est essentiel.

Plante témoin: milieu nutritif complet

Plante expérimentale: milieu nutritif ne contenant pas de potassium

RÉSULTATS Si le minéral omis est essentiel, des symptômes de carence apparaissent, comme un arrêt de croissance ou une décoloration des feuilles. Les symptômes de la carence varient selon le minéral manquant, ce qui aide à diagnostiquer les carences en minéraux dans le sol.

Tableau 37.1 Éléments essentiels aux Végétaux			
Élément	**Forme(s) disponible(s)**	**% de la masse sèche**	**Fonction(s) principale(s) pour les plantes**
Éléments majeurs			
Carbone	CO_2	45,0 %	Constituant essentiel des molécules organiques des Végétaux.
Oxygène	CO_2	45,0 %	Constituant essentiel des molécules organiques des Végétaux.
Hydrogène	H_2O	6,0 %	Constituant essentiel des molécules organiques des Végétaux.
Azote	NO_3^-, NH_4^+	1,5 %	Constituant des acides nucléiques, des protéines, des hormones, de la chlorophylle et des coenzymes.
Potassium	K^+	1,0 %	Cofacteur nécessaire à la synthèse des protéines et à l'activation d'un très grand nombre d'enzymes ; soluté essentiel à l'équilibre hydrique et acidobasique ; ouverture et fermeture des stomates.
Calcium	Ca^{2+}	0,5 %	Élément important pour la formation et la stabilité de la paroi cellulaire ; maintien de la structure et de la perméabilité des membranes ; activation de certaines enzymes ; régulation de nombreuses réponses cellulaires aux stimulus.
Magnésium	Mg^{2+}	0,2 %	Constituant de la chlorophylle ; activation de nombreuses enzymes associées à la production d'ATP.
Phosphore	$H_2PO_4^-$, HPO_4^{2-}	0,2 %	Constituant des acides nucléiques, des phosphoglycérolipides, de l'ATP et de plusieurs coenzymes.
Soufre	SO_4^{2-}	0,1 %	Constituant des protéines et des coenzymes.
Éléments mineurs			
Chlore	Cl^-	0,01 %	Élément nécessaire à l'étape de la photolyse de l'eau dans la photosynthèse ; rôle dans l'équilibre hydrique.
Fer	Fe^{3+}, Fe^{2+}	0,01 %	Constituant des cytochromes ; activation de certaines enzymes.
Manganèse	Mn^{2+}	0,005 %	Participation à la synthèse des acides aminés ; activation de certaines enzymes ; nécessaire à l'étape de la photolyse de l'eau dans la photosynthèse.
Bore	$H_2BO_3^-$	0,002 %	Cofacteur dans la synthèse de la chlorophylle ; peut jouer un rôle dans le transport des glucides, dans la synthèse des acides nucléiques et dans la fonction de la paroi cellulaire.
Zinc	Zn^{2+}	0,002 %	Participation à la synthèse de la chlorophylle ; activation de certaines enzymes.
Cuivre	Cu^+, Cu^{2+}	0,001 %	Constituant de nombreuses enzymes d'oxydoréduction et d'enzymes assurant la synthèse de la lignine ; dégradation de l'ion superoxyde toxique pour les cellules.
Nickel	Ni^{2+}	0,001 %	Cofacteur d'une enzyme participant au métabolisme de l'azote.
Molybdène	MoO_4^{2-}	0,0001 %	Élément essentiel à la relation symbiotique avec des Bactéries qui fixent l'azote ; cofacteur nécessaire à la réduction des nitrates.

plante a besoin en quantité relativement importante. Six d'entre eux sont les constituants majeurs des substances organiques qui forment la structure d'une plante : le carbone, l'oxygène, l'hydrogène, l'azote, le soufre et le phosphore. Les trois autres éléments majeurs sont le calcium, le potassium et le magnésium.

Les autres éléments essentiels sont appelés **éléments mineurs** (ou *micronutriments*) parce que ce sont les éléments dont une plante a besoin en très petites quantités. Les éléments mineurs comprennent le fer, le chlore, le cuivre, le manganèse, le zinc, le molybdène, le bore et le nickel, notamment (on estime qu'il y en aurait une vingtaine). Ils n'ont d'utilité qu'à titre de cofacteurs (aides non protéiques) des réactions enzymatiques (voir le chapitre 8). Ainsi, le fer, par exemple, est le constituant métallique des cytochromes, protéines qui interviennent dans les chaînes de transport d'électrons des chloroplastes et des mitochondries. Comme ils ne jouent que des rôles catalytiques dans une plante, ces éléments ne sont nécessaires qu'en de très faibles quantités. Ainsi, le besoin en molybdène s'avère tellement faible qu'on ne trouve dans une plante séchée qu'un seul atome de cet élément pour 60 millions d'atomes d'hydrogène (concentration de 10^{-10} g/L). Malgré tout, une carence en molybdène ou en un autre élément mineur peut affaiblir, voire tuer, une plante.

Il faut remarquer que les teneurs en différents minéraux peuvent varier considérablement selon les espèces considérées ; on sait, par exemple, que les Crucifères sont des plantes riches en soufre alors que les carex et les Prêles ont une forte teneur en silicium. De même, les divers organes d'une même plante peuvent ne pas contenir les mêmes taux de minéraux.

Les symptômes d'une carence minérale

Les symptômes d'une carence en un élément dépendent en partie de la fonction nutritive de cet élément. Par exemple, une carence en magnésium, constituant central de la chlorophylle (voir la figure 10.10), provoque un jaunissement des feuilles appelé *chlorose*. Dans certains cas, la relation entre la carence et le symptôme est moins directe. Ainsi, bien que la chlorophylle ne contienne pas de fer, une carence en cet élément peut également causer la chlorose. Cela s'explique par le fait que les ions de fer sont des cofacteurs dans l'une des étapes enzymatiques de la synthèse de la chlorophylle. La chlorose pourrait également être le résultat d'une carence en phosphore, en potassium ou en soufre, mais elle prend généralement un aspect particulier selon l'élément qui est en cause.

Les symptômes d'une carence en un élément dépendent non seulement du rôle nutritif de l'élément, mais aussi de sa mobilité dans la plante. Si un élément se déplace presque librement d'une partie à l'autre de la plante, les symptômes causés par la carence apparaîtront d'abord dans les plus vieux organes. Les jeunes tissus en croissance ont en effet une plus grande capacité à attirer les éléments peu disponibles que les tissus arrivés à maturité. Par exemple, le magnésium, qui se déplace assez bien dans la plante, s'achemine de préférence vers les jeunes feuilles. Par conséquent, une plante privée de magnésium présentera, dans un premier temps, des signes de chlorose sur ses plus vieilles feuilles. Le mécanisme qui explique ce phénomène est le transport de l'organe source à l'organe cible pendant que les minéraux circulent avec les glucides jusqu'aux tissus en croissance (voir la figure 36.18). Par contre, une carence en un minéral relativement immobile se manifestera en premier lieu dans les nouvelles parties de la plante. Les plus vieux tissus peuvent en effet déjà posséder une quantité suffisante de cet élément, qu'ils ont la capacité de retenir lorsqu'il se fait rare. Une carence en fer, élément qui voyage difficilement dans la plante, provoquera le jaunissement des jeunes feuilles avant que cet effet soit visible sur les vieilles feuilles.

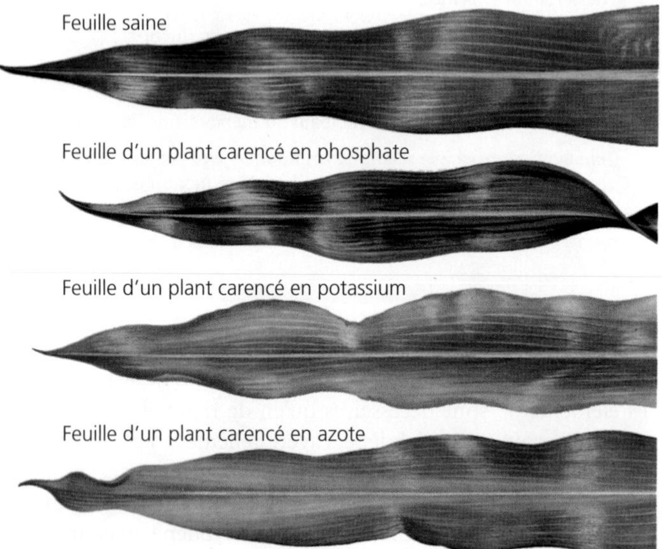

▲ **Figure 37.4 Carences minérales les plus courantes, telles qu'elles se manifestent chez le maïs.** Dans le cas d'une carence en phosphate, les feuilles, surtout les plus jeunes, ont les bords rougeâtres. Dans le cas d'une carence en potassium, les bords et le bout des feuilles matures paraissent brûlés, asséchés. La carence en azote cause un jaunissement qui commence au bout de la feuille puis gagne le centre (nervure médiane) des feuilles matures.

Les carences en azote, en potassium et en phosphore sont les plus fréquentes. Les pénuries en éléments mineurs sont les plus rares. Elles sont habituellement localisées géographiquement, en raison des différences de composition du sol. Les symptômes d'une carence en un élément sont souvent suffisamment distincts pour qu'un botaniste ou un agriculteur en diagnostiquent la cause **(figure 37.4)**. En analysant le contenu en minéraux d'une plante et du sol où celle-ci pousse, on peut confirmer le diagnostic d'une carence en un élément particulier. Généralement, il suffit d'une faible quantité d'éléments mineurs pour pallier une carence. Ainsi, on peut corriger une carence en zinc chez des arbres fruitiers en enfonçant tout simplement quelques clous de zinc dans les troncs. Il faut cependant procéder avec modération, car des doses excessives peuvent s'avérer toxiques. La culture hydroponique permet aux plantes d'avoir un apport optimal en minéraux en utilisant des solutions ayant une concentration précise de chaque nutriment. Cependant, cette méthode n'est pas utilisée à grande échelle parce qu'elle est plus coûteuse que la culture en sol.

Retour sur le concept 37.1

1. Expliquez comment on peut utiliser le tableau 37.1 pour soutenir l'hypothèse de Hales tout en ne réfutant pas celle de Van Helmont.
2. Y a-t-il des éléments essentiels plus importants que d'autres ? Expliquez.
3. Peut-on utiliser une seule feuille pour diagnostiquer toutes les carences d'une plante ? Expliquez.

Voir les réponses proposées à la fin du chapitre.

Concept 37.2

La qualité du sol est déterminante dans la chorologie et la croissance d'une plante

En plus du climat, la texture et la composition chimique du sol constituent les principaux facteurs déterminant les espèces végétales qui peuvent croître dans un endroit donné. La texture fait référence à la structure générale du sol, c'est-à-dire aux quantités relatives de particules de différentes grosseurs. Les plantes qui vivent dans un certain type de sol se sont adaptées à sa composition et à sa texture ; elles peuvent en absorber l'eau et en extraire les nutriments essentiels. À leur tour, les plantes modifient ce sol, comme nous allons bientôt le voir. Cette interaction entre les plantes et le sol est à l'origine des cycles biogéochimiques qui entretiennent les écosystèmes terrestres.

La texture et la composition du sol

Le sol provient de l'altération de la roche mère. Cette dernière s'effrite à cause de l'eau qui, s'infiltrant, gèle dans les fissures durant l'hiver et la fracture mécaniquement. Les acides dissous dans l'eau contribuent aussi à sa désagrégation, cette fois chimique. Les organismes qui réussissent à envahir la roche mère en accélèrent la décomposition, mécaniquement ou chimiquement. Certains, par exemple, secrètent des acides qui dissolvent la roche. Les racines qui croissent dans les fissures entraînent des fractures mécaniques. Le résultat de cette activité est la formation d'un **sol** qui est en fait un mélange de fragments de roches de granulométries variées, d'organismes, d'**humus** (résidu de matière organique partiellement décomposée) et d'argile. Les différentes couches ou **horizons** d'un sol en forment le profil, qu'on peut observer le long des routes encaissées ou dans les trous profonds **(figure 37.5)**. Le sol de surface, aussi appelé *horizon A*, est la partie la plus riche en matière organique et, donc, la plus importante pour la croissance d'une plante.

La texture d'un sol dépend de la taille des particules qui s'y trouvent. On classe ces particules selon une échelle allant du sable grossier aux particules microscopiques de l'argile. Les sols les plus fertiles sont les **limons argilosableux** (aussi appelés *terre franche* au Québec). Ils se composent de sable, de limon (particules de taille intermédiaire) et d'argile en quantités à peu près égales. Les sols riches en limon argilosableux contiennent suffisamment de particules fines auxquelles adhèrent les minéraux et l'eau pour assurer une grande surface de rétention. L'entassement des plus grosses particules laisse des interstices contenant le dioxygène utilisé par les racines pour la respiration cellulaire. Si le drainage du sol est insuffisant, les interstices se remplissent d'eau, ce qui entraîne la suffocation des racines. Un sol détrempé peut également favoriser l'attaque des racines par des moisissures. Ces problèmes surviennent fréquemment chez les plantes d'intérieur cultivées dans des pots sans drainage et trop arrosées.

La composition du sol compte des éléments organiques aussi bien que des minéraux. Le sol abrite une quantité et une diversité étonnantes d'organismes; une cuillère à café de sol contient environ 5 milliards de Bactéries qui partagent cet habitat avec des Eumycètes, des Algues et d'autres Protistes, des Insectes, des vers de terre, des Nématodes et des racines de plantes. L'activité de tous ces organismes influe sur les propriétés physiques et chimiques du sol. Ainsi, les vers de terre tournent et aèrent le sol en le creusant et sécrètent un mucus qui maintient ensemble les fines particules du sol. Les Bactéries, elles, par leur métabolisme, modifient la composition minérale du sol. Les racines des Végétaux extraient l'eau et les minéraux du sol, mais agissent aussi sur le pH en libérant des acides organiques, et assurent une protection contre l'érosion.

L'humus, composante importante du sol, est constitué de matière organique décomposée par l'action de Bactéries et de champignons sur les organismes morts, les fèces, les feuilles mortes et d'autres déchets organiques. Il empêche l'argile de se tasser et donne un sol friable qui retient l'eau, mais est suffisamment poreux pour permettre une bonne aération des racines. Il constitue aussi une réserve nutritive d'éléments minéraux, lesquels vont dans le sol au fur et à mesure de la décomposition de la matière organique par les microorganismes.

Après une pluie abondante, l'eau s'infiltre dans le sol. Elle est retenue là par les colloïdes (particules au diamètre inférieur à 2 µm qui sont en suspension dans le sol), dont la surface est chargée négativement. Certaines des molécules d'eau adhèrent si fermement à ces particules du sol que les plantes ne peuvent les extraire. Cependant, dans les petits interstices du sol se trouve de l'eau qui se lie moins fermement aux colloïdes; c'est l'eau dont les plantes peuvent généralement disposer **(figure 37.6a)**. Cette eau qu'absorbent les plantes n'est pas pure. C'est en fait une solution qui contient des minéraux sous la forme d'ions.

Pour être absorbés par les racines, les ions minéraux doivent être libérés par les particules de sol dans la solution du sol. Les ions chargés négativement (anions), comme le nitrate (ou trioxonitrate, NO_3^-), le phosphate (ou tétraoxophosphate, PO_4^{3-}) et le sulfate (ou tétraoxosulfate, SO_4^{2-}), ne sont pas liés fermement aux particules chargées négativement et sont facilement libérés. Par ailleurs, lors des pluies abondantes ou sous l'effet de l'irrigation, ils sont lessivés rapidement dans l'eau souterraine, ce qui les rend moins facilement utilisables par les racines. Les ions chargés positivement (cations), comme le potassium (K^+), le calcium (Ca^{2+}) et le magnésium (Mg^{2+}), sont lessivés moins aisément parce qu'ils adhèrent plus fermement aux surfaces des particules.

A
B
C
L'horizon A (ou horizon de surface) est un mélange de fragments de roches de granulométries variées, d'organismes vivants et de matières organiques en décomposition.
L'horizon B (ou horizon d'altération) contient beaucoup moins de matières organiques que l'horizon A. Les particules d'argile et les minéraux lessivés provenant de celui-ci peuvent s'y accumuler. L'horizon B est différent de l'horizon C par son degré d'altération plus élevé et de l'horizon A par sa structure distincte.
L'horizon C (ou horizon des roches mères), composé principalement de cailloux grossiers partiellement altérés, constitue la matière première des couches supérieures du sol.

◄ **Figure 37.5 Horizons du sol.** Ce chercheur photographie le profil de trois couches, ou horizons, du sol.

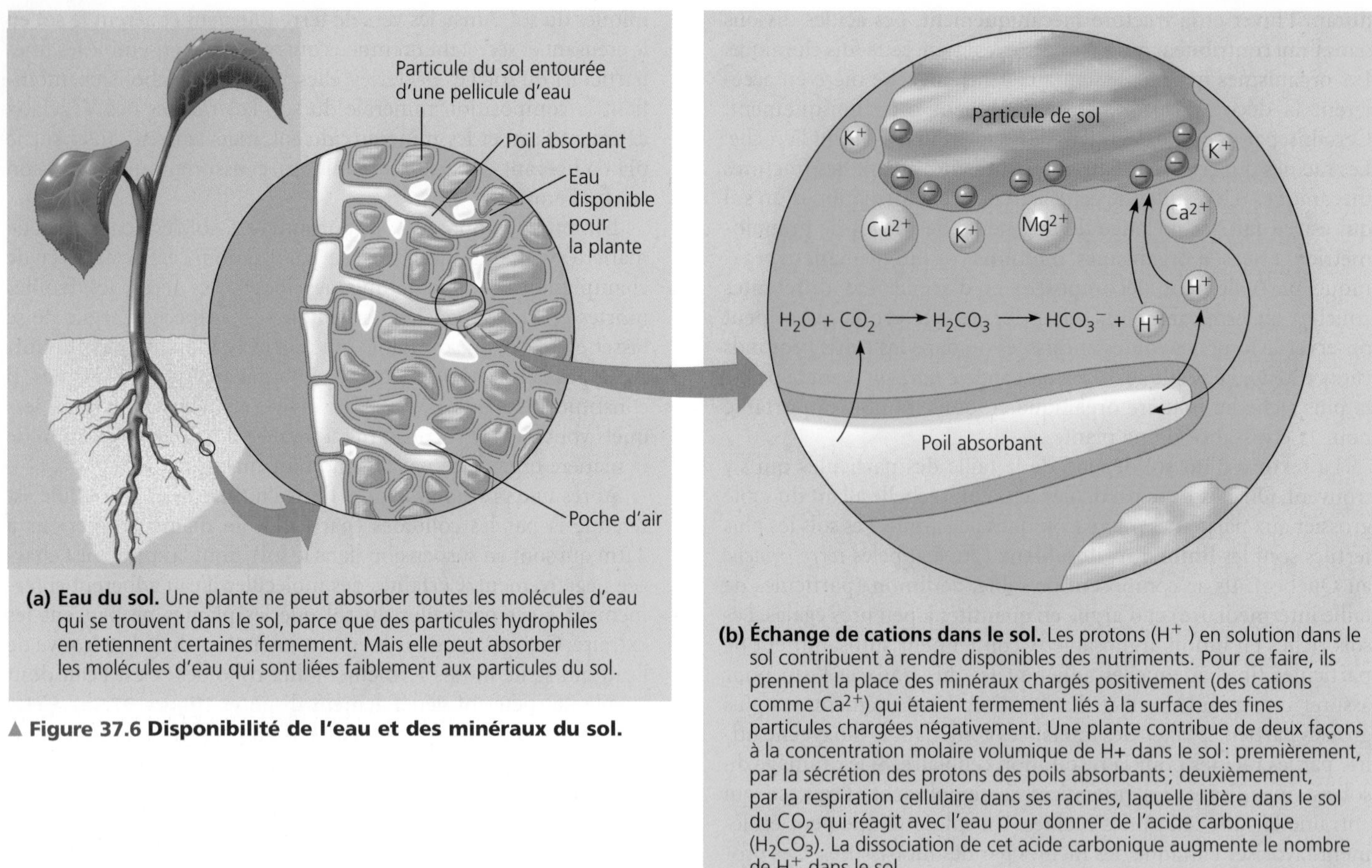

(a) Eau du sol. Une plante ne peut absorber toutes les molécules d'eau qui se trouvent dans le sol, parce que des particules hydrophiles en retiennent certaines fermement. Mais elle peut absorber les molécules d'eau qui sont liées faiblement aux particules du sol.

(b) Échange de cations dans le sol. Les protons (H^+) en solution dans le sol contribuent à rendre disponibles des nutriments. Pour ce faire, ils prennent la place des minéraux chargés positivement (des cations comme Ca^{2+}) qui étaient fermement liés à la surface des fines particules chargées négativement. Une plante contribue de deux façons à la concentration molaire volumique de H+ dans le sol : premièrement, par la sécrétion des protons des poils absorbants ; deuxièmement, par la respiration cellulaire dans ses racines, laquelle libère dans le sol du CO_2 qui réagit avec l'eau pour donner de l'acide carbonique (H_2CO_3). La dissociation de cet acide carbonique augmente le nombre de H^+ dans le sol.

▲ **Figure 37.6 Disponibilité de l'eau et des minéraux du sol.**

La plante ne peut absorber les cations minéraux que lorsque les protons du sol viennent les remplacer à la surface des particules. Ce processus, appelé **échange de cations**, est stimulé par les racines, qui ajoutent des protons (H^+) à la solution du sol **(figure 37.6b)**.

La conservation du sol et l'agriculture durable

Il faut parfois plusieurs centaines d'années pour qu'un sol, par altération de la roche et accumulation de matières organiques, devienne fertile. Or, une mauvaise exploitation par les humains peut détruire cette fertilité en quelques années seulement. La mauvaise exploitation du sol est un problème récurrent dans l'histoire de l'humanité. Ainsi, le Dust Bowl, région des plaines du Sud-Ouest américain, tient son nom d'un désastre écologique et humain qui s'est produit dans les années 1930. Avant l'arrivée des fermiers, cette région était couverte d'herbes robustes qui maintenaient le sol en place, malgré la fréquence des sécheresses et des pluies diluviennes caractéristiques de la région. Mais à la fin du XIXe et au début du XXe siècle, un grand nombre de colons se sont installés là pour cultiver du blé et élever du bétail. Le sol a alors été exposé à l'érosion des vents qui balaient continuellement la région ; une bonne partie a été enlevée en de nombreux endroits. Quelques années de sécheresse ont aggravé la situation. Des millions d'hectares de terre arable devinrent incultivables ; des centaines de milliers de gens durent abandonner leurs foyers et leurs terres, une misère qu'a immortalisée l'Américain John Steinbeck dans son roman *Les Raisins de la colère*, paru en 1939. Pourtant, avec une exploitation appropriée, on aurait pu préserver la richesse du sol et maintenir une productivité agricole élevée.

Afin de comprendre le concept de conservation du sol, nous devons établir la prémisse selon laquelle l'agriculture dépend exclusivement de l'intervention humaine. Dans les forêts, les prairies et les autres écosystèmes naturels, les nutriments minéraux sont habituellement recyclés par la décomposition des matières organiques. Mais quand un agriculteur récolte les fruits de son labeur, les éléments essentiels sont détournés de leur cycle biogéochimique. Ainsi, en général, l'agriculture appauvrit le sol. Pour faire pousser 1 000 kg de grains de blé, le sol doit se départir de 20 kg d'azote, de 4 kg de phosphore et de 4,5 kg de potassium. Sa fertilité diminue donc chaque année, à moins qu'on répande des fertilisants pour remplacer les minéraux perdus, comme l'azote, le phosphore et le potassium. De plus, de nombreuses cultures ont besoin de beaucoup plus d'eau que la végétation indigène de l'endroit, et les agriculteurs doivent irriguer leurs terres. Une fertilisation faite avec prudence, une irrigation effectuée avec sérieux et la prévention de l'érosion sont les trois principaux objectifs d'une bonne gestion du sol. La bonification du sol contribue également à la conservation de celui-ci. Elle consiste à restaurer un sol épuisé ou endommagé afin de lui redonner sa productivité agricole. Plus de 30 % des fermes dans le monde ont un problème de faible productivité attribuable aux mauvaises conditions du sol, par exemple la contamination chimique, les carences minérales, l'acidité, la salinité et le drainage insuffisant.

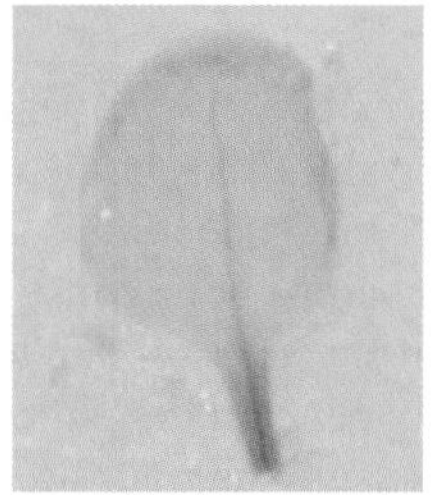
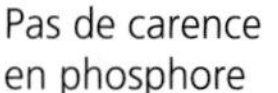
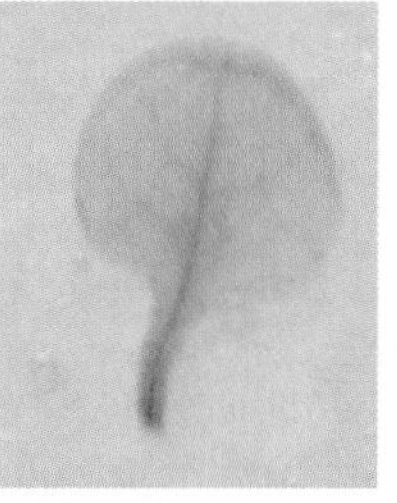
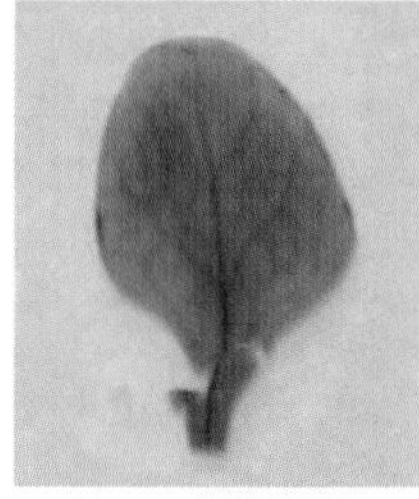

Pas de carence en phosphore | Début de carence en phosphore | Carence importante en phosphore

▲ **Figure 37.7 Signaux de carence lancés par les plantes « intelligentes ».** Certaines plantes ont été génétiquement modifiées de sorte qu'elles puissent signaler une carence nutritive imminente avant que des dommages irréparables apparaissent ou que leur croissance soit affectée. *Arabidopsis*, par exemple, à la suite de manipulations en laboratoire, produit une coloration bleue lorsqu'une carence en phosphate est imminente.

Les fertilisants

Dans la préhistoire, les humains ont peut-être commencé à fertiliser leurs champs après avoir constaté que les herbes poussaient plus rapidement et devenaient plus luxuriantes là où des Animaux avaient déféqué. De nos jours, la plupart des agriculteurs des pays développés emploient des fertilisants industriels contenant des minéraux qui sont soit le fruit d'une extraction, soit conçus par des procédés industriels. Ces produits sont habituellement enrichis en azote, en phosphore et en potassium, les éléments majeurs le plus souvent manquants dans les terres cultivées. Sur les emballages des fertilisants, un code de trois nombres indique la teneur en minéraux. Par exemple, un fertilisant portant le code « 15-10-5 » contient 15 % d'azote (sous forme d'ammonium ou de nitrate), 10 % de phosphore (sous forme d'acide phosphorique) et 5 % de potassium (sous forme de sel de potasse).

Le fumier, la farine de poisson et le compost constituent des fertilisants dits *organiques*, parce qu'ils ont une origine biologique et qu'ils contiennent des matières organiques en décomposition. Cependant, avant que les éléments présents dans le compost puissent être de quelque utilité aux Végétaux, la matière organique doit se décomposer en nutriments inorganiques que les racines pourront absorber. Les minéraux que les Végétaux absorbent se présentent sous la même forme, qu'ils proviennent d'une source organique ou qu'ils aient été produits en usine ; ceux qui sont présents dans le compost sont libérés progressivement, alors que ceux des fertilisants industriels sont immédiatement disponibles. Mais le sol ne peut retenir ces derniers longtemps. Les fertilisants industriels non absorbés sont rapidement perdus par le lessivage de la pluie ou de l'irrigation. Dans le pire des cas, ils rejoignent la nappe phréatique ou atteignent les cours d'eau, qu'ils polluent.

Les chercheurs en agriculture sont en train de mettre au point des méthodes permettant de réduire l'utilisation de fertilisants industriels sans nuire au rendement des cultures. Une de ces méthodes consiste à concevoir génétiquement des plantes « intelligentes » qui informeront les agriculteurs du risque de carence, mais *avant* que celle-ci fasse des dommages **(figure 37.7)**. Une de ces plantes intelligentes tire profit d'un promoteur (une séquence d'ADN qui indique où commencer la transcription) qui se lie facilement à l'ARN polymérase (l'enzyme qui alimente la transcription) lorsque le taux de phosphore des tissus d'une plante commence à diminuer. Ce promoteur est associé à un gène reporteur qui active la production d'un pigment bleu dans les cellules des feuilles. Lorsque les feuilles de ces plantes intelligentes commencent à devenir bleues, l'agriculteur sait qu'il est temps d'ajouter un fertilisant à base de phosphore.

Pour effectuer une fertilisation judicieuse, l'agriculteur doit surveiller attentivement le pH du sol, car ce dernier influe non seulement sur l'échange de cations, mais aussi sur la forme chimique des minéraux. Un élément essentiel peut être abondant dans le sol et inutilisable pour une plante s'il est trop fortement lié à l'argile ou s'il se trouve sous une forme que la plante ne peut absorber. Maintenir le pH du sol est une opération délicate. Ainsi, une modification de la concentration de protons (H^+) peut améliorer la disponibilité d'un élément et en rendre un autre moins disponible. Si le pH du sol est à 8, par exemple, la plante peut absorber le calcium, mais il lui est presque impossible d'assimiler le fer. Il faut donc ajuster le pH du sol aux besoins particuliers de la culture en minéraux. Si le sol est trop alcalin, on ajoutera du sulfate pour diminuer le pH ; s'il est trop acide, on ajoutera du carbonate de calcium ou de l'hydroxyde de calcium (chaulage) pour élever le pH.

Un problème important des sols acides, notamment dans les régions tropicales, est que l'aluminium se dissout dans un sol à pH faible et devient toxique pour les racines. Cependant, certaines plantes peuvent contrer la concentration élevée d'aluminium dans le sol en sécrétant certains anions organiques qui se lient à l'aluminium pour le rendre inoffensif.

L'irrigation

C'est la rareté de l'eau qui limite le plus souvent la croissance végétale. L'irrigation peut transformer un désert en jardin. Mais l'agriculture dans une région aride agit comme un énorme drain sur les réserves d'eau. Ainsi, dans le sud-ouest des États-Unis, on a réduit un grand nombre de rivières à des filets d'eau en les détournant pour irriguer des terres. Par ailleurs, l'irrigation dans une région aride peut progressivement augmenter la salinité du sol au point de le rendre infertile. Les sels dissous dans l'eau d'arrosage s'accumulent dans le sol à mesure que l'eau s'évapore, ce qui rend le potentiel hydrique de la solution du sol plus négatif. Du même coup, l'absorption d'eau diminue par abaissement du gradient du potentiel hydrique du sol aux racines (voir le chapitre 36).

Plus la population mondiale croît, plus il faut cultiver les sols arides. De nouvelles méthodes d'irrigation permettent de réduire la consommation d'eau et d'éviter l'accumulation de sel. L'arrosage goutte à goutte a remplacé l'inondation des champs dans un grand nombre de cultures dans l'ouest des États-Unis, avec pour résultat une diminution de l'évaporation. Les scientifiques proposent, pour résoudre certains problèmes propres aux terres cultivées en climat aride, de créer des espèces végétales ayant moins besoin d'eau.

L'érosion

Chaque année, aux États-Unis, l'érosion causée par l'eau et le vent fait perdre des milliers d'hectares de sol cultivable. Mais on peut réduire ces pertes en prenant certaines précautions, comme la plantation de rangées d'arbres au bord des champs pour constituer des brise-vent efficaces, l'aménagement de terrasses sur le flanc des collines pour éviter le lessivage du sol pendant des pluies abondantes, ou la culture suivant les courbes de niveau pour prévenir la perte du sol arable **(figure 37.8)**. Certaines cultures comme la luzerne et le blé fournissent une bonne couverture au sol et le protègent mieux que le maïs et les cultures normalement semées en rangs.

S'il est bien exploité, le sol renouvellera ses ressources, et les agriculteurs pourront en retirer de la nourriture pour les générations à venir. L'objectif prôné est de favoriser une **agriculture intégrée** comprenant diverses méthodes de culture fondées sur la conservation des ressources, le respect de l'environnement et la rentabilité.

La phytoremédiation

En contaminant le sol ou l'eau avec des métaux lourds toxiques ou des polluants organiques, certaines activités humaines ont rendu des régions impropres à l'agriculture ou à la vie sauvage. Les méthodes d'assainissement traditionnelles, comme l'enlèvement et l'entreposage des sols contaminés, sont coûteuses et détruisent le paysage. La **phytoremédiation** est une technique biologique qui respecte le paysage et permet d'assainir à peu de frais certaines régions contaminées. Elle fait appel aux capacités remarquables qu'ont certaines espèces végétales qui peuvent absorber des polluants organiques du sol et les concentrer dans leur système caulinaire, facile à récolter (on peut alors récupérer le polluant), dégrader les polluants par leur métabolisme, filtrer (dans le cas d'espèces aquatiques) les polluants présents dans l'eau ou, enfin, stimuler la croissance de microorganismes du sol qui vont dégrader les polluants. Le tabouret bleuâtre (*Thlaspi cærulescens*), par exemple, peut accumuler le zinc dans ses pousses à des concentrations 300 fois plus élevées que la plupart des autres plantes. Le tournesol, le chou et le géranium ne sont que quelques-unes des autres espèces utilisées à des fins de phytoremédiation. Ces plantes sont prometteuses pour l'assainissement des régions contaminées par les fonderies, les opérations minières ou les essais nucléaires. La phytoremédiation s'inscrit dans une technique générale de biorestauration qui comprend l'utilisation de certains organismes eucaryotes et parfois de Protistes pour assainir les sites pollués (voir les chapitres 27 et 55). Des recherches en génie génétique sont en cours pour rendre résistantes à certains métaux toxiques présents dans un milieu des espèces qui y sont par ailleurs bien adaptées.

▲ **Figure 37.8 Culture suivant les courbes de niveau.** Ces plantes, dans le Kansas (centre des États-Unis), ont été semées en rangs disposés selon les niveaux de la pente, plutôt que de haut en bas de celle-ci. Ce type de culture contribue à ralentir l'écoulement de l'eau et l'érosion du sol de surface après de fortes pluies.

Retour sur le concept 37.2

1. Quelles sont les caractéristiques générales d'un bon sol?
2. Expliquez pourquoi un arrosage excessif ou une surfertilisation peuvent avoir des effets indésirables sur les cultures et l'environnement.

Voir les réponses proposées à la fin du chapitre.

Concept 37.3

L'azote est souvent le minéral qui a le plus d'effet sur la croissance de la plante

De tous les minéraux, l'azote est celui qui contribue le plus à la croissance des Végétaux et au rendement des cultures. C'est un élément essentiel des protéines, des acides nucléiques, de la chlorophylle et d'autres molécules organiques importantes pour les Végétaux.

Les Bactéries du sol et la disponibilité de l'azote

Il peut paraître curieux que des plantes puissent souffrir d'une carence en azote, alors même que l'atmosphère est composé d'environ 80 % de diazote. C'est que le diazote atmosphérique (N_2) se trouve sous une forme gazeuse que les Végétaux ne peuvent utiliser. Il ne devient assimilable qu'après avoir été transformé en ammonium (NH_4^+) ou en nitrate (NO_3^-).

Contrairement aux autres minéraux, NH_4^+ et NO_3^- ne proviennent pas de la désagrégation de la roche mère. La décomposition de l'humus par les microorganismes (y compris les Bactéries ammonifiantes) constitue, à court terme, la source principale de ces minéraux **(figure 37.9)**. C'est grâce à cette décomposition que l'azote présent dans les protéines est dégradé en substances inorganiques qui sont recyclées lorsqu'elles sont absorbées par les racines sous forme de minéraux. Une partie de cet azote quitte le cycle local en retournant à l'atmosphère. En effet, certaines Bactéries dites *dénitrifiantes* transforment le NO_3^- en N_2. Mais d'autres Bactéries, les **Bactéries fixatrices d'azote**, emmagasinent l'azote dans le sol en transformant le N_2 en NH_3 (ammoniac). Ce processus métabolique porte le nom de **fixation de l'azote.** Au chapitre 54, nous étudierons en détail le cycle biogéochimique complexe de l'azote dans les écosystèmes. Pour le moment, nous allons nous pencher sur la fixation de l'azote et les autres étapes qui permettent l'assimilation de celui-ci par les Végétaux.

L'ensemble de la vie sur Terre dépend de la fixation de l'azote, fonction qui est assumée exclusivement par certaines espèces de Bactéries. Certaines de ces Bactéries vivent librement dans le sol, tandis que d'autres vivent en symbiose dans les racines des plantes (nous le verrons en détail dans la prochaine section). La transformation du diazote de l'atmosphère (N_2) en ammoniac (NH_3) est un processus complexe qui comprend plusieurs étapes. On peut toutefois simplifier ce processus en n'indiquant que les réactifs et les produits:

$$N_2 + 8\,e^- + 8\,H^+ + 16\ ATP \rightarrow 2\,NH_3 + H_2 + 16\ ADP + 16\text{Ⓟ}_i$$

Le complexe enzymatique qu'est la **nitrogénase** catalyse la séquence complète des réactions, au cours de laquelle la réduction de N_2 par ajout d'électrons et de protons conduit à la formation de NH_3. La fixation de l'azote s'accompagne d'une dépense très élevée d'énergie métabolique pour la Bactérie, qui doit utiliser huit molécules d'ATP pour synthétiser chaque molécule d'ammoniac. C'est d'ailleurs dans les sols riches en substances organiques (qui fournissent l'énergie de la respiration cellulaire pour produire de l'ATP) qu'on trouve la plus grande quantité de Bactéries fixatrices d'azote.

L'ammoniac libéré dans le sol s'approprie un autre proton pour donner de l'ammonium (NH_4^+), que les Végétaux peuvent absorber. Cependant, les Végétaux obtiennent leur azote principalement sous forme de nitrate (ou trioxonitrate, NO_3^-), produit dans le sol par une Bactérie nitrifiante qui oxyde l'ammonium (voir la figure 37.9). Une fois que le nitrate a été absorbé par les racines, une enzyme de la plante le réduit en ammonium que d'autres enzymes peuvent incorporer dans les acides aminés et d'autres substances organiques. La plupart des espèces végétales acheminent l'azote, des racines jusqu'à l'extrémité des pousses, par le xylème, sous forme de nitrate ou de composés organiques synthétisés dans les racines.

L'augmentation du rendement protéique des cultures

La capacité qu'ont les Végétaux d'incorporer l'azote fixé dans les protéines et les autres substances organiques est très importante pour la nutrition des humains. En effet, la carence en protéines constitue la forme la plus courante de malnutrition chez ces derniers. La majorité des habitants de notre planète, dans les pays en voie de développement en particulier, ont une alimentation principalement végétarienne. Ils dépendent donc principalement des Végétaux pour répondre à leurs besoins en protéines. Or, de nombreux Végétaux en contiennent malheureusement peu, et celles qu'ils contiennent peuvent manquer d'un ou de plusieurs acides aminés essentiels à l'alimentation des humains (voir la figure 41.10). L'augmentation de la qualité et de la quantité des protéines dans les plantes cultivées constitue donc l'un des principaux objectifs de la recherche en agriculture.

L'hybridation a produit de nouvelles variétés de maïs, de blé et de riz enrichies en protéines. Cependant, bon nombre de ces « super »-variétés nécessitent une très grande quantité d'azote, normalement fournie par des fertilisants industriels. Or, tout comme la fixation biologique de l'azote, la production industrielle d'ammoniac et de nitrate à partir du diazote atmosphérique

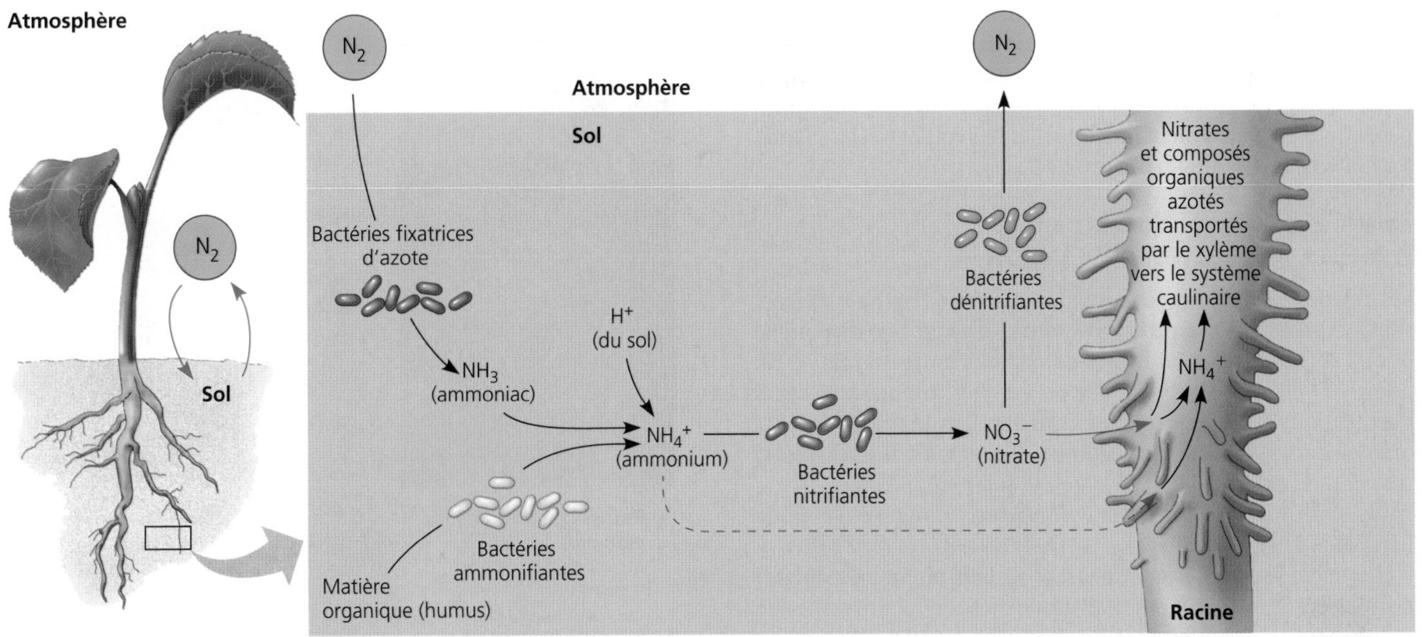

▲ **Figure 37.9 Rôle des Bactéries du sol dans la nutrition azotée des Végétaux.** Deux types de Bactéries du sol fournissent de l'ammonium aux Végétaux: celles qui fixent le N_2 atmosphérique (Bactéries fixatrices d'azote) et celles qui décomposent les matières organiques (Bactéries ammonifiantes). Bien qu'ils absorbent certaines molécules d'ammonium, les Végétaux absorbent principalement des nitrates, produits par les Bactéries nitrifiantes à partir de l'ammonium. Ils réduisent ensuite les nitrates en ammonium avant d'incorporer l'azote dans les composés organiques. Le xylème transporte l'azote vers le système caulinaire sous forme de nitrates, d'acides aminés et de divers composés organiques, selon les espèces.

nécessite beaucoup d'énergie. Une usine fabriquant des fertilisants consomme donc beaucoup de combustibles fossiles, et ce sont généralement les pays qui ont le plus besoin de cultures à rendement élevé en protéines qui ont des difficultés à en payer la facture. Heureusement, l'utilisation de nouveaux catalyseurs se fondant sur le mécanisme de fixation de l'azote par la nitrogénase pourrait rendre la production de fertilisants commerciaux moins coûteuse dans l'avenir. Il y a plusieurs années, les biochimistes ont déterminé la structure de la nitrogénase chez certaines Bactéries du genre *Rhizobium*, fournissant ainsi aux spécialistes du génie chimique un modèle imitant la nature, pour la conception de catalyseurs. Une autre stratégie visant à améliorer le rendement protéique des cultures pourrait comprendre une augmentation de la fixation symbiotique de l'azote, processus que nous étudierons dans la prochaine section.

Retour sur le concept 37.3

1. Expliquez pourquoi les Bactéries fixatrices d'azote sont essentielles au bien-être des humains.

Voir la réponse proposée à la fin du chapitre.

Concept 37.4

Les adaptations nutritives des plantes comportent souvent des associations avec d'autres organismes

Beaucoup de plantes ont des adaptations nutritives qui font agir d'autres organismes. Deux de ces associations sont mutualistes: la fixation symbiotique de l'azote, à laquelle prennent part racines et Bactéries, et la formation de mycorhizes, qui fait intervenir racines et champignons. Lorsque nous aurons vu le mutualisme et ses effets bénéfiques, nous examinerons des adaptations moins bénéfiques et relativement inhabituelles: les épiphytes, les plantes parasites et les plantes carnivores.

Le rôle des Bactéries dans la fixation symbiotique de l'azote

Les relations symbiotiques avec des Bactéries fixatrices d'azote sont pour certaines espèces une source d'azote fixé disponible pour l'assimilation sous forme de composés organiques. D'un point de vue agricole, les symbioses les plus importantes et les plus efficaces entre les Bactéries fixatrices d'azote et les Végétaux ont lieu dans la famille des Légumineuses, comme le pois (*Pisum sativum*), le haricot (*Phaseolus sp.*), le soja (*Glycine max*), l'arachide (*Arachis sp.*), la luzerne (*Medicago sativa*) et le trèfle (*Trifolium sp.*).

Les racines de ces Légumineuses (ou plus rarement les tiges) portent des renflements appelés **nodosités**, qui sont formés de cellules végétales renfermant des Bactéries fixatrices d'azote du genre *Rhizobium* (du grec *rhiza*, « racine », et *bios*, « vie »). Dans une nodosité, la Bactérie *Rhizobium* prend une forme appelée **bactéroïde**, laquelle se trouve dans des vésicules qui se créent à l'intérieur de certaines cellules racinaires **(figure 37.10b)**. La Bactérie *Rhizobium* peut fixer l'azote atmosphérique (N_2) et le transformer en ammonium, forme facilement assimilable par la plante (figure 37.9). Pour une Légumineuse, la symbiose avec *Rhizobium* engendre plus d'azote assimilable que n'importe quel fertilisant industriel, sans compter qu'elle fournit les bonnes quantités aux bons moments sans aucun coût pour l'agriculteur. Outre qu'elle approvisionne la Légumineuse en azote, la fixation symbiotique de l'azote réduit considérablement la nécessité d'épandre des fertilisants sur les cultures subséquentes.

L'emplacement des bactéroïdes dans les cellules vivantes non photosynthétiques favorise la fixation de l'azote, laquelle nécessite un environnement anaérobie. Les couches externes lignifiées peuvent également limiter les échanges gazeux. Certaines nodosités des racines ont une couleur rouge qu'elles doivent à une molécule appelée *léghémoglobine*. La léghémoglobine (le préfixe *lég* vient de « Légumineuses ») est une protéine renfermant du fer qui, comme l'hémoglobine des globules rouges humains, lie le dioxygène de façon réversible. Elle agit comme un « tampon » de dioxygène qui maintient la concentration de dioxygène libre à une valeur faible mais suffisante pour alimenter l'intense processus de respiration cellulaire qui est requis pour produire tout l'ATP nécessaire à la fixation de l'azote. La synthèse de léghémoglobine réclame la participation des deux organismes impliqués dans l'association symbiotique: les gènes de la Bactérie régulent la synthèse de la partie hème contenant le fer tandis que ce sont des gènes de la plante qui codent pour la partie globine.

Chaque espèce de Légumineuse s'associe avec une espèce particulière de *Rhizobium* ou quelques espèces seulement. La **figure 37.11** décrit les étapes du développement des nodosités une fois que les Bactéries y sont entrées par ce qu'on appelle un

(a) Racines de pois (*Pisum sativum*). Les renflements qu'on voit sur ces racines de pois sont des nodosités qui contiennent des Bactéries symbiotiques. Ces Bactéries fixent l'azote et se nourrissent des molécules organiques que fabrique la plante pendant la photosynthèse.

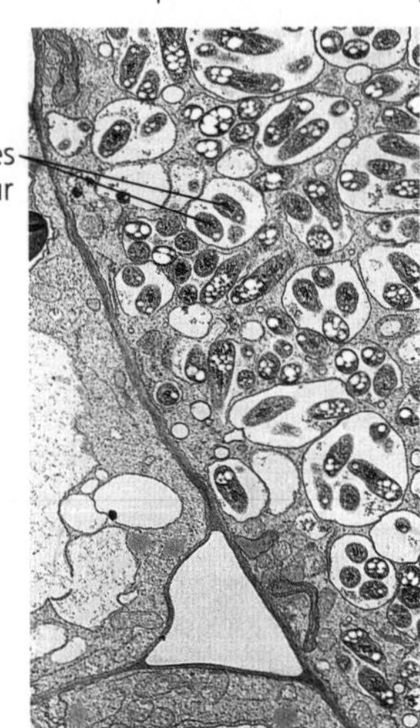

(b) Bactéroïdes d'une nodosité de racine de soja (*Glycine max*). Dans cette micrographie électronique, on peut observer de nombreux bactéroïdes dans une cellule d'une nodosité racinaire du soja (MET). La cellule de gauche n'est pas infectée.

▲ **Figure 37.10 Nodosités sur les racines d'une Légumineuse.**

filament infectieux. La relation symbiotique existant entre les espèces de Légumineuses et les Bactéries fixatrices d'azote est une relation mutualiste, c'est-à-dire que les deux partenaires en bénéficient. Les Bactéries fixatrices d'azote fournissent l'azote fixé aux Légumineuses, tandis que celles-ci procurent aux Bactéries les glucides et les autres substances organiques. Les nodosités utilisent la majeure partie de l'ammonium produit par fixation symbiotique de l'azote pour synthétiser des acides aminés, qui passent ensuite dans le xylème pour se rendre dans le système caulinaire.

La biologie moléculaire de la formation d'une nodosité racinaire chez les Légumineuses

Comment une espèce de Légumineuses reconnaît-elle une certaine souche de *Rhizobium* parmi les nombreuses souches de Bactéries qui habitent le sol autour de ses racines? Comment la rencontre spécifique entre Légumineuses et Bactéries conduit-elle à la formation de nodosités? Se penchant sur ces deux questions, les chercheurs en sont arrivés à penser qu'il existe un dialogue chimique entre une Bactérie et une racine. Chaque partenaire répond aux stimulus chimiques émis par l'autre en exprimant certains gènes dont les produits contribuent à la formation d'une nodosité.

La plante entame la communication. Ses racines sécrètent des molécules appelées *flavonoïdes*, pigments de nature lipidique qui pénètrent dans les Bactéries *Rhizobium* du voisinage. La spécificité de ce stimulus provient des variations de structure de la molécule de flavonoïde. En effet, chaque espèce de Légumineuses sécrète un type particulier de flavonoïde que seule une espèce donnée de *Rhizobium* reconnaît et absorbe. Le stimulus émis par la plante déclenche, chez la Bactérie, la production d'une molécule. En fait, la molécule émise par la plante active une protéine de régulation génique qui elle-même active un groupe de gènes bactériens appelés gènes *Nod*, pour «gènes de nodosité». Les gènes *Nod* produisent des enzymes qui catalysent la production de molécules spécifiques à l'espèce appelées *facteurs* Nod. Sécrétés par les Bactéries, les facteurs *Nod* «répondent à l'appel» et déclenchent dans la racine la formation du filament infectieux dans lequel *Rhizobium* pourra entrer et la formation de la nodosité. La plante doit activer des gènes appelés *gènes de nodulines précoces*, par une voie de transduction faisant intervenir le Ca^{2+} comme seconds messagers (voir le chapitre 11). Les nodulines précoces joueraient un rôle dans la formation des nodosités tandis que les nodulines tardives interviendraient dans leur fonctionnement. En comprenant mieux la biologie moléculaire qui explique la formation des nodosités racinaires, les chercheurs espèrent découvrir comment provoquer l'absorption, par les cellules racinaires, de bactéries du genre *Rhizobium* et la formation de nodosités dans les cultures qui ne connaissent habituellement pas ce genre de relation symbiotique permettant la fixation de l'azote.

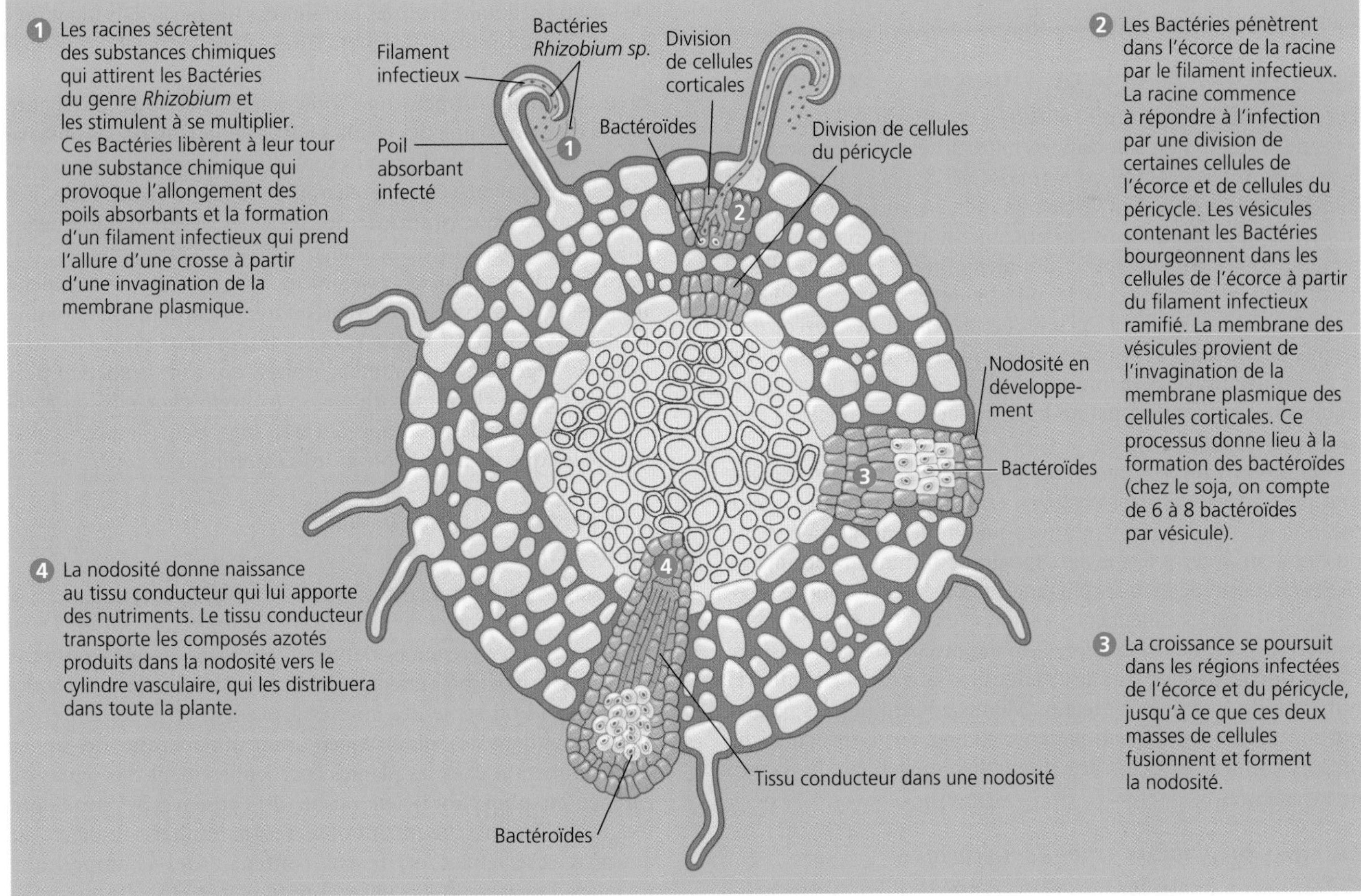

1 Les racines sécrètent des substances chimiques qui attirent les Bactéries du genre *Rhizobium* et les stimulent à se multiplier. Ces Bactéries libèrent à leur tour une substance chimique qui provoque l'allongement des poils absorbants et la formation d'un filament infectieux qui prend l'allure d'une crosse à partir d'une invagination de la membrane plasmique.
Filament infectieux
Bactéries *Rhizobium sp.*
Division de cellules corticales
Poil absorbant infecté
Bactéroïdes
Division de cellules du péricycle
2 Les Bactéries pénètrent dans l'écorce de la racine par le filament infectieux. La racine commence à répondre à l'infection par une division de certaines cellules de l'écorce et de cellules du péricycle. Les vésicules contenant les Bactéries bourgeonnent dans les cellules de l'écorce à partir du filament infectieux ramifié. La membrane des vésicules provient de l'invagination de la membrane plasmique des cellules corticales. Ce processus donne lieu à la formation des bactéroïdes (chez le soja, on compte de 6 à 8 bactéroïdes par vésicule).
Nodosité en développement
Bactéroïdes
4 La nodosité donne naissance au tissu conducteur qui lui apporte des nutriments. Le tissu conducteur transporte les composés azotés produits dans la nodosité vers le cylindre vasculaire, qui les distribuera dans toute la plante.
3 La croissance se poursuit dans les régions infectées de l'écorce et du péricycle, jusqu'à ce que ces deux masses de cellules fusionnent et forment la nodosité.
Tissu conducteur dans une nodosité
Bactéroïdes

▲ **Figure 37.11 Formation d'une nodosité dans une racine de soja (*Glycine max*).**

La fixation symbiotique de l'azote et l'agriculture

La **rotation des cultures** (ou assolement) est basée sur les avantages de la fixation symbiotique de l'azote. Selon cette méthode, si une année on sème une espèce qui ne fait pas partie des Légumineuses, comme le maïs (*Zea mays*), on sèmera l'année suivante de la luzerne (ou d'autres Légumineuses) afin d'augmenter la concentration d'azote fixé dans le sol. Pour s'assurer que les Légumineuses entrent en contact avec le *Rhizobium* spécifique, on trempe les graines dans une culture bactérienne ou on les saupoudre de spores bactériennes avant de les semer (bactérisation artificielle). Au lieu de récolter les Légumineuses, on peut les enfouir durant le labour afin que leur décomposition produise de l'« engrais vert » ; on a ainsi moins besoin d'utiliser des fertilisants industriels.

Certaines familles de plantes autres que les Légumineuses comptent des espèces qui tirent un bénéfice de la fixation symbiotique de l'azote. Ainsi, les aulnes et certaines Graminées tropicales sont les hôtes d'Actinobactéries (autrefois appelées *Actinomycètes*), groupe de Bactéries à gram positif (voir la figure 27.13). Le riz (*Oryza sativa*), dont l'importance commerciale s'avère primordiale, tire un avantage indirect de la fixation symbiotique de l'azote. Les agriculteurs cultivent dans les rizières une Fougère aquatique et flottante appelée *Azolla sp.* Cette Fougère établit une relation mutualiste avec certaines Cyanobactéries qui fixent l'azote et augmentent la productivité de la rizière. En grandissant, le plant de riz fait de l'ombre à *Azolla*, qui en meurt. La décomposition de la matière organique laissée par la Fougère fournit encore des minéraux azotés à la rizière.

Les mycorhizes et la nutrition des Végétaux

Les **mycorhizes** (du grec *mukês*, « champignon », et *rhiza*, « racine ») résultent d'associations mutualistes entre les racines et le mycélium des champignons (masse des hyphes ramifiés ; voir les figures 36.10 et 31.15). Le champignon bénéficie d'une réserve directe de glucides fournis par la plante hôte. En retour, il augmente la surface d'absorption des racines pour l'eau. De plus, il absorbe de manière sélective les phosphates et d'autres minéraux du sol, qu'il transfère à la plante. Le mycélium des mycorhizes sécrète des facteurs de croissance qui stimulent le développement et la ramification des racines. Il produit également des antibiotiques qui protègent la plante hôte des agents pathogènes présents dans le sol.

Les mycorhizes ne sont pas des aberrations. On en trouve chez presque toutes les espèces végétales. En fait, il est probable que ce soit une des adaptations évolutives qui ont permis aux Végétaux de coloniser la terre ferme. Des fossiles montrent que les mycorhizes existaient déjà sur les plus anciens Végétaux. Quand les écosystèmes terrestres étaient encore jeunes, le sol était probablement pauvre en nutriments. Le mycélium des mycorhizes, qui absorbe mieux les minéraux que les racines, a sans doute facilité la nutrition des premiers Végétaux. Même aujourd'hui, les plantes qui s'installent sur des sols pauvres, comme des terres en friche ou des collines érodées, présentent habituellement beaucoup de mycorhizes.

Les deux principaux types de mycorhizes

Les racines modifiées formées par la symbiose d'Eumycètes et de plantes prennent deux formes : les ectomycorhizes et les endomycorhizes. Les **ectomycorhizes** ont un mycélium qui forme une enveloppe, ou manteau, dense à la surface de la racine (**figure 37.12a**). De là, les hyphes fongiques se prolongent dans le sol, augmentant grandement la surface d'absorption pour l'eau et les minéraux. Ils croissent également dans l'écorce de la racine. Ils ne pénètrent pas dans les cellules corticales, mais forment un réseau dans l'apoplasme (ou interstices entre les cellules) pour faciliter les échanges de nutriments entre le champignon et la plante. Les ectomycorhizes sont généralement plus épais, plus courts et plus ramifiés que les racines « non infectées ». Ils ne produisent généralement pas de poils absorbants, ce qui serait superflu étant donné l'importance de la surface d'absorption fournie par le mycélium. Environ 10 % des familles de plantes comprennent des espèces qui forment des ectomycorhizes, et la grande majorité de ces espèces sont ligneuses, comme les pins (*Pinus sp.*), les épinettes (*Picea sp.*), les chênes (*Quercus sp.*), les noyers (*Juglans sp.*), les bouleaux (*Betula sp.*), les saules (*Salix sp.*) et les eucalyptus (*Eucalyptus sp.*).

Contrairement aux ectomycorhizes, les **endomycorhizes** ne forment pas de dense manteau autour de la racine (**figure 37.12b**). Il faut un microscope pour voir les minces hyphes du mycélium qui partent du sol pour pénétrer dans la racine. Les hyphes s'étendent à l'intérieur de la racine (d'où le nom *endomycorhizes*) en digérant de petits morceaux de parois cellulaires. Cependant, ils ne transpercent pas la membrane plasmique pour envahir le cytoplasme de la cellule hôte, mais croissent dans un tube formé par une invagination de cette membrane, un peu comme quand on enfonce un doigt dans un ballon. Une fois cette pénétration de la paroi cellulaire réalisée, certains des hyphes se ramifient fortement pour donner des structures qu'on appelle *arbuscules* (petits arbres). Parfois, les ramifications sont tellement nombreuses qu'elles forment une zone opaque qui voile la majeure partie du cytoplasme des cellules corticales lorsqu'on les observe au microscope. Les arbuscules sont d'importants sites de transfert de nutriments entre le champignon et la plante hôte. Les hyphes peuvent aussi former des vésicules ovales, qui emmagasinent probablement de la nourriture pour l'Eumycète. À l'œil nu, les endomycorhizes ressemblent à des racines « normales » munies de poils absorbants. Mais, au microscope, on observe une relation symbiotique d'une énorme importance pour la nutrition des Végétaux. Les endomycorhizes, qui sont beaucoup plus courants que les ectomycorhizes, se trouvent chez plus de 85 % des espèces végétales, y compris chez les importantes espèces cultivées telles que le maïs, le blé et les Légumineuses.

L'importance des mycorhizes en agriculture

Les racines peuvent se transformer en mycorhizes seulement si elles sont en présence de l'espèce d'Eumycète appropriée. Dans la plupart des écosystèmes naturels, ces champignons sont dans le sol, et l'association s'effectue dès l'apparition des jeunes plants. Mais, quand on sème des graines provenant d'un certain environnement dans des sols étrangers, on peut remarquer des signes de malnutrition chez les plantes (particulièrement des signes de carence en phosphore), en raison de l'absence de partenaire fongique. Des chercheurs ont observé des résultats similaires au cours d'expériences où le sol contenait des champignons toxiques. Les agriculteurs et les forestiers mettent déjà en application les leçons tirées de ces recherches. Ainsi, ils inoculent des

(a) Ectomycorhizes. Le mycélium forme un manteau qui enveloppe cette racine de tremble (*Populus tremuloides*). Ses hyphes s'étendent dans le sol pour en absorber l'eau et les minéraux, surtout les phosphates. Ils pénètrent également dans les interstices de l'écorce de la racine, offrant ainsi une grande surface pour l'échange de nutriments entre le champignon et la plante hôte.

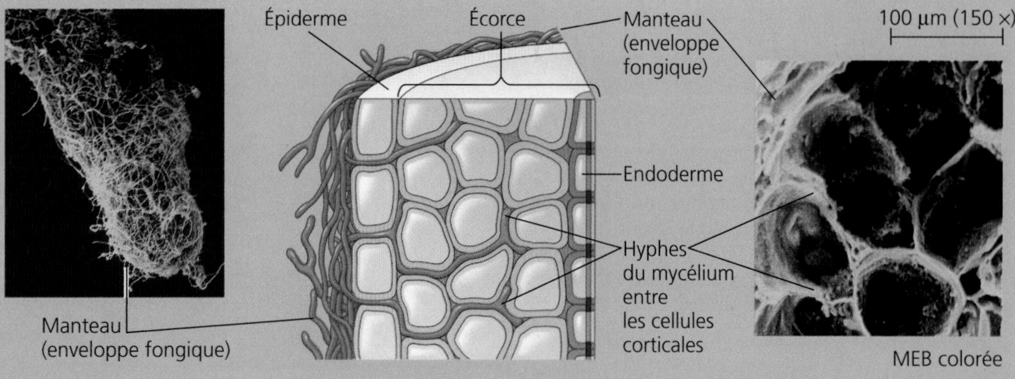

(b) Endomycorhizes. Aucun manteau n'enveloppe la racine, bien que les hyphes microscopiques du champignon s'étendent à l'intérieur de cette dernière. Dans l'écorce de la racine, le champignon a une grande surface de contact avec la plante, grâce aux ramifications de ses hyphes qui forment des arbuscules. Les ramifications peuvent être très nombreuses et former une zone opaque voilant la majeure partie du cytoplasme des cellules corticales. Les arbuscules fournissent une énorme surface de contact pour l'échange de nutriments. Les hyphes pénètrent dans les parois cellulaires, mais pas dans les membranes plasmiques, des cellules de l'écorce.

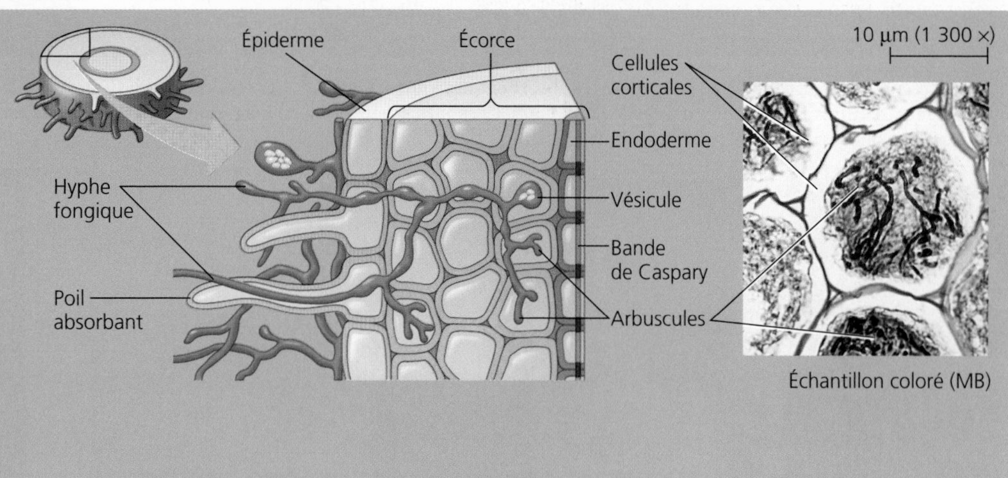

▲ **Figure 37.12 Mycorhizes.**

graines de pin avec des spores d'Eumycètes pour provoquer la formation de mycorhizes sur les jeunes plants. Les jeunes plants infectés ont une croissance plus vigoureuse que ceux qui n'ont pu bénéficier d'une telle association.

Les épiphytes, les plantes parasites et les plantes carnivores

Presque toutes les plantes ont des associations mutualistes avec des Eumycètes, des Bactéries ou les deux. Plus rarement, certaines espèces végétales ont des adaptations nutritives qui font intervenir d'autres organismes mais qui ne sont pas basées sur le mutualisme. La **figure 37.13** de la page suivante donne une vue d'ensemble de trois adaptations inhabituelles: les épiphytes, les plantes parasites et les plantes carnivores.

Retour sur le concept 37.4

1. Comparez les nodosités racinaires et les mycorhizes.
2. Faites ressortir les différences entre les épiphytes et les plantes parasites.

Voir les réponses proposées à la fin du chapitre.

Figure 37.13

Panorama Les adaptations nutritives inhabituelles chez les Végétaux

ÉPIPHYTES

Un **épiphyte** (du grec *epi*, « sur », et *phyton*, « plante ») a la capacité de se nourrir lui-même, mais croît sur une autre plante, habituellement ancré sur les branches ou le tronc d'un arbre. Les épiphytes absorbent l'eau et les minéraux contenus dans la pluie, davantage par les feuilles que par les racines. Certaines Fougères et de nombreuses espèces d'Orchidées sont des épiphytes.

Corne d'élan, Fougère épiphyte. Cette Fougère tropicale (du genre *Platycerium*) pousse sur de grosses roches, des falaises ou des arbres. Elle possède deux types de frondes : des frondes ramifiées qui ressemblent aux bois d'un élan, et des frondes circulaires qui forment un collier autour de sa base.

PLANTES PARASITES

Contrairement aux épiphytes, les plantes parasites absorbent des glucides et des minéraux d'autres plantes, qu'on appelle leurs *hôtes*. Certaines espèces parasites sont photosynthétiques. Beaucoup d'espèces ont des racines qui servent de suçoirs (ou haustoria), soit des digitations qui pénètrent dans l'hôte pour extraire des nutriments.

Gui de chêne, plante parasite photosynthétique. Le gui (*Viscum album*), qu'on place au-dessus des portes pendant les fêtes de fin d'année, parasite les chênes et d'autres arbres.

Cuscute, plante parasite non photosynthétique. La cuscute (*Cuscuta salina*) est la plante filamenteuse orange qu'on voit ici poussant sur son hôte, une Cactée de Californie. La cuscute extrait sa nourriture de la Cactée. La coupe transversale montre un suçoir qui a percé le phloème de l'hôte pour en soutirer des nutriments (MP).

Monotrope uniflore, plante parasite non photosynthétique. Cette espèce (*Monotropa uniflora*) absorbe les matières nutritives par l'intermédiaire des hyphes fongiques qui vont des mycorhizes à la plante photosynthétique hôte.

PLANTES CARNIVORES

Les plantes carnivores sont photosynthétiques, mais elles obtiennent une partie de l'azote et des minéraux dont elles ont besoin en tuant et en digérant des Insectes et d'autres petits Animaux.

Les plantes carnivores vivent dans les tourbières acides et d'autres habitats où le sol est pauvre en azote et en d'autres minéraux. Elles attrapent leurs proies grâce à différents types de pièges résultant de modifications des feuilles. Ces pièges sont habituellement munis de glandes qui sécrètent des enzymes digestives. Une espèce, *Nepenthes rajah*, dont les pièges sont des urnes mesurant jusqu'à 30 cm, peut digérer de jeunes rats. Heureusement pour les Animaux, ce revirement de situation est rare !

Dionée attrape-mouches. Déclenchés par une impulsion électrique, deux lobes dérivés de feuilles se referment en une demi-seconde. Malgré son nom, *Dionæa muscipula* capture plutôt des fourmis et des sauterelles que des mouches.

Sarracénie pourpre. *Sarracenia purpurea* et d'autres genres (*Darlingtonia* et *Nepenthes*, notamment) ont des feuilles en forme d'urne remplies d'eau. Les Insectes qui s'aventurent dans ces feuilles s'y noient et sont digérés par des enzymes.

Rossolis. Les rossolis (*Drosera*) exsudent un liquide collant qui brille comme la rosée. Les Insectes restent collés aux poils des feuilles, qui emprisonnent leur proie.

Révision du chapitre 37

RÉSUMÉ DES CONCEPTS CLÉS

Concept 37.1

Le cycle de développement des Végétaux nécessite certains éléments chimiques

- Les plantes acquièrent la majeure partie de leur masse en matière organique du CO_2 de l'air. Mais elles dépendent également des nutriments présents dans le sol sous forme d'eau et de minéraux. Les ramifications des systèmes racinaire et caulinaire aident les plantes à entrer en contact avec les ressources dont elles ont besoin dans l'environnement **(p. 819-820).**
- **Les éléments majeurs et les éléments mineurs (p. 820-821).** Les éléments majeurs, ceux dont la plante a besoin en grandes quantités, sont le carbone, l'hydrogène, l'oxygène, l'azote et d'autres ingrédients importants des composés organiques. Les éléments mineurs, soit ceux dont la plante a besoin en petites quantités, sont généralement des cofacteurs d'enzymes et ont une fonction catalytique.
- **Les symptômes d'une carence minérale (p. 822).** Une carence en un élément mobile dans une plante touche habituellement plus les vieux organes que les jeunes. C'est l'inverse pour les nutriments peu mobiles. Les carences en éléments majeurs sont les plus courantes, particulièrement les carences en azote, en phosphore et en potassium.

Concept 37.2

La qualité du sol est déterminante dans la chorologie et la croissance d'une plante

- **La texture et la composition du sol (p. 822-824).** On trouve dans le sol des particules de roches de diverses tailles et des substances organiques (humus) à différents stades de décomposition. Les racines des plantes sécrètent des acides qui facilitent l'absorption des minéraux quand les protons (H^+) remplacent les cations minéraux sur les particules d'argile.
- **La conservation du sol et l'agriculture durable (p. 824-826).** Contrairement aux écosystèmes naturels, l'agriculture appauvrit le sol, hypothèque les réserves d'eau et accentue l'érosion. L'objectif de la conservation du sol est de réduire ces dommages au minimum. La recherche en agriculture vise notamment à trouver des méthodes qui réduiraient les quantités de fertilisants ajoutés aux sols sans pour autant sacrifier la productivité des cultures.

Concept 37.3

L'azote est souvent le minéral qui a le plus d'effet sur la croissance de la plante

- **Les Bactéries du sol et la disponibilité de l'azote (p. 826-827).** Les Bactéries fixatrices d'azote transforment le N_2 atmosphérique en minéraux azotés, source d'azote pour la synthèse de matière organique, que les plantes peuvent absorber.
- **L'augmentation du rendement protéique des cultures (p. 827-828).** La recherche agricole veut résoudre le problème du type de malnutrition le plus répandu chez l'humain : la carence en protéines.

Concept 37.4

Les adaptations nutritives des plantes comportent souvent des associations avec d'autres organismes

- **Le rôle des Bactéries dans la fixation symbiotique de l'azote (p. 828-830).** La formation de nodosités fixatrices d'azote sur les racines de certaines plantes dépend de la communication qui s'établit au moyen de substances chimiques entre les Bactéries du genre *Rhizobium* et les cellules des racines d'un hôte précis. Les Bactéries d'une nodosité obtiennent les glucides d'une plante, à laquelle elles fournissent l'azote fixé.
- **Les mycorhizes et la nutrition des Végétaux (p. 830-831).** Les mycorhizes sont des racines modifiées qui forment des associations mutualistes d'Eumycètes et de racines. Les hyphes fongiques des ectomycorhizes et des endomycorhizes absorbent l'eau et les minéraux, et les transfèrent à leur hôte.
- **Les épiphytes, les plantes parasites et les plantes carnivores (p. 831).** Les épiphytes croissent sur les surfaces d'autres plantes mais tirent leur eau et leurs minéraux de la pluie. Les plantes parasites extraient des nutriments des autres plantes. Les plantes carnivores complètent leur nutrition minérale en digérant des Animaux.

VÉRIFIEZ VOS CONNAISSANCES

Autoévaluation

(Les questions dont les numéros sont en caractères gras font surtout appel à la compréhension.)

1. La majeure partie de la matière organique d'une plante provient :
   a) de l'eau.
   b) du dioxyde de carbone.
   c) des minéraux du sol.
   d) du dioxygène atmosphérique.
   e) de l'azote fixé.
2. Les éléments mineurs ne sont nécessaires qu'en très petites quantités, parce que :
   a) la plupart d'entre eux sont mobiles dans la plante.
   b) la plupart d'entre eux servent de cofacteurs enzymatiques.
   c) la plupart d'entre eux existent en quantités suffisamment importantes dans les graines.
   d) ils jouent un rôle mineur dans la santé des Végétaux.
   e) ils ne sont nécessaires qu'aux parties végétales en croissance.
3. On peut considérer l'eau comme un nutriment parce que :
   a) les Végétaux meurent s'ils n'en ont pas.
   b) l'élongation cellulaire dépend principalement de son absorption osmotique par les cellules.
   c) les atomes d'hydrogène des molécules d'eau sont intégrés dans les molécules organiques.
   d) la transpiration dépend d'un apport continu d'eau aux feuilles.
   e) la majeure partie de la masse des composés organiques des Végétaux en est dérivée.

4. D'après vous, qu'a démontré la célèbre expérience de Van Helmont sur la croissance d'un saule ?
   a) L'arbre croît en masse principalement par photosynthèse.
   b) L'augmentation de la masse de l'arbre ne peut être attribuée à la consommation des nutriments du sol.
   c) La plus grande partie de l'augmentation de la masse de l'arbre provient de l'absorption d'O_2.
   d) Le sol procure simplement un support physique à l'arbre sans lui fournir de nutriments.
   e) Les arbres n'ont pas besoin d'eau pour croître.

5. Une carence en un minéral donné touche plus les vieilles feuilles que les jeunes feuilles si :
   a) le minéral est un élément mineur.
   b) le minéral est très mobile dans la plante.
   c) le minéral est nécessaire à la synthèse de la chlorophylle.
   d) le minéral est un élément majeur.
   e) les plus vieilles feuilles sont directement éclairées par le Soleil.

6. On fait pousser deux groupes de plants de tomate en laboratoire, l'un dans un sol enrichi d'humus, l'autre, groupe témoin, dans un sol sans humus. Les feuilles des plants qui poussent sans humus sont plus jaunes (moins vertes) que celles des plants qui poussent dans l'humus. La meilleure explication de cette disparité est la suivante:
   a) Les plants sains utilisent la nourriture présente dans les feuilles en décomposition de l'humus pour obtenir l'énergie nécessaire à la synthèse de la chlorophylle.
   b) L'humus rend le sol moins compact, alors l'eau pénètre plus facilement dans les racines.
   c) L'humus contient des minéraux comme le magnésium et le fer qui sont nécessaires à la synthèse de la chlorophylle.
   d) La chaleur dégagée par la décomposition des feuilles dans l'humus permet une croissance rapide et une synthèse rapide de la chlorophylle.
   e) Les plants absorbent la chlorophylle de l'humus.
7. La relation particulière entre une Légumineuse et l'espèce de *Rhizobium* partenaire dépend probablement:
   a) du fait que chaque Légumineuse a un ensemble spécifique de gènes de nodulines précoces.
   b) du fait que chaque espèce de *Rhizobium* a une forme de nitrogénase qui ne fonctionne que dans la Légumineuse hôte appropriée.
   c) du fait que chaque Légumineuse se trouve dans le sol abritant seulement le *Rhizobium* qui lui est spécifique.
   d) de la reconnaissance spécifique entre les stimulus chimiques et les récepteurs des espèces de *Rhizobium* et de Légumineuses.
   e) de la destruction, par les enzymes sécrétées par la Légumineuse, de toutes les espèces de *Rhizobium* incompatibles.
8. Les mycorhizes améliorent la nutrition des Végétaux principalement en:
   a) absorbant l'eau et les minéraux par les hyphes fongiques.
   b) fournissant les glucides aux cellules des racines, qui ne possèdent pas de chloroplastes.
   c) convertissant l'azote atmosphérique en ammoniac.
   d) permettant aux racines de parasiter des plantes voisines.
   e) provoquant la formation de poils absorbants.
9. Nous observerions la plus grande différence de taille et d'aspect général entre deux groupes de plantes de la même espèce, l'un caractérisé par la présence de mycorhizes et l'autre par leur absence, dans un environnement:
   a) où les Bactéries fixatrices d'azote sont abondantes.
   b) dont le sol est mal drainé.
   c) où les étés sont chauds et les hivers froids.
   d) dont le sol est relativement pauvre en minéraux.
   e) situé près d'une étendue d'eau, comme un étang ou une rivière.
10. Déterminez l'énoncé qui est *faux*.
   a) L'azote est le minéral qui contribue le plus à la croissance des Végétaux.
   b) Les plantes absorbent l'azote sous forme de NH_4^+ et de NO_3^- qui sont ensuite incorporés dans des molécules organiques.
   c) Les carences en azote (de même qu'en potassium et en phosphore) sont les plus fréquentes.
   d) La fixation symbiotique de l'azote par des Bactéries diminue la nécessité d'utiliser des fertilisants pour les cultures.
   e) La presque totalité des plantes possèdent des nodules fixatrices d'azote.
11. Les adaptations carnivores de certaines plantes compensent la carence de quel nutriment?
   a) Le potassium.
   b) L'azote.
   c) Le calcium.
   d) L'eau.
   e) Le phosphate.

Lien avec l'évolution

Rédigez un texte d'un paragraphe pour expliquer comment les Bactéries du sol ont permis le cycle biogéochimique de l'azote *avant* que les Végétaux colonisent la terre ferme.

Intégration

Les pluies acides contiennent des concentrations anormalement élevées de protons (H^+). Elles sont à l'origine de l'appauvrissement du sol pour ce qui est des minéraux comme le calcium (Ca^{2+}), le potassium (K^+) et le magnésium (Mg^{2+}). Émettez une hypothèse expliquant pourquoi les pluies acides lessivent ces nutriments du sol. Comment pourriez-vous vérifier votre hypothèse?

Science, technologie et société

En Amérique et dans certains pays d'Europe, les résidus provenant du traitement des eaux usées des villes et des industries peuvent servir d'engrais pour les cultures. Au Québec, on fait chaque année l'épandage de 1,2 million de tonnes de boues d'épuration (biosolides) sur 2 % des terres agricoles. On prétend que ces fertilisants sont riches en matières organiques et en éléments fertilisants majeurs tout en possédant des propriétés intéressantes pour les sols. De plus, ce serait un moyen économique de disposer de ces déchets. Les opposants à cette pratique craignent que ces fertilisants contiennent des contaminants chimiques et des organismes pathogènes. Que pensez-vous de cette méthode visant à valoriser les matières résiduelles fertilisantes (MRF)? Accepteriez-vous de mettre dans votre assiette des légumes qui ont été fertilisés de cette façon?

Réponses du chapitre 37

Retour sur le concept 37.1

1. Le tableau 37.1 montre que le CO_2 représente 90 % de la masse sèche totale d'une plante, ce qui appuie l'hypothèse de Hales selon laquelle les plantes se nourrissent principalement d'air. Cependant, l'hypothèse de Van Helmont est correcte en ce qui concerne l'augmentation totale de la taille, qui est basée principalement sur l'accumulation d'eau dans les vacuoles cellulaires.
2. Non, parce que même si les éléments majeurs sont nécessaires en plus grandes quantités, la plante a besoin de tous les éléments essentiels pour accomplir son cycle vital.
3. Non, parce que les carences en nutriments plus mobiles se manifestent en premier lieu dans les feuilles les plus vieilles, tandis que les carences en nutriments moins mobiles se révèlent chez les jeunes feuilles.

Retour sur le concept 37.2

1. Le sol est un mélange de grosses particules (qui aèrent), de petites particules (qui favorisent la rétention d'eau et de minéraux) et d'une quantité suffisante d'humus (qui fournit les nutriments minéraux); il doit également avoir un pH approprié.
2. Un arrosage trop abondant prive les racines d'oxygène et peut les faire pourrir, tandis qu'une surfertilisation peut dénaturer et polluer l'eau souterraine.

Retour sur le concept 37.3

1. Les Bactéries fixatrices d'azote fournissent les réserves de minéraux azotés essentiels à la survie des plantes, qui sont des sources de nourriture directes ou indirectes pour les humains.

Retour sur le concept 37.4

1. Les deux comportent une symbiose mutualiste dans laquelle des organismes interagissent avec les racines des plantes. Les nodosités des racines font intervenir des Bactéries fixatrices d'azote, tandis que les mycorhizes utilisent des Eumycètes qui facilitent l'absorption de l'eau et des minéraux. Dans les deux cas, la plante fournit des composés organiques. Contrairement aux nodosités racinaires, les mycorhizes sont présents chez la plupart des espèces végétales. Les nodosités et les mycorhizes sont tous deux importants du point de vue agricole.
2. Les épiphytes utilisent d'autres plantes pour substrat, mais ils ne leur prennent aucun nutriment, contrairement aux plantes parasites qui extraient leurs nutriments de leurs hôtes.

Autoévaluation

1. b; 2. b; 3. c; **4.** b; 5. b; **6.** c; 7. d; **8.** a; **9.** d; 10. e; 11. b.

38 La reproduction des Angiospermes et la biotechnologie végétale

▲ **Figure 38.1** ***Rafflesia arnoldii*, plante parasite de l'archipel malais.**

Concepts clés

38.1 **La pollinisation permet aux gamètes de s'unir dans une fleur**

38.2 **Après la fécondation, les ovules deviennent des graines, et les ovaires des fruits**

38.3 **De nombreuses plantes à fleurs engendrent des clones d'elles-mêmes par reproduction asexuée**

38.4 **La biotechnologie végétale est en train de transformer l'agriculture**

Introduction

Se reproduire par tous les moyens

La plante parasite *Rafflesia arnoldii* (lys parasite nauséabond) pousse uniquement en Asie du Sud-Est et passe la majeure partie de sa vie camouflée dans le tissu ligneux de son hôte, une vigne appelée *Tetrastigma.* Lorsqu'elle se montre finalement au grand jour, cependant, c'est d'une manière tout à fait spectaculaire: elle produit, après plusieurs mois de développement, un bourgeon floral aussi gros qu'un chou qui devient une fleur gigantesque pouvant mesurer près de 1 m de diamètre et peser jusqu'à 10 kg **(figure 38.1)**. Dégageant une odeur de cadavre en putrescence, cette fleur attire une mouche nécrophage qui charrie son pollen d'une fleur à une autre. Quelques jours après l'éclosion, elle s'effondre et se dessèche; sa mission est accomplie. Une seule fleur femelle de *Rafflesia* peut produire plus de quatre millions de graines. La reproduction sexuée n'est toutefois pas le seul mode de reproduction des plantes à fleurs (Angiospermes). De nombreuses espèces, en effet, peuvent également se reproduire de manière asexuée, créant des descendants génétiquement identiques à elles-mêmes.

La propagation des plantes à fleurs par reproduction sexuée et asexuée est le fondement de l'agriculture. Depuis les débuts de la culture du sol, il y a environ 10 000 ans, les humains ont manipulé génétiquement plusieurs centaines d'espèces sauvages d'Angiospermes par sélection artificielle et les ont ainsi transformées en espèces de culture. Depuis quelques décennies, le génie génétique permet de modifier les plantes beaucoup plus rapidement et radicalement.

Aux chapitres 29 et 30, nous avons abordé la reproduction sous l'angle de l'évolution, en suivant la lignée des Angiospermes depuis leurs ancêtres algaires. Nous allons maintenant explorer la biologie de la reproduction des plantes à fleurs en détail, parce que c'est le groupe de Végétaux le plus important dans la plupart des écosystèmes terrestres et en agriculture. En plus des modes de reproduction sexués et asexués des Angiospermes, nous étudierons la biotechnologie végétale moderne et le rôle des humains dans l'altération génétique des espèces cultivées.

Concept 38.1

La pollinisation permet aux gamètes de s'unir dans une fleur

Comme nous venons de l'indiquer, nous avons étudié aux chapitres 29 et 30 le cycle de développement des Angiospermes du point de vue de l'évolution. Le cycle de développement des Angiospermes et des autres Végétaux se caractérise par l'**alternance de générations**: une génération haploïde (n) alterne avec une génération diploïde ($2n$) (voir les figures 29.5 et 30.10). La plante diploïde, appelée **sporophyte**, fabrique des spores haploïdes par méiose. Chacune des spores se divise par mitose et donne naissance à une plante mâle ou femelle, le **gamétophyte**. La mitose et la différenciation des gamétophytes produisent des gamètes (spermatozoïdes et oosphères). La fécondation des gamètes engendre des zygotes diploïdes. Ceux-ci se divisent par mitose et donnent de nouveaux sporophytes.

Chez les Angiospermes, la génération du sporophyte domine, car c'est la plus grande, la plus voyante et la plus longévive. Au cours de leur évolution, les gamétophytes ont rapetissé et sont devenus totalement dépendants de leurs parents sporophytes pour leurs nutriments: les gamétophytes des Angiospermes, constitués de quelques cellules seulement, sont les plus petits du règne végétal. Les sporophytes des Angiospermes produisent une structure reproductrice unique: la fleur.

La **figure 38.2** résume le cycle de développement des Angiospermes; pour une description plus détaillée, voir la figure 30.10. Les gamétophytes mâle et femelle se forment respectivement dans les anthères et dans l'ovaire d'une fleur sporophyte. La pollinisation par le vent, par l'eau ou par des Animaux transmet un grain de pollen contenant un gamétophyte mâle au stigmate d'une fleur. La germination du pollen conduit le spermatozoïde produit par le gamétophyte mâle jusqu'au gamétophyte femelle contenu dans l'ovule, lui-même enchâssé dans l'ovaire d'une fleur. L'union de l'oosphère (gamète femelle) et du spermatozoïde (gamète mâle), c'est-à-dire la fécondation, a lieu dans chaque ovule à l'intérieur de l'ovaire. Les ovules deviennent des graines, tandis que l'ovaire lui-même se transforme en fruit (autre structure propre aux Angiospermes). Dans la présente section, nous nous concentrerons sur le rôle de la fleur dans le développement du gamétophyte et sur le processus de pollinisation.

La structure de la fleur

La fleur, c'est-à-dire la pousse contenant les organes reproducteurs du sporophyte chez les Angiospermes, est généralement composée de quatre verticilles de feuilles hautement modifiées qu'on appelle *pièces florales* et qui sont séparés par de très courts entre-nœuds. Contrairement aux pousses végétatives, qui croissent de manière indéfinie, les pousses florales ont une croissance définie, ce qui signifie qu'elles cessent de croître après la formation de la fleur et du fruit (voir le chapitre 35).

Les pièces florales – les **sépales**, les **pétales**, les **étamines** et le **pistil** – s'attachent à la tige par le **réceptacle**. Chez bon nombre d'Angiospermes, le pistil (ou gynécée) est composé d'un seul carpelle; chez les autres, il en comporte plusieurs. Les étamines et le pistil sont les pièces reproductrices, tandis que les sépales et les pétales sont les pièces stériles. Les sépales, qui entourent et protègent le bouton floral avant son ouverture, sont généralement verts. Ce sont les pièces florales qui ressemblent le plus aux feuilles. Les pétales sont généralement plus brillamment colorés que les sépales et ils possèdent souvent à leur base des glandes qui sécrètent un liquide sucré; ces deux caractéristiques servent à attirer les Insectes et les autres pollinisateurs.

L'étamine se compose d'une partie tubulaire appelée *filet* et d'une structure terminale qui porte le nom d'**anthère**. L'anthère contient quatre cavités, les sacs polliniques, où se forme le pollen. Un carpelle comporte un **ovaire** formant un renflement à sa base et un long tube étroit, le **style**, qui se dresse au-dessus. Le sommet du style porte un **stigmate** gluant qui sert de plateforme d'atterrissage au pollen. L'ovaire renferme un ou plusieurs **ovules** (selon l'espèce). Chez la plupart des espèces dont le pistil compte deux ou trois carpelles, les carpelles fusionnent en une seule structure, ce qui donne un ovaire à deux ou plusieurs cavités contenant chacune un ou plusieurs ovules. On emploie parfois le terme **pistil** pour désigner un seul carpelle ou un groupe de carpelles fusionnés. La **figure 38.3** illustre les variations qui existent dans la structure florale. Ces variations sont le résultat de 140 millions d'années d'évolution.

Le développement des gamétophytes et la pollinisation

Les anthères et les ovules contiennent les sporanges, structures dans lesquelles se forment d'abord, par méiose, les spores, puis, par mitose, les gamétophytes. Le gamétophyte mâle est une structure appelée **grain de pollen** qui produit les spermatozoïdes. Les

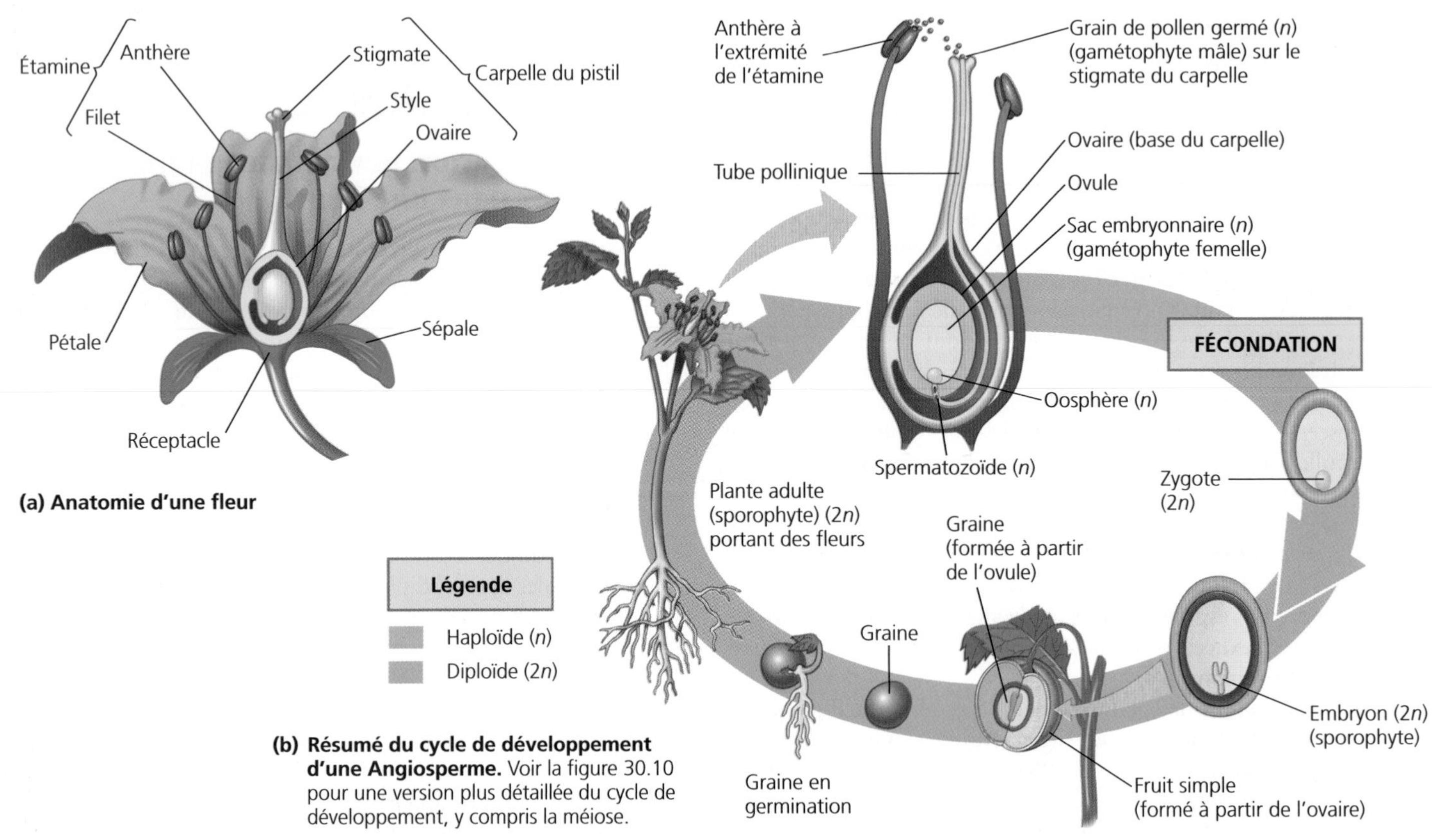

(b) Résumé du cycle de développement d'une Angiosperme. Voir la figure 30.10 pour une version plus détaillée du cycle de développement, y compris la méiose.

▲ **Figure 38.2 Vue d'ensemble de la reproduction chez une Angiosperme.**

Figure 38.3
Panorama Les variations florales

Le chapitre 30 traitait des caractéristiques générales des Angiospermes (voir la figure 30.12). Ici, nous examinerons quelques-unes des différences entre les fleurs. Celles-ci varient d'une espèce à l'autre, en ce qui concerne la présence ou l'absence de sépales, de pétales, d'étamines ou de carpelles. Les **fleurs complètes** possèdent les quatre ensembles de pièces florales (voir la figure 38.2a), contrairement aux **fleurs incomplètes**, à qui il manque au moins un ensemble. Par exemple, les fleurs de la plupart des Graminées n'ont pas de pétales. Certaines fleurs incomplètes sont stériles, dépourvues d'étamines et de carpelles fonctionnels. Les fleurs varient également du point de vue de la taille, de la forme, de la couleur, de l'odeur et de l'arrangement des pièces florales. Une bonne partie de cette diversité résulte de l'adaptation à des groupes précis de pollinisateurs (voir la figure 30.13).

SYMÉTRIE

Les fleurs peuvent différer du point de vue de la symétrie. Une symétrie bilatérale signifie qu'on peut diviser la fleur en deux parties égales par une seule ligne imaginaire. Une symétrie radiale suppose un centre d'où irradient les sépales, les pétales, les étamines et les carpelles. Les pièces florales peuvent également être fusionnées ou séparées. Par exemple, les pétales du narcisse des prés sont fusionnés en un entonnoir.

EMPLACEMENT DE L'OVAIRE

L'emplacement de l'ovaire peut varier par rapport aux étamines, aux pétales et aux sépales. Un ovaire est dit *supère* si ces pièces y sont attachées au-dessous, *semi-infère* si elles y sont attachées à côté, et *infère* si elles y sont attachées au-dessus.

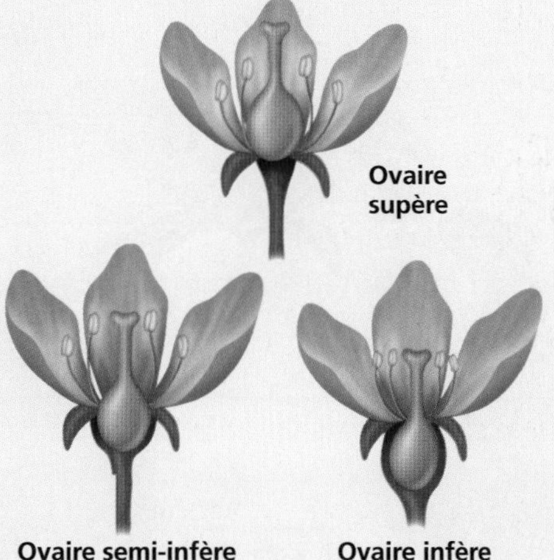

DISPOSITION DES FLEURS

La répartition des fleurs peut également différer d'une espèce à l'autre. Chez certaines espèces, les fleurs sont individuelles; chez d'autres, elles forment des regroupements qu'on appelle **inflorescences**.

Inflorescence du lupin

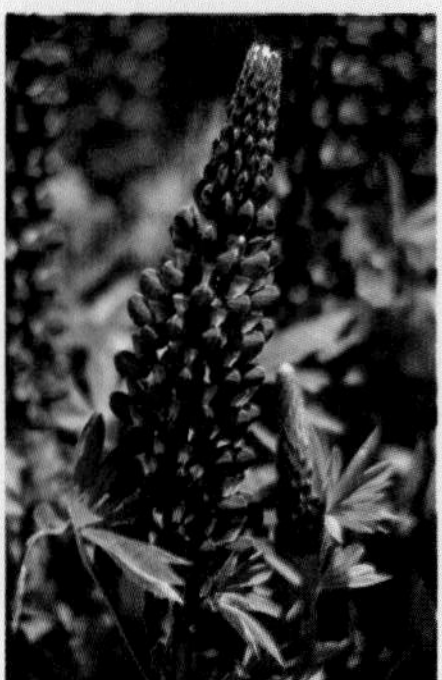

Inflorescence du tournesol. Le disque central de la fleur du tournesol est en fait un amas de centaines de petites fleurs incomplètes. Les languettes jaunes rayonnantes qui ressemblent à des pétales sont en réalité des fleurs stériles.

VARIATIONS SUR LE PLAN DE LA REPRODUCTION

La plupart des espèces possèdent un seul type de fleur pourvu d'étamines et d'un pistil fonctionnels. Toutes les fleurs complètes et certaines fleurs incomplètes ont des étamines et des pistils fonctionnels. Les fleurs incomplètes ayant seulement des étamines fonctionnelles sont dites *staminées*, tandis que celles qui sont pourvues exclusivement de pistils sont dites *pistillées*. Si on trouve des fleurs staminées et des fleurs pistillées sur un même individu, comme c'est le cas chez les pins et les bouleaux, l'espèce est dite **monoïque** (du grec *monos*, « un seul », et *oïkos*, « maison »). Par contre, si on trouve des fleurs staminées et des fleurs pistillées sur des individus distincts, comme c'est le cas chez les saules et les peupliers, l'espèce est dite **dioïque** (« deux maisons »).

Le maïs, *Zea mays*, espèce monoïque. L'épi est un regroupement de grains (fruits à une graine) provenant de fleurs pistillées fécondées. Chaque grain est dérivé d'une fleur. Chaque brin de la « barbe » du maïs est composé d'un stigmate et d'un long style. Les fleurs staminées forment la panicule (à droite).

La sagittaire, *Sagittaria latifolia*, plante dioïque. La fleur staminée (à gauche) est dépourvue de pistil, tandis que la fleur pistillée (à droite) est dépourvue d'étamines. La présence de ces deux types de fleurs sur des plants distincts réduit l'autofécondation.

grains de pollen se forment dans les sporanges des anthères, appelés aussi *microsporanges*. Le gamétophyte femelle, appelé **sac embryonnaire**, produit les oosphères. Les sacs embryonnaires se forment à l'intérieur des ovules, qui sont eux-mêmes enfermés dans les ovaires.

Chez les Angiospermes, la pollinisation est le transfert de pollen d'une anthère à un stigmate. Si elle réussit, un grain de pollen produit un tube pollinique qui s'enfonce dans le style jusqu'à l'ovaire. Là, il déverse ses spermatozoïdes dans le sac embryonnaire; il y a alors fécondation de l'oosphère (voir la figure 38.2b). Le zygote engendre un embryon, et à mesure que celui-ci se développe, l'ovule qui l'entoure se transforme en graine. Pendant ce temps, l'ovaire devient un fruit contenant une ou plusieurs graines, selon l'espèce. Les fruits, qui se dispersent en tombant sur le sol ou sont transportés par le vent ou par des Animaux, servent de véhicules de dissémination aux graines. Lorsque la lumière, le sol et la température donnent des conditions favorables, les graines germent et les embryons contenus dans celles-ci croissent et engendrent une nouvelle génération de sporophytes à fleurs.

Dans les sections qui suivent, nous allons décrire la formation des gamétophytes chez les Angiospermes. Nous expliquerons aussi le processus qui conduit de la pollinisation à la fécondation et à la formation des embryons, des graines et des fruits. Notez cependant que ces processus connaissent de nombreuses petites variantes d'une espèce à l'autre.

À l'intérieur des microsporanges (sacs polliniques) d'une anthère se trouvent de nombreuses cellules diploïdes appelées *microsporocytes* ou *cellules mères de pollen* **(figure 38.4a)**. Chaque microsporocyte subit une méiose et donne quatre **microspores** haploïdes dont chacun donne naissance à un gamétophyte mâle.

Chaque microspore subit une mitose et une cytocinèse, et produit deux cellules distinctes: une cellule génératrice et une cellule végétative. Le tout forme un grain de pollen qui, à ce stade de développement, est un gamétophyte mâle immature. La paroi de la spore, constituée de sporopollénine (voir le chapitre 30), comporte habituellement un motif complexe qui est unique à l'espèce. Durant la maturation du gamétophyte mâle, la cellule

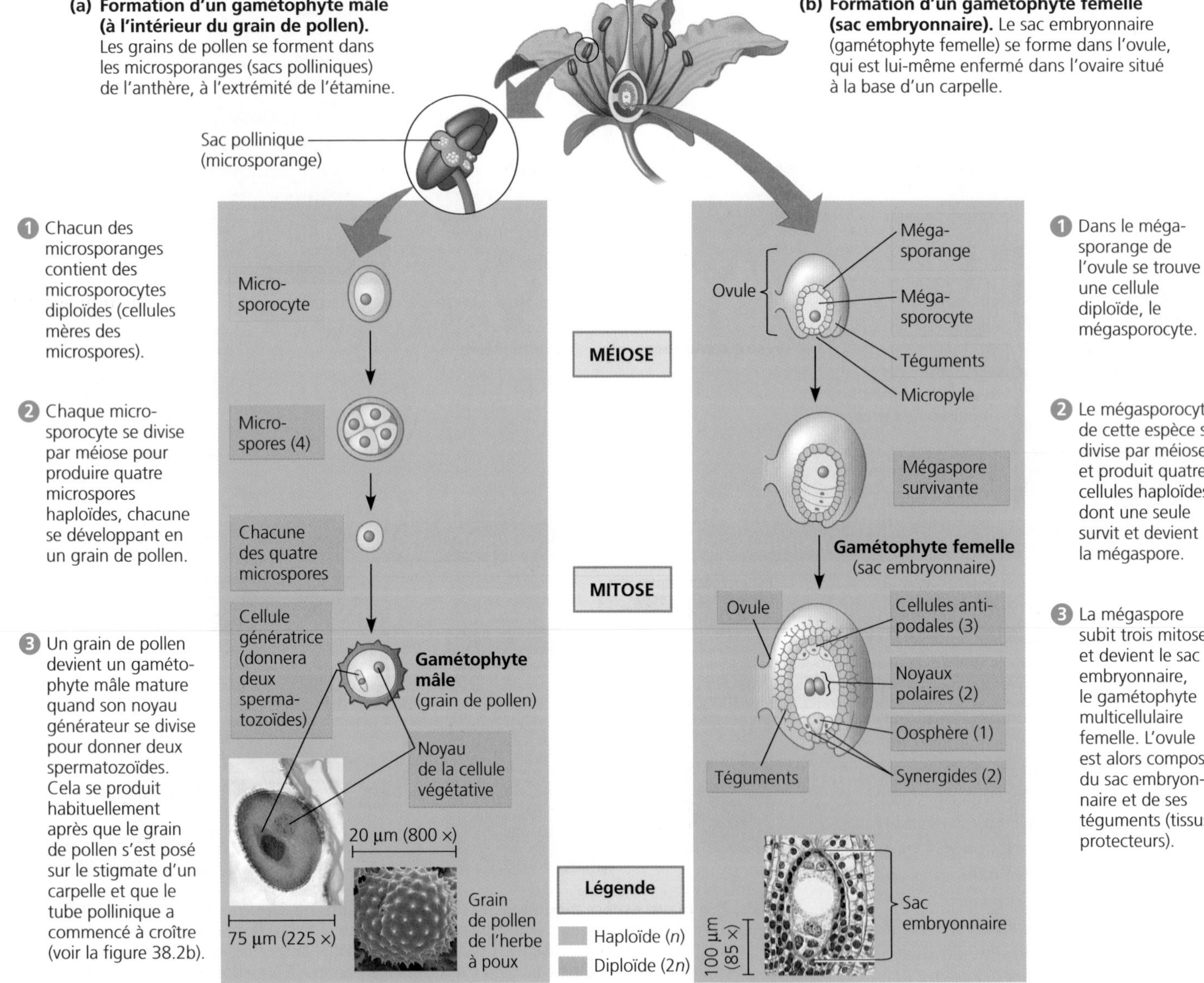

(a) Formation d'un gamétophyte mâle (à l'intérieur du grain de pollen). Les grains de pollen se forment dans les microsporanges (sacs polliniques) de l'anthère, à l'extrémité de l'étamine.
(b) Formation d'un gamétophyte femelle (sac embryonnaire). Le sac embryonnaire (gamétophyte femelle) se forme dans l'ovule, qui est lui-même enfermé dans l'ovaire situé à la base d'un carpelle.
Sac pollinique (microsporange)
1 Chacun des microsporanges contient des microsporocytes diploïdes (cellules mères des microspores).
2 Chaque microsporocyte se divise par méiose pour produire quatre microspores haploïdes, chacune se développant en un grain de pollen.
3 Un grain de pollen devient un gamétophyte mâle mature quand son noyau générateur se divise pour donner deux spermatozoïdes. Cela se produit habituellement après que le grain de pollen s'est posé sur le stigmate d'un carpelle et que le tube pollinique a commencé à croître (voir la figure 38.2b).
Microsporocyte
Microspores (4)
Chacune des quatre microspores
Cellule génératrice (donnera deux spermatozoïdes)
Gamétophyte mâle (grain de pollen)
Noyau de la cellule végétative
20 μm (800 ×)
75 μm (225 ×)
Grain de pollen de l'herbe à poux
MÉIOSE
MITOSE
Légende
Haploïde (n)
Diploïde (2n)
Ovule
Méga-sporange
Méga-sporocyte
Téguments
Micropyle
Mégaspore survivante
Gamétophyte femelle (sac embryonnaire)
Ovule
Cellules antipodales (3)
Noyaux polaires (2)
Oosphère (1)
Synergides (2)
Téguments
Sac embryonnaire
100 μm (85 ×)
1 Dans le mégasporange de l'ovule se trouve une cellule diploïde, le mégasporocyte.
2 Le mégasporocyte de cette espèce se divise par méiose et produit quatre cellules haploïdes, dont une seule survit et devient la mégaspore.
3 La mégaspore subit trois mitoses et devient le sac embryonnaire, le gamétophyte multicellulaire femelle. L'ovule est alors composé du sac embryonnaire et de ses téguments (tissus protecteurs).

▲ **Figure 38.4 Formation des gamétophytes (grain de pollen et sac embryonnaire) chez les Angiospermes.**

génératrice vient se loger dans la cellule végétative, qui contient donc alors, dans son cytoplasme, une autre cellule tout aussi autonome qu'elle (la cellule génératrice). La cellule végétative produit le tube pollinique, essentiel à la livraison des spermatozoïdes jusque dans le sac embryonnaire. Durant l'élongation du tube pollinique, la cellule génératrice produit habituellement deux spermatozoïdes par mitose, lesquels demeurent toujours inclus dans la cellule végétative (voir la figure 30.10). Le tube pollinique s'enfonce dans le long style du carpelle jusque dans l'ovaire, où il libère alors les deux spermatozoïdes près du sac embryonnaire.

Le ou les ovules, qui contiennent chacun un mégasporange, se forment dans la cavité de l'ovaire **(figure 38.4b)**. Une cellule, appelée *mégasporocyte* ou *cellule mère du sac embryonnaire*, croît dans le mégasporange de l'ovule. Elle produit ensuite par méiose quatre **mégaspores** haploïdes.

Les détails des prochaines étapes varient beaucoup selon l'espèce. Chez de nombreuses Angiospermes, une seule des mégaspores survit. Elle poursuit sa croissance. Son noyau se divise trois fois par mitose, sans cytocinèse, et donne une grosse cellule contenant huit noyaux haploïdes. Puis, des membranes divisent cette masse, qui devient une structure multicellulaire appelée *sac embryonnaire*: c'est le gamétophyte femelle. À l'une des extrémités du sac embryonnaire se trouvent trois cellules: l'oosphère et, de part et d'autre, deux cellules appelées *synergides*. Les synergides attirent et guident le tube pollinique vers le sac embryonnaire. À l'autre extrémité du sac embryonnaire se trouvent trois autres cellules, les cellules antipodales, dont la fonction est inconnue. Les deux noyaux qui restent, les noyaux polaires, ne sont pas séparés par des membranes. Ils partagent le cytoplasme de la grosse cellule centrale du sac embryonnaire. L'ovule, qui deviendra une graine, est alors composé du sac embryonnaire et de ses téguments (couches de tissu protecteur qui deviendront éventuellement les enveloppes de la graine).

La pollinisation, qui permet le transfert du pollen de l'anthère au stigmate, constitue la première étape d'une série d'événements qui conduiront à la fécondation. Elle s'effectue de différentes façons. Chez certaines Angiospermes, dont les Graminées et de nombreux arbres (notamment les érables), le vent est un agent pollinisateur. Chez ces plantes, la libération d'énormes quantités de minuscules grains de pollen compense le côté aléatoire de ce mode de dissémination. À certaines périodes de l'année, l'air est rempli de pollen, comme le savent si bien les personnes qui y sont allergiques. Pour certaines plantes aquatiques, c'est l'eau qui est l'agent pollinisateur. Cependant, la plupart des Angiospermes doivent se fier aux Insectes, aux Oiseaux ou aux autres Animaux, qui transportent directement le pollen d'une fleur à l'autre.

Les mécanismes empêchant l'autofécondation

En général, la reproduction sexuée a surtout pour avantage d'accroître la diversité génétique de la descendance, augmentant du même coup les chances qu'au moins une partie des descendants survivent aux difficultés du milieu, par exemple les changements environnementaux et les agents pathogènes (voir le chapitre 23). Il existe toutefois des fleurs, comme le pois, qui peuvent s'autoféconder. Ce processus peut être souhaitable chez certaines espèces de culture, car il garantit que la graine se développera, mais de nombreuses Angiospermes possèdent des mécanismes qui entravent ou empêchent cela. Les diverses barrières qui empêchent l'autofécondation contribuent à la diversité génétique en faisant en sorte que le spermatozoïde et l'oosphère viennent de parents différents. Les Végétaux dioïques ne peuvent évidemment pas s'autoféconder, puisque chaque individu n'a qu'un sexe: la fleur est soit staminée, soit pistillée (voir la figure 38.3). Quant aux Végétaux possédant les deux sexes, certains ont des fleurs dont les étamines et le pistil atteignent la maturité à des moments différents. Certains autres ont des fleurs dont la morphologie est telle que l'Animal pollinisateur a peu de chances de transférer le pollen des anthères au stigmate de la même fleur **(figure 38.5)**. Cependant, le mécanisme qui empêche le plus souvent l'autofécondation est l'**auto-incompatibilité** (ou autostérilité), soit la capacité qu'ont les Végétaux de rejeter leur propre pollen ou parfois celui d'un proche parent. Ainsi, quand un grain de pollen se pose sur le stigmate du même individu, un processus biochimique l'empêche de terminer son développement et de féconder l'oosphère.

Les chercheurs essaient de comprendre les mécanismes de l'auto-incompatibilité. Cette réaction qu'on observe chez les Végétaux est analogue à la réponse immunitaire présente chez les Animaux, dans la mesure où les organismes peuvent distinguer les cellules du « soi » des cellules du « non-soi ». Les cellules du « soi » ont une membrane plasmique possédant une combinaison d'antigènes propres à un individu. Les cellules du « non-soi » ont une membrane plasmique portant des antigènes étrangers à l'individu, qui cherche généralement à les détruire. Notons cependant une différence importante: le système immunitaire animal rejette le « non-soi », comme c'est le cas lorsqu'il se mobilise pour défendre l'organisme contre un agent pathogène ou essaie de rejeter un organe greffé. Inversement, chez les Végétaux, l'auto-incompatibilité rejette le « soi ».

La reconnaissance du pollen du « soi » se fonde sur les gènes responsables de l'auto-incompatibilité, appelés *gènes S* (pour « soi »). Dans le patrimoine génétique d'une population végétale particulière, le locus S peut présenter des douzaines d'allèles différents. S'il a un allèle qui correspond à un allèle du stigmate sur lequel il se pose, un grain de pollen ne produira pas de tube pollinique. Selon l'espèce, la reconnaissance du « soi » inhibe la

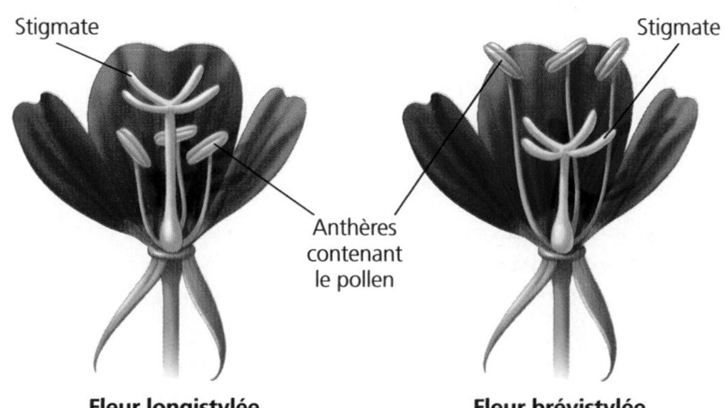

▲ **Figure 38.5 Hétérostylie de certaines fleurs réduisant l'autofécondation.** On appelle *hétérostylie* l'inégalité de longueur du style entre les fleurs des individus d'une même espèce. Certaines espèces, comme l'onagre de Victorin (*Œnothera victorinii*), plante commune dans la vallée du Saint-Laurent, produisent deux types de fleurs: les fleurs longistylées, qui possèdent de longs styles et de courtes étamines, et les fleurs brévistylées, pourvues de courts styles et de longues étamines. Un Insecte qui cherche du nectar verra le pollen se coller sur des parties différentes de son corps selon le type de fleur. Le pollen qu'il récoltera sur un premier type de fleur sera déposé sur les stigmates du second type.

croissance du tube pollinique au moyen de l'un ou l'autre des mécanismes moléculaires suivants: l'auto-incompatibilité gamétophytique ou l'auto-incompatibilité sporophytique.

Dans l'auto-incompatibilité gamétophytique, c'est l'allèle S du génome du pollen (haploïde) qui régit l'inhibition de la fécondation. Par exemple, un grain de pollen S_1 d'un sporophyte parental S_1S_2 ne pourra pas féconder les ovules d'une fleur S_1S_2, mais pourra féconder une fleur S_2S_3. À titre de comparaison, un grain de pollen S_2 ne pourrait féconder aucune de ces deux fleurs. Une auto-incompatibilité de ce type provoque la destruction enzymatique de l'ARN cytoplasmique à l'intérieur d'un tube pollinique rudimentaire. Les ribonucléases, ou ARNases, sont des enzymes qui se trouvent dans le style du carpelle. Il semble cependant qu'elles peuvent pénétrer dans un tube pollinique et en attaquer l'ARN seulement si le pollen est du type «soi».

Dans l'auto-incompatibilité sporophytique, la fécondation est inhibée par les produits géniques de l'allèle S dans les tissus du sporophyte parental (diploïde) qui adhèrent à la paroi du pollen. Par exemple, ni le grain de pollen S_1 ni le grain de pollen S_2 issu d'un sporophyte parental S_1S_2 ne fécondera les ovules d'une fleur S_1S_2 ou S_2S_3. Il faudrait que les deux génotypes (celui de la plante qui a produit le pollen et celui de la plante qui porte le stigmate) soient complètement différents (S_3S_4, par exemple) pour qu'il n'y ait pas d'incompatibilité. Ce type de reconnaissance du «soi» active une voie de transduction d'un stimulus dans les cellules épidermiques du stigmate, qui empêche la germination du grain de pollen.

Certaines espèces cultivées, comme les variétés non hybrides de pois, de maïs et de tomate, s'autopollinisent très souvent, et les résultats sont satisfaisants. Toutefois, les phytogénéticiens croisent parfois différentes variétés de plantes cultivées afin de combiner leurs meilleures qualités et de contrer la perte de vigueur pouvant résulter d'une autofécondation excessive (voir le chapitre 14). Pour obtenir des graines hybrides, ils doivent alors empêcher l'autofécondation en extrayant de manière laborieuse les anthères des plantes mères qui fournissent les graines, ou en produisant des plants mâles stériles. Cette dernière méthode est de plus en plus utilisée. Un jour, il sera probablement possible de rendre auto-incompatibles les cultures qui sont normalement autocompatibles. La recherche fondamentale sur ces mécanismes pourrait avoir des applications en agriculture.

Retour sur le concept 38.1

1. Donnez quelques exemples qui montrent que la forme correspond à la fonction chez la fleur.
2. Établissez la différence entre la pollinisation et la fécondation.
3. Compte tenu des inconvénients apparents de l'autofécondation comme «stratégie» de reproduction dans la nature, il est surprenant qu'environ 20 % des Angiospermes se fient d'abord sur celle-ci. Bien qu'elle soit assez courante dans la nature, l'autofécondation a parfois été considérée comme une «impasse évolutive». Essayez d'expliquer pourquoi elle peut être conservée par sélection naturelle même si elle demeure une «impasse évolutive».

Voir les réponses proposées à la fin du chapitre.

Concept 38.2

Après la fécondation, les ovules deviennent des graines, et les ovaires des fruits

Nous avons décrit le développement du gamétophyte et la pollinisation. Maintenant, nous allons examiner la fécondation et ses résultats: les graines et les fruits.

La double fécondation

Après avoir adhéré à un stigmate, le grain de pollen en absorbe l'humidité et germe: il produit un tube qui s'enfonce dans le style, entre les cellules, jusqu'à l'ovaire **(figure 38.6)**. Le noyau de la cellule génératrice se divise par mitose et donne deux spermatozoïdes. Dirigée par une affinité chimique faisant probablement intervenir le calcium, l'extrémité du tube pollinique pénètre dans l'ovaire, s'introduit par le micropyle (orifice qui se trouve dans les téguments de l'ovule) et dépose ses deux spermatozoïdes dans le sac embryonnaire ou à proximité de celui-ci.

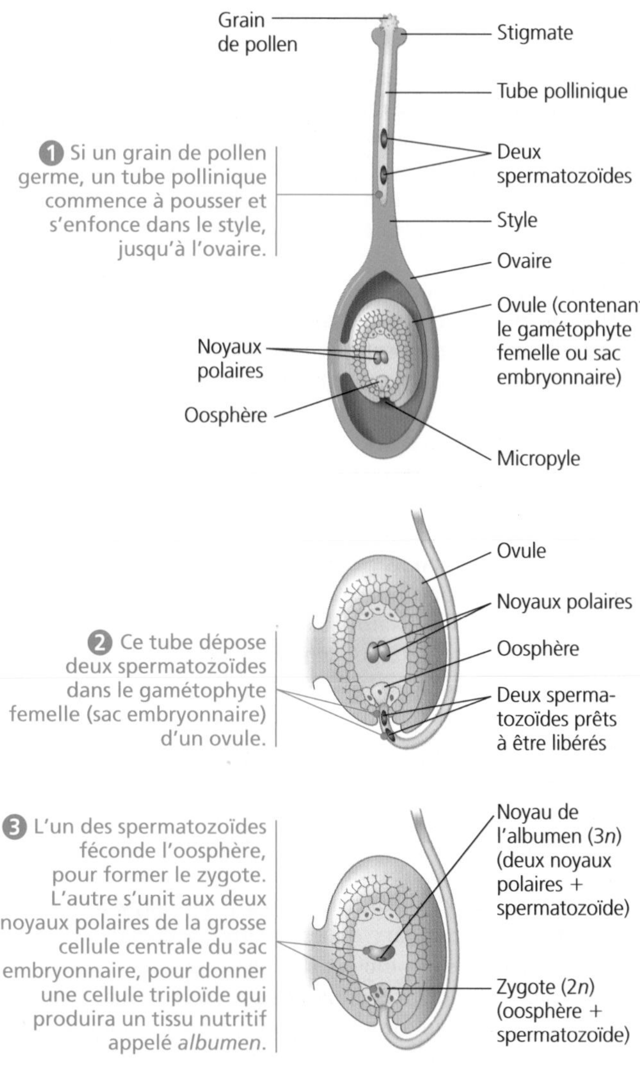
Grain de pollen
Stigmate
Tube pollinique
1 Si un grain de pollen germe, un tube pollinique commence à pousser et s'enfonce dans le style, jusqu'à l'ovaire.
Deux spermatozoïdes
Style
Ovaire
Ovule (contenant le gamétophyte femelle ou sac embryonnaire)
Noyaux polaires
Oosphère
Micropyle
Ovule
Noyaux polaires
2 Ce tube dépose deux spermatozoïdes dans le gamétophyte femelle (sac embryonnaire) d'un ovule.
Oosphère
Deux spermatozoïdes prêts à être libérés
3 L'un des spermatozoïdes féconde l'oosphère, pour former le zygote. L'autre s'unit aux deux noyaux polaires de la grosse cellule centrale du sac embryonnaire, pour donner une cellule triploïde qui produira un tissu nutritif appelé *albumen*.
Noyau de l'albumen (3n) (deux noyaux polaires + spermatozoïde)
Zygote (2n) (oosphère + spermatozoïde)

▲ **Figure 38.6 Croissance du tube pollinique et double fécondation.**

Les événements suivants constituent un processus caractéristique du cycle de développement des Angiospermes. L'un des deux spermatozoïdes du grain de pollen féconde l'oosphère; cette union donne le zygote. L'autre spermatozoïde s'unit aux deux noyaux polaires; le tout forme un noyau triploïde ($3n$) au milieu de la grosse cellule centrale du sac embryonnaire. Cette grosse cellule donnera naissance à un tissu nutritif appelé **albumen**. L'union des deux spermatozoïdes à deux noyaux différents du sac embryonnaire est appelée **double fécondation**. Cette dernière fait en sorte que l'albumen se forme seulement dans un ovule où l'oosphère a été fécondée. Ainsi, il n'y a pas de gaspillage de nutriments.

Les tissus qui entourent le sac embryonnaire ont toujours empêché les chercheurs d'observer directement la fécondation chez les Végétaux poussant dans des conditions normales. Cependant, les scientifiques ont récemment isolé des spermatozoïdes de grains de pollen et des oosphères de sacs embryonnaires, et ont ainsi pu observer la fusion des gamètes *in vitro* (dans un environnement artificiel). Le premier événement cellulaire qui se produit après la fusion des gamètes est une augmentation de la concentration cytosolique de Ca^{2+} dans l'oosphère, comme dans la fusion des gamètes chez les Animaux (voir le chapitre 47). L'existence d'une barrière empêchant la polyspermie, c'est-à-dire la fécondation d'une oosphère par plus d'un spermatozoïde, est une autre similitude entre le règne végétal et le règne animal. Ainsi, chez le maïs (*Zea mays*), un spermatozoïde ne peut fusionner avec un zygote *in vitro*; ce blocage inhibant la polyspermie apparaît 45 secondes seulement après la fécondation de l'oosphère.

De l'ovule à la graine

Après la double fécondation, l'ovule devient une graine. L'ovaire quant à lui devient un fruit contenant la ou les graines (selon que l'ovaire comporte un ou plusieurs ovules). À mesure que le zygote devient un embryon, la graine accumule des protéines, des huiles et de l'amidon en quantités variant selon l'espèce. Voilà pourquoi les graines constituent des réserves de glucides si importantes (voir le chapitre 36). C'est l'albumen qui, au départ, stocke les nutriments. Mais chez de nombreuses espèces, quand la graine se développe, ce sont les feuilles embryonnaires (cotylédons) qui emmagasinent les nutriments et qui deviennent charnues.

La formation et le développement de l'albumen

La formation de l'albumen commence généralement avant celle de l'embryon. Après la double fécondation, le noyau triploïde de la cellule centrale de l'ovule se divise et constitue une « supercellule » plurinucléée de consistance laiteuse. Cette masse liquide est l'albumen. Elle devient multicellulaire au moment où la cytocinèse divise le cytoplasme et fabrique des membranes entre les noyaux. Les cellules « nues » qui résultent de la cytocinèse forment par la suite une paroi. L'albumen devient alors solide. Chez la noix de coco, le « lait » est un exemple d'albumen liquide; la « chair » un exemple d'albumen solide. La partie blanche gonflée du maïs soufflé est aussi un exemple d'albumen solide.

Chez les céréales et la plupart des Monocotylédones ainsi que chez certaines Dicotylédones, l'albumen contient aussi des réserves de nutriments destinés à la plantule issue de la germination. Chez d'autres Dicotylédones (incluant les haricots), les réserves de nourriture de l'albumen sont complètement transférées aux cotylédons, qui sont encore à l'intérieur de la graine et y restent tant que celle-ci n'a pas terminé son développement. Par conséquent, la graine mature (prête à germer) est dépourvue d'albumen.

La formation et le développement de l'embryon

La première division mitotique du zygote s'effectue transversalement. Elle scinde l'oosphère fécondée en deux cellules: l'une basale, l'autre terminale **(figure 38.7)**. La cellule terminale donne naissance à la plus grande partie de l'embryon. La cellule basale continue de se diviser transversalement et produit une chaîne de

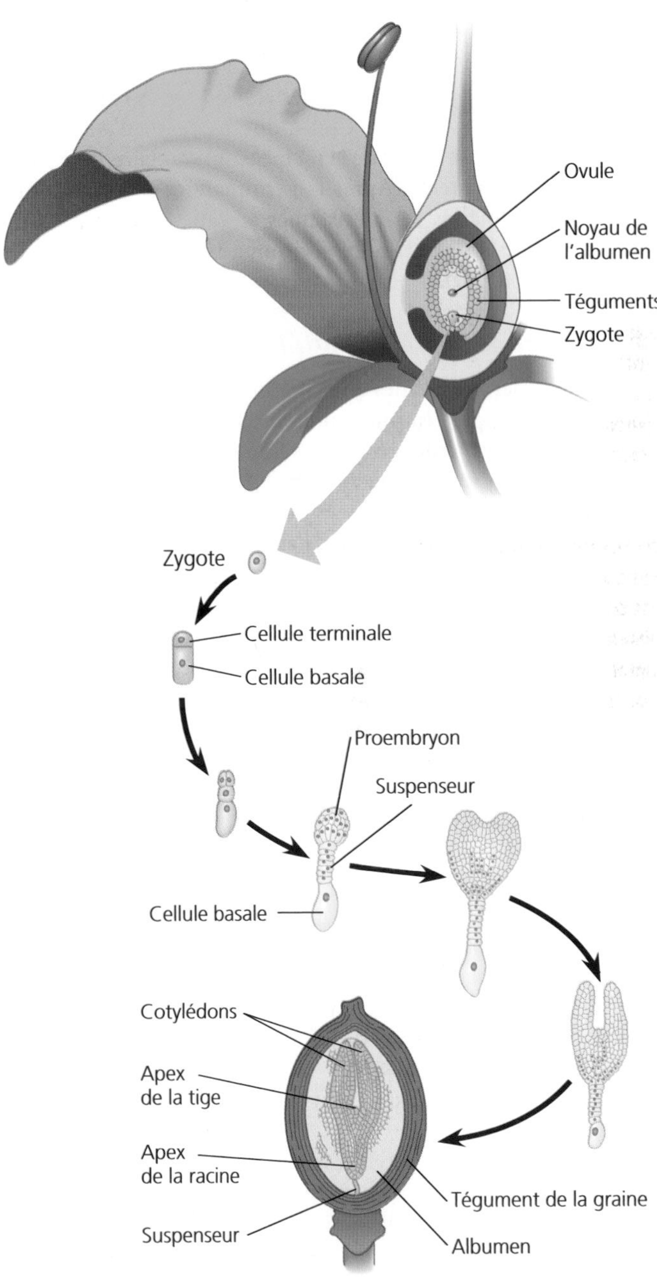

▲ **Figure 38.7 Développement de l'embryon d'une Eudicotylédone.** Pendant que la graine devient mature et que les téguments durcissent pour l'envelopper, le zygote donne naissance à un embryon formé d'organes rudimentaires.

cellules appelée *suspenseur*, qui ancre l'embryon à la graine. Le suspenseur agit aussi comme un intermédiaire nourricier auprès de l'embryon ou du proembryon, incapable de se nourrir par lui-même. Il fournit à ce dernier des nutriments provenant de l'ovaire. Chez certaines espèces, il puise les nutriments dans l'albumen. À mesure qu'il allonge, le suspenseur pousse l'embryon plus profondément dans les tissus nourriciers et protecteurs. Pendant ce temps, la cellule terminale se divise à plusieurs reprises et donne naissance à un proembryon sphérique attaché au suspenseur. Les cotylédons apparaissent sous la forme de protubérances situées sur le proembryon. À ce stade, les Eudicotylédones possèdent deux cotylédons et ont un peu la forme d'un cœur. Les Monocotylédones comptent quant à elles un seul cotylédon.

Peu de temps après l'apparition des ébauches de cotylédons, l'embryon s'allonge. L'apex de la tige embryonnaire, qui contient le méristème apical, est pris entre les cotylédons. À l'autre extrémité de l'axe embryonnaire, c'est-à-dire au point d'ancrage du suspenseur, se trouve l'apex de la racine embryonnaire, également porteur d'un méristème. Après la germination, et tout au long de la vie de la plante, les méristèmes apicaux situés aux extrémités de la tige et de la racine serviront à la croissance primaire (voir la figure 35.10).

La structure de la graine mature

Au cours des derniers stades de sa maturation, la graine se déshydrate jusqu'à ce que l'eau ne représente plus que 5 à 15 % de sa masse. L'embryon, entouré de sa réserve de nourriture (cotylédons, albumen ou les deux), entre en dormance; il cesse de croître et son métabolisme devient minimal. Un **tégument**, provenant des téguments de l'ovule, l'enveloppe avec sa réserve de nourriture.

Examinons de près l'anatomie interne d'une graine de haricot commun (*Phaseolus sp.*), une Eudicotylédone. À ce stade, l'embryon est une structure allongée, l'axe embryonnaire, qui est attachée aux cotylédons charnus **(figure 38.8a)**. Au-dessous du point d'attache des cotylédons, l'axe embryonnaire porte le nom d'**hypocotyle** (du grec *upo*, « au-dessous »). Il se termine par la **radicule**, ou racine embryonnaire. Au-dessus des cotylédons, l'axe embryonnaire est appelé **épicotyle** (du grec *epi*, « au-dessus »). Il est composé de l'extrémité de la tige et d'une paire de feuilles miniatures.

Les cotylédons du haricot commun sont remplis d'amidon avant la germination, car ils ont absorbé la nourriture de l'albumen pendant le développement de la graine. Cependant, dans les graines de certaines Dicotylédones, comme le ricin (*Ricinus communis*), la réserve de nourriture reste dans l'albumen. Les cotylédons sont alors très minces **(figure 38.8b)**. Ils absorberont les nutriments de l'albumen et les transféreront à l'embryon au cours de la germination.

L'embryon des Monocotylédones comprend un seul cotylédon **(figure 38.8c)**. Les Graminées, le maïs et le blé notamment, possèdent un cotylédon spécialisé appelé **scutellum** (du latin *scutella*, « plateau », « soucoupe », qui fait référence à la forme du scutellum). Le scutellum est très mince et a une grande surface en contact avec l'albumen, dont il absorbe les nutriments pendant la germination. L'embryon d'une plante herbacée est entouré de deux gaines: le **coléoptile**, qui enserre la tige embryonnaire, et le **coléorhize**, qui recouvre la racine.

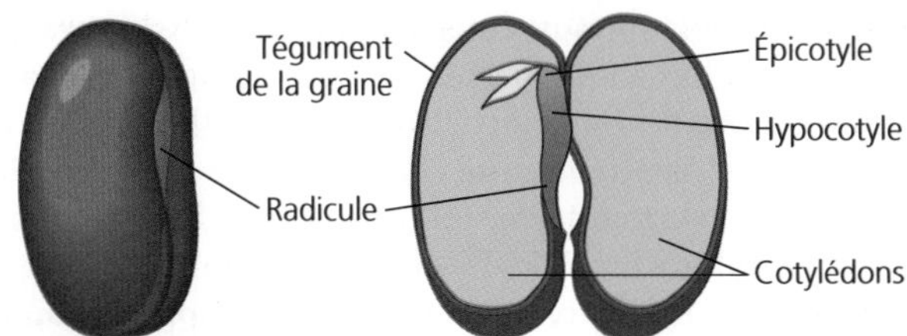

(a) Haricot commun (*Phaseolus sp.*), Eudicotylédone pourvue de cotylédons épais. Les cotylédons charnus du haricot emmagasinent la nourriture issue de l'albumen, qu'ils ont absorbée avant la germination de la graine.

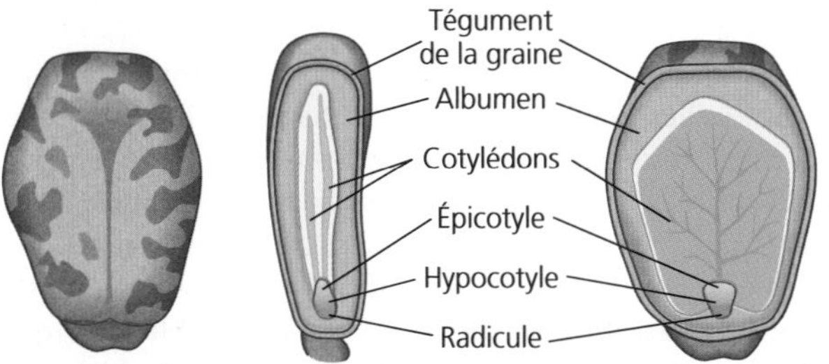

(b) Ricin (*Ricinus communis*), Eudicotylédone pourvue de cotylédons minces. Les cotylédons étroits et membraneux (qu'on voit ici de côté et de face) absorbent la nourriture de l'albumen au moment de la germination.

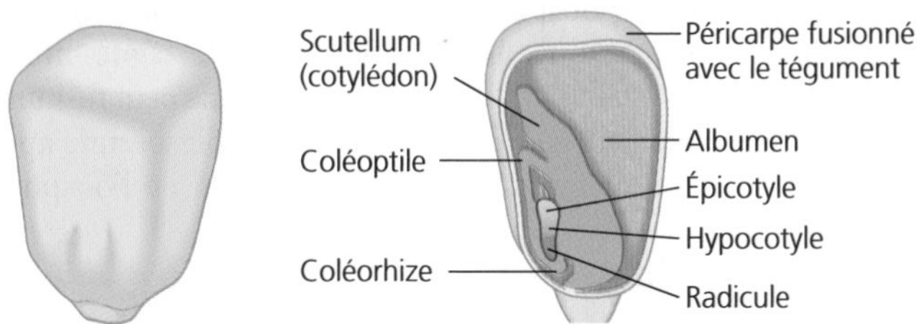

(c) Maïs (*Zea mays*), Monocotylédone. Comme toutes les graines de Monocotylédones, la graine du maïs a un seul cotylédon. Le maïs et d'autres Graminées ont un gros cotylédon appelé *scutellum*. La tige embryonnaire est enveloppée dans une structure nommée *coléoptile*, et le coléorhize recouvre la jeune racine.

▲ **Figure 38.8 Structure de différentes graines.**

De l'ovaire au fruit

Pendant que les ovules deviennent des graines, l'ovaire de la fleur produit un **fruit** qui protège les graines et, à maturité, facilite leur dissémination par le vent ou les Animaux. La fécondation déclenche des changements hormonaux qui provoquent la transformation de l'ovaire en fruit. En l'absence de pollinisation, la fleur ne devient habituellement pas un fruit; elle flétrit et tombe.

Pendant la formation du fruit, la paroi de l'ovaire devient le péricarpe, paroi dure du fruit. Les autres parties de la fleur flétrissent et tombent au fur et à mesure que l'ovaire croît. Par exemple, le bout en pointe du pois mange-tout (*Pisum sativum saccheratum*) est en fait le reste du stigmate de la fleur. On classe les fruits en plusieurs catégories, selon leur origine florale **(figure 38.9)**. La plupart sont formés par un seul carpelle ou plusieurs carpelles fusionnés; ce sont les **fruits simples**. Certains fruits simples sont charnus, comme les pêches, tandis que d'autres sont secs, comme les pois à écosser ou les noix (voir la figure 30.8). Les **fruits agrégés**, eux, sont formés par une seule fleur possédant plus d'un carpelle, chaque carpelle formant un minifruit. Ces minifruits sont regroupés sur un seul réceptacle, comme dans le cas des framboises. Quant aux **fruits multiples**, ils sont issus d'une inflorescence, groupe de fleurs formant un regroupement serré. Quand elles commencent à épaissir, les parois des nombreux ovaires fusionnent et deviennent un seul et même fruit. C'est le cas de l'ananas.

Chez certaines Angiospermes, des pièces florales autres que les ovaires contribuent à ce qu'on appelle communément le *fruit*. Ces fruits sont dits *accessoires*. Dans les fleurs du pommier, par exemple, l'ovaire est enchâssé dans le réceptacle (voir la figure 38.2b), et la partie charnue de ce fruit simple est principalement formée par le réceptacle hypertrophié; seul le centre de la pomme se développe à partir de l'ovaire. La fraise est un autre exemple; c'est un fruit composé d'un réceptacle hypertrophié dans lequel sont enchâssés de minuscules fruits monospermes (akènes).

Habituellement, le fruit mûrit au moment où les graines qu'il contient terminent leur développement. Alors que le mûrissement d'un fruit sec comme la gousse de soja (*Glycine max*) suppose la sénescence (vieillissement) et le dessèchement des tissus, le mûrissement d'un fruit charnu est un processus plus perfectionné. Des interactions hormonales complexes produisent un fruit comestible qui attire les Animaux susceptibles de disséminer les graines. La «pulpe» du fruit ramollit sous l'action d'enzymes qui dégradent les composantes de la paroi cellulaire. Généralement, la couleur passe du vert au rouge, à l'orangé ou au jaune. Le fruit devient de plus en plus sucré à mesure que les acides organiques ou l'amidon se transforment en glucose, dont la concentration peut atteindre 20%.

La germination des graines

Quand elle arrive à maturité, une graine se déshydrate et entre dans une phase qu'on appelle **dormance**, état métabolique extrêmement lent dans lequel la croissance et le développement sont interrompus. Les conditions qui rompent la dormance varient selon les espèces. Certaines graines germent dès qu'elles se trouvent dans un milieu approprié. D'autres, même semées dans un environnement favorable, ne sortent de leur dormance que sous l'action d'un facteur extérieur particulier.

La dormance des graines: une adaptation aux temps durs

La dormance augmente les chances que la germination se produise à un moment et dans un endroit favorables au jeune plant. Il faut habituellement certaines conditions environnementales pour que la graine sorte de sa dormance. Ainsi, les graines de nombreuses espèces du désert germent seulement après d'abondantes précipitations. Si elles germaient après une petite averse, le sol serait déjà trop sec au moment de l'émergence des jeunes plants. Dans les régions où les incendies naturels sont fréquents, de nombreuses graines ont besoin d'une chaleur intense pour sortir de leur dormance. Les jeunes plants apparaissent alors après qu'un feu a éliminé leurs concurrents. Dans les régions où l'hiver est rigoureux, les graines doivent subir une longue exposition au froid avant de germer. Les graines semées pendant l'été ou l'automne ne germent qu'au printemps suivant. Les plants

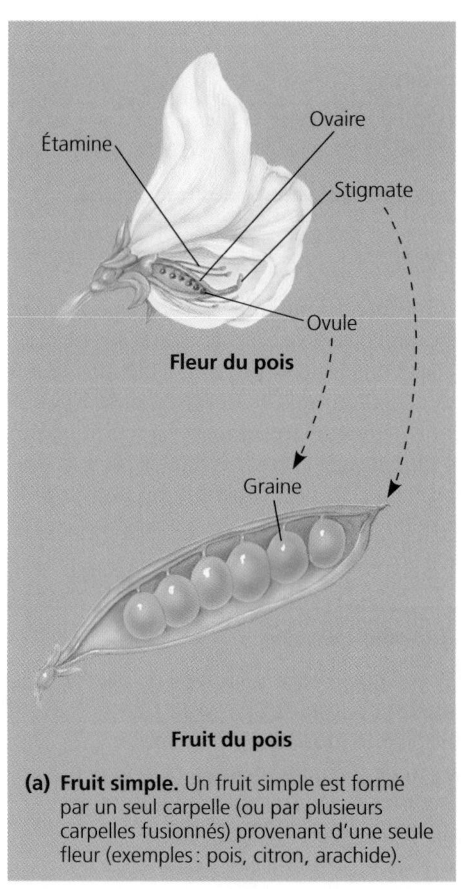

(a) Fruit simple. Un fruit simple est formé par un seul carpelle (ou par plusieurs carpelles fusionnés) provenant d'une seule fleur (exemples: pois, citron, arachide).

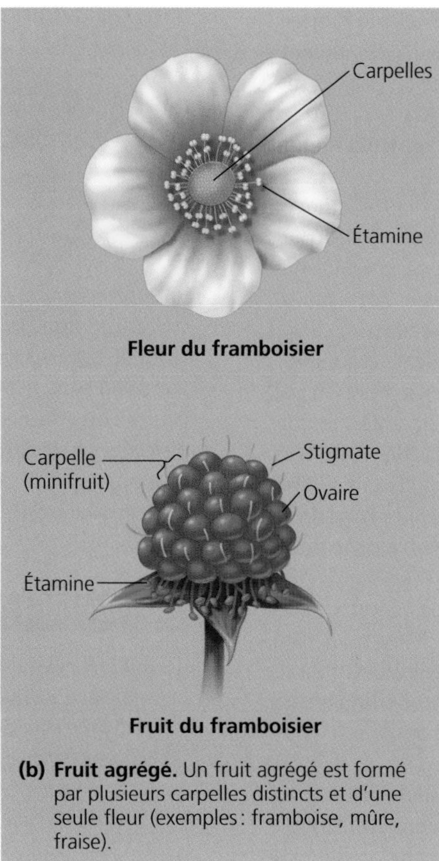

(b) Fruit agrégé. Un fruit agrégé est formé par plusieurs carpelles distincts et d'une seule fleur (exemples: framboise, mûre, fraise).

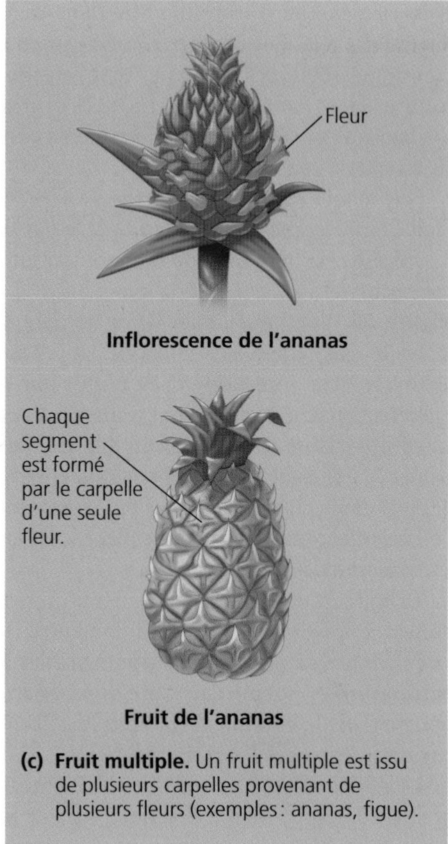

(c) Fruit multiple. Un fruit multiple est issu de plusieurs carpelles provenant de plusieurs fleurs (exemples: ananas, figue).

▲ **Figure 38.9 Origine des fruits du point de vue développemental.**

bénéficient ainsi d'une longue saison de croissance avant l'hiver. Certaines petites graines, comme celles de quelques variétés de laitue, ont besoin de lumière pour germer. Elles ne sortent de leur dormance que si on les sème assez près de la surface. Certaines graines sont recouvertes d'un tégument qui ne peut être rompu que par les sucs digestifs des Animaux. Par conséquent, elles germent souvent loin de la plante mère.

Le laps de temps pendant lequel une graine en dormance reste viable et apte à la germination varie généralement de quelques jours à quelques dizaines d'années ou plus, suivant l'espèce et les conditions extérieures. La plupart des graines peuvent encore germer après un an ou deux, jusqu'à l'apparition de conditions favorables à leur germination. La graine ayant eu la plus longue dormance connue appartient à une espèce de lotus (*Nelumbo*), trouvée en Chine, qu'on a pu faire germer (de même que 4 autres sur un groupe de 7) après 1 300 ans de dormance; la graine de cette espèce a un tégument extrêmement résistant et imperméable qui a empêché toute entrée d'eau ou d'air. Le sol contient une réserve de graines non germées qui peuvent s'être accumulées depuis des années. C'est l'une des raisons qui expliquent la reprise si rapide de la végétation après un incendie, une sécheresse, une inondation ou une autre perturbation environnementale.

De la graine à la plantule

La germination dépend d'un processus physique appelé **imbibition**, qui est l'absorption d'eau causée par le faible potentiel hydrique de la graine sèche. Certaines graines ont un tégument tellement imperméable et résistant qu'elles doivent subir un effet abrasif quelconque (physique ou chimique) avant que l'eau puisse y pénétrer. L'eau qui entre dans la graine en provoque la dilatation, puis l'ouverture. L'embryon subit alors des changements métaboliques qui réactivent sa croissance. Des enzymes commencent à dégrader les réserves contenues dans l'albumen ou dans les cotylédons, et les nutriments parviennent aux régions en croissance de l'embryon.

Le premier organe qui émerge de la graine est la radicule, ou racine embryonnaire. Puis, l'apex de la tige doit sortir à la surface du sol. Chez le haricot et de nombreuses autres Eudicotylédones, l'hypocotyle s'incurve, et la croissance le pousse hors du sol **(figure 38.10a)**. Sous l'effet de la lumière, il se redresse, ce qui relève les cotylédons et l'épicotyle. La pousse délicate et les cotylédons massifs sont donc tirés, plutôt que poussés, hors du sol. Ensuite, l'épicotyle étend ses premières feuilles (de vraies feuilles en comparaison des cotylédons, qui sont des « feuilles embryonnaires »). Celles-ci grandissent, verdissent et commencent à fabriquer des molécules organiques par photosynthèse. Les cotylédons flétrissent et tombent du jeune plant, car l'embryon a consommé leur réserve de nourriture.

Le maïs et les autres Graminées, qui sont des Monocotylédones, se frayent un passage d'une autre façon **(figure 38.10b)**. Le coléoptile, gaine qui enveloppe et protège la tige embryonnaire, perce le sol et atteint l'air libre. Puis, l'extrémité de la plantule pousse dans le conduit formé par le coléoptile tubulaire et finit par en transpercer l'extrémité.

La germination d'une graine représente une phase critique du cycle de développement. En effet, la graine résistante donne naissance à une plantule fragile qui se trouve exposée aux prédateurs, aux parasites, au vent et à de nombreux autres dangers. Dans la nature, seule une petite proportion de plantules subsistent assez longtemps pour se reproduire à leur tour. La production d'un très grand nombre de graines compense les aléas de la survie individuelle et permet à la sélection naturelle de favoriser les meilleures combinaisons génétiques. Néanmoins, la floraison et la fructification consomment énormément de ressources. La reproduction asexuée, généralement plus simple et moins risquée pour la descendance que la reproduction sexuée, constitue un autre mode de reproduction.

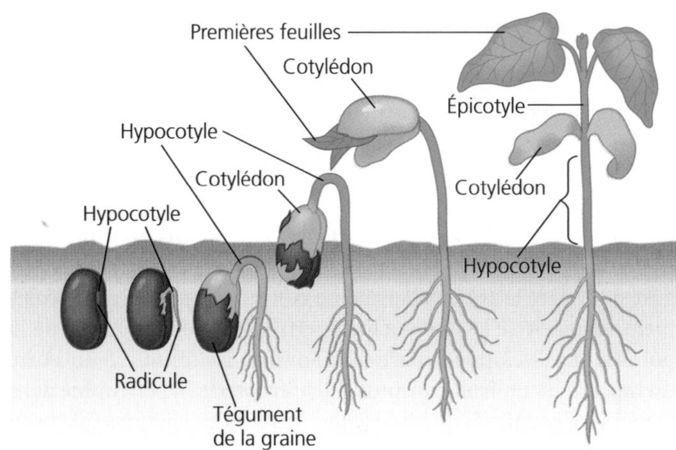

(a) Haricot commun. Chez le haricot commun, le redressement de l'hypocotyle tire les cotylédons hors du sol.

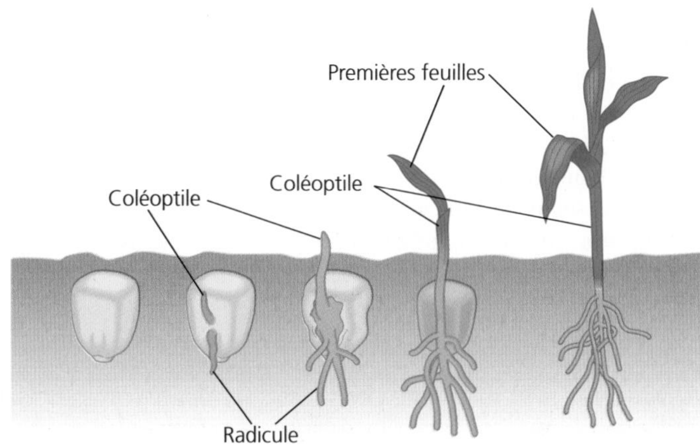

(b) Maïs. Chez le maïs et d'autres Graminées, la pousse croît à la verticale, à l'intérieur du coléoptile en forme de tube.

▲ **Figure 38.10 Deux types de germination d'une graine.**

Retour sur le concept 38.2

1. Certaines espèces dioïques ont le génotype sexuel *XY* pour l'individu mâle et *XX* pour l'individu femelle. Après une double fécondation, quels seraient les génotypes du noyau de l'albumen et des embryons?
2. Expliquez comment les structures de base des graines et des fruits facilitent la reproduction.
3. Quel est l'avantage de la dormance des graines?

Voir les réponses proposées à la fin du chapitre.

Concept 38.3

De nombreuses plantes à fleurs engendrent des clones d'elles-mêmes par reproduction asexuée

Imaginez que quelques-uns de vos doigts se séparent de votre corps, commencent à vivre de façon autonome et deviennent des copies de vous-même. Ce serait un exemple de **reproduction asexuée**: un seul individu aurait produit des descendants sans recourir à la recombinaison génétique (ce qui n'arrive évidemment pas chez l'humain). Il en résulterait un clone, c'est-à-dire une population d'organismes génétiquement identiques produits de manière asexuée.

Comme plusieurs plantes sans graines et certaines Gymnospermes, plusieurs espèces d'Angiospermes se reproduisent de façon sexuée et asexuée. Une plante qui se reproduit de manière asexuée transmet tous ses gènes à sa descendance, alors qu'une plante qui se reproduit de manière sexuée transmet seulement la moitié de ses gènes. Chaque mode de reproduction peut être avantageux selon les situations.

Si une plante est parfaitement adaptée à un milieu, la reproduction asexuée a des avantages. La plante pourra en effet engendrer de nombreuses copies d'elle-même et, si les conditions du milieu demeurent stables, ces copies seront elles aussi bien adaptées à l'environnement. De plus, ces descendants ne sont pas aussi fragiles que les plantules issues de la reproduction sexuée. Ils sont généralement des fragments végétatifs matures du plant parental, ce qui explique pourquoi la reproduction asexuée chez les Végétaux est également appelée **multiplication végétative**. Un clone vigoureux de Graminée des prairies peut occuper si densément un territoire que les plantules de la même espèce ou des autres espèces ont peu de chances de survivre.

Dans un milieu instable où les agents pathogènes et d'autres facteurs nuisent à la survie et au succès reproductif, la reproduction sexuée peut être avantageuse, car elle assure la diversification génétique des descendants et des populations. La reproduction asexuée, au contraire, engendre une uniformité génotypique qui représente un risque d'extinction locale advenant un changement environnemental catastrophique, comme une nouvelle maladie. En outre, les graines (presque toujours issues de la reproduction sexuée) facilitent la dispersion des descendants en des endroits plus éloignés. Enfin, la dormance des graines permet de suspendre la croissance jusqu'à que des conditions environnementales hostiles redeviennent favorables.

Les mécanismes de la reproduction asexuée

La reproduction asexuée est un corollaire de l'aptitude à la croissance indéfinie des Végétaux. Rappelez-vous que ceux-ci possèdent des méristèmes composés de cellules embryonnaires, qui sont capables de soutenir et de réenclencher indéfiniment la croissance. De plus, les cellules parenchymateuses réparties dans la plante peuvent se diviser et se différencier en divers types de cellules spécialisées. Cela permet à la plante de régénérer des parties perdues. Ainsi, des fragments détachés de certaines plantes ont la capacité de reconstituer des individus entiers. Sur une tige coupée, par exemple, peuvent pousser des racines adventives qui régénèrent la plante. Le **bouturage**, séparation d'une plante mère en parties qui donnent des plantes entières, est l'un des modes les plus répandus de multiplication végétative. Chez certaines espèces, le système racinaire d'une seule plante mère produit de nombreuses pousses adventives qui deviennent des systèmes caulinaires distincts. Il en résulte un clone issu de la reproduction asexuée d'un seul individu **(figure 38.11)**. Cette forme de propagation asexuée a produit, dans le désert Mojave, en Californie, le plus ancien des clones végétaux connus: un anneau de buisson de l'espèce *Larrea tridentata* (ou *divaricata*) qui serait âgé d'au moins 12 000 ans.

Nous avons vu également que plusieurs espèces de plantes produisent des tiges ou des feuilles modifiées qui leur permettent de se multiplier de façon asexuée, comme des stolons chez le fraisier, des rhizomes chez le gingembre sauvage ou des plantules foliaires chez *Kalanchœ daigremontiana* (voir les figures 35.5a et d, et 35.7e).

Le pissenlit (*Taraxacum officinale*), l'épervière (*Hieracium*) et plusieurs autres espèces végétales (plus de 300) ont un mode de reproduction asexuée complètement différent: l'**apomixie** (d'un mot grec signifiant «loin du mélange»). Ce mot fait référence à la non-union du spermatozoïde et de l'ovule. Les espèces qui se reproduisent par apomixie produisent des graines sans que les fleurs soient fécondées ou pollinisées. Une cellule diploïde de l'ovule donne naissance à l'embryon; les ovules deviennent des graines; et, dans le cas du pissenlit, le vent dissémine les fruits qui produiront des plantes toutes génétiquement identiques. La reproduction asexuée s'accompagne donc, chez ces Végétaux, d'une adaptation qui est généralement associée à la reproduction sexuée, soit la dissémination des graines.

La multiplication végétative et l'agriculture

En cherchant à améliorer les plantes potagères, les arbres fruitiers et les plantes ornementales, l'humain a mis au point diverses méthodes de multiplication végétative. La plupart de ces méthodes se fondent sur la capacité qu'ont les plantes à faire croître des racines ou des pousses adventives.

Le bouturage

Le bouturage est un procédé de reproduction asexuée qu'on utilise pour la plupart des plantes d'intérieur, des plantes ornementales

▲ **Figure 38.11 Reproduction asexuée chez les peupliers.** Certains bosquets de peupliers, comme ceux-ci, se forment par reproduction asexuée à partir du système racinaire d'un seul parent. Des différences génétiques entre les bosquets issus de parents différents se traduisent par le fait que les arbres prennent leurs couleurs automnales et perdent leurs feuilles à des moments différents.

ligneuses et des arbres fruitiers. Il consiste à couper un fragment, ou bouture, de pousse ou de tige. Sur la cicatrice se forme alors une masse de cellules indifférenciées appelée **cal**, à partir de laquelle poussent ensuite des racines adventives. Si le fragment de tige comprend un nœud, les racines adventives poussent sans qu'un cal se soit formé. Pour certaines plantes, dont les violettes africaines (*Saintpaulia*), on peut utiliser des feuilles comme boutures. Pour d'autres, on prélève les boutures dans les pousses spécialisées dans l'entreposage. Par exemple, on sème un morceau de pomme de terre portant un bourgeon axillaire, communément appelé *œil*, afin d'obtenir une plante entière. On peut aussi laisser une bouture reliée à la plante mère jusqu'à ce qu'elle développe ses propres racines: on parle alors de *marcottage*.

La greffe

Une variante du bouturage consiste à greffer une ramille ou un bourgeon de plante sur un individu d'une espèce étroitement apparentée ou d'une autre variété de la même espèce. Cela permet de réunir chez un seul individu les caractéristiques recherchées d'espèces ou de variétés différentes. La greffe s'effectue généralement sur un jeune sujet. On appelle **porte-greffe** la plante qui fournit le système racinaire, et **greffon** la ramille ou le bourgeon implanté. Par exemple, les viticulteurs greffent sur des variétés de vignes américaines résistantes à certaines maladies des ramilles de vignes françaises qui produisent des raisins de qualité supérieure; cette technique a permis de sauver les vignobles de France, ravagés par des pucerons (*Phylloxera*), vers les années 1860. La composition génétique du porte-greffe ne diminue pas la qualité du fruit, qui est déterminée uniquement par les gènes du greffon. Cependant, dans certains cas, le porte-greffe peut modifier les caractéristiques du système caulinaire issu du greffon. Par exemple, on produit des arbres fruitiers nains, dont la récolte est facilitée, en greffant des ramilles normales sur des porte-greffes nains qui retardent la croissance végétative du système caulinaire. Comme les graines sont produites par les parties de l'arbre issues du greffon, elles donneraient naissance à des individus de l'espèce du greffon si elles étaient plantées.

Le clonage in vitro *et les techniques analogues*

Les biotechnologues ont recours à des techniques *in vitro* pour créer et cloner des variétés de plantes. On peut obtenir des individus entiers à partir de petits explants (morceaux de tissu prélevés sur la plante mère) ou même de cellules parenchymateuses cultivées dans un milieu artificiel contenant des nutriments et des hormones **(figure 38.12a)**. Les cellules cultivées se divisent et forment un cal indifférencié. Grâce à une induction hormonale, le cal produit les systèmes racinaire et caulinaire composés de cellules complètement différenciées **(figure 38.12b)**. On repique alors les plantules obtenues *in vitro* dans le sol, où leur croissance se poursuit. On peut obtenir des milliers de copies d'une plante en subdivisant les cals. Cette technique s'applique au clonage des pins (afin d'obtenir des arbres dont les tissus croissent à une vitesse exceptionnelle) et à celui des Orchidées.

La culture de tissu végétal facilite aussi l'étude des Végétaux en génie génétique. C'est que la plupart des techniques d'introduction de gènes étrangers dans des plantes nécessitent tout d'abord des cellules végétales ou de petits morceaux de tissu végétal. En biologie végétale, le terme **transgénique** sert à décrire les organismes génétiquement modifiés (OGM) qui ont été conçus pour exprimer le gène d'une autre espèce. La culture *in vitro* permet aux chercheurs d'obtenir des plantes modifiées génétiquement (transgéniques) à partir d'une seule cellule contenant de l'ADN étranger. Au chapitre 20, nous traitons en détail des techniques utilisées en génie génétique.

(a) Un petit nombre de cellules parenchymateuses issues d'une racine de carotte (*Daucus carotta*) donnent naissance à ce cal, masse de cellules indifférenciées.

(b) Après une phase de différenciation, le cal produit une plante entière possédant des feuilles, des tiges et des racines.

▲ **Figure 38.12 Clonage de carottes *in vitro*.**
(Voir aussi la figure 21.5.)

Certains chercheurs combinent une technique appelée **fusion de protoplastes** et des méthodes de culture de tissus, en vue de créer des variétés de plantes capables de clonage. Les protoplastes sont des cellules végétales dont on a détruit la paroi au moyen d'enzymes (cellulases et pectinases) provenant de champignons **(figure 38.13)**. Avant de les cultiver, on peut les analyser pour déterminer quelles mutations permettraient d'améliorer la valeur agricole d'une culture. On peut fusionner, par des moyens chimiques ou électriques, deux protoplastes issus d'espèces différentes et incompatibles sur le plan de la reproduction, pour ensuite cultiver les protoplastes hybrides. Chacun des nombreux protoplastes a la capacité de régénérer sa paroi, en quelques heures, puis de donner naissance à une plantule hybride. Cette technique a permis de produire un hybride de la pomme de terre (*Solanum tuberosum*) et d'une plante sauvage apparentée appelée *morelle noire* (*Solanum nigrum*). La morelle noire résiste à un herbicide fréquemment utilisé. La plante hybride a aussi cette résistance, de sorte que les agriculteurs peuvent épandre l'herbicide dans leurs champs de pommes de terre sans aucun danger pour leur culture.

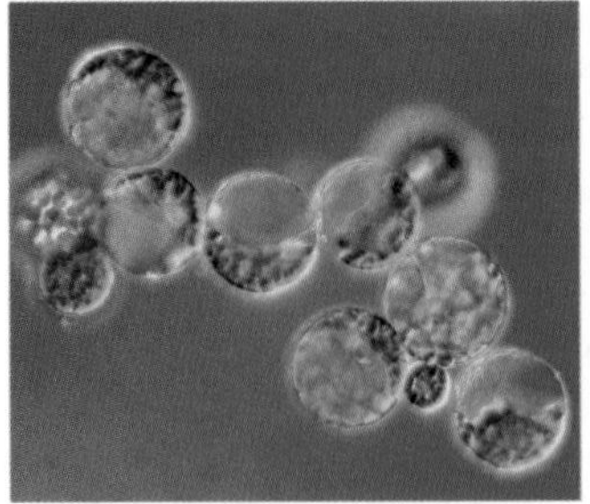

◀ **Figure 38.13 Protoplastes.** Pour obtenir ces cellules végétales dépourvues de paroi, on traite des cellules ou des tissus végétaux avec des enzymes (cellulases et pectinases) qu'on a isolées chez certains types de champignons; ces enzymes dégradent la paroi cellulaire. Les chercheurs peuvent fusionner les protoplastes d'espèces différentes pour créer des hybrides qu'ils peuvent cultiver pour obtenir une nouvelle plante.

La culture *in vitro* de cellules et de tissus végétaux est fondamentale pour la majorité des types de biotechnologie végétale. L'autre procédé fondamental est la capacité de produire des plantes transgéniques grâce à diverses techniques de génie génétique. Dans la dernière section du chapitre, nous allons examiner plus en détail la biotechnologie végétale.

Retour sur le concept 38.3

1. Expliquez en quoi la reproduction asexuée et la reproduction sexuée contribuent au succès reproductif des Végétaux.
2. La banane sans graines, qui est le fruit le plus populaire au monde, lutte actuellement contre deux épidémies fongiques. Pourquoi ce genre d'épidémie présente-t-il un risque élevé pour les espèces qui se reproduisent de manière asexuée?

Voir les réponses proposées à la fin du chapitre.

Concept 38.4

La biotechnologie végétale est en train de transformer l'agriculture

L'expression *biotechnologie végétale* a deux significations. Au sens général, elle désigne les innovations, remontant à la préhistoire, liées à l'utilisation des Végétaux ou de leurs dérivés et visant à fabriquer des produits destinés aux humains. Dans un sens plus précis, l'expression désigne l'utilisation d'organismes génétiquement modifiés (OGM) dans l'agriculture et dans l'industrie. En fait, depuis les deux dernières décennies, le génie génétique est devenu si important dans la biotechnologie que les médias confondent *génie génétique* et *biotechnologie.* Dans cette dernière section, et en continuité avec le chapitre 20, nous allons voir comment les humains ont modifié des plantes pour leurs besoins.

La sélection artificielle

Les humains manipulent la reproduction et le patrimoine génétique des Végétaux depuis des milliers d'années. Ainsi, il n'est pas exagéré de dire que le maïs est un monstre artificiel créé par eux. Si on le laissait pousser seul dans la nature, le maïs disparaîtrait rapidement, car il ne peut disséminer ses graines. En effet, les grains de maïs sont non seulement attachés de manière permanente à l'épi, mais également protégés de manière permanente par des couches de feuilles qui enveloppent l'épi. Ces attributs ne sont pas issus de la sélection naturelle, mais d'une sélection artificielle dirigée par les humains (**figure 38.14**). (Voir le chapitre 22 pour une révision des bases de la sélection artificielle.) En effet, il y a environ 10 000 ans, les humains du Néolithique (à la fin de l'âge de la pierre) ont domestiqué relativement rapidement la plupart des espèces végétales que nous cultivons aujourd'hui. Cependant, les modifications génétiques ont débuté longtemps avant qu'ils commencent à modifier les cultures par la sélection artificielle. Par exemple, le blé (*Triticum æstivum*) que nous utilisons dans la fabrication d'une grande partie de nos aliments est le résultat d'une hybridation naturelle entre différentes espèces de Graminées. Cette hybridation est fréquente chez les Végétaux. Les agriculteurs l'ont d'ailleurs longtemps exploitée pour introduire de nouvelles variantes génétiques dans la sélection artificielle et pour améliorer les cultures. Prenons un exemple actuel: la culture sélective du maïs.

Le maïs est un aliment de base important dans de nombreux pays en voie de développement, mais ses variétés les plus courantes sont relativement pauvres en protéines. Cela oblige donc à puiser ailleurs les protéines, par exemple dans les haricots. Les protéines contenues dans les variétés populaires de maïs ont une très faible teneur en lysine et en tryptophane, deux des huit acides aminés essentiels que les humains ne peuvent synthétiser et doivent donc ingérer (voir la figure 41.10). Il y a 40 ans, les chercheurs ont découvert un maïs mutant (*opaque-2*), riche en lysine et en tryptophane. Cette variété de maïs était bien sûr très nutritive. Les porcs qui en étaient nourris grossissaient trois fois plus rapidement que ceux qui étaient alimentés avec le maïs traditionnel. Malheureusement, comme c'est souvent le cas avec l'hybridation végétale, un caractère très souhaitable se révèle étroitement associé à de nombreuses autres caractéristiques indésirables. Ainsi, les grains du maïs *opaque-2* possédaient un albumen mou qui rendait leur récolte difficile et qui les rendait plus vulnérables aux parasites. Par des techniques traditionnelles d'hybridation et de sélection artificielle, les phytogénéticiens ont réussi à transformer l'albumen mou du maïs *opaque-2* en un albumen dur plus utile. Ce travail auquel ont contribué des centaines de chercheurs s'est échelonné sur près de 20 années. Si les techniques modernes du génie génétique avaient existé à cette époque, un seul laboratoire aurait suffit pour introduire directement les gènes responsables de la teneur élevée en lysine et en tryptophane dans les variétés de maïs à albumen dur, en quelques années seulement.

Contrairement aux phytogénéticiens traditionnels, les biotechnologues actuels, qui utilisent les techniques du génie génétique, ne sont pas limités au seul transfert de gènes entre espèces étroitement apparentées ou entre variétés d'une même espèce. Ainsi, les techniques de croisement traditionnelles ne permettent

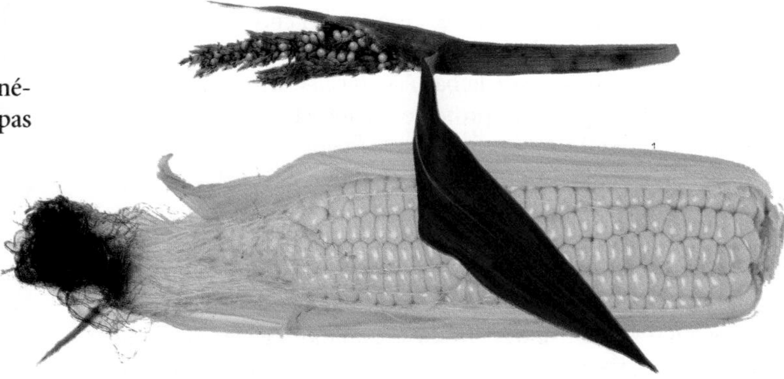

▲ **Figure 38.14 Le maïs: un produit de la sélection artificielle.** Le maïs actuel (*Zea mays mays*, photo du bas) dérive de la téosinte (*Zea mays parviglumis* ou *mexicana*, photo du haut). Les grains de téosinte sont petits, et chacun d'eux est dans une enveloppe. L'épi se brise à maturité, ce qui permet la dispersion des graines. Cela rendait probablement la récolte difficile aux premiers agriculteurs. Les humains du Néolithique ont donc sélectionné les plus gros épis, contenant les plus gros grains, ainsi que les épis recouverts d'une enveloppe de feuilles résistantes dont les grains restaient fermement attachés.

pas d'introduire un gène donné de narcisse (*Narcissus sp.*) dans le riz (*Oryza sativa*). Or, le génie génétique rend possible cette opération. On emploie l'adjectif **transgénique** pour décrire un organisme qui a reçu un ou plusieurs gènes d'un autre organisme. Les croisements traditionnels ne permettent pas d'introduire des gènes de narcisse dans le riz parce que les nombreuses espèces intermédiaires entre les deux plantes et l'ancêtre commun de ces deux plantes ont disparu. En théorie, si les phytogénéticiens avaient à leur disposition les espèces intermédiaires, ils pourraient, probablement en plusieurs siècles, introduire un gène de narcisse dans le riz, en utilisant des techniques traditionnelles d'hybridation et de croisement. Le génie génétique permet d'accomplir ce transfert de gène en l'absence des espèces intermédiaires.

La lutte contre la faim dans le monde

Des 800 millions de personnes souffrant de malnutrition sur la Terre, 40 000, dont la moitié sont des enfants, meurent chaque jour de malnutrition. Les causes d'une telle catastrophe ne font pas l'unanimité. Certaines personnes affirment que ce manque de nourriture est attribuable non pas à une production insuffisante, mais à une distribution inégale des aliments: les gens très pauvres ne peuvent tout simplement pas se procurer leur nourriture. D'autres considèrent que le manque de nourriture constitue une preuve de la surpopulation mondiale, c'est-à-dire que la planète ne peut nourrir autant de gens (voir le chapitre 52). Que les causes de cette famine soient sociales ou démographiques, il semble que les humains doivent avoir pour objectif d'augmenter la production alimentaire. Étant donné que la terre et l'eau sont les ressources qui limitent le plus la production alimentaire, il faut augmenter le rendement des terres disponibles. En effet, il reste très peu de terres supplémentaires disponibles, surtout si l'on veut préserver les derniers espaces sauvages. Selon certaines estimations conservatrices portant sur la croissance démographique, les agriculteurs du monde devront produire, par hectare, 40 % de grains en plus pour nourrir la population mondiale en 2020. La biotechnologie végétale pourrait les aider à atteindre ce rendement.

Déjà, l'adoption commerciale des cultures transgéniques est l'un des cas les plus rapides de transfert technologique dans l'histoire de l'agriculture. Les cultures en question comprennent des variétés transgéniques de coton, de maïs et de pommes de terre qui contiennent un gène de la bactérie *Bacillus thuringiensis*. Ce « transgène » code pour une protéine (toxine Bt) qui élimine efficacement un certain nombre d'Insectes parasites (la pyrale du maïs, *Ostrinia nubilalis*, notamment). La culture de telles variétés végétales réduit grandement l'utilisation d'insecticides chimiques. La toxine Bt utilisée dans les cultures est produite dans la plante; elle est une protoxine inoffensive qui devient toxique seulement si elle est activée par des conditions alcalines, comme celles qui existent dans l'estomac des Insectes. Comme les Vertébrés ont des estomacs très acides, la protoxine est détruite sans jamais devenir active. La toxine Bt est donc totalement inoffensive pour les Vertébrés, y compris les humains.

On a également réalisé des progrès considérables dans la production de plants transgéniques de coton, de maïs, de soja, de betterave à sucre et de blé qui tolèrent un certain nombre d'herbicides. La culture de ces Végétaux réduirait les coûts d'exploitation et permettrait aux agriculteurs de « désherber » leurs champs à l'aide d'herbicides (qui n'endommageraient pas la culture) au lieu de labourer, ce qui cause l'érosion. Les chercheurs travaillent également sur des plantes transgéniques qui résisteraient bien aux maladies. Par exemple, dans l'archipel hawaiien, on a introduit un papayer transgénique résistant à l'un des virus de la tache annulaire. Cela a permis de sauver l'industrie de la papaye **(figure 38.15)**.

On peut également améliorer la valeur nutritive des Végétaux. Ainsi, le riz doré, dont nous avons parlé au chapitre 20, est une variété transgénique contenant quelques gènes de narcisse et d'une Bactérie qui augmentent la teneur en vitamine A. Ce riz est spécialement conçu pour prévenir la cécité, dont l'incidence est élevée dans les pays pauvres où le régime alimentaire affiche une carence en vitamine A **(figure 38.16)**.

La controverse soulevée par la biotechnologie végétale

Les risques inconnus liés à l'introduction d'OGM dans l'environnement inquiètent de nombreuses personnes, dont certains scientifiques. Les arguments que certains avancent contre l'utilisation des OGM en agriculture sont en grande partie de nature politique, économique ou éthique. Ces débats sortent du cadre du présent manuel. Cependant, nous *devons* tenir compte des répercussions biologiques de l'utilisation d'OGM dans les cultures. Certains biologistes, et particulièrement des écologistes, sont inquiets des risques inconnus que représentent les OGM pour la

◄ Figure 38.15 Papayer génétiquement modifié. Un virus responsable de la tache annulaire a décimé les cultures mondiales de papayes. C'est un papayer (*Carica papaya*) transgénique qui a permis de sauver cette industrie à Hawaii. Les papayers génétiquement modifiés de gauche sont plus résistants au virus de la tache annulaire que les papayers indigènes de droite.

◄ Figure 38.16 Grains de « riz doré » mélangés à des grains de riz ordinaire. La couleur dorée et la valeur nutritionnelle accrue du riz doré sont attribuables à sa capacité de fabriquer de la bêta-carotène. Les trois transgènes qui ont conféré au riz cette capacité proviennent des narcisses des prés (*Narcissus*).

santé humaine ou l'environnement. Ceux qui veulent modérer ou empêcher complètement le recours à cette technologie en agriculture s'inquiètent du fait que ce type d'« expérience » ne peut être stoppé une fois lancé. Si un médicament qui est à l'essai a des effets dangereux non attendus, on interrompt l'expérimentation. Mais dans le cas des nouveaux organismes introduits dans la biosphère, on ne peut tout simplement pas « mettre fin à l'expérience ».

Le chapitre 20 présente les inquiétudes relatives à la biotechnologie dans son ensemble. Ici, nous abordons quelques sujets de controverse concernant l'utilisation de la biotechnologie en agriculture. Les études en laboratoire et sur le terrain permettent de continuer d'examiner les conséquences possibles de l'utilisation d'OGM dans les cultures, notamment les effets sur la santé humaine et les organismes non ciblés, ainsi que le risque de fuite transgénique.

Les enjeux relatifs à la santé humaine

L'un des sujets d'inquiétude soulevé par le génie génétique est qu'il pourrait transférer des agents allergènes (molécules qui provoquent une réaction allergique chez certains humains) d'une source génétique à une plante comestible. Les chercheurs en biotechnologie s'attardent cependant à retirer des fèves de soya et d'autres cultures les gènes qui codent pour des protéines allergènes. Jusqu'à maintenant, il n'existe aucune preuve formelle qu'une plante génétiquement modifiée et destinée expressément à la consommation humaine ait eu un effet indésirable sur la santé des humains. En fait, certains aliments contenant des OGM sont peut-être plus sains que d'autres qui en sont dépourvus. Le maïs Bt, par exemple, contient 90 % moins de fumonisine, une mycotoxine cancérigène qui est hautement résistante à la dégradation et dont on a découvert des concentrations inquiétantes dans toutes sortes de produits de maïs, allant des flocons de maïs à la bière. La fumonisine est produite par un champignon (*Fusarium*) qui infecte le maïs attaqué par des Insectes. Or, comme le maïs Bt se fait beaucoup moins assaillir que le maïs ordinaire, il contient beaucoup moins de fumonisine.

Néanmoins, les militants anti-OGM continuent de faire pression pour qu'on étiquette clairement tous les aliments qui contiennent des OGM. Certains demandent également l'établissement d'une réglementation stricte contre le mélange d'aliments génétiquement modifiés et d'aliments naturels pendant le transport, l'entreposage et la transformation. Cependant, certains défenseurs de la biotechnologie soulignent qu'il n'y a eu aucune demande de la sorte lorsque sont apparues les cultures « transgéniques » produites par des techniques traditionnelles, la triticale par exemple ; cette plante complètement nouvelle a été créée artificiellement il y a quelques décennies par la combinaison de génomes du blé (*Triticum æstivum*) et du seigle (*Secale cereale*), deux espèces qui ne se reproduisent pas ensemble dans la nature. Aujourd'hui, on cultive la triticale (son nom vient de la fusion de *Triticum* et de *Secale*) sur plus de trois millions d'hectares de terres dans le monde.

Les effets possibles sur les organismes non ciblés

De nombreux écologistes s'inquiètent des conséquences imprévues que les cultures d'OGM pourraient avoir sur des organismes de la chaîne alimentaire. Une étude indiquait que la larve (chenille) du grand monarque (*Danaus plexippus*) réagit mal à la consommation en laboratoire de feuilles d'asclépiade (*Asclepias sp.*, leur nourriture préférée) fortement recouvertes de pollen du maïs transgénique qui produit la toxine Bt, et peut même en mourir. Cette étude a toutefois été discréditée depuis, illustrant bien l'obligation qu'a la science de corriger ses propres erreurs. Il s'avère que, lorsque les auteurs de ladite étude ont agité les inflorescences du maïs mâle au-dessus des feuilles d'asclépiade, ils ont également fait tomber sur celles-ci des filaments d'étamine, des microsporanges et d'autres pièces florales. Une étude subséquente a montré que c'étaient ces pièces florales et *non* le pollen qui contenaient une concentration élevée de toxine Bt. Contrairement au pollen, les pièces florales ne sont pas transportées par le vent vers les asclépiades voisines dans des conditions normales. Une seule variété de maïs, qui représente moins de 2 % de la production commerciale de maïs Bt (maintenant abandonnée), produit du pollen contenant une concentration élevée de toxine Bt.

Pour tenir compte des effets négatifs du pollen Bt sur les grands monarques, il faut aussi soupeser les effets de la solution de remplacement la plus probable au maïs Bt, à savoir l'épandage de pesticides chimiques sur le maïs normal. Or, des études récentes ont montré que ce type d'arrosage s'avère plus dangereux pour la population locale de grands monarques que la production de maïs Bt. Même si les effets non souhaités du pollen Bt sur les larves de grands monarques semblent mineurs, la controverse a fait ressortir la nécessité de faire d'autres études sur le terrain.

Le problème des évasions transgéniques

La plus grande inquiétude que font naître les cultures d'OGM chez certains scientifiques est la possibilité qu'une hybridation entre plantes cultivées et plantes sauvages introduise chez ces dernières des caractères transgéniques. Par exemple, une hybridation spontanée entre une culture modifiée pour résister aux herbicides et une plante sauvage apparentée pourrait donner naissance à une « super-mauvaise herbe » qu'il serait très difficile de contrôler sur le terrain. Certaines plantes cultivées peuvent en effet s'hybrider avec les mauvaises herbes voisines, et des évasions transgéniques sont bel et bien possibles. Leurs incidences dépendent de la capacité qu'ont l'espèce cultivée et l'espèce sauvage de s'hybrider et de la manière dont les transgènes influent sur la santé générale des plants hybrides. Un caractère désirable pour une culture est un inconvénient pour une plante indigène qui pousse dans la nature. Ainsi, un phénotype de nanisme aide à contrer la verse (état des plantes couchées sur le sol par une intempérie) des plantes cultivées dans un champ, mais peut priver de lumière une plante indigène qui, dans la nature, est en compétition avec d'autres plantes pour cette ressource. Dans d'autres cas, l'environnement n'abrite aucune herbe apparentée susceptible d'hybridation. Par exemple, il n'existe aucune plante indigène apparentée au soja (*Glycine max*) en Amérique du Nord. Cependant, le canola, le sorgho et plusieurs autres espèces cultivées s'hybrident facilement avec des espèces sauvages.

En raison des inquiétudes soulevées par les évasions transgéniques, on fait des efforts pour trouver des façons de causer la stérilité des mâles dans les cultures transgéniques. Ces plantes continueront de produire des graines et des fruits si elles sont pollinisées par des individus voisins bisexués non transgéniques, mais ne produiront pas elles-mêmes de pollen viable. Une autre méthode consiste à insérer les transgènes dans l'ADN des chloroplastes de la culture. Comme l'ADN des chloroplastes vient uniquement de la plante mère, les transgènes qui sont dans les chloroplastes ne peuvent être transmis par le pollen (voir le chapitre 15 pour une révision des caractères transmis par la plante mère).

La technologie des « gènes terminateurs » offre un autre moyen de réduire le problème des évasions transgéniques. Cette technologie emploie des « gènes-suicides » qui interrompent des séquences développementales cruciales, inhibant le développement du pollen ou la maturation des graines. Les plantes qui sont génétiquement modifiées pour recevoir les gènes terminateurs croissent normalement jusqu'aux derniers stades de maturation des graines ou du pollen. À cette étape, le gène de la protéine « terminatrice », qui est toxique pour les plantes mais inoffensives pour les Animaux, est activé seulement dans les graines ou le pollen presque matures. Bien qu'ils soient à peu près matures, les graines ou le pollen nouvellement formés ne sont pas viables. Les protéines terminatrices sont produites seulement si les graines originales sont prétraitées avec un produit chimique spécial. La plupart des études ont porté sur l'application de cette technologie à la destruction des graines, dans le but d'inciter les agriculteurs à acheter des semences d'OGM chaque saison. Cependant, l'utilisation de cette technologie pour détruire des grains de pollen en développement pourrait être une stratégie efficace contre les évasions transgéniques.

Le débat incessant sur l'utilisation des OGM en agriculture illustre l'un des thèmes du présent manuel : les relations entre la science, la technologie et la société. Les progrès technologiques impliquent presque toujours le risque d'obtenir des résultats inattendus. Or, dans le cas de la biotechnologie végétale, le niveau zéro de risque est probablement inaccessible. Les scientifiques et le public doivent donc évaluer, dans chacun des cas, les bienfaits possibles des produits transgéniques par rapport aux risques que la société est prête à prendre. Mais l'idéal est que les discussions et les prises de décision se fondent sur de l'information scientifique et des expérimentations, et non sur la peur ou l'optimisme aveugle.

Retour sur le concept 38.4

1. Comparez les techniques traditionnelles de croisement chez les Végétaux et le génie génétique.
2. Expliquez en quoi les cultures d'OGM comportent des risques et des avantages.

Voir les réponses proposées à la fin du chapitre.

Révision du chapitre 38

RÉSUMÉ DES CONCEPTS CLÉS

Concept 38.1

La pollinisation permet aux gamètes de s'unir dans une fleur

- La génération sporophyte, dominante, produit les spores, qui donnent les gamétophytes mâles (grains de pollen) et les gamétophytes femelles (sacs embryonnaires) dans la fleur (**p. 837-838**).
- **La structure de la fleur** (**p. 838**). Les quatre types de pièces florales sont les sépales, les pétales, les étamines et le pistil, qui comporte un ou plusieurs carpelles.
- **Le développement des gamétophytes et la pollinisation** (**p. 838-841**). Le pollen se forme à partir de microspores présentes dans les microsporanges des anthères. Le sac embryonnaire se développe à partir d'une mégaspore, à l'intérieur de l'ovule. La pollinisation, qui précède la fécondation, est le dépôt du pollen sur le stigmate d'un carpelle.
- **Les mécanismes empêchant l'autofécondation** (**p. 841-842**). Certains Végétaux rejettent le pollen qui possède un allèle S identique à un allèle du stigmate. La reconnaissance du pollen génétiquement identique déclenche un mécanisme de transduction d'un stimulus qui inhibe la croissance d'un tube pollinique.

Concept 38.2

Après la fécondation, les ovules deviennent des graines, et les ovaires des fruits

- **La double fécondation** (**p. 842-843**). Le tube pollinique dépose deux spermatozoïdes dans le sac embryonnaire. Le premier spermatozoïde féconde l'oosphère. Le second s'unit aux deux noyaux polaires, ce qui donne naissance à l'albumen qui entrepose la nourriture.
- **De l'ovule à la graine** (**p. 843-844**). Le tégument de la graine enveloppe l'embryon ainsi qu'une réserve de nourriture emmagasinée dans les cotylédons ou dans l'albumen.
- **De l'ovaire au fruit** (**p. 844-845**). Le fruit protège les graines qu'il renferme et en favorise la dispersion par le vent ou par les Animaux qu'il attire.
- **La germination des graines** (**p. 845-846**). La dormance fait en sorte que les graines germent seulement dans des conditions favorables. L'interruption de la dormance nécessite souvent des stimulus extérieurs, comme des variations de température ou de luminosité.

Concept 38.3

De nombreuses plantes à fleurs engendrent des clones d'elles-mêmes par reproduction asexuée

- La reproduction asexuée permet aux clones de se répandre. La reproduction sexuée engendre des variations génétiques qui permettent les adaptations au cours de l'évolution (**p. 847**).
- **Les mécanismes de la reproduction asexuée** (**p. 847**). La fragmentation d'une plante mère en parties qui reconstituent des individus entiers est un mode important de reproduction asexuée.
- **La multiplication végétative et l'agriculture** (**p. 847-849**). Le bouturage est une technique ancienne qui permet de créer des clones. On peut maintenant cloner des Végétaux à partir de cellules uniques, dont on manipule d'abord les gènes.

Concept 38.4

La biotechnologie végétale est en train de transformer l'agriculture

- **La sélection artificielle** (**p. 849-850**). L'hybridation entre espèces est courante chez les Végétaux. Les producteurs agricoles, anciens et modernes, l'ont exploitée pour introduire de nouveaux gènes dans les cultures.

- **La lutte contre la faim dans le monde (p. 850).** Les plantes génétiquement modifiées peuvent améliorer la qualité de la nourriture dans le monde et en augmenter la quantité.
- **La controverse soulevée par la biotechnologie végétale (p. 850-852).** De nombreuses personnes s'inquiètent des risques inconnus liés à la dispersion d'OGM dans l'environnement. Mais il faut aussi tenir compte des bienfaits des cultures transgéniques.

VÉRIFIEZ VOS CONNAISSANCES

Autoévaluation

(Les questions dont les numéros sont en caractères gras font surtout appel à la compréhension.)

1. Une plante qui a des petits pétales verts est probablement:
   a) pollinisée par une abeille.
   b) pollinisée par un oiseau.
   c) pollinisée par une chauve-souris.
   d) pollinisée par le vent.
   e) autopollinisée.

2. Le grain de pollen est ______________ ce que ______________ est au gamétophyte femelle.
   a) au gamétophyte mâle; le sac embryonnaire
   b) au sac embryonnaire; l'ovule
   c) à l'ovule; le sporophyte
   d) à l'anthère; la graine
   e) au pétale; le sépale

3. Une graine se forme à partir:
   a) d'une oosphère.
   b) d'un grain de pollen.
   c) d'un ovule.
   d) d'un ovaire.
   e) d'un embryon.

4. Où se situe la méiose dans la séquence suivante? 1. mégasporocyte; 2. mégaspores; 3. sac embryonnaire; 4. oosphère; 5. zygote; 6. graine.
   a) Entre 1 et 2.
   b) Entre 2 et 3.
   c) Entre 3 et 4.
   d) Entre 4 et 5.
   e) Entre 5 et 6.

5. Un fruit est:
   a) un ovaire mature.
   b) un ovule mature.
   c) formé par une graine et son tégument.
   d) formé par les carpelles fusionnés.
   e) un sac embryonnaire hypertrophié.

6. Lequel des facteurs suivants est nécessaire à la germination de presque toutes les graines?
   a) L'exposition à la lumière.
   b) L'imbibition.
   c) L'abrasion du tégument.
   d) L'exposition au froid.
   e) Un sol fertile.

7. Chez les espèces qui se reproduisent de manière asexuée, tous les énoncés suivants représentent une source de diversité génétique, *sauf un*. Lequel?
   a) La fusion des protoplastes.
   b) La mutation.
   c) L'hybridation.
   d) Le génie génétique.

8. Lequel des facteurs suivants *ne constitue pas* un avantage pour une plante qui se reproduit de façon asexuée?
   a) L'uniformité génétique.
   b) La robustesse.
   c) Les nombreuses copies de la plante mère.
   d) Une bonne adaptation à un environnement stable.
   e) Le fait qu'elle ne nécessite pas l'intervention d'agents pollinisateurs.

9. Les biotechnologues utilisent la fusion des protoplastes principalement pour:
   a) la culture de cellules végétales *in vitro.*
   b) propager de manière asexuée certaines variétés végétales.
   c) insérer des gènes bactériens dans le génome d'une plante.
   d) étudier les premiers événements qui suivent la fécondation.
   e) produire de nouvelles espèces hybrides.

10. La cellule basale issue de la première division d'un zygote végétal deviendra:
   a) le suspenseur, qui ancre l'embryon et permet le transfert de nutriments.
   b) le proembryon.
   c) l'albumen, qui nourrit l'embryon en développement.
   d) l'extrémité de la racine de l'embryon.
   e) les deux cotylédons chez les Eudicotylédones, l'unique cotylédon chez les Monocotylédones.

11. Le développement de cultures Bt continue de susciter certaines inquiétudes:
   a) parce qu'on a démontré que ces cultures étaient toxiques pour les humains.
   b) parce que le pollen des cultures en question affaiblit les larves des grands monarques vivant en liberté.
   c) parce que si ces gènes «s'évadent» chez des mauvaises herbes apparentées, ces mauvaises herbes pourraient avoir des conséquences écologiques néfastes.
   d) parce que la bactérie *Bacillus thuringiensis* est un agent pathogène pour l'humain.
   e) parce que la toxine réduit la valeur nutritive des cultures.

12. Le riz doré est une variété transgénique qui:
   a) résiste aux divers herbicides, ce qui permet de désherber les rizières à l'aide d'herbicides.
   b) résiste à un virus qui attaque fréquemment les rizières.
   c) contient des gènes bactériens produisant une toxine qui réduit les dommages dus aux Insectes parasites.
   d) produit des grains plus gros, ce qui augmente le rendement des cultures.
   e) contient des gènes de narcisse et d'une Bactérie qui augmentent sa teneur en vitamine A.

Lien avec l'évolution

1. Dans le cadre de la reproduction sexuée, certaines espèces végétales sont complètement autocompatibles; d'autres sont complètement auto-incompatibles; d'autres encore ont adopté une stratégie mixte d'auto-incompatibilité partielle. Ces stratégies de reproduction diffèrent par leur potentiel d'évolution. Comment, par exemple, une espèce auto-incompatible pourrait-elle survivre si c'est une petite population fondatrice ou si sa population connaît une baisse importante, par rapport à une espèce autocompatible?
2. Le grain de pollen est une adaptation évolutive relativement récente. Les végétaux «primitifs» devaient compter sur la présence de l'eau pour leur reproduction sexuée, ce qui n'est pas le cas des Gymnospermes ou des Angiospermes. Montrez comment l'apparition du pollen a amélioré l'efficacité de la reproduction sexuée chez ces deux derniers groupes. Quelle conséquence peut avoir, sur le plan évolutif, le fait que plusieurs espèces végétales ne sont pollinisées que par des Insectes précis?

Intégration

1. Les détracteurs des OGM avancent que l'introduction de gènes étrangers peut perturber le fonctionnement normal de la cellule, de sorte que des substances inconnues et potentiellement nuisibles peuvent apparaître. Par exemple, des substances intermédiaires toxiques habituellement produites en très petites quantités peuvent se mettre à apparaître en quantités considérables, ou alors des substances intermédiaires

totalement nouvelles peuvent surgir. Il existe également un risque que ces effets nuisibles entraînent la disparition de substances qui jouent actuellement un rôle important dans le maintien d'un métabolisme normal. Si vous aviez à conseiller votre pays à titre de scientifique, comment répondriez-vous à ces critiques?

2. Une des inquiétudes que peut susciter l'expansion de la culture du maïs génétiquement modifié produisant la toxine Bt est le développement d'une résistance chez les Insectes. On pratique la technique des «zones refuges» pour atténuer ce risque. Les zones refuges sont des parcelles de terre où ne croissent que des plantes non modifiées, ne produisant donc pas de toxines, à proximité des zones où pousse le maïs modifié. Comment cette technique peut-elle contribuer à empêcher la résistance de se développer chez les Insectes? (*Indice:* Seuls les Insectes portant deux allèles de la résistance peuvent subsister sur des plantes génétiquement modifiées.)

Science, technologie et société

Les humains font des manipulations génétiques depuis des millénaires. Ils ont produit de nombreuses espèces végétales et animales en recourant à des méthodes de reproduction et d'hybridation qui peuvent grandement modifier le génome des organismes. Selon vous, pourquoi le génie génétique moderne, qui comporte souvent l'introduction ou la modification d'un ou de quelques gènes seulement, rencontre-t-il une telle opposition du public? Certaines applications du génie génétique seraient-elles plus inquiétantes que d'autres? Si oui, quelles sont-elles, et pourquoi?

Réponses du chapitre 38

Retour sur le concept 38.1

1. Les sépales protègent habituellement le bourgeon floral non encore ouvert, tandis que les pétales aident à attirer les pollinisateurs vers la fleur. Les étamines sont les pièces florales productrices de pollen; ce sont de longues structures qui facilitent la dissémination du pollen. Les carpelles sont les pièces florales qui produisent les gamétophytes femelles; ils possèdent des stigmates, sortes de plateformes qui facilitent la réception du pollen. L'ovaire d'un carpelle contribue à protéger les oosphères dans les ovules. Les différents arrangements des pièces florales reflètent les adaptations aux pollinisateurs animaux et peuvent également réduire l'autofécondation, comme dans le cas des fleurs longistylées et brévistylées.
2. Chez les Angiospermes, la pollinisation est le transfert de pollen d'une anthère à un stigmate. C'est le développement subséquent du tube pollinique qui permet la fécondation, la fusion de l'oosphère et du spermatozoïde pour former le zygote.
3. À court terme, l'autofécondation peut être avantageuse dans une population si peu dense que la dissémination du pollen n'est pas fiable. À long terme, cependant, l'autofécondation est une impasse évolutive parce qu'elle réduit peu à peu la diversité génétique; par le fait même, elle peut empêcher l'évolution adaptative et le retour à la pollinisation croisée.

Retour sur le concept 38.2

1. La moitié des ovules auraient un albumen *XXX* et des embryons *XX*, et l'autre moitié auraient un albumen *XXY* et des embryons *XY*.
2. Les graines contiennent un albumen qui nourrit l'embryon en développement et possèdent un tégument qui protège celui-ci jusqu'à ce que les conditions soient propices à la germination. Les fruits, qu'ils soient secs ou charnus, favorisent la dispersion des graines, qui sont mangées par des Animaux ou emportées par le vent.
3. La dormance des graines empêche leur germination prématurée. Une graine germe seulement lorsque les conditions environnementales favoriseront la survie de l'embryon et de la plantule.

Retour sur le concept 38.3

1. La reproduction sexuée engendre une diversité génétique qui peut être avantageuse dans les environnements instables. En effet, il y a plus de chances qu'au moins un descendant survive dans un environnement qui aura changé. La reproduction asexuée peut être avantageuse dans un environnement stable parce que les individus bien adaptés à cet environnement peuvent transmettre tous leurs gènes à leur descendance, sans croisement. En outre, la reproduction asexuée donne généralement naissance à une descendance moins fragile que les plantules produites par reproduction sexuée. Cependant, la reproduction sexuée a l'avantage de disséminer des graines résistantes.
2. Les cultures qui se reproduisent de façon asexuée manquent de diversité génétique. Les populations génétiquement diverses sont moins susceptibles de s'éteindre en cas d'épidémie, parce qu'il y a plus de chances qu'elles comptent quelques individus résistants.

Retour sur le concept 38.4

1. Autant dans la technique traditionnelle de croisement que dans le génie génétique, on a recours à la sélection artificielle pour obtenir des plantes pourvues de certaines caractéristiques. Cependant, les techniques de génie génétique accélèrent le transfert de gènes et ne se limitent pas au transfert de gènes entre des variétés ou des espèces étroitement apparentées.
2. Les cultures avec OGM peuvent être plus nutritives ou moins sensibles aux attaques des Insectes ou aux agents pathogènes qui envahissent les plantes infestées. En outre, ces cultures ne nécessitent pas autant de produits chimiques que les cultures sans OGM. Toutefois, il faut continuer de faire des études sur le terrain pour étudier les risques d'effets nuisibles sur les humains et les organismes non ciblés ainsi que les risques d'évasion transgénique.

Autoévaluation

1. d; **2.** a; 3. c; 4. a; 5. a; 6. b; **7.** c; 8. a; **9.** e; 10. a; 11. c; 12. e.

39 Les réponses des Végétaux aux stimulus internes et externes

▲ **Figure 39.1 Brin d'herbe dont la croissance est orientée vers la lumière.**

Concepts clés

39.1 **Les voies de transduction des stimulus font le lien entre les stimulus et les réponses**

39.2 **Les hormones végétales coordonnent la croissance, le développement et les réponses aux stimulus**

39.3 **Les réponses des Végétaux à la lumière sont vitales pour leur survie**

39.4 **Les Végétaux réagissent à de nombreux stimulus autres que la lumière**

39.5 **Les Végétaux se défendent eux-mêmes contre les herbivores et les agents pathogènes**

Introduction

Sensibles mais immobiles

Ancrés dans le sol, les Végétaux doivent réagir à tous les changements qui ont lieu dans leur environnement. Par exemple, un brin d'herbe poussera incliné vers la lumière **(figure 39.1)** parce qu'il en perçoit la direction, l'intensité ainsi que la couleur. Après avoir intégré cette information, les cellules situées dans l'extrémité amorcent un processus biochimique complexe qui régit l'acheminement des stimulus chimiques dans la plante. La distribution de ces stimulus chimiques régulateurs de la croissance aboutit à l'inclinaison du brin d'herbe vers la source lumineuse. Cette réaction montre bien que la morphologie et la physiologie des Végétaux s'ajustent constamment au milieu par des interactions complexes entre les stimulus externes et internes.

Dans le présent chapitre, nous allons nous pencher sur la façon dont les Végétaux réagissent aux stimulus externes et internes. Au niveau de l'organisme, les réactions des Végétaux aux stimulus du milieu diffèrent de celles des Animaux. Ces derniers, qui sont mobiles, répondent surtout par leurs comportements: ils s'approchent des stimulus favorables et s'éloignent des stimulus nuisibles. Les Végétaux, quant à eux, passent toute leur vie au même endroit. Ils réagissent aux stimulus en modifiant le cours de leur croissance et de leur développement. C'est pourquoi il existe beaucoup plus de variantes morphologiques entre les individus d'une espèce végétale qu'entre ceux d'une espèce animale. Tous les lions ont quatre pattes et approximativement les mêmes proportions. Mais les chênes ont un nombre de branches et des formes qui varient considérablement d'un individu à l'autre. Nous commençons notre étude des réponses des Végétaux par le rôle que jouent les mécanismes de transduction des stimulus dans les cellules végétales.

Concept 39.1

Les voies de transduction des stimulus font le lien entre les stimulus et les réponses

Tous les organismes détectent certains stimulus externes et y répondent pour assurer leur survie et leur reproduction. Par exemple, les abeilles, dont les yeux possèdent des photorécepteurs sensibles aux rayons ultraviolets, peuvent voir les motifs des pétales de fleurs qui les guident vers le nectar. Ces motifs sont complètement invisibles pour les humains. Les Végétaux sont aussi pourvus de récepteurs qui leur permettent de déceler d'importants changements dans leur organisme ou dans leur milieu, que ce soit l'augmentation d'une hormone de croissance, une blessure infligée par une chenille qui mange leurs feuilles ou le raccourcissement du jour à l'approche de l'hiver.

Pour qu'un stimulus provoque une réponse, il faut que certaines cellules de l'organisme possèdent un récepteur approprié, c'est-à-dire une molécule sensible à ce stimulus. Par exemple, il nous est impossible de voir les motifs ultraviolets réfléchis par les fleurs parce que nos yeux ne comportent pas de photorécepteurs sensibles aux rayons ultraviolets. Quand il reçoit un stimulus, un récepteur amorce une série d'étapes biochimiques, une voie de transduction des stimulus qui fait le lien entre la réception du stimulus et la réponse de l'organisme. Les Végétaux sont sensibles à un large éventail de stimulus qui sont chacun à l'origine d'une voie spécifique de transduction. Au chapitre 11, nous avons étudié les concepts généraux de la transduction des stimulus dans les cellules. Nous allons ici appliquer ces concepts à certains exemples chez les Végétaux.

Prenons l'exemple d'une pomme de terre oubliée depuis longtemps au fond d'un placard. Les «yeux» (bourgeons axillaires) de la pomme de terre donnent naissance à des pousses. Mais ces pousses ressemblent peu aux pousses normales d'une plante. Ce ne sont pas, en effet, des tiges robustes portant de larges feuilles vertes et soutenues par de fortes racines. Ayant émergé dans l'obscurité, elles sont d'une blancheur spectrale et sont de longues tiges minces portant de petites feuilles et donnant naissance à de petites racines **(figure 39.2a)**. Ces adaptations morphologiques, que décrit le terme **étiolement**, prennent tout leur sens quand on considère que normalement une pomme de terre germe sous terre et que la croissance des pousses dont nous avons parlé se fait dans l'obscurité. Dans de telles conditions, des feuilles déployées constitueraient un obstacle à la progression de la plante dans le sol et seraient endommagées par la poussée de la tige. Au contraire, avec des feuilles pliées et souterraines, il y a peu de vaporisation d'eau, et la plante n'a pas besoin d'un système racinaire complexe pour remplacer la perte d'eau. En outre, l'énergie dépensée pour essayer de produire de la chlorophylle serait un pur gaspillage, puisqu'il n'y a pas du tout de lumière pour la photosynthèse. Ainsi, une pousse de pomme de terre qui croît dans l'obscurité emploie toute son énergie à l'allongement de ses tiges. Cette adaptation permet aux pousses de percer la surface de la terre avant que leurs réserves de nutriments situées dans les tubercules soient épuisées. La réaction d'étiolement illustre comment la morphologie et la physiologie d'une plante s'ajustent aux variations ambiantes en amorçant des interactions complexes entre les stimulus internes et externes.

Dès qu'elle reçoit la lumière du Soleil, une pousse voit sa morphologie et sa biochimie subir d'importants changements appelés, dans leur ensemble, **verdissement**: l'allongement des pousses ralentit; les feuilles grandissent; les racines s'allongent; et toute la pousse commence à produire de la chlorophylle. Bref, la pousse commence à ressembler à une plante normale **(figure 39.2b)**. Nous allons maintenant expliquer comment la réception d'un stimulus par une cellule végétale – dans le cas présent, la lumière – est convertie en réponse (verdissement). Nous allons en même temps voir les nombreux indices que l'étude des mutants a révélés à propos des rôles joués par les molécules dans les trois étapes de la communication cellulaire: la réception du stimulus, la transduction du stimulus et la réponse au stimulus **(figure 39.3)**.

La réception du stimulus

Ce sont d'abord des récepteurs qui reçoivent les stimulus. Ces récepteurs sont des protéines dont la conformation varie en réponse à un stimulus particulier. Le récepteur qui entre en jeu dans le verdissement des Végétaux est un type de *phytochrome*, photorécepteur que nous examinerons plus à fond plus loin dans le présent chapitre. Il est composé d'un pigment qui absorbe la lumière et d'une protéine particulière à laquelle le pigment est lié. Contrairement à de nombreux récepteurs qui se trouvent dans la membrane plasmique, le phytochrome qui participe au verdissement se trouve dans le cytoplasme. Des études effectuées sur un plant de tomate, proche parent de la pomme de terre, ont permis aux chercheurs de mettre en évidence le caractère essentiel du phytochrome dans le verdissement. En effet, le plant de tomate mutant appelé *Solanum lycopersicum aurea*, qui a une concentration de phytochrome inférieure à la normale, verdit moins que les plants de type sauvage en présence de lumière. Le nom *aurea* vient du mot latin signifiant «doré», car, en l'absence de chlorophylle, les pigments jaunes appelés *carotènes* sont plus apparents. De plus, les chercheurs ont pu arriver à un verdissement normal de cellules de feuille d'*aurea* en injectant du phytochrome extrait d'autres plants et en exposant le plant à la

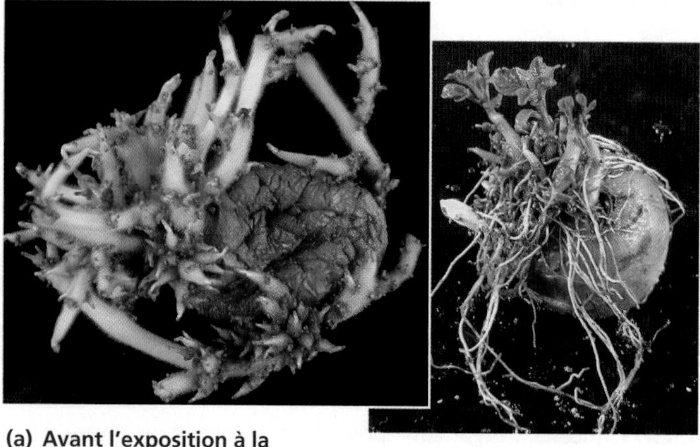

(a) Avant l'exposition à la lumière. Un tubercule de pomme de terre qui germe dans l'obscurité a de longues tiges chétives et des traces foliaires, adaptations morphologiques qui permettent aux pousses de progresser dans le sol. Les racines sont courtes parce que la perte d'eau est minimale.

(b) Après une semaine d'exposition à la lumière du jour, le plant de pomme de terre commence à ressembler à une plante normale possédant de grandes feuilles vertes, de courtes tiges robustes et de longues racines. Cette transformation commence quand un pigment précis capte la lumière.

▲ **Figure 39.2 Verdissement, causé par la lumière, d'un tubercule de pomme de terre qui a germé dans l'obscurité.**

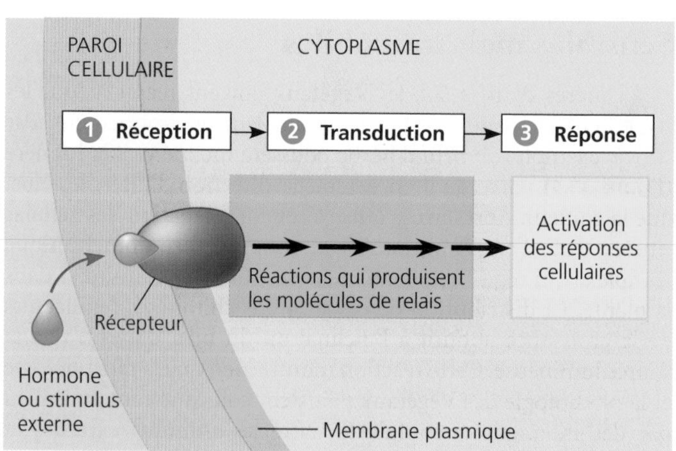

▲ **Figure 39.3 Révision d'un modèle général des voies de transduction des stimulus.** Comme on l'a vu au chapitre 11, une hormone ou toute autre substance chimique (message) qui se lie à un récepteur donné (premier messager) pousse la cellule à produire des molécules de relais, comme les seconds messagers. Les molécules de relais provoquent les diverses réactions de la cellule au stimulus original. Dans ce diagramme, le récepteur se trouve à la surface de la cellule cible. Mais, dans d'autres cas, l'hormone pénètre dans la cellule et se lie à des récepteurs précis situés dans le cytoplasme ou le noyau.

lumière. Ces expériences montrent que le phytochrome est un récepteur de lumière dans le processus de verdissement.

La transduction du stimulus

Les récepteurs sont sensibles aux moindres stimulus externes et internes. Une lumière extrêmement faible peut déclencher le verdissement. Par exemple, un éclairage équivalant à quelques secondes de lumière provenant de la Lune suffit à ralentir l'allongement des plantules d'avoine (*Avena sativa*) qui croissent dans l'obscurité. Comment l'information de ces stimulus extrêmement faibles est-elle amplifiée ? Comment leur réception est-elle convertie en une réponse particulière de la plante ? Ce sont les **seconds messagers** qui déclenchent la réponse appropriée. Ces petites molécules de substances chimiques sont produites par la plante, et sont capables d'amplifier le stimulus perçu par le récepteur et de le transférer aux autres protéines. Dans le verdissement, par exemple, chaque phytochrome activé peut produire des centaines de molécules d'un second messager. Chacune de ces molécules peut à son tour activer des centaines de molécules d'une enzyme donnée, permettant aux seconds messagers d'une voie de transduction d'amplifier rapidement le stimulus. Au chapitre 11, nous avons vu de manière générale le rôle que jouent les seconds messagers (voir les figures 11.12 et 11.13). Examinons maintenant en détail leur production ainsi que leur participation au processus du verdissement (figure 39.3). Il sera bon de se reporter fréquemment à la **figure 39.4** pour bien suivre la description de ce processus complexe.

La lumière entraîne un changement de conformation du phytochrome qui provoque une augmentation de la concentration de GMP cyclique (GMPc) et de Ca^{2+}, des seconds messagers. Une variation de la concentration de GMPc peut entraîner des changements ioniques à l'intérieur de la cellule, par modification des propriétés des canaux ioniques. La GMP cyclique active aussi les protéines kinases, une classe d'enzymes qui influe sur l'activation d'autres enzymes par phosphorylation, au cours de laquelle un groupe phosphate se lie au site spécifique d'une protéine. L'injection de la GMPc dans les cellules du plant de tomate *aurea* provoque un verdissement partiel, même sans ajout de phytochrome. La variation de la concentration cytosolique de Ca^{2+} joue également un rôle important dans la transduction du phytochrome. La concentration molaire volumique de Ca^{2+} est généralement très faible dans le cytosol (environ 10^{-7} mol/L). Toutefois, l'activation du phytochrome peut ouvrir des canaux Ca^{2+} et mener à une augmentation transitoire de Ca^{2+} cytosolique (100 fois plus). Comme la GMPc, le Ca^{2+} cytosolique peut influer sur l'activité de certains canaux ioniques et des protéines kinases.

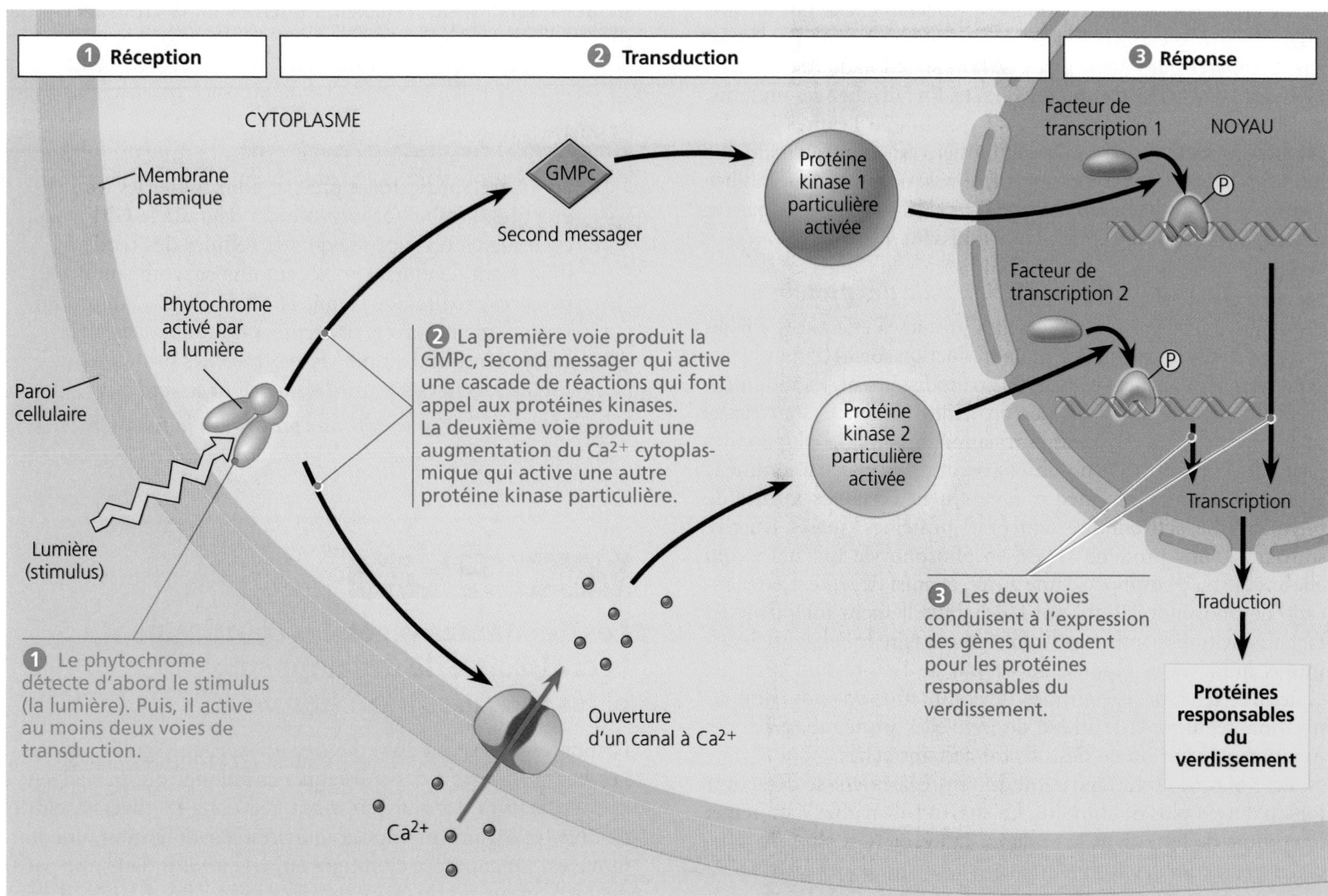

▲ **Figure 39.4 Exemple de transduction d'un stimulus chez les Végétaux : le rôle du phytochrome dans le verdissement.**

La réponse au stimulus

Enfin, une voie de transduction du stimulus conduit à la régulation d'une ou de plusieurs activités cellulaires. Le plus souvent, la réponse au stimulus implique une activité accrue de certaines enzymes. Il existe deux principaux mécanismes qui permettent à une voie de transduction d'activer une enzyme. Le premier est le déclenchement de la transcription de l'ARNm correspondant à l'enzyme, et le second est l'activation d'enzymes existantes (modification post-traductionnelle).

La régulation de la transcription

Les facteurs de transcription se fixent directement sur des régions précises de l'ADN et régulent la transcription de gènes donnés (voir les figures 19.5 et 19.6). Dans le cas du verdissement causé par le phytochrome, la phosphorylation active plusieurs facteurs de transcription dans les conditions lumineuses appropriées. L'activation de certains de ces facteurs dépend de la GMP cyclique; l'activation des autres nécessite la présence du Ca^{2+}.
Le mécanisme qui fait qu'un stimulus est à l'origine d'une nouvelle voie de développement peut dépendre de l'activation des facteurs de transcription positifs (protéines qui *augmentent* la transcription de gènes précis) ou des facteurs de transcription négatifs (protéines qui *réduisent* la transcription), ou des deux. Prenons l'exemple de mutants de l'arabette des dames (*Arabidopsis thaliana*). Bien qu'on les fasse croître dans l'obscurité, ils présentent la morphologie de plants exposés à la lumière: feuilles déployées, tiges courtes et robustes. La seule chose qui les distingue de plants exposés à la lumière, c'est leur pâleur. Ils ne sont pas verts parce que l'étape finale de la production de chlorophylle nécessite la présence de lumière directe. En fait, chez ces mutants, le facteur de transcription négatif qui inhibe l'expression des gènes normalement activés par la lumière est absent. Lorsqu'une mutation élimine le facteur négatif, la voie normalement inhibée s'active. Cela explique le fait que, exception faite de leur pâleur, ces mutants ont l'aspect de plants croissant à la lumière.

La modification post-traductionnelle des protéines

Bien que les synthèses de nouvelles protéines effectuées par les mécanismes de transduction et de traduction soient d'importants événements moléculaires associés au verdissement, les modifications post-traductionnelles des protéines existantes sont également importantes. La phosphorylation modifie la plupart des protéines existantes. De nombreux seconds messagers, comme la GMPc, et certains récepteurs, notamment certaines formes de phytochrome, activent directement les protéines kinases. Il arrive souvent qu'une protéine kinase en phosphoryle une autre, qui elle-même en phosphoryle une autre, et ainsi de suite. Cette cascade de phosphorylation, qui fait habituellement intervenir les facteurs de transcription, peut finalement faire le lien entre le stimulus initial et la réponse au niveau de l'expression génique. Grâce à ce genre de mécanismes, de nombreuses voies de communication régulent la synthèse de nouvelles protéines, généralement en activant ou en désactivant certains gènes.

Les voies de communication doivent également se désactiver lorsqu'il n'y a plus de stimulus. Qu'arrive-t-il en effet si on remet la pomme de terre dans le placard? Les protéines phosphatases, des enzymes qui déphosphorylent certaines protéines, participent à ce processus de « désactivation ». À tout moment, les activités d'une cellule dépendent de l'équilibre entre les différentes actions des protéines kinases et phosphatases.

Les protéines du verdissement

Quels types de protéines la phosphorylation transcrit-elle indirectement ou active-t-elle directement pendant le verdissement? Ce sont, pour beaucoup, des enzymes qui participent directement à la photosynthèse. D'autres sont des enzymes qui fournissent des précurseurs chimiques nécessaires à la production de la chlorophylle ou encore qui influent sur la concentration des hormones régulant la croissance. Par exemple, la concentration de deux hormones qui augmentent l'allongement de la tige (auxine et brassinostéroïdes) diminue à la suite de l'activation du phytochrome – d'où la réduction de l'allongement de la tige qui accompagne le verdissement.

Nous avons examiné certains détails de la transduction du stimulus qui entre en jeu dans le verdissement de la pomme de terre pour donner un aperçu de la complexité des modifications biochimiques que comprend ce seul processus. Chaque hormone végétale, chaque stimulus externe active une ou plusieurs voies de transduction d'une complexité comparable. Comme dans le cas du plant de tomate mutant *aurea*, les techniques de la biologie moléculaire combinées aux études portant sur les mutants aident les chercheurs à démêler ces voies. Cependant, la biologie moléculaire se fonde sur une longue histoire d'études physiologiques et biochimiques rigoureuses portant sur le fonctionnement des Végétaux. Dans la prochaine section, nous verrons que ce sont les observations et les expériences classiques qui ont fourni les premiers indices de l'existence de stimulus chimiques – les hormones – servant de régulateurs internes de la croissance et du développement des Végétaux.

Retour sur le concept 39.1

1. Le Viagra, médicament prescrit pour traiter les troubles érectiles, inhibe une enzyme qui dégrade la GMP cyclique. Si on suppose que les cellules des feuilles d'un plant de tomate possèdent une enzyme semblable, peut-on prédire que l'application de Viagra causera un verdissement normal des feuilles du mutant *aurea*?
2. Le cycloheximide inhibe la synthèse des protéines. Prédisez l'effet de ce médicament sur le verdissement.

Voir les réponses proposées à la fin du chapitre.

Concept 39.2

Les hormones végétales coordonnent la croissance, le développement et les réponses aux stimulus

Le mot *hormone* vient du verbe grec *hormôn*, qui signifie « exciter ». Les **hormones** sont des substances chimiques qui participent à la coordination des activités ayant lieu dans les diverses parties de tous les organismes multicellulaires. Par définition, une hormone est un composé chimique qui est produit dans une partie du corps et qui, après avoir été transporté dans d'autres parties, déclenche des réactions dans les cellules et les tissus cibles en se fixant à un récepteur donné. Les hormones ont ceci de particulier qu'une concentration infime suffit à déclencher des changements importants dans un organisme. Leur concentration et la vitesse à laquelle elles sont transportées peuvent varier en fonction des stimulus externes. De plus, il arrive souvent que la réponse d'une plante soit déterminée par l'interaction de deux ou de plusieurs hormones.

La découverte des hormones végétales

Une série d'expériences classiques portant sur les réactions des tiges à la lumière a mis les scientifiques sur la piste des hormones végétales. Une plante d'intérieur posée sur le rebord d'une fenêtre pousse en direction de la lumière. Si on la tourne, elle a tôt fait de réorienter sa croissance jusqu'à ce que ses feuilles se trouvent à nouveau face à la fenêtre. Toute réaction de croissance qui dirige la plante vers le stimulus ou en direction opposée est appelée **tropisme** (du grec *tropos*, « tour », « direction »). Lorsqu'une pousse croît en direction de la lumière, on parle de **phototropisme** positif. Le phénomène par lequel une plante s'écarte de la lumière est nommé quant à lui *phototropisme négatif*.

Dans un écosystème naturel comme une forêt dense, le phototropisme oriente les plantules vers la lumière dont elles ont besoin pour la photosynthèse. Quel mécanisme conduit à cette réaction adaptative? La majeure partie de nos connaissances sur le phototropisme nous vient de recherches sur des plantules de Graminées, d'avoine en particulier. Une gaine appelée *coléoptile* enveloppe la tige d'une plantule de Graminée (voir la figure 38.10b). Le coléoptile croît à la verticale dans l'obscurité ou sous un éclairage uniforme. Un coléoptile en croissance qu'on éclaire d'un seul côté se courbe vers la lumière. Cette réponse est le résultat d'une différence de croissance entre les cellules situées sur les côtés opposés du coléoptile. Les cellules situées du côté sombre s'allongent plus rapidement que celles qui sont situées du côté éclairé.

À la fin du XIXe siècle, Charles Darwin et son fils Francis furent parmi les premiers à faire des expériences sur le phototropisme. Ils observèrent ainsi qu'une plantule de Graminée ne se courbait vers la lumière que si l'apex de son coléoptile était bien présent **(figure 39.5)**. S'ils enlevaient l'apex ou le recouvraient d'un capuchon opaque, le coléoptile ne se courbait pas. En revanche, s'ils plaçaient un capuchon transparent sur l'apex ou s'ils entouraient une autre partie du coléoptile d'une gaine opaque, la réaction de phototropisme se produisait bien. Les Darwin en conclurent que l'apex du coléoptile était le lieu de détection de la lumière. Toutefois, la réaction de croissance à proprement parler, c'est-à-dire la courbure du coléoptile, se produisait à une certaine distance sous l'apex. Charles et Francis Darwin supposèrent donc que l'apex transmettait un message à la région du coléoptile qui s'allongeait. Quelques dizaines d'années plus tard, le Danois Peter Boysen-Jensen (1883-1959) démontra que le message était une substance mobile. Il isola l'apex du reste du coléoptile avec un cube de gélatine qui empêchait le contact cellulaire entre les deux parties, mais pas la diffusion des substances chimiques. Ses plantules se plièrent normalement vers la lumière. Le botaniste isola ensuite l'apex du reste du coléoptile avec une barrière imperméable, comme du mica minéral. Là, aucun phototropisme ne se produisit.

En 1926, le Hollandais Frits Went (1863-1935) réussit à mettre en évidence la substance chimique du phototropisme en modifiant l'expérience de Boysen-Jensen **(figure 39.6)**. Il coupa l'apex du coléoptile et le plaça sur un cube d'agar (matière gélatineuse).

Figure 39.5

Investigation Quelle partie du coléoptile perçoit la lumière, et comment ce stimulus est-il transmis?

EXPÉRIENCE En 1880, Charles Darwin et son fils Francis firent une expérience pour déterminer quelle partie du coléoptile perçoit la lumière. En 1913, Peter Boysen-Jensen tenta de déterminer comment le stimulus phototropique était transmis.

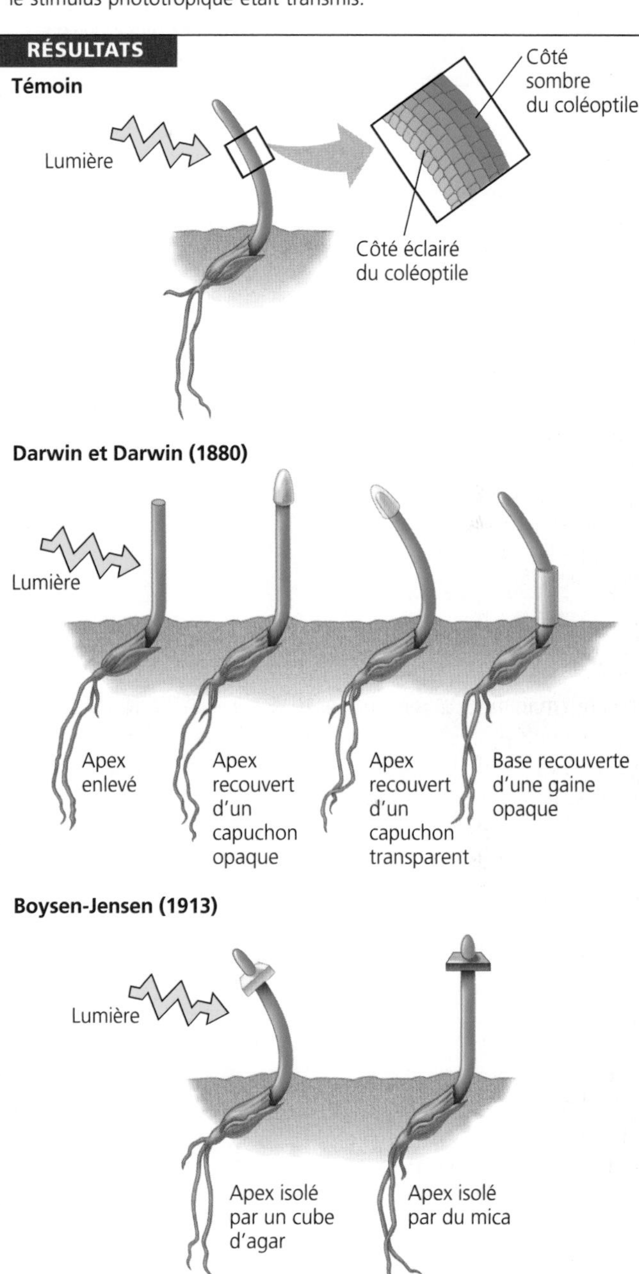

CONCLUSION Dans l'expérience des Darwin, la réponse au stimulus phototropique se produisait seulement quand la lumière atteignait l'apex du coléoptile. Par conséquent, les Darwin conclurent que seul l'apex du coléoptile était sensible à l'orientation de la lumière. Boysen-Jensen observa qu'une réponse se produisait si l'apex était séparé par une barrière perméable (cube d'agar), mais pas s'il était séparé par une barrière solide (mica) imperméable. Ces résultats laissent supposer que le stimulus est transmis par une substance chimique mobile activée par la lumière.

Figure 39.6

Investigation La répartition asymétrique d'une substance favorisant la croissance incite-t-elle le coléoptile à pousser vers la lumière ?

EXPÉRIENCE En 1926, l'expérience de Frits Went permit de déterminer comment une substance chimique favorisant la croissance faisait pousser le coléoptile en direction de la lumière. Le chercheur plaça des coléoptiles à la noirceur et retira leurs apex ; il mit quelques apex sur des cubes d'agar qui, selon lui, allaient absorber la substance chimique. Sur le coléoptile témoin, il plaça un cube dépourvu de la substance chimique. Sur d'autres, il plaça un cube contenant la substance, soit centré sur le bout du coléoptile pour répartir la substance également, soit décentré pour accroître la concentration sur un côté.

RÉSULTATS Le coléoptile a poussé droit lorsque la substance chimique était répartie également. Lorsque la substance chimique était répartie inégalement, le coléoptile se courbait dans la direction opposée au cube, comme s'il poussait vers la lumière, alors qu'il poussait dans l'obscurité.

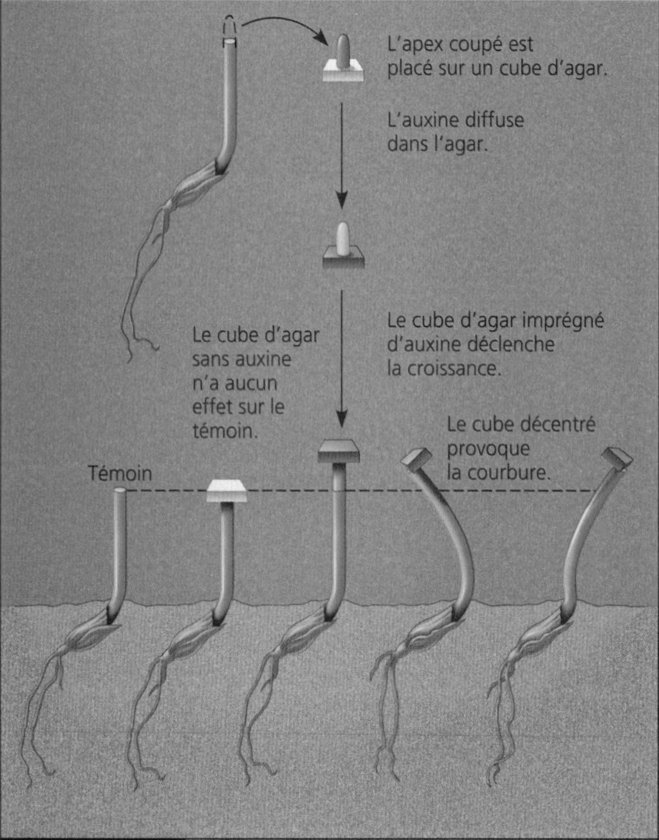
L'apex coupé est
placé sur un cube d'agar.
L'auxine diffuse
dans l'agar.
Le cube d'agar imprégné
d'auxine déclenche
la croissance.
Le cube d'agar
sans auxine
n'a aucun
effet sur le
témoin.
Le cube décentré
provoque
la courbure.
Témoin

CONCLUSION Went a conclu qu'un coléoptile se courbe vers la lumière parce que son côté se trouvant dans l'obscurité a une concentration plus élevée d'une substance favorisant la croissance appelée *auxine*.

Il se disait que la substance chimique provenant de l'apex diffuserait dans l'agar, qui devrait ensuite pouvoir se substituer à l'apex du coléoptile. Puis, il plaça des cubes d'agar ayant absorbé la substance chimique sur des coléoptiles décapités qu'il garda dans l'obscurité. Si le cube était centré, au sommet du coléoptile, la tige poussait à la verticale. Mais s'il était décentré, le coléoptile se courbait du côté où n'était pas le cube, comme s'il se tournait vers la lumière. Went tira plusieurs conclusions de ces expériences. Tout d'abord, le cube d'agar contenait une substance chimique produite dans l'apex du coléoptile. Ensuite, cette substance déclenchait la croissance en descendant dans le coléoptile. Enfin, celui-ci se courbait vers la lumière parce que la substance en question se trouvait en plus forte concentration du côté sombre que du côté éclairé. Went donna à la substance chimique, ou hormone, le nom d'*auxine* (du grec *auxein*, « accroître »). Winslow Briggs, biochimiste américain (né en 1928), a plus tard montré que l'auxine migrait du côté éclairé vers le côté sombre. Enfin, en 1934, Kenneth Thimann et ses collègues du California Institute of Technology isolèrent l'auxine et déterminèrent sa structure.

Se fondant sur le travail des Darwin et de Went, l'hypothèse classique expliquant la courbure des coléoptiles des Graminées vers la source lumineuse repose sur une distribution asymétrique de l'auxine. L'hormone descendrait de l'apex pour provoquer une élongation cellulaire plus rapide du côté sombre que du côté éclairé. Mais les études sur le phototropisme effectuées sur d'autres organes que les coléoptiles de Graminées ne confirment pas cette explication. Ainsi, il n'y a aucune preuve que la lumière provenant d'un seul côté provoque une distribution asymétrique de l'auxine dans les tiges du tournesol (*Helianthus annuus*), du radis (*Raphanus sativus*) et d'autres Eudicotylédones. Mais *il y a* bien distribution asymétrique de certaines substances pouvant agir comme *inhibiteurs* de croissance, leur concentration étant plus élevée du côté éclairé que du côté sombre de la tige. Néanmoins, l'étude du rôle de l'auxine dans le phototropisme des Graminées a donné naissance à un domaine complet de recherches sur les hormones végétales.

Les hormones végétales

Le **tableau 39.1** présente quelques-unes des principales catégories d'hormones végétales (souvent appelées *phytohormones*) : les auxines, les cytokinines, les gibbérellines, les brassinostéroïdes, l'acide abscissique et l'éthylène. D'autres molécules, telles que l'acide salicylique, les jasmonates (dérivés de l'acide jasmonique) et la systémine, qui participent à la défense des plantes contre les agents pathogènes, sont probablement aussi des hormones végétales. (Nous étudierons certaines de ces molécules plus loin dans ce chapitre.) Les hormones végétales sont des molécules relativement petites. C'est que leur transport de cellule en cellule implique souvent le passage à travers les parois cellulaires, voie que les grosses molécules ne peuvent emprunter.

En général, les hormones régissent la croissance et le développement des Végétaux en influant sur la division, l'allongement et la différenciation des cellules. À court terme, certaines interviennent également dans les réponses physiologiques aux stimulus externes. Chaque hormone provoque une multitude d'effets, selon sa concentration, son site d'action et le stade de développement de la plante.

Les hormones végétales sont produites en très faibles concentrations. Mais une quantité infime peut avoir un effet considérable sur la croissance et le développement d'un organe végétal. Cela signifie que le stimulus hormonal est amplifié d'une façon ou d'une autre. Les hormones influent sur l'expression des gènes, sur l'activité d'enzymes existantes et sur les propriétés des membranes. En agissant ainsi, quelques molécules seulement d'une hormone peuvent modifier le métabolisme et le développement

Tableau 39.1 Vue d'ensemble des hormones végétales

Catégories d'hormones	Sites de synthèse ou d'action	Principales fonctions
Auxines	Embryon, méristèmes des bourgeons apicaux, jeunes feuilles	Provoquent l'allongement de la tige (en faible concentration seulement), la croissance des racines, la différenciation cellulaire et la ramification. Régulent le développement des fruits. Augmentent la dominance apicale. Jouent un rôle dans le phototropisme et le géotropisme. Favorisent la différenciation du xylème. Retardent l'abscission des feuilles.
Cytokinines	Synthétisées dans les racines et transportées jusque dans les divers organes	Influent sur la croissance des racines et la différenciation cellulaire. Provoquent la division et la croissance cellulaires, ainsi que la germination. Retardent la sénescence.
Gibbérellines (par exemple, acide gibbérellique)	Méristèmes des bourgeons apicaux des pousses et des racines, jeunes feuilles, embryon	Favorisent la germination, le bourgeonnement, l'allongement de la tige et la croissance des feuilles. Provoquent la floraison et la fructification. Influent sur la croissance des racines et sur la différenciation.
Brassinostéroïdes	Graines, fruits, pousses, feuilles, bourgeons floraux	Inhibent la croissance des racines. Retardent la chute des feuilles. Favorisent la différenciation du xylème.
Acide abscissique	Feuilles, tiges, racines, fruits verts	Inhibe la croissance. Ferme les stomates en période de sécheresse. Déclenche la dormance.
Éthylène	Tissus des fruits en cours de maturation, nœuds des tiges, feuilles et fleurs sénescentes	Favorise la maturation des fruits. S'oppose à certaines actions des auxines. Favorise ou inhibe, selon les espèces, la croissance et le développement des racines, des feuilles et des fleurs.

d'une cellule. Les voies de transduction augmentent l'intensité du stimulus hormonal et conduisent aux réponses particulières de la cellule.

Habituellement, l'effet d'une hormone dépend non pas tant de la quantité absolue de l'hormone que du rapport entre sa concentration et celles d'autres hormones. C'est l'équilibre des différentes hormones plus que l'action isolée de chacune qui régit la croissance et le développement d'une plante. Les paragraphes qui suivent présentent les diverses catégories d'hormones végétales et leurs fonctions, et mettent en évidence leurs interactions.

Les auxines

Le terme **auxine** désigne toute substance chimique qui favorise l'allongement des coléoptiles. Les auxines ont toutefois plusieurs fonctions chez les plantes à fleurs. L'auxine naturelle qu'on trouve chez les Végétaux est l'acide indolacétique. Il existe plusieurs autres composés, dont certains sont synthétiques, qui ont le même effet. Néanmoins, tout au long du présent chapitre, nous emploierons le terme *auxine* pour désigner l'acide indolacétique (IAA, pour *indoleacetic acid*). Bien que l'IAA ait été la première hormone végétale découverte, il nous reste beaucoup à apprendre sur la transduction de son stimulus et sur la régulation de sa biosynthèse.

L'auxine descend dans la tige à une vitesse d'environ 10 mm/h. C'est trop rapide pour qu'il puisse y avoir diffusion. Cependant, cette vitesse est inférieure à celle de la sève élaborée dans le phloème. Il semble que l'auxine circule directement dans le parenchyme, d'une cellule à l'autre. Elle ne se propage que de l'extrémité d'une pousse à la base, jamais dans le sens inverse. Ce type de transport unidirectionnel est qualifié de *polaire.* Il n'a rien à voir avec la gravitation, car l'auxine monte même lorsqu'on place une pousse ou un coléoptile à l'envers. La polarité du mouvement de l'auxine est plutôt attribuable à la distribution polaire de cette protéine de transport dans les cellules. Concentrés à l'extrémité basale d'une cellule, les transporteurs d'auxine sortent l'hormone de la cellule. L'auxine peut alors entrer dans l'extrémité apicale de la cellule voisine **(figure 39.7)**.

Figure 39.7

Investigation Qu'est-ce qui cause le mouvement polaire de l'auxine de la pointe de la tige à sa base ?

EXPÉRIENCE Pour savoir comment l'auxine est transportée de manière unidirectionnelle, les chercheurs ont conçu une expérience qui permet de localiser la protéine de transport de cette hormone. Ils ont utilisé une molécule fluorescente vert-jaune pour marquer les anticorps qui se lient à la protéine de transport de l'auxine. Ils ont ensuite appliqué les anticorps à des tiges d'*Arabidopsis* coupées longitudinalement.

RÉSULTATS La micrographie de gauche montre que la protéine de transport de l'auxine ne se trouve pas dans tous les tissus de la tige, mais seulement dans le parenchyme du xylème. Sur la micrographie de droite, un grossissement accru révèle que la protéine de transport de l'auxine se trouve surtout dans l'extrémité basale des cellules.

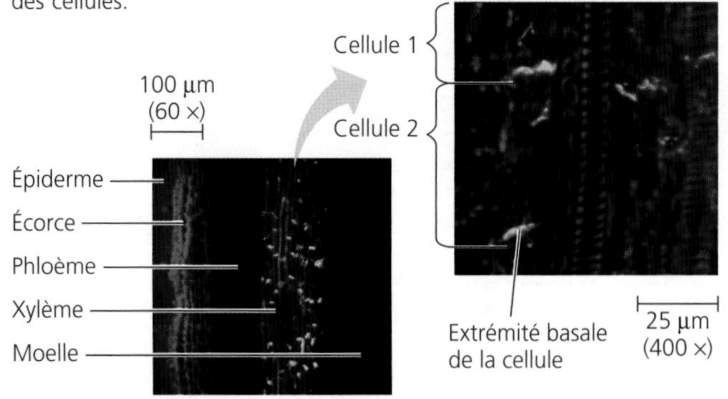

CONCLUSION Les résultats vont dans le sens de l'hypothèse selon laquelle le transport polaire de l'auxine dépend de la concentration de la protéine de transport de l'auxine aux extrémités basales de la cellule.

Le rôle de l'auxine dans l'allongement cellulaire. Bien que l'auxine influe sur plusieurs aspects du développement d'une plante, une de ses premières fonctions est de stimuler l'allongement des cellules dans les jeunes pousses en croissance. C'est principalement dans le méristème apical des pousses que l'auxine est synthétisée. En migrant vers la zone d'élongation cellulaire (voir la figure 35.15), elle provoque la croissance des cellules, probablement en se fixant à un récepteur situé dans la membrane plasmique. L'auxine n'a d'effet sur la croissance que si sa concentration se situe à entre 10^{-8} et 10^{-4} mol/L environ. À plus forte concentration, elle inhibe l'allongement cellulaire. On croit qu'une forte concentration d'auxine entraîne la synthèse d'une autre hormone, l'éthylène, qui a généralement un effet inhibiteur sur l'allongement cellulaire. Nous aborderons cette interaction hormonale dans la section portant sur l'éthylène.

Selon une hypothèse dite *de la croissance acidodépendante*, les pompes à protons jouent un rôle important dans la croissance cellulaire provoquée par l'auxine. Dans la zone d'allongement d'une pousse, l'auxine active les pompes à protons situées dans la membrane plasmique, action qui fait augmenter la tension entre les deux côtés de la membrane (potentiel de membrane) et diminuer le pH dans la paroi **(figure 39.8)**. L'acidification de la paroi active les **expansines**, des enzymes qui rompent les ponts transversaux (liaisons hydrogène) entre les microfibrilles de cellulose et d'autres composants de la paroi cellulaire, et affaiblissent la trame de la paroi. (Les expansines peuvent même affaiblir l'intégrité du papier-filtre fait de cellulose pure.) L'augmentation du potentiel de membrane accroît l'absorption d'ions par la cellule, ce qui provoque une absorption osmotique d'eau et une augmentation de la turgescence. Cette turgescence accrue de même que la grande plasticité de la paroi permettent l'allongement de la cellule.

De plus, l'auxine modifie rapidement l'expression génique. Ainsi, en quelques minutes, les cellules qui se trouvent dans la zone d'élongation produisent de nouvelles protéines. Certaines de ces protéines sont des facteurs de transcription de courte vie qui inhibent ou déclenchent l'expression d'autres gènes. Pour maintenir leur croissance après l'allongement initial, les cellules doivent absorber davantage de matériel cytoplasmique et membranaire. L'auxine stimule également cette croissance soutenue.

La formation des racines latérales et adventives. Les horticulteurs utilisent les auxines dans la multiplication végétative des boutures. Ils traitent une feuille ou une tige coupée avec une poudre qui en contient. Celle-ci provoque la formation de racines adventives près de la base. L'auxine participe également à la ramification des racines. Les chercheurs ont en effet observé qu'un plant mutant d'*Arabidopsis thaliana* présentant une prolifération extrême de racines latérales avait une concentration d'auxine 17 fois plus élevée que la normale.

Les auxines comme herbicides. Les auxines synthétiques, comme l'acide 2,4-dichlorophénoxyacétique (2,4-D), servent couramment d'herbicides. Les Monocotylédones, telles que les Graminées qu'on trouve dans une pelouse (pâturin, agrostide, fétuque, etc.) et le maïs, peuvent rapidement désactiver ces auxines synthétiques. Par contre, les Eudicotylédones en sont incapables et meurent donc d'une surdose d'hormones. Arroser les champs de céréales ou les gazons de 2,4-D élimine les Dicotylédones feuillues comme le pissenlit (*Taraxacum officinale*).

Les autres effets de l'auxine. Outre qu'elle déclenche l'allongement cellulaire pour permettre la croissance primaire, l'auxine contribue à la croissance secondaire en provoquant la division

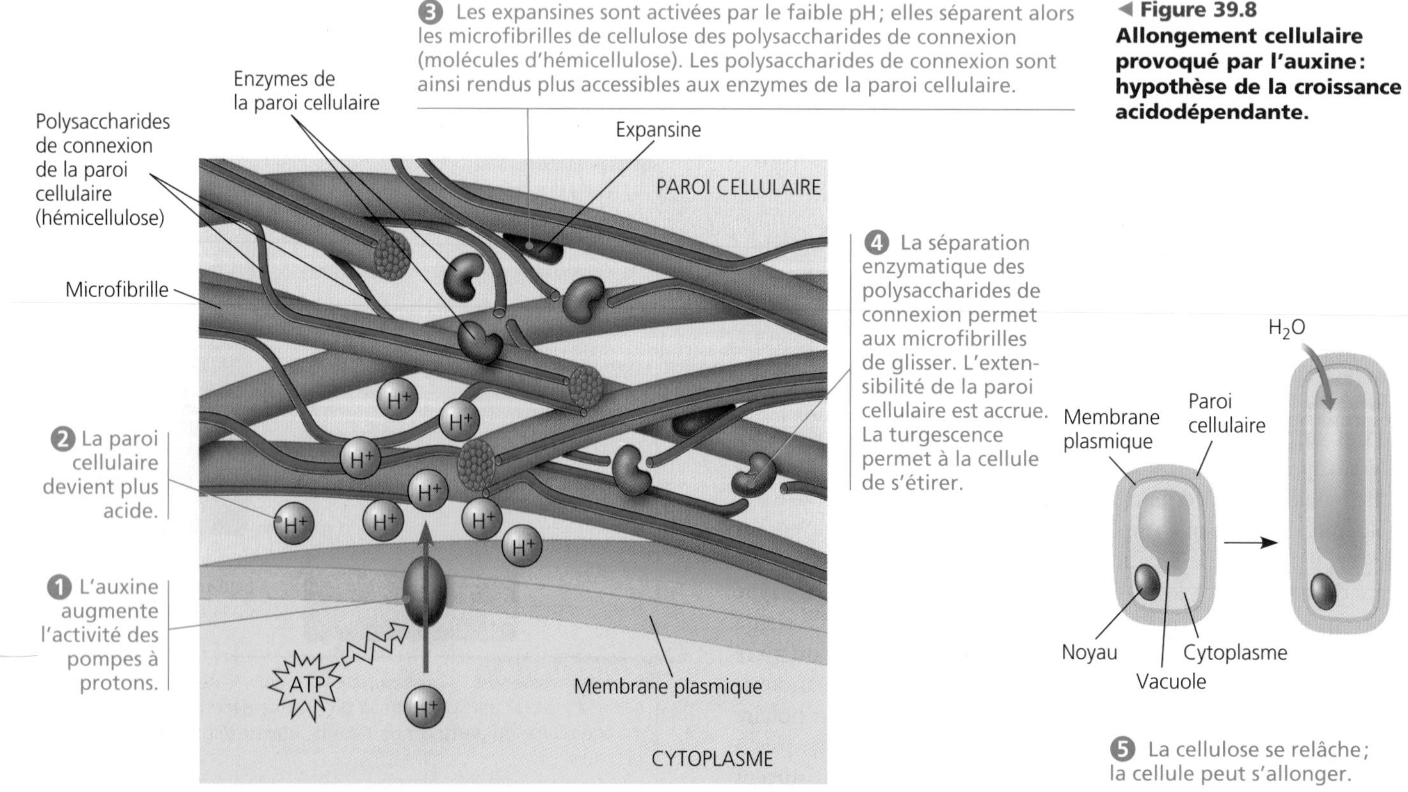

❸ Les expansines sont activées par le faible pH; elles séparent alors les microfibrilles de cellulose des polysaccharides de connexion (molécules d'hémicellulose). Les polysaccharides de connexion sont ainsi rendus plus accessibles aux enzymes de la paroi cellulaire.
Enzymes de la paroi cellulaire
Polysaccharides de connexion de la paroi cellulaire (hémicellulose)
Expansine
PAROI CELLULAIRE
Microfibrille
❹ La séparation enzymatique des polysaccharides de connexion permet aux microfibrilles de glisser. L'extensibilité de la paroi cellulaire est accrue. La turgescence permet à la cellule de s'étirer.
H^+
❷ La paroi cellulaire devient plus acide.
❶ L'auxine augmente l'activité des pompes à protons.
ATP
Membrane plasmique
CYTOPLASME
H_2O
Membrane plasmique
Paroi cellulaire
Noyau
Cytoplasme
Vacuole
❺ La cellulose se relâche; la cellule peut s'allonger.

◄ **Figure 39.8 Allongement cellulaire provoqué par l'auxine: hypothèse de la croissance acidodépendante.**

cellulaire dans le cambium libéroligneux et en influant sur la différenciation du xylème secondaire (voir les figures 35.18 et 35.19).

De plus, l'auxine synthétisée par les graines en formation favorise la fructification. En serre, la grenaison est souvent médiocre en raison de l'absence d'Insectes pollinisateurs ; les tomates obtenues sont peu développées (s'il y a moins de graines, il y a moins d'auxine pour favoriser la fructification). Les plants de tomate cultivés en serre sur lesquels on a pulvérisé des auxines synthétiques fructifient sans pollinisation. On peut donc obtenir des tomates sans graines en substituant une auxine synthétique à l'auxine que les graines produisent normalement.

Les cytokinines

Les chercheurs ont découvert les **cytokinines** en faisant des essais pour trouver des additifs chimiques qui favoriseraient la croissance et le développement des cellules végétales dans les cultures tissulaires. Dans les années 1940, Johannes van Overbeek, qui travaillait au Cold Spring Harbor Laboratory, à New York, s'aperçut qu'il pouvait stimuler la croissance d'embryons végétaux en ajoutant dans son milieu de culture du lait de coco, albumen liquide de la gigantesque graine du cocotier. Dix ans plus tard, Folke Skoog et Carlos O. Miller, de la University of Wisconsin-Madison, provoquèrent la division de cellules de tabac en ajoutant dans leurs cultures des échantillons d'ADN altérés. Il apparut que les ingrédients actifs des deux additifs expérimentaux étaient des formes modifiées d'adénine, l'une des composantes des acides nucléiques. Ces régulateurs de croissance (on en connaît maintenant près de 200) furent nommés *cytokinines*, parce qu'ils provoquaient la cytocinèse à la fin de la division cellulaire. La plus répandue des nombreuses cytokinines végétales naturelles et la première à être identifiée (1964) est la zéatine, ainsi nommée parce qu'on l'a découverte dans les grains du maïs (*Zea mays*). Bien qu'il reste encore beaucoup à apprendre sur la synthèse de la cytokinine et sur la transduction des stimulus, on connaît bien certaines des principales fonctions des cytokinines dans la physiologie et le développement des Végétaux.

La régulation de la division et de la différenciation cellulaires. Les cytokinines sont produites dans les tissus en croissance active, notamment les racines, les embryons et les fruits. Celles qui sont formées dans les racines atteignent leurs tissus cibles en montant dans la plante avec la sève brute du xylème. Agissant de concert avec l'auxine, les cytokinines provoquent la division cellulaire et influent sur la différenciation. L'observation de leurs effets sur des cellules en culture permet de comprendre leurs fonctions dans une plante intacte. Ainsi, si on cultive, sans y ajouter de cytokinines, un morceau de parenchyme prélevé sur une tige, les cellules deviennent très grosses mais ne se divisent pas. Mais, si on ajoute des cytokinines et de l'auxine, elles se divisent. Si on ajoute uniquement des cytokinines dans la culture, celles-ci n'ont aucun effet. En outre, le rapport des concentrations des cytokinines et de l'auxine régule la différenciation des cellules. Si les concentrations des deux hormones sont appropriées, la masse de cellules continue de croître, tout en demeurant un amas indifférencié qu'on appelle *cal* (voir la figure 38.12). Si la concentration des cytokinines est supérieure à celle de l'auxine, des pousses émergent du cal. Si la concentration de l'auxine est supérieure à celle des cytokinines, ce sont des racines qui se forment.

La régulation de la dominance apicale. Les cytokinines, l'auxine et d'autres facteurs interagissent aussi dans la régulation de la dominance apicale, c'est-à-dire la capacité du bourgeon terminal à inhiber le développement des bourgeons axillaires **(figure 39.9a)**. Jusqu'à tout récemment, l'hypothèse dominante était qu'il y avait inhibition directe de la croissance, et que l'auxine et les cytokinines avaient des rôles opposés dans la régulation de la croissance des bourgeons axillaires. Selon cette hypothèse, l'auxine transportée depuis le bourgeon terminal jusque vers le bas de la tige empêchait directement la croissance des bourgeons axillaires, ce qui provoquait l'allongement de la tige aux dépens de la ramification latérale. De leur côté, les cytokinines migrant des racines jusqu'au système caulinaire bloquaient l'action de l'auxine en déclenchant la croissance des bourgeons axillaires. Ainsi, on considérait le rapport entre les concentrations d'auxine et de cytokinines comme le principal facteur de régulation de la croissance des bourgeons axillaires. De nombreuses observations confirment l'hypothèse de l'inhibition directe. En effet, si on enlève le bourgeon terminal, principale source d'auxine, les bourgeons axillaires poussent et la plante se ramifie **(figure 39.9b)**. De plus, si on applique de l'auxine sur la blessure de la plantule décapitée, les bourgeons latéraux cessent de croître. Les mutants qui

(a) Plante intacte

(b) Plante dont on a enlevé le méristème apical

▲ **Figure 39.9 La dominance apicale. (a)** L'auxine produite dans le bourgeon terminal inhibe la croissance des bourgeons axillaires. Elle favorise ainsi l'allongement de la tige principale. Au contraire, les cytokinines, qui sont transportées depuis les racines jusque vers le haut, provoquent la croissance de bourgeons axillaires. C'est pourquoi, chez la plupart des Végétaux, les bourgeons axillaires situés près de l'extrémité de la tige ont moins de chances d'éclore que les bourgeons qui se trouvent près des racines. **(b)** L'excision du bourgeon terminal donne libre cours à la croissance des pousses latérales.

présentent une surproduction de cytokinines et les plants traités aux cytokinines ont également tendance à être plus ramifiés que la normale. Cependant, l'expérience n'a pas confirmé la prédiction suivante émise par l'hypothèse de l'inhibition directe : la décapitation, c'est-à-dire l'élimination de la principale source d'auxine, doit provoquer une diminution de la concentration de l'hormone dans les bourgeons axillaires. En effet, les études biochimiques ont révélé le contraire : la concentration d'auxine *augmente* dans les bourgeons axillaires des plants décapités. Ainsi, l'hypothèse de l'inhibition directe n'explique pas toutes les découvertes expérimentales. C'est comme si les botanistes n'avaient pas découvert tous les morceaux du casse-tête.

Le retard de la sénescence. Les cytokinines retardent le vieillissement de certains organes végétaux en inhibant la dégradation des protéines, en stimulant la synthèse de l'ARN et des protéines, et en mobilisant les nutriments des tissus environnants. Des feuilles détachées qu'on plonge dans une solution de cytokinines restent vertes beaucoup plus longtemps que si on ne les avait pas trempées. Les cytokinines ralentissent aussi la détérioration des feuilles sur les plantes mêmes. Les fleuristes en tirent profit : ils pulvérisent des cytokinines sur les fleurs coupées pour en conserver la fraîcheur.

Les gibbérellines

Il y a un siècle, les agriculteurs d'Asie trouvèrent dans leurs rizières des plants si hauts et si grêles qu'ils ployaient avant même d'avoir fleuri. En 1926, un phytopathologiste japonais nommé Ewiti Kurosawa découvrit qu'il s'agissait d'une maladie (la « maladie des jeunes plants fous ») causée par un champignon (Ascomycète), *Gibberella fujikuroi.* Dans les années 1930, les scientifiques japonais constatèrent que le champignon sécrétait une substance, à laquelle on donna le nom de **gibbérelline**, qui provoquait un allongement excessif des tiges du riz. Puis, dans les années 1950, les chercheurs découvrirent que les Végétaux fabriquaient également de la gibbérelline. Au cours des 50 dernières années, les scientifiques ont répertorié plus de 100 gibbérellines naturelles. Mais chaque espèce végétale en compte un nombre beaucoup plus petit. Il semble que les « jeunes plants fous » souffrent d'une surdose de gibbérellines, lesquelles sont normalement présentes en faibles concentrations dans les Végétaux. Les gibbérellines ont différents effets sur les Végétaux, comme l'allongement de la tige, la fructification et la germination.

L'allongement des tiges. Les racines et les jeunes feuilles sont les principaux sites de production des gibbérellines. Celles-ci provoquent la croissance des feuilles et de la tige, mais ont peu d'effet sur la croissance des racines. Dans une tige, les gibbérellines provoquent l'allongement et la division cellulaires. À l'instar de l'auxine, elles produisent un relâchement de la paroi cellulaire, mais pas en l'acidifiant. Il semble qu'elles activent des enzymes de relâchement de la paroi qui facilitent la pénétration des expansines dans la paroi cellulaire. Ainsi, dans une tige en croissance, l'auxine et les gibbérellines agissent de concert pour favoriser l'allongement : la première en acidifiant la paroi cellulaire et en activant les expansines ; la seconde en facilitant la pénétration des expansines.

Pour constater l'effet d'allongement qu'ont les gibbérellines sur la tige, on peut donner de ces hormones à certaines variétés naines (mutantes). Ainsi, les plants de pois nains (dont ceux que Mendel a étudiés ; voir le chapitre 14) atteignent une hauteur normale après un traitement aux gibbérellines. Si on donne des gibbérellines à des plantes de taille normale, on n'obtient souvent aucune réaction. Apparemment, ces plantes produisent déjà une dose optimale de cette hormone.

La montée en graines, c'est-à-dire la croissance rapide d'une tige florale, est l'exemple le plus évident de l'effet d'allongement que causent les gibbérellines. Avant de fleurir, certaines plantes, comme le chou (*Brassica oleracea*), prennent la forme d'une rosette : elles restent basses et ont des entre-nœuds très courts. Ces plantes entrent en croissance reproductive en sécrétant massivement des gibbérellines. Les tiges florales s'allongent alors rapidement, ce qui fait monter les bourgeons floraux qui se développent aux extrémités des tiges.

La fructification. Chez de nombreux Végétaux, l'auxine et les gibbérellines sont toutes les deux nécessaires à la fructification. La production de raisins Thompson sans pépins est la principale application commerciale de l'effet des gibbérellines **(figure 39.10)**. Ces hormones favorisent le grossissement des fruits. Or, le consommateur recherche de gros fruits. De plus, les gibbérellines allongent les entre-nœuds sur la grappe. Les raisins sont ainsi plus espacés. Cela permet une bonne circulation de l'air entre les fruits et prévient par là même l'infection par des levures et d'autres microorganismes.

La germination. L'embryon contenu dans les graines est une importante source de gibbérellines. Après l'imbibition d'eau, il libère des gibbérellines qui font sortir la graine de sa dormance et provoquent la germination. Certaines graines qui ont besoin pour germer de conditions spéciales, telles que l'exposition à la lumière ou au froid, quittent leur dormance si on les traite aux gibbérellines. Les gibbérellines assurent la croissance des plantules des céréales en déclenchant la synthèse d'enzymes digestives comme l'α-amylase, qui mobilise les nutriments emmagasinés **(figure 39.11)**.

Les brassinostéroïdes

D'abord isolés du pollen de colza (*Brassica napus*) en 1979, les **brassinostéroïdes** sont des stéroïdes chimiquement semblables

▲ **Figure 39.10 Effet d'un traitement aux gibbérellines des raisins Thompson sans pépins.** La grappe située à gauche est le témoin non traité. Celle de droite se développe sur une vigne traitée aux gibbérellines au cours de la fructification.

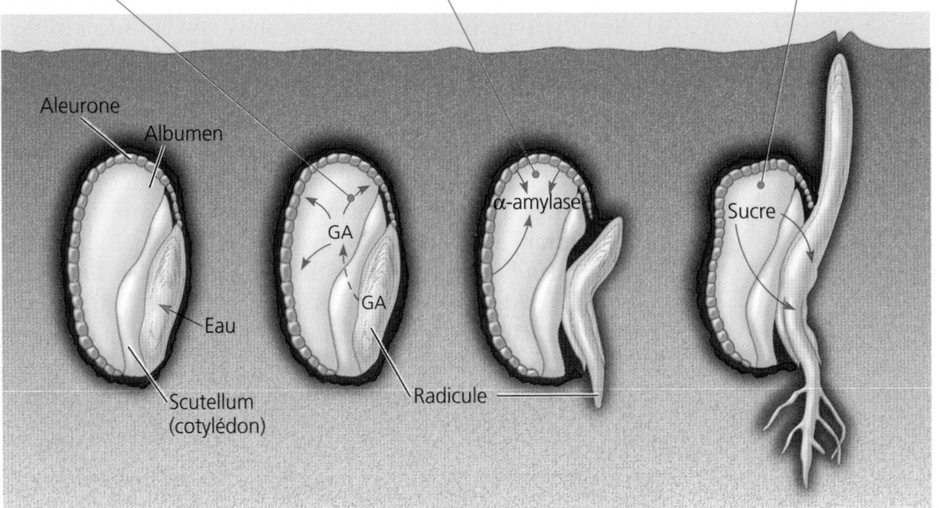

1 Après que la graine a absorbé de l'eau, l'embryon libère de l'acide gibbérellique (GA_3) qui sert de signal à l'aleurone, la mince couche externe de l'albumen.
2 L'aleurone réagit en synthétisant et en sécrétant des enzymes digestives qui hydrolysent les nutriments emmagasinés dans l'albumen. Un exemple est l'α-amylase, qui hydrolyse l'amidon. (Une enzyme semblable dans notre salive favorise la digestion du pain et des autres aliments contenant de l'amidon.)
3 Les sucres et autres nutriments absorbés de l'albumen par le scutellum (cotylédon) nourrissent l'embryon pendant la période de croissance où il devient une plantule.
Aleurone
Albumen
GA
GA
Eau
Scutellum
(cotylédon)
Radicule
α-amylase
Sucre

▲ **Figure 39.11 Mobilisation des nutriments par les gibbérellines pendant la germination des graines de céréales.**

au cholestérol et aux hormones sexuelles des Animaux. On en connaît maintenant une quinzaine. Les brassinostéroïdes provoquent l'allongement et la division cellulaires dans les tiges et les plantules à des concentrations de 10^{-12} mol/L seulement. De plus, ils retardent l'abscission des feuilles et favorisent la différenciation du xylème. Ces actions ressemblent tellement à celles de l'auxine du point de vue qualitatif qu'il fallut plusieurs années aux phytophysiologistes pour déterminer que les brassinostéroïdes n'étaient pas des auxines.

La biologie moléculaire a permis d'établir que les brassinostéroïdes sont des hormones végétales. Certains chercheurs s'intéressaient aux mutants d'*Arabidopsis thaliana* qui possédaient des caractères morphologiques semblables à ceux des plants croissant à la lumière, et cela, même s'ils poussaient dans l'obscurité. Ils ont découvert que la mutation touchait un gène codant normalement pour une enzyme semblable à celle qui participe à la synthèse de stéroïdes dans les cellules des Mammifères. Ils ont également montré qu'on pouvait faire apparaître un phénotype normal sur des plants mutants en leur donnant des brassinostéroïdes en laboratoire. Les mutants étudiés manquaient de brassinostéroïdes.

L'acide abscissique

Dans les années 1960, un groupe de recherche qui étudiait les variations chimiques précédant la dormance des bourgeons et une autre équipe qui s'intéressait aux variations chimiques précédant l'abscission des feuilles (la chute des feuilles à l'automne) ont isolé le même composé: l'**acide abscissique**. Ironiquement, on ne considère plus, maintenant, que l'acide abscissique joue un rôle majeur dans la dormance des bourgeons ou l'abscission des feuilles. Cette hormone végétale d'une grande importance a d'autres fonctions. Contrairement aux hormones que nous avons étudiées jusqu'à maintenant (l'auxine, les cytokinines, les gibbérellines et les brassinostéroïdes), qui stimulent la croissance végétale, l'acide abscissique *ralentit* la croissance. Souvent, il contre les effets des hormones de croissance. C'est le rapport entre la concentration d'acide abscissique et la concentration d'une ou de plusieurs hormones de croissance qui détermine la manifestation physiologique finale. Nous examinerons deux des effets de l'acide abscissique sur les Végétaux: la dormance de la graine et la résistance à la sécheresse.

La dormance de la graine. La dormance de la graine est d'une grande importance pour la survie de certains Végétaux, car elle ne permet la germination que dans des conditions optimales de luminosité, de température et d'humidité (voir le chapitre 38). Qu'est-ce qui empêche une graine tombée à l'automne de germer immédiatement pour ensuite ne pas survivre à l'hiver? Quels mécanismes font en sorte que cette graine ne germe qu'au printemps? Qu'est-ce qui empêche une graine de germer dans l'intérieur obscur et humide du fruit? La réponse à ces questions se trouve dans l'acide abscissique. La concentration d'acide abscissique peut augmenter de 100 fois durant la maturation des graines. Cette concentration élevée dans les graines en développement inhibe la germination et entraîne la production de protéines qui aident les graines à supporter l'extrême déshydratation qui accompagne la maturation.

De nombreux types de graines en dormance germeront si on en retire l'acide abscissique ou qu'on le désactive d'une manière ou d'une autre. Les graines de certaines plantes du désert sortent de leur dormance uniquement quand des pluies abondantes en lessivent l'acide abscissique. D'autres graines ont besoin d'une exposition à la lumière ou d'une longue exposition au froid pour désactiver l'acide abscissique. Le rapport entre la concentration de cet acide et celle des gibbérellines détermine souvent si la graine restera dans l'état de dormance ou germera. L'ajout d'acide abscissique dans des graines qui ont commencé à germer les fait reprendre leur dormance. Un plant de maïs mutant dont les graines germent quand elles sont encore sur l'épi se caractérise par l'absence d'un facteur de transcription fonctionnel nécessaire au déclenchement, par l'acide abscissique, de l'expression de certains gènes **(figure 39.12)**.

Le stress provoqué par la sécheresse. L'acide abscissique est le principal stimulus interne qui aide les Végétaux à résister à la sécheresse. Quand une plante commence à flétrir, il s'accumule dans les feuilles et provoque la fermeture des stomates, ce qui réduit la transpiration et les pertes d'eau. Par son action sur les seconds messagers tels que le calcium, il provoque en effet l'ouverture des canaux membranaires qui dirigent le potassium vers

▲ **Figure 39.12 Germination précoce des graines sur un plant de maïs mutant.** L'acide abscissique provoque la dormance chez les graines. Quand son action est inhibée – dans le cas présent, en raison d'une mutation touchant un facteur de transcription régulé par l'acide abscissique –, il y a germination précoce.

l'extérieur des cellules stomatiques, lesquelles se vident ainsi de leur potassium. La perte osmotique d'eau qui accompagne ce phénomène diminue la turgescence des cellules stomatiques et ferme le stomate (voir la figure 36.15). Dans certains cas, le manque d'eau peut affaiblir le système racinaire avant le système caulinaire. L'acide abscissique transporté des racines aux feuilles peut alors agir comme un «système d'alarme précoce». De nombreux mutants particulièrement prédisposés au flétrissement ne produisent pas d'acide abscissique.

L'éthylène

Dans les années 1800, quand on éclairait les rues au gaz de houille ou gaz d'éclairage, les fuites provoquaient la chute précoce des feuilles des arbres situés près des conduites. En 1901, le scientifique russe Dimitry Neljubow démontra que l'**éthylène** était le principal facteur actif du gaz d'éclairage. Mais on n'accepta l'idée que l'éthylène était une hormone végétale seulement après qu'une technique appelée *chromatographie* eut permis de mesurer la quantité d'éthylène présent.

Les Végétaux sécrètent de l'éthylène en réaction à des perturbations comme les sécheresses, les inondations, les pressions externes exercées par un liquide ou un solide, les blessures et les infections. Ils en produisent également durant le mûrissement des fruits et la mort programmée des cellules, ainsi que lorsqu'on leur donne des concentrations élevées d'auxines. En fait, de nombreuses actions qu'on attribuait jadis à l'auxine, par exemple l'inhibition de l'allongement des racines, sont peut-être attribuables à la production d'éthylène déclenchée par l'auxine. Examinons quatre des nombreux effets de l'éthylène sur les Végétaux: la triple réponse aux contraintes physiques, l'apoptose, l'abscission des feuilles et la maturation des fruits.

La triple réponse aux contraintes physiques. Imaginez un semis de pois poussant vers le haut dans le sol et butant contre un objet immobile, disons une pierre. Lorsque l'apex délicat de la tige touche l'obstacle, la contrainte qu'exerce ce dernier entraîne une production d'éthylène dans la plantule. L'éthylène conduit la plantule à effectuer une manœuvre de croissance appelée **triple réponse** qui lui permet de contourner l'obstacle. Les trois parties de cette réaction sont le ralentissement de l'allongement de la tige, son épaississement (qui la rend plus forte) et sa courbure (qui la fait croître horizontalement). Tout au long de la croissance, l'extrémité de la tige se tourne régulièrement vers le haut. Si elle détecte un objet solide, il y a une autre émission d'éthylène et la tige continue sa progression horizontale. Mais si elle ne touche aucun objet solide, la production d'éthylène diminue, et la tige, qui ne rencontre plus aucun obstacle, peut reprendre sa croissance verticale. C'est donc l'éthylène, plutôt que la contrainte physique elle-même, qui est à l'origine de la croissance horizontale de la tige. En effet, des plantules poussant normalement et ne rencontrant aucun obstacle physique réagissent par une triple réponse quand on leur vaporise de l'éthylène **(figure 39.13)**.

Les études qui ont été menées sur les mutants d'*Arabidopsis thaliana* affichant une triple réponse anormale montrent comment les biologistes procèdent pour isoler une voie de transduction. Les mutants *ein* (pour *ethylene-insensitive*, «insensibles à l'éthylène»)

Figure 39.13

Investigation Comment la concentration d'éthylène influe-t-elle sur la triple réponse des plantules?

EXPÉRIENCE Les plantules de pois ont été placées dans la pénombre et exposées à diverses concentrations d'éthylène. On a ensuite comparé leur croissance avec des plantules témoins qui n'y ont pas été exposées.

RÉSULTATS Toutes les plantules exposées à l'éthylène ont présenté la triple réponse. Plus la concentration d'éthylène était élevée, plus la réponse était grande.

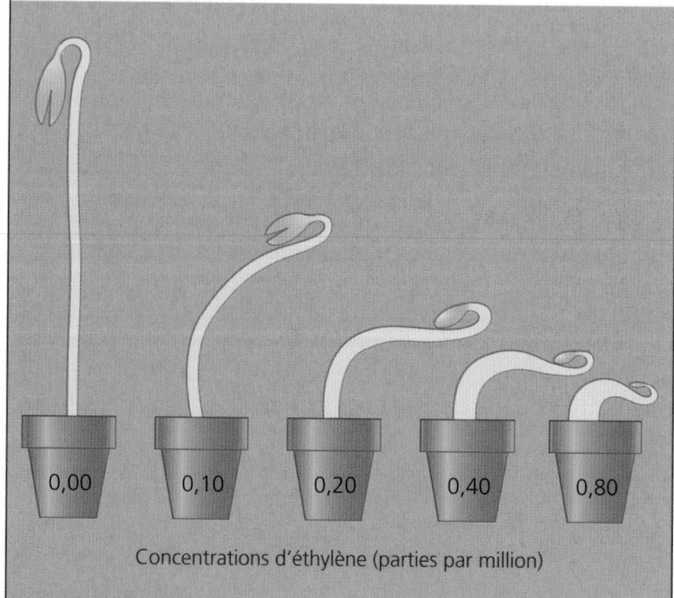

CONCLUSION L'éthylène induit la triple réponse dans les plantules de pois, et cette réponse est proportionnelle à la concentration d'éthylène.

ne manifestent aucune triple réponse après une exposition à l'éthylène (**figure 39.14a**). Certains d'entre eux sont insensibles à la présence de cette hormone en raison de l'absence de récepteurs d'éthylène fonctionnels. D'autres mutants présentent une triple réponse même hors du sol, où il n'y a aucun obstacle physique. Certains ont un défaut de régulation qui les fait produire de l'éthylène à une concentration 20 fois plus élevée que la normale. On peut restaurer le phénotype de ces mutants *eto* (pour *ethylene-overproducing*, « produisant de l'éthylène en excès ») et leur faire retrouver le caractère de type sauvage en traitant les plantules avec des substances qui inhibent la synthèse de l'éthylène. D'autres mutants encore, appelés *ctr* (pour *constitutive triple-response*, « triple réponse constitutive »), présentent une triple réponse dans la partie aérienne du plant, mais ne réagissent pas aux substances qui inhibent la synthèse de l'éthylène (**figure 39.14b**). Dans ce cas, la transduction du stimulus éthylénique est continuellement active, même en l'absence d'éthylène. La **figure 39.15** résume les réponses des mutants *ein*, *eto* et *ctr* à la présence d'éthylène ou des substances qui en inhibent la synthèse.

Il s'avère que le gène altéré chez les mutants *ctr* code pour une protéine kinase. Le fait que cette mutation *déclenche* la triple réponse à l'éthylène permet de penser que la kinase normale produite par l'allèle sauvage est un régulateur *négatif* de la transduction du stimulus éthylénique. Voici une hypothèse qui explique le fonctionnement de cette voie dans des plantes de type sauvage : la fixation de l'éthylène sur le récepteur provoque une désactivation de la kinase ; la désactivation de ce régulateur négatif permet la synthèse des protéines nécessaires à la triple réponse.

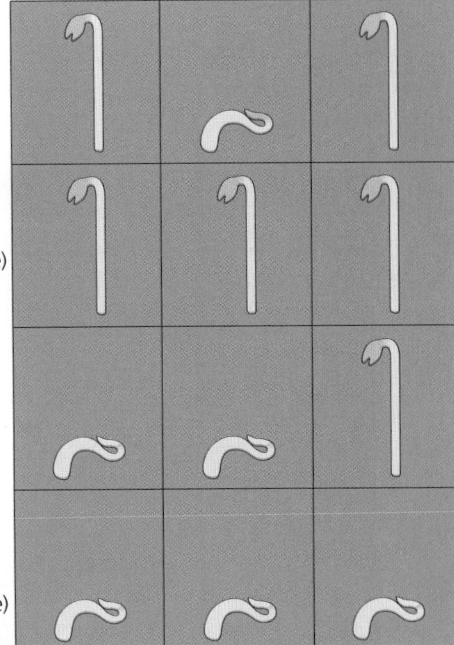

▲ Figure 39.15 **Types de mutants, pour ce qui est de la transduction du stimulus éthylénique, selon leurs réponses aux conditions expérimentales.**

L'apoptose : une mort cellulaire programmée. Observez la chute d'une feuille à l'automne ou la mort d'une plante annuelle après sa floraison. Ou bien, pensez à la dernière étape de la différenciation d'un élément de vaisseau du xylème, dont le contenu vivant est alors détruit et qui devient un tube creux. Tous ces événements résultent de la mort programmée de certaines cellules ou de certains organes, ou même de la plante entière. Les cellules, les organes et les plantes génétiquement programmés pour mourir à un moment donné ne font pas qu'arrêter leur métabolisme cellulaire et attendre la mort. Au contraire, ils vivent l'un des moments les plus intenses de leur vie : l'**apoptose**, c'est-à-dire le déclenchement de la mort cellulaire qui nécessite l'expression de nouveaux gènes (voir la figure 21.17). Pendant l'apoptose, des enzymes nouvellement produites dégradent de nombreuses substances chimiques, notamment la chlorophylle, l'ADN, l'ARN, les protéines et les lipides membranaires. La plante peut alors récupérer les produits de cette dégradation. Une production massive d'éthylène est presque toujours associée à cette destruction programmée des cellules, des organes ou de la plante entière.

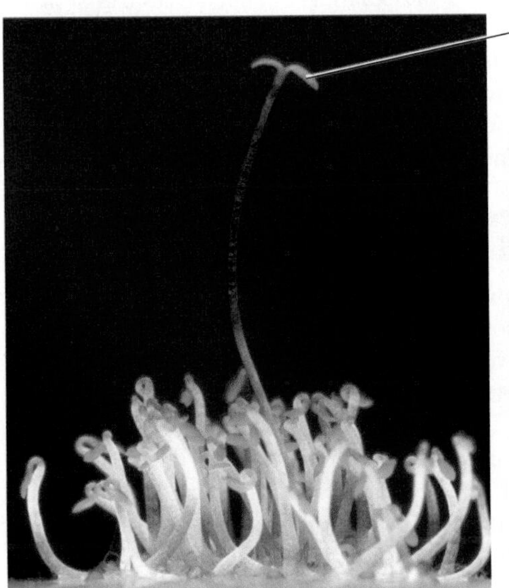

(a) Mutation *ein*. Un mutant *ein* (pour *ethylene-insensitive*) n'affiche aucune triple réponse à la présence d'éthylène.

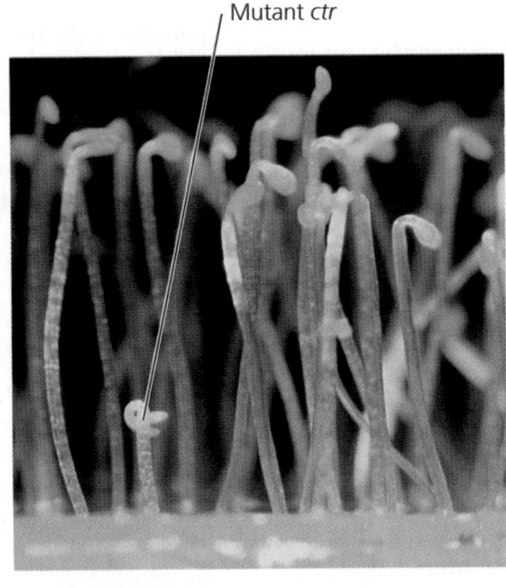

(b) Mutation *ctr*. Un mutant *ctr* (pour *constitutive triple-response*) affiche une triple réponse, même en l'absence d'éthylène.

▲ Figure 39.14 **Triple réponse à l'éthylène chez les mutants *Arabidopsis*.**

L'abscission des feuilles. La chute des feuilles à l'automne est une adaptation qui prévient la dessiccation des arbres feuillus au cours de l'hiver, saison pendant laquelle les racines ne peuvent absorber d'eau dans le sol gelé. Avant l'abscission des feuilles, plusieurs de leurs nutriments essentiels se dirigent vers les cellules parenchymateuses de la tige pour y être entreposés. Ils retourneront dans les jeunes feuilles au printemps. Les couleurs automnales des feuilles résultent d'un mélange de pigments rouges fabriqués à

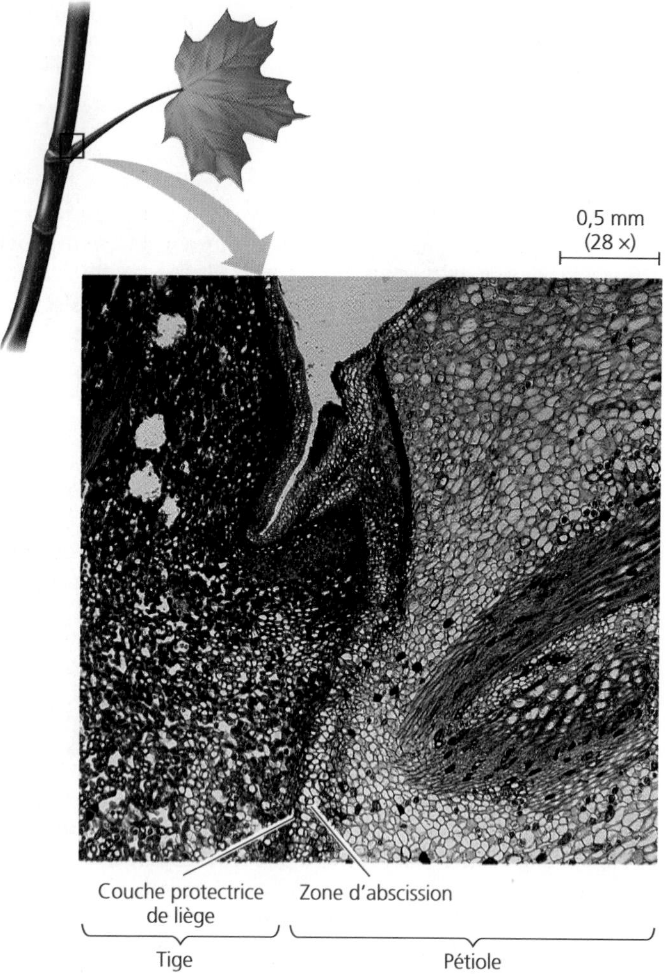

▲ **Figure 39.16 Abscission d'une feuille d'érable (*Acer sp.*).** L'abscission résulte d'une modification de l'équilibre entre l'éthylène et l'auxine. La zone d'abscission apparaît ici sous la forme d'une bande verticale, à la base du pétiole (MP). Après la chute de la feuille, une couche protectrice de liège ferme la cicatrice foliaire, ce qui empêche les agents pathogènes d'envahir l'arbre.

l'automne et de carotènes jaunes et orange déjà existants (voir le chapitre 10) que la chlorophylle masquait pendant l'été.

Quand une feuille tombe, à l'automne, une zone d'abscission se forme d'abord près de la base de son pétiole **(figure 39.16)**. La paroi des petites cellules parenchymateuses de cette zone devient très mince et aucune cellule fibreuse n'entoure le tissu conducteur. En outre, des enzymes hydrolysent les polysaccharides de la paroi cellulaire, ce qui affaiblit encore la zone d'abscission. Enfin, la masse de la feuille et l'action du vent provoquent une rupture dans la zone d'abscission. Avant même la chute de la feuille, une couche de liège cicatrise la ramille pour empêcher les agents pathogènes d'envahir la plante.

L'abscission résulte d'une modification de l'équilibre entre l'éthylène et l'auxine. Une feuille vieillissante produit de moins en moins d'auxine, ce qui rend les cellules de la zone d'abscission plus sensibles à l'éthylène. Quand l'éthylène domine dans la zone d'abscission, les cellules produisent des enzymes qui dégradent la cellulose et d'autres composantes de la paroi cellulaire.

La maturation des fruits. Les fruits charnus immatures, qui sont aigres, durs et verts, aident à protéger les graines en développement contre les herbivores. Après le mûrissement, les fruits parvenus à maturité aident à *attirer* les Animaux, qui dispersent alors les graines (voir les figures 30.8 et 30.9). Une production massive d'éthylène dans les fruits en général (mais pas les agrumes) déclenche ce mûrissement. La dégradation enzymatique des composantes des parois cellulaires ramollit le fruit, et la transformation de l'amidon et des acides en glucose, en saccharose et en fructose rend le fruit plus doux au goût. Grâce à la production d'un nouvel arôme et à l'apparition d'une nouvelle couleur, le fruit aide à attirer des Animaux, qui le mangent et en dispersent les graines.

Une cascade de réactions a lieu durant le mûrissement du fruit. Tout d'abord, l'éthylène déclenche le mûrissement, qui, en retour, active la production d'éthylène (c'est l'un des rares exemples de rétroactivation en physiologie; voir la figure 1.12). Il en résulte une surproduction d'éthylène. L'éthylène étant un gaz, le stimulus de maturation se propage même de fruit en fruit. Il est vrai, en effet, qu'une pomme pourrie gâte tout le panier. Si vous cueillez ou achetez un fruit vert, vous pouvez en accélérer la maturation en l'enveloppant dans un sac de plastique, où l'éthylène s'accumulera. Dans le domaine commercial, les producteurs font mûrir de nombreux types de fruits dans d'énormes conteneurs dans lesquels ils introduisent de l'éthylène. À l'inverse, il leur arrive aussi de retarder la maturation causée par l'éthylène naturel. Ainsi, ils entreposent les pommes dans des caissons où ils injectent du dioxyde de carbone. La circulation de l'air empêche l'accumulation de l'éthylène, et le dioxyde de carbone inhibe la synthèse de nouvelles molécules d'éthylène. Grâce à cette méthode, les pomiculteurs vendent pendant l'été les pommes qu'ils ont cueillies l'automne précédent.

Étant donné l'importance que revêt l'éthylène pour les fruits déjà cueillis, la manipulation génétique du mécanisme de transduction du stimulus éthylénique pourrait avoir des applications commerciales très intéressantes. Par exemple, en trouvant une façon d'inhiber la transcription d'un des gènes nécessaires à la synthèse de l'éthylène, les biologistes moléculaires ont créé des tomates qui mûrissent à la demande. On cueille ces fruits quand ils sont encore verts, et ils ne mûrissent pas tant qu'on ne les expose pas à l'éthylène. L'amélioration de ce genre de méthode permettra de réduire le gaspillage de fruits et de légumes, problème qui conduit à la perte de près de la moitié des récoltes aux États-Unis et au Canada.

La biologie des systèmes et les interactions hormonales

Comme nous l'avons vu, les réponses des Végétaux aux divers stimulus mettent souvent en jeu des interactions entre plusieurs hormones et leurs voies de transduction. L'étude des interactions hormonales peut être complexe. Par exemple, l'irrigation du riz d'eau profonde multiplie par 50 la concentration de l'éthylène interne et entraîne une augmentation rapide de l'allongement de la tige. Toutefois, le rôle de l'éthylène dans cette réponse n'est qu'une partie de l'explication. L'irrigation provoque également un accroissement de la sensibilité à l'acide gibbérellique (GA_3) dont la médiation est liée à la diminution des concentrations d'acide abscissique. Donc, l'allongement de la tige résulte en fait de l'interaction entre ces trois hormones et leurs chaînes de transduction.

Imaginez que vous êtes biologiste moléculaire et que vous devez modifier génétiquement un plant de riz d'eau profonde pour qu'il pousse encore plus vite lorsqu'on le submerge. Quelles seraient les cibles moléculaires les plus propices à la manipulation génétique: une enzyme qui inactive l'acide abscissique? Une enzyme qui produit plus de GA_3? Un récepteur d'éthylène? Difficile à prédire, et ce n'est pas une exception. Presque toutes les réponses des Végétaux dont nous avons discuté dans ce chapitre sont d'une complexité semblable. En raison de cette complexité inévitable, de nombreux chercheurs en biologie végétale choisissent d'aborder leur domaine du point de vue des systèmes.

Le chapitre 1 donne une description générale de la biologie des systèmes, qui vise à mieux comprendre les propriétés biologiques qui émergent des interactions entre les nombreuses composantes d'un système (par exemple l'ARNm, les protéines, les hormones et les métabolites). À l'aide de techniques génomiques, les biologistes peuvent maintenant isoler tous les gènes d'une plante et ont déjà séquencé les génomes de deux plantes: la plante expérimentale *Arabidopsis* et la plante cultivée *Oryza sativa* (une espèce de riz). En outre, au moyen de jeux ordonnés de microéchantillons et de la protéomique (voir le chapitre 20), les scientifiques peuvent déterminer quels gènes sont activés ou inactivés en réponse à un changement développemental ou environnemental. Or, relever tous les gènes et toutes les protéines (éléments) d'un organisme (d'un système) se compare à lister toutes les composantes d'un avion. On obtient alors une sorte de catalogue des composantes du système, mais cela ne suffit pas pour comprendre le fonctionnement complexe du système intégré; il faut aussi savoir comment les différents éléments du système interagissent.

L'approche fondée sur les systèmes peut changer du tout au tout la façon dont on aborde la biologie végétale. Quel biologiste ne rêve pas de laboratoires équipés de scanners robotiques rapides (haute capacité) qui indiqueraient quels gènes du génome d'une plante sont activés dans quelles cellules et dans quelles conditions. L'analyse d'ensembles de données si imposants conduira à de nouvelles hypothèses et à de nouvelles pistes de recherche. En fin de compte, un des objectifs de la biologie des systèmes est de représenter une plante vivante par un modèle prévisible. Armés d'un savoir aussi détaillé, les biologistes moléculaires qui essaient de modifier génétiquement le riz pour que l'allongement de la tige se fasse plus rapidement pourraient procéder beaucoup plus efficacement. S'ils étaient capables de représenter une plante vivante par un modèle fiable, les chercheurs pourraient prédire plus facilement le résultat d'une manipulation génétique avant même de mettre les pieds dans un laboratoire.

Retour sur le concept 39.2

1. Prédisez le phénotype de la triple réponse d'une plante ayant la double mutation *ctr* et *ein*. Expliquez.
2. Dans la maladie appelée *balai de sorcière*, une touffe de branches se forme et prolifère de manière excessive. Formulez une hypothèse qui pourrait expliquer comment un agent pathogène peut causer ce type de croissance.
3. La fusicoccine est une toxine fongique qui stimule la pompe à protons de la membrane plasmique des cellules végétales. Comment cette toxine peut-elle nuire à la croissance de certaines sections de la tige?

Voir les réponses proposées à la fin du chapitre.

Concept 39.3

Les réponses des Végétaux à la lumière sont vitales pour leur survie

La lumière est un facteur environnemental particulièrement important dans le développement des Végétaux. Essentielle à la photosynthèse, elle est aussi à l'origine de nombreux événements clés de leur croissance et de leur développement, ainsi qu'une indication du temps qui passe, des jours et des saisons. L'action de la lumière sur la morphologie des Végétaux est appelée **photomorphogenèse**.

Les Végétaux détectent non seulement la présence de la lumière, mais aussi sa direction, son intensité et ses longueurs d'onde (couleurs). Un graphique appelé **spectre d'action** décrit l'efficacité relative des différentes longueurs d'onde de la radiation dans le déroulement d'un processus donné. Ainsi, le spectre d'action pour la photosynthèse compte deux pics, l'un dans le rouge et l'autre dans le bleu (voir la figure 10.9). Cela s'explique par le fait que la chlorophylle, dont les pigments sont les plus abondants dans les parties vertes d'une plante, absorbe la lumière dans les bandes rouge et bleue du spectre visible principalement. Les spectres d'action sont utiles dans l'étude de *tout* processus qui dépend de la lumière, comme le phototropisme **(figure 39.17)**. En comparant les spectres d'action correspondant aux réponses de diverses plantes, les chercheurs peuvent déterminer les réponses qui mettent en jeu les mêmes photorécepteurs (pigments). Ils comparent également les spectres d'action aux spectres d'absorption des pigments. Une corrélation étroite permet de supposer que le pigment est le photorécepteur qui amorce la réponse. Les spectres d'action révèlent que la lumière rouge et la lumière bleue sont les couleurs les plus importantes dans la régulation de la photomorphogenèse d'une plante. Ils ont permis aux chercheurs de distinguer deux grands groupes de photorécepteurs: les **photorécepteurs sensibles à la lumière bleue** et les **phytochromes**, absorbant la plus grande partie de la lumière rouge.

Les photorécepteurs sensibles à la lumière bleue

La lumière bleue est le facteur de déclenchement le plus déterminant pour les diverses réponses des Végétaux, y compris le phototropisme, l'ouverture des stomates provoquée par la lumière (voir la figure 36.14) et le ralentissement de l'allongement de l'hypocotyle causé par la lumière. Dans les années 1970, les physiologistes avaient tellement de mal à définir l'identité biochimique du photorécepteur de la lumière bleue qu'ils parlaient du cryptochrome (du grec *kruptos*, «caché», et *khrôma*, «couleur») pour faire référence à ce récepteur présumé. Une vingtaine d'années plus tard, les biologistes moléculaires qui analysaient les plants mutants d'*Arabidopsis thaliana* ont constaté que les plantes utilisaient au moins trois types de pigments différents pour détecter la lumière bleue: les *cryptochromes* (pour l'inhibition de l'allongement de l'hypocotyle), la *phototropine* (pour le phototropisme) et un photorécepteur à base de carotène appelé *zéaxanthine* (pour l'ouverture des stomates).

Les phytochromes: des photorécepteurs

Quand, au début de ce chapitre, nous avons présenté le mécanisme de transduction des stimulus chez les Végétaux, nous avons parlé

Figure 39.17

Investigation Quelles longueurs d'onde stimulent la courbure phototropique d'une plante vers la source lumineuse?

EXPÉRIENCE Des chercheurs ont exposé des coléoptiles de maïs à la lumière violette, bleue, verte, jaune, orange et rouge afin de déterminer quelles longueurs d'onde stimulent la courbure phototropique vers la lumière.

RÉSULTATS Le graphique ci-dessous montre l'efficacité phototropique (courbure par photon) par rapport à l'efficacité de la lumière d'une longueur d'onde de 436 nm. Le montage photo montre les coléoptiles avant et après une exposition de 90 minutes à une lumière latérale de la couleur indiquée. Seules des longueurs d'onde inférieures à 500 nm (et surtout la lumière bleue) réussissent à provoquer une courbure prononcée.

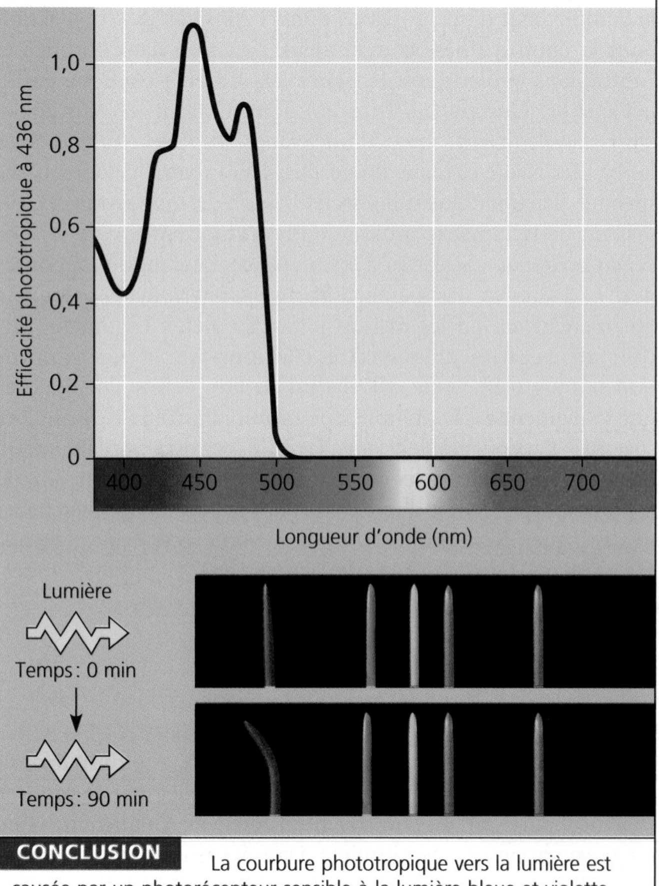

CONCLUSION La courbure phototropique vers la lumière est causée par un photorécepteur sensible à la lumière bleue et violette, surtout bleue.

du rôle que joue, dans le verdissement, une famille de pigments végétaux appelés *phytochromes*. Les phytochromes régulent de nombreuses réponses d'une plante à la lumière, durant tout le développement. Voyons quelques exemples.

Les phytochromes et la germination des graines

Ce sont les études sur la germination des graines qui ont conduit à la découverte des phytochromes. En raison de leur réserve de nourriture limitée, de nombreuses sortes de petites graines, comme celles de la laitue (*Lactuca sativa*), ne doivent germer que dans des conditions optimales, notamment de luminosité, pour survivre. Il n'est pas rare que ces graines restent en dormance durant des années, attendant la luminosité appropriée. Par exemple, la mort d'un arbre qui fait de l'ombre ou le labourage d'un champ peuvent créer un environnement lumineux favorable.

Dans les années 1930, les scientifiques du United States Department of Agriculture (ministère de l'Agriculture) ont déterminé le spectre d'action pour la germination des graines de laitue, processus déclenché par la lumière **(figure 39.18)**. Durant quelques minutes, ils ont exposé des graines gorgées d'eau à des lumières monochromes (d'une seule couleur) de différentes longueurs d'onde, avant de les mettre dans l'obscurité. Deux jours après, ils ont noté le nombre de graines ayant germé dans chacune des conditions. Ils ont découvert qu'une lumière rouge ayant une longueur d'onde de 660 nm a le plus augmenté le pourcentage de germination chez les graines de laitue, tandis qu'une lumière infrarouge ayant une longueur d'onde très proche du spectre visible par l'humain (730 nm) a *inhibé* la germination des graines de laitue, par comparaison avec les témoins. Que se passe-t-il si on expose les graines de laitue à un éclair de lumière rouge (R) puis à un éclair de lumière infrarouge (IR), ou l'inverse, à un éclair de lumière IR puis à un éclair de lumière R? C'est le *dernier* éclair qui détermine la réponse de la graine. En d'autres termes, les effets des lumières rouge et infrarouge sont réversibles.

Le photorécepteur qui est à l'origine des effets réversibles de la lumière rouge et de la lumière infrarouge est un phytochrome. C'est une protéine liée par covalence à un chromophore, partie non protéique de la molécule qui absorbe la lumière **(figure 39.19)**. Jusqu'à présent, les chercheurs ont découvert, chez *Arabidopsis thaliana*, cinq phytochromes affichant chacun une légère différence dans la structure de son chromophore.

Le chromophore d'un phytochrome est photoréversible ; il prend, par alternance, deux formes isomères, selon la couleur de la lumière à laquelle il est exposé (voir la figure 4.7 pour une révision des isomères). Sous une forme (P_r), il absorbe la lumière rouge ; sous l'autre (P_{ir}), il absorbe la lumière infrarouge :

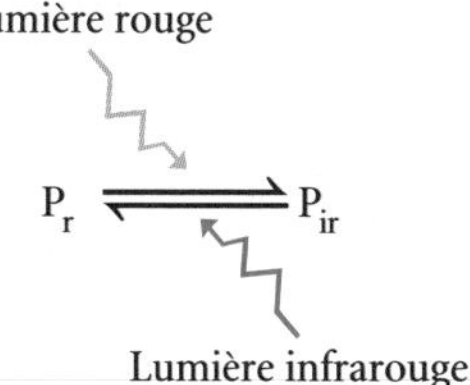

L'interconversion $P_r \rightleftharpoons P_{ir}$ sert de commutateur pour les divers événements du développement des Végétaux qui sont déclenchés par la lumière **(figure 39.20)**. La forme P_{ir} du phytochrome déclenche de nombreuses réponses à la lumière chez les Végétaux. Par exemple, le phytochrome P_r présent dans les graines de laitue exposées à la lumière rouge s'est converti en P_{ir}, ce qui a déclenché les réponses cellulaires conduisant à la germination. Quand on a exposé à la lumière infrarouge les graines qui avaient déjà été exposées à la lumière rouge, le P_{ir} s'est reconverti en P_r, ce qui a inhibé la germination.

Comment l'interconversion des phytochromes explique-t-elle le déclenchement de la germination par la lumière dans la nature? Les Végétaux synthétisent la forme P_r du phytochrome. Si leurs graines sont dans l'obscurité, le pigment reste à peu près sous cette forme (voir la figure 39.20). Mais, si elles reçoivent la

Figure 39.18

Investigation Comment la séquence des éclairs de lumière rouge et infrarouge influe-t-elle sur la germination des graines ?

EXPÉRIENCE Durant les années 1930, des scientifiques du United States Department of Agriculture ont exposé brièvement des échantillons de graines de laitue à la lumière rouge et à la lumière infrarouge pour en étudier les effets sur la germination. Après l'exposition à ces lumières, ils ont placé les graines dans l'obscurité et comparé les résultats avec les graines témoins, qui n'y avaient pas été exposées.

RÉSULTATS La barre sous chaque photo indique la séquence d'exposition aux éclairs de lumière rouge, aux éclairs de lumière infrarouge et à l'obscurité. Le pourcentage de germination a été considérablement plus élevé chez les graines dont la dernière exposition avait été à la lumière rouge (à gauche). La germination a été inhibée chez les échantillons de graines dont la dernière exposition avait été à la lumière infrarouge (à droite).

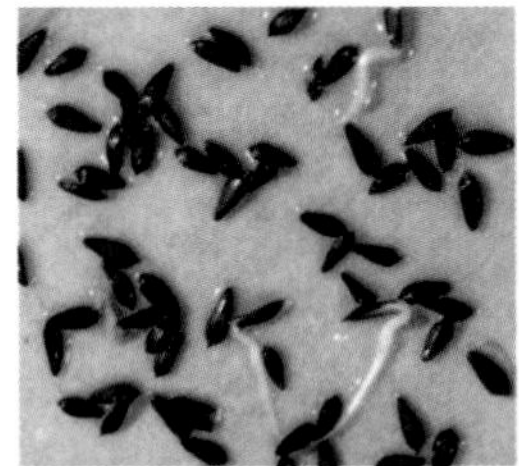

Obscurité (graines témoins)

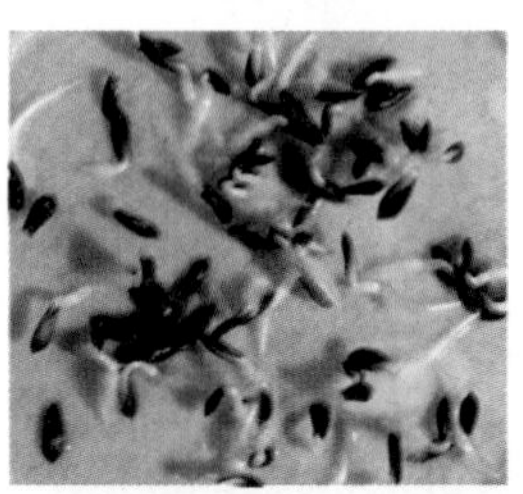

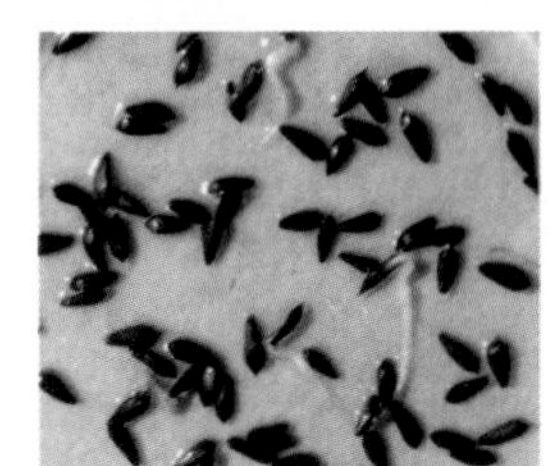

Rouge | Infra-rouge | Obscurité

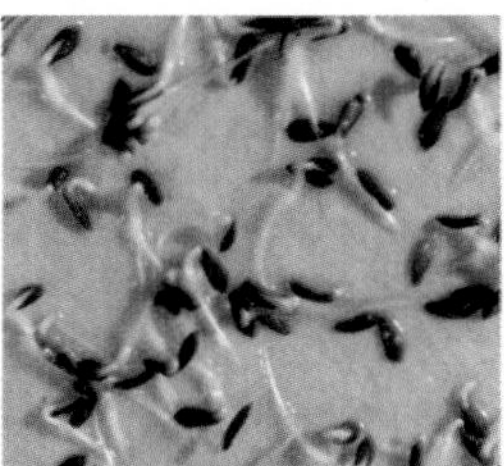

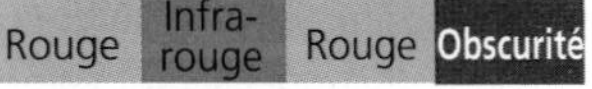

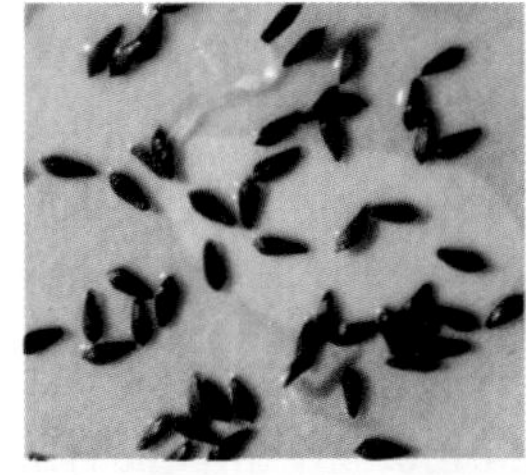

Rouge | Infra-rouge | Rouge | Infra-rouge

CONCLUSION La lumière rouge a stimulé la germination, tandis que la lumière infrarouge l'a inhibée. La dernière exposition était déterminante. Les effets de la lumière rouge et infrarouge étaient réversibles.

Un phytochrome est constitué de deux protéines identiques qui se combinent pour donner la molécule fonctionnelle. Chacune de ces protéines possède deux domaines.

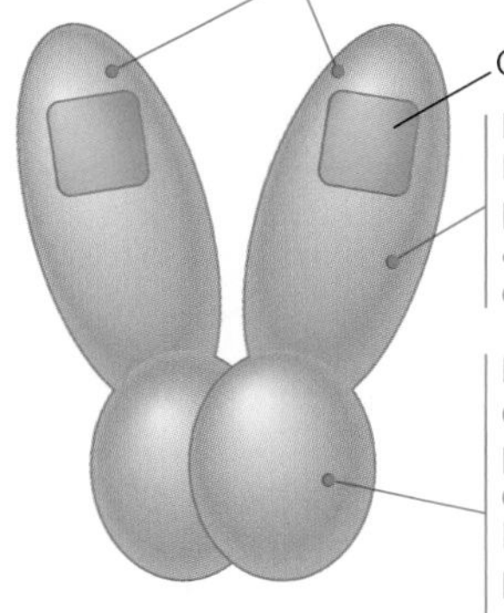

Chromophore

Domaine à activité de photorécepteur. Le premier domaine remplit le rôle de photorécepteur. Il est lié par covalence à un pigment non protéique, ou chromophore.

Domaine à activité de kinase. Le second domaine affiche les activités de la protéine kinase. Les domaines à activité de photorécepteur interagissent avec les domaines à activité de kinase pour faire le lien entre la réception de lumière et les réponses cellulaires déclenchées par la protéine kinase.

▲ **Figure 39.19 Structure d'un phytochrome.**

lumière du Soleil, le phytochrome est exposé à la lumière rouge (ainsi qu'aux autres longueurs d'onde de la lumière) ; la majeure partie de P_r se convertit alors en P_{ir}. Cette conversion en P_{ir} est l'un des moyens que les Végétaux utilisent pour détecter la lumière du Soleil. Quand la lumière solaire qui convient éclaire pour la première fois les graines, c'est la conversion en P_{ir} qui provoque la germination.

Les phytochromes et l'héliophilie

Le phytochrome renseigne aussi la plante sur la *qualité* de la lumière. Les rayonnements de la lumière solaire se situent à la fois dans le rouge et dans l'infrarouge. Par conséquent, dans la journée, la transformation $P_r \rightleftharpoons P_{ir}$ atteint un équilibre dynamique où le rapport entre les deux formes du phytochrome traduit les quantités respectives de lumière rouge et de lumière infrarouge. Ce mécanisme de détection permet aux Végétaux de s'adapter aux variations de luminosité. Prenons l'exemple d'un arbre héliophile, c'est-à-dire qui a besoin d'une intensité lumineuse relativement forte. Si d'autres arbres lui font de l'ombre, le rapport entre les deux formes du phytochrome penche en faveur de P_r, car le couvert de la forêt bloque plus de lumière rouge que de lumière infrarouge. La chlorophylle des feuilles du couvert absorbe, en effet, la lumière rouge et laisse passer la lumière infrarouge. Ce rapport favorisant la lumière infrarouge pousse l'arbre à consacrer la majeure partie de ses ressources à la croissance en hauteur. Au contraire, la lumière solaire directe augmente la proportion de P_{ir}, ce qui provoque la ramification et inhibe la croissance verticale.

Outre qu'ils leur permettent de détecter la lumière, les phytochromes font que les Végétaux peuvent suivre la succession des jours et des saisons. Pour comprendre le rôle qu'ils jouent dans ce rapport au temps, il faut d'abord examiner l'horloge elle-même.

L'horloge biologique et les rythmes circadiens

Chez les Végétaux, de nombreux processus, comme la transpiration et la synthèse de certaines enzymes, varient au cours d'une journée. Certaines de ces variations cycliques sont des réactions aux changements de luminosité, de température et d'humidité relative qui accompagnent le cycle de 24 heures du jour et de la nuit.

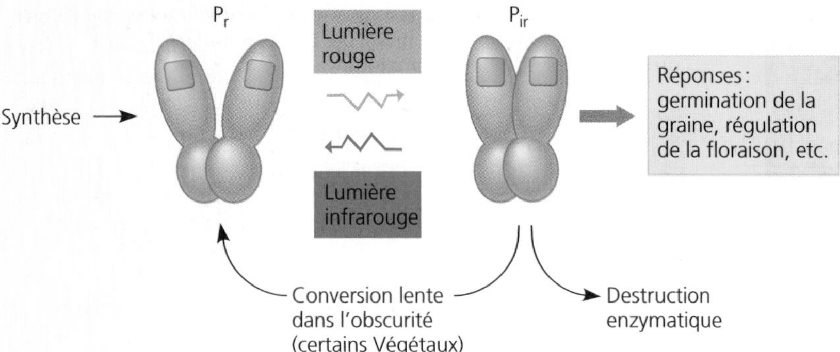

◀ **Figure 39.20 Phytochrome : un mécanisme de conversion moléculaire.** L'absorption de la lumière rouge pousse le P_r bleuâtre à se transformer en P_{ir} bleu verdâtre. La lumière infrarouge inverse cette conversion. Dans la plupart des cas, c'est la forme P_{ir} du pigment qui déclenche les réponses physiologiques et le développement chez les Végétaux.

Cependant, on peut éliminer ces facteurs exogènes (externes) en faisant pousser des plantes dans des chambres d'environnement où l'on maintient certaines conditions de lumière, de température et d'humidité. Même dans ces conditions artificielles constantes, de nombreux processus physiologiques des Végétaux, comme l'ouverture et la fermeture des stomates, et la production des enzymes photosynthétiques, continuent d'osciller selon une période approximative de 24 heures (une période est la durée d'un cycle). Ainsi, chez de nombreuses Légumineuses, les feuilles s'abaissent pendant la nuit pour se redresser au petit matin **(figure 39.21)**. Un plant de haricot (*Phaseolus sp.*), par exemple, présente des mouvements nyctinastiques (« au rythme de l'alternance des jours et des nuits »), même si on l'expose à une clarté ou à une obscurité constante. Par conséquent, ce ne sont pas que le coucher et le lever du Soleil qui le font réagir au niveau des feuilles. On appelle **rythmes circadiens** (du latin *circa*, « autour », et *dies*, « jour ») les cycles physiologiques dont la période est d'environ 24 heures et qui ne sont pas directement réglés par une variable environnementale. Les rythmes circadiens sont omniprésents chez tous les Eucaryotes. Ainsi, votre pouls, votre pression artérielle, votre température, la vitesse de la division cellulaire dans votre corps, votre formule sanguine, votre état de vigilance, la composition de votre urine, la vitesse de votre métabolisme, votre libido et votre réceptivité aux médicaments connaissent tous des variations circadiennes.

Les recherches actuelles indiquent que l'horloge des rythmes circadiens est endogène (interne), qu'elle ne constitue pas une réponse à certains cycles environnementaux subtils, mais envahissants, comme le géomagnétisme ou les radiations cosmiques. Les organismes, notamment les Végétaux et les humains, gardent une activité rythmique, qu'on les place au fond d'une mine ou en orbite autour de la Terre. Cette horloge se règle précisément sur une période de 24 heures grâce aux stimulus extérieurs quotidiens.

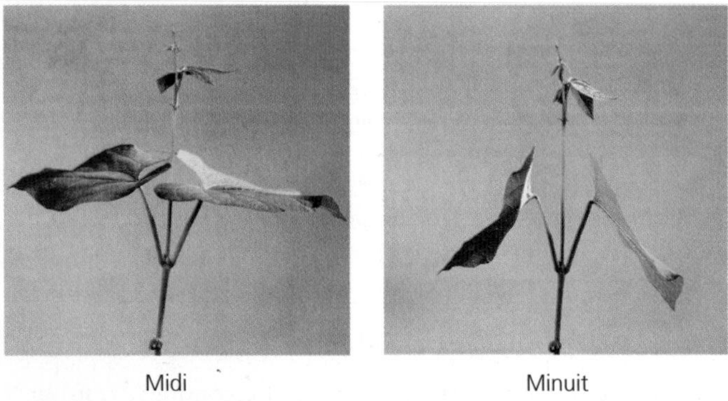

▲ **Figure 39.21 Mouvements nyctinastiques du haricot (*Phaseolus sp.*).** Les mouvements des feuilles résultent de changements réversibles de la pression de turgescence dans les cellules situées des deux côtés des pulvinus, régions renflées situées à la base de la feuille.

Quand un organisme est maintenu dans un milieu stable, la période de ses rythmes circadiens ne reste pas à 24 heures, mais varie. Cette période est dite *endogène*, c'est-à-dire qu'elle se détermine à l'intérieur d'un organisme. Elle varie en effet entre 21 et 27 heures, selon la réaction étudiée. Ainsi, les mouvements nyctinastiques d'un plant de haricot ont une période de 26 heures dans l'obscurité continue. L'allongement et le raccourcissement des périodes ne traduisent pas une défaillance de l'horloge biologique. Celle-ci marque encore parfaitement le temps, mais elle n'est plus synchrone avec le monde extérieur.

Comment l'horloge biologique fonctionne-t-elle ? Pour essayer de répondre à cette question, il faut d'abord faire la différence entre l'horloge et le processus cyclique qu'elle régit. Par exemple, les feuilles du plant de haricot, à la figure 39.21, qui ont des mouvements nyctinastiques, représentent les « aiguilles » de l'horloge biologique, mais ces mouvements *ne sont pas* l'horloge elle-même. Si on attache des feuilles de haricot durant plusieurs heures, aussitôt déliées elles prennent la position appropriée au moment de la journée. On peut entraver une manifestation du rythme biologique, mais pas le rythme lui-même.

Les chercheurs associent l'horloge biologique à un mécanisme moléculaire qui pourrait être commun à tous les Eucaryotes. Selon une hypothèse largement acceptée, le rythme biologique dépend de la synthèse d'une protéine qui régulerait sa propre production par rétroaction. Cette protéine pourrait être un facteur de transcription qui inhiberait la transcription du gène codant pour ce même facteur de transcription. La concentration de ce facteur de transcription augmenterait au cours de la première moitié du cycle circadien, puis diminuerait au cours de la seconde moitié, en raison de la rétro-inhibition provoquée par sa propre production.

On a récemment utilisé une nouvelle technique pour identifier les mutants dits *du rythme circadien* chez *Arabidopsis thaliana.* L'un des principaux rythmes circadiens chez les Végétaux est la production quotidienne de protéines associées à la photosynthèse. Les biologistes moléculaires connaissent le promoteur qui régule la transcription des gènes responsables de ces protéines de photosynthèse. Pour trouver les mutants du rythme circadien, les scientifiques ont abouté à ce promoteur le gène codant pour une enzyme appelée *luciférase.* La luciférase est responsable de la bioluminescence des lucioles. Lorsqu'elle active le promoteur dans le génome d'*Arabidopsis thaliana*, l'horloge biologique stimule également la production de luciférase. La plante commence alors à luire en suivant un rythme circadien. On a ainsi pu isoler les mutants du rythme circadien en sélectionnant les individus qui luisaient plus longtemps ou moins longtemps que la normale. Les gènes altérés de certains de ces mutants modifient les protéines qui se lient normalement aux photorécepteurs. Il est possible que les mutations en question perturbent un mécanisme qui règle l'horloge biologique selon la luminosité.

Les effets de la lumière sur l'horloge biologique

Comme nous l'avons vu chez le haricot, le rythme circadien endogène des mouvements des feuilles a une période de 26 heures. Supposons que, à l'aube, nous placions un plant de haricot dans un placard sombre durant 72 heures. Les feuilles ne se redresseraient, la deuxième journée, que deux heures après l'aube réelle, et la troisième, que quatre heures après, etc. Coupée des stimulus externes, une plante se désynchronise de son environnement naturel. On observe également ce phénomène de désynchronisation quand on traverse plusieurs fuseaux horaires en avion. À destination, les horloges fixées aux murs ne sont pas synchrones avec notre horloge interne. Tous les Eucaryotes sont probablement sensibles au décalage horaire.

C'est la lumière qui règle l'horloge biologique sur une période quotidienne précise de 24 heures. Les phytochromes et les photorécepteurs sensibles à la lumière bleue peuvent tous régler les rythmes circadiens chez les Végétaux. Mais on connaît mieux le fonctionnement des phytochromes que celui des autres photorécepteurs. Vous vous en doutez sûrement, ce mécanisme implique le déclenchement et l'arrêt de réponses cellulaires au moyen de l'interconversion $P_r \rightleftharpoons P_{ir}$.

Réexaminons la réaction photoréversible illustrée à la figure 39.20. Dans l'obscurité, le rapport des phytochromes penche progressivement en faveur de la forme P_r. C'est en partie attribuable au cycle des phytochromes en général. En effet, ces pigments sont synthétisés sous la forme P_r et les enzymes détruisent plus la forme P_{ir} que la forme P_r. Chez certaines espèces végétales, P_{ir} se convertit progressivement en P_r au coucher du Soleil. Dans le noir, le P_r ne peut se transformer en P_{ir}. Mais, au lever du Soleil, la conversion du P_r se fait rapidement et provoque l'augmentation de la concentration de P_{ir}. C'est cette augmentation quotidienne du P_{ir} à l'aube qui règle l'horloge biologique: les feuilles de haricot atteignent leur position nocturne maximale 16 heures après l'aube.

Dans la nature, les interactions entre les phytochromes et l'horloge biologique permettent aux Végétaux d'évaluer la durée de la nuit et du jour. Cependant, les durées relatives de la nuit et du jour changent dans l'année (sauf à l'équateur). Ce changement permet aux Végétaux d'adapter leurs activités selon les saisons.

Le photopériodisme et les réactions aux changements de saison

Imaginez ce qui se passerait si une plante produisait des fleurs au moment où les Insectes pollinisateurs sont absents, ou si un arbre produisait des feuilles caduques au milieu de l'hiver. L'alternance des saisons revêt une grande importance dans le cycle de développement de la plupart des Végétaux. La germination, la floraison, ainsi que le début et la fin de la dormance des bourgeons représentent des stades de développement qui se situent généralement à des moments précis de l'année. La photopériode, c'est-à-dire la répartition, dans la journée, entre la durée de la phase diurne et celle de la phase nocturne, est le stimulus externe qui permet à la majorité des Végétaux de «se repérer» dans l'année. Une réaction physiologique à la photopériode, la floraison par exemple, est appelée **photopériodisme**.

Le photopériodisme et la régulation de la floraison

En 1920, en étudiant une variété mutante du tabac (*Nicotiana tabacum*), la Maryland Mammoth, des chercheurs levèrent le voile sur le mécanisme qui permet aux Végétaux de détecter les saisons. Les plants atteignaient une hauteur exceptionnelle, mais ne fleurissaient pas pendant l'été. Ils finirent par fleurir en serre au mois de décembre. Après avoir tenté de déclencher la floraison en faisant varier la température, l'humidité et l'apport de nutriments minéraux, le physiologiste Wightman Garner et le botaniste Harry Allard s'aperçurent que c'était le raccourcissement des jours qui faisait apparaître les fleurs. Lorsqu'ils laissaient les plants dans des boîtes noires et simulaient le jour à l'aide de lampes, ils n'obtenaient une floraison que si la durée du jour était de moins de 14 heures. Les plants de Maryland Mammoth ne fleurissaient pas en été parce que, à la latitude du Maryland, les jours y sont trop longs.

Les chercheurs qualifièrent la variété Maryland Mammoth de **plante de jour court**, parce qu'elle semblait avoir besoin, pour fleurir, d'une période de clarté *inférieure* à une durée critique. Parmi les plantes de jour court, on trouve les chrysanthèmes (*Chrysanthemum sp.*), les poinsettias (*Euphorbia pulcherrima*) et certaines variétés de soja (*Glycine max*). Ces plantes fleurissent à la fin de l'été, en automne ou en hiver. Un autre groupe de plantes dont la floraison dépend de la photopériode ne fleuriront que si la période de clarté *dépasse* une durée critique. Ces plantes sont dites **plantes de jour long** et fleurissent généralement à la fin du printemps ou au début de l'été. L'épinard (*Spinacia oleracea*), par exemple, fleurit lorsque les jours durent plus de 14 heures. Le radis (*Raphanus sativus*), la laitue (*Lactuca sativa*), la betterave (*Beta vulgaris*), les iris (*Iris sp.*) et de nombreuses variétés de Graminées sont également des plantes de jour long. Les **plantes indifférentes** ne subissent pas l'influence de la photopériode; elles fleurissent quand elles arrivent à maturité, quelle que soit la durée de la phase diurne. Les espèces comme la tomate (*Solanum lycopersicum*), le maïs (*Zea mays*), le riz (*Oryza sativa*) et le pissenlit (*Taraxacum officinale*) en sont des exemples.

La durée critique de la nuit. Dans les années 1940, les chercheurs découvrirent que c'était la durée de la nuit, et non celle du jour, qui régissait la floraison et d'autres réactions photopériodiques **(figure 39.22)**. Plusieurs d'entre eux étudiaient la lampourde (*Xanthium strumarium*), plante de jour court qui fleurit uniquement quand les jours durent moins de 16 heures (et les nuits plus de 8 heures). S'ils interrompaient la période de clarté par une brève exposition à l'obscurité, les plantes fleurissaient quand même. En revanche, s'ils interrompaient la période d'obscurité ne serait-ce que par quelques minutes d'exposition à une faible lumière, les plantes ne fleurissaient pas. On observa le même phénomène chez d'autres plantes à jour court (voir la figure 39.22a). En fait, les lampourdes sont insensibles à la durée de la *clarté*, mais ont besoin d'au moins huit heures d'obscurité *continue* pour fleurir. Il serait ainsi plus exact de parler de *plantes de nuit longue* plutôt que de *plantes de jour court*, mais le jargon de la

Figure 39.22

Investigation Comment l'interruption de la période d'obscurité par un éclair modifie-t-elle la floraison ?

EXPÉRIENCE Dans les années 1940, des chercheurs ont mené des expériences qui consistaient à interrompre les périodes d'obscurité par des éclairs pour déterminer comment les phases de clarté et d'obscurité d'une photopériode influaient sur les plantes de jour court et les plantes de jour long.

RÉSULTATS

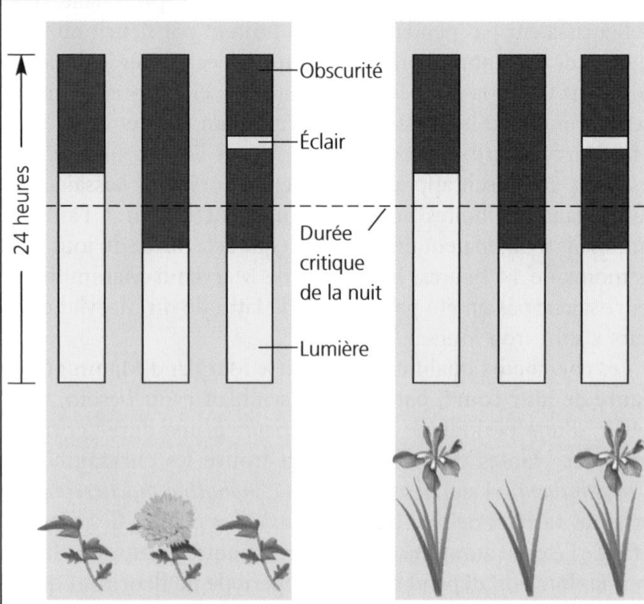

(a) Les plantes de jour court n'ont fleuri que si la période d'obscurité continue était *plus longue* que la durée critique pour cette espèce (13 heures dans le présent cas). On peut interrompre une période d'obscurité par un éclair.

(b) Les plantes de jour long n'ont fleuri que si la période d'obscurité continue était *plus courte* que la durée critique pour cette espèce (13 heures dans le présent cas).

CONCLUSION Ces expériences ont montré que la floraison de chaque espèce est déterminée par une durée critique d'obscurité (« durée critique de la nuit ») pour cette espèce, et *non* par la durée de la lumière. Par conséquent, les plantes de jour court devraient être appelées *plantes de nuit longue*, et les plantes de jour long *plantes de nuit courte*.

botanique a consacré cette dernière expression. De même, les plantes de jour long sont en réalité des plantes de nuit courte. En effet, une plante de jour long qui ne fleurit pas dans des photopériodes de longues nuits produit des fleurs si on interrompt les longues périodes d'obscurité par quelques minutes de clarté (figure 39.22b). Notez que la distinction entre plantes de jour long et plantes de jour court repose *non pas* sur la durée absolue de la nuit, mais sur le fait que la floraison exige un nombre d'heures d'obscurité maximal (plantes de jour long) ou minimal (plantes de jour court). Dans les deux cas, la durée critique réelle de la nuit est propre à chaque espèce végétale.

La lumière rouge est celle qui interrompt le plus efficacement la partie nocturne de la photopériode. Le spectre d'action et les expériences de photoréversibilité montrent que les phytochromes absorbent la lumière rouge **(figure 39.23)**. Par exemple, si un éclair de lumière rouge (R) est immédiatement suivi d'un éclair de lumière infrarouge (IR) pendant la phase nocturne, la plante ne perçoit aucune interruption dans la longueur de la nuit. Comme dans le cas de la germination des graines régie par les phytochromes, on peut démontrer la photoréversibilité.

Les Végétaux détectent avec précision la durée de l'obscurité. Ainsi, certaines plantes de jour court ne fleurissent pas si la nuit dure ne serait-ce qu'une minute de moins que le temps critique.

Figure 39.23

Investigation Le phytochrome est-il le pigment qui mesure l'interruption des périodes d'obscurité dans la réaction photopériodique ?

EXPÉRIENCE Une des caractéristiques du phytochrome est sa réversibilité en réaction à la lumière rouge et infrarouge. Pour vérifier si le phytochrome est le pigment qui mesure l'interruption des périodes d'obscurité, les chercheurs ont observé comment les éclairs de lumière rouge et de lumière infrarouge influent sur la floraison des plantes de jour court et de jour long.

RÉSULTATS

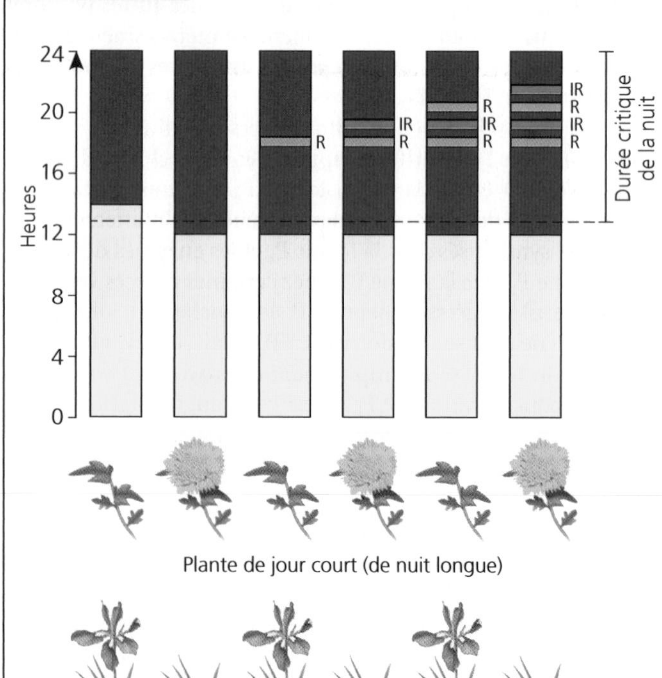

CONCLUSION Un éclair de lumière rouge a raccourci la période d'obscurité. L'éclair de lumière infrarouge qui suit a annulé l'effet de la lumière rouge. Lorsqu'il suivait l'éclair de lumière infrarouge, un éclair rouge annulait l'effet de la lumière infrarouge. Cette réversibilité indique que c'est le phytochrome qui mesure l'interruption des périodes d'obscurité.

Les fleurs de certaines espèces éclosent exactement le même jour tous les ans. Les Végétaux évaluent la durée de la nuit grâce à leur horloge biologique, qui se règle apparemment avec l'aide des phytochromes, ce qui leur permet de connaître la saison. L'industrie floricole (production de fleurs) utilise ce concept pour produire des fleurs hors saison. Par exemple, les chrysanthèmes sont des plantes de jour court qui fleurissent normalement en automne. Pour retarder leur floraison jusqu'à la fête des Mères, en mai, les floriculteurs ponctuent chaque longue nuit d'un éclair pour en faire deux courtes nuits.

Certaines plantes fleurissent après avoir été éclairées une seule journée correspondant à la photopériode qui convient à leur floraison. D'autres ont besoin de plusieurs jours de la durée appropriée ou encore ne réagissent à la photopériode qu'après avoir été exposées à un premier stimulus externe, telle une période de froid. Ainsi, le blé d'hiver ne fleurit qu'après une exposition de plusieurs semaines à des températures inférieures à 10 °C. On appelle **vernalisation** (d'un mot latin signifiant «printemps») l'exposition au froid nécessaire à la floraison. Quelques semaines après la vernalisation du blé d'hiver, les jours longs (les nuits courtes) entraînent la floraison.

Existe-t-il une hormone de la floraison?

Les bourgeons floraux produisent les fleurs, mais chez de nombreuses espèces, ce sont les feuilles qui détectent la photopériode. Par conséquent, quand la photopériode est celle qui convient, les feuilles doivent envoyer un stimulus aux bourgeons pour qu'ils fleurissent. Pour déclencher la floraison d'une plante de jour court ou d'une plante de jour long, il suffit dans bien des cas d'exposer une seule feuille aux conditions correspondant à la photopériode appropriée. De fait, s'il ne reste même qu'une feuille sur la plante, cette feuille détecte la photopériode et les boutons floraux se développent. Cependant, une plante qui a perdu toutes ses feuilles ne décèle pas la photopériode. Le stimulus de floraison, dont on ne connaît pas encore la composition chimique, est appelé **florigène**, et il se traduit peut-être par une hormone ou une variation des concentrations relatives de plusieurs hormones **(figure 39.24)**. Le stimulus de la floraison est de même nature chez les plantes de jour court que chez les plantes de jour long, bien que des conditions photopériodiques différentes la déclenchent.

La transition du méristème et la floraison

Quelle que soit la combinaison des stimulus externes (comme la photopériode ou la vernalisation) et des stimulus internes (comme les hormones) nécessaire à la floraison, le résultat est que le méristème d'un bourgeon passe d'un état végétatif à un état de floraison. Cette transition nécessite des modifications dans l'expression des gènes qui régulent le plan d'organisation. Tout d'abord, les gènes d'identité des méristèmes qui commandent au bourgeon de produire une fleur au lieu d'une pousse végétative doivent être activés. Les gènes d'identité des organes qui déterminent l'organisation spatiale des pièces florales (sépales, pétales, étamines et carpelles) sont activés dans les régions appropriées du méristème (voir la figure 35.31). Les recherches sur le développement des fleurs progressent rapidement. L'un des objectifs est de déterminer les voies de transduction qui font le lien entre les stimulus comme la photopériode, les changements hormonaux et l'expression génique nécessaire à la floraison.

Figure 39.24

Investigation Existe-t-il une hormone de la floraison?

EXPÉRIENCE Pour voir s'il existe une hormone de la floraison, des chercheurs ont mené une expérience. Ils ont pris une plante dont la floraison a été déclenchée par la photopériode et l'ont greffée à une plante dont la floraison n'a pas débuté.

RÉSULTATS

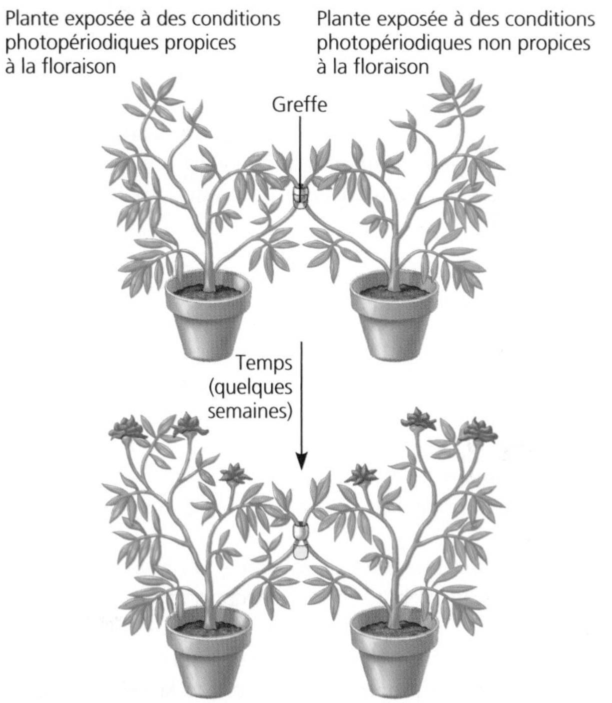

CONCLUSION Les deux plantes ont fleuri. Cela suppose le transfert d'une substance chimique qui entraîne la floraison. Dans certains cas, le phénomène se produit même si l'une des plantes est de jour court et l'autre de jour long.

Retour sur le concept 39.3

1. Une plante fleurit dans une pièce contrôlée où l'on maintient un cycle quotidien de 10 heures de lumière pour 14 heures d'obscurité. Est-ce une plante de jour court? Expliquez.
2. Supposons que des poinsettias cultivés dans une serre nécessitent au moins 14 heures d'obscurité pour fleurir. Si un employé doit travailler dans la serre durant la nuit, quelle source de lumière doit-il utiliser pour ne pas perturber la floraison? Expliquez.
3. Après la germination, les plantules de certaines vignes croissent vers l'obscurité jusqu'à ce qu'elles atteignent une structure droite. Cette adaptation aide la vigne à «trouver» un objet ombragé sur lequel elle grimpera. Suggérez une expérience qui pourrait permettre de vérifier si ce phototropisme négatif est favorisé par des photorécepteurs sensibles à la lumière bleue ou par un phytochrome.

Voir les réponses proposées à la fin du chapitre.

Concept 39.4

Les Végétaux réagissent à de nombreux stimulus autres que la lumière

Les Végétaux ne peuvent se déplacer pour aller jusqu'à une source d'eau quand la pluie se fait rare ou chercher un abri quand il vente trop. Une graine qui atterrit à l'envers ne peut se mettre toute seule dans la bonne position. En raison de cette immobilité, les plantes doivent s'adapter à tout un éventail de conditions environnementales par des mécanismes de développement et des mécanismes physiologiques. La sélection naturelle a raffiné leurs réponses. La lumière est si importante pour le développement d'une plante que nous lui avons consacré toute la section précédente. Nous allons maintenant étudier les réponses des Végétaux à certains autres stimulus externes courants qui font partie de leur « lutte pour la survie ».

La gravitation

Comme les Végétaux sont des organismes qui puisent leur énergie dans la lumière du Soleil, il n'est pas surprenant qu'au cours de leur évolution soient apparus des mécanismes qui leur permettent de croître en direction de celui-ci. Mais qu'est-ce qui pousse la plantule à croître vers le haut quand elle est sous terre et ne peut détecter de lumière? De même, quel facteur externe pousse la racine à croître vers le bas? La réponse à ces deux questions est la gravitation.

Si vous couchez une plante sur le côté, sa tige se courbera vers le haut et sa racine, vers le bas. La réaction des racines à la gravitation est appelée **géotropisme** positif **(figure 39.25a)**, tandis que celle des tiges est un géotropisme négatif. Le géotropisme se manifeste dès la germination, de sorte que la racine s'enfonce dans le sol et que la pousse recherche la lumière, quelle que soit la position de la graine. L'auxine joue un rôle important dans le géotropisme.

Les Végétaux distinguent le haut du bas parce que des amyloplastes, plastes spécialisés contenant des grains d'amidon lourds, agissant à la manière de **statolithes** (ou capteurs gravimétriques), se déposent dans la partie inférieure des cellules **(figure 39.25b)**. Les amyloplastes se trouvent à l'intérieur de certaines cellules de la coiffe d'une racine. Une hypothèse avance que l'agrégation des amyloplastes dans la partie inférieure de ces cellules déclenche la redistribution du calcium, qui elle-même provoque le transport latéral de l'auxine dans la racine. Le calcium et l'auxine s'accumulent du côté inférieur de la zone d'allongement. (Comme elles sont dissoutes, ces substances ne réagissent pas à la gravitation et se déplacent par transport actif.) À forte concentration, l'auxine inhibe l'allongement cellulaire, ce qui ralentit la croissance du côté inférieur de la racine. L'allongement des cellules supérieures étant plus rapide que celui des cellules inférieures, la racine se courbe en croissant. Ce tropisme agit jusqu'à ce que la racine descende verticalement.

Grâce à leurs nouvelles expériences, les phytophysiologistes étoffent l'hypothèse de la « chute des statolithes » dans l'explication du géotropisme des racines. Par exemple, les mutants d'*Arabidopsis thaliana* et de *Nicotiana tabacum* qui ne possèdent pas d'organites agissant comme statolithes présentent quand même un géotropisme, mais plus lent que celui des plantes de type sauvage. Il se pourrait ici que toute la cellule aide la racine à détecter la gravitation par une attirance mécanique des protéines qui attachent le protoplasme à la paroi cellulaire. Cette attirance étirerait les protéines du côté supérieur des cellules et les comprimerait du côté inférieur. Les organites lourds (en plus des amyloplastes) peuvent également contribuer au géotropisme en tordant le cytosquelette au fur et à mesure qu'ils sont attirés par la gravitation. En raison de leur masse volumique, les amyloplastes amplifieraient le mécanisme de perception de la gravitation, qui fonctionne plus lentement en leur absence.

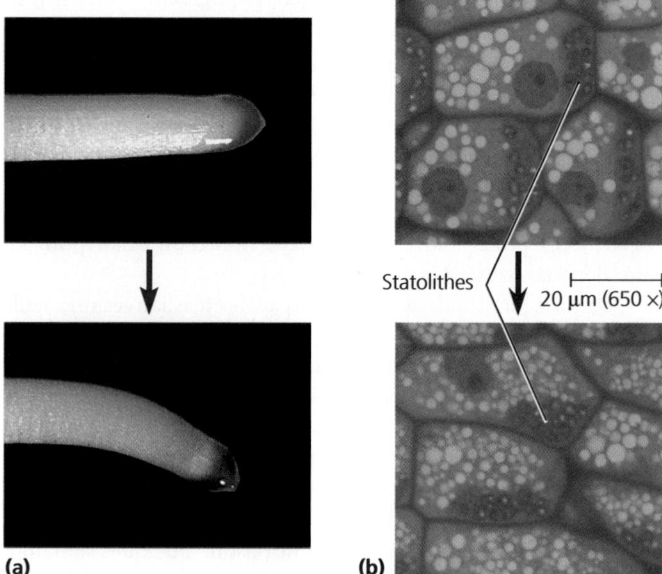

▲ **Figure 39.25 Hypothèse des amyloplastes-statolithes expliquant le géotropisme positif des racines. (a)** Au fil des heures, une racine primaire de maïs orientée horizontalement se courbera graduellement par géotropisme jusqu'à ce que sa pointe soit orientée à la verticale. **(b)** Quelques minutes après qu'on a placé la racine à l'horizontale, des amyloplastes migrent vers les parties inférieures des cellules de la coiffe. D'après l'hypothèse des amyloplastes-statolithes, cette accumulation des amyloplastes dans la partie inférieure des cellules constitue peut-être le mécanisme de détection de la gravitation qui entraîne la redistribution de l'auxine et une différence de vitesse d'allongement cellulaire entre les deux côtés de la racine.

Les stimulus mécaniques

Un arbre qui pousse sur le flanc d'une montagne exposé au vent aura habituellement un tronc plus court et plus trapu qu'un arbre de la même espèce qui pousse dans un endroit abrité. Cet arrêt de croissance lui permet de résister aux fortes bourrasques. Le terme **thigmomorphogenèse** (du grec *thigma*, « toucher ») désigne les variations de forme qui résultent d'une perturbation mécanique. Les plantes sont très sensibles au stress mécanique : le fait même de mesurer une feuille avec une règle influe sur la croissance de celle-ci.

Si on touche quelques fois par jour les tiges d'un jeune plant, la plante sera plus courte à maturité qu'une plante témoin **(figure 39.26)**. La stimulation mécanique déclenche une voie de transduction d'un stimulus qui met en jeu l'augmentation de la concentration cytoplasmique de calcium (Ca^{2+}). Cette augmentation active ensuite des gènes donnés dont certains codent pour des protéines qui influent sur les propriétés de la paroi cellulaire.

▲ **Figure 39.26 Modification de l'expression génique par le toucher chez *Arabidopsis thaliana*.** On a touché, deux fois par jour, la plante courte, à gauche. Par contre, on n'a pas touché la plante de droite, qui a poussé beaucoup plus haut.

Au cours de leur évolution, certaines espèces végétales sont devenues des « spécialistes du toucher ». La capacité de ces plantes à réagir de manière précise aux stimulus mécaniques fait partie intégrante de leurs « stratégies » de développement. Ainsi, la plupart des vignes et des plantes grimpantes portent des vrilles qui s'enroulent autour des objets (voir la figure 35.7a). Ces structures préhensiles ont une forme rectiligne, jusqu'à ce qu'elles touchent un objet. Leurs cellules se mettent alors à croître à des vitesses différentes selon le côté où elles se trouvent. On appelle **thigmotropisme** la réaction d'orientation consécutive au contact. Cette réaction permet aux vignes de profiter de supports pour grimper aux arbres et aux arbustes.

Il existe également des plantes spécialistes du toucher qui réagissent à un stimulus mécanique par des mouvements rapides des feuilles. Ainsi, lorsqu'on touche la feuille composée de la sensitive (*Mimosa pudica*), ses folioles se replient **(figure 39.27)**. Cette réaction, qui se produit une ou deux secondes seulement après le contact, résulte d'une diminution rapide de la turgescence dans les cellules des pulvinus, organes moteurs spécialisés situés dans les articulations de la feuille. Les cellules motrices perdent leur potassium, puis se vident de leur eau par osmose et deviennent brusquement flasques. Au bout d'une dizaine de minutes, les cellules retrouvent leur turgescence, et la feuille reprend sa forme habituelle. La fonction de cette réaction reste encore obscure. On pense que le repliement des feuilles et la diminution de leur surface permettent à la plante de prévenir la déshydratation par vents forts. On présume aussi que cette réaction décourage les herbivores, car le repliement des feuilles découvre les épines de la tige.

Les mouvements rapides des feuilles ont ceci de remarquable que le stimulus se propage dans toute la plante. Si on touche une foliole de sensitive, elle se replie. Puis la foliole voisine en fait autant, et ainsi de suite jusqu'à ce que toutes les folioles se soient repliées. À partir du point de contact, le stimulus se répand dans toute la plante à la vitesse d'environ 1 cm/s. De plus, si on fixe des électrodes à la feuille, on peut déceler une impulsion électrique voyageant à la même vitesse. Cette impulsion, appelée **potentiel d'action**, ressemble aux influx nerveux détectés chez les Animaux, mais elle est des milliers de fois plus lente. Le potentiel d'action est présent chez un grand nombre d'Algues et de Végétaux. Il constitue peut-être une forme de communication interne très répandue. Par exemple, chez la dionée attrape-mouches (*Dionæa muscipula*), les potentiels d'action se propagent des poils sensitifs du piège aux cellules qui le ferment (voir

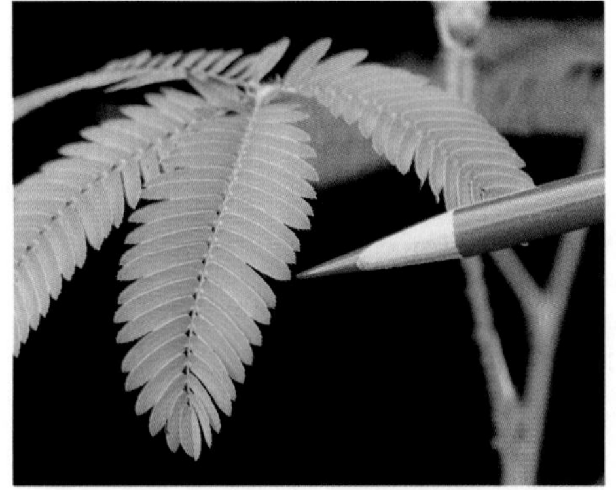

(a) Position des folioles avant le contact

(b) Position des folioles après le contact

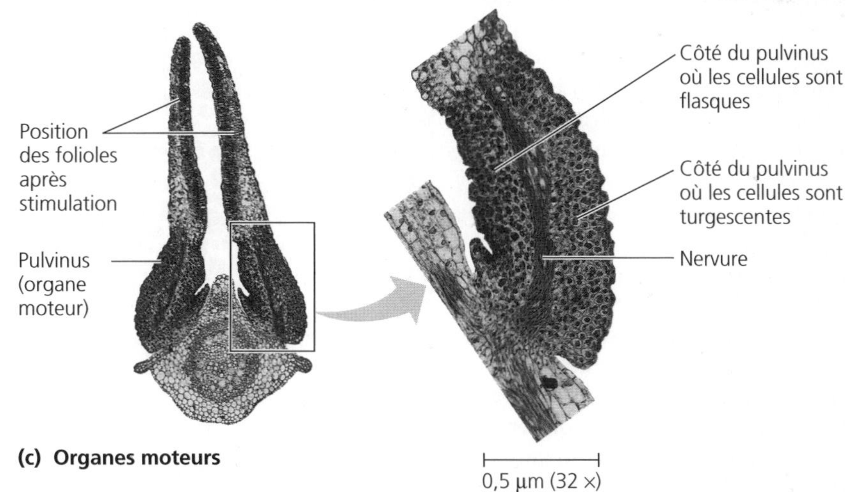

(c) Organes moteurs

▲ **Figure 39.27 Changement rapide de la turgescence dans le mouvement des folioles de la sensitive (*Mimosa pudica*).** **(a)** En l'absence de stimulation, les folioles sont déployées. **(b)** Une ou deux secondes après un contact, les folioles se replient les unes sur les autres. **(c)** Ces micrographies photoniques montrent une paire de folioles repliées (stimulées). On peut voir les cellules motrices dans les pulvinus sectionnés (organes moteurs). La courbure d'un pulvinus est provoquée par le fait que d'un côté les cellules motrices perdent de l'eau et deviennent flasques, alors que du côté opposé elles conservent leur turgescence.

la figure 37.13). Dans le cas de la sensitive, un stimulus violent tel que le fait de toucher une feuille avec une aiguille chaude provoque la chute de *toutes* les feuilles et folioles de la plante. Cette réaction générale implique la transduction de stimulus chimiques venant de la région lésée jusque vers les autres parties de la pousse.

Les stimulus environnementaux

Il arrive que des facteurs environnementaux changent au point de menacer la survie, la croissance et la reproduction d'une plante. Les agressions environnementales telles que les inondations, la sécheresse ou des températures extrêmes peuvent avoir un effet dévastateur sur le rendement des cultures. Dans les écosystèmes naturels, les plantes qui ne peuvent supporter une agression environnementale meurent ou sont délogées par d'autres plantes, ce qui conduit à leur extinction locale. Par conséquent, les facteurs d'agression environnementaux sont importants dans la répartition géographique des Végétaux. Voyons maintenant quelques agressions **abiotiques** (facteurs non vivants) que les Végétaux subissent couramment. Dans la dernière section du présent chapitre, nous aborderons les réactions de défense des Végétaux aux agressions **biotiques** (facteurs vivants) courantes, catégorie à laquelle appartiennent notamment les agents pathogènes et les herbivores.

La sécheresse

Au cours d'une journée ensoleillée, chaude et sèche, une plante peut souffrir d'une carence en eau, parce qu'elle en perd par transpiration plus rapidement qu'elle ne peut en absorber par les racines. Une sécheresse prolongée peut éprouver les cultures et les plantes qui se trouvent en milieu naturel pendant des semaines, voire des mois. Il est certain qu'une grave pénurie d'eau tue une plante, comme tout un chacun l'a sans doute constaté après avoir négligé une plante d'intérieur. Heureusement, les Végétaux possèdent des systèmes de régulation qui leur permettent de résister à de petits manques d'eau.

Plusieurs des réponses d'une plante à la sécheresse lui permettent de conserver son eau en réduisant sa transpiration. Tout d'abord, le manque d'eau dans une feuille provoque une perte de turgescence des cellules stomatiques, mécanisme de régulation simple qui ralentit la transpiration en fermant les stomates (voir le chapitre 36 et la figure 36.15). Ensuite, le manque d'eau entraîne également l'augmentation de la synthèse de l'acide abscissique et de sa sécrétion dans la feuille. Cette hormone contribue au maintien en position fermée des stomates en agissant sur la membrane plasmique des cellules stomatiques. Enfin, les feuilles réagissent au manque d'eau de plusieurs autres façons. Comme l'expansion cellulaire dépend de la turgescence, un manque d'eau inhibe la croissance des jeunes feuilles. Cette réponse réduit la perte d'eau par transpiration en ralentissant la croissance de la surface de la feuille. Lorsqu'elles flétrissent par manque d'eau, les feuilles de nombreuses Graminées et d'autres plantes s'enroulent pour réduire la surface exposée à l'air et au vent secs, et ralentir ainsi la transpiration. Toutes ces réponses aident les plantes à conserver leur eau. Mais elles réduisent également la photosynthèse. C'est l'une des raisons pour lesquelles la sécheresse diminue le rendement des cultures.

La croissance des racines réagit également au manque d'eau. Quand il y a sécheresse, ce sont les couches supérieures du sol qui commencent habituellement par sécher. Cela inhibe la croissance des racines de surface, en partie parce que les cellules ne peuvent pas maintenir la turgescence nécessaire à leur allongement. Cependant, les racines profondes entourées d'un sol toujours humide continuent de croître. Ainsi, le système racinaire prolifère de façon à maximiser son exposition à l'eau du sol.

L'inondation

Une plante d'intérieur trop arrosée peut suffoquer en raison du manque d'espaces aérés fournissant le dioxygène nécessaire à la respiration cellulaire dans les racines. Toutefois, certaines plantes ont une structure adaptée aux habitats très humides. Par exemple, les palétuviers (*Rhizophora sp.*), ces arbres qui poussent dans les marais côtiers, ont des racines submergées qui communiquent avec des racines aériennes. Ces dernières leur fournissent un accès au dioxygène. Mais comment les plantes moins adaptées aux milieux aquatiques font-elles dans les sols gorgés d'eau, lorsque le dioxygène vient à manquer ? En fait, la carence en dioxygène entraîne la production d'éthylène, hormone qui provoque l'apoptose (mort cellulaire programmée) de certaines des cellules dans l'écorce de la racine. La destruction enzymatique de ces cellules crée des tubes aériens qui font office de « tubas » et amènent le dioxygène aux racines submergées **(figure 39.28)**.

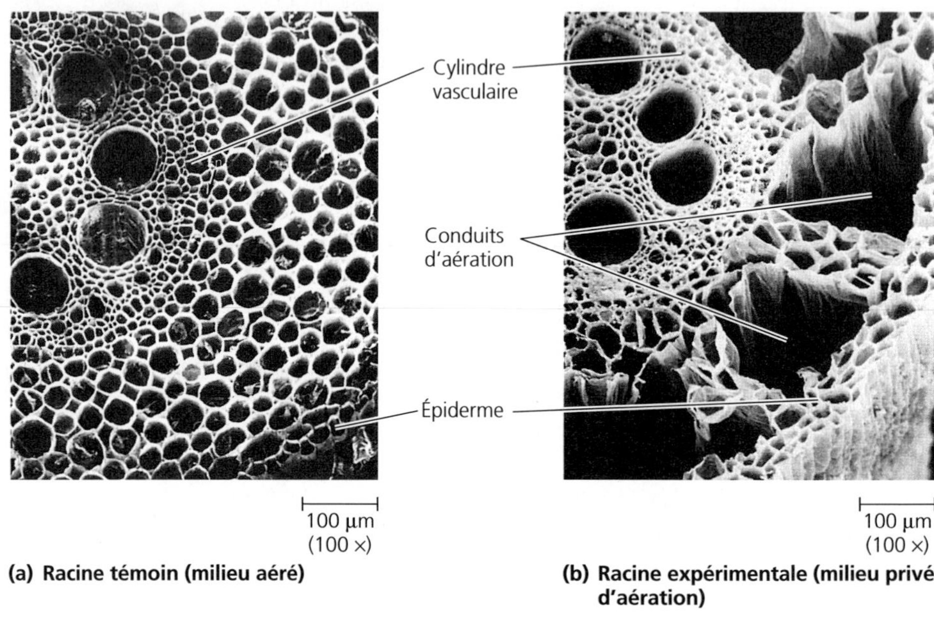

▲ **Figure 39.28 Changement de structure des racines du maïs en réaction à l'inondation et au manque de dioxygène. (a)** Coupe transversale d'une racine témoin qui a poussé dans un milieu hydroponique aéré. **(b)** Racine expérimentale qui a poussé dans un milieu hydroponique privé d'aération. L'apoptose (mort cellulaire programmée) déclenchée par l'éthylène a créé les conduits d'aération (MEB).

La salinité

Un excès de chlorure de sodium ou d'autres sels dans le sol menace les plantes pour deux raisons. Premièrement, en abaissant le potentiel hydrique de la solution du sol, le sel peut provoquer une carence en eau dans les Végétaux, même si le sol contient beaucoup d'eau. En effet, si elles se trouvent dans un milieu dont le potentiel hydrique est plus faible que celui de leurs tissus, des racines perdent de l'eau au lieu d'en absorber (voir le chapitre 36). Deuxièmement, le sodium et certains autres ions présents dans un sol salin sont toxiques pour les plantes quand leur concentration est relativement élevée. La membrane plasmique des cellules des racines empêche l'absorption de la plupart des ions dangereux, mais cela ne fait qu'aggraver le problème de l'approvisionnement en eau dans un sol riche en solutés. De nombreux Végétaux peuvent réagir à une salinité modérée du sol en produisant des solutés compatibles, c'est-à-dire des composés organiques qui maintiennent le potentiel hydrique des cellules à un niveau inférieur à celui de la solution du sol sans toutefois permettre l'absorption de quantités toxiques de sel. Cependant, la plupart des plantes ne peuvent survivre longtemps à une salinité élevée. Les halophytes sont l'exception. Ces plantes sont munies de glandes spécialisées qui expulsent les sels de l'épiderme des feuilles.

La chaleur

Une température excessive peut affaiblir et tuer une plante en dénaturant ses enzymes et en nuisant à son métabolisme de diverses façons. Une plante peut supporter une certaine chaleur grâce à la transpiration qui permet le refroidissement par vaporisation. Ainsi, par une journée chaude, la température d'une feuille peut être de 3 à 10 °C inférieure à celle de l'air ambiant. Bien sûr, un temps chaud et sec tend également à provoquer une carence en eau chez de nombreux Végétaux. La fermeture des stomates en réaction à cette agression permet à la plante de conserver son eau, mais au détriment du refroidissement par vaporisation. Ce dilemme est l'une des raisons pour lesquelles les journées très chaudes et très sèches font autant de victimes chez les Végétaux.

La plupart des Végétaux déclenchent une rétroaction qui leur permet de survivre à un choc thermique. Au-dessus d'une certaine température, soit environ 40 °C chez la plupart des Végétaux vivant dans les régions tempérées, les cellules commencent à synthétiser des quantités relativement élevées de **protéines de choc thermique**. Les chercheurs ont découvert l'existence de ce type de réponse chez les Animaux et les microorganismes également. Certaines des protéines de choc thermique sont identiques aux chaperonines, protéines qui, en temps normal, servent d'échafaudage et aident les autres protéines à acquérir leur conformation (voir le chapitre 5). En réponse à un choc thermique, ces molécules envelopperaient les enzymes et les autres protéines pour prévenir leur dénaturation.

Le froid

Le problème que rencontrent les Végétaux quand la température extérieure chute est le changement de fluidité dans les membranes cellulaires. Nous avons vu au chapitre 7 qu'une membrane biologique est une mosaïque fluide dans laquelle les protéines et les phosphoglycérolipides se déplacent latéralement. Lorsque la température d'une membrane descend sous une valeur critique, les phosphoglycérolipides se figent dans des structures cristallines, et la fluidité de la membrane diminue. Ce phénomène altère le transport des solutés à travers la membrane et a un effet négatif sur les fonctions des protéines membranaires. Les Végétaux réagissent au froid en modifiant la composition lipidique de leurs membranes. Ainsi, la proportion d'acides gras insaturés augmente dans les membranes. Ces lipides favorisent la fluidité à basse température en prévenant la formation de cristaux (voir la figure 7.5b). Une telle modification moléculaire prend de quelques heures à quelques jours. C'est pourquoi un refroidissement rapide est généralement plus dommageable pour les Végétaux que la diminution progressive de la température de l'air à l'automne.

À des températures se situant sous le point de congélation, de la glace se forme dans la paroi des cellules et dans les espaces intercellulaires, chez la plupart des Végétaux. Généralement, le cytosol ne gèle pas aussi rapidement que l'environnement, parce qu'il contient plus de solutés que la solution très diluée présente dans la paroi cellulaire. La présence de solutés abaisse le point de congélation d'une solution. La diminution de la quantité d'eau liquide dans la paroi cellulaire provoquée par la formation de glace abaisse le potentiel hydrique extracellulaire, ce qui fait sortir l'eau du cytosol. La cellule peut même mourir à cause de l'augmentation de la concentration de sels dans le cytosol. Sa survie dépend grandement de sa capacité à résister à la déshydratation. Les plantes indigènes des régions où les hivers sont rigoureux sont spécialement adaptées au froid. Ainsi, avant l'arrivée de l'hiver, les cellules de nombreuses espèces qui résistent au froid augmentent la concentration cytosolique de certains de leurs solutés, comme les glucides, dont ils supportent bien les concentrations élevées et qui les aident à limiter la perte d'eau causée par le gel extracellulaire.

Retour sur le concept 39.4

1. Les images thermiques sont des photographies de la chaleur émise par un objet. Les chercheurs ont utilisé des images thermiques de plantes pour isoler des mutants qui surproduisent de l'acide abscissique. Essayez d'expliquer pourquoi ces mutants sont plus chauds que les plantes sauvages dans des conditions normalement non stressantes.
2. Un employé d'une serre commerciale trouve que les chrysanthèmes installés près des allées sont souvent moins hauts que ceux poussant plus au centre des tablettes. Donnez une explication.

Voir les réponses proposées à la fin du chapitre.

Concept 39.5

Les Végétaux se défendent eux-mêmes contre les herbivores et les agents pathogènes

Les Végétaux ne vivent pas dans l'isolement. Ils interagissent avec de nombreuses autres espèces. Certaines de ces interactions interspécifiques – par exemple l'association des Végétaux et des Eumycètes, qui donne les mycorhizes (voir la figure 37.12), ainsi que la pollinisation par les Insectes (voir la figure 30.13) – sont bénéfiques aux deux parties. Cependant, la plupart n'apportent aucun bienfait aux Végétaux. En tant que producteurs, les Végétaux se trouvent à la base de la plupart des chaînes alimentaires et peuvent se faire manger par un grand nombre d'herbivores (Animaux qui se nourrissent de plantes). Ils sont également sujets aux infections par différents Virus, Bactéries et Eumycètes pathogènes qui peuvent léser leurs tissus et même les faire mourir. Afin de contrer ces menaces, les Végétaux recourent à différents moyens de défense pour dissuader les herbivores, prévenir les infections et combattre les agents pathogènes qui les contaminent.

Les défenses contre les herbivores

Les herbivores représentent un danger pour les Végétaux dans tous les écosystèmes. Les plantes se défendent contre les herbivores en utilisant des moyens physiques, comme des épines, et chimiques, comme la production de composés désagréables au goût ou toxiques. Ainsi, certaines plantes produisent un acide aminé inhabituel, la **canavanine**, qui doit son nom à l'une de ses sources de production, le pois-sabre (*Canavalia ensiformis*). La canavanine ressemble à l'arginine, l'un des 20 acides aminés que les organismes incorporent dans leurs protéines. Quand un Insecte mange une plante qui contient de la canavanine, celle-ci prend la place de l'arginine dans ses protéines. Comme la canavanine diffère suffisamment de l'arginine pour avoir un effet négatif sur la conformation et, par conséquent, la fonction des protéines, l'Insecte meurt.

Certaines plantes attirent même des Animaux prédateurs afin qu'ils les aident à se défendre contre des herbivores. Par exemple, les guêpes parasitoïdes pondent leurs œufs dans leur proie, notamment les chenilles herbivores. Ces œufs éclosent à l'intérieur des chenilles, puis les larves dévorent leur hôte de l'intérieur. La plante, qui bénéficie de la destruction de ces organismes, participe activement à ce drame écologique. En effet, une plante endommagée par des chenilles libère des composés volatils qui attirent les guêpes parasitoïdes. Cette réponse est provoquée par la combinaison des lésions physiques de la feuille causées par la mastication et d'un composé présent dans la salive de la chenille **(figure 39.29)**.

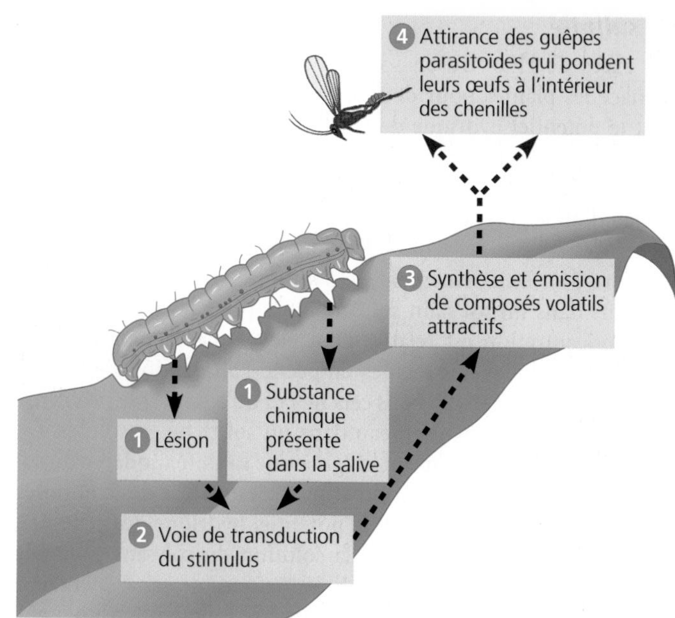

▲ **Figure 39.29 Feuille de maïs attirant une guêpe parasitoïde pour se défendre contre un herbivore comme la chenille de la légionnaire uniponctuée (*Pseudaletia unipunctata*).**

Les molécules volatiles que certaines plantes libèrent en réaction aux lésions causées par les herbivores peuvent également avertir du danger les plantes voisines de la même espèce. Ainsi, les plants de haricot de Lima (*Phaseolus lunatus*) infestés d'araignées rouges (Acariens) libèrent des substances chimiques qui avertissent de l'attaque les plants de haricot voisins épargnés. (Les substances volatiles libérées par les feuilles auxquelles on a expérimentalement infligé des lésions mécaniques n'ont pas le même effet.) Les feuilles de ces derniers activent alors des gènes de défense. Les gènes activés par les substances volatiles dégagées à la suite d'une infestation chevauchent considérablement ceux qui sont issus d'une exposition à l'**acide jasmonique**, molécule importante dans la défense des Végétaux (présente entre autres chez le jasmin). Grâce à cette expression génique, les plants non infestés deviennent moins vulnérables aux araignées rouges et attirent une autre espèce d'Acariens qui en est le prédateur.

Les défenses contre les agents pathogènes

Le revêtement externe des plantes est une barrière physique qui représente la première ligne de défense contre les infections. Dans la structure primaire, c'est l'épiderme. Dans la structure secondaire, c'est le périderme (voir la figure 35.18). Mais cette première ligne de défense n'est pas impénétrable. Les Virus, les Bactéries, ainsi que les spores et les hyphes des Eumycètes peuvent quand même s'introduire dans les plantes par des lésions ou par des ouvertures naturelles telles que les stomates. Aussi, dès qu'un agent pathogène envahit une plante, celle-ci réagit par une riposte chimique visant à le tuer et à le contenir dans le site d'infection. C'est une deuxième ligne de défense, que la capacité héréditaire de la plante à reconnaître certains agents pathogènes améliore.

La relation de gène à gène

Les Végétaux résistent généralement à la plupart des agents pathogènes. C'est qu'ils ont la capacité innée de reconnaître les envahisseurs pathogènes et d'élaborer des défenses efficaces. Mais certains agents pathogènes réussissent à provoquer des maladies parce qu'ils peuvent échapper à ce mécanisme de reconnaissance ou supprimer les mécanismes de défense de leur hôte. Ces agents pathogènes contre lesquels une plante n'a que peu de moyens de défense sont dits **virulents**. Ils constituent toutefois l'exception, car autrement les hôtes et les agents pathogènes périraient rapidement ensemble. Ainsi, il s'est établi un certain « compromis » entre les Végétaux et la plupart des agents pathogènes. Ces derniers s'infiltrent suffisamment dans leur hôte pour proliférer, mais sans l'endommager ni le tuer. Ils sont dits **avirulents**.

La **relation de gène à gène** est une forme de résistance à la maladie très répandue, qui se fonde sur la reconnaissance de molécules dérivées de l'agent pathogène par les produits protéiques des gènes de résistance (*R*) aux maladies végétales. Il existe de nombreux agents pathogènes, et les plantes possèdent de nombreux gènes *R. Arabidopsis thaliana* en comporte au moins plusieurs centaines. En général, une protéine *R* reconnaît une seule molécule pathogène correspondante encodée par un gène avirulent (*Avr*). De nombreuses protéines Avr jouent un rôle actif dans la pathogenèse. On croit qu'elles redirigent le métabolisme de l'hôte à l'avantage de l'agent pathogène. Beaucoup de recherches se font actuellement sur le fonctionnement et l'évolution des protéines R. Selon le modèle biochimique le plus simple (le modèle ligand-récepteur), une protéine R agit comme une molécule réceptrice qui déclenche la résistance au moment de la liaison de la protéine Avr correspondante **(figure 39.30)**. Si la plante hôte ne possède pas le gène *R* qui neutralise le gène *Avr* de l'agent pathogène, alors l'agent pathogène peut l'envahir et la tuer. Selon un autre modèle de la relation de gène à gène, qu'on pourrait appeler l'*hypothèse de la «surveillance»*, les protéines R forment une sorte de système de surveillance des autres protéines végétales qui entrent en activité ou qui présentent des changements de conformation déclenchés par des protéines Avr. Quel que soit le mécanisme exact qui est en jeu, la reconnaissance des molécules issues d'agents pathogènes par des protéines R déclenche une voie de transduction du stimulus qui amorce une défense dans les tissus de la plante infectée. Cette défense comprend à la fois une augmentation de la réponse au site d'infection et une réponse généralisée de la plante.

Les réactions des Végétaux aux invasions des agents pathogènes

Contrairement aux interactions *Avr-R* spécifiques qui régissent la résistance à des familles très étroites d'agents pathogènes (c'est-à-dire les agents pathogènes pourvus de l'allèle *Avr* approprié), les molécules appelées **éliciteurs** déclenchent des réponses défensives moins spécifiques. Les **oligosaccharines**, issues de fragments de cellulose libérés par une paroi cellulaire endommagée, forment une des principales classes d'éliciteurs. Les éliciteurs déclenchent la production de composés antimicrobiens appelés **phytoalexines**. L'infection active également les gènes qui produisent les **protéines RP** (reliées à la pathogenèse). Certaines de ces molécules sont antimicrobiennes. Elles attaquent par exemple les molécules de la paroi cellulaire des Bactéries. D'autres peuvent alerter les cellules voisines de l'infection. L'infection déclenche également la formation de ponts transversaux et le dépôt de lignine dans la paroi cellulaire. Cette réaction permet la construction d'une barricade localisée qui ralentit la progression de l'agent pathogène dans la plante.

Si l'agent pathogène est un agent avirulent reconnu par la relation *R-Avr*, la réaction de défense localisée est plus vigoureuse que l'agression. On parle de **réaction d'hypersensibilité**, au cours de laquelle il y a production accrue de phytoalexines et de protéines RP. De plus, la réaction qui consiste à isoler et à limiter l'infection est plus efficace. Après avoir élaboré leur défense chimique et isolé la zone attaquée, les cellules du site d'infection s'autodétruisent. Une réaction d'hypersensibilité se manifeste par des lésions à la surface d'une feuille ou d'un autre organe infecté. Bien qu'elle semble «malade», la feuille survivra. De plus, sa réaction de défense aidera à protéger le reste de la plante **(figure 39.31)**.

La résistance systémique acquise

Comme nous venons de le voir, la réaction d'hypersensibilité est localisée et spécifique. Il s'agit d'une réponse de confinement fondée sur la relation de gène à gène (*R-Avr*) entre l'hôte et l'agent pathogène. Cependant, cette défense comprend également la production de substances chimiques qui «sonnent l'alarme» dans toute la plante. Libérées depuis le site d'infection, ces hormones se répandent dans toute la plante et déclenchent la production de phytoalexines et de protéines RP. Cette réponse, appelée **résistance systémique acquise**, est non spécifique et fournit une protection de plusieurs jours à la plante contre divers agents pathogènes (figure 39.31).

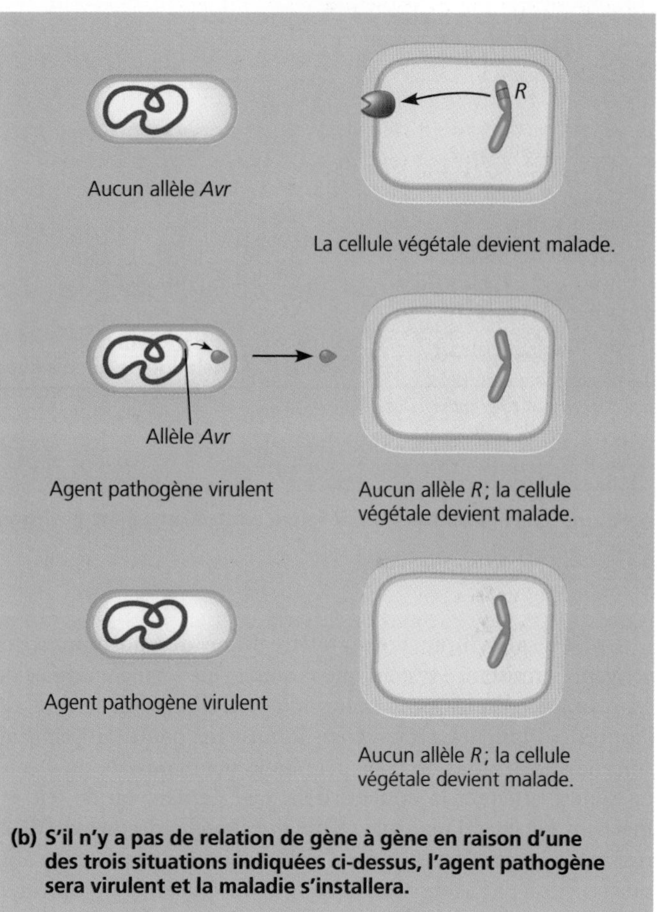

Stimulus moléculaire (ligand) provenant du produit du gène *Avr*
Récepteur codé par l'allèle *R*
R
Allèle *Avr*
Agent pathogène avirulent
La cellule végétale est résistante.
(a) Si un allèle *Avr* de l'agent pathogène correspond à un allèle *R* de la plante hôte, il y aura résistance de la plante et l'agent pathogène sera avirulent. Les gènes *R* codent probablement pour des récepteurs enchâssés dans la membrane plasmique des cellules de la plante hôte. Les gènes *Avr* produisent des composés qui agissent comme des ligands qui se lient spécifiquement aux récepteurs protéiques des cellules de la plante hôte.
Aucun allèle *Avr*
La cellule végétale devient malade.
Allèle *Avr*
Agent pathogène virulent
Aucun allèle *R*; la cellule végétale devient malade.
Agent pathogène virulent
Aucun allèle *R*; la cellule végétale devient malade.
(b) S'il n'y a pas de relation de gène à gène en raison d'une des trois situations indiquées ci-dessus, l'agent pathogène sera virulent et la maladie s'installera.

▲ **Figure 39.30 Résistance de gène à gène des plantes aux agents pathogènes: le modèle récepteur-ligand.**

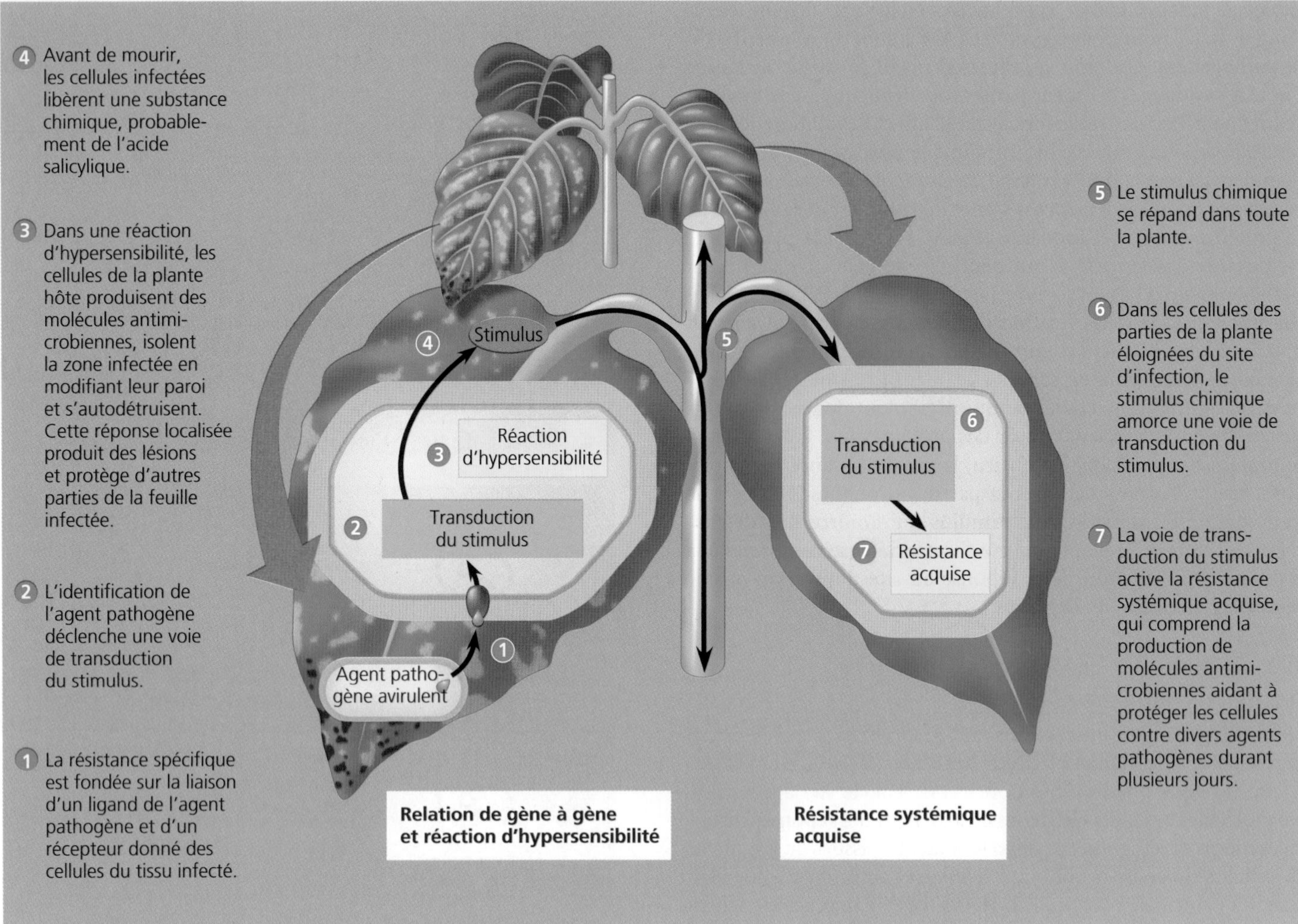

4 Avant de mourir, les cellules infectées libèrent une substance chimique, probablement de l'acide salicylique.
3 Dans une réaction d'hypersensibilité, les cellules de la plante hôte produisent des molécules antimicrobiennes, isolent la zone infectée en modifiant leur paroi et s'autodétruisent. Cette réponse localisée produit des lésions et protège d'autres parties de la feuille infectée.
2 L'identification de l'agent pathogène déclenche une voie de transduction du stimulus.
1 La résistance spécifique est fondée sur la liaison d'un ligand de l'agent pathogène et d'un récepteur donné des cellules du tissu infecté.
4 Stimulus
3 Réaction d'hypersensibilité
2 Transduction du stimulus
1 Agent pathogène avirulent
5
6 Transduction du stimulus
7 Résistance acquise
Relation de gène à gène et réaction d'hypersensibilité
Résistance systémique acquise
5 Le stimulus chimique se répand dans toute la plante.
6 Dans les cellules des parties de la plante éloignées du site d'infection, le stimulus chimique amorce une voie de transduction du stimulus.
7 La voie de transduction du stimulus active la résistance systémique acquise, qui comprend la production de molécules antimicrobiennes aidant à protéger les cellules contre divers agents pathogènes durant plusieurs jours.

▲ **Figure 39.31 Réactions de défense contre un agent pathogène avirulent.**

L'**acide salicylique** pourrait être l'une des hormones qui activent la résistance systémique acquise. Une forme modifiée de ce composé, l'acide acétylsalicylique, est l'ingrédient actif de l'aspirine. Plusieurs siècles avant la mise au point de l'aspirine comme analgésique, certains peuples avaient constaté qu'il était possible d'atténuer la douleur d'un mal de dent ou de tête en mâchant l'écorce d'un saule (*Salix sp.*). Avec la découverte de la résistance systémique acquise, les biologistes connaissent enfin une fonction de l'acide salicylique chez les Végétaux. L'« aspirine » est un médicament naturel pour les plantes qui la produisent. Mais son action est complètement différente chez les humains.

Les botanistes qui étudient la résistance aux maladies et d'autres adaptations chez les Végétaux sont en train de démythifier la façon dont une plante répond aux stimulus externes et internes. Avec des milliers d'autres spécialistes qui étudient d'autres sujets et des millions d'étudiants qui font des expériences sur des plantes dans leurs cours de biologie, ils perpétuent la tradition séculaire de curiosité qui pousse à enrichir nos connaissances sur ces producteurs qui nourrissent la biosphère.

Retour sur le concept 39.5

1. Les Insectes broyeurs endommagent les plantes et réduisent l'aire disponible pour la photosynthèse de la feuille. De plus, ils rendent les plantes plus sujettes aux maladies. Expliquez pourquoi.
2. Un scientifique découvre qu'une population de Végétaux poussant dans un endroit venteux est plus sujette à la défoliation par les Insectes qu'une population de la même espèce poussant dans un endroit à l'abri du vent. Formulez une hypothèse qui pourrait expliquer cette observation.

Voir les réponses proposées à la fin du chapitre.

Révision du chapitre 39

RÉSUMÉ DES CONCEPTS CLÉS

Concept 39.1

Les voies de transduction des stimulus font le lien entre les stimulus et les réponses

- **La réception du stimulus (p. 856-857).** Les stimulus internes et externes sont détectés par des récepteurs, c'est-à-dire des protéines qui se modifient en réponse à des stimulus précis.
- **La transduction du stimulus (p. 857).** Les seconds messagers transfèrent et amplifient le stimulus entre les récepteurs et les protéines qui déclenchent des réponses spécifiques.
- **La réponse au stimulus (p. 858).** La réponse au stimulus fait habituellement intervenir l'activation d'enzymes en stimulant la transcription de l'ARNm pour cette enzyme (régulation transcriptionnelle) ou en activant des molécules enzymatiques existantes (modification post-traductionnelle des protéines).

Concept 39.2

Les hormones végétales coordonnent la croissance, le développement et les réponses aux stimulus

- **La découverte des hormones végétales (p. 859-860).** Les chercheurs ont découvert que l'auxine était responsable de la transmission d'un stimulus de l'apex vers la zone d'allongement du coléoptile, durant le phototropisme.
- **Les hormones végétales (p. 860-868).** L'auxine, produite essentiellement dans le méristème apical de la tige, stimule l'allongement cellulaire dans différents tissus cibles. Les cytokinines, produites dans les tissus en croissance active comme les racines, les embryons et les fruits, déclenchent la division cellulaire. Les gibbérellines, produites dans les racines et les jeunes feuilles, favorisent la croissance des feuilles et des tiges. Les brassinostéroïdes, chimiquement semblables aux hormones sexuelles des Animaux, provoquent l'allongement et la division cellulaires. L'acide abscissique maintient les graines en état de dormance. L'éthylène régule la maturation des fruits.
- **La biologie des systèmes et les interactions hormonales (p. 868-869).** Les interactions entre les hormones et leurs voies de transduction font en sorte qu'il est difficile de prédire les effets qu'une manipulation génétique aura sur une plante. La biologie des systèmes vise une meilleure compréhension des Végétaux qui permettra d'en représenter correctement les fonctions par un modèle.

Concept 39.3

Les réponses des Végétaux à la lumière sont vitales pour leur survie

- **Les photorécepteurs sensibles à la lumière bleue (p. 869).** Les différents photorécepteurs sensibles à la lumière bleue régulent l'allongement de l'hypocotyle, l'ouverture des stomates et le phototropisme.
- **Les phytochromes: des photorécepteurs (p. 869-871).** Les phytochromes existent sous deux formes photoréversibles, P_r et P_{ir}, et la conversion d'une forme à l'autre est à l'origine de plusieurs réactions au cours du développement.
- **L'horloge biologique et les rythmes circadiens (p. 871-873).** Les rythmes circadiens endogènes ont une durée approximative de 24 heures. Mais, influencés par l'alternance cyclique du jour et de la nuit, ils finissent par se dérouler sur une période exacte de 24 heures.
- **Les effets de la lumière sur l'horloge biologique (p. 873).** L'interconversion des phytochromes marque le lever et le coucher du Soleil, et fournit à l'horloge des repères temporels.
- **Le photopériodisme et les réactions aux changements de saison (p. 873-875).** Certains processus du développement, notamment la floraison chez de nombreuses espèces, nécessitent une certaine photopériode. Ainsi, une durée critique de la nuit correspond à un nombre minimal (chez les plantes de jour court) ou maximal (chez les plantes de jour long) d'heures d'obscurité pour la floraison.

Concept 39.4

Les Végétaux réagissent à de nombreux stimulus autres que la lumière

- **La gravitation (p. 876).** La réaction à la gravitation porte le nom de *géotropisme*. Les racines ont un géotropisme positif, tandis que les tiges présentent un géotropisme négatif. Des plastes spécialisés appelés *amyloplastes* peuvent jouer le rôle de statolithes et permettre à une plante de détecter la gravitation.
- **Les stimulus mécaniques (p. 876-878).** La réaction d'orientation consécutive au contact est désignée par le terme *thigmotropisme*. Les mouvements rapides de la feuille sont produits grâce à la transmission d'influx électriques appelés *potentiels d'action*.
- **Les stimulus environnementaux (p. 878-879).** Pendant une sécheresse, les Végétaux réagissent au manque d'eau en diminuant leur transpiration. Au cours d'une inondation, la destruction enzymatique des cellules crée des tubes d'air qui aident la plante à survivre au manque de dioxygène. En réaction à la salinité du sol, la plante produit des solutés tolérés en concentrations élevées, maintenant ainsi le potentiel hydrique des cellules plus négatif que celui de la solution du sol. En période de grande chaleur, ce sont des protéines de choc thermique qui aident la plante à survivre, tandis que c'est la modification de la composition lipidique des membranes qui aide la plante à survivre au froid.

Concept 39.5

Les Végétaux se défendent eux-mêmes contre les herbivores et les agents pathogènes

- **Les défenses contre les herbivores (p. 880).** Les défenses physiques des Végétaux sont des adaptations morphologiques telles que les épines. Les défenses chimiques prennent la forme de composés toxiques ou au goût désagréable et de substances volatiles qui attirent les Animaux carnivores pour qu'ils détruisent les herbivores.
- **Les défenses contre les agents pathogènes (p. 880-882).** Un agent pathogène est dit *avirulent* s'il possède un gène *Avr* qui correspond à un allèle *R* spécifique chez la plante hôte. Une réaction d'hypersensibilité contre un agent pathogène avirulent isole l'infection. De plus, elle tue l'agent pathogène et les cellules hôtes situées dans la zone d'infection. L'acide salicylique est une molécule de communication qui déclenche une réaction de défense généralisée dans les organes éloignés du site d'infection (résistance systémique acquise).

VÉRIFIEZ VOS CONNAISSANCES

Autoévaluation

(Les questions dont les numéros sont en caractères gras font surtout appel à la compréhension.)

1. Laquelle des associations suivantes est *incorrecte*?
   a) Auxine : favorise la croissance des tiges par l'allongement cellulaire.
   b) Cytokinines : provoquent l'apoptose.
   c) Gibbérellines : provoquent la germination des graines.
   d) Acide abscissique : favorise la dormance des graines.
   e) Éthylène : inhibe l'allongement cellulaire.

2. Laquelle des composantes suivantes *ne fait pas* normalement partie d'une voie de transduction d'un stimulus?
   a) La production accrue de stimulus.
   b) La production de seconds messagers comme la GMPc.
   c) L'expression de protéines spécifiques.
   d) L'activation de protéines kinases.
   e) La phosphorylation des facteurs de transcription.

3. Il arrive souvent que des bourgeons et des pousses se forment sur les souches. Laquelle des hormones suivantes est à l'origine de ce phénomène?
   a) L'auxine.
   b) Les cytokinines.
   c) L'acide abscissique.
   d) L'éthylène.
   e) Les gibbérellines.

4. Parmi les énoncés suivants ayant trait aux effets des diverses hormones végétales, trouvez celui qui est *faux*.
   a) Une faible concentration d'une hormone végétale peut avoir un effet contraire à celui d'une forte concentration de la même hormone, en raison d'interactions hormonales.
   b) Certaines hormones végétales peuvent être utilisées comme herbicides.
   c) Une blessure peut provoquer chez une plante la sécrétion d'une hormone.
   d) Par suite des interactions entre l'auxine et les cytokinines, chez la plupart des Végétaux, les bourgeons axillaires situés près de l'extrémité de la tige ont plus de chances de se développer que les bourgeons situés près de la base de la plante.
   e) La germination peut être inhibée par des hormones.

5. Lequel des énoncés suivants n'est *pas* conforme à l'hypothèse de la croissance acidodépendante?
   a) L'auxine active les pompes à protons dans les membranes cellulaires.
   b) La diminution du pH rompt les ponts transversaux entre les microfibrilles de cellulose.
   c) La trame de la paroi se relâche (devient plus souple).
   d) Les pompes à protons activées par l'auxine déclenchent la division cellulaire dans les méristèmes.
   e) La pression de turgescence de la cellule vainc la résistance de la paroi relâchée ; la cellule absorbe de l'eau et s'allonge.

6. Quelle fonction, parmi les suivantes, convient aux phytochromes?
   a) Récepteur.
   b) Second messager.
   c) Hormone.
   d) Transduction.
   e) Réponse.

7. Une plante de jour long peut émettre un stimulus de floraison prématurément si on l'expose à un éclair de :
   a) lumière infrarouge pendant la nuit.
   b) lumière rouge pendant la nuit.
   c) lumière rouge puis à un éclair de lumière infrarouge pendant la nuit.
   d) lumière infrarouge pendant le jour.
   e) lumière rouge pendant le jour.

8. Comment une plante peut-elle réagir à une chaleur *excessive*?
   a) Elle peut orienter ses feuilles en direction du Soleil pour augmenter le refroidissement par vaporisation.
   b) Elle peut produire de l'éthylène pour tuer certaines cellules de l'écorce, afin de créer des conduits d'aération pour la ventilation.
   c) Elle peut produire de l'acide salicylique, lequel provoque une résistance systémique acquise.
   d) Elle peut augmenter la proportion d'acides gras insaturés dans ses membranes cellulaires pour en réduire la fluidité.
   e) Elle peut produire des protéines de choc thermique, lesquelles empêchent ses propres protéines de se dénaturer.

9. Si la durée critique de la nuit est de 9 heures pour une plante de jour long, lequel des cycles de 24 heures suivants empêche sa floraison?
   a) 16 heures de clarté et 8 heures d'obscurité.
   b) 14 heures de clarté et 10 heures d'obscurité.
   c) 15,5 heures de clarté et 8,5 heures d'obscurité.
   d) 4 heures de clarté, 8 heures d'obscurité, 4 heures de clarté et 8 heures d'obscurité.
   e) 8 heures de clarté, 8 heures d'obscurité, un éclair lumineux et 8 heures d'obscurité.

10. Le rôle probable de l'acide salicylique dans la résistance systémique acquise chez les plantes est :
   a) de détruire directement les agents pathogènes.
   b) d'activer les défenses dans toute la plante avant que l'infection se répande.
   c) de fermer les stomates, afin de prévenir l'entrée d'agents pathogènes.
   d) d'activer les protéines de choc thermique.
   e) de sacrifier les tissus infectés en hydrolysant leurs cellules.

11. L'auxine provoque l'acidification de la paroi cellulaire, acidification qui entraîne une croissance rapide et un allongement cellulaire continu. Lequel des énoncés suivants explique le mieux la double action de l'auxine?
   a) L'auxine se lie à différents récepteurs dans les diverses cellules.
   b) Sous diverses concentrations, l'auxine a différentes actions.
   c) L'auxine amène les seconds messagers à activer les pompes à protons et certains gènes.
   d) Les deux actions sont assurées par deux auxines différentes.
   e) Des hormones antagonistes modifient les actions de l'auxine.

12. Si un scientifique découvre un mutant *Arabidopsis* qui n'emmagasine pas l'amidon dans ses plastes mais qui présente une inclinaison géotropique normale, quel aspect de nos connaissances actuelles sur le géotropisme des racines devrait-il réévaluer?
   a) Le rôle de l'auxine dans le géotropisme.
   b) Le rôle du calcium dans le géotropisme.
   c) Le rôle des amyloplastes-statolithes dans le géotropisme.
   d) Le rôle de la lumière dans le géotropisme.
   e) Le rôle de la croissance différentielle dans l'inclinaison géotropique.

Lien avec l'évolution

La coévolution est l'ensemble des adaptations réciproques de deux espèces, chacune des espèces s'adaptant selon son interaction avec l'autre. Dans ce contexte, rédigez un paragraphe expliquant la relation entre une plante et un agent pathogène avirulent.

Intégration

1. Un botaniste qui observait des chenilles se nourrissant d'un buisson tropical remarqua un phénomène particulier. Il constata que, lorsqu'elle avait fini de manger une feuille, une chenille ignorait les feuilles voisines pour manger les feuilles situées à une certaine distance de la première. Il découvrit que, lorsqu'une feuille était mangée, les feuilles voisines produisaient une substance chimique qui dégoûtait les chenilles. Il faut noter que le simple fait d'arracher une feuille n'empêchait pas les chenilles de manger les feuilles voisines. Le biologiste émit l'hypothèse que la feuille endommagée répandait une substance chimique qui avertissait les autres feuilles du danger. Comment peut-il tester son hypothèse?

2. Expliquez les interactions possibles de la photopériode, des phytochromes, de l'horloge biologique, des gibbérellines et de l'acide abscissique dans la germination d'une graine plantée juste sous la surface du sol.
3. Pour prolonger la vie de fleurs coupées mises en vase, on ajoute une aspirine à l'eau. Expliquez les fondements d'une telle pratique.

Science, technologie et société

1. En vous inspirant de ce que vous avez appris dans ce chapitre, rédigez un court essai donnant et expliquant au moins trois exemples de la façon dont les agriculteurs et les horticulteurs ont utilisé les mécanismes de régulation des Végétaux.
2. L'agent Orange est un herbicide sur lequel des tests ont été effectués à la base militaire de Gagetown, au Nouveau-Brunswick, entre 1956 et 1984; mais ce produit est surtout connu pour avoir été employé par l'armée américaine durant la guerre du Viêtnam, entre 1961 et 1971, pour la défoliation des zones où pouvaient se cacher les combattants ennemis. Malheureusement, l'agent Orange n'a pas affecté que les plantes; il a touché aussi les Animaux, les humains et tout l'environnement. On soupçonne notamment l'agent Orange d'être carcinogène et de causer des anomalies génétiques. Des centaines de milliers d'individus, tant militaires que civils, américains et vietnamiens, pourraient avoir été affectés par cette substance. Pourtant, celle-ci ne devait contenir que des auxines synthétiques (2,4-D notamment). Qu'est-ce qui n'a pas fonctionné? Menez votre propre enquête. La documentation est abondante et le dossier semble loin d'être clos. Déterminez si cette affaire devrait remettre en cause l'usage des auxines synthétiques comme herbicides.

Réponses du chapitre 39

Retour sur le concept 39.1

1. Non. Comme l'injection de la GMP cyclique, le Viagra ne devrait causer qu'un léger verdissement.
2. Le cycloheximide devrait inhiber le verdissement en empêchant la synthèse des nouvelles protéines nécessaires au verdissement.

Retour sur le concept 39.2

1. La plante aura une triple réponse constitutive. Comme la kinase qui inhibe normalement la triple réponse est dysfonctionnelle, la plante aura une triple réponse peu importe si l'éthylène est présent ou si le récepteur d'éthylène est fonctionnel.
2. L'agent pathogène pourrait déclencher une augmentation de la concentration de cytokinine ou une diminution de la concentration d'auxine dans la plante hôte infectée.
3. La fusicoccine, comme l'auxine, accroît l'activité des pompes à protons (H^+) de la membrane plasmique et, comme l'auxine, favorise l'élongation des cellules de la tige.

Retour sur le concept 39.3

1. C'est impossible à dire. Pour savoir si cette espèce est une plante de jour court, il faut évaluer la durée critique de la nuit pour la floraison et déterminer si cette espèce fleurit uniquement quand la nuit est plus longue que cette durée critique.
2. L'utilisation d'une lumière infrarouge maintiendrait le phytochrome dans sa forme P_r, ce qui permettrait la floraison.
3. L'expérience pourrait consister à utiliser un spectre d'action pour déterminer quelles longueurs d'onde de la lumière sont les plus efficaces. Si le spectre d'action indique un phytochrome, on pourrait mener une autre expérience sur la photosensibilité à la lumière rouge et infrarouge.

Retour sur le concept 39.4

1. Une plante qui surproduit de l'acide abscissique se refroidit moins par évaporation parce que ses stomates sont moins ouverts.
2. Les plantes qui poussent près des allées sont plus exposées au stress mécanique causé par les déplacements des employés ainsi qu'aux courants d'air. Les plantes situées plus au milieu des tablettes peuvent aussi être plus hautes à cause de l'ombre.

Retour sur le concept 39.5

1. Les perturbations mécaniques franchissent la première ligne de défense de la plante contre l'infection, soit son revêtement externe.
2. Le vent fait peut-être diminuer la concentration locale d'un composé protecteur volatile que les plantes ont produit.

Autoévaluation

1. b; **2.** a; **3.** b; 4. d; **5.** d; 6. a; 7. b; 8. e; 9. b; 10. b; **11.** c; **12.** c.

40 La structure et la fonction chez les Animaux : principes fondamentaux

▲ **Figure 40.1 Sphinx (*Xanthopan morgani*) se nourrissant du nectar d'une Orchidée.**

Concepts clés

40.1 **Les lois de la physique et le milieu régissent la taille et la forme des Animaux**

40.2 **Il y a une corrélation entre la structure et la fonction animales à tous les niveaux d'organisation**

40.3 **Les Animaux assurent le maintien de leur forme et de leur fonction en utilisant l'énergie chimique des aliments**

40.4 **De nombreux Animaux maintiennent leur milieu interne dans des limites relativement étroites**

40.5 **La thermorégulation contribue à l'homéostasie et fait intervenir l'anatomie, la physiologie et le comportement**

Introduction

Formes diverses, défis communs

Les Animaux habitent presque toutes les parties de la biosphère. Malgré leur étonnante diversité d'habitat, de forme et de fonction, ils doivent régler un ensemble commun de problèmes. Par exemple, comment des Animaux aussi différents que les hydres, les flétans et les humains font-ils pour se procurer du dioxygène ? Pour se nourrir et éliminer les déchets ? Pour se déplacer ? Comment les Animaux qui ont évolué différemment et dont la complexité est variable arrivent-ils à régler ces grands défis de la vie ? C'est ce à quoi nous tenterons de répondre dans la septième partie, dont le thème récurrent est la sélection naturelle et l'adaptation.

Le présent chapitre commence par présenter certains fils conducteurs applicables à l'ensemble du règne animal. Par exemple, l'étude comparée des Animaux révèle qu'il existe une corrélation étroite entre la forme et la fonction. Examinons la longue et mince trompe du sphinx (*Xanthopan morgani*) de la **figure 40.1**. Lorsqu'elle est déroulée, la trompe est une adaptation structurale destinée à l'alimentation ; elle sert de paille qui permet au sphinx d'aspirer du nectar gisant au fond de fleurs tubulaires. L'analyse d'une structure biologique comme la trompe du sphinx nous offre certains indices sur la fonction et le fonctionnement de l'organe en question. L'**anatomie** est l'étude de la *structure* d'un organisme ou de ses parties ; la **physiologie**, elle, est l'étude des *fonctions* exécutées par un organisme ou par des parties de celui-ci. La sélection naturelle peut adapter la structure à la fonction en privilégiant, au cours de nombreuses générations, les éléments qui donnent les meilleurs résultats parmi les possibilités offertes dans une population variable.

Le sphinx qui se nourrit illustre aussi le besoin de l'Animal en énergie chimique. Nous appliquerons certaines notions issues de la bioénergétique à notre étude comparée des Animaux, c'est-à-dire que nous expliquerons comment ceux-ci obtiennent, traitent et utilisent leurs ressources énergétiques. Une des utilisations que font les Animaux de celles-ci sert à réguler leur milieu interne. Dans le présent chapitre, nous commencerons à étudier la notion d'homéostasie à l'aide de l'exemple de la régulation de la température corporelle.

Concept 40.1

Les lois de la physique et le milieu régissent la taille et la forme des Animaux

La taille, la morphologie et la symétrie d'un Animal sont des caractéristiques fondamentales de la structure et de la fonction déterminant le mode d'interaction de celui-ci avec son milieu. Pour les biologistes, il y a lieu de parler de *plan d'organisation corporelle*. Le fait d'employer ce terme ne signifie pas que nous laissons entendre que les formes corporelles d'un Animal sont le produit d'une invention consciente. Le plan d'organisation corporelle d'un Animal résulte de modalités de développement programmées par le génome, qui est lui-même le produit de millions d'années d'évolution. De plus, les possibilités ne sont pas infinies : les lois de la physique et le besoin d'échanger des matières avec le milieu fixent certaines limites à la variété des formes animales.

Les lois de la physique et la morphologie des Animaux

Imaginons un serpent ailé mesurant plusieurs mètres de longueur et pesant quelques centaines de kilogrammes et qui vole au-dessus de nos têtes. Heureusement, de telles visions horrifiantes n'existent que dans les films. Certaines contraintes physiques limitent ce que la sélection naturelle peut « inventer », dont la taille et la forme des Animaux qui volent. Un Animal de la taille et de la forme d'un dragon mythique ne pourrait engendrer une poussée suffisante avec ses ailes pour prendre son envol. C'est un exemple de l'importance des lois de la physique (dans ce cas, la physique du vol) dans l'évolution de la forme des organismes.

Prenons un autre exemple : les lois de l'hydrodynamique restreignent les formes possibles des Animaux aquatiques capables de nager très vite. Il faut savoir que la masse volumique de l'eau est environ 1 000 fois plus grande que celle de l'air ; c'est pourquoi toute irrégularité à la surface du corps qui accentue la friction nuit beaucoup plus à un Animal nageur qu'à un Animal qui court ou qui vole. Les thons et les autres Poissons rapides à nageoires rayonnées (Actinoptérygiens) peuvent atteindre des pointes de 80 km/h. Les requins, les pingouins (des Oiseaux) et les Mammifères aquatiques, comme les dauphins, les phoques et les baleines, sont aussi des nageurs rapides. Tous ces Animaux ont à peu près la même forme profilée : leur morphologie est fusiforme, c'est-à-dire qu'elle est effilée aux deux extrémités **(figure 40.2)**. Le fait que ces nageurs rapides possèdent une forme semblable est un exemple d'évolution convergente (voir le chapitre 25). Il faut se rappeler que la convergence vient du fait que la sélection naturelle modèle des adaptations semblables quand divers organismes doivent affronter les mêmes défis environnementaux, tels que la résistance de l'eau en cas de déplacement rapide.

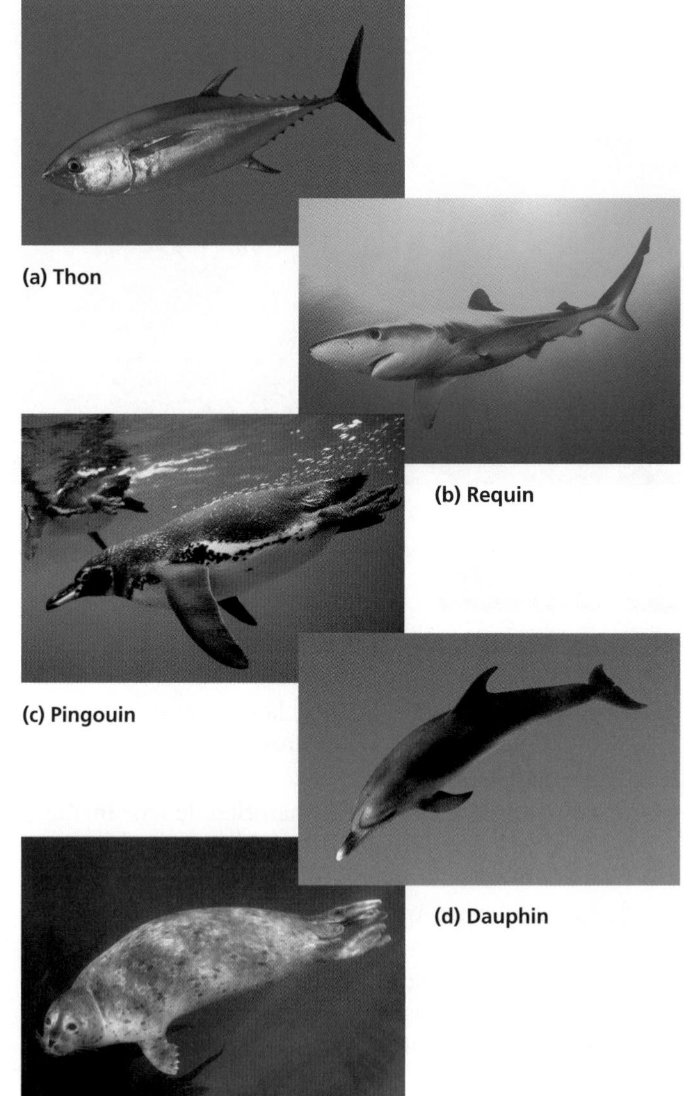

(a) Thon

(b) Requin

(c) Pingouin

(d) Dauphin

(e) Phoque

▲ **Figure 40.2 Évolution convergente chez des organismes se déplaçant rapidement dans l'eau.**

Les échanges avec l'environnement

La taille et la forme d'un Animal ont des effets directs sur les échanges d'énergie et de matière avec le milieu. Pour maintenir l'intégrité de la membrane plasmique, le plan d'organisation corporelle d'un Animal doit être structuré de manière que chaque cellule baigne dans un milieu aqueux. Les échanges avec l'environnement se font par le transport actif ou passif de substances à travers la membrane plasmique. Comme l'indique la **figure 40.3a**, un Protiste unicellulaire qui vit dans l'eau est pourvu d'une surface membranaire suffisante pour desservir l'ensemble de son cytoplasme. (Par conséquent, le rapport surface-volume constitue l'une des contraintes physiques régulant la taille de Protistes unicellulaires.)

Les organismes multicellulaires sont composés de nombreuses cellules. Chacune de celles-ci est dotée de sa propre membrane plasmique, qui sert de plateforme de chargement et de déchargement pour un petit volume de cytoplasme. Toutefois, ces échanges ne peuvent avoir lieu que si toutes les cellules de l'Animal ont accès à un milieu aqueux approprié. L'hydre, Invertébré sacciforme (en forme de sac), possède une enveloppe corporelle qui n'a que deux couches cellulaires d'épaisseur **(figure 40.3b)**. Comme sa cavité gastrovasculaire s'ouvre sur l'extérieur, les couches cellulaires externe et interne baignent dans l'eau. La forme corporelle plane de certains organismes constitue une autre façon d'optimiser le contact avec le milieu externe. Ainsi, le ténia, un genre de parasite, peut mesurer plusieurs mètres de longueur, mais il est très mince, de sorte que la majorité de ses cellules baignent dans le liquide intestinal de son hôte vertébré (qui lui procure les éléments nutritifs).

Les organismes plats et les organismes sacciformes à deux couches cellulaires ont une morphologie qui leur assure une grande surface de contact avec le milieu externe. Cependant, ces formes simples ne laissent pas beaucoup de place à la complexité de l'organisation interne. La plupart des Animaux sont plus complexes. Ils sont formés de masses compactes de cellules. Leur surface externe est relativement petite, comparativement à leur volume. Par exemple, le rapport surface-volume d'une baleine est des centaines de milliers de fois plus petit que celui d'une puce d'eau (*Daphnia*). Pourtant, chaque cellule de la baleine doit baigner dans un liquide, et être approvisionnée en dioxygène, en nutriments et en d'autres ressources. Les baleines et la plupart des autres Animaux possèdent des surfaces internes formant de nombreux replis ou des ramifications étendues ; ceux-ci permettent l'échange, au niveau cellulaire, de substances avec le milieu **(figure 40.4)**.

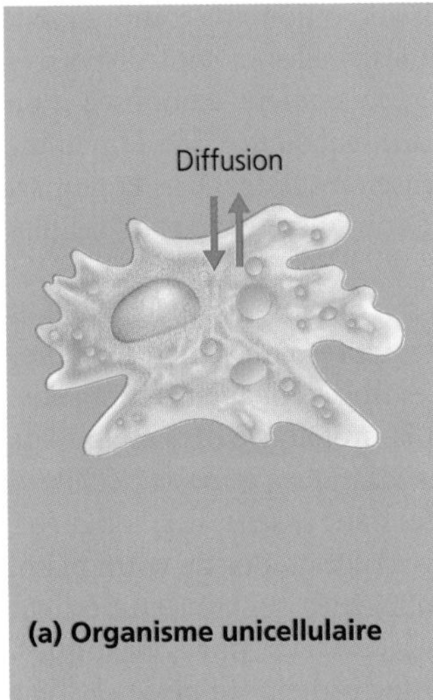

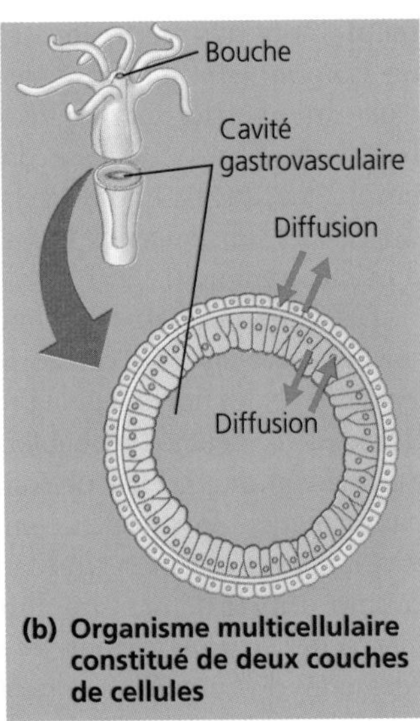

▲ **Figure 40.3 Contact avec le milieu.** **(a)** Toute la surface des organismes unicellulaires, tels que cette amibe, est en contact avec le milieu environnant. **(b)** L'hydre comporte deux couches de cellules. Le milieu aqueux peut circuler dans cet organisme multicellulaire en entrant et en sortant par sa bouche. Presque toutes les cellules de l'hydre sont donc en contact direct avec le milieu environnant et échangent des substances avec ce dernier.

Bien que les échanges avec le milieu soient plus difficiles, les plans d'organisation corporelle complexes présentent des avantages particuliers. Par exemple, un revêtement externe spécialisé peut protéger les organismes contre les prédateurs; les grands muscles peuvent permettre un déplacement rapide; les organes de digestion interne peuvent décomposer les aliments graduellement, ce qui contrôle la libération de l'énergie emmagasinée. En outre, comme le milieu immédiat des cellules est le liquide interne, les systèmes de l'organisme peuvent régir la composition de la solution dans laquelle baignent les cellules, ce qui permet à l'Animal de maintenir un milieu interne relativement stable même si les caractéristiques du milieu externe dans lequel il vit varient. Un plan d'organisation corporelle complexe est particulièrement bien adapté aux Animaux qui vivent sur la terre ferme où le milieu externe peut varier énormément.

Retour sur le concept 40.1

1. Quelle est la contribution d'une grande surface au fonctionnement de l'intestin grêle, des poumons et des reins?

Voir les réponses proposées à la fin du chapitre.

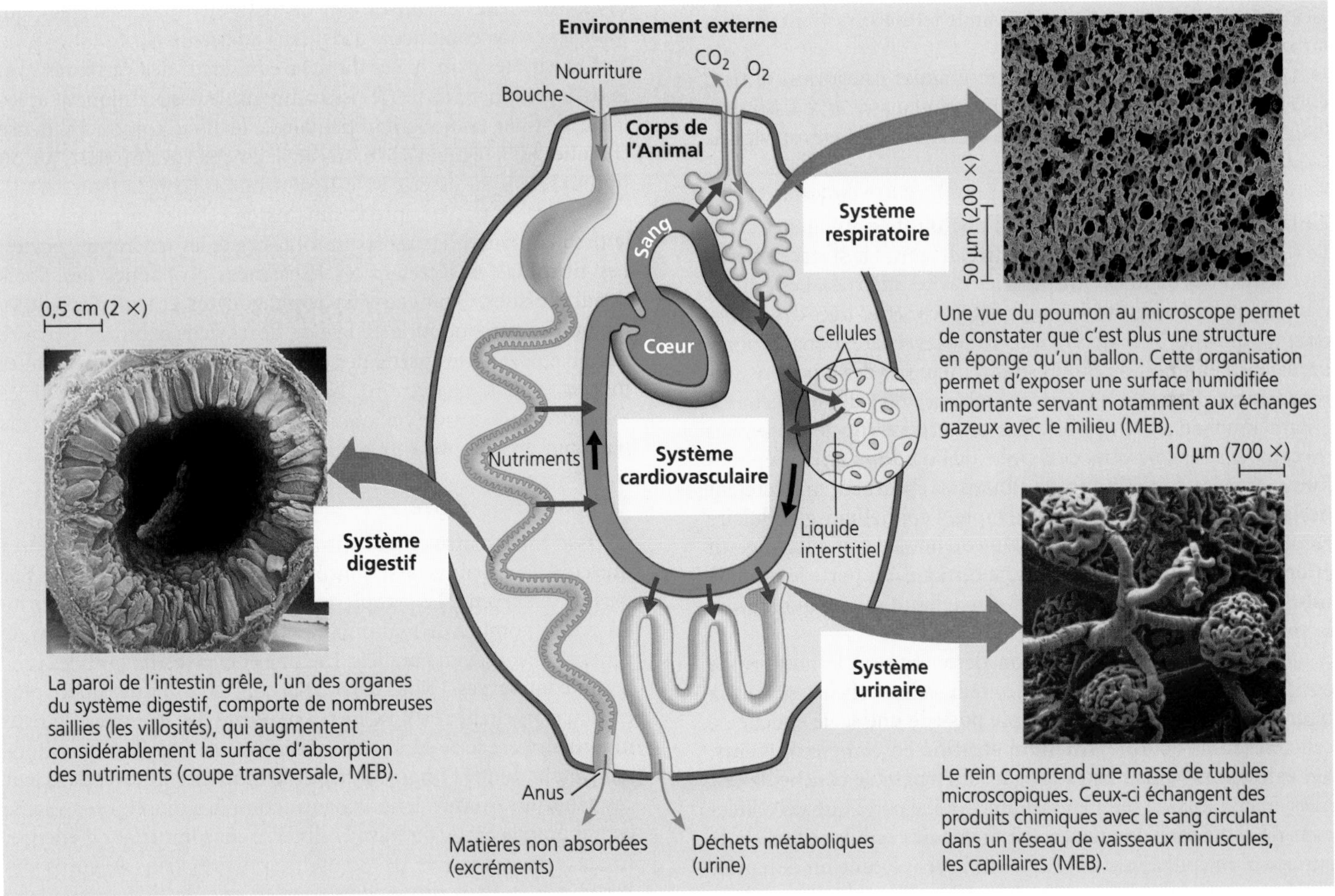

Une vue du poumon au microscope permet de constater que c'est plus une structure en éponge qu'un ballon. Cette organisation permet d'exposer une surface humidifiée importante servant notamment aux échanges gazeux avec le milieu (MEB).

La paroi de l'intestin grêle, l'un des organes du système digestif, comporte de nombreuses saillies (les villosités), qui augmentent considérablement la surface d'absorption des nutriments (coupe transversale, MEB).

Le rein comprend une masse de tubules microscopiques. Ceux-ci échangent des produits chimiques avec le sang circulant dans un réseau de vaisseaux minuscules, les capillaires (MEB).

▲ **Figure 40.4 Surfaces d'échanges internes des Animaux complexes.** Ce schéma illustre la logistique des échanges chimiques avec l'environnement dans le cas des Mammifères. La plupart des Animaux possèdent des surfaces spécialisées dans les échanges de certains éléments chimiques avec le milieu. Les surfaces d'échanges sont généralement internes, mais elles sont reliées au milieu externe par des ouvertures du corps (comme la bouche). Elles sont caractérisées par de fines ramifications ou de multiples replis, ce qui en fait des zones extrêmement étendues. Les systèmes digestif, respiratoire et urinaire sont tous munis de telles surfaces spécialisées. Les éléments chimiques transportés à travers celles-ci sont ensuite répartis dans le corps grâce au système cardiovasculaire.

Concept 40.2

Il y a une corrélation entre la structure et la fonction animales à tous les niveaux d'organisation

En tant qu'êtres vivants, les Animaux présentent des niveaux hiérarchiques d'organisation, desquels émergent de nouvelles propriétés (voir l'émergence au chapitre 1). La plupart des Animaux se composent de cellules spécialisées groupées en tissus ayant des fonctions distinctes. Les tissus se combinent pour former des unités fonctionnelles appelées *organes.* Les groupes d'organes qui travaillent en synergie constituent des systèmes. Ainsi, le système digestif comprend l'estomac, l'intestin grêle, le gros intestin et d'autres organes, chacun étant composé de différents types de tissus.

La structure et la fonction des tissus

Un **tissu** est composé d'un ensemble de cellules dotées d'une structure et d'une fonction communes. Les divers types de tissus comportent des structures différentes particulièrement adaptées à leurs fonctions. Par exemple, pour former un tissu, les cellules adhèrent les unes aux autres grâce à une matrice extracellulaire adhésive, qui les recouvre (voir la figure 6.29) ou qui les entrelace comme une fibre textile. En fait, le terme *tissu* vient du mot latin *texere*, qui signifie « tisser ».

Les tissus sont classés en quatre grandes catégories : le tissu épithélial, le tissu conjonctif, le tissu musculaire et le tissu nerveux ; ils sont présentés à la **figure 40.5** des trois pages suivantes.

Le tissu épithélial

Le **tissu épithélial** est constitué d'une ou de plusieurs couches de cellules accolées les unes aux autres. Il tapisse la surface externe du corps et des organes, ainsi que les cavités internes. Les cellules d'un épithélium sont étroitement rapprochées les unes des autres, de sorte que peu de matériau interstitiel les sépare. Dans de nombreux épithéliums, les cellules sont réunies par des jonctions serrées (voir la figure 6.31). Cet assemblage très adhésif permet à l'épithélium de servir de barrière protectrice contre les lésions mécaniques, les microbes et la perte de liquides. Certains épithéliums, appelés **épithéliums glandulaires**, absorbent ou sécrètent des solutions chimiques. Par exemple, l'épithélium glandulaire recouvrant la paroi intérieure (cavité ou lumière) du tube digestif et des voies respiratoires forme une tunique qui porte le nom de **muqueuse** ; les cellules de celle-ci sécrètent un mucus qui lubrifie la surface et la garde humidifiée.

On classe un épithélium selon deux critères : le nombre de couches cellulaires et la forme des cellules superficielles (voir la figure 40.5). Un **épithélium simple** possède une seule couche de cellules, tandis qu'un **épithélium stratifié** en compte plusieurs. Un épithélium « pseudostratifié » n'a qu'une seule couche de cellules, mais a l'aspect d'un épithélium stratifié parce que ses cellules sont de différentes longueurs. La forme des cellules situées à la surface d'un épithélium peut être **cubique** (comme un dé), **prismatique** (comme une brique debout) ou **squameuse** (aplatie comme un carreau de céramique).

Le tissu conjonctif

La fonction du **tissu conjonctif** consiste surtout à fixer et à soutenir les autres tissus. Contrairement aux épithéliums, dont les cellules sont très rapprochées, les tissus conjonctifs comprennent un nombre peu abondant de cellules. Celles-ci sont dispersées dans une matrice extracellulaire, généralement composée d'un réseau de fibres enchâssé dans une substance fondamentale homogène, qui est liquide, gélatineuse ou solide. Dans la plupart des cas, les substances de la matrice sont sécrétées par les cellules du tissu conjonctif.

Les fibres des tissus conjonctifs se composent de protéines et sont classées en trois catégories : les fibres collagènes, les fibres élastiques et les fibres réticulaires. Les **fibres collagènes** sont constituées de collagène (probablement la protéine la plus abondante du règne animal). Elles ne sont pas élastiques et ne se déchirent pas facilement lorsqu'elles sont tirées dans le sens de la longueur. Ainsi, si vous pincez et tirez la peau située au dos de votre main, ce sont principalement les fibres collagènes qui vous empêchent d'arracher la peau des muscles sous-jacents. Les **fibres élastiques**, elles, sont de longs fils composés d'une protéine appelée *élastine.* Elles assurent au tissu conjonctif une souplesse caoutchouteuse complétant la force non élastique des fibres collagènes. Lorsque vous vous pincez le dos de la main et que vous relâchez la pression, les fibres élastiques redonnent rapidement à votre peau sa forme originale. Enfin, les **fibres réticulaires** sont très minces et forment un réseau. Faites de collagène, elles sont reliées aux fibres collagènes et constituent un tissu aux mailles serrées, qui joint les tissus conjonctifs aux tissus adjacents.

Les variétés principales du tissu conjonctif des Vertébrés sont le tissu conjonctif lâche (le tissu adipeux, le tissu conjonctif aréolaire, le tissu conjonctif réticulaire), le tissu conjonctif dense (régulier ou irrégulier), le tissu cartilagineux (hyalin, élastique ou fibreux), le tissu osseux et le tissu sanguin (voir la figure 40.5). On trouve deux types prédominants de cellules dispersées dans le tissu conjonctif lâche : les fibroblastes et les macrophagocytes. Les **fibroblastes** sécrètent les substances protéiques des fibres extracellulaires. Quant aux **macrophagocytes**, ce sont des cellules amiboïdes parcourant le dédale de fibres dans le but de détruire par phagocytose les particules étrangères et les débris de cellules mortes (voir le chapitre 6). Nous étudierons plus en détail les fonctions précises de ces cellules et de divers tissus conjonctifs plus loin dans la présente série de chapitres.

Le tissu musculaire

Le **tissu musculaire** est constitué de cellules allongées, les fibres musculaires, capables de se contracter après avoir été stimulées par un influx nerveux. Le cytoplasme des cellules musculaires abrite un grand nombre de microfilaments d'actine et de filaments de myosine disposés en parallèle. L'actine et la myosine sont des protéines contractiles. (Nous verrons la contraction musculaire plus en détail au chapitre 49.) Chez la majorité des Animaux, le tissu musculaire est le tissu le plus abondant, ce qui n'est pas étonnant, étant donné l'importance que le mouvement revêt dans leur cas. Chez un Animal actif, la contraction des muscles représente la plus grande partie du travail cellulaire consommateur d'énergie. Il existe trois variétés de tissus musculaires dans le corps des Vertébrés : le tissu musculaire squelettique, le tissu musculaire cardiaque et le tissu musculaire lisse (voir la figure 40.5).

Le tissu nerveux

Le **tissu nerveux** perçoit les stimulus et transmet des messages sous forme d'influx nerveux d'une partie de l'organisme à une

Figure 40.5

Panorama La structure et la fonction des tissus animaux

TISSU ÉPITHÉLIAL

L'**épithélium prismatique** est formé de cellules dont le volume cytoplasmique est relativement important. Il recouvre souvent les régions dans lesquelles la sécrétion ou l'absorption active de substances représentent des fonctions importantes.

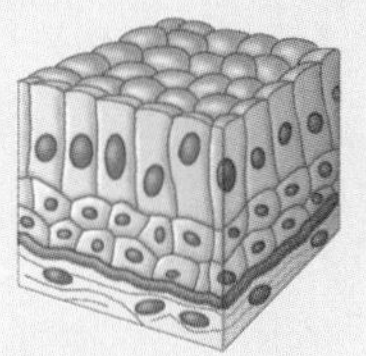

L'**épithélium stratifié prismatique** tapisse l'intérieur de l'urètre, qui est le conduit qui amène l'urine à l'extérieur du corps.

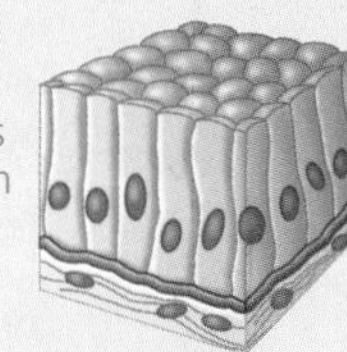

L'**épithélium simple prismatique** tapisse les intestins. Cet épithélium sécrète des sucs digestifs et absorbe des nutriments.

Un **épithélium pseudostratifié prismatique et cilié** forme une muqueuse qui tapisse les voies nasales de nombreux Vertébrés. Les cils vibratiles font glisser la pellicule de mucus le long de la surface. L'épithélium cilié des voies respiratoires contribue à nettoyer nos poumons en captant les poussières et les autres particules et en les propulsant vers la trachée (conduit aérifère).

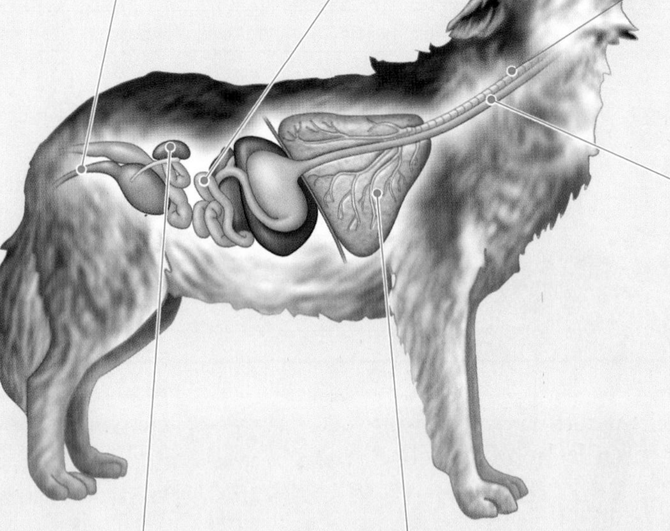

L'**épithélium stratifié squameux** se régénère rapidement grâce à une division cellulaire ayant lieu près de la membrane basale (voir ci-dessous). Les nouvelles cellules sont poussées vers la surface libre de façon à remplacer celles qui desquament continuellement. Cette variété d'épithélium se situe généralement sur les surfaces soumises à l'abrasion, comme la partie externe de la peau, ou encore les muqueuses de l'œsophage, de l'anus et du vagin. La structure de ce type de tissu fait en sorte que l'abrasion n'attaque que les cellules les plus vieilles (les plus à l'extérieur), tout en protégeant les couches de tissus sous-jacentes.

L'**épithélium cubique** spécialisé dans la sécrétion constitue l'épithélium des tubules rénaux (représenté ici) et de nombreuses glandes, dont la thyroïde et les glandes salivaires. L'épithélium glandulaire de la glande thyroïde sécrète une hormone qui régule la vitesse du métabolisme d'un organisme.

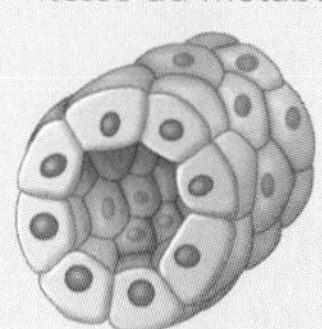

L'**épithélium simple squameux**, plutôt mince et perméable, se spécialise dans le transport de substances par diffusion. Il tapisse la face interne des vaisseaux sanguins et constitue l'unique couche de cellules des capillaires et des alvéoles pulmonaires où la diffusion des nutriments et des gaz est vitale.

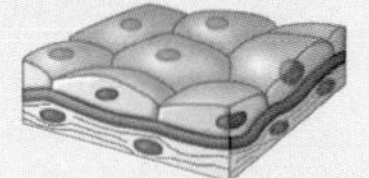

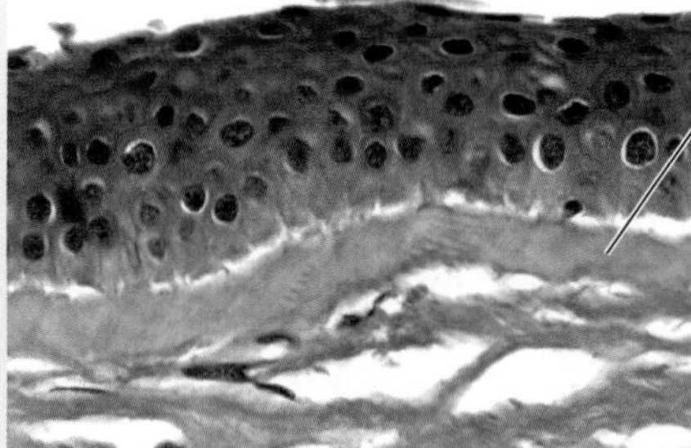

Les cellules situées à la base d'une couche épithéliale reposent sur une **membrane basale**, couche compacte de la matrice extracellulaire. La face libre de l'épithélium est exposée à l'air ou à des liquides.

Suite de la figure à la page suivante

Panorama La structure et la fonction des tissus animaux

TISSU CONJONCTIF

Le tissu conjonctif le plus répandu chez les Vertébrés est le **tissu conjonctif aréolaire**. Il fait partie du **tissu conjonctif lâche** servant à fixer un épithélium aux tissus sous-jacents et aussi à envelopper les organes pour les maintenir en place et les protéger. On le qualifie de *lâche* parce que ses fibres s'entrelacent de manière espacée. Il se compose des trois sortes de fibres : les fibres collagènes, les fibres élastiques et les fibres réticulaires. Les fibroblastes et les macrophagocytes sont des cellules dispersées dans la trame fibreuse.

120 µm (100 ×)
Fibre collagène
Fibre élastique

Le **tissu cartilagineux** comporte une abondance de fibres collagènes, enchâssées dans une substance fondamentale caoutchouteuse (ou matrice) appelée *chondroïtine-sulfate* (polysaccharides de la catégorie glycosaminoglycane). Le chondroïtine-sulfate et le collagène sont sécrétés par des cellules appelées **chondroblastes** ; lorsque ceux-ci sont matures, ils portent le nom de **chondrocytes**. L'association des fibres collagènes et du chondroïtine-sulfate fait du cartilage un matériau de soutien à la fois résistant et flexible. De nombreux Vertébrés possèdent un squelette cartilagineux au cours de leur stade embryonnaire, mais cette structure est remplacée par du tissu osseux à mesure que l'embryon se développe. Néanmoins, du cartilage est conservé à certains endroits, notamment les disques servant d'amortisseurs entre nos vertèbres (cartilage fibreux), ainsi que les extrémités de certains os (cartilage hyalin). La flexibilité de ces structures leur permet d'absorber des impacts physiques considérables sans se rompre.

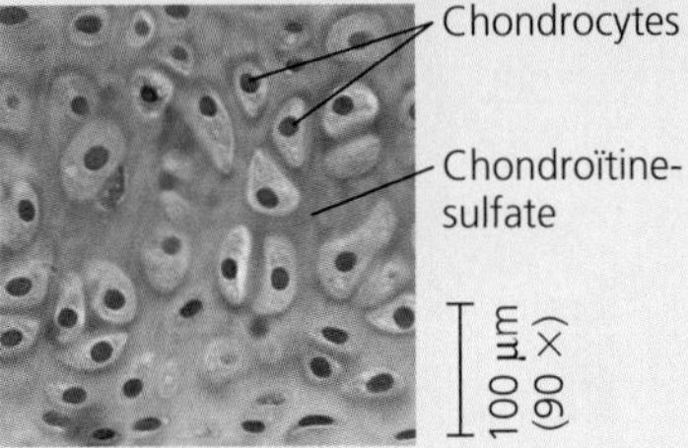

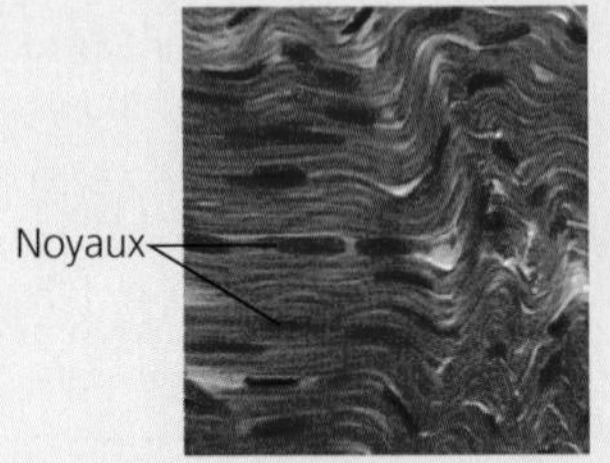

Le **tissu conjonctif dense** est compact, car il contient beaucoup de fibres collagènes. Lorsque ces dernières sont disposées en faisceaux parallèles, on parle de **tissu conjonctif dense régulier** ; cet arrangement optimise la force non élastique (force de tension). Lorsque les faisceaux de fibres sont plus épais et disposés en tous sens, on parle de **tissu conjonctif dense irrégulier**. On trouve le tissu conjonctif dense régulier principalement dans les **tendons**, qui relient les muscles aux os, et dans les **ligaments**, qui unissent les os à la hauteur des articulations. Le tissu conjonctif dense irrégulier se trouve plutôt dans le derme de la peau, dans la sous-muqueuse du tube digestif et dans l'enveloppe fibreuse de certains organes ainsi que des capsules articulaires.

Le **tissu adipeux** est une forme spécialisée de tissu conjonctif lâche, qui emmagasine les graisses dans les cellules adipeuses (ou adipocytes) disséminées dans sa matrice. Il sert à isoler le corps, à amortir les chocs et à emmagasiner de l'énergie sous forme de molécules de gras (voir la figure 4.6). Une cellule adipeuse renferme une grosse gouttelette de graisse qui gonfle lorsque l'organisme emmagasine des lipides et qui rétrécit lorsqu'il en utilise comme source d'énergie.

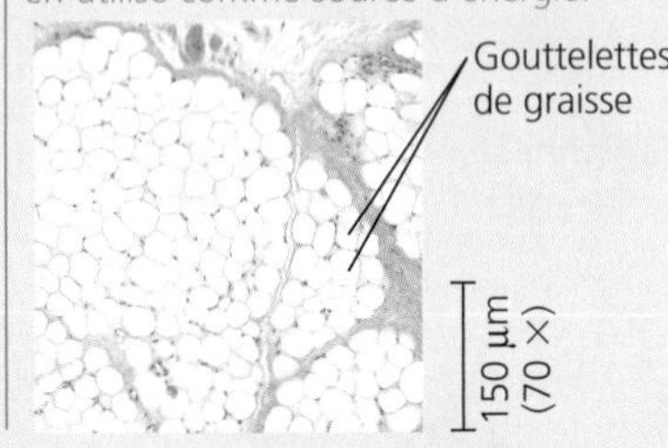

Chez la plupart des Vertébrés, le squelette qui soutient le corps est composé de **tissu osseux**, c'est-à-dire d'un tissu conjonctif minéralisé. Des cellules appelées **ostéoblastes** sécrètent une matrice de collagène. Des ions calcium, magnésium et phosphate se combinent et durcissent pour former un sel appelé *hydroxyapatite* le plus abondant de la matrice. La combinaison des minéraux durs et du collagène souple rend les os plus durs que le cartilage sans qu'ils deviennent pour autant cassants, une propriété importante pour soutenir le corps. Chez les Mammifères, la structure microscopique du tissu osseux compact présente une succession d'unités appelées **ostéons** (ou systèmes de Havers). Chaque ostéon possède des couches concentriques (lamelles) de matrice minéralisée, déposées autour d'un canal central contenant des vaisseaux sanguins nourriciers et des neurofibres régulatrices.

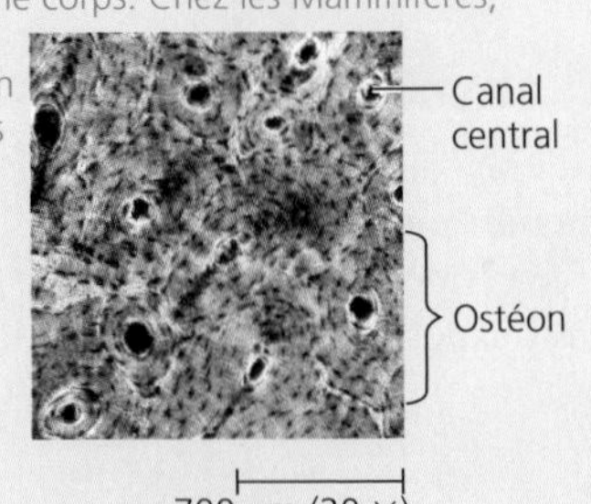

Bien qu'il fonctionne différemment des autres tissus conjonctifs, le **tissu sanguin** (c'est-à-dire le **sang**) satisfait au critère qui consiste à posséder une matrice extracellulaire étendue. Dans le cas du tissu sanguin, la matrice est un liquide appelé *plasma*, composé d'eau, de sels et de diverses protéines solubles. Deux catégories de cellules sanguines baignent dans le plasma : les érythrocytes (globules rouges) et les leuco-cytes (globules blancs). À ces deux catégories s'ajoutent des fragments de cellules appelés *plaquettes*. Les érythrocytes transportent le dioxygène et une partie du dioxyde de carbone ; les leucocytes, eux, assurent la défense contre les Virus, les Bactéries etd'autres envahisseurs ; enfin, les plaquettes jouent un rôle dans la coagulation du sang. La matrice liquide rend possible le transport rapide des cellules sanguines, des nutriments et des déchets dans tout le corps.

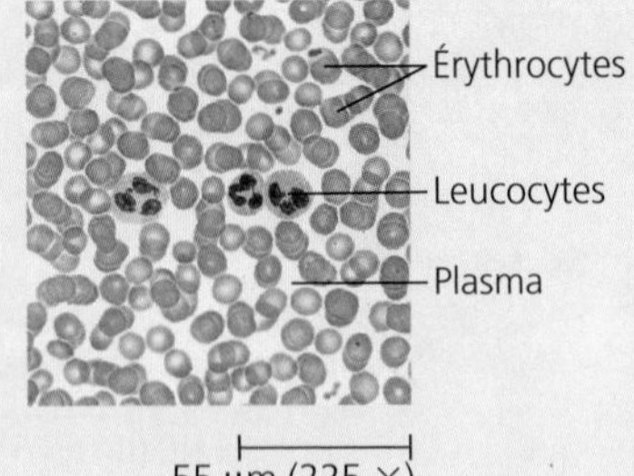

TISSU MUSCULAIRE

Le **tissu musculaire squelettique** est fixé aux os par des tendons. Il intervient dans les mouvements volontaires du corps. Le muscle squelettique se compose de faisceaux de longues cellules, appelées *fibres musculaires*. Chaque fibre consiste en un certain nombre de faisceaux de brins appelés *myofibrilles*. L'arrangement des unités contractiles, ou sarcomères, le long des fibres donne aux cellules leur apparence rayée (striée) visible au microscope; c'est pourquoi les muscles squelettiques sont aussi nommés **muscles striés**. Les Mammifères adultes possèdent un nombre fixe de cellules musculaires. Ainsi, les exercices de musculation n'augmentent pas le nombre de cellules musculaires, seulement leur volume.

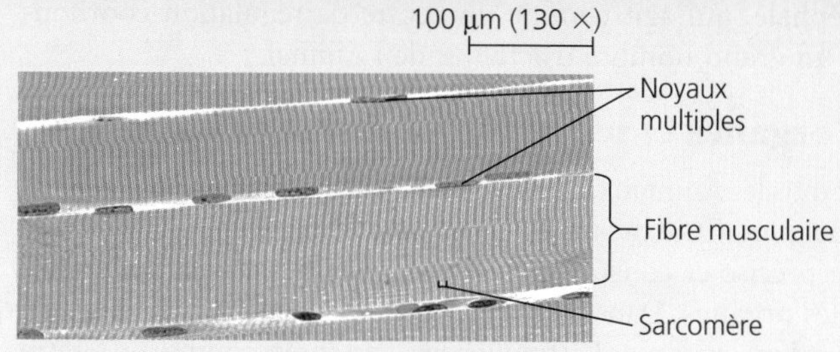

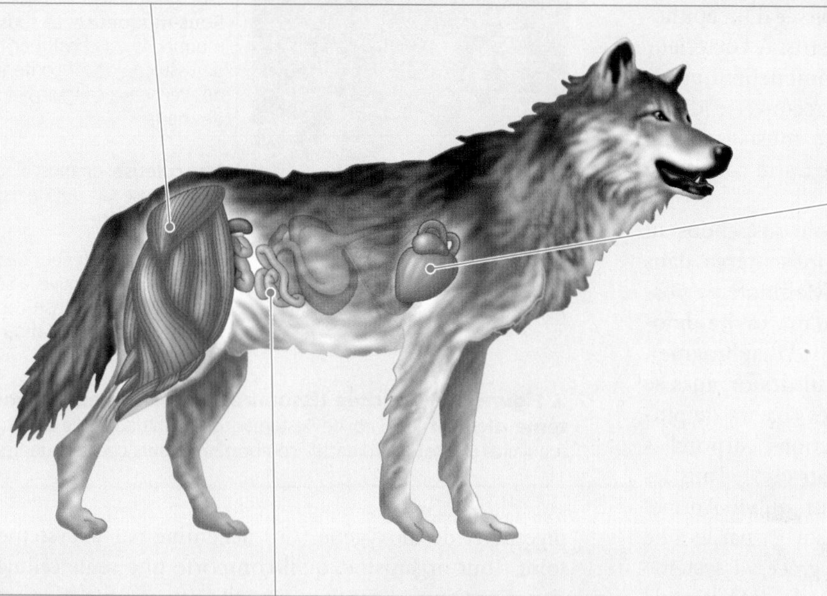

Le **tissu musculaire cardiaque** forme la paroi contractile (myocarde) du cœur. Il est strié, à l'instar du tissu musculaire squelettique, et possède des propriétés contractiles semblables à celles du muscle squelettique. Toutefois, contrairement aux fibres de ce dernier, les fibres du muscle cardiaque effectuent une tâche involontaire: la contraction du cœur. Elles se ramifient et sont reliées par des disques intercalaires transmettant d'une cellule cardiaque à l'autre l'influx nerveux et contribuant à synchroniser la contraction cardiaque.

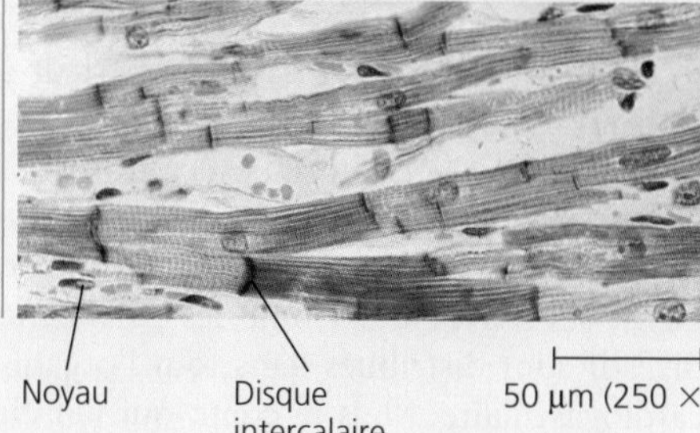

Le **tissu musculaire lisse**, ainsi désigné parce qu'il est dépourvu de stries, se trouve dans la paroi du tube digestif, de la vessie, des artères et d'autres organes internes. Ses cellules sont fusiformes. Elles se contractent plus lentement que celles des muscles squelettiques, et leur contraction dure plus longtemps. Les muscles squelettiques et les muscles lisses sont commandés par des types de nerfs différents. Les muscles lisses sont associés aux activités corporelles involontaires, notamment le péristaltisme du tube digestif ou la constriction des artères.

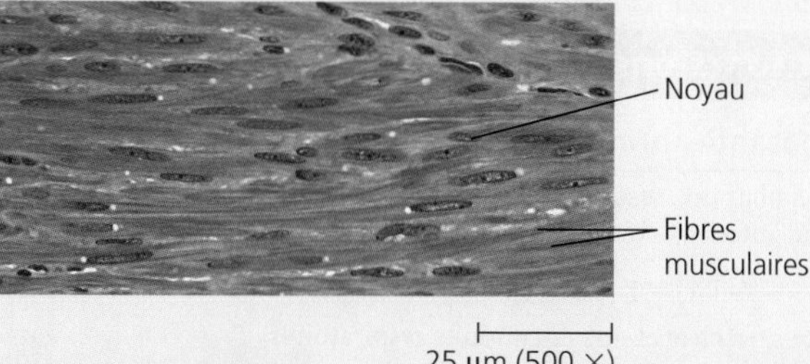

TISSU NERVEUX

La cellule nerveuse (**neurone**) est l'unité fondamentale du système nerveux. Elle comporte un corps d'où partent deux ou plusieurs prolongements, les dendrites et l'axone. Chez certains Animaux, les axones peuvent atteindre jusqu'à 1 m de longueur. Les dendrites acheminent les influx issus de leurs extrémités jusqu'au corps du neurone. Les axones, eux, transmettent les influx vers un autre neurone ou vers un effecteur, c'est-à-dire une structure comme un muscle devant exécuter la commande. Les longs axones de certains neurones moteurs permettent les réactions rapides de la part des muscles volontaires.

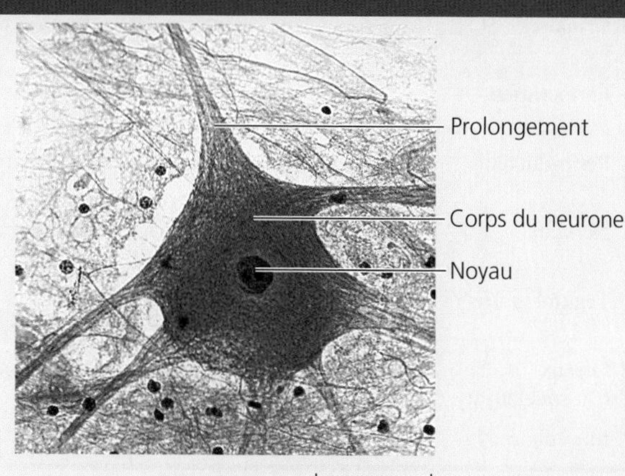

autre. L'unité fonctionnelle du tissu nerveux est le neurone (ou la cellule nerveuse). Ce dernier est spécialisé dans la production et la conduction d'influx, comme nous le verrons en détail au chapitre 48. Chez de nombreux Animaux, il est concentré dans l'encéphale, qui agit comme un centre de régulation coordonnant un grand nombre d'activités de l'Animal.

Les organes et les systèmes de l'organisme

Chez tous les Animaux, à l'exception des plus simples (les Éponges et quelques Cnidaires), les différents tissus sont organisés de façon précise et constituent des centres fonctionnels spécialisés appelés **organes.** Dans divers organes, les tissus sont disposés en étages. Par exemple, l'estomac des Vertébrés comporte quatre couches tissulaires **(figure 40.6).** La cavité est tapissée d'un épithélium épais sécrétant du mucus et des sucs digestifs. À l'extérieur de cette couche se trouve une zone de tissu conjonctif supportant des vaisseaux sanguins et des nerfs, et recouverte d'une couche épaisse constituée essentiellement de muscles lisses. L'estomac est complètement enveloppé par une autre couche de tissu conjonctif.

Chez les Vertébrés, de nombreux organes sont suspendus au moyen de feuillets de tissu conjonctif, appelés **mésentères**, dans des cavités remplies de liquide. Beaucoup de Mammifères possèdent une **cavité thoracique** supérieure séparée d'une **cavité abdominale** inférieure par une couche musculaire (le diaphragme).

À un niveau d'organisation supérieur à celui des organes se trouvent les **systèmes** de l'organisme, composés chacun de plusieurs organes servant à l'exécution des fonctions corporelles principales de la plupart des Animaux **(tableau 40.1).** Tous les systèmes doivent fonctionner de concert pour qu'un Animal puisse survivre. Par exemple, les nutriments absorbés par le tube digestif sont distribués dans tout l'organisme grâce au système cardiovasculaire. Mais le cœur, qui fait circuler le sang dans le système respiratoire, a besoin des nutriments absorbés par le tube digestif et de dioxygène (O_2) acheminé par le système respiratoire. Tout organisme, qu'il comporte une seule cellule ou plusieurs systèmes d'organes, constitue une entité plus grande que la somme de ses parties.

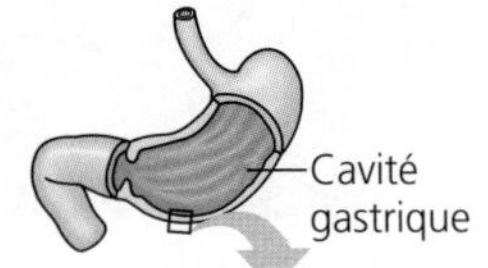

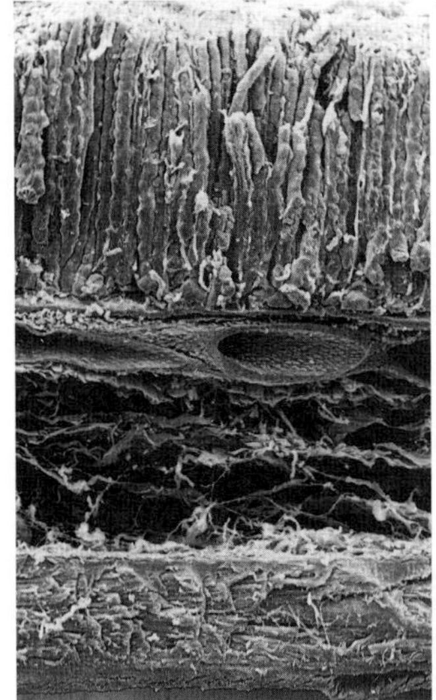

Muqueuse. La muqueuse est un épithélium tapissant la cavité gastrique.
Sous-muqueuse. La sous-muqueuse est constituée de tissu conjonctif contenant des vaisseaux sanguins et des nerfs.
Musculeuse. La musculeuse se compose surtout de tissu musculaire lisse.
Séreuse. À l'extérieur de la musculeuse se trouve la séreuse, couche mince de tissu conjonctif à laquelle adhère un tissu épithélial (non illustré).
0,2 mm (55 ×)

▲ **Figure 40.6 Couches tissulaires de l'estomac, organe du système digestif**. La paroi de l'estomac, de même que celle d'autres organes tubulaires du système digestif, comporte plusieurs couches de tissus (MEB).

Tableau 40.1 Composantes et fonctions principales des systèmes chez les Mammifères

Systèmes	Composantes principales	Fonctions principales
Digestif	Bouche, pharynx, œsophage, estomac, intestins, foie, pancréas et anus	Transformation des aliments (ingestion, digestion, absorption et élimination)
Cardiovasculaire	Cœur, vaisseaux sanguins et sang	Collecte, transport et distribution interne de substances
Respiratoire	Poumons, trachée et autres conduits respiratoires	Échanges gazeux (absorption de dioxygène et rejet de dioxyde de carbone)
Immunitaire et lymphatique	Moelle osseuse, nœuds lymphatiques, thymus, rate, vaisseaux lymphatiques et globules blancs	Défense de l'organisme (lutte contre les infections et le cancer)
Urinaire	Reins, uretères, vessie et urètre	Excrétion de déchets métaboliques ; régulation de l'équilibre osmotique du sang
Endocrinien	Hypothalamus, hypophyse, thyroïde, pancréas et autres glandes productrices d'hormones	Régulation des activités corporelles (par exemple digestion et métabolisme)
Reproducteur	Ovaires, testicules et autres organes connexes	Conception d'une descendance et transmission des caractères héréditaires
Nerveux	Encéphale, moelle épinière, nerfs et organes sensoriels	Régulation des activités corporelles ; perception de stimulus, intégration et réponse aux stimulus
Tégumentaire	Peau et annexes cutanées (notamment poils, ongles, griffes et glandes)	Protection contre les blessures, l'infection et la déshydratation ; thermorégulation
Osseux (ou squelettique)	Squelette (os, tendons, ligaments et cartilages)	Soutien corporel, protection des organes internes, mouvement
Musculaire	Muscles squelettiques	Mouvement, déplacement et posture

Retour sur le concept 40.2

1. Décrivez comment le tissu épithélial qui tapisse la cavité stomacale est bien adapté à sa fonction.
2. Expliquez pourquoi une maladie qui s'attaque aux tissus conjonctifs peut nuire à la majorité des organes du corps.
3. Expliquez l'interdépendance entre le tissu musculaire et le tissu nerveux.

Voir les réponses proposées à la fin du chapitre.

Concept 40.3

Les Animaux assurent le maintien de leur forme et de leur fonction en utilisant l'énergie chimique des aliments

Tous les organismes ont besoin d'énergie chimique pour assurer leur croissance, la réparation de leurs tissus, leurs processus physiologiques (incluant le mouvement dans le cas des Animaux), leur régulation et leur reproduction. Comme nous l'avons vu dans d'autres chapitres, on peut classer les organismes selon leur façon d'obtenir de l'énergie. Les autotrophes, comme les Végétaux, font appel à l'énergie solaire pour bâtir des molécules organiques riches en énergie. Ils utilisent ensuite ces molécules organiques comme source d'énergie. En revanche, les hétérotrophes, comme les Animaux, dépendent des aliments, qui constituent leur source d'énergie chimique. Les aliments contiennent en effet des molécules organiques déjà synthétisées par d'autres organismes.

Les processus bioénergétiques

Le flux de l'énergie ayant lieu dans un Animal, c'est-à-dire ses **processus bioénergétiques**, fixe les limites qui régissent son comportement, sa croissance et sa reproduction, et détermine ses besoins alimentaires. L'étude des processus bioénergétiques nous renseigne considérablement sur les adaptations d'un Animal.

Les sources et les allocations énergétiques

Les Animaux tirent leur énergie chimique des aliments consommés. Ceux-ci sont digérés par une hydrolyse enzymatique (voir la figure 5.2b). Les molécules riches en énergie sont absorbées par les cellules du corps. Après leur absorption, elles peuvent subir plusieurs transformations. La plupart servent à produire de l'ATP (adénosine triphosphate) grâce aux processus cataboliques que sont la respiration cellulaire et la fermentation (voir le chapitre 9). L'énergie chimique de l'ATP alimente le travail cellulaire en permettant aux cellules, aux organes et aux systèmes d'exécuter les nombreuses fonctions assurant la vie de l'organisme. Étant donné que la production et l'utilisation d'ATP engendrent de la chaleur, les Animaux doivent sans cesse perdre de la chaleur; celle-ci doit se diffuser dans le milieu ambiant (l'équilibre thermique fait l'objet d'une analyse détaillée plus loin dans le présent chapitre).

Une fois que les besoins énergétiques nécessaires au maintien de la vie ont été comblés, les molécules alimentaires restantes peuvent servir à la biosynthèse, notamment à la croissance et à la réparation de tissus, à la synthèse de substances de stockage (comme le gras) et à la production de gamètes **(figure 40.7)**. La biosynthèse nécessite la présence de squelettes carbonés pour la construction de nouvelles structures, et aussi d'ATP pour alimenter en énergie les processus d'assemblage. Dans certains cas, les substances biosynthétiques (comme le gras corporel) peuvent être dégradées en des molécules riches en énergie, qui serviront à la production d'ATP supplémentaire, selon les besoins de l'Animal (voir la figure 9.19).

La mesure des besoins énergétiques

La compréhension des processus bioénergétiques des Animaux dépend de la capacité à mesurer leurs besoins énergétiques. Combien d'énergie (sur le total de l'énergie obtenue à partir des aliments) lui faut-il simplement pour rester vivant? Quelle quantité sera consommée pour les déplacements, la marche, la course, la nage ou le vol? Quelle partie de l'apport d'énergie sera utilisée pour la reproduction? Les physiologistes obtiennent des réponses à de telles questions en mesurant la vitesse à laquelle les Animaux utilisent l'énergie chimique et en voyant comment la vitesse du métabolisme varie selon les circonstances.

La **vitesse du métabolisme** correspond à la quantité d'énergie utilisée par un Animal pendant un intervalle donné; c'est la somme de toutes les réactions biochimiques associées à une dépense d'énergie qui surviennent pendant cette période. L'énergie est mesurée en kilojoules (kJ), et la vitesse du métabolisme peut être exprimée en kilojoules par heure par kilogramme de masse corporelle ou, plus généralement, en kilojoules par unité de temps.

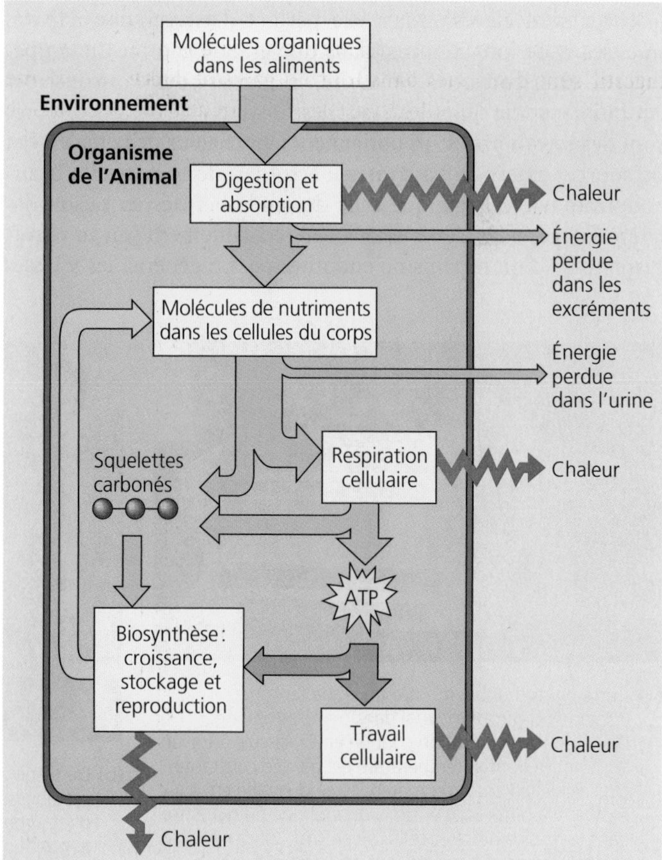

▲ **Figure 40.7 Vue d'ensemble de la bioénergétique d'un Animal.**

La vitesse du métabolisme peut être déterminée de plusieurs façons. Étant donné que presque toute l'énergie chimique utilisée au cours de la respiration cellulaire se transforme éventuellement en chaleur, on peut évaluer la vitesse du métabolisme en mesurant la déperdition de chaleur d'un Animal. Les chercheurs peuvent se servir d'un calorimètre, constitué d'une chambre fermée et isolée munie d'un dispositif de mesure de la perte de chaleur de l'Animal. Les calorimètres sont surtout utilisés pour l'étude de petites bêtes. On peut également se servir d'une méthode indirecte de mesure du métabolisme en déterminant la quantité de dioxygène consommé ou celle du dioxyde de carbone produit par la respiration cellulaire de l'Animal **(figure 40.8)**. En outre, sur de longues périodes, la quantité d'aliments consommés de même que le contenu en énergie de ces derniers (de 19 à 21 kJ environ par gramme de protéines ou de glucides, et à peu près 38 kJ par gramme de lipides) peuvent permettre d'évaluer la vitesse du métabolisme. Cependant, cette méthode doit aussi tenir compte de la valeur énergétique des aliments non assimilés par l'Animal (l'énergie perdue dans les excréments et dans l'urine).

Les stratégies bioénergétiques

La vitesse du métabolisme d'un Animal est étroitement associée à sa « stratégie » bioénergétique. On compte deux grandes stratégies bioénergétiques chez les Animaux. Les Oiseaux et les Mammifères sont principalement des **endothermes**, c'est-à-dire que leur corps est réchauffé par la chaleur produite grâce à leur métabolisme. Leur température corporelle doit fluctuer très peu autour d'une valeur de référence. L'endothermie est une stratégie à haute dépense d'énergie (les coûts pour réchauffer ou refroidir le corps sont élevés). Mais elle permet d'exercer des activités intenses et de longue durée dans une grande gamme de températures extérieures. En revanche, la plupart des Poissons, des Amphibiens, des Reptiles (sauf les Oiseaux) et des Invertébrés sont des **ectothermes** : ils obtiennent leur chaleur principalement de sources externes. La stratégie ectothermique nécessite beaucoup moins d'énergie que celle des endothermes en raison des coûts énergétiques élevés associés au réchauffement (ou au refroidissement) d'un organisme endotherme. En général, les vitesses du métabolisme des endothermes sont plus élevées que celles des ectothermes. Plus loin dans ce chapitre, nous en apprendrons davantage sur les stratégies endothermiques et ectothermiques.

Les facteurs influant sur la vitesse du métabolisme

Outre le fait d'être un endotherme ou un ectotherme, de nombreux autres facteurs influent sur les vitesses du métabolisme des Animaux. L'une des questions les plus fascinantes (mais à peu près sans réponse) concernant la biologie des Animaux porte sur la relation entre la taille du corps et la vitesse du métabolisme.

La taille du corps et la vitesse du métabolisme

En mesurant la vitesse du métabolisme de nombreuses espèces d'Invertébrés et de Vertébrés, les physiologistes ont montré que la quantité d'énergie nécessaire pour maintenir chaque kilogramme de masse corporelle est inversement proportionnelle à la taille du corps. Par exemple, chaque kilogramme de masse corporelle de la souris commune (*Mus musculus*) consomme environ 20 fois plus de kilojoules qu'un kilogramme de masse corporelle de l'éléphant d'Afrique (*Loxodonta africana*). Si on considère la masse totale de chacun de ces Animaux, il va sans dire que l'éléphant d'Afrique dépense beaucoup plus de kilojoules que la souris commune. Mais la vitesse du métabolisme des tissus d'un petit Animal étant relativement élevée, sa vitesse d'approvisionnement en dioxygène est proportionnellement plus grande. Pour soutenir son métabolisme supérieur, il doit aussi avoir une fréquence respiratoire plus rapide, un volume sanguin plus élevé (comparativement à sa taille) et une fréquence cardiaque (pouls) accélérée. Il doit donc consommer beaucoup plus d'aliments par unité de masse corporelle.

On ne sait pas encore très bien expliquer cette relation inverse entre la vitesse du métabolisme et la taille du corps. Selon une hypothèse, plus un endotherme est petit, plus le coût énergétique de la stabilisation de sa température corporelle est élevé. En effet, plus un Animal est petit, plus le rapport entre sa surface et son volume est élevé, et plus il perd de la chaleur dans son milieu (ou plus il en gagne). Toutefois, même si elle paraît logique, cette hypothèse ne suffit pas à expliquer la relation inverse existant entre la vitesse du métabolisme et la taille du corps dans le cas des *ectothermes*; ceux-ci ne produisent pas de chaleur métabolique dans le but de maintenir une température corporelle relativement stable, comme c'est le cas des endothermes. Bien que cette relation ait été largement documentée, à la fois chez les endothermes et les ectodermes, les chercheurs continuent à se pencher sur ses causes fondamentales.

L'activité et la vitesse du métabolisme

Chaque Animal présente un intervalle de vitesses du métabolisme qui lui est propre. Les vitesses les plus lentes alimentent les fonctions de base de la vie, c'est-à-dire le maintien cellulaire, la respiration et la fréquence cardiaque. La vitesse du métabolisme

(a) Cette photographie montre un crabe fantôme (*Ocypode ceratophthalma*) dans un respiromètre. De l'air de concentration connue en O_2 circule à travers la chambre dont la température est gardée constante. On calcule la vitesse du métabolisme du crabe en évaluant la différence entre la quantité de O_2 qui entre dans le respiromètre et celle qui en sort. Ce crabe se déplace sur un tapis roulant en courant à vitesse constante pendant que les mesures sont prises.

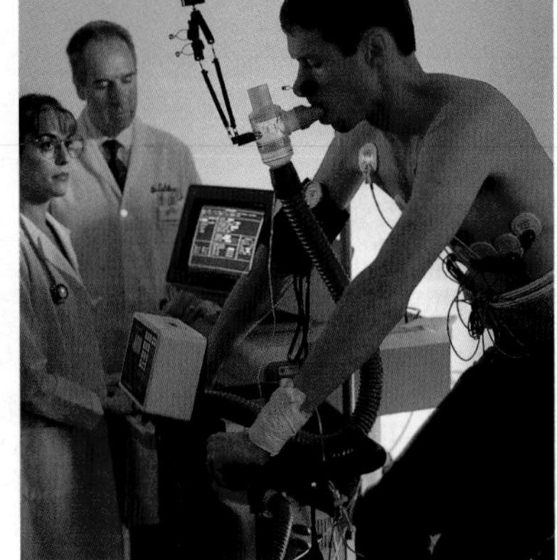

(b) De façon analogue, la vitesse du métabolisme de cet homme muni d'un appareil respiratoire est mesurée pendant qu'il pédale sur une bicyclette stationnaire.

▲ **Figure 40.8 Mesure de la vitesse du métabolisme.**

d'un endotherme au repos, qui a terminé sa croissance, qui a l'estomac vide et qui ne subit aucun stress correspond au **métabolisme basal (MB)**. Ce dernier s'établit entre 6 700 et 7 500 kJ/j (kilojoules par jour) chez un homme adulte, et entre 5 400 et 6 300 kJ/j chez une femme adulte. Ces dépenses d'énergie équivalent approximativement à celle d'une ampoule électrique de 75 W en 24 h.

La température corporelle des ectothermes de même que la vitesse de leur métabolisme changent en fonction de la température du milieu. Contrairement au métabolisme basal des endothermes, qu'on peut déterminer selon une certaine gamme de températures environnementales, la vitesse minimale du métabolisme des ectothermes doit être déterminée à une température externe précise, qui correspond à un état où l'Animal est en équilibre thermique avec son environnement. La vitesse du métabolisme d'un ectotherme qui est au repos, qui est à jeun et qui ne subit aucun stress s'appelle **métabolisme standard (MS)**.

L'activité des ectothermes et des endothermes influe grandement sur la vitesse de leur métabolisme. Tout comportement (que ce soit, pour un être humain, lire tranquillement à son bureau ou, pour un Insecte, déplier ses ailes) se traduit par une dépense d'énergie dépassant le métabolisme standard ou le métabolisme basal. Les vitesses maximales du métabolisme (les vitesses d'utilisation d'ATP les plus élevées) sont observées pendant une activité de pointe, comme le soulèvement de masses lourdes, la course ou la nage rapide.

En général, la vitesse maximale du métabolisme d'un Animal est inversement proportionnelle à la durée de l'activité amorcée. La **figure 40.9** établit un parallèle entre les « stratégies » ectothermique et endothermique visant à maintenir une activité pendant des durées variables. Un ectotherme, tel que l'alligator, et un endotherme, comme l'humain, peuvent exercer une activité très intense pendant de brèves pointes d'une minute ou moins. Pendant qu'ils fournissent un tel effort, l'ATP présent dans leurs cellules musculaires et l'ATP produit par la glycolyse anaérobie suffisent à alimenter leur activité. Ni l'ectotherme ni l'endotherme ne peuvent garder longtemps leur vitesse maximale du métabolisme et leur pointe d'activité. L'endotherme a toutefois un avantage dans de tels tests d'endurance. Il faut savoir que l'exercice d'une activité soutenue dépend du processus aérobie de la respiration cellulaire pour l'approvisionnement en ATP ; or, la fréquence respiratoire (la vitesse des échanges entre le O_2 et le CO_2) d'un endotherme est environ 10 fois plus grande que celle d'un ectotherme. Ainsi, seuls quelques ectothermes comme le monarque (*Danaus plexippus*) ou le saumon sont capables de mener à terme des activités de longue durée, au cours de leur migration.

De nombreux facteurs influent sur les besoins en énergie et poussent les métabolismes basal ou standard à atteindre des maximums. Ces facteurs sont l'âge, le sexe, la taille, les températures du milieu ambiant et du corps, la qualité et la quantité des aliments, le niveau et la durée de l'activité entreprise, le dioxygène disponible et l'équilibre hormonal. Le moment de la journée joue également un rôle. Les Oiseaux et les humains, ainsi que de nombreux Insectes, sont généralement actifs pendant le jour (c'est à ce moment que leur métabolisme est le plus rapide). En revanche, les chauves-souris, les souris et de nombreux autres Mammifères sont le plus souvent actifs (la vitesse de leur métabolisme est plus élevée) la nuit, ou encore à la tombée et au lever du jour. La mesure de la vitesse du métabolisme d'Animaux exécutant diverses activités permet de mieux comprendre les coûts énergétiques de la vie quotidienne. La vitesse moyenne de la consommation d'énergie quotidienne de la plupart des Animaux terrestres (ectothermes et endothermes) est de deux à quatre fois le métabolisme basal ou standard. Les humains de la plupart des pays développés ont une vitesse du métabolisme moyenne pour 24 heures d'environ 1,5 fois le métabolisme basal ; cela correspond à un mode de vie relativement sédentaire.

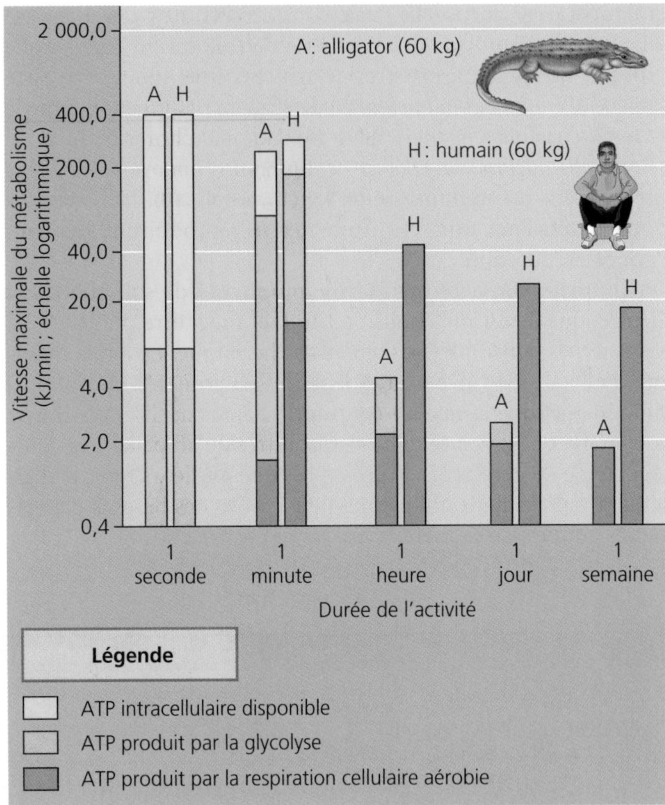

▲ **Figure 40.9 Vitesses maximales du métabolisme en fonction d'une variation de la durée de l'activité.** Les barres de l'histogramme comparent la vitesse *maximale* du métabolisme d'un ectotherme (alligator) et d'un endotherme (humain), en considérant les sources d'ATP et la durée de l'activité. Le métabolisme basal de l'humain (environ 5,0 kJ/min) est beaucoup plus élevé que le métabolisme standard de l'alligator (environ 0,2 kJ/min). Le métabolisme basal plus élevé de l'humain contribue en partie à sa capacité de garder plus longtemps une vitesse maximale du métabolisme plus élevée.

Les allocations énergétiques

Chaque organisme possède une quantité limitée d'énergie qu'il peut dépenser pour se nourrir, échapper à ses prédateurs, réagir aux fluctuations de son milieu (homéostasie), croître et se reproduire. C'est ce qu'on appelle l'**allocation énergétique**. Les diverses espèces d'Animaux utilisent l'énergie et les nutriments d'une façon particulière, selon leur environnement, leur comportement, leur taille et leur stratégie énergétique fondamentale (l'endothermie ou l'ectothermie). La majorité des aliments consommés par la plupart des Animaux adultes sont utilisés pour la production d'ATP ; très peu d'énergie et de nutriments sont dévolus à la croissance ou à la reproduction. Toutefois, la quantité d'énergie dépensée pour maintenir le métabolisme basal ou standard, pour exécuter des activités diverses et pour assurer la régulation de la température corporelle varie considérablement d'une espèce à l'autre. On peut prendre l'exemple de l'allocation énergétique typique de quatre Vertébrés terrestres: une souris sylvestre femelle (*Peromyscus maniculatus*) de 25 g, un python tapis femelle (*Morelia spilota cheynei*) de 4 kg, un manchot Adélie mâle (*Pygoscelis adeliæ*) de 4 kg et un humain (*Homo sapiens*), plus précisément une femme, de 60 kg **(figure 40.10)**. Nous tenons pour acquis que tous ces Animaux se reproduiront pendant l'année en question.

L'humain consacre une partie importante de son allocation énergétique à son métabolisme basal, et une autre plus petite à ses activités, ainsi qu'à sa régulation thermique. La faible quantité d'énergie destinée à sa croissance (environ 1% de l'allocation énergétique annuelle) équivaut à l'ajout de 1 kg de graisse corporelle ou de 5 à 6 kg de tissus autres qu'adipeux. Les coûts en énergie de neuf mois de grossesse et de plusieurs mois d'allaitement représentent uniquement de 5 à 8% des besoins énergétiques annuels de la mère.

Le manchot Adélie mâle consacre une part beaucoup plus importante de ses dépenses d'énergie à l'activité, car il doit nager pour attraper des Poissons et s'en nourrir. Sa couche de graisse isolante est efficace et il est assez dodu; il a donc des coûts de régulation thermique plutôt faibles, même s'il habite dans l'environnement glacial de l'Antarctique. Les coûts énergétiques associés à sa reproduction correspondent à environ 6% de ses dépenses annuelles en énergie; ils sont principalement attribuables à l'incubation de ses œufs (couvaison) et à l'alimentation de ses poussins (le mâle partage cette fonction avec la femelle). Le manchot Adélie, comme la plupart des Oiseaux, cesse de grandir une fois qu'il a atteint l'âge adulte.

La souris sylvestre femelle, elle, consacre une part importante de son allocation énergétique à sa régulation thermique. Étant donné son rapport surface-volume élevé, qui découle de sa petite taille, elle perd sa chaleur corporelle rapidement. Elle doit donc constamment produire de la chaleur métabolique pour maintenir sa température corporelle. La souris sylvestre femelle consacre

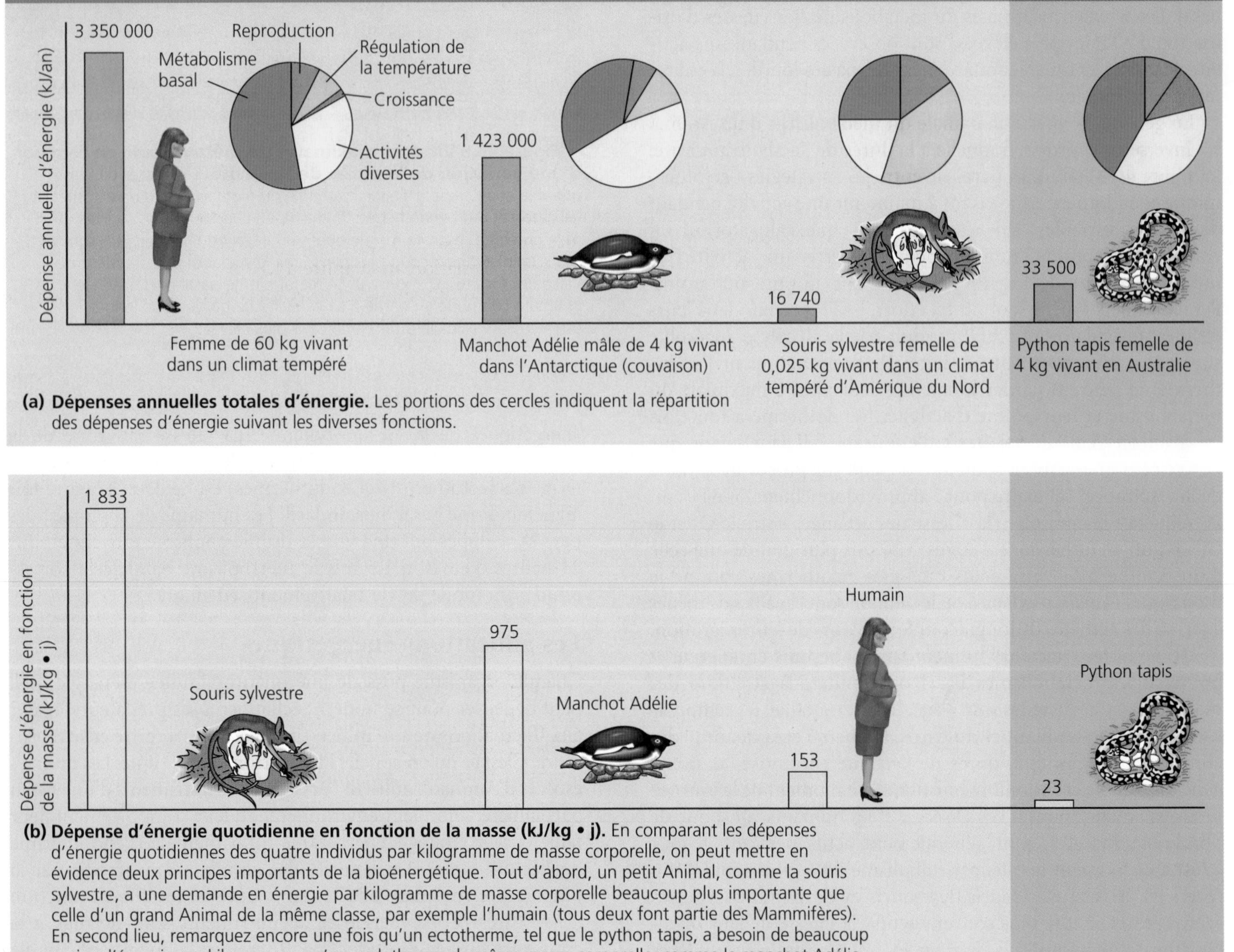

(a) Dépenses annuelles totales d'énergie. Les portions des cercles indiquent la répartition des dépenses d'énergie suivant les diverses fonctions.

(b) Dépense d'énergie quotidienne en fonction de la masse (kJ/kg • j). En comparant les dépenses d'énergie quotidiennes des quatre individus par kilogramme de masse corporelle, on peut mettre en évidence deux principes importants de la bioénergétique. Tout d'abord, un petit Animal, comme la souris sylvestre, a une demande en énergie par kilogramme de masse corporelle beaucoup plus importante que celle d'un grand Animal de la même classe, par exemple l'humain (tous deux font partie des Mammifères). En second lieu, remarquez encore une fois qu'un ectotherme, tel que le python tapis, a besoin de beaucoup moins d'énergie par kilogramme qu'un endotherme de même masse corporelle, comme le manchot Adélie.

▲ **Figure 40.10 Comparaison des allocations énergétiques de quatre Animaux.**

quelque 12 % de son allocation énergétique annuelle à la reproduction.

Comparativement à ces trois endothermes, le python tapis, qui est un ectotherme, ne dépense pas d'énergie pour sa régulation thermique. Comme la plupart des Reptiles, le python tapis continue de grandir toute sa vie. Dans l'exemple de la figure 40.10, la femelle a gagné environ 750 g répartis en de nouveaux tissus. Elle a aussi pondu environ 650 g d'œufs. Sa stratégie ectothermique économique est mise en évidence par sa très faible dépense énergétique annuelle : celle-ci équivaut à uniquement 1/40 de l'énergie dépensée par le manchot Adélie, un endotherme d'une masse pourtant comparable (voir la figure 40.10b).

Dans le cadre de l'étude de la biologie animale, nous verrons de nombreux autres exemples des liens existant chez des Animaux variés entre la bioénergétique, la structure et la fonction.

Retour sur le concept 40.3

1. Si une souris et un petit lézard de même masse (tous les deux au repos) sont placés dans un respiromètre dans des conditions ambiantes identiques, quel Animal consommerait du dioxygène à une vitesse plus grande ? Expliquez votre réponse.
2. Pourquoi un alligator est-il incapable de maintenir une activité intense pour une durée de plus d'une heure ?
3. Lequel, du chat domestique ou du lion d'Afrique, doit manger quotidiennement des aliments correspondant à une plus grande proportion de son poids ? Expliquez votre réponse.

Voir les réponses proposées à la fin du chapitre.

Concept 40.4

De nombreux Animaux maintiennent leur milieu interne dans des limites relativement étroites

Voilà plus d'un siècle, le physiologiste français Claude Bernard (1813-1878) a fait la distinction entre le milieu externe dans lequel un Animal vit et le milieu interne dans lequel ses cellules baignent. Le milieu interne des Vertébrés s'appelle **liquide interstitiel** (voir la figure 40.4). Ce dernier remplit les espaces entre les cellules des Vertébrés et facilite les échanges de nutriments et de déchets avec le sang contenu dans les vaisseaux microscopiques nommés *capillaires*. Bernard a également souligné que de nombreux Animaux ont tendance à maintenir des conditions internes relativement constantes, même lorsque le milieu externe change. L'hydre (*Hydra sp.*) qui habite les étangs est incapable de modifier la température du liquide dans lequel ses cellules baignent ; l'humain, lui, peut garder son milieu interne à une température de 37 °C environ. Il est également capable de maintenir avec précision le pH de son sang et de son liquide interstitiel à 7,4, à un dixième près. En outre, il peut régler la quantité de son glucose sanguin de sorte que la concentration ne s'écarte jamais longtemps de la valeur de 5 mmol/L de sang. Parfois, évidemment, des changements majeurs dans le milieu interne se produisent au cours de la croissance d'un Animal. Par exemple, chez l'humain, la concentration de certaines hormones dans le sang change radicalement pendant la puberté et la grossesse. En dépit de cela, la stabilité du milieu interne demeure remarquable.

De nos jours, la notion de « milieu interne constant » formulée par Bernard est intégrée dans le concept d'**homéostasie**. Les racines grecques de ce terme sont *homoios*, « semblable », et *stasis*, qui signifie « position ». Ce mot réfère donc à un état stable ou, si on préfère, à un équilibre interne qui se maintient en dépit des changements du milieu externe. L'un des objectifs principaux de la physiologie moderne (et l'un des thèmes de la présente série de chapitres) porte sur le maintien de l'homéostasie chez les Animaux. En fait, l'environnement interne de l'Animal fluctue toujours légèrement. L'homéostasie est un état dynamique, un échange entre les forces extérieures influant sur le milieu externe et les mécanismes de contrôle interne s'opposant à de telles variations.

La régulation et la tolérance

La régulation et la tolérance sont deux réactions opposées des Animaux face aux fluctuations du milieu. On qualifie un Animal de **régulateur** en ce qui a trait à une variable environnementale particulière s'il utilise des mécanismes de régulation interne pour atténuer le changement de son milieu interne lorsque son environnement externe fluctue. Par exemple, un Poisson dulcicole est capable de maintenir une concentration interne stable de solutés dans son sang et dans son liquide interstitiel, même si cette concentration est différente de celle des solutés de l'eau dans laquelle il vit. L'anatomie et la physiologie du Poisson lui permettent d'atténuer les changements internes de la concentration des solutés. (Nous en apprendrons davantage sur les mécanismes de cette régulation au chapitre 44.)

On qualifie un Animal de **tolérant** en ce qui a trait à une variable environnementale particulière s'il supporte des variations de son milieu interne liées à certains changements de l'environnement externe. Par exemple, de nombreux Invertébrés marins, comme les araignées de mer du genre *Libinia*, vivent dans des milieux où la concentration de solutés (la salinité) est relativement stable. Contrairement aux Poissons dulcicoles, *Libinia* n'assure pas la régulation de sa concentration interne de solutés, mais s'adapte plutôt à l'environnement externe.

Les Animaux tolérants stricts ou régulateurs stricts représentent deux catégories limites d'un continuum. La plupart des Animaux se situent entre ces deux extrêmes. En outre, un Animal peut maintenir l'homéostasie tout en assurant la régulation de certaines conditions internes et en en laissant d'autres s'adapter à l'environnement. Par exemple, un Poisson dulcicole assure la régulation de sa concentration interne de solutés tout en laissant sa température interne s'adapter à la température externe de l'eau. Dans la prochaine section, nous allons examiner plus en détail les mécanismes que les Animaux utilisent pour réguler certains aspects de leur environnement interne.

Les mécanismes de l'homéostasie

Les mécanismes de l'homéostasie atténuent les changements de l'environnement interne. Tout mécanisme de régulation homéostatique possède au moins trois composantes fonctionnelles : un récepteur, un centre de régulation et un effecteur. Le *récepteur* détecte un changement qui se produit dans le milieu interne des

Animaux, par exemple une modification de la température corporelle. Le *centre de régulation* traite l'information que le récepteur lui envoie et dicte à l'*effecteur* la réponse appropriée. Pour mieux comprendre les interactions de ces composantes, on peut établir une analogie avec un système mécanique, comme celui qui régule la température d'une pièce **(figure 40.11)**. Dans ce cas, le centre de régulation (le thermostat) contient aussi le récepteur (le thermomètre). Quand le thermomètre détecte une température ambiante inférieure à une « valeur de référence » fixée par l'utilisateur (20 °C, par exemple), le thermostat met en fonction l'appareil de chauffage (l'effecteur). À l'inverse, quand le thermomètre détecte une température ambiante supérieure à la valeur de référence, le thermostat met hors de fonction l'appareil de chauffage. Ce type de mécanisme de régulation constitue une **rétro-inhibition**. Grâce à la réponse qu'il produit, il met fin au stimulus initial ou en diminue l'intensité. En raison du décalage entre la perception du changement et la réaction, la variable contrôlée s'écarte légèrement de la valeur de référence ; cependant, les variations restent mineures. Les mécanismes de rétro-inhibition empêchent les petits écarts de devenir trop importants. La plupart des mécanismes homéostatiques connus chez les Animaux fonctionnent selon le principe de la rétro-inhibition.

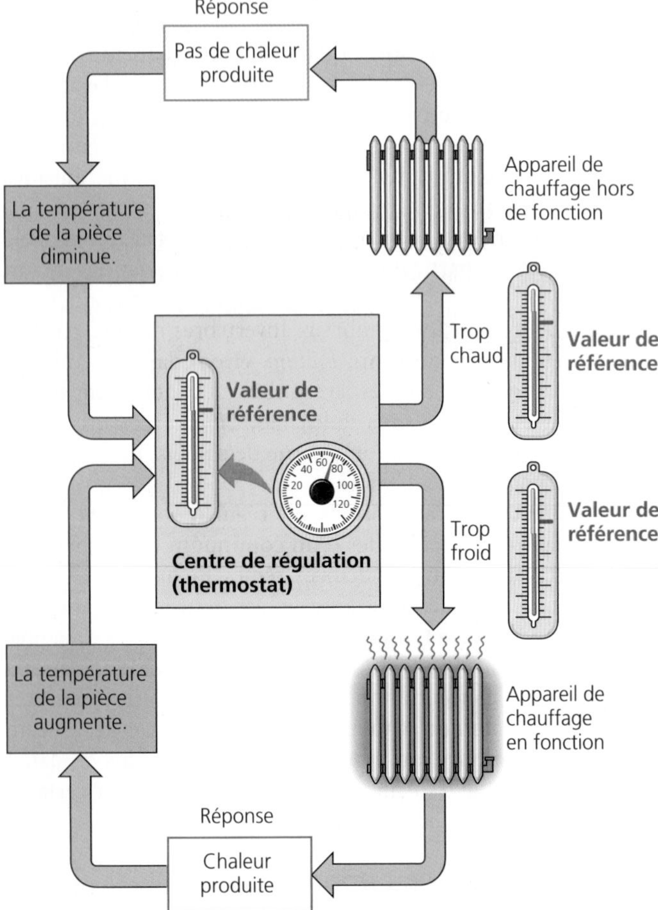

▲ **Figure 40.11 Exemple mécanique de rétro-inhibition : la régulation de la température dans une pièce.** La régulation de la température ambiante d'une pièce dépend d'un centre de régulation. Celui-ci décèle les variations de température et active des mécanismes pour ramener cette dernière à une valeur de référence.

En fait, notre température corporelle se maintient près d'une valeur de référence de 37 °C grâce à l'intervention de plusieurs mécanismes de rétro-inhibition, comme nous le verrons plus loin.

Contrairement à la rétro-inhibition, la **rétroactivation** est un mécanisme qui amplifie le stimulus initial, ce qui entraîne un accroissement de la réponse. Au cours du travail pendant un accouchement, par exemple, la pression que la tête du bébé exerce sur des récepteurs situés dans le col utérin stimule les contractions utérines. Celles-ci entraînent une pression plus grande sur le bébé, donc sur le col utérin. Les contractions amplifiées causent une pression encore plus grande. La rétroactivation amène ainsi l'accouchement à son terme.

Il importe de ne pas exagérer la notion de milieu interne constant. En fait, les *changements régulés* sont essentiels à l'exécution des fonctions corporelles normales. Parfois, ils ont lieu de façon cyclique ; c'est le cas notamment de la fluctuation des concentrations hormonales déterminant le cycle menstruel (voir la figure 46.13). D'autres fois, ils répondent à une situation imprévue. Par exemple, le corps humain (et celui de nombreux autres organismes tant Vertébrés qu'Invertébrés) réagit à certaines infections en augmentant légèrement la valeur de référence de sa température. La fièvre qui apparaît alors aide à combattre l'infection. Parfois même, le contrôle cesse momentanément : c'est le cas de la régulation de la température pendant une phase du sommeil chez l'humain. À court terme, les mécanismes homéostatiques continuent de maintenir la température corporelle près de la valeur de référence, selon son niveau à un moment particulier. À plus long terme, l'homéostasie autorise certains changements régulés dans le milieu interne du corps.

La régulation interne est coûteuse en énergie. Les Animaux utilisent une part importante de l'énergie issue des aliments qu'ils consomment pour assurer le maintien de conditions internes qui leur sont favorables. Dans la prochaine section, nous étudierons en détail comment différents Animaux peuvent assurer le maintien de températures corporelles à peu près constantes.

Retour sur le concept 40.4

1. Un régulateur maintient-il un environnement interne constant ? Expliquez votre réponse.
2. Quelle est la différence entre le mécanisme de rétro-inhibition et le mécanisme de rétroactivation ?

Voir les réponses proposées à la fin du chapitre.

Concept 40.5

La thermorégulation contribue à l'homéostasie et fait intervenir l'anatomie, la physiologie et le comportement

Dans la présente section, nous allons examiner un exemple qui montre comment la forme et la fonction d'un Animal se complètent afin d'assurer la régulation de son environnement interne (notamment sa température corporelle). Nous étudierons les autres mécanismes qui jouent un rôle dans le maintien de l'homéostasie au chapitre 44.

La **thermorégulation** est le mécanisme par lequel les Animaux maintiennent leur température interne dans un intervalle compatible avec la vie. Cette capacité est essentielle à la survie parce que la plupart des processus biochimiques et physiologiques sont extrêmement sensibles aux changements de la température corporelle. La vitesse de la plupart des réactions enzymatiques augmente d'un facteur de deux ou trois pour chaque augmentation de température de 10 °C (on appelle ce facteur le Q_{10}), jusqu'à ce qu'elle devienne critique et que les protéines commencent à se dénaturer. Les propriétés des membranes changent aussi avec la température. Ces effets thermiques influent grandement sur le fonctionnement d'un Animal.

Bien que les diverses espèces se soient adaptées à des températures environnementales variées, chaque Animal a son propre intervalle optimal de températures. La thermorégulation permet de maintenir une température corporelle dans cet intervalle optimal de façon à assurer un fonctionnement efficace des cellules, même si la température externe fluctue.

Les ectothermes et les endothermes

Il existe des différences importantes entre les méthodes de gestion de l'allocation thermique des diverses espèces. Pour classer les caractéristiques thermiques des Animaux, on peut tenir compte du rôle de la chaleur métabolique dans la détermination de la température corporelle. Comme nous l'avons vu précédemment, les **ectothermes** tirent presque toute leur chaleur de leur environnement. Un ectotherme a un métabolisme si lent que la quantité de chaleur qu'il produit est trop faible pour avoir une incidence marquante sur sa température corporelle et pour la garder constante. En revanche, les **endothermes** peuvent utiliser la chaleur du métabolisme pour assurer la régulation de leur température corporelle. (L'ectotherme produit, lui aussi, de la chaleur par son métabolisme, mais il ne possède pas les adaptations nécessaires pour retenir cette chaleur.) Dans un environnement froid, la vitesse rapide du métabolisme d'un endotherme engendre assez de chaleur et l'organisme possède les adaptations nécessaires pour la retenir de sorte que l'endotherme peut maintenir son corps à une température passablement plus élevée que celle de l'environnement. De nombreux endothermes, notamment l'humain, maintiennent une température interne élevée et très stable, même quand la température de l'environnement fluctue. Beaucoup d'ectothermes peuvent assurer la thermorégulation en adoptant des comportements comme se chauffer au soleil ou chercher de l'ombre. Mais, en général, les ectothermes tolèrent une plus grande variation de leur température interne que les endothermes **(figure 40.12)**. La plupart des Invertébrés, des Poissons, des Amphibiens, des lézards, des serpents et des tortues sont des ectothermes. Les Mammifères, les Oiseaux et quelques autres Reptiles, certains Poissons et de nombreuses espèces d'Insectes sont des endothermes.

Il est important de noter que *ce n'est pas* la constance de la température du corps qui distingue les endothermes des ectothermes : c'est une idée fausse. Comme nous l'avons mentionné précédemment, c'est la *source* de chaleur utilisée pour maintenir la température corporelle constante qui les distingue. On emploie un ensemble de termes différents quand il s'agit de température corporelle variable ou constante. Le terme *poïkilotherme* désigne un Animal dont la température interne varie grandement, tandis que le terme *homéotherme* désigne un Animal qui maintient une température interne assez stable. Toutefois, à mesure que les scientifiques ont acquis plus de connaissance sur les mécanismes de la thermorégulation des Animaux, ces termes sont devenus désuets. De nombreux Poissons marins et des Invertébrés, rangés parmi les poïkilothermes, habitent des eaux dont les températures sont si stables que leur température corporelle varie encore moins que celle des humains et d'autres Mammifères. De plus, certains Mammifères classés comme homéothermes connaissent de grandes variations de leur température interne. Par exemple, un tamia (*Tamias sp.*) maintient sa température corporelle élevée quand il est actif, mais celle-ci diminue quand il entre en hibernation. En raison de ce genre d'exceptions, les termes *ectotherme* et *endotherme* sont généralement préférés.

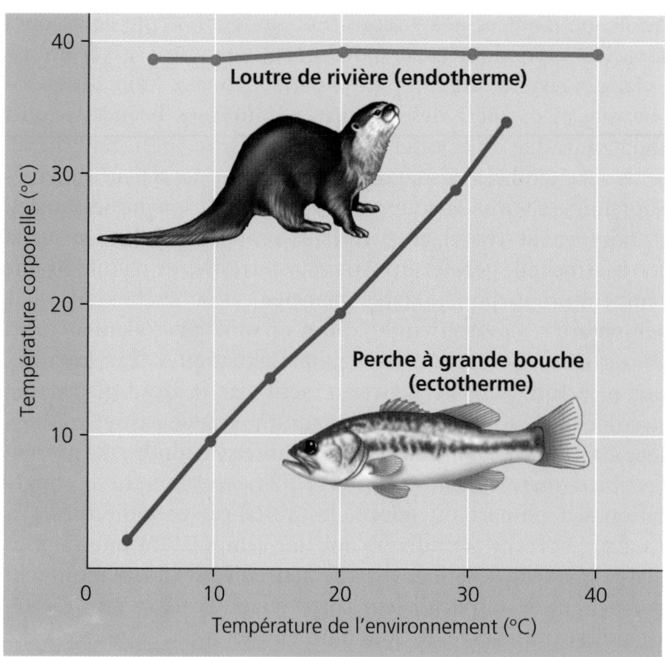

▲ **Figure 40.12 Relation entre les températures corporelles d'un ectotherme et d'un endotherme aquatiques, et la température de l'environnement.** Grâce à la vitesse élevée de son métabolisme qui produit de la chaleur, la loutre de rivière maintient une température corporelle stable face à une gamme étendue de températures de l'environnement. La perche à grande bouche, par contre, engendre relativement peu de chaleur métabolique et s'adapte à la température de l'eau.

L'idée que les ectothermes sont des Animaux à « sang froid » et que les endothermes sont des Animaux à « sang chaud » constitue une autre idée fausse courante. Les ectothermes n'ont pas nécessairement une température corporelle basse. En fait, quand ils se chauffent au soleil, beaucoup de lézards ectothermes ont une température corporelle plus élevée que celle des Mammifères. Par conséquent, la plupart des biologistes préfèrent ne pas employer les termes *à sang froid* et *à sang chaud*, qui peuvent induire en erreur. Il est également important de noter que l'ectothermie et l'endothermie ne sont pas des stratégies de thermorégulation incompatibles. Par exemple, un Oiseau est un endotherme, mais, par un matin froid, il se chauffe au soleil tout comme un lézard ectotherme.

L'endothermie présente quelques avantages importants. La capacité de produire une grande quantité de chaleur métabolique ainsi que d'autres adaptations biochimiques et physiologiques associées à l'endothermie (notamment des systèmes cardiovasculaire et respiratoire complexes) permettent aux Animaux endothermes d'exécuter des activités vigoureuses beaucoup plus longtemps que les ectothermes (voir la figure 40.9). En général, seuls des endothermes sont capables de mener des activités intenses soutenues, comme la course ou le vol sur de longues distances. L'endothermie résout aussi certains problèmes de la vie sur la terre ferme : elle permet aux Animaux terrestres de maintenir une température corporelle stable même en cas de fluctuations de la température environnante ; celles-ci sont généralement plus importantes que celles des habitats aquatiques. Par exemple, aucun ectotherme ne peut être actif par le froid glacial qui domine quelques mois par année sur une grande partie de la surface de la Terre ; par contre, de nombreux endothermes vivent fort bien quand la température est inférieure au point de congélation. La plupart du temps, les Vertébrés endothermes (les Oiseaux et les Mammifères) ont une température interne plus élevée que celle de leur environnement ; diverses adaptations leur permettent de rafraîchir leur corps quand la température extérieure est trop élevée. Ils sont ainsi en mesure de faire face à des températures environnementales beaucoup plus élevées que celles que la plupart des ectothermes sont capables de tolérer. Les endothermes sont mieux protégés contre les fluctuations de température externe que ne le sont les ectothermes, mais il ne faut pas oublier que ces derniers peuvent tolérer des fluctuations plus grandes de leur température interne.

S'ils sont peut-être mieux adaptés aux fluctuations thermiques de l'environnement, les endothermes doivent payer un prix élevé sur le plan énergétique. Par exemple, à 20 °C, une personne adulte au repos a un métabolisme basal situé entre 5 400 et 7 500 kJ par jour. En revanche, un ectotherme de masse équivalente et au repos, tel que l'alligator américain (*Alligator mississippiensis*), a un métabolisme standard d'environ 250 kJ par jour à 20 °C. Voilà pourquoi les endothermes doivent généralement consommer beaucoup plus d'aliments que les ectothermes de taille équivalente ; c'est un désavantage important quand les réserves de nourriture sont limitées. C'est, entre autres choses, la raison pour laquelle l'ectothermie est une stratégie des plus efficaces dans de nombreux environnements terrestres, comme le confirment l'abondance et la diversité des Animaux ectothermes.

Les modes d'échange thermique

Comme tout objet, un organisme, qu'il soit ectotherme ou endotherme, échange de la chaleur par quatre processus physiques : la conduction, la convection, le rayonnement et la vaporisation. La **figure 40.13** présente une distinction de ces processus qui expliquent la circulation de la chaleur dans l'organisme, et entre l'organisme et son environnement. Il faut bien noter que la chaleur se propage toujours d'un objet de température élevée vers un objet de température plus basse.

L'équilibre entre la perte et le gain de chaleur

Pour les endothermes et les ectothermes pratiquant la thermorégulation, il faut avant tout gérer l'allocation énergétique de sorte que la quantité de chaleur acquise équivaille à la quantité de chaleur perdue. Si l'allocation thermique est déséquilibrée, un Animal se réchauffera ou se refroidira. Cinq catégories générales d'adaptations aident les Animaux à réguler leur température corporelle.

Le **rayonnement** désigne l'émission d'ondes électromagnétiques par tous les objets dont la température est supérieure au zéro absolu. Il peut transférer de la chaleur entre des objets qui ne sont pas en contact direct ; c'est le cas, par exemple, lorsqu'un lézard absorbe de la chaleur irradiée par le Soleil.

La **vaporisation** désigne le retrait de chaleur à la surface d'un liquide, qui perd certaines de ses molécules du fait de leur passage à l'état gazeux. La vaporisation de l'eau à la surface humide d'un lézard a un effet de refroidissement important.

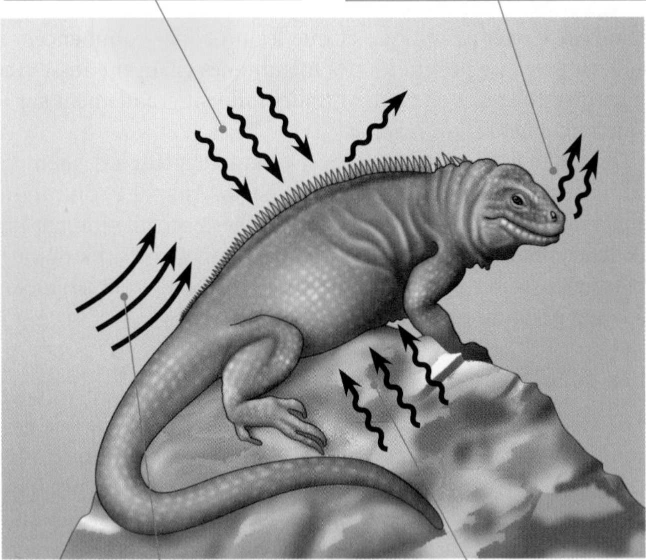

La **convection** est le processus par lequel l'air ou un liquide qui se réchauffe à la surface d'un corps se dilate et tend à s'éloigner de ce corps, faisant place à l'air ou au liquide plus froid. Par exemple, le vent facilite la déperdition thermique par convection à la surface d'un lézard ayant une peau sèche ; le sang en circulation déplace la chaleur de l'intérieur du corps pour la transférer par convection aux extrémités plus froides. La convection, chez les Animaux, contribue plus souvent à une perte de chaleur qu'à un gain.

La **conduction** désigne le transfert direct de chaleur entre les molécules de deux corps en contact ou celles de deux parties d'un même corps ; par exemple quand un lézard se tient sur une roche préalablement chauffée au soleil.

▲ **Figure 40.13 Échanges thermiques entre un organisme et son environnement.**

L'isolation

L'isolation (grâce à des poils, des plumes et des couches de graisse) constitue une grande adaptation thermorégulatrice des Mammifères et des Oiseaux. Elle consiste à réduire le flux thermique entre un Animal et son environnement, et à abaisser le coût énergétique du maintien de la température. Chez les Mammifères, le matériau isolant est associé au **système tégumentaire**, la couche externe de l'organisme constituée de la peau, des poils et des ongles (les griffes ou les sabots chez certaines espèces). La peau est l'organe clé du système tégumentaire. Outre qu'elle agit comme organe thermorégulateur en renfermant les nerfs, les glandes sudoripares, les vaisseaux sanguins et les follicules pileux, la peau protège les parties internes du corps contre les blessures, les infections et la déshydratation. Elle est constituée de deux

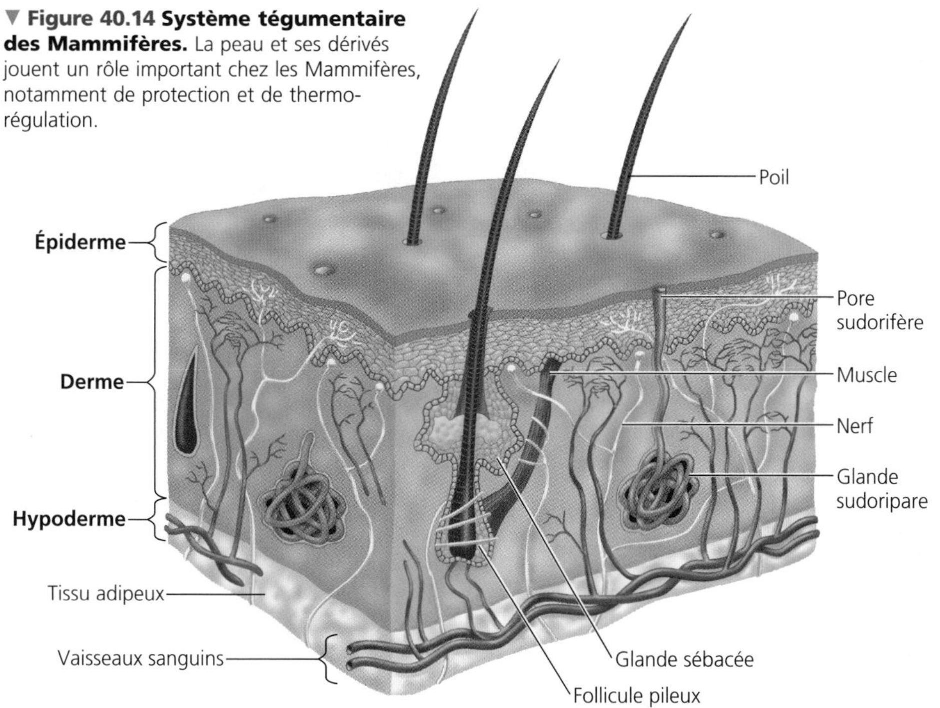

▼ **Figure 40.14 Système tégumentaire des Mammifères.** La peau et ses dérivés jouent un rôle important chez les Mammifères, notamment de protection et de thermorégulation.

couches : l'épiderme et le derme sous lequel s'étend un tissu sous-cutané, appelé *hypoderme*, qu'on ne considère pas comme faisant partie de la peau **(figure 40.14)**. L'épiderme, soit la couche externe de la peau, est composé surtout de cellules épithéliales mortes qui se détachent et tombent sans cesse. De nouvelles cellules situées dans la couche la plus profonde sont poussées vers la surface pour remplacer les cellules perdues. Le derme, quant à lui, supporte l'épiderme et renferme les follicules pileux, les glandes sébacées et sudoripares, des muscles, des nerfs et des vaisseaux sanguins. L'hypoderme, lui, est constitué de tissu adipeux renfermant des adipocytes (cellules qui emmagasinent des graisses) et des vaisseaux sanguins. Le tissu adipeux assure une isolation à divers degrés, selon les espèces.

Le pouvoir isolant d'une couche de fourrure ou de plumes dépend principalement de la quantité d'air immobilisée par la matière. (Le poil perd la majeure partie de son pouvoir isolant quand il est mouillé.) La plupart des Mammifères terrestres et des Oiseaux réagissent au froid en soulevant leurs poils ou leurs plumes en vue d'emmagasiner une couche d'air plus épaisse. Les humains comptent plutôt sur une couche de graisse située sous la peau (voir la figure 40.14). Lorsque nous avons froid, nous avons la chair de poule : c'est un réflexe qui rappelle le gonflement de la fourrure de nos ancêtres plus velus.

Les Mammifères marins, comme les baleines et les phoques, possèdent une couche très épaisse de gras isolant sous la peau. Ils nagent dans une eau plus froide que la température du centre de leur corps. De nombreuses espèces passent au moins une partie de l'année dans des mers polaires, où l'eau atteint presque le point de congélation. La perte de chaleur, par conduction, dans l'eau se fait de 50 à 100 fois plus vite que la perte de chaleur dans l'air, par suite de la densité beaucoup plus grande des molécules dans l'eau que dans l'air. La température de la peau des Mammifères marins est proche de celle de l'eau. Mais leur couche de gras isolante est tellement efficace qu'ils maintiennent une température corporelle de 36 à 38 °C, et leur métabolisme est comparable à celui des Mammifères placentaires terrestres de taille équivalente.

Les adaptations circulatoires

De nombreux endothermes et certains ectothermes peuvent modifier la quantité de sang (et donc de chaleur) qui circule entre les parties internes de leur corps et leur peau. Un apport sanguin élevé dans la peau résulte normalement d'une **vasodilatation**, soit une augmentation du diamètre des vaisseaux sanguins superficiels (ceux qui sont situés près de la surface du corps). La vasodilatation est déclenchée par des influx nerveux produisant un relâchement des muscles de la paroi des vaisseaux. Chez les endothermes, elle réchauffe généralement la peau, ce qui augmente le transfert de la chaleur du corps à un environnement frais par radiation, conduction et convection (voir la figure 40.13). Le processus inverse, la **vasoconstriction**, réduit l'apport sanguin et le transfert thermique en diminuant le diamètre des vaisseaux superficiels. Ce sont ces deux mécanismes qui expliquent le fait que la peau exposée à la chaleur rougit alors qu'elle blanchit lorsqu'elle est exposée au froid.

Une autre adaptation du système cardiovasculaire est la disposition spéciale des vaisseaux sanguins, qui constituent un **échangeur thermique à contre-courant**. Ce mécanisme joue un rôle important dans la réduction de la déperdition thermique de nombreux endothermes, notamment chez les Mammifères marins et les Oiseaux. La **figure 40.15** présente deux exemples d'échangeurs thermiques à contre-courant. Chez certaines espèces, le sang peut passer par l'échangeur thermique ou être dérivé dans d'autres vaisseaux sanguins, grâce à des vaisseaux (anastomoses) qui mettent les artères en communication directe avec les veines. De cette façon, la quantité relative de sang circulant dans les deux types de vaisseaux varie de manière à adapter la vitesse de la déperdition de chaleur aux variations de l'état physiologique de l'Animal ou de la température de l'environnement.

Contrairement à la plupart des Poissons, qui sont thermotolérants et dont la température interne se situe généralement entre 1 et 2 °C autour de celle de la température de l'eau, certains grands Poissons osseux endothermes spécialisés et requins ont développé des adaptations de leur système cardiovasculaire qui retiennent la chaleur métabolique dans le corps. Ce sont de puissants nageurs, notamment le thon rouge (*Thunnus thynnus*) et l'espadon (*Xiphias gladius*), ainsi que le grand requin blanc (*Carcharodon carcharias*). Les grandes artères transportent la plus grande partie du sang froid en provenance des branchies vers des tissus sous-cutanés. Des ramifications de ces vaisseaux approvisionnent en sang les muscles profonds, dans lesquels de petits vaisseaux constituent un échangeur thermique à contre-courant **(figure 40.16)**. L'endothermie favorise l'activité vigoureuse et soutenue de ces Animaux en gardant leurs principaux muscles natatoires à une température supérieure de quelques degrés à celle

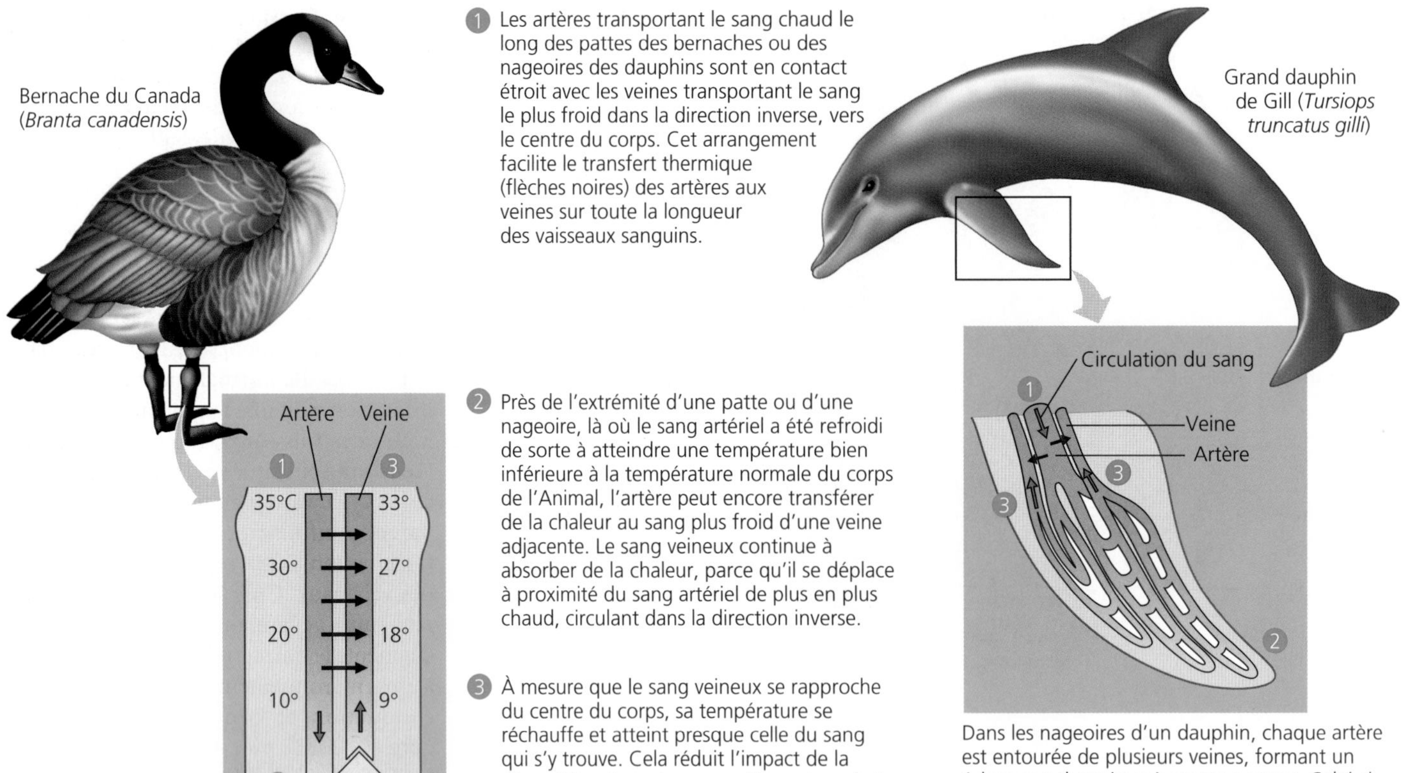

Bernache du Canada
(*Branta canadensis*)
1 Les artères transportant le sang chaud le long des pattes des bernaches ou des nageoires des dauphins sont en contact étroit avec les veines transportant le sang le plus froid dans la direction inverse, vers le centre du corps. Cet arrangement facilite le transfert thermique (flèches noires) des artères aux veines sur toute la longueur des vaisseaux sanguins.
Grand dauphin de Gill (*Tursiops truncatus gilli*)
Artère
Veine
1
3
35°C
33°
30°
27°
20°
18°
10°
9°
2
2 Près de l'extrémité d'une patte ou d'une nageoire, là où le sang artériel a été refroidi de sorte à atteindre une température bien inférieure à la température normale du corps de l'Animal, l'artère peut encore transférer de la chaleur au sang plus froid d'une veine adjacente. Le sang veineux continue à absorber de la chaleur, parce qu'il se déplace à proximité du sang artériel de plus en plus chaud, circulant dans la direction inverse.
3 À mesure que le sang veineux se rapproche du centre du corps, sa température se réchauffe et atteint presque celle du sang qui s'y trouve. Cela réduit l'impact de la déperdition thermique associée au transfert de sang dans les parties du corps immergées dans de l'eau froide.
Circulation du sang
Veine
Artère
Dans les nageoires d'un dauphin, chaque artère est entourée de plusieurs veines, formant un échangeur thermique à contre-courant. Celui-ci permet un transfert de chaleur efficace entre le sang artériel et le sang veineux.

▲ **Figure 40.15 Échangeurs thermiques à contre-courant.** Ce mécanisme aide à retenir la chaleur au centre du corps, réduisant ainsi la déperdition thermique par les extrémités, qui sont souvent immergées dans de l'eau froide ou en contact avec de la glace ou de la neige. En fait, la chaleur du sang artériel émergeant du centre du corps est directement transférée au sang veineux revenant vers cette partie du corps, au lieu d'être perdue en faveur de l'environnement.

des tissus de la surface du corps; ces derniers ont à peu près la même température que l'eau environnante.

Certains Reptiles bénéficient d'adaptations physiologiques régulant leur perte de chaleur. Par exemple, l'iguane marin (*Amblyrhynchus cristatus*), qui vit dans les îles Galápagos (voir la figure 22.1), conserve sa chaleur corporelle grâce à la constriction de ses vaisseaux sanguins superficiels. Cela fait en sorte que plus de sang est acheminé vers sa masse corporelle quand il évolue dans l'eau froide de l'océan.

De nombreux Insectes endothermes (les bourdons, les abeilles domestiques et certaines noctuelles) ont un mécanisme d'échange thermique à contre-courant, qui maintient une température élevée dans leur thorax, où leurs muscles alaires sont situés. Par exemple, l'échangeur thermique conserve le thorax de certaines noctuelles qui sont actives en hiver à une température d'environ 30 °C pendant le vol, même par des nuits froides et neigeuses alors que la température peut se situer au-dessous du point de congélation **(figure 40.17)**. En revanche, les Insectes qui volent par temps chaud courent le risque de surchauffer en raison de la quantité importante de chaleur produite par les muscles alaires. Certaines espèces sont capables de désactiver le mécanisme d'échange thermique à contre-courant de façon que la chaleur dégagée par leurs muscles se dissipe: elle passe du thorax à l'abdomen, puis à l'environnement. Chez les bourdons, les reines utilisent ce moyen pour incuber leurs œufs: elles produisent de la chaleur en faisant frissonner leurs muscles alaires, puis transfèrent cette chaleur à leur abdomen, qu'elles pressent contre les œufs.

Le refroidissement par perte de chaleur causée par la vaporisation

Beaucoup de Mammifères et d'Oiseaux habitent dans des milieux où la thermorégulation passe tantôt par le refroidissement, tantôt par le réchauffement. Si la température du milieu est supérieure à celle de son corps, un Animal s'échauffe, car l'environnement lui transmet de la chaleur alors même que son métabolisme continue à en produire. La vaporisation est alors l'unique façon pour lui d'éviter que sa température corporelle augmente rapidement. Des Animaux terrestres perdent de l'eau par vaporisation à travers la peau et par la respiration. L'eau absorbe une quantité considérable de chaleur quand elle se vaporise; elle est de 50 à 100 fois plus efficace que l'air dans le transfert de chaleur. De plus, l'eau de la sueur demande plus d'énergie pour s'évaporer (et fait donc perdre plus de chaleur) que l'eau pure, par suite des sels dissous qu'elle contient.

Certains Animaux disposent d'adaptations qui peuvent augmenter sensiblement cet effet de refroidissement. Le halètement

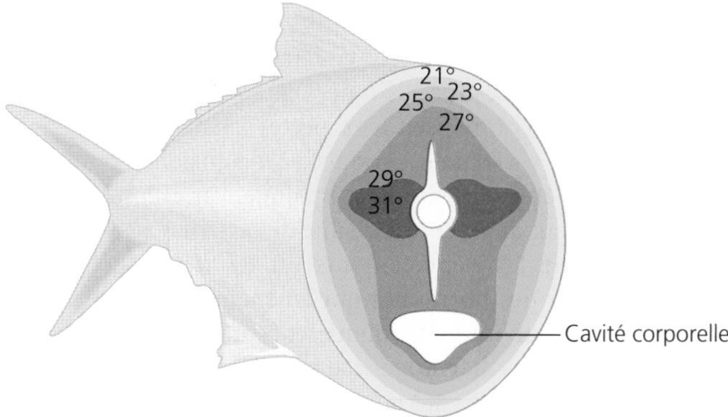

(a) Thon rouge. Contrairement à la plupart des Poissons, le thon rouge (*Thunnus thynnus*) maintient dans ses muscles natatoires principaux une température interne beaucoup plus élevée que celle de l'eau environnante (les couleurs indiquent les muscles de la natation en coupe transversale). Ces températures ont été enregistrées dans une eau à 19 °C.

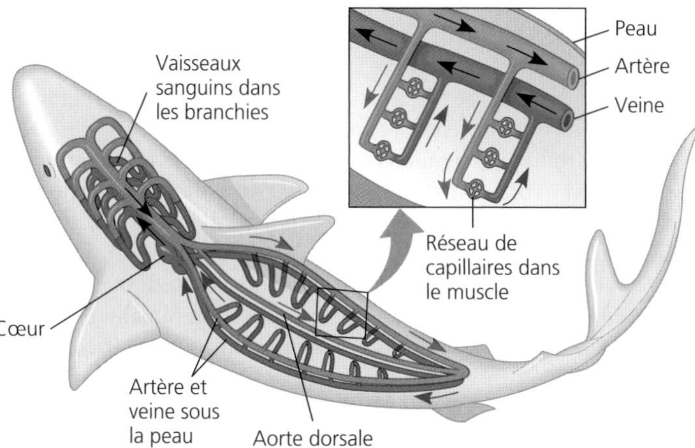

(b) Grand requin blanc. À l'instar du thon rouge, le grand requin blanc (*Carcharodon carcharias*) possède un échangeur thermique à contre-courant dans ses muscles natatoires. Cela lui permet de réduire la perte de chaleur métabolique. Tous les Poissons osseux et les requins perdent de la chaleur au profit de l'eau environnante quand le sang traverse leurs branchies. Toutefois, les requins endothermes possèdent une petite aorte dorsale; relativement peu de sang froid revient donc directement au centre du corps. En fait, la majeure partie du sang qui quitte les branchies est transportée par de grandes artères situées tout juste sous la peau, ce qui éloigne le sang refroidi du centre du corps. Comme le montre l'agrandissement, des artérioles transportant le sang vers l'intérieur à partir des grandes artères situées sous la peau sont placées parallèlement à des veinules faisant passer le sang chaud du centre du corps vers l'extérieur. Ce modèle d'écoulement à contre-courant permet de conserver la chaleur dans les muscles.

▲ **Figure 40.16 Thermorégulation de grands Poissons osseux et de requins actifs.**

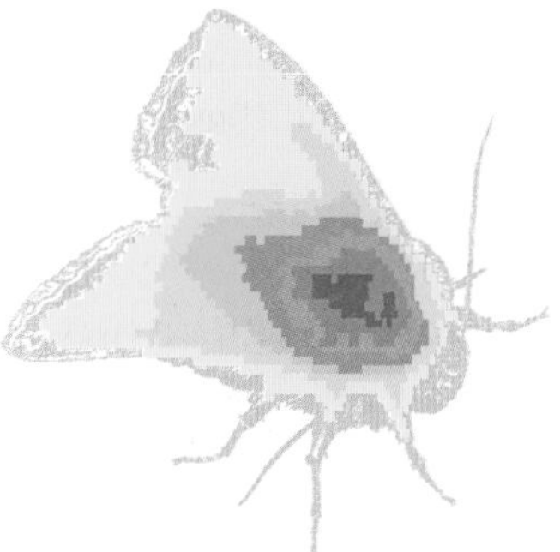

► **Figure 40.17 Température interne de la phalène hyémale (*Operophtera brumata*).** Cette thermographie infrarouge de la phalène hyémale montre la distribution de la chaleur immédiatement après le vol. La zone rouge située dans le thorax indique la température la plus élevée. Plus on s'éloigne du thorax, plus la température diminue, comme l'indiquent les diverses zones colorées en jaune.

joue un rôle important chez les Oiseaux et chez de nombreux Mammifères (le chien, par exemple). Certains Oiseaux sont pourvus d'un sac spécialisé, très vascularisé, dans le plancher de leur cavité buccale; le gonflement et le dégonflement rapide de ce sac favorisent la vaporisation. Du moment que les pigeons ont assez d'eau, ils peuvent faire appel au refroidissement par vaporisation pour conserver une température corporelle proche de 40 °C dans un milieu où la température de l'air atteint jusqu'à 60 °C. Transpirer ou s'asperger d'eau mouille la peau et augmente le refroidissement par vaporisation **(figure 40.18)**. De nombreux Mammifères terrestres possèdent des glandes sudoripares contrôlées par le système nerveux (voir la figure 40.14). Parmi les autres mécanismes favorisant le refroidissement par vaporisation, citons l'épandage de salive, par léchage, sur les surfaces corporelles, une adaptation à laquelle certains kangourous et Rongeurs recourent pour combattre un stress thermique important. Quelques chauves-souris utilisent de la salive et de l'urine pour favoriser le refroidissement par vaporisation. Certaines espèces d'Amphibiens, telles que le ouaouaron (*Rana catesbeiana*), peuvent faire varier la quantité de mucus sécrétée à la surface de leur corps; cette réaction physiologique régule leur refroidissement par vaporisation.

Les réactions comportementales

Les endothermes et les ectothermes adoptent des comportements appropriés pour réguler leur température corporelle. Beaucoup d'ectothermes maintiennent une température corporelle extrêmement constante grâce à des comportements simples. L'hibernation ou la migration vers un climat plus propice constituent des adaptations comportementales à des conditions de température extrêmes.

Tous les Amphibiens et la plupart des Reptiles (sauf les Oiseaux) sont des ectothermes. Par conséquent, ces organismes contrôlent surtout leur température corporelle par leur comportement. L'intervalle des températures corporelles optimales des Amphibiens varie énormément selon les espèces. Par exemple, certaines espèces de salamandres étroitement apparentées possèdent une température corporelle normale qui s'étend entre 7 et 25 °C. Quand ils sont exposés à l'air, la plupart des Amphibiens perdent vite de la chaleur par vaporisation des surfaces corporelles humidifiées. Ils ont donc de la difficulté à conserver une température corporelle assez élevée. Toutefois, en se déplaçant vers un lieu

▲ **Figure 40.18 Mammifère terrestre s'aspergeant d'eau, une adaptation qui favorise le refroidissement par vaporisation.**

exposé au soleil pour se réchauffer, ils pallient ce problème. Inversement, quand le milieu est trop chaud, ils cherchent des microenvironnements plus frais, comme des zones ombragées.

Tout comme les Amphibiens, les Reptiles autres que les Oiseaux régulent surtout leur température corporelle par leur comportement. Quand ils ont froid, ils cherchent des endroits chauds; en outre, pour augmenter leur apport thermique, ils prennent une position qui leur permet d'exposer la plus grande partie de leur surface corporelle à la source de chaleur. Au contraire, quand ils ont chaud, ils se retirent dans des zones plus fraîches ou réduisent leur surface exposée à la source de chaleur. De nombreux Reptiles maintiennent une gamme très étroite de températures corporelles pendant la journée en se déplaçant des zones fraîches aux zones chaudes, et vice versa.

De nombreux Invertébrés terrestres peuvent modifier leur température interne en appliquant les mêmes mécanismes comportementaux que ceux auxquels recourent les Vertébrés ectothermes. Le criquet pèlerin (*Schistocerca gregaria*), par exemple, doit atteindre une certaine température afin de prendre son envol; les jours froids, il se positionne de manière à optimiser l'absorption des rayons solaires. D'autres Invertébrés terrestres prennent certaines positions qui leur donnent la capacité d'augmenter ou de diminuer leur absorption de chaleur solaire **(figure 40.19)**.

Les abeilles domestiques (*Apis mellifera*) font appel à un mécanisme de thermorégulation qui dépend d'un comportement social. Quand il fait froid, elles augmentent leur production de chaleur et s'entassent les unes sur les autres pour mieux la conserver. Elles maintiennent une température relativement constante en changeant la densité du regroupement. Certaines d'entre elles se déplacent, allant des bords plus frais du regroupement au centre, plus chaud, ce qui permet de faire circuler et de distribuer la chaleur. Même quand elles s'entassent, les abeilles doivent dépenser une énergie considérable pour maintenir une température vitale durant de longues périodes de temps froid; c'est la fonction principale du stockage, dans la ruche, de quantités importantes d'énergie sous forme de miel. Quand il fait chaud, les abeilles régulent également la température de la ruche en y transportant de l'eau et en battant des ailes pour faciliter la vaporisation et la convection. Ainsi, une colonie d'abeilles utilise de nombreux mécanismes de thermorégulation observés chez d'autres organismes vivant en solitaires.

◂ **Figure 40.19 Comportement de thermorégulation chez la libellule.** La position dite *en obélisque* que prend cette libellule est une adaptation qui réduit au minimum la surface corporelle exposée au soleil. Cette posture aide à réduire les gains de chaleur par rayonnement.

L'ajustement de la production de chaleur métabolique

Étant donné qu'ils maintiennent généralement leur température corporelle plus élevée que celle de l'environnement, les endothermes doivent compenser leur perte constante de chaleur. Ceux-ci peuvent varier leur production de chaleur en fonction de la vitesse de leur déperdition thermique. Par exemple, la production de chaleur augmente à la suite de certaines activités musculaires, comme les déplacements ou les frissons. Certains Mammifères ont des hormones qui amènent les mitochondries à accroître leur activité métabolique et à produire de la chaleur au lieu d'ATP. Cette **thermogenèse sans frisson** peut avoir lieu dans tout le corps. D'autres Mammifères ont aussi des **tissus adipeux bruns** qui sont spécialisés dans la production rapide de chaleur et qui se situent dans le cou et entre les épaules (la couleur brune est attribuable à l'abondance des mitochondries dans les cellules de ces tissus). Grâce aux frissons et à la thermogenèse sans frisson, les Mammifères et les Oiseaux vivant dans des milieux froids peuvent produire de cinq à dix fois plus de chaleur métabolique qu'ils ne le font quand la température extérieure est plus chaude. Par exemple, la mésange à tête noire (*Pœcile atricapillus*), qui ne pèse que 20 g, peut rester active et maintenir une température corporelle presque constante, de l'ordre de 40 °C, dans un milieu atteignant parfois –40 °C. Il est toutefois essentiel qu'elle consomme suffisamment d'aliments pour fournir toute l'énergie nécessaire pour la production de chaleur dont elle a besoin.

Quelques grands Reptiles deviennent des endothermes dans des circonstances spéciales. Ainsi, un python femelle qui couve ses œufs accroît la vitesse de son métabolisme en frissonnant; cela produit suffisamment de chaleur pour que sa température (et celle de ses œufs) reste à 5 ou 7 °C au-dessus de celle de l'air environnant, et ce, durant plusieurs semaines. Ce comportement temporaire d'endotherme consomme une énergie considérable. Les chercheurs continuent de se demander si certains groupes de Dinosaures étaient des endothermes (voir le chapitre 34).

Comme nous l'avons mentionné précédemment, beaucoup d'espèces d'Insectes volants, notamment les abeilles et les noctuelles (papillons de nuit), sont des endothermes. Ce sont les plus petits de tous les endothermes. La capacité de tels Insectes à élever leur température corporelle dépend de muscles alaires puissants, qui produisent des quantités élevées de chaleur quand ils sont en action. De nombreux Insectes endothermes font appel aux frissons pour se réchauffer avant de s'envoler: ils contractent les muscles alaires antagonistes en synchronie, de sorte que ces contractions soit ne permettent pas le mouvement des ailes, soit le permettent mais ne donnent pas lieu à l'envol. Le résultat de ces contractions est une production de chaleur considérable. Les réactions chimiques, dont celles de la respiration cellulaire, s'accélèrent dans les muscles alaires réchauffés, ce qui permet aux Insectes en question de voler même par temps froid, de jour comme de nuit **(figure 40.20)**.

Les mécanismes de rétroaction dans la thermorégulation

La régulation de la température corporelle de l'humain et d'autres Mammifères est une fonction complexe que facilitent divers mécanismes de rétroaction (voir la figure 40.11). Les neurones qui régissent la thermorégulation, ainsi que ceux qui

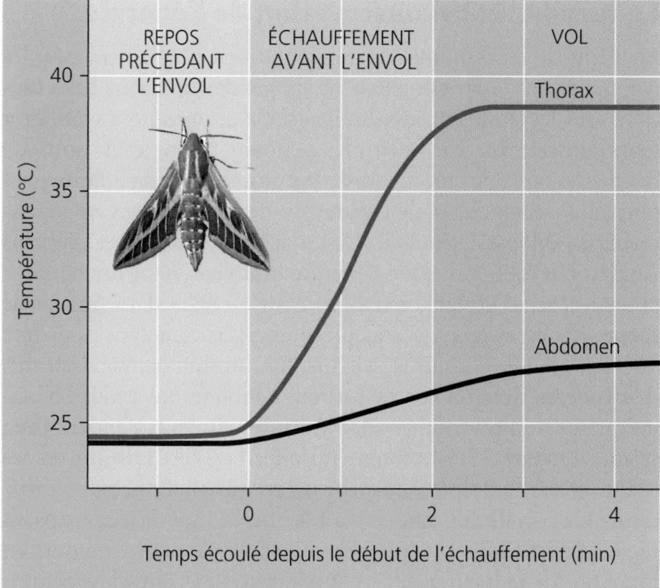

▲ **Figure 40.20 Échauffement du sphinx avant l'envol.** Le sphinx du tabac (*Manduca sexta*) fait partie des nombreux Insectes qui recourent à un mécanisme semblable aux frissons pour échauffer leurs muscles alaires thoraciques avant l'envol. Ces derniers produisent alors suffisamment d'énergie pour que l'Animal soit capable de s'envoler. Une fois qu'il est en vol, le sphinx du tabac maintient une température thoracique élevée grâce à l'activité de ses muscles alaires.

contrôlent beaucoup d'autres aspects de l'homéostasie, se concentrent dans une région de l'encéphale appelée *hypothalamus* (nous en discuterons plus en détail au chapitre 48). Ce dernier contient un groupe de neurones régulateurs qui fonctionnent comme un véritable thermostat : ils réagissent aux changements de la température corporelle situés au-dessus ou au-dessous d'un intervalle de référence. L'hypothalamus active des mécanismes favorisant la déperdition ou le gain thermique **(figure 40.21)**. Les thermorécepteurs qui détectent la température se trouvent dans la peau, dans l'hypothalamus et dans plusieurs autres régions du corps, mais ceux de l'hypothalamus sont les plus sensibles. Les thermorécepteurs de l'augmentation de la température corporelle transmettent des influx au centre de la thermolyse de l'hypothalamus lorsqu'ils sont activés. Quant aux thermorécepteurs activés par une diminution de la température corporelle, ils transmettent des influx au centre de la thermogenèse de l'hypothalamus. Lorsque la température du corps est inférieure à l'intervalle des valeurs de référence, le centre de la thermogenèse inhibe les mécanismes de déperdition de chaleur et active ceux de la conservation de la chaleur – notamment la constriction des vaisseaux superficiels et l'érection des poils –, tout en stimulant les mécanismes de production de chaleur (la thermogenèse par les frissons ou sans frisson). Une fois que la température corporelle s'élève, le centre de la thermolyse désactive les mécanismes de conservation de la chaleur et favorise le refroidissement du corps par la vasodilatation, la sudation ou le halètement. L'hypothalamus peut aussi réagir aux températures externes (perçues par l'intermédiaire de la température de la peau) même quand il n'y a aucun changement de la température centrale.

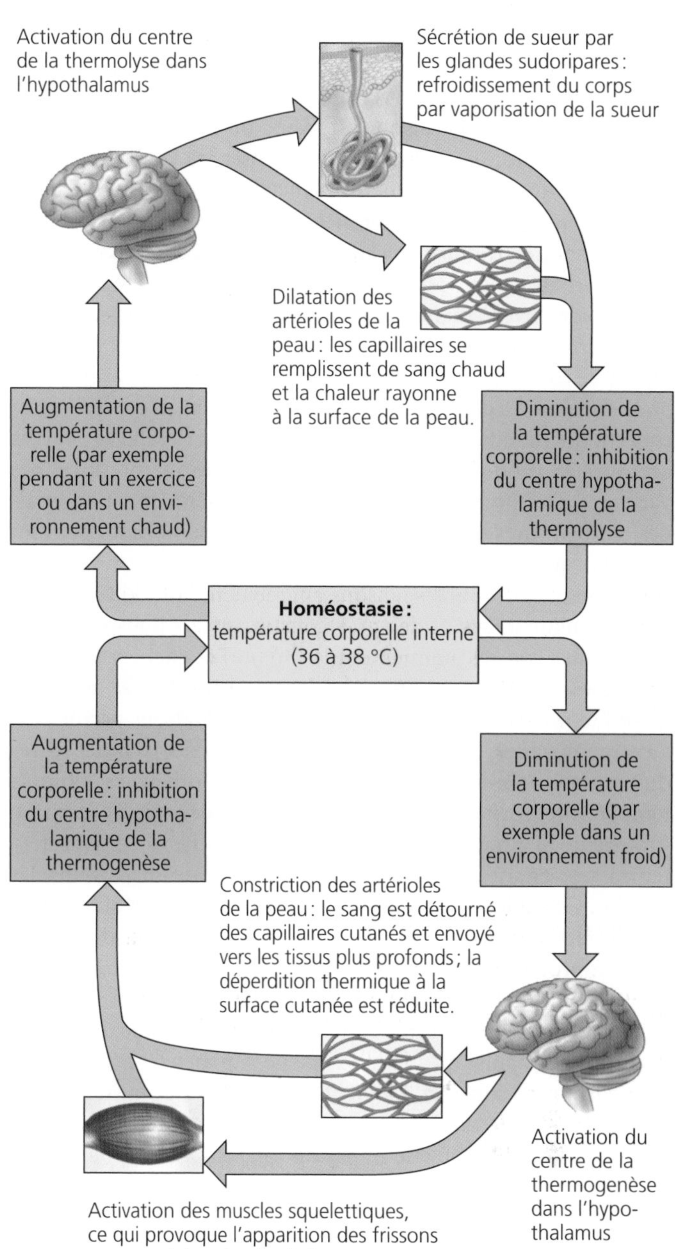

▲ **Figure 40.21 Rôle prépondérant de l'hypothalamus dans la thermorégulation humaine.**

L'acclimatation aux changements de la température

De nombreux Animaux sont capables de s'adapter à une nouvelle gamme de températures environnementales quelques jours ou quelques semaines après qu'ils y ont été exposés : c'est une réaction physiologique d'**acclimatation**. Les ectothermes et les endothermes peuvent s'acclimater, mais de manière différente. Chez les Oiseaux et les Mammifères, l'acclimatation passe généralement par une modification de la quantité d'isolant cutané (une fourrure plus épaisse pousse en vue de l'hiver ; elle est ensuite perdue en été à la mue, par exemple). Parfois, les Animaux endothermes sont en mesure de varier leur capacité de production de chaleur métabolique en fonction des saisons. Ces changements les aident à conserver une température corporelle à peu près constante, que la saison soit froide ou chaude. L'acclimatation des ectothermes consiste à compenser les changements de la température. Ces ajustements peuvent modifier considérablement la physiologie et la tolérance thermique. Par exemple, une barbotte noire (*Ictalurus melas*) acclimatée à l'été s'accommode d'une eau atteignant 36 °C, mais elle ne peut survivre dans de l'eau froide. Inversement, après l'acclimatation hivernale, ce Poisson tolère facilement l'eau froide, mais il meurt s'il est plongé dans une eau de plus de 28 °C.

Les réactions d'acclimatation des ectothermes comprennent souvent des modifications au niveau cellulaire. Les cellules peuvent accroître la production de certaines enzymes ou produire des variantes d'enzymes (isoenzymes) ayant la même fonction, mais des températures optimales différentes. Les membranes peuvent aussi changer la proportion de lipides saturés et insaturés qu'elles contiennent (les doubles liaisons augmentent la fluidité), modifier la longueur des acides gras constituant les phospholipides (les chaînes courtes augmentent la fluidité) et changer la teneur en cholestérol (celui-ci empêche la membrane de se solidifier quand le milieu se refroidit); toutes ces adaptations permettent aux membranes de garder leur fluidité à des températures différentes (voir la figure 7.5). Certains ectothermes, dont la température corporelle peut descendre au-dessous de zéro, se protègent en produisant des composés «antigel» (cryoprotecteurs) prévenant la formation de cristaux de glace dans les cellules. Ce sont des protéines ou des glycoprotéines qui se lient à la surface des cristaux de glace, les empêchant ainsi de croître. Les cryoprotecteurs des liquides corporels permettent aux ectothermes vivant dans les régions arctiques ou sur les sommets montagneux glacés (comme certaines grenouilles et de nombreux Arthropodes), ainsi qu'à leurs œufs, de supporter une température corporelle considérablement inférieure au point de congélation. Certaines espèces de Poissons des océans Arctique et Antarctique, dont l'eau atteint parfois une température de –1,8 °C (un seuil bien inférieur au point de congélation des liquides corporels non protégés, qui est d'environ –0,7 °C), disposent aussi de cryoprotecteurs.

Les cellules peuvent souvent faire des modifications rapides en fonction des changements de température. Par exemple, des cellules de Mammifères cultivées en laboratoire réagissent à une augmentation marquée de la température et à d'autres stress intenses en accumulant des molécules spéciales appelées **protéines synthétisées en situation de stress**, dont font partie les **protéines de choc thermique**. En cas de choc causé par un changement rapide de la température, qui passe de 37 °C à environ 43 °C, les cellules mammaliennes en culture commencent à synthétiser en quelques minutes des protéines de choc thermique. Celles-ci aident à maintenir l'intégrité des autres protéines, qui seraient dénaturées par la chaleur intense et pourraient même permettre à des protéines de reprendre leur forme après un choc thermique. Les protéines synthétisées en situation de stress sont des chaperonines (voir le chapitre 39); elles sont présentes chez les Bactéries, les Archéobactéries, les levures, les cellules végétales ainsi que chez les cellules animales; elles permettent de prévenir la mort cellulaire quand l'organisme se heurte à des changements importants de l'environnement des cellules.

La torpeur et la conservation de l'énergie

En dépit de leurs nombreuses adaptations homéostatiques, les Animaux sont occasionnellement obligés de faire face à des situations qui les poussent aux limites de leur capacité à équilibrer leurs allocations. Par exemple, pendant certaines saisons de l'année (ou certains moments de la journée), la température peut atteindre des extrêmes de chaleur ou de froid, ou encore les aliments ne sont pas disponibles. Une adaptation qui permet à certains Animaux d'économiser de l'énergie tout en évitant des circonstances difficiles et dangereuses consiste à entrer dans un état de **torpeur**, c'est-à-dire un état physiologique caractérisé par une activité réduite au minimum et une diminution du métabolisme.

L'**hibernation,** un état de torpeur à long terme, est une adaptation au froid hivernal et à la rareté des aliments pendant cette saison. Quand les Vertébrés endothermes (les Oiseaux et les Mammifères) entrent en torpeur ou en hibernation, leur température corporelle diminue; en fait, le thermostat de leur corps est réglé à une température plus basse, mais il demeure toujours en fonction. La réduction de la température peut être considérable et se faire assez rapidement (en quelques heures): certains Mammifères en hibernation maintiennent une température de 1 à 2 °C; dans quelques cas, leur température peut même atteindre un peu moins de 0 °C, ce qui les laisse dans un état de surfusion (sans congélation). Les économies d'énergie résultant d'un ralentissement de la vitesse du métabolisme et d'une baisse de la production thermique sont énormes: le métabolisme pendant l'hibernation peut être plusieurs centaines de fois plus lent que lorsque l'Animal maintient sa température normale (entre 36 et 38 °C). Les Animaux qui hibernent sont donc en mesure de survivre pendant très longtemps sur des réserves limitées d'énergie, emmagasinées dans les tissus de leur corps ou sous forme de réserves cachées dans leur terrier.

Certains spermophiles sont les modèles de recherche préférés de biologistes qui étudient la physiologie de l'hibernation **(figure 40.22)**. Un spermophile de Belding (*Spermophilus beldingi*) vivant dans les hautes montagnes de Californie n'est actif qu'au printemps et en été, quand sa température corporelle atteint environ 37 °C; la vitesse de son métabolisme est d'environ 355 kJ/j. En septembre, ce spermophile se retire dans un terrier sûr, où il passe les huit mois suivants en hibernation. Pendant la majeure partie de la saison d'hibernation, sa température corporelle n'est que légèrement supérieure à celle de son terrier (qui peut approcher du point de congélation); la vitesse de son métabolisme est extrêmement ralentie (voir la figure 40.22). Une fois par semaine (ou toutes les deux semaines), il se réveille pendant quelques heures et produit de la chaleur métabolique pour que sa température corporelle atteigne 37 °C (ces réveils périodiques sont peut-être nécessaires à des fonctions d'entretien, comme la défécation). Vers la fin du printemps, quand la température externe remonte, l'Animal retrouve une vie d'endotherme normale. En hibernant, le spermophile de Belding évite les périodes de froid intense et réduit considérablement la quantité d'énergie qu'il lui faut pour survivre pendant l'hiver, quand ses aliments habituels (les graines et les herbes) ne sont pas disponibles. Au lieu de dépenser environ 630 kJ/j pour maintenir une température corporelle optimale, il ne dépense dans son terrier que 5 kJ environ par journée d'hibernation effective, et il peut vivre sans manger, en puisant dans ses réserves de graisses pendant toute la saison d'hibernation.

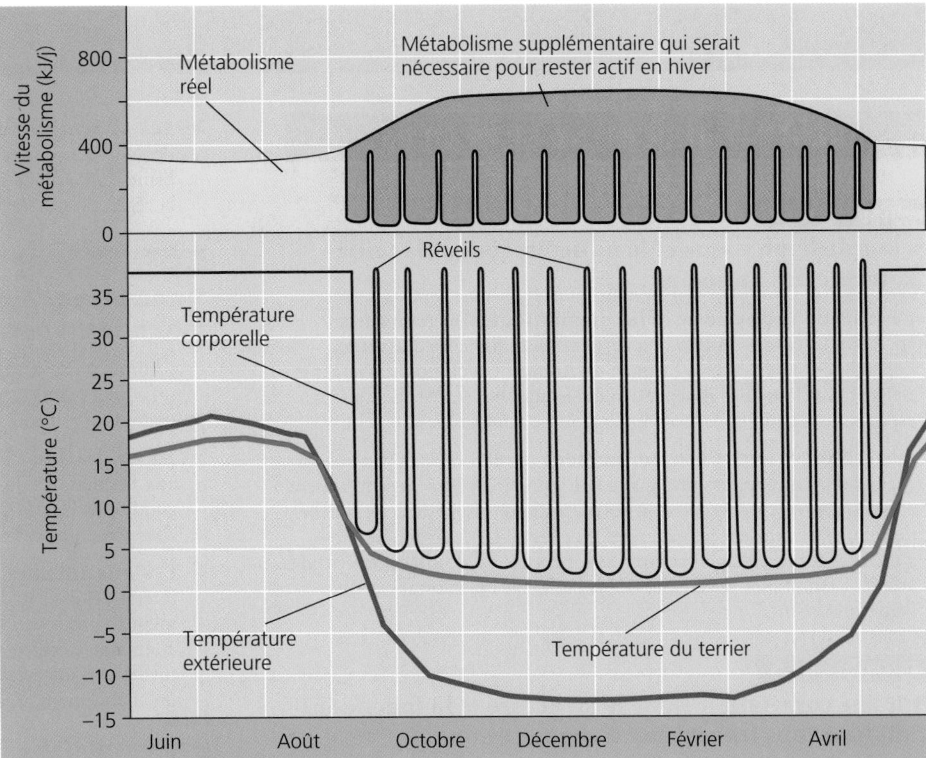

▶ **Figure 40.22 Température corporelle et vitesse du métabolisme pendant l'hibernation du spermophile de Belding (*Spermophilus beldingi*).**

Il ne faut pas confondre l'hibernation et le sommeil hivernal de certains Animaux comme l'ours. Dans ce dernier cas, la diminution de température interne de l'Animal n'est que de quelques degrés et le retour à la normale se fait rapidement.

L'**estivation**, ou état de torpeur estivale, qui se caractérise aussi par un ralentissement métabolique et par l'inactivité, permet à certains Animaux de survivre à de longues périodes où la température est élevée, et l'eau, rare. L'hibernation et l'estivation sont souvent déclenchées par les changements saisonniers de la durée du jour (photopériode). À mesure que les journées raccourcissent, certaines espèces hibernantes se préparent à l'hiver en emmagasinant des réserves de nourriture dans leur terrier; d'autres consomment d'énormes quantités d'aliments. Le spermophile de Belding, par exemple, peut doubler sa masse en un mois de suralimentation.

Beaucoup de petits Mammifères et d'Oiseaux présentent une **torpeur quotidienne** qui semble adaptée à leur mode d'alimentation. Ainsi, la plupart des chauves-souris et des musaraignes se nourrissent la nuit et tombent dans un état de torpeur le jour, quand elles sont inactives. Les mésanges et les colibris se nourrissent le jour et entrent généralement dans un état de torpeur pendant les nuits fraîches; la température corporelle de la mésange atteint parfois 10 °C la nuit, alors que celle de certains colibris peut passer de 40 °C, le jour, à 15 °C la nuit. Tous les endothermes qui manifestent une torpeur quotidienne sont relativement petits, les gros mammifères étant incapables de diminuer rapidement leur température interne. Quand ils sont actifs, la vitesse de leur métabolisme est accélérée et ils consomment beaucoup d'énergie. Pendant les heures où ils ne peuvent s'alimenter, ils entrent dans une torpeur qui leur permet de survivre en puisant dans leurs réserves.

Le cycle quotidien d'activité et de torpeur des Animaux est sans doute réglé par une horloge biologique (voir le chapitre 48). Même si elle a accès à des aliments toute la journée, une musaraigne entre quotidiennement en torpeur. Le besoin de dormir de l'humain et la légère chute de sa température corporelle pendant le sommeil constituent peut-être le vestige – laissé par l'évolution – d'une torpeur quotidienne plus prononcée chez ses premiers ancêtres mammaliens.

Après avoir étudié certains principes généraux de la biologie animale, nous sommes à présent prêts à comparer les méthodes employées par divers Animaux pour accomplir des fonctions comme la nutrition, la circulation, la respiration, la défense immunitaire, l'excrétion des déchets, la régulation hormonale, la reproduction, le développement embryonnaire et la régulation nerveuse. Tels sont les sujets des chapitres qui suivent.

Retour sur le concept 40.5

1. Les ectothermes peuvent-ils présenter une température corporelle stable? Expliquez votre réponse.
2. Quel mode d'échange thermique est mis en jeu dans le « refroidissement éolien », lorsque l'air semble plus froid que la température réelle?
3. Certains Oiseaux qui peuplent des forêts tropicales sèches entrent périodiquement dans une torpeur, notamment pendant la saison sèche. Pourquoi en est-il ainsi?

Voir les réponses proposées à la fin du chapitre.

Révision du chapitre 40

RÉSUMÉ DES CONCEPTS CLÉS

Concept 40.1

Les lois de la physique et le milieu régissent la taille et la forme des Animaux

- **Les lois de la physique et la morphologie des Animaux (p. 888).** La capacité à effectuer certaines actions, telles que voler, dépend de la taille et de la forme d'un Animal. L'évolution convergente reflète des adaptations indépendantes les unes des autres de différentes espèces à des conditions environnementales semblables.
- **Les échanges avec l'environnement (p. 888-889).** Chacune des cellules d'un Animal multicellulaire doit avoir accès à un environnement aqueux. Les organismes sacciformes ou plats constitués de deux couches de cellules optimisent les échanges avec le milieu environnant. Les structures corporelles plus complexes font appel à des surfaces intérieures aux replis multiples, spécialisées dans l'échange des substances avec l'environnement.

Concept 40.2

Il y a une corrélation entre la structure et la fonction animales à tous les niveaux d'organisation

- Les Animaux se composent de cellules. Les cellules qui ont une structure et une fonction communes sont groupées en tissus. Différents tissus se combinent pour former des organes. Les groupes d'organes qui travaillent en synergie forment des systèmes (**p. 890**).
- **La structure et la fonction des tissus (p. 890-894).** Un épithélium recouvre l'extérieur du corps et des organes, et tapisse les cavités internes. Les tissus conjonctifs servent à fixer et à soutenir les autres tissus. Le tissu musculaire se contracte après avoir été stimulé par un influx nerveux. Le tissu nerveux transmet des influx nerveux dans tout l'organisme de l'Animal.
- **Les organes et les systèmes de l'organisme (p. 894-895).** Le corps fonctionne comme un ensemble supérieur à la somme de ses parties, parce que toutes les activités des tissus, des organes et des systèmes sont coordonnées.

Concept 40.3

Les Animaux assurent le maintien de leur forme et de leur fonction en utilisant l'énergie chimique des aliments

- **Les processus bioénergétiques (p. 895-896).** Les Animaux se procurent de l'énergie chimique en consommant des aliments dont la majeure partie est transformée en ATP nécessaire au travail cellulaire. La vitesse du métabolisme d'un Animal représente la quantité totale d'énergie qu'il utilise par unité de temps. La vitesse du métabolisme des Oiseaux et des Mammifères, qui maintiennent une température corporelle relativement constante grâce à la chaleur métabolique (c'est une stratégie endothermique), est généralement plus élevée que la vitesse du métabolisme de la plupart des Poissons, des Reptiles (sauf les Oiseaux), des Amphibiens et des Invertébrés qui dépendent surtout de sources externes de chaleur pour maintenir leur température corporelle (c'est une stratégie ectothermique).
- **Les facteurs influant sur la vitesse du métabolisme (p. 896-897).** La vitesse du métabolisme par unité de masse est en relation inverse avec la taille du corps chez les Animaux d'espèces semblables. Leur activité accroît la vitesse de leur métabolisme. Celle-ci dépasse alors le métabolisme basal (chez les endothermes) ou le métabolisme standard (chez les ectothermes). En général, les endothermes peuvent maintenir des niveaux d'activité élevés plus longtemps que les ectothermes.
- **Les allocations énergétiques (p. 897-899).** Un Animal dépense de l'énergie en fonction de son métabolisme basal ou de son métabolisme standard, de ses activités, de son homéostasie (par exemple la régulation thermique), de sa croissance et de sa reproduction.

Concept 40.4

De nombreux Animaux maintiennent leur milieu interne dans des limites relativement étroites

- L'homéostasie se rapporte à un état interne stable d'un Animal. C'est un équilibre qui se maintient entre les changements externes et les mécanismes de contrôle interne s'opposant à de telles variations (**p. 899**).
- **La régulation et la tolérance (p. 899).** Les Animaux font face aux fluctuations du milieu en assurant la régulation de certaines conditions internes tout en en laissant d'autres s'adapter aux changements externes.
- **Les mécanismes de l'homéostasie (p. 899-900).** Le liquide interstitiel dans lequel baignent les cellules d'un Animal est généralement très différent du milieu externe. Les mécanismes de l'homéostasie atténuent les changements de l'environnement interne et font habituellement intervenir la rétro-inhibition. Ces mécanismes autorisent un changement régulé.

Concept 40.5

La thermorégulation contribue à l'homéostasie et fait intervenir l'anatomie, la physiologie et le comportement

- Un Animal maintient sa température interne dans un intervalle compatible avec la vie grâce au processus de thermorégulation (**p. 900-901**).
- **Les ectothermes et les endothermes (p. 901-902).** La plupart des Invertébrés, des Poissons, des Amphibiens et des Reptiles (sauf les Oiseaux) sont des ectothermes. Les Oiseaux et les Mammifères sont des endothermes. L'endothermie, qui nécessite une dépense énergétique plus élevée que l'ectothermie, permet aux Animaux de maintenir une température corporelle stable en cas de fluctuations de la température environnante ainsi qu'un niveau élevé de métabolisme aérobie.
- **Les modes d'échange thermique (p. 902).** La conduction, la convection, le rayonnement et la vaporisation expliquent la perte ou le gain thermique.
- **L'équilibre entre la perte et le gain de chaleur (p. 902-906).** La thermorégulation fait intervenir des processus physiologiques et comportementaux en vue d'équilibrer la perte et le gain de chaleur. L'isolation, la vasodilatation, la vasoconstriction et la présence d'échangeurs thermiques à contre-courant modifient la vitesse d'échange thermique. Le halètement, la sudation et la baignade augmentent le refroidissement par vaporisation, ce qui refroidit le corps. Les ectothermes et les endothermes modifient la vitesse des échanges thermiques avec le milieu grâce à des réactions comportementales. Certains Animaux peuvent aussi modifier leur vitesse de production de chaleur métabolique.
- **Les mécanismes de rétroaction dans la thermorégulation (p. 906-907).** Les Mammifères assurent la régulation de leur température corporelle grâce à un mécanisme complexe de rétro-inhibition qui met en jeu plusieurs systèmes d'organes, notamment les systèmes nerveux, cardiovasculaire et tégumentaire.
- **L'acclimatation aux changements de la température (p. 907-908).** L'acclimatation permet aux ectothermes et aux endothermes de s'adapter à des changements de températures environnementales quelques jours ou quelques semaines après qu'ils y ont été exposés. L'acclimatation peut comprendre des modifications au niveau cellulaire, ou, dans le cas des Oiseaux et des Mammifères,

une modification de l'isolant cutané et une variation de la production de chaleur métabolique.

▶ **La torpeur et la conservation de l'énergie (p. 908-909).** La torpeur sert à conserver l'énergie pendant les variations extrêmes de l'environnement. Les Animaux peuvent entrer dans un état de torpeur en hiver (hibernation), en été (estivation) ou durant des périodes de sommeil (torpeur quotidienne). La torpeur fait intervenir une diminution de la vitesse du métabolisme ainsi que des fréquences cardiaque et respiratoire. Elle permet à un Animal de supporter temporairement des températures défavorables ou un manque d'aliments et d'eau.

VÉRIFIEZ VOS CONNAISSANCES

Autoévaluation

(Les questions dont les numéros sont en caractères gras font surtout appel à la compréhension.)

1. En ce qui a trait à l'allocation énergétique d'un humain, d'un éléphant d'Afrique, d'un manchot Adélie, d'une souris sylvestre et d'un python tapis, ____________ aura la dépense d'énergie annuelle totale la plus élevée, alors que ____________ aura la plus grande dépense d'énergie par unité de masse.
a) l'éléphant d'Afrique; la souris sylvestre
b) l'éléphant d'Afrique; l'humain
c) l'humain; le manchot Adélie
d) la souris sylvestre; le python tapis
e) le manchot Adélie; la souris sylvestre

2. Voici une liste de structures ou de substances associées à un tissu. Il y a une *erreur* dans l'une de ces associations. Quelle est-elle?
a) Ostéon et os.
b) Fibroblastes et muscle squelettique.
c) Plaquettes et sang.
d) Chondroïtine-sulfate et cartilage.
e) Membrane basale et épithélium.

3. Parmi les Animaux suivants, lequel consacre le pourcentage le plus important de son allocation énergétique à sa régulation homéostatique?
a) Une amibe dans une mare.
b) Une méduse dans la mer.
c) Un serpent dans une forêt tempérée.
d) Un Insecte dans le désert.
e) Un Oiseau dans le désert.

4. Les muscles involontaires qui provoquent le péristaltisme faisant avancer le bol alimentaire dans le tube digestif sont:
a) des muscles striés.
b) des muscles cardiaques.
c) des muscles squelettiques.
d) des muscles lisses.
e) des muscles intercalaires.

5. Parmi les énoncés suivants ayant trait à la relation entre l'activité et la vitesse du métabolisme, déterminez celui qui est *faux.*
a) La vitesse maximale du métabolisme d'un Animal varie en fonction inverse de la durée de l'activité.
b) Les endothermes sont généralement capables d'une activité de longue durée, mais seuls quelques ectothermes le peuvent.
c) Le type d'activité d'un ectotherme n'a pas d'influence sur la vitesse de son métabolisme.
d) La glycolyse anaérobie permet aux ectothermes comme aux endothermes de soutenir une activité intense durant une courte période.
e) La vitesse moyenne de consommation d'énergie quotidienne d'un Animal terrestre, qu'il soit ectotherme ou endotherme, équivaut à deux à quatre fois le métabolisme de l'Animal au repos.

6. Parmi les énoncés suivants portant sur la bioénergétique, lequel est *vrai*?
a) Tous les Animaux ont une vitesse du métabolisme qui n'évolue pas.
b) Le métabolisme basal ne peut être déterminé qu'à une température précise.
c) Les endothermes se réchauffent grâce à la chaleur métabolique.
d) Le métabolisme standard doit être mesuré une fois que l'ectotherme s'est alimenté.
e) Les ectothermes et les endothermes font appel à la même stratégie énergétique de base.

7. Comparativement à une cellule plus petite, une grande cellule de même forme:
a) a moins de surface.
b) a moins de surface par unité de volume.
c) a le même rapport surface-volume.
d) a une distance moyenne plus petite entre les mitochondries et la source externe de dioxygène.
e) a un plus petit rapport cytoplasme-noyau.

8. L'œuf qu'un Oiseau est en train de couver reçoit sa chaleur surtout par:
a) rayonnement.
b) conduction.
c) convection.
d) évaporation.

9. Lequel des éléments suivants *ne constitue pas* un mécanisme visant à réduire les échanges thermiques entre un Animal et son milieu?
a) Les plumes ou les poils.
b) La vasoconstriction.
c) La thermogenèse sans frisson.
d) L'échangeur thermique à contre-courant.
e) La couche de graisse.

10. Parmi les réactions physiologiques suivantes, laquelle constitue un exemple de *rétroactivation*?
a) L'augmentation de la concentration de glucose dans le sang amenant le pancréas à sécréter de l'insuline, une hormone qui abaisse la concentration de glucose.
b) La forte concentration de CO_2 dans le sang, qui provoque une respiration plus profonde et plus rapide en vue de rejeter le CO_2.
c) La stimulation d'une cellule nerveuse amenant des ions sodium à pénétrer dans la cellule; l'influx de sodium entraîne la pénétration d'encore plus de sodium.
d) La production de globules rouges par le corps – lesquels transportent le O_2 des poumons aux autres organes – stimulée par une faible concentration de dioxygène.
e) Les sécrétions par l'adénohypophyse d'une hormone appelée *TSH*, qui amène la thyroïde à sécréter une autre hormone, la thyroxine; une forte concentration de thyroxine supprime la sécrétion de TSH par l'adénohypophyse.

11. Un Animal a des gains d'énergie et de matière qui dépassent ses pertes d'énergie et de matière:
a) si c'est un endotherme, car il doit toujours absorber davantage d'énergie en raison de son métabolisme élevé.
b) s'il est à la recherche de nourriture.
c) s'il est en hibernation.
d) s'il est en période de croissance et qu'il augmente sa biomasse.
e) Aucune de ces réponses: cela n'arrive jamais, car l'homéostasie équilibre toujours les allocations d'énergie et de matière.

12. Vous étudiez un grand Reptile tropical, qui possède une température corporelle élevée et relativement stable. Comment faire pour déterminer si c'est un endotherme ou un ectotherme?
a) Vous savez d'après sa température élevée et constante que c'est un endotherme.
b) Vous savez que c'est un endotherme, parce que ce n'est ni un Oiseau ni un Mammifère.
c) Vous le soumettez à diverses températures et vous constatez que sa température corporelle et son métabolisme changent selon la température ambiante. Vous en concluez que c'est un ectotherme.
d) Vous remarquez que son environnement a une température élevée et stable. Étant donné que sa température corporelle correspond à la température du milieu, vous savez que c'est un ectotherme.
e) Vous mesurez la vitesse de son métabolisme; comme elle est plus élevée que celle d'une espèce apparentée qui vit dans des forêts tempérées, vous en arrivez à la conclusion que ce Reptile est un endotherme et que son cousin est un ectotherme.

Lien avec l'évolution

1. Le biologiste allemand Carl Bergmann a constaté au XIXe siècle que les Mammifères et les Oiseaux qui vivent à des latitudes plutôt élevées sont en moyenne plus grands et plus lourds que les espèces apparentées trouvées à des latitudes plus faibles. Cette observation, que certains appellent la *règle de Bergmann*, n'est pas sans exception, mais elle est généralement vraie. Fondez-vous sur l'évolution pour proposer une hypothèse justifiant ce principe.
2. Il est possible que certains groupes de Dinosaures aient été des endothermes. Donnez des exemples d'arguments appuyant cette idée qui pourraient être tirés de ce qu'il nous reste du passé de ces Animaux (squelette, empreintes, œufs et embryons, fragments de vaisseaux, données sur leur milieu de vie...).

Intégration

La livrée d'Amérique (*Malacosoma americanum*) vit en groupes assez importants dans des cocons, ou des tentes, qu'elle tisse dans des cerisiers. Elle fait partie des premiers Insectes à devenir actifs au printemps, apparaissant très tôt dans la saison, à la période durant laquelle la température du jour fluctue entre le point de congélation et une chaleur intense. L'observation d'une colonie au cours d'une journée vous permet de constater des différences marquées dans le comportement des groupes. Tôt le matin, les chenilles noires se reposent en une masse bien compacte sur la surface du côté est de la tente. Au milieu de l'après-midi, vous trouvez le groupe sous la surface de celle-ci, chaque chenille suspendue individuellement à la tente par seulement quelques-unes de ses pattes. Proposez une hypothèse pour expliquer ce comportement. Comment pouvez-vous vérifier la validité de votre hypothèse ?

Science, technologie et société

Des chercheurs en médecine mènent une enquête sur les possibilités de créer des substituts artificiels à divers tissus humains. Ils pensent, par exemple, à un liquide qui pourrait jouer le rôle de sang artificiel et à une étoffe qui pourrait servir de peau artificielle aux victimes de brûlures graves. Dans quelles autres situations la peau et le sang artificiels pourraient-ils être utiles ? Quelles caractéristiques doivent-ils posséder pour fonctionner efficacement dans le corps ? Pourquoi les véritables tissus sont-ils plus efficaces que les substituts ? Pourquoi ne pas utiliser des tissus véritables s'ils fonctionnent mieux ? Avez-vous d'autres idées de tissus artificiels qui pourraient être utiles ? Quels seront les problèmes relatifs à l'élaboration de ces nouveautés et à leur mise en application ?

Réponses du chapitre 40

Retour sur le concept 40.1

1. L'intestin grêle, les poumons et les reins contiennent des surfaces d'échange internes que peuvent traverser respectivement les nutriments, les gaz et les substances chimiques. Une surface étendue facilite cet échange et permet au corps de l'effectuer plus efficacement que si la surface disponible était moins grande.

Retour sur le concept 40.2

1. L'épithélium glandulaire recouvrant la paroi intérieure de l'estomac sécrète un mucus qui lubrifie et protège la surface ; de plus, un contact très étroit entre les cellules du tissu épithélial empêche les sucs gastriques de se répandre et d'endommager les tissus sous-jacents.
2. Le tissu conjonctif est un constituant important de la plupart des organes, et des couches de ce tissu soutiennent de nombreux organes du corps.
3. Le tissu nerveux et le tissu musculaire sont nécessaires pour transmettre une réaction à un stimulus. Le tissu musculaire se contracte en réaction aux influx nerveux transmis par les cellules nerveuses.

Retour sur le concept 40.3

1. La souris ; étant donné que c'est un endotherme, son métabolisme basal est donc plus élevé que le métabolisme standard du lézard ectotherme.
2. Une activité intense épuise rapidement l'ATP présent dans les cellules. Étant donné qu'ils sont des ectothermes, les alligators sont généralement lents à produire plus d'ATP par la respiration aérobie.
3. Le chat domestique ; plus l'Animal est petit, plus la vitesse du métabolisme par kilogramme de masse corporelle est élevée. Par conséquent, la demande en aliments par unité de masse augmente.

Retour sur le concept 40.4

1. Non ; bien qu'un Animal assure la régulation de certains aspects de son environnement interne, souvent grâce à des mécanismes de rétro-inhibition, cet environnement fluctue légèrement autour d'une valeur de référence. L'homéostasie est un état dynamique. Certains changements, tels que des augmentations radicales de la concentration d'hormones, se produisent à des moments précis au cours de la croissance d'un Animal, car ils sont ainsi programmés.
2. Pendant la rétro-inhibition, un changement déclenche des mécanismes de contrôle qui neutralisent d'autres changements dans la même direction. Par contre, au cours de la rétroactivation, un changement déclenche des mécanismes qui amplifient le stimulus initial.

Retour sur le concept 40.5

1. Oui ; les ectothermes en eau profonde et en eau douce à température constante possèdent des températures corporelles constantes. Les ectothermes terrestres peuvent maintenir des températures corporelles à peu près constantes en adoptant certains comportements.
2. La perte de chaleur par convection.
3. La nourriture et l'approvisionnement en eau peuvent faire défaut au cours de la saison sèche, et la torpeur permet aux Animaux de survivre à une vitesse métabolique beaucoup plus faible.

Autoévaluation

1. a ; 2. b ; **3.** e ; 4. d ; 5. c ; 6. c ; 7. b ; 8. b ; 9. c ; **10.** c ; **11.** d ; **12.** c.

41

La nutrition chez les Animaux

▲ **Figure 41.1 Humains se ravitaillant dans un marché en plein air.**

Concepts clés

41.1 **Les mécanismes homéostatiques gèrent les allocations énergétiques des Animaux**

41.2 **Un Animal doit avoir un régime alimentaire qui lui apporte des squelettes carbonés ainsi que les éléments nutritifs essentiels**

41.3 **Les étapes principales du traitement de la nourriture sont l'ingestion, la digestion, l'absorption et l'élimination**

41.4 **Chaque organe du système digestif des Mammifères possède une fonction spécialisée dans le traitement de la nourriture**

41.5 **Les adaptations du système digestif des Vertébrés sont souvent associées au régime alimentaire**

Introduction

Le besoin de s'alimenter

Chaque repas que nous prenons nous rappelle que nous sommes des Animaux hétérotrophes, tributaires d'un apport régulier d'aliments **(figure 41.1)**. Tous les Animaux consomment d'autres organismes, que ceux-ci soient morts ou vivants, entiers ou fragmentés. En général, les Animaux se classent en trois catégories selon leur régime alimentaire : les herbivores, les carnivores et les omnivores. Les **herbivores**, tels que les gorilles, les bovins, les lièvres et de nombreux escargots, consomment principalement des autotrophes (des plantes ou des Algues). Les **carnivores**, notamment les requins, les buses, les araignées et les serpents, mangent d'autres Animaux. Enfin, les **omnivores** consomment régulièrement des Animaux, des plantes ou des Algues. Les omnivores comprennent les cafards, les corbeaux, les ours, le raton laveur et l'humain, qui ont évolué en chasseurs, en cueilleurs et en détritivores.

Les termes *herbivore*, *carnivore* et *omnivore* correspondent aux types d'aliments *généralement* consommés, ainsi qu'aux adaptations permettant aux Animaux de se procurer de la nourriture et de la digérer. En réalité, la plupart des Animaux se nourrissent de manière opportuniste ; ils consomment de la nourriture qui ne relève pas de leur catégorie alimentaire principale quand leurs aliments habituels ne sont pas disponibles. Par exemple, les Bovidés et les Cervidés, des herbivores, consomment à l'occasion de petits Animaux tels que des Insectes ou des vers, ou des œufs d'Oiseaux, en plus d'herbes et d'autres plantes. La plupart des carnivores se procurent certains éléments nutritifs à partir de matières végétales restant dans le tube digestif des proies absorbées. Et tous les Animaux consomment des Procaryotes quand ils ingèrent des aliments.

Tout Animal, peu importe ce qu'il consomme et comment il le fait, a besoin d'un régime alimentaire adéquat qui répond à trois types de besoins : les besoins en énergie (chimique) pour effectuer tout le travail cellulaire ; les besoins en molécules organiques destinées à la biosynthèse (soit des squelettes carbonés pour la fabrication de molécules spécifiques à l'organisme) ; et les besoins en nutriments essentiels, comme les vitamines, que les Animaux ne sont pas en mesure de fabriquer eux-mêmes à partir de la matière ingérée et qu'ils doivent obtenir directement des aliments. Dans le présent chapitre, nous nous pencherons sur les besoins nutritionnels des Animaux, et nous évaluerons certaines des adaptations qu'ils utilisent pour obtenir et traiter des aliments. Nous pouvons commencer par la **figure 41.2**, qui passe en revue leurs quatre principales modalités d'ingestion des aliments.

Concept 41.1

Les mécanismes homéostatiques gèrent les allocations énergétiques des Animaux

Le thème de la bioénergétique fait partie intégrante de notre étude de la nutrition. Tel que nous l'avons étudié au chapitre 40, le flux énergétique qui part des aliments et qui sort d'un Animal sous forme de chaleur peut être considéré comme une allocation. La production d'ATP représente – et de loin – la part la plus importante de l'allocation énergétique de la plupart des

Figure 41.2

Panorama Quatre principales modalités d'ingestion des aliments par les Animaux

INGESTION PAR FILTRATION

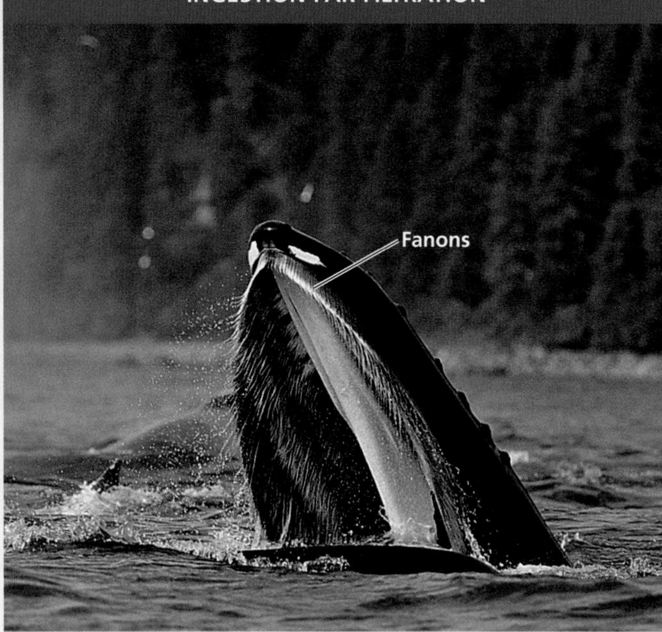

De nombreux Animaux aquatiques se nourrissent de matières en suspension (**ingestion par filtration**), c'est-à-dire qu'ils filtrent les particules d'aliments contenues dans l'eau. Par exemple, ce rorqual à bosse (*Megaptera novæangliæ*) utilise ses fanons – deux rangées de lames cornées en forme de peigne suspendues à sa mâchoire supérieure – pour filtrer de petits Invertébrés et des Poissons à partir d'énormes quantités d'eau. D'autres espèces, comme les palourdes et les huîtres, se servent de leurs branchies pour retenir des particules nutritives, que des cils vibratiles propulsent ensuite, en même temps qu'une pellicule de mucus, vers leur bouche. On qualifie les Animaux appartenant à cette catégorie de *suspensivores* (voir le chapitre 33).

INGESTION DU SUBSTRAT

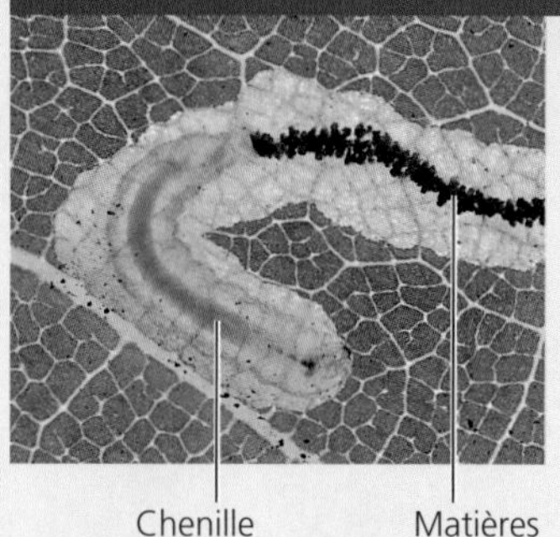

Les Animaux qui se nourrissent par **ingestion du substrat** vivent sur leur source de nourriture ou à l'intérieur de celle-ci, se frayant un chemin en mangeant. Cette chenille mineuse de feuilles, la larve d'un papillon de nuit, se fraye un chemin en mangeant le mésophylle mou d'une feuille de chêne et en laissant une traînée de matières fécales noirâtres sur son passage. Les asticots (larves de mouches), qui se nourrissent de cadavres d'Animaux, font également partie de cette catégorie.

INGESTION PAR ASPIRATION

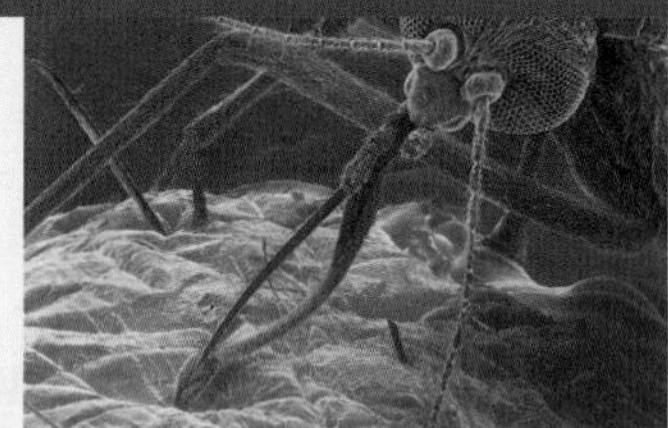

Les espèces qui ont recours à un mécanisme d'**ingestion par aspiration** tirent des liquides riches en nutriments d'un hôte vivant. Ce moustique a perforé l'épiderme de son hôte humain au moyen d'une pièce buccale semblable à une aiguille hypodermique. Il remplit son tube digestif de sang (MEB colorée). De même, les pucerons puisent la sève élaborée du phloème de Végétaux. Contrairement à ces parasites qui nuisent à leurs hôtes, d'autres espèces qui utilisent l'ingestion par aspiration rendent service à ces derniers. Par exemple, les colibris et les abeilles transportent du pollen quand ils visitent les fleurs en recherchant du nectar. Certains Animaux se nourrissent ainsi, à un stade de leur vie seulement : les jeunes Mammifères, par exemple, s'alimentent en aspirant le lait maternel.

INGESTION EN VRAC

La plupart des Animaux, notamment les humains, se nourrissent par **ingestion en vrac**. Ils consomment des morceaux de nourriture relativement gros. Différentes parties anatomiques sont utilisées pour tuer les proies, déchirer la chair ou arracher des matières végétales : des tentacules, des pinces, des griffes, des crochets venimeux, des mâchoires et des dents. Dans cette scène étonnante, un python de Séba (*Python sebæ*) commence à ingérer une gazelle qu'il a capturée et tuée. (On a déjà trouvé les restes d'un adulte humain dans le tube digestif d'un python indien [*Python molurus*].) Les serpents sont incapables d'arracher des parties de leur proie et de les mâcher pour les diviser en morceaux. Ils doivent avaler la proie en entier, même si elle excède leur propre diamètre. Il faudra plus d'une heure au python pour avaler la sienne. Il passera ensuite au moins deux semaines dans un lieu calme situé à proximité pour digérer son repas.

Animaux. Cet ATP alimente le métabolisme basal ainsi que diverses activités, y compris la thermorégulation dans le cas des endothermes.

La plus grande partie de l'ATP produit par un Animal dérive de l'oxydation de molécules organiques riches en énergie (glucides, protéines et lipides). Les monomères de toutes ces substances peuvent servir de source d'énergie, quoique la plupart des Animaux ne «brûlent» les protéines qu'après avoir épuisé leur réserve de glucides et de graisses. Les graisses sont particulièrement riches en énergie; l'oxydation d'un gramme de graisse libère environ deux fois plus d'énergie que la transformation d'une quantité équivalente de glucides ou de protéines.

La régulation du glucose comme exemple d'homéostasie

Quand un Animal absorbe davantage de joules qu'il en a besoin pour produire de l'ATP, la quantité excédentaire peut être utilisée pour la biosynthèse. S'il n'est pas en croissance ou en phase de reproduction, son corps a tendance à garder l'excédent sous forme de réserves d'énergie. Chez l'humain, le foie et les cellules musculaires emmagasinent l'énergie sous forme de glycogène, un polymère composé de nombreuses unités de glucose (voir la figure 5.6b). Le glucose constitue une molécule énergétique essentielle pour les cellules. Son métabolisme, régi par certaines hormones, constitue un aspect important de l'homéostasie **(figure 41.3)**.

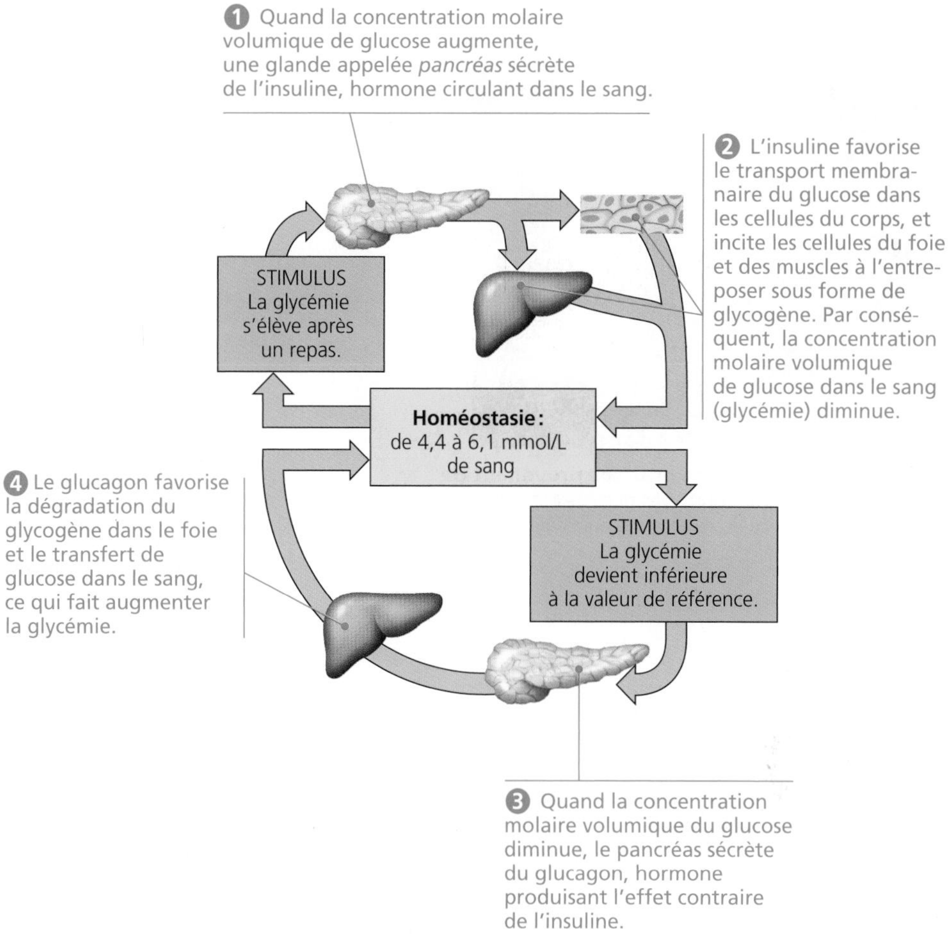

① Quand la concentration molaire volumique de glucose augmente, une glande appelée *pancréas* sécrète de l'insuline, hormone circulant dans le sang.
② L'insuline favorise le transport membranaire du glucose dans les cellules du corps, et incite les cellules du foie et des muscles à l'entreposer sous forme de glycogène. Par conséquent, la concentration molaire volumique de glucose dans le sang (glycémie) diminue.
STIMULUS
La glycémie s'élève après un repas.
Homéostasie:
de 4,4 à 6,1 mmol/L de sang
STIMULUS
La glycémie devient inférieure à la valeur de référence.
④ Le glucagon favorise la dégradation du glycogène dans le foie et le transfert de glucose dans le sang, ce qui fait augmenter la glycémie.
③ Quand la concentration molaire volumique du glucose diminue, le pancréas sécrète du glucagon, hormone produisant l'effet contraire de l'insuline.

▲ **Figure 41.3 Régulation homéostatique du glucose, une des sources d'énergie cellulaire.** Après la digestion d'un repas, le glucose et les autres monomères sont absorbés par les tissus du tube digestif et vont dans le sang. Le corps humain régule l'utilisation et l'entreposage du glucose, source importante d'énergie cellulaire. Remarquez que ces boucles de régulation sont des exemples de mécanismes de rétroaction que nous avons abordés au chapitre 40.

Si les réserves de glycogène du corps sont pleines et si l'apport énergétique continue à dépasser la dépense d'énergie, l'excédent est généralement conservé sous forme de graisses (triacylglycérols).

Quand la quantité de joules absorbés est inférieure à la quantité de joules dépensés, peut-être en raison d'une période d'exercice physique intense ou d'un manque de nourriture, les réserves d'énergie sont oxydées. Ce processus peut entraîner une perte de masse corporelle. Le corps humain commence généralement par consommer le glycogène du foie; ensuite, il puise dans le glycogène musculaire, puis dans les graisses. La plupart des personnes en bonne santé, y compris celles qui ne sont pas obèses, disposent de suffisamment de graisses emmagasinées pour supporter plusieurs semaines de jeûne (les besoins énergétiques de l'humain moyen peuvent être satisfaits par l'oxydation de 300 g seulement de graisses par jour).

Le déséquilibre énergétique

Des problèmes graves surviennent si l'allocation énergétique est déséquilibrée pendant un certain temps. Ainsi, lorsqu'un Animal ne consomme pas assez de joules pendant une période prolongée, une **sous-alimentation** s'ensuit. Dans une telle situation, l'organisme utilise ses réserves de glycogène et de graisses, puis commence à dégrader ses propres protéines comme source principale d'énergie. Les muscles s'atrophient, et le cerveau peut se retrouver en déficit protéique. Si l'absorption d'énergie reste pendant un certain temps inférieure à la dépense d'énergie, certains dommages risquent d'être irréversibles. Un régime constitué d'un seul aliment de base, tel que le riz ou le maïs, suffit à fournir généralement de l'énergie; c'est pourquoi la sous-alimentation existe surtout quand une sécheresse, une guerre ou une autre crise ont gravement perturbé l'approvisionnement d'une population en nourriture. Une autre cause alarmante de sous-alimentation est l'anorexie mentale, un syndrome psychiatrique qui se rencontre surtout chez les jeunes adolescentes et qui se caractérise notamment par le refus de nourriture, une obsession de la minceur et un amaigrissement important.

La **suralimentation**, ou obésité, a aussi des effets nuisibles. Dans les pays industrialisés, elle constitue un problème beaucoup plus courant que la sous-alimentation. Il faut savoir que le corps humain est capable d'emmagasiner des graisses **(figure 41.4)**. L'organisme a tendance à constituer des réserves de toutes les molécules de graisses excédentaires issues du régime alimentaire,

100 μm (100 ×)

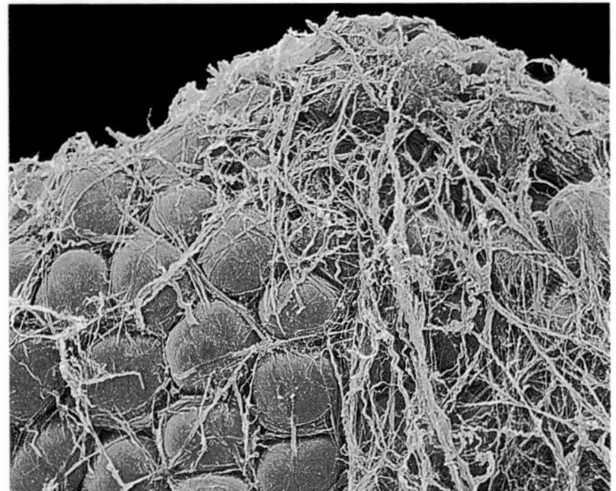

▲ **Figure 41.4 Cellules de graisses provenant de l'abdomen d'un humain.** Des brins de tissu conjonctif (en jaune) maintiennent en place les cellules adipeuses qui emmagasinent les graisses (MEB colorée).

au lieu de les utiliser comme source d'énergie. En revanche, quand nous consommons trop de glucides, notre corps a tendance à augmenter la vitesse de leur oxydation. C'est pourquoi la quantité de graisses d'un régime alimentaire peut avoir des effets plus directs sur le gain pondéral que la quantité de glucides alimentaires.

L'obésité: un problème de santé humaine

L'Organisation mondiale de la santé (OMS) reconnaît aujourd'hui l'obésité comme un problème important dans le monde. Dans de nombreux pays, la disponibilité d'aliments qui font grossir, combinée à des habitudes de vie sédentaire, ajoute un excédent de poids corporel. On estime qu'un milliard d'humains affichent un surplus de poids (dont 47 % des Canadiens, 44 % des Québécois et 45 % des Européens) et que 300 millions d'individus dans le monde sont obèses. Et malheureusement, ce problème débute souvent en bas âge: au Canada, il touche 25 % des jeunes de 2 à 17 ans.

L'obésité contribue à l'apparition de nombreux problèmes de santé, notamment les types de diabète les plus courants, le cancer du côlon, le cancer du sein et les maladies cardiovasculaires qui peuvent causer des crises cardiaques et des accidents vasculaires cérébraux. On estime globalement que l'obésité constitue un facteur augmentant de 50 % les risques de maladies cardiovasculaires et qu'elle diminue la longévité d'une dizaine d'années. L'épidémie d'obésité a stimulé la recherche sur les causes et les traitements possibles des problèmes de maintien de poids. Les chercheurs ont déjà découvert plusieurs mécanismes qui aident à réguler la masse corporelle. À long terme, ces mécanismes homéostatiques sont des circuits de rétroaction qui gèrent la mise en réserve et le métabolisme des graisses corporelles. De plus, plusieurs médiateurs chimiques appelés *hormones* assurent la régulation de l'appétit, à court et à long terme, en influant sur un «centre de la satiété» situé dans l'encéphale **(figure 41.5)**.

L'hérédité est un facteur important de l'obésité. La plupart des hormones de régulation du poids sont des polypeptides (protéines), et les chercheurs ont isolé des dizaines de gènes qui codent pour ces hormones. Ce lien avec l'hérédité aide à expliquer pourquoi certaines personnes doivent fournir plus d'efforts pour maintenir leur poids alors que d'autres semblent pouvoir manger sans cesse sans prendre un kilogramme.

Les études incessantes des chercheurs sur les gènes et les voies de signalisation qui assurent la régulation du poids offrent aux personnes obèses, qui ont des anomalies héréditaires de ces mécanismes, des raisons d'être quelque peu optimistes; elles pourraient un jour être traitées grâce à des médicaments de nouvelle génération. Toutefois, jusqu'à présent, la diversité des anomalies dans les systèmes complexes régulateurs du poids ont rendu la tâche difficile dans l'élaboration de traitements qui seraient d'usage étendu et sans effets secondaires graves.

Les études portant sur une hormone, la leptine, un des régulateurs clés de l'appétit à long terme chez les Mammifères, ont mis en évidence la complexité du contrôle pondéral chez les humains. La leptine est produite par les cellules adipeuses. L'augmentation du tissu adipeux entraîne une élévation des concentrations de leptine dans le sang; cela amène normalement l'encéphale à couper l'appétit (voir la figure 41.5). C'est là un des mécanismes de rétroaction qui empêche la plupart des personnes de devenir obèses même si elles ont accès à des aliments en abondance. À l'inverse, une perte de graisses corporelles fait baisser la concentration de leptine; cela indique au cerveau d'augmenter l'appétit. Les souris dont le gène de la leptine présente une anomalie héréditaire deviennent très obèses **(figure 41.6)**. Des chercheurs ont découvert qu'ils pouvaient les traiter en leur injectant de la leptine.

La découverte de la mutation entraînant la déficience en leptine chez la souris a fait la manchette des journaux et a au départ créé beaucoup d'enthousiasme chez les chercheurs travaillant sur l'obésité parce que les humains possèdent eux aussi un gène de la leptine. Et, de fait, les enfants obèses qui possèdent une forme mutante héréditaire du gène de la leptine perdent du poids après des traitements à cette hormone. Cependant, peu de personnes obèses possèdent une telle production anormale de leptine. En fait, la plupart des humains obèses présentent une concentration anormalement *élevée* de leptine, qui, après tout, est produite par le tissu adipeux. Pour une raison quelconque, le centre de satiété de l'encéphale ne répond pas aux concentrations élevées de leptine chez de nombreuses personnes obèses. Selon une hypothèse, chez les humains, peut-être contrairement à beaucoup d'autres Mammifères, la principale fonction du système de la leptine n'est pas d'empêcher le gain de poids. Au contraire, il pourrait consister à stimuler l'appétit et à prévenir la perte de poids quand les concentrations de l'hormone diminuent en raison d'une perte de graisses corporelles. Cette nuance physiologique pourrait être une conséquence de notre histoire évolutive.

L'obésité et l'évolution

La plupart d'entre nous éprouvons un besoin impérieux d'aliments riches en gras comme les frites, les hamburgers, le fromage et la crème glacée. Bien qu'elle puisse, à notre époque, constituer un désavantage pour la santé, l'accumulation de graisses a pu être un atout au cours de l'évolution de notre espèce. Ce n'est que depuis quelques siècles qu'un grand nombre de personnes ont eu accès à un approvisionnement fiable d'aliments à haute teneur énergétique. Nos lointains ancêtres de la savane africaine vivaient de chasse et de cueillette; ils ont probablement survécu en s'alimentant surtout de graines et d'autres produits

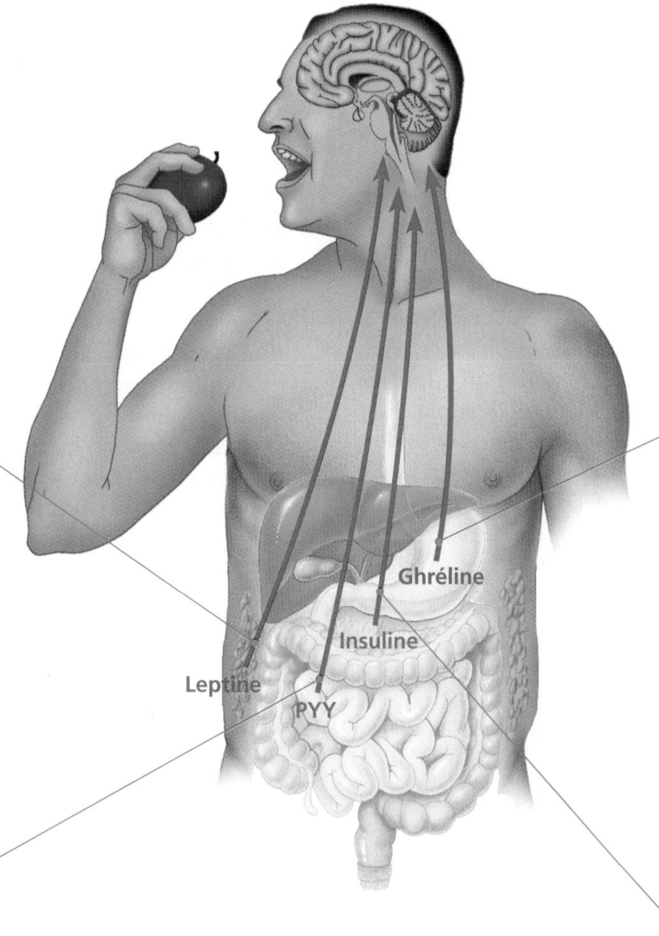

La **leptine**, découverte en 1994, est produite par les cellules adipeuses; elle supprime l'appétit quand sa concentration augmente. Lorsque les graisses corporelles diminuent, la concentration de leptine baisse, et l'appétit augmente.
La **ghréline**, découverte en 1999, est sécrétée par l'estomac; c'est l'un des médiateurs qui déclenche la sensation de faim quand l'heure des repas approche. Chez les personnes à la diète pour perdre du poids, la concentration de ghréline augmente, ce qui est peut-être une des raisons pour lesquelles il est si difficile de suivre un régime amaigrissant.
Ghréline
Insuline
Leptine
PYY
Le PYY (pour **p**eptide agissant sur des récepteurs de type **Y2** de l'hypothalamus), découvert en 2002, est une hormone sécrétée par l'intestin grêle et le côlon après les repas qui agit comme un suppresseur d'appétit et qui s'oppose à la ghréline, stimulant de l'appétit.
Une élévation de la glycémie après un repas stimule la sécrétion de l'**insuline** par le pancréas (voir la figure 41.3). En plus de ses autres fonctions, l'insuline inhibe l'appétit en agissant sur l'encéphale.

▲ **Figure 41.5 Quelques hormones de régulation de l'appétit.** Les hormones sécrétées par divers organes et tissus atteignent l'encéphale par l'intermédiaire de la circulation sanguine. Elles agissent sur une région de l'encéphale, l'hypothalamus, qui à son tour contrôle le « centre de satiété ». Ce dernier engendre les influx nerveux qui provoquent la sensation de faim ou de satiété. La flèche verte indique un stimulant de l'appétit; les flèches rouges représentent les suppresseurs de l'appétit.

▲ **Figure 41.6 Rongeur vorace.** Chez la souris obèse à gauche, un gène mutant ne produit plus normalement la leptine, hormone de suppression de l'appétit.

végétaux, un régime alimentaire qu'ils n'enrichissaient qu'à l'occasion grâce à la chasse au gibier ou en se nourrissant de matières organiques mortes obtenues d'Animaux tués par d'autres prédateurs. Dans une telle existence où alternent bombance et famine, la sélection naturelle peut avoir favorisé les individus que la physiologie poussait à se gaver d'aliments riches en graisses en ces rares occasions où de tels festins étaient possibles. Ces individus possédant les gènes qui favorisaient l'accumulation de molécules à haute teneur énergétique durant ces repas copieux avaient plus de chances de survivre aux famines que leurs amis plus maigres. Notre goût actuel pour les aliments riches en gras, qui contribue à l'épidémie d'obésité, est donc probablement un vestige de l'évolution d'une époque moins nutritive. De nos jours, évidemment, la plupart d'entre nous ne faisons que « cueillir et chasser » dans les épiceries et les restaurants.

L'obésité, qui peut sembler un excès de graisses corporelles pour nous, les humains, peut avoir des incidences favorables chez certaines espèces animales. Par exemple, l'océanite de Wilson (*Oceanites oceanicus*), un Oiseau palmipède qu'on observe régulièrement dans le golfe du Saint-Laurent en été, doit parcourir de grandes distances pour trouver de la nourriture (il migre en Antarctique pendant notre saison hivernale). La plupart des aliments que les parents de cette espèce apportent à leurs jeunes sont très riches en lipides. C'est une façon de réduire au minimum la masse des aliments qu'ils transportent pendant leurs longues quêtes de nourriture (n'oublions pas que les graisses contiennent deux fois plus de joules par gramme que les glucides et les protéines). Toutefois, les jeunes océanites de Wilson ont aussi besoin de beaucoup de protéines pour former de nouveaux tissus. Or, les régimes riches en graisses en contiennent relativement peu. Pour combler leurs besoins en protéines, les oisillons doivent donc consommer beaucoup plus de nourriture que leurs besoins en énergie. Ils finissent par devenir obèses **(figure 41.7)**, à un point tel qu'à la fin de la période de leur croissance ils pèsent beaucoup plus que leurs parents. Ils sont alors beaucoup trop lourds pour prendre leur envol et doivent se soumettre à une période de jeûne durant plusieurs jours. Bref, les dépôts de graisses des jeunes océanites de Wilson répondent à une fonction importante ; ces réserves d'énergie les aident à survivre pendant les périodes où leurs parents sont incapables de trouver suffisamment de nourriture. Comme c'est souvent le cas, les curiosités biologiques semblent moins bizarres lorsqu'on les situe dans le contexte de la sélection naturelle.

▲ **Figure 41.7 Océanite dodu.** Trop lourd pour voler, cet oisillon (à droite) doit perdre du poids avant de s'envoler. En attendant, ses réserves de graisses lui fournissent l'énergie pendant les périodes où ses parents sont incapables de trouver suffisamment de nourriture.

Retour sur le concept 41.1

1. Dans quel sens une masse corporelle stable est-elle une question de comptabilité de joules ?
2. Expliquez de quelle façon il est possible pour un individu de devenir obèse même si son ingestion de graisses alimentaires est passablement faible comparée à son ingestion de glucides.
3. Après avoir examiné la figure 41.5, expliquez comment deux hormones, la PYY et la leptine, se complètent dans la régulation de la masse corporelle.

Voir les réponses proposées à la fin du chapitre.

Concept 41.2

Un Animal doit avoir un régime alimentaire qui lui apporte des squelettes carbonés ainsi que les éléments nutritifs essentiels

Le régime alimentaire d'un Animal doit fournir à celui-ci l'énergie destinée à la production d'ATP et les matériaux nécessaires à la biosynthèse. Pour bâtir les molécules complexes essentielles à la croissance et au maintien des tissus, un Animal doit trouver des précurseurs organiques (squelettes carbonés) dans les aliments. Lorsqu'il dispose d'une source de carbone organique (comme les monosaccharides et les disaccharides) et d'une source d'azote organique (généralement les acides aminés provenant de la digestion des protéines), il peut fabriquer une grande variété de molécules organiques, notamment des glucides, des protéines et des lipides.

Outre les sources d'énergie et les squelettes carbonés, le régime alimentaire doit apporter les **nutriments essentiels.** Ce sont des matériaux devant être obtenus sous une forme préassemblée, car les cellules des Animaux ne sont pas en mesure de les fabriquer à partir de matières brutes quelles qu'elles soient. Certains de ces nutriments sont indispensables à tous les Animaux ; d'autres ne sont utiles qu'à certaines espèces. Par exemple, l'acide ascorbique (vitamine C) est un élément nutritif nécessaire aux humains et aux autres Primates, aux cobayes, à certains Oiseaux et serpents, mais non à la plupart des autres Animaux.

Quand un ou plusieurs nutriments essentiels ne sont pas assurés par le régime alimentaire d'un Animal, celui-ci souffre de **malnutrition** (la *sous-alimentation*, elle, renvoie à une carence énergétique). Par exemple, les bovins et autres herbivores peuvent souffrir de carences en minéraux s'ils se nourrissent de plantes poussant dans un sol dépourvu de certains minéraux essentiels **(figure 41.8)**. La malnutrition est beaucoup plus courante que la

▲ **Figure 41.8 Obtention des nutriments essentiels.** Sur cette photo, le caribou (*Rangifer tarandus*), herbivore de l'Arctique, mâche les bois caducs d'un autre Animal. Les bois et les os contiennent du phosphate de calcium ; l'ostéophagie (la consommation d'os) est courante chez les herbivores vivant dans des lieux où les sols et les plantes souffrent d'une carence en phosphore. Les Animaux ont besoin d'absorber du phosphore pour élaborer de l'ATP, des acides nucléiques, des phosphoglycérolipides et des os.

sous-alimentation chez l'humain ; il est possible qu'un sujet suralimenté (obèse) soit mal nourri.

On groupe les nutriments essentiels en quatre catégories : les acides aminés essentiels, les acides gras essentiels, les vitamines et les minéraux.

Les acides aminés essentiels

Les Animaux ont besoin de 20 acides aminés pour fabriquer leurs protéines ; la plupart des espèces peuvent en synthétiser environ la moitié, du moment que leur régime alimentaire comporte de l'azote organique. Les autres acides aminés, c'est-à-dire les **acides aminés essentiels**, doivent se trouver préassemblés dans les aliments : il y en a huit qui sont indispensables à un humain adulte (un neuvième acide aminé, l'histidine, est nécessaire au nourrisson). Ces mêmes acides aminés sont primordiaux pour la plupart des Animaux. Plusieurs espèces animales ont, de plus, besoin de certains autres acides aminés ; c'est le cas, entre autres, du chien et du chat qui ont chacun des besoins particuliers et ne doivent donc pas recevoir la même nourriture.

Un régime auquel il manque un ou plusieurs acides aminés essentiels entraîne une forme de malnutrition appelée *carence protéique* **(figure 41.9)**. C'est la déficience nutritionnelle la plus courante chez l'humain. Les victimes sont généralement des enfants qui, s'ils survivent, souffriront sans doute d'un retard dans le développement physique et peut-être mental. Dans le cas d'une variation de la malnutrition, appelée *kwashiorkor*, le régime fournit suffisamment de joules mais présente une carence protéique grave (voir la figure 41.9). Ce syndrome (kwashiorkor) tire son nom du ghanéen signifiant l'« affection de l'enfant qui n'est plus allaité », en référence aux cas où la malnutrition commence quand un enfant est sevré.

Les sources les plus fiables d'acides aminés essentiels sont les viandes, les œufs, les fromages et les autres produits animaux. Les protéines des produits animaux sont dites *complètes*, c'est-à-dire qu'elles contiennent tous les acides aminés essentiels, dans des proportions adéquates. En revanche, la plupart des protéines végétales sont dites *incomplètes*, car il leur manque un ou plusieurs acides aminés essentiels. Ainsi, le maïs ne contient pas de lysine. Une personne forcée (par la pauvreté ou pour toute autre raison) de tirer presque tout son apport énergétique du maïs présentera après un certain temps les symptômes d'une carence protéique. Le même problème s'appliquera à une personne qui s'alimente exclusivement ou presque de riz, de blé ou de pommes de terre. Il est toutefois possible de consommer une combinaison d'aliments végétaux qui se complètent en vue d'absorber tous les acides aminés essentiels **(figure 41.10)**. La plupart des populations humaines ont développé, par expérience, des régimes alimentaires équilibrés prévenant l'insuffisance protéique.

Certains Animaux bénéficient d'adaptations particulières leur permettant de traverser des périodes où leur corps aura besoin d'une quantité extraordinaire de protéines. Par exemple, les manchots peuvent utiliser les protéines de leurs muscles comme source d'acides aminés pour synthétiser de nouvelles protéines lorsqu'ils remplacent leurs plumes perdues pendant la mue **(figure 41.11)**.

Les acides gras essentiels

Les Animaux peuvent synthétiser la plupart des acides gras dont ils ont besoin. Les **acides gras essentiels**, c'est-à-dire ceux qu'ils ne peuvent fabriquer eux-mêmes, sont des acides gras insaturés (comportant une ou plusieurs liaisons doubles ; voir la figure 5.12) appartenant à la famille des oméga-3 et des oméga-6. Par exemple, l'acide linoléique (oméga-6 qui possède deux doubles liaisons) doit faire partie du régime alimentaire des humains qui n'ont pas les enzymes qu'il faut pour produire les doubles liaisons. Cet acide gras essentiel, qu'on trouve dans les huiles végétales et les noix, sert à fabriquer certains phosphoglycérolipides membranaires. Les régimes alimentaires des humains et des autres Animaux fournissent généralement des quantités importantes d'acides gras essentiels. Les carences sont donc rares.

Les vitamines

Les **vitamines** sont des molécules organiques nécessaires en très faibles quantités, alors que les acides aminés et les acides gras sont indispensables en grandes quantités aux Animaux. Des doses infimes de vitamines (entre 0,01 et 100 mg/j, selon la vitamine) peuvent suffire. Il reste que les carences vitaminiques peuvent causer des problèmes importants.

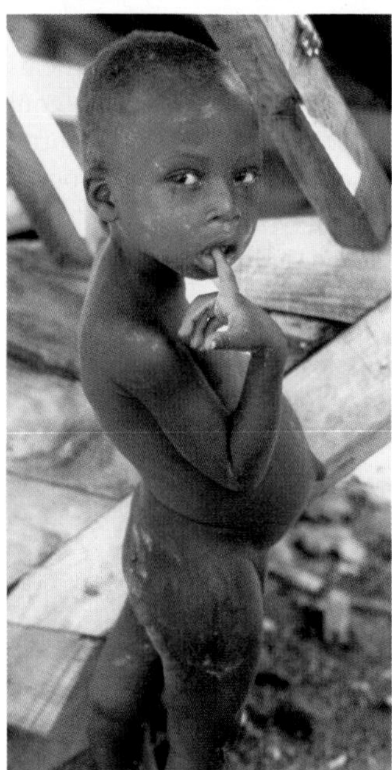

◀ **Figure 41.9 Kwashiorkor (carence en protéines) chez un garçon haïtien.** L'abdomen gonflé (œdème) est un effet osmotique : la capacité du sang à absorber l'eau de la cavité abdominale par osmose est réduite en raison de la carence en protéines du sang (solutés).

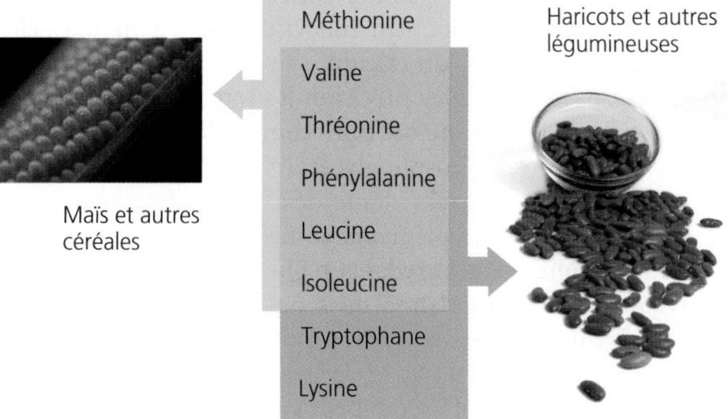

▲ **Figure 41.10 Acides aminés essentiels issus d'un régime végétarien.** L'humain adulte peut se procurer les huit acides aminés essentiels en consommant un repas constitué de maïs et de haricots.

▲ **Figure 41.11 Mise en réserve de protéines destinées à la croissance.** Les manchots, tels que ce spécimen de manchot Adélie (*Pygoscelis adeliæ*) de l'Antarctique, doivent constituer beaucoup de nouvelles protéines au moment de la mue (soit la croissance d'un nouveau plumage). Comme ils perdent temporairement leur revêtement de plumes isolantes, ils ne sont pas en mesure de nager ni de s'alimenter pendant la mue. D'où tirent-ils alors les acides aminés indispensables à la production des protéines constitutives des plumes ? Avant de muer, les manchots augmentent considérablement leur masse musculaire. Puis, leur organisme dégrade les protéines supplémentaires des muscles, de sorte à disposer des acides aminés nécessaires à la croissance des nouvelles plumes.

Jusqu'ici, les chercheurs ont isolé 13 vitamines essentielles aux humains. Elles ont des fonctions très diverses. Les vitamines sont divisées en deux catégories : il y a celles qui sont hydrosolubles et celles qui sont liposolubles **(tableau 41.1)**. Les vitamines hydrosolubles comprennent les vitamines du complexe B ; celles-ci consistent en plusieurs composés servant généralement de coenzymes dans des processus métaboliques importants. La vitamine C est également hydrosoluble ; elle est nécessaire à la production de tissus conjonctifs. Les excès de vitamines hydrosolubles sont excrétés dans l'urine. Un léger apport supplémentaire de ces vitamines est donc probablement inoffensif.

Les vitamines liposolubles comprennent les vitamines A, D, E et K. Elles exercent une gamme variée de fonctions. La vitamine A est incorporée aux pigments visuels. La vitamine D, elle, contribue à l'absorption du calcium et à la formation des os. On ne connaît pas encore avec précision les fonctions exactes de la vitamine E ; on sait toutefois que, comme la vitamine C, elle semble protéger les phosphoglycérolipides membranaires de l'oxydation (vous avez sans doute déjà lu des annonces publicitaires vantant des suppléments alimentaires contenant de la vitamine E comme « antioxydant »). Quant à la vitamine K, elle intervient dans la coagulation du sang. Les excès de vitamines liposolubles ne sont pas éliminés ; ils sont plutôt déposés dans les graisses corporelles, de sorte que leur surconsommation peut entraîner une accumulation qui peut s'avérer toxique lorsque ces graisses sont mobilisées.

La question de l'apport vitaminique soulève des débats enflammés, tant chez les chercheurs que chez le public. Certains estiment que, pour maintenir un état de santé normal, il suffit de respecter les apports nutritionnels recommandés (ANR), c'est-à-dire les quantités conseillées par les nutritionnistes. D'autres observateurs considèrent que les ANR ont été fixés à des seuils trop bas en ce qui a trait à certaines vitamines. Enfin, une minorité croit (sans doute à tort) que des doses *massives* de vitamines ont des effets favorables sur la santé. Les recherches sont en cours et le débat se poursuit, surtout en ce qui concerne le dosage optimal des vitamines C et E. Pour l'instant, on peut affirmer avec certitude que les sujets qui ont un régime alimentaire varié et équilibré risquent fort peu de souffrir d'une carence vitaminique.

Les minéraux

Les **minéraux** sont des nutriments inorganiques simples. Ils sont habituellement requis en très petites quantités, allant de moins de 1 à environ 2 500 mg/j **(tableau 41.2)**. Les besoins en minéraux, comme les besoins en vitamines, varient d'une espèce animale à l'autre. Les humains et d'autres Vertébrés nécessitent des quantités relativement importantes de calcium et de phosphore pour la formation et l'entretien des os. Le calcium est également indispensable au fonctionnement normal des nerfs et des muscles. Quant au phosphore, il entre aussi dans la composition de l'ATP et des acides nucléiques. Le fer, lui, est un composant des cytochromes – qui interviennent dans la respiration cellulaire (voir la figure 9.13) – et de l'hémoglobine – la protéine fixatrice de dioxygène des globules rouges. Le magnésium, le fer, le zinc, le cuivre, le manganèse, le sélénium et le molybdène sont des cofacteurs insérés dans la structure de certaines enzymes. Le magnésium, par exemple, s'insère dans les enzymes hydrolysant l'ATP. Par ailleurs, les Vertébrés ont aussi besoin d'iode pour fabriquer les hormones thyroïdiennes régulant la vitesse du métabolisme. Enfin, le sodium, le potassium et le chlore jouent un rôle important dans le fonctionnement du système nerveux, et ils influent également sur l'équilibre osmotique entre les cellules et le liquide interstitiel.

La plupart des humains ingèrent beaucoup trop de sel (chlorure de sodium), en comparaison des besoins réels de leur organisme. En Amérique du Nord, le citoyen moyen consomme assez de sel pour subvenir environ 20 fois aux besoins réels de son organisme. Une grande partie de ce sel est cachée dans les aliments apprêtés, en emballage, même dans ceux qui n'ont pas un goût salé. L'absorption d'une quantité excédentaire de sel ou d'autres minéraux peut nuire à l'équilibre homéostatique et provoquer des effets secondaires toxiques. Par exemple, l'excès de sel est associé à l'hypertension artérielle ; quant à la surabondance de fer, elle peut provoquer des lésions hépatiques.

Dans la section suivante, nous allons passer des besoins nutritionnels à la façon dont les Animaux traitent leurs aliments.

Retour sur le concept 41.2

1. Comparez la sous-alimentation et la malnutrition.
2. Expliquez comment un régime alimentaire végétarien équilibré peut fournir tous les acides aminés essentiels.
3. Comparez les vitamines et les minéraux.

Voir les réponses proposées à la fin du chapitre.

Tableau 41.1 Besoins en vitamines des humains

Vitamines	Principales sources alimentaires	Fonctions principales	Symptômes possibles d'une carence ou d'une surdose
Vitamines hydrosolubles			
Acide folique (folacine, vitamine B_9)	Légumes verts, oranges, noix, légumineuses et céréales à grains entiers	Coenzyme participant au métabolisme des acides aminés et des acides nucléiques	Anémie et troubles gastro-intestinaux; développement anormal du système nerveux de l'embryon. Peut dissimuler une carence en vitamine B_{12}.
Acide pantothénique	La plupart des aliments: viandes, produits laitiers, céréales à grains entiers, etc.	Constituant de la coenzyme A	Fatigue, perte de sensibilité, picotements dans les mains et les pieds
Biotine	Légumineuses, autres végétaux et viandes; synthèse intestinale	Coenzyme dans la synthèse des lipides, du glycogène et des acides aminés	Inflammation et desquamation cutanées, troubles neuromusculaires
Niacine	Noix, viandes et céréales à grains entiers	Constituant des coenzymes NAD^+ et $NADP^+$	Lésions cutanées et gastro-intestinales, troubles nerveux Lésions au foie
Vitamine B_1 (thiamine)	Porc, légumineuses, arachides et céréales à grains entiers	Coenzyme utilisée pour l'élimination du CO_2 des composés organiques	Béribéri (troubles nerveux, maigreur et anémie)
Vitamine B_2 (riboflavine)	Produits laitiers, viandes, céréales enrichies et légumes	Constituant des coenzymes FAD et FMN	Lésions cutanées, notamment fissures aux commissures des lèvres, photophobie
Vitamine B_6 (pyridoxine)	Viandes, légumes et céréales à grains entiers	Coenzyme utilisée dans le métabolisme des acides aminés	Irritabilité, convulsions, secousses musculaires et anémie Démarche instable, pieds engourdis et troubles de la coordination
Vitamine B_{12}	Viandes, œufs et produits laitiers; synthèse intestinale	Coenzyme participant au métabolisme des acides nucléiques; maturation des globules rouges	Anémie et troubles du système nerveux
Vitamine C (acide ascorbique)	Fruits et légumes, surtout agrumes, brocoli, chou, tomate et poivron vert	Utilisée pour la synthèse du collagène (notamment dans les tissus osseux et cartilagineux, et les gencives); antioxydant; agent de la détoxication; améliore l'absorption du fer.	Scorbut (dégénérescence de la peau, des dents et des vaisseaux sanguins), faiblesse, retard dans la cicatrisation, perturbation du système immunitaire Troubles gastro-intestinaux
Vitamines liposolubles			
Vitamine A (rétinol)	Provitamine A (bêta-carotène) dans les fruits et légumes vert foncé et orange; rétinol dans les produits laitiers	Constituant des pigments visuels; entretien des tissus épithéliaux; antioxydant; protection des membranes cellulaires	Cécité nocturne; peau sèche qui se desquame. Maux de tête, irritabilité, vomissements, perte des cheveux, vision trouble, lésions au foie et aux os
Vitamine D	Produits laitiers et jaune d'œuf (est aussi élaborée dans la peau humaine en présence de soleil).	Facilite l'absorption et l'utilisation du calcium et du phosphore; favorise la croissance osseuse.	Rachitisme (difformités osseuses) chez les enfants, ostéomalacie chez les adultes Lésions encéphaliques, cardiovasculaires et rénales
Vitamine E (tocophérol)	Huiles végétales, noix et graines	Antioxydant; protège les membranes cellulaires.	Aucun effet attesté chez l'humain; peut-être anémie
Vitamine K (phylloquinone)	Légumes verts et thé (est aussi élaborée par les Bactéries du gros intestin).	Facilite la coagulation du sang.	Troubles de la coagulation du sang Lésions au foie et anémie

Tableau 41.2 Besoins en minéraux des humains

Minéraux	Principales sources alimentaires	Fonctions principales	Symptômes possibles d'une carence*
Calcium (Ca)	Produits laitiers, légumes vert foncé et légumineuses	Formation des os et des dents; coagulation sanguine; fonctions musculaire et nerveuse	Retard de croissance, perte de masse osseuse, tétanie musculaire
Phosphore (P)	Produits laitiers, viandes et céréales	Formation des os et des dents; équilibre acidobasique; synthèse des nucléotides	Faiblesse, déminéralisation des os, perte de calcium
Soufre (S)	Protéines de nombreuses sources	Constituant de certains acides aminés	Symptômes des carences protéiques
Potassium (K)	Viandes, produits laitiers, nombreux fruits et légumes, céréales	Équilibre acidobasique; équilibre hydrique; transmission de l'influx nerveux, synthèse protéique	Faiblesse musculaire, paralysie, nausées, insuffisance cardiaque
Chlore (Cl)	Sel de table	Équilibre acidobasique; formation du suc gastrique; équilibre osmotique	Crampes musculaires, diminution de l'appétit
Sodium (Na)	Sel de table	Équilibre acidobasique; équilibre hydrique; transmission de l'influx nerveux	Crampes musculaires, diminution de l'appétit
Magnésium (Mg)	Céréales à grains entiers et légumes verts feuillus	Cofacteur; bioénergétique de l'ATP	Troubles neuromusculaires
Fer (Fe)	Viandes, œufs, légumineuses, céréales à grains entiers et légumes verts feuillus	Constituant de l'hémoglobine et des transporteurs d'électrons dans le métabolisme énergétique; cofacteur enzymatique	Anémie ferriprive, faiblesse, affaiblissement du système immunitaire, troubles de la thermo-régulation
Fluor (F)	Eau fluorée, thé et fruits de mer	Entretien de la structure des dents (et sans doute des os)	Fréquence accrue des caries dentaires
Zinc (Zn)	Viandes, fruits de mer et céréales	Constituant de certaines enzymes de la digestion et d'autres protéines	Retard de croissance, desquamation cutanée, inflammation, infertilité, affaiblissement du système immunitaire
Cuivre (Cu)	Fruits de mer, noix, légumineuses et abats	Cofacteur enzymatique du métabolisme du fer, de la synthèse de la mélanine et du transport des électrons	Anémie, perturbation des systèmes osseux et cardiovasculaire
Manganèse (Mn)	Noix, céréales, légumes, fruits et thé	Cofacteur enzymatique	Anomalie des os et des cartilages
Iode (I)	Fruits de mer, produits laitiers et sel iodé	Constituant des hormones thyroïdiennes	Goitre (hypertrophie thyroïdienne), hypothyroïdie, myxœdème
Cobalt (Co)	Viandes et produits laitiers	Constituant de la vitamine B_{12}	Aucun, sauf les symptômes constatés en cas de carence de vitamine B_{12}
Sélénium (Se)	Fruits de mer, viandes et céréales à grains entiers	Cofacteur enzymatique; antioxydant en association étroite avec la vitamine E	Douleurs musculaires, lésions éventuelles du muscle cardiaque
Chrome (Cr)	Levure de bière, foie, fruits de mer, viandes et certains légumes	Participe au métabolisme du glucose et de l'énergie en général.	Perturbation du métabolisme du glucose en nuisant à l'action de l'insuline
Molybdène (Mo)	Légumineuses, céréales et certains légumes	Cofacteur enzymatique	Troubles de l'excrétion des composés azotés

* Tous ces minéraux sont également nocifs en excès.

Concept 41.3

Les étapes principales du traitement de la nourriture sont l'ingestion, la digestion, l'absorption et l'élimination

Nous avons commencé notre étude de la nutrition en passant en revue les diverses modalités d'ingestion qui sont apparues chez les Animaux (voir la figure 41.2). Mais l'**ingestion**, c'est-à-dire le mécanisme par lequel la nourriture s'introduit dans un organisme, ne constitue que la première étape du traitement des aliments. La majeure partie de la matière organique des aliments se compose de protéines, de lipides et de glucides sous la forme d'amidon et d'autres polysaccharides. Les Animaux ne peuvent utiliser ces macromolécules directement, pour deux raisons. Premièrement, les polymères sont trop gros pour passer à travers les membranes et pénétrer dans les cellules des Animaux. Deuxièmement, les macromolécules qui constituent un Animal ne sont pas semblables à celles qui composent les aliments. Cependant, tous les organismes utilisent des monomères communs pour fabriquer des macromolécules. Par exemple, le soja, les drosophiles et l'humain assemblent leurs protéines à partir des mêmes 20 acides aminés.

La **digestion** constitue la deuxième étape du traitement de la nourriture. Elle consiste à décomposer les aliments en des molécules suffisamment petites pour être absorbées par le corps **(figure 41.12)**. Elle transforme les macromolécules contenues dans les fragments de nourriture en des monomères. Les Animaux sont alors capables d'utiliser ceux-ci pour assembler leurs propres molécules ou de s'en servir comme source d'énergie pour la production d'ATP. Ainsi, les polysaccharides et les disaccharides sont décomposés en monosaccharides; les lipides, eux, sont transformés, entre autres choses, en glycérol et en acides gras; quant aux protéines, elles sont décomposées en acides aminés; enfin, les acides nucléiques sont réduits en nucléotides.

Vous avez vu au chapitre 5 qu'une cellule fabrique une macromolécule en liant des monomères; elle y arrive en éliminant une molécule d'eau pour chaque nouvelle liaison covalente formée. La digestion inverse ce processus: elle rompt chaque liaison en ajoutant une molécule d'eau (voir la figure 5.2). Ce processus de décomposition des macromolécules s'appelle **hydrolyse enzymatique**. Certaines variétés d'enzymes hydrolytiques (hydrolases) catalysent la digestion de chacune des catégories de macromolécules trouvées dans les aliments. Cette décomposition chimique est généralement précédée d'une fragmentation mécanique des aliments, au moyen de la mastication, par exemple. Un aliment fragmenté en des morceaux plus petits a une plus grande surface exposée aux sucs digestifs contenant les enzymes hydrolytiques.

Les deux dernières étapes du traitement de la nourriture surviennent après la digestion. Au cours de la troisième étape, l'**absorption**, les cellules constituant la paroi de la cavité digestive d'un Animal permettent aux petites molécules et aux monomères présents dans cette cavité de traverser leur membrane plasmique. Lors de la dernière étape, l'**élimination**, les matières qui n'ont pas subi de digestion ni d'absorption quittent l'organisme d'une des façons décrites dans la section suivante (voir la figure 41.12).

Les compartiments de la digestion

Comment les Animaux appliquent-ils les processus de digestion sans se digérer eux-mêmes? Après tout, leurs enzymes digestives hydrolysent des matériaux biologiques étrangers (notamment des protéines, des lipides et des glucides) qui sont de même nature que ceux qui les composent. La plupart des Animaux réduisent les risques d'autodigestion en traitant les aliments dans des compartiments spécialisés.

La digestion intracellulaire

Les vacuoles digestives sont des organites cellulaires servant à décomposer les aliments sans que les enzymes hydrolytiques qu'elles contiennent dégradent le cytoplasme de la cellule. C'est

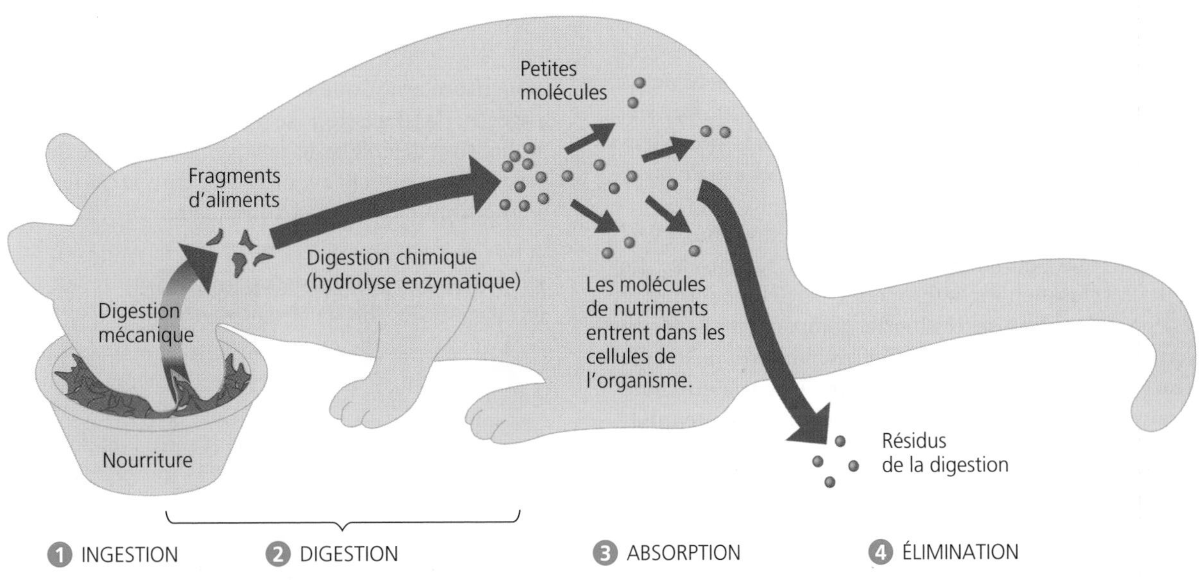

▲ **Figure 41.12 Les quatre étapes du traitement de la nourriture.**

la sorte de cavité digestive la plus simple. Cette digestion, appelée **digestion intracellulaire**, commence dans la cellule une fois que celle-ci a incorporé les aliments par phagocytose ou par pinocytose (voir la figure 7.20). Les vacuoles digestives nouvellement formées fusionnent avec des lysosomes, des organites contenant des enzymes hydrolytiques. Les aliments sont donc en contact avec les enzymes. La digestion peut se dérouler en toute sécurité dans une cavité délimitée par une membrane protectrice. Les Éponges se distinguent des autres Animaux parce qu'elles digèrent entièrement leur nourriture grâce à ce mécanisme intracellulaire (voir la figure 33.4).

La digestion extracellulaire

Chez la plupart des Animaux, au moins une partie de l'hydrolyse s'effectue au cours d'une **digestion extracellulaire**, c'est-à-dire un processus de dégradation des aliments à l'extérieur des cellules. La digestion extracellulaire a lieu dans des compartiments communiquant avec l'extérieur du corps des Animaux. Le fait de disposer d'une cavité extracellulaire servant à la digestion permet à un Animal de dévorer des proies beaucoup plus grosses que celles qui sont phagocytées et digérées à l'intérieur d'une cellule.

De nombreux Animaux caractérisés par un plan d'organisation corporelle simple possèdent une cavité digestive à une seule ouverture. Cette structure en forme de sac, appelée **cavité gastrovasculaire**, sert à la fois à la digestion des nutriments et à leur circulation dans tout l'organisme (d'où le qualificatif *vasculaire*). L'hydre (*Hydra sp.*), un Cnidaire, illustre bien le fonctionnement de la cavité gastrovasculaire. Cet Animal carnivore pique sa proie à l'aide de cellules spécialisées, appelées *cnidocytes* et faisant partie des tentacules. Puis, il utilise ces derniers pour porter la nourriture à sa bouche et l'introduire dans sa cavité gastrovasculaire **(figure 41.13)**. Ensuite, des cellules spécialisées du gastroderme (le tissu tapissant la cavité) sécrètent des enzymes digestives qui fragmentent les tissus mous de la proie en de petits morceaux. D'autres cellules gastrodermiques, appelées *cellules endodermiques gastriques*, ingèrent ensuite par phagocytose les particules d'aliments, et la plus grande partie de l'hydrolyse des macromolécules se fait à l'intérieur des cellules, comme chez les Éponges; la digestion chez les Cnidaires n'est donc que partiellement extracellulaire. Une fois qu'elle a digéré son repas, l'hydre élimine les matières indigestibles restant dans sa cavité gastrovasculaire (les exosquelettes de petits crustacés, par exemple) par son unique orifice, qui lui sert à la fois de bouche et d'anus. De nombreux vers plats possèdent aussi une cavité gastrovasculaire munie d'un seul orifice (voir la figure 33.10).

Contrairement aux Cnidaires et aux Plathelminthes (Vers plats), la plupart des Animaux (y compris les Nématodes, les Annélides, les Mollusques, les Arthropodes, les Échinodermes et les Cordés) possèdent une succession de compartiments reliant deux ouvertures: la bouche et l'anus. Cet ensemble s'appelle **tube digestif, tractus digestif** ou **canal alimentaire**. Une telle structure a pu apparaître chez les Animaux grâce à une importante innovation évolutive, la cavité interne ou cœlome, dont nous avons déjà parlé au chapitre 32. Comme la nourriture s'y déplace dans une seule direction, le tube digestif peut comprendre plusieurs compartiments spécialisés effectuant la digestion et l'absorption des nutriments par étapes **(figure 41.14)**. Un tube digestif complet présente un autre avantage: il rend possible l'ingestion de nourriture avant que les repas précédents aient été entièrement digérés; la digestion se fait donc de façon continue et la nourriture digérée reste relativement séparée de celle qui ne l'est pas. Cela est difficile ou inefficace dans le cas des Animaux munis d'une simple cavité gastrovasculaire.

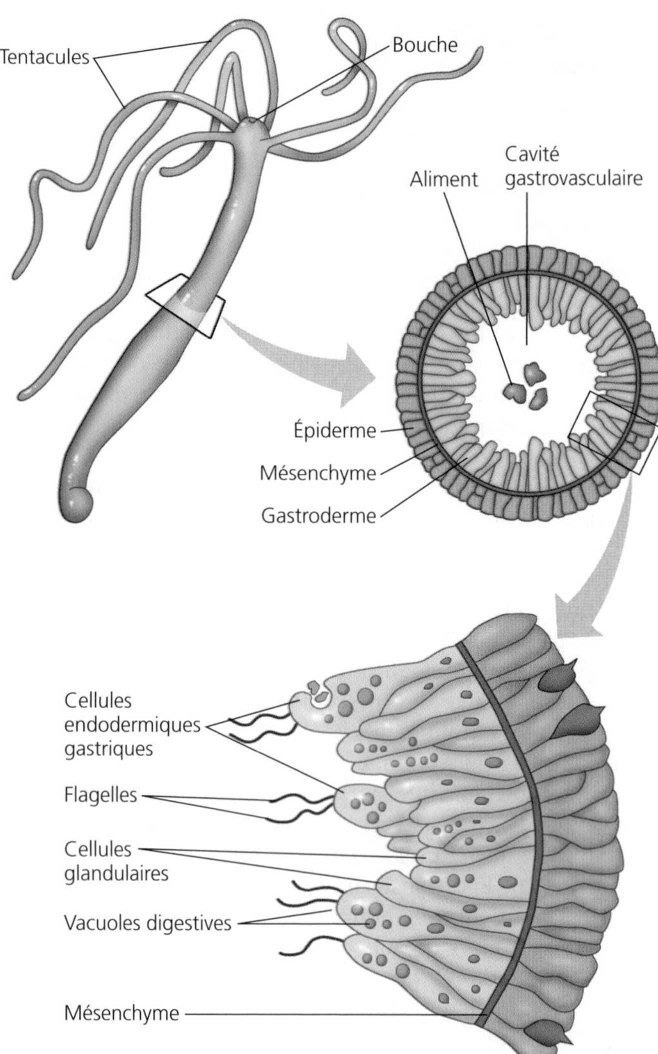

▲ **Figure 41.13 Digestion chez l'hydre.** L'épiderme (la couche externe de cellules) de l'hydre remplit des fonctions protectrices et sensorielles, tandis que le gastroderme (la couche interne) se spécialise dans la digestion. Cette dernière commence dans la cavité gastrovasculaire. Elle se poursuit dans les cellules gastrodermiques une fois que les petites particules d'aliments y entrent par phagocytose.

Retour sur le concept 41.3

1. Quelle est la principale différence anatomique entre une cavité gastrovasculaire et un canal alimentaire?
2. Pourquoi les nutriments ingérés lors d'un repas ne sont-ils pas vraiment à l'« intérieur » de notre organisme avant l'absorption, une des étapes de la transformation des aliments?

Voir les réponses proposées à la fin du chapitre.

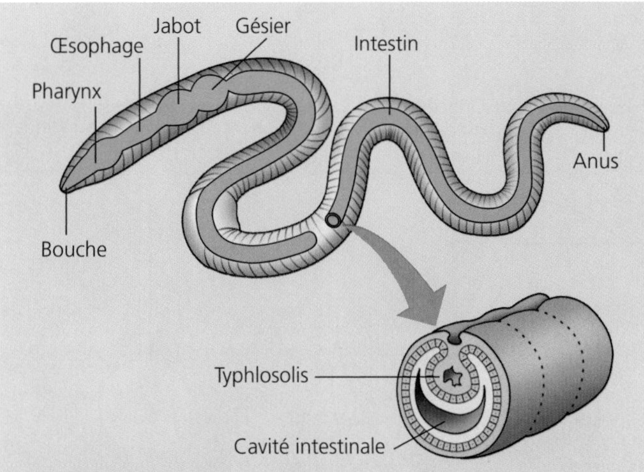

(a) Ver de terre. Le tube digestif du ver de terre commence par la bouche. Les aliments entrent dans celle-ci en étant aspirés par un pharynx musculeux. Ils passent ensuite dans un œsophage, puis sont emmagasinés et humidifiés dans le jabot. Le gésier musculeux, qui contient de petits morceaux de sable et de gravier, les broie. La digestion et l'absorption s'effectuent dans l'intestin, dont le repli dorsal, appelé typhlosolis, augmente la surface de contact destinée à l'absorption des nutriments.

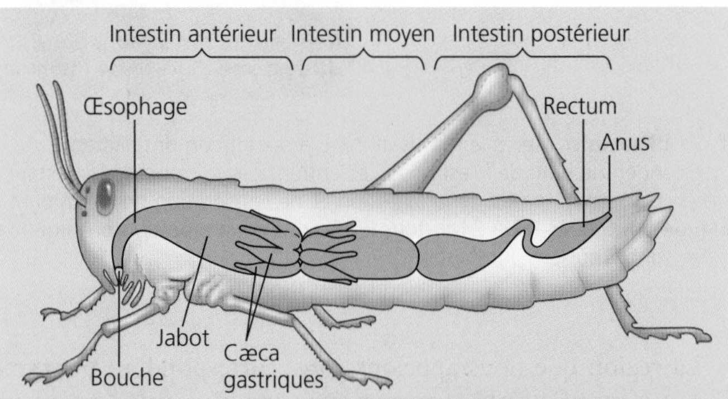

(b) Sauterelle. La sauterelle possède plusieurs cavités digestives, groupées en trois régions principales : l'intestin antérieur (comportant l'œsophage et le jabot), l'intestin moyen et l'intestin postérieur. Les aliments sont humidifiés et emmagasinés dans le jabot, mais la majeure partie de la digestion s'effectue dans l'intestin moyen. Des cæca gastriques, soit des structures en forme de sac émergeant de l'intestin moyen, servent à absorber les nutriments.

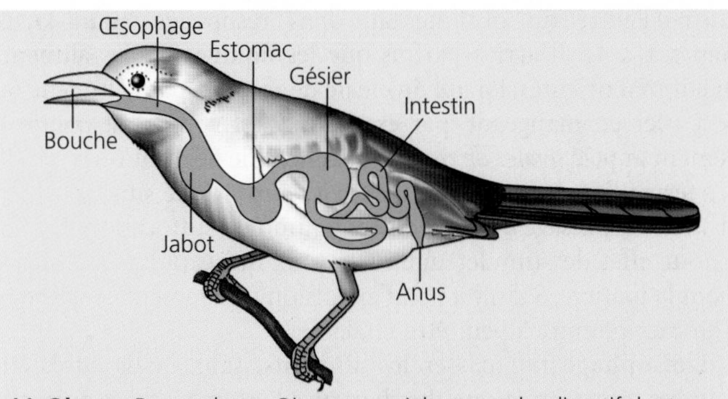

(c) Oiseau. De nombreux Oiseaux possèdent un tube digestif dont la partie antérieure est constituée de trois cavités séparées : le jabot, l'estomac et le gésier. Les aliments y sont broyés et brassés avant de passer dans l'intestin. Le fonctionnement du jabot et du gésier d'un Oiseau ressemble beaucoup à celui du ver de terre. Chez la plupart des Oiseaux, la digestion chimique et l'absorption des nutriments se déroulent dans l'intestin.

▲ **Figure 41.14 Différents tubes digestifs.**

Concept 41.4

Chaque organe du système digestif des Mammifères possède une fonction spécialisée dans le traitement de la nourriture

Les principes généraux du traitement de la nourriture sont semblables chez toute une gamme d'Animaux. Nous pouvons donc nous pencher, à titre d'exemple représentatif, sur le système digestif des Mammifères. Celui-ci comprend un tube digestif et divers organes annexes, dont certaines glandes sécrétant des sucs digestifs dans le tube par l'intermédiaire de conduits **(figure 41.15)**. Le **péristaltisme**, c'est-à-dire les ondes rythmiques produites par la contraction des muscles lisses de la paroi du tube digestif, force les aliments à avancer. À certains points de jonction des segments spécialisés du tube digestif, la couche musculaire forme un anneau appelé **sphincter** (ou muscle sphincter). Celui-ci ferme le tube à la manière d'un nœud coulant et régule le passage des aliments d'une cavité du tube à l'autre. Outre le tube digestif lui-même, le système digestif des Mammifères comprend divers organes annexes, tels que les dents (sauf de rares exceptions), la langue, les trois paires de **glandes salivaires**, le **pancréas**, le **foie** et la **vésicule biliaire**.

En nous appuyant sur l'exemple de l'humain, nous allons maintenant suivre le trajet des aliments dans le tube digestif et examiner en détail ce qu'ils deviennent à chaque étape de leur traitement (voir la figure 41.15).

La cavité buccale, le pharynx et l'œsophage

La digestion mécanique et la digestion chimique débutent toutes les deux dans la bouche. Pendant la mastication, qui est une étape de la digestion mécanique, les dents de diverses formes coupent, écrasent et broient les aliments. Elles facilitent ainsi leur déglutition et augmentent leur surface de contact, simplifiant l'action des enzymes. La présence d'aliments dans la **cavité buccale** déclenche un réflexe nerveux, qui incite les glandes salivaires à sécréter de la salive. Celle-ci parvient dans la cavité par l'intermédiaire de conduits. La salivation peut se produire par anticipation, avant même que les aliments aient pénétré dans la bouche, en raison d'associations entre l'action de manger et le moment de la journée, les odeurs de cuisson ou n'importe quel autre stimulus adéquat. Chez l'humain, les glandes salivaires sécrètent chaque jour plus de 1 L de salive (cela semble énorme, mais la vache en produit plus de 100 L !).

La salive contient une glycoprotéine (complexe formé d'un glucide et d'une protéine) lubrifiante appelée *mucine.* Cette dernière protège les muqueuses de la bouche contre l'abrasion ; elle lubrifie aussi les aliments pour faciliter leur déglutition. La salive contient également des solutions tampons, qui aident à prévenir la carie dentaire en neutralisant l'acide dans la bouche. En outre, les agents antibactériens salivaires, tels que le lysozyme et des immunoglobulines (anticorps) de type A, tuent de nombreux Virus et Bactéries ayant pénétré dans la bouche avec les aliments, ou encore les empêchent de se fixer aux muqueuses.

La digestion chimique des glucides, qui représentent la source principale d'énergie chimique, débute dans la cavité buccale. La salive contient en effet de l'**amylase salivaire**, une enzyme

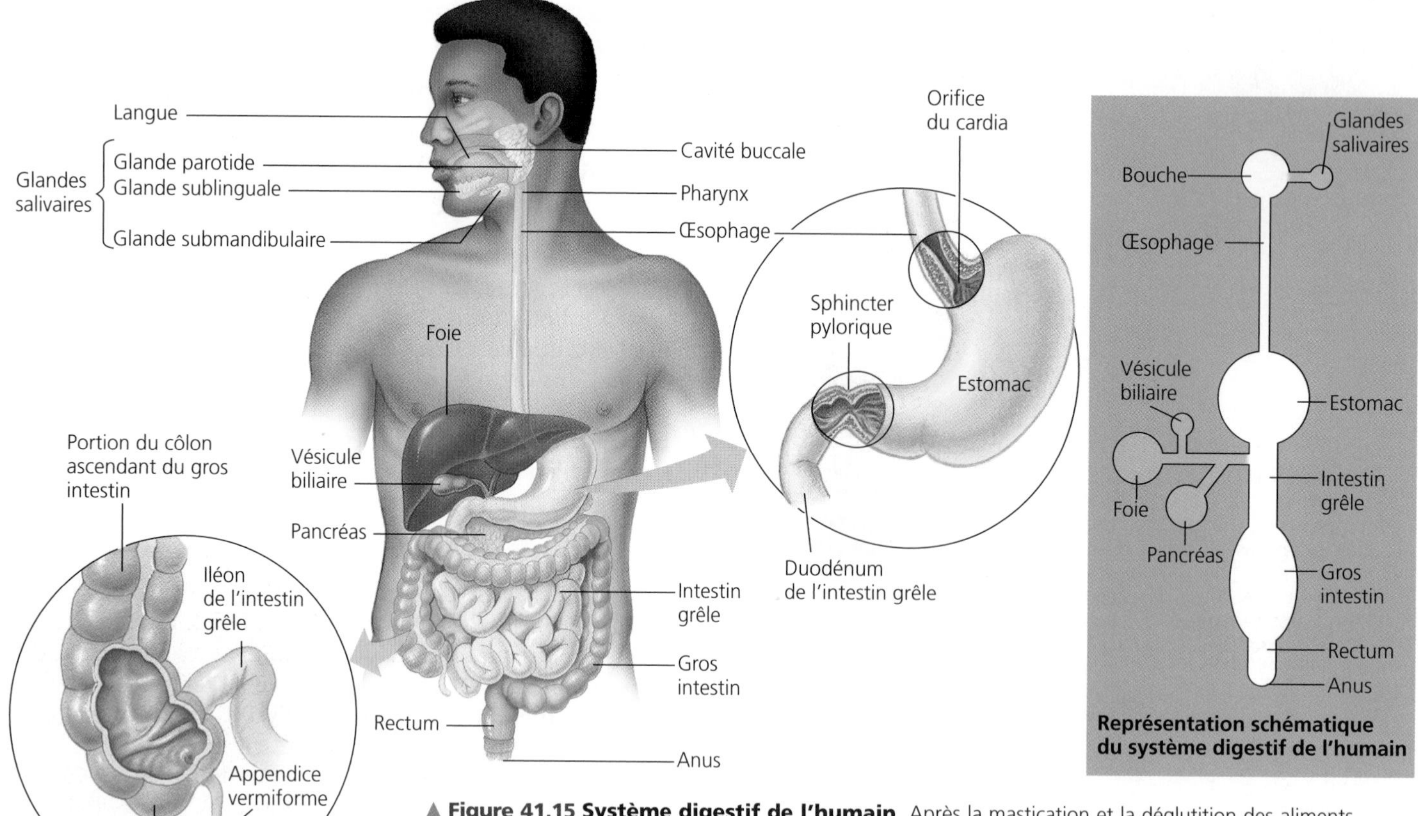

▲ **Figure 41.15 Système digestif de l'humain.** Après la mastication et la déglutition des aliments, il faut à peine de 5 à 10 s pour qu'ils descendent le long de l'œsophage et entrent dans l'estomac. Ils restent là de 2 à 6 h et sont partiellement digérés. La majeure partie de la digestion et de l'absorption des nutriments se produit dans l'intestin grêle; elle dure de 5 à 6 h. En 12 à 24 h, tous les résidus de la digestion passent par le gros intestin, et les matières fécales sont expulsées par l'anus.

digestive hydrolysant l'amidon (polymère de glucose issu des Végétaux) et le glycogène (polymère de glucose issu des Animaux). L'amylase salivaire donne des polysaccharides plus petits et du maltose, qui est un disaccharide. Habituellement, les aliments ne séjournent pas assez longtemps dans la bouche pour permettre à cette enzyme d'effectuer une digestion efficace. Son action principale consiste peut-être à prévenir l'accumulation d'amidon collant entre les dents. La salive contient aussi de la lipase linguale, mais, étant donné que les aliments ne restent pas longtemps dans la cavité buccale, la lipase linguale exerce surtout son action dans l'estomac où elle scinde les triacylglycérols en diacylglycérols et en acides gras. En général, on considère que la contribution de la lipase linguale est moins importante que celle de la lipase pancréatique dans le processus de la digestion des lipides chez l'humain, sauf dans le cas du nourrisson. La cavité buccale absorbe certaines substances en de faibles quantités. Vous avez probablement déjà entendu parler de la nitroglycérine en comprimés utilisée pour le traitement de l'angine de poitrine. On demande aux patients de mettre ce médicament sous la langue jusqu'à ce que son absorption soit complète. Actuellement, l'industrie pharmaceutique mène beaucoup de recherches sur l'absorption de substances macromoléculaires, comme l'insuline, par la muqueuse buccale.

La langue sert à goûter les aliments, à les diriger pendant la mastication et à les façonner en une boule appelée **bol alimentaire**. Pendant la déglutition, elle pousse celui-ci vers l'arrière de la cavité buccale, dans le pharynx.

La région que nous appelons *gorge* correspond au **pharynx**. C'est un carrefour qui communique aussi bien avec l'œsophage qu'avec les voies respiratoires (trachée). Lorsque nous avalons, l'extrémité supérieure de la trachée bouge vers le haut, de sorte que son ouverture, la glotte, est bloquée par un rabat cartilagineux appelé **épiglotte**. On peut observer ce mouvement quand la pomme d'Adam (la proéminence laryngée) monte et descend au cours de la déglutition. Ce mécanisme précis assure en temps normal l'entrée du bol alimentaire dans l'œsophage (**figure 41.16**, étapes 1 à 4). Il arrive parfois que les liquides ou les aliments soient mal orientés, lorsqu'on essaie de respirer par la bouche ou de parler en mangeant, par exemple; c'est ce qui est communément appelé *avaler de travers*. Le réflexe de déglutition n'a alors pas fermé l'ouverture de la trachée à temps. Cette situation peut obstruer le passage de l'air vers les poumons (suffocation), ce qui a pour effet de stimuler une forte toux qui expulse habituellement la matière. S'il n'y a pas d'expulsion rapidement, le manque d'air aux poumons peut être fatal.

L'**œsophage** fait passer les aliments, sans qu'ils subissent d'autres transformations, du pharynx à l'estomac, grâce au péristaltisme (figure 41.16, étape 6). Seuls les muscles de l'extrémité supérieure de l'œsophage sont des muscles squelettiques (volontaires). La déglutition commence donc par un acte volontaire, mais ce sont les ondes de contraction involontaires des muscles lisses qui prennent la relève. Le passage du pharynx à l'estomac ne prend que quatre à huit secondes pour les aliments solides et de une à deux secondes pour les aliments liquides.

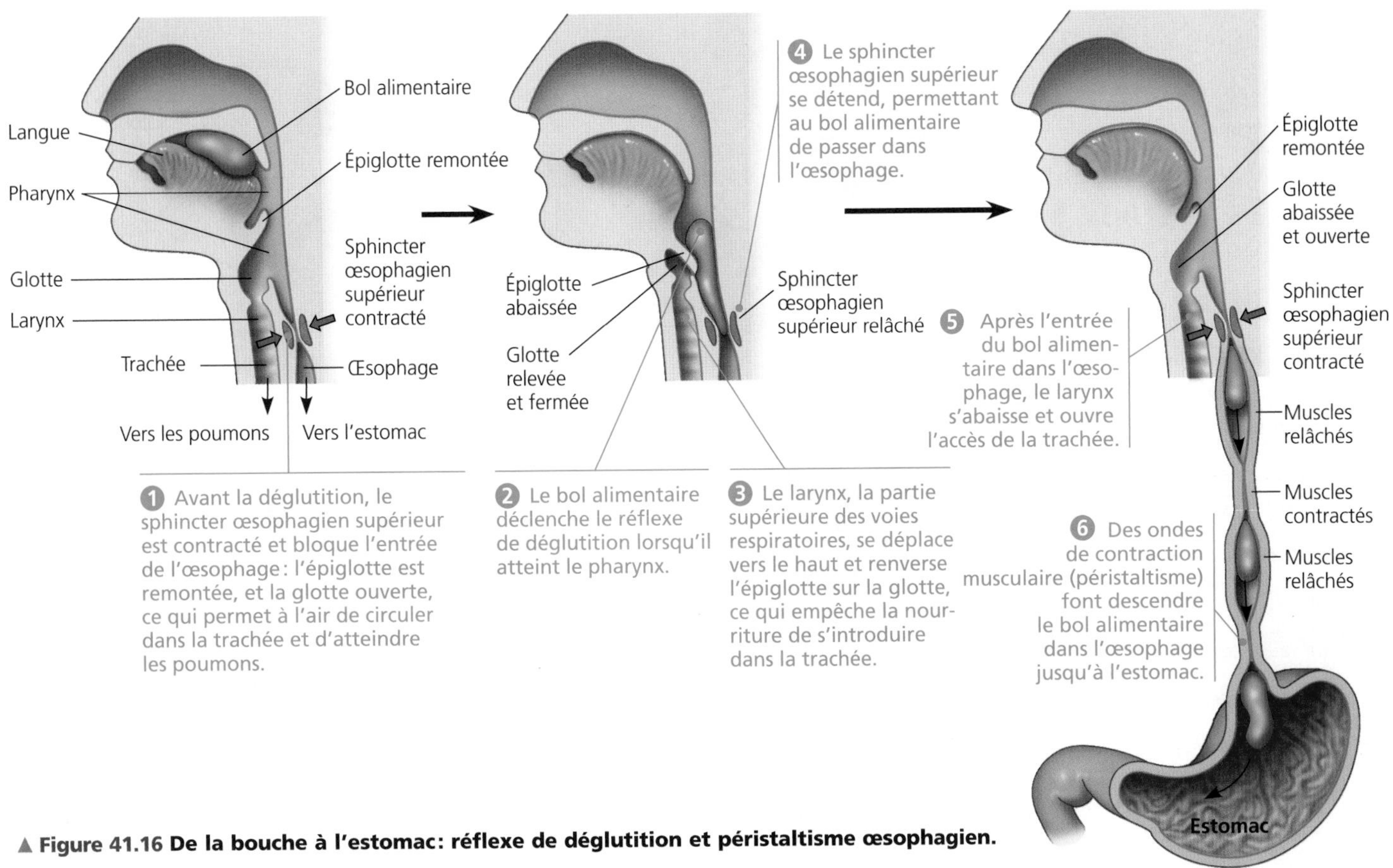

Langue
Pharynx
Glotte
Larynx
Trachée
Bol alimentaire
Épiglotte remontée
Sphincter œsophagien supérieur contracté
Œsophage
Vers les poumons
Vers l'estomac
1 Avant la déglutition, le sphincter œsophagien supérieur est contracté et bloque l'entrée de l'œsophage: l'épiglotte est remontée, et la glotte ouverte, ce qui permet à l'air de circuler dans la trachée et d'atteindre les poumons.
Épiglotte abaissée
Glotte relevée et fermée
2 Le bol alimentaire déclenche le réflexe de déglutition lorsqu'il atteint le pharynx.
4 Le sphincter œsophagien supérieur se détend, permettant au bol alimentaire de passer dans l'œsophage.
Sphincter œsophagien supérieur relâché
3 Le larynx, la partie supérieure des voies respiratoires, se déplace vers le haut et renverse l'épiglotte sur la glotte, ce qui empêche la nourriture de s'introduire dans la trachée.
5 Après l'entrée du bol alimentaire dans l'œsophage, le larynx s'abaisse et ouvre l'accès de la trachée.
6 Des ondes de contraction musculaire (péristaltisme) font descendre le bol alimentaire dans l'œsophage jusqu'à l'estomac.
Épiglotte remontée
Glotte abaissée et ouverte
Sphincter œsophagien supérieur contracté
Muscles relâchés
Muscles contractés
Muscles relâchés
Estomac

▲ **Figure 41.16 De la bouche à l'estomac: réflexe de déglutition et péristaltisme œsophagien.**

L'estomac

L'**estomac** entrepose la nourriture et effectue les premières étapes de la digestion. Cet organe volumineux est situé dans la cavité abdominale supérieure, sous le diaphragme. Grâce à ses replis en accordéon et à sa paroi extrêmement élastique, il peut s'étirer de façon à contenir environ 2 L d'aliments et de liquide. Comme il peut renfermer un repas entier, nous n'avons pas à nous nourrir constamment. Par ailleurs, l'estomac ne sert pas uniquement à entreposer la nourriture pendant un certain temps; il s'acquitte aussi de fonctions digestives importantes. Il sécrète le **suc gastrique**, une solution digestive qui se mélange aux aliments grâce aux contractions des muscles lisses de la paroi stomacale.

L'épithélium qui tapisse les nombreux replis profonds de la paroi stomacale sécrète le suc gastrique. Sa concentration élevée en chlorure d'hydrogène (acide chlorhydrique) confère généralement au suc gastrique un pH situé entre 1,5 et 3,5 (mais pouvant atteindre 4,5 après un repas riche en protéines). C'est suffisamment acide pour dissoudre du fer. L'une des fonctions de l'acide consiste à démanteler la matrice extracellulaire assemblant les cellules des tissus végétaux et animaux, et aussi à tuer la plupart des Bactéries et des Virus avalés avec les aliments. On trouve également dans le suc gastrique de la **pepsine**, une enzyme entamant l'hydrolyse des protéines. La pepsine brise les liaisons peptidiques associant des acides aminés spécifiques, ce qui dégrade les protéines en des polypeptides plus petits dont la digestion est par la suite complétée dans l'intestin grêle. Avec la lipase linguale et la lipase gastrique (cette dernière agit sur les triacylglycérols à courtes chaînes d'acides gras et les scinde en diacylglycérols et en acides gras), elle fait partie des rares enzymes efficaces dans un milieu fortement acide. Le faible pH du suc gastrique dénature les protéines alimentaires (les protéines se déroulent), augmentant ainsi l'exposition de leurs liaisons peptidiques à la pepsine.

Qu'est-ce qui empêche la pepsine de détruire les cellules de la muqueuse gastrique qui la produisent? Tout d'abord, elle est sécrétée sous une forme *inactive*, appelée **pepsinogène**, par des cellules spécialisées, les cellules principales. Celles-ci sont situées dans les cryptes de la muqueuse de l'estomac **(figure 41.17)**. D'autres cellules, les cellules pariétales, elles aussi situées dans les cryptes, sécrètent du chlorure d'hydrogène. Cet acide convertit le pepsinogène en pepsine (active) en retirant un fragment de la molécule et en exposant son site actif. Étant donné que ce sont deux sortes de cellules différentes qui sécrètent le chlorure d'hydrogène et le pepsinogène, ces deux ingrédients ne se mélangent pas (et le pepsinogène n'est pas activé) tant qu'ils ne se retrouvent pas ensemble dans une crypte ou dans la cavité gastrique. L'activation du pepsinogène constitue un exemple de rétroactivation. Une fois que du pepsinogène est activé par de l'acide, cette réaction se répète à une vitesse de plus en plus rapide, parce que la pepsine peut elle-même activer des molécules de pepsinogène. Notons que plusieurs autres enzymes digestives sont également produites et sécrétées sous une forme inactive, et ne deviennent fonctionnelles que dans la cavité du tube digestif.

L'estomac possède une deuxième défense contre l'autodigestion: une couche de mucus sécrété par les cellules épithéliales

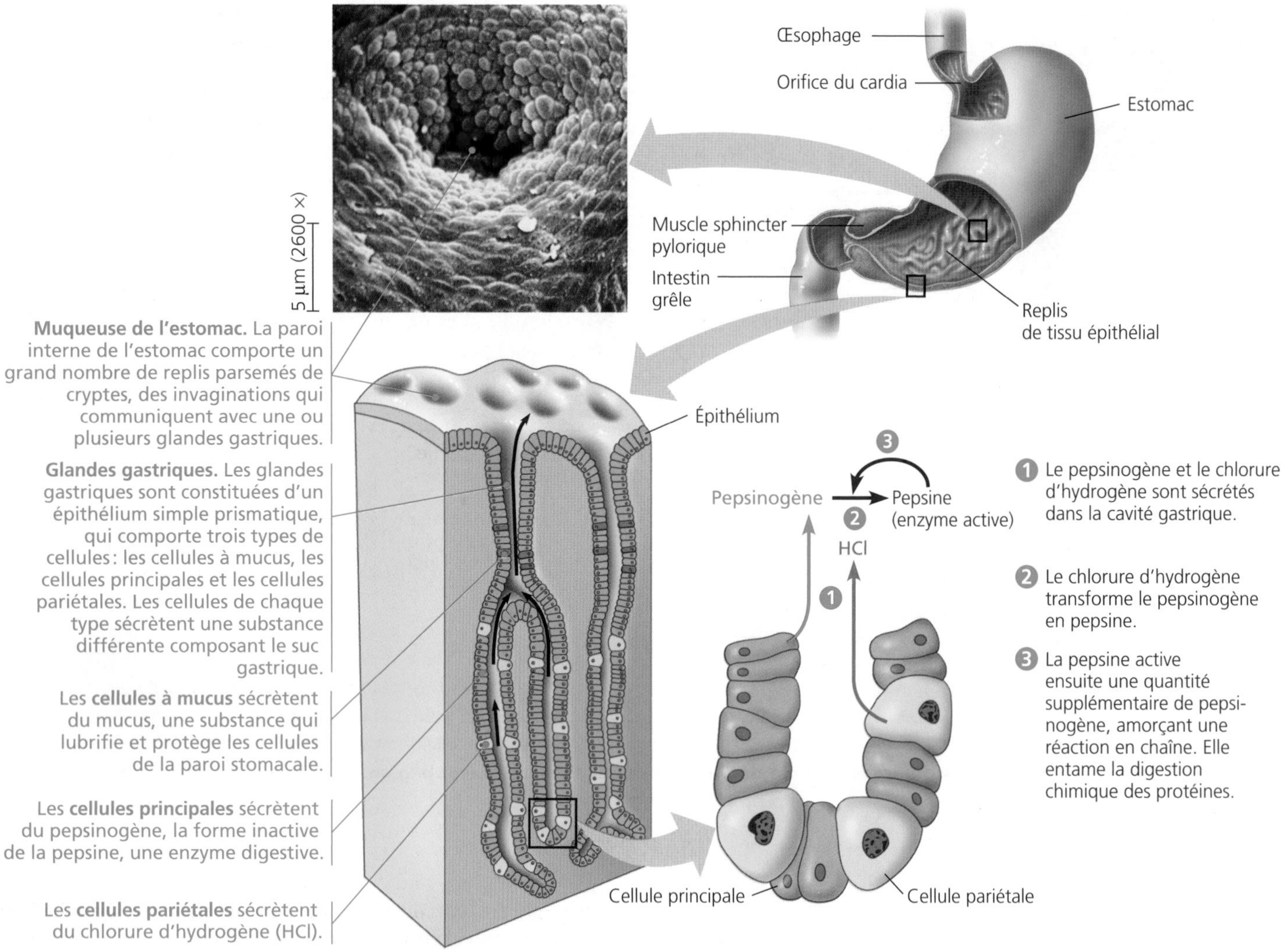

Œsophage

Orifice du cardia

Estomac

Muscle sphincter pylorique

Intestin grêle

Replis de tissu épithélial

5 µm (2600 ×)

Épithélium

Muqueuse de l'estomac. La paroi interne de l'estomac comporte un grand nombre de replis parsemés de cryptes, des invaginations qui communiquent avec une ou plusieurs glandes gastriques.

Glandes gastriques. Les glandes gastriques sont constituées d'un épithélium simple prismatique, qui comporte trois types de cellules : les cellules à mucus, les cellules principales et les cellules pariétales. Les cellules de chaque type sécrètent une substance différente composant le suc gastrique.

Les **cellules à mucus** sécrètent du mucus, une substance qui lubrifie et protège les cellules de la paroi stomacale.

Les **cellules principales** sécrètent du pepsinogène, la forme inactive de la pepsine, une enzyme digestive.

Les **cellules pariétales** sécrètent du chlorure d'hydrogène (HCl).

Pepsinogène → Pepsine (enzyme active)

HCl

Cellule principale

Cellule pariétale

1. Le pepsinogène et le chlorure d'hydrogène sont sécrétés dans la cavité gastrique.
2. Le chlorure d'hydrogène transforme le pepsinogène en pepsine.
3. La pepsine active ensuite une quantité supplémentaire de pepsinogène, amorçant une réaction en chaîne. Elle entame la digestion chimique des protéines.

▲ **Figure 41.17 Estomac et sécrétions.** La micrographie (MEB colorée en haut, à gauche) illustre une crypte gastrique située sur la paroi interne de l'estomac à travers laquelle les sucs digestifs sont sécrétés.

de la muqueuse gastrique. Malgré tout, l'épithélium se désagrège constamment, et la mitose doit produire suffisamment de cellules pour remplacer complètement la muqueuse gastrique tous les trois jours. Les ulcères gastriques, des lésions de la muqueuse de l'estomac, sont principalement causés par *Helicobacter pylori* **(figure 41.18)**, une Bactérie qui peut proliférer dans l'estomac grâce d'une part à sa tolérance au milieu acide et d'autre part au fait qu'elle se multiplie au fond des cryptes gastriques, où le pH est plus élevé que dans la lumière même de l'estomac. Bien qu'ils puissent être traités à l'aide d'antibiotiques, ils peuvent s'aggraver si la pepsine et le chlorure d'hydrogène détruisent la muqueuse à une vitesse plus rapide que sa régénération.

Toutes les 20 s environ, les muscles lisses de l'estomac brassent et pétrissent son contenu. Lorsqu'un estomac vide subit cette action, la faim se fait sentir par des tiraillements. La sensation de la faim est aussi déclenchée par l'hypothalamus, un des centres nerveux de l'encéphale qui surveille la quantité de nutriments dans le sang et par les concentrations d'hormones de régulation de l'appétit, comme nous l'avons vu précédemment dans ce chapitre. Le bol alimentaire qui se mélange au suc gastrique devient rapidement une bouillie riche en éléments nutritifs, appelée **chyme acide**.

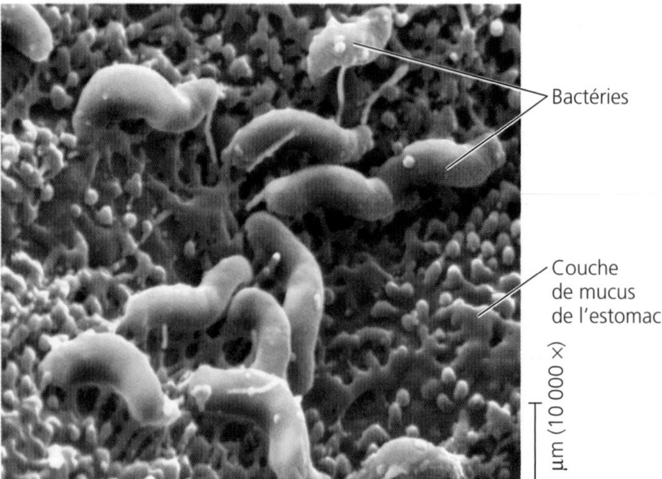

▲ **Figure 41.18 Bactéries causant des ulcères.** Les Bactéries visibles dans cette MEB colorée, *Helicobacter pylori*, amorcent la formation d'ulcères en détruisant le mucus protecteur et en causant une inflammation de la muqueuse gastrique. Le suc gastrique acide peut ensuite attaquer le tissu de l'estomac. Dans le cas d'ulcères graves, l'érosion peut produire un trou dans la paroi gastrique et causer une hémorragie interne et une infection qui mettent la vie en danger.

La plupart du temps, l'estomac est fermé à ses deux extrémités (voir la figure 41.15). L'orifice du cardia, la partie de l'estomac qui communique avec l'œsophage, ne se dilate habituellement qu'à l'arrivée d'un bol alimentaire. Parfois, cependant, le reflux de chyme acide dans la partie inférieure de l'œsophage cause des aigreurs (les « brûlures d'estomac »). (Si le reflux se produit trop souvent, un ulcère peut se former dans l'œsophage.) Dans la partie inférieure de l'estomac, qui débouche sur l'intestin grêle, se trouve le **muscle sphincter pylorique**, qui règle le passage du chyme dans l'intestin, un jet à la fois. Après un repas, l'estomac met entre 2 et 6 heures à se vider de cette façon. Entre-temps, de faibles quantités de certaines substances sont absorbées par la muqueuse gastrique : certaines molécules neutres (le glucose et jusqu'à 30 % de la quantité d'alcool ingérée), certains acides faibles non ionisés et liposolubles (par exemple, des acides gras à courte chaîne), des électrolytes, de l'eau et certains médicaments, comme l'acide acétylsalicylique (aspirine).

L'intestin grêle

D'une longueur de plus de 6 m chez l'humain, l'**intestin grêle** forme le segment le plus long du tube digestif (son nom vient de son petit diamètre, en comparaison avec celui du gros intestin). La majeure partie de l'hydrolyse enzymatique des macromolécules alimentaires, et aussi de l'absorption des éléments nutritifs dans le sang, se produit dans l'intestin grêle.

L'activité enzymatique dans l'intestin grêle

Le premier segment de 25 cm environ s'appelle **duodénum**. C'est là que le chyme acide en provenance de l'estomac se mélange aux sucs digestifs issus du pancréas, du foie, de la vésicule biliaire et des cellules glandulaires de la muqueuse intestinale **(figure 41.19)**.

Le pancréas produit différentes hydrolases, ainsi qu'une solution alcaline riche en ions hydrogénocarbonate (HCO_3^-). Ceux-ci composent une solution tampon qui neutralise l'acidité du chyme de l'estomac. Les enzymes pancréatiques comprennent les enzymes protéolytiques (protéases) déversées dans le duodénum sous une forme inactive. Dans une réaction en chaîne semblable à l'activation de la pepsine dans l'estomac, les protéases pancréatiques sont activées une fois parvenues en sûreté dans l'espace extracellulaire du duodénum **(figure 41.20)**.

Le foie remplit une grande variété de fonctions importantes dans l'organisme, notamment la production de **bile** qui peut atteindre jusqu'à 1 L par jour. C'est un mélange alcalin des substances suivantes : de l'eau en grande quantité, des ions, certains lipides (cholestérol et lécithine), des pigments, des sels et des acides biliaires. La vésicule biliaire emmagasine la bile qui ne sert pas immédiatement à la digestion. En outre, elle augmente la concentration molaire volumique de la bile en absorbant une partie de l'eau et des ions qu'elle contient. La bile ne contient aucune enzyme digestive, mais plutôt des substances détergentes (émulsifiants) facilitant la digestion, grâce à leurs propriétés amphipathiques (voir le chapitre 7) et l'absorption ultérieure des graisses (triacylglycérols) par l'intestin grêle (voir la figure 41.24). Les pigments biliaires, la bilirubine par exemple, résultent de la dégradation des globules rouges par les macrophagocytes stellaires du foie. Ils sont expulsés de l'organisme dans les matières fécales. Le foie a aussi d'autres fonctions : il synthétise de la vitamine D active ; il entrepose des vitamines liposolubles et la plupart des vitamines hydrosolubles de même que des minéraux (comme le fer et le cuivre). Il met en réserve des sources d'énergie sous forme de glycogène et de triacylglycérols. De plus, il dégrade l'alcool ainsi que certains médicaments et drogues ; il produit et modifie chimiquement certaines hormones. Finalement, les hépatocytes, ou cellules hépatiques, contribuent de façon importante au métabolisme des glucides, des lipides et des protéines.

La paroi épithéliale du duodénum, appelée *bordure en brosse*, est la source de plusieurs enzymes digestives. Quelques-unes de ces enzymes sont sécrétées dans la cavité du duodénum, alors que d'autres sont en fait liées à la surface des cellules épithéliales qui sont sans cesse détachées de la paroi intestinale (l'épithélium intestinal, chez l'humain, se renouvelle tous les trois à six jours).

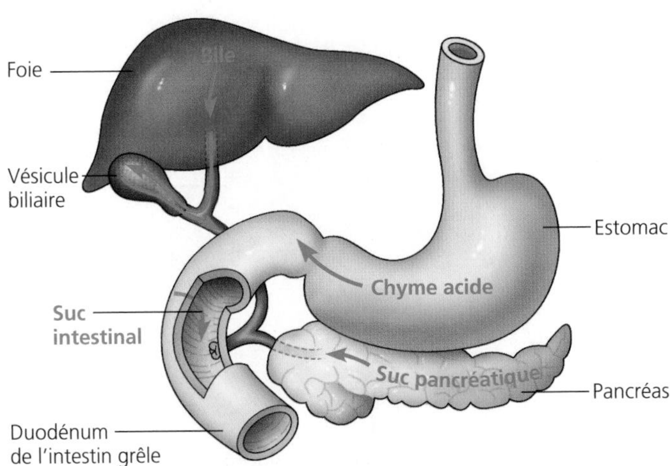

▲ **Figure 41.19 Duodénum.** Les hydrolases produites par les organes annexes se mélangent au chyme acide dans le duodénum, poursuivant ainsi le processus de digestion. Remarquez que la bile est produite par le foie mais emmagasinée dans la vésicule biliaire, qui la libère dans le duodénum au besoin.

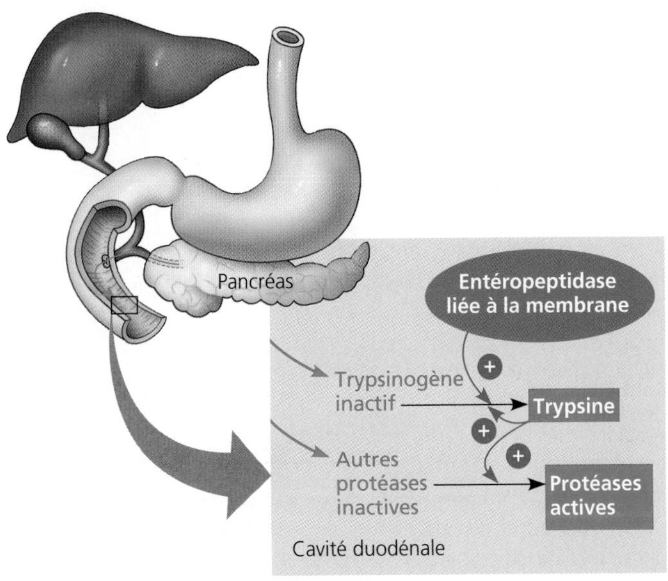

▲ **Figure 41.20 Activation des protéases.** Le pancréas sécrète une forme inactive des protéases qu'il envoie dans le duodénum. Une enzyme appelée *entéropeptidase*, qui est liée aux cellules de la muqueuse intestinale, transforme le trypsinogène en trypsine. La trypsine active alors d'autres protéases. (Le symbole + indique l'activation.)

La digestion enzymatique se termine quand le péristaltisme déplace le mélange de chyme et de sucs digestifs dans l'intestin grêle **(figure 41.21)**. La majeure partie de la digestion est déjà terminée au début du voyage des aliments, au moment où le chyme est encore dans le duodénum. Les deux derniers segments de l'intestin grêle, le *jéjunum* et l'*iléon*, prennent en charge l'absorption des nutriments et de l'eau. La **figure 41.22** présente, à la page suivante, un diagramme qui montre la contribution des hormones à la sécrétion des sucs digestifs dans le canal alimentaire.

L'absorption des nutriments

Pour se disséminer dans l'organisme, les nutriments qui s'accumulent dans la cavité digestive doivent traverser la muqueuse du tube digestif. Quelques-uns sont absorbés dans la cavité buccale, l'estomac et le gros intestin, mais la majeure partie de l'absorption se produit dans l'intestin grêle. Grâce à différentes adaptations de sa structure, cet organe possède une aire immense, de près de 300 m^2, soit à peu près l'équivalent d'un court de tennis. Les plis circulaires de sa muqueuse qui permettent au chyme de culbuter, facilitant ainsi son mélange avec le suc intestinal et les enzymes, portent des prolongements digitiformes appelés **villosités intestinales**; on en compte environ 3 000/cm^2. Chaque cellule épithéliale d'une villosité intestinale possède, à son tour, des milliers d'appendices microscopiques, les **microvillosités**. Ces dernières peuvent se contracter de façon rythmique: elles sont exposées au contenu de l'intestin **(figure 41.23)** et forment collectivement la bordure en brosse dont nous avons parlé plus tôt. Cette énorme surface de microvillosités constitue une adaptation augmentant considérablement l'absorption des nutriments. Certains épithéliocytes d'une villosité (les cellules caliciformes) sécrètent du mucus; d'autres (les cellules entéro-endocrines) produisent des substances régulatrices destinées à certains organes du système digestif; d'autres encore (les cellules à granules acidophiles) sécrètent le lysozyme et contrôlent peut-être la population bactérienne de l'intestin grêle.

Au centre de chaque villosité se trouve un réseau de vaisseaux sanguins microscopiques, les capillaires, et un petit vaisseau lymphatique, le **vaisseau chylifère**. (En plus du système

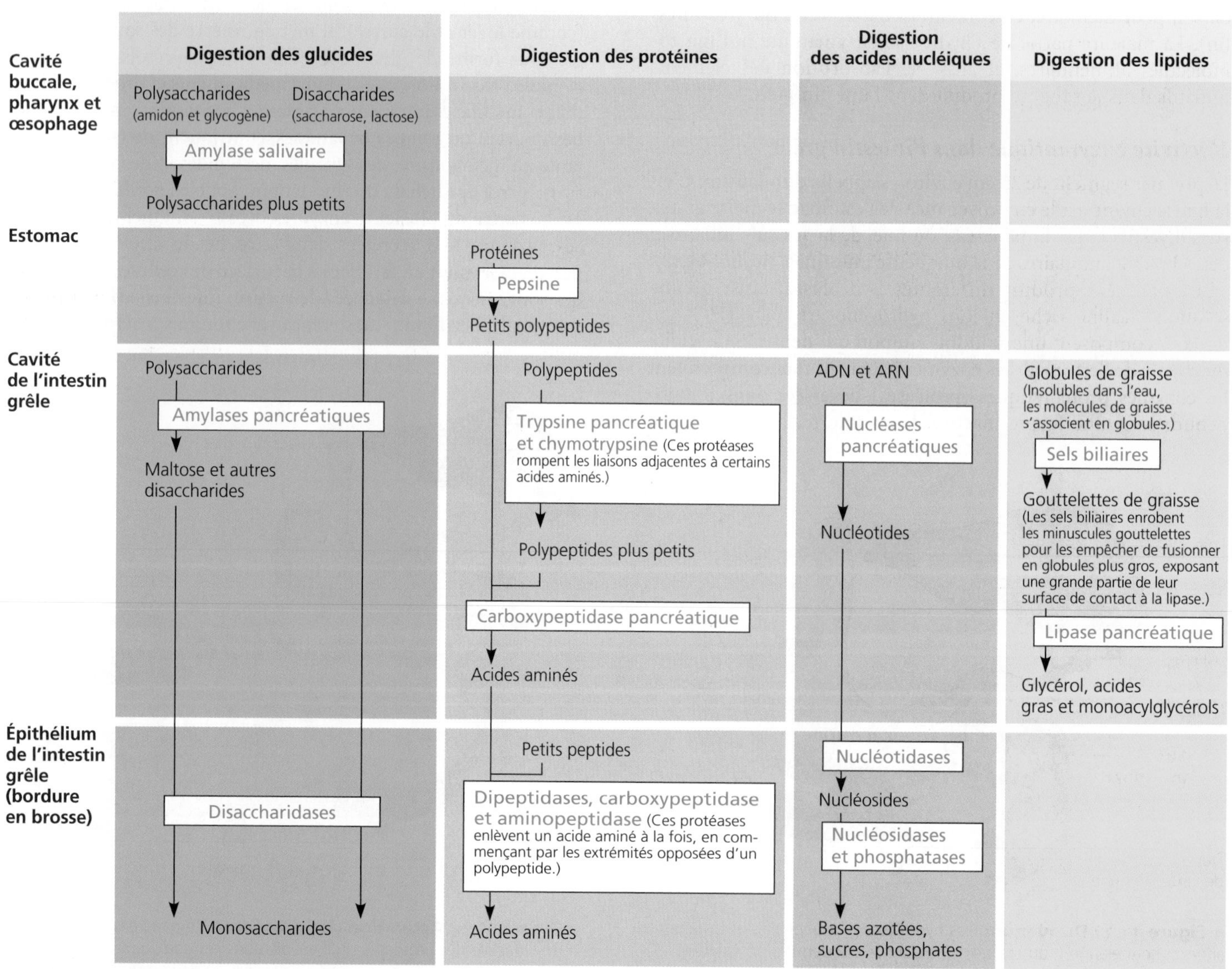

▲ **Figure 41.21 Représentation schématique de la digestion enzymatique dans le système digestif humain.**

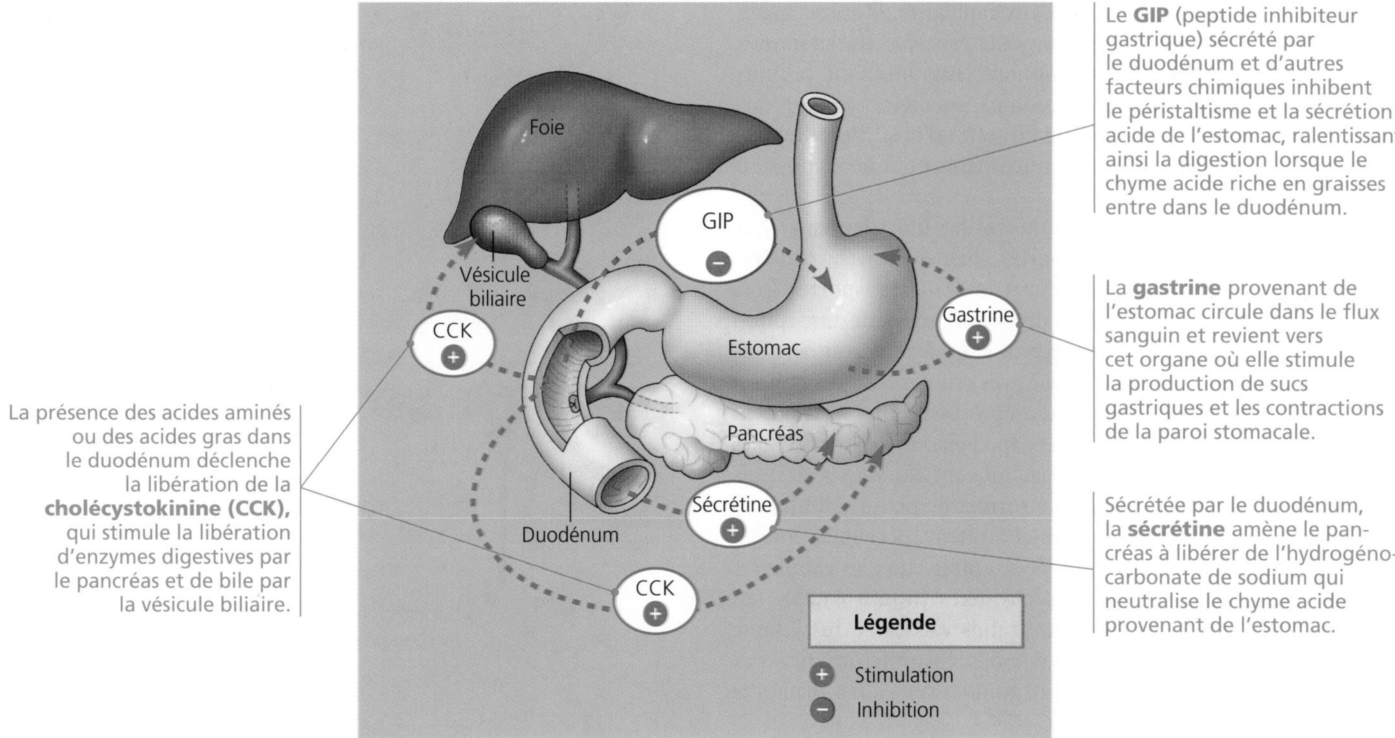

Le **GIP** (peptide inhibiteur gastrique) sécrété par le duodénum et d'autres facteurs chimiques inhibent le péristaltisme et la sécrétion acide de l'estomac, ralentissant ainsi la digestion lorsque le chyme acide riche en graisses entre dans le duodénum.
La **gastrine** provenant de l'estomac circule dans le flux sanguin et revient vers cet organe où elle stimule la production de sucs gastriques et les contractions de la paroi stomacale.
Sécrétée par le duodénum, la **sécrétine** amène le pancréas à libérer de l'hydrogénocarbonate de sodium qui neutralise le chyme acide provenant de l'estomac.
La présence des acides aminés ou des acides gras dans le duodénum déclenche la libération de la **cholécystokinine (CCK),** qui stimule la libération d'enzymes digestives par le pancréas et de bile par la vésicule biliaire.
Foie
GIP
Vésicule biliaire
CCK
Gastrine
Estomac
Pancréas
Sécrétine
Duodénum
CCK
Légende
Stimulation
Inhibition

▲ **Figure 41.22 Contrôle hormonal de la digestion.** De nombreux Animaux s'alimentent à des intervalles irréguliers et n'ont donc pas besoin que leur système digestif fonctionne de façon continue. Les hormones libérées par l'estomac et le duodénum permettent de produire les sucs digestifs au besoin.

cardiovasculaire, les Vertébrés ont un système lymphatique constitué d'un réseau de vaisseaux lymphatiques transportant le liquide interstitiel clair, la lymphe (voir le chapitre 43). Les nutriments sont absorbés à travers l'épithélium intestinal, puis traversent la paroi constituée d'une seule couche de cellules des capillaires ou des vaisseaux chylifères. Seulement deux couches de cellules épithéliales séparent de la circulation sanguine les nutriments qui se situent dans la cavité intestinale.

Dans certains cas, le transport des nutriments est effectué de façon passive. Par exemple, le fructose, un monosaccharide, se déplace, semble-t-il, par diffusion suivant son gradient de concentration, de la cavité intestinale jusque dans les cellules

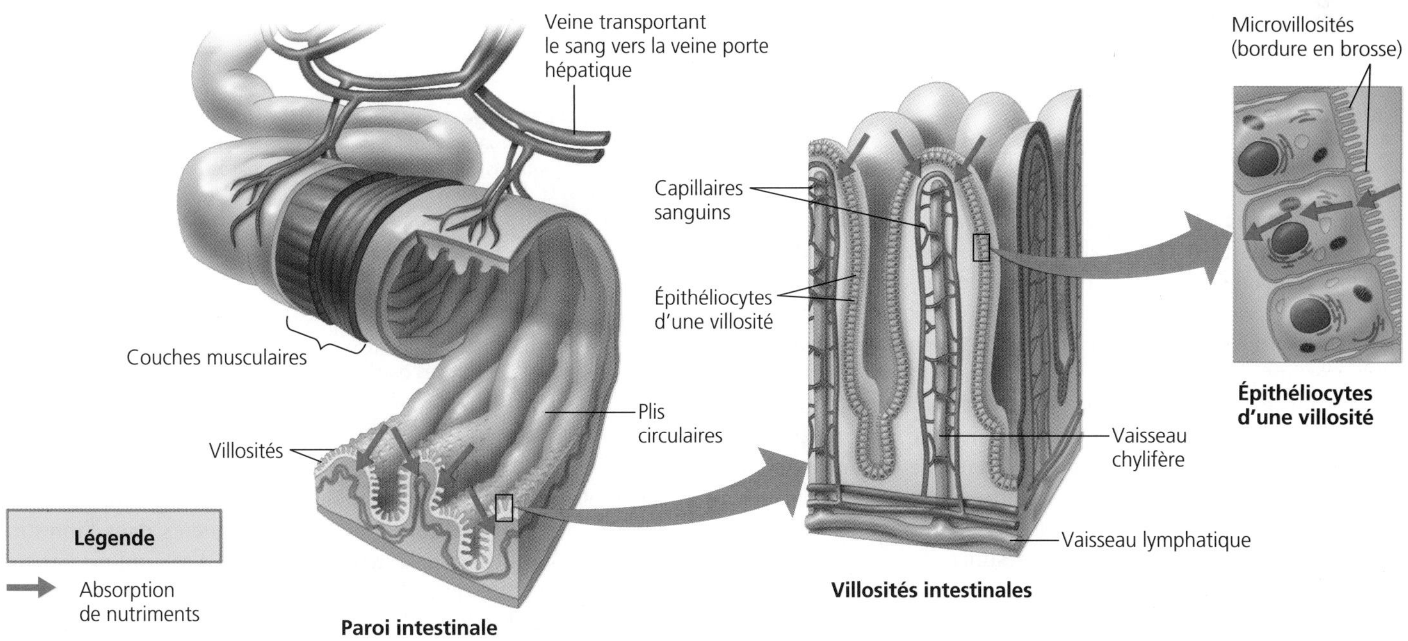

▲ **Figure 41.23 Anatomie de l'intestin grêle.**

épithéliales, puis de celles-ci jusqu'aux capillaires. D'autres nutriments, dont les acides aminés, les petits peptides, les vitamines, le glucose et plusieurs autres monosaccharides, sont pompés contre leur gradient de concentration par les membranes épithéliales. Ce transport actif permet à l'intestin d'absorber une proportion beaucoup plus élevée de nutriments qu'il serait possible par diffusion passive.

Les acides aminés, les monomères des glucides ainsi que quelques acides gras libres (à courtes chaînes) traversent l'épithélium, entrent dans les capillaires et sont transportés hors de l'intestin dans la circulation sanguine. Après leur absorption par les cellules épithéliales, le glycérol et les acides gras se combinent de nouveau pour former dans ces cellules d'autres graisses (triacylglycérols). Par l'entremise d'un processus où interviennent le réticulum endoplasmique lisse et l'appareil de Golgi des cellules épithéliales, les graisses et le cholestérol sont alors associés, puis recouverts de protéines, de façon à former de petits globules, les **chylomicrons**. La plupart de ceux-ci quittent les cellules épithéliales par exocytose et, trop gros pour entrer dans les capillaires sanguins, s'introduisent dans les chylifères **(figure 41.24)**. Les chylifères convergent vers les plus grands vaisseaux du système lymphatique. La lymphe, qui contient des chylomicrons, finit par passer du système lymphatique aux grandes veines retournant le sang au cœur.

Contrairement aux chylifères, les capillaires et les veines qui reçoivent les éléments nutritifs des villosités acheminent ceux-ci vers la **veine porte hépatique**, un vaisseau sanguin qui mène directement aux capillaires du foie. C'est ainsi que cet organe, qui possède la polyvalence métabolique nécessaire pour convertir diverses molécules organiques, a une priorité d'accès aux acides aminés et aux monosaccharides absorbés après l'ingestion d'un repas. Voilà pourquoi le sang qui quitte le foie peut avoir une composition en nutriments très différente de celle du sang qui le pénètre par la veine porte hépatique. Par exemple, le foie aide à réguler la glycémie; le sang qui le quitte a généralement une teneur en glucose très proche de 0,1 %, indépendamment de la teneur en glucides du repas (voir la figure 41.3). À partir du foie, le sang se rend au cœur, qui fera circuler les nutriments qu'il contient vers toutes les parties du corps.

Globule de graisse
Sels biliaires
1 Émulsification de gros globules de graisse par les sels biliaires dans le duodénum.
Gouttelettes de graisse recouvertes de sels biliaires
2 La digestion des graisses par la lipase, une enzyme pancréatique, donne des acides gras libres et des monoacylglycérols qui forment alors des micelles.
Micelles formées d'acides gras, de monoacylglycérols et de sels biliaires
3 Les acides gras et les monoacylglycérols quittent les micelles et entrent dans les cellules épithéliales par diffusion (ils sont solubles dans les lipides des membranes de ces cellules).
4 Les chylomicrons contenant des matières grasses sont transportés, par exocytose, hors des cellules épithéliales et introduits dans les chylifères où la lymphe les transporte hors de l'intestin, et par l'intermédiaire des vaisseaux lymphatiques, jusqu'à la circulation sanguine.
Cellules épithéliales de l'intestin grêle
Vaisseau chylifère

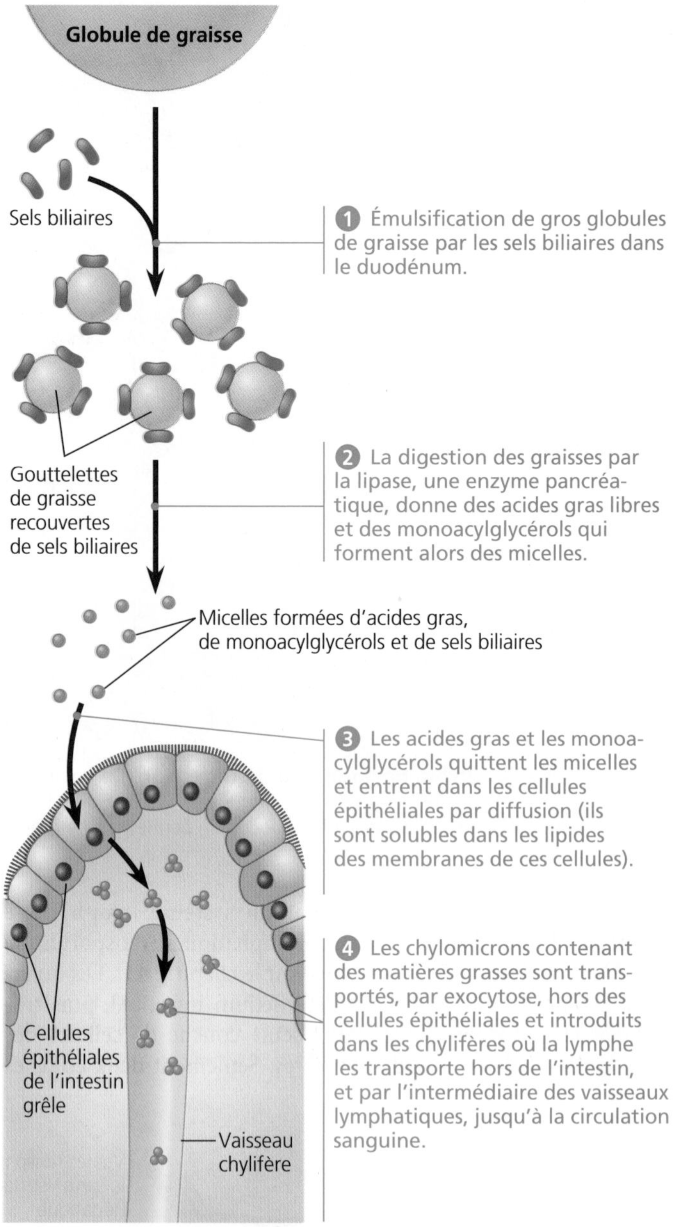

▲ **Figure 41.24 Digestion et absorption des lipides.** L'hydrolyse des graisses constitue un problème parce que ces molécules sont insolubles dans l'eau. Toutefois, les sels biliaires sécrétés par le foie et la vésicule biliaire dans le duodénum enrobent les minuscules gouttelettes de graisse pour les empêcher de fusionner; c'est un processus d'émulsification. Comme elles sont très petites, les gouttelettes exposent une grande partie de leur surface de contact aux lipases. Une fois hydrolysées, les molécules de graisse forment des micelles, petits agrégats formant une suspension colloïdale (voir le chapitre 3), ce qui permet aux matières grasses de diffuser dans la muqueuse de l'intestin grêle. À partir des cellules épithéliales, elles peuvent être absorbées dans le système circulatoire.

Le gros intestin

Le **gros intestin (figure 41.25)** se subdivise en cinq sections: l'appendice vermiforme, le cæcum, le côlon, le rectum et le canal anal. Il s'abouche à l'intestin grêle par une jonction, où se trouve un sphincter (la valve iléocæcale) réglant le passage des matières. À la jonction, un segment du gros intestin forme une poche appelée **cæcum** (voir la figure 41.15). En comparaison de nombreux autres Mammifères, l'humain possède un cæcum relativement petit, portant un prolongement digitiforme, l'**appendice vermiforme**, qui ne joue pas un rôle essentiel dans la digestion. (Les tissus lymphoïdes de l'appendice vermiforme apportent une contribution mineure au système de défense de l'organisme.) À la jonction de l'intestin grêle et du gros intestin commence le côlon, qui a la forme d'un U renversé d'environ 1,5 m de long; c'est le segment principal du gros intestin.

L'une des fonctions du côlon consiste à absorber l'eau entrée dans le tube digestif en tant que solvant des divers sucs digestifs. En tout, environ 7 L de liquide sont sécrétés dans le tube digestif chaque jour; c'est une quantité bien supérieure à celle de l'eau habituellement absorbée quotidiennement. La majeure partie de ces liquides sont réabsorbés avec les nutriments dans l'intestin grêle. Le côlon récupère la majeure partie de l'eau qui n'a pas été absorbée par l'intestin grêle. À eux deux, l'intestin grêle et le côlon absorbent environ 90 % de l'eau entrée dans le tube digestif.

Les résidus de la digestion, qui formeront les **matières fécales**, deviennent plus solides à mesure qu'ils avancent dans le côlon

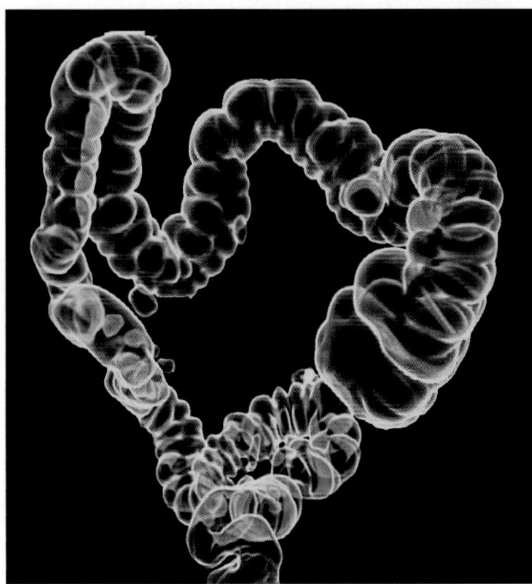

◀ **Figure 41.25 Image numérique du côlon humain.** On a produit cette image en intégrant des coupes bidimensionnelles du gros intestin.

grâce au péristaltisme. Leur mouvement est lent; il faut de 12 à 24 h aux résidus pour traverser l'organe d'un bout à l'autre. Lorsque la muqueuse du côlon est irritée à la suite d'une infection virale ou bactérienne, par exemple, la réabsorption d'eau est inférieure à la normale, ce qui cause la diarrhée. Le problème contraire, la constipation, se présente lorsque le péristaltisme déplace les matières fécales trop lentement. Il en résulte une trop grande absorption d'eau, et les matières fécales deviennent trop compactes.

Le gros intestin héberge une riche flore de Bactéries, presque toutes inoffensives. *Escherichia coli* est l'un des habitants communs du gros intestin de l'humain. Ce microorganisme a fait l'objet de nombreuses recherches de la part de spécialistes en biologie moléculaire (voir le chapitre 18). Sa présence dans les lacs et les rivières indique qu'il y a eu contamination par des eaux usées non traitées. Les Bactéries intestinales vivent de matières organiques non absorbées. De nombreuses bactéries du côlon émettent des gaz – dont du méthane, du dioxyde de carbone, du sulfure de diméthyle et du sulfure de dihydrogène – comme sous-produits de leur métabolisme. Certaines Bactéries intestinales produisent des vitamines, notamment de la biotine, de l'acide folique, de la vitamine K et plusieurs vitamines du complexe B. Ces substances sont absorbées dans le sang et viennent compléter notre apport alimentaire en vitamines.

Les matières fécales contiennent des quantités importantes de Bactéries, ainsi que de la cellulose et d'autres composants non digérés. Si elles ne possèdent aucune valeur énergétique pour l'humain, les fibres de cellulose aident le bol alimentaire à se déplacer dans le tube digestif.

Le segment terminal du gros intestin s'appelle **rectum**; c'est là que les matières fécales demeurent jusqu'à leur élimination. Entre le rectum et l'anus se trouvent deux sphincters: l'un est involontaire (le muscle sphincter interne de l'anus, un muscle lisse), l'autre, volontaire (le muscle sphincter externe de l'anus, un muscle squelettique). Une ou plusieurs fois par jour, de fortes contractions du côlon provoquent le besoin d'aller à la selle.

Nous avons suivi un repas à partir d'une ouverture du tube digestif (la bouche) à l'autre ouverture (l'anus). Dans la dernière section du présent chapitre, nous verrons certaines adaptations du système digestif des Animaux au cours de l'évolution.

Retour sur le concept 41.4

1. Dans l'espace, comment les aliments ingérés en apesanteur par un astronaute peuvent-ils atteindre l'estomac?
2. Décrivez deux fonctions digestives clés du chlorure d'hydrogène dans les sucs gastriques.
3. Quelles matières sont mélangées dans le duodénum au cours de la digestion d'un repas?
4. Comment la structure de la bordure en brosse (épithélium) de l'intestin grêle est-elle adaptée à sa fonction d'absorption des nutriments?
5. Le traitement d'une infection chronique à l'aide d'antibiotiques pendant une période prolongée peut provoquer une carence en vitamine K. Pourquoi?
6. Après avoir examiné la figure 41.22, expliquez comment le pancréas programme sa sécrétion de sucs digestifs pour les mélanger à un repas partiellement digéré dans le duodénum.

Voir les réponses proposées à la fin du chapitre.

Concept 41.5

Les adaptations du système digestif des Vertébrés sont souvent associées au régime alimentaire

Les différents systèmes digestifs des Mammifères et d'autres Vertébrés sont des variations d'un même plan d'organisation; il existe toutefois de nombreuses adaptations remarquables, souvent associées au régime alimentaire de l'Animal. Nous allons en étudier quelques-unes.

Les adaptations de la dentition

La dentition, c'est-à-dire l'ensemble des dents d'un Animal, constitue un exemple de variation structurale reflétant le régime alimentaire. L'adaptation de la dentition des Mammifères au traitement de divers types d'aliments constitue l'une des raisons principales qui justifient le succès de cette catégorie de Vertébrés au cours de l'évolution. Un grand nombre d'aspects de la dentition ont été exploités par les mécanismes adaptatifs: la forme des dents, leur constitution, leur nombre (32 chez l'humain adulte, des milliers pour d'autres espèces), leur situation (sur plusieurs os du squelette buccal ou seulement sur les arcades dentaires des maxillaires), le rythme de leur remplacement (certains Animaux ont une centaine de dentitions au cours de leur vie), leur mode d'implantation (soudée à l'os ou reliée à ce dernier par un ligament), leur croissance (limitée ou non)… Comparez la dentition des carnivores, des herbivores et des omnivores à la **figure 41.26**. Les Mammifères possèdent généralement une dentition plus spécialisée que celle des autres Vertébrés, mais on peut relever des exceptions intéressantes. Par exemple, les serpents venimeux, comme les crotales, sont armés de crochets: ce sont des dents modifiées qui injectent du venin dans les proies. Certains crochets sont creux comme des seringues, tandis que d'autres laissent tomber le venin goutte à goutte le long de rainures à la surface des dents. Tous les serpents possèdent une autre adaptation

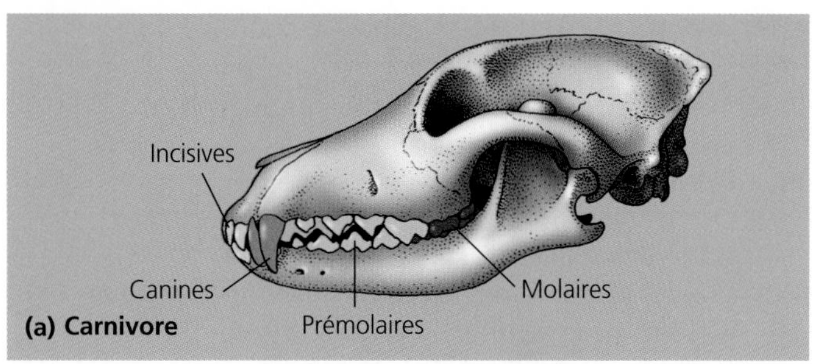

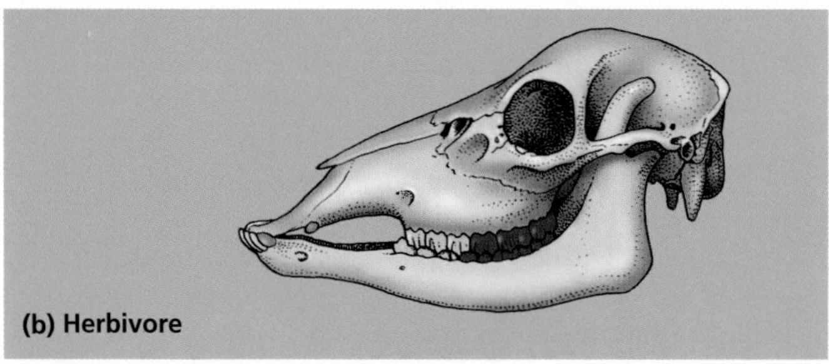

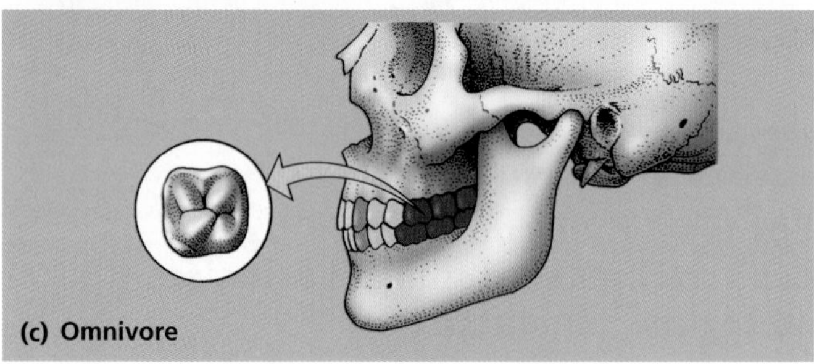

▲ **Figure 41.26 Dentition et régime alimentaire.** **(a)** Les Animaux carnivores, tels que les chiens et les chats, possèdent généralement des incisives et des canines pointues, qui leur servent à tuer une proie et à déchirer des morceaux de chair. Les prémolaires et les molaires irrégulières écrasent et déchiquettent la nourriture. **(b)** En revanche, les herbivores, comme les chevaux et les cerfs, possèdent habituellement des dents à surface large et crénelée qui broient la matière végétale résistante. Leurs incisives et leurs canines sont généralement modifiées pour couper des fragments de végétation. Certains herbivores sont dépourvus de canines. **(c)** Les humains, des omnivores équipés pour manger des matières végétales et de la viande, possèdent une dentition relativement peu spécialisée. À partir du milieu des mâchoires supérieure et inférieure, on trouve deux incisives tranchantes servant à couper les aliments, une canine pointue permettant de les déchirer, deux prémolaires destinées à les broyer, et enfin trois molaires aidant à les écraser.

anatomique importante associée à leur alimentation : ils avalent leurs proies en entier, sans les mâcher. Leur mâchoire inférieure se trouve fixée de manière lâche à leur crâne grâce à un ligament élastique qui permet à leur bouche et à leur gorge de s'ouvrir, parfois de manière démesurée, pour avaler de très grosses proies (il suffit de consulter la figure 41.2 pour s'en convaincre).

Les adaptations de l'estomac et de l'intestin

Les carnivores sont souvent munis d'un grand estomac extensible. Comme il peut leur arriver d'être privés de nourriture pendant longtemps, ils doivent consommer autant de nourriture que possible quand ils arrivent à attraper une proie. Ainsi, un lion d'Afrique (*Panthera leo*) de 200 kg peut consommer jusqu'à 40 kg de viande en un seul repas.

La longueur du système digestif des Vertébrés est aussi en corrélation avec le régime alimentaire. En général, les herbivores et les omnivores ont des tubes digestifs relativement plus longs que ceux des carnivores **(figure 41.27)**. Les produits végétaux sont en effet plus difficiles à digérer que la viande, car ils contiennent des parois cellulaires. Un tube digestif plus long est utile dans la mesure où il permet de prolonger la digestion et d'augmenter la zone de surface essentielle à l'absorption des nutriments.

Les adaptations symbiotiques

Les herbivores doivent affronter un défi dans leur alimentation : la majorité de l'énergie chimique contenue dans leur régime alimentaire doit être extraite de la cellulose de la paroi des cellules végétales. Toutefois, ils ne produisent pas eux-mêmes les enzymes (cellulases) nécessaires à l'hydrolyse de la cellulose. De nombreux Vertébrés (ainsi que les termites, qui s'alimentent en consommant du bois composé de cellulose) règlent le problème en abritant de grandes populations de Bactéries et de Protistes symbiotiques (des Trichomonadines dans le cas des termites) ou même d'Eumycètes dans des chambres de fermentation spéciales situées le long de leur tube digestif. Ces microorganismes mutualistes possèdent des enzymes capables de digérer la cellulose et de la convertir en des monosaccharides et en d'autres composés absorbables par l'Animal qui les abrite. Dans bien des cas, les microorganismes peuvent

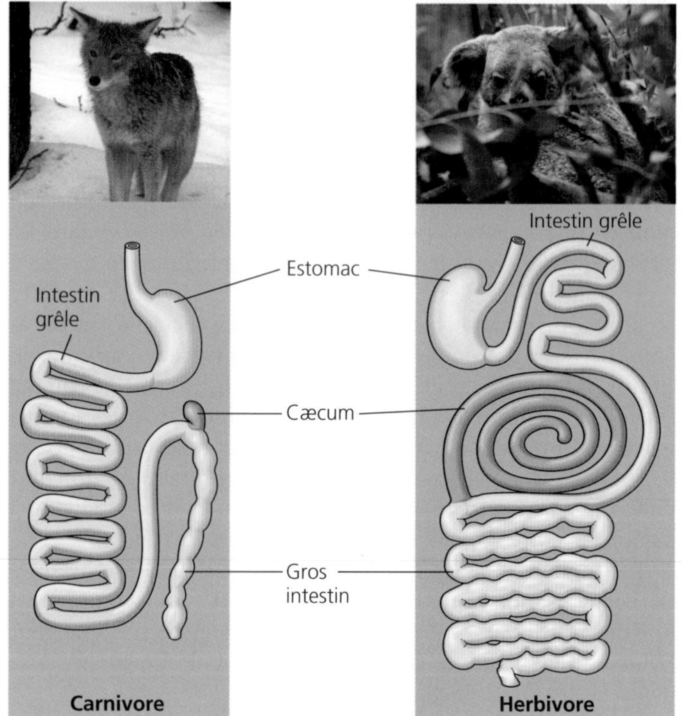

▲ **Figure 41.27 Comparaison du tube digestif d'un carnivore (coyote) et d'un herbivore (koala).** Ces deux Mammifères ont environ la même taille, mais le tube digestif du koala (*Phascolarctos cinereus*) est beaucoup plus long que celui du coyote (*Canis latrans*). Cette adaptation favorise le traitement des feuilles d'eucalyptus – qui sont fibreuses et pauvres en protéines –, desquelles ce marsupial tire la totalité ou presque de son apport énergétique et hydrique. La mastication prolongée permet de découper les feuilles ingérées en de très petits fragments, ce qui augmente leur surface exposée aux sucs digestifs. Le cæcum du koala mesure 2 m, un record parmi les Animaux de taille équivalente. Il sert de chambre de fermentation ; les Bactéries symbiotiques qui y vivent convertissent les feuilles déchiquetées en des substances plus nutritives.

également utiliser les monosaccharides issus de la digestion de la cellulose et les minéraux présents dans le tube digestif pour fabriquer une variété de nutriments essentiels à l'Animal hôte, notamment des vitamines, des acides aminés et des acides gras.

La localisation des microorganismes mutualistes varie en fonction de l'hôte. L'hoazin (*Opisthocomus hoazin*), un Oiseau herbivore des forêts tropicales d'Amérique du Sud, possède un grand jabot musculeux (une poche œsophagienne) où vivent des microorganismes symbiotiques. Des rainures rigides situées dans la paroi du jabot broient les feuilles en fragments, et les microorganismes se chargent de décomposer la cellulose. De nombreux Mammifères herbivores, notamment les chevaux (*Equus caballus*), abritent des microorganismes symbiotiques dans un grand cæcum, sorte de poche à la jonction du gros intestin et de l'intestin grêle. Les Bactéries mutualistes des lapins (*Sylvilagus sp.*) et d'autres Rongeurs vivent dans le gros intestin ainsi que dans le cæcum. Étant donné que la plupart des nutriments sont absorbés dans l'intestin grêle, ceux qui résultent de la fermentation bactérienne dans le gros intestin quittent l'organisme en même temps que les matières fécales. Pour se procurer ces nutriments, les lapins et certains Rongeurs ingèrent une partie de leurs matières fécales (cœcotrophie). Chez les lapins, le cæcum élimine, le plus souvent durant la nuit, des matières que l'Animal avale aussitôt telles quelles pour leur faire subir une période de fermentation dans l'estomac. Le koala, marsupial australien, possède un cæcum élargi dans lequel des Bactéries symbiotiques procèdent à la fermentation de feuilles d'eucalyptus finement déchiquetées (voir la figure 41.27). Les adaptations les plus complexes associées à un régime herbivore ont évolué chez les **Ruminants**, c'est-à-dire des Animaux comme les cerfs, les girafes, les bovins et les ovins **(figure 41.28)**.

Dans le prochain chapitre, nous constaterons que l'obtention de la nourriture, la digestion ainsi que l'absorption des nutriments s'intègrent à un ensemble de fonctions. La distribution des aliments dans toutes les cellules du corps (circulation) et l'échange de gaz respiratoires avec l'environnement contribuent à la nutrition.

Retour sur le concept 41.5

1. Expliquez comment la dentition des humains est adaptée à un régime omnivore.
2. L'intestin d'un têtard, comparé à celui d'une grenouille adulte, est beaucoup plus long par rapport à la taille du corps. Qu'est-ce que cela indique quant aux régimes de ces deux stades de l'évolution biologique de la grenouille ?
3. Le verbe *ruminer* est une expression courante quand on parle du bétail. Que signifie ruminer et quel rôle cette action joue-t-elle dans l'alimentation bovine ? Quel avantage évolutif cette particularité a-t-elle pu apporter aux Ruminants ?

Voir les réponses proposées à la fin du chapitre.

1 **Panse** (ou rumen). Lorsqu'une vache mâche une bouchée d'herbe pour la première fois et qu'elle la déglutit, le bol alimentaire (flèches vertes) pénètre dans sa panse.

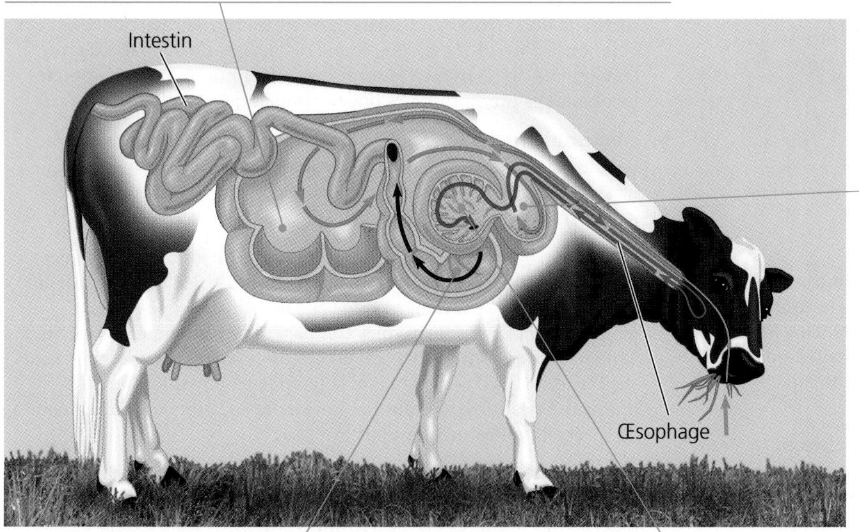

2 **Bonnet** (ou réticulum). Une partie du bol alimentaire pénètre aussi dans le bonnet. La panse et le bonnet renferment des Procaryotes et des Protistes mutualistes (principalement des microorganismes ciliés) qui s'attaquent au repas, riche en cellulose. Ces microorganismes libèrent dans le chyme, comme sous-produits métaboliques, des acides gras à courtes chaînes qui seront absorbés, de même que des gaz (dioxyde de carbone et méthane) qui seront libérés par éructation (flatulences) dans l'atmosphère. La vache régurgite régulièrement et rumine, c'est-à-dire qu'elle mâche de nouveau les aliments (flèches rouges) et les enrobe de salive. Cela décompose davantage les fibres et les prépare à une action bactérienne encore plus poussée.

3 **Feuillet** (ou omasum). La vache déglutit à nouveau les matières ruminées (flèches bleues), qui passent dans le feuillet, où leur eau est extraite.

4 **Caillette** (ou abomasum). Les matières ruminées, qui contiennent une énorme quantité de microorganismes, passent ensuite dans la caillette (la seule des quatre cavités qui joue véritablement le rôle d'estomac) pour y être digérées par les propres enzymes de la vache (le suc gastrique contient une lysozyme qui dégrade la paroi bactérienne) (flèches noires).

▲ **Figure 41.28 Digestion chez les Ruminants.** Les Ruminants ont un estomac qui comporte quatre cavités où logent des microorganismes mutualistes. La diète à partir de laquelle ils absorbent leurs nutriments est beaucoup plus riche que l'herbe consommée initialement. Car les Ruminants qui consomment de l'herbe ou du foin se procurent bon nombre de leurs nutriments en digérant les microorganismes mutualistes qui se reproduisent assez rapidement dans leur panse pour maintenir une population stable.

Révision du chapitre 41

RÉSUMÉ DES CONCEPTS CLÉS

- Un Animal doit avoir un régime alimentaire qui lui apporte de l'énergie chimique, les matières premières organiques et les éléments nutritifs essentiels. Les herbivores consomment surtout des plantes et les carnivores, principalement d'autres Animaux. Les omnivores ingèrent régulièrement des matières Animales et végétales. De nombreux Animaux aquatiques ont recours à l'ingestion par filtration: ils filtrent de petites particules en suspension dans l'eau. D'autres Animaux pratiquent l'ingestion du substrat en creusant des galeries dans leur nourriture et en s'alimentant au fur et à mesure. D'autres organismes encore ont recours à l'ingestion par aspiration: ils sucent des liquides riches en nutriments d'un hôte vivant. Enfin, la plupart des Animaux ont recours à l'ingestion en vrac et consomment des morceaux d'aliments relativement gros **(p. 913)**.

Concept 41.1

Les mécanismes homéostatiques gèrent les allocations énergétiques des Animaux

- **La régulation du glucose comme exemple d'homéostasie (p. 915).** Les Animaux emmagasinent les joules excédentaires sous forme de glycogène dans le foie et dans les muscles, ainsi que sous forme de graisses. Ils peuvent puiser dans ces réserves d'énergie quand ils ont besoin d'ATP. Un mécanisme de rétro-inhibition maintient la glycémie à l'intérieur d'un écart relativement étroit.
- **Le déséquilibre énergétique (p. 915-918).** Les Animaux sous-alimentés ont un apport énergétique insuffisant. Les Animaux suralimentés (obèses) consomment plus de joules qu'ils en ont besoin. L'obésité est un problème de santé sérieux partout dans le monde et notamment dans les pays industrialisés, où le manque d'exercice et les aliments qui font grossir forment une combinaison nuisible pour la santé. Les gènes influent également beaucoup sur l'obésité. Le problème pour maintenir un poids santé vient de stades antérieurs de notre évolution, alors que l'accumulation de graisses constituait un moyen de survie.

Concept 41.2

Un Animal doit avoir un régime alimentaire qui lui apporte des squelettes carbonés ainsi que les éléments nutritifs essentiels

- Les squelettes carbonés sont nécessaires à la biosynthèse. Les nutriments essentiels doivent être fournis sous une forme préassemblée. Un Animal souffre de malnutrition quand l'apport d'un ou de plusieurs nutriments essentiels n'est pas assuré par son régime alimentaire. La malnutrition est beaucoup plus courante que la sous-alimentation chez l'humain **(p. 918-919)**.
- **Les acides aminés essentiels (p. 919).** Les Animaux ont besoin de 20 acides aminés et peuvent en synthétiser environ la moitié à partir d'autres molécules qu'ils obtiennent de leur régime alimentaire. Les acides aminés essentiels sont ceux qu'un Animal ne peut fabriquer. Un régime auquel il manque un ou plusieurs acides aminés essentiels entraîne une forme de malnutrition; l'Animal qui a un tel régime souffre de carence protéique.
- **Les acides gras essentiels (p. 919).** Les acides gras essentiels, c'est-à-dire ceux que les Animaux ne peuvent fabriquer eux-mêmes, sont des acides gras insaturés comportant une ou plusieurs liaisons doubles. Les carences en acides gras essentiels sont rares.
- **Les vitamines (p. 919-920).** Les vitamines sont des molécules organiques nécessaires en petites quantités. Elles sont soit hydrosolubles, soit liposolubles.
- **Les minéraux (p. 920).** Les minéraux sont des nutriments inorganiques habituellement indispensables en petites quantités.

Concept 41.3

Les étapes principales du traitement de la nourriture sont l'ingestion, la digestion, l'absorption et l'élimination

- Chez les Animaux, le traitement des aliments passe par l'ingestion (l'acte de manger), la digestion (la décomposition enzymatique des macromolécules alimentaires en des monomères), l'absorption (l'assimilation des nutriments par les cellules) et l'élimination (le rejet des substances indigestibles ou non digérées sous forme de matières fécales) **(p. 923)**.
- **Les compartiments de la digestion (p. 923-924).** Dans la digestion intracellulaire, les particules alimentaires pénètrent dans les cellules par phagocytose ou endocytose, puis elles sont digérées au sein de vacuoles nutritives. La plupart des Animaux font appel à la digestion extracellulaire, l'hydrolyse enzymatique survenant à l'extérieur des cellules, dans une cavité gastrovasculaire ou dans un tube digestif.

Concept 41.4

Chaque organe du système digestif des Mammifères possède une fonction spécialisée dans le traitement de la nourriture

- Le système digestif des Mammifères comprend un tube digestif et divers organes annexes, dont certaines glandes sécrétant des sucs digestifs dans le tube **(p. 925)**.
- **La cavité buccale, le pharynx et l'œsophage (p. 925-926).** Les aliments sont lubrifiés et leur digestion commence dans la cavité buccale, où ils sont mâchés par les dents et fragmentés en des particules exposées à de l'amylase salivaire. Cette enzyme entame la décomposition des polysaccharides. De plus, la muqueuse buccale ajoute aux aliments une lipase linguale qui s'attaque aux lipides, mais dont l'effet s'exerce surtout dans l'estomac. Le pharynx se situe entre la cavité buccale et les ouvertures de la trachée et de l'œsophage. L'œsophage amène les aliments du pharynx à l'estomac grâce au mouvement de muscles involontaires produisant des ondes péristaltiques.
- **L'estomac (p. 927-929).** L'estomac emmagasine les aliments et sécrète du suc gastrique, qui convertit le repas en un chyme acide. Le suc gastrique comprend du chlorure d'hydrogène ainsi que les enzymes pepsine et lipase gastrique.
- **L'intestin grêle (p. 929-932).** L'intestin grêle joue un rôle majeur dans la digestion et l'absorption. Le chyme acide de l'estomac atteint le duodénum et se mélange avec le suc intestinal, la bile et le suc pancréatique. Diverses enzymes complètent l'hydrolyse des molécules alimentaires et les transforment en des monomères. Ces derniers sont ensuite absorbés dans le sang ou la lymphe en passant à travers la muqueuse de l'intestin grêle. Les hormones contribuent à la régulation de la sécrétion des sucs digestifs.
- **Le gros intestin (p. 932-933).** Le gros intestin (principalement le côlon) aide l'intestin grêle à réabsorber de l'eau et des électrolytes. Il abrite des Bactéries dont certaines synthétisent des vitamines. Les matières fécales traversent le rectum et sont éliminées par l'anus.

Concept 41.5

Les adaptations du système digestif des Vertébrés sont souvent associées au régime alimentaire

- **Les adaptations de la dentition (p. 933-934).** Les Mammifères ont une dentition qui correspond généralement à leur régime alimentaire.
- **Les adaptations de l'estomac et de l'intestin (p. 934).** Les herbivores ont habituellement un tube digestif plus long que celui des autres Mammifères, car il faut plus de temps pour digérer les matières végétales que les matières animales.

▶ **Les adaptations symbiotiques (p. 934-935).** Beaucoup d'herbivores possèdent des chambres de fermentation spéciales, dans lesquelles des microorganismes mutualistes digèrent la cellulose.

VÉRIFIEZ VOS CONNAISSANCES

Autoévaluation

(Les questions dont les numéros sont en caractères gras font surtout appel à la compréhension.)

1. Laquelle des associations suivantes comporte une erreur?
   a) Lion et ingestion du substrat.
   b) Baleine à fanons et ingestion par filtration.
   c) Puce et ingestion par aspiration.
   d) Ver de terre et ingestion du substrat.
   e) Serpent et ingestion en vrac.

2. Si vous allez courir 2 km quelques heures après avoir dîné, à quelle source d'énergie votre organisme fera-t-il d'abord appel?
   a) Aux protéines des muscles.
   b) Au glycogène des muscles et du foie.
   c) Aux graisses emmagasinées dans le foie.
   d) Aux graisses des tissus adipeux.
   e) Aux protéines du sang.

3. Les personnes dont le régime alimentaire se compose surtout de maïs risquent de devenir:
   a) obèses.
   b) anorexiques.
   c) suralimentées.
   d) sous-alimentées.
   e) mal nourries.

4. Lequel des énoncés suivants concernant la nutrition est *faux*?
   a) Il y a moyen de ne manger que des aliments végétaux et obtenir quand même tous les acides aminés essentiels.
   b) Les carences en acides gras essentiels sont plutôt rares.
   c) Les protéines végétales sont incomplètes, c'est-à-dire qu'une protéine donnée ne possède pas tous les acides aminés essentiels.
   d) La sous-alimentation est beaucoup plus fréquente chez l'humain que la malnutrition.
   e) La classe des glucides ne comporte pas de monomères faisant partie des nutriments essentiels.

5. À quels représentants des Animaux la description suivante de la cavité digestive ne conviendrait pas: « succession de compartiments reliant deux ouvertures, la bouche et l'anus »?
   a) Les humains.
   b) Les vers plats.
   c) Les sauterelles.
   d) Les Oiseaux.
   e) Les vers de terre.

6. Chez les Mammifères, la trachée et l'œsophage débouchent sur:
   a) le gros intestin.
   b) l'estomac.
   c) le pharynx.
   d) le rectum.
   e) l'épiglotte.

7. Parmi les enzymes suivantes, laquelle a le pH optimal le plus bas?
   a) L'amylase salivaire.
   b) La trypsine.
   c) La pepsine.
   d) L'amylase pancréatique.
   e) La lipase pancréatique.

8. Voici une liste d'organes associés chacun à une fonction. Quelle association est *erronée*?
   a) Estomac: digestion des protéines.
   b) Cavité buccale: digestion de l'amidon.
   c) Gros intestin: digestion des graisses.
   d) Intestin grêle: absorption des nutriments.
   e) Pancréas: production d'enzymes.

9. Le GIP, une hormone sécrétée par l'intestin grêle, exerce l'une des actions suivantes. Laquelle?
   a) Elle stimule la sécrétion biliaire.
   b) Elle active les enzymes pancréatiques.
   c) Elle inhibe la sécrétion duodénale.
   d) Elle inhibe le péristaltisme dans l'estomac.
   e) Elle augmente le pH du chyme.

10. Une fois qu'il subit l'ablation de sa vésicule biliaire en cas d'inflammation, l'humain doit faire particulièrement attention et restreindre sa consommation:
   a) d'amidon.
   b) de protéines.
   c) de glucides.
   d) de lipides.
   e) d'eau.

11. Quelle est la fonction commune des caractéristiques suivantes de l'intestin grêle chez l'humain: présence de plis circulaires, de villosités intestinales et de microvillosités, épithélium simple tapissant l'intestin grêle?
   a) Faciliter la libération des sucs digestifs pour favoriser la digestion des aliments.
   b) Offrir aux nutriments le maximum de surface d'absorption.
   c) Empêcher les microorganismes présents dans les aliments de pénétrer dans le sang.
   d) Ralentir le passage des aliments dans le tube digestif.
   e) Permettre aux contractions du péristaltisme de faire avancer les aliments.

12. La cavité buccale de l'humain, avec sa dentition, peut être considérée comme analogue, sur le plan fonctionnel, à l'un des éléments suivants de l'anatomie du ver de terre. Lequel?
   a) L'intestin.
   b) Le pharynx.
   c) Le gésier.
   d) L'estomac.
   e) L'anus.

13. Les microorganismes symbiotiques qui contribuent à l'alimentation d'un Ruminant vivent dans des parties spécialisées:
   a) du gros intestin.
   b) du foie.
   c) de l'intestin grêle.
   d) du pharynx.
   e) de l'estomac.

Lien avec l'évolution

L'œsophage et la trachée de l'humain partagent un passage issu de la bouche et des voies nasales. Cette structure provoque à l'occasion la mort par étouffement. Après avoir revu l'évolution des Vertébrés au chapitre 34, expliquez comment cela a pu mener à cette anatomie « imparfaite ».

Intégration

Concevez une expérience pour vérifier l'hypothèse selon laquelle l'amylase salivaire digère l'amidon plus rapidement à 37 °C (la température du corps humain) qu'à 20 °C (la température ambiante approximative) ou qu'à 43 °C. Vous ne disposez comme matériel et équipement que d'une source de salive humaine, d'eau distillée, d'amidon, d'un réactif iodé qui colore l'amidon en violet foncé, de béchers et de plusieurs bains d'eau qui peuvent être maintenus à des températures constantes. Comment allez-vous interpréter les résultats si (a) le taux d'activité enzymatique est plus élevé à 37 °C; ou (b) si le taux d'activité enzymatique est plus élevé à 43 °C?

Science, technologie et société

1. Les médias présentent de nombreuses allégations et réfutations concernant les avantages et les dangers de certains aliments. On peut donner comme exemples les débats sur les doses de vitamines, la recommandation de régimes enrichis en certaines molécules alimentaires (notamment en glucides ou en protéines), beaucoup de débats

au sujet des régimes faibles en glucides et la publicité vantant de nouveaux produits, comme une margarine pouvant abaisser la concentration du cholestérol sanguin. Avez-vous déjà modifié vos habitudes alimentaires en fonction de l'information nutritionnelle présentée par les médias ? Pourquoi ? Comment faire pour en évaluer la validité ?

2. Depuis 2004, l'obésité est considérée comme une maladie par le département de Santé américain, de sorte que certains des traitements qui y sont liés pourront être remboursés. Par ailleurs, pour tenter d'enrayer ce fléau, l'OMS a suggéré diverses mesures comme la création d'une taxe sur la restauration rapide et l'instauration d'incitatifs fiscaux pour encourager la bonne alimentation. L'Association pour la santé publique du Québec, au terme d'une vaste enquête, tient, quant à elle, les publicités et les médias responsables de ce phénomène. Imaginez que vous devez conseiller le gouvernement d'un pays où l'obésité constitue un problème sérieux. Recommanderiez-vous de considérer l'obésité comme une maladie au même titre que les autres maladies ? Quelles mesures favoriseriez-vous pour lutter contre cette « épidémie » ? Vers quels secteurs proposeriez-vous de diriger la part du budget annuel allouée à cette question ?

Réponses du chapitre 41

Retour sur le concept 41.1

1. La masse corporelle est stable lorsque l'apport en joules (aliments) est équilibré par la dépense énergétique (vitesse du métabolisme).
2. À long terme, le corps transforme les joules excédentaires en graisses, que ces joules aient été consommés sous forme de graisses, de glucides ou de protéines.
3. Les deux hormones ont des effets de suppression d'appétit sur le centre de satiété de l'encéphale. Au courant d'une journée, la PYY, sécrétée par l'intestin grêle, coupe l'appétit après les repas. À plus long terme, la leptine, produite par le tissu adipeux, réduit normalement l'appétit à mesure que l'accumulation de gras augmente.

Retour sur le concept 41.2

1. La sous-alimentation est une carence énergétique dans le régime alimentaire. Par contre, la malnutrition est attribuable à une carence en un ou plusieurs nutriments essentiels, même si l'apport énergétique total est adéquat.
2. Un régime végétarien équilibré combine des légumes et des fruits qui se complètent, chacun fournissant certains acides aminés essentiels qui peuvent faire défaut dans les autres aliments.
3. Les vitamines et les minéraux sont des nutriments essentiels nécessaires en quantités quotidiennes relativement faibles. Les vitamines sont des molécules organiques, alors que les minéraux sont des nutriments inorganiques.

Retour sur le concept 41.3

1. Une cavité gastrovasculaire est une cavité digestive en forme de sac à une seule ouverture qui sert à la fois à la digestion et à l'élimination ; un canal alimentaire est un tube digestif qui possède une bouche et un anus aux extrémités opposées.
2. Tant qu'ils sont dans la cavité du canal alimentaire, les nutriments sont dans un compartiment en continuité avec l'extérieur par l'intermédiaire de la bouche et de l'anus, et n'ont pas encore traversé une membrane pour entrer dans l'organisme.

Retour sur le concept 41.4

1. Le péristaltisme peut faire pousser les aliments le long de l'œsophage même sans l'aide de la gravité.
2. Le chlorure d'hydrogène décompose les tissus des matières végétales et animales par une attaque chimique non enzymatique puissante. Il active également la pepsine, une enzyme qui digère les protéines et détruit toute Bactérie qui peut avoir été ingérée avec les aliments.
3. Le repas partiellement digéré qui provient de l'estomac sous forme de chyme acide + suc pancréatique contenant des enzymes hydrolytiques + suc intestinal contenant des enzymes + bile comportant des sels biliaires qui contribuent à la digestion en émulsifiant les graisses.
4. Les villosités et les microvillosités de l'épithélium intestinal fournissent une surface énorme pour l'absorption, le transport des nutriments de la cavité de l'intestin grêle dans les capillaires sanguins et les vaisseaux chylifères.
5. L'utilisation d'antibiotiques sur une longue période peut tuer les Bactéries du côlon qui complètent la nutrition en produisant la vitamine K.
6. En recevant le chyme acide de l'estomac, le duodénum sécrète une hormone, la cholécystokinine (CCK), qui se rend au pancréas en suivant la circulation sanguine et stimule la libération de suc pancréatique.

Retour sur le concept 41.5

1. Les incisives tranchantes sont adaptées pour couper les morceaux de viande et de matières végétales. Les surfaces larges et irrégulières des molaires sont adaptées pour broyer les aliments coriaces, notamment les fruits et les légumes fibreux, et les gros morceaux de viande.
2. Le têtard est herbivore (il mange surtout des Algues), alors que la grenouille adulte est carnivore (elle mange des Insectes, par exemple).
3. L'Animal régurgite une mixture d'aliments stockés dans le rumen et le bonnet (des Végétaux ingurgités après une mastication, mélangés à des acides gras et à d'autres sous-produits métaboliques des Bactéries du rumen et du bonnet). Après une seconde mastication qui augmente les surfaces de contact de la matière végétale, la vache avale les aliments ruminés qui vont, cette fois, dans le feuillet et la caillette où ils subissent l'action des microorganismes et des enzymes digestifs qui continuent à transformer la cellulose en divers nutriments. Cette particularité des Ruminants diminue le temps devant être consacré à l'ingestion de nourriture et leur permet de prendre tout leur temps pour mastiquer dans un lieu où ils sont en sécurité.

Autoévaluation

1. a ; **2.** b ; 3. e ; 4. d ; 5. b ; 6. c ; 7. c ; 8. c ; 9. d ; **10.** d ; **11.** b ; **12.** c ; **13.** e.

42

La circulation et les échanges gazeux

▲ **Figure 42.1 Branchies du saumon permettant l'échange de gaz entre le sang et le milieu extérieur.**

Concepts clés

42.1 Les systèmes cardiovasculaires reflètent la phylogenèse

42.2 Les Mammifères ont une circulation double qui dépend de leur anatomie et de leur révolution cardiaque

42.3 Les lois de la physique s'appliquent à la circulation sanguine

42.4 Le sang est un tissu conjonctif composé de cellules en suspension dans le plasma

42.5 Les échanges gazeux se produisent à travers des surfaces respiratoires spécialisées

42.6 La respiration permet de ventiler les poumons

42.7 Les pigments respiratoires se lient aux gaz et les transportent

Introduction

Les échanges avec le milieu extérieur

Tout organisme doit échanger des substances et de l'énergie avec son environnement; en fait, tous ces échanges se produisent au niveau cellulaire. Les cellules vivent dans un milieu aqueux. Les ressources dont elles ont besoin, notamment les nutriments et le dioxygène (O_2), traversent leur membrane plasmique pour pénétrer dans le cytoplasme; quant aux déchets métaboliques, notamment le dioxyde de carbone (CO_2), ils quittent la cellule. Chez les organismes unicellulaires, les échanges s'établissent directement avec le milieu externe. Par contre, pour la plupart des cellules qui composent les organismes multicellulaires, un échange direct avec le milieu est impossible. Cette contrainte est associée à l'évolution des systèmes physiologiques spécialisés dans le transport et l'échange des matières.

Les branchies plumeuses du saumon **(figure 42.1)** offrent une aire de contact étendue avec le milieu extérieur. Un réseau de vaisseaux sanguins minuscules (les capillaires) se déploie à proximité de leur face externe. Le O_2 dissous dans l'eau environnante diffuse à travers le mince épithélium recouvrant les branchies pour pénétrer dans le sang, tandis que le CO_2 diffuse vers l'eau.

Le saumon et les autres Animaux ont des systèmes spécialisés permettant l'échange de substances avec l'environnement. La plupart des Animaux disposent d'un système de transport interne qui fait circuler des liquides (du sang ou du liquide interstitiel) dans tout le corps (voir la figure 40.4).

Dans le présent chapitre, nous allons étudier les mécanismes du transport interne des Animaux. Nous allons aussi nous pencher sur un exemple clé de transfert chimique entre les Animaux et leur environnement: l'échange de dioxygène et de dioxyde de carbone, essentiel à la respiration cellulaire, qui est un processus de production d'énergie.

Concept 42.1

Les systèmes cardiovasculaires reflètent la phylogenèse

Chez les Animaux, la diffusion à elle seule ne pourvoit pas au transport de substances sur de grandes distances; un Mammifère doit, par exemple, faire parvenir à son cerveau le glucose de son tube digestif et le O_2 de ses poumons. La diffusion est inefficace quand les distances dépassent quelques millimètres, car le temps que prend une substance pour diffuser d'un endroit à l'autre est proportionnel au *carré* de la distance. Ainsi, s'il faut 1 s à une certaine quantité de glucose pour diffuser sur 100 µm, il faut 100 s pour que la même quantité diffuse sur 1 mm, et près de 3 h pour 1 cm. Le système cardiovasculaire règle ce problème en transportant rapidement les liquides en vrac dans le corps. Il établit une connexion fonctionnelle entre le milieu aqueux des cellules et les organes qui échangent les gaz, absorbent les nutriments et éliminent les déchets. Dans les poumons d'un Mammifère, par exemple, le O_2 de l'air inhalé traverse un mince épithélium par diffusion simple pour parvenir dans le sang, tandis que le CO_2 diffuse de la même manière mais dans la direction opposée. Grâce au cœur, les liquides se déplacent en vrac dans le système cardiovasculaire pour apporter rapidement à toutes les parties du corps du sang riche en O_2. À mesure que le sang irrigue les tissus par des vaisseaux microscopiques appelés *capillaires*, des substances chimiques sont échangées entre le sang et le liquide interstitiel dans lequel baignent directement les cellules.

Les échanges gazeux et le transport interne font l'objet d'un lien fonctionnel chez la plupart des embranchements d'Animaux; c'est pourquoi nous nous concentrerons ici à la fois sur le système cardiovasculaire et le système respiratoire. Nous mettrons aussi en évidence le rôle de ces deux systèmes dans l'homéostasie (voir le chapitre 40), soit, par exemple, la régulation de la concentration des nutriments et des déchets du liquide interstitiel. Pour commencer, voyons comment les liquides circulent chez les Animaux.

La circulation chez les Invertébrés

La diversité des systèmes cardiovasculaires chez les Invertébrés correspond au large éventail de tailles et de formes que ces derniers peuvent prendre. Les pressions sélectives des divers milieux ont également entraîné au cours de l'évolution une modification des systèmes cardiovasculaires parmi ces Animaux.

Les cavités gastrovasculaires

En raison de la simplicité de leur organisation corporelle, les Éponges, les hydres et d'autres Cnidaires n'ont pas besoin d'un système cardiovasculaire. Chez ces Animaux, une enveloppe corporelle composée de deux couches cellulaires seulement renferme une cavité gastrovasculaire centrale, utilisée tant pour la digestion que pour la distribution des substances dans le corps (voir la figure 41.13). Le liquide présent dans la cavité communique avec l'eau du milieu externe par un seul orifice; ainsi, les couches cellulaires interne et externe sont en contact avec le liquide. Chez l'Éponge, des cellules flagellées (les choanocytes) font circuler l'eau en l'aspirant à travers des pores, vers la cavité. Chez l'hydre, de minces prolongements de la cavité gastrovasculaire constituent les tentacules. Quant à certains Cnidaires, tels que les méduses, ils sont dotés d'une cavité gastrovasculaire encore plus complexe **(figure 42.2)**. Comme la digestion débute dans celle-ci, seules les cellules de la couche interne ont un accès direct aux nutriments qui, cependant, n'ont pas à diffuser sur une grande distance pour atteindre les cellules de la couche externe.

Les planaires et les autres Vers plats possèdent également une cavité gastrovasculaire, qui échange des substances avec le milieu externe par une seule ouverture (voir la figure 33.10). La forme aplatie de leur corps et les ramifications de leur cavité gastrovasculaire permettent à toutes les cellules de baigner dans un milieu approprié; en outre, les distances de diffusion restent petites.

Les systèmes cardiovasculaires ouvert et clos

Chez les Animaux constitués de plusieurs couches de cellules, la présence d'une cavité gastrovasculaire ne suffit pas au transport interne, car les distances de diffusion sont trop importantes pour l'échange de nutriments et de déchets. Chez ces Animaux, deux types de système cardiovasculaire ont permis de dépasser les limites de la diffusion: le système cardiovasculaire ouvert et le système cardiovasculaire clos. Les deux ont trois composantes structurales: un liquide circulatoire (**sang**), un ensemble de conduits (**vaisseaux sanguins**) acheminant le sang dans le corps et une pompe musculaire (**cœur**). Le cœur fait circuler le sang en utilisant de l'énergie métabolique pour élever sa pression hydrostatique (rappelons que cette dernière représente la force qui déplace un fluide dans un conduit). Le sang circule dans l'organisme en réponse à un gradient de pression, puis revient au cœur. La **pression artérielle** (c'est-à-dire la pression à laquelle le sang circule à l'intérieur des vaisseaux) est la force hydrostatique que le sang exerce contre l'aire représentée par la paroi d'un vaisseau.

Chez les Insectes, les autres Arthropodes et la plupart des Mollusques, les organes baignent directement dans le sang, ce qui constitue un **système cardiovasculaire ouvert (figure 42.3a)**. Rien ne distinguant le sang du liquide interstitiel, on désigne le liquide organique par l'expression **hémolymphe**. Un ou plusieurs cœurs pompent l'hémolymphe dans le réseau de cavités entourant les organes, c'est-à-dire les **sinus**. Dans ce cas, les échanges chimiques se produisent entre l'hémolymphe et les cellules. Le cœur des Insectes et des autres Arthropodes est un tube allongé situé dans la partie dorsale du corps. Quand il se contracte, il pompe l'hémolymphe dans les vaisseaux conduisant aux sinus. Quand il se relâche, il aspire l'hémolymphe des sinus vers le système cardiovasculaire par des pores appelés *ostioles*. Les mouvements du corps qui compriment les sinus facilitent la circulation de l'hémolymphe.

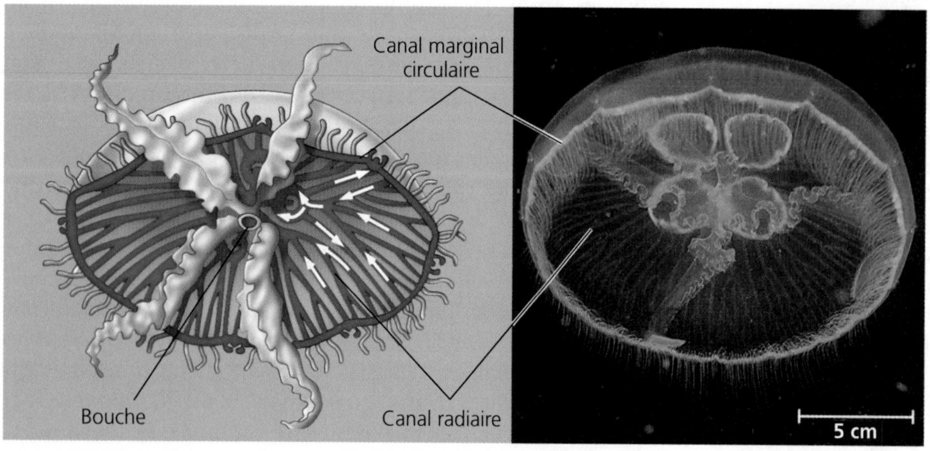

Dans un **système cardiovasculaire clos**, le sang circule uniquement dans les vaisseaux et constitue un liquide distinct du liquide interstitiel **(figure 42.3b)**. Un ou plusieurs cœurs pompent le sang dans de grands vaisseaux, qui se divisent en de plus petits vaisseaux parcourant les organes. Dans ces derniers, un échange de substances s'effectue entre le sang et le liquide interstitiel dans lequel baignent les cellules. Les vers de terre, les calmars, les pieuvres et tous les Vertébrés ont un système cardiovasculaire clos.

La présence généralisée chez tous les Animaux des systèmes cardiovasculaires ouvert ou clos donne à penser que chacun offre des avantages. Par exemple, la

▲ **Figure 42.2 Transport interne chez la méduse *Aurelia sp.*** On voit ici la face inférieure de cet Animal (pôle oral). La bouche conduit à une cavité gastrovasculaire complexe, dont les ramifications communiquent avec un canal circulaire. Des cellules ciliées tapissent les canaux et font circuler les liquides dans les directions indiquées par les flèches.

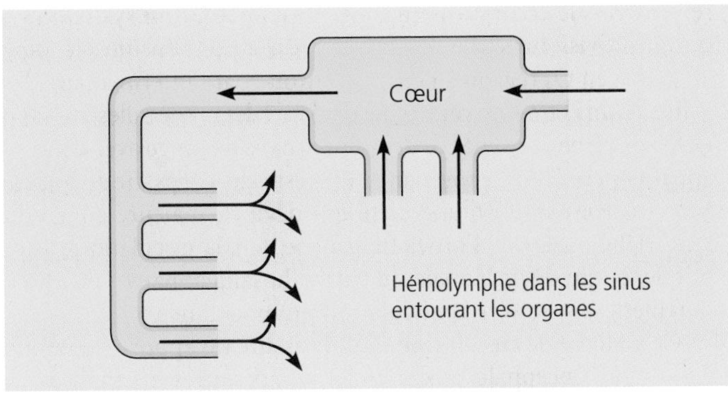

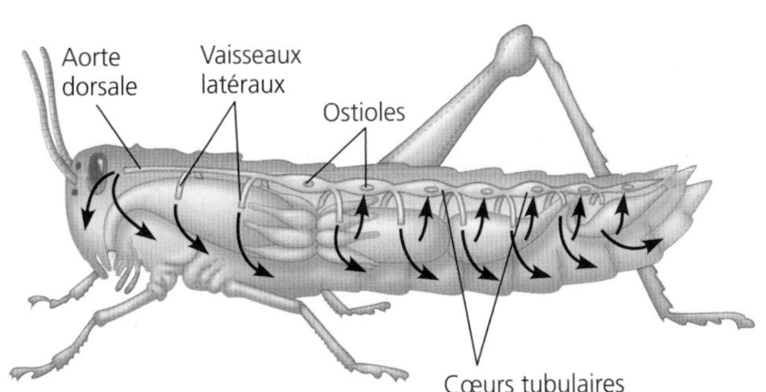

(a) Système cardiovasculaire ouvert. Dans un système cardiovasculaire ouvert, comme celui des sauterelles, le sang et le liquide interstitiel se confondent. Le liquide obtenu s'appelle hémolymphe. Les cœurs tubulaires pompent celle-ci dans les vaisseaux et vers les sinus, des cavités où des substances sont échangées entre l'hémolymphe et les cellules. Puis, l'hémolymphe revient aux cœurs par l'intermédiaire des ostioles, des pores munis de valvules qui se ferment quand les cœurs se contractent.

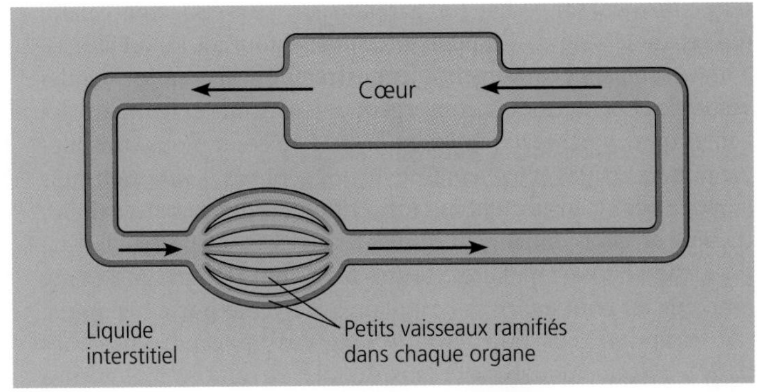

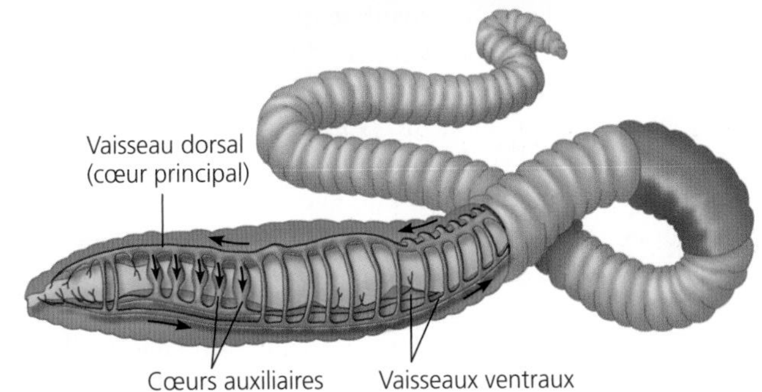

(b) Système cardiovasculaire clos. Dans un système cardiovasculaire clos, le sang circule exclusivement dans des vaisseaux, et il se distingue du liquide interstitiel. Des échanges chimiques ont lieu entre le sang et le liquide interstitiel, puis entre le liquide interstitiel et les cellules du corps. Chez les vers de terre et les autres Oligochètes, trois vaisseaux principaux se divisent en de plus petits vaisseaux qui approvisionnent en sang les divers organes. Le vaisseau dorsal sert de cœur principal et pompe le sang vers l'avant par péristaltisme. Près de l'extrémité antérieure d'un ver de terre, cinq paires de vaisseaux s'enroulent autour du tube digestif, reliant le vaisseau dorsal et le vaisseau ventral. Ces vaisseaux appariés fonctionnent comme des cœurs auxiliaires et propulsent le sang dans les vaisseaux ventraux qui l'amènent en direction de l'extrémité postérieure.

▲ **Figure 42.3 Systèmes cardiovasculaires ouvert et clos.**

pression hydrostatique plus faible associée aux systèmes cardiovasculaires ouverts les rend moins coûteux en dépenses énergétiques que les systèmes clos. En outre, étant donné qu'ils n'ont pas de système étendu de vaisseaux sanguins, les systèmes ouverts nécessitent moins d'énergie pour leur formation et leur entretien. Aussi, chez certains Invertébrés, les systèmes cardiovasculaires ouverts remplissent une variété d'autres fonctions. Par exemple, chez les Mollusques et les Arthropodes aquatiques nouvellement mués, le système cardiovasculaire ouvert sert de squelette hydrostatique qui soutient le corps.

Quels avantages peuvent être associés aux systèmes circulatoires clos? La pression artérielle plus élevée des systèmes clos rend ceux-ci plus efficaces dans le transport des liquides circulatoires afin de satisfaire les besoins métaboliques élevés des tissus et des cellules d'Animaux plus gros et plus actifs. Par exemple, parmi les Mollusques, seuls les calmars et les pieuvres gros et actifs ont des systèmes cardiovasculaires clos. Et, bien que tous les Arthropodes possèdent des systèmes cardiovasculaires ouverts, les Crustacés plus gros, comme les homards et les crabes, possèdent un système d'artères et de veines plus développé de même qu'un organe de pompage accessoire qui contribue au maintien de la pression artérielle. C'est chez les Vertébrés que les systèmes cardiovasculaires clos sont le plus développés.

Un survol de la circulation chez les Vertébrés

Les humains et les autres Vertébrés ont un système cardiovasculaire clos, généralement appelé **système cardiovasculaire** tout court. Généralement, le cœur comporte une ou deux **oreillettes** (les cavités qui reçoivent le sang revenant au cœur), ainsi qu'un ou deux **ventricules** (les cavités qui pompent le sang hors du cœur).

Les **artères**, les **veines** et les **capillaires** sont les trois types principaux de vaisseaux sanguins. Dans le corps humain, ces vaisseaux mis bout à bout s'étendraient sur une distance d'environ 100 000 km. Les artères acheminent le sang vers les organes du corps. Au sein des organes, les artères se divisent en **artérioles**: ce sont de plus petits vaisseaux transportant le sang vers les capillaires.

Les capillaires sont des vaisseaux microscopiques ayant une paroi poreuse et très mince (elle est constituée d'une seule couche de cellules). Des réseaux de ces vaisseaux, les **lits capillaires**, infiltrent tous les tissus. Certaines substances chimiques (notamment les gaz dissous) sont échangées par diffusion à travers la mince paroi qui sépare le sang et le liquide interstitiel entourant les cellules.

Des capillaires convergent à leur extrémité aval pour former des **veinules**. Ces dernières convergent à leur tour, constituant les veines qui, en général, ramènent le sang au cœur. Vous constaterez que les artères et les veines se distinguent par la *direction* dans laquelle elles transportent le sang, et non par les caractéristiques du sang qu'elles contiennent. Toutes les artères transportent le sang du cœur *vers* les capillaires; toutes les veines retournent le sang au cœur *en provenance* des capillaires. La veine porte hépatique fait exception: elle transporte le sang des lits capillaires situés dans le système digestif vers ceux du foie. Le sang en provenance du foie passe dans la veine hépatique qui l'amène au cœur.

Les systèmes cardiovasculaires de différents taxons sont des variations de ce système général modifié par la sélection naturelle. La vitesse du métabolisme (voir le chapitre 40) a joué un rôle important dans l'évolution des systèmes cardiovasculaires. En général, les Animaux ayant une vitesse du métabolisme élevée ont un système cardiovasculaire plus complexe et un cœur plus puissant que les Animaux ayant une vitesse du métabolisme plus faible. De même, chez un Animal, la complexité et le nombre des vaisseaux sanguins d'un organe particulier sont en corrélation avec les besoins métaboliques de l'organe en question. La respiration branchiale des Vertébrés aquatiques et la respiration pulmonaire des Vertébrés terrestres témoignent des différences d'adaptations cardiovasculaires les plus importantes.

Les Poissons

Les Poissons possèdent un cœur à deux cavités: une oreillette et un ventricule **(figure 42.4)**. Le sang chassé du ventricule se dirige d'abord vers les branchies (**circulation branchiale**), où il capte du O_2 et perd du CO_2 à travers la paroi des capillaires. Les capillaires branchiaux se rassemblent pour former un vaisseau acheminant le sang riche en O_2 aux lits capillaires situés dans toutes les autres parties de l'organisme (**circulation systémique**). Le sang retourne ensuite dans les veines vers l'oreillette du cœur. Remarquez que, chez les Poissons, il doit passer par *deux* lits capillaires dans chaque circuit de circulation. Lorsqu'il circule dans un lit capillaire, la force motrice qui le propulse, soit la pression artérielle, chute de façon importante (nous verrons plus loin pourquoi). C'est la raison pour laquelle le sang riche en O_2 qui sort des branchies avance assez lentement vers le circuit de circulation systémique (même si les mouvements corporels pendant la nage aident le processus). Le retour du sang vers le cœur reçoit l'assistance, chez certains Poissons, d'un petit cœur accessoire situé dans la queue. Cette particularité anatomique des Poissons limite la quantité de O_2 qui diffuse vers leurs tissus et, par conséquent, la vitesse de leur métabolisme.

Les Amphibiens

Les grenouilles et les autres Amphibiens sont pourvus d'un cœur à trois cavités: deux oreillettes et un ventricule (voir la figure 42.4). Le ventricule chasse le sang dans une artère ramifiée qui divise celui-ci en deux circuits: la circulation pulmocutanée et la circulation systémique. La **circulation pulmocutanée** conduit le sang aux capillaires situés dans les organes d'échanges gazeux (les poumons et la peau, chez les grenouilles). Là, le sang capte du O_2 et rejette du CO_2, avant de revenir à l'oreillette gauche du cœur. La majeure partie du sang riche en O_2 qui revient vers le cœur est pompée dans la **circulation systémique**, qui approvisionne tous les organes du corps. Ensuite, le sang appauvri en O_2 revient à l'oreillette droite par l'intermédiaire des veines. Dans l'unique ventricule du cœur des grenouilles, du sang riche en O_2 en provenance des poumons se mélange avec du sang appauvri en O_2 en provenance du reste du corps. Toutefois, le ventricule est muni d'une crête qui dévie la majeure partie du sang riche en O_2 de l'oreillette gauche vers la circulation systémique, et qui dévie la majeure partie du sang appauvri en O_2 de l'oreillette droite vers la circulation pulmocutanée.

Ce système de **circulation double** assure un apport vigoureux de sang à l'encéphale, aux muscles et aux autres organes, parce que le sang est pompé une seconde fois après que sa pression a chuté dans les lits capillaires des poumons ou de la peau. Le système de la circulation double s'oppose à la circulation simple des Poissons: chez ceux-ci, le sang passe directement des organes respiratoires (branchies) aux autres organes, mais la pression est plus faible que dans le cas d'une circulation double.

Les Reptiles (sauf les Oiseaux)

Les Reptiles disposent d'un système de circulation double comportant une **circulation pulmonaire** (poumons) et une circulation systémique (voir la figure 42.4). Le cœur des tortues, des serpents et des lézards comporte trois cavités, mais le ventricule est partiellement cloisonné. (Certains auteurs considèrent que le cœur de ces Reptiles possède cinq chambres, le ventricule étant constitué de trois compartiments qui communiquent entre eux.) Dans leur cas, le sang appauvri en O_2 et le sang riche en O_2 se mélangent moins que dans le cas des Amphibiens. Chez les Crocodiliens, le ventricule est complètement séparé en deux cavités indépendantes: celle de droite et celle de gauche. Tous les Reptiles, sauf les Oiseaux, possèdent deux artères qui raccordent le cœur à la circulation systémique, et des valvules artérielles permettent à ces vaisseaux de détourner le sang de la circulation pulmonaire vers la circulation systémique.

Les Mammifères et les Oiseaux

Chez tous les Mammifères et les Oiseaux, le ventricule est complètement cloisonné et séparé en deux cavités indépendantes: celle de droite et celle de gauche (voir la figure 42.4). La partie gauche du cœur ne reçoit et ne pompe que du sang riche en O_2, tandis que la partie droite ne traite que du sang appauvri en O_2. La distribution de celui-ci est meilleure, parce que le sang appauvri en O_2 et le sang riche en O_2 ne se mélangent pas. La circulation double rétablit la pression dans le circuit systémique après le passage du sang dans les capillaires des poumons.

Un organe puissant à quatre cavités est une adaptation essentielle permettant de soutenir le mode de vie endotherme qui distingue les Oiseaux et les Mammifères des autres Vertébrés. Les endothermes utilisent environ 10 fois plus d'énergie que les ectothermes de taille équivalente; par conséquent, leur système cardiovasculaire doit fournir environ 10 fois plus d'énergie et de O_2 aux tissus (et retirer 10 fois plus de CO_2 et d'autres déchets). Ces échanges importants de substances sont rendus possibles grâce aux modalités de circulation systémique et pulmonaire indépendantes; il faut aussi un cœur gros et puissant, capable de pomper le volume nécessaire de sang. Comme nous l'avons vu au chapitre 25, les Oiseaux et les Mammifères descendent d'ancêtres reptiliens distincts. Leur cœur puissant à quatre cavités a donc évolué indépendamment. C'est un exemple d'évolution convergente.

Plasma : 55 %	
Composants	**Fonctions principales**
Eau	Solvant pour le transport d'autres substances
Ions (électrolytes sanguins) Sodium Potassium Calcium Magnésium Chlorure Hydrogénocarbonate	Équilibre osmotique, effet tampon sur le pH et régulation de la perméabilité des membranes
Protéines plasmatiques	
Albumine	Équilibre osmotique et effet tampon sur le pH
Fibrinogène	Coagulation
Immunoglobulines (anticorps)	Défense de l'organisme
Autres substances transportées par le sang Nutriments (par exemple glucose, acides gras et vitamines) Déchets métaboliques Gaz respiratoires (O_2 et CO_2) Hormones	

Séparation des éléments figurés

Éléments figurés : 45 %		
Types de cellule	**Nombre (par litre de sang)**	**Fonctions**
Érythrocytes (globules rouges) 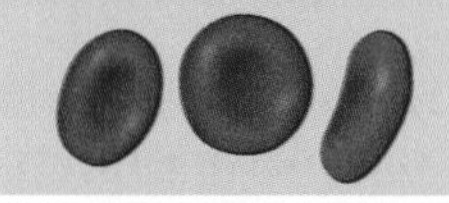	De 4 à 6 × 10^{12}	Transport du O_2 et contribution au transport du CO_2
Leucocytes (globules blancs) 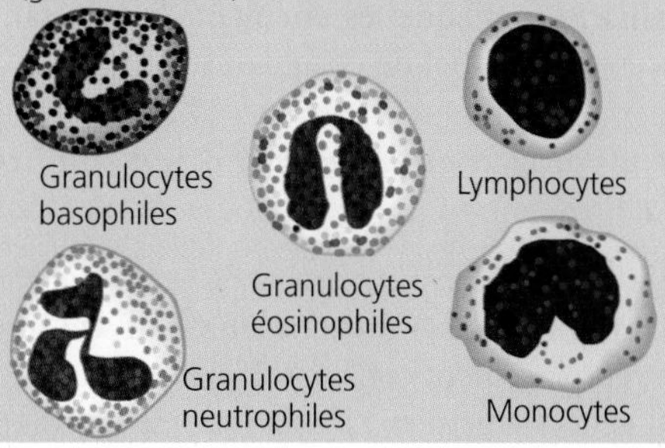 Granulocytes basophiles Granulocytes éosinophiles Granulocytes neutrophiles Lymphocytes Monocytes	De 4 à 11 × 10^9	Immunité
Plaquettes 	De 250 à 500 × 10^9	Coagulation

▲ **Figure 42.15 Composition du sang des Mammifères.**

Les érythrocytes. Les globules rouges, ou **érythrocytes**, sont de loin les cellules sanguines les plus nombreuses. Chaque litre de sang humain en contient de 4 à 6 × 10^{12} (le volume sanguin du corps est d'environ 5 L contenant autour de 25 billions de ces cellules).

La structure des érythrocytes offre un excellent exemple de la corrélation entre la structure et la fonction. Leur fonction principale, qui est le transport du O_2, dépend d'une diffusion rapide de ce dernier à travers la membrane plasmique. Les érythrocytes de l'humain sont de petits disques biconcaves (d'environ 7,0 à 8,5 mm de diamètre), plus minces au centre qu'au bord. Leur population totale, leur petite taille et leur biconcavité leur confèrent une grande aire de contact. Plus le nombre d'érythrocytes par volume augmente, plus il y a de O_2 diffusant des poumons vers le sang et du sang vers les tissus (l'augmentation du nombre d'érythrocytes fait cependant aussi augmenter la viscosité [consistance] du sang). Les érythrocytes des Mammifères sont dépourvus de noyau. Cette caractéristique cellulaire inhabituelle leur permet de contenir plus de molécules d'**hémoglobine**, une protéine contenant quatre ions ferreux (Fe^{2+}) transportant chacun une molécule de O_2 (voir la figure 5.20). Les érythrocytes sont également dépourvus de mitochondries et produisent leur ATP exclusivement par métabolisme anaérobie. Leur transport de O_2 serait moins efficace si leur métabolisme nécessitait une respiration aérobie, car ils consommeraient une partie du O_2 transporté.

Malgré sa petite taille, un érythrocyte contient environ 250 millions de molécules d'hémoglobine. Étant donné que chaque molécule d'hémoglobine fixe jusqu'à quatre molécules de O_2, un érythrocyte peut en transporter environ un milliard. Les chercheurs ont constaté récemment que l'hémoglobine fixe non seulement le O_2, mais aussi le monoxyde d'azote (NO). Quand les érythrocytes passent dans les lits capillaires des poumons, des branchies ou des autres organes respiratoires, le O_2 et le NO diffusent vers les érythrocytes et se fixent à l'hémoglobine. Dans les capillaires irriguant les tissus, l'hémoglobine libère le O_2 et le NO, qui diffusent vers les cellules du corps. Le NO provoque la dilatation des capillaires, ce qui facilite sans doute l'approvisionnement des cellules en O_2.

Les leucocytes. On dénombre cinq grands types de globules blancs, aussi appelés **leucocytes** : les monocytes, les granulocytes neutrophiles, les granulocytes basophiles, les granulocytes éosinophiles et les lymphocytes (voir la figure 42.15). Leur fonction est de combattre les infections. Ainsi, les granulocytes neutrophiles, qui représentent de 50 à 70 % de tous les leucocytes, de même que les monocytes, sont des phagocytes absorbant et digérant des Bactéries, des Virus et les débris des cellules mortes de l'organisme. Les lymphocytes (de 25 à 45 % des leucocytes) se transforment en lymphocytes B et en lymphocytes T associés à la réaction immunitaire contre les agents envahisseurs (nous y reviendrons au chapitre 43). Les granulocytes basophiles portent de grosses granulations contenant de l'héparine (anticoagulant) et de l'histamine (substance sécrétée au cours de la réaction inflammatoire). L'histamine produit une dilatation des vaisseaux et attire des leucocytes dans la région affectée. Les granulocytes éosinophiles, eux, détruisent les vers parasites ; ils phagocytent aussi les protéines étrangères et les complexes antigène-anticorps à l'origine des allergies. Les globules blancs passent la majeure partie de leur temps hors du système cardiovasculaire. Ils patrouillent dans le liquide interstitiel et le système lymphatique, là où se livrent la plupart des batailles contre les agents pathogènes. En temps normal, un litre de sang humain contient de 4 à 11 $\times$ 10^9 leucocytes, mais le nombre de ces derniers augmente temporairement chaque fois que le corps combat une infection.

Les plaquettes. Enfin, les plaquettes, qui représentent la troisième catégorie d'éléments figurés du sang, sont des fragments de cellules de 2 à 4 mm de diamètre. Elles sont dépourvues de noyau et résultent de la fragmentation du cytoplasme de grandes cellules dans la moelle osseuse. Les plaquettes circulent dans le sang et participent au processus essentiel de coagulation.

Les cellules souches et le remplacement des éléments figurés du sang

Les éléments figurés du sang (les érythrocytes, les leucocytes et les plaquettes [ou thrombocytes]) ont une durée de vie limitée et font l'objet d'un remplacement constant. Par exemple, les érythrocytes ne restent généralement en circulation que durant trois à quatre mois ; ils sont ensuite détruits par des phagocytes dans le foie et la rate, où des enzymes digèrent les macromolécules issues des vieux globules rouges phagocytés. Des processus de biosynthèse permettent de construire de nouvelles macromolécules intégrant des monomères récupérés (notamment des acides aminés). Par exemple, bon nombre des atomes de fer extraits de l'hémoglobine des globules rouges phagocytés sont intégrés dans de nouvelles molécules d'hémoglobine.

Les érythrocytes, les leucocytes et les plaquettes se développent à partir d'une source commune, une population unique de cellules appelées **cellules souches** *pluripotentes*, ou **hémocytoblastes** (du grec *haima*, qui veut dire « sang », *kutos*, « cellule », et *blastos*, « germe »), qui se trouvent dans la moelle rouge des os, particulièrement dans les côtes, les vertèbres, le sternum et le bassin **(figure 42.16)**. Le terme *pluripotentes* signifie que ces cellules sont en mesure de se différencier pour former n'importe quel élément figuré du sang. Les hémocytoblastes naissent au début du développement de l'embryon ; leur population se renouvelle tout en réapprovisionnant le sang en éléments figurés. (Voir le chapitre 21 pour une discussion plus générale à propos des cellules souches.)

La production de globules rouges dépend d'un mécanisme de rétro-inhibition sensible à la concentration molaire volumique de O_2 qui atteint les tissus par l'intermédiaire du sang. Si les tissus ne reçoivent pas suffisamment de O_2, le rein synthétise et sécrète une hormone appelée **érythropoïétine** (**EPO**), qui stimule la production d'érythrocytes par les cellules souches myéloïdes. Cette hormone a donc un effet direct sur la viscosité du sang. Inversement, un apport excessif de O_2 réduit la sécrétion d'EPO et ralentit la production d'érythrocytes.

Les médecins utilisent de l'EPO de synthèse pour traiter les sujets qui ont des problèmes de santé tels que l'anémie, soit un appauvrissement du sang caractérisé par la diminution de la concentration d'hémoglobine. Certains athlètes font cependant un usage abusif d'EPO en s'injectant ce produit afin d'augmenter leur taux d'érythrocytes. Cette pratique, appelée dopage sanguin, est interdite par le Comité international olympique et d'autres fédérations sportives. En 2002, plusieurs athlètes en compétition aux Jeux olympiques d'hiver à Salt Lake City ont eu un résultat de test de dopage positif pour des substances chimiques analogues de l'EPO ; certaines médailles leur ont été retirées. Ces athlètes auraient pu aussi y laisser leur santé, car, outre qu'elle augmente le nombre de globules rouges, l'EPO augmente aussi la viscosité du sang ; or, ce facteur, combiné à une déshydratation extrême, peut entraîner des troubles vasculaires et cardiaques sérieux.

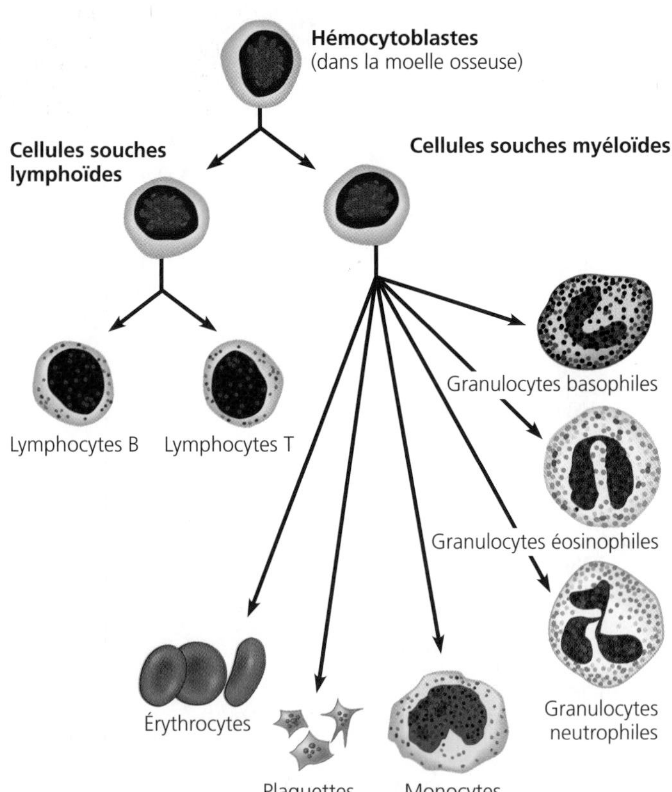

▲ **Figure 42.16 Différenciation des cellules sanguines.** Certaines cellules souches pluripotentes (les hémocytoblastes) se différencient pour former des cellules souches lymphoïdes. Celles-ci constituent ensuite des lymphocytes B et des lymphocytes T, deux catégories de cellules associées à la réaction immunitaire (voir le chapitre 43). Toutes les autres cellules sanguines se différencient à partir des cellules souches myéloïdes.

Récemment, les chercheurs ont réussi à isoler des hémocytoblastes et à les mettre en culture. Des cellules souches pluripotentes purifiées pourraient permettre de traiter efficacement diverses maladies humaines, notamment la leucémie. Dans l'organisme d'une personne leucémique, une lignée de cellules souches cancéreuses produit des leucocytes anormaux et en surnombre. Ceux-ci envahissent la totalité ou presque de la moelle osseuse, de sorte qu'ils prennent la place de cellules souches et de précurseurs des autres éléments figurés du sang. Lorsque la leucémie est aiguë, le nombre d'érythrocytes et de plaquettes diminue à un point tel que la personne atteinte souffre d'une anémie grave et de troubles hémorragiques. Malgré la croissance explosive de leur population, les leucocytes anormaux ne peuvent remplir leur rôle immunitaire. Un traitement expérimental de la leucémie consiste aujourd'hui à retirer les hémocytoblastes cancéreux de l'organisme du patient, à détruire la moelle osseuse, puis à la réapprovisionner en hémocytoblastes sains. Il suffit de 30 cellules souches pluripotentes saines pour reconstituer la population de la moelle osseuse.

La coagulation du sang

De temps à autre, il nous arrive de nous couper ou de nous égratigner. Nous ne perdons alors pas tout notre sang, car notre organisme dispose de mécanismes d'hémostase (arrêt de saignement) qui ont pour but de protéger l'organisme contre l'hémorragie. La coagulation du sang n'est que la dernière étape de l'hémostase qui débute par une contraction du vaisseau, suivie de la formation d'un bouchon destiné à bloquer l'ouverture par où se produit la perte de sang. Puis survient la coagulation ou la formation du caillot, étape cruciale de l'hémostase. Pour que la coagulation s'effectue, un matériau adhésif qui colmate les vaisseaux lésés doit toujours être présent dans notre sang sous une forme inactive appelée **fibrinogène**. Un caillot ne se forme que quand cette protéine plasmatique est transformée en sa forme active, la **fibrine**. Celle-ci s'agglutine en des filaments composant le caillot. Le mécanisme de la coagulation commence habituellement quand les plaquettes libèrent des facteurs de coagulation. Il se déroule en une chaîne de réactions complexes qui transforment le fibrinogène en fibrine **(figure 42.17)**. Les chercheurs ont isolé jusqu'ici plus d'une douzaine de facteurs de coagulation. Toutefois, le mécanisme exact de la coagulation n'est pas encore totalement compris. L'**hémophilie**, maladie héréditaire liée au sexe (voir le chapitre 15) caractérisée par un saignement excessif à la moindre coupure ou meurtrissure, est causée par une mutation génétique qui a une incidence sur une étape du processus de la coagulation.

En temps normal, les facteurs anticoagulants du sang (par exemple l'héparine libérée par les granulocytes basophiles) empêchent la coagulation spontanée en l'absence de lésion. Quelquefois, cependant, des amas de plaquettes et de fibrine coagulent dans un vaisseau sanguin et bloquent la circulation du sang. De tels caillots sont appelés **thrombus**. Ils peuvent être extrêmement dangereux, et ils ont une incidence accrue chez les sujets atteints d'une maladie cardiovasculaire.

Chez les Invertébrés, l'hémostase n'implique généralement que des contractions musculaires ou la formation de bouchons. Chez certains Vertébrés (Poissons), les facteurs de coagulation sont libérés par les cellules sanguines alors que chez l'humain les facteurs protéiniques de la coagulation sont synthétisés dans les cellules du foie et sont en circulation dans le plasma.

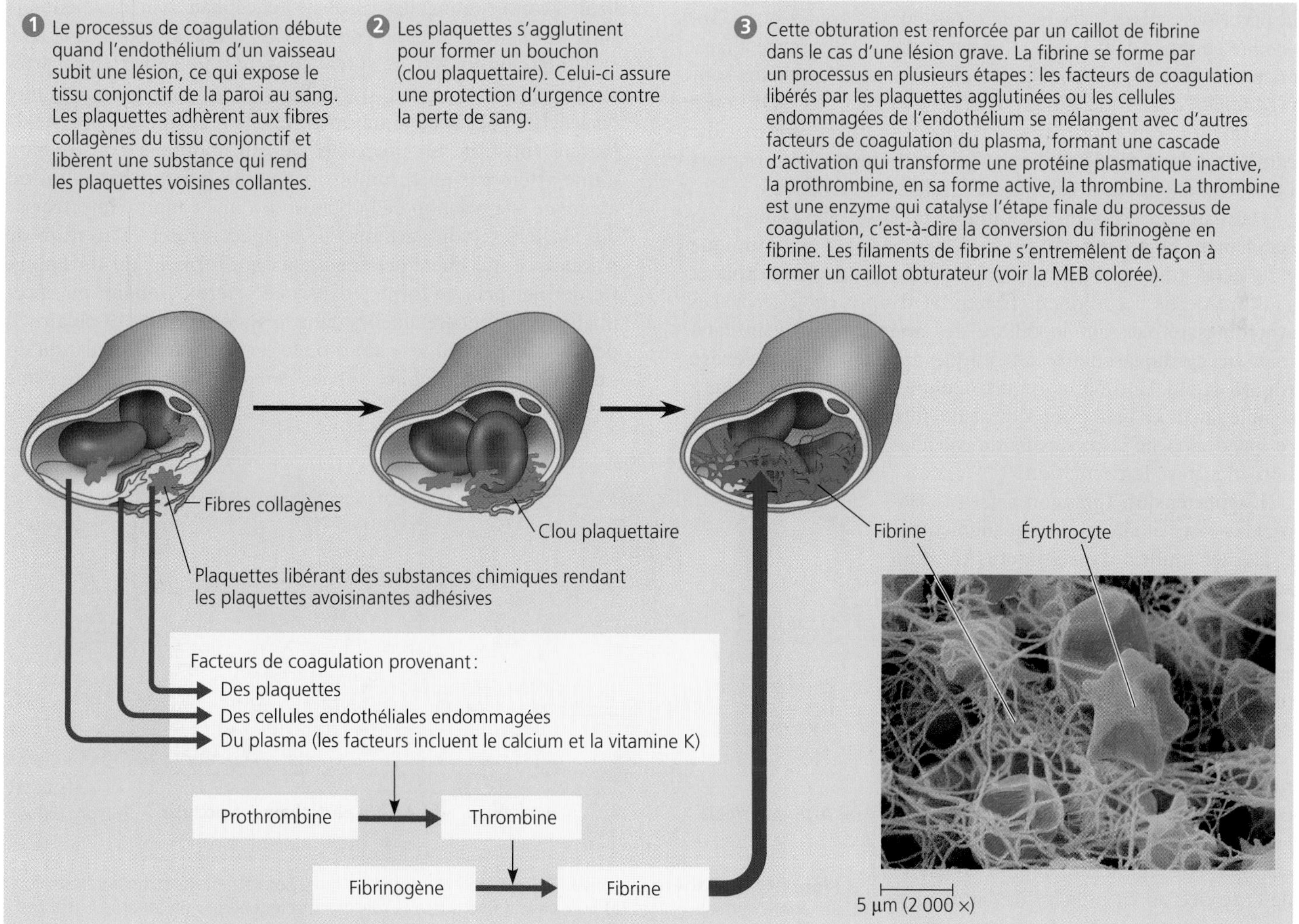

1 Le processus de coagulation débute quand l'endothélium d'un vaisseau subit une lésion, ce qui expose le tissu conjonctif de la paroi au sang. Les plaquettes adhèrent aux fibres collagènes du tissu conjonctif et libèrent une substance qui rend les plaquettes voisines collantes.
2 Les plaquettes s'agglutinent pour former un bouchon (clou plaquettaire). Celui-ci assure une protection d'urgence contre la perte de sang.
3 Cette obturation est renforcée par un caillot de fibrine dans le cas d'une lésion grave. La fibrine se forme par un processus en plusieurs étapes : les facteurs de coagulation libérés par les plaquettes agglutinées ou les cellules endommagées de l'endothélium se mélangent avec d'autres facteurs de coagulation du plasma, formant une cascade d'activation qui transforme une protéine plasmatique inactive, la prothrombine, en sa forme active, la thrombine. La thrombine est une enzyme qui catalyse l'étape finale du processus de coagulation, c'est-à-dire la conversion du fibrinogène en fibrine. Les filaments de fibrine s'entremêlent de façon à former un caillot obturateur (voir la MEB colorée).
Fibres collagènes
Clou plaquettaire
Fibrine
Érythrocyte
Plaquettes libérant des substances chimiques rendant les plaquettes avoisinantes adhésives
Facteurs de coagulation provenant :
Des plaquettes
Des cellules endothéliales endommagées
Du plasma (les facteurs incluent le calcium et la vitamine K)
Prothrombine
Thrombine
Fibrinogène
Fibrine
5 µm (2 000 ×)

▲ **Figure 42.17 Coagulation du sang.**

Les maladies cardiovasculaires

En Amérique du Nord, plus de la moitié des décès sont provoqués par les **maladies cardiovasculaires**, c'est-à-dire les maladies touchant le cœur et les vaisseaux sanguins. Dans une certaine mesure, la tendance à développer une maladie cardiovasculaire est héréditaire, mais le mode de vie joue également un grand rôle. En effet, le tabagisme, le manque d'exercice, un régime riche en matières grasses animales et une concentration anormalement élevée de cholestérol dans le sang, notamment, accroissent les risques de souffrir d'une maladie cardiovasculaire.

Le cholestérol se déplace dans le sang principalement sous forme de particules composées de milliers de molécules de cholestérol et d'autres lipides liés à une protéine. Certaines de ces particules sont appelées **lipoprotéines de basse densité**, ou *LDL* (pour *low-density lipoproteins*), ou encore *mauvais cholestérol*. Les LDL sont associées au dépôt du cholestérol dans les athéromes (ou plaques) qui se forment sur la tunique interne des artères. Un autre type de particules, appelées **lipoprotéines de haute densité**, ou *HDL* (pour *high-density lipoproteins*), ou encore *bon cholestérol*, peuvent réduire les dépôts de cholestérol. L'exercice physique tend à augmenter la concentration molaire volumique des HDL à des valeurs supérieures à 0,9 mmol/L, la limite au-dessous de laquelle il y a un risque pour la santé. Les HDL exercent une fonction bénéfique pour l'organisme en transportant les excédents de cholestérol, présents dans les tissus ou sur la paroi des artères, vers le foie où ils sont dégradés pour être ensuite éliminés dans la bile. L'usage du tabac a tendance à faire augmenter le ratio LDL/HDL. Or, de nombreux chercheurs sont maintenant d'avis que le rapport entre les LDL et les HDL constitue un indicateur plus fiable du risque de souffrir d'une maladie cardiovasculaire que le cholestérol plasmatique total. Un rapport LDL/HDL supérieur à 5,0 marque un facteur de risque.

Dans une artère saine, la tunique est lisse; elle favorise un écoulement libre. Le dépôt de cholestérol épaissit cette tunique et la rend rugueuse. Un athérome se forme à cet endroit et s'infiltre de tissu conjonctif fibreux et d'autre cholestérol. Les athéromes rétrécissent le calibre des artères, provoquant une maladie cardiovasculaire chronique appelée **athérosclérose** (**figure 42.18**). La tunique rugueuse d'une artère athéroscléreuse semble favoriser l'adhésion des plaquettes, ce qui déclenche le processus de coagulation et entrave la circulation.

L'**hypertension** (pression artérielle élevée) favorise l'athérosclérose et augmente le risque de souffrir d'un infarctus ou d'un accident vasculaire cérébral (AVC). L'athérosclérose tend à augmenter la pression artérielle en rétrécissant les vaisseaux et en réduisant leur élasticité. Selon une hypothèse, l'hypertension chronique provoque des dommages à l'endothélium tapissant les artères et stimule la formation d'athéromes. Heureusement, il est relativement facile de diagnostiquer l'hypertension, et l'on peut généralement la maîtriser en changeant de régime alimentaire, en faisant de l'exercice ou en prenant des antihypertenseurs. Une pression diastolique qui se maintient à un niveau supérieur ou égal à 12 kPa (90 mm Hg) est jugée inquiétante; l'hypertension extrême, c'est-à-dire une pression artérielle d'environ 27/16 (200/120), présente de grands risques.

À mesure que l'athérosclérose évolue, les artères sont de plus en plus étroites, et la menace d'un infarctus ou d'un AVC s'accroît. Certains signes avant-coureurs peuvent se présenter. Par exemple, si une artère coronaire n'est que partiellement bloquée, le sujet atteint peut ressentir des douleurs thoraciques occasionnelles, affection appelée *angine de poitrine*. Ces douleurs apparaissent généralement quand cet organe travaille de manière plus intense que d'habitude, en période de stress physique ou émotif, et elles indiquent qu'une partie de son cœur ne reçoit pas suffisamment de O_2. Malheureusement, de nombreux sujets sont touchés par l'athérosclérose sans le savoir, jusqu'au jour de la catastrophe.

Le plus souvent, c'est une crise cardiaque ou un AVC qui entraîne la mort. L'**infarctus du myocarde** (communément appelé *crise cardiaque*) provoque la destruction du tissu musculaire cardiaque. Il résulte de l'obstruction prolongée d'une ou des deux artères coronaires, les vaisseaux approvisionnant le cœur en sang riche en O_2. Les artères coronaires étant de petit diamètre, elles sont particulièrement vulnérables. Une telle obstruction peut détruire le muscle cardiaque rapidement, étant donné qu'un muscle cardiaque qui bat constamment ne peut survivre longtemps privé d'oxygène. Quant à l'**accident vasculaire cérébral**, il cause la mort des tissus de l'encéphale, généralement à la suite de la rupture ou de l'obstruction d'une artère dans la tête.

L'infarctus et l'AVC résultent souvent d'une obstruction artérielle par un thrombus, ou caillot. La réaction inflammatoire déclenchée par l'accumulation de LDL sur la tunique interne de l'artère constitue un processus clé qui aboutit à l'obstruction d'une artère par un thrombus. Une telle inflammation, qui est analogue à la réaction de l'organisme à une coupure infectée par des Bactéries (voir la figure 43.6), peut causer la rupture de plaques, ce qui libère des fragments qui forment un thrombus. Ce dernier peut se former dans une artère coronaire ou encéphalique, ou encore ailleurs dans le système cardiovasculaire. Il peut atteindre ensuite le cœur ou le cerveau par la circulation du sang. Ce caillot mobile, appelé *embole*, parcourt l'organisme

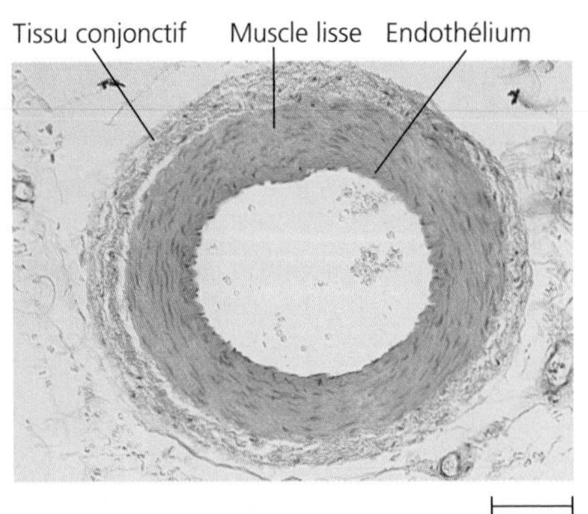

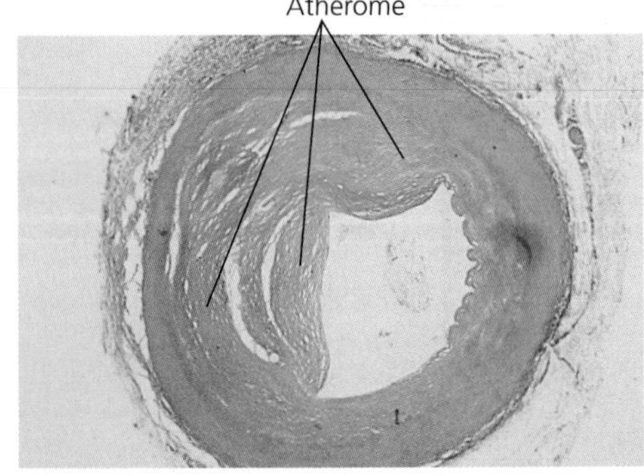

▲ **Figure 42.18 Athérosclérose.** Ces micrographies photoniques permettent de comparer la section d'une artère normale (saine) **(a)** avec celle d'une artère partiellement bloquée par un athérome **(b)**. Les athéromes se composent principalement de tissu conjonctif dense et de cellules mortes de muscle lisse, le tout imprégné de lipides.

jusqu'à ce qu'il se loge dans une artère dont le diamètre est trop faible pour permettre son passage. Un embole risque davantage de rester bloqué dans un vaisseau rétréci par des athéromes. Il obstrue le vaisseau et interrompt la circulation du sang; les tissus du cœur ou de l'encéphale situés en aval risquent de mourir en raison d'un manque de O_2. Si des lésions tissulaires interrompent la conduction des impulsions électriques dans le muscle cardiaque, la fréquence cardiaque peut changer brutalement, ou bien le cœur peut cesser de battre. Toutefois, la victime a des chances de survivre si on rétablit sa fréquence cardiaque grâce à une réanimation cardiorespiratoire (RCR) ou à toute autre intervention d'urgence survenant dans les quelques minutes suivant la crise. Les effets d'un AVC et les probabilités de s'en sortir dépendent de la localisation et de l'ampleur de la lésion dans l'encéphale.

Retour sur le concept 42.4

1. Combien d'érythrocytes la moelle osseuse humaine produit-elle environ par jour, en supposant un nombre de globules rouges de $2{,}5 \times 10^{13}$ et une longévité moyenne des cellules de 4 mois?
2. Expliquez pourquoi un médecin peut demander une leucocytémie (taux de globules blancs) pour un patient présentant des symptômes d'une infection.
3. Comment quelques douzaines de cellules souches transplantées provenant de la moelle osseuse peuvent-elles remplacer la grande variété de cellules qui se trouvent dans la moelle osseuse?

Voir les réponses proposées à la fin du chapitre.

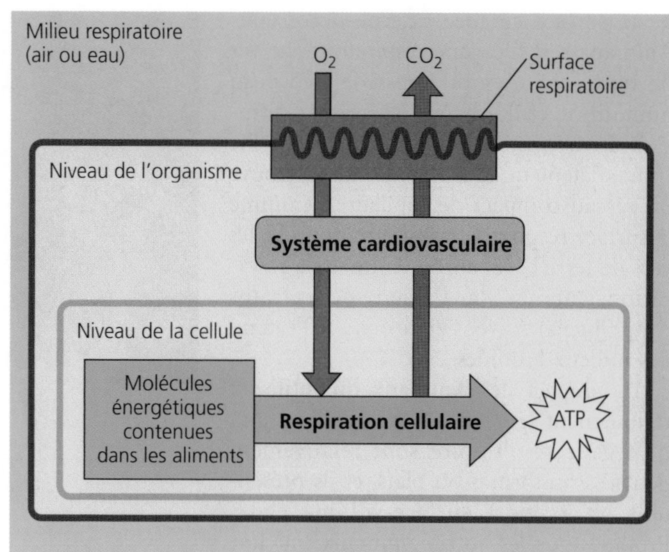

▲ **Figure 42.19 Rôle des échanges gazeux dans la bioénergétique des Animaux.**

Concept 42.5

Les échanges gazeux se produisent à travers des surfaces respiratoires spécialisées

Dans le reste du chapitre, nous nous concentrerons sur les **échanges gazeux**. Ce processus, souvent appelé *respiration*, ne doit toutefois pas être confondu avec les transformations énergétiques relevant de la respiration cellulaire proprement dite. Les échanges gazeux assistent la respiration cellulaire en lui fournissant les molécules de dioxygène (O_2) puisées dans l'environnement et en recueillant le dioxyde de carbone (CO_2) pour le rejeter dans l'environnement **(figure 42.19)**. Ces échanges sont indispensables à la production de l'ATP issu de la respiration cellulaire; ils font généralement intervenir le système respiratoire et le système cardiovasculaire des Animaux.

La source de O_2, appelée **milieu respiratoire**, est l'air dans le cas d'un Animal terrestre et l'eau dans celui d'un Animal aquatique. L'atmosphère est le réservoir principal de O_2 de la Terre: elle est formée à 21 % environ de molécules de O_2. Les océans, les lacs et les autres plans d'eau contiennent aussi du O_2 dissous. La quantité de O_2 dissous dans un volume d'eau donné varie considérablement, mais elle reste très inférieure à celle du O_2 présent dans un volume d'air équivalent.

La **surface respiratoire** est la surface corporelle de l'Animal où se produisent les échanges gazeux avec le milieu. Le transport membranaire des molécules de O_2 et de CO_2 s'effectue entièrement par diffusion simple à travers la bicouche de phosphoglycérolipides. La vitesse de diffusion est directement proportionnelle à l'aire de la surface respiratoire, et inversement proportionnelle au *carré* de la distance que les molécules doivent couvrir pour traverser les membranes. C'est pourquoi les surfaces respiratoires sont généralement minces et étendues; ces adaptations structurales optimisent la vitesse des échanges gazeux. De plus, toutes les cellules doivent baigner dans un milieu aqueux pour que leur membrane plasmique conserve ses propriétés. Les surfaces respiratoires des Animaux terrestres et aquatiques sont donc humides; le O_2 et le CO_2 diffusent à travers ces membranes après leur solubilisation dans l'eau.

La surface respiratoire doit approvisionner l'organisme entier en O_2 et en expulser le CO_2. Diverses solutions sont apparues au cours de l'évolution pour résoudre le problème de la vaste superficie nécessaire à ce processus. La structure de la surface respiratoire dépend surtout de la taille de l'organisme et de sa source de O_2 (l'eau ou l'air). Elle dépend aussi des besoins métaboliques en échanges gazeux. Ainsi, un endotherme a une surface respiratoire plus grande qu'un ectotherme de taille équivalente.

La surface entière des Protistes et des autres organismes unicellulaires sert aux échanges gazeux. De même, chez certains Animaux relativement simples, notamment les Éponges, les Cnidaires et les Vers plats, la membrane plasmique de chacune des cellules corporelles est suffisamment proche de l'environnement externe pour que les gaz puissent diffuser vers l'extérieur et vers l'intérieur. Cependant, toutes les parties du corps de nombreux Animaux n'ont pas un accès direct au milieu respiratoire. Dans leur cas, la surface respiratoire est constituée de deux couches de cellules tout au plus. L'une d'elles est un épithélium simple et humide, qui adhère, grâce à une lame basale, à l'autre couche, qui forme l'endothélium des capillaires. Ces derniers assurent le transport des gaz dans toutes les parties du corps (voir la figure 42.19).

La surface cutanée externe de certains Animaux sert d'organe respiratoire. Le ver de terre, par exemple, possède une peau humidifiée, et il échange les gaz par diffusion à travers toute sa surface corporelle. Immédiatement sous l'épiderme se trouve un réseau compact de capillaires. Comme la surface respiratoire doit être humide, les vers de terre et les autres Animaux à respiration cutanée (à l'instar de certains Amphibiens) doivent vivre dans de l'eau ou des milieux humides.

La plupart des Animaux qui utilisent uniquement leur peau humidifiée en tant qu'organe respiratoire sont relativement petits, vermiformes ou plats, et ils présentent un rapport surface-volume élevé. Presque tous les autres Animaux ont une surface cutanée incapable d'assurer les échanges gazeux de la totalité de l'organisme. Ils possèdent un organe respiratoire aux multiples replis ou ramifications, ce qui augmente la surface respiratoire dévolue aux échanges gazeux. Les branchies, les trachées et les poumons sont les trois types d'organes respiratoires les plus courants.

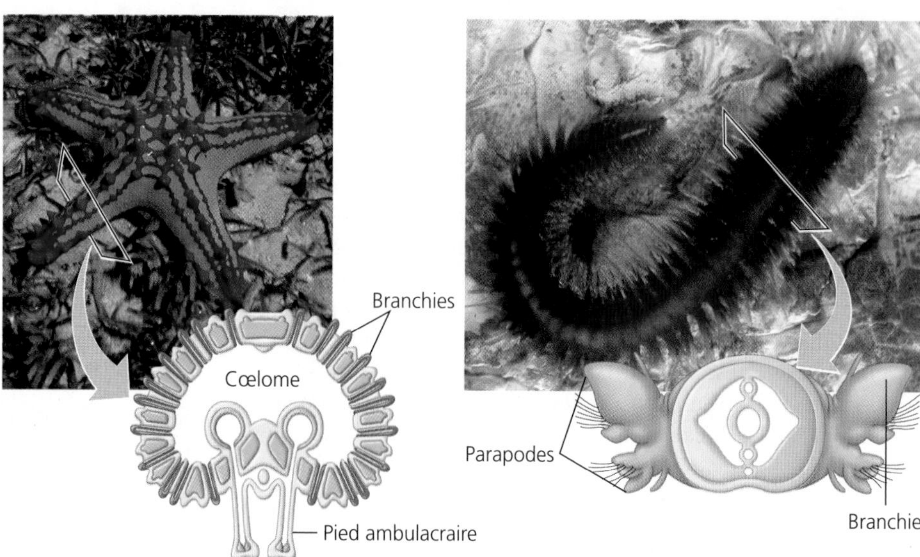

(a) Étoile de mer. Les branchies d'une étoile de mer sont de simples projections tubulaires de la peau. Elles sont creuses et communiquent directement avec le cœlome (cavité interne). Les échanges gazeux s'effectuent par diffusion simple à travers leur surface. Le liquide du cœlome circule dans les branchies et facilite le transport des gaz. Les surfaces des pieds ambulacraires en forme de tube de l'étoile de mer exercent aussi une fonction dans les échanges gazeux.

(b) Polychète. De nombreux Polychètes, des Vers marins de l'embranchement des Annélides, possèdent une paire d'appendices aplatis, appelés *parapodes*, sur chacun des segments du corps. Les parapodes servent de branchies; ils facilitent aussi la natation et la reptation.

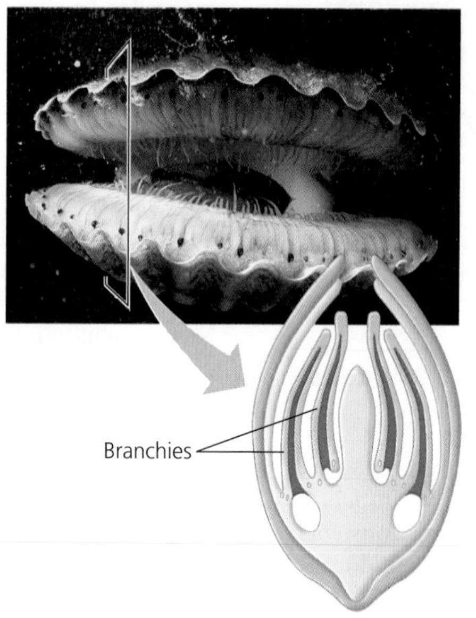

(c) Palourde. Les branchies des palourdes sont constituées de grands feuillets aplatis qui s'étendent vers la partie ventrale de la masse corporelle principale, dans la coquille. Elles portent des cils qui font circuler l'eau autour des surfaces d'échange.

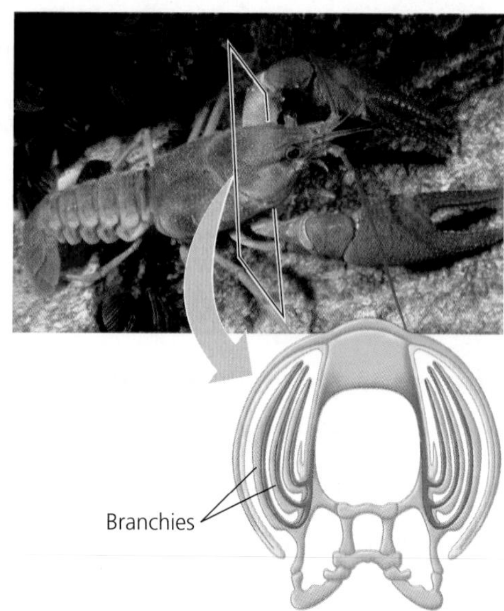

(d) Écrevisse. L'écrevisse et les autres Crustacés possèdent de longues branchies plumeuses situées sous l'exosquelette. Des appendices spécialisés font circuler l'eau sur la surface des branchies.

▲ **Figure 42.20 Diversité dans la structure des branchies, surfaces corporelles externes spécialisées en échanges gazeux.**

Les branchies chez les Animaux aquatiques

Les **branchies** sont des évaginations de la surface corporelle suspendues dans l'eau. Chez certains Invertébrés, comme les étoiles de mer, elles ont une forme simple et sont distribuées sur la majeure partie de la surface corporelle **(figure 42.20a)**. De nombreux Vers marins annelés ont des branchies en forme de replis qui s'étendent sur les côtés de chaque segment du corps **(figure 42.20b)**, ou encore de longues branchies plumiformes groupées sur la tête ou la queue. Les branchies des palourdes **(figure 42.20c)**, des écrevisses **(figure 42.20d)** et de nombreux autres Animaux sont présentes dans une région spécialisée du corps. L'aire totale des branchies est souvent beaucoup plus importante que celle du reste du corps.

En tant que milieu respiratoire, l'eau présente à la fois des avantages et des inconvénients. Les membranes cellulaires de la surface respiratoire des organismes vivant dans l'eau sont constamment humidifiées, les branchies étant plongées en milieu aqueux. Toutefois, les concentrations de O_2 dans l'eau sont faibles; en outre, plus l'eau se réchauffe, plus sa salinité augmente, et moins elle peut contenir de O_2 dissous (dans de nombreux habitats d'eau douce et d'eau salée, on ne trouve que de 4 à 8 mL de O_2 dissous par litre, alors que dans l'air il y en a au moins 25 fois plus). C'est pourquoi les branchies doivent puiser de manière extrêmement efficace le O_2 qui se trouve dans l'eau. Un processus contribue à les exposer à davantage de O_2: la **ventilation**, qui augmente la circulation du milieu respiratoire sur la surface respiratoire. S'il n'y avait pas de ventilation, une zone pauvre en O_2 et riche en CO_2 risquerait de se former autour des branchies à mesure que les échanges gazeux se poursuivraient. Selon les espèces, cette ventilation peut être passive (dépendant des mouvements de l'eau elle-même) ou active; dans ce dernier cas, elle peut être unidirectionnelle ou pluridirectionnelle. Les écrevisses et les homards, par exemple, possèdent des appendices en forme de pagaie qui font circuler un courant d'eau, dans toutes les directions, sur les branchies, alors que les branchies des Poissons sont ventilées, dans une seule direction, par un courant d'eau qui pénètre par la bouche, traverse des fentes dans le pharynx, passe à travers les branchies, puis sort du corps **(figure 42.21)**. La plupart des Poissons dépensent une énergie considérable pour ventiler leurs branchies, car l'eau a une grande masse volumique et contient peu de O_2 par unité de volume.

La disposition des capillaires dans les branchies des Poissons favorise également les échanges gazeux et réduit le coût énergétique de la ventilation. Le sang s'écoule dans la direction opposée au mouvement de l'eau dans les branchies. Cela rend possible le transfert de O_2 au sang grâce à un processus extrêmement efficace, appelé **échange à contre-courant**. Pendant son passage dans le capillaire branchial, le sang se charge de plus en plus de O_2; parallèlement à cela, il côtoie une eau dont la concentration en O_2 augmente, parce qu'elle ne fait qu'amorcer son passage dans les branchies. Ainsi, tout au long du capillaire, on constate un gradient de diffusion favorisant le transfert de O_2 de l'eau au sang. Le mécanisme d'échange à contre-courant est tellement efficace que les branchies peuvent capter plus de 80 % du O_2 dissous dans l'eau circulant sur la surface respiratoire. Il joue aussi un rôle important dans la régulation thermique, comme nous l'avons vu au chapitre 40, et dans le fonctionnement des reins des Mammifères, comme nous le verrons au chapitre 44.

Les branchies ne sont généralement pas utiles aux Animaux terrestres. En effet, une surface membranaire étendue et humidifiée qui serait exposée à l'air perdrait trop d'eau par vaporisation. De plus, les branchies s'affaisseraient, car leurs filaments fins ne flotteraient plus dans l'eau et se regrouperaient. La plupart des Animaux terrestres ont établi une surface respiratoire à l'intérieur du corps. Celle-ci s'ouvre sur l'atmosphère par l'intermédiaire de tubes étroits.

Le système trachéen chez les Insectes

L'air possède de nombreux avantages à titre de milieu respiratoire. Sa concentration en O_2, notamment, est beaucoup plus élevée que celle de l'eau (il y a environ 210 mL de O_2 par litre d'air). En outre, comme le O_2 et le CO_2 diffusent beaucoup plus rapidement dans l'air que dans l'eau, les surfaces respiratoires exposées à l'air n'ont pas besoin de bénéficier d'une ventilation aussi complète que celles des branchies. Quand un Animal terrestre se ventile, sa dépense énergétique est moindre, parce que l'air est beaucoup plus léger et beaucoup plus facile à déplacer que l'eau. De plus, il faut un volume beaucoup moins important d'air pour obtenir une quantité équivalente de O_2. Toutefois, ces avantages s'accompagnent d'un problème: la surface respiratoire, qui doit être étendue et humide, perd continuellement de l'eau par vaporisation. La solution? Une surface respiratoire invaginée (c'est-à-dire repliée vers l'intérieur du corps) plutôt qu'évaginée, comme dans le cas des branchies. Le poumon est la structure respiratoire la plus classique chez les Animaux terrestres, mais chez les Insectes, c'est le système trachéen.

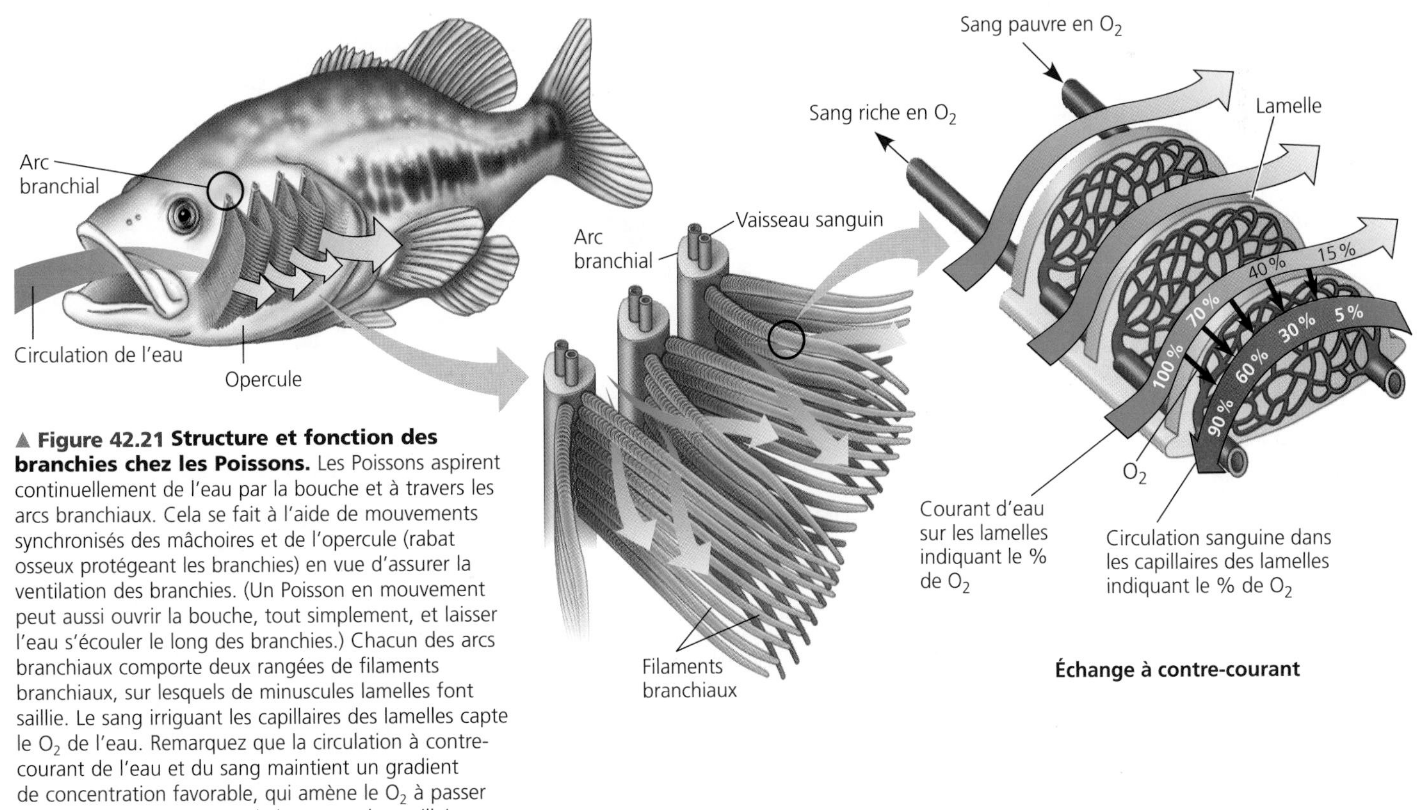

▲ **Figure 42.21 Structure et fonction des branchies chez les Poissons.** Les Poissons aspirent continuellement de l'eau par la bouche et à travers les arcs branchiaux. Cela se fait à l'aide de mouvements synchronisés des mâchoires et de l'opercule (rabat osseux protégeant les branchies) en vue d'assurer la ventilation des branchies. (Un Poisson en mouvement peut aussi ouvrir la bouche, tout simplement, et laisser l'eau s'écouler le long des branchies.) Chacun des arcs branchiaux comporte deux rangées de filaments branchiaux, sur lesquels de minuscules lamelles font saillie. Le sang irriguant les capillaires des lamelles capte le O_2 de l'eau. Remarquez que la circulation à contre-courant de l'eau et du sang maintient un gradient de concentration favorable, qui amène le O_2 à passer de l'eau au sang sur toute la longueur du capillaire.

Le **système trachéen** des Insectes se compose de tubes aériens qui se ramifient dans tout le corps ; c'est l'une des variations possibles d'une surface respiratoire interne repliée. Les tubes les plus grands, les trachées, débouchent sur l'extérieur. Les plus petites ramifications (les trachéoles) atteignent la surface de presque toutes les cellules ; les gaz sont alors échangés par diffusion simple à travers l'hémolymphe qui remplit l'extrémité des trachéoles et l'épithélium humide de ces dernières **(figure 42.22a)**. Comme presque toutes les cellules du corps sont situées à une très courte distance du milieu respiratoire, le système cardiovasculaire ouvert des Insectes n'intervient pas dans le transport du O_2 et du CO_2.

La diffusion par les trachées suffit à faire entrer assez de O_2 dans le corps d'un Insecte de petite taille et à retirer de celui-ci suffisamment de CO_2, le tout en vue d'assurer le soutien de la respiration cellulaire. Les Insectes plus gros ont des besoins énergétiques plus importants et ventilent leur système trachéen par des mouvements rythmiques du corps. Ceux-ci compriment et dilatent les tubes aériens comme un soufflet. Un Insecte en plein vol a un métabolisme standard extrêmement rapide ; il consomme alors de 10 à 200 fois plus de O_2 que lorsqu'il est au repos. Chez de nombreux Insectes volants, la contraction et la détente successives des muscles contribuant au vol produisent une compression et une expansion corporelles servant à pomper rapidement de l'air dans le système trachéen. Les cellules des muscles du vol sont dotées de nombreuses mitochondries soutenant la grande vitesse du métabolisme ; quant aux tubes trachéens, ils fournissent à chacun de ces organites producteurs d'ATP la quantité de O_2 nécessaire **(figure 42.22b)**. Il existe ainsi une corrélation directe entre les adaptations des systèmes trachéens et la bioénergétique.

Chez les Insectes aquatiques ou les larves aquatiques des Insectes aériens, la respiration ne se fait pas par le système trachéen que nous venons de décrire. Elle fait plutôt appel à des adaptations structurales, physiologiques ou comportementales leur permettant d'effectuer leurs échanges gazeux avec l'eau pour certaines espèces ou avec l'air pour d'autres.

Les poumons

Contrairement aux trachées, qui se ramifient dans tout le corps des Insectes, les **poumons** sont des organes localisés. Étant donné que leur surface respiratoire n'est pas en contact direct avec toutes les parties du corps, l'organisme doit assurer le transport des gaz entre eux et le reste du corps, grâce au système cardiovasculaire. Les poumons possèdent un réseau dense de capillaires situé sous l'épithélium constituant la surface respiratoire. Les araignées, les escargots terrestres et d'autres Mollusques, ainsi que les Vertébrés, sont dotés de poumons.

Parmi les Vertébrés, les Amphibiens adultes possèdent des poumons relativement petits, qui n'assurent pas une grande surface de diffusion. Les échanges gazeux de ces Animaux dépendent pour une large part de la diffusion qui a lieu à travers d'autres surfaces corporelles. La peau d'une grenouille, par exemple, assure des échanges gazeux qui s'ajoutent à ceux des poumons. En revanche, la plupart des Reptiles (y compris tous les Oiseaux) et tous les Mammifères comptent exclusivement sur leurs poumons pour effectuer les échanges gazeux. Les tortues constituent une exception : leur respiration pulmonaire s'accompagne d'échanges gazeux qui ont lieu à travers les surfaces épithéliales humides de leur bouche et de leur anus. Par ailleurs, quelques Vertébrés aquatiques possèdent des poumons et respirent donc

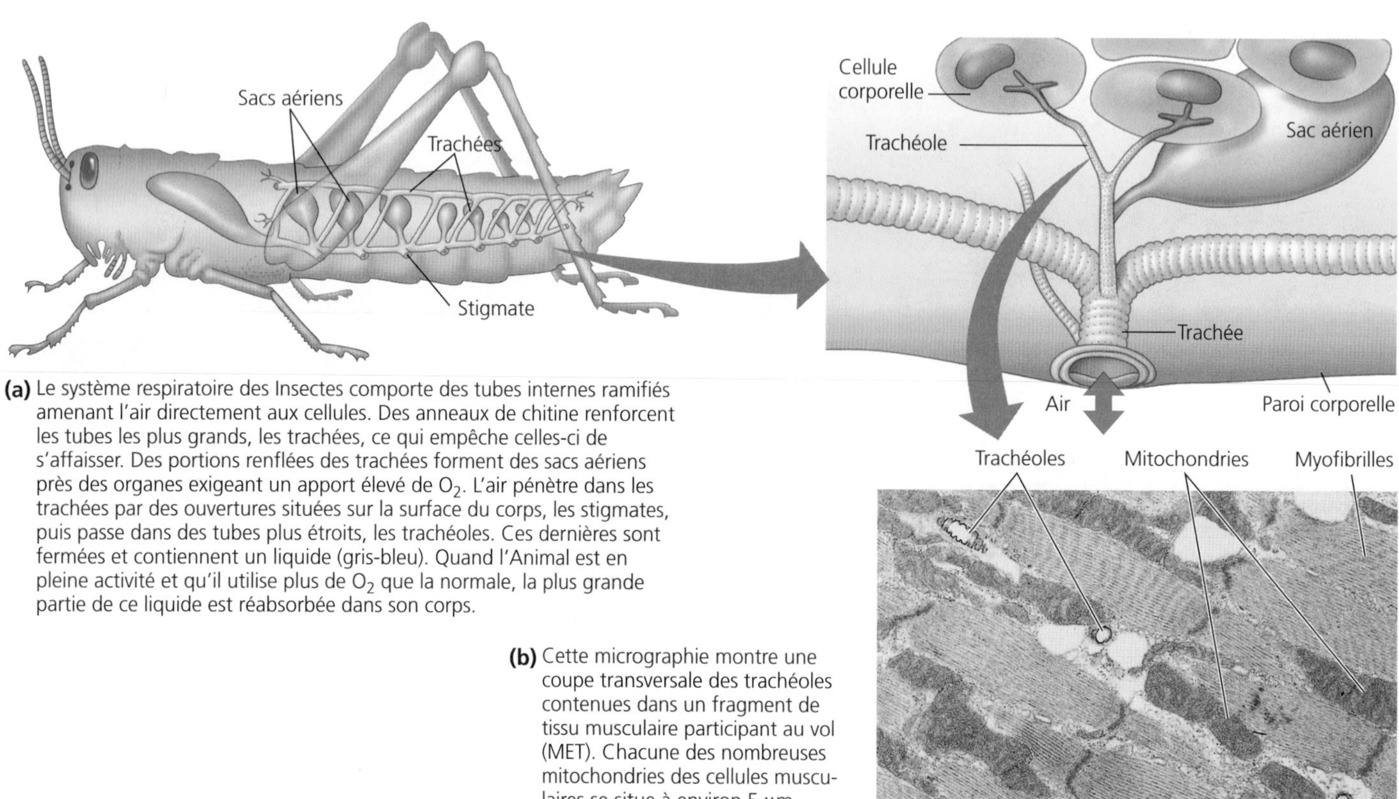

(a) Le système respiratoire des Insectes comporte des tubes internes ramifiés amenant l'air directement aux cellules. Des anneaux de chitine renforcent les tubes les plus grands, les trachées, ce qui empêche celles-ci de s'affaisser. Des portions renflées des trachées forment des sacs aériens près des organes exigeant un apport élevé de O_2. L'air pénètre dans les trachées par des ouvertures situées sur la surface du corps, les stigmates, puis passe dans des tubes plus étroits, les trachéoles. Ces dernières sont fermées et contiennent un liquide (gris-bleu). Quand l'Animal est en pleine activité et qu'il utilise plus de O_2 que la normale, la plus grande partie de ce liquide est réabsorbée dans son corps.

(b) Cette micrographie montre une coupe transversale des trachéoles contenues dans un fragment de tissu musculaire participant au vol (MET). Chacune des nombreuses mitochondries des cellules musculaires se situe à environ 5 µm d'une trachéole.

▲ **Figure 42.22 Système trachéen.**

directement l'air (on les appelle *Poissons pulmonés*) ; c'est une adaptation à la vie dans une eau pauvre en O_2 ou à des séjours prolongés hors de l'eau (par exemple quand le niveau de l'eau d'une mare s'abaisse).

En général, la taille et la complexité des poumons dépendent du métabolisme basal d'un Animal (et donc de la vitesse de ses échanges gazeux). Par exemple, les poumons des endothermes ont une plus grande aire d'échange que les poumons d'un ectotherme de taille semblable.

Le système respiratoire des Mammifères : une étude détaillée

Les poumons des Mammifères sont situés dans la cavité thoracique (la poitrine). Ils possèdent une texture spongieuse et comportent des alvéoles, ainsi qu'un épithélium humide servant de surface respiratoire. Un système de conduits ramifiés transmet l'air aux poumons **(figure 42.23)**. L'air pénètre par les narines et est filtré par des poils, réchauffé, humidifié et analysé (les odeurs sont déterminées) à mesure qu'il circule dans le dédale des espaces de la cavité nasale. Celle-ci conduit au pharynx, le carrefour des conduits aérien et digestif. Lorsque nous avalons des aliments, le **larynx** (la partie supérieure du système respiratoire) se déplace vers l'avant et fait basculer l'épiglotte sur la glotte (l'ouverture de la trachée). La nourriture déviée peut ainsi emprunter l'œsophage pour descendre dans l'estomac (voir la figure 41.16).

La paroi du larynx est renforcée de cartilage. Chez la plupart des Mammifères, le larynx sert d'organe de phonation. Lorsqu'il est expulsé des poumons au moment de l'expiration, l'air heurte au passage une paire de **cordes vocales**, qui sont deux replis muqueux du larynx. Les sons surviennent lorsque des muscles volontaires du larynx sont mis sous tension, ce qui provoque l'allongement des cordes vocales et leur vibration. Les sons aigus sont produits lorsque les cordes vocales sont très tendues et qu'elles vibrent rapidement ; les sons graves, eux, sont émis par la vibration lente de cordes vocales moins tendues.

En quittant le larynx pour se diriger vers les poumons, l'air passe dans la **trachée**. Celle-ci a des anneaux de cartilage (en forme de fer à cheval) qui maintiennent sa forme tubulaire. Elle se divise en deux **bronches**, conduisant chacune à un poumon. Dans les poumons, les bronches se ramifient en des conduits de plus en plus étroits appelés **bronchioles**. Tout le réseau de conduits aériens ressemble à un arbre à l'envers, dont la trachée fait figure de tronc. L'épithélium tapissant les principales ramifications de cet arbre respiratoire est recouvert de cils vibratiles et d'une mince pellicule de mucus. Celui-ci emprisonne la poussière, le pollen et d'autres particules contaminantes ; le battement des cils fait remonter le mucus vers le pharynx, où il peut être avalé ou expectoré. Ce processus contribue à nettoyer le système respiratoire.

À leurs extrémités, les plus petites bronchioles forment un amas de sacs aériens appelés **alvéoles** (voir la figure 42.23). L'épithélium mince qui recouvre les 300 millions d'alvéoles pulmonaires sert de surface d'échange gazeux, laquelle peut s'étendre sur 100 m² environ chez l'humain ; c'est suffisant pour assurer les

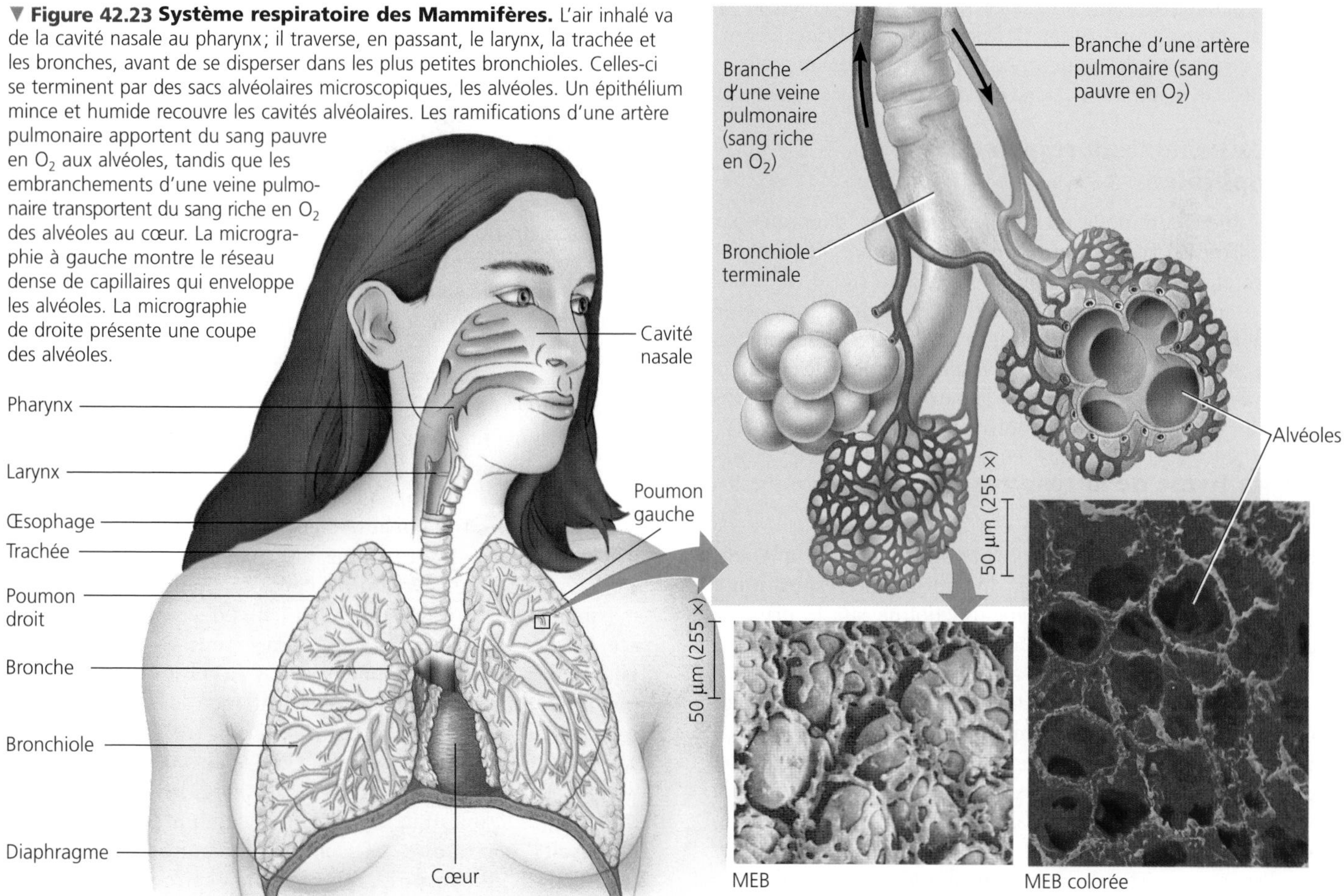

▼ **Figure 42.23 Système respiratoire des Mammifères.** L'air inhalé va de la cavité nasale au pharynx ; il traverse, en passant, le larynx, la trachée et les bronches, avant de se disperser dans les plus petites bronchioles. Celles-ci se terminent par des sacs alvéolaires microscopiques, les alvéoles. Un épithélium mince et humide recouvre les cavités alvéolaires. Les ramifications d'une artère pulmonaire apportent du sang pauvre en O_2 aux alvéoles, tandis que les embranchements d'une veine pulmonaire transportent du sang riche en O_2 des alvéoles au cœur. La micrographie à gauche montre le réseau dense de capillaires qui enveloppe les alvéoles. La micrographie de droite présente une coupe des alvéoles.

besoins en échanges gazeux du corps entier. Le O_2 de l'air apporté aux alvéoles se dissout dans la pellicule humide et diffuse rapidement à travers l'épithélium vers un réseau de capillaires entourant chaque alvéole. Le CO_2 diffuse des capillaires dans la direction inverse et traverse l'épithélium des alvéoles pour passer dans la cavité qui contient de l'air.

Retour sur le concept 42.5

1. Pourquoi la position des tissus pulmonaires repliés vers l'intérieur du corps représente-t-elle un avantage pour les Animaux terrestres?
2. Expliquez comment les échanges à contre-courant peuvent optimiser la capacité des branchies du Poisson à extraire le O_2 de l'eau.

Voir les réponses proposées à la fin du chapitre.

Concept 42.6

La respiration permet de ventiler les poumons

Comme les Poissons, les Vertébrés terrestres ont recours à la ventilation pour maintenir une forte concentration en O_2 et une faible concentration en CO_2 au niveau de la surface respiratoire. Le processus de ventilation des poumons s'appelle **respiration**: celle-ci consiste en une inspiration et une expiration alternées d'air.

Le mécanisme de la respiration des Amphibiens

Un Amphibien, comme la grenouille, ventile ses poumons par un mécanisme de **respiration à pression positive**. Pendant un cycle respiratoire, des muscles abaissent le plancher de la cavité buccale, ce qui aspire l'air par les narines. Puis, les narines et la bouche se ferment, et le plancher de la cavité buccale se soulève, ce qui force l'air à descendre dans la trachée. La détente élastique des poumons et la compression par la paroi musculaire du corps forcent l'air à ressortir des poumons pendant l'expiration.

Le mécanisme de la respiration des Mammifères

Contrairement aux Amphibiens, les Mammifères assurent la ventilation de leurs poumons par un mécanisme de **respiration à pression négative**. Cette dernière fonctionne sur le principe d'une pompe aspirante, l'air étant tiré vers les poumons **(figure 42.24)**. L'action des muscles augmente le volume de la cage thoracique. Le mouvement des poumons suit celui de la cage thoracique. Les poumons sont enveloppés d'un sac constitué de deux feuillets appelés *plèvres*. La plèvre viscérale, soit le feuillet interne du sac, adhère à la face externe des poumons; quant à la plèvre pariétale, soit le feuillet externe du sac, elle adhère à la cage thoracique. Un mince espace rempli de liquide sépare les deux plèvres. En raison de la tension superficielle, les plèvres se déplacent simultanément comme deux plaques de verre collées ensemble au moyen d'une pellicule d'eau. Elles glissent sans difficulté l'une sur l'autre et sont difficiles à séparer. La tension superficielle jumelle le mouvement des poumons à celui de la cage thoracique.

Le volume des poumons augmente par suite de la contraction des muscles intercostaux et du **diaphragme**, un muscle squelettique large et en forme de dôme constituant le plancher de la cavité thoracique. La contraction des muscles intercostaux soulève les côtes ainsi que le sternum vers le haut et vers l'extérieur, provoquant une expansion de la cage thoracique. En même temps, la cage thoracique augmente de volume par suite de la contraction du diaphragme qui descend tel un piston. La cage thoracique exerce une tension sur la plèvre pariétale, qui tire elle-même sur la plèvre viscérale sous l'effet de la tension superficielle. Ces changements causent une augmentation du volume pulmonaire; par conséquent, la pression de l'air dans les alvéoles s'abaisse et atteint une valeur inférieure à celle de la pression atmosphérique. Comme les gaz circulent toujours d'une zone à pression élevée vers une zone à plus faible pression, l'air s'engouffre dans les narines et descend dans les conduits respiratoires vers les alvéoles. Pendant l'expiration, les muscles intercostaux et le diaphragme se relâchent, le volume pulmonaire est réduit, et l'augmentation de la pression de l'air dans les alvéoles expulse l'air, qui traverse les conduits respiratoires et quitte le corps par les narines (voir la figure 42.24).

Les muscles intercostaux et le diaphragme modifient le volume des poumons pendant une respiration peu profonde, quand un Mammifère est au repos. Pendant une période d'exercice intense, d'autres muscles, tels que ceux du cou, du dos et du thorax, interviennent aussi de façon à accroître la ventilation en provoquant une dilatation plus importante de la cage thoracique. Chez certaines espèces, les mouvements rythmiques subis pendant la course amènent quelques organes (notamment l'estomac et le foie) à glisser à chaque foulée vers l'avant puis vers l'arrière dans la cavité corporelle. Ce mécanisme de pompage interne augmente davantage le volume de la ventilation en accentuant l'abaissement du diaphragme.

Le volume d'air qu'un Animal inspire et expire à chaque respiration s'appelle **volume courant (VC)**. Chez l'humain au repos, il s'élève en moyenne à 500 mL. Toutefois, une portion ne participe pas aux échanges gazeux et reste dans les conduits en dehors des alvéoles. On nomme ce volume d'air **espace mort anatomique** (**EMA**); il équivaut à 0,15 L. Dans une inspiration forcée, la quantité d'air supplémentaire correspond au **volume de réserve inspiratoire** (**VRI**); celui-ci est de 2,1 L chez la femme et de 3,1 L chez l'homme. À l'opposé, le **volume de réserve expiratoire** (**VRE**) est la quantité d'air expiré avec effort après une inspiration normale; ce volume est de 0,8 L chez la femme et de 1,2 L chez l'homme. On appelle **capacité vitale** (**CV**) le volume maximal d'air inspiré et expiré au cours d'une respiration forcée; elle est d'environ 3,4 L chez la femme et de 4,8 L chez l'homme, et se calcule comme suit: CV = VC + VRI + VRE. Les poumons retiennent en fait plus d'air que la capacité vitale; cependant, comme les alvéoles ne peuvent pas s'affaisser complètement, un **volume résiduel** (**VR**) d'air (de 1,0 L chez la femme et de 1,2 L chez l'homme) demeure dans les poumons, même après l'expiration forcée d'un maximum d'air. On définit la **capacité inspiratoire** (**CI**) comme la quantité maximale d'air qu'un individu inspire après avoir expiré normalement (CI = VC + VRI). La **capacité résiduelle fonctionnelle** (**CRF**) est le volume d'air qui séjourne dans les poumons après une expiration normale (CRF = VRE + VR). Enfin, on obtient la **capacité pulmonaire totale** (**CPT**) en mesurant le volume d'air maximal contenu dans les poumons après une inspiration forcée (CPT = VC + VRI + VRE + VR). Normalement, un adulte au repos a une **fréquence respiratoire** (**f_r**), soit le nombre de respirations par minute, de 12 en moyenne. Cette donnée nous permet de calculer la **ventilation alvéolaire** (**VA**) dans les mêmes conditions, c'est-à-dire la portion du volume d'air inspiré qui participe aux échanges gazeux. On la calcule en appliquant la formule $VA = f_r \times (VC - EMA)$. Lorsque les poumons perdent leur élasticité en raison du vieillissement ou d'une maladie (comme l'emphysème), le volume résiduel augmente aux dépens de la capacité vitale.

Comme les poumons ne se vident jamais complètement, dans des conditions normales, et qu'ils ne se remplissent pas totalement d'air nouveau à chaque cycle respiratoire, l'air qui est inhalé est mélangé à un volume d'air résiduel pauvre en O_2; par conséquent, la concentration maximale de O_2 dans les alvéoles est très inférieure à celle de l'atmosphère. Bien que cela vienne limiter l'efficacité des échanges gazeux, le CO_2 dans l'air résiduel est essentiel à la régulation du pH du sang et à la fréquence respiratoire des Mammifères.

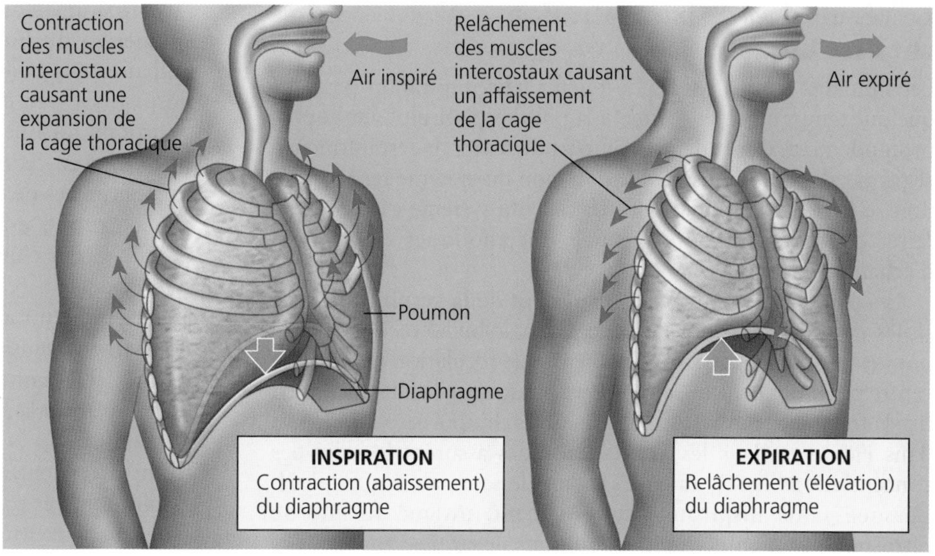

▲ **Figure 42.24 Respiration à pression négative.** Les Mammifères respirent en faisant varier la pression de l'air dans leurs poumons par rapport à la pression atmosphérique.

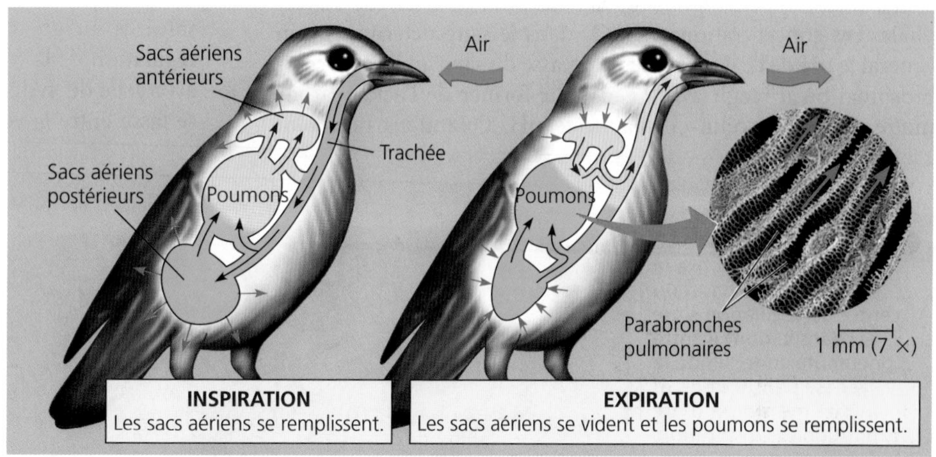

▲ **Figure 42.25 Système respiratoire des Oiseaux.** Le gonflement et le rétrécissement passifs des sacs aériens ventilent les poumons en amenant l'air à se déplacer dans une seule direction dans de minuscules tubes parallèles situés dans les poumons et appelés *parabronches* (en médaillon, MEB). Les échanges gazeux se font à travers la paroi des parabronches. Pendant l'inspiration, les deux ensembles de sacs aériens se dilatent. Les sacs aériens postérieurs se remplissent d'air nouveau (en bleu) venu de l'extérieur, tandis que les sacs aériens antérieurs se remplissent d'air vicié (en gris) issu des poumons. Pendant l'expiration, les deux ensembles de sacs se dégonflent. Cela pousse l'air des sacs aériens postérieurs vers les poumons, et l'air des sacs aériens antérieurs vers l'atmosphère, par l'intermédiaire de la trachée. Il faut une inspiration et une expiration pour renouveler l'air des poumons et un autre cycle respiratoire pour que l'air traverse tout le système et quitte l'organisme.

Le mécanisme de la respiration des Oiseaux

La ventilation est plus complexe chez les Oiseaux que chez les Mammifères. Outre les poumons, les Oiseaux possèdent huit ou neuf sacs aériens qui se prolongent dans l'abdomen, le cou et même les ailes. Ces sacs n'ont pas une fonction directe dans les échanges gazeux, mais servent de soufflets maintenant le flux de l'air dans les poumons (**figure 42.25**). Le système respiratoire entier des Oiseaux – les poumons et les sacs aériens – est ventilé à l'inspiration. L'air suit un parcours qui traverse les poumons dans une seule direction, que les Oiseaux inspirent ou expirent. Au lieu de comporter des alvéoles, qui sont des culs-de-sac, les poumons des Oiseaux comportent de fins conduits appelés **parabronches**, qui permettent les échanges gazeux; l'air y circule dans une seule direction.

Il faut deux inspirations et deux expirations pour que l'air passe à travers tout le système respiratoire et quitte l'organisme, mais, à la fin de chaque expiration, il y a eu renouvellement complet de la masse d'air contenue dans les poumons, de sorte que les concentrations maximales de O_2 dans les poumons sont plus élevées chez les Oiseaux que chez les Mammifères. Grâce à cela, entre autres choses, les Oiseaux réagissent mieux que les Mammifères en haute altitude. Par exemple, les alpinistes ont de la difficulté à approvisionner leur organisme en O_2 lorsqu'ils gravissent les sommets les plus élevés de la Terre, notamment le mont Everest, dans l'Himalaya (8 848 m). Par comparaison, diverses espèces d'Oiseaux (notamment l'oie à tête barrée, *Anser indicus*) survolent sans problèmes respiratoires la même chaîne de montagnes pendant leur migration.

La régulation de la respiration chez les humains

Les humains sont capables de retenir leur respiration pendant quelque temps ou de faire un effort pour respirer plus vite et plus profondément. Cependant, la plupart du temps, la respiration est régie par des automatismes. La fonction du système respiratoire doit se faire en coordination avec celle du système cardiovasculaire, compte tenu des exigences métaboliques en matière d'échanges gazeux.

Les principaux **centres de régulation de la respiration** sont situés dans deux régions de l'encéphale, le bulbe rachidien et le pont **(figure 42.26)**. Assisté d'un centre de régulation du pont (le centre pneumotaxique), le centre inspiratoire du bulbe rachidien fixe la fréquence respiratoire de base. Des chimiorécepteurs situés dans l'aorte et dans les artères carotides assurent le suivi des concentrations en O_2 et en CO_2 dans le sang, ainsi que le pH. Lorsque nous inspirons profondément, un mécanisme de rétro-inhibition empêche nos poumons de trop se gonfler ; des récepteurs de tension situés dans les tissus pulmonaires transmettent des influx nerveux inhibiteurs au centre inspiratoire du bulbe rachidien.

Les centres respiratoires du bulbe rachidien régulent l'activité respiratoire en réponse aux variations de pH du liquide cérébrospinal (aussi appelé *liquide céphalorachidien*) qui irrigue l'encéphale. Les concentrations en CO_2 dans le sang déterminent en général le pH de ce liquide. Le CO_2 passe du sang au liquide cérébrospinal où il réagit avec l'eau pour former de l'acide carbonique (H_2CO_3) ; celui-ci abaisse le pH. Quand ils reçoivent l'information d'une légère diminution de pH (lorsque le CO_2 augmente) du liquide cérébrospinal, les centres de régulation bulbaires augmentent la fréquence et l'amplitude des respirations ; le CO_2 en excès est éliminé dans l'air expiré. C'est ce qui se produit lorsque nous faisons du sport, par exemple.

La concentration en O_2 du sang a généralement peu d'effet sur les centres de contrôle de la respiration. Toutefois, quand la concentration en O_2 est très faible (en haute altitude, par exemple), des chimiorécepteurs de O_2 situés dans l'aorte et les artères du cou (carotides) stimulent le centre inspiratoire, qui réagit en faisant augmenter la fréquence respiratoire. En temps normal, une hausse de la concentration en CO_2 correspond à un indice fiable d'une baisse de la concentration en O_2, car le CO_2 est produit par la respiration cellulaire aérobie dans la même proportion que le O_2 est consommé. Il est cependant possible de tromper les centres respiratoires par de l'hyperventilation. Une respiration très profonde et rapide élimine tellement de CO_2 du sang que le centre inspiratoire cesse temporairement d'envoyer des influx aux muscles intercostaux et au diaphragme. La respiration cesse alors jusqu'à ce que la concentration en CO_2 augmente (ou jusqu'à ce que la concentration en O_2 diminue) assez pour réactiver le centre inspiratoire du bulbe rachidien.

Les centres respiratoires obéissent donc à divers stimulus nerveux et chimiques, qui règlent la fréquence et l'amplitude respiratoires au gré des demandes de l'organisme. Toutefois, la régulation de la respiration n'est efficace que si elle s'harmonise avec celle du système cardiovasculaire, pour que la concordance se fasse entre la ventilation des poumons et la quantité de sang

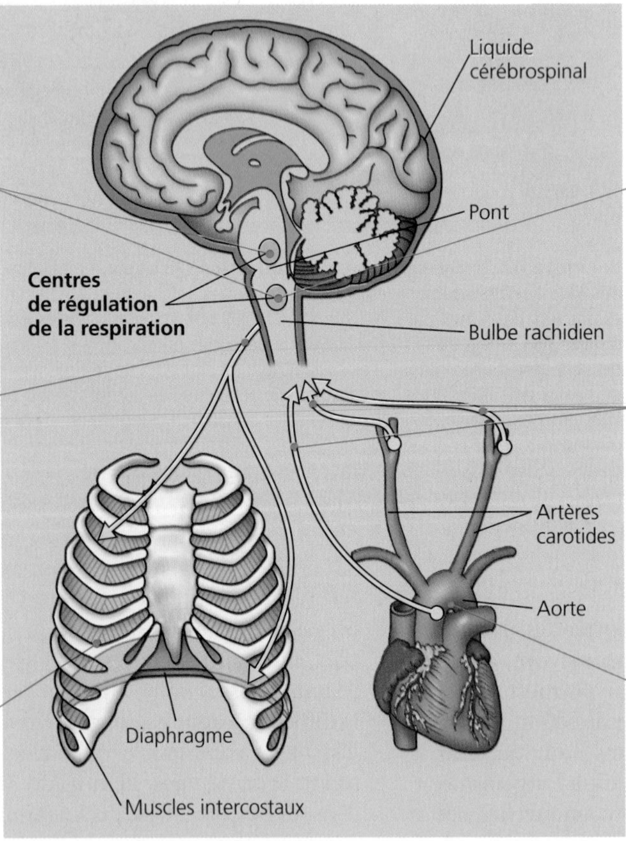

1 Le centre inspiratoire du bulbe rachidien fixe la fréquence de base ; un centre de régulation situé dans le pont (centre pneumotaxique) limite la phase d'inspiration et aplanit les transitions entre l'expiration et l'inspiration.

2 **Les influx nerveux déclenchent les contractions musculaires.** Les nerfs qui proviennent des centres de régulation de la respiration situés dans le pont et dans le bulbe rachidien transmettent des influx nerveux au diaphragme et aux muscles intercostaux, les amenant à se contracter et à entraîner l'inspiration.

3 Lorsqu'une personne est au repos, ces influx nerveux provoquent de 10 à 14 inspirations par minute environ. Entre les inspirations, les muscles se relâchent, et l'air est expiré.

4 Les centres de régulation du bulbe rachidien contrôlent aussi la concentration en CO_2 dans le sang. Les chimiorécepteurs centraux du bulbe détectent les changements de pH du sang (la concentration en CO_2 influe sur le pH) et du liquide cérébrospinal qui irriguent le système nerveux central.

5 **Les influx nerveux transmettent de l'information sur les changements de la concentration de CO_2 et de O_2.** Des chimiorécepteurs périphériques situés dans la paroi de l'aorte et des artères carotides (du cou) décèlent les changements du pH sanguin et transmettent l'information au pont et au bulbe rachidien. Les centres de régulation de la respiration réagissent soit en augmentant l'amplitude et la fréquence des respirations pour débarrasser l'organisme du CO_2 excédentaire, soit en les diminuant si la concentration en CO_2 est à la baisse.

6 D'autres chimiorécepteurs situés dans l'aorte et dans les artères carotides décèlent aussi des changements de la concentration en O_2 dans le sang. Ils poussent le bulbe rachidien à augmenter la fréquence respiratoire quand la concentration en O_2 devient très faible.

▲ **Figure 42.26 Régulation automatique de la respiration.**

en circulation dans les capillaires des alvéoles. Lorsqu'une activité physique est exercée, par exemple, le débit cardiaque augmente en fonction de la hausse de la fréquence respiratoire ; cela maximise l'absorption de O_2 et l'élimination de CO_2 à mesure que le sang circule dans les poumons.

Retour sur le concept 42.6

1. Quelle est l'influence d'une augmentation de la concentration en CO_2 du sang sur le pH du liquide cérébrospinal ?
2. Une légère diminution du pH sanguin provoque l'accélération du centre rythmogène du cœur. Quelle est la fonction de ce mécanisme de régulation ?
3. Quelle est la différence entre la respiration chez les Mammifères et chez les Oiseaux ?

Voir les réponses proposées à la fin du chapitre.

Concept 42.7

Les pigments respiratoires se lient aux gaz et les transportent

Les besoins métaboliques élevés de nombreux Animaux nécessitent que le sang transporte de grandes quantités de O_2 et de CO_2. Il semble que des solutions similaires sont apparues indépendamment au cours de l'évolution pour résoudre le problème des exigences de transport établies par les besoins métaboliques chez différents groupes d'Animaux. En premier lieu, nous prendrons le système respiratoire des Mammifères comme exemple pour examiner le rôle des gradients de O_2 et de CO_2. Puis nous étudierons les molécules du sang appelées *pigments respiratoires* qui contribuent au processus des échanges gazeux.

Le rôle des gradients de pression partielle

Les gaz diffusent dans les poumons et les autres organes en réponse à des gradients de pression. La diffusion d'un gaz, qu'il soit présent dans l'air ou dissous dans l'eau, dépend des variations de sa **pression partielle**. Ce concept découle de la loi de Dalton, qui stipule que *la pression totale exercée par un mélange de gaz est égale à la somme des pressions (partielles) exercées par chacun des constituants.* Au niveau de la mer, l'atmosphère exerce une pression totale de 101,3 kPa. Étant donné qu'elle se compose de 21 % de O_2 (en volume), la pression partielle de O_2 (l'abréviation est P_{O_2}) est de 0,21 × 101,3 kPa, soit environ 21,3 kPa. C'est la partie de la pression atmosphérique attribuable à la présence de O_2 ; de là vient l'expression *pression partielle.* La pression partielle du CO_2 (P_{CO_2}) au niveau de la mer n'est que de 0,04 kPa. Quand l'air entre en contact avec l'eau, chaque gaz se dissout dans cette dernière en proportion de sa pression partielle dans l'air et de sa solubilité dans l'eau. Cet énoncé renvoie à deux concepts. Le premier est la loi de Henry : *Quand un mélange de gaz est en contact avec un liquide, chaque gaz se dissout dans le liquide en proportion de sa pression partielle.* Cela nous aide à comprendre le phénomène des échanges alvéolocapillaires ; il faut se rappeler que la surface des alvéoles est humide, une adaptation nécessaire aux Animaux terrestres. Le second concept est le suivant : *la dissolution d'un gaz respiratoire est fonction de sa solubilité dans le liquide* (l'eau ou le plasma). En vertu de cela, le CO_2 étant 20 fois plus soluble dans l'eau ou dans le plasma que le O_2, il se dissout plus rapidement. Cette propriété du CO_2 nous permet de comprendre pourquoi il diffuse efficacement malgré une faible variation de sa pression partielle, comparativement à celle du O_2. Par ailleurs, l'air atmosphérique contient environ 78 % de diazote (N_2), qui, pourtant, n'entre pas dans le sang. En effet, le N_2 est insoluble dans l'eau ou le plasma à la pression atmosphérique. Au point d'équilibre, les molécules de gaz quittent la solution et la réintègrent à la même vitesse. À ce moment, le gaz a la même pression partielle dans la solution et dans l'air. En conséquence, la P_{O_2} dans un verre d'eau exposé à l'air est de 21,3 kPa, et la P_{CO_2} est de 0,04 kPa.

Un gaz diffuse toujours du milieu où sa pression partielle est la plus élevée vers le milieu où elle est la plus faible. ❶ Le sang qui parvient aux poumons par les artères pulmonaires possède une P_{O_2} plus faible et une P_{CO_2} plus élevée que celles de l'air des alvéoles **(figure 42.27)**. Il faut remarquer que l'air dans les alvéoles affiche une P_{O_2} plus faible et une P_{CO_2} plus élevée que celles de l'air au niveau de la mer étant donné qu'il n'est pas complètement remplacé par de l'air nouveau pendant la respiration. Quand le sang pénètre dans les capillaires alvéolaires, le CO_2 qu'il contient diffuse du sang jusqu'à l'air contenu dans les alvéoles. Entre-temps, le O_2 de l'air se dissout dans le liquide recouvrant l'épithélium et diffuse à travers la surface jusque dans le sang. ❷ Au moment où celui-ci quitte les poumons par les veines pulmonaires, sa P_{O_2} a augmenté et sa P_{CO_2} diminué. Après son retour au cœur, il est chassé dans la circulation systémique. ❸ Dans les capillaires des tissus, les gradients de pression partielle favorisent la diffusion du O_2 du sang vers le liquide interstitiel et les cellules, et celle du CO_2 des cellules et du liquide interstitiel vers le sang. Si les gradients de pression partielle agissent en ce sens, c'est parce que la respiration cellulaire aérobie utilise le O_2 du liquide interstitiel et lui ajoute du CO_2 (encore une fois, par diffusion simple, à partir des mitochondries). ❹ Après avoir libéré le O_2 et absorbé le CO_2, le sang retourne au cœur et est de nouveau pompé vers les poumons. Là, les échanges gazeux entre l'air des alvéoles et le sang s'effectuent suivant un gradient de pressions partielles.

Les pigments respiratoires

La faible solubilité du O_2 dans l'eau (et, par conséquent, dans le sang) pose un problème pour les Animaux qui dépendent d'un système cardiovasculaire pour le transport du O_2. Supposons que tout le O_2 était transporté en solution dans le sang. Pendant une période d'exercice intense, un humain peut consommer près de 2 L de O_2 à la minute, et tout celui-ci doit être transporté par le sang en circulation des poumons jusqu'aux tissus actifs. À la température corporelle et à la pression atmosphérique normales, seulement 4,5 mL de O_2 peuvent se dissoudre dans 1 L de sang dans les poumons. Si 80 % du O_2 en solution (pourcentage élevé peu réaliste) était transporté aux tissus, le cœur devrait pomper 500 L de sang par minute.

Heureusement, la plupart des Animaux transportent la plus grande partie du O_2 de leur sang en le fixant à des protéines spéciales, les **pigments respiratoires**, au lieu de le dissoudre dans le

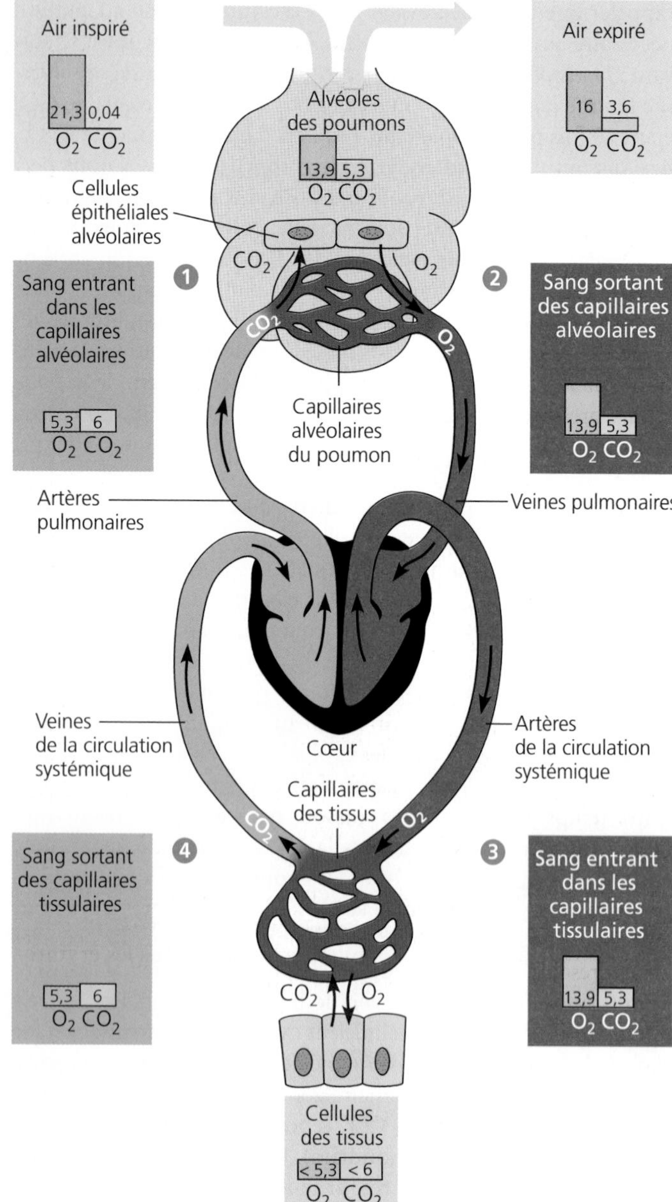

▲ **Figure 42.27 Absorption et libération des gaz respiratoires.** Les rectangles colorés en orange et en jaune indiquent la pression partielle de O_2 (P_{O_2}) et celle de CO_2 (P_{CO_2}), exprimées en kPa, à différents sites du parcours de ces gaz.

plasma. Les pigments respiratoires circulent avec le sang et sont souvent contenus dans des cellules spécialisées. Leur présence augmente considérablement la quantité de O_2 susceptible d'être transportée dans le sang (celle-ci atteint environ 200 mL par litre de sang chez les Mammifères). Dans le cas de notre exemple d'une personne pratiquant un exercice, les pigments respiratoires permettent de réduire considérablement le travail cardiaque nécessaire au transport du O_2 (avec un rendement de 80 %), pour en arriver à un débit de 12,5 L de sang par minute.

Le transport du dioxygène

Toute une gamme de pigments respiratoires ont évolué chez les diverses espèces d'Animaux. On peut donner l'exemple de l'**hémocyanine**, présente dans les Arthropodes et de nombreux Mollusques. Ce pigment contient du cuivre (Cu^{2+}) comme substance fixatrice de O_2. Cela confère au sang une couleur bleuâtre. Le cuivre, lié directement à une protéine, forme une molécule (le pigment respiratoire) qui est le plus souvent dissoute dans l'hémolymphe et non enfermée dans des cellules. Chez presque tous les Vertébrés et un grand nombre d'Invertébrés, le pigment respiratoire est l'**hémoglobine (Hb)**, une protéine qui réside dans les globules rouges des Vertébrés.

L'hémoglobine comporte quatre sous-unités, dont chacune possède un cofacteur appelé *groupement hème*, portant en son centre un ion ferreux (Fe^{2+}). C'est ce dernier qui assure la fixation du O_2 ; ainsi, chaque molécule d'hémoglobine peut transporter quatre molécules de O_2 (voir la figure 5.20). Comme tous les pigments respiratoires, l'hémoglobine doit pouvoir fixer le O_2 puis le libérer ; elle doit se charger en O_2 dans les poumons ou dans les branchies et s'en libérer pour approvisionner les tissus des autres parties du corps **(figure 42.28)**. Le processus dépend de la coopération entre les sous-unités de la molécule d'hémoglobine (voir les interactions allostériques au chapitre 8). La fixation du O_2 à l'une des chaînes polypeptidiques amène les autres chaînes à changer légèrement de forme, de sorte que leur affinité avec le O_2 augmente. Et quand une chaîne polypeptidique libère son O_2, les trois autres l'imitent rapidement, car le changement de conformation de la première chaîne diminue l'affinité des autres chaînes à l'égard du O_2.

La **courbe de dissociation** de l'oxyhémoglobine (HbO_2) représente clairement le mécanisme de coopérativité qui a lieu au cours de la fixation et de la libération de O_2 **(figure 42.29)**. Dans l'intervalle de P_{O_2} compris entre 1,5 et 5,3 kPa, là où la courbe de dissociation présente une pente abrupte, même une légère variation de la P_{O_2} amène l'hémoglobine à fixer ou à libérer une quantité importante de O_2. On constate que la partie abrupte de la courbe correspond à l'intervalle des P_{O_2} trouvées dans les tissus corporels. Quand les cellules d'un tissu particulier travaillent plus fort – pendant un exercice physique, par exemple –, la P_{O_2} diminue dans la région avoisinante, car le O_2 est consommé par la respiration cellulaire. En raison des effets de la coopérativité entre les sous-unités de l'hémoglobine, une légère baisse de la P_{O_2} suffit à provoquer une augmentation relativement importante de la quantité de O_2 libéré par le sang.

La conformation de l'hémoglobine, à l'instar de celle de toutes les protéines, dépend de divers facteurs environnementaux. Par exemple, une chute de pH diminue l'affinité de l'hémoglobine à l'égard du O_2 ; c'est un phénomène appelé **effet Bohr** (voir la figure 42.29b). Étant donné que le CO_2 réagit avec l'eau pour former de l'acide carbonique (H_2CO_3), un tissu en activité

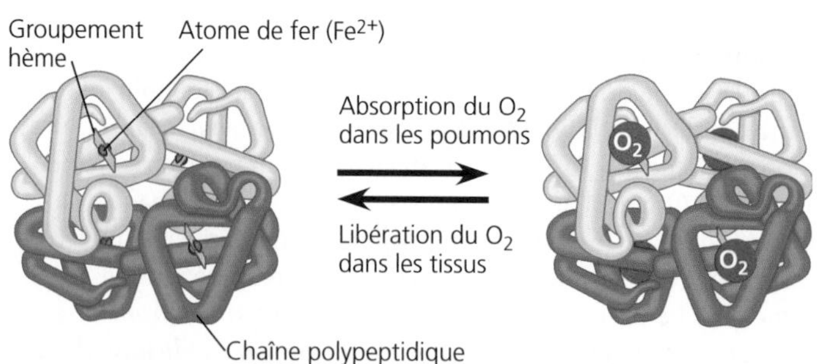

▲ **Figure 42.28 Absorption et libération du O_2 par l'hémoglobine.**

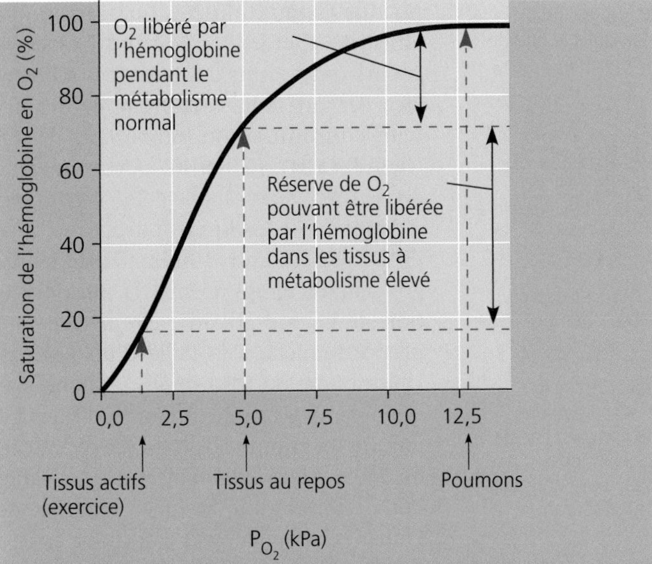

(a) Po_2 et dissociation de l'oxyhémoglobine à une température de 37 °C et à un pH de 7,4. La courbe montre les quantités relatives de O_2 lié à l'hémoglobine exposée à des solutions dont la pression partielle de O_2 dissous varie. À une Po_2 de 13,9 kPa, caractéristique des poumons, l'hémoglobine montre un taux de saturation en O_2 d'environ 98 %. À une Po_2 de 5,3 kPa, fréquente autour des tissus au repos, la saturation de l'hémoglobine est de 70 %. Elle possède donc encore une réserve de O_2 qu'elle peut libérer dans des tissus extrêmement actifs sur le plan métabolique, comme les tissus musculaires pendant un exercice physique.

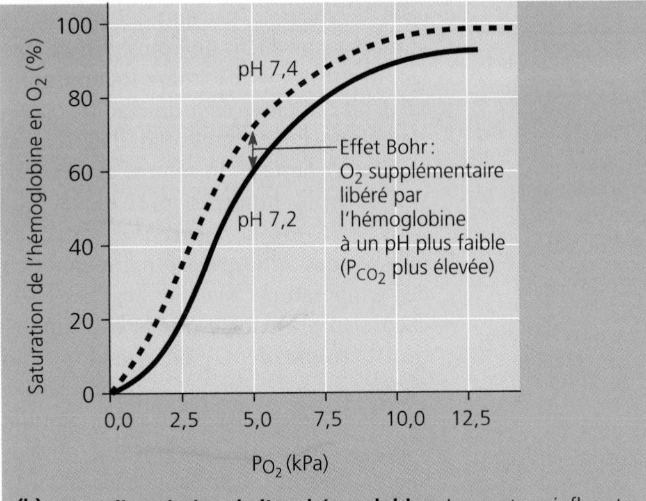

(b) pH et dissociation de l'oxyhémoglobine. Les protons influent sur la conformation de l'hémoglobine ; une chute de pH déphase la courbe de dissociation de l'oxyhémoglobine vers la droite. À une Po_2 équivalant, par exemple, à 5,3 kPa, l'oxyhémoglobine libère plus de O_2 lorsque le pH est de 7,2 que lorsqu'il est de 7,4 (le pH normal du sang humain). Le pH diminue (donc l'acidité croît) dans les tissus très actifs, parce que le CO_2 produit par la respiration cellulaire réagit avec l'eau, engendrant de l'acide carbonique. L'hémoglobine libère alors plus de O_2, ce qui alimente la respiration cellulaire dans les tissus en activité.

▲ **Figure 42.29 Courbes de dissociation de l'oxyhémoglobine.**

diminuera le pH des tissus environnants et incitera l'hémoglobine à libérer plus de O_2 pour répondre aux besoins de la respiration cellulaire.

Le transport du dioxyde de carbone

Outre son rôle dans le transport du dioxygène, l'hémoglobine favorise le transport du dioxyde de carbone et exerce un effet tampon dans le sang (elle permet d'éviter les changements nocifs de pH). Seulement 7 % environ du CO_2 libéré par la respiration cellulaire est transporté sous forme de CO_2 dissous dans le plasma sanguin, ce qui représente tout de même 10 fois plus que la quantité de O_2 transporté sous cette forme. Près de 23 % du CO_2 se lie aux multiples groupements amine de l'hémoglobine, qui devient de la carbhémoglobine ($HbCO_2$), ou avec les groupements amine de protéines plasmatiques pour former des carbamines. Et environ 70 % du CO_2 circule dans le sang sous forme d'ions hydrogénocarbonate (HCO_3^-). Le CO_2 produit par la respiration cellulaire diffuse simplement dans le plasma sanguin, puis dans les érythrocytes **(figure 42.30)**. Une mole de CO_2 réagit d'abord avec une mole d'eau (avec l'aide d'une enzyme, l'anhydrase carbonique), formant une mole d'acide carbonique (H_2CO_3), un acide faible (voir le chapitre 3), qui se dissocie par la suite en une mole de protons (H^+) et en une mole d'ions HCO_3^-. La formation de l'acide carbonique doit absolument être accélérée par une enzyme (l'anhydrase carbonique présente dans l'érythrocyte), car le sang passe trop peu de temps dans les capillaires, là où s'effectuent les échanges (moins d'une seconde). La plupart des H^+ provenant de la dissociation du H_2CO_3 se fixent à l'hémoglobine et à d'autres protéines, minimisant ainsi les variations de pH du sang. Les ions HCO_3^-, eux, diffusent dans le plasma. Pour compenser cette perte de charge négative, les érythrocytes récupèrent chacun un ion chlorure du plasma ; c'est ce qu'on appelle le *phénomène de Hamburger*. Lorsque le sang circule dans les poumons, le processus s'inverse, car la diffusion de CO_2 hors du sang déplace l'équilibre chimique dans les érythrocytes en faveur de la conversion de l'ion HCO_3^- en CO_2.

Les athlètes d'élite chez les Animaux

La capacité d'un système respiratoire normal ne suffirait pas aux besoins en O_2 nécessaire aux activités quotidiennes de certains Animaux, tels que les coureurs de fond de même que les Oiseaux et les Mammifères migrateurs. D'autres Animaux, comme les Mammifères plongeurs, ont la capacité d'être actifs sous l'eau pendant des périodes prolongées sans respirer. Quelles sont les adaptations apparues au cours de l'évolution qui leur permettent de réussir de tels exploits ?

Le parfait coureur d'endurance

L'Animal coureur de marathon d'élite pourrait être l'antilope d'Amérique (*Antilocapra americana*), un Mammifère qui habite les prairies de l'Amérique du Nord, son aire de répartition géographique depuis quatre millions d'années. Cette antilope est capable de courir à une vitesse aussi élevée que 100 km/h. Bien que sa vitesse de pointe n'atteigne pas celle du guépard, l'antilope d'Amérique peut maintenir des vitesses élevées sur de longues distances ; on a déjà chronométré un sprint de 11 km en 10 minutes, soit une vitesse moyenne de 65 km/h.

Le processus grâce auquel l'antilope d'Amérique peut maintenir cette combinaison de haute vitesse et d'endurance a suscité la curiosité de Stan Lindstedt et de ses collègues de la University of Wyoming et de l'Université de Berne ; est-ce grâce à l'amélioration de mécanismes physiologiques normaux qui fournissent

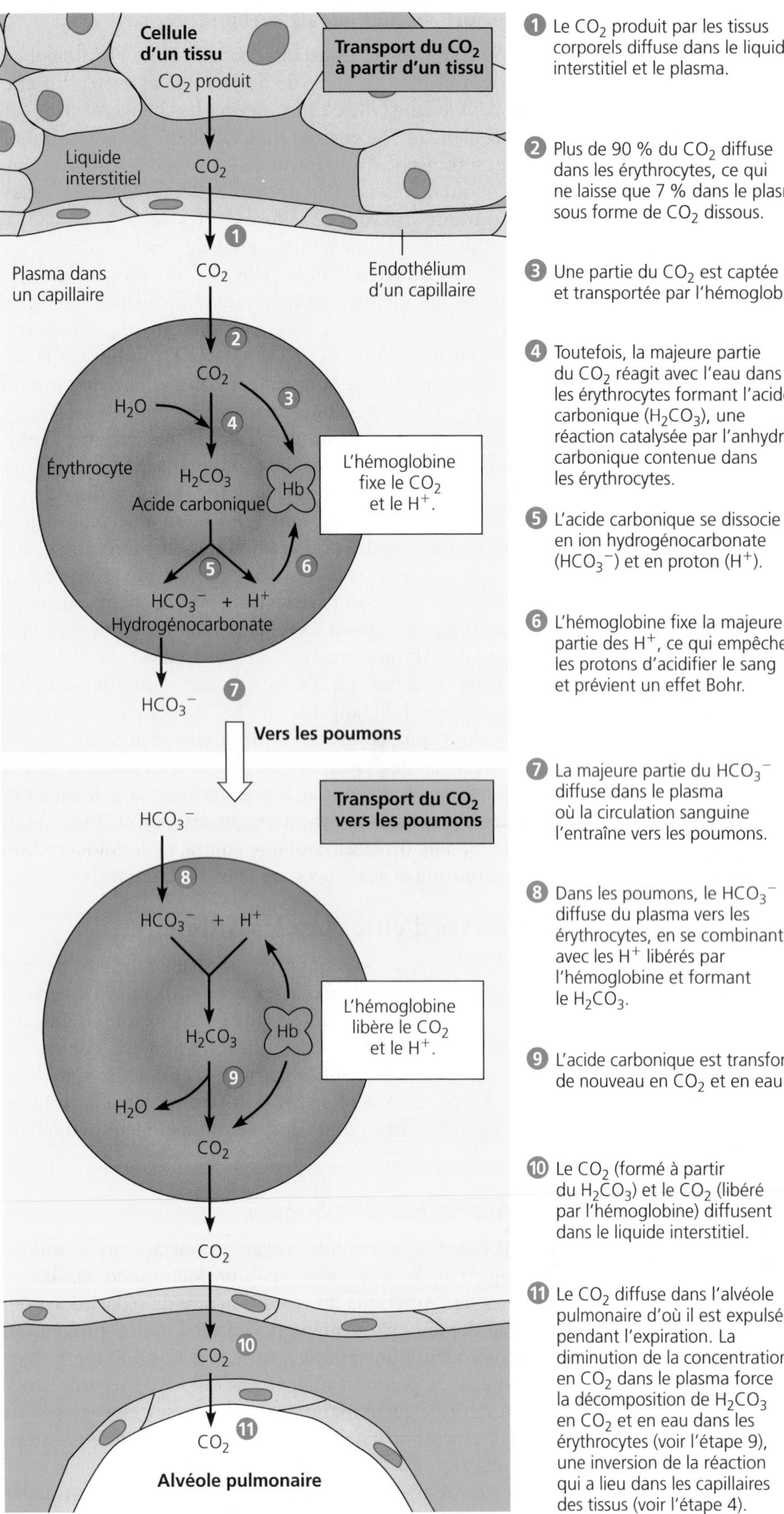

▲ **Figure 42.30 Transport du dioxyde de carbone dans le sang.**

plus de O_2 aux muscles ou grâce à une efficacité énergétique accrue? Les chercheurs ont soumis des antilopes à l'exercice sur un tapis roulant pour évaluer leur consommation maximale de O_2 **(figure 42.31).** Ils ont découvert quelque chose de surprenant: les antilopes d'Amérique consomment trois fois plus de O_2 que les autres Animaux de même grosseur. En temps normal, la consommation de O_2 par gramme est inversement proportionnelle à la taille d'un Animal. Un gramme de tissu de musaraigne, par exemple, consomme autant de O_2 en un jour qu'un gramme de tissu d'éléphant en un mois. Mais Lindstedt et ses collègues ont découvert que la consommation de O_2 par gramme de tissu d'antilope était la même que celle d'une souris de 10 g!

Afin de mettre en perspective la performance des antilopes d'Amérique, l'équipe de chercheurs a comparé diverses caractéristiques physiologiques avec celles de chèvres domestiques de taille semblable; ces dernières sont adaptées à grimper plutôt qu'à courir. Ils ont trouvé que la consommation maximale de O_2 des antilopes était cinq fois plus élevée que celle des chèvres. Pourquoi? Parce que les antilopes possèdent une plus grande surface de diffusion de O_2 dans les poumons, un débit cardiaque environ cinq fois supérieur, une masse musculaire nettement plus importante et un volume et une densité de mitochondries plus élevés que dans le cas de la chèvre. En outre, les muscles des antilopes se maintiennent à des températures plus élevées. Les chercheurs en ont conclu que la consommation extrême de O_2 de l'antilope qui régit sa capacité à courir à grande vitesse sur de longues distances est le résultat d'améliorations de mécanismes physiologiques normaux présents chez d'autres Mammifères. On peut voir dans ces amplifications les résultats de la sélection naturelle, peut-être sous l'influence des prédateurs qui ont pourchassé les antilopes dans les plaines d'Amérique du Nord durant des millions d'années.

Les Mammifères plongeurs

La majorité des Animaux sont en mesure de procéder aux échanges gazeux de façon continue; parfois, cependant, ils n'ont pas accès à un milieu respiratoire normal. C'est le cas, par exemple, des Animaux qui respirent de l'air, mais qui plongent sous l'eau. La plupart des humains, même les plongeurs expérimentés, ne peuvent retenir leur respiration durant plus de deux ou trois minutes (bien que des temps dépassant huit minutes aient été déjà dûment établis), et ils n'arrivent à nager qu'à des profondeurs maximales de 20 m environ. En revanche, le phoque de Weddell (*Leptonychotes weddelli*), vivant dans l'Antarctique, plonge couramment à des profondeurs allant de 200 à 500 m; il y reste immergé durant 20 minutes environ (parfois même plus d'une heure!). Certaines espèces de phoques, de tortues marines et de baleines font des plongées encore plus étonnantes. L'éléphant de mer septentrional (*Mirounga angustirostris*), qu'on peut observer sur la côte de la Colombie-Britannique, peut atteindre une profondeur de 1 500 m et rester immergé jusqu'à un maximum de deux heures. Un éléphant de mer septentrional portant un émetteur a passé 40 jours en mer sans jamais faire surface pendant plus de six minutes. Par contre, pour demeurer en plongée pour des périodes comparables, les humains doivent transporter une réserve d'air (en bouteilles d'air comprimé).

L'une des adaptations du phoque de Weddell et d'autres Mammifères plongeurs réside dans leur capacité à stocker des quantités importantes de O_2. Le phoque de Weddell peut retenir environ deux fois plus de O_2 par kilogramme de masse corporelle que l'humain; il le fait principalement dans son sang et dans ses muscles. Environ 36 % du O_2 total d'un humain se trouve dans ses poumons, et 51 % dans son sang. En revanche, le phoque de Weddell ne garde que 5 % environ de son O_2 dans ses poumons, relativement petits (il expire parfois avant de plonger pour réduire sa flottabilité). Il stocke 70 % du O_2 dans son sang. Il possède à peu près deux fois plus de sang par kilogramme de masse corporelle que l'humain. Son énorme rate constitue une autre adaptation. Elle peut emmagasiner environ 24 L de sang. L'organe se contracte probablement une fois la plongée commencée, fortifiant ainsi le sang à l'aide d'érythrocytes supplémentaires saturés de O_2. Les Mammifères plongeurs possèdent également une forte concentration de **myoglobine** (protéine de mise en réserve du O_2 dont l'affinité pour le O_2 est plus élevée que celle de l'hémoglobine) dans leurs muscles. Ainsi, le phoque de Weddell, qui possède environ 10 fois plus de myoglobine que l'humain, peut entreposer environ 25 % de son O_2 dans ses muscles, comparativement à 13 % seulement dans le cas de l'humain.

Les Mammifères plongeurs entreprennent leur voyage sous-marin en ayant constitué une réserve relativement importante de O_2. Ils bénéficient en outre d'adaptations leur permettant de conserver le O_2. Ils nagent en faisant un minimum d'efforts musculaires, et font souvent appel à des changements de flottabilité pour glisser passivement vers le haut ou vers le bas. Leur fréquence cardiaque et leur consommation de O_2 diminuent pendant la plongée, et des mécanismes de régulation agissant sur leur résistance périphérique dirigent la majeure partie de leur sang vers l'encéphale, la moelle épinière, les yeux, les glandes surrénales et le placenta (dans le cas des femelles gravides). L'apport sanguin aux muscles est restreint pendant les plongées les plus longues. Lorsque les plongées durent plus de 20 minutes, les muscles du phoque de Weddell épuisent le O_2 stocké dans leur myoglobine, puis tirent leur ATP de la fermentation plutôt que de la respiration cellulaire aérobie (voir le chapitre 9).

Le phoque de Weddell (comme d'autres Animaux marins respirant de l'air) fait preuve d'une capacité étonnante lorsqu'il s'agit d'alimenter en énergie les parties les plus sollicitées de son corps pendant de longues plongées. Cette caractéristique met en évidence un des fils conducteurs de notre étude des organismes: l'interaction avec l'environnement. Celle-ci conduit à une adaptation physiologique à court terme, qui s'est développée à long terme grâce à la sélection naturelle.

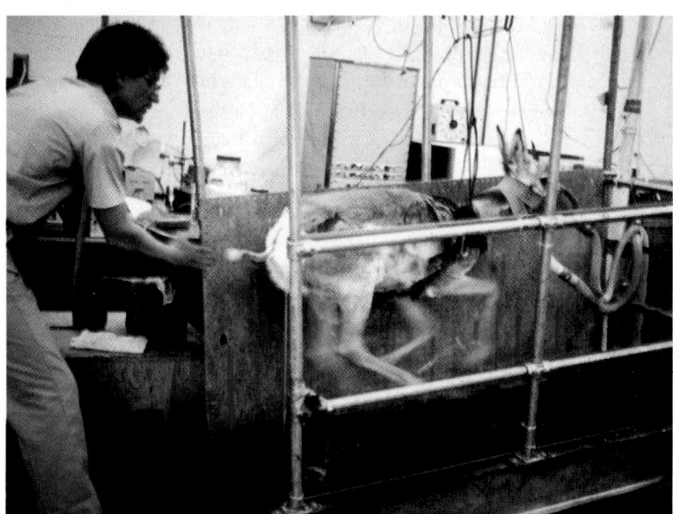

▲ **Figure 42.31 Mesure de la consommation de O_2 chez l'antilope d'Amérique.** Stan Lindstedt procède à la collecte de données concernant les volumes respiratoires chez une antilope d'Amérique courant sur un tapis roulant réglé à une vitesse de 40 km/h.

Retour sur le concept 42.7

1. Qu'est-ce qui détermine si le O_2 et le CO_2 quittent par diffusion les capillaires dans les tissus et près des alvéoles pulmonaires, ou les réintègrent? Expliquez votre réponse.
2. Comment l'effet Bohr contribue-t-il au transport de O_2 dans des tissus très actifs?
3. Le CO_2 présent dans les érythrocytes qui circulent dans les capillaires des tissus réagit avec l'eau pour former de l'acide carbonique. Qu'est-ce qui cause la réaction inverse dans les érythrocytes présents dans les capillaires près des alvéoles pulmonaires?
4. Décrivez trois adaptations qui permettent au phoque de Weddell de demeurer sous l'eau beaucoup plus longtemps qu'un humain.

Voir les réponses proposées à la fin du chapitre.

Révision du chapitre 42

RÉSUMÉ DES CONCEPTS CLÉS

Concept 42.1

Les systèmes cardiovasculaires reflètent la phylogenèse

- Les systèmes de transport établissent une connexion fonctionnelle entre les organes d'échanges et les cellules. La plupart des Animaux complexes disposent d'un système de transport interne faisant circuler les liquides. Celui-ci établit un lien vital entre l'environnement aqueux des cellules et les organes (comme les poumons) qui procèdent à l'échange de substances chimiques avec l'environnement externe (**p. 939-940**).
- **La circulation chez les Invertébrés (p. 940-941).** La plupart des Invertébrés disposent d'une cavité gastrovasculaire ou d'un système cardiovasculaire assurant le transport interne des substances.
- **Un survol de la circulation chez les Vertébrés (p. 941-944).** La phylogenèse des Vertébrés se reflète dans les adaptations de leur système cardiovasculaire. Le sang s'écoule dans un système cardiovasculaire clos composé de vaisseaux sanguins et d'un cœur comportant de deux à quatre cavités. Les artères acheminent le sang aux capillaires, qui constituent des sites d'échanges de substances chimiques entre le sang et le liquide interstitiel. Les veines ramènent le sang des capillaires au cœur.

Concept 42.2

Les Mammifères ont une circulation double qui dépend de leur anatomie et de leur révolution cardiaque

- **La circulation chez les Mammifères : *une voie générale* (p. 944).** Les valves cardiaques orientent le sang de manière unidirectionnelle en commençant par le ventricule droit qui pompe le sang dans les poumons où il capte le O_2 et libère le CO_2. Le sang riche en O_2 provenant des poumons entre dans le cœur par l'oreillette gauche et est pompé vers les tissus de l'organisme par le ventricule gauche. Le sang retourne au cœur par l'oreillette droite.
- **Le cœur des Mammifères : *une étude détaillée* (p. 944-946).** La fréquence cardiaque (le pouls) correspond au nombre de battements du cœur par minute. La révolution cardiaque est un cycle qui comporte une phase d'éjection du sang, pendant une contraction appelée *systole*, et une phase de remplissage du cœur, pendant une relaxation appelée *diastole*. Le débit cardiaque correspond au volume de sang éjecté dans la circulation systémique par minute.
- **La régulation de la fréquence cardiaque de base (p. 946-947).** Les influx nerveux qui trouvent leur origine dans le nœud sinusal (ou centre rythmogène) de l'oreillette droite se propagent au nœud auriculoventriculaire. Après un délai, ils arrivent aux branches du faisceau auriculoventriculaire et aux fibres de Purkinje. Le centre rythmogène réagit en fonction de la stimulation produite par des nerfs, ou des hormones, de la température corporelle et de l'exercice physique.

Concept 42.3

Les lois de la physique s'appliquent à la circulation sanguine

- **La structure et la fonction des vaisseaux sanguins (p. 947).** Les différences structurales entre les artères, les veines et les capillaires sont en corrélation avec les fonctions de ces vaisseaux.
- **La vitesse de la circulation sanguine (p. 947-948).** Les lois de la physique relatives aux mouvements des fluides dans les conduits s'appliquent à la circulation et à la pression sanguine. La vitesse du flux sanguin varie dans le système cardiovasculaire. Elle est la plus lente dans les lits capillaires par suite de la résistance élevée et de l'importance de l'aire de la section transversale totale des artérioles ainsi que des capillaires.
- **La pression sanguine (p. 948-950).** La pression sanguine, c'est-à-dire la force hydrostatique exercée par le sang contre la paroi d'un vaisseau, est déterminée par le débit cardiaque et la résistance périphérique imputable à la constriction variable des artérioles.
- **La fonction des capillaires (p. 950-951).** Le transfert des substances entre le sang et le liquide interstitiel et vice versa se fait à travers la paroi mince des capillaires.
- **Le retour des liquides par l'intermédiaire du système lymphatique (p. 951-952).** Le système lymphatique renvoie les liquides dans le sang et intervient dans la défense de l'organisme. Les liquides réintègrent la circulation par voie directe, à l'extrémité veineuse du capillaire, et par voie indirecte, grâce au système lymphatique.

Concept 42.4

Le sang est un tissu conjonctif composé de cellules en suspension dans le plasma

- **La composition et la fonction du sang (p. 952-955).** Le sang total se compose d'éléments figurés (soit de cellules et de fragments de cellules appelés *plaquettes*) en suspension dans une matrice liquide qui porte le nom de *plasma*. Les protéines plasmatiques influent sur le pH sanguin, la pression osmotique et la viscosité du sang ; elles contribuent au transport des lipides, à l'immunité (anticorps) et à la coagulation sanguine (fibrinogène). Les globules rouges, ou érythrocytes, transportent le O_2 et une faible partie du CO_2. Cinq types de globules blancs, ou leucocytes, jouent un rôle dans la défense immunitaire : ils phagocytent des Virus, des Bactéries et des débris, ou produisent des anticorps. Les plaquettes jouent un rôle dans la coagulation du sang. Celle-ci se compose d'une cascade de réactions complexes convertissant le fibrinogène plasmatique en fibrine.
- **Les maladies cardiovasculaires (p. 956-957).** Les maladies cardiovasculaires sont la cause principale de décès en Amérique du Nord et dans la plupart des pays industrialisés.

Concept 42.5

Les échanges gazeux se produisent à travers des surfaces respiratoires spécialisées

- Les échanges gazeux fournissent le O_2 nécessaire à la respiration cellulaire et éliminent le CO_2. Les Animaux font appel à de grandes surfaces respiratoires humidifiées pour la diffusion adéquate des gaz respiratoires (O_2 et CO_2) entre les cellules et le milieu respiratoire, qu'il s'agisse de l'air ou de l'eau (**p. 957-958**).
- **Les branchies chez les Animaux aquatiques (p. 958-959).** Les branchies résultent d'adaptations du système respiratoire de la plupart des Animaux aquatiques. Elles sont des évaginations de la surface corporelle spécialisées dans les échanges gazeux. L'efficacité des échanges gazeux de certaines branchies, notamment celles des Poissons, est accrue grâce à la ventilation et à la circulation à contre-courant du sang et de l'eau.
- **Le système trachéen chez les Insectes (p. 959-960).** Les trachées des Insectes sont des tubes ramifiés minuscules qui pénètrent dans le corps, apportant le O_2 directement aux cellules.
- **Les poumons (p. 960-962).** Les araignées, les escargots terrestres et la plupart des Vertébrés terrestres ont des poumons internes. Chez les Mammifères, l'air inhalé par les narines passe dans le pharynx pour se rendre dans la trachée, les bronches, les bronchioles et les alvéoles en cul-de-sac où ont lieu les échanges gazeux.

Concept 42.6

La respiration permet de ventiler les poumons

- **Le mécanisme de la respiration des Amphibiens (p. 962).** Un Amphibien ventile ses poumons par un mécanisme de respiration à pression positive qui force l'air à descendre dans la trachée.
- **Le mécanisme de la respiration des Mammifères (p. 962-963).** Les Mammifères ventilent leurs poumons par une respiration à pression négative qui tire l'air vers les poumons. La contraction des muscles intercostaux et du diaphragme modifie le volume des poumons.
- **Le mécanisme de la respiration des Oiseaux (p. 963).** Outre les poumons, les Oiseaux possèdent huit ou neuf sacs aériens qui servent de soufflets maintenant le flux de l'air dans les poumons. L'air suit un parcours qui traverse les poumons dans une seule direction. À chaque expiration, ce système respiratoire permet le renouvellement complet de la masse d'air contenue dans les poumons.
- **La régulation de la respiration chez les humains (p. 964-965).** Les centres de régulation situés dans le pont et le bulbe rachidien de l'encéphale contrôlent la fréquence et l'amplitude de la respiration. Des chimiorécepteurs détectent les variations de pH du liquide cérébrospinal (qui est en lien avec la concentration en CO_2 dans le sang). Le bulbe rachidien modifie la fréquence et l'amplitude de la respiration en fonction des besoins métaboliques du corps. Des chimiorécepteurs périphériques situés dans la paroi de l'aorte et des artères carotides (du cou) décèlent les changements du pH sanguin et les concentrations de O_2 et de CO_2 dans le sang.

Concept 42.7

Les pigments respiratoires se lient aux gaz et les transportent

- **Le rôle des gradients de pression partielle (p. 965).** Les gaz diffusent dans les poumons et les autres organes en réponse à des gradients de pression. Le O_2 et le CO_2 diffusent du milieu où leur pression partielle est élevée à celui où leur pression partielle est faible.
- **Les pigments respiratoires (p. 965-967).** Les pigments respiratoires transportent les gaz et aident à stabiliser le pH du sang. Ils augmentent considérablement la quantité de O_2 que le sang peut transporter. De nombreux Arthropodes et Mollusques possèdent un type de pigment qui comporte du cuivre (Cu^{2+}) et qui est appelé *hémocyanine*. Les Vertébrés et un grand nombre d'Invertébrés ont un type de pigment qui comporte du fer (Fe^{2+}) et qui porte le nom d'*hémoglobine*.
- **Les athlètes d'élite chez les Animaux (p. 967-969).** La consommation extrême de O_2 par l'antilope d'Amérique régit sa capacité à courir à des vitesses élevées sur de longues distances. Les Animaux qui plongent en eau profonde accumulent des réserves de O_2 qu'ils utilisent lentement.

VÉRIFIEZ VOS CONNAISSANCES

Autoévaluation

(Les questions dont les numéros sont en caractères gras font surtout appel à la compréhension.)

1. Quel système respiratoire suivant *n'est pas* étroitement associé à l'apport sanguin?
   a) Les poumons des Vertébrés.
   b) Les branchies des Poissons.
   c) Le système trachéen des Insectes.
   d) L'épiderme des vers de terre.
   e) Les parapodes des Polychètes.

2. Dans un système cardiovasculaire ouvert:
   a) il n'y a pas de vaisseaux.
   b) le sang et le liquide interstitiel sont de même nature.
   c) il n'y a pas de cœur.
   d) la pression hydrostatique du liquide circulant est plus forte que dans un système clos.
   e) il n'y a pas d'échanges entre le liquide circulant et les cellules.

3. Chez les Mammifères, le sang qui revient au cœur par une veine pulmonaire se déverse d'abord dans:
   a) la veine cave.
   b) l'oreillette gauche.
   c) l'oreillette droite.
   d) le ventricule gauche.
   e) le ventricule droit.

4. Parmi les énoncés suivants se rapportant à la régulation de la fréquence cardiaque, lequel ou lesquels sont *faux*?
   1) Certaines cellules de la paroi du cœur peuvent se contracter sans aucun stimulus nerveux extérieur.
   2) Le point de départ du signal qui fait contracter tout le cœur est situé dans la paroi de l'oreillette droite.
   3) Les cellules qui contrôlent le rythme cardiaque sont des cellules musculaires qui émettent des signaux analogues à ceux qui sont produits par des cellules nerveuses.
   4) Les influx qui voyagent dans le cœur et qui font contracter les oreillettes et les ventricules peuvent être détectés au niveau de la peau.
   5) Des nerfs ou des hormones peuvent accélérer ou ralentir le rythme cardiaque en agissant sur le nœud sinusal.
      a) Aucun.
      b) 1 et 3.
      c) 4.
      d) 1, 2 et 4.
      e) 3 et 5.

5. Le pouls constitue une mesure directe:
   a) de la pression sanguine.
   b) du volume systolique.
   c) du débit cardiaque.
   d) de la fréquence cardiaque.
   e) de la fréquence respiratoire.

6. La relation entre la pression artérielle (P_a), le débit cardiaque (D_c) et la résistance périphérique (R) peut être exprimée dans la formule $P_a = D_c \times R$. Les changements suivants causeraient une augmentation de la pression artérielle, *sauf un*. Lequel?
   a) L'augmentation du volume systolique.
   b) L'augmentation de la fréquence cardiaque.
   c) L'augmentation de la durée de la diastole ventriculaire.
   d) La contraction des muscles lisses artériolaires.
   e) La réduction du diamètre artériolaire.

7. La conversion du fibrinogène en fibrine:
   a) survient quand le fibrinogène est diffusé à partir des plaquettes fragmentées.
   b) survient au sein des érythrocytes.
   c) est liée à l'hypertension et peut endommager la paroi des artères.
   d) a tendance à survenir très souvent chez les hémophiles.
   e) correspond à la dernière étape d'un processus de coagulation qui fait intervenir des facteurs de coagulation multiples.

8. Laquelle, parmi les caractéristiques suivantes, *ne constitue pas* un avantage que possède l'air comme milieu respiratoire par rapport à l'eau?
   a) La surface respiratoire humide est exposée à l'air.
   b) Les surfaces respiratoires n'ont pas besoin d'une aussi grande ventilation que des surfaces exposées à l'eau.
   c) La dépense d'énergie liée à la ventilation est moins élevée chez les Animaux dont l'air constitue le milieu respiratoire.
   d) La diffusion plus rapide des gaz respiratoires.
   e) L'air contient beaucoup plus de O_2 par volume que l'eau.

9. Dans le mécanisme de la respiration à pression négative, l'inspiration se produit, entre autres choses, par :
   a) un déplacement forcé de l'air de la gorge vers les poumons.
   b) une contraction du diaphragme.
   c) un relâchement des muscles de la cage thoracique.
   d) une utilisation des muscles des poumons pour accroître le volume des alvéoles.
   e) une contraction des muscles abdominaux.
10. Lorsqu'une personne retient son souffle, lequel (ou lesquels) des changements suivants dans la concentration des gaz sanguins provoque(nt) tout d'abord l'urgence de respirer ?
   a) Une hausse de la concentration en O_2.
   b) Une baisse de la concentration en O_2.
   c) Une hausse de la concentration en CO_2.
   d) Une baisse de la concentration en CO_2.
   e) Une hausse de la concentration en CO_2 et une baisse de la concentration en O_2.
11. Une diminution du pH du sang humain provoquée par l'exercice :
   a) diminue la fréquence respiratoire.
   b) augmente la fréquence cardiaque.
   c) diminue la quantité de O_2 libérée par l'hémoglobine.
   d) diminue le débit cardiaque.
   e) diminue la concentration de carbhémoglobine.
12. Le sang qui atteint la portion artérielle des capillaires a :
   a) une P_{O_2} plus élevée que celle du liquide interstitiel dans lequel baignent les cellules musculaires actives.
   b) une P_{CO_2} plus élevée que celle du liquide interstitiel dans lequel baignent les cellules musculaires actives.
   c) une concentration d'ions hydrogénocarbonate plus élevée que celle du liquide interstitiel dans lequel baignent les cellules musculaires actives.
   d) un pH plus faible que celui du liquide interstitiel dans lequel baignent les cellules musculaires actives.
   e) une pression osmotique plus faible que celle du liquide interstitiel dans lequel baignent les cellules musculaires actives.
13. Laquelle des réactions suivantes domine dans les érythrocytes traversant les capillaires pulmonaires (Hb : hémoglobine) ?
   a) $Hb + 4\ O_2 \rightarrow Hb(O_2)_4$
   b) $Hb(O_2)_4 \rightarrow Hb + 4\ O_2$
   c) $CO_2 + H_2O \rightarrow H_2CO_3$
   d) $H_2CO_3 \rightarrow H^+ + HCO_3^-$
   e) $Hb + 4\ CO_2 \rightarrow Hb(CO_2)_4$

Lien avec l'évolution

1. Le monstre des films *Godzilla* doit affronter de nombreux adversaires mutants ; l'un d'entre eux, Mothra, est un immense papillon de nuit avec une envergure de plusieurs dizaines de mètres. Des créatures de science-fiction de ce type ne pourraient exister dans la réalité, d'après les principes biomécaniques et physiologiques. En vous concentrant sur les principes de la respiration et des échanges gazeux que nous avons abordés dans le présent chapitre, donnez un aperçu des problèmes physiologiques que Mothra devrait affronter. Les Insectes les plus grands dont l'existence a pu être enregistrée sur Terre sont les libellules géantes du Paléozoïque, avec une envergure de 50 cm. D'après vous, pourquoi est-il peu probable que d'énormes Insectes puissent exister ?
2. Le mode aérien de respiration chez les Poissons n'est pas un phénomène aussi exceptionnel qu'on pourrait le croire ; au cours de l'évolution, il est apparu chez plusieurs centaines d'espèces. Décrivez cinq des adaptations qui permettent à certains Poissons d'effectuer leurs échanges respiratoires directement avec l'air.

Intégration

L'hémoglobine du fœtus humain diffère de celle de l'adulte. Comparez les courbes de dissociation des deux types d'oxyhémoglobine dans le graphique ci-dessous. Proposez une hypothèse pour déterminer la *fonction* de cette différence entre les deux types d'oxyhémoglobine.

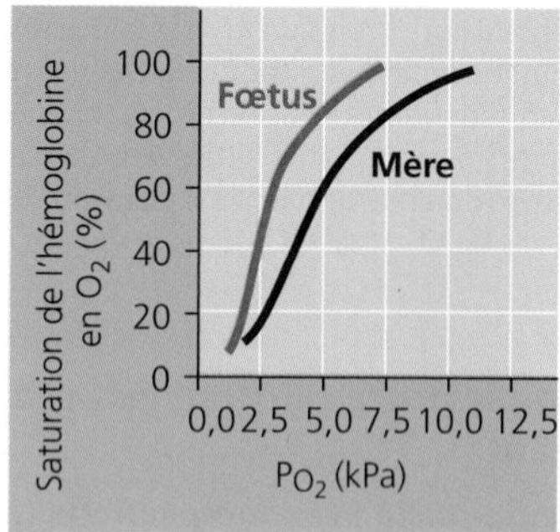

Science, technologie et société

Au Québec, 13 500 décès par année sont attribuables au tabagisme. De ce nombre de victimes, 350 étaient des non-fumeurs. Pour lutter contre les effets nocifs de la fumée secondaire, le gouvernement a donc promulgué, en mai 2006, une loi anti-tabac qui interdit de fumer à l'intérieur de la plupart des lieux publics (y compris les bars) ainsi qu'à l'extérieur dans un rayon de neuf mètres de certains établissements de santé, de services sociaux, d'enseignement… De pareilles lois existent aussi dans d'autres provinces du Canada et ailleurs dans le monde. Qu'en pensez-vous ? Croyez-vous que de telles lois réduiront le tabagisme ? Sont-elles justifiées ? Portent-elles atteinte à des droits fondamentaux ?

Réponses du chapitre 42

Retour sur le concept 42.1

1. L'inefficacité de la diffusion pour apporter les nutriments et éliminer les déchets à des vitesses assez élevées pour l'entretien de gros organismes.
2. Avantage : vitesse élevée de l'apport des nutriments et de l'élimination des déchets. Désavantage : nécessite plus d'énergie pour la formation, le fonctionnement et l'entretien.
3. Les deux principaux avantages des circulations respiratoire et systémique séparées sont une pression sanguine plus élevée dans la circulation systémique et un débit de la circulation sanguine plus élevé.

Retour sur le concept 42.2

1. La malformation réduit le contenu en O_2 du sang en mélangeant du sang retourné à l'oreillette droite ou au ventricule droit à partir de la circulation systémique, donc appauvri en O_2, et du sang riche en O_2 de l'oreillette gauche ou du ventricule gauche.
2. Ce retard permet à l'oreillette de se vider complètement avant la contraction du ventricule.

Retour sur le concept 42.3

1. L'importance de l'aire de la section transversale totale des capillaires.
2. Ces changements augmentent la capacité d'agir en augmentant la vitesse de circulation sanguine et de l'apport de O_2 et de nutriments aux muscles squelettiques.

3. Les protéines plasmatiques qui restent dans le sang dans un capillaire maintiennent une pression osmotique assez constante, alors que la pression sanguine chute à partir de l'extrémité près d'une artériole vers une extrémité près d'une veinule. Cette différence permet aux liquides de retourner dans le capillaire à l'extrémité près d'une veinule ; si les protéines plasmatiques sont insuffisantes, les liquides restent dans les tissus et provoquent un œdème.

Retour sur le concept 42.4

1. Environ 200 milliards, ou $2{,}08 \times 10^{11}$, qu'on calcule en divisant le nombre total de cellules, $2{,}5 \times 10^{13}$, par 120 jours.
2. Une augmentation des leucocytes peut indiquer que le sujet combat une infection.
3. Les cellules souches de la moelle osseuse se divisent continuellement et sont pluripotentes.

Retour sur le concept 42.5

1. Si elles se prolongeaient à l'extérieur dans le milieu terrestre, les surfaces respiratoires s'assécheraient rapidement, et la diffusion de O_2 et de CO_2 à travers la membrane s'arrêterait.
2. L'échange à contre-courant permet un gradient de diffusion favorisant le transfert de O_2 tout au long des capillaires dans les lamelles des branchies. Lorsque l'eau passe sur les lamelles des branchies, le sang s'écoule en direction opposée dans les capillaires ; cela permet à celui-ci de continuer à capter le O_2 parce que le sang riche en O_2 en aval rencontre l'eau encore plus riche en O_2 qui ne fait que commencer son passage sur les lamelles.

Retour sur le concept 42.6

1. Une augmentation de la concentration en CO_2 du sang accroît la vitesse de diffusion de CO_2 dans le liquide cérébrospinal où le CO_2 réagit avec l'eau pour former de l'acide carbonique. La dissociation de l'acide carbonique libère des protons, ce qui a pour effet de diminuer le pH du liquide cérébrospinal.
2. Une fréquence cardiaque accrue augmente la vitesse à laquelle le sang riche en CO_2 est transporté aux poumons où celui-ci est libéré.
3. Le débit d'air dans les poumons des Oiseaux est unidirectionnel.

Retour sur le concept 42.7

1. Les variations de pression partielle ; un gaz diffuse toujours du milieu où sa pression partielle est la plus élevée vers le milieu où elle est la plus faible.
2. L'effet Bohr incite l'hémoglobine à libérer du O_2 à un pH plus faible, comme celui qui caractérise un tissu dont la fréquence respiratoire et la libération de CO_2 sont élevées.
3. La diminution de la concentration en CO_2 dans le plasma à mesure qu'il diffuse vers les cavités alvéolaires provoque la décomposition de l'acide carbonique dans les érythrocytes, ce qui libère du CO_2 qui diffuse vers le plasma.
4. Exemples : un volume sanguin plus grand par rapport à sa masse corporelle ; une rate beaucoup plus volumineuse ; une plus grande quantité de myoglobine (une protéine de mise en réserve du O_2) dans ses muscles ; sa fréquence cardiaque et son taux métabolique qui diminuent au cours d'une plongée.

Autoévaluation

1. c ; 2. b ; 3. b ; 4. a ; 5. d ; **6.** c ; 7. e ; 8. a ; 9. b ; 10. c ; **11.** b ; **12.** a ; **13.** a.

43

Le système immunitaire

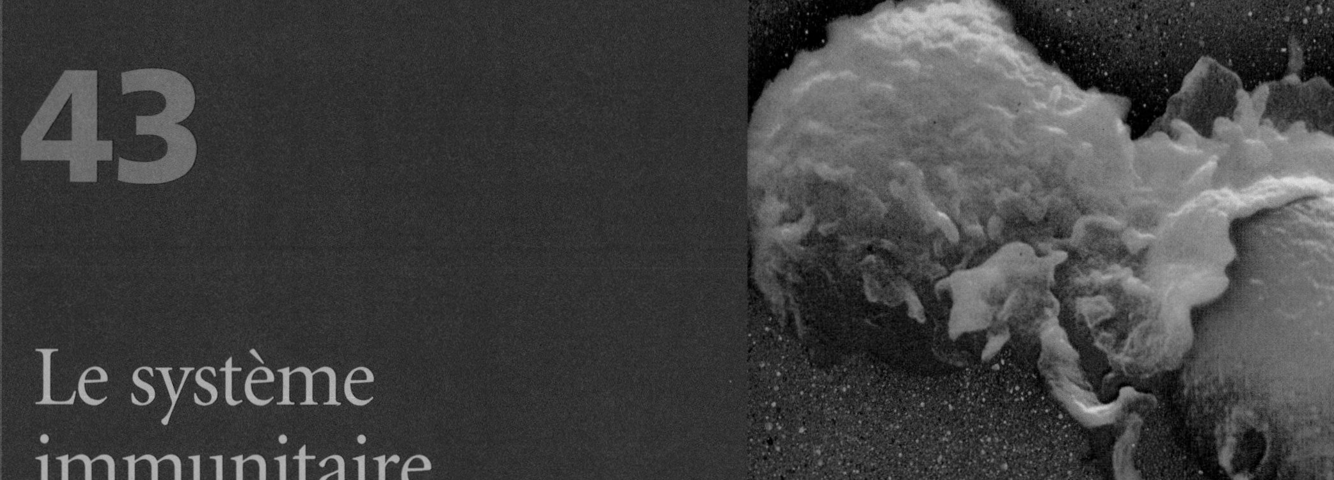

▲ **Figure 43.1 Macrophage (en bleu) englobant une cellule de levure (en vert).**

Concepts clés

43.1 **L'immunité innée assure des défenses non spécifiques contre l'infection**

43.2 **Dans l'immunité acquise, les lymphocytes assurent des défenses précises contre l'infection**

43.3 **L'immunité humorale et l'immunité à médiation cellulaire défendent l'organisme contre divers types de menaces**

43.4 **La capacité du système immunitaire à reconnaître le soi du non-soi limite les transfusions sanguines et les greffes de tissus**

43.5 **Les réactions immunitaires exagérées, autodirigées ou diminuées peuvent causer des maladies**

Introduction

Détection, reconnaissance et réaction

Tous les Animaux doivent pouvoir se défendre contre les nombreux Virus, Bactéries et autres agents pathogènes qui se trouvent dans l'air, la nourriture et l'eau, et qui peuvent présenter des dangers. Ils doivent également lutter contre les cellules anormales qui sont produites par leur propre corps et qui sont susceptibles de donner naissance à un cancer. C'est le système immunitaire qui est chargé de ce travail de protection. Celui-ci, contrairement à la plupart des autres systèmes, n'est pas constitué d'organes groupés localement et ne forme pas un tout bien délimité sur le plan anatomique. Davantage un ensemble fonctionnel qu'un ensemble anatomique, il est formé de deux principaux types de défense qui agissent contre les menaces. La première ligne de défense, l'**immunité innée**, est déjà présente dans l'organisme avant toute exposition à des agents pathogènes et est active dès la naissance. Les défenses innées sont de nature non spécifique: elles reconnaissent un vaste éventail de microorganismes et y réagissent, quelle que soit leur identité. L'immunité innée est constituée de barrières externes composées de la peau et des muqueuses appuyées par un ensemble de défenses cellulaires et chimiques internes; ces dernières combattent les agents infectieux qui traversent les barrières externes. Les joueurs clés de ces défenses internes sont les macrophages et autres phagocytes qui englobent puis détruisent les agents pathogènes. La **figure 43.1** (MEB colorée) illustre en exemple un macrophage ingérant une cellule de levure.

L'autre type de défense, l'**immunité acquise** (aussi appelée *immunité adaptative*), ne se développe qu'après l'exposition à des agents inducteurs tels que les microorganismes, les cellules anormales, les toxines et toute autre substance étrangère. Les défenses acquises sont hautement spécifiques, c'est-à-dire qu'elles peuvent faire la distinction entre les agents inducteurs, même ceux dont les différences sont minimes. Cette reconnaissance met en œuvre la participation de globules blancs, appelés **lymphocytes**, qui produisent deux types généraux de réponses immunitaires. Dans la réaction humorale, les lymphocytes B donnent naissance à des cellules qui sécrètent des protéines appelées **anticorps**, qui se fixent aux microorganismes et les rendent plus faciles à éliminer. Dans la réaction à médiation cellulaire, les lymphocytes cytotoxiques détruisent directement les cellules infectées de l'organisme, les cellules tumorales ou les tissus étrangers.

La **figure 43.2** présente un résumé de l'immunité innée et de l'immunité acquise. Dans le présent chapitre, nous verrons comment les diverses composantes cellulaires et chimiques de ces deux systèmes de défense travaillent de concert pour protéger les Vertébrés contre diverses menaces. Nous examinerons aussi brièvement l'immunité chez les Invertébrés qui ne sont protégés que par des mécanismes innés non spécifiques.

Concept 43.1

L'immunité innée assure des défenses non spécifiques contre l'infection

Un agent envahisseur doit franchir la barrière externe formée par la peau et les muqueuses, qui recouvrent le corps d'un Animal et en tapissent les ouvertures. S'il réussit à traverser ces défenses externes, l'agent pathogène fait rapidement face à plusieurs mécanismes cellulaires et chimiques qui l'empêchent d'attaquer l'organisme.

▶ **Figure 43.2 Vue d'ensemble des défenses des Vertébrés contre les Bactéries, les Virus et d'autres agents pathogènes.** Les défenses chez les Vertébrés se divisent en immunité innée et en immunité acquise. Si un agent pathogène envahisseur rompt les défenses innées externes de l'organisme, diverses défenses innées internes entrent en jeu rapidement. Les défenses assurées par l'immunité acquise contre des agents pathogènes spécifiques se développent plus lentement. Certaines composantes de l'immunité innée jouent également un rôle dans l'immunité acquise.

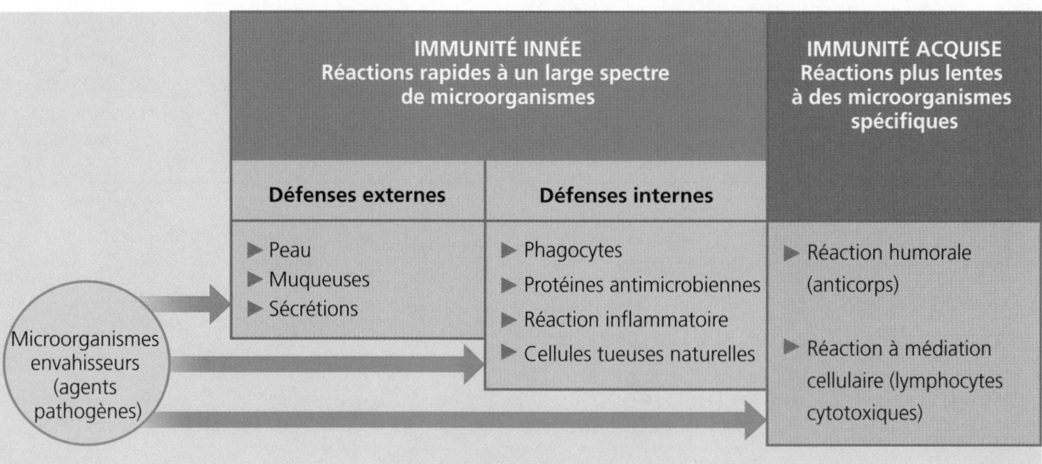

Les défenses externes

La peau intacte constitue une barrière normalement infranchissable par les Bactéries et les Virus. Les cellules de l'épiderme qui se desquament continuellement emportent avec elles les microorganismes qu'elles portaient, et les glandes sudoripares sécrètent un antibiotique naturel, la *dermicidine*, efficace contre un grand nombre de Bactéries et d'Eumycètes. Les infections constituent l'une des plus sérieuses menaces auxquelles doivent faire face les grands brûlés, chez qui la peau ne peut plus jouer son rôle de barrière antimicrobienne. Quant aux muqueuses qui tapissent les voies digestives, respiratoires et urogénitales, elles protègent aussi l'organisme contre les microorganismes potentiellement dangereux. Certaines cellules de ces muqueuses sécrètent également le *mucus*, liquide épais (visqueux), qui retient les microorganismes et les autres particules. Dans la trachée, par exemple, des cellules épithéliales ciliées balaient le mucus et les microorganismes qu'il emprisonne vers le haut, dans le pharynx, ce qui empêche leur introduction dans les poumons **(figure 43.3)**. La salive, les larmes et les sécrétions des muqueuses épurent la surface exposée de divers épithéliums et empêchent donc le développement des microorganismes.

Outre leur rôle de barrière physique qui inhibe l'entrée des microorganismes, les sécrétions de la peau et des muqueuses créent un milieu souvent hostile aux agents pathogènes. Chez les humains, les sécrétions des glandes sébacées et sudoripares donnent à la peau un pH variant entre 3 et 5 : c'est suffisamment acide pour empêcher de nombreux microorganismes de s'y établir. (Les Bactéries qui vivent normalement sur la peau sont adaptées à cet environnement acide et relativement sec.) De même, les microorganismes présents dans les aliments ou dans l'eau, ou ceux qui sont avalés avec le mucus, doivent affronter l'environnement extrêmement acide de l'estomac qui détruit la plupart des agents pathogènes avant qu'ils pénètrent dans l'intestin grêle. Mais certains agents pathogènes résistent à un milieu acide, notamment le Virus de l'hépatite A ; c'est l'un des nombreux Virus qui peut survivre à l'acidité gastrique et pénétrer dans le corps par l'intermédiaire du tube digestif.

Les sécrétions de la peau et des muqueuses contiennent aussi des protéines antimicrobiennes et, dans le cas de la peau, des acides gras antimicrobiens. L'une d'entre elles, le **lysozyme**, est une enzyme qui attaque la paroi cellulaire de nombreuses Bactéries. Présent dans la salive, les larmes et les sécrétions des muqueuses, le lysozyme peut détruire les Bactéries susceptibles de s'introduire dans les voies respiratoires supérieures et dans les ouvertures autour des yeux.

Les défenses cellulaires et chimiques internes

Les microorganismes qui traversent la première ligne de défense, notamment ceux qui entrent dans la peau par une petite coupure, doivent affronter les mécanismes internes de défense innée de l'organisme. Ces mécanismes de défense reposent principalement sur la **phagocytose**, c'est-à-dire l'ingestion, dans ce cas-ci, de particules étrangères par certains types de leucocytes appelés *phagocytes*. Ces cellules produisent des protéines antimicrobiennes et contribuent à déclencher une inflammation qui peut limiter la propagation des microorganismes dans l'organisme. Des leucocytes non phagocytes appelés *cellules tueuses naturelles* jouent également un rôle important dans les défenses innées. Les

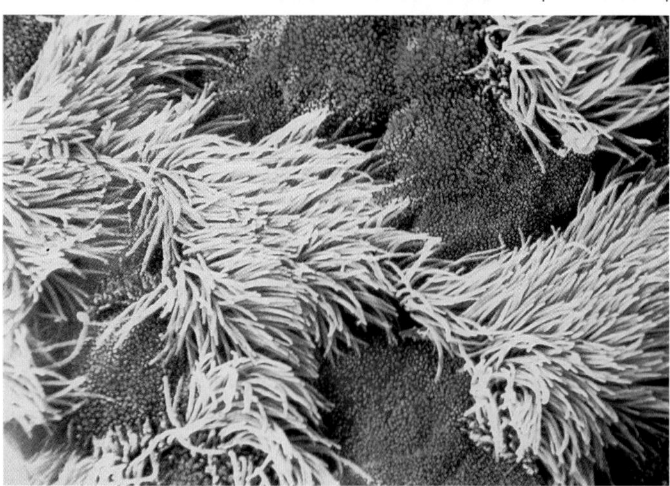

▲ **Figure 43.3 Défenses innées externes par les muqueuses.** La muqueuse de la trachée contient des cellules (en orange) qui produisent du mucus et des cellules ciliées (en jaune). Les battements synchronisés des cils expulsent le mucus et les microorganismes qu'il emprisonne vers le haut, dans le pharynx (MEB colorée).

divers mécanismes non spécifiques aident à limiter la propagation des microorganismes avant que l'organisme puisse déclencher des réactions immunitaires acquises spécifiques.

Les phagocytes

Les phagocytes se fixent à leur proie par l'intermédiaire de récepteurs de surface qui se lient aux structures présentes sur de nombreux microorganismes, mais pas sur les cellules normales. Parmi les structures liées par ces récepteurs, on trouve certains polysaccharides situés à la surface des Bactéries. Après s'être attaché à un ou plusieurs microorganismes, un phagocyte l'englobe dans une vacuole nutritive, qui fusionne avec un lysosome **(figure 43.4)**. Ce dernier peut tuer un microorganisme de deux manières. En premier lieu, il peut produire du monoxyde d'azote (NO) et d'autres formes toxiques de l'oxygène (du peroxyde d'hydrogène, notamment) qui empoisonnent le microorganisme après la phagocytose. En second lieu, le lysozyme et d'autres enzymes décomposent les composants microbiens.

Quelques microorganismes possèdent des adaptations qui les protègent contre la destruction par les phagocytes. Ainsi, certaines Bactéries sont entourées d'une capsule qui masque les polysaccharides de surface et à laquelle les phagocytes ne peuvent se fixer. D'autres Bactéries, comme le bacille de la tuberculose (*Mycobacterium tuberculosis*), se laissent fixer et englober mais résistent par la suite à la destruction lysosomique. Étant donné qu'ils peuvent croître et se reproduire au sein des cellules de leur hôte, ces microorganismes sont cachés de façon efficace des défenses acquises de l'organisme. L'évolution de ce mécanisme parmi d'autres qui empêchent la destruction par le système immunitaire a accru la menace pathogène de nombreux microorganismes.

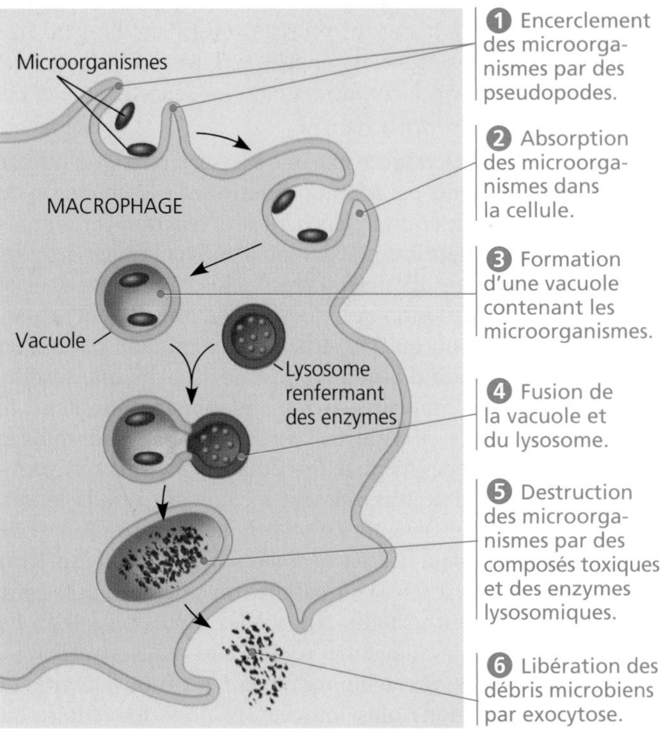

Microorganismes
MACROPHAGE
Vacuole
Lysosome renfermant des enzymes
1 Encerclement des microorganismes par des pseudopodes.
2 Absorption des microorganismes dans la cellule.
3 Formation d'une vacuole contenant les microorganismes.
4 Fusion de la vacuole et du lysosome.
5 Destruction des microorganismes par des composés toxiques et des enzymes lysosomiques.
6 Libération des débris microbiens par exocytose.

▲ **Figure 43.4 Phagocytose.** Le schéma illustre les événements qui suivent la fixation d'un type de phagocyte, un macrophage, à des microorganismes, par l'intermédiaire de ses récepteurs de surface (non illustrés). Le processus est semblable dans d'autres types de phagocytes.

Quatre types de globules blancs (leucocytes) sont des phagocytes. Ils diffèrent par leur abondance, leur espérance de vie moyenne et leur capacité phagocytaire. De loin les plus abondants, les **granulocytes neutrophiles** représentent de 60 à 70 % de tous les leucocytes. Ils pénètrent dans le tissu infecté, qui les attire, pour y absorber et y détruire les microorganismes. Les granulocytes neutrophiles ont tendance à s'autodétruire dans le processus de phagocytose, et leur espérance de vie moyenne n'est que de quelques jours.

Les **macrophages** (« gros mangeurs »), ou macrophagocytes, fournissent une arme phagocytaire encore plus efficace. Ces grosses cellules qui vivent longtemps et qui sont plus « gourmandes » que les granulocytes neutrophiles proviennent des **monocytes** qui constituent environ 5 % des leucocytes en circulation dans le sang. Les nouveaux monocytes circulent dans le sang pendant quelques heures seulement, puis ils migrent dans les tissus pour se transformer en macrophages. L'exécution de la phagocytose déclenche des voies d'activation internes qui stimulent les macrophages, ce qui accroît leur capacité de défense de diverses façons (que nous décrirons plus loin dans ce chapitre). Certains macrophages migrent dans le corps, tandis que d'autres résident en permanence dans certains tissus. Les macrophages résidant en permanence dans la rate, les nœuds lymphatiques et d'autres tissus du système lymphatique sont particulièrement bien situés pour combattre les agents infectieux. Les microorganismes qui pénètrent dans le sang se retrouvent bloqués dans la structure en réseau de la rate ; quant à ceux qui entrent dans le liquide interstitiel, ils passent dans la lymphe et sont immobilisés dans les nœuds lymphatiques. Dans chacun des sites, les microorganismes rencontrent aussitôt des macrophages. La **figure 43.5** montre les composantes du système lymphatique et résume son rôle dans les défenses de l'organisme.

Les deux autres types de phagocytes sont moins abondants et jouent un rôle plus limité dans la défense innée que les granulocytes neutrophiles et les macrophages. Les **granulocytes éosinophiles** exercent une phagocytose plutôt faible, mais leur rôle est essentiel dans la défense contre des envahisseurs parasites multicellulaires comme le schistosome *Schistosoma mansoni*. Plutôt que d'englober ce parasite, les granulocytes éosinophiles se placent contre sa paroi et déchargent des enzymes destructrices qui causent des dommages à l'envahisseur. Le quatrième type de phagocytes, les **cellules dendritiques**, peuvent englober les microorganismes comme le font les macrophages. Cependant, comme nous le verrons plus loin, leur rôle principal consiste à stimuler le développement de l'immunité acquise.

Les protéines antimicrobiennes

De nombreuses protéines jouent un rôle dans la défense innée en attaquant les microorganismes directement ou en nuisant à leur reproduction. Nous avons déjà évoqué l'action antimicrobienne du lysozyme. Les autres protéines antimicrobiennes comprennent quelque 30 protéines sériques, qui font partie du **complément**. En absence d'infection, ces protéines sont inactives. Des substances à la surface de nombreux microorganismes activent le complément, ce qui mène à la lyse (éclatement) des cellules envahissantes. Certaines protéines du complément contribuent également à déclencher l'inflammation ou jouent un rôle dans la défense acquise.

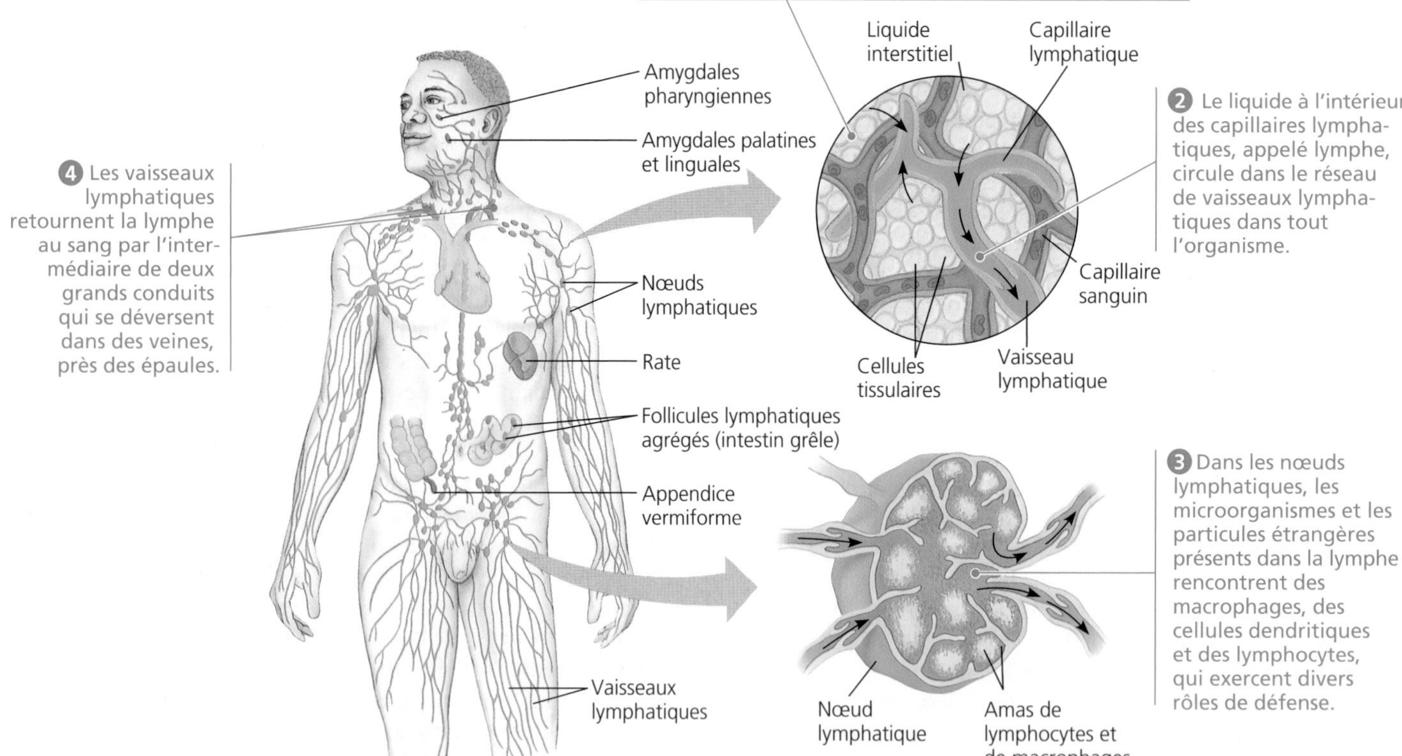

1 Le liquide interstitiel dans lequel baignent les tissus de même que les leucocytes qu'il contient pénètrent dans les capillaires lymphatiques.
Liquide interstitiel
Capillaire lymphatique
2 Le liquide à l'intérieur des capillaires lymphatiques, appelé lymphe, circule dans le réseau de vaisseaux lymphatiques dans tout l'organisme.
Capillaire sanguin
Cellules tissulaires
Vaisseau lymphatique
Amygdales pharyngiennes
Amygdales palatines et linguales
4 Les vaisseaux lymphatiques retournent la lymphe au sang par l'intermédiaire de deux grands conduits qui se déversent dans des veines, près des épaules.
Nœuds lymphatiques
Rate
Follicules lymphatiques agrégés (intestin grêle)
Appendice vermiforme
3 Dans les nœuds lymphatiques, les microorganismes et les particules étrangères présents dans la lymphe rencontrent des macrophages, des cellules dendritiques et des lymphocytes, qui exercent divers rôles de défense.
Vaisseaux lymphatiques
Nœud lymphatique
Amas de lymphocytes et de macrophages

▲ **Figure 43.5 Système lymphatique humain.** Le système lymphatique est composé de vaisseaux lymphatiques par lesquels la lymphe circule, et de diverses structures qui emprisonnent les molécules et les particules « étrangères ». Ces structures comprennent les amygdales (ou tonsilles) pharyngiennes, les amygdales palatines et linguales, les nœuds lymphatiques, la rate, les follicules lymphatiques agrégés et l'appendice vermiforme. On peut suivre le flux de la lymphe de l'étape 1 à 4.

Deux types d'**interférons** (α et β) assurent une défense innée contre les infections virales. Ce sont des protéines que sécrètent les cellules infectées par un Virus ; elles amènent les cellules avoisinantes non infectées à produire d'autres substances inhibant la réplication virale. C'est pourquoi les interférons limitent la transmission des Virus de cellule à cellule dans le corps. Cela permet de mieux maîtriser les infections virales, notamment les rhumes et la grippe. Ce mécanisme de défense innée n'est pas spécifique à un Virus ; les interférons produits en réaction à un Virus peuvent conférer une résistance à court terme à d'autres Virus indépendants. Certains lymphocytes sécrètent un troisième type d'interférons (γ) qui contribuent à activer les macrophages en augmentant leur capacité phagocytaire. Aujourd'hui, ils peuvent être produits artificiellement grâce à la technique de l'ADN recombiné ; ils font l'objet d'essais liés au traitement des infections virales comme l'hépatite C, le syndrome respiratoire aigu sévère (SRAS) et l'herpès génital, de cancers comme le sarcome de Kaposi et de certaines maladies comme la sclérose en plaques.

Les macrophages activés sécrètent encore un autre groupe de protéines antimicrobiennes, considérées comme des antibiotiques naturels et appelées à juste titre *défensines*. Ces petites protéines, synthétisées aussi par les cellules des épithéliums, causent des dommages à des grands groupes de pathogènes par divers mécanismes, sans nuire aux cellules de l'organisme.

La réaction inflammatoire

Les lésions tissulaires causées par une blessure physique ou par la pénétration d'agents pathogènes aboutissent à la libération de médiateurs chimiques qui déclenchent une **réaction inflammatoire** localisée. L'**histamine**, une des substances chimiques les plus actives, se trouve dans les **mastocytes**, cellules présentes dans le tissu conjonctif. Une lésion qui modifie l'environnement immédiat de ces cellules ou qui perturbe leur membrane plasmique provoque la libération d'histamine. Cela déclenche une vasodilatation et rend les capillaires avoisinants plus perméables. Les macrophages activés et d'autres cellules du tissu endommagé sécrètent également des médiateurs additionnels, notamment les prostaglandines, qui accroissent le débit sanguin vers la lésion. Cette hausse du débit sanguin est à l'origine de la rougeur et de la sensation de chaleur (le terme *inflammation* vient du latin *inflammare*, « mettre le feu à »). L'enflure (ou œdème), autre signe de l'inflammation, est issue du fait que les capillaires gorgés de sang transmettent davantage de liquide aux tissus avoisinants.

L'enflure peut rendre temporairement les mouvements au niveau des articulations plus difficiles, et donc les réduire au repos, ce qui, déjà, peut constituer une forme de protection. Cependant, bien que la chaleur et l'enflure produisent des sensations d'inconfort, l'augmentation du débit sanguin et de la perméabilité des vaisseaux qui en sont la cause est essentielle à la défense innée. Outre qu'ils permettent l'évacuation des toxines et des cellules mortes, ces changements vasculaires stimulent la libération de protéines antimicrobiennes et de facteurs de coagulation dans la zone endommagée. Plusieurs protéines activées du complément, par exemple, favorisent la libération d'histamine ou attirent les phagocytes vers le siège de la lésion. La coagulation marque le début du processus de réparation et contribue à empêcher la propagation de microorganismes vers les autres parties du corps. En outre, l'augmentation du débit sanguin et de la perméabilité des vaisseaux accroît la migration des granulocytes neutrophiles et des macrophages dérivés des monocytes du sang vers les tissus endommagés; au cours de cette migration, appelée *diapédèse*, les cellules immunitaires passent dans l'espace entre les cellules endothéliales de la paroi des capillaires, espace accru par suite de la dilatation du vaisseau. De petites protéines, appelées **chimiokines**, dirigent la migration de ces phagocytes et leur signalent d'augmenter la production de composés qui tuent les microorganismes. Les chimiokines sont sécrétées par de nombreux types de cellules, dont les cellules endothéliales des vaisseaux sanguins près du siège de la lésion ou de l'infection. La **figure 43.6** résume les principaux événements de l'inflammation locale provoquée par une piqûre d'épingle infectée.

Une lésion mineure cause une inflammation localisée. Toutefois, le corps peut aussi déclencher une réaction systémique (généralisée) dans le cas d'une lésion importante ou d'une infection. Les cellules endommagées lancent un appel à l'aide: elles sécrètent des molécules stimulant la libération d'un surplus de granulocytes neutrophiles issus de la moelle osseuse rouge. Dans le cas d'une infection grave, comme la méningite ou l'appendicite, le nombre de leucocytes dans le sang peut être multiplié en quelques heures après le début de la réaction inflammatoire. La fièvre constitue une autre réaction systémique à l'infection. Elle peut être déclenchée par les toxines produites par les agents pathogènes et des substances libérées par les macrophages activés qui règlent le thermostat de l'organisme à une température plus élevée que la normale. Une fièvre très forte est dangereuse, mais une fièvre modérée peut faciliter la phagocytose et augmenter la vitesse de la réparation tissulaire en accélérant les réactions dans l'organisme.

Certaines infections bactériennes risquent de provoquer une réaction inflammatoire systémique, entraînant une *septicémie*; celle-ci se produit lorsque des Bactéries pénètrent dans le sang de façon régulière et massive à partir d'un foyer quelconque. La septicémie se caractérise par une fièvre très élevée et une pression artérielle très basse; elle peut entraîner un choc septique (ou défaillance circulatoire aiguë); c'est la cause principale de décès dans les unités de soins intensifs des hôpitaux. Bref, l'inflammation localisée constitue une étape essentielle de la guérison; par contre, une réaction inflammatoire systémique peut avoir des effets dangereux.

Les cellules tueuses naturelles

Nous concluons notre étude des défenses innées des Vertébrés avec les **cellules tueuses naturelles** (ou **cellules NK**, de l'anglais *natural killer cells*). Celles-ci parcourent l'organisme et attaquent les cellules qui sont infectées (notamment par des Virus) et les cellules cancéreuses. Les récepteurs à la surface des cellules NK reconnaissent les caractéristiques générales à la surface de leurs cibles. Une fois fixée à une cellule infectée par un Virus ou à une cellule cancéreuse, la cellule NK libère des molécules qui en perforent la membrane et forment des canaux par lesquels le contenu s'échappe. Bien que la défense assurée par les cellules NK ne soit pas efficace à 100 %, les infections virales et le cancer surviendraient beaucoup plus fréquemment sans la présence de ces sentinelles innées dans l'organisme.

Les mécanismes d'immunité chez les Invertébrés

Avant de passer à l'étude de l'immunité acquise chez les Vertébrés, il faut savoir que les Invertébrés disposent aussi de

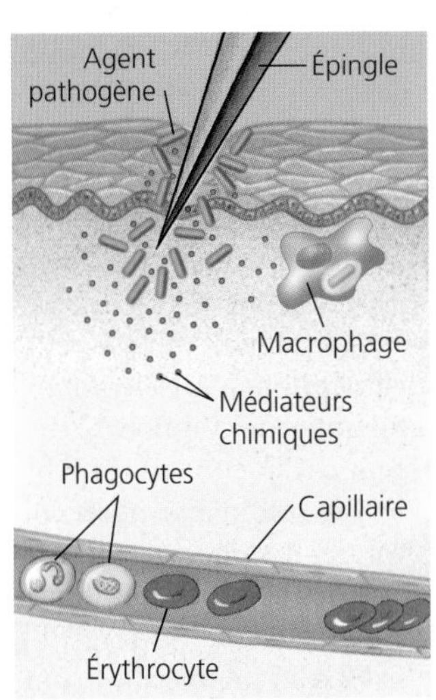

❶ Des médiateurs chimiques libérés par les macrophages et les mastocytes au siège de la lésion provoquent la dilatation des capillaires avoisinants et accroissent leur perméabilité.

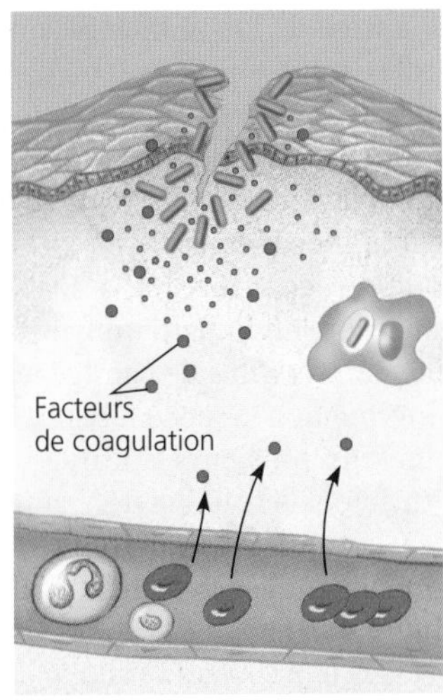

❷ Du liquide, des protéines antimicrobiennes et des facteurs de coagulation passent du sang au siège de la lésion. La coagulation s'amorce.

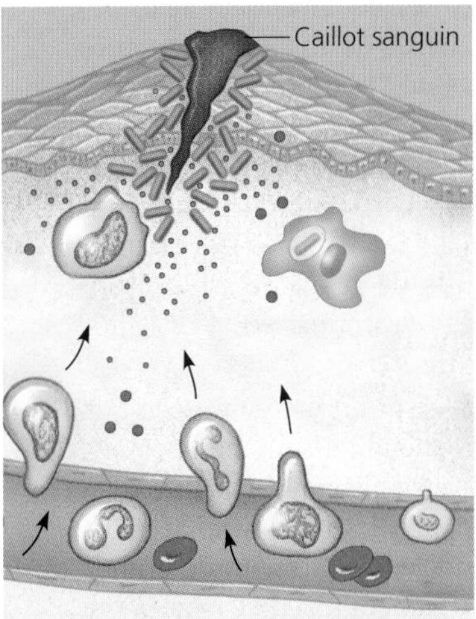

❸ Les chimiokines libérées par diverses cellules attirent plus de phagocytes du sang vers le siège de la lésion.

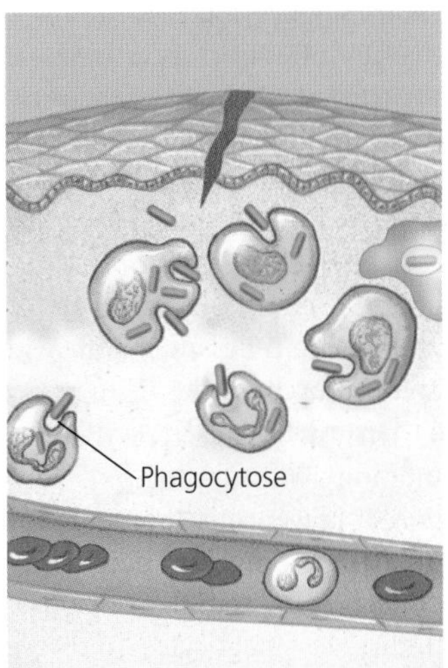

❹ Les granulocytes neutrophiles et les macrophages phagocytent les agents pathogènes et les débris cellulaires au siège de la lésion; le tissu cicatrise.

▲ **Figure 43.6 Principaux événements de la réaction inflammatoire localisée.**

mécanismes extrêmement efficaces de défense innée. Par exemple, l'étoile de mer possède des cellules amiboïdes qui phagocytent les corps étrangers et sécrètent des molécules qui amplifient la réaction de défense de l'Animal. Des études récentes de la drosophile (*Drosophila melanogaster*) ont également révélé un parallèle étonnant entre les défenses des Insectes et les défenses innées des Vertébrés. À l'instar de la peau et des muqueuses des Vertébrés, l'exosquelette des Insectes constitue une barrière qui peut empêcher l'entrée des intrus. Si celui-ci a subi des dommages, les pathogènes qui peuvent pénétrer dans le corps de l'Animal doivent faire face à plusieurs défenses innées internes.

L'équivalent du sang chez les Insectes, l'hémolymphe, contient des cellules en circulation appelées *hémocytes*. Certains hémocytes englobent les Bactéries et d'autres substances étrangères par phagocytose, alors que d'autres entourent les gros parasites d'une capsule cellulaire. La présence d'agents pathogènes stimule plus d'hémocytes à fabriquer et à sécréter divers peptides antimicrobiens qui se fixent à leurs cibles, entraînant leur mort. Les voies d'activation internes qui déclenchent la production de peptides antimicrobiens par les hémocytes sont comparables à celles qui activent les macrophages des Vertébrés. En outre, certains hémocytes contiennent, sous sa forme inactive, une enzyme, la phénoloxydase. Une fois activée, cette enzyme catalyse la réaction de conversion du phénol en composés réactifs qui s'associent en gros agrégats. Au cours d'un processus appelé *mélanisation* (car il implique la production de mélanine), ceux-ci sont déposés autour des parasites et des tissus endommagés, ce qui aide à prévenir la dissémination des parasites au-delà des zones touchées. L'activation de la phénoloxydase chez les Insectes se produit par une cascade d'événements semblables à ceux qui stimulent les protéines du complément chez les Vertébrés.

Des résultats de recherches récentes indiquent que les Invertébrés n'ont pas de cellules analogues aux lymphocytes, les leucocytes responsables de l'immunité acquise spécifique des Vertébrés (voir la figure 43.2). Toutefois, même si elles dépendent de mécanismes innés non spécifiques, les défenses de certains Invertébrés présentent quelques caractéristiques de l'immunité acquise. Par exemple, l'immunité acquise est habituellement dirigée contre des cellules du non-soi et non contre des cellules normales (du soi) de l'organisme. La capacité de distinguer le soi du non-soi est constatée chez les Éponges, la plus ancienne lignée des Invertébrés. Si les cellules de deux Éponges de la même espèce sont mélangées, celles de chaque individu se reconnaissent et s'agglomèrent, excluant les cellules de l'autre.

Un autre caractère distinctif de l'immunité acquise est la mémoire immunologique, soit la capacité du système immunitaire à réagir plus rapidement à un envahisseur particulier ou à un tissu étranger la deuxième fois qu'il les rencontre. Les vers de terre, eux, semblent disposer d'une certaine mémoire immunitaire : les phagocytes du receveur attaquent une deuxième greffe du même donneur beaucoup plus rapidement que la première greffe. La plupart des Invertébrés ne présentent cependant pas de mémoire immunologique.

Après cet aperçu des défenses de l'hôte chez les Invertébrés, nous commencerons, à la section suivante, l'étude des mécanismes hautement développés de l'immunité acquise présente chez les Vertébrés.

Retour sur le concept 43.1

1. Les défenses innées sont non spécifiques. Comment les macrophages reconnaissent-ils alors un agent infectieux, une Bactérie par exemple ?
2. Quelles sont les causes des signes courants d'une inflammation (rougeur, enflure et chaleur) ? Comment ces changements aident-ils à protéger l'organisme contre les infections ?
3. Donnez deux points communs entre les défenses innées des Insectes (Invertébrés) et celles des Vertébrés.

Voir les réponses proposées à la fin du chapitre.

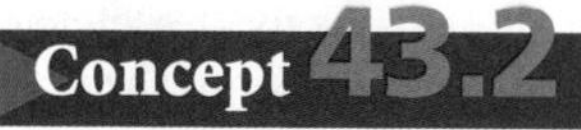

Dans l'immunité acquise, les lymphocytes assurent des défenses précises contre l'infection

Pendant qu'ils subissent la riposte des défenses innées d'un Vertébré, les agents pathogènes envahisseurs rencontrent inévitablement des lymphocytes, cellules essentielles de l'immunité acquise, qui est le deuxième principal type de défense de l'organisme (voir la figure 43.2). Les lymphocytes réagissent au contact direct des microorganismes et aux signaux des défenses innées actives. Par exemple, pendant que les macrophages et les cellules dendritiques phagocytent les microorganismes, les phagocytes commencent à sécréter les **cytokines**, un groupe de protéines comprenant des *lymphokines* et des *interleukines* qui aident à l'activation des lymphocytes et d'autres cellules du système immunitaire. Ce n'est qu'un des exemples de la façon dont les défenses innées et acquises interagissent.

Une molécule étrangère qui est reconnue de façon spécifique par des lymphocytes et qui suscite une réponse de leur part est un **antigène**. Les antigènes sont pour la plupart des macromolécules, soit des protéines ou parfois des polysaccharides. D'autres types de molécules (appelées *haptènes*) peuvent devenir des antigènes en se liant à des protéines ou à des polysaccharides. Certains antigènes, notamment les toxines sécrétées par les Bactéries, sont dissous dans le liquide extracellulaire, mais un grand nombre figure aussi à la surface de pathogènes ou de cellules transplantées. En fait, un lymphocyte ne reconnaît qu'une petite portion accessible de l'antigène, appelée **épitope**, ou *déterminant antigénique*, à laquelle il se lie. Un seul antigène comporte généralement plusieurs épitopes différents. Chacun est capable d'entraîner la réaction des lymphocytes qui reconnaissent cet épitope. Les anticorps, qui sont sécrétés par des lymphocytes en réaction aux antigènes, se lient également à des épitopes spécifiques **(figure 43.7)**.

Dans la présente section, nous décrirons en premier lieu comment les lymphocytes reconnaissent les antigènes ou, plus particulièrement, les épitopes sur les antigènes. Puis, nous montrerons comment l'organisme des Vertébrés devient occupé par un ensemble important de lymphocytes qui, collectivement, peuvent reconnaître un antigène parmi une multitude et déclencher une attaque précise contre lui. Plus loin dans ce chapitre, nous nous pencherons sur les actions défensives des divers types de lymphocytes.

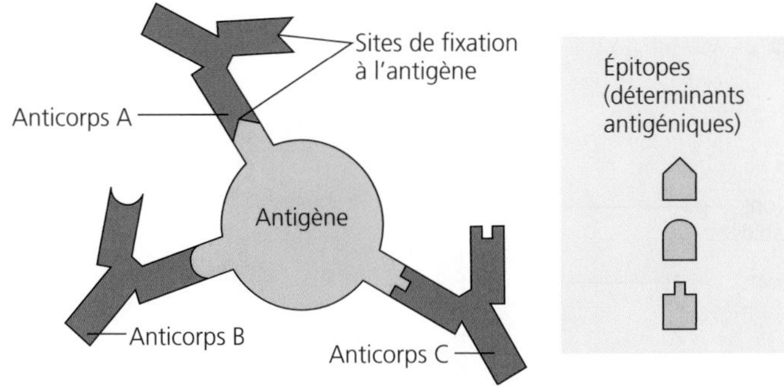

▲ **Figure 43.7 Épitopes (déterminants antigéniques).** Seules de petites régions précises situées sur les antigènes, appelées *épitopes*, sont liées par les récepteurs antigéniques sur les lymphocytes et par les anticorps sécrétés. Dans cet exemple, trois molécules d'anticorps différentes réagissent avec des épitopes différents de la même grosse molécule d'antigène.

La reconnaissance des antigènes par les lymphocytes

Le corps des Vertébrés contient deux types principaux de lymphocytes, qui circulent dans le sang et dans la lymphe: les **lymphocytes B** et les **lymphocytes T**. Leur concentration augmente particulièrement dans la rate, les nœuds lymphatiques et d'autres tissus lymphoïdes (voir la figure 43.5). Les lymphocytes B et T reconnaissent des antigènes spécifiques au moyen des **récepteurs antigéniques** de leur membrane plasmique. Un lymphocyte T ou un lymphocyte B porte environ 100 000 récepteurs antigéniques, et tous les récepteurs sur une même cellule sont identiques, c'est-à-dire qu'ils reconnaissent tous le même épitope. Autrement dit, chaque lymphocyte présente une *spécificité* pour un épitope particulier sur un antigène et dispose d'une défense contre cet antigène ou un petit ensemble d'antigènes étroitement apparentés.

Les récepteurs antigéniques d'un lymphocyte B

Chaque récepteur antigénique d'un lymphocyte B est une molécule en forme de Y comprenant quatre chaînes polypeptidiques: **deux chaînes lourdes** identiques constituées d'environ 450 acides aminés et deux **chaînes légères** identiques formées de quelque 200 acides aminés. Les chaînes sont reliées par des ponts disulfure. Une région dans la partie formant la queue de la molécule, la région transmembranaire, fixe le récepteur dans la membrane plasmique de la cellule; une courte région à l'extrémité de la molécule se prolonge dans le cytoplasme. Aux extrémités du Y se trouvent des régions constituées d'environ 110 acides aminés, appelées *régions variables* (*V*), des chaînes lourdes et des chaînes légères **(figure 43.8a)**. On désigne ainsi ces régions parce que la séquence de leurs acides aminés varie considérablement d'un récepteur antigénique à l'autre. Le reste de la molécule est composé des *régions constantes* (*C*), qui varient très peu d'une cellule à l'autre.

Comme l'indique la figure 43.8a, chaque récepteur d'un lymphocyte B possède deux sites identiques de fixation à l'antigène. La région variable (V) de la chaîne lourde et celle de la chaîne légère forment les contours uniques de chaque site de fixation. L'interaction entre un site de fixation à l'antigène et son antigène correspondant est stabilisée par des liaisons multiples non covalentes (c'est-à-dire des liaisons faibles) entre les groupements chimiques des deux molécules. Les antigènes ainsi liés par des récepteurs d'un lymphocyte B incluent des molécules situées à la surface de tous les types d'agents infectieux ou libérées par eux. Autrement dit, un lymphocyte B reconnaît un antigène intact dans son état natif, contrairement aux lymphocytes T, comme nous le verrons bientôt.

Les anticorps sécrétés (ou circulants) forment un groupe de protéines appelées **immunoglobulines**; ils entretiennent un lien structural avec les récepteurs d'un lymphocyte B, mais il leur manque les régions transmembranaires qui attachent les récepteurs à la membrane plasmique. En raison de cette ressemblance structurale, les récepteurs d'un lymphocyte B sont généralement désignés par l'expression *anticorps membranaires* ou *immunoglobulines membranaires.*

Les récepteurs antigéniques d'un lymphocyte T et le rôle du complexe majeur d'histocompatibilité

Chaque **récepteur antigénique d'un lymphocyte T** est constitué de deux chaînes polypeptidiques différentes, une *chaîne* α et une *chaîne* β, liées par un pont disulfure **(figure 43.8b)**. Près de la base de la molécule se trouve une région transmembranaire, région hydrophobe qui attache la molécule aux phospholipides de la membrane plasmique de la cellule. À la pointe externe de la molécule, les régions variables (V) des chaînes α et β forment un site unique de fixation à l'antigène. Le reste de la molécule est constitué des régions constantes (C).

Les récepteurs antigéniques d'un lymphocyte T reconnaissent les antigènes et s'y lient de façon tout aussi spécifique que les récepteurs d'un lymphocyte B. Cependant, alors que les récepteurs sur un lymphocyte B reconnaissent des antigènes intacts, ceux d'un lymphocyte T reconnaissent de petits fragments d'antigènes qui sont liés à des protéines de surface de cellules normales appelées *molécules du CMH.* On les désigne ainsi parce qu'elles sont encodées par une famille de gènes appelée **complexe majeur d'histocompatibilité** (**CMH**), qui forme un ensemble d'une vingtaine de gènes, dont certains peuvent avoir plusieurs dizaines d'allèles. Lorsqu'elle est transportée vers la membrane plasmique, une molécule du CMH nouvellement synthétisée se lie à un fragment d'antigène protéique (peptide) trouvé à l'*intérieur* d'une cellule et le transporte jusqu'à la surface de celle-ci; le processus porte le nom de **présentation de l'antigène**. Un lymphocyte T situé à proximité peut détecter le fragment d'antigène ainsi présenté à la surface de la cellule **(figure 43.9)**.

Les antigènes étrangers peuvent se retrouver à l'intérieur de l'organisme de deux façons. Selon leur source, ces antigènes peptidiques sont marqués par une classe différente de molécules du CMH et reconnus par un sous-groupe particulier de lymphocytes T:

- Les **molécules du CMH de classe I**, qu'on trouve dans presque toutes les cellules nucléées, se lient aux peptides dérivés des antigènes étrangers qui ont été synthétisés à l'intérieur de la cellule. Toute cellule de l'organisme qui est devenue infectée par un Virus ou toute cellule cancéreuse peut présenter de tels antigènes peptidiques étrangers ou considérés comme étrangers grâce à ses molécules de CMH de classe I. Les molécules du CMH de classe I présentant les antigènes peptidiques fixés sont reconnues par un sous-groupe de lymphocytes T appelés **lymphocytes T cytotoxiques** (voir la figure 43.9a).
- Les **molécules du CMH de classe II** ne sont fabriquées que par quelques types de cellules – principalement les cellules dendritiques, les macrophages et les lymphocytes B. Dans ces

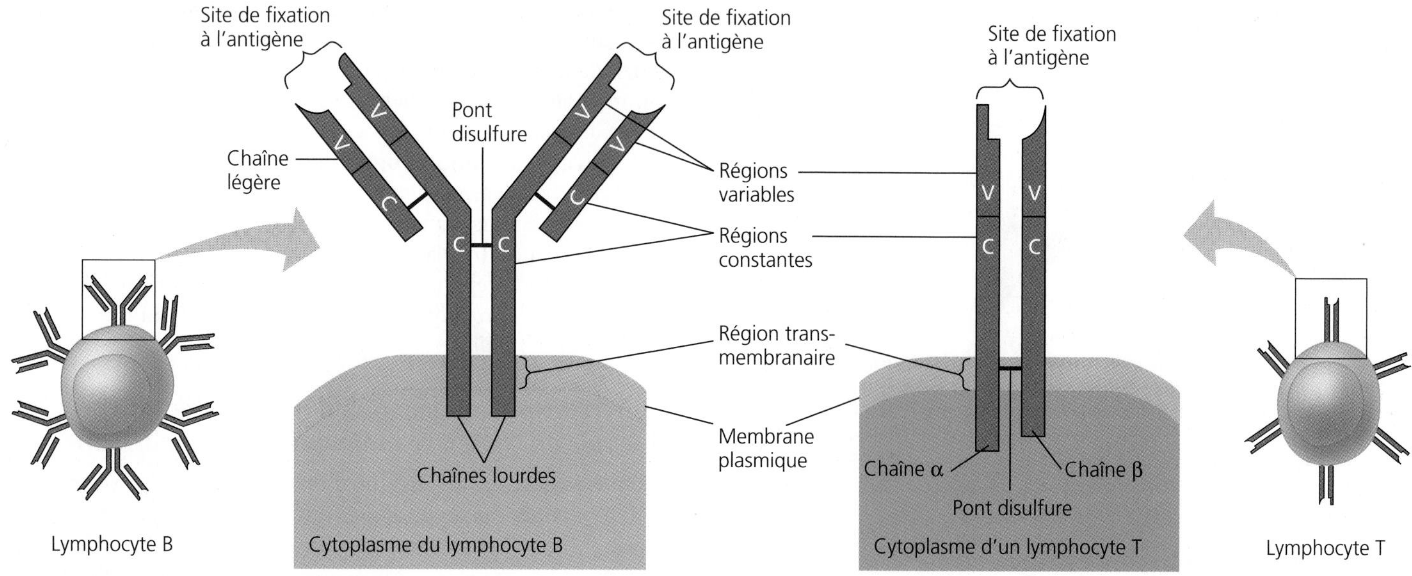

(a) Un récepteur de lymphocyte B se compose de deux chaînes lourdes identiques et de deux chaînes légères identiques liées par plusieurs ponts disulfure.

(b) Un récepteur de lymphocyte T se compose d'une chaîne α et d'une chaîne β liées par un pont disulfure.

▲ **Figure 43.8 Récepteurs antigéniques sur les lymphocytes.** Tous les récepteurs antigéniques sur un lymphocyte B ou T particulier fixent le même antigène. Les régions variables (V) varient largement d'une cellule à l'autre, ce qui explique les spécificités différentes de liaisons des lymphocytes individuels; les régions constantes (C) varient très peu ou pas du tout.

► **Figure 43.9 Interaction des lymphocytes T et des molécules du CMH.** Les molécules du CMH de classe I et de classe II présentent des fragments peptidiques d'antigènes aux **(a)** lymphocytes T cytotoxiques et aux **(b)** lymphocytes T auxiliaires, respectivement. Dans chaque cas, le récepteur d'un lymphocyte T se lie à un complexe formé d'une molécule du CMH et d'un antigène peptidique. Les molécules du CMH de classe I sont produites par presque toutes les cellules nucléées, alors que les molécules du CMH de classe II sont fabriquées surtout par les cellules présentatrices d'antigènes (macrophages, cellules dendritiques et lymphocytes B).

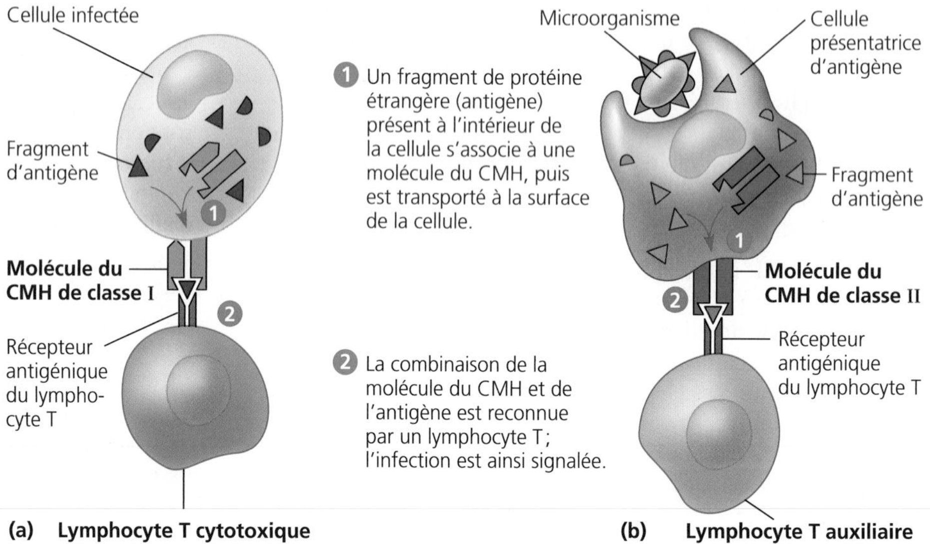

cellules, les molécules du CMH de classe II se lient à des peptides issus de matières étrangères qui ont été englobées et fragmentées par phagocytose ou endocytose. On qualifie les cellules dendritiques, les macrophages et les lymphocytes B de **cellules présentatrices d'antigènes** en raison de leur rôle clé dans la présentation de ces antigènes englobés (ou internalisés) à un autre sous-groupe de lymphocytes T appelés *lymphocytes T auxiliaires* (voir la figure 43.9b).

Chaque espèce de Vertébrés a de nombreux allèles différents pour chacun des gènes du CMH de classes I et II; ainsi, les protéines du CMH sont parmi les plus polymorphes. En raison du grand nombre d'allèles du CMH différents dans la population humaine, la plupart d'entre nous sommes hétérozygotes pour chacun de nos gènes du CMH et produisons un vaste réseau de molécules du CMH. Collectivement, ces molécules ont la capacité de se fixer à un grand nombre d'antigènes peptidiques et de les présenter. De plus, il existe une très faible probabilité que deux individus, exception faite des jumeaux monozygotes, possèdent le même ensemble de molécules du CMH. C'est ainsi que le CMH fournit une empreinte biochimique à peu près typique de chaque personne agissant comme marqueur du «soi» sur les cellules de l'organisme. En fait, le CMH a été découvert par des chercheurs étudiant le phénomène du rejet des greffes de peau.

La différenciation des lymphocytes

Maintenant que nous avons appris comment les lymphocytes reconnaissent les antigènes, voyons comment ces cellules se développent et occupent le corps des Vertébrés. Les lymphocytes, comme toutes les cellules du sang, proviennent de cellules souches pluripotentes de la moelle osseuse rouge (voir le chapitre 42). Au départ, les lymphocytes sont tous semblables, mais ils se différencient par la suite en lymphocytes T ou B, selon l'organe où ils poursuivent leur maturation **(figure 43.10)**. Les lymphocytes qui migrent de la moelle osseuse rouge au **thymus**, une glande endocrine (sécrétant des hormones dont la thymosine) de la cavité thoracique située au-dessus du cœur, deviennent des lymphocytes T (le « T » désigne le thymus). Les lymphocytes qui restent dans la moelle osseuse rouge et qui y poursuivent leur maturation deviennent des lymphocytes B. (Le « B » désigne en fait la **b**ourse de Fabricius, un organe qu'on ne trouve que chez les Oiseaux, dans laquelle les lymphocytes B se développent ; c'est là qu'on a repéré les tout premiers lymphocytes B. Toutefois, ceux de tous les autres Vertébrés se développent dans la moelle osseuse rouge [***b**one marrow*]).

Il y a trois événements clés dans la vie d'un lymphocyte. Les deux premiers ont lieu au moment où un lymphocyte atteint sa maturité dans la moelle osseuse rouge (lymphocyte B) ou dans le thymus (lymphocyte T), bien avant tout contact avec un antigène. Le troisième événement se produit quand un lymphocyte ayant atteint la maturité rencontre et fixe un antigène spécifique, ce qui entraîne son activation, sa prolifération et sa différenciation, processus appelé *sélection clonale*. Dans la présente section, nous décrivons les trois événements clés de la vie d'un lymphocyte dans l'ordre de leur apparition.

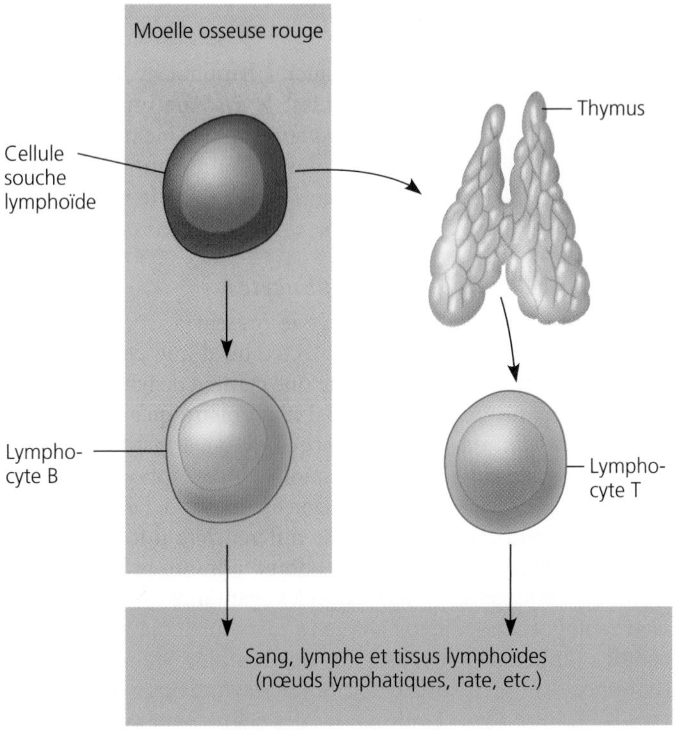

▲ **Figure 43.10 Aperçu de la différenciation des lymphocytes.** Les lymphocytes prennent naissance à partir de cellules souches de la moelle osseuse rouge et se différencient sans aucun contact avec les antigènes. Les lymphocytes B se développent entièrement dans la moelle osseuse rouge, alors que les lymphocytes T terminent leur maturation dans le thymus. Arrivés à maturité, ces divers lymphocytes, spécifiques pour un épitope particulier, circulent dans le sang et la lymphe vers les divers tissus lymphoïdes, où ils seront mis en contact avec des antigènes.

La production de la diversité des lymphocytes par le réarrangement des gènes

Rappelons-nous que les lymphocytes B et les lymphocytes T reconnaissent les épitopes spécifiques sur les antigènes par l'intermédiaire de leurs récepteurs antigéniques. Un seul lymphocyte B ou T porte environ 100 000 de ces récepteurs, tous identiques. Cependant, si nous devions comparer un lymphocyte B à un autre (ou un lymphocyte T à un autre), les chances que les deux aient le même récepteur de lymphocyte B (ou de lymphocyte T) sont bien minces. Les régions variables à l'extrémité de chaque chaîne du récepteur antigénique, qui forment le site de fixation à l'antigène, rendent compte de la diversité des lymphocytes (voir la figure 43.8). La séquence des acides aminés dans ces régions varie d'un lymphocyte à l'autre et détermine la spécificité d'un récepteur antigénique. La variabilité de ces régions et, par conséquent, les spécificités antigéniques possibles sont énormes. On estime que chaque personne possède jusqu'à un million de lymphocytes B et dix millions de lymphocytes T, tous différents ; chacun possède une spécificité particulière de fixation à l'antigène. Par conséquent, notre répertoire de lymphocytes peut réagir à un nombre considérable d'antigènes différents.

Les gènes bien particuliers qui codent pour les chaînes de récepteurs antigéniques constituent l'essentiel de la diversité des lymphocytes ; ils forment un ensemble de gènes présents chez tous les Vertébrés (on a cependant récemment découvert chez la lamproie un autre ensemble de gènes complètement différent de celui des autres Vertébrés). Ces gènes sont constitués de nombreux *segments de gènes* codants qui subissent des remaniements permanents aléatoires, formant des gènes fonctionnels qui peuvent être exprimés comme des chaînes de récepteurs. Nous allons concentrer notre étude sur le gène qui code pour la chaîne légère du récepteur d'un lymphocyte B (immunoglobuline membranaire), mais il ne faut pas oublier que les gènes pour les chaînes lourdes et pour les chaînes α et β du récepteur d'un lymphocyte T subissent des remaniements similaires. Les chaînes légères et lourdes du récepteur d'un lymphocyte B et d'un anticorps sécrété sont encodées par les mêmes gènes, appelés *gènes d'immunoglobuline* (Ig).

Le gène de la chaîne légère d'immunoglobuline contient une série de 40 segments de gènes variables (*V*) séparés par un long bout d'ADN provenant de 5 segments de gènes de jonction (*J*) **(figure 43.11)**. Au-delà du segment de gène *J*, il y a un intron, suivi d'un unique exon désigné par *C* parce qu'il code pour la région constante de la chaîne légère (voir la figure 17.10 pour une révision des introns et des exons). Dans cet état, le gène de la chaîne légère n'est pas fonctionnel. Cependant, au début de la différenciation d'un lymphocyte B, un ensemble d'enzymes appelées collectivement *recombinase* lie un segment de gène *V* à un segment de gène *J*, éliminant le long bout d'ADN entre eux et formant un unique exon qui est donc constitué d'un segment du gène *V* et d'un segment du gène *J*. L'action de la recombinase est aléatoire, c'est-à-dire qu'elle peut lier n'importe quel des 40 segments de gènes *V* à n'importe quel des 5 segments de gènes *J*. Par conséquent, pour le gène de chaîne légère, il y a 200 produits

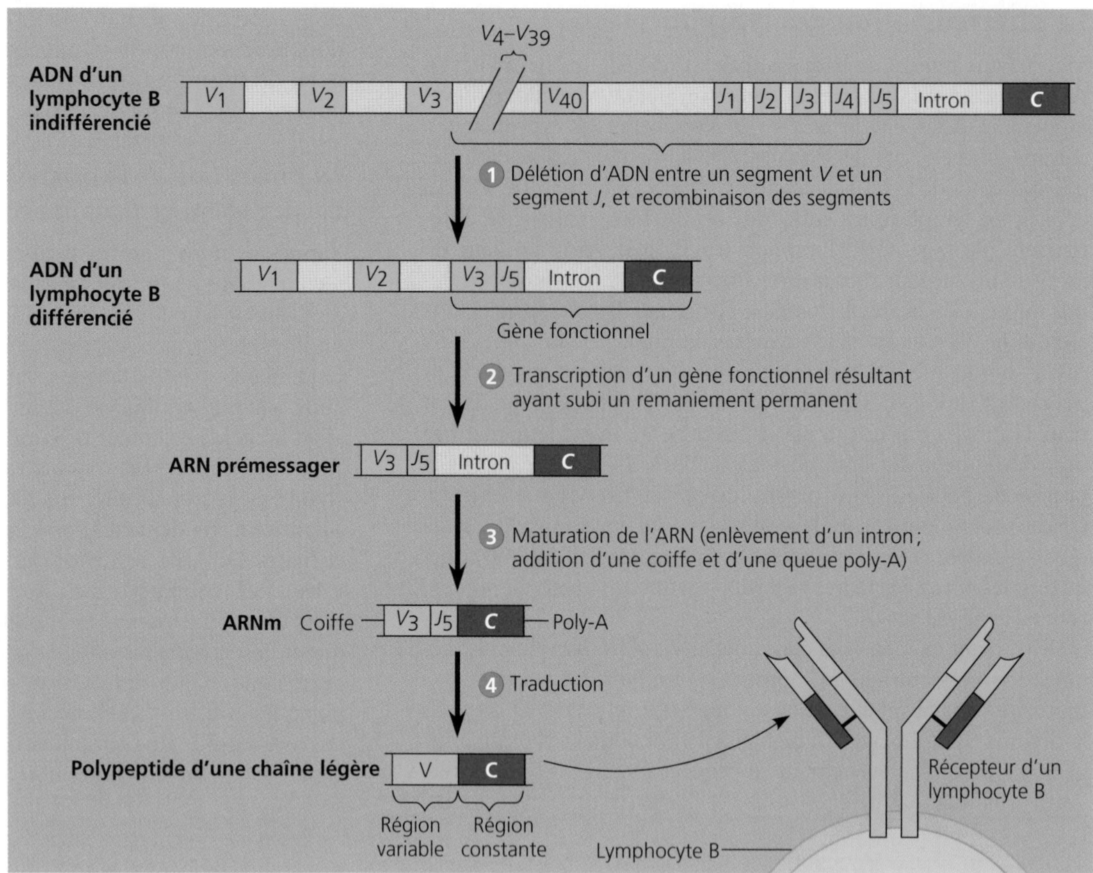

▶ **Figure 43.11**
Remaniement d'un gène d'immunoglobuline. Un gène fonctionnel qui encode le polypeptide à chaîne légère du récepteur d'un lymphocyte B résulte de l'assemblage aléatoire des segments de gènes *V* et *J* (V_3 et J_5 dans le présent exemple). Dans un lymphocyte qui produit un anticorps sécrété, le même ARN prémessager est formé, mais une autre maturation donne un ARNm sans séquences de codage pour la région transmembranaire qui retient les récepteurs à la membrane. Le remaniement des gènes joue un rôle important dans la production d'une gamme diversifiée de lymphocytes et d'anticorps sécrétés.

géniques (40 *V* × 5 *J*). Dans une cellule quelconque, toutefois, seulement une des 200 chaînes légères possibles est fabriquée.

Une fois que le remaniement *V-J* s'est produit, le gène peut être transcrit. L'ARN prémessager résultant subit la maturation, ce qui forme un ARNm qui est traduit en chaîne légère contenant une région variable et une région constante. Les chaînes légères ainsi créées se combinent au hasard avec les chaînes lourdes qui sont produites de façon semblable, formant les récepteurs antigéniques d'un lymphocyte B (voir la figure 43.11).

Le contrôle et l'élimination des lymphocytes autoréactifs

Étant donné que les remaniements des gènes de récepteurs antigéniques s'effectuent au hasard, un lymphocyte qui se différencie peut se retrouver avec des récepteurs antigéniques qui sont spécifiques à certaines molécules de l'organisme lui-même. Pendant la maturation des lymphocytes B et T dans la moelle osseuse rouge et le thymus, leurs récepteurs antigéniques sont régulés afin de déceler une possible autoréactivité de leur part. Par exemple, les récepteurs de lymphocytes T en cours de maturation sont contrôlés par rapport aux molécules du CMH de classe I et de classe II, qui sont exprimées à des niveaux élevés dans le thymus.

La plupart des lymphocytes portant des récepteurs antigéniques spécifiques à des molécules déjà présentes dans le corps sont désactivés ou détruits par apoptose. Seuls ceux qui réagissent aux molécules étrangères sont laissés en activité. Cette *capacité de distinguer le soi du non-soi* continue à se préciser, même quand les cellules migrent vers les organes lymphatiques. Ainsi, en temps normal, le corps ne comporte aucun lymphocyte mature qui réagit contre ses propres molécules: le système immunitaire a une caractéristique essentielle, l'*autotolérance*. Une déficience de l'autotolérance peut entraîner des maladies auto-immunes, notamment la sclérose en plaques, comme nous le verrons plus loin dans le présent chapitre.

La sélection clonale des lymphocytes

Un antigène soluble ou un antigène présent à la surface d'un microorganisme, d'une cellule infectée ou d'une cellule cancéreuse est mis en contact avec toute une gamme de lymphocytes B et T de l'organisme. Cependant, il n'interagira qu'avec les lymphocytes portant des récepteurs spécifiques compatibles avec les épitopes de cet antigène. La sélection d'un lymphocyte B ou T par un antigène active le lymphocyte en question, l'amenant à se diviser de nombreuses fois et à se différencier: il formera deux clones de cellules filles. Un clone comprendra un grand nombre de **cellules effectrices**, soit des cellules ayant une courte durée de vie et combattant le même antigène. La nature et la fonction des cellules effectrices dépendent du lymphocyte sélectionné (lymphocyte T auxiliaire, lymphocyte T cytotoxique ou lymphocyte B). L'autre clone comprendra des **cellules-mémoire**, dotées d'une longue durée de vie et portant des récepteurs spécifiques, se liant au même antigène.

Ce clonage de lymphocytes en fonction d'un antigène particulier s'appelle **sélection clonale (figure 43.12)**. En d'autres termes, lorsqu'il se fixe à des récepteurs spécifiques, un antigène active de façon sélective une petite fraction de la population de lymphocytes variés que le corps contient; ce nombre relativement petit de

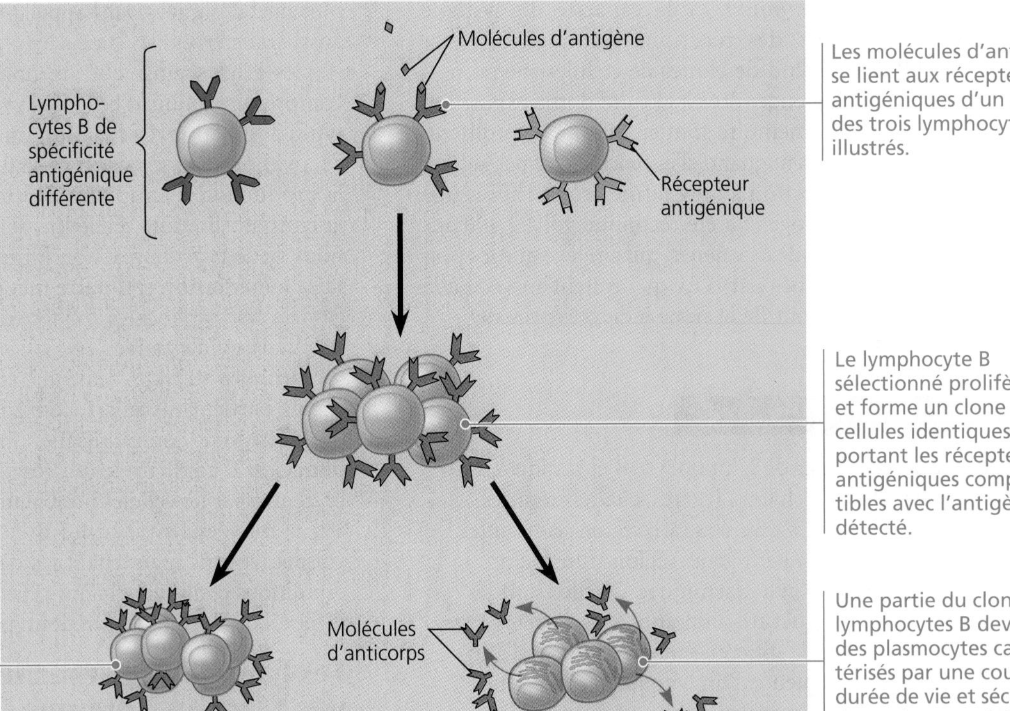

Lympho-
cytes B de
spécificité
antigénique
différente
Molécules d'antigène
Récepteur
antigénique
Les molécules d'antigène se lient aux récepteurs antigéniques d'un seul des trois lymphocytes B illustrés.
Le lymphocyte B sélectionné prolifère et forme un clone de cellules identiques portant les récepteurs antigéniques compatibles avec l'antigène détecté.
Une partie du clone de lymphocytes B devient des cellules-mémoire caractérisées par une longue durée de vie et susceptibles de réagir rapidement en cas d'exposition future au même antigène.
Molécules
d'anticorps
Une partie du clone de lymphocytes B devient des plasmocytes caractérisés par une courte durée de vie et sécrétant des anticorps spécifiques à l'antigène.
Clone de cellules-mémoire
Clone de plasmocytes

▲ **Figure 43.12 Sélection clonale.** Un lymphocyte B reconnaît un antigène; après endocytose des complexes anticorps-antigène, il prolifère et se différencie en cellules-mémoire et en cellules sécrétant des anticorps, les plasmocytes. Tous les lymphocytes B dont les récepteurs ont une spécificité différente (indiqués par des formes et des couleurs différentes) ne réagissent pas à cet antigène. Les lymphocytes T subissent un processus semblable, engendrant des cellules-mémoire et des cellules T effectrices.

cellules sélectionnées donne naissance à des clones de milliers de cellules propres à l'antigène en question et vouées à son élimination. Prêtez bien attention à ce principe de la sélection clonale. Il est fondamental de bien le saisir pour comprendre l'immunité.

La prolifération et la différenciation sélectives de lymphocytes qui ont lieu la première fois qu'un organisme est exposé à un antigène constituent la **réaction immunitaire primaire**. Il faut alors de 10 à 17 jours pour que les lymphocytes sélectionnés engendrent un maximum de cellules effectrices. Pendant cette période, les lymphocytes B sélectionnés créent des lymphocytes B effecteurs producteurs d'anticorps, appelés **plasmocytes**, et les lymphocytes T sélectionnés sont activés dans leurs formes effectrices qui ont des fonctions distinctes (nous en reparlerons dans la prochaine section). Pendant que les populations de ces cellules effectrices augmentent, la personne affectée peut tomber malade. Au bout d'un certain temps, à mesure que les anticorps et les lymphocytes T effecteurs débarrassent son organisme de l'antigène, les symptômes de la maladie diminuent, puis disparaissent. Si la personne en question est exposée au même antigène par la suite, sa réaction de défense sera beaucoup plus rapide (de deux à sept jours), plus longue et d'une ampleur plus grande. C'est ce qu'on appelle la **réaction immunitaire secondaire**. La mesure des concentrations d'anticorps dans le sérum sanguin au fil du temps indique clairement la différence entre la réaction immunitaire primaire et la réaction immunitaire secondaire **(figure 43.13)**. Quand cette dernière a lieu, non seulement les anticorps sont plus nombreux, mais ils ont aussi plus d'affinités avec l'antigène que les anticorps sécrétés au cours de la réaction primaire.

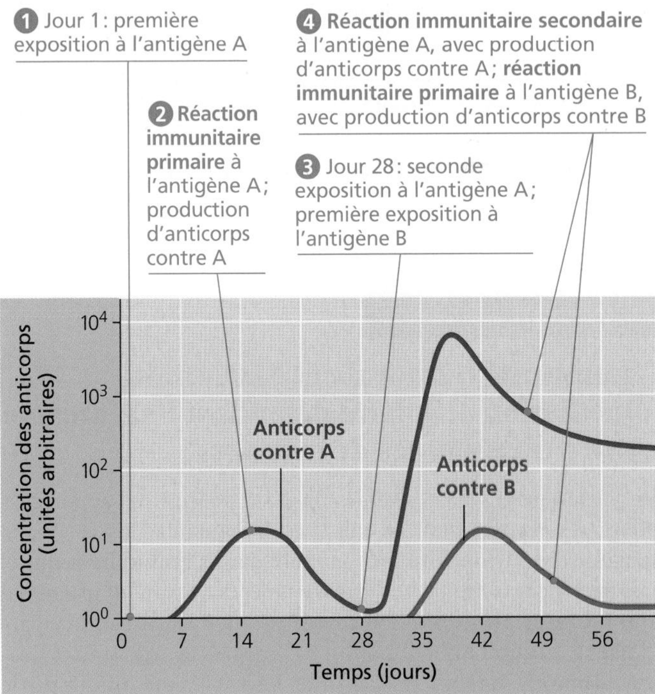

▲ **Figure 43.13 Spécificité de la mémoire immunitaire.** Les cellules-mémoire à longue durée de vie engendrées dans la réaction immunitaire primaire à l'antigène A donnent naissance à une réaction immunitaire secondaire plus intense au même antigène, mais n'influent pas sur la réaction primaire à un antigène différent (B).

On appelle *mémoire immunitaire* la capacité du système immunitaire à provoquer des réactions secondaires. Cette mémoire immunitaire dépend de clones de cellules-mémoire B et T à longue durée de vie engendrés à la suite d'une exposition à un antigène. Les cellules-mémoire sont en mesure de proliférer et de se différencier rapidement quand elles rencontrent par la suite le même antigène. La protection à long terme acquise après une exposition à un agent pathogène a été reconnue voilà 2 400 ans par l'historien grec Thucydide d'Athènes, qui a relevé que les pestiférés malades étaient soignés par ceux qui avaient survécu à la maladie, « car nul ne souffrait de la peste à deux reprises ».

Retour sur le concept 43.2

1. Dessinez un récepteur de lymphocyte B et indiquez les parties suivantes: chaînes légères, chaînes lourdes, ponts disulfure, régions variables (V), régions constantes (C), sites de fixation à l'antigène, région transmembranaire et domaines cytoplasmiques. Quelles sont les différences avec la structure d'un anticorps sécrété?
2. Quelle est la principale différence entre les types d'antigènes fixés à des récepteurs d'un lymphocyte B et ceux qui sont fixés à des récepteurs d'un lymphocyte T?
3. Examinez le processus de sélection clonale des lymphocytes B illustré à la figure 43.12. Comment ce processus démontre-t-il à la fois la spécificité et la mémoire de l'immunité acquise?
4. Un gène de chaîne courte d'immunoglobuline se compose de 40 segments de gènes *V* et de 5 segments de gènes *J*; un gène de chaîne lourde se compose de 51 segments de gènes *V*, de 6 segments de gènes *J* et d'un autre ensemble de segments de gènes *D* (pour *diversité*) au nombre de 27. Combien de spécificités différentes de fixation antigénique peuvent être engendrées, en supposant des remaniements aléatoires *V-J* et *V-D-J*?

Voir les réponses proposées à la fin du chapitre.

Concept 43.3

L'immunité humorale et l'immunité à médiation cellulaire défendent l'organisme contre divers types de menaces

Des expériences réalisées vers la fin du XIXe siècle ont apporté les premières preuves que des substances circulant dans le plasma sanguin et la lymphe jouent un rôle dans l'immunité acquise. Des chercheurs ont injecté de tels liquides provenant d'un Animal ayant survécu à une infection causée par un microorganisme particulier à un autre Animal n'ayant pas encore été exposé au microorganisme en question. Par la suite, lorsqu'il a été infecté par le même microorganisme, le second Animal n'est pas devenu malade. Les chercheurs avaient transféré d'un Animal à un autre ce que nous connaissons aujourd'hui comme des anticorps sécrétés. Ils ont également constaté que l'immunité à certaines infections pouvait être donnée seulement si certaines cellules – plus tard désignées par l'appellation *lymphocytes T* – étaient elles aussi transférées.

Ces études ainsi que de nombreuses autres ont permis de comprendre aujourd'hui que l'immunité acquise comporte deux types de réaction. La **réaction immunitaire humorale** met en jeu l'activation et la sélection clonale de lymphocytes B, permettant la production d'anticorps sécrétés qui circulent dans le sang et la lymphe (liquides anciennement qualifiées d'*humeurs*, d'où le nom de ce type de réaction immunitaire). La **réaction immunitaire à médiation cellulaire** met en jeu l'activation et la sélection clonale de lymphocytes T cytotoxiques qui détruisent directement certaines cellules cibles.

La **figure 43.14** présente une vue d'ensemble des rôles des principaux participants aux réactions immunitaires acquises. Au centre de ce réseau de communication intercellulaire se trouvent les **lymphocytes T auxiliaires**, qui réagissent aux antigènes peptidiques présentés par les cellules présentatrices d'antigènes et qui stimulent à leur tour les lymphocytes B et les lymphocytes T cytotoxiques voisins. Voyons maintenant les détails de cette vue d'ensemble et examinons comment chaque type de réaction immunitaire acquise défend l'organisme contre des types particuliers d'attaques.

Les lymphocytes T auxiliaires: une réaction à presque tous les antigènes

Quand il rencontre et reconnaît un complexe formé entre les molécules du CMH de classe II et un antigène situé sur une cellule présentatrice d'antigène, un lymphocyte T auxiliaire prolifère et se différencie: il forme un clone de lymphocytes T auxiliaires activés et de lymphocytes T auxiliaires mémoire. Une protéine de surface appelée **CD4**, présente sur la plupart des lymphocytes T auxiliaires, s'attache à la molécule du CMH de classe II. Cette interaction aide à garder le lymphocyte T auxiliaire et la cellule présentatrice de l'antigène liés pendant que se déroule l'activation du lymphocyte T auxiliaire.

Les lymphocytes T activés sécrètent divers types de cytokines qui stimulent les autres lymphocytes, facilitant ainsi les réactions humorale et à médiation cellulaire. Le lymphocyte T auxiliaire lui-même est aussi régulé par les cytokines. Par exemple, quand elle présente un antigène à un lymphocyte T auxiliaire, une cellule dendritique est amenée à sécréter des cytokines qui, en collaboration avec l'antigène présenté, vient activer le lymphocyte T auxiliaire de sorte qu'il produise son propre ensemble de cytokines.

Comme nous l'avons déjà vu, les molécules du CMH de classe II reconnues par les lymphocytes T auxiliaires sont surtout présentes sur les cellules dendritiques, les macrophages et les lymphocytes B. Les cellules dendritiques sont particulièrement efficaces pour présenter des antigènes à des lymphocytes T auxiliaires *naïfs* (ou vierges); ceux-ci sont ainsi désignés parce qu'ils n'ont pas encore rencontré l'antigène. Autrement dit, les cellules dendritiques sont importantes dans le déclenchement d'une réaction immunitaire primaire. Elles sont situées dans l'épiderme et dans de nombreux autres tissus, où elles capturent efficacement les antigènes. Elles migrent ensuite à partir du site de l'infection vers divers tissus lymphoïdes, où elles présentent les antigènes, par l'intermédiaire des molécules du CMH de classe II, aux lymphocytes T auxiliaires **(figure 43.15)**. Les macrophages jouent un rôle clé dans l'amorce d'une réaction immunitaire secondaire en présentant les antigènes aux lymphocytes T auxiliaires mémoire, alors que les lymphocytes B présentent surtout les antigènes aux lymphocytes T auxiliaires au cours d'une réaction humorale.

▶ **Figure 43.14 Vue d'ensemble des réactions immunitaires acquises.** La stimulation des lymphocytes T auxiliaires par un antigène nécessite généralement un contact direct entre une cellule dendritique et un lymphocyte T auxiliaire dans une réaction primaire (illustrée ici) ou entre un macrophage et un lymphocyte T-mémoire dans une réaction secondaire (non illustrée). Une fois activé, un lymphocyte T auxiliaire stimule la réaction humorale directement en entrant en contact avec des lymphocytes B et indirectement en sécrétant des cytokines. Un lymphocyte T auxiliaire activé stimule la réaction à médiation cellulaire indirectement par l'intermédiaire des cytokines.

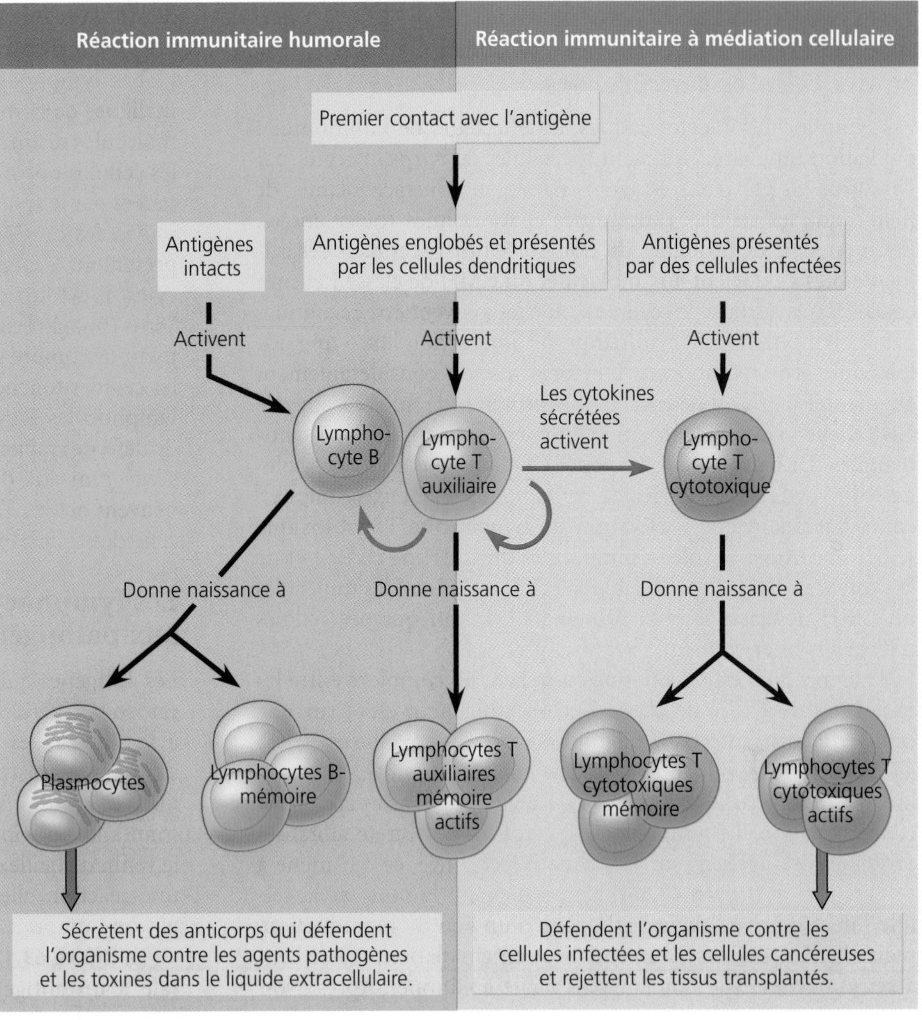

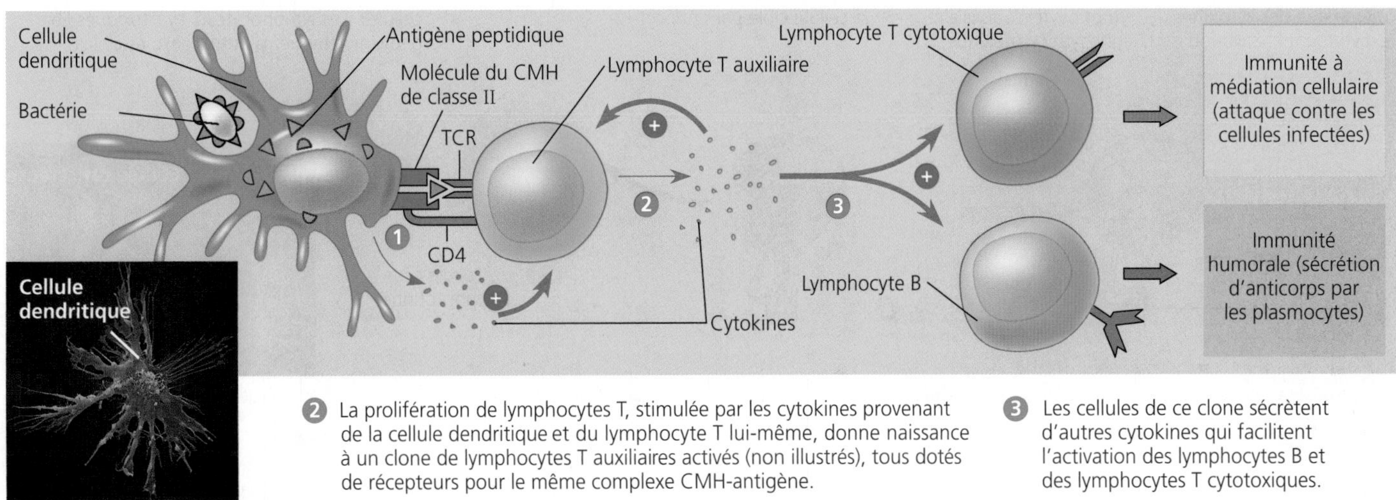

▲ **Figure 43.15 Rôle central des lymphocytes T auxiliaires dans les réactions immunitaires humorales et à médiation cellulaire.** La MEB d'une cellule dendritique montre ses longues ramifications qui rappellent les dendrites d'un neurone. Les cellules dendritiques sont les principales cellules présentatrices de l'antigène au cours de la réaction primaire à un antigène. TCR : récepteur de l'antigène des lymphocytes T (en anglais *T cell receptor*). Le symbole ⊕ indique la stimulation.

Les lymphocytes T cytotoxiques : une réaction aux cellules infectées et aux cellules cancéreuses

Les lymphocytes T cytotoxiques, les effecteurs de l'immunité à médiation cellulaire, éliminent les cellules du corps infectées par des Virus ou par d'autres agents pathogènes intracellulaires, de même que les cellules cancéreuses et les cellules transplantées. Les fragments de protéines du non-soi synthétisées dans ces cellules cibles s'associent aux molécules du CMH de classe I et sont exposées à la surface des cellules, où elles peuvent être reconnues par les lymphocytes T cytotoxiques. L'interaction entre une cellule cible et le lymphocyte T cytotoxique est considérablement augmentée par la présence d'une protéine de surface appelée **CD8.** Celle-ci est présente sur la plupart des lymphocytes T cytotoxiques. La liaison de la protéine CD8 sur le côté de la molécule du CMH de classe I aide à maintenir les deux cellules en contact pendant que l'activation du lymphocyte T cytotoxique se déroule. Ainsi, le rôle des molécules du CMH de classe I et de la protéine CD8 sont semblables à celui que jouent les molécules du CMH de classe II et la protéine CD4, sauf que des cellules différentes interviennent.

Une fois qu'il est sélectionné en se liant au complexe entre les molécules du CMH de classe I et un antigène présent sur une cellule du corps infectée, un lymphocyte T cytotoxique est activé et se différencie pour former une cellule tueuse active. Les cytokines sécrétées par les lymphocytes T auxiliaires voisins favorisent cette activation. Le lymphocyte T cytotoxique sécrète alors des protéines qui agissent sur la cellule infectée liée, ce qui mène à sa destruction **(figure 43.16)**. Non seulement la mort de la cellule infectée prive l'agent pathogène d'un lieu de reproduction, mais elle l'expose aussi aux anticorps en circulation, qui se lient à ses antigènes et le rendent plus facile à éliminer. Après avoir détruit la cellule infectée, un lymphocyte T cytotoxique s'attaque à d'autres cellules infectées à l'aide du même agent pathogène.

Les lymphocytes T cytotoxiques s'attaquent aux tumeurs malignes de la même manière. Étant donné qu'elles portent des molécules distinctes (antigènes tumoraux) qui n'existent pas sur les cellules normales du corps, les cellules tumorales sont considérées par le système immunitaire comme un corps étranger. Les molécules du CMH de classe I situées sur une cellule tumorale présentent des fragments d'antigènes tumoraux aux lymphocytes T cytotoxiques. Il faut souligner que certains cancers et Virus (notamment le Virus d'Epstein-Barr) réduisent considérablement le nombre de molécules du CMH de classe I présentes sur les cellules touchées, ce qui les aide à éviter d'être repérés par les lymphocytes T cytotoxiques. Mais le corps a un second système de défense : rappelez-vous que les cellules tueuses naturelles (NK) s'intègrent aux défenses innées non spécifiques du corps ; elles peuvent activer l'apoptose des cellules infectées par un Virus et celle des cellules tumorales.

Les lymphocytes B : une réaction aux pathogènes extracellulaires

Les antigènes qui provoquent une réaction immunitaire humorale sont généralement des protéines et des polysaccharides situés à la surface des Bactéries, des tissus transplantés, des cellules sanguines transfusées incompatibles ou constituant des toxines libérées par des Bactéries. En outre, dans le cas de certaines personnes, les protéines de substances étrangères, par exemple le pollen, le venin d'abeille ou de guêpe, font office d'antigènes provoquant une réaction allergique ou une réaction d'hypersensibilité, de nature humorale.

La **figure 43.17** décrit les événements dans la réaction humorale à un antigène protéique caractéristique. L'activation des

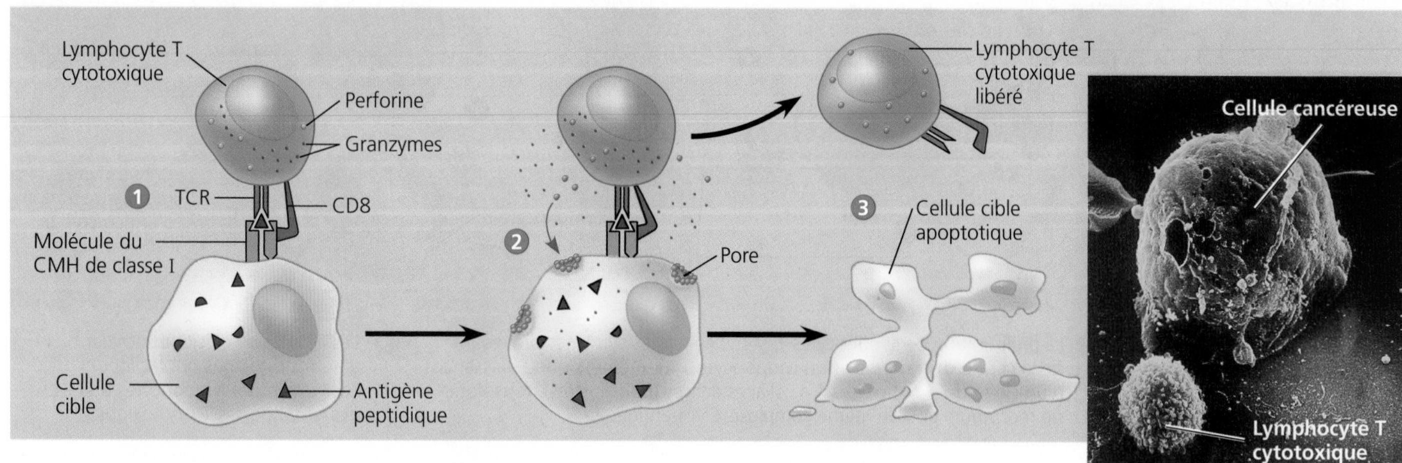
1 Un lymphocyte T cytotoxique spécifique se fixe au complexe entre les molécules du CMH de classe I et un antigène sur une cellule cible par l'intermédiaire de son TCR avec l'aide d'une CD8. Cette interaction de même que des cytokines des lymphocytes T auxiliaires provoquent l'activation du lymphocyte cytotoxique.
2 Le lymphocyte T activé libère des molécules de perforine, qui créent des pores dans la membrane de la cellule cible et des enzymes protéolytiques (granzymes), qui pénètrent dans la cellule cible par endocytose.
3 Les granzymes amorcent l'apoptose au sein des cellules cibles, ce qui mène à la fragmentation du noyau, à la libération de petits corps apoptotiques et, par la suite, à la mort des cellules. Les lymphocytes T cytotoxiques libérés peuvent attaquer d'autres cellules cibles.
Lymphocyte T cytotoxique
Perforine
Granzymes
TCR
CD8
Molécule du CMH de classe I
Cellule cible
Antigène peptidique
Pore
Lymphocyte T cytotoxique libéré
Cellule cible apoptotique
Cellule cancéreuse
Lymphocyte T cytotoxique

▲ **Figure 43.16 Mécanisme d'action des lymphocytes T cytotoxiques.** Après l'interaction avec une cellule cible (notamment une cellule corporelle infectée ou une cellule cancéreuse), un lymphocyte T cytotoxique activé libère des molécules de perforine et des enzymes protéolytiques (granzymes) qui activent la mort de la cellule cible. La MEB colorée montre une cellule cancéreuse ayant un pore induit par la perforine dans les étapes initiales de l'apoptose. TCR : récepteur de l'antigène des lymphocytes T.

❶ Après qu'il a englobé et dégradé une Bactérie, un macrophage présente un antigène peptidique formant un complexe avec une molécule du CMH de classe II. Un lymphocyte T auxiliaire qui reconnaît le complexe présenté est activé avec l'aide de cytokines sécrétées par le macrophage, formant un clone de lymphocytes T auxiliaires activés (non illustré).

❷ Un lymphocyte B qui a absorbé et dégradé la même Bactérie présente les complexes formés par les molécules du CMH de classe II et les antigènes peptidiques. Un lymphocyte T auxiliaire activé portant des récepteurs spécifiques à l'antigène présenté se lie au lymphocyte B. Cette interaction, avec l'aide des cytokines du lymphocyte T, active le lymphocyte B.

❸ Le lymphocyte B activé prolifère et se différencie en lymphocytes B-mémoire et en plasmocytes sécrétant des molécules d'anticorps. Les anticorps sécrétés sont spécifiques au même antigène bactérien qui a amorcé la réaction.

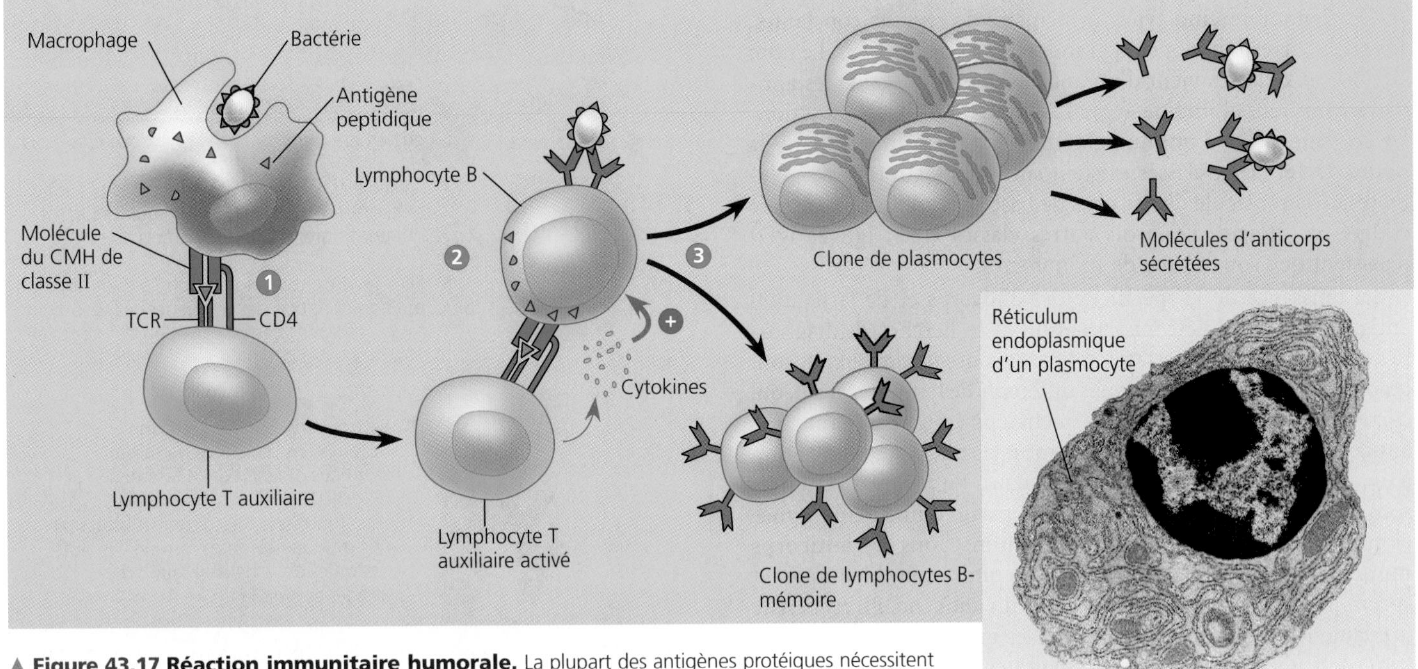

▲ **Figure 43.17 Réaction immunitaire humorale.** La plupart des antigènes protéiques nécessitent des lymphocytes T cytotoxiques pour déclencher une réaction humorale. Un macrophage (illustré ici) ou une cellule dendritique peuvent activer les cellules T auxiliaires. La MET d'un plasmocyte révèle un réticulum endoplasmique abondant, caractéristique commune des cellules dédiées à la fabrication des protéines destinées à la sécrétion. TCR : récepteur de l'antigène des lymphocytes T. Le symbole ⊕ indique la stimulation.

lymphocytes B est favorisée par les cytokines sécrétées par des lymphocytes T auxiliaires activés par le même antigène. Stimulé par l'antigène et les cytokines, le lymphocyte B prolifère et se différencie : il forme un clone de plasmocytes sécréteurs d'anticorps et un clone de lymphocytes B-mémoire. Quand les molécules d'un antigène se fixent pour la première fois aux récepteurs à la surface d'un lymphocyte B, la cellule absorbe quelques molécules étrangères grâce à une endocytose par récepteurs interposés (voir au bas de la figure 7.20). Selon un processus très semblable à celui de la présentation des antigènes par les macrophages et les cellules dendritiques, un lymphocyte B présente des fragments de l'antigène liés à des molécules de CMH de classe II à un lymphocyte T auxiliaire. Il en résulte le contact direct intercellulaire essentiel à l'activation des lymphocytes B (voir l'étape 2 dans la figure 43.17). Il faut noter, toutefois, qu'un macrophage ou une cellule dendritique peut présenter des fragments peptidiques différents provenant d'une grande variété d'antigènes ; le lymphocyte B, lui, ne laisse entrer dans son cytoplasme que les antigènes auxquels il est en mesure de se fixer spécifiquement ; il en présente des fragments peptidiques par la suite.

Les antigènes qui ne stimulent la production d'anticorps qu'avec l'aide de lymphocytes T auxiliaires, comme l'illustre la figure 43.17, s'appellent *antigènes T-dépendants.* D'autres antigènes, cependant, portent le nom d'*antigènes T-indépendants.* Ils comprennent les polysaccharides de nombreuses capsules bactériennes, ainsi que les protéines composant les flagelles bactériens. Les chercheurs estiment que les sous-unités répétées de ces molécules se fixent simultanément à plusieurs récepteurs antigéniques à la surface d'un seul lymphocyte B. Cette fixation multiple stimule suffisamment ces derniers pour les amener à activer la cellule sans l'aide des cytokines. La réaction aux antigènes T-indépendants joue un rôle essentiel dans la défense contre de nombreuses Bactéries ; toutefois, la réponse immunitaire est généralement plus faible que celle qui est suscitée par les antigènes T-dépendants ; de plus, aucun lymphocyte B-mémoire n'est produit.

La plupart des antigènes reconnus par les lymphocytes B contiennent de multiples épitopes. C'est pourquoi l'exposition à un seul antigène stimule normalement toute une gamme de lymphocytes B différents, chacun donnant naissance à un clone de milliers de plasmocytes. Tous les plasmocytes dans un clone sécrètent des anticorps spécifiques de l'épitope qui a provoqué leur production. Chaque plasmocyte sécrète environ 2 000 molécules d'anticorps par seconde pendant la durée de vie de la cellule (de 4 à 5 jours). Maintenant, examinons de plus près les anticorps et de quelle façon ils participent à la destruction des antigènes.

Les classes d'anticorps

Un anticorps sécrété possède la même structure générale en forme de Y qu'un récepteur de lymphocyte B (voir la figure 43.8a), mais il lui manque une région transmembranaire qui pourrait le fixer à la membrane plasmique. Un anticorps a des sites de fixation à un antigène qui lui confèrent sa capacité de repérer un antigène spécifique. Mais c'est sa base (en forme de Y), formée par les régions constantes (C) de ses chaînes lourdes, qui est responsable de sa distribution dans l'organisme et qui détermine le mode de destruction de l'antigène fixé.

On dénombre cinq types principaux de régions constantes, auxquels correspondent cinq grandes classes d'anticorps. Le nom attribué aux classes vient d'un autre terme qui désigne les anticorps : immunoglobuline (Ig). Les structures et les fonctions de ces catégories d'immunoglobulines sont résumées dans la **figure 43.18**. Deux classes existent surtout sous forme de polymères de la molécule d'anticorps de base : IgM est un pentamère et IgA un dimère. Les trois autres classes (IgG, IgE et IgD) n'existent que sous forme de monomères.

La puissance de la spécificité des anticorps et de la fixation antigène-anticorps a été mise au profit de recherches, de diagnostics et de traitements. Certains anticorps sont *polyclonaux* : ils sont les produits de nombreux clones différents de lymphocytes B, qui correspondent chacun spécifiquement à un épitope différent. Les anticorps engendrés dans l'organisme à la suite d'une exposition à un antigène microbien sont polyclonaux. En revanche, d'autres sont *monoclonaux* : on les prépare à partir d'une seule lignée clonale de lymphocytes B mis en culture. Tous les **anticorps monoclonaux** produits dans une telle culture sont identiques et spécifiques au même type d'épitope d'un antigène. En recherche fondamentale comme en médecine, les anticorps monoclonaux sont particulièrement utiles pour marquer des molécules précises. Par exemple, certains types de cancers (cancer du poumon et cancer de la prostate) peuvent être détectés de même que certaines infections (hépatites, chlamydias), et on a pu traiter certains cancers grâce à des anticorps fermement liés à des molécules de toxines et destinés spécifiquement à des cellules tumorales. Les anticorps véhiculant les toxines recherchent les épitopes antigéniques typiques des cellules tumorales, s'y fixent et entraînent leur destruction. Les anticorps monoclonaux sont aussi mis à profit dans les tests de grossesse : l'urine de la femme enceinte contient une hormone provenant du placenta en formation qui réagira avec les anticorps particulièrement dirigés contre cette hormone, contenus dans la solution utilisée.

La destruction des antigènes par l'intermédiaire des anticorps

La fixation d'anticorps à des antigènes constitue le point de départ de divers mécanismes de destruction des antigènes **(figure 43.19)**. Le mécanisme le plus simple est la *neutralisation virale* : un anticorps se fixe à certaines protéines à la surface d'un Virus, bloquant ainsi la capacité de celui-ci à infecter la cellule hôte. De même, des anticorps peuvent se fixer à la surface d'une Bactérie pathogène et en recouvrir une bonne partie. Dans le processus d'*opsonisation*, les anticorps liés aux agents étrangers favorisent la fixation de macrophages aux microorganismes et, par conséquent, augmentent la phagocytose des intrus.

L'*agglutination* de Bactéries ou de Virus par l'intermédiaire d'anticorps correspondants forme des amas qui peuvent être facilement phagocytés par les macrophages. L'agglutination est possible parce que chaque molécule d'anticorps comporte au moins deux sites de fixation d'antigènes qui peuvent se fixer aux

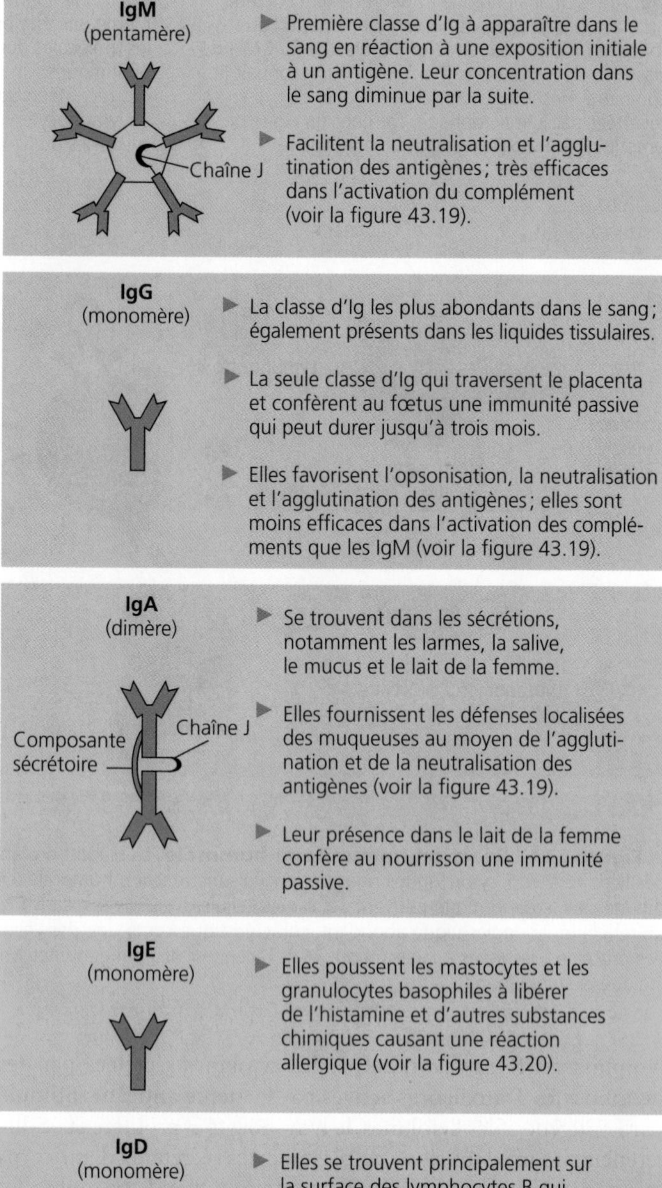

IgM
(pentamère)
Chaîne J
▶ Première classe d'Ig à apparaître dans le sang en réaction à une exposition initiale à un antigène. Leur concentration dans le sang diminue par la suite.
▶ Facilitent la neutralisation et l'agglutination des antigènes ; très efficaces dans l'activation du complément (voir la figure 43.19).
IgG
(monomère)
▶ La classe d'Ig les plus abondants dans le sang ; également présents dans les liquides tissulaires.
▶ La seule classe d'Ig qui traversent le placenta et confèrent au fœtus une immunité passive qui peut durer jusqu'à trois mois.
▶ Elles favorisent l'opsonisation, la neutralisation et l'agglutination des antigènes ; elles sont moins efficaces dans l'activation des compléments que les IgM (voir la figure 43.19).
IgA
(dimère)
Chaîne J
Composante sécrétoire
▶ Se trouvent dans les sécrétions, notamment les larmes, la salive, le mucus et le lait de la femme.
▶ Elles fournissent les défenses localisées des muqueuses au moyen de l'agglutination et de la neutralisation des antigènes (voir la figure 43.19).
▶ Leur présence dans le lait de la femme confère au nourrisson une immunité passive.
IgE
(monomère)
▶ Elles poussent les mastocytes et les granulocytes basophiles à libérer de l'histamine et d'autres substances chimiques causant une réaction allergique (voir la figure 43.20).

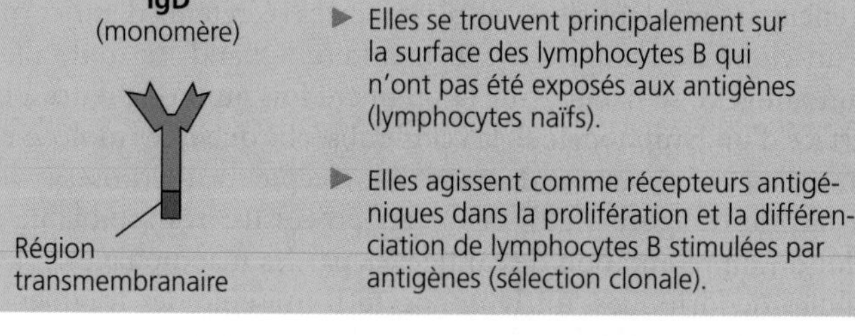

IgD
(monomère)
Région transmembranaire
▶ Elles se trouvent principalement sur la surface des lymphocytes B qui n'ont pas été exposés aux antigènes (lymphocytes naïfs).
▶ Elles agissent comme récepteurs antigéniques dans la prolifération et la différenciation de lymphocytes B stimulées par antigènes (sélection clonale).

▲ **Figure 43.18 Les cinq classes d'immunoglobulines (Ig).** Toutes les classes sont composées de molécules semblables en forme de Y dans lesquelles la région de la base détermine la distribution et les fonctions caractéristiques de chaque classe. Les anticorps IgM et IgA contiennent une chaîne J (pour *junctional peptide*, mais sans rapport avec le segment de gène *J*) qui aide à réunir les sous-unités monomères. Quand il est sécrété à travers une muqueuse, un anticorps IgA acquiert une composante sécrétoire qui le protège d'un clivage par des enzymes.

épitopes identiques de deux cellules bactériennes ou de deux particules virales en les liant. En raison de leur structure en pentamère, les IgM, elles, peuvent associer cinq Virus ou Bactéries, voire davantage (voir la figure 43.19). La *précipitation* constitue un mécanisme semblable : c'est l'établissement de liens croisés

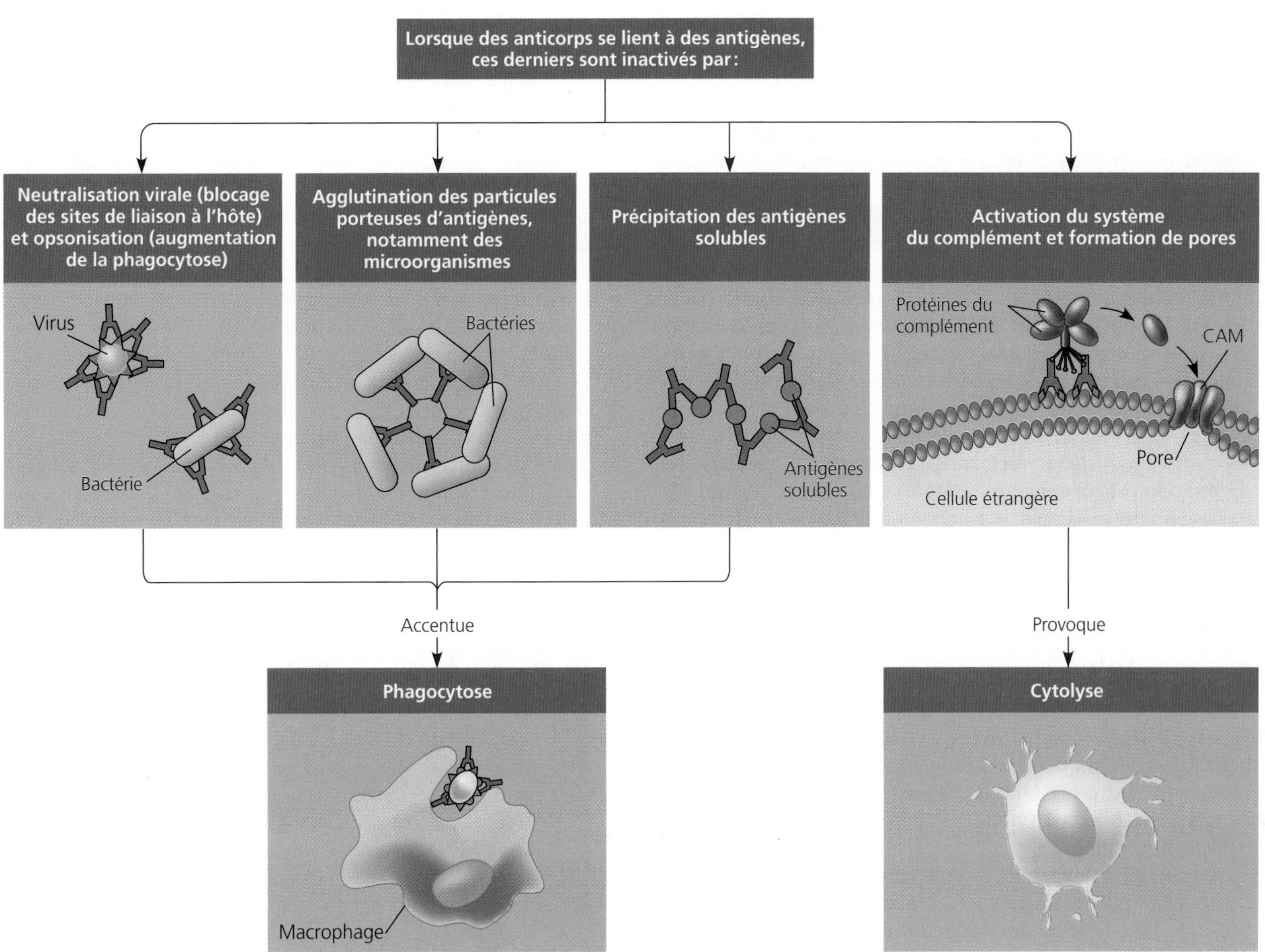

▲ **Figure 43.19 Mécanismes de destruction des antigènes par l'intermédiaire des anticorps.** La liaison des anticorps aux antigènes marque les microorganismes, les particules étrangères et les antigènes solubles pour qu'ils soient inactivés ou détruits. Après l'activation du système du complément, le complexe d'attaque membranaire (CAM) forme des pores dans les cellules étrangères. Les pores laissent des ions et de l'eau pénétrer dans la cellule, qui se lyse et meurt.

entre des molécules solubles d'antigènes (des toxines, par exemple) de sorte à former des complexes qui précipitent et qui sont capturés par les phagocytes.

Comme nous l'avons vu plus tôt dans ce chapitre, des substances présentes sur de nombreux microorganismes activent le système du complément, système qui fait partie des défenses innées du corps. Le système du complément participe également à la destruction, par l'intermédiaire des anticorps, des microorganismes et des cellules corporelles transplantées. Dans ce cas, la fixation de complexes antigène-anticorps à la surface d'un microorganisme ou d'une cellule étrangère à une des protéines du complément enclenche une cascade dans laquelle chaque composante active la suivante (comme cela se produit dans le mécanisme de coagulation du sang). Après une série d'étapes, les protéines du complément activées produisent un **complexe d'attaque membranaire (CAM)**, qui perfore la membrane. Des ions et de l'eau pénètrent dans la cellule, provoquant son gonflement et sa destruction (voir la figure 43.19, à droite). La cascade du complément, qu'elle soit activée comme faisant partie des défenses innées ou acquises, aboutit à la destruction des microorganismes et produit des protéines du complément activées qui favorisent également l'inflammation ou stimulent la phagocytose.

Comme l'illustre la figure 43.19, les anticorps apportent une contribution variée à la phagocytose. Nous avons vu que cette dernière permet aux macrophages et aux cellules dendritiques d'agir à titre de cellules présentatrices d'antigènes, en stimulant les lymphocytes T auxiliaires, qui à leur tour stimulent les lymphocytes B, dont les anticorps contribuent à la phagocytose. Cette rétroactivation relie donc les systèmes immunitaires inné et acquis, ce qui se traduit par une réaction coordonnée et efficace face aux infections.

L'immunisation active et l'immunisation passive

On appelle **immunité active** celle qui s'obtient naturellement après une exposition à un agent infectieux, parce qu'elle provient de l'action des lymphocytes d'une personne et des cellules-mémoire résultantes spécifiques d'un agent pathogène envahisseur. L'immunité active peut aussi être acquise artificiellement par la

vaccination (du latin *vaccinus*, « vache »), aussi appelée **immunisation**. Le premier vaccin se composait du Virus de la vaccine, une maladie bénigne qui se manifeste chez la vache, mais également chez l'humain.

À la fin du XVIIIe siècle, le médecin britannique Edward Jenner observe que les filles de laiterie qui avaient contracté la vaccine des vaches étaient résistantes à une infection subséquente de variole, maladie défigurante et potentiellement fatale. En 1796, au cours de son expérience maintenant célèbre, Jenner inocule à un jeune garçon, à l'aide d'une aiguille, le liquide contenant le Virus prélevé d'une lésion d'une paysanne contaminée par la vaccine. Lorsqu'il est par la suite exposé au Virus de la variole, le garçon ne devient pas malade. Le Virus de la vaccine protège contre ce Virus parce que les deux sont tellement semblables que le système immunitaire ne peut les distinguer. La vaccination avec le Virus de la vaccine sensibilise le système immunitaire de telle sorte qu'il réagit vigoureusement s'il est exposé plus tard au Virus de la vaccine ou, ce qui est plus important, au Virus de la variole.

Les vaccins modernes se composent de toxines bactériennes inactives, de microorganismes morts ou de fragments d'un agent pathogène, ou encore de Virus atténués ou de microorganismes vivants mais affaiblis qui ne peuvent plus causer la maladie, et même des gènes qui codent pour des protéines microbiennes. Tous ces agents déclenchent une réaction immunitaire immédiate et la mémoire immunitaire à long terme, grâce aux cellules-mémoire. Une personne vaccinée qui se trouve en contact avec l'agent pathogène contre lequel elle a été immunisée manifestera la même réaction qu'une personne ayant déjà eu la maladie. La protection n'est cependant pas éternelle et, dans plusieurs types de vaccins, des rappels (nouvelles injections) sont recommandés à divers intervalles.

À la fin des années 1970, une campagne de vaccination à l'échelle mondiale a mené à l'éradication de la variole. On conserve quand même des souches virales responsables de cette maladie dans quelques laboratoires de certains pays comme matériel pour la préparation de vaccins au cas où... Les vaccinations courantes des nourrissons et des enfants ont considérablement réduit, dans les pays développés, l'incidence de maladies infectieuses comme la poliomyélite, la rougeole et la coqueluche. Malheureusement, tous les agents infectieux ne sont pas faciles à contrer par la vaccination. Par exemple, l'émergence de nouvelles souches d'agents pathogènes comportant des antigènes de surface légèrement modifiés compliquent la mise au point de vaccins contre certains microorganismes, notamment les parasites qui causent le paludisme.

L'immunité peut aussi être conférée par la transmission des anticorps d'un sujet immunisé contre un agent infectieux particulier à quelqu'un qui ne l'est pas. C'est ce qu'on appelle l'**immunité passive** parce qu'elle ne résulte pas de l'action des lymphocytes B et T du receveur. Les anticorps transférés sont plutôt tout prêts à contribuer à une destruction immédiate des microorganismes pour lesquels ils sont spécifiques. L'immunité passive procure une protection immédiate, mais ne dure qu'aussi longtemps que les anticorps durent (l'espace de quelques semaines à quelques mois). Elle survient naturellement lorsque le corps d'une femme enceinte transmet des anticorps IgG au fœtus par l'intermédiaire du placenta. En outre, les anticorps IgA sont transmis de la mère à l'enfant par l'intermédiaire du lait maternel. Ces anticorps protègent le bébé contre les infections jusqu'à ce que son propre système immunitaire se soit développé.

Dans l'immunisation passive artificielle, les anticorps d'un Animal qui a déjà acquis l'immunité sont injectés à un autre Animal qui n'est pas immunisé. Par exemple, une personne qui a été mordue par un Animal enragé peut être protégée en recevant des anticorps isolés d'autres sujets ayant déjà été vaccinés contre la rage. Cette mesure est importante, parce que la rage évolue rapidement et que la réaction à une vaccination active prendrait trop de temps pour sauver la vie de la victime. En fait, la plupart des humains infectés par le Virus de la rage bénéficient d'un traitement d'immunisation passive et active. Les anticorps injectés aident à maîtriser le Virus de la rage durant quelques semaines, puis la propre réaction immunitaire du sujet, induite par l'immunisation active et l'infection elle-même, prend la relève. La diphtérie est un autre exemple d'infection qu'on peut traiter par le moyen de la sérothérapie (injection d'anticorps). On peut aussi utiliser les anticorps (ou les antitoxines) à titre préventif contre l'hépatite (A et B), le botulisme et la rougeole notamment. L'injection d'anticorps provenant d'une espèce animale à une autre doit cependant se faire sous surveillance, car les anticorps peuvent se comporter comme des antigènes et provoquer des réactions immunitaires (le rejet) chez le receveur.

Retour sur le concept 43.3

1. Décrivez le rôle principal de chacun des types de lymphocytes suivants, une fois qu'ils sont activés par les antigènes et les cytokines : lymphocyte T auxiliaire, lymphocyte T cytotoxique et lymphocyte B.
2. Trouvez un mot débutant par la première lettre du nom de chacune des cinq classes d'anticorps qui pourrait servir de moyen mnémotechnique pour se rappeler une ou quelques-unes des principales caractéristiques (fonctions, propriétés, situation) de chacune de ces classes d'anticorps ; justifiez brièvement le choix des mots.
3. Quelles cellules et quelles fonctions seraient déficientes chez un enfant né sans thymus ?
4. Expliquez comment les anticorps aident à nous protéger contre une infection ou contre les effets d'une infection.
5. Expliquez pourquoi l'immunisation passive fournit une protection à court terme contre une infection, alors qu'une immunisation active fournit une protection à long terme.

Voir les réponses proposées à la fin du chapitre.

Concept 43.4

La capacité du système immunitaire à reconnaître le soi du non-soi limite les transfusions sanguines et les greffes de tissus

Le système immunitaire effectue la distinction entre les cellules de l'organisme et les agents pathogènes envahisseurs. Il peut tout autant attaquer les cellules provenant d'autres individus. Par exemple, un fragment de peau transplanté d'une personne génétiquement différente d'une autre aura une apparence saine pendant environ une semaine, mais il sera détruit (rejeté) ensuite par la réaction immunitaire du receveur. (Il est toutefois étonnant de constater que la femme enceinte ne rejette pas son fœtus comme s'il s'agissait d'un corps étranger. Il semble que la structure du placenta [décrite au chapitre 46] joue un rôle essentiel dans cette acceptation.) N'oublions pas que la réaction de défense du corps contre la transfusion d'un sang incompatible ou contre des tissus ou organes complets greffés ne correspond pas à un trouble du système immunitaire, mais à une réaction normale: le système immunitaire sain réagit aux antigènes étrangers.

Les groupes sanguins et les transfusions sanguines

Au chapitre 14, nous avons étudié la génétique des groupes sanguins du système ABO chez les humains. Rappelons-nous que les érythrocytes du groupe sanguin A portent des molécules d'antigène sur leur surface. L'antigène A peut être reconnu comme étranger s'il se retrouve dans l'organisme d'un autre sujet. De même, un antigène B est trouvé sur les érythrocytes du groupe B; des antigènes A et B sont repérés sur les érythrocytes du groupe AB; enfin, aucun de ces antigènes n'est décelé sur les érythrocytes du groupe O (voir le tableau 14.2).

Les personnes du groupe A ne produisent évidemment pas d'anticorps contre l'antigène A parce qu'ils sont tolérants au soi. Toutefois, elles *ont bien* des anticorps circulant contre l'antigène B, même si elles n'ont jamais été exposées à du sang du groupe B! Il est étonnant de constater que des anticorps destinés à des antigènes d'érythrocytes étrangers puissent exister dans le sang même en l'absence d'exposition à des cellules sanguines étrangères. C'est que ces anticorps sont produits en réaction aux Bactéries normalement présentes dans l'organisme, qui possèdent des épitopes très semblables aux antigènes des groupes sanguins.

Par exemple, une personne du groupe sanguin A fabrique des anticorps contre les épitopes bactériens semblables aux glycoprotéines B: le système immunitaire considère ces épitopes comme étrangers. La même personne ne fabriquera pas, par contre, des anticorps visant les épitopes bactériens semblables aux glycoprotéines A que le système immunitaire reconnaît comme faisant partie du soi. Si cette personne du groupe A reçoit une transfusion de sang du groupe B, ses anticorps anti-B préexistants produiront donc une réaction immunitaire immédiate et catastrophique. Cette réaction met en jeu la lyse des érythrocytes transfusés, ce qui peut causer des frissons, de la fièvre, un état de choc et des troubles rénaux. En outre, les anticorps anti-A présents dans le sang du groupe B donné peuvent agir contre les érythrocytes du groupe A du receveur. Cette dernière réaction peut être amoindrie par une transfusion de globules concentrés au lieu de sang total, de sorte que les anticorps du donneur dans le plasma ne sont pas transférés.

Le **tableau 43.1** dresse la liste des combinaisons entre receveurs et donneurs (globules concentrés) qui sont sans danger et celles qui provoquent des réactions transfusionnelles. La rangée en bleu indique qu'une personne du groupe sanguin AB peut recevoir en toute sécurité, si nécessaire, du sang de n'importe quel groupe (c'est pourquoi on l'appelle *receveur universel*). La colonne en vert indique qu'une personne du groupe sanguin O peut donner du sang sans danger pour tout receveur (on l'appelle donc *donneur universel*).

Les antigènes des groupes sanguins et les épitopes bactériens apparentés sont surtout constitués de polysaccharides. Ils provoquent des réactions immunitaires qui ne produisent pas de cellules-mémoire. Par conséquent, les anticorps anti-groupes sanguins sont toujours des IgM (engendrés par des réactions immunitaires primaires) plutôt que des IgG (engendrés par des réactions immunitaires secondaires). Cette conséquence a une valeur d'adaptation au cours de la grossesse: comme les IgM ne traversent pas le placenta, le fœtus dont le groupe sanguin diffère de celui de la mère n'en souffre pas. Toutefois, un autre antigène des globules rouges, le **facteur Rhésus (Rh)**, peut poser des difficultés au fœtus. Étant donné qu'il est un antigène protéique, le facteur Rh produit des réactions immunitaires qui fabriquent des cellules-mémoire. Une exposition subséquente de ces cellules-mémoire au facteur Rh cause la production d'anticorps anti-Rh qui sont des IgG.

Une situation dangereuse peut se présenter quand une femme enceinte de type Rh négatif (dépourvue du facteur Rh) porte un fœtus de type Rh positif (hérité du facteur Rhésus de son père). Si de petites quantités de sang fœtal traversent le placenta, ce qui peut arriver vers la fin de la grossesse ou pendant l'accouchement,

Tableau 43.1 Groupes sanguins pouvant et ne pouvant pas être combinés sans danger dans une transfusion*

Groupe sanguin du receveur	Anticorps dans le sang du receveur	Présence (+) ou absence (−) de réaction transfusionnelle: Groupe de sang donné (globules concentrés)			
		A	B	AB	O
A	Anti-B	−	+	+	−
B	Anti-A	+	−	+	−
AB	Ni anti-A, ni anti-B	−	−	−	−
O	Anti-A et anti-B	+	+	+	−

* Les individus du groupe sanguin AB sont des receveurs universels (rangée en bleu); ceux appartenant au groupe O sont des donneurs universels (colonne en vert).

le système immunitaire de la mère déclenchera une réaction humorale contre le facteur Rh. Un danger se posera aux grossesses futures chaque fois que le fœtus sera Rh positif: en effet, les lymphocytes B-mémoire de la mère propres au facteur Rh réagiront après une exposition au facteur Rh fœtal. Ces lymphocytes B produiront des anticorps IgG anti-Rh capables de traverser le placenta et de détruire les globules rouges du fœtus. Pour prévenir ce problème, on injecte à la mère des anticorps anti-Rh autour du septième mois de grossesse et juste après la naissance de son bébé Rh positif. Celle-ci bénéficie alors d'une immunisation passive (artificielle); les érythrocytes porteurs du Rh fœtal qui traversent le placenta sont éliminés avant que son système immunitaire réagisse contre eux et engendre une mémoire immunitaire, ce qui mettrait en danger les bébés Rh positifs qu'elle serait susceptible de porter à l'avenir.

Les greffes de tissus et les transplantations d'organes

Les molécules du complexe majeur d'histocompatibilité (CMH) sont responsables de la stimulation de la réponse immunitaire qui provoque le rejet des greffes de tissus et d'organes. Comme nous l'avons appris précédemment, le polymorphisme du CMH assure de façon presque absolue que deux personnes, sauf deux jumeaux homozygotes, ne puissent pas posséder exactement le même ensemble de molécules du CMH. Par conséquent, une réaction de rejet du greffon ou du transplant est déclenchée chez la grande majorité des receveurs parce que quelques molécules du CMH sur le tissu du donneur sont étrangères au receveur. Il n'y a aucun danger de rejet si le donneur et le receveur sont des jumeaux homozygotes ou si le tissu greffé à un individu provient d'une autre partie de son corps.

Pour atténuer le risque de rejet dans le cas de transplants non identiques, il faut utiliser le tissu d'un donneur portant des molécules du CMH ayant un maximum de compatibilité avec celles du receveur. De plus, le receveur doit absorber divers médicaments pour supprimer les réactions immunitaires. Cependant, cela le rend plus susceptible de souffrir d'une infection ou d'avoir le cancer pendant le traitement.

Dans le cas d'une transplantation de la moelle osseuse, c'est le greffon lui-même et non le receveur qui est à la source d'un rejet immunitaire éventuel. Les transplantations de moelle osseuse servent à traiter la leucémie et d'autres types de cancer, ainsi que diverses maladies hématologiques (touchant les cellules sanguines). Comme dans le cas de n'importe quelle transplantation, il importe d'établir la meilleure concordance possible entre le CMH du donneur et celui du receveur. Avant la transplantation de moelle osseuse, le receveur est généralement soumis à un traitement par irradiation pour éliminer ses propres cellules de moelle osseuse, notamment celles qui sont anormales. Ce traitement détruit provisoirement son système immunitaire, ce qui diminue énormément les probabilités qu'il y ait rejet de la greffe. Toutefois, le danger principal de ce type d'opération est la possibilité que les lymphocytes de la moelle donnée réagissent contre le receveur. Cette **réaction du greffon contre l'hôte** est limitée si les molécules du CMH du donneur et du receveur sont bien appariées. Les programmes de donneurs de moelle osseuse du monde entier sont toujours à la recherche de donneurs bénévoles. Étant donné l'immense variabilité du CMH, il est essentiel de disposer d'un vaste échantillon de donneurs éventuels.

Retour sur le concept 43.4

1. Expliquez pourquoi une personne du groupe sanguin AB est considérée comme receveur universel.
2. Dans le cas de la transplantation de moelle osseuse, il existe un danger de réaction du greffon contre l'hôte. Pourquoi cette réaction est-elle particulière à la transplantation de moelle osseuse?
3. Les patients gravement brûlés doivent généralement recevoir de nombreuses greffes de peau. Quel est l'avantage d'utiliser la peau provenant d'une partie du corps non brûlée du sujet (un autogreffon) plutôt que celle provenant d'une autre personne?

Voir les réponses proposées à la fin du chapitre.

Concept 43.5

Les réactions immunitaires exagérées, autodirigées ou diminuées peuvent causer des maladies

Les interactions des lymphocytes avec des substances étrangères et les interactions des lymphocytes entre eux ou avec les autres cellules du corps sont extrêmement complexes. Elles offrent une protection extraordinaire contre de nombreux pathogènes. Toutefois, quand un trouble du système immunitaire affecte l'homéostasie, les effets sont variables: ils peuvent aller des inconvénients mineurs associés à la plupart des allergies jusqu'aux conséquences sérieuses et souvent fatales de certaines maladies auto-immunes ou d'immunodéficience.

Les allergies

Les allergies sont des réactions d'hypersensibilité (réactions exagérées) à certains antigènes, appelés *allergènes*. Selon une hypothèse, elles seraient des reliquats de la réaction immunitaire ancestrale contre les vers parasites. Le mécanisme humoral qui lutte contre les vers est semblable à la réaction allergique qui provoque des troubles, comme le rhume des foins et l'asthme allergique.

Les allergies les plus courantes font intervenir des anticorps de la classe des IgE (voir la figure 43.18). Par exemple, la rhinite allergique (ou «fièvre des foins»), qui affecte actuellement environ 10% de la population au Québec et plus de 15% de la population ayant entre 15 et 50 ans, en France, se présente lorsque les plasmocytes sécrètent des anticorps IgE qui se lient spécifiquement aux allergènes à la surface des grains de pollen (pollen des arbres au printemps, pollen des Graminées au début et au milieu de l'été et pollen de la petite herbe à poux, *Ambrosia artemisiifolia*, vers la fin de l'été). Certains de ces anticorps se fixent par leur domaine effecteur aux mastocytes présents dans les tissus conjonctifs. C'est ainsi qu'une personne prédisposée est sensibilisée à l'antigène spécifique du pollen. Chaque fois qu'un grain de pollen pénètre dans son corps et lie simultanément deux IgE adjacentes, le mastocyte réagit par une *dégranulation*: la cellule libère dans son environnement de l'histamine et d'autres agents inflammatoires à partir de vésicules appelées *granules* **(figure 43.20)**. Rappelons que l'histamine provoque la dilatation et la perméabilité accrue des petits vaisseaux sanguins. Ces modifications

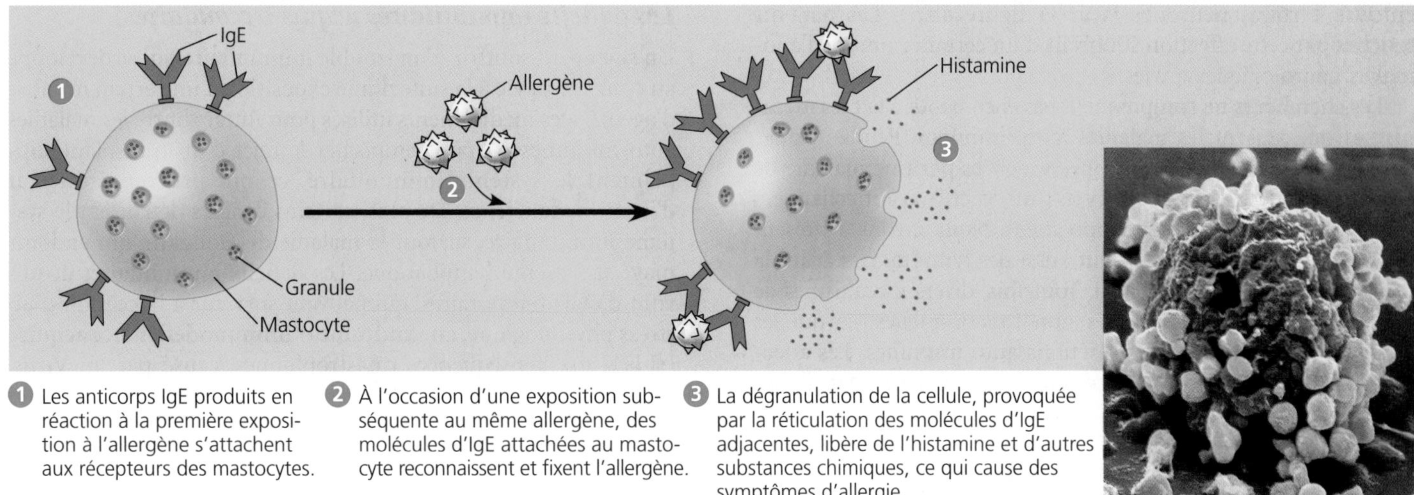

1 Les anticorps IgE produits en réaction à la première exposition à l'allergène s'attachent aux récepteurs des mastocytes.

2 À l'occasion d'une exposition subséquente au même allergène, des molécules d'IgE attachées au mastocyte reconnaissent et fixent l'allergène.

3 La dégranulation de la cellule, provoquée par la réticulation des molécules d'IgE adjacentes, libère de l'histamine et d'autres substances chimiques, ce qui cause des symptômes d'allergie.

▲ **Figure 43.20 Mastocytes, IgE et réaction allergique.** La MEB colorée montre un mastocyte dégranulé qui a libéré des granules contenant de l'histamine et d'autres agents inflammatoires.

vasculaires causent les symptômes d'allergie typiques: les éternuements, l'écoulement nasal, les larmes et les contractions des muscles lisses, qui peuvent provoquer des difficultés respiratoires (bronchoconstriction). Ces problèmes d'allergies liés au pollen pourraient malheureusement, selon de récentes recherches, être exacerbés par la pollution de l'air (l'émission des gaz d'échappement des véhicules, notamment). Les antihistaminiques sont des médicaments qui atténuent les symptômes d'allergie en bloquant les récepteurs de l'histamine. Le traitement durable des allergies peut faire appel à la *désensibilisation* qui consiste à injecter des doses de plus en plus grandes de l'antigène (allergène) responsable; des anticorps de la classe des IgG sont alors produits (plutôt que des IgE) et se fixent aux allergènes, les empêchant ainsi de se lier aux IgE à la surface des mastocytes.

Une réaction allergique aiguë peut causer un **choc anaphylactique**, soit une réaction de tout le corps, qui survient en quelques secondes après l'exposition à des allergènes, susceptible de provoquer la mort. Le choc anaphylactique se produit lorsque la dégranulation généralisée des mastocytes provoque une dilatation exagérée des vaisseaux sanguins périphériques, ce qui produit une chute subite de la pression sanguine. La mort peut survenir en quelques minutes. Des réactions allergiques au venin d'abeille ou à la pénicilline peuvent provoquer un choc anaphylactique chez les personnes qui sont extrêmement allergiques à ces substances. De même, certains individus très allergiques aux arachides, au poisson et à d'autres aliments peuvent mourir après avoir consommé de toutes petites quantités de ces allergènes. Ils doivent donc toujours porter sur eux une seringue avec une dose d'adrénaline (par exemple l'EpiPen, un auto-injecteur par voie intramusculaire). En effet, l'adrénaline est une hormone qui neutralise la réaction allergique grâce à son effet vasoconstricteur et bronchodilatateur puissant (voir le chapitre 45).

Les maladies auto-immunes

Chez certains individus, il peut arriver que le système immunitaire cesse de tolérer certaines cellules de l'organisme et qu'il attaque des molécules du soi, provoquant une des nombreuses **maladies auto-immunes**. Dans le cas du *lupus érythémateux systémique*, le système immunitaire produit des anticorps (autoanticorps) qui s'attaquent à une gamme étendue de molécules du soi, notamment aux histones et à l'ADN libérés par la dégradation normale des cellules du corps. Le lupus érythémateux disséminé s'attaque au tissu conjonctif; il se présente sous forme d'éruption cutanée, de fièvre, d'arthrite et de troubles rénaux. Une autre maladie auto-immune attribuable aux anticorps, la *polyarthrite rhumatoïde*, qui affecte 300 000 personnes au Canada, provoque la dégradation et l'inflammation douloureuse du cartilage et des os des articulations **(figure 43.21)**. Dans le cas du *diabète insulinodépendant* (diabète de type I), les cellules bêta du pancréas sont la cible de lymphocytes T cytotoxiques auto-immuns. Des recherches en cours montrent que ce type de diabète pourrait être traité par l'injection d'anticorps se fixant à certains récepteurs (CD3) des lymphocytes T, ce qui les empêcherait de détruire les cellules pancréatiques. Enfin, mentionnons la *sclérose en plaques*, la maladie neurologique chronique la plus courante dans les pays industrialisés. Dans cette maladie, les lymphocytes T infiltrent le système nerveux central et détruisent la gaine de myéline qui

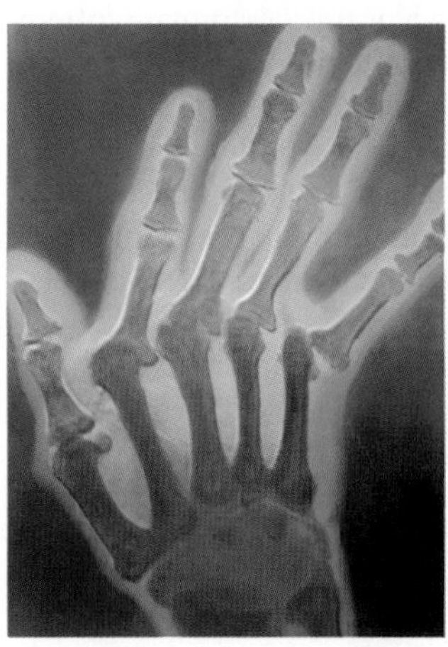

◄ **Figure 43.21 Radiographie d'une main déformée par l'arthrite rhumatoïde.**

entoure certains neurones (voir la figure 48.5). Les patients touchés par cette affection souffrent d'un certain nombre d'anomalies neurologiques graves.

Les chercheurs ne comprennent pas encore tout à fait les mécanismes qui causent les maladies auto-immunes. Pendant longtemps, on a cru que les personnes touchées par une maladie de ce type portaient des lymphocytes autoréactifs ayant échappé à l'élimination pendant le développement. Nous savons à présent que les personnes saines portent aussi des lymphocytes ayant la capacité de réagir contre le soi. Toutefois, divers mécanismes de régulation rendent ces cellules non fonctionnelles, ce qui les empêche de déclencher des réactions auto-immunes. Les affections auto-immunes sont sans doute causées par une défaillance de la régulation immunitaire.

Les maladies de l'immunodéficience

L'incapacité du système immunitaire à protéger le corps contre des agents pathogènes ou des cellules cancéreuses qu'il devrait normalement pouvoir combattre reflète un certain dysfonctionnement du système. Une maladie de l'immunodéficience causée par un défaut génétique ou une anomalie du développement est classée comme un *déficit immunitaire héréditaire* ou *primaire*. Par ailleurs, une maladie de l'immunodéficience qui se développe au cours de la vie à la suite d'une exposition à divers agents chimiques et biologiques est considérée comme un *déficit immunitaire acquis* ou *secondaire*. Quelles que soient la cause et la nature de l'immunodéficience, une personne qui souffre d'une telle maladie est sujette à des infections fréquentes et récurrentes, et est également plus susceptible de développer un cancer.

Les déficits immunitaires héréditaires (primaires)

Les déficits immunitaires héréditaires sont attribuables à des anomalies dans le développement de diverses cellules du système immunitaire ou dans la production de protéines précises, notamment les anticorps IgA ou les composantes du complément. Selon le défaut génétique spécifique, les défenses innées, les défenses spécifiques ou les deux peuvent être déficientes. Dans le cas d'un *déficit immunitaire combiné sévère*, les deux types de défense, humorale et à médiation cellulaire, cessent de fonctionner. La survie dépend d'un milieu artificiel stérile jusqu'à ce que les sujets atteints de cette maladie génétique bénéficient d'une greffe de la moelle osseuse, qui leur procurera des lymphocytes fonctionnels.

Dans le cas d'un certain type de déficit immunitaire combiné sévère, une déficience de l'enzyme adénosine désaminase entraîne l'accumulation de substances qui sont toxiques à la fois pour les lymphocytes B et T. Depuis le début des années 1990, des chercheurs en médecine procèdent à des essais de thérapie génique: on prélève les cellules de la moelle osseuse d'une personne atteinte, on les modifie génétiquement pour qu'elles contiennent un gène de l'adénosine désaminase fonctionnel, puis on les réimplante dans le corps (voir la figure 20.16). Récemment, une enfant de deux ans atteinte de déficit immunitaire combiné sévère a subi avec succès une thérapie génique concernant le déficit de l'adénosine désaminase. Environ deux ans après le traitement, ses lymphocytes T et B fonctionnaient encore normalement. En fait, lorsqu'un membre de la famille a attrapé la varicelle, la petite fille traitée n'a développé aucun symptôme de la maladie, preuve que ses défenses immunitaires étaient correctes.

Les déficits immunitaires acquis (secondaires)

Un sujet peut souffrir d'un trouble immunitaire qui se développe au cours de sa vie à la suite d'une exposition à un certain nombre d'agents. Des médicaments utilisés pour lutter contre les maladies auto-immunes ou pour empêcher le rejet d'un transplant suppriment le système immunitaire, ce qui provoque un état d'immunodéficience. De plus, certains cancers détruisent le système immunitaire, surtout la maladie de Hodgkin, qui endommage le système lymphatique. Les déficits immunitaires acquis vont d'états temporaires, qui peuvent survenir à l'occasion d'un stress physiologique, au **syndrome d'immunodéficience acquise** (**sida**), aux conséquences catastrophiques, causé par un Virus.

Le stress et le système immunitaire. La fonction immunitaire normale semble dépendre à la fois du système endocrinien et du système nerveux. Il y a près de 2 000 ans, le médecin grec Galien avait remarqué que les patients atteints de dépression étaient plus susceptibles que d'autres de souffrir d'un cancer. En fait, des preuves de plus en plus nombreuses indiquent que les stress physique et émotionnel risquent de nuire à l'immunité. Les hormones sécrétées par les glandes surrénales en période de stress diminuent le nombre de leucocytes et peuvent affecter le système immunitaire à d'autres égards.

L'association entre le stress émotionnel et la fonction immunitaire fait aussi intervenir le système nerveux. En effet, certains neurotransmetteurs sont sécrétés quand nous sommes détendus et heureux; ils favorisent probablement l'immunité. Des chercheurs ont examiné des étudiants peu après leurs vacances et aussi pendant la période de leurs examens finaux. Ils ont remarqué que leur système immunitaire était perturbé à divers égards pendant la semaine d'examens; par exemple, leurs niveaux d'interféron étaient plus faibles. Ces observations et d'autres constatations indiquent que l'état de santé général et l'état d'esprit se répercutent sur l'immunité. Certaines preuves physiologiques montrent aussi que des liens sont établis entre le système nerveux et le système immunitaire. On a découvert des récepteurs associés à des neurotransmetteurs à la surface des lymphocytes; en outre, un réseau de fibres nerveuses pénètre profondément dans le thymus.

Le syndrome d'immunodéficience acquise (sida). Les sidéens sont éminemment sujets à des infections et à des cancers opportunistes, c'est-à-dire qui s'attaquent aux personnes dont le système immunitaire s'effondre. Par exemple, une infection causée par *Pneumocystis carinii*, Eumycète très répandu, peut provoquer des pneumonies graves chez une personne atteinte du sida, mais elle peut être repoussée chez un individu dont le système immunitaire fonctionne normalement. De même, le sarcome de Kaposi est un cancer rare affectant la peau et les muqueuses notamment qui survient fréquemment chez les sidéens. Ces maladies opportunistes, de même que les troubles neurologiques et un affaiblissement généralisé, peuvent entraîner la mort chez les sidéens.

Étant donné que le sida résulte de la perte des lymphocytes T auxiliaires, les réactions immunitaires humorales et à médiation cellulaire sont altérées. Cette perte des lymphocytes T auxiliaires est attribuable au **Virus de l'immunodéficience humaine** (**VIH**), un rétrovirus **(figure 43.22)** dont on a découvert à ce jour deux types: le VIH-1 (en 1983) et le VIH-2 (en 1985), responsable d'une maladie dont l'évolution est plus lente que celle qui est causée par le VIH-1. Le VIH pénètre dans les cellules en se servant

▲ **Figure 43.22 Lymphocyte T infecté par le VIH.** Dans cette MEB colorée, on voit bourgeonner à la surface du lymphocyte T des particules nouvellement produites (en gris).

de trois protéines qui participent aux réactions immunitaires normales. La molécule CD4 est le principal récepteur du VIH sur les lymphocytes T auxiliaires. Le Virus infecte également d'autres types de cellules, notamment les macrophages et les cellules cérébrales, qui portent moins de CD4. Pour pénétrer dans une cellule, le VIH doit non seulement trouver les protéines CD4 à sa surface, mais aussi un deuxième type de molécule protéique, appelé *corécepteur.* Un des corécepteurs, la fusine (ou CXCR4), est présent sur tous les types de cellules infectées par le VIH, tandis qu'un corécepteur différent (appelé CCR5) ne se trouve que sur les macrophages et les lymphocytes T auxiliaires. Ces deux corécepteurs du VIH fonctionnent en tant que récepteurs des chimiokines dans les cellules non infectées. En fait, les chercheurs se sont aperçus que ces protéines jouaient le rôle de corécepteurs du VIH après avoir découvert que des chimiokines peuvent bloquer l'entrée du VIH dans les cellules.

Une fois que le VIH s'introduit dans une cellule, le génome de son ARN fait l'objet d'une transcription inverse. L'ADN produit est intégré dans le génome de la cellule hôte et dirige la production de nouvelles particules de Virus (voir la figure 18.10). Dans la cellule infectée, la machinerie servant à la transcription et à la traduction est ainsi détournée au profit du Virus. On pense que la mort des lymphocytes T auxiliaires dans l'infection au VIH survient de deux façons: les cellules infectées peuvent succomber aux effets ravageurs de la reproduction du Virus, et les cellules infectées et les cellules saines peuvent subir une apoptose précoce déclenchée par le Virus.

Pour l'instant, l'infection au VIH est incurable, bien que certains médicaments puissent ralentir la reproduction du VIH et la progression de la maladie jusqu'au stade du sida. Toutefois, ces thérapies sont extrêmement coûteuses et ne sont pas à la portée de tous ceux et celles qui ont contracté le VIH. De plus, les changements mutationnels qui se produisent à chaque cycle de reproduction du Virus peuvent engendrer des souches de VIH résistantes aux médicaments. On peut amoindrir l'effet de la résistance des médicaments en utilisant une combinaison de médicaments; les Virus nouvellement résistants à l'un des médicaments peuvent être vaincus par un autre. Mais l'apparition de souches multirésistantes réduit l'efficacité des «coquetels» chez certains patients. Les mutations des antigènes de surface du VIH sont fréquentes et rapides (100 fois plus rapides que dans le cas du Virus de la grippe); cette dernière caractéristique, en plus du fait qu'on peut retrouver chez un même individu plusieurs souches différentes du Virus, explique en partie pourquoi il est si difficile de développer un vaccin efficace.

La transmission du VIH se fait par le transfert d'une personne à l'autre de liquides corporels (notamment le sperme ou le sang) contenant des cellules infectées; le Virus peut aussi passer de la mère à l'enfant pendant la grossesse, ou à l'accouchement et à l'allaitement. Les relations sexuelles non protégées (c'est-à-dire sans utilisation de préservatif) entre homosexuels et l'utilisation de seringues contaminées au VIH (généralement par des toxicomanes s'injectant des drogues intraveineuses) sont à la base de la plupart des cas d'infection au VIH signalés aux États-Unis, au Canada et en Europe. Toutefois, la transmission du VIH à des hétérosexuels est en augmentation rapide; elle découle de relations sexuelles non protégées avec un partenaire infecté. En Afrique et en Asie, cela se fait principalement au cours de relations sexuelles entre hétérosexuels.

Les spécialistes du Programme commun des Nations Unies sur le VIH/sida (ONUSIDA) estiment que, en 2005, 40 millions de personnes dans le monde vivaient avec le VIH/sida dont 10 millions ne seraient âgées que d'entre 15 et 24 ans et qu'en cette même année 3,1 millions de personnes étaient mortes de la maladie. Depuis son apparition, la pandémie a fait plus de 25 millions de vicitmes. La meilleure façon de ralentir la progression de la maladie dans un pays consiste à renseigner la population sur les pratiques favorisant la transmission du VIH, comme l'utilisation de seringues contaminées et les relations sexuelles non protégées. Les préservatifs ne peuvent, à eux seuls, complètement éliminer la probabilité d'attraper le VIH (ou d'autres Virus à transmission semblable, tel que le Virus de l'hépatite B), mais ils réduisent considérablement les risques. Toute personne ayant des relations sexuelles (vaginales, orales ou anales) avec un partenaire qui est potentiellement infecté risque d'être exposée au Virus mortel.

Retour sur le concept 43.5

1. Comment un déficit en macrophages est-il susceptible de nuire aux défenses innées et acquises?
2. De nombreux médicaments antiallergiques bloquent les réactions des mastocytes. Expliquez pourquoi ces médicaments sont efficaces dans le traitement d'allergies comme le rhume des foins.
3. La myasthénie, affection provoquée par les anticorps qui fixent et bloquent les récepteurs de l'acétylcholine aux jonctions neuromusculaires (voir la figure 49.33), empêche la contraction musculaire. Cette maladie est-elle une maladie de l'immunodéficience, une maladie auto-immune ou une allergie? Expliquez votre réponse.
4. Les personnes qui possèdent des récepteurs de chimiokines non fonctionnels en raison d'une mutation génétique sont immunisées contre une infection au VIH. Expliquez cette constatation.

Voir les réponses proposées à la fin du chapitre.

Révision du chapitre 43

RÉSUMÉ DES CONCEPTS CLÉS

L'immunité innée assure des défenses non spécifiques contre l'infection

▶ **Les défenses externes** (**p. 976**). La peau intacte et les muqueuses constituent des barrières physiques qui empêchent l'entrée des microorganismes et des Virus. Le mucus produit par les cellules de ces membranes, le faible pH de la peau et de l'estomac, ainsi que la dégradation par le lysozyme, préviennent également l'infection par des agents pathogènes.

▶ **Les défenses cellulaires et chimiques internes** (**p. 976-979**). Les phagocytes ingèrent les microorganismes qui pénètrent les défenses innées externes, et aident à déclencher une réaction inflammatoire. Les protéines du complément, les interférons et d'autres protéines antimicrobiennes jouent également un rôle contre les microorganismes envahisseurs. Dans l'inflammation localisée, l'histamine et d'autres substances chimiques libérées par des cellules lésées provoquent des modifications aux vaisseaux sanguins qui laissent pénétrer dans les tissus des liquides, plus de phagocytes et des protéines antimicrobiennes. Les cellules tueuses naturelles peuvent entraîner la mort par apoptose de cellules infectées par un Virus ou de cellules tumorales.

▶ **Les mécanismes d'immunité chez les Invertébrés** (**p. 979-980**). Les Insectes se défendent au moyen de mécanismes semblables, à bien des égards, aux défenses innées des Vertébrés.

Dans l'immunité acquise, les lymphocytes assurent des défenses précises contre l'infection

▶ **La reconnaissance des antigènes par les lymphocytes** (**p. 981-982**). Les récepteurs sur les lymphocytes se fixent de façon précise à des petites régions sur un antigène (épitopes). Les lymphocytes B reconnaissent les antigènes intacts. Les lymphocytes T reconnaissent les petits fragments d'antigène (antigènes peptidiques) qui forment un complexe avec les protéines de surface cellulaire appelées *molécules du complexe majeur d'histocompatibilité* (CMH). Les molécules du CMH de classe I, situées sur toutes les cellules nucléées du corps, présentent les antigènes peptidiques aux lymphocytes T cytotoxiques. Les molécules du CMH de classe II, trouvées principalement sur les cellules dendritiques, les macrophages et les lymphocytes B (cellules présentatrices d'antigènes), présentent des antigènes peptidiques aux lymphocytes T auxiliaires.

▶ **La différenciation des lymphocytes** (**p. 983-986**). Les lymphocytes se développent à partir de cellules souches de la moelle osseuse rouge. Les lymphocytes B arrivent à maturité dans la moelle osseuse rouge, tandis que les lymphocytes T terminent leur développement dans le thymus. Au début du développement, des remaniements permanents aléatoires de gènes forment des gènes fonctionnels qui codent pour les chaînes des récepteurs antigéniques des lymphocytes B ou T. Tous les récepteurs antigéniques produits par un seul lymphocyte sont spécifiques au même antigène. Les lymphocytes autoréactifs dont les récepteurs fixent des composantes normales du corps sont détruits ou inactivés. Dans une réaction immunitaire primaire, la fixation d'un antigène à un lymphocyte parvenu à maturité provoque la prolifération et la différenciation (sélection clonale) de ce lymphocyte, donnant naissance à un clone de cellules effectrices activées ayant une courte durée de vie et un clone de cellules-mémoire dotées d'une longue durée de vie. Ces cellules-mémoire sont à la base de la réaction immunitaire secondaire plus rapide et plus efficace.

Concept 43.3

L'immunité humorale et l'immunité à médiation cellulaire défendent l'organisme contre divers types de menaces

▶ **Les lymphocytes T auxiliaires: une réaction à presque tous les antigènes** (**p. 986**). Les lymphocytes T produisent la CD4, une protéine de surface qui facilite leur fixation aux complexes formés par les molécules du CMH de classe II et les antigènes sur les cellules présentatrices d'antigènes. Les lymphocytes T auxiliaires activés sécrètent plusieurs cytokines différentes qui stimulent d'autres lymphocytes.

▶ **Les lymphocytes T cytotoxiques: une réaction aux cellules infectées et aux cellules cancéreuses** (**p. 988**). Les lymphocytes T cytotoxiques produisent la CD8, une protéine de surface qui facilite leur fixation aux complexes formés par les molécules du CMH de classe I et les antigènes présents sur les cellules infectées, les cellules cancéreuses et les tissus transplantés. Les lymphocytes T cytotoxiques activés sécrètent des protéines qui amorcent la destruction de leurs cellules cibles.

▶ **Les lymphocytes B: une réaction aux pathogènes extracellulaires** (**p. 988-991**). La sélection clonale des lymphocytes B génère des plasmocytes sécréteurs d'anticorps, les cellules effectrices de l'immunité humorale. Les cinq principales classes d'anticorps diffèrent par leur distribution et leurs fonctions à l'intérieur de l'organisme. La fixation d'anticorps aux antigènes à la surface des agents entraîne l'élimination des microorganismes par phagocytose et par la lyse attribuable au complément.

▶ **L'immunisation active et l'immunisation passive** (**p. 991-992**). L'immunité active se développe naturellement en réaction à une infection; elle est également acquise artificiellement par la vaccination (immunisation). Dans la vaccination, la forme non pathogène d'un microorganisme ou d'une partie d'un microorganisme provoque une réaction immunitaire, donc une mémoire immunitaire du microorganisme visé. L'immunité passive assure une protection immédiate à court terme. Ce processus se fait naturellement – quand des IgG passent du placenta d'une femme enceinte au fœtus ou quand des IgA passent d'une mère au nourrisson qu'elle allaite – ou artificiellement – quand les anticorps sont injectés dans une personne non immunisée.

Concept 43.4

La capacité du système immunitaire à reconnaître le soi du non-soi limite les transfusions sanguines et les greffes de tissus

▶ **Les groupes sanguins et les transfusions sanguines** (**p. 993-994**). Certains antigènes présents sur les érythrocytes déterminent le groupe sanguin: type A, B, AB ou O. Les anticorps réagissant à un groupe sanguin étranger sont déjà présents dans le corps. En cas de transfusion d'un groupe sanguin incompatible, les cellules transfusées sont détruites. Le facteur Rhésus (Rh), un autre antigène des érythrocytes, peut poser un danger quand une mère Rh négatif porte successivement plusieurs fœtus Rh positifs.

▶ **Les greffes de tissus et les transplantations d'organes** (**p. 994**). Les molécules du CMH sont responsables de la stimulation du rejet des greffes de tissus et d'organes. Les chances de succès des greffes sont améliorées si les CMH des tissus du donneur et du receveur sont très compatibles et si le receveur prend des médicaments immunosuppresseurs. Dans les transplantations de moelle osseuse, les lymphocytes peuvent causer une réaction du greffon contre l'hôte chez le receveur.

Les réactions immunitaires exagérées, autodirigées ou diminuées peuvent causer des maladies

- **Les allergies** (**p. 994-995**). Dans le cas des allergies localisées, comme le rhume des foins, les anticorps IgE produits après une première exposition à un allergène s'attachent aux récepteurs sur les mastocytes. La deuxième fois que le même allergène pénètre dans le corps, il se fixe aux molécules d'IgE associées aux mastocytes, poussant la cellule à libérer de l'histamine et d'autres médiateurs qui causent des changements vasculaires et des symptômes typiques.
- **Les maladies auto-immunes** (**p. 995-996**). La perte de l'autotolérance d'un système immunitaire risque de provoquer des maladies auto-immunes, comme le lupus érythémateux systémique, la sclérose en plaques, l'arthrite rhumatoïde et le diabète insulinodépendant.
- **Les maladies de l'immunodéficience** (**p. 996-997**). Le déficit immunitaire héréditaire (primaire) est attribuable à des anomalies héréditaires ou congénitales qui empêchent le bon fonctionnement des défenses innées, humorales ou à médiation cellulaire. Le sida est une immunodéficience acquise (secondaire) causée par le Virus de l'immunodéficience humaine (VIH). L'infection au VIH provoque la destruction des lymphocytes T auxiliaires, ce qui laisse le patient sujet à des maladies opportunistes en raison de réactions immunitaires humorales et à médiation cellulaire déficientes.

VÉRIFIEZ VOS CONNAISSANCES

Autoévaluation

(Les questions dont les numéros sont en caractères gras font surtout appel à la compréhension.)

1. Parmi les éléments suivants, lequel *ne s'intègre pas* aux défenses innées, non spécifiques du corps?
   a) Les cellules tueuses naturelles.
   b) L'inflammation.
   c) La phagocytose par les granulocytes neutrophiles.
   d) La phagocytose par les macrophages.
   e) Les anticorps.
2. Parmi les éléments suivants, lequel *est caractéristique* des premières étapes d'une inflammation localisée?
   a) La constriction des artérioles.
   b) La fièvre.
   c) L'attaque par les lymphocytes T cytotoxiques.
   d) La diffusion de l'histamine.
   e) La lyse des microorganismes attribuable aux anticorps et au complément.
3. Parmi les composantes suivantes, laquelle *ne fait pas* partie du système de défense d'un Insecte contre les infections?
   a) L'activation de la phénoloxydase, qui entraîne la formation d'importants dépôts autour des parasites.
   b) L'activation des cellules tueuses naturelles.
   c) La phagocytose par les hémocytes.
   d) La production de peptides antimicrobiens.
   e) Un exosquelette protecteur.
4. À quelle partie d'un anticorps un épitope se lie-t-il?
   a) Au déterminant antigénique.
   b) Aux régions constantes de la chaîne lourde seulement.
   c) Aux régions variables de la chaîne lourde et de la chaîne légère.
   d) Aux régions constantes de la chaîne légère.
   e) Au domaine effecteur de l'anticorps.
5. Parmi les énoncés suivants se rapportant aux molécules de CMH, trouvez celui qui est *faux*.
   a) Elles sont fabriquées par les cellules des tissus ainsi que par certaines cellules jouant un rôle dans l'immunité.
   b) Elles sont de petits fragments de protéines normales.
   c) Elles sont libérées dans la circulation et agissent comme les anticorps.
   d) Elles se lient à des fragments d'antigènes.
   e) Elles forment une empreinte biochimique particulière à chaque individu.
6. Indiquez l'énoncé qui est *faux*.
   a) Le gène fonctionnel qui code pour une chaîne légère de récepteur antigénique doit contenir un segment *V* et un segment *J* (pour la région variable) et un segment *C* (pour la région constante).
   b) Les gènes qui codent pour les récepteurs antigéniques sont constitués de nombreux segments de gènes qui s'associent les uns aux autres de façon aléatoire.
   c) C'est la rencontre entre un lymphocyte et un antigène qui détermine quel type de chaîne légère et quel type de chaîne lourde seront synthétisés pour constituer le récepteur antigénique.
   d) Les chaînes légères et les chaînes lourdes d'un récepteur antigénique sont produites séparément et se recombinent au hasard.
   e) La formation d'un gène fonctionnel pour la synthèse d'une chaîne de récepteur antigénique implique de la délétion.
7. Laquelle, parmi les caractéristiques suivantes, *n'est pas* associée à la réaction immunitaire secondaire?
   a) Elle n'est pas aussi importante en ce qui regarde la quantité d'anticorps présents que pendant la réaction primaire.
   b) La réponse est rapide et dure longtemps.
   c) Elle se produit à l'occasion d'une nouvelle exposition à un même antigène.
   d) Elle possède des anticorps ayant plus d'affinités avec les antigènes que dans la réaction immunitaire primaire.
   e) C'est une réaction qui dépend de cellules-mémoire B et T.
8. Parmi les énoncés suivants sur les lymphocytes T auxiliaires, lequel est *faux*?
   a) Ces cellules fonctionnent dans les réactions immunitaires à médiation cellulaire et humorale.
   b) Ces cellules reconnaissent les fragments de polysaccharides présentés par les molécules du CMH de classe II.
   c) Ces cellules portent des protéines CD4 sur leur membrane plasmique.
   d) Ces cellules sont sujettes à l'infection par le VIH.
   e) Une fois activées, ces cellules sécrètent des cytokines.

9. Trouvez l'association erronée.
   a) Lysozyme et larmes.
   b) Interférons et cellules infectées par un Virus.
   c) Anticorps et lymphocytes B.
   d) Chimiokines et lymphocytes T cytotoxiques.
   e) Cytokines et lymphocytes T auxiliaires.

10. Parmi les énoncés suivants, lequel décrit *le mieux* la façon différente dont les lymphocytes B et les lymphocytes T cytotoxiques réagissent aux envahisseurs?
   a) Les lymphocytes B confèrent une immunité active; les lymphocytes T cytotoxiques confèrent une immunité passive.
   b) Les lymphocytes B tuent les Virus directement; les lymphocytes T cytotoxiques tuent les cellules infectées par un Virus.
   c) Les lymphocytes B sécrètent des anticorps contre un Virus; les lymphocytes T cytotoxiques tuent les cellules infectées par un Virus.
   d) Les lymphocytes B accomplissent l'immunité à médiation cellulaire; les lymphocytes T cytotoxiques accomplissent l'immunité humorale.
   e) Les lymphocytes B réagissent la première fois que l'envahisseur est présent; les lymphocytes T cytotoxiques réagissent par la suite.

11. Parmi les situations suivantes, laquelle produit une immunité à long terme?
   a) Le passage des anticorps maternels au fœtus en développement.
   b) La réaction inflammatoire à une écharde.
   c) L'administration d'un sérum en provenance de sujets immunisés contre la rage.
   d) L'administration du vaccin contre la varicelle.
   e) Le passage des anticorps de la mère au nourrisson allaité.

12. Une mère Rh négatif donne naissance à un bébé Rh positif. On la traite par des anticorps spécifiques au facteur Rh pour:
    a) la protéger contre les érythrocytes du bébé.
    b) l'empêcher de produire des lymphocytes B-mémoire propres au facteur Rh.
    c) protéger les bébés Rh positifs qu'elle pourrait avoir à l'avenir.
    d) provoquer une réaction immunitaire aux anticorps Rh.
    e) Les réponses b et c sont bonnes.
13. Le VIH affecte toutes ces cellules, *sauf*:
    a) les macrophages.
    b) les lymphocytes T cytotoxiques.
    c) les lymphocytes T auxiliaires.
    d) les cellules portant la protéine CD4 et la fusine.
    e) les cellules cérébrales.

Lien avec l'évolution

1. Les Invertébrés représentent plus de 90 % des espèces animales vivantes. Leur succès dépend sans aucun doute de leurs défenses efficaces contre les microorganismes. Décrivez l'un des mécanismes grâce auquel ils combattent les envahisseurs microscopiques; expliquez dans quelle mesure ce mécanisme comprend une adaptation conservée par le système immunitaire des Vertébrés au cours de l'évolution.
2. Expliquez en quoi la théorie expliquant la génération de la diversité des lymphocytes et celle de la sélection clonale des lymphocytes s'apparente à la théorie darwinienne de l'évolution.

Intégration

Un des effets de l'interféron-γ consiste à augmenter le nombre de molécules du CMH de classe I présentes sur la membrane plasmique d'une cellule. Supposons que vous désirez mettre à l'épreuve son efficacité à traiter des infections virales ou un cancer. Quelles prédictions pouvez-vous formuler en ce qui a trait à ses effets sur la réaction immunitaire des Animaux de laboratoire contre (a) les cellules infectées par un Virus et (b) les cellules cancéreuses?

Science, technologie et société

1. Il existe deux méthodes d'immunisation contre la poliomyélite, une maladie qui cause une paralysie en détruisant les neurones moteurs de l'encéphale et de la moelle épinière. On peut administrer un vaccin sous forme d'une injection de poliovirus inactivés (ou tués) ou un vaccin oral sous forme de poliovirus vivants, mais atténués. Aujourd'hui, le vaccin administré par voie orale n'est plus recommandé dans les pays occidentaux, où la maladie a été éradiquée, parce que le poliovirus vivant peut muter, devenir plus agressif et être réintroduit dans la population. Toutefois, il continue à être administré sous cette forme dans les pays où la poliomyélite persiste parce qu'il est facile à administrer (pas d'aiguille!) et qu'il est hautement efficace. De plus, le Virus atténué peut se propager à des individus non vaccinés et les immuniser. D'après vous, le risque de mutation rendant le Virus plus agressif (de l'ordre de 1 sur 12 millions) est-il acceptable, compte tenu des avantages de la vaccination orale? Comment doit-on prendre ce genre de décision dans le domaine de la santé publique?
2. La pénurie relative d'organes à transplanter amène les chercheurs à se tourner vers les Animaux comme donneurs. L'Animal qui semble actuellement offrir les meilleures possibilités est le porc. Comme on peut maintenant modifier génétiquement cet Animal de façon à diminuer les risques de rejet des greffons, on peut imaginer que la transplantation fera de plus en plus appel à lui. Cette éventualité n'est pas sans provoquer certaines inquiétudes. Quel risque serait associé à ce genre de pratique? Accepteriez-vous une greffe de tissus animaux, quels qu'ils soient?
3. Selon une hypothèse (hypothèse hygiéniste), l'augmentation des cas d'allergies qu'on observe depuis quelques dizaines d'années serait attribuable à un mode de vie trop aseptisé; notre souci excessif de propreté, notre phobie des microbes nous font adopter des comportements qui empêchent le système immunitaire des enfants d'avoir un contact suffisant avec les microbes, ce qui nuit à la maturation dont le système de défense aurait besoin pour se développer normalement. Que pensez-vous de cette hypothèse?

Réponses du chapitre 43

Retour sur le concept 43.1

1. Les macrophages ont des récepteurs qui fixent les polysaccharides présents sur la membrane plasmique des cellules bactériennes mais pas sur les cellules du corps.
2. La vasodilatation, qui accroît le débit sanguin, et l'augmentation de la perméabilité des vaisseaux provoquent les signes communs de l'inflammation. Ces changements vasculaires contribuent à la diffusion des facteurs de coagulation, des protéines antimicrobiennes et des phagocytes vers les tissus de la région touchée; tous ces facteurs permettent de réparer les dommages aux tissus et d'arrêter la propagation de l'infection.
3. L'exosquelette des Insectes fournit une barrière externe semblable à la peau et aux muqueuses des Vertébrés. Les phagocytes et les protéines antimicrobiennes contribuent également aux défenses innées tant chez les Insectes que chez les Vertébrés.

Retour sur le concept 43.2

1. Voir la figure 43.8a; un anticorps sécrété n'a pas de région transmembranaire ni de domaine cytoplasmique.
2. Les récepteurs de lymphocyte B fixent des antigènes extracellulaires intacts présents à la surface des microorganismes ou à l'état libre dans les fluides corporels. Les récepteurs des lymphocytes T fixent des petits fragments d'antigènes intracellulaires qui forment des complexes avec des molécules du CMH de classe I ou de classe II.
3. Spécificité: seulement les lymphocytes ayant des récepteurs qui fixent l'antigène sont sélectionnés pour proliférer et se différencier en plasmocytes sécrétant des anticorps propres à l'antigène et en lymphocytes B-mémoire qui portent des récepteurs propres au même antigène. Mémoire: les lymphocytes B-mémoire produits en grand nombre réagissent plus rapidement au même antigène lorsque celui-ci pénètre dans le corps la fois suivante.
4. $40\ V \times 5\ J = 200$ chaînes légères possibles; $51\ V \times 6\ J \times 27\ D = 8\ 262$ chaînes lourdes possibles. Chaque site de fixation à l'antigène est formé à partir d'une région sur une chaîne légère et d'une région sur une chaîne lourde. Le nombre de combinaisons aléatoires possibles est 200 chaînes légères × 8 262 chaînes lourdes = $1{,}65 \times 10^6$ spécificités de fixation antigéniques possibles.

Retour sur le concept 43.3

1. Un lymphocyte T auxiliaire activé sécrète des cytokines qui provoquent l'activation des lymphocytes T cytotoxiques et des lymphocytes B. Un lymphocyte T cytotoxique activé tue les cellules infectées et les cellules tumorales par apoptose. Un lymphocyte B activé se différencie en plasmocytes qui sécrètent des anticorps.
2. Exemples de mots pouvant être employés à des fins mnémotechniques: IgM: **m**acro (grosse structure pentamère), **m**obile ou **m**atinal (les premiers à apparaître pendant une infection); IgG: **g**rossesse (traverse le placenta), **g**énéral (les plus abondants dans le sang); IgA: **a**llaitement (dans le lait maternel), **a**vant-poste (se trouvent sur les muqueuses); IgE: **e**nnuis, **é**ternuements, **é**coulement nasal (contribuent à la réaction allergique); IgD: **d**ébutant, **d**essus (à la surface des lymphocytes B non encore exposés aux antigènes).

3. Un enfant qui n'a pas de thymus ne possèderait pas de lymphocytes T fonctionnels. Sans lymphocytes T auxiliaires pour aider à activer les lymphocytes B, il serait incapable de produire des anticorps contre les Bactéries extracellulaires. Sans lymphocytes T cytotoxiques ou lymphocytes T auxiliaires pour aider à les activer, le système immunitaire serait incapable de tuer les cellules infectées par un Virus.
4. Les anticorps liés aux Virus peuvent bloquer leur attachement à des cellules hôtes potentielles (neutralisation virale). Le recouvrement des Bactéries ou d'autres particules par des anticorps liés à des antigènes présents à la surface augmente leur phagocytose par des macrophages (opsonisation). Les anticorps liés aux antigènes sur les cellules bactériennes peuvent également activer une cascade de protéines du complément provoquant la lyse des Bactéries (activation du complément). L'établissement de liens croisés entre les antigènes sur de nombreuses cellules bactériennes ou sur des Virus par la fixation de multiples molécules d'anticorps peut provoquer la formation d'importants amas (agglutination), qui sont alors phagocytés.
5. L'immunisation passive, soit le transfert des anticorps d'un individu à un autre, ne protège que le temps que les anticorps demeurent. L'immunisation active, soit l'introduction d'antigènes, provoque une réaction immunitaire chez le receveur qui peut mener à la génération de cellules-mémoire à longue durée de vie. Un individu qui a subi une immunisation active peut être immunisé contre cet antigène pour la vie.

Retour sur le concept 43.4

1. Étant donné qu'ils ne produisent pas d'anticorps ni contre l'antigène A, ni contre l'antigène B, les individus du groupe sanguin AB peuvent recevoir sans danger du sang des groupes A, B, AB ou O; autrement dit, ce sont des receveurs universels. Dans le cas d individus du groupe O agissant en tant que donneurs, il faut utiliser des globules concentrés étant donné que le sérum du donneur (partie liquide du sang) contiendrait des anticorps de A et de B, qui pourraient réagir avec les érythrocytes du receveur.
2. Le danger de réaction du greffon contre l'hôte survient parce que le transplant de moelle osseuse contient des lymphocytes qui pourraient réagir contre les composants de l'organisme du receveur.
3. Un autogreffon ne déclencherait pas de réaction de rejet.

Retour sur le concept 43.5

1. Une personne ayant un déficit de macrophages souffrirait de fréquentes infections. Cela serait attribuable à des réactions innées inadéquates, notamment une phagocytose et une inflammation diminuées, et des réactions acquises inexistantes ou insuffisantes étant donné le rôle des macrophages dans la présentation des antigènes aux lymphocytes T auxiliaires.
2. La fixation des antigènes par les molécules d'IgE attachées aux mastocytes provoque la dégranulation de ces cellules, diffusant l'histamine et d'autres agents inflammatoires qui causent les symptômes typiques de l'inflammation. Les médicaments qui bloquent la réaction de dégranulation empêchent la libération des agents inflammatoires et, par conséquent, les symptômes dont ils sont la cause.
3. La myasthénie est considérée comme une maladie auto-immune parce que le système immunitaire produit des anticorps contre les molécules du soi (les récepteurs de l'acétylcholine).
4. Pour pénétrer dans une cellule hôte, le VIH nécessite la protéine CD4 et un corécepteur. Normalement, le corécepteur pour le VIH fonctionne comme un récepteur des chimiokines. Si les récepteurs des chimiokines d'une personne sont défectueux, le VIH ne peut pas les utiliser pour s'introduire dans les cellules.

Autoévaluation

1. e; 2. d; 3. b; 4. c; 5. c; 6. c; 7. a; 8. b; **9.** d; **10.** c; 11. d; **12.** e; 13. b.

44

L'osmorégulation et l'excrétion

▲ **Figure 44.1 Albatros de Salvin (*Diomeda cauta salvini*), Oiseau pouvant boire de l'eau de mer sans effets nocifs.**

Concepts clés

44.1 L'osmorégulation établit un équilibre entre l'acquisition et la perte d'eau et de solutés
44.2 Les Animaux produisent des déchets azotés qui reflètent leur phylogenèse et leur habitat
44.3 Les divers systèmes urinaires constituent des variations de tubules spécialisés
44.4 Le néphron et les vaisseaux sanguins qui lui sont associés constituent l'unité structurale et fonctionnelle des reins des Mammifères
44.5 La capacité du rein mammalien à conserver l'eau est une adaptation essentielle à la vie terrestre
44.6 L'évolution a amené les reins des Vertébrés à s'adapter à des habitats différents

Introduction

Une question d'équilibre

Les systèmes physiologiques des Animaux, en partant des cellules et des tissus jusqu'aux organes et aux systèmes de l'organisme, fonctionnent dans un milieu liquide. Pour que ces systèmes accomplissent leurs fonctions correctement, ce milieu, notamment les concentrations relatives d'eau et de solutés, doit être maintenu dans des limites relativement étroites, souvent face à une forte concurrence imposée par l'environnement externe de l'Animal. Par exemple, les Animaux d'eau douce, qui vivent dans un environnement externe menaçant d'envahir et de diluer leurs liquides corporels, présentent des adaptations qui réduisent l'acquisition d'eau, conservent les solutés et absorbent les sels (NaCl, mais aussi KCl, $CaCl_2$, etc.) provenant de leurs milieux. À l'autre extrême, les Animaux du désert et les Animaux marins font face à des milieux arides qui menacent d'épuiser l'eau dans leur corps **(figure 44.1)**. Dans ces environnements, la réussite dépend de la conservation de l'eau et de l'élimination des sels excédentaires.

En même temps, le métabolisme pose aux organismes le problème de l'élimination des déchets. La décomposition des protéines et des acides nucléiques, en particulier, est problématique, étant donné que l'ammoniac, principal déchet produit par le métabolisme, est très toxique. Les études qui nous renseignent sur la façon dont les Animaux surmontent ces défis physiologiques nous fournissent des exemples d'homéostasie les plus remarquables. Dans le présent chapitre, nous nous pencherons sur deux processus clés de l'homéostasie : l'**osmorégulation**, soit la régulation de l'équilibre entre l'acquisition et la perte d'eau et de solutés, et l'**excrétion**, ou l'élimination des déchets azotés produits par le métabolisme.

Concept 44.1

L'osmorégulation établit un équilibre entre l'acquisition et la perte d'eau et de solutés

La thermorégulation dépend de l'équilibre entre l'acquisition et la perte de chaleur (voir le chapitre 40). De la même manière, la capacité à réguler la composition chimique des liquides corporels repose sur l'équilibre entre l'acquisition et la perte d'eau et de solutés. Ce processus d'osmorégulation se fonde principalement sur les mouvements contrôlés des solutés entre les liquides internes et le milieu externe, et aussi sur la régulation du mouvement de l'eau, qui suit les solutés par osmose. Par ailleurs, un Animal doit éliminer divers déchets métaboliques avant que leur accumulation atteigne des concentrations nuisibles.

L'osmose

Tous les Animaux, quels que soient leur phylogenèse, leur habitat ou leur type de production de déchets, doivent affronter le même problème d'osmorégulation : il faut que le gain et la perte d'eau s'équilibrent. N'ayant pas de paroi, les cellules animales gonflent et éclatent s'il y a un apport continu d'eau ou, au contraire, se dessèchent et meurent s'il y a une perte importante d'eau.

L'eau pénètre dans la cellule et en sort par osmose. Nous avons vu au chapitre 7 que l'osmose est un mode de transport passif ; elle se réalise par le mouvement de l'eau à travers une membrane dont la perméabilité est sélective. Elle a lieu quand deux solutions séparées par une membrane diffèrent par leur pression osmotique, ou **osmolarité** (c'est la concentration molaire volumique totale de solutés; elle est exprimée en moles de solutés par litre de solution; voir le chapitre 3). Dans le présent chapitre, les mesures de l'osmolarité sont données en millimoles (ou 10^{-3} mol) par litre (mmol/L). L'osmolarité du sang humain, par exemple, est d'environ 300 mmol/L, alors que celle de l'eau de mer s'élève à quelque 1 000 mmol/L.

Deux solutions séparées par une membrane à perméabilité sélective sont qualifiées d'*isoosmotiques* si elles ont la même osmolarité. Il n'y a aucun mouvement *net* d'eau par osmose entre deux solutions isoosmotiques; même si des molécules d'eau traversent continuellement la membrane, elles le font à la même vitesse dans les deux directions. En revanche, quand deux solutions n'ont pas la même osmolarité, celle qui a la concentration la plus grande de solutés est dite *hyperosmotique*, tandis que la solution plus diluée est dite *hypoosmotique*. L'eau passe par osmose d'une solution hypoosmotique à une solution hyperosmotique*.

Les défis de l'osmose

Il existe deux façons générales de régler le problème de l'équilibre du gain et de la perte d'eau. La première solution, qui ne peut être utilisée que par des Animaux marins, est d'être isoosmotique avec l'environnement. Les Animaux qui le sont ne procèdent pas activement à un ajustement de leur osmolarité interne; on les désigne par le terme **osmotolérants**. Comme ils ont une osmolarité interne qui est la même que celle du milieu, les osmotolérants n'ont pas tendance à acquérir ni à perdre de l'eau. Ils vivent généralement dans une eau dont la composition est très stable. C'est pourquoi leur osmolarité interne reste très constante. La seconde solution est de réguler l'osmolarité interne, ce que font les **osmorégulateurs**, parce que leurs liquides corporels ne sont pas isoosmotiques avec l'environnement externe. Les Animaux osmorégulateurs doivent se débarrasser de l'eau excédentaire s'ils vivent dans un environnement hypoosmotique ou, au contraire, absorber de l'eau pour compenser les pertes osmotiques si leur environnement est hyperosmotique. Il reste que l'osmorégulation leur permet d'habiter dans des milieux où les osmotolérants ne peuvent survivre, notamment les habitats d'eau douce et les milieux terrestres. Elle permet aussi à de nombreux Animaux marins de maintenir une osmolarité interne différente de celle de l'eau de mer.

Chaque fois qu'ils maintiennent une différence d'osmolarité entre leur corps et le milieu externe, les Animaux doivent déployer de l'énergie. Le phénomène de la diffusion tendant à égaliser les concentrations, les osmorégulateurs doivent dépenser de l'énergie pour maintenir les gradients osmotiques qui permettent à l'eau d'entrer dans leur corps ou d'en sortir. Pour ce faire, ils font appel au transport actif et modifient au besoin les concentrations de solutés dans leurs liquides corporels.

Le coût énergétique de l'osmorégulation dépend de plusieurs facteurs: l'écart entre l'osmolarité de l'Animal et celle de l'environnement; la facilité avec laquelle l'eau et les solutés traversent la surface de l'Animal; et la quantité de travail nécessaire pour pomper les solutés et effectuer le transport membranaire. En raison de la différence de concentration entre les liquides corporels (de 240 à 450 mmol/L), l'eau douce (de 0,5 à 15 mmol/L) et l'eau de mer (environ 1 000 mmol/L), l'osmorégulation compte pour près de 5 % du métabolisme au repos de nombreux Poissons osseux marins et dulcicoles. En ce qui concerne les artémies (*Artemia salina*), de petits Crustacés vivant dans le Grand Lac Salé de l'Utah et dans d'autres environnements très salés, le gradient entre les osmolarités interne et externe est très grand. Le coût de l'osmorégulation est donc extrêmement élevé: il peut compter pour 30 % du métabolisme au repos. En revanche, dans le cas des osmotolérants marins, qui sont isoosmotiques par rapport à l'eau de mer, le coût énergétique de l'osmorégulation est faible.

La plupart des Animaux, qu'ils soient osmotolérants ou osmorégulateurs, ne peuvent supporter les changements importants de l'osmolarité externe. Ils sont donc dits **sténohalins** (du grec *stenos*, « étroit »; *halin* se rapporte au sel). En revanche, les Animaux **euryhalins** (du grec *eurys*, « large ») peuvent survivre à des fluctuations importantes de l'osmolarité externe (cette catégorie comprend des osmotolérants et des osmorégulateurs). Parmi les osmorégulateurs euryhalins, citons l'exemple bien connu des diverses espèces de saumons, et celui du Poisson osseux appelé *tilapia*; ce Poisson d'Afrique, qui est élevé en pisciculture pour la consommation humaine, est capable de s'ajuster à n'importe quelle concentration de sels et de vivre en eau douce ou en eau très salée pouvant atteindre 2 000 mmol/L, soit une concentration deux fois plus élevée que celle de l'eau de mer **(figure 44.2)**.

Nous allons nous pencher maintenant de plus près sur certaines adaptations d'osmorégulation qui ont évolué chez les Animaux terrestres ainsi que chez les Animaux vivant dans de l'eau douce ou dans de l'eau de mer.

Les Animaux marins

Les Animaux ont évolué en premier lieu dans la mer, et c'est dans cet environnement qu'on trouve le plus d'embranchements. La

▲ **Figure 44.2 Tilapia (*Tilapia mossambica*), osmorégulateur euryhalin exceptionnel.**

* Dans le présent chapitre, nous employons les termes *isoosmotique*, *hypoosmotique* et *hyperosmotique*, qui désignent particulièrement l'osmolarité, et non les termes plus connus *isotonique*, *hypotonique* et *hypertonique*. Ces derniers s'appliquent à la réaction des cellules (qui gonflent ou qui rétrécissent) dans des solutions dont les concentrations en solutés sont connues.

plupart des Invertébrés marins et les Vertébrés les plus primitifs sont osmotolérants; leur osmolarité totale (la somme des concentrations de toutes les substances dissoutes dans l'organisme) est la même que celle de l'eau de mer. Toutefois, ils diffèrent considérablement de l'eau de mer quant à la concentration de chacun des solutés qu'ils contiennent. Ainsi, même un Animal qui tolère l'osmolarité de son environnement régule sa composition interne de solutés.

Les Vertébrés marins et quelques Invertébrés marins sont des osmorégulateurs. Pour la plupart de ces Animaux, l'océan est un environnement très déshydratant, car il est beaucoup plus salé que les liquides internes de leur corps, et l'eau a tendance à quitter celui-ci par osmose. Les Poissons osseux marins, comme la morue franche (*Gadus morhua*), sont hypoosmotiques par rapport à l'eau de mer et perdent constamment de l'eau par osmose tout en gagnant des sels à la fois par diffusion et par ingestion d'aliments **(figure 44.3a)**. Pour compenser ces pertes, ils boivent de fortes quantités d'eau de mer. Leurs branchies et leur peau éliminent le chlorure de sodium; dans leurs branchies, des cellules spéciales, les cellules à chlorure (ou ionocytes), procèdent au transport actif des ions chlorure (Cl^-) vers l'extérieur, et les ions sodium (Na^+) suivent passivement. Les reins des Poissons marins éliminent d'autres ions excédentaires dont le calcium, le magnésium et les sulfates, tout en n'excrétant que de petites quantités d'eau.

Les requins et la plupart des autres Chondrichthyens (Animaux cartilagineux; voir le chapitre 34) font appel à une stratégie d'osmorégulation différente. Comme c'est le cas des Poissons osseux, leur concentration interne en sels est bien inférieure à celle de l'eau de mer. Ils acquièrent donc du sel par diffusion à travers les surfaces corporelles, particulièrement les branchies. Les reins des requins retirent une partie de cette charge de sel, et le reste est expulsé par la glande rectale ou disséminé dans les selles. Contrairement aux Poissons osseux, et malgré leur concentration interne de sels relativement faible, les requins échappent à la perte importante et continue d'eau par osmose: c'est qu'ils maintiennent dans leurs liquides corporels une forte concentration d'urée, un déchet azoté (produit du métabolisme des protéines et des acides nucléiques chez de nombreux Animaux; voir la figure 44.8); l'urée contribue jusqu'à 50 % de l'osmolarité totale des liquides corporels du requin. L'oxyde de triméthylamine, autre soluté organique, protège les protéines, en stabilisant leur structure, des dommages que l'urée peut causer. (Avant de faire cuire la chair de requin, il faut la faire tremper dans de l'eau douce afin d'en retirer l'urée.) Même si, comme nous venons de le mentionner, la concentration en sels est relativement faible, la concentration totale en solutés des liquides corporels du requin (sels, urée, oxyde de triméthylamine et autres composés) est légèrement supérieure à 1 000 mmol/L, donc légèrement hyperosmotique comparativement à l'eau de mer. C'est pourquoi l'eau *pénètre* lentement dans le corps des requins par osmose, ainsi que par les aliments (les requins ne boivent pas); cette faible entrée d'eau est excrétée dans l'urine que les reins produisent.

Les Animaux dulcicoles

Les problèmes d'osmorégulation des Animaux dulcicoles sont tout à l'opposé de ceux auxquels les Animaux marins se heurtent. En effet, les Animaux dulcicoles acquièrent constamment de l'eau par osmose et perdent des sels par diffusion, parce que l'osmolarité de leurs liquides internes est beaucoup plus élevée que celle de leur milieu. Cependant, les concentrations de solutés des liquides corporels de la plupart des Animaux dulcicoles sont plus faibles que celles des espèces marines apparentées; cela est attribuable à une adaptation à leur habitat d'eau douce de faible salinité. Par exemple, la concentration des solutés des liquides corporels des Mollusques marins est d'environ 1 000 mmol/L, alors que certaines moules d'eau douce maintiennent une concentration de solutés de leurs liquides corporels autour de 40 mmol/L. Cette réduction de la différence osmotique entre les liquides corporels et l'eau douce environnante diminue le coût énergétique de l'osmorégulation.

De nombreux Animaux dulcicoles, dont les Poissons, comme la perchaude (*Perca flavescens*), maintiennent l'équilibre hydrique en excrétant des quantités importantes d'urine très diluée. Les sels perdus par diffusion et dans l'urine sont remplacés par ceux qui sont contenus dans les aliments et par ceux qui sont absorbés à travers les branchies; des cellules à chlorure dans les branchies procèdent au transport actif du Cl^- vers l'intérieur, et le Na^+ suit **(figure 44.3b)**.

Les saumons et les autres Poissons euryhalins qui migrent entre l'eau douce et l'eau salée vivent des changements rapides et importants sur le plan de l'osmorégulation. Dans l'océan, les saumons procèdent à l'osmorégulation comme n'importe quel autre Poisson marin: en buvant de l'eau de mer et en excrétant le sel excédentaire par les branchies. Quand ils migrent dans l'eau douce, ils cessent de boire et commencent à produire une quantité importante d'urine diluée; leurs branchies se mettent à absorber le sel du milieu dilué. Ils se comportent donc comme les Poissons qui passent leur vie entière dans de l'eau douce.

Les Animaux dans des habitats aquatiques précaires

La déshydratation condamnerait la plupart des Animaux à une mort certaine; cependant, certains Invertébrés aquatiques vivant dans des étangs temporaires ou dans des pellicules d'eau entourant des particules de sol peuvent perdre presque toute leur eau et survivre dans un état d'inactivité lorsque leur habitat se dessèche. Cette adaptation remarquable s'appelle **anhydrobiose** (« vie sans eau »). Parmi les exemples les plus frappants figurent les Tardigrades, de minuscules Acariens qui font moins de 1 mm de long **(figure 44.4)**. Dans leur phase active et hydratée (voir la figure 44.4a), ces Animaux ont une masse qui se compose d'eau à environ 85 %, mais ils peuvent se déshydrater jusqu'à ce que leur masse contienne même moins que 2 % d'eau et survivre dans un état d'inactivité (voir la figure 44.4b), secs comme de la poussière, pendant une décennie ou plus. Il suffit qu'il y ait de nouveau un peu d'eau pour que les Tardigrades réhydratés se déplacent et se nourrissent.

Les Animaux capables d'anhydrobiose doivent posséder des adaptations qui protègent leurs membranes cellulaires. Les chercheurs commencent à peine à comprendre comment les Tardigrades font pour survivre une fois qu'ils sont desséchés. Les études de certains Vers ronds (Nématodes) capables d'anhydrobiose indiquent que les sujets déshydratés contiennent des quantités importantes de glucides (jusqu'à 15 % de la masse sèche). En particulier, un disaccharide appelé *tréhalose* semble protéger les cellules en remplaçant l'eau qui hydrate habituellement les membranes et les protéines, et les autres macromolécules. De nombreux Insectes qui survivent à la congélation en hiver utilisent aussi le tréhalose comme agent protecteur de leurs membranes.

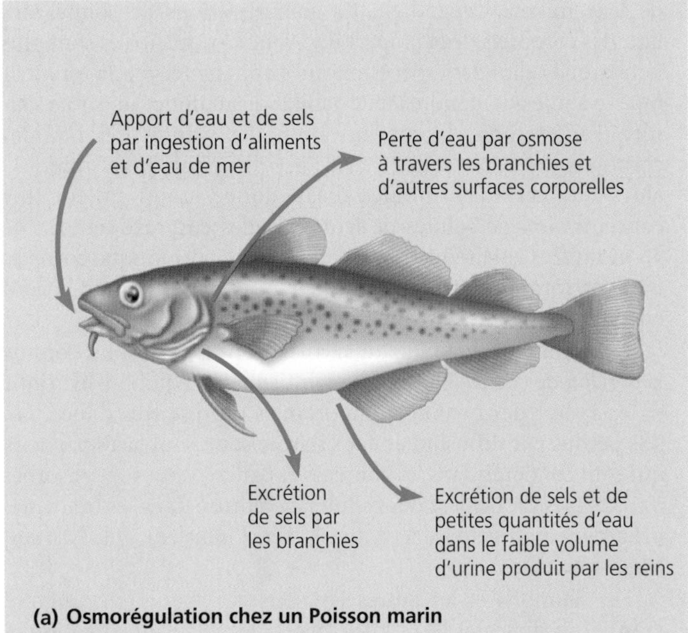

(a) Osmorégulation chez un Poisson marin

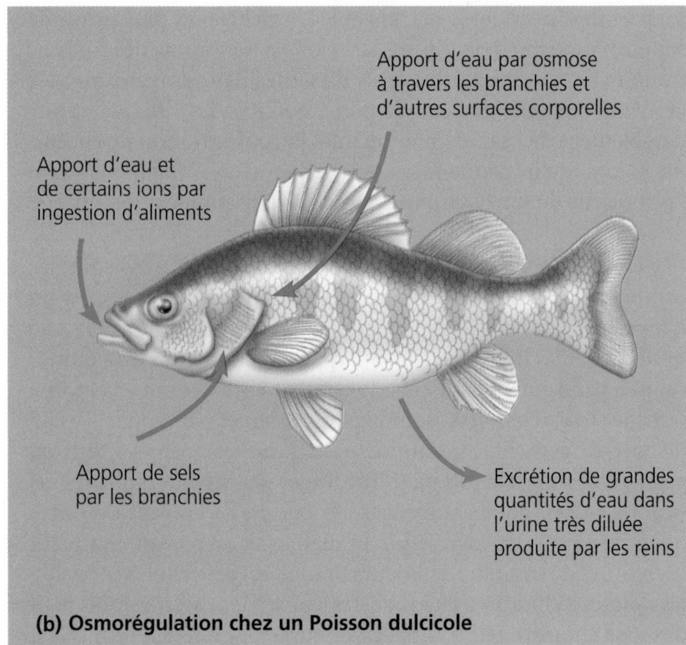

(b) Osmorégulation chez un Poisson dulcicole

▲ **Figure 44.3 Comparaison de l'osmorégulation chez les Poissons osseux marins et dulcicoles.**

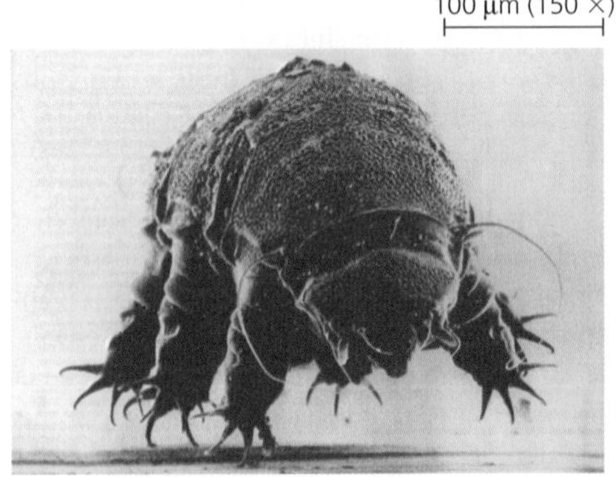

(a) Tardigrade hydraté

(b) Tardigrade déshydraté

▲ **Figure 44.4 Anhydrobiose.** Tardigrades, Acariens minuscules habitant dans des étangs temporaires et dans des gouttelettes d'eau présentes sur le sol ou sur des plantes (MEB).

Les Animaux terrestres

La menace posée par le dessèchement est le problème de régulation le plus important que les Végétaux et les Animaux terrestres doivent affronter. L'humain meurt s'il perd environ 12 % de son contenu en eau. Les Mammifères qui ont évolué dans des milieux secs, comme les chameaux, peuvent supporter une déshydratation deux fois plus importante, grâce aux réserves d'eau qu'ils peuvent rapidement constituer et aux mécanismes qu'ils possèdent pour en faire l'économie (contrairement à la croyance populaire, les bosses des chameaux ne sont toutefois pas le lieu des réserves d'eau, mais bien de stockage de graisses). Les adaptations qui réduisent la perte d'eau sont essentielles à la survie sur la terre ferme. Tout comme les plantes terrestres ont une cuticule cireuse qui contribue à leur succès, la plupart des Animaux terrestres ont des surfaces corporelles qui aident à prévenir la déshydratation. On peut donner comme exemples la chitine (un polysaccharide) de l'exosquelette des Insectes recouverte de couches cireuses (lipides), la coquille des escargots terrestres et les couches de cellules épidermiques mortes kératinisées qui recouvrent la plupart des Vertébrés terrestres et qui forment une couche cornée imperméable constituée de protéines et de lipides. De nombreux Animaux terrestres, surtout les habitants du désert, ont un mode de vie nocturne. Cela leur permet de réduire les pertes d'eau par vaporisation en tirant parti des températures plus basses et de l'humidité relative plus élevée de l'air pendant la nuit.

Malgré ces adaptations, la plupart des Animaux terrestres perdent beaucoup d'eau des surfaces humidifiées de leurs organes d'échanges gazeux, à travers leur peau, dans leur urine et dans leurs excréments. Ils équilibrent leur allocation hydrique en buvant et en consommant des aliments hydratés, et en utilisant l'eau métabolique (l'eau produite pendant la respiration cellulaire). Certains Animaux, notamment de nombreux Oiseaux et Reptiles du désert qui consomment des Insectes, sont si bien adaptés à la réduction des pertes d'eau qu'ils peuvent survivre dans le désert sans même boire. Les rats-kangourous (*Dipodomys sp.*) perdent si peu d'eau qu'ils peuvent compenser 90 % des pertes en utilisant l'eau métabolique (à titre comparatif, l'eau métabolique ne fournit que 10 % des besoins en eau chez l'humain) **(figure 44.5)**; il leur suffit de récupérer les 10 % manquants en absorbant la faible quantité d'eau qui se trouve dans les graines qu'ils consomment. Au cours de leurs études sur les adaptations des Animaux à un environnement désertique, les spécialistes en physiologie ont découvert que de simples caractéristiques anatomiques, telle la fourrure des chameaux **(figure 44.6)**, permettent d'effectuer des économies d'eau.

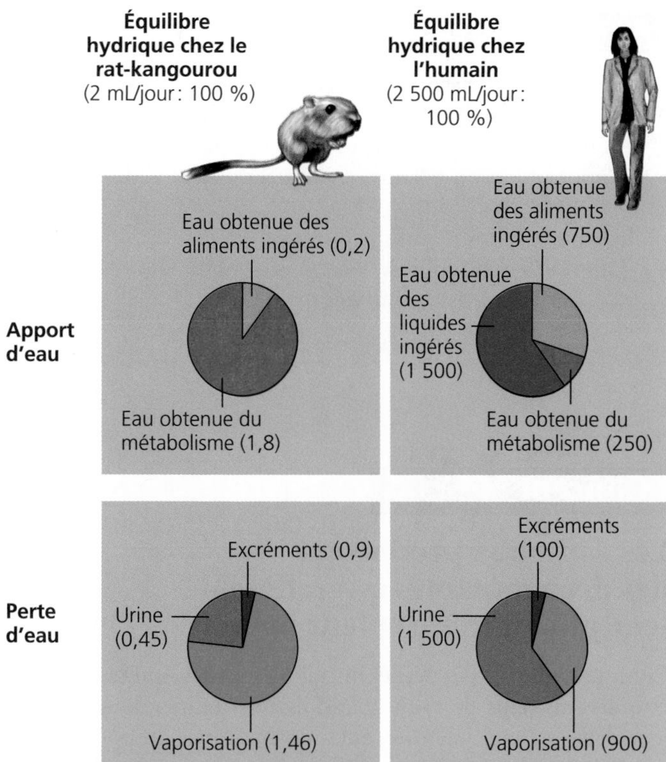

▲ **Figure 44.5 Équilibre hydrique chez deux Mammifères terrestres.** Le rat-kangourou, qui vit dans le Sud-Ouest américain, consomme essentiellement des graines desséchées ; il ne boit pas d'eau. Cet Animal perd surtout de l'eau par vaporisation pendant les échanges gazeux, et il acquiert de l'eau principalement par le métabolisme cellulaire. En revanche, l'humain perd une quantité importante d'eau dans l'urine et en récupère une grande partie dans les boissons et les aliments.

Figure 44.6

Investigation Quel rôle joue la fourrure dans la conservation de l'eau chez le chameau ?

EXPÉRIENCE Knut et Bodil Schmidt-Nielsen et leurs collègues de la Duke University, en Caroline du Nord, ont observé que la fourrure des chameaux (*Camelus sp.*) exposés au Soleil dans le désert du Sahara pouvait atteindre des températures supérieures à 70 °C, mais que la température de leur peau demeurait inférieure d'au moins 30 °C. Les Schmidt-Nielsen ont soutenu que l'isolation de la peau par la fourrure pouvait réduire considérablement le besoin de refroidissement par transpiration. Afin de vérifier cette hypothèse, ils ont comparé la vitesse de la perte d'eau entre des chameaux dont la fourrure avait été tondue et d'autres non tondue.

RÉSULTATS La vitesse de la perte d'eau par transpiration chez le chameau sans fourrure a augmenté de 50 %.

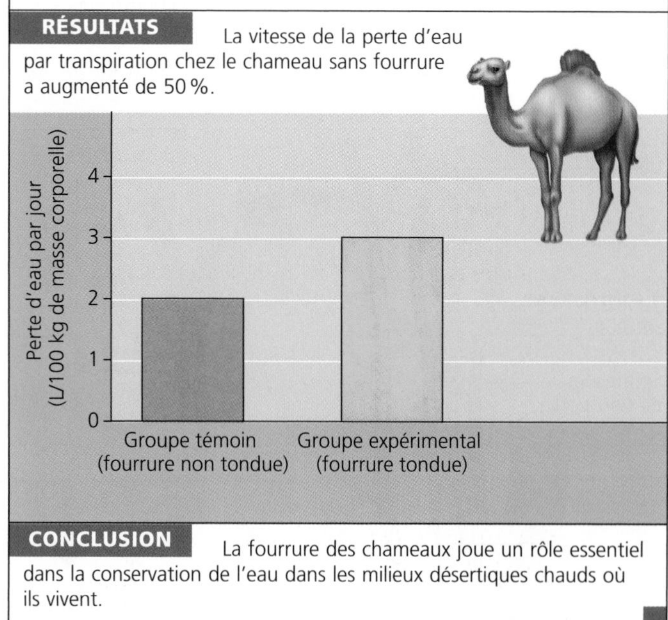

CONCLUSION La fourrure des chameaux joue un rôle essentiel dans la conservation de l'eau dans les milieux désertiques chauds où ils vivent.

Les épithéliums de transport

La fonction ultime de l'osmorégulation est de maintenir la composition du cytosol des cellules. La plupart des Animaux accomplissent ce but indirectement, en gérant la composition du liquide interstitiel dans lequel baignent leurs cellules. Chez les Insectes et d'autres Animaux dotés d'un système cardiovasculaire ouvert, ce liquide s'appelle *hémolymphe* (voir le chapitre 42). Chez les Vertébrés et d'autres Animaux ayant un système cardiovasculaire clos, les cellules baignent dans un liquide interstitiel, dont la composition est contrôlée indirectement par celle du sang. Le maintien de la composition des liquides dépend de structures spécialisées qui vont des cellules qui régulent le mouvement des solutés aux organes complexes comme les reins, chez les Vertébrés.

Chez la plupart des Animaux, un ou plusieurs types d'**épithéliums de transport** (une ou plusieurs couches de cellules épithéliales spécialisées, régulant le mouvement des solutés) sont des composants essentiels de l'osmorégulation et de l'élimination des déchets métaboliques. Les épithéliums de transport déplacent des solutés précis en des quantités contrôlées et dans une direction particulière. Certains épithéliums de transport sont en communication directe avec l'environnement externe, tandis que d'autres tapissent des voies reliées à l'extérieur par une ouverture à la surface du corps. Les cellules de l'épithélium sont liées par des jonctions serrées et imperméables (voir la figure 6.31), et elles forment une barrière à la frontière entre le tissu et l'environnement. Cet arrangement fait en sorte que tous les solutés circulant entre un Animal et son environnement traverseront une membrane à perméabilité sélective.

Chez la plupart des Animaux, les épithéliums de transport sont disposés en des réseaux tubulaires complexes, offrant une surface d'échange étendue. Les glandes à sel des Oiseaux marins, qui permettent de retirer le chlorure de sodium excédentaire du sang, constituent l'un des meilleurs exemples de ce type de structure **(figure 44.7)**. L'albatros, par exemple, passe des mois ou des années en mer et a besoin de nourriture et d'eau qu'il trouve dans l'océan. Cela est possible grâce à ses glandes nasales excrétant, lorsqu'elles en reçoivent la commande hormonale ou nerveuse, un liquide plus salé que l'eau de mer. Ainsi, même si la consommation d'eau de mer lui apporte beaucoup de sel, l'albatros est en mesure d'en arriver à un gain net d'eau. Les glandes à sel se trouvent aussi chez les Poissons et les Reptiles marins et peuvent être associées à d'autres organes, comme l'œil, la langue ou le cloaque. L'humain, par contre, ne possède pas de structures semblables à ces glandes : s'il boit de l'eau de mer, il doit utiliser plus d'eau que celle qui a été consommée pour excréter la charge saline ; il ne s'hydrate donc pas.

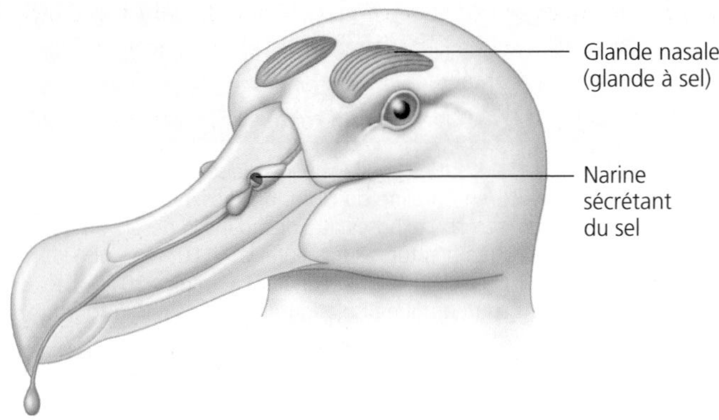

(a) Les glandes à sel des albatros se vident par un conduit qui mène aux narines ; la solution salée dégoutte le long du bec ou est exhalée en une fine buée.

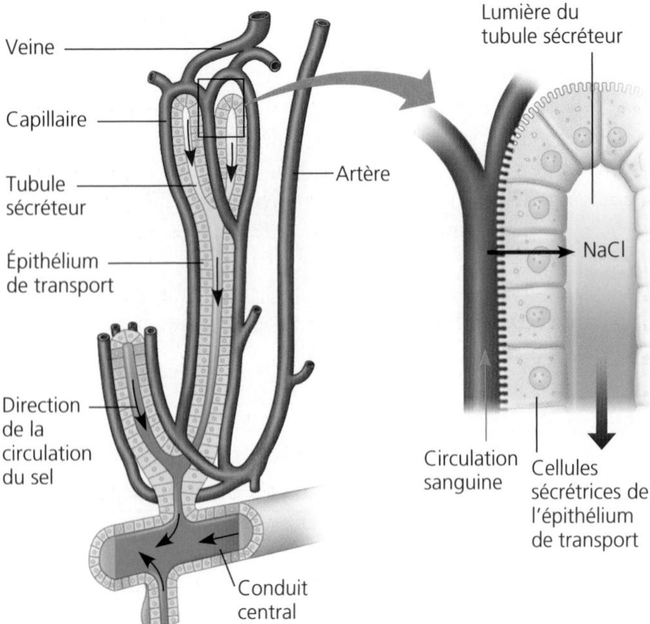

(b) Ce schéma montre l'un des milliers de tubules sécréteurs présents dans une glande à sel. Chaque tubule est tapissé d'un épithélium de transport entouré de capillaires et se vide dans un conduit central.

(c) Les cellules sécrétrices procèdent au transport actif du sel du sang jusqu'aux tubules. Le sang circule à contre-courant de la sécrétion saline. En maintenant dans les tubules un gradient de concentration du sel (couleur bleu-vert), cet échangeur à contre-courant favorise le transfert du sel du sang jusqu'à la lumière des tubules.

▲ **Figure 44.7 Glandes à sel de certains Oiseaux.**

La structure moléculaire de la membrane plasmique détermine les types et la direction des solutés qui traversent un type particulier d'épithélium de transport. Contrairement aux glandes à sel, les épithéliums de transport des branchies des Poissons d'eau douce utilisent le transport actif pour retirer les sels dilués de l'eau environnante et les faire pénétrer dans le sang. Les épithéliums de transport des organes excréteurs ont souvent une double fonction : le maintien de l'équilibre hydrique et l'élimination des déchets métaboliques.

Retour sur le concept 44.1

1. Le passage de sels dans le sang d'un Poisson dulcicole à partir de l'eau de son milieu nécessite une dépense énergétique sous forme d'ATP. Pourquoi ?
2. Pourquoi n'y a-t-il aucun Animal dulcicole qui soit osmotolérant ?
3. Comment les requins peuvent-ils dépenser proportionnellement moins d'énergie en comparaison des Poissons osseux marins ?

Voir les réponses proposées à la fin du chapitre.

Concept 44.2

Les Animaux produisent des déchets azotés qui reflètent leur phylogenèse et leur habitat

Comme la plupart des déchets métaboliques des Animaux doivent être dissous dans de l'eau quand ils sont retirés de leur corps, leur type et leur quantité ont une incidence importante sur l'équilibre hydrique. Pour ce qui est de leurs effets sur l'osmorégulation, les déchets les plus déterminants sont les produits azotés de la dégradation des acides nucléiques et des protéines (**figure 44.8**). Quand ces macromolécules sont hydrolysées pour fournir de l'énergie aux cellules, ou encore quand elles sont converties en glucides ou en lipides, des enzymes retirent l'azote qu'elles renferment et forment avec celui-ci de l'**ammoniac** (NH_3), qui est une molécule extrêmement toxique. Certains Animaux peuvent excréter l'ammoniac directement, mais de nombreuses espèces le convertissent d'abord en des composés organiques qui sont moins toxiques, mais dont la production nécessite de l'énergie sous forme d'ATP.

Les formes de déchets azotés

Les formes de déchets azotés excrétés (ammoniac, urée ou acide urique) dépendent de l'Animal ; ces produits présentent une toxicité et des coûts énergétiques variables.

L'ammoniac

Comme l'ammoniac est très soluble dans les liquides corporels, mais qu'il ne peut être toléré qu'à de très faibles concentrations, les Animaux excrétant des déchets azotés sous cette forme ont besoin d'avoir accès à beaucoup d'eau. C'est pourquoi l'excrétion d'ammoniac est surtout courante chez les espèces aquatiques. Les molécules d'ammoniac traversent facilement la membrane plasmique et sont aisément éliminées par diffusion dans l'eau environnante. Chez de nombreux Invertébrés, la diffusion de l'ammoniac se fait sur toute la surface corporelle. Chez les Poissons, la majeure partie est éliminée sous forme d'ions ammonium (NH_4^+), à travers l'épithélium des branchies (les reins n'excrètent que de faibles quantités de déchets azotés). Chez les Poissons d'eau douce, l'épithélium des branchies absorbe le Na^+ de l'eau en échange de NH_4^+ ; cela aide à maintenir une concentration beaucoup plus élevée de Na^+ dans les liquides corporels que dans l'eau environnante.

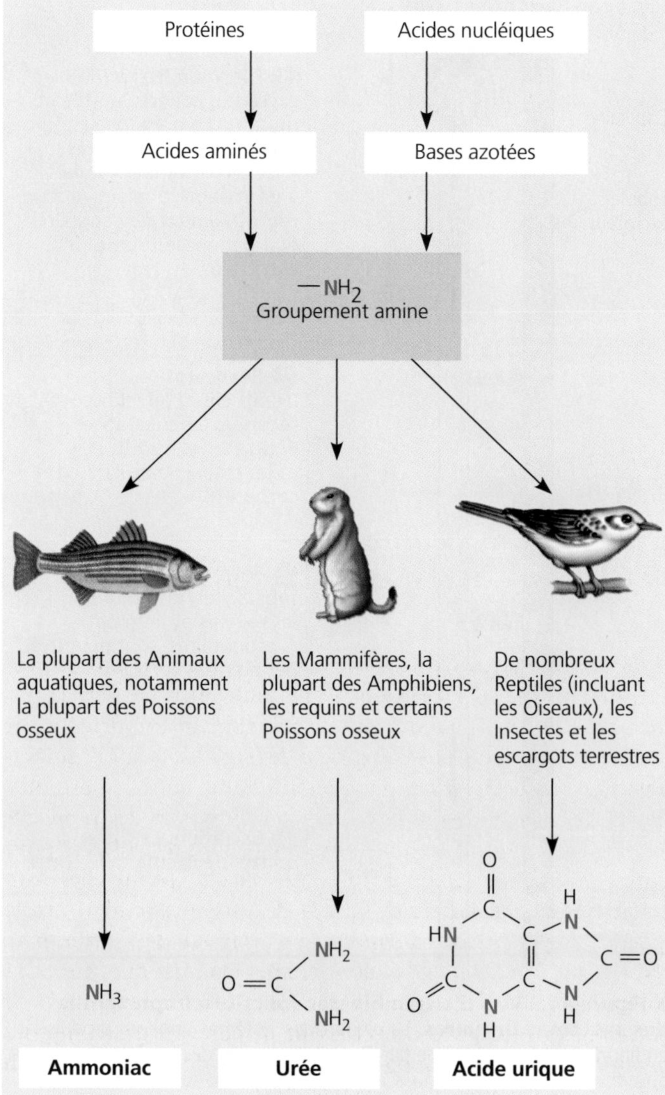

▲ **Figure 44.8 Déchets azotés.**

L'urée

L'excrétion de l'ammoniac convient à de nombreuses espèces aquatiques, mais elle ne réussit pas aussi bien aux Animaux terrestres. En effet, l'ammoniac est si toxique qu'il ne peut être transporté et excrété que dans des volumes importants de solutions très diluées. Or, la plupart des Animaux terrestres et de nombreuses espèces marines (qui ont tendance à perdre de l'eau au profit de l'environnement, par osmose) n'ont pas accès à assez d'eau. Les Mammifères, la plupart des Amphibiens adultes, les requins et certains Poissons osseux marins ainsi que des tortues marines excrètent donc surtout de l'**urée**, substance produite dans le foie des Vertébrés par un cycle métabolique combinant l'ammoniac au dioxyde de carbone (CO_2). Le système cardiovasculaire transporte l'urée aux organes d'excrétion, c'est-à-dire les reins.

L'avantage principal de l'urée est sa faible toxicité, 100 000 fois inférieure environ à celle de l'ammoniac. Les Animaux peuvent transporter et stocker l'urée en toute sécurité à de fortes concentrations. De plus, la quantité d'eau nécessaire pour l'excrétion de l'azote est considérablement réduite : en effet, beaucoup moins d'eau est perdue (de l'ordre de 10 fois moins) quand une quantité donnée d'azote est excrétée sous forme de solution concentrée d'urée que sous forme de solution diluée d'ammoniac.

Le désavantage principal de l'urée réside dans le fait que les Animaux doivent dépenser de l'énergie pour la produire à partir de l'ammoniac. Sur le plan bioénergétique, on pourrait présumer que ceux qui consacrent une partie de leur vie dans l'eau, et une autre partie sur terre, recourent tour à tour à l'excrétion d'ammoniac (pour économiser de l'énergie) et à l'excrétion d'urée (pour réduire la perte d'eau). De fait, de nombreux Amphibiens sécrètent principalement de l'ammoniac quand ils sont au stade aquatique de têtard, puis produisent de l'urée une fois qu'ils sont adultes et qu'ils évoluent sur la terre ferme.

L'acide urique

Les Insectes, les escargots terrestres et de nombreux Reptiles (incluant les Oiseaux) excrètent de l'**acide urique** comme principal déchet azoté. Tout comme l'urée, l'acide urique est relativement peu toxique. Toutefois, contrairement à l'ammoniac ou à l'urée, il est presque insoluble dans l'eau, et il peut être sécrété comme une pâte semi-solide, ce qui limite la perte d'eau. C'est un grand avantage pour les Animaux qui n'ont pas accès à beaucoup d'eau, mais il y a toutefois un désavantage : l'acide urique est encore plus coûteux à produire que l'urée sur le plan énergétique ; il nécessite une quantité considérable d'ATP pour sa synthèse à partir de l'ammoniac. Autre désavantage : chez l'humain, une accumulation excessive d'acide urique par suite d'une trop grande production ou d'une trop faible excrétion peut causer la *goutte*, ou le dépôt d'acide urique sous forme de cristaux d'urate dans les tissus mous des articulations.

L'influence de l'évolution et de l'environnement sur les déchets azotés

En général, les types de déchets azotés excrétés dépendent de l'histoire évolutive et de l'habitat d'un Animal, en particulier la disponibilité de l'eau (voir la figure 44.8). Par exemple, sur le plan de l'adaptation, l'acide urique et l'urée permettent tous deux l'excrétion des déchets azotés avec une perte hydrique minimale. Le mode de reproduction de certains Animaux semble être un facteur qui a déterminé la sécrétion d'acide urique ou d'urée. Il faut savoir que les déchets solubles peuvent diffuser vers l'extérieur des œufs sans coquille, comme ceux des Amphibiens, ou bien être transportés par le sang de la mère de l'embryon des Mammifères. Toutefois, les œufs à coquille des Oiseaux et des autres Reptiles sont perméables aux gaz, pas aux liquides : les déchets azotés solubles produits par l'embryon seraient donc emmagasinés dans l'œuf et s'accumuleraient, atteignant des concentrations toxiques (l'urée est beaucoup moins toxique que l'ammoniac, mais elle finit par devenir nuisible à de très fortes concentrations). L'évolution a donc favorisé la production d'acide urique parce qu'il ne reste pas en solution : il précipite, et il peut être stocké dans l'œuf en tant que solide extraembryonnaire inoffensif.

Le type de déchets azotés produits par les Vertébrés ne dépend pas seulement de leur phylogenèse : il est aussi lié à l'habitat. Par exemple, les tortues terrestres (qui habitent souvent dans des zones sèches) excrètent surtout de l'acide urique, tandis que les tortues aquatiques sécrètent de l'urée et de l'ammoniac. Certaines espèces ont ceci de particulier qu'un individu peut modifier son mode de production de déchets azotés quand les conditions environnementales changent. Ainsi, des tortues qui fabriquent généralement de l'urée passent à la production d'acide urique quand la température augmente et que l'eau se fait rare. Voilà un exemple de réaction d'un organisme face à l'environnement qui se fait selon deux échelles de temps : au fil des générations, l'évolution détermine les limites des réactions physiologiques d'une espèce, mais, pendant leur vie, les individus de cette espèce procèdent à des ajustements physiologiques modelés par les contraintes résultant de l'évolution.

La quantité de déchets azotés produits dépend de l'allocation énergétique, car tout est fonction de la quantité et des types d'aliments absorbés. Comme ils utilisent de l'énergie à une vitesse élevée, les endothermes consomment plus d'aliments que les ectothermes et fabriquent davantage de déchets azotés. Les prédateurs, qui tirent la majeure partie de leur énergie des protéines alimentaires, doivent excréter plus d'azote que les Animaux qui obtiennent surtout leur énergie des lipides ou des glucides.

Retour sur le concept 44.2

1. Les libellules, qui sont aquatiques à l'état larvaire, excrètent de l'ammoniac, alors qu'à l'état adulte elles sont terrestres et produisent de l'acide urique. Expliquez ce changement.
2. Quel rôle le foie joue-t-il dans le traitement des déchets azotés chez les Vertébrés ?
3. Quel avantage l'acide urique offre-t-il comme déchet azoté dans les milieux arides ?

Voir les réponses proposées à la fin du chapitre.

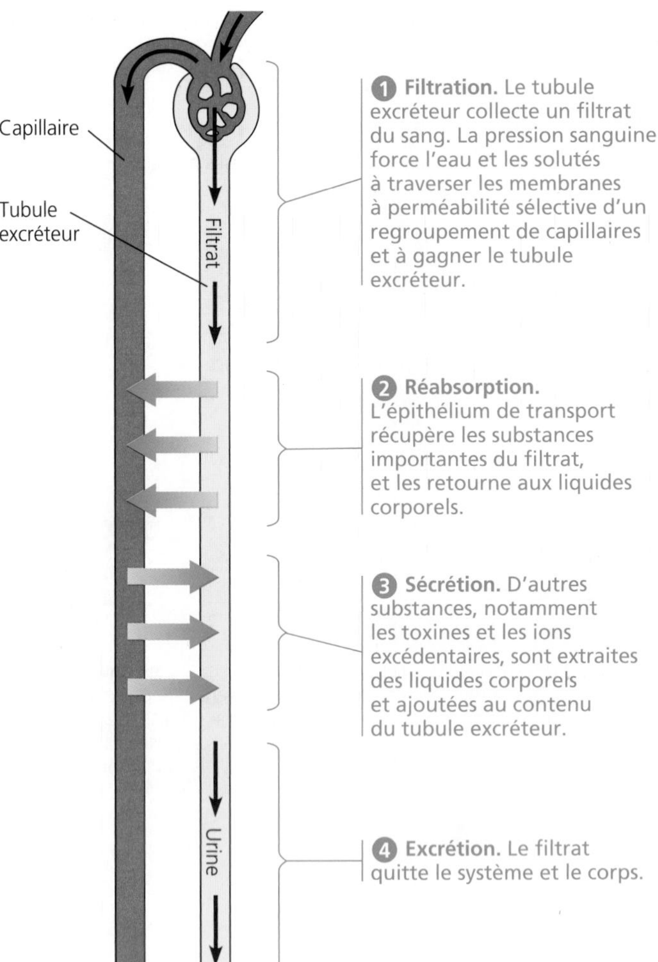

Capillaire
Tubule excréteur
Filtrat
Urine
1 Filtration. Le tubule excréteur collecte un filtrat du sang. La pression sanguine force l'eau et les solutés à traverser les membranes à perméabilité sélective d'un regroupement de capillaires et à gagner le tubule excréteur.
2 Réabsorption. L'épithélium de transport récupère les substances importantes du filtrat, et les retourne aux liquides corporels.
3 Sécrétion. D'autres substances, notamment les toxines et les ions excédentaires, sont extraites des liquides corporels et ajoutées au contenu du tubule excréteur.
4 Excrétion. Le filtrat quitte le système et le corps.

▲ **Figure 44.9 Vue d'ensemble des fonctions importantes des systèmes urinaires.** La plupart des systèmes urinaires produisent un filtrat par un processus de filtration sous pression des liquides organiques, puis en modifient le contenu. Ce schéma représente le système urinaire des Vertébrés.

Concept 44.3

Les divers systèmes urinaires constituent des variations de tubules spécialisés

Même si les problèmes de l'équilibre hydrique sur la terre ferme, dans l'eau salée et dans l'eau douce sont très différents, leurs solutions dépendent toutes de la régulation du mouvement des solutés entre les liquides internes et le milieu externe. La majeure partie de ces fonctions sont exécutées par les systèmes urinaires : ceux-ci jouent un rôle essentiel dans l'homéostasie, parce qu'ils éliminent les déchets métaboliques et régulent la composition des liquides corporels en limitant les pertes de solutés particuliers. Avant de décrire les systèmes urinaires particuliers, nous examinerons le processus de base de l'excrétion.

Les processus d'excrétion

Bien qu'ils soient variés, les systèmes urinaires produisent presque tous un déchet liquide, de l'urine, grâce à un processus en plusieurs étapes **(figure 44.9)**. Tout d'abord, le liquide corporel (sang, lymphe, liquide interstitiel, liquide cœlomique ou hémolymphe) est prélevé. La première collecte de liquide fait généralement intervenir la **filtration** par les membranes à perméabilité sélective composées d'une seule couche d'épithélium de transport. Ces membranes laissent les cellules, les protéines et les autres macromolécules dans le liquide corporel ; la pression hydrostatique (pression sanguine chez de nombreux Animaux) expulse l'eau et de petits solutés (notamment les sels, les monosaccharides, les acides aminés et les déchets azotés) dans le système urinaire. Ce liquide s'appelle **filtrat**.

Même quand il y a filtration, la collecte des liquides n'est pas sélective ; il faut donc que les petites molécules essentielles soient récupérées du filtrat et retournées aux liquides corporels. Dans la deuxième étape du processus, la **réabsorption sélective**, les systèmes urinaires utilisent le transport actif pour réabsorber du filtrat les solutés précieux, notamment le glucose, certains ions et les acides aminés. Les solutés superflus et les déchets (par exemple des ions excédentaires ou des toxines) sont laissés dans le filtrat ou lui sont ajoutés par une **sécrétion** sélective, laquelle fait appel au transport actif. Le transport membranaire des divers solutés permet aussi de modifier le mouvement osmotique de l'eau qui pénètre dans le filtrat ou qui en sort. Le système urinaire et le corps excrètent ensuite le filtrat traité sous forme d'urine.

Une vue d'ensemble des systèmes urinaires

Les systèmes qui effectuent les fonctions excrétoires de base varient énormément selon les groupes d'Animaux. Cependant, ils forment généralement un réseau complexe de tubules qui fournissent de grandes aires de surface servant à l'échange d'eau et de solutés, notamment les déchets azotés.

La protonéphridie: un organe à cellules-flammes

Les Vers plats (embranchement des Plathelminthes) et les Animaux acœlomates en général ont un système urinaire constitué d'organes appelés *protonéphridies.* Une **protonéphridie** est un réseau de tubules qui se terminent en cul-de-sac et qui sont dépourvus d'ouvertures à l'intérieur du corps. Comme l'illustre la **figure 44.10**, les tubules se répartissent dans tout le corps, et les plus petites ramifications se terminent par une cellule bulbeuse qui porte le nom de *cellule-flamme.* Cette dernière possède une touffe de cils vibratiles qui forment saillie dans le tubule. (Les cils vibratiles en action ressemblent à une flamme vacillante, d'où l'appellation *cellule-flamme.*) Le battement des cils attire l'eau et les solutés du liquide interstitiel et les fait circuler dans la cellule-flamme (filtration) jusqu'au réseau tubulaire. L'urine est ensuite propulsée dans les tubules jusqu'à ce que ceux-ci se vident dans l'environnement externe par des ouvertures appelées *néphridiopores.* L'urine excrétée est extrêmement diluée chez les Vers plats d'eau douce, ce qui équilibre l'entrée d'eau du milieu environnant par osmose. Il semble aussi que les tubules réabsorbent la plupart des solutés avant que l'urine quitte le corps.

Le système urinaire à cellules-flammes des Vers plats d'eau douce semble servir principalement à l'osmorégulation: la plupart des déchets métaboliques sont excrétés à travers la surface corporelle ou dans la cavité gastrovasculaire, puis éliminés par la bouche (voir la figure 33.10). Toutefois, certains Vers plats parasites, isoosmotiques par rapport aux liquides environnants de leur hôte, utilisent surtout leurs protonéphridies pour excréter les déchets azotés. Cette différence de fonction illustre la façon dont certaines structures communes à un groupe d'organismes peuvent être adaptées de diverses façons, au fil de l'évolution dans des milieux différents. On trouve aussi des protonéphridies chez les Rotifères, certains Annélides, les larves des Mollusques et les amphioxus, qui sont des Cordés invertébrés. (Voir les chapitres 33 et 34 pour la présentation de ces embranchements.)

Les métanéphridies

Un autre type de système urinaire constitué d'organes tubulaires non ramifiés appelés **métanéphridies** est pourvu d'ouvertures internes recueillant les liquides de l'organisme **(figure 44.11)**. Les métanéphridies existent chez la plupart des Annélides, notamment le ver de terre (*Lumbricus terrestris*). Chaque segment du ver de terre possède sa propre paire de métanéphridies. Celles-ci sont immergées dans le liquide cœlomique et enveloppées d'un réseau de capillaires. L'ouverture interne d'une métanéphridie est entourée d'un entonnoir cilié, le néphrostome. Le liquide pénètre

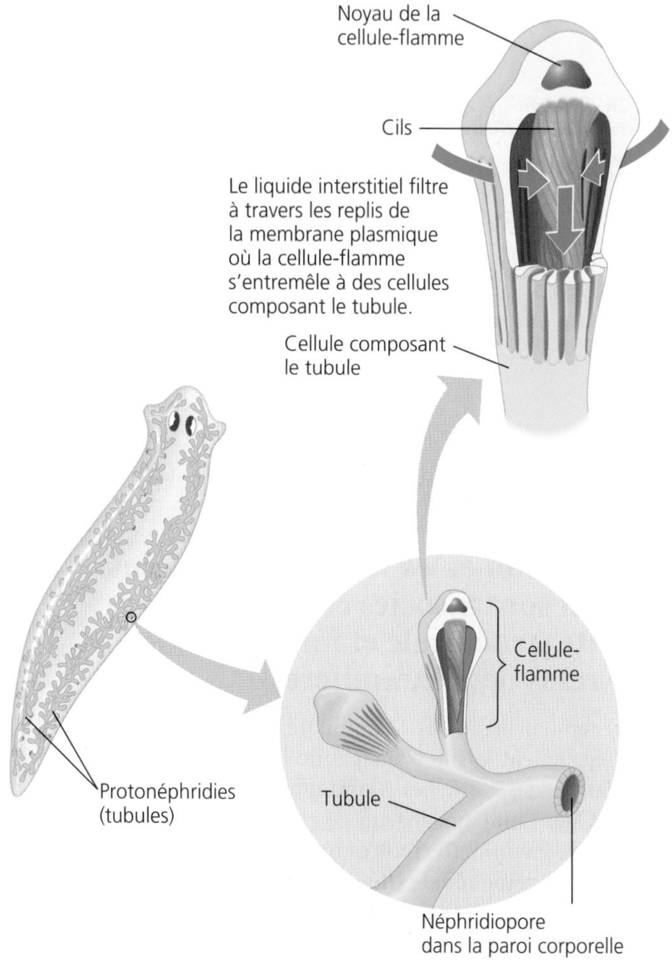

Noyau de la cellule-flamme
Cils
Le liquide interstitiel filtre à travers les replis de la membrane plasmique où la cellule-flamme s'entremêle à des cellules composant le tubule.
Cellule composant le tubule
Cellule-flamme
Protonéphridies (tubules)
Tubule
Néphridiopore dans la paroi corporelle

▲ **Figure 44.10 Protonéphridies: système urinaire à cellules-flammes de la planaire (Ver plat).** Les protonéphridies sont des tubules internes ramifiés, spécialisés dans l'osmorégulation.

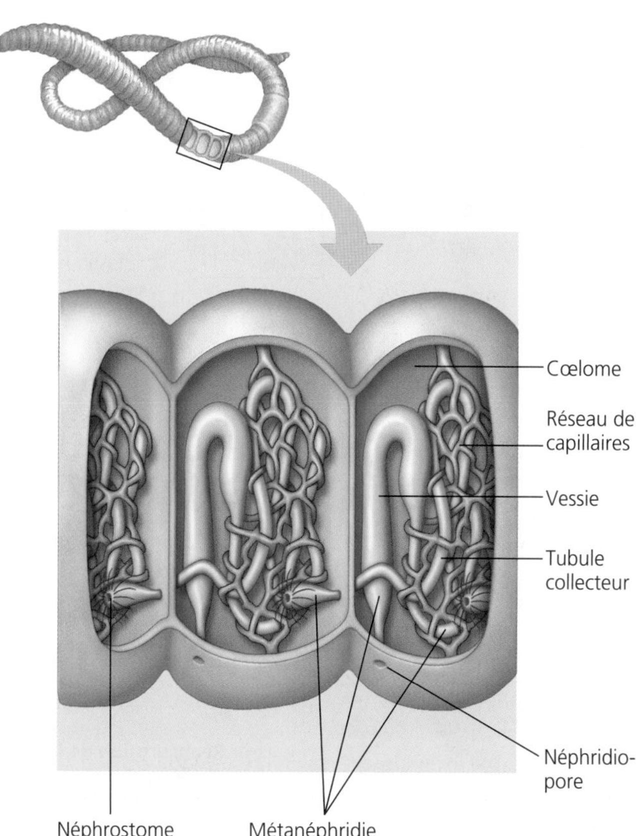

▲ **Figure 44.11 Métanéphridies du ver de terre (*Lumbricus terrestris*).** Chaque segment du ver de terre est doté d'une paire de métanéphridies, qui drainent le liquide cœlomique du segment antérieur adjacent. (Seulement une métanéphridie de chaque paire est illustrée ici.)

dans celui-ci et passe dans le tubule collecteur spiralé, lequel comprend une vessie communiquant avec l'extérieur grâce au néphridiopore.

Les métanéphridies du ver de terre ont des fonctions excrétrices et osmorégulatrices. À mesure que l'urine circule dans le tubule collecteur, l'épithélium de transport bordant la lumière réabsorbe la plupart des solutés et les ramène au sang par les capillaires. Les déchets azotés restent dans le tubule et sont évacués vers l'extérieur. Les vers de terre vivent dans la terre humide et absorbent généralement de l'eau par osmose à travers la cuticule et l'épiderme. Les métanéphridies équilibrent l'apport hydrique en produisant de l'urine diluée (hypoosmotique par rapport aux liquides corporels).

Les tubes de Malpighi

Les Insectes et les autres Arthropodes terrestres possèdent un système urinaire constitué d'organes, en nombre variable selon les espèces, appelés **tubes de Malpighi**. Ceux-ci retirent les déchets azotés et jouent un rôle dans l'osmorégulation **(figure 44.12)**. Ils débouchent dans le tube digestif, et leur extrémité en cul-de-sac est immergée dans l'hémolymphe (liquide circulatoire). L'épithélium de transport tapissant les tubes sécrète certains solutés, notamment des déchets azotés, qui passent de l'hémolymphe dans la cavité du tubule. L'eau suit les solutés par osmose. La solution passe ensuite dans le rectum, où la plupart des solutés sont réabsorbés et retournés à l'hémolymphe. L'eau suit encore une fois les solutés, et les déchets azotés (surtout de l'acide urique insoluble) sont éliminés sous forme de résidus presque secs avec les excréments. Le système urinaire des Insectes, qui est remarquablement efficace sur le plan de la conservation de l'eau, est l'une des adaptations clés qui a contribué à l'énorme succès de ces Animaux sur la terre ferme.

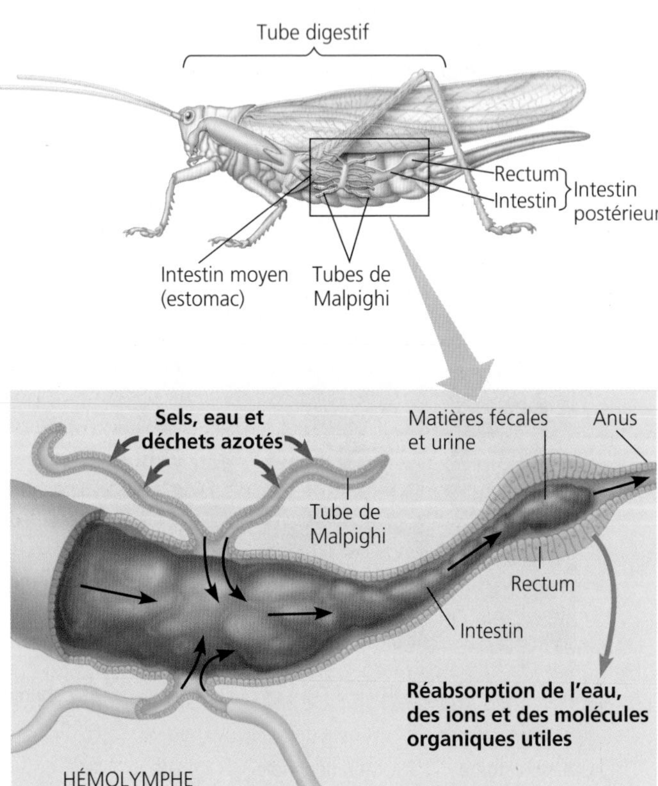

▲ **Figure 44.12 Tubes de Malpighi des Insectes.** Les tubes de Malpighi sont des poches excroissantes du tube digestif. Ils retirent les déchets azotés et jouent un rôle dans l'osmorégulation.

Les reins des Vertébrés

Les reins des Vertébrés exercent généralement des fonctions d'osmorégulation et d'excrétion. À l'instar des organes excréteurs de la plupart des Animaux, ils se composent de tubules. Étant donné que les myxines (Poissons osmotolérants), qui ne sont pas des Vertébrés, mais figurent parmi les Chordés vivants les plus primitifs, ont des reins comportant des tubules excréteurs disposés en segments, il est probable que les structures excrétrices des ancêtres des Vertébrés étaient aussi segmentées. Toutefois, les reins de la plupart des Vertébrés sont des organes compacts et non segmentés contenant de nombreux tubules disposés selon une structure précise. Un dense réseau de capillaires étroitement associé aux tubules fait également partie intégrante du système urinaire des Vertébrés, de même que des conduits et d'autres structures de transport de l'urine hors des tubules et du rein (et aussi hors de l'organisme).

Dans les deux prochaines sections, nous nous concentrerons sur le système urinaire des Mammifères en prenant l'humain comme principal exemple. Nous terminerons ensuite ce chapitre en comparant les organes d'excrétion des divers types de Vertébrés pour faire le point sur les modifications apportées par l'évolution face à différents environnements.

Retour sur le concept 44.3

1. Quels sont les processus de base qui jouent un rôle dans tous les systèmes urinaires, quelles que soient leurs différences anatomiques ou leurs origines au cours de l'évolution ?
2. Décrivez l'avantage d'un système urinaire composé d'un réseau de tubules fins.

Voir les réponses proposées à la fin du chapitre.

Concept 44.4

Le néphron et les vaisseaux sanguins qui lui sont associés constituent l'unité structurale et fonctionnelle des reins des Mammifères

Le système urinaire des Mammifères est centré sur les reins qui sont également le site principal de l'équilibre hydrique et de la régulation des ions. Les Mammifères possèdent une paire de reins. Chez l'humain, chacun de ceux-ci a une forme de haricot et mesure environ 10 cm. Ces organes sont irrigués par l'**artère rénale** et la **veine rénale (figure 44.13a)**. Le flux sanguin qui traverse les reins est important. Chez l'humain, ces derniers comptent pour moins de 1 % de la masse corporelle, mais ils reçoivent environ 20 % du débit sanguin au repos et huit fois plus de sang qu'un muscle squelettique en pleine activité. L'urine quitte les reins par deux conduits appelés **uretères** ; ceux-ci se déversent dans la

vessie. Pendant la miction, l'urine est expulsée de la vessie par un conduit appelé **urètre**. L'urètre débouche près du vagin, chez la femme, et à l'extrémité du pénis, chez l'homme. Des muscles sphincters à proximité de la jonction de l'urètre et de la vessie, qui sont régulés par le système nerveux, empêchent l'écoulement d'urine entre les mictions.

La structure et la fonction du néphron et des structures connexes

Le rein mammalien comporte deux régions distinctes : un **cortex rénal** externe et une **médulla rénale** interne **(figure 44.13b)**. Ces deux régions sont remplies de tubules excréteurs microscopiques associés à des vaisseaux sanguins. Chaque **néphron**, l'unité structurale et fonctionnelle du rein des Vertébrés, comprend un seul long tubule et une boule de capillaires appelée **glomérule** **(figure 44.13c** et **d)**. L'extrémité fermée du tubule forme un réceptacle sphérique et creux, la **capsule glomérulaire rénale** (ou capsule de Bowman), qui entoure le glomérule. Chacun des reins humains contient environ 1 million de néphrons, avec une longueur totale de tubules de près de 80 km.

La filtration du sang

La filtration se fait à mesure que la pression artérielle (au moins trois fois plus élevée dans les capillaires glomérulaires que dans les autres capillaires de l'organisme) pousse le sang dans le glomérule, plus précisément dans la cavité de la capsule glomérulaire rénale (voir la figure 44.13d). Les capillaires poreux, de même que les podocytes (cellules spécialisées de la capsule), sont perméables à l'eau et aux petits solutés, mais pas aux éléments figurés du sang ni aux macromolécules (comme les protéines plasmatiques). La filtration des petites molécules n'est pas sélective ; le filtrat de la capsule glomérulaire rénale contient donc des ions, du glucose, des acides aminés et des vitamines, des déchets azotés (comme l'urée) et d'autres petites molécules. Ce mélange reflète les concentrations de ces substances dans le plasma sanguin.

Le parcours du filtrat

À partir de la capsule glomérulaire rénale, le filtrat traverse trois régions du néphron : le **tubule contourné proximal**, l'**anse du néphron** (ou anse de Henle), qui est une boucle en forme d'épingle à cheveux constituée d'une partie descendante et d'une partie ascendante, et le **tubule contourné distal**. Celui-ci se déverse dans un **tubule rénal collecteur**, qui reçoit le filtrat de plusieurs néphrons. Le filtrat s'écoule des nombreux tubules rénaux collecteurs dans le **pelvis rénal**, compartiment en forme d'entonnoir qui débouche dans l'uretère.

Dans le rein humain, environ 80 % des néphrons, les **néphrons corticaux**, possèdent une anse raccourcie et sont presque entièrement confinés au cortex rénal. Les 20 % de néphrons restants, appelés **néphrons juxtamédullaires**, ont une anse bien développée qui pénètre en profondeur dans la médulla rénale. Seuls les Mammifères et les Oiseaux sont pourvus de néphrons juxtamédullaires : les néphrons des autres Vertébrés n'ont pas d'anses. Ce sont les néphrons juxtamédullaires qui permettent aux Mammifères de produire une urine hyperosmotique par rapport aux liquides corporels, ce qui est une adaptation des plus importantes pour la conservation de l'eau.

Le néphron et le tubule rénal collecteur sont tapissés d'un épithélium de transport qui transforme le filtrat pour former l'urine. L'une des fonctions les plus importantes de cet épithélium réside dans la réabsorption des solutés et de l'eau. Entre 1 100 et 2 000 L de sang passent chaque jour, au total, dans les deux reins : c'est un volume qui équivaut à environ 275 fois le volume total de sang dans le corps. En traitant ce volume énorme de sang, les néphrons et les tubules rénaux collecteurs produisent environ 180 L de filtrat initial, ce qui correspond à 2 ou 3 fois la masse d'une personne de taille moyenne et entre 45 et 60 fois la quantité de filtrat formé dans tous les autres lits capillaires de l'organisme (voir le chapitre 42). Presque tous les monosaccharides, les vitamines et les autres nutriments organiques de ce filtrat, ainsi que près de 99 % de son eau, sont réabsorbés et passent dans le sang, ce qui ne laisse que 1,5 L d'urine environ à excréter.

Les vaisseaux sanguins associés aux néphrons

Le néphron est approvisionné en sang par une **artériole afférente**, une branche d'une artère interlobulaire elle-même issue d'une artère rénale, qui se ramifie pour former les capillaires du glomérule (voir la figure 44.13d). À leur sortie de la capsule glomérulaire rénale, les capillaires convergent en une **artériole efférente**. Ce vaisseau se subdivise à son tour en un réseau secondaire de capillaires, les **capillaires péritubulaires**. Ceux-ci s'enchevêtrent avec les tubules contournés proximal et distal du néphron. D'autres capillaires s'allongent vers le bas pour former les **vasa recta**, des capillaires entourant l'anse du néphron. Les vasa recta produisent aussi une anse, dont les vaisseaux descendant et ascendant transportent le sang dans des directions inverses.

Les tubules excréteurs et les capillaires qui les entourent sont étroitement associés, mais ils n'échangent pas de substances directement à travers leur paroi. Ils baignent dans un liquide interstitiel, à travers lequel diverses substances diffusent entre le plasma des capillaires et le filtrat des tubules rénaux. Cet échange est facilité par la direction relative de la circulation sanguine et de la circulation du filtrat dans les néphrons.

Du filtrat à l'urine : *une étude détaillée*

Dans la présente section, nous allons examiner le processus de transformation du filtrat en urine à mesure qu'il circule à travers les néphrons et passe dans les tubules rénaux collecteurs des Mammifères. Les chiffres encerclés correspondent aux chiffres indiqués dans la **figure 44.14**.

❶ **Tubule contourné proximal.** Les processus de sécrétion et de réabsorption dans le tubule contourné proximal modifient considérablement le volume et la composition du filtrat. Par exemple, les cellules de l'épithélium de transport favorisent le maintien d'un pH plus ou moins constant dans les liquides corporels grâce à la sécrétion contrôlée de H^+. Les cellules de l'épithélium de transport synthétisent et sécrètent aussi de l'ammoniac, qui neutralise l'acide et évite que le filtrat devienne trop acide. Plus le filtrat est acide, plus les cellules de l'épithélium de transport produisent de l'ammoniac, transporté passivement dans le tubule, de sorte que l'urine d'un Mammifère contient toujours une certaine quantité d'ammoniac de cette source (même si la plupart des déchets azotés sont excrétés sous forme d'urée). En outre, le tubule contourné proximal réabsorbe par diffusion facilitée environ 90 % des ions hydrogénocarbonate (HCO_3^-), qui jouent un rôle important dans le sang en tant que substance tampon. Les vitamines

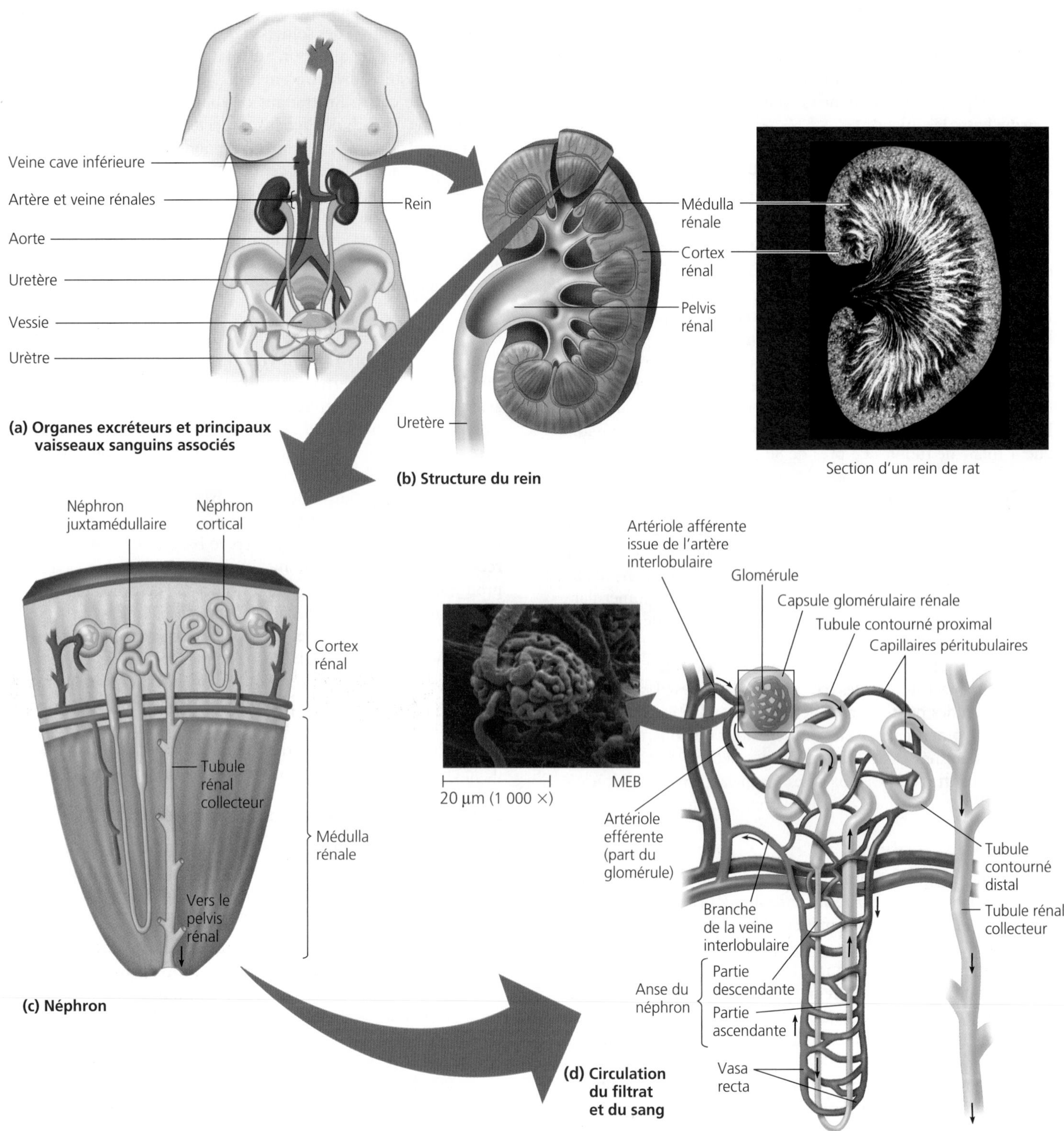

▲ **Figure 44.13 Système urinaire des Mammifères.**

hydrosolubles de même que les médicaments et les autres corps étrangers traités dans le foie passent des capillaires péritubulaires au liquide interstitiel, puis sont sécrétés à travers l'épithélium du tubule contourné proximal dans la lumière du néphron. À l'inverse, les nutriments précieux, notamment le glucose, les acides aminés et le potassium (K^+), font l'objet de réabsorption par cotransport, transport actif ou transport passif: ils passent du filtrat au liquide interstitiel, pour ensuite être acheminés aux capillaires péritubulaires.

La réabsorption de la majorité du NaCl (sel) et de l'eau à partir du volume énorme du filtrat initial constitue une des fonctions les plus importantes du tubule contourné proximal.

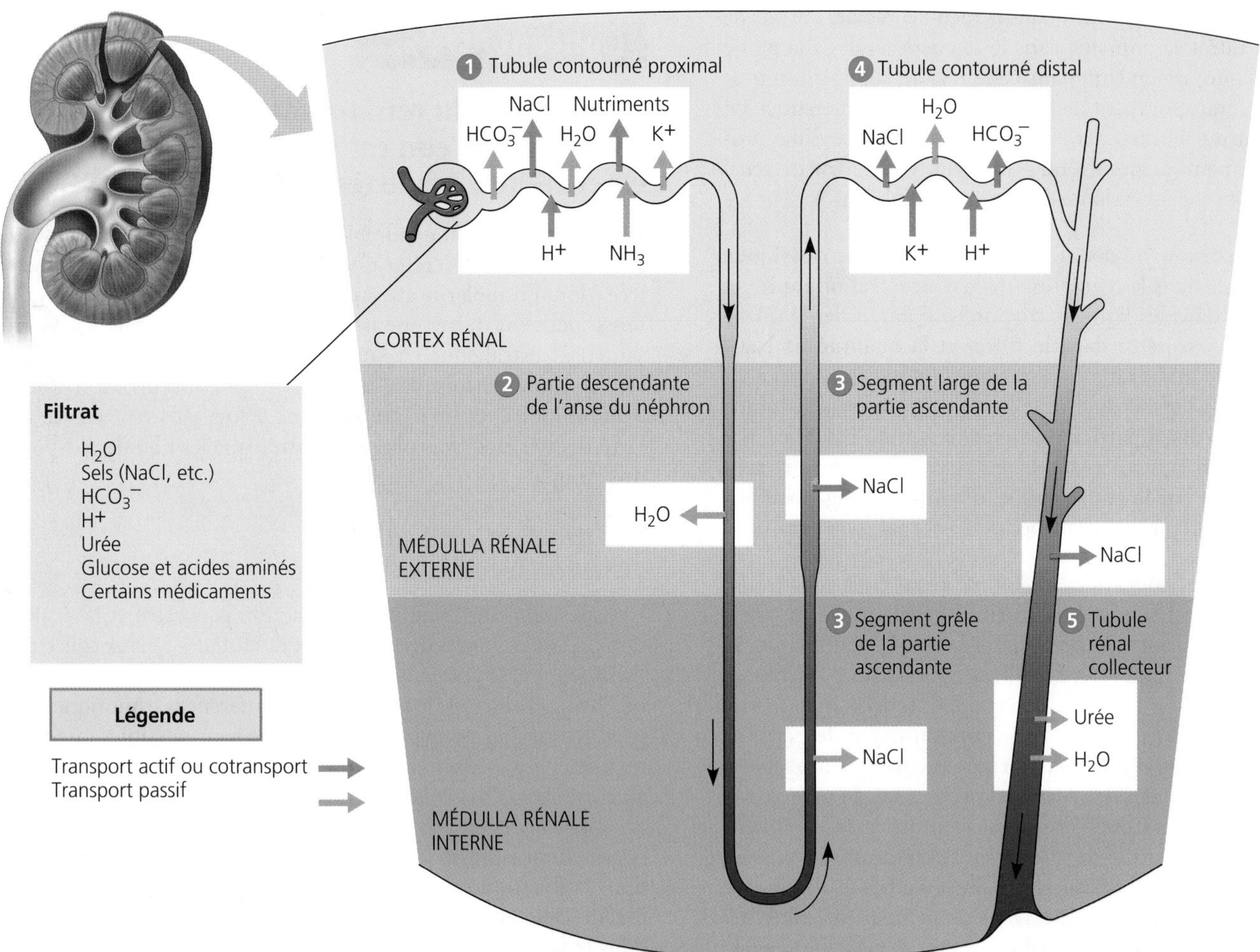

▲ **Figure 44.14 Néphron et tubule rénal collecteur: fonctions des diverses régions de l'épithélium de transport.** Les éléments numérotés du schéma renvoient aux chiffres encerclés et mis en évidence dans le texte de la présente section.

Le sel du filtrat diffuse passivement dans les cellules de l'épithélium de transport, et les membranes des cellules procèdent au transport actif du Na^+ vers le liquide interstitiel permettant une réabsorption de 75 % du Na^+ qui a été filtré. Ce transfert de charge positive est équilibré par le transport passif de Cl^- vers l'extérieur du tubule. À mesure que le sel passe du filtrat au liquide interstitiel, l'eau suit par osmose. L'extérieur de l'épithélium de transport offre une aire d'échanges bien moins importante que l'intérieur, qui fait face à la lumière et qui comporte de très nombreuses microvillosités. Cette caractéristique structurale réduit au minimum les pertes de sel et d'eau, qui pourraient retourner dans le tubule. En fait, le sel et l'eau diffusent par la suite du liquide interstitiel vers les capillaires péritubulaires.

❷ **Partie descendante de l'anse du néphron.** La réabsorption de l'eau se poursuit pendant que le filtrat se déplace dans le tubule vers la partie descendante de l'anse du néphron. À cet endroit, l'épithélium de transport, dont les membranes plasmiques possèdent des aquaporines (voir le chapitre 7), est tout à fait perméable à l'eau, mais peu perméable au sel et aux autres petits solutés. Pour que l'eau sorte du tubule par osmose, le liquide interstitiel dans lequel baigne le tubule doit être hyperosmotique par rapport au filtrat. L'osmolarité du liquide interstitiel augmente graduellement à mesure qu'on avance de la face externe du cortex rénal vers la médulla rénale interne. C'est pourquoi le filtrat qui se déplace du cortex vers la médulla, dans la partie descendante de l'anse du néphron, continue de perdre de l'eau au profit du liquide interstitiel, dont l'osmolarité est croissante, ce qui augmente la concentration en solutés du filtrat.

❸ **Partie ascendante de l'anse du néphron.** Le filtrat atteint le fond de l'anse, situé dans la partie profonde de la médulla rénale interne dans le cas des néphrons juxtamédullaires, puis remonte vers le cortex rénal dans la partie ascendante de l'anse du néphron. Contrairement à l'épithélium de transport de la partie descendante, l'épithélium de transport de la partie ascendante, dépourvu d'aquaporines, est perméable aux ions, mais non à l'eau. En fait, la partie ascendante possède deux régions spécialisées: le segment grêle près du fond de l'anse et le segment large conduisant au tubule contourné distal. À mesure que le filtrat monte dans le segment grêle, le NaCl, devenu concentré dans la partie descendante, traverse le tubule par diffusion facilitée et se retrouve dans le liquide interstitiel. Cette perte augmente l'osmolarité du liquide interstitiel présent dans la médulla rénale. L'exode de sel du filtrat se poursuit dans le segment large de la partie ascendante; cependant, dans cette région, l'épithélium procède au transport actif de NaCl vers le liquide interstitiel. En perdant du sel sans perdre de l'eau, le filtrat se dilue progressivement, à mesure qu'il remonte vers le cortex rénal dans la partie ascendante de l'anse du néphron.

❹ **Tubule contourné distal.** Le tubule contourné distal joue un rôle clé dans la régulation de la concentration du K^+ et du NaCl dans les liquides corporels: il fait varier la quantité de K^+ sécrétée dans le filtrat et la quantité de NaCl réabsorbée du filtrat par cotransport ou par transport actif primaire. À l'instar du tubule contourné proximal, le tubule contourné distal participe à la régulation du pH, et ce, par la sécrétion contrôlée de H^+ à l'aide d'un transport actif primaire et par la réabsorption des ions hydrogénocarbonate (HCO_3^-) par cotransport.

❺ **Tubule rénal collecteur.** Le tubule rénal collecteur transporte le filtrat à travers la médulla rénale jusqu'au pelvis rénal. En réabsorbant activement le NaCl, l'épithélium de transport du tubule rénal collecteur joue un rôle important en ce qui a trait à la détermination de la quantité de sel excrétée dans l'urine. Bien que son degré de perméabilité soit sous régulation hormonale, il est perméable à l'eau, mais pas au sel ni, dans le cortex rénal, à l'urée. Ainsi, à mesure que le tubule rénal collecteur traverse le gradient d'osmolarité dans le rein, le filtrat se concentre de plus en plus en perdant de l'eau par osmose au profit du liquide interstitiel hyperosmotique. Dans la médulla rénale interne, l'épithélium du tubule rénal collecteur devient perméable à l'urée. En raison de sa concentration élevée dans le filtrat à ce moment, une certaine partie de l'urée diffuse (par transport passif) hors du tubule vers le liquide interstitiel. Avec le NaCl, cette urée interstitielle contribue de manière importante à l'osmolarité élevée du liquide interstitiel présent dans la médulla rénale. Et c'est cette osmolarité élevée du liquide interstitiel qui permet au rein de conserver de l'eau en excrétant une urine hyperosmotique par rapport aux liquides corporels en général.

Retour sur le concept 44.4

1. Comment une diminution de la tension artérielle dans l'artériole qui mène au glomérule influe-t-elle sur la vitesse de filtration du sang dans la capsule glomérulaire rénale?
2. Certains médicaments rendent l'épithélium du tubule rénal collecteur moins perméable à l'eau. Comment cette modification se répercute-t-elle sur la fonction rénale?
3. Dressez la liste des parties du néphron dans le même ordre que celui du déplacement du filtrat: tubule contourné proximal, capsule glomérulaire rénale, tubule contourné distal, anse du néphron.

Voir les réponses proposées à la fin du chapitre.

Concept 44.5

La capacité du rein mammalien à conserver l'eau est une adaptation essentielle à la vie terrestre

L'osmolarité du sang humain s'élève à environ 300 mmol/L, mais le rein peut excréter une urine jusqu'à 4 fois plus concentrée (dont l'osmolarité atteint 1 200 mmol/L). Quelques Mammifères peuvent faire encore mieux. Par exemple, la souris sauteuse australienne (*Notomys sp.*), qui vit dans un milieu très sec, produit parfois de l'urine dont la concentration atteint 9 300 mmol/L. Cette urine est donc 9 fois plus concentrée que l'eau de mer et 25 fois plus concentrée que les liquides corporels de l'Animal.

Les gradients de solutés et la conservation de l'eau

Dans les reins des Mammifères, l'action concertée et la disposition précise des anses du néphron et des tubules rénaux collecteurs maintiennent le gradient osmotique nécessaire à la concentration de l'urine. Toutefois, le maintien des différences osmotiques et la production d'urine hyperosmotique ne sont possibles que parce qu'une énergie considérable est consacrée au transport actif ou au cotransport des solutés contre les gradients de concentration. En fait, le néphron, particulièrement l'anse du néphron, peut être décrit comme une machine minuscule consommatrice d'énergie, dont la fonction est de créer une zone de forte osmolarité dans le rein; celle-ci sert ensuite à extraire de l'eau de l'urine contenue dans le tubule rénal collecteur. Les deux solutés primaires de ce gradient d'osmolarité sont le NaCl, déposé dans la médulla rénale par l'anse du néphron, et l'urée, qui passe à travers l'épithélium des tubules rénaux collecteurs dans la médulla rénale interne (voir la figure 44.14).

Afin de mieux comprendre comment la physiologie du rein mammalien permet de conserver l'eau, examinons à nouveau le trajet du filtrat dans le tubule excréteur, mais en insistant cette fois sur la façon dont les néphrons juxtamédullaires maintiennent un gradient d'osmolarité dans le rein et utilisent ce gradient pour excréter une urine hyperosmotique **(figure 44.15)**. Quand il sort de la capsule glomérulaire rénale pour aller vers le tubule contourné proximal, le filtrat affiche une osmolarité d'environ 300 mmol/L, identique à celle du sang. À mesure que le filtrat s'écoule dans le tubule contourné proximal (à l'intérieur du cortex rénal), une grande quantité d'eau *et* de sel est réabsorbée; ainsi, le volume de filtrat diminue substantiellement, mais, en raison de la perte de sel, son osmolarité reste à peu près la même.

À mesure que le filtrat s'écoule du cortex rénal à la médulla rénale par la partie descendante de l'anse du néphron, l'eau sort du tubule par osmose. L'osmolarité du filtrat augmente alors à mesure que les solutés, dont le NaCl, se concentrent. L'osmolarité la plus élevée (environ 1 200 mmol/L) est observée dans la courbure de l'anse du néphron. La diffusion de sel vers l'extérieur du tubule atteint un maximum lorsque le filtrat quitte la courbure et entre dans la partie ascendante de l'anse du néphron, qui, rappelons-le, réabsorbe le sel mais pas l'eau. Ainsi, les deux parties de l'anse du néphron agissent de concert dans le maintien du gradient d'osmolarité dans le liquide interstitiel rénal. La

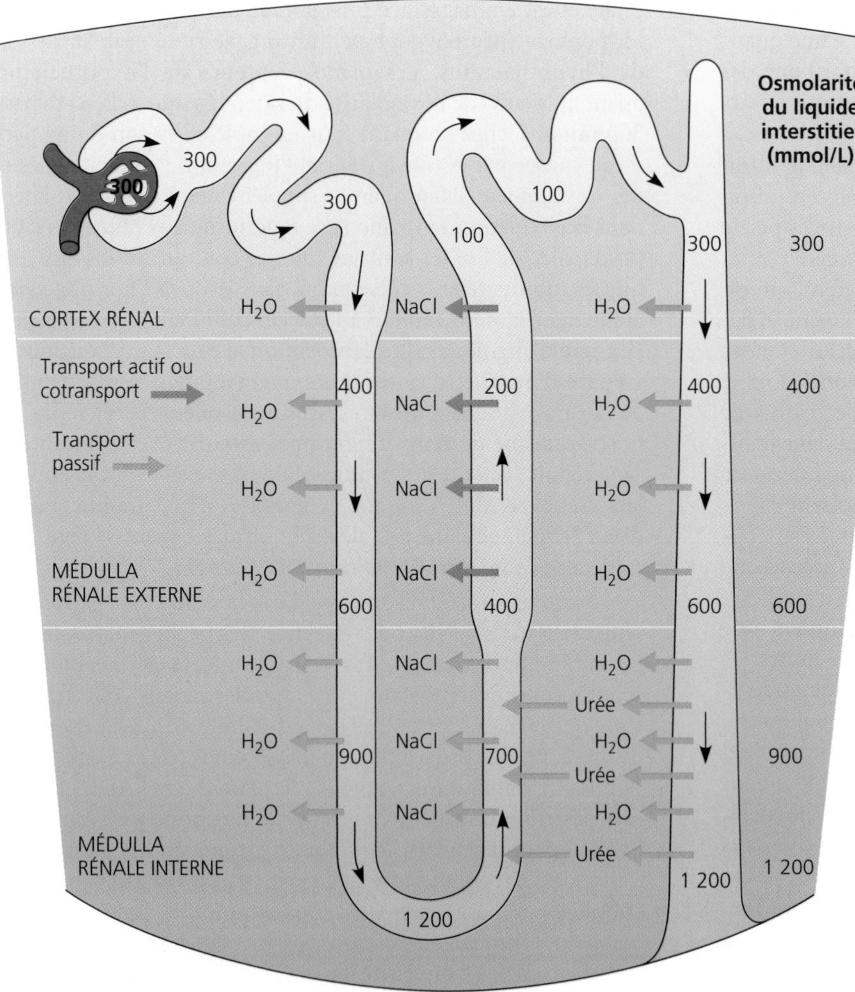

◄ Figure 44.15 Concentration de l'urine par le rein humain: modèle à deux solutés. Deux solutés contribuent à l'augmentation de l'osmolarité du liquide interstitiel: le NaCl et l'urée. L'anse du néphron fait en sorte qu'il y ait toujours un gradient de NaCl entre le filtrat et le liquide interstitiel, qui augmente dans la partie descendante et diminue dans la partie ascendante. L'urée s'ajoute au liquide interstitiel de la médulla rénale par diffusion hors du tubule rénal collecteur (la majeure partie de l'urée du filtrat reste dans le tubule rénal collecteur et est excrétée). Le filtrat traverse trois fois le cortex et la médulla du rein: d'abord vers le bas, jusqu'au fond de l'anse du néphron, puis vers le haut, jusqu'au tubule contourné distal, puis de nouveau vers le bas, dans le tubule rénal collecteur. À mesure que le filtrat s'écoule dans le tubule rénal collecteur, longeant un liquide interstitiel dont l'osmolarité est croissante, de plus en plus d'eau sort du tubule par osmose. Ce mécanisme concentre les solutés, notamment l'urée, qui restent dans le filtrat.

partie descendante de l'anse du néphron produit un filtrat de plus en plus concentré en sel, puis le NaCl diffuse de la partie ascendante pour maintenir une osmolarité élevée dans le liquide interstitiel de la médulla rénale.

L'anse du néphron possède certaines des caractéristiques d'un échangeur à contre-courant, comparable en principe aux mécanismes à contre-courant qui optimisent l'absorption de dioxygène (O_2) dans les branchies (voir la figure 42.21). On peut aussi penser aux mécanismes de réduction de la perte thermique dans les endothermes (voir la figure 40.15). Dans ces cas, les mécanismes d'échange à contre-courant font intervenir un mouvement passif le long d'un gradient de concentration de O_2 ou d'un gradient thermique. En revanche, le système à contre-courant qui fait intervenir l'anse du néphron consomme de l'énergie pour le transport actif du NaCl du filtrat dans le haut de la partie ascendante de l'anse. Ces systèmes à contre-courant, qui dépensent de l'énergie pour créer des gradients de concentration, s'appellent **systèmes à contre-courant multiplicateurs.** Celui qui fait intervenir l'anse du néphron maintient une concentration élevée de sel dans le liquide interstitiel du rein, ce qui lui donne la capacité de produire une urine concentrée.

Qu'est-ce qui empêche les capillaires des vasa recta d'éliminer le gradient d'osmolarité en ramenant dans la circulation veineuse principale la forte concentration de NaCl présente dans le liquide interstitiel de la médulla rénale? En examinant la figure 44.13, nous constatons que les vasa recta constituent aussi un échangeur à contre-courant: ils comportent des vaisseaux ascendant et descendant qui transportent le sang dans des directions opposées, au fil du gradient d'osmolarité du rein. À mesure que le vaisseau descendant transporte le sang vers la médulla rénale interne, l'eau quitte le sang vers le liquide interstitiel, et le NaCl contenu dans ce dernier diffuse vers le sang, car celui-ci, dans cette direction, traverse des régions de la médulla dont l'osmolarité est toujours légèrement supérieure à celle du sang. Ces flux sont inversés quand le sang retourne au cortex rénal par le vaisseau ascendant: l'eau retourne dans le sang et le NaCl diffuse hors de celui-ci, car le sang, dans cette direction, traverse des régions de la médulla dont l'osmolarité est toujours un peu inférieure à celle du sang. Les vasa recta peuvent donc fournir au rein des nutriments et d'autres substances importantes transportées par le sang, et ce, sans nuire au gradient d'osmolarité qui permet au rein d'excréter une urine hyperosmotique.

Le processus d'échange à contre-courant de l'anse du néphron et des vasa recta facilite le maintien du gradient osmotique prononcé entre la médulla et le cortex du rein. Cependant, tout gradient osmotique sera éventuellement éliminé par la diffusion, à moins que de l'énergie ne soit dépensée pour le protéger. Dans le rein, cette dépense se fait principalement dans le segment large de la partie ascendante de l'anse du néphron. C'est là que le NaCl est transporté activement hors du tubule. Même avec les avantages de l'échange à contre-courant, ce processus (ainsi que d'autres systèmes de transport actif rénal) consomme une quantité importante d'ATP. Considérant sa taille, le rein a l'une des vitesses du métabolisme les plus rapides comparativement aux autres organes.

Au moment où il atteint le tubule contourné distal, le filtrat est hypoosmotique par rapport aux liquides corporels en raison du transport actif de NaCl hors du segment large de la partie ascendante de l'anse du néphron. Ensuite, il redescend vers la médulla rénale, cette fois dans le tubule rénal collecteur, qui est perméable à l'eau mais pas au sel. Par conséquent, l'osmose fait en sorte que de l'eau sorte du filtrat à mesure que celui-ci passe du cortex à la médulla du rein et qu'il traverse des zones dont le liquide interstitiel est d'osmolarité croissante. Ce processus permet de concentrer le sel, l'urée et d'autres solutés dans le filtrat. Une partie de l'urée est réabsorbée dans la partie inférieure du tubule rénal collecteur et vient participer à l'osmolarité interstitielle élevée de la médulla rénale interne. (Cette urée est récupérée par diffusion dans le segment grêle de la partie ascendante de l'anse du néphron, mais sa réabsorption continuelle par l'épithélium de transport du tubule rénal collecteur maintient une concentration interstitielle d'urée élevée.) Avant de quitter le rein, l'urine a une osmolarité atteignant celle du liquide interstitiel de la médulla rénale interne, qui peut s'élever à 1 200 mmol/L. Même si elle est *isoosmotique* par rapport au liquide interstitiel de la médulla rénale interne, l'urine est en fait *hyperosmotique* par rapport au sang et au liquide interstitiel du reste du corps. Cette osmolarité élevée permet aux solutés qui restent dans l'urine d'être excrétés hors du corps avec une perte minimale d'eau.

L'épaisseur de la médulla (donc la longueur des néphrons juxtamédullaires) reflète généralement la capacité d'un Animal à concentrer l'urine. Le néphron juxtamédullaire peut, en effet, concentrer l'urine, et c'est une adaptation essentielle à la vie terrestre. Il permet aux Mammifères d'éliminer les sels et les déchets azotés sans gaspiller l'eau. Comme nous l'avons vu, la capacité remarquable du rein mammalien à produire une urine hyperosmotique dépend totalement de la disposition précise des tubules et des conduits collecteurs dans le cortex rénal et la médulla rénale. À cet égard, le rein illustre très bien la corrélation entre la structure et la fonction d'un organe.

La régulation de la fonction rénale

L'une des caractéristiques les plus importantes du rein mammalien est sa capacité à adapter le volume ainsi que l'osmolarité de l'urine, et ce, en fonction de l'équilibre hydrique et électrolytique, et aussi de la vitesse de production de l'urée. Quand il absorbe beaucoup de sel et qu'il n'a pas accès à une grande quantité d'eau, un Mammifère peut excréter de l'urée et du sel et perdre très peu d'eau en produisant un faible volume d'urine hyperosmotique. Mais si la situation contraire se pose, soit s'il absorbe peu de sel mais beaucoup d'eau, il peut se débarrasser de l'eau excédentaire et ne perdre que peu de sel en produisant un volume important d'urine hypoosmotique (la dilution peut atteindre 70 mmol/L, comparativement à 300 mmol/L environ dans le cas du sang humain). Cette polyvalence de la fonction osmorégulatrice est gérée par divers contrôles nerveux et hormonaux.

L'**hormone antidiurétique** (**ADH**, pour *antidiuretic hormone*) joue un rôle important dans la régulation de l'équilibre hydrique **(figure 44.16a)**. Elle est produite dans l'hypothalamus de l'encéphale et est emmagasinée puis libérée par le lobe postérieur de l'hypophyse (neurohypophyse), un organe situé juste au-dessous de l'hypothalamus. Les osmorécepteurs de l'hypothalamus assurent le suivi de l'osmolarité du sang. Lorsque celle-ci dépasse 300 mmol/L chez l'humain (par exemple en raison d'une perte d'eau causée par la transpiration, l'ingestion d'aliments salés ou des vomissements), une quantité supplémentaire d'ADH est libérée dans la circulation sanguine et se rend jusqu'aux reins. Les cibles principales de l'ADH sont les tubules contournés distaux ainsi que les tubules rénaux collecteurs, dans lesquels l'hormone vient augmenter la perméabilité à l'eau de l'épithélium de transport. Il s'agit d'augmenter la réabsorption d'eau afin de réduire le volume d'urine et d'éviter toute augmentation supplémentaire de l'osmolarité sanguine au-dessus de la valeur de référence. Par un mécanisme de rétro-inhibition, l'osmolarité décroissante du sang réduit l'activité des osmorécepteurs dans l'hypothalamus, et la sécrétion d'ADH diminue. L'ingestion d'une grande quantité d'eau (contenue dans des aliments ou des boissons) peut aussi ramener l'osmolarité à 300 mmol/L.

Lorsqu'une forte absorption d'eau réduit l'osmolarité à un seuil inférieur à la valeur de référence, très peu d'ADH est libérée. La faible concentration d'ADH diminue la perméabilité des tubules contournés distaux et des tubules rénaux collecteurs, de sorte que la réabsorption de l'eau est réduite, ce qui amène l'organisme à produire davantage d'urine diluée. (Le terme *diurèse* signifie « élimination urinaire » ; c'est parce que l'ADH diminue la production d'urine qu'on l'appelle hormone ***anti****diurétique.*) L'alcool peut perturber l'équilibre hydrique en inhibant la libération d'ADH, ce qui cause une perte excessive d'eau dans l'urine et déshydrate l'organisme (certains symptômes de la « gueule de bois » sont probablement associés à cette déshydratation). En temps normal, l'osmolarité du sang, la libération d'ADH et la réabsorption d'eau dans le rein sont liées entre elles par un mécanisme de rétroaction qui contribue à l'homéostasie.

Il existe un deuxième mécanisme de régulation, qui met en jeu un tissu spécialisé appelé **appareil juxtaglomérulaire** (**AJG**). Celui-ci est constitué de quelques cellules chémoréceptrices ou osmoréceptrices situées dans la paroi du tubule distal formant la *macula densa* et de cellules musculaires endocrines de la paroi de l'artériole afférente qui apporte le sang au glomérule, appelées *cellules juxtaglomérulaires* **(figure 44.16b)**. Lorsque la pression sanguine ou le volume sanguin dans l'artériole glomérulaire afférente chute (par exemple à la suite d'une diminution de l'apport en sel ou d'une perte de sang), l'AJG libère dans le sang une enzyme appelée *rénine*. Cette dernière active un ensemble de réactions chimiques, qui convertissent une protéine plasmatique appelée *angiotensinogène* en un peptide qui porte le nom d'**angiotensine II**. L'angiotensine II agit comme une hormone et fait augmenter la pression sanguine ainsi que le volume sanguin en produisant une vasoconstriction des artérioles, ce qui diminue l'apport sanguin à de nombreux capillaires (notamment ceux des reins). Elle stimule aussi le tubule contourné proximal des néphrons, de sorte qu'il réabsorbe davantage de NaCl et d'eau. Ce processus réduit la quantité de sel et d'eau excrétés dans l'urine ; il augmente par conséquent le volume sanguin et la pression artérielle. L'angiotensine II stimule en outre les glandes surrénales (des glandes endocrines situées au-dessus des reins), qui libèrent l'**aldostérone**. Cette hormone agit sur le tubule contourné distal des néphrons, l'amenant à réabsorber

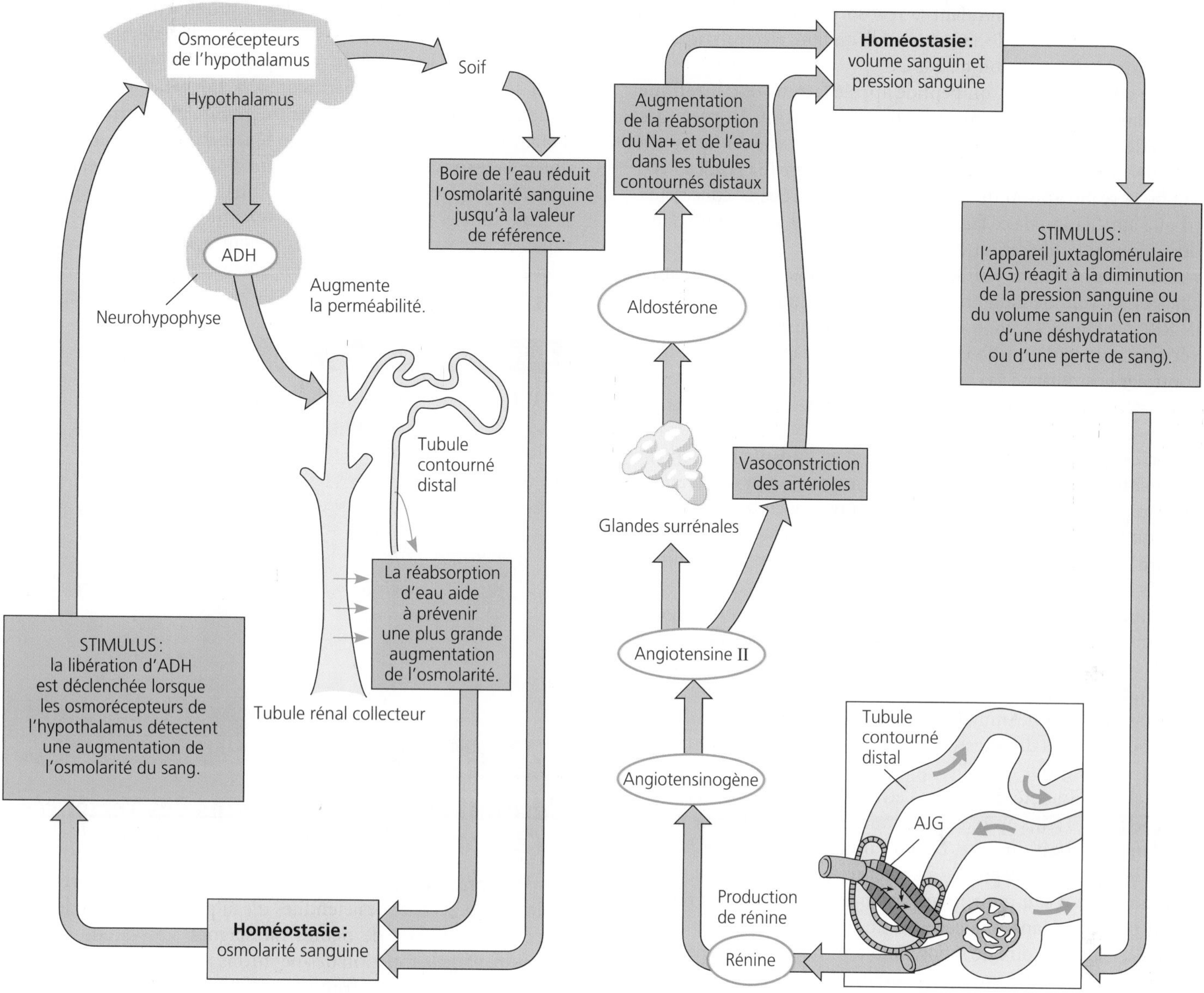

(a) L'hormone antidiurétique (ADH) favorise la conservation des liquides en amenant les reins à récupérer plus d'eau que la normale.

(b) La régulation rénine-angiotensine-aldostérone (RRAA) entraîne une augmentation du volume sanguin et de la pression sanguine.

▲ **Figure 44.16 Régulation hormonale du rein par des mécanismes de rétro-inhibition.**

davantage de sodium (Na^+) en échange de K^+ qui, lui, est sécrété; la réabsorption de sodium est à son tour suivie d'une réabsorption d'eau. L'aldostérone favorise aussi la réabsorption du sodium contenu dans la sueur et la salive. Cela augmente le volume sanguin et la pression sanguine. En bref, la **régulation rénine-angiotensine-aldostérone** (**RRAA**) s'effectue par un mécanisme de rétro-inhibition complexe qui assure l'homéostasie. Une chute de la pression artérielle et du volume sanguin déclenche la libération de rénine de l'AJG. L'augmentation de la pression sanguine et du volume sanguin résultant des diverses actions de l'angiotensine II et de l'aldostérone réduit la libération de rénine.

Les fonctions de l'ADH et de la RRAA peuvent sembler redondantes, mais ce n'est pas le cas. Les deux mécanismes de régulation servent à augmenter la réabsorption de l'eau, mais ils interviennent dans des problèmes d'osmorégulation différents. La libération de l'ADH se fait en réaction à une augmentation de l'osmolarité du sang; elle se produit, par exemple, quand le corps est déshydraté par suite d'une perte trop importante ou d'une absorption insuffisante d'eau. Par contre, une situation qui provoque une perte trop grande de sels *et* de liquides corporels (une blessure ou une diarrhée grave, par exemple) entraîne une réduction du volume sanguin *sans* augmenter l'osmolarité. Cette situation ne provoque pas de changement dans la libération de l'ADH; cependant, la RRAA permet de détecter la diminution du volume sanguin et de la pression sanguine, et elle intervient en augmentant la réabsorption d'eau et de Na^+. En temps normal, l'ADH et la RRAA agissent en partenariat dans l'homéostasie: l'ADH pourrait, si elle agissait seule, abaisser la concentration sanguine du Na^+ en stimulant la réabsorption de l'eau dans les reins, mais la RRAA aide à maintenir l'équilibre électrolytique en stimulant la réabsorption de Na^+.

Une autre hormone, un peptide appelé **facteur natriurétique auriculaire** (**FNA**), s'oppose à l'action de la RRAA. La paroi des oreillettes, lorsqu'elle est étirée par suite d'une augmentation du volume sanguin et de la pression sanguine, libère le FNA. Le FNA inhibe la réabsorption de Na^+ par les tubules rénaux collecteurs (d'où l'appellation de ce facteur, *natrium* étant l'ancien nom latin du sodium), la libération de rénine de l'AJG, et réduit la libération d'aldostérone par les glandes surrénales. Ces actions abaissent le volume sanguin et la pression sanguine. Ainsi, l'ADH, la RRAA et le FNA font partie d'un mécanisme complexe de vérification et d'équilibre, qui régule la capacité du rein à contrôler l'osmolarité, la concentration de sels, le volume et la pression artérielle du sang. Le rôle précis de régulation du FNA est un domaine de recherche actif.

Grâce à sa souplesse, le rein mammalien s'adapte rapidement à des situations très différentes d'osmorégulation et d'excrétion. Le vampire (*Desmodus rotundas*), chauve-souris occupant un territoire qui s'étend du Mexique jusqu'à la partie sud du Brésil **(figure 44.17)**, illustre cette polyvalence. Il se nourrit du sang de grands Oiseaux et de Mammifères. Il utilise ses dents acérées pour faire une petite incision dans la peau de sa victime, puis lape le sang qui s'écoule de la plaie. Des agents anticoagulants contenus dans sa salive permettent au sang de rester liquide, mais la proie n'est habituellement pas blessée sérieusement. Étant donné qu'il cherche souvent un Animal pendant des heures et qu'il doit parcourir de grandes distances, le vampire a avantage à consommer autant de sang que possible quand il trouve une proie. Mais, après s'être alimenté, il risque d'être trop lourd pour s'envoler. Cependant, ses reins excrètent de grandes quantités d'urine diluée pendant qu'il boit du sang, ce qui lui permet de perdre jusqu'à 24 % de sa masse corporelle par heure. Une fois qu'il a perdu suffisamment d'eau pour prendre son envol, le vampire revient à son perchoir, dans une cave ou un arbre creux, et y passe la journée. Dans son aire de repos, il doit affronter un problème de régulation très différent : sa nourriture contient surtout des protéines, et la digestion de celles-ci produit de grandes quantités d'urée. Or, les chauves-souris n'ont généralement pas accès à de l'eau dans leur aire de repos pour diluer l'urée. C'est pourquoi leurs reins, contrairement à la normale, produisent de petites quantités d'urine extrêmement concentrée (jusqu'à 4 600 mmol/L). Cette adaptation leur permet d'éliminer le surplus d'urée tout en conservant autant d'eau que possible. La capacité du vampire à passer de la production de grandes quantités d'urine diluée à celle de petites quantités d'urine hyperosmotique, et vice versa, constitue un facteur essentiel de son adaptation à une source d'alimentation inhabituelle.

▲ **Figure 44.17 Vampire (*Desmodus rotundas*), chauve-souris obligée de faire face à une situation d'excrétion particulière.**

Retour sur le concept 44.5

1. Comment l'alcool influe-t-il sur la régulation de l'équilibre hydrique dans le corps ?
2. Comment le fait de manger des aliments salés influe-t-il sur la fonction des reins ?
3. Indiquez une conséquence fonctionnelle majeure des caractéristiques semblables à un échangeur à contre-courant de l'anse du néphron.

Voir les réponses proposées à la fin du chapitre.

Concept 44.6

L'évolution a amené les reins des Vertébrés à s'adapter à des habitats différents

Les Vertébrés occupent des habitats qui varient des forêts pluviales aux déserts et des étendues d'eau parmi les plus salées aux eaux pures des lacs de hautes montagnes. Les variations de la structure et de la fonction des néphrons permettent aux reins des Vertébrés d'exercer une osmorégulation liée au type d'habitat. La comparaison d'espèces qui habitent une gamme étendue d'environnements et celle des réactions des divers groupes de Vertébrés à des conditions environnementales semblables **(figure 44.18)** révèlent mieux les adaptations du rein de ces derniers.

Chez tous les Animaux, les machines physiologiques compliquées qu'on appelle *organes* travaillent sans cesse à maintenir un équilibre des solutés et de l'eau et à excréter les déchets azotés. Les détails que nous avons examinés dans le présent chapitre ne font qu'évoquer la grande complexité des mécanismes des systèmes nerveux et hormonal dans la régulation de ces processus homéostatiques. Dans le chapitre suivant, nous nous concentrerons plus précisément sur la régulation hormonale de l'homéostasie.

Retour sur le concept 44.6

1. Que nous indiquent le nombre et la longueur des néphrons au sujet de l'habitat des Poissons ? Qu'indiquent-ils au sujet des vitesses de production d'urine ?

Voir les réponses proposées à la fin du chapitre.

Figure 44.18

Panorama Les adaptations environnementales du rein des Vertébrés

MAMMIFÈRES

Rat-kangourou (*Dipodomys spectabilis*)

Les Mammifères qui excrètent l'urine la plus hyperosmotique, notamment la souris sauteuse australienne, les rats-kangourous d'Amérique du Nord et d'autres Mammifères du désert, ont des néphrons dont l'anse est exceptionnellement longue. Cette caractéristique structurale permet de maintenir un gradient osmotique important dans le rein et amène l'urine à devenir très concentrée quand elle passe du cortex rénal à la médulla dans les tubules rénaux collecteurs.

En revanche, les castors, les rats musqués et d'autres Mammifères aquatiques qui passent la plupart de leur temps dans l'eau douce et qui ont rarement à affronter des problèmes de déshydratation possèdent des néphrons pourvus d'une anse très courte; cela réduit considérablement leur capacité à concentrer l'urine. Les Mammifères terrestres qui vivent dans des conditions d'humidité importante ont des néphrons munis d'une anse de longueur moyenne et la capacité de fabriquer une urine de concentration moyenne par rapport à celle que produisent les Mammifères vivant dans l'eau douce et dans le désert.

Castor (*Castor canadensis*)

OISEAUX ET AUTRES REPTILES

Grand géocoucou (*Geococcyx californianus*)

Les Oiseaux, à l'instar des Mammifères, ont des reins dotés de néphrons juxtamédullaires spécialisés dans la conservation de l'eau. Toutefois, leurs néphrons possèdent une anse beaucoup plus courte que celle des néphrons mammaliens. Leurs reins ne peuvent donc concentrer l'urine autant que ceux des Mammifères (ils ont des valeurs d'osmolarité inférieures). Même s'ils peuvent produire une urine hyperosmotique afin de conserver de l'eau, les Oiseaux font surtout appel à l'acide urique, qui peut être excrété sous une forme pâteuse, comme molécule d'excrétion de l'azote. Le volume d'urine est ainsi réduit.

Les autres Reptiles, eux, ont des reins qui n'ont que des néphrons corticaux. Leur urine peut être isoosmotique par rapport aux liquides corporels, mais sans plus. Toutefois, l'épithélium de leur cloaque (voir le chapitre 34) les aide à conserver des liquides en réabsorbant une partie de l'eau présente dans l'urine et les excréments. En outre, comme les Oiseaux, la plupart des Reptiles terrestres excrètent les déchets azotés sous forme d'acide urique.

Iguane du désert (*Dipsosaurus dorsalis*)

POISSONS D'EAU DOUCE ET AMPHIBIENS

Truite arc-en-ciel (*Oncorrhynchus mykiss*)

Les Poissons d'eau douce doivent excréter l'eau excédentaire, parce qu'ils sont hyperosmotiques par rapport à leur milieu. Contrairement aux Mammifères et aux Oiseaux, ils excrètent une quantité importante d'urine très diluée. Leurs reins, qui sont pourvus d'un grand nombre de néphrons, produisent un filtrat à une vitesse rapide. Les Poissons d'eau douce gardent les sels en réabsorbant les ions du filtrat contenu dans leurs tubules contournés distaux, et ne retiennent pas l'eau.

Les reins des Amphibiens fonctionnent à peu près comme ceux des Poissons d'eau douce. Quand elles se tiennent dans l'eau douce, les grenouilles absorbent à travers leur peau et l'épithélium de leur vessie certains sels qui sont extraits de l'eau par transport actif, et leurs reins excrètent une urine diluée. Sur la terre ferme, quand elles font face à la déshydratation, elles conservent leurs liquides corporels en réabsorbant de l'eau à travers l'épithélium de leur vessie; ce dernier organe, chez les Amphibiens, peut donc permettre de conserver l'eau ou les sels, et son rôle de réservoir d'urine est secondaire.

Grenouille (*Rana temporaria*)

POISSONS OSSEUX MARINS

Thon rouge (*Thunnus thynnus*)

Parce qu'ils sont hypoosmotiques par rapport à l'eau de mer, les Poissons osseux marins perdent de l'eau et gagnent des sels excédentaires de leur milieu, ce qui représente des défis environnementaux contraires à ceux auxquels font face les Poissons d'eau douce. Comparés aux Poissons d'eau douce, les Poissons marins ont moins de néphrons et ces derniers sont plus petits et sans tubule contourné distal. En outre, les reins de la plupart des Poissons marins possèdent de petits glomérules, et quelques-uns n'en ont pas du tout. Par conséquent, les reins des Poissons marins ont des vitesses de filtration faibles et excrètent très peu d'urine. Les reins des Poissons marins servent surtout à débarrasser l'organisme des ions bivalents, notamment les ions calcium (Ca^{2+}), magnésium (Mg^{2+}) et sulfate (SO_4^{2-}), que les Poissons absorbent en buvant constamment de l'eau de mer. Les Poissons marins se débarrassent de ces ions en les sécrétant dans les tubules contournés proximaux des néphrons et en les évacuant avec l'urine.

Révision du chapitre 44

RÉSUMÉ DES CONCEPTS CLÉS

Concept 44.1

L'osmorégulation établit un équilibre entre l'acquisition et la perte d'eau et de solutés

- L'osmorégulation se fonde principalement sur les mouvements contrôlés des solutés entre les liquides internes et le milieu externe, et aussi sur la régulation du mouvement de l'eau, qui suit les solutés par osmose (**p. 1003**).
- **L'osmose (p. 1003-1004).** Les cellules nécessitent un équilibre entre le gain et la perte d'eau par osmose. L'absorption et la perte d'eau doivent être équilibrées par divers mécanismes d'osmorégulation, selon le milieu.
- **Les défis de l'osmose (p. 1004-1006).** Les osmotolérants, qui ne sont que des Animaux marins, sont isoosmotiques par rapport à leur environnement et ne régulent pas leur osmolarité. Les osmorégulateurs dépensent de l'énergie pour contrôler la perte et l'acquisition d'eau dans un milieu hyper ou hypoosmotique. Parmi les Animaux marins, la plupart des Invertébrés sont des osmotolérants. Les requins ont une osmolarité légèrement supérieure à celle de l'eau de mer, parce qu'ils conservent de l'urée. Les Poissons osseux marins perdent de l'eau au profit de leur milieu hyperosmotique et boivent de l'eau de mer. Les Vertébrés marins excrètent les sels excédentaires par leurs glandes rectales, leurs branchies, leurs glandes excrétrices de sel ou leurs reins. Les Animaux vivant dans de l'eau douce, qui absorbent constamment de l'eau en provenance du milieu hypoosmotique, excrètent une urine diluée. La perte de sels est remplacée par les sels absorbés dans les aliments, ou bien par le captage d'ions par l'intermédiaire des branchies. Les Animaux terrestres combattent la déshydratation par des adaptations comportementales et grâce à des organes d'excrétion conservant l'eau. Ils le font aussi en consommant des liquides et des solides contenant une forte proportion d'eau. Les Animaux dans des habitats aquatiques temporaires peuvent être anhydrobiotiques.
- **Les épithéliums de transport (p. 1007-1008).** L'équilibre hydrique et l'élimination des déchets dépendent de l'épithélium de transport (couches de cellules épithéliales spécialisées) régulant le mouvement des solutés nécessaire à l'élimination des déchets et atténuant les variations dans les liquides corporels.

Concept 44.2

Les Animaux produisent des déchets azotés qui reflètent leur phylogenèse et leur habitat

- **Les formes de déchets azotés (p. 1008-1009).** Le métabolisme des protéines et des acides nucléiques produit de l'ammoniac, déchet toxique excrété sous trois formes. La plupart des Animaux aquatiques évacuent l'ammoniac à travers la surface corporelle ou l'épithélium de leurs branchies jusque dans l'eau avoisinante. Le foie des Mammifères et de la plupart des Amphibiens adultes convertit l'ammoniac en urée, moins toxique. Celle-ci est transportée dans les reins, concentrée et excrétée avec une perte d'eau minimale. L'acide urique est un précipité insoluble excrété dans l'urine pâteuse des escargots terrestres, des Insectes, des Oiseaux et de nombreux Reptiles.
- **L'influence de l'évolution et de l'environnement sur les déchets azotés (p. 1009-1010).** Les types de déchets azotés excrétés dépendent de l'histoire évolutive et de l'habitat d'un Animal. La quantité de déchets azotés produits dépend de l'allocation énergétique de l'Animal.

Concept 44.3

Les divers systèmes urinaires constituent des variations de tubules spécialisés

- **Les processus d'excrétion (p. 1010).** La plupart des systèmes urinaires produisent de l'urine en raffinant un filtrat dérivé des liquides corporels. Les fonctions clés de la plupart des systèmes urinaires sont la filtration (filtrage sous pression des liquides corporels pour produire un filtrat), ainsi que la production d'urine à partir du filtrat par réabsorption (récupération des solutés précieux à partir du filtrat) et par sécrétion (ajout de toxines et d'autres solutés des liquides corporels à destination du filtrat).
- **Une vue d'ensemble des systèmes urinaires (p. 1010-1012).** Les liquides extracellulaires sont filtrés dans les protonéphridies du système urinaire à cellules-flammes des Vers plats; ces tubules excrètent un liquide dilué et interviennent aussi dans l'osmorégulation. Chacun des segments du ver de terre possède une paire de métanéphridies ouvertes, des tubules qui collectent le liquide cœlomique et produisent une urine diluée en vue de l'excrétion. Chez les Insectes, l'osmorégulation et le retrait des déchets azotés de l'hémolymphe sont effectués par les tubes de Malpighi. Les Insectes produisent des déchets relativement secs, ce qui constitue une adaptation importante à la vie terrestre. Les reins, organes excréteurs des Vertébrés, servent à la fois à l'excrétion et à l'osmorégulation.

Concept 44.4

Le néphron et les vaisseaux sanguins qui lui sont associés constituent l'unité structurale et fonctionnelle des reins des Mammifères

- **La structure et la fonction du néphron et des structures connexes (p. 1013).** Les tubules excréteurs (qui se composent d'un néphron et d'un tubule rénal collecteur) ainsi que des vaisseaux sanguins connexes forment les reins. La filtration se fait à mesure que la pression artérielle pousse le sang dans le glomérule, plus précisément dans la cavité de la capsule glomérulaire rénale. La filtration des petites molécules n'est pas sélective; le filtrat de la capsule glomérulaire rénale contient un mélange de petites molécules qui reflète les concentrations de ces substances dans le plasma sanguin. Les liquides de plusieurs néphrons sont réunis dans un tubule rénal collecteur. L'uretère transporte l'urine du pelvis rénal à la vessie.
- **Du filtrat à l'urine: *une étude détaillée* (p. 1013-1016).** Les néphrons contrôlent la composition du sang par filtration, sécrétion et réabsorption. Les processus de sécrétion et de réabsorption dans le tubule contourné proximal modifient considérablement le volume et la composition du filtrat. La partie descendante de l'anse du néphron est perméable à l'eau mais non au sel; l'eau se déplace par osmose dans le liquide interstitiel hyperosmotique. Le sel diffuse hors du filtrat concentré à mesure qu'il se déplace dans la partie ascendante, perméable au sel, de l'anse du néphron. Le tubule contourné distal joue un rôle clé dans la régulation de la concentration du K^+ et du NaCl dans les liquides corporels. Le tubule rénal collecteur transporte le filtrat à travers la médulla rénale jusqu'au pelvis rénal et réabsorbe, par transport actif, le NaCl.

Concept 44.5

La capacité du rein mammalien à conserver l'eau est une adaptation essentielle à la vie terrestre

- **Les gradients de solutés et la conservation de l'eau (p. 1016-1018).** Dans les reins des Mammifères, l'action concertée et la disposition précise des anses du néphron et des tubules rénaux collecteurs maintiennent le gradient osmotique nécessaire à la concentration de l'urine. Le système à contre-courant multiplicateur qui comprend l'anse du néphron assure une concentration élevée de sel à l'intérieur du liquide interstitiel des reins, ce qui permet au rein de produire une urine concentrée. Le tubule rénal collecteur, perméable à l'eau mais non au sel, transporte le filtrat à travers le gradient d'osmolarité du rein, et plus d'eau sort par osmose. L'urée diffuse aussi hors du tubule et, avec le sel, forme le gradient osmotique qui permet au rein de produire de l'urine hyperosmotique par rapport au sang.

▶ **La régulation de la fonction rénale** (**p. 1018-1020**). L'osmolarité de l'urine est régulée par le système nerveux, et par des hormones stimulant la réabsorption de l'eau et du sel dans les reins. Ce contrôle fait intervenir l'hormone antidiurétique (ADH), la régulation rénine-angiotensine-aldostérone (RRAA), ainsi que le facteur natriurétique auriculaire (FNA).

Concept 44.6

L'évolution a amené les reins des Vertébrés à s'adapter à des habitats différents

▶ La structure et la fonction des néphrons de divers types de Vertébrés répondent principalement aux critères de l'osmorégulation, liés à l'habitat. Les Mammifères du désert, qui excrètent l'urine la plus hyperosmotique, ont des néphrons dont l'anse est exceptionnellement longue. En revanche, les Animaux qui vivent dans des habitats humides ou aquatiques possèdent des néphrons pourvus d'une anse très courte et excrètent une urine moins concentrée. Même s'ils peuvent produire une urine hyperosmotique afin de conserver de l'eau, les Oiseaux font surtout appel à l'acide urique, qui peut être sécrété sous une forme pâteuse, comme molécule d'excrétion de l'azote. La plupart des autres Reptiles terrestres excrètent de l'acide urique. Les Poissons d'eau douce et les Amphibiens produisent une quantité importante d'urine très diluée. Les reins des Poissons marins ont des vitesses de filtration faibles et excrètent très peu d'urine (**p. 1020**).

VÉRIFIEZ VOS CONNAISSANCES

Autoévaluation

(Les questions dont les numéros sont en caractères gras font surtout appel à la compréhension.)

1. Déterminez l'énoncé qui est *faux*:
   a) Chez les osmotolérants, l'osmolarité interne est la même que celle du milieu où ils vivent.
   b) Les Animaux osmorégulateurs doivent dépenser de l'énergie pour maintenir l'osmolarité de leurs liquides corporels.
   c) Les osmotolérants ne régulent pas leur composition interne de solutés.
   d) Les osmotolérants peuvent être des euryhalins ou des sténohalins.
   e) La plupart des Animaux, qu'ils soient osmotolérants ou osmorégulateurs, ne supportent pas les variations importantes dans l'osmolarité du milieu.

2. *Contrairement* aux métanéphridies des vers de terre, les néphrons mammaliens:
   a) sont étroitement associés à un réseau de capillaires.
   b) forment l'urine en changeant la composition des liquides dans le tubule excréteur.
   c) jouent un rôle dans l'osmorégulation et dans l'excrétion des déchets azotés.
   d) assurent le traitement du sang, pas du liquide cœlomique.
   e) possèdent un épithélium de transport.

3. Laquelle des réactions suivantes à l'augmentation de l'osmolarité du sang chez les humains *n'est pas* normale?
   a) L'augmentation de la perméabilité à l'eau du tube rénal collecteur.
   b) L'augmentation de la soif.
   c) La libération d'ADH par la neurohypophyse.
   d) La production d'une urine plus diluée.
   e) La production réduite d'urine.

4. L'osmolarité élevée de la médulla rénale est maintenue par tous les éléments suivants, *sauf*:
   a) la diffusion du sel dans la partie ascendante de l'anse du néphron.
   b) le transport actif du sel dans le segment large de la partie ascendante de l'anse du néphron.
   c) l'arrangement spatial des néphrons juxtamédullaires.
   d) la diffusion de l'urée à partir du tubule rénal collecteur.
   e) la diffusion de sel quittant le filtrat dans la partie descendante de l'anse du néphron.

5. Trouvez l'association *inexacte* entre le déchet azoté et l'avantage de son excrétion.
   a) Urée: faible toxicité comparativement à l'ammoniac.
   b) Acide urique: peut être stocké sous forme de précipité.
   c) Ammoniac: extrêmement soluble dans l'eau.
   d) Acide urique: perte minimale d'eau au moment de l'excrétion.
   e) Urée: extrêmement insoluble dans l'eau.

6. Si on compare les protonéphridies, les métanéphridies, les tubes de Malpighi et les néphrons des reins, laquelle, parmi les caractéristiques suivantes, *n'appartient qu'*aux tubes de Malpighi?
   a) Ils ont une fonction d'excrétion.
   b) Ils effectuent l'osmorégulation.
   c) Ils possèdent des ouvertures internes qui collectent les liquides de l'organisme.
   d) Ils s'ouvrent, à leur extrémité distale, dans le tube digestif.
   e) Ils excrètent l'urine par de nombreux pores dans la paroi de l'organisme.

7. Les liquides corporels des Crustacés d'eau douce ont généralement une osmolarité plus faible que les liquides corporels des Crustacés marins qui leur sont le plus apparentés. Lequel des effets suivants est un avantage de la réduction d'osmolarité des liquides corporels chez les Crustacés d'eau douce?
   a) Une augmentation de la vitesse de circulation de l'eau dans les liquides corporels.
   b) Une diminution de la vitesse de perte d'eau au profit du milieu environnant.
   c) Une réduction des dépenses d'énergie pour l'osmorégulation.
   d) Une augmentation de la vitesse de la perte de sels au profit du milieu environnant.
   e) Une diminution de la vitesse de gain de sels provenant de l'environnement.

8. Quel est le processus le *moins* sélectif lié au néphron?
   a) La sécrétion.
   b) La réabsorption.
   c) Le transport actif.
   d) La filtration.
   e) Le pompage de sel par l'anse du néphron.

9. Une substance *x* peut-elle se retrouver dans l'urine en plus grande quantité que la quantité filtrée par les néphrons?
   a) Oui, cela veut dire qu'elle a été filtrée et sécrétée.
   b) Non, c'est impossible si les néphrons fonctionnent normalement.
   c) Oui, cela indique qu'elle n'a été aucunement réabsorbée.
   d) Non, car la filtration se fait par diffusion et non par transport actif.
   e) Non, car le rein ne peut ajouter à l'urine plus de substances qu'il y en a dans le sang.

10. Lequel des Animaux suivants a généralement la plus faible production d'urine?
   a) Un requin marin.
   b) Un saumon dans de l'eau douce.
   c) Un Poisson osseux marin.
   d) Un Poisson osseux d'eau douce.
   e) Un requin dans de l'eau douce du lac Nicaragua, en Amérique centrale.

11. Le dipneuste africain, qui se trouve souvent dans de petites nappes d'eau dormante, produit de l'urée comme déchet azoté. Quel est l'avantage de cette adaptation?
   a) Il faut moins d'énergie pour synthétiser l'urée que l'ammoniac.
   b) Les petites nappes d'eau dormantes ne fournissent pas assez d'eau pour diluer l'ammoniac toxique.
   c) L'urée hautement toxique rend la nappe d'eau inhabitable pour des compétiteurs potentiels.

d) L'urée forme un précipité et ne s'accumule pas dans l'eau environnante.
e) Une accumulation d'urée dans le sang rend le dipneuste hypoosmotique par rapport à son milieu.

12. Chez quelle espèce, parmi les suivantes, la sélection naturelle favorise-t-elle la plus grande proportion de néphrons juxtamédullaires?
a) Une loutre de rivière.
b) Une espèce de souris qui vit dans la forêt tropicale humide.
c) Une espèce de souris qui vit dans une forêt tempérée décidue.
d) Une espèce de souris qui vit dans le désert.
e) Un castor.

13. La production de grands volumes d'urine diluée est causée par une affection appelée *diabète insipide*. Quelle caractéristique est compatible avec cette affection?
a) Une concentration élevée de sodium dans l'urine.
b) Une très faible production d'ADH.
c) Une surproduction d'ADH.
d) Une production élevée d'aldostérone.
e) Une production élevée d'angiotensine II.

Lien avec l'évolution

Au fil de l'évolution, le succès des Arthropodes et des Vertébrés terrestres s'est révélé en grande partie attribuable à leurs capacités d'osmorégulation. Comparez les tubes de Malpighi avec les néphrons sur les plans de l'anatomie, de la relation avec la circulation et des mécanismes physiologiques de conservation de l'eau dans le corps.

Intégration

Le rat-kangourou de Merriam (*Dipodomys merriami*) vit naturellement dans l'ouest de l'Amérique du Nord, où il habite divers milieux qui vont des régions boisées tempérées et humides aux endroits les plus chauds et secs du continent. En supposant que la sélection naturelle qui agit sur les populations locales a entraîné des différences dans la conservation de l'eau chez ces populations, proposez une hypothèse concernant les vitesses relatives de perte d'eau par vaporisation chez des populations qui vivent dans un environnement sec par rapport à un environnement humide. Comment pourriez-vous vérifier votre hypothèse en vous servant d'un détecteur d'humidité pour évaluer cette perte d'eau par les rats-kangourous?

Science, technologie et société

1. Les reins ont été les premiers organes à être transplantés avec succès. Un donneur peut mener une vie normale avec un seul rein. Il est donc possible de donner un rein à un proche ou même à une personne non apparentée qui possède des tissus semblables. Dans certains pays, des individus sans ressources vendent un de leurs reins à des receveurs par l'intermédiaire de courtiers en organes. Quels sont les enjeux éthiques que cette pratique soulève?
2. Malgré le fait qu'Alain Bombard, médecin et biologiste français (1924-2005), le « naufragé volontaire », ait montré, dans les années 1950, qu'un humain, même s'il ne possède pas de glandes à sel, pouvait satisfaire une certaine proportion de ses besoins quotidiens en eau en buvant de l'eau de mer, on ne peut envisager de combler les besoins en eau potable des municipalités avec de l'eau de mer qui n'aurait pas subi un traitement au préalable. Le dessalement de l'eau de mer pour obtenir de l'eau douce est maintenant réalisable par plusieurs méthodes et certains entrevoient l'implantation d'usines à dessalement comme *la* solution aux problèmes de pénurie d'eau potable dans le monde. Cette idée ne fait cependant pas l'unanimité. Quels genres d'arguments, d'après vous, ceux qui ne sont pas en faveur de cette solution invoquent-ils? Quelle est votre opinion personnelle sur ce sujet?

Réponses du chapitre 44

Retour sur le concept 44.1

1. Parce que le sel se déplace contre le gradient de concentration, d'un milieu hypoosmotique vers un milieu hyperosmotique.
2. Un osmotolérant dulcicole aurait des fluides corporels trop dilués pour effectuer les processus vitaux.
3. En maintenant des concentrations élevées d'urée et d'oxyde de triméthylamine dans leur sang, les requins réduisent le gradient osmotique entre leur sang et l'eau de mer.

Retour sur le concept 44.2

1. Les larves aquatiques se débarrassent continuellement de l'ammoniac très toxique en le sécrétant à travers l'épithélium vers l'eau de leur milieu. Les adultes conservent l'eau en excrétant de l'acide urique non toxique.
2. Le foie est le site de la synthèse de l'urée.
3. Étant donné qu'il est insoluble dans l'eau, l'acide urique peut être excrété sous forme de pâte semi-solide, ce qui a pour effet de réduire la perte d'eau chez l'Animal.

Retour sur le concept 44.3

1. La filtration (du sang, de l'hémolymphe ou du liquide cœlomique) et la réabsorption ou la sécrétion sélective de solutés.
2. Une grande surface pour l'échange d'eau et de solutés.

Retour sur le concept 44.4

1. Une baisse de la tension artérielle dans l'artériole afférente réduirait la vitesse de filtration.
2. La médulla rénale réabsorbera moins d'eau, donc le médicament augmentera la perte d'eau dans l'urine.
3. Capsule glomérulaire rénale, tubule contourné proximal, anse du néphron, tubule contourné distal.

Retour sur le concept 44.5

1. L'alcool inhibe la libération d'ADH, ce qui cause une augmentation de la perte d'eau urinaire et une augmentation des risques de déshydratation.
2. La consommation d'aliments salés augmente l'osmolarité du sang, ce qui pousse le centre de la soif dans l'hypothalamus à stimuler la consommation de boisson et la neurohypophyse à libérer de l'ADH, ce qui augmente la vitesse de réabsorption de l'eau par les tubules contournés distaux et les tubules rénaux collecteurs.
3. La capacité de conserver l'eau en produisant de l'urine hyperosmotique.

Retour sur le concept 44.6

1. De nombreux néphrons et glomérules bien développés sont des caractéristiques des reins des Poissons d'eau douce, alors qu'un nombre réduit de néphrons et de glomérules plus petits indique un milieu marin. Les nombreux néphrons et les glomérules bien développés des Poissons d'eau douce produisent de l'urine à une vitesse rapide, alors que les petits nombres de néphrons et les glomérules plus petits fabriquent de l'urine à une vitesse plus lente.

Autoévaluation

1. c; 2. d; 3. d; **4.** e; 5. e; 6. d; **7.** c; 8. d; **9.** a; 10. c; **11.** b; **12.** d; **13.** b.

45

Les hormones et le système endocrinien

▲ **Figure 45.1 Porte-queue (*Papilio zelicaon*) sortant de sa pupe.**

Concepts clés

45.1 **Le système endocrinien et le système nerveux agissent individuellement et de concert dans la régulation de la physiologie d'un Animal**

45.2 **Les hormones et d'autres médiateurs chimiques se fixent aux récepteurs des cellules cibles pour activer les voies qui aboutissent à des réactions cellulaires spécifiques**

45.3 **L'hypothalamus et l'hypophyse intègrent de nombreuses fonctions du système endocrinien chez les Vertébrés**

45.4 **Les hormones non hypophysaires concourent à réguler le métabolisme, l'homéostasie, le développement et le comportement**

45.5 **Les mécanismes de régulation des Invertébrés font également intervenir les interactions entre le système endocrinien et le système nerveux**

Introduction

Les régulateurs à longue distance de l'organisme

On attribue souvent aux hormones les hurlements des chats de gouttière ou les sautes d'humeur des adolescents. Des millions de personnes dans le monde atteintes du diabète s'administrent de l'insuline. Par ailleurs, on ajoute des hormones aux produits de beauté en vue d'adoucir la peau. On en introduit aussi dans les aliments destinés aux bovins, pour les faire engraisser. Ces substances puissantes jouent en outre un rôle dans des transformations encore plus impressionnantes. Pour atteindre le stade adulte, le corps d'un papillon comme celui de la **figure 45.1** change complètement de forme, métamorphose qui s'est faite sous l'action des hormones. Grâce aux hormones qui permettent la communication interne, les différentes parties du corps de l'Insecte ont pu se développer en harmonie.

Une **hormone** (du grec *hormôn,* « exciter ») animale est une substance chimique qui est sécrétée dans le système cardiovasculaire (habituellement dans le sang), et qui transmet des commandes régulatrices à tout l'organisme. Elle peut atteindre toutes les parties de l'organisme, mais seules les cellules cibles y répondent. Ainsi, une hormone donnée qui voyage dans le sang provoque certaines réponses des cellules cibles (par exemple une modification du métabolisme), mais est ignorée des autres types de cellules.

Dans le présent chapitre, nous allons décrire les concepts fondamentaux des systèmes de contrôle biologiques qui s'appliquent aux voies hormonales et le mode d'action des hormones sur les cellules cibles. Nous allons nous pencher sur les hormones qui concourent à maintenir l'homéostasie. Nous aborderons les principaux types d'hormones chez les Vertébrés, ainsi que l'endroit dans l'organisme où elles sont formées et leurs principaux effets. Pour terminer, nous allons étudier les mécanismes de régulation comparables chez les Invertébrés. Aux chapitres 46 et 47, nous examinerons le rôle des hormones dans la régulation de la croissance, du développement et de la reproduction.

Concept 45.1

Le système endocrinien et le système nerveux agissent individuellement et de concert dans la régulation de la physiologie d'un Animal

Les Animaux possèdent deux systèmes de communication et de régulation internes : le système nerveux et le système endocrinien. Le système nerveux, que nous étudierons plus en détail au chapitre 48, est constitué de cellules spécialisées, les neurones, qui permettent la transmission de signaux électriques à haute vitesse. Ces influx rapides commandent le mouvement de parties du corps en réaction à des modifications soudaines du milieu (comme la main qui se retire vivement d'une casserole chaude ou les pupilles qui se dilatent quand on entre dans une pièce obscure).

Toutes les cellules qui participent à la sécrétion d'hormones chez les Animaux font partie du **système endocrinien**. Les hormones coordonnent des réactions lentes mais à action prolongée à des stimulus comme le stress, la déshydratation et des glycémies faibles. Les hormones régulent également des processus de développement à long terme en informant diverses parties de l'organisme sur la vitesse de leur croissance et le moment d'apparition des caractères qui, dans une espèce donnée, distinguent le mâle de la femelle ou le jeune de l'adulte. Les **glandes endocrines** sont les organes qui sécrètent les hormones directement dans le liquide extracellulaire d'où elles diffusent dans la circulation.

Le chevauchement entre la régulation du système endocrinien et celle du système nerveux

Bien qu'il soit pratique de faire la distinction entre le système endocrinien et le système nerveux, en réalité, les frontières qui les séparent sont floues. En effet, certaines cellules nerveuses spécialisées sécrètent des hormones dans la circulation sanguine : ce sont les **neurones sécrétoires**. Chez des Animaux aussi différents que les Insectes et les Vertébrés, une partie de l'encéphale appelée *hypothalamus* contient ce genre de neurones. On appelle parfois les hormones produites par les neurones sécrétoires *neurohormones* afin de les distinguer des hormones dites *classiques* libérées par les glandes endocrines.

Quelques substances chimiques servent à la fois d'hormones dans le système endocrinien et de neurotransmetteurs dans le système nerveux. Par exemple, l'adrénaline (produite par la médulla surrénale, glande endocrine) est l'hormone qui prépare l'organisme à la fuite ou à la lutte. Mais elle est aussi un neurotransmetteur, c'est-à-dire un médiateur chimique local qui permet la transmission d'un influx entre les neurones du système nerveux (voir le chapitre 48). De plus, le système nerveux joue un rôle dans certaines réponses prolongées (par exemple la régulation des cycles jour-nuit et des cycles de reproduction chez de nombreux Animaux) souvent en augmentant ou en diminuant la sécrétion des glandes endocrines.

Ainsi, bien qu'ils soient distincts sur le plan anatomique, les systèmes endocrinien et nerveux présentent une interaction fonctionnelle en régulant un certain nombre de processus physiologiques.

Les voies de régulation et les boucles de rétroaction

La sécrétion hormonale n'est habituellement pas constante et continue : dans la plupart des cas, elle s'effectue par pulses (libération d'une certaine quantité d'hormones à certains moments seulement). Une fois les hormones libérées, l'organisme ne peut les laisser s'accumuler dans les liquides extracellulaires, car ces substances sont des médiateurs trop puissants : les surplus en circulation sont sans cesse dégradés et éliminés par le foie, les reins et certains tissus cibles de sorte que la demi-vie de certaines hormones ne dépasse pas quelques minutes. La sécrétion pulsatile et le taux d'hormones en circulation à tout moment sont coordonnés par des systèmes de régulation plus ou moins complexes. Nous aurons donc besoin de réviser les concepts fondamentaux des systèmes de régulation biologique que nous avons introduits au chapitre 40 pour les appliquer à la régulation hormonale. Un *récepteur* détecte un stimulus (tel un changement dans la concentration sanguine d'ions calcium) et envoie l'information au *centre de régulation*. Après avoir comparé l'information reçue à une valeur de référence, ou valeur « souhaitée », le centre de régulation envoie un message qui dicte à l'*effecteur* la réponse appropriée. Dans les voies endocrine et neuroendocrine, ce signal sortant, appelé *signal efférent*, est une hormone ou une neurohormone qui agit sur des tissus effecteurs particuliers et suscite des modifications physiologiques ou développementales précises. Les trois types de voies hormonales simples décrites à la **figure 45.2** comportent les composantes fonctionnelles fondamentales d'un système de régulation. N'apparaissent pas dans cette figure les voies neuroendocrines complexes dans lesquelles une hormone sécrétée par un tissu endocrinien agit sur un autre tissu endocrinien, régularisant la libération d'une hormone différente, qui agit ensuite sur les tissus cibles. La régulation par chacune des quelque 20 hormones différentes que nous allons étudier dans le présent chapitre (et dans d'autres) fait intervenir un de ces types généraux de voies simples ou complexes.

Une boucle de rétroaction qui relie la réponse au stimulus initial est une autre caractéristique commune des voies de régulation. Dans la **rétro-inhibition**, la réponse de l'effecteur réduit le stimulus initial ; par la suite, la réaction cesse. Ce mécanisme de rétroaction empêche une réaction excessive du système et des fluctuations brutales des variables qui sont régulées. La rétro-inhibition joue un rôle dans de nombreuses voies endocrines et nerveuses, notamment celles qui sont impliquées dans le maintien de l'homéostasie (voir le chapitre 40). Plus loin dans ce chapitre, nous étudierons comment la rétro-inhibition contribue à la régulation hormonale des concentrations sanguines de calcium et de glucose.

Contrairement à la rétro-inhibition qui inhibe le stimulus, la rétroactivation l'amplifie et provoque une réponse encore plus intense. La voie neurohormonale qui régule l'éjection de lait chez une femme constitue un exemple de rétroactivation (voir la figure 45.2b). La succion du bébé stimule les cellules sensorielles du mamelon. Les influx nerveux atteignent ensuite l'hypothalamus, le centre de régulation. Un signal sortant de l'hypothalamus déclenche alors la libération d'ocytocine par la neurohypophyse. L'ocytocine provoque ensuite la sécrétion de lait par les glandes mammaires. L'éjection de lait entraîne plus de succion et de stimulation de la voie, jusqu'à ce que le bébé soit satisfait.

Retour sur le concept 45.1

1. Quelles sont les différences entre les neurohormones et les hormones dites *classiques* ? Quelles sont leurs ressemblances ?
2. Différents systèmes de contrôle biologiques présentent des caractéristiques communes : un récepteur, un centre de régulation, un signal sortant et un effecteur. Dessinez deux schémas qui représentent comment ces composantes sont disposées dans une voie endocrine simple et dans une voie neurohormonale simple.
3. Expliquez pourquoi, contrairement à la rétro-inhibition, la rétroactivation n'est pas une caractéristique commune des voies hormonales qui contribuent au maintien de l'homéostasie.

Voir les réponses proposées à la fin du chapitre.

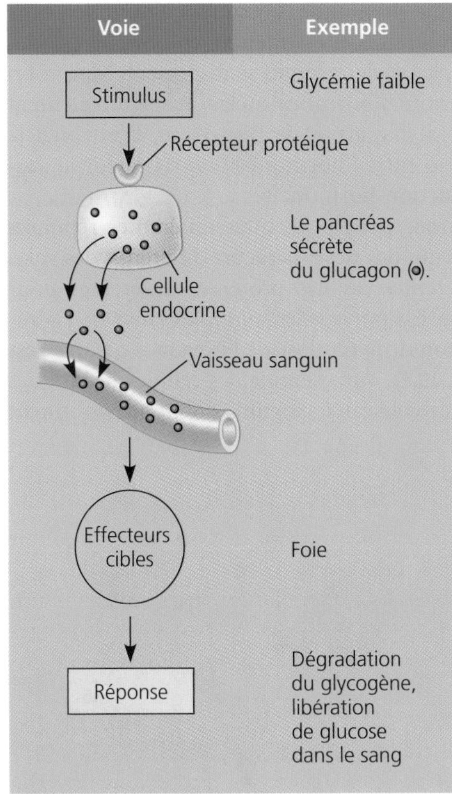

(a) **Voie endocrine simple**

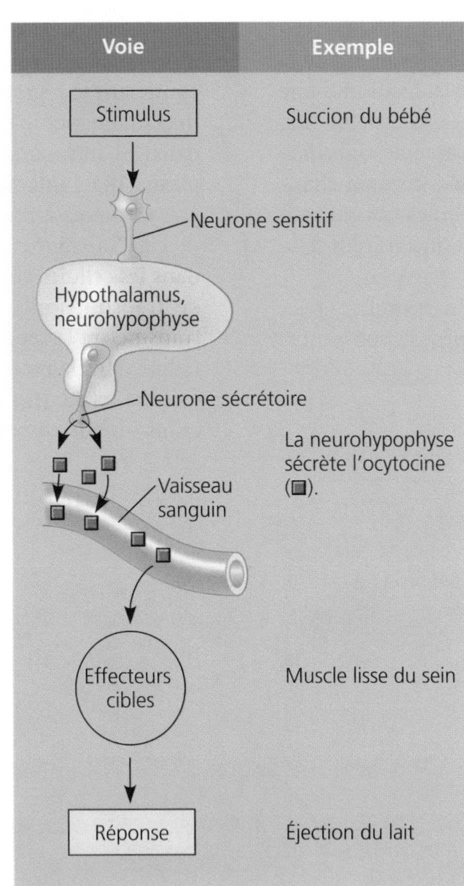

(b) **Voie neurohormonale simple**

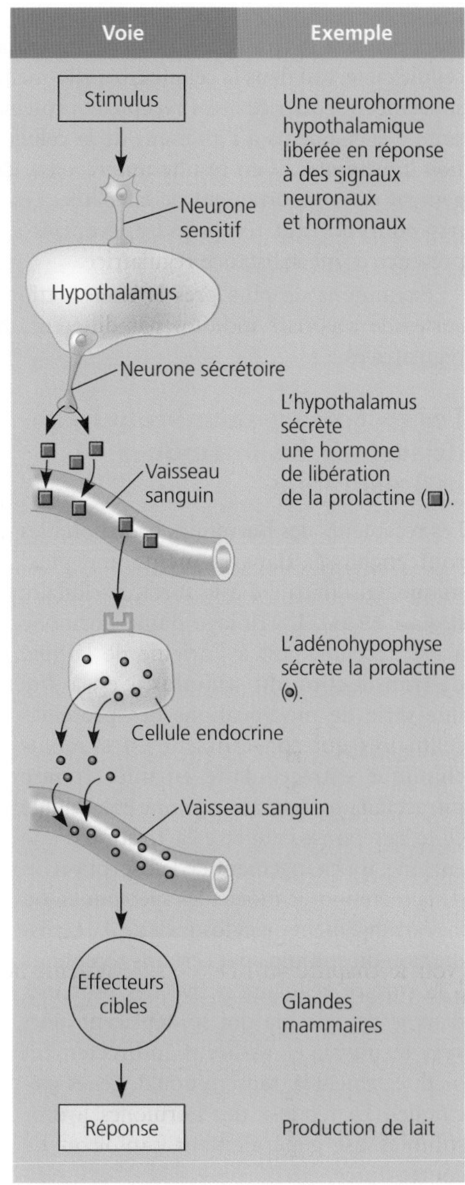

(c) **Voie neuroendocrine simple**

▲ **Figure 45.2 Modélisation des voies de régulation hormonale simples.** Dans chaque voie, un récepteur (en bleu) détecte un changement dans une variable interne ou externe (un stimulus) et en informe le centre de régulation (en doré). Le centre de régulation envoie un signal efférent, soit une hormone (cercles rouges), soit une neurohormone (carrés rouges). Une cellule endocrine agit à la fois comme récepteur et centre de régulation.

Concept 45.2

Les hormones et d'autres médiateurs chimiques se fixent aux récepteurs des cellules cibles pour activer les voies qui aboutissent à des réactions cellulaires spécifiques

Les hormones, les régulateurs chimiques à longue distance de l'organisme, passent par le sang pour transmettre l'information aux cellules cibles de tout l'organisme. Certains autres types de médiateurs chimiques, appelés *régulateurs locaux*, transmettent l'information à des cellules cibles à proximité des cellules sécrétrices. Les phéromones, autres médiateurs chimiques, transmettent l'information entre les individus d'une même espèce, jouant un rôle dans l'attraction sexuelle notamment. Dans l'espèce humaine, des phéromones seraient peut-être responsables de la synchronisation des cycles menstruels d'un groupe de femmes vivant ensemble. Dans le présent chapitre, comme nous l'avons mentionné précédemment, nous nous pencherons sur les hormones (et les neurohormones) qui ne sont pas directement associées à la reproduction.

Chez les Vertébrés, trois classes principales de molécules jouent le rôle d'hormones: des protéines et des peptides (petits polypeptides contenant jusqu'à 30 acides aminés); des amines dérivées des acides aminés; des stéroïdes. La plupart des hormones protéiques (ou peptidiques) et des hormones aminées sont hydrosolubles, alors que les hormones stéroïdes ne le sont pas.

Quelle que soit leur nature chimique, cependant, ces molécules de la communication font intervenir trois événements clés: la réception, une transduction du stimulus et une réponse (voir le chapitre 11). La *réception* du stimulus a lieu quand la substance régulatrice se fixe à un récepteur donné à la surface ou à l'intérieur de la cellule cible. Chaque substance régulatrice possède une forme particulière que ses récepteurs reconnaissent. Les récepteurs peuvent se trouver soit dans la membrane plasmique de la cellule cible, soit dans la cellule cible elle-même. La fixation d'une substance régulatrice à un récepteur protéinique déclenche une suite d'événements à l'intérieur de la cellule, soit une *transduction du stimulus*. Il en résulte une *réponse*, c'est-à-dire un changement de comportement de la cellule. Les cellules qui ne sont pas pourvues des récepteurs appropriés sont insensibles à la présence d'une substance régulatrice.

Examinons de plus près la transduction du stimulus et les sortes de réponses induites par différents types de substances régulatrices.

Les récepteurs membranaires de surface des hormones hydrosolubles

Les récepteurs des hormones hydrosolubles sont enchâssés dans la membrane plasmique, faisant saillie à la surface cellulaire **(figure 45.3a)**. L'arrimage d'une hormone à son récepteur est à l'origine de la **voie de transduction du stimulus**, c'est-à-dire une série de modifications des protéines cellulaires qui convertissent un stimulus chimique extracellulaire en une réponse intracellulaire. Selon l'hormone et la cellule cible, la réponse peut être l'activation d'une enzyme, un changement de l'absorption ou de la sécrétion de molécules spécifiques, ou le réarrangement du cytosquelette. La transduction du stimulus par certains récepteurs à la surface cellulaire active des protéines dans le cytoplasme qui se déplacent alors vers le noyau et assurent indirectement ou directement la transcription de gènes spécifiques. La réponse des hormones hydrosolubles est généralement rapide et de courte durée.

Les études portant sur le mode d'action de l'adrénaline, hormone stimulant l'hydrolyse du glycogène en glucose, ont fourni les premières preuves du rôle des récepteurs de la surface cellulaire dans le déclenchement des voies de transduction du stimulus (voir le chapitre 11). Le changement de couleur de la peau chez certaines grenouilles, adaptation qui permet le camouflage dans une luminosité variable, est une autre démonstration du rôle que jouent les récepteurs de la surface cellulaire. Les mélanocytes sont des cellules de la peau dont les organites, les mélanosomes, contiennent la mélanine, pigment brun foncé. La peau d'une grenouille est pâle quand les mélanosomes sont agglomérés autour du noyau, et foncée quand ils sont dispersés dans le cytosol. C'est une hormone peptidique, appelée *hormone mélanotrope*, qui régule la disposition des mélanosomes et par conséquent la couleur de la peau de la grenouille. Lorsqu'on ajoute de l'hormone mélanotrope au liquide interstitiel qui entoure les cellules contenant le pigment, les mélanosomes se dispersent. Mais si on injecte une petite quantité d'hormone mélanotrope directement dans les mélanocytes, il n'y a pas de dispersion. C'est bien la preuve que l'interaction entre l'hormone et un récepteur *de surface* est nécessaire à l'action hormonale.

Une hormone donnée peut provoquer différentes réponses dans les cellules cibles qui ont des récepteurs différents, des voies de transduction différentes ou des protéines différentes pour transmettre la réponse. Examinons les multiples effets de l'adrénaline dans la médiation de la réponse de l'organisme à un stress à court terme **(figure 45.4)**. Par exemple, les cellules hépatiques et les muscles lisses des vaisseaux sanguins qui approvisionnent

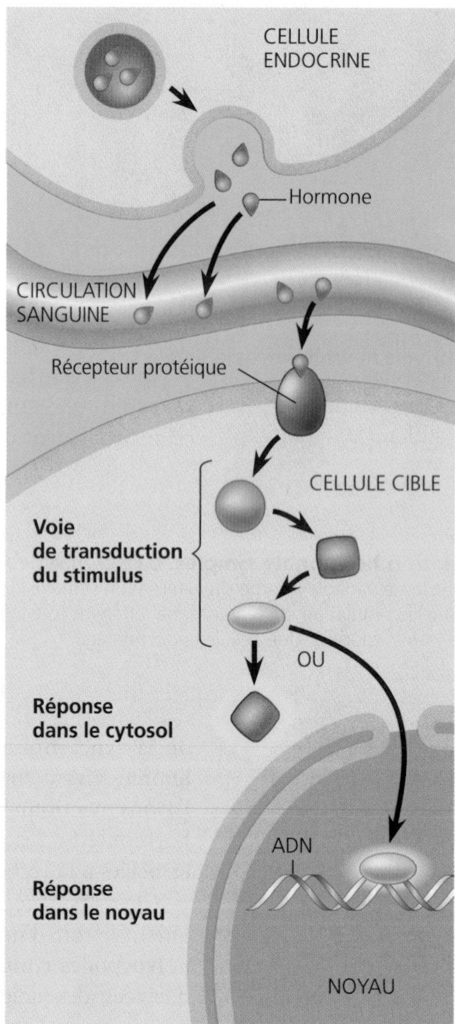

(a) Récepteur protéique situé dans la membrane plasmique

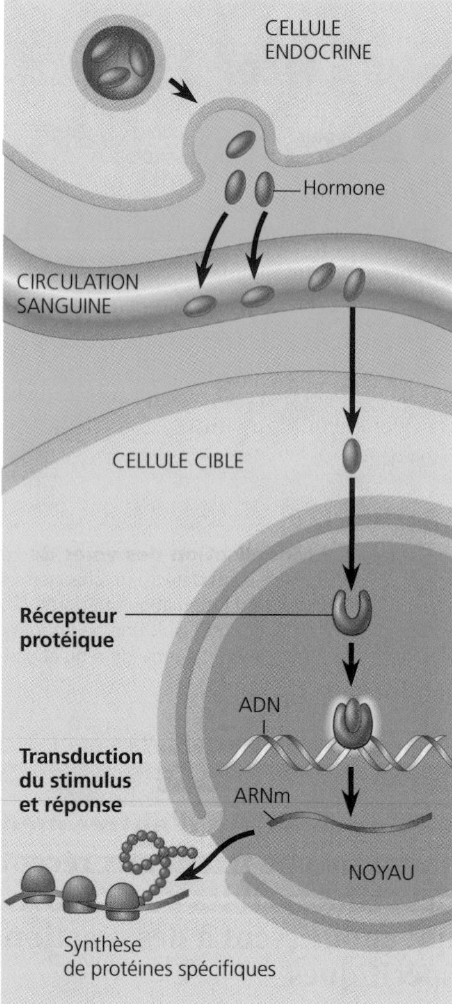

(b) Récepteur protéique situé dans le noyau

▲ **Figure 45.3 Révision des mécanismes de transduction d'un stimulus chimique. (a)** Une hormone hydrosoluble se fixe à un récepteur situé à la surface de la cellule cible. Cette interaction active une voie de transduction du stimulus qui provoque une modification de l'expression génique ou une modification de la fonction cytoplasmique. **(b)** Une hormone liposoluble traverse la membrane plasmique pour se fixer à un récepteur situé à l'intérieur de la cellule cible, soit dans le cytosol, soit dans le noyau (illustré ici). Le complexe médiateur-récepteur agit comme un facteur de transcription, activant généralement l'expression génique.

▶ **Figure 45.4 Différentes réactions à un même médiateur chimique.** L'adrénaline, la principale hormone qui prépare l'organisme à la fuite ou à la lutte, peut entraîner diverses réponses selon les cellules cibles. Cette disparité dans les réponses peut venir des différences entre les récepteurs d'une hormone (comparez **a** avec **b**). Les cellules cibles ayant le même récepteur présentent des réponses différentes si elles possèdent des voies de transduction du stimulus ou des protéines effectrices différentes (comparez **b** avec **c**).

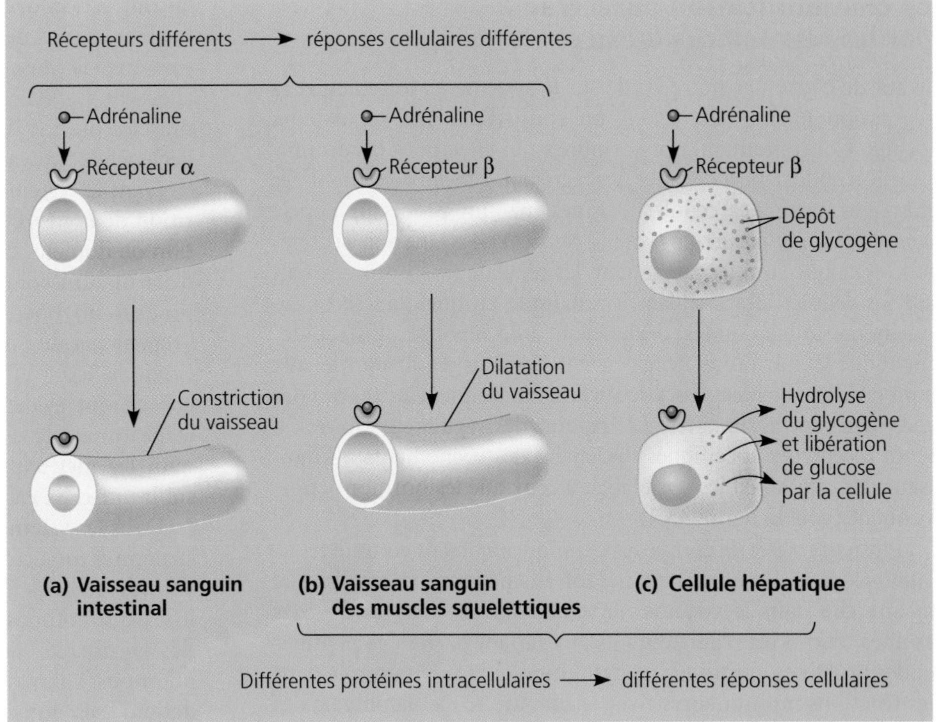

les muscles squelettiques contiennent des récepteurs d'adrénaline de type β, alors que les muscles lisses des vaisseaux sanguins intestinaux disposent de récepteurs d'adrénaline de type α. Ces tissus réagissent différemment à l'adrénaline, ce qui provoque une diminution du débit sanguin vers le tube digestif et l'augmentation de l'apport de glucose aux principaux muscles squelettiques. Ces effets aident l'organisme à réagir rapidement dans les situations d'urgence.

Les récepteurs intracellulaires des hormones liposolubles

Les chercheurs ont découvert que les récepteurs de certaines hormones étaient situés à l'intérieur des cellules cibles au cours d'études sur deux catégories d'hormones chez les Vertébrés: les œstrogènes et les progestines (par exemple la progestérone). Chez la plupart des Mammifères, y compris les humains, ces hormones stéroïdes sont nécessaires au développement et au fonctionnement du système reproducteur femelle. Au début des années 1960, on a démontré que l'œstrogène et la progestérone s'accumulent dans le noyau des cellules du système reproducteur de rats femelles. En revanche, ces hormones n'étaient pas présentes dans les cellules des tissus qui ne réagissent pas aux œstrogènes. Tout cela a mené à l'hypothèse selon laquelle les cellules sensibles à une hormone stéroïde contiennent des molécules réceptrices internes qui se lient spécifiquement à l'hormone en question.

Plus tard, des chercheurs ont isolé les protéines intracellulaires qui sont les récepteurs des hormones stéroïdes, des hormones thyroïdiennes et de la forme hormonale de la vitamine D. Toutes ces hormones sont de petites molécules non polaires (liposolubles) qui passent aisément entre les phosphoglycérolipides membranaires.

Ce sont généralement les récepteurs intracellulaires qui effectuent la transduction complète du stimulus dans une cellule cible. Le médiateur chimique active le récepteur, qui déclenche ensuite directement la réponse de la cellule. Dans presque tous les cas, le récepteur intracellulaire activé par une hormone liposoluble est un facteur de transcription. La réponse est quant à elle une modification de l'expression génique.

Lorsqu'ils se fixent aux molécules d'hormones, qui ont diffusé à partir de la circulation sanguine, la plupart des récepteurs intracellulaires logent déjà dans le noyau **(figure 45.3b)**. Le complexe hormone-récepteur ainsi formé se fixe à son tour à des sites particuliers de l'ADN cellulaire, puis déclenche la transcription de certains gènes. Certains récepteurs d'hormones stéroïdes sont cependant bloqués dans le cytoplasme lorsque aucune hormone n'est présente. La fixation d'une hormone stéroïde à son récepteur cytoplasmique forme un complexe hormone-récepteur qui peut pénétrer dans le noyau et stimuler la transcription de gènes spécifiques (voir la figure 11.6). Dans les deux cas, l'ARNm formé en réponse à la stimulation d'une hormone est ensuite traduit en une nouvelle protéine dans le cytoplasme. Par exemple, les œstrogènes provoquent la synthèse de grandes quantités d'ovalbumine, principale protéine du blanc d'œuf, par les cellules du système reproducteur femelle des Oiseaux.

À l'instar des hormones qui se fixent aux récepteurs de surface, les hormones qui s'attachent aux récepteurs intracellulaires peuvent avoir différentes actions sur les diverses cellules cibles. Les œstrogènes qui provoquent la synthèse d'ovalbumine par le système reproducteur des Oiseaux entraînent aussi la synthèse d'autres protéines par leur foie. Une même hormone peut également avoir différentes actions selon les *espèces*. Par exemple, la thyroxine, produite par la glande thyroïde, assure la régulation métabolique chez l'humain et d'autres Vertébrés. Mais, chez la grenouille, elle effectue une action différente: elle déclenche la métamorphose du têtard en adulte et provoque la disparition progressive de la queue ainsi que d'autres changements. Les actions des hormones liposolubles sont généralement lentes et de longue durée (quelques jours).

La communication paracrine par les régulateurs locaux

Avant de continuer notre étude sur le système endocrinien et la régulation hormonale, jetons un coup d'œil aux régulateurs locaux. Contrairement aux hormones qui effectuent la communication endocrine à distance, les régulateurs locaux émettent des messages entre des cellules voisines, par un processus appelé *communication paracrine* (voir la figure 11.4). Une fois sécrétés par les cellules qui les fabriquent, les régulateurs locaux agissent sur les cellules cibles situées à proximité en quelques secondes ou même millisecondes, déclenchant une réponse plus rapidement que les hormones ne le peuvent. Certains régulateurs locaux sont pourvus de récepteurs de surface tandis que d'autres ont des récepteurs intracellulaires. La fixation des régulateurs locaux à leurs récepteurs spécifiques déclenche des événements à l'intérieur des cellules cibles semblables à ceux que les hormones provoquent (voir la figure 45.3).

Plusieurs types de composés chimiques agissent comme régulateurs locaux. De nombreux neurotransmetteurs, les régulateurs locaux clés dans le système nerveux, sont des dérivés d'acides aminés. Parmi les régulateurs locaux faisant partie des peptides et des protéines, on trouve les **cytokines**, qui jouent un rôle dans les réactions immunitaires (voir le chapitre 43), et la plupart des **facteurs de croissance**, qui stimulent la prolifération et la différentiation des cellules. Leur présence dans le milieu extracellulaire est nécessaire pour que certains types de cellules croissent, se divisent et se développent normalement. L'action de divers facteurs de croissance dans la régulation de la division cellulaire et du développement des tissus est décrite dans d'autres chapitres.

Le **monoxyde d'azote** (**NO**) est un autre régulateur local important. Lorsque la concentration sanguine de dioxygène (O_2) chute, les cellules endothéliales dans les parois des vaisseaux sanguins synthétisent et libèrent du NO. Celui-ci active une enzyme qui provoque la relaxation des cellules des muscles lisses voisines et, ce faisant, dilate les vaisseaux et facilite la circulation sanguine vers les tissus. Le NO joue également un rôle dans la fonction sexuelle du mâle en augmentant l'afflux de sang dans le pénis et en produisant ainsi une érection. Fortement réactif et potentiellement toxique, il déclenche habituellement des modifications dans une cellule cible en quelques secondes seulement, puis se dégrade. Le Viagra (citrate de sildénafil), traitement de la dysfonction érectile chez l'homme, maintient une érection en interférant avec cette dégradation du NO. Le NO possède également d'autres fonctions : dans le système circulatoire, il intervient dans l'hémostase ; dans le système nerveux, il joue le rôle de neurotransmetteur et, sécrété par les leucocytes (macrophages), il tue certaines Bactéries et cellules cancéreuses présentes dans les liquides corporels.

Un groupe de régulateurs locaux appelés **prostaglandines** (**PG**) sont des acides gras modifiés à 20 atomes de carbone, souvent dérivés de phospholipides de la membrane plasmique. On les a nommés ainsi parce qu'on les a d'abord découverts parmi les sécrétions de la prostate qui contribuent au liquide séminal, chez l'humain. Libérées par la plupart des cellules dans le liquide interstitiel, les PG jouent le rôle de régulateurs locaux et agissent d'un nombre remarquable de façons sur les cellules voisines, selon le tissu. Bien qu'elles soient liposolubles, elles agissent rapidement et leurs effets sont de courte durée. Les PG présentes dans le sperme qui atteint le système reproducteur femelle provoquent la contraction des muscles lisses de la paroi utérine, ce qui facilite le transport des spermatozoïdes vers l'ovule ; on croit qu'elles sont aussi la cause des crampes menstruelles. Au cours de l'accouchement, les PG sécrétées par les cellules du placenta rendent les muscles utérins du voisinage de plus en plus excitables, ce qui déclenche le travail à la fin de la gestation (voir la figure 46.18).

Dans le système immunitaire, plusieurs PG favorisent l'apparition de la fièvre et d'une inflammation, et amplifient la sensation de douleur. Ces réactions constituent une sorte de système d'alarme qui contribue à la défense de l'organisme lorsqu'il se produit un phénomène préjudiciable. L'action inhibitrice de l'aspirine et de l'ibuprofène sur la synthèse des prostaglandines explique leurs effets anti-inflammatoires. Les prostaglandines concourent également à réguler l'agrégation plaquettaire, une étape initiale de la coagulation sanguine **(figure 45.5)**. C'est pourquoi les médecins recommandent aux personnes à risque de subir une crise cardiaque de prendre de l'aspirine régulièrement.

Dans le système respiratoire, deux PG, bien qu'elles aient des structures moléculaires très similaires, agissent de façon opposée sur les cellules des muscles lisses qui composent la paroi des vaisseaux sanguins des poumons. La prostaglandine E détend ces muscles, ce qui dilate les vaisseaux sanguins et facilite l'oxygénation du sang. La prostaglandine F cause la contraction des muscles, ce qui resserre les vaisseaux et réduit l'afflux de sang dans les poumons. Les variations des concentrations relatives de ces deux médiateurs chimiques antagonistes permettent d'adapter l'équilibre homéostatique aux diverses situations. Plus loin dans le présent chapitre, nous retrouverons d'autres médiateurs antagonistes qui se contrebalancent.

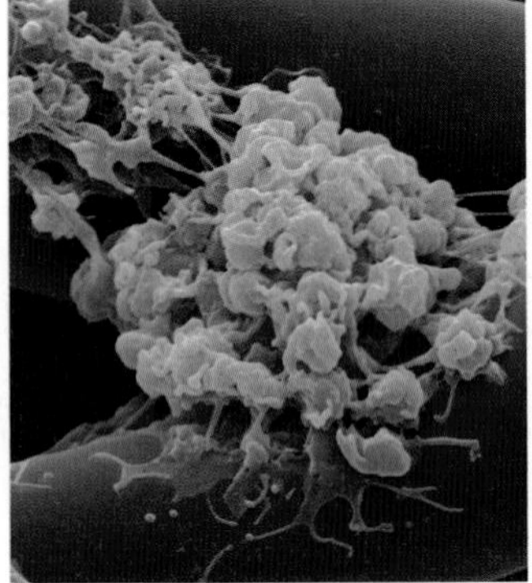

▲ **Figure 45.5 Agrégation de plaquettes activées, processus régulé en partie par des prostaglandines.** Lorsque la paroi d'un vaisseau sanguin est lésée, les plaquettes (en rose et en violet) développent une surface externe collante et adhèrent les unes aux autres, comme l'illustre cette MEB colorée.

Retour sur le concept 45.2

1. Quelles sont les différences entre les mécanismes d'induction de réponses dans les cellules cibles pour les hormones hydrosolubles et les hormones stéroïdes ?
2. Expliquez comment une hormone (l'adrénaline, par exemple) peut provoquer différentes réponses dans divers tissus.
3. Pourquoi les régulateurs locaux (les prostaglandines, notamment) provoquent-ils des réponses dans les cellules cibles généralement plus vite que les hormones ?

Voir les réponses proposées à la fin du chapitre.

Concept 45.3

L'hypothalamus et l'hypophyse intègrent de nombreuses fonctions du système endocrinien chez les Vertébrés

Jusqu'à maintenant, nous avons examiné les composants fondamentaux des voies de régulation hormonale et de quelle façon la communication hormonale est convertie en réponse cellulaire. Tournons-nous maintenant vers les effets physiologiques des hormones principales chez les Vertébrés et le rôle du système endocrinien dans l'adaptation des activités de l'organisme à des modifications soudaines des conditions du milieu et du développement. Nous commençons notre étude du système endocrinien des Vertébrés par l'hypothalamus et l'hypophyse, qui en régulent la plus grande partie.

Tout en étudiant cette section, vous pourrez consulter le **tableau 45.1**, qui résume les effets des principales hormones des humains, et la **figure 45.6**, qui illustre les principales glandes endocrines dans le corps humain. Les petits croquis présentés au début de chaque section vous aideront aussi à situer chaque glande.

Notez que des cellules qui participent à la sécrétion d'hormones sont présentes dans de nombreux organes appartenant à d'autres systèmes, notamment le cœur, le thymus, le foie, l'estomac, l'intestin grêle, le rein et le placenta. Dans d'autres chapitres, nous parlons de certaines hormones libérées par ces organes dont les fonctions ne sont pas endocrines.

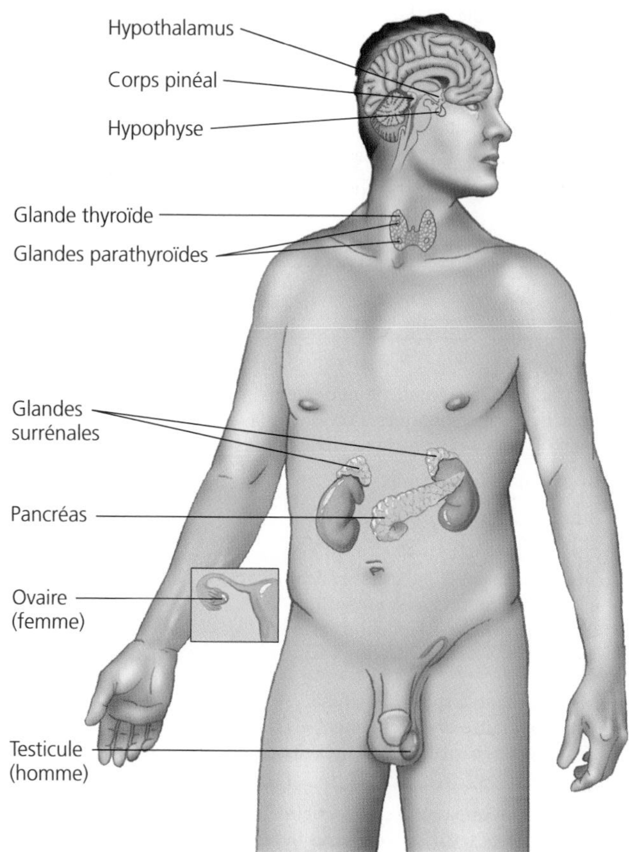

▲ **Figure 45.6 Glandes endocrines de l'humain étudiées dans le présent chapitre.** En plus des glandes illustrées ici, de nombreux organes, dont les fonctions principales ne sont pas endocrines, sécrètent des hormones.

Les relations entre l'hypothalamus et l'hypophyse

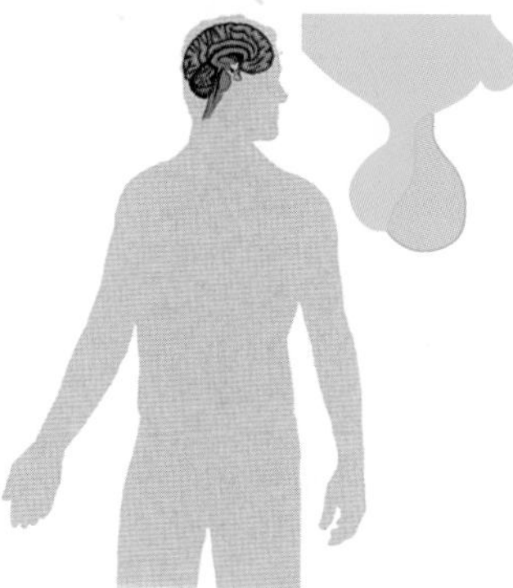

L'**hypothalamus** joue un rôle capital dans l'intégration du système endocrinien et du système nerveux. Cette région du diencéphale reçoit de l'information en provenance des nerfs périphériques et des autres régions de l'encéphale, et amorce une régulation hormonale en fonction des conditions du milieu. Ainsi, chez de nombreux Vertébrés, certaines régions de l'encéphale transmettent à l'hypothalamus, par l'intermédiaire d'influx nerveux, de l'information sensorielle concernant les changements saisonniers ou la disponibilité d'un partenaire sexuel. L'hypothalamus déclenche alors la libération des hormones sexuelles nécessaires à la reproduction.

L'hypothalamus contient deux ensembles de neurones sécrétoires dont les produits hormonaux sont emmagasinés dans l'**hypophyse** ou régulent l'activité de cette glande. Ce petit organe de la taille d'un haricot de Lima est situé à la base de l'hypothalamus. Aucun organe n'illustre mieux que l'hypophyse les relations étroites de structure, de fonction et de développement entre le système endocrinien et le système nerveux. Celle-ci comprend deux lobes distincts, antérieur et postérieur, qui sont en fait deux glandes fusionnées issues de régions différentes de l'embryon et qui ont leurs fonctions respectives.

Le **lobe postérieur de l'hypophyse**, ou **neurohypophyse**, est un prolongement de l'hypothalamus. Il se forme à partir d'un petit renflement de l'hypothalamus qui descend vers l'évagination de la cavité buccale au cours du développement embryonnaire. La neurohypophyse emmagasine deux hormones fabriquées par certains neurones sécrétoires de l'hypothalamus, et les longs processus (axones) de ces cellules transportent les hormones vers elle **(figure 45.7)**.

Le **lobe antérieur de l'hypophyse**, ou **adénohypophyse** (le préfixe *adéno* signifie «glande»), se forme à partir d'une évagination des tissus embryonnaires constituant le plafond de la cavité buccale ; ce tissu croît en direction de l'encéphale pour finalement s'y rattacher complètement. L'adénohypophyse est composée de cellules endocrines diverses qui synthétisent au moins six hormones qu'elle sécrète directement dans la circulation sanguine. Plusieurs de ces hormones ont pour cibles d'autres glandes endocrines. Les hormones qui régulent la fonction des organes endocriniens, appelées **stimulines**, revêtent une importance particulière dans la coordination de la communication hormonale dans tout l'organisme.

Les stimulines produites par un ensemble de neurones sécrétoires de l'hypothalamus assurent la régulation de l'adénohypophyse. Certaines stimulines hypothalamiques (appelées *hormones de libération* ou *libérines*) provoquent la sécrétion d'hormones par l'adénohypophyse, alors que d'autres (désignées par le terme *hormones d'inhibition* ou *inhibines*) stoppent la sécrétion d'hormones

Tableau 45.1 Principales glandes endocrines des Vertébrés et certaines des hormones qu'elles sécrètent ou libèrent

Glandes	Hormones	Molécules	Principaux effets	Régulateurs
Hypothalamus	Hormones libérées par la neurohypophyse et hormones régulant l'adénohypophyse (voir ci-dessous)			
Hypophyse				
Neurohypophyse (libère les neurohormones produites par l'hypothalamus)	Ocytocine	Peptide	Déclenche la contraction des muscles utérins et des cellules des glandes mammaires.	Système nerveux
	Hormone antidiurétique (ADH)	Peptide	Stimule la réabsorption d'eau par les reins.	Équilibre hydrique et électrolytique
Adénohypophyse	Hormone de croissance (GH)	Protéine	Stimule la croissance (du squelette en particulier) et les fonctions métaboliques.	Hormones hypothalamiques
	Prolactine (PRL)	Protéine	Déclenche la production et la sécrétion de lait.	Hormones hypothalamiques
	Hormone folliculo-stimulante (FSH)	Glycoprotéine	Provoque la maturation du follicule ovarien et la spermatogenèse.	Hormones hypothalamiques
	Hormone lutéinisante (LH)	Glycoprotéine	Stimule la production d'hormones sexuelles. Chez la femme, déclenche l'ovulation.	Hormones hypothalamiques
	Thyréotrophine (TSH)	Glycoprotéine	Régit les sécrétions et les autres activités de la glande thyroïde.	Thyroxine dans le sang; hormones hypothalamiques
	Corticotrophine (ACTH)	Polypeptide	Régit la production et la sécrétion de glucocorticoïdes et de gonadocorticoïdes par le cortex surrénal.	Glucocorticoïdes; hormones hypothalamiques
	Hormone mélanotrope (MSH)	Polypeptide	Active les cellules pigmentaires de la peau.	Système nerveux; hormones hypothalamiques
Glande thyroïde	Tri-iodothyronine (T_3) et thyroxine (T_4)	Amine	Stimulent et entretiennent les processus métaboliques.	TSH
	Calcitonine	Polypeptide	Diminue la calcémie.	Calcémie
Glandes parathyroïdes	Parathormone (PTH)	Polypeptide	Augmente la calcémie.	Calcémie
Pancréas	Insuline	Protéine	Diminue la glycémie.	Glycémie
	Glucagon	Polypeptide	Augmente la glycémie.	Glycémie
Glandes surrénales				
Médulla surrénale	Adrénaline et noradrénaline	Amines	Augmentent la glycémie. Augmentent les activités métaboliques. Entraînent la constriction de certains vaisseaux sanguins.	Système nerveux
Cortex surrénal	Glucocorticoïdes (p. ex. cortisol)	Stéroïdes	Augmentent la glycémie.	ACTH
	Minéralocorticoïdes (p. ex. aldostérone)	Stéroïdes	Stimulent la réabsorption de Na^+ et la sécrétion de K^+ par les reins.	K^+ sanguin
	Gonadocorticoïdes (p. ex. androgènes, œstrogènes)	Stéroïdes	Déclencheraient la puberté. Seraient associés à la libido féminine et à une source d'œstrogènes après la ménopause.	ACTH
Gonades				
Testicules	Androgènes	Stéroïdes	Maintiennent la spermatogenèse. Font apparaître et entretiennent les caractères sexuels secondaires masculins.	FSH et LH
Ovaires	Œstrogènes	Stéroïdes	Stimulent le développement de l'endomètre utérin. Font apparaître et entretiennent les caractères sexuels secondaires féminins.	FSH et LH
	Progestines (p. ex. progestérone)	Stéroïdes	Stimulent la croissance de l'endomètre utérin.	FSH et LH
Corps pinéal	Mélatonine	Amine	Intervient dans les rythmes circadiens.	Cycles jour-nuit

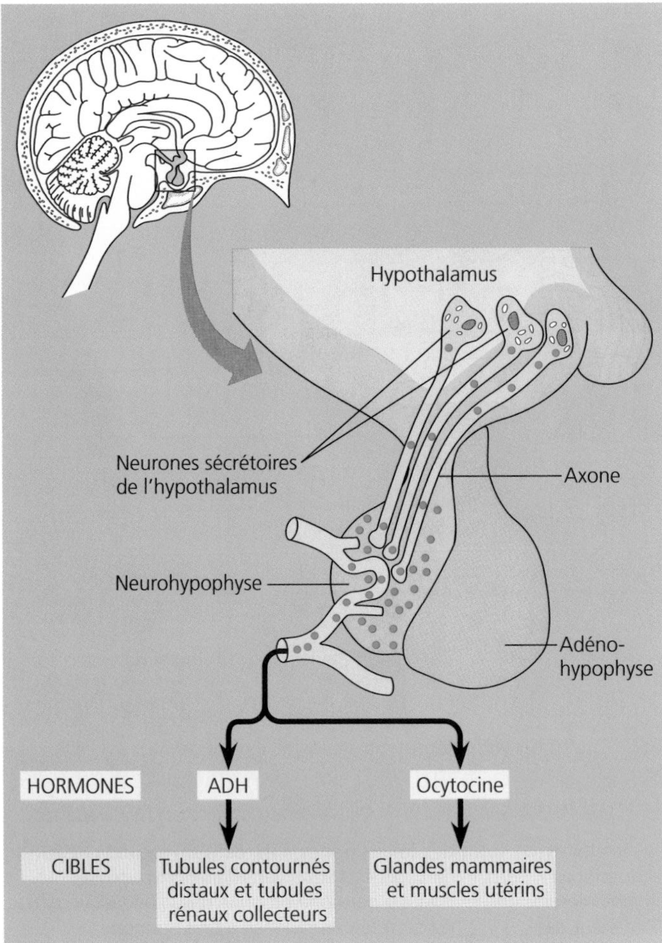

▲ **Figure 45.7 Production et libération d'hormones par la neurohypophyse.** Le lobe postérieur de l'hypophyse (neurohypophyse) est un prolongement de l'hypothalamus. Certains neurones sécrétoires de l'hypothalamus synthétisent l'hormone antidiurétique (ADH) et l'ocytocine, qui sont transportées jusqu'à la neurohypophyse, où elles sont entreposées. Des influx nerveux provenant de l'encéphale déclenchent la libération de ces neurohormones.

par l'adénohypophyse. L'hypothalamus sécrète ses hormones de libération et ses hormones d'inhibition dans la région située à sa base **(figure 45.8)**. Des capillaires rejoignent de courtes veines portes qui se ramifient pour donner un second lit de capillaires à l'intérieur de l'adénohypophyse. Ainsi, les stimulines hypothalamiques ont un accès direct à la glande qu'elles commandent. Toutes les hormones adénohypophysaires sont régulées par au moins une hormone de libération. Certaines obéissent à une hormone de libération et à une hormone d'inhibition.

Les hormones neurohypophysaires

Comme le montre la figure 45.7, la neurohypophyse libère deux hormones, à savoir l'hormone antidiurétique (ADH) et l'ocytocine. Ce sont deux peptides fabriqués par des neurones sécrétoires dans l'hypothalamus; ces substances sont donc à proprement parler des neurohormones. Elles participent à des voies neurohormonales simples (voir la figure 45.2b).

L'**hormone antidiurétique** (**ADH**, pour *antidiuretic hormone*) commande aux reins d'augmenter la rétention d'eau et de diminuer le volume d'urine (diurèse). Elle participe à un mécanisme de rétroaction complexe qui permet d'ajuster l'osmolarité du sang. Ce mécanisme illustre l'importance de la régulation de l'homéostasie par rétro-inhibition. Il atteste également du rôle central de l'hypothalamus aussi bien dans le système endocrinien que dans le système nerveux. (Voir la figure 44.16 pour une révision du rôle de l'ADH dans ce circuit de régulation complexe.)

L'**ocytocine**, quant à elle, commande aux cellules cibles de déclencher la contraction des muscles utérins durant l'accouchement. Comme nous l'avons décrit précédemment, elle provoque également l'éjection du lait des glandes mammaires. La régulation par l'ocytocine se produit dans les deux cas par rétroaction positive.

Les hormones adénohypophysaires

L'adénohypophyse produit un grand nombre d'hormones (voir la figure 45.8). Quatre d'entre elles sont des stimulines, et déclenchent la synthèse et la libération d'hormones dans la glande thyroïde, les glandes surrénales et les gonades. Plusieurs autres n'exercent que des effets directs sur des organes non endocriniens. L'une d'entre elles, l'hormone de croissance, a une action directe et une action en tant que stimuline.

Les stimulines

Trois des stimulines sécrétées par l'adénohypophyse sont chimiquement apparentées. L'**hormone folliculostimulante** (**FSH**, pour *follicle-stimulating hormone*), l'**hormone lutéinisante** (**LH**, pour *luteinizing hormone*) et la **thyréotrophine** (**TSH**, pour *thyroid-stimulating hormone*) se ressemblent et sont toutes les trois des glycoprotéines, molécules constituées d'une protéine et d'un glucide associés. La FSH et la LH sont aussi appelées **gonadotrophines**, parce qu'elles augmentent l'activité des gonades mâles et femelles, c'est-à-dire des testicules et des ovaires. La TSH intervient dans le développement de la thyroïde et régit la production d'hormones thyroïdiennes.

La **corticotrophine** (**ACTH**, pour *adrenocorticotropic hormone*), la quatrième stimuline sécrétée par l'adénohypophyse, n'est pas chimiquement apparentée aux autres. C'est une hormone peptidique obtenue par division d'un gros précurseur protéique. L'ACTH régit la production et la sécrétion d'hormones stéroïdes par le cortex surrénal.

Les quatre stimulines de l'adénohypophyse participent toutes à des voies neuroendocrines complexes. Dans chaque voie, des stimulus envoyés à l'encéphale déclenchent la libération d'une neurohormone hypothalamique qui provoque elle-même la libération d'une stimuline par l'adénohypophyse. Cette dernière agit alors sur son tissu endocrinien cible, déclenchant la sécrétion d'une autre hormone qui exerce des effets systémiques sur le métabolisme ou le développement. Plus loin dans le présent chapitre, nous ferons une étude détaillée des voies hormonales qui font intervenir la TSH et l'ACTH. Au chapitre 46, nous expliquerons comment la FSH et la LH assurent la régulation des fonctions reproductrices et verrons que les boucles de rétro-inhibition jouent un rôle crucial dans la régulation de ces voies complexes.

Les hormones à action directe

Les hormones à action directe (régulatrices d'un organe non endocrinien) élaborées par l'adénohypophyse comprennent la prolactine (PRL), l'hormone mélanotrope (MSH) et la β-endorphine. Ces hormones protéiques et peptidiques, dont la

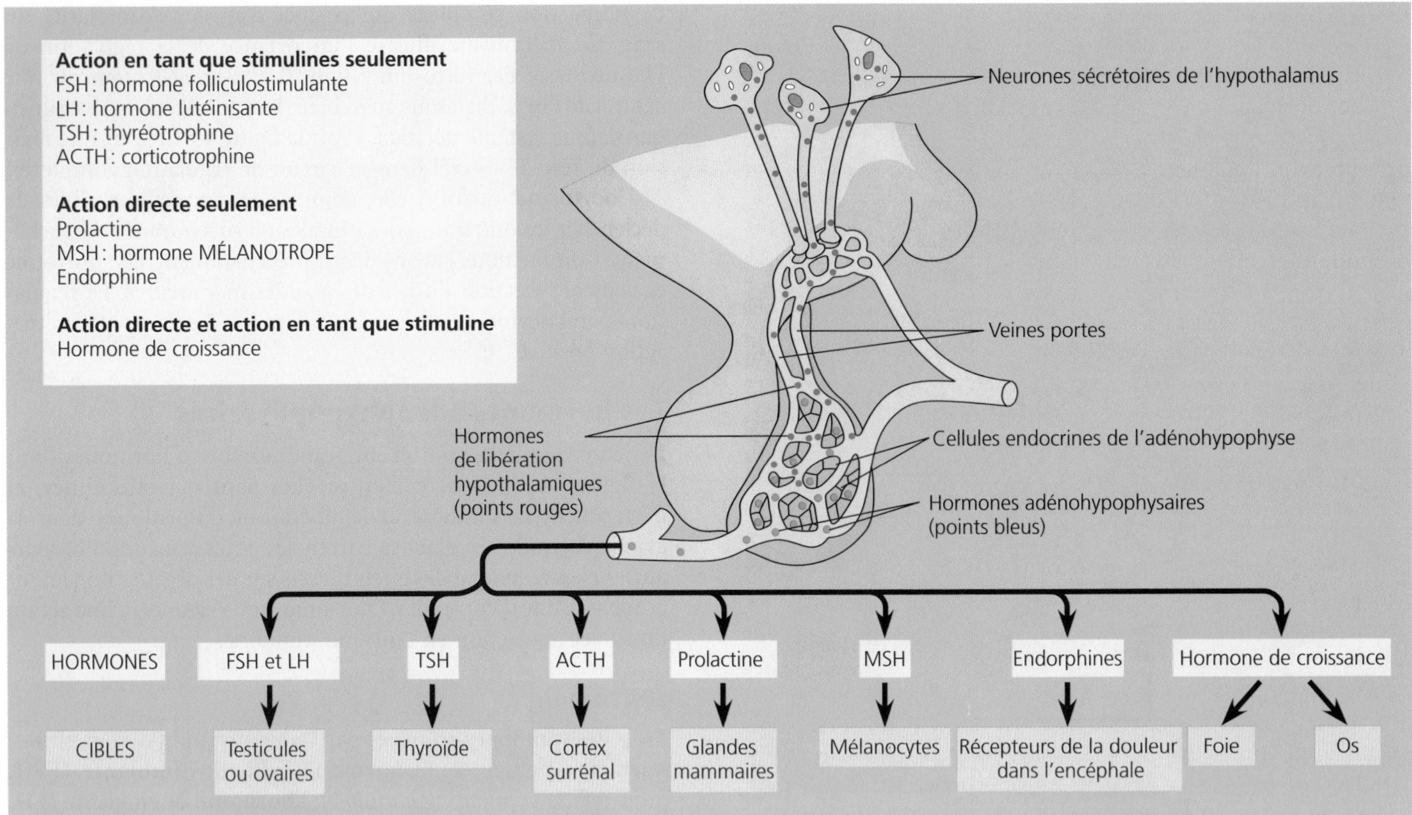

▲ **Figure 45.8 Production et libération d'hormones par l'adénohypophyse.** Les stimulines hypothalamiques commandent la libération des hormones synthétisées dans l'adénohypophyse. Les neurones sécrétoires de l'hypothalamus sécrètent des hormones de libération ou des hormones d'inhibition dans un réseau de capillaires à l'intérieur de l'hypothalamus. Ces capillaires se déversent dans des veines portes, puis dans un second réseau de capillaires situé dans l'adénohypophyse. Chaque hormone produite dans l'adénohypophyse est sécrétée en réponse à une hormone de libération spécifique.

sécrétion est commandée par les hormones hypothalamiques, interviennent dans des voies neuroendocrines simples (voir la figure 45.2c).

La **prolactine** (**PRL**) se distingue surtout par la grande diversité d'effets qu'elle provoque chez les diverses espèces de Vertébrés. Ainsi, chez les Mammifères, elle favorise la croissance des glandes mammaires, et déclenche et maintient la synthèse du lait durant la période d'allaitement. Chez les Oiseaux, elle assure la régulation tant du métabolisme des graisses que de la reproduction. Chez les Amphibiens, la PRL retarde la métamorphose et peut jouer le rôle d'hormone de croissance larvaire. Enfin, chez certains Poissons d'eau douce, elle assure l'équilibre hydrique et électrolytique. Il semble donc que la prolactine soit une hormone ancienne dont les fonctions se sont diversifiées au cours de l'évolution, dans les divers groupes de Vertébrés. Une autre particularité de cette hormone est le fait qu'elle est inhibée de façon permanente par la dopamine, un neurotransmetteur ; c'est la levée de l'inhibition, par des facteurs spécifiques, qui permet la libération de la PRL.

Comme nous l'avons déjà dit, l'**hormone mélanotrope** (**MSH**, pour *melanocyte-stimulating hormone*) commande l'activité des cellules pigmentaires (mélanocytes) de la peau chez certains Vertébrés. Chez les Mammifères, elle semble, par son action sur les neurones de l'encéphale, inhiber l'appétit.

La β-endorphine fait partie d'une catégorie de médiateurs chimiques appelés **endorphines.** Ces molécules sont aussi produites par certains neurones de l'encéphale (voir le chapitre 48). Elles se lient toutes aux mêmes récepteurs de l'encéphale et inhibent la perception de la douleur. Certains chercheurs croient que le phénomène appelé *euphorie du coureur* résulte en partie de la sécrétion d'endorphines qui se fait lorsque l'effort et la douleur atteignent un stade critique. La MSH et la β-endorphine proviennent toutes les deux de la scission enzymatique de la même protéine mère, une prohormone longue de 285 acides aminés (la proopiomélanocortine) qui produit aussi l'ACTH.

L'hormone de croissance

La structure chimique de l'**hormone de croissance** (**GH**, pour *growth hormone*) est tellement semblable à celle de la PRL que les scientifiques ont émis l'hypothèse que les gènes codant pour ces deux hormones descendaient d'un même gène ancestral. La GH, dont la sécrétion est favorisée par divers facteurs dont le sommeil, agit directement ou en tant que stimuline sur un large éventail de tissus cibles. Sa principale action en tant que stimuline consiste à faire produire, par le foie surtout mais aussi par d'autres tissus, des **facteurs de croissance insulinomimétiques** (ainsi appelés parce que leur structure chimique et leur mode d'action sont apparentés à celle de l'insuline) qui circulent dans le sang et provoquent la croissance osseuse et cartilagineuse. En l'absence de GH, la croissance squelettique d'un Animal immature cesse. Si on injecte l'hormone à un Animal qui en a été expérimentalement privé, la croissance reprend en partie. La GH exerce également sur le métabolisme divers effets qui tendent à augmenter la glycémie, s'opposant ainsi aux effets de l'insuline (dont nous expliquerons le rôle plus loin dans ce chapitre).

Chez l'humain, divers troubles de la croissance sont associés à une production anormale d'hormone de croissance. Ils sont déterminés par le moment de l'apparition du problème et varient selon qu'ils mettent en jeu une hypersécrétion (sécrétion excessive) ou une hyposécrétion (sécrétion insuffisante). Une hypersécrétion de GH pendant l'enfance peut mener au gigantisme, trouble caractérisé par un accroissement exagéré de la taille (jusqu'à 2,4 m), bien que les proportions du corps demeurent à peu près normales. Un excès de GH à l'âge adulte, maladie qui porte le nom d'*acromégalie*, cause, quant à lui, un accroissement anormal des régions osseuses encore sensibles à l'hormone, notamment de la figure, des mains et des pieds.

L'hyposécrétion de GH pendant l'enfance peut retarder la croissance des os longs et provoquer le nanisme hypophysaire. Les sujets atteints de cette affection n'atteignent généralement qu'une taille de 1,2 m, bien que les proportions du corps demeurent à peu près normales. S'il est diagnostiqué avant la puberté, le nanisme hypophysaire peut être traité avec succès par injection d'hormone de croissance humaine. Durant de nombreuses années, la source de GH isolée à partir d'adénohypophyses qu'on avait prélevées sur des cadavres ne suffisait pas à la demande. Au milieu des années 1980, les spécialistes du génie génétique ont réussi la synthèse de GH en insérant dans des Bactéries un ADN codant pour l'hormone (voir le chapitre 20). On se sert maintenant de cette GH du génie génétique de façon courante pour traiter des enfants atteints de nanisme hypophysaire.

Certains sportifs utilisent également la GH, croyant améliorer leur performance. Cependant, des recherches ont démontré que chez les adultes sains qui ne souffrent pas de déficience hormonale, la GH a peu d'effet sur la masse et la force musculaires.

Retour sur le concept 45.3

1. Quelles sont les différences d'origine et de fonction des deux glandes fusionnées de l'hypophyse?
2. Expliquez le rôle des stimulines dans la régulation du système endocrinien.
3. Quelle voie de régulation hormonale (voir le concept 45.1) est caractéristique (a) de la prolactine, (b) de la corticotrophine (ACTH) et (c) de l'ocytocine?

Voir les réponses proposées à la fin du chapitre.

Concept 45.4

Les hormones non hypophysaires concourent à réguler le métabolisme, l'homéostasie, le développement et le comportement

Nous passerons maintenant en revue les principales fonctions de plusieurs hormones non hypophysaires et les glandes endocrines qui les fabriquent. Les stimulines de l'adénohypophyse commandent la sécrétion de seulement quelques-unes de ces hormones.

Les hormones thyroïdiennes

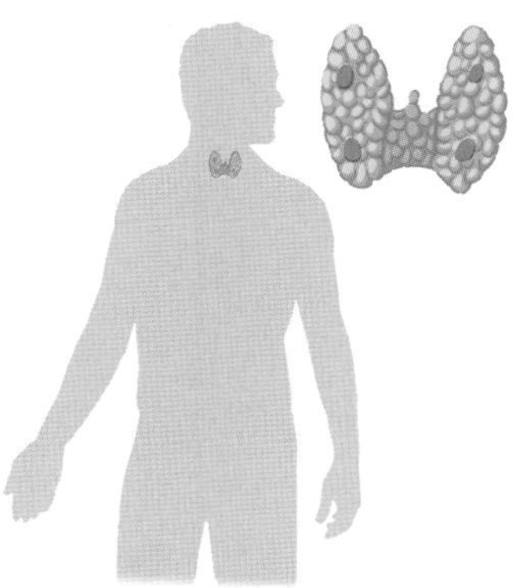

Chez les humains et d'autres Mammifères, la **glande thyroïde** se compose de deux lobes situés sur la face antérieure de la trachée (voir la figure 42.23). Chez de nombreux autres Vertébrés, les deux parties de la glande se trouvent de part et d'autre du pharynx. La thyroïde est constituée de follicules (sphères creuses) dans lesquels les hormones thyroïdiennes, synthétisées par les cellules de la paroi de ces follicules, sont mises en réserve liées à une glycoprotéine; cette dernière forme une substance, appelée *colloïde*, qui emplit les follicules. La thyroïde est la seule glande de l'organisme humain pouvant faire des réserves importantes d'hormones (pour plusieurs semaines), et ce, à l'extérieur des cellules responsables de leur libération.

Les tissus de la glande thyroïde produisent deux hormones très similaires résultant de la condensation de deux molécules de l'acide aminé tyrosine: la **tri-iodothyronine** (**T_3**), qui contient trois atomes d'iode, et la tétra-iodothyronine, ou **thyroxine** (**T_4**), qui en compte quatre. Chez les Mammifères, la thyroïde sécrète principalement la T_4. Mais les hépatocytes et les cellules cibles convertissent la plus grande partie de cette hormone en T_3 en éliminant un atome d'iode. Bien que les deux hormones soient liées par la même protéine réceptrice située dans le noyau, les récepteurs ont plus d'affinité avec la T_3 qu'avec la T_4. C'est donc principalement la T_3 qui entraîne des réponses de la part des cellules cibles.

L'hypothalamus et l'adénohypophyse commandent la sécrétion des hormones thyroïdiennes et, par conséquent, leurs effets sur le corps d'un Animal. Ce processus fait intervenir une voie neuroendocrine complexe ayant deux boucles de rétro-inhibition **(figure 45.9)**.

La glande thyroïde joue un rôle crucial dans le développement et la maturation des Vertébrés. Cette glande est responsable de la métamorphose d'un têtard en grenouille, métamorphose qui nécessite la réorganisation d'un grand nombre de tissus. Des études menées sur des Animaux ont permis de montrer l'importance des hormones thyroïdiennes, aussi bien dans le fonctionnement normal des cellules productrices de matière osseuse (ostéoblastes) que dans l'apparition de ramifications neuronales au cours du développement embryonnaire de l'encéphale. La thyroïde s'avère tout aussi importante pour le développement humain. Cette glande doit normalement commencer à fonctionner au cours du troisième mois du développement. Une forme d'insuffisance thyroïdienne héréditaire appelée *crétinisme* se manifeste par un retard de la croissance du squelette et une arriération mentale. On peut pallier ces effets en administrant des hormones thyroïdiennes dès le début de la vie de l'individu.

La glande thyroïde joue également un rôle important dans l'homéostasie. Chez les Mammifères adultes, par exemple, les hormones thyroïdiennes participent à la régulation de la pression artérielle, de la fréquence cardiaque, de la tonicité musculaire, de la digestion et des fonctions reproductrices. Les hormones T_3 et T_4 jouent un rôle important dans la bioénergétique de tout

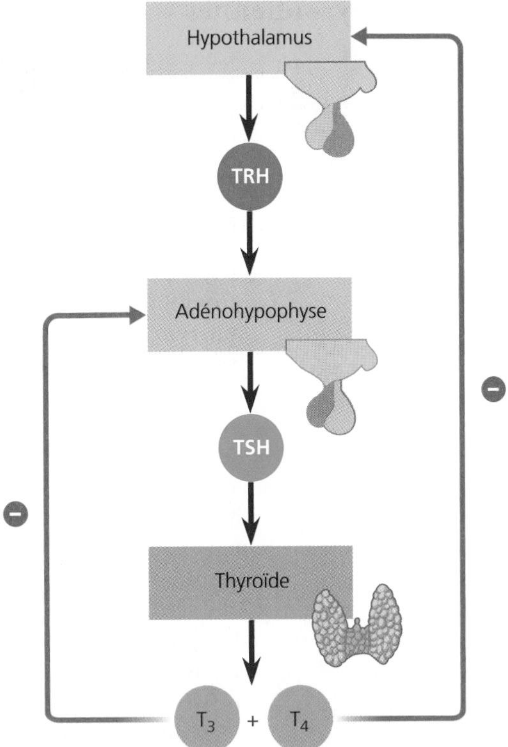

▲ **Figure 45.9 Mécanisme de rétroaction régulant la sécrétion des hormones thyroïdiennes T_3 et T_4.** L'hypothalamus sécrète l'hormone thyréolibérine (TRH, pour *TSH-releasing hormone*), qui déclenche la sécrétion de thyréotrophine (TSH, pour *thyroid-stimulating hormone*) par l'adénohypophyse. La TSH déclenche alors la synthèse et la sécrétion des hormones thyroïdiennes T_3 et T_4. Ces hormones exercent une rétro-inhibition en inhibant la libération de TRH par l'hypothalamus et de TSH par l'adénohypophyse.

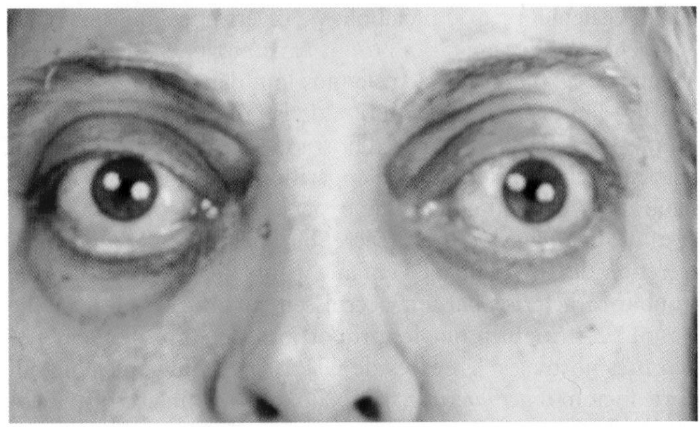

▲ **Figure 45.10 Maladie de Graves (ou de Basedow), la forme la plus courante d'hyperthyroïdisme chez l'humain.** Les tissus situés à l'arrière des yeux peuvent devenir enflés et fibreux, ce qui cause le symptôme caractéristique de la saillie des globes oculaires (ou exophtalmie).

l'organisme, généralement en augmentant la vitesse de consommation du O_2 et celle du métabolisme cellulaire de tous les tissus. Des quantités insuffisantes ou excessives de ces hormones dans le sang peuvent provoquer des désordres métaboliques graves. Chez les humains, une sécrétion excessive d'hormones thyroïdiennes, l'hyperthyroïdie, provoque une température corporelle élevée, des sueurs abondantes, une perte pondérale, de l'irritabilité et de l'hypertension. La forme la plus courante de l'hyperthyroïdie est la maladie de Graves (ou de Basedow) caractérisée notamment par une saillie des globes oculaires (exophtalmie) causée par une accumulation de liquide à l'arrière des yeux **(figure 45.10)**. Le phénomène inverse, l'hypothyroïdie, peut causer le crétinisme (déjà mentionné) chez les jeunes enfants et se manifester par des symptômes tels qu'un gain pondéral, un état léthargique et une sensibilité extrême au froid chez les adultes.

Le goitre, soit l'accroissement du volume de la thyroïde, vient d'un manque d'iode dans le régime alimentaire (voir la figure 2.3b). Si l'iode est insuffisant, la glande ne peut synthétiser suffisamment de T_3 et de T_4, et les faibles concentrations sanguines de ces hormones qui en résultent ne peuvent effectuer la rétro-inhibition habituelle sur l'hypothalamus et l'adénohypophyse (voir la figure 45.9). Par conséquent, l'hypophyse continue de sécréter la TSH, ce qui augmente la quantité de cette dernière hormone et provoque un gonflement de la thyroïde ; malheureusement, ce gonflement n'est causé que par une accumulation de colloïde qui ne peut fournir à l'organisme les hormones thyroïdiennes qui lui manquent.

Outre les cellules productrices de T_3 et de T_4, la thyroïde des Mammifères contient des cellules endocrines qui sécrètent la **calcitonine**. Cette hormone, de concert avec la parathormone, participe à l'homéostasie du calcium, comme nous allons le voir dans la prochaine section.

La parathormone et la calcitonine : la régulation de la calcémie

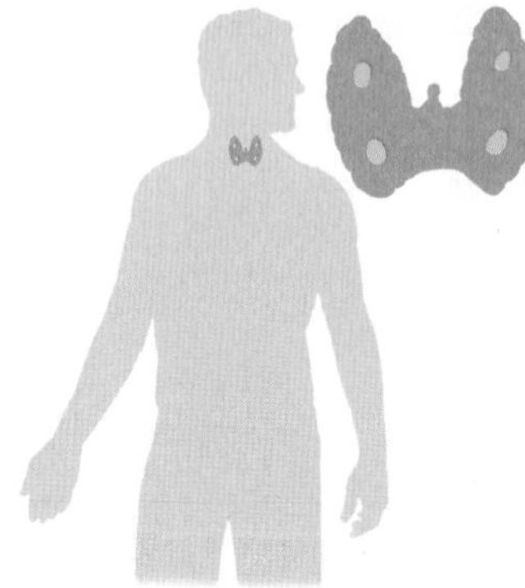

Il faut une régulation homéostatique rigoureuse de la calcémie, même si cette régulation ne s'applique qu'à un très faible pourcentage de tout le calcium que contient l'organisme (moins de 1 %), car la disponibilité d'ions calcium (Ca^{2+}) en circulation est essentielle au fonctionnement normal de toutes les cellules. Une forte baisse de la calcémie provoque des contractions convulsives des muscles squelettiques. Non traitée, cette maladie appelée *tétanie* est mortelle. Chez les Mammifères, deux hormones antagonistes (la parathormone et la calcitonine) jouent un rôle primordial dans le maintien de la concentration molaire volumique du calcium sanguin total (ou calcémie) dans l'intervalle de référence allant de 2,4 à 2,6 mmol/L **(figure 45.11)**.

Lorsque la calcémie tombe sous ces valeurs de référence, la **parathormone** (**PTH**, pour *parathyroid hormone*) est sécrétée. Quatre petites structures, les **glandes parathyroïdes**, qui sont enchâssées dans la thyroïde, produisent la PTH.

La PTH élève la concentration de Ca^{2+} sanguin en agissant directement ou indirectement. Dans le tissu osseux, elle commande aux cellules spécialisées que sont les ostéoclastes de décomposer, par phagocytose, la matrice minérale des os et de libérer le Ca^{2+} dans le sang. Dans les reins, elle stimule directement

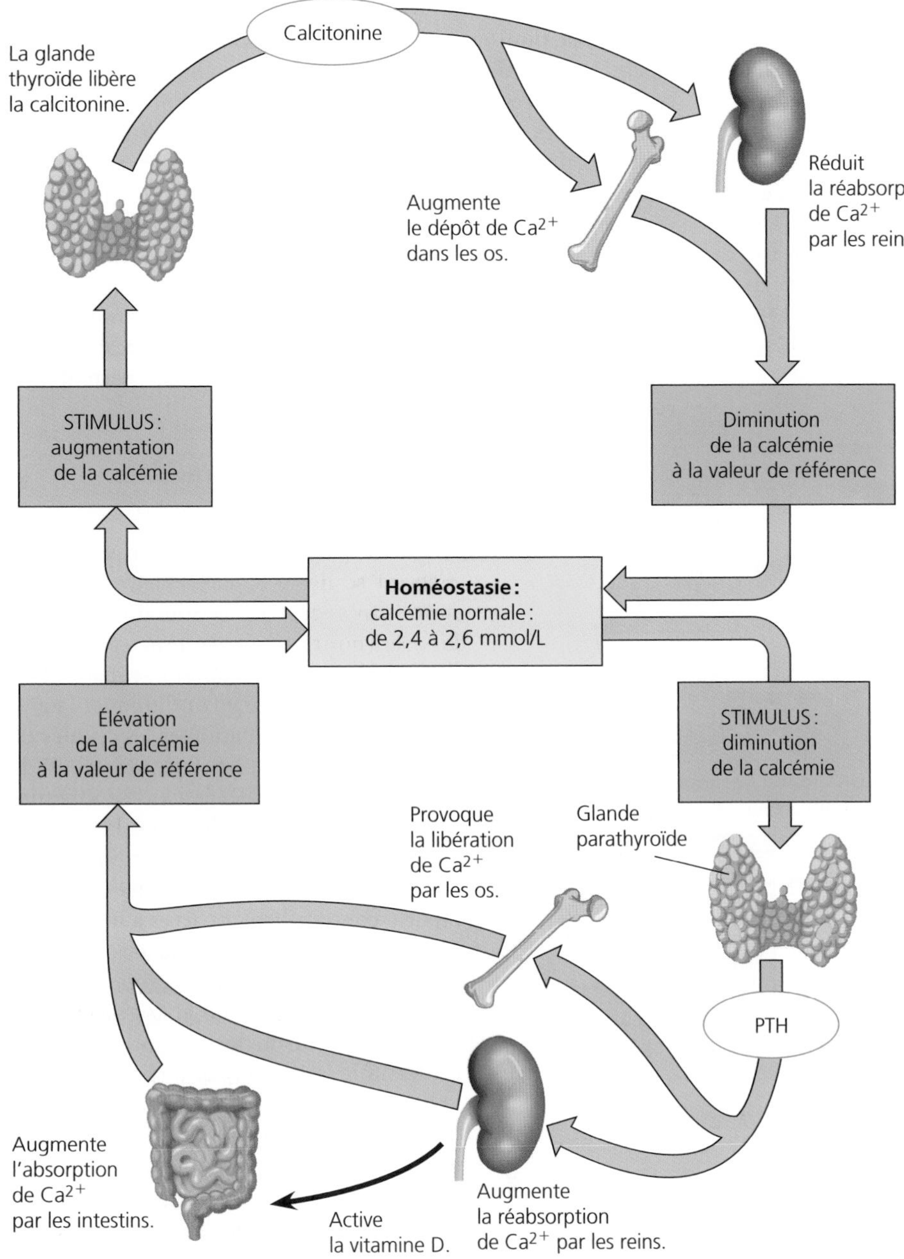

▲ **Figure 45.11 Régulation hormonale de la calcémie chez les Mammifères.** Un mécanisme de rétro-inhibition faisant intervenir deux hormones antagonistes, la calcitonine et la parathormone (PTH), maintient la concentration molaire volumique du calcium sanguin total (ou calcémie) dans l'intervalle de référence allant de 2,4 à 2,6 mmol/L.

la réabsorption de Ca^{2+} par les tubules rénaux et l'inhibition de la réabsorption des ions phosphates (calcium et phosphates sont liés pour former les sels minéraux de la matrice osseuse). Elle exerce également une action indirecte sur les reins en favorisant la conversion de la vitamine D en sa forme active (D_3 ou cholécalciférol). La forme inactive de la **vitamine D**, molécule dérivée d'un stéroïde, est obtenue dans l'alimentation ou est synthétisée dans la peau. Son activation commence dans le foie et est complétée dans les reins, un processus accéléré par la PTH. La forme active de la vitamine D agit directement sur les intestins, où elle stimule l'absorption du Ca^{2+} présent dans les aliments et par conséquent augmente l'effet de la PTH.

L'élévation de la calcémie au-dessus de la valeur de référence provoque la libération de la **calcitonine** par la glande thyroïde. Cette hormone est synthétisée par des cellules (cellules C) situées entre les follicules thyroïdiens. Les actions de la calcitonine dans les os et les reins s'opposent à celles de la PTH, et abaissent ainsi la concentration de Ca^{2+} sanguin.

La régulation de la calcémie est un exemple qui illustre comment deux hormones antagonistes (dans le cas présent la PTH et la calcitonine) contrebalancent leurs actions, en exerçant une régulation étroite et en maintenant l'homéostasie. Chaque hormone participe à une voie endocrine simple où les cellules sécrétrices commandent elles-mêmes la variable régulée (voir la figure 45.2a). Dans ce mécanisme de rétroaction classique, la réponse à l'une ou l'autre des hormones déclenche la libération de l'hormone antagoniste, ce qui réduit au minimum les variations de la calcémie.

L'insuline et le glucagon : la régulation de la glycémie

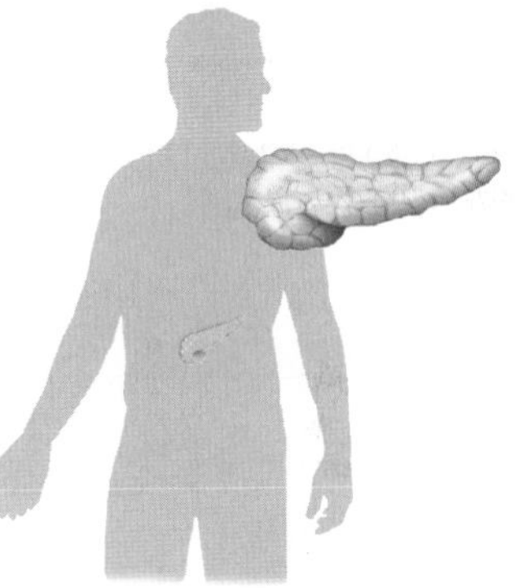

Bien que le **pancréas** soit considéré comme une glande endocrine importante, les cellules productrices d'hormones représentent seulement de 1 à 2 % de sa masse. Le reste de l'organe produit des ions hydrogénocarbonate (HCO_3^-) et des enzymes digestives qui sont déversés dans des petits conduits et transportés vers l'intestin grêle par l'intermédiaire du conduit pancréatique (voir la figure 41.20). On désigne les tissus et les glandes qui déversent leurs sécrétions dans des conduits par le terme *exocrine*. Ainsi, le pancréas est un organe à la fois exocrine et endocrine qui a des fonctions dans les systèmes endocrinien et digestif.

Les **îlots pancréatiques**, qui sont des amas de cellules endocrines, sont disséminés dans le tissu exocrine du pancréas. Chacun comprend une population de *cellules alpha*, qui produisent une hormone nommée **glucagon**, et une population de *cellules bêta*, qui fabriquent une protéine nommée **insuline**. Chaque îlot pancréatique comporte aussi une population de **cellules delta** qui engendrent la somatostatine, une hormone polypeptidique qui inhibe la sécrétion du glucagon et de l'insuline et qui ralentit l'absorption des nutriments dans le tube digestif. À ces populations s'ajoutent les **cellules PP**, qui sécrètent le **p**olypeptide **p**ancréatique, hormone inhibitrice de la sécrétion de somatostatine, des contractions de la vésicule biliaire et des sécrétions exocrines du pancréas.

Les deux hormones qui nous intéressent ici sont l'insuline et le glucagon. Ces deux hormones protéiques, comme tous les médiateurs endocrines, sont sécrétées dans le système cardiovasculaire. Ce sont des hormones antagonistes, qui régulent la concentration de glucose sanguin, ou glycémie **(figure 45.12)**. Outre son effet sur la glycémie, l'insuline stimule la synthèse des protéines.

La régulation de la glycémie est une fonction bioénergétique et homéostatique cruciale. En effet, le glucose est l'une des principales sources d'énergie de la respiration cellulaire. De plus, il constitue une réserve essentielle d'atomes de carbone pour la synthèse d'autres composés organiques. L'équilibre métabolique ne peut se maintenir que si la glycémie reste dans l'intervalle de référence, qui est de 3,9 à 6,1 mmol/L chez l'humain. Lorsque la glycémie excède ces valeurs de référence, les cellules bêta perçoivent ce dépassement, et l'insuline intervient pour faire diminuer la glycémie. Lorsque celle-ci tombe sous les valeurs de référence, le glucagon est libéré et la fait augmenter. Chaque hormone fonctionne par voie endocrine simple régulée par un mécanisme de rétro-inhibition. La combinaison des deux voies permet une régulation précise de la glycémie.

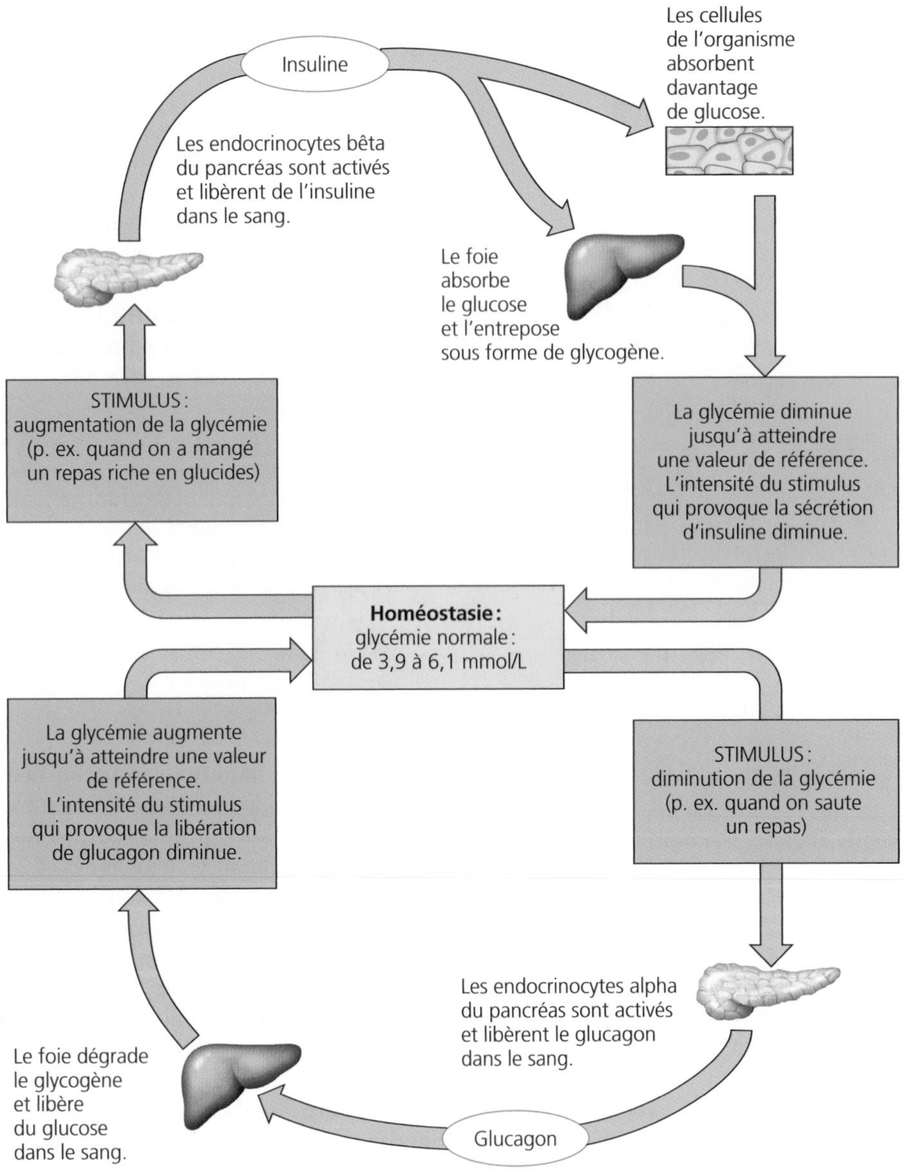

▲ **Figure 45.12 Régulation de la glycémie par l'insuline et le glucagon.** Les effets antagonistes de l'insuline et du glucagon contribuent à maintenir la glycémie près de ses valeurs de référence. Une augmentation de la glycémie jusqu'à une valeur supérieure aux valeurs de référence provoque la sécrétion d'insuline par le pancréas, ce qui a pour effet d'absorber le surplus de glucose dans le sang et de l'entreposer sous forme de glycogène. Lorsque la glycémie tombe sous les valeurs de référence, le pancréas sécrète du glucagon. Le glucagon agit sur le foie pour faire augmenter la glycémie.

Les tissus cibles de l'insuline et du glucagon

Avant de passer à l'action, l'insuline doit d'abord se lier à son récepteur membranaire, un récepteur à domaine tyrosine kinase (pour revoir le fonctionnement d'un tel type de récepteur, consulter la figure 11.7). L'insuline fait diminuer la glycémie en ordonnant à toutes les cellules de l'organisme, exception faite de celles de l'encéphale, d'absorber le glucose sanguin. (Les cellules de l'encéphale ont la capacité exceptionnelle d'absorber le glucose en l'absence d'insuline. Par conséquent, l'encéphale a continuellement accès à une source d'énergie, présente dans la circulation.) L'insuline abaisse aussi la glycémie en ralentissant la dégradation du glycogène dans le foie et en inhibant la transformation des acides aminés et du glycérol (provenant des graisses) en glucose.

Le foie, les muscles squelettiques et les tissus adipeux emmagasinent de grandes quantités de molécules énergétiques et ont une importance particulière en bioénergétique. Le foie et les muscles entreposent les glucides sous forme de glycogène (glycogenèse). De leur côté, les cellules adipeuses, ou adipocytes, transforment les glucides en graisses. Le foie constitue un centre de transformation primordial, parce que seules les cellules hépatiques, ou hépatocytes, réagissent au glucagon. Normalement, le glucagon commence à agir avant que la glycémie descende sous les valeurs de référence. En fait, dès qu'il n'y a plus d'excès de glucose dans le sang, le glucagon commande au foie d'augmenter l'hydrolyse du glycogène (glycogénolyse), de transformer les acides aminés et le glycérol en glucose (néoglucogenèse) et de libérer du glucose dans le sang.

Les actions antagonistes du glucagon et de l'insuline sont essentielles à l'équilibre glycémique, et par conséquent à la gestion précise de l'entreposage et de la consommation d'énergie dans les cellules de l'organisme. Le foie peut remplir ses rôles fondamentaux dans la régulation de la glycémie grâce à la polyvalence métabolique de ses cellules et à sa capacité à absorber des nutriments par les veines portes. Ces vaisseaux conduisent le sang de l'intestin grêle au foie directement.

Le diabète

Le dérèglement des mécanismes d'homéostasie liés au glucose entraîne de graves conséquences. Le **diabète** (parfois appelé diabète sucré) est sans doute le trouble endocrinien le plus connu: on estime le nombre de diabétiques (connus et non connus) à 3 000 000 en France et à 550 000 au Québec. Cette maladie est causée par une carence en insuline ou une diminution de sensibilité des cellules cibles à l'insuline. Il existe en fait deux principales formes de diabète dont les causes sont très différentes, mais qui sont caractérisées par une glycémie élevée.

Chez les personnes atteintes de diabète, la glycémie élevée excède la capacité de réabsorption des reins, à tel point que ceux-ci excrètent du glucose. Cela explique pourquoi on peut détecter cette maladie en recherchant la présence de glucose dans l'urine. L'augmentation de la concentration de glucose dans l'urine s'accompagne de l'augmentation du volume d'eau éliminée, ce qui entraîne un volume d'urine excessif et une soif persistante. (Le terme *diabète* vient du mot grec *diabêtês* signifiant « qui traverse », en raison de la miction abondante.) Sans glucose disponible suffisant pour satisfaire aux besoins de la majeure partie des cellules corporelles, ce sont surtout les graisses qui doivent alimenter la respiration cellulaire aérobie. Dans les cas graves de diabète, les métabolites acides issus de la dégradation des graisses s'accumulent dans le sang et en font diminuer le pH, ce qui met en danger la vie de l'individu.

Le *diabète de type I* (diabète insulinodépendant ou juvénile) est une affection auto-immune dans laquelle le système immunitaire détruit les cellules bêta du pancréas. Cette maladie qui survient généralement pendant l'enfance détruit la capacité d'un individu à produire de l'insuline. Le traitement consiste en des injections d'insuline, habituellement plusieurs fois par jour. Dans le passé, cette insuline était extraite de pancréas d'Animaux. Le génie génétique permet maintenant de fabriquer de l'insuline humaine à un coût assez peu élevé à partir de Bactéries (voir la figure 20.2). L'implantation d'îlots pancréatiques (et donc de cellules bêta productrices d'insuline) provenant d'humains décédés est une autre voie de recherche qui débouchera peut-être sur un traitement efficace de ce type de diabète.

Le *diabète de type II* (diabète non insulinodépendant ou de la maturité) se caractérise par une carence en insuline ou, plus couramment, par une diminution de la sensibilité des cellules cibles causée par une modification des récepteurs. Bien que l'hérédité puisse jouer un rôle dans le diabète de type II, des recherches indiquent qu'un excès de poids et le manque d'exercice augmentent le risque de façon importante. Cette forme de diabète survient généralement pendant la quarantaine, mais des jeunes personnes sédentaires et ayant un excès pondéral développent aussi la maladie. Plus de 90 % des diabétiques souffrent du diabète de type II. Beaucoup d'entre eux parviennent à maîtriser leur glycémie simplement en faisant de l'exercice et en surveillant leur régime alimentaire, mais d'autres doivent prendre des médicaments.

Les hormones surrénales: la réponse au stress

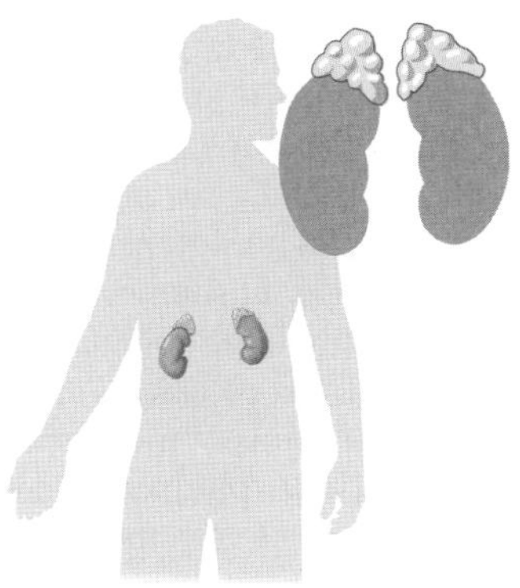

Les **glandes surrénales** coiffent les reins. Chez les Mammifères, chaque glande surrénale est en fait constituée de deux glandes dont les types de cellules, les fonctions et l'origine embryonnaire diffèrent: le *cortex surrénal*, ou portion externe, et la *médulla surrénale*, ou portion interne. À l'instar de l'hypophyse, chaque glande surrénale se compose d'une glande endocrine et d'une glande neuroendocrine. Le cortex surrénal est constitué de vraies cellules endocrines, alors que les cellules sécrétrices de la médulla surrénale dérivent de la crête neurale au cours du développement embryonnaire (voir la figure 34.7). Chez les autres Vertébrés, les mêmes tissus sont disposés de façon différente.

Les catécholamines de la médulla surrénale

Supposez que vous sentez un danger ou que vous vous préparez à affronter une situation difficile, comme parler en public. Votre fréquence cardiaque augmente ou vous avez la chair de poule. Quelle est la cause de ces réactions? Ces phénomènes font partie de la réaction « de lutte ou de fuite » provoquée par deux hormones élaborées par la médulla surrénale, l'**adrénaline** et la **noradrénaline**. Ces hormones font partie de la classe de composés qu'on appelle les *catécholamines* et qui sont synthétisés à partir de l'acide aminé qu'est la tyrosine. L'adrénaline et la noradrénaline jouent également un rôle comme neurotransmetteurs dans le système nerveux.

Un facteur de stress positif ou négatif (pouvant aller d'un plaisir extrême à la prise de conscience d'un danger mortel) stimule la sécrétion d'adrénaline et de noradrénaline par la médulla surrénale. Ces hormones agissent directement sur plusieurs tissus cibles et fournissent une poussée bioénergétique. Elles accélèrent la dégradation du glycogène dans le foie et les muscles squelettiques, et provoquent la libération de glucose par les hépatocytes ainsi que la libération d'acides gras par les adipocytes. Ce glucose et ces acides gras circulent dans le sang et les cellules de l'organisme peuvent les utiliser comme source d'énergie.

Outre qu'elles augmentent la disponibilité des sources d'énergie, l'adrénaline et la noradrénaline ont des effets importants sur les systèmes cardiovasculaire et respiratoire. Par exemple, elles font augmenter à la fois la fréquence cardiaque et le débit systolique, et elles dilatent les bronchioles des poumons, actions qui accélèrent le transport du O_2 jusqu'aux cellules de l'organisme. (C'est pourquoi les médecins prescrivent de l'adrénaline comme stimulant cardiaque et comme bronchodilatateur en cas de crise d'asthme.) Les catécholamines provoquent aussi la contraction des muscles lisses de certains vaisseaux sanguins et le relâchement de certains autres, ce qui diminue l'apport de sang à la peau, aux intestins et aux reins, et augmente le débit vers le cœur, l'encéphale et les muscles squelettiques (voir la figure 45.4). L'adrénaline agit principalement sur la fréquence cardiaque et le métabolisme, alors que le rôle primordial de la noradrénaline consiste à garder la pression artérielle constante.

Comme il est illustré à la **figure 45.13a**, la sécrétion par la médulla surrénale est stimulée par des influx nerveux transportés à partir de l'encéphale par l'intermédiaire de la partie sympathique du système nerveux autonome (voir le chapitre 48). Sous l'effet d'un stimulus de stress, l'hypothalamus produit des impulsions nerveuses qui se rendent à la médulla surrénale, où elles déclenchent la libération d'adrénaline. La noradrénaline est libérée indépendamment de l'adrénaline. Les hormones de la médulla surrénale constituent un autre exemple de voie neurohormonale simple (voir la figure 45.2b). Dans ce cas, les neurones sécrétoires sont des cellules nerveuses modifiées, appartenant au système nerveux périphérique, plutôt que des neurones sécrétoires de l'encéphale qui libèrent des hormones dans la neurohypophyse.

Les hormones stéroïdes du cortex surrénal

Les hormones du cortex surrénal jouent également un rôle dans la réponse de l'organisme au stress. Mais, contrairement à la médulla surrénale qui réagit à des influx nerveux, le cortex surrénal répond à des stimulus hormonaux. Sous l'effet d'un stimulus de stress, l'hypothalamus produit une hormone de libération qui provoque la libération d'ACTH (stimuline) par l'adénohypophyse. Lorsqu'elle atteint le cortex surrénal en passant par la circulation sanguine, l'ACTH agit sur les cellules endocrines qui synthétisent et sécrètent une famille d'hormones stéroïdes appelées **corticostéroïdes.** Les concentrations élevées de corticostéroïdes dans le sang arrêtent la sécrétion d'ACTH, ce qui constitue un autre exemple de rétro-inhibition.

Chez l'humain, les deux principaux types de corticostéroïdes sont les **glucocorticoïdes**, comme le cortisol, et les **minéralocorticoïdes**, comme l'aldostérone. Il est de plus en plus évident que les glucocorticoïdes et les minéralocorticoïdes permettent le maintien de l'homéostasie quand l'organisme subit un stress de longue durée, comme une maladie chronique ou une perturbation émotionnelle prolongée **(figure 45.13b)**.

Les glucocorticoïdes agissent principalement sur la bioénergétique, notamment le métabolisme du glucose. Les glucocorticoïdes, à l'instar du glucagon, augmentent la glycémie. Ils

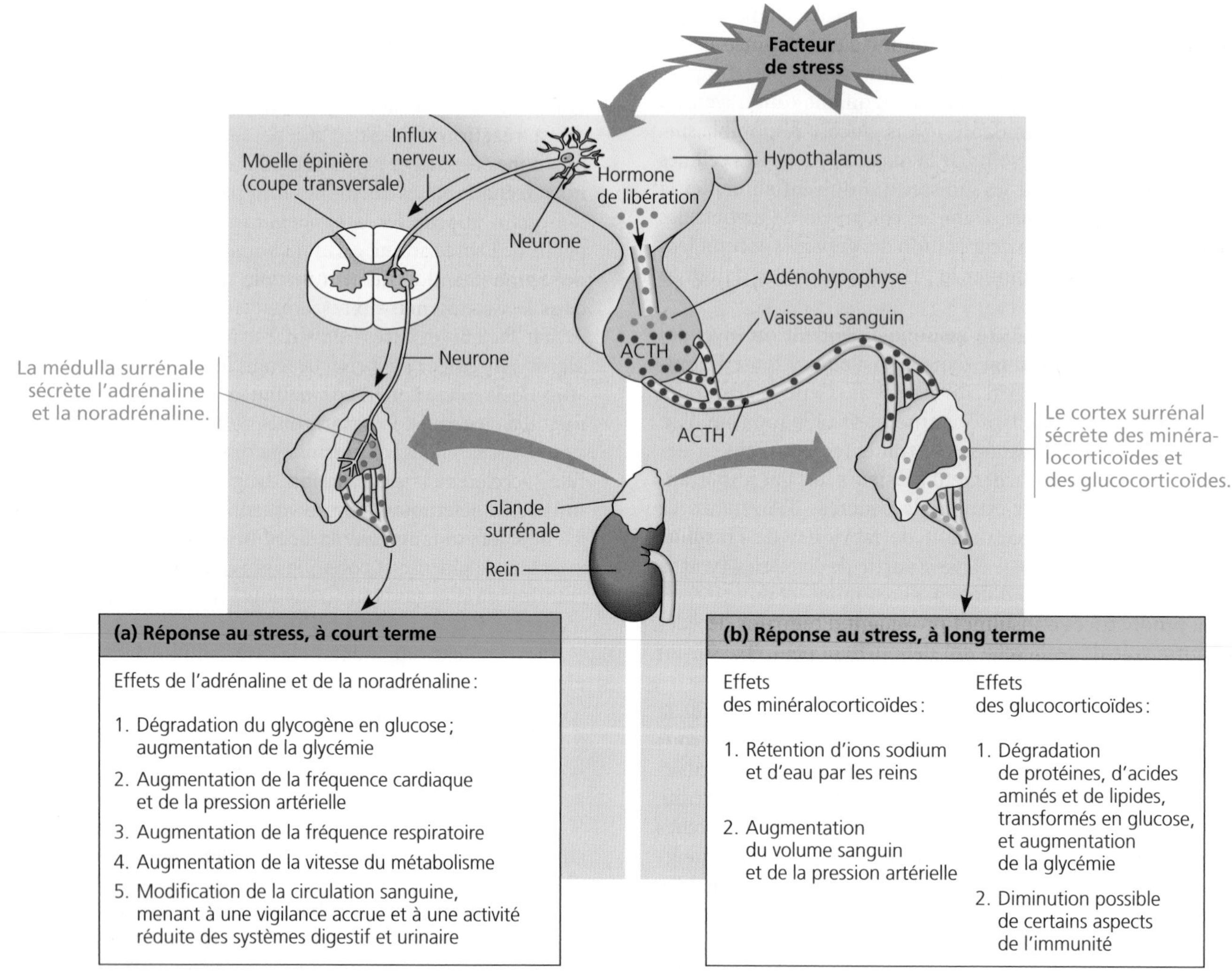
Facteur de stress
Influx nerveux
Moelle épinière (coupe transversale)
Hormone de libération
Hypothalamus
Neurone
Adénohypophyse
Vaisseau sanguin
ACTH
Neurone
La médulla surrénale sécrète l'adrénaline et la noradrénaline.
ACTH
Le cortex surrénal sécrète des minéralocorticoïdes et des glucocorticoïdes.
Glande surrénale
Rein
(a) Réponse au stress, à court terme
Effets de l'adrénaline et de la noradrénaline :
1. Dégradation du glycogène en glucose ; augmentation de la glycémie
2. Augmentation de la fréquence cardiaque et de la pression artérielle
3. Augmentation de la fréquence respiratoire
4. Augmentation de la vitesse du métabolisme
5. Modification de la circulation sanguine, menant à une vigilance accrue et à une activité réduite des systèmes digestif et urinaire
(b) Réponse au stress, à long terme
Effets des minéralocorticoïdes :
1. Rétention d'ions sodium et d'eau par les reins
2. Augmentation du volume sanguin et de la pression artérielle
Effets des glucocorticoïdes :
1. Dégradation de protéines, d'acides aminés et de lipides, transformés en glucose, et augmentation de la glycémie
2. Diminution possible de certains aspects de l'immunité

▲ **Figure 45.13 Stress et glandes surrénales.** Sous l'effet de facteurs de stress, l'hypothalamus peut activer la médulla surrénale par des influx nerveux **(a)** et le cortex surrénal par des hormones **(b)**. En cas de stress, la médulla surrénale produit une réponse à court terme en libérant des catécholamines, l'adrénaline et la noradrénaline. Le cortex surrénal détermine les réponses à plus long terme en sécrétant des corticostéroïdes.

favorisent la synthèse du glucose à partir de sources qui ne sont pas des glucides, mais qui sont notamment les lipides et les acides aminés. De plus, les glucocorticoïdes rendent les cellules adipeuses et les cellules musculaires au repos résistantes à l'insuline, ce qui empêche le glucose d'être « avalé » par ces dernières cellules et augmente la réserve de glucose disponible dans le sang pour d'autres types de cellules, comme celles de l'encéphale. Cela fait augmenter les ressources énergétiques disponibles. Les glucocorticoïdes agissent également sur les muscles squelettiques, dans lesquels ils provoquent la dégradation des protéines. Les squelettes carbonés qui résultent de cette dégradation sont transportés jusqu'au foie et aux reins, qui les transforment en glucose et les libèrent dans le sang. La synthèse du glucose à partir des protéines musculaires est un mécanisme homéostatique qui apporte une quantité supplémentaire d'énergie quand l'activité en nécessite plus que ce que la réserve de glycogène du foie peut fournir. Les glucocorticoïdes peuvent également aider l'organisme à faire face à une situation de stress externe de longue durée.

Le cortisol et d'autres glucocorticoïdes diminuent également certains aspects de la réponse immunitaire de l'organisme. En raison de leur action anti-inflammatoire, les glucocorticoïdes ont été utilisés pour traiter des maladies inflammatoires telles que l'arthrite. Cependant, l'usage prolongé de ceux-ci peut présenter des effets secondaires indésirables à cause de leurs actions métaboliques; de plus, ces médicaments peuvent entraîner une sensibilité accrue aux infections en raison de leurs actions immunosuppressives. Pour ces motifs, les anti-inflammatoires non stéroïdiens sont préférés pour traiter les maladies inflammatoires chroniques.

Les minéralocorticoïdes agissent surtout sur l'équilibre électrolytique et hydrique. Ainsi, dans le rein, l'aldostérone favorise la réabsorption d'ions sodium et d'eau à partir du filtrat, ce qui provoque une augmentation de la pression artérielle et du volume sanguin. La sécrétion d'aldostérone est augmentée principalement par l'angiotensine II, par une voie de régulation qui permet aux reins de maintenir l'équilibre électrolytique et hydrique du sang (voir la figure 44.16b). Mais, lorsqu'une personne se trouve en état de stress grave, l'augmentation de la concentration d'ACTH qui en résulte entraîne l'accélération de la sécrétion d'aldostérone, de même que des glucocorticoïdes, par le cortex surrénal.

Le cortex surrénal produit un troisième groupe de corticostéroïdes qui agissent comme hormones sexuelles. Toutes les hormones sexuelles sont synthétisées à partir du cholestérol (voir la figure 5.15), et leurs structures moléculaires ne présentent que des différences mineures. Cependant, ces différences sont associées à des effets très différents. Les hormones sexuelles que produit le cortex surrénal comprennent principalement les hormones mâles (androgènes) et de petites quantités d'hormones femelles (œstrogènes et progestines). On observe que les androgènes sécrétés par les glandes surrénales stimulent le désir sexuel chez les femmes adultes, mais, par ailleurs, on ne comprend pas parfaitement les rôles physiologiques des hormones sexuelles surrénales.

Les hormones sexuelles gonadiques

Bien que les glandes surrénales sécrètent de petites quantités d'hormones sexuelles, les gonades sont la source principale de ces hormones. Les gonades produisent et sécrètent trois grandes catégories d'hormones stéroïdes: les androgènes, les œstrogènes et les progestines. Ces trois catégories se trouvent chez les mâles et les femelles en différentes proportions. Fabriqués par les testicules des mâles et les ovaires des femelles, les stéroïdes gonadiques ont un effet sur la croissance et le développement, et assurent également la régulation des cycles et des comportements reproducteurs.

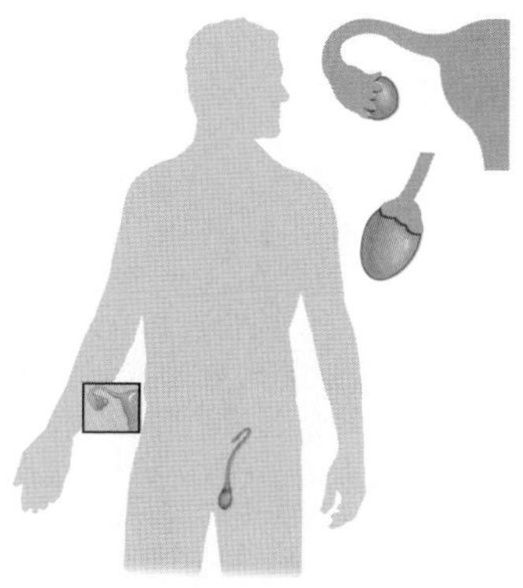

Les testicules synthétisent surtout des **androgènes**, la principale hormone de ce groupe étant la **testostérone**. De façon générale, les androgènes déclenchent la formation et la maturation du système reproducteur mâle et en assurent le fonctionnement. Les androgènes produits au début du développement embryonnaire déterminent si le fœtus deviendra un individu mâle ou femelle. Chez l'humain, à la puberté, les concentrations élevées d'androgènes provoquent l'apparition des caractères sexuels secondaires masculins, comme la pilosité et le timbre grave de la voix, de même que le gain en masse musculaire et la croissance osseuse caractéristiques des mâles. L'action de la testostérone et d'autres stéroïdes anabolisants sur le développement des muscles a motivé certains athlètes à en prendre comme suppléments, bien que ces médicaments semblent donner peu d'avantages en compétition dans des sports qui exigent une coordination fine et de l'endurance. En outre, l'abus de stéroïdes anabolisants comporte de nombreux risques pour la santé **(figure 45.14)**, et ils sont interdits dans la plupart des sports de compétition.

Les **œstrogènes**, dont le plus important est l'œstradiol, sont responsables du fonctionnement du système reproducteur femelle et de l'apparition des caractères sexuels secondaires féminins. Chez les Mammifères, les fonctions des **progestines**, dont fait partie la **progestérone**, ont surtout trait à la mise en place de la phase sécrétoire du cycle utérin et à l'adaptation de l'utérus, qui assure la croissance et le développement de l'embryon.

Les œstrogènes et les androgènes font partie des voies neuroendocrines complexes. Elles se trouvent sous la dépendance des stimulines que sont les gonadotrophines adénohypophysaires: l'hormone folliculostimulante (FSH) et l'hormone lutéinisante (LH) (voir la figure 45.8). Les sécrétions de FSH et de LH sont elles-mêmes régies par l'hormone de libération hypothalamique nommée gonadolibérine (GnRH, pour *gonadotropin-releasing hormone*). Au chapitre 46, nous décrirons en détail la rétroaction complexe qui détermine la sécrétion des stéroïdes par les gonades.

La mélatonine et les biorythmes

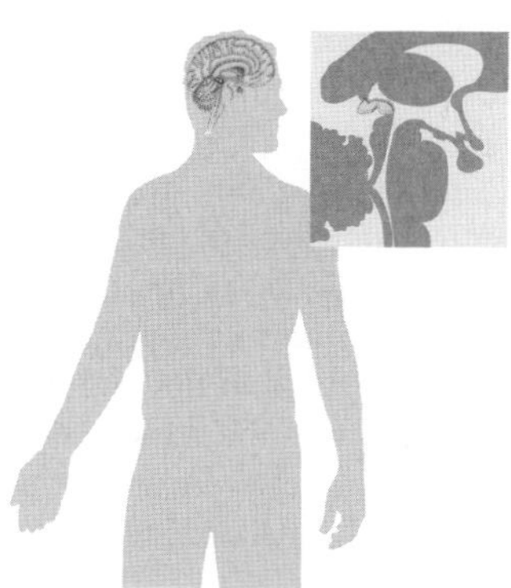

Nous terminons notre étude du système endocrinien des Vertébrés par le **corps pinéal** (ainsi nommé car il ressemble à un petit cône de pin), une petite masse de tissu située près du centre de l'encéphale, mais visible de l'extérieur de ce dernier, entre les deux hémisphères, chez les Mammifères (et plus près de la face postérieure externe de l'encéphale chez

▲ **Figure 45.14 Augmentation du volume des seins chez l'homme attribuable aux stéroïdes anabolisants.** L'usage abusif de stéroïdes perturbe la production normale des hormones, ce qui cause des risques pour la santé tant à court terme qu'à long terme. Les hommes peuvent également souffrir d'infertilité et d'atrophie des testicules. Les femmes peuvent subir des effets masculinisants comme une diminution de la taille des seins, une voix plus grave et une pilosité accrue. La calvitie de type mâle et l'acné peuvent apparaître tant chez l'homme que chez la femme. À long terme, les stéroïdes anabolisants risquent de porter atteinte au foie et au cœur.

certains autres Vertébrés). Le corps pinéal synthétise et sécrète l'hormone nommée **mélatonine**, qui est un acide aminé modifié. Selon les espèces, le corps pinéal contient des cellules sensibles à la lumière ou possède des connexions nerveuses avec les yeux qui assurent la régulation de son activité de sécrétion.

Ainsi, la mélatonine régule les fonctions associées à la luminosité et à la durée de l'éclairement diurne (photopériode). Bien que, chez de nombreux Vertébrés, elle agisse sur la pigmentation de la peau, ses principales fonctions sont liées aux rythmes circadiens qui interviennent dans la reproduction. Comme la sécrétion de mélatonine se fait la nuit, la quantité produite dépend de la durée de l'obscurité. Ainsi, en hiver, la longueur des nuits favorise la production de mélatonine. Cette hormone représente donc un lien entre l'horloge biologique et les activités quotidiennes ou saisonnières telles que la reproduction. Des découvertes récentes donnent à penser que les principales cellules cibles de la mélatonine se trouvent dans le noyau supraoptique de l'hypothalamus (un « noyau » est un regroupement de corps de neurones), qui fonctionne comme une horloge biologique. La mélatonine semble réduire l'activité des neurones du noyau supraoptique, ce qui peut être associé à son rôle dans la régulation des rythmes circadiens. Aux États-Unis, elle est vendue comme remède efficace contre l'insomnie. Cependant, il nous reste encore beaucoup à apprendre sur le rôle précis de la mélatonine et des horloges biologiques.

Retour sur le concept 45.4

1. Comment la thyroxine (T_4) met-elle fin à sa production et à sa sécrétion ?
2. Comment la calcitonine et la parathormone (PTH) maintiennent-elles la concentration sanguine du Ca^{2+} près de sa valeur de référence ?
3. Dans un test de tolérance au glucose, on mesure la glycémie d'une personne à intervalles réguliers après lui avoir fait boire une solution contenant du glucose. Chez un individu sain, la glycémie augmente modérément pour ensuite retomber près de la valeur normale en l'espace de deux ou trois heures. Prédisez le résultat de ce test pratiqué chez une personne qui souffre de diabète. Expliquez votre réponse.
4. Comment une diminution du nombre de récepteurs de corticostéroïdes dans l'hypothalamus pourrait avoir un effet sur les concentrations de corticostéroïdes dans le sang ?

Voir les réponses proposées à la fin du chapitre.

Concept 45.5

Les mécanismes de régulation des Invertébrés font également intervenir les interactions entre le système endocrinien et le système nerveux

Les Invertébrés produisent diverses hormones provenant de cellules endocrines typiques sécrétrices d'hormones et de neurones sécrétoires. (En fait, même des groupes aussi anciens que les Protistes produisent de l'insuline et de l'ACTH.) Certaines de ces hormones jouent un rôle dans l'homéostasie (en assurant la régulation de l'équilibre hydrique, par exemple). Cependant, on connaît mieux celles qui interviennent dans la reproduction et le développement. Ainsi, chez l'hydre, une même hormone provoque la croissance et le bourgeonnement (reproduction asexuée), mais empêche la reproduction sexuée. Chez les Invertébrés plus complexes, le système endocrinien et le système nerveux travaillent généralement de concert pour réguler la reproduction et le développement. Chez un mollusque nommé *aplysie* ou *lièvre de mer* (*Aplysia sp.*), par exemple, des neurones spécialisés sécrètent une neurohormone qui déclenche la ponte de milliers d'œufs. En même temps, celle-ci inhibe la nutrition et la locomotion, activités qui nuisent à la reproduction de l'Animal.

Le système endocrinien est très développé chez tous les Arthropodes. Ainsi, les Crustacés ont des hormones qui contribuent à la croissance et à la reproduction, à l'équilibre hydrique, au mouvement des pigments dans les téguments et dans les yeux, ainsi qu'à la régulation du métabolisme. Les Insectes et les Crustacés possèdent un exosquelette qui ne peut s'agrandir. Ils grandissent donc par à-coups, se débarrassant du vieil exosquelette pour en sécréter un nouveau à chaque mue. De plus, la plupart des Insectes acquièrent leurs caractères d'adulte au cours d'une seule et dernière mue. Chez les Insectes et les Crustacés (et très probablement chez tous les Arthropodes munis d'un exosquelette), c'est une hormone qui déclenche la mue.

La régulation hormonale du développement des Insectes a été étudiée de façon approfondie. Trois hormones jouent un rôle essentiel dans la mue et l'apparition des caractéristiques de l'adulte **(figure 45.15)**. L'**hormone prothoracotrope**, produite par les neurones sécrétoires du cerveau, provoque la sécrétion d'ecdysone par les glandes prothoraciques, une paire de glandes endocrines situées juste derrière la tête. Outre qu'elle provoque la mue, l'**ecdysone** favorise l'apparition des caractéristiques de l'adulte, comme la transformation de la chenille en papillon. L'action de l'hormone prothoracotrope et de l'ecdysone est contrebalancée par celle de l'**hormone juvénile**, troisième hormone jouant un rôle dans le développement. L'hormone juvénile est un lipide sécrété par une paire de petites glandes endocrines situées juste derrière le cerveau : les corps allates, un peu analogues à l'adénohypophyse chez les Vertébrés. Comme son nom l'indique, elle maintient les caractéristiques larvaires (juvéniles).

Même quand la concentration d'hormone juvénile est relativement forte, l'ecdysone peut provoquer la mue. Mais il n'en résulte alors qu'une larve plus grosse. Ce n'est que lorsque la quantité d'hormone juvénile diminue que la mue déclenchée par l'ecdysone produit un stade de développement appelé *pupe*. La larve se métamorphose alors pour prendre la forme adulte de l'Insecte. Certains insecticides comportent des formes synthétiques de l'hormone juvénile qui empêchent les Insectes de devenir des adultes capables de se reproduire.

Dans le prochain chapitre, nous étudierons la reproduction tant chez les Vertébrés que chez les Invertébrés. Nous verrons alors que le système endocrinien est essentiel non seulement à la survie de l'individu, mais aussi à la propagation de l'espèce.

Retour sur le concept 45.5

1. Comment le système nerveux contribue-t-il à la mue chez les Insectes ?
2. On utilise parfois l'hormone juvénile comme insecticide. Quels en sont les effets sur les populations d'Insectes ? Expliquez votre réponse.

Voir les réponses proposées à la fin du chapitre.

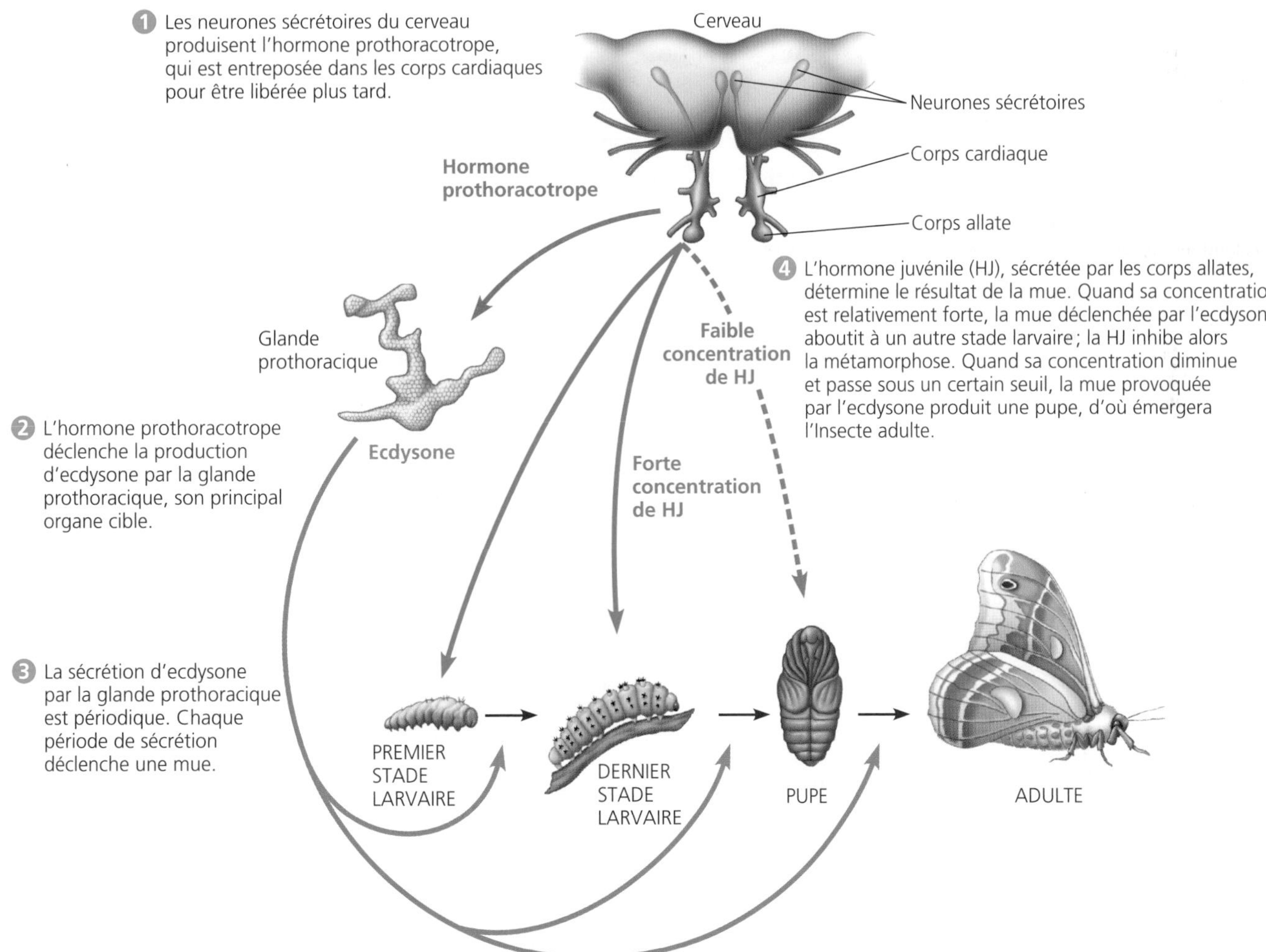

1 Les neurones sécrétoires du cerveau produisent l'hormone prothoracotrope, qui est entreposée dans les corps cardiaques pour être libérée plus tard.
Cerveau
Neurones sécrétoires
Corps cardiaque
Corps allate
Hormone prothoracotrope
Glande prothoracique
Ecdysone
2 L'hormone prothoracotrope déclenche la production d'ecdysone par la glande prothoracique, son principal organe cible.
Faible concentration de HJ
Forte concentration de HJ
4 L'hormone juvénile (HJ), sécrétée par les corps allates, détermine le résultat de la mue. Quand sa concentration est relativement forte, la mue déclenchée par l'ecdysone aboutit à un autre stade larvaire ; la HJ inhibe alors la métamorphose. Quand sa concentration diminue et passe sous un certain seuil, la mue provoquée par l'ecdysone produit une pupe, d'où émergera l'Insecte adulte.
3 La sécrétion d'ecdysone par la glande prothoracique est périodique. Chaque période de sécrétion déclenche une mue.
PREMIER STADE LARVAIRE
DERNIER STADE LARVAIRE
PUPE
ADULTE

▲ **Figure 45.15 Régulation hormonale du développement d'un Insecte.** La plupart des Insectes passent par une série de stades larvaires, chaque mue (renouvellement de l'exosquelette) engendrant une larve plus grosse. La mue du dernier stade larvaire donne une pupe, dans laquelle l'Insecte se métamorphose en adulte. Des hormones commandent les étapes du développement illustrées ici.

Révision du chapitre 45

RÉSUMÉ DES CONCEPTS CLÉS

Concept 45.1

Le système endocrinien et le système nerveux agissent individuellement et de concert dans la régulation de la physiologie d'un Animal

- **Le chevauchement entre la régulation du système endocrinien et celle du système nerveux (p. 1026).** Le système endocrinien et le système nerveux travaillent souvent de concert pour assurer l'homéostasie, le développement et la reproduction. Les glandes endocrines et divers organes dont les fonctions ne sont pas principalement endocriniennes sécrètent des hormones, et des cellules sécrétoires spécialisées dérivées de tissu nerveux libèrent des neurohormones. Les deux classes de stimulus hormonaux circulent dans le sang vers leurs tissus cibles, jouant le rôle de régulateurs à longue distance.
- **Les voies de régulation et les boucles de rétroaction (p. 1026).** Il existe trois principaux types de voies de régulation hormonale: endocrine, neurohormonale et neuroendocrine. Les composantes fondamentales d'un système de régulation biologique sont présentes dans chaque type de voie. La rétro-inhibition assure la régulation de nombreuses voies intervenant dans l'homéostasie.

Les hormones et d'autres médiateurs chimiques se fixent aux récepteurs des cellules cibles pour activer les voies qui aboutissent à des réactions cellulaires spécifiques

- **Les récepteurs membranaires de surface des hormones hydrosolubles (p. 1028-1029).** Les hormones peptidiques ou protéiques et la plupart de celles qui sont dérivées d'acides aminés se fixent à des récepteurs enchâssés dans la membrane plasmique. La fixation de ces hormones déclenche une voie de transduction du stimulus qui provoque des réponses précises dans le cytoplasme ou des modifications dans l'expression génique. La même hormone peut avoir différents effets sur les cellules cibles qui possèdent des récepteurs différents pour cette hormone, différentes voies de transduction du stimulus ou différentes protéines effectrices.
- **Les récepteurs intracellulaires des hormones liposolubles (p. 1029).** Les hormones stéroïdes, les hormones thyroïdiennes et la forme hormonale de la vitamine D pénètrent dans les cellules cibles et se fixent à des récepteurs protéiques spécifiques dans le cytoplasme ou dans le noyau. Les complexes hormone-récepteur agissent ensuite comme des facteurs de transcription dans le noyau en régulant la transcription de certains gènes.
- **La communication paracrine par les régulateurs locaux (p. 1030).** Divers types de médiateurs chimiques transmettent les réponses aux cellules cibles voisines. Les neurotransmetteurs, les cytokines et les facteurs de croissance (protéiques ou peptidiques), le monoxyde d'azote (gaz) et les prostaglandines (acides gras modifiés) sont des régulateurs locaux.

Concept 45.3

L'hypothalamus et l'hypophyse intègrent de nombreuses fonctions du système endocrinien chez les Vertébrés

- **Les relations entre l'hypothalamus et l'hypophyse (p. 1031-1033).** L'hypothalamus, une région du diencéphale, contient différents ensembles de neurones sécrétoires. Certaines de ces cellules produisent des hormones à action directe qui sont emmagasinées dans la neurohypophyse d'où elles sont libérées. D'autres cellules hypothalamiques produisent des stimulines qui sont sécrétées dans le sang et transmises à l'adénohypophyse, une glande endocrine vraie. Ces stimulines coordonnent la libération des hormones de l'adénohypophyse.
- **Les hormones neurohypophysaires (p. 1033).** Les deux hormones libérées par la neurohypophyse agissent directement sur les tissus non endocriniens. L'ocytocine déclenche la contraction des muscles utérins et provoque l'éjection du lait, et l'hormone antidiurétique (ADH) commande aux reins d'augmenter la rétention d'eau.
- **Les hormones adénohypophysaires (p. 1033-1035).** L'adénohypophyse élabore des stimulines et des hormones à action directe. Quatre hormones n'agissent qu'en tant que stimulines: la thyréotrophine (TSH), l'hormone folliculostimulante (FSH), l'hormone lutéinisante (LH) et la corticotrophine (ACTH). Chacune agit sur son tissu endocrinien cible pour déclencher la libération d'hormones qui ont un effet sur le métabolisme ou le développement. La prolactine, l'hormone mélanotrope (MSH) et la β-endorphine sont des hormones adénohypophysaires à action directe. La prolactine déclenche la lactation chez les Mammifères mais se distingue par la grande diversité d'effets qu'elle provoque chez les diverses espèces de Vertébrés. La MSH influence la pigmentation de la peau chez certains Vertébrés et le métabolisme des graisses chez les Mammifères. Les endorphines inhibent la perception de la douleur. L'hormone de croissance (GH) intervient directement dans la croissance et a divers effets sur le métabolisme; elle favorise également la production de facteurs de croissance par d'autres tissus (action en tant que stimuline).

Concept 45.4

Les hormones non hypophysaires concourent à réguler le métabolisme, l'homéostasie, le développement et le comportement

- **Les hormones thyroïdiennes (p. 1035-1036).** La glande thyroïde produit des hormones iodées (T_3 et T_4) qui augmentent la vitesse du métabolisme et agissent sur le développement et la maturation. La sécrétion de T_3 et de T_4 est régulée par l'hypothalamus et l'hypophyse dans une voie neuroendocrine complexe qui fait intervenir deux boucles de rétro-inhibition. La thyroïde sécrète également la calcitonine, qui contribue à l'équilibre de la calcémie.
- **La parathormone et la calcitonine: la régulation de la calcémie (p. 1036-1037).** Deux hormones antagonistes, la calcitonine et la parathormone (PTH), jouent un rôle essentiel dans l'homéostasie du calcium (Ca^{2+}) chez les Mammifères. La calcitonine, sécrétée par la thyroïde, augmente la déposition de calcium dans les os et son excrétion par les reins, ce qui abaisse la concentration de Ca^{2+} sanguin. La PTH, sécrétée par les glandes thyroïdes, exerce l'effet opposé sur les os et les reins, ce qui élève la concentration de Ca^{2+} sanguin. La PTH a également un effet indirect en favorisant la conversion par les reins de la vitamine D en sa forme active. La forme active de la vitamine D agit sur les intestins, où elle stimule l'absorption du Ca^{2+} contenu dans les aliments.
- **L'insuline et le glucagon: la régulation de la glycémie (p. 1037-1039).** Dans le pancréas, deux types de cellules endocrines sécrètent l'insuline et le glucagon, des hormones antagonistes qui contribuent au maintien de l'homéostasie du glucose. L'insuline (produite par les cellules bêta) réduit la glycémie en stimulant l'absorption du glucose par les cellules, la formation du glycogène dans le foie, la synthèse des protéines et l'entreposage des graisses. Le glucagon augmente la concentration du glucose sanguin en stimulant la transformation du glycogène en glucose dans le foie et en accélérant la décomposition des graisses et des protéines en glucose. Le diabète, caractérisé par une glycémie élevée, peut être causé par une production inadéquate d'insuline (type I) ou une perte de sensibilité des cellules cibles à l'insuline (type II).

▶ **Les hormones surrénales: la réponse au stress (p. 1039-1041).** Les neurones sécrétoires dans la médulla surrénale libèrent l'adrénaline et la noradrénaline en réponse à un stimulus engendré par un facteur de stress provenant du système nerveux. Ces hormones sont à l'origine de différentes réactions de fuite ou de lutte. Le cortex surrénal sécrète trois classes fonctionnelles d'hormones stéroïdes. Les glucocorticoïdes, comme le cortisol, agissent sur le métabolisme du glucose et le système immunitaire. Les minéralocorticoïdes, surtout l'aldostérone, agissent sur l'équilibre électrolytique et hydrique. Le cortex surrénal produit également de petites quantités d'hormones sexuelles.

▶ **Les hormones sexuelles gonadiques (p. 1041).** Les gonades (testicules et ovaires) produisent la majeure partie des hormones sexuelles de l'organisme: les androgènes, les œstrogènes et les progestines. Les mâles et les femelles produisent les trois types d'hormones, mais dans des proportions différentes.

▶ **La mélatonine et les biorythmes (p. 1041-1042).** Le corps pinéal, situé dans l'encéphale, sécrète la mélatonine. Les rythmes circadiens régulent la libération de la mélatonine. Il semble que la principale fonction de cette hormone soit liée aux rythmes biologiques associés à la reproduction.

Concept 45.5

Les mécanismes de régulation des Invertébrés font également intervenir les interactions entre le système endocrinien et le système nerveux

Chez les Invertébrés, les hormones régulent les divers aspects de l'homéostasie. Chez les Insectes, la mue et le développement sont régulés par trois hormones principales: l'hormone prothoracotrope, une neurohormone stimuline; l'ecdysone, dont la libération est déclenchée par l'hormone prothoracotrope; et l'hormone juvénile **(p. 1042-1043)**.

VÉRIFIEZ VOS CONNAISSANCES

Autoévaluation

(Les questions dont les numéros sont en caractères gras font surtout appel à la compréhension.)

1. Parmi les énoncés suivants se rapportant aux relations fonctionnelles entre le système endocrinien et le système nerveux, déterminez celui qui est *faux*.
   a) Des cellules nerveuses peuvent sécréter des hormones.
   b) Le système nerveux peut contrôler le fonctionnement d'un autre système en régulant la sécrétion d'hormones par des glandes endocrines.
   c) Une même substance peut agir comme hormone et comme neurotransmetteur.
   d) Les neurohormones sont des hormones qui agissent sur le fonctionnement du système nerveux.
   e) Certaines hormones agissent sur le développement du système nerveux.

2. Parmi les affirmations suivantes sur les hormones, laquelle *n'est pas* exacte?
   a) Les hormones sont des médiateurs chimiques qui atteignent leurs cellules cibles en passant par le système cardiovasculaire.
   b) Les hormones assurent souvent l'homéostasie par leurs fonctions antagonistes.
   c) Les hormones de la même classe chimique ont habituellement des fonctions similaires.
   d) Les hormones sont sécrétées par des cellules spécialisées habituellement situées dans des glandes endocrines.
   e) Les hormones sont souvent régulées par des mécanismes de rétroaction.

3. Laquelle parmi les caractéristiques suivantes *ne convient pas* aux hormones liposolubles?
   a) La rencontre entre l'hormone et le récepteur se fait le plus souvent dans le noyau de la cellule cible.
   b) L'étape de la transduction est absente.
   c) Le récepteur de l'hormone est situé à l'intérieur de la cellule.
   d) La réponse est généralement constituée d'une modification de l'expression d'un gène.
   e) La plupart du temps, le complexe récepteur-hormone agit comme un facteur de transcription.

4. Lequel des énoncés suivants décrit le mode d'action *spécifique* des hormones thyroïdiennes et des hormones stéroïdes?
   a) Ces hormones sont régulées par un mécanisme de rétroaction.
   b) Les cellules cibles réagissent plus rapidement à ces hormones qu'aux régulateurs locaux.
   c) Ces hormones se fixent à des récepteurs spécifiques situés sur la membrane plasmique des cellules cibles.
   d) Ces hormones se fixent à des récepteurs protéiques situés à l'intérieur des cellules.
   e) Ces hormones agissent sur le métabolisme.

5. Les facteurs de croissance sont des régulateurs locaux qui:
   a) sont produits par l'adénohypophyse.
   b) sont des acides gras modifiés qui provoquent la croissance des os et des cartilages.
   c) se trouvent à la surface des cellules cancéreuses et provoquent une division cellulaire anormale.
   d) sont des protéines qui se lient aux récepteurs de la membrane plasmique et provoquent la croissance et le développement des cellules cibles.
   e) acheminent les messages entre les neurones.

6. Parmi les hormones suivantes, laquelle *n'est pas* associée à son action?
   a) Ocytocine: déclenche les contractions utérines pendant l'accouchement.
   b) Thyroxine: régit les processus métaboliques.
   c) Insuline: provoque la dégradation du glycogène dans le foie.
   d) ACTH: provoque la libération des glucocorticoïdes par le cortex surrénal.
   e) Mélatonine: influe sur les cycles biologiques et la reproduction saisonnière.

7. Laquelle des propositions suivantes donne un exemple d'hormones antagonistes régulant l'homéostasie?
   a) La thyroxine et la parathormone dans l'équilibre calcique.
   b) L'insuline et le glucagon dans le métabolisme du glucose.
   c) Les progestines et les œstrogènes dans la différenciation sexuelle.
   d) L'adrénaline et la noradrénaline dans la réaction de lutte ou de fuite.
   e) L'ocytocine et la prolactine dans la production du lait.

8. Laquelle des situations suivantes *n'est pas* un exemple de relation structurale et fonctionnelle entre le système endocrinien et le système nerveux?
   a) La production d'hormones par les neurones sécrétoires.
   b) Les multiples fonctions de la noradrénaline.
   c) La stimulation de la médulla surrénale dans la réponse au stress, à court terme.
   d) Le développement embryonnaire de la neurohypophyse à partir de l'hypothalamus.
   e) La modification de l'expression génique par les hormones stéroïdes.

9. Une veine porte transporte le sang directement de l'hypothalamus:
   a) à la glande thyroïde.
   b) au corps pinéal.
   c) à l'adénohypophyse.
   d) à la neurohypophyse.
   e) au foie.

10. Laquelle des propositions suivantes peut le mieux expliquer une hypothyroïdie chez un patient dont la concentration d'iode dans le sang est normale?
   a) Une production disproportionnée de T_3 et de T_4.
   b) Une hyposécrétion de TSH.
   c) Une hypersécrétion de TSH.
   d) Une hypersécrétion de MSH.
   e) Une diminution de sécrétion de calcitonine par la glande thyroïde.

11. Après un repas riche en glucides:
    a) le foie absorbe le glucose et le transforme en glycogène grâce à l'insuline.
    b) les cellules alpha du pancréas se mettent à sécréter de l'insuline.
    c) il y a dégradation du glycogène et libération de glucose grâce au glucagon.
    d) la glycémie augmente jusqu'à atteindre la valeur de référence, mais ne la dépasse pas.
    e) les cellules de l'organisme absorbent davantage de glucose grâce au glucagon.
12. La sécrétion d'adrénaline par la médulla surrénale a certaines caractéristiques en commun avec la sécrétion des hormones de la neurohypophyse. Laquelle, parmi les suivantes, *n'est pas* une de ces caractéristiques communes?
    a) Les deux sécrétions sont libérées grâce à un signal nerveux.
    b) Dans les deux cas, c'est une voie neurohormonale simple.
    c) Ni la médulla surrénale, ni la neurohypophyse ne synthétisent d'hormones: elles ne font qu'emmagasiner des substances fabriquées ailleurs.
    d) L'adrénaline et les hormones de la neurohypophyse sont des neurohormones.
    e) Toutes ces hormones ont une action directe.
13. Les principaux organes cibles des stimulines, qu'elles soient hypothalamiques ou hypophysaires, sont:
    a) les muscles.
    b) les vaisseaux sanguins.
    c) les glandes endocrines.
    d) les reins.
    e) les nerfs.
14. La relation entre l'ecdysone et l'hormone prothoracotrope:
    a) est un exemple d'interaction entre le système endocrinien et le système nerveux.
    b) illustre le maintien de l'homéostasie par rétroactivation.
    c) montre que les hormones dérivées des acides aminés agissent de manière moins spécialisée que les stéroïdes.
    d) illustre le fait que l'homéostasie est maintenue par des hormones antagonistes.
    e) démontre une inhibition compétitive de diverses hormones qui se lient aux mêmes récepteurs.

Lien avec l'évolution

Les récepteurs protéiques intracellulaires utilisés par les hormones stéroïdes et les hormones thyroïdiennes se ressemblent par leur structure. Émettez une hypothèse expliquant comment les gènes de ces récepteurs peuvent avoir évolué. (*Indice*: voir la figure 19.19.)

Intégration

1. Dans votre réponse à la question de la rubrique «Lien avec l'évolution», vous avez avancé une hypothèse. Comment pourriez-vous la vérifier à l'aide de données de séquences d'ADN?
2. La rénine que nous avons présentée au chapitre 44 comme étant une enzyme est considérée par certains comme une hormone; par ailleurs, la vitamine D, dont nous avons parlé dans le présent chapitre et au chapitre 41, est souvent traitée comme une hormone. Comparez les caractéristiques de ces trois types de facteurs chimiques (enzyme, vitamine et hormone) et expliquez ce qui pourrait faire de la rénine à la fois une enzyme et une hormone, et de la vitamine D à la fois une vitamine et une hormone.

Science, technologie et société

Les traitements à l'hormone de croissance (GH) ont permis à des centaines d'enfants souffrant de nanisme hypophysaire d'atteindre une taille raisonnable. Certains parents dont les enfants sont extrêmement petits mais qui n'ont pas de troubles endocriniens exigent des traitements à la GH afin d'accélérer leur croissance et de leur faire atteindre une grande taille. Ce genre d'utilisation de l'hormone peut avoir des effets dangereux, comme la diminution des graisses et une augmentation de la masse musculaire. De plus, on ne sait pas encore si les injections de GH auront des effets indésirables à long terme chez les individus qui n'ont pas de trouble hypophysaire. Selon vous, sur quels principes directeurs devrait-on se fonder pour déterminer l'utilisation de l'hormone de croissance chez les enfants? Expliquez votre raisonnement.

Réponses du chapitre 45

Retour sur le concept 45.1

1. Les hormones dites *classiques* sont produites par les cellules endocrines tandis que les neurohormones sont produites par des neurones spécialisés appelés *neurones sécrétoires*. Les hormones et les neurohormones sont toutes les deux sécrétées dans le sang et agissent sur des tissus cibles.
2. Voir la figure 45.2a et b.
3. Dans la rétro-inhibition, la réponse de l'effecteur réduit le stimulus initial et, par la suite, la réaction cesse, la variable contrôlée ayant alors été ramenée à la valeur de référence. Dans la rétroactivation, par contre, la réponse de l'effecteur provoque une augmentation du stimulus, ce qui se traduit par une réponse encore plus intense.

Retour sur le concept 45.2

1. Les hormones hydrosolubles, qui ne peuvent pas pénétrer la membrane plasmique, se fixent à des récepteurs de surface. Cette interaction déclenche une suite d'événements à l'intérieur de la cellule: une transduction du stimulus qui, au bout du compte, modifie l'activité d'une protéine cytoplasmique préexistante ou change la transcription de gènes spécifiques dans le noyau. Les hormones stéroïdes sont liposolubles et peuvent traverser la membrane plasmique et pénétrer dans la cellule où elles se fixent à des récepteurs situés dans le cytoplasme ou le noyau. Dans les deux cas, le complexe hormone-récepteur agit directement comme facteur de transcription qui se fixe à l'ADN de la cellule cible et active ou inhibe la transcription de gènes spécifiques.
2. Une hormone donnée peut provoquer différentes réponses dans les cellules cibles qui ont des récepteurs de l'hormone différents, des voies de transduction différentes ou des protéines différentes pour transmettre la réponse.
3. Une fois sécrétés, les régulateurs locaux peuvent diffuser rapidement vers leurs cellules cibles voisines. Les hormones, elles, circulent dans le sang à partir de leur site de synthèse vers les tissus cibles, processus plus lent.

Retour sur le concept 45.3

1. La neurohypophyse, un prolongement de l'hypothalamus qui contient les axones des neurones sécrétoires, est le site où sont emmagasinées et libérées deux neurohormones: l'ocytocine et l'hormone antidiurétique (ADH). L'adénohypophyse, dérivée de tissus embryonnaires constituant le plafond de la cavité buccale, est composée de cellules endocrines qui synthétisent au moins six hormones différentes. La sécrétion des hormones adénohypophysaires est régulée par les hormones hypothalamiques qui circulent vers l'adénohypophyse par l'intermédiaire de veines portes.

2. Les stimulines assurent la régulation de la synthèse ou de la sécrétion des hormones produites par d'autres tissus endocriniens. Les hormones de libération et d'inhibition produites par l'hypothalamus assurent la régulation de la sécrétion hormonale par l'adénohypophyse. L'adénohypophyse produit plusieurs stimulines qui assurent la régulation de la fonction hormonale de la glande thyroïde, du cortex surrénal et des gonades.
3. (a) La prolactine participe à une voie neuroendocrine simple.
   (b) L'ACTH participe à une voie neuroendocrine complexe.
   (c) L'ocytocine participe à une voie neurohormonale.

Retour sur le concept 45.4

1. Par une rétro-inhibition, dans laquelle elle inhibe la sécrétion par l'hypothalamus et l'adénohypophyse (voir la figure 45.9).
2. Les cellules sécrétrices d'hormones voient elles-mêmes à la concentration de Ca^{2+} sanguin. Une augmentation de la calcémie au-dessus des valeurs de référence provoque la libération de calcitonine par la glande thyroïde. En favorisant le dépôt de Ca^{2+} dans les os et l'excrétion de Ca^{2+} par les reins, la calcitonine abaisse la concentration sanguine de Ca^{2+}. La PTH, sécrétée par les glandes parathyroïdes en réponse à une concentration faible de Ca^{2+}, produit les effets opposés sur les os et les reins, ce qui élève la concentration sanguine de Ca^{2+}. La réponse à une hormone déclenche la libération de l'hormone antagoniste, un mécanisme de rétroaction qui réduit les écarts extrêmes de la calcémie par rapport aux valeurs de référence.
3. Chez un diabétique, l'augmentation initiale de la glycémie est plus grande que chez un non-diabétique; elle reste élevée pour une longue période. Chez un non-diabétique, l'insuline libérée en réponse à l'augmentation initiale de la glycémie ordonne aux cellules de l'organisme d'absorber le glucose. Chez un diabétique, cependant, une production inadéquate d'insuline ou une diminution de sensibilité des cellules cibles à l'insuline diminue la capacité de l'organisme à éliminer l'excès de glucose du sang.
4. Les concentrations de ces hormones dans le sang deviendraient très élevées en raison de l'absence de rétro-inhibition de la sécrétion d'ACTH par l'hypothalamus.

Retour sur le concept 45.5

1. Au cours du stade larvaire, les neurones sécrétoires produisent une stimuline (l'hormone prothoracotrope) qui déclenche la production d'ecdysone, l'hormone responsable de la mue, par des cellules endocrines dans les glandes prothoraciques.
2. L'hormone juvénile favorise la rétention des caractéristiques larvaires. Dans les insecticides, elle empêche les larves de devenir des adultes capables de se reproduire.

Autoévaluation

1. d; **2.** c; 3. b; **4.** d; 5. d; 6. c; **7.** b; **8.** e; 9. c; **10.** b; 11. a; **12.** c; 13. c; 14. a.

La reproduction chez les Animaux

▲ **Figure 46.1 Lombrics en train de s'accoupler.**

Concepts clés

Introduction

Fécond avec ou sans fécondation

Les deux lombrics de la **figure 46.1** sont en train de s'accoupler. À moins d'être dérangés, ils resteront là, à la surface du sol, s'unissant ainsi durant plusieurs heures. Chaque lombric produit à la fois des spermatozoïdes et des ovules. Ainsi, il reçoit et donne des spermatozoïdes pendant l'accouplement et produit ensuite des œufs fécondés. Dans quelques semaines, les œufs donneront naissance à de nouveaux individus, et ce sera l'aboutissement de cette reproduction sexuée.

D'une manière générale, on peut considérer les nombreux aspects morphologiques et fonctionnels que nous avons étudiés jusqu'ici chez les Animaux comme autant d'adaptations contribuant au succès de la reproduction. Les individus sont des êtres vivants éphémères. L'existence d'une population ne peut dépasser la durée de vie limitée des individus que grâce à la reproduction, c'est-à-dire à la production de nouveaux organismes à partir de ceux qui existent déjà. Dans le présent chapitre, nous allons étudier la reproduction animale. Tout d'abord, nous allons comparer les divers modes et mécanismes de reproduction qui sont apparus au cours de l'évolution du règne animal. Ensuite, nous allons voir plus en détail la reproduction des Mammifères, en particulier celle de l'humain. Au prochain chapitre, nous verrons en profondeur les mécanismes cellulaires et moléculaires du développement embryonnaire; pour le moment, nous concentrerons notre étude sur la physiologie de la reproduction, surtout en ce qui a trait aux parents.

Concept 46.1

Il existe deux modes de reproduction animale: sexuée et asexuée

Il existe deux principaux modes de reproduction chez les Animaux. On parle de **reproduction asexuée** lorsque les gènes des descendants proviennent d'un seul individu et qu'il n'y a pas de fusion entre un gamète femelle et un gamète mâle. La reproduction asexuée repose entièrement sur la mitose dans la plupart des cas. On dit qu'il y a **reproduction sexuée** lorsque les descendants proviennent de la fusion de **gamètes** haploïdes donnant un **zygote** (œuf fécondé) diploïde. Les gamètes se forment par méiose d'une cellule animale (voir la figure 13.8). Le gamète femelle, l'**œuf** non fécondé (aussi appelé **ovule**), est une cellule relativement grosse et immobile*. Le gamète mâle, le **spermatozoïde**, est généralement une cellule flagellée beaucoup plus petite. En engendrant des combinaisons uniques de gènes issus de deux parents, la reproduction sexuée augmente la diversité génétique parmi les descendants. En produisant une progéniture aux phénotypes variés, la reproduction sexuée augmente les chances de survie d'une espèce face aux changements physicochimiques de l'environnement (y compris aux agents pathogènes) en constante mutation (voir le chapitre 23, p. 508-509).

* Pour simplifier, nous employons pour le moment le terme plus familier d'*ovule*, mais c'est en réalité un ovocyte de deuxième ordre, comme nous allons le voir un peu plus loin.

Les mécanismes de la reproduction asexuée

De nombreux Invertébrés (les Annélides, notamment) se reproduisent par **scissiparité**, mécanisme de reproduction asexuée dans lequel le parent se scinde pour donner deux ou plusieurs individus de taille à peu près égale **(figure 46.2)**. Le **bourgeonnement** est aussi un mécanisme de reproduction asexuée courant chez les Invertébrés. Dans ce cas, de nouveaux individus se forment à partir d'excroissances à la face externe du parent. Ainsi, chez certains Cnidaires et Urocordés, le nouvel individu se forme à partir de la surface corporelle du parent (voir la figure 13.2). Il s'en détache ensuite ou bien y reste associé, ce qui finira par former une importante colonie. Les coraux vrais, dont le diamètre peut dépasser un mètre, sont des colonies de plusieurs milliers de Cnidaires reliés. Certains Invertébrés, notamment les Éponges, disposent d'un autre mécanisme de reproduction asexuée: ils libèrent des groupes de cellules variées qui donnent naissance à de nouveaux individus.

Un autre mécanisme de reproduction asexuée commence par la **fragmentation**. Le corps se dissocie en plusieurs morceaux, dont certains ou la totalité deviendront des adultes. Pour que ce type de reproduction fonctionne, une **régénération**, c'est-à-dire la reconstitution des parties perdues, doit suivre la fragmentation. La reproduction par fragmentation et régénération est possible chez de nombreuses espèces d'Éponges, de Cnidaires, de Polychètes et d'Urocordés. La régénération seule permet à de nombreux Animaux de remplacer un membre perdu (par exemple, la plupart des étoiles de mer peuvent reconstituer un nouveau bras quand elles en perdent un). Mais il ne s'agit pas alors de reproduction, parce qu'il n'y a pas formation complète d'un nouvel individu. Cependant, chez les étoiles de mer du genre *Linckia*, un individu complet peut se former à partir d'un bras isolé. Par conséquent, un seul Animal possédant cinq bras peut donner naissance à cinq individus de manière asexuée, s'il est divisé en morceaux comportant chacun une portion du disque central (voir la figure 33.39).

La reproduction asexuée présente de nombreux avantages. Ainsi, elle permet aux Animaux vivant isolément d'engendrer une progéniture sans avoir à chercher un partenaire et sans dépenser d'énergie à produire des gamètes. Elle permet également de produire un grand nombre de descendants en peu de temps, ce qui en fait un mode de reproduction idéal lorsqu'il faut coloniser rapidement un habitat. Théoriquement, c'est le mode de reproduction le plus avantageux dans des milieux stables et propices, parce qu'il perpétue précisément les génotypes qui connaissent le succès.

▲ **Figure 46.2 Reproduction asexuée d'une anémone de mer (*Anthopleura elegantissima*).** L'individu qu'on voit au centre de cette photographie subit une scissiparité, mécanisme de reproduction asexuée. En se divisant en deux parties approximativement égales, le parent se transforme en deux petits individus. Ses descendants lui sont génétiquement identiques.

Les cycles et les types de reproduction

Chez la plupart des Animaux, l'activité de reproduction suit un cycle qui est souvent associé à des changements saisonniers. Comme la reproduction est périodique, les Animaux peuvent économiser leurs ressources et s'y consacrer lorsqu'ils disposent de l'énergie nécessaire, après avoir satisfait leurs besoins vitaux et lorsque les conditions du milieu favorisent la survie des jeunes. Ainsi, les brebis ont un cycle reproducteur qui dure de 15 à 19 jours au milieu duquel elles ovulent. Les cycles ne surviennent toutefois qu'à l'automne et au début de l'hiver, de sorte que la plupart des agneaux naissent à la fin de l'hiver ou au printemps. De même, les Animaux qui vivent dans des habitats relativement stables, sous les tropiques ou dans l'océan, par exemple, ne se reproduisent en général qu'à certains moments de l'année. Les cycles reproducteurs sont déterminés par un ensemble de facteurs hormonaux et environnementaux, notamment la température, les précipitations, la photopériode et les cycles lunaires.

Les Animaux peuvent se reproduire exclusivement par voie asexuée ou par voie sexuée, ou bien passer d'un mode de reproduction à l'autre. Chez les pucerons, les Rotifères et les daphnies (Crustacés microscopiques d'eau douce aussi appelés puces d'eau), la femelle peut fabriquer deux sortes d'œufs selon les conditions du milieu. La première catégorie d'œufs est fécondée, tandis que la seconde se forme par **parthénogenèse** (de *parthenos*, qui signifie «vierge»), c'est-à-dire qu'un œuf se développe directement, sans qu'il y ait fécondation. Les organismes adultes haploïdes qui naissent par parthénogenèse fabriquent leurs œufs sans méiose. Dans le cas des daphnies, le passage de la reproduction sexuée à la reproduction asexuée s'effectue souvent en fonction de la saison, et de facteurs liés à la densité de la population. La reproduction est asexuée dans des conditions favorables; elle devient sexuée dans des conditions environnementales difficiles.

La parthénogenèse joue un rôle important dans l'organisation sociale de certaines espèces d'abeilles, de guêpes et de fourmis. Chez les abeilles, les mâles, appelés *faux bourdons*, naissent par parthénogenèse, tandis que les femelles, c'est-à-dire les ouvrières stériles et les femelles reproductrices (reines), proviennent d'œufs fécondés.

Parmi les Vertébrés, plusieurs genres de Poissons, d'Amphibiens et de lézards se reproduisent exclusivement selon un type complexe de parthénogenèse. Au cours de celle-ci, les cellules destinées à subir la méiose deviennent au préalable tétraploïdes ($4n$) par absence de cytocinèse; la méiose produit donc des ovocytes diploïdes ($2n$) qui deviendront des «zygotes» également diploïdes en l'absence de fécondation. Ainsi, environ 15 espèces de lézards queue-en-fouet (genre *Cnemidophorus*) se reproduisent uniquement par parthénogenèse. Il n'y a pas de mâles chez ces espèces. Mais les individus imitent les comportements de parade nuptiale et d'accouplement qu'on observe chez les espèces sexuées du même genre. Pendant la saison de reproduction, l'une des femelles du couple joue le rôle du mâle **(figure 46.3a)**. Les femelles changent ainsi de rôle deux ou trois fois dans la saison. Chaque individu adopte le comportement femelle avant l'ovulation (libération des œufs), lorsque la quantité d'œstrogènes (hormones sexuelles) augmente. Puis, il adopte le comportement mâle après l'ovulation, lorsque la concentration d'œstrogènes diminue **(figure 46.3b)**. Les chances qu'il y ait une ovulation sont accrues si l'individu est monté par un pseudomâle pendant la période critique du cycle hormonal. Les lézards qui vivent isolément pondent moins d'œufs que ceux qui s'accouplent, même si dans les deux cas il n'y a pas de fécondation. Il semble que les lézards parthénogénétiques, qui descendent d'espèces comprenant deux sexes chez des individus distincts, aient encore besoin d'une certaine stimulation sexuelle pour que la reproduction ait le plus de succès possible.

(a) Sur cette photographie, les deux lézards sont des femelles de *C. uniparens*. La femelle du dessus joue le rôle du mâle. Pendant la saison de reproduction, les individus changent de rôle toutes les deux ou trois semaines.

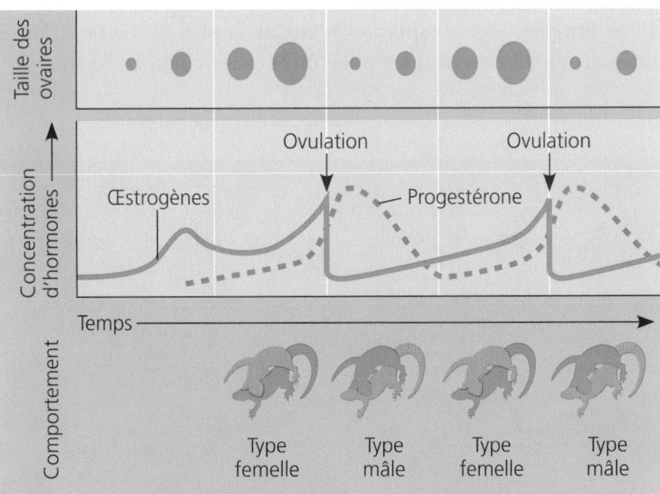

(b) Il y a une corrélation entre le comportement sexuel de *C. uniparens* et son cycle de sécrétion hormonale et d'ovulation. Lorsque la concentration sanguine d'œstrogènes augmente, les ovaires augmentent de volume et l'Animal se comporte comme une femelle. Après l'ovulation, la concentration d'œstrogènes diminue brusquement et celle de la progestérone augmente. L'Animal se comporte alors comme un mâle.

▲ **Figure 46.3 Comportement sexuel chez les lézards parthénogénétiques.** Le queue-en-fouet du désert semi-aride (*Cnemidophorus uniparens*) est une espèce composée uniquement de femelles. Ces dernières se reproduisent par parthénogenèse, c'est-à-dire la formation d'un œuf non fécondé. Cependant, l'ovulation est favorisée par le comportement d'accouplement.

La reproduction sexuée pose un problème particulier aux Animaux sessiles ou fouisseurs, ainsi qu'aux parasites comme les ténias. En effet, ces Animaux peuvent rarement rencontrer un représentant de l'autre sexe. L'**hermaphrodisme** leur offre une solution. Chaque individu possède un appareil génital mâle et un appareil génital femelle (*hermaphrodite* est la contraction de « Hermès » et « Aphrodite », qui désignent respectivement le dieu grec messager des Olympiens et la déesse grecque de l'amour et de la fécondité) ; certaines espèces possèdent même des gonades produisant les deux types de gamètes (mâles et femelles). Parmi les Animaux possédant un minimum de mobilité, un seul cas d'hermaphrodisme présentant de l'autofécondation est connu (un petit Poisson Cyprinodontidé, *Rivulus marmoratus*) ; dans tous les autres cas, les hermaphrodites doivent s'accoupler avec un autre individu de l'espèce. Chaque Animal joue alors à la fois le rôle du mâle et celui de la femelle, c'est-à-dire qu'il donne du sperme et en reçoit, comme cela se passe chez les lombrics (*Lumbricus sp.*). Tous les individus rencontrés sont des partenaires potentiels. Ce type d'union permet de produire deux fois plus de descendants que la fécondation des ovules d'un seul individu.

L'**hermaphrodisme séquentiel** ou successif est un autre type de reproduction remarquable. Il se caractérise par le changement de sexe d'un individu au cours de sa vie. Chez certaines espèces, les individus sont d'abord femelles (le mérou brun, *Epinephelus marginatus*, par exemple) ; chez d'autres, ils sont d'abord mâles (comme la crevette nordique, *Pandalus borealis*). Chez diverses espèces de Poissons des récifs appelés *labres*, le changement de sexe est lié à l'âge et à la taille. Ainsi, la girelle à tête bleue (*Thalassoma bifasciatus*), labre qui vit dans les Caraïbes, est d'abord une femelle ; seuls les individus les plus gros (habituellement les plus vieux) passent de l'état de femelle à celui de mâle **(figure 46.4)**. Chaque mâle vit alors avec un harem de femelles. S'il meurt ou si on le retire du milieu expérimental, la plus grosse femelle du harem devient le nouveau mâle. En moins d'une semaine, l'individu ainsi transformé produit des spermatozoïdes au lieu d'œufs. Comme le mâle défend le harem contre les intrus, une grande taille présente peut-être un avantage plus important,

▲ **Figure 46.4 Changement de sexe dans un cas d'hermaphrodisme séquentiel.** Un mâle de girelle à tête-bleue (*Thalassoma bifasciatus*), espèce de labre des Caraïbes, en compagnie de femelles plus petites. Tous les Poissons de cette espèce naissent femelles. Mais les individus les plus âgés et les plus gros finissent leur vie comme mâles.

du point de vue de la reproduction, pour les mâles que pour les femelles. Par contre, il existe des Animaux d'abord mâles qui passent à l'état femelle lorsque leur taille augmente. Dans de tels cas, une grande taille augmente davantage le succès reproductif des femelles que celui des mâles. Par exemple, la production d'un nombre très élevé de gamètes représente un atout majeur pour les Animaux sédentaires (comme les huîtres) qui les libèrent dans le milieu aquatique environnant. Bien entendu, les grosses femelles fournissent plus d'œufs que les petites. Ainsi, les espèces d'huîtres dont les individus sont des hermaphrodites séquentiels sont généralement d'abord des mâles.

Les divers cycles reproducteurs et types de reproduction que nous observons dans le règne animal sont des adaptations apparues grâce à la sélection naturelle. Au cours de notre étude des différents mécanismes de reproduction sexuée, nous allons en voir un grand nombre d'exemples.

Retour sur le concept 46.1

1. Quelle est la différence la plus importante entre la progéniture issue de la reproduction asexuée et la progéniture issue de la reproduction sexuée?
2. Comment le terme *hermaphrodisme séquentiel* peut-il induire en erreur?

Voir les réponses proposées à la fin du chapitre.

Concept 46.2

La fécondation dépend de mécanismes qui permettent la rencontre d'un spermatozoïde et d'un ovule appartenant à la même espèce

La **fécondation**, c'est-à-dire l'union du spermatozoïde et de l'ovule, joue un rôle important dans la reproduction sexuée. Chez certaines espèces, la **fécondation** est **externe**: les œufs sont libérés par la femelle et fécondés par le mâle dans un milieu humide **(figure 46.5)**. Chez d'autres, la **fécondation** est **interne**: le mâle dépose les spermatozoïdes à l'intérieur ou à l'entrée du système reproducteur de la femelle, de sorte que la fécondation se fait dans l'organisme de cette dernière. (Nous aborderons en détail les mécanismes cellulaires et moléculaires de la fécondation au chapitre 47.)

La fécondation externe nécessite presque toujours un habitat humide, à la fois pour empêcher les gamètes, dont la production est généralement excessivement abondante, de se dessécher et pour permettre au spermatozoïde de circuler librement jusqu'à l'ovule. De nombreux Invertébrés aquatiques libèrent tout simplement leurs œufs et leurs spermatozoïdes dans le milieu externe. La fécondation s'effectue alors sans qu'il y ait contact physique entre les parents. Cependant, un certain synchronisme est nécessaire pour que les spermatozoïdes matures rencontrent des ovules mûrs.

Pour les espèces à fécondation externe, des facteurs environnementaux tels que la température ou la photopériode peuvent aussi déclencher la libération simultanée des gamètes par tous les individus d'une population. Ou bien, un individu libérant ses gamètes peut sécréter des substances chimiques qui déclenchent le même comportement chez d'autres individus de la même espèce. Enfin, des individus peuvent avoir un comportement sexuel qui permet à un mâle de féconder les œufs d'une femelle. Un tel comportement de «parade nuptiale» présente deux avantages: il permet le choix du partenaire de façon sélective et constitue un élément déclencheur provoquant la libération des gamètes, ce qui augmente les chances de succès de la fécondation.

Bien que chez certains Animaux, comme les Cétacés, organismes aquatiques, la fécondation soit interne, cette dernière est essentiellement une adaptation à la vie terrestre qui permet à un spermatozoïde d'atteindre un ovule lorsque le milieu est sec. Elle nécessite la collaboration des individus, pour l'accouplement. Dans certains cas, la sélection naturelle élimine de façon très directe tout comportement sexuel marginal. Par exemple, chez les araignées, la femelle peut dévorer le mâle s'il n'émet pas certains stimulus sexuels avant l'accouplement. La fécondation interne nécessite également des systèmes reproducteurs assez complexes. En effet, il faut non seulement des organes pour l'accouplement, pour transmettre les spermatozoïdes, mais aussi des réceptacles pour entreposer ces spermatozoïdes et les conduire jusqu'aux ovules.

De quelque façon que la fécondation se produise, les Animaux qui s'accouplent peuvent utiliser les **phéromones**, des médiateurs chimiques qui, libérés par un individu, influent sur la physiologie ou le comportement d'autres individus de la même espèce. Ces petites molécules volatiles ou hydrosolubles se dispersent facilement dans le milieu et, à l'instar des hormones, sont actives en infime quantité. De nombreuses phéromones sont des substances exerçant une attraction sexuelle. Un Insecte mâle, comme le bombyx du mûrier (*Bombyx mori*), peut détecter les phéromones d'une femelle de son espèce se trouvant à plus de 10 km. (Nous aborderons de nouveau les phéromones au chapitre 51.)

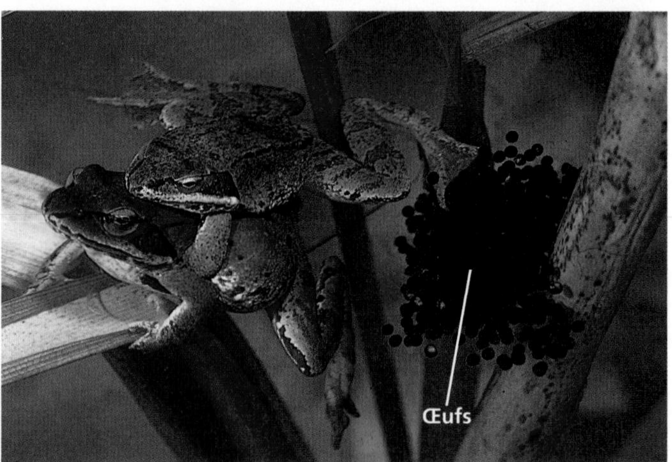

▲ **Figure 46.5 Fécondation externe.** De nombreux Amphibiens déposent leurs gamètes dans leur environnement. La fécondation se fait alors à l'extérieur de l'organisme de la femelle. Chez la plupart des espèces, des adaptations comportementales font en sorte qu'un mâle soit présent quand la femelle pond. Dans l'exemple de fécondation externe qu'illustre cette photographie, une grenouille femelle étreinte par un mâle (sur le dessus) vient juste de pondre dans l'eau. Au même moment, le mâle a arrosé les œufs de son sperme (non illustré).

La protection de l'embryon

Toutes les espèces doivent produire beaucoup de descendants pour que certains d'entre eux survivent assez longtemps et se reproduisent à leur tour. La fécondation externe produit habituellement un très grand nombre de zygotes. Mais la proportion de ceux qui survivent et poursuivent leur développement s'avère souvent très faible. La fécondation interne, quant à elle, fournit généralement un nombre moins élevé de zygotes. Toutefois, les embryons bénéficient d'une plus grande protection, et les jeunes, de soins parentaux. Parmi les principaux mécanismes de protection figurent la production de coquilles d'œufs résistantes, le développement de l'embryon dans le système reproducteur de la mère et la protection des œufs et des jeunes par les parents.

Les embryons de nombreuses espèces d'Animaux terrestres se forment dans des œufs capables de résister à un milieu hostile. Les Oiseaux, les Reptiles et les Monotrèmes pondent des œufs amniotiques dont la coquille, constituée de calcium et de protéines, empêche les pertes d'eau et les dommages physiques. (En comparaison, les œufs des Poissons et des Amphibiens ne sont dotés que d'un revêtement gélatineux.)

Au lieu de se développer dans une coquille protectrice, l'embryon de nombreux Animaux se développe dans le système reproducteur de la femelle. Les Mammifères marsupiaux comme les kangourous et les opossums n'abritent l'embryon dans leur utérus que durant un court laps de temps. L'embryon rampe ensuite seul jusqu'à l'extérieur, pour terminer son développement fœtal accroché à une glande mammaire, dans la poche ventrale (marsupium) de la mère. Les embryons des Mammifères placentaires, quant à eux (les humains, notamment), se développent entièrement à l'intérieur de l'utérus. Les nutriments qui leur sont nécessaires leur viennent de la circulation sanguine maternelle par l'intermédiaire d'un organe particulier appelé *placenta* (ce sujet est abordé au chapitre 34 et plus loin dans le présent chapitre).

Un petit kangourou sortant du marsupium de sa mère pour la première fois ou un bébé humain venant au monde ne sont pas encore en mesure de vivre de façon indépendante. On sait bien que les Oiseaux nourrissent leurs oisillons et que les Mammifères donnent la tétée. Mais les Animaux qui prennent soin de leurs petits sont beaucoup plus nombreux qu'on le pense. Cela se présente souvent sous une forme inattendue. Ainsi, chez une espèce de grenouille d'Amérique du Sud, le rhinoderme de Darwin (*Rhinoderma darwinii*), le mâle transporte les têtards dans son sac vocal hypertrophié jusqu'à ce qu'ils se métamorphosent et sortent d'eux-mêmes sous leur forme définitive. On connaît également de nombreux cas de soins prodigués par les parents chez les Invertébrés **(figure 46.6)**.

▲ **Figure 46.6 Soins parentaux chez un Invertébré.** Par rapport à beaucoup d'autres Insectes, la femelle de la punaise d'eau géante (*Belostoma sp.*) produit relativement peu de descendants. Mais elle protège les jeunes, qui ont ainsi de meilleures chances de survivre. La fécondation est interne, mais la femelle colle les œufs fécondés sur le dos du mâle (sur la photo). Tandis que les mâles de la plupart des Insectes ne s'occupent pas de leur progéniture, le mâle de la punaise d'eau géante les porte sur son dos durant des jours. Il fait circuler de l'eau sur les œufs, afin de conserver leur humidité, de les oxygéner et de les protéger contre les parasites.

La production et la rencontre des gamètes

La reproduction sexuée nécessite la présence de systèmes qui sont capables d'effectuer la gamétogenèse et qui facilitent la rencontre des gamètes des deux sexes. Ces systèmes reproducteurs présentent une grande diversité. Les plus simples ne comportent même pas de **gonades**, organes qui fabriquent les gamètes chez la plupart des Animaux. Parmi les systèmes reproducteurs les plus simples, on trouve celui des Polychètes (embranchement des Annélides). Bien qu'ils aient des sexes séparés, la plupart des Polychètes ne possèdent pas de gonades à proprement parler. Les ovules et les spermatozoïdes proviennent de cellules indifférenciées qui tapissent le cœlome. Au fur et à mesure que les gamètes arrivent à maturité, ils se détachent de la paroi corporelle et remplissent le cœlome. Selon l'espèce, les ouvertures du système urinaire libèrent les gamètes parvenus à maturité, ou bien le gonflement de la masse d'œufs fait éclater l'individu, ce qui provoque sa mort et l'éparpillement des œufs dans le milieu externe (un tel phénomène se produit également chez certains Insectes).

Les systèmes les plus complexes comportent plusieurs ensembles de conduits et de glandes annexes qui transportent, nourrissent et protègent les gamètes de même que les embryons en cours de développement. De nombreux Animaux dont le plan d'organisation corporelle est relativement simple possèdent un système reproducteur très complexe. Ainsi, celui des Plathelminthes parasites est l'un des plus complexes dans le règne animal **(figure 46.7)**. Ces vers sont hermaphrodites.

La plupart des Insectes ont des sexes séparés et des systèmes reproducteurs complexes **(figure 46.8)**. Chez le mâle, les spermatozoïdes sont produits par deux testicules et cheminent dans un conduit sinueux vers les vésicules séminales, où ils sont entreposés. Pendant l'accouplement, ils sont éjaculés dans le système reproducteur de la femelle. Les ovules de la femelle passent des ovaires (au nombre de deux) aux oviductes, puis se déposent dans le vagin, où s'effectue la fécondation. Chez de nombreuses

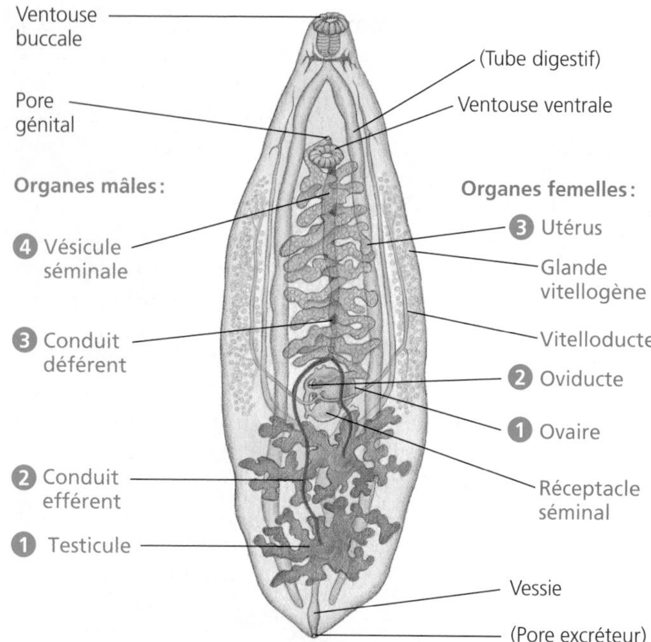

▲ **Figure 46.7 Anatomie du système reproducteur d'un Ver plat parasite, la grande douve du foie (*Fasciola hepatica*).** La plupart des Vers plats (embranchement des Plathelminthes) sont hermaphrodites. Les systèmes reproducteurs mâle et femelle s'ouvrent sur l'extérieur par le pore génital. Les spermatozoïdes, produits dans les testicules, se déplacent en suivant l'ordre des numéros encerclés vers la vésicule séminale où ils sont entreposés. Pendant l'accouplement, ils sont éjectés dans le système reproducteur femelle (d'un autre Ver plat habituellement), puis se déplacent dans l'utérus vers le réceptacle séminal. Les ovules passent de l'ovaire à l'oviducte, où ils sont fécondés par les spermatozoïdes présents dans le réceptacle séminal. Une substance vitelline et une matière résistante sécrétées par les glandes vitellogènes recouvrent ensuite les œufs. De l'oviducte, les œufs fécondés et entourés d'une couche protectrice passent dans l'utérus et sortent de l'organisme.

espèces, le système reproducteur de la femelle comporte également une **spermathèque**, sac qui permet d'entreposer les spermatozoïdes durant plusieurs semaines (drosophiles) ou même plusieurs années (abeilles).

Les systèmes reproducteurs des Vertébrés présentent des structures générales assez semblables, mais aussi quelques variantes importantes. Ainsi, chez de nombreux Vertébrés autres que les Mammifères, les systèmes digestif, urinaire et reproducteur ont tous la même ouverture, à l'extrémité postérieure du corps : le **cloaque**. Il en était probablement de même chez les ancêtres des Vertébrés. Par contre, chez la plupart des Mammifères, le système digestif possède sa propre ouverture, à l'extrémité postérieure du corps. De plus, la plupart des femelles ont des ouvertures distinctes pour les systèmes urinaire et reproducteur. Chez la majorité des Vertébrés, l'utérus comporte deux branches pour le développement des embryons. Pour ce qui est des humains et des autres Mammifères dont l'utérus n'abrite qu'un petit nombre d'embryons à la fois, mais aussi des Oiseaux et de nombreux serpents, l'utérus ne comporte qu'une cavité pour le développement embryonnaire. Les différences entre les systèmes reproducteurs mâles ont surtout trait aux organes de copulation. De nombreux Vertébrés autres que les Mammifères n'ont pas de pénis bien développé et peuvent éjaculer par simple éversion du cloaque.

Retour sur le concept 46.2

1. De quelle façon la fécondation interne facilite-t-elle la vie terrestre ?
2. Par quelles « stratégies » les Animaux (a) à fécondation externe et (b) à fécondation interne assurent-ils la survie de leur descendance jusqu'à l'âge adulte ?

Voir les réponses proposées à la fin du chapitre.

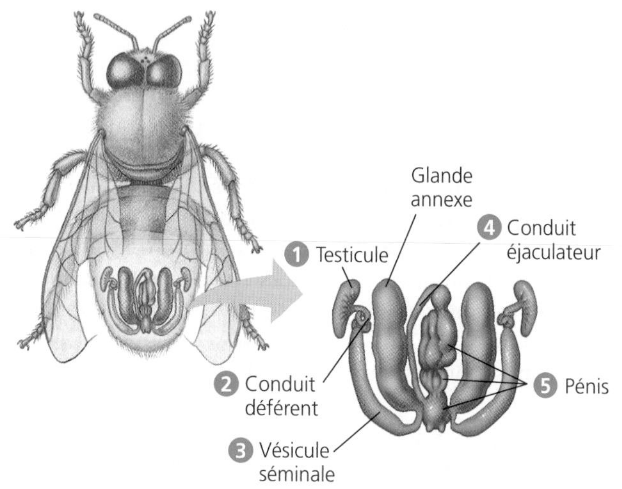

(a) Abeille mâle. Les spermatozoïdes se forment dans les testicules, circulent dans un conduit déférent et sont entreposés dans une vésicule séminale. Au cours de l'éjaculation, le mâle libère des spermatozoïdes et du liquide provenant des glandes annexes. (Certaines espèces d'Insectes et d'autres Arthropodes possèdent des appendices appelés *gonopodes* qui servent à retenir la femelle pendant l'accouplement.)

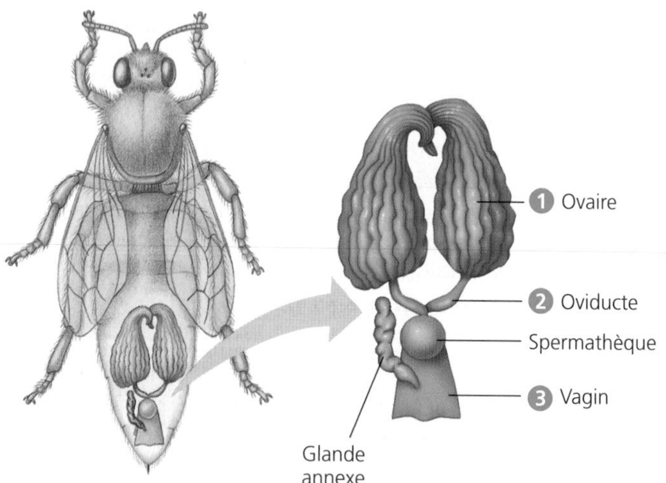

(b) Abeille femelle. Les ovules se forment dans les ovaires, passent dans les oviductes et se déposent dans le vagin. Une paire de glandes annexes (dont une seule est illustrée) sécrètent une substance protectrice pour les ovules présents dans le vagin. Après l'accouplement, les spermatozoïdes sont entreposés dans la spermathèque, sac relié au vagin par un court conduit.

▲ **Figure 46.8 Anatomie du système reproducteur des Insectes.** Les numéros encerclés indiquent l'ordre dans lequel se déplacent les spermatozoïdes et les ovules.

Concept 46.3

Les organes reproducteurs produisent et transportent les gamètes : le système reproducteur humain

L'anatomie du système reproducteur de la femme

Chez la femme, les structures externes du système reproducteur sont le clitoris et deux paires de lèvres situées de part et d'autre du clitoris et de l'ouverture du vagin. Les organes génitaux internes sont deux gonades et un ensemble de conduits et de cavités qui permettent le passage des gamètes, et abritent l'embryon et le fœtus **(figure 46.9)**.

Les ovaires

Les gonades femelles, appelées **ovaires**, se situent dans la cavité pelvienne, de part et d'autre de l'utérus, auquel elles sont rattachées par un mésentère. Chaque ovaire est enveloppé d'une capsule protectrice résistante et renferme un grand nombre de follicules. Chaque **follicule** est constitué d'un œuf immature en développement, l'ovocyte, entouré d'une ou de plusieurs couches de cellules folliculaires qui le nourrissent et le protègent. Il semble que les 400 000 follicules qu'une femme porte sa vie durant sont déjà tous formés, ou presque, à la naissance (voir le dernier paragraphe à la figure 46.11). Quelques centaines seulement sont libérés durant les années où une femme est en âge de procréer. De la puberté à la ménopause, à chaque cycle menstruel, un follicule arrive à maturité et libère son ovocyte. Les cellules du follicule sécrètent aussi les œstrogènes, les hormones sexuelles féminines les plus importantes. C'est au cours de l'**ovulation** que le follicule expulse l'ovocyte. Le reste du tissu folliculaire croît à l'intérieur de l'ovaire et se transforme en une masse compacte appelée **corps jaune**. Pendant la grossesse, le corps jaune sécrète, en plus des œstrogènes, de la progestérone, hormone qui entretient l'endomètre utérin. S'il n'y a pas de fécondation, le corps jaune dégénère et un nouveau follicule parvient à maturité au cycle suivant.

Les trompes utérines et l'utérus

Le système reproducteur de la femme n'est pas entièrement fermé : le follicule libère l'ovocyte dans la cavité pelvienne, près de l'ouverture de la **trompe utérine**, ou trompe de Fallope. La trompe utérine a une ouverture en forme d'entonnoir et les battements des cils de son épithélium interne permettent de recueillir l'ovocyte en produisant un effet d'aspiration qui agit sur le liquide de la cavité corporelle. Les battements des cils font aussi avancer l'ovocyte dans la trompe utérine, le conduisant dans l'**utérus**. Cet organe épais et musculeux qu'est l'utérus peut se distendre suffisamment pour contenir un fœtus de 4 kg. L'**endomètre**, revêtement interne de l'utérus, est une muqueuse richement vascularisée. L'orifice étroit de l'utérus, appelé **col utérin**, communique avec le vagin.

Le vagin et la vulve

Le **vagin** est une cavité à la paroi mince qui reçoit les spermatozoïdes au cours des rapports sexuels et qui permet le passage du bébé à l'accouchement. Il communique avec l'extérieur à la **vulve**, le terme qui désigne l'ensemble des organes génitaux de la femme.

Chez la femme, de la naissance jusqu'aux premières relations sexuelles ou avant si un exercice physique vigoureux cause une rupture, l'orifice vaginal est partiellement recouvert d'une mince membrane de tissu appelée **hymen**. Les ouvertures distinctes du vagin et de l'urètre se trouvent dans un renfoncement appelé **vestibule**. Celui-ci est délimité par les **petites lèvres**, replis de peau mince, sans poils, qui sont protégés extérieurement par les **grandes lèvres**, d'autres replis, constitués quant à eux de peau épaisse et adipeuse, et portant des poils. Situé à l'extrémité antérieure du vestibule, le **clitoris** est constitué d'un corps caverneux court portant un gland arrondi recouvert d'une peau, le prépuce. Au cours de l'excitation sexuelle, le clitoris, le vagin et les petites lèvres se gorgent de sang et gonflent. Le clitoris est principalement constitué de tissus érectiles. Riche en terminaisons nerveuses, il représente l'un des points les plus sensibles à la stimulation sexuelle. Au cours de l'excitation sexuelle, les **glandes vestibulaires majeures**, situées près de l'ouverture du vagin, sécrètent du mucus dans le vestibule, pour le lubrifier et faciliter la pénétration.

Les glandes mammaires

Les **glandes mammaires** sont présentes chez les deux sexes, mais ne fonctionnent que chez la femme. Bien qu'elles ne fassent pas partie du système reproducteur en tant que tel, ces structures jouent un rôle important dans la reproduction chez les Mammifères. Les glandes mammaires comportent de petites alvéoles de tissu épithélial qui sécrètent le lait. Le lait se déverse dans un réseau de conduits débouchant au niveau du mamelon. Chez les Mammifères qui n'allaitent pas, la masse de la glande mammaire se compose principalement de tissus adipeux. Chez le mâle, la petite quantité d'œstrogènes empêche à la fois le développement des structures lactifères et le dépôt de graisses, de sorte que les seins ne sont pas saillants et que le mamelon n'est pas relié aux conduits. Des dérèglements endocriniens sont toutefois possibles et quelques cas ont été rapportés où les glandes mammaires masculines ont produit suffisamment de lait pour nourrir un bébé.

L'anatomie du système reproducteur de l'homme

Chez les mâles de la plupart des Mammifères, notamment l'humain, les organes génitaux externes sont le scrotum et le pénis. Les organes génitaux internes sont les gonades, qui produisent les gamètes (spermatozoïdes) et les hormones, les glandes annexes, qui sécrètent des substances essentielles à la mobilité des spermatozoïdes, et des conduits destinés au transport des spermatozoïdes et des sécrétions glandulaires **(figure 46.10)**.

Les testicules

Les gonades mâles, appelées **testicules**, comportent deux conduits enroulés de façon compacte et entourés de plusieurs épaisseurs de tissu conjonctif. Ces conduits sont les **tubules séminifères contournés** dans lesquels se forment les spermatozoïdes. Les **cellules interstitielles du testicule** disséminées entre ces tubules fabriquent la testostérone et d'autres androgènes.

Chez la plupart des Mammifères, la formation des spermatozoïdes ne peut se faire à la température normale du corps. C'est pourquoi les testicules des humains et de la plupart des Mammifères sont situés à l'extérieur de la cavité pelvienne, dans

▶ **Figure 46.9 Anatomie du système reproducteur de la femme.** En guise de guide, certaines structures qui ne servent pas à la reproduction sont placées entre parenthèses.

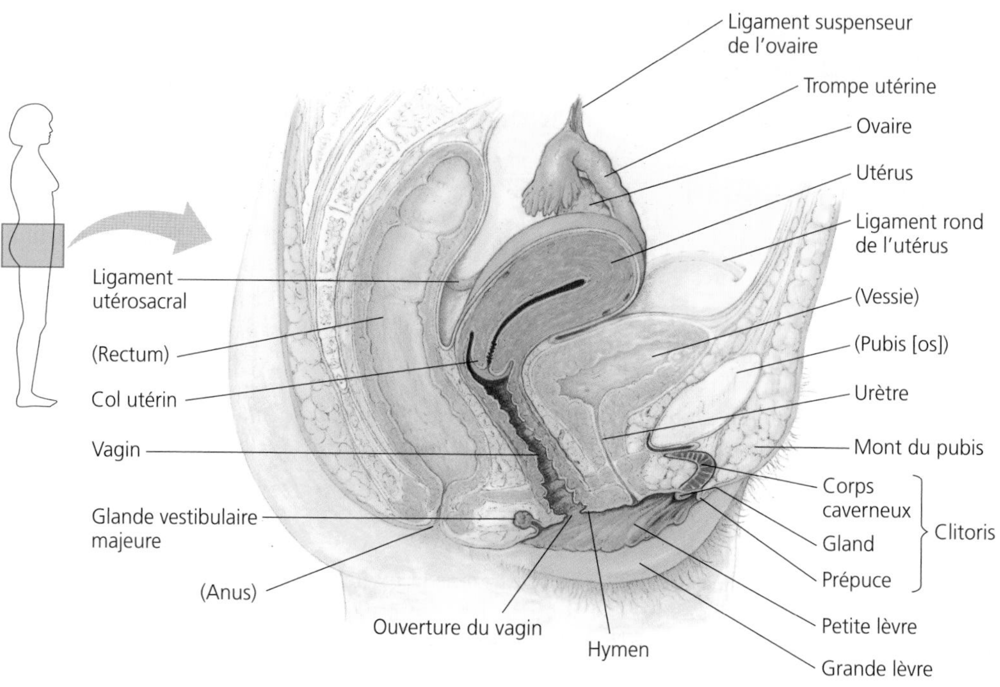

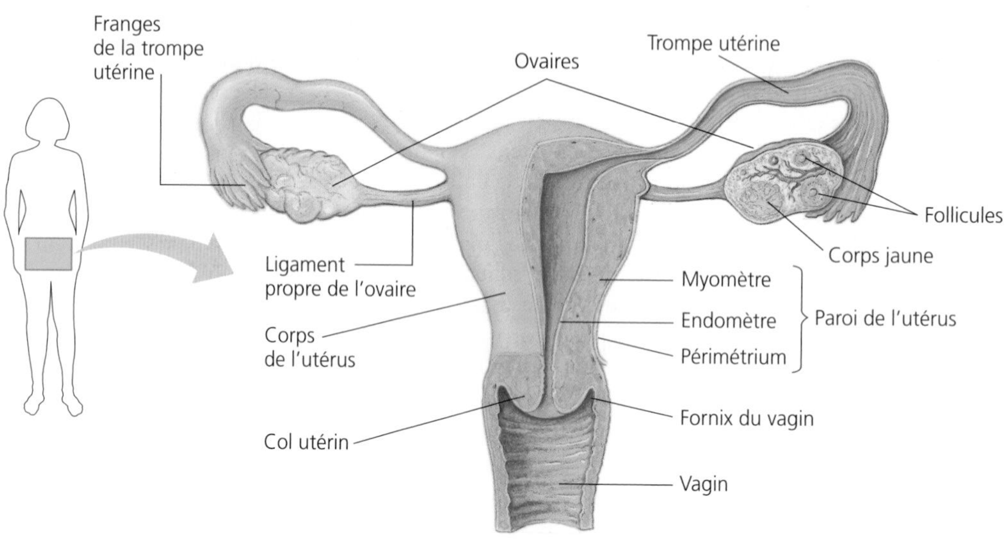

l'enveloppe de peau qu'est le **scrotum**. La température du scrotum est inférieure de 3 °C environ à celle de la cavité pelvienne. Les testicules se forment un peu plus haut dans la cavité pelvienne et descendent dans le scrotum juste avant la naissance ; le défaut de cette descente (cryptorchidie) pour les deux testicules entraîne la stérilité chez l'humain, mais n'affecte pas la sécrétion des hormones sexuelles. Chez de nombreux Rongeurs et Chiroptères (chauve-souris), le canal par lequel les testicules étaient descendus reste ouvert et ceux-ci peuvent donc se rétracter à l'intérieur de la cavité pelvienne entre les saisons d'accouplement, ce qui interrompt la maturation des spermatozoïdes. Chez certains Mammifères dont la température corporelle est suffisamment basse pour permettre la formation des spermatozoïdes, par exemple chez les Monotrèmes, les baleines, les ours et les éléphants, ils restent en permanence dans la cavité pelvienne.

Les conduits

Venant des tubules séminifères contournés des testicules, les spermatozoïdes pénètrent dans les canalicules efférents qui forment l'**épididyme**. Il leur faut environ 20 jours pour traverser les 6 m de canalicules qui forment chaque épididyme de l'homme. Durant cette migration, ils acquièrent leur mobilité et leur fécondité. À l'**éjaculation**, ils sont expulsés de l'épididyme et passent par le **conduit déférent**, dont les parois sont constituées d'épaisses couches musculaires. Chacun des deux conduits déférents (un pour chaque épididyme) quitte le scrotum, contourne la vessie et rejoint derrière elle le conduit provenant de la vésicule séminale, pour former un court **conduit éjaculateur**. Les deux canaux éjaculateurs aboutissent dans l'**urètre**, conduit qui draine à la fois le système urinaire et le système reproducteur. L'urètre passe au centre du pénis et débouche sur l'extérieur par le méat urétral (situé à l'extrémité du pénis).

Les glandes

Trois types de glandes annexes ajoutent leurs sécrétions au **sperme**, le liquide qui est éjaculé : les vésicules séminales, la prostate et les glandes bulbo-urétrales. Les deux **vésicules séminales** produisent environ 60 % du volume total du sperme. Le liquide provenant des vésicules séminales est visqueux, jaunâtre et alcalin. Il renferme du mucus (lubrifiant pour les conduits), du fructose (source d'énergie pour les spermatozoïdes), de la séminogéline (protéine qui fait coaguler le sperme après sa sortie de l'urètre), de la fibrinolysine (protéine qui liquéfie le sperme coagulé, libérant ainsi les spermatozoïdes), de la relaxine (hormone qui augmente la motilité des spermatozoïdes), de l'acide ascorbique (antioxydant), de la séminalplasmine (substance antibiotique qui détruit certaines Bactéries) et des prostaglandines (régulateurs locaux dont nous avons parlé au chapitre 45). Ces dernières liquéfient le mucus du col utérin et provoquent des contractions de l'utérus afin de faciliter la progression des spermatozoïdes.

La **prostate** est la plus grosse des glandes annexes. Elle déverse directement ses sécrétions dans l'urètre, par plusieurs petits conduits. Le liquide prostatique est laiteux. Il contient des protéines anticoagulantes et du citrate (nutriment destiné aux spermatozoïdes). La prostate est le siège de problèmes médicaux courants chez l'homme ayant dépassé la quarantaine. Plus de la moitié des hommes de ce groupe d'âge et presque tous les hommes de plus de 70 ans souffrent d'un gonflement bénin (non cancéreux) de la prostate. Le cancer de la prostate est l'un des

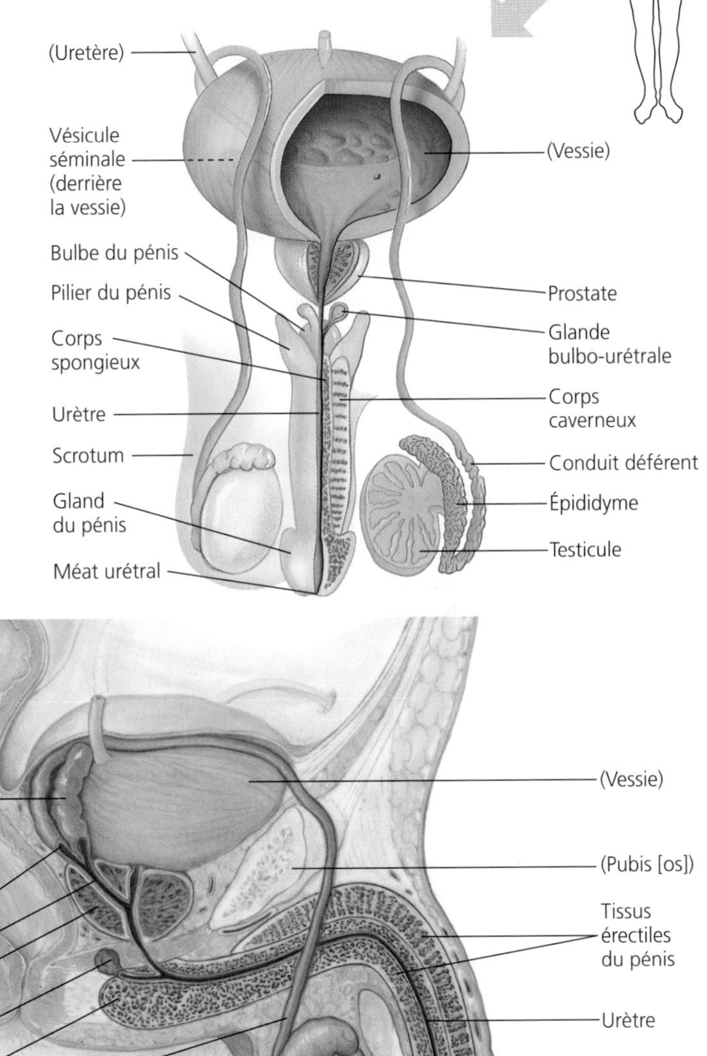

▲ **Figure 46.10 Anatomie du système reproducteur de l'homme.** Les structures qui ne servent pas à la reproduction sont placées entre parenthèses.

plus courants chez l'homme. On le traite par la chirurgie ou par des médicaments qui inhibent les gonadotrophines, dont la conséquence est une réduction de l'activité et de la taille de la prostate.

Les **glandes bulbo-urétrales** sont une paire de petites glandes situées à proximité du bulbe du pénis, sous la prostate, qui déversent leurs sécrétions dans l'urètre. Avant l'éjaculation, elles sécrètent un liquide clair qui neutralise l'acidité de l'urine restant dans l'urètre. Comme le liquide bulbo-urétral entraîne avec lui des spermatozoïdes libérés avant l'éjaculation, la méthode contraceptive du coït interrompu connaît un taux d'échec élevé.

Le sperme dans le système reproducteur femelle

Un homme éjacule habituellement de 2 à 5 mL de sperme, chaque millilitre pouvant contenir de 50 à 130 millions de spermatozoïdes. Quand le sperme est dans le système reproducteur femelle, les prostaglandines qu'il contient éclaircissent le mucus à l'entrée de l'utérus et provoquent les contractions des muscles utérins, ce qui favorise la montée du sperme dans l'utérus. L'alcalinité du sperme (pH de 7,2 à 7,6), en raison de la spermine (polyamine basique), neutralise l'acidité du vagin (pH de 3,5 à 4,0), protégeant ainsi les spermatozoïdes et augmentant leur motilité. Environ cinq minutes après l'éjaculation, le sperme coagule, ce qui facilite son transport par les contractions utérines. Puis, au bout de dix à vingt minutes dans l'utérus, il se liquéfie sous l'effet des anticoagulants, ce qui permet aux spermatozoïdes de circuler librement dans le système reproducteur de la femme.

Le pénis

Le **pénis** humain comprend trois cylindres de tissus érectiles spongieux issus de veines et de capillaires modifiés. Au cours de l'excitation sexuelle, les tissus érectiles s'emplissent de sang artériel. L'augmentation progressive de pression dans ces tissus finit par écraser les veines drainant le pénis, lequel se gorge alors de sang. L'érection qui en résulte permet l'insertion du pénis dans le vagin. Les Rongeurs, les ratons laveurs, les morses et plusieurs autres Mammifères possèdent en outre un **baculum**, os qui raidit le pénis. L'impuissance temporaire, qui est une incapacité réversible d'obtenir une érection, peut résulter d'une consommation d'alcool ou de certains médicaments, ou être la manifestation de troubles émotifs. Les hommes qui souffrent d'impuissance permanente, laquelle est causée par des troubles nerveux ou circulatoires, peuvent recourir à certains médicaments ou à des implants pour obtenir une érection. Le Viagra (voir le chapitre 45, p. 1030) et les médicaments du même type, qui se prennent par voie orale, favorisent l'action du monoxyde d'azote (NO). Ce régulateur local provoque un relâchement des muscles lisses dans les vaisseaux sanguins du pénis. Le sang peut alors pénétrer abondamment dans les tissus érectiles et maintenir une érection.

Une peau assez épaisse enveloppe le corps principal du pénis. Le revêtement qui entoure le **gland du pénis** (l'extrémité du pénis) est, quant à lui, beaucoup plus fin, ce qui le rend beaucoup plus sensible à la stimulation. Chez l'homme, un repli de peau appelé **prépuce** recouvre le gland. On procède parfois à son ablation, pour des raisons essentiellement religieuses. On admet généralement que cette pratique de la circoncision n'a pas de justifications vérifiables du point de vue de la santé ou de l'hygiène; une étude française semble toutefois montrer que cette intervention pourrait diminuer les risques de contamination par le VIH.

La réponse sexuelle chez l'humain

Comme nous l'avons mentionné précédemment, de nombreux Animaux présentent des comportements sexuels très élaborés. Chez les humains, l'excitation sexuelle est encore plus complexe; elle fait intervenir une variété de facteurs psychologiques aussi bien que physiques. Toutefois, la réponse sexuelle humaine se caractérise par un modèle physiologique commun.

On trouve deux types de réactions physiologiques chez l'un et l'autre sexe. Le premier type de réaction est la **vasocongestion**, qui est l'engorgement d'un tissu causé par un afflux de sang circulant dans ses artérioles. Le second est la **myotonie**, soit l'augmentation de la tension musculaire. Les muscles squelettiques et les muscles lisses peuvent effectuer des contractions continues ou rythmiques, notamment des contractions associées à l'orgasme.

On peut diviser la réponse sexuelle en quatre phases: l'excitation, le plateau, l'orgasme et la résolution. La phase d'excitation a une fonction importante consistant à préparer le vagin et le pénis en vue du **coït** (rapport sexuel). Pendant cette phase, la vasocongestion se manifeste surtout par l'érection du pénis et du clitoris, le gonflement des testicules, des petites lèvres (repoussant les grandes lèvres vers l'extérieur) ainsi que des seins, et par la lubrification du vagin. Il peut également y avoir une myotonie provoquant l'érection des mamelons ou une tension dans les bras et les jambes.

Dans la phase de plateau, les réactions de la phase d'excitation continuent. Chez la femme, il y a vasocongestion du tiers extérieur du vagin et dilatation légère, en diamètre et en longueur, des deux tiers intérieurs. S'accompagnant de l'élévation de l'utérus, ces changements produisent une dépression qui attire le sperme au fond du vagin. La respiration s'accélère, la fréquence cardiaque augmente (parfois jusqu'à 150 batt./min) et la pression artérielle s'élève. Il ne s'agit pas d'une réaction à l'effort physique que représente l'activité sexuelle, mais d'une réaction involontaire à la stimulation du système nerveux autonome (voir les figures 48.21 et 48.22).

L'**orgasme** se manifeste chez les deux sexes par des contractions rythmiques et involontaires de certaines parties du système reproducteur. Pendant l'orgasme masculin, les contractions des glandes et des conduits du système reproducteur projettent d'abord le sperme dans l'urètre (c'est ce qu'on appelle l'*émission*). Puis, l'urètre se contracte à son tour et expulse le sperme à l'extérieur du corps (c'est l'*éjaculation* proprement dite). Pendant l'orgasme féminin, l'utérus et le tiers du vagin situé à proximité du vestibule, mais pas les deux tiers intérieurs du vagin, se contractent. Cette phase est la plus courte des phases de la réponse sexuelle. Elle ne dure habituellement que quelques secondes. Chez les deux sexes, les contractions se suivent à des intervalles d'environ 0,8 s et peuvent mettre à contribution le muscle sphincter externe de l'anus et plusieurs muscles abdominaux. Cette phase peut durer plus longtemps chez la femme que chez l'homme, et la femme peut y revenir beaucoup plus rapidement que l'homme.

La phase de résolution termine le cycle et met un terme aux réactions des étapes précédentes. Les organes qui ont été le siège d'une vasocongestion retrouvent leur taille et leur couleur normales. Les muscles se relâchent. La plupart des modifications qui se produisent pendant la résolution prennent fin en moins de cinq minutes. Cependant, l'érection du pénis et du clitoris peut mettre plus de temps à disparaître complètement. Même si le début de la perte d'érection, ou détumescence, se fait rapidement chez les deux sexes, le retour des organes à l'état de flaccidité peut prendre jusqu'à une heure.

Retour sur le concept 46.3

1. Ordonnez les organes suivants en fonction du trajet des spermatozoïdes : épididyme, tubules séminifères contournés, urètre, conduit déférent.
2. Comment les glandes annexes chez l'homme favorisent-elles la motilité des spermatozoïdes et la fécondation ?
3. Dans la réponse sexuelle chez l'humain, quels organes manifestent de la vasocongestion ?

Voir les réponses proposées à la fin du chapitre.

Concept 46.4

Chez les humains et les autres Mammifères, une interaction complexe entre les hormones assure la régulation de la gamétogenèse

Comment au juste les gamètes sont-ils produits chez les Mammifères ? Le processus, appelé **gamétogenèse**, est basé sur la méiose, mais il diffère par certains détails entre les femelles et les mâles. L'**ovogenèse**, la formation d'ovocytes matures (ovocytes de deuxième ordre), est illustrée à la **figure 46.11**. La **spermatogenèse**, c'est-à-dire la formation de spermatozoïdes mûrs par le mâle adulte, est un processus continu et très productif. Chaque éjaculation de l'homme libère de 100 à 650 millions de spermatozoïdes, et le même individu peut éjaculer tous les jours sans réduction notable de sa fécondité. La spermatogenèse se déroule dans les tubules séminifères contournés des testicules. La **figure 46.12** décrit ce processus en détail.

L'ovogenèse diffère de la spermatogenèse par trois aspects importants. En premier lieu, pendant les divisions méiotiques du processus, la cytocinèse est inégale, de sorte que presque tout le cytoplasme se retrouve dans une seule des cellules filles, l'ovocyte de deuxième ordre. Cette grosse cellule pourra devenir un ovule, alors que les trois cellules plus petites, appelées *globules polaires*, vont dégénérer. Par comparaison, au cours de la spermatogenèse, les quatre cellules issues de la méiose deviennent des spermatozoïdes matures (comparez les figures 46.11 et 46.12). En deuxième lieu, les spermatogonies continuent leur division par mitose tout au long des années de fertilité de l'homme. Or, ce n'est pas le cas chez la femme (voir cependant le texte de la figure 46.11). En troisième lieu, avant d'arriver à son terme, l'ovogenèse traverse de longues périodes de dormance. La spermatogenèse, au contraire, consiste en une production ininterrompue de spermatozoïdes matures à partir de précurseurs (spermatogonies).

Les cycles reproducteurs des femelles

Chez la femelle, le mécanisme de sécrétion hormonale déterminant les fonctions reproductives est cyclique. Tandis que le mâle produit continuellement des spermatozoïdes, la femelle ne libère le plus souvent qu'un seul ou quelques ovocytes à un moment donné de chaque cycle. La régulation hormonale du cycle s'effectue de manière complexe chez la femelle, comme nous le verrons un peu plus loin.

Le cycle menstruel et le cycle œstral

Bien que la distinction entre les deux ne soit pas toujours nette, on peut considérer qu'il existe deux types de cycles chez les Mammifères femelles. Les femelles de nombreux Primates, notamment des humains, ont un **cycle menstruel**. Celles des autres Mammifères ont un **cycle œstral**. Dans les deux cas, l'ovulation se produit quand l'endomètre (muqueuse utérine) a commencé à s'épaissir et est plus vascularisé, phénomène qui prépare l'utérus à l'implantation éventuelle d'un embryon. L'une des principales différences entre les deux types de cycles réside dans la destinée de la muqueuse utérine en l'absence de grossesse. Dans le cycle menstruel, la couche fonctionnelle de l'endomètre se détache de l'utérus et sort par le col utérin et le vagin, ce qui produit un saignement appelé **menstruation**. Dans le cycle œstral, la couche fonctionnelle de l'endomètre est réabsorbée par l'utérus ; il n'y a pas de saignement ou, s'il y a saignement, il est moins important que chez les Primates.

Une autre grande différence entre les deux cycles réside dans le fait que, dans le cycle œstral, le comportement varie plus que dans le cycle menstruel, et les effets de la saison et du climat sont plus marqués. Si la femme peut se montrer réceptive à l'activité sexuelle tout au long de son cycle, il n'en est pas de même de la femelle de la plupart des Mammifères. La majorité des Mammifères ne s'accouplent qu'au moment de l'ovulation, période d'activité sexuelle appelée **œstrus** (mot latin signifiant « frénésie », « passion »), qui est le seul moment où le vagin permet l'accouplement. L'œstrus, ou rut, porte également le nom de *chaleurs* parce que la température corporelle augmente alors légèrement. La longueur et la fréquence des cycles reproducteurs varient beaucoup selon les espèces de Mammifères. Le cycle menstruel humain dure en moyenne 28 jours (il peut toutefois varier de 20 à 40 jours). Le rat a un cycle œstral de cinq jours seulement. Les ours et les chiens ont un cycle par année (l'œstrus étant de 16 à 25 jours pour l'ours et de 9 jours pour le chien). Les éléphants, quant à eux, ont plusieurs cycles par année.

Le cycle reproducteur de la femme : une étude détaillée

Examinons plus en détail le cycle menstruel de la femme, ce qui nous permettra d'étudier la façon dont les hormones régulent une fonction complexe. L'expression *cycle menstruel* désigne les modifications qui surviennent dans l'utérus ; par conséquent, on l'appelle aussi **cycle utérin**. Celui-ci est causé par des événements cycliques qui ont lieu dans les ovaires, c'est-à-dire par le **cycle ovarien**. Par conséquent, le cycle reproducteur de la femme est en fait un cycle intégré qui fait intervenir deux organes, l'utérus et les ovaires.

Les hormones aux niveaux supérieurs de la régulation de ce double cycle sont les mêmes hormones de l'encéphale qui participent à la régulation du système reproducteur mâle. Ce sont la gonadolibérine (GnRH, pour *gonadotropine-releasing hormone*), produite par l'hypothalamus ; l'hormone folliculostimulante (FSH, pour *follicle-stimulating hormone*) et l'hormone lutéinisante (LH, pour *luteinizing hormone*), qui sont les deux gonadotrophines sécrétées par l'adénohypophyse. Les concentrations de FSH et de LH dans le sang régulent la production de deux sortes d'hormones stéroïdes fabriquées par l'ovaire : des œstrogènes (en fait, c'est une famille d'hormones étroitement apparentées dont la plus importante est l'œstradiol) et la **progestérone**. Le cycle ovarien de production des hormones assure

Figure 46.11
Panorama L'ovogenèse humaine

L'ovogenèse commence dans l'embryon par la différenciation des cellules germinales primordiales, qui ont migré dans l'ovaire, en **ovogonies**, les cellules souches spécifiques des ovaires. Une ovogonie diploïde augmente de taille et se multiplie d'abord par mitose puis amorce la méiose, mais le processus s'arrête à la prophase I. À cette étape, les cellules, appelées **ovocytes de premier ordre**, restent alors en dormance dans les follicules primaires (cavités recouvertes d'une couche de cellules protectrices) jusqu'à la puberté, où les hormones viennent les activer. À la puberté, l'hormone folliculostimulante (FSH) déclenche périodiquement la croissance d'un follicule primaire et pousse l'ovocyte de premier ordre qui s'y trouve à terminer la méiose I et à commencer la méiose II. La méiose s'interrompt encore, cette fois à la métaphase II. L'**ovocyte de deuxième ordre** est libéré pendant l'ovulation lorsque son follicule se rompt. Habituellement, un seul ovocyte atteint la maturité et est libéré chaque mois. L'ovocyte de deuxième ordre continue sa méiose seulement si un spermatozoïde le pénètre; ce n'est qu'à ce moment-là que l'ovogenèse se termine et que l'ovocyte devient ovule. (Chez d'autres espèces animales, le spermatozoïde peut pénétrer dans l'ovocyte à cette même étape de la méiose, avant, comme chez les Insectes, ou après celle-ci, comme chez les oursins.)

Au cours des divisions méiotiques, la cytocinèse est inégale et donne, en plus de la grosse cellule qu'est l'ovocyte de deuxième ordre, une minuscule cellule appelée *globule polaire* (le premier globule polaire peut encore se diviser). Après la méiose, les noyaux haploïdes du spermatozoïde et de l'ovule mature fusionnent; c'est la fécondation.

Après l'ovulation, le follicule rompu restant dans l'ovaire se transforme en corps jaune. Cependant, en l'absence de fécondation de l'ovocyte, il y a dégénérescence du corps jaune (lutéolyse).

Pendant de nombreuses années, les scientifiques ont cru que chez les femmes, à l'instar de la plupart des femelles des Mammifères, tous les ovocytes primaires étaient présents à la naissance, aucun nouveau ne se formant après celle-ci. En mars 2004, cependant, des chercheurs ont rapporté qu'il existe une multiplication des ovogonies dans les ovaires de souris *adultes* et que celles-ci peuvent se développer en ovocytes (comme c'est le cas chez la majorité des Poissons et chez les Amphibiens). Les chercheurs essaient de trouver des cellules semblables dans les ovaires humains. Il est possible que le déclin marqué de fertilité qui survient quand les femmes vieillissent soit causé par une déplétion graduelle des ovogonies plutôt qu'uniquement en raison de la dégénérescence des ovocytes attribuable au vieillissement.

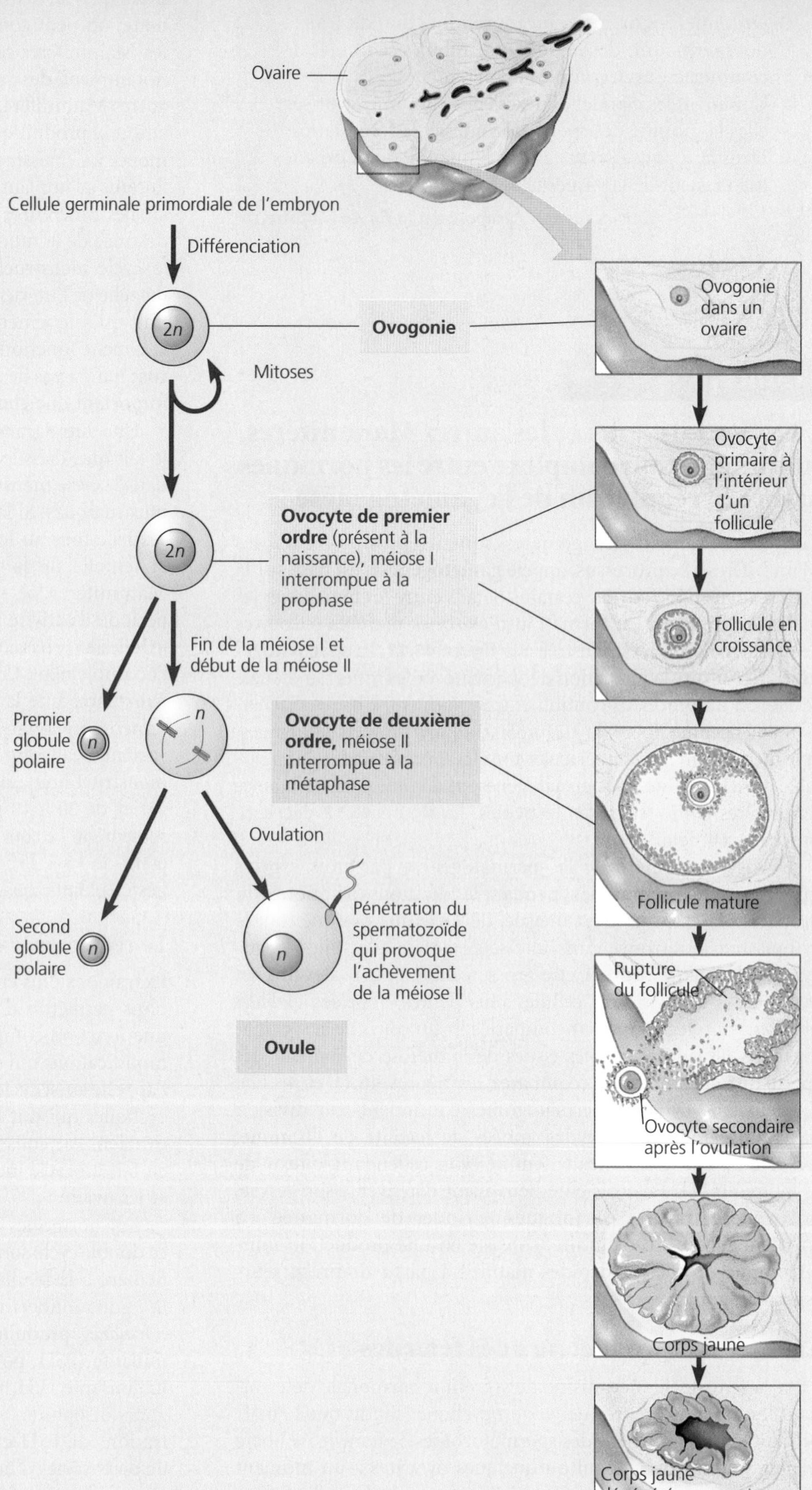

Figure 46.12

Panorama La spermatogenèse humaine

Ces diagrammes mettent en correspondance les étapes de la méiose au cours de la formation des spermatozoïdes (à gauche) et l'histologie des tubules séminifères contournés (à droite). Les cellules germinales primordiales (cellules souches) des testicules de l'embryon se différencient en **spermatogonies**, cellules qui sont les précurseurs des spermatozoïdes. Au fur et à mesure que les spermatogonies se différencient en spermatocytes et en spermatides, la méiose réduit le double assortiment de chromosomes homologues ($2n = 46$ chez l'humain) en un assortiment simple ($n = 23$) ; on dit que la cellule reproductrice passe du stade diploïde au stade haploïde. À chaque étape de la méiose, les cellules sexuelles se rapprochent de la lumière du tubule séminifère contourné, tout en restant unies les unes aux autres par des ponts cytoplasmiques, de sorte que ce sont des vagues successives de spermatozoïdes qui sont libérées dans les tubules. Une fois dans le tubule, les spermatozoïdes matures migrent vers l'épididyme, dans lequel ils acquièrent une mobilité linéaire. Le passage de la spermatogonie au spermatozoïde (ou la durée d'une méiose) prend environ 70 jours chez l'homme, mais des millions de cellules amorcent leur méiose tous les jours, de sorte qu'il n'y a normalement jamais pénurie de spermatozoïdes.

Il y a une corrélation évidente entre la structure d'un spermatozoïde et sa fonction. Chez l'humain, comme chez la plupart des espèces, la tête d'un spermatozoïde renferme le noyau haploïde recouvert d'une structure spécifique, l'**acrosome**. L'acrosome contient les enzymes qui permettent au spermatozoïde de pénétrer dans l'ovocyte. Derrière la tête et formant une gaine se trouvent de nombreuses mitochondries (ou une seule mitochondrie volumineuse chez certaines espèces) qui fournissent l'ATP nécessaire au mouvement du flagelle.

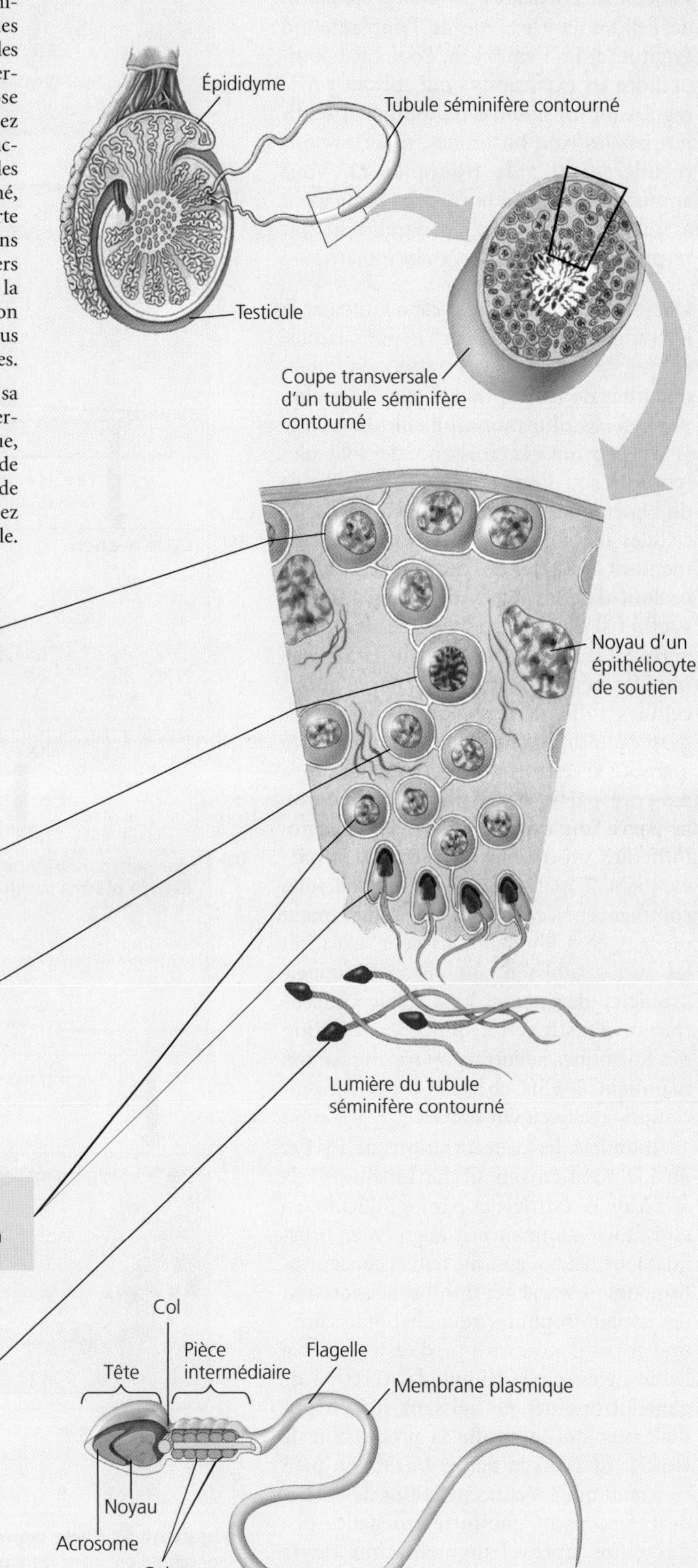

à son tour la régulation du cycle utérin de la croissance et de la perte endométriale de façon à synchroniser la croissance du follicule et l'ovulation avec la préparation de l'endomètre en vue de l'implantation éventuelle d'un embryon. Pour bien comprendre les explications qui suivent sur la régulation du système reproducteur féminin par les cinq hormones, reportez-vous régulièrement à la **figure 46.13**. Vous apprendrez que ces hormones participent à un plan complexe de régulation par rétroactivation et rétro-inhibition.

Le cycle ovarien. ❶ Le cycle débute par la libération de la GnRH par l'hypothalamus, ce qui ❷ favorise la sécrétion de faibles quantités de FSH et de LH par l'adénohypophyse. ❸ L'hormone folliculostimulante (FSH) provoque la croissance des follicules (comme son nom l'indique), avec l'aide de l'hormone lutéinisante (LH), et ❹ les cellules des follicules en croissance commencent à sécréter des œstrogènes. En fait, ce sont d'abord des androgènes qui sont synthétisés par certaines cellules de la paroi folliculaire, ceux-ci étant par la suite transformés en œstrogènes par d'autres cellules folliculaires. Notez, dans la figure 46.13d, la lente augmentation de la quantité d'œstrogènes sécrétés durant la majeure partie de la **phase folliculaire**, la partie du cycle pendant laquelle les follicules croissent et les ovocytes parviennent à maturité. (Plusieurs follicules commencent à croître, mais habituellement un seul, chez l'humain, arrive à maturité; les autres subissent un processus appelé *atrésie* et dégénèrent.) La faible concentration d'œstrogènes inhibe la sécrétion des hormones adénohypophysaires, ce qui maintient la FSH et la LH à des concentrations relativement faibles.

Toutefois, les concentrations de FSH et de LH montent en flèche lorsque ❺ la sécrétion d'œstrogènes par les follicules en croissance commence à augmenter brusquement. Alors qu'une faible concentration des œstrogènes inhibe la sécrétion des gonadotrophines adénohypophysaires, une forte concentration d'œstrogènes a l'effet inverse: elle stimule la sécrétion de gonadotrophines en agissant sur l'hypothalamus, qui intensifie sa production de GnRH. ❻ Dans la figure 46.13b, on peut constater que les concentrations de FSH et de LH accusent une forte croissance peu de temps après l'augmentation de la concentration d'œstrogènes, indiquée dans la figure 46.13d. L'effet est d'ailleurs plus

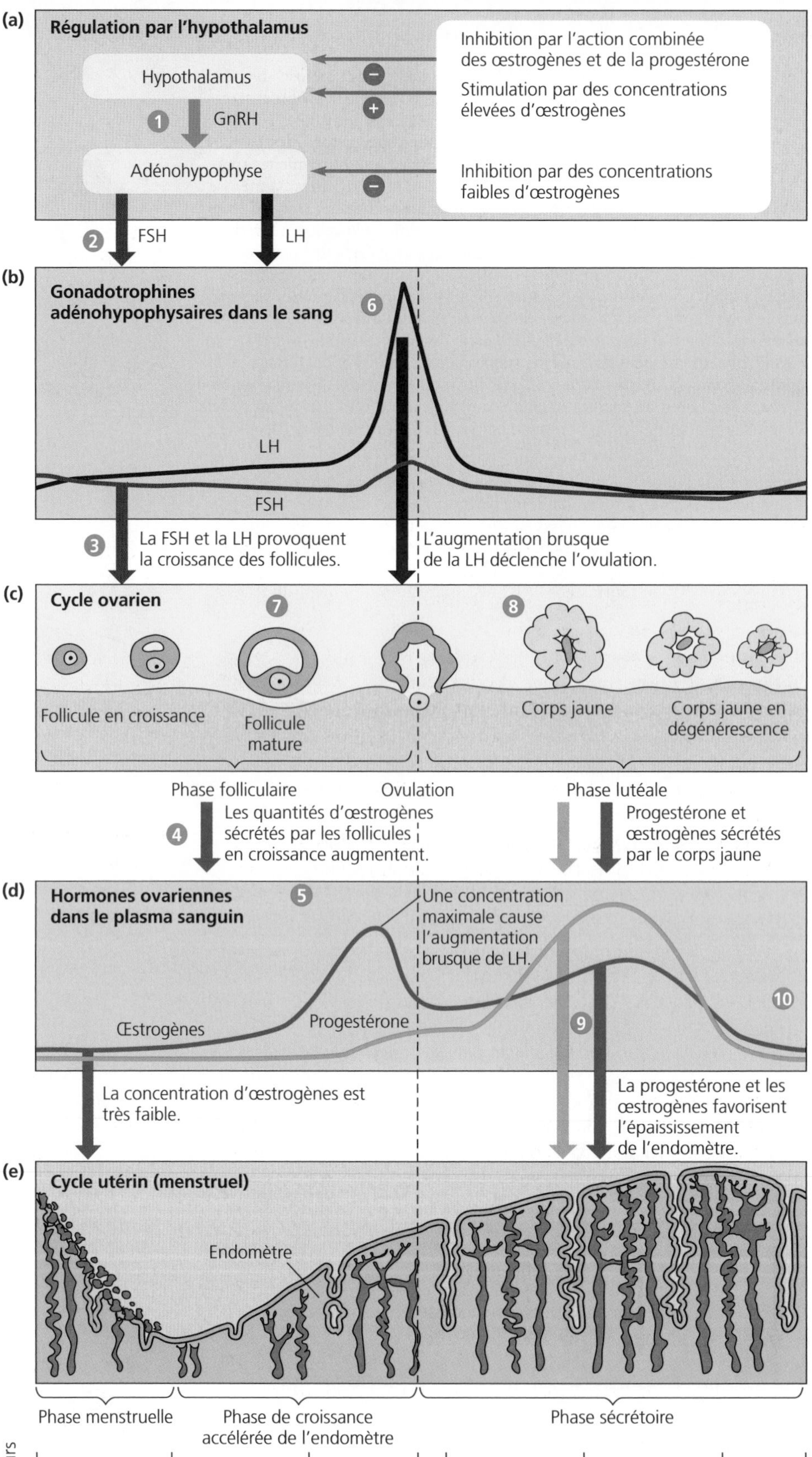

▲ **Figure 46.13 Cycle reproducteur de la femme.** Cette figure montre comment les variations de concentrations des hormones dans le plasma sanguin, décrites dans les parties (a), (b) et (d), assurent la régulation (c) du cycle ovarien et (e) du cycle utérin (menstruel). L'échelle de temps au bas de la figure s'applique aux parties (b) à (e).

accentué dans le cas de la LH. Cela s'explique de plusieurs façons. D'abord, par le fait que la forte concentration d'œstrogènes, outre qu'elle stimule la sécrétion de GnRH, provoque une sensibilisation accrue des cellules adénohypophysaires de libération de LH au médiateur hypothalamique (GnRH). Il faut aussi savoir que l'adénohypophyse peut emmagasiner une certaine quantité de LH (mais pas de FSH) dans des vésicules et libérer ces réserves dans un court intervalle. Enfin, il y a le fait que les follicules peuvent maintenant réagir plus fortement à la présence de LH parce qu'un plus grand nombre de leurs cellules possèdent des récepteurs pour cette hormone. L'augmentation de la concentration de LH causée par la sécrétion accrue d'œstrogènes par le follicule en croissance constitue un exemple de rétroactivation. La LH provoque la maturation finale du follicule. ❼ Le follicule en cours de maturation est une cavité interne pleine de liquide qui devient si grosse qu'elle finit par former une protubérance à la surface de l'ovaire. La phase folliculaire se termine par l'**ovulation**, environ un jour après l'augmentation brusque de la LH: le follicule et la paroi adjacente de l'ovaire se rompent pour libérer l'ovocyte de deuxième ordre.

❽ Après l'ovulation, au cours de la **phase lutéale** du cycle ovarien, la LH déclenche la transformation des tissus folliculaires qui sont restés dans l'ovaire. Ces tissus deviennent le corps jaune, qui est une structure glandulaire (voir la figure 46.13c) (l'hormone lutéinisante doit son nom à sa fonction dans le développement du *corpus luteum*, ou corps jaune). Sous l'effet de la LH, qui exerce une stimulation continue pendant la phase lutéale du cycle ovarien, le corps jaune sécrète la progestérone et des œstrogènes (voir la figure 46.13d). Au fur et à mesure que leurs concentrations augmentent, la progestérone et les œstrogènes combinent leurs actions pour exercer une rétro-inhibition sur l'hypothalamus et l'adénohypophyse. Cette rétroaction inhibe la sécrétion de LH et de FSH. Vers la fin de la phase lutéale, le corps jaune dégénère. Par conséquent, les concentrations d'œstrogènes et de progestérone diminuent fortement. Cela libère l'hypothalamus et l'adénohypophyse de l'inhibition exercée par ces hormones ovariennes. L'adénohypophyse se met alors à sécréter une quantité suffisante de FSH pour déclencher la croissance de nouveaux follicules dans l'ovaire, marquant le début du cycle ovarien suivant.

Le cycle utérin (menstruel). Les hormones sécrétées par les ovaires (œstrogènes et progestérone) exercent en effet important sur l'utérus. Les œstrogènes, sécrétés en quantités de plus en plus importantes par les follicules en croissance, constituent un stimulus qui provoque l'épaississement de la couche fonctionnelle de l'endomètre. De cette façon, il y a un lien, une coordination, entre la phase folliculaire du cycle ovarien et la **phase de croissance accélérée de l'endomètre** du cycle utérin (voir la figure 46.13e). Avant même l'ovulation, l'utérus est déjà préparé à la présence éventuelle d'un embryon. Après l'ovulation, ❾ les œstrogènes et la progestérone sécrétés par le corps jaune stimulent la suite du développement et le maintien de la couche fonctionnelle de l'endomètre. Ce processus inclut le grossissement des artérioles et la croissance des glandes de la couche fonctionnelle de l'endomètre qui sécrètent un liquide contenant des nutriments. Ces nutriments permettent au jeune embryon de survivre avant son implantation effective dans la couche fonctionnelle de l'endomètre. Il y a donc bien un lien, une coordination, entre la phase lutéale du cycle ovarien et ce qu'on appelle la **phase sécrétoire** du cycle utérin.

❿ La chute rapide de la concentration d'hormones ovariennes pendant la dégénérescence du corps jaune provoque des spasmes dans les artérioles de la couche fonctionnelle de l'endomètre, qui cesse d'être irriguée. La dégénérescence des deux tiers supérieurs de la couche fonctionnelle de l'endomètre provoque la menstruation (la **phase menstruelle** du cycle utérin) et marque le début d'un nouveau cycle. Par convention, le premier jour de la menstruation est le premier jour du cycle utérin (et ovarien). Les saignements durent habituellement quelques jours. Au cours de la menstruation, un ensemble de nouveaux follicules ovariens ont juste commencé à croître.

À chaque cycle, la maturation de l'ovocyte dans l'ovaire et sa libération sont synchrones avec les modifications de l'utérus, l'organe qui abrite l'embryon s'il y a fécondation. Si un embryon ne s'est pas implanté dans l'endomètre avant la fin de la phase sécrétoire du cycle utérin, une nouvelle phase menstruelle commence, marquant le premier jour du cycle suivant. Plus loin dans le présent chapitre, nous étudierons certains mécanismes qui empêchent la dégénérescence de la couche fonctionnelle de l'endomètre en cas de grossesse.

Outre leur rôle dans la coordination des cycles reproducteurs, les œstrogènes sont à l'origine des caractères sexuels secondaires féminins. Cette famille d'hormones provoque le dépôt de graisses dans les seins et les hanches, augmente la rétention d'eau, influe sur le métabolisme du calcium, stimule le développement des glandes mammaires et détermine le comportement sexuel féminin.

La ménopause. Après environ 450 cycles, les femmes atteignent la **ménopause**, période où l'ovulation et les menstruations s'arrêtent, habituellement entre 46 et 54 ans. Il semble que les ovaires perdent alors la capacité de répondre aux gonadotrophines (FSH et LH) provenant de l'adénohypophyse. Ils produisent de moins en moins d'œstrogènes, ce qui conduit à la ménopause. La ménopause est un phénomène exceptionnel. En effet, chez la plupart des espèces, les femelles et les mâles conservent toute leur vie la capacité de se reproduire. L'évolution explique-t-elle ce phénomène? Pourquoi la sélection naturelle a-t-elle favorisé les femmes qui cessaient de se reproduire bien avant la fin de leur vie? Une hypothèse intéressante avance qu'au début de l'humanité l'apparition de la ménopause après la naissance de quelques enfants permettait aux femmes de garder une meilleure forme physique. L'incapacité de se reproduire leur aurait permis de bien prendre soin de leurs enfants et de leurs petits-enfants. Cela aurait ainsi favorisé la survie des individus portant leurs gènes.

La régulation hormonale du système reproducteur mâle

Chez le mâle, les androgènes sont les principales hormones sexuelles, la plus importante étant la testostérone. Les androgènes sont des hormones stéroïdes principalement produites par les cellules interstitielles des testicules situées près des tubules séminifères.

La testostérone et d'autres androgènes déterminent directement les caractères sexuels primaires et secondaires masculins. Les caractères sexuels primaires sont liés au système reproducteur. Ce sont la formation des organes génitaux externes, des conduits déférents et d'autres conduits, et la production de spermatozoïdes. Les caractères sexuels secondaires n'ont pas de lien direct avec le système reproducteur. Ce sont le ton grave de la voix, la répartition particulière de la pilosité sur le visage et la région pubienne, et la croissance des muscles (les androgènes stimulent la synthèse protéique). Les androgènes exercent également une forte influence sur le comportement des Mammifères et des autres Vertébrés. Outre qu'ils favorisent certains comportements sexuels et la libido, ils augmentent le niveau général d'agressivité ou déclenchent des phénomènes tels que le chant chez les Oiseaux et le coassement chez les grenouilles. Les hormones libérées par l'adénohypophyse et l'hypothalamus régissent la sécrétion d'androgènes et la production de spermatozoïdes dans les testicules. Tout en étudiant la **figure 46.14**, n'oubliez pas que chaque hormone n'agit que sur les cellules qui possèdent des récepteurs spécifiques pour elle (voir le chapitre 45).

Retour sur le concept 46.4

1. La FSH et la LH tirent leur nom d'événements du cycle reproducteur de la femelle, mais elles exercent également une action chez le mâle. Quels sont les points communs entre ces fonctions chez la femelle et chez le mâle?
2. Quelle est la différence entre un cycle œstral et un cycle menstruel? Chez quels types d'Animaux trouve-t-on les deux sortes de cycles?
3. Pourquoi le cycle ovarien et le cycle utérin (menstruel) sont-ils considérés comme faisant partie d'un seul cycle?
4. Quelles modifications hormonales spécifiques déclenchent l'ovulation?

Voir les réponses proposées à la fin du chapitre.

Concept 46.5

Le développement embryonnaire se fait dans l'utérus chez l'humain et les autres Mammifères placentaires

Chez les humains et les autres Mammifères placentaires (Euthériens), la **gestation** (**grossesse** chez l'humain) est le fait de porter dans l'utérus un ou plusieurs embryons. Chez l'humain, la grossesse dure en moyenne 266 jours (38 semaines) à partir de la fécondation de l'ovule, ou 40 semaines à partir du début du dernier cycle menstruel. Chez les autres espèces, la période de gestation varie en fonction de la taille de l'Animal et du développement du jeune à la naissance. Chez de nombreux Rongeurs, elle est d'environ 21 jours. Chez les chiens, elle s'étend sur près de 60 jours. Chez les bovins, elle dure en moyenne 270 jours (presque comme chez l'humain). Enfin, elle est de 420 jours chez les girafes et de plus de 600 jours chez les éléphants.

La conception, le développement embryonnaire et la naissance

La fécondation d'un ovule par un spermatozoïde (aussi appelée **conception**, chez les humains) a lieu dans la trompe utérine **(figure 46.15)**. Vingt-quatre heures plus tard environ, le zygote commence à se diviser. Ce processus qu'on appelle **segmentation** se poursuit, et l'embryon est une boule de cellules lorsqu'il atteint l'utérus, trois ou quatre jours après la fécondation. Environ une semaine après la fécondation, la segmentation a produit le **blastocyste**, sphère de cellules creusée d'une cavité remplie de liquide, le blastocœle. L'un des pôles du blastocyste contient un amas de

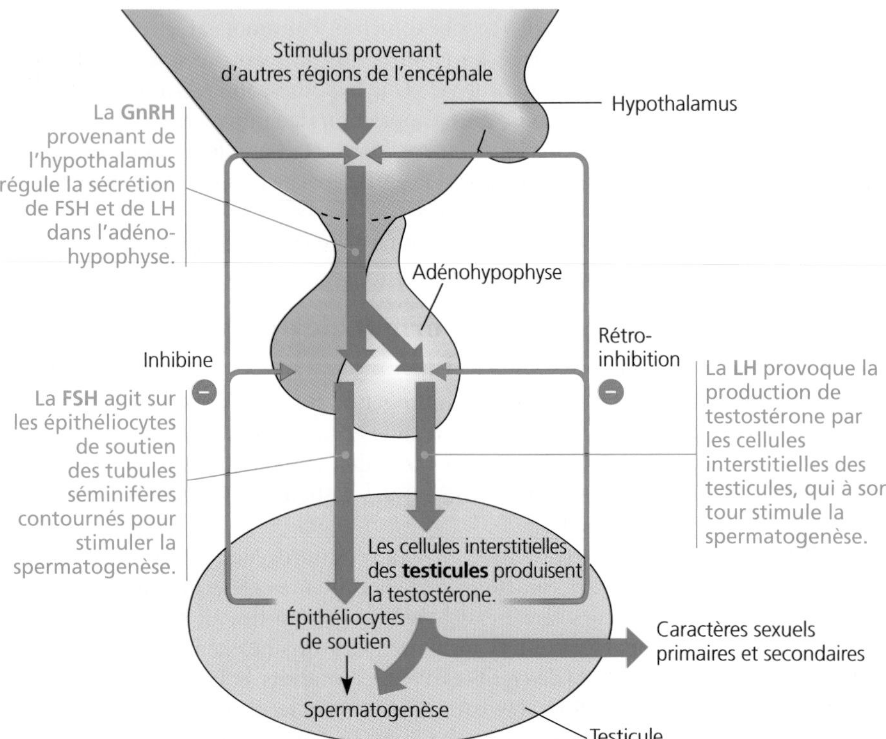

Stimulus provenant d'autres régions de l'encéphale
Hypothalamus
La GnRH provenant de l'hypothalamus régule la sécrétion de FSH et de LH dans l'adénohypophyse.
Adénohypophyse
Rétro-inhibition
Inhibine
La FSH agit sur les épithéliocytes de soutien des tubules séminifères contournés pour stimuler la spermatogenèse.
La LH provoque la production de testostérone par les cellules interstitielles des testicules, qui à son tour stimule la spermatogenèse.
Les cellules interstitielles des testicules produisent la testostérone.
Épithéliocytes de soutien
Spermatogenèse
Caractères sexuels primaires et secondaires
Testicule

Figure 46.14 Régulation hormonale de l'activité dans les testicules. La gonadolibérine (GnRH) produite par l'hypothalamus favorise la sécrétion par l'adénohypophyse de deux hormones gonadotrophiques qui agissent différemment sur les testicules: l'hormone lutéinisante (LH) et l'hormone folliculostimulante (FSH). La FSH agit sur les épithéliocytes de soutien, grosses cellules en contact avec une cinquantaine de spermatocytes et qui nourrissent les spermatozoïdes en voie de développement (voir la figure 46.12). La LH agit sur les cellules interstitielles des testicules qui produisent les androgènes, surtout la testostérone. Celle-ci exerce une rétro-inhibition sur l'hypothalamus et l'adénohypophyse, le principal mécanisme qui assure la constance de la concentration de LH, de FSH et de GnRH. Les androgènes et l'inhibine exercent une rétro-inhibition sur les concentrations sanguines de LH, de FSH et de GnRH. L'inhibine est une hormone protéique qui est synthétisée par les épithéliocytes de soutien; elle est libérée dans les tubules séminifères contournés avant de rejoindre le sang lorsque la densité de population des spermatozoïdes dépasse une certaine valeur. De plus, la GnRH subit aussi une rétro-inhibition de la part de la LH et de la FSH (non illustrée).

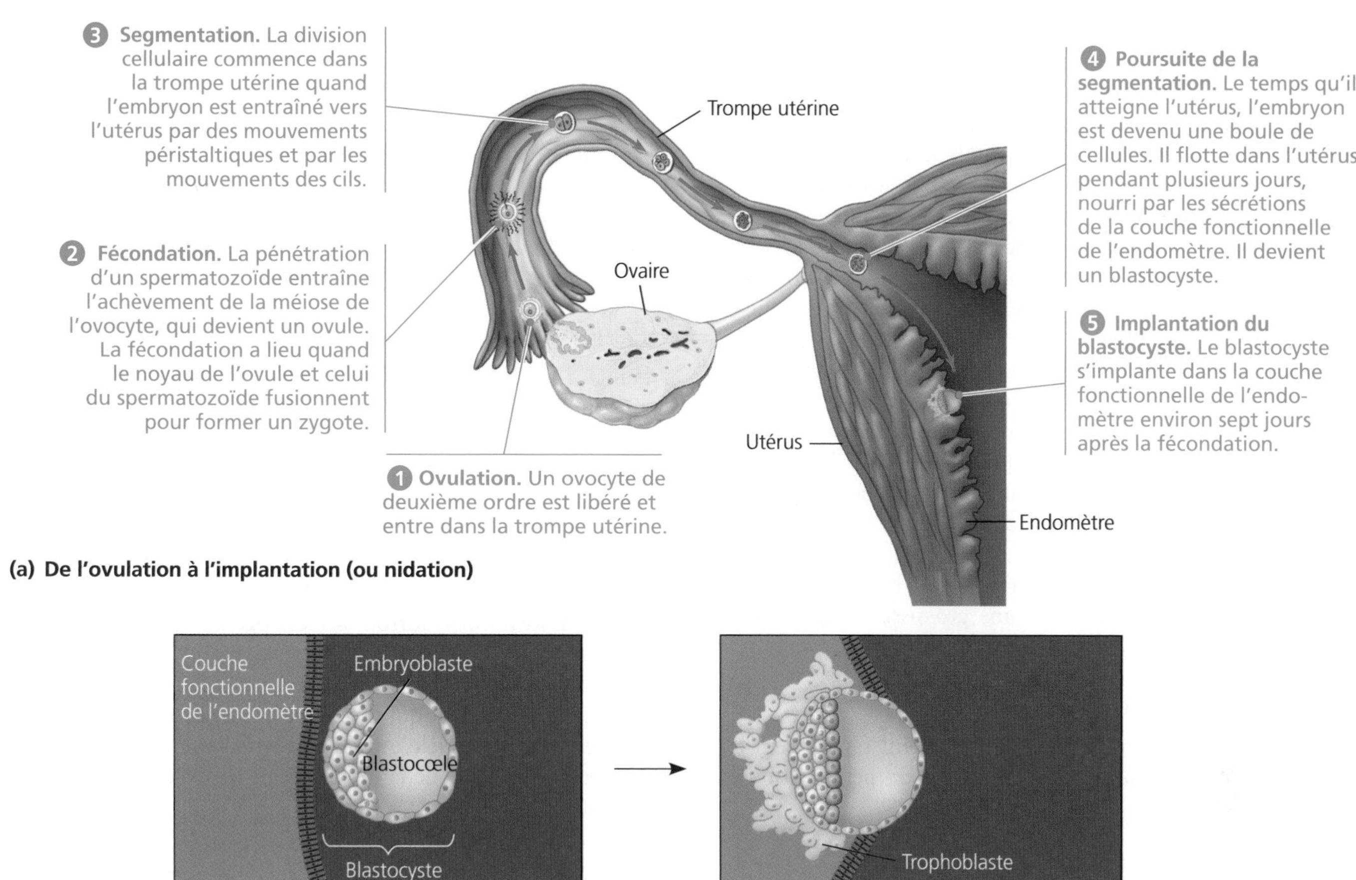
③ Segmentation. La division cellulaire commence dans la trompe utérine quand l'embryon est entraîné vers l'utérus par des mouvements péristaltiques et par les mouvements des cils.
② Fécondation. La pénétration d'un spermatozoïde entraîne l'achèvement de la méiose de l'ovocyte, qui devient un ovule. La fécondation a lieu quand le noyau de l'ovule et celui du spermatozoïde fusionnent pour former un zygote.
Trompe utérine
Ovaire
① Ovulation. Un ovocyte de deuxième ordre est libéré et entre dans la trompe utérine.
Utérus
Endomètre
④ Poursuite de la segmentation. Le temps qu'il atteigne l'utérus, l'embryon est devenu une boule de cellules. Il flotte dans l'utérus pendant plusieurs jours, nourri par les sécrétions de la couche fonctionnelle de l'endomètre. Il devient un blastocyste.
⑤ Implantation du blastocyste. Le blastocyste s'implante dans la couche fonctionnelle de l'endomètre environ sept jours après la fécondation.
(a) De l'ovulation à l'implantation (ou nidation)
Couche fonctionnelle de l'endomètre
Embryoblaste
Blastocœle
Blastocyste
Trophoblaste
(b) Implantation du blastocyste

▲ **Figure 46.15 Formation du zygote et événements suivant la fécondation.** Au chapitre 47, nous étudierons plus en détail la fécondation et la segmentation.

cellules, l'embryoblaste, qui donnera l'embryon. Les cellules périphériques du blastocyste constitueront quant à elles une partie du placenta et des membranes extra-embryonnaires. Au cours d'un processus de plusieurs jours, le blastocyste va s'implanter dans l'endomètre.

L'embryon sécrète des hormones qui signalent sa présence et exercent une régulation sur le système reproducteur de la mère. L'une des hormones embryonnaires, la **gonadotrophine chorionique humaine** (**hCG**, pour *human chorionic gonatotropin*), agit de la même façon que l'hormone lutéinisante (LH) adénohypophysaire. Elle maintient la sécrétion de progestérone et d'œstrogènes par le corps jaune durant les quelques premiers mois de la grossesse. Si elle n'était pas là, l'inhibition de l'adénohypophyse par la progestérone causerait une baisse de LH maternelle, qui elle-même provoquerait l'apparition des menstruations et la perte de l'embryon. Le sang contient une telle concentration de hCG qu'une certaine quantité de cette hormone est excrétée dans l'urine. C'est d'ailleurs la détection de cette hormone qui sert aux tests immunologiques de grossesse.

Le premier trimestre

Pour simplifier, on peut diviser la gestation humaine en trois périodes d'environ trois mois chacune: les **trimestres**. Les changements les plus importants, tant pour la mère que pour l'embryon, se produisent pendant le premier trimestre. Reprenons le cours de nos explications où nous nous sommes arrêtés: à l'implantation de l'embryon. Au cours de cette implantation (ou nidation), le blastocyste s'enfonce dans la couche fonctionnelle de l'endomètre, qui réagit en le recouvrant. La différenciation des structures corporelles commence alors. (Nous étudierons plus en détail le développement embryonnaire au chapitre 47.)

Ainsi, durant les deux à quatre premières semaines de son développement, l'embryon obtient ses nutriments directement de l'endomètre. Entre-temps, la couche externe du blastocyste, appelée **trophoblaste**, sort de l'embryon en formation et se mêle à la couche fonctionnelle de l'endomètre, aidant par la suite à former le **placenta.** Cet organe en forme de disque qui contient des vaisseaux sanguins embryonnaires et maternels grossit jusqu'à atteindre la taille d'une assiette et jusqu'à peser un peu moins de 1 kg. La diffusion de matières entre les systèmes cardiovasculaires maternel et embryonnaire permet l'échange de gaz respiratoires et le transfert de nutriments, ainsi que l'évacuation des déchets produits par l'embryon. Le sang provenant de l'embryon arrive au placenta en passant par des artères du cordon ombilical, et en repart par la veine ombilicale **(figure 46.16).**

Le premier trimestre est également la principale période où s'effectue l'**organogenèse**, c'est-à-dire la formation des organes **(figure 46.17)** à partir de trois feuillets cellulaires, appelés *feuillets* *embryonnaires* (voir la figure 32.8), dont nous reparlerons au chapitre 47. Le cœur commence à battre dès la quatrième semaine, et on peut l'entendre au stéthoscope à la fin du premier trimestre. À huit semaines, l'embryon, désormais appelé **fœtus**, possède les principales structures de l'adulte sous forme rudimentaire. (Comme l'embryon est le siège d'une organogenèse rapide pendant le premier trimestre, c'est à ce moment-là qu'il est le plus vulnérable à certaines menaces, telles que les radiations et les médicaments, qui peuvent provoquer des malformations.) À la fin du troisième mois, le fœtus déjà bien différencié ne mesure toutefois que 5 cm.

Durant le premier trimestre, la femme enceinte subit également des changements rapides. La forte concentration sanguine de progestérone entraîne diverses modifications dans son système reproducteur. Ainsi, la quantité de mucus augmente de manière considérable dans le col utérin, pour former un bouchon protecteur. De plus, la partie maternelle du placenta grossit, le volume de l'utérus augmente, et l'ovulation et le cycle menstruel s'arrêtent (par rétro-inhibition au niveau de l'hypothalamus et de l'adénohypophyse). Enfin, les seins grossissent rapidement et sont souvent assez sensibles.

Le deuxième trimestre

Au cours du deuxième trimestre, le fœtus atteint rapidement la taille de 30 cm et se montre assez actif. La mère peut sentir ses mouvements dès la première partie du deuxième trimestre, et on peut le voir bouger à travers la paroi abdominale vers le milieu de cette période. La concentration hormonale se stabilise, tandis que la quantité d'hCG diminue. Le corps jaune se résorbe et le placenta sécrète sa propre progestérone, ce qui maintient la grossesse; chez d'autres espèces de Mammifères, le corps jaune persiste durant toute la gestation. Pendant le deuxième trimestre, l'utérus prend suffisamment de volume pour que la grossesse devienne évidente.

Le troisième trimestre

Pendant le dernier trimestre, le fœtus croît rapidement. Il atteint ainsi une taille de 50 cm environ et une masse de 3 à 4 kg. Son activité diminue au fur et à mesure qu'il remplit l'espace disponible à l'intérieur des membranes fœtales. Tandis qu'il grossit et que l'utérus s'agrandit autour de lui, les organes abdominaux de la mère se trouvent comprimés et déplacés. Cela entraîne des mictions fréquentes, des blocages du tube digestif et une surcharge pour les muscles du dos. Une interaction complexe entre certaines hormones (surtout les œstrogènes et l'ocytocine) et des régulateurs locaux (prostaglandines) provoque et régule le travail, processus par lequel l'accouchement a lieu. On ne comprend pas bien le mécanisme qui déclenche le **travail**, mais la **figure 46.18** en présente un modèle. Atteignant leurs concentrations les plus élevées dans le sang de la mère durant les dernières semaines de

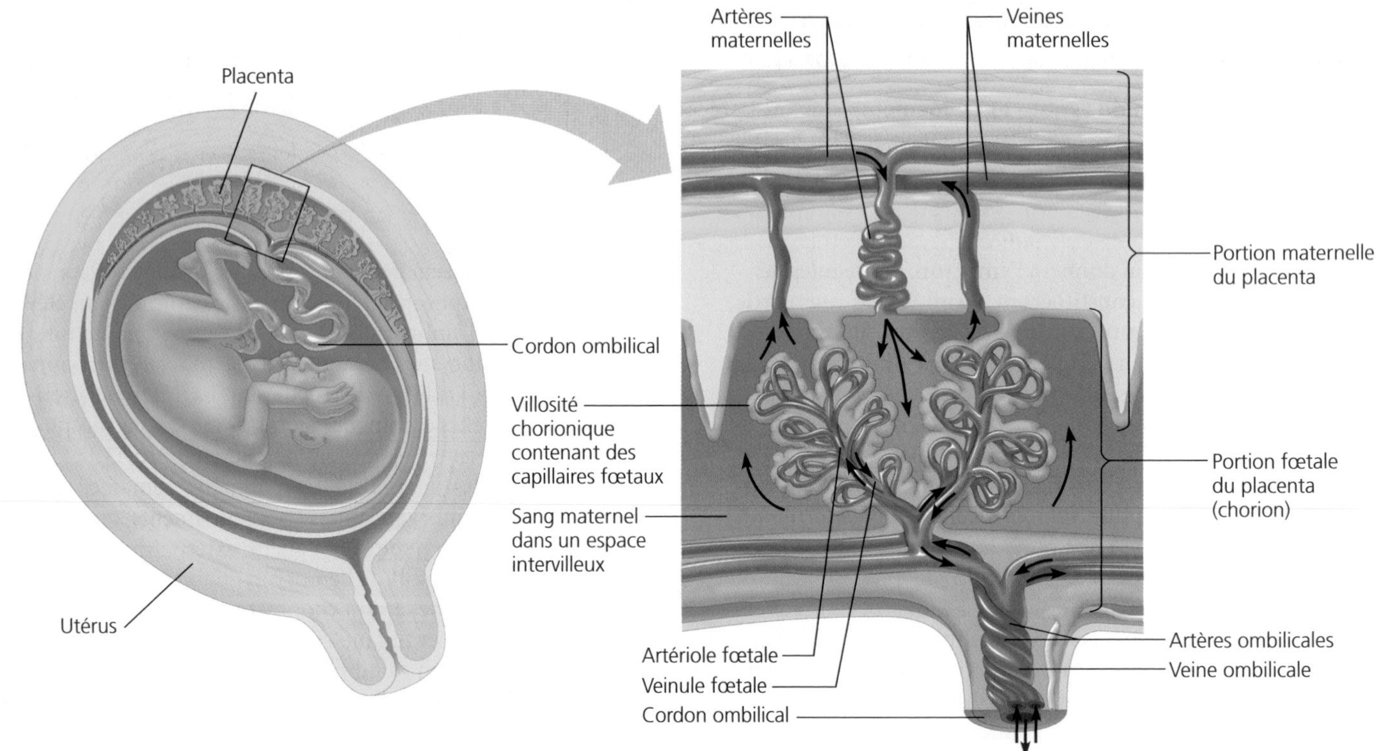

▲ **Figure 46.16 Circulation placentaire.** De la quatrième semaine à la naissance, le placenta, organe composé de tissus maternels et fœtaux, permet le transport de nutriments et d'anticorps (IgG) maternels, l'échange de gaz respiratoires entre la mère et le fœtus, et l'évacuation des déchets produits par ce dernier. Le sang maternel arrive dans le placenta par des artères, traverse des espaces sanguins intervilleux situés dans la couche fonctionnelle de l'endomètre et ressort par des veines. Le sang embryonnaire ou fœtal, qui reste dans des vaisseaux, arrive dans le placenta par des artères et passe à travers les capillaires dans les villosités chorioniques digitiformes, où il absorbe le dioxygène (O_2) et les nutriments. L'illustration montre que les capillaires embryonnaires ou fœtaux et les villosités chorioniques pénètrent dans la partie maternelle du placenta. Le sang embryonnaire ou fœtal quitte le placenta par des veines qui le ramènent au fœtus. L'échange de substances entre le lit de capillaires du fœtus et les espaces sanguins intervilleux s'effectue par transport passif ou actif, selon la nature des substances.

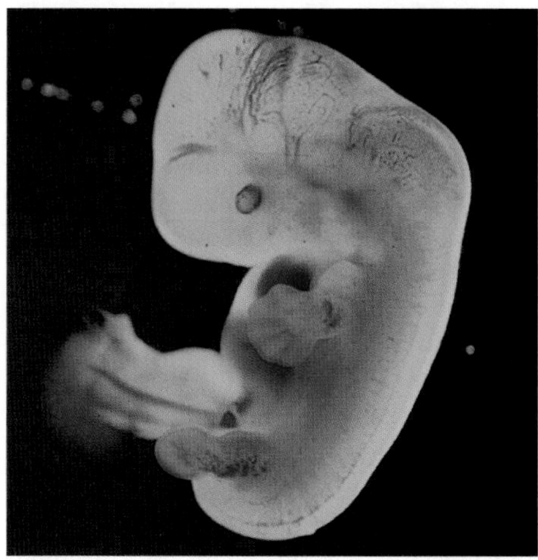

(a) **5 semaines.** Les bourgeons des membres, les yeux, le cœur, le foie et les rudiments de tous les autres organes ont commencé à se former dans l'embryon, qui ne mesure que 1 cm de longueur.

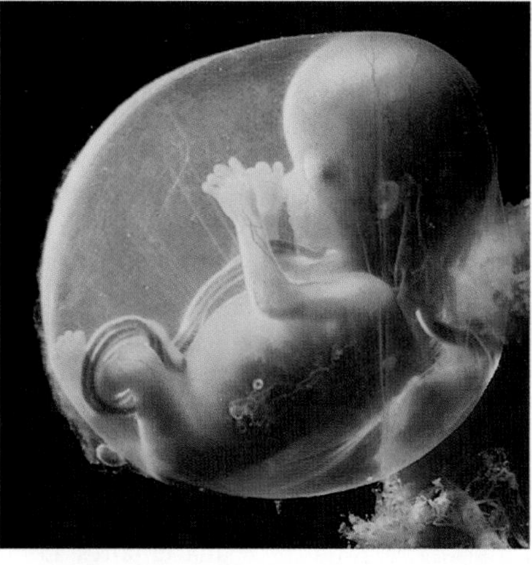

(b) **14 semaines.** La croissance et le développement du nouvel individu, maintenant appelé *fœtus,* se poursuivent pendant le deuxième trimestre. Ce fœtus mesure 6 cm environ (à ce stade, on mesure la distance entre le point le plus élevé de la tête, ou vertex, et le coccyx).

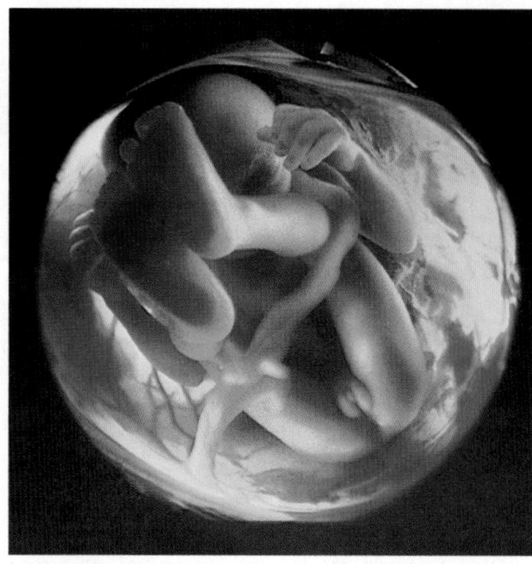

(c) **20 semaines.** À la fin du deuxième trimestre (à 24 semaines), le fœtus mesure environ 30 cm.

▲ **Figure 46.17 Développement du fœtus humain.**

grossesse, les œstrogènes sont à l'origine de la formation de récepteurs d'ocytocine sur l'utérus. Produite par certaines cellules du fœtus et par la neurohypophyse de la mère, l'ocytocine provoque de puissantes contractions dans les muscles lisses de l'utérus. Elle déclenche également la sécrétion, par le placenta, de prostaglandines qui augmentent les contractions. En retour, les efforts physiques et les émotions associés aux contractions stimulent la libération d'ocytocine et de prostaglandines. Cette rétroactivation est à la base du processus du travail.

L'accouchement, ou **parturition**, résulte d'une série de contractions fortes et rythmiques de l'utérus. Le travail comprend trois périodes **(figure 46.19)**. La première période est celle de la dilatation du col utérin, qui s'ouvre et s'amincit. La dilatation complète du col en marque la fin. La deuxième période est celle de l'expulsion, ou naissance, de l'enfant. Les contractions vigoureuses et continues forcent le fœtus à descendre et à sortir de l'utérus et du vagin. On clampe et on sectionne alors le cordon ombilical. Enfin, la troisième et dernière période est celle de la délivrance, consistant en l'expulsion du placenta, qui suit normalement la sortie de l'enfant.

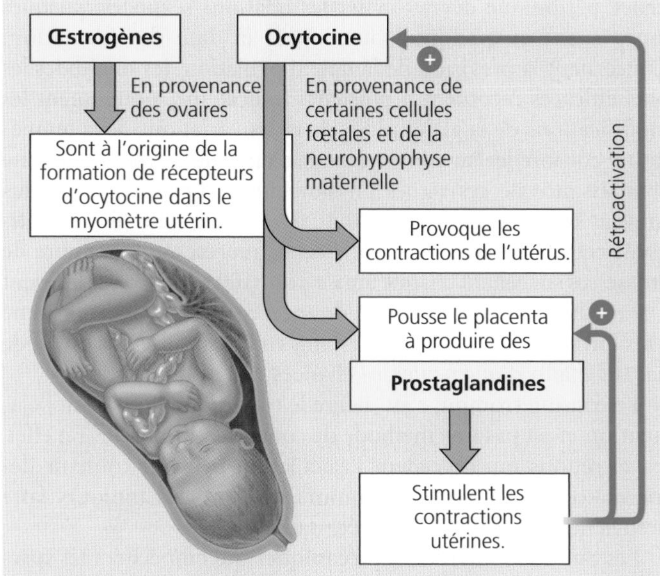

▲ **Figure 46.18 Modèle du déclenchement hormonal du travail.**

La **lactation**, c'est-à-dire la production et la sécrétion de lait par les glandes mammaires, fait partie des soins postnataux propres aux Mammifères. Après la naissance, la diminution de la concentration de progestérone fait cesser la rétro-inhibition qui s'exerçait sur l'adénohypophyse et permet la sécrétion de prolactine. La prolactine provoque la production de lait véritable au bout de deux ou trois jours. Et c'est l'ocytocine qui est à l'origine de l'éjection du lait par les glandes mammaires (voir la page 1026 et la figure 45.7). Avant l'arrivée du lait véritable, les petits des Mammifères se nourrissent de colostrum, liquide jaunâtre sécrété par les glandes mammaires dès la fin de la gestation. Ce liquide contient des anticorps et plus de protéines, de minéraux et de vitamines A et D que le lait véritable. Mais on y trouve moins de lipides et de glucides.

La tolérance immunitaire de l'embryon et du fœtus de la part de la mère

Du point de vue immunologique, la grossesse constitue une énigme. En effet, la moitié des gènes de l'embryon viennent du père. Ainsi, de nombreux marqueurs embryonnaires présents à la surface des cellules sont étrangers à la mère. Pourquoi donc la mère ne rejette-t-elle pas ce corps étranger comme elle rejetterait un greffon portant des antigènes venant d'une autre personne? Les immunologistes spécialistes de la reproduction essaient de résoudre ce mystère.

Le *trophoblaste* pourrait constituer une pièce importante du casse-tête (voir les figures 46.15 et 47.18). À l'origine, il forme la

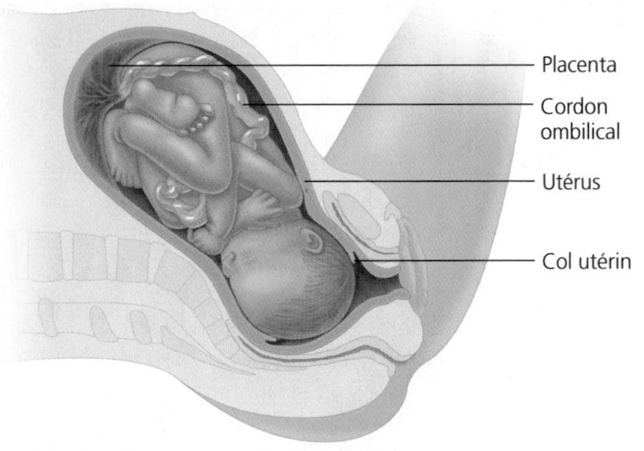

❶ Dilatation du col utérin

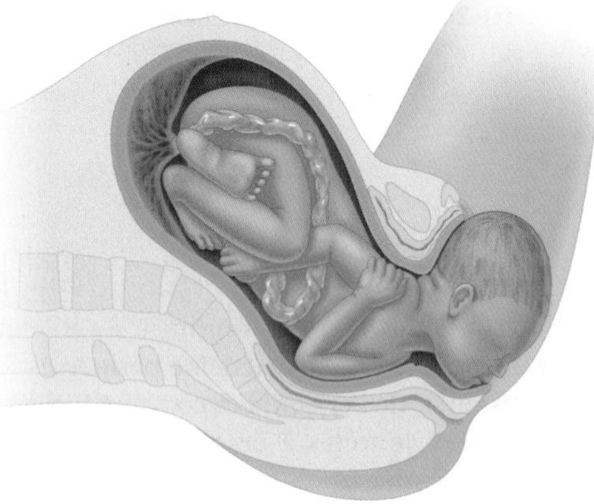

❷ Expulsion : naissance de l'enfant

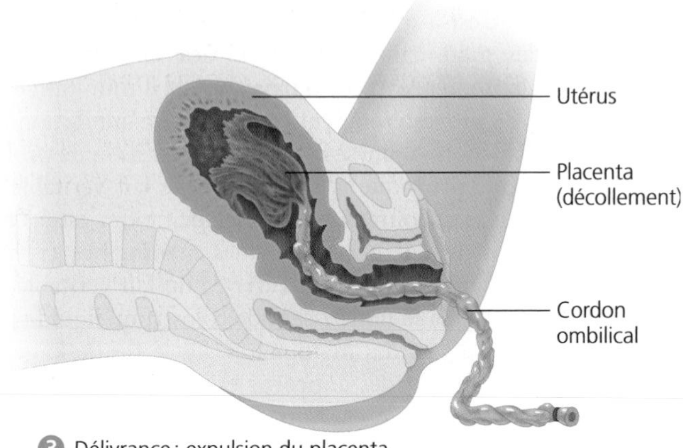

❸ Délivrance : expulsion du placenta

▲ **Figure 46.19 Les trois périodes du travail.**

couche externe du blastocyste et permet l'implantation en pénétrant dans la couche fonctionnelle de l'endomètre, puis devient la partie fœtale du placenta (voir les figures 46.15 et 46.16). Comment peut-il, et par la suite le placenta, protéger l'embryon du rejet ? Voici quelques hypothèses.

Dès le début de la grossesse, le trophoblaste semble empêcher le système immunitaire de la mère de rejeter le blastocyste en libérant des médiateurs chimiques possédant des effets immunosuppressifs. Ce sont l'hCG, une variété de « facteurs » protéiques, une prostaglandine, plusieurs interleukines et un interféron. De nombreuses recherches donnent à penser qu'une combinaison de ces substances interfère avec le rejet immunitaire en agissant sur les lymphocytes T de la mère. Les lymphocytes T jouent un rôle important dans le système immunitaire (voir le chapitre 43).

Une hypothèse très différente, émise en 1998, avance que le trophoblaste (et, par la suite, le placenta) sécrète une enzyme qui dégrade rapidement les réserves de tryptophane des lymphocytes T, acide aminé nécessaire à leur survie et à leur bon fonctionnement. Chez la souris du moins, cette enzyme semble être essentielle au maintien de la grossesse.

Une autre possibilité serait l'absence de certains antigènes d'histocompatibilité sur les cellules placentaires et la sécrétion d'une hormone qui induit la synthèse d'une protéine membranaire (FasL) « inductrice de l'apoptose » à la surface des cellules placentaires. Les lymphocytes T activés possèdent un « récepteur de mort » (Fas) complémentaire, et la liaison de la FasL au Fas provoquerait l'autodestruction des lymphocytes T par apoptose.

La contraception et l'avortement

La **contraception**, c'est-à-dire le fait de provoquer une infécondité temporaire chez la femme ou chez l'homme, recourt à différentes méthodes. Certaines d'entre elles empêchent la libération d'ovocytes matures (ovocytes de deuxième ordre) et de spermatozoïdes mûrs par les gonades. D'autres rendent la fécondation impossible en séparant les spermatozoïdes et les ovules. D'autres encore consistent à empêcher l'implantation de l'embryon **(figure 46.20)**. La courte présentation qui suit traite des aspects biologiques de ces méthodes et n'a pas les objectifs d'un guide de contraception. Pour obtenir de l'information complémentaire, on consultera un médecin ou un autre spécialiste de la santé.

On peut éviter la fécondation en s'abstenant d'avoir des relations sexuelles ou en utilisant l'une des diverses barrières qui empêchent les spermatozoïdes d'entrer en contact avec l'ovocyte de deuxième ordre. L'abstinence périodique, souvent appelée **méthode naturelle** de contraception, consiste à ne pas avoir de relations sexuelles pendant la période féconde. Comme l'ovocyte peut survivre dans la trompe utérine durant 24 à 48 heures et les spermatozoïdes jusqu'à 72 heures, un couple qui pratique l'abstinence périodique devrait éviter les relations sexuelles quelques jours avant et quelques jours après la date de l'ovulation. Concernant la prévision de la date d'ovulation, les méthodes les plus efficaces recourent à plusieurs indicateurs, notamment les modifications de la glaire cervicale et les variations de la température corporelle. Par conséquent, le couple doit avoir une bonne connaissance de ces signes physiologiques. On observe le plus souvent un taux d'échec de 10 à 20 % chez les couples qui utilisent cette méthode. (Le taux d'échec représente le nombre de grossesses survenant chaque année pour 100 femmes qui utilisent une méthode de contraception donnée, ce nombre étant exprimé sous forme de pourcentage.) Certains couples utilisent la méthode naturelle afin d'*augmenter* les chances de conception.

Le coït interrompu, c'est-à-dire le retrait du pénis avant l'éjaculation, n'est pas une méthode de contraception fiable. En effet, les sécrétions qui précèdent l'éjaculation peuvent contenir des spermatozoïdes. De plus, l'homme ne peut pas toujours faire preuve de la maîtrise de soi nécessaire.

Les différentes **barrières mécaniques** qui empêchent les spermatozoïdes d'atteindre l'ovocyte connaissent un taux d'échec inférieur à 10 %. Le **préservatif masculin**, ou **condom**, est une fine

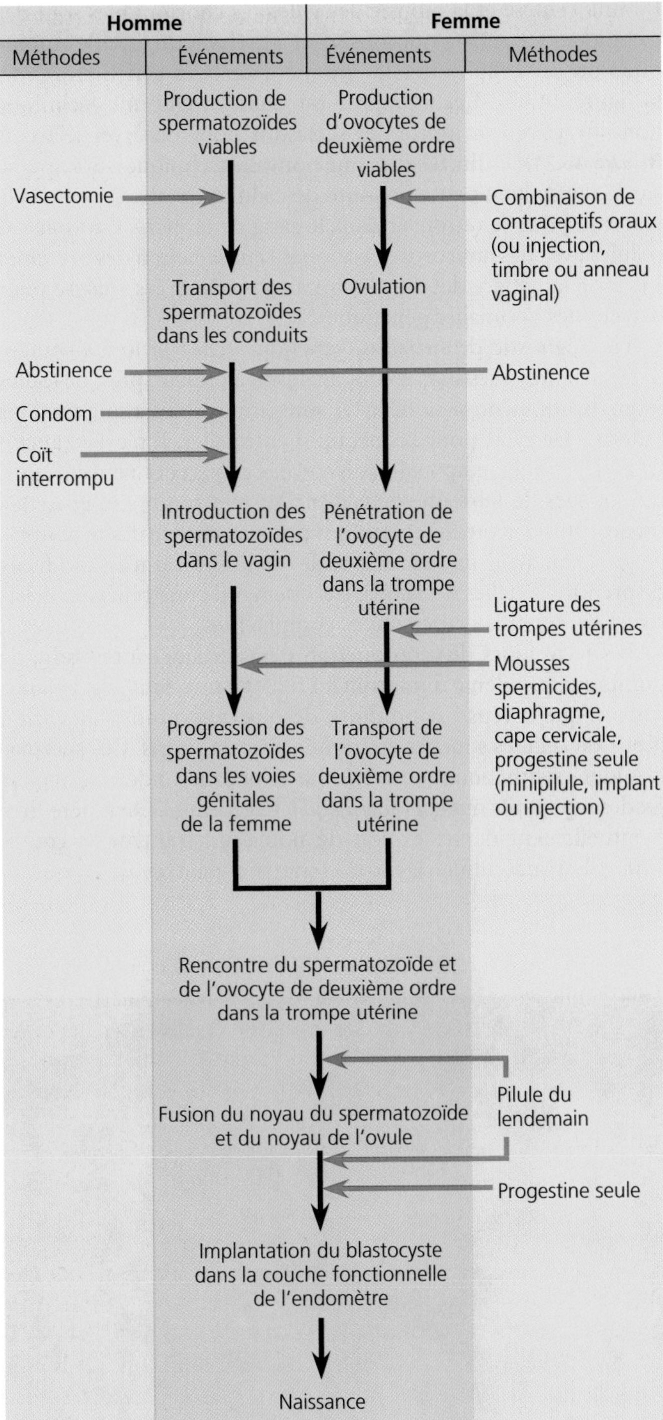

▲ **Figure 46.20 Mécanismes de certaines méthodes de contraception.** Les flèches rouges indiquent à quel moment ces méthodes, dispositifs ou produits interviennent dans le processus menant de la production de spermatozoïdes ou d'ovocytes de deuxième ordre à la naissance d'un bébé.

membrane naturelle ou un étui de latex qui s'ajuste sur le pénis de façon à recueillir le sperme. Pour les individus actifs sexuellement, seuls les condoms en latex fournissent une protection contre les maladies qui se transmettent sexuellement, notamment le sida. (Cependant, cette protection n'est pas efficace à 100 %.) Le **diaphragme**, barrière mécanique la plus utilisée par les femmes, est une coupole de caoutchouc mince qu'on place dans la partie profonde du vagin avant le rapport sexuel. L'efficacité de ces deux méthodes augmente lorsqu'on les combine avec une mousse ou un gel spermicides (qui tue les spermatozoïdes). Parmi les autres barrières mécaniques, on trouve la cape cervicale, préservatif féminin qui s'ajuste étroitement au col utérin et peut rester longtemps en place par succion, et la pochette vaginale, ou « condom féminin ».

À part l'abstinence complète, les méthodes visant à empêcher la libération des gamètes constituent les moyens de régulation des naissances les plus efficaces. La stérilisation (abordée plus loin) s'avère efficace à 100 % ou presque. Les **contraceptifs oraux** (la « pilule ») connaissent un taux d'échec inférieur à 1 %. Les contraceptifs oraux les plus utilisés sont un mélange d'œstrogènes et de progestines synthétiques (hormones semblables à la progestérone). Cette combinaison d'hormones exerce une rétro-inhibition qui bloque la libération de gonadolibérine (GnRH) par l'hypothalamus, ainsi que la libération d'hormone folliculostimulante (FSH) et d'hormone lutéinisante (LH) par l'hypophyse. En empêchant la libération de LH, les progestines bloquent l'ovulation. En inhibant la sécrétion de FSH, la faible dose d'œstrogènes dans la pilule entrave le développement de tout follicule. Une semblable combinaison d'hormones est également disponible sous forme d'injection, dans un anneau inséré dans le vagin et sous forme de timbre. Des combinaisons de contraceptifs oraux à fortes doses peuvent constituer des « pilules du lendemain ». Pris dans les trois jours qui suivent une relation non protégée, ces contraceptifs empêchent la fécondation ou l'implantation. Leur efficacité est d'environ 75 %.

Deuxième type de contraceptif oral, la minipilule n'est composée que d'une seule progestine (noréthindrone). Elle n'empêche pas l'ovulation avec autant d'efficacité et n'est pas un contraceptif aussi efficace qu'une combinaison d'hormones. La minipilule prévient la fécondation principalement en épaississant la glaire cervicale, afin qu'elle bloque l'accès de l'utérus au sperme. La progestine provoque également des modifications de la couche fonctionnelle de l'endomètre qui empêchent l'implantation s'il y a eu fécondation. Elle peut être administrée sous forme de capsule à action retardée de la grosseur d'une allumette qu'on implante sous la peau et qui agit pendant une période pouvant atteindre cinq ans. La progestine se présente également sous forme de produit qu'on injecte tous les trois mois ainsi que sous forme de comprimé (minipilule).

Les contraceptifs hormonaux présentent-ils des effets nocifs à long terme ? Les troubles cardiovasculaires possibles suscitent les plus fortes inquiétudes pour les femmes qui utilisent la pilule sous la forme de combinaison hormonale. Les contraceptifs oraux augmentent légèrement les risques de formation de caillots, de tension artérielle élevée, de crise cardiaque et d'accident vasculaire cérébral. Consommer du tabac tout en recourant à la contraception chimique multiplie par dix ou même plus les risques de décès. Bien qu'ils constituent un facteur de risque pour les maladies cardiovasculaires, les contraceptifs oraux éliminent les risques liés à la grossesse ; les femmes qui prennent des contraceptifs oraux présentent un taux de mortalité égal à la moitié de celui des femmes enceintes (et l'écart entre les deux groupes est encore beaucoup plus marqué dans les pays où le taux de mortalité maternelle est élevé). En outre, la pilule diminue les risques de cancers de l'ovaire et de l'endomètre, et de pathologie mammaire bénigne.

Les contraceptifs chimiques pour hommes se sont révélés peu satisfaisants parce que les substances chimiques qui modifient les concentrations de testostérone altèrent les caractères sexuels secondaires ainsi que la spermatogenèse. Toutefois, des chercheurs ont récemment commencé à s'intéresser à des médicaments qui ciblent d'autres sortes de molécules intervenant dans la spermatogenèse. Un de ces médicaments prometteurs (c'est un glucide) a déjà reçu une approbation pour d'autres fins. Lorsqu'on l'administre à des souris, il provoque la production de spermatozoïdes non fonctionnels, en inhibant, semble-t-il, la synthèse de certains glycolipides.

La stérilisation empêche la libération des gamètes dans les voies génitales de manière permanente. Chez la femme, on procède à la **ligature des trompes**, opération qui consiste à cautériser ou à lier une section des trompes utérines afin d'empêcher la progression des ovocytes matures jusqu'à l'utérus. Chez l'homme, on procède à la **vasectomie**, c'est-à-dire à la section des conduits déférents, pour empêcher les spermatozoïdes d'entrer dans l'urètre. La stérilisation de l'homme ou de la femme ne présente à peu près aucun danger et ne compte pas d'effets secondaires notables. Dans les deux cas, les chances de succès d'une recanalisation chirurgicale sont faibles. La stérilisation devrait être considérée comme définitive. En 2004, sur les 13 510 vasectomies pratiquées au Québec, 524 ont été suivies d'une recanalisation (vaso-vasostomie); cette dernière intervention connaît de meilleures chances de succès si elle est pratiquée dans les 48 mois suivant la vasectomie.

En 2006 a débuté, en Inde, la phase III des essais cliniques relatifs à une nouvelle méthode de contraception masculine qui pourrait être considérée comme une solution de rechange à la vasectomie. Appelée *Reversible inhibition of sperm under guidance* (RISUG), cette méthode consiste à injecter dans les canaux déférents un gel de polymère qui colle aux parois des canaux et qui inactive les spermatozoïdes à leur passage. La RISUG aurait, semble-t-il, plusieurs avantages: longue durée (une dizaine d'années), facilement réversible, simple d'application (l'intervention ne prendrait que 15 minutes) et peu d'effets secondaires.

L'**avortement** (ou IVG, pour « interruption volontaire de grossesse ») est l'interruption d'une grossesse en cours. L'avortement spontané, ou fausse couche, survient fréquemment (un cas sur trois pour l'ensemble des grossesses, souvent même avant que la femme sache qu'elle est enceinte). Par ailleurs, chaque année, environ 200 000 femmes en France et 30 000 au Québec choisissent l'avortement pratiqué par un médecin. La pilule abortive RU486 (pour *Roussel-Uclaf 486*), ou mifépristone, conçue en France dans les années 1980, permet aux femmes d'avorter dans les sept premières semaines de leur grossesse sans recourir à la chirurgie. Ayant une composition chimique semblable à celle de la progestérone, elle occupe les récepteurs de progestérone situés dans l'utérus. Elle agit comme inhibiteur compétitif et empêche la progestérone de maintenir la grossesse. On l'administre avec une petite quantité de prostaglandines qui doivent déclencher des contractions utérines.

La technologie moderne de reproduction

Des découvertes scientifiques et techniques récentes ont permis de prendre des mesures à l'égard de plusieurs problèmes de reproduction. Ainsi, il est maintenant possible de diagnostiquer de nombreuses maladies et anomalies génétiques chez le fœtus. L'amniocentèse et la biopsie des villosités chorioniques sont des techniques effractives qui consistent à prélever du liquide amniotique ou des cellules fœtales en vue d'analyses génétiques (voir la figure 14.17). L'échographie est quant à elle une technique non effractive qui utilise des ultrasons pour observer le fœtus **(figure 46.21)**. Enfin, il existe une nouvelle technique qui s'appuie sur le fait qu'une petite quantité de cellules fœtales traversent le placenta pour se retrouver dans le sang de la mère. On isole ces cellules avec des anticorps spécifiques (qui se lient à des protéines situées à la surface des cellules fœtales), puis on les analyse pour détecter les anomalies génétiques.

Le diagnostic de maladies génétiques chez le fœtus soulève d'importantes questions d'éthique. Jusqu'à présent, presque toutes les maladies qu'on peut détecter sont impossibles à soigner dans l'utérus. De plus, pour beaucoup d'entre elles, il n'existe aucun traitement, même après la naissance. Les parents peuvent ainsi être obligés de faire un choix difficile: mettre fin à la grossesse ou accepter d'avoir un enfant qui pourra souffrir d'une anomalie grave ou avoir une espérance de vie limitée. Il n'est pas facile de prendre de telles décisions. Cela demande une réflexion éclairée et les conseils de personnes compétentes.

Les techniques de reproduction peuvent aider à résoudre de nombreux problème d'infertilité. En 2006, une équipe germano-britannique a réussi à produire des spermatozoïdes *in vitro* à partir de cellules souches embryonnaires de souris. Ces spermatozoïdes « synthétiques » ont été utilisés pour féconder des ovules; six des sept petits ont survécu jusqu'à l'âge adulte. On espère tirer éventuellement de cet exploit de nouveaux traitements contre l'infertilité masculine. D'ici là, l'humain peut avoir recours à

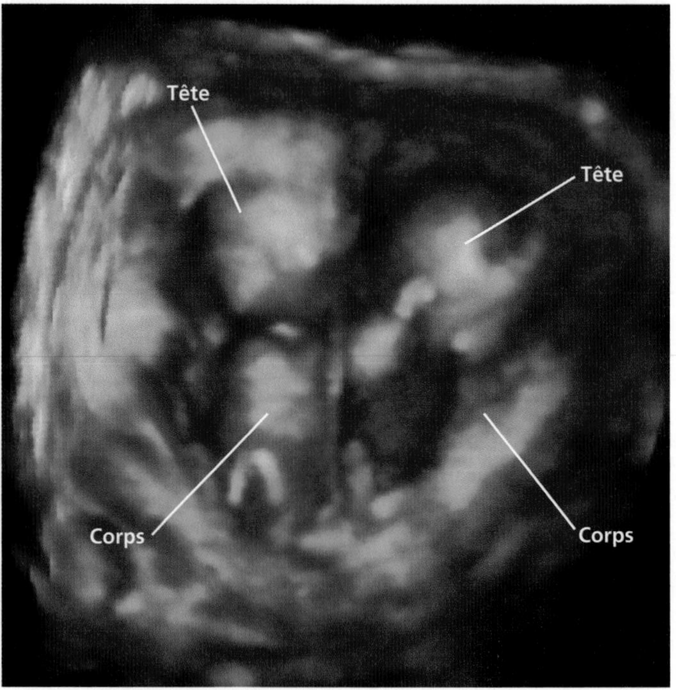

▲ **Figure 46.21 Échographie.** Cette image colorée montre des jumeaux dans l'utérus. L'image est produite sur un écran d'ordinateur. Pour l'obtenir, on envoie des ultrasons à travers l'abdomen de la femme enceinte. Puis, à l'aide d'un capteur à ultrasons, on reçoit les ondes qui se réfléchissent sur les fœtus et en révèlent la forme.

l'hormonothérapie, à la chirurgie et aux techniques de reproduction assistée. L'hormonothérapie peut parfois augmenter la production de spermatozoïdes et d'ovules, tandis que la chirurgie peut corriger des troubles comme les trompes utérines bloquées. De nombreux couples infertiles se tournent vers des méthodes de fécondation appelées **techniques de reproduction assistée**. Après un traitement hormonal, on prélève les ovocytes de deuxième ordre par voie chirurgicale. Ensuite, on féconde ces ovocytes, qui sont ensuite réimplantés dans l'utérus. On peut aussi congeler les ovules, les spermatozoïdes et les embryons dans le but de les utiliser plus tard.

La **fécondation *in vitro*** **(FIV)** est la technique de reproduction assistée la plus courante. Le procédé consiste à mélanger, dans des boîtes de Pétri, des ovocytes et des spermatozoïdes ; dans le cas de spermatozoïdes ayant une anomalie sur le plan de la mobilité, on peut les injecter directement dans le cytoplasme des ovocytes. Afin de permettre aux ovules fécondés d'amorcer leur développement, ils sont incubés durant quelques jours. Lorsque le zygote a atteint le stade de huit cellules, on le réimplante dans l'utérus. La transplantation de plusieurs embryons pour augmenter les chances de succès de l'opération augmente aussi les « chances » de grossesse multiple. Dans la technique du transfert intratubaire d'embryons *Zygote intrafallopian transfer* (ZIFT), les ovocytes sont également fécondés *in vitro,* mais les zygotes sont immédiatement transférés dans les trompes utérines, tandis que dans celle du transfert intratubaire de gamètes *Gamete intrafallopian transfer* (GIFT), les ovules ne sont pas fécondés *in vitro.* On place plutôt les ovules et les spermatozoïdes dans les trompes utérines dans l'espoir qu'il y aura fécondation. Dans toutes ces méthodes, on peut utiliser des spermatozoïdes et des ovules provenant de donneurs.

Aujourd'hui, ces techniques sont effectuées dans des centres médicaux spécialisés partout dans le monde. Chaque tentative de fécondation *in vitro* est coûteuse, mais on estime que trois millions d'enfants dans le monde ont vu le jour grâce à cette méthode, depuis la toute première intervention ayant donné naissance à Louise Brown, à l'hôpital d'Oldham, en Grande-Bretagne en 1978. Jusqu'à maintenant, les anomalies liées à cette technique se sont avérées rares.

Les techniques de reproduction assistée ne sont pas utiles qu'à l'humain. On peut, en effet, conserver des spermatozoïdes et des ovocytes d'Animaux appartenant à des espèces menacées d'extinction, réaliser avec ces gamètes une fécondation *in vitro* et implanter le produit de la conception dans l'utérus d'une mère porteuse d'une espèce voisine. Au « zoo congelé » de Cincinnati, aux États-Unis, on congèle aussi des embryons d'Animaux en voie de disparition.

Une fois la conception et l'implantation réussies, la transformation du zygote en bébé suit un plan de développement. Les mécanismes de ce développement chez les humains et d'autres Animaux font l'objet du chapitre 47.

Retour sur le concept 46.5

1. Décrivez l'état de l'embryon juste avant qu'il ne s'implante dans le revêtement interne de l'utérus.
2. Pourquoi la gonadotrophine chorionique humaine (hCG) ne sert-elle aux tests de grossesse que dans les premiers mois ? Quel est son rôle dans la grossesse ?
3. ______ est aux hommes ce que la ligature des trompes est aux ______.
4. Pourquoi le terme *bébé-éprouvette* est-il inexact pour désigner le produit de la fécondation *in vitro* ?

Voir les réponses proposées à la fin du chapitre.

Révision du chapitre 46

RÉSUMÉ DES CONCEPTS CLÉS

Il existe deux modes de reproduction animale : sexuée et asexuée

- La reproduction asexuée produit des descendants dont les gènes proviennent tous d'un seul parent. La reproduction sexuée nécessite la fusion de gamètes mâle et femelle pour former un zygote diploïde **(p. 1049)**.
- **Les mécanismes de la reproduction asexuée (p. 1050).** La scissiparité, le bourgeonnement et la fragmentation accompagnée d'une régénération sont des mécanismes qui permettent la reproduction asexuée chez de nombreux Invertébrés.
- **Les cycles et les types de reproduction (p. 1050-1052).** Les Animaux peuvent se reproduire de manière exclusivement sexuée ou exclusivement asexuée, ou bien passer d'un mode de reproduction à l'autre. La parthénogenèse, l'hermaphrodisme et l'hermaphrodisme séquentiel permettent des variations à partir des deux modes de reproduction. Les cycles reproducteurs sont régulés par des hormones et des stimulus environnementaux.

Concept 46.2

La fécondation dépend de mécanismes qui permettent la rencontre d'un spermatozoïde et d'un ovule appartenant à la même espèce

- Dans le cas de la fécondation externe, la femelle répand ses œufs, que le sperme féconde dans le milieu extérieur. Dans le cas de la fécondation interne, l'ovule et le spermatozoïde s'unissent dans l'organisme de la femelle. La fécondation interne et la fécondation externe dépendent toutes deux de mécanismes qui permettent la rencontre d'un spermatozoïde mature et d'un ovule fécond appartenant à la même espèce. Le synchronisme dans les modes de fécondation externes et internes revêt une importance cruciale. Ce sont souvent des stimulus environnementaux, des phéromones ou des stimulus comportementaux qui l'assurent. La fécondation interne nécessite des interactions comportementales entre le mâle et la femelle, ainsi que des systèmes reproducteurs compatibles **(p. 1052)**.
- **La protection de l'embryon (p. 1053).** Une grande protection des embryons et un grand soin parental sont habituellement associés à la production d'une progéniture relativement peu nombreuse par fécondation interne.

- **La production et la rencontre des gamètes (p. 1053-1054).** Le plus simple des systèmes reproducteurs est constitué de cellules indifférenciées qui produisent des gamètes dans la cavité pelvienne. Le plus complexe comporte des gonades liées à des conduits et à des glandes annexes qui transportent et protègent les gamètes et l'embryon en développement.

Concept 46.3

Les organes reproducteurs produisent et transportent les gamètes : le système reproducteur humain

- **L'anatomie du système reproducteur de la femme (p. 1055).** Les organes génitaux externes de la femme comprennent la vulve, constituée du vestibule (contenant les ouvertures distinctes du vagin et de l'urètre), des petites lèvres, des grandes lèvres et du clitoris. À l'intérieur, le vagin communique avec l'utérus, dans lequel débouchent deux trompes utérines. Deux ovaires (gonades femelles) sont remplis de follicules contenant des ovocytes de premier ordre. Après l'ovulation, le tissu résiduel du follicule devient le corps jaune, qui sécrète des hormones durant une période variable, selon qu'il y a grossesse ou non. Bien qu'elles soient séparées du système reproducteur, les glandes mammaires, ou seins, ont évolué de manière à permettre les soins parentaux.
- **L'anatomie du système reproducteur de l'homme (p. 1055-1058).** Les organes génitaux externes de l'homme sont le scrotum et le pénis. Les gonades mâles, ou testicules, logent dans le scrotum, dont la température est plus basse que celle des autres parties du corps. Les testicules contiennent des cellules qui participent à la production d'hormones et des tubules séminifères contournés, lesquels fabriquent les spermatozoïdes. Des tubules séminifères contournés, les spermatozoïdes passent successivement dans l'épididyme, le conduit déférent, le conduit éjaculateur et l'urètre, qui aboutit à l'extrémité du pénis.
- **La réponse sexuelle chez l'humain (p. 1058-1059).** Les hommes et les femmes connaissent l'érection de certains tissus, causée par une vasocongestion et une myotonie. Ce phénomène aboutit à un point culminant au cours de l'orgasme.

Concept 46.4

Chez les humains et les autres Mammifères, une interaction complexe entre les hormones assure la régulation de la gamétogenèse

- Chez les femelles, la forme de gamétogenèse, c'est-à-dire la production de gamètes, est l'ovogenèse, tandis que chez le mâle, c'est la spermatogenèse. La production de spermatozoïdes est continue. Au contraire, la maturation d'ovocytes est discontinue et cyclique. Les deux processus se réalisent grâce à la méiose, mais, pendant l'ovogenèse, la cytocinèse se produit de manière inégale et donne ainsi un seul ovocyte volumineux. À partir d'une cellule, la spermatogenèse produit quatre spermatozoïdes **(p. 1059).**
- **Les cycles reproducteurs des femelles (p. 1059-1063).** Chez la femelle, les hormones suivent des cycles : le cycle menstruel humain et le cycle œstral mammalien. Dans ces deux types de cycles, l'endomètre épaissit en vue d'une implantation éventuelle d'un embryon. Cependant, le cycle menstruel comprend l'expulsion, sous forme de saignements, de la couche fonctionnelle de l'endomètre, et la réceptivité sexuelle n'est pas limitée à la période de chaleurs, contrairement au cycle œstral. Les sécrétions cycliques de la GnRH hypothalamique, de la FSH et de la LH adénohypophysaires orchestrent le cycle reproducteur de la femme. La FSH et la LH provoquent des modifications complexes dans les ovaires et, par l'intermédiaire des œstrogènes et de la progestérone, dans l'utérus. Le follicule en développement produit des œstrogènes ; le corps jaune sécrète des progestines (la progestérone surtout) et des œstrogènes. Des mécanismes de rétroactivation et de rétro-inhibition assurent la régulation des concentrations des cinq hormones qui coordonnent ce cycle.
- **La régulation hormonale du système reproducteur mâle (p. 1063-1064).** Les androgènes (surtout la testostérone) provenant des testicules provoquent le développement des caractères sexuels primaires et secondaires chez le mâle. La sécrétion d'androgènes et la production de spermatozoïdes sont régulées par des hormones hypothalamiques et adénohypophysaires.

Concept 46.5

Le développement embryonnaire se fait dans l'utérus chez l'humain et les autres Mammifères placentaires

- **La conception, le développement embryonnaire et la naissance (p. 1064-1067).** Après la fécondation de l'ovocyte et à la fin de la méiose dans la trompe utérine, la segmentation transforme le zygote en blastocyste avant son implantation dans la couche fonctionnelle de l'endomètre. On peut diviser la grossesse en trois trimestres chez l'humain. La formation des organes se fait en huit semaines. L'accouchement, ou parturition, est provoqué par de fortes contractions utérines rythmées. Une rétroactivation mettant en jeu les œstrogènes et l'ocytocine ainsi que des prostaglandines régule le travail.
- **La tolérance immunitaire de l'embryon et du fœtus de la part de la mère (p. 1067-1068).** L'absence de rejet du fœtus de la part de la femme enceinte n'est pas encore très bien comprise, mais il est possible qu'elle résulte d'une suppression de la réaction immunitaire dans l'utérus.
- **La contraception et l'avortement (p. 1068-1070).** Pour éviter les grossesses, on peut empêcher les gonades de libérer des gamètes matures, empêcher la fécondation ou bloquer l'implantation de l'embryon.
- **La technologie moderne de reproduction (p. 1070-1071).** La technologie moderne contribue à détecter des problèmes avant la naissance, sans compter qu'elle peut aider les couples infertiles grâce à la fécondation *in vitro.*

VÉRIFIEZ VOS CONNAISSANCES

Autoévaluation

(Les questions dont les numéros sont en caractères gras font surtout appel à la compréhension.)

1. Les énoncés qui suivent décrivent des avantages de la reproduction asexuée, sauf un. Lequel ?
   a) C'est un mode de reproduction relativement simple et rapide.
   b) Il y a formation de nouvelles et uniques combinaisons de gènes.
   c) Ce mode de reproduction permet la production d'un grand nombre de descendants.
   d) La recherche d'un partenaire n'est pas nécessaire.
   e) Ce mécanisme perpétue précisément des génotypes bien adaptés à un milieu donné.
2. Parmi les phénomènes suivants, lequel caractérise la parthénogenèse ?
   a) Un individu peut changer de sexe au cours de sa vie.
   b) Des groupes spécialisés de cellules peuvent devenir de nouveaux individus.
   c) Un organisme est d'abord mâle, puis femelle.
   d) Un œuf se développe sans avoir été fécondé.
   e) Les deux partenaires sexuels possèdent les organes génitaux mâles et femelles.
3. Parmi les structures suivantes, laquelle *ne correspond pas* à sa fonction ?
   a) Gonades : produisent les gamètes.
   b) Spermathèque : emmagasine des spermatozoïdes chez les abeilles mâles.
   c) Cloaque : sert d'ouverture commune des systèmes reproducteur, urinaire et digestif.
   d) Baculum : raidit le pénis, chez certains Mammifères.
   e) Endomètre : forme la partie maternelle du placenta.
4. **4.** Parmi les structures mâles et femelles qui suivent, lesquelles sont le *plus* éloignées du point de vue de la fonction ?
   a) Tubules séminifères contournés : vagin.
   b) Cellules interstitielles : cellules folliculaires.

c) Spermatogonies : ovogonies.
d) Testicules : ovaires.
e) Conduit déférent : trompe utérine.

5. Quelle caractéristique, parmi les suivantes, est commune à l'ovogenèse et à la spermatogenèse ?
   a) Production de gamètes ne débutant qu'à la puberté.
   b) Production de gamètes ayant la moitié du nombre diploïde de chromosomes caractéristique de l'espèce.
   c) Production de gamètes s'effectuant sans interruption ou période de dormance.
   d) Production de quatre gamètes à la fin d'une méiose complète.
   e) Production de cellules toutes de taille égale.

6. Quelle différence fondamentale y a-t-il entre les cycles œstral et menstruel ?
   a) Les Vertébrés autres que les Mammifères ont des cycles œstraux, alors que les Mammifères ont des cycles menstruels.
   b) La couche fonctionnelle de l'endomètre se détache dans le cycle menstruel, alors qu'elle est généralement réabsorbée dans le cycle œstral.
   c) Le cycle œstral se produit plus souvent que le cycle menstruel.
   d) Le cycle œstral n'est pas déterminé par des hormones.
   e) Dans le cycle œstral, l'ovulation se produit avant l'épaississement de l'endomètre.

7. Les pics de production d'hormone lutéinisante (LH) et d'hormone folliculostimulante (FSH) se produisent :
   a) pendant la phase menstruelle du cycle menstruel (utérin).
   b) au début de la phase folliculaire du cycle ovarien.
   c) juste avant l'ovulation.
   d) à la fin de la phase lutéale du cycle ovarien.
   e) pendant la phase sécrétoire du cycle menstruel.

8. Chez les hermaphrodites séquentiels :
   a) certains individus peuvent passer de l'état mâle à l'état femelle.
   b) les individus s'autofécondent.
   c) les mâles, et non les femelles, libèrent des phéromones.
   d) il y a production d'ovocytes diploïdes.
   e) les gonades matures sont indifférenciées.

9. Au cours de la grossesse, les rudiments de tous les organes se forment :
   a) pendant le premier trimestre.
   b) pendant le deuxième trimestre.
   c) pendant le troisième trimestre.
   d) pendant que l'embryon se trouve dans la trompe utérine.
   e) au stade du blastocyste.

10. Lequel, parmi les énoncés suivants ayant trait à la nutrition de l'embryon ou du fœtus, est *faux* ?
   a) La formation du placenta se fait à partir de tissus embryonnaires et de tissus maternels.
   b) Les échanges entre la mère et l'embryon (ou le fœtus) se font au niveau de capillaires situés dans les villosités chorioniques.
   c) Entre la deuxième et la quatrième semaine de son développement, l'embryon obtient ses nutriments directement à travers l'endomètre de l'utérus.
   d) Le sang maternel à l'intérieur du placenta n'est plus contenu dans des vaisseaux.
   e) Le sang du fœtus circule, par une veine du cordon ombilical, jusqu'au placenta pour se faire purifier.

11. Quelle est la stratégie de contraception masculine qui a les meilleures chances de réussir ?
   a) Empêcher la production de spermatozoïdes fonctionnant normalement.
   b) Maintenir des concentrations élevées d'androgènes dans la circulation.
   c) Bloquer des récepteurs spécifiques de la testostérone sur les cellules interstitielles.
   d) Bloquer des récepteurs des androgènes dans l'hypothalamus.
   e) Maintenir une concentration élevée de l'hormone folliculostimulante (FSH) dans la circulation.

12. Chez l'humain, la fécondation se produit le plus souvent dans :
   a) le vagin.
   b) l'ovaire.
   c) l'utérus.
   d) la trompe utérine.
   e) le conduit déférent.

13. Chez les Mammifères mâles, les systèmes excréteur et reproducteur ont en commun :
   a) les testicules.
   b) l'urètre.
   c) l'uretère.
   d) le conduit déférent.
   e) la prostate.

Lien avec l'évolution

Parmi les Animaux, on trouve surtout l'hermaphrodisme chez les espèces dont les individus sont fixés à une surface. Les espèces mobiles présentent rarement ce caractère. Pourquoi en est-il ainsi, selon vous ?

Intégration

Imaginez que vous étudiez l'évolution des soins parentaux dans un certain groupe d'Animaux. Vous classez chaque espèce en fonction de son comportement parental dans un arbre phylogénétique semblable à celui qui suit (voir le chapitre 25). Quelle est l'interprétation la plus simple pour expliquer l'évolution de ce comportement ? Si le groupe témoin assurait des soins parentaux, dans quelle mesure votre interprétation changerait-elle ?

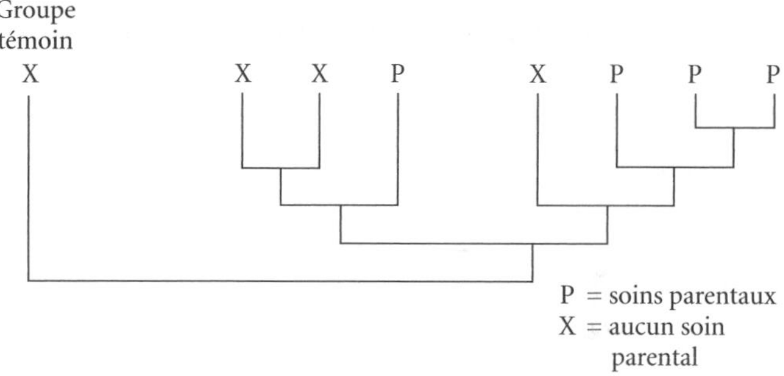

Science, technologie et société

1. Combinées à la fécondation *in vitro*, les techniques de tri des spermatozoïdes permettent de choisir le sexe d'un futur enfant. Selon vous, quels problèmes poserait une utilisation répandue de ce procédé ?
2. Il est de plus en plus question de l'utilisation de la « pilule masculine » comme moyen de contraception pour le couple, depuis que les problèmes associés aux effets sur la sécrétion de testostérone ont été résolus et les inquiétudes en ce qui concerne le retour à la fertilité dissipées. Mais les réactions face à cette méthode varient selon le sexe, notamment. Bien des femmes ne voudraient pas s'en remettre à leur conjoint trop susceptible d'oublier de prendre les comprimés et verraient cette méthode comme complémentaire à la méthode qu'elles continueraient à appliquer. Du côté des hommes, plusieurs considèrent que cette pilule porterait atteinte à leur virilité. Quel est votre avis sur ce sujet ? Quel succès aurait, d'après vous, la pilule masculine (sur le plan de l'utilisation et sur le plan de l'efficacité) ?

Réponses du chapitre 46

Retour sur le concept 46.1

1. Les descendants provenant de la reproduction sexuée sont différents du point de vue génétique.
2. Le terme pourrait être trompeur dans le sens qu'un organisme hermaphrodite séquentiel n'est jamais des deux sexes en même temps (hermaphrodite); il passe de l'état d'un sexe à celui d'un autre.

Retour sur le concept 46.2

1. La fécondation interne permet au spermatozoïde d'atteindre l'ovule sans qu'aucun des deux gamètes se dessèche.
2. (a) Les Animaux à fécondation externe libèrent simultanément de nombreux gamètes permettant la production de nombres élevés de zygotes. Cela a pour effet d'augmenter les chances de survie de quelques-uns jusqu'à l'âge adulte. (b) Les Animaux à fécondation interne produisent moins de descendants. Toutefois, les embryons bénéficient généralement d'une plus grande protection et les jeunes, de soins parentaux.

Retour sur le concept 46.3

1. Tubules séminifères contournés, épididyme, conduit déférent, urètre.
2. Le liquide des vésicules séminales constitue la majeure partie du liquide dans lequel les spermatozoïdes circulent librement; en outre, il contient un glucide qui est une source d'énergie pour les spermatozoïdes et des prostaglandines qui provoquent des modifications dans l'utérus permettant aux spermatozoïdes de se déplacer vers l'ovule après le coït; de plus, son alcalinité aide à neutraliser le milieu vaginal acide qui pourrait endommager les spermatozoïdes. Le liquide provenant de la prostate contient un autre nutriment pour les spermatozoïdes et des anticoagulants qui aident ces derniers à circuler librement en liquéfiant le sperme. Le liquide provenant des glandes bulbo-urétrales, sécrété juste avant l'éjaculation, neutralise l'urine acide qui resterait dans l'urètre.
3. Surtout le pénis et le clitoris, mais également les testicules, les lèvres, les seins et le tiers extérieur du vagin.

Retour sur le concept 46.4

1. Dans les testicules, la FSH stimule les épithéliocytes de soutien qui nourrissent les spermatozoïdes en croissance. La LH stimule la production d'androgènes (surtout la testostérone), qui eux-mêmes activent la production de spermatozoïdes. Chez la femelle et le mâle, la FSH favorise la croissance de cellules qui nourrissent les gamètes en croissance (cellules folliculaires chez la femelle et épithéliocytes de soutien chez le mâle) et leur permettent de survivre, et la LH stimule la production d'hormones sexuelles qui interviennent dans la gamétogenèse (les œstrogènes chez les femelles et les androgènes, notamment la testostérone, chez les mâles).
2. Dans le cycle œstral, qui se produit chez la plupart des Mammifères femelles, la couche fonctionnelle de l'endomètre est réabsorbée (au lieu d'être expulsée) en l'absence de fécondation. Le cycle œstral ne se produit souvent qu'une ou quelques fois dans une année, et la femelle n'est habituellement réceptive à la copulation que pendant la période entourant l'ovulation. Seules les femelles des humains et de quelques autres Primates ont un cycle menstruel.
3. Les hormones produites pendant le cycle ovarien régulent le cycle utérin (voir la figure 46.13). En outre, une grossesse (implantation d'un embryon dans l'utérus) met fin au cycle ovarien.
4. L'ovulation est déclenchée par l'augmentation brusque de la LH. La sécrétion de LH a été stimulée par l'influence sur la GnRH de l'augmentation de la concentration d'œstrogènes.

Retour sur le concept 46.5

1. L'embryon est un blastocyste, soit une sphère de cellules creusée d'une cavité.
2. La hCG sécrétée par le jeune embryon favorise la production de progestérone par le corps jaune; cette hormone contribue au maintien de la grossesse. Au cours du deuxième trimestre, cependant, la production de hCG diminue, le corps jaune dégénère et le placenta prend le contrôle complet de la production de progestérone.
3. La vasectomie; femmes.
4. Parce que dans tous les cas où une FIV est utilisée, la croissance et le développement de l'embryon se poursuivent dans l'utérus d'une femme.

Autoévaluation

1. b; 2. d; 3. b; **4.** a; 5. b; 6. b; **7.** c; 8. a; 9. a; 10. e; **11.** a; 12. d; 13. b.

47

Le développement chez les Animaux

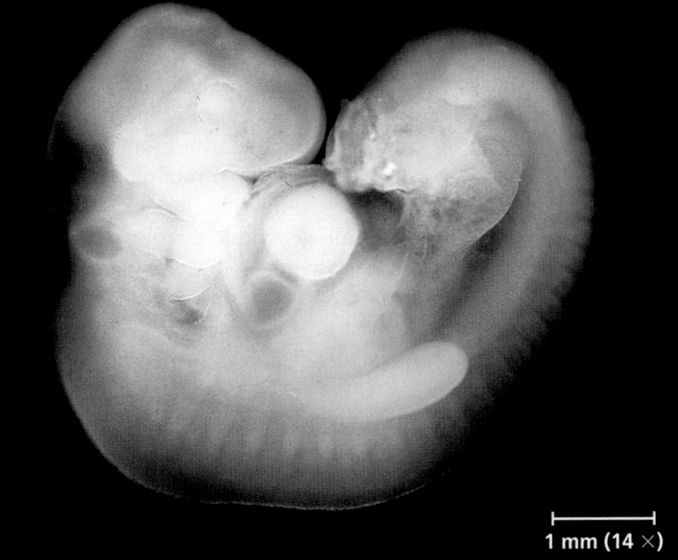

▲ **Figure 47.1 Embryon humain âgé d'entre six à huit semaines.**

Concepts clés

47.1 **Après la fécondation, trois étapes amorcent le développement embryonnaire: la segmentation, la gastrulation et l'organogenèse**

47.2 **Chez les Animaux, la morphogenèse comporte certaines modifications touchant la forme, l'emplacement et l'adhérence des cellules**

47.3 **Pendant le développement, la destinée des cellules est définie par leurs antécédents et des signaux d'induction**

Introduction

Le plan de développement des Animaux

Nous avons du mal à nous imaginer que nous avons commencé notre existence sous la forme d'une cellule unique de la taille, environ, du point qui termine la phrase que vous venez de lire. La **figure 47.1** montre un embryon humain âgé d'entre six à huit semaines. L'encéphale prend forme dans le crâne (en haut à gauche) et le cœur a déjà commencé à battre (le point rouge, au centre). Il faut neuf mois environ pour que le zygote monocellulaire, ou ovule fécondé, devienne un nouveau-né constitué de billions de cellules différenciées groupées en tissus et organes spécialisés.

Depuis des siècles, on se demande comment un zygote se transforme en un Animal. Au XVIIIe siècle encore, l'opinion dominante résidait dans une notion appelée *préformation*, selon laquelle l'ovocyte ou le spermatozoïde contenait un embryon qui était un minuscule enfant déjà formé, appelé *homoncule* **(figure 47.2)**. On pensait ainsi que le développement était tout simplement un agrandissement de l'embryon. L'autre théorie du développement embryonnaire est l'*épigenèse*, formulée 2 000 ans auparavant par le philosophe grec Aristote (IVe siècle avant notre ère). Selon cette théorie, la forme d'un Animal apparaissait progressivement à partir d'un œuf relativement informe. Au XIXe siècle, avec les progrès de la microscopie, les biologistes ont pu constater que les embryons se développaient en suivant une série d'étapes. C'est ainsi que l'hypothèse de l'épigenèse a supplanté celle de la préformation chez les embryologistes. Le concept de préformation conserve une certaine valeur, cependant. En effet, si la forme de l'embryon apparaît progressivement au cours du développement, plusieurs aspects du plan de développement sont déjà en place dans les ovules de nombreuses espèces.

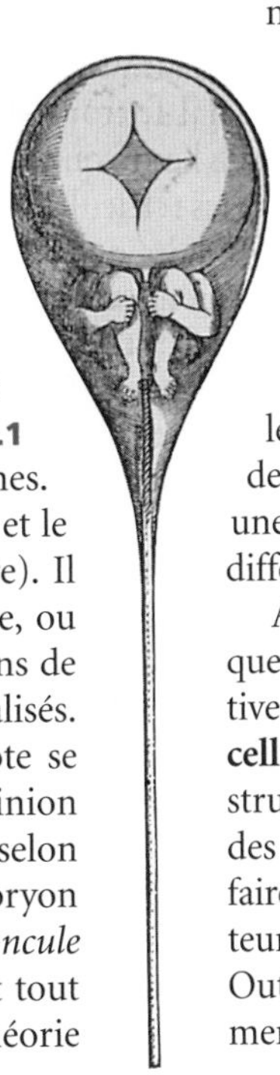

▲ **Figure 47.2 « Homoncule » dans la tête d'un spermatozoïde humain.** Cette gravure date de 1694.

Le développement de l'organisme dépend du génome du zygote et aussi des différences qui émergent entre les premières cellules embryonnaires. Ces différences préparent l'expression des multiples gènes des diverses cellules. Chez certaines espèces, les premières cellules embryonnaires deviennent différentes en raison de la distribution inégale, dans l'œuf non fécondé, des substances maternelles appelées **déterminants cytoplasmiques.** Ces substances déterminent le développement des cellules qui en héritent au cours des premières divisions mitotiques du zygote (voir la figure 21.11a). Chez d'autres espèces, les différences initiales entre les cellules sont principalement attribuables à leur emplacement dans des régions embryonnaires pourvues de caractéristiques distinctes. Chez la plupart des espèces, c'est une combinaison de ces deux mécanismes qui détermine les différences entre les premières cellules embryonnaires.

Au fur et à mesure que la division cellulaire se poursuit et que l'embryon se développe, les mécanismes de régulation sélective de l'expression génique donnent lieu à la **différenciation cellulaire**, suivant laquelle chaque cellule se spécialise dans sa structure et sa fonction. La transmission au moment opportun des instructions « indiquant » aux cellules ce qu'elles doivent faire et quand elles doivent le faire est possible grâce à des médiateurs chimiques qui circulent entre les cellules de l'embryon. Outre la division et la différenciation cellulaires, le développement comprend également la **morphogenèse**, pendant laquelle l'Animal prend forme et ses cellules spécialisées se retrouvent aux emplacements appropriés.

Grâce à la génétique moléculaire et à l'embryologie classique, les biologistes du développement animal commencent à trouver réponse à de nombreuses questions concernant la transformation de l'ovule fécondé en un Animal. Dans le présent chapitre, nous nous concentrerons sur certains organismes, comme l'oursin de mer, la grenouille et l'Oiseau, très utilisés en recherche embryonnaire classique. Les stades de développement de ces Animaux sont faciles à observer en laboratoire, mais leur étude génétique est plus difficile que pour les organismes décrits au chapitre 21. Cependant, les chercheurs disposent aujourd'hui de techniques moléculaires leur permettant d'étudier les mécanismes moléculaires qui interviennent dans les différents stades de développement de ces espèces et d'autres espèces.

En plus de ces organismes modèles, nous nous pencherons sur une espèce qui nous intéresse au plus haut point depuis toujours: la nôtre. Comme des considérations d'ordre éthique empêchent d'expérimenter sur des embryons humains, les connaissances que nous avons sur le développement humain viennent des extrapolations que les chercheurs arrivent à formuler sur d'autres Mammifères, comme la souris, ainsi que des observations qu'ils peuvent faire sur les tout débuts du développement humain après une fécondation *in vitro*.

Pour commencer, nous allons décrire les principaux stades du développement embryonnaire, ceux qu'ont en commun la plupart des Animaux. Ensuite, nous examinerons les mécanismes cellulaires et moléculaires qui aboutissent à un Animal dans sa forme achevée. Enfin, nous verrons le processus par lequel les cellules embryonnaires empruntent les voies de différenciation appropriées pour arriver à jouer leur rôle.

Concept 47.1

Après la fécondation, trois étapes amorcent le développement embryonnaire: la segmentation, la gastrulation et l'organogenèse

Après la fécondation, trois étapes amorcent la formation de l'organisme animal. La première est une série de divisions cellulaires appelée *segmentation*. Elle transforme le zygote en une sphère creuse qui porte le nom de *blastula*. La deuxième est la gastrulation qui, comme son nom l'indique, produit une gastrula, c'est-à-dire un embryon constitué de trois feuillets (embryon triploblastique). Enfin, la troisième étape est l'organogenèse, ou la formation d'organes rudimentaires qui deviendront finalement les structures de l'adulte.

Dans notre étude, nous examinerons des espèces sur lesquelles les scientifiques ont expérimenté pour étudier le développement embryonnaire. En étudiant de plus en plus d'espèces, les chercheurs découvrent des variations mais également des similarités. Pour chaque stade du développement embryonnaire, nous parlerons de l'espèce sur laquelle la science en sait le plus, puis nous ferons des comparaisons avec ce qu'on sait de la même étape chez d'autres espèces. Penchons-nous d'abord sur la fécondation d'un ovule par un spermatozoïde.

La fécondation

Les gamètes (spermatozoïde et ovocyte de deuxième ordre) sont des cellules hautement spécialisées, résultat d'une suite complexe d'événements se déroulant dans les testicules et les ovaires des parents (voir les figures 46.11 et 46.12). Nous avons vu, au chapitre 46, qu'un ovaire libère, chaque mois, au moment de l'ovulation chez la femme, un ovocyte de deuxième ordre. Pour que cet ovocyte termine sa méiose et devienne un ovule, il faut qu'un spermatozoïde y pénètre. La fécondation en elle-même a lieu lorsque le noyau du spermatozoïde fusionne avec celui de l'ovule. La fécondation a pour principale fonction de grouper les assortiments haploïdes de chromosomes de deux individus différents dans une cellule diploïde unique appelée *zygote*. Elle a aussi pour fonction d'activer l'ovocyte de deuxième ordre: le contact du spermatozoïde avec la surface de l'ovocyte déclenche dans ce dernier des réactions métaboliques qui préparent le développement embryonnaire.

C'est chez les oursins qu'on a effectué le plus d'études sur la fécondation. On unit leurs gamètes dans de l'eau de mer en laboratoire et on peut observer facilement les événements qui jalonnent la fécondation. Bien qu'ils ne soient pas des Vertébrés ni même des Cordés, les oursins (embranchement des Échinodermes) sont comme eux des Deutérostomiens (voir la figure 32.9). Ils fournissent par ailleurs un bon modèle général pour l'étude de la fécondation et du début du développement embryonnaire chez les Vertébrés.

La réaction acrosomiale

La fécondation des ovocytes de deuxième ordre d'oursins est externe et se produit après que ces Animaux ont libéré leurs gamètes dans l'eau de mer où ils vivent. La couche gélatineuse qui enveloppe l'ovocyte de deuxième ordre est une source de molécules solubles qui attirent les spermatozoïdes, qui se dirigent donc vers l'ovocyte de deuxième ordre. Lorsque la tête d'un spermatozoïde entre en contact avec cette couche gélatineuse, les molécules qui composent le revêtement déclenchent la **réaction acrosomiale** (**figure 47.3**).

Ce processus commence lorsque l'**acrosome**, vésicule spécialisée située à l'extrémité antérieure du spermatozoïde, libère des hydrolases. Ces enzymes digèrent le revêtement gélatineux, ce qui permet au *tubule acrosomial* de traverser le revêtement gélatineux de l'ovocyte en s'allongeant. La pointe du tubule acrosomial est recouverte d'une protéine qui adhère à certaines molécules réceptrices situées à la surface de l'ovocyte. Ces récepteurs font saillie sur la membrane vitelline qui recouvre la membrane plasmique de l'ovocyte. Chez les oursins et de nombreux Animaux, cette reconnaissance moléculaire du type « clé et serrure » ne permet la fécondation de l'œuf que par des spermatozoïdes provenant de la même espèce. Ce mécanisme revêt une importance particulière lorsque la fécondation est externe et a lieu dans un milieu aquatique contenant vraisemblablement des gamètes de diverses espèces animales.

Le contact de l'extrémité de l'acrosome avec la membrane de l'ovocyte provoque la fusion des membranes plasmiques des deux gamètes et permet la pénétration du noyau d'un seul spermatozoïde dans le cytoplasme de l'ovocyte de deuxième ordre. Le contact ou la fusion des membranes déclenche lui-même l'ouverture des canaux ioniques de la membrane de l'ovocyte. Les ions sodium pénètrent alors dans la cellule et modifient le potentiel de membrane (voir le chapitre 7). Ce phénomène de dépolarisation d'une membrane, qui se produit de une à trois secondes après qu'un spermatozoïde s'est lié à la membrane vitelline, est courant chez les espèces animales. On parle aussi à son

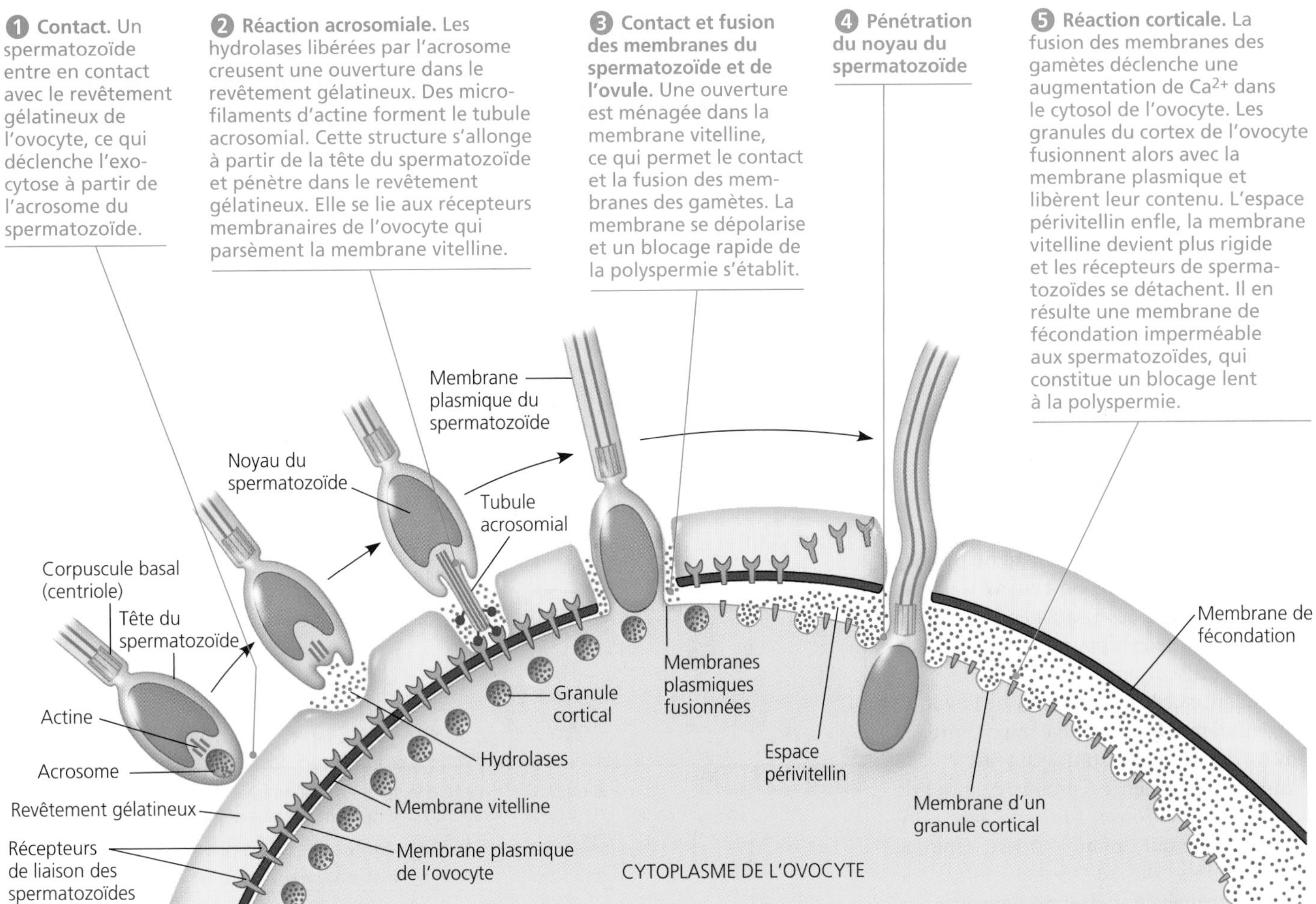

1 Contact. Un spermatozoïde entre en contact avec le revêtement gélatineux de l'ovocyte, ce qui déclenche l'exocytose à partir de l'acrosome du spermatozoïde.
2 Réaction acrosomiale. Les hydrolases libérées par l'acrosome creusent une ouverture dans le revêtement gélatineux. Des microfilaments d'actine forment le tubule acrosomial. Cette structure s'allonge à partir de la tête du spermatozoïde et pénètre dans le revêtement gélatineux. Elle se lie aux récepteurs membranaires de l'ovocyte qui parsèment la membrane vitelline.
3 Contact et fusion des membranes du spermatozoïde et de l'ovule. Une ouverture est ménagée dans la membrane vitelline, ce qui permet le contact et la fusion des membranes des gamètes. La membrane se dépolarise et un blocage rapide de la polyspermie s'établit.
4 Pénétration du noyau du spermatozoïde
5 Réaction corticale. La fusion des membranes des gamètes déclenche une augmentation de Ca2+ dans le cytosol de l'ovocyte. Les granules du cortex de l'ovocyte fusionnent alors avec la membrane plasmique et libèrent leur contenu. L'espace périvitellin enfle, la membrane vitelline devient plus rigide et les récepteurs de spermatozoïdes se détachent. Il en résulte une membrane de fécondation imperméable aux spermatozoïdes, qui constitue un blocage lent à la polyspermie.
Membrane plasmique du spermatozoïde
Noyau du spermatozoïde
Tubule acrosomial
Corpuscule basal (centriole)
Tête du spermatozoïde
Actine
Acrosome
Revêtement gélatineux
Récepteurs de liaison des spermatozoïdes
Granule cortical
Hydrolases
Membrane vitelline
Membrane plasmique de l'ovocyte
Membranes plasmiques fusionnées
Espace périvitellin
Membrane d'un granule cortical
Membrane de fécondation
CYTOPLASME DE L'OVOCYTE

▲ **Figure 47.3 Réactions acrosomiale et corticale pendant la fécondation, chez l'oursin.** Les événements qui suivent l'entrée en contact des spermatozoïdes avec l'ovocyte de deuxième ordre ne permettent qu'à un seul noyau de spermatozoïde de pénétrer dans le cytoplasme.

sujet de **blocage rapide de la polyspermie**, parce qu'il empêche la liaison d'autres spermatozoïdes avec la membrane plasmique de l'ovocyte. Sans ce blocage, l'ovocyte pourrait être fécondé par plusieurs spermatozoïdes, ce qui mènerait à la formation d'un zygote contenant un nombre anormal de chromosomes.

La réaction corticale

La dépolarisation de la membrane ne dure qu'une minute environ et n'est donc qu'un blocage rapide de la polyspermie. Toutefois, la fusion de la membrane plasmique de l'ovocyte de deuxième ordre avec celle du spermatozoïde déclenche dans l'ovocyte une série de changements qui provoquent un blocage lent de la polyspermie. La liaison du spermatozoïde semble activer une voie de transduction qui fait intervenir deux seconds messagers, IP_3 (inositol triphosphate) et DAG (diacylglycérol). Ceux-ci incitent le réticulum endoplasmique à libérer du calcium (Ca^{2+}) dans le cytosol de l'ovocyte (voir la figure 11.12). Ce déversement de calcium débute au point d'entrée du spermatozoïde et se propage comme une vague à l'ensemble de l'ovocyte **(figure 47.4)**.

En quelques secondes, la forte concentration de Ca^{2+} déclenche la **réaction corticale**, c'est-à-dire la fusion avec la membrane plasmique de plusieurs vésicules logées dans le cortex de l'ovocyte, région située immédiatement sous la membrane plasmique de l'ovocyte. Ces **granules corticaux** formés durant l'ovogenèse libèrent leur contenu dans l'*espace périvitellin*, entre la membrane plasmique et la membrane vitelline (voir la figure 47.3, étape 5). Pendant que les enzymes provenant des granules corticaux dégradent les protéines qui unissent ces deux membranes, les mucopolysaccharides créent un gradient osmotique qui attire l'eau dans l'espace périvitellin. Ce dernier s'accroît alors et écarte la membrane plasmique de la membrane vitelline. Enfin, d'autres enzymes durcissent la membrane vitelline. Différentes enzymes se détachent et libèrent de la membrane vitelline les portions externes des protéines réceptrices restantes. Ces changements transforment la membrane vitelline en une **membrane de fécondation** qui empêche la pénétration de tout autre spermatozoïde. La membrane de fécondation et d'autres modifications de la surface de l'ovule assurent ensemble un **blocage lent de la polyspermie** d'une durée prolongée. La réaction corticale a été étudiée en détail chez les oursins, mais elle se produit également chez des Vertébrés comme les Poissons et les Mammifères.

L'activation de l'ovocyte de deuxième ordre

Outre qu'elle provoque la réaction corticale, la brusque augmentation de la concentration cytoplasmique de Ca^{2+} entraîne une augmentation substantielle de la vitesse de respiration cellulaire et de synthèse protéique par l'ovocyte de deuxième ordre. En présence de ces changements rapides, on dit que l'ovocyte de deuxième ordre est *activé*.

Bien que la liaison et la fusion des membranes du spermatozoïde et de l'ovocyte de deuxième ordre soient les événements déclencheurs de l'activation de l'ovocyte, le spermatozoïde n'apporte aucun des matériaux nécessaires à l'activation. En effet, il est possible d'activer artificiellement les ovocytes non fécondés de nombreuses espèces par l'injection de Ca^{2+} ou par divers traitements légèrement traumatisants, tel un choc thermique. Cette activation artificielle déclenche les réponses métaboliques de l'ovocyte et provoque le début de son développement par parthénogenèse (en l'absence de fécondation par un spermatozoïde). Il est même possible d'activer artificiellement un ovocyte de deuxième ordre dont on a enlevé le noyau. Cela montre que les protéines et l'ARNm présents dans le cytoplasme de l'ovule non fécondé suffisent pour activer l'ovule.

Pendant que le métabolisme de l'ovocyte de deuxième ordre activé augmente, le noyau du spermatozoïde, qui est déjà à l'intérieur, commence à grossir. Au bout de 20 minutes environ, il fusionne avec celui de l'ovule, ce qui donne le noyau diploïde caractéristique du zygote. La synthèse de l'ADN commence et la première division cellulaire a lieu au bout de 90 minutes environ dans le cas des oursins et de certaines grenouilles. La **figure 47.5** résume les étapes de la fécondation chez les oursins.

Chez d'autres espèces, la fécondation ressemble à ce qui se passe chez les oursins. Cependant, le moment et la durée des étapes varient d'une espèce à l'autre, de même que le stade de la méiose atteint par l'ovule au moment de la fécondation. Lorsqu'ils sont libérés par la femelle, les ovules des oursins ont terminé la méiose. Dans les ovules d'autres espèces, la méiose s'arrête à un certain stade, puis elle reprend à la fécondation, en même temps que plusieurs des événements déjà décrits. Les ovules humains, par exemple, cessent leur développement à la métaphase de la méiose II (voir la figure 46.11), jusqu'à ce qu'ils soient fécondés dans les voies génitales de la femme.

Figure 47.4

Investigation Quel est l'effet de la liaison du spermatozoïde sur la distribution du Ca^{2+} dans l'ovocyte ?

EXPÉRIENCE Des chercheurs ont injecté dans des ovocytes non fécondés d'oursins une teinture fluorescente qui brille quand elle se lie à du Ca^{2+} libre. Après l'ajout de spermatozoïdes d'oursins, ils ont observé les ovocytes au microscope fluorescent.

RÉSULTATS

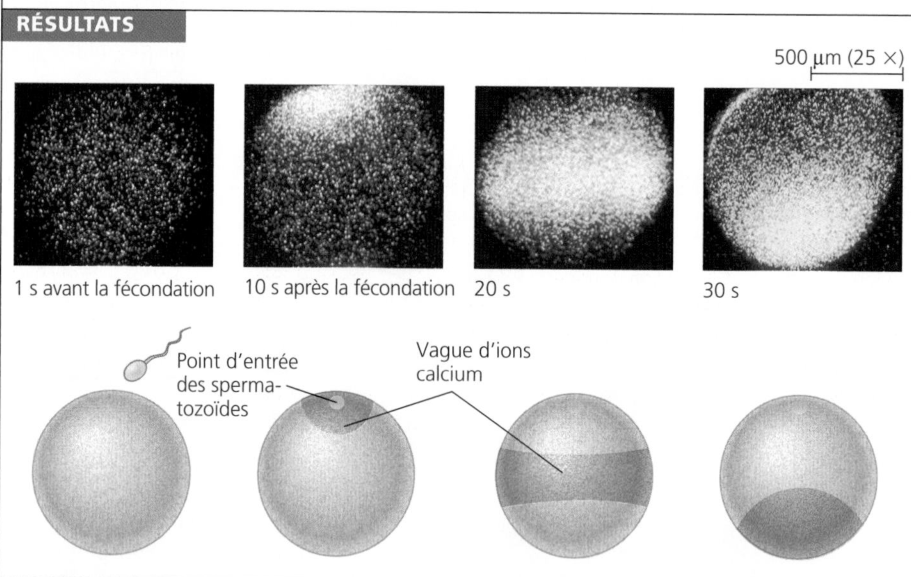

CONCLUSION La libération de Ca^{2+} par le réticulum endoplasmique dans le cytosol au point d'entrée du spermatozoïde déclenche la libération d'une quantité de plus en plus importante de Ca^{2+}, comme une onde qui déferle jusqu'à l'autre côté de la cellule. Le processus entier prend environ 30 secondes.

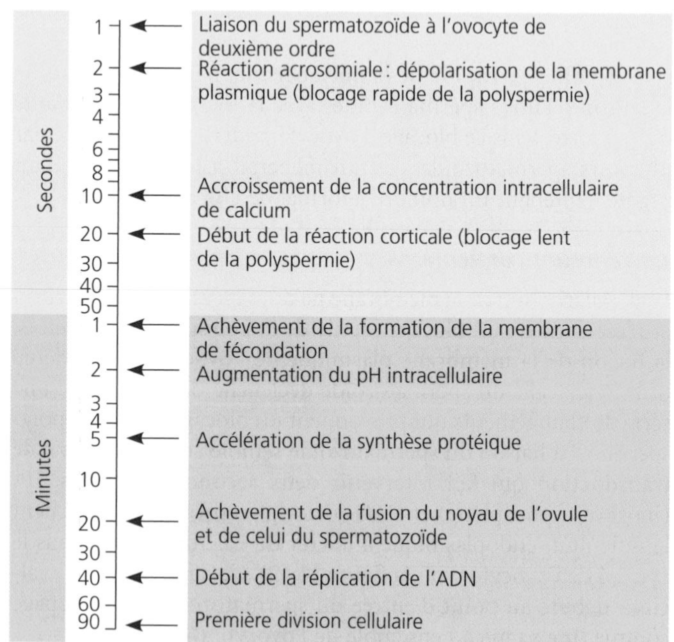

▲ **Figure 47.5 Étapes de la fécondation chez les oursins.** Le processus commence lorsqu'un spermatozoïde entre en contact avec le revêtement gélatineux qui recouvre l'ovocyte de deuxième ordre (en haut du tableau). Notez que l'échelle est logarithmique.

La fécondation chez les Mammifères

Chez les Animaux terrestres, notamment les Mammifères, la fécondation est généralement interne, ce qui n'est pas le cas chez les oursins et la plupart des autres Invertébrés marins. Chez les Mammifères, les sécrétions du système reproducteur de la femelle modifient certaines molécules situées à la surface des spermatozoïdes. Ceux-ci ont alors une plus grande mobilité. Chez les humains, cette stimulation des fonctions des spermatozoïdes dans le système reproducteur femelle, appelée *capacitation*, nécessite un délai d'environ six heures.

L'ovocyte des Mammifères est recouvert de cellules folliculaires qui ont été libérées en même temps que lui pendant l'ovulation.

Les spermatozoïdes doivent traverser cette couche de cellules folliculaires pour atteindre la **zone pellucide**, matrice extracellulaire de l'ovocyte. L'une des composantes de la zone pellucide, une glycoprotéine appelée *ZP3*, joue le rôle de récepteur et se lie à une molécule complémentaire située à la surface de la tête du spermatozoïde (un spermatozoïde porte plus de 30 000 de ces molécules complémentaires). Cette liaison provoque une réaction acrosomiale semblable à celle qu'on observe chez l'oursin **(figure 47.6)**. Les enzymes hydrolytiques libérées par l'acrosome ainsi que la poussée exercée par les mouvements du flagelle permettent au spermatozoïde de traverser la zone pellucide et d'atteindre la membrane plasmique de l'ovocyte. La réaction acrosomiale expose également une protéine de la membrane du spermatozoïde, la fertiline, qui se lie à des intégrines, récepteurs protéiques de la membrane de l'ovocyte.

Comme pendant la fécondation chez l'oursin, la liaison du spermatozoïde et de l'ovocyte de deuxième ordre provoque des changements à l'intérieur de l'ovocyte, ce qui amorce une réaction corticale au cours de laquelle les granules du cortex de l'ovocyte déversent leur contenu à l'extérieur de la cellule par exocytose. Les enzymes libérées catalysent des modifications de la zone pellucide qui assurent le blocage lent de la polyspermie. (Il ne semble pas y avoir de blocage rapide de la polyspermie chez les Mammifères, bien qu'il s'y produise aussi une hyperpolarisation de la membrane de l'ovocyte.)

Après la fusion des membranes de l'ovocyte et du spermatozoïde, le spermatozoïde entier, y compris le flagelle, pénètre dans l'ovocyte ; celui-ci complète alors sa deuxième division de méiose (qui était bloquée en métaphase II) et un second globule polaire est produit. Un centrosome se forme alors autour du centriole du spermatozoïde qui était le corpuscule basal du flagelle. Ce centrosome, maintenant pourvu d'un second centriole, se divise pour former deux centrosomes dans le zygote ; l'ovocyte, lui, n'en comportait pas. Ce sont ces structures qui créent le fuseau mitotique servant à la première division cellulaire. Chez les Mammifères, le noyau haploïde du spermatozoïde et le noyau haploïde de l'ovule ne fusionnent pas immédiatement au cours de la fécondation, contrairement à ce qu'on observe chez les oursins. En effet, l'enveloppe de chacun des noyaux disparaît, et pendant la première division mitotique du zygote, les chromosomes dupliqués de chacun des deux gamètes partagent le même fuseau mitotique, issu du spermatozoïde. Ce n'est qu'à la fin de cette première division mitotique, alors qu'un noyau diploïde se forme dans chacune des deux cellules filles, que les chromosomes des deux parents se retrouvent dans un même noyau. La fécondation est beaucoup plus lente chez les Mammifères que chez les oursins ;

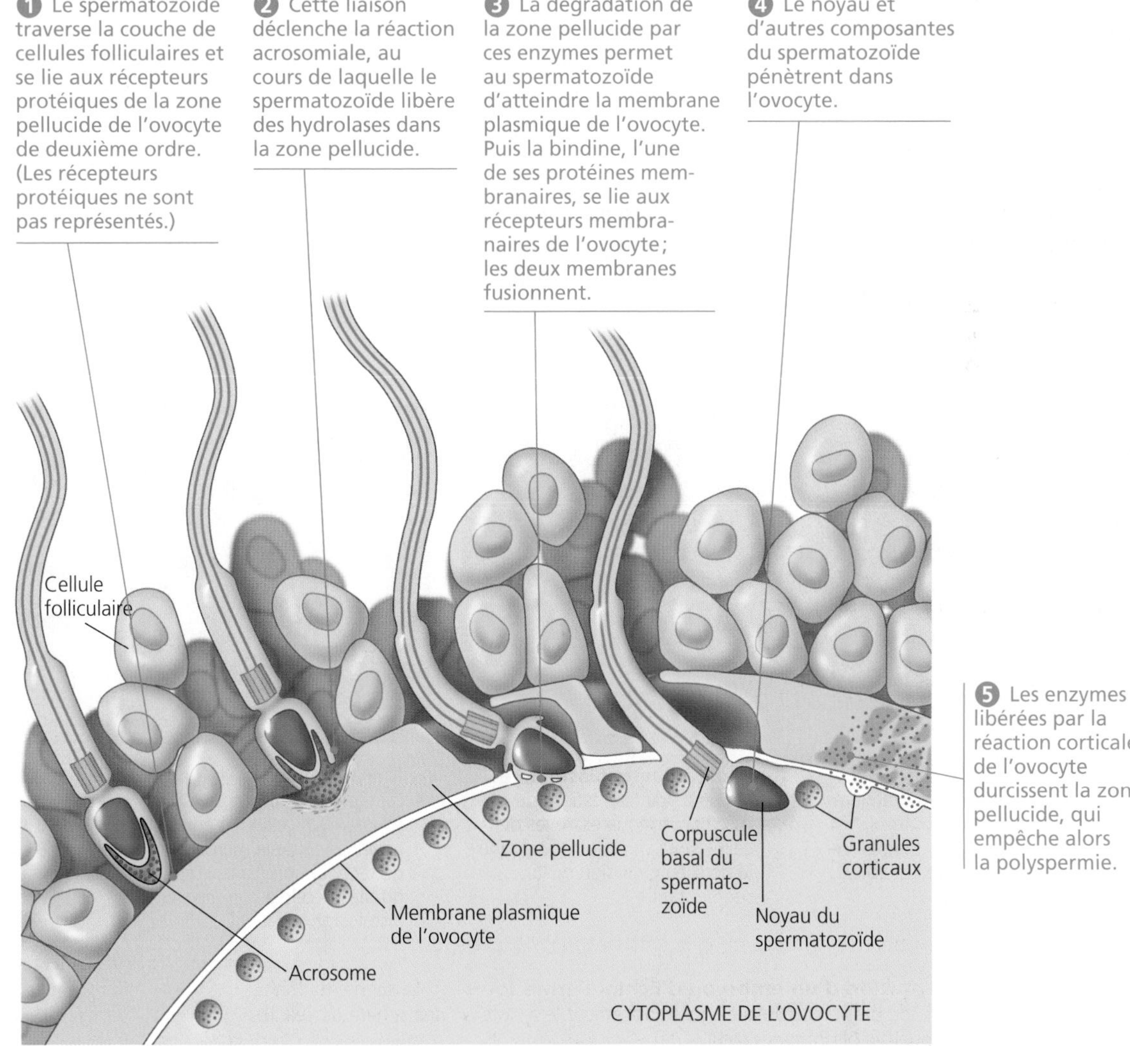

1 Le spermatozoïde traverse la couche de cellules folliculaires et se lie aux récepteurs protéiques de la zone pellucide de l'ovocyte de deuxième ordre. (Les récepteurs protéiques ne sont pas représentés.)
2 Cette liaison déclenche la réaction acrosomiale, au cours de laquelle le spermatozoïde libère des hydrolases dans la zone pellucide.
3 La dégradation de la zone pellucide par ces enzymes permet au spermatozoïde d'atteindre la membrane plasmique de l'ovocyte. Puis la bindine, l'une de ses protéines membranaires, se lie aux récepteurs membranaires de l'ovocyte ; les deux membranes fusionnent.
4 Le noyau et d'autres composantes du spermatozoïde pénètrent dans l'ovocyte.
5 Les enzymes libérées par la réaction corticale de l'ovocyte durcissent la zone pellucide, qui empêche alors la polyspermie.
Cellule folliculaire
Zone pellucide
Membrane plasmique de l'ovocyte
Acrosome
Corpuscule basal du spermatozoïde
Noyau du spermatozoïde
Granules corticaux
CYTOPLASME DE L'OVOCYTE

▶ Figure 47.6 Premiers événements de la fécondation chez les Mammifères. Comme chez les oursins, les événements qui ponctuent la fécondation font qu'un seul spermatozoïde pénètre dans le cytoplasme de l'ovocyte.

la première division cellulaire a lieu de 12 à 36 heures après la liaison du spermatozoïde chez les Mammifères, comparativement à environ 90 minutes chez les oursins.

La segmentation

Après la fécondation, une succession rapide de divisions cellulaires a lieu. Durant cette période, appelée **segmentation**, les cellules passent de la phase S (synthèse d'ADN) à la phase M (mitose) du cycle cellulaire et sautent souvent les phases G_1 et G_2 (G pour *gap*, « absence de réplication de l'ADN »), de sorte que la synthèse de protéines est absente ou faible (voir la figure 12.5). À ce stade du développement, l'embryon ne grossit pas. La segmentation divise simplement le cytoplasme de la grosse cellule qu'est le zygote en un grand nombre de petites cellules appelées **blastomères** qui ont chacune leur propre noyau **(figure 47.7)**.

Les cinq à sept premières divisions produisent un amas de cellules qu'on appelle **morula**, nom latin de la mûre, en raison de l'aspect de l'embryon à ce stade. À l'intérieur de la morula se forme une cavité pleine de liquide appelée **blastocœle**. La sphère creuse ainsi formée porte le nom de **blastula**. Au cours de la segmentation, les diverses régions du cytoplasme du zygote de départ (non divisé) se trouvent dans des blastomères distincts. Comme ces régions peuvent contenir des déterminants cytoplasmiques différents, la segmentation prépare les prochaines étapes du développement.

Chez l'oursin et d'autres espèces animales, mais pas chez les Mammifères, apparemment, l'ovocyte de deuxième ordre et le zygote ont une certaine polarité. Pendant la segmentation, les plans de division ont une orientation déterminée par rapport aux pôles du zygote. La polarité est définie par la répartition inégale des substances présentes dans le cytoplasme, notamment l'ARNm, certaines protéines et le **vitellus** (réserve de nutriments). Chez de nombreuses grenouilles et d'autres espèces animales, la distribution du vitellus est un facteur déterminant pour la suite de la segmentation. La concentration de vitellus est plus forte au **pôle végétatif** de l'ovocyte; elle diminue considérablement à mesure qu'on se rapproche du pôle opposé, appelé **pôle animal**. Celui-ci est également l'endroit où les globules polaires provenant de l'ovogenèse sortent de la cellule par bourgeonnement (voir la figure 46.11).

Les trois axes corporels montrés à la **figure 47.8a** s'établissent au début du développement. Ce processus a été abondamment étudié chez certaines espèces de grenouilles où différentes régions de l'ovocyte et du jeune embryon ont une coloration différente qui permet de les observer facilement. Les hémisphères végétatif et animal du zygote, désignés d'après leurs pôles respectifs, ont une coloration différente. L'hémisphère animal contient des granules de mélanine dans la couche extérieure du cytoplasme (le cortex), ce qui lui donne une teinte gris foncé. L'hémisphère végétatif ne contient pas de granules de mélanine, ce qui permet de voir la couleur jaune du vitellus qu'il renferme.

Après la fusion de l'ovocyte et du spermatozoïde, un remaniement du cytoplasme produit un des axes corporels **(figure 47.8b)**. La membrane plasmique et le cortex qui y est associé se tournent par rapport au cytoplasme intérieur. Le pôle animal se tourne vers le point d'entrée du spermatozoïde, tandis que le cortex de l'hémisphère végétatif de l'autre côté du point d'entrée du spermatozoïde se rapproche de l'hémisphère animal. Les molécules du cortex végétal sont maintenant capables d'interagir avec les molécules du cytoplasme intérieur de l'hémisphère animal, ce qui amorce la formation des déterminants cytoplasmiques qui déclencheront ultérieurement le développement des structures dorsales. C'est donc la *réaction corticale* qui établit l'axe dorsoventral (dos-ventre) du zygote. Chez certaines espèces, ce mouvement de rotation expose une bande cytoplasmique gris clair appelée **croissant gris**, lequel est recouvert par le cortex animal pigmenté près de l'équateur de l'ovule, à l'opposé de l'entrée du spermatozoïde. C'est un marqueur précoce important de la polarité de l'ovule chez les Amphibiens, puisqu'il correspond à la face dorsale du futur embryon. Le pigment plus clair du croissant gris peut persister durant plusieurs divisions.

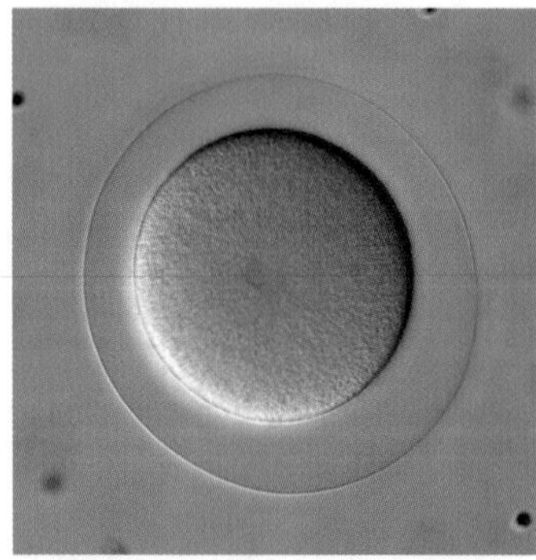

(a) Ovocyte fécondé. On voit ici le zygote peu avant la première division de la segmentation, encore entouré de la membrane de fécondation. On peut voir le noyau, au centre.

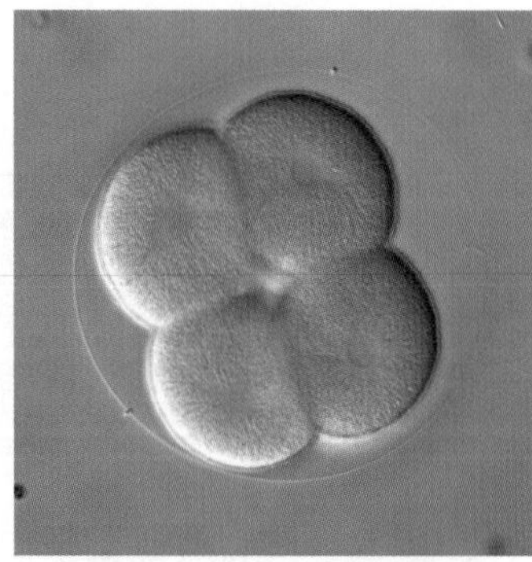

(b) Stade à quatre blastomères. On peut voir les vestiges du fuseau mitotique entre les deux cellules qui viennent de terminer la deuxième division de la segmentation.

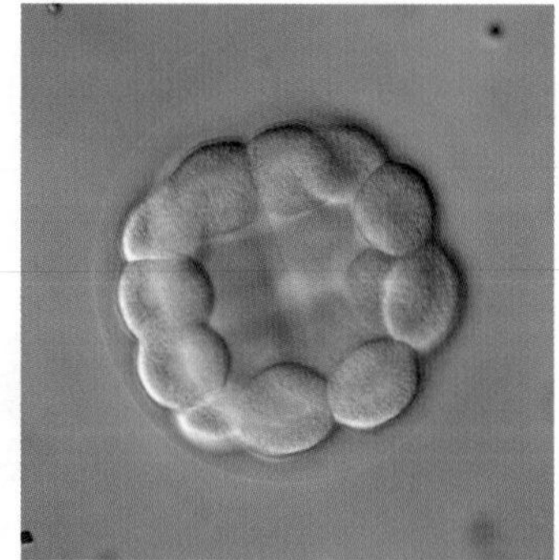

(c) Morula. Après des divisions répétées, l'embryon est une sphère multicellulaire encore enveloppée de la membrane de fécondation. La cavité du blastocœle a commencé à se former.

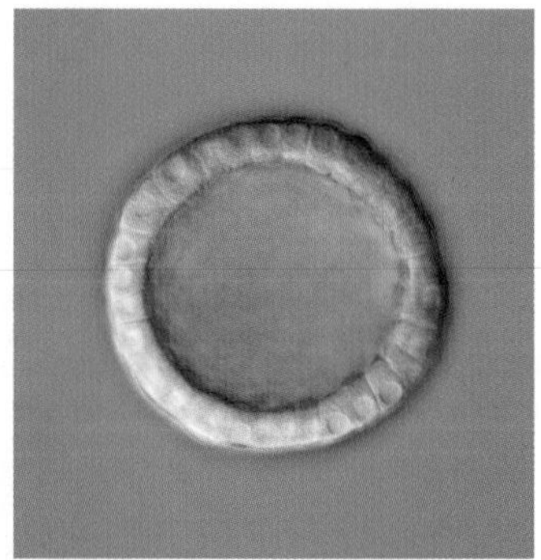

(d) Blastula. Une seule couche de cellules entoure maintenant la cavité agrandie du blastocœle. Bien qu'on ne la voie pas ici, la membrane de fécondation est encore présente; l'embryon va bientôt la percer et commencer à nager.

▲ **Figure 47.7 Segmentation d'un embryon d'Échinoderme (oursin).** La segmentation est constituée d'une série de divisions cellulaires qui transforment le zygote en une sphère de cellules beaucoup plus petites appelées *blastomères* (MP).

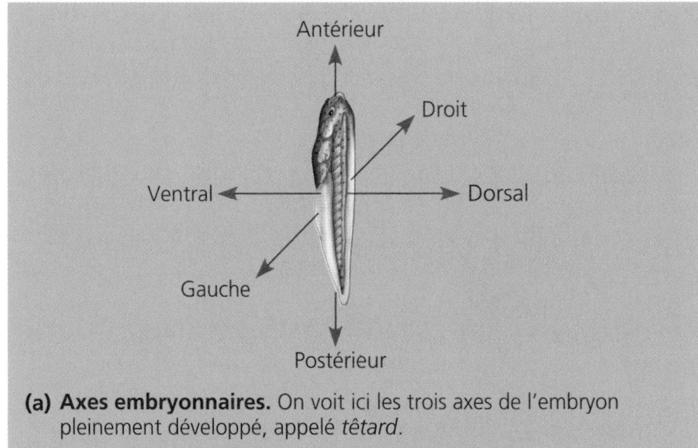

(a) Axes embryonnaires. On voit ici les trois axes de l'embryon pleinement développé, appelé *têtard*.

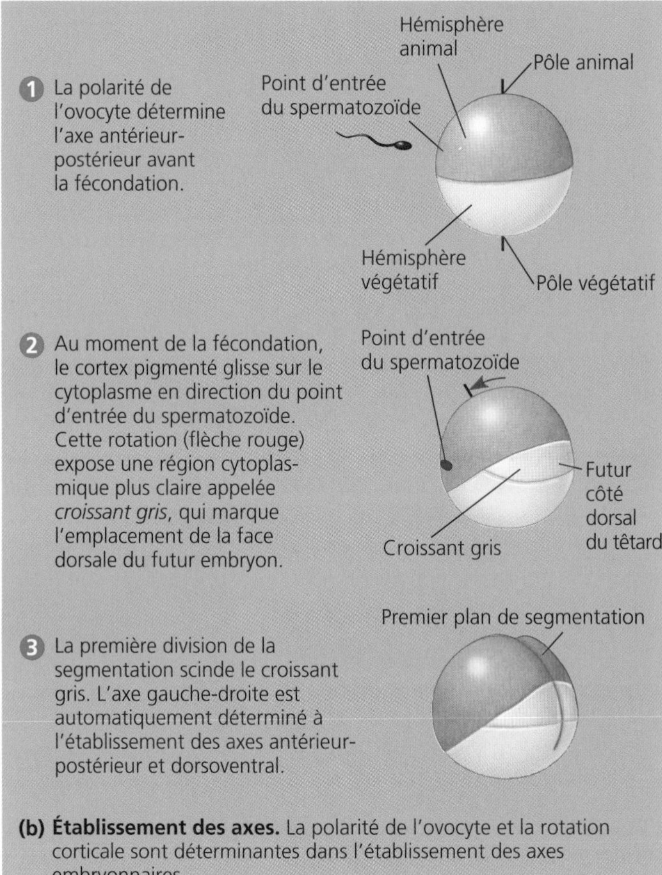

1 La polarité de l'ovocyte détermine l'axe antérieur-postérieur avant la fécondation.
Hémisphère animal
Pôle animal
Point d'entrée du spermatozoïde
Hémisphère végétatif
Pôle végétatif
2 Au moment de la fécondation, le cortex pigmenté glisse sur le cytoplasme en direction du point d'entrée du spermatozoïde. Cette rotation (flèche rouge) expose une région cytoplasmique plus claire appelée *croissant gris*, qui marque l'emplacement de la face dorsale du futur embryon.
Point d'entrée du spermatozoïde
Futur côté dorsal du têtard
Croissant gris
3 La première division de la segmentation scinde le croissant gris. L'axe gauche-droite est automatiquement déterminé à l'établissement des axes antérieur-postérieur et dorsoventral.
Premier plan de segmentation

(b) Établissement des axes. La polarité de l'ovocyte et la rotation corticale sont déterminantes dans l'établissement des axes embryonnaires.

▲ **Figure 47.8 Établissement des axes embryonnaires chez les Amphibiens.** L'orientation des trois axes de l'embryon est déterminée dès le début de la segmentation du zygote.

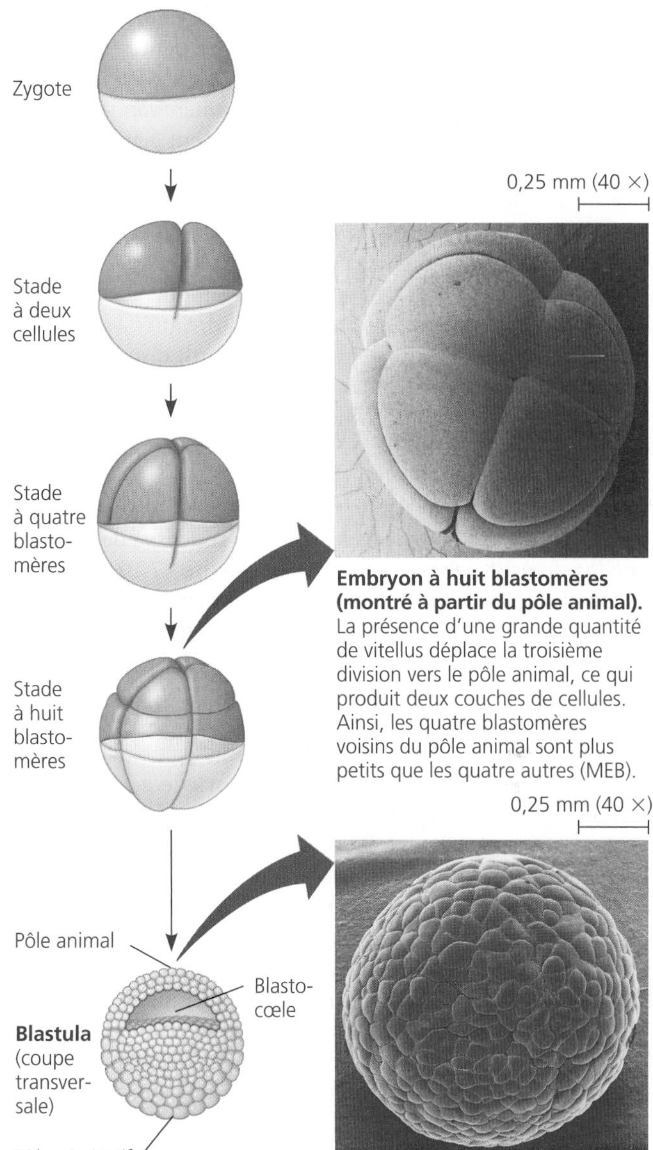

Embryon à huit blastomères (montré à partir du pôle animal). La présence d'une grande quantité de vitellus déplace la troisième division vers le pôle animal, ce qui produit deux couches de cellules. Ainsi, les quatre blastomères voisins du pôle animal sont plus petits que les quatre autres (MEB).

Blastula (à partir de 128 blastomères). Tandis que la segmentation se poursuit, une cavité remplie de liquide, le blastocœle, se forme à l'intérieur de l'embryon. En raison de la division asymétrique attribuable à la grande quantité de vitellus dans l'hémisphère végétatif, le blastocœle est situé dans l'hémisphère animal, comme on le voit dans la coupe transversale. La MEB montre l'extérieur d'une blastula d'environ 4 000 cellules, vue à partir du pôle animal.

▲ **Figure 47.9 Segmentation d'un embryon de grenouille.** Les plans de segmentation des première et deuxième divisions vont du pôle animal au pôle végétatif, mais la troisième division est perpendiculaire à l'axe polaire.

La **figure 47.9** montre les plans de segmentation des premières divisions cellulaires chez les grenouilles. Les deux premières divisions se font verticalement et produisent quatre blastomères s'étendant chacun du pôle animal au pôle végétatif. La troisième division est horizontale et passe par le centre de l'embryon; celui-ci est constitué de huit blastomères répartis en deux couches de quatre. Cependant, la distribution très inégale du vitellus dans le zygote de la grenouille déplace l'appareil mitotique et la cytocinèse subséquente vers le pôle animal des cellules en division lors des divisions équatoriales. Donc, les quatre blastomères de l'hémisphère animal sont plus petits que ceux de l'hémisphère végétatif au stade à huit cellules. Cet effet de déplacement du vitellus se poursuit au cours des divisions subséquentes. D'autres divisions produisent la morula, puis la blastula. Chez les grenouilles, en raison des divisions inégales, le blastocœle se situe dans l'hémisphère animal (voir la figure 47.9).

Bien qu'ils possèdent moins de vitellus que ceux des grenouilles, les embryons des oursins et de certains autres Animaux ont quand même un axe animal-végétatif en raison de la distribution inégale d'autres substances. Comme il y a moins de vitellus, toutefois, les blastomères formés durant la segmentation ont plus de chances d'avoir à peu près la même taille, surtout dans les quelques premières divisions (voir la figure 47.7). Les embryons d'oursins suivent le même cheminement général que ceux des grenouilles, des Échinodermes, des Cordés et des autres embranchements réunis sous le nom de *Deutérostomiens.* Chez les Animaux dont l'embryon contient relativement peu de vitellus, le blastocœle se trouve au centre de la blastula.

C'est dans les œufs des Oiseaux, des autres Reptiles, des Insectes et de nombreux Poissons que le vitellus est le plus abondant et qu'il influe le plus sur la segmentation. Ainsi, chez les Oiseaux, la partie de l'œuf qu'on appelle communément le *jaune* correspond en fait à l'ovocyte de deuxième ordre qui est grossi par les substances nutritives du vitellus. Un très petit disque de cytoplasme se trouve au pôle animal (**figure 47.10**, étape 1). Cette énorme cellule est entourée d'une solution riche en protéines (le blanc) qui fournit des substances nutritives supplémentaires à l'embryon au cours de sa croissance. La segmentation de l'œuf fécondé se limite à un petit disque de cytoplasme sans vitellus et ne peut pas pénétrer dans le vitellus à cause de la densité de celui-ci; le vitellus demeure donc non segmenté (figure 47.10, étape 2). Cette division incomplète d'un œuf riche en vitellus est appelée **segmentation méroblastique**. On l'oppose à la **segmentation holoblastique**, qui est la division complète d'œufs contenant peu de vitellus (comme chez les oursins) ou une quantité moyenne de vitellus (comme chez les grenouilles).

Chez l'Oiseau, les premières divisions de la segmentation produisent un double feuillet de cellules qui porte le nom de **blastoderme**, qui repose sur le vitellus non divisé. Les blastomères se répartissent alors dans le feuillet supérieur et le feuillet inférieur, appelés respectivement *épiblaste* et *hypoblaste* (figure 47.10, étape 3). La cavité entre les deux feuillets est la version aviaire du blastocœle, tandis que ce stade embryonnaire est l'équivalent aviaire de la blastula, bien que sa forme soit différente de la sphère creuse d'un jeune embryon d'oursin ou de grenouille.

Chez des Insectes comme la drosophile, le noyau du zygote est situé *à l'intérieur* de la masse vitelline. La segmentation commence par des divisions mitotiques du noyau, sans cytocinèse (voir la figure 21.12). Ces divisions mitotiques produisent plusieurs centaines de noyaux qui se disséminent d'abord dans le vitellus, puis migrent à la périphérie de l'œuf. Après plusieurs autres mitoses, une membrane plasmique se forme autour de chacun des noyaux. L'embryon, qui est devenu l'équivalent d'une blastula, est alors constitué d'une seule couche d'environ 6 000 cellules entourant une masse de vitellus.

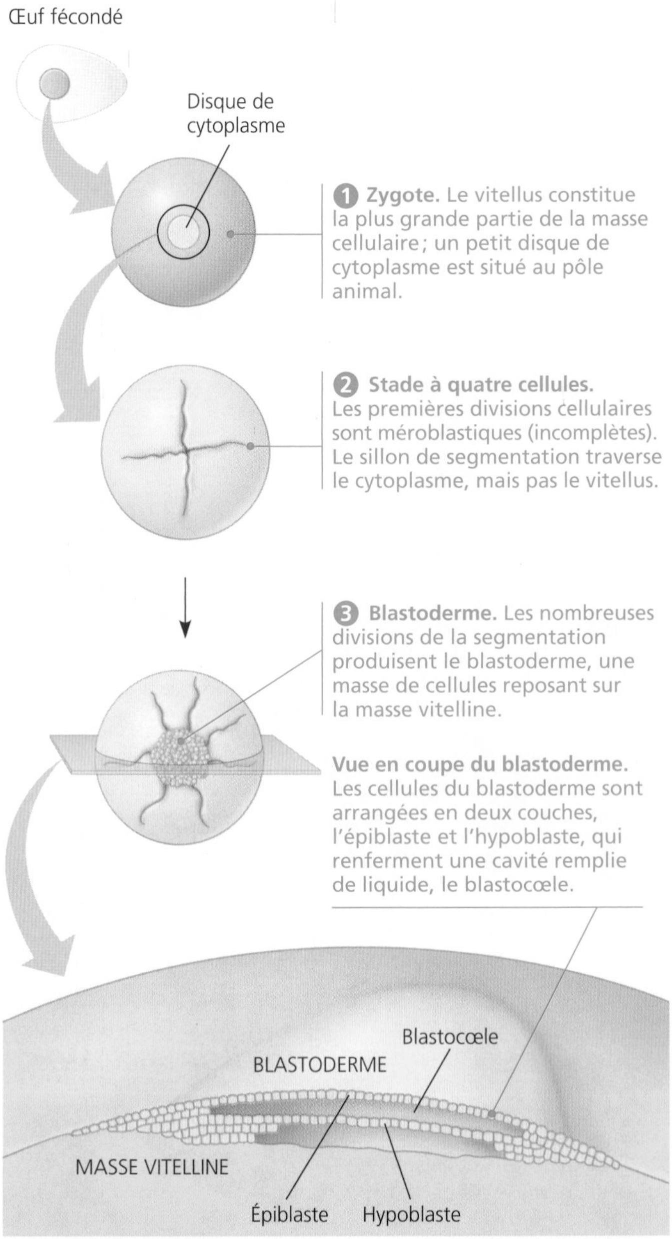

Œuf fécondé
Disque de cytoplasme
1 Zygote. Le vitellus constitue la plus grande partie de la masse cellulaire; un petit disque de cytoplasme est situé au pôle animal.
2 Stade à quatre cellules. Les premières divisions cellulaires sont méroblastiques (incomplètes). Le sillon de segmentation traverse le cytoplasme, mais pas le vitellus.
3 Blastoderme. Les nombreuses divisions de la segmentation produisent le blastoderme, une masse de cellules reposant sur la masse vitelline.
Vue en coupe du blastoderme. Les cellules du blastoderme sont arrangées en deux couches, l'épiblaste et l'hypoblaste, qui renferment une cavité remplie de liquide, le blastocœle.
Blastocœle
BLASTODERME
MASSE VITELLINE
Épiblaste
Hypoblaste

▲ **Figure 47.10 Segmentation d'un embryon de poulet.** Les trois schémas montrent l'embryon vu de haut, vers le pôle animal. Le schéma du bas est une vue en coupe de l'embryon; on peut apercevoir une petite portion de la masse vitelline. Le blastoderme qui se forme pendant la segmentation est l'équivalent aviaire de la blastula de la grenouille (voir la figure 47.9).

La gastrulation

Le processus morphogénétique qu'on appelle **gastrulation** est un remaniement radical des cellules de la blastula qui produit un embryon tridimensionnel à trois feuillets pourvu d'un archentéron. Les détails de la gastrulation diffèrent selon les groupes d'Animaux, mais cette réorganisation spatiale de l'embryon découle d'un ensemble de modifications cellulaires communes à toutes les espèces: ce sont des modifications touchant la motilité des cellules, leur forme ainsi que leur adhérence entre elles et avec les molécules de la matrice extracellulaire. Sous l'effet de la gastrulation, certaines des cellules situées à la surface ou près de celle-ci se déplacent vers l'intérieur de la blastula. Il se forme ainsi trois feuillets cellulaires. L'embryon formé de trois feuillets est appelé **gastrula**. L'emplacement des feuillets cellulaires de la gastrula permet de nouveaux types d'interactions entre les cellules.

Les trois feuillets issus de la gastrulation sont des tissus embryonnaires qu'on réunit collectivement sous le nom de *feuillets embryonnaires.* L'**ectoderme** correspond au feuillet externe de la gastrula, l'**endoderme** au feuillet interne de l'embryon et le **mésoderme** comble en partie l'espace restant, entre l'ectoderme et l'endoderme. Toutes les parties d'un Animal adulte proviennent de ces trois feuillets de cellules. Voyons les différents événements de la gastrulation chez l'oursin, la grenouille et le poulet.

La **figure 47.11** schématise la gastrulation d'un embryon d'oursin. La paroi de la blastula d'oursin est constituée d'une seule couche de cellules qui entoure le blastocœle situé au centre.

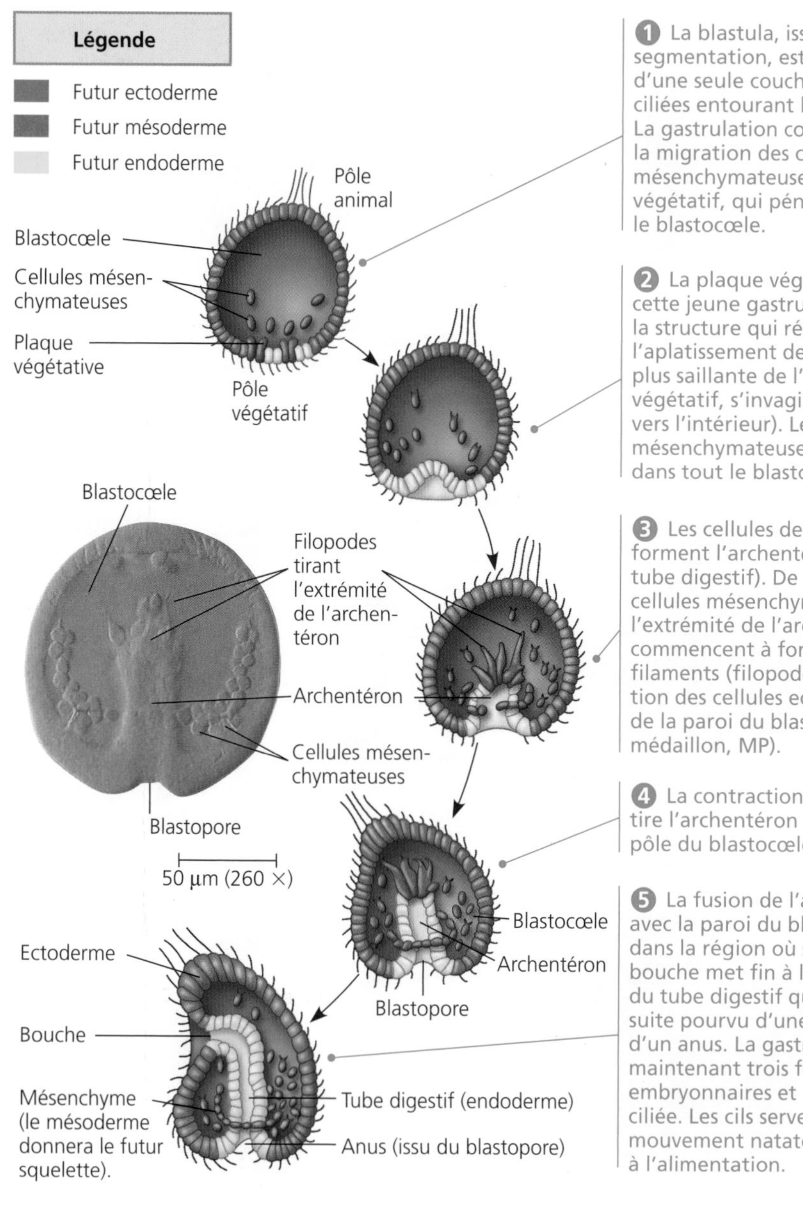
Légende
Futur ectoderme
Futur mésoderme
Futur endoderme
Pôle animal
Blastocœle
Cellules mésenchymateuses
Plaque végétative
Pôle végétatif
Blastocœle
Filopodes tirant l'extrémité de l'archentéron
Archentéron
Cellules mésenchymateuses
Blastopore
50 µm (260 ×)
Blastocœle
Archentéron
Blastopore
Ectoderme
Bouche
Mésenchyme (le mésoderme donnera le futur squelette).
Tube digestif (endoderme)
Anus (issu du blastopore)
1 La blastula, issue de la segmentation, est constituée d'une seule couche de cellules ciliées entourant le blastocœle. La gastrulation commence par la migration des cellules mésenchymateuses du pôle végétatif, qui pénètrent dans le blastocœle.
2 La plaque végétative de cette jeune gastrula, c'est-à-dire la structure qui résulte de l'aplatissement de la partie la plus saillante de l'hémisphère végétatif, s'invagine (se replie vers l'intérieur). Les cellules mésenchymateuses migrent dans tout le blastocœle.
3 Les cellules de l'endoderme forment l'archentéron (futur tube digestif). De nouvelles cellules mésenchymateuses à l'extrémité de l'archentéron commencent à former des filaments (filopodes) en direction des cellules ectodermiques de la paroi du blastocœle (en médaillon, MP).
4 La contraction des filopodes tire l'archentéron jusqu'à l'autre pôle du blastocœle.
5 La fusion de l'archentéron avec la paroi du blastocœle dans la région où se formera la bouche met fin à la formation du tube digestif qui sera par la suite pourvu d'une bouche et d'un anus. La gastrula comporte maintenant trois feuillets embryonnaires et une surface ciliée. Les cils servent au mouvement natatoire et à l'alimentation.

▲ **Figure 47.11 Gastrulation chez l'oursin.** Le mouvement des cellules pendant la gastrulation produit un embryon pourvu d'un tube digestif primitif et de trois feuillets embryonnaires. Certaines des cellules du mésenchyme (mésoderme) qui migrent vers l'intérieur (étape 1) vont ultérieurement sécréter du carbonate de calcium et former un squelette interne simple. Les embryons des étapes 1 à 3 sont vus de face, et ceux des étapes 4 et 5, de côté.

La gastrulation commence au pôle végétatif, où des cellules se détachent de la paroi de la blastula et deviennent des cellules migratrices, appelées *cellules mésenchymateuses*, qui pénètrent dans le blastocœle. Les cellules qui restent près du pôle végétatif s'aplatissent légèrement de façon à former une *plaque végétative* qui se replie vers l'intérieur à la suite d'un processus appelé **invagination**. Les cellules de la plaque végétative ainsi incurvée subissent alors un remaniement important qui transforme l'invagination peu prononcée en un tube profond et étroit dont une des extrémités est fermée et qu'on appelle **archentéron**, ou *intestin primitif.* L'ouverture de l'archentéron, qui deviendra l'anus, porte le nom de **blastopore**. Une seconde ouverture, qui deviendra la bouche, se forme à l'autre extrémité de ce tube digestif rudimentaire qu'est l'archentéron.

La gastrulation produit donc un embryon d'oursin doté d'un tube digestif primitif et de trois feuillets embryonnaires: l'ectoderme, que nous représentons en bleu dans le présent chapitre, l'endoderme, en jaune, et le mésoderme, en rouge (voir la figure 47.11, étape 5). Ainsi, la structure à trois feuillets qui caractérise la plupart des embranchements animaux est établie au tout début du développement. Chez l'oursin, la gastrula devient une larve ciliée qui dérive, sous forme de plancton, près de la surface de l'océan, où elle se nourrit de Bactéries et d'Algues unicellulaires. Après un certain temps, la larve se métamorphose en oursin adulte, qui commence sa vie au fond de l'océan.

Dans le développement de la grenouille, la gastrulation aboutit également à la formation d'un embryon à trois feuillets pourvu d'un archentéron. Elle est cependant plus complexe, parce que l'hémisphère végétatif contient de grosses cellules chargées de vitellus et que, chez la plupart des espèces, la paroi de la blastula comporte plusieurs couches de cellules. La gastrulation se manifeste d'abord par l'apparition d'un petit repli, résultat de l'invagination d'un groupe de cellules, sur le côté de la blastula. Ce repli devient la **lèvre dorsale** du blastopore **(figure 47.12)** et se forme là où se trouvait le croissant gris, sur le zygote (voir la figure 47.8). Près de la lèvre dorsale, l'invagination de groupes successifs de cellules mène à la formation du blastopore lui-même, lorsque les deux extrémités de la lèvre se rejoignent sur la face ventrale. Le blastopore est maintenant de forme circulaire.

Sur toute la longueur du blastopore, les cellules de la surface des futurs endoderme et mésoderme s'enfoncent à l'intérieur de l'embryon en roulant par-dessus la bordure de la lèvre, selon un mécanisme appelé **involution**. Une fois dans l'embryon, elles s'éloignent du blastopore et se regroupent pour former le mésoderme et l'endoderme (ce dernier à l'intérieur). Le blastocœle s'affaisse durant ce processus, repoussé par la cavité de l'archentéron qui est formé par le tube de l'endoderme. Les mouvements cellulaires complexes de la gastrulation aboutissent à la formation d'un embryon à trois feuillets. Vers la fin du processus, la lèvre circulaire du blastopore entoure un **bouchon vitellin** composé de grosses cellules riches en nutriments. Plus tard, l'expansion de l'ectoderme entraîne un rétrécissement du blastopore. Les cellules du bouchon vitellin qui font saillie s'enfoncent alors. À cette étape, les cellules qui restent à la surface constituent l'ectoderme et enveloppent les feuillets du mésoderme et de l'endoderme. Comme chez l'oursin, l'anus de l'amphibien se développe à partir du blastopore, tandis que la bouche se forme à partir de l'autre extrémité de l'archentéron une fois que ce dernier se soit étiré jusqu'à la face ventrale près du pôle animal.

1 La gastrulation se manifeste d'abord par l'apparition d'un petit repli, la lèvre dorsale du blastopore, sur un côté de la blastula. Ce repli se forme sous l'action de cellules qui changent de forme et s'enfoncent sous la surface (invagination). Puis, d'autres cellules qui deviendront l'endoderme et le mésoderme passent par-dessus la lèvre dorsale (involution) et s'enfoncent dans la gastrula en s'éloignant du blastopore. Pendant ce temps, les cellules du pôle animal, qui deviendront l'ectoderme, recouvrent la surface de l'embryon (processus appelé épibolie).

2 La lèvre du blastopore croît des deux côtés de l'embryon à mesure que les cellules s'invaginent. Lorsque les deux côtés de la lèvre se rejoignent, le blastopore forme un cercle qui devient de plus en plus petit à mesure que l'ectoderme s'étend vers le bas en surface. À l'intérieur, l'involution continue d'étirer l'endoderme et le mésoderme, et l'archentéron commence à se former. Les dimensions du blastocœle diminuent encore.

3 Vers la fin de la gastrulation, l'archentéron tapissé par l'endoderme a complètement remplacé le blastocœle, et les trois feuillets embryonnaires sont en place. Le blastopore circulaire entoure un bouchon formé par les cellules de vitellus (le bouchon vitellin).

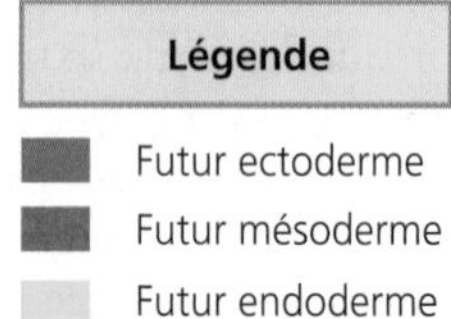

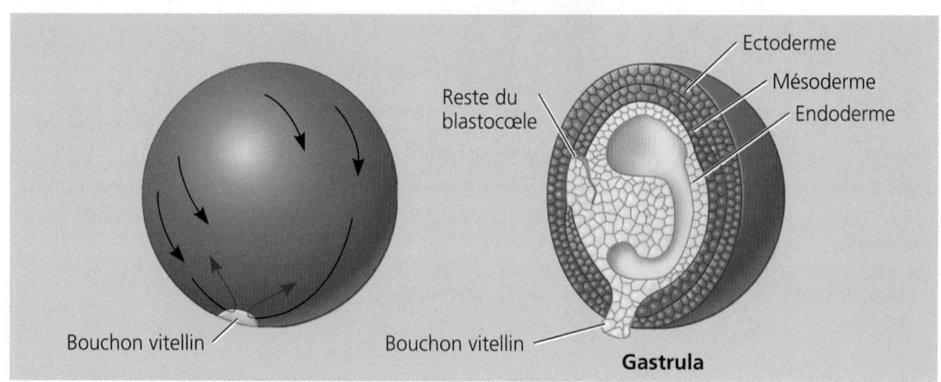

▲ **Figure 47.12 Gastrulation dans un embryon de grenouille.** Dans la blastula de grenouille, le blastocœle est repoussé vers le pôle animal et délimité par une paroi de plusieurs cellules d'épaisseur. Les mouvements cellulaires qui amorcent la gastrulation ont lieu sur la face dorsale de la blastula, là où le croissant gris se trouvait au stade du zygote (voir la figure 47.8b). Bien que le croissant gris soit encore visible quand la gastrulation commence, on ne le voit pas ici.

La gastrulation chez l'Oiseau est semblable à celle chez la grenouille. Dans les deux cas, des cellules quittent la surface de l'embryon pour pénétrer à l'intérieur. Cependant, chez les Oiseaux, la migration des cellules vers l'intérieur pendant la gastrulation est affectée par la masse importante du vitellus qui comprime le fond de l'embryon. Rappelez-vous que la segmentation chez l'Oiseau produit un blastoderme constitué d'un feuillet supérieur et d'un feuillet inférieur (l'épiblaste et l'hypoblaste) surmontant la masse du vitellus (voir la figure 47.10). Toutes les cellules qui formeront l'embryon viennent de l'épiblaste. Au cours de la gastrulation, certaines cellules de l'épiblaste rejoignent la ligne médiane du blastoderme, puis se détachent et s'enfoncent en direction du vitellus **(figure 47.13)**. L'accumulation de cellules sur le milieu de la surface, puis vers l'intérieur de l'embryon à partir de la ligne médiane du blastoderme, produit un sillon appelé **ligne primitive**. Cette ligne établit le futur axe antéropostérieur de l'Animal. Par sa fonction, elle est l'homologue du blastopore de la grenouille. Par sa forme, toutefois, elle est orientée différemment. Certaines des cellules de l'épiblaste qui traversent la ligne primitive se déplacent latéralement dans le blastocœle et forment le mésoderme. Les autres migrent vers le bas en repoussant les cellules de l'hypoblaste, et constituent l'endoderme. Les cellules de l'épiblaste qui restent à la surface deviennent l'ectoderme. Bien qu'aucune cellule de l'embryon ne provienne de l'hypoblaste, celui-ci semble contribuer directement à la formation de la ligne primitive avant le début de la

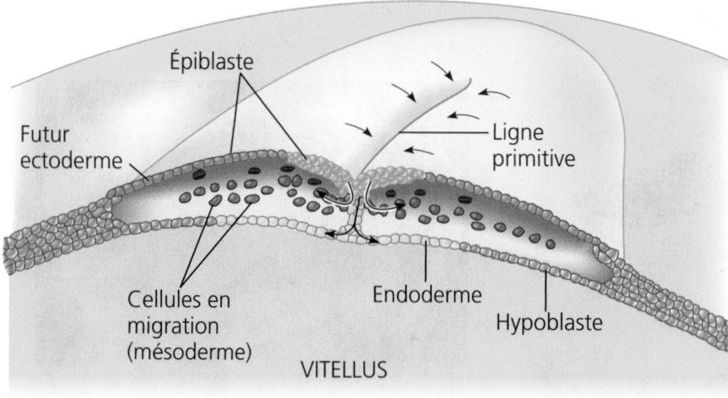

▲ **Figure 47.13 Gastrulation chez un embryon de poulet.** Durant la gastrulation, certaines cellules de l'épiblaste migrent (flèches) à l'intérieur de l'embryon en passant par la ligne primitive, qu'on voit ici en coupe transversale. Certaines de ces cellules se déplacent vers le bas pour former l'endoderme, tandis que d'autres migrent latéralement pour former le mésoderme. Les cellules qui seront demeurées à la surface de l'embryon à la fin de la gastrulation constitueront l'ectoderme.

gastrulation. Sa présence est nécessaire à un développement normal. Plus tard, les cellules de l'hypoblaste se détachent de l'endoderme et finissent par former certaines parties d'une poche contenant le vitellus et d'un pédicule reliant la masse vitelline et l'embryon.

Même si les trois feuillets embryonnaires se constituent différemment d'une espèce à l'autre, la gastrulation est terminée quand ces feuillets sont en place. La formation des organes de l'embryon peut alors s'amorcer.

L'organogenèse

Pendant le processus d'**organogenèse**, les diverses régions des trois feuillets embryonnaires donnent naissance à des rudiments d'organes. Alors que la gastrulation comporte des mouvements cellulaires de masse, l'organogenèse fait place à des changements morphogénétiques plus localisés dans les tissus et les cellules. Trois types de modifications morphogénétiques (replis, fentes et groupements denses de cellules) constituent les premiers signes de l'organogenèse. Dans les embryons de grenouilles et d'autres Cordés, les premiers organes qui prennent forme sont le tube neural et la corde dorsale. La corde dorsale constitue le premier support axial de l'embryon et caractérise tous les Cordés.

La **figure 47.14** montre le déroulement du début de l'organogenèse chez la grenouille. La **corde dorsale**, également appelée *notocorde*, se forme à partir du mésoderme dorsal qui devient plus dense juste au-dessus de l'archentéron **(figure 47.14a)**. Les signaux envoyés par la corde dorsale à l'ectoderme situé immédiatement au-dessus font en sorte que cette région de l'ectoderme devient la plaque neurale. Celle-ci, par un processus appelé *neurulation*, se replie bientôt sur elle-même et s'enroule pour donner le **tube neural**, tube creux qui longe l'axe antérieur-postérieur de l'embryon **(figure 47.14b)**. Le tube neural deviendra le système nerveux central (encéphale dans la boîte crânienne et moelle épinière dans le reste du corps), et sa lumière donnera les ventricules cérébraux et le canal central de la moelle épinière. Les stimulus envoyés à l'ectoderme par la corde dorsale, issue du mésoderme, illustre bien ce processus souvent observé pendant l'organogenèse : un des feuillets embryonnaires envoie un stimulus à un autre feuillet pour déterminer ce que deviendra ce dernier.

Le long de la ligne de séparation du tube neural et de l'ectoderme et en allant de la partie antérieure vers la partie postérieure, une bande de cellules se multiplient en se transformant et deviennent la **crête neurale**, structure qui caractérise les embryons de Vertébrés. Puis, les cellules de la crête neurale migrent vers les différentes parties de l'embryon et donnent les cellules pigmentaires de la peau, certains des os et des muscles du crâne, les dents, les cellules sécrétrices de la médulla surrénale et les structures périphériques du système nerveux telles que les ganglions sensitifs et sympathiques.

Dans les bandes de mésoderme situées de part et d'autre de la corde dorsale se produisent d'autres concentrations de cellules qui donnent des ensembles distincts appelés **somites (figure 47.14c)**. Ces derniers sont disposés en série de part et d'autre de la corde dorsale, sur toute sa longueur. Certaines parties des somites se dissocient en cellules mésenchymateuses autonomes (libres), qui migrent vers de nouvelles régions. La corde dorsale est la partie centrale autour de laquelle ces cellules mésodermiques se rassemblent pour former les vertèbres. Certaines parties de la corde dorsale entre les vertèbres persistent sous la forme de disques intervertébraux chez les adultes. (Ce sont ces disques qui peuvent devenir « herniés » et causer des douleurs lombaires.) Les cellules provenant des somites forment également les muscles associés au squelette axial. Cette origine sérielle du squelette axial et de sa musculature corrobore l'idée voulant que les Cordés soient fondamentalement des Animaux segmentés. Cependant, la segmentation devient moins apparente dans la suite du développement. Puis, le mésoderme subit une division latérale par rapport aux somites. Les deux couches qui en résultent constituent le revêtement de la cavité corporelle, ou cœlome.

Tandis que l'organogenèse se poursuit, la morphogenèse et la différenciation cellulaire développent et perfectionnent les organes issus des trois feuillets embryonnaires, plusieurs des organes internes étant issus de deux des trois feuillets. Chez la grenouille, le développement embryonnaire aboutit à un stade larvaire : le têtard est prêt à émerger de l'enveloppe gélatineuse qui recouvrait l'ovocyte de départ. Plus tard, le têtard aquatique et herbivore subira une métamorphose pour devenir un adulte terrestre et carnivore.

L'organogenèse est très semblable chez le poulet et la grenouille. Après la formation des trois feuillets embryonnaires, les rebords du blastoderme se replient vers le bas pour se rejoindre. Ce faisant, ils compriment l'embryon en un tube à trois feuillets relié, sous le point milieu du corps, au vitellus **(figure 47.15a)**. La formation de la corde dorsale, du tube neural et des somites ressemble à ce qu'on a vu chez la grenouille. La **figure 47.15b** montre certains des organes déjà visibles d'un embryon de poulet âgé de deux ou trois jours.

La **figure 47.16** énumère les sources embryonnaires des principaux organes et tissus chez la grenouille, le poulet et autres Vertébrés. Examinez attentivement cette figure pour vous familiariser avec l'origine embryonnaire des diverses structures corporelles.

Les adaptations développementales des Amniotes

Tous les embryons de Vertébrés ont besoin d'un milieu aqueux pour se développer. Dans le cas des Poissons et des Amphibiens, l'œuf est pondu dans la mer ou en eau douce, et n'a besoin

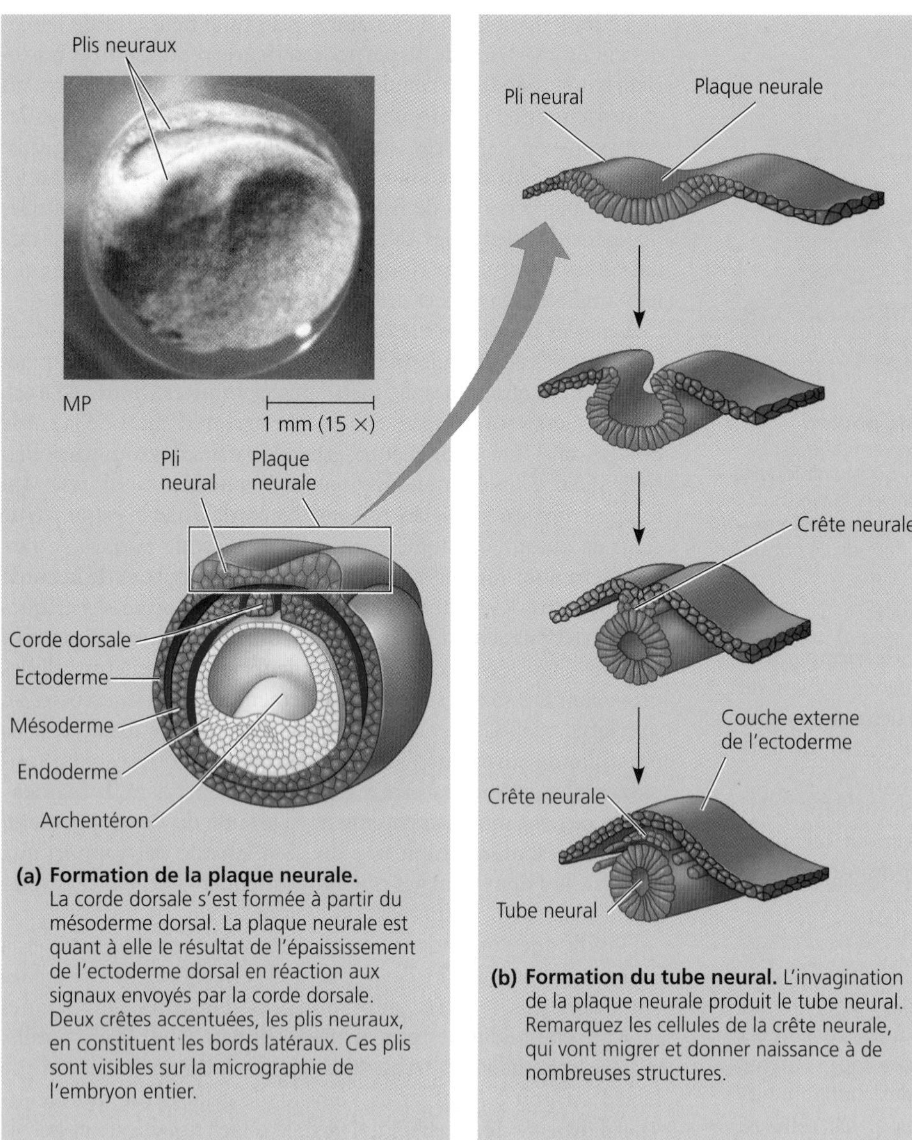

(a) Formation de la plaque neurale. La corde dorsale s'est formée à partir du mésoderme dorsal. La plaque neurale est quant à elle le résultat de l'épaississement de l'ectoderme dorsal en réaction aux signaux envoyés par la corde dorsale. Deux crêtes accentuées, les plis neuraux, en constituent les bords latéraux. Ces plis sont visibles sur la micrographie de l'embryon entier.

(b) Formation du tube neural. L'invagination de la plaque neurale produit le tube neural. Remarquez les cellules de la crête neurale, qui vont migrer et donner naissance à de nombreuses structures.

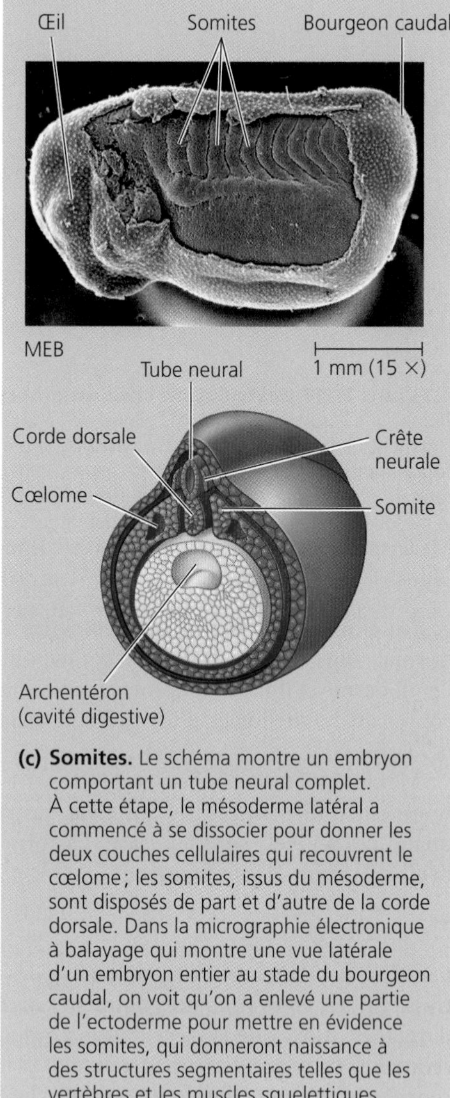

(c) Somites. Le schéma montre un embryon comportant un tube neural complet. À cette étape, le mésoderme latéral a commencé à se dissocier pour donner les deux couches cellulaires qui recouvrent le cœlome ; les somites, issus du mésoderme, sont disposés de part et d'autre de la corde dorsale. Dans la micrographie électronique à balayage qui montre une vue latérale d'un embryon entier au stade du bourgeon caudal, on voit qu'on a enlevé une partie de l'ectoderme pour mettre en évidence les somites, qui donneront naissance à des structures segmentaires telles que les vertèbres et les muscles squelettiques.

▲ **Figure 47.14 Début de l'organogenèse dans un embryon de grenouille.**

▶ **Figure 47.15 Organogenèse dans un embryon de poulet. (a)** Les feuillets embryonnaires situés à côté de l'embryon proprement dit donnent naissance aux membranes extraembryonnaires (que nous traiterons plus loin). **(b)** Ces membranes seront bientôt irriguées par des vaisseaux sanguins qui sortent de l'embryon ; on voit ici plusieurs vaisseaux sanguins importants.

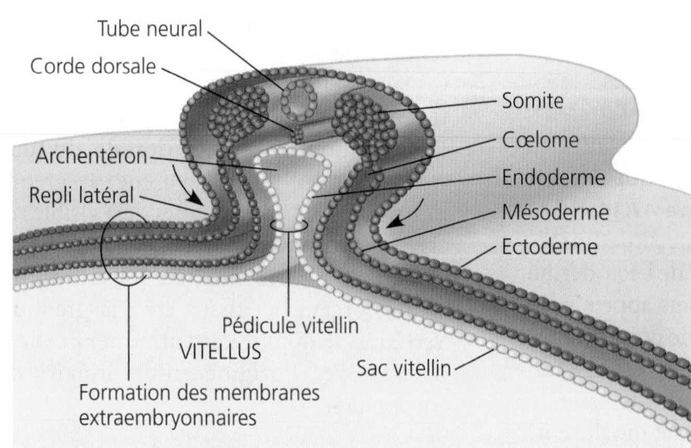

(a) Début de l'organogenèse. L'archentéron se forme lorsque des replis latéraux éloignent l'embryon du vitellus. L'embryon reste cependant relié au vitellus par le pédicule vitellin, situé vers le milieu de sa longueur et constitué principalement de cellules de l'hypoblaste. La formation de la corde dorsale, du tube neural et des somites ressemble à ce qu'on a vu chez la grenouille.

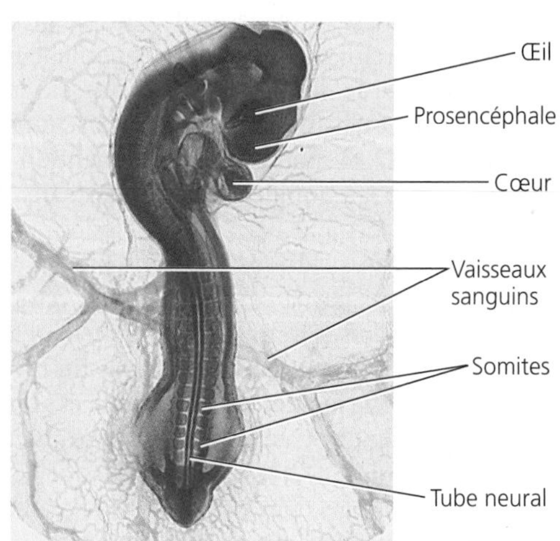

(b) Fin de l'organogenèse. Dans cet embryon de poulet âgé d'environ 56 heures et mesurant de 2 à 3 mm de longueur se trouvent déjà, à l'état d'ébauches, la plupart des principaux organes (MP).

ECTODERME	MÉSODERME	ENDODERME
• Épiderme de la peau et annexes cutanées (p. ex., glandes sébacées, follicules pileux) • Épithéliums buccal et rectal • Récepteurs sensoriels de l'épiderme • Cornée et cristallin de l'œil • Système nerveux • Médulla surrénale • Émail des dents • Épithélium du corps pinéal et de l'hypophyse	• Corde dorsale • Système osseux • Système musculaire • Couche musculaire de l'estomac, de l'intestin, etc. • Système cardiovasculaire • Systèmes lymphatique et immunitaire • Système urinaire • Système reproducteur (sauf les cellules germinales) • Derme de la peau • Épithélium de la cavité corporelle • Cortex surrénal	• Muqueuses du tube digestif • Muqueuses du système respiratoire • Foie • Pancréas • Glande thyroïde • Glandes parathyroïdes • Thymus • Muqueuses de l'urètre, de la vessie et du système reproducteur

▲ **Figure 47.16 Structures adultes dérivées des trois feuillets embryonnaires chez les Vertébrés.**

d'aucune cavité remplie d'eau. Lorsque les Vertébrés ont commencé à vivre sur la terre ferme, leurs structures ont dû s'adapter au problème de la reproduction en milieu sec. Deux structures sont alors apparues, qui existent encore aujourd'hui: les œufs à coquille des Oiseaux et autres Reptiles ainsi que de quelques Mammifères (monotrèmes), et l'utérus des Mammifères marsupiaux et euthériens (placentaires). À l'intérieur de la coquille ou de l'utérus, l'embryon de ces Animaux baigne dans du liquide, contenu dans un sac fait d'une membrane appelé *amnios*. C'est pourquoi on appelle **Amniotes** les Reptiles (y compris les Oiseaux) et les Mammifères (voir le chapitre 34).

Nous avons déjà vu que le développement embryonnaire du poulet, qui est un Amniote, est très semblable à celui de la grenouille, Vertébré dépourvu d'amnios (anamniote). Chez le poulet, cependant, le développement comporte la formation de **membranes extraembryonnaires**, situées à l'extérieur de l'embryon. À la figure 47.15a, on remarque que seule une partie de chaque feuillet embryonnaire contribue à la formation de l'embryon lui-même. Les portions des feuillets qui se trouvent à l'extérieur de l'embryon lui-même deviennent l'amnios, et trois autres membranes: le sac vitellin, le chorion et l'allantoïde. Ces quatre membranes extraembryonnaires contribuent à la suite du développement de l'embryon dans l'œuf ou dans l'utérus d'un Amniote. Chaque membrane est une couche de cellules dérivées de deux feuillets embryonnaires. Le schéma de la **figure 47.17** montre ces membranes chez les Oiseaux et autres Reptiles en cours de développement; la légende explique leur fonction.

Dans la prochaine section, nous aborderons les membranes extraembryonnaires lorsque nous décrirons le développement de l'embryon chez les Mammifères. La formation du placenta, structure propre aux Mammifères marsupiaux et euthériens, occupe une place importante dans ce processus.

Le développement des Mammifères

Chez la plupart des Mammifères, la fécondation s'effectue dans l'une des trompes utérines, et les premiers stades du développement ont lieu pendant que l'embryon termine son voyage jusqu'à l'utérus (voir la figure 46.15). Contrairement aux gros ovocytes de deuxième ordre riches en vitellus qu'on trouve chez les Oiseaux et autres Reptiles, ainsi que chez les Monotrèmes, les ovocytes de deuxième ordre de la plupart des Mammifères sont assez petits et contiennent peu de nutriments. Chez les Mammifères, comme nous l'avons vu, l'ovocyte de deuxième ordre et le zygote ne semblent présenter aucune polarité liée au contenu de leur cytoplasme. Le zygote, pauvre en vitellus, subit une segmentation holoblastique. Cependant, la gastrulation et le début de l'organogenèse suivent un cheminement semblable à celui qu'on observe chez les Oiseaux et les Reptiles. (Nous avons vu au chapitre 34 que les Mammifères étaient les descendants de Reptiles ayant vécu au début du Mésozoïque.)

À ses tout débuts, la segmentation des embryons de Mammifères est relativement lente. Dans le cas des humains, la première division se termine environ 36 heures après la fécondation, la deuxième approximativement 60 heures après et la troisième quelque 72 heures après. Les blastomères ont la même taille. Au stade à huit blastomères, ceux-ci adhèrent étroitement les uns aux autres, d'où l'aspect lisse de la

L'**amnios** enferme l'embryon dans un sac amniotique rempli de liquide qui le protège contre le dessèchement et les chocs.

L'**allantoïde** est une poche qui emmagasine certains déchets métaboliques produits par l'embryon. La membrane de l'allantoïde sert aussi d'organe respiratoire avec le chorion.

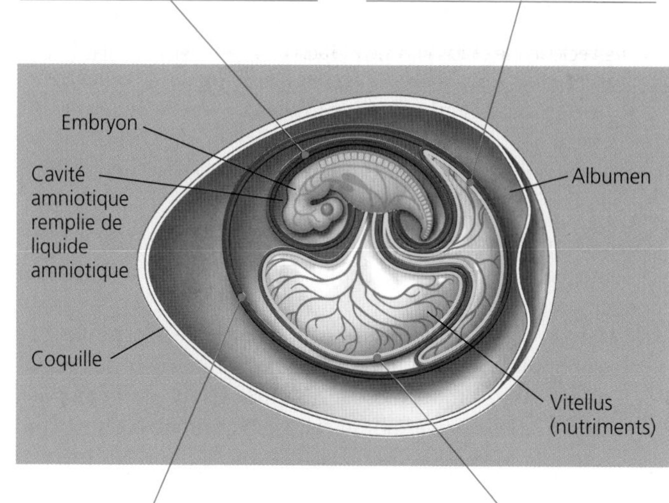

Le **chorion** et la membrane de l'allantoïde échangent des gaz entre l'embryon et l'air ambiant. Le dioxygène et le dioxyde de carbone diffusent librement à travers la coquille de l'œuf.

Le **sac vitellin** recouvre la surface de la masse vitelline, qui accumule les nutriments. Les vaisseaux sanguins qui apparaissent à l'intérieur acheminent les nutriments jusqu'à l'embryon. D'autres nutriments sont emmagasinés dans l'albumen (« blanc d'œuf »).

▲ **Figure 47.17 Formation des membranes extraembryonnaires chez les Oiseaux et autres Reptiles.** Il y a quatre membranes extraembryonnaires: l'amnios, l'allantoïde, le chorion et le sac vitellin. Chacune d'elles est une couche de cellules qui se forme à partir de cellules épithéliales de deux ou trois feuillets embryonnaires situées à l'extérieur de l'embryon proprement dit (voir la figure 47.15a).

surface de l'embryon. Au cours de ce dernier processus appelé *compaction* les microvillosités qui recouvraient toute la surface des blastomères se concentrent sur la partie exposée à l'extérieur; les blastomères acquièrent donc ainsi une polarité. La **figure 47.18** décrit le développement de l'embryon humain à partir d'environ sept jours après la fécondation (la numérotation en bleu dans le texte correspond à la numérotation de la même couleur dans la figure).

❶ Quand la segmentation est terminée, l'embryon, qui compte plus de 100 cellules délimitant une cavité centrale, a descendu la trompe de Fallope jusqu'à l'utérus. Ce stade embryonnaire est appelé **blastocyste**; il est la version mammalienne d'une blastula. Un amas de cellules nommé **embryoblaste** fait saillie à une extrémité de la cavité du blastocyste. Il deviendra plus tard l'embryon proprement dit et formera, ou contribuera à former, toutes les membranes extraembryonnaires.

❷ Le trophoblaste (ou trophectoderme), épithélium externe entourant le blastocyste, amorce l'implantation en sécrétant des enzymes qui dégradent les molécules de l'endomètre, revêtement de l'utérus. Cela permet au blastocyste d'envahir l'endomètre. À mesure qu'il s'épaissit par divisions cellulaires, le trophoblaste produit des prolongements digitiformes (en forme de doigt) dans le tissu maternel environnant, riche en vaisseaux sanguins. Cette invasion par le trophoblaste entraîne, chez les Rongeurs et chez l'humain, l'érosion des capillaires de l'endomètre, et le sang qui s'en déverse finit par immerger les tissus du trophoblaste. À peu près au même moment que l'implantation, l'embryoblaste devient un disque comportant une couche cellulaire supérieure, l'*épiblaste*, et une couche cellulaire inférieure, l'*hypoblaste*, qui sont homologues de celles qu'on trouve dans l'embryon des Oiseaux (voir la figure 47.10, étape 3). Comme celui-ci, l'embryon des Mammifères se développe presque entièrement à partir des cellules de l'épiblaste.

❸ Lorsque l'implantation est terminée, la gastrulation commence. Les cellules de l'épiblaste s'enfoncent à l'intérieur en passant par la ligne primitive, où elles forment le mésoderme et l'endoderme, tout comme chez le poulet. Le trophoblaste continue de s'étendre à l'intérieur de l'endomètre. Ses cellules mésodermiques, issues de l'épiblaste, ainsi que les tissus endométriaux environnants contribuent tous à la formation du placenta (voir la figure 46.16).

❹ Vers la fin de la gastrulation, les feuillets embryonnaires sont formés. L'embryon à trois feuillets est maintenant enveloppé dans les prolongements du mésoderme extraembryonnaire et les quatre membranes extraembryonnaires.

Les quatre membranes extraembryonnaires des Mammifères sont homologues de celles qu'on trouve chez les Oiseaux et autres Reptiles et se développent semblablement. Le **chorion**, qui enveloppe complètement l'embryon et les autres membranes, joue un rôle dans les échanges gazeux. L'**amnios** finit par former une cavité amniotique remplie de liquide et contenant l'embryon. (Le liquide de cette cavité constitue les «eaux» qui sont expulsées par le vagin de la mère lorsque l'amnios se déchire, juste avant l'accouchement.) Juste au-dessous de l'embryon proprement dit, le **sac vitellin** constitue une autre cavité remplie de liquide. Bien

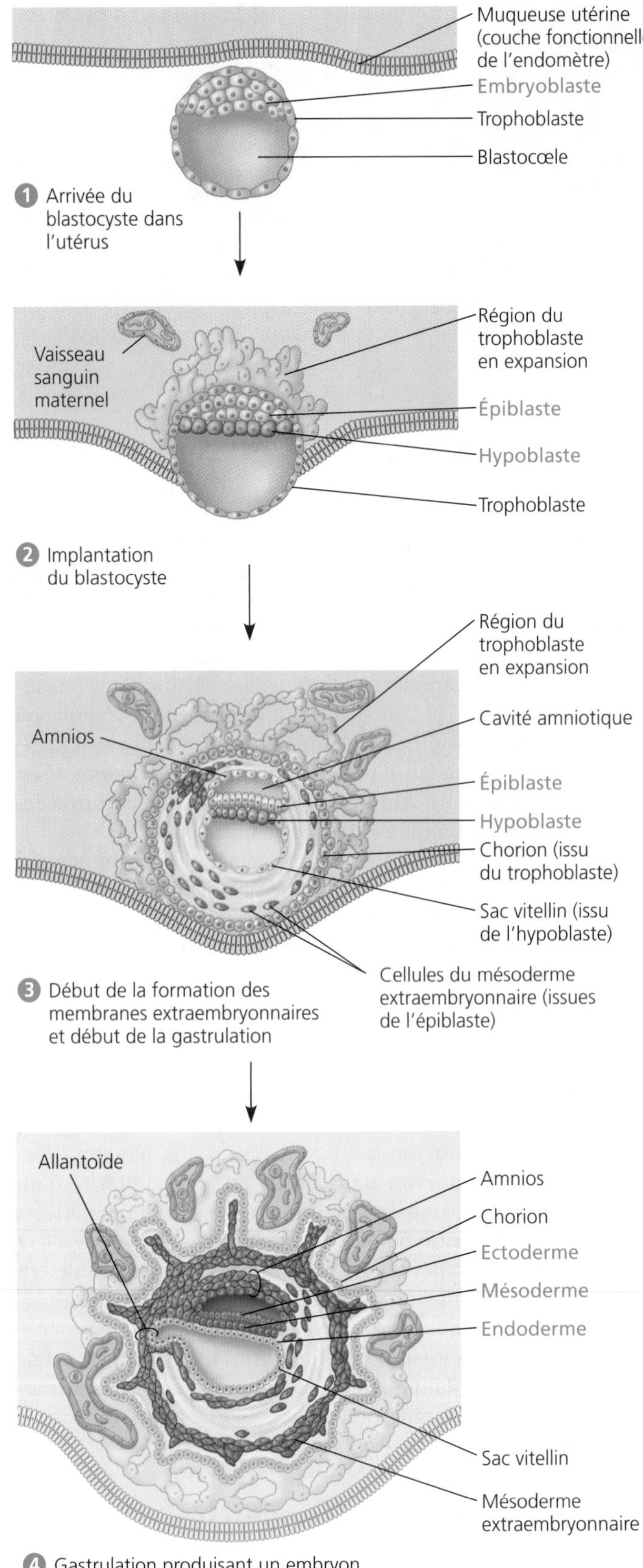

▲ **Figure 47.18 Quatre stades dans le développement d'un embryon humain.** L'épiblaste donne naissance à trois feuillets embryonnaires, qui formeront l'embryon proprement dit. Cette série de coupes schématiques illustre les quatre stades qui sont décrits dans le texte.

que cette cavité ne contienne pas de vitellus, on nomme la membrane qui l'entoure de la même manière que la membrane vitelline homologue chez les Oiseaux et les Reptiles. La membrane du sac vitellin des Mammifères est le site de production des premiers globules sanguins, lesquels migrent ensuite vers l'embryon lui-même. Enfin, l'**allantoïde** s'intègre au cordon ombilical, où elle donne naissance à des vaisseaux sanguins. Ces derniers ont pour fonction de transporter le dioxygène (O_2) et les nutriments du placenta jusqu'à l'embryon et de débarrasser celui-ci du dioxyde de carbone (CO_2) et des déchets azotés qu'il produit. Les membranes extraembryonnaires des œufs à coquille, dans lesquels les embryons sont nourris de vitellus, se sont donc conservées lorsque, au cours de l'évolution, les Mammifères ont divergé des Reptiles. Cependant, elles ont subi des modifications qui permettent le développement de l'embryon à l'intérieur des voies génitales maternelles.

Une fois la gastrulation complétée, la formation du tube neural, de la corde dorsale et des somites amorce l'organogenèse. Chez l'humain, à la fin du premier trimestre de développement, les principaux organes ont déjà commencé à se former à partir des trois feuillets embryonnaires (voir la figure 47.16) et sont à l'état d'ébauches.

Retour sur le concept 47.1

1. Prédisez ce qui arriverait si vous injectiez du Ca^{2+} dans l'œuf non fécondé d'un oursin.
2. Un zygote de grenouille et une blastula de grenouille sont presque de la même taille. Expliquez cette observation.
3. Même si la gastrulation semble différente chez les embryons d'oursin, de grenouille et de poulet, quel est son résultat commun chez ces Animaux?
4. Comparez les mouvements cellulaires pendant la gastrulation et l'organogenèse chez les Animaux.

Voir les réponses proposées à la fin du chapitre.

Concept 47.2

Chez les Animaux, la morphogenèse comporte certaines modifications touchant la forme, l'emplacement et l'adhérence des cellules

Après avoir vu les principales étapes du développement embryonnaire chez les Animaux, nous allons étudier les processus cellulaires et moléculaires qui en constituent le fondement. Bien qu'ils soient loin d'avoir complètement élucidé ces mécanismes, les biologistes ont néanmoins découvert plusieurs principes fondamentaux du développement des Animaux.

La morphogenèse est l'un des principaux aspects du développement chez les Animaux et les Végétaux. Il n'y a que chez les Animaux cependant qu'elle fait intervenir le *déplacement* des cellules. Grâce aux mouvements de certaines de leurs parties, les cellules peuvent changer de forme ou se déplacer à l'intérieur de l'embryon. Et c'est exactement ce qui se produit pendant la segmentation, la gastrulation et l'organogenèse. Nous verrons ici certains des composants cellulaires qui contribuent à ces événements.

Le cytosquelette, la motilité des cellules et l'extension convergente

Les changements de forme des cellules se font habituellement par un remaniement du cytosquelette (voir le tableau 6.1). Voyons par exemple comment les cellules de la plaque neurale forment le tube neural **(figure 47.19)**. Tout d'abord, il semble que les microtubules orientés parallèlement à l'axe dorsoventral de l'embryon étirent les cellules dans cette direction. À l'extrémité dorsale de chaque cellule se trouve un réseau de microfilaments d'actine parallèles et orientés dans le sens de la largeur. Ces microfilaments se contractent et donnent à la cellule une forme de coin qui force la couche d'ectoderme à s'incurver vers l'intérieur. Pendant toute la durée du développement, les cellules subissent des changements de forme de cette nature là où apparaissent des invaginations (repliements vers l'intérieur) et des évaginations (repliements vers l'extérieur) dans les diverses couches de tissu.

C'est aussi le cytosquelette qui est à l'origine de la migration cellulaire, déplacement actif des cellules au sein de l'organisme animal en développement. Ses microfilaments forment des excroissances cellulaires qui s'allongent et se contractent, ce qui permet aux cellules de « ramper » à l'intérieur de l'embryon. Ce type de motilité est apparenté au mouvement amiboïde illustré à la figure 6.27b. Cependant, contrairement aux pseudopodes épais des cellules amiboïdes, les excroissances des cellules embryonnaires migratrices ont habituellement la forme de minces bandes (lamellipodes) ou de pointes (filopodes).

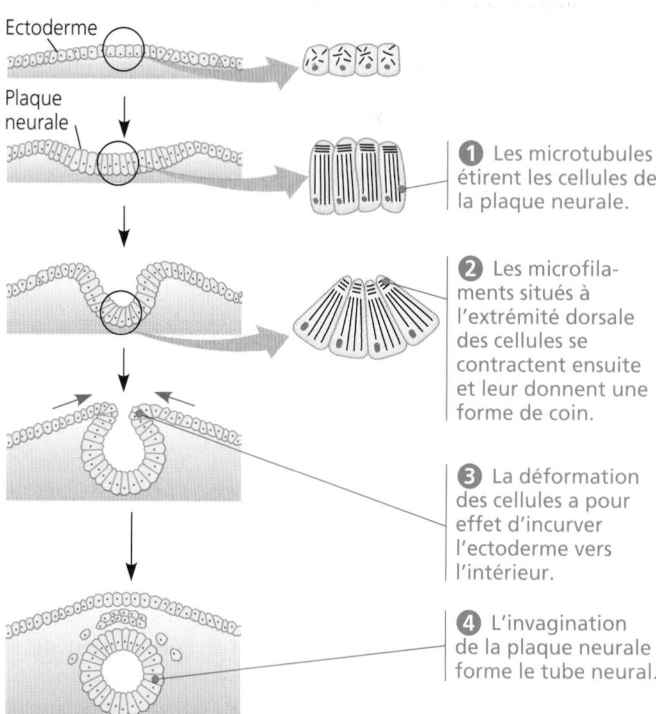

Ectoderme
Plaque neurale
1 Les microtubules étirent les cellules de la plaque neurale.
2 Les microfilaments situés à l'extrémité dorsale des cellules se contractent ensuite et leur donnent une forme de coin.
3 La déformation des cellules a pour effet d'incurver l'ectoderme vers l'intérieur.
4 L'invagination de la plaque neurale forme le tube neural.

▲ **Figure 47.19 Changements de forme des cellules pendant la morphogenèse.** Les modifications morphogénétiques observées dans les tissus embryonnaires sont associées à un remaniement du cytosquelette cellulaire, comme on le voit ici au cours de la formation du tube neural des Vertébrés.

Chez certains organismes, ce sont les cellules situées à la surface de la blastula qui, prenant une forme de coin, amorcent la gastrulation. Cependant, par la suite, le mouvement des cellules vers l'intérieur de l'embryon résulte de l'action des filopodes émis par des cellules se trouvant à la tête du tissu en migration. Les cellules qui arrivent en premier dans le blastopore et remontent la paroi intérieure du blastocœle tirent derrière elles d'autres cellules. Ainsi, une couche de cellules qui se trouvait à la surface de l'embryon est entraînée à l'intérieur du blastocœle, où elle devient l'endoderme et le mésoderme de l'embryon (voir la figure 47.12). Par ailleurs, de nombreuses cellules migrent séparément, de manière individuelle. C'est notamment le cas des cellules d'un somite ou de la crête neurale qui se dispersent dans diverses parties de l'embryon.

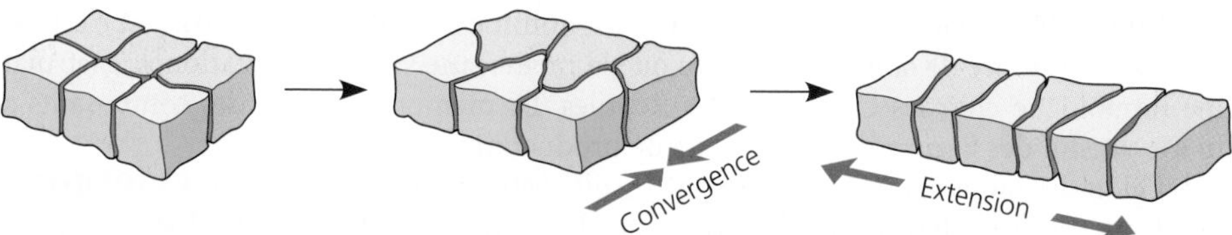

▲ **Figure 47.20 Extension convergente d'une couche de cellules.** Dans ce schéma simplifié, la couche de cellules devient plus étroite et s'allonge sous l'effet des changements de forme et de position des cellules. Réagissant à un stimulus moléculaire de nature inconnue, les cellules s'étirent dans une certaine direction et s'intercalent les unes entre les autres (*convergence*). Il en résulte une *extension* de la couche cellulaire dans une direction perpendiculaire au mouvement de convergence.

Le mouvement cellulaire intervient également dans le type de déplacement morphogénétique qu'on appelle **extension convergente**. Les cellules d'une couche de tissu se réorganisent alors de telle manière que la couche de tissu rétrécit dans le sens de l'intercalation (convergence) tout en s'allongeant (extension) dans le sens perpendiculaire à l'intercalation **(figure 47.20)**; ce processus peut permettre aussi bien une augmentation de surface qu'une augmentation de longueur d'un tissu. Lorsqu'un grand nombre de cellules s'intercalent les unes entre les autres, le tissu peut s'étirer de façon spectaculaire. L'extension convergente joue un rôle important au début du développement embryonnaire. Par exemple, on peut l'observer lorsque l'archentéron de l'embryon d'oursin s'allonge et lorsque l'involution de la gastrula de grenouille se produit. Dans ce dernier cas, l'extension convergente fait en sorte que la gastrula sphérique prend la forme d'un sous-marin, comme l'embryon de grenouille à la figure 47.14c.

Les rôles de la matrice extracellulaire et les molécules d'adhérence cellulaire

Les chercheurs comprennent mieux qu'avant les voies qui déclenchent et orientent le mouvement des cellules. Ils pensent que ce mécanisme fait probablement intervenir la matrice extracellulaire, c'est-à-dire le mélange de glycoprotéines de sécrétion qui se trouve à l'extérieur de la membrane plasmique des cellules (voir la figure 6.29). La matrice extracellulaire oriente les cellules dans de nombreux mouvements morphogénétiques. Il est possible que ses fibres agissent comme des guides et fassent prendre certaines trajectoires aux cellules migratrices. Plusieurs types de glycoprotéines extracellulaires, dont diverses fibronectines, favorisent la migration cellulaire en fournissant un ancrage moléculaire spécifique aux cellules en mouvement (elles fixent les cellules au collagène, notamment). L'expérience décrite dans la **figure 47.21** montre que les fibronectines participent à l'orientation de la migration cellulaire.

La recherche indique également que les fibronectines jouent un rôle semblable à l'extrémité antérieure du tissu invaginé pendant la gastrulation chez la grenouille. Au cours de la pénétration du futur mésoderme dans l'embryon, les cellules situées sur le bord libre migrent en suivant les fibres de fibronectine qui recouvrent le toit du blastocœle (voir la figure 47.12). Les chercheurs peuvent empêcher les cellules de se fixer aux fibres en injectant dans l'embryon des anticorps ciblant la fibronectine. Ce traitement peut avoir pour effet de bloquer le mouvement du mésoderme vers l'intérieur de l'embryon. On peut, par exemple, provoquer la formation de deux cœurs chez l'embryon de poulet, en bloquant la migration vers la ligne médiane des cellules précardiaques par des anticorps antifibronectine.

D'autres substances présentes dans la matrice extracellulaire maintiennent les cellules dans leur trajectoire en *inhibant* la migration dans certaines directions. Par conséquent, selon la nature des substances qu'elles sécrètent, les cellules non migratrices situées sur les trajets migratoires peuvent stimuler ou inhiber le mouvement des autres cellules.

Les cellules migratrices ont à leur surface des protéines réceptrices qui, tout au long du mouvement migratoire au sein de l'embryon, détectent dans le milieu immédiat des indices sur la

Figure 47.21

Investigation La fibronectine favorise-t-elle la migration cellulaire ?

EXPÉRIENCE Des chercheurs ont placé une bande de fibronectine sur une lame de verre. Après avoir déposé des cellules migratrices de la crête neurale à une extrémité de la bande, ils ont observé le mouvement des cellules au microscope optique.

RÉSULTATS Sur cette micrographie, les pointillés indiquent les bords de la couche de fibronectine. Remarquez que les cellules migrent en suivant une bande délimitée par ces bords.

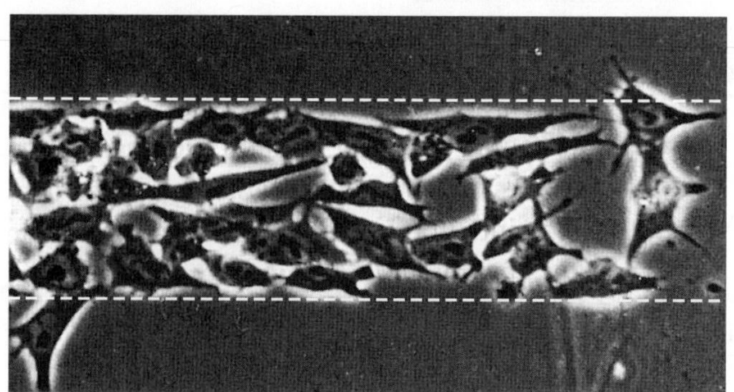

CONCLUSION La fibronectine favorise la migration des cellules, peut-être en leur fournissant un ancrage.

direction à suivre. Les stimulus émis par la matrice extracellulaire incitent les éléments du cytosquelette à orienter la cellule dans la direction appropriée.

Les glycoprotéines qui fixent les cellules migratrices à la matrice extracellulaire sous-jacente contribuent également à maintenir ensemble les cellules lorsqu'elles atteignent leur destination et que les divers tissus et organes prennent forme. Les **molécules d'adhérence cellulaire**, qui sont situées à la surface des cellules et qui se lient aux molécules d'adhérence cellulaire des autres cellules, facilitent ainsi la migration cellulaire et stabilisent les tissus. La nature chimique des molécules d'adhérence cellulaire et leur quantité varient selon le type de cellule. Ces différences entre cellules contribuent à la régulation des mouvements morphogénétiques et à la formation des tissus.

Les **cadhérines**, qui sont des glycoprotéines transmembranaires, constituent une des classes importantes de molécules d'adhérence cellulaire. Elles ont besoin d'ions calcium pour jouer leur rôle. Il en existe de nombreuses sortes (une trentaine chez les Vertébrés), le gène de chacune s'exprimant en des endroits et à des moments prédéterminés au cours du développement embryonnaire. Les chercheurs ont montré de façon très convaincante l'importance d'une cadhérine en particulier dans la formation de la blastula de grenouille **(figure 47.22)**. Les cadhérines participent aussi à l'étroite adhésion des cellules dans l'embryon mammalien, laquelle se produit au stade à huit blastomères, quand la production de cadhérines commence. La perte de ces molécules est d'ailleurs responsable du détachement des cellules dans plusieurs types de cancers.

Comme nous l'avons vu, le comportement des cellules ainsi que certains mécanismes moléculaires participent à la morphogenèse de l'embryon. Les mêmes processus cellulaires et génétiques font en sorte que les différents types de cellules se retrouvent aux bons endroits dans chaque embryon.

Figure 47.22

Investigation La formation de la blastula nécessite-t-elle de la cadhérine ?

EXPÉRIENCE Des chercheurs ont injecté dans des ovocytes de deuxième ordre d'Amphibien un acide nucléique complémentaire de l'ARNm codant pour la cadhérine EP. Cet acide nucléique « antisens », c'est-à-dire complémentaire de l'ARNm, neutralise l'ARNm codant pour la cadhérine EP normal, qui ne produit plus alors aucune cadhérine EP. Les chercheurs ont ensuite ajouté des spermatozoïdes d'Amphibien aux ovocytes témoins (n'ayant reçu aucune injection) et aux ovocytes expérimentaux (ayant reçu une injection). Ils ont observé au microscope optique les embryons témoins et expérimentaux qui se sont développés.

RÉSULTATS Comme on peut le voir sur ces micrographies, les ovocytes témoins fécondés sont devenus des blastulas normales, contrairement aux ovocytes expérimentaux fécondés. En l'absence de cadhérine EP, le blastocœle ne s'est pas formé normalement et les cellules se sont regroupées de façon désordonnée.

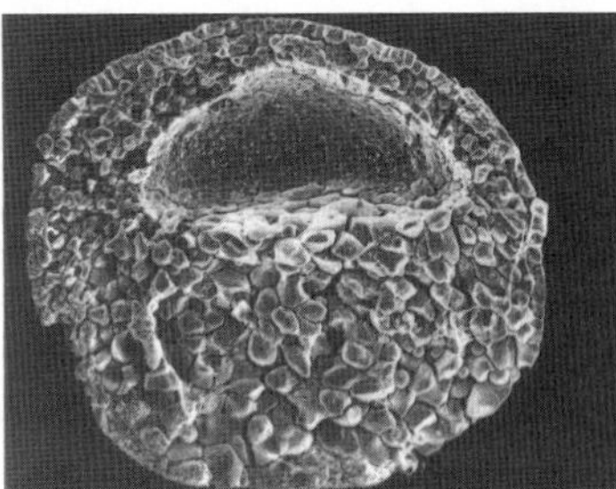

Embryon témoin

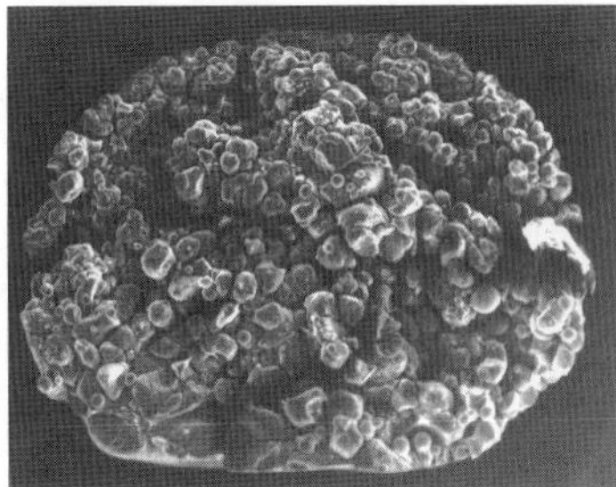

Embryon expérimental

CONCLUSION La bonne formation de la blastula chez l'Amphibien nécessite de la cadhérine EP.

Retour sur le concept 47.2

1. Pendant la formation du tube neural, les cellules cubiques prennent une forme biseautée. Décrivez les rôles des microtubules et des microfilaments dans ce processus.
2. Dans l'embryon de grenouille, l'extension convergente semble allonger la corde dorsale le long de l'axe antérieur-postérieur. Comment fonctionne ce processus morphogénétique ?

Voir les réponses proposées à la fin du chapitre.

Concept 47.3

Pendant le développement, la destinée des cellules est définie par leurs antécédents et des signaux d'induction

Une différenciation de nombreux types de cellules, à des moments précis et en des endroits particuliers, se produit en même temps que les modifications morphogénétiques conférant aux Animaux et à leurs parties leur forme caractéristique. Deux principes généraux se dégagent de ce qu'on sait des mécanismes génétiques et cellulaires qui sont à la base de la différenciation pendant le développement embryonnaire.

Premièrement, *dans les premières divisions de la segmentation, les cellules embryonnaires doivent devenir différentes les unes des autres.* Chez de nombreuses espèces animales, les différences initiales entre les cellules sont le résultat de la répartition inégale des déterminants cytoplasmiques dans l'ovocyte de deuxième ordre. En divisant le cytoplasme hétérogène du zygote polarisé, la segmentation distribue aux blastomères ainsi créés des quantités différentes d'ARNm, de protéines et d'autres molécules en une sorte de division cellulaire asymétrique (voir la figure 21.11a).

Les différences locales de composition cytoplasmique qui en découlent dans les cellules contribuent à définir la position des axes de l'organisme. Elles influent également sur l'expression des gènes qui déterminent la destinée des cellules au cours du développement. Chez les Amniotes, certaines différences environnementales locales jouent un rôle important dans l'apparition des différences initiales entre les cellules embryonnaires. Par exemple, les cellules de l'embryoblaste sont situées à l'intérieur chez le jeune embryon humain, tandis que les cellules trophoblastiques sont situées à la surface du blastocyste. Il semble que ce soient les environnements différents de ces deux groupes de cellules qui déterminent ces destinées très différentes.

Deuxièmement, *une fois établies les asymétries cellulaires initiales, certaines interactions entre les cellules embryonnaires elles-mêmes influent sur leur destinée, habituellement en causant des différences dans l'expression génique.* Ce mécanisme, appelé **induction**, aboutit à la différenciation des nombreux types cellulaires spécialisés qui constituent un nouvel individu animal. L'induction peut se faire par diffusion de médiateurs chimiques ou, si les cellules sont en contact, par des interactions au niveau des surfaces cellulaires.

Il est important de bien garder en mémoire ces deux grands principes au moment de l'étude détaillée que nous allons faire des mécanismes moléculaires et cellulaires de différenciation et de réalisation des plans d'organisation pendant le développement embryonnaire des espèces sur lesquelles nous nous concentrons dans le présent chapitre. Avant de se demander *comment* la destinée d'une jeune cellule embryonnaire est déterminée, il faut se demander quelle est cette destinée. Commençons donc par nous pencher sur quelques-unes des expériences qui ont permis aux premiers chercheurs de mieux comprendre les destinées cellulaires.

La carte des territoires

Comme nous l'avons vu au chapitre 21, les chercheurs ont réussi à cartographier la lignée de chacune des cellules du Nématode *Cænorhabditis elegans* depuis la première segmentation du zygote (voir la figure 21.15). Ils n'ont pas pu faire cela, de manière aussi complète, pour d'autres espèces animales. Cependant, depuis longtemps, ils tracent des **cartes des territoires présomptifs**, c'est-à-dire des schémas plus généraux, par territoires, du développement embryonnaire; ces diagrammes montrent ce que chaque région (et non chaque cellule) subira comme déplacement et transformation.

Dans ses travaux classiques effectués au cours des années 1920, l'embryologiste allemand W. Vogt a reconstitué la carte des territoires présomptifs d'embryons d'Amphibiens. Ses travaux ont été les premiers à donner à penser qu'il était possible de faire le lien entre les cellules de la blastula et la lignée des cellules des trois feuillets embryonnaires issus de la gastrulation **(figure 47.23a)**. Plus tard, d'autres chercheurs ont mis au point des techniques plus perfectionnées permettant de marquer un seul blastomère au moment de la segmentation, puis de suivre ce marqueur tandis qu'il était transmis à l'ensemble des descendants mitotiques de la cellule **(figure 47.23b)**.

Les biologistes du développement ont combiné l'étude des cartes des territoires présomptifs avec la manipulation de parties d'embryons. Leurs expériences consistaient à déplacer une cellule de l'embryon, dans le but de savoir si cela modifiait sa destinée. Ils ont tiré deux grandes conclusions de leurs travaux.

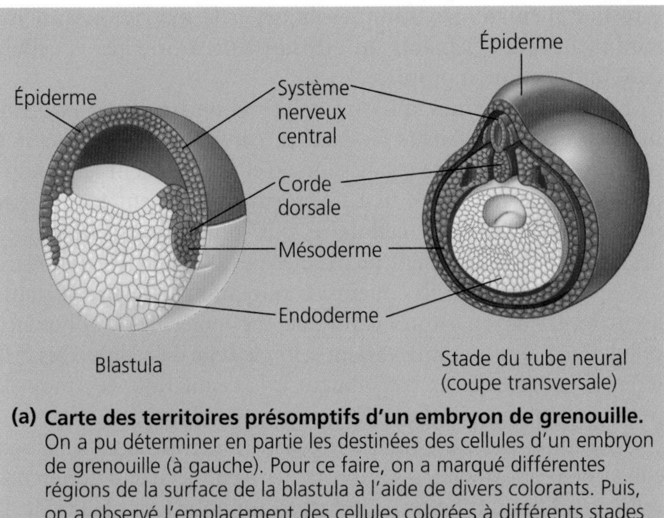

(a) Carte des territoires présomptifs d'un embryon de grenouille. On a pu déterminer en partie les destinées des cellules d'un embryon de grenouille (à gauche). Pour ce faire, on a marqué différentes régions de la surface de la blastula à l'aide de divers colorants. Puis, on a observé l'emplacement des cellules colorées à différents stades du développement. On a ensuite sectionné les embryons à divers stades de développement, comme ici, au stade du tube neural (à droite), puis on a déterminé les emplacements des cellules colorées.

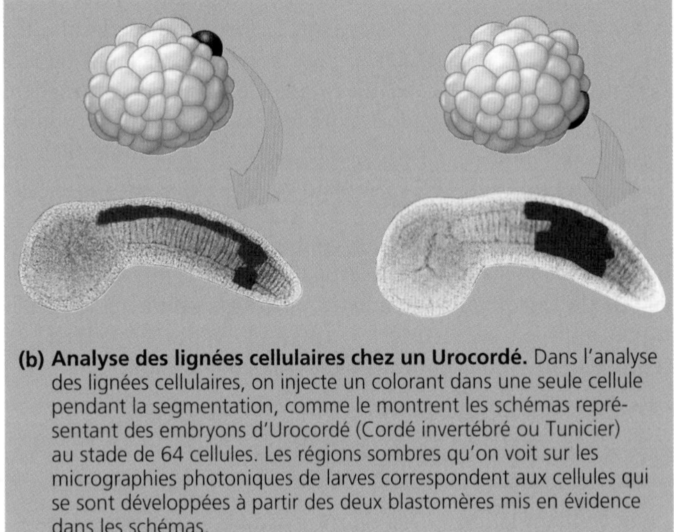

(b) Analyse des lignées cellulaires chez un Urocordé. Dans l'analyse des lignées cellulaires, on injecte un colorant dans une seule cellule pendant la segmentation, comme le montrent les schémas représentant des embryons d'Urocordé (Cordé invertébré ou Tunicier) au stade de 64 cellules. Les régions sombres qu'on voit sur les micrographies photoniques de larves correspondent aux cellules qui se sont développées à partir des deux blastomères mis en évidence dans les schémas.

▲ **Figure 47.23 Carte des territoires présomptifs de deux Cordés.**

Premièrement, chez la plupart des Animaux, certaines « cellules fondatrices » constituent le point de départ de tissus d'embryons plus âgés. Deuxièmement, le *potentiel de développement* de chaque cellule (la gamme de structures qu'elle peut engendrer) se restreint au fur et à mesure que le développement se poursuit. (Pour faire une révision, reportez-vous à la section sur la détermination des destinées cellulaires, au chapitre 21, p. 457-458.) À partir de la carte des territoires présomptifs d'un embryon normal, les chercheurs peuvent déterminer en quoi la différenciation cellulaire est différente dans les expériences ou chez des embryons mutants.

L'établissement des asymétries cellulaires

Pour comprendre comment s'établit la destinée des cellules embryonnaires à l'échelle moléculaire, il faut revenir au mode de détermination des principaux axes de l'embryon. Ce mode de détermination est souvent lié à un événement précis qui a lieu au tout début du développement et qui entraîne une asymétrie cellulaire particulière, jetant les bases du plan d'organisation corporelle.

Les axes du plan d'organisation corporelle de base

Comme nous l'avons vu, tout Animal à symétrie bilatérale possède un axe antéropostérieur, un axe dorsoventral, un côté droit et un côté gauche (voir la figure 47.8a). La mise en place de ce plan d'organisation corporelle de base constitue l'une des premières étapes de la morphogenèse et l'une des conditions du développement des tissus et des organes.

Chez les Vertébrés non amniotiques, les instructions fondamentales (extrémité où se trouvera la tête, notamment) sont « formulées » plus tôt, pendant l'ovogenèse ou la fécondation. Par exemple, la répartition de la mélanine et du vitellus dans l'ovocyte de la grenouille définit les emplacements respectifs des hémisphères animal et végétatif. L'axe animal-végétatif détermine indirectement l'orientation de l'axe antéropostérieur. La fécondation déclenche ensuite la rotation corticale, qui établit l'axe dorsoventral et qui, au même moment, aboutit à l'apparition du croissant gris, dont l'emplacement détermine la face dorsale (voir la figure 47.8b). Lorsque deux axes sont établis, le troisième axe (le gauche-droite dans ce cas-ci) est défini par défaut. (Évidemment, des mécanismes moléculaires précis doivent alors amorcer le mode de détermination associé à cet axe.)

Chez les Amniotes, les axes corporels ne sont complètement établis que plus tard. Chez le poulet, il semble que la gravitation contribue à la détermination de l'axe antérieur-postérieur lorsque l'ovocyte descend la trompe avant d'être pondu par la poule. Plus tard, ce sont des différences de pH entre les deux faces des cellules du blastoderme qui établissent l'axe dorsoventral (voir la figure 47.10). Si le pH est artificiellement inversé au-dessus ou au-dessous du blastoderme, la partie faisant face à l'albumen de l'œuf deviendra le ventre (face ventrale) et le côté faisant face au vitellus formera le dos (face dorsale), soit le contraire de leurs destinées habituelles. Chez les Mammifères, il semble que la polarité n'apparaisse qu'après la segmentation, mais les dernières recherches donnent à penser que l'orientation des noyaux de l'ovocyte et du spermatozoïde avant leur fusion pourrait jouer un rôle dans la détermination des axes.

La diminution du potentiel de développement de chaque cellule

Chez de nombreuses espèces qui ont des déterminants cytoplasmiques, seul le zygote est **totipotent**, c'est-à-dire capable de devenir n'importe lequel des types cellulaires présents chez l'adulte. Chez ces organismes, la première segmentation est asymétrique, et les deux blastomères reçoivent des déterminants cytoplasmiques différents. Cependant, même chez les espèces pourvues de déterminants cytoplasmiques, l'axe de la première division dans la segmentation peut être tel que soient créés deux blastomères identiques ayant le même potentiel de développement. C'est ainsi le cas chez les Amphibiens, comme le montre une expérience menée en 1938 par le zoologiste allemand Hans Spemann **(figure 47.24)**. Par conséquent, la destinée des cellules embryonnaires dépend non seulement de la répartition des déterminants cytoplasmiques, mais également de la façon dont cette répartition est influencée par le type de segmentation du zygote.

Figure 47.24

Investigation Comment la distribution du croissant gris au cours de la première segmentation influe-t-elle sur la totipotence des deux cellules filles?

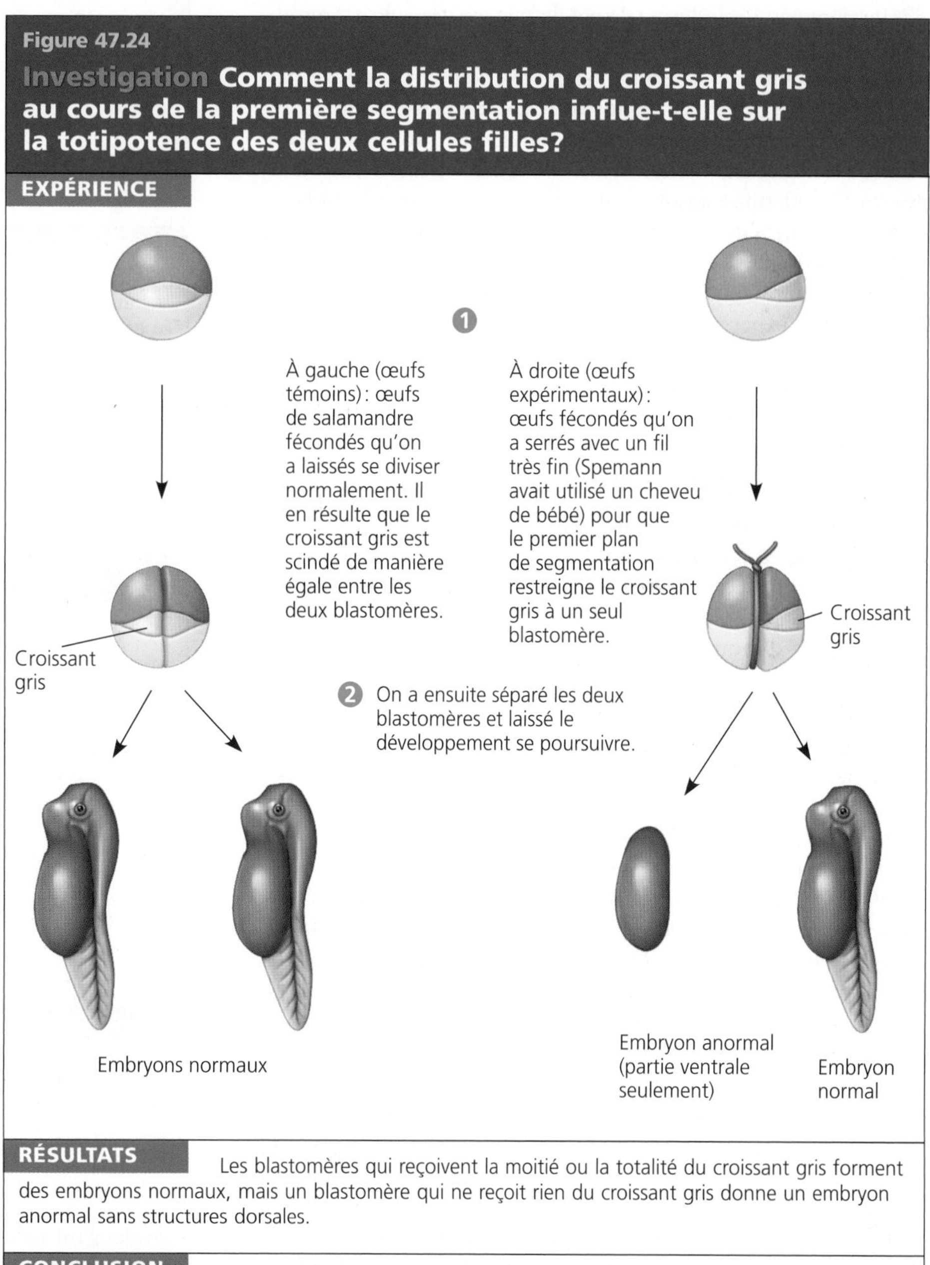

EXPÉRIENCE
1
À gauche (œufs témoins): œufs de salamandre fécondés qu'on a laissés se diviser normalement. Il en résulte que le croissant gris est scindé de manière égale entre les deux blastomères.
À droite (œufs expérimentaux): œufs fécondés qu'on a serrés avec un fil très fin (Spemann avait utilisé un cheveu de bébé) pour que le premier plan de segmentation restreigne le croissant gris à un seul blastomère.
Croissant gris
Croissant gris
2 On a ensuite séparé les deux blastomères et laissé le développement se poursuivre.
Embryons normaux
Embryon anormal (partie ventrale seulement)
Embryon normal

RÉSULTATS Les blastomères qui reçoivent la moitié ou la totalité du croissant gris forment des embryons normaux, mais un blastomère qui ne reçoit rien du croissant gris donne un embryon anormal sans structures dorsales.

CONCLUSION La totipotence des deux blastomères normalement formés durant la première division dépend des déterminants cytoplasmiques situés dans le croissant gris.

Contrairement à de nombreux autres Animaux, les cellules de l'embryon des Mammifères restent totipotentes jusqu'au stade à 16 cellules, lorsqu'elles forment les précurseurs du trophoblaste et l'embryoblaste du blastocyste. À ce stade, leurs emplacements différents déterminent leur destinée. Les premiers blastomères semblent alors recevoir des quantités équivalentes de composants cytoplasmiques en provenance de l'ovocyte de deuxième ordre. En effet, jusqu'au stade à huit cellules, les blastomères de l'embryon de Mammifère ont tous la même apparence, et chacun d'eux peut donner un embryon complet si on l'isole.

Quel que soit le degré de ressemblance ou de différence entre les cellules d'un jeune embryon, la diminution progressive du potentiel cellulaire est une caractéristique générale du développement chez tous les Animaux. Chez certaines espèces, les cellules de la jeune gastrula ont encore la capacité de donner plusieurs types cellulaires, mais ont déjà perdu leur totipotence. Si on n'intervient pas, l'ectoderme dorsal de la jeune gastrula d'Amphibien devient une plaque neurale située au-dessus de la corde dorsale. Si on remplace expérimentalement l'ectoderme dorsal par de l'ectoderme prélevé à un autre endroit de la même gastrula, le tissu transplanté devient une plaque neurale. Toutefois, si on effectue la même expérience sur une gastrula se situant à un stade avancé, l'ectoderme transplanté ne réagit pas à son nouvel emplacement et ne devient pas une plaque neurale. De façon générale, dans une gastrula qui se trouve à un stade avancé, la destinée des cellules propres à chaque tissu est déjà déterminée. Même si on les manipule expérimentalement, ces cellules donnent généralement les mêmes types de cellules que dans un embryon normal, ce qui indique que leur destinée est déjà déterminée.

La détermination des destinées et le mode de formation par les stimulus d'induction

Au fur et à mesure que la division des cellules embryonnaires crée des cellules qui diffèrent les unes des autres, les cellules se mettent à influencer leur destinée les unes les autres par induction. À l'échelle moléculaire, l'effet de l'induction (la réponse à un stimulus d'induction) est généralement l'activation d'un ensemble de gènes menant à la différenciation des cellules cibles en un tissu spécifique. Nous avons vu le rôle de l'induction dans le développement de la vulve du Nématode *C. elegans* (voir la figure 21.16b). Nous allons examiner deux autres exemples d'induction, processus essentiel dans le développement de nombreux tissus chez la plupart des Animaux.

L'« organisateur » de Spemann et Mangold

Ce sont les expériences de transplantation effectuées par Hans Spemann et son étudiante Hilde Mangold, dans les années 1920, qui ont montré l'importance de l'induction dans le développement des Amphibiens. À partir des résultats de leur expérience la plus célèbre, résumée à la **figure 47.25**, les deux scientifiques ont pu conclure que la lèvre dorsale du blastopore de la jeune gastrula jouait un rôle d'organisateur essentiel dans le développement embryonnaire en amorçant une série d'inductions aboutissant à la formation de la corde dorsale, du tube neural et d'autres organes.

Les biologistes du développement consacrent beaucoup d'efforts à la recherche des fondements moléculaires de l'induction exercée par l'*organisateur de Spemann et Mangold* (aussi appelé *organisateur de la gastrula* ou, simplement, *organisateur*).

Figure 47.25

Investigation La lèvre dorsale du blastopore peut-elle inciter les cellules d'une autre partie de l'embryon amphibien à changer leur destinée ?

EXPÉRIENCE Spemann et Mangold ont prélevé, sur une gastrula pigmentée de triton (gastrula précoce et non âgée), un fragment de la lèvre dorsale du blastopore. Ils l'ont transplanté sur la face ventrale d'une jeune gastrula non pigmentée de triton.

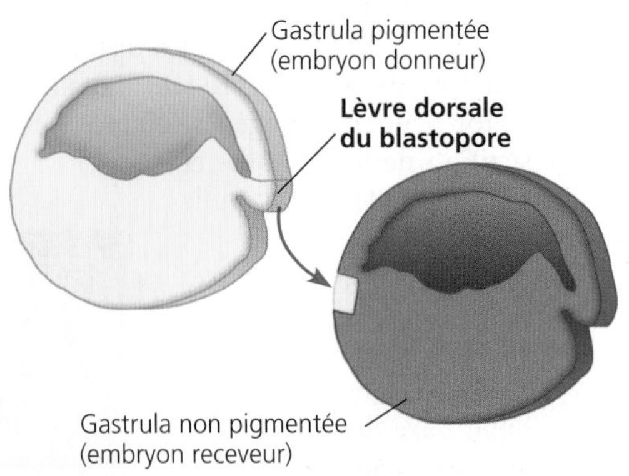

RÉSULTATS Sur l'embryon receveur, dans la région du greffon, une seconde corde dorsale et un second tube neural sont apparus. Puis, un autre embryon s'est formé presque complètement. En examinant l'intérieur du double embryon, Spemann et Mangold ont constaté que de nombreuses cellules des structures secondaires provenaient de l'individu receveur (non pigmenté) et non de l'individu donneur du greffon (pigmenté).

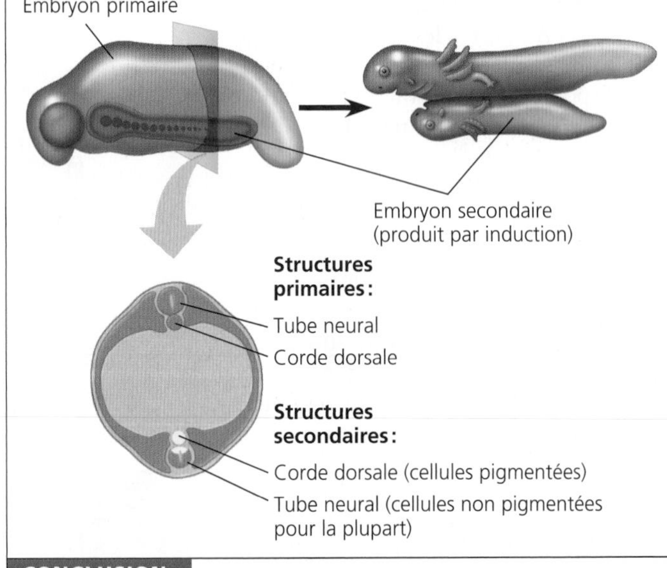

CONCLUSION La lèvre dorsale transplantée dans une région différente du receveur a induit les cellules pour les amener à former des structures différentes de celles qu'elles étaient censées former. Le greffon a « organisé » le développement futur d'un embryon entier.

L'étude d'un facteur de croissance appelé *protéine 4 de la morphogenèse osseuse* (ou *BMP4*, pour *bone morphogenetic protein 4*) a donné des indices importants à cet égard. (Les protéines de la morphogenèse osseuse, famille d'une vingtaine de protéines apparentées remplissant diverses fonctions dans le développement, doivent leur nom aux membres de ce groupe qui jouent un rôle important dans la formation des os et des cartilages.) Chez les Amphibiens, la BMP4 agit exclusivement sur les cellules situées sur la face ventrale de la gastrula; elle incite ces cellules à descendre cette face pour la formation des structures ventrales. L'une des principales fonctions de l'organisateur semble être d'inactiver la protéine 4 sur la face dorsale de l'embryon. En effet, il produit des protéines qui se lient à la protéine 4 et l'empêchent de transmettre le stimulus correspondant. Cela permet la formation des structures dorsales comme la corde dorsale et le tube neural. On trouve des protéines apparentées à la protéine 4 et à ses inhibiteurs chez d'autres espèces animales également, notamment chez les Invertébrés comme la drosophile. L'omniprésence de ces molécules permet de penser qu'elles sont apparues à une époque très ancienne et qu'elles interviennent peut-être dans le développement de nombreux organismes.

L'induction qui provoque la formation du tube neural à partir de l'ectoderme dorsal n'est qu'une des nombreuses interactions cellulaires qui transforment les trois feuillets embryonnaires en systèmes d'organes. De nombreux types d'induction semblent comprendre une série d'étapes qui déterminent peu à peu la destinée des cellules. Ainsi, chez la gastrula de grenouille se trouvant à un stade avancé, les cellules d'ectoderme destinées à devenir les cristallins des yeux reçoivent des stimulus d'induction en provenance des cellules d'ectoderme qui deviendront la plaque neurale. Les cellules de l'endoderme et du mésoderme produisent probablement des stimulus de même nature. Enfin, la cupule optique, excroissance de l'encéphale en développement, envoie d'autres stimulus qui complètent la détermination des futures cellules des cristallins.

La formation d'un membre chez les Vertébrés

Le rôle de l'organisateur de la gastrula est un exemple classique du processus d'induction, et on constate que cet organisateur amène les cellules à suivre leur destinée aux emplacements appropriés les unes par rapport aux autres. Par conséquent, les stimulus d'induction jouent un rôle essentiel dans la réalisation des **plans d'organisation**, c'est-à-dire dans la création de la structure générale tridimensionnelle d'un Animal ou encore dans la disposition caractéristique de ses tissus et organes. On désigne l'ensemble des indices moléculaires qui déterminent les plans d'organisation par l'expression générique **information de positionnement**. Ces indices situent chaque cellule par rapport à ses voisines et par rapport aux axes de l'organisme animal. Ils contribuent également à déterminer la réponse de chaque cellule et celle de ses cellules filles aux autres stimulus moléculaires.

Au chapitre 21, nous avons vu la réalisation des plans d'organisation en étudiant le développement des segments de la drosophile. Pour l'étude des plans d'organisation chez les Vertébrés, le développement des membres chez le poulet est un modèle très utile. Les ailes et les pattes, comme tous les membres des Vertébrés, apparaissent d'abord sous la forme d'ébauches de tissu appelées *bourgeons de membres* **(figure 47.26a)**. Chaque partie du membre du poulet (os ou muscle) se forme à un endroit précis et selon une orientation bien déterminée par rapport à trois axes: l'axe proximodistal (de la racine du membre au bout des doigts), l'axe antéropostérieur (du bord avant au bord arrière du membre, ou du pouce à l'auriculaire) et l'axe dorsoventral (de la face supérieure à la face inférieure, ou du dos de la main à la paume). Les cellules embryonnaires d'un bourgeon de membre répondent à l'information de positionnement indiquant leur emplacement selon ces trois axes **(figure 47.26b)**.

Le bourgeon d'un membre est un noyau de mésoderme recouvert d'une couche d'ectoderme. Deux grandes régions embryonnaires sont des organisateurs qui influent beaucoup sur le développement du membre. Ces deux régions sont présentes dans tous les bourgeons des membres de Vertébrés, que les membres soient antérieurs (ailes, bras, nageoires pectorales) ou postérieurs (pattes, jambes, nageoires pelviennes). Ces régions sécrètent des protéines qui fournissent une information de positionnement essentielle aux autres cellules du bourgeon.

Le premier organisateur est la **crête ectodermique apicale**, région d'ectoderme épaissie qui est située au sommet du bourgeon (voir la figure 47.26a). Cette crête est indispensable à la croissance du membre selon l'axe proximodistal et à la réalisation des plans d'organisation selon ce même axe. Les cellules qui la composent sécrètent plusieurs protéines agissant comme stimulus et appartenant à la famille des facteurs de croissance des fibroblastes. Ces protéines déclenchent la croissance du bourgeon de membre. Si on enlève la crête ectodermique apicale par voie chirurgicale et qu'on la remplace par des billes imprégnées de facteurs de croissance des fibroblastes, un membre presque normal se forme. La crête ectodermique apicale et le reste de l'ectoderme du bourgeon semblent aussi guider la réalisation des plans d'organisation le long de l'axe dorsoventral du membre. Lorsqu'on enlève l'ectoderme, y compris la crête ectodermique apicale, et qu'on le replace en lui faisant faire une rotation de 180° de l'avant à l'arrière, les parties du membre qui se forme alors ont une orientation inversée sur l'axe dorsoventral par rapport à la normale. (Cela équivaudrait à inverser la paume et le dos d'une main.)

L'autre organisateur important du bourgeon de membre est la **zone d'activité polarisante**, masse de tissu mésodermique située sous l'ectoderme, à l'endroit où le bourgeon rejoint le tronc, du côté postérieur (voir la figure 47.26a). La zone d'activité polarisante est nécessaire à la réalisation des plans d'organisation le long de l'axe antéropostérieur du membre, et les cellules qui en sont les plus proches donnent les structures postérieures, comme le plus postérieur des trois doigts du poulet (l'homologue de notre auriculaire); les cellules les plus éloignées donnent les structures antérieures, comme le plus antérieur des doigts du poulet (l'homologue de notre pouce).

La **figure 47.27** illustre une transplantation expérimentale qui corrobore l'hypothèse selon laquelle la zone d'activité polarisante émet un stimulus d'induction qui transmet une information positionnelle, en l'occurrence « postérieur ». En effet, on a découvert que les cellules de la zone d'activité polarisante sécrétaient un facteur de croissance protéinique important appelé *Sonic Hedgehog* (ou *Shh*)* ; ce facteur intervient dans le développement d'un grand nombre de structures (cerveau, moelle épinière, cœur, poumons, etc.). Sur le plan pratique, des recherches permettent de croire que cette protéine pourrait accélérer la repousse capillaire après un traitement de chimiothérapie.

---

* Le nom de *Sonic Hedgehog* vient de la ressemblance de la protéine avec une protéine appelée *Hedgehog*, qui intervient dans la segmentation de l'embryon de drosophile. C'est également le nom d'un personnage de jeu vidéo. Le nom de *hedgehog* lui vient du fait que la molécule est hérissée de pointes, comme un hérisson.

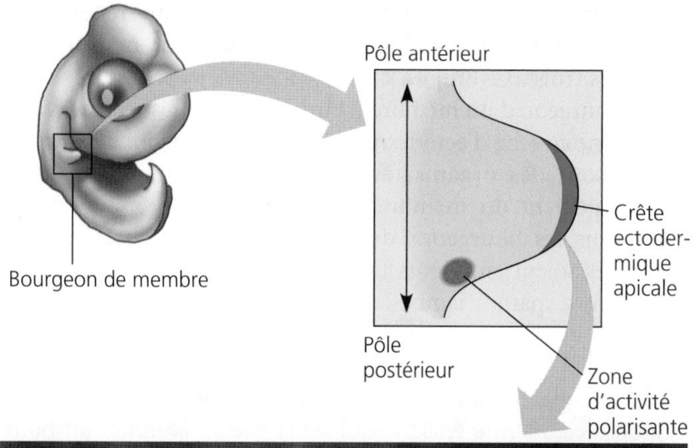

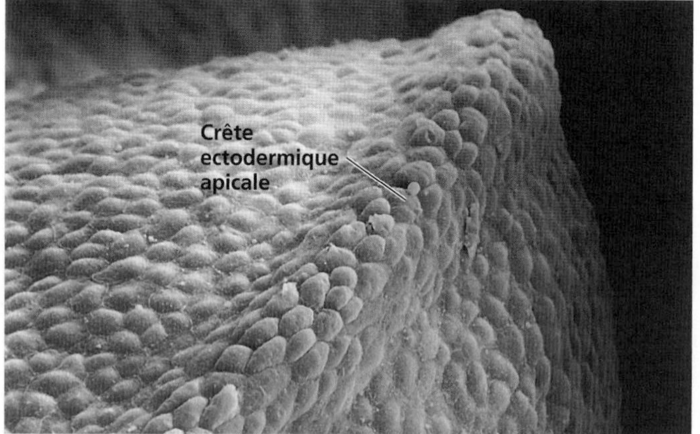

(a) Les « organisateurs ». Chez les Vertébrés, les membres se développent à partir d'excroissances appelées bourgeons de membres. Chaque bourgeon de membre est constitué de cellules de mésoderme recouvertes d'une couche d'ectoderme. Deux régions sont des « organisateurs » essentiels dans la réalisation des plans d'organisation du membre : la crête ectodermique apicale (montrée dans cette MEB) et la zone d'activité polarisante.

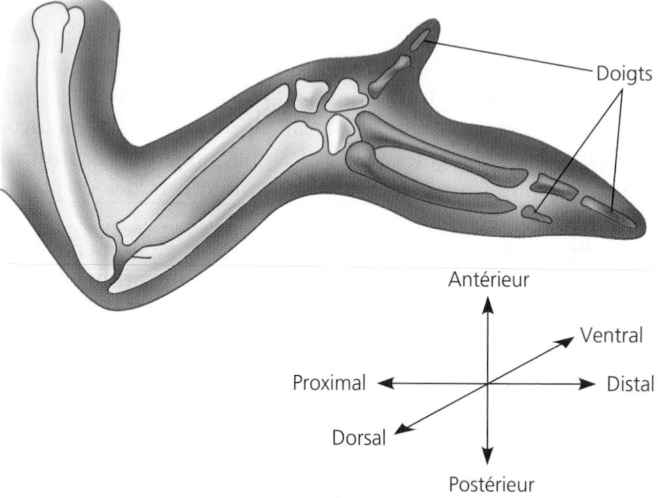

(b) Aile d'un embryon de poulet. Au fur et à mesure que le bourgeon devient un membre, un certain agencement des tissus apparaît. Par exemple, les trois doigts sont toujours présents dans l'arrangement de l'aile montrée ici. Pour que les plans d'organisation se réalisent, chaque cellule embryonnaire doit recevoir une information de positionnement indiquant son emplacement par rapport aux trois axes du membre. La crête ectodermique apicale et la zone d'activité polarisante sécrètent des molécules qui transmettent cette information.

▲ **Figure 47.26 Développement d'un membre de Vertébré.**

Figure 47.27

Investigation Quel est le rôle de la zone d'activité polarisante dans le plan d'organisation d'un membre de Vertébré ?

EXPÉRIENCE On a transplanté, sur le côté antérieur d'un bourgeon de membre de poulet, une deuxième zone d'activité polarisante prélevée sur un autre bourgeon de membre de poulet.

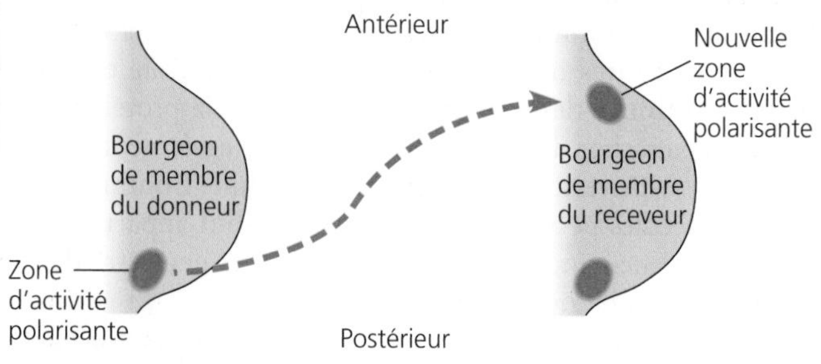

RÉSULTATS La structure qui apparaît dans le membre en formation de l'embryon greffé est une image en miroir des doigts normaux, qui se sont aussi formés (voir la figure 47.26b pour voir un diagramme d'aile de poulet normale).

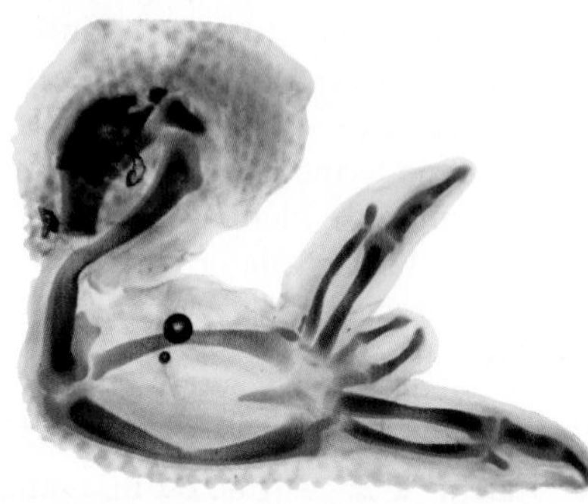

CONCLUSION L'arrangement en miroir qu'on observe dans cette expérience donne à penser que les cellules de la zone d'activité polarisante sécrètent un stimulus chimique qui diffuse de sa source et transmet une information de positionnement correspondant à « postérieur ». À mesure que la distance de la zone d'activité polarisante augmente, la concentration du stimulus chimique diminue, d'où la formation de doigts plus antérieurs.

Si des cellules modifiées génétiquement pour produire de grandes quantités de *Sonic Hedgehog* sont greffées dans la région antérieure d'un bourgeon de membre normal, une structure se forme en miroir (comme si on avait greffé une zone d'activité polarisante au même endroit). D'après les résultats qu'on a obtenus en étudiant la variante de *Sonic Hedgehog* propre aux souris, la présence de doigts surnuméraires chez cette espèce (et peut-être également chez les humains) serait attribuable à la production de la protéine à un emplacement anormal sur le bourgeon.

De telles expériences permettent d'arriver à la conclusion suivante : pour que les plans d'organisation se réalisent, les cellules doivent recevoir et interpréter des stimulus environnementaux différents d'un endroit à l'autre. Ces indices, qui agissent conjointement le long des trois axes, indiquent en quelque sorte aux cellules leur position dans l'espace tridimensionnel de l'organe en formation. Pour ce qui est du développement des membres chez les Vertébrés, par exemple, on sait que certaines protéines font partie de ces indices. Autrement dit, les organisateurs comme la crête ectodermique apicale et la zone d'activité polarisante jouent le rôle de centres de communication. Des chercheurs ont récemment découvert que ces deux régions interagissent aussi l'une avec l'autre par l'intermédiaire de molécules de communication afin d'influencer leurs destinées réciproques. Ces interactions moléculaires entre le mésoderme et l'ectoderme ont également lieu pendant la formation du tube neural et le développement de nombreux autres tissus et organes.

Qu'est-ce qui détermine si un bourgeon de membre doit devenir un membre antérieur ou un membre postérieur ? Les cellules qui reçoivent les stimulus en provenance de la crête ectodermique apicale et de la zone d'activité polarisante répondent en fonction de leurs antécédents, dans le développement. Avant que la crête ectodermique apicale ou la zone d'activité polarisante aient libéré leurs substances chimiques, d'autres stimulus ont défini les modes d'expression génique devant mener à la formation de membres antérieurs ou de membres postérieurs. C'est en raison de ces stimulus antérieurs que les cellules des bourgeons des membres antérieurs et postérieurs réagissent différemment aux mêmes indices de positionnement.

Par conséquent, la formation d'un Animal entièrement développé nécessite une suite d'événements comportant de nombreuses étapes d'émission de stimulus et de différenciation. Au début du développement, des asymétries cellulaires permettent à différents types de cellules de s'inciter les unes les autres à exprimer différents ensembles de gènes. Les produits de ces gènes font ensuite en sorte que les cellules se différencient en certains types. En coordination avec la morphogenèse, diverses voies de formation s'établissent dans toutes les parties de l'embryon en développement. Et ces processus aboutissent à la production d'un arrangement complexe de nombreux tissus et organes, chaque organe et chaque tissu fonctionnant à l'endroit prévu, de sorte que l'organisme constitue une entité coordonnée.

Retour sur le concept 47.3

1. Même s'il y a trois axes embryonnaires, seulement deux doivent être déterminés au début du développement. Pourquoi ?
2. Prédisez ce qui arrivera si vous transplantez un tissu de la région « organisateur » (au-dessus de la lèvre dorsale) dans la face ventrale d'une gastrula avancée d'Amphibien.
3. Si les cellules ventrales d'une jeune gastrula d'Amphibien sont forcées, en laboratoire, d'exprimer une protéine qui inhibe la BMP4, un second embryon pourrait-il se développer ? Expliquez.

Voir les réponses proposées à la fin du chapitre.

Révision du chapitre 47

RÉSUMÉ DES CONCEPTS CLÉS

Concept 47.1

Après la fécondation, trois étapes amorcent le développement embryonnaire : la segmentation, la gastrulation et l'organogenèse

- **La fécondation (p. 1076-1080)**. La fécondation réunit les noyaux du spermatozoïde et de l'ovule pour former un zygote diploïde et activer l'ovocyte de deuxième ordre. Ce dernier amorce alors le développement embryonnaire. La réaction acrosomiale, qui se produit lorsque le spermatozoïde entre en contact avec l'ovocyte, libère des hydrolases. Ces dernières traversent en la digérant la substance qui entoure l'ovocyte. Le contact ou la fusion des gamètes dépolarise la membrane cellulaire de l'ovocyte et instaure un blocage rapide de la polyspermie chez de nombreux Animaux. La fusion du spermatozoïde et de l'ovocyte déclenche également la réaction corticale, entraînant une augmentation de Ca^{2+} qui incite les granules corticaux à libérer leur contenu à l'extérieur de l'ovocyte. Cette réaction forme une membrane de fécondation qui assure le blocage lent de la polyspermie. Chez les Mammifères, au cours de la fécondation, la réaction corticale modifie la zone pellucide et établit ainsi le blocage lent de la polyspermie.

- **La segmentation (p. 1080-1082)**. La fécondation est suivie de la segmentation, étape de division cellulaire accélérée sans croissance. Il en résulte un grand nombre de cellules appelées *blastomères*. La segmentation holoblastique, ou division de l'ensemble du zygote, se produit chez les espèces dont les œufs ne contiennent pas beaucoup de vitellus, comme les oursins, les Amphibiens et les Mammifères. La segmentation méroblastique, ou division incomplète du zygote, caractérise les espèces dont les œufs sont riches en vitellus, comme les Oiseaux et autres Reptiles. Les plans de segmentation ont une orientation prédéterminée par rapport aux pôles animal et végétatif du zygote. Chez de nombreuses espèces, la segmentation crée une sphère multicellulaire appelée *blastula* qui contient une cavité remplie de liquide, le blastocœle.

- **La gastrulation (p. 1082-1085)**. La gastrulation transforme la blastula en une gastrula constituée d'un tube digestif rudimentaire (archentéron) et de trois feuillets embryonnaires : l'ectoderme, l'endoderme et le mésoderme.

- **L'organogenèse (p. 1085)**. Les organes du corps de l'Animal se développent à partir de portions précises des trois feuillets embryonnaires. Chez les Vertébrés, les premières étapes de l'organogenèse sont la formation d'une corde dorsale par regroupement dense de cellules du mésoderme dorsal, la formation d'un tube neural par repliement de la plaque neurale de l'ectoderme et la formation du cœlome par division du mésoderme latéral.

- **Les adaptations développementales des Amniotes (p. 1085-1087)**. Chez les Oiseaux, les autres Reptiles et les Mammifères, les embryons se développent dans un sac plein de liquide, qui est lui-même dans une coquille ou dans l'utérus maternel. Chez ces organismes, les trois feuillets embryonnaires produisent non seulement l'embryon proprement dit, mais aussi les quatre membranes extraembryonnaires : l'amnios, le chorion, le sac vitellin et l'allantoïde.

- **Le développement des Mammifères (p. 1087-1089)**. Les zygotes des Mammifères placentaires sont petits et contiennent peu de réserves de nutriments. Ils subissent une segmentation holoblastique sans polarité évidente. Cependant, la gastrulation et l'organogenèse ressemblent à ce qu'on observe chez les Oiseaux et autres Reptiles. Après la fécondation et le début de la segmentation, qui se déroulent dans l'une des trompes utérines, le blastocyste s'implante dans l'utérus. Le trophoblaste amorce alors la formation de la partie fœtale du placenta. L'embryon proprement dit se développe à partir d'une seule couche de cellules, l'épiblaste, à l'intérieur du blastocyste. Des membranes extraembryonnaires homologues de celles des Oiseaux et des Reptiles contribuent au développement intra-utérin.

Concept 47.2

Chez les Animaux, la morphogenèse comporte certaines modifications touchant la forme, l'emplacement et l'adhérence des cellules

- **Le cytosquelette, la motilité des cellules et l'extension convergente (p. 1089-1090).** Les changements de forme et les déplacements des cellules sont attribuables à des remaniements du cytosquelette. Ces deux types de modifications interviennent dans les invaginations des tissus, comme dans le cas de la gastrulation. Dans l'extension convergente, les mouvements des cellules allongent et amincissent les couches de cellules.
- **Les rôles de la matrice extracellulaire et les molécules d'adhérence cellulaire (p. 1090-1091).** Les fibres de la matrice extracellulaire fournissent un ancrage aux cellules migratrices et les guident vers leur destination. La fibronectine et d'autres glycoprotéines situées à la surface des cellules jouent également un rôle important dans leur migration et dans leur cohésion à l'intérieur des tissus.

Concept 47.3

Pendant le développement, la destinée des cellules est définie par leurs antécédents et des signaux d'induction

- **La carte des territoires (p. 1092).** Les cartes des territoires présomptifs établies par des moyens expérimentaux permettent de montrer que des régions données du zygote ou de la blastula deviennent certaines parties des embryons plus âgés.
- **L'établissement des asymétries cellulaires (p. 1092-1094).** Chez les espèces non amniotiques, la distribution inégale des déterminants cytoplasmiques dans les ovocytes de deuxième ordre est importante pour définir les axes corporels et établir des différences entre les blastomères issus de la segmentation. Les cellules qui reçoivent différentes quantités de déterminants cytoplasmiques n'ont pas la même destinée. Chez les Amniotes, ce sont les différences environnementales locales qui contribuent le plus à l'établissement des différences initiales entre les cellules et, plus tard, à la définition des axes corporels. À mesure que le développement embryonnaire avance, le potentiel de développement des cellules est de plus en plus limité chez toutes les espèces.
- **La détermination des destinées et le mode de formation par les stimulus d'induction (p. 1094-1097).** Dans un embryon en cours de développement, les cellules reçoivent et interprètent une information de positionnement qui leur indique leur emplacement. Cette information prend souvent la forme de molécules de communication sécrétées par les cellules de certaines régions de l'embryon appelées *organisateurs*. Ces régions sont par exemple la lèvre dorsale du blastopore de la gastrula chez les Amphibiens ou la crête ectodermique apicale et la zone de polarisation apicale d'un bourgeon de membre chez les Vertébrés. Les molécules de communication influent sur l'expression génique, dans les cellules qui les reçoivent. Cela entraîne la différenciation et la formation de structures déterminées.

VÉRIFIEZ VOS CONNAISSANCES

Autoévaluation

(Les questions dont les numéros sont en caractères gras font surtout appel à la compréhension.)

1. Chez l'oursin, la réaction corticale a pour conséquence directe:
   a) la formation d'une membrane de fécondation.
   b) le blocage rapide de la polyspermie.
   c) la libération d'hydrolases par le spermatozoïde.
   d) la production d'une impulsion électrique par l'ovocyte de deuxième ordre.
   e) la fusion du noyau de l'ovule et de celui du spermatozoïde.
2. Parmi les structures ou phénomènes qui suivent, lesquels se retrouvent à la fois dans le développement des Oiseaux et dans celui des Mammifères?
   a) La segmentation holoblastique.
   b) L'épiblaste et l'hypoblaste.
   c) Le trophoblaste.
   d) Le bouchon vitellin.
   e) Le croissant gris.
3. L'archentéron devient:
   a) le mésoderme.
   b) le blastocœle.
   c) l'endoderme.
   d) le placenta.
   e) la lumière du tube digestif.

4. À quoi correspond le «jaune d'œuf» chez les Oiseaux?
   a) Aux quatre membranes extraembryonnaires.
   b) À l'ovocyte de deuxième ordre grossi par du vitellus.
   c) Au blastoderme, composé d'une centaine de noyaux disséminés dans une masse de vitellus.
   d) À une solution riche en protéines qui fournit des substances supplémentaires à l'embryon.
   e) À la partie de l'embryon qui subit la segmentation.

5. Dans un embryon de grenouille, le blastocœle est:
   a) complètement caché par le vitellus.
   b) recouvert d'endoderme pendant la gastrulation.
   c) situé principalement dans l'hémisphère animal.
   d) la cavité qui devient le cœlome.
   e) la cavité qui, plus tard, devient l'archentéron.
6. Quelle adaptation structurale permet à la poule de pondre des œufs dans un milieu sec plutôt que dans l'eau?
   a) Des membranes extraembryonnaires.
   b) Le vitellus.
   c) La segmentation.
   d) La gastrulation.
   e) Le développement de l'encéphale à partir de l'ectoderme.
7. Dans un embryon d'Amphibien, une bande de cellules appelée *crête neurale*:
   a) s'enroule pour former le tube neural.
   b) finit par donner les principales parties de l'encéphale.
   c) produit des cellules qui migrent pour donner les dents, les os du crâne et d'autres structures de l'embryon.
   d) est l'organisateur de l'embryon en cours de développement, d'après certaines expériences.
   e) induit la formation de la corde dorsale.

8. Dans le jeune embryon de grenouille (du zygote à la blastula), les divergences qu'on observe dans le développement des différentes cellules sont attribuables:
   a) aux différences qui existent entre la segmentation méroblastique et la segmentation holoblastique.
   b) à la répartition inégale des déterminants cytoplasmiques tels que les protéines et l'ARNm.
   c) aux interactions d'induction qui se produisent entre les cellules au cours du développement.
   d) aux gradients de concentration de molécules régulatrices comme la protéine 4 de la morphogenèse des os.
   e) à l'emplacement des cellules par rapport à la zone d'activité polarisante.

9. Pendant l'extension convergente:
   a) les cellules situées dans des côtés opposés de l'embryon suivent des voies de développement convergentes qui mènent à une symétrie bilatérale.
   b) les cellules des plis neuraux terminent le tube neural en adhérant les unes aux autres.
   c) les cellules d'une couche de tissu subissent un remaniement et forment une bande étroite et allongée.

d) l'orientation de l'axe dorsoventral est établie.
e) les molécules d'adhérence cellulaire sont exprimées, ce qui crée une forte cohésion entre les huit blastomères.

10. Dans quel processus du développement embryonnaire la matrice extracellulaire intervient-elle directement?
a) La segmentation.
b) L'activation des ovocytes de deuxième ordre.
c) La différentiation cellulaire.
d) L'orientation des mouvements cellulaires.
e) Les changements de forme des cellules.

11. Parmi les énoncés suivants ayant trait à l'établissement des axes corporels de l'embryon, déterminez lequel est *faux*.
a) Les axes corporels sont établis au même stade de développement chez les Vertébrés amniotiques et non amniotiques.
b) Un des trois axes corporels est déjà défini dans l'ovocyte chez la grenouille.
c) La répartition inégale des déterminants cytoplasmiques influence l'établissement des axes corporels de l'embryon chez un grand nombre d'espèces animales.
d) La mise en place des axes corporels constitue l'une des premières étapes de la morphogenèse.
e) Des facteurs comme la gravitation et le pH jouent un rôle dans la détermination des axes corporels chez les Oiseaux.

12. Chez les Amphibiens, vers le début du développement de l'embryon, quelle structure constitue un « organisateur » important?
a) Le tube neural.
b) La corde dorsale.
c) Le toit de l'archentéron.
d) L'ectoderme dorsal.
e) La lèvre dorsale du blastopore.

13. Un blastomère retiré d'un embryon mammalien de huit cellules peut devenir un embryon normal à un stade avancé. Cela permet de penser que:
a) le zygote est le seul à être totipotent.
b) l'hypothèse de la diminution progressive du potentiel cellulaire ne s'applique pas.
c) la première segmentation doit se faire transversalement par rapport à l'axe pôle animal-pôle végétatif du zygote.
d) les divisions cellulaires qui produisent les premiers blastomères ne se traduisent pas par une distribution inégale des déterminants cytoplasmiques.
e) il n'y a aucun organisateur chez les Mammifères.

14. Parmi les énoncés suivants se rapportant à la formation d'un membre chez les Vertébrés, lequel est *faux*?
a) Les cellules d'une région d'un membre sécrètent des protéines de positionnement essentielles aux autres cellules du bourgeon.
b) Pour qu'un membre de Vertébré se développe normalement, ses cellules doivent recevoir une information de positionnement qui indique leur emplacement selon au moins un des trois axes proximodistal, dorsoventral et antéropostérieur; les deux autres axes sont déterminés automatiquement.
c) Pour se développer, les membres ont besoin de signaux d'induction provenant de régions appelées *organisateurs*.
d) Certaines régions d'un bourgeon d'un membre peuvent guider la croissance selon un axe, alors que d'autres peuvent la guider selon un autre axe.
e) Un doigt surnuméraire chez l'humain serait le résultat non pas d'une trop grande sécrétion d'un facteur de croissance, mais de sa sécrétion à un mauvais emplacement.

Lien avec l'évolution

1. Chez les Insectes et les Vertébrés, au cours de l'évolution, certains segments de l'organisme se sont répétés. Puis, certains d'entre eux ont fusionné et donné une structure et une fonction spécialisées. Quelles parties anatomiques des Vertébrés reflètent cette segmentation? Pouvez-vous deviner laquelle résulte de la fusion de segments et de leur spécialisation?
2. Au XIXe siècle, un embryologiste allemand, Ernst Haeckel, a émis l'idée que le développement d'un organisme est constitué de la succession des différents stades de l'histoire évolutive de l'espèce à laquelle il appartient, c'est-à-dire que « l'ontogenèse (développement de l'individu) récapitulerait la phylogenèse (histoire évolutive) ». Dans cette optique, l'apparition des nouvelles espèces se ferait par ajout d'une nouvelle étape au développement embryonnaire d'une espèce. Montrez en quoi cette idée et le type d'évolution qu'elle implique différaient de la théorie de l'évolution de Darwin (voir le chapitre 22). Reformulez l'idée de Haeckel d'une façon qui soit plus conforme aux données dont on dispose aujourd'hui sur le développement individuel et l'histoire évolutive des espèces.

Intégration

1. On peut, expérimentalement, chez les Mammifères (comme la souris), effectuer des transplantations de pronucleus (mâles ou femelles). Si on transplante un pronucleus mâle dans un ovocyte dont on a retiré le pronucleus femelle, on obtient un zygote possédant deux pronucleus mâles. L'opération inverse donnera un zygote avec deux pronucleus femelles. Dans les deux cas, le zygote s'implante dans l'utérus et commence à se développer, mais des anomalies importantes surviennent, ce qui cause la mort de l'embryon. Quelle conclusion pourrait-on tirer de ces expériences sur le plan génétique? Pourquoi l'embryon, qui est pourtant diploïde, ne se développe-t-il pas normalement? (Indice: revoir le concept 15.5.)
2. Le « museau » d'un têtard de grenouille porte une ventouse. Au même endroit, le têtard de salamandre porte un organe en forme de moustache appelé *balancier*. Vous faites une expérience consistant à transplanter l'ectoderme du flanc d'un jeune embryon de salamandre sur le museau d'un embryon de grenouille. Vous constatez que le têtard qui se forme porte un balancier. Si vous transplantez l'ectoderme du flanc d'un embryon de salamandre un peu plus âgé sur le museau d'un embryon de grenouille, le museau du têtard qui se forme comporte un morceau de peau de salamandre. Émettez une hypothèse, concernant les mécanismes de développement, pour expliquer les résultats de cette expérience. Comment pourriez-vous vérifier votre hypothèse?

Science, technologie et société

De nombreux scientifiques croient que la transplantation de tissus fœtaux pourrait un jour traiter la maladie de Parkinson, l'épilepsie, le diabète, la maladie d'Alzheimer et les lésions de la moelle épinière. Pour quelle raison des tissus fœtaux pourraient-ils être si utiles pour remplacer des cellules malades ou endommagées? Certains voudraient permettre uniquement l'utilisation de tissus provenant de fausses couches. Cependant, la plupart des chercheurs préféreraient se servir de tissus provenant d'avortements provoqués chirurgicalement. Pourquoi? Quelle est votre position dans ce débat controversé, et pourquoi?

Réponses du chapitre 47

Retour sur le concept 47.1

1. L'augmentation de Ca^{2+} provoquera la fusion des granules corticaux avec la membrane plasmique. Les granules libéreront alors leur contenu et une membrane de fécondation se formera, même si aucun spermatozoïde n'a pénétré. Cela empêcherait la fécondation.
2. Pendant la segmentation chez les grenouilles et de nombreux autres Animaux, le cycle cellulaire est modifié : il n'y a pas de G_1 ni de G_2, les phases de croissance. Il en résulte que les premières divisions de la segmentation scindent le cytoplasme du zygote en plusieurs petites cellules ; la taille de l'embryon demeure donc la même.
3. La gastrulation organise les cellules de l'embryon en trois feuillets : l'ectoderme à l'extérieur, l'endoderme à l'intérieur et le mésoderme entre les deux.
4. La gastrulation comporte un réarrangement général des cellules de l'embryon, ce qui produit trois feuillets. L'organogenèse, elle, implique des changements locaux dans la position et la forme des cellules.

Retour sur le concept 47.2

1. Les microtubules s'allongent, allongeant du même coup la cellule le long d'un axe, tandis que les microfilaments orientés sur la largeur à une extrémité de la cellule se contractent, ce qui rend cette extrémité plus étroite et donne à la cellule entière une forme biseautée.
2. Les cellules de la corde dorsale migrent vers la ligne médiane de l'embryon ; elles se réarrangent d'une telle manière qu'il y a moins de cellules dans le diamètre de la corde dorsale mais plus de cellules dans son grand axe ; la corde dorsale devient alors plus longue (voir la figure 47.20).

Retour sur le concept 47.3

1. Lorsque les deux premiers axes sont définis, le troisième l'est par défaut. (Pensez à votre propre corps : si vous savez où sont votre tête ainsi que vos côtés droit et gauche, vous savez automatiquement où sont votre devant et votre derrière.)
2. Un second embryon ne se formerait probablement pas, étant donné que les cellules d'une gastrula avancée, y compris les cellules ventrales, sont déjà déterminées et qu'elles ne peuvent plus changer leur destinée, même en présence d'un organisateur.
3. Un second embryon pourrait se développer parce que l'inhibition de la BMP4 aurait le même effet que la transplantation d'un organisateur.

Autoévaluation

1. a ; 2. b ; 3. e ; **4.** b ; 5. c ; 6. a ; 7. c ; **8.** b ; 9. c ; 10. d ; 11. a ; 12 e ; **13.** d ; 14. b.

48

Les systèmes nerveux

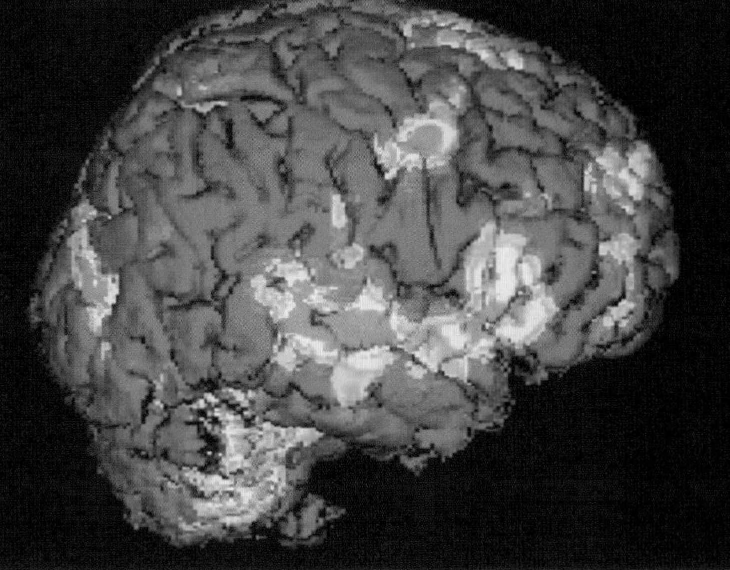

▲ **Figure 48.1 Zones cérébrales activées pendant le traitement du langage. Cette représentation a été obtenue au moyen de l'imagerie par résonance magnétique fonctionnelle.**

Concepts clés

48.1 **Les systèmes nerveux sont constitués de circuits de neurones et de cellules de soutien**

48.2 **Les pompes et les canaux ioniques maintiennent le potentiel de repos du neurone**

48.3 **Les potentiels d'action sont les influx transmis par les axones**

48.4 **Les neurones communiquent avec d'autres cellules aux synapses**

48.5 **Le système nerveux des Vertébrés comporte des régions spécialisées**

48.6 **Le cortex cérébral contrôle les mouvements volontaires et les fonctions cognitives**

48.7 **Les lésions et les maladies du système nerveux central font l'objet de nombreuses recherches**

Introduction

Un centre de commande et de contrôle

Que se passe-t-il dans votre cerveau lorsque vous vous représentez quelque chose avec les «yeux de l'esprit»? Jusqu'à récemment, les scientifiques avaient peu d'espoir de trouver une réponse à cette question. On estime que le cerveau humain contient 10^{11} (100 milliards) de cellules nerveuses, ou **neurones**. Chaque neurone peut communiquer avec des milliers d'autres à l'intérieur de circuits de traitement de l'information si complexes que, à côté d'eux, les ordinateurs électroniques les plus puissants paraissent rudimentaires. Un ingénieur qui désire apprendre comment fonctionne un ordinateur n'a qu'à ouvrir le boîtier et à étudier chacun de ses circuits. Or, à part les rares coups d'œil qu'on pouvait y jeter (pendant une opération au cerveau, par exemple), les circuits du cerveau humain vivant demeuraient autrefois impossibles à observer.

Ce n'est toutefois plus le cas, grâce en partie à de nouvelles techniques permettant d'enregistrer de l'extérieur l'activité cérébrale d'une personne. L'une de ces techniques est l'imagerie par résonance magnétique fonctionnelle (IRMF). Le sujet soumis à l'IRMF est couché, la tête au milieu d'un grand aimant en forme d'anneau qui enregistre l'augmentation du débit sanguin dans les régions du cerveau où les neurones sont actifs. Un ordinateur utilise ensuite ces données pour construire une carte tridimensionnelle de l'activité cérébrale du sujet, comme celle de la **figure 48.1**. Ces enregistrements peuvent être effectués pendant que le sujet accomplit diverses tâches, comme parler, bouger la main, regarder des images ou se représenter mentalement un objet ou le visage d'une autre personne.

Les résultats de l'imagerie cérébrale et d'autres méthodes de recherche révèlent que des groupes de neurones fonctionnent à l'intérieur de circuits spécialisés consacrés à différentes tâches. Ces circuits sont responsables des exploits des mécanismes sensoriels et moteurs (voir le chapitre 49), et des nombreux types de comportements des Animaux (voir le chapitre 51).

La capacité de percevoir et de réagir est apparue il y a des milliards d'années chez les Procaryotes, qui pouvaient détecter les changements survenus dans leur milieu et y réagir de façon à améliorer leurs chances de survie et leur succès reproductif: par exemple, repérer des sources de nourriture par chimiotaxie (voir le chapitre 27). Plus tard, la modification de ce simple processus a fourni aux organismes multicellulaires un mécanisme permettant la communication entre les cellules. À l'époque de l'explosion du Cambrien, il y a 500 millions d'années (voir le chapitre 32), les systèmes de neurones grâce auxquels les Animaux étaient en mesure de percevoir et de réagir rapidement existaient déjà, pour l'essentiel, sous leurs formes actuelles.

Dans le présent chapitre, nous allons étudier l'organisation des systèmes nerveux des Animaux et les mécanismes par lesquels les neurones transmettent l'information. Nous examinerons aussi quelques-unes des fonctions accomplies par certaines parties de l'encéphale des Vertébrés. Enfin, nous traiterons de plusieurs maladies mentales et troubles neurologiques qui font actuellement l'objet d'intenses recherches.

Concept 48.1

Les systèmes nerveux sont constitués de circuits de neurones et de cellules de soutien

À l'exception des Éponges, tous les Animaux possèdent une forme quelconque de système nerveux. La différence entre les systèmes nerveux des divers groupes d'Animaux ne repose pas tant sur leurs composantes de base, soit les neurones mêmes, mais plutôt sur l'organisation des neurones en circuits.

L'organisation des systèmes nerveux

Les Animaux les plus simples dotés d'un système nerveux sont les Cnidaires. Leur corps, qui présente une symétrie radiaire, s'organise autour d'une cavité gastrovasculaire (voir la figure 33.5). Chez certains Cnidaires, comme l'hydre apparaissant à la **figure 48.2a**, les neurones qui commandent la contraction et l'expansion de la cavité gastrovasculaire sont disposés en **réseaux nerveux** diffus dans lesquels les neurones ne sont pas spécialisés dans une fonction particulière. Chez les Animaux plus complexes, le système nerveux contient des réseaux nerveux ainsi que des **nerfs**, qui sont des faisceaux de prolongements neuronaux filamenteux. Par exemple, les étoiles de mer possèdent dans chacune de leurs branches un réseau nerveux relié par des nerfs radiaux à un anneau nerveux central **(figure 48.2b)**; cette organisation est plus efficace qu'un réseau nerveux diffus pour commander les mouvements plus complexes.

Les systèmes nerveux et les comportements sont devenus plus complexes lorsque est apparue la céphalisation, processus comportant notamment la formation de faisceaux de neurones dans un cerveau situé près de l'extrémité antérieure d'Animaux au corps allongé présentant une symétrie bilatérale. Chez les Vers plats, comme la planaire montrée à la **figure 48.2c**, un petit cerveau et des cordons nerveux longitudinaux constituent le plus simple **système nerveux central** (**SNC**) nettement délimité. Chez les Invertébrés plus complexes, comme les Annélides **(figure 48.2d)** et les Arthropodes **(figure 48.2e)**, le comportement est régi par un cerveau plus compliqué et des cordons nerveux ventraux contenant des faisceaux de neurones segmentaires appelés **ganglions.** Les nerfs qui relient le SNC au reste du corps de l'Animal composent le **système nerveux périphérique** (**SNP**).

Les Mollusques illustrent bien la corrélation qui existe entre l'organisation du système nerveux et le mode de vie des Animaux. Chez les Mollusques sessiles ou aux mouvements lents, la céphalisation est peu importante, voire inexistante, et les organes sensoriels sont relativement simples **(figure 48.2f)**. Par contre, de tous les Invertébrés, les Céphalopodes (calmars et pieuvres) sont ceux qui possèdent le système nerveux le plus complexe; il rivalise même avec celui de certains Vertébrés. Le cerveau volumineux des Céphalopodes, leurs grands yeux qui forment des images et la transmission rapide des messages par leurs nerfs rendent possible le mode de vie actif de ces prédateurs **(figure 48.2g)**. Des chercheurs ont démontré que les pieuvres sont capables d'apprendre à reconnaître des formes visuelles et d'accomplir des tâches complexes. Chez les Vertébrés, le SNC est constitué de l'encéphale et de la moelle épinière, qui s'étend dorsalement; des nerfs et des ganglions forment le SNP **(figure 48.2h)**. Nous examinerons de plus près le système nerveux des Vertébrés plus loin dans le présent chapitre.

Le traitement de l'information

En général, les systèmes nerveux traitent l'information en trois étapes: la réception de l'information sensorielle, l'intégration et

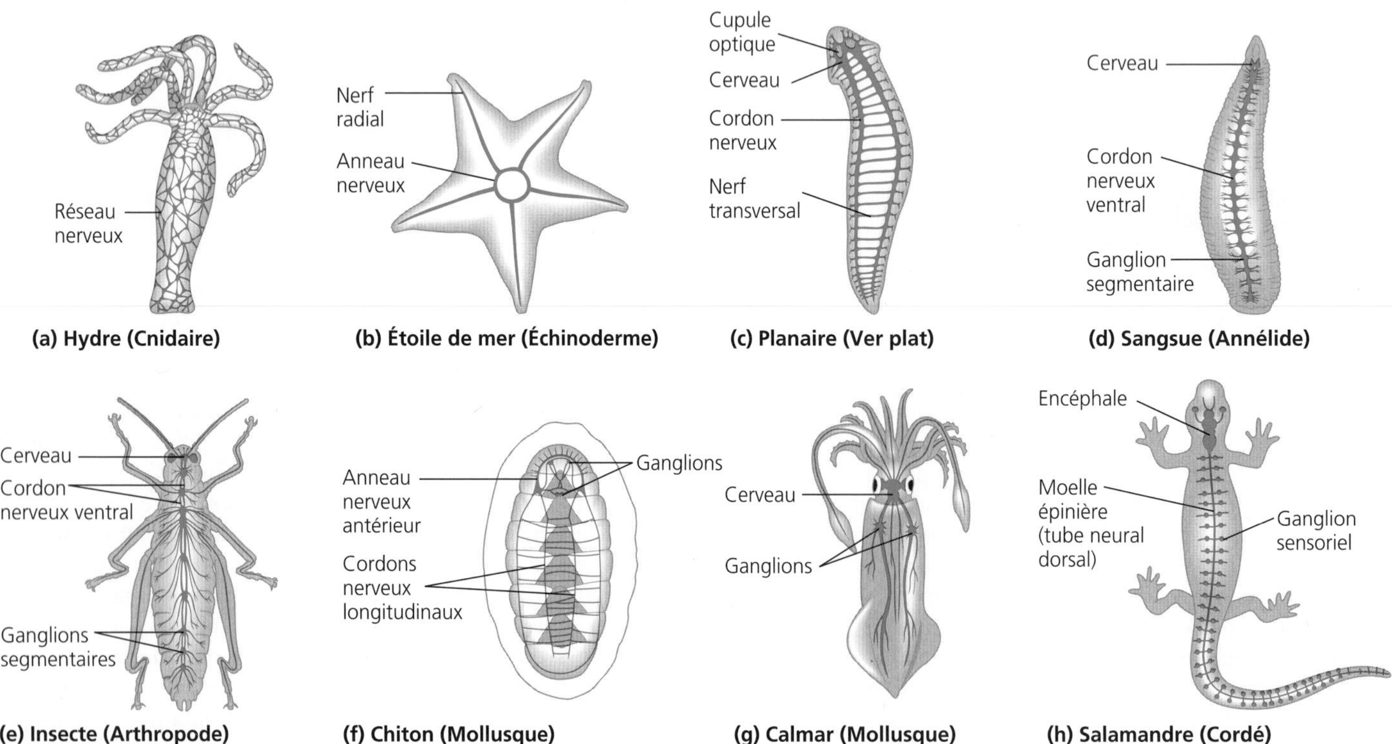

▲ **Figure 48.2 Organisation de certains systèmes nerveux.**

l'émission de commandes motrices **(figure 48.3)**. Ces trois étapes sont dirigées par des populations spécialisées de neurones. Les **neurones sensitifs** transmettent l'information provenant de récepteurs sensoriels qui détectent tant les stimulus externes (perception de la lumière, du son, du toucher, de la chaleur, de l'odeur et du goût) que les conditions internes (comme la pression artérielle, la concentration de CO_2 dans le sang et la tension musculaire). L'information sensorielle est ensuite transmise au SNC, où des **interneurones** les intègrent (les analysent et les interprètent), en tenant compte à la fois du contexte immédiat et des événements passés. Dans les circuits neuronaux, ce sont les liaisons entre les interneurones qui présentent la plus grande complexité. Les commandes motrices partent du SNC via les **neurones moteurs**, qui communiquent avec les **cellules effectrices** (cellules musculaires ou glandulaires). Ce sont les circuits nerveux relativement simples responsables des **réflexes**, ces réactions automatiques de l'organisme aux stimulus, qui permettent d'étudier plus facilement les étapes de la réception de l'information sensorielle, de l'intégration et de l'émission de commandes motrices. La **figure 48.4** présente un schéma du circuit nerveux qui gouverne le réflexe rotulien (ou patellaire) chez les humains.

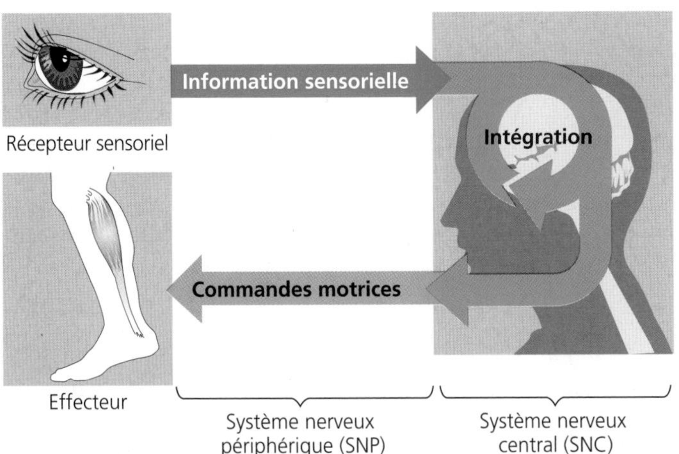

▲ **Figure 48.3 Vue d'ensemble du traitement de l'information par les systèmes nerveux.**

La structure du neurone

Comme il est indiqué au chapitre 1, l'un des principaux thèmes de la biologie est la corrélation entre la forme et la fonction. Ce thème, qui s'étend à tous les niveaux du vivant, des molécules aux organismes, est clairement illustré par les neurones en ce qui concerne les cellules. La capacité du neurone à recevoir et à transmettre de l'information est fonction de sa structure complexe. La plupart des organites du neurone, y compris son noyau, sont situés dans le **corps du neurone (figure 48.5)**. De ce corps partent des prolongements de deux types: de nombreuses dendrites et un seul axone. Les **dendrites** (du grec *dendron*, « arbre ») sont des prolongements très ramifiés qui *reçoivent* des influx provenant d'autres neurones. L'**axone**, qui est généralement beaucoup plus long que les dendrites, *transmet* des influx à d'autres cellules, qui peuvent être soit des neurones, soit des cellules effectrices. Certains axones, comme ceux qui relient la moelle épinière aux

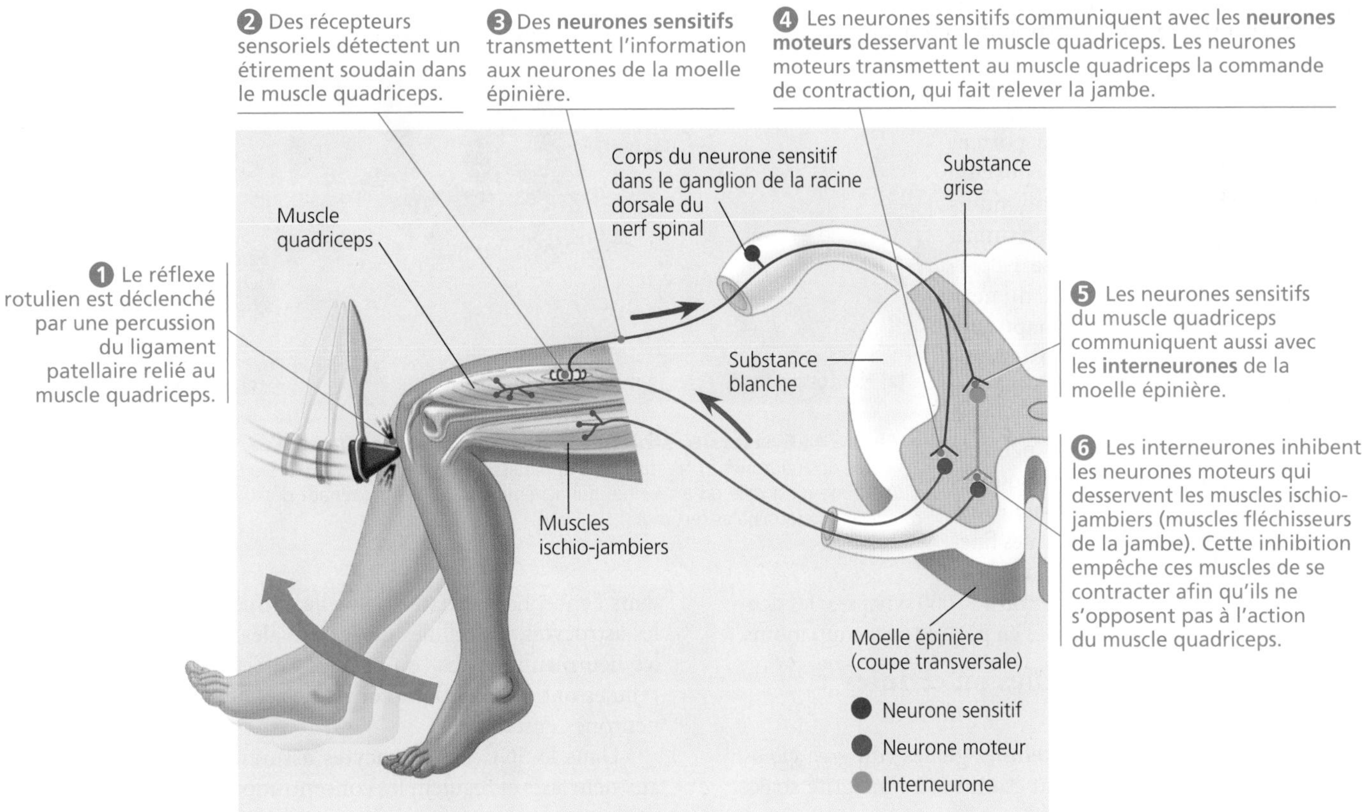

▲ **Figure 48.4 Réflexe rotulien.** Pour simplifier, le schéma ne représente qu'un neurone de chaque type, mais en fait de nombreux neurones de chaque type participent au réflexe.

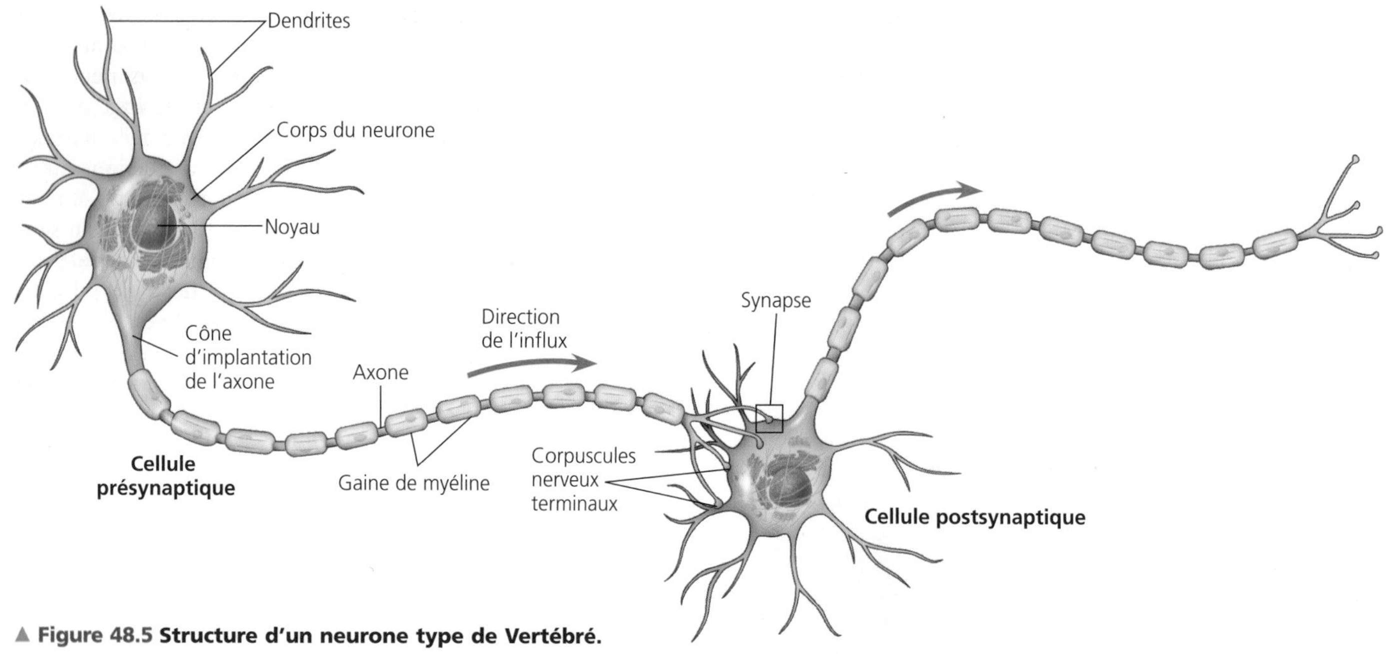

▲ **Figure 48.5 Structure d'un neurone type de Vertébré.**

cellules des muscles du pied, peuvent mesurer plus d'un mètre de longueur. La région conique de l'axone, au point de jonction avec le corps du neurone, s'appelle **cône d'implantation de l'axone**; comme nous le verrons, c'est en général dans cette région que sont émis les influx transmis par l'axone. De nombreux axones sont entourés d'une couche isolante, la **gaine de myéline**, dont il sera question plus loin dans la présente section. Près de son extrémité, l'axone se divise habituellement en plusieurs branches (ou ramifications terminales), qui portent chacune à leur extrémité un **corpuscule nerveux terminal**. Le siège de la communication entre un corpuscule nerveux terminal et une autre cellule s'appelle **synapse**. La plupart du temps, l'information passe du neurone transmetteur (la **cellule présynaptique**) à la cellule réceptrice (la **cellule postsynaptique**) au moyen de messagers chimiques appelés **neurotransmetteurs**.

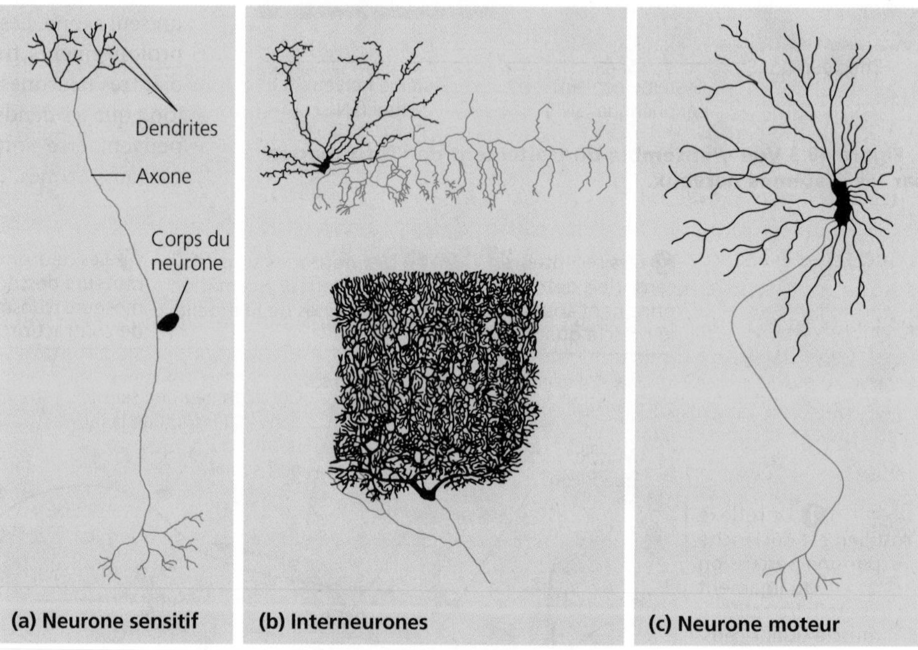

▲ **Figure 48.6 Diversité structurale des neurones des Vertébrés.** Dans ces schémas, les corps des neurones et les dendrites apparaissent en noir, et les axones en rouge. En (a), le corps du neurone n'est relié qu'à l'axone, qui achemine les influx provenant des dendrites jusqu'à ses ramifications terminales (en bas).

La complexité de la forme du neurone reflète le nombre de synapses par lesquelles il communique avec les autres neurones **(figure 48.6)**. Par exemple, les dendrites finement ramifiées de l'interneurone qui apparaît au bas de la figure 48.6b portent environ 100 000 synapses; les dendrites plus simples d'autres neurones en portent beaucoup moins.

Les gliocytes (cellules gliales ou cellules de soutien)

Les **gliocytes**, également appelés **cellules gliales** (du grec *gloios*, « glu ») ou **cellules de soutien**, sont essentiels à l'intégrité structurale du système nerveux et au fonctionnement normal des neurones. Dans l'encéphale des Mammifères, on compte de 10 à 50 gliocytes pour chaque neurone. Il existe divers types de gliocytes dans l'encéphale et dans la moelle épinière; ce sont notamment les astrocytes, les cellules gliales radiales, les oligodendrocytes et les neurolemmocytes (ou cellules de Schwann). En groupe, ces cellules ont des fonctions complexes et ne font pas que coller les neurones ensemble.

Dans le SNC, les **astrocytes** assurent un soutien structural aux neurones et régulent les concentrations extracellulaires d'ions et de neurotransmetteurs **(figure 48.7)**. Certains réagissent à l'activité des neurones voisins en facilitant la transmission de l'information aux synapses de ces neurones. Les scientifiques

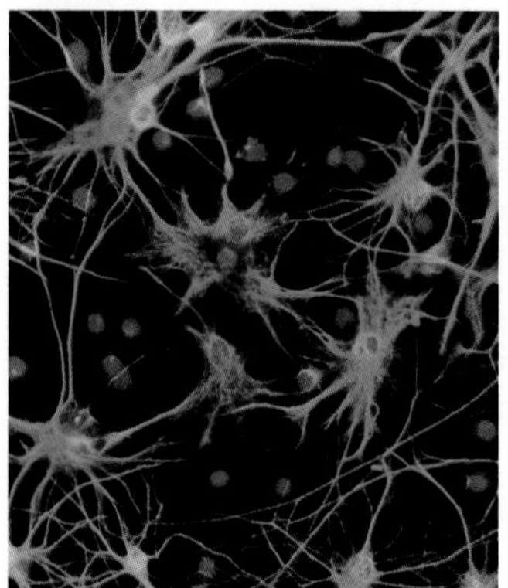

◄ **Figure 48.7 Astrocytes.** Dans cette coupe du cortex cérébral d'un Mammifère, les astrocytes, qui apparaissent en vert, ont été marqués à l'aide d'un anticorps fluorescent (MP). Les points bleus sont des noyaux cellulaires, marqués à l'aide d'un anticorps différent. (Le terme *astrocyte* évoque la forme en étoile des cellules.)

croient que cette facilitation pourrait faire partie du mécanisme cellulaire de l'apprentissage et de la mémorisation. Les astrocytes adjacents aux neurones actifs provoquent aussi la dilatation des vaisseaux sanguins situés à proximité : l'augmentation du débit sanguin qui en résulte dans la région assure aux neurones un apport plus rapide en dioxygène et en glucose. Au cours du développement, les astrocytes entraînent la formation de jonctions serrées entre les cellules qui tapissent les capillaires de l'encéphale et de la moelle épinière (voir la figure 6.31). Ces cellules forment ainsi la **barrière hémato-encéphalique**, qui limite l'accès du SNC à la plupart des substances. Cela permet une stricte maîtrise de l'environnement chimique extracellulaire du SNC.

Dans l'embryon, les **cellules gliales radiales** forment des fibres protéiques le long desquelles les neurones migrent ou poussent à partir du tube neural pour donner la structure qui deviendra le SNC (voir la figure 47.14). Les cellules gliales radiales et les astrocytes peuvent aussi jouer le rôle de cellules souches et donner ainsi naissance à des neurones et à d'autres gliocytes. Les chercheurs sont d'avis que ces précurseurs multipotents pourraient servir à remplacer les neurones et les gliocytes détruits par une blessure ou une maladie, sujet dont traitera le concept 48.7.

Les **oligodendrocytes** (dans le SNC) et les **neurolemmocytes** (dans le SNP) sont en fait des gliocytes qui forment une gaine isolante de myéline autour de l'axone de nombreux neurones de Vertébrés. La **figure 48.8** montre la structure d'un axone myélinisé du SNP. Les neurones se myélinisent dans le système nerveux en développement quand les neurolemmocytes ou les oligodendrocytes grandissent autour des axones, de telle sorte que leur membrane plasmique forme des couches concentriques, comme un gâteau roulé. Les membranes sont principalement composées de phosphoglycérolipides, qui sont de mauvais conducteurs de courant électrique. C'est pourquoi la gaine de myéline qui enveloppe l'axone agit comme un isolant électrique, de la même manière que la gaine isolante qui recouvre les fils électriques de cuivre. Nous verrons plus loin dans ce chapitre que la gaine de myéline augmente aussi la vitesse de propagation des influx nerveux. Dans l'affection dégénérative connue sous le nom de *sclérose en plaques*, qui affecte 50 000 personnes au Canada et 60 000 en France, les gaines de myéline se détériorent graduellement. Il en résulte une perte progressive de la coordination, car la transmission des influx nerveux s'effectue mal.

1. (a) Placez les neurones suivants dans l'ordre approprié à la transmission de l'information qui déclenche le réflexe rotulien : interneurone, neurone sensitif, neurone moteur. (b) Parmi ces trois types de neurones, lequel ne se trouve que dans le SNC ?
2. Sans son axone, un neurone pourrait-il recevoir ou transmettre de l'information ? Expliquez votre réponse.
3. Quelle anomalie structurale la plus évidente présenterait le système nerveux d'une souris dépourvue d'oligodendrocytes ?

Voir les réponses proposées à la fin du chapitre.

Concept 48.2

Les pompes et les canaux ioniques maintiennent le potentiel de repos du neurone

Comme nous l'avons vu au chapitre 7, toutes les cellules vivantes présentent une différence de charge électrique (potentiel électrique ou tension) entre les deux faces de leur membrane plasmique. Cette

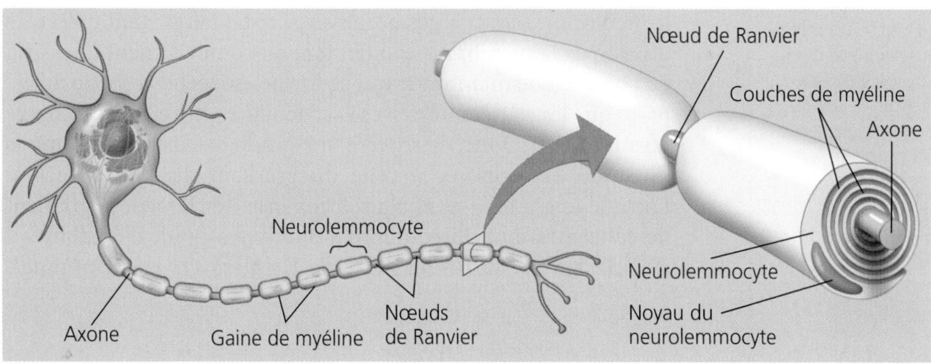

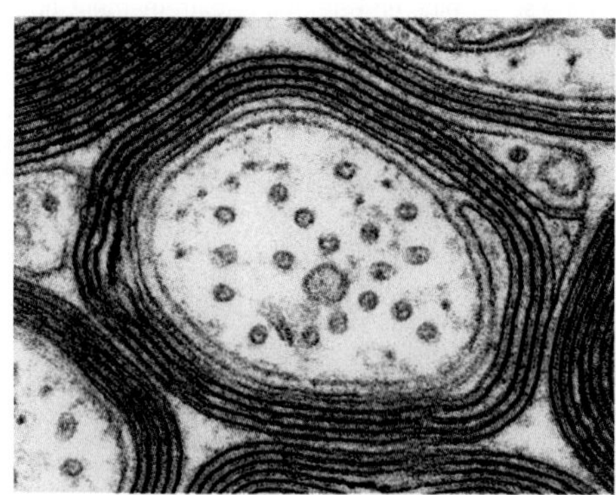

▲ **Figure 48.8 Neurolemmocytes et gaine de myéline.** Dans le SNP, des cellules de soutien appelées *neurolemmocytes* enveloppent de nombreux axones de couches de myéline. Les intervalles entre deux neurolemmocytes voisins portent le nom de *nœuds de Ranvier* (ou *nœuds de la neurofibre*). La micrographie (MET) présente une coupe transversale d'un axone myélinisé.

tension est appelée **potentiel de membrane**. Dans les neurones, le potentiel de membrane se situe en général entre –60 mV et –80 mV (millivolts) lorsque la cellule ne transmet pas d'influx. Le signe « – » indique que l'intérieur de la cellule a une charge négative par rapport à l'extérieur. La **figure 48.9** explique comment les électrophysiologistes mesurent le potentiel de membrane d'une cellule.

Le potentiel de repos

Le potentiel de membrane d'un neurone non stimulé s'appelle **potentiel de repos**. Dans tous les neurones, le potentiel de repos est déterminé par les gradients ioniques qui existent de part et d'autre de la membrane plasmique **(figure 48.10)**. Chez les Mammifères, par exemple, le liquide extracellulaire présente une concentration en ions sodium (Na^+) de 150 millimoles par litre (mmol/L) et une concentration en ions potassium (K^+) de 5 mmol/L (1 mmol/L = 10^{-3} mol/L). Dans le cytosol, les concentrations de Na^+ et de K^+sont respectivement de 15 mmol/L et de 150 mmol/L. Donc, le gradient de concentration de Na^+, exprimé sous forme de rapport entre la concentration extérieure et la concentration intérieure, est de 150/15, ou 10. Quant au gradient de concentration de K^+ , il est de 5/150, ou 1/30. (Il existe aussi des gradients d'anions, mais nous allons les laisser de côté pour le moment.) Les gradients de Na^+ et de K^+ sont maintenus par la pompe à potassium et à sodium (voir la figure 7.16) qui, grâce à l'énergie fournie par l'hydrolyse de l'ATP, retourne trois ions Na^+ à l'extérieur en même temps qu'elle ramène deux ions K^+ à l'intérieur du neurone. Le fait que les gradients sont responsables du potentiel de repos peut être démontré par une simple expérience : si la pompe est mise hors d'état par l'addition d'un certain poison, les gradients disparaissent progressivement, de même que le potentiel de repos.

Figure 48.9

Méthode de recherche

L'enregistrement intracellulaire

APPLICATION Les électrophysiologistes utilisent l'enregistrement intracellulaire pour mesurer le potentiel de membrane des neurones et d'autres cellules.

TECHNIQUE Un tube capillaire de verre contenant une solution saline conductrice sert de microélectrode. Une des extrémités du tube se termine en une pointe extrêmement fine (moins de 1 µm de diamètre). À l'aide d'un microscope, l'expérimentateur utilise un micropositionneur pour faire pénétrer l'extrémité de la microélectrode dans une cellule. Un appareil enregistreur (habituellement un oscilloscope ou un système informatisé) mesure la tension entre l'extrémité de la microélectrode qui se trouve à l'intérieur de la cellule et une électrode de référence placée dans la solution, à l'extérieur de la cellule.

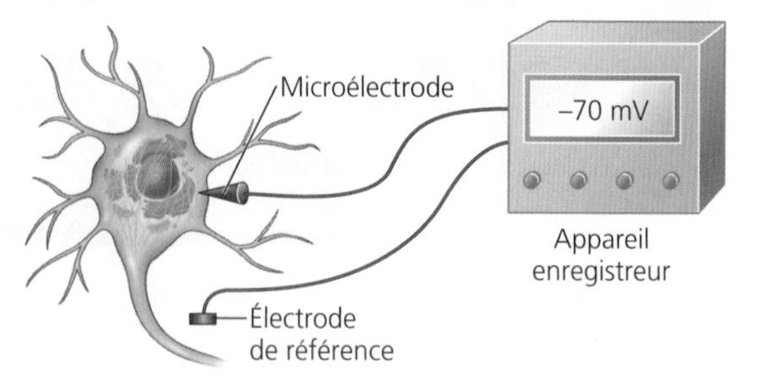

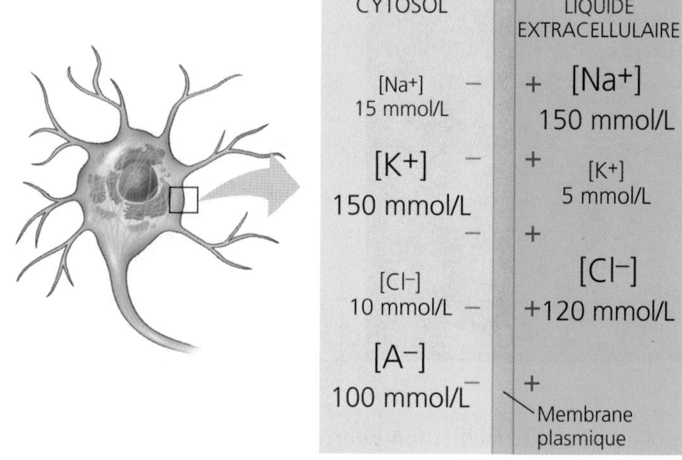

▲ **Figure 48.10 Gradients ioniques de part et d'autre de la membrane plasmique d'un neurone de Mammifère.** Les concentrations de Na^+ et de Cl^- sont plus élevées dans le liquide extracellulaire que dans le cytosol. C'est l'inverse pour le K^+. Le cytosol contient aussi divers anions organiques (A^-), dont des acides aminés chargés.

Comprendre comment le potentiel de repos est déterminé par les gradients ioniques représente un petit défi dans votre apprentissage, mais c'est une étape essentielle de l'étude du fonctionnement des neurones, y compris ceux de l'humain. Considérons d'abord un modèle de neurone de Mammifère comprenant deux compartiments séparés par une membrane artificielle **(figure 48.11a)**. La membrane contient de nombreux canaux ioniques (voir le chapitre 7) qui permettent seulement le passage du K^+. Pour obtenir un gradient de concentration de K^+ comparable à celui d'un neurone de Mammifère, nous ajoutons 150 mmol/L de chlorure de potassium (KCl) au compartiment intérieur et 5 mmol/L de KCl au compartiment extérieur. Comme tout soluté, le K^+ a tendance à diffuser selon son gradient de concentration, à partir d'une zone de concentration plus élevée (compartiment intérieur) jusqu'à une zone de concentration moins élevée (compartiment extérieur). Mais comme les canaux sont sélectifs et qu'ils ne permettent que le passage du K^+, les ions de chlorure (Cl^-) ne peuvent traverser la membrane. Il en résulte une différence de charge (tension) de part et d'autre de la membrane, des charges négatives excédentaires étant présentes du côté de la membrane qui fait face au compartiment intérieur. Le potentiel de membrane qui se forme empêche la sortie du K^+ parce que les charges négatives excédentaires attirent le K^+, chargé positivement. Donc, il se crée un gradient électrique dont la direction est opposée à celle du gradient de concentration. Lorsque le gradient électrique compense exactement le gradient de concentration, un équilibre s'établit. Au point d'équilibre, il n'existe aucune diffusion nette de K^+ à travers la membrane*.

* La différence de charge électrique nécessaire à la création du potentiel de repos est extrêmement faible : environ 10^{-12} mol/cm² de membrane. Donc, la diffusion ionique qui entraîne le potentiel de repos ne modifie pas de façon sensible les concentrations ioniques d'un côté ou de l'autre de la membrane.

La valeur du potentiel de membrane au point d'équilibre, appelée **potentiel d'équilibre** (E_{ion}), se calcule à l'aide d'une formule, l'équation de Nernst. Pour un ion possédant une charge nette de +1, comme le K^+, à 37 °C, l'équation de Nernst est:

$$E_{ion} = 62 \text{ mV} \left(\log \frac{[\text{ion}]_{\text{extérieur}}}{[\text{ion}]_{\text{intérieur}}}\right)$$

L'équation de Nernst s'applique à toute membrane perméable à un seul type d'ion. Dans notre modèle, la membrane ne laisse passer que le K^+, et l'équation peut être utilisée pour calculer E_K, le potentiel d'équilibre pour K^+:

$$E_K = 62 \text{ mV} \left(\log \frac{5 \text{ mmol/L}}{150 \text{ mmol/L}}\right) = -92 \text{ mV (à 37 °C)}$$

Le signe « − » indique que, avec ce gradient de concentration, le K^+ est en état d'équilibre lorsque la charge négative de l'intérieur de la membrane dépasse de 92 mV celle de l'extérieur.

Imaginons maintenant que nous modifions notre neurone modèle en utilisant une membrane contenant des canaux ioniques qui ne laissent passer que le Na^+ **(figure 48.11b)**. Nous remplaçons aussi le contenu des compartiments de façon à obtenir un gradient de concentration de Na^+ semblable à celui d'un neurone de Mammifère: 15 mmol/L de chlorure de sodium (NaCl) dans le compartiment intérieur et 150 mmol/L de NaCl dans le compartiment extérieur. Dans ces conditions, l'équation de Nernst peut être utilisée pour calculer E_{Na}, le potentiel d'équilibre de Na^+:

$$E_{Na} = 62 \text{ mV} \left(\log \frac{150 \text{ mmol/L}}{15 \text{ mmol/L}}\right) = +62 \text{ mV (à 37 °C)}$$

Le signe « + » indique que, avec ce gradient de concentration, le Na^+ est en état d'équilibre lorsque la charge positive de l'intérieur de la membrane dépasse de 62 mV celle de l'extérieur.

En quoi un véritable neurone de Mammifère diffère-t-il de ces neurones modèles? La membrane plasmique d'un véritable neurone au repos présente de nombreux canaux à potassium ouverts, mais aussi un nombre relativement faible de canaux à sodium ouverts. Par conséquent, le potentiel de repos se situe environ entre −60 mV et −80 mV, soit entre E_K et E_{Na}. Comme ni le K^+ ni le Na^+ ne sont en état d'équilibre, il y a un flux net de chaque ion (un courant) de part et d'autre de la membrane au repos. Le potentiel de repos demeure stable, ce qui signifie que les courants de K^+ et de Na^+ sont égaux et contraires. La raison pour laquelle le potentiel de repos est plus proche de E_K que de E_{Na} est que la membrane est plus perméable au K^+ qu'au Na^+. Si un facteur quelconque fait augmenter la perméabilité de la membrane au Na^+, le potentiel de membrane se rapprochera de E_{Na} et s'éloignera de E_K. *Presque tous les influx électriques du système nerveux obéissent à cette règle de base: la valeur de repos du potentiel de membrane peut varier selon la perméabilité de la membrane à certains ions.* Les ions sodium et potassium jouent des rôles déterminants, mais les fonctions des ions chlorure (Cl^-) et calcium (Ca^{2+}) sont aussi importantes; ils obéissent tous aux mêmes règles (qui sont définies par l'équation de Nernst).

Les canaux ioniques à ouverture contrôlée

Le potentiel de repos résulte de la diffusion du K^+ et du Na^+ par des canaux ioniques qui sont toujours ouverts; on dit de ces canaux qu'ils sont *à ouverture non contrôlée*. Les neurones présentent aussi des **canaux ioniques à ouverture contrôlée**, qui s'ouvrent ou se ferment en réaction à l'une ou l'autre de trois catégories de stimulus. Les **canaux mécanodépendants** se trouvent dans les cellules sensibles à l'étirement (voir la figure 48.4) et s'ouvrent quand la membrane subit une déformation mécanique. Les **canaux chimiodépendants** se trouvent au niveau des synapses et s'ouvrent ou se ferment lorsqu'une liaison s'établit entre eux et une certaine substance chimique, comme un neurotransmetteur. Les **canaux tensiodépendants** se trouvent dans les axones (et dans les dendrites et le corps de certains neurones, ainsi que dans certains autres types de cellules) et s'ouvrent ou se ferment en fonction des variations du potentiel de membrane. Comme il est expliqué dans la prochaine section, ce sont les canaux ioniques à ouverture contrôlée qui sont responsables de l'émission des influx du système nerveux.

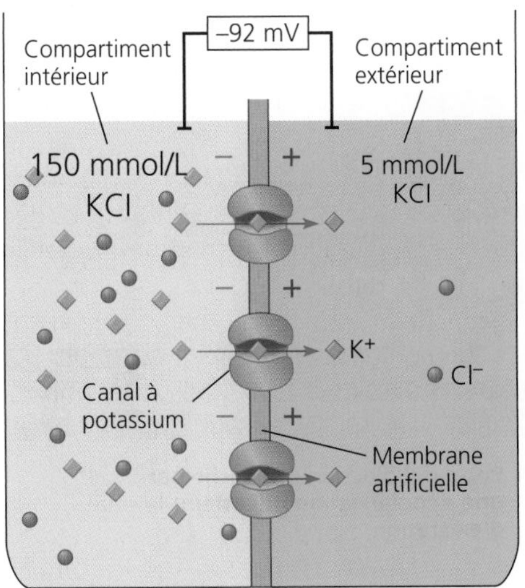

(a) Membrane laissant passer seulement le K^+

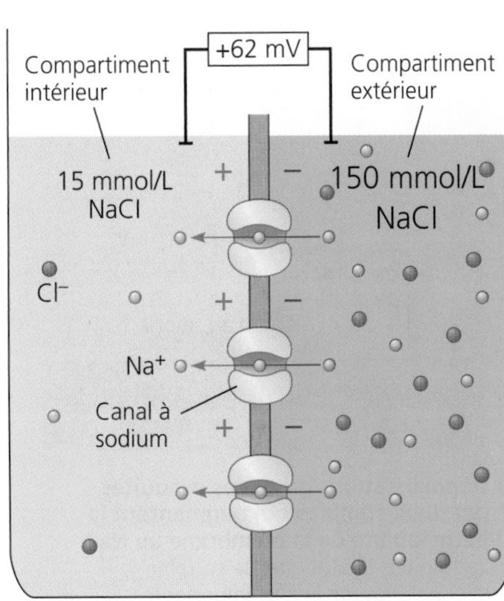

(b) Membrane laissant passer seulement le Na^+

◄ **Figure 48.11 Modèle d'un neurone de Mammifère.** Chaque bécher est divisé en deux compartiments par une membrane artificielle. **(a)** La membrane sélective ne laisse passer que le K^+, et le compartiment intérieur contient une concentration de K^+ 30 fois plus élevée que le compartiment extérieur; au point d'équilibre, la charge négative de l'intérieur de la membrane dépasse de 92 mV celle de l'extérieur. **(b)** La membrane sélective ne laisse passer que le Na^+, et le compartiment intérieur contient une concentration de Na^+ 10 fois moins élevée que le compartiment extérieur; au point d'équilibre, la charge positive de l'intérieur de la membrane dépasse de 62 mV celle de l'extérieur.

Retour sur le concept 48.2

1. Quel est le potentiel d'équilibre (E_X) à 37 °C pour un ion X^+ si $[X^+]_{extérieur}$ = 10 mmol/L et $[X^+]_{intérieur}$ = 100 mmol/L? Montrez comment vous obtenez votre réponse.
2. Supposons que le potentiel de membrane d'une cellule passe de −70 mV à −50 mV. Quelles modifications de la perméabilité de la membrane au K^+ ou au Na^+ pourraient être à l'origine de ce changement?
3. Comparez les canaux ioniques chimiodépendants et tensiodépendants en fonction des stimulus qui entraînent leur ouverture.

Voir les réponses proposées à la fin du chapitre.

Les potentiels d'action sont les influx transmis par les axones

Si une cellule présente des canaux ioniques à ouverture contrôlée, son potentiel de membrane est susceptible de se modifier en réaction à des stimulus qui entraînent l'ouverture ou la fermeture de ces canaux. Certains de ces stimulus déclenchent une **hyperpolarisation (figure 48.12a)**, c'est-à-dire une augmentation de l'amplitude du potentiel de membrane (l'intérieur de la membrane devient plus négatif). L'hyperpolarisation peut être causée par l'ouverture de canaux à K^+ à ouverture contrôlée, ce qui augmente la perméabilité de la membrane au K^+, de sorte que le potentiel s'approche de E_K (−92 mV à 37 °C). D'autres stimulus déclenchent au contraire une **dépolarisation (figure 48.12b)**, c'est-à-dire une diminution de l'amplitude du potentiel de membrane (l'intérieur de la membrane devient moins négatif). La dépolarisation peut être attribuable à l'ouverture de canaux à Na^+ à ouverture contrôlée, ce qui augmente la perméabilité de la membrane au Na^+, de sorte que le potentiel s'approche de E_{Na} (+62 mV à 37 °C). Ces variations du potentiel de membrane s'appellent **potentiels gradués**, car l'amplitude de l'hyperpolarisation ou de la dépolarisation dépend de l'intensité du stimulus. En effet, plus un stimulus est important, plus le changement qu'il provoque dans la perméabilité membranaire l'est également.

La production des potentiels d'action

Dans la plupart des neurones, les dépolarisations ne progressent que jusqu'à une certaine valeur de tension appelée **seuil d'excitation**. En effet, si, par suite d'un stimulus intense, la dépolarisation atteint ce seuil, une nouvelle réaction se déclenche: le **potentiel d'action (figure 48.12c)**. Le potentiel d'action est un phénomène du type tout ou rien: une fois qu'il est amorcé, son amplitude est indépendante de l'intensité du stimulus dépolarisant de départ. Les potentiels d'action sont les influx qui propagent l'information le long des axones, parfois sur de longues distances, des orteils à la moelle épinière, par exemple.

Les potentiels d'action de la plupart des neurones sont très brefs: ils ne durent que de 1 à 2 millisecondes (ms) environ. Cette brièveté permet au neurone de les produire à une fréquence élevée. Cette caractéristique est importante, car les neurones encodent de l'information dans la fréquence de leurs potentiels d'action. Plus précisément, la fréquence des potentiels d'action

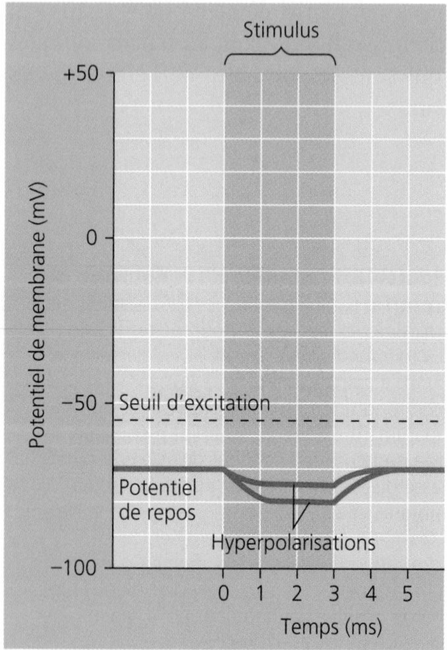

(a) Hyperpolarisations graduées produites par deux stimulus qui augmentent la perméabilité de la membrane au K^+. Le stimulus le plus intense entraîne l'hyperpolarisation la plus importante.

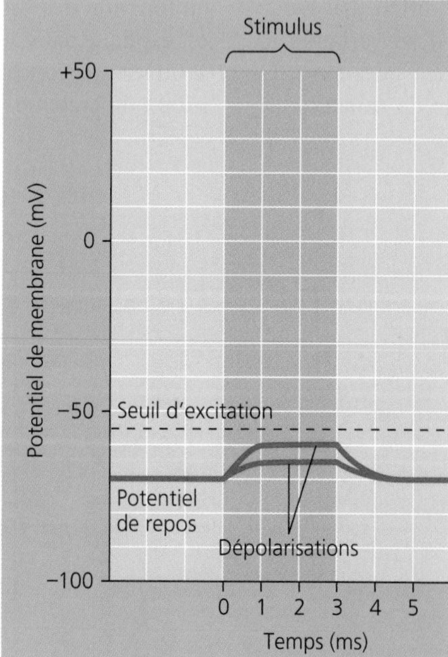

(b) Dépolarisations graduées produites par deux stimulus qui augmentent la perméabilité de la membrane au Na^+. Le stimulus le plus intense entraîne la dépolarisation la plus importante.

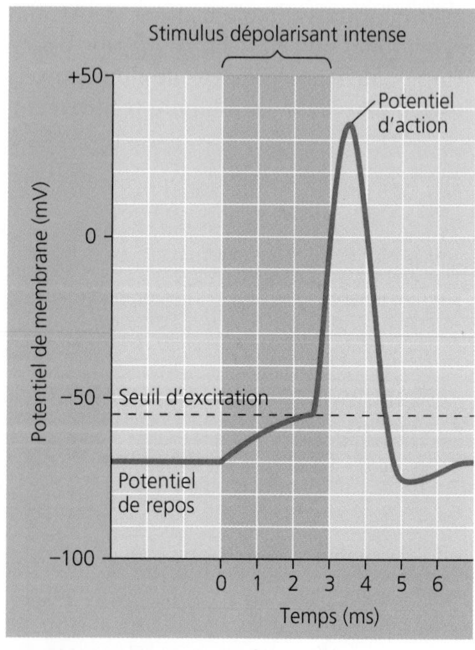

(c) Potentiel d'action déclenché par une dépolarisation qui atteint le seuil d'excitation.

▲ **Figure 48.12 Potentiels gradués et potentiel d'action dans un neurone.**

est généralement proportionnelle au logarithme de l'intensité du stimulus, le maximum de potentiels d'action qu'un neurone peut propager étant de l'ordre de quelques centaines par seconde.

Comme l'illustre la **figure 48.13**, la production d'un potentiel d'action met en jeu à la fois les canaux tensiodépendants à Na^+ et les canaux tensiodépendants à K^+. Les deux types de canaux s'ouvrent en dépolarisant la membrane, mais ils réagissent indépendamment et suivant un ordre séquentiel : les canaux à Na^+ s'ouvrent avant les canaux à K^+.

Chaque canal tensiodépendant à Na^+ est pourvu de deux vannes : une vanne d'activation et une vanne d'inactivation ; les deux doivent être ouvertes pour que le Na^+ diffuse à travers le canal. ➊ À l'état de repos, la vanne d'activation est fermée et la vanne d'inactivation est ouverte dans la plupart des canaux à Na^+. Lorsqu'il y a dépolarisation de la membrane, la vanne d'activation *s'ouvre rapidement* et la vanne d'inactivation *se ferme lentement.*

Chaque canal tensiodépendant à K^+ ne possède qu'une seule vanne, la vanne d'activation. À l'état de repos, la vanne d'activation de la plupart des canaux à K^+ est fermée. Lorsqu'il y a dépolarisation, elle *s'ouvre lentement.*

Comment ces propriétés des canaux contribuent-elles à la production d'un potentiel d'action ? ➋ Lorsqu'un stimulus dépolarise la membrane, les vannes d'activation de certains canaux à Na^+ s'ouvrent, de sorte qu'une quantité additionnelle de Na^+ diffuse dans la cellule. Avec l'arrivée du Na^+, la membrane se dépolarise de nouveau, ce qui entraîne l'ouverture des vannes

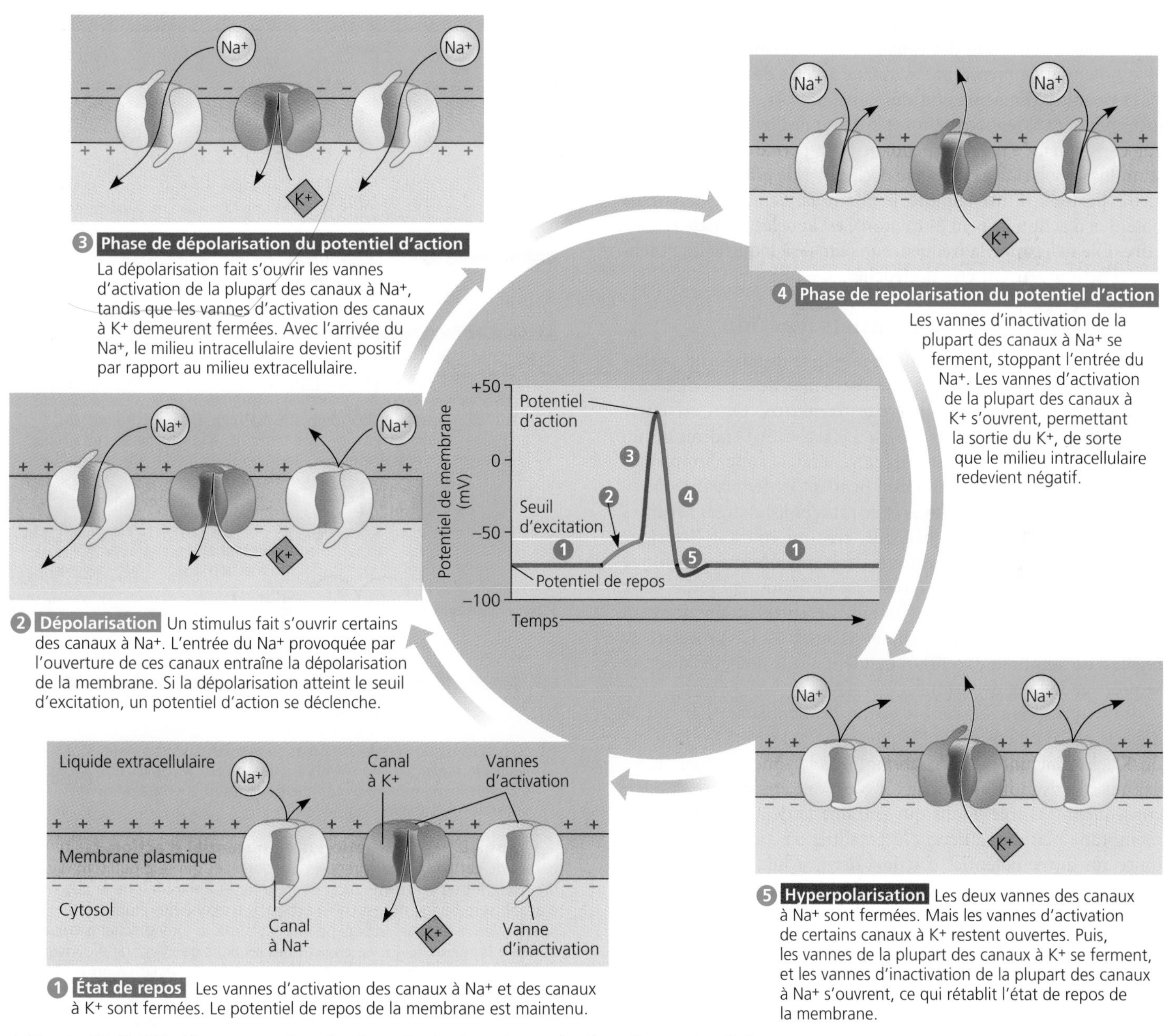

Na+
K+
③ Phase de dépolarisation du potentiel d'action
La dépolarisation fait s'ouvrir les vannes d'activation de la plupart des canaux à Na+, tandis que les vannes d'activation des canaux à K+ demeurent fermées. Avec l'arrivée du Na+, le milieu intracellulaire devient positif par rapport au milieu extracellulaire.
④ Phase de repolarisation du potentiel d'action
Les vannes d'inactivation de la plupart des canaux à Na+ se ferment, stoppant l'entrée du Na+. Les vannes d'activation de la plupart des canaux à K+ s'ouvrent, permettant la sortie du K+, de sorte que le milieu intracellulaire redevient négatif.
+50
0
−50
−100
Potentiel de membrane (mV)
Potentiel d'action
Seuil d'excitation
Potentiel de repos
Temps
② Dépolarisation Un stimulus fait s'ouvrir certains des canaux à Na+. L'entrée du Na+ provoquée par l'ouverture de ces canaux entraîne la dépolarisation de la membrane. Si la dépolarisation atteint le seuil d'excitation, un potentiel d'action se déclenche.
Liquide extracellulaire
Canal à K+
Vannes d'activation
Membrane plasmique
Cytosol
Canal à Na+
Vanne d'inactivation
① État de repos Les vannes d'activation des canaux à Na+ et des canaux à K+ sont fermées. Le potentiel de repos de la membrane est maintenu.
⑤ Hyperpolarisation Les deux vannes des canaux à Na+ sont fermées. Mais les vannes d'activation de certains canaux à K+ restent ouvertes. Puis, les vannes de la plupart des canaux à K+ se ferment, et les vannes d'inactivation de la plupart des canaux à Na+ s'ouvrent, ce qui rétablit l'état de repos de la membrane.

▲ **Figure 48.13 Rôle des canaux tensiodépendants dans la production d'un potentiel d'action.** Les numéros encerclés dans le graphique du centre de la figure correspondent aux cinq schémas qui se trouvent autour et qui représentent des canaux tensiodépendants à Na^+ et des canaux tensiodépendants à K^+ dans la membrane plasmique d'un neurone. (Les schémas ne montrent pas de canaux à ouverture non contrôlée.)

d'activation d'autres canaux à Na^+, suivie d'une nouvelle diffusion de Na^+ dans la cellule, et ainsi de suite. ❸ Une fois que le seuil d'excitation est franchi, ce cycle de rétroaction positive entraîne rapidement le potentiel de membrane vers une valeur qui s'approche de E_{Na} pendant la *phase de dépolarisation.* ❹ Toutefois, deux événements empêchent le potentiel de membrane d'atteindre effectivement E_{Na} : a) les vannes d'inactivation de la plupart des canaux à Na^+ se ferment, stoppant du même coup l'afflux de Na^+; et b) les vannes d'activation de la plupart des canaux à K^+ s'ouvrent, entraînant une sortie rapide de K^+. Les deux événements ramènent rapidement le potentiel de membrane vers E_K au cours de la *phase de repolarisation.* ❺ En fait, pendant la phase finale du potentiel d'action, appelée *hyperpolarisation*, la perméabilité de la membrane au K^+ est plus grande qu'à l'état de repos, de sorte que le potentiel de membrane est plus près de E_K pendant cette phase qu'il ne l'est à l'état de repos. Les vannes d'activation des canaux à K^+ se ferment par la suite, et le potentiel de membrane retourne à l'état de repos.

Les vannes d'inactivation des canaux à Na^+ demeurent fermées pendant la repolarisation et le début de l'hyperpolarisation. Par conséquent, s'il arrive pendant cette période, un deuxième stimulus dépolarisant ne pourra déclencher de potentiel d'action. Cette période d'insensibilité pendant laquelle un deuxième potentiel d'action ne peut être amorcé est appelée **période réfractaire.** Elle détermine la fréquence maximale à laquelle les potentiels d'action peuvent être déclenchés.

La propagation des potentiels d'action

Pour qu'il puisse avoir une portée à longue distance, un potentiel d'action doit se propager, sans s'atténuer, du corps de la cellule jusqu'aux corpuscules nerveux terminaux. Or, c'est en se reproduisant le long de l'axone qu'il y arrive. À l'endroit où un potentiel d'action est déclenché (en général, le cône d'implantation de l'axone), le Na^+ qui entre pendant la dépolarisation, en repoussant les charges positives et en attirant les charges négatives présentes à l'intérieur du neurone, crée un courant électrique qui dépolarise la région voisine de la membrane plasmique **(figure 48.14).** Cette dépolarisation est suffisamment importante pour atteindre le seuil d'excitation, de sorte qu'un nouveau potentiel d'action est déclenché à cet endroit. Ce processus se répète à de nombreuses reprises pendant que le potentiel d'action se propage le long de l'axone.

Immédiatement derrière la zone de dépolarisation qui se déplace grâce à l'entrée de Na^+ se trouve une zone où la sortie du K^+ produit une repolarisation. Dans la zone repolarisée, les vannes d'activation des canaux à Na^+ sont encore fermées. Par conséquent, l'entrée d'ions qui entraîne la dépolarisation de la membrane plasmique *devant* le potentiel d'action ne peut produire un autre potentiel d'action *derrière* lui. Ce phénomène empêche les potentiels d'action de revenir vers le corps de la cellule. Ainsi, une fois qu'il est amorcé, le potentiel d'action ne se déplace normalement que dans une seule direction, soit vers les corpuscules nerveux terminaux.

La vitesse de la propagation

Divers facteurs influent sur la vitesse de propagation du potentiel d'action le long de l'axone. À cet égard, le diamètre de l'axone a une certaine importance : plus il est grand, plus la propagation est rapide. Ce phénomène est attribuable au fait que la résistance

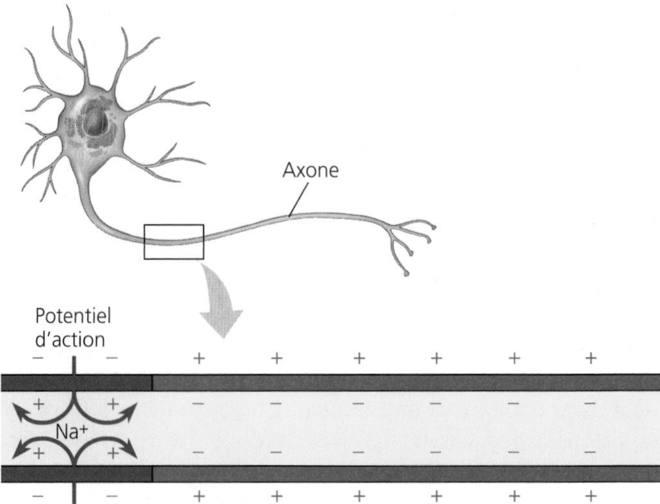

❶ L'entrée de Na^+ dans la cellule produit localement un potentiel d'action.

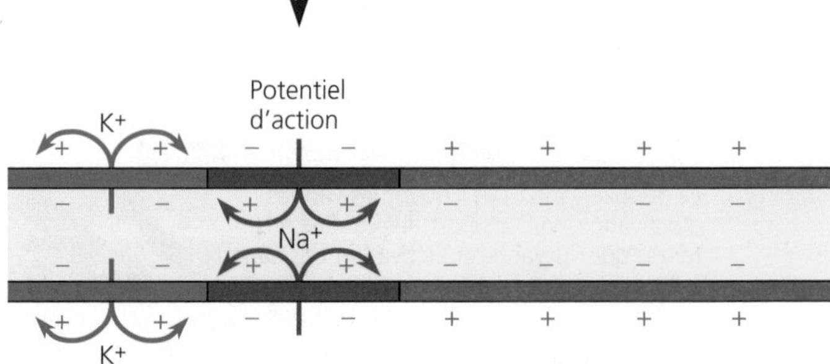

❷ La dépolarisation qui est à l'origine du premier potentiel d'action s'étend à la région voisine de la membrane plasmique, ce qui produit un deuxième potentiel d'action à cet endroit. À la gauche de cette région, la sortie du K^+ entraîne la repolarisation de la membrane plasmique.

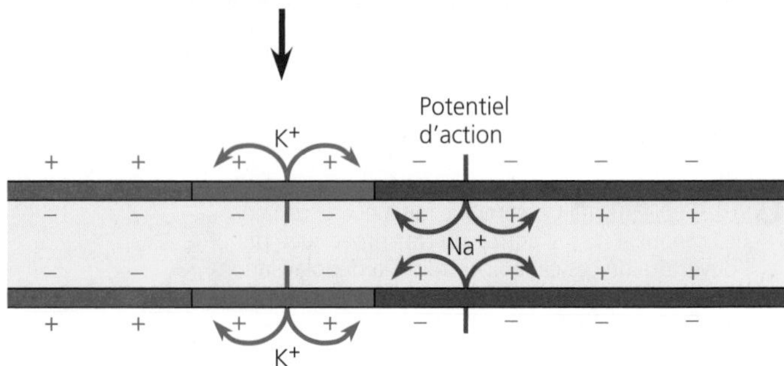

❸ Le processus de dépolarisation et de repolarisation se répète dans la région suivante de la membrane plasmique. Ainsi, les flux d'ions *à travers* la membrane plasmique permettent la propagation du potentiel d'action *le long* de l'axone.

▲ **Figure 48.14 Propagation d'un potentiel d'action.** Les trois parties de cette figure illustrent les phénomènes qui se produisent dans un axone à trois moments successifs, au fur et à mesure que le potentiel d'action se propage de gauche à droite. À chacune des étapes, le long de l'axone, les canaux tensiodépendants subissent la série de changements décrits à la figure 48.13. La couleur des sections de membrane correspond à celle des phases de la production d'un potentiel d'action représentées à la figure 48.13.

à un courant électrique est inversement proportionnelle à la surface de la section transversale du conducteur (un fil ou un axone, par exemple). Pour mieux comprendre, pensez à un tuyau d'arrosage : plus son diamètre est grand, moins il offre de résistance à l'écoulement de l'eau. De même, un axone épais offre moins de résistance qu'un axone mince au flux dépolarisant associé au potentiel d'action. Par conséquent, la dépolarisation peut se propager plus loin à l'intérieur d'un axone épais, de sorte que les régions éloignées atteignent plus tôt le seuil d'excitation. Chez les Invertébrés, la vitesse de propagation varie de quelques centimètres par seconde dans les axones très minces à environ 100 m/s dans les axones géants des calmars et de certains Arthropodes. Ces axones géants interviennent dans les réactions comportementales qui nécessitent une grande vitesse d'exécution, comme le coup de queue grâce auquel une écrevisse ou un homard menacés échappent à un prédateur.

Chez les Vertébrés, l'évolution a donné naissance à un autre mécanisme pour accélérer la transmission des potentiels d'action. Rappelons que, dans le système nerveux des Vertébrés, de nombreux axones sont myélinisés (voir la figure 48.8). La myéline augmente la vitesse de propagation des potentiels d'action en isolant la membrane de l'axone. En effet, l'isolation produit le même effet que l'augmentation du diamètre de l'axone: elle permet au flux dépolarisant associé au potentiel d'action de se propager sur une plus longue distance à l'intérieur de l'axone, de sorte que des régions plus éloignées atteignent plus tôt le seuil d'excitation. Le grand avantage de la myélinisation est l'économie d'espace. Un axone myélinisé d'un diamètre de 20 µm présente à peu près la même vitesse de propagation qu'un axone géant de calmar (d'un diamètre de 1 mm), mais plus de 2 000 de ces axones myélinisés pourraient tenir dans l'espace occupé par un seul axone géant.

Dans un axone myélinisé, les canaux tensiodépendants à Na^+ et à K^+ sont groupés dans les nœuds de Ranvier, petits intervalles dénudés situés le long de l'axone (voir la figure 48.8). Le liquide extracellulaire n'entre en contact avec la membrane de l'axone qu'à la hauteur des nœuds, si bien que les potentiels d'action ne peuvent être engendrés dans les régions qui se trouvent entre ces nœuds. Le flux vers l'intérieur produit à la hauteur du nœud pendant la phase de dépolarisation du potentiel d'action se propage plutôt jusqu'au prochain nœud, où il dépolarise la membrane et engendre un nouveau potentiel d'action **(figure 48.15).** Ce mécanisme est appelé **conduction saltatoire** (du latin *saltare*, « danser, bondir »), parce que le potentiel d'action semble « sauter » d'un nœud à l'autre, le long de l'axone. Grâce à la conduction saltatoire, les potentiels d'action peuvent se propager à des vitesses allant jusqu'à 120 m/s dans les axones myélinisés.

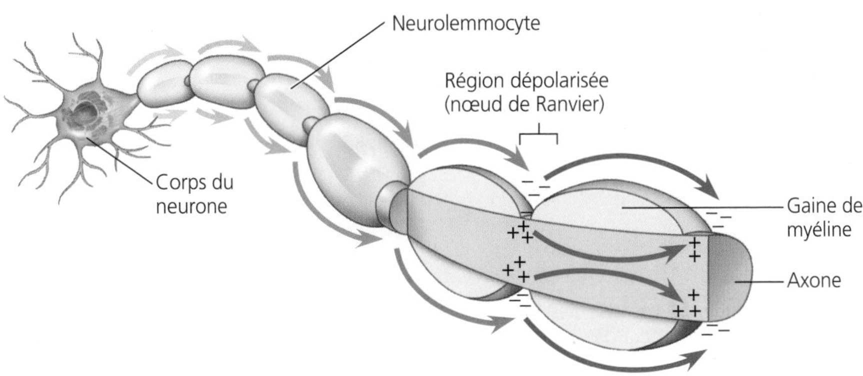

▲ **Figure 48.15 Conduction saltatoire.** Dans un axone myélinisé, le courant ionique créé par un potentiel d'action à un nœud de Ranvier se déplace, à l'intérieur de l'axone, jusqu'au nœud suivant (flèches bleues), où le potentiel d'action se reproduit. Le potentiel d'action « saute » donc d'un nœud à l'autre le long de l'axone (flèches rouges).

Retour sur le concept 

1. En quoi un potentiel d'action diffère-t-il d'un potentiel gradué?
2. Supposons que, à la suite d'une mutation, les vannes d'inactivation de canaux à Na^+ demeurent fermées plus longtemps une fois qu'un potentiel d'action a été produit. En quoi cela modifiera-t-il la fréquence maximale de création des potentiels d'action?
3. Placez les axones suivants en fonction de la vitesse de la propagation, de la plus faible à la plus élevée: (a) un axone myélinisé de faible diamètre; (b) un axone myélinisé de fort diamètre; (c) un axone non myélinisé de faible diamètre.

Voir les réponses proposées à la fin du chapitre.

Concept 48.4

Les neurones communiquent avec d'autres cellules aux synapses

Lorsqu'il atteint les corpuscules nerveux terminaux de l'axone, un potentiel d'action s'arrête en général à cet endroit. La plupart du temps, les potentiels d'action ne sont pas transmis des neurones à d'autres cellules. Il n'en reste pas moins que l'information, elle, est communiquée et que c'est au niveau des synapses que cette transmission s'effectue. Certaines synapses, appelées *synapses électriques*, contiennent des jonctions ouvertes (voir la figure 6.31), qui permettent *effectivement* au courant électrique de circuler directement d'une cellule à l'autre. Chez les Vertébrés et les Invertébrés, les synapses électriques synchronisent l'activité des neurones responsables de certains comportements rapides et stéréotypés. Par exemple, les synapses électriques associées aux axones géants des homards et d'autres Crustacés facilitent l'exécution rapide de réactions de fuite.

La grande majorité des synapses sont des *synapses chimiques*, qui donnent lieu à la libération d'un neurotransmetteur chimique par le neurone présynaptique. Ce dernier synthétise le neurotransmetteur et l'enferme dans les **vésicules synaptiques**, lesquelles sont stockées dans les corpuscules nerveux terminaux du neurone. Des centaines de corpuscules nerveux terminaux peuvent interagir avec le corps et les dendrites d'un neurone postsynaptique **(figure 48.16).** Lorsqu'il atteint un corpuscule nerveux terminal, un potentiel d'action dépolarise sa membrane en y ouvrant des canaux à calcium tensiodépendants **(figure 48.17).** Les ions de calcium (Ca^{2+}) diffusent ensuite dans le corpuscule terminal; l'augmentation de la concentration de Ca^{2+} entraîne la fusion de certaines vésicules synaptiques avec la membrane du corpuscule, ce qui a pour effet de libérer le neurotransmetteur par exocytose (voir le chapitre 7). Le neurotransmetteur traverse la **fente synaptique**, un espace étroit séparant le neurone présynaptique de la cellule postsynaptique. L'effet du neurotransmetteur sur la cellule postsynaptique peut être soit direct, soit indirect (voir la prochaine section).

Le transfert d'information est beaucoup plus modifiable aux synapses chimiques qu'aux synapses électriques. Divers facteurs peuvent influer sur la quantité de neurotransmetteur libérée ou sur la réceptivité de la cellule postsynaptique. Ces variations sont à la base de la capacité de l'Animal à modifier son comportement en réaction à un changement ; elles gouvernent aussi l'apprentissage et la mémoire.

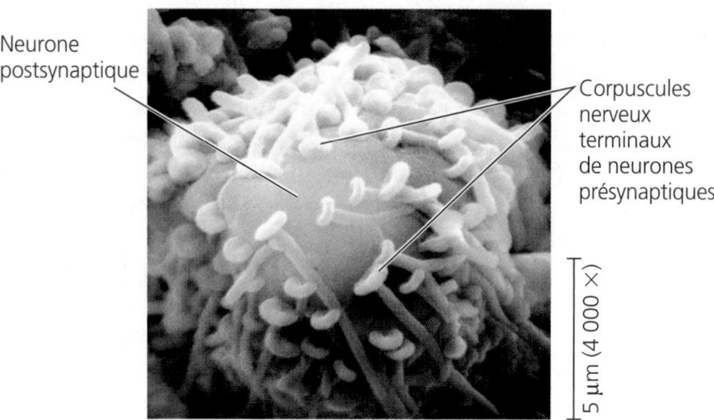

▲ **Figure 48.16 Corpuscules nerveux terminaux sur le corps d'un neurone postsynaptique (cliché artificiellement coloré [MEB]).**

La transmission synaptique directe

À de nombreuses synapses chimiques, des canaux ioniques chimiodépendants capables de fixer le neurotransmetteur sont groupés dans la membrane de la cellule postsynaptique, directement en face du corpuscule nerveux terminal (voir la figure 48.17). La liaison du neurotransmetteur à une partie particulière du canal, le récepteur, fait ouvrir le canal et permet à certains ions de diffuser à travers la membrane postsynaptique. Ce mécanisme de transfert d'information est appelé *transmission synaptique directe*. Celle-ci produit en général un *potentiel postsynaptique*, soit une variation du potentiel de membrane de la cellule postsynaptique. À certaines synapses, par exemple, le neurotransmetteur se fixe à un type de canaux à travers lesquels le Na^+ et le K^+ peuvent tous deux diffuser. Lorsque ces canaux s'ouvrent, la membrane postsynaptique se dépolarise tandis que le potentiel de membrane s'approche d'une valeur qui se situe à

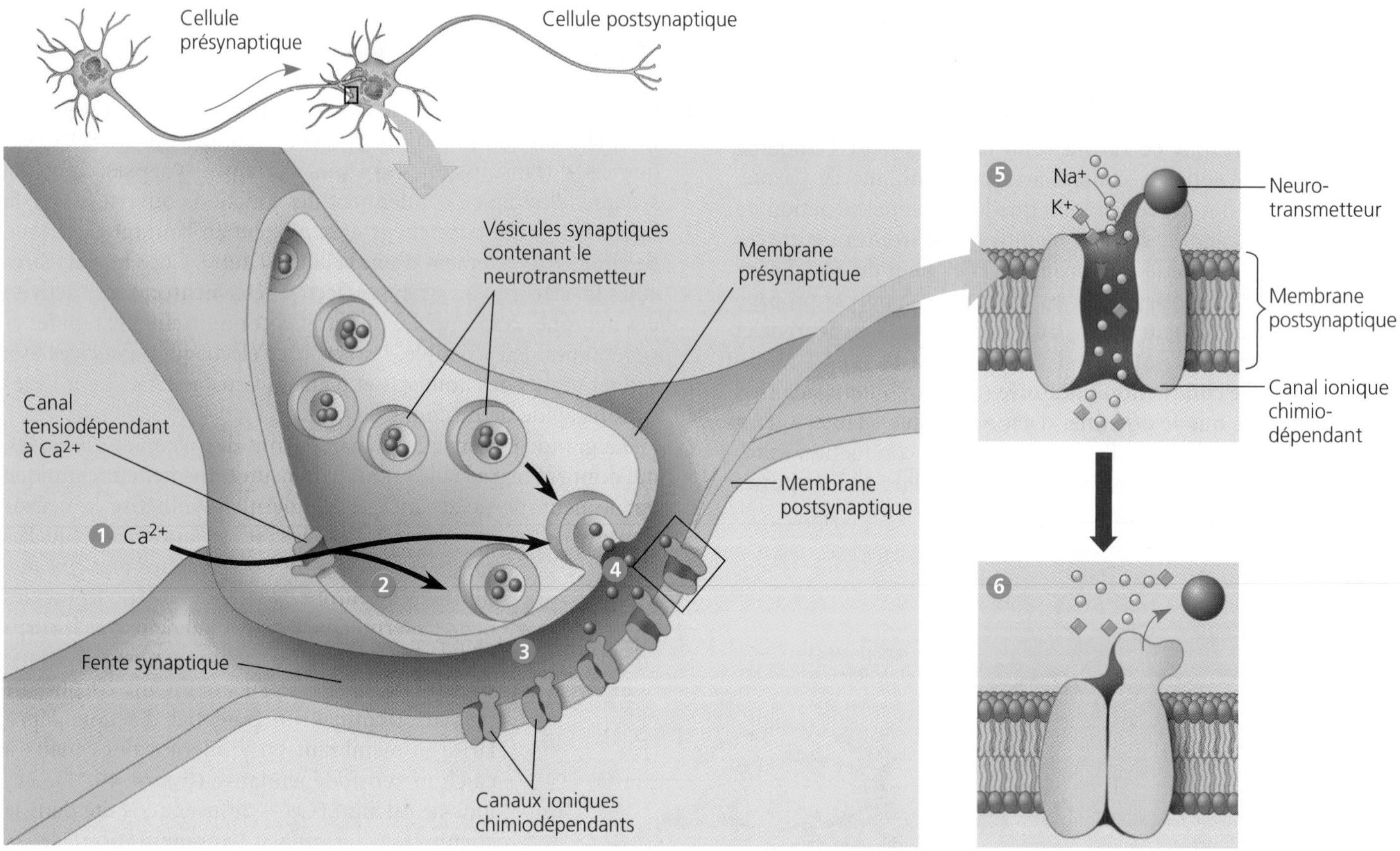

▲ **Figure 48.17 Synapse chimique.** ❶ Lorsqu'il dépolarise la membrane d'un corpuscule nerveux terminal, ❷ un potentiel d'action ouvre des canaux tensiodépendants à Ca^{2+} de la membrane et déclenche une entrée de Ca^{2+}. ❸ L'augmentation de la concentration de Ca^{2+} dans le corpuscule nerveux terminal provoque la fusion des vésicules synaptiques avec la membrane du neurone présynaptique. ❹ Les vésicules synaptiques libèrent le neurotransmetteur dans la fente synaptique. ❺ Le neurotransmetteur se fixe au récepteur des canaux ioniques chimiodépendants qui se trouvent dans la membrane postsynaptique, ce qui fait ouvrir ces canaux. Dans la synapse illustrée ici, le Na^+ et le K^+ peuvent tous deux traverser les canaux. ❻ Le neurotransmetteur quitte les récepteurs, et les canaux se ferment. La transmission synaptique se termine lorsque le neurotransmetteur s'échappe par la fente synaptique, est absorbé par le corpuscule nerveux terminal ou une autre cellule, ou est décomposé par une enzyme.

peu près à mi-chemin entre E_K et E_{Na}. Comme elles entraînent le potentiel de membrane vers le seuil d'excitation, ces dépolarisations portent le nom de **potentiels postsynaptiques excitateurs** (**PPSE**). À d'autres synapses, un neurotransmetteur différent se fixe à des canaux perméables uniquement au K^+. Lorsque ces canaux s'ouvrent, la membrane postsynaptique s'hyperpolarise. Ces hyperpolarisations sont appelées **potentiels postsynaptiques inhibiteurs** (**PPSI**) parce qu'elles ont pour effet d'éloigner le potentiel de membrane du seuil d'excitation.

Divers mécanismes mettent fin à l'effet produit par les neurotransmetteurs sur les cellules postsynaptiques. À de nombreuses synapses, le neurotransmetteur s'échappe simplement par diffusion de la fente synaptique. À d'autres, le neurone présynaptique l'absorbe par transport actif et l'enferme de nouveau dans les vésicules synaptiques. À d'autres synapses encore, les gliocytes absorbent activement le neurotransmetteur et le transforment en combustible en le métabolisant. Le neurotransmetteur acétylcholine (dont nous parlerons bientôt) est décomposé par une enzyme, l'acétylcholinestérase, qui se trouve dans la fente synaptique.

La sommation des potentiels postsynaptiques

Contrairement aux potentiels d'action, qui sont des processus du type tout ou rien, les potentiels postsynaptiques sont gradués: leur amplitude dépend d'un certain nombre de facteurs, dont la quantité de neurotransmetteur libérée par le neurone présynaptique. De plus, les potentiels postsynaptiques *ne* se régénèrent généralement *pas* en se propageant le long de la membrane d'une cellule; ils diminuent à mesure qu'ils s'éloignent de la synapse. Rappelons que la plupart des synapses d'un neurone sont situées sur ses dendrites ou sur son corps, tandis que les potentiels d'action sont la plupart du temps déclenchés au cône d'implantation de l'axone. Par conséquent, un seul PPSE est habituellement trop faible pour déclencher un potentiel d'action dans un neurone postsynaptique **(figure 48.18a)**.

Toutefois, si deux PPSE se produisent coup sur coup à une même synapse, le second peut commencer avant que le potentiel de membrane du neurone postsynaptique ait fait place au potentiel de repos à la suite du premier PPSE. Lorsque cela se produit, les PPSE ont un effet cumulatif appelé **sommation temporelle** **(figure 48.18b)**. En outre, les PPSE produits presque simultanément par des synapses *différentes* dans un même neurone postsynaptique peuvent aussi avoir un effet cumulatif appelé **sommation spatiale** **(figure 48.18c)**. Les sommations temporelle et spatiale permettent à plusieurs PPSE de dépolariser jusqu'au seuil d'excitation la membrane dans la région du cône d'implantation de l'axone, de sorte que le neurone postsynaptique crée un potentiel d'action. La sommation s'applique aussi aux PPSI. Deux ou plusieurs PPSI qui se produisent presque simultanément ou coup sur coup ont un effet hyperpolarisateur plus important qu'un seul PPSI. Par sommation, un PPSI peut aussi contrebalancer l'effet d'un PPSE **(figure 48.18d)**.

Cette interaction entre de multiples facteurs excitateurs et inhibiteurs est à la base de l'intégration dans le système nerveux. Le cône d'implantation de l'axone est le centre d'intégration du neurone, c'est-à-dire la région où, à chaque instant, le potentiel de membrane représente le résultat des effets cumulatifs de tous les PPSE et PPSI. Chaque fois que le potentiel de membrane du cône d'implantation de l'axone atteint le seuil d'excitation, le potentiel d'action ainsi créé se propage le long de l'axone jusqu'aux corpuscules nerveux terminaux. Après la période réfractaire, le neurone peut produire un autre potentiel d'action si le seuil d'excitation est de nouveau atteint dans la région du

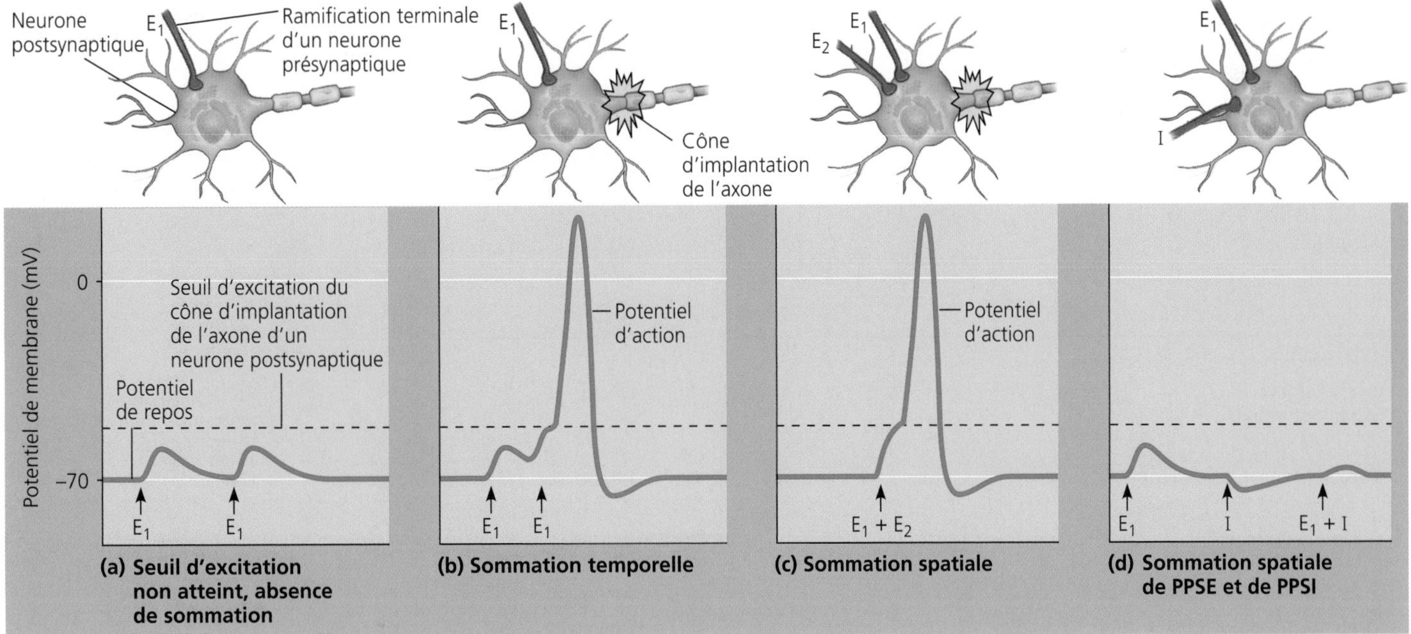

▲ **Figure 48.18 Sommation des potentiels postsynaptiques.** Ces graphiques représentent les variations du potentiel de membrane dans la région du cône d'implantation de l'axone d'un neurone postsynaptique. Les flèches indiquent les moments où les potentiels postsynaptiques se produisent à deux synapses excitatrices (E_1 et E_2, en vert dans les diagrammes au-dessus des graphiques) et à une synapse inhibitrice (I, en rouge). Comme la plupart des PPSE, ceux qui sont produits en E_1 ou E_2 ne peuvent atteindre le seuil d'excitation que par sommation.

cône d'implantation de l'axone. Par contre, l'effet cumulatif des PPSE et des PPSI peut maintenir la membrane sous le seuil d'excitation, rendant ainsi impossible la production de potentiels d'action.

La transmission synaptique indirecte

Jusqu'ici, nous nous sommes penchés sur la transmission synaptique directe, dans laquelle un neurotransmetteur se fixe directement à un canal ionique et le fait s'ouvrir. Dans la *transmission synaptique indirecte*, le neurotransmetteur se fixe à un récepteur qui ne fait pas partie d'un canal ionique. Ce processus active une voie de transduction qui met en jeu un second messager dans la cellule postsynaptique (voir le chapitre 11). Comparativement aux potentiels postsynaptiques produits par transmission synaptique directe, les effets de la transmission synaptique indirecte apparaissent plus lentement, mais durent plus longtemps (jusqu'à plusieurs minutes).

Diverses voies de transduction jouent un rôle dans la transmission synaptique indirecte. Dans l'une des voies les mieux connues, le second messager est l'AMP cyclique (AMPc). Par exemple, lorsque le neurotransmetteur noradrénaline se lie à son récepteur, le complexe neurotransmetteur-récepteur active une protéine G, qui elle-même active l'adénylcyclase, l'enzyme qui convertit l'ATP en AMPc (voir le chapitre 11). L'AMP cyclique stimule la protéine kinase A, qui phosphoryle certaines protéines des canaux de la membrane postsynaptique, entraînant leur ouverture ou, dans certains cas, leur fermeture. En raison de l'effet amplificateur de la voie de transduction, la fixation d'une molécule de neurotransmetteur à un seul récepteur peut provoquer l'ouverture ou la fermeture de nombreux canaux ioniques.

Les neurotransmetteurs

Le **tableau 48.1** présente une liste de certains des principaux neurotransmetteurs connus. Chaque neurotransmetteur se fixe à son propre groupe de récepteurs; certains possèdent plus d'une douzaine de récepteurs différents, lesquels peuvent produire des effets très différents dans les cellules postsynaptiques. Les médicaments qui visent des récepteurs particuliers constituent de puissants outils pour le traitement des maladies du système nerveux.

L'acétylcholine

L'**acétylcholine** est l'un des neurotransmetteurs les plus répandus, tant chez les Invertébrés que chez les Vertébrés. Dans le SNC des Vertébrés, elle peut être inhibitrice ou excitatrice, selon le type de récepteur. Dans les jonctions neuromusculaires des Vertébrés,

Tableau 48.1 Principaux neurotransmetteurs

Neurotransmetteurs	Structure	Classes fonctionnelles	Sites de sécrétion
Acétylcholine	$H_3C—C(=O)—O—CH_2—CH_2—N^+—[CH_3]_3$	Excitatrice des muscles squelettiques chez les Vertébrés; excitatrice ou inhibitrice des effecteurs viscéraux	SNC; SNP; jonction neuromusculaire chez les Vertébrés
Amines biogènes			
Noradrénaline	(HO)₂-cycle benzénique—CH(OH)—$CH_2—NH_2$	Excitatrice ou inhibitrice	SNC; SNP
Dopamine	(HO)₂-cycle benzénique—$CH_2—CH_2—NH_2$	Excitatrice, en général; inhibitrice, parfois, dans les ganglions sympathiques	SNC; SNP
Sérotonine	HO-indole (C=CH, N—H)—$CH_2—CH_2—NH_2$	Inhibitrice, en général	SNC
Acides aminés			
Acide gamma-aminobutyrique	$H_2N—CH_2—CH_2—CH_2—COOH$	Inhibitrice	SNC; jonction neuromusculaire chez les Vertébrés et les Invertébrés
Glycine	$H_2N—CH_2—COOH$	Inhibitrice	SNC
Acide glutamique	$H_2N—CH(COOH)—CH_2—CH_2—COOH$	Excitatrice	SNC; jonction neuromusculaire chez les Invertébrés
Acide aspartique	$H_2N—CH(COOH)—CH_2—COOH$	Excitatrice	SNC
Neuropeptides (groupe très divers dont deux exemples seulement sont présentés)			
Substance P	Arg—Pro—Lys—Pro—Gln—Gln—Phe—Phe—Gly—Leu—Met	Excitatrice	SNC; SNP
Mét-enképhaline (endorphine)	Tyr—Gly—Gly—Phe—Met	Inhibitrice, en général	SNC

c'est-à-dire dans les synapses entre un neurone moteur et une cellule musculaire squelettique, l'acétylcholine libérée par le neurone moteur se fixe aux récepteurs des canaux chimiodépendants dans la cellule musculaire, produisant un PPSE par transmission synaptique directe (nous en reparlerons au chapitre 49). La nicotine se fixe aux mêmes récepteurs, qu'on trouve aussi ailleurs dans le SNP et à différents endroits dans le SNC. Les effets physiologiques et psychologiques de la nicotine résultent de son affinité avec ce type de récepteur d'acétylcholine. Dans le myocarde (muscle cardiaque) des Vertébrés, l'acétylcholine libérée par des neurones parasympathiques (dont il sera question plus loin dans ce chapitre) active une voie de transduction dont les protéines G produisent deux effets: l'inhibition de l'adénylcyclase et l'ouverture des canaux à K^+ dans la membrane de la cellule musculaire. Ces deux effets réduisent l'intensité et la fréquence des contractions du myocarde.

Les amines biogènes

Les **amines biogènes** sont des neurotransmetteurs dérivés des acides aminés. Le groupe des catécholamines comprend les neurotransmetteurs produits à partir de l'acide aminé tyrosine. En font partie l'**adrénaline** et la **noradrénaline**, qui agissent aussi comme des hormones (voir le chapitre 45), ainsi qu'une substance étroitement apparentée, la **dopamine**. Autre amine biogène, la **sérotonine** est synthétisée à partir de l'acide aminé tryptophane. Les amines biogènes jouent souvent un rôle dans la transmission synaptique indirecte, la plupart du temps dans le SNC. Toutefois, la noradrénaline agit aussi dans une branche du SNP appelée *système nerveux autonome*, dont traitera le concept 48.5.

La dopamine et la sérotonine, qui sont libérées en de nombreux endroits de l'encéphale, agissent sur le sommeil, l'humeur, l'attention et l'apprentissage. Les déséquilibres dans les concentrations de ces neurotransmetteurs causent divers troubles. Ainsi, un déficit de dopamine dans l'encéphale est à l'origine de la maladie de Parkinson, qui est une affection dégénérative (voir le concept 48.7). Certaines drogues psychotropes, notamment le LSD (acide lysergique diéthylamide) et la mescaline, produisent apparemment des hallucinations en se liant aux récepteurs de la sérotonine et de la dopamine dans l'encéphale. La dépression est souvent traitée à l'aide de médicaments qui augmentent les concentrations d'amines biogènes, comme la noradrénaline ou la sérotonine. Le Prozac, par exemple, élève la concentration de sérotonine en inhibant son absorption une fois qu'elle est libérée.

Les acides aminés et les peptides

On sait que quatre acides aminés figurent parmi les neurotransmetteurs du SNC: l'**acide gamma-aminobutyrique**, la **glycine**, l'**acide glutamique** et l'**acide aspartique**. L'acide gamma-aminobutyrique est le neurotransmetteur le plus utilisé des synapses inhibitrices de l'encéphale. Il produit des PPSI en augmentant la perméabilité de la membrane postsynaptique au Cl^-.

Plusieurs **neuropeptides**, qui sont des chaînes relativement courtes d'acides aminés, servent de neurotransmetteurs. La plupart des neurones libèrent un ou plusieurs neuropeptides ainsi qu'un neurotransmetteur non peptidique. De nombreux neuropeptides sont produits par la modification post-traductionnelle de précurseurs de protéines beaucoup plus gros. Ainsi, le clivage de la pro-enképhaline, molécule précurseur constituée de 267 acides aminés, donne 4 copies du pentapeptide mét-enképhaline ainsi que d'autres peptides. Comme les amines biogènes, ils utilisent généralement des voies de transduction de stimulus.

La **substance P** est un stimulus excitateur important qui intervient dans la perception de la douleur. Au contraire, les **endorphines** jouent le rôle d'analgésiques naturels en diminuant la perception de la douleur. Les neurochimistes Candace Pert et Solomon Snyder, de la Johns Hopkins University, ont découvert les endorphines dans les années 1970 grâce à l'observation de récepteurs spécifiques, pour les opiacés (morphine et héroïne), sur des neurones de l'encéphale. D'autres recherches ont permis de montrer que les opiacés se liaient aux récepteurs en question en imitant les endorphines (voir la figure 2.17), que fabrique l'encéphale en cas de stress physique ou émotionnel, par exemple pendant le travail, au cours d'un accouchement. Outre qu'elles atténuent la douleur, les endorphines diminuent la production d'urine en stimulant la sécrétion de l'hormone antidiurétique ADH (voir le chapitre 45), ralentissent la respiration, provoquent l'euphorie et produisent d'autres effets psychiques. L'adénohypophyse libère elle aussi une endorphine, une hormone qui agit sur des régions particulières de l'encéphale. Encore une fois, nous voyons qu'il y a chevauchement des régulations du système nerveux et du système endocrinien.

Les gaz

Comme de nombreux autres types de cellules, certains neurones du SNC et du SNP des Vertébrés libèrent des gaz dissous, notamment le monoxyde d'azote (NO; voir le chapitre 45) et le monoxyde de carbone (CO), qui servent d'agents de régulation locale. Par exemple, pendant le phénomène d'excitation sexuelle chez l'homme, certains neurones diffusent du NO dans les tissus érectiles du pénis. Dans ces tissus, les cellules composant les muscles lisses de la paroi des vaisseaux sanguins se dilatent. Le corps spongieux se remplit alors de sang, ce qui produit l'érection. Comme l'indique le chapitre 45, le médicament contre l'impuissance Viagra et les autres médicaments du même type permettent à l'homme d'obtenir et de maintenir une érection plus facilement en inhibant l'action d'une enzyme qui ralentit les effets de relaxation musculaire du NO.

Le CO est synthétisé par l'enzyme hème oxygénase, dont une forme est présente seulement dans certaines populations de neurones de l'encéphale et du SNP. Dans l'encéphale, ce gaz régule la libération des hormones de l'hypothalamus. Dans le SNP, il joue le rôle d'un neurotransmetteur inhibiteur qui hyperpolarise les cellules des muscles lisses de l'intestin.

Contrairement aux neurotransmetteurs courants, le NO et le CO ne peuvent être stockés dans des vésicules cytoplasmiques. Les cellules doivent donc les synthétiser à la demande. Ces gaz diffusent dans les cellules cibles voisines, y produisent un changement et sont dégradés, tout cela en quelques secondes. Dans de nombreuses cibles, notamment les cellules des muscles lisses, le NO a une action semblable à celle de plusieurs hormones: il stimule une enzyme fixée à la membrane pour l'amener à synthétiser un second messager chimique influant directement sur le métabolisme cellulaire.

Dans le reste du présent chapitre, nous allons voir comment les mécanismes cellulaires et biochimiques dont nous avons parlé jusqu'ici contribuent au fonctionnement du système nerveux dans son ensemble.

Retour sur le concept 48.4

1. Les escargots cônes produisent une toxine qui bloque les canaux à calcium tensiodépendants. Auquel des deux principaux types de synapses (électriques ou chimiques) cette toxine est-elle susceptible de faire le plus de tort? Pourquoi?
2. Les pesticides organophosphorés agissent en inhibant l'acétylcholinestérase, l'enzyme qui dégrade le neurotransmetteur acétylcholine. Expliquez comment ces toxines peuvent affecter les PPSE produits par l'acétylcholine.
3. Comment est-il possible que les effets produits par un neurotransmetteur dans différents tissus soient opposés?

Voir les réponses proposées à la fin du chapitre.

Concept 48.5

Le système nerveux des Vertébrés comporte des régions spécialisées

Chez les Vertébrés, tous les systèmes nerveux se caractérisent par la céphalisation et la présence d'une composante centrale et d'une composante périphérique **(figure 48.19)**. L'encéphale a le pouvoir d'intégration qui permet aux Vertébrés de manifester des comportements complexes. La moelle épinière, qui s'étend longitudinalement à l'intérieur de la colonne vertébrale, intègre les réactions simples à certains types de stimulus (comme le réflexe rotulien) et transmet de l'information à l'encéphale, lequel lui en communique également. Contrairement au cordon nerveux ventral de nombreux Invertébrés, la moelle épinière des Vertébrés s'étend dorsalement et ne contient pas de ganglions segmentaires. Toutefois, on trouve des ganglions segmentaires juste à l'extérieur de la moelle épinière (voir les figures 48.2h et 48.19), et la disposition des neurones dans celle-ci montre clairement que la structure était à l'origine segmentée.

Le SNC des Vertébrés dérive du tube neural dorsal creux de l'embryon, tube qui est l'une des caractéristiques phylogénétiques des Cordés (voir le chapitre 34). Chez l'adulte, cette caractéristique persiste sous la forme de l'étroit **canal central** de la moelle épinière et des quatre **ventricules** de l'encéphale **(figure 48.20)**. Les ventricules et le canal central sont remplis de **liquide cérébrospinal**, issu de la filtration du sang dans l'encéphale. Le liquide cérébrospinal circule lentement dans le canal central de la moelle épinière et dans les ventricules, puis retourne dans les veines. Il contribue à l'approvisionnement en éléments nutritifs et en hormones de différentes parties de l'encéphale ainsi qu'à l'élimination des déchets. Chez les Mammifères, le liquide cérébrospinal joue un rôle de protection mécanique pour l'encéphale, et la moelle épinière en circulant entre deux des méninges, des enveloppes de tissus conjonctifs qui entourent le SNC.

Les axones du SNC sont souvent groupés dans des faisceaux bien délimités, appelés *tractus*. L'ensemble des gaines de myéline leur donne un aspect blanchâtre. Lorsqu'on effectue des coupes transversales de l'encéphale et de la moelle épinière, la **substance blanche**, constituée de structures cellulaires myélinisées, est facile à distinguer de la **substance grise**, qui comprend surtout des dendrites, des axones non myélinisés et des corps de neurone (voir les figures 48.4 et 48.20).

Le système nerveux périphérique

Le SNP assure la transmission de l'information reçue ou envoyée par le SNC, et joue un rôle important dans la régulation des

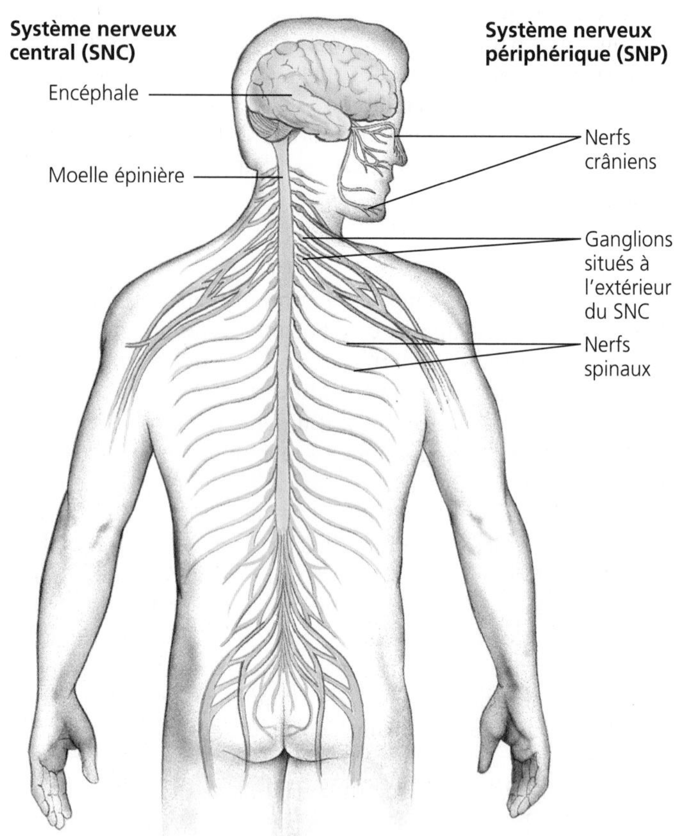

▲ **Figure 48.19 Exemple de système nerveux de Vertébré.** L'encéphale et la moelle épinière constituent le système nerveux central. Les nerfs crâniens, les nerfs spinaux (qui partent de la moelle épinière) et les ganglions situés à l'extérieur du SNC composent le SNP.

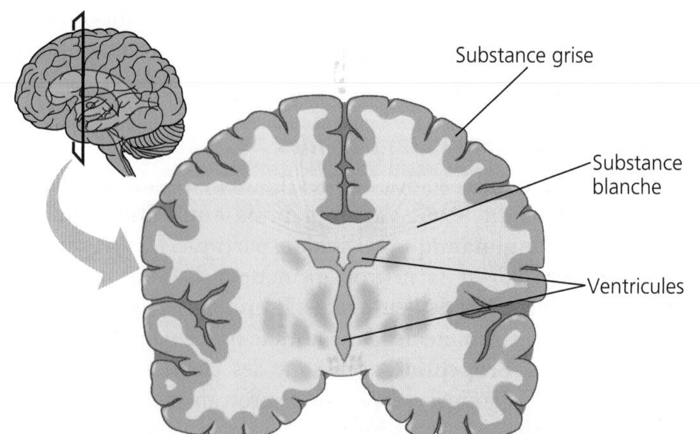

▲ **Figure 48.20 Ventricules, substance grise et substance blanche.** Les ventricules, situés profondément dans l'encéphale, contiennent du liquide cérébrospinal. Presque toute la substance grise se trouve à la surface de l'encéphale; elle entoure la substance blanche.

mouvements et du milieu interne chez les Vertébrés. Sur le plan structural, le SNP des Vertébrés se compose de paires de nerfs crâniens et de nerfs spinaux comportant des ganglions (voir la figure 48.19). Les **nerfs crâniens** prennent naissance dans l'encéphale et aboutissent pour la plupart dans les organes de la tête et du tronc. Les **nerfs spinaux** sortent, quant à eux, de la moelle épinière et se prolongent jusqu'à des parties du corps qui se situent plus bas que la tête. Les Mammifères comptent 12 paires de nerfs crâniens et 31 paires de nerfs spinaux. La plupart des nerfs crâniens et tous les nerfs spinaux contiennent des axones de neurones sensitifs et de neurones moteurs. Quelques nerfs crâniens (les nerfs olfactifs et optiques, par exemple) ne remplissent que des fonctions sensorielles.

Le SNP comprend deux subdivisions fonctionnelles: le système nerveux somatique et le système nerveux autonome **(figure 48.21)**. Le **système nerveux somatique** transporte les influx reçus et envoyés par les muscles squelettiques, principalement en réaction aux stimulus *externes*. Il est qualifié de *volontaire*, parce qu'il relève souvent d'une décision consciente. Toutefois, une partie importante de l'activité des muscles squelettiques est en fait déterminée par des réflexes transmis par l'intermédiaire de la moelle épinière ou d'une partie de l'encéphale appelée **tronc cérébral**. Le **système nerveux autonome** régule le milieu *interne* en commandant les tissus musculaires lisses et cardiaques, ainsi que les organes de divers systèmes (digestif, cardiovasculaire, respiratoire, urinaire, reproducteur et endocrinien). Cette régulation est généralement involontaire. Le système nerveux autonome comprend lui-même trois subdivisions: le système nerveux sympathique, le système nerveux parasympathique et le système nerveux entérique.

La **figure 48.22** présente la structure et les fonctions des systèmes nerveux sympathique et parasympathique. Le **système nerveux sympathique**, lorsqu'il est activé, augmente la dépense d'énergie et prépare l'individu à l'action (réaction de combat ou de fuite). Ainsi, le cœur bat plus vite, le foie convertit le glycogène en glucose, les bronchioles se dilatent et permettent une augmentation des échanges gazeux, la digestion est inhibée et la sécrétion d'adrénaline par la médulla surrénale est déclenchée. Le **système nerveux parasympathique**, lorsqu'il est activé, provoque des réactions contraires, à peu de chose près: l'organisme revient à l'état de calme et aux fonctions d'entretien (« repos et digestion »). Par exemple, l'activité des nerfs parasympathiques fait baisser la fréquence cardiaque, augmente la production de glycogène et favorise la digestion. Quand ils innervent le même organe, des neurones sympathiques et parasympathiques ont souvent (mais pas toujours) des effets antagonistes (c'est-à-dire opposés).

Le **système nerveux entérique** est constitué de réseaux de neurones situés dans le tube digestif, le pancréas et la vésicule biliaire; ces neurones régulent les sécrétions de ces organes ainsi que l'activité des muscles lisses responsables du péristaltisme (voir le chapitre 41). Bien qu'il puisse fonctionner de façon indépendante, le système nerveux entérique est normalement régi par les systèmes nerveux sympathique et parasympathique.

Les systèmes nerveux somatique et autonome travaillent souvent en collaboration pour assurer l'homéostasie. Par exemple, en réaction à une baisse de température, l'hypothalamus commande, par l'intermédiaire du système nerveux autonome, une constriction des artérioles de la peau, pour réduire la perte de chaleur. Au même moment, pour augmenter la production de chaleur, il transmet une commande au système nerveux somatique, qui fait produire le frisson.

Le développement embryonnaire de l'encéphale

Chez tous les Vertébrés, trois renflements à symétrie bilatérale et situés au pôle antérieur du tube neural dorsal creux, le **prosencéphale**, le **mésencéphale** et le **rhombencéphale**, apparaissent pendant le développement de l'embryon **(figure 48.23a)**. Au cours de l'évolution des Vertébrés, l'encéphale s'est encore divisé, à partir de ces trois renflements, sur les plans structural et fonctionnel. Cette régionalisation a permis l'acquisition de capacités supplémentaires pour une intégration complexe, le prosencéphale devenant plus grand chez les Oiseaux et les Mammifères que chez les autres Vertébrés.

À la cinquième semaine du développement embryonnaire humain, cinq régions se sont formées dans l'encéphale à partir des trois renflements primaires **(figure 48.23b)**. Le *télencéphale* et le *diencéphale* sont issus du prosencéphale; le *mésencéphale* est issu du mésencéphale primaire; le *métencéphale* et le *myélencéphale* sont issus du rhombencéphale.

Au fur et à mesure que l'encéphale humain se développe, le télencéphale, c'est-à-dire la division du prosencéphale qui donne naissance au **cerveau (figure 48.23c)**, connaît les changements les plus profonds. Aux deuxième et troisième mois, la croissance rapide et importante du télencéphale amène la partie extérieure du cerveau, appelée **cortex cérébral**, à recouvrir une grande partie du reste de l'encéphale. Les principaux centres provenant du diencéphale, la division du prosencéphale qui est apparue le plus tôt dans l'histoire des Vertébrés, sont le thalamus, l'hypothalamus et l'épithalamus.

Les trois régions qui ont évolué à partir du mésencéphale et du rhombencéphale

Système nerveux périphérique
Système nerveux somatique
Système nerveux autonome
Système nerveux sympathique
Système nerveux parasympathique
Système nerveux entérique

◄ **Figure 48.21 Hiérarchie fonctionnelle du système nerveux périphérique des Vertébrés.**

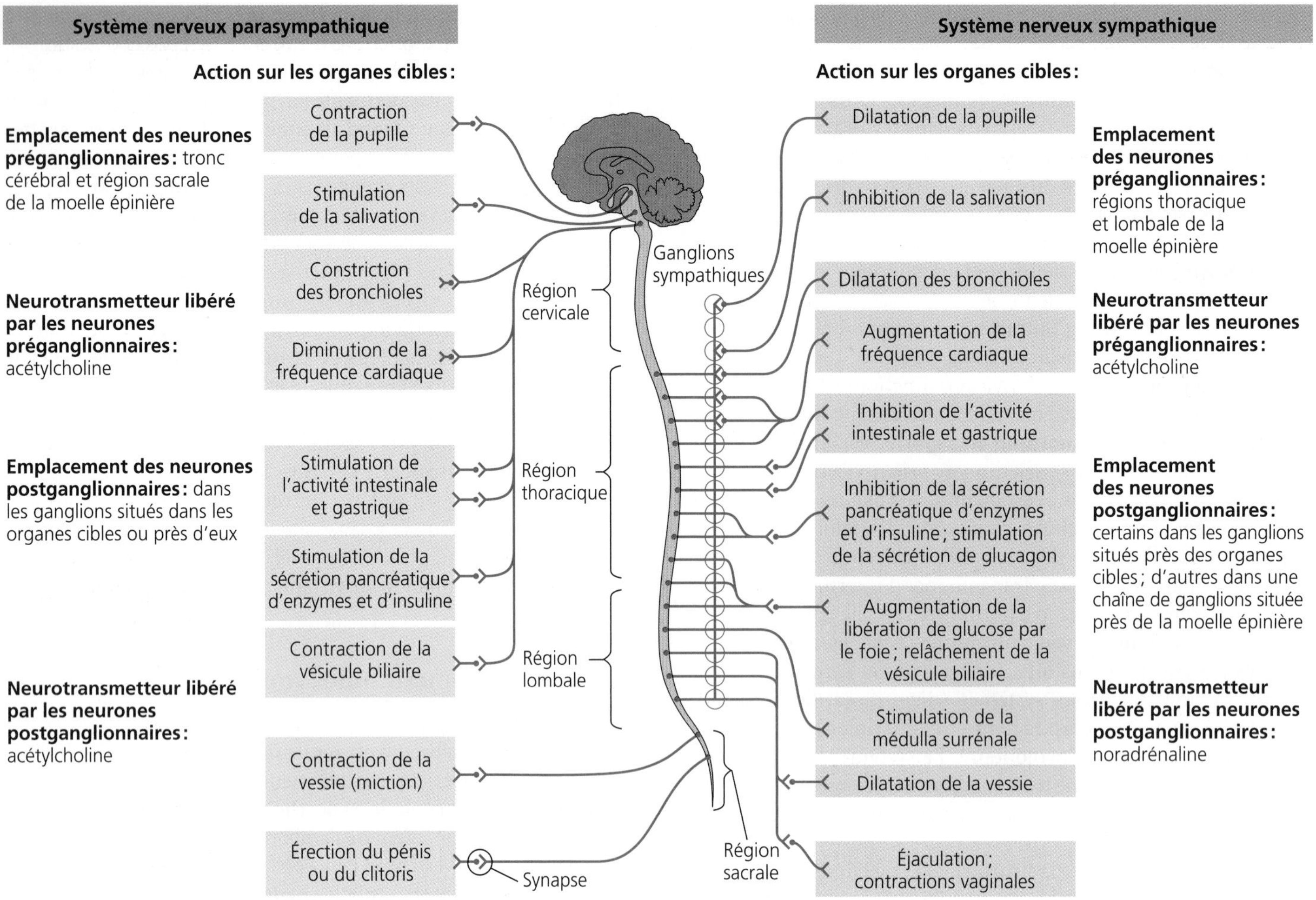

Système nerveux parasympathique

Action sur les organes cibles:

Emplacement des neurones préganglionnaires: tronc cérébral et région sacrale de la moelle épinière

Neurotransmetteur libéré par les neurones préganglionnaires: acétylcholine

Emplacement des neurones postganglionnaires: dans les ganglions situés dans les organes cibles ou près d'eux

Neurotransmetteur libéré par les neurones postganglionnaires: acétylcholine

Contraction de la pupille

Stimulation de la salivation

Constriction des bronchioles

Diminution de la fréquence cardiaque

Stimulation de l'activité intestinale et gastrique

Stimulation de la sécrétion pancréatique d'enzymes et d'insuline

Contraction de la vésicule biliaire

Contraction de la vessie (miction)

Érection du pénis ou du clitoris

Synapse

Ganglions sympathiques

Région cervicale

Région thoracique

Région lombaire

Région sacrale

Système nerveux sympathique

Action sur les organes cibles:

Dilatation de la pupille

Inhibition de la salivation

Dilatation des bronchioles

Augmentation de la fréquence cardiaque

Inhibition de l'activité intestinale et gastrique

Inhibition de la sécrétion pancréatique d'enzymes et d'insuline; stimulation de la sécrétion de glucagon

Augmentation de la libération de glucose par le foie; relâchement de la vésicule biliaire

Stimulation de la médulla surrénale

Dilatation de la vessie

Éjaculation; contractions vaginales

Emplacement des neurones préganglionnaires: régions thoracique et lombale de la moelle épinière

Neurotransmetteur libéré par les neurones préganglionnaires: acétylcholine

Emplacement des neurones postganglionnaires: certains dans les ganglions situés près des organes cibles; d'autres dans une chaîne de ganglions située près de la moelle épinière

Neurotransmetteur libéré par les neurones postganglionnaires: noradrénaline

▲ **Figure 48.22 Systèmes nerveux parasympathique et sympathique, subdivisions du système nerveux autonome.** La plupart des voies de chacun des systèmes sont constituées de neurones préganglionnaires (dont le corps se trouve dans le SNC) et de neurones postganglionnaires (dont le corps se trouve dans le SNP).

donnent naissance au tronc cérébral, un ensemble de structures profondes de l'encéphale. Chez l'adulte, le **tronc cérébral** comprend le mésencéphale (issu du mésencéphale primaire), le pont (issu du métencéphale) et le bulbe rachidien (issu du myélencéphale). Le métencéphale donne aussi naissance à un autre important centre d'intégration qui ne fait pas partie du tronc cérébral: le cervelet.

Le tronc cérébral

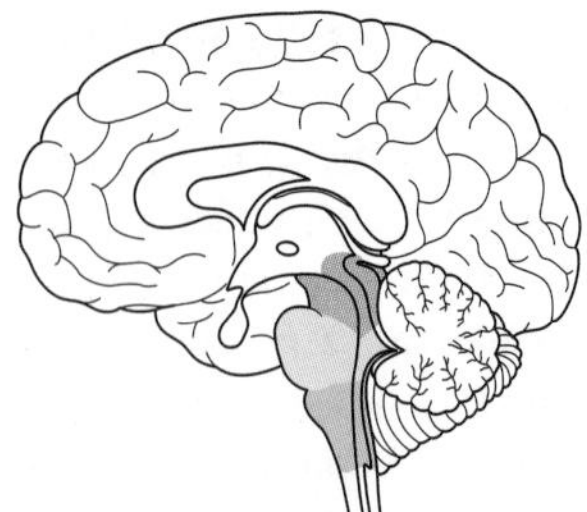

Le tronc cérébral compte parmi les plus anciennes parties de l'encéphale des Vertébrés. Parfois appelé *cerveau inférieur*, il consiste en une tige comportant plusieurs renflements située à l'extrémité antérieure de la moelle épinière. Formé de trois parties (le bulbe rachidien, le pont et le mésencéphale), il assure l'homéostasie, la coordination des mouvements et la transmission de l'information jusqu'aux centres d'intégration supérieurs.

Divers centres du tronc cérébral contiennent des corps de neurone d'où partent des axones vers des régions du cortex cérébral et du cervelet. Les corpuscules nerveux terminaux des axones libèrent des neurotransmetteurs comme la noradrénaline, la dopamine, la sérotonine et l'acétylcholine. Ces neurotransmetteurs du tronc cérébral provoquent des changements dans l'attention, l'éveil, l'appétit et la motivation. Le **bulbe rachidien** contient des centres qui régulent diverses fonctions viscérales (automatiques et homéostatiques), notamment la respiration, l'activité cardiovasculaire, la déglutition, le vomissement et la digestion. Le **pont** participe aussi à certaines de ces activités; il régule, par exemple, les centres respiratoires dans le bulbe rachidien.

Tous les faisceaux d'axones qui acheminent l'information sensorielle vers les régions supérieures de l'encéphale et les commandes motrices qui en proviennent traversent le tronc cérébral. Ainsi, la transmission de l'information constitue l'une des fonctions les plus importantes du bulbe rachidien et du pont. Le tronc cérébral participe également à la coordination des mouvements corporels d'envergure, comme la marche. Les tractus corticospinaux, faisceaux d'axones qui transmettent les commandes motrices du cortex cérébral à la moelle épinière, changent de côté dans le bulbe rachidien. On parle alors de *décussation*. Ainsi, l'hémisphère droit régit une grande partie des mouvements effectués par le côté gauche, et l'hémisphère gauche une grande partie des mouvements effectués par le côté droit.

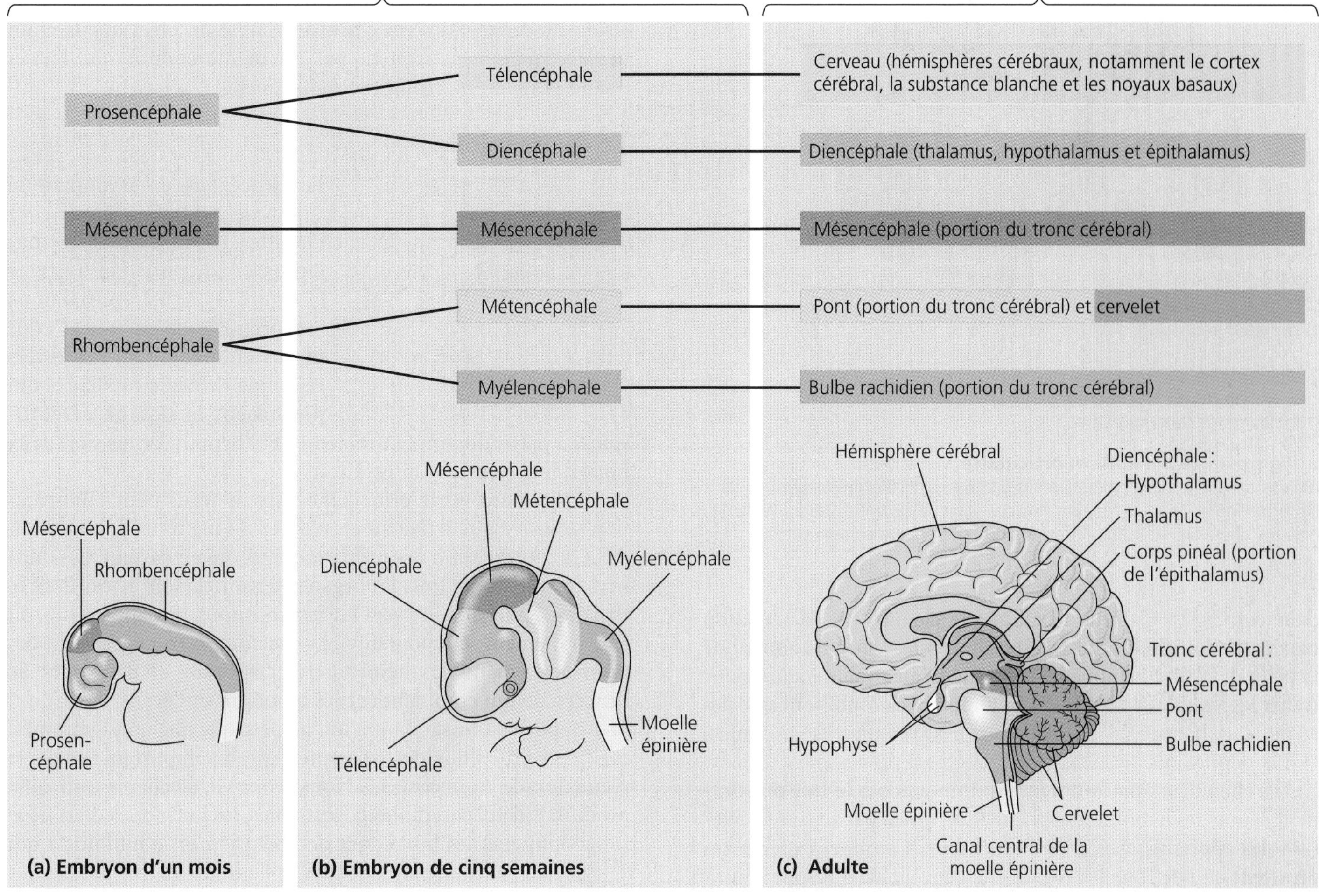

▲ **Figure 48.23 Développement de l'encéphale chez l'humain.**

Le mésencéphale renferme les centres de perception et d'intégration de plusieurs types d'information sensorielle. Il envoie aussi des influx sensitifs provenant de la moelle épinière et se dirigeant vers le thalamus. Parmi les éminences du mésencéphale figurent les colliculus inférieurs et supérieurs (ou tubercules quadrijumeaux). Les premiers relient les récepteurs auditifs de l'oreille interne et l'aire auditive du cortex cérébral; les seconds coordonnent les mouvements de la tête et des yeux fixés sur un objet mobile. Tous les axones sensoriels associés à l'audition se terminent dans les colliculus inférieurs ou les traversent pour se rendre au cervelet. Chez les Vertébrés qui ne sont pas des Mammifères, les colliculus supérieurs prennent la forme de gros lobes optiques qui sont parfois les seuls centres de la vision. Chez les Mammifères, la vision est intégrée dans le cerveau, ce qui permet aux colliculus supérieurs de coordonner les réflexes visuels, par exemple le fait de voir un objet du coin de l'œil et l'action de tourner la tête automatiquement vers cet objet.

L'éveil et le sommeil

Comme le savent ceux qui ont assisté à un cours par une chaude journée, l'attention et la vigilance varient. L'éveil est un état de conscience du monde extérieur. Le sommeil est le contraire de l'éveil. C'est un état pendant lequel le sujet continue de recevoir des stimulus sans en avoir conscience. Divers centres nerveux situés dans le tronc cérébral et dans d'autres parties de l'encéphale contrôlent le sommeil et l'éveil.

Un réseau de neurones appelé **formation réticulaire** et contenant plus de 90 noyaux distincts traverse le cœur du tronc cérébral **(figure 48.24)**. Le système réticulaire activateur ascendant s'intègre à cette formation réticulaire et régit le sommeil et l'éveil. Il agit comme un filtre sensitif en sélectionnant les éléments d'information qui atteignent le cortex cérébral. Plus le cortex reçoit d'information, plus la personne est éveillée et attentive. Mais l'éveil n'est pas uniquement un phénomène généralisé. En effet, certains stimulus peuvent être mis de côté pendant que l'encéphale traite activement d'autres données. Par ailleurs, des centres spécifiques, dans le tronc cérébral, régulent le sommeil et l'éveil. Le pont et le bulbe rachidien contiennent ainsi des noyaux qui provoquent le sommeil lorsqu'ils sont stimulés. Le mésencéphale comporte quant à lui un centre associé à l'éveil. La sérotonine est peut-être le neurotransmetteur des centres nerveux qui induisent le sommeil. La consommation de lait avant le coucher peut favoriser le sommeil, sans doute parce que le lait contient de grandes quantités de tryptophane, acide aminé à partir duquel est synthétisée la sérotonine.

Tous les Oiseaux et les Mammifères présentent des cycles veille-sommeil caractéristiques, et la mélatonine, hormone produite par le corps pinéal, semble aussi jouer un rôle important

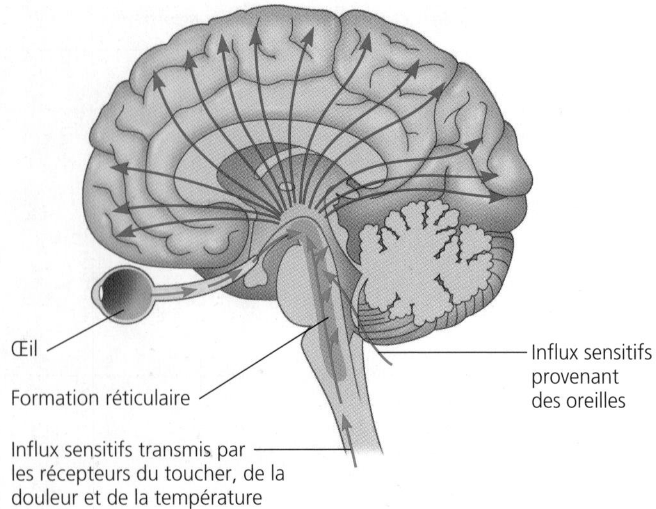

▲ **Figure 48.24 Formation réticulaire.** Cet ensemble de neurones répartis dans le tronc cérébral filtre les influx sensitifs (flèches bleues), rejetant l'information connue et répétitive qui est sans cesse transmise au système nerveux. Il envoie les influx filtrés au cortex cérébral (flèches vertes).

dans ces cycles. Comme l'explique le chapitre 45, la sécrétion maximale de mélatonine se produit la nuit. On a recommandé la prise de cette hormone comme supplément alimentaire pour traiter les troubles du sommeil, notamment ceux qui sont associés au décalage horaire, à l'insomnie, aux troubles affectifs saisonniers et à la dépression.

Les chercheurs ne comprennent toujours pas le rôle du sommeil. L'une des hypothèses est que le sommeil participe à la fixation des apprentissages et de la mémoire. Certaines expériences prouvent en effet que les régions de l'encéphale qui sont stimulées au cours d'une tâche d'apprentissage peuvent être à nouveau actives pendant le sommeil; on a cependant démontré récemment que la consolidation de nouveaux éléments d'information peut aussi se produire au stade d'éveil, même pendant le temps où le cerveau est occupé par d'autres tâches.

Le cervelet

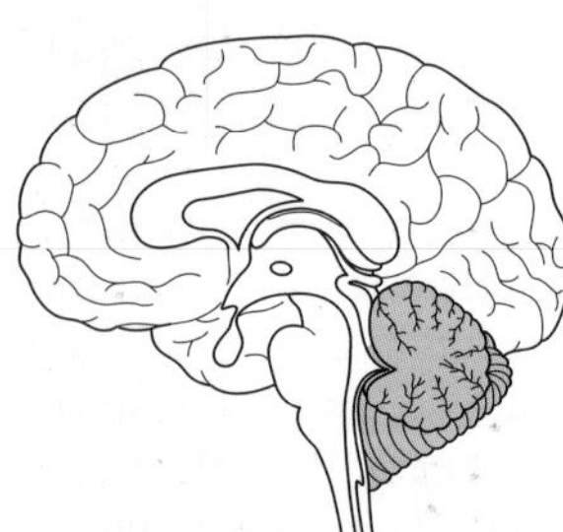

Le **cervelet** se forme à partir d'une région du métencéphale embryonnaire (voir la figure 48.23). Cet organe participe à la coordination des mouvements et à la vérification des erreurs pendant les activités motrices, perceptuelles et cognitives. (Les fonctions cognitives comprennent l'apprentissage, la prise de décision, la conscience et une perception sensorielle intégrée de son environnement.) Le cervelet collabore vraisemblablement aux tâches d'apprentissage et de rappel des habiletés motrices, comme celles qui sont associées à l'utilisation d'une bicyclette. En effet, si l'une de ses grandes subdivisions subit des lésions, l'apprentissage peut devenir impossible. Le cervelet reçoit de l'information sensitive sur la position des articulations et la longueur des muscles (leur niveau d'étirement), ainsi que des données provenant des organes auditifs et visuels. Il reçoit aussi de l'information relative aux commandes motrices émises par le cerveau. Il intègre cette information sensitive et motrice à des fins de coordination des mouvements et d'équilibre. La coordination motrice entre la main et l'œil est un exemple. En cas de lésion du cervelet, les yeux peuvent suivre un objet que la main déplace, mais ne s'arrêtent pas au même endroit que l'objet quand la main interrompt le mouvement.

Le diencéphale

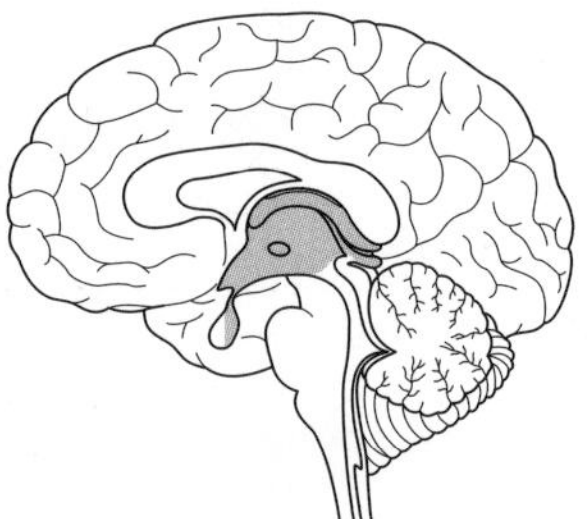

Le diencéphale embryonnaire se subdivise en trois régions chez l'adulte: l'épithalamus, le thalamus et l'hypothalamus (voir la figure 48.23). L'**épithalamus** comprend le corps pinéal et le plexus choroïde, l'un des divers regroupements de capillaires qui produisent le liquide cérébrospinal à partir du sang. Le thalamus et l'hypothalamus sont deux importants centres d'intégration.

Le **thalamus** est le principal centre de relais pour l'information sensitive qui arrive au cerveau et il joue un rôle important dans la coordination des influx moteurs qui en partent. Les données provenant de tous les organes sensoriels sont triées dans le thalamus, puis dirigées vers les centres supérieurs appropriés, où leur traitement sera poursuivi. Le thalamus reçoit également des messages venant des hémisphères cérébraux et des zones de l'encéphale qui commandent les émotions et l'éveil.

L'**hypothalamus**, quant à lui, ne pèse que quelques grammes, mais constitue l'une des structures les plus importantes dans la régulation de l'homéostasie. Nous avons vu, au chapitre 45, qu'il produisait deux ensembles d'hormones, les hormones de la neurohypophyse et les hormones de libération ou d'inhibition qui agissent sur l'adénohypophyse (voir la figure 45.8). L'hypothalamus contient des centres de régulation thermique et des centres de régulation de la faim et de la soif. Il remplit aussi d'autres fonctions vitales fondamentales. De plus, les centres de l'hypothalamus jouent un rôle dans les comportements sexuels et l'accouplement, dans la réaction de combat ou de fuite, et dans le plaisir. La stimulation de centres précis peut aussi être à l'origine de comportements autostimulés. Par exemple, en situation expérimentale, des rats qui peuvent appuyer sur une barre pour stimuler un centre du plaisir appuieront sans cesse dessus, se privant de manger et de boire. La stimulation d'une autre zone peut produire une réaction de rage.

Les rythmes circadiens

Nous avons déjà parlé des rythmes circadiens (quotidiens) chez les Végétaux (voir le chapitre 39). Or, chez les Animaux, ceux-ci existent aussi, et le cycle veille-sommeil en est un exemple. De nombreuses études montrent que les Animaux ont en général un mécanisme interne, appelé **horloge biologique**, qui contribue au maintien des rythmes circadiens. L'horloge biologique régule divers phénomènes physiologiques, dont la libération des hormones, la faim et une sensibilité accrue aux stimulus externes. Chez les Mammifères, l'horloge biologique est constituée d'une paire de structures situées dans l'hypothalamus, les **noyaux suprachiasmatiques**. (Certains amas de neurones du SNC sont appelés *noyaux*.) Les mouches du vinaigre (*Drosophila sp.*) auraient pour leur part de nombreuses horloges biologiques dans leur corps, notamment sur le bord externe de leurs ailes.

Les horloges biologiques ont habituellement besoin de repères externes pour demeurer en accord avec les cycles de l'environnement. Ainsi, l'information visuelle sur l'intensité de la lumière que reçoivent les noyaux suprachiasmatiques permet à l'horloge mammalienne de rester synchrone avec le cycle naturel du jour et de la nuit **(figure 48.25)**. Des expériences portant sur des Rongeurs ont révélé que les cellules des noyaux suprachiasmatiques produisent des protéines particulières en réaction à la variation des cycles du jour et de la nuit.

Les rythmes circadiens de l'humain ont été étudiés de manière particulièrement active, car leur perturbation peut causer des troubles du sommeil. Dans le cadre d'une série d'expériences célèbres menées dans les années 1970, des chercheurs ont installé leurs sujets dans des chambres souterraines confortables, où chacun pouvait établir son propre horaire sans repères externes. D'après ces expériences, on a conclu que l'horloge biologique humaine avait un cycle d'environ 25 heures, et que cette durée variait beaucoup selon les individus. À la fin des années 1990, toutefois, une équipe de recherche de la Harvard University a mis en doute ces résultats, soulignant que même l'éclairage artificiel peut agir sur les rythmes circadiens. Après avoir mené leurs expériences dans des conditions plus rigoureuses, les scientifiques de Harvard ont découvert que le cycle de l'horloge biologique des humains est de 24 heures et 11 minutes, et que cette durée varie très peu d'un individu à l'autre.

Figure 48.25

Investigation Des repères externes influent-ils sur les horloges biologiques mammaliennes ?

EXPÉRIENCE L'activité du grand polatouche (*Glaucomys sabrinus*) commence normalement à la tombée de la nuit et prend fin au lever du jour, ce qui indique que la lumière est un repère externe important. Pour vérifier cette hypothèse, des chercheurs ont surveillé sur une période de 23 jours l'activité de grands polatouches en captivité soumis à deux contextes différents : (a) un cycle régulier de 12 heures de lumière et de 12 heures d'obscurité, et (b) une obscurité constante. Les grands polatouches pouvaient utiliser à volonté une roue d'exercice et une cage de repos. Un appareil enregistreur relevait automatiquement les périodes où la roue tournait et celles où elle était arrêtée.

RÉSULTATS Lorsqu'ils étaient exposés à un cycle régulier de lumière et d'obscurité, les grands polatouches faisaient tourner la roue (activité indiquée par les bandes noires) à peu près à la même heure chaque jour. Toutefois, lorsqu'ils demeuraient toujours dans l'obscurité, leur phase d'activité commençait environ 21 minutes plus tard chaque jour.

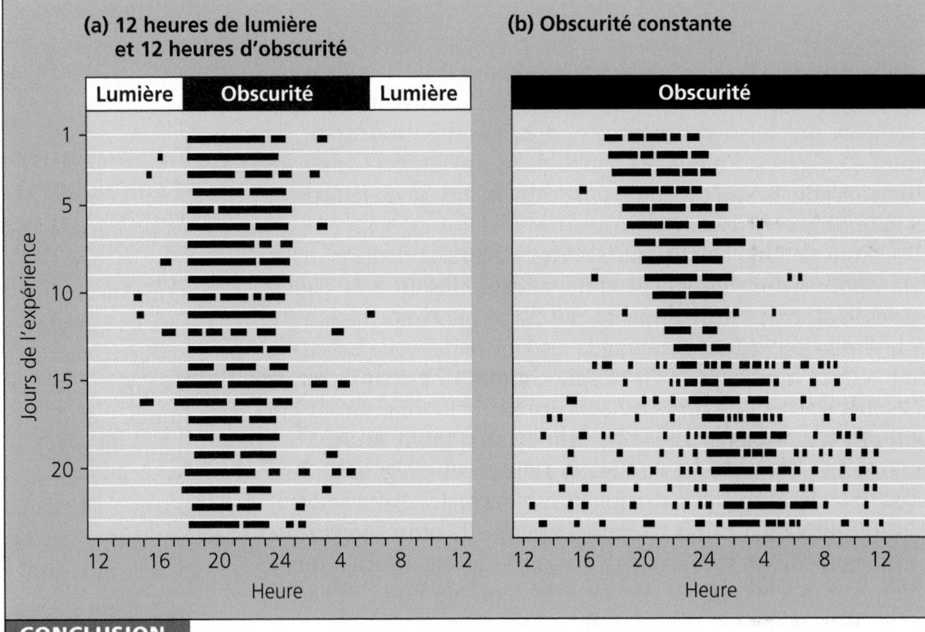

CONCLUSION L'horloge interne du grand polatouche peut fonctionner dans des conditions d'obscurité constante, mais selon son propre cycle, qui dure environ 24 heures et 21 minutes. Exposée aux repères externes (lumineux), l'horloge fonctionne selon un rythme de 24 heures.

Le cerveau

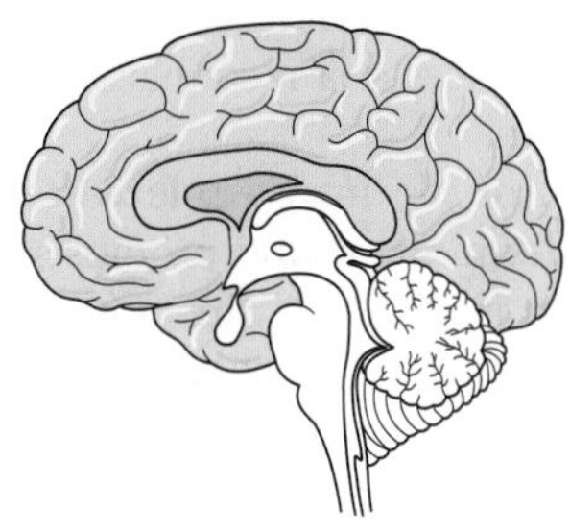

Le cerveau se forme à partir du télencéphale embryonnaire (une excroissance du prosencéphale), qui s'est développé dès le début de l'évolution des Vertébrés et constitue une région axée sur la perception olfactive et l'intégration auditive et visuelle. Le cerveau est divisé en deux **hémisphères cérébraux** : l'hémisphère droit et l'hémisphère gauche, qui comprennent chacun une couche de substance grise à l'extérieur, le cortex cérébral, de la substance blanche à l'intérieur et un regroupement de **noyaux basaux** situés profondément dans la substance blanche **(figure 48.26)**. Les noyaux basaux sont d'importants centres de planification et d'apprentissage des mouvements en séquences. Les lésions causées à cette région peuvent empêcher les commandes motrices de parvenir aux muscles, de sorte que le sujet devient passif et immobile.

Chez les humains, le cortex cérébral est la partie la plus étendue et la plus complexe de l'encéphale. C'est là que l'information sensorielle est analysée, que les commandes motrices sont données et que le langage est produit. Le cortex cérébral s'est énormément développé lorsque les ancêtres des Mammifères ont divergé des Reptiles. Caractéristique très importante, chez les Mammifères, le cortex cérébral présente une région appelée **néocortex** (ou *isocortex*). Le néocortex, qui forme la couche extérieure du cerveau, est constitué de six couches parallèles de neurones qui s'étendent à la périphérie de l'encéphale. Si le néocortex d'un rat est relativement lisse, celui de l'humain comporte de nombreux gyrus (ou circonvolutions) (voir la figure 48.26). Grâce à ces derniers, le néocortex peut tenir dans le crâne malgré l'importance de son aire : chez l'humain, il mesure moins de 5 mm d'épaisseur, mais a une aire totale d'environ 0,5 m^2 et compte

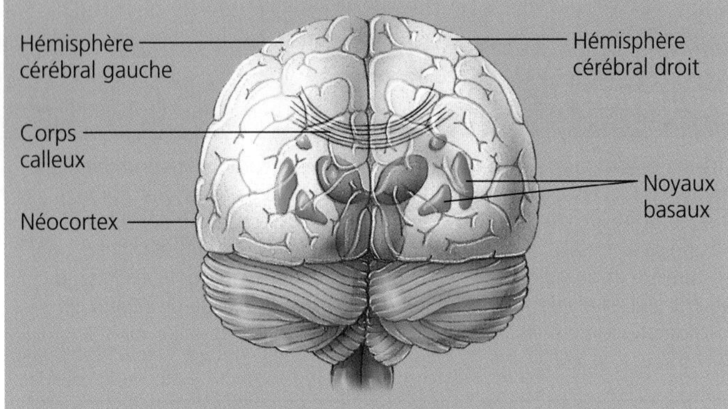

▲ **Figure 48.26 Vue de l'arrière du cerveau humain.** Le corps calleux et les noyaux basaux sont invisibles en surface, car ils sont complètement recouverts par les hémisphères cérébraux droit et gauche.

pour environ 80 % de la masse totale de l'encéphale. Les Primates autres que les humains et les Cétacés (baleines et dauphins, par exemple) ont aussi des néocortex très étendus présentant de nombreux gyrus. En fait, les dauphins se situent juste après les humains pour ce qui est du rapport entre la surface du néocortex et la masse corporelle.

Comme le reste du cerveau, le cortex cérébral se divise en deux hémisphères droit et gauche commandant chacun à la région opposée du corps. L'hémisphère gauche reçoit l'information du côté droit du corps et commande les mouvements de ce même côté. C'est l'inverse pour l'hémisphère droit. Une épaisse bande d'axones constitue le **corps calleux**, qui établit la communication entre les hémisphères droit et gauche (voir la figure 48.26).

Lorsque, dès le début du développement, une région du cerveau est endommagée, ses fonctions normales sont souvent réorientées vers d'autres régions. L'exemple le plus frappant de ce phénomène est sans doute ce qui arrive après l'ablation totale d'un hémisphère cérébral chez les bébés qui souffrent d'épilepsie grave. Étonnamment, l'hémisphère restant finit par se charger de la plupart des fonctions normalement assurées par les deux hémisphères. Même chez les adultes, une lésion à une région du cortex cérébral peut déclencher la formation ou l'utilisation de nouveaux circuits cérébraux, ce qui, dans certains cas, conduit au rétablissement des fonctions.

Retour sur le concept 48.5

1. Quelle division de votre système nerveux autonome serait la plus susceptible d'être activée si, en arrivant en classe, vous appreniez que vous devez passer ce jour même un examen auquel vous avez oublié de vous préparer? Expliquez votre réponse.
2. Énumérez au moins trois fonctions du bulbe rachidien.
3. Comparez les rôles de la formation réticulaire et du thalamus en ce qui concerne la transmission de l'information sensorielle au cerveau.

Voir les réponses proposées à la fin du chapitre.

Concept 48.6

Le cortex cérébral contrôle les mouvements volontaires et les fonctions cognitives

Dans chacun des hémisphères, le cortex cérébral est divisé en cinq lobes: le lobe frontal, le lobe temporal, le lobe occipital, le lobe pariétal et le lobe insulaire. Chacun d'eux comprend à son tour diverses aires fonctionnelles **(figure 48.27)**, dont des *aires sensitives primaires*, qui reçoivent et traitent chacune un type particulier d'information sensorielle, et des *aires associatives*, qui intègrent l'information provenant d'autres parties de l'encéphale.

La forte augmentation de la taille du néocortex survenue au cours de l'évolution des Mammifères est principalement attribuable à l'expansion des aires associatives, qui intègrent les fonctions cognitives supérieures et permettent des comportements et des apprentissages plus complexes. Le néocortex du rat contient surtout des aires sensitives primaires, alors que celui de l'humain est en grande partie constitué d'aires associatives.

Le traitement de l'information dans le cortex cérébral

La plupart de l'information sensorielle que reçoit le cortex cérébral est dirigée, par l'intermédiaire du thalamus, vers les aires sensitives primaires des lobes: l'information visuelle est acheminée vers les aires sensitives primaires du lobe occipital; l'information auditive, vers celles du lobe temporal; et l'information somesthésique (toucher, douleur, pression, température et position des muscles et des membres), vers celles du lobe pariétal (voir la figure 48.27). L'information relative au goût est transmise à une autre aire sensitive du lobe pariétal. L'information olfactive est quant à elle d'abord envoyée à des aires « primitives » du cortex cérébral (l'expression *aires primitives* désigne ici les régions cérébrales qui sont semblables chez les Mammifères et chez les Reptiles), puis, passant par le thalamus, elle se rend dans une région intérieure du lobe frontal.

Les aires sensitives primaires transmettent l'information aux aires associatives adjacentes, qui peuvent traiter des éléments particuliers des stimulus sensoriels reçus. Dans le cortex visuel primaire, par exemple, certains neurones sont sensibles aux bandes lumineuses qui présentent une certaine épaisseur et une certaine orientation. L'information relative à ces caractéristiques est intégrée dans les aires associatives affectées à la reconnaissance d'images complexes, comme les visages.

S'appuyant sur l'information sensorielle intégrée, le cortex cérébral peut émettre des commandes motrices qui produisent des comportements précis: bouger un membre ou dire bonjour, par exemple. Ces commandes sont des potentiels d'action produits par les neurones dans l'aire motrice primaire, qui se situe à l'arrière du lobe frontal, près de l'aire somesthésique primaire (voir la figure 48.27). Les potentiels d'action se propagent le long des axones jusqu'au tronc cérébral et à la moelle épinière, où ils excitent des neurones moteurs, qui à leur tour stimulent les cellules des muscles squelettiques.

Dans les aires somesthésiques et motrices primaires, les neurones sont ordonnés en fonction de la partie du corps qui leur transmet les stimulus sensoriels ou reçoit d'eux les commandes motrices **(figure 48.28)**. Ainsi, les neurones qui traitent l'information

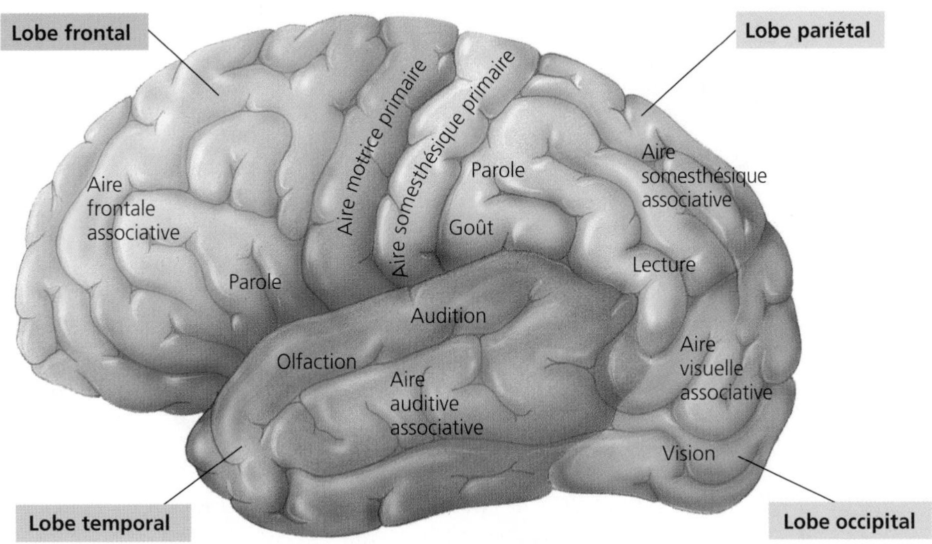

▲ **Figure 48.27 Cortex cérébral humain.** Chaque hémisphère du cortex cérébral est divisé en cinq lobes, et chaque lobe est spécialisé dans certaines fonctions. Certaines des aires associatives de l'hémisphère cérébral gauche remplissent des fonctions différentes de celles de l'hémisphère cérébral droit. Le schéma ne montre pas le cinquième lobe, le lobe insulaire, qui est situé dans le sillon latéral séparant les lobes temporal et pariétal et qui joue un rôle dans l'équilibre, notamment (conscience de la position de la tête dans l'espace).

sensorielle provenant des jambes et des pieds sont situés dans la région du cortex somesthésique la plus près de la ligne médiane. Ceux qui commandent les muscles des jambes et des pieds se trouvent, quant à eux, dans la région correspondante de l'aire motrice. Dans la figure 48.28, notez que la portion du cortex consacrée à chaque partie du corps n'est pas en rapport avec la taille de cette partie, mais plutôt avec le nombre de neurones sensitifs qui l'innervent (pour l'aire somesthésique) ou avec l'importance des capacités nécessaires pour en commander les muscles (pour l'aire motrice). Par conséquent, la portion consacrée au visage et aux mains est beaucoup plus importante que celle qui est dévolue au tronc; de même, il y a beaucoup plus de surface corticale allouée aux mouvements des doigts qu'aux mouvements des orteils.

La latéralisation des fonctions corticales

Au cours du développement cérébral qui a lieu après la naissance, les fonctions concurrentes du cortex de chaque hémisphère cérébral se distinguent les unes des autres et se supplantent: c'est ce qu'on appelle la **latéralisation** des fonctions. L'hémisphère gauche se spécialise ainsi dans le langage, le calcul, les opérations logiques et le traitement de séries d'information. Il a des capacités particulières pour les activités de précision qui doivent être exécutées rapidement et sont nécessaires à la commande des mouvements squelettiques et au traitement de détails visuels et auditifs. L'hémisphère droit, quant à lui, se spécialise plutôt dans la reconnaissance des visages et du contenu émotionnel des expressions corporelles, dans la perception des formes et de l'espace, dans la production du contenu émotionnel du langage et dans le traitement simultané de divers types d'information. Il est particulièrement sollicité dans la sensibilité musicale et artistique en général. Alors que l'hémisphère droit se spécialise dans la perception des relations entre les images et le contexte dans lequel elles se présentent, l'hémisphère gauche semble plutôt se concentrer sur la perception spécifique. Lorsqu'ils accomplissent un travail manuel, la plupart des droitiers utilisent la main gauche (commandée par l'hémisphère droit) pour le contexte ou la mise en place, et la main droite (commandée par l'hémisphère gauche) pour les mouvements précis.

Les deux hémisphères collaborent normalement de façon harmonieuse, échangeant de l'information par l'intermédiaire des fibres du corps calleux. L'observation des patients épileptiques dont on a sectionné le corps calleux en vue de faire échec à leurs crises révèle l'importance de ces échanges. Lorsqu'elles voient un mot familier dans leur champ de vision gauche, ces personnes au « cerveau dédoublé » ne peuvent le lire parce que l'information sensorielle qui se propage du champ de vision gauche à l'hémisphère droit ne peut atteindre les centres du langage dans l'hémisphère gauche. Chez elles, chaque hémisphère fonctionne indépendamment de l'autre.

Le langage et la parole

Le début de la cartographie systématique et détaillée des fonctions cognitives supérieures, associées à des aires spécifiques du cerveau, date du XIXe siècle. Des médecins ont alors appris que des lésions à certaines parties du cortex causées par des blessures, des accidents vasculaires cérébraux (AVC) ou des tumeurs pouvaient entraîner des modifications comportementales caractéristiques. Le médecin français Pierre Broca (1824-1880) a procédé à des autopsies pour examiner le cerveau de patients qui comprenaient le langage mais ne pouvaient pas s'exprimer. Il a découvert que bon nombre d'entre eux présentaient des lésions dans une petite région du lobe frontal gauche. Cette région, aujourd'hui appelée *aire de Broca*, est située à l'avant de la partie de l'aire motrice primaire qui commande les muscles du visage. Le médecin allemand d'origine polonaise Karl Wernicke (1848-1905) a lui aussi procédé à des autopsies à la suite desquelles il a découvert que les lésions touchant la partie postérieure du lobe temporal, aujourd'hui appelée *aire de Wernicke*, pouvaient faire disparaître la capacité de comprendre le langage tout en conservant intacte la capacité de s'exprimer par la parole. Plus d'un siècle plus tard, des études portant sur l'activité cérébrale réalisées à l'aide de l'imagerie par résonance magnétique fonctionnelle (IRMF) et de la tomographie par émission de positrons (TEP; voir le chapitre 2) ont confirmé que l'aire de Broca est active pendant la production de la parole (**figure 48.29**, image inférieure gauche), et l'aire de Wernicke, pendant l'audition de la parole (figure 48.29, image supérieure gauche).

L'aire de Broca et l'aire de Wernicke font partie d'un réseau beaucoup plus étendu de régions cérébrales associées au langage. La lecture silencieuse d'un mot imprimé active l'aire visuelle (figure 48.29, image supérieure droite), tandis que sa lecture à haute voix active à la fois l'aire visuelle et l'aire de Broca. Les aires frontale et temporale s'activent quant à elles lorsque le sujet doit attacher un sens à des mots, comme trouver des verbes pour accompagner des noms ou grouper des mots ou des concepts connexes (figure 48.29, image inférieure droite).

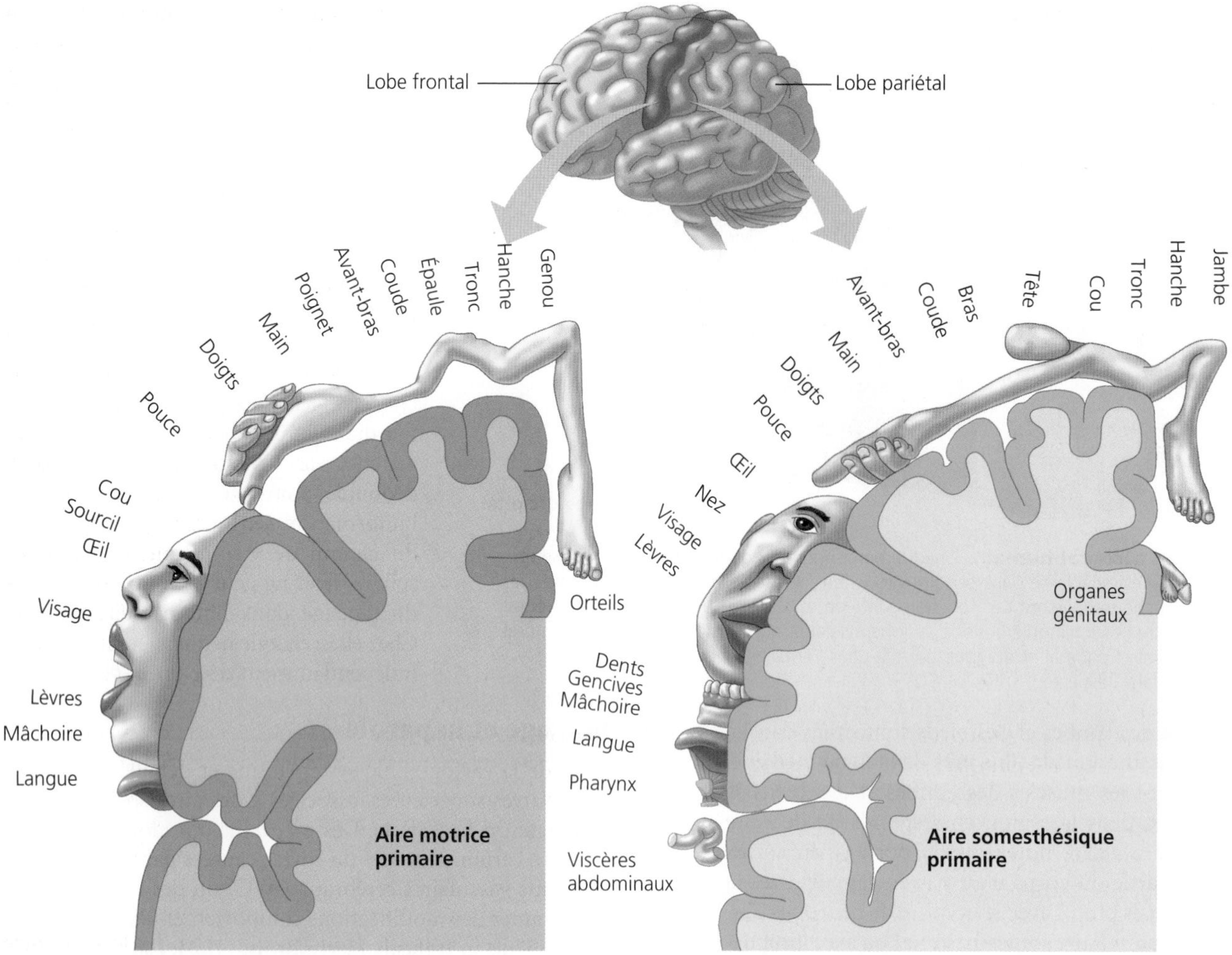

▲ **Figure 48.28 Représentation des parties du corps correspondant aux aires motrices et somesthésiques primaires du cortex cérébral.** La portion de cortex cérébral qui est consacrée à chacune des parties du corps est associée à la représentation graphique de cette même partie.

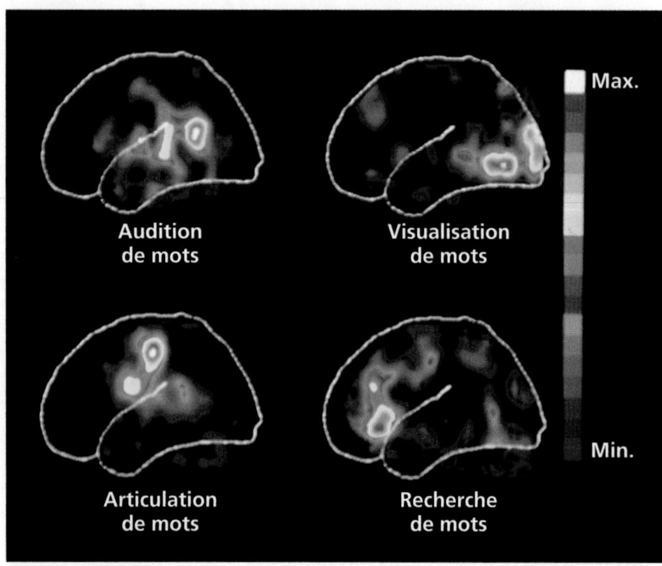

▲ **Figure 48.29 Cartographie des aires associées au langage dans le cortex cérébral.** Ces images obtenues grâce à la tomographie par émission de positrons (TEP) montrent les niveaux d'activité cérébrale d'une personne au cours de quatre activités, toutes associées au langage.

Les émotions

Les émotions sont le résultat d'une complexe interaction entre de nombreuses régions de l'encéphale. Le **système limbique**, qui forme un anneau de structures autour du tronc cérébral, occupe une place importante parmi ces régions **(figure 48.30)**. Il englobe trois parties du cortex cérébral: le corps amygdaloïde, l'hippocampe et le bulbe olfactif, ainsi que certaines régions internes des lobes du cortex cérébral et certaines parties du thalamus et de l'hypothalamus. En interagissant avec les aires sensitives du néocortex et d'autres centres supérieurs, ces structures produisent les émotions primaires qui se manifestent dans des comportements comme les pleurs ou le rire. Mais le système limbique donne aussi des contenus émotionnels aux comportements primaires qui doivent assurer la survie (tels que l'alimentation, l'agression et la sexualité) et qui font intervenir les structures du tronc cérébral. En outre, il joue un rôle essentiel dans certains des comportements qui distinguent les Mammifères de la plupart des Reptiles et des Amphibiens, notamment dans les soins prolongés donnés aux bébés et les liens affectifs qui se créent entre les individus.

Les structures du système limbique se forment dès le début du développement embryonnaire. Plus tard, à l'apparition et pendant le développement des aires néocorticales, elles servent

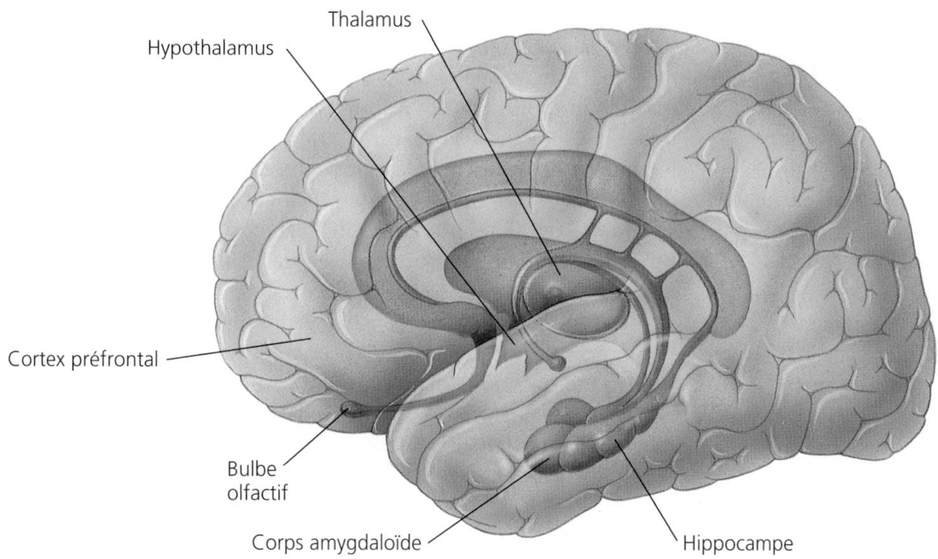

▲ **Figure 48.30 Système limbique.**

de base aux fonctions cognitives supérieures. L'humain possède dès sa naissance des circuits cérébraux qui servent à instaurer des liens avec un parent nourricier et protecteur, à reconnaître les principaux traits d'un visage, à communiquer visuellement et vocalement avec un parent, et à exprimer la peur, la peine et la colère. Ensuite commencent les processus d'apprentissage et de mémorisation qui permettent de conserver un historique des résultats positifs associés aux actions motrices et sensitives visant à obtenir réconfort, chaleur et nourriture. L'humain distingue très tôt le « bien » du « mal », par exemple, en constatant que la situation ou le comportement donne lieu à une expression de satisfaction ou de colère sur le visage ou dans la voix du parent. Le corps amygdaloïde, un noyau du lobe temporal (voir la figure 48.30), joue un rôle essentiel dans la reconnaissance du contenu émotionnel des expressions faciales et dans la conservation des souvenirs émotionnels.

La mémoire émotionnelle semble apparaître, au cours du développement, avant le système qui permet le rappel explicite d'événements, ce dernier exigeant la présence de l'hippocampe. Les adultes qui apprennent à éviter une situation désagréable comme la présentation d'une image toujours suivie d'un faible choc électrique se souviennent de l'image et ont une réaction d'alerte (mesurée par l'augmentation de la fréquence cardiaque ou par la sudation) si l'image leur est présentée de nouveau, même en l'absence de choc électrique. Certains adultes ayant subi une lésion à l'hippocampe rapportent qu'ils ne se souviennent pas de l'image. Cependant, il y a toujours chez eux une réaction d'alerte produite par le système nerveux autonome et déclenchée par le corps amygdaloïde. C'est que la mémoire émotionnelle véhiculée par cette structure reste intacte. Inversement, des patients ayant subi des lésions au corps amygdaloïde uniquement ne présentent pas la réaction d'alerte, mais se souviennent de l'image. C'est qu'ici l'hippocampe, qui participe à la mémoire explicite, est toujours fonctionnel.

Au fur et à mesure que les enfants grandissent, les émotions primaires comme le plaisir et la peur sont associées à différentes situations, par un processus qui fait appel à certaines parties du néocortex, en particulier la partie située directement à l'avant des lobes frontaux, le cortex préfrontal. Le cas remarquable de Phineas Gage révèle l'importance capitale de l'apprentissage émotionnel. En 1848, Gage, 25 ans, travaillait à la construction d'une voie ferrée, au Vermont, lorsque, à la suite d'une explosion de dynamite, une tige de métal de 1 m de longueur et pesant 6 kg lui a transpercé le crâne. La tige, entrée juste sous l'œil gauche, ressortit par le dessus de la tête pour retomber une vingtaine de mètres plus loin, après lui avoir traversé les lobes frontaux. Contre toute attente, Gage s'est rétabli ; il a même survécu durant 12 ans, mais sa personnalité s'était radicalement transformée. Lui qui était un contremaître compétent, sage et équilibré, est devenu impatient, grossier, indécis et capricieux. À la fin des années 1990, des neuroscientifiques ont étudié le crâne de Gage et ont déterminé que la tige avait détruit des parties du lobe frontal (dans les deux hémisphères) qui interviennent dans les processus émotionnels. Aujourd'hui, les patients chez qui on diagnostique des tumeurs ou des lésions dans ces régions souffrent parfois de la même combinaison de symptômes. Leurs capacités intellectuelles et leur mémoire semblent intactes, mais la motivation, la prévision, l'établissement d'objectifs et la prise de décision sont perturbés. De plus, leur capacité de sentir et d'exprimer des émotions est réduite.

Auparavant, pour traiter les troubles émotionnels graves, on pratiquait la lobotomie frontale, qui perturbe le lien entre les lobes frontaux et le système limbique. Mais les patients lobotomisés non seulement devenaient très dociles, mais aussi perdaient leur capacité à se concentrer, à faire des projets et à travailler pour réaliser des objectifs. C'est pourquoi on a maintenant recours à la pharmacothérapie pour traiter ce genre de patients très malades.

La mémoire et l'apprentissage

Sans nécessairement en être conscients, nous effectuons sans cesse des comparaisons entre les événements présents, immédiats, et ceux qui se sont produits quelques instants avant seulement. Nous conservons l'information, les attentes et les objectifs durant un certain temps, dans la **mémoire à court terme**, située dans les lobes frontaux. Puis nous cessons de les conserver quand ils sont devenus inutiles. Si nous voulons retenir un visage ou un numéro de téléphone, nous activons les mécanismes de la **mémoire à long terme** par un processus faisant intervenir l'hippocampe. Par la suite, si nous souhaitons nous souvenir du nom ou du numéro de téléphone, nous pouvons l'évoquer grâce à cette mémoire à long terme et le remettre dans la mémoire à court terme. Plusieurs facteurs favorisent le transfert d'information de la mémoire à court terme à la mémoire à long terme : la répétition (par exemple, quand on relit plusieurs fois le même texte), certains états émotifs créés par le corps amygdaloïde et l'association de nouvelles données avec de l'information déjà stockée dans la mémoire à long terme. Il est ainsi plus facile d'apprendre un nouveau jeu de cartes si on a déjà l'habitude de jouer aux cartes.

Plusieurs aires associatives sensitives et motrices du cortex cérébral, indépendamment des aires de Broca et de Wernicke, participent au stockage et à la récupération des mots et des images. Des études menées sur des patients ayant subi des lésions cérébrales et des études d'imagerie menées sur des patients ayant un cerveau normal permettent notamment de constater que la reconnaissance de personnes données est associée à la partie antérieure du lobe temporal gauche, la reconnaissance d'Animaux à la partie inférieure moyenne de ce lobe, et la reconnaissance des outils à la partie postérieure et inférieure de ce lobe.

La mémorisation des numéros de téléphone, des faits et des endroits (qui peut se faire très rapidement et n'exiger qu'une exposition à l'élément en question) pourrait dépendre de changements rapides dans la stimulation des connexions nerveuses existantes. En revanche, le mode d'apprentissage lent et le rappel de compétences et de méthodes (par exemple quand une personne essaie d'améliorer ses coups au tennis) semblent faire intervenir des mécanismes cellulaires très semblables à ceux qui sont associés à la croissance et au développement du cerveau. Les neurones mettent alors en place de nouvelles connexions.

Les activités motrices telles que marcher, nouer ses lacets, monter à bicyclette ou écrire sont en général apprises par la répétition. On peut ensuite les exécuter sans faire un effort conscient pour se rappeler les étapes précises à suivre. Une fois qu'on a appris à faire quelque chose, il est difficile de l'oublier. Ainsi, le joueur de tennis qui frappe la balle au revers depuis des années d'un coup malhabile aura beaucoup plus de difficulté à apprendre le coup correct qu'un débutant qui commence juste son apprentissage du jeu. Les habitudes, bonnes ou mauvaises, sont difficiles à perdre. La démarche, les gestes et l'accent sont des caractéristiques individuelles que nous remarquons beaucoup chez les personnes avec lesquelles nous interagissons.

Les mécanismes cellulaires de l'apprentissage

Eric Kandel, lauréat d'un prix Nobel en 2000, et ses collègues de la Columbia University ont étudié le fondement cellulaire de l'apprentissage chez un Animal possédant un système nerveux petit (environ 20 000 neurones seulement) et accessible aux expérimentateurs, le lièvre marin (*Aplysia californica*). Les chercheurs ont réussi à expliquer le mécanisme de formes d'apprentissage simples chez ce Mollusque en fonction de la variation de la force de la transmission synaptique entre des neurones sensitifs et des neurones moteurs particuliers. La **figure 48.31** décrit l'une de ces expériences qui ont aussi été réalisées, récemment, sur des neurones isolés (en culture).

Dans l'encéphale des Vertébrés, une forme d'apprentissage appelée **potentialisation à long terme** consiste en l'augmentation de la force de la transmission synaptique qui se produit lorsque les neurones présynaptiques créent une série de potentiels d'action brefs et répétés. Comme elle peut durer des jours ou des semaines, la potentialisation à long terme représente peut-être un processus fondamental de stockage des souvenirs ou d'apprentissage. On a étudié le mécanisme cellulaire de la potentialisation à long terme de façon très approfondie aux synapses de l'hippocampe, où les neurones présynaptiques libèrent le neurotransmetteur excitateur qu'est l'acide glutamique **(figure 48.32)**. Les neurones postsynaptiques possèdent deux types de récepteurs d'acide glutamique : les récepteurs AMPA et les récepteurs NMDA.

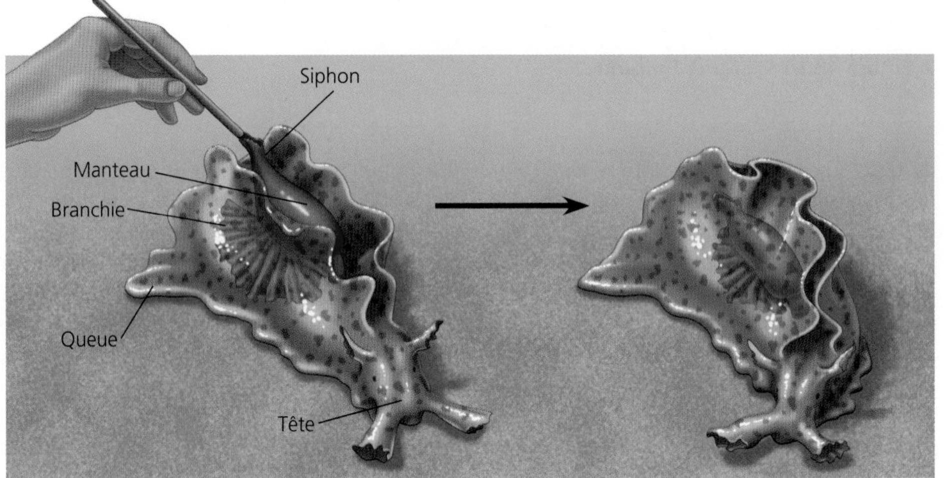

(a) En touchant le siphon, on déclenche un réflexe protecteur par lequel la branchie se rétracte. Si on frappe la queue juste avant de toucher le siphon, le réflexe de rétractation est plus fort. Cette intensification du réflexe est une forme d'apprentissage simple appelée *sensibilisation*. Celle-ci peut durer plusieurs jours si le stimulus (coup sur la queue) est répété plusieurs fois.

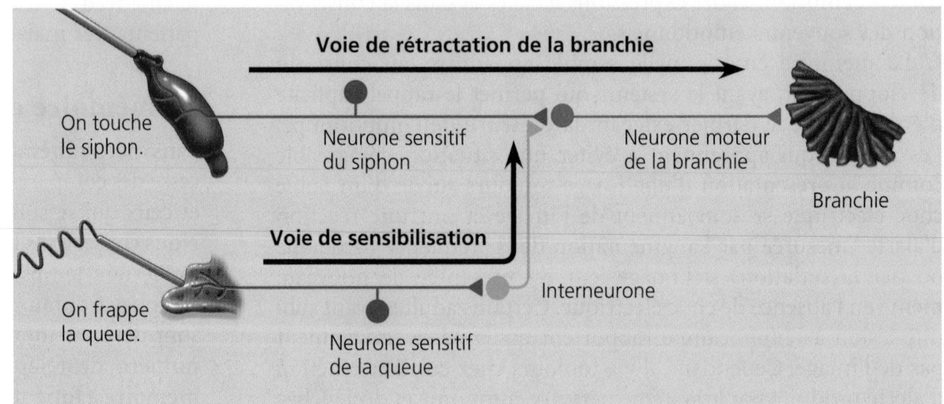

(b) La sensibilisation met à contribution des interneurones qui forment des synapses sur les *corpuscules nerveux terminaux* des neurones sensitifs du siphon. Lorsqu'on frappe la queue, les interneurones libèrent de la sérotonine, ce qui active une voie de transduction impliquant une protéine G, l'enzyme adénylate-cyclase et l'AMP cyclique (voir la figure 11.10), et qui a pour résultat la fermeture de canaux à K^+ dans les corpuscules nerveux terminaux des neurones sensitifs du siphon. Les potentiels d'action des neurones sensitifs du siphon produisent alors une dépolarisation prolongée des corpuscules terminaux, dans lesquels diffuse une quantité additionnelle de Ca^{2+}. Les corpuscules terminaux libèrent ensuite une quantité additionnelle de leur neurotransmetteur excitateur capté par les neurones moteurs de la branchie, par suite de quoi les neurones moteurs engendrent des potentiels d'action à une plus grande fréquence, ce qui produit une rétraction plus vigoureuse de la branchie.

▲ **Figure 48.31 Sensibilisation chez le lièvre marin (*Aplysia californica*).**

Les récepteurs AMPA appartiennent à des canaux ioniques chimiodépendants; lorsque l'acide glutamique se fixe à eux, le Na^+ et le K^+ traversent les canaux, et la membrane postsynaptique se dépolarise. Les récepteurs NMDA appartiennent pour leur part à la fois à des canaux chimiodépendants et à des canaux tensiodépendants: les canaux ne s'ouvrent que s'il y a fixation de l'acide glutamique *et* dépolarisation de la membrane. Comme l'explique la figure 48.32, la fixation de l'acide glutamique à ces deux types de récepteurs peut aboutir à une potentialisation à long terme en raison des changements qu'elle produit à la fois dans les neurones présynaptiques *et* dans les neurones postsynaptiques (la sensibilisation n'implique des changements que dans les neurones présynaptiques).

La conscience

Pendant longtemps, on a considéré que l'étude de la conscience humaine ne faisait pas partie des sciences pures. Ainsi, la philosophie et la religion étaient les seules branches de la connaissance humaine à s'y intéresser. Cela s'explique en partie par le fait que la conscience est à la fois vaste – elle englobe notre connaissance de nous-mêmes et de nos propres expériences – et subjective.

Au cours des récentes décennies, des neuroscientifiques ont commencé à étudier la conscience à l'aide de techniques d'imagerie cérébrale comme l'IRMF (voir la figure 48.1). On peut aujourd'hui comparer l'activité cérébrale de l'humain à divers états de conscience: par exemple, avant qu'une personne se rende compte qu'elle voit un objet et après qu'elle s'en est rendu compte. Grâce à ces techniques d'imagerie, on peut aussi comparer les traitements conscient et inconscient de l'information sensorielle. Ces études ne permettent pas de préciser l'emplacement d'un «centre de la conscience» dans l'encéphale; elles font plutôt apparaître de plus en plus nettement la corrélation qui existe entre l'activité neuronale et les expériences conscientes. Un nombre croissant de neuroscientifiques s'entendent pour dire que la conscience est une propriété cérébrale naissante (voir le chapitre 1) et qu'elle mobilise les activités de nombreuses aires du cortex cérébral. Plusieurs modèles proposent l'existence d'une sorte de «mécanisme de balayage» qui parcourt l'encéphale de façon répétitive, incorporant dans un moment unifié, conscient, une activité généralisée.

Quoi qu'il en soit, il faudra sans doute attendre le perfectionnement des techniques d'imagerie cérébrale avant qu'une théorie de la conscience bien étayée puisse être formulée. L'analyse des mécanismes dynamiques d'activité qui s'étendent à tout l'encéphale pourrait révéler que ces mécanismes n'ont pas davantage de lien direct avec les cellules nerveuses elles-mêmes que les ouragans avec les molécules d'eau qui les composent.

Retour sur le concept 48.6

1. En consultant la figure 48.28, quelle déduction pouvez-vous faire au sujet du nombre relatif de neurones sensitifs qui innervent la main et le cou? Expliquez votre réponse.
2. Si on demandait à un sujet dont le corps calleux a été sectionné de regarder la photo d'un visage connu, d'abord dans son champ de vision gauche puis dans son champ de vision droit, pourquoi aurait-il de la difficulté à associer un nom à ce visage, quel que soit le champ de vision utilisé?
3. L'aire de Broca et l'aire de Wernicke sont des aires cérébrales qui jouent un rôle important dans le langage. Quel rapport y a-t-il entre le rôle de chacune de ces aires et son emplacement dans le cortex cérébral?
4. Expliquez comment la fixation de l'acide glutamique aux récepteurs NMDA dans l'hippocampe présente des caractéristiques propres à la fois à la transmission synaptique directe et à la transmission synaptique indirecte.

Voir les réponses proposées à la fin du chapitre.

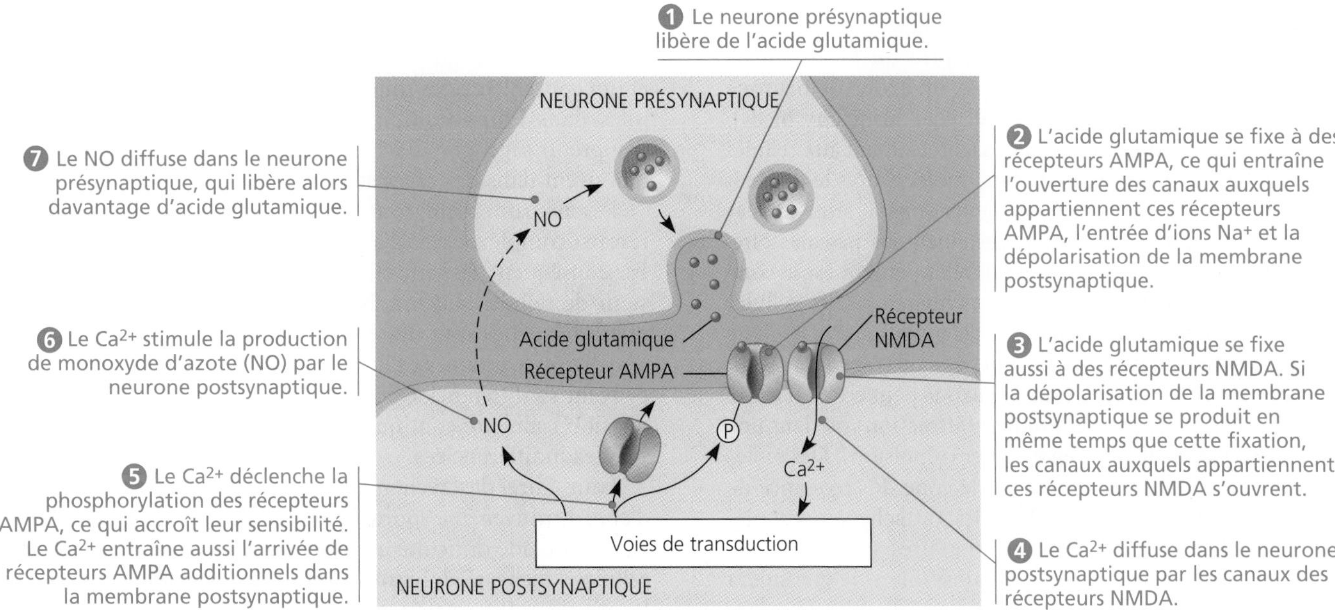

1 Le neurone présynaptique libère de l'acide glutamique.
NEURONE PRÉSYNAPTIQUE
7 Le NO diffuse dans le neurone présynaptique, qui libère alors davantage d'acide glutamique.
NO
2 L'acide glutamique se fixe à des récepteurs AMPA, ce qui entraîne l'ouverture des canaux auxquels appartiennent ces récepteurs AMPA, l'entrée d'ions Na+ et la dépolarisation de la membrane postsynaptique.
Récepteur NMDA
Acide glutamique
Récepteur AMPA
6 Le Ca2+ stimule la production de monoxyde d'azote (NO) par le neurone postsynaptique.
3 L'acide glutamique se fixe aussi à des récepteurs NMDA. Si la dépolarisation de la membrane postsynaptique se produit en même temps que cette fixation, les canaux auxquels appartiennent ces récepteurs NMDA s'ouvrent.
NO
P
Ca2+
5 Le Ca2+ déclenche la phosphorylation des récepteurs AMPA, ce qui accroît leur sensibilité. Le Ca2+ entraîne aussi l'arrivée de récepteurs AMPA additionnels dans la membrane postsynaptique.
Voies de transduction
NEURONE POSTSYNAPTIQUE
4 Le Ca2+ diffuse dans le neurone postsynaptique par les canaux des récepteurs NMDA.

▲ **Figure 48.32 Mécanisme de la potentialisation à long terme dans l'encéphale des Vertébrés.**

Concept 48.7

Les lésions et les maladies du système nerveux central font l'objet de nombreuses recherches

Contrairement au système nerveux périphérique, le système nerveux central mammalien ne peut se réparer quand il est endommagé ou touché par une maladie. L'encéphale humain peut établir de nouvelles connexions entre les neurones survivants et parfois compenser les lésions, comme le prouvent les guérisons remarquables de certaines victimes d'accidents vasculaires cérébraux (AVC). Mais, de manière générale, les blessures de la moelle épinière, les AVC, les lésions cérébrales et les maladies qui détruisent les neurones, comme la maladie de Parkinson et la maladie d'Alzheimer, ont des effets irréversibles. Les recherches actuelles sur la formation et le développement des neurones, et la découverte de cellules souches neuronales viennent augmenter nos connaissances fondamentales du système nerveux. Il sera donc peut-être un jour possible pour les neurochirurgiens de réparer ou de remplacer les neurones endommagés.

La formation et le développement des neurones

La question suivante fait partie des principales questions de la neurobiologie : comment les cellules d'un Animal en développement se différencient-elles pour donner naissance aux neurones qui migrent à l'emplacement voulu, produisent un axone pour établir des liens avec certaines régions et établissent des synapses avec les cellules cibles ? Les laboratoires de Corey Goodman (University of California, à Berkeley) et de Marc Tessier-Lavigne (University of California, à San Francisco) étudient la manière dont les neurones trouvent leur chemin pendant le développement du système nerveux central. Leurs travaux combinent des éléments de la communication intercellulaire (chapitre 11), de la régulation de l'expression des gènes (chapitre 19) et de la génétique du développement embryonnaire (chapitre 21).

Pour parvenir à la cellule cible, l'axone doit s'allonger jusqu'à ce qu'il atteigne une longueur variant entre quelques micromètres et un mètre ou plus (par exemple, un axone de neurone de moelle épinière, chez l'humain, peut aller jusqu'aux pieds). L'axone en développement ne se rend pas directement aux cellules cibles. Au fil de son chemin, des indices moléculaires le dirigent et redirigent en une série de redressements qui se traduisent par un déplacement non linéaire, mais certainement pas aléatoire. L'extrémité dynamique de l'axone en développement est le **cône de croissance**. Les médiateurs chimiques libérés par les cellules cibles se fixent à des récepteurs situés sur la membrane plasmique du cône de croissance, déclenchant une voie de transduction du stimulus **(figure 48.33)**. La réaction de l'axone peut être de croître vers la source des médiateurs chimiques (attraction) ou dans une autre direction, de manière à s'en éloigner (répulsion). Des molécules d'adhérence cellulaire situées sur le cône de croissance de l'axone jouent aussi un rôle. En effet, elles s'attachent aux molécules d'adhérence cellulaire complémentaires (molécules de guidage) des cellules voisines, formant ainsi une voie que suivra l'axone en croissance. Enfin, le facteur de croissance des neurones diffusé par les astrocytes et des protéines de croissance produites par les neurones eux-mêmes participent au processus en provoquant la croissance des axones. L'axone en croissance exprime différents gènes à différents moments pendant son développement et subit l'influence des cellules voisines dont il s'éloigne. Ce processus complexe s'est maintenu au cours de millions d'années d'évolution, car les gènes, les produits géniques et le mécanisme visant à guider les axones se ressemblent beaucoup chez les Nématodes (*C. elegans*), les Insectes (*Drosophila*) et les Vertébrés où on l'a étudié.

Les recherches se poursuivent et visent à mieux comprendre ces mécanismes développementaux. Mais l'objectif ultime est toujours de réparer les lésions du SNC. En utilisant la combinaison appropriée d'agents attractifs et répulsifs, de protéines associées à la croissance et de facteurs de croissance, les chercheurs espèrent pouvoir amener les axones endommagés à croître à nouveau, en suivant le chemin voulu et en se connectant aux bonnes cibles.

Les cellules souches neuronales

Jusqu'en 1998, tous les chercheurs estimaient que l'humain naissait avec la totalité des neurones qu'il aurait durant toute sa vie. Toutefois, Fred Gage, du Salk Institute for Biological Studies, en Californie, et Peter Ericksson, de l'Hôpital universitaire de Sahlgrenska, en Suède, ont publié un article qui a fait sensation : l'encéphale humain *produit effectivement* de nouveaux neurones à l'âge adulte. Ericksson travaillait dans le laboratoire de Gage, où on injectait le marqueur chimique bromodéoxyuridine à des souris pour étiqueter l'ADN de cellules en division. À son retour en Suède, il a appris qu'un groupe de patients cancéreux en phase terminale recevaient de la bromodéoxyuridine dans le cadre d'une étude visant à faire le suivi de la croissance des tumeurs. Les patients ont accepté de donner leur encéphale pour autopsie après leur décès. Le chercheur a ainsi pu constater la présence de nouveaux neurones chez tous les patients **(figure 48.34)**. D'autres recherches auxquelles les mêmes auteurs ont participé et dont les résultats sont parus en 2006 n'ont cependant pu démontrer de façon évidente la génération de neurones à partir de cellules souches que durant les premiers mois de la vie, et non chez l'adulte.

Pour le moment, on ne sait pas exactement quelle est la fonction de ces nouvelles cellules dans l'encéphale. Mais on a constaté que les souris qui vivent dans des environnements stimulants et qui courent sur des roues d'exercice ont plus de nouvelles cellules dans l'hippocampe et sont meilleures, dans les tâches d'apprentissage, que des souris identiques sur le plan génétique qui vivent dans des cages standards.

Les neurones qui sont arrivés à maturité et forment des réseaux complexes avec d'autres cellules ne peuvent pas se diviser. Par conséquent, les nouvelles cellules de l'encéphale doivent provenir de cellules souches. Nous avons vu au chapitre 21 que les cellules souches sont des cellules indifférenciées qui continuent à se diviser. Certaines cellules filles, dans certaines circonstances, peuvent se différencier pour devenir des cellules spécialisées, la division cellulaire continuant à préserver un certain nombre de cellules indifférenciées.

Pour faire des recherches sur les cellules souches, il faut d'abord trouver une source humaine de cellules souches, ce qui représente une difficulté importante. Il est possible d'obtenir des cellules souches d'embryons issus de la fécondation *in vitro* (voir le chapitre 46), mais, comme il faut pour cela détruire ces embryons, divers enjeux éthiques et politiques viennent compliquer leur utilisation. Certains tissus de l'adulte, la moelle osseuse,

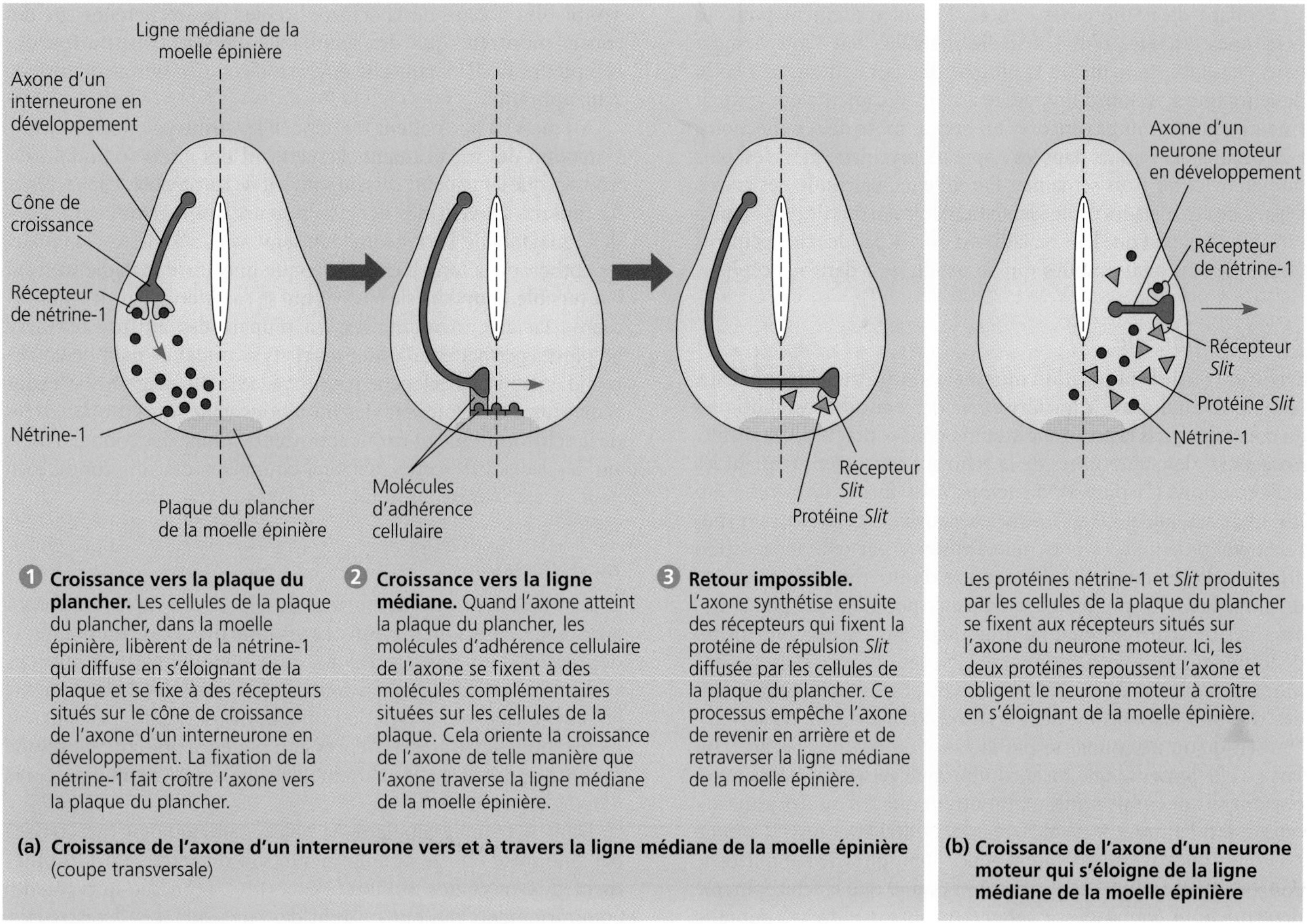

Ligne médiane de la moelle épinière

Axone d'un interneurone en développement

Cône de croissance

Récepteur de nétrine-1

Nétrine-1

Plaque du plancher de la moelle épinière

Molécules d'adhérence cellulaire

Récepteur *Slit*

Protéine *Slit*

Axone d'un neurone moteur en développement

Récepteur de nétrine-1

Récepteur *Slit*

Protéine *Slit*

Nétrine-1

❶ **Croissance vers la plaque du plancher.** Les cellules de la plaque du plancher, dans la moelle épinière, libèrent de la nétrine-1 qui diffuse en s'éloignant de la plaque et se fixe à des récepteurs situés sur le cône de croissance de l'axone d'un interneurone en développement. La fixation de la nétrine-1 fait croître l'axone vers la plaque du plancher.

❷ **Croissance vers la ligne médiane.** Quand l'axone atteint la plaque du plancher, les molécules d'adhérence cellulaire de l'axone se fixent à des molécules complémentaires situées sur les cellules de la plaque. Cela oriente la croissance de l'axone de telle manière que l'axone traverse la ligne médiane de la moelle épinière.

❸ **Retour impossible.** L'axone synthétise ensuite des récepteurs qui fixent la protéine de répulsion *Slit* diffusée par les cellules de la plaque du plancher. Ce processus empêche l'axone de revenir en arrière et de retraverser la ligne médiane de la moelle épinière.

(a) Croissance de l'axone d'un interneurone vers et à travers la ligne médiane de la moelle épinière (coupe transversale)

Les protéines nétrine-1 et *Slit* produites par les cellules de la plaque du plancher se fixent aux récepteurs situés sur l'axone du neurone moteur. Ici, les deux protéines repoussent l'axone et obligent le neurone moteur à croître en s'éloignant de la moelle épinière.

(b) Croissance de l'axone d'un neurone moteur qui s'éloigne de la ligne médiane de la moelle épinière

▲ **Figure 48.33 Médiateurs moléculaires dirigeant la croissance des axones en développement.**

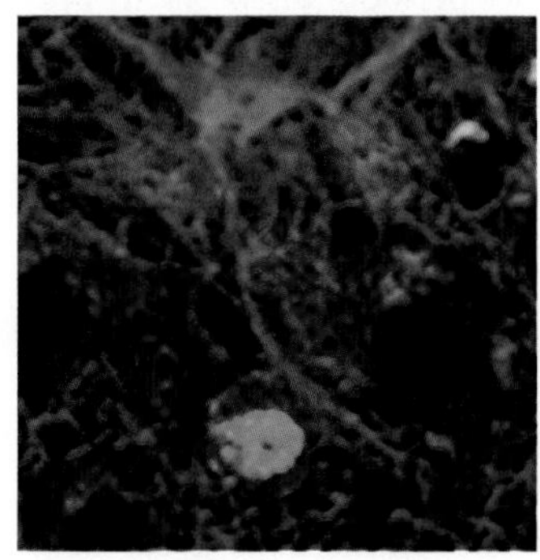

◄ **Figure 48.34 Nouveau neurone dans l'hippocampe d'un humain adulte.**

par exemple (voir la figure 42.16), possèdent aussi des cellules souches, qui cependant sont sans doute moins polyvalentes que celles de l'embryon.

En 2001, Gage et ses collègues ont annoncé qu'ils avaient mis en culture des cellules progénitrices neuronales qui venaient de l'encéphale de sujets venant tout juste de mourir et d'échantillons de tissus chirurgicaux vivants. Le terme *progénitrices* renvoie au fait que les cellules souches en question sont programmées pour devenir soit des neurones, soit des gliocytes. En laboratoire, les cellules progénitrices neuronales se sont divisées de 30 à 70 fois, puis se sont différenciées en neurones et en astrocytes. L'un des objectifs des recherches est d'amener les cellules progénitrices neuronales à se différencier pour devenir des gliocytes ou d'autres types précis de neurones, au moment et à l'endroit voulus. Il est aussi question de transplanter les cellules progénitrices neuronales dans des tissus neurologiques endommagés.

Les maladies et les troubles du système nerveux

Les maladies mentales, notamment la schizophrénie et la dépression, ainsi que les troubles neurologiques comme la maladie d'Alzheimer et la maladie de Parkinson ont des conséquences sociales extrêmement lourdes, non seulement parce que les personnes atteintes risquent de ne plus pouvoir mener une vie productive, mais aussi parce que les soins médicaux dont elles ont besoin coûtent très cher. Ces affections perturbent en outre gravement la vie des membres de la famille du malade. Or, des études sérieuses estiment que la prévalence de ces maladies est en augmentation partout dans le monde; le nombre de cas de démence sénile, notamment, doublerait tous les 20 ans pour atteindre 81 millions de personnes en 2040. On s'applique donc à trouver des moyens efficaces de traiter et de guérir ces maladies.

Pendant de nombreuses années, le seul traitement pour les personnes atteintes d'une maladie mentale était l'internement dans des établissements où la plupart demeuraient jusqu'à la fin de leurs jours. Aujourd'hui, grâce aux médicaments qui traitent (mais ne guérissent pas encore) un bon nombre de ces affections, la moyenne des séjours dans les hôpitaux psychiatriques n'est plus que de deux ou trois semaines. Par ailleurs, l'attitude des gens à l'égard de ces malades évolue lentement, car ils sont de plus en plus sensibilisés au fait que leur maladie est causée par des changements chimiques ou anatomiques qui se produisent dans l'encéphale.

La schizophrénie

Environ 1 % de la population mondiale souffre de **schizophrénie**, trouble mental grave caractérisé par des épisodes psychotiques au cours desquels la personne atteinte perd contact avec la réalité. En général, les symptômes de la schizophrénie comprennent les hallucinations (la plupart du temps sous forme de « voix » qui disent au malade qu'il est inutile et mauvais) et les délires (généralement paranoïdes), ainsi que l'absence partielle de réaction affective, la distractibilité, le manque d'initiative et la pauvreté du langage. Contrairement à la croyance populaire, les personnes atteintes de schizophrénie ne présentent pas nécessairement un dédoublement de la personnalité. Plusieurs formes de schizophrénie semblent exister, et on ne sait pas si elles représentent des troubles distincts ou des variations d'une même maladie.

Bien qu'on ne connaisse pas la cause de la schizophrénie, on sait qu'elle présente une forte composante génétique. Des études portant sur des vrais jumeaux montrent que si l'un des jumeaux est atteint, l'autre a 50 % de « chances » de l'être aussi. Comme les vrais jumeaux possèdent des gènes identiques, le fait que cette possibilité n'est pas de 100 % semble indiquer que la schizophrénie présente une composante exogène tout aussi forte, quoique inconnue. Maintenant que le séquençage du génome humain est réalisé, on s'applique énergiquement à découvrir les gènes mutants qui prédisposent à cette maladie. Ces recherches s'étendent au séquençage de l'ADN des membres des familles où les cas de schizophrénie sont nombreux. On croit que de multiples gènes sont en cause, car la transmission de la maladie ne se conforme pas au modèle mendélien, qui s'applique dans le cas de la mutation d'un gène unique.

Jusqu'ici, le traitement de la schizophrénie a surtout été axé sur les mécanismes cérébraux qui font intervenir la dopamine comme neurotransmetteur. Ce protocole s'appuie sur deux sources de données. Premièrement, l'amphétamine (*speed*), qui stimule la libération de la dopamine, peut provoquer des symptômes impossibles à distinguer de ceux de la schizophrénie. Deuxièmement, beaucoup des médicaments qui atténuent les symptômes de la maladie bloquent les récepteurs de dopamine, en particulier une sous-forme appelée *récepteur de* D_2. Toutefois, d'autres neurotransmetteurs peuvent aussi entrer en jeu, car des médicaments utilisés avec succès pour traiter la schizophrénie, les antipsychotiques atypiques, n'ont qu'un très faible effet bloquant sur le récepteur de D_2, mais ont des effets plus prononcés sur les récepteurs de sérotonine ou de noradrénaline, ou des deux. De plus, on a des raisons de croire que les récepteurs d'acide glutamique jouent un rôle dans la schizophrénie : la drogue illicite PCP (la phénylcyclidine, aussi appelée *angel dust*) bloque les récepteurs d'acide glutamique du type NMDA (mais non les récepteurs de dopamine) et provoque des symptômes marqués semblables à ceux de la schizophrénie. Des recherches sur des souris montrent que des anomalies dans la constitution des récepteurs NMDA peuvent être associées aux symptômes de la schizophrénie.

Même s'ils permettent d'atténuer les principaux symptômes, beaucoup des médicaments actuels ont des effets secondaires si néfastes que les patients cessent souvent de les prendre. Par exemple, ils causent souvent des déficits moteurs qui ressemblent à ceux de la maladie de Parkinson. Dans environ 25 % des cas, la pharmacothérapie à long terme provoque une autre maladie souvent irréversible, la dyskinésie tardive, qui se caractérise par des mouvements faciaux involontaires. La plupart des antipsychotiques atypiques permettent d'éviter ces effets secondaires, mais quelques-uns d'entre eux déclenchent une maladie du sang chez certains individus. La découverte des mutations génétiques responsables de la schizophrénie pourrait apporter de nouvelles connaissances sur les causes de cette maladie, connaissances qui conduiront peut-être à la mise au point de nouveaux traitements.

La dépression

On connaît deux grandes formes de dépression : le trouble bipolaire et la dépression majeure. Le **trouble bipolaire**, ou maniacodépression, est caractérisé par des changements d'humeur (alternance des états de surexcitation et des états d'abattement) et touche environ 1 % de la population mondiale. Par ailleurs, les personnes atteintes de **dépression majeure** présentent presque tout le temps un état d'abattement ; elles représentent à peu près 5 % de la population.

Dans le trouble bipolaire, la phase maniaque est caractérisée par une forte estime de soi, un surcroît d'énergie, un foisonnement d'idées et une volubilité excessive, de même que par des comportements qui ont souvent des conséquences désastreuses, comme la témérité, la promiscuité et les dépenses imprudentes. Dans les formes bénignes, cette phase est parfois associée à une grande créativité, et certains artistes, musiciens ou écrivains de renom (dont Keats, Tolstoï, Hemingway et Schumann, pour ne nommer que ceux-là) ont connu des périodes intensément productives au cours de leurs phases maniaques. La phase dépressive amène, quant à elle, une atténuation de la capacité de ressentir du plaisir, une perte d'intérêt, des perturbations du sommeil et une dévalorisation de soi. Certaines personnes atteintes tentent même de se suicider au cours de cette phase. Quoi qu'il en soit, certains patients préfèrent endurer la phase dépressive plutôt que de prendre des médicaments qui risquent de leur enlever la puissance créative de leur phase maniaque.

Le trouble bipolaire et la dépression majeure possèdent une composante génétique, car les vrais jumeaux ont environ 50 % de chances d'être tous deux atteints. Comme dans le cas de la schizophrénie, ce pourcentage signifie que la maladie présente aussi une forte composante exogène, et on a des raisons de croire que le stress, en particulier un stress intense subi pendant l'enfance, pourrait être un facteur important.

Il existe plusieurs traitements contre la dépression, dont certains ont été découverts accidentellement en raison des changements d'humeur que des médicaments ou des interventions destinés à traiter d'autres maladies, comme l'hypertension et la tuberculose, provoquaient comme effets secondaires. Beaucoup des médicaments qui combattent la dépression, dont le Prozac, augmentent l'activité des amines biogènes de l'encéphale. Les mécanismes de divers autres traitements, comme les électrochocs, l'administration de lithium et la thérapie par la parole, sont mal connus.

La maladie d'Alzheimer

La **maladie d'Alzheimer** (**MA**) consiste en une détérioration mentale, ou démence, caractérisée par la confusion, la perte de la mémoire et divers autres symptômes. Son incidence est liée à l'âge: elle s'élève à environ 10 % à 65 ans et à environ 35 % à 85 ans. C'est donc dire que, à cause de la médecine moderne, qui aide les humains à vivre plus longtemps, la proportion de personnes atteintes augmente dans la population. C'est une maladie progressive, dont les victimes deviennent de moins en moins aptes à fonctionner et finissent par ne plus être en mesure de s'habiller, de se laver et de s'alimenter par elles-mêmes. La personnalité subit des changements, presque toujours défavorables. Souvent, les patients ne sont plus capables de reconnaître les personnes, y compris les membres de leur famille immédiate, et peuvent manifester de la méfiance et de l'hostilité envers elles.

Actuellement, il est difficile de bien établir un diagnostic de MA chez une personne vivante, car cette maladie est une forme de démence parmi d'autres. Toutefois, la MA atteint l'encéphale d'une façon qui lui est propre: elle provoque la mort des neurones dans de vastes régions de l'encéphale, entraînant souvent un rétrécissement massif des tissus cérébraux. Ce rétrécissement peut être observé grâce aux techniques d'imagerie cérébrale mais ne suffit pas à reconnaître la MA avec certitude. Le diagnostic nécessite l'observation de deux éléments après le décès: la dégénérescence neurofibrillaire et la présence de plaques séniles dans le tissu cérébral restant **(figure 48.35)**. La dégénérescence neurofibrillaire résulte de la formation, à l'intérieur des neurones, d'écheveaux de filaments constitués d'une forme anormale de la protéine tau, qui joue un rôle dans le transport des substances et des organites dans l'axone. Les plaques séniles, elles, se forment à l'extérieur des neurones et sont des amas de β-amyloïde, un peptide insoluble qui est issu du clivage d'une protéine membranaire (nommée *APP*, pour *amyloïd precursor protein*) normalement présente dans les neurones. On ne connaît pas le rôle de la protéine APP. Des enzymes membranaires, appelées *secrétases*, catalysent le clivage, entraînant l'accumulation de la β-amyloïde à l'extérieur des neurones et la formation des plaques. Ces dernières semblent provoquer la mort des neurones voisins.

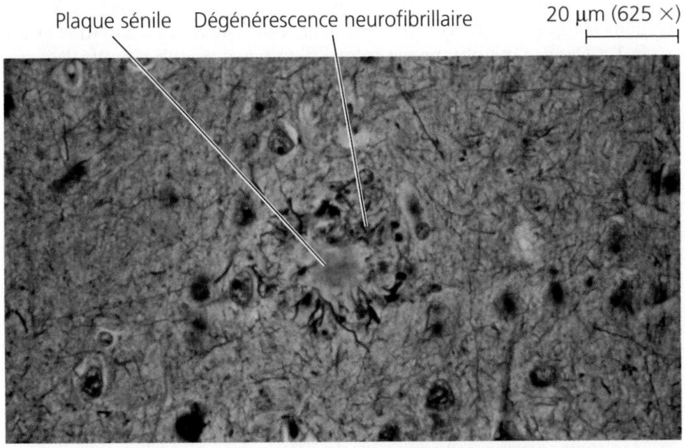

Des efforts considérables ont été consacrés à la mise au point d'un traitement contre la MA. En 2004, une équipe de chercheurs de la Northwestern University s'est servie du génie génétique pour éliminer une des secrétases dans une souche de souris sujette à la MA. Les souris transgéniques ont accumulé beaucoup moins de β-amyloïde et n'ont pas souffert des déficits de mémoire liés à l'âge typiques des individus appartenant à cette souche. Chez les humains, le succès du traitement pourrait reposer sur la détection précoce des plaques séniles, qui se forment habituellement avant l'apparition des symptômes de la maladie. Une substance chimique surnommée *composé B de Pittsburgh*, qui a été synthétisée par des scientifiques de la University of Pittsburgh en 2004, constitue peut-être un pas dans la bonne direction. Les scientifiques ont lié le composé B à un isotope radioactif de vie courte et ont utilisé un tomographe par émission de positrons pour suivre sa distribution dans l'encéphale de personnes atteintes de MA. Ils ont découvert que le composé B s'accumule sélectivement dans les régions cérébrales contenant d'importants dépôts de β-amyloïde. Le composé B pourrait permettre de vérifier l'efficacité des médicaments visant à réduire la vitesse de production de la β-amyloïde ou à décomposer les plaques séniles déjà formées. Plusieurs médicaments de ce genre font à l'heure actuelle l'objet d'essais cliniques. Parmi les autres voies prometteuses, il faut citer les inhibiteurs de la cholinestérase qui favorisent les transmissions synaptiques et la recherche de vaccins stimulant la production d'anticorps contre la β-amyloïde et les écheveaux fibrillaires. De plus, en 2006, des chercheurs ont trouvé une séquence de six gènes situés sur le chromosome 10 qui seraient fortement associés à la maladie d'Alzheimer.

Plaque sénile Dégénérescence neurofibrillaire 20 µm (625 ×)

▲ **Figure 48.35 Signes microscopiques de la maladie d'Alzheimer.** La MA se caractérise par la présence d'une dégénérescence neurofibrillaire dans les tissus cérébraux situés autour de plaques séniles composées de β-amyloïde (MP).

La maladie de Parkinson

Environ 25 000 personnes au Québec et 100 000 en France souffrent de la **maladie de Parkinson**, trouble moteur caractérisé par la difficulté à enclencher les mouvements, la lenteur des mouvements et la rigidité. Les personnes atteintes présentent souvent une expression faciale figée, des tremblements musculaires, un manque d'équilibre, une posture repliée et une démarche traînante. Comme la maladie d'Alzheimer, la maladie de Parkinson est une affection cérébrale progressive dont le risque augmente avec l'âge. L'incidence de la maladie de Parkinson est d'environ 1 % à 65 ans et d'environ 5 % à 85 ans.

Les symptômes de la maladie de Parkinson sont causés par la mort des neurones dans un noyau du mésencéphale appelé *substance noire*. Ces neurones libèrent normalement dans les noyaux gris centraux de la dopamine provenant de leurs corpuscules nerveux terminaux; ce neurotransmetteur joue en temps normal un rôle inhibiteur dans les voies motrices. La dégénérescence des neurones à dopamine est associée à l'accumulation d'agrégats de protéines contenant de l'α-synucléine, une protéine qu'on trouve habituellement dans les corpuscules nerveux terminaux présynaptiques.

Dans la plupart des cas, la maladie de Parkinson n'a pas de cause clairement discernable. Toutefois, les scientifiques qui étudient la maladie s'entendent pour dire qu'elle résulte d'une combinaison de facteurs exogènes et génétiques. Ainsi, certaines familles au sein desquelles la fréquence de la maladie augmente présentent une forme mutante du gène de l'α-synucléine. Selon une hypothèse, à la suite de changements dans la structure de la protéine, les neurones à dopamine de la substance noire deviendraient sensibles aux lésions cellulaires oxydatives. Des recherches, dont les résultats ont été publiés en 2006, ont montré que l'accumulation de l'α-synucléine dans les neurones à dopamine produit son effet néfaste en perturbant le transport des protéines entre le réticulum endoplasmique et l'appareil de Golgi de ces cellules.

La maladie de Parkinson est actuellement incurable, mais divers moyens sont employés pour faire échec à ses symptômes, notamment la chirurgie du cerveau, la stimulation cérébrale profonde et des médicaments comme la L-dopa, précurseur de la dopamine pouvant franchir la barrière hémato-encéphalique. Parmi les traitements possibles, citons l'implantation de neurones sécréteurs de dopamine soit dans la substance noire, soit dans les noyaux gris centraux. En effet, des cellules souches embryonnaires peuvent être stimulées ou génétiquement modifiées de façon à devenir des neurones à dopamine; or, la transplantation de ces cellules chez des rats atteints d'une maladie analogue à la maladie de Parkinson provoquée en laboratoire a conduit au rétablissement du contrôle moteur. Cette forme de traitement régénérateur donnera-t-il les mêmes résultats chez les humains? Des neurones fœtaux ont déjà été transplantés, en 2000, par une équipe française, chez des personnes atteintes de chorée de Huntington, maladie dégénérative du cerveau; deux ans plus tard, un certain progrès pouvait être observé dans la motricité de ces personnes, mais, en 2006, la maladie semblait avoir repris le dessus. Les transplantations de neurones embryonnaires demeurent toujours un domaine à explorer pour les chercheurs qui œuvrent dans le domaine de la technologie cérébrale de pointe.

Retour sur le concept 48.7

1. D'après la figure 48.33, quel serait l'effet probable d'une mutation empêchant la présence de récepteurs de nétrine-1 dans les interneurones de la moelle épinière? Quelle pourrait être la conséquence de l'absence de récepteurs *Slit* dans ces interneurones?
2. Quelles données indiquent que la schizophrénie, le trouble bipolaire et la dépression majeure possèdent une composante génétique et une composante exogène?
3. Il existe des ressemblances entre la maladie d'Alzheimer et la maladie de Parkinson. Nommez-en quelques-unes.

Voir les réponses proposées à la fin du chapitre.

Révision du chapitre 48

RÉSUMÉ DES CONCEPTS CLÉS

Concept 48.1

Les systèmes nerveux sont constitués de circuits de neurones et de cellules de soutien

- **L'organisation des systèmes nerveux (p. 1102).** Chez les Invertébrés, la diversité des systèmes nerveux s'étend des réseaux nerveux simples aux systèmes très centralisés comprenant un cerveau complexe et des cordons nerveux ventraux. Chez les Vertébrés, le système nerveux central (SNC) se compose de l'encéphale et de la moelle épinière, qui se trouve en position dorsale.
- **Le traitement de l'information (p. 1102-1103).** Les systèmes nerveux traitent l'information en trois étapes: la réception d'information sensorielle, l'intégration et l'émission de commandes motrices aux cellules effectrices. Le SNC intègre l'information tandis que les nerfs du système nerveux périphérique (SNP) transmettent les influx sensitifs et moteurs provenant du SNC au reste du corps. Le réflexe rotulien illustre ces trois étapes.
- **La structure du neurone (p. 1103-1104).** La plupart des neurones comportent des dendrites très ramifiées qui reçoivent des influx d'autres neurones ainsi qu'un axone unique qui transmet les influx à d'autres cellules, aux synapses. Les formes des neurones, qui sont très diverses, varient suivant leur mode de transmission et de réception de l'information.
- **Les gliocytes (cellules gliales ou cellules de soutien) (p. 1104-1105).** Les gliocytes remplissent diverses fonctions, qui consistent notamment à assurer un soutien structural aux neurones, à réguler les concentrations extracellulaires de certaines substances, à guider la migration des neurones en développement et à former autour de l'axone une gaine de myéline, qui agit comme isolant électrique.

Concept 48.2

Les pompes et les canaux ioniques maintiennent le potentiel de repos du neurone

- Toutes les cellules présentent entre les deux faces de leur membrane plasmique un potentiel électrique, ou tension, appelé *potentiel de membrane.* L'intérieur de la cellule a une charge négative par rapport à l'extérieur (**p. 1105-1106**).
- **Le potentiel de repos (p. 1106-1107).** Le potentiel de membrane est déterminé par les gradients ioniques qui existent de part et d'autre de la membrane plasmique. La concentration de Na^+ est plus élevée dans le liquide extracellulaire que dans le cytosol, et c'est l'inverse pour le K^+. Dans la membrane plasmique d'un neurone non stimulé, les canaux à K^+ ouverts sont plus nombreux que les canaux à Na^+ ouverts. La diffusion du K^+ et du Na^+ à travers ces canaux amène de part et d'autre de la membrane une différence de charge électrique qui crée le potentiel de repos.
- **Les canaux ioniques à ouverture contrôlée (p. 1107-1108).** Les canaux ioniques à ouverture contrôlée s'ouvrent et se ferment en réaction à la déformation mécanique de la membrane, à la liaison avec un ligand particulier ou à une variation du potentiel de membrane.

Concept 48.3

Les potentiels d'action sont les influx transmis par les axones

- Une augmentation de l'amplitude du potentiel de membrane représente une hyperpolarisation, et une diminution de l'amplitude du potentiel de membrane correspond à une dépolarisation. Les variations du potentiel de membrane déterminées par l'intensité du stimulus se nomment *potentiels d'action gradués* (**p. 1108**).

- **La production des potentiels d'action (p. 1108-1110).** Un potentiel d'action consiste en une dépolarisation brève, du type tout ou rien, de la membrane plasmique du neurone. Lorsqu'une dépolarisation graduée atteint le seuil d'excitation, de nombreux canaux à Na^+ tensiodépendants s'ouvrent, déclenchant un afflux de Na^+ qui amène rapidement le potentiel de membrane à une valeur positive. Le potentiel de membrane revient à sa valeur de repos normale grâce à l'inactivation des canaux à Na^+ et à l'ouverture de nombreux canaux à K^+ tensiodépendants, laquelle accélère la sortie du K^+. Le potentiel d'action est suivi d'une période réfractaire qui correspond à l'intervalle pendant lequel les canaux à Na^+ sont inactivés.
- **La propagation des potentiels d'action (p. 1110-1111).** Le potentiel d'action se propage du cône d'implantation aux corpuscules nerveux terminaux en se reproduisant le long de l'axone. Plus le diamètre de l'axone est grand, plus la propagation du potentiel d'action est rapide ; chez les Vertébrés, de nombreux axones sont myélinisés, ce qui accélère aussi la propagation des potentiels d'action. Dans un axone myélinisé, les potentiels d'action semblent sauter d'un nœud de Ranvier à l'autre : ce processus est appelé *conduction saltatoire*.

Concept 48.4

Les neurones communiquent avec d'autres cellules aux synapses

- Dans une synapse électrique, le courant électrique circule directement d'une cellule à l'autre via des jonctions ouvertes. Dans une synapse chimique, la dépolarisation d'un corpuscule nerveux terminal provoque la fusion des vésicules synaptiques avec la membrane plasmique du corpuscule et la diffusion du neurotransmetteur dans la fente synaptique **(p. 1111-1112).**
- **La transmission synaptique directe (p. 1112-1114).** En se fixant aux canaux ioniques chimiodépendants présents dans la membrane postsynaptique, le neurotransmetteur produit un potentiel postsynaptique excitateur ou inhibiteur (PPSE ou PPSI). Après sa libération, le neurotransmetteur s'échappe par la fente synaptique, est absorbé par les cellules avoisinantes ou décomposé par des enzymes. Le neurone possède de nombreuses synapses situées sur ses dendrites et sur son corps. La sommation temporelle et la sommation spatiale des PPSE et des PPSI au cône d'implantation de l'axone déterminent la production des potentiels d'action par le neurone.
- **La transmission synaptique indirecte (p. 1114).** La fixation du neurotransmetteur à certains récepteurs active des voies de transduction, qui produisent dans la cellule postsynaptique des effets qui apparaissent lentement, mais durent longtemps.
- **Les neurotransmetteurs (p. 1114-1116).** Un même neurotransmetteur peut produire différents effets sur différents types de cellules. Les principaux neurotransmetteurs connus sont l'acétylcholine, les amines biogènes (adrénaline, noradrénaline, dopamine et sérotonine), divers acides aminés et les neuropeptides, de même que des gaz, le monoxyde d'azote (NO) et le monoxyde de carbone (CO).

Concept 48.5

Le système nerveux des Vertébrés comporte des régions spécialisées

- **Le système nerveux périphérique (p. 1116-1117).** Le SNP se compose de paires de nerfs crâniens et de nerfs spinaux comportant des ganglions. Il comprend deux subdivisions fonctionnelles : le système nerveux somatique, qui transmet les influx reçus et envoyés par les muscles squelettiques, et le système nerveux autonome, qui régule les fonctions avant tout automatiques, végétatives, des tissus musculaires lisses et cardiaques. Le système nerveux autonome comprend lui-même trois subdivisions : le système nerveux sympathique et le système nerveux parasympathique, qui ont en général des effets antagonistes sur les organes cibles, et le système nerveux entérique, qui régule l'activité du tube digestif, du pancréas et de la vésicule biliaire.
- **Le développement embryonnaire de l'encéphale (p. 1117-1118).** L'encéphale des Vertébrés se développe à partir de trois régions embryonnaires : le prosencéphale, le mésencéphale et le rhombencéphale. Chez les humains, c'est la partie du prosencéphale qui donne naissance au cerveau qui connaît la croissance la plus importante.
- **Le tronc cérébral (p. 1118-1120).** Le bulbe rachidien, le pont et le mésencéphale forment le tronc cérébral, qui régule les fonctions homéostatiques, comme le rythme de la respiration, assure la transmission de l'information entre la moelle épinière et les centres d'intégration supérieurs, et contrôle l'éveil et le sommeil.
- **Le cervelet (p. 1120).** Le cervelet participe à la coordination des fonctions motrices, perceptuelles et cognitives. Il intervient aussi dans l'apprentissage et le rappel des habiletés motrices.
- **Le diencéphale (p. 1120-1121).** Le thalamus est le principal centre de relais de l'information sensitive qui arrive au cerveau et de l'information motrice qui en part. L'hypothalamus régule l'homéostasie, les comportements vitaux fondamentaux, tels que l'alimentation, le combat, la fuite et la reproduction, ainsi que les rythmes circadiens.
- **Le cerveau (p. 1121-1222).** Le cerveau se divise en deux hémisphères, chacun composé à l'extérieur du cortex cérébral, et à l'intérieur, de la substance blanche et des noyaux basaux, lesquels sont d'importants centres de planification et d'apprentissage des mouvements. Chez les Mammifères, le cortex cérébral présente une surface comportant des gyrus, le néocortex. Une épaisse bande d'axones, le corps calleux, établit la communication entre les hémisphères droit et gauche du cortex cérébral.

Concept 48.6

Le cortex cérébral contrôle les mouvements volontaires et les fonctions cognitives

- Chacun des hémisphères du cortex cérébral est divisé en cinq lobes : le lobe frontal, le lobe temporal, le lobe occipital, le lobe pariétal et le lobe insulaire. Chacun contient des aires sensitives primaires et des aires associatives **(p. 1122).**
- **Le traitement de l'information dans le cortex cérébral (p. 1122-1123).** Les aires sensitives primaires reçoivent des catégories particulières d'information sensorielle. Les aires associatives adjacentes traitent certains éléments des stimulus sensoriels reçus et intègrent l'information provenant de différentes aires sensitives. Dans les aires somesthésiques et motrices primaires, les neurones sont ordonnés en fonction de la partie du corps qui leur transmet les stimulus sensoriels ou reçoit d'eux les commandes motrices.
- **La latéralisation des fonctions corticales (p. 1123).** L'hémisphère gauche est normalement spécialisé dans le traitement rapide de séries d'information, lequel est essentiel au langage et aux opérations logiques. L'hémisphère droit se spécialise plutôt dans la reconnaissance des formes et du contenu émotionnel des expressions corporelles, de même que dans la production du contenu émotionnel du langage.
- **Le langage et la parole (p. 1123).** Certaines parties des lobes frontal et temporal, dont l'aire de Broca et l'aire de Wernicke, jouent un rôle essentiel dans la production et la compréhension du langage.
- **Les émotions (p. 1124-1125).** Le système limbique, qui forme un anneau de structures corticales et non corticales autour du tronc cérébral, produit les émotions et donne des contenus émotionnels aux comportements primaires qui doivent assurer la survie. L'association des émotions primaires à diverses situations au cours du développement de l'enfant fait appel à certaines parties du néocortex, en particulier le cortex préfrontal.
- **La mémoire et l'apprentissage (p. 1125-1127).** Les lobes frontaux, qui sont le siège de la mémoire à court terme, peuvent intervenir avec l'hippocampe et le corps amygdaloïde pour consolider la mémoire à long terme. Des expériences portant sur des Invertébrés et des Vertébrés ont révélé les mécanismes cellulaires de formes d'apprentissage simples, comme la sensibilisation et la potentialisation à long terme.
- **La conscience (p. 1127).** Les nouvelles techniques d'imagerie cérébrale semblent indiquer que la conscience est une propriété cérébrale naissante, car elle mobilise les activités de nombreuses aires du cortex cérébral.

Concept 48.7

Les lésions et les maladies du système nerveux central font l'objet de nombreuses recherches

- **La formation et le développement des neurones (p. 1128).** Des médiateurs moléculaires dirigent la croissance de l'axone en se fixant à des récepteurs de la membrane plasmique du cône de croissance. Les gènes et les mécanismes de base visant à guider les axones sont semblables chez les Invertébrés et les Vertébrés. Grâce à la compréhension de ces mécanismes, il sera peut-être possible un jour de stimuler une nouvelle croissance des axones à la suite d'une lésion du SNC.
- **Les cellules souches neuronales (p. 1128-1129).** L'encéphale humain contient des cellules souches qui peuvent se différencier pour devenir des neurones matures. Pour remplacer les neurones détruits à la suite d'un trauma ou d'une maladie, deux méthodes pourraient être employées: amener des cellules souches à se différencier ou transplanter des cellules souches de culture.
- **Les maladies et les troubles du système nerveux (p. 1129-1132).** La schizophrénie est caractérisée par des hallucinations, des délires, une absence partielle de réaction affective et d'autres symptômes. Les deux grandes formes de dépression sont le trouble bipolaire, caractérisé par l'alternance de phases maniaques (état de surexcitation) et de phases dépressives (état d'abattement), et la dépression majeure, qui provoque chez les personnes atteintes un état d'abattement persistant. La maladie d'Alzheimer est une forme de démence dont l'incidence est liée à l'âge; elle provoque dans l'encéphale une dégénérescence neurofibrillaire et la formation de plaques séniles. La maladie de Parkinson est un trouble moteur causé par la mort des neurones à dopamine dans la substance noire.

VÉRIFIEZ VOS CONNAISSANCES

Autoévaluation

(Les questions dont les numéros sont en caractères gras font surtout appel à la compréhension.)

1. Laquelle des associations suivantes est *incorrecte*?
   a) Axone: propagation de l'influx nerveux.
   b) Corps du neurone: siège de la plupart des organites.
   c) Corpuscules nerveux: transmission de l'influx nerveux.
   d) Cône de croissance: centre d'intégration du neurone.
   e) Dendrites: réception des potentiels d'action.

2. Parmi les événements suivants, lequel se produit quand un stimulus dépolarise la membrane plasmique du neurone?
   a) Il se produit une diffusion nette de Na^+ à l'extérieur de la cellule.
   b) Le potentiel d'équilibre pour le K^+ (E_K) devient plus positif.
   c) L'amplitude de la tension de la membrane du neurone est réduite.
   d) Le neurone devient moins susceptible de créer un potentiel d'action.
   e) La charge à l'intérieur de la cellule devient plus négative par rapport à l'extérieur.

3. Les potentiels d'action se propagent généralement dans une seule direction, le long d'un axone, parce que:
   a) les nœuds de Ranvier ne conduisent l'influx que dans une direction.
   b) la brève période réfractaire empêche l'ouverture des canaux tensiodépendants à Na^+.
   c) le cône d'implantation de l'axone a un potentiel membranaire plus élevé que celui des corpuscules nerveux terminaux de l'axone.
   d) les ions ne peuvent circuler le long de l'axone que dans une direction.
   e) les canaux tensiodépendants à Na^+ ou à K^+ ne s'ouvrent que dans une direction.

4. Laquelle des caractéristiques suivantes les potentiels d'action présentent-ils toujours?
   a) Ils provoquent l'hyperpolarisation puis la dépolarisation de la membrane.
   b) Ils peuvent être soumis à une sommation temporelle et à une sommation spatiale.
   c) Ils sont déclenchés par une dépolarisation qui atteint le seuil d'excitation.
   d) Ils circulent à la même vitesse le long de tous les axones.
   e) Ils résultent de la diffusion du Na^+ et du K^+ dans les canaux chimiodépendants.

5. La dépolarisation de la membrane présynaptique de l'axone provoque *directement*:
   a) l'ouverture, dans la membrane présynaptique, de canaux ioniques tensiodépendants à Ca^{2+}.
   b) la fusion des vésicules synaptiques et de la membrane présynaptique.
   c) un potentiel d'action dans la cellule postsynaptique.
   d) l'ouverture de canaux chimiodépendants qui permettent à des neurotransmetteurs de diffuser dans la fente synaptique.
   e) la présence de potentiels postsynaptiques excitateurs ou de potentiels postsynaptiques inhibiteurs dans la cellule postsynaptique.

6. Les récepteurs des neurotransmetteurs sont situés sur:
   a) la membrane nucléaire.
   b) les nœuds de Ranvier.
   c) la membrane postsynaptique.
   d) la membrane des vésicules synaptiques.
   e) la gaine de myéline.

7. La transmission synaptique prend fin lorsque:
   a) le neurotransmetteur se disperse par diffusion hors de la fente synaptique.
   b) le neurotransmetteur retourne dans un corpuscule terminal.
   c) le neurotransmetteur est dégradé par l'action d'une enzyme comme l'acétylcholinestérase.
   d) l'un ou l'autre des événements décrits en a), b) ou c) survient.
   e) lorsque le neurone postsynaptique émet un signal inhibiteur en direction du neurone présynaptique.

8. Laquelle des structures ou régions suivantes *n'est pas associée correctement* à sa fonction?
   a) Système limbique: contrôle moteur de la parole.
   b) Bulbe rachidien: centre de régulation homéostatique.
   c) Cervelet: coordination des mouvements et de l'équilibre.
   d) Corps calleux: communication entre les hémisphères gauche et droit.
   e) Hypothalamus: régulation de la température, de la faim et de la soif.

9. Qu'est-ce que le néocortex?
   a) Une région cérébrale primitive qu'ont en commun les Reptiles et les Mammifères.
   b) Une région située profondément dans le cortex et associée à la formation des souvenirs et aux émotions.
   c) Une partie centrale du cortex qui reçoit l'information olfactive.
   d) Des couches externes supplémentaires de neurones dans le cortex cérébral, qu'on trouve uniquement chez les Mammifères.
   e) L'aire associative du lobe frontal, qui participe aux fonctions cognitives supérieures.

10. Lequel, parmi les énoncés suivants se rapportant aux aires sensitives et associatives du cortex cérébral, est *faux*?
   a) Chez l'humain, les aires associatives occupent plus de surface sur le cortex que les aires sensitives primaires.
   b) Les aires associatives de l'hémisphère droit remplissent des fonctions différentes des aires associatives de l'hémisphère gauche.
   c) L'aire somesthésique primaire intègre les sensations venant de toutes les autres aires sensitives.
   d) Il y a des aires sensitives primaires dans chacun des lobes suivants du cortex cérébral: frontal, pariétal, temporal et occipital.
   e) Les aires sensitives primaires traitent de l'information particulière, tandis que les aires d'association sensitives intègrent des éléments d'information provenant de différentes régions de l'encéphale.

11. Parmi les énoncés suivants, lequel constitue la preuve que les circuits cérébraux de l'émotion se forment dès les premiers stades du développement de l'humain?
   a) Les humains ont plus de facilité à se souvenir des moments d'émotion de leur enfance que des événements.
   b) Les nourrissons comprennent le langage avant de savoir parler.

c) Les circuits cérébraux de l'émotion font intervenir des parties du cerveau qui sont apparues, au cours de l'évolution, avant le néocortex.
d) Les nourrissons peuvent s'attacher à un parent nourricier et protecteur, et exprimer la peur, la détresse et la colère.
e) Les sujets dont le corps amygdaloïde a été endommagé n'ont plus de réactions automatiques aux stimulus stressants.

12. Laquelle, parmi les étapes suivantes du mécanisme de potentialisation à long terme, est présente dans tous les types de synapses chimiques?
    a) Un message venant du neurone postsynaptique amène le neurone présynaptique à sécréter une plus grande quantité de neurotransmetteur.
    b) Le neurotransmetteur se lie à un récepteur qui ne fait pas partie d'un canal ionique.
    c) Le neurone présynaptique libère son neurotransmetteur dans la fente synaptique.
    d) Il y a transduction du stimulus dans le neurone postsynaptique.
    e) Le neurotransmetteur se lie à deux types de récepteurs.
13. Parmi les énoncés suivants, lequel décrit le mieux l'état des connaissances sur la croissance des axones vers les cellules cibles?
    a) Les axones croissent en suivant un chemin rectiligne, car ils sont attirés par des médiateurs chimiques libérés par les cellules cibles.
    b) Les cellules situées à proximité d'un axone en croissance libèrent des médiateurs chimiques qui attirent ou repoussent l'axone; l'interaction des molécules d'adhérence cellulaire du cône de croissance et des cellules voisines guide la croissance de l'axone dans une direction précise.
    c) Le facteur de croissance des neurones libéré par les astrocytes stimule les cellules progénitrices neuronales, qui se différencient en neurones; l'axone de ces neurones croît en suivant l'augmentation de la concentration de médiateurs chimiques.
    d) L'axone produit des protéines de croissance uniquement dans son cône d'implantation, ce qui l'amène à croître vers l'extérieur et à se diriger vers la cellule cible.
    e) Les gliocytes migrent vers une cellule cible et laissent une suite de molécules d'adhérence cellulaire le long de leur parcours, voie que le cône de croissance de l'axone utilise ensuite.
14. Parmi les maladies ou les troubles suivants, lequel est causé par la mort des neurones cérébraux qui libèrent de la dopamine?
    a) La schizophrénie.
    b) Le trouble bipolaire.
    c) La dépression majeure.
    d) La maladie d'Alzheimer.
    e) La maladie de Parkinson.

Lien avec l'évolution

Le potentiel d'action est une réaction du type tout ou rien. Cette communication déclenchée par un interrupteur (seuil d'excitation) constitue, du point de vue de l'évolution, une adaptation des Animaux, qui doivent percevoir l'environnement complexe dans lequel ils sont et réagir en conséquence. On pourrait imaginer un système nerveux dans lequel les potentiels d'action seraient gradués, leur amplitude étant fonction de l'intensité du stimulus. Quels avantages a un système nerveux dont les potentiels d'action suivent le principe du tout ou rien, par rapport à un système nerveux dont les potentiels d'action seraient gradués?

Intégration

1. En vous inspirant de ce que vous savez sur les potentiels d'action et les synapses, proposez deux ou trois hypothèses expliquant l'action antidouleur de divers analgésiques.
2. Chez l'être humain, le dimorphisme sexuel est généralement évident en ce qui concerne les caractères sexuels secondaires et les structures directement impliquées dans la reproduction, mais qu'en est-il des différences entre l'homme et la femme en ce qui a trait à l'encéphale? On a prétendu avoir trouvé des différences structurales au niveau du corps calleux; on a aussi émis l'idée que la latéralisation est moins grande chez la femme que chez l'homme. Mais, à part quelques différences mineures dans un noyau de l'aire préoptique de l'hypothalamus, les chercheurs n'ont trouvé, jusqu'à maintenant, aucune caractéristique anatomique qui distinguerait de façon incontestable l'encéphale féminin de l'encéphale masculin. Expliquez ce qui rend une telle étude difficile à mener et énumérez quelques-uns des principaux obstacles qui sont susceptibles d'être rencontrés dans cette recherche.

Science, technologie et société

1. En 2006, on a fêté les 50 ans de la recherche sur l'intelligence artificielle. Cette recherche a connu ses hauts et ses bas, mais elle a accouché d'un certain nombre de réalisations, comme le premier logiciel démonstrateur de théorèmes (Logic Theorist), les « systèmes experts » utilisés aujourd'hui dans plusieurs domaines et qui ramènent les compétences d'un spécialiste à des règles que la machine peut appliquer pour « raisonner », ainsi que des ordinateurs qui deviennent invincibles aux échecs, comme Blue Deeper (le successeur de Deep Blue) qui battit le champion du monde, Kasparov, en 1997. Un des projets les plus avancés dans cette recherche est le projet Cyc; depuis plus de 20 ans, on travaille à faire acquérir à la machine les notions de « gros bon sens » qui sont pourtant spontanément évidentes pour l'humain. Croyez-vous que l'intelligence et la faculté d'apprentissage de l'humain puissent un jour être assez finement décortiquées pour qu'on soit en mesure d'en insérer les multiples éléments dans un robot qui pourra les intégrer de manière à pouvoir penser et agir de façon intelligente?
2. L'alcool a des effets dépresseurs sur le système nerveux et nuit au jugement, tout en ralentissant les réflexes. La consommation d'alcool joue un rôle dans la plupart des accidents de voiture mortels. Quelles sont les autres conséquences de l'abus d'alcool dans la société? Comment réagissent les individus et les groupes sociaux par rapport à l'abus d'alcool? D'après vous, est-ce un problème plutôt social ou plutôt personnel? Trouvez-vous que nos réactions à l'abus d'alcool sont appropriées et proportionnelles à la gravité du problème?

Réponses du chapitre 48

Retour sur le concept 48.1

1. (a) Neurone sensitif → interneurone → neurone moteur. (b) L'interneurone.
2. Il pourrait recevoir de l'information mais non en transmettre, parce que l'axone communique les messages qui proviennent du corps du neurone.
3. Les axones de son SNC ne posséderaient pas de gaine de myéline.

Retour sur le concept 48.2

1. $E_X = 62\text{ mV} \log(10/100) = 62\text{ mV} (\log 0,1) = 62\text{ mV} \times -1 = -62\text{ mV}$
2. Une diminution de la perméabilité de la membrane au K^+, une augmentation de la perméabilité de la membrane au Na^+, ou les deux.
3. L'ouverture des canaux ioniques chimiodépendants est déclenchée par leur liaison avec une substance chimique déterminée, tandis que celle des canaux tensiodépendants l'est par la variation du potentiel de membrane.

Retour sur le concept 48.3

1. L'amplitude du potentiel gradué varie en fonction de l'intensité du stimulus, tandis que celle du potentiel d'action, qui est un processus du type tout ou rien, est indépendante de l'intensité du stimulus.

2. La fréquence maximale diminuerait.
3. c, a, b.

Retour sur le concept 48.4

1. La toxine affecterait davantage les synapses chimiques, car la libération de leur neurotransmetteur exige la diffusion de Ca^{2+} dans le corpuscule nerveux terminal.
2. Ces toxines prolongent les PPSE produits par l'acétylcholine.
3. Le neurotransmetteur peut se fixer à différents types de récepteurs, qui déclenchent chacun une réaction particulière dans les cellules postsynaptiques.

Retour sur le concept 48.5

1. Le système nerveux sympathique, qui est responsable de la réaction de lutte ou de fuite dans des situations stressantes.
2. Le bulbe rachidien assure notamment la régulation de la respiration, de l'activité cardiovasculaire, de la déglutition, du vomissement et de la digestion, ainsi que la coordination des mouvements corporels d'envergure, comme la marche.
3. Une partie de la formation réticulaire, le système réticulaire activateur ascendant, agit comme un filtre sensitif en sélectionnant l'information qui atteint le cortex cérébral. Le thalamus trie les données provenant de tous les organes sensoriels et les dirige vers les centres supérieurs appropriés, où leur traitement sera poursuivi.

Retour sur le concept 48.6

1. Les neurones sensitifs qui innervent la main sont plus nombreux que ceux qui innervent le cou. Cette conclusion repose sur le fait que la région du cortex consacrée à la main est plus grande que celle qui est consacrée au cou.
2. Chaque hémisphère cérébral est spécialisé dans différentes parties de cette tâche : l'hémisphère droit dans la reconnaissance des visages, et le gauche, dans le langage. Lorsque le corps calleux est sectionné, aucun des deux hémisphères ne peut profiter des capacités de traitement de l'autre.
3. L'aire de Broca, qui est active au cours de l'articulation des mots, est située près de la partie de l'aire motrice primaire qui commande les muscles du visage. L'aire de Wernicke, qui est active pendant l'audition des mots, est située près de la partie du lobe temporal associée à l'audition.
4. Transmission directe : le récepteur appartient à un canal ionique ; lorsque l'acide glutamique s'y fixe, du Ca^{2+} traverse le canal. Transmission indirecte : la diffusion de Ca^{2+} dans le canal active les voies de transduction qui produisent des changements durables.

Retour sur le concept 48.7

1. Sans récepteurs de nétrine-1, les axones des interneurones ne seraient pas attirés vers la plaque du plancher et se développeraient aléatoirement le long de la moelle épinière. Sans récepteurs *Slit*, les axones ne seraient pas repoussés par la plaque du plancher et retraverseraient la ligne médiane.
2. Dans les trois cas, les vrais jumeaux ont environ 50 % de « chances » d'être atteints tous les deux. La composante génétique et la composante exogène ont donc à peu près la même importance. De plus, on croit que le stress peut être un facteur exogène du trouble bipolaire et de la dépression majeure.
3. Ce sont deux maladies progressives dont le risque augmente avec l'âge. Elles sont causées par la mort de neurones dans l'encéphale et sont associées à l'accumulation d'agrégats de peptides ou de protéines.

Autoévaluation

1. d ; **2.** c ; **3.** b ; 4. c ; **5.** a ; 6. c ; 7. d ; 8. a ; 9. d ; 10. c ; **11.** d ; 12. c ; **13.** b ; 14. e.

49 Les mécanismes sensoriels et moteurs chez les Animaux

▲ **Figure 49.1 Chauve-souris se servant de son sonar pour repérer sa proie.**

Concepts clés

49.1 **Les récepteurs sensoriels convertissent l'énergie d'un stimulus en influx nerveux qu'ils transmettent au système nerveux central**

49.2 **Les mécanorécepteurs associés à l'audition et à l'équilibre détectent les particules qui se déposent et les liquides en mouvement**

49.3 **Les sens du goût et de l'odorat sont étroitement apparentés chez la plupart des Animaux**

49.4 **La vision est commandée par des mécanismes semblables dans tout le règne animal**

49.5 **Le squelette des Animaux assure soutien, protection et mouvement**

49.6 **Les muscles font bouger des parties du squelette en se contractant**

49.7 **La locomotion nécessite de l'énergie pour vaincre la friction et la gravitation**

Introduction

Sensations et réactions

Au crépuscule, une noctuelle mâle détecte, avec ses antennes, la phéromone sécrétée par une noctuelle femelle et apportée par le vent. Elle s'envole alors et suit la piste odorante pour la rejoindre. Soudain, grâce aux capteurs de vibrations situés sur son abdomen, elle perçoit les ultrasons émis par une chauve-souris s'approchant à une vitesse alarmante. La chauve-souris se sert de son sonar pour repérer la noctuelle et d'autres Insectes volants, qui constituent sa nourriture préférée. Par réflexe, le système nerveux de la noctuelle modifie les commandes motrices envoyées aux muscles des ailes et fait décrire à son corps une spirale vers le bas qui lui permet de s'enfuir. Bien qu'il soit probablement trop tard pour la noctuelle de la photographie présentée à la **figure 49.1**, de nombreuses noctuelles réussissent à s'en tirer, car elles peuvent détecter les ultrasons d'une chauve-souris à une distance d'environ 30 m. Par contre, la chauve-souris doit être à moins de 3 m de l'Insecte pour le percevoir. Mais, comme elle vole plus vite, elle peut avoir le temps de détecter sa proie, de l'atteindre et de l'attraper.

Le résultat de cette interaction entre le prédateur et la proie dépend de la capacité de l'un et de l'autre à percevoir les stimulus extérieurs importants et à effectuer les mouvements coordonnés appropriés. L'origine des sensations et de la réponse à ces sensations remonte à l'apparition, chez les Procaryotes, de structures cellulaires capables de détecter une pression ou la présence de substances chimiques dans le milieu, puis d'orienter le déplacement dans la bonne direction. L'évolution a transformé ces structures en divers mécanismes spécialisés permettant de percevoir différents types d'énergie et d'y répondre par des mouvements résultant de l'activité de plusieurs niveaux de l'organisation biologique. La détection et le traitement de l'information sensorielle, ainsi que la transmission de commandes motrices, constituent les bases physiologiques du comportement animal.

On considère habituellement le comportement animal comme un processus linéaire qui consiste à sentir, à interpréter et à réagir. On assimile alors l'Animal à un ordinateur qui attend passivement des instructions pour agir, ce qui n'est pas le cas. En effet, lorsqu'ils sont en mouvement, les Animaux sondent leur environnement et détectent les changements qui y surviennent. Ils combinent, interprètent et utilisent l'information obtenue pour agir. Plutôt qu'une séquence linéaire, c'est en fait un cycle continu : l'encéphale entretient une activité de fond qu'il modifie constamment au fur et à mesure de l'arrivée de l'information sensorielle et de son interprétation.

Au chapitre 48, nous avons vu la façon dont le système nerveux transmet et intègre l'information sensorielle et motrice. Nous allons maintenant examiner, chez différents groupes d'Invertébrés et de Vertébrés, les mécanismes sensoriels et moteurs. Nous étudierons d'abord les mécanismes sensoriels qui transmettent à l'encéphale l'information relative aux milieux interne et externe. Nous verrons ensuite la structure et la fonction des squelettes et des muscles qui effectuent les mouvements commandés par l'encéphale. Pour finir, nous verrons en détail divers mécanismes responsables du mouvement chez les Animaux.

Concept 49.1

Les récepteurs sensoriels convertissent l'énergie d'un stimulus en influx nerveux qu'ils transmettent au système nerveux central

L'information circule dans le système nerveux sous forme d'influx nerveux, ou potentiels d'action, qui constituent des réactions du type tout ou rien (voir la figure 48.12c). Un potentiel d'action engendré par la lumière qui atteint l'œil est de même nature qu'un potentiel d'action créé dans l'oreille par les vibrations de l'air. La distinction entre la stimulation lumineuse et la stimulation sonore dépend de la région de l'encéphale qui reçoit le message. Ainsi, ce qui importe, c'est l'endroit où parvient l'influx, et non ce qui l'a provoqué.

Les neurones sensitifs acheminent ces potentiels d'action, qu'on nomme **sensations**, jusqu'à l'encéphale. Lorsqu'il prend conscience de ces sensations, l'encéphale les interprète et fournit une **perception** des stimulus. Les perceptions comme les couleurs, les odeurs, les sons et les goûts sont des créations de l'encéphale qui n'existent pas en dehors de lui. S'il n'y a personne pour entendre la chute d'un arbre, y a-t-il un bruit? L'arbre qui tombe produit sans aucun doute des ondes de pression dans l'air. Mais si on définit le son comme une perception, il n'existe que si les récepteurs sensoriels d'un Animal détectent des ondes que l'encéphale perçoit.

Les sensations et les perceptions trouvent leur origine dans l'excitation des **récepteurs sensoriels**, des cellules qui détectent l'énergie d'un stimulus. Ceux-ci sont habituellement des dendrites spécialisées de neurones modifiés. Dans certains cas, ils se composent de cellules épithéliales agissant individuellement ou en groupe, avec d'autres types de cellules qui se trouvent à l'intérieur d'organes sensoriels tels que les yeux et les oreilles. Les **extérocepteurs** captent les stimulus provenant du milieu extérieur, tels que la chaleur, la lumière, la pression et les substances chimiques. Les **intérocepteurs** captent, quant à eux, les stimulus provenant du milieu interne, tels que la pression artérielle, le pH sanguin, la pression partielle de dioxygène (O_2) ou de dioxyde de carbone (CO_2) dans le sang et la position du corps.

Le rôle des récepteurs sensoriels

Les différents stimulus représentent des formes d'énergie. D'une façon générale, le rôle des récepteurs sensoriels est de convertir l'énergie des stimulus en variations de potentiels membranaires et de faire parvenir les potentiels d'action au système nerveux central (SNC). Ce processus comporte quatre étapes: la conversion du stimulus, son amplification, sa transmission et son intégration (nous avons désigné, dans tout le manuel, les deux premières étapes par le terme *transduction*). La **figure 49.2** présente ces étapes pour deux types de récepteurs sensoriels: un récepteur de l'étirement chez une écrevisse et une **cellule sensorielle ciliée**, qui détecte le mouvement dans l'oreille des Vertébrés et dans l'organe sensoriel de la ligne latérale des Poissons et des Amphibiens.

La conversion du stimulus

La conversion de l'énergie d'un stimulus en une modification du potentiel de membrane d'un récepteur sensoriel porte le nom de **conversion du stimulus**. La modification du potentiel de membrane se nomme quant à elle **potentiel récepteur**. Il est à noter que, à la figure 49.2a, les potentiels récepteurs sont des potentiels gradués, car leur amplitude varie en fonction de l'intensité du stimulus.

Tous les potentiels récepteurs se produisent par suite de l'ouverture ou de la fermeture des canaux ioniques présents dans la membrane plasmique du récepteur sensoriel, ouverture ou fermeture qui modifie la perméabilité ionique de la membrane. Dans les exemples de la figure 49.2, l'étirement ou la courbure de la membrane constitue le stimulus qui fait ouvrir ou fermer les canaux ioniques. Dans d'autres récepteurs sensoriels, les canaux s'ouvrent ou se ferment lorsque des substances extérieures à la cellule se fixent aux protéines de la membrane ou lorsque les pigments des récepteurs sensoriels absorbent la lumière. (Nous examinerons ces mécanismes plus loin dans le présent chapitre.)

L'extrême sensibilité de beaucoup de récepteurs représente une caractéristique remarquable: ils peuvent détecter la plus infime unité physique de stimulus possible. Ainsi, la plupart des récepteurs de lumière sont capables de détecter un seul quantum de lumière (photon), les récepteurs chimiques une seule molécule, et les cellules sensorielles ciliées de l'oreille interne un déplacement de seulement une fraction de nanomètre. La sensibilité des récepteurs varie aussi selon les circonstances. Par exemple, la sensibilité des récepteurs de glucose dans la bouche de l'humain varie de plusieurs ordres de grandeur selon l'état de nutrition général et la quantité de glucose dans l'alimentation.

L'amplification

L'énergie du stimulus est souvent trop faible pour parvenir au SNC. Elle doit donc subir une **amplification**. Ainsi, la transmission d'un potentiel d'action de l'œil au cerveau représente une énergie qui est près de 100 000 fois supérieure à celle des quelques photons qui ont donné naissance au potentiel d'action. L'amplification du message se fait parfois dans les récepteurs sensoriels, où des voies de conversion du stimulus mettant en jeu des messagers secondaires y contribuent souvent. L'amplification peut aussi avoir lieu dans les structures annexes d'un organe sensoriel complexe. Ainsi, l'amplitude des ondes sonores est multipliée par 20 au moins avant que celles-ci atteignent les récepteurs de l'oreille interne.

La transmission

Lorsque l'énergie du stimulus a été convertie en un potentiel récepteur, la transmission, c'est-à-dire l'acheminement des influx jusqu'au SNC, peut se faire. Certains récepteurs, par exemple ceux qui réagissent à l'étirement chez l'écrevisse, sont des neurones sensitifs qui peuvent produire des potentiels d'action et possèdent un axone qui s'étend jusqu'au SNC (voir la figure 49.2a). D'autres récepteurs, comme les cellules sensorielles ciliées, sont dépourvus d'axone et ne peuvent produire eux-mêmes des potentiels d'action; ils libèrent des neurotransmetteurs aux synapses qu'ils forment avec des neurones sensitifs (voir la figure 49.2b). Dans presque toutes les voies où les récepteurs forment des synapses avec des neurones sensitifs, le récepteur libère un neurotransmetteur excitateur, de sorte que le neurone sensitif transmet les potentiels d'action au SNC. (Le système visuel des Vertébrés, dont traitera le concept 49.4, fait exception.)

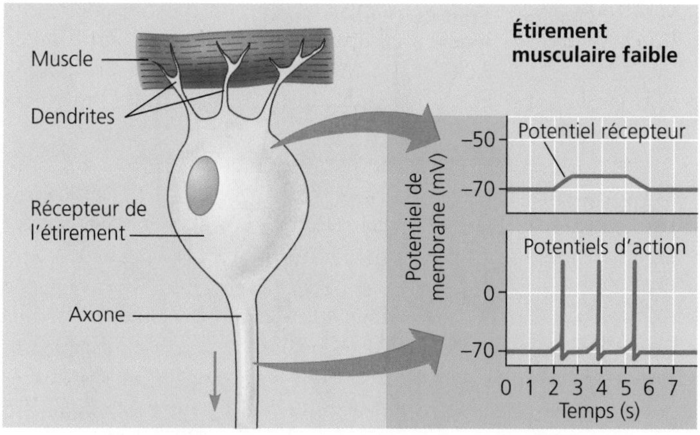

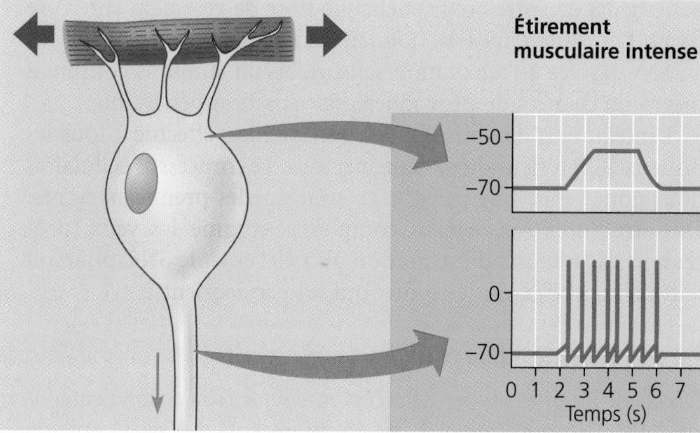

(a) Les récepteurs de l'étirement de l'écrevisse présentent des dendrites enfouies dans les muscles abdominaux. Lorsque l'abdomen se courbe, les muscles et les dendrites s'étirent, ce qui produit un potentiel récepteur dans le récepteur de l'étirement. Le potentiel récepteur déclenche des potentiels d'action dans l'axone du récepteur. Plus l'étirement est intense, plus le potentiel récepteur est important et plus les potentiels d'action sont fréquents.

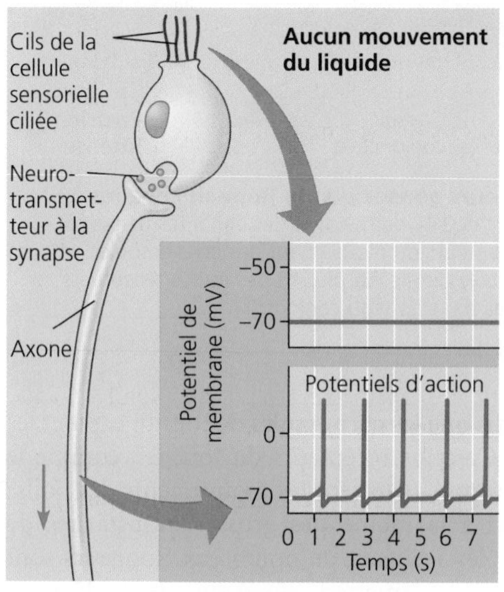

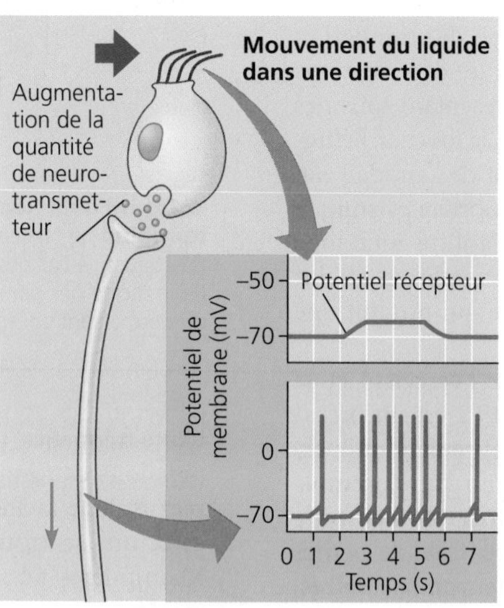

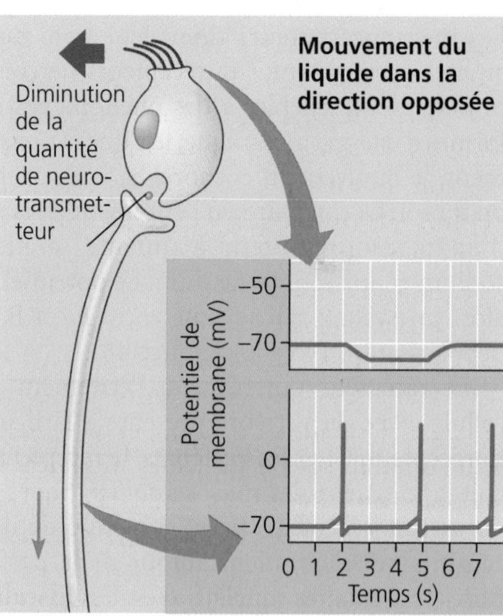

(b) Les cellules sensorielles ciliées des Vertébrés présentent des cils spécialisés, ou des microvillosités, qui se courbent lorsque le liquide environnant se déplace ; les cils sont généralement de deux types : un cil unique et plus long que les autres appelé *kinétocil* (absent chez les Mammifères), et des cils nombreux (jusqu'à 150) et courts appelés *stéréocils*, reliés entre eux et au kinétocil. Chaque cellule sensorielle ciliée libère un neurotransmetteur excitateur à la synapse qu'elle forme avec un neurone sensitif, lequel transmet les potentiels d'action au SNC. Lorsque ses cils vont dans une certaine direction, la cellule sensorielle ciliée se dépolarise et libère une quantité additionnelle de neurotransmetteur, ce qui augmente la fréquence des potentiels d'action dans le neurone sensitif. Lorsque ses cils vont dans la direction opposée, c'est le contraire qui se produit. Ainsi, les cellules sensorielles ciliées réagissent à la direction du mouvement aussi bien qu'à son intensité et à sa vitesse.

▲ **Figure 49.2 Deux types de récepteurs sensoriels.**

L'intensité du potentiel récepteur influe sur la fréquence des potentiels d'action qui se propagent jusqu'au SNC sous forme de sensations. Si le récepteur est aussi un neurone sensitif, plus le potentiel récepteur est intense, plus le seuil d'excitation est atteint rapidement et plus les potentiels d'action sont fréquents (voir la figure 49.2a). Si le récepteur forme une synapse avec un neurone sensitif, plus le potentiel récepteur est intense, plus la quantité de neurotransmetteur libérée à la synapse est importante, ce qui produit en général le même résultat. De nombreux neurones sensitifs engendrent spontanément des potentiels d'action espacés, de sorte qu'un stimulus ne déclenche pas vraiment ou n'interrompt pas vraiment la production de potentiels d'action : il module plutôt leur fréquence (voir la figure 49.2b). Ainsi, ces neurones informent le SNC non seulement de la présence ou de l'absence de stimulus, mais aussi des variations de leur intensité ou de leur orientation.

L'intégration

Le traitement de l'information, ou intégration, se fait dès la réception des données. Les potentiels récepteurs produits par les stimulus transmis à différentes parties d'un récepteur sensoriel sont intégrés par sommation, comme le sont les potentiels post-synaptiques dans les neurones sensitifs qui forment des synapses avec de multiples récepteurs. L'**adaptation sensorielle** représente un autre type d'intégration effectuée par les récepteurs. C'est une diminution de la réactivité en cas de stimulation continue. Certains récepteurs s'adaptent aux stimulus plus rapidement que d'autres. Sans l'adaptation sensorielle, vous sentiriez chacun des battements de votre cœur et chaque fibre de vêtement sur votre corps. Les récepteurs sélectionnent l'information qu'ils envoient au SNC. Grâce à l'adaptation sensorielle, un stimulus continu a moins de chances de provoquer une sensation persistante.

L'intégration de l'information sensorielle s'effectue à tous les niveaux à l'intérieur du système nerveux. Les processus cellulaires dont nous venons de parler n'en sont que les premières étapes. Des structures sensorielles complexes, comme les yeux, présentent des niveaux d'intégration plus élevés, et le SNC poursuit le traitement de tous les influx qui lui parviennent.

Les types de récepteurs sensoriels

On classe les divers types de récepteurs sensoriels en cinq catégories: les mécanorécepteurs, les chimiorécepteurs, les récepteurs d'ondes électromagnétiques, les thermorécepteurs et les nocicepteurs (récepteurs de la douleur).

Les mécanorécepteurs

Les **mécanorécepteurs** tirent leur nom du type de stimulation auquel ils réagissent. Ces récepteurs perçoivent les déformations physiques attribuables à des phénomènes représentant tous des formes d'énergie mécanique, tels que la pression, le toucher, l'étirement, le mouvement corporel et le mouvement de l'air, de l'eau ou du sol. La courbure ou l'étirement de la membrane plasmique d'un mécanorécepteur augmente sa perméabilité aux ions sodium et aux ions potassium. Le potentiel de membrane atteint alors une valeur qui se situe entre E_K et E_{Na}, ce qui produit une dépolarisation (voir le chapitre 48).

Le récepteur qui réagit à l'étirement chez l'écrevisse et la cellule ciliée de Vertébré présenté à la figure 49.2 est un mécanorécepteur. Chez les Vertébrés, le récepteur d'étirement qui perçoit la longueur des muscles squelettiques est un autre exemple de mécanorécepteur. Il est constitué de dendrites de neurones sensitifs qui s'enroulent autour de la partie centrale de petites fibres musculaires squelettiques. Les **fuseaux neuromusculaires**, qui contiennent chacun environ 2 à 12 de ces fibres entourées de tissu conjonctif, sont répartis dans le muscle, parallèlement aux autres fibres musculaires. Lorsque le muscle s'allonge, les fibres du fuseau s'étirent également. Cela dépolarise les neurones sensitifs et déclenche des potentiels d'action qui sont envoyés à la moelle épinière. Les fuseaux neuromusculaires et les neurones sensitifs qui les innervent font partie des circuits nerveux qui sont responsables des réflexes (voir la figure 48.4).

Chez les Mammifères, le sens du toucher passe par des mécanorécepteurs qui sont en fait des dendrites de neurones sensitifs, souvent enfouies dans des couches de tissu conjonctif **(figure 49.3)**. La structure du tissu conjonctif et l'emplacement des récepteurs ont une incidence considérable sur le type d'énergie mécanique (pression légère, vibration ou forte pression) qui les stimule le plus efficacement. Près de la surface de la peau se trouvent les récepteurs qui détectent les contacts légers: des corpuscules tactiles non encapsulés (ou disques de Merkel) et des terminaisons nerveuses libres (prolongements dendritiques non recouverts de myéline et non inclus dans une capsule conjonctive). Ces récepteurs convertissent de très faibles stimulus d'énergie mécanique en potentiels récepteurs. Dans le derme de la peau se trouvent les récepteurs encapsulés qui réagissent aux pressions intenses: les corpuscules lamelleux et les corpuscules de Ruffini. Les corpuscules lamelleux réagissent aux vibrations intermittentes et de haute fréquence, tandis que les corpuscules de Ruffini captent les pressions continues. Certains récepteurs du toucher, comme le plexus de la racine du poil, détectent les mouvements des poils; ceux qui se trouvent à la racine des grosses moustaches de Mammifères tels que les Félins et de nombreux Rongeurs sont extrêmement sensibles et permettent aux Animaux de détecter, dans l'obscurité, les objets qui sont à proximité.

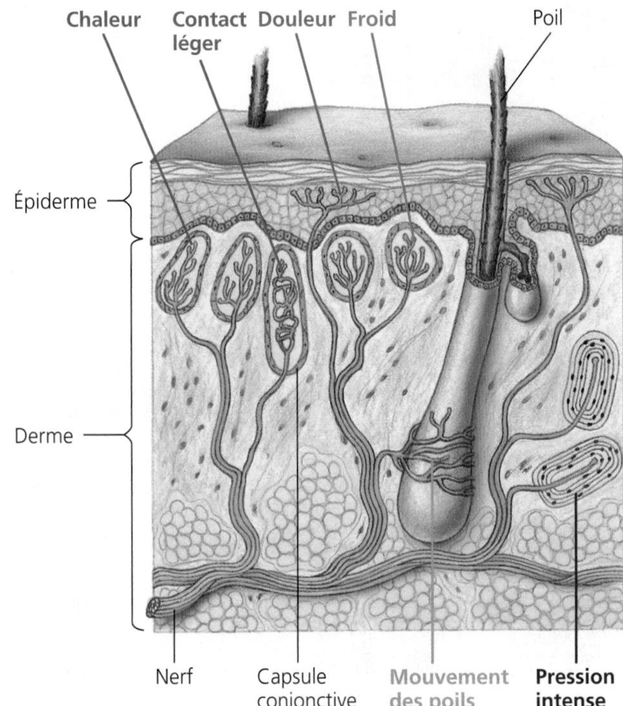

▲ **Figure 49.3 Récepteurs sensoriels de la peau chez les humains.** Les récepteurs de l'épiderme sont des dendrites dénudées. C'est aussi le cas des récepteurs du mouvement des poils enroulés autour de la racine des poils dans le derme. La plupart des autres récepteurs du derme sont encapsulés dans du tissu conjonctif.

Les chimiorécepteurs

Les **chimiorécepteurs** comprennent à la fois des récepteurs généraux qui fournissent des renseignements sur la concentration totale de solutés dans une solution et des récepteurs spécifiques qui réagissent à certains types de molécules. Ainsi, les osmorécepteurs situés dans l'encéphale des Mammifères sont des récepteurs généraux qui détectent les variations de la concentration totale de solutés dans le sang et qui provoquent la sensation de soif en cas d'augmentation de l'osmolarité (voir le chapitre 44). Les osmorécepteurs présents sur les pattes des mouches domestiques réagissent, quant à eux, à l'eau pure ou aux solutions diluées de presque toute substance. La plupart des Animaux sont pourvus de récepteurs spécifiques pour des molécules comme le glucose, le O_2 et le CO_2, et pour les acides aminés. Deux des chimiorécepteurs les plus sensibles et les plus spécifiques, d'après ce qu'on connaît, se trouvent dans les antennes du mâle chez le bombyx du mûrier (*Bombyx mori*; **figure 49.4**). Ils détectent les deux composantes chimiques des phéromones sexuelles femelles. Dans tous ces exemples, la molécule qui constitue le stimulus se fixe à un endroit précis de la membrane de la cellule réceptrice et provoque des changements dans la perméabilité membranaire.

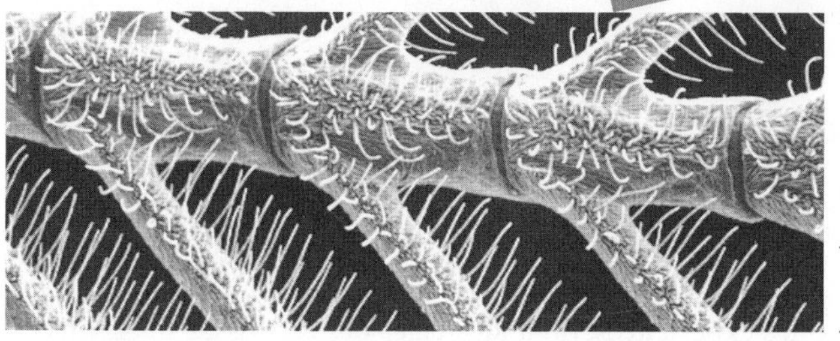

▲ **Figure 49.4 Chimiorécepteurs chez les Insectes.** Chez le bombyx du mûrier (*Bombyx mori*), le mâle possède des antennes recouvertes de cils sensoriels visibles dans cet agrandissement au microscope électronique à balayage. Les cils sont pourvus de chimiorécepteurs qui sont extrêmement sensibles aux phéromones sexuelles femelles.

Les récepteurs d'ondes électromagnétiques

Les **récepteurs d'ondes électromagnétiques** détectent des formes d'énergie électromagnétique telles que la lumière visible, l'électricité et le magnétisme. Les **photorécepteurs** captent le rayonnement que nous appelons *lumière visible* et sont situés le plus souvent dans les yeux. Les serpents disposent de récepteurs à infrarouge extrêmement sensibles qui peuvent distinguer la chaleur corporelle des proies dont la température dépasse celle de l'environnement **(figure 49.5a)**. Certains Poissons produisent des courants électriques et ont recours à des électrorécepteurs précis pour localiser des objets tels que des proies qui modifient ces courants électriques. Ainsi, l'ornithorynque (*Ornithorhyncus anatinus*), qui est un Monotrème, a sur son bec des électrorécepteurs grâce auxquels il peut probablement détecter les champs électriques créés par les muscles de ses proies (Crustacés, grenouilles, petits Poissons, etc.). De nombreux Animaux migrateurs semblent utiliser, grâce à des magnétorécepteurs, les lignes du champ magnétique de la Terre pour s'orienter **(figure 49.5b)**. On a trouvé de la magnétite, minerai ferreux, dans le crâne de nombreux Vertébrés (dont les saumons, les pigeons, les tortues et les humains), dans l'abdomen des abeilles, dans les dents de certains Mollusques et chez certains Protistes et Procaryotes s'orientant en fonction du champ magnétique terrestre. Il est par ailleurs possible que la magnétite utilisée autrefois par les marins, dans les boussoles, fasse partie du mécanisme d'orientation de nombreux Animaux.

Les thermorécepteurs

Les **thermorécepteurs** réagissent à la chaleur ou au froid et interviennent dans la régulation thermique en donnant de l'information sur les températures superficielle et interne de l'organisme.

(a) Les Vipéridés tels que ce crotale (*Crotalus sp.*) possèdent une paire de récepteurs à infrarouge, chacun d'eux étant situé d'un côté de la tête, entre l'œil et la narine. La sensibilité de ces récepteurs leur permet de détecter le rayonnement infrarouge émis par une souris vivante située à un mètre. Le serpent déplace sa tête d'un côté et de l'autre jusqu'à ce que les deux récepteurs détectent la même intensité de rayonnement, ce qui lui indique alors que la souris se trouve droit devant.

(b) Certains Animaux migrateurs tels que ces bélugas (*Delphinapterus leucas*), qu'on observe fréquemment dans l'estuaire et le golfe du Saint-Laurent, peuvent apparemment détecter le champ magnétique terrestre grâce à leurs magnétorécepteurs et utiliser cette information, avec d'autres indices, pour s'orienter.

▲ **Figure 49.5 Récepteurs d'ondes électromagnétiques spécialisés.**

On ne s'entend pas encore sur le type de thermorécepteurs que comporte la peau des Mammifères. Certains avancent que ce sont deux récepteurs constitués de dendrites ramifiées et encapsulées (voir la figure 49.3). De nombreux chercheurs croient que ces structures sont en réalité des récepteurs de pression modifiés et soutiennent que les terminaisons nerveuses libres de certains neurones sensitifs constituent les thermorécepteurs de la peau. Toutefois, on considère généralement que les récepteurs du chaud et du froid se trouvant dans la peau et les thermorécepteurs internes situés dans la partie antérieure de l'hypothalamus, dans l'encéphale, transmettent l'information au thermostat principal de l'organisme qui se trouve dans la partie postérieure de l'hypothalamus (centres de la thermogenèse et de la thermolyse; voir la figure 40.21).

Les nocicepteurs

Chez les humains, les **récepteurs de la douleur** constituent un type de terminaisons nerveuses libres qu'on appelle **nocicepteurs** (du latin *nocere*, «avoir mal»); ils sont situés dans l'épiderme (voir la figure 49.3). Presque tous les Animaux connaissent probablement la douleur, bien qu'on ne puisse préciser les perceptions qui sont vraiment associées, chez eux, à une stimulation des nocicepteurs. La perception de la douleur revêt une très grande importance, parce que le stimulus déclenche une réaction défensive visant, par exemple, à éviter le danger. Les rares individus qui naissent sans sensation de douleur peuvent mourir à cause de problèmes tels qu'une rupture de l'appendice. En effet, ils ne ressentent pas la douleur qui résulte du problème et ne sont donc pas conscients du danger.

Divers groupes de nocicepteurs réagissent à la chaleur excessive, au froid, à la pression ou à certaines substances chimiques libérées par les tissus endommagés ou enflammés. L'histamine et les acides font partie des substances chimiques qui déclenchent la douleur. Les prostaglandines accroissent la sensation de douleur en sensibilisant les récepteurs, c'est-à-dire en abaissant leur seuil d'excitation (voir le chapitre 45). L'aspirine et l'ibuprofène, quant à eux, diminuent la sensation de douleur en inhibant la synthèse des prostaglandines. C'est dans la peau que la densité des nocicepteurs est la plus forte, mais on en trouve aussi dans d'autres organes.

Retour sur le concept 49.1

1. Pourquoi les médicaments qui perturbent la transmission synaptique ne neutralisent-ils pas toutes les sensations?
2. Si vous appliquiez un anesthésique sur votre peau, quelles sensations seraient touchées en premier? Lesquelles le seraient en dernier ou ne le seraient pas du tout?

Voir les réponses proposées à la fin du chapitre.

Concept 49.2

Les mécanorécepteurs associés à l'audition et à l'équilibre détectent les particules qui se déposent et les liquides en mouvement

Chez la plupart des Animaux, les sens de l'ouïe et de l'équilibre sont associés. Ils font tous deux intervenir des mécanorécepteurs qui créent des potentiels récepteurs lorsque des particules qui se déposent ou un liquide en mouvement entraînent la déformation d'une partie quelconque de leur membrane.

La perception de la gravitation et du son chez les Invertébrés

Chez la plupart des Invertébrés, des mécanorécepteurs appelés **statocystes** jouent un rôle dans l'équilibre **(figure 49.6)**. Un type répandu de statocyste se compose d'une chambre qui contient un ou plusieurs **statolithes**, c'est-à-dire des grains de sable ou d'autres granules denses, et d'une couche de cellules sensorielles ciliées qui se trouve autour. Sous l'effet de la gravitation, les statolithes se déposent au fond de la chambre et stimulent les cellules sensorielles ciliées qui s'y trouvent. Les statocystes se situent à divers endroits de l'organisme. Par exemple, de nombreuses méduses en possèdent au bord de l'« ombrelle » et ont ainsi de l'information sur la position de leur corps. Les homards et les écrevisses ont des statocystes à la base de leurs antennules. Dans

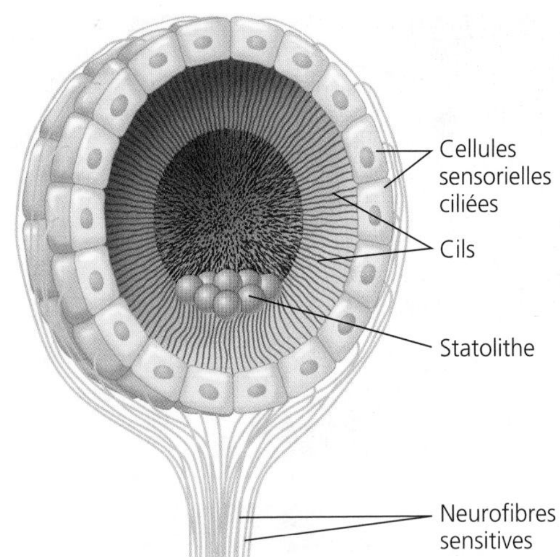

▲ **Figure 49.6 Statocyste d'Invertébré.** La chute des statolithes au fond de la chambre déforme les cils situés sur les cellules réceptrices et donne ainsi au cerveau des indications sur l'orientation du corps en fonction de la gravitation.

certaines expériences, on a fait nager des écrevisses sur le dos en remplaçant les statolithes par des particules métalliques qu'on pouvait attirer vers le plafond des statocystes au moyen d'aimants.

De nombreux Invertébrés perçoivent les sons. Mais leurs structures spécialisées dans l'audition semblent moins répandues que leurs récepteurs sensibles à la gravitation. C'est chez les Insectes terrestres qu'on a le plus étudié les organes de l'audition.

Ainsi, les poils sensoriels situés sur le corps de nombreux Insectes (peut-être de la plupart) vibrent en réponse à des ondes sonores de certaines fréquences, selon leur rigidité et leur longueur. Ils captent souvent les fréquences émises par d'autres organismes. Grâce aux poils sensoriels fins qui garnissent leurs antennes, les moustiques mâles détectent le bourdonnement produit par le battement d'ailes des femelles qui volent. Cela leur permet de trouver une partenaire sexuelle. Un diapason qu'on fait vibrer à la même fréquence que les ailes d'une femelle de moustique attire aussi les mâles. Certaines chenilles (forme larvaire des papillons) ont sur le corps des poils vibratiles qui leur servent à capter le bourdonnement des ailes des guêpes prédatrices. Elles peuvent ainsi « entendre venir » le danger.

De nombreux Insectes possèdent aussi des « oreilles » localisées. Ils ont une membrane constituant un tympan qui est tendue au-dessus d'une chambre aérienne interne **(figure 49.7)**. Les ondes sonores font vibrer ce tympan, stimulant des cellules réceptrices fixées à l'intérieur. Des influx nerveux sont ainsi créés et transmis au cerveau. Certaines noctuelles peuvent percevoir des fréquences assez élevées. Elles détectent ainsi les sons émis par les chauves-souris, qui se servent de l'écholocation, et peuvent ainsi esquiver l'attaque et survivre, comme nous l'avons vu en début de chapitre. La présence de cette structure explique aussi pourquoi il est si difficile d'écraser une blatte: l'Insecte perçoit l'approche de votre pied et se déplace très rapidement pour l'éviter.

L'audition et l'équilibre chez les Mammifères

Chez les Mammifères et la plupart des autres Vertébrés terrestres, les organes sensoriels de l'audition et de l'équilibre sont étroitement associés dans l'oreille. La **figure 49.8** présente un examen de la structure des organes de l'oreille humaine.

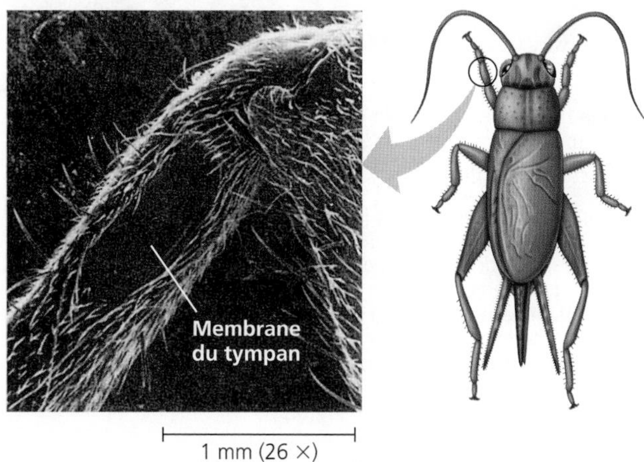

▲ **Figure 49.7 Oreille d'Insecte.** La membrane du tympan, située ici sur la patte antérieure du grillon, vibre en présence d'ondes sonores (MEB). Les vibrations stimulent les mécanorécepteurs qui sont fixés à l'intérieur du tympan.

L'audition

Comment l'oreille convertit-elle l'énergie des ondes de pression qui se propagent dans l'atmosphère en influx nerveux que le cerveau perçoit comme un son? Les objets qui vibrent, par exemple les cordes d'une guitare qu'on pince ou les cordes vocales d'une personne qui parle, créent des ondes de pression dans l'air environnant. Ces ondes font vibrer la membrane du tympan à la même fréquence que le son. Les mouvements des trois osselets de l'oreille moyenne amplifient ce phénomène mécanique et transmettent les vibrations à la fenêtre du vestibule, membrane située à la surface de la cochlée; l'amplification résulte aussi du fait que la surface du tympan est 17 fois plus grande que la surface de la fenêtre du vestibule. Lorsqu'un des osselets de l'oreille, le stapès, déforme la fenêtre du vestibule, cela crée des ondes de pression dans le liquide (périlymphe) qui se trouve dans la cochlée. Les ondes de pression se propagent d'abord dans la périlymphe de la rampe vestibulaire, contournent le sommet de la cochlée (région appelée *hélicotréma*) et passent dans la rampe tympanique, puis se dissipent en atteignant la **fenêtre de la cochlée** (**figure 49.9**).

Les ondes de pression qui traversent d'abord la rampe vestibulaire exercent une pression de haut en bas sur le conduit cochléaire et la lame basilaire. Vibrant sous l'effet des ondes de pression, celle-ci exerce alternativement une pression et une traction sur les cellules sensorielles ciliées qui sont reliées à la membrana tectoria du conduit cochléaire. À chaque vibration, les cils vont d'abord dans une direction puis dans la direction opposée. Comme le montre la figure 49.2b, lorsque les cils vont dans une certaine direction, les cellules sensorielles ciliées subissent une dépolarisation; celle-ci est, exceptionnellement, produite par une entrée, dans la cellule réceptrice, de K^+ qui diffuse à partir de l'endolymphe (riche en K^+, comme nous l'avons vu). La dépolarisation des cellules ciliées augmente la quantité de neurotransmetteur libérée, ainsi que la fréquence des potentiels d'action dans le neurone sensitif auquel ces cellules sont reliées par une synapse. Par la suite, le neurone sensitif transmet les sensations au cerveau par l'intermédiaire du nerf cochléaire. Lorsque les cils vont dans la direction opposée, les cellules sensorielles ciliées subissent une hyperpolarisation qui réduit la quantité de neurotransmetteur libérée et la fréquence des sensations dans le nerf cochléaire.

La détection du son se fait par l'augmentation de la fréquence des influx dans le neurone sensitif. Mais comment la qualité du son est-elle déterminée? L'intensité et la hauteur constituent deux des caractères importants d'un son. L'**intensité** (volume) est déterminée par l'amplitude de l'onde sonore. Plus un son a une forte amplitude, plus la lame basilaire vibrera de façon énergique, plus les cellules sensorielles ciliées seront déformées et plus les neurones sensitifs produiront de potentiels d'action. La **hauteur** dépend, quant à elle, de la fréquence des ondes sonores, c'est-à-dire du nombre de vibrations (ou cycles) par seconde, et s'exprime habituellement en hertz (Hz). Les ondes courtes et de haute fréquence produisent des sons aigus, tandis que les ondes longues et de basse fréquence correspondent à des sons graves. Les humains jeunes et en bonne santé peuvent entendre des sons dont la hauteur se situe entre 20 et 20 000 Hz. Les chiens détectent les sons d'une hauteur de 40 000 Hz. Enfin, les chauves-souris émettent et perçoivent des sons (déclics) d'une hauteur encore plus élevée (100 000 Hz), grâce auxquels elles localisent des objets.

La cochlée distingue les différentes hauteurs parce que la lame basilaire n'est pas uniforme. En effet, l'extrémité proximale de cette dernière, située près de la fenêtre du vestibule, est relativement étroite et rigide, alors que l'extrémité distale, qui se trouve près de l'hélicotréma, est plus large et plus flexible (**figure 49.10**). Chaque région de la lame basilaire répond plus particulièrement à une fréquence donnée. Les neurones sensitifs associés à la région qui vibre le plus à un instant donné sont alors ceux qui envoient le plus de potentiels d'action le long du nerf cochléaire. Mais la perception même de la hauteur se produit dans le cerveau. Les axones du nerf cochléaire sont reliés à des aires auditives précises du cortex cérébral, en fonction de la région de la lame basilaire qui a émis le plus de potentiels d'action. Lorsqu'un site donné de l'aire auditive primaire est stimulé, on perçoit un son d'une certaine hauteur.

L'équilibre

Chez les humains et la plupart des autres Mammifères, plusieurs organes de l'oreille interne perçoivent la position du corps et l'équilibre. Ainsi, derrière la fenêtre du vestibule se trouve le vestibule qui contient deux chambres: l'**utricule** et le **saccule**. Dans l'utricule prennent naissance les trois conduits semi-circulaires qui forment le reste de l'organe de l'équilibre (**figure 49.11**).

Chez les humains et la majorité des autres Mammifères, les sensations relatives à la position du corps sont produites presque de la même façon que les sensations sonores. Les cellules sensorielles ciliées de l'utricule et du saccule répondent aux changements de position de la tête par rapport à la gravitation, ainsi qu'au mouvement dans une direction donnée. Elles sont groupées en amas, et leurs cils sont entourés d'une substance gélatineuse qui contient de nombreuses petites particules de trioxocarbonate de calcium nommées *otolithes*, ou *statoconies*. Comme ce matériau est plus lourd que l'endolymphe de l'utricule et du saccule, la gravitation attire constamment les cils des cellules réceptrices vers le bas, ce qui produit une suite continue de potentiels d'action dans les neurones sensitifs du nerf vestibulaire. Ce mécanisme est semblable au fonctionnement des statocystes chez les Invertébrés; on considère en effet l'utricule et le saccule comme des statocystes spécialisés.

Figure 49.8

Panorama La structure de l'oreille humaine

❶ **Aperçu de la structure de l'oreille.** L'oreille des Mammifères se divise en trois régions : l'**oreille externe**, l'oreille moyenne et l'oreille interne. L'oreille externe comporte le pavillon (ou auricule), situé à l'extérieur du corps et ayant perdu sa mobilité chez les Primates, ainsi que le méat acoustique externe. Ces deux structures concentrent les ondes sonores et les dirigent vers la **membrane du tympan**, qui représente la limite entre l'oreille externe et l'oreille moyenne.

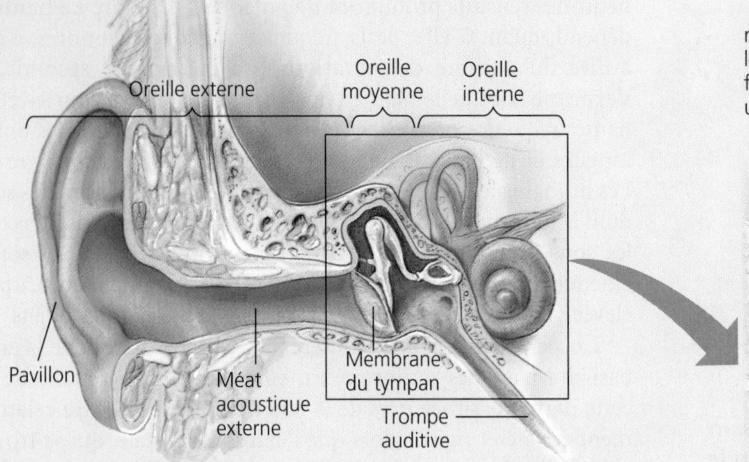

❷ **L'oreille moyenne et l'oreille interne.** Dans l'**oreille moyenne**, trois osselets (petits os), le **malléus** (marteau), l'**incus** (enclume) et le **stapès** (étrier), transmettent les vibrations à la **fenêtre du vestibule**, membrane qui est située sous le stapès. L'oreille moyenne s'ouvre aussi sur la **trompe auditive**, conduit qui est relié au pharynx et qui équilibre la pression de l'air entre l'oreille moyenne et l'atmosphère (ce qui vous permet de vous « déboucher » les oreilles lorsque vous changez d'altitude, par exemple).

L'**oreille interne** comprend un labyrinthe de conduits et de canaux remplis de liquide qui sont situés dans l'os temporal du crâne. Ce sont les **conduits semi-circulaires**, organes de l'équilibre, et un organe de forme enroulée, la **cochlée** (du latin *cochlea*, « escargot »), qui joue un rôle dans l'audition.

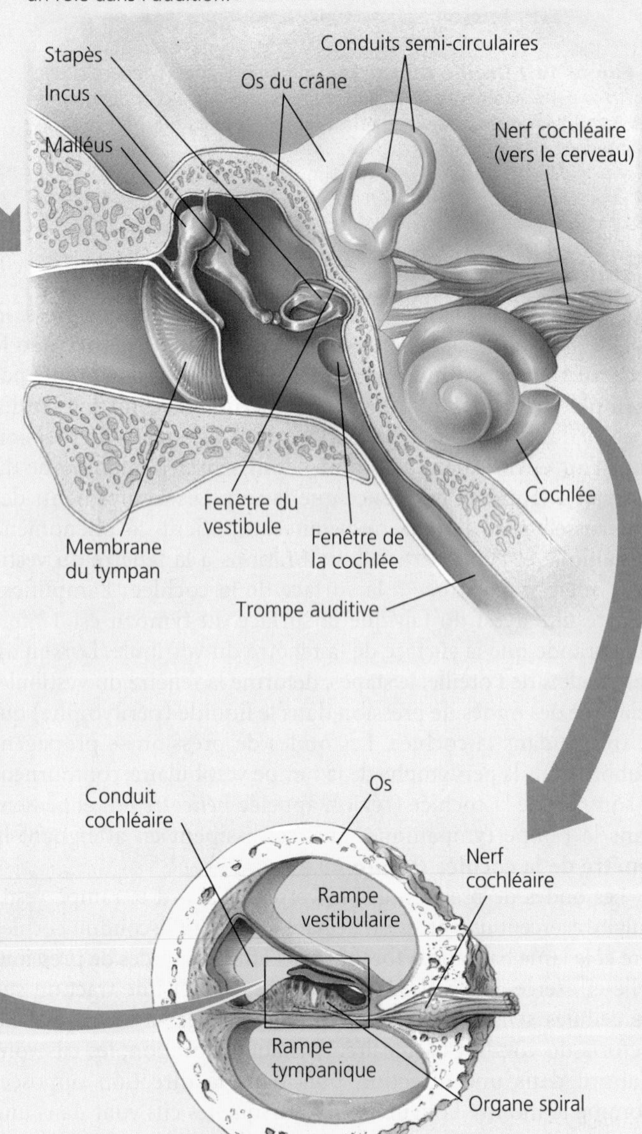

❸ **La cochlée.** La cochlée présente trois cavités : la rampe vestibulaire, la rampe tympanique et le conduit cochléaire. Les deux premières contiennent un liquide nommé *périlymphe*. La dernière s'insère entre les deux autres. Elle est plus petite et contient un liquide appelé *endolymphe*, liquide exceptionnel par sa composition, riche en K^+ et pauvre en Na^+.

❹ **L'organe spiral.** Sur le plancher du conduit cochléaire, ou lame basilaire de la cochlée, se situe l'**organe spiral** (ou organe de Corti), qui contient les mécanorécepteurs de l'oreille, quatre rangées de cellules sensorielles ciliées (environ 15 000 cellules au total) dont les cils se projettent dans le conduit cochléaire. L'apex de beaucoup de ces cils se rattache à la membrana tectoria du conduit cochléaire, qui surplombe l'organe spiral comme une corniche. Les ondes sonores font vibrer la lame basilaire de la cochlée, ce qui fait courber les cils et entraîne la dépolarisation des cellules sensorielles ciliées.

► **Figure 49.9 Conversion de l'énergie dans la cochlée.** Bien qu'il soit physiquement impossible de dérouler la cochlée, elle apparaît ici et à la figure 49.10 sous une forme allongée afin de simplifier les explications. Les vibrations du stapès, qui déforment la fenêtre du vestibule, produisent des ondes de pression dans la périlymphe de la cochlée. Les ondes (flèches noires) se propagent jusqu'à l'hélicotréma en passant par la rampe vestibulaire, puis reviennent vers la base de la cochlée par la rampe tympanique. L'énergie des ondes fait vibrer la lame basilaire, ce qui stimule les cellules sensorielles ciliées.

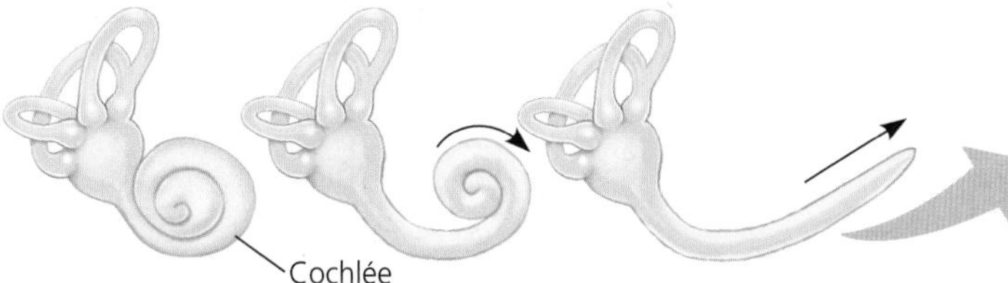

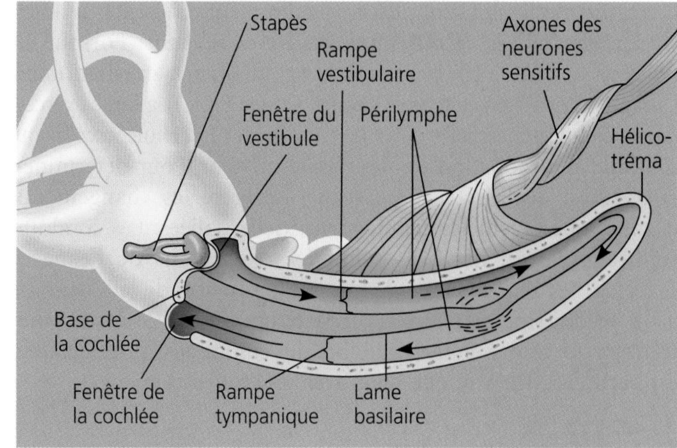

► **Figure 49.10 Comment la cochlée reconnaît la hauteur du son.** La lame basilaire (en rose) ne présente pas la même largeur ni la même rigidité sur toute sa longueur. En raison de ces variations, des régions particulières sont « accordées » pour vibrer à une certaine fréquence. Les ondes de pression de fréquences données qui parcourent la cochlée produisent ainsi des oscillations prononcées en un point donné de la lame basilaire. Cela stimule ensuite des cellules sensorielles ciliées et des neurones sensitifs particuliers. Le cerveau perçoit la différence de stimulation des cellules sensorielles ciliées comme un son d'une certaine hauteur. Les cellules ciliées constituent la porte d'entrée normale des signaux permettant l'audition, mais pour les personnes dont le nerf auditif ou la cochlée ne sont plus fonctionnels, il est encore possible d'espérer entendre. On a en effet implanté récemment des électrodes dans l'aire auditive de patients sourds et réussi à leur faire percevoir différents sons.

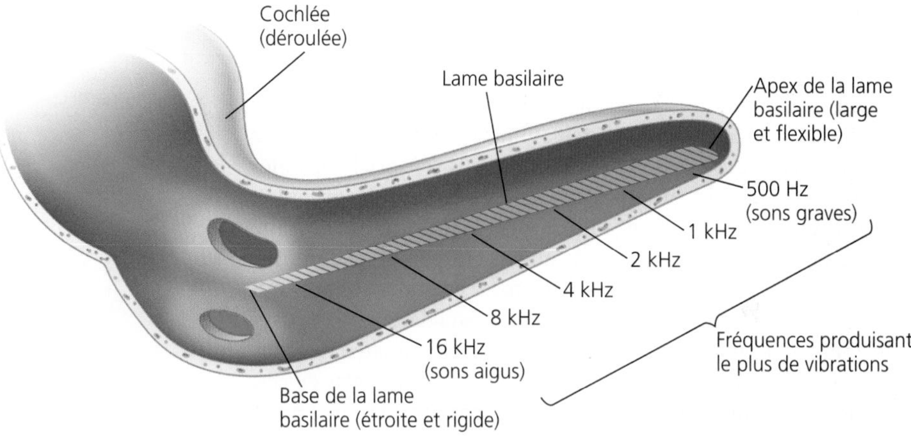

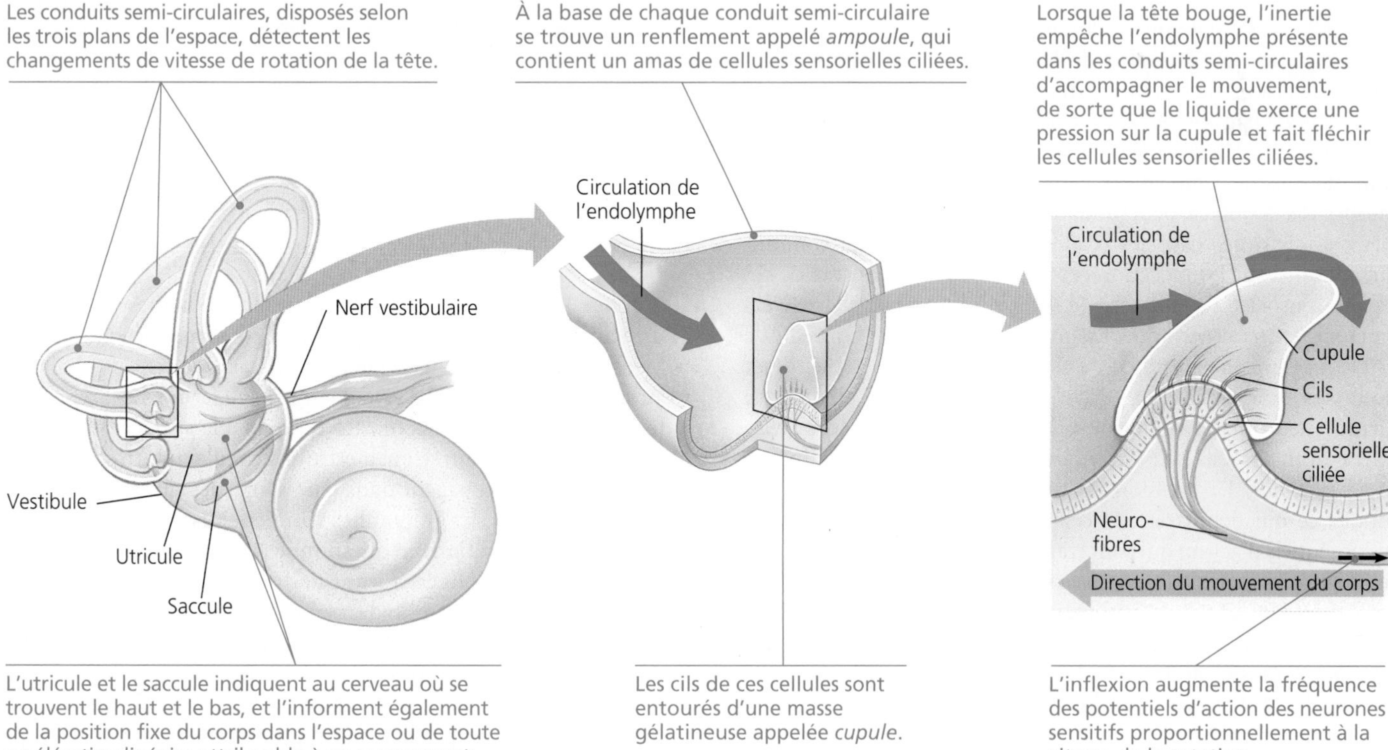

Les conduits semi-circulaires, disposés selon les trois plans de l'espace, détectent les changements de vitesse de rotation de la tête.
À la base de chaque conduit semi-circulaire se trouve un renflement appelé *ampoule*, qui contient un amas de cellules sensorielles ciliées.
Lorsque la tête bouge, l'inertie empêche l'endolymphe présente dans les conduits semi-circulaires d'accompagner le mouvement, de sorte que le liquide exerce une pression sur la cupule et fait fléchir les cellules sensorielles ciliées.
Nerf vestibulaire
Circulation de l'endolymphe
Circulation de l'endolymphe
Cupule
Cils
Cellule sensorielle ciliée
Neuro-fibres
Direction du mouvement du corps
Vestibule
Utricule
Saccule
L'utricule et le saccule indiquent au cerveau où se trouvent le haut et le bas, et l'informent également de la position fixe du corps dans l'espace ou de toute accélération linéaire attribuable à un mouvement.
Les cils de ces cellules sont entourés d'une masse gélatineuse appelée *cupule*.
L'inflexion augmente la fréquence des potentiels d'action des neurones sensitifs proportionnellement à la vitesse de la rotation.

▲ **Figure 49.11 Organes de l'équilibre dans l'oreille interne.**

Différentes inclinaisons du corps stimulent différentes cellules sensorielles ciliées et différents neurones sensitifs. Lorsque la position de la tête change par rapport au champ gravitationnel (lorsqu'on penche la tête vers l'avant, par exemple), la force exercée sur la cellule sensorielle ciliée se modifie, et la cellule accroît ou diminue sa production de neurotransmetteur. Pour déterminer la position de la tête, le cerveau interprète les changements d'influx que créent les cellules sensorielles ciliées. Les conduits semi-circulaires, disposés selon les trois plans de l'espace, détectent les changements de vitesse de rotation de la tête grâce à un mécanisme similaire (voir la figure 49.11). Lorsque vous tournez sur vous-même, l'équilibre des conduits semi-circulaires est perturbé, de sorte que vous avez un étourdissement.

L'audition et l'équilibre chez d'autres Vertébrés

Comme les autres Vertébrés, les Poissons et les Amphibiens aquatiques possèdent des oreilles internes situées au voisinage de l'encéphale. Celles-ci n'ont pas de cochlée, mais un saccule, un utricule et des conduits semi-circulaires, structures homologues de celles de l'équilibre dans les oreilles humaines. Ces chambres de l'oreille interne des Poissons abritent des cils sensoriels stimulés par le mouvement des otolithes, qui sont de minuscules granules. Contrairement à l'organe auditif des Mammifères, l'oreille interne des Poissons ne comporte aucun tympan et ne communique pas avec l'extérieur de l'organisme. Les ondes sonores qui voyagent dans l'eau se propagent dans le squelette de la tête et atteignent les oreilles internes. C'est ainsi qu'elles mettent les otolithes en mouvement et stimulent les cellules sensorielles ciliées. La vessie natatoire, remplie d'air (voir le chapitre 34), vibre aussi en présence d'ondes sonores et contribue peut-être à la transmission du son en direction de l'oreille interne. Certains Poissons, dont les barbottes et les Cyprinidés, possèdent une série d'os, portant le nom d'*appareil de Weber*, qui transmet les vibrations de la vessie natatoire à l'oreille interne.

De chaque côté du corps de la plupart des Poissons et des Amphibiens aquatiques, on trouve aussi l'**organe sensoriel de la ligne latérale (figure 49.12)**. Cet organe comprend des mécanorécepteurs qui détectent les ondes de basse fréquence au moyen d'un mécanisme semblable à celui de l'oreille interne. L'eau qui entoure ces Animaux pénètre dans la ligne latérale par de nombreux pores situés dans les écailles et circule dans un conduit, glissant ainsi sur les mécanorécepteurs; le plus long canal de cet organe sensoriel s'étend tout le long de l'Animal, mais divers canaux (canaux céphaliques) peuvent aussi exister au niveau de la tête. Les unités réceptrices, ou neuromastes, ressemblent aux ampoules qui se trouvent dans les conduits semi-circulaires. Chaque neuromaste renferme un amas de cellules sensorielles ciliées dont les cils s'enfoncent dans une capsule gélatineuse appelée *cupule*. La pression de l'eau en mouvement courbe la cupule, ce qui dépolarise les cellules sensorielles ciliées et crée des potentiels d'action qui sont transmis au cerveau par les axones des neurones sensitifs. Grâce à cette information, les Poissons perçoivent leur propre mouvement dans la masse d'eau, ou bien la direction et la vitesse des courants à la surface de leur corps. L'organe sensoriel de la ligne latérale détecte aussi les mouvements de l'eau ou les vibrations créées par d'autres objets en mouvement, notamment les proies et les prédateurs. Il serait aussi sensible aux variations du champ magnétique et interviendrait dans les migrations des Poissons marins.

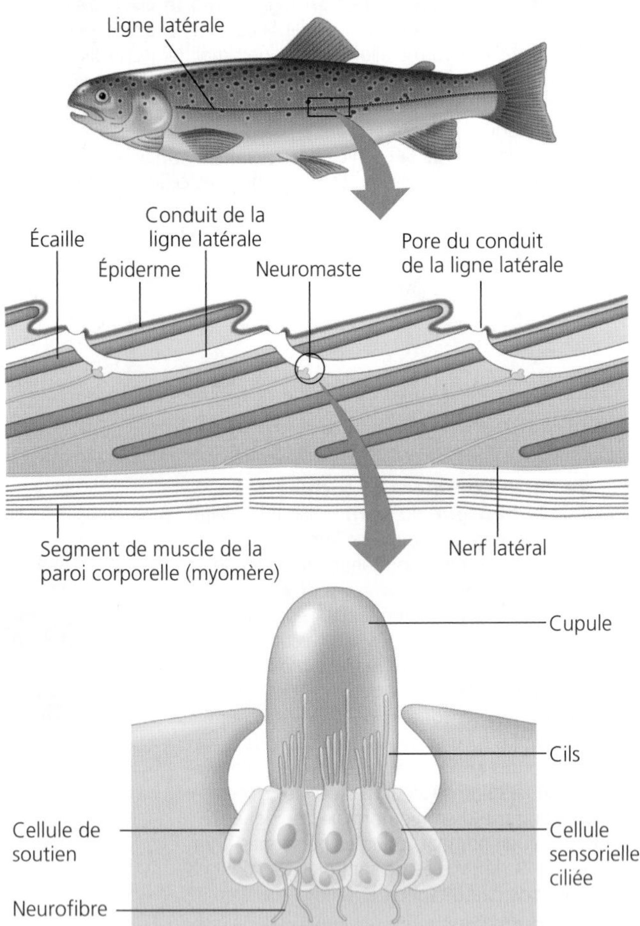

▲ **Figure 49.12 Organe sensoriel de la ligne latérale chez les Poissons.** L'eau qui passe dans l'organe sensoriel de la ligne latérale fléchit les cellules sensorielles ciliées, lesquelles transforment l'énergie en potentiels récepteurs. Ces derniers déclenchent des potentiels d'action qui se propagent jusqu'au cerveau. L'organe sensoriel de la ligne latérale permet aux Poissons de percevoir les courants, les ondes de pression produites par les objets en mouvement et les sons à basse fréquence qui se déplacent dans l'eau.

Chez les Vertébrés terrestres, l'oreille interne est devenue le principal organe de l'audition et de l'équilibre. Certains Amphibiens possèdent une ligne latérale au stade de têtards, mais pas au stade adulte, lorsqu'ils vivent sur la terre ferme. Les grenouilles terrestres et les crapauds ont un tympan à la surface du corps et un seul osselet pour transmettre à l'oreille interne les ondes sonores qui se propagent dans l'air. On a découvert récemment que les poumons des grenouilles vibraient aussi en présence d'un son et que les vibrations en question se rendaient jusqu'au tympan par l'intermédiaire de la trompe auditive. Une petite poche latérale du saccule joue le rôle d'organe principal de l'audition chez les grenouilles. Cette excroissance a donné naissance, au cours de l'évolution des Mammifères, à la structure plus élaborée que représente la cochlée. Les Oiseaux sont pourvus d'une cochlée. Mais chez eux, comme chez les Amphibiens et les Reptiles, le son circule de la membrane du tympan à l'oreille interne par l'intermédiaire d'un seul osselet, le stapès.

Retour sur le concept 49.2

1. En quoi les statocystes constituent-ils une adaptation pour les Animaux qui vivent dans des terriers ou au fond de l'océan ?
2. Chez les personnes atteintes d'otospongiose, le stapès se soude aux autres osselets de l'oreille moyenne ou à la fenêtre du vestibule. Expliquez comment cette maladie perturbe l'audition.
3. Supposons qu'une série d'ondes de pression produise dans la lame basilaire de votre cochlée une vibration qui se déplace progressivement de l'hélicotréma vers la base de la cochlée. Comment votre cerveau interprétera-t-il ce stimulus ?

Voir les réponses proposées à la fin du chapitre.

Concept 49.3

Les sens du goût et de l'odorat sont étroitement apparentés chez la plupart des Animaux

De nombreux Animaux ont recours à leurs organes de détection chimique pour trouver des partenaires sexuels (comme les mâles chez le bombyx du mûrier qui sont attirés par les phéromones émises par les femelles) ; pour reconnaître un territoire marqué au moyen d'une substance chimique (comme les chiens et les chats qui sentent les limites des territoires marqués par l'urine de leurs voisins) ; ou pour se repérer pendant leur migration (comme les saumons qui, grâce à leur odorat, reconnaissent le ruisseau où ils doivent aller frayer). La « communication » de nature chimique est particulièrement importante pour les Animaux qui, comme les fourmis et les abeilles, vivent en grands groupes sociaux. Chez tous les Animaux, le goût et l'odorat jouent un rôle important dans le comportement d'alimentation. Par exemple, l'hydre (Cnidaire) se met à déglutir dès que ses chimiorécepteurs détectent du glutathion, composé que libèrent ses proies lorsqu'elle les capture avec ses tentacules.

Les sens du goût et de l'odorat reposent sur l'existence de chimiorécepteurs qui détectent certaines substances dans le milieu. Chez les Animaux terrestres, le **goût** permet de distinguer des substances chimiques qui sont sous forme de solutions et l'**odorat** sert à reconnaître les substances chimiques volatiles qui sont transportées par l'air. Il n'existe pas de distinction entre le goût et l'odorat dans les milieux aquatiques.

Chez les Insectes, les récepteurs du goût se trouvent à l'intérieur de poils sensoriels appelés *soies* et situés sur les pattes et les pièces buccales. Les Insectes se servent de leur sens du goût pour choisir les aliments. Une soie gustative renferme plusieurs cellules chimioréceptrices, chacune étant particulièrement sensible à un certain type de stimulus chimique, comme le sucré ou le salé **(figure 49.13)**. Les Insectes peuvent aussi détecter les substances chimiques présentes dans l'air au moyen de leurs soies olfactives, localisées habituellement sur les antennes (voir la figure 49.4).

Figure 49.13

Investigation Comment les Insectes détectent-ils les goûts ?

EXPÉRIENCE Les Insectes perçoivent le goût à l'aide de soies (poils sensoriels ou sensilles) situées sur leurs pattes et leurs pièces buccales. Chaque soie contient quatre chimiorécepteurs dont les dendrites s'étendent jusqu'au pore situé à l'extrémité de la soie. Pour étudier la sensibilité de chaque chimiorécepteur, les chercheurs ont immobilisé une mouche noire de la viande (*Phormia regina*) en la retenant à une baguette avec de la cire. Ils ont ensuite introduit l'extrémité d'une microélectrode dans une de ses soies afin d'enregistrer les potentiels d'action créés dans les chimiorécepteurs tandis qu'ils mettaient le pore en contact avec diverses substances à l'aide d'une pipette.

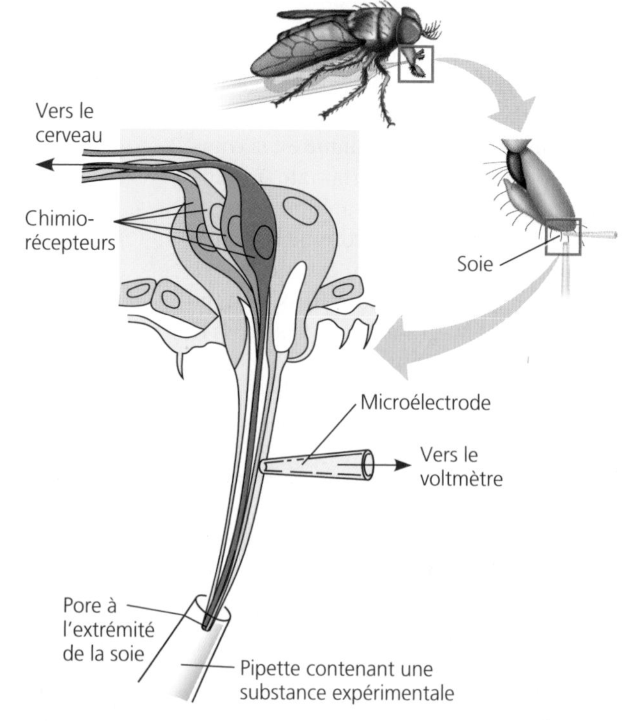

RÉSULTATS Chaque chimiorécepteur est particulièrement sensible à une certaine catégorie de substances, mais cette sélectivité est relative. En effet, chaque cellule peut réagir, dans une certaine mesure, à un large éventail de stimulus chimiques différents.

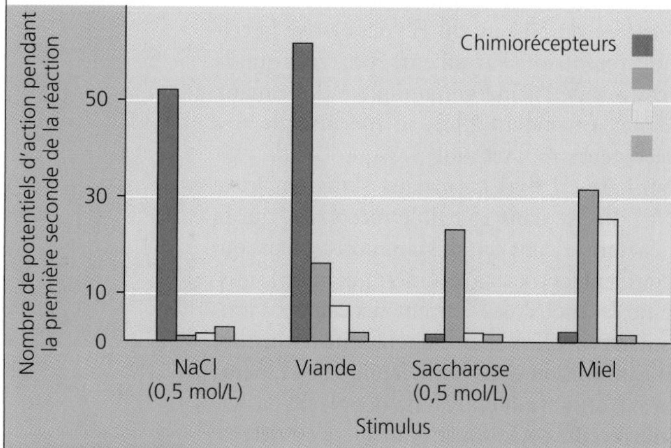

CONCLUSION Tout aliment naturel stimule probablement de multiples chimiorécepteurs. En intégrant les sensations, le cerveau de l'Insecte semble pouvoir distinguer un très grand nombre de goûts.

Le goût chez les humains

Chez les humains, les cellules réceptrices du goût (ou cellules gustatives) sont des cellules épithéliales modifiées, portant chacune du côté apical une vingtaine de microvillosités; elles sont groupées en **calicules gustatifs** (bourgeons du goût) disséminés dans plusieurs régions de la langue et de la bouche, comme le montre la **figure 49.14**. La plupart des calicules gustatifs qui se trouvent à la surface de la langue sont associés à des papilles qui font saillie sur la langue. Aux quatre sensations gustatives bien connues, soit le sucré, l'acide, le salé et l'amer, s'ajoute l'umami (mot japonais qui signifie « savoureux »), qui provient d'une stimulation engendrée par l'acide glutamique et peut-être d'autres acides aminés. L'acide glutamique est la composante principale du glutamate monosodique (MSG), agent de sapidité souvent abondant dans les aliments comme la viande et le fromage vieilli. En 2005, des biologistes français ont également découvert des récepteurs des molécules grasses chez la souris; le gras pourrait donc éventuellement s'ajouter comme sixième saveur fondamentale chez les Vertébrés. Chaque type de récepteur du goût peut être stimulé par une vaste gamme de substances chimiques, mais est particulièrement sensible à une certaine catégorie. En intégrant des stimulus distincts provenant de différents récepteurs du goût, le cerveau permet de percevoir les saveurs complexes.

Dans les récepteurs gustatifs, la transduction du stimulus repose sur plusieurs mécanismes. Les chimiorécepteurs qui détectent la salinité – surtout la présence d'ions sodium (Na^+) – et l'acidité – la présence d'ions hydrogène (H^+) produits par les acides – possèdent dans leur membrane plasmique des canaux à travers lesquels ces ions peuvent diffuser. L'entrée du Na^+ ou du H^+ dépolarise la cellule réceptrice. Par ailleurs, on croit que la fixation de l'acide glutamique à des canaux à Na^+ intervient dans le mécanisme des récepteurs de l'umami; lorsque l'acide glutamique est fixé, les canaux s'ouvrent, et le Na^+ diffuse dans la cellule réceptrice, qui se dépolarise. Dans certains chimiorécepteurs qui détectent les substances amères, comme la quinine, les molécules se fixent aux canaux à ions potassium (K^+) et entraînent leur *fermeture*; la diminution de la perméabilité de la membrane au K^+ qui en résulte dépolarise la cellule réceptrice. Enfin, le goût sucré est détecté par des chimiorécepteurs munis de récepteurs protéiques pour les glucides; la fixation d'une molécule de glucide à un récepteur protéique établit une voie de transduction du

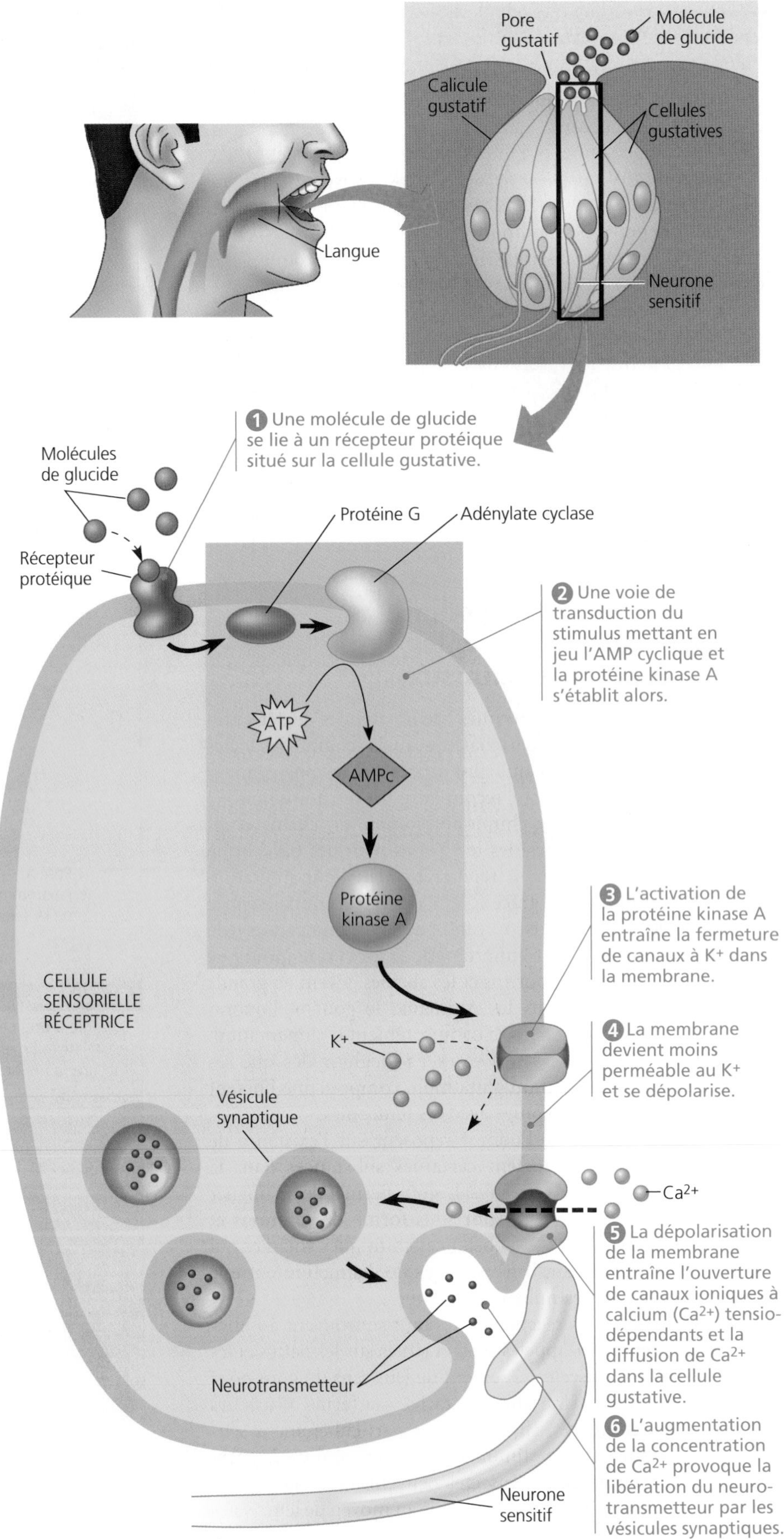

Pore gustatif
Molécule de glucide
Calicule gustatif
Cellules gustatives
Langue
Neurone sensitif
1 Une molécule de glucide se lie à un récepteur protéique situé sur la cellule gustative.
Molécules de glucide
Récepteur protéique
Protéine G
Adénylate cyclase
2 Une voie de transduction du stimulus mettant en jeu l'AMP cyclique et la protéine kinase A s'établit alors.
ATP
AMPc
Protéine kinase A
3 L'activation de la protéine kinase A entraîne la fermeture de canaux à K+ dans la membrane.
CELLULE SENSORIELLE RÉCEPTRICE
K+
4 La membrane devient moins perméable au K+ et se dépolarise.
Vésicule synaptique
Ca2+
5 La dépolarisation de la membrane entraîne l'ouverture de canaux ioniques à calcium (Ca2+) tensio-dépendants et la diffusion de Ca2+ dans la cellule gustative.
Neurotransmetteur
6 L'augmentation de la concentration de Ca2+ provoque la libération du neurotransmetteur par les vésicules synaptiques.
Neurone sensitif

▲ **Figure 49.14 Conversion du stimulus par un récepteur du goût sucré.**

stimulus qui provoque une dépolarisation (voir la figure 49.14). Dans tous les récepteurs gustatifs, cette dépolarisation entraîne la libération d'un neurotransmetteur agissant sur un neurone sensitif, qui achemine les potentiels d'action vers le cerveau.

L'odorat chez les humains

Les cellules olfactives, qui sont beaucoup plus sensibles que les cellules gustatives, sont des neurones qui garnissent la partie supérieure de la cavité nasale formant un épithélium sensoriel d'environ 0,5 cm^2 chez l'humain; ces cellules, par l'intermédiaire de leur axone, envoient des influx directement au bulbe olfactif de l'encéphale **(figure 49.15)**. Les cellules réceptrices olfactives, tout comme les récepteurs gustatifs, sont constamment éliminées et renouvelées à partir de cellules souches tous les mois ou deux mois. Comme les cellules olfactives sont des neurones, ce renouvellement est un phénomène remarquable. Les extrémités réceptrices de ces cellules comportent des cils qui baignent dans la couche de mucus recouvrant la paroi de la cavité nasale. Lorsqu'elle arrive là par diffusion, une substance odorante se dissout dans la couche de mucus puis se lie à des protéines spécifiques, les récepteurs olfactifs, qui se trouvent sur la membrane plasmique des cils olfactifs. Ce couplage amorce une voie de transduction du stimulus faisant intervenir des protéines G, une enzyme, l'adénylate cyclase, et un second messager, l'adénosine monophosphate cyclique. Le second messager fait s'ouvrir des canaux ioniques qui se trouvent dans la membrane plasmique du récepteur olfactif et qui sont perméables à la fois aux ions Na^+ et aux ions Ca^{2+}. L'entrée de ces ions dépolarise la membrane, de sorte que le récepteur olfactif produit des potentiels d'action.

Les humains peuvent distinguer des milliers d'odeurs, dont chacune est créée par une substance odorante structuralement distincte; pour être odorante, une substance doit avoir un poids moléculaire compris entre certaines valeurs et être volatile. L'ampleur de cette discrimination sensorielle nécessite de nombreux récepteurs olfactifs. Il existe plus de 1 000 gènes de récepteurs olfactifs, soit environ 3 % de tous les gènes humains. Chaque cellule olfactive exprime un seul ou tout au plus quelques-uns de ces gènes. Les cellules sensibles à différentes substances odorantes sont dispersées dans la cavité nasale, mais leurs axones se regroupent dans le bulbe olfactif. Les cellules qui expriment un même gène de récepteur olfactif transmettent les potentiels d'action à une même petite région du bulbe olfactif. En 2004, Richard Axel, de la Columbia University, et Linda Buck, du Fred Hutchinson Cancer Research Center, à Seattle, ont reçu un prix Nobel pour leurs travaux sur la famille de gènes et les récepteurs responsables de l'odorat.

Bien que les récepteurs et les voies nerveuses du goût et de l'odorat soient indépendants, il existe des interactions entre les deux sens. En fait, une grande partie de ce que nous attribuons au goût dépend de l'odorat. Ainsi, si l'organe olfactif est congestionné à la suite d'un rhume, les sensations du goût sont considérablement réduites.

Retour sur le concept 49.3

1. Expliquez pourquoi l'emplacement des soies gustatives sur le corps d'une mouche constitue une adaptation à son mode de nutrition.
2. Comparez la transduction du stimulus dans les chimiorécepteurs du goût sucré et les chimiorécepteurs olfactifs.

Voir les réponses proposées à la fin du chapitre.

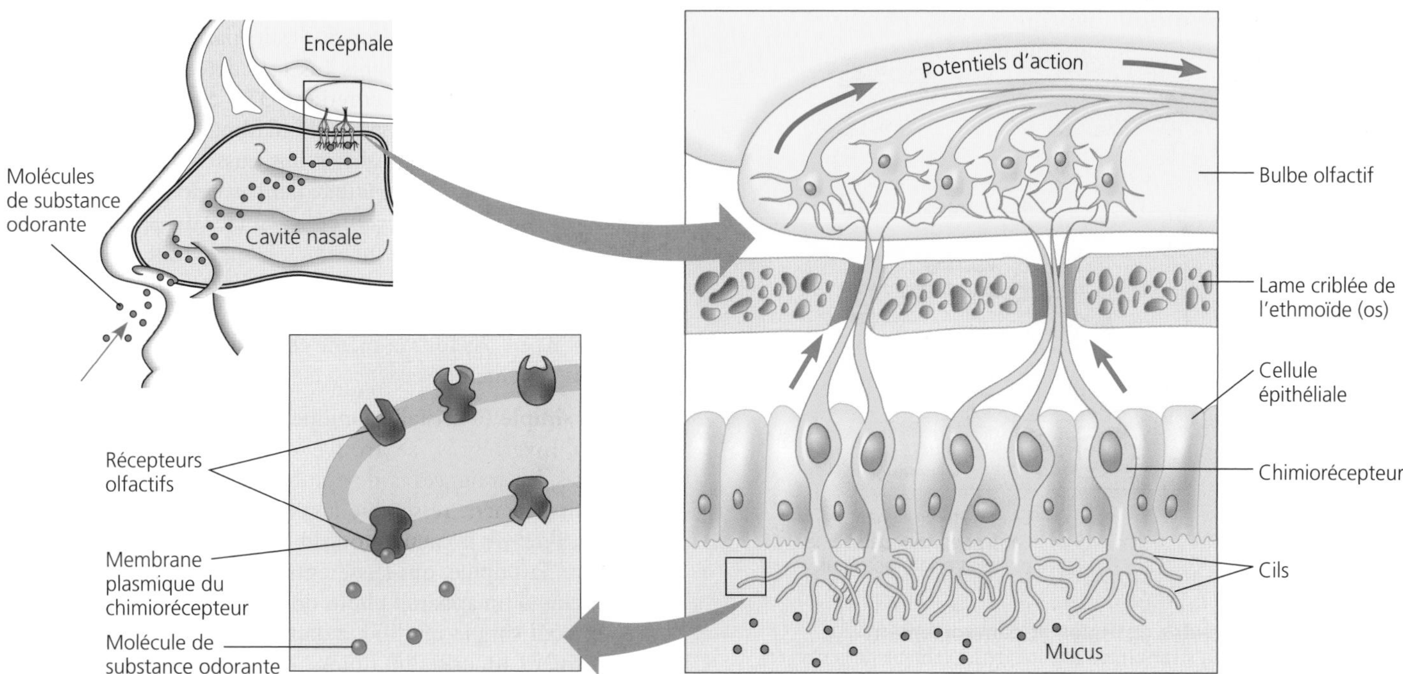

▲ **Figure 49.15 Odorat chez l'humain.** Les molécules de substance odorante se fixent à des récepteurs protéiques particuliers dans la membrane plasmique des chimiorécepteurs et créent des potentiels d'action.

Concept 49.4

La vision est commandée par des mécanismes semblables dans tout le règne animal

Au cours de l'évolution sont apparus dans le règne animal une grande diversité de détecteurs de lumière allant de simples amas de cellules qui ne captent que la direction et l'intensité de la lumière aux organes complexes qui produisent des images. Malgré cette diversité, tous les photorécepteurs contiennent des molécules de pigments semblables qui absorbent les ondes lumineuses, et presque tous, dans le règne animal, sont de structure semblable. Des Animaux aussi différents que les Plathelminthes, les Annélides, les Arthropodes et les Vertébrés possèdent les mêmes gènes anciens associés à la formation et au développement des photorécepteurs dans les embryons. Ainsi, les bases génétiques de tous les photorécepteurs seraient peut-être apparues chez les premiers Animaux à symétrie bilatérale. Le type d'yeux propre à un Animal est déterminé par des processus développementaux régis par des mécanismes génétiques qui sont apparus plus tard et dont les effets semblent se superposer au mécanisme ancestral commun.

La vision chez les Invertébrés

La plupart des Invertébrés possèdent des organes détecteurs de lumière. Les cupules optiques des planaires font partie des récepteurs visuels les plus simples. Ces structures renseignent l'Animal sur l'intensité de la lumière et sur sa direction, mais ne forment pas d'image **(figure 49.16)**. La cupule optique, qui entoure les photorécepteurs, est formée d'une couche de cellules contenant des pigments photorécepteurs qui arrêtent la lumière. Pour pénétrer dans la cupule optique et activer les photorécepteurs, la lumière doit s'infiltrer par une ouverture située sur un côté de la cupule optique qui est dépourvu de cellules pigmentaires. L'ouverture de l'une des cupules optiques est orientée vers la gauche et légèrement vers l'avant, et celle de l'autre cupule optique, vers la droite et l'avant. La lumière d'une zone déterminée du milieu environnant ne peut donc entrer que dans la cupule optique qui est située du côté correspondant. Les ganglions cérébraux qui tiennent lieu de cerveau comparent la fréquence des potentiels d'action issus des deux cupules optiques. L'Animal se déplace ensuite de façon que les sensations atteignent la même intensité et soient aussi faibles que possible. Il se déplace donc dans la direction opposée à la source de lumière, s'éloignant de celle-ci, jusqu'à ce qu'il arrive dans un endroit sombre, sous une roche ou un autre objet. C'est là une adaptation comportementale qui permet aux planaires de ne pas être repérées par leurs prédateurs.

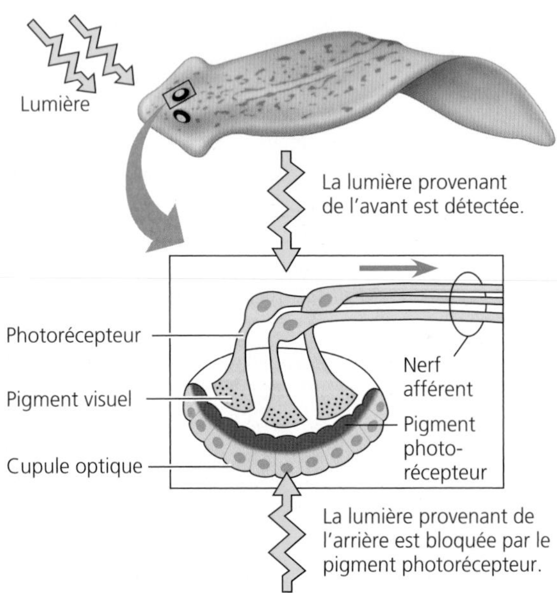

Lumière
La lumière provenant de l'avant est détectée.
Photorécepteur
Pigment visuel
Cupule optique
Nerf afférent
Pigment photo-récepteur
La lumière provenant de l'arrière est bloquée par le pigment photorécepteur.

▲ **Figure 49.16 Cupules optiques et comportement d'orientation de la planaire.** Les ganglions cérébraux de la planaire commandent au corps de se déplacer jusqu'à ce que les sensations provenant des deux cupules optiques soient de même intensité et aussi faibles que possible. Cette réaction fait en sorte que l'Animal s'oriente en s'éloignant de la source lumineuse.

Chez les Invertébrés, deux grands types d'yeux véritables produisant des images sont apparus: l'œil composé et l'œil simple (à cristallin unique). On trouve l'**œil composé** chez les Insectes et les Crustacés (embranchement des Arthropodes), et chez certains Polychètes (embranchement des Annélides). L'œil composé comprend des détecteurs de lumière appelés **ommatidies** (les « facettes » de l'œil), dont le nombre peut atteindre des dizaines de milliers (environ 30 000 chez les libellules et les demoiselles) **(figure 49.17)**. Chaque ommatidie, pourvue d'une cornée et d'un cristallin, reçoit la lumière provenant d'une minuscule portion du champ visuel. Les variations de l'intensité de la lumière arrivant jusqu'aux nombreuses ommatidies donnent une image en mosaïque. Les ganglions cérébraux de l'Animal peuvent rendre l'image plus nette en faisant une intégration de l'information visuelle. L'œil composé détecte très bien le mouvement. C'est une adaptation importante pour les Insectes volants et les petits Animaux constamment menacés par des prédateurs. À titre de comparaison, l'œil humain peut distinguer des éclairs se succédant à une fréquence d'environ 50 éclairs par seconde. Par contre, les yeux composés de certains Insectes détectent les variations d'intensité d'une lampe émettant 330 éclairs par seconde. Si l'un de ces Insectes regardait un film, il distinguerait une suite d'images fixes. Les Insectes ont aussi une excellente perception des couleurs. Certains d'entre eux (notamment les abeilles) perçoivent les rayons ultraviolets du spectre électromagnétique, qui nous sont invisibles. Dans l'étude du comportement animal, nous ne pouvons utiliser notre expérience sensorielle pour l'appliquer aux autres Animaux. En effet, les Animaux n'ont pas tous la même sensibilité ni la même organisation du système nerveux.

L'**œil simple** (à cristallin unique), second type d'œil présent chez les Invertébrés, se trouve chez les méduses, certains Polychètes, les araignées et de nombreux Mollusques. Son mode de fonctionnement ressemble à celui d'un appareil photo. Par exemple, l'œil de la pieuvre ou du calmar comporte une petite ouverture, la pupille, qui laisse entrer la lumière. Semblable au diaphragme d'un appareil photo dont l'ouverture peut se régler, l'iris de l'œil simple modifie le diamètre de la pupille. Derrière cette dernière, un cristallin unique concentre la lumière sur une couche de cellules photoréceptrices. Pour faire la mise au point sur la rétine, des muscles ciliaires déplacent le cristallin vers l'avant ou l'arrière, là encore comme dans un appareil photo.

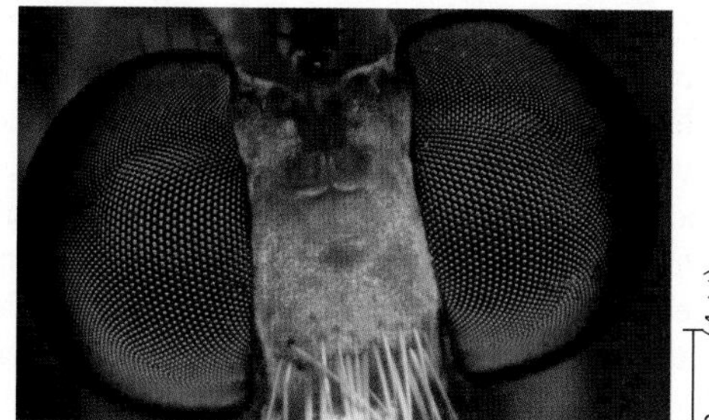

(a) Yeux à facettes d'une mouche photographiés au microscope photonique stéréoscopique.

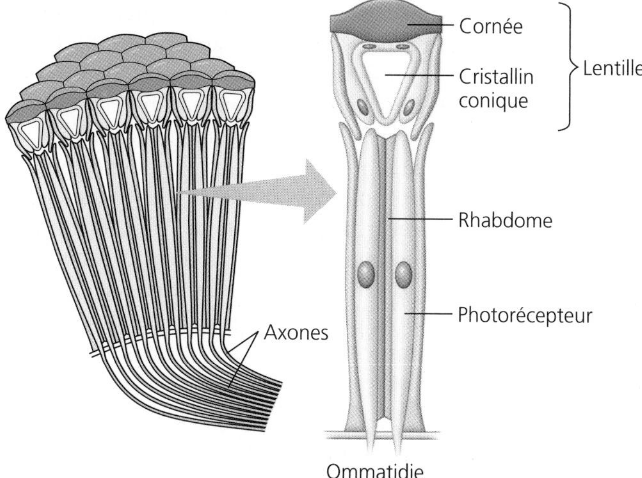

(b) La cornée et le cristallin de forme conique de chaque ommatidie agissent comme des lentilles. Ils concentrent la lumière dans le rhabdome, qui est un empilement de plaques pigmentaires enfermé dans un cercle de photorécepteurs. Le rhabdome capte la lumière et la guide vers les photorécepteurs. L'image consiste en une mosaïque de points formée par les différentes intensités lumineuses qui pénètrent dans les nombreuses ommatidies sous des angles différents.

▲ **Figure 49.17 Yeux composés.**

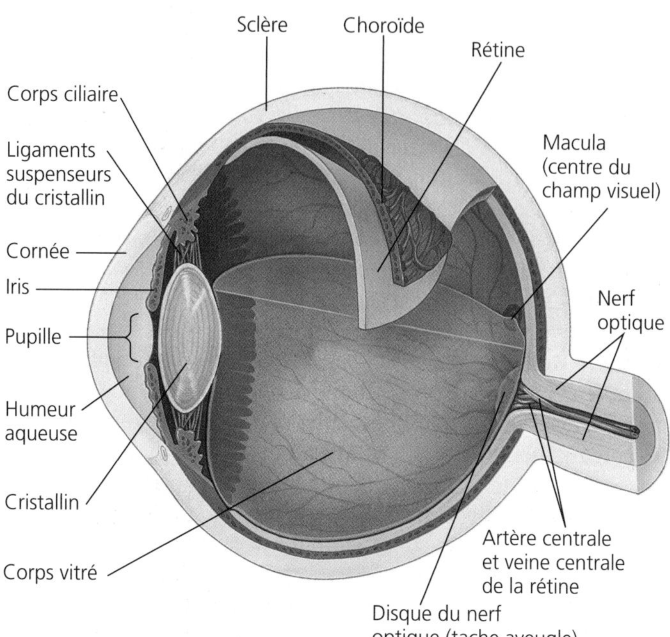

▲ **Figure 49.18 Structure de l'œil chez les Vertébrés.** Dans cette coupe sagittale d'un œil, le corps vitré, de consistance gélatineuse, n'est représenté que dans la moitié inférieure de l'œil. La muqueuse, ou conjonctive, qui recouvre la sclère (le blanc de l'œil), n'est pas illustrée.

L'appareil visuel des Vertébrés

Tout comme l'œil simple de nombreux Invertébrés, l'œil des Vertébrés ressemble à un appareil photo. Mais il est apparu indépendamment de celui des Invertébrés et plusieurs détails l'en différencient. Même si l'œil constitue la première étape de la vision, rappelez-vous que c'est le cerveau qui « voit ». Pour comprendre la vision, il nous faut donc étudier, dans un premier temps, la façon dont l'œil des Vertébrés produit des sensations (potentiels d'action) et envoie ces influx aux centres de la vision situés dans le cerveau, où s'effectue la perception visuelle.

La structure de l'œil

Chez les Vertébrés, l'œil se compose d'une couche externe blanche et résistante de tissu conjonctif, la **sclère**, et d'une fine couche pigmentaire interne, la **choroïde** **(figure 49.18)**. Une délicate couche de cellules épithéliales forme une muqueuse, la **conjonctive**, qui tapisse la surface externe de la sclère et lubrifie l'œil. Sur le devant de l'œil, la sclère devient la **cornée**, tunique transparente par laquelle la lumière pénètre et qui agit comme une lentille fixe. La conjonctive ne recouvre pas la cornée. La partie antérieure de la choroïde est l'**iris**. Ce dernier a une forme de beignet et donne sa couleur à l'œil. En changeant de dimension, il règle la quantité de lumière qui arrive dans la **pupille**, ouverture visible en son centre. Située immédiatement à l'intérieur de la choroïde, la **rétine** constitue la couche la plus profonde de l'œil. C'est dans la rétine que se trouvent les cellules photoréceptrices proprement dites. L'information provenant de ces cellules quitte l'œil au niveau du disque du nerf optique, là où celui-ci s'attache à l'œil. Comme il ne comprend pas de photorécepteurs, le disque du nerf optique constitue une tache aveugle, c'est-à-dire une zone de la rétine qui ne capte pas la lumière qui est dirigée sur elle.

Le **cristallin** et le **corps ciliaire** divisent l'œil en deux chambres : l'une est située entre le cristallin et la cornée ; l'autre, beaucoup plus grande, est située derrière le cristallin et à l'intérieur du globe oculaire même. Le corps ciliaire est un anneau de tissu vascularisé issu de la choroïde et entourant le cristallin. Il comporte un muscle et des procès ciliaires. En se contractant, le muscle ciliaire (muscle lisse) tire le corps ciliaire vers l'avant et relâche la tension sur les ligaments suspenseurs attachés au cristallin, ce qui modifie la forme de ce dernier. Les procès ciliaires sont des saillies vascularisées du corps ciliaire. Ils produisent constamment l'**humeur aqueuse**, liquide transparent semblable à de l'eau qui remplit la cavité antérieure de l'œil. Lorsque les conduits qui permettent l'écoulement de l'humeur aqueuse sont bouchés, un glaucome peut apparaître. C'est une augmentation de la pression qui comprime la rétine et peut entraîner la cécité ; environ 2 % de la population âgée de 40 ans et plus est touchée par ce problème insidieux qui serait, par ailleurs, héréditaire dans 30 à 50 % des cas au Québec. Le **corps vitré**, substance gélatineuse, occupe toute la cavité postérieure et représente la plus grande partie du volume de l'œil. L'humeur aqueuse et le corps vitré agissent comme des lentilles liquides qui concentrent en partie la lumière sur la rétine. Le cristallin lui-même est un disque protéique transparent qui assure la mise au point d'une image sur la rétine.

Comme les calmars et les pieuvres, de nombreux Poissons effectuent la mise au point en déplaçant le cristallin vers l'avant ou l'arrière. C'est le même mécanisme que dans un appareil photo. Mais chez les humains et les autres Mammifères, le cristallin change de forme pour faire la mise au point **(figure 49.19)**. Ainsi, lorsqu'on regarde un objet éloigné, le cristallin prend une forme aplatie en raison du relâchement du muscle ciliaire. Pour faire la mise au point sur un objet rapproché, il devient presque sphérique grâce à la contraction du muscle ciliaire et à l'élasticité du cristallin. On parle alors d'**accommodation**.

La rétine humaine comprend environ 125 millions de **bâtonnets** et 6 millions de **cônes**, deux types de photorécepteurs qui tirent leur nom de la forme d'une de leurs parties qu'on appelle *segment externe*. Les bâtonnets et les cônes représentent 70 % des récepteurs de notre corps, ce qui montre l'importance des yeux et de l'information visuelle dans la perception que les humains ont de leur environnement.

Les bâtonnets et les cônes remplissent des fonctions distinctes dans la vision. Leur nombre relatif dans la rétine reflète en partie l'aspect diurne ou nocturne de l'activité d'un Animal. Les bâtonnets sont plus sensibles à la lumière, mais ne distinguent pas les couleurs. Ils permettent la vision nocturne, mais seulement en noir et blanc. Les cônes ont besoin de plus de lumière pour être stimulés. Ils n'interviennent donc pas dans la vision nocturne. Par contre, ils permettent de discerner les couleurs dans la journée.

Toutes les classes de Vertébrés, mais pas toutes les espèces, ont la vision des couleurs. En général, les Poissons, les Amphibiens, les Reptiles et les Oiseaux voient très bien les couleurs. Les Mammifères, en revanche, ne possèdent pas ce type de vision, à l'exception d'un petit nombre d'espèces dont font partie les humains et les autres Primates. La plupart des Mammifères sont nocturnes. La présence d'un grand nombre de bâtonnets dans leur rétine représente une adaptation qui leur donne une excellente vision la nuit. Par exemple, les chats, qui sont habituellement des Animaux nocturnes, ont une vision des couleurs limitée et perçoivent probablement un monde pastel pendant le jour.

Dans l'œil humain, les bâtonnets sont les plus nombreux dans les régions périphériques de la rétine. La **macula**, centre du champ visuel, n'en comporte aucun (voir la figure 49.18). Par exemple, si, la nuit, vous regardez de face une étoile pâle, vous ne la discernerez pas très bien, car le rayon lumineux est dirigé sur la macula. Vous la verrez mieux si vous la regardez de côté, c'est-à-dire en dirigeant le rayon lumineux vers les régions de la rétine qui comprennent le plus de bâtonnets. Cependant, le jour, vous verrez mieux en regardant directement l'objet en question, parce que la macula comprend la plus forte densité de cônes, soit 150 000 récepteurs de la couleur par millimètre carré. Certains Oiseaux ont plus d'un million de cônes par millimètre carré. Ainsi, des espèces comme les éperviers et les buses peuvent repérer des souris et d'autres petites proies à très haute altitude.

Toutes ces différences que nous venons de voir entre les espèces, concernant la rétine de l'œil, reflètent les diverses adaptations produites par l'évolution.

Le muscle ciliaire se contracte et tire les bords de la choroïde de l'œil en direction du cristallin.

Le ligament suspenseur du cristallin se détend.

Le cristallin devient plus épais et plus arrondi lorsqu'il fait la mise au point sur des objets rapprochés.

Choroïde

Rétine

Vue de face du cristallin et du muscle ciliaire

Cristallin (arrondi)

Muscle ciliaire

Ligaments suspenseurs

(a) Vision rapprochée (accommodation)

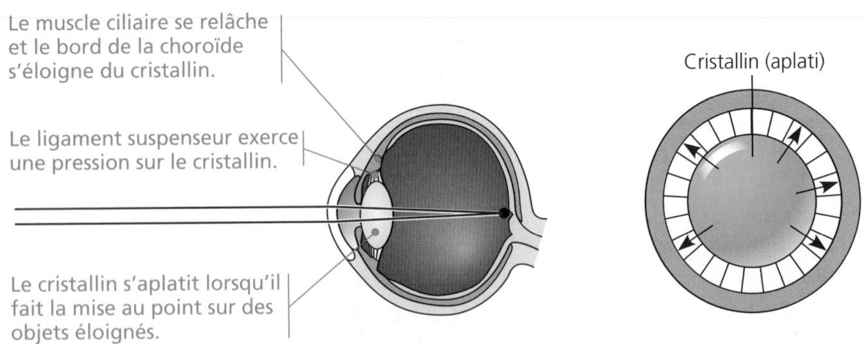
Le muscle ciliaire se relâche et le bord de la choroïde s'éloigne du cristallin.
Le ligament suspenseur exerce une pression sur le cristallin.
Le cristallin s'aplatit lorsqu'il fait la mise au point sur des objets éloignés.
Cristallin (aplati)

(b) Vision éloignée

▲ **Figure 49.19 Mise au point dans un œil de Mammifère.** Le muscle ciliaire détermine la forme du cristallin, qui dévie la lumière et la concentre sur la rétine. Plus le cristallin est épais, plus l'angle de réfraction (déviation) de la lumière augmente.

La conversion du stimulus dans l'œil

Les bâtonnets et les cônes contiennent chacun des pigments visuels qui sont faits d'une molécule de **rétinal**, qui est synthétisée à partir de la vitamine A et qui est la composante absorbant la lumière, et d'une protéine membranaire appelée **opsine**, à laquelle se lie le rétinal. La structure des opsines varie d'un type de photorécepteur à l'autre, et la capacité d'absorption lumineuse du rétinal dépend du type d'opsine avec lequel il se combine. Les bâtonnets ont leur propre type d'opsine dont la molécule forme, avec la molécule de rétinal, le pigment visuel qu'on appelle **rhodopsine**. La **figure 49.20** explique la relation qui existe entre la structure des bâtonnets et l'absorption de la lumière.

Comme le montre la figure 49.20, lorsque la rhodopsine absorbe de la lumière, le rétinal change de configuration et se dissocie de l'opsine. Pour désigner cette réaction photochimique, on parle de *décoloration* de la rhodopsine. Si la lumière intense persiste, la rhodopsine reste décolorée, et les bâtonnets ne peuvent plus fournir de réponse. Lorsque vous venez d'un milieu très éclairé et pénétrez dans un endroit sombre, par exemple lorsque vous entrez dans une salle

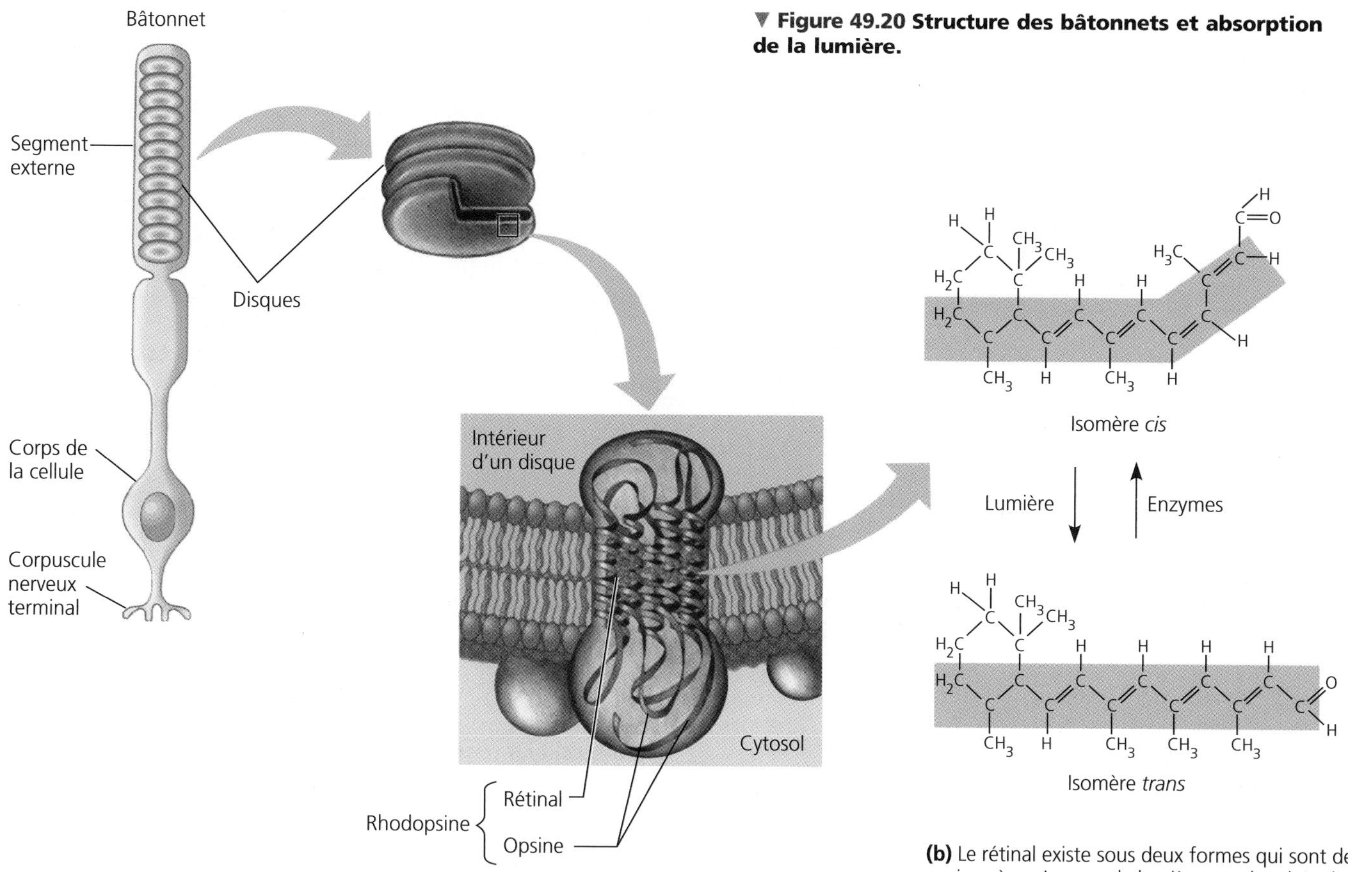

▼ **Figure 49.20 Structure des bâtonnets et absorption de la lumière.**

(a) Les bâtonnets contiennent un pigment visuel, la rhodopsine, enchâssé dans la membrane de plusieurs centaines de disques à cavité virtuelle empilés dans le segment externe des bâtonnets. Ces disques sont constamment éliminés pendant le jour et renouvelés par invagination de la membrane à la base du segment externe. La rhodopsine se compose d'une molécule de rétinal qui absorbe la lumière liée à une protéine appelée *opsine*. L'opsine présente sept régions (ou domaines; voir la figure 11.7) d'hélices α qui traversent la membrane du disque.

(b) Le rétinal existe sous deux formes qui sont des isomères. Lorsque la lumière est absorbée, le pigment passe de l'isomère *cis* à l'isomère *trans*, ce qui provoque un changement de configuration de l'opsine. Après quelques minutes, le rétinal se dissocie de l'opsine. Dans l'obscurité, des enzymes ramènent le rétinal à la configuration *cis*, qui se recombine avec l'opsine pour former la rhodopsine.

de cinéma l'après-midi, vous ne voyez presque rien. C'est que le peu de lumière ne suffit pas à stimuler les cônes et que les bâtonnets, dont la rhodopsine est décolorée, mettent quelques minutes au moins à redevenir fonctionnels.

La vision des couleurs nécessite un traitement de l'information encore plus complexe que le mécanisme de la rhodopsine dans les bâtonnets. Elle dépend de la présence de trois sous-groupes de cônes inégalement répartis dans la rétine: les cônes rouges et les cônes verts (en proportions équivalentes), et les cônes bleus, beaucoup moins nombreux que les deux premiers (de 5 à 10 % de l'ensemble des cônes). Chacun des sous-groupes possède son propre type d'opsine qui s'associe au rétinal pour former des pigments visuels appelés collectivement **photopsines** et qui tient son nom de la couleur que son type de photopsine absorbe le mieux. Les spectres d'absorption de ces pigments se recouvrent, et la perception de teintes intermédiaires résulte de la stimulation différentielle de deux types de cônes, ou des trois. Ainsi, lorsque les cônes rouges et verts sont stimulés en même temps, nous percevons du jaune ou de l'orange, selon la population de cônes qui reçoit la plus forte stimulation. L'insuffisance ou l'absence de l'un des types de cônes ou de plusieurs d'entre eux provoque diverses formes de dyschromatopsie (anomalie de la perception des couleurs) dont la plus connue est le daltonisme (trouble qui affecte plus souvent les hommes que les femmes parce que c'est un caractère héréditaire lié au sexe; voir la figure 15.10).

Le traitement de l'information visuelle

Le traitement de l'information visuelle commence dans la rétine même, où les bâtonnets et les cônes forment des synapses avec des neurones appelés **cellules bipolaires**. Dans l'obscurité, les bâtonnets et les cônes, qui sont dépolarisés, libèrent sans cesse à ces synapses de l'acide glutamique, qui est un neurotransmetteur (voir le tableau 48.1). Cette libération constante d'acide glutamique entraîne la dépolarisation de certaines cellules bipolaires et l'hyperpolarisation d'autres cellules bipolaires, selon le type de molécules réceptrices postsynaptiques qu'elles portent **(figure 49.21)**. En présence de lumière, les bâtonnets et les cônes subissent une hyperpolarisation et cessent de libérer de l'acide glutamique. Les cellules bipolaires dépolarisées par l'acide glutamique subissent alors une hyperpolarisation, et les cellules bipolaires hyperpolarisées par l'acide glutamique, une dépolarisation **(figure 49.22)**. Trois autres types de neurones contribuent au traitement de l'information dans la rétine: les cellules ganglionnaires, les cellules horizontales et les cellules amacrines **(figure 49.23)**. Les **cellules ganglionnaires** forment des synapses avec les cellules bipolaires et transmettent les potentiels d'action au cerveau par les axones présents dans le nerf optique. Les **cellules horizontales** et les **cellules amacrines** assurent l'intégration de l'information avant son acheminement vers le cerveau.

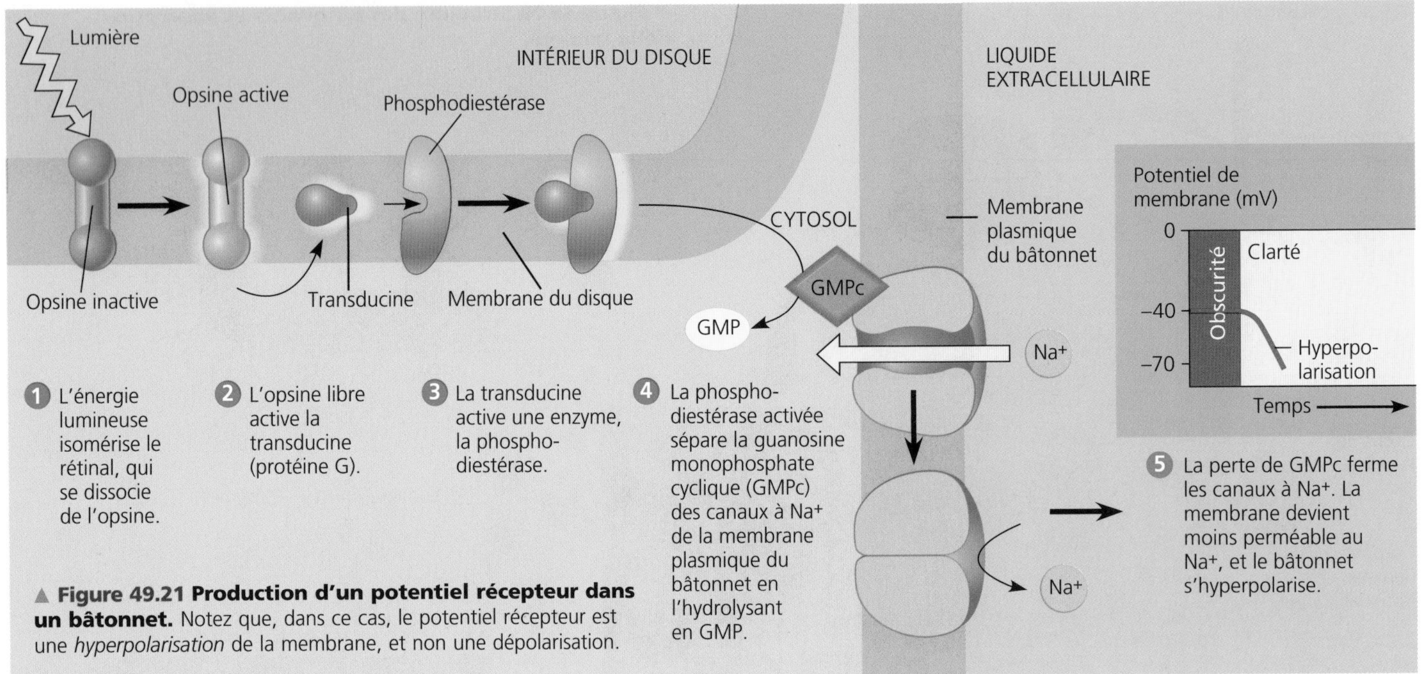

▲ **Figure 49.21 Production d'un potentiel récepteur dans un bâtonnet.** Notez que, dans ce cas, le potentiel récepteur est une *hyperpolarisation* de la membrane, et non une dépolarisation.

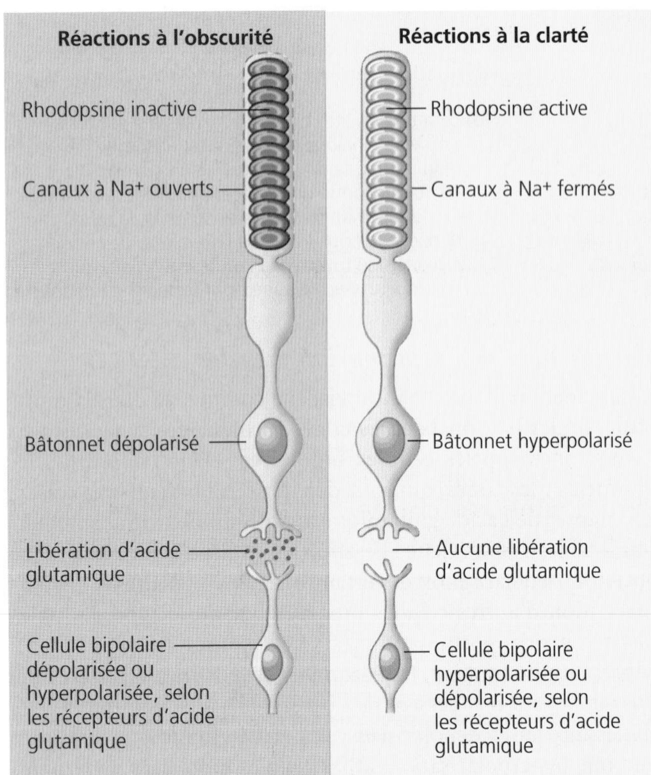

▲ **Figure 49.22 Effet de la lumière sur les synapses situées entre les bâtonnets et les cellules bipolaires.**

Dans la rétine, l'information visuelle provenant des bâtonnets et des cônes peut emprunter soit une voie verticale, soit une voie latérale. Dans la voie verticale, elle passe directement des cellules réceptrices aux cellules bipolaires, pour ensuite arriver aux cellules ganglionnaires. Dans la voie latérale, les cellules horizontales et amacrines en assurent l'intégration latérale. Les cellules horizontales transmettent l'information d'un bâtonnet ou d'un cône à d'autres cellules réceptrices du même type et à plusieurs cellules bipolaires. Les cellules amacrines, quant à elles, répartissent l'information issue d'une cellule bipolaire en la transmettant à plusieurs cellules ganglionnaires. Lorsqu'un bâtonnet ou un cône illuminé stimule une cellule horizontale de la voie latérale, cette cellule inhibe les récepteurs qui sont loin et les cellules bipolaires qui ne reçoivent pas de lumière. Ainsi, le point lumineux paraît plus brillant, et la zone non éclairée qui l'entoure semble encore plus sombre. Cette sorte d'intégration, qu'on appelle **inhibition latérale**, rend les contours plus nets et améliore le contraste de l'image. L'inhibition latérale est reproduite dans les interactions entre les cellules amacrines et les cellules ganglionnaires, et se répète à tous les stades du traitement de l'information visuelle.

Tous les bâtonnets et les cônes qui envoient de l'information à une même cellule ganglionnaire forment le *champ récepteur* de cette cellule. Plus le champ récepteur est large (plus le nombre de bâtonnets ou de cônes dont une cellule ganglionnaire reçoit de l'information est grand), moins l'image est nette, parce qu'il est plus difficile de savoir exactement où la lumière a atteint la rétine. Les cellules ganglionnaires de la macula ont un champ récepteur très petit, de sorte que l'acuité visuelle est très forte dans cette zone.

Les axones des cellules ganglionnaires forment les nerfs optiques, qui transmettent au cerveau les sensations venant des yeux **(figure 49.24)**. Les nerfs optiques qui partent des deux yeux se croisent à la hauteur du **chiasma optique**, situé vers le centre de la base du cortex cérébral. Dans le chiasma optique, les axones des nerfs optiques sont disposés de telle sorte que les stimulus perçus dans la partie gauche du champ visuel des deux yeux sont transmis au côté droit du cerveau, et que les stimulus venant de la droite du champ visuel rejoignent le côté gauche du cerveau. La plupart des axones des cellules ganglionnaires conduisent aux **corps géniculés latéraux** du thalamus. Les neurones des corps géniculés latéraux vont jusqu'à l'**aire visuelle primaire** du lobe occipital des hémisphères cérébraux. D'autres interneurones acheminent l'information jusqu'à des centres situés ailleurs dans le cortex et où l'information visuelle subit un traitement et une intégration plus poussés.

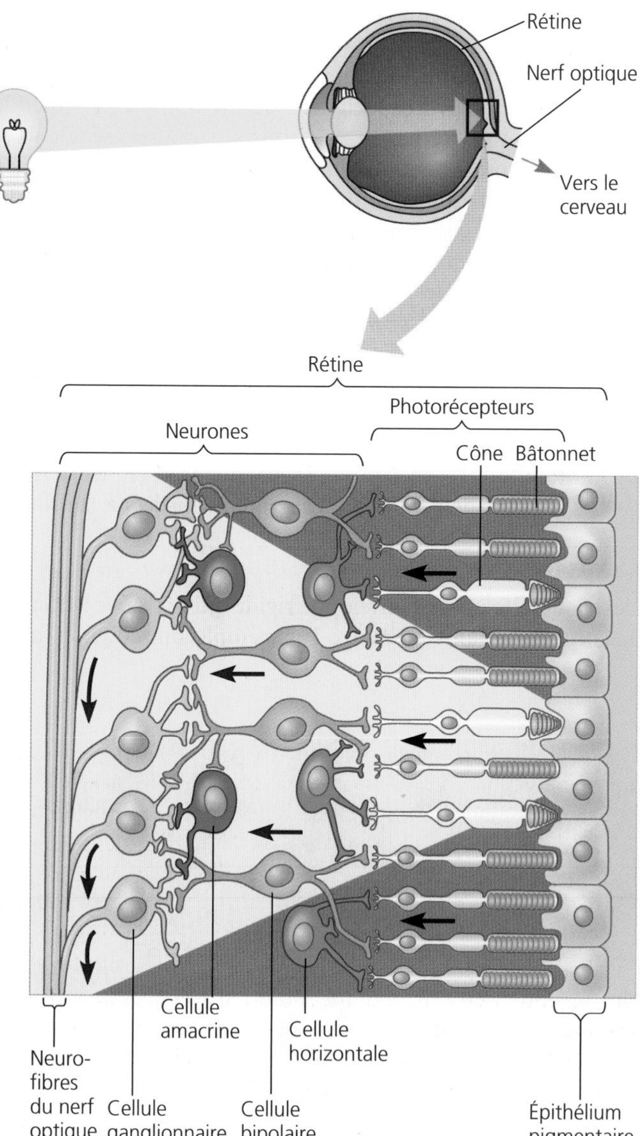

▲ **Figure 49.23 Organisation des cellules de la rétine chez les Vertébrés.** La lumière doit traverser plusieurs couches de cellules relativement transparentes pour atteindre les bâtonnets et les cônes. Ces photorécepteurs communiquent avec les cellules ganglionnaires par l'intermédiaire des cellules bipolaires. Les axones des cellules ganglionnaires envoient les sensations visuelles (potentiels d'action) au cerveau. Chaque cellule bipolaire reçoit de l'information de plusieurs bâtonnets ou cônes, et chaque cellule ganglionnaire en reçoit de plusieurs cellules bipolaires, de sorte qu'en ce qui concerne les bâtonnets environ 500 photorécepteurs communiquent avec une seule cellule ganglionnaire. Les cellules horizontales et les cellules amacrines intègrent l'information en divers endroits de la rétine. Les flèches noires indiquent le parcours de l'information visuelle de la rétine au nerf optique.

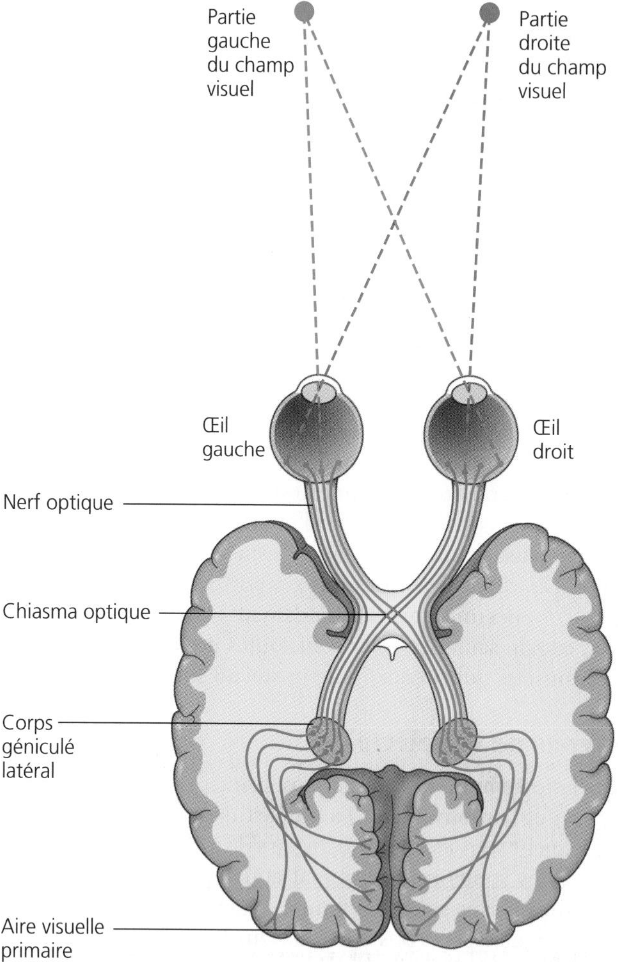

▲ **Figure 49.24 Voies nerveuses de la vision.** Chaque nerf optique contient environ un million d'axones qui forment des synapses avec les interneurones dans les corps géniculés latéraux. Ces derniers acheminent les sensations jusqu'à l'aire visuelle primaire, considérée comme le premier de nombreux centres cérébraux qui participent à l'élaboration de nos perceptions visuelles.

L'image qui est issue du champ visuel et qui se compose de points est transmise à l'aire visuelle primaire par l'intermédiaire de neurones. Comment le cerveau transforme-t-il une suite complexe de potentiels d'action représentant des images bidimensionnelles projetées sur nos rétines en des perceptions tridimensionnelles de notre milieu? Les chercheurs estiment qu'au moins 30 % du cortex cérébral, c'est-à-dire des centaines de millions d'interneurones situés dans probablement des douzaines de centres d'intégration, participe à la formation de ce que nous «voyons» véritablement. La détermination de la façon dont ces centres combinent les composantes de notre vision telles que la couleur, le mouvement, la profondeur, la forme et le détail fait l'objet d'un effort de recherche passionnant, en constante évolution.

Retour sur le concept 49.4

1. Comparez les organes photorécepteurs des planaires et des mouches. Expliquez comment chacun est adapté au mode de vie de l'Animal.
2. Dans la presbytie, le cristallin perd son élasticité et demeure constamment aplati. Expliquez l'effet de cette affection sur la vision d'une personne.
3. En faisant appel à la voie verticale empruntée par l'information visuelle pour traverser la rétine, expliquez comment l'illumination d'un photorécepteur peut conduire à l'augmentation de la fréquence des potentiels d'action dans les cellules ganglionnaires.

Voir les réponses proposées à la fin du chapitre.

Concept 49.5

Le squelette des Animaux assure soutien, protection et mouvement

Au cours de la présentation des mécanismes sensoriels, nous avons constaté que l'arrivée de l'information sensorielle dans le système nerveux déclenchait des mouvements corporels particuliers et produisait certains comportements chez les Animaux. Nous avons ainsi vu, comme exemples, la fuite de la noctuelle qui entend le sonar d'une chauve-souris, l'écrevisse qui nage sur le dos au cours d'une expérience portant sur ses statocystes, les mouvements de déglutition de l'hydre qui perçoit le goût du glutathion et la fuite de la planaire qui s'éloigne de la lumière. Les comportements des Animaux s'inscrivent dans une suite ininterrompue d'opérations du cerveau qui engendrent des actions, en observent les conséquences par l'intermédiaire de mécanismes sensoriels, puis, selon l'information reçue, déterminent l'action suivante. Les diverses formes de comportements des Animaux reposent sur des mécanismes fondamentaux universels. Nager, ramper, courir, sauter et voler sont toutes des actions produites par des muscles qui prennent appui sur un squelette.

Les types de squelette

Le squelette remplit trois fonctions principales: le soutien, la protection et le mouvement. La plupart des Animaux terrestres s'affaisseraient sous leur propre masse s'ils n'avaient pas de squelette pour les soutenir. Un Animal aquatique ne serait qu'une masse informe sans structure pour lui donner sa conformation. De nombreuses espèces possèdent un squelette rigide qui protège leurs tissus mous. Ainsi, les Vertébrés ont un crâne qui recouvre leur encéphale et des côtes qui forment une cage autour de leur cœur, de leurs poumons et de leurs autres organes internes. De plus, le squelette participe au mouvement, en procurant aux muscles un point d'appui. Il existe trois grands types de squelette: l'hydrosquelette, l'exosquelette et l'endosquelette.

L'hydrosquelette

Un **hydrosquelette** est un compartiment fermé de l'organisme qui contient un liquide maintenu sous pression. La plupart des Cnidaires, des Plathelminthes, des Nématodes et des Annélides ont un squelette de ce type (voir le chapitre 33). Ces Animaux se déplacent ainsi en se servant de leurs muscles pour modifier la forme de compartiments remplis de liquide.

Par exemple, chez l'hydre, qui fait partie des Cnidaires, c'est le liquide de la cavité gastrovasculaire qui sert d'hydrosquelette. Ainsi, l'Animal s'allonge en fermant la bouche et en resserrant sa cavité gastrovasculaire au moyen des cellules contractiles de sa paroi corporelle. Comme l'eau est incompressible, la diminution du diamètre de la cavité provoque son allongement.

Chez les planaires et d'autres Vers plats, c'est le liquide interstitiel maintenu sous pression dans la cavité gastrovasculaire qui joue le rôle d'hydrosquelette principal. Pour se déplacer, les planaires contractent les muscles de leur paroi corporelle et exercent ainsi des forces localisées sur cet hydrosquelette.

Chez les Vers ronds (Nématodes), c'est le liquide présent dans la cavité corporelle (pseudocœlome; voir la figure 32.8b) qui joue le rôle d'hydrosquelette. Ils maintiennent ce liquide sous pression, et l'action de leurs muscles longitudinaux produit des mouvements vigoureux.

Chez les vers de terre et autres Annélides, c'est le liquide cœlomique qui sert d'hydrosquelette. Chez de nombreux Annélides, le cœlome est divisé par des cloisons séparant les segments, de sorte que l'Animal peut modifier séparément la forme de chacun de ses segments au moyen de ses muscles circulaires et longitudinaux. Ces Annélides se servent de leur hydrosquelette pour se déplacer par **péristaltisme**, type de locomotion produit par des ondes rythmiques de contractions musculaires le long du corps, de la tête à la queue **(figure 49.25)**.

Les hydrosquelettes conviennent bien à la vie en milieu aquatique. Chez les Animaux terrestres, ils peuvent protéger les organes internes contre les chocs et offrir un appui pour ramper et creuser la terre. Cependant, ils n'offrent aucun soutien aux formes de locomotion terrestre, telles que la marche ou la course, dans lesquelles le corps de l'Animal est maintenu au-dessus du sol.

L'exosquelette

L'**exosquelette** est une enveloppe rigide qui se trouve à la surface du corps de certains Animaux. Par exemple, une coquille calcaire

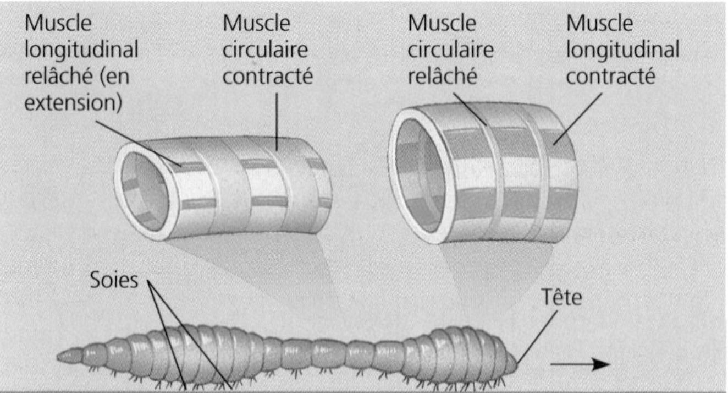

(a) Les segments corporels situés au niveau de la tête et de la queue raccourcissent et s'épaississent (muscles longitudinaux contractés, muscles circulaires relâchés) et s'ancrent au sol au moyen des soies. Les autres segments s'amincissent et s'allongent (muscles circulaires contractés, muscles longitudinaux relâchés).

(b) La tête a avancé parce que les muscles circulaires des segments de la tête se sont contractés. Les segments situés derrière la tête et devant la queue se sont alors épaissis et ancrés, ce qui empêche le ver de reculer en glissant.

(c) Les segments de la tête s'épaississent de nouveau et s'ancrent dans une nouvelle position. Les autres segments ont, quant à eux, lâché leur prise sur le sol et ont été tirés vers l'avant.

▲ **Figure 49.25 Locomotion péristaltique du ver de terre.** La contraction des muscles longitudinaux épaissit et raccourcit le ver de terre, alors que la contraction des muscles circulaires le comprime et l'allonge.

($CaCO_3$, ou trioxocarbonate de calcium) enferme la plupart des Mollusques. Sécrétée par le manteau, elle constitue un prolongement, en forme d'enveloppe, de la paroi corporelle (voir les figures 33.16 et 33.21). Au fur et à mesure qu'il grossit, l'Animal agrandit le diamètre de sa coquille en élargissant la marge extérieure. Les palourdes et autres Bivalves ferment leur coquille, qui est articulée, en actionnant les muscles (muscles adducteurs) situés à l'intérieur de cet exosquelette.

L'exosquelette articulé des Arthropodes est une **cuticule**, c'est-à-dire une enveloppe inerte qui est sécrétée par l'épiderme. Les muscles sont fixés aux excroissances et aux plaques situées sur la face interne de la cuticule. Environ 30 à 50 % de la cuticule se compose de **chitine**, polysaccharide semblable à la cellulose. Une matrice protéique enrobe les fibrilles de chitine. On a ainsi un matériau composite qui allie solidité et flexibilité. Là où la protection est la plus importante, des composés organiques qui établissent des liens transversaux entre les protéines de l'exosquelette durcissent la cuticule. Chez certains Crustacés comme les homards, des sels de calcium renforcent aussi certaines parties de l'exosquelette. Mais, aux articulations des pattes, où la cuticule doit rester mince et flexible, on ne trouve que de petites quantités de sels inorganiques et peu de liens entre les protéines. Une fois constitué, l'exosquelette des Arthropodes ne peut s'agrandir. Ainsi, régulièrement, à chaque poussée de croissance, ces Animaux se séparent de leur exosquelette (mue) et le remplacent par un exosquelette plus grand (voir la figure 5.10).

L'endosquelette

L'**endosquelette** se compose d'éléments de soutien rigides, tels que des os, qui sont enveloppés par les tissus mous de l'Animal. Ainsi, les Éponges ont des spicules rigides constituées de matériaux inorganiques ou des fibres plus souples faites de protéines pour renforcer leur structure (voir la figure 33.4). Les Échinodermes, quant à eux, sont pourvus d'un ensemble de plaques rigides, les ossicules, qui sont situées sous la peau. Ces ossicules comprennent des cristaux de trioxocarbonate de magnésium et de calcium et sont habituellement reliés par des fibres de protéine. Les oursins ont un squelette formé d'ossicules étroitement reliés. Mais les étoiles de mer ont des ossicules reliés de manière plus lâche, ce qui leur permet de modifier la forme de leurs bras.

Les Cordés ont un endosquelette qui se compose de tissu cartilagineux, de tissu osseux ou d'une combinaison des deux (voir la figure 40.5). Enfin, le squelette des Mammifères compte plus de 200 os. Certains de ces os sont fusionnés ; d'autres sont reliés par des articulations pourvues de ligaments et offrant une certaine liberté de mouvement **(figure 49.26)**. Du point de vue anatomique, on distingue chez les Vertébrés le squelette axial et le squelette appendiculaire. Le premier comprend le crâne, la colonne vertébrale et la cage thoracique. Le second comprend les os des membres et les ceintures scapulaire et pelvienne, qui relient les membres au squelette axial. Dans chaque membre, plusieurs types d'articulations assurent la flexibilité nécessaire aux mouvements du corps et à la locomotion.

Le soutien physique sur la terre ferme

Lorsqu'ils tracent le plan d'un pont ou d'un gratte-ciel, l'architecte et l'ingénieur doivent tenir compte des effets attribuables aux changements de dimensions ou d'échelle. Passer d'un modèle réduit à la réalité a des répercussions considérables sur la conception de l'édifice. D'après les lois de la physique, la force des structures de soutien dépend de l'aire de leur section transversale, qui augmente en fonction du carré de leur diamètre. En revanche, la force qui s'exerce sur ces structures dépend de la masse de l'édifice, qui augmente en fonction du cube de sa hauteur ou d'une autre dimension linéaire. À l'instar de la structure d'un pont ou d'un immeuble, la structure corporelle d'un Animal doit fournir le soutien exigé par sa taille. Par conséquent, le corps d'un Animal de grande taille a des proportions bien différentes de celles du corps d'un petit Animal. Imaginons une souris qui aurait la taille d'un éléphant. Si son corps avait les mêmes proportions qu'une souris normale, ses pattes fines se déformeraient sous son poids.

En partant de l'analogie avec la construction, on pourrait prédire que la taille des os des pattes d'un Animal est directement proportionnelle à la force qu'exerce la masse du corps. Mais notre prédiction ne serait pas exacte. En effet, le corps d'un Animal est complexe et n'est pas rigide. L'analogie avec l'édifice ne permet donc d'expliquer qu'en partie la relation entre le plan corporel de l'Animal et le soutien. La relation entre la taille des pattes et celle du corps ne constitue qu'une partie de la question. Ainsi, la posture, c'est-à-dire la position des pattes par rapport au reste du corps, est une caractéristique structurale plus importante pour le soutien de la masse corporelle, du moins chez les Mammifères et les Oiseaux. Les muscles et les tendons (tissus conjonctifs reliant un muscle à un os) maintiennent les pattes des gros Mammifères assez droites sous leur corps et supportent la majeure partie de la charge.

Retour sur le concept 49.5

1. Expliquez comment un ver de terre utiliserait ses muscles pour étirer son corps sur toute sa longueur.
2. Comparez les propriétés de l'exosquelette qui recouvre les surfaces de préhension des pinces du homard et celles de l'exosquelette qui recouvre les articulations de ces pinces.
3. Comparez les mouvements permis par chacun des deux types d'articulations qui se trouvent dans le coude.

Voir les réponses proposées à la fin du chapitre.

Concept 49.6

Les muscles font bouger des parties du squelette en se contractant

Sur le plan cellulaire, tous les mouvements des Animaux sont commandés par deux mécanismes de contraction, qui consomment de l'énergie en déplaçant en sens inverse des brins de protéines. Ces deux mécanismes de mobilité cellulaire, dont l'un met en jeu des microtubules et l'autre des microfilaments, ont été expliqués au chapitre 7. Les microtubules sont responsables des battements des cils et des ondulations des flagelles. Pour leur part, les microfilaments jouent un rôle déterminant dans le mouvement amiboïde ainsi que dans le transport intracellulaire, et constituent aussi les éléments contractiles des cellules musculaires.

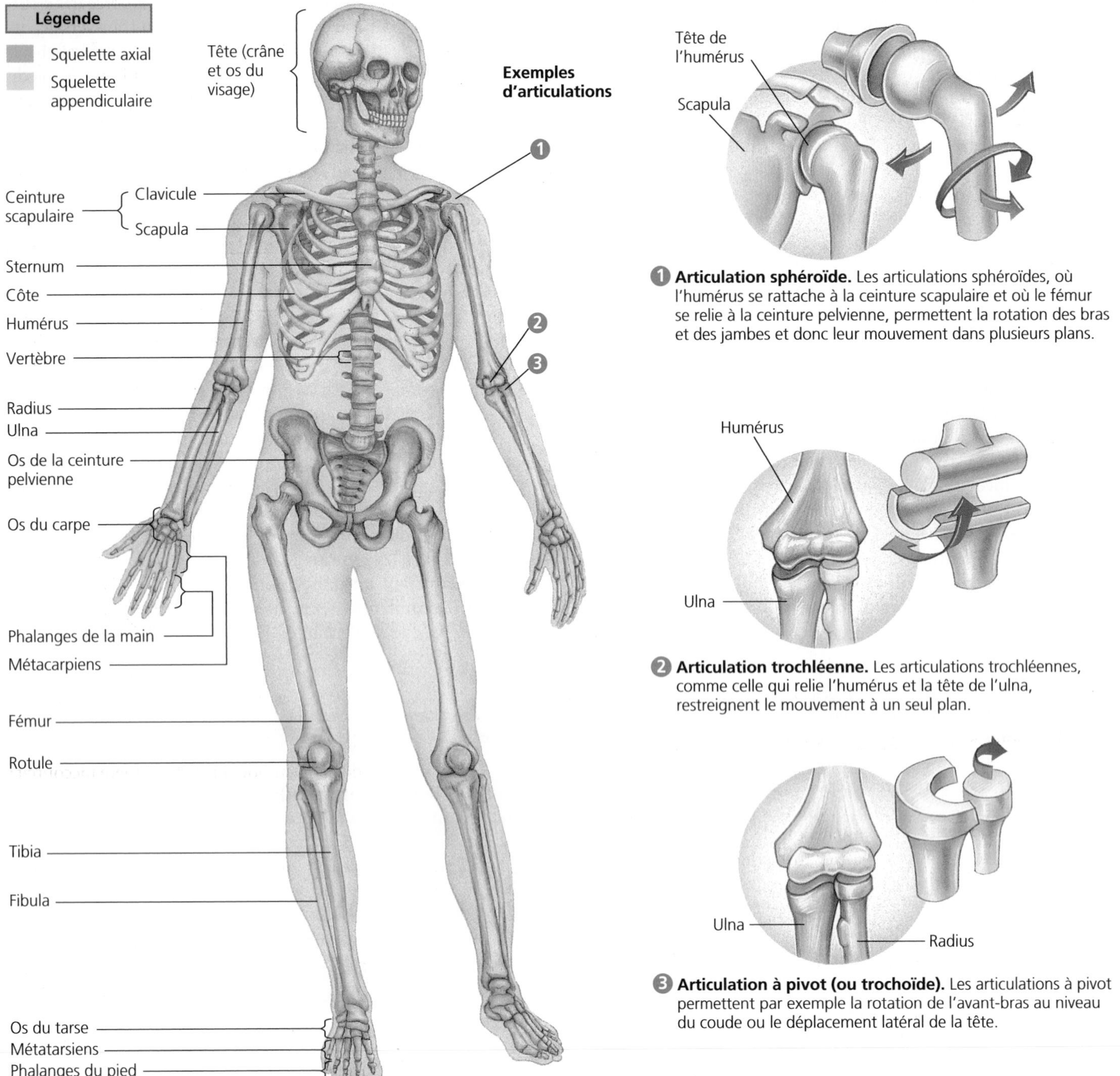
Légende
Squelette axial
Squelette appendiculaire
Tête (crâne et os du visage)
Exemples d'articulations
Ceinture scapulaire
Clavicule
Scapula
Sternum
Côte
Humérus
Vertèbre
Radius
Ulna
Os de la ceinture pelvienne
Os du carpe
Phalanges de la main
Métacarpiens
Fémur
Rotule
Tibia
Fibula
Os du tarse
Métatarsiens
Phalanges du pied
Tête de l'humérus
Scapula
1 Articulation sphéroïde. Les articulations sphéroïdes, où l'humérus se rattache à la ceinture scapulaire et où le fémur se relie à la ceinture pelvienne, permettent la rotation des bras et des jambes et donc leur mouvement dans plusieurs plans.
Humérus
Ulna
2 Articulation trochléenne. Les articulations trochléennes, comme celle qui relie l'humérus et la tête de l'ulna, restreignent le mouvement à un seul plan.
Ulna
Radius
3 Articulation à pivot (ou trochoïde). Les articulations à pivot permettent par exemple la rotation de l'avant-bras au niveau du coude ou le déplacement latéral de la tête.

▲ **Figure 49.26 Os et articulations du squelette humain.**

L'action d'un muscle consiste toujours en une contraction. Les muscles ne peuvent s'étirer que de façon passive. Par conséquent, pour bouger des parties du corps dans des directions opposées, ils doivent être rattachés au squelette par paires antagonistes, chaque muscle d'une paire exerçant sa force en sens contraire par rapport à l'autre **(figure 49.27)**. Ainsi, pour plier le bras, nous contractons notre biceps brachial, l'articulation trochléenne du coude jouant le rôle de point d'appui dans ce levier. Pour étendre le bras, nous relâchons le biceps brachial et contractons le triceps brachial, situé du côté opposé. Tous les muscles ne fonctionnent cependant pas de façon antagoniste : pour réaliser un mouvement particulier, plusieurs muscles (appelés *synergiques*) doivent généralement collaborer.

Pour comprendre comment le muscle se contracte, il faut en analyser la structure. Nous allons d'abord examiner la structure et le mécanisme de contraction des muscles squelettiques chez les Vertébrés, puis nous étudierons d'autres types de muscles.

Les muscles squelettiques des Vertébrés

Les **muscles squelettiques** des Vertébrés, qui sont rattachés aux os et produisent le mouvement, se caractérisent par un emboîtement d'unités de plus en plus petites **(figure 49.28)**. Un muscle

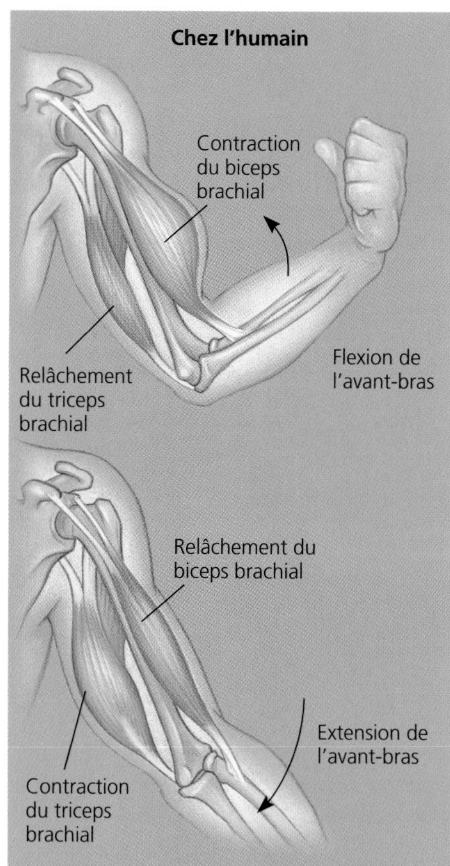

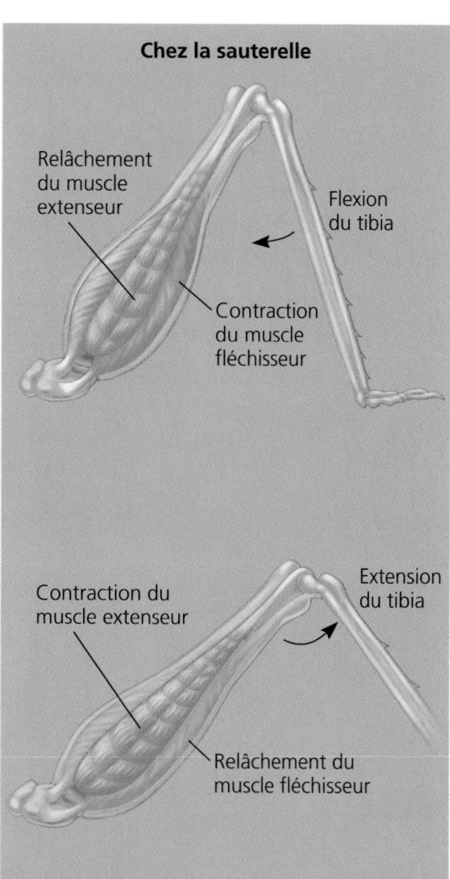

▲ **Figure 49.27 Interaction des muscles et du squelette dans le mouvement.** En général, les muscles antagonistes engendrent des mouvements de sens contraire, chacun ayant un effet opposé par rapport à l'autre. Ce principe vaut aussi bien pour un endosquelette que pour un exosquelette.

squelettique consiste en un faisceau de longues fibres (certaines peuvent avoir plusieurs dizaines de centimètres) disposées dans le sens de la longueur. Outre qu'elle est une cellule unique munie de nombreux noyaux et résultant donc de la fusion d'un grand nombre de cellules embryonnaires, chaque fibre est un assemblage de **myofibrilles** placées dans le sens de la longueur. Les myofibrilles comprennent elles-mêmes deux types de microfilaments appelés **myofilaments**: les myofilaments minces et les myofilaments épais. Les **myofilaments minces** se composent de deux brins d'actine et d'un brin de protéine régulatrice qui sont enroulés les uns autour des autres. Les **myofilaments épais** sont des ensembles décalés de molécules de myosine. On estime que l'ensemble des myofilaments d'une fibre musculaire constitue jusqu'à 80 % de son volume.

Les muscles squelettiques présentent des stries en raison de la disposition régulière des myofilaments qui crée un motif de bandes claires et sombres répétitif. Chaque motif constitue un **sarcomère**, unité structurale fondamentale du muscle. L'alignement des extrémités du sarcomère, appelées **lignes Z**, avec les myofibrilles voisines donne des bandes visibles au microscope photonique. Les myofilaments minces sont reliés aux lignes Z et se prolongent jusqu'au centre du sarcomère. Les myofilaments épais, quant à eux, se trouvent au centre du sarcomère, mais ils sont aussi ancrés à la ligne Z par une protéine appelée *titine*. Au repos, les myofilaments minces et épais ne se recouvrent pas complètement. Une coupe transversale dans la région où les deux types de filaments se recouvrent montrerait que chaque filament épais est entouré de six filaments minces. On nomme **strie I** (« I » pour *isotrope*) la partie, située au bord du sarcomère, qui ne comprend que des myofilaments minces, et **strie A** (« A » pour *anisotrope*) la large région correspondant à la longueur des myofilaments épais. Les myofilaments minces ne traversent pas entièrement le sarcomère. On désigne ainsi par **strie H** la région, au centre de la bande A, qui ne contient que des myofilaments épais. La strie H est divisée en deux parties par une raie verticale sombre, la **ligne M**, qui est constituée de brins de myosine reliant les myofilaments épais et parallèles. Cette disposition des myofilaments épais et minces nous permet de comprendre la façon dont le sarcomère, et donc l'ensemble du muscle, se contracte.

Le modèle de contraction musculaire par glissement des myofilaments

Le fonctionnement d'une seule fibre musculaire permet d'expliquer en grande partie ce qui se produit lorsque le muscle entier se contracte **(figure 49.29)**. Selon la **théorie de la contraction par glissement des myofilaments**, formulée par H. E. Huxley, J. Hanson et A. F. Huxley en 1954, ni les myofilaments minces ni les myofilaments épais ne changent de longueur lorsque le sarcomère raccourcit; ils glissent plutôt les uns sur les autres dans le sens de la longueur et se recouvrent de plus en plus. Ainsi, la région occupée seulement par des myofilaments minces (strie I) et la région occupée seulement par des myofilaments épais (strie H) diminuent toutes les deux.

C'est l'interaction des molécules d'actine et des molécules de myosine, composant respectivement les myofilaments minces et les myofilaments épais, qui produit le glissement des myofilaments. Examinons d'abord la structure de la molécule de myosine dont il existe plus d'une quinzaine de formes chez les Eucaryotes. Celle qui participe à la contraction musculaire chez les Vertébrés appartient au type II. Ce type de molécule comporte une « queue », longue région fibreuse, et une double « tête » globulaire pointant sur le côté (le tout ressemble à un bâton de golf qui aurait deux têtes). C'est par la queue que les différentes molécules de myosine s'assemblent, par groupes de 300 environ, pour former le myofilament épais. Chez les Vertébrés, il existe 8 formes différentes de myosine II pouvant réaliser, au total, 36 combinaisons pour former les myofilaments épais. Ce n'est là qu'un exemple de la diversité qui existe chez les vivants au niveau moléculaire et dont les descriptions générales ne peuvent pas toujours rendre compte. Les réactions bioénergétiques qui engendrent les contractions ont lieu dans la tête de la molécule de myosine. Celle-ci peut se lier à l'ATP et l'hydrolyser en ADP et en phosphate inorganique. Comme le montre la **figure 49.30**, l'hydrolyse de l'ATP déclenche des réactions au cours desquelles la myosine se lie à l'actine, formant un pont et tirant le myofilament

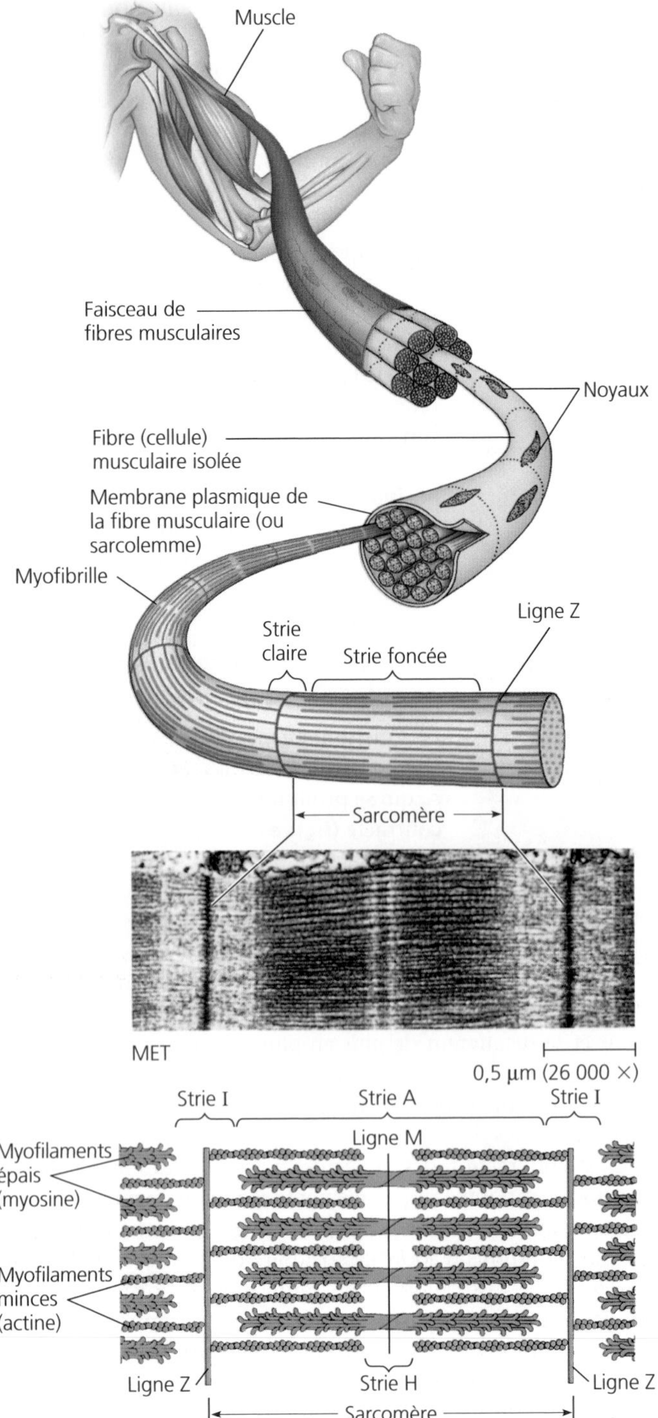

▲ **Figure 49.28 Structure d'un muscle squelettique.**

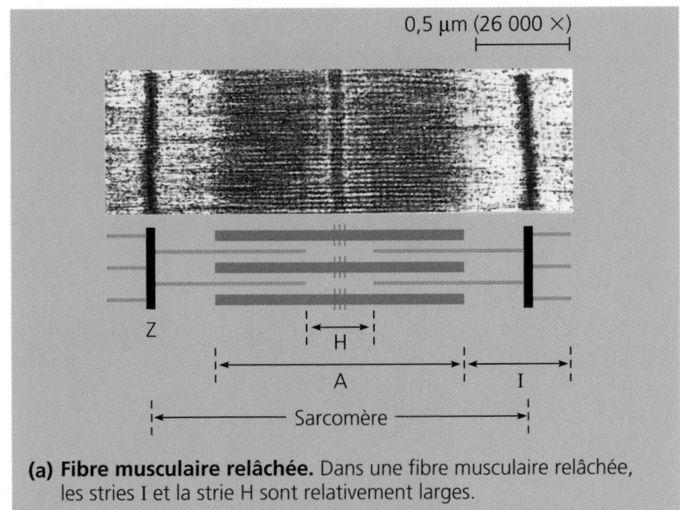

(a) Fibre musculaire relâchée. Dans une fibre musculaire relâchée, les stries I et la strie H sont relativement larges.

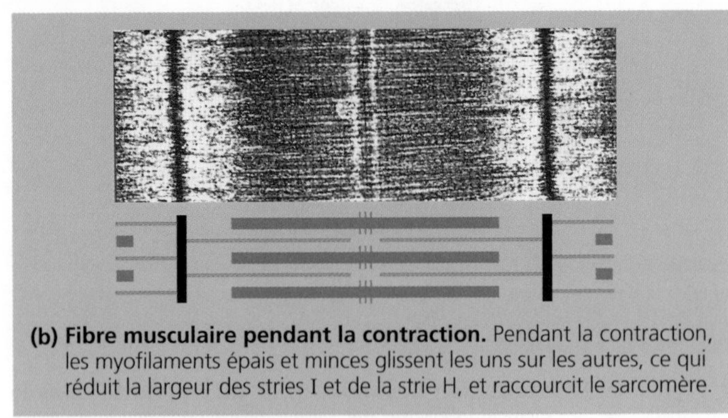

(b) Fibre musculaire pendant la contraction. Pendant la contraction, les myofilaments épais et minces glissent les uns sur les autres, ce qui réduit la largeur des stries I et de la strie H, et raccourcit le sarcomère.

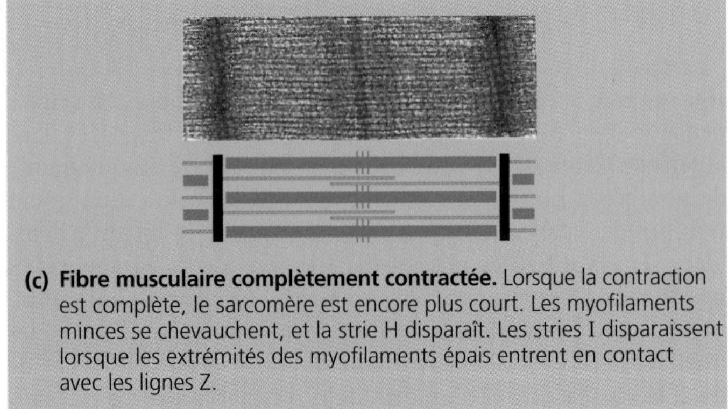

(c) Fibre musculaire complètement contractée. Lorsque la contraction est complète, le sarcomère est encore plus court. Les myofilaments minces se chevauchent, et la strie H disparaît. Les stries I disparaissent lorsque les extrémités des myofilaments épais entrent en contact avec les lignes Z.

▲ **Figure 49.29 Modèle de contraction musculaire par glissement des myofilaments.** Comme le montrent ces micrographies électroniques à transmission, la longueur des myofilaments épais (myofilaments de myosine, représentés en violet) et des myofilaments minces (myofilaments d'actine, en orangé) reste la même pendant la contraction.

mince vers le centre du sarcomère. Le pont est rompu lorsqu'une nouvelle molécule d'ATP se lie à la tête de la molécule de myosine. Le cycle suivant se répète à de nombreuses reprises : la tête libre dissocie le nouvel ATP puis s'associe à un nouveau site de liaison situé sur une autre molécule d'actine, plus loin le long du myofilament mince. Chacune des quelque 350 têtes présentes sur un myofilament épais forme et reforme environ 5 ponts par seconde, ce qui provoque le glissement des myofilaments les uns sur les autres. La théorie du glissement des myofilaments trouve un appui solide dans le fait que la tension développée par un sarcomère (et un muscle) est fonction de l'importance du recouvrement entre les filaments d'actine et de myosine, donc du nombre de ponts formés entre les myofilaments : si les sarcomères sont étirés au point qu'il n'y ait plus aucun recouvrement entre les deux types de myofilaments, aucune tension n'est produite.

Une fibre musculaire au repos contient en général juste assez d'ATP pour quelques contractions (la réserve d'ATP se vide en six secondes). L'énergie nécessaire aux contractions répétées est

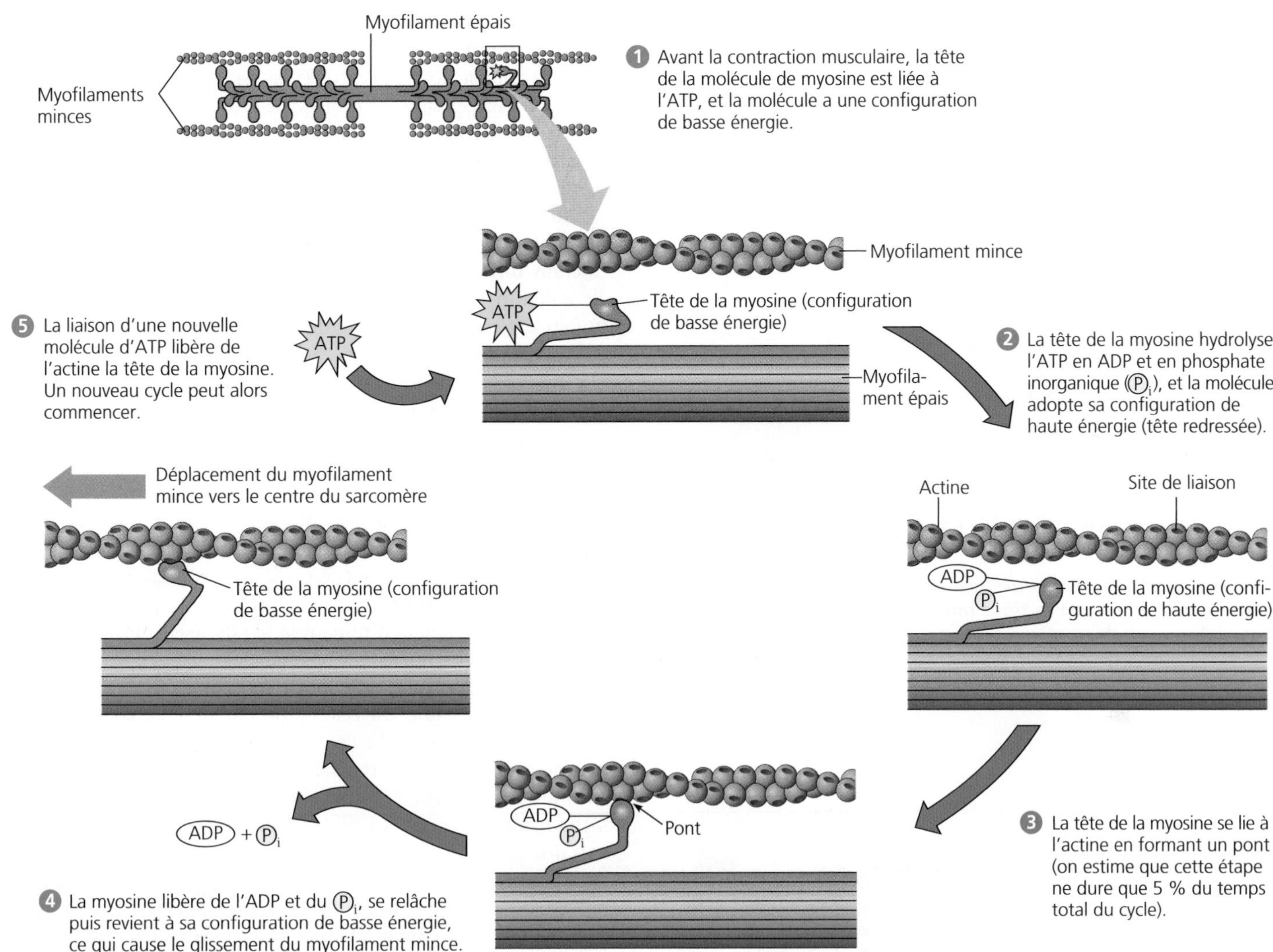

Myofilament épais
Myofilaments minces
1 Avant la contraction musculaire, la tête de la molécule de myosine est liée à l'ATP, et la molécule a une configuration de basse énergie.
Myofilament mince
ATP
Tête de la myosine (configuration de basse énergie)
Myofila-ment épais
5 La liaison d'une nouvelle molécule d'ATP libère de l'actine la tête de la myosine. Un nouveau cycle peut alors commencer.
ATP
2 La tête de la myosine hydrolyse l'ATP en ADP et en phosphate inorganique (Pi), et la molécule adopte sa configuration de haute énergie (tête redressée).
Déplacement du myofilament mince vers le centre du sarcomère
Tête de la myosine (configuration de basse énergie)
Actine
Site de liaison
ADP
Pi
Tête de la myosine (configuration de haute énergie)
ADP + Pi
ADP
Pi
Pont
3 La tête de la myosine se lie à l'actine en formant un pont (on estime que cette étape ne dure que 5 % du temps total du cycle).
4 La myosine libère de l'ADP et du Pi, se relâche puis revient à sa configuration de basse énergie, ce qui cause le glissement du myofilament mince.

▲ **Figure 49.30 Interactions entre la myosine et l'actine à l'origine des contractions des fibres musculaires.**

emmagasinée dans deux autres composés : la phosphocréatine et le glycogène. La phosphocréatine fabrique rapidement de l'ATP en ajoutant un groupement phosphate à l'ADP. La réserve de phosphocréatine de repos est suffisante pour alimenter les contractions pendant 15 à 30 s environ. Le glycogène, composé formant un peu plus de 1 % de la masse d'une fibre musculaire, est décomposé en glucose, lequel peut servir à produire de l'ATP par l'intermédiaire de la glycolyse ou de la respiration aérobie (voir le chapitre 9). En utilisant la réserve de glucose d'une fibre musculaire typique, la glycolyse qui produit de l'ATP rapidement permet environ une minute de contractions soutenues, et la respiration aérobie presque une heure.

Le rôle du calcium et des protéines régulatrices

Une fibre musculaire squelettique ne se contracte que si elle est stimulée par un neurone moteur. Lorsque la fibre musculaire est au repos, les sites de liaison de l'actine, destinés à la myosine, sont recouverts d'un microfilament de **tropomyosine**, laquelle est une protéine régulatrice **(figure 49.31a)**. Pour qu'il y ait contraction, les sites de liaison de l'actine doivent être découverts. Cela se produit lorsque les ions calcium (Ca^{2+}) se lient à un autre ensemble de protéines régulatrices, le **complexe de troponine** (on l'appelle *complexe* car il est constitué de trois sous-unités), qui détermine la position de la tropomyosine sur le myofilament mince. La liaison du calcium à la troponine (quatre ions Ca^{2+} par complexe) modifie la forme de l'ensemble du complexe tropomyosine-troponine et expose les sites de liaison de l'actine destinés à la myosine sur le myofilament mince **(figure 49.31b)**. Lorsque du Ca^{2+} est présent dans le cytosol, le glissement des myofilaments minces et épais devient possible, et le muscle se contracte. Lorsque la concentration cytoplasmique de calcium diminue, les sites de liaison de l'actine sont recouverts, et la contraction cesse.

Le stimulus qui provoque la contraction de la fibre musculaire squelettique est un potentiel d'action venant du neurone moteur qui communique avec la fibre musculaire par une synapse **(figure 49.32)**. Les corpuscules nerveux terminaux du neurone moteur libèrent un neurotransmetteur, l'acétylcholine. Cela dépolarise la fibre musculaire postsynaptique et déclenche dans celle-ci un potentiel d'action. Ce potentiel d'action se propage jusque dans les profondeurs de la fibre musculaire en suivant des replis de la membrane plasmique, les **tubules**

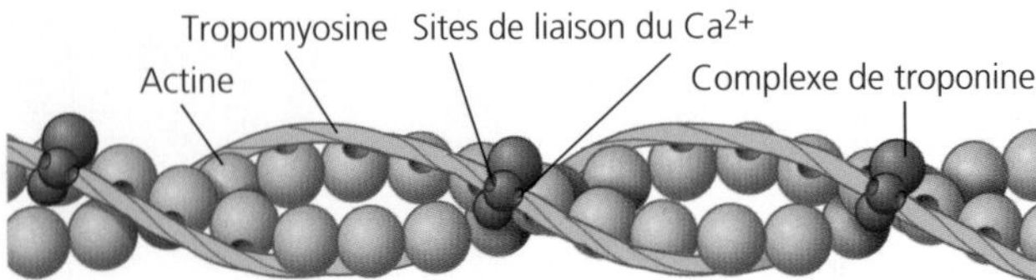

(a) Les sites de liaison destinés à la myosine sont recouverts.

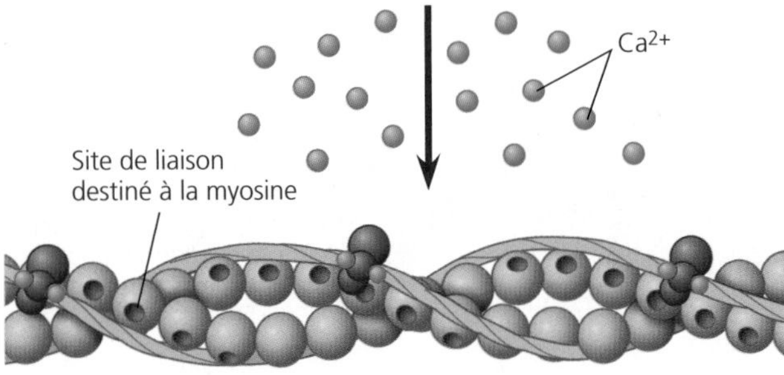

(b) Les sites de liaison destinés à la myosine sont découverts; la contraction peut se produire.

▲ **Figure 49.31 Rôle des protéines régulatrices et du calcium dans la contraction de la fibre musculaire.** Chaque myofilament mince est constitué de deux brins d'actine enroulés en forme d'hélice.

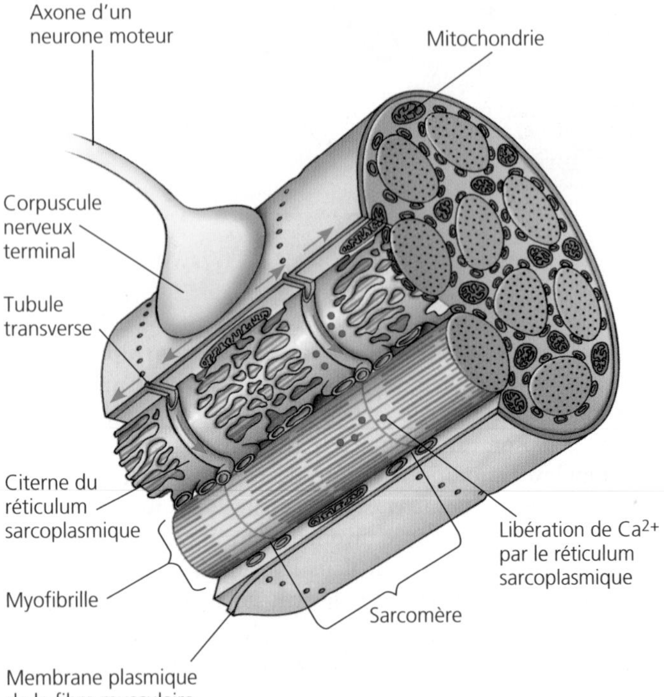

▲ **Figure 49.32 Rôle du réticulum sarcoplasmique et des tubules transverses dans la contraction des fibres musculaires.** Le corpuscule nerveux terminal du neurone moteur libère de l'acétylcholine, qui dépolarise le sarcolemme (membrane plasmique de la fibre ou cellule musculaire). Les potentiels d'action (flèches bleues) se propagent alors dans la fibre dans toutes les directions et en profondeur, en passant par les tubules transverses. Ils provoquent la libération, dans le cytosol, d'ions Ca^{2+} (points verts) par le réticulum sarcoplasmique. Le calcium provoque la liaison de la myosine et de l'actine, ce qui amorce le glissement des myofilaments.

transverses. Ces derniers entrent en contact avec le **réticulum sarcoplasmique**, qui est un réticulum endoplasmique spécialisé. Lorsque la fibre musculaire est au repos, la membrane du réticulum sarcoplasmique transporte activement le Ca^{2+} cytoplasmique vers l'intérieur du réticulum, qui représente donc un site d'entreposage intracellulaire du Ca^{2+}. Toutefois, lorsque la fibre musculaire produit un potentiel d'action, celui-ci ouvre les canaux à Ca^{2+} présents dans le réticulum sarcoplasmique, permettant ainsi au Ca^{2+} de pénétrer dans le cytosol; le taux de calcium intracytoplasmique peut alors augmenter de 100 fois (le calcium peut aussi parvenir dans la fibre musculaire du milieu extérieur par le sarcolemme, chez certains Vertébrés). Les ions calcium se lient au complexe de troponine, ce qui déclenche la contraction de la fibre musculaire. La contraction prend fin lorsque le réticulum sarcoplasmique récupère le calcium du cytosol; le calcium du cytosol se lie aussi, chez la plupart des Vertébrés, à une protéine, la parvalbumine. Cette diminution du calcium libre amène la tropomyosine à recouvrir à nouveau les sites de liaison de l'actine destinés à la myosine qui se trouvent sur les myofilaments minces. La **figure 49.33** présente une révision des étapes de la contraction d'une fibre musculaire squelettique.

Plusieurs maladies entraînent la paralysie en nuisant à l'excitation des fibres musculaires squelettiques par les neurones moteurs. La sclérose latérale amyotrophique (SLA), ou maladie de Lou Gehrig (nom du célèbre joueur de baseball américain emporté par cette maladie en 1941), cause la dégénérescence des neurones moteurs de la moelle épinière et du tronc cérébral, et l'atrophie des fibres musculaires avec lesquelles ces neurones forment des synapses. La SLA est une maladie progressive qui entraîne généralement la mort dans les cinq années qui suivent l'apparition des symptômes; il n'existe en ce moment aucun moyen de la traiter ou de la guérir. Par ailleurs, le botulisme résulte de la consommation d'une exotoxine sécrétée par la Bactérie *Clostridium botulinum* dans des aliments mis en conserve de façon inadéquate (voir le chapitre 27). Cette toxine paralyse les muscles en empêchant la libération d'acétylcholine par les neurones moteurs. Enfin, la myasthénie est une maladie auto-immune caractérisée par la production d'anticorps dirigés contre les récepteurs d'acétylcholine présents sur les fibres musculaires squelettiques. Le nombre de ces récepteurs diminue, et la transmission synaptique entre les neurones moteurs et les fibres musculaires devient moins efficace.

La régulation de la tension musculaire par les neurones

Lorsqu'un potentiel d'action produit dans un neurone moteur lui fait libérer de l'acétylcholine dans la fente qui le sépare d'une fibre musculaire squelettique, celle-ci réagit par une brève contraction du type tout ou rien appelée *secousse musculaire élémentaire.* Toutefois, notre expérience quotidienne nous apprend que l'action d'un *muscle entier* tel que le biceps brachial est graduée et que nous pouvons faire varier l'étendue et la force de la contraction. Des études expérimentales confirment cette observation. Il existe deux mécanismes fondamentaux par lesquels le système nerveux produit des contractions graduées dans des muscles entiers: 1) il peut varier le nombre de fibres musculaires qui se contractent et 2) il peut varier la fréquence à laquelle les fibres musculaires sont stimulées. Examinons chacun de ces mécanismes.

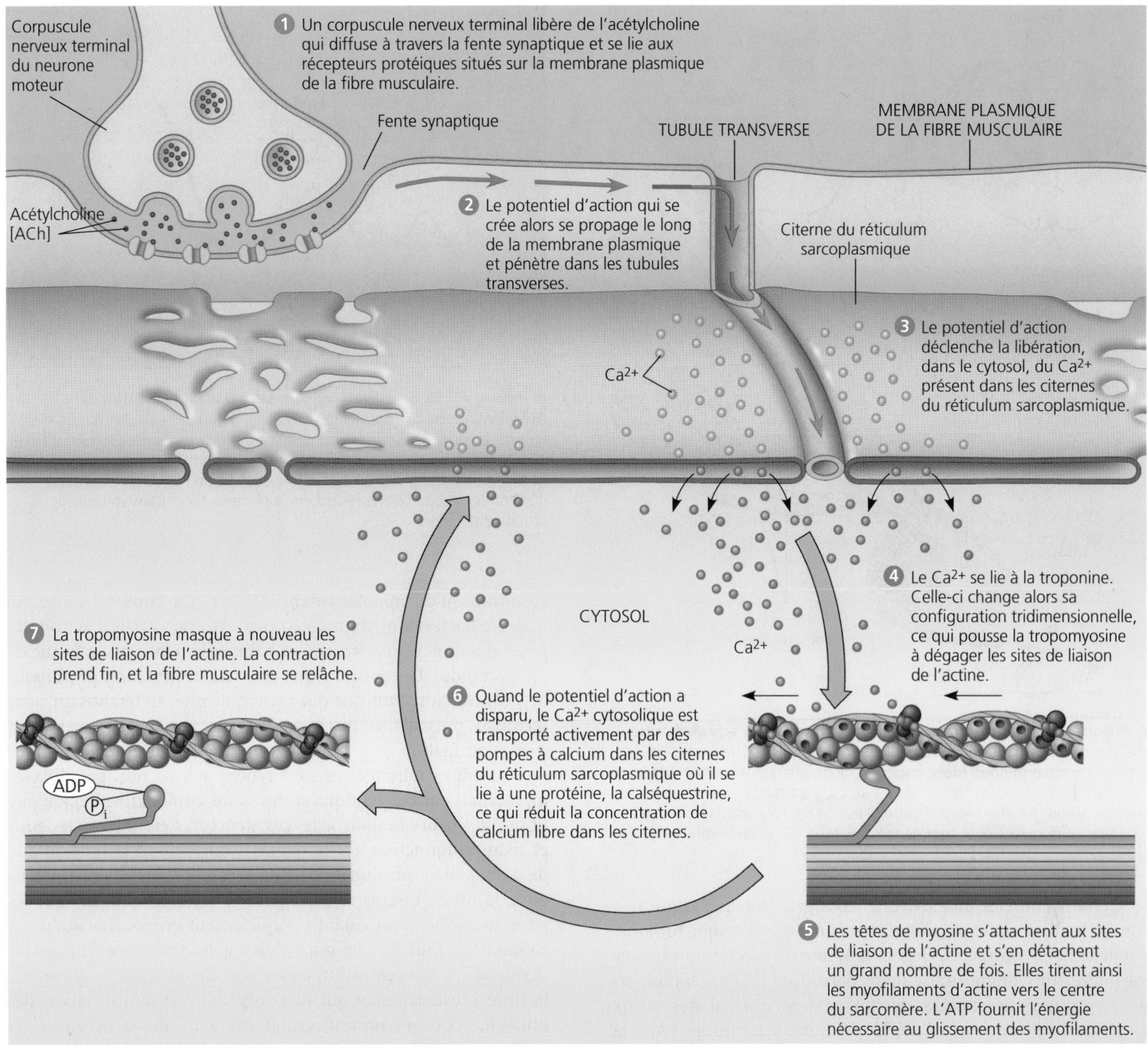

Corpuscule nerveux terminal du neurone moteur
1 Un corpuscule nerveux terminal libère de l'acétylcholine qui diffuse à travers la fente synaptique et se lie aux récepteurs protéiques situés sur la membrane plasmique de la fibre musculaire.
Fente synaptique
TUBULE TRANSVERSE
MEMBRANE PLASMIQUE DE LA FIBRE MUSCULAIRE
Acétylcholine [ACh]
2 Le potentiel d'action qui se crée alors se propage le long de la membrane plasmique et pénètre dans les tubules transverses.
Citerne du réticulum sarcoplasmique
3 Le potentiel d'action déclenche la libération, dans le cytosol, du Ca^{2+} présent dans les citernes du réticulum sarcoplasmique.
Ca^{2+}
CYTOSOL
Ca^{2+}
4 Le Ca^{2+} se lie à la troponine. Celle-ci change alors sa configuration tridimensionnelle, ce qui pousse la tropomyosine à dégager les sites de liaison de l'actine.
7 La tropomyosine masque à nouveau les sites de liaison de l'actine. La contraction prend fin, et la fibre musculaire se relâche.
6 Quand le potentiel d'action a disparu, le Ca^{2+} cytosolique est transporté activement par des pompes à calcium dans les citernes du réticulum sarcoplasmique où il se lie à une protéine, la calséquestrine, ce qui réduit la concentration de calcium libre dans les citernes.
ADP
P_i
5 Les têtes de myosine s'attachent aux sites de liaison de l'actine et s'en détachent un grand nombre de fois. Elles tirent ainsi les myofilaments d'actine vers le centre du sarcomère. L'ATP fournit l'énergie nécessaire au glissement des myofilaments.

▲ **Figure 49.33 Révision de la contraction d'une fibre musculaire squelettique.**

Dans un muscle squelettique de Vertébré, chaque cellule est innervée par un seul neurone moteur, mais chaque neurone moteur se ramifie et peut être en contact, au moyen de synapses, avec un grand nombre de fibres musculaires **(figure 49.34)**. Un muscle peut être commandé par des centaines de neurones moteurs, chacun étant en communication avec son propre bassin de fibres musculaires réparties dans l'ensemble du muscle. Une **unité motrice** comprend un neurone moteur et toutes les fibres musculaires qu'il régit, ces fibres étant habituellement réparties dans l'ensemble du muscle et non regroupées. Lorsque le neurone moteur produit un potentiel d'action, toutes les fibres musculaires de l'unité motrice se contractent simultanément. La force de la contraction dépend donc du nombre de fibres musculaires avec lesquelles le neurone moteur est en contact. Dans la plupart des muscles, le nombre de fibres musculaires présentes dans chaque unité motrice varie de quelques-unes à des centaines, la moyenne étant environ de 150. Le système nerveux peut donc régler la force de contraction de l'ensemble du muscle en déterminant à la fois le nombre et la taille des unités motrices à activer à un moment donné. L'activation d'un nombre croissant de neurones moteurs commandant un muscle fait augmenter progressivement la force de contraction du muscle: on parle de **recrutement** des neurones moteurs. Selon le nombre de neurones moteurs que recrute notre système nerveux pour un travail donné et selon la taille des unités motrices, nous pouvons soulever une fourchette ou un objet beaucoup plus lourd, comme votre manuel de biologie.

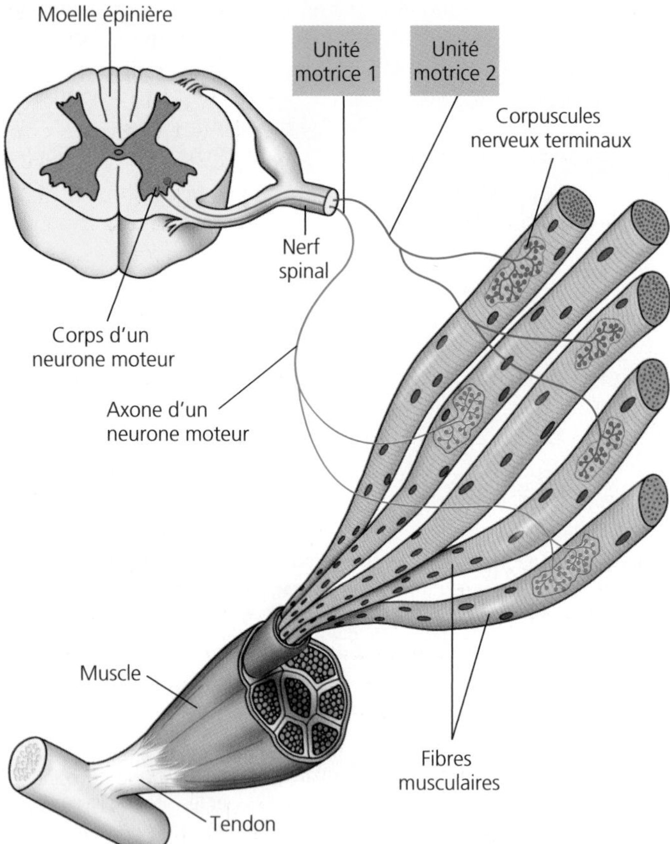

▲ **Figure 49.34 Unités motrices dans un muscle squelettique de Vertébré.** Chaque fibre musculaire (cellule) forme une synapse avec un seul neurone moteur. Mais, habituellement, chaque neurone moteur peut être en contact, au moyen de synapses, avec quelques fibres musculaires ou un grand nombre d'entre elles. Un neurone moteur et toutes les fibres musculaires qu'il commande constituent une unité motrice.

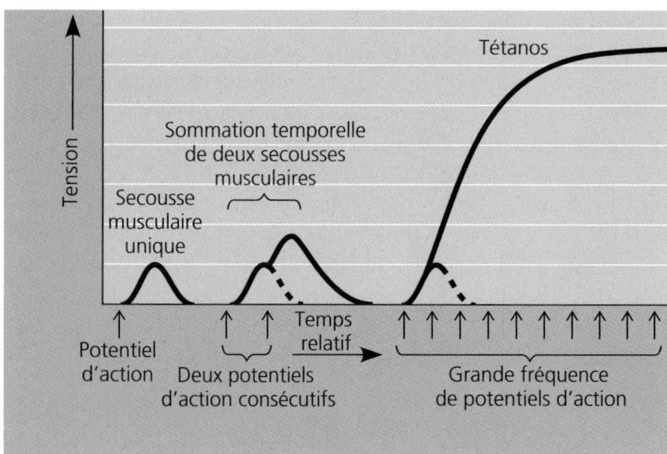

▲ **Figure 49.35 Sommation des secousses musculaires élémentaires.** Ce graphique permet de comparer l'augmentation de la tension musculaire dans les situations suivantes : le muscle réagit à un seul potentiel d'action ; le muscle réagit à deux potentiels d'action rapprochés dans le temps ; le muscle réagit à une succession rapide de potentiels d'action. Les pointillés représentent la réponse qu'entraînera un seul potentiel d'action.

Certains muscles, en particulier ceux grâce auxquels nous restons debout et maintenons notre posture, sont presque toujours partiellement contractés. Cependant, une contraction prolongée engendre une fatigue musculaire parce que l'ATP s'épuise, les gradients ioniques nécessaires au passage normal des influx électriques diminuent, et l'acide lactique s'accumule (voir la figure 9.17). Selon des études récentes, l'acide lactique, qui contribuerait à la fatigue musculaire, favoriserait toutefois le fonctionnement musculaire. Par ailleurs, il existe un mécanisme qui permet de réduire la fatigue : le système nerveux active tour à tour les différentes unités motrices qui constituent le muscle, de sorte qu'elles se relaient pour maintenir la contraction.

Le second mécanisme par lequel le système nerveux fait se contracter un muscle entier de manière graduée consiste à modifier la fréquence de la stimulation des fibres musculaires. Un potentiel d'action unique produira une secousse musculaire élémentaire d'une durée de moins de 100 millisecondes (ms). Si un deuxième potentiel d'action survient avant le relâchement complet de la fibre musculaire, les secousses s'ajouteront l'une à l'autre, et la tension augmentera **(figure 49.35)**. Si la fréquence de la stimulation augmente, la sommation se poursuivra. Lorsque la fréquence de la stimulation est assez élevée pour que tout relâchement de la fibre musculaire soit impossible entre les stimulus, les secousses fusionnent en une contraction uniforme et continue qu'on appelle **tétanos** (à ne pas confondre avec la maladie bactérienne du même nom). Les potentiels d'action des neurones moteurs se présentent habituellement sous la forme de salves rapides. Les tensions que crée leur sommation produisent une contraction continue qui ressemble plus au tétanos qu'à des secousses musculaires distinctes.

La sommation et le tétanos font augmenter la tension parce que les fibres musculaires sont reliées aux os non pas directement, mais par des tendons et des tissus conjonctifs. Lorsqu'une fibre musculaire se contracte, ces structures élastiques (tendons et tissus conjonctifs) s'étirent puis transmettent la tension aux os. Lorsqu'il se produit une seule secousse musculaire élémentaire, la fibre musculaire commence à se relâcher avant que les structures élastiques soient complètement étirées. Lorsqu'il y a sommation, toutefois, les potentiels d'action très fréquents maintiennent une concentration élevée de calcium dans le cytosol de la fibre musculaire, ce qui prolonge le cycle de formation des ponts et provoque un plus grand étirement des structures élastiques. Pendant le tétanos, les structures élastiques sont complètement étirées, et toute la tension engendrée par la fibre musculaire est transmise aux os.

Les types de fibres musculaires

Toutes les fibres musculaires squelettiques se contractent lorsqu'elles sont stimulées par un potentiel d'action provenant d'un neurone moteur, mais elles ne le font pas toutes à la même vitesse. Cette différence est principalement attribuable à la vitesse à laquelle les têtes de myosine hydrolysent l'ATP, vitesse qui elle-même dépend du type d'enzyme présent dans la fibre. Ainsi, on distingue les fibres à contraction rapide et les fibres à contraction lente. Les fibres musculaires à contraction rapide servent aux contractions soudaines et puissantes. Les fibres musculaires à contraction lente, quant à elles, peuvent soutenir des contractions prolongées. Elles se trouvent souvent dans les muscles du maintien de la posture. Ces fibres possèdent moins de réticulum sarcoplasmique que les fibres musculaires à contraction rapide. Le calcium reste donc plus longtemps dans le cytosol. C'est pourquoi la secousse de ces fibres musculaires dure environ cinq fois plus longtemps que celle des fibres musculaires à contraction rapide.

On classe aussi les fibres musculaires selon la principale voie métabolique qu'elles empruntent pour produire de l'ATP. Les fibres qui utilisent surtout la respiration aérobie sont appelées *fibres oxydatives*, et celles qui font intervenir surtout la glycolyse, *fibres glycolytiques*. Les fibres oxydatives sont spécialisées dans la mise à profit d'un apport énergétique constant: bien irriguées, elles possèdent de nombreuses mitochondries et une grande quantité d'une protéine d'entreposage du O_2 nommée *myoglobine*. La **myoglobine**, pigment rouge-brun présent dans la viande foncée de la volaille et du Poisson, a plus d'affinité pour le dioxygène que l'hémoglobine, de sorte qu'elle peut retirer efficacement le O_2 du sang. Toutes les fibres glycolytiques sont à contraction rapide, mais les fibres oxydatives peuvent être à contraction rapide ou lente. Par conséquent, si on tient compte à la fois de la vitesse de la contraction et de la synthèse de l'ATP, on peut déterminer trois principaux types de fibres: les fibres oxydatives à contraction lente, les fibres oxydatives à contraction rapide et les fibres glycolytiques à contraction rapide. Le **tableau 49.1** présente certaines de leurs caractéristiques.

La plupart des muscles squelettiques humains contiennent les trois types de fibres. Les muscles des yeux et de la main sont cependant dépourvus de fibres oxydatives à contraction lente. Dans les muscles qui contiennent à la fois des fibres à contraction rapide et des fibres à contraction lente, la proportion de chacun des deux types est déterminée par les gènes. Toutefois, si de tels muscles sont sollicités à maintes reprises pour des activités qui demandent une grande endurance, certaines fibres glycolytiques à contraction rapide peuvent se transformer en fibres oxydatives à contraction rapide. Comme les fibres oxydatives à contraction rapide résistent plus longtemps à la fatigue que les fibres glycolytiques à contraction rapide, tout le muscle acquerra une plus grande endurance.

Les autres types de muscles

Il existe de nombreux types de muscles dans le règne animal. Mais, comme nous l'avons remarqué, ils ont tous en commun le même mécanisme fondamental de contraction, c'est-à-dire le glissement de myofilaments d'actine et de myosine les uns sur les autres. Outre les muscles squelettiques, les Vertébrés ont des muscles lisses et un muscle cardiaque (voir la figure 40.5).

Chez les Vertébrés, le **muscle cardiaque** ne se trouve qu'à un endroit: le cœur. À l'instar du muscle squelettique, il est strié. Les principales différences entre les muscles squelettiques et le muscle cardiaque tiennent à leurs propriétés électriques et membranaires. Les fibres musculaires squelettiques ne produisent des potentiels d'action que si elles sont stimulées par un neurone moteur; la membrane plasmique des fibres du muscle cardiaque contient des canaux ioniques qui provoquent des dépolarisations rythmiques grâce auxquelles les potentiels d'action sont déclenchés sans qu'un stimulus soit envoyé par le système nerveux. Par suite d'une repolarisation beaucoup plus lente, les potentiels d'action du muscle cardiaque durent jusqu'à 20 fois plus longtemps que ceux des fibres musculaires squelettiques et ils jouent un rôle déterminant dans la régulation de la durée de la contraction. La longue période réfractaire des fibres musculaires cardiaques est nécessaire à l'efficacité de leur action de pompage. Les points de contact entre les cellules du muscle cardiaque comprennent des régions spécialisées appelées **disques intercalaires**, à la hauteur desquelles des jonctions ouvertes (voir la figure 6.31) établissent un couplage électrique direct entre les cellules. Ainsi, lorsqu'il est produit dans une partie du cœur, par exemple dans l'oreillette droite, un potentiel d'action se propage aux cellules musculaires des deux oreillettes, qui se contractent alors.

On trouve les **muscles lisses** surtout dans la paroi des organes creux, comme ceux du système digestif, et dans les vaisseaux sanguins. Ils ne présentent pas les stries qu'on peut observer sur les muscles squelettiques et cardiaque, parce que leurs myofilaments d'actine et de myosine ne sont pas tous disposés de façon régulière le long de la cellule, sous forme de sarcomères. En effet, les myofilaments épais sont dispersés dans le cytoplasme, et les myofilaments minces sont attachés à des structures appelées *granules denses*, dont certaines sont ancrées dans la membrane plasmique. Les muscles lisses contiennent moins de myosine que les muscles squelettiques et cardiaque, et cette myosine n'est pas associée à des myofilaments d'actine spécifiques. En outre, les cellules des muscles lisses ne possèdent ni complexe de troponine ni système de tubules transverses, et leur réticulum sarcoplasmique n'est pas très développé. Pendant le potentiel d'action, les ions calcium doivent pénétrer dans le cytosol par la membrane plasmique, et la quantité de calcium qui parvient aux myofilaments est assez faible. Les ions calcium provoquent la contraction en se liant à la calmoduline (voir le chapitre 11), laquelle active une enzyme qui phosphoryle la tête de la myosine. Les muscles lisses se contractent relativement lentement, mais la durée de la contraction est beaucoup plus variable que dans les muscles striés. Certaines cellules de muscles lisses ne se contractent que si elles sont stimulées par les neurones du système nerveux autonome. D'autres peuvent engendrer des potentiels d'action sans stimulation neuronale et sont électriquement liées les unes aux autres.

Tableau 49.1 Types de fibres musculaires squelettiques

	Fibre oxydative à contraction lente	Fibre oxydative à contraction rapide	Fibre glycolytique à contraction rapide
Vitesse de la contraction	Lente	Rapide	Rapide
Activité ATPasique de la myosine	Lente	Rapide	Rapide
Principale voie pour la synthèse de l'ATP	Respiration aérobie	Respiration aérobie	Glycolyse
Vitesse d'apparition de la fatigue	Lente	Intermédiaire	Rapide
Diamètre	Petit	Intermédiaire	Grand
Mitochondries	Nombreuses	Nombreuses	Peu nombreuses
Capillaires	Nombreux	Nombreux	Peu nombreux
Teneur en myoglobine	Élevée	Élevée	Faible
Couleur	Rouge	Rougeâtre	Blanche

Les Invertébrés possèdent des cellules musculaires semblables aux cellules musculaires squelettiques et lisses des Vertébrés. Les muscles squelettiques des Arthropodes sont presque identiques à ceux des Vertébrés. Mais les muscles du vol des Insectes peuvent produire des contractions rythmiques, indépendantes; dans ces muscles, un seul potentiel d'action est à l'origine de plusieurs cycles de contraction-relaxation. Les ailes de certains Insectes peuvent ainsi battre plus rapidement (jusqu'à 1 000 batt./s) que n'arrivent du système nerveux central les potentiels d'action. On a découvert une autre adaptation issue de l'évolution dans les muscles adducteurs qui enferment les palourdes dans leur coquille. Les myofilaments épais des fibres de ces muscles contiennent une protéine particulière, appelée *paramyosine*, qui permet aux muscles de rester dans un état fixe de contraction, tout en consommant peu d'énergie, durant un mois.

Retour sur le concept 49.6

1. Résumez les données microscopiques qui prouvent que les myofilaments épais et les myofilaments minces glissent les uns sur les autres lorsqu'une fibre musculaire squelettique se contracte.
2. Comment le système nerveux peut-il faire en sorte qu'un muscle squelettique produise la contraction la plus vigoureuse possible?
3. Comparez le rôle des ions calcium dans la contraction d'une fibre de muscle squelettique et dans celle d'une cellule de muscle lisse.

Voir les réponses proposées à la fin du chapitre.

Concept 49.7

La locomotion nécessite de l'énergie pour vaincre la friction et la gravitation

Le mouvement est l'un des traits distinctifs des Animaux. Pour se procurer de la nourriture, tout Animal doit se déplacer dans son milieu ou amener à lui l'eau et l'air environnants. Bien qu'elles soient sessiles, toutes les Éponges font battre leurs flagelles de façon à créer des courants leur permettant d'attirer et de piéger de petites particules de nourriture; quant aux Cnidaires sessiles, ils sont munis de tentacules préhensiles pour capturer leurs proies (voir le chapitre 33). Cependant, la plupart des Animaux sont mobiles et consacrent une partie importante de leur temps et de leur énergie à chercher activement de la nourriture, à échapper au danger et à tenter de trouver des partenaires sexuels. Nous allons donc nous pencher sur la **locomotion**, c'est-à-dire le déplacement actif d'un lieu à un autre.

On observe divers modes de locomotion chez les Animaux. La plupart des embranchements comprennent des espèces qui se déplacent en nageant. Sur la terre ferme et dans les sédiments du fond des mers et des lacs, des Animaux rampent, marchent, courent ou sautillent. Les organes du vol (le vol proprement dit est différent du vol plané, qui permet de descendre d'un arbre ou d'un endroit élevé) ne sont apparus que dans quelques classes: les Insectes, les Reptiles (dont font partie les Oiseaux) et, chez les Mammifères, les chauves-souris. Un embranchement important de Reptiles volants a disparu il y a des millions d'années. Il ne reste donc que les Oiseaux et les chauves-souris comme Vertébrés volants.

Quel que soit leur mode de déplacement, les Animaux doivent exercer une force suffisante sur leur environnement pour lutter contre la friction et la gravitation, qui tendent à les garder immobiles. Exercer une force nécessite un travail cellulaire qui consomme de l'énergie.

La nage

Comme la plupart des Animaux ont une assez bonne flottabilité, les espèces qui nagent ont moins de difficulté à vaincre la gravitation que celles qui doivent se déplacer sur la terre ferme ou dans les airs. Cependant, l'eau est un milieu qui présente une masse volumique et une viscosité beaucoup plus grandes que l'air, et la résistance au mouvement (friction) représente une entrave importante pour les Animaux aquatiques. L'évolution a doté de nombreux Animaux nageurs rapides (voir la figure 40.2) d'une forme élancée et fuselée (forme de torpille).

Les Animaux nagent de différentes façons. Par exemple, de nombreux Insectes et des Vertébrés quadrupèdes se servent de leurs pattes comme de rames pour les pousser sur l'eau. Les pieuvres, les pétoncles et certains Cnidaires se propulsent en aspirant de l'eau puis en l'expulsant par jets. Les requins et les Poissons osseux nagent en bougeant leur corps et leur queue d'un côté puis de l'autre. Les baleines et d'autres Mammifères aquatiques se déplacent en faisant onduler leur corps et leur queue de haut en bas.

La locomotion sur la terre ferme

En général, les problèmes de locomotion sur la terre ferme sont le contraire de ceux qui se présentent dans l'eau. Sur le sol, un Animal qui marche, court, saute ou rampe doit être capable de supporter sa propre masse et de vaincre la gravitation. Mais, du moins à vitesse modérée, l'air présente une résistance relativement faible. Quand un Animal terrestre marche, court ou saute, les muscles de ses pattes consomment de l'énergie tant pour le propulser que pour l'empêcher de tomber. À chaque pas, lorsqu'il court ou marche, l'Animal doit aussi vaincre l'inertie en faisant bouger l'une de ses pattes à partir d'une vitesse nulle. Pour se déplacer sur le sol, des muscles puissants et un squelette robuste sont donc plus importants qu'une forme aérodynamique.

Pour leurs déplacements au sol, les Vertébrés ont acquis et développé diverses adaptations. Par exemple, se déplaçant surtout par sauts, les kangourous (*Macropus sp.*) possèdent de grands muscles qui donnent beaucoup de puissance à leurs pattes postérieures **(figure 49.36)**. Quand ils retombent au sol, les tendons de leurs pattes postérieures emmagasinent momentanément de l'énergie. Plus ils sautent haut, plus leurs tendons emmagasinent d'énergie pour le saut suivant, de la même façon que le mécanisme d'échasses à ressort retient une tension. Tout cela réduit d'autant la quantité d'énergie que ces Animaux doivent dépenser pour leurs déplacements. L'analogie avec les échasses à ressort s'applique à de nombreux Animaux terrestres. Ainsi, les pattes des Insectes, des chiens et des humains retiennent une certaine tension pendant la marche ou la course, bien que l'effet soit bien moindre que dans le cas des kangourous quand ils sautent.

Garder son équilibre constitue une autre condition de la marche, de la course et du saut. La grande queue des kangourous leur sert

▲ **Figure 49.36 Locomotion à coût énergétique réduit sur le sol.** Le principal mode de déplacement des kangourous (*Macropus sp.*) consiste à sauter vers l'avant à l'aide de leurs fortes pattes postérieures. L'énergie cinétique emmagasinée temporairement dans les tendons après chaque saut permet de réduire le coût énergétique du saut suivant. En fait, un gros kangourou qui se déplace à une vitesse de 30 km/h en sautant ne dépense pas plus d'énergie par minute que s'il se déplaçait à 6 km/h. Sa grande queue lui permet de garder son équilibre quand il saute ou quand il est assis.

d'organe d'équilibre. Elle forme avec les pattes postérieures un trépied quand ces Animaux s'assoient ou se déplacent lentement. Les chats, les chiens et les chevaux utilisent ce même principe du trépied quand ils marchent, puisqu'ils gardent toujours trois pattes en contact avec le sol. Les Animaux bipèdes, comme les humains et les Oiseaux, gardent une partie de patte au moins en contact avec le sol quand ils marchent. Quand ils courent, les Animaux peuvent faire quitter le sol à leurs quatre membres (ou leurs deux membres pour les bipèdes) pendant un instant. Dans ce cas-là, en raison de la vitesse, c'est la force d'impulsion (l'élan) plutôt que le contact des membres avec le sol qui maintient le corps droit.

La reptation pose un problème d'un tout autre ordre. Comme il a une grande partie de son corps en contact avec le sol, l'Animal qui rampe doit faire un effort considérable pour vaincre la friction. Nous avons appris que les vers de terre rampent grâce au péristaltisme. De nombreux serpents rampent en faisant onduler latéralement tout leur corps. Avec leurs écailles ventrales larges et mobiles, ils agrippent le sol et avancent. Les boas et les pythons se déplacent par reptation en ligne droite. Ils sont poussés par des muscles qui soulèvent leurs écailles ventrales, les rabattent vers l'avant, puis les repoussent vers l'arrière en prenant appui sur le sol.

Le vol

Pour un Animal qui vole, la gravitation pose un problème important. En effet, pour que le vol soit possible, les ailes doivent créer une poussée suffisante pour vaincre complètement la force de gravitation. Ainsi, l'élément fondamental du vol est la forme des ailes. Tous les types d'ailes, même celles des avions, ont une allure profilée, c'est-à-dire que ce sont des structures dont la forme modifie les courants d'air de façon à créer une portance.

Les Animaux volants sont relativement légers. Leur masse corporelle varie de moins de 1 g, pour certains Insectes, à environ 20 kg, pour les plus gros Oiseaux volants. Beaucoup d'Animaux volants possèdent des adaptations structurales qui réduisent leur masse corporelle. Les Oiseaux, par exemple, présentent une structure osseuse lacunaire et sont dépourvus de dents (voir le chapitre 34). Une forme fuselée permet de réduire la résistance de l'air tout comme celle de l'eau.

Une comparaison des coûts énergétiques de la locomotion

L'étude de la locomotion nous renvoie au thème de la bioénergétique animale, dont il est question au chapitre 40. Le coût énergétique de la locomotion dépend à la fois du mode de locomotion et du milieu **(figure 49.37)**. Les Animaux coureurs dépensent en général plus d'énergie par mètre parcouru que les

Figure 49.37

Investigation Quels sont les coûts énergétiques de la locomotion?

EXPÉRIENCE Les physiologistes déterminent habituellement la dépense énergétique d'un Animal qui se déplace en mesurant sa consommation de O_2 ou sa production de CO_2 pendant qu'il nage dans une glissoire hydraulique, qu'il court sur un tapis roulant ou qu'il vole dans une soufflerie aérodynamique. Par exemple, le perroquet dressé montré ci-dessous porte un masque de plastique relié à un tube qui recueille l'air expiré pendant qu'il vole.

RÉSULTATS Ce graphique permet de comparer les coûts énergétiques du déplacement pour des Animaux spécialisés dans la course, le vol ou la nage. Ces coûts sont exprimés en joules par kilogramme de masse corporelle par mètre de distance parcouru. Notez que les deux axes représentent des échelles logarithmiques.

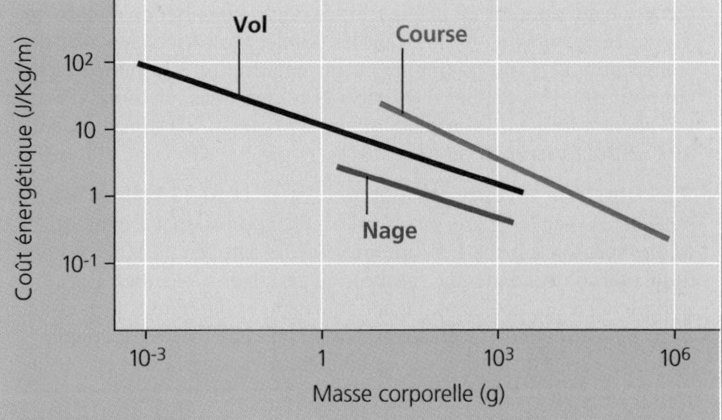

CONCLUSION Pour les Animaux présentant une masse corporelle donnée, la nage est le mode de locomotion dont le coût énergétique est le moins élevé, et la course celui dont le coût énergétique est le plus élevé. Quel que soit le mode de locomotion utilisé, un petit Animal dépense plus d'énergie par kilogramme de masse corporelle qu'un gros Animal.

Animaux nageurs d'une taille équivalente, en partie parce que la course ou la marche nécessite une dépense énergétique pour lutter contre la gravitation. La nage est le mode de locomotion dont le coût énergétique est le moins élevé (pour les Animaux spécialisés dans la nage). De plus, si on comparait la consommation d'énergie par minute plutôt que par mètre, on découvrirait que les Animaux volants consomment davantage d'énergie que les Animaux nageurs ou coureurs de masse corporelle semblable.

La pente descendante de chaque courbe du graphique de la figure 49.37 montre aussi qu'un gros Animal se déplace plus efficacement qu'un petit Animal, tous deux étant spécialisés dans le même mode de locomotion. Ainsi, pour une même distance parcourue, un cheval de 450 kg dépense moins d'énergie *par kilogramme de masse corporelle* qu'un chat de 4 kg. Évidemment, la quantité *totale* d'énergie dépensée est plus élevée pour le gros Animal.

C'est la dépense énergétique nécessitée par son mode de locomotion qui détermine quelle portion de l'énergie tirée de son alimentation l'Animal pourra consacrer à d'autres activités, comme la croissance et la reproduction. Par conséquent, des adaptations structurales et comportementales qui maximisent l'efficacité de la locomotion augmentent ses chances de survie et de reproduction.

Dans le présent chapitre, nous avons étudié séparément les récepteurs sensoriels et les muscles, qui font néanmoins partie d'un même système intégré grâce auquel le cerveau, le corps et le monde extérieur sont interreliés. Le comportement de l'Animal découle de ce système. La huitième partie du présent manuel traite du comportement dans le contexte plus large de l'écologie, qui est l'étude des interactions entre les organismes et leur milieu.

Retour sur le concept 49.7

1. Comparez la nage et le vol en fonction des principaux problèmes qu'ils posent et des adaptations qui permettent aux Animaux de surmonter ces problèmes.
2. Selon la figure 49.37, quel Animal utilise le plus d'énergie par kilogramme de masse corporelle pour parcourir 1 m : un Animal volant de 1 g ou un Animal coureur de 1 kg?

Voir les réponses proposées à la fin du chapitre.

Révision du chapitre 49

RÉSUMÉ DES CONCEPTS CLÉS

Concept 49.1

Les récepteurs sensoriels convertissent l'énergie d'un stimulus en influx nerveux qu'ils transmettent au système nerveux central

- **Le rôle des récepteurs sensoriels (p. 1138-1140).** Les récepteurs sensoriels sont en général des neurones spécialisés ou des cellules épithéliales qui détectent les stimulus provenant du milieu. Les extérocepteurs détectent les stimulus externes, et les intérocepteurs les stimulus internes. La conversion du stimulus est la transformation de l'énergie du stimulus en une modification du potentiel de membrane nommée *potentiel récepteur.* Dans les cellules réceptrices, les voies de conversion du stimulus amplifient souvent l'influx. À la suite de cette amplification, les cellules réceptrices produisent des potentiels d'action ou libèrent un neurotransmetteur aux synapses qu'elles forment avec des neurones sensitifs.
- **Les types de récepteurs sensoriels (p. 1140-1142).** Les mécanorécepteurs réagissent aux stimulus comme la pression, l'étirement, le mouvement et le bruit. Les chimiorécepteurs détectent la concentration totale de solutés dans une solution ou certaines molécules. Les récepteurs d'ondes électromagnétiques captent différentes formes de rayonnement électromagnétique. Divers types de thermorécepteurs donnent de l'information sur les températures superficielle et interne de l'organisme. La douleur est détectée par un groupe de récepteurs divers qui réagissent à la chaleur excessive, à la pression ou à certaines substances chimiques.

Concept 49.2

Les mécanorécepteurs associés à l'audition et à l'équilibre détectent les particules qui se déposent et les liquides en mouvement

- **La perception de la gravitation et du son chez les Invertébrés (p. 1142).** La plupart des Invertébrés perçoivent l'orientation de leur corps en fonction de la gravitation au moyen de statocystes. De nombreux Arthropodes détectent les sons grâce à des poils sensoriels qui vibrent ou à des « oreilles » localisées constituées d'une membrane tympanique et de cellules réceptrices.
- **L'audition et l'équilibre chez les Mammifères (p. 1142-1146).** La membrane du tympan transmet les ondes sonores aux trois osselets de l'oreille moyenne, qui les transmettent à leur tour à la fenêtre du vestibule puis au liquide contenu dans la cochlée, organe de forme enroulée qui se trouve dans l'oreille interne. Les ondes de pression présentes dans le liquide font vibrer la lame basilaire, ce qui entraîne la dépolarisation des cellules sensorielles ciliées de l'organe spiral et le déclenchement de potentiels d'action qui se propagent jusqu'au cerveau par le nerf auditif. Chaque région de la lame basilaire répond plus particulièrement à une fréquence donnée et entraîne l'excitation d'un site précis de l'aire auditive du cortex cérébral. On trouve dans l'oreille interne l'utricule, le saccule et trois conduits semi-circulaires, qui sont les organes de l'équilibre.
- **L'audition et l'équilibre chez d'autres Vertébrés (p. 1146-1147).** Chez les Poissons et les Amphibiens, la détection du mouvement de l'eau est assurée par l'organe sensoriel de la ligne latérale, qui renferme des amas de cellules sensorielles ciliées.

Concept 49.3

Les sens du goût et de l'odorat sont étroitement apparentés chez la plupart des Animaux

- **Le goût chez les humains (p. 1148-1149).** Le goût et l'odorat proviennent de la stimulation de chimiorécepteurs par de petites molécules dissoutes qui se lient à des protéines présentes dans la membrane plasmique. Chez les humains, les récepteurs du goût sont groupés en calicules gustatifs qui se trouvent sur la langue et dans la bouche. Cinq sensations gustatives, le sucré, l'amer, le salé, l'acide et l'umami (qui provient d'une stimulation attribuable à l'acide glutamique), mettent en jeu plusieurs mécanismes de transduction du stimulus différents.

▶ **L'odorat chez les humains (p. 1149).** Des cellules olfactives garnissent la partie supérieure de la cavité nasale et envoient, par l'intermédiaire de leur axone, des influx au bulbe olfactif de l'encéphale. Plus de 1 000 gènes codent des protéines membranaires qui se lient à certaines classes de substances odorantes, et chaque cellule olfactive exprime seulement un ou tout au plus quelques-uns de ces gènes.

Concept 49.4

La vision est commandée par des mécanismes semblables dans tout le règne animal

▶ **La vision chez les Invertébrés (p. 1150).** Parmi les organes qui détectent la lumière chez les Invertébrés, on trouve les cupules optiques des planaires, les yeux composés produisant des images des Insectes, des Crustacés et de certains Polychètes, et les yeux à cristallin unique de quelques méduses, Polychètes et araignées, et d'un grand nombre de Mollusques.

▶ **L'appareil visuel des Vertébrés (p. 1151-1155).** Les principales parties de l'œil des Vertébrés sont la sclère, qui comprend la cornée; la conjonctive; la choroïde, qui comprend l'iris; la rétine, qui contient les photorécepteurs; et le cristallin, dont la fonction est de diriger la lumière sur la rétine. Les photorécepteurs (les bâtonnets et les cônes) contiennent un pigment, le rétinal, lié à une protéine (l'opsine). L'absorption de la lumière par le rétinal établit une voie de transduction qui hyperpolarise les photorécepteurs, de sorte qu'ils libèrent moins de neurotransmetteur. Les synapses transmettent l'information provenant des photorécepteurs à des cellules bipolaires puis à des cellules ganglionnaires dont les axones acheminent les potentiels d'action vers le cerveau. D'autres neurones de la rétine intègrent l'information avant de l'envoyer au cerveau. La majorité des axones des nerfs optiques conduisent aux corps géniculés latéraux du thalamus, qui transmet l'information à l'aire visuelle primaire du cortex cérébral. Plusieurs centres d'intégration du cortex cérébral participent à la création des perceptions visuelles.

Le squelette des Animaux assure soutien, protection et mouvement

▶ **Les types de squelette (p. 1156-1157).** L'hydrosquelette, qu'on trouve chez la plupart des Cnidaires, des Plathelminthes, des Nématodes et des Annélides, est un compartiment fermé de l'organisme qui contient un liquide maintenu sous pression. L'exosquelette, que possèdent la majorité des Mollusques et des Arthropodes, est une enveloppe rigide qui se trouve à la surface du corps. L'endosquelette, dont sont munis les Éponges, les Échinodermes et les Cordés, se compose d'éléments de soutien rigides enveloppés par les tissus mous de l'Animal.

▶ **Le soutien physique sur la terre ferme (p. 1157).** Avec le squelette, les muscles et les tendons assurent le soutien physique des gros Vertébrés terrestres.

Les muscles font bouger des parties du squelette en se contractant

▶ **Les muscles squelettiques des Vertébrés (p. 1158-1165).** Les muscles squelettiques, qui se présentent souvent par paires antagonistes, permettent le mouvement en se contractant et en prenant appui sur le squelette. Ils se composent de faisceaux de cellules (fibres) musculaires contenant chacune des myofibrilles constituées de myofilaments minces d'actine et de myofilaments épais de myosine. Les têtes de la myosine, alimentées par l'hydrolyse de l'ATP, se lient aux myofilaments minces pour former des ponts. Lorsqu'elles se replient sur elles-mêmes, elles exercent une tension sur les myofilaments minces. Lorsque l'ATP se lie aux têtes de la myosine, celles-ci se relâchent, prêtes à entamer un nouveau cycle. La répétition des cycles fait glisser les myofilaments épais et les myofilaments minces les uns sur les autres, ce qui a pour effet de raccourcir le sarcomère et de contracter la fibre musculaire. Le neurone moteur déclenche la contraction en libérant de l'acétylcholine, qui dépolarise la fibre musculaire. Des potentiels d'action se propagent à l'intérieur de la fibre musculaire le long des tubules transverses, ce qui stimule la libération de Ca^{2+} par le réticulum sarcoplasmique. Les ions calcium modifient la position du complexe tropomyosine-troponine sur les myofilaments minces, ce qui expose les sites de liaison de l'actine destinés à la myosine et permet la formation de ponts. L'unité motrice comprend un neurone moteur et toutes les fibres musculaires qu'il innerve. Le recrutement de multiples unités motrices fait augmenter la force des contractions. La secousse musculaire élémentaire est produite par un seul potentiel d'action dans un neurone moteur. Lorsque des potentiels d'action se suivent rapidement, une contraction graduée se produit par sommation. Le tétanos est une contraction uniforme et continue consécutive à une salve de potentiels d'action provenant des neurones moteurs. On classe les fibres musculaires selon leur vitesse de contraction et la principale voie métabolique qu'elles empruntent pour produire de l'ATP. Les trois types de fibres musculaires sont les fibres oxydatives à contraction lente, les fibres oxydatives à contraction rapide et les fibres glycolytiques à contraction rapide.

▶ **Les autres types de muscles (p. 1165-1166).** Le muscle cardiaque, qu'on ne trouve que dans le cœur, se compose de cellules striées. Des disques intercalaires établissent un couplage électrique entre ces cellules, qui peuvent produire des potentiels d'action sans recevoir de stimulus des neurones. Les contractions des muscles lisses sont lentes et peuvent être déclenchées par les muscles eux-mêmes ou par un stimulus provenant des neurones du système nerveux autonome.

Concept 49.7

La locomotion requiert de l'énergie pour vaincre la friction et la gravitation

▶ **La nage (p. 1166).** La friction représente une entrave importante pour les Animaux nageurs, qui ont toutefois moins de difficulté à combattre la gravitation que les Animaux qui se déplacent sur la terre ferme ou qui volent.

▶ **La locomotion sur la terre ferme (p. 1166-1167).** Pour marcher, courir, sauter ou ramper sur la terre ferme, les Animaux doivent être capables de supporter leur propre masse et de vaincre la gravitation.

▶ **Le vol (p. 1167).** Pour que le vol soit possible, les ailes de l'Animal doivent créer une poussée suffisante pour vaincre complètement la force de gravitation.

▶ **Une comparaison des coûts énergétiques de la locomotion (p. 1167-1168).** Les Animaux spécialisés dans la nage dépensent moins d'énergie par mètre parcouru que les Animaux de taille équivalente spécialisés dans le vol ou la course.

VÉRIFIEZ VOS CONNAISSANCES

Autoévaluation

(Les questions dont les numéros sont en caractères gras font surtout appel à la compréhension.)

1. Quel énoncé, parmi les suivants se rapportant au potentiel récepteur, est *faux*?
   a) L'amplitude des potentiels produits dans les récepteurs varie en fonction de l'intensité des stimulus qui les ont fait naître.
   b) Tous les potentiels récepteurs sont le résultat de l'ouverture ou de la fermeture des canaux ioniques qui se trouvent dans la membrane plasmique du récepteur sensoriel.
   c) L'intensité du potentiel récepteur fait varier la fréquence des potentiels d'action qui se propagent dans les nerfs en direction du système nerveux central.
   d) Les potentiels récepteurs sont de même nature que les potentiels d'action en ce qui a trait à leur intensité.
   e) Lorsque le récepteur fait synapse avec un neurone sensitif, plus le potentiel récepteur est intense, plus la quantité de neurotransmetteur libérée à la synapse est importante.

2. Lequel, parmi les énoncés suivants concernant la transduction des stimulus, est *faux*?
   a) Elle se fait dans le système nerveux central.
   b) Elle nécessite souvent une étape d'amplification du stimulus.
   c) Elle se fait avant l'étape de la transmission de l'information.
   d) Elle est une étape nécessaire, car le stimulus lui-même ne peut pas se propager dans un nerf pour informer directement le centre nerveux.
   e) Elle comprend l'étape de la conversion du stimulus.
3. Parmi les types de récepteurs suivants, lequel *n'est pas* correctement associé avec la catégorie à laquelle il appartient?
   a) Cellule sensorielle ciliée: mécanorécepteur.
   b) Fuseau neuromusculaire: mécanorécepteur.
   c) Cellule gustative: chimiorécepteur.
   d) Bâtonnet: récepteur d'ondes électromagnétiques.
   e) Cellule olfactive: récepteur d'ondes électromagnétiques.
4. Les requins ferment les yeux juste avant de mordre. Bien qu'ils ne voient pas leur proie, ils ne ratent pas leur cible. Des chercheurs ont remarqué que les requins sont attirés par les objets métalliques et qu'ils peuvent trouver des piles enfouies dans le sable d'un aquarium. Ces observations semblent indiquer que les requins localisent leur proie jusqu'à la dernière fraction de seconde avant de mordre, de la même façon:
   a) que le crotale trouve une souris dans son trou.
   b) qu'un mâle chez le bombyx du mûrier localise une femelle.
   c) que la chauve-souris trouve des papillons dans l'obscurité.
   d) que l'ornithorynque repère sa proie dans une rivière boueuse.
   e) que la planaire évite les sources lumineuses.
5. La conversion des ondes sonores en potentiels d'action se produit:
   a) à l'intérieur de la membrana tectoria, lorsqu'elle est stimulée par les cellules sensorielles ciliées.
   b) lorsque les cellules sensorielles ciliées sont déformées au contact de la membrana tectoria, ce qui provoque une dépolarisation et la libération d'un neurotransmetteur qui stimule les neurones sensitifs.
   c) lorsque la lame basilaire de la cochlée devient plus perméable au sodium et se dépolarise, ce qui produit un potentiel d'action dans un neurone sensitif.
   d) lorsque la lame basilaire de la cochlée vibre à différentes fréquences, réagissant ainsi aux variations de l'intensité des sons.
   e) à l'intérieur de l'oreille moyenne, lorsque les vibrations sont amplifiées par le malléus, l'incus et le stapès.
6. Nous devenons étourdis lorsque nous tournons rapidement sur nous-mêmes. Laquelle des structures ou des ensembles de structures suivantes est directement en cause dans ce phénomène?
   a) Le saccule.
   b) L'utricule.
   c) L'ensemble des conduits semi-circulaires.
   d) La cochlée.
   e) Les osselets de l'oreille moyenne.
7. Laquelle des affirmations suivantes concernant le goût et l'odorat est *incorrecte*?
   a) Même s'il est particulièrement sensible à une certaine catégorie de substances, chaque type de récepteur du goût peut être stimulé par un très grand nombre de substances chimiques.
   b) Nous pouvons dire, avec justesse, que « c'est le cerveau qui voit », mais il serait erroné d'affirmer que « c'est le cerveau qui goûte et qui sent ».
   c) Une certaine partie de ce que nous croyons goûter est en réalité senti par l'odorat, car il existe de nombreuses interactions entre les deux sens.
   d) Des récepteurs du goût se trouvent sur les pattes des Insectes.
   e) Plus d'un millier de gènes (sur environ 30 000 au total) servent à coder pour la formation de récepteurs olfactifs chez l'humain.
8. Parmi les affirmations suivantes concernant l'œil chez les Vertébrés, laquelle est *incorrecte*?
   a) Le corps vitré règle la quantité de lumière qui traverse la pupille.
   b) La cornée transparente est un prolongement de la sclère.
   c) La macula est le centre du champ visuel et ne contient que des cônes.
   d) Le muscle ciliaire permet l'accommodation.
   e) La rétine se trouve immédiatement à l'intérieur de la choroïde et contient des cellules photoréceptrices.
9. Lorsque la lumière atteint la rhodopsine, pigment des bâtonnets, le rétinal se dissocie de l'opsine, ce qui amorce une voie de transduction du stimulus qui:
   a) dépolarise les cellules bipolaires voisines et crée un potentiel d'action dans une cellule ganglionnaire.
   b) dépolarise le bâtonnet, ce qui provoque la libération d'acide glutamique, neurotransmetteur qui excite les cellules bipolaires.
   c) hyperpolarise le bâtonnet, en diminuant la libération d'acide glutamique, ce qui excite certaines cellules bipolaires et en inhibe d'autres.
   d) hyperpolarise le bâtonnet, en augmentant la libération d'acide glutamique, ce qui excite les cellules amacrines mais inhibe les cellules horizontales.
   e) convertit la GMPc en GMP, en ouvrant les canaux ioniques à sodium et en hyperpolarisant la membrane plasmique, ce qui cause la décoloration de la rhodopsine.
10. Les palourdes et les homards ont un exosquelette, mais les homards jouissent d'une plus grande mobilité. Pourquoi?
    a) Les palourdes ne possèdent que des muscles adducteurs qui maintiennent la coquille fermée, alors que les homards ont à la fois des muscles abducteurs et des muscles adducteurs.
    b) La paramyosine maintient les muscles des palourdes contractés dans un état d'énergie minimale, alors que les muscles des homards sont très semblables aux muscles squelettiques des Vertébrés.
    c) Les palourdes ne peuvent grossir que par l'accroissement du bord extérieur de leur coquille, alors que les homards muent et remplacent plusieurs fois leur exosquelette par un exosquelette plus grand et plus flexible.
    d) Le squelette du homard peut se contracter activement, alors que celui de la palourde ne possède pas ce mécanisme contractile.
    e) Les homards ont un exosquelette articulé, ce qui leur permet des mouvements flexibles des appendices et des parties de leur corps aux articulations.
11. Dans la contraction d'une fibre musculaire squelettique, la fonction du calcium consiste à:
    a) dissocier les ponts en tant que cofacteur de l'hydrolyse de l'ATP.
    b) se lier à la troponine pour en modifier la configuration, de sorte que le myofilament d'actine soit découvert.
    c) transmettre les potentiels d'action du neurone moteur à la fibre musculaire.
    d) propager le potentiel d'action par les tubules transverses.
    e) rétablir la polarisation de la membrane plasmique après le passage d'un potentiel d'action.
12. Le tétanos est:
    a) la contraction partielle et continue des principaux muscles de la posture.
    b) la contraction de type tout ou rien d'une fibre musculaire isolée.
    c) une contraction vigoureuse résultant de l'activation de nombreuses unités motrices.
    d) une contraction musculaire régulière et continue produite par sommation.
    e) l'état de fatigue musculaire résultant de l'épuisement de l'ATP et de l'accumulation d'acide lactique.
13. Les fibres des muscles qui maintiennent la posture:
    a) sont des fibres à contraction rapide.
    b) possèdent moins de réticulum sarcoplasmique que les fibres du muscle biceps brachial.
    c) se fatiguent rapidement.
    d) synthétisent leur ATP grâce à la glycolyse.
    e) ont un diamètre plus grand que les fibres du muscle biceps brachial.
14. Parmi les affirmations suivantes concernant les cellules musculaires cardiaques, laquelle est *vraie*?
    a) Leurs myofilaments d'actine et de myosine ne sont pas disposés de façon régulière.
    b) Elles n'ont pas un réticulum sarcoplasmique aussi étendu que les cellules des muscles lisses, et se contractent donc plus lentement.

c) Elles sont reliées par des disques intercalaires qui permettent aux potentiels d'action de se propager à toutes les cellules du cœur.
d) Leur potentiel de repos est supérieur au seuil d'excitation des potentiels d'action.
e) Elles ne se contractent que si elles sont stimulées par des neurones.

15. Lequel des événements suivants se produit dans les sarcomères lorsqu'un muscle squelettique se contracte ?
a) Les stries A raccourcissent.
b) Les stries I rétrécissent.
c) Les lignes Z s'écartent les unes des autres.
d) Les myofilaments minces d'actine se contractent.
e) Les myofilaments épais se contractent.

Lien avec l'évolution

1. En général, la locomotion sur la terre ferme nécessite plus d'énergie que la locomotion dans l'eau. En vous servant de tout ce que vous avez appris dans les chapitres de cette partie sur l'anatomie et la physiologie animales, exposez quelques-unes des adaptations attribuables à l'évolution chez les Mammifères qui confirment que les déplacements sur le sol commandent beaucoup d'énergie.
2. On n'a longtemps reconnu que quatre types de sensations gustatives chez les Vertébrés : le sucré, le salé, l'acide et l'amer. Pourquoi l'évolution aurait-elle retenu principalement ces quatre types de saveurs ? Quel lien chacun pourrait-il avoir avec les propriétés d'un aliment ?
3. Pour ceux qui s'opposent à la théorie de l'évolution, le développement de l'œil constitue un argument de choix. Il leur paraît pour le moins difficile de croire qu'un organe aussi complexe que l'œil des Vertébrés puisse s'être développé par mutations fortuites successives que la sélection naturelle aurait conservées. Il leur semble qu'un tel organe n'aurait pu fonctionner avant d'avoir atteint son achèvement. Pourquoi, disent-ils, la sélection naturelle aurait-elle conservé les formes intermédiaires si elles n'étaient pas fonctionnelles ? À quelles notions, vues dans le chapitre, feriez-vous appel pour expliquer aux créationnistes que le développement évolutif de l'œil ne peut pas être utilisé pour réfuter la théorie de l'évolution de Darwin ?

Intégration

1. Bien que les muscles squelettiques se fatiguent généralement assez rapidement, les muscles des coquilles (ou valves) des palourdes possèdent une protéine aux propriétés uniques appelée *paramyosine*, qui leur permet de maintenir une contraction durant un mois. En vous appuyant sur ce que vous savez du mécanisme cellulaire de la contraction, proposez une hypothèse pour expliquer comment peut fonctionner la paramyosine. Comment pourriez-vous soumettre votre hypothèse à un contrôle expérimental ?
2. Décrivez et expliquez le trajet de la lumière chez l'humain, depuis son entrée dans l'œil jusqu'à sa transformation en influx nerveux dans le nerf optique.
3. Expliquez la raideur qui apparaît dans un cadavre animal ou humain, trois ou quatre heures après la mort. Pourquoi cette raideur cadavérique finit-elle par disparaître ?

Science, technologie et société

1. Peut-être connaissez-vous une personne âgée qui s'est fracturé un os (souvent à la hanche) en partie à cause de l'ostéoporose, qui est une perte de densité osseuse touchant de nombreuses femmes après la ménopause. Des chercheurs pensent que la prévention est le meilleur moyen d'éviter l'ostéoporose. Ils recommandent de l'exercice et un apport maximal de calcium aux personnes qui ont entre 10 et 30 ans. Est-il réaliste de s'attendre à ce que des jeunes se perçoivent comme de futures personnes âgées ? Quelles seraient vos recommandations pour les encourager à adopter de bonnes habitudes dont les bénéfices ne se feront pas sentir avant 40 ou 50 ans ?
2. Les concerts en salle, les discothèques et les baladeurs constituent des menaces sérieuses à l'intégrité des facultés auditives des adolescents et jeunes adultes. L'Organisation mondiale de la santé (OMS) recommande de ne pas s'exposer à des niveaux sonores dépassant les 100 décibels durant plus de 4 heures, plus de 4 fois par année. Par ailleurs, certains sociologues comparent les nouvelles pratiques des jeunes face à la musique amplifiée aux pratiques sportives : elles ne sont pas à bannir mais à encadrer pour en minimiser les risques. Quelles recommandations formuleriez-vous si vous aviez à vous prononcer sur la question des menaces que constituent, pour les jeunes surtout, des expositions excessives au bruit ? Comment concilier les besoins d'un environnement musical et les dangers de traumatismes acoustiques irréversibles ?

Réponses du chapitre 49

Retour sur le concept 49.1

1. Ces médicaments neutralisent les sensations transmises par les neurones sensitifs qui communiquent avec les récepteurs au moyen de synapses. Les neurones sensitifs qui *sont* des récepteurs (comme les récepteurs de l'étirement) transmettent les sensations sans synapse. Ils ne sont donc pas atteints par ces médicaments.
2. Les sensations de douleur et de pression légère seraient les premières touchées, car elles sont provoquées par des récepteurs qui se trouvent dans l'épiderme. Les sensations associées au mouvement des poils, aux fortes pressions et aux vibrations seraient les dernières touchées ou ne le seraient pas du tout, car elles sont provoquées par des récepteurs situés profondément dans le derme.

Retour sur le concept 49.2

1. Les statocystes détectent l'orientation du corps de l'Animal en fonction de la gravitation. Une telle information est essentielle dans les milieux où les indications lumineuses n'existent pas.
2. Le stapès et les autres osselets de l'oreille moyenne transmettent à la fenêtre du vestibule les vibrations provenant du tympan. La fusion de ces osselets empêche cette transmission, ce qui entraîne un déficit auditif.
3. Comme un son qui passe progressivement d'une hauteur très basse à une hauteur très élevée.

Retour sur le concept 49.3

1. Lorsqu'une mouche marche sur un objet, les soies gustatives qui se trouvent sur ses pattes lui permettent de déterminer s'il contient des molécules associées à la nourriture, comme des glucides. Les soies gustatives situées sur les pièces buccales détectent aussi ces molécules lorsque l'Insecte commence à ingérer de la nourriture.
2. Les deux types de chimiorécepteurs ont dans leur membrane plasmique des récepteurs protéiques qui fixent certaines substances de façon à dépolariser la membrane en établissant une voie de transduction du stimulus où intervient l'AMPc. Dans les chimiorécepteurs du goût sucré, la dépolarisation déclenche la libération d'un neurotransmetteur ; dans les chimiorécepteurs olfactifs, elle déclenche la production de potentiels d'action.

Retour sur le concept 49.4

1. Les planaires possèdent des cupules optiques qui ne forment pas d'images, mais perçoivent l'intensité et la direction de la lumière. Elles obtiennent ainsi assez d'information pour s'abriter dans des endroits ombragés. Les mouches possèdent des yeux composés qui forment des images et détectent très bien les mouvements; ces deux types d'organes photorécepteurs sont des adaptations qui permettent des comportements actifs, comme le vol.
2. Sans lunettes, la personne atteinte de presbytie est capable de distinguer les objets éloignés, mais non les objets rapprochés, car la vision rapprochée exige que le cristallin prenne une forme presque sphérique.
3. En présence de lumière, le photorécepteur subit une hyperpolarisation et cesse de libérer de l'acide glutamique. Si les cellules bipolaires avec lesquelles il communique par synapse sont hyperpolarisées par l'acide glutamique, elles seront dépolarisées par la lumière et augmenteront leur libération de neurotransmetteur. Si ce neurotransmetteur est excitateur, les cellules ganglionnaires avec lesquelles il communique par synapse produiront des potentiels d'action à une plus grande fréquence.

Retour sur le concept 49.5

1. Le ver de terre étirerait chaque segment de son corps en contractant tous ses muscles circulaires et en relâchant tous ses muscles longitudinaux.
2. Au niveau des surfaces de préhension, l'exosquelette du homard est renforcé par des sels de calcium et des composés organiques qui établissent des liens transversaux entre les protéines. Au niveau des articulations, ces sels et ces composés sont absents de l'exosquelette, qui est donc flexible.
3. L'articulation trochléenne qui relie l'humérus et la tête du cubitus restreint à un seul plan les mouvements qui éloignent ou rapprochent l'ulna et le radius de l'humérus. L'articulation à pivot (ou trochoïde) qui relie l'ulna et le radius permet la rotation de l'avant-bras au niveau du coude.

Retour sur le concept 49.6

1. Pendant la contraction, les lignes Z, qui marquent les extrémités d'un sarcomère, se rapprochent les unes des autres; la strie A, qui définit la longueur des myofilaments épais, demeure de la même longueur; la strie I, qui ne contient que des myofilaments minces, et la strie H, qui ne possède que des myofilaments épais, raccourcissent.
2. En amenant tous les neurones moteurs qui innervent le muscle à engendrer des potentiels d'action à une fréquence suffisamment élevée pour produire un tétanos dans toutes les fibres musculaires.
3. Dans une fibre de muscle squelettique, les ions calcium se lient au complexe de troponine, qui éloigne la tropomyosine des sites de liaison de l'actine et permet la formation de ponts. Dans une cellule de muscle lisse, les ions calcium se lient à la calmoduline, laquelle active une enzyme qui phosphoryle la tête de la myosine.

Retour sur le concept 49.7

1. Le principal problème posé par la nage est la résistance au mouvement (ou friction); un corps fusiforme permet de réduire cette résistance. Dans le cas du vol, le principal problème consiste à vaincre la gravitation; les ailes, qui ont une allure profilée, créent une portance, et des adaptations comme la structure lacunaire des os réduisent la masse corporelle.
2. Un Animal volant de 1 g.

Autoévaluation

1. d; 2. a; 3. e; **4.** d; **5.** b; 6. c; 7. b; 8. a; **9.** c; 10. e; 11. b; 12. d; 13. b; 14. c; **15.** b.

50

L'écologie et la biosphère : introduction

▲ **Figure 50.1 Zone d'une forêt panaméenne montrant la richesse de la biosphère.**

Concepts clés

50.1 **L'écologie est l'étude des interactions des organismes entre eux et avec leur milieu**

50.2 **Les interactions des organismes entre eux et avec leur milieu limitent la distribution des espèces**

50.3 **Les facteurs abiotiques et biotiques influent sur la structure et la dynamique des biomes aquatiques**

50.4 **Le climat détermine en grande partie la distribution et la structure des biomes terrestres**

Introduction

Le domaine d'étude de l'écologie

Les organismes sont des systèmes ouverts qui sont en constante interaction entre eux et avec leur milieu, ce que nous avons vu de nombreuses fois dans ce manuel. L'**écologie** (du grec *oikos*, « maison », et *logos*, « discours sur, science de ») est l'étude scientifique des interactions entre les organismes, d'une part, et entre les organismes et leur milieu, d'autre part. Ces interactions régissent la distribution et l'abondance des organismes, ce qui soulève trois questions que les écologistes se posent souvent : Où vivent ces organismes ? Pourquoi vivent-ils là ? Et combien sont-ils ? Les écologistes étudient aussi l'incidence des interactions entre les organismes et leur milieu sur des phénomènes comme le nombre d'espèces vivant sur un territoire particulier, le recyclage des nutriments dans une forêt ou dans un lac et la croissance des populations.

Étant donné l'étendue de son domaine d'étude, l'écologie est une branche de la biologie non seulement très complexe et très captivante, mais aussi d'une importance cruciale. L'écologie révèle la richesse de la biosphère, soit l'ensemble des zones de la Terre occupées par des êtres vivants, et peut fournir les connaissances de base qui nous aideront à conserver et à maintenir cette richesse, aujourd'hui plus que jamais menacée par l'activité humaine. La richesse de la biosphère est particulièrement évidente dans les forêts tropicales, comme la forêt panaméenne, où vit le scarabée Hercule (*Dynastes hercules*), dont une photo apparaît à la **figure 50.1**. Les forêts tropicales abritent des millions d'espèces, y compris entre 5 et 30 millions d'espèces d'Insectes, d'Arachnides et d'autres Arthropodes non encore décrites. En fait, dans toutes les parties de la biosphère se trouvent diverses formes de vie, dont la plupart, surtout les espèces microbiennes, sont inconnues de la science. Le présent chapitre introduit à l'écologie et décrit certains des facteurs, vivants et non vivants, qui influent sur la distribution des organismes. Il passe aussi en revue les principaux types d'habitats aquatiques et terrestres où les écologistes se rendent pour étudier les organismes qui les occupent.

Concept 50.1

L'écologie est l'étude des interactions des organismes entre eux et avec leur milieu

Les humains se sont toujours intéressés à la distribution et à l'abondance des autres organismes. Les peuples de chasseurs-cueilleurs de la préhistoire devaient savoir où ils pouvaient trouver du gibier et des plantes comestibles en abondance. Le développement de l'agriculture et la domestication des Animaux ont permis à ces peuples de mieux comprendre comment le milieu agit sur la croissance, la survie et la reproduction des Végétaux et des Animaux. Plus tard, les naturalistes, d'Aristote à Darwin, puis d'autres qui les ont suivis, ont observé et décrit des organismes dans leur habitat naturel et ont systématiquement enregistré leurs observations. Comme l'approche descriptive de la science permet toujours d'acquérir une extraordinaire compréhension des phénomènes (voir le chapitre 1), l'histoire naturelle demeure une composante fondamentale de l'écologie.

Bien que l'écologie soit depuis longtemps une science descriptive, il s'agit aussi d'une rigoureuse science expérimentale. De nombreux écologistes vérifient leurs hypothèses sur le terrain, malgré les difficultés particulières des expériences effectuées dans des milieux naturels. On peut prendre comme exemples d'expériences sur le terrain les études dans lesquelles les chercheurs mesurent les conséquences du broutage par des herbivores sur la diversité des espèces végétales, en comparant des stations de contrôle libres en milieu naturel avec des « enclos expérimentaux fermés » conçus pour éloigner certaines espèces herbivores. C'est sans doute parce que l'écologie s'applique à des systèmes complexes, qui mettent à l'épreuve la capacité des scientifiques de présenter des résultats cohérents, que les écologistes ont innové dans les domaines de la méthodologie expérimentale et de l'application de la déduction statistique. Cette partie du manuel contient de nombreux exemples d'expériences écologiques.

L'écologie et la biologie de l'évolution

L'écologie et la biologie de l'évolution sont des sciences étroitement liées. Les observations approfondies de Charles Darwin sur la distribution géographique des organismes et leur adaptation à des milieux précis l'ont conduit à proposer l'idée que l'interaction des facteurs environnementaux et de la variation au sein des populations pouvait mener à des changements évolutifs (voir le chapitre 22). Aujourd'hui, nous avons de nombreuses preuves que les événements qui se jouent dans le cadre du temps écologique (minutes, mois, années) se répercutent à l'échelle plus large du temps de l'évolution (décennies, siècles, millénaires et périodes encore plus longues). Par exemple, les faucons (*Falco sp.*) qui se nourrissent de campagnols des champs (*Microtus pennsylvanicus*) influent directement sur la population de ces derniers en tuant certains individus. Ils diminuent ainsi la population de campagnols des champs (effet écologique) et modifient leur patrimoine génétique (effet évolutif). À long terme, cette interaction prédateur-proie peut faire augmenter, dans la population de campagnols des champs, le nombre d'individus possédant une coloration qui les camoufle.

Les organismes et leur milieu

Au sens écologique, le milieu se compose de **facteurs abiotiques**, ou non vivants, soit les facteurs physicochimiques, tels que la température, la lumière, l'eau et les nutriments, et de **facteurs biotiques**, ou vivants, soit l'ensemble des organismes, ou **biocénose**, qui font partie d'un milieu donné. Dans son milieu, un organisme rencontre d'autres organismes qui peuvent lui disputer la nourriture et les autres ressources, le pourchasser, le parasiter, lui fournir sa nourriture ou modifier les conditions physiques et chimiques qui l'entourent.

Les questions sur l'influence relative des divers facteurs du milieu, qu'ils soient abiotiques ou biotiques, se trouvent souvent au cœur des études écologiques. Par exemple, la **figure 50.2** montre l'aire géographique du kangourou roux (*Macropus rufus*) en Australie et illustre très clairement deux questions importantes auxquelles les écologistes tentent de répondre : Quels facteurs environnementaux limitent l'aire géographique, ou la *distribution*, d'une espèce comme le kangourou roux ? Et quels facteurs déterminent son *abondance* ? Cette figure indique certains des facteurs climatiques dont les écologistes pourraient tenir compte dans le cas du kangourou roux. Il est à noter que les kangourous roux ne vivent pas dans les régions situées en périphérie de l'Australie, où le climat varie d'humide à très humide. De plus, les régions où ces Animaux sont les plus abondants sont celles dont la couleur va du brun foncé à l'orange : leur climat est sec

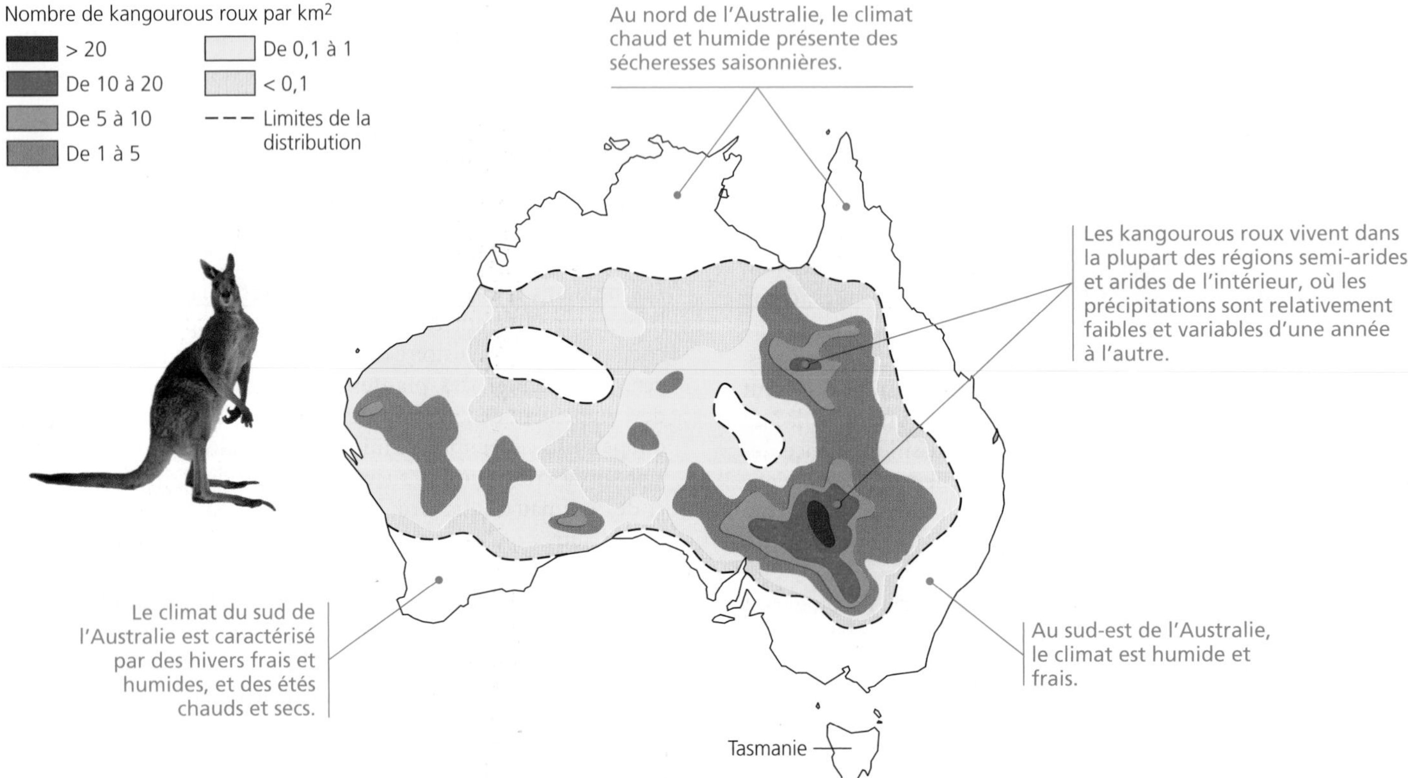
Nombre de kangourous roux par km2
> 20
De 10 à 20
De 5 à 10
De 1 à 5
De 0,1 à 1
< 0,1
Limites de la distribution
Au nord de l'Australie, le climat chaud et humide présente des sécheresses saisonnières.
Les kangourous roux vivent dans la plupart des régions semi-arides et arides de l'intérieur, où les précipitations sont relativement faibles et variables d'une année à l'autre.
Le climat du sud de l'Australie est caractérisé par des hivers frais et humides, et des étés chauds et secs.
Au sud-est de l'Australie, le climat est humide et frais.
Tasmanie

▲ **Figure 50.2 Distribution et abondance relative du kangourou roux en Australie, d'après des inventaires aériens.**

et variable d'une année à l'autre. Près des limites de leur aire de distribution, c'est-à-dire dans les régions colorées en beige pâle, où le climat est plus humide qu'à l'intérieur, les kangourous roux sont rares.

Ces caractéristiques semblent indiquer qu'un facteur abiotique, la quantité et la variabilité des précipitations, influe sur la distribution des kangourous roux en Australie. Mais celle-ci est-elle régie seulement par des facteurs abiotiques? Il se pourrait que l'action du climat sur les populations de kangourous roux s'exerce indirectement, par l'intermédiaire de facteurs biotiques, comme les agents pathogènes, les parasites, les compétiteurs, les prédateurs et la disponibilité de la nourriture. Par exemple, les régions humides abritent-elles des agents pathogènes et des parasites mortels pour les kangourous roux? Les écologistes doivent en général prendre en considération de multiples facteurs et émettre plus d'une hypothèse lorsqu'ils tentent d'expliquer les caractéristiques de la distribution et de l'abondance relative.

Les domaines d'étude de l'écologie

On peut diviser l'écologie en six domaines d'étude de plus en plus vastes, qui correspondent à des niveaux de la hiérarchie biologique et vont de l'autécologie à la biosphère en passant par l'écologie des organismes individuels et la dynamique des écosystèmes et des paysages **(figure 50.3)**. Bien que chacun de ces domaines traditionnellement considérés comme distincts présente des termes et des considérations scientifiques qui lui sont propres, les études écologiques modernes font se chevaucher de plus en plus les limites qui les séparent.

L'**autécologie**, ou écologie physiologique, qui englobe les sous-domaines suivants: l'écologie physiologique, l'écologie

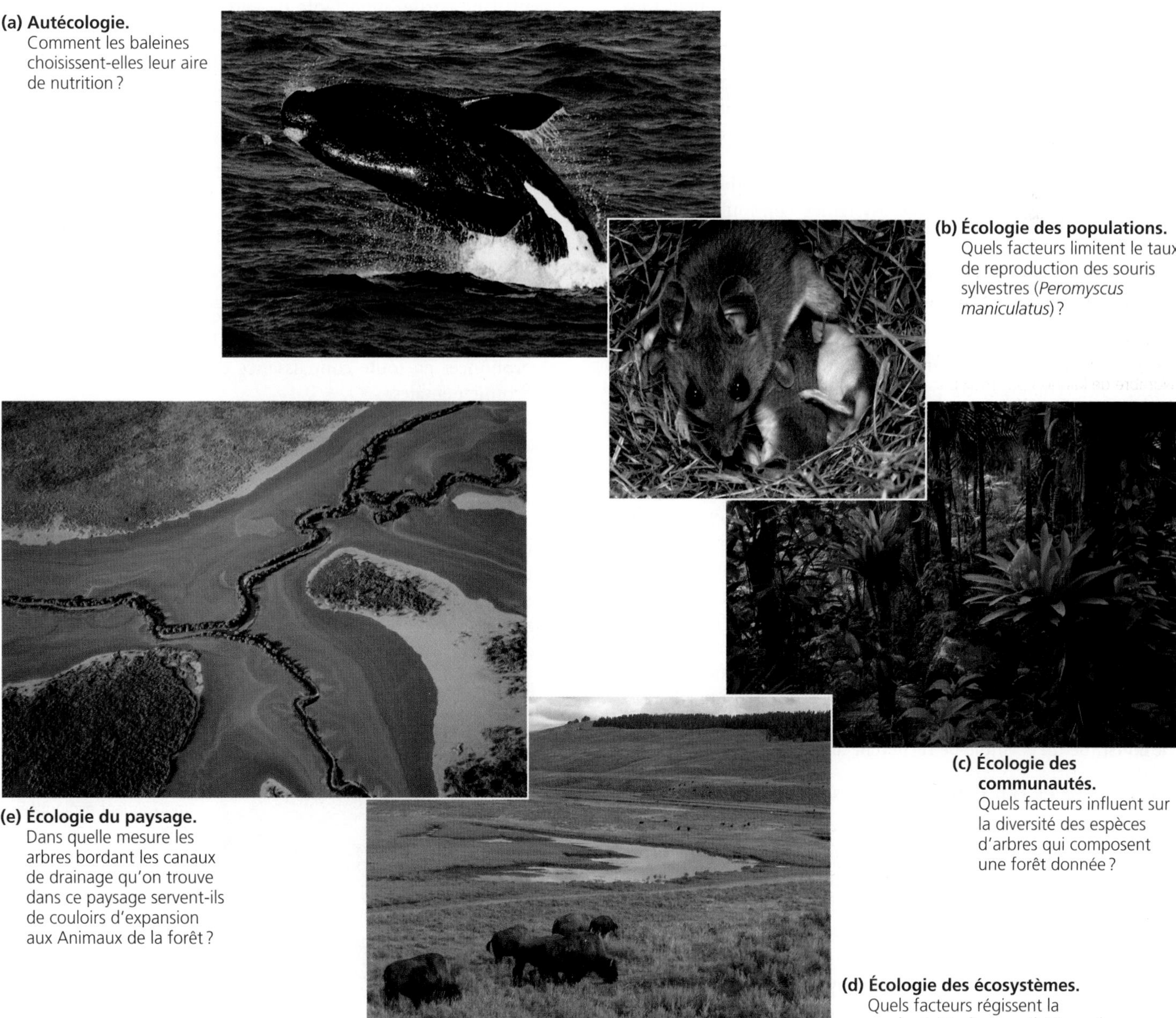

(a) Autécologie. Comment les baleines choisissent-elles leur aire de nutrition ?

(b) Écologie des populations. Quels facteurs limitent le taux de reproduction des souris sylvestres (*Peromyscus maniculatus*) ?

(c) Écologie des communautés. Quels facteurs influent sur la diversité des espèces d'arbres qui composent une forêt donnée ?

(d) Écologie des écosystèmes. Quels facteurs régissent la productivité photosynthétique dans un écosystème de prairie tempérée ?

(e) Écologie du paysage. Dans quelle mesure les arbres bordant les canaux de drainage qu'on trouve dans ce paysage servent-ils de couloirs d'expansion aux Animaux de la forêt ?

▲ **Figure 50.3 Exemples de questions abordées par les différents domaines de l'écologie.**

évolutionniste et l'écologie comportementale, se penche sur la manière dont les aspects morphologiques, physiologiques et (pour les Animaux) comportementaux d'un organisme répondent aux contraintes de son milieu.

Une **population** est, à un moment donné, un groupe d'individus d'une même espèce vivant dans une aire géographique donnée. L'**écologie des populations** étudie principalement les facteurs qui influent sur la taille d'une population d'une espèce donnée dans une aire particulière.

Une **communauté** se compose de tous les organismes de toutes les espèces qui habitent dans une aire donnée. Il s'agit d'un ensemble de populations de différentes espèces. Ainsi, l'**écologie des communautés** traite des différentes interactions entre les espèces, dans une communauté. L'analyse porte ici sur les effets de la prédation, de la compétition entre organismes et des maladies de même que des facteurs abiotiques sur la structure et l'organisation de la communauté.

Un **écosystème** est constitué de l'ensemble que forment tous les facteurs abiotiques et toute la communauté des espèces qui vivent dans une aire donnée. Par exemple, un lac est un écosystème, car il peut englober de nombreuses communautés. L'**écologie des écosystèmes** traite surtout des questions comme les flux d'énergie et les cycles biogéochimiques des divers composants biotiques et abiotiques.

À ces quatre domaines de l'écologie s'ajoute l'**écologie du paysage**, qui traite des ensembles d'écosystèmes – un couloir d'arbres bordant une rivière coulant dans une plaine où la végétation est clairsemée et des récifs de corail entourés d'herbe à tortue (*Thalassia testudinum*) en sont deux exemples – et de la façon dont ils sont organisés dans une région géographique. Un paysage terrestre ou un paysage marin sont constitués de plusieurs écosystèmes liés par des échanges d'énergie, de matière et d'organismes. Les écologistes du paysage s'intéressent en particulier à la façon dont la juxtaposition de différents écosystèmes, comme des cours d'eau, des lacs, des forêts anciennes et des parcelles de forêts coupées à blanc influe sur les interactions entre les populations, les communautés et les écosystèmes.

La **biosphère** est un superécosystème qui englobe l'ensemble des écosystèmes de la planète. Elle représente le domaine d'étude le plus vaste en écologie et englobe toute la zone où on trouve de la vie: l'atmosphère jusqu'à une altitude de plusieurs kilomètres, le sol jusqu'à une profondeur d'au moins 3 000 m, avec le roc aquifère, les lacs et cours d'eau et les cavernes, et les océans jusqu'à une profondeur de plusieurs kilomètres. L'analyse de la façon dont les variations de concentration atmosphérique de CO_2 influent sur le climat planétaire et, par conséquent, sur toute la vie constitue un exemple de recherche au niveau de la biosphère.

L'écologie et les questions environnementales

Dans les écrits populaires, on utilise souvent le terme *écologie* pour parler des préoccupations environnementales. Or, il est important de ne pas confondre l'écologie et l'écologisme (intervention en faveur de la protection ou de la préservation du milieu naturel). Pour aborder les problèmes environnementaux, il est nécessaire de comprendre les relations souvent compliquées et délicates qui existent entre les organismes et leur milieu. C'est ce que permet la science de l'écologie. Si on sait que le phosphate favorise la croissance des Algues dans les lacs, par exemple, on peut décider de limiter l'utilisation des fertilisants riches en phosphate en périphérie des lacs afin d'empêcher les Algues d'y proliférer.

Une grande part de notre inquiétude actuelle concernant l'environnement a pris naissance avec le livre de Rachel Carson, *Printemps silencieux*, publié aux Éditions Plon, en 1963 **(figure 50.4)**. Dans cet ouvrage désormais classique, Carson met la population en garde contre l'usage répandu de pesticides comme le DDT qui causent le déclin de populations d'organismes non visés. De nos jours, de nombreux autres problèmes menacent les habitats que nous partageons avec des millions d'autres formes de vie, notamment: les pluies acides; la famine localisée aggravée par une mauvaise utilisation des terres et un accroissement de la population; la contamination des sols et des cours d'eau par les déchets toxiques; et la liste en continuelle progression des espèces disparues ou risquant de s'éteindre à cause de la destruction de leur habitat.

De nombreux écologistes influents reconnaissent leur responsabilité dans l'éducation des législateurs et du grand public concernant les décisions qui ont une incidence sur l'environnement. Une partie importante de cette responsabilité consiste à faire comprendre la complexité scientifique des questions environnementales. Les politiciens et les juristes veulent souvent des réponses définitives à des questions environnementales comme « Quelle superficie de forêt ancienne permettrait de sauver la chouette tachetée (*Strix occidentalis*) ? » Or, bien que les études écologiques puissent sans aucun doute fournir de l'information essentielle à la prise de décisions de principe concernant la préservation des habitats, les réponses à de telles questions amènent souvent d'autres questions: « Combien de chouettes tachetées faut-il sauver ? » « Avec quelle certitude doit-on s'assurer de leur sauvegarde ? » « Pendant combien de temps pourront-elles survivre dans cette forêt ? » Les écologistes peuvent aider à répondre à ces questions, afin que le public et les décideurs soient en mesure de se prononcer en toute connaissance de cause sur les questions environnementales.

Même si l'information est toujours incomplète en écologie, nous ne pouvons nous abstenir de prendre des décisions et attendre de connaître toutes les réponses. Dans cette situation, le **principe de précaution** peut nous servir de guide. On peut l'énoncer simplement ainsi: « Mieux vaut prévenir que guérir. » Aldo Leopold, conservationniste de renom, exprime bien le principe de précaution quand il écrit: « La conservation de chaque engrenage et de chaque roue de la grande machine est la première précaution d'un remaniement intelligent. »

◄ **Figure 50.4 Rachel Carson.** Dans son livre *Printemps silencieux*, qui a fait école dans le mouvement écologiste moderne, Rachel Carson lançait un message d'une grande portée: « Vouloir "corriger la nature" est une arrogante prétention, née des insuffisances d'une biologie et d'une philosophie qui en sont encore à l'âge de Néanderthal, où l'on pouvait croire la nature destinée à satisfaire le bon plaisir de l'homme. »

Retour sur le concept 50.1

1. Expliquez la différence entre les termes *écologie* et *écologisme*. Quel est le rapport entre l'écologie et l'écologisme?
2. Comment un événement qui se produit à l'échelle du temps écologique peut-il avoir des répercussions sur les événements qui se produisent à l'échelle du temps de l'évolution?
3. Dans quel domaine de l'écologie les personnes suivantes travaillent-elles directement? (a) un écologiste qui étudie la distribution et l'abondance relative des kangourous roux en Australie; (b) un écologiste qui étudie les changements dans les espèces de plantes prédominantes d'une forêt à la suite d'un feu incontrôlé.

Voir les réponses proposées à la fin du chapitre.

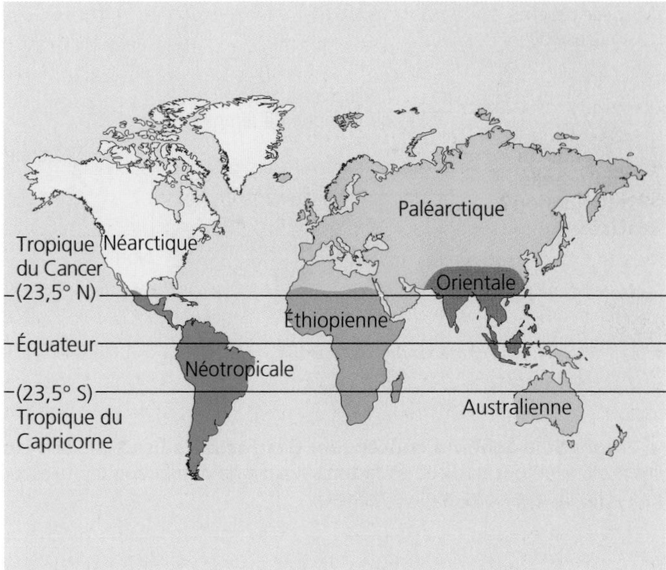

▲ **Figure 50.5 Les régions biogéographiques.** La dérive des continents et les barrières géographiques comme les déserts et les chaînes de montagnes contribuent à la diversité de la faune et de la flore des vastes régions biogéographiques de la planète. Les régions n'ont pas de limites nettes, mais se chevauchent en des zones où certaines de leurs espèces respectives coexistent.

Concept 50.2

Les interactions des organismes entre eux et avec leur milieu limitent la distribution des espèces

Au chapitre 22, nous avons parlé de la *biogéographie*, qui est l'étude de la distribution présente et passée des différentes espèces dans le contexte de la théorie de l'évolution. Les écologistes connaissent depuis longtemps les modèles, à l'échelle mondiale et régionale, de la distribution des organismes au sein de la biosphère. Ainsi, on trouve des kangourous en Australie, mais pas en Amérique du Nord. L'antilope d'Amérique (*Antilocapra americana*) habite l'ouest des États-Unis, mais pas l'Europe ni l'Afrique. Il y a plus d'un siècle, Darwin, Wallace et d'autres naturalistes ont commencé à déterminer les grands modèles de distribution géographique en nommant les régions biogéographiques **(figure 50.5)**. On associe maintenant ces régions au phénomène de la dérive des continents qui a suivi la fragmentation de la Pangée (voir la figure 26.20).

La biogéographie constitue un bon point de départ pour comprendre ce qui limite la distribution géographique d'une espèce. Pour déterminer l'aire de distribution d'une espèce donnée, les écologistes se posent une série de questions. Suivons le schéma conceptuel de leur réflexion présenté à la **figure 50.6**.

L'expansion et la distribution

Le mouvement par lequel les individus s'éloignent des centres où leur population est dense ou, encore, de leur aire d'origine est appelé **expansion**. Par exemple, pourquoi n'y a-t-il pas de kangourous en Amérique du Nord? Pour répondre à cette question, le biogéographe pourrait émettre cette simple hypothèse: « Ils n'ont pas pu aller là à cause des barrières qui empêchent l'expansion: la région est inaccessible aux kangourous depuis leur apparition. » Toutefois, si les kangourous, qui sont des Animaux terrestres, n'ont pu atteindre l'Amérique du Nord par leurs propres moyens, il en est autrement pour d'autres organismes adaptés à l'expansion à grande distance, comme certains Oiseaux. L'expansion des organismes est un processus crucial qui permet de comprendre à la fois l'isolement géographique au cours de l'évolution (voir le chapitre 24) et les grands schémas actuels de distribution géographique des espèces.

L'expansion de l'aire naturelle

Le rôle de l'expansion devient évident lorsque des organismes étendent leur aire naturelle en atteignant des régions qu'ils n'habitaient pas auparavant. Par exemple, le héron garde-bœufs (*Bubulcus ibis*) (voir la figure 53.10), une espèce largement distribuée en Afrique, en Eurasie et en Australie, ne se trouvait nulle part en Amérique il y a 200 ans. Mais à la fin du XIXe siècle, certains de ces robustes Oiseaux bon voiliers réussirent à traverser l'océan Atlantique et à coloniser le nord-est de l'Amérique du Sud. De là, les hérons garde-bœufs se sont progressivement dispersés vers le nord: via l'Amérique centrale, ils sont parvenus jusqu'en Amérique du Nord, atteignant la Floride au cours des années 1950. Depuis, ils se sont largement dispersés, si bien qu'on trouve maintenant des populations de ces Oiseaux qui nichent à l'est jusque sur la côte du Pacifique et au nord jusque dans le sud du Canada. L'aire naturelle du grand quiscale (*Quiscalus mexicanus*), un grand Oiseau spectaculaire apparenté aux carouges (*Agelaius sp.*) et aux orioles (*Icterus sp.*), s'est également étendue au fil du temps: il s'est déplacé vers le nord à partir de la côte du golfe du Mexique et de la vallée du Rio Grande **(figure 50.7)**.

La transplantation d'espèces

On peut déterminer de façon directe si l'expansion est un facteur limitant de la distribution en observant ce qui se passe quand les humains transplantent accidentellement ou intentionnellement une espèce dans des régions où elle était absente. Certains organismes peuvent survivre dans de nouvelles régions, mais ne peuvent s'y reproduire. Ainsi, il est impossible de déterminer le succès d'une transplantation tant qu'au moins un cycle de développement

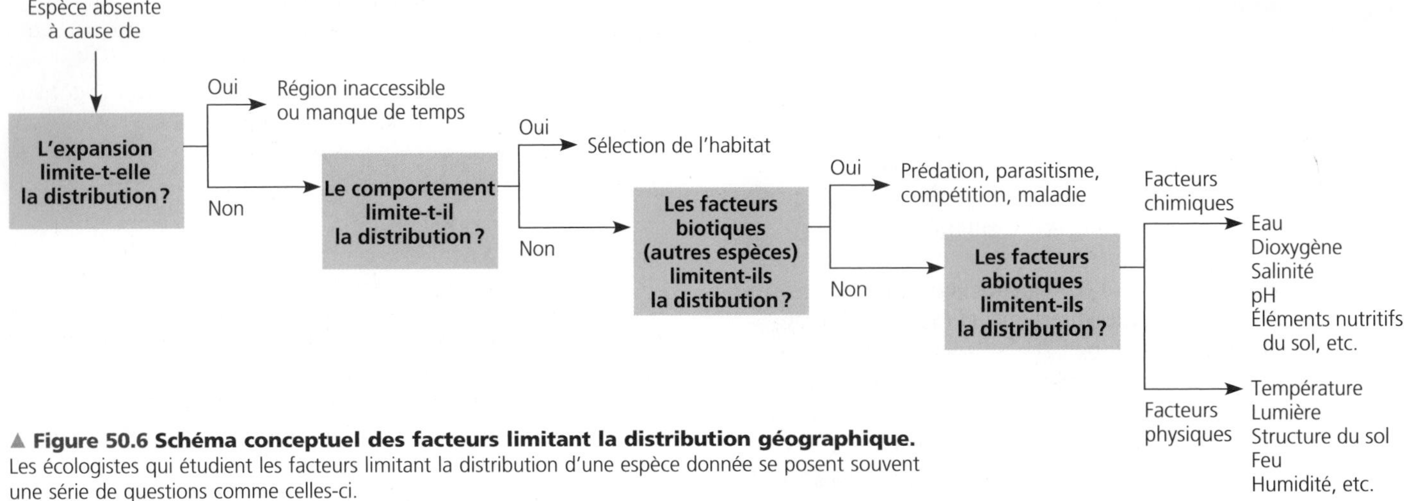

▲ **Figure 50.6 Schéma conceptuel des facteurs limitant la distribution géographique.** Les écologistes qui étudient les facteurs limitant la distribution d'une espèce donnée se posent souvent une série de questions comme celles-ci.

n'est pas terminé. Si une transplantation réussit, alors l'aire *potentielle* de répartition de l'espèce est plus étendue que son aire de répartition *réelle*; en d'autres termes, l'espèce *pourrait* vivre dans certaines régions où elle n'habite pas actuellement.

Les espèces introduites dans de nouveaux secteurs géographiques perturbent souvent les communautés et les écosystèmes de ces secteurs et se dispersent bien au-delà de la zone de transplantation visée (voir le chapitre 55). Par conséquent, de nos jours, les écologistes font rarement de telles expériences de transplantation. Ils se documentent plutôt sur les résultats obtenus lors de transplantations accidentelles ou visant d'autres buts, comme l'introduction de gibiers ou de poissons de pêche sportive.

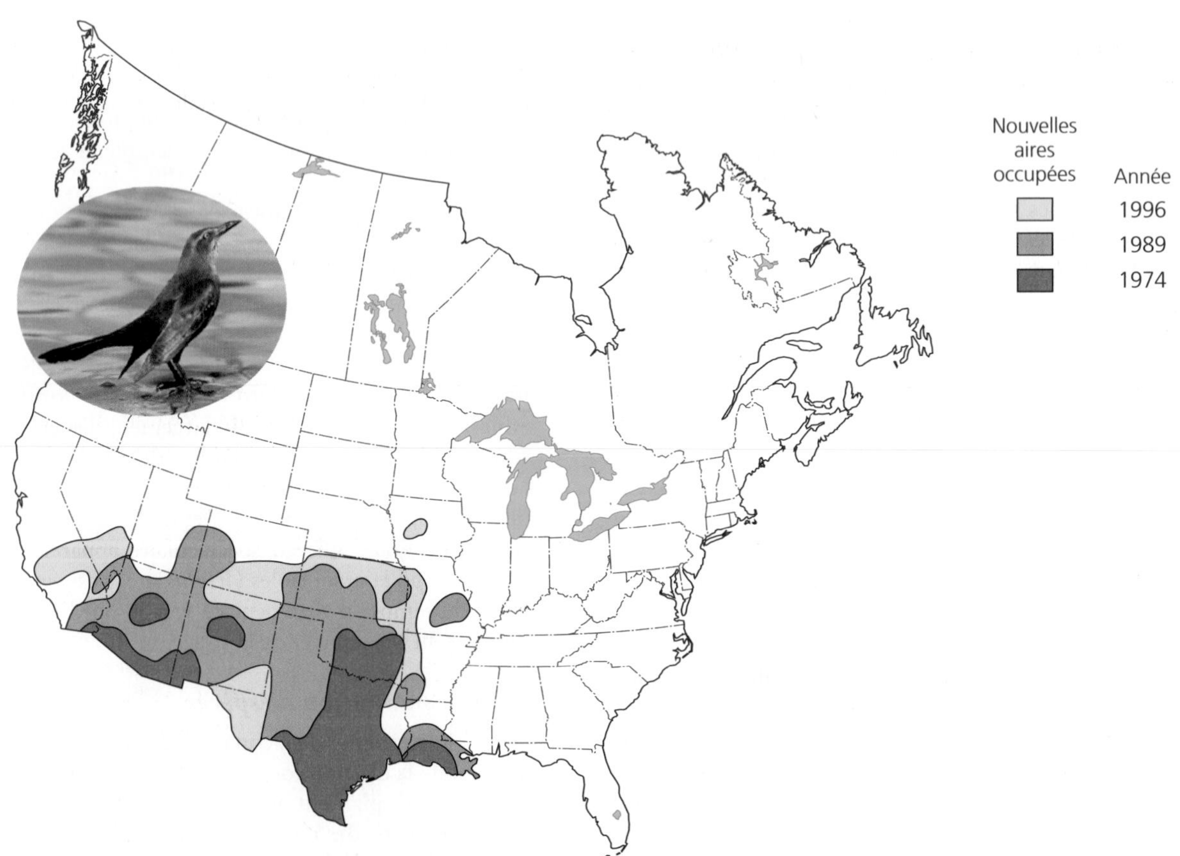

▲ **Figure 50.7 Expansion des populations de nicheurs du grand quiscale aux États-Unis de 1974 à 1996.** Le grand quiscale a étendu son aire de nidification de façon importante en seulement 22 ans.

Le comportement et la sélection d'un habitat

Comme le montrent les expériences de transplantation, certains organismes n'occupent pas entièrement leur aire potentielle, bien qu'ils soient physiquement aptes à se disperser dans des régions inoccupées. Selon le schéma conceptuel présenté à la figure 50.6, on peut se poser la question suivante: Dans un tel cas, le comportement joue-t-il un rôle dans la limitation de la distribution? Lorsque des individus semblent éviter certains habitats, même favorables, leur distribution peut être limitée par leur comportement. On considère généralement que la sélection de l'habitat ne concerne que les Animaux. Mais les Végétaux peuvent également choisir leur habitat – par exemple, en produisant des graines qui ne germent que si un ensemble restreint de conditions extérieures sont remplies – même si elles ne peuvent pas se déplacer une fois qu'elles se sont enracinées.

Bien que la façon dont les organismes choisissent le type d'habitat qu'ils occupent soit l'un des processus écologiques les moins bien compris, certains cas ont été étudié attentivement, notamment la sélection de l'habitat chez plusieurs espèces d'Insectes. Chez les Insectes femelles, les comportements d'oviposition (acte de pondre) sont souvent des réactions à un ensemble très restreint de stimulus, ce qui peut limiter leur distribution locale à certaines plantes hôtes. Considérons, par exemple, la pyrale du maïs (*Ostrinia nubilalis*). Ses larves peuvent se nourrir d'une grande variété de plantes, mais on les trouve presque exclusivement sur le maïs, dont les odeurs volatiles attirent les femelles quand elles pondent leurs œufs. Considérons aussi le cas des anophèles (*Anopheles sp.*). Importants porteurs de maladie, ces Insectes ont été abondamment étudiés dans le cadre des initiatives visant à éradiquer le paludisme dans les régions tropicales. On associe habituellement un type particulier d'habitat à chaque espèce de moustique. Étonnamment, dans de vastes zones tropicales offrant apparemment un habitat convenable, on constate l'absence totale de moustiques dangereux. La sélection, par les femelles, d'un habitat pour les sites de ponte des œufs semble restreindre la distribution des moustiques.

On peut considérer comme déficient un moustique tropical qui ne dépose pas ses œufs dans les rizières, qui constituent apparemment des habitats favorables. Mais ce comportement ne fait que manifester le fait que la rizière est un habitat récent à l'échelle du temps de l'évolution et que le moustique n'y est pas adapté. L'adaptation n'est pas instantanée, et l'évolution ne produit pas des organismes parfaitement adaptés à tous les milieux (voir le chapitre 23).

Les facteurs biotiques

Si ce n'est pas le comportement qui limite la distribution d'une espèce, la prochaine étape consiste à se demander si des facteurs biotiques – c'est-à-dire d'autres espèces – sont en cause. Il arrive fréquemment qu'une espèce ne puisse pas effectuer complètement son cycle de développement si elle est transplantée dans une nouvelle région. Cette incapacité à survivre et à se reproduire trouve une explication notamment dans les interactions nuisibles avec d'autres organismes, que ce soit la prédation, le parasitisme, la maladie ou la compétition. Il se peut aussi que la survie et la reproduction soient limitées par l'absence d'autres espèces dont dépend l'espèce transplantée. Par exemple, bien qu'une dépendance aussi spécifique soit rare, l'absence d'une espèce pollinisatrice particulière pourrait empêcher la reproduction d'une espèce végétale transplantée. Les prédateurs (organismes qui tuent leurs proies) et les herbivores (organismes qui mangent des Végétaux ou des Algues) offrent des exemples plus courants de facteurs biotiques limitants de la distribution géographique. En termes simples, les organismes qui mangent peuvent limiter la distribution des organismes qui sont mangés.

Examinons le cas particulier d'un herbivore qui limite la distribution d'une espèce dont il se nourrit. Dans certains écosystèmes marins, il y a souvent une relation inverse entre l'abondance des oursins verts (*Strongylocentrotus drœbachiensis*) et celle de certaines Algues, comme les Algues brunes que sont les laminaires (*Laminaria sp.*). On ne trouve pas d'importants peuplements de laminaires là où les oursins verts qui s'en nourrissent sont abondants. Ainsi, les oursins verts semblent limiter la distribution locale des laminaires. Ce genre d'interaction peut se vérifier au moyen d'expériences « d'éradication et de réintroduction ». Dans des études effectuées près de Sydney, en Australie, W. J. Fletcher, de la University of Sydney, a vérifié l'hypothèse selon laquelle les oursins verts sont un facteur biotique limitant la distribution des laminaires. Son raisonnement était le suivant: si cette hypothèse est juste, alors les laminaires doivent occuper en plus grand nombre la région d'où on a retiré les oursins verts. Inversement, si on introduit des oursins verts dans une région riche en laminaires, le nombre des laminaires doit diminuer. La présence fréquente de plusieurs autres herbivores, en plus des oursins verts, complique la situation. Fletcher a donc dû effectuer une série d'expériences sur le terrain afin d'isoler l'influence des oursins verts sur les laminaires dans cette zone d'étude **(figure 50.8)**.

En plus de la prédation et de l'herbivorisme, la présence ou l'absence de ressources alimentaires, de parasites, de maladies et de compétiteurs sont des facteurs biotiques susceptibles de limiter la distribution des espèces. Malheureusement, certains des cas les plus remarquables s'observent quand les humains introduisent (accidentellement ou volontairement) des prédateurs exotiques ou des maladies dans de nouvelles régions, et anéantissent les espèces indigènes. Nous verrons des exemples de ces impacts au chapitre 55, lorsque nous étudierons la biologie de la conservation.

Les facteurs abiotiques

La dernière question de notre schéma conceptuel s'applique au rôle des facteurs abiotiques dans la limitation de la distribution. Les modèles de distribution géographique des organismes à l'échelle planétaire font largement ressortir l'influence des facteurs abiotiques, comme les différences régionales de température, de précipitations et de lumière. Tout au long de cette section, il est important de garder à l'esprit le fait que l'environnement est caractérisé tant par l'*hétérogénéité spatiale* que par l'*hétérogénéité temporelle*. Autrement dit, il se modifie à la fois dans l'espace et dans le temps. Bien que deux régions de la Terre puissent présenter des conditions différentes à un moment donné, les fluctuations journalières et annuelles des facteurs abiotiques peuvent atténuer ou accentuer les différences entre régions.

La température

La température constitue un important facteur dans la distribution des organismes. En effet, elle influe sur les processus biologiques. Les cellules se rompent si l'eau qu'elles contiennent gèle (à des températures inférieures à 0 °C). Les protéines de la plupart

Figure 50.8

Investigation L'alimentation des oursins et des patelles influe-t-elle sur la distribution des laminaires ?

EXPÉRIENCE W. J. Fletcher a vérifié les effets produits par deux Animaux qui se nourrissent d'Algues, les oursins verts (Échinodermes) et les patelles (Mollusques), sur l'abondance des laminaires près de Sydney, en Australie. Dans les zones voisines d'une aire témoin, on a retiré les oursins verts ou les patelles, ou les deux à la fois.

RÉSULTATS Fletcher a observé une importante différence dans la croissance des laminaires entre les zones où les oursins verts étaient présents et celles où ils ne l'étaient pas.

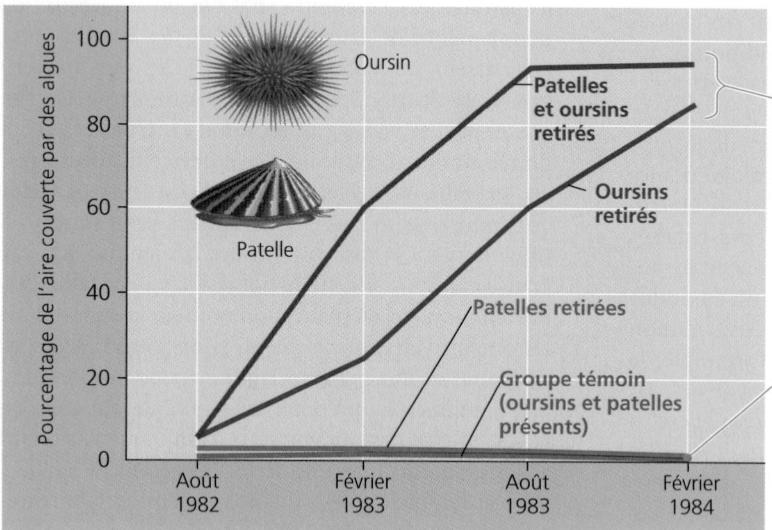

Le retrait des patelles et des oursins ou le retrait des oursins seulement ont accru de façon spectaculaire l'aire couverte par les laminaires.

Dans les zones où les oursins et les patelles étaient tous les deux présents et dans celles où seules les patelles étaient absentes, il n'y avait presque pas de laminaires.

CONCLUSION C'est dans les zones où les patelles et les oursins ont tous deux été retirés que l'aire couverte par les laminaires a le plus augmenté, ce qui indique que les deux espèces influent dans une certaine mesure sur la distribution de ces Algues. Mais, puisque le retrait des oursins seulement a considérablement accru la croissance des laminaires et que celui des patelles seulement a eu peu d'effet, Fletcher a conclu que l'effet des oursins sur la limitation de la distribution des laminaires était beaucoup plus important que celui des patelles.

des organismes se dénaturent à des températures supérieures à 45 °C. De plus, peu d'organismes réussissent à conserver un métabolisme suffisamment actif à des températures très hautes ou très basses. Des adaptations extraordinaires permettent à certains organismes, comme les Bactéries thermophiles (voir le chapitre 27), de survivre dans des conditions de température qui se situent en dehors de l'intervalle dans lequel peuvent vivre les autres formes de vie.

La température interne d'un organisme est influencée par les échanges thermiques avec le milieu. Ainsi, la plupart des êtres vivants ne peuvent conserver une température corporelle supérieure ou inférieure de plus de quelques degrés par rapport à la température ambiante (voir le chapitre 40). Les Mammifères et les Oiseaux, qui sont endothermes, font exception à la règle. Mais, même pour ces Animaux, il existe un intervalle thermique idéal, assez étroit, qui varie selon les espèces.

L'eau

La disponibilité de l'eau varie énormément selon les habitats. Il s'agit là d'un autre important facteur qui influe sur la distribution des espèces. Les organismes dulcicoles et marins vivent immergés, mais la plupart ne peuvent vivre qu'en eau douce ou en eau salée en raison de leur faible capacité d'osmorégulation. Quant aux organismes terrestres, ils doivent presque constamment combattre la déshydratation, et leur distribution à l'échelle de la planète témoigne de leur aptitude à obtenir de l'eau et à la conserver. Les organismes qui vivent en milieu désertique présentent diverses adaptations leur permettant d'obtenir et de conserver des approvisionnements suffisants en eau, comme l'explique le chapitre 44.

La lumière

La lumière solaire fournit l'énergie qui anime presque tous les écosystèmes, mais seuls les Végétaux et les autres organismes photosynthétiques utilisent directement cette source d'énergie. L'intensité lumineuse ne représente pas le principal facteur limitant de la croissance végétale dans de nombreux milieux terrestres. Mais l'ombre créée par la couverture végétale (la canopée) d'une forêt provoque une compétition farouche dans les sous-étages. Dans les milieux aquatiques, l'intensité et la qualité de la lumière limitent la distribution des organismes photosynthétiques. Chaque mètre de profondeur d'eau absorbe environ 45 % de la lumière rouge et environ 2 % de la lumière bleue qui le traversent. Par conséquent, la photosynthèse se produit en grande partie près de la surface (voir le chapitre 10). De plus, les organismes photosynthétiques eux-mêmes absorbent une partie de la lumière et réduisent ainsi la luminosité pour les eaux sous-jacentes.

La lumière influe sur le développement et le comportement des nombreux organismes qui sont sensibles à la photopériode (durée relative du jour et de la nuit). La photopériode est un déclencheur plus fiable que la température pour les événements saisonniers tels que la floraison (voir le chapitre 39) et la migration.

Le vent

Le vent accentue les effets de la température sur les organismes, car il accroît la perte de chaleur causée par la vaporisation et la convection (voir le chapitre 40). Il contribue également aux pertes d'eau en augmentant le refroidissement par vaporisation chez les Animaux et la transpiration chez les Végétaux. De plus, le vent a des effets marqués sur la morphologie des Végétaux. Ainsi, il inhibe la croissance des branches sur le côté des arbres qui lui font face. Les branches du côté opposé, quant à elles, croissent normalement, ce qui donne aux arbres l'aspect de drapeaux flottant dans le vent **(figure 50.9)**.

Les roches et le sol

La structure physique, le pH et la composition minérale des roches et du sol limitent la distribution des Végétaux et des Animaux herbivores, et contribuent ainsi à la parcellisation des écosystèmes terrestres. Dans les cours d'eau, la nature du substrat influe sur la composition chimique de l'eau, laquelle détermine à son tour quels organismes vont peupler les habitats aquatiques. En milieu dulcicole comme en milieu marin, la structure du substrat conditionne les types d'organismes qui pourront se fixer ou s'enfouir.

Maintenant que nous avons passé en revue les divers facteurs abiotiques qui influent sur la distribution des organismes, concentrons-nous sur le rôle prépondérant que joue le climat dans la détermination de l'aire géographique des espèces.

Le climat

Quatre facteurs abiotiques – la température, les précipitations, la lumière et le vent – constituent les principaux éléments du **climat**, c'est-à-dire des conditions météorologiques propres à un endroit.

▲ **Figure 50.9 Branches d'arbres ayant l'aspect de drapeaux flottant dans le vent, phénomène attribuable à l'action du vent.**

La température et les précipitations sont particulièrement importantes dans la détermination de l'aire géographique des espèces. On peut décrire les régimes climatiques à deux niveaux : celui du macroclimat, soit les régimes à l'échelle planétaire, régionale et locale ; et celui du microclimat, soit les régimes très subtils, comme ceux que connaît une communauté d'organismes vivant sous un arbre mort. Considérons d'abord le macroclimat de la Terre.

Les régimes climatiques à l'échelle planétaire

À l'échelle planétaire, les régimes climatiques sont largement déterminés par l'apport d'énergie solaire et par les mouvements de la Terre dans l'espace. L'atmosphère, le sol et l'eau de la biosphère se réchauffent en absorbant les rayons solaires. Ce processus est à l'origine des phénomènes qui causent les grandes variations du climat entre l'équateur et les pôles : différences de températures, mouvements cycliques de l'air et vaporisation de l'eau. La **figure 50.10**, présentée dans les deux pages suivantes, résume les régimes climatiques de la Terre et la façon dont ils se forment.

Les facteurs régionaux, locaux et saisonniers agissant sur le climat

La proximité d'étendues d'eau et la topographie, comme les chaînes de montagnes, sont à l'origine d'une discontinuité climatique à l'échelle régionale. De plus, les détails du paysage engendrent une variation climatique à l'échelle locale. Les variations régionales et locales du climat contribuent à la microrépartition des paysages de la biosphère. Le cycle saisonnier constitue un autre facteur qui influe sur le climat.

Les étendues d'eau. Les courants marins influent sur le climat des côtes, car ils réchauffent ou refroidissent les masses d'air maritimes avant qu'elles arrivent au-dessus des continents. Les régions côtières reçoivent généralement plus de pluie que les régions intérieures de même latitude. Le courant froid de la Californie qui coule du nord au sud le long de la côte ouest de l'Amérique du Nord crée un climat propice de fraîcheur et d'humidité pour les forêts pluvieuses de grands Conifères de la côte nord-ouest du Pacifique et les peuplements de séquoias géants (*Sequoia sempervirens)*, un peu plus au sud. De même, le courant chaud du Gulf Stream qui, provenant du golfe du Mexique, coule vers le nord et traverse l'Atlantique tempère le climat de la côte ouest des îles Britanniques et, à un degré moindre, celui des Îles-de-la-Madeleine, au Québec. La côte ouest des îles Britanniques est plus chaude que la Côte-Nord ou la Gaspésie, au Québec, qui se situent pourtant plus au sud mais subissent l'influence d'un courant froid, le courant du Labrador.

En général, les océans et les grandes étendues d'eau intérieures ont sur le climat des milieux terrestres voisins un effet modérateur. Ainsi, pendant les beaux jours d'été, la terre ferme est plus chaude que les lacs ou les océans. L'air situé au-dessus du sol se réchauffe et s'élève, et une brise fraîche venant de l'eau souffle vers la terre ferme **(figure 50.11)**. La nuit, au contraire, l'eau est plus chaude que le sol. L'air s'élève au-dessus des lacs ou des océans et crée une circulation qui attire l'air froid du sol vers l'eau et le remplace par de l'air chaud. Mais la proximité de l'eau ne modère pas toujours le climat. Ainsi, en été, dans certaines régions, dont la côte du centre et du sud de la Californie, les brises de mer fraîches et sèches se réchauffent au contact de la terre ferme. Elles absorbent l'humidité et créent un climat chaud et sec à

Figure 50.10

Panorama Les régimes climatiques à l'échelle planétaire

VARIATION DE L'INTENSITÉ DE LA LUMIÈRE EN FONCTION DE LA LATITUDE

La forme ronde de la Terre est responsable de la variation de l'intensité de la lumière en fonction de la latitude. Comme la lumière solaire frappe l'équateur perpendiculairement, il parvient à cet endroit plus de chaleur et de lumière par unité d'aire. Au nord et au sud de l'équateur, la lumière solaire atteint la surface courbe de la Terre obliquement, de sorte que l'énergie lumineuse est plus diffuse à sa surface.

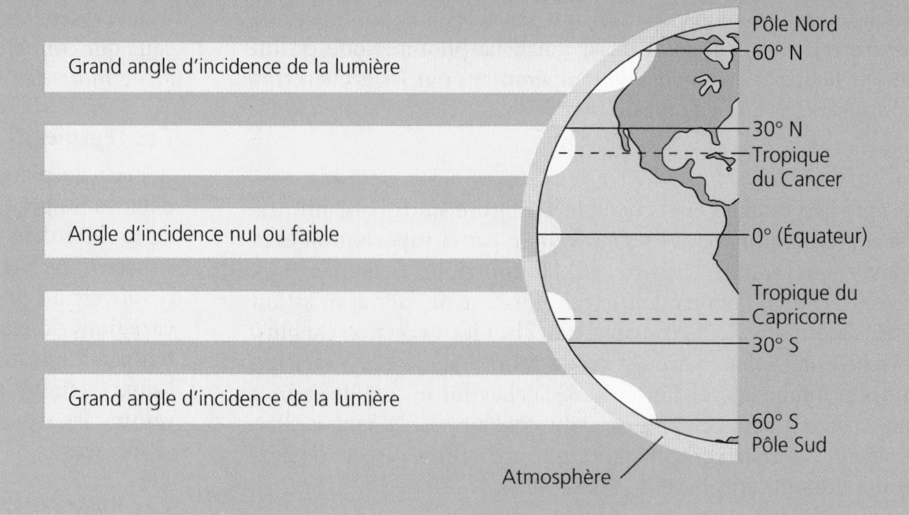

VARIATION DE L'INTENSITÉ DE LA LUMIÈRE EN FONCTION DES SAISONS

L'axe incliné de la Terre cause la variation saisonnière de l'intensité du rayonnement solaire.

Comme l'axe de la Terre est incliné de 23,5° par rapport au plan de l'orbite autour du Soleil, c'est dans les **tropiques** (régions situées entre 23,5° de latitude Nord et 23,5° de latitude Sud) que le rayonnement solaire annuel est le plus abondant et que la variation saisonnière est la moindre. L'amplitude de la variation saisonnière de l'ensoleillement et de la température augmente constamment à mesure qu'on s'approche des pôles.

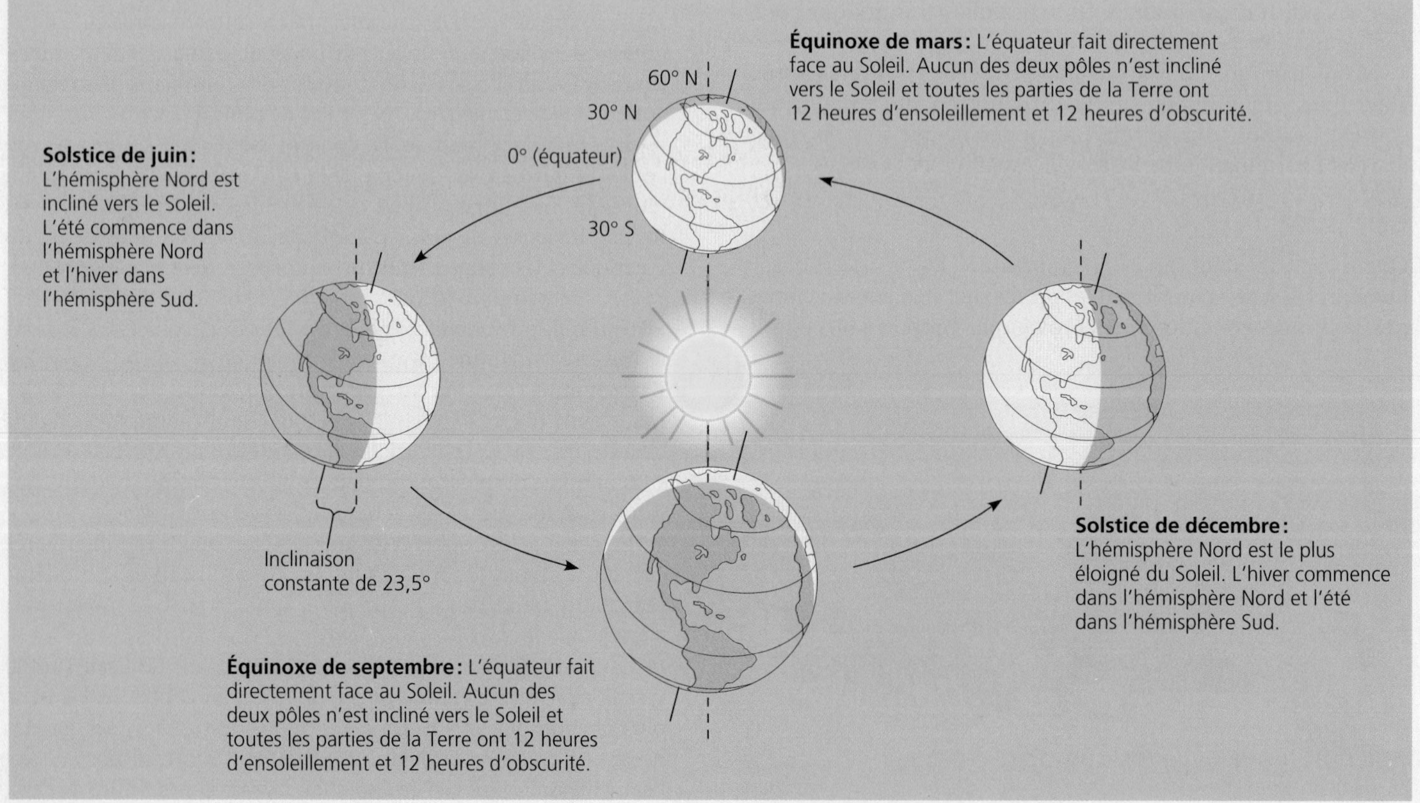

Équinoxe de mars : L'équateur fait directement face au Soleil. Aucun des deux pôles n'est incliné vers le Soleil et toutes les parties de la Terre ont 12 heures d'ensoleillement et 12 heures d'obscurité.
60° N
30° N
0° (équateur)
30° S
Solstice de juin : L'hémisphère Nord est incliné vers le Soleil. L'été commence dans l'hémisphère Nord et l'hiver dans l'hémisphère Sud.
Inclinaison constante de 23,5°
Équinoxe de septembre : L'équateur fait directement face au Soleil. Aucun des deux pôles n'est incliné vers le Soleil et toutes les parties de la Terre ont 12 heures d'ensoleillement et 12 heures d'obscurité.
Solstice de décembre : L'hémisphère Nord est le plus éloigné du Soleil. L'hiver commence dans l'hémisphère Nord et l'été dans l'hémisphère Sud.

CIRCULATION DE L'AIR ET PRÉCIPITATIONS À L'ÉCHELLE PLANÉTAIRE

L'intense rayonnement solaire près de l'équateur déclenche un système de circulation d'air et de précipitations autour du globe. Sous l'effet de la chaleur qui règne dans les tropiques, l'eau se vaporise depuis la surface terrestre. Des masses d'air chaud et humide s'élèvent dans l'atmosphère (flèches bleues) et se dirigent vers les pôles. Elles libèrent la majeure partie de leur contenu en eau et provoquent d'abondantes précipitations dans les régions tropicales. Une fois asséchées, les masses d'air circulant à haute altitude redescendent vers la terre (flèches brunes) ; elles absorbent l'humidité du sol et créent un climat aride propice à la formation des déserts qui sont communs à environ 30° de latitude Nord et de latitude Sud. Une partie de l'air qui descend se dirige vers les pôles et dépose d'abondantes précipitations (moindres cependant que celles des tropiques). Les masses d'air s'élèvent à nouveau et libèrent de l'humidité, autour de 60° de latitude. Une partie de l'air froid et sec qui s'élève se dirige vers les pôles. Là, il redescend et retourne vers l'équateur, absorbant de l'humidité et créant les climats secs et froids des régions polaires.

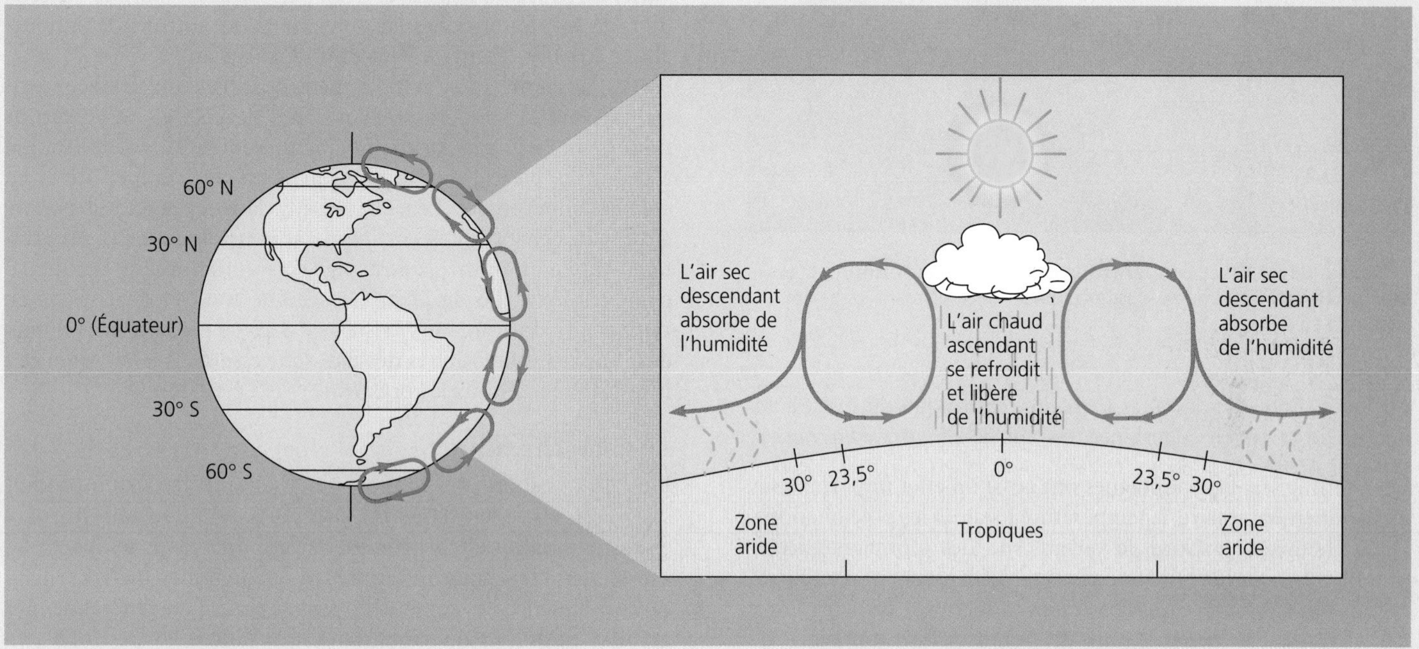

DIRECTION DES VENTS À L'ÉCHELLE PLANÉTAIRE

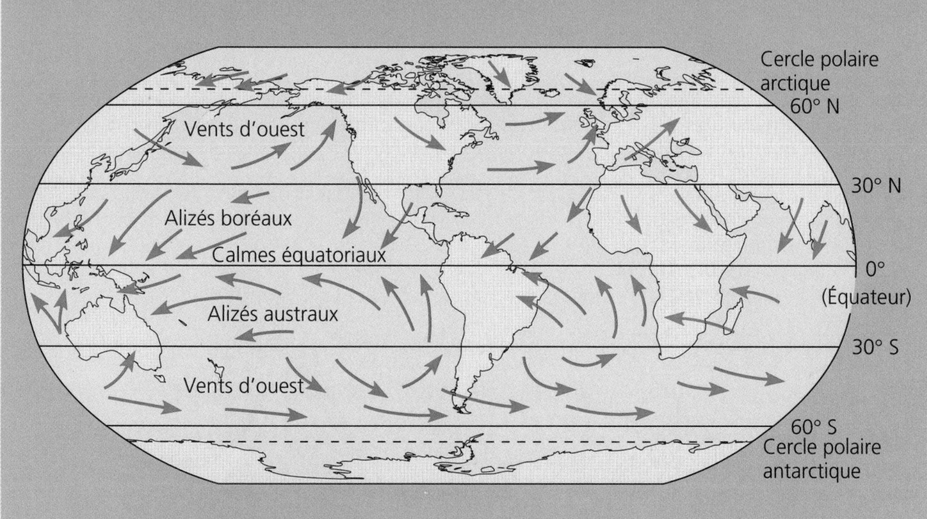

L'air qui circule près de la surface terrestre crée des configurations de vents prévisibles. Mais, comme la Terre tourne sur son axe, le sol qui est situé près de l'équateur se déplace plus rapidement que celui qui est situé près des pôles. Les vents dévient ainsi par rapport aux trajets verticaux représentés ci-dessus et soufflent vers l'est et vers l'ouest. Dans les régions tropicales, des vents rafraîchissants appelés *alizés* soufflent d'est en ouest. Dans les zones tempérées, soit dans les régions situées entre les tropiques et le cercle polaire arctique ou le cercle polaire antarctique, au contraire, les vents dominants soufflent d'ouest en est.

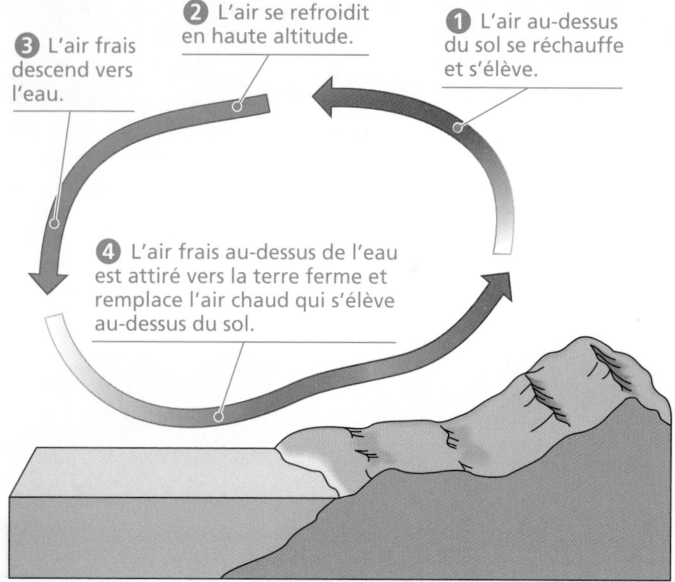

2 L'air se refroidit en haute altitude.
1 L'air au-dessus du sol se réchauffe et s'élève.
3 L'air frais descend vers l'eau.
4 L'air frais au-dessus de l'eau est attiré vers la terre ferme et remplace l'air chaud qui s'élève au-dessus du sol.

▲ **Figure 50.11 Effet modérateur des grandes étendues d'eau sur le climat.** Cette figure illustre ce qui se passe pendant les beaux jours de l'été.

quelques kilomètres des côtes. Ce régime climatique, qui existe aussi autour de la mer Méditerranée, est appelé *climat méditerranéen.*

Les montagnes. Les montagnes ont aussi un effet important sur le rayonnement solaire, la température locale et les précipitations. Dans l'hémisphère Nord, le versant sud des montagnes reçoit plus de soleil que le versant nord et est par conséquent plus chaud et plus sec. Ces différences abiotiques influent sur la distribution des espèces. Par exemple, sur de nombreuses montagnes de l'ouest de l'Amérique du Nord, on trouve des épinettes et d'autres Conifères sur le versant nord, mais une végétation arbustive et résistante à la sécheresse sur le versant sud. De plus, quelle que soit la latitude, la température de l'air diminue d'environ 6 °C par tranche de 1 000 m d'altitude. Elle diminue aussi avec la latitude. Par exemple, dans la zone tempérée boréale, on observe, quand on s'élève de 1 000 m, le même changement de température que si on parcourait 880 km vers le nord. C'est l'une des raisons qui expliquent la ressemblance entre les communautés des montagnes et celles des zones de moindre altitude qui sont éloignées de l'équateur.

À l'approche d'une montagne, l'air chaud et humide s'élève et refroidit. Il libère alors son humidité sur le versant exposé au vent **(figure 50.12)**. Sur le versant qui est à l'abri du vent, l'air frais et sec descend, absorbe l'humidité et produit de la sécheresse. Les déserts sont généralement situés au pied du versant des chaînes de montagnes qui est à l'abri du vent. C'est ainsi le cas du désert du Grand Bassin et du désert Mojave dans l'ouest de l'Amérique du Nord, du désert de Gobi en Asie et des petits déserts qui caractérisent les parties sud-ouest de certaines îles des Antilles.

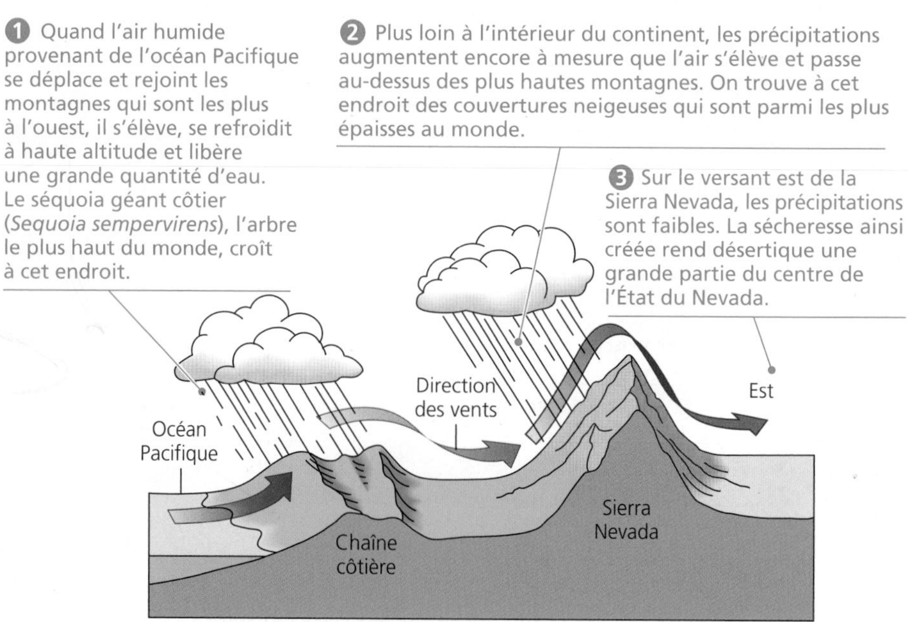

1 Quand l'air humide provenant de l'océan Pacifique se déplace et rejoint les montagnes qui sont les plus à l'ouest, il s'élève, se refroidit à haute altitude et libère une grande quantité d'eau. Le séquoia géant côtier (*Sequoia sempervirens*), l'arbre le plus haut du monde, croît à cet endroit.
2 Plus loin à l'intérieur du continent, les précipitations augmentent encore à mesure que l'air s'élève et passe au-dessus des plus hautes montagnes. On trouve à cet endroit des couvertures neigeuses qui sont parmi les plus épaisses au monde.
3 Sur le versant est de la Sierra Nevada, les précipitations sont faibles. La sécheresse ainsi créée rend désertique une grande partie du centre de l'État du Nevada.
Direction des vents
Est
Océan Pacifique
Chaîne côtière
Sierra Nevada

▲ **Figure 50.12 Comment les montagnes influent sur les précipitations.**

Le cycle saisonnier. La variation de l'angle d'incidence du rayonnement solaire au cours de l'année, en plus des changements dans la photopériode, le rayonnement solaire et la température dans le monde entier, provoquent aussi des variations écologiques locales. Par exemple, les ceintures d'air humide et d'air sec situées de part et d'autre de l'équateur se déplacent quelque peu vers le nord et vers le sud lorsque l'angle d'incidence des rayons solaires change. Par conséquent, les régions situées aux environs de 20° de latitude, où croissent les forêts décidues tropicales, connaissent une saison sèche et une saison des pluies bien délimitées. En outre, les changements saisonniers des vents font varier les courants marins, causant parfois une remontée des eaux de fond froides et riches en nutriments qui fournit de la nourriture aux organismes vivant près de la surface.

Les lacs sont aussi extrêmement sensibles aux changements saisonniers de température. Au cours de l'été et de l'hiver, de nombreux lacs de la zone tempérée présentent une stratification thermique, c'est-à-dire une répartition des températures en couches superposées. Leurs eaux se mélangent deux fois par an, à cause des changements de température **(figure 50.13)**. Au printemps et en automne, ce **brassage saisonnier** amène l'eau enrichie en dioxygène de la surface vers le fond et l'eau riche en nutriments du fond vers la surface. Ces changements cycliques des propriétés abiotiques des lacs sont essentiels à la survie et à la croissance de tous les organismes de l'écosystème.

Le microclimat

Plusieurs phénomènes influent sur les microclimats en produisant de l'ombre, en réduisant la vaporisation de l'eau du sol et en diminuant les effets du vent. Par exemple, dans les forêts, les arbres tempèrent souvent le microclimat du milieu qu'ils abritent. En conséquence, les zones déboisées subissent en général de plus grandes variations de température que l'intérieur des forêts, en raison de la plus grande absorption d'énergie solaire et des vents résultant du réchauffement et du refroidissement rapides du sol nu. De même, la vaporisation est généralement plus importante dans les clairières qu'en pleine forêt. Dans une forêt, les terres

❶ En hiver, les eaux les plus froides du lac (0 °C) se trouvent juste sous la couche de glace superficielle. L'eau se réchauffe au fur et à mesure qu'augmente la profondeur. Sa température se situe habituellement autour de 4 à 5 °C dans le fond.

❷ Au printemps, le Soleil fait fondre la glace et amène la température de la couche superficielle à 4 °C. L'eau a la propriété particulière d'atteindre sa densité maximale à 4 °C. Ainsi, l'eau de cette couche superficielle s'enfonce sous les couches froides sous-jacentes, ce qui fait disparaître la stratification thermique qui s'est établie pendant l'hiver. Les vents printaniers mélangent les eaux : les eaux profondes (voir les graphiques) reçoivent du dioxygène (O_2) et les eaux superficielles, des nutriments.

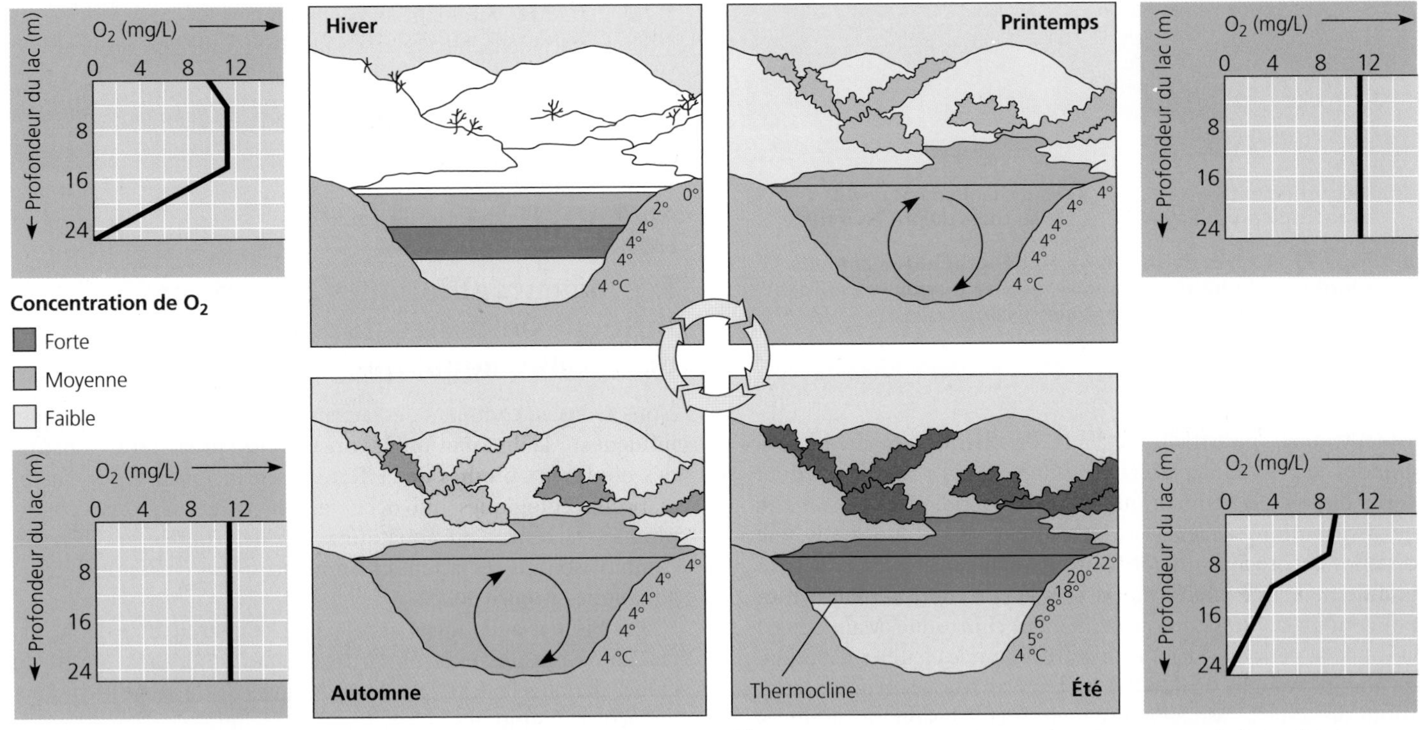

❸ Pendant l'été, une stratification thermique réapparaît : l'eau chaude de la surface est séparée de l'eau froide du fond par la thermocline, une mince couche d'eau du lac où le gradient thermique est abrupt.

❹ À l'automne, l'eau de la couche superficielle refroidit rapidement au contact de l'air froid, et s'enfonce. Les eaux du lac se mélangent à nouveau, jusqu'à ce que la surface gèle. La stratification thermique hivernale se rétablit alors.

▲ **Figure 50.13 Brassage saisonnier et renouvellement des eaux lacustres.**

basses sont habituellement plus humides que les terres hautes et elles tendent à être occupées par des espèces d'arbres différentes. Enfin, sous une bûche ou une grosse pierre vivent des organismes comme des salamandres (Amphibiens), des vers (Oligochètes) et des Insectes, à l'abri des extrêmes de température et d'humidité. Dans tous les milieux de la Terre, on trouve ainsi des différences subtiles entre les facteurs abiotiques qui influent sur la distribution locale des organismes.

Les changements climatiques à long terme

Comme la température et l'humidité sont les principaux facteurs limitants pour les aires de distribution géographique des Végétaux et des Animaux, le réchauffement climatique qui se produit au cours de ce siècle aura une profonde influence sur la biosphère (voir le chapitre 54). Pour avoir un aperçu des types de changements qui pourront se produire, revenons sur les changements passés qui ont eu lieu dans les régions tempérées depuis la fin de la dernière période glaciaire.

En Amérique du Nord et en Eurasie, les derniers glaciers continentaux ont commencé à se retirer il y a environ 16 000 ans. Le réchauffement du climat et le retrait des glaciers ont entraîné l'expansion vers le nord de la distribution des arbres. Le pollen fossile déposé dans les lacs et les étangs permet de faire un historique de ces migrations. (Il peut sembler curieux de parler de « migration » pour les arbres, mais rappelez-vous le chapitre 38 : le vent et des Animaux peuvent disséminer les graines sur de longues distances parfois.) En déterminant les limites climatiques des distributions géographiques actuelles pour les organismes, les chercheurs peuvent prédire comment le réchauffement climatique modifiera ces distributions. Pour appliquer cette approche aux Végétaux, il faut se poser une question importante : la dissémination des graines est-elle assez rapide pour assurer la migration de chaque espèce au fur et à mesure que le climat change ? Par exemple, les fossiles semblent indiquer qu'une dissémination plus ou moins lente des graines a retardé la progression de la pruche de l'Est (*Tsuga canadensis*) vers le nord de près de 2 500 ans, à la fin de l'époque glaciaire.

Penchons-nous sur un cas particulier qui explique la façon dont les archives géologiques concernant la migration des arbres nous permet de prédire l'impact biologique de la tendance actuelle au réchauffement planétaire. La **figure 50.14** illustre les aires de distribution géographique actuelle et potentielle du hêtre à grandes feuilles (*Fagus grandifolia*) selon deux modèles de changements climatiques. Ces modèles prédisent que la limite

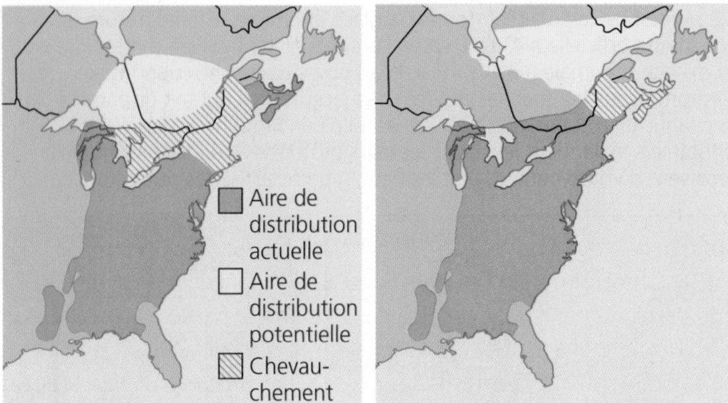

(a) Réchauffement de 4,5 °C au cours du prochain siècle

(b) Réchauffement de 6,5 °C au cours du prochain siècle

▲ **Figure 50.14 Aires de distribution géographique actuelle et potentielle du hêtre à grandes feuilles (*Fagus grandifolia*) selon deux scénarios de changements climatiques.**

septentrionale potentielle de l'aire de distribution du hêtre à grandes feuilles se déplacera de 700 à 900 km vers le nord au cours du siècle à venir, et que la limite méridionale de son aire de distribution se déplacera également vers le nord sur une distance encore plus grande. Dans le meilleur des cas, le hêtre à grandes feuilles devrait avancer vers le nord de 7 à 9 km par an pour suivre la vitesse du réchauffement climatique. Mais, depuis la fin de la période glaciaire, le hêtre à grandes feuilles n'a migré qu'à une vitesse de 0,2 km par an pour arriver à son aire de distribution actuelle. Malheureusement, la conclusion est claire : les espèces migratrices comme le hêtre à grandes feuilles auront besoin d'un coup de main de la part des humains pour se déplacer dans de nouvelles aires où elles pourront survivre à mesure que le climat se réchauffe, sans quoi elles pourraient disparaître.

Retour sur le concept 50.2

1. Donnez des exemples d'interventions humaines susceptibles de produire une expansion de la distribution d'une espèce en modifiant (a) son expansion ou (b) ses interactions biotiques.
2. Expliquez comment le réchauffement inégal de la surface de la Terre par le Soleil influe sur les régimes climatiques à l'échelle planétaire.

Voir les réponses proposées à la fin du chapitre.

Concept 50.3

Les facteurs abiotiques et biotiques influent sur la structure et la dynamique des biomes aquatiques

Nous avons vu comment des facteurs tant biotiques qu'abiotiques influent sur la distribution des organismes sur la Terre. La nature des nombreux **biomes** de la Terre, les principaux types d'associations écologiques qui occupent de vastes régions géographiques terrestres ou aquatiques, est déterminée par diverses combinaisons de ces facteurs. Commençons par étudier les biomes aquatiques **(figure 50.15)**.

Les biomes aquatiques occupent la majeure partie de la surface de la biosphère, et on en trouve de toute sorte autour du globe. Certains facteurs physicochimiques distinguent les biomes dulcicoles des biomes marins. Ainsi, la salinité de l'eau est généralement inférieure à 1 % dans les biomes dulcicoles, mais est d'environ 3 % dans les biomes marins.

Les océans, qui sont les plus grands biomes, recouvrent environ 75 % de la surface terrestre et ont ainsi une influence énorme

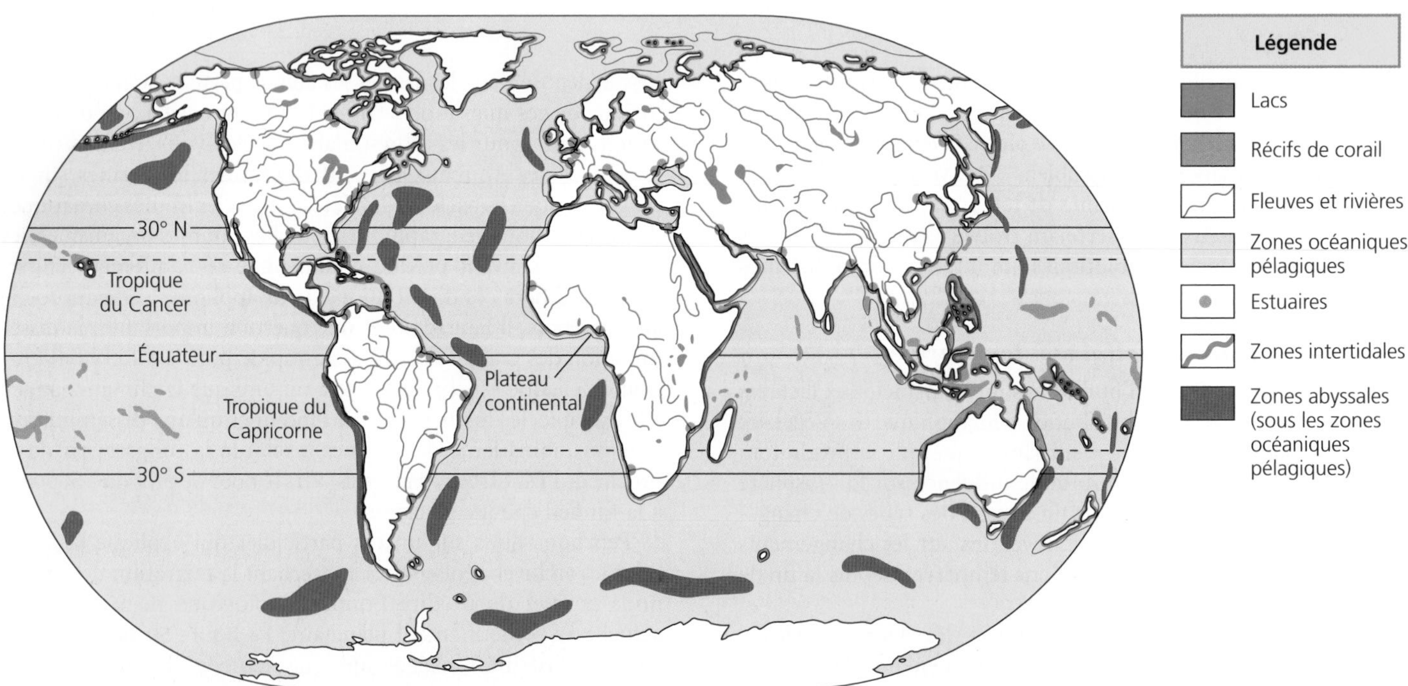

▲ **Figure 50.15 Distribution des principaux biomes aquatiques.**

sur la biosphère. La vaporisation de l'eau de mer est à l'origine de presque toutes les précipitations de la planète, et les températures océaniques ont un effet marqué sur le climat et les vents. En outre, les Algues marines et les Bactéries photosynthétiques produisent une partie substantielle du dioxygène atmosphérique et consomment d'énormes quantités de dioxyde de carbone.

Les biomes dulcicoles sont étroitement reliés aux biomes terrestres qui les entourent. Leurs caractéristiques dépendent également des modalités de l'écoulement des eaux et du climat auquel ils sont exposés.

De nombreux biomes aquatiques présentent une stratification verticale marquée pour ce qui est des variables physicochimiques; la **figure 50.16** illustre ce phénomène dans le cas d'un milieu lacustre et dans celui d'un milieu marin. La lumière est absorbée par l'eau et par les organismes photosynthétiques qu'elle contient, ce qui fait que l'intensité lumineuse diminue rapidement avec la profondeur, comme nous l'avons déjà mentionné. Ainsi, les écologistes distinguent la **zone euphotique**, zone supérieure où l'illumination suffit à la photosynthèse, de la **zone aphotique**, zone inférieure qui est privée de lumière. Le substrat qui se trouve au fond de tous les biomes aquatiques est appelé **zone benthique**. Composée de sable et de sédiments organiques et inorganiques («boue»), cette zone est occupée par un ensemble de communautés d'organismes qu'on appelle le **benthos**. La matière organique morte, appelée *détritus*, constitue une importante source de nourriture pour le benthos. Dans les lacs et les océans, les détritus «tombent» des eaux superficielles productives de la zone euphotique. Les régions les plus profondes du plancher océanique constituent la zone abyssale.

L'eau de surface est réchauffée par l'énergie thermique du Soleil jusqu'à la limite de pénétration de la lumière. L'eau profonde, quant à elle, reste très froide. Par conséquent, la température de l'eau dans les lacs tend à se stratifier, surtout durant l'été et l'hiver (voir la figure 50.13). Dans l'océan et dans la plupart des lacs, la couche superficielle uniformément chaude et la couche profonde uniformément froide sont séparées par une mince couche, la **thermocline**, où le gradient thermique est abrupt.

Comme celle des communautés lacustres, la distribution des communautés marines est fonction de la profondeur d'eau, de l'illumination, de la distance par rapport au rivage et de la distinction entre l'eau libre ou le fond marin. Les communautés marines illustrent très clairement les limites que fixent ces facteurs abiotiques sur les distributions d'espèces. La zone euphotique, relativement peu profonde, est habitée par le phytoplancton, le zooplancton et de nombreuses espèces de Poissons (voir la figure 50.16b). Comme l'eau absorbe la lumière et que l'océan est très profond, l'obscurité règne dans la majeure partie de l'océan (zone aphotique), où les organismes vivants sont relativement peu abondants, à l'exception des microorganismes et des populations assez rares de Poissons et d'Invertébrés luminescents.

La **figure 50.17**, qui occupe les quatre pages suivantes, présente un tour d'horizon des principaux biomes aquatiques.

Retour sur le concept 50.3

Les questions suivantes se rapportent à la figure 50.17.

1. Les perles, des Insectes aquatiques de la zone benthique qui ont besoin de concentrations relativement élevées de dioxygène, sont-elles plus susceptibles de vivre dans les lacs oligotrophes ou dans les lacs eutrophes? Pourquoi?
2. Pourquoi est-ce le phytoplancton, et non les Algues benthiques ou les plantes aquatiques à racines, qui constitue le principal ensemble d'organismes photosynthétiques dans le biome océanique pélagique?

Voir les réponses proposées à la fin du chapitre.

(a) Zones d'un milieu lacustre (lac). On divise en général le milieu lacustre en diverses zones, d'après trois critères physiques: l'illumination (zones euphotique et aphotique), la distance par rapport à la rive et la profondeur d'eau (zones littorale et limnétique), et la distinction entre eau libre (zone pélagique) et fond lacustre (zone benthique).

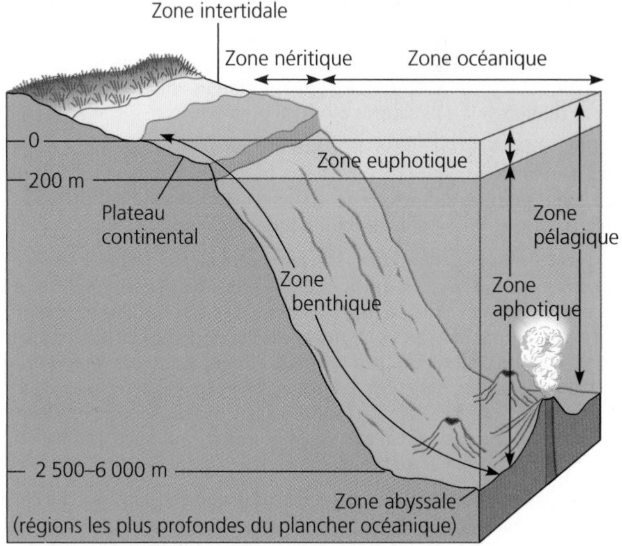

(b) Zones d'un milieu marin. Comme celles d'un lac, les diverses zones d'un milieu marin sont déterminées en fonction de l'illumination (zones euphotique et aphotique), de la distance par rapport à la côte et de la profondeur d'eau (zones intertidale, néritique et océanique), et de la distinction entre eau libre (zone pélagique) et fond marin (zones benthique ou abyssale).

▲ **Figure 50.16 Zones des milieux aquatiques.**

Figure 50.17

Panorama Les biomes aquatiques

LACS

Milieu physique Les étendues d'eau dormante vont des étangs de quelques mètres carrés aux lacs s'étendant sur plusieurs milliers de kilomètres carrés. L'intensité de la lumière diminue avec la profondeur, ce qui crée une stratification verticale (figure 50.16a). Dans les lacs des zones tempérées, la thermocline peut être saisonnière (voir la figure 50.13); dans les lacs des basses terres tropicales, la thermocline est présente toute l'année.

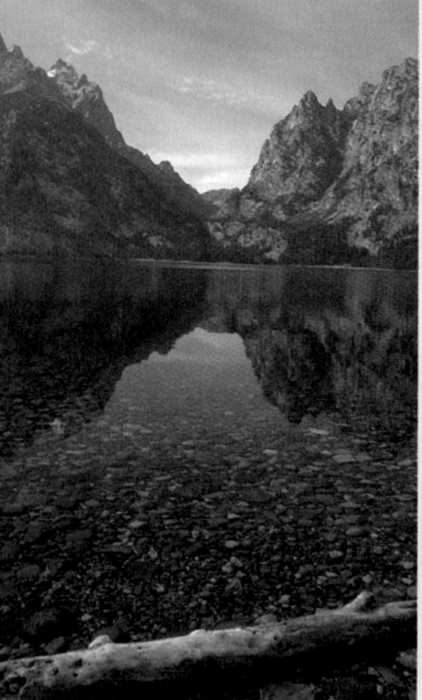

Lac oligotrophe à Grand Teton, au Wyoming

Lac eutrophe dans le delta de l'Okavango, au Botswana

Milieu chimique La salinité (teneur en sel), la concentration en dioxygène et la teneur en nutriments, qui diffèrent beaucoup d'un lac à l'autre, peuvent varier considérablement selon les saisons. Les **lacs oligotrophes** sont pauvres en nutriments et en général riches en dioxygène; les **lacs eutrophes**, quant à eux, sont riches en nutriments et présentent souvent une concentration en dioxygène réduite lorsqu'ils sont recouverts de glace durant l'hiver et dans leur partie la plus profonde au cours de l'été. La quantité de matière organique décomposable dans les sédiments benthiques est faible dans les lacs oligotrophes et élevée dans les lacs eutrophes.

Caractéristiques géologiques Les lacs oligotrophes tendent à avoir une moins grande superficie par rapport à leur profondeur que les lacs eutrophes. Avec le temps, les lacs oligotrophes peuvent devenir eutrophes, à mesure que le ruissellement y apporte des sédiments et des nutriments.

Organismes photosynthétiques L'activité de photosynthèse est plus grande dans les lacs eutrophes que dans les lacs oligotrophes. Les plantes aquatiques enracinées et flottantes abondent dans la **zone littorale**, soit dans les eaux peu profondes et bien éclairées qui se situent à proximité du rivage. Plus éloignée du rivage, la **zone limnétique**, où les eaux sont trop profondes pour permettre aux plantes aquatiques de s'enraciner, contient diverses espèces de phytoplancton et de Cyanobactéries.

Animaux Dans la zone limnétique, de petits Animaux en suspension, le zooplancton, se nourrissent de phytoplancton. La zone benthique est habitée par divers Invertébrés, dont la composition en espèces dépend en partie des taux de dioxygène. Des Poissons vivent dans toutes les zones des lacs qui contiennent suffisamment de dioxygène.

Conséquences de l'activité humaine L'enrichissement en nutriments des lacs attribuable à la pollution causée par le ruissellement provenant des terres fertilisées et le déversement des déchets urbains peut donner lieu à la prolifération des Algues, à la réduction de la quantité de dioxygène et à la mort des Poissons.

TERRES HUMIDES

Milieu physique Au sens large, une **terre humide** est une zone de terre couverte d'eau pendant une période assez longue pour permettre à des plantes aquatiques d'y vivre. En fait, les terres humides vont des sites périodiquement inondés aux sols saturés d'eau en permanence.

Milieu chimique En raison de la production et de la décomposition élevées des matières organiques dans les terres humides, l'eau et le sol sont périodiquement pauvres en dioxygène dissous. Leur capacité de filtrer les nutriments dissous et les polluants chimiques est élevée.

Caractéristiques géologiques Les *terres humides de bassin* se forment dans des mares peu profondes, qui vont des dépressions dans des milieux secs aux lacs et étangs envahis par la végétation. Les *terres humides riveraines* se forment le long des rives peu profondes et périodiquement inondées des rivières et des cours d'eau peu profonds. Enfin, les *terres humides du littoral* se trouvent le long des côtes des grands lacs et océans, où l'eau effectue un mouvement de va-et-vient résultant du niveau d'eau qui s'élève ou de l'action des marées. Ainsi, ces terres humides font partie aussi bien d'un biome dulcicole que d'un biome marin.

Organismes photosynthétiques Les terres humides comptent parmi les biomes les plus productifs de la Terre. Leurs sols saturés d'eau favorisent la croissance de plantes, comme les nénuphars (*Nuphar sp.*), les quenouilles (*Typha sp.*), de nombreux carex (*Carex sp.*), les mélèzes (*Larix laricina*) et les épinettes noires (*Picea mariana*), qui sont spécialement adaptées pour vivre dans l'eau ou dans un sol rendu périodiquement anaérobie par la présence de l'eau. Les plantes ligneuses dominent la végétation des marécages, et la sphaigne (*Shagnum sp.*), celle des tourbières.

Animaux Les terres humides sont le milieu de vie d'une communauté variée d'Invertébrés, qui, à leur tour, nourrissent une grande variété d'Oiseaux. Les herbivores, des Crustacés aux rats-musqués communs (*Ondatra zibethicus*) en passant par les larves d'Insectes aquatiques, consomment des Algues, des détritus et des Végétaux. Elles abritent aussi de nombreuses espèces de carnivores, dont les libellules, les loutres, les alligators et les chouettes.

Okefenokee National Wetland Reserve, en Géorgie (États-Unis)

Conséquences de l'activité humaine Dans certaines régions, l'assèchement et le remblayage ont détruit jusqu'à 90 % des terres humides.

RUISSEAUX, RIVIÈRES ET FLEUVES

Milieu physique La principale caractéristique physique des **ruisseaux**, des **rivières** et des **fleuves** est le courant. Tout en amont, l'eau des ruisseaux est froide, claire, agitée et coule rapidement. En aval, lorsque plusieurs affluents se sont rejoints pour former une rivière, l'eau est généralement plus chaude et plus trouble, car les rivières charrient d'ordinaire plus de sédiments que leurs eaux d'amont. Les fleuves, les rivières et les ruisseaux se stratifient en zones verticales, qui s'étendent de l'eau de surface à l'eau de fond.

Milieu chimique La teneur en sel et en nutriments des ruisseaux, des rivières et des fleuves est plus élevée en amont qu'à l'embouchure. Dans les ruisseaux, l'eau d'amont est en général riche en dioxygène. Les rivières et les fleuves peuvent aussi contenir une importante quantité de dioxygène, sauf là où l'eau est enrichie de matières organiques d'origine naturelle ou provenant de l'activité humaine.

Caractéristiques géologiques En amont, les chenaux des ruisseaux sont souvent étroits; ils présentent un fond rocheux formé alternativement de seuils et de fosses. En aval, l'écoulement des eaux des rivières et des fleuves s'effectue dans des chenaux qui sont généralement larges et sinueux. Leur fond est souvent limoneux: des sédiments s'y sont déposés au fil du temps.

Organismes photosynthétiques En amont des ruisseaux qui coulent dans les prairies ou les déserts, l'eau est parfois riche en Algues ou en plantes aquatiques à racines; mais dans les ruisseaux qui coulent dans les forêts tempérées ou tropicales, les feuilles mortes et d'autres matières organiques provenant de la végétation terrestre constituent la principale source d'alimentation des organismes aquatiques. Dans les rivières et les fleuves, les matières organiques sont constituées en grande partie des matières dissoutes et très fragmentées qui proviennent de l'eau d'amont des ruisseaux forestiers charriée par le courant.

Animaux Une grande diversité de Poissons et d'Invertébrés vivent dans les ruisseaux, les rivières et les fleuves non pollués. La distribution des espèces s'effectue à travers les zones verticales.

Conséquences de l'activité humaine La pollution urbaine, agricole et industrielle dégrade la qualité de l'eau et tue les organismes aquatiques. L'endiguement et la lutte contre les crues perturbent le fonctionnement naturel des écosystèmes que constituent les ruisseaux, les rivières et les fleuves, et menacent les espèces migratrices comme le saumon.

Ruisseau d'amont dans les Great Smoky Mountains

Le fleuve Mississippi, loin de ses eaux d'amont

ESTUAIRES

Estuaire en delta de la Copper River, en Alaska

Milieu physique Un **estuaire** est la zone de transition entre un fleuve et l'océan. L'eau des estuaires présente des mouvements très complexes. Lorsque la marée monte, l'eau de mer remonte le chenal de l'estuaire, puis se retire lorsque la marée descend. Souvent, le fond du chenal contient de l'eau de mer, de forte densité, tandis que de l'eau fluviale, d'une densité moindre, forme une couche superficielle qui se mélange peu avec la couche inférieure salée.

Milieu chimique Dans les estuaires, la salinité de l'eau n'est pas la même partout: elle varie de celle de l'eau douce à celle de l'eau de mer. La salinité varie également suivant le cycle quotidien des marées. Enrichi par les nutriments provenant des fleuves, les estuaires, comme les terres humides, comptent parmi les biomes les plus productifs de la Terre.

Caractéristiques géologiques Les mouvements de l'eau des estuaires conjugués aux sédiments charriés par les fleuves et les marées créent un réseau complexe de chenaux à marée, d'îles, de levées alluviales naturelles et de vasières.

Organismes photosynthétiques Les plantes herbacées des marais salants et les Algues, y compris le phytoplancton, sont les principaux producteurs des estuaires.

Animaux Des vers, des huîtres, des crabes et de nombreuses espèces de Poissons comestibles habitent aussi les estuaires. En raison de l'abondante nourriture qu'ils y trouvent, de nombreux Invertébrés et Poissons marins s'y reproduisent ou s'y arrêtent au cours de leur migration vers les habitats dulcicoles situés en amont. Enfin, les estuaires constituent des aires de nutrition pour de nombreux Vertébrés semi-aquatiques, pour les Oiseaux de rivage en particulier.

Conséquences de l'activité humaine Partout dans le monde, les polluants déversés en amont, de même que les travaux de remblayage et de dragage, portent atteinte aux estuaires.

Suite à la page suivante

ZONES INTERTIDALES

Zone intertidale rocheuse du littoral de l'Oregon

Milieu physique Une **zone intertidale** est tour à tour submergée et découverte au cours du cycle biquotidien des marées. Les zones supérieures sont plus longtemps exposées à l'air, et leur milieu physique présente de plus grandes variations. Parmi les contraintes physiques auxquelles font face les organismes qui y vivent, on compte les fluctuations de la température et de la salinité de l'eau, ainsi que la force mécanique des vagues. Les différences dans les conditions physiques qui caractérisent la zone intertidale supérieure et la zone intertidale inférieure limitent la distribution de nombreuses espèces d'organimes à certaines strates, comme l'illustre la photo.

Milieu chimique Les concentrations de dioxygène et de nutriments sont généralement élevées et se renouvellent à chaque retour de la marée.

Caractéristiques géologiques Les substrats des zones intertidales, qui sont en général soit rocheux, soit sablonneux, déterminent des adaptations comportementales et anatomiques chez les organismes de la zone intertidale. La configuration des baies ou du littoral influe sur l'amplitude des marées et l'exposition relative des organismes intertidaux à l'action des vagues.

Organismes photosynthétiques Les zones intertidales rocheuses, surtout inférieures, abritent des Algues enracinées dont la diversité et la biomasse sont imposantes. En raison de l'instabilité du substrat, les zones sablonneuses exposées à de fortes vagues ne contiennent pas de plantes ni d'Algues enracinées, alors que celles qui se trouvent dans des baies protégées ou des lagunes portent souvent de riches bancs d'Algues et d'herbes marines comme les zostères.

Animaux Beaucoup des Animaux vivant dans les zones intertidales rocheuses possèdent des adaptations structurales qui leur permettent de s'attacher au substrat dur. Dans les zones supérieures, la composition, la densité et la diversité des Animaux sont sensiblement différentes de celles des zones inférieures. Là où les substrats sont sablonneux (plages) ou vaseux, de nombreux Animaux, tels les vers, les palourdes et les Crustacés prédateurs, s'enfouissent dans le sable ou dans la vase et se nourrissent à marée montante. Les Porifères (les Éponges), les Cnidaires (les anémones de mer), les Mollusques, les Échinodermes, de même que de petits Poissons, sont aussi communs dans ces milieux.

Conséquences de l'activité humaine La pollution par le pétrole a eu des effets nuisibles sur de nombreuses zones intertidales. Par ailleurs, l'utilisation à des fins récréatives du littoral a fait beaucoup diminuer le nombre d'Oiseaux nichant sur les plages et le nombre de tortues de mer.

BIOME OCÉANIQUE PÉLAGIQUE

Milieu physique Le **biome océanique pélagique** est une vaste étendue d'eaux libres bleues, sans cesse agitées par les courants causés par les vents. Les eaux de surface des océans tempérés se renouvellent de l'automne au printemps. En raison de la plus grande clarté de ses eaux, la zone euphotique est plus profonde que celle des eaux côtières.

Milieu chimique En général, ces eaux présentent un taux de dioxygène élevé et sont généralement plus pauvres en nutriments que celles du littoral. Dans certaines régions tropicales, les eaux superficielles sont plus pauvres en nutriments que celles des océans tempérés parce que leur stratification thermique se maintient pendant toute l'année. Dans les zones euphotiques des océans des régions tempérées et des régions proches des pôles, le renouvellement qui se produit de l'automne au printemps permet l'échange de nutriments entre la surface et le fond.

Caractéristiques géologiques La caractéristique la plus marquante du biome océanique pélagique est son immensité et la grande profondeur des bassins océaniques. Ce biome couvre approximativement 70 % de la surface de la Terre, et sa profondeur moyenne atteint près de 4 000 m. Le point le plus profond de l'océan se situe à plus de 10 000 m de la surface.

Organismes photosynthétiques Le phytoplancton, qui comprend les Bactéries photosynthétiques, forme le principal ensemble d'organismes photosynthétiques qui sont transportés par les courants océaniques. Le renouvellement printannier et la remontée des nutriments provoquent, dans les océans tempérés, une prolifération de phytoplancton. Malgré l'étendue de son biome, le plancton photosynthétique est à l'origine de moins de la moitié de l'activité photosynthétique effectuée sur la Terre.

Animaux L'ensemble d'Animaux et d'autres hétérotrophes le plus abondant dans ce biome est le zooplancton. Le zooplancton, constitué de Protistes, de vers, de Copépodes, de krill (*Euphausia superba*) et de méduses, ainsi que les petites larves d'Invertébrés et certains Poissons se nourrissent de phytoplancton. Le biome océanique pélagique comprend aussi des Animaux qui nagent librement, comme les calmars, les Poissons, les tortues et les Mammifères marins.

Conséquences de l'activité humaine La surpêche a appauvri les stocks de Poissons de tous les océans de la Terre, qui ont aussi été pollués par les déchargements de déchets et les déversements de pétrole.

Pleine mer, au large de l'île d'Hawaii

RÉCIFS DE CORAIL

Milieu physique Les récifs de corail ne se trouvent que dans la zone euphotique des milieux marins tropicaux relativement stables dont les eaux sont très limpides. Ils sont affectés par les températures de moins de 18 à 20 °C et de plus de 30 °C.

Milieu chimique Les coraux nécessitent des taux de dioxygène élevés et ne peuvent vivre dans les milieux où l'apport en eau douce et en nutriments est considérable.

Caractéristiques géologiques Pour se fixer, les coraux ont besoin d'un substrat solide. Un récif de corail, formé en grande partie du carbonate de calcium provenant des squelettes des coraux, se constitue lentement sur une île océanique. D'abord récif frangeant sur une jeune île haute, il devient plus tard au cours de l'histoire de l'île un récif-barrière extracôtier, puis un atoll corallien tandis que l'île est submergée.

Organismes photosynthétiques Les Dinoflagellés mutualistes qui vivent dans les tissus des coraux créent une association symbiotique permettant à ces derniers d'obtenir des molécules organiques. Diverses Algues marines rouges et vertes sont aussi responsables d'une grande partie de la photosynthèse effectuée sur les récifs coralliens.

Animaux Les coraux eux-mêmes, constitués de divers groupes de Cnidaires (voir le chapitre 33), sont les Animaux qui prédominent sur les récifs coralliens. Toutefois, on y trouve aussi une variété exceptionnelle de Poissons et d'Invertébrés. À l'échelle planétaire, la diversité des Animaux vivant sur les récifs coralliens rivalise avec celle des forêts tropicales.

Conséquences de l'activité humaine La cueillette des squelettes coralliens, souvent faite à l'aide de poisons et d'explosifs, de même que la surpêche pratiquée soit à des fins alimentaires, soit pour l'élevage en aquarium ont réduit les populations de coraux et de Poissons de récifs. Le réchauffement de la planète et la pollution sont aussi susceptibles de contribuer à la destruction à grande échelle des récifs de corail.

Récif de corail

ZONE BENTHIQUE MARINE

Milieu physique La **zone benthique marine** est constituée du plancher océanique qui se trouve sous les eaux de surface de la zone côtière, ou **zone néritique**, et sous celles de la zone extracôtière, ou pélagique (voir la figure 50.16b). Bien que la zone benthique des eaux côtières peu profondes reçoive assez de lumière pour abriter des organismes photosynthétiques, la majeure partie de la zone benthique océanique est dans l'obscurité. Dans ce milieu, plus on s'enfonce, plus la température est basse et plus la pression est élevée. Par conséquent, les organismes qui occupent la zone très profonde, ou **zone abyssale**, sont adaptés à un froid continu (environ 3 °C) et à une pression extrêmement élevée.

Milieu chimique Sauf en certains endroits riches en matières organiques, les concentrations de dioxygène sont suffisantes pour faire vivre des Animaux très divers.

Communauté d'organismes vivant à proximité d'une source hydrothermale sous-marine

Caractéristiques géologiques La majeure partie de la zone benthique est couverte de sédiments mous. Toutefois, il existe des zones de substrat rocheux sur les récifs, les montagnes sous-marines et la nouvelle croûte océanique créée par les volcans du plancher océanique.

Organismes producteurs de nutriments Les organismes photosynthétiques, principalement les laminaires et les Algues filamenteuses, n'occupent que les endroits peu profonds où la lumière parvient en quantité suffisante. Des communautés uniques d'organismes, comme celle qui apparaît sur la photo, sont associées aux **sources hydrothermales sous-marines** d'origine volcanique qui se trouvent sur les dorsales océaniques. Dans ce milieu obscur, chaud et pauvre en dioxygène, les organismes producteurs de nutriments sont des Bactéries chimioautotrophes (voir le chapitre 27) qui obtiennent leur énergie en oxydant le H_2S issu de la réaction entre l'eau chaude et le sulfate dissous (ou ion tétraoxosulfate, SO_4^{2-}).

Animaux Les communautés de la zone benthique nérétique se composent de nombreux Invertébrés et de nombreux Poissons. Au-delà de la zone euphotique, la plupart des Animaux dépendent entièrement des matières organiques qui proviennent des zones supérieures. Parmi les Animaux des communautés vivant près des sources hydrothermales sous-marines, on trouve des vers tubicoles géants (sur la photo, à gauche) atteignant parfois plus de 1 m de long. Il semble que ces vers se nourrissent de Bactéries chimioautotrophes qui vivent ensuite en leur sein en symbiose. De nombreux autres Invertébrés, notamment des Arthropodes et des Échinodermes, abondent aux alentours des sources hydrothermales.

Conséquences de l'activité humaine Dans la zone benthique, la surpêche a décimé d'importantes populations de Poissons, comme la morue des Grands Bancs de Terre-Neuve. De plus, le déchargement de déchets organiques y a créé des zones privées de dioxygène.

Concept 50.4

Le climat détermine en grande partie la distribution et la structure des biomes terrestres

Tous les facteurs abiotiques que nous avons étudiés jusqu'ici, notamment le climat, sont importants dans la détermination des raisons pour lesquelles tel ou tel biome s'établit dans une région donnée. Comme il existe des climats qui sont fonction de la latitude sur la surface de la Terre (voir la figure 50.10), il existe aussi des biomes dont la répartition est subordonnée à la latitude.

Le climat et les biomes terrestres

On peut se rendre compte de l'effet important du climat sur la distribution des organismes en construisant un **climatogramme**, c'est-à-dire une représentation graphique des températures et des précipitations mesurées dans une région donnée et exprimées en moyennes annuelles. Ainsi, la **figure 50.18** présente le climatogramme de quelques-uns des principaux biomes d'Amérique du Nord. Notez que la forêt de Conifères (la **taïga**) reçoit presque autant de précipitations que la forêt décidue tempérée, mais que les deux biomes connaissent différentes températures moyennes annuelles. Les prairies, en revanche, sont généralement plus sèches que les deux types de forêts, mais moins que les déserts.

Il existe une assez bonne corrélation entre les moyennes annuelles de température et de précipitations et les biomes qu'on trouve aux différentes latitudes. Cependant, il faut toujours se garder de confondre *corrélation* et *causalité*. Même s'il met en évidence le fait que la température et les précipitations influent sur la distribution des biomes, notre climatogramme n'établit pas de façon indiscutable que ces variables déterminent l'emplacement géographique des biomes. Seule une analyse détaillée de la tolérance à l'eau et à la température de chacune des espèces d'un biome pourrait confirmer l'effet limitatif de ces variables.

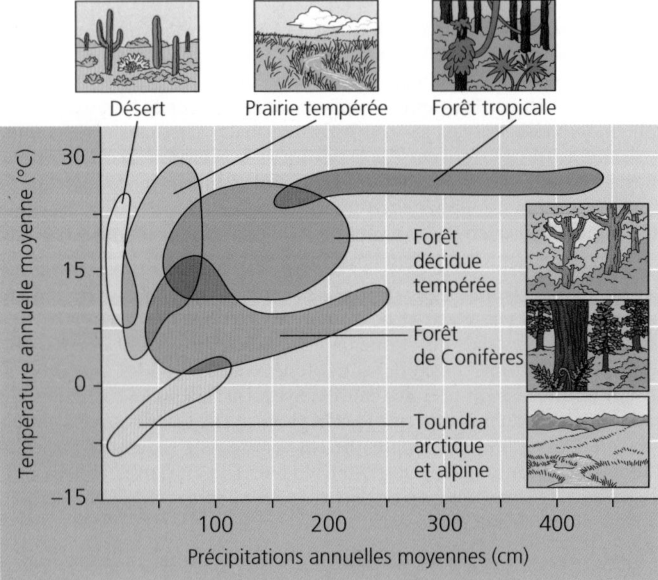

▲ **Figure 50.18 Climatogramme de quelques-uns des principaux biomes d'Amérique du Nord.** Les régions colorées de ce graphique représentent les températures et les précipitations annuelles moyennes des biomes considérés.

Comme le montre la figure 50.18, les biomes se chevauchent dans certaines régions. Donc, des facteurs autres que la température et les précipitations moyennes jouent aussi un rôle dans la distribution des biomes. Par exemple, il existe en Amérique du Nord des régions où la combinaison de la température et des précipitations est propice à la forêt décidue tempérée, mais aussi des régions qui ont les mêmes températures et précipitations mais où on trouve la forêt de Conifères. Comment s'explique cette divergence ? Rappelez-vous qu'un climatogramme se fonde sur des *moyennes* annuelles et qu'il ne tient pas compte des *caractéristiques* des variations climatiques, qui peuvent avoir beaucoup d'importance également. Par exemple, certaines régions reçoivent des précipitations régulières pendant toute l'année, tandis que d'autres qui en reçoivent la même quantité annuelle ont des saisons sèches et des saisons humides. Un phénomène semblable peut se produire avec la température. Enfin, d'autres facteurs tels que le substrat rocheux influent grandement sur la disponibilité des minéraux et sur la structure du sol, deux conditions déterminantes pour la composition de la végétation.

La **figure 50.19** présente la distribution générale des principaux biomes terrestres.

Les caractéristiques générales des biomes terrestres

On nomme souvent les biomes terrestres selon leurs caractéristiques physiques ou climatiques importantes et selon la végétation qui y prédomine. Ainsi, les prairies tempérées sont dominées par différentes espèces d'herbes et se situent généralement aux latitudes médianes, où le climat est plus modéré que dans les régions tropicales ou polaires. Chaque biome se caractérise aussi par des microorganismes, des Eumycètes et des Animaux qui lui sont adaptés. Ainsi, contrairement aux forêts, les prairies sont peuplées de grands Mammifères herbivores.

La stratification verticale constitue une caractéristique importante des biomes terrestres. La forme et la taille des plantes la déterminent en grande partie. Ainsi, de nombreuses forêts comportent plusieurs strates : une strate arborescente supérieure, la **canopée**, constituée par l'ensemble des plus hautes branches ; une strate arborescente inférieure, constituée de tous les arbres dont le tronc mesure plus de 2,5 cm de diamètre à une hauteur de 1 à 1,5 m ; une strate arbustive composée de petits arbres et d'arbustes ; une strate herbacée regroupant les plantes herbacées ; la litière (le sol forestier) constituée de feuilles mortes, de mousses, de lichens et de champignons ; et enfin une strate racinaire, principal lieu de nutrition pour les plantes qui comporte les racines. Les autres biomes (non forestiers) présentent aussi une stratification verticale, mais avec moins de niveaux généralement. Ainsi, les prairies ont une strate herbacée dominante composée de Graminées et de Légumineuses, une litière et une strate racinaire. La stratification verticale de la végétation d'un biome fournit de nombreux habitats pour les Animaux, en fonction de leur régime alimentaire. Ainsi, les chauves-souris et les Oiseaux insectivores ou carnivores se nourrissent dans la strate arborescente, tandis que de petits Mammifères, de nombreux vers et des Arthropodes fouillent la strate racinaire pour trouver de la nourriture.

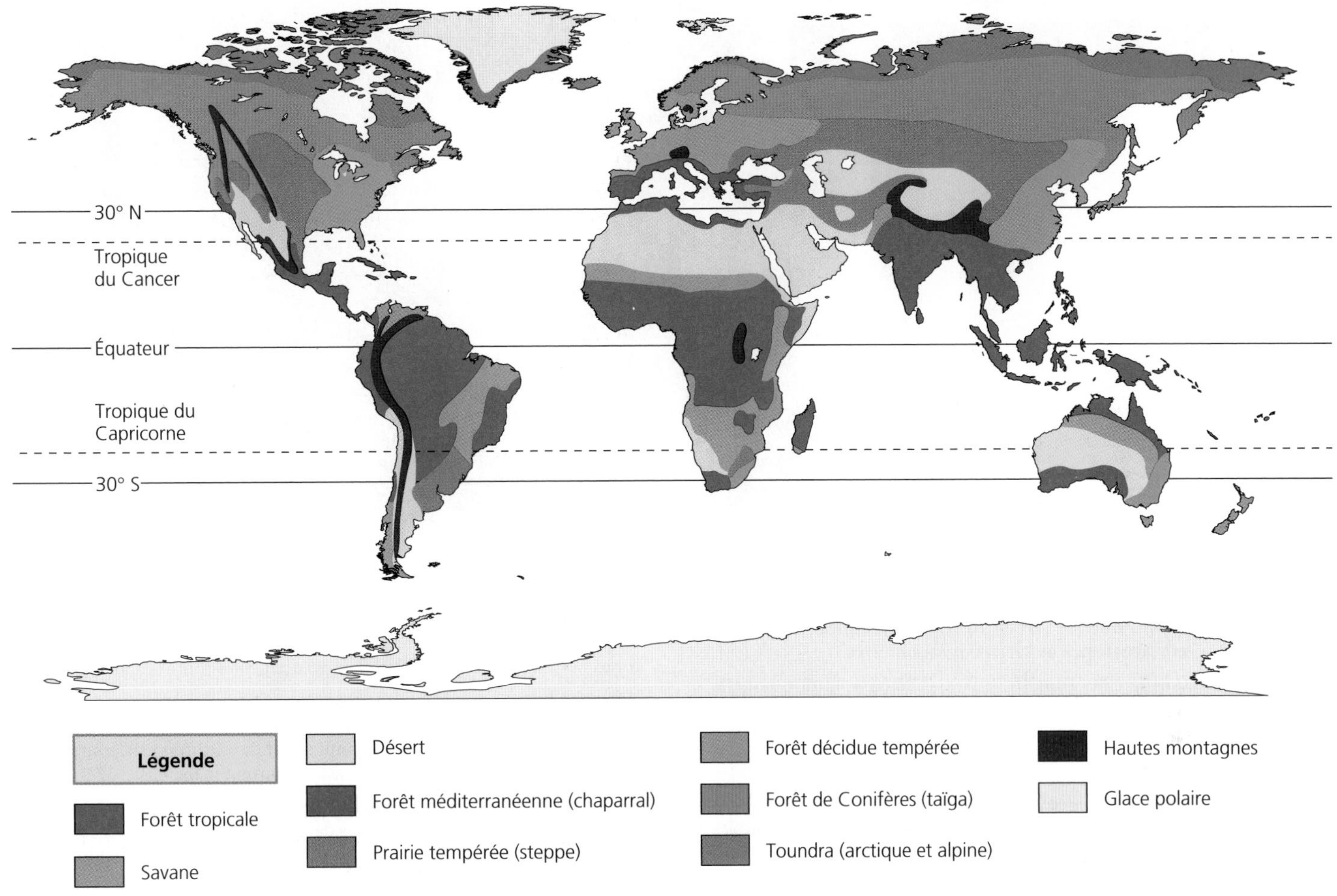

▲ **Figure 50.19 Distribution des principaux biomes terrestres.** Bien que sur cette carte les biomes terrestres aient des frontières nettes, dans la réalité, ils s'interpénètrent, sur des étendues parfois relativement vastes.

Contrairement à ce que montre la figure 50.19, les biomes terrestres s'interpénètrent généralement et n'ont pas de frontières nettes. La zone d'interpénétration, appelée **écotone**, peut être large ou étroite.

Les espèces qui composent un biome varient d'un endroit à l'autre. Ainsi, dans la forêt de Conifères d'Amérique du Nord, l'épinette rouge (*Picea rubens*) se trouve en abondance dans l'Est, mais n'existe pas dans les autres régions, où ce sont l'épinette noire (*Picea mariana*) et l'épinette blanche (*Picea glauca*) qui dominent. Les végétations désertiques d'Afrique et d'Amérique du Nord se ressemblent, mais se composent en réalité de familles végétales différentes. De telles « équivalences écologiques » peuvent résulter d'une évolution convergente (voir la figure 25.5).

Un biome est dynamique. C'est la perturbation naturelle qui est la règle générale, et non la stabilité. Par exemple, les ouragans créent des ouvertures pour de nouvelles espèces dans les forêts tropicales et tempérées. Dans la taïga septentrionale, les vieux arbres meurent et tombent, ou une chute de neige brise des branches et des petits arbres, ce qui crée des clairières permettant la croissance d'espèces décidues telles que le tremble (*Populus tremuloides*) et les bouleaux (*Betula sp.*). Par conséquent, un biome présente une grande discontinuité et comprend plusieurs communautés.

Dans de nombreux biomes, même les plantes dominantes dépendent d'une perturbation périodique. Ainsi, le feu fait partie intégrante des prairies, des savanes, de la forêt méditerranéenne et de nombreuses forêts de Conifères. Avant les développements agricole et urbain, la majeure partie du sud-est des États-Unis était dominée par une seule espèce de conifère, le pin des marais (*Pinus palustris*). Or, comme on éteint systématiquement les incendies périodiques, des feuillus tendent à remplacer les pins. De nos jours, on a toutefois compris qu'il est possible de se servir du feu comme d'un outil pour entretenir de nombreuses forêts de Conifères.

Dans la plupart des biomes, actuellement, les innombrables activités humaines ont profondément modifié le déroulement naturel des perturbations physiques périodiques. Les incendies, qui faisaient partie de la vie des grandes plaines, sont de nos jours contrôlés pour les besoins de l'agriculture. Les humains ont transformé de nombreux endroits dans le monde en remplaçant les biomes originels par des espaces urbains ou agricoles. Par exemple, la majeure partie de l'est des États-Unis est couverte de forêt décidue tempérée. Mais l'activité humaine n'a laissé qu'un infime pourcentage de forêt naturelle.

La **figure 50.20** passe en revue les principaux biomes terrestres.

Figure 50.20

Panorama Les biomes terrestres

FORÊT TROPICALE

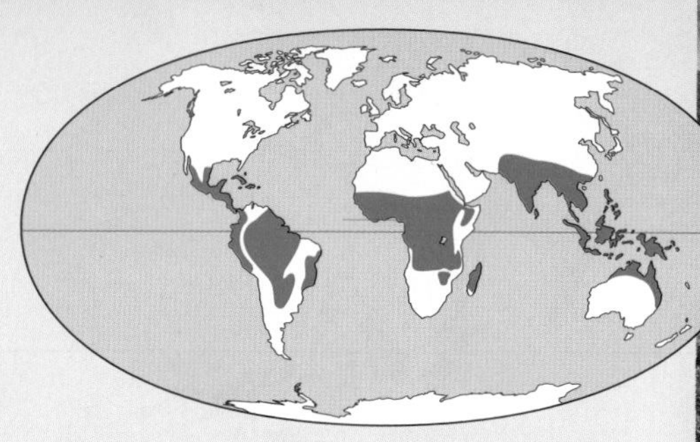

Forêt tropicale humide, à Bornéo

Distribution Régions équatoriales et subéquatoriales.

Précipitations Dans les **forêts tropicales humides**, les précipitations relativement constantes atteignent entre 200 et 400 cm par année. Dans les forêts tropicales sèches, les précipitations, très saisonnières, totalisent entre 150 et 200 cm annuellement; la saison sèche dure de 6 à 7 mois.

Température La température de l'air est élevée toute l'année; elle se situe entre 25 et 29 °C et présente peu de variations saisonnières.

Plantes Les forêts tropicales sont stratifiées, et la compétition pour la lumière y est intense. Les forêts humides présentent une strate d'arbres émergents dont la cime déborde au-dessus du couvert serré des autres arbres, une strate arborescente supérieure (la canopée), une ou deux strates arborescentes inférieures, de même qu'une strate arbustive et une strate herbacée. Dans les forêts tropicales sèches, les strates sont généralement moins nombreuses. Les arbres à feuillage persistant dominent les forêts tropicales humides, tandis que dans les forêts tropicales sèches, les arbres perdent leurs feuilles durant la saison sèche. Des plantes épiphytes telles que les Orchidacées et les Broméliacées couvrent en général les arbres de la forêt tropicale, mais elles sont moins abondantes dans les forêts sèches, où les arbustes hérissés d'épines et les plantes succulentes sont répandus.

Animaux La forêt tropicale est le biome terrestre qui présente la plus grande diversité animale. Les Animaux qui y vivent, notamment des Amphibiens, des Oiseaux, des Reptiles, des Mammifères et des Arthropodes, sont adaptés à ce milieu tridimentionnel où ils passent souvent inaperçus.

Conséquences de l'activité humaine Il y a très longtemps, les humains ont établi des communautés florissantes dans les forêts tropicales. La croissance rapide de ces populations, qui ont dû avoir recours à l'agriculture et à l'exploitation forestière, détruit aujourd'hui les forêts tropicales.

DÉSERT

Distribution Les **déserts** se trouvent dans une bande située entre 30° de latitude nord et 30° de latitude sud environ ou à d'autres latitudes à l'intérieur des continents (par exemple, le désert de Gobi, situé au nord de l'Asie centrale).

Précipitations Les précipitations sont faibles et très variables; elles totalisent en général moins de 30 cm par année.

Température La température varie à la fois en fonction des saisons et du moment de la journée. Dans les déserts chauds, la température maximale de l'air peut dépasser 50 °C; dans les déserts froids, il peut faire jusqu'à –30 °C.

Plantes Les paysages des déserts sont dominés par une végétation basse, dispersée sur de grandes étendues; comparativement aux autres biomes terrestres, la proportion de sol dénudé y est élevée. Les déserts abritent des plantes succulentes, comme les cactus, des arbustes profondément enracinés et des herbes qui croissent pendant les rares périodes humides. Parmi les adaptations issues de l'évolution des plantes désertiques, on trouve la tolérance à la chaleur et à la sécheresse, la capacité d'emmagasiner de l'eau et la réduction de la surface des feuilles. Les défenses physiques, telles les épines, et les défenses chimiques, telles les toxines sécrétées par les feuilles des arbustes, sont communes. De nombreuses plantes désertiques présentent une adaptation photosynthétique: elles sont de type C_4 ou CAM (voir le chapitre 10).

Animaux Les serpents et les lézards, les scorpions, les fourmis, les Coléoptères, les Oiseaux migrateurs et résidents ainsi que les Rongeurs se nourrissant de graines sont des Animaux communs dans les déserts. Beaucoup de ces espèces sont nocturnes. Chez ces Animaux, la conservation de l'eau est une adaptation répandue; en effet, certaines espèces survivent grâce à l'eau provenant de la dégradation métabolique des glucides contenus dans les graines.

Conséquences de l'activité humaine Grâce au transport de l'eau sur de grandes distances et à des puits profonds permettant d'atteindre les nappes d'eau souterraine, les humains ont maintenu des populations importantes dans les déserts. Le passage à la culture irriguée et l'urbanisation ont réduit la biodiversité naturelle de ces biomes.

Désert de Sonora, dans le sud de l'Arizona

SAVANE

Savane typique, au Kenya

Distribution Régions équatoriales et subéquatoriales.

Précipitations Les précipitations, qui sont saisonnières, atteignent en moyenne 30 à 50 cm par année. La saison sèche peut durer jusqu'à huit ou neuf mois.

Température Chaude toute l'année, la température de la **savane** se situe en moyenne entre 24 et 29 °C. La variation saisonnière est toutefois un peu plus marquée que dans les forêts tropicales.

Plantes Les arbres dispersés qu'on trouve dans la savane sont souvent épineux et présentent des feuilles dont la superficie est réduite, une adaptation évidente aux conditions de relative sécheresse. Les incendies sont fréquents pendant la saison sèche, et les espèces de plantes dominantes possèdent des adaptations leur permettant de résister au feu et à la sécheresse saisonnière. Les plantes qui couvrent le sol sont en majorité des Graminées et des Légumineuses; elles croissent rapidement par suite des pluies saisonnières et tolèrent le broutage effectué par les grands Mammifères et d'autres herbivores.

Animaux Les grands Mammifères herbivores, comme les gnous (*Connochætes sp.*) et les zèbres (*Hippotigris sp.*), ainsi que leurs prédateurs, notamment les lions (*Panthera leo*) et les hyènes, sont des espèces communes dans la savane. Toutefois, les herbivores qui dominent ce milieu sont en réalité les Insectes, particulièrement les termites. Les grands Mammifères herbivores doivent chercher des pâturages plus verts et des points d'eau dispersés pendant les sécheresses saisonnières.

Conséquences de l'activité humaine Il semble que les tout premiers humains aient vécu dans la savane. Les incendies allumés par les humains pourraient contribuer à la préservation de ce biome. L'élevage des bestiaux et la chasse excessive ont entraîné des baisses dans les populations de grands Mammifères.

FORÊT MÉDITERRANÉENNE (CHAPARRAL)

Distribution La **forêt méditerranéenne** occupe les régions côtières de latitude moyenne de plusieurs continents, et ses nombreuses appellations témoignent de sa très vaste distribution: chaparral en Amérique du Nord, matorral en Espagne et au Chili, garigue et maquis dans le sud de la France, et fynbos en Afrique du Sud.

Précipitations Les précipitations de la forêt méditerranéenne sont fortement saisonnières: les hivers y sont pluvieux et longs, et les étés, secs. Les précipitations annuelles atteignent en général entre 30 et 50 cm.

Température L'automne, l'hiver et le printemps sont frais, avec des températures moyennes se situant entre 10 et 12 °C. En été, la température moyenne peut atteindre 30 °C, et la température diurne maximale dépasse parfois 40 °C.

Plantes La végétation de ce biome se compose principalement d'arbustes et de petits arbres, ainsi que d'une très grande variété de Graminées et d'herbes. Beaucoup des espèces extrêmement diverses qui y vivent se limitent à un territoire qui leur est spécifique, d'une superficie relativement petite. Les robustes feuilles persistantes des plantes ligneuses sont un exemple d'adaptation à la sécheresse, car elles permettent de mieux conserver l'eau. Les adaptations au feu sont aussi remarquables. En effet, certains arbustes produisent des graines qui ne germent qu'après une exposition au feu; ils emmagasinent des réserves de nourriture dans leur système racinaire résistant au feu, ce qui leur permet de repousser rapidement et d'utiliser les nutriments devenus disponibles grâce au feu.

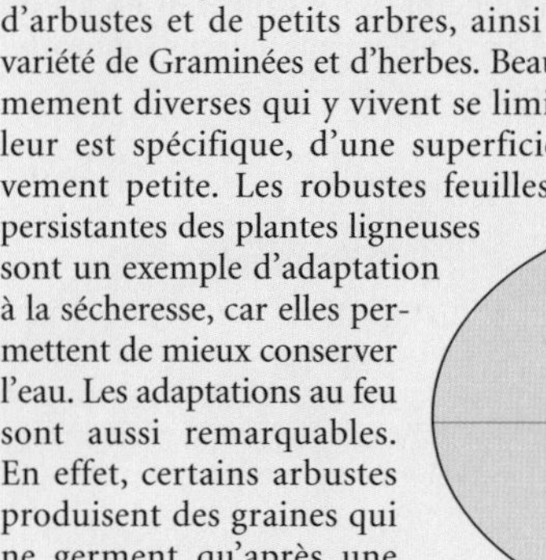

Animaux Les Mammifères indigènes de la forêt méditerranéenne comprennent des cerfs (*Cervus sp.*) et des chèvres (*Capra sp.*), qui se nourrissent des ramilles et des bourgeons des plantes ligneuses, de même qu'une grande diversité de petits Mammifères. Ce biome abrite aussi de très nombreuses espèces d'Amphibiens, d'Oiseaux, de Reptiles et d'Insectes.

Conséquences de l'activité humaine Fortement colonisées, les forêts méditerranéennes ont beaucoup reculé à cause de l'agriculture et de l'urbanisation. Les humains contribuent au déclenchement des incendies qui balaient ce biome.

Zone de forêt méditerranéenne, en Californie

Suite à la page suivante

PRAIRIE TEMPÉRÉE (STEPPE)

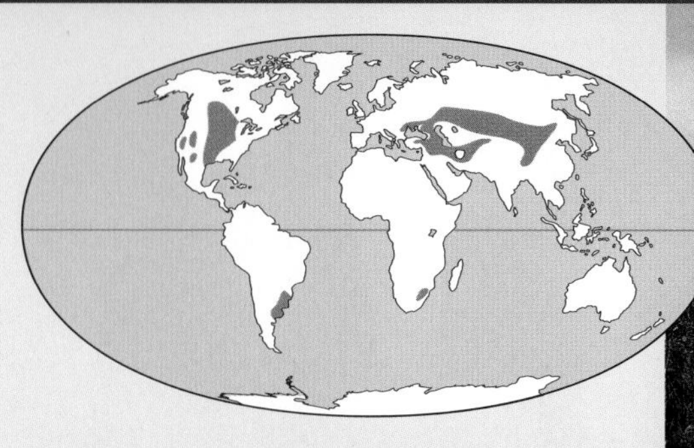

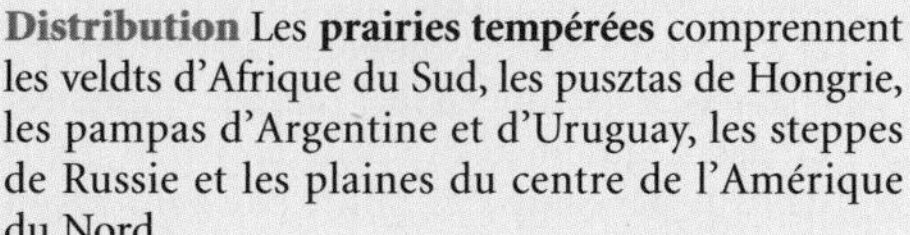

Prairie à herbes hautes, au Kansas

Distribution Les **prairies tempérées** comprennent les veldts d'Afrique du Sud, les pusztas de Hongrie, les pampas d'Argentine et d'Uruguay, les steppes de Russie et les plaines du centre de l'Amérique du Nord.

Précipitations Les précipitations sont très saisonnières, les hivers étant relativement secs et les étés, humides. Les précipitations annuelles atteignent en moyenne entre 30 et 100 cm. Les sécheresses périodiques sont fréquentes.

Température En général, les hivers sont froids: les températures moyennes sont souvent inférieures à –10 °C. Les étés, dont les températures moyennes atteignent souvent près de 30 °C, sont chauds.

Plantes Les plantes dominantes sont les Graminées et les Légumineuses; certaines ne mesurent que quelques centimètres, mais dans les hautes prairies, d'autres peuvent atteindre 2 m de hauteur. Ces plantes présentent des adaptations dont les principales sont relatives aux sécheresses périodiques prolongées et au feu. Après un incendie, les herbes repoussent rapidement. La présence de grands Mammifères herbivores est l'un des facteurs qui empêchent l'implantation d'arbustes et d'arbres ligneux.

Animaux Les Mammifères indigènes comprennent de grands herbivores comme le bison (*Bison bison*) et le cheval sauvage (*Equus caballus*). Les prairies tempérées sont aussi habitées par des Mammifères fouisseurs, comme les chiens de prairie (*Cynomys sp.*) en Amérique du Nord.

Conséquences de l'activité humaine Comme il est riche et épais, le sol des prairies est propice à l'agriculture, notamment à la culture des céréales. Ainsi, la plupart des prairies de l'Amérique du Nord et un grand nombre de celles de l'Eurasie ont été converties en terres agricoles.

FORÊT DE CONIFÈRES (TAÏGA)

Distribution Formant une large bande qui s'étend de l'Amérique du Nord à l'Eurasie, jusqu'à la limite méridionale de la toundra arctique, la forêt de conifères, ou taïga, est le plus vaste biome terrestre.

Précipitations Les précipitations annuelles atteignent en général entre 30 et 70 cm, et les sécheresses périodiques sont fréquentes. Toutefois, les forêts de Conifères côtières des États du nord-ouest des États-Unis bordés par le Pacifique sont en fait des forêtes pluviales tempérées qui peuvent recevoir plus de 300 cm d'eau par année.

Température Les hivers sont habituellement froids et longs; les étés sont parfois chauds. Dans certaines forêts de Conifères de la Sibérie, les températures peuvent varier entre −70 °C l'hiver et plus de 30 °C l'été.

Plantes Les arbres porteurs de cônes, comme les pins (*Pinus sp.*), les épinettes (*Picea sp.*), les sapins (*Abies sp.*) et les pruches (*Tsuga sp.*), dominent les forêts de conifères. Grâce à la forme conique de nombreux Conifières, la neige ne peut s'accumuler sur les branches et les briser. Dans ces forêts, la diversité des plantes des strates arbustive et herbacée est moins grande que dans les forêts décidues tempérées.

Animaux De nombreux Oiseaux migrateurs nichent dans les forêts de Conifères, et beaucoup d'autres espèces y demeurent toute l'année. Ce biome abrite une grande variété de Mammifères, dont les orignaux (*Alces alces*), les ours (*Ursus sp.*) et les tigres de Sibérie (*Panthera tigris altaica*). Des pullulements périodiques d'Insectes qui se nourrissent des espèces d'arbres dominantes peuvent en détruire de vastes zones.

Conséquences de l'activité humaine Bien que les forêts de Conifères n'aient pas été intensément colonisées par les humains, on y coupe du bois à un rythme tel que les peuplements anciens sont fortement menacés.

Rocky Mountain National Park, au Colorado

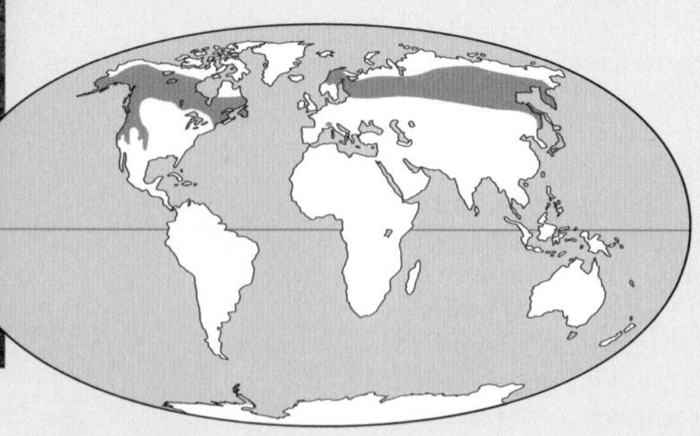

FORÊT DÉCIDUE TEMPÉRÉE

Great Smoky Mountain National Park, en Caroline du Nord

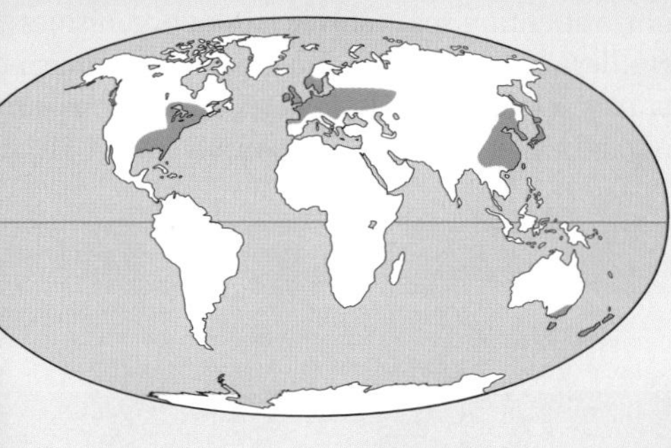

Distribution Les **forêts décidues tempérées** se situent principalement dans les régions de latitude moyenne de l'hémisphère Nord; on en trouve aussi en Nouvelle-Zélande et en Australie, mais en moins grande quantité.

Précipitations Les précipitations annuelles moyennes peuvent varier entre 70 cm environ et plus de 200 cm. Toutes les saisons connaissent d'abondantes chutes d'eau, y compris l'été, où il pleut, et l'hiver, où il neige.

Température Les températures hivernales moyennes sont d'environ 0 °C. Chauds et humides, les étés connaissent des températures maximales de près de 30 °C.

Plantes Les forêts décidues tempérées matures ont plusieurs strates de végétation très diverses, c'est-à-dire une canopée fermée, une ou deux autres strates arborescentes inférieures, une strate arbustive, une strate herbacée, une litière et une strate racinaire. Elles comptent peu d'épiphytes. Dans l'hémisphère Nord, les plantes dominantes sont des arbres qui perdent leurs feuilles en automne, quand les températures sont trop basses pour une photosynthèse efficace et quand la perte d'eau par transpiration n'est pas facilement compensée car le sol est gelé. En Australie, les eucalyptus à feuilles persistantes dominent ces forêts.

Animaux Dans l'hémisphère Nord, de nombreux Mammifères hibernent pendant l'hiver, et certaines espèces d'Oiseaux migrent vers des climats plus chauds. Les Mammifères, les Oiseaux et les Insectes profitent de toutes les strates verticales de ces forêts.

Conséquences de l'activité humaine Sur tous les continents, la forêt décidue tempérée a été intensément colonisée. Presque toutes les forêts décidues tempérées naturelles d'Amérique du Nord ont été réduites ou complètement détruites par la coupe du bois et le défrichage pour l'agriculture et les développements urbains. Toutefois, grâce à leur capacité de récupération, elles regagnent la majeure partie de leur ancienne aire de distribution.

TOUNDRA

Distribution Les **toundras** couvrent une grande partie de l'Arctique, soit 20 % des terres émergées. Les vents et le froid façonnent des communautés végétales semblables, composant la *toundra alpine*, sur les très hauts sommets, à toutes les latitudes, y compris les tropiques.

Précipitations Dans la toundra arctique, les précipitations atteignent en moyenne entre 20 et 60 cm par année, mais elles peuvent être supérieures à 100 cm dans la toundra alpine.

Température Les hivers sont longs et froids, les températures moyennes étant de −30 °C dans certaines régions. Pendant les courts étés, les températures moyennes sont en général inférieures à 10 °C.

Plantes La végétation de la toundra est en majeure partie herbacée. Elle se compose d'un mélange de lichens, de mousses, de Graminées et de Légumineuses, de même que de quelques arbres et arbustes nains. Une couche de sol gelé en permanence, appelé **pergélisol**, empêche l'infiltration de l'eau.

Animaux Parmi les grands herbivores qui habitent la toundra, on trouve les bœufs musqués (*Ovibos moschatus*), qui sont une espèce résidente, et les caribous (*Rangifer arcticus*) et les rennes (*Rangifer tarandus*), qui sont des espèces migratrices. Des prédateurs tels que les ours (*Ursus sp.*), les loups (*Canis lupus*) et les renards (*Vulpes sp.*) y vivent aussi. Pendant l'été, les Oiseaux migrateurs qui utilisent la toundra comme site de nidification sont extrêmement nombreux.

Conséquences de l'activité humaine Peu colonisée, la toundra est cependant devenue au cours des dernières années le siège d'une importante exploitation minière et pétrolière.

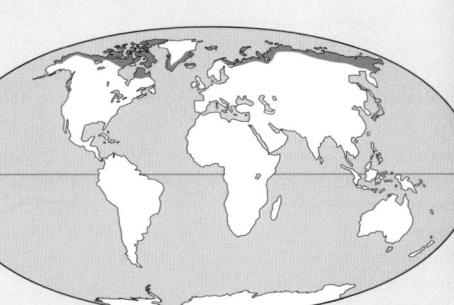

Paysage d'automne dans le Denali National Park, en Alaska

Tout au long de l'examen des divers biomes aquatiques et terrestres de la Terre présenté dans ce chapitre, vous avez vu de nombreux exemples de l'effet considérable des facteurs abiotiques sur le milieu d'un organisme. Dans le prochain chapitre, notre attention sera centrée sur les organismes eux-mêmes : nous étudierons les rôles clés joués par les mécanismes comportementaux et les adaptations dans les interactions qui ont lieu entre un organisme et les éléments non vivants et vivants de son milieu.

Retour sur le concept 50.4

1. D'après le climatogramme de la figure 50.18, quelle est la principale différence entre la toundra sèche et les déserts ?
2. Déterminez le biome naturel dans lequel vous vivez et résumez ses caractéristiques abiotiques et biotiques. Ces caractéristiques correspondent-elles à votre environnement réel ? Expliquez.

Voir les réponses proposées à la fin du chapitre.

Révision du chapitre 50

RÉSUMÉ DES CONCEPTS CLÉS

Concept 50.1

L'écologie est l'étude des interactions des organismes entre eux et avec leur milieu

- **L'écologie et la biologie de l'évolution (p. 1174).** Les événements qui surviennent dans le cadre du temps écologique se répercutent à l'échelle du temps d'évolution.
- **Les organismes et leur milieu (p. 1174-1175).** Voici des exemples de questions que se posent les écologistes : Quels organismes vivent à cet endroit ? Pourquoi vivent-ils à cet endroit ? Et quel est leur nombre ? Les écologistes font appel à des observations et à des expériences pour vérifier les hypothèses expliquant la distribution et l'abondance des espèces, et d'autres phénomènes écologiques. Le milieu de tout organisme comporte des composantes abiotiques et biotiques.
- **Les domaines d'étude de l'écologie (p. 1175-1176).** On peut diviser l'écologie en plusieurs domaines d'étude, qui s'étendent de l'autoécologie à la dynamique des écosystèmes, des paysages et de la biosphère. Les études écologiques modernes franchissent les limites qui séparent des domaines traditionnellement considérés comme distincts.
- **L'écologie et les questions environnementales (p. 1176-1177).** L'écologie fournit un contexte scientifique pour l'étude des questions environnementales. La majorité des écologistes sont partisans du principe de précaution : « Il faut réfléchir avant d'agir. »

Concept 50.2

Les interactions des organismes entre eux et avec leur milieu limitent la distribution des espèces

- **L'expansion et la distribution (p. 1177-1178).** L'expansion des organismes donne lieu à des modèles généraux de distribution géographique. Les hypothèses servant à expliquer pourquoi les espèces se trouvent à tel ou tel endroit se fondent sur les expansions de l'aire naturelle et sur les transplantations d'espèces. Les espèces transplantées perturbent parfois le nouvel écosystème.
- **Le comportement et la sélection d'un habitat (p. 1179).** Une espèce peut n'occuper qu'une partie de l'habitat dans lequel elle pourrait survivre. La distribution des espèces peut être limitée par leur comportement dans le choix d'un habitat.
- **Les facteurs biotiques (p. 1179).** Les facteurs biotiques qui influent sur la distribution des organismes comprennent les interactions avec d'autres espèces, comme la prédation et la compétition.
- **Les facteurs abiotiques (p. 1179-1181).** Les facteurs abiotiques importants qui influent sur la distribution des organismes sont notamment la température, l'eau, l'intensité lumineuse, le vent, et les roches et le sol.
- **Le climat (p. 1181-1186).** Les régimes climatiques à l'échelle planétaire sont en grande partie déterminés par l'apport d'énergie solaire et par la rotation de la Terre autour du Soleil. Les phénomènes régionaux, locaux et saisonniers qui agissent sur le climat sont influencés par les étendues d'eau, les montagnes et la variation de l'angle d'incidence du Soleil au cours de l'année. Quant aux microclimats, ils sont déterminés par les différences subtiles que présentent les facteurs abiotiques.

Concept 50.3

Les facteurs abiotiques et biotiques influent sur la structure et la dynamique des biomes aquatiques

- Les biomes aquatiques occupent la majeure partie de la biosphère et présentent souvent une stratification verticale, pour ce qui est de l'intensité lumineuse, de la température et de la structure des communautés. Dans les biomes marins, la teneur en sel est plus élevée que dans les biomes dulcicoles **(p. 1186-1187)**.

Concept 50.4

Le climat détermine en grande partie la distribution et la structure des biomes terrestres

- **Le climat et les biomes terrestres (p. 1192).** Les climatogrammes montrent que la température et les précipitations sont en corrélation avec les biomes, mais, comme les biomes se chevauchent, d'autres facteurs abiotiques jouent nécessairement un rôle dans leur emplacement géographique.
- **Les caractéristiques générales des biomes terrestres (p. 1192-1198).** On nomme souvent les biomes terrestres selon leurs principales caractéristiques physiques ou climatiques et selon la végétation qui y prédomine. La stratification est une caractéristique importante des biomes terrestres.

VÉRIFIEZ VOS CONNAISSANCES

Autoévaluation

(Les questions dont les numéros sont en caractères gras font surtout appel à la compréhension.)

1. Parmi les domaines d'étude suivants, lequel s'applique à l'échange d'énergie, d'organismes et de matière entre les écosystèmes ?
   a) Écologie des populations.
   b) Autoécologie.
   c) Écologie du paysage.
   d) Écologie des écosystèmes.
   e) Écologie des communautés.

2. Lequel des énoncés suivants concernant l'expansion est *inexact*?
   a) L'expansion est une composante commune des cycles de développement des Végétaux et des Animaux.
   b) La colonisation de zones dévastées par des inondations ou des éruptions volcaniques dépend de l'expansion.
   c) L'expansion n'a lieu qu'à l'échelle du temps de l'évolution.
   d) Les graines constituent des étapes importantes d'expansion dans les cycles de développement de la plupart des Angiospermes.
   e) La capacité à se disperser peut limiter la distribution géographique d'une espèce.

3. Imaginez qu'une catastrophe cosmique ébranle la Terre avec tellement de force que son axe ne soit plus incliné, mais devienne perpendiculaire à une droite reliant le Soleil et la Terre. Ce changement aurait pour effet prévisible:
   a) d'abolir l'alternance du jour et de la nuit.
   b) de modifier la durée de l'année.
   c) de rafraîchir l'équateur.
   d) d'éliminer les variations saisonnières aux latitudes boréales et australes.
   e) d'éliminer les courants marins.

4. En escaladant les montagnes, on observe, dans les communautés biologiques, des transitions qui sont analogues aux changements que l'on rencontre:
   a) dans les biomes à différentes latitudes.
   b) à différentes profondeurs dans l'océan.
   c) dans une communauté au fil des saisons.
   d) dans un écosystème selon son évolution dans le temps.
   e) en voyageant d'est en ouest au Canada.

5. Les océans influent sur la biosphère de toutes les façons suivantes, *mais pas*:
   a) en produisant une partie importante du dioxygène de la biosphère.
   b) en diminuant la quantité de dioxyde de carbone de l'atmosphère.
   c) en modérant le climat des biomes terrestres.
   d) en régulant le pH des biomes dulcicoles et des nappes souterraines.
   e) en étant la source de la majeure partie des précipitations terrestres.

6. Laquelle des zones suivantes serait absente dans un lac très peu profond?
   a) Zone benthique.
   b) Zone aphotique.
   c) Zone pélagique.
   d) Zone littorale.
   e) Zone limnétique.

7. Parmi les énoncés suivants concernant les lacs oligotrophes et les lacs eutrophes, lequel est *exact*?
   a) Les lacs oligotrophes sont davantage exposés à l'appauvrissement en dioxygène.
   b) L'activité de photosynthèse est plus faible dans les lacs eutrophes.
   c) Dans l'eau des lacs eutrophes, les concentrations de nutriments sont plus faibles.
   d) Les lacs eutrophes sont plus riches en nutriments.
   e) Les lacs oligotrophes contiennent de plus grandes quantités de matières organiques décomposables.

8. Parmi les caractéristiques suivantes, laquelle est commune à tous les biomes terrestres?
   a) Précipitations moyennes annuelles dépassant 30 cm.
   b) Distribution déterminée presque entièrement par le type de roches et de sol.
   c) Frontières nettes entre des biomes adjacents.
   d) Végétation présentant une stratification verticale.
   e) Mois d'hiver froids.

9. Laquelle des associations suivantes d'un biome avec la description de son climat est *exacte*?
   a) Savane: températures froides, précipitations uniformes pendant toute l'année.
   b) Toundra: étés longs, hivers doux.
   c) Forêt décidue tempérée: saison de végétation assez courte, hivers doux.
   d) Prairies tempérées: hivers assez chauds, majeure partie des précipitations en été.
   e) Forêts tropicales humides: photopériode et température presque constantes.

10. Si on tient pour acquis que le nombre d'espèces d'Oiseaux est principalement fonction du nombre de strates verticales se trouvant dans le milieu, dans lequel des biomes suivants trouverait-on le plus grand nombre d'espèces d'Oiseaux?
   a) Forêt tropicale humide.
   b) Savane.
   c) Taïga.
   d) Forêt décidue tempérée.
   e) Prairie tempérée.

Lien avec l'évolution

Comment le concept de temps s'applique-t-il aux situations écologiques et aux changements de l'évolution? Le temps écologique et le temps de l'évolution peuvent-ils parfois correspondre? Si oui, donnez quelques exemples.

Intégration

Pendant une randonnée en montagne, vous remarquez une espèce végétale qui croît sous une certaine forme à basse altitude et sous une autre forme, très différente, à haute altitude. Vous vous demandez si ces plantes représentent deux populations génétiquement distinctes d'une même espèce, chacune étant adaptée aux conditions qui règnent, ou si cette espèce possède un mode de développement flexible lui permettant de prendre l'une ou l'autre forme, selon les conditions locales. Quelles expériences pourriez-vous mener pour vérifier ces deux hypothèses?

Science, technologie et société

Dans les animaleries d'Amérique du Nord, on peut acheter des Poissons, des Oiseaux et des Reptiles qui ne sont pas originaires d'Amérique du Nord. Présentez un scénario dans lequel ce genre de commerce d'Animaux de compagnie pourrait mettre en péril les plantes et les Animaux indigènes. Les gouvernements devraient-ils réglementer le commerce des Animaux de compagnie? Y a-t-il actuellement des restrictions concernant les espèces qu'une animalerie peut vendre dans votre ville? Comment peut-on harmoniser ce type de réglementation avec les droits de la personne?

Réponses du chapitre 50

Retour sur le concept 50.1

1. L'*écologie* est l'étude scientifique des interactions des organismes entre eux et avec leur milieu; l'*écologisme* est l'intervention en faveur de la protection ou de la préservation du milieu naturel. Les connaissances apportées par l'écologie permettent de prendre des décisions mieux éclairées relativement aux problèmes environnementaux.
2. Les événements qui se produisent à l'échelle du temps écologique et qui ont une incidence sur la survie et la reproduction peuvent provoquer des modifications du patrimoine génétique d'une population, modifications qui, avec le temps, se répercuteront à l'échelle du temps de l'évolution.
3. (a) L'écologie des populations; (b) l'écologie des communautés.

Retour sur le concept 50.2

1. (a) Les humains peuvent transplanter une espèce dans une région qui lui était inaccessible à cause d'une barrière géographique (modification de l'expansion). (b) Les humains peuvent modifier les interactions biotiques d'une espèce en éliminant d'une région une espèce prédatrice, comme les oursins de mer.
2. La répartition inégale de la chaleur du Soleil sur la surface de la Terre entraîne des variations de température entre les régions tropicales, qui sont chaudes, et les régions polaires, qui sont froides; elle exerce aussi une action sur le mouvement des masses d'air et, par conséquent, sur la distribution de l'humidité à différentes latitudes.

Retour sur le concept 50.3

1. Dans les lacs oligotrophes, parce qu'ils tendent à être pauvres en nutriments et riches en dioxygène.
2. Comme la zone benthique se situe sous la zone euphotique, la lumière ne peut y pénétrer en quantité suffisante pour permettre à des organismes photosynthétiques de s'y fixer ou de s'enraciner.

Retour sur le concept 50.4

1. Dans les déserts, la température moyenne est plus élevée.
2. Les réponses, qui varieront nécessairement selon les régions, doivent cependant se fonder sur l'information donnée à la figure 50.19. Évidemment, plus l'état naturel de votre biome a été modifié, moins ses caractéristiques correspondront à celles de votre environnement réel, surtout en ce qui concerne les Végétaux et les Animaux qu'on devrait y trouver.

Autoévaluation

1. c; 2. c; **3.** d; **4.** a; **5.** d; 6. b; **7.** d; 8. d; 9. e; 10. a.

51

La biologie du comportement

▲ **Figure 51.1 Parade nuptiale chez un couple de grues royales (*Balearica regulorum*).**

Concepts clés

51.1 Les biologistes du comportement font une distinction entre les causes immédiates et les causes ultimes du comportement

51.2 De nombreux comportements ont une forte composante génétique

51.3 L'environnement, en interaction avec la constitution génétique d'un Animal, influe sur le développement des comportements

51.4 Les caractéristiques comportementales peuvent évoluer par sélection naturelle

51.5 La sélection naturelle favorise les comportements qui contribuent à la survie et au succès reproductif

51.6 Le concept de valeur d'adaptation globale explique en grande partie le comportement altruiste

Introduction

L'étude du comportement

Les humains étudient sans doute depuis toujours le comportement des Animaux. Du temps qu'ils étaient des chasseurs – et parfois aussi des proies –, les connaissances dans ce domaine étaient essentielles à leur survie. Mais, mis à part ce besoin d'information pratique, ils étudient aussi d'autres Animaux parce qu'ils les trouvent fascinants. Ainsi, les grues (*Grus sp.*) suscitent depuis longtemps l'intérêt des gens, probablement en raison de leur taille imposante et de leur comportement facile à observer (**figure 51.1**). Au cours de la parade nuptiale, les grues mâles et femelles s'adonnent à des rituels élaborés comportant des mouvements évoquant la danse et des vocalisations synchronisées. L'observation de ces rituels a amené beaucoup de personnes à considérer ces Oiseaux comme des symboles de fidélité et d'attachement. Mais certains des comportements les plus remarquables des grues sont associés à leurs migrations annuelles. Chaque printemps, des milliers de ces Oiseaux quittent leurs aires d'hivernage, situées dans le sud de l'Eurasie, en Afrique du Nord et en Amérique du Nord, pour s'envoler vers des aires de nidification septentrionales. Diverses espèces de grues parcourent des centaines et même des milliers de kilomètres, s'arrêtant à intervalles réguliers pour se reposer et se nourrir. Pendant leur migration, elles volent à haute altitude en poussant des cris ; c'est pourquoi, dans certaines cultures, on croit traditionnellement que ce sont des messagères reliant la Terre et les cieux.

La **biologie du comportement** est une discipline scientifique moderne qui pousse plus loin de telles observations du comportement animal en étudiant comment il est régi et comment il s'établit, évolue et contribue à la survie et au succès reproductif. Par exemple, un biologiste du comportement peut se demander comment faire le lien entre les ressemblances ou les différences entre les parades nuptiales et les ressemblances ou les différences génétiques entre les espèces de grues, et quel rôle joue l'apprentissage dans l'élaboration des parades nuptiales. Au sujet de la migration, il pourrait se poser des questions comme celles-ci : Pourquoi les grues poussent-elles des cris pendant leur vol migratoire ? Par quels signaux environnementaux la migration est-elle déclenchée ? Comment la migration contribue-t-elle au succès reproductif des grues ? La biologie du comportement est essentielle à la résolution éclairée d'importants problèmes allant de la conservation des espèces en danger de disparition à la lutte contre les nouvelles maladies infectieuses. Le présent chapitre, qui tente d'expliquer le lien entre le comportement et la génétique, le milieu, et l'évolution, se penche notamment sur ces questions.

Concept 51.1

Les biologistes du comportement font une distinction entre les causes immédiates et les causes ultimes du comportement

En général, les questions soulevées par un comportement, quel qu'il soit, appartiennent aux deux catégories suivantes : celles qui sont axées sur le stimulus et le mécanisme immédiats responsables du comportement et celles qui portent sur la façon dont le comportement favorise la survie et la reproduction. Toutefois, il convient d'abord d'envisager une question encore plus fondamentale : à quoi le terme *comportement* s'applique-t-il ?

Qu'est-ce que le comportement ?

Au même titre que la longueur de ses appendices ou la couleur de sa fourrure, les caractéristiques du comportement d'un Animal font partie de son phénotype. Le comportement consiste pour une large part en une activité musculaire observable chez un Animal, par exemple lorsqu'un prédateur pourchasse sa proie ou qu'un Poisson dresse ses nageoires pendant une parade territoriale **(figure 51.2)**. Il y a également des comportements dans lesquels l'activité musculaire est moins évidente, notamment lorsqu'un Oiseau chante en se servant de muscles pour expulser de l'air de ses poumons et produire des sons dans sa gorge. Il existe même des activités dans lesquelles les muscles n'interviennent pas et qui sont considérées comme des comportements. C'est le cas lorsqu'un Animal sécrète une hormone qui attire les individus du sexe opposé. Enfin, on peut considérer l'apprentissage comme un processus comportemental, même si le comportement observable n'a lieu que plus tard. Par exemple, un oisillon peut mémoriser un chant quand il entend un congénère adulte le chanter. Mais sa première activité musculaire observable pour le chant ne viendra que des mois plus tard, quand il commencera à imiter le chant qu'il a mémorisé. Par conséquent, en plus de l'étude de comportements observables, principalement sous forme d'activités engendrées par des muscles, les biologistes du comportement étudient aussi les mécanismes responsables de ces comportements, qui peuvent ne faire appel à aucun muscle. Autrement dit, on peut considérer que le **comportement** est ce que l'Animal fait et la façon dont il le fait.

Les questions portant sur les causes immédiates et sur les causes ultimes

Quand on observe un comportement, on peut s'interroger sur ses causes *immédiates* et sur ses causes *ultimes*. Les **questions portant sur les causes immédiates** s'appliquent aux stimulus environnementaux éventuels qui déclenchent le comportement, de même qu'aux mécanismes génétiques, physiologiques et anatomiques qui en sont responsables. Ces questions concernent les modalités du comportement. Par exemple, comme beaucoup d'autres Animaux, les grues du Canada (*Grus canadensis*) se reproduisent au printemps et au début de l'été. Voici une question portant sur la cause immédiate du choix de ce moment pour la reproduction : en quoi la durée du jour influe-t-elle sur la reproduction des grues du Canada ? La cause immédiate, selon une hypothèse raisonnable, est que la reproduction est déclenchée par l'effet de l'augmentation de la photopériode (durée de l'éclairement diurne) sur la production de certaines hormones et sur les réactions qu'elles suscitent chez cet Animal. En effet, chez de nombreux Animaux, on peut stimuler la reproduction en prolongeant expérimentalement la période quotidienne d'exposition à la lumière. Ce stimulus provoque des changements nerveux et hormonaux qui déclenchent des comportements de reproduction tels que le chant et la nidification chez les Oiseaux.

Pour leur part, les **questions portant sur les causes ultimes** concernent la signification d'un comportement sur le plan de l'évolution. Elles peuvent prendre la forme suivante : Pourquoi la sélection naturelle a-t-elle favorisé un comportement et pas un autre ? Selon les hypothèses qui visent à trouver le pourquoi des choses, le comportement maximise la valeur d'adaptation d'une façon particulière. Il est raisonnable de poser l'hypothèse que la raison pour laquelle les grues du Canada se reproduisent au printemps et au début de l'été est que la reproduction donne de meilleurs résultats à cette époque de l'année. Au printemps, en effet, les Oiseaux trouvent une nourriture abondante pour leurs jeunes qui croissent rapidement. Ceux qui se reproduiraient à un autre moment seraient désavantagés du point de vue du succès reproductif.

La causalité immédiate et la causalité ultime sont deux notions distinctes, mais quand même connexes. Les mécanismes immédiats engendrent des comportements qui ont évolué parce qu'ils se répercutent sur la valeur d'adaptation d'une façon particulière. Ainsi, l'augmentation de la photopériode a en soi peu de signification du point de vue de l'adaptation chez les grues du Canada, mais comme elle correspond aux conditions saisonnières qui contribuent au succès reproductif, telles que la disponibilité de la nourriture pour les jeunes, le fait de se reproduire lorsque les jours sont plus longs est un mécanisme immédiat qui a évolué chez les grues du Canada.

▲ **Figure 51.2 Cichlidé africain mâle (*Neolamprologus tetracephalus*) aux nageoires dressées.** La contraction musculaire responsable de l'érection des nageoires est une réaction comportementale du Poisson pour défendre son territoire.

L'éthologie

Au milieu du XXe siècle, un certain nombre de pionniers de la biologie du comportement ont créé une discipline appelée **éthologie**. L'éthologie est l'étude scientifique de la façon dont les Animaux se conduisent dans leur habitat naturel. Les éthologistes Niko Tinbergen, des Pays-Bas, et Karl von Frisch et Konrad Lorenz, d'Autriche, qui ont partagé un prix Nobel en 1973, ont établi le fondement théorique de l'éthologie moderne. Dans un article publié en 1963, Tinbergen proposait quatre questions dont les réponses étaient essentielles à la bonne compréhension de tout comportement. On peut résumer comme suit ses questions, qui demeurent aujourd'hui au centre de l'éthologie :

1. Quels sont les mécanismes chimiques, anatomiques et physiologiques qui sous-tendent le comportement ?
2. En quoi le développement de l'Animal, de l'état de zygote à celui d'individu mature, influe-t-il sur le comportement ?
3. Quelle est l'histoire de l'évolution du comportement ?
4. Comment le comportement contribue-t-il à la survie et à la reproduction (adaptation) ?

La liste de Tinbergen comprend des questions qui portent tant sur les causes immédiates que sur les causes ultimes. Les deux premières, qui concernent les mécanismes et l'établissement du comportement, portent sur les causes immédiates ; les deux autres portent sur les causes ultimes, ou sur l'évolution. Les comportements fréquemment étudiés par les éthologistes classiques, comme la séquence stéréotypée d'actes instinctifs et l'imprégnation, font ressortir la complémentarité des causes immédiates et des causes ultimes.

La séquence stéréotypée d'actes instinctifs

La **séquence stéréotypée d'actes instinctifs**, suite d'actions non apprises qui est toujours la même et qu'un Animal termine une fois qu'il l'a entreprise, représente un type de comportement que les éthologistes ont abondamment étudié. Un stimulus sensoriel externe appelé **déclencheur** (stimulus signal) provoque une séquence stéréotypée d'actes instinctifs. Pour illustrer l'effet des déclencheurs sur ce type de comportement, on peut utiliser l'exemple classique du mâle chez l'épinoche à trois épines (*Gasterosteus aculeatus*) étudié par Tinbergen. Ce Poisson attaque les mâles de son espèce qui entrent dans son territoire. L'abdomen rouge de l'intrus constitue le déclencheur du comportement agressif. L'épinoche à trois épines mâle n'attaque pas les intrus dépourvus d'abdomen rouge (notez que les épinoches femelles n'ont jamais l'abdomen rouge), mais fonce sur tout ce qui porte du rouge, même s'il s'agit d'un leurre **(figure 51.3)**. Tinbergen commença à s'intéresser à ce phénomène après avoir observé que ses Poissons réagissaient agressivement au passage d'un chariot rouge devant leur aquarium. Grâce à cette recherche, dont les résultats furent publiés pour la première fois en 1937, Tinbergen a découvert que la coloration rouge est un élément essentiel du déclencheur qui est à l'origine d'un comportement agressif chez l'épinoche à trois épines mâle.

La **figure 51.4** présente la cause immédiate et la cause ultime expliquant cette séquence stéréotypée d'actes instinctifs observée chez l'épinoche à trois épines.

(a) Une épinoche à trois épines mâle présente son abdomen rouge.

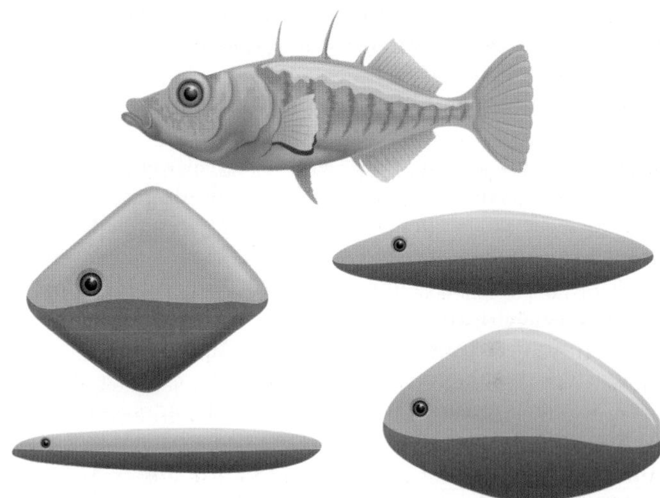

(b) Le leurre de forme réaliste mais n'ayant pas l'abdomen rouge, en haut de la figure, ne provoque aucune réaction de la part de l'épinoche à trois épines. Tous les autres leurres, qui sont plutôt difformes et portent du rouge dans leur partie inférieure, provoquent par contre de fortes réactions.

▲ **Figure 51.3 Rôle du déclencheur dans une séquence stéréotypée d'actes instinctifs classique.**

COMPORTEMENT : Une épinoche à trois épines mâle attaque d'autres épinoches à trois épines mâles qui empiètent sur son territoire de reproduction.

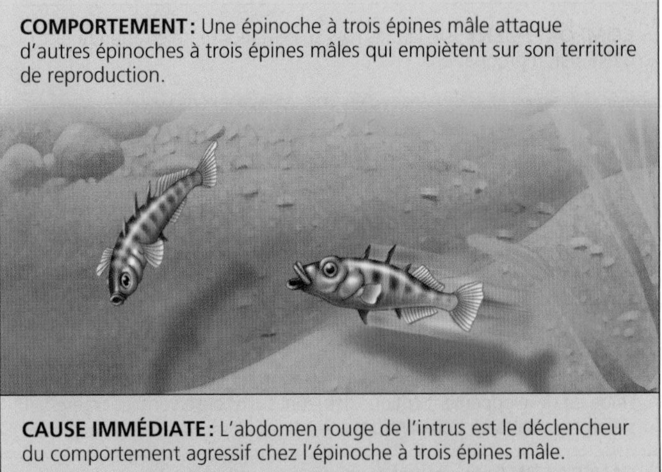

CAUSE IMMÉDIATE : L'abdomen rouge de l'intrus est le déclencheur du comportement agressif chez l'épinoche à trois épines mâle.

CAUSE ULTIME : En éloignant les intrus, ce mâle réduit les risques que les œufs pondus dans son territoire de reproduction soient fécondés par un autre mâle.

▲ **Figure 51.4 Causes immédiate et ultime expliquant le comportement agressif des épinoches à trois épines mâles.**

L'imprégnation

L'**imprégnation** est un autre phénomène qui a été étudié par les éthologistes classiques. Il s'agit d'un type de comportement qui implique à la fois l'apprentissage et l'instinct, et qui est généralement irréversible. L'imprégnation se distingue des autres formes d'apprentissage par le fait qu'elle est limitée à une **période spécifique** dans la vie de l'Animal, un laps de temps pendant lequel l'apprentissage d'un comportement peut se faire. Les jeunes oies (*Anser sp.*) qui suivent leur mère à la queue leu leu sont un exemple d'imprégnation. La création de liens entre les parents et les petits chez les espèces qui prennent soin de leurs petits est une phase critique du cycle de vie. Au cours de la période de formation de ces liens, les petits apprennent par imprégnation les comportements élémentaires de leur espèce, tandis que le parent apprend à reconnaître sa progéniture. Chez les goélands (*Larus sp.*), par exemple, la période critique de formation des liens entre le parent et les petits dure un jour ou deux. S'il ne s'établit pas de liens, le parent ne prendra pas soin du petit. Il en résultera une mort certaine pour celui-ci et un succès reproductif moindre pour le parent.

Mais comment les jeunes savent-ils par qui – ou par quoi – l'imprégnation doit être effectuée ? Comment les jeunes oies savent-elles qu'elles doivent suivre leur mère ? La tendance à réagir est innée chez ces Oiseaux ; le *stimulus d'imprégnation*, c'est-à-dire l'objet vers lequel ils dirigent leur réaction, leur vient du monde extérieur. Des expériences menées sur de nombreuses espèces de sauvagines indiquent que la reconnaissance de la « mère » n'est pas innée chez elles. Ces Oiseaux réagissent et s'identifient au premier objet qu'ils rencontrent, pour peu que ce dernier possède certaines caractéristiques simples. Dans une étude célèbre réalisée en 1930, Konrad Lorenz démontra que le principal stimulus d'imprégnation chez l'oie cendrée (*Anser anser*) est le mouvement d'un objet éloigné. Des oisons couvés en incubateur passèrent les premières heures de leur vie avec Lorenz, et non avec leur mère. Ayant appris à le reconnaître par imprégnation, ils le suivaient fidèlement et ne reconnaissaient ni leur mère biologique ni les autres adultes de leur espèce. Ici encore, le comportement s'explique par une cause immédiate et une cause ultime, comme le souligne la **figure 51.5**.

Chez les grues, les petits apprennent aussi par imprégnation, phénomène qui a créé des problèmes, mais aussi des occasions favorables dans le cadre de programmes d'élevage en captivité destinés à sauver des espèces menacées de disparition. Ainsi, couvées et élevées par des grues du Canada (*Grus canadensis*), un groupe de 77 grues blanches d'Amérique (*Grus americana*) en voie de disparition ont subi l'imprégnation de leurs parents adoptifs ; or, jamais aucune de ces grues blanches n'a formé de lien sexuel avec un autre membre de son espèce. Aujourd'hui, pour les besoins des programmes de reproduction en captivité, on isole donc les jeunes grues et on leur fait voir et entendre les membres de leur propre espèce. Par ailleurs, l'imprégnation a aussi été utilisée pour favoriser la conservation des grues **(figure 51.6)**. Des jeunes grues blanches ayant subi une imprégnation de la part d'humains « costumés en grues » ont appris à suivre ces « parents de substitution » qui, aux commandes d'avions ultralégers, empruntaient de nouvelles routes de migration. Fait important, ces grues ont formé des liens sexuels avec d'autres membres de leur espèce.

COMPORTEMENT : De jeunes oies suivent leur mère et apprennent d'elle par imprégnation.

CAUSE IMMÉDIATE : Peu de temps après leur naissance, au cours d'un stade de développement critique, les jeunes oies observent leur mère s'éloigner d'elles en poussant des cris.

CAUSE ULTIME : En général, les oies qui suivent leur mère et apprennent d'elle par imprégnation reçoivent davantage d'attention et acquièrent des habiletés indispensables ; elles ont par conséquent de meilleures chances de survivre que celles qui ne suivent pas leur mère.

▲ **Figure 51.5 Causes immédiate et ultime expliquant le phénomène d'imprégnation chez les oies cendrées.**

▲ **Figure 51.6 L'imprégnation au service de la conservation.** Des spécialistes de la biologie de conservation ont mis à profit l'imprégnation subie par de jeunes grues blanches : ils s'en sont servi pour montrer à ces Oiseaux une nouvelle route de migration. Costumé en grue, le pilote d'un avion ultraléger joue le rôle de parent de substitution.

Bien que la recherche sur l'imprégnation et les séquences stéréotypées d'actes instinctifs soit beaucoup moins active qu'auparavant, c'est grâce aux premiers travaux portant sur ces comportements qu'on a pu faire la distinction entre leurs causes immédiates et leurs causes ultimes. Ces études ont également contribué à l'établissement d'une solide tradition de démarches expérimentales dans le domaine de la biologie du comportement.

Retour sur le concept 51.1

1. Un écureuil terrestre qui aperçoit un prédateur pousse parfois un cri bref et fort. Relativement à ce comportement, formulez quatre questions sur le modèle des quatre questions de Tinbergen. Pour chacune, dites si elle porte sur une cause immédiate ou sur une cause ultime du comportement de l'écureuil.
2. Si un de ses œufs roule à l'extérieur du nid, l'oie cendrée (*Anser anser*) le récupérera en le poussant délicatement de son bec et de sa tête. Si des chercheurs retirent l'œuf ou le remplacent par une balle au cours de ce processus, l'oie réagira de la même façon. De quel type de comportement s'agit-il ? Expliquez-le par une cause immédiate et par une cause ultime.

Voir les réponses proposées à la fin du chapitre.

Concept 51.2

De nombreux comportements ont une forte composante génétique

Des études approfondies montrent que, au même titre que les aspects anatomiques et physiologiques d'un phénotype, ses caractéristiques comportementales sont le résultat d'interactions complexes entre des facteurs génétiques et des facteurs environnementaux. Cette conclusion tranche nettement avec l'opinion populaire selon laquelle le comportement est attribuable *soit* aux gènes (à l'inné), *soit* à l'influence du milieu (à l'acquis). En biologie, la question de l'inné et de l'acquis ne fait pas l'objet d'un débat. Les biologistes étudient plutôt la façon dont les gènes et le milieu environnant conditionnent ensemble l'apparition des phénotypes, y compris ceux du comportement. Bien que nous commencions par traiter des influences génétiques et que nous n'abordions que plus tard les influences du milieu, n'oubliez pas que tous les comportements sont assujettis à la fois à des facteurs génétiques et à des facteurs environnementaux.

Pour étudier l'influence de différents facteurs sur un comportement donné, on peut faire intervenir la norme de réaction (voir la figure 14.13). On mesure alors, pour un génotype donné, quels phénotypes de comportement apparaissent dans différents milieux. Dans certains cas, le milieu fait varier le comportement. Dans d'autres, presque tous les individus d'une population présentent le même comportement, malgré les différences internes et externes du milieu dans lequel ils évoluent pendant leur développement et toute leur vie. Un comportement *fixé au cours du développement* de cette façon est appelé **comportement inné**. Les comportements innés sont fortement déterminés par les gènes, comme l'illustrent les exemples suivants.

Les mouvements dirigés

Chez les Animaux, de nombreux mouvements, des plus simples – effectués dans un rayon de quelques millimètres – aux plus complexes – couvrant des centaines ou des milliers de kilomètres –, subissent une influence génétique considérable. En raison du rôle évident joué par les gènes dans l'exécution de ces mouvements, on peut les qualifier de *mouvements dirigés*.

La cinèse

Une **cinèse** est une modification simple du degré d'activité ou de la vitesse du changement de direction en réponse à un stimulus. Par exemple, les cloportes, des Crustacés terrestres dont la survie est mieux assurée dans les milieux humides, réagissent par une cinèse lorsque les conditions d'humidité varient **(figure 51.7a)**. Leur activité s'intensifie dans les milieux secs et diminue dans les milieux humides. Les cloportes ne recherchent pas ou n'évitent pas des conditions spécifiques. Mais, comme ils sont plus actifs dans un milieu sec, ils ont davantage de chances de le quitter et d'atteindre un milieu humide. À l'opposé, comme ils sont moins actifs dans un milieu humide, ils ont tendance à y demeurer.

La taxie

En revanche, une **taxie** est un mouvement orienté plus ou moins automatique qui rapproche (taxie positive) ou éloigne (taxie négative) un organisme d'un stimulus. Par exemple, beaucoup de Poissons de rivière, comme la truite, présentent une rhéotaxie positive (du grec *rheos*, qui signifie « courant ») ; ils nagent ou s'orientent automatiquement vers l'amont (contre le courant). Cette taxie les empêche d'être emportés au loin et leur permet de demeurer tournés du côté d'où proviennent les aliments **(figure 51.7b)**.

La migration

Il est facile de présumer qu'un comportement simple, comme la cinèse chez les cloportes ou la rhéotaxie positive chez les truites, est fortement déterminé par les gènes. Pourtant, l'influence génétique peut être considérable même dans le cas de comportements plus complexes. Par exemple, les ornithologues ont découvert que de nombreuses caractéristiques du comportement migratoire sont génétiquement programmées **(figure 51.8)**.

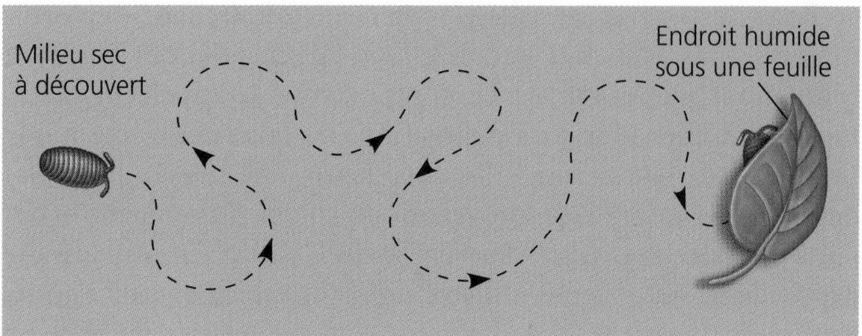

(a) Grâce à la cinèse, le cloporte augmente ses chances de trouver un milieu humide et d'y demeurer.

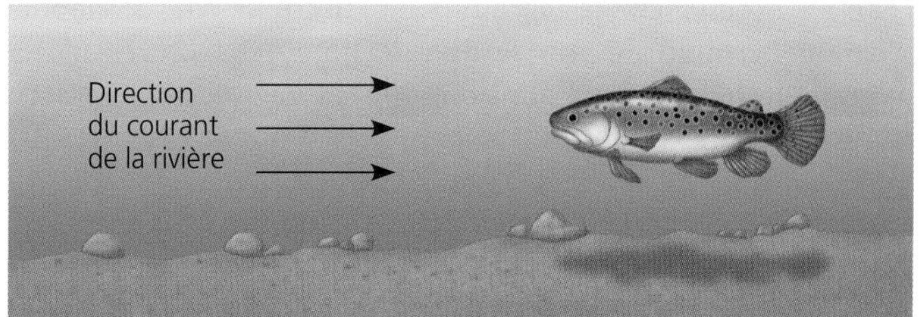

(b) La rhéotaxie positive permet à la truite de nager contre le courant, soit dans la direction d'où les aliments proviennent.

▲ **Figure 51.7 Exemples de cinèse et de taxie.**

La fauvette à tête noire (*Sylvia atricapilla*) est l'un des Oiseaux migrateurs qui a fait l'objet des études les plus approfondies. L'aire de dispersion géographique de cette petite fauvette s'étend des îles du Cap-Vert, près des côtes de l'Afrique occidentale, au nord de l'Europe. Le comportement migratoire de cet Oiseau diffère grandement d'une population à l'autre ; ainsi, tandis que toutes les fauvettes à tête noire qui occupent la partie nord de l'aire de distribution migrent, habituellement la nuit, celles des îles du Cap-Vert ne migrent jamais. Par ailleurs, pendant la saison où la migration a normalement lieu, les fauvettes migratrices en captivité passent leurs nuits à sautiller nerveusement dans leur cage ou à battre rapidement des ailes sur leur perchoir.

▲ **Figure 51.8 La migration des Oiseaux, un comportement en grande partie régi par les gènes.** Chaque printemps, les bécasseaux d'Alaska (*Calidris mauri*), comme ceux qu'on voit sur la photo, migrent de leur aire d'hivernage, parfois située dans un pays aussi austral que le Pérou, vers leur aire de reproduction, en Alaska. À l'automne, ils regagnent leur aire d'hivernage.

Peter Berthold et ses collègues du Centre de recherche en ornithologie Max Planck à Radolfzell, en Allemagne, ont étudié le fondement génétique de ce comportement, appelé *agitation migratoire*, chez plusieurs populations de fauvettes à tête noire. Dans une de leurs études, les chercheurs ont croisé (accouplé) des fauvettes migratrices provenant du sud de l'Allemagne et des fauvettes non migratrices provenant du Cap-Vert. Ils ont ensuite exposé leurs petits à des milieux simulant un endroit ou l'autre. Approximativement 40 % des petits élevés dans les deux milieux présentaient une agitation migratoire, ce qui a conduit Berthold à conclure que ce phénomène est régi par les gènes et transmis selon le modèle de l'hérédité polygénique (voir le chapitre 14). D'autres expériences de reproduction effectuées dans le laboratoire de Berthold ont révélé que de nombreux aspects de la migration des fauvettes à tête noire sont influencés par les gènes, comme nous le verrons plus loin dans ce chapitre.

Les signaux et la communication chez les Animaux

La plupart des interactions sociales entre les Animaux reposent sur la transmission d'information par des comportements spéciaux appelés *signaux* (ou *postures*). En biologie du comportement, un **signal** est un comportement qui provoque un changement de comportement chez un autre Animal. La transmission et la réception d'un signal ainsi que la réponse qui en résulte constituent ce qu'on appelle la **communication**, élément essentiel des interactions entre les individus. Bien que le milieu joue un rôle important dans tous les systèmes de communication, certaines des caractéristiques de ceux-ci sont fortement régies par les gènes.

Bon nombre de signaux ne demandent qu'une très petite dépense énergétique. Ainsi, les Poissons qui présentent un comportement territorial transmettent souvent un signal en dressant leurs nageoires: ce mouvement leur donne un profil plus imposant et suffit en général à éloigner les intrus (voir la figure 51.2). Ces Poissons dépensent moins d'énergie pour dresser leurs nageoires que pour chasser un mâle qui pénètre dans leur territoire.

Les Animaux transmettent de l'information au moyen de signaux visuels, auditifs, chimiques (olfactifs), tactiles et électriques. Le genre de signal utilisé est étroitement lié au mode et au milieu de vie de l'Animal. Par exemple, les Mammifères terrestres étant pour la plupart nocturnes, les signaux visuels sont relativement inefficaces pour eux. Mais les signaux olfactifs et auditifs se propagent aussi bien dans l'obscurité que dans la clarté. Ainsi, ce sont les plus courants chez les Mammifères. Les Oiseaux, au contraire, sont presque tous diurnes et possèdent un odorat relativement peu développé; ils emploient donc principalement des signaux visuels et auditifs. Contrairement à la majorité des Mammifères, l'humain est diurne et utilise la même communication visuelle et auditive que les Oiseaux. Par conséquent, nous détectons les chants et les couleurs vives avec lesquels les Oiseaux communiquent entre eux. Si l'humain possédait l'odorat développé des autres Mammifères et pouvait détecter toute la gamme des signaux chimiques, notre observation de la nature serait très différente.

La communication chimique

La plupart des Animaux qui communiquent par l'odeur produisent des signaux chimiques appelés **phéromones**. Le plus souvent, la production des phéromones et les réactions qu'elles suscitent sont régies par les gènes. La sécrétion de phéromones est particulièrement répandue parmi les Mammifères et les Insectes. De plus, elle est fréquemment liée à la reproduction. Par exemple, de nombreux Lépidoptères émettent une phéromone que les mâles peuvent sentir à plusieurs kilomètres de distance. Une fois que les papillons sont réunis, les phéromones déclenchent les comportements de la parade nuptiale.

Le contexte dans lequel un signal chimique est transmis peut être aussi important que le signal lui-même. Dans une colonie d'abeilles, les phéromones produites par la reine et ses filles, les ouvrières, maintiennent l'ordre social. Quand les mâles, ou faux-bourdons, sont à l'extérieur de la ruche (où ils peuvent s'accoupler avec une reine), ils sont attirés par les phéromones. Mais quand ils sont à l'intérieur, ils sont insensibles aux phéromones de la reine.

Les phéromones ne sont pas toujours sécrétées pour les besoins de la reproduction. Par exemple, lorsqu'un méné (Cypriniformes) ou un poisson-chat (*Ictalurus sp.*) est blessé, une substance stockée dans ses glandes cutanées est dispersée dans l'eau afin de donner l'alerte. Ce signal provoque une réaction de crainte chez les autres Poissons qui se trouvent à proximité: ils deviennent alors plus vigilants et forment des bancs serrés, souvent près du fond, où ils risquent moins d'être attaqués **(figure 51.9)**. Les phéromones peuvent être très efficaces même à faible concentration. Ainsi, la quantité de cette substance contenue dans seulement 1 cm^2 de peau de la tête de boule (*Pimephales promelas*) est suffisante pour provoquer une réaction de crainte même si elle est diluée dans 58 000 L d'eau.

La communication auditive

Chez la plupart des espèces d'Oiseaux, les chants sont appris, au moins en partie. Par contre, chez de nombreuses espèces

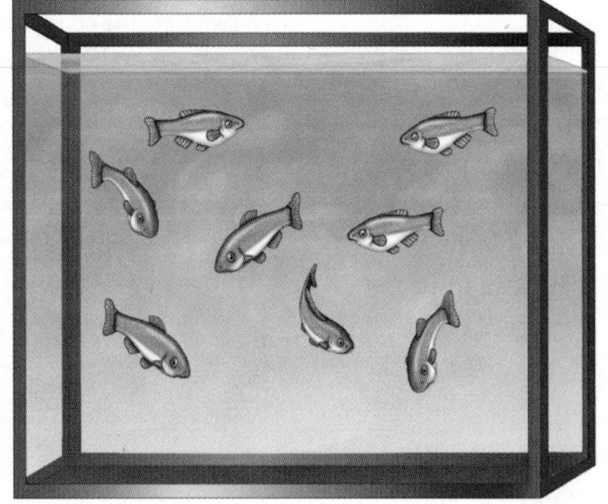

(a) Avant l'introduction d'une substance chimique destinée à donner l'alerte, les ménés sont dispersés dans l'aquarium.

(b) Quelques secondes après l'introduction de la substance chimique, les ménés se rassemblent près du fond de l'aquarium et ralentissent leur activité.

▲ **Figure 51.9 Ménés réagissant à la présence d'un signal d'alarme chimique.**

d'Insectes, les rituels d'accouplement comprennent des chants caractéristiques qui sont en général directement déterminés par les gènes. Les mâles de diverses espèces de drosophiles (*Drosophila sp.*) émettent un chant en faisant vibrer leurs ailes. Or, les femelles sont capables de reconnaître les chants des mâles de leur espèce grâce à des détails comme les intervalles entre les vibrations des ailes, le rythme du chant et la durée du mouvement vibratoire. Divers signes indiquent que la structure du chant des drosophiles mâles est régie par les gènes et soumise à une forte pression sélective. Par exemple, les mâles élevés isolément produisent un chant caractéristique de leur espèce même s'ils n'ont jamais été exposés au chant d'autres mâles. De plus, ce chant diffère très peu parmi les individus appartenant à une même espèce de drosophiles.

Les diverses espèces de drosophiles présentent des différences tant sur le plan de la morphologie que sur celui des chants de parade nuptiale. Au contraire, l'identité d'autres espèces d'Insectes ne peut être établie qu'au moyen des chants ou des comportements de parade nuptiale qui leur sont propres. Par exemple, on croyait que les chrysopes vertes morphologiquement identiques distribuées un peu partout du centre au nord de l'Eurasie et en Amérique du Nord appartenaient toutes à l'espèce *Chrysoperla carnea*. Or, des études portant sur leurs chants de parade nuptiale, effectuées à la University of Connecticut par Charles Henry, ses collègues et ses étudiants, ont révélé l'existence d'au moins 15 espèces différentes, chacune produisant un chant de parade nuptiale particulier **(figure 51.10)**. Plusieurs de ces espèces morphologiquement identiques peuvent vivre ensemble dans un même habitat (exemple d'isolement éthologique d'une espèce; voir la figure 24.4).

Bien que, en plus de vingt années de travail sur le terrain, Henry et ses collègues n'aient jamais observé d'hybrides de différentes espèces de chrysopes vertes dans leur habitat naturel, ils ont réussi à en produire en laboratoire. Tous les individus d'une même espèce émettent le même chant, mais les chants des hybrides élevés en laboratoire réunissent des éléments des chants émis par les deux parents. Ces données ont amené les chercheurs à conclure que les divers chants des différentes espèces de chrysopes vertes sont génétiquement déterminés.

Figure 51.10

Investigation Les différents chants d'espèces de chrysopes vertes étroitement apparentées sont-ils déterminés par les gènes ?

EXPÉRIENCE Charles Henry, Lucía Martínez et Kent Holsinger ont croisé des mâles et des femelles appartenant à deux espèces de chrysopes morphologiquement identiques émettant des chants de parade nuptiale différents, Chrysoperla plorabunda et Chrysoperla johnsoni.

TECHNIQUE

SONAGRAMMES

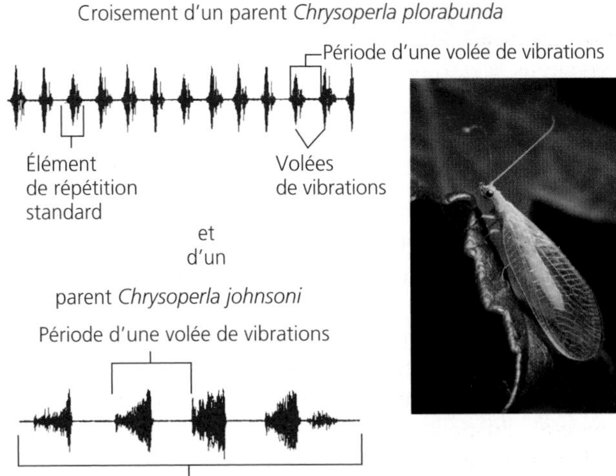

Les chercheurs ont enregistré les chants des parents mâles et femelles et les ont comparés avec ceux des petits hybrides élevés isolément des autres chrysopes.

RÉSULTATS Les petits hybrides de la F_1 émettent un chant dans lequel la durée de l'élément de répétition standard est similaire à celle du chant du parent *Chrysoperla plorabunda*, mais la période de volée, c'est-à-dire l'intervalle entre les volées vibratoires, ressemble davantage au chant du parent *Chrysoperla johnsoni*.

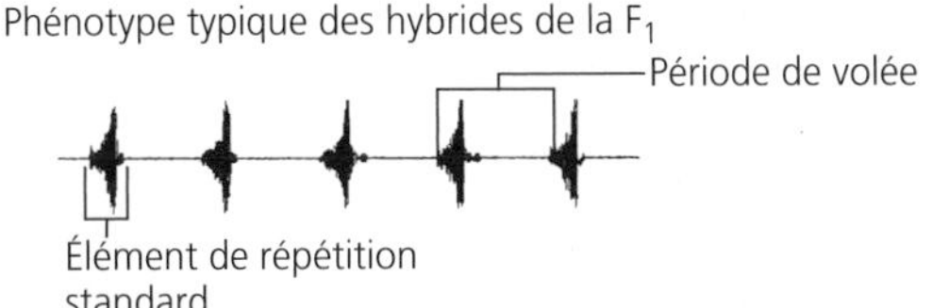

CONCLUSION Les résultats de cette expérience indiquent que les chants des espèces *Chrysoperla plorabunda* et *Chrysoperla johnsoni* sont génétiquement déterminés.

L'influence des gènes sur l'accouplement et le comportement des parents

Des recherches ont permis de découvrir que divers comportements des Mammifères ainsi que les mécanismes physiologiques qui en sont responsables sont soumis à une influence génétique relativement forte. Les recherches portant sur l'accouplement et le comportement des parents chez les campagnols des plaines (*Microtus ochrogaster*) comptent parmi les plus remarquables effectuées dans ce domaine.

Les campagnols des plaines et quelques autres espèces de campagnols sont monogames, une caractéristique sociale que possèdent seulement environ 3 % des Mammifères. Les campagnols des plaines mâles aident aussi leur partenaire à prendre soin des petits, une autre caractéristique assez rare chez les Mammifères. Contrairement à la plupart des autres espèces de campagnols, les campagnols des plaines forment un couple durable avec une seule femelle après l'accouplement : ils établissent des liens étroits avec leur partenaire, dont ils font la toilette et contre laquelle ils se blottissent **(figure 51.11)**. De plus, un campagnol des plaines mâle non accouplé présente peu d'agressivité envers les autres membres de son espèce, mâles ou femelles, mais un mâle accouplé devient extrêmement agressif envers tout campagnol inconnu, peu importe son sexe ; il ne manifeste cependant aucune agressivité envers sa partenaire. Quelques jours après la naissance des petits, il passe beaucoup de temps à tourner autour d'eux, à les lécher et à les promener tout en veillant à ce qu'aucun intrus ne s'en approche.

Les recherches effectuées au cours de la dernière décennie par Thomas R. Insel et ses collègues à la Emory University ont permis de découvrir les facteurs génétiques et physiologiques qui régissent

◄ Figure 51.11 Couple de campagnols des plaines (*Microtus ochrogaster*) blottis l'un contre l'autre. Les campagnols des plaines de l'Amérique du Nord sont monogames : les mâles forment des liens étroits avec leur partenaire, comme le montre la photo, et consacrent beaucoup de temps au soin des petits.

les complexes comportements sociaux et parentaux des campagnols des plaines. Des études antérieures semblaient indiquer que l'arginine-vasopressine (AVP), un neurotransmetteur composé de neuf acides aminés libéré pendant l'accouplement, pouvait intervenir dans la formation de l'union monogame et le comportement agressif des mâles. Dans le système nerveux central, l'AVP se lie à un récepteur appelé V_{1a}. Or, les chercheurs de la Emory University ont trouvé des différences importantes entre la distribution des récepteurs V_{1a} dans le cerveau des campagnols des plaines, qui sont monogames, et celle des campagnols des montagnes (*Microtus montanus*) vivant dans les régions montagneuses de l'ouest de l'Amérique du Nord, qui sont polygames.

Pour vérifier si la distribution des récepteurs V_{1a} est un facteur déterminant du comportement d'accouplement et du comportement parental des campagnols des plaines, Insel et ses collègues ont introduit le gène du récepteur V_{1a} de cette espèce chez des souris de laboratoire. Non seulement ces souris transgéniques présentaient un cerveau dans lequel la distribution des récepteurs V_{1a} était remarquablement similaire à la celle observée chez les campagnols des plaines, mais elles manifestaient aussi bon nombre des comportements d'accouplement des mâles monogames de cette espèce. Il n'en était pas ainsi chez les souris mâles de type sauvage. Donc, bien que de nombreux gènes influent sur le comportement d'accouplement de ces Animaux, il semble qu'un gène unique intervienne dans une large mesure dans le complexe comportement d'accouplement (et peut-être aussi dans le comportement parental) observé chez les campagnols des plaines. On ne sait pas encore si d'autres comportements complexes sont aussi régis par un gène unique. Par ailleurs, même si les gènes influent d'une multitude de façons sur les comportements, le milieu a aussi des effets importants sur eux, comme nous le verrons dans la prochaine section.

Retour sur le concept 51.2

1. Est-ce l'« inné » ou l'« acquis » qui influe le plus sur la formation des comportements ? Expliquez.
2. À l'aide d'un exemple, expliquez comment les chercheurs vérifient si un comportement donné possède une forte composante génétique.

Voir les réponses proposées à la fin du chapitre.

Concept 51.3

L'environnement, en interaction avec la constitution génétique d'un Animal, influe sur le développement des comportements

Tandis que s'accumulent les preuves expérimentales de l'influence des gènes sur les comportements, des études révèlent aussi que les conditions de l'environnement modifient bon nombre de ces comportements. Des facteurs environnementaux, comme la qualité du régime alimentaire, la nature des interactions sociales et les occasions d'apprentissage, peuvent agir sur la formation des comportements chez tous les groupes d'Animaux.

L'influence du régime alimentaire sur le comportement lié au choix du partenaire sexuel

Le rôle du régime alimentaire dans le choix d'un partenaire sexuel chez l'espèce *Drosophila mojavensis*, qui s'accouple et pond ses œufs sur les tissus en décomposition du cactus, est un exemple de l'influence du milieu sur le comportement. Les populations de mouches *D. mojavensis* de Baja California, au Mexique, se reproduisent presque entièrement sur le cactus agria (*Stenocereus gummosus*), tandis que la plupart des populations de mouches de Sonora, au Mexique, et de l'Arizona utilisent le cactus tuyau d'orgue (*Stenocereus thurberi*). Ces cactus servent de nourriture aux larves pendant leur développement.

Lorsqu'ils ont élevé en laboratoire des mouches *D. mojavensis* provenant de Baja et de Sonora dans un milieu artificiel composé de bananes, les chercheurs ont remarqué que les femelles de Sonora avaient tendance à éviter de s'accoupler avec les mâles de Baja. Mettant à profit ces premières observations, William Etges et Mitchell Ahrens, de la University of Arkansas, ont montré que l'alimentation des larves de mouches *D. mojavensis* influe fortement sur le choix du partenaire sexuel par les femelles, surtout chez les populations originaires de Sonora **(figure 51.12)**.

Mais pourquoi les femelles de Sonora évitent-elles les mâles de Baja qui se sont développés dans certains milieux alimentaires et non dans d'autres ? Autrement dit, quelle est la cause immédiate de ce comportement ? Therese Markow, de l'Arizona State University, et Eric Toolson, de la University of New Mexico, ont avancé que la cause physiologique des préférences observées dans le choix du partenaire sexuel résidait dans les différences des composés hydrocarbonés présents dans les exosquelettes de ces Insectes **(figure 51.13)**. Il s'agissait d'une hypothèse raisonnable, puisque ces mouches, qui ont recours à des chants de parade nuptiale et à d'autre information sensorielle, utilisent aussi le goût pour évaluer les composés hydrocarbonés qui se trouvent dans l'exosquelette de leurs éventuels partenaires. Pour vérifier l'influence des composés hydrocarbonés des exosquelettes, Etges et Ahrens ont élevé des mâles de Baja dans un milieu artificiel, puis les ont parfumés d'extraits de composés hydrocarbonés provenant d'exosquelettes de mâles de Sonora. Au lieu de rejeter ces mâles de Baja, les femelles de Sonora les ont acceptés à la même fréquence que les mâles de leur propre population.

L'étude de Etges et Ahren a montré comment le milieu alimentaire pouvait modifier un comportement déterminant.

Figure 51.12

Investigation Comment le milieu alimentaire modifie-t-il le choix d'un partenaire sexuel chez les femelles de l'espèce *Drosophila mojavensis* ?

EXPÉRIENCE William Etges a élevé deux populations de D. mojavensis, l'une originaire de Baja California et l'autre de Sonora, dans trois milieux de culture différents : un milieu artificiel, un cactus agria (la plante hôte de Baja) et un cactus tuyau d'orgue (la plante hôte de Sonora). De chacun des milieux de culture, Etges a prélevé 15 couples de Baja et 15 couples de Sonora, puis a observé le nombre des accouplements entre les mâles et les femelles des deux populations.

RÉSULTATS Chez les *D. mojavensis* élevées dans le milieu artificiel, les femelles provenant de la population de Sonora manifestaient une forte préférence pour les mâles de Sonora (a). Chez les *D. mojavensis* élevées dans les milieux constitués par les cactus, les femelles de Sonora s'accouplaient avec les mâles de Baja et de Sonora à une fréquence approximativement égale (b).

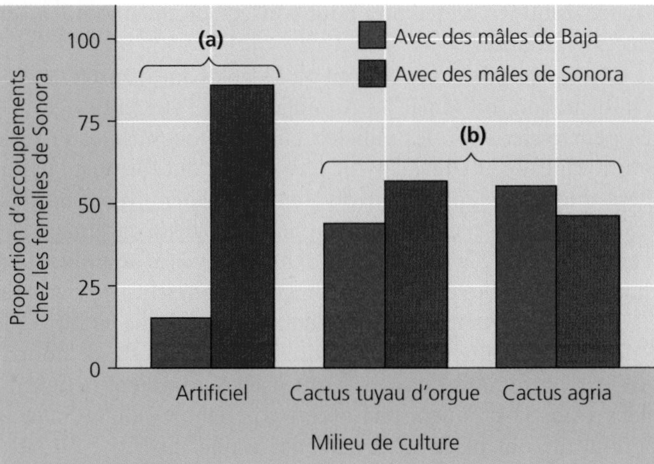

CONCLUSION Les différences dans le choix du partenaire sexuel liées à l'alimentation au cours du développement indiquent que, chez les femelles des populations de *D. mojavensis* originaires de Sonora, ce comportement est fortement influencé par le milieu alimentaire dans lequel les larves se développent.

◄ **Figure 51.13 Therese Markow (à droite) et une collègue ramassent des *Drosophila mojavensis* sur un cactus.**

Voyons maintenant comment on a découvert la façon dont le milieu social influe sur le comportement d'au moins une espèce.

Le milieu social et le comportement d'agressivité

Des études parallèles portant sur un autre rongeur monogame, la souris de Californie (*Peromyscus californicus*), apportent un complément aux découvertes relatives à l'influence des gènes sur les comportements d'accouplement des campagnols des plaines (*Microtus ochrogaster*) mâles. Comme les campagnols des plaines, les souris de Californie mâles sont très agressives envers les autres souris et s'occupent beaucoup de leurs petits. Mais, contrairement aux campagnols des plaines, les souris de Californie mâles manifestent de l'agressivité même en dehors de la période d'accouplement.

Janet Bester-Meredith et Catherine Marler, de la University of Wisconsin à Madison, ont cherché à savoir quelle influence le milieu social pouvait avoir sur le comportement des souris de Californie mâles. Pour modifier dès le début leur milieu social, les chercheuses ont placé des souris de Californie nouveau-nées dans des nids de souris à pattes blanches (*Peromyscus leucopus*), une espèce dont les mâles ne sont pas monogames et s'occupent peu de leurs petits. Elles ont aussi placé des souris à pattes blanches nouveau-nées dans des nids de souris de Californie. Cette « adoption interspécifique », en vertu de laquelle les petits de chaque espèce ont été placés dans les nids de l'autre espèce, a modifié le comportement des deux espèces **(tableau 51.1)**. Par exemple, quand les souris de Californie mâles élevées par des souris à pattes blanches se glissaient hors du nid, elles n'y étaient pas ramenées aussi souvent que celles élevées par leur propre espèce ; quand les souris adoptées ont eu à leur tour des petits, elles passaient, elles aussi, moins de temps à récupérer leurs petits. De plus, les souris adoptées étaient moins agressives envers les intrus. Par contre, les souris à pattes blanches mâles élevées par des souris de Californie étaient plus agressives que celles élevées par leur propre espèce. Une étude menée par Bester-Meredith et Marler a révélé que les cerveaux des souris de Californie élevées par des souris à pattes blanches contenaient des concentrations moindres du neurotransmetteur (AVP) associé au niveau élevé d'agressivité et au comportement parental des campagnols des prairies mâles.

Le fait que les souris de Californie et les souris à pattes blanches soumises à l'adoption interspécifique aient suivi certains des comportements de leurs parents adoptifs semble indiquer que l'expérience vécue au cours du développement peut conduire chez ces Rongeurs à des modifications du comportement parental et du comportement d'agressivité susceptibles d'être transmises d'une génération à l'autre.

L'apprentissage

L'**apprentissage**, c'est-à-dire la modification d'un comportement à la suite d'expériences particulières, est l'une des plus puissantes influences du milieu sur le comportement. Les comportements acquis peuvent être très simples, comme l'imprégnation, qui amène un jeune Oiseau à suivre un individu particulier qu'il a appris à reconnaître comme son parent, ou, au contraire, extrêmement complexes. Mais avant de passer à l'étude de certaines formes d'apprentissage complexes, nous traitons brièvement d'une autre forme d'apprentissage très simple : l'habituation.

Tableau 51.1 Influence de l'adoption interspécifique sur des souris mâles*

Espèce	Agressivité envers un intrus	Agressivité en situation neutre	Comportement parental	Taux d'arginine-vasopressine (AVP) dans le cerveau
Souris de Californie élevées par des souris à pattes blanches	Diminution	Aucune différence	Diminution	Diminution
Souris à pattes blanches élevées par des souris de Californie	Aucune différence	Augmentation	Aucune différence	Aucune différence

* Ces souris ont été comparées avec des souris élevées par des parents de leur propre espèce.

Source: J. K. Bester-Meredith et C. A. Marler, Vasopressin and the transmission of paternal behavior across generations in mated, cross-fostered *Peromyscus* mice. *Behavioral Neuroscience* 117(2003): 455-463.

L'habituation

L'**habituation** est une diminution de la sensibilité aux stimulus sans importance. Les exemples d'habituation sont légion. Ainsi, l'hydre (*Hydra sp.*) se contracte si on la touche légèrement, mais cesse de se contracter si le même stimulus la dérange trop fréquemment sans autre conséquence. De nombreux Mammifères et Oiseaux reconnaissent les cris d'alarme que poussent leurs congénères menacés par un prédateur, mais cessent de réagir aux appels s'ils ne sont pas suivis d'une attaque réelle (effet « crier au loup »). Exprimée en termes de cause ultime, l'habituation peut augmenter la valeur d'adaptation en permettant au système nerveux d'un Animal de porter son attention sur les stimulus qui signalent la nourriture, un partenaire ou un danger réel. Le système nerveux ne perd ainsi pas de temps ou d'énergie à traiter une kyrielle de stimulus qui ne sont pas pertinents pour la survie ou le succès reproductif de l'Animal. Tournons-nous maintenant vers des formes d'apprentissage plus complexes.

L'apprentissage spatial

Tout milieu naturel présente une certaine variation spatiale. Par exemple, les sites convenant à la nidification peuvent être plus nombreux à certains endroits qu'à d'autres. En conséquence, un individu peut être en mesure de mieux s'adapter grâce à sa capacité d'**apprentissage spatial**, soit la modification du comportement à la suite de l'expérimentation de la structure spatiale du milieu, qui englobe notamment l'emplacement des sites de nidification, des dangers, de la nourriture et des partenaires potentiels.

Dans une expérience classique menée en 1932, Niko Tinbergen a étudié comment les guêpes fouisseuses (famille des Sphécidés) trouvaient l'entrée de leur nid. À cette fin, il a déplacé un cercle de pommes de pin (cocottes) qui entourait l'entrée d'un nid et a observé que les guêpes se posaient au centre du cercle, même si l'entrée du nid ne s'y trouvait plus **(figure 51.14)**. Les guêpes utilisaient les pommes de pin comme **repère**, ou marque d'emplacement. L'utilisation de repères est un mécanisme cognitif plus complexe que la taxie et la cinèse, puisqu'elle nécessite un apprentissage. Les guêpes volent vers un stimulus (ici, le centre du cercle de pommes de pin), comme dans le cas de la taxie, mais dans ce cas-ci le stimulus est un repère arbitraire que l'Animal doit apprendre plutôt qu'un stimulus constant comme la lumière. L'entrée d'un nid peut être encerclée de pommes de pin, tandis qu'une autre peut se trouver près d'un tas de pierres. Chaque guêpe doit apprendre les repères propres à chaque site de nidification.

L'expérience de Tinbergen révèle qu'il est essentiel que les repères utilisés soient stables (pendant la durée d'une activité donnée) pour que l'apprentissage spatial soit un moyen sûr de s'orienter dans un milieu. Par exemple, le risque que les pommes de pin indiquant la présence du nid de guêpe soient déplacées doit être faible. En effet, l'utilisation d'une information peu fiable pour son apprentissage peut causer un tort considérable à l'Animal. Si une guêpe apprend à retrouver son nid à l'aide d'objets susceptibles de s'envoler, par exemple, elle peut être incapable de le retrouver et de l'approvisionner, ce qui aura pour conséquence d'amoindrir son succès reproductif.

Comme certains milieux sont plus stables que d'autres, le type d'information utilisé par les Animaux pour l'apprentissage spatial peut varier selon les milieux. Lucy Odling-Smee et Victoria Braithwaite, de la University of Edinburgh, ont formulé l'hypothèse que les épinoches à trois épines (*Gasterosteus aculeatus*) vivant dans des étangs au milieu stable se fient davantage aux repères que les épinoches vivant dans des rivières au milieu plus changeant. Les chercheuses ont dressé 20 épinoches de rivière et 20 épinoches d'étang à s'orienter dans un labyrinthe en forme de T de manière à atteindre une récompense (composée de nourriture et d'autres Poissons avec lesquels elles pouvaient se rassembler). Dans la première phase de l'expérience, Odling-Smee et Braithwaite ont placé la récompense à une extrémité du labyrinthe et marqué à l'aide de repères constitués de deux plantes de plastique la bonne direction à prendre pour parvenir à la récompense. Les Poissons qui ont appris à trouver la récompense ont été soumis à une deuxième série d'essais, dans lesquels les chercheuses ont placé les récompenses aux deux extrémités du labyrinthe et changé l'emplacement des repères. Les résultats ont montré que les épinoches provenant du milieu stable des étangs trouvaient les récompenses à la fois en apprenant dans quelle direction aller et en utilisant les repères, tandis que la plupart des épinoches de rivière apprenaient simplement à suivre une certaine direction. Ces résultats semblent indiquer que le degré de variabilité du milieu influe sur les stratégies d'apprentissage spatial des Animaux.

Les cartes cognitives

Un Animal peut se déplacer dans son milieu de manière flexible et efficace en se servant de la seule orientation, au moyen de points de repère. Par exemple, les abeilles domestiques pourraient apprendre environ dix repères et situer leur ruche et les fleurs par rapport à ces référentiels. Mais il existe un mécanisme plus puissant : la **carte cognitive**. Il s'agit d'une représentation interne, ou d'un code, des relations spatiales entre les objets se trouvant dans l'environnement d'un Animal.

Figure 51.14

Investigation La guêpe fouisseuse utilise-t-elle des repères pour retrouver son nid?

EXPÉRIENCE Une guêpe fouisseuse femelle creuse dans le sol et entretient quatre ou cinq nids distincts. Chaque jour, elle apporte de la nourriture à l'unique larve qui se trouve dans chacun des nids. Afin de vérifier l'hypothèse selon laquelle la guêpe fouisseuse utilise des repères visuels pour localiser les endroits où sont situés ses nids, Niko Tinbergen a marqué un nid en l'encerclant de pommes de pin.

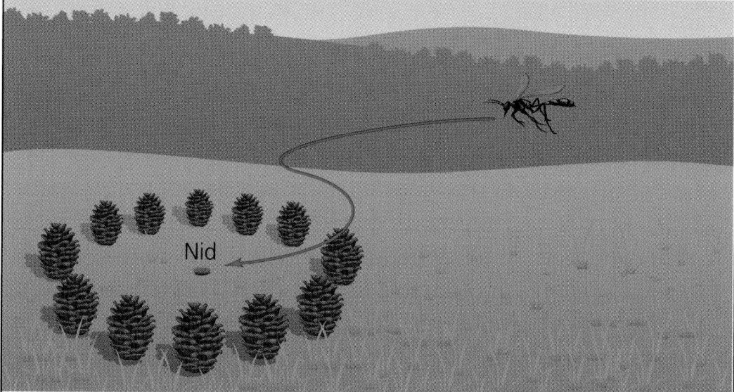

Après la visite du nid et le départ de la guêpe femelle, Tinbergen a déplacé latéralement le cercle de pommes de pin de quelques mètres.

RÉSULTATS Lorsqu'elle est revenue, la guêpe s'est dirigée vers le centre du cercle de pommes de pin et non vers le nid qui était tout près. Tinbergen a répété l'expérience avec de nombreuses guêpes et a obtenu les mêmes résultats.

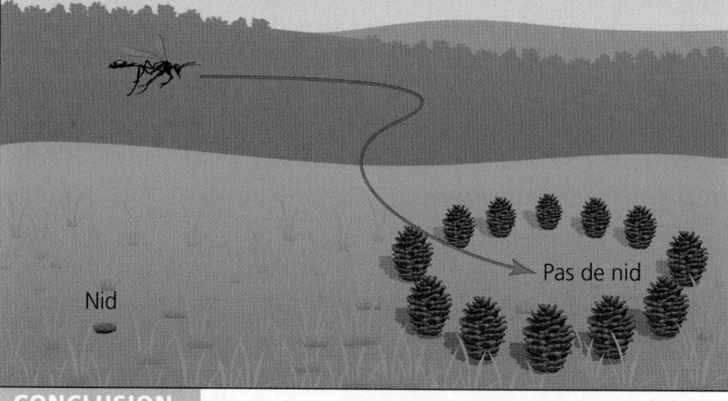

CONCLUSION L'expérience a confirmé l'hypothèse selon laquelle les guêpes fouisseuses utilisent des repères pour retrouver leurs nids.

Il est très difficile de distinguer expérimentalement un Animal qui utilise simplement des points de repère et un autre qui utilise une carte cognitive. Les chercheurs ont rassemblé des preuves qui confirment spécifiquement l'utilisation de cartes cognitives par les Corvidés, une famille d'Oiseaux dont font partie les corbeaux (*Corvus corax*), les corneilles (*Corvus brachyrhynchos*), les geais (*Cyanocitta sp.*) et les casse-noix d'Amérique (*Nucifraga columbiana*). Beaucoup de Corvidés dissimulent de la nourriture dans une cache pour la reprendre par la suite. Par exemple, le geai des pinèdes (*Gymnorhinus cyanocephalus*) et le casse-noix d'Amérique emmagasinent de la nourriture dans des milliers de caches parfois dispersées sur de grandes étendues. Non seulement ils repèrent chaque cache, mais en plus ils retiennent la qualité de la nourriture, évitant les caches où celle-ci était plutôt périssable et pourrait s'être dégradée. Selon des recherches menées par Alan Kamil, de la University of Nebraska, les geais des pinèdes et les casse-noix d'Amérique utilisent des cartes cognitives pour mémoriser les endroits où se situent leurs différentes caches de nourriture. Dans une expérience sur les casse-noix d'Amérique, Kamil a modifié la distance entre les repères et découvert que les Oiseaux pouvaient apprendre à trouver le point médian entre eux. Ce comportement donne à penser que ces Oiseaux sont capables d'appliquer une règle de géométrie universelle abstraite pour trouver l'emplacement d'une cache de nourriture. Dans l'expérience de Kamil, cette règle ressemblait en gros à celle-ci: «Les caches se trouvent à mi-chemin entre certains repères.» C'est sur des règles de ce genre que se fondent les cartes cognitives, dont l'avantage est de réduire la quantité de détails à mémoriser pour retrouver un objet.

L'apprentissage associatif

Comme nous l'avons vu, l'Animal qui fait un apprentissage modifie son comportement d'après l'information qu'il reçoit de son milieu. Par exemple, une souris à pattes blanches inexpérimentée peut facilement attaquer une chenille aux couleurs vives qui se déplace lentement, comme la larve du monarque (*Danaus plexippus*), et se retrouver la bouche pleine d'un liquide toxique au goût désagréable. À la suite d'une telle expérience, la souris évitera d'attaquer les Insectes présentant une coloration et un comportement semblables à celui de cette larve. La capacité qu'ont de nombreux Animaux à associer une caractéristique de l'environnement (un stimulus comme la couleur) à un autre (goût désagréable) est appelée **apprentissage associatif**.

L'apprentissage associatif et ses fondements génétique et neurologique ont été abondamment étudiés chez la drosophile (*Drosophila melanogaster*). William Quinn, William Harris et Seymour Benzer, du California Institute of Technology, ont publié il y a plus de 30 ans la première démonstration d'apprentissage associatif chez la drosophile. L'équipe de recherche a dressé les drosophiles à éviter l'air transportant une odeur particulière en associant l'exposition à cette odeur et un choc électrique. Il s'agit d'un exemple d'une forme d'apprentissage associatif, appelé **conditionnement classique**, au cours duquel un Animal établit un lien entre un stimulus arbitraire, ici une odeur, et une récompense ou une punition, le choc électrique. Les drosophiles ainsi dressées évitaient l'odeur en question pendant une période allant jusqu'à 24 heures. D'autres recherches réalisées au cours des trois dernières décennies ont révélé la surprenante capacité d'apprentissage des drosophiles, qui sont devenues un modèle pour l'étude de cet aspect du comportement.

L'apprentissage associatif a été étudié non seulement en laboratoire, mais aussi dans des milieux naturels. On a vérifié de façon particulièrement poussée chez les Poissons et les Insectes aquatiques comment cette forme d'apprentissage pouvait aider les Animaux à éviter les prédateurs. Nous avons parlé plus tôt d'une substance chimique emmagasinée dans la peau des ménés et d'autres espèces apparentées qui provoque une réaction de crainte automatique chez les individus qui se trouvent à proximité. Nichole Korpi et Brian Wisenden, de la Minnesota State University à Moorhead, ont mené une étude visant à déterminer si cette substance chimique était liée à un processus d'apprentissage associatif par lequel les Poissons apprennent à éviter les prédateurs.

Korpi et Wisenden ont étudié le poisson zèbre (*Danio rerio*), un Poisson d'aquarium commun. En guise de prédateur, ils ont choisi le brochet du Nord (*Esox lucius*). Le Poisson zèbre, un méné de l'Asie du Sud, et le brochet, un Poisson vivant dans les lacs des régions septentrionales, ne se trouvent pas ensemble dans la nature. Le poisson zèbre apprendrait-il à faire le lien entre l'odeur de ce prédateur inconnu et la substance chimique d'alarme s'il y avait un délai entre l'exposition à cette dernière et l'exposition à l'odeur du prédateur ? Korpi et Wisenden ont pensé qu'un délai de cinq minutes refléterait de façon réaliste le délai possible entre l'émission du signal d'alarme et la rencontre du prédateur lui-même.

Les chercheurs ont exposé des poissons zèbres faisant partie d'un groupe expérimental à l'arrivée de 20 mL d'eau contenant un signal d'alarme chimique puis, cinq minutes plus tard, de 20 mL d'eau contenant une odeur de brochet. Les poissons zèbres d'un groupe témoin ont été exposés à l'arrivée de 20 mL d'eau seule (sans signal d'alarme chimique) puis de 20 mL d'eau contenant une odeur de brochet. Le premier jour de l'expérience, les poissons zèbres du groupe témoin n'ont pas modifié leur activité en réponse à l'arrivée de l'eau sans signal d'alarme ni de l'eau contenant une odeur de brochet **(figure 51.15)**. Or, cette absence de réaction chez le groupe témoin est cruciale pour l'interprétation des résultats, car elle indique que l'odeur de brochet ne provoquait pas une réaction négative innée chez les poissons zèbres. Comme prévu, les poissons zèbres du groupe expérimental ont ralenti leur activité de façon marquée par suite de l'exposition à la substance chimique d'alarme. Lorsque, cinq minutes plus tard, on a ajouté l'odeur de brochet, leur activité a en fait augmenté un peu, ce qui s'écarte de la réaction typique au signal d'alarme chimique. Trois jours plus tard, les poissons zèbres du groupe témoin n'ont pas réagi à l'arrivée de l'eau seule ni de l'eau contenant une odeur de brochet (voir la figure 51.15). Les Poissons du groupe expérimental n'ont pas non plus présenté de réaction importante à l'arrivée de l'eau seule. Toutefois, ils ont effectivement ralenti un peu leur activité par suite de l'exposition à l'odeur de brochet. Korpi et Wisenden ont conclu que les poissons zèbres du groupe expérimental avaient appris à associer l'odeur de brochet et la substance chimique d'alarme, même si, le premier jour, leur exposition à l'odeur de brochet avait été retardée de cinq minutes. Sous l'angle du conditionnement classique, les poissons zèbres avaient été *conditionnés* à associer l'odeur de brochet et le signal d'alarme chimique. Selon les résultats de cette expérience, les Poissons ont retenu cette association pendant trois jours.

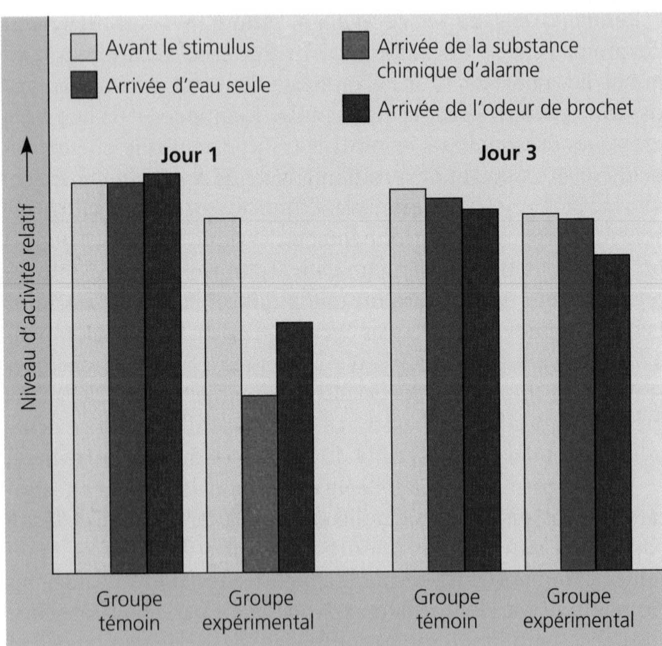

▲ **Figure 51.15 Apprentissage associatif chez les poissons zèbres.** Les modifications de l'activité indiquent que le groupe expérimental de poissons zèbres a appris à associer l'odeur de brochet et la présence du signal d'alarme chimique.

Le **conditionnement opérant**, aussi appelé *apprentissage par essais et erreurs*, est une autre forme d'apprentissage associatif. Dans le conditionnement opérant, un Animal apprend à associer l'un de ses propres comportements à une récompense ou à une punition, puis il tend à répéter ou à éviter ce comportement **(figure 51.16)**. Comme dans l'exemple de la souris qui mange une chenille au goût désagréable, les prédateurs apprennent rapidement à associer certains types de proies potentielles à des expériences douloureuses et à modifier leur comportement en conséquence.

La cognition et la résolution de problème

L'étude de la cognition fait le lien entre le comportement et le fonctionnement du système nerveux. Il existe plusieurs définitions du terme *cognition*. Au sens strict, ce mot est synonyme de connaissance, conscience. Au sens large (sens que nous donnons à ce terme dans ce manuel), la **cognition** est la capacité que possède le système nerveux d'un Animal à percevoir, à emmagasiner, à traiter et à utiliser l'information recueillie par les récepteurs sensoriels. L'étude de la cognition animale, qu'on appelle **éthologie cognitive**, explore le lien entre le système nerveux d'un Animal et son comportement.

▲ **Figure 51.16 Conditionnement opérant.** Ce jeune coyote (*Canis latrans*) à la face pleine de piquants a probablement appris qu'il lui faudra désormais éviter les porcs-épics (*Erethizon dorsatum*).

L'un des domaines de recherche de l'éthologie cognitive étudie comment le cerveau d'un Animal se représente les stimulus physiques de son milieu. Par exemple, les chercheurs ont découvert que de nombreux Animaux, y compris les Insectes, sont capables de classer les objets par catégories : ils peuvent déterminer par exemple s'ils sont « pareils » ou « différents ». Martin Giurfa et son équipe, du Centre de recherches sur la cognition animale de Toulouse, en France, ont dressé des abeilles domestiques (*Apis mellifera*) à assortir un échantillon de couleur avec la même couleur lorsqu'elle marque l'un des deux bras d'un labyrinthe en forme de Y. Plus tard, les abeilles dressées ont été capables de faire correspondre l'orientation de motifs noir et blanc avec celle du labyrinthe, indiquant ainsi qu'elles avaient reconnu qu'il s'agissait d'un problème de « similarité ».

Lorsqu'on observe un Animal en train de résoudre un problème, on se rend compte que son système nerveux a une grande aptitude pour traiter l'information. Par exemple, si on place un chimpanzé (*Pan troglodyte*) dans une pièce où une banane est suspendue hors de portée et où plusieurs boîtes se trouvent sur le sol, l'Animal est capable d'évaluer la situation et d'empiler les boîtes afin d'atteindre la nourriture. Ce comportement original de résolution de problème est fortement développé chez certains Mammifères, surtout les Primates et les dauphins (famille des Delphinidés) ; on en a aussi observé des exemples remarquables chez certaines espèces d'Oiseaux, surtout les corneilles (*Corvus brachyrhynchos*), les corbeaux (*Corvus corax*) et les geais (*Cyanocitta sp.*). Le biologiste du comportement Bernd Heinrich, de la University of Vermont, a réalisé une expérience dans laquelle des corbeaux devaient atteindre des aliments suspendus sur un fil. Plusieurs corbeaux ont résolu le problème en utilisant une patte pour tirer progressivement sur le fil tout en retenant celui-ci à l'aide de l'autre patte pour que la nourriture ne retombe pas ; d'autres corbeaux ont trouvé des solutions très différentes.

Le comportement d'autres individus constitue une puissante source d'information dont de nombreux Animaux se servent pour résoudre des problèmes. Une recherche à long terme menée par Tetsuro Masuzawa, de l'Institut de recherche sur les Primates de l'Université de Kyoto, au Japon, a révélé que les chimpanzés apprennent à résoudre les problèmes en imitant le comportement d'autres chimpanzés. Matsuzawa et son équipe de recherche ont démontré que de jeunes chimpanzés sauvages de Bossou, en Guinée, apprennent à utiliser deux pierres en guise de marteau et d'enclume pour ouvrir les noix du palmier à huile en observant puis en copiant les chimpanzés expérimentés **(figure 51.17)**.

▲ **Figure 51.17 De jeunes chimpanzés apprennent à ouvrir les noix du palmier à huile en observant des chimpanzés plus âgés.**

L'interaction des gènes et du milieu au cours de l'apprentissage

Grâce aux recherches approfondies menées sur le développement des chants d'Oiseaux, on a constaté que les gènes et le milieu interviennent à divers degrés dans l'apprentissage des comportements complexes. Chez certaines espèces, l'apprentissage semble ne jouer qu'un rôle modeste dans le développement des chants. Par exemple, lorsqu'on élève des moucherolles (*Contopus sp.*) du Nouveau Monde séparément des adultes de leur espèce, ils acquièrent les chants caractéristiques de leur espèce sans jamais les avoir entendus : en d'autres termes, leurs chants sont innés. Par contre, chez les Oiseaux chanteurs – un groupe comprenant les bruants (famille des Embérizidés), les merles (*Sialia sp.*) et les canaris (*Serinus canaria*) –, l'apprentissage joue un rôle déterminant dans le développement des chants.

Les modalités de l'apprentissage du chant varient selon les espèces d'Oiseaux. Chez certains Oiseaux chanteurs, on observe une période critique pour l'apprentissage des chants. Par exemple, lorsqu'un bruant à couronne blanche (*Zonotrichia leucophrys*) est isolé pendant ses 50 premiers jours de vie et n'entend ni les vrais bruants à couronne blanche chanter ni des enregistrements de leurs chants, il ne réussit pas à produire le chant adulte caractéristique de son espèce. Bien que le jeune Oiseau ne chante pas durant la période critique, il mémorise les chants de son espèce en écoutant les autres bruants à couronne blanche. Pendant cette période critique, il semble être plus stimulé par les chants propres à son espèce que par ceux d'autres espèces, car il pépie davantage en entendant les premiers. Donc, les jeunes bruants à couronne blanche *apprennent* les chants qu'ils chanteront à l'âge adulte, mais cet apprentissage semble circonscrit par des préférences génétiques.

Après la période critique, pendant laquelle le bruant à couronne blanche apprend le chant caractéristique de son espèce, une deuxième phase d'apprentissage a lieu : l'Oiseau juvénile essaie alors de chanter quelques notes que les chercheurs appellent *pré-chant*. Au cours de cette phase de répétition, l'Oiseau juvénile s'écoute chanter et compare son chant à celui qu'il a mémorisé durant la période critique d'apprentissage. Lorsque le chant correspond au modèle mémorisé, il se fixe comme le chant définitif. L'Oiseau ne reproduit alors que le chant du bruant à couronne blanche adulte pendant toute sa vie.

Le scénario d'apprentissage du chant observé chez les bruants à couronne blanche admet d'importantes exceptions. Chez les canaris, par exemple, l'apprentissage n'est pas limité à une seule période critique. Le jeune canari commence par un pré-chant, mais la totalité de son chant ne se fixe pas de la même manière que chez le bruant à couronne blanche. Entre les périodes de reproduction, le chant redevient flexible, et un mâle adulte peut apprendre chaque année de nouvelles « syllabes », qui prolongent le chant déjà appris. Chaque année, une nouvelle période de flexibilité permet l'apprentissage d'autres syllabes.

Retour sur le concept 51.3

1. Comment les cartes cognitives permettent-elles à un Animal d'accroître sa capacité d'apprendre les relations spatiales?
2. Décrivez trois façons dont le milieu d'un Animal peut influer sur le développement de son comportement.
3. Comment l'apprentissage associatif peut-il expliquer pourquoi des Insectes désagréables au goût ou piqueurs non apparentés présentent des couleurs similaires?

Voir les réponses proposées à la fin du chapitre.

Concept 51.4

Les caractéristiques comportementales peuvent évoluer par sélection naturelle

En raison de l'influence des gènes sur le comportement, la sélection naturelle peut conduire à l'évolution des caractéristiques comportementales propres à certaines populations. L'une des principales preuves de cette évolution est la variation comportementale qui existe tant entre les espèces qu'au sein d'une même espèce.

La variation comportementale chez les populations naturelles

Les différences de comportement entre des espèces étroitement apparentées sont fréquentes. Nous l'avons déjà vu, les chants de parade nuptiale des mâles varient selon les espèces de drosophiles. Les campagnols offrent un autre exemple: chez certaines espèces, les mâles et les femelles s'occupent tous deux des petits, alors que chez d'autres, seules les femelles le font. Bien qu'elles soient souvent moins évidentes, on observe aussi d'importantes différences de comportement *au sein* d'une même espèce. Lorsqu'elle correspond à une variation des conditions du milieu, la variation comportementale observée chez une même espèce peut témoigner d'une évolution antérieure.

La variation dans la sélection des proies

L'un des exemples les mieux connus d'une variation comportementale déterminée par les gènes au sein d'une même espèce est la sélection des proies chez la couleuvre de l'Ouest (*Thamnophis elegans*) **(figure 51.18a)**. Stevan Arnold, de la University of Chicago, a découvert que le régime alimentaire naturel de cette espèce diffère grandement à l'intérieur de son aire de distribution, en Californie. Les populations des régions côtières se nourrissent de salamandres, de grenouilles et de crapauds, mais surtout de limaces. Pour leur part, les populations des régions intérieures se nourrissent de grenouilles, de sangsues et de Poissons, mais pas de limaces. En fait, les limaces sont rares ou absentes des habitats intérieurs des couleuvres de l'Ouest.

Cette différence dans la disponibilité des proies a conduit Arnold à comparer les réactions des populations côtières et intérieures des couleuvres de l'Ouest auxquelles on offrait des morceaux de limace terrestre du Pacifique (*Ariolimax columbianus*) **(figure 51.18b)**, Animal qu'on trouve un peu partout dans les habitats côtiers des couleuvres de l'Ouest, mais nulle part dans les habitats intérieurs étudiés par Arnold. Dans une première expérience, le chercheur a présenté des limaces terrestres du Pacifique à des couleuvres de l'Ouest des deux populations sauvages. Alors que la plupart des couleuvres de l'Ouest côtières mangeaient volontiers les limaces, celles des populations intérieures avaient tendance à les refuser.

Étant donné que la différence dans le comportement alimentaire des couleuvres de l'Ouest pouvait avoir été conditionnée par l'expérience acquise dans leur habitat naturel, Arnold a vérifié les réactions de jeunes couleuvres nées en laboratoire. Il a découvert que 73 % des jeunes nés de mères des populations côtières attaquaient les limaces qu'on leur présentait, tandis que cette proportion n'était que de 35 % chez les jeunes nés de mères des populations intérieures.

Arnold a exprimé l'opinion que quand les couleuvres des régions intérieures ont colonisé les habitats côtiers il y a plus de 10 000 ans, une fraction de la population possédait la faculté de reconnaître les limaces par chimioréception. Ces couleuvres, qui ont profité de cette abondante source de nourriture, se sont mieux adaptées que celles des populations qui dédaignaient les limaces; donc, la fréquence de la capacité à reconnaître les limaces comme des proies a augmenté dans la population au fil de centaines ou de milliers de générations. La différence de comportement entre les deux populations qu'on observe aujourd'hui témoigne de cette évolution.

La variation du comportement d'agressivité

Bien que les différences dans le comportement alimentaire découvertes par Arnold aient été observées dans des habitats couvrant des centaines de kilomètres, de telles distances ne sont pas indispensables aux variations intraspécifiques. Dans les régions arides, la présence d'eau peut produire un contraste environnemental saisissant entre deux endroits peu éloignés l'un de l'autre, particulièrement lorsqu'un désert rencontre un terrain boisé situé en bordure d'une rivière. Le contraste évident que présentent les deux milieux sur le plan de la végétation n'est qu'une différence parmi beaucoup d'autres, dont la biologie du comportement des espèces qui habitent les zones riveraines et les milieux arides avoisinants.

L'araignée agélène (*Agelenopsis aperta*) est une espèce d'araignée qui vit tant dans les zones riveraines que dans les milieux arides périphériques, dans l'ouest des États-Unis. La toile de

(a) Couleuvre de l'Ouest (*Thamnophis elegans*)

(b) Limace terrestre du Pacifique (*Ariolimax columbianus*)

▲ **Figure 51.18 Prédateur et proie potentielle (non à l'échelle).**

l'araignée agélène consiste en une feuille de tissu soyeux terminée par un entonnoir et dissimulée dans un quelconque élément de l'habitat. Lorsqu'elle est en **quête de nourriture** (comportement associé à la reconnaissance, à la recherche, à la capture et à la consommation de la nourriture), l'agélène s'installe dans l'ouverture de l'entonnoir. Quand une proie frappe la toile, elle se précipite à l'extérieur pour la capturer.

Susan Riechert, de la University of Tennessee à Knoxville, et plusieurs collègues ont découvert une différence saisissante entre le comportement des agélènes habitant les forêts riveraines et celui des agélènes des habitats arides et semi-arides de l'Arizona et du Nouveau-Mexique. Dans les habitats arides, pauvres en aliments, l'agélène est plus agressive envers ses proies potentielles et envers les autres araignées; de plus, après une perturbation, elle se remet en quête de nourriture plus rapidement.

Ann Hedrick et Susan Riechert ont vérifié si la plus forte agressivité des agélènes habitant les zones arides reflète une différence génétique entre les deux populations ou constitue une réaction acquise au fait de vivre dans un milieu pauvre en aliments **(figure 51.19)**. Les chercheuses ont comparé le temps mis par chaque araignée pour attaquer, c'est-à-dire le délai entre le premier contact de la proie avec la toile et le moment où l'araignée l'a touchée pour la première fois. Elles ont découvert que, dans leur milieu naturel, les araignées des déserts semi-arides attaquaient 15 types de proies différentes plus rapidement que les araignées des régions riveraines. Hedrick et Riechert ont ensuite apporté des araignées femelles provenant des deux habitats dans leur laboratoire, afin qu'elles y pondent des œufs. Utilisant là encore le temps mis pour attaquer comme mesure, elles ont comparé l'agressivité des araignées élevées en laboratoire originaires des deux habitats, puis ont répété l'expérience avec les petits de chaque population.

L'expérience a révélé une différence remarquablement constante entre les agélènes des déserts semi-arides et celles des zones riveraines en ce qui concerne le temps qu'elles mettent pour attaquer leurs proies. Les milieux riverains, extrêmement féconds, sont abondamment pourvus de proies pour les araignées, mais la densité des prédateurs potentiels, surtout les Oiseaux, y est élevée. Riechert avait avancé que ce plus grand risque de prédation était la cause du comportement plus timide de l'agélène des habitats riverains. Sur la foi de leurs résultats, Hedrick et Riechert ont conclu que la différence d'agressivité entre les agélènes des déserts semi-arides et celles des régions riveraines est déterminée par les gènes; quant à la différence relative à la quête de nourriture et au comportement territorial, qui sont des réactions génétiquement conditionnées plutôt qu'apprises, elle résulte de la sélection naturelle. Ces résultats ont été corroborés par des expériences réalisées plus tard sur des agélènes transplantées d'un milieu à l'autre.

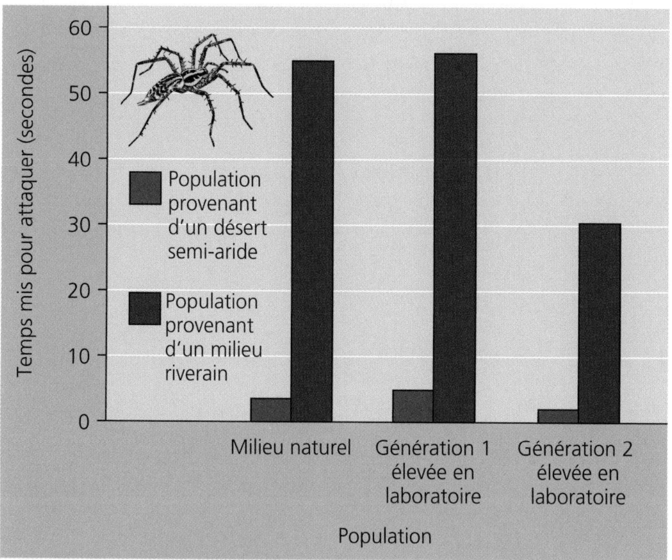

▲ **Figure 51.19 Agressivité des araignées agélènes (*Agelenopsis aperta*) vivant dans deux milieux différents.** Les agélènes provenant de déserts semi-arides recueillies sur le terrain et élevées en laboratoire attendent moins longtemps avant d'attaquer leurs proies potentielles que les agélènes provenant de milieux riverains.

Les preuves expérimentales de l'évolution du comportement

À la recherche de moyens plus directs pour démontrer l'évolution du comportement, les chercheurs ont de plus en plus recours aux expériences sur le terrain et en laboratoire portant sur des organismes dont la durée de vie est courte, ce qui permet d'observer les changements qui se produisent sur de nombreuses générations.

Les études en laboratoire portant sur la quête de nourriture des drosophiles

Dans quelques cas, les chercheurs ont pu faire le lien entre des comportements et certains gènes. Par exemple, Marla Sokolowski, de l'Université de Toronto, a étudié un polymorphisme dans un gène, nommé *for*, responsable de la quête de nourriture chez l'espèce *Drosophila melanogaster*. Un allèle, *for*^{S}, produit un phénotype comportemental appelé *sédentaire*, dans lequel la larve de la mouche bouge moins que la moyenne. Un allèle différent, *for*^{R}, produit un phénotype comportemental appelé *nomade*, dans lequel la larve se déplace plus que la moyenne. Sokolowski a découvert que, dans une population naturelle de *Drosophila melanogaster*, la fréquence de l'allèle *for*^{R} est de 70 %, et celle de l'allèle *for*^{S}, de 30 %. Elle a toutefois remarqué que, si les mécanismes qui régissent les différences entre les comportements nomade et sédentaire sont bien connus, on sait peu de chose sur l'importance évolutive et écologique des différences de fréquence entre ces allèles chez les populations naturelles.

Faisant équipe avec Sofia Pereira et Kimberly Hughes, de l'Université York, en Ontario, Sokolowski a mené une étude en laboratoire portant sur la façon dont la densité de la population pouvait modifier la fréquence des allèles *for*^{R} et *for*^{S} chez les populations de drosophiles. Sokolowski et ses collègues ont élevé des populations de drosophiles de forte densité et de faible densité, en commençant avec des fréquences égales d'allèles *for*^{R} et *for*^{S} dans les deux lignées. Après 74 générations, une nette divergence de comportement est apparue entre les larves de la lignée de forte densité et celles de la lignée de faible densité, quant à la longueur moyenne des parcours effectués pour la quête de la nourriture **(figure 51.20)**. Les chercheuses ont conclu que la fréquence de l'allèle *for*^{S} avait augmenté dans la population de faible densité, chez laquelle une quête de nourriture effectuée sur une courte distance était suffisante, si bien qu'un long parcours aurait entraîné une dépense d'énergie inutile. Pendant ce temps, la fréquence de l'allèle *for*^{R} avait augmenté dans la population de forte densité, chez laquelle un long parcours pouvait permettre aux larves d'atteindre des endroits plus riches en nourriture. En

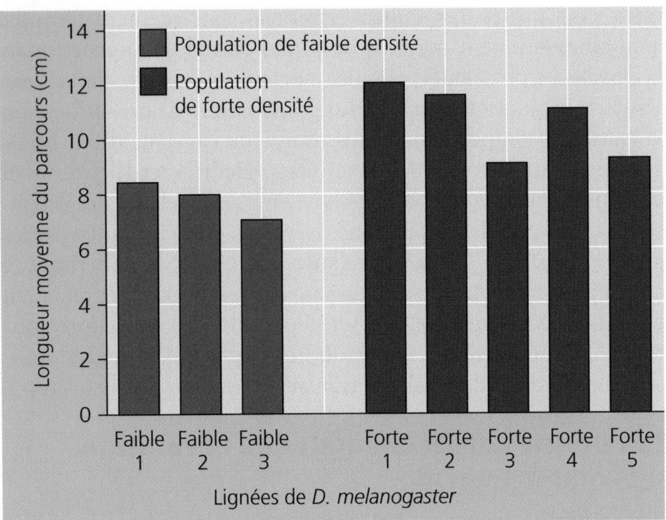

▲ **Figure 51.20 Évolution du comportement de quête de nourriture chez des populations de *Drosophila melanogaster* élevées en laboratoire.** Après 74 générations, les drosophiles de la population de faible densité suivaient en quête de nourriture un parcours sensiblement plus court que celles de la population de forte densité.

d'autres termes, elles avaient observé une évolution du comportement chez les populations qu'elles avaient élevées en laboratoire.

Les habitudes migratoires des fauvettes à tête noire

Des études portant sur le comportement migratoire d'une population de fauvettes à tête noire (*Sylvia atricapilla*), espèce dont il a été question plus tôt à propos de la migration des Oiseaux, fournissent un exemple d'évolution du comportement chez une population sauvage. Les habitudes migratoires des fauvettes à tête noire sont bien connues dans l'ouest de l'Europe en raison d'un grand intérêt pour l'ornithologie et d'une longue expérience de baguage. Les fauvettes à tête noire qui se reproduisent dans le nord-ouest de l'Europe passent en général l'hiver dans la partie ouest de la région méditerranéenne. Donc, traditionnellement, les fauvettes d'Allemagne migrent vers le sud-ouest, et celles de Grande-Bretagne, vers le sud. Or, dans les années 1950, quelques fauvettes à tête noire ont commencé à passer leurs hivers en Grande-Bretagne et, avec le temps, elles ont formé une population comptant des milliers d'individus. Étonnamment, ces Oiseaux ne sont pas ceux qui se reproduisent en Grande-Bretagne et qui y seraient demeurés pour l'hiver. Les bagues portées par certains d'entre eux révèlent que ces Oiseaux, venus du territoire continental de l'Europe, ont migré vers l'ouest, en Grande-Bretagne, et non vers le sud, dans la région méditerranéenne.

Peter Berthold et ses collègues ont capturé des fauvettes à tête noire (20 mâles et 20 femelles) qui hivernaient en Grande-Bretagne et les ont ramenées dans leur laboratoire situé dans le sud-ouest de l'Allemagne. Ils ont comparé l'orientation migratoire de ces Oiseaux et de leurs petits de la F_1 avec celle de jeunes Oiseaux originaires du sud-ouest de l'Allemagne. Les biologistes du comportement savent depuis longtemps que l'agitation migratoire déjà étudiée par Berthold est une activité dirigée et non aléatoire. Autrement dit, les Oiseaux captifs manifestant une agitation migratoire adoptent la direction qu'ils auraient prise s'ils n'avaient pas été en cage. À l'automne, alors que les Oiseaux présentaient une agitation migratoire, l'équipe de Berthold a placé pendant une heure et demie à deux heures des fauvettes appartenant aux trois groupes de l'étude dans de grandes cages en forme d'entonnoir recouvertes d'une vitre et doublées de papier carbone. Les marques que les Oiseaux laissaient sur le papier en se déplaçant dans les entonnoirs indiquaient la direction vers laquelle ils essayaient de « migrer » (**figure 51.21a**). Cette expérience a révélé que l'orientation migratoire des Oiseaux adultes en hivernage capturés en Grande-Bretagne était très similaire à celle de leurs petits élevés en laboratoire (**figure 51.21b**). Cette

▼ **Figure 51.21 Preuve du fondement génétique de l'orientation migratoire.**

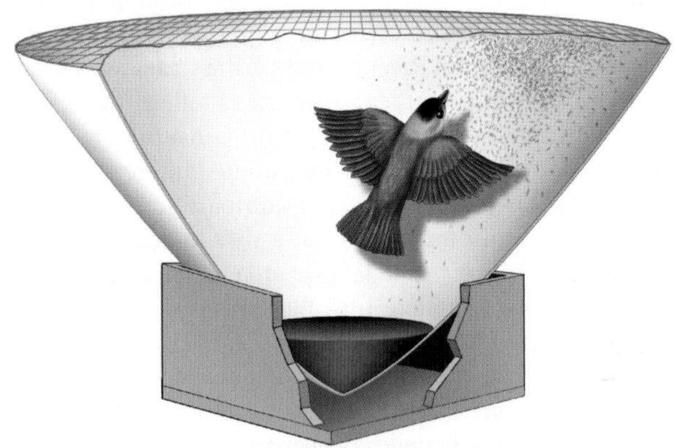

(a) Des fauvettes à tête noire placées dans une cage en forme d'entonnoir ont laissé des marques indiquant la direction vers laquelle elles essayaient de migrer.

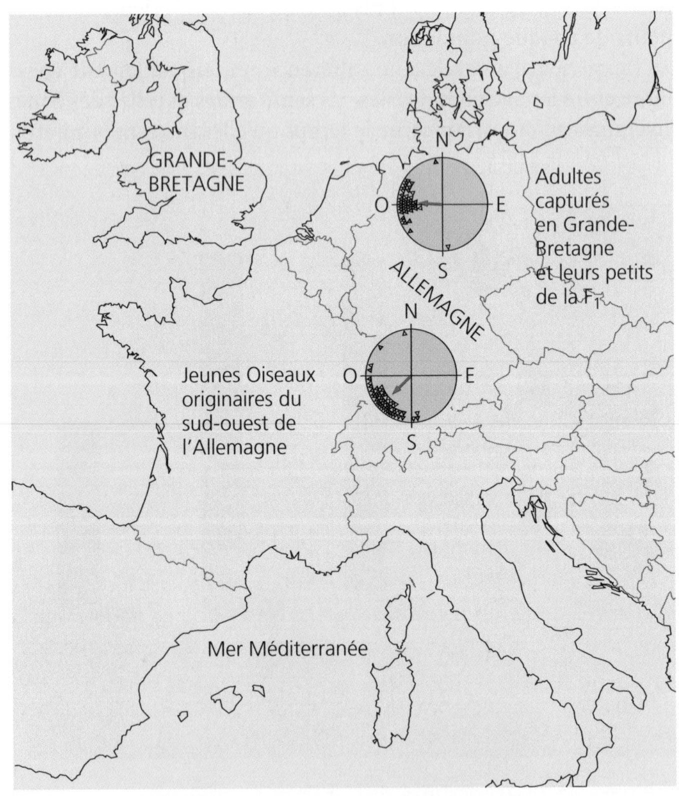

(b) Des fauvettes à tête noire en hivernage capturées en Grande-Bretagne et leurs petits élevés en laboratoire orientaient leur migration vers l'ouest, tandis que les jeunes Oiseaux originaires d'Allemagne se dirigeaient vers le sud-ouest.

similitude faisait nettement contraste avec l'orientation migratoire des jeunes Oiseaux originaires d'Allemagne. L'étude indique que l'orientation migratoire est déterminée par les gènes, puisque les jeunes des fauvettes à tête noire de Grande-Bretagne et les jeunes originaires d'Allemagne, qui ont été élevés dans des conditions semblables, présentaient des orientations migratoires très différentes.

Mais ce comportement a-t-il effectivement évolué au fil du temps ? L'étude de Berthold indique aussi que la modification du comportement migratoire chez les fauvettes à tête noire de l'ouest de l'Europe est à la fois récente et rapide, car elle s'est produite au cours des 50 dernières années. Avant 1960, l'existence en Allemagne de fauvettes à tête noire migrant vers l'ouest était inconnue, mais dès les années 1990, elles représentaient une proportion de 7 à 11 % des populations de l'Allemagne et de certaines parties de l'Autriche. Selon Berthold, une fois commencée, la migration vers l'ouest a persisté et est devenue plus fréquente en raison de plusieurs facteurs, dont le climat hivernal plus doux de la Grande-Bretagne et une nourriture plus abondante en partie attribuable à l'usage répandu des mangeoires pour les Oiseaux qui hivernent dans ce pays. Ces hypothèses ont trait au sujet traité dans la prochaine section, où il est question de la façon dont le comportement peut influer sur la survie et la reproduction et ainsi aboutir à une évolution.

Retour sur le concept 51.4

1. Expliquez pourquoi la variation géographique de la quête de nourriture observée chez les couleuvres de l'Ouest semble démontrer que ce comportement a évolué par sélection naturelle.
2. Pourquoi Hedrick et Riechert ont-elles mené leur étude sur la variation comportementale à l'aide d'araignées élevées en laboratoire et non d'araignées sauvages ?
3. Quelles conclusions Berthold et ses collègues ont-ils tirées de leurs études sur les habitudes migratoires des fauvettes à tête noire ?

Voir les réponses proposées à la fin du chapitre.

Concept 51.5

La sélection naturelle favorise les comportements qui contribuent à la survie et au succès reproductif

Les composantes génétiques du comportement, comme tous les aspects du phénotype, évoluent par sélection naturelle pour ce qui est des caractères favorisant la survie et le succès reproductif dans une population. C'est par son influence sur la quête de nourriture et sur le choix d'un partenaire qu'un comportement peut le plus directement agir sur l'adaptation.

Le comportement de quête de nourriture

S'approvisionner en nutriments est, faut-il le préciser, un comportement essentiel à la survie et au succès reproductif. Nous nous attendons à ce que la sélection naturelle favorise les comportements qui augmentent l'efficacité de cette démarche. Le comportement alimentaire, ou quête de nourriture, ne se résume pas à se nourrir, mais comprend aussi tous les mécanismes qu'un Animal utilise pour reconnaître, rechercher et saisir des aliments. La théorie des **stratégies optimales de quête de nourriture** considère la quête de nourriture comme un compromis entre les bénéfices de la nutrition et les coûts liés à l'obtention de la nourriture, comme la dépense énergétique ou le risque d'être mangé par un prédateur. Selon cette théorie, la sélection naturelle doit favoriser un comportement qui réduit au minimum les coûts de la quête de nourriture tout en maximisant ses bénéfices. Certains biologistes du comportement ont recours à l'analyse de rendement pour étudier les causes immédiates et les causes ultimes de diverses stratégies de quête de nourriture.

Le rendement énergétique

Reto Zach, de l'Université de la Colombie-Britannique, a effectué une analyse de rendement portant sur le comportement alimentaire de la corneille d'Alaska (*Corvus caurinus*), dans la région nord-ouest du Pacifique. Recourant aux ressources disponibles, les corneilles se nourrissent en général d'une variété d'aliments. Sur l'île Mandarte, au large de la Colombie-Britannique, les corneilles fouillent les bassins d'eau, laissés à marée basse, à la recherche de Gastéropodes appelés buccins communs du Nord (ou bourgauts, *Buccinum undatum*). Elles saisissent leur proie dans leur bec, puis s'envolent et laissent tomber le buccin sur les rochers, pour en briser la coquille. Si l'opération réussit, elles peuvent se nourrir de la partie molle du Gastéropode. Si la coquille ne se brise pas, elles s'envolent de nouveau et laissent encore tomber le coquillage. Elles continuent ainsi jusqu'à ce que la coquille se brise. Évidemment, plus elles volent haut avant de laisser tomber le buccin, moins le nombre de tentatives pour briser la coquille est élevé. Mais un certain coût énergétique est associé à la hauteur du vol. Zach a prédit que les corneilles d'Alaska voleraient en moyenne à une hauteur qui leur permettrait d'obtenir le plus de nourriture par rapport à la quantité d'énergie totale requise pour briser les coquilles des buccins communs.

Pour déterminer la hauteur optimale, il planta un poteau de 15 m d'où il laissa tomber sur les rochers, à partir de différentes hauteurs, des coquillages de taille à peu près uniforme. Il enregistra le nombre de tentatives nécessaires pour briser un coquillage à partir de chaque hauteur et multiplia ce nombre par la hauteur de la chute afin d'obtenir la *hauteur totale de vol.* Il calcula ensuite la *hauteur moyenne de vol* nécessaire pour briser les coquillages en multipliant le nombre moyen de tentatives à partir d'une hauteur donnée par la hauteur de la chute. Ses expériences indiquent que, pour briser les coquilles, une hauteur de chute d'environ 5 m est optimale, car elle exige la plus petite hauteur totale de vol – en d'autres termes, la plus petite quantité de travail. Quand Zach a mesuré la hauteur de vol moyenne qu'atteignaient les corneilles d'Alaska dans leur stratégie de quête de nourriture, il a trouvé 5,23 m, valeur qui est très proche de la prédiction qu'il avait faite en se fondant sur le compromis optimal entre l'énergie gagnée (aliments) et l'énergie dépensée (vol) **(figure 51.22)**.

Le cas du crapet arlequin (*Lepomis macrochirus*) corrobore lui aussi la théorie des stratégies optimales de quête de nourriture. Ce Poisson se nourrit de petits Crustacés appelés daphnies (*Daphnia sp.*). Il choisit généralement les grosses proies, car elles

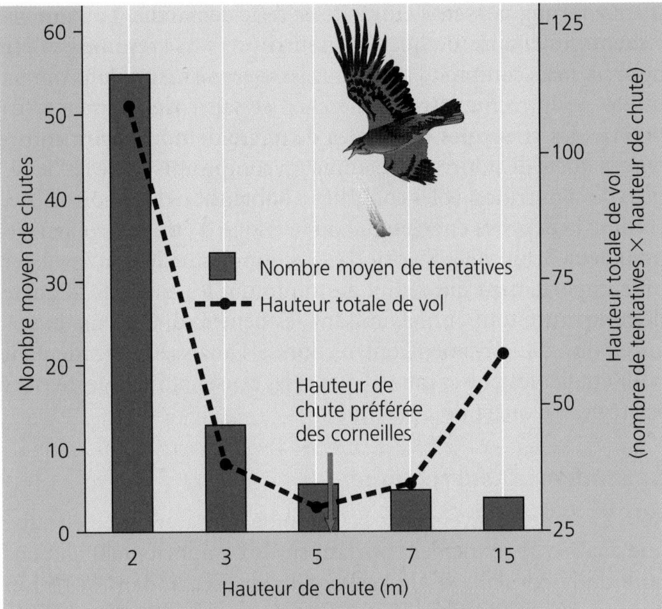

▲ **Figure 51.22 Rendement énergétique du comportement de quête de nourriture.** Les résultats expérimentaux révèlent qu'en laissant tomber les coquillages d'une hauteur de 5 m, on les brise en utilisant la plus petite quantité de travail. La hauteur de chute que les corneilles d'Alaska préfèrent dans les faits correspond presque à la hauteur qui exige la plus petite hauteur totale de vol.

fournissent beaucoup d'énergie par unité de temps. Cependant, si les grosses proies sont trop éloignées, il en choisit de petites. La théorie des stratégies optimales de quête de nourriture veut que la proportion de proies de chaque taille varie selon la densité globale de population des daphnies. On suppose que le crapet arlequin se montre peu sélectif quant à la taille lorsque la densité des proies est très faible, car il doit dévorer toutes les proies qu'il rencontre pour satisfaire ses besoins énergétiques. On présume aussi que lorsque la densité de population des daphnies est forte, le crapet arlequin qui se concentre sur les plus grosses daphnies obtient de meilleurs bénéfices. Lors des expériences, les crapets arlequins sont effectivement devenus sélectifs quand la densité de population des proies était forte, mais pas au point d'atteindre l'efficacité maximale théorique **(figure 51.23)**. Par ailleurs, les jeunes crapets arlequins s'alimentaient de manière efficace, mais pas autant que les adultes qui, apparemment, jugeaient mieux la distance et la taille des proies. Les chercheurs n'ont pas établi si la compétence des crapets arlequins adultes était redevable uniquement à la maturation (à celle des organes visuels en particulier) ou si elle résultait aussi de l'apprentissage.

Bien que les exemples des corneilles d'Alaska et des crapets arlequins illustrent bien la façon dont les coûts et les bénéfices énergétiques influencent l'Animal dans le choix de sa nourriture, l'exemple suivant montre que la dépense énergétique n'est pas le seul coût de la quête de nourriture.

Le risque de prédation

L'un des principaux coûts potentiels de la quête de nourriture est le risque de prédation. Manifestement, un Animal qui se nourrit de façon à maximiser l'énergie absorbée et à réduire au minimum l'énergie dépensée, mais qui ne tient aucun compte de son risque de devenir lui-même la proie d'un prédateur, n'applique pas une stratégie optimale de quête de nourriture. Des chercheurs ont étudié l'influence du risque de prédation sur le comportement de quête de nourriture d'un certain nombre d'espèces, dont le cerf-mulet (*Odocoileus hemionus*). D'un bout à l'autre de son aire de distribution, dans les régions montagneuses de l'ouest de l'Amérique du Nord, le lion de montagne (*Puma concolor*) est l'un des plus importants prédateurs du cerf-mulet. Une équipe de chercheurs provenant de diverses institutions a étudié des populations de cerfs-mulets en Idaho afin de déterminer si ces Animaux se comportent de manière à réduire leur risque de devenir la proie des lions de montagne lorsqu'ils sont en quête de nourriture. Les chercheurs ont examiné en quoi la disponibilité de la nourriture et le risque de prédation différaient d'une extrémité à l'autre du paysage étudié, lequel comportait à la fois des îlots de forêts et des endroits ouverts, non boisés. Ils ont découvert que la nourriture était répartie à peu près uniformément

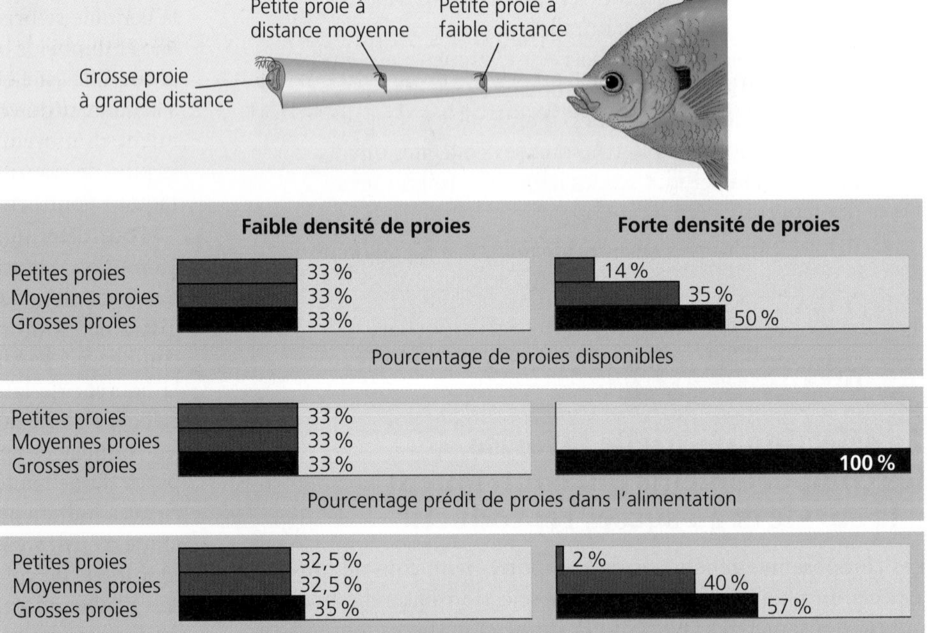

▲ **Figure 51.23 Stratégie de quête de nourriture chez le crapet arlequin.** Le crapet arlequin, qui se nourrit de daphnies (*Daphnia sp.*), ne procède pas au hasard ; il se fonde sur la taille et la distance de ses proies, ayant tendance à poursuivre celles qui paraissent les plus grosses. Ainsi, il ne s'occupe pas de la petite proie (pauvre en énergie) qui est située à une distance moyenne. En revanche, il capture la petite proie qui est le plus près de lui, car il dépense alors moins d'énergie. Dans les expériences décrites ici, lorsque la densité des proies était faible, les jeunes crapets arlequins se montraient peu sélectifs dans leur quête de nourriture, comme le prévoit la théorie des stratégies optimales de quête de nourriture.

dans les aires où les cerfs-mulets étaient susceptibles de s'alimenter, la quantité étant toutefois un peu moindre dans les endroits ouverts. Le risque de prédation, par contre, différait grandement; les lions de montagne tuaient la plupart des cerfs-mulets à la lisière des forêts et seul un petit nombre dans les endroits ouverts et à l'intérieur des forêts **(figure 51.24)**.

Comment les cerfs-mulets réagissent-ils au fait que le risque de prédation varie énormément selon les aires de quête de nourriture? Les chercheurs ont découvert que les cerfs-mulets de la zone étudiée se nourrissent surtout dans les endroits ouverts et qu'ils évitent tant la lisière que l'intérieur des forêts (voir la figure 51.24). De plus, ils passent beaucoup plus de temps à scruter les environs lorsqu'ils se trouvent à la lisière d'une forêt que dans un endroit ouvert ou à l'intérieur d'une forêt. Cette constatation indique que, chez le cerf-mulet, le comportement de quête de nourriture est davantage subordonné à la variation du risque de prédation qu'à celle de la disponibilité des aliments. Ce résultat, comme ceux de l'étude sur le crapet arlequin, met en évidence le fait que le comportement est souvent le reflet d'un compromis entre des contraintes concurrentes.

Le comportement d'accouplement et le choix d'un partenaire

Le comportement d'accouplement, qui comprend la recherche ou la conquête de partenaires, le choix parmi les partenaires potentiels et la compétition pour l'obtention des partenaires, est le résultat d'une forme de sélection naturelle appelée *sélection sexuelle* (voir le chapitre 23). La mesure dans laquelle le comportement d'accouplement favorise le succès reproductif varie selon le système d'accouplement de l'espèce.

Les systèmes d'accouplement et les soins parentaux

Les relations entre mâles et femelles varient énormément dans le règne des Animaux. Chez de nombreuses espèces, l'accouplement est fondé sur la **promiscuité**, et les liens entre mâles et femelles ne sont ni forts ni durables. Les espèces où se forment des couples durables adoptent soit le système **monogame**, où les deux mêmes individus forment le couple, soit le système **polygame**, où un individu s'accouple avec plusieurs autres. La polygamie prend le plus souvent la forme de la **polygynie**, qui est l'accouplement d'un mâle avec plusieurs femelles, bien qu'il existe des cas de **polyandrie**, c'est-à-dire d'accouplement d'une femelle avec plusieurs mâles. Chez les espèces monogames, les mâles et les femelles présentent souvent une morphologie si semblable qu'il peut être difficile, voire impossible, de les distinguer en se fondant sur leurs caractéristiques externes **(figure 51.25a)**. Les espèces polygames sont en général dimorphes, les mâles étant plus voyants et souvent plus gros que les femelles **(figure 51.25b)**. Quant aux espèces polyandres, elles sont aussi dimorphes, mais, dans leur cas, les femelles sont habituellement ornées et plus grosses que les mâles **(figure 51.25c)**.

Les besoins des petits sont un important facteur limitant de l'évolution des systèmes d'accouplement. La plupart des oisillons, par exemple, n'ont aucune autonomie et leurs besoins nutritifs sont tels qu'un seul parent ne peut y pourvoir. Les mâles ont alors avantage, afin de favoriser la survie de leur progéniture, à aider une seule femelle. C'est pourquoi, sans doute, la plupart des Oiseaux sont monogames. Chez les Oiseaux dont les petits deviennent autonomes très tôt après la naissance, comme le faisan (*Phasianus colchicus*) et la caille (famille des Phasianidés), la monogamie perd de son importance. Les mâles maximisent alors leur succès reproductif en approchant plusieurs femelles. De fait, la polygamie est relativement répandue parmi ces espèces. Dans le cas des Mammifères, le lait de la femelle constitue la seule nourriture des petits. Les mâles ne jouent souvent aucun rôle. Quand ils protègent les femelles et les petits, les mâles, comme chez le lion (*Panthera leo*), entretiennent souvent un harem.

La certitude de paternité est également un facteur déterminant dans le système d'accouplement et les soins parentaux. Les petits ou les œufs d'une femelle contiennent forcément les gènes de la femelle. Mais, même chez les Animaux habituellement monogames, il y a toujours la possibilité que les rejetons proviennent d'un autre mâle que le mâle coutumier de la femelle. La certitude de paternité est relativement faible chez la plupart des espèces à fécondation interne, parce qu'un long délai sépare l'accouplement de la mise bas (ou l'accouplement de la ponte). Telle est peut-être la raison pour laquelle les soins des petits relèvent très rarement des mâles chez les Oiseaux et les Mammifères. En revanche, les mâles de nombreuses espèces à fécondation interne ont des comportements qui semblent augmenter la certitude de paternité, notamment monter la garde auprès des femelles, débarrasser l'appareil génital de la femelle de tout sperme avant la copulation et déloger le sperme des autres mâles en y introduisant de grandes quantités de sperme. La certitude de paternité est beaucoup plus forte lorsque la ponte et l'accouplement se font simultanément, comme dans la fécondation externe. Voilà peut-être pourquoi, parmi les espèces d'Invertébrés aquatiques, de Poissons et d'Amphibiens à fécondation externe, les soins parentaux, s'ils existent, proviennent autant des mâles que des femelles **(figure 51.26)**. Les mâles s'occupent des jeunes dans seulement 7 % des familles de Poissons et d'Amphibiens à fécondation interne, mais dans 69 % des familles à fécondation externe. De nombreuses espèces de Poissons, même celles où les

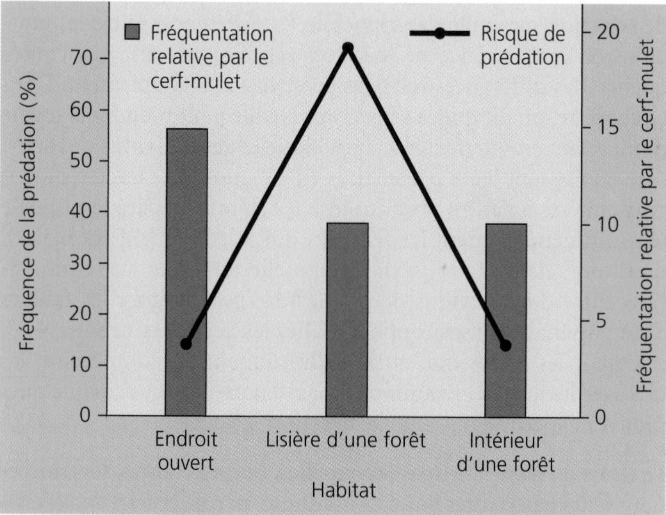

▲ **Figure 51.24 Risque de prédation et fréquentation des aires de quête de nourriture chez le cerf-mulet.** La théorie des stratégies optimales de quête de nourriture prévoit que les proies procèdent de façon à réduire le risque de prédation. C'est dans les endroits ouverts et à l'intérieur des forêts que le cerf-mulet risque le moins d'être la proie d'un lion de montagne et à la lisière des forêts qu'il est le plus exposé à ce danger. Le cerf-mulet se nourrit de préférence dans les endroits ouverts, évitant tant la lisière que l'intérieur des forêts.

(a) Les espèces monogames, comme ces cygnes trompettes (*Cygnus buccinator*), sont souvent monomorphes, de sorte qu'il est difficile de distinguer les mâles et les femelles uniquement d'après leurs caractéristiques externes.

(b) Chez les espèces polygames, comme le wapiti (*Cervus canadensis*), le mâle (à gauche) est souvent très orné.

(c) Chez les espèces polyandres, comme ces phalaropes de Wilson (*Phalaropus tricolor*), les femelles (en haut) sont généralement plus ornées que les mâles.

▲ **Figure 51.25 Lien entre le système d'accouplement et la morphologie des mâles et des femelles.**

▲ **Figure 51.26 Soins parentaux donnés par l'opistognate à tête jaune (*Opistognathus aurifrons*).** L'opistognate mâle, qui vit dans les milieux marins tropicaux, garde dans sa bouche les œufs qu'il a fécondés afin d'assurer leur aération et de les protéger des prédateurs jusqu'à la naissance des petits.

soins parentaux relèvent exclusivement du mâle, sont polygames, c'est-à-dire que plusieurs femelles pondent dans un nid surveillé par un seul mâle.

Il est important de souligner que l'expression *certitude de paternité* telle que l'emploient les biologistes du comportement ne signifie pas que les Animaux ont conscience des facteurs qui interviennent dans leur comportement. Il existe un lien entre le comportement parental et la certitude de paternité parce que la sélection naturelle l'a favorisé au fil des générations. Ce lien demeure un domaine qui fait l'objet de recherches actives, marquées de vives controverses.

La sélection sexuelle et le choix d'un partenaire

Comme l'indique le chapitre 23, le degré de dimorphisme sexuel au sein d'une espèce résulte de la sélection sexuelle, une forme de sélection naturelle dans laquelle les différences entre les individus en ce qui concerne le succès reproductif sont une conséquence des différences relatives au succès d'accouplement. Dans ce chapitre, on dit que la sélection sexuelle peut prendre la forme d'une *sélection intersexuelle*, dans laquelle des individus de même sexe choisissent leurs partenaires en fonction de caractéristiques particulières à l'autre sexe, comme les chants de parade nuptiale (ce sont généralement les femelles qui sélectionnent les mâles), ou d'une *sélection intrasexuelle*, laquelle implique une compétition entre des individus de même sexe pour gagner les faveurs d'un partenaire du sexe opposé. (Chez les Vertébrés, ce sont généralement les mâles qui entrent directement en compétition les uns avec les autres.) Examinons maintenant de plus près quelques preuves expérimentales de la sélection sexuelle.

Le choix du partenaire par les femelles. Les préférences des femelles pour leurs partenaires jouent sans doute un rôle crucial dans l'évolution par sélection intersexuelle du comportement et de l'anatomie du mâle. Klaudia Witte et Nadia Sawka, de l'Université de Bielefeld, en Allemagne, ont fait des expériences pour vérifier si l'imprégnation parentale subie par de jeunes passereaux diamants mandarins (*Tæniopygia guttata castanotis*) pouvait influencer leur choix de partenaires à l'âge adulte. Les diamants mandarins mâles sont plus colorés que les femelles, mais ni les uns ni les autres n'ont de crête **(figure 51.27)**. Witte et Sawka ont fixé avec du ruban adhésif une plume rouge de 2,5 cm de long sur les plumes frontales des deux parents, sur celles du parent mâle seulement ou sur celles du parent femelle seulement, alors que les oisillons étaient âgés de 8 jours, soit approximativement 2 jours avant qu'ils ouvrent les yeux. (Les ornements artificiels représentent des caractères anatomiques originaux, qui pourraient apparaître naturellement dans des populations par suite de mutations génétiques.) Des diamants mandarins faisant partie d'un groupe témoin ont été élevés par des parents dépourvus d'ornement.

Lorsque les oisillons de l'expérimentation sont parvenus à l'âge adulte, Witte et Sawka ont vérifié leurs préférences pour leur partenaire de reproduction en leur donnant le choix entre des partenaires ornés d'une plume rouge ou non. Pour leur part, les mâles ont choisi indifféremment des femelles ornées ou non. Les femelles élevées par des parents non ornés ou par des parents dont seule la femelle portait une plume rouge ont aussi choisi indifféremment des mâles ornés ou non (**figure 51.28**). Toutefois, les femelles élevées par un couple dont les deux membres ou le mâle seulement étaient ornés ont choisi des mâles ornés pour partenaires. Ces expériences semblent indiquer que les femelles subissent l'imprégnation de leur père plutôt que de leur mère, et que le choix du partenaire chez les diamants mandarins femelles a joué un rôle clé dans l'évolution de l'ornementation chez les mâles de cette espèce.

Pour prendre un autre exemple de la façon dont le choix des femelles influe sur l'évolution des mâles, considérons la parade nuptiale des mouches aux yeux pédonculés (*Cyrtodiopsis dalmanni*). Les yeux de ces Insectes sont situés aux extrémités de pédoncules qui sont plus longs chez les mâles que chez les femelles **(figure 51.29)**. Durant la parade nuptiale, le mâle se présente face à une femelle. Or, les chercheurs ont remarqué que les femelles s'accouplaient davantage avec les mâles qui avaient des pédoncules oculaires assez longs. Ainsi, le choix des femelles a représenté un puissant facteur de sélection dans l'évolution de longs pédoncules oculaires chez les mâles. Mais pourquoi les femelles favoriseraient-elles ce caractère en apparence arbitraire ? Les biologistes du comportement ont établi une corrélation entre certaines maladies génétiques chez les mouches aux yeux pédonculés mâles et une incapacité à avoir de longs pédoncules oculaires. Cela confirme l'hypothèse selon laquelle les femelles choisissent leur partenaire en se fondant sur des caractéristiques qui sont de bons indicateurs de la qualité du mâle. Comme on l'explique au chapitre 23, les ornements des mâles, comme les longs pédoncules oculaires chez ces mouches ou les plumes de couleur vive chez les Oiseaux, ont en général un rapport avec leur santé et leur vitalité. Une femelle qui choisit un mâle sain augmente ses chances d'engendrer des petits en bonne santé.

▲ **Figure 51.27 Diamants mandarins, originaires d'Australie.** Le mâle (à gauche) est orné de motifs plus frappants que ceux de la femelle et est plus coloré qu'elle.

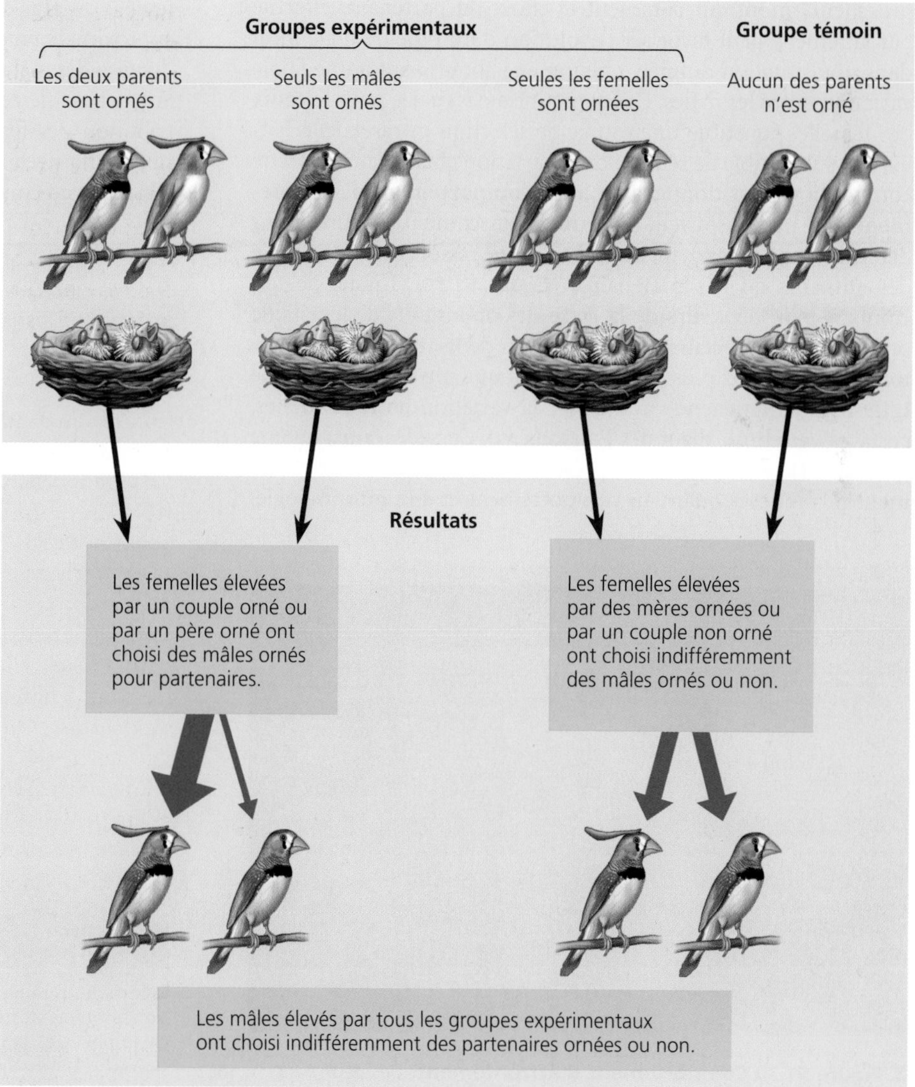

▲ **Figure 51.28 Sélection sexuelle influencée par l'imprégnation.** Des expériences ont montré que, chez le diamant mandarin, les oisillons femelles ayant subi l'imprégnation de la part de pères ornés ont préféré les mâles ornés une fois parvenus à l'âge adulte.

▶ **Figure 51.29 Mouches aux yeux pédonculés mâles.**

La compétition des mâles pour le choix des femelles. Les exemples précédents montrent comment le choix du partenaire effectué par la femelle peut favoriser l'évolution d'un type de mâle idéal dans une situation donnée, phénomène aboutissant à une faible variation entre les mâles. La compétition des mâles pour le choix des femelles constitue une source de sélection intrasexuelle également susceptible de réduire cette variation chez les mâles. Cette compétition peut donner lieu à un **comportement d'affrontement**, qui prend souvent la forme d'un combat ritualisé pour déterminer quel opposant aura accès à une ressource, par exemple des aliments ou des partenaires **(figure 51.30)**. L'issue de tels combats peut dépendre de la force des opposants, de leur taille ou de la forme de leurs cornes, de leurs dents, etc., mais les victoires sont parfois plus psychologiques que physiques. Bien que cette compétition tende à atténuer la variation entre les mâles, certains Vertébrés, allant des Poissons aux Cervidés, ainsi qu'une grande variété d'Invertébrés, présentent des variations extrêmement prononcées quant au comportement et à la morphologie.

▲ **Figure 51.30 Comportement d'affrontement.** Ces deux ours polaires (*Ursus maritumus*) mâles participent à une lutte « symbolique », soit un combat ritualisé au cours duquel ils ne courent en général aucun danger. Par contre, durant la saison des amours, les mâles de cette espèce se battent avec acharnement pour conquérir les femelles en rut.

Chez certaines espèces, plus d'un comportement d'accouplement peut mener au succès reproductif ; dans ces cas, la sélection intrasexuelle a donné lieu à l'évolution d'un comportement d'accouplement et d'une morphologie parallèles.

Les comportements parallèles d'accouplement et de morphologie d'un Invertébré, l'isopode intertidal *Paracerceis sculpta*, qui vit dans des Éponges, dans le golfe de Californie, ont été bien documentés. Cette espèce comprend trois types de mâles génétiquement distincts **(figure 51.31)**. Stephen M. Shuster, de la University of New Mexico, a découvert que de gros mâles α défendent des harems de femelles se trouvant dans des Éponges intertidales, surtout contre d'autres mâles α. Pendant ce temps, des mâles β, qui imitent la morphologie et le comportement des femelles, ne suscitent aucune réaction défensive de la part des mâles α et réussissent ainsi à pénétrer dans des harems protégés. Enfin, de minuscules mâles γ envahissent et habitent de grands harems, qui peuvent être habités par les trois types de mâles à la fois.

Shuster a expliqué que le succès d'accouplement de chaque type de mâle *Parecerceis sculpta* dépend des densités relatives de mâles et de femelles qui occupent l'intérieur des Éponges. Les mâles α engendrent la majorité des petits lorsqu'ils défendent une seule femelle. Si plus d'une femelle est présente, les mâles β engendrent approximativement 60 % de la progéniture. Enfin, le taux de reproduction des mâles γ augmente linéairement avec la taille du harem. Sur la base de cette information et des caractéristiques de la distribution des femelles et des mâles *Paracerceis sculpta* dans leur milieu naturel, Shuster et Michael Wade, de la University of Chicago, ont conclu que les chances de succès d'accouplement sont

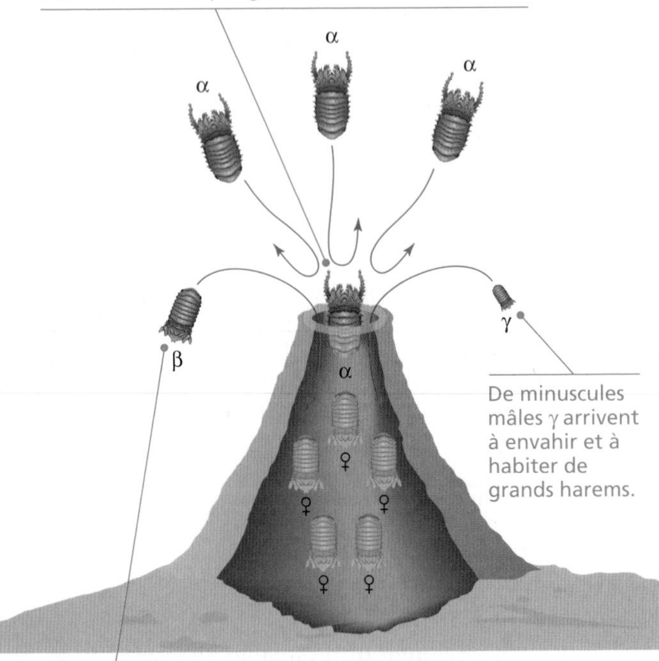

▲ **Figure 51.31 Polymorphisme des mâles chez l'isopode intertidal *Paracerceis sculpta*.** Le comportement d'accouplement de trois types d'isopodes génétiquement différents varie selon leur morphologie.

à peu près égales chez les mâles α, β et γ, ce qui indique que les différences dans le comportement d'accouplement et l'anatomie peuvent résulter d'une sélection intrasexuelle due à la compétition des mâles pour le choix des femelles. La variation qui existe chez les mâles de cette espèce persiste, car aucun des trois types de mâles n'obtient plus de succès que les autres dans toutes les circonstances; en effet, le succès d'accouplement de chaque type de mâle varie en fonction de la densité des femelles (il s'agit d'un exemple de polymorphisme équilibré, dont traite le chapitre 23).

L'application de la théorie des jeux

Les trois types de mâles *Paracerceis sculpta* découverts par Shuster peuvent coexister parce que leurs chances de succès d'accouplement sont égales, ce qui semble leur procurer des chances égales sur le plan de l'adaptation. Toutefois, chez certaines autres espèces, les différents types de mâles n'ont vraisemblablement pas la même valeur d'adaptation. Comment des stratégies de reproduction parallèles peuvent-elles exister dans une telle situation? Pourquoi la sélection naturelle ne favorise-t-elle pas une stratégie à l'exclusion des autres? Les biologistes du comportement qui étudient cette question utilisent une gamme d'outils, dont la théorie des jeux. À l'origine élaborée par John Nash et d'autres mathématiciens afin de décrire le comportement économique des humains, la **théorie des jeux** évalue les stratégies de rechange dans des situations dont l'issue dépend non seulement de la stratégie d'un individu en particulier, mais aussi des stratégies d'autres individus. Actuellement appliquée à une grande variété de problèmes en biologie du comportement, la théorie des jeux représente une manière d'envisager l'évolution dans des situations où la valeur d'adaptation d'un phénotype comportemental particulier est influencée par d'autres phénotypes présents dans la population.

Barry Sinervo et Curt Lively, de l'Indiana University, se sont servis de la théorie des jeux pour expliquer la coexistence de trois phénotypes de mâles différents dans des populations de lézards de Californie (*Uta stansburiana*) vivant dans les chaînes côtières intérieures de la Californie (**figure 51.32**). Sinervo et Lively ont découvert des mâles présentant trois types de coloration génétiquement déterminés: mâles à gorge orange, mâles à gorge bleue et mâles à gorge jaune. Les mâles à gorge orange sont les plus agressifs et défendent de vastes territoires contenant de nombreuses femelles. Les mâles à gorge bleue sont aussi territoriaux, mais défendent des territoires plus restreints et des femelles moins nombreuses. Pour leur part, les mâles à gorge jaune sont des Animaux non territoriaux qui imitent les femelles et utilisent des tactiques «sournoises» pour arriver à s'accoupler. Les chercheurs ont constaté que les trois types connaissent des cycles de relative abondance; sur une période de plusieurs années, la population étudiée a compté tour à tour des nombres élevés de mâles à gorge bleue, de mâles à gorge orange puis de mâles à gorge jaune, et de nouveau un nombre élevé de mâles à gorge bleue.

Siverno et Lively ont établi un lien entre la population étudiée et la théorie des jeux lorsqu'ils se sont rendu compte que le succès d'accouplement relatif de chaque type de mâle n'est pas constant: il varie selon l'abondance relative des autres types de mâles au sein des populations. Ces chercheurs ont avancé que le cycle de l'abondance des mâles chez cette espèce ressemble au jeu d'enfant appelé *roche, papier, ciseaux,* dans lequel le papier gagne contre la roche, la roche contre les ciseaux et les ciseaux contre le papier. Quand les mâles à gorge bleue sont abondants, ils réussissent à défendre les quelques femelles de leurs territoires des avances des sournois mâles à gorge jaune; selon les termes du jeu, les mâles à gorge bleue «gagnent contre» les mâles à gorge jaune. Toutefois, les mâles à gorge bleue ne peuvent défendre leurs territoires contre les hyperagressifs mâles à gorge orange. En conséquence, ces derniers envahissent les territoires des mâles à gorge bleue et deviennent plus abondants; les mâles à gorge orange «gagnent» contre les mâles à gorge bleue. Mais la supériorité numérique des mâles à gorge orange est temporaire, car ils sont incapables de défendre toutes les femelles de leurs vastes territoires contre les sournois mâles à gorge jaune. Donc, les mâles à gorge orange, les plus agressifs, finissent par céder leur titre de groupe le plus nombreux aux mâles à gorge jaune, les moins agressifs; les mâles à gorge jaune «gagnent contre» les mâles à gorge orange. Après quoi, le cycle recommence: comme les tactiques utilisées par les mâles à gorge bleue pour défendre de petits territoires et de peu nombreuses femelles peuvent rendre l'accès aux femelles difficile pour les mâles à gorge jaune, les premiers remplacent rapidement les seconds à titre de groupe le plus abondant. La théorie des jeux permet aux biologistes du comportement de réfléchir à des problèmes complexes dans lesquels l'évolution du comportement s'explique par la performance relative et non par la performance absolue. Cette théorie constitue un outil important, puisque c'est en comparant la performance relative d'un phénotype à celle d'autres phénotypes que les biologistes de l'évolution évaluent l'adaptation darwinienne.

▲ **Figure 51.32 Polymorphisme chez les lézards de Californie (*Uta stansburiana*) mâles.** Un mâle à gorge orange, à gauche; un mâle à gorge bleue, au centre; un mâle à gorge jaune, à droite.

Retour sur le concept 51.5

1. Pourquoi les soins parentaux donnés par le mâle sont-ils plus susceptibles d'évoluer chez les espèces à fécondation externe que chez les espèces à fécondation interne?
2. Comment la théorie des stratégies optimales de quête de nourriture explique-t-elle pourquoi les cerfs-mulets passent davantage de temps à rechercher leur nourriture dans les endroits ouverts qu'à l'orée ou à l'intérieur des forêts?
3. Quel est le lien entre l'adaptabilité d'un Oiseau femelle et sa capacité de choisir un partenaire en distinguant les signaux visuels et les ornements qui «annoncent» la santé du mâle?

Voir les réponses proposées à la fin du chapitre.

Concept 51.6

Le concept de valeur d'adaptation globale explique en grande partie le comportement altruiste

Presque tous les Animaux ont des comportements sociaux égocentriques, c'est-à-dire qu'ils agissent dans leur propre intérêt, au détriment de l'intérêt des autres, notamment les compétiteurs. Même chez les espèces peu enclines au comportement d'affrontement, la plupart des adaptations qui profitent à un individu nuisent indirectement aux autres. Par exemple, celui qui a les stratégies de quête de nourriture les plus efficaces laisse moins de nourriture aux autres. On comprend facilement la fréquence de l'égocentrisme si on admet que la sélection naturelle façonne le comportement. La sélection naturelle favorise les comportements qui maximisent la survie et le succès reproductif d'un individu, sans égard aux conséquences négatives que ces comportements ont pour un autre individu, une population locale ou même une espèce entière. Comment, alors, expliquer les manifestations d'altruisme, ou comportements « désintéressés » ?

L'altruisme

Il arrive que les Animaux accomplissent des actions qui compromettent leur propre bien-être mais bénéficient aux autres. C'est la définition fonctionnelle de l'**altruisme**. Considérons l'exemple du spermophile de Belding (*Spermophilus beldingi*), Rongeur qui vit dans les régions montagneuses de l'ouest des États-Unis et qui est pourchassé par les coyotes (*Canis latrans*) et les faucons (*Falco sp.*). Si un prédateur arrive, le spermophile de Belding pousse un cri d'alarme aigu, et les autres se cachent dans leur terrier. Des observations minutieuses ont confirmé que le cri augmentait le risque de capture, car il révèle la position de son émetteur.

Les sociétés d'abeilles fournissent un autre exemple de comportement altruiste. En effet, les ouvrières sont stériles, mais travaillent pour le compte d'une reine unique qui, elle, est féconde. De plus, elles piquent les intrus, défendant ainsi la ruche au prix de leur vie.

L'hétérocéphale glabre (*Heterocephalus glaber*), Rongeur au comportement social très développé qui vit dans des galeries souterraines, en Afrique australe et du Nord-Est, manifeste aussi un comportement altruiste **(figure 51.33)**. Cet Animal est presque totalement dépourvu de fourrure et presque aveugle. Il vit en colonies de 75 à 250 individus ou plus. Chaque colonie ne comporte qu'une seule femelle reproductrice, appelée *reine*, qui s'accouple avec un à trois mâles, appelés *rois*. Le reste de la colonie se compose de femelles et de mâles stériles qui fouillent le sol à la recherche de racines et de tubercules, et prennent soin de la reine, des rois et de la progéniture qui dépend encore de la reine. Les individus stériles sacrifient leur vie à essayer de protéger la reine ou les rois contre des serpents ou d'autres prédateurs qui envahissent la colonie.

La valeur d'adaptation globale

Comment un hétérocéphale glabre, une abeille ouvrière ou un spermophile de Belding peuvent-ils augmenter leur valeur d'adaptation en aidant d'autres membres de la population, qui peuvent être leurs plus proches compétiteurs ? Comment un

▲ **Figure 51.33 Comportement altruiste de l'hétérocéphale glabre (*Heterocephalus glaber*), une espèce de Mammifère vivant en colonies.** On voit ici une reine qui nourrit la progéniture tout en étant entourée d'autres membres de la colonie.

comportement altruiste, qui n'augmente pas la survie et le succès reproductif de l'individu et les réduit même dans certains cas, peut-il apparaître et se maintenir ? Il est très facile de comprendre que la sélection naturelle favorise un tel comportement lorsqu'il s'applique à des parents qui se dévouent pour leur progéniture. En effet, des parents qui sacrifient leur bien-être pour engendrer et aider des petits augmentent leur propre valeur d'adaptation, car ils maximisent leur représentation génétique dans la population.

Mais pourquoi un individu aiderait-il des individus qui ne sont pas ses petits ? Comme les parents et leurs petits, les frères et sœurs ont la moitié de leurs gènes en commun. Par conséquent, il peut être avantageux pour un Animal d'aider ses parents à produire d'autres petits ou d'aider directement ses frères et sœurs. Le biologiste évolutionniste William Hamilton fut le premier à se rendre compte que les Animaux pouvaient augmenter leur représentation génétique dans la génération suivante en aidant de manière « altruiste » des parents proches qui ne sont pas leurs descendants. De cette constatation naquit le concept de **valeur d'adaptation globale**, qui se définit comme l'effet global qu'a un individu sur la prolifération de ses gènes en produisant une descendance *et* en fournissant une aide qui permet à ses proches parents de se reproduire aussi.

La règle de Hamilton et la sélection parentale

Hamilton a proposé une mesure quantitative pour prédire à quel moment la sélection naturelle favoriserait les actions altruistes chez des individus qui sont des parents proches. Les trois variables clés dans un acte altruiste sont le bénéfice qu'en tire l'individu bénéficiaire (B), le coût pour l'individu altruiste (C) et le coefficient de parenté (r, pour relation parentale). Le bénéfice et le coût mesurent chacun la variation du nombre moyen de descendants produits respectivement par le bénéficiaire et par l'altruiste, et résultant d'un acte altruiste. Par conséquent, le bénéfice B est le nombre moyen de descendants *supplémentaires* que le bénéficiaire d'un acte altruiste produit ; et le coût C est le nombre de descendants *en moins* de l'altruiste. Supposons, par exemple, que les individus d'une population humaine comptent en moyenne deux enfants chacun. Considérons alors deux frères qui ont à peu près le même âge, peuvent se reproduire et ont la même fertilité, mais n'ont pas encore de descendants. L'un des deux jeunes hommes est sur le point de se noyer dans une mer agitée. Son frère risque sa propre vie en nageant et en le ramenant sain et sauf. Le bénéfice du frère qui a failli se noyer et qui a tiré profit de l'acte altruiste est de deux descendants. En effet, s'il s'était noyé, son efficacité de reproduction aurait été nulle; mais maintenant, si on utilise le nombre moyen de descendants, il peut engendrer 2 enfants: $B = 2{,}0$. Le coût pour le frère héroïque dépend des risques qu'il a courus, pour sa propre vie, dans le sauvetage de son frère. Supposons que dans ce genre de vagues, un nageur moyen ait 5 % de risques de se noyer. Le coût de l'altruisme est alors de 5 % par rapport au nombre de descendants auquel on s'attendrait si l'altruiste n'avait pas fait son sauvetage risqué. Le coût est donc de $0{,}05 \times 2$, c'est-à-dire de 0,1.

Nous savons ainsi que $B = 2{,}0$ et que $C = 0{,}1$ pour cet acte d'altruisme hypothétique. Mais que vaut le coefficient de parenté r? Le **coefficient de parenté** est la probabilité qu'un individu ait reçu un gène précis d'un parent ou d'un ancêtre commun à lui-même et à un autre individu. Entre deux frères, tout gène de l'un a 50 % de chances d'être présent aussi chez l'autre. Par conséquent, r est de 0,5. Une révision de la séparation des chromosomes homologues, qui a lieu quand des parents produisent des gamètes par méiose, permet de comprendre ce calcul (**figure 51.34**; voir aussi le chapitre 13).

Nous pouvons alors utiliser les valeurs de B, C et r pour voir si la sélection naturelle favorise l'acte altruiste de notre scénario fictif. La sélection naturelle favorise l'altruisme si le bénéfice de l'individu qui tire avantage de cet acte multiplié par le coefficient de parenté est supérieur au coût de l'altruisme, c'est-à-dire si:

$$rB > C$$

Cette inégalité est appelée **règle de Hamilton.** Dans le cas étudié, $rB = 0{,}5 \times 2 = 1$ et $C = 0{,}1$. Ainsi, la règle de Hamilton est satisfaite, ce qui signifie que la sélection naturelle favoriserait cet acte altruiste d'un individu qui sauve la vie de son frère. L'altruiste transmettra en général chacun de ses gènes à un plus grand nombre de descendants s'il tente le sauvetage que s'il ne le fait pas. (Et parmi ses gènes, certains peuvent en fait contribuer au comportement altruiste et sont aussi transmis.) La sélection naturelle qui favorise cette sorte de comportement altruiste en accroissant le succès reproductif de parents est appelée **sélection parentale.**

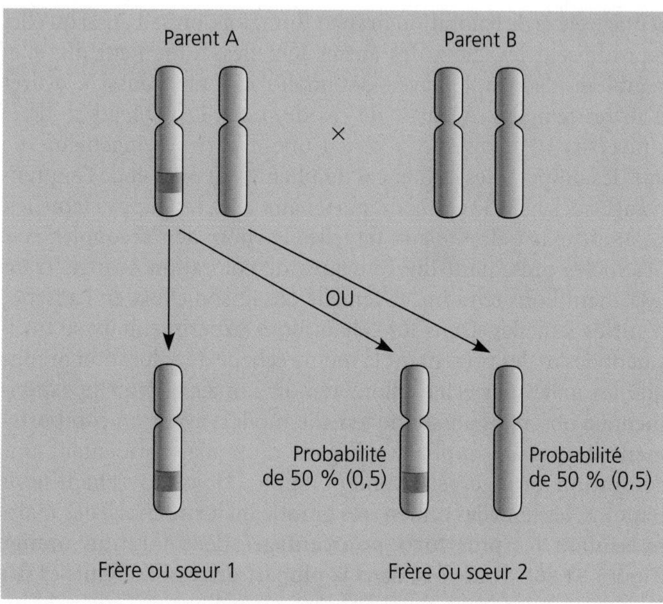

▲ **Figure 51.34 Coefficient de parenté entre frères et sœurs.** La bande rouge indique la position d'un gène donné sur une paire de chromosomes homologues, chez un parent. Le frère ou la sœur 1 a hérité du gène du parent A. Il y a une probabilité de 50 % que le frère ou la sœur 2 hérite aussi de ce gène du parent A. Le coefficient de parenté entre les deux frères ou sœurs est de 50 %, ou 0,5.

La sélection parentale s'affaiblit lorsque le lien de parenté est plus lointain. Ainsi, alors que le coefficient de parenté r entre frères et sœurs est de 0,5, il est de 0,25 (¼) entre une tante et une nièce et de 0,125 (⅛) entre des cousins germains. Notez qu'à mesure que le degré de parenté diminue, le terme rB de l'inégalité de Hamilton diminue également. La sélection naturelle favoriserait-elle notre excellent nageur s'il sauvait son cousin? Pour cet acte altruiste, $rB = 0{,}125 \times 2 = 0{,}25$. Heureusement pour ce cousin qui est en train de se noyer, ce chiffre est encore beaucoup plus grand que $C = 0{,}1$, le coût de l'altruisme. Évidemment, le degré de risque que prend l'altruiste entre également en ligne de compte. Ainsi, si le sauveteur potentiel est un piètre nageur, il peut avoir 50 % de risques de se noyer, au lieu du 5 % pour un bon nageur. Dans ce cas, le coût de l'altruisme serait de $0{,}5 \times 2 = 1$. Cette valeur est supérieure au 0,25 que nous avons calculé pour rB lorsque c'est le cousin qui se noie. Du point de vue strict de la sélection naturelle, il vaut alors mieux qu'un surveillant de baignade soit tout près.

Le généticien britannique J. B. S. Haldane a anticipé les concepts de la valeur d'adaptation globale et de la sélection parentale en déclarant à la blague qu'il risquerait sa vie pour deux frères ou huit cousins. Aujourd'hui, on dirait que cet acte serait justifié parce que soit deux frères, soit huit cousins totalisent pour Haldane la même représentation génétique que deux de ses propres enfants.

Si la sélection parentale explique l'altruisme des Animaux, alors les comportements désintéressés que nous observons devraient avoir lieu entre parents proches. C'est effectivement ce qui se produit, mais selon des modalités complexes. Ainsi, chez les spermophiles de Belding comme chez la plupart des Mammifères, les femelles s'établissent à proximité de leur lieu de naissance, tandis que les mâles s'en éloignent. Par conséquent, seules les femelles ont des chances de vivre près d'individus étroitement apparentés, et presque tous les signaux d'alarme proviennent d'elles (**figure 51.35**). Toutefois, une femelle qui n'a plus de parents proches donne rarement de signaux d'alarme. Dans le cas des abeilles, les ouvrières sont stériles, et tout ce qu'elles font pour le bénéfice de la ruche entière profite au seul membre permanent fécond, la reine, qui est leur mère.

Dans le cas de l'hétérocéphale glabre, les analyses d'ADN ont montré que tous les individus d'une colonie étaient parents proches. Génétiquement, il semble bien que la reine soit la sœur, la fille ou la mère des rois, et que les congénères stériles soient les descendants directs de la reine ou ses frères et sœurs. Par conséquent, quand un individu stérile augmente les chances de reproduction d'une reine ou d'un roi, il augmente les chances que des gènes identiques aux siens soient transmis à la génération suivante.

L'altruisme réciproque

Il arrive que les Animaux manifestent de l'altruisme envers des individus avec lesquels ils ne sont pas apparentés. On voit ainsi des babouins (*Papio sp.*) aider un congénère dans un combat et des loups (*Canis lupus*) offrir de la nourriture à des individus qui n'appartiennent pas à leur famille. Ce comportement est adaptatif

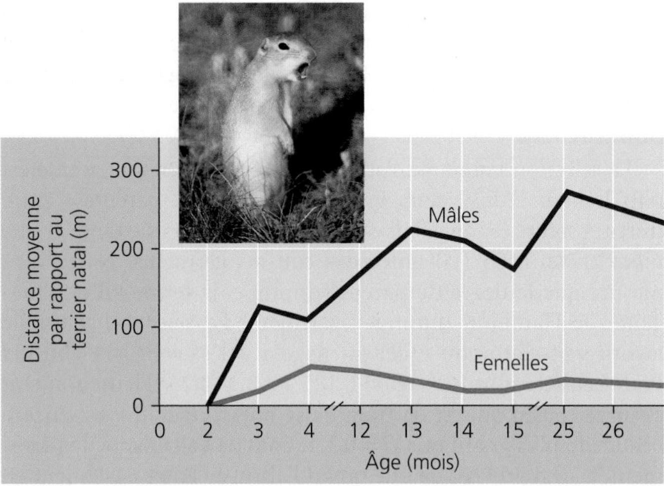

▲ **Figure 51.35 Sélection parentale et altruisme chez le spermophile de Belding (*Spermophilus beldingi*).** Ce graphique sert à expliquer les différences entre les spermophiles de Belding mâles et les spermophiles de Belding femelles en matière de comportement altruiste. Une fois sevrés, les mâles s'établissent loin de leur lieu de naissance, tandis que les femelles restent à proximité. Par conséquent, les femelles ont plus de chances que les mâles de côtoyer des parents proches, et elles augmentent leur valeur d'adaptation globale en les prévenant du danger.

dans la mesure où l'individu altruiste en bénéficie ultérieurement. On traduit cet échange d'aide par l'expression **altruisme réciproque** et on l'invoque fréquemment pour expliquer l'altruisme de l'humain. L'altruisme réciproque est rare chez les Animaux. Il ne s'observe que chez les espèces (les chimpanzés, par exemple) qui forment des groupes sociaux assez stables pour que les individus aient de nombreuses occasions de s'aider mutuellement. On estime généralement que l'altruisme réciproque est d'autant plus probable que les individus ont des chances de se revoir et que des conséquences défavorables peuvent être liées au fait de ne pas rendre les faveurs reçues par le passé, un modèle de comportement que les biologistes du comportement appellent *tricherie*. Vraisemblablement, tout comportement qui semble altruiste augmente d'une quelconque manière la valeur d'adaptation.

Toutefois, étant donné que la tricherie est susceptible de procurer un bénéfice important au tricheur, les biologistes du comportement se sont demandé comment l'altruisme réciproque pouvait évoluer. Pour trouver des réponses à cette question, bon nombre d'entre eux ont eu recours à la théorie des jeux. En 1981, Robert Axelrod et William Hamilton, alors à la University of Michigan, ont exprimé l'idée que l'altruisme réciproque peut évoluer et persister dans une population dont les individus adoptent une stratégie comportementale qu'ils ont nommée *un prêté pour un rendu*. Selon cette stratégie, un individu réserve à un autre le traitement qu'il a reçu la dernière fois qu'ils se sont rencontrés. Les individus qui adoptent ce comportement sont toujours altruistes, ou coopératifs, à leur première rencontre avec un autre et le restent tant que l'altruisme est réciproque. Néanmoins, lorsque la coopération n'est pas mutuelle, ces individus se vengent immédiatement, mais reviennent à la coopération dès que l'autre se montre altruiste. La stratégie un prêté pour un rendu a été utilisée pour expliquer les quelques interactions apparemment altruistes observées chez les Animaux, que ce soit le partage de sang entre des chauves-souris vampires non apparentées ou les activités sociales de toilettage chez les Primates.

L'apprentissage social

Lorsqu'il a été question de l'apprentissage plus tôt dans ce chapitre, nous avons accordé une large place aux influences génétiques et environnementales qui conduisent les Animaux à acquérir de nouveaux comportements. Mais l'aspect social de l'apprentissage peut aussi être important : on parle alors d'**apprentissage social**, processus par lequel un individu apprend en observant les autres (voir la figure 51.17). L'apprentissage social constitue le fondement de la **culture**, pouvant être définie comme un système de transfert d'information qui, par l'intermédiaire de l'observation ou de l'enseignement, influe sur le comportement des individus d'une population. Le transfert d'information culturel est susceptible de modifier les phénotypes comportementaux et, par ricochet, d'agir sur la valeur d'adaptation des individus. Les changements d'origine culturelle qui touchent le phénotype se produisent en beaucoup moins de temps que ceux qui résultent de la sélection naturelle. Comme c'est chez les humains que l'apprentissage social est le plus facile à reconnaître, on peut considérer qu'il va de soi ou présumer qu'il n'a lieu que chez cette espèce. Il n'en reste pas moins que cette forme d'apprentissage peut être observée chez des Animaux dont la lignée a divergé de la nôtre il y a très longtemps. En voici quelques exemples.

La reproduction du choix du partenaire

Nous avons vu comment le choix du partenaire effectué par la femelle peut aboutir à l'évolution d'une ornementation élaborée chez le mâle par l'intermédiaire de la sélection intersexuelle (voir la figure 51.28). Or, chez de nombreuses espèces, le choix du partenaire est fortement influencé par l'apprentissage social.

La **reproduction du choix du partenaire**, un comportement par lequel, dans une population, des individus imitent le choix d'autres individus, a fait l'objet d'études poussées chez le guppy (*Pœcilia reticulata*). Dans leur habitat naturel, les femelles préfèrent en général s'accoupler avec des mâles présentant un pourcentage élevé de coloration orange. Toutefois, on sait aussi qu'elles reproduisent les choix des autres femelles. Autrement dit, elles semblent s'accoupler avec des mâles qui ont réussi à attirer d'autres femelles. À partir de ces données, Lee Dugatkin, de la University of Louisville, a conçu une expérience ingénieuse en vue de comparer les influences du phénotype mâle et de l'apprentissage social sur le choix du partenaire chez les guppys femelles. Le chercheur a donné aux femelles le choix de s'accoupler avec des mâles présentant divers degrés de coloration orange. Dans les échantillons témoins, la femelle faisait son choix en l'absence d'autres femelles. Dans les échantillons expérimentaux se trouvaient des mâles présentant la même échelle de coloration orange que les mâles des échantillons témoins, mais la femelle expérimentale observait aussi une femelle modèle ayant un comportement de parade nuptiale à l'égard d'un mâle présentant une coloration orange relativement faible. Dans les échantillons témoins, les femelles ont en très grande majorité choisi des mâles présentant les plus forts pourcentages de coloration orange **(figure 51.36)**. Toutefois, dans la plupart des cas, les femelles des échantillons expérimentaux ont choisi le mâle moins coloré ayant été présenté en compagnie de la femelle modèle ; elles choisissaient un mâle non associé à une femelle modèle seulement si son pourcentage de coloration orange était *très* élevé. Dugatkin a conclu que, en deçà d'un certain seuil de différence dans la couleur des mâles, la reproduction du choix du partenaire chez les

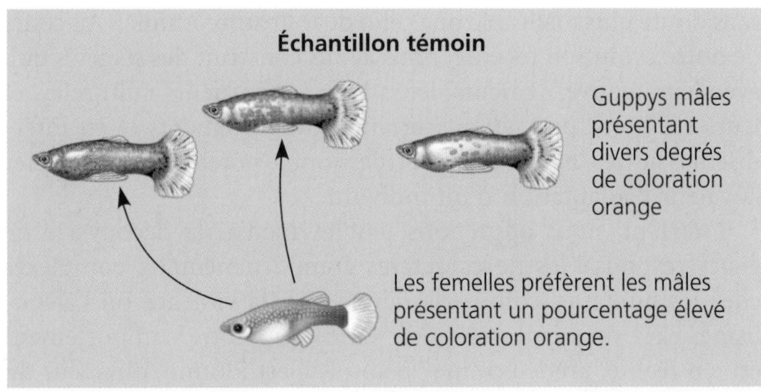
Échantillon témoin
Guppys mâles présentant divers degrés de coloration orange
Les femelles préfèrent les mâles présentant un pourcentage élevé de coloration orange.

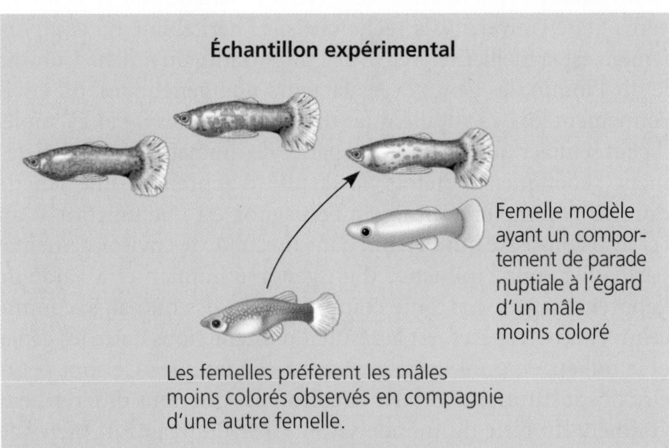
Échantillon expérimental
Femelle modèle ayant un comportement de parade nuptiale à l'égard d'un mâle moins coloré
Les femelles préfèrent les mâles moins colorés observés en compagnie d'une autre femelle.

▲ **Figure 51.36 Reproduction du choix du partenaire chez les guppys femelles (*Pœcilia reticulata*).** Les femelles choisissent en général les mâles présentant davantage de coloration orange. Toutefois, parmi des mâles présentant le même pourcentage de coloration orange ou chez lesquels l'intensité de la coloration différait de 12 à 24 %, les femelles des échantillons expérimentaux ont choisi les mâles *moins* colorés qui avaient été présentés en compagnie d'une femelle modèle. Les femelles négligeaient le choix manifeste de la femelle modèle seulement quand un autre mâle avait 40 % de plus de coloration orange.

guppys femelles peut masquer leur préférence génétique pour les mâles orange. La femelle qui s'accouple avec des mâles que d'autres femelles trouvent attirants augmente ses chances d'avoir une progéniture mâle attirante, qui obtiendra un succès reproductif supérieur. La reproduction du choix du partenaire, une forme d'apprentissage social, a aussi été observée chez plusieurs autres espèces de Poissons et d'Oiseaux.

L'apprentissage social des cris d'alarme

Les cris d'alarme des singes verts (*Cercopithecus æthiops*) constituent un exemple de la façon dont les Animaux améliorent un comportement par l'apprentissage. Dorothy Cheney et Richard Seyfarth, de la University of Pennsylvania, ont étudié les singes verts dans le parc national d'Amboseli, au Kenya. Ces singes, dont la taille est à peu près celle d'un chat domestique, émettent un ensemble complexe de cris d'alarme, qui diffèrent selon le prédateur qu'ils voient : léopard, aigle ou serpent. Quand ils aperçoivent un léopard (*Panthera pardus*), ils lancent un aboiement sonore. Quand ils voient un aigle, ils émettent une toux à double syllabe. Enfin, quand ils repèrent un serpent, ils le signalent par un cri aigu et saccadé. Selon le cri d'alarme qu'ils entendent, les singes verts se comportent de la façon appropriée : ils courent escalader un arbre s'ils entendent le cri d'alarme pour un léopard (ils sont plus agiles que les léopards dans un arbre) ; ils lèvent les yeux lorsqu'ils entendent le cri pour un aigle ; et ils regardent par terre quand la présence d'un serpent leur est signalée **(figure 51.37)**.

Les jeunes singes verts lancent des cris d'alarme, mais manquent de discernement. Ainsi, ils donnent le signal de la présence d'un aigle dès qu'ils aperçoivent un Oiseau, même s'il s'agit de l'inoffensif guêpier (*Merops sp.*). En vieillissant, ils s'améliorent et deviennent plus exacts. En fait, les singes verts adultes ne lancent le cri d'alarme qu'à la vue d'un aigle qui appartient à l'une des deux espèces prédatrices. Le mécanisme par lequel les jeunes apprennent à donner le bon signal d'alarme comporte probablement l'observation des autres membres du groupe et une confirmation sociale. En effet, si le jeune lance le cri au bon moment, c'est-à-dire s'il lance le cri d'alarme pour un aigle quand il y en a effectivement un qui survole le groupe, par exemple, un autre membre du groupe crie aussi. Mais s'il lance le cri pour un aigle quand ce n'est qu'un guêpier qui survole le groupe, les adultes restent silencieux. Par conséquent, les singes verts ont au départ une tendance innée à lancer un cri d'alarme quand ils voient des objets potentiellement menaçants dans leur environnement. Ensuite, l'apprentissage leur permet de perfectionner leur cri, de sorte que, parvenus à l'âge adulte, ils soient en mesure de donner l'alarme seulement en cas de réel danger et de perfectionner les cris d'alarme de la génération suivante. Toutefois, ni les singes verts ni aucune autre espèce ne peut rivaliser avec les humains en matière d'apprentissage social et de transmission culturelle **(figure 51.38)**.

L'évolution et la culture humaine

La discipline de la **sociobiologie** applique la théorie de l'évolution à l'étude de la culture humaine. La principale prémisse de la sociobiologie est que certaines caractéristiques du comportement existent parce qu'elles sont l'expression de gènes qui ont été perpétués par la sélection naturelle. Dans son ouvrage précurseur publié en 1975, *Sociobiology : The New Synthesis*, E. O. Wilson

▲ **Figure 51.37 Les singes verts (*Cercopithecus æthiops*) apprennent le bon usage des cris d'alarme.** Quand ils aperçoivent un python (au premier plan), les singes verts poussent le cri d'alarme correspondant à la présence d'un serpent (en médaillon). Les membres du groupe se tiennent alors debout et regardent par terre.

◀ **Figure 51.38 Le développement de la nature humaine repose à la fois sur les gènes et sur la culture.** L'enseignement donné aux jeunes par les plus âgés constitue l'une des bases de la transmission de toutes les cultures.

s'interroge sur l'origine, dans l'évolution, de certains comportements sociaux chez les Animaux en général de même que chez l'humain, notamment la culture. Le lien entre l'évolution biologique et la culture humaine fait encore l'objet d'un vif débat.

La gamme des comportements sociaux humains possibles est peut-être circonscrite par notre potentiel génétique, mais cela ne veut pas dire que les gènes déterminent le comportement de manière rigide, loin de là. Ce sujet est au cœur du débat sur la sociobiologie. Les opposants à la sociobiologie craignent qu'une interprétation sociobiologique du comportement humain puisse servir à justifier le *statu quo* dans la société humaine, et ainsi les injustices sociales actuelles. Les sociobiologistes, quant à eux, soutiennent qu'il s'agit là d'une simplification excessive et d'une méprise sur ce que les données nous apprennent à propos de la biologie humaine. La sociobiologie ne nous ramène pas au rang de robots sortis d'un moule génétique unique et rigide. Les caractères anatomiques varient énormément entre les individus, et il devrait en être de même pour le comportement. Le passage du génotype au phénotype est soumis à l'influence du milieu pour les caractères physiques et, dans une plus large mesure encore, pour les traits comportementaux. Étant donné notre capacité d'apprentissage et notre polyvalence, notre comportement est sans doute plus malléable que celui de tout autre Animal. Au cours de notre évolution récente, nous avons construit des sociétés qui, avec leurs gouvernements, leurs lois, leurs valeurs culturelles et leurs religions, permettent certains comportements et en interdisent d'autres, même si ces derniers ont le potentiel d'augmenter la valeur d'adaptation d'un individu.

Pourtant, nous apprenons par les médias la découverte de gènes responsables de caractères comportementaux complexes chez les humains, comme la dépression, la violence ou l'alcoolisme. Cela ne fait-il pas valoir l'idée que notre comportement est, en réalité, prédéterminé? Selon Robert Plomin, directeur du Center for Developmental and Health Genetics de la Pennsylvania State University, la recherche sur l'héritabilité du comportement est la meilleure preuve de l'importance du milieu. Comme le dit Plomin, les gènes et les facteurs non génétiques, ou environnementaux, « s'appuient les uns sur les autres ». Par exemple, il peut sembler que la faculté de parler des humains soit complètement génétique. Toutefois, la faculté d'apprendre une langue donnée, comme le français ou l'espagnol, est une fonction d'un cerveau complexe qui s'établit dans un contexte environnemental particulier sous l'influence d'un génome humain et à l'aide de l'apprentissage social. Si le comportement des humains, comme celui d'autres espèces, est le résultat d'interactions entre les gènes et le milieu, en quoi notre espèce est-elle unique? Ce sont peut-être nos institutions sociales et culturelles qui nous différencient vraiment du reste du monde vivant. Il se pourrait fort bien que ces institutions soient la seule caractéristique qui ne s'inscrive pas dans un continuum entre l'humain et les Animaux.

Retour sur le concept 51.6

1. Quelle est la cause ultime du comportement altruiste entre des individus apparentés?
2. Quelle hypothèse peut-on formuler pour expliquer la coopération entre des Animaux non apparentés? Expliquez.
3. Les changements comportementaux entraînés par l'adoption interspécifique entre des souris à pattes blanches et des souris de Californie (voir la section du concept 51.3) peuvent-ils toucher plus d'une génération? Expliquez.

Voir les réponses proposées à la fin du chapitre.

Révision du chapitre 51

RÉSUMÉ DES CONCEPTS CLÉS

Concept 51.1

Les biologistes du comportement font une distinction entre les causes immédiates et les causes ultimes du comportement

▶ **Qu'est-ce que le comportement? (p. 1202).** Le comportement, qui englobe l'activité tant musculaire que non musculaire, est tout ce que fait un Animal et la façon dont il le fait. On considère en général que l'apprentissage est aussi un processus comportemental.

▶ **Les questions portant sur les causes immédiates et sur les causes ultimes (p. 1202).** Les questions portant sur les causes immédiates, ou concernant les modalités du comportement, s'appliquent aux stimulus environnementaux éventuels qui déclenchent le comportement, de même qu'aux mécanismes génétiques, physiologiques et anatomiques qui en sont responsables. Les questions portant sur les causes ultimes, ou concernant le pourquoi du comportement, s'appliquent à la signification d'un comportement sur le plan de l'évolution.

- **L'éthologie (p. 1202-1204).** L'éthologie est l'étude scientifique du comportement animal, en particulier dans des milieux naturels. Au milieu du XXᵉ siècle, les éthologistes ont établi un fondement théorique défini par un ensemble de questions qui mettent en évidence la complémentarité des causes immédiates et des causes ultimes.

De nombreux comportements ont une forte composante génétique

- Les biologistes étudient la façon dont les gènes et le milieu environnant conditionnent ensemble l'apparition des phénotypes comportementaux **(p. 1204-1205).**
- **Les mouvements dirigés (p. 1205-1206).** La cinèse, un comportement donnant lieu à une modification du degré d'activité ou de la vitesse du changement de direction en réponse à un stimulus, et la taxie, un mouvement orienté qui rapproche ou éloigne un organisme d'un stimulus, sont des exemples de comportements innés soumis à une forte influence génétique. Des expériences ont montré que la migration des Oiseaux est un comportement complexe au moins en partie régi par les gènes.
- **Les signaux et la communication chez les Animaux (p. 1206-1207).** La communication est la transmission et la réception d'un signal ainsi que la réponse qui en résulte. Les Animaux communiquent au moyen de signaux visuels, auditifs, chimiques (olfactifs), tactiles et électriques.
- **L'influence des gènes sur l'accouplement et le comportement des parents (p. 1207-1208).** Divers comportements des Mammifères subissent une influence génétique relativement forte. Ainsi, des recherches ont révélé le fondement génétique et neural du comportement d'accouplement et du comportement parental des campagnols des prairies mâles.

L'environnement, en interaction avec la constitution génétique d'un Animal, influe sur le développement des comportements

- **L'influence du régime alimentaire sur le comportement lié au choix du partenaire sexuel (p. 1208-1209).** Selon des expériences de laboratoire portant sur l'espèce *Drosophila mojavensis*, le type de nourriture consommée par les larves pendant leur développement influence fortement le choix du partenaire sexuel effectué par la suite par les femelles.
- **Le milieu social et le comportement d'agressivité (p. 1209).** En soumettant à l'adoption interspécifique des souris de Californie et des souris à pattes blanches, des chercheurs ont découvert que le milieu social influe sur le comportement d'agressivité et le comportement parental chez ces souris.
- **L'apprentissage (p. 1209-1214).** L'apprentissage est la modification d'un comportement à la suite d'expériences particulières. Il existe diverses formes d'apprentissage, dont l'habituation, l'apprentissage spatial, l'utilisation de cartes cognitives et l'apprentissage associatif. Des études sur la cognition et la résolution de problèmes révèlent un raffinement mental de plus en plus prononcé des Insectes, aux Oiseaux jusqu'aux Primates. Le milieu et les gènes peuvent intervenir ensemble dans le processus d'apprentissage.

Les caractéristiques comportementales peuvent évoluer par sélection naturelle

- **La variation comportementale chez les populations naturelles (p. 1214-1215).** Lorsqu'elle correspond à une variation des conditions du milieu, la variation comportementale au sein d'une même espèce peut témoigner d'une évolution antérieure.
- **Les preuves expérimentales de l'évolution du comportement (p. 1215-1217).** Des études de laboratoire portant sur des populations de drosophiles élevées dans des conditions de forte densité et de faible densité révèlent une nette divergence entre des comportements liés à certains gènes. Par ailleurs, des études menées sur le terrain et en laboratoire ont démontré que le comportement migratoire des fauvettes à tête noire habitant l'ouest de l'Europe s'est modifié au cours d'une période de 40 ans.

La sélection naturelle favorise les comportements qui contribuent à la survie et au succès reproductif

- **Le comportement de quête de nourriture (p. 1217-1219).** Plusieurs études appuient la théorie des stratégies optimales de quête de nourriture, selon laquelle la sélection naturelle doit favoriser un comportement qui réduit au minimum les coûts de la quête de nourriture et en maximise les bénéfices.
- **Le comportement d'accouplement et le choix d'un partenaire (p. 1219-1223).** La mesure dans laquelle le choix d'un partenaire favorise le succès reproductif varie selon le système d'accouplement d'une espèce. Les relations entre mâles et femelles, qui comprennent la monogamie, la polygynie et la polyandrie, varient énormément dans le règne des Animaux. La certitude de paternité a une importante influence sur le comportement d'accouplement et sur les soins donnés aux petits par les parents. Les préférences des femelles pour leurs partenaires jouent sans doute un rôle crucial dans l'évolution par sélection intersexuelle du comportement et de l'anatomie du mâle. La compétition des mâles pour le choix des femelles donne lieu à une sélection intrasexuelle également susceptible de réduire la variation entre les mâles. La sélection intrasexuelle peut mener à l'évolution d'un comportement d'accouplement et d'une morphologie parallèles chez les mâles.
- **L'application de la théorie des jeux (p. 1223).** Appliquée à des problèmes en biologie du comportement, la théorie des jeux représente une manière d'envisager l'évolution dans des situations où la valeur d'adaptation d'un phénotype comportemental particulier est influencée par d'autres phénotypes présents dans la population.

Concept 51.6

Le concept de valeur d'adaptation globale explique en grande partie le comportement altruiste

- **L'altruisme (p. 1224).** Il arrive que les Animaux accomplissent des actions qui compromettent leur propre bien-être mais bénéficient aux autres.
- **La valeur d'adaptation globale (p. 1224-1226).** L'altruisme peut s'expliquer par le concept de valeur d'adaptation globale, qui se définit comme l'effet global qu'a un individu sur la prolifération de ses gènes en produisant une descendance *et* en fournissant une aide qui permet à ses proches parents de se reproduire aussi. La sélection parentale favorise l'altruisme, car elle accroît le succès reproductif des proches parents. L'altruisme envers des individus non apparentés peut être adaptatif dans la mesure où l'individu qui a reçu de l'aide rend la pareille ultérieurement: il s'agit d'un échange appelé altruisme réciproque.
- **L'apprentissage social (p. 1226-1227).** L'apprentissage social constitue le fondement de la culture, définie comme un système de transfert d'information qui, par l'intermédiaire de l'observation ou de l'enseignement, influe sur le comportement des individus d'une population.
- **L'évolution et la culture humaine (p. 1227-1228).** Le comportement des humains, comme celui d'autres espèces, est le résultat d'interactions entre les gènes et le milieu. Toutefois, nos institutions sociales et culturelles pourraient bien être la seule caractéristique qui ne s'inscrive pas dans un continuum entre l'humain et les autres Animaux.

VÉRIFIEZ VOS CONNAISSANCES

Autoévaluation

(Les questions dont les numéros sont en caractères gras font surtout appel à la compréhension.)

1. Lequel des énoncés suivants s'applique aux comportements innés?
   a) Les gènes ont très peu d'influence sur l'expression des comportements innés.
   b) Les comportements innés tendent à varier énormément parmi les membres d'une population.
   c) Seuls les Invertébrés présentent des comportement innés.
   d) Les comportements innés s'expriment chez la plupart des individus d'une population, dans un large éventail de conditions environnementales.
   e) Les Invertébrés et certains Vertébrés ont des comportements innés, mais pas les Mammifères.

2. Parmi les exemples suivants, lequel se rapporte à la taxie?
   a) La navigation d'un pinson pendant la migration.
   b) Un mouvement de recul avec sa main après avoir touché une plaque chauffante.
   c) Une guêpe retrouvant son nid à l'aide de repères.
   d) Un Poisson qui s'oriente par rapport au courant de la rivière.
   e) Une corneille qui laisse tomber un buccin d'une certaine hauteur.

3. Lequel des énoncés suivants explique la cause ultime du comportement des saumons adultes qui quittent l'océan pour revenir frayer dans le cours d'eau où ils sont nés?
   a) Les jeunes saumons reconnaissent par imprégnation l'odeur chimique de leur cours d'eau natal.
   b) Les saumons adultes utilisent la navigation stellaire pour retrouver leur cours d'eau natal.
   c) Les saumons retrouvent leur chemin jusqu'à leur cours d'eau natal grâce à leur capacité à détecter le champ magnétique terrestre.
   d) Frayer dans le cours d'eau natal permet un taux de survie plus élevé chez les jeunes saumons.
   e) Les courants océaniques aident les saumons à retrouver leur cours d'eau natal.

4. Un chercheur a découvert que, chez le serin du Mozambique, une région du prosencéphale rapetisse et se régénère à chaque saison de reproduction. Cette découverte permet d'établir une corrélation avec:
   a) la phase de modification du chant qui donne un nouveau chant, plus complexe chaque année.
   b) la fixation du chant adulte à partir du pré-chant que les serins du Mozambique produisent quand ils apprennent à chanter la première fois.
   c) la période critique au cours de laquelle le parent mâle s'associe à de nouveaux petits.
   d) le renouvellement des activités de construction d'un nid et de reproduction chaque printemps.
   e) la période critique au cours de laquelle les serins du Mozambique apprennent un modèle de chant propre à leur espèce.

5. Bien que de nombreuses populations de chimpanzés vivent dans des milieux où on trouve des noix de palmier à huile, seuls les membres de quelques populations utilisent des pierres pour les ouvrir. L'explication la plus plausible pour cette différence de comportement entre populations est que:
   a) elle résulte d'une différence génétique entre ces populations.
   b) les besoins nutritionnels varient selon les populations.
   c) l'utilisation des pierres est une tradition culturelle qui ne s'est imposée que dans certaines populations.
   d) la capacité d'apprentissage varie selon les populations.
   e) la dextérité varie selon les populations.

6. Lequel des énoncés suivants *ne s'applique pas* à l'évolution d'un trait comportemental par sélection naturelle?
   a) Chez chaque individu, la forme du comportement est entièrement déterminée par les gènes.
   b) Le comportement diffère d'un individu à l'autre.
   c) Le succès reproductif d'un individu dépend en partie de la façon dont il se comporte.
   d) Le comportement est en partie héréditaire.
   e) Le génotype d'un individu influe sur son phénotype comportemental.

7. Lequel des énoncés suivants *ne s'applique pas* au comportement d'affrontement?
   a) Il s'observe surtout entre membres d'une même espèce.
   b) Il peut servir à la prise et à la défense d'un territoire.
   c) Il peut servir de cadre à une compétition entre des individus pour le choix d'un partenaire.
   d) Il se termine souvent par la mort d'un des opposants ou des deux, ou cause des blessures graves.
   e) Il peut être utilisé par un individu pour établir sa domination sur d'autres individus.

8. La femelle du chevalier grivelé (*Actitis macularia*) courtise des mâles de façon agressive, puis, après l'accouplement, laisse le mâle assurer l'incubation de la couvée. Elle peut répéter cela plusieurs fois avec différents partenaires, jusqu'à ce qu'il n'y ait plus de mâles disponibles. Cela l'oblige alors à assurer l'incubation de sa dernière couvée. Parmi les termes suivants, lequel décrit le mieux ce comportement?
   a) Monogamie.
   b) Polygynie.
   c) Polyandrie.
   d) Promiscuité.
   e) Certitude de paternité.

9. Selon l'inéquation $rB > C$, appelée règle de Hamilton:
   a) La sélection naturelle ne peut pas favoriser l'altruisme si l'altruiste perd la vie.
   b) La sélection naturelle favorise les actes altruistes quand l'avantage du bénéficiaire multiplié par le coefficient de parenté est supérieur au coût de l'altruisme.
   c) La sélection naturelle favorise davantage les actes altruistes dont bénéficie un descendant que ceux dont bénéficient un frère ou une sœur.
   d) La sélection parentale est un facteur de sélection plus puissant que le succès reproductif individuel favorisé par la sélection naturelle.
   e) L'altruisme est toujours réciproque.

10. La sociobiologie dit essentiellement que:
   a) Le comportement humain est déterminé de manière rigide par l'hérédité.
   b) L'humain ne peut pas choisir de modifier son comportement social.
   c) La plupart des comportements de l'humain ont évolué par sélection naturelle.
   d) Il existe de nombreuses ressemblances entre le comportement social de l'humain et celui des Insectes sociaux, comme les abeilles.
   e) Le milieu joue un plus grand rôle que les gènes dans le façonnement du comportement humain.

Lien avec l'évolution

Dans les activités humaines, on explique souvent notre comportement en fonction de sentiments subjectifs, de motifs ou de raisons. Au contraire, les explications fondées sur l'évolution font intervenir la valeur d'adaptation reproductive. Quelle est la relation entre les deux types d'explications? Par exemple, pour un comportement comme «tomber amoureux», une explication humaine est-elle incompatible avec une explication fondée sur l'évolution? Le fait de devenir amoureux est-il plus ou moins sensé (ou ni l'un ni l'autre) s'il a des origines dans l'évolution?

Intégration

Des scientifiques ont découvert que, chez les geais à gorge blanche (*Aphelocoma cœrulescens*), il arrive fréquemment que des «auxiliaires» aident des couples à élever leurs petits. Ces auxiliaires ne possèdent ni territoire ni partenaire, mais aident les individus qui se sont approprié un territoire à nourrir leur progéniture. Proposez une hypothèse pour expliquer en quoi ce comportement peut être plus avantageux pour les auxiliaires que la recherche d'un territoire et d'un partenaire bien à eux. Comment vérifierez-vous votre hypothèse? Si votre hypothèse est juste, quels résultats attendrez-vous de vos expériences?

Science, technologie et société

Les chercheurs s'intéressent beaucoup aux jumeaux monozygotes (identiques) qui ont été élevés séparément dès la naissance. Jusqu'à présent, les données obtenues laissent penser que ces jumeaux ont beaucoup plus de points en commun que ne le croyaient les chercheurs. Leur personnalité, leur manière d'être, leurs habitudes et leurs intérêts se ressemblent souvent. Selon vous, à quelle question générale les chercheurs espèrent-ils répondre en étudiant des jumeaux élevés séparément? Pourquoi les jumeaux monozygotes font-ils de bons sujets pour ce genre de recherche? Quelles réflexions vous inspirent les résultats obtenus? Quels abus pourrait-on commettre si on n'évaluait pas de façon critique ces études et si on les citait à la légère pour défendre une certaine politique sociale?

Réponses du chapitre 51

Retour sur le concept 51.1

1. Exemple de réponse: Comment l'écureuil terrestre produit-il ce son (cause immédiate)? Ce comportement change-t-il au cours du développement de l'écureuil (cause immédiate)? D'autres espèces d'écureuils étroitement apparentées poussent-elles des cris semblables (cause ultime)? En quoi ce cri influe-t-il sur le succès reproductif de l'écureuil (cause ultime)?
2. Ce comportement est un exemple de séquence stéréotypée d'actes instinctifs. Sa cause immédiate pourrait être que la vue d'un objet se trouvant à l'extérieur du nid est un stimulus signal déclenchant chez l'oie cendrée une série de mouvements qui, une fois entreprise, est exécutée jusqu'au bout. Quant à la cause ultime, elle pourrait être la suivante: en s'assurant que les œufs demeurent dans le nid, l'oie cendrée augmente ses chances d'avoir des rejetons en bonne santé.

Retour sur le concept 51.2

1. Tous les comportements sont influencés à la fois par l'« inné » (les gènes) et par l'« acquis » (le milieu), mais certains d'entre eux présentent des composantes génétiques ou environnementales particulièrement fortes.
2. Exemple de réponse: Dans l'exemple de la chrysope verte, les chercheurs ont isolé les petits hybrides de deux espèces de chrysopes aux chants différents afin d'éliminer la composante environnementale (apprentissage) et de démontrer que le chant des hybrides est déterminé par les gènes.

Retour sur le concept 51.3

1. L'application de règles générales pour apprendre les relations spatiales permet de réduire le nombre de détails à mémoriser pour retrouver les objets importants.
2. Le régime alimentaire (comme dans l'exemple de l'espèce *D. mojevensis*, chez laquelle le choix du partenaire par les femelles est influencé par le milieu alimentaire des larves); le milieu social (comme le montre l'étude sur le comportement d'agressivité dans laquelle des souris soumises à l'adoption interspécifique ont suivi certains des comportements de leurs parents adoptifs; l'apprentissage (par lequel les Animaux modifient leur comportement à la suite d'expériences particulières).
3. La sélection naturelle tend à favoriser la convergence des taches de couleur, car un prédateur qui apprend à associer un motif particulier à une piqûre ou à un goût désagréable évitera tous les autres individus présentant ce motif, peu importe leur espèce.

Retour sur le concept 51.4

1. Cette variation géographique correspond à des différences dans la disponibilité des proies dans deux habitats de couleuvres de l'Ouest. Il semble donc que les couleuvres dotées de caractéristiques leur permettant de se nourrir de proies abondantes dans leur milieu particulier aient augmenté leurs chances de survie et de succès reproductif et que la sélection naturelle ait ainsi donné lieu à des comportements de quête de nourriture différents.
2. Pour démontrer que le comportement d'agressivité des araignées diffère en raison de différences génétiques entre les populations.
3. Berthold et ses collègues ont conclu que l'orientation migratoire des fauvettes à tête noire est déterminée par les gènes, car ils ont constaté que les petits élevés en laboratoire des fauvettes provenant de Grande-Bretagne et des fauvettes provenant d'Allemagne présentaient des orientations migratoires différentes. De plus, le comportement des fauvettes à tête noire qui migrent vers l'ouest semble avoir évolué au cours des 50 dernières années environ.

Retour sur le concept 51.5

1. La certitude de paternité est plus forte chez les espèces à fécondation externe.
2. La théorie des stratégies optimales de quête de nourriture prévoit que les cerfs-mulets tiendront compte à la fois du risque de prédation et de la disponibilité de la nourriture. Cela explique pourquoi, bien que la nourriture soit un peu moins abondante dans les endroits ouverts qu'à l'orée ou à l'intérieur des forêts, les cerfs-mulets se nourrissent plus souvent dans les endroits ouverts, où le risque de prédation par les lions de montagne est beaucoup moins grand qu'à l'orée des forêts.
3. Si la femelle choisit un partenaire réellement en bonne santé, les petits auront de meilleures chances d'hériter de certains de ces gènes salutaires. Par nature, ces petits seront alors plus susceptibles de survivre et de se reproduire, de même que d'être choisis par les femelles exigeantes de la prochaine génération.

Retour sur le concept 51.6

1. L'amélioration du succès reproductif des individus étroitement apparentés, avec lesquels l'altruiste a beaucoup de gènes en commun, dont ceux qui sont responsables de l'altruisme.
2. L'altruisme réciproque, soit le comportement d'un individu qui en aide un autre en s'attendant à ce que cette aide lui soit ultérieurement rendue, peut expliquer la coopération entre des Animaux non apparentés, bien que, souvent, ce comportement puisse aussi être à l'avantage du bienfaiteur.
3. Oui. Étant donné que le comportement parental de ces souris modifie le comportement parental futur des petits, les changements comportementaux issus de l'adoption interspécifique peuvent être transmis par la culture.

Autoévaluation

1. d; **2.** d; 3. d; 4. a; 5. c; **6.** a; **7.** d; 8. c; 9. b; 10. c.

52

L'écologie des populations

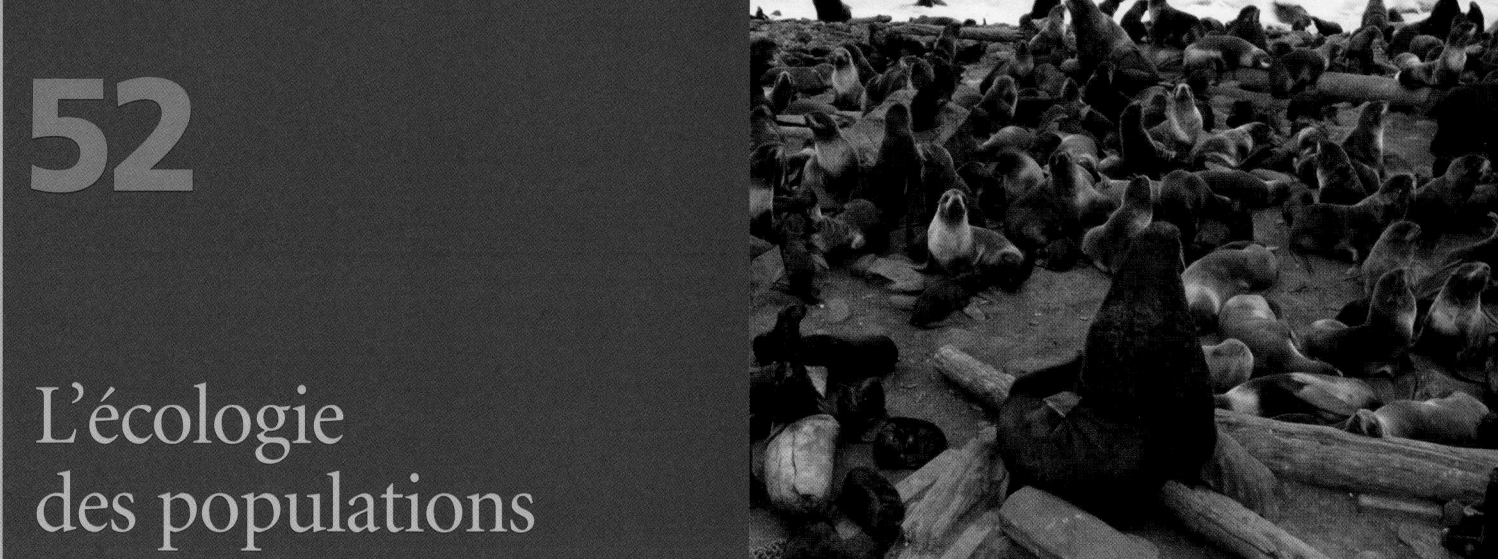

▲ **Figure 52.1 Population d'otaries à fourrure de l'Alaska (*Callorhinus ursinus*) sur St. Paul Island, près de la côte de l'Alaska.**

Concepts clés

52.1 Des processus biologiques dynamiques influent sur la densité et la dispersion des populations de même que sur la démographie

52.2 Les caractéristiques des cycles biologiques sont le produit de la sélection naturelle

52.3 Le modèle exponentiel décrit l'accroissement démographique dans un environnement idéal aux ressources illimitées

52.4 Le modèle logistique d'accroissement démographique intègre la notion de capacité limite du milieu

52.5 Les populations sont régulées par une interaction complexe d'influences biotiques et abiotiques

52.6 La population humaine, qui s'est accrue de manière exponentielle pendant des siècles, augmente aujourd'hui moins rapidement

Introduction

La variabilité des populations de la Terre

Les conséquences de l'accroissement de la population humaine comptent parmi les problèmes les plus importants sur la Terre. Nous sommes déjà environ 6,25 milliards sur la planète et nous avons besoin d'énormes quantités de matières et de beaucoup d'espace pour nous loger, pour produire notre nourriture et pour éliminer nos déchets. Nous nous sommes rapidement répandus sur la Terre, nous avons rendu l'environnement inhabitable pour de nombreuses autres espèces et, aujourd'hui, nous risquons d'en faire autant pour nous-mêmes.

Pour vraiment comprendre le problème de l'accroissement démographique humain, nous devons considérer les principes généraux de l'écologie des populations. Aucune population, y compris la population humaine, ne peut s'accroître indéfiniment. D'autres espèces animales connaissent parfois des explosions démographiques, mais leurs populations chutent tôt ou tard. Par ailleurs, de nombreuses populations restent relativement stationnaires et subissent seulement des accroissements et des diminutions de faible ampleur.

Dans l'étude des populations présentée au chapitre 23, nous nous sommes attardés sur la relation entre la génétique des populations (la structure et la dynamique des patrimoines génétiques) et l'évolution. L'évolution reste notre fil conducteur tandis que nous entreprenons, dans ce chapitre, l'étude des populations dans un contexte écologique. L'**écologie des populations** est l'étude des populations sous le rapport de l'environnement: elle s'étend aux influences du milieu environnant sur la densité et la distribution des populations, sur la structure d'âge et sur les variations de la taille des populations. La taille de la population des otaries à fourrure de l'Alaska (*Callorhinus ursinus*) vivant sur St. Paul Island (**figure 52.1**), près de la côte de l'Alaska, a connu d'énormes fluctuations. Décimée par la chasse au début du XXe siècle, cette population s'est rapidement accrue après qu'on a pris des mesures pour la protéger. Dans ce cas, la population avait été réduite par la prédation humaine, mais il existe beaucoup d'autres raisons qui expliquent l'accroissement ou le déclin des populations.

Plus loin dans le chapitre, nous appliquerons à la population humaine les principes fondamentaux que nous aurons établis. Pour l'instant, nous allons examiner quelques-uns des aspects de la structure et de la dynamique des populations tels qu'ils s'appliquent à toute espèce.

Concept 52.1

Des processus biologiques dynamiques influent sur la densité et la dispersion des populations de même que sur la démographie

Une **population** est un groupe d'individus de la même espèce vivant dans une aire géographique donnée, à un moment précis. Ces individus consomment les mêmes ressources et sont influencés par les mêmes facteurs écologiques. De plus, la probabilité qu'ils se reproduisent entre eux et interagissent est très élevée. Les populations peuvent évoluer par l'intermédiaire de la sélection naturelle, qui agit sur les variations héréditaires entre les individus et modifie la fréquence de diverses caractéristiques au fil du temps (voir le chapitre 23).

La densité et la dispersion

Toute population a des limites géographiques et une taille (le nombre d'individus qui vivent à l'intérieur de ces limites) précises. Pour étudier la dynamique des populations, les écologistes commencent par définir les limites appropriées aux organismes observés et aux questions posées. Les limites d'une population peuvent être naturelles, comme dans le cas d'une île du fleuve Saint-Laurent où nichent des cormorans à aigrettes (*Phalacrocorax auritus*). Elles peuvent aussi être déterminées arbitrairement par un chercheur, par exemple pour les chênes rouges (*Quercus rubra*) à l'intérieur d'un comté du sud du Québec. Une fois définie, toute population peut être décrite sous l'angle de sa densité et de sa dispersion. La **densité de population** est le nombre d'individus par unité d'aire ou de volume, par exemple le nombre de chênes rouges par kilomètre carré dans un comté du sud du Québec ou le nombre de Bactéries *Escherichia coli* par millilitre dans une éprouvette. La **dispersion**, quant à elle, est le mode d'espacement des individus à l'intérieur des limites géographiques de la population.

La densité de population : une perspective dynamique

Dans de rares cas, on détermine la taille et la densité d'une population en comptant tous les individus qui se trouvent à l'intérieur de ses limites. Par exemple, on peut compter les étoiles de mer dans un étang à marées. Du haut des airs, on peut parfois dénombrer avec exactitude les troupeaux de grands Mammifères, notamment de caribous des bois (*Rangifer tarandus caribou*) et de buffles africains (*Syncerus caffer*). Cependant, dans la plupart des cas, il est impossible de compter tous les individus d'une population. Les écologistes utilisent alors diverses techniques d'échantillonnage pour estimer la densité et la taille des populations. Ainsi, pour estimer la taille de la population de chênes blancs (*Quercus alba*) dans la totalité d'une zone, ils peuvent compter le nombre d'arbres qui se trouvent dans plusieurs parcelles (échantillons) de 10 m × 100 m choisies au hasard, calculer la densité moyenne des arbres dans ces parcelles, puis extrapoler. L'exactitude des estimations augmente avec le nombre de parcelles étudiées et avec le degré d'homogénéité de l'habitat. Dans certains cas, au lieu de compter les organismes eux-mêmes, les écologistes estiment la densité à partir d'un quelconque indice de la taille de la population, comme le nombre de nids, de terriers, de traces ou de déjections.

La **technique de capture-recapture** est une technique d'échantillonnage que les écologistes utilisent communément pour estimer les populations d'Animaux sauvages. Les scientifiques installent entre autres des cages ou des filets à l'intérieur des limites de la population étudiée. Ils marquent les Animaux capturés à l'aide d'étiquettes, de bagues, de colliers ou de taches de teinture, puis les libèrent. Ils attendent quelques jours ou quelques semaines pour laisser aux Animaux marqués le temps de se mêler aux membres non marqués de la population. Puis, ils remettent les cages ou les filets en place. À cette seconde capture, ils obtiennent à la fois des individus marqués et des individus non marqués. À partir de ces données, les chercheurs peuvent estimer le nombre total des individus d'une population. Notez qu'on suppose qu'un individu marqué a autant de chances d'être capturé qu'un individu non marqué. Or, cette supposition est plus ou moins valable, car un Animal qui a été capturé une fois peut se méfier des cages par la suite. Voici comment on calcule une population à l'aide de la technique de capture-recapture :

$$\frac{\text{Nombre d'Animaux marqués recapturés}}{\text{Nombre total d'Animaux capturés la seconde fois}} = \frac{\text{Nombre d'Animaux capturés et marqués la première fois}}{\text{Population totale } N}$$

Par conséquent, s'il n'y a pas eu de naissances, de morts, d'immigration ou d'émigration, l'équation simple qui suit donne une estimation de la taille de la population, N :

$$N = \frac{\text{Nombre d'Animaux capturés et marqués} \times \text{Nombre d'Animaux capturés la seconde fois}}{\text{Nombre d'Animaux marqués recapturés}}$$

Par exemple, supposons qu'on capture dans des cages 50 lièvres d'Amérique (*Lepus americanus*), qu'on leur fixe une étiquette à une oreille puis qu'on les libère. Deux semaines plus tard, on capture 100 individus et on vérifie les étiquettes. Si 10 de ces 100 lièvres d'Amérique portent des étiquettes, on estime que 10 % des membres de la population sont marqués. Comme 50 individus ont été marqués au départ, on estime que la population totale comprend environ 500 lièvres d'Amérique.

La densité n'est pas une propriété statique d'une population, mais plutôt le résultat d'une interaction dynamique entre les processus d'adjonction et de soustraction d'individus **(figure 52.2)**. Les processus d'adjonction sont la natalité (quel que soit le mode de reproduction) et l'**immigration**, soit l'arrivée d'individus provenant d'autres régions. Les processus de soustraction sont la mortalité et l'**émigration**, soit le départ d'individus vers d'autres régions.

Si la natalité et la mortalité ont des répercussions évidentes sur la densité de toutes les populations, l'immigration et l'émigration peuvent aussi faire varier de façon importante la densité des populations locales. Par exemple, selon des études à long terme portant sur le spermophile de Belding (*Spermophilus beldingi*) menées dans les environs de Tioga Pass, dans la chaîne de la Sierra Nevada, en Californie, certains de ces Animaux vont vivre à plus de 2 km de l'endroit où ils sont nés, immigrant ainsi dans d'autres populations. Paul Sherman et Martin Morton, alors respectivement de la Cornell University et du Occidental College, ont estimé que ces immigrants représentaient de 1 à 8 % des mâles et de 0,7 à 6 % des femelles de la population étudiée. Ces pourcentages peuvent sembler faibles, mais à long terme ils correspondent à des échanges entre populations qui sont importants sur le plan biologique.

Les modes de dispersion d'une population

À l'intérieur de l'aire de distribution géographique, la densité de population peut présenter des variations locales considérables. Les variations de la densité locale comptent parmi les principales caractéristiques étudiées par les écologistes, car elles permettent de comprendre les associations environnementales et les interactions sociales des individus de la population. Les différences que présente le milieu, même à l'échelle locale, font varier la densité

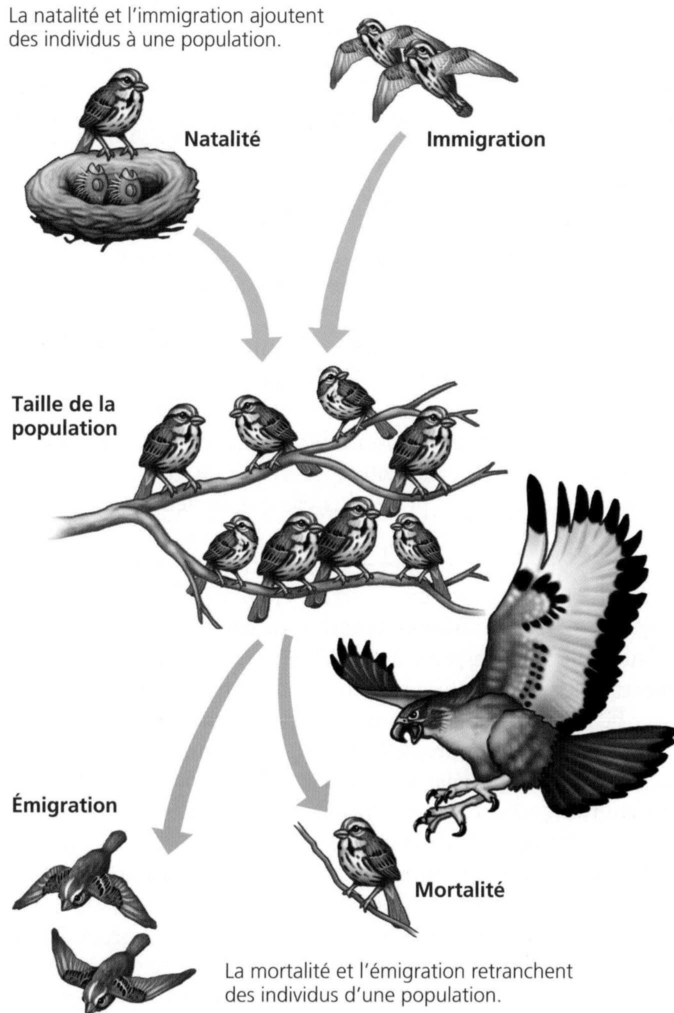
La natalité et l'immigration ajoutent des individus à une population.
Natalité
Immigration
Taille de la population
Émigration
Mortalité
La mortalité et l'émigration retranchent des individus d'une population.

▲ **Figure 52.2 Dynamique des populations.**

de population ; en effet, certaines parcelles d'habitat conviennent simplement mieux que d'autres à une espèce. Les interactions sociales entre les membres d'une population, lesquelles peuvent amener ceux-ci à garder une certaine distance entre eux, contribuent aussi à faire varier la densité de population.

Le mode de dispersion le plus courant est la dispersion *en agrégats*, les individus formant des groupes. Les Végétaux et les Eumycètes sont regroupés en agrégats dans certains sites, parce que les conditions du sol et les autres facteurs écologiques favorisent la germination et la croissance. Par exemple, des Eumycètes peuvent se développer en groupe sur des billes de bois pourri. Beaucoup d'Animaux passent la majeure partie de leur temps dans les microhabitats qui satisfont le mieux leurs besoins. Par exemple, dans la forêt, beaucoup d'Insectes et de salamandres se regroupent sous les bûches, où l'humidité a tendance à être plus élevée que dans les endroits plus exposés. L'agrégation d'Animaux est aussi liée au comportement sexuel. Ainsi, les éphémères, Insectes qui ne vivent qu'un ou deux jours en tant qu'adultes reproducteurs, forment des nuées pour accroître les chances de reproduction. Le fait de vivre en groupe peut également assurer l'efficacité de certains prédateurs ; par exemple, une meute de loups a davantage de chances qu'un individu seul de maîtriser une grosse proie comme un orignal **(figure 52.3a)**.

La dispersion *uniforme*, dans laquelle les individus sont également répartis, résulte souvent d'interactions directes entre les membres de la population. Par exemple, certaines plantes sécrètent des substances chimiques qui inhibent autour d'elles la germination et la croissance d'espèces avec lesquelles elles sont en compétition pour les ressources. Dans les populations animales, une dispersion uniforme peut résulter d'interactions sociales agressives, comme celles qui sont provoquées par la **territorialité**, qui consiste à empêcher d'autres individus de pénétrer dans un espace physique circonscrit **(figure 52.3b)**. La dispersion uniforme n'est pas aussi courante que la dispersion en agrégats.

Enfin, la dispersion *aléatoire* (dispersion imprévisible) s'observe en l'absence d'attirances ou de répulsions marquées entre les individus d'une population ou quand les principaux facteurs physiques ou chimiques sont relativement homogènes dans la région étudiée. L'endroit qu'occupe chaque individu est indépendant de celui des autres. Ainsi, les plantes qui poussent à partir de graines transportées par le vent, comme les pissenlits, sont quelquefois réparties au hasard dans un habitat assez uniforme **(figure 52.3c)**. Cependant, en règle générale, les dispersions aléatoires n'apparaissent pas fréquemment dans la nature. La plupart des populations présentent en effet une tendance à la dispersion en agrégats.

La démographie

Les facteurs qui influent sur la densité et le mode de dispersion des populations, c'est-à-dire les besoins écologiques d'une espèce, la structure du milieu et les interactions entre les individus composant une population, ont aussi une incidence sur d'autres caractéristiques. L'étude quantitative des populations et de leurs variations au fil du temps est appelée **démographie.** Les démographes s'intéressent surtout aux taux de natalité et à leurs variations parmi les individus (en particulier parmi les femelles), et aux taux de mortalité. Les tables de survie constituent un moyen efficace de résumer certaines des statistiques démographiques d'une population.

Les tables de survie

Lorsque, il y a environ un siècle, fut instaurée l'assurance-vie, les compagnies d'assurance durent déterminer l'espérance de vie moyenne des personnes d'un âge donné. À cette fin, des démographes ont inventé la **table de survie**, qui est une recension pour chaque âge du nombre d'individus vivants dans une population. Les écologistes ont adapté cette méthode à l'étude des populations animales et ont créé la branche de l'écologie des populations qu'est la démographie quantitative.

Pour établir une table de survie, on peut suivre, de la naissance jusqu'à la mort, la destinée d'une **cohorte**, qui est un groupe d'individus du même âge. Pour la construire, on détermine le nombre d'individus qui meurent dans chaque groupe d'âge et on calcule la proportion de la cohorte qui survit d'un âge à l'autre. Les tables de survie des cohortes sont difficiles à établir pour les Animaux sauvages et les Végétaux, et ne s'appliquent qu'à un nombre limité d'espèces. Le **tableau 52.1** présente la table de survie d'une cohorte d'individus chez le spermophile de Belding (*Spermophilus beldingi*) de Tioga Pass, en Californie, réalisée à la suite d'études menées par Sherman et Morton. Une table de survie nous apprend beaucoup de choses sur une population. Ainsi, les troisième et huitième colonnes montrent respectivement les proportions de femelles et de mâles d'une cohorte qui sont toujours en vie à un âge donné. En comparant les cinquième et dixième colonnes, on apprend que les taux de mortalité sont plus élevés chez les mâles que chez les femelles.

(a) Dispersion en agrégats. Chez de nombreux Animaux, comme ces loups, la vie en groupe permet d'augmenter l'efficacité de la chasse, de répartir les tâches relatives à la protection et au soin des petits, et de faciliter l'exclusion des individus indésirables.

(b) Dispersion uniforme. Les Oiseaux qui nichent sur de petites îles, comme ces manchots royaux (*Aptenodytes patagonica*) photographiés sur l'île de la Géorgie du Sud, près de l'Antarctique, présentent souvent une dispersion uniforme maintenue par des interactions agressives entre voisins.

(c) Dispersion aléatoire. Transportées par le vent, les graines de pissenlits se posent au hasard avant de germer.

▲ Figure 52.3 Modes de dispersion à l'intérieur de l'aire géographique d'une population.

Les courbes de survie

On peut représenter graphiquement une partie des données que contient une table de survie en traçant une **courbe de survie**, c'est-à-dire en indiquant la proportion ou le nombre de survivants d'une cohorte en fonction de l'âge. À l'aide des données se rapportant aux spermophiles de Belding présentées au tableau 52.1, construisons une courbe de survie pour cette population. En général, on commence avec une cohorte de 1 000 individus. Dans le cas de la population de spermophiles de Belding, on multiplie la proportion de survivants du début de chaque intervalle (troisième et huitième colonnes du tableau 52.1) par 1 000 (la cohorte de départ hypothétique). On obtient ainsi le nombre de survivants au début de chaque intervalle. La **figure 52.4** montre un graphique opposant ces nombres à l'âge des femelles et des mâles. Les lignes assez droites du graphique indiquent des taux de mortalité relativement constants; toutefois, les mâles ont dans l'ensemble un taux de survie plus bas que les femelles.

La figure 52.4 ne représente qu'une des nombreuses courbes de survie qu'on trouve chez les populations naturelles. Malgré cette diversité, il existe trois grands types de courbes de survie **(figure 52.5)**. La courbe de type I a un segment initial relativement plat qui correspond à de faibles taux de mortalité chez les jeunes et les adultes. Puis, elle s'infléchit brusquement lorsque les taux de mortalité augmentent dans les groupes d'individus âgés. L'humain et de nombreux autres grands Mammifères qui produisent un nombre relativement faible de rejetons mais leur prodiguent beaucoup de soins ont une courbe de survie de type I. À l'opposé, la courbe de type III a un segment initial très pentu, proche de la verticale, puis elle s'aplatit à un niveau qui correspond à ses valeurs faibles. Elle caractérise les populations à fort taux de mortalité chez les jeunes et à faible taux de mortalité chez les rares individus qui ont survécu à un certain âge critique. Ce type de courbe s'observe chez des organismes qui, tels les plantes de grande longévité, de nombreux Poissons et des Invertébrés marins, produisent un très grand nombre de rejetons mais ne s'en occupent à peu près pas. Par exemple, une huître du genre *Ostrea* libère des millions d'œufs, mais la plupart des larves sont dévorées ou meurent. Cependant, les rares individus qui survivent assez longtemps pour se fixer à un substrat approprié et pour sécréter une coquille rigide ont une espérance de vie relativement longue. Enfin, la courbe de type II se situe à mi-chemin entre les deux autres. Elle correspond à un taux de mortalité constant au cours de la vie des individus d'une population. On obtient ce type de courbe pour les spermophiles de Belding (voir la figure 52.4) de même que pour certains autres Rongeurs, divers Invertébrés, quelques espèces de lézards et certaines plantes annuelles.

De nombreuses espèces ont des courbes intermédiaires ou plus complexes que les courbes I, II et III. Ainsi, les Oiseaux ont un taux de mortalité souvent élevé parmi les individus les plus jeunes (comme dans la courbe de type III), mais plutôt constant parmi les adultes (comme dans la courbe de type II). Certains Invertébrés, tels que les crabes, ont une courbe « en escalier »: le taux de mortalité s'élève pendant les périodes de mue (durant lesquelles les Animaux sont vulnérables ou présentent des troubles physiologiques), puis il diminue pendant les périodes où l'exosquelette est rigide.

En l'absence d'immigration ou d'émigration, la survie constitue l'un des deux facteurs importants qui déterminent les variations

Tableau 52.1 Table de survie d'une cohorte de spermophiles de Belding (*Spermophilus beldingi*) de Tioga Pass, dans la chaîne de la Sierra Nevada, en Californie*

	FEMELLES					MÂLES				
Âge (années)	Nombre d'individus vivants au début de l'intervalle	Proportion de survivants au début de l'intervalle	Nombre de morts pendant l'intervalle	Taux de mortalité†	Espérance de vie additionnelle moyenne (années)	Nombres d'individus vivants au début de l'intervalle	Proportion de survivants au début de l'intervalle	Nombre de morts pendant l'intervalle	Taux de mortalité†	Espérance de vie additionnelle moyenne (années)
0–1	337	1,000	207	0,61	1,33	349	1,000	227	0,65	1,07
1–2	252††	0,386	125	0,50	1,56	248††	0,350	140	0,56	1,12
2–3	127	0,197	60	0,47	1,60	108	0,152	74	0,69	0,93
3–4	67	0,106	32	0,48	1,59	34	0,048	23	0,68	0,89
4–5	35	0,054	16	0,46	1,59	11	0,015	9	0,82	0,68
5–6	19	0,029	10	0,53	1,50	2	0,003	0	1,00	0,50
6–7	9	0,014	4	0,44	1,61	0				
7–8	5	0,008	1	0,20	1,50					
8–9	4	0,006	3	0,75	0,75					
9–10	1	0,002	1	1,00	0,50					

*La longévité étant différente pour les mâles et les femelles, on a établi une table de survie pour chaque sexe.
†Le taux de mortalité est la proportion d'individus qui meurent dans un intervalle de temps donné.
††Comprend 122 femelles et 126 mâles qui ont été capturés la première fois à l'âge de un an et qui ne sont donc pas inclus dans le nombre d'individus ayant entre 0 et 1 an.
Source: Données tirées de P. W. Sherman et M. L. Morton (1984), « Demography of Belding's Ground Squirrel », *Ecology*, vol. 65, p. 1617-1628.

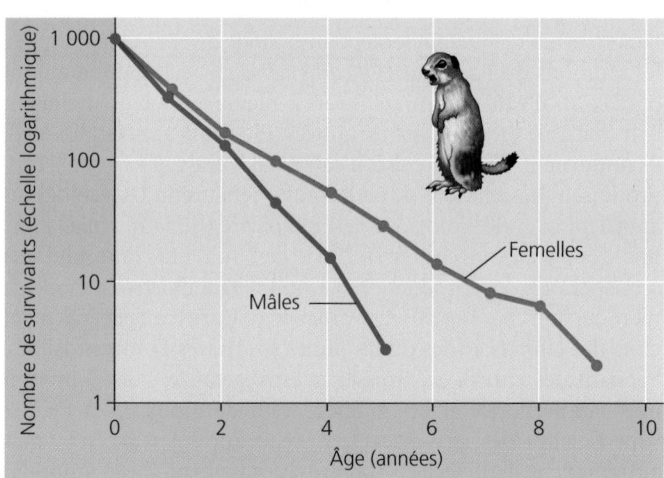

▲ **Figure 52.4 Courbes de survie des mâles et des femelles chez le spermophile de Belding.** Comme l'axe *y* est à échelle logarithmique, on peut voir les changements dans le nombre de survivants d'un bout à l'autre de l'intervalle de variation (de 2 à 1 000 individus) du graphique.

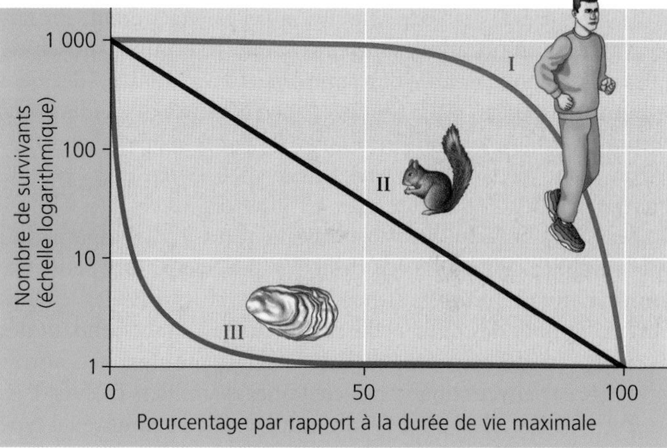

▲ **Figure 52.5 Courbes de survie: types I, II et III.** L'axe des *y* est logarithmique et l'axe des *x* est relatif, si bien qu'on peut comparer sur un même graphique des espèces dont l'espérance de vie varie grandement.

de taille des populations. Nous allons maintenant étudier l'efficacité de la reproduction, l'autre facteur important qui influe sur la dynamique des populations.

Le taux de reproduction

Les démographes qui étudient les espèces à reproduction sexuée ne tiennent généralement pas compte des mâles et s'occupent surtout des femelles de la population, parce qu'elles seules donnent naissance à des rejetons. Ils envisagent les populations en fonction des femelles qui donnent naissance à de nouvelles femelles; les mâles ne sont importants que comme distributeurs de gènes.

La manière la plus simple de décrire le programme de reproduction d'une population consiste à se demander comment l'efficacité de la reproduction varie avec l'âge des femelles.

Une **table de fécondité** est une recension par âge des taux de fécondité, dans une population. La meilleure façon d'établir une table de fécondité consiste à mesurer l'efficacité de la reproduction d'une cohorte de la naissance jusqu'à la mort. Pour les espèces à reproduction sexuée, la table de fécondité recense le nombre de rejetons femelles produits par chaque groupe d'âge. Le **tableau 52.2** présente la table de fécondité d'une cohorte de spermophiles de Belding. Pour les espèces à reproduction sexuée comme les Oiseaux et les Mammifères, les rejetons sont le produit de la proportion de femelles d'un âge donné qui se reproduisent

Tableau 52.2 Table de fécondité d'une cohorte de spermophiles de Belding (*Spermophilus beldingi*) de Tioga Pass

Âge (années)	Proportion de femelles ayant une portée	Nombre moyen d'individus par portée (mâles + femelles)	Nombre moyen de femelles par portée	Nombre moyen de rejetons femelles*
0–1	0,00	0,00	0,00	0,00
1–2	0,65	3,30	1,65	1,07
2–3	0,92	4,05	2,03	1,87
3–4	0,90	4,90	2,45	2,21
4–5	0,95	5,45	2,73	2,59
5–6	1,00	4,15	2,08	2,08
6–7	1,00	3,40	1,70	1,70
7–8	1,00	3,85	1,93	1,93
8–9	1,00	3,85	1,93	1,93
9–10	1,00	3,15	1,58	1,58

* Le nombre moyen de rejetons femelles est la proportion de femelles ayant une portée multipliée par le nombre moyen de femelles par portée.

Source : Données tirées de P. W. Sherman et M. L. Morton (1984), « Demography of Belding's Ground Squirrel », *Ecology*, vol. 65, p. 1617-1628.

et du nombre de rejetons femelles qu'elles engendrent. En faisant cette multiplication, on peut obtenir le nombre moyen de filles pour chaque femelle dans une classe d'âge donnée (dernière colonne du tableau 52.2). Pour les spermophiles de Belding, qui commencent à se reproduire à un an, le nombre de rejetons augmente jusqu'à atteindre un maximum chez les femelles âgées de quatre ans. Puis il diminue chez les plus vieilles.

Les tables de fécondité varient beaucoup selon les espèces. Les spermophiles de Belding ont des portées de deux à six petits par année pendant moins d'une décennie, alors que les chênes laissent tomber des milliers de glands chaque année pendant des dizaines ou des centaines d'années. Les moules et d'autres Invertébrés peuvent libérer des centaines de milliers d'œufs dans un cycle de frai. Pourquoi l'évolution fait-elle apparaître tel type de programme de reproduction dans une population, et pas un autre ? C'est l'une des nombreuses questions que soulève la rencontre de l'écologie des populations et de l'écologie de l'évolution, et le sujet des études portant sur les cycles biologiques.

Retour sur le concept 52.1

1. Une espèce d'Oiseau forestier est très territoriale, tandis qu'une autre vit en bandes. Quel est le mode de dispersion probable de chacune de ces espèces ? Expliquez.
2. Chaque femelle d'une certaine espèce de Poisson produit chaque année des millions d'œufs. Quel type de courbe de survie cette espèce est-elle susceptible d'avoir ? Expliquez.
3. Quelle est la proportion moyenne de femelles nées dans la population de spermophiles de Belding décrite au tableau 52.2 ?

Voir les réponses proposées à la fin du chapitre.

Concept 52.2

Les caractéristiques des cycles biologiques sont le produit de la sélection naturelle

La sélection naturelle favorise, chez les organismes, les caractéristiques qui améliorent les chances de survie et le succès reproductif. Chez toutes les espèces, il s'effectue des compromis entre la survie et les caractéristiques telles que la fréquence de reproduction, l'investissement dans les soins parentaux et le nombre de rejetons (production de graines chez les Végétaux supérieurs et taille de la portée ou de la couvée chez les Animaux). Les caractéristiques qui influent sur la reproduction et la survie (la naissance, la reproduction et la mort) constituent le **cycle biologique** de tout organisme. Les cycles biologiques comportent trois variables fondamentales : le moment où la reproduction commence (l'âge au moment de la première reproduction ou l'âge de la maturité), la fréquence de la reproduction et le nombre de rejetons produits au cours d'une période de reproduction.

N'oubliez pas que, à l'exception des humains (dont nous traiterons plus loin dans le chapitre), les organismes ne choisissent pas consciemment le moment de la reproduction ni le nombre de leurs rejetons. Les caractéristiques du cycle biologique sont des produits de l'évolution qui se reflètent dans le développement, la physiologie et le comportement d'un organisme.

La diversité des cycles biologiques

Les cycles biologiques présentent une grande diversité. Par exemple, les saumons du Pacifique (*Oncorhynchus sp.*) éclosent en amont d'un cours d'eau, puis migrent vers la pleine mer où ils atteignent leur maturité en une à quatre années. Plusieurs années plus tard, ils retournent vers leur cours d'eau natal, y frayent une seule fois, produisent des millions de petits œufs et meurent. Les écologistes appellent ce cycle biologique la **sémelparité** (du latin *semel*, « une fois », et *pario*, « engendrer »). La vie de l'individu comprend une seule période de reproduction. La **figure 52.6** illustre ce mode de reproduction chez l'agave (*Agave shawii*). L'agave croît généralement dans des climats arides où les pluies sont rares et imprévisibles. Pendant des années, sa croissance est végétative. Puis, il produit une hampe florale et des graines, avant de mourir. Les racines superficielles des agaves captent l'eau après les averses, mais autrement restent sèches. L'approvisionnement d'eau imprévisible peut empêcher la production de graines ou la fixation des plantules pendant plusieurs années. Ainsi, la stratégie de l'agave est l'adaptation d'un cycle biologique à un climat imprévisible : l'agave croît et emmagasine des nutriments jusqu'à l'avènement d'une année particulièrement humide ; il consacre alors toutes ses ressources à la reproduction.

L'**itéroparité** (du latin *itero*, « répéter », et *pario*, « engendrer ») s'oppose à la sémelparité. Par exemple, certains lézards pondent seulement quelques gros œufs au cours de leur deuxième année de vie, et recommencent plusieurs années de suite.

Quels facteurs contribuent, du point de vue de l'évolution, à la sémelparité et à l'itéroparité ? En d'autres mots, que gagne un individu en succès reproductif en adoptant une stratégie plutôt que l'autre ? Le facteur déterminant est le taux de survie des rejetons. Lorsque ce taux est faible, par exemple dans les milieux où les conditions sont très variables ou imprévisibles, la sémelparité est favorisée. En effet, la production d'un grand nombre de

▲ **Figure 52.6 Le cycle biologique de l'agave (*Agave shawii*) est un exemple de sémelparité.**

Figure 52.7

Investigation Quelle incidence les soins prodigués aux petits ont-ils sur la survie des parents chez les faucons crécerelles ?

EXPÉRIENCE Aux Pays-Bas, des chercheurs ont étudié les effets des soins parentaux chez les faucons crécerelles d'Eurasie sur une période de cinq ans. Ils ont changé les petits de nids de façon à obtenir des couvées moins nombreuses (trois ou quatre petits), des couvées normales (cinq ou six) et des couvées plus nombreuses (sept ou huit). Ils ont ensuite mesuré le pourcentage de parents mâles et femelles ayant survécu à l'hiver suivant. (Le mâle et la femelle s'occupent tous deux des petits.)

RÉSULTATS

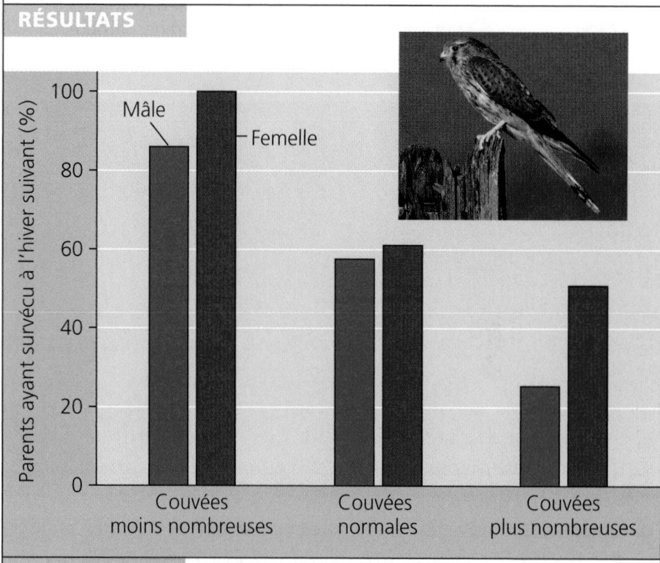

CONCLUSION Les taux de survie plus bas des faucons crécerelles dont les couvées sont les plus nombreuses indique que plus le nombre de rejetons est élevé, plus la survie des parents qui en prennent soin est réduite.

rejetons augmente alors la probabilité de survie d'au moins quelques-uns d'entre eux. L'itéroparité, par contre, est favorisée dans des milieux plus stables, où la compétition pour les ressources est parfois intense. Dans de tels milieux, quelques rejetons relativement gros, bien nourris, ont davantage de chances de survivre jusqu'à l'âge de la reproduction.

Le « compromis » et les cycles biologiques

Il n'existe aucun organisme capable, à maintes reprises, de produire autant de rejetons qu'une espèce sémelpare et de les nourrir aussi bien qu'une espèce itéropare. Le temps, l'énergie et les aliments utilisés pour une activité ne peuvent pas l'être pour une autre. Mais la sélection naturelle ne peut maximiser toutes ces variables simultanément, car les organismes ont une allocation énergétique limitée qui oblige aux compromis. Au sens le plus large, il y a un compromis à faire entre la reproduction et la survie, comme l'ont montré plusieurs études. Par exemple, chez le wapiti (*Cervus elaphus*) vivant en Écosse, les femelles qui se reproduisent l'été sont victimes, l'hiver suivant, d'une mortalité plus élevée que celles qui ne se sont pas reproduites. En outre, une étude portant sur les faucons crécerelles d'Eurasie (*Falco tinnunculus*) révèle que les soins donnés aux petits par les parents affectent la survie de ces derniers **(figure 52.7)**.

La pression de sélection influe également sur les compromis entre le nombre et la taille des rejetons. Les Végétaux et les Animaux dont les jeunes sont sujets à un taux de mortalité élevé engendrent souvent beaucoup de jeunes de petite taille. Ainsi, les Vasculaires à graines qui colonisent des milieux perturbés produisent habituellement beaucoup de petites graines qui pour la plupart n'atteindront pas un milieu favorable. Une petite taille peut en fait profiter à de telles graines si elle leur permet d'être disséminées sur de longues distances, de façon à atteindre un éventail d'habitats plus large **(figure 52.8a)**. Les Animaux qui sont soumis à une intense prédation engendrent également de nombreux rejetons. Citons en exemple les cailles japonaises (*Coturnix japonica*), les sardines (*Sardina pilchardus*) et les souris communes (*Mus musculus*).

D'autres organismes apportent, en tant que parents, un investissement supplémentaire qui augmente considérablement les chances de survie des rejetons. Ainsi, les chênes (*Quercus sp.*), les noyers (*Juglans sp.*) et les cocotiers (*Cocos nucifera*) produisent de grosses graines emmagasinant beaucoup d'énergie et de nutriments que les jeunes plants peuvent utiliser pour s'établir **(figure 52.8b)**. Les Animaux, eux, ne mettent pas toujours un terme à leur investissement parental dans leurs rejetons à la fin de l'incubation ou de la gestation. Ainsi, les Primates n'ont généralement qu'un ou deux rejetons à la fois. Or, pour l'adaptabilité de ces derniers, le soin parental et une période prolongée d'apprentissage dans les premières années de vie sont très importants.

(a) La plupart des plantes envahissantes, comme le pissenlit (*Taraxacum officinale*), croissent rapidement et produisent un grand nombre de graines, de sorte que quelques-unes au moins germent et se reproduisent à leur tour.

(b) Certaines espèces végétales, comme ce cocotier (*Cocos nucifera*), produisent un petit nombre de très grosses graines. L'albumen volumineux fournit des nutriments à l'embryon, une adaptation qui favorise le succès d'une proportion relativement forte de rejetons.

▲ **Figure 52.8 Variation du nombre de graines produites par les plantes.**

Retour sur le concept 52.2

1. Prenons deux rivières. Dans la première, alimentée par une source, le volume et la température de l'eau sont constants toute l'année; la seconde, qui coule dans un milieu désertique, connaît des périodes de crue et des périodes d'assèchement qui se succèdent de façon imprévisible. Laquelle est la plus susceptible d'abriter des espèces d'Animaux itéropares? Pourquoi?

Voir les réponses proposées à la fin du chapitre.

Concept 52.3

Le modèle exponentiel décrit l'accroissement démographique dans un environnement idéal aux ressources illimitées

Les concepts relatifs aux cycles biologiques offrent un fondement permettant une compréhension quantitative de l'accroissement démographique. Pour avoir une idée du potentiel de croissance d'une population, imaginons une seule Bactérie qui se reproduirait par scissiparité toutes les 20 minutes dans des conditions de laboratoire idéales. Il y aurait 2 Bactéries au bout de 20 minutes, 4 au bout de 40 minutes, 8 au bout de 60 minutes, et ainsi de suite. Si le processus se poursuivait à ce rythme, sans mortalité, pendant seulement 36 heures, la population bactérienne serait si nombreuse qu'elle formerait une couche de 30 cm autour de la Terre. À l'opposé, un éléphant femelle donne naissance à 6 rejetons seulement au cours de ses 100 ans d'existence. Cependant, Charles Darwin a calculé qu'il suffirait de 750 ans à un couple d'éléphants pour produire une population de 19 millions d'individus. Même si l'estimation de Darwin n'était pas tout à fait correcte, de telles analyses l'ont amené à reconnaître l'immense capacité d'accroissement de toutes les populations. Or, l'accroissement n'est jamais indéfini, pas plus en laboratoire que dans la nature. Une population dont la taille initiale est faible et qui se trouve dans un milieu favorable peut s'accroître rapidement pendant un certain temps. Mais divers facteurs, dont l'épuisement des ressources, font qu'elle se stabilise inévitablement. Il n'en reste pas moins que l'étude de l'accroissement démographique dans un environnement idéal aux ressources illimitées est utile, car elle révèle le potentiel d'augmentation des espèces et les conditions dans lesquelles ce potentiel peut être exprimé.

Le taux d'accroissement par individu

Imaginons une population hypothétique composée de quelques individus vivant dans un milieu idéal, sans limites de ressources. Rien n'entrave l'obtention d'énergie, la croissance ni la reproduction de ces organismes, hormis leurs propres limites physiologiques résultant de leur cycle biologique. La taille de la population augmente chaque fois qu'un organisme naît ou immigre; elle diminue chaque fois qu'un organisme meurt ou émigre. Pour simplifier nos calculs, nous ne tiendrons pas compte de l'immigration ni de l'émigration (mais la rigueur exigerait qu'on le fasse). L'équation descriptive suivante exprime la variation de la taille de la population au cours d'une période donnée:

$$\begin{matrix}\text{Variation} \\ \text{de la taille} \\ \text{de la population}\end{matrix} = \begin{matrix}\text{Naissances} \\ \text{survenues pendant} \\ \text{la période}\end{matrix} - \begin{matrix}\text{Morts survenues} \\ \text{pendant} \\ \text{la période}\end{matrix}$$

La notation mathématique permet d'écrire cette équation de façon plus concise. Ainsi, si N représente la taille de la population et t le temps, alors ΔN est la variation de taille de la population et Δt la période considérée (appropriée à la longévité et au temps de génération de l'espèce). La lettre grecque Δ indique une variation, comme dans la variation du temps. Nous pouvons donc récrire comme suit l'équation descriptive présentée ci-dessus:

$$\frac{\Delta N}{\Delta t} = B - M$$

Où B (pour *birth*) est le nombre absolu de naissances survenues dans la population pendant la période et M le nombre de morts.

Nous allons exprimer les naissances et les morts sous forme de taux moyens par individu pour la période. Le *taux de natalité par individu* est le nombre de rejetons qu'engendre, par unité de temps, un membre représentatif de la population. Par exemple, une population de 1 000 individus qui connaît 34 naissances par année a un taux annuel de natalité par individu de $^{34}/_{1\,000}$, ou de

0,034. Si nous connaissons le taux de natalité par individu (symbolisé par b), nous pouvons utiliser la formule $B = bN$ pour calculer le nombre prévu de naissances par année dans une population de n'importe quelle taille. Par exemple, si le taux annuel de natalité par individu est de 0,034 et si la taille de la population est de 500,

$$B = bN$$
$$B = 0{,}34 \times 500$$
$$B = 17 \text{ par année}$$

De même, le *taux de mortalité par individu* (symbolisé par m) nous permet de prévoir le nombre de morts par unité de temps dans une population de n'importe quelle taille. Si $m = 0{,}016$ par année, nous pouvons estimer à 16 le nombre annuel de morts dans une population de 1 000 individus. Pour les populations observées dans la nature ou en laboratoire, nous pouvons calculer les taux de natalité et de mortalité par individu à l'aide d'estimations de tailles, d'une table de survie et d'une table de fécondité (voir, par exemple, les tableaux 52.1 et 52.2).

Nous pouvons donc récrire l'équation exprimant l'accroissement démographique en utilisant cette fois les taux de natalité et de mortalité par individu au lieu des nombres absolus de naissances et de morts:

$$\frac{\Delta N}{\Delta t} = bN - mN$$

Une dernière simplification s'impose, étant donné que les écologistes des populations s'intéressent à la différence entre le taux de natalité par individu et le taux de mortalité par individu. Cette différence est le *taux d'accroissement par individu*, soit r:

$$r = b - m$$

Le taux d'accroissement par individu r indique si une population s'accroît ($r > 0$) ou décroît ($r < 0$). Une **croissance démographique nulle** se produit lorsque les taux de natalité et de mortalité par individu sont égaux et que r est égal à 0. Il survient encore des naissances et des morts dans la population, mais leurs nombres s'annulent.

En utilisant le taux d'accroissement par individu, nous récrivons l'équation comme suit:

$$\frac{\Delta N}{\Delta t} = rN$$

Soulignons enfin que la plupart des écologistes emploient la notation du calcul différentiel pour exprimer l'accroissement démographique sous forme de taux d'accroissement à un moment précis:

$$\frac{dN}{dt} = rN$$

Si vous ne connaissez pas le calcul différentiel, ne vous laissez pas intimider par cette dernière équation. Elle est essentiellement la même que la précédente, sauf que la période Δt est très courte et est exprimée dans l'équation par dt.

L'accroissement exponentiel

Au début de la section, nous avons évoqué une population dont les membres ont tous accès à une nourriture abondante et se reproduisent autant que leur capacité physiologique le permet. L'accroissement démographique qui se produit alors est appelé **accroissement démographique exponentiel**. Dans de telles conditions, on peut supposer que le taux d'accroissement par individu est le taux maximal d'accroissement pour l'espèce, qu'on appelle *taux intrinsèque d'accroissement* et qu'on représente par le symbole r_{max}. L'équation exprimant l'accroissement démographique exponentiel est ainsi:

$$\frac{dN}{dt} = r_{max}N$$

La taille d'une population qui s'accroît de façon exponentielle augmente à une vitesse constante. Quand on la représente sous forme graphique en fonction du temps, on obtient une courbe en J **(figure 52.9)**. Bien que le *taux* intrinsèque d'accroissement soit constant, une grande population s'adjoint en fait plus de nouveaux individus par unité de temps qu'une petite population. Par conséquent, la pente des courbes montrées à la figure 52.9 devient plus prononcée avec le temps. En effet, l'accroissement dépend autant de N que de r_{max}, et les grandes populations connaissent plus de naissances (et de morts) que les petites populations ayant pourtant le même taux d'accroissement par individu. Il est également clair, d'après la figure 52.9, que sur deux populations, celle qui a le taux intrinsèque d'accroissement le plus élevé ($dN/dt = 1{,}0N$) s'accroîtra plus rapidement que celle qui a le taux d'accroissement le plus bas ($dN/dt = 0{,}5N$).

La courbe de croissance exponentielle en forme de J est caractéristique de certaines populations introduites dans de nouveaux habitats ou de populations qui réaugmentent après avoir été décimées par un événement catastrophique. La **figure 52.10** illustre l'accroissement démographique exponentiel de la population d'éléphants dans le Kruger National Park, en Afrique du Sud, après les mesures prises pour les protéger de la chasse. Après approximativement 60 ans de croissance exponentielle, la population d'éléphants avait pillé la végétation du parc à un point tel qu'elle

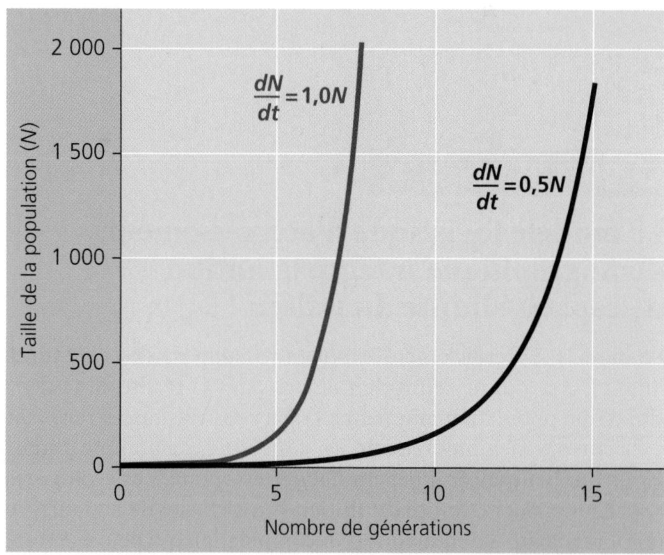

▲ **Figure 52.9 Accroissement démographique selon le modèle exponentiel.** Ce graphique compare la croissance de deux populations pour lesquelles les valeurs r_{max} sont différentes. Lorsque cette valeur passe de 0,5 à 1,0, la taille de la population augmente plus rapidement avec le temps, comme en témoignent les pentes relatives des courbes.

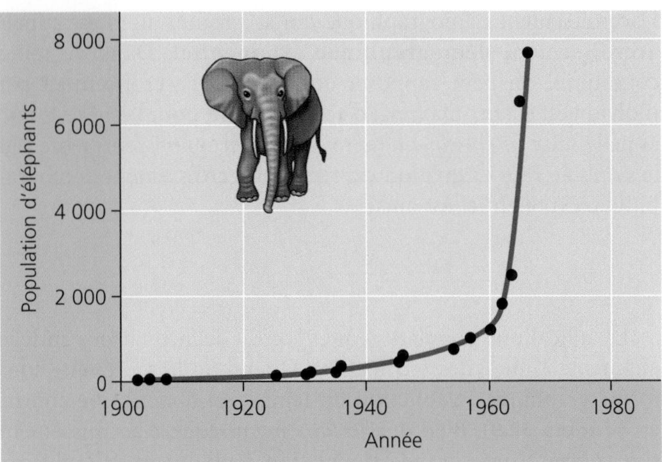

▲ **Figure 52.10 Croissance exponentielle de la population d'éléphants dans le Kruger National Park, en Afrique du Sud.**

risquait de manquer de nourriture. La famine aurait alors mis fin à l'accroissement démographique. Pour protéger d'autres espèces et l'écosystème du parc avant que cela se produise, ses dirigeants ont commencé à limiter la population d'éléphants grâce à la contraception et à l'exportation d'individus vers d'autres pays.

Retour sur le concept 52.3

1. Expliquez pourquoi, dans une population, un taux d'accroissement constant (r_{max}) se traduit par une courbe de croissance en forme de J plutôt que par une ligne droite.
2. Où une population de plantes a-t-elle le plus de chances de connaître une croissance exponentielle : sur une île volcanique nouvellement formée ou dans une forêt humide mature, exempte de perturbations ? Pourquoi ?

Voir les réponses proposées à la fin du chapitre.

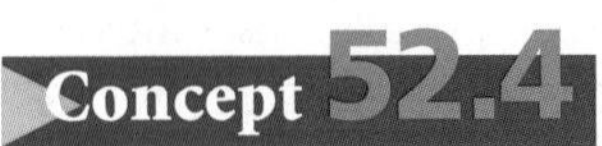

Le modèle logistique d'accroissement démographique intègre la notion de capacité limite du milieu

Le modèle d'accroissement exponentiel suppose des ressources illimitées, ce qui ne se produit jamais dans la réalité. Si la densité d'une population augmente, la part des ressources revenant à chacun des membres rétrécit. Par conséquent, le nombre d'individus qui peuvent occuper un habitat est limité. Les écologistes appellent **capacité limite du milieu** (ou capacité de support) le nombre maximal d'individus d'une population qui peuvent vivre dans un milieu au cours d'une période donnée, sans dégradation de l'habitat. La capacité limite du milieu, notée K, varie dans le temps et dans l'espace en fonction de l'abondance des ressources. Cependant, l'énergie, les abris, les refuges contre les prédateurs, les éléments nutritifs du sol, l'eau et les sites appropriés de nidification peuvent être des facteurs limitants. Par exemple, pour des chauves-souris, la capacité limite du milieu peut être élevée dans un habitat où les Insectes aériens sont abondants et où il y a des cavernes pour le repos, et plus faible dans un habitat où la nourriture est abondante mais où les abris convenables font défaut.

La surpopulation et l'épuisement des ressources peuvent avoir un effet marqué sur le taux d'accroissement démographique. Si les individus n'obtiennent pas les ressources en quantités suffisantes pour se reproduire, le taux de natalité par individu (b) décroît. S'ils ne peuvent consommer suffisamment d'énergie pour satisfaire leurs besoins, le taux de mortalité par individu (m) augmente. Une diminution de b ou une augmentation de m fait baisser le taux d'accroissement par individu (r) et le taux global d'accroissement démographique.

Le modèle logistique d'accroissement démographique

Nous pouvons modifier notre modèle mathématique d'accroissement de population pour lui faire exprimer les variations que subit le taux d'accroissement au fur et à mesure que la taille de la population s'approche de la capacité limite du milieu (donc que N s'approche de K). Selon le **modèle logistique d'accroissement démographique**, le taux d'accroissement par individu baisse au fur et à mesure que le milieu atteint sa capacité limite.

Mathématiquement, nous pouvons construire le modèle logistique en ajoutant au modèle exponentiel une expression qui réduit la valeur du taux d'accroissement par individu quand N augmente **(figure 52.11)**. Si la taille maximale de la population est K, l'expression $K - N$ indique le nombre d'individus qui peuvent s'ajouter au milieu, et l'expression $(K - N)/K$ représente le pourcentage de K qui admet encore un accroissement démographique. En multipliant le taux exponentiel d'accroissement par $(K - N)/K$, nous réduisons la valeur du taux d'accroissement à mesure que N augmente :

$$\frac{dN}{dt} = r_{max}N\frac{(K-N)}{K}$$

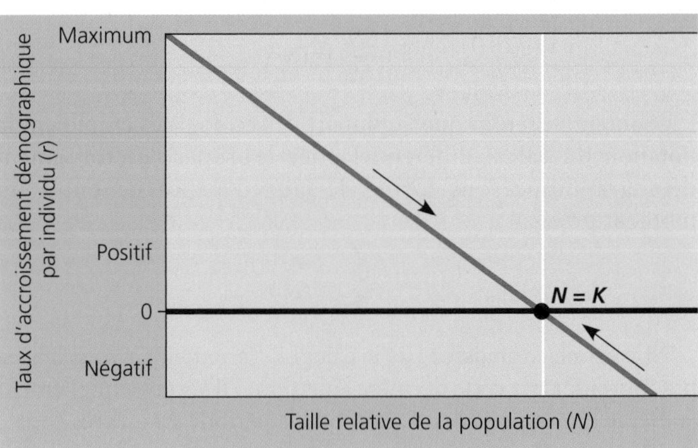

▲ **Figure 52.11 Influence de la taille de la population (*N*) sur le taux d'accroissement par individu (*r*).** Le modèle logistique d'accroissement démographique suppose que le taux d'accroissement par individu diminue lorsque N augmente. Si N est supérieur à K, alors le taux d'accroissement démographique est négatif, et la population décroît. Un équilibre est atteint à la ligne verticale blanche, quand $N = K$.

Le **tableau 52.3** présente les valeurs de taux d'accroissement démographique pour différentes tailles d'une population hypothétique qui s'accroît conformément au modèle logistique. Lorsque la valeur de N est faible comparée à celle de K, la valeur de $(K - N)/K$ est élevée, et le taux d'accroissement par individu $r_{max}\ (K - N)/K$ s'approche du taux intrinsèque (maximal). Mais quand la valeur de N est élevée et que les ressources diminuent, la valeur de $(K - N)/K$ et celle du taux d'accroissement par individu sont faibles. La population se stabilise lorsque N égale K. Notez que, dans le tableau 52.3, le taux global d'accroissement démographique le plus élevé , + 13, correspond à une année où la taille de la population est de 500, soit la moitié de la capacité limite. Pourquoi observe-t-on le taux d'accroissement démographique le plus élevé lorsque la taille de la population atteint 500 individus et non un nombre inférieur? Ce phénomène est attribuable à l'équilibre entre le taux d'accroissement par individu et la taille de la population. Lorsque la taille de la population est de 500, le taux d'accroissement par individu demeure relativement élevé (la moitié du taux maximal), et les individus reproducteurs sont alors beaucoup plus nombreux que dans des populations dont la taille est plus petite.

Le modèle logistique produit une courbe sigmoïde (en forme de S) quand on représente N sous forme graphique en fonction du temps (ligne rouge dans la **figure 52.12**). L'accroissement est le plus rapide lorsque la population a une taille intermédiaire, c'est-à-dire lorsque les individus reproducteurs sont nombreux mais que l'espace et les autres ressources sont encore abondants. Le taux d'accroissement démographique diminue radicalement quand N s'approche de K.

Notez que nous n'avons rien dit de la *cause* du ralentissement de l'accroissement démographique quand N s'approche de K. Le taux de natalité b doit alors diminuer ou le taux de mortalité m augmenter, ou encore les deux événements doivent se produire. Plus loin dans le chapitre, nous examinerons quelques-uns des facteurs qui ont une incidence sur ces taux.

Tableau 52.3 Exemple hypothétique d'accroissement démographique logistique où K vaut 1 000 et où r_{max} est constant et se chiffre à 0,05 par individu et par année

Taille de la population : N	Taux intrinsèque d'accroissement : r_{max}	$\left(\frac{K-N}{K}\right)$	Taux d'accroissement par individu : $r_{max}\left(\frac{K-N}{K}\right)$	Taux d'accroissement démographique :* $r_{max}N\left(\frac{K-N}{K}\right)$
20	0,05	0,98	0,049	+ 1
100	0,05	0,90	0,045	+ 5
250	0,05	0,75	0,038	+ 9
500	0,05	0,50	0,025	+ 13
750	0,05	0,25	0,013	+ 9
1 000	0,05	0,00	0,000	0

* Arrondi au nombre entier près.

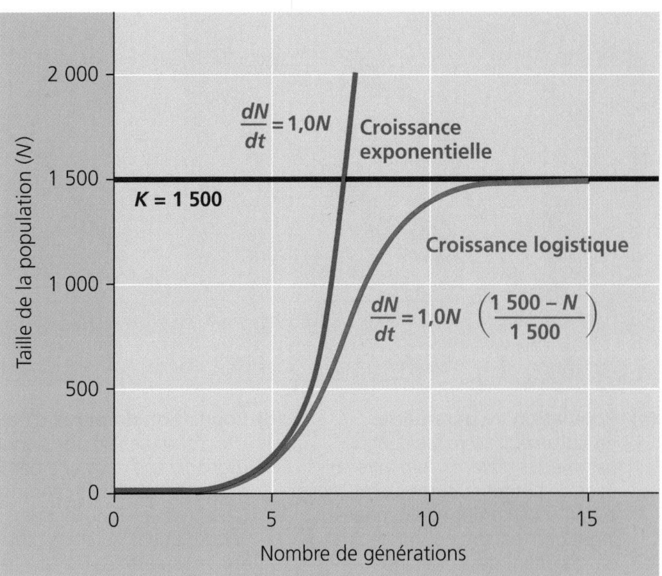

▲ **Figure 52.12 Prédiction de l'accroissement démographique au moyen du modèle logistique.** Le taux d'accroissement démographique diminue au fur et à mesure que la taille de la population (N) s'approche de la capacité limite du milieu (K). La ligne rouge représente l'accroissement logistique d'une population pour laquelle r_{max} = 1,0 et K = 1 500 individus. Afin d'établir une comparaison, la ligne bleue représente l'accroissement d'une population qui continue de s'accroître de façon exponentielle avec le même r_{max}.

Le modèle logistique et les populations naturelles

En laboratoire, l'accroissement des populations de certains petits Animaux, tels les Coléoptères et les Crustacés, et de microorganismes, telles les paramécies, les levures, les Archéobactéries et les Bactéries, suit une courbe plus ou moins sigmoïde **(figure 52.13a).** Toutefois, ces populations expérimentales croissent dans un milieu constant où il n'y a ni prédation ni compétition, conditions idéales qui existent rarement dans la nature.

Certains des postulats sur lesquels repose le modèle logistique ne s'appliquent manifestement pas à toutes les populations. Ainsi, le modèle logistique suppose que les populations s'ajustent instantanément et s'approchent par une croissance régulière de la capacité limite du milieu. Or, dans de nombreuses populations, il s'écoule un certain temps avant que les inconvénients de l'accroissement se fassent sentir. Ainsi, quand la nourriture vient à manquer pour une population, la reproduction diminue. Mais le taux de natalité ne décroît pas immédiatement, parce que les femelles utilisent leurs réserves d'énergie pour continuer, pendant une courte période, à se reproduire. La population peut alors dépasser la capacité limite du milieu avant que sa densité devienne relativement stable. La **figure 52.13b** illustre ce dépassement chez une population de puces d'eau (*Daphnia sp.*) en culture. Si la population passe ensuite sous la capacité limite du milieu, l'accroissement démographique ne reprendra qu'après la naissance d'un nombre de plus en plus grand de rejetons. Beaucoup d'autres populations fluctuent grandement. Il est alors difficile d'estimer la capacité limite du milieu. Par exemple, la **figure 52.13c** illustre les changements marqués que connaît la population de bruants chanteurs (*Melospiza melodia*) vivant sur

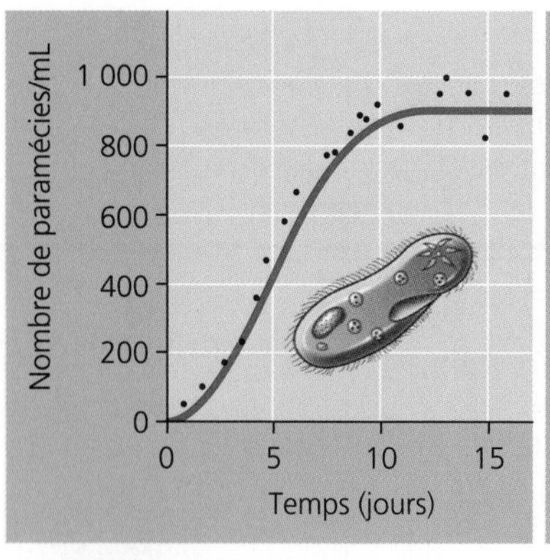

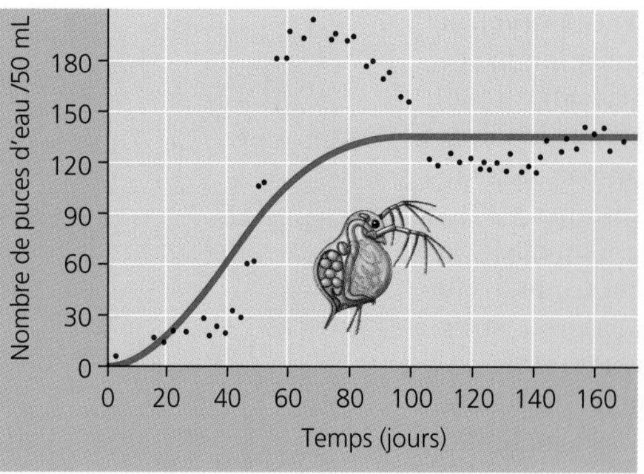

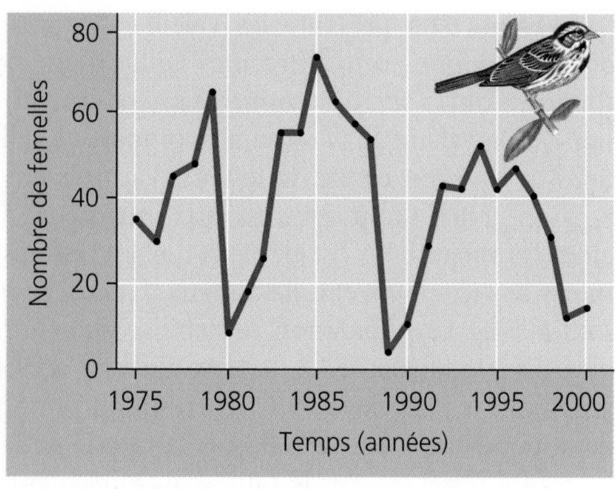

(a) Population de paramécies en culture. L'accroissement de paramécies (*Paramecium aurelia*) dans de petites cultures (points noirs) est presque conforme au modèle logistique (courbe en rouge) quand on maintient des conditions constantes.

(b) Population de puces d'eau en culture. L'accroissement d'une population de puces d'eau (*Daphnia sp.*) dans une petite culture (points noirs) n'est pas tout à fait conforme au modèle logistique (courbe en rouge). En effet, la population s'est accrue si rapidement qu'elle a dépassé la capacité limite de son milieu artificiel, avant de revenir à une taille relativement stable.

(c) Population de bruants chanteurs (*Melospiza melodia*) dans son habitat naturel. La population de bruants chanteurs femelles qui nichent sur l'île de Mandarte, en Colombie-Britannique, diminue périodiquement, en raison d'hivers rigoureux. Ainsi, l'accroissement démographique ne se conforme pas bien au modèle logistique.

▲ **Figure 52.13 Le modèle logistique rend-il bien compte de l'accroissement de ces populations ?**

une petite île dans le sud de la Colombie-Britannique. La population augmente rapidement, mais subit périodiquement des conditions hivernales catastrophiques; elle n'a donc pas de taille stable. Plus loin dans le chapitre, nous étudierons quelques raisons qui peuvent expliquer ces fluctuations.

Le modèle logistique veut aussi que chaque ajout d'individu ait toujours le même effet négatif sur le taux d'accroissement, quelle que soit la densité de la population. Mais en réalité, certaines populations subissent l'*effet Allee* (nommé en l'honneur du chercheur W. C. Allee, de la University of Chicago, qui l'a découvert) : la survie et la reproduction sont difficiles quand la taille de la population est trop petite. Par exemple, une plante isolée subit l'assaut du vent et risque la déshydratation, alors qu'une plante faisant partie d'un groupe est protégée. Les protecteurs de la faune craignent que, si la taille des populations de certains Animaux solitaires, comme le rhinocéros, passe sous un seuil critique, les individus ne pourront se trouver de partenaire pendant la saison de reproduction.

Dans l'ensemble, le modèle logistique constitue un bon point de départ pour l'étude de l'accroissement démographique et pour l'élaboration de modèles plus complexes. Bien qu'il décrive fort peu de populations réelles avec exactitude, il est utile dans le domaine de la biologie de la conservation, car il permet d'évaluer la rapidité d'accroissement d'une population après qu'elle a beaucoup diminué, ou d'estimer des taux de récolte durables pour les Poissons et les populations d'espèces sauvages. Enfin, comme toutes les bonnes hypothèses, le modèle a stimulé la conduite d'études qui ont éclairé les chercheurs quant aux facteurs qui influent sur la croissance démographique.

Le modèle logistique et les cycles biologiques

Le modèle logistique prévoit des taux d'accroissement par individu différents par rapport à la capacité limite du milieu pour les populations de faible densité et de forte densité. Lorsque la densité est forte, chaque individu dispose de ressources restreintes, et la population croît lentement, ou ne croît pas du tout. Lorsque la densité est faible, au contraire, les ressources sont relativement abondantes, et la population s'accroît rapidement. Ces différentes conditions favorisent diverses caractéristiques des cycles biologiques. Lorsque la densité de population est forte, la sélection favorise les adaptations qui permettent aux organismes de survivre et de se reproduire avec des ressources restreintes. Par conséquent, la capacité de rivaliser et l'efficacité maximale dans l'utilisation des ressources sont les caractéristiques favorisées par la sélection naturelle dans les populations qui se situent aux alentours de la capacité limite du milieu. Voilà des caractéristiques que nous avons associées plus tôt à l'itéroparité. En revanche, lorsque la densité de population est faible, même au sein d'une même espèce, la sélection favorise les adaptations qui permettent aux individus de se reproduire rapidement, en engendrant, par exemple, de nombreux rejetons de petite taille.

Les écologistes ont tenté d'établir un lien entre ces différences dans les caractéristiques favorisées par la sélection naturelle et le modèle logistique d'accroissement démographique. Lorsque la sélection favorise les caractéristiques des cycles biologiques qui dépendent de la densité de population, on parle de **sélection *K***, ou sélection dépendante de la densité. Par contre, lorsqu'elle favorise les caractéristiques qui maximisent le succès de reproduction dans les milieux où il y a peu d'individus (faibles densités), on parle de **sélection *r***, ou sélection indépendante de la densité. Ces termes proviennent des variables de l'équation logistique. La sélection K tend à maximiser la taille des populations et agit dans des populations vivant à une densité proche de la limite imposée par les ressources (capacité limite du milieu K). La sélection r, elle, tend à maximiser r, le taux d'accroissement, et se produit dans des milieux variables où les densités de population fluctuent bien au-dessous de la capacité limite ou lorsque les individus affrontent peu de concurrence.

En laboratoire, des chercheurs ont montré que différentes populations de la même espèce pouvaient présenter un équilibre différent de caractéristiques à sélection K et de caractéristiques à sélection r, selon les conditions. Par exemple, des cultures de drosophiles (*Drosophila melanogaster*) élevées en situation de surpopulation et disposant de ressources nutritives minimales pour 200 générations sont plus productives à forte densité que des populations élevées dans des conditions où le nombre d'individus est faible et où les ressources alimentaires sont abondantes. Il semble que, avec des ressources alimentaires équivalentes, les larves qui ont subi une sélection pour vivre dans des conditions de surpopulation s'alimentent plus rapidement que celles qui vivent dans des cultures de faible densité. Les génotypes de la drosophile qui sont le mieux adaptés aux faibles densités ne le sont pas dans les milieux à forte densité, comme le prédit le concept de la sélection *r* et de la sélection *K*.

Certains reprochent aux concepts de la sélection *r* et de la sélection *K* de simplifier exagérément la variation observée dans les cycles biologiques des espèces. En effet, compte tenu de leurs caractéristiques, la plupart des espèces se situent quelque part entre les extrêmes représentés par la sélection *r* et la sélection *K*. L'évaluation critique de ces concepts a conduit les écologistes à proposer d'autres théories sur l'évolution des cycles biologiques. À leur tour, ces théories ont poussé les chercheurs à étudier plus à fond l'incidence des facteurs comme la perturbation, le stress et la fréquence des possibilités de succès reproductif sur l'évolution des cycles biologiques.

Retour sur le concept 52.4

1. Expliquez pourquoi une population qui correspond au modèle logistique d'accroissement démographique s'accroît plus rapidement lorsqu'elle est de taille moyenne que lorsqu'elle est de grande ou de petite taille.

Voir les réponses proposées à la fin du chapitre.

Concept 52.5

Les populations sont régulées par une interaction complexe d'influences biotiques et abiotiques

Dans cette section, nous appliquerons le thème de la *régulation* (voir le chapitre 1) aux populations. La régulation de l'accroissement démographique soulève deux grandes questions. La première est la suivante: Quels facteurs écologiques arrêtent l'accroissement d'une population?, et la seconde: Pourquoi la taille de certaines populations fluctue-t-elle énormément au fil du temps, alors que celle d'autres populations reste stable?

Ces questions comportent de nombreuses applications pratiques. Ainsi, des spécialistes de l'agriculture pourraient vouloir faire diminuer une population de parasites. Lorsqu'une plante nuisible introduite dans un milieu se répand rapidement, que peut-on faire pour stopper sa croissance? Pourquoi les parasites de l'agriculture ont-ils des effets importants dans certaines régions et négligeables dans d'autres? À l'opposé, quels facteurs écologiques créent un habitat propice à l'alimentation ou à la reproduction d'une espèce en voie de disparition, comme le rorqual à bosse (*Megaptera novæangliæ*) ou la grue blanche d'Amérique (*Grus americana*)? C'est sur de telles questions, qui concernent les facteurs de régulation de la taille des populations, que repose la mise sur pied des programmes de gestion destinés à empêcher l'extinction de certaines espèces en voie de disparition.

Les variations démographiques et la densité de population

Lorsqu'on veut comprendre pourquoi une population se stabilise, il faut en premier lieu chercher à comprendre comment les taux de natalité et de mortalité, l'immigration et l'émigration varient lorsque la densité de la population augmente. Si l'immigration et l'émigration s'annulent, alors la population s'accroît quand le taux de natalité est supérieur au taux de mortalité, et diminue dans le cas contraire.

On dit d'un taux de natalité et d'un taux de mortalité qui *ne* varient *pas* à mesure que la densité de la population augmente qu'ils sont **indépendants de la densité**. Dans une étude classique portant sur la régulation des populations, Andrew Watkinson et John Harper, spécialistes de l'écologie des populations végétales de la University of Wales, ont découvert que la mortalité de la vulpie à glume (*Vulpia fasciculata*) est principalement imputable à des facteurs physiques qui tuent la même proportion d'individus dans une population locale, peu importe sa densité. À l'opposé, on dit d'un taux de mortalité qui s'élève quand la densité de population augmente et d'un taux de natalité qui diminue à mesure que la densité augmente qu'ils sont **dépendants de la densité**. Watkinson et Harper ont observé que, chez la vulpie à glume, la reproduction baisse lorsque la densité de la population augmente. Donc, dans cette population, les principaux facteurs de régulation du taux de natalité sont dépendants de la densité, tandis que les facteurs de régulation du taux de mortalité sont indépendants de la densité. La **figure 52.14** présente un modèle graphique qui montre comment une population peut cesser d'augmenter et atteindre le point d'équilibre sous l'effet de diverses combinaisons de facteurs de régulation dépendants et indépendants de la densité.

Les facteurs de régulation dépendants de la densité

Les taux de natalité et de mortalité dépendants de la densité sont un exemple de rétro-inhibition, un type de régulation dont traite le chapitre 1. Aucune population n'arrête sa croissance sans qu'il y ait une certaine forme de rétro-inhibition entre la densité de population et les taux de natalité et de mortalité. Toutefois, lorsque la densité augmente, le taux de natalité baisse ou le taux de mortalité augmente (ou les deux se produisent), ce qui crée la rétro-inhibition qui empêche un accroissement démographique continu. Une fois qu'on connaît les variations des taux de natalité et de mortalité en fonction de la densité de population, on doit déterminer les mécanismes qui causent ces variations, auxquelles de nombreux facteurs peuvent contribuer.

La compétition pour l'obtention des ressources

En situation de surpopulation, l'augmentation de la densité de population intensifie la compétition intraspécifique pour l'obtention des nutriments et des autres ressources de plus en plus rares, ce qui entraîne une baisse du taux de natalité. Par exemple, chez les Vasculaires à graines, la surpopulation peut diminuer la production de graines **(figure 52.15a)**. Chez les Oiseaux chanteurs,

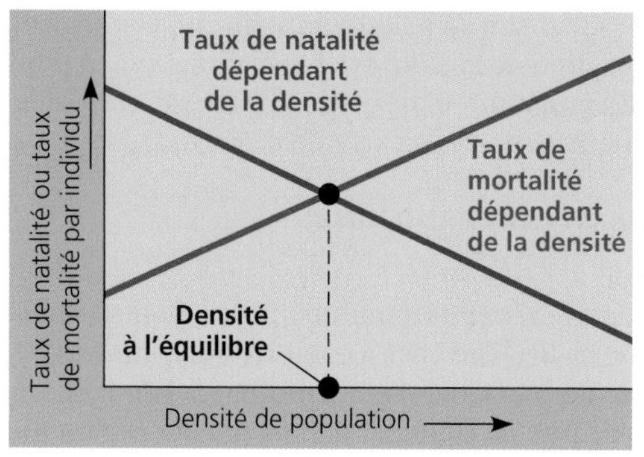

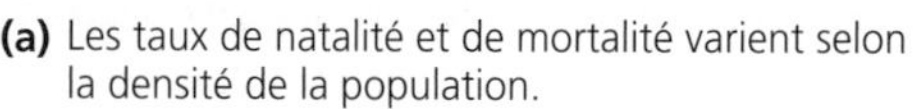

(a) Les taux de natalité et de mortalité varient selon la densité de la population.

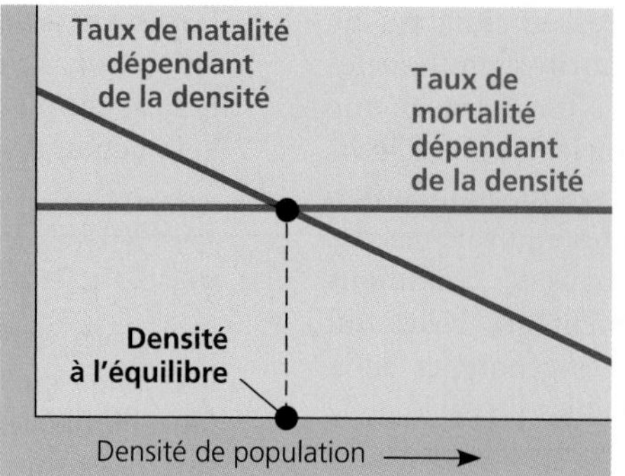

(b) Le taux de natalité varie selon la densité de la population, tandis que le taux de mortalité est constant.

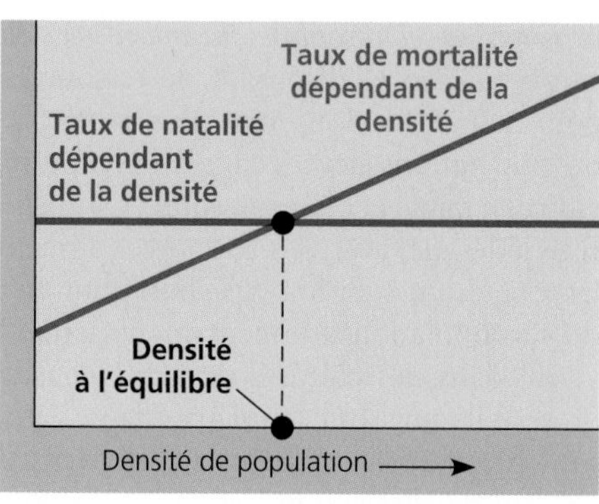

(c) Le taux de mortalité varie selon la densité de la population, tandis que le taux de natalité est constant.

▲ **Figure 52.14 Détermination du point d'équilibre de la densité de population.** Ce modèle graphique simple ne tient compte que des taux de natalité et de mortalité (il suppose que les taux d'immigration et d'émigration sont soit nuls, soit égaux).

les ressources nutritives limitent la fécondité. En effet, au fur et à mesure que la densité de population des Oiseaux s'accroît dans un habitat, chaque femelle pond de moins en moins d'œufs, réaction qui dépend de la densité **(figure 52.15b)**. Dans une expérience au cours de laquelle on a fourni des aliments supplémentaires à des bruants chanteurs femelles vivant dans des populations de forte densité, la taille des couvées n'a pas diminué.

La territorialité

Chez de nombreux Vertébrés et chez quelques Invertébrés, la territorialité peut limiter la densité de population. Dans un tel cas, l'espace où établir un territoire devient la ressource qui fait l'objet d'une compétition. Par exemple, les guépards (*Acinonyx jubatus*) sont des Animaux très territoriaux, qui utilisent des marqueurs chimiques pour faire connaître aux autres membres de leur espèce les limites de leurs territoires **(figure 52.16)**. Les fous de Bassan (*Morus bassanus*) sont des Oiseaux de mer qui nichent souvent sur des îles rocheuses (l'île Bonaventure dans le golfe du Saint-Laurent, par exemple), plus ou moins à l'abri des prédateurs **(figure 52.17)**. Jusqu'à une certaine taille de population, la plupart des fous de Bassan peuvent trouver un site de nidification approprié. Au-delà de cette taille, rares sont ceux qui réussissent à se reproduire. Par conséquent, la ressource limitative qui détermine la taille de la population d'Oiseaux nicheurs chez les fous de Bassan est une aire de nidification sûre. Les individus qui ne peuvent pas obtenir de site pour établir leur nid ne se reproduisent pas. Les individus en surplus ou non reproducteurs constituent un bon indice que la territorialité restreint l'accroissement démographique. On rencontre cela dans de nombreuses populations d'Oiseaux.

La santé

La densité de population a aussi des effets sur la santé et sur les chances de survie des organismes. L'impact d'une maladie sur une population peut dépendre de la densité si la vitesse de transmission de la maladie dépend d'un certain niveau de surpopulation. Des expériences sur le terrain menées par Charles Mitchell, David Tilman et James Groth, de la University of Minnesota, ont montré que, chez les Végétaux, les infections causées par des agents pathogènes fongiques sont plus graves lorsque la densité de population des plantes hôtes est forte. Chez les Animaux, les infections causées par des agents pathogènes peuvent aussi s'aggraver dans des conditions de forte densité de population. Steven Kohler et Wade Hoiland, du Illinois Natural History Survey, ont démontré que, chez les larves de phryganes (des Insectes vivant dans les cours d'eau), la mortalité liée à la maladie atteint des sommets à la suite des années où les Insectes ont connu une grande abondance. Selon leur étude, cette mortalité liée à la maladie est en grande partie responsable des fluctuations cycliques de la densité de population chez ces Insectes. Chez les humains, le taux des infections causées par des agents pathogènes peut aussi dépendre de la densité de population. Par exemple, la tuberculose, maladie causée par des Bactéries qui se propagent dans l'air lorsqu'une personne infectée éternue ou tousse, frappe un plus fort pourcentage de personnes dans les villes densément peuplées qu'en milieu rural.

(a) Grand plantain. Le nombre de graines produites par le grand plantain (*Plantago major*), petite plante verte, diminue lorsque la densité de la population augmente.

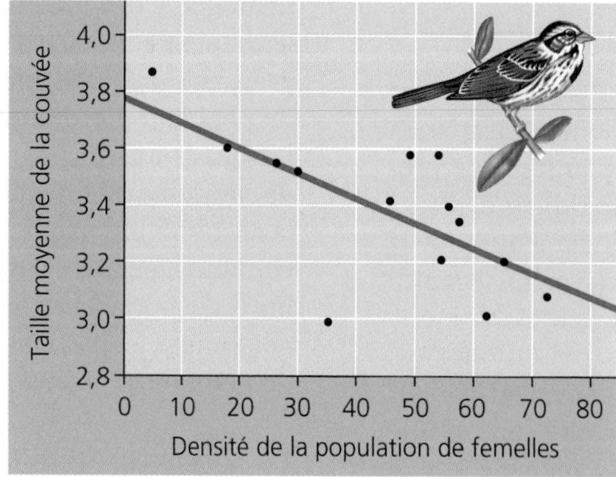

(b) Bruant chanteur. Sur l'île de Mandarte, en Colombie-Britannique, la taille de la couvée du bruant chanteur (*Melospiza melodia*) diminue à mesure qu'augmente la densité de la population et que la nourriture se raréfie.

▲ **Figure 52.15 Diminution de la fécondité associée à une forte densité de population.** Les axes *x* et *y* sont tous deux à échelle logarithmique.

▲ **Figure 52.16 Guépard délimitant son territoire à l'aide d'un marqueur chimique.**

▲ **Figure 52.17 Territoires.** Les sites de nidification des fous de Bassan se trouvent presque à « portée de bec » les uns des autres. Ces Oiseaux défendent leur territoire en poussant de cris et en échangeant des coups de bec.

La prédation

Pour certaines populations, la prédation constitue aussi un important facteur de mortalité dépendant de la densité. En effet, un prédateur trouve et capture un nombre croissant de proies lorsque la densité de population des proies augmente. Il peut alors manifester une préférence pour cette espèce, dont il consomme un pourcentage plus élevé d'individus. Les truites, par exemple, se nourrissent pendant quelques jours d'une espèce d'Insectes qui émerge de son stade larvaire aquatique, puis changent de proies quand une autre espèce d'Insectes devient plus abondante.

Les déchets toxiques

L'accumulation de déchets toxiques peut contribuer à la régulation, dépendante de la densité, de la taille d'une population. Dans les cultures en laboratoire de microorganismes, par exemple, les sous-produits du métabolisme s'accumulent au fur et à mesure que la population s'accroît, et les microorganismes s'empoisonnent dans leur milieu artificiel confiné. Ainsi, pendant la fermentation alcoolique, le métabolisme des levures produit de l'éthanol. La teneur du vin en alcool est généralement inférieure à 13 %, concentration maximale d'éthanol que les levures peuvent tolérer.

Les facteurs intrinsèques

Chez certaines espèces animales, ce sont des facteurs intrinsèques (physiologiques), et non les facteurs extrinsèques (environnementaux) que nous venons de présenter, qui semblent déterminer la taille des populations. Une population de souris à pattes blanches (*Peromyscus leucopus*, qu'on trouve dans l'extrême sud du Québec) vivant dans une petite parcelle de terrain passe de quelques individus à 30 ou 40. La reproduction décroît alors jusqu'à ce que la population se stabilise. Ce changement, associé à des interactions agressives qui augmentent avec la densité de la population, se produit même en cas d'abondance de la nourriture et des gîtes. Les mécanismes par lesquels un comportement agressif influe sur le taux de reproduction sont encore inconnus. Mais on sait que les fortes densités provoquent un syndrome de stress se caractérisant par des changements hormonaux qui retardent la maturation sexuelle, atrophient les organes génitaux et affaiblissent le système immunitaire. Dans ce cas, les fortes densités provoquent une augmentation de la mortalité et une diminution des taux de natalité. La surpopulation a des effets semblables chez d'autres Rongeurs.

Ces divers exemples de régulation de la population par rétro-inhibition montrent que l'augmentation de la densité provoque la diminution de l'accroissement démographique par ses effets sur la reproduction, la croissance et le taux de survie des individus. Voilà donc une réponse à notre première question : Quels facteurs écologiques arrêtent l'accroissement d'une population ? Abordons maintenant la seconde : Pourquoi la taille de certaines populations fluctue-t-elle énormément au fil du temps, alors que celle d'autres populations reste stable ?

La dynamique des populations

Si certaines semblent conserver une taille plus stable que d'autres, toutes les populations pour lesquelles nous disposons de données présentent à long terme des fluctuations d'effectif. Bien que les écologistes soient en mesure de déterminer la taille moyenne de la population pour de nombreuses espèces, cette valeur est souvent moins intéressante que les variations du nombre des individus d'une année à l'autre ou d'un endroit à l'autre. L'étude de la **dynamique des populations** s'applique aux complexes interactions entre les facteurs biotiques et les facteurs abiotiques responsables des variations de la taille des populations.

La stabilité et la fluctuation

On présumait auparavant que les populations de grands Mammifères, comme le cerf de Virginie (*Odocoileus virginianus*) et l'orignal (*Alces alces*), étaient plus ou moins stables. Mais des études à long terme ont mis en doute cette hypothèse. La population d'orignaux de l'île Royale, dans le lac Supérieur, est un exemple frappant. Vers 1900, des orignaux sont venus peupler l'île, qu'ils ont atteinte en traversant le lac gelé. Toutefois, ces dernières années, les eaux du lac n'ont pas gelé, de sorte que la population est restée isolée, sans immigration ni émigration. Pourtant, comme le montre la **figure 52.18**, le nombre d'orignaux n'est pas du tout resté stable, mais a plutôt connu deux augmentations et

Figure 52.18

Investigation La population d'orignaux de l'île Royale est-elle stable ?

ÉTUDE SUR LE TERRAIN Entre 1960 et 2003, des chercheurs ont régulièrement examiné la population d'orignaux de l'île Royale, au Michigan. Comme le lac n'a pas gelé au cours de cette période, cette population est restée isolée, sans immigration ni émigration.

RÉSULTATS Sur une période de 43 ans, la taille de cette population a connu deux augmentations et diminutions majeures, de même que plusieurs fluctuations de moindre importance.

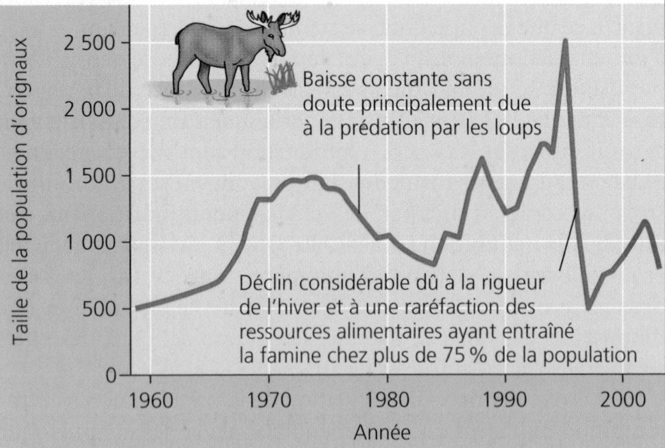

CONCLUSION La dynamique des populations observée dans cette population isolée indique que divers facteurs biotiques et abiotiques peuvent provoquer à long terme d'énormes fluctuations chez une population d'orignaux.

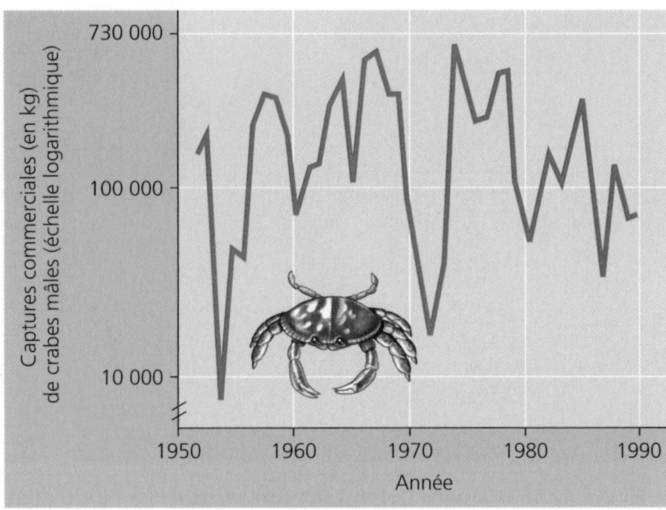

▲ **Figure 52.19 Fluctuations extrêmes de populations.** Ce graphique illustre les captures commerciales de crabes dormeurs (*Cancer magister*) mâles à Fort Bragg, en Californie. Notez que l'axe des *y* est à échelle logarithmique.

diminutions majeures au cours des 40 dernières années. En général, la gravité des pertes causées par l'hiver chez les grands herbivores qui habitent les régions tempérées et polaires est proportionnelle à la rigueur de l'hiver. Le froid augmente les besoins en énergie (et, par conséquent, les besoins alimentaires), et l'épaisseur de la couche de neige interdit l'accès à la nourriture.

Bien que les populations de grands Mammifères soient plus dynamiques qu'on le croyait, elles demeurent beaucoup plus stables que d'autres. En effet, certaines populations fluctuent de façon irrégulière. Le crabe dormeur (*Cancer magister*) constitue à cet égard un exemple classique. Comme le montre la **figure 52.19**, la population de crabes dormeurs de Fort Bragg, sur la côte nord de la Californie, a fluctué entre 10 000 et des centaines de milliers sur une période de 40 ans. Comparativement, au cours de cette même période, la population d'orignaux de l'île Royale n'a varié que de 500 à 2 500 (voir la figure 52.18).

L'un des principaux facteurs liés aux importantes fluctuations des populations de crabes dormeurs est le cannibalisme. Les femelles produisent jusqu'à 2 millions d'œufs chaque automne, et les jeunes les plus âgés ainsi que les adultes cannibalisent les très jeunes en grand nombre. De plus, un peuplement réussi de larves de crabes se fait seulement en eau peu profonde, et dépend des courants marins et de la température de l'eau. Si les vents et les courants entraînent les larves trop loin au large, ces dernières ne peuvent atteindre le fond de la mer pour se poser. Le cannibalisme dépendant de la densité semble amplifier les faibles variations attribuables aux facteurs écologiques : ensemble, ces facteurs expliquent les fluctuations marquées de la population de crabes dormeurs. Ces résultats confirment l'hypothèse selon laquelle la dynamique de nombreuses populations repose sur une interaction complexe de facteurs biotiques et abiotiques.

Les métapopulations et l'immigration

Jusqu'ici, notre étude de la dynamique des populations s'est attachée principalement aux effets de la natalité et de la mortalité. Toutefois, comme nous l'avons déjà mentionné, l'immigration et l'émigration peuvent aussi modifier la taille des populations. Cela s'applique particulièrement à un groupe de populations liées entre elles de façon à former une **métapopulation**. Par exemple, par l'intermédiaire de l'immigration et de l'émigration, la population de spermophiles de Belding dont il a été question plus tôt forme une métapopulation avec d'autres populations de son espèce.

Comment l'immigration peut-elle avoir une incidence sur la dynamique des populations ? Prenons comme exemple la métapopulation de bruants chanteurs vivant sur l'île Mandarte et sur un groupe d'îles plus petites, près de la côte de la Colombie-Britannique. Sur l'île Mandarte, relativement isolée, les écarts entre la natalité et la mortalité sont les principaux responsables du fait que la population de bruants chanteurs demeure très instable (voir la figure 52.13c). En effet, de 1988 à 1991, les immigrants ne représentaient que 11 % des bruants reproducteurs de cette population. Comparativement, au cours de la même période, les immigrants composaient jusqu'à 57 % de la population de bruants reproducteurs vivant sur un groupe de petites îles situées près de l'île de Vancouver. Grâce à leurs taux d'immigration et de survie plus élevés, les populations des petites îles étaient plus stables que celles de l'île Mandarte **(figure 52.20)**. Tout en faisant ressortir l'importance de l'immigration et de l'émigration dans ces deux populations différentes de bruants chanteurs, le concept de métapopulation permet de mieux comprendre les populations dont les habitats sont morcelés.

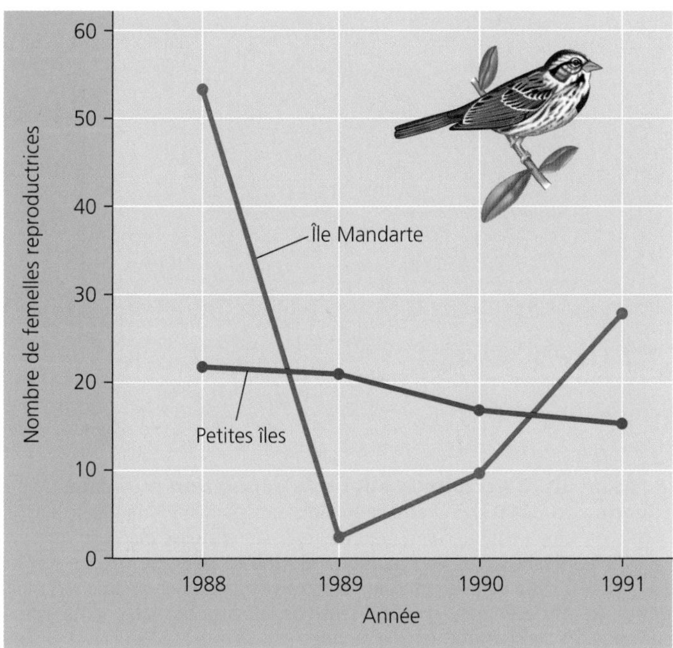

▲ **Figure 52.20 Incidence de l'immigration sur des populations de bruants chanteurs.** Les populations de bruants chanteurs vivant sur un groupe de petites îles forment une métapopulation. Grâce à l'immigration, ces populations interreliées demeurent plus stables que la population isolée de l'île Mandarte, dont la superficie est plus grande.

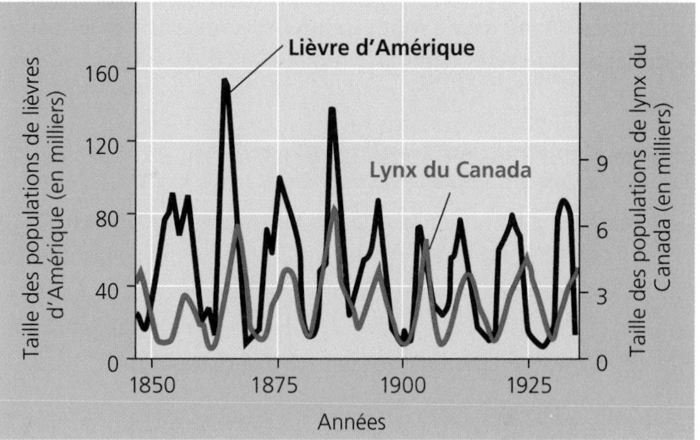

▲ **Figure 52.21 Cycles démographiques chez le lièvre d'Amérique et le lynx du Canada.** L'effectif des populations se fonde sur le nombre de peaux vendues par les trappeurs à la Compagnie de la Baie d'Hudson.

Les cycles démographiques

Si de nombreuses populations fluctuent de façon imprévisible, d'autres connaissent des cycles d'augmentation et de diminution d'une remarquable régularité. Ainsi, certains petits Mammifères herbivores, comme le campagnol des champs (*Microtus pennsylvanicus*) et le lemming d'Ungava (*Dicrostonyx hudsonius*), présentent des cycles démographiques de trois ou quatre ans. Certains Oiseaux, comme la gélinotte huppée (*Bonasa umbellus*) et le lagopède des saules (*Lagopus lagopus*), ont des cycles allant de neuf à onze ans.

Parmi les cycles démographiques les plus remarquables, on compte les cycles de dix ans du lièvre d'Amérique (*Lepus americanus*) et du lynx du Canada (*Felis canadensis*), dans les forêts septentrionales du Canada et de l'Alaska. Le lynx du Canada est un prédateur spécifique du lièvre d'Amérique ; la corrélation entre le cycle du premier et celui du second n'est donc pas surprenante **(figure 52.21)**. Mais pourquoi l'augmentation et la diminution du nombre de lièvres d'Amérique se conforment-elles à un cycle de dix ans ? Il y a trois grandes hypothèses. Selon la première, c'est la pénurie de nourriture pendant l'hiver qui serait la cause des cycles. En effet, les lièvres d'Amérique se nourrissent alors des brindilles qui se trouvent à l'extrémité des branches d'arbrisseaux comme le saule (*Salix sp.*) et le bouleau (*Betula sp.*). Il arrive ainsi qu'ils souffrent de malnutrition à cause du surpâturage. Selon la deuxième hypothèse, les cycles seraient dus aux interactions entre le prédateur et sa proie. De nombreux prédateurs autres que le lynx du Canada mangent le lièvre d'Amérique, et il arrive qu'ils surexploitent leurs proies. Enfin, selon une troisième hypothèse, la combinaison de la limitation des ressources alimentaires et de la prédation excessive influerait sur les cycles.

Si les cycles du lièvre d'Amérique sont dus à la pénurie de nourriture en hiver, l'apport d'un supplément d'aliments devrait y mettre fin. Des chercheurs ont fait l'expérience au Yukon, pendant 20 ans, c'est-à-dire deux cycles du lièvre d'Amérique. Ils ont communiqué deux résultats. Tout d'abord, la densité des populations du lièvre d'Amérique dans les aires où il y a eu un supplément de nourriture a triplé. La capacité limite d'un habitat pour le lièvre d'Amérique peut manifestement augmenter par adjonction de nourriture. Ensuite, le cycle des lièvres d'Amérique qui ont bénéficié d'un supplément de nourriture est resté le même que celui des populations témoins non alimentées. Notamment, des chutes cycliques de la densité de population se sont produites tant dans les aires expérimentales que dans les emplacements témoins. La diminution du nombre n'a pas été freinée par l'apport de nourriture. Par conséquent, les disponibilités alimentaires ne sont pas la cause du cycle du lièvre d'Amérique illustré à la figure 52.21. On peut donc écarter la première hypothèse.

Les chercheurs ont fixé des colliers émetteurs à des lièvres d'Amérique, et ont ainsi pu trouver les Animaux dès leur mort. Cela a permis aux écologistes de déterminer la cause immédiate de la mort. Presque 90 % des lièvres morts ont été tués par des prédateurs ; aucun lièvre ne semble être mort de faim. Ces résultats confirment la deuxième ou la troisième hypothèse. Les écologistes ont alors exclu les prédateurs d'une aire à l'aide de clôtures électriques. Ils ont également exclu les prédateurs d'une autre aire où ils ont ajouté de la nourriture. Ils voulaient ainsi déterminer laquelle des deux dernières hypothèses expliquait le mieux le cycle du lièvre d'Amérique. Les résultats qu'ils ont obtenus ont confirmé l'hypothèse selon laquelle le cycle du lièvre d'Amérique est en grande partie régulé par une prédation excessive, mais que la disponibilité des ressources alimentaires joue aussi un rôle important, surtout en hiver. Peut-être que les lièvres d'Amérique les mieux nourris peuvent plus facilement échapper aux prédateurs. De nombreux prédateurs contribuent aux pertes. Le cycle n'est pas un simple cycle lièvre d'Amérique–lynx du Canada.

Pour le lynx du Canada, le grand-duc d'Amérique, les belettes et les autres prédateurs qui dépendent fortement d'une espèce unique, la disponibilité des proies est le principal facteur qui influe sur les variations de population. Quand les proies se font rares, les prédateurs se tournent l'un contre l'autre. Les coyotes tuent les renards roux et les lynx du Canada. Les grand-ducs d'Amérique tuent les rapaces plus petits et les belettes, ce qui accélère la chute des populations de prédateurs. Les études expérimentales à long terme sont essentielles pour clarifier les causes complexes des cycles démographiques.

Retour sur le concept 52.5

1. Indiquez trois facteurs dépendants de la densité qui limitent la taille des populations et expliquez comment chacun d'eux exerce une rétro-inhibition.

Voir les réponses proposées à la fin du chapitre.

Concept 52.6

La population humaine, qui s'est accrue de manière exponentielle pendant des siècles, augmente aujourd'hui moins rapidement

Comme nous l'avons déjà mentionné, aucune population, y compris celle des humains, ne peut s'accroître indéfiniment. Dans la dernière section de ce chapitre, nous allons appliquer les concepts de la dynamique des populations au cas particulier de la population humaine.

La population humaine à l'échelle mondiale

Le modèle d'accroissement exponentiel de la figure 52.9 décrit essentiellement l'explosion que connaît notre population depuis 1650. Du reste, c'est probablement la seule population de grands Animaux à avoir gardé si longtemps un accroissement exponentiel. La population humaine a augmenté assez lentement jusqu'en 1650 environ. À cette époque, elle comptait environ 500 millions d'individus **(figure 52.22)**. Puis elle a doublé au cours des deux siècles qui suivirent. Elle a ensuite à nouveau doublé entre 1850 et 1930. En 1975, elle avait encore doublé et s'élevait à plus de 4 milliards de personnes. Au début de l'année 2003, la population humaine comptait environ 6,25 milliards de personnes. Elle s'accroît de 73 millions d'individus par année, c'est-à-dire d'environ 201 000 personnes par jour, chiffre qui équivaut à la population d'une ville de la taille de la nouvelle ville de Gatineau, au Québec. Chaque semaine, l'accroissement de la population équivaut approximativement à celle de Saint-Jérôme, ville qui est située à la porte des Laurentides (au Québec). En quatre ans seulement, l'équivalent de la population des États-Unis s'ajoute à la population mondiale. Si le taux d'accroissement actuel se maintient, il y aura entre 7,3 et 8,4 milliards d'habitants sur la planète en 2025.

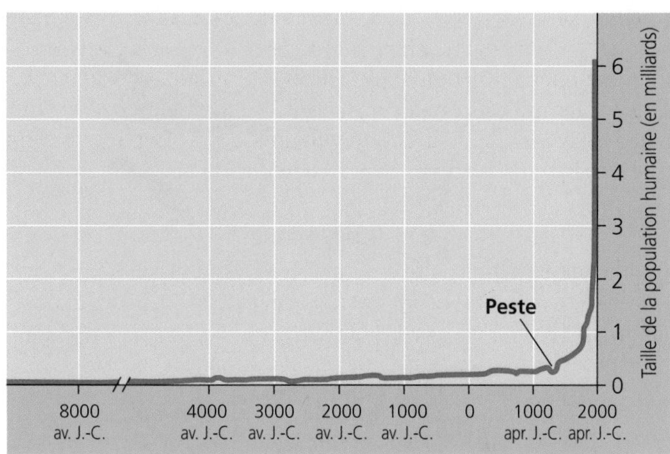

▲ **Figure 52.22 Accroissement de la population humaine (données de 2003).** À l'échelle mondiale, la population humaine s'est accrue presque continuellement au cours de son histoire, mais elle est montée en flèche après la révolution industrielle. Bien que cela ne soit pas visible à cette échelle, son taux d'accroissement a ralenti au cours des dernières décennies, surtout à cause de la baisse des taux de natalité survenue un peu partout dans le monde.

Bien que la population mondiale continue d'augmenter, son *taux* d'accroissement a commencé à ralentir au cours des années 1960. La **figure 52.23** présente les pourcentages d'augmentation qu'a connus la population mondiale de 1950 à 2003, de même que ceux prévus jusqu'en 2050. Le taux d'augmentation de la population mondiale a atteint un sommet en 1962, alors qu'il était de 2,19 %; en 2003, il était passé à 1,16 %. Selon les modèles actuels, on prévoit que le taux d'accroissement global dépassera

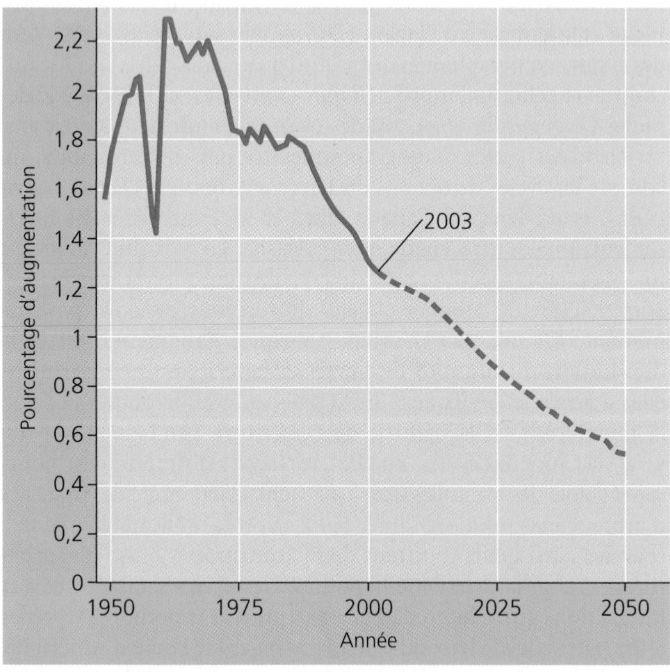

▲ **Figure 52.23 Pourcentages d'augmentation de la population humaine mondiale (données de 2003).** La ligne pointillée correspond aux projections. Le fléchissement marqué des années 1960 est principalement imputable à une famine au cours de laquelle environ 60 millions de personnes sont mortes en Chine.

à peine 0,4 % en 2050. Cette baisse du taux d'accroissement indique que la population humaine s'écarte du modèle d'accroissement exponentiel véritable, qui suppose un taux constant. Elle est la conséquence des changements fondamentaux que des maladies, comme le sida, et la régulation démographique volontaire ont entraînés dans la dynamique des populations.

Les variations démographiques régionales

Jusqu'ici, nous avons parlé des variations de la population mondiale. Mais la dynamique des populations est très différente d'une région à l'autre. Une population humaine régionale stable présente l'une ou l'autre des deux configurations suivantes :

Croissance démographique nulle	=	Taux de natalité élevés	–	Taux de mortalité élevés

ou

Croissance démographique nulle	=	Taux de natalité faibles	–	Taux de mortalité faibles

Le passage de la première configuration à la seconde est appelé **transition démographique**. La **figure 52.24** compare la transition démographique dans un des pays les plus développés sur le plan économique, la Suède, et dans un pays en voie de développement, le Mexique. En Suède, la transition démographique s'est effectuée en 150 ans environ, soit de 1810 à 1960 ; au Mexique, on prévoit que les changements vont se poursuivre pendant encore un certain temps après 2050, soit pendant une période à peu près égale à celle de la Suède. La transition démographique est associée à une augmentation de la qualité des soins de santé et de l'hygiène de même qu'à un accès plus facile à l'éducation, en particulier pour les femmes.

Après 1950, les taux de mortalité ont rapidement diminué dans la plupart des pays industrialisés. Les taux de natalité, eux, ont diminué de façon variable. En Chine, le recul a été exceptionnel. En 1970, le taux de natalité prévoyait une taille moyenne des familles de 5,9 enfants par femme (taux de fécondité total) ; en 2004, en grande partie à cause de la stricte politique gouvernementale de l'enfant unique, elle était de 1,7 enfant seulement. En Inde, le taux de natalité a décru plus lentement. Dans certains pays d'Afrique, la transition vers des taux de natalité plus faibles a été spectaculaire, mais ce n'est pas le cas de la plupart des pays de l'Afrique subsaharienne, où ces taux demeurent élevés.

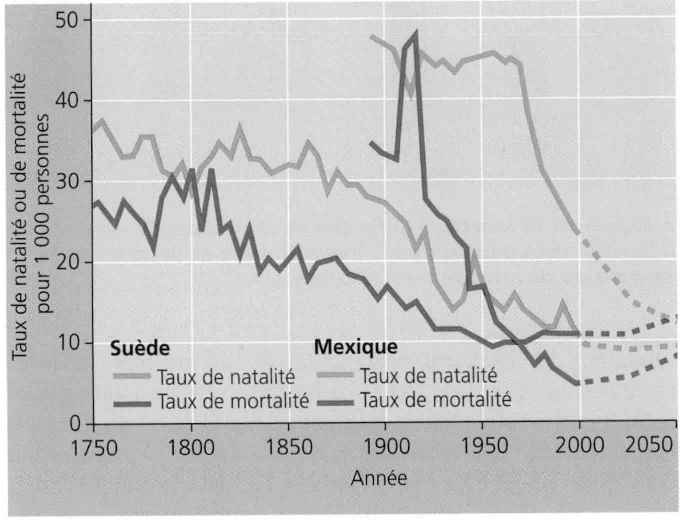

▲ **Figure 52.24 Transition démographique en Suède et au Mexique, entre 1750 et 2050 (données de 2003).**

Comment des taux de natalité aussi disparates influent-ils sur l'accroissement de la population mondiale ? Dans les nations industrialisées, les populations tendent vers un équilibre (taux d'accroissement d'environ 0,1 % par année), les taux de fécondité étant proches du niveau de remplacement (taux de fécondité total de 2,1 enfants par femme). En fait, dans de nombreux pays industrialisés, y compris le Canada, l'Allemagne, le Japon, l'Italie et le Royaume-Uni, le taux de fécondité se situe *sous* le niveau de remplacement. Les populations en question vont tôt ou tard décroître s'il n'y a pas d'immigration et si le taux de natalité ne change pas. En fait, dans de nombreux pays de l'est et du centre de l'Europe, la population a déjà commencé à décroître. Actuellement, environ 80 % de la population mondiale vit dans les pays en voie de développement. De plus, la majeure partie de l'accroissement démographique mondial (1,4 %) se produit dans ces pays.

L'accroissement de la population humaine a ceci de particulier qu'il peut être limité par la contraception, par les programmes de planification familiale, par la survie des enfants et par l'éducation des filles. L'éducation des filles est le facteur le plus déterminant. En effet, les femmes instruites sont généralement plus autonomes et intègrent mieux les mécanismes de la planification familiale. De plus, elles ont tendance habituellement à retarder leur première grossesse et à éviter les naissances ultérieures trop rapprochées. Les taux d'accroissement démographique s'en trouvent réduits. Or, il est plus facile de planifier une croissance démographique nulle lorsque les taux de natalité et de mortalité sont faibles. La solution, pour la transition démographique, réside dans la réduction de la taille des familles. Cependant, les dirigeants du monde ont des opinions très divergentes sur l'importance du soutien à fournir aux programmes globaux de planification familiale et à l'éducation.

La pyramide des âges

La **pyramide des âges**, qui indique le pourcentage d'individus d'une population dans chacun des groupes d'âge, a une importance déterminante pour le taux d'accroissement démographique présent et futur d'un pays. La **figure 52.25** présente trois pyramides des âges. La base étroite de la pyramide de l'Italie indique que les individus qui n'ont pas encore atteint l'âge de procréation sont relativement sous-représentés. Cette situation confirme la projection selon laquelle la population continuera de décroître dans ce pays. À l'opposé, l'Afghanistan a une pyramide des âges qui est très large dans sa partie inférieure, ce qui signifie qu'il compte un très grand nombre de jeunes qui grandiront et qui, en engendrant des enfants, prolongeront l'explosion démographique. Pour leur part, les États-Unis ont une pyramide des âges relativement uniforme (jusqu'aux groupes d'âge dépassant l'âge de procréation). Elle ne comporte qu'un renflement qui correspond au baby-boom survenu après la Seconde Guerre mondiale. Même si les hommes et les femmes nés pendant les 20 années du baby-boom ont moins de deux enfants en moyenne, ils sont si nombreux que le taux de natalité global de la nation dépasse encore le taux de mortalité. Qui plus est, bien que le taux de

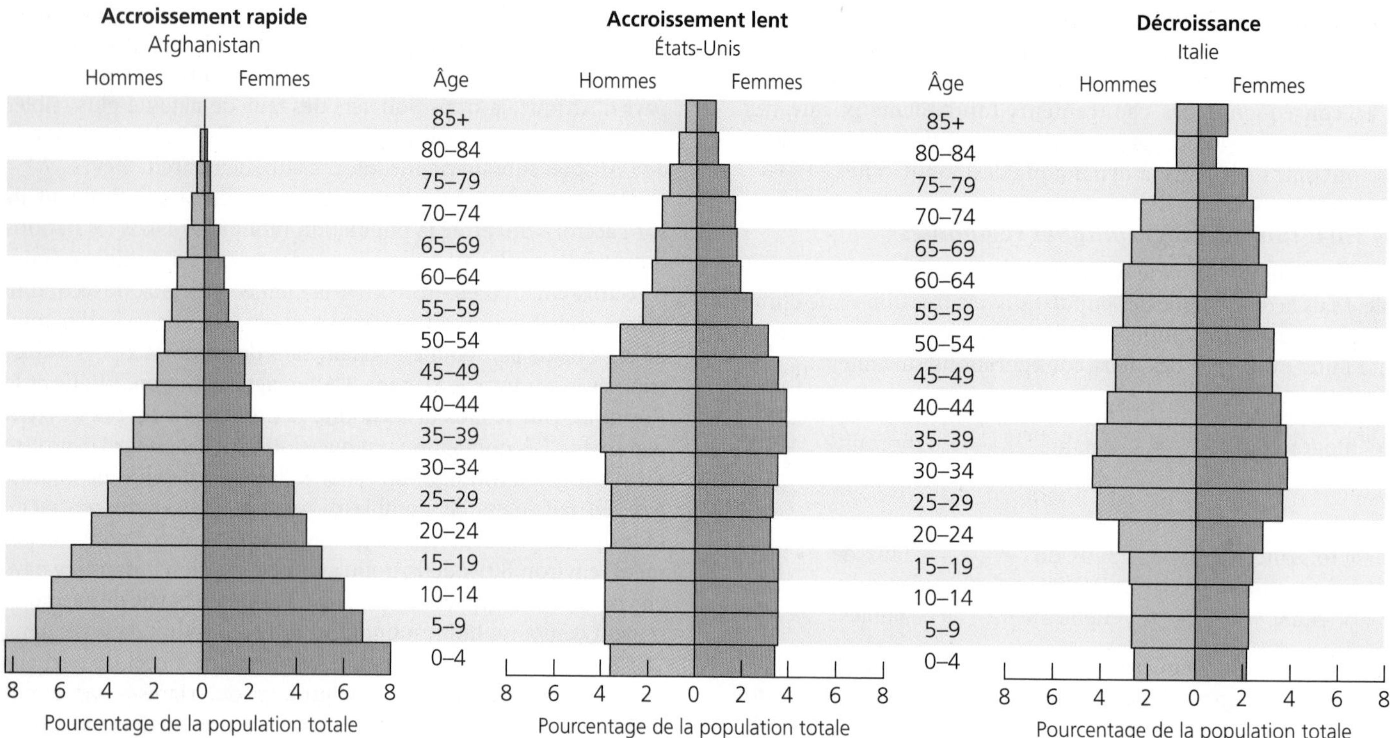

▲ **Figure 52.25 Pyramides des âges pour les populations humaines de trois pays. (données de 2000).** En 2004, le taux d'accroissement annuel de la population de l'Afghanistan était de 2,6 %, et celui des États-Unis, de 0,6 % ; la population de l'Italie décroissait selon un taux annuel de –0,1 %.

fécondité totale actuel soit de 2,1 enfants par femme, soit à peu près le niveau de remplacement, on prévoit que la population s'accroîtra lentement jusqu'en 2050 par suite de l'immigration.

Les pyramides des âges ne révèlent pas seulement les tendances de l'accroissement démographique, mais peuvent également indiquer quelles seront les conditions sociales dans l'avenir. À l'aide des diagrammes de la figure 52.25, par exemple, on peut prédire que l'emploi et l'éducation continueront de représenter, dans un avenir prévisible, un problème important en Afghanistan. L'arrivée de nombreux jeunes dans la population de ce pays risque aussi de devenir une source de constante agitation sociale et politique, surtout si leurs besoins et leurs aspirations demeurent insatisfaits. En Italie et aux États-Unis, une proportion décroissante de personnes en âge de travailler supportera bientôt une proportion croissante de personnes issues du baby-boom et prenant leur retraite. Aux États-Unis, cette caractéristique démographique a fait de l'avenir des programmes de sécurité sociale et d'assurance maladie un enjeu politique majeur. Une bonne compréhension de la pyramide des âges peut nous aider à planifier l'avenir.

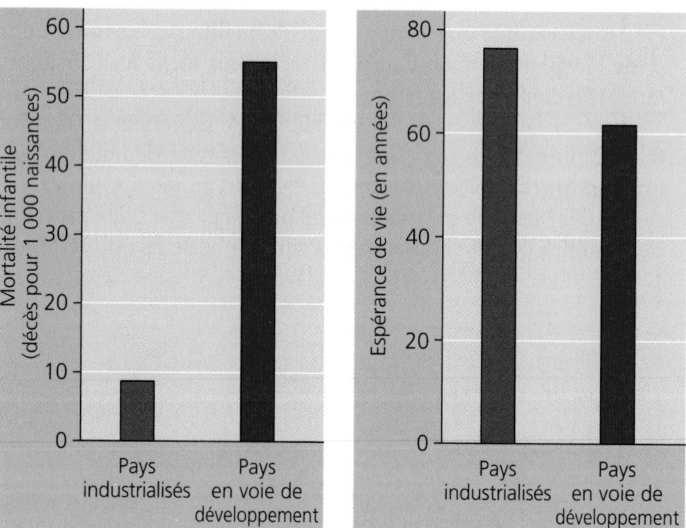

▲ **Figure 52.26 Mortalité infantile et espérance de vie à la naissance dans les pays industrialisés et dans les pays en voie de développement.** (Données de 2003.)

La mortalité infantile et l'espérance de vie

La **mortalité infantile**, le nombre de décès d'enfants au cours de la première année de vie pour 1 000 naissances vivantes, et l'**espérance de vie**, la durée moyenne de vie prévue à la naissance, varient grandement d'une population humaine à l'autre. Ces écarts témoignent de la qualité de vie dont jouissent les enfants à la naissance. La **figure 52.26** compare la mortalité infantile et l'espérance de vie moyennes des pays industrialisés et des pays en voie de développement en 2003. Malgré leurs nettes différences, ces moyennes ne révèlent rien de la vaste gamme des conditions humaines. En 2003, par exemple, le taux de mortalité infantile en Afghanistan était de 143 (14,3 %), alors que, au Japon, seulement 3 enfants sur 1 000 mouraient avant l'âge de 1 an. De plus, l'espérance de vie à la naissance était de 47 ans en Afghanistan comparativement à 81 ans au Japon. À l'échelle mondiale, l'espérance de vie est à la hausse depuis environ 1950, mais plus récemment, elle a diminué dans un certain nombre de régions, dont des pays de l'ex-Union soviétique et de l'Afrique subsaharienne.

Dans ces régions, les bouleversements sociaux, la détérioration des infrastructures et les maladies infectieuses comme le sida et la tuberculose contribuent ensemble à la régression de l'espérance de vie. Au Rwanda, un pays de l'est de l'Afrique, par exemple, l'espérance de vie était approximativement de 39 ans en 2003, soit environ la moitié de celle du Japon, de la Suède, de l'Italie et de l'Espagne.

La capacité limite de la Terre

Le problème écologique le plus important est sans contredit la future taille de la population humaine. Les projections à cet égard dépendent des suppositions concernant les variations futures des taux de natalité et de mortalité. Pour 2050, l'Organisation des Nations Unies prévoit que la population se situera entre 7,5 et 10,3 milliards de personnes. Autrement dit, en l'absence de catastrophe, on estime que de 1,2 à 4 milliards de personnes s'ajouteront à la population mondiale dans les quatre prochaines décennies, en raison de la lancée de l'accroissement démographique. Mais quelle taille de population humaine la biosphère peut-elle supporter? La planète sera-t-elle surpeuplée en 2050? Est-elle *déjà* surpeuplée?

Les estimations de la capacité limite de la Terre

Quelle est la capacité limite de la Terre pour les humains? Depuis plus de 300 ans, les scientifiques qui s'intéressent à la démographie se posent cette question. En 1679, Anton Van Leeuwenhoek effectua la première évaluation connue de la capacité limite de la Terre, qui était de 13,4 milliards de personnes. Depuis, l'estimation de la capacité limite a varié de moins de 1 milliard à plus de 1 000 milliards (1 billion de personnes). La moyenne de ces différentes estimations se situe aux environs de 10 à 15 milliards.

La capacité limite est difficile à estimer. Les scientifiques qui font ces estimations utilisent différentes méthodes. Certains chercheurs se servent de courbes comme celles que produit l'équation d'accroissement logistique (voir la figure 52.12) pour prédire la population humaine maximale. D'autres font une généralisation, à partir de la densité de population «maximale» existante, qu'ils multiplient par la superficie de territoire habitable. D'autres encore s'appuient sur un seul facteur limitant, comme la nourriture, et doivent faire de nombreuses hypothèses (sur la quantité de terres agricoles disponibles, le rendement moyen des récoltes, les habitudes alimentaires dominantes [végétarisme ou consommation de viande] et le nombre de calories nécessaires chaque jour à une personne).

L'empreinte écologique

Une approche plus globale pour estimer la capacité limite de la Terre consiste à considérer que nous avons de multiples contraintes: nourriture, combustibles, matériaux de construction et autres nécessités comme les vêtements et le transport. Selon le concept d'**empreinte écologique**, on calcule, pour chaque pays, la superficie totale des terres et des eaux requises pour la production de toutes les ressources consommées et pour l'assimilation de tous les déchets. On distingue six types de milieux productifs du point de vue écologique dans le calcul de l'empreinte écologique: les terres arables (terres agricoles), les pâturages, les forêts, les océans, les espaces aménagés et les milieux comportant une réserve d'énergie fossile. (On calcule la superficie de ces derniers en se fondant sur l'étendue requise pour que la végétation absorbe le CO_2 produit par la consommation des combustibles fossiles.) Toutes les mesures sont traduites en superficie de territoire, soit en hectares (ha) par personne (1 ha = 10 000 m^2). Si on additionne tous les milieux écologiquement productifs de la planète, on trouve qu'il y a environ 2 ha par personne. Si on désire conserver des territoires pour des parcs et la préservation de l'environnement, il faut réduire cette valeur à 1,7 ha par personne. Cette valeur sert de référence dans la comparaison de l'empreinte écologique des nations.

La **figure 52.27** présente le graphique des empreintes écologiques de 13 pays et du monde entier telles qu'elles étaient en 1997. Deux conclusions s'imposent à la lecture de ce graphique. Premièrement, on observe, entre les pays, une grande variation de la valeur individuelle de l'empreinte et de la **capacité écologique** disponible (base de ressources réelles). Les États-Unis ont une empreinte écologique de 8,4 ha par personne, mais ne disposent que de 6,2 ha par personne de capacité écologique. En d'autres mots, la population des États-Unis dépasse déjà sa capacité limite. La Nouvelle-Zélande, quant à elle, a une empreinte écologique plus grande, de 9,8 ha par personne, mais une capacité écologique disponible de 14,3 ha par personne. Par conséquent, elle se situe sous sa capacité limite.

Deuxièmement, on constate que le monde dans son ensemble était *déjà* en déficit écologique quand l'étude a été menée. Bref, il semble que, à l'heure actuelle, le monde ait atteint ou légèrement dépassé sa capacité limite.

On ne peut que spéculer sur la capacité limite définitive de la Terre pour la population humaine et sur les facteurs qui limiteront finalement notre accroissement. La nourriture sera peut-être le principal facteur. La malnutrition et les famines sont courantes dans certaines régions, mais sont surtout le fait d'une répartition inéquitable de la nourriture, et non d'une production inadéquate. Jusqu'à présent, les progrès technologiques dont a bénéficié l'agriculture ont permis que les disponibilités alimentaires suivent l'accroissement démographique global. Cependant, nous savons

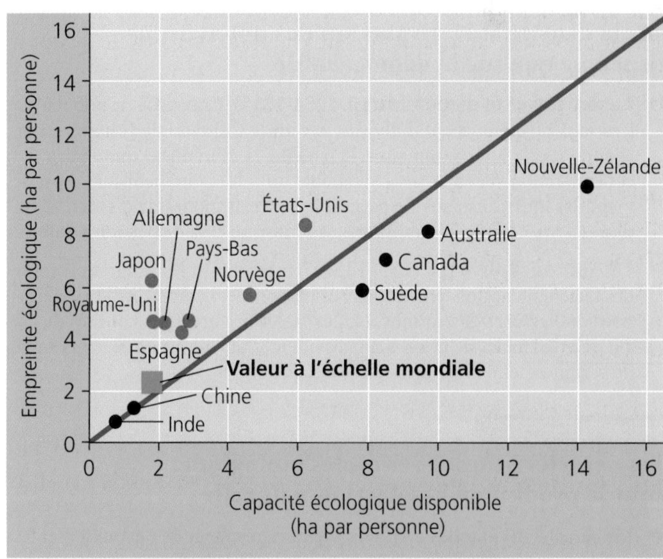

▲ **Figure 52.27 Empreinte écologique en fonction de la capacité écologique disponible.** Les pays représentés par un point rouge étaient en déficit écologique en 1997, lorsque l'étude a été menée. Les pays représentés par un point noir disposent encore de ressources qui dépassent les besoins de leur population.

que, pour des raisons relatives aux principes de flux énergétique au sein des écosystèmes (expliqués au chapitre 54), les milieux peuvent admettre plus d'herbivores que de carnivores. Si tout le monde mangeait autant de viande que les personnes les mieux nanties dans le monde, les récoltes actuelles ne pourraient nourrir que la moitié de la population mondiale.

L'espace suffisant sera peut-être finalement le facteur limitant, comme pour les fous de Bassan sur les îles océaniques. À coup sûr, le conflit concernant la façon d'utiliser l'espace s'amplifiera au fur et à mesure que notre population augmentera. Les terres agricoles pourraient être aménagées pour l'habitation. Toutefois, il semble y avoir peu de limites à la promiscuité dans laquelle les humains peuvent se trouver.

Les humains pourraient manquer de ressources non renouvelables, comme certains métaux ou combustibles fossiles. En outre, dans de nombreuses populations, les besoins dépassent déjà de beaucoup les réserves locales et même régionales de la ressource renouvelable qu'est l'eau. En effet, plus de 1 milliard de personnes n'ont pas accès à des quantités d'eau suffisantes pour satisfaire leurs besoins de base en matière d'hygiène. Il est également possible que notre population soit en fin de compte limitée par la capacité de l'environnement à assimiler tous les déchets. Les occupants actuels de la planète pourraient ainsi faire baisser à long terme la capacité limite de la Terre pour les générations futures.

Certains utopistes, confiants dans la technologie, ont affirmé qu'il n'y avait en pratique aucune limite à l'accroissement démographique. Les progrès techniques ont sans aucun doute augmenté la capacité limite de la Terre pour les humains, mais, comme nous l'avons souligné, aucune population ne peut croître indéfiniment. De nombreuses personnes s'inquiètent et débattent de la question de savoir quelle est exactement la capacité limite de la Terre et dans quelles circonstances nous l'atteindrons. Contrairement aux autres organismes, nous pouvons choisir le moyen qui nous permettra d'arrêter notre croissance démographique : nous pouvons opter pour les changements sociaux issus des décisions que nous aurons prises, ou pour une augmentation de la mortalité attribuable au manque de ressources, aux fléaux, aux guerres et à la dégradation de l'environnement.

Retour sur le concept 52.6

1. Quelle incidence la pyramide des âges d'une population a-t-elle sur son taux d'accroissement ?
2. Quel lien existe-t-il entre la capacité limite, la capacité écologique et l'empreinte écologique de la population d'un pays ? Définissez chaque terme en répondant à la question.

Voir les réponses proposées à la fin du chapitre.

Révision du chapitre 52

RÉSUMÉ DES CONCEPTS CLÉS

Concept 52.1

Des processus biologiques dynamiques influent sur la densité et la dispersion des populations de même que sur la démographie

- **La densité et la dispersion (p. 1234-1235).** La densité de population, c'est-à-dire le nombre d'individus par unité d'aire ou de volume, est le résultat d'une interaction entre la natalité, la mortalité, l'immigration et l'émigration. Des facteurs écologiques ou sociaux influent sur l'espacement des individus dans l'espace. Il existe trois modes de dispersion : la dispersion en agrégats, la dispersion uniforme et la dispersion aléatoire.
- **La démographie (p. 1235-1238).** La natalité et l'immigration sont des facteurs d'accroissement des populations, et la mortalité et l'émigration, des facteurs de diminution. Les tables de survie, les courbes de survie et les tables de fécondité permettent d'obtenir une vue d'ensemble de certaines tendances démographiques.

Concept 52.2

Les caractéristiques des cycles biologiques sont le produit de la sélection naturelle

- Les caractéristiques des cycles biologiques résultent de l'évolution et se reflètent sur le développement, la physiologie et le comportement d'un organisme (**p. 1238**).
- **La diversité des cycles biologiques (p. 1238-1239).** La sémelparité s'applique aux organismes qui se reproduisent une seule fois, puis meurent. À l'opposé, l'itéroparité se rapporte aux organismes qui produisent des rejetons à maintes reprises.
- **Le « compromis » et les cycles biologiques (p. 1239-1240).** Les caractéristiques des cycles biologiques, comme le nombre et la taille des rejetons, l'âge de la maturité et les soins donnés aux rejetons par les parents, représentent des compromis entre les besoins contradictoires de temps, d'énergie et de nutriments, qui sont des ressources limitées.

Concept 52.3

Le modèle exponentiel décrit l'accroissement démographique dans un environnement idéal aux ressources illimitées

- **Le taux d'accroissement par individu (p. 1240-1241).** Si on ne tient pas compte de l'immigration et de l'émigration, la différence entre le taux de natalité et le taux de mortalité détermine le taux d'accroissement démographique (taux d'accroissement par individu).
- **L'accroissement exponentiel (p. 1241-1242).** L'équation d'accroissement exponentiel $dN/dt = r_{max}N$ représente l'accroissement potentiel d'une population dans un environnement aux ressources illimitées : r_{max} est le taux maximal, ou intrinsèque, d'accroissement par individu et N est le nombre d'individus dans une population. Le modèle exponentiel d'accroissement démographique prédit que plus la taille d'une population augmente, plus son accroissement est rapide. Quand on représente la taille d'une population qui s'accroît de cette façon sous forme de graphique en fonction du temps, on obtient une courbe en J.

Concept 52.4

Le modèle logistique d'accroissement démographique intègre la notion de capacité limite du milieu

- L'accroissement exponentiel ne peut se maintenir longtemps dans une population. Le modèle logistique d'accroissement démographique, plus réaliste que le modèle exponentiel, limite l'accroissement en intégrant la capacité limite du milieu (K), qui correspond à la taille maximale de population que les ressources disponibles peuvent supporter (**p. 1242**).

- **Le modèle logistique d'accroissement démographique (p. 1242-1243).** Selon l'équation logistique $dN/dt = r_{max}N (K - N)/K$, l'accroissement de la population plafonne lorsque la taille de la population s'approche de la capacité limite du milieu.

- **Le modèle logistique et les populations naturelles (p. 1243-1244).** Le modèle logistique décrit fort peu de populations naturelles avec exactitude, mais il permet d'estimer leurs possibilités d'accroissement.

- **Le modèle logistique et les cycles biologiques (p. 1244-1245).** Il existe deux modèles de sélection naturelle qui favorisent les caractéristiques des cycles biologiques: la sélection K, ou sélection dépendante de la densité, et la sélection r, ou sélection indépendante de la densité. Ces modèles hypothétiques prêtent toutefois à la controverse.

Concept 52.5

Les populations sont régulées par une interaction complexe d'influences biotiques et abiotiques

- **Les variations démographiques et la densité de population (p. 1245).** Dans les populations dépendantes de la densité, les taux de mortalité augmentent et les taux de natalité baissent au fur et à mesure que la densité augmente. Dans les populations indépendantes de la densité, l'augmentation de la densité n'a pas d'incidence sur les taux de natalité et de mortalité.

- **Les facteurs de régulation dépendants de la densité (p. 1245-1247).** Les variations des taux de natalité et de mortalité dépendantes de la densité freinent par rétro-inhibition l'accroissement démographique et peuvent à la longue stabiliser une population autour de sa capacité limite. Il existe de nombreux facteurs de régulation dépendants de la densité: la compétition intraspécifique pour une nourriture et un espace limités, l'augmentation de la prédation, la maladie, le stress causé par la surpopulation ou l'accumulation de toxines.

- **La dynamique des populations (p. 1247-1248).** À cause des perturbations qu'entraîne périodiquement la modification des conditions environnementales, la taille de toutes les populations présente des fluctuations plus ou moins importantes. Les métapopulations sont des groupes de populations interreliées par l'immigration et l'émigration.

- **Les cycles démographiques (p. 1249-1250).** De nombreuses populations connaissent des cycles réguliers d'accroissement et de diminution qui sont influencés par des interactions complexes entre des facteurs biotiques et des facteurs abiotiques.

Concept 52.6

La population humaine, qui s'est accrue de manière exponentielle pendant des siècles, augmente aujourd'hui moins rapidement

- **La population humaine à l'échelle mondiale (p. 1250-1253).** Depuis environ 1650, la population humaine a connu un croissance exponentielle, mais au cours des 40 dernières années, son taux d'accroissement a diminué de presque 50 %. Les différences dans les pyramides des âges révèlent que si la taille de certaines populations croît rapidement, celle d'autres est stable ou en baisse. Dans les pays industrialisés et les pays en voie de développement, les taux de mortalité infantile et l'espérance de vie sont sensiblement différents.

- **La capacité limite de la Terre (p. 1253-1254).** On ne sait pas quelle taille de population humaine la Terre peut supporter. L'empreinte écologique, soit la superficie totale des terres et des eaux requises pour permettre à la population d'un pays de vivre, est une mesure qui indique à quel point nous nous approchons de la capacité limite de la Terre. Avec une population qui dépasse les six milliards de personnes, le monde dans son ensemble est déjà en déficit écologique.

VÉRIFIEZ VOS CONNAISSANCES

Autoévaluation

(Les questions dont les numéros sont en caractères gras font surtout appel à la compréhension.)

1. Une population qui présente une distribution uniforme:
   a) s'étend et élargit son aire de distribution.
   b) vit dans un milieu où les ressources sont réparties de manière hétérogène.
   c) est formée d'individus qui se font concurrence pour les ressources, l'eau et les minéraux chez les Végétaux, les sites de nidification chez les Animaux.
   d) est formée d'individus entre lesquels il n'y a ni attirance ni répulsion marquées.
   e) a une faible densité.

2. Les écologistes des populations suivent l'évolution des cohortes d'individus du même âge afin de:
   a) déterminer la capacité limite du milieu pour une population.
   b) déterminer si une population est régulée par des processus dépendants de la densité.
   c) déterminer le taux de natalité et le taux de mortalité de chacun des groupes composant une population.
   d) déterminer les facteurs qui régulent la taille d'une population.
   e) déterminer si l'accroissement d'une population est cyclique.

3. Dans une population qui s'accroît conformément au modèle logistique:
   a) le nombre d'individus qui s'ajoutent par unité de temps est plus grand quand N s'approche de zéro. (L'équation clé est $dN/dt = r_{max}\, N(K - N/K)$.)
   b) le taux d'accroissement par individu (r) augmente quand N s'approche de K.
   c) quand N est égal à K, la population stagne.
   d) quand K est faible, l'accroissement démographique devient exponentiel.
   e) quand N s'approche de K, le taux de natalité (b) est proche de zéro.

4. La capacité limite du milieu pour une population:
   a) peut être déterminée à l'aide du modèle logistique d'accroissement démographique.
   b) demeure généralement constante à long terme.
   c) augmente lorsque le taux d'accroissement par individu (r) diminue.
   d) peut varier selon les conditions du milieu.
   e) ne peut jamais être dépassée.

5. Quelle stratégie de cycle biologique la sélection naturelle favorise-t-elle si la survie des rejetons est assez faible et imprévisible?
   a) La sémelparité.
   b) La production d'un grand nombre de gros œufs et beaucoup de soins parentaux.
   c) L'itéroparité.
   d) Un jeune âge à la première reproduction.
   e) Un âge relativement élevé à la première reproduction.

6. Toutes les descriptions suivantes sont caractéristiques des populations humaines dans les pays industrialisés, *sauf une.* Laquelle?
   a) La taille de la famille est relativement petite.
   b) Il y a plusieurs reproductions potentielles au cours d'une vie.
   c) Le cycle biologique est à sélection r.
   d) La courbe de survie est de type I.
   e) La pyramide des âges a une structure à peu près uniforme.

7. L'exemple des cycles démographiques du lièvre d'Amérique et de son prédateur, le lynx du Canada, indique:
   a) que les prédateurs sont le seul facteur qui régule la taille des populations de proies.
   b) que les deux espèces ont évolué parallèlement, puisque leurs cycles biologiques sont liés.
   c) qu'il ne faut pas conclure à une relation de cause à effet sans avoir procédé à une observation et à une expérimentation rigoureuses.
   d) que les deux populations sont régulées par des facteurs abiotiques.
   e) que la population de lièvres d'Amérique est à sélection r, tandis que la population de lynx du Canada est à sélection K.

8. La taille actuelle de la population humaine est d'environ:
   a) 2 milliards.
   b) 3 milliards.
   c) 4 milliards.
   d) 6 milliards.
   e) 10 milliards.
9. Dans une étude de capture-recapture portant sur une population de truites (*Salvelinus namaycush*), 40 Poissons sont capturés, marqués puis libérés. À la seconde pêche, 45 Poissons sont capturés; 9 d'entre eux sont marqués. À combien d'individus estime-t-on la population de truites?
   a) 90.
   b) 200.
   c) 360.
   d) 800.
   e) 1 800.
10. Selon une récente étude des empreintes écologiques (dont il est question dans le chapitre):
   a) la capacité limite de la planète est d'environ 10 milliards.
   b) la capacité limite de la planète serait plus grande si la consommation de viande par individu augmentait.
   c) la demande courante en ressources de la part des pays industrialisés est bien inférieure à leur empreinte écologique.
   d) les États-Unis ont une empreinte écologique plus grande que la capacité écologique de leur propre territoire.
   e) il est impossible que les progrès techniques accroissent la capacité limite de la Terre pour la population humaine.

Lien avec l'évolution

En un paragraphe, comparez les conditions qui favorisent la reproduction par sémelparité aux conditions qui favorisent la reproduction par itéroparité.

Intégration

Vous vérifiez l'hypothèse selon laquelle la densité de population d'une certaine espèce de plante influe sur la vitesse à laquelle un Eumycète pathogène infecte cette plante. Comme l'Eumycète laisse des marques visibles sur les feuilles, il vous est facile de reconnaître les individus infectés. Imaginez une expérience qui vous permettra de vérifier cette hypothèse. Mentionnez la procédure expérimentale et les moyens de contrôle utilisés, les données recueillies et les résultats attendus si votre hypothèse est correcte.

Science, technologie et société

Bien des gens considèrent l'accroissement démographique rapide des pays en voie de développement comme le principal problème écologique de l'heure. D'autres pensent que l'accroissement démographique des pays industrialisés, bien que moindre, constitue une menace plus grave pour l'environnement. Quels problèmes résultent de l'accroissement démographique: (a) dans les pays en voie de développement? (b) dans les pays industrialisés? Selon vous, quel phénomène est le plus dangereux, et pourquoi?

Réponses du chapitre 52

Retour sur le concept 52.1

1. L'espèce territoriale est susceptible d'avoir un mode de dispersion uniforme, car les interactions entre les individus les maintiennent à une distance constante les uns des autres. L'espèce qui vit en bandes présente probablement une dispersion en agrégats, car la plupart des individus vivent sans doute au sein d'un de ces agrégats (bandes).
2. Une courbe de survie de type III, puisque les jeunes qui survivent risquent d'être très peu nombreux.
3. 0,5; on divise le nombre moyen de femelles par portée par le nombre moyen de rejetons par portée pour chaque âge où la reproduction a lieu et on fait la moyenne.

Retour sur le concept 52.2

1. La rivière stable alimentée par une source. Les milieux aux conditions physiques constantes abritent des populations plus stables, au sein desquelles la compétition pour les ressources est davantage probable et dont les rejetons, plus gros et bien nourris, ont de meilleures chances de survie.

Retour sur le concept 52.3

1. Bien que r_{max} soit constant, N, la taille de la population, augmente. Comme r_{max} s'applique à une valeur N de plus en plus élevée, la courbe de l'accroissement démographique ($r_{max} N$) présente une pente plus prononcée, d'où sa forme de J.
2. Sur l'île volcanique nouvellement formée. Les premiers Végétaux à trouver un habitat propice sur l'île y trouveraient de l'espace, des nutriments et de la lumière en abondance. Dans la forêt humide, il existe parmi les Végétaux une intense compétition pour ces ressources.

Retour sur le concept 52.4

1. Lorsque la valeur de N, la taille de la population, est faible, le nombre d'individus qui se reproduisent est relativement bas. Lorsque la valeur de N est élevée, s'approchant de la capacité limite du milieu, le taux d'accroissement par individu est relativement faible parce qu'il est limité par les ressources disponibles. Selon le modèle logistique d'accroissement démographique, le segment de la courbe dont la pente est la plus prononcée correspond à une population qui compte un nombre considérable d'individus reproducteurs, mais qui ne s'approche pas encore de sa capacité limite.

Retour sur le concept 52.5

1. La compétition pour les ressources et l'espace peut arrêter l'accroissement démographique en limitant l'efficacité de la reproduction. Les maladies qui se transmettent plus facilement dans des populations de forte densité peuvent réguler par rétro-inhibition l'accroissement démographique. Certains prédateurs préfèrent les proies dont la densité de population est élevée, car elles sont alors plus faciles à trouver que celles dont la densité de population est plus faible. Dans des conditions de surpopulation, les déchets métaboliques toxiques peuvent s'accumuler et empoisonner les organismes.

Retour sur le concept 52.6

1. Une pyramide des âges très large dans sa partie inférieure, où les jeunes sont surreprésentés, signifie que la population connaîtra un accroissement continu lorsque ces jeunes commenceront à se reproduire. Par contre, une pyramide plus uniforme signifie que la taille de la population demeurera stable.
2. La capacité limite est le nombre d'individus qui peuvent vivre dans un pays, compte tenu des ressources dont il dispose. La capacité écologique est la base de ressources réelles d'un pays; on la mesure en hectares par personne. L'empreinte écologique correspond aux ressources réellement consommées par un pays; on la mesure également en hectares par personne. Un pays dépasse sa capacité limite lorsque son empreinte écologique est supérieure à sa capacité écologique.

Autoévaluation

1. c; 2. c; **3.** c; 4. d; **5.** c; **6.** c; 7. c; 8. d; **9.** b; 10. d.

L'écologie des communautés

▲ **Figure 53.1 Communauté de savane dans le parc national Chobe, au Botswana.**

Concepts clés

53.1 Les interactions d'une communauté comprennent la compétition, la prédation, l'herbivorisme, la symbiose et la maladie

53.2 Les espèces dominantes et les espèces clés déterminent fortement la structure d'une communauté

53.3 Les perturbations ont une incidence sur la diversité des espèces et sur la composition des communautés

53.4 Des facteurs biogéographiques influent sur la biodiversité des communautés

53.5 Les conceptions divergentes de la structure des communautés font constamment l'objet de débats

Introduction

Qu'est-ce qu'une communauté ?

La prochaine fois que vous vous promènerez dans un champ, dans un bois ou même dans un parc, essayez d'observer les interactions entre les espèces qui y vivent. Vous verrez peut-être des Oiseaux nichant dans les arbres, des abeilles pollinisant des fleurs, des araignées capturant des Insectes dans leurs toiles et des fougères poussant à l'ombre des arbres. Il ne s'agit là que de quelques-unes des innombrables interactions qui se produisent dans tout écosystème. En plus des facteurs physiques et chimiques dont il est question au chapitre 50, le milieu dans lequel vit un organisme est constitué de facteurs biotiques : les autres individus de sa propre espèce ainsi que ceux des autres espèces. Les espèces qui vivent assez près les unes des autres pour pouvoir interagir forment une **communauté**.

Les écologistes déterminent les limites d'une communauté selon les besoins de leurs recherches. Ils peuvent, par exemple, étudier la communauté de détritivores et d'autres organismes dans une souche d'arbre, la communauté benthique du lac Saint-Jean ou la communauté des arbres et des arbustes dans le parc Forillon, au Québec. Les divers Animaux ainsi que les Graminées et les arbres qui se trouvent autour du point d'eau apparaissant à la **figure 53.1** font tous partie d'une communauté de savane, dans le sud de l'Afrique.

Dans le présent chapitre, nous allons étudier les principaux facteurs qui structurent une communauté, c'est-à-dire ceux qui déterminent combien d'espèces y vivent, quelles sont ces espèces et quelle est leur abondance relative. Nous commençons notre étude par un facteur fondamental : les interactions entre les organismes qui composent une communauté.

Concept 53.1

Les interactions d'une communauté comprennent la compétition, la prédation, l'herbivorisme, la symbiose et la maladie

Les interactions qui ont lieu entre un organisme et les autres espèces de sa communauté toute sa vie sont des relations capitales, que les écologistes appellent **interactions interspécifiques**. Commençons par la situation la plus simple : l'interaction entre deux espèces seulement.

Les interactions susceptibles d'établir un lien entre les espèces sont notamment la compétition, la prédation, l'herbivorisme, la symbiose (parasitisme, mutualisme et commensalisme) et la maladie. Nous allons ici utiliser les signes + et − pour indiquer l'effet que produit chaque interaction interspécifique sur la survie et la reproduction des deux espèces concernées. Par exemple, le mutualisme est une interaction +/+, ce qui signifie que la survie et la reproduction de chaque espèce s'améliorent en présence de l'autre. La prédation est un exemple d'interaction +/−, car elle a un effet positif sur la survie et la reproduction de la population d'une espèce (le prédateur) et un effet négatif sur la population de l'autre (la proie). Le signe 0 indique que l'interaction n'a aucun effet connu sur une population.

Par le passé, la plupart des recherches en écologie étaient axées sur les interactions produisant un effet négatif sur au moins une espèce, comme la compétition et la prédation. Toutefois, les interactions positives sont omniprésentes, et leur rôle dans la structuration des communautés fait actuellement l'objet de nombreuses études.

La compétition

La **compétition interspécifique** se manifeste quand deux espèces se disputent des ressources limitées. Ainsi, dans un jardin, les mauvaises herbes sont en compétition avec les plantes potagères pour les nutriments du sol et l'eau. Dans les prairies, les sauterelles et les bisons (*Bison bison*) sont en compétition pour l'herbe qu'ils mangent. Dans les forêts septentrionales de l'Alaska et du Canada, les lynx (*Lynx canadensis*) et les renards (*Vulpes fulva*) se disputent une proie comme le lièvre d'Amérique (*Lepus americanus*). Certaines ressources, comme le dioxygène, ne sont généralement pas limitées. Même si de nombreuses espèces les utilisent, elles ne se livrent pas concurrence pour leur appropriation. Mais, si deux espèces entrent *effectivement* en compétition pour une ressource, l'issue sera préjudiciable à l'une des deux espèces ou aux deux (−/−). Une forte compétition peut entraîner l'élimination locale de l'une des deux espèces concurrentes, un processus appelé **exclusion compétitive**.

Le principe d'exclusion compétitive

En 1934, l'écologiste russe G. F. Gause étudia en laboratoire les effets de la compétition interspécifique entre deux espèces de Ciliés étroitement apparentées: *Paramecium aurelia* et *Paramecium caudatum.* Il cultiva les deux espèces séparément en leur fournissant des conditions constantes et un apport alimentaire régulier. Les deux populations s'accrûrent et plafonnèrent à un niveau correspondant apparemment à la capacité limite du milieu. Gause cultiva ensuite les deux espèces ensemble. *P. caudatum* disparut alors de la boîte de Pétri, sans doute parce que ce Cilié était incapable de soutenir la compétition avec *P. aurelia.* L'expérience de Gause confirmait l'hypothèse voulant que deux espèces ayant des besoins pour les mêmes ressources limitées ne peuvent cohabiter de façon similaire. L'une des deux espèces utilise les ressources de façon plus efficace et se reproduit par conséquent plus rapidement. Même un léger avantage reproductif finira par entraîner l'élimination locale du concurrent inférieur. Les écologistes donnèrent le nom de *principe d'exclusion compétitive* au concept de Gause.

Les niches écologiques

La **niche écologique** représente l'utilisation globale qu'une espèce fait des ressources biotiques et abiotiques de son milieu. Pour mieux comprendre ce concept, on peut utiliser l'analogie faite par l'écologiste Eugene Odum: si l'habitat d'un organisme représente son «adresse», sa niche est sa «profession». En d'autres mots, la niche d'un organisme est son rôle écologique, c'est-à-dire la façon dont l'organisme s'intègre dans un écosystème. La niche écologique d'un lézard arboricole des régions tropicales, par exemple, comporte notamment les variables suivantes: l'intervalle de température qu'il tolère, la taille des branches où il se perche, le moment de la journée où il s'active ainsi que le type et la taille des Insectes qu'il dévore.

Nous pouvons maintenant reformuler le principe d'exclusion compétitive à l'aide du concept de la niche écologique: deux espèces ne peuvent coexister dans une communauté si leurs niches écologiques sont identiques. Toutefois, des espèces écologiquement semblables *peuvent* cohabiter s'il existe au moins une différence importante entre leurs niches **(figure 53.2).** En raison de la compétition, la *niche fondamentale* d'une espèce, c'est-à-dire la niche

Figure 53.2

Investigation La compétition interspécifique peut-elle avoir un effet sur la niche d'une espèce?

EXPÉRIENCE L'écologiste Joseph Connell a étudié deux espèces de balanes – *Balanus balanoides* et *Chthamalus stellatus* – qui présentent une distribution stratifiée sur des rochers situés le long de la côte de l'Écosse.

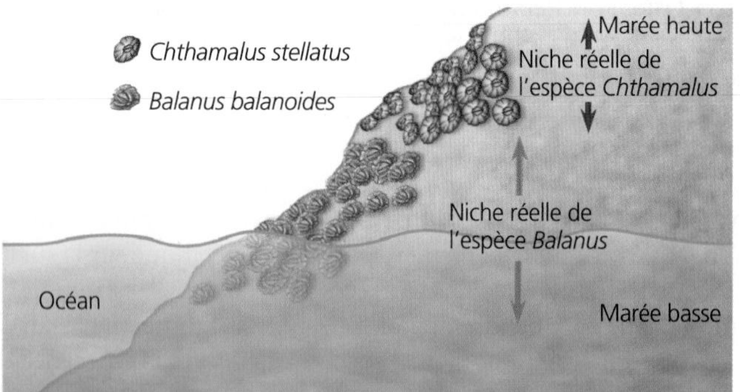

Dans la nature, l'espèce *Balanus* ne survit pas sur le haut des rochers parce qu'elle ne résiste pas à la dessiccation (dessèchement) subie à marée basse. Sa niche réelle est donc semblable à sa niche fondamentale. Par contre, l'espèce *Chthamalus* est en général concentrée sur les strates supérieures des rochers. Pour déterminer la niche fondamentale de cette espèce, Connell a retiré l'espèce *Balanus* des strates inférieures.

RÉSULTATS Lorsque Connell a retiré la population de *Balanus* des strates inférieures, la population de *Chthamalus* s'est répandue dans cette zone.

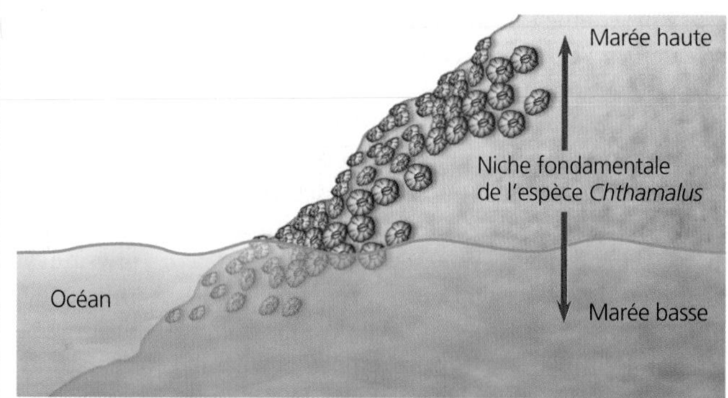

CONCLUSION Le fait que la population de *Chthamalus* ait envahi l'espace laissé libre par la population de *Balanus* indique que, en raison de l'exclusion compétitive, la niche réelle de l'espèce *Chthamalus* est beaucoup plus petite que sa niche fondamentale.

qu'elle peut théoriquement occuper, peut être différente de sa *niche réelle*, soit la niche qu'elle occupe effectivement dans un milieu donné.

Le partage des ressources

Lorsque la compétition entre des espèces dont les niches sont identiques n'aboutit pas à l'élimination locale de l'une ou de l'autre, c'est généralement parce que la niche de l'une des espèces se modifie. En d'autres termes, la sélection naturelle peut favoriser l'évolution de l'une des espèces, qui acquiert alors la capacité d'utiliser un ensemble différent de ressources. La différenciation des niches qui permet à des espèces semblables de coexister dans une communauté est appelée **partage des ressources** **(figure 53.3)**. On peut voir dans le partage des ressources la preuve indirecte qu'une compétition antérieure a été résolue grâce à une évolution menant à la différenciation des niches.

Le déplacement du phénotype

Des comparaisons d'espèces étroitement apparentées dont les populations sont allopatriques (c'est-à-dire qu'elles sont apparues à d'autres endroits que l'espèce mère; voir le chapitre 24) en certains endroits et sympatriques (c'est-à-dire qu'elles sont apparues dans la même aire géographique que l'espèce mère) ailleurs ont permis d'obtenir une série de données prouvant indirectement l'importance de la compétition. Dans certains cas, les populations allopatriques ont des morphologies semblables et utilisent les mêmes ressources. Par contre, les populations sympatriques, qui pourraient être en compétition pour les ressources, présentent des disparités morphologiques et exploitent des ressources différentes. La tendance à une plus grande divergence entre les caractéristiques des populations sympatriques des deux espèces qu'entre les caractéristiques des populations allopatriques des mêmes deux espèces est appelée **déplacement du phénotype**. La variation de la taille des becs de deux populations différentes de géospizes des Galápagos, *Geospiza fuliginosa* et *Geospiza fortis*, fournit un bon exemple de déplacement du phénotype **(figure 53.4)**.

La prédation

La **prédation** est une interaction +/− dans laquelle une espèce, le prédateur, tue et dévore une autre espèce, la proie. Le terme *prédation* évoque des images comme celle du lion qui tue et dévore l'antilope, mais il s'applique à un large éventail d'interactions caractérisées par la mort de la proie. Par exemple, des Animaux comme certains charançons qui mastiquent ou digèrent des graines, et donc les tuent, sont qualifiés de *granivores*. Dévorer et éviter de se faire dévorer sont des conditions du succès reproductif; c'est pourquoi la sélection naturelle améliore les adaptations tant des prédateurs que des proies.

De nombreuses adaptations importantes des prédateurs sont aussi évidentes que familières. Grâce à leurs sens développés, les prédateurs repèrent et reconnaissent les proies potentielles. Avec

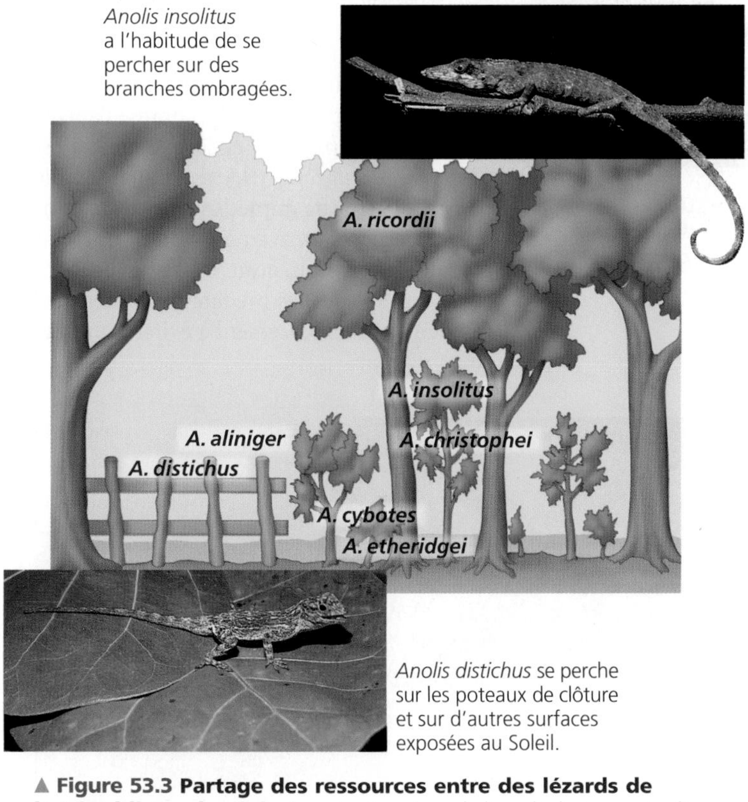

Anolis insolitus a l'habitude de se percher sur des branches ombragées.

A. ricordii

A. insolitus

A. christophei

A. aliniger

A. distichus

A. cybotes

A. etheridgei

Anolis distichus se perche sur les poteaux de clôture et sur d'autres surfaces exposées au Soleil.

▲ **Figure 53.3 Partage des ressources entre des lézards de la République dominicaine.** Sept espèces de lézards du genre *Anolis* vivent à proximité les unes des autres, et toutes se nourrissent d'Insectes et d'autres petits Arthropodes. Cependant, la compétition pour la nourriture se trouve réduite par le fait que chaque espèce se perche à des endroits différents, occupant ainsi une niche distincte.

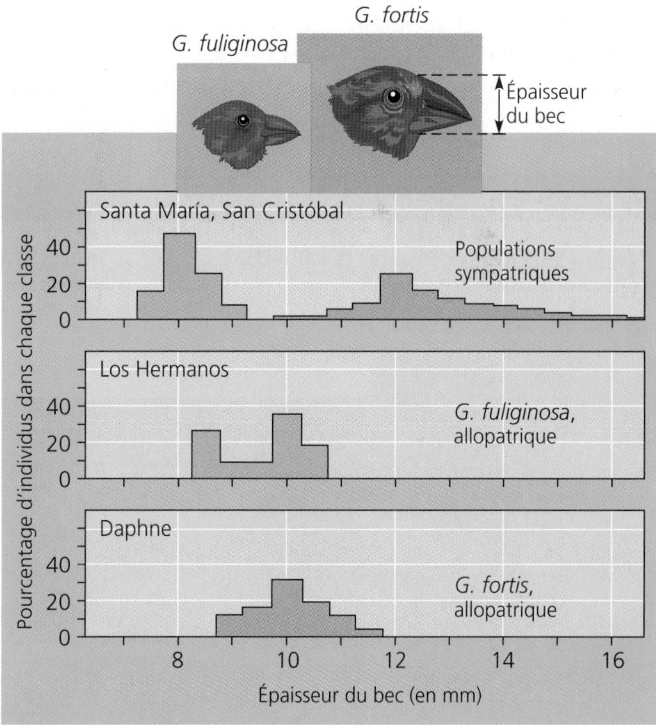

▲ **Figure 53.4 Déplacement du phénotype: preuve indirecte d'une compétition antérieure.** Deux populations allopatriques de *Geospiza fuliginosa* et de *Geospiza fortis* vivant sur les îles Daphne et Los Hermanos ont un bec semblable (voir les deux graphiques inférieurs) et, croit-on, mangent des graines de même taille. Mais les deux espèces sont sympatriques sur les îles Santa María et San Cristóbal. Là, *Geospiza fuliginosa* a un petit bec et *Geospiza fortis*, un bec plus épais, plus gros (voir le graphique supérieur). Les deux espèces se sont adaptées à la consommation de graines de tailles différentes.

leurs serres, leurs dents, leurs crochets, leurs aiguillons et leur venin, ils capturent, immobilisent et mastiquent leurs prises. Les crotales (*Crotalus sp.*) et d'autres Vipéridés, par exemple, ont entre les yeux et les narines des organes thermosensibles qui leur permettent de repérer leurs proies. Ils tuent des Oiseaux et des Mammifères de petite taille en leur injectant des neurotoxines avec leurs crochets. Les prédateurs qui pourchassent leurs proies sont généralement rapides et agiles, tandis que ceux qui tendent des embuscades se camouflent dans leur milieu.

Si les prédateurs possèdent des adaptations qui leur permettent de capturer leurs proies, les Animaux pourchassés en possèdent d'autres qui les aident à échapper à leurs prédateurs. Pour se défendre, les Animaux peuvent notamment se cacher, s'enfuir ou recourir à l'autodéfense. Le combat est moins répandu que la fuite, bien que certains Mammifères herbivores de grande taille défendent leurs jeunes avec acharnement contre les prédateurs comme le lion (*Panthera leo*). Les cris d'alarme font partie des comportements de défense qui attirent de nombreux individus de l'espèce poursuivie, lesquels houspillent ensuite le prédateur.

Diverses adaptations morphologiques et physiologiques permettent aussi aux Animaux de se défendre. Par exemple, le camouflage, ou **homochromie**, rend difficile, pour les prédateurs, la détection de proies potentielles **(figure 53.5)**. D'autres Animaux possèdent des défenses mécaniques ou chimiques. Ainsi, la plupart des prédateurs se découragent face aux défenses bien connues du porc-épic d'Amérique (*Erethizon dorsatum*) et de la mouffette rayée (*Mephitis mephitis*). Certains Animaux, comme la grenouille dendrobate fraise (*Dendrobates pumilio*), du Costa Rica, synthétisent des toxines, tandis que d'autres acquièrent des défenses chimiques passivement, en accumulant dans leurs tissus les toxines des plantes dont ils se nourrissent. Les Animaux qui possèdent des défenses chimiques efficaces arborent souvent une **coloration d'avertissement**, ou coloration aposématique, comme celle de la grenouille dendrobate fraise **(figure 53.6)**. La coloration d'avertissement semble adaptative; en effet, on sait que les prédateurs sont particulièrement circonspects en face d'une proie potentielle vivement colorée (voir le chapitre 1).

Une proie peut tirer un avantage considérable du mimétisme, phénomène par lequel un organisme d'une espèce présente une ressemblance avec un organisme d'une autre espèce. Le **mimétisme batésien** est l'imitation d'une espèce au goût désagréable (espèce nocive) par une espèce au goût agréable (espèce inoffensive). Par exemple, la larve d'une espèce de sphinx (*Manduca sp.*) gonfle sa tête et son thorax quand on la perturbe, ce qui lui donne l'allure de la tête d'un petit serpent venimeux **(figure 53.7)**. Dans ce cas, le mimétisme fait même intervenir le comportement: la larve oscille de la tête et siffle comme un serpent. Le **mimétisme müllérien** est une ressemblance entre deux espèces au goût désagréable, comme l'abeille nomade (*Nomada sp.*) et la guêpe de l'Est (*Vespula maculifrons*) **(figure 53.8)**. Il semble que cette forme de mimétisme présente pour les deux espèces un avantage additionnel, car plus les proies au goût désagréable sont nombreuses, plus les prédateurs apprennent rapidement et efficacement à éviter toutes les

▲ **Figure 53.5 Homochromie: la rainette arénicolore (*Hyla arenicolor*).**

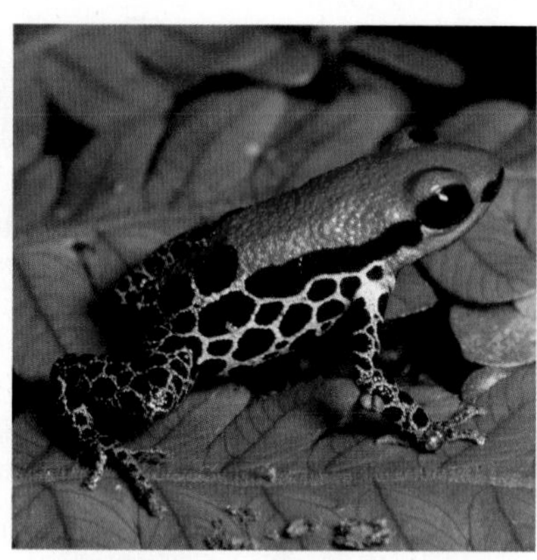

▲ **Figure 53.6 Coloration d'avertissement: la dendrobate fraise (*Dendrobates pumilio*).**

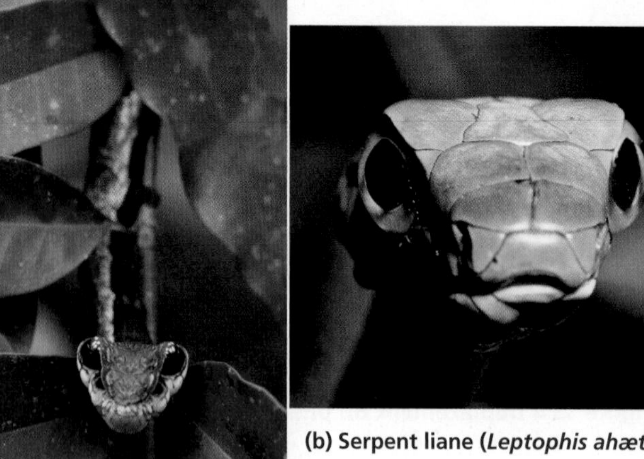

(a) Larve de sphinx

(b) Serpent liane (*Leptophis ahætulla*)

▲ **Figure 53.7 Mimétisme batésien: une espèce inoffensive imite une espèce nuisible.**

(a) Abeille nomade (*Nomada sp.*)

(b) Guêpe de l'Est (*Vespula maculifrons*)

▲ **Figure 53.8 Mimétisme müllérien: ressemblance entre deux espèces désagréables au goût.**

proies présentant un certain aspect. Le mimétisme agit alors comme une sorte de coloration d'avertissement. Dans un exemple d'évolution convergente, les Animaux de plusieurs taxons présentent des motifs de coloration semblables: le noir avec des rayures jaunes ou rouges caractérise des Animaux au goût désagréable, aussi divers que la guêpe de l'Est (*Vespula maculifrons*) et le serpent-corail de l'Arizona (*Micruroides euryxanthus*) (voir la figure 1.27).

Diverses formes de mimétisme s'observent également chez les prédateurs. Par exemple, la langue de la tortue-alligator (*Macroclemys temmincki*) ressemble à un ver qui se tortille, et attire ainsi les petits Poissons. Quand les Poissons essaient ensuite de gober l'« appât », ils se trouvent eux-mêmes pris entre les mâchoires puissantes de l'Animal.

L'herbivorisme

Les écologistes utilisent le terme **herbivorisme** pour désigner une interaction +/− dans laquelle un herbivore se nourrit de parties de Végétaux ou d'Algues. Les grands Mammifères herbivores, comme les bovins, les ovins et les buffles d'Asie (*Bubalus bubalis*), sont bien connus; pourtant, la plupart des herbivores sont de petits Invertébrés, comme les sauterelles et les Coléoptères. Parmi les espèces d'herbivores qui habitent les océans, on compte les escargots, les oursins et certains Poissons tropicaux, comme les chirurgiens. Tout comme les prédateurs, les herbivores présentent des adaptations spécialisées.

La composition chimique des Végétaux est extrêmement variée. La capacité de distinguer les plantes toxiques des plantes non toxiques et les plantes très nutritives des plantes peu nutritives est donc avantageuse pour les herbivores. De nombreux Insectes herbivores ont sur les pattes des chimiorécepteurs qui détectent les plantes appropriées. Certains Mammifères herbivores, comme les chèvres, utilisent leur odorat pour détecter les plantes qu'ils doivent rejeter et celles qu'ils peuvent consommer. D'autres Animaux ne se nourrissent que d'une certaine partie de la plante, comme les fleurs. Enfin, de nombreux herbivores sont aussi munis d'une dentition ou d'un système digestif spécialement adaptés au déchiquetage et à l'assimilation de la végétation (voir le chapitre 41).

Contrairement aux Animaux, les Végétaux ne peuvent fuir leurs prédateurs. Leur principal arsenal contre la prédation qui les menace consiste donc en toxines chimiques, souvent associées à des épines. Parmi ces armes chimiques, on compte les poisons suivants: la strychnine, produite par une plante grimpante tropicale, *Strychnos toxifera*; la nicotine, dérivée du tabac (*Nicotiana tabacum*); et les tanins provenant de différentes espèces de plantes. D'autres substances défensives qui ne sont pas toxiques pour les humains mais peuvent avoir un goût désagréable pour les herbivores sont responsables des saveurs familières de la cannelle, du clou de girofle et de la menthe. Certaines plantes produisent même des composés chimiques qui perturbent le développement de certains des Insectes qui les mangent.

Le parasitisme

Le **parasitisme** est une interaction symbiotique +/− dans laquelle un organisme, le **parasite**, se nourrit aux dépens de son **hôte** et lui porte préjudice. (Notez que, dans ce manuel, nous adoptons la définition la plus générale de la *symbiose*, soit une interaction dans laquelle deux organismes d'espèces différentes vivent en contact direct, comme le parasitisme, le commensalisme et le mutualisme. Cependant, certains biologistes préfèrent employer le terme *symbiose* plus spécifiquement comme synonyme de *mutualisme.*) Les parasites qui vivent à l'intérieur des tissus de leurs hôtes, comme le ténia, ou ver solitaire (*Tænia solium*) et *Plasmodium*, qui cause le paludisme, sont appelés **endoparasites.** Ceux qui, pour se nourrir, font un court séjour sur la face externe de leurs hôtes, comme les moustiques et les pucerons, sont appelés **ectoparasites.** Dans un type spécial de parasitisme appelé **parasitoïdisme**, des Insectes, généralement de petites guêpes, déposent leurs œufs sur un hôte vivant. Les larves se nourrissent alors du corps de l'hôte, qu'elles peuvent tuer.

De nombreux parasites ont un cycle de vie complexe dans lequel un certain nombre d'hôtes interviennent. Ainsi, le cycle de vie du schistosome (*Schistosoma mansoni*), qui infecte environ 200 millions de personnes dans le monde, est associé à deux hôtes: l'humain et l'escargot (voir la figure 33.11). Certains parasites modifient le comportement de leurs hôtes de façon à augmenter leurs chances d'être transportés d'un hôte à un autre. Par exemple, la présence d'un ver parasite appelé acanthocéphale (ver à tête épineuse) conduit les Crustacés qui lui servent d'hôtes à adopter divers comportements atypiques, dont quitter leur abri pour se déplacer à découvert. En agissant ainsi, les Crustacés risquent davantage d'être dévorés par les Oiseaux qui constituent les seconds hôtes associés au cycle de vie de l'acanthocéphale.

Les parasites peuvent avoir, directement ou indirectement, une forte incidence sur la survie, la reproduction et la densité de population de leurs hôtes. Par exemple, les tiques, des ectoparasites qui vivent sur les orignaux, affaiblissent leurs hôtes en se nourrissant de leur sang et en leur faisant perdre leurs poils, ce qui les expose davantage à mourir de froid ou à être la proie des loups. Certaines des baisses de population des orignaux de l'île Royale, au Michigan, ont été attribuées à des pullulements de tiques (voir la figure 52.18).

La maladie

Compte tenu de leurs effets, les **agents pathogènes**, ou micro-organismes responsables de maladies, sont semblables aux parasites (+/−). Ce sont généralement des Bactéries, des Virus ou des Protistes. Mais des Eumycètes et des prions (particules protéiques; voir le chapitre 18) peuvent aussi être des agents pathogènes. La plupart des agents pathogènes sont microscopiques, alors que de nombreux parasites sont des organismes assez gros. De plus, de nombreux agents pathogènes peuvent causer la mort, alors que la plupart des parasites ne causent que des dommages minimes à leur hôte, en dérobant des nutriments, par exemple.

Bien que les organismes pathogènes puissent limiter les populations, ils ont été assez peu étudiés par les écologistes. On cherche aujourd'hui à combler cette lacune, car de graves événements font ressortir l'importance de la maladie sur le plan écologique. Parmi ces événements, citons l'apparition de la mort subite du chêne, une maladie causée par un Eumycète appelé *Phytophthora ramorum.* En 2004, la mort subite du chêne s'était propagée à une distance de 650 km de l'endroit où elle avait été découverte, en 1994, dans Marin County, en Californie. En une décennie, la maladie a tué des dizaines de milliers de chênes de diverses espèces, de la côte du centre de la Californie jusqu'au sud de l'Oregon, modifiant de ce fait la structure des communautés de forêts touchées.

Les populations d'Animaux tendent aussi à diminuer lorsqu'elles font face à des épidémies. Aux États-Unis, de 1999 à 2004, le virus du Nil occidental s'est propagé de l'État de New York à 46 autres États, tuant des centaines de milliers d'Oiseaux sur son parcours. Les corneilles (*Corvus sp.*) semblent particulièrement sujettes à cette maladie. Pendant ce temps, dans ce même pays, le nombre de cas d'infection par ce virus chez les humains est passé de 62 (dont 7 décès) en 1999 à 9 862 (dont 264 décès) en 2003. Ces statistiques ne témoignent que d'une fraction des expositions totales, car la plupart des personnes infectées ne présentent aucun symptôme.

Le mutualisme

Le **mutualisme** est une relation interspécifique qui profite aux deux organismes (+/+). La **figure 53.9** présente un exemple de mutualisme : la relation entre les acacias (*Acacia hindsii*) et les fourmis porte-aiguillon (*Pseudomyrmex ferruginea*), en Amérique centrale et en Amérique du Sud. Dans différents chapitres de ce manuel, nous avons décrit plusieurs adaptations mutualistes : la fixation de l'azote par les Bactéries du genre *Rhizobium* dans les nodosités des Légumineuses ; la digestion de la cellulose par des microorganismes dans l'intestin des termites et des Ruminants ; la photosynthèse par les Algues unicellulaires dans les tissus du corail ; l'échange de nutriments dans les mycorhizes, associations d'Eumycètes avec des racines.

La relation mutualiste requiert parfois une coévolution d'adaptations chez les deux espèces participantes. La modification d'une espèce peut influer sur la survie et la reproduction de l'autre. Ainsi, la plupart des plantes à fleurs (Angiospermes) possèdent des adaptations, comme les fruits ou le nectar, qui attirent des Animaux susceptibles de les polliniser ou de disséminer leurs graines. On présume que la sélection naturelle favorise l'évolution de ces adaptations parce que toute plante qui sacrifie à un consommateur des matières organiques comme le nectar, plutôt que le pollen et les graines, perd moins de gamètes et augmente par conséquent son succès reproductif relatif. De leur côté, de nombreux Animaux possèdent des adaptations qui les aident à trouver et à consommer le nectar.

▲ **Figure 53.9 Mutualisme entre les acacias et les fourmis.** Certains acacias (*Acacia hindsii*) portent des épines creuses où s'introduisent les fourmis porte-aiguillon (*Pseudomyrmex ferruginea*). Les fourmis porte-aiguillon se nourrissent des glucides produits par les nectaires et les corps de Belt (de couleur orangée sur la photographie), extrémités renflées et riches en protéines des feuilles. L'association est bénéfique pour les acacias, car les fourmis porte-aiguillon attaquent tout ce qui touche à leur source de nourriture, éliminent les spores fongiques et les débris, et détruisent le feuillage des plantes qui entrent en contact avec les acacias.

Le commensalisme

Le **commensalisme** est une interaction avantageuse pour une espèce et sans effet pour l'autre (+/0). Ce type d'interaction est difficile à observer dans la nature, car toute association étroite est susceptible d'exercer une action, si minime soit-elle, sur les deux espèces concernées. Certaines personnes considèrent comme commensales les espèces qui se fixent à d'autres, telles les Algues qui croissent sur les carapaces des tortues et les balanes qui s'attachent aux baleines. Ces espèces « autostoppeuses » accèdent ainsi à un substrat sans paraître produire beaucoup d'effet sur l'organisme qui les transporte. En fait, ces espèces dites commensales peuvent entraver la liberté de mouvement de leur hôte, les rendre moins aptes à obtenir leur nourriture et à fuir les prédateurs et, par le fait même, compromettre leur succès reproductif ; en revanche, elles peuvent offrir à leur hôte un avantage, comme le camouflage.

Certaines associations, qu'on présume commensales, comportent une espèce qui expose par inadvertance de la nourriture et une autre qui recueille cette nourriture. Par exemple, les vachers (*Molothrus sp.*) et les hérons garde-bœufs (*Bubulcus ibis*) se nourrissent des Insectes que les grands herbivores, tels les bisons, les bovins et les chevaux, font sortir de la végétation **(figure 53.10)**. Ces Oiseaux, qui augmentent leur apport alimentaire en suivant le bétail, bénéficient clairement de l'association. La plupart du temps, la relation n'apporte ni bénéfice ni préjudice aux herbivores. Cependant, à certaines occasions, les herbivores en tirent quelque bénéfice. En effet, les Oiseaux qui s'alimentent des ressources disponibles enlèvent et mangent les tiques et autres ectoparasites qui vivent sur eux. Ils peuvent aussi avertir les herbivores de l'approche d'un prédateur.

Les interactions interspécifiques et les adaptations

Il a déjà été question dans ce manuel du concept de **coévolution**, qui s'applique à l'adaptation se produisant chez deux espèces à

▲ **Figure 53.10 Exemple possible de commensalisme entre des hérons garde-bœufs et des buffles d'Asie.**

la suite de leurs influences réciproques au cours de l'évolution. Un changement subi par une première espèce exerce une pression de sélection sur la seconde espèce. Celle-ci acquiert alors une adaptation qui influe à son tour sur la sélection des individus de la première espèce. Cette relation entre les adaptations exige que la transformation génétique qui s'opère chez l'une des deux espèces qui interagissent soit liée à une transformation génétique chez l'autre population. La relation de gène à gène entre une espèce végétale et un microorganisme pathogène avirulent (voir la figure 39.30) constitue un exemple de double adaptation qu'on peut qualifier de coévolution. En revanche, la coloration d'avertissement de diverses grenouilles arboricoles et les réactions d'aversion de divers prédateurs *ne* correspondent *pas* aux caractéristiques de la coévolution, car ce sont des adaptations à une catégorie d'autres organismes dans la communauté et pas une adaptation couplée entre deux espèces seulement.

En fait, pour décrire l'adaptation de certains organismes à la présence d'autres organismes dans une communauté, on emploie peut-être trop librement le terme *coévolution*. En effet, dans la plupart des cas de relation interspécifique, il existe peu de manifestations d'une véritable coévolution. Il n'en reste pas moins que, d'un point de vue plus universel, l'adaptation des organismes aux autres espèces d'une communauté représente une caractéristique fondamentale du vivant. À l'heure actuelle, de nombreuses observations semblent indiquer que la dynamique des communautés est surtout dictée par la prédation et la compétition. Mais cette conclusion se fonde principalement sur des recherches portant sur des communautés vivant dans des régions au climat tempéré. On a en main beaucoup moins de données pour les relations interspécifiques dans les communautés tropicales. De plus, l'hypothèse selon laquelle la compétition et la prédation régissent la structure des communautés est remise en question par les écologistes qui examinent de près les influences du parasitisme, de la maladie, du mutualisme et du commensalisme sur les communautés.

Retour sur le concept 53.1

1. Expliquez en quoi diffèrent les effets que produisent sur les populations des deux espèces concernées les interactions interspécifiques que sont la compétition, la prédation et le mutualisme.
2. Selon le principe d'exclusion compétitive, quelle est l'issue prévue lorsque deux espèces sont en compétition pour une même ressource? Pourquoi?
3. L'évolution du mimétisme batésien est-elle un exemple de coévolution? Expliquez votre réponse.

Voir les réponses proposées à la fin du chapitre.

Concept 53.2

Les espèces dominantes et les espèces clés déterminent fortement la structure d'une communauté

En général, la structure d'une communauté, en particulier les espèces qui la composent, leur abondance relative et leur diversité, dépend fortement d'un petit nombre d'espèces. Avant d'examiner les effets de ces espèces particulièrement influentes, il faut d'abord se pencher sur deux caractéristiques fondamentales de la structure des communautés: la diversité spécifique et les relations alimentaires.

La diversité spécifique

La **diversité spécifique** d'une communauté, c'est-à-dire la variété de types d'organismes qu'elle comporte, a deux composantes: la **richesse spécifique**, ou le nombre total d'espèces dans la communauté, et l'**abondance relative** des espèces, ou la proportion de chaque espèce par rapport au nombre total d'individus dans la communauté. Imaginons, par exemple, deux communautés de petites forêts comprenant chacune 100 organismes, des arbres représentant quatre espèces (A, B, C et D):

Communauté 1: 25 A, 25 B, 25 C, 25 D
Communauté 2: 80 A, 5 B, 5 C, 10 D

La richesse spécifique est la même pour les deux communautés, qui comportent toutes les deux quatre espèces. Mais l'abondance relative est très différente **(figure 53.11)**. Si nous explorons la communauté 1, nous remarquons dès l'abord la présence de quatre espèces. Mais si nous explorons la communauté 2, nous voyons surtout l'espèce abondante A. La plupart des gens diraient spontanément que la communauté 1 est plus diversifiée. De fait, pour un écologiste, la diversité spécifique de la communauté repose *à la fois* sur la richesse spécifique et sur l'abondance relative.

▲ **Figure 53.11 Quelle forêt est la plus diversifiée?**
Pour les écologistes, la communauté 1 présente une plus grande diversité spécifique, mesure déterminée à la fois par la richesse spécifique et l'abondance relative.

Déterminer le nombre d'espèces présentes dans une communauté est plus facile à dire qu'à faire. On peut utiliser à cette fin diverses techniques d'échantillonnage, mais, comme la plupart des espèces d'une communauté sont relativement rares, il peut être difficile d'obtenir des échantillons assez importants pour être représentatifs. Il est particulièrement ardu de dénombrer les espèces très mobiles ou peu visibles, comme les Acariens et les Nématodes. Pourtant, la mesure de la diversité spécifique est essentielle non seulement pour comprendre la structure des communautés, mais aussi pour conserver la biodiversité, comme nous le verrons au chapitre 55.

La structure trophique

La structure et la dynamique d'une communauté dépendent en grande partie des relations alimentaires entre les organismes, c'est-à-dire de la **structure trophique** de la communauté. On désigne par l'expression **chaîne alimentaire** la circulation de l'énergie des nutriments vers le niveau trophique supérieur, depuis leur source dans les Végétaux et les autres organismes photosynthétiques (producteurs) en passant par les herbivores (consommateurs primaires) jusqu'aux carnivores (consommateurs secondaires, tertiaires et quaternaires) et aux détritivores **(figure 53.12).**

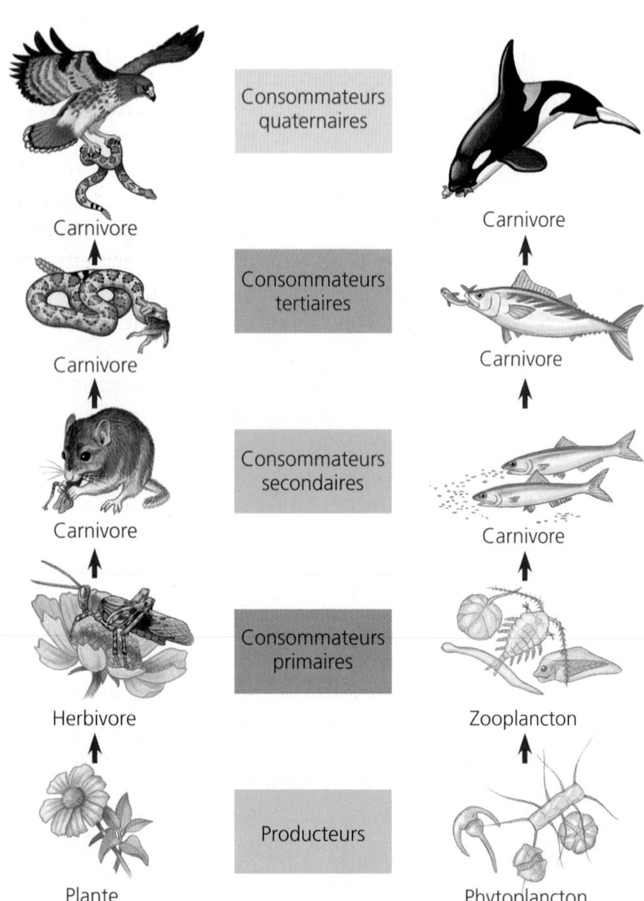

▲ **Figure 53.12 Exemples de chaîne alimentaire terrestre et de chaîne alimentaire marine.** Les flèches indiquent le transfert d'énergie et de nutriments d'un niveau trophique à l'autre, dans une communauté, au fur et à mesure que les organismes s'alimentent. Les détritivores, qui se nourrissent d'organismes à tous les niveaux trophiques, n'apparaissent pas ici.

Les réseaux alimentaires

Dans les années 1920, le biologiste Charles Elton, de la Oxford University, remarqua que les chaînes alimentaires n'étaient pas des unités isolées, mais étaient interreliées en **réseaux alimentaires.** Un écologiste peut résumer les relations trophiques d'une communauté dans un diagramme représentant le réseau alimentaire et comportant des flèches qui relient les espèces selon ce qu'elles mangent et qui les mangent. Par exemple, la **figure 53.13** représente de manière simplifiée le réseau alimentaire d'une communauté pélagique antarctique. Les producteurs de la communauté constituent le phytoplancton, dont se nourrissent les herbivores dominants qui forment le zooplancton, surtout les Euphausiacés (krill) et les Copépodes, deux espèces de Crustacés. Ces organismes sont eux-mêmes mangés par différents carnivores, dont d'autres espèces de plancton, les pingouins, les phoques, les Poissons et les Cétacés à fanons. Les calmars (*Loligo sp.*), carnivores qui se nourrissent de Poissons aussi bien que de zooplancton,

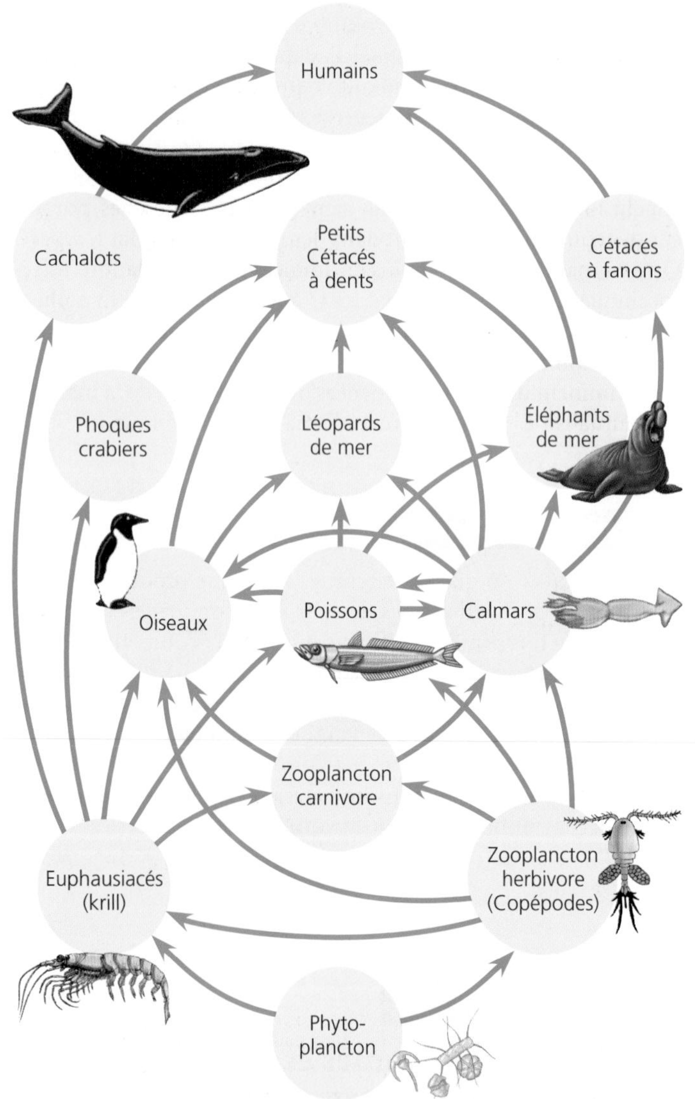

▲ **Figure 53.13 Réseau alimentaire marin de l'Antarctique.** Les flèches suivent le transfert de nourriture à partir des producteurs (phytoplancton) et d'un niveau trophique à l'autre. Par souci de simplicité, ce diagramme ne montre pas les détritivores.

sont un autre lien important dans le réseau alimentaire, car ils sont eux-mêmes mangés par des éléphants de mer et des Cétacés à dents. Durant les années où ils pratiquaient la chasse à la baleine, les humains sont devenus les prédateurs dominants de ce réseau alimentaire. Ils ont ainsi fait diminuer le nombre de Cétacés. De nos jours, ils s'approvisionnent à des niveaux trophiques inférieurs, pêchant aussi bien le krill que les Poissons.

Comment les chaînes alimentaires sont-elles reliées en réseaux alimentaires ? Premièrement, une espèce donnée peut s'introduire dans le réseau à plus d'un niveau trophique. Ainsi, dans le réseau alimentaire de l'Antarctique, les Euphausiacés se nourrissent de phytoplancton, de même que d'espèces appartenant au zooplancton herbivore, comme les Copépodes. On trouve aussi dans les communautés terrestres de tels consommateurs « non exclusifs ». Ainsi, les renards (*Vulpes sp.*) sont omnivores. Leur régime comporte des baies et d'autres matières végétales, des herbivores comme des souris, et d'autres prédateurs, comme des belettes (*Mustela sp.*). Les humains comptent parmi les omnivores les plus polyvalents.

Les réseaux alimentaires peuvent être très complexes, mais on peut en simplifier l'étude de deux façons. Premièrement, on peut regrouper les espèces en groupes fonctionnels assez vastes si leurs relations trophiques dans une communauté sont similaires. Par exemple, dans la figure 53.13, plus de 100 espèces de phytoplancton forment le groupe des producteurs du réseau alimentaire. Deuxièmement, on peut isoler une partie du réseau qui interagit très peu avec le reste de la communauté. La **figure 53.14** illustre un réseau alimentaire partiel de la baie de Chesapeake, comprenant l'ortie-des-eaux (méduse) et le bar rayé juvénile.

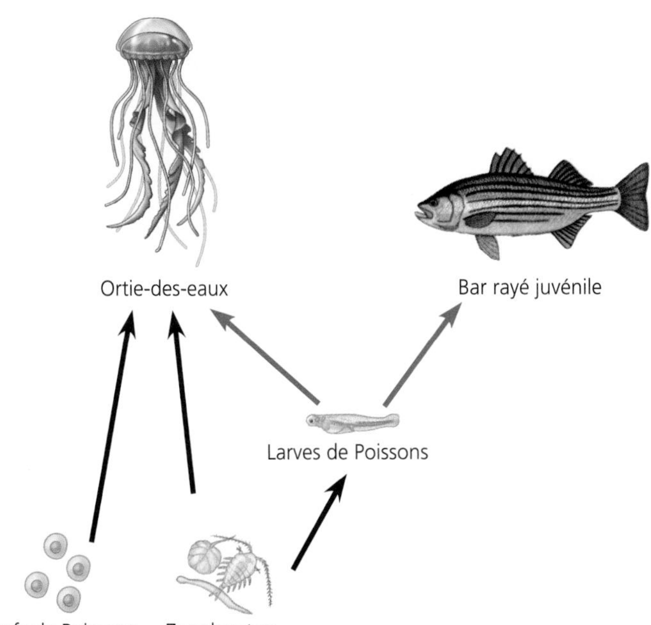

▲ **Figure 53.14 Réseau alimentaire partiel de l'estuaire de la baie de Chesapeake, sur la côte atlantique des États-Unis.** L'ortie-des-eaux (*Chrysaora quinquecirrha*), une méduse, et le bar rayé juvénile (*Morone saxatilis*) sont les principaux prédateurs des larves de Poissons (anchois américain et plusieurs autres espèces). Notez que les orties-des-eaux sont des consommatrices secondaires (flèches noires) du zooplancton et des consommatrices tertiaires (flèches rouges) des larves de Poissons, qui elles-mêmes sont des consommatrices secondaires du zooplancton.

Les facteurs limitant le nombre de niveaux de la chaîne alimentaire

Chacune des chaînes alimentaires qui font partie d'un réseau ne possède habituellement que quelques niveaux. Par exemple, dans le réseau de l'Antarctique, à la figure 53.13, il y a rarement plus de sept liens depuis les producteurs jusqu'à un prédateur de niveau supérieur, et ces liens sont encore moins nombreux dans la plupart des chaînes. En fait, presque tous les réseaux alimentaires que les écologistes ont étudiés jusqu'à maintenant comportent au maximum cinq liens, comme Charles Elton l'avait fait remarquer dans les années 1920.

Pourquoi les chaînes alimentaires comportent-elles si peu de niveaux ? Deux grandes hypothèses ont été avancées. Selon l'**hypothèse énergétique**, l'inefficacité du transfert d'énergie le long d'une chaîne alimentaire limite le nombre de ses niveaux. Comme nous le verrons au chapitre 54, seulement 10 % environ de l'énergie emmagasinée dans la matière organique de tout niveau trophique est convertie en matière organique au niveau trophique suivant. Ainsi, sur 100 kg de matière végétale, seulement 10 kg sont transformés en biomasse herbivore et 1 kg en biomasse carnivore. Conformément à l'hypothèse énergétique, les chaînes alimentaires sont plus élaborées dans les habitats à productivité photosynthétique élevée, car la quantité initiale d'énergie y est plus importante.

L'**hypothèse de la stabilité dynamique** constitue une autre explication plausible. Selon cette idée, les chaînes alimentaires très élaborées sont moins stables que les autres. Les fluctuations aux niveaux trophiques inférieurs sont amplifiées aux niveaux supérieurs, ce qui peut causer l'extinction locale des prédateurs clés (superprédateurs). Dans un milieu variable, les prédateurs de niveau trophique supérieur doivent pouvoir se remettre d'un choc écologique (comme un hiver rigoureux) qui peut réduire l'apport alimentaire d'un bout à l'autre de la chaîne, depuis les producteurs. Plus la chaîne comporte de niveaux, plus la vitesse de récupération des prédateurs sera lente après un accident écologique. Selon cette hypothèse, les chaînes alimentaires sont plus simples dans un milieu imprévisible.

La plupart des données disponibles viennent appuyer l'hypothèse énergétique. Ainsi, les écologistes ont utilisé des communautés vivant dans les trous d'arbres des forêts tropicales comme modèle expérimental pour vérifier l'hypothèse énergétique. De nombreux arbres portent de petites cicatrices laissées par les branches tombées. Ces cicatrices pourrissent et deviennent de petits trous dans le tronc de l'arbre. Ces trous retiennent l'eau et fournissent un habitat pour de minuscules communautés composées de microorganismes détritivores, d'Insectes qui se nourrissent de morceaux de feuilles mortes, ainsi que d'Insectes prédateurs. La **figure 53.15** présente les résultats d'une série d'expériences dans lesquelles on est intervenu sur la productivité (feuilles mortes tombant dans les trous des arbres). Comme le prédit l'hypothèse énergétique, les trous renfermant le plus de feuilles mortes, et fournissant par conséquent le plus grand apport alimentaire au niveau des producteurs, favorisent les chaînes alimentaires les plus élaborées.

Il existe un autre facteur susceptible de restreindre le nombre de niveaux des chaînes alimentaires : les Animaux qui en font partie tendent à être plus gros d'un niveau trophique à l'autre (à l'exception des parasites). La taille d'un Animal et son mécanisme d'alimentation déterminent la taille maximale des aliments qu'il

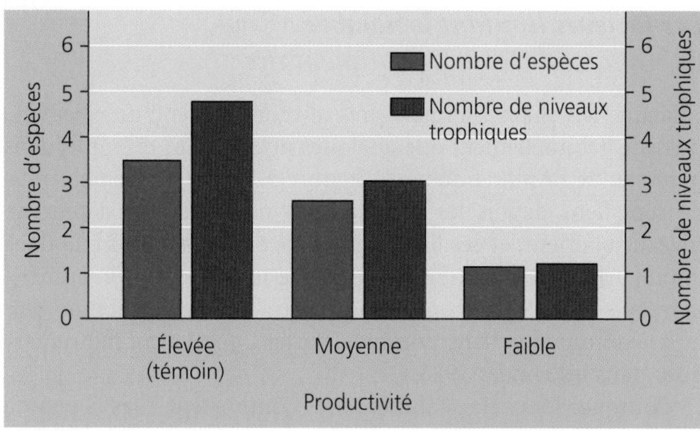

▲ **Figure 53.15 Vérification de l'hypothèse énergétique sur la restriction du nombre de niveaux des chaînes alimentaires.** Dans le Queensland, en Australie, des chercheurs sont intervenus sur la productivité de communautés vivant dans des trous d'arbres. Ils ont utilisé trois niveaux d'approvisionnement de feuilles mortes : niveau élevé = quantité normale de feuilles mortes (témoin) ; moyen = 1/10 de la quantité normale ; et faible = 1/100 de la quantité normale. La réduction de l'apport énergétique diminue le nombre de niveaux de la chaîne alimentaire, résultat qui est conforme à l'hypothèse énergétique.

peut ingérer. Sauf dans de rares cas, les grands carnivores ne peuvent vivre en se nourrissant de très petits aliments, car il leur est impossible d'en absorber assez pendant une période donnée pour satisfaire les besoins de leur métabolisme. Parmi les exceptions, on trouve les Cétacés à fanons, d'immenses Animaux qui se nourrissent d'organismes en suspension et sont pourvus d'adaptations leur permettant de consommer des quantités énormes de krill et d'autres petits organismes (voir la figure 41.2).

Les espèces ayant une grande influence

Certaines espèces peuvent avoir une influence particulièrement cruciale sur des communautés entières, soit en raison de leur abondance, soit en raison de leur rôle central dans la dynamique des communautés. Ces espèces exercent leur influence par l'intermédiaire soit de leurs interactions trophiques, soit des effets qu'elles produisent sur le milieu physique.

Les espèces dominantes

Les **espèces dominantes** sont les espèces les plus nombreuses dans une communauté ou celles qui ont la **biomasse** la plus élevée (masse sèche de matière organique de tous les individus d'une population, d'un habitat ou d'un écosystème). Elles influent beaucoup sur la présence et la distribution d'autres espèces. Par exemple, l'érable à sucre (*Acer saccharum*) est l'espèce végétale dominante dans de nombreuses communautés forestières de l'est de l'Amérique du Nord et du sud du Québec. Son abondance influe grandement sur des facteurs abiotiques, comme la lumière qui atteint les strates inférieures et la composition du sol, qui à leur tour ont une incidence sur les autres espèces qui vivent dans la communauté.

On ne sait pas précisément pourquoi certaines espèces deviennent dominantes dans une communauté. Certains croient que les espèces qui sont les plus compétitives dans l'exploitation de ressources limitées comme l'eau ou les nutriments ont le plus de chances de devenir dominantes. Pour d'autres, les espèces dominantes sont celles qui réussissent le mieux à éviter les prédateurs et les conséquences de la maladie. Cette dernière hypothèse pourrait expliquer la forte biomasse que les **espèces envahissantes** (espèces, en général introduites par les humains, qui s'établissent à l'extérieur de leur aire de distribution naturelle) peuvent atteindre dans des milieux d'où sont absents leurs prédateurs et leurs agents pathogènes naturels.

Pour découvrir l'influence d'une espèce dominante, on peut la retirer de sa communauté. Les humains ont fait ce type d'expérience par accident de nombreuses fois. Par exemple, le châtaignier d'Amérique (*Castanea dentata*) était un arbre dominant dans les forêts décidues tempérées de l'est de l'Amérique du Nord avant 1910. Il comptait pour plus de 40 % du couvert forestier. En 1910, les humains ont introduit accidentellement une maladie fongique, appelée *brûlure du châtaignier*, à New York, dans des produits de pépinière provenant d'Asie. Entre 1910 et 1950, la maladie a tué tous les châtaigniers de l'est de l'Amérique du Nord. Ainsi, ce qui avait été l'arbre dominant d'une multitude de forêts de l'Est a été éliminé.

Dans ce cas, la suppression de l'espèce dominante semble n'avoir eu qu'un effet mineur sur la plupart des autres espèces. Les forêts se sont remplies de diverses espèces : chênes (*Quercus sp.*), caryers (*Carya sp.*), hêtres (*Fagus grandifolia*) et érables rouges (*Acer rubrum*). Ces arbres sont devenus plus abondants et ont remplacé le châtaignier d'Amérique. Ni les Mammifères ni les Oiseaux n'ont paru être sérieusement affectés par la disparition de cette espèce dominante. Mais certaines espèces d'Insectes ont été gravement touchées. En effet, 56 espèces de papillons se nourrissaient du châtaignier d'Amérique. Parmi elles, 7 ont disparu. Les 49 qui ont survécu ne dépendaient pas uniquement du châtaignier pour se nourrir. Il ne s'agit que d'un exemple de la réaction d'une communauté à la perte d'une espèce dominante. D'autres recherches seront nécessaires pour permettre aux écologistes de tirer des conclusions générales sur l'effet global de telles pertes.

Les espèces clés

Contrairement aux espèces dominantes, la plupart des **espèces clés** ne sont pas particulièrement abondantes dans une communauté **(figure 53.16a)**. Elles conditionnent fortement la structure d'une communauté non pas tant par leur nombre que par leur rôle écologique, ou niche. L'un des meilleurs moyens pour reconnaître les espèces clés est de les éliminer de sites expérimentaux. C'est de cette façon que Robert Paine, de la University of Washington, en est venu à formuler le concept d'espèce clé. L'étoile de mer (*Pisaster ochraceus*) est un prédateur de la moule commune (*Mytilus californianus*) dans des communautés de la zone intertidale rocheuse de l'ouest de l'Amérique du Nord. La moule commune est une espèce dominante, un concurrent supérieur pour l'espace libre dans la zone intertidale rocheuse. La prédation qu'exerce l'étoile de mer compense cette compétitivité et permet aux autres espèces d'utiliser l'espace laissé par la moule commune. Quand Paine élimina l'étoile de mer des zones intertidales rocheuses, la moule commune réussit à monopoliser l'espace et à exclure les autres Invertébrés et les Algues des sites de fixation **(figure 53.16b)**. Paine releva la présence de 15 à 20 espèces d'Invertébrés et d'Algues dans la zone intertidale quand l'étoile de mer y était. Mais après l'élimination expérimentale de l'étoile de mer, cette diversité diminua rapidement, et il y eut alors moins de cinq espèces d'Invertébrés et d'Algues. L'étoile de mer est donc une espèce clé, car l'influence qu'elle exerce sur l'ensemble de la communauté n'est pas subordonnée à son abondance.

La loutre de mer (*Enhydra lutris*), prédateur clé du Pacifique Nord, nous offre un autre exemple. Les loutres de mer se nourrissent d'oursins verts (*Strongylocentrotus drœbachiensis*), qui eux-mêmes se nourrissent surtout de varech (*Fucus sp.*). Dans les zones où les loutres de mer sont abondantes, les oursins sont rares et les forêts de varech sont très développées. Là où les loutres de mer sont rares, les oursins sont communs, et le varech est presque absent. Au cours des 20 dernières années, les épaulards (*Grampus orca*) ont mangé des loutres de mer parce que leurs proies habituelles sont devenues moins abondantes. Les loutres de mer ont donc diminué de façon abrupte, parfois de 25 % en une seule année, dans de grandes étendues au large des côtes ouest de l'Alaska **(figure 53.17)**. La perte de cette espèce clé a permis aux populations d'oursins d'augmenter et a abouti à la destruction des forêts de varech.

(a) L'étoile de mer (*Pisaster ochraceus*) se nourrit surtout de moules communes (*Mytilus californianus*), mais consomme également d'autres Invertébrés.

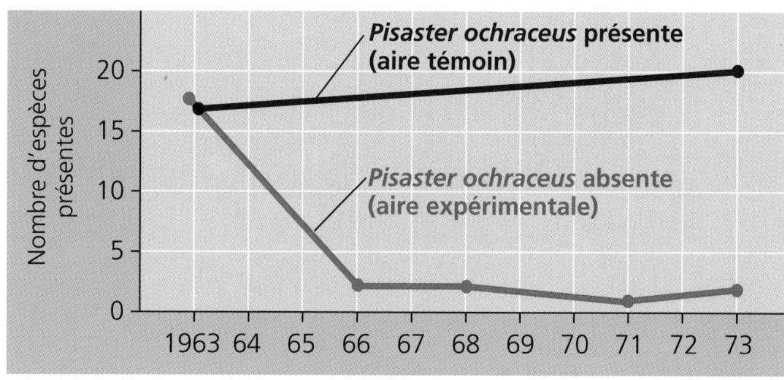

(b) Quand l'étoile de mer fut éliminée d'une zone intertidale, les moules communes occupèrent la surface rocheuse et éliminèrent la plupart des autres Invertébrés et des Algues. Dans une aire témoin où la présence de l'étoile de mer fut maintenue, la diversité des espèces connut peu de changements.

▲ **Figure 53.16 Vérification de l'hypothèse du prédateur clé.**

Les « ingénieurs » des écosystèmes (espèces perturbatrices)

Certains organismes exercent leur influence non pas par l'intermédiaire de leurs interactions trophiques, mais en provoquant dans le milieu des changements physiques qui touchent la structure de la communauté. Ces organismes peuvent modifier l'environnement soit par leur comportement, soit en raison de l'importance de leur biomasse collective.

Le castor (*Castor canadensis*) **(figure 53.18)**, qui, en abattant des arbres et en construisant des barrages, peut transformer les paysages sur une très grande échelle, est un exemple d'espèce qui modifie énormément son milieu physique. Les espèces qui produisent de tels effets sont appelées « *ingénieurs* » *de l'écosystème*, ou *espèces perturbatrices*.

En agissant sur la structure ou la dynamique du milieu, les espèces perturbatrices jouent le rôle de **facilitateurs**. Elles améliorent ainsi la survie et la reproduction de certaines des autres espèces de la communauté. Par exemple, en modifiant les sols, le jonc de Gérard (*Juncus gerardi*) augmente la richesse

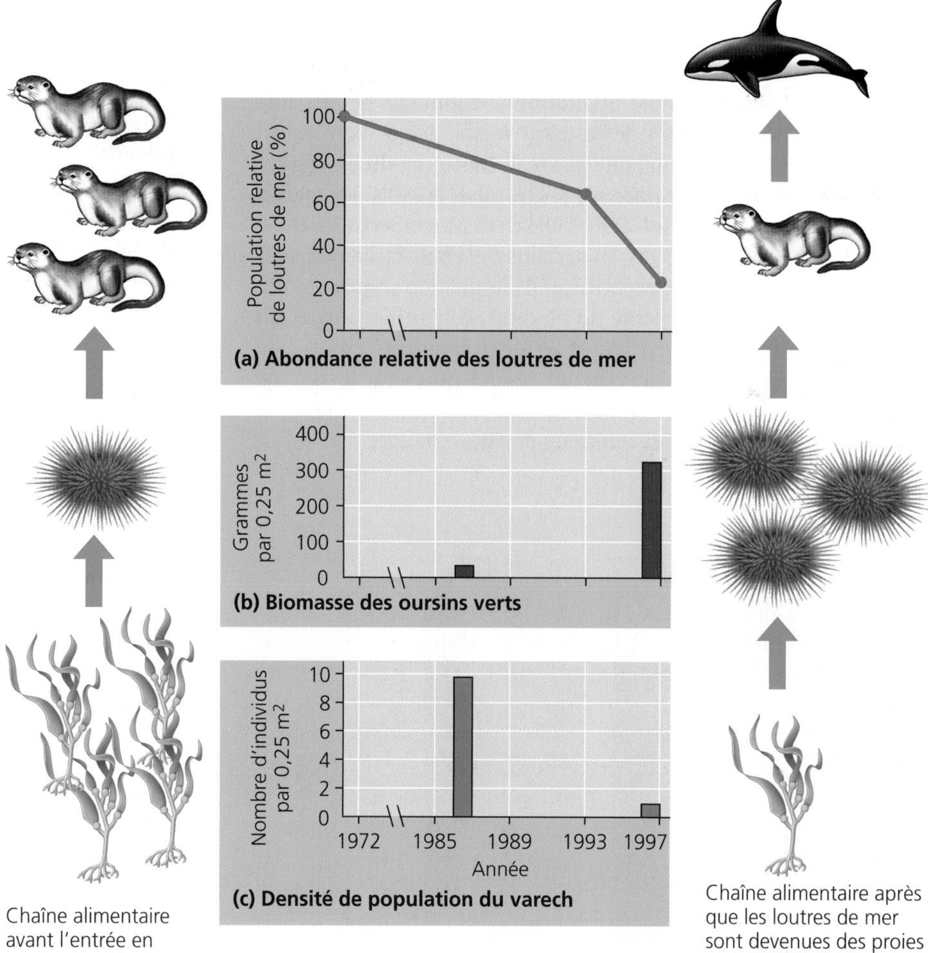

▲ **Figure 53.17 Loutres de mer (*Enhydra lutris*), prédateurs clés du Pacifique Nord.** Les graphiques ci-dessus mettent en corrélation les variations de **(a)** l'abondance des loutres de mer en fonction du temps et les variations de deux facteurs ; **(b)** la biomasse des oursins et **(c)** la densité du varech dans les forêts de varech de l'île Adak (qui fait partie de l'archipel des Aléoutiennes). Les chaînes alimentaires situées sur les côtés indiquent symboliquement l'abondance relative des espèces avant et après l'entrée des épaulards dans la chaîne alimentaire.

▲ **Figure 53.18 Les castors, « ingénieurs » de l'écosystème dans les forêts tempérées et boréales.** Ces Animaux, qui abattent des arbres, construisent des barrages et créent des étangs, peuvent transformer de grandes superficies de forêt en milieux humides inondés.

spécifique dans certaines zones des marais salés de la Nouvelle-Angleterre. Grâce à l'ombre qu'il donne, le jonc de Gérard aide à prévenir l'accumulation de sel dans le sol, car il réduit ainsi l'évaporation. Cette plante, qui assure le transport du dioxygène dans les couches souterraines, empêche aussi les sols des marais salés de devenir anoxiques. Sally Hacker et Mark Bertness, de la Brown University, ont découvert certains des effets facilitateurs du jonc de Gérard grâce à des expériences d'élimination **(figure 53.19)**. Lorsqu'ils ont retiré la plante de placettes-échantillons dans un marais salé de la Nouvelle-Angleterre, trois autres espèces de plantes ont disparu. Les chercheurs croient que, sans le jonc de Gérard, le nombre des espèces végétales de la zone intertidale moyenne supérieure serait inférieur de 50 % environ.

Marais salés avec des joncs de Gérard (au premier plan)

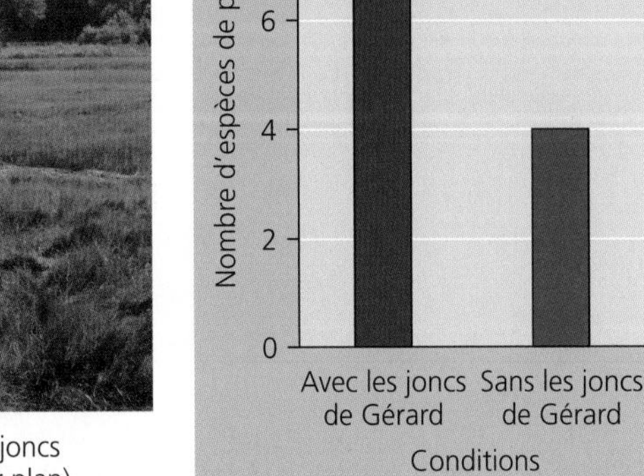

▲ **Figure 53.19 Effet facilitateur du jonc de Gérard (*Juncus Gerardi*) dans les marais salés de la Nouvelle-Angleterre.** Le jonc de Gérard facilite l'occupation de la zone moyenne supérieure du marais, ce qui augmente la richesse spécifique des Végétaux.

La détermination ascendante et la détermination descendante

Des modèles simplifiés se fondant sur les relations existant entre des niveaux trophiques voisins s'avèrent utiles pour étudier l'organisation des communautés biologiques. Par exemple, considérons les trois relations possibles entre les Végétaux (V) et les herbivores (H) :

$$V \rightarrow H \qquad V \leftarrow H \qquad V \leftrightarrow H$$

Les flèches indiquent qu'une variation de la biomasse d'un niveau trophique provoque une variation dans l'autre niveau trophique. Ainsi, $V \rightarrow H$ signifie qu'une augmentation de la végétation aura une influence (augmentation) sur le nombre d'herbivores ou leur biomasse, et que cette influence s'exerce dans ce sens-là seulement. La végétation limite les herbivores, mais n'est pas limitée par l'herbivorisme. En revanche, $V \leftarrow H$ signifie qu'une augmentation de la biomasse des herbivores aura un effet sur la végétation (diminution), et que la relation est à sens unique. Enfin, une flèche double indique que la rétroaction fonctionne dans les deux sens, chaque niveau trophique réagissant aux variations de biomasse de l'autre.

En s'appuyant sur ces interactions possibles, on peut distinguer deux modèles d'organisation d'une communauté : le modèle ascendant et le modèle descendant. Le **modèle ascendant**, qui se caractérise par des liens $V \rightarrow H$, suppose une influence unidirectionnelle de bas en haut des niveaux trophiques. Dans ce cas, la présence ou l'absence de nutriments minéraux (N) déterminent le nombre de Végétaux (V), lesquels à leur tour déterminent le nombre d'herbivores (H), lesquels à leur tour déterminent le nombre de prédateurs (P). Le modèle ascendant simplifié est donc $N \rightarrow V \rightarrow H \rightarrow P$. Pour modifier la structure d'une communauté ascendante, il faut faire varier la biomasse aux niveaux trophiques inférieurs. Par exemple, si on ajoute des nutriments minéraux pour stimuler la croissance des Végétaux, alors tous les autres niveaux trophiques augmenteront également leur biomasse. Mais l'ajout de prédateurs dans une communauté ascendante ou leur élimination ne se répercuteront pas de manière notable sur les niveaux trophiques inférieurs.

Le **modèle descendant**, lui, suppose que l'influence suit la direction opposée. Selon ce modèle, c'est surtout la prédation qui conditionne l'organisation d'une communauté. Ainsi, les prédateurs limitent le nombre d'herbivores, lesquels à leur tour limitent le nombre de Végétaux, lesquels à leur tour déterminent la quantité de nutriments parce qu'ils en absorbent au cours de leur croissance et de leur reproduction. Le modèle descendant simplifié, aussi appelé *modèle de la cascade trophique*, est donc $N \leftarrow V \leftarrow H \leftarrow P$. Par exemple, dans une communauté lacustre ayant quatre niveaux trophiques, le modèle de la cascade trophique prédit que l'élimination des carnivores supérieurs fera augmenter le nombre de carnivores primaires, diminuer le nombre d'herbivores, augmenter la quantité de phytoplancton et finalement diminuer la quantité de nutriments minéraux. S'il n'y avait que trois niveaux trophiques dans un lac, l'élimination des carnivores primaires ferait augmenter le nombre d'herbivores et diminuer la quantité de phytoplancton, ce qui provoquerait l'élévation de la quantité de nutriments. Une manipulation se répercutera donc de manière descendante sur la structure trophique, sous forme d'effets $+/-$.

Il peut exister de nombreux modèles intermédiaires entre ces deux extrêmes que sont les modèles ascendant et descendant. Par exemple, toutes les interactions entre les niveaux trophiques peuvent être réciproques (↔). Ou encore, les interactions peuvent changer tour à tour de direction au fil du temps. Ainsi, une étude expérimentale à long terme portant sur une communauté de brousse subdésertique au Chili a montré que les interactions qui déterminent la biomasse passent périodiquement du modèle ascendant au modèle descendant, selon l'abondance des précipitations **(figure 53.20)**. Au cours des années pluvieuses amenées par El-Niño-oscillation australe, c'est la détermination descendante effectuée par les prédateurs et les herbivores qui prédomine. Par contre, au cours des années de sécheresse, c'est la détermination ascendante qui est la plus importante, la croissance des Végétaux étant alors limitée par le manque d'humidité. Malgré la découverte de scénarios complexes comme ce changement de direction de la détermination, les deux modèles simplifiés dont il est question dans cette section demeurent valables, car ils constituent un point de départ pour l'analyse des communautés. Examinons une situation dans laquelle les écologistes ont utilisé ces modèles pour contrer certains problèmes de pollution des lacs.

Dans de nombreux pays, la pollution a dégradé les lacs. Comme beaucoup de communautés lacustres semblent structurées selon un modèle descendant, les écologistes disposent d'une méthode potentielle pour améliorer la qualité de l'eau. Le diagramme suivant résume cette stratégie de restauration des lacs qu'on appelle **biomanipulation**.

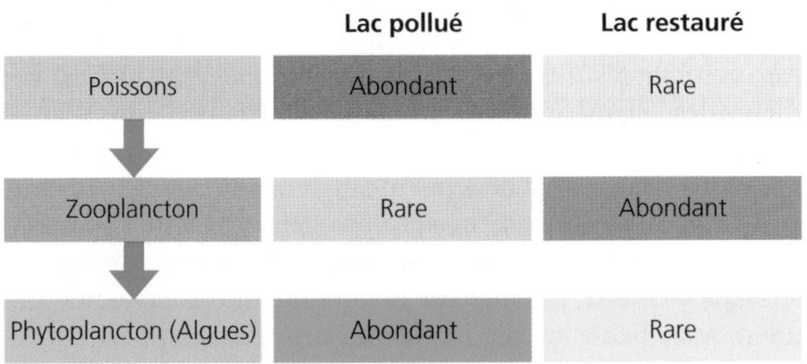

Dans les lacs à trois niveaux trophiques, par exemple, l'élimination des Poissons améliore la qualité de l'eau en augmentant la quantité de zooplancton et, par conséquent, en diminuant les populations de phytoplancton. Dans les lacs à quatre niveaux trophiques, l'ajout de prédateurs clés devrait avoir le même effet.

Des écologistes ont pratiqué la biomanipulation sur une grande échelle dans le lac Vesijärvi, situé dans le sud de la Finlande. Jusqu'en 1976, ce grand lac (110 km²) peu profond était fortement pollué par des eaux d'égouts municipaux et des effluents industriels. Les luttes contre la pollution mirent un terme à ces rejets dans le lac, et la qualité de l'eau commença à s'améliorer. Mais, dès 1986, des Cyanobactéries proliféraient massivement. Cette prolifération bactérienne coïncidait avec une population très dense de gardons (*Rutilus rutilus*). Cette espèce de Poissons s'est multipliée au cours des années de pollution, laquelle a amené des nutriments minéraux. Le gardon mange le zooplancton. En réduisant la concentration du zooplancton, il fait aussi diminuer la consommation de Cyanobactéries et d'autres Algues, qui se font alors plus abondantes. Pour inverser ces changements, les écologistes éliminèrent, entre 1989 et 1993, 1 018 tonnes de Poissons dans le lac Vesijärvi. Ils réduisirent ainsi la population de gardons à environ 20 % de ce qu'elle était. En même temps, ils introduisirent dans le lac des dorés (*Stizostedion sp.*), qui sont des Poissons prédateurs des gardons. Par cette opération, ils ajoutèrent un quatrième niveau trophique au lac, ce qui eut pour effet de limiter la population de gardons (la principale espèce carnivore du lac). La biomanipulation dans le lac Vesijärvi fut une réussite. L'eau devint claire, et les proliférations de Cyanobactéries cessèrent en 1989. Le lac continue d'être clair, bien que l'élimination du gardon ait pris fin en 1993.

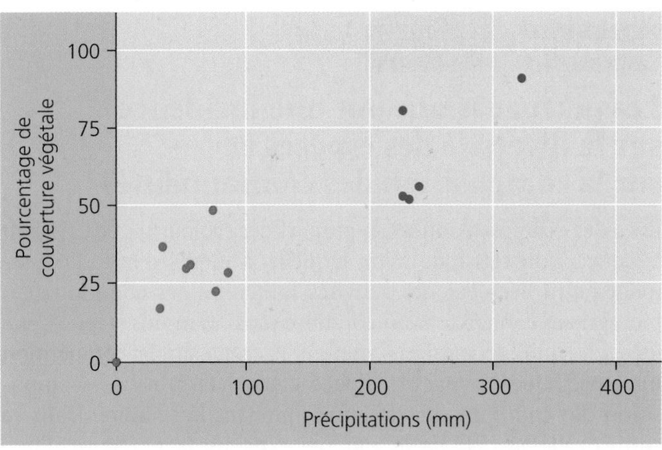

▲ **Figure 53.20 Relation entre les précipitations et la couverture végétale dans une communauté de brousse subdésertique au Chili.** Le manque d'humidité limite la croissance des Végétaux durant les années où El Niño ne se manifeste pas (points rouges), de sorte qu'on observe un fort modèle ascendant dans cette communauté. Durant les années où El Niño se manifeste par des précipitations abondantes (points bleus), les Végétaux et les Animaux sont plus nombreux, de sorte qu'on observe un fort modèle descendant.

Comme l'illustrent ces exemples, le degré de la détermination descendante et ascendante varie d'une communauté à l'autre. Pour prendre des mesures à l'égard des terres agricoles, des parcs nationaux, des réservoirs et des pêcheries marines, les scientifiques doivent comprendre la dynamique de chacune des communautés qui y vivent.

Retour sur le concept 53.2

1. Décrivez les deux composantes de la diversité spécifique. Expliquez comment deux communautés contenant le même nombre d'espèces peuvent être différentes sur le plan de la diversité spécifique.
2. Présentez deux hypothèses expliquant pourquoi les chaînes alimentaires ont habituellement peu de niveaux et indiquez ce que chacune prédit principalement.
3. En quoi l'effet produit par une espèce dominante sur la structure d'une communauté diffère-t-il de celui d'une espèce clé ?
4. En quoi la détermination descendante de l'organisation d'une communauté diffère-t-elle de la détermination ascendante ?

Voir les réponses proposées à la fin du chapitre.

Concept 53.3

Les perturbations ont une incidence sur la diversité des espèces et sur la composition des communautés

Il y a des dizaines d'années, la plupart des écologistes favorisaient la conception classique selon laquelle, à moins d'être sérieusement perturbées par des activités humaines, les communautés biologiques connaissent un équilibre plus ou moins stable. Cette idée d'« équilibre naturel » mettait l'accent sur la compétition interspécifique comme principal facteur déterminant la composition des communautés et en maintenant la stabilité. Dans ce contexte, le *modèle de la stabilité* exprime la tendance d'une communauté à atteindre et à maintenir un équilibre, c'est-à-dire à garder une composition relativement constante pour ce qui est des espèces, en dépit des perturbations. Mais dans de nombreuses communautés, du moins à l'échelle locale, le changement semble plus fréquent que la stabilité. Considérant cette importance du changement, on a récemment conçu le **modèle du déséquilibre**, selon lequel les communautés, à la suite des perturbations qu'elles connaissent, sont en continuel changement. Nous allons maintenant parler de l'incidence des perturbations sur la structure et la composition des communautés.

Que sont les perturbations ?

Les **perturbations** sont des événements comme les tempêtes, les incendies, les inondations, les sécheresses, le surpâturage et les activités humaines qui causent des dommages aux communautés, en éliminent des organismes et modifient la disponibilité des ressources. Les types de perturbations, leur fréquence et leur gravité varient d'une communauté à l'autre. Les niveaux élevés de perturbations sont en général déterminés par une intensité *et* une fréquence fortes, tandis que les bas niveaux de perturbations peuvent l'être soit par une faible intensité, soit par une faible fréquence. Les tempêtes perturbent presque toutes les communautés, même au fond des océans. Les incendies sont d'importantes perturbations que connaissent la plupart des communautés terrestres. Ainsi, les biomes que sont les prairies tempérées et la forêt méditerranéenne dépendent des incendies **(figure 53.21)**. De nombreux fleuves, lacs et étangs subissent fréquemment le gel. De nombreux cours d'eau et étangs sont perturbés par des inondations printanières et des sécheresses saisonnières. Les écologistes, qui recueillent de l'information sur des communautés particulières depuis de nombreuses années, commencent à évaluer l'impact des perturbations.

Bien que le terme *perturbation* évoque l'idée d'un effet défavorable sur les communautés, ce n'est pas toujours le cas. Par exemple, les perturbations sont souvent, pour les espèces, l'occasion de s'établir dans des habitats qu'elles n'occupaient pas déjà dans la communauté. Les perturbations à petite échelle favorisent parfois la parcellisation, qui peut permettre de stabiliser la diversité spécifique dans une communauté. Selon l'**hypothèse des perturbations de niveau intermédiaire**, qui est supportée par un large éventail d'études portant sur des communautés terrestres et aquatiques, les perturbations de niveau moyen peuvent créer des conditions qui favorisent une plus grande diversité spécifique que celles de niveau bas ou élevé. En effet, les perturbations de niveau élevé réduisent la diversité spécifique de la communauté, car elles créent des contraintes environnementales qui dépassent le seuil de tolérance de nombreuses espèces, lesquelles en sont alors exclues, ou se produisent à une fréquence telle que les espèces dont l'installation ou la croissance est lente ne peuvent vivre. À l'autre extrême, les perturbations de bas niveau peuvent amoindrir la diversité spécifique en permettant aux espèces compétitives dominantes d'écarter les espèces moins compétitives. Par ailleurs, les perturbations de niveau intermédiaire peuvent favoriser la diversité spécifique en permettant aux espèces moins compétitives d'occuper de nouveaux habitats alors que les conditions qu'elles provoquent ne sont pas défavorables au point de dépasser le seuil de tolérance du milieu ou la vitesse de régénération de membres potentiels de la communauté. De plus, les perturbations à petite échelle fréquentes peuvent aussi prévenir les perturbations à grande échelle. Les grands incendies survenus dans le parc national de Yellowstone au cours de l'été 1988 sont

(a) Avant le brûlis. Une prairie qui n'a pas brûlé pendant plusieurs années contient beaucoup de détritus (herbes mortes).

(b) Pendant. Les détritus servent de combustibles pour les incendies.

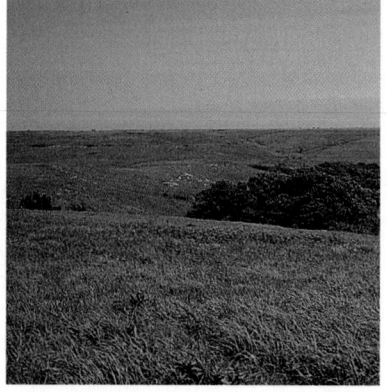

(c) Après. Environ un mois après le brûlis, presque toute la biomasse de cette prairie était vivante.

▲ **Figure 53.21 Effets à long terme des incendies sur une communauté de prairie herbeuse du Kansas.** Les arbres apparaissant sur les photos poussaient le long d'un ruisseau et n'ont pas été brûlés au cours de l'étude.

un exemple de ce qui peut se produire en l'absence de petites perturbations. La majeure partie du parc était occupée par le pin tordu (*Pinus contorta*), un arbre qui a besoin des effets rajeunissants d'incendies périodiques. Les cônes du pin tordu restent fermés tant qu'ils ne sont pas exposés à une chaleur intense. Quand un feu de forêt détruit les arbres reproducteurs, les cônes s'ouvrent et libèrent les graines. La nouvelle génération de pins tordus peut ensuite pousser et se développer grâce aux nutriments libérés par les arbres brûlés et grâce à la lumière du Soleil que masquait la vieille forêt.

Pendant des décennies, les humains ont prévenu les petits incendies causés par la foudre dans le parc Yellowstone. Les vieux arbres sont par conséquent demeurés vivants, et aucun îlot de jeunes arbres ne s'est formé. En 1988, environ un tiers des arbres du parc avaient entre 250 et 300 ans. Or, les pins tordus de plus de 100 ans deviennent de plus en plus inflammables. Les conditions de sécheresse de 1988 conjuguées à l'accumulation de matières combustibles dans les forêts ont provoqué un incendie à grande échelle qui a détruit une grande partie du parc. L'année suivante, les aires brûlées étaient en grande partie couvertes de nouvelle végétation, ce qui montre que les communautés peuvent souvent réagir rapidement, même à des perturbations d'une aussi grande envergure **(figure 53.22)**.

Des études portant sur la communauté forestière de Yellowstone ainsi que sur de nombreuses autres indiquent que ces communautés ne connaissent pas l'équilibre, car elles changent sans cesse en raison de perturbations naturelles et de processus internes de croissance et de reproduction. En outre, il est de plus en plus évident qu'une partie du déséquilibre qui résulte des perturbations est la norme pour *la plupart* des communautés.

Les perturbations d'origine humaine

De tous les Animaux, les humains sont ceux qui ont la plus grande influence sur les communautés, dans le monde entier. L'aménagement agricole a bouleversé ce qui était auparavant les vastes plaines herbeuses des prairies tempérées d'Amérique du Nord. L'exploitation forestière et le déboisement pour le développement urbain, l'exploitation minière et l'agriculture ont réduit de grandes bandes de forêts à de petites parcelles de boisés dispersées, dans de nombreuses parties de l'Amérique du Nord et de l'Europe. Quand on fait subir une coupe à blanc aux forêts et qu'on abandonne ce qui reste, une végétation d'herbacées et de bosquets colonise souvent le territoire et le domine pendant de nombreuses années. On trouve également ce type de végétation sur les terres agricoles laissées à l'abandon, sur les terrains inoccupés et sur les sites de construction périodiquement déboisés.

Les perturbations d'origine humaine ne se limitent pas à l'Amérique du Nord et à l'Europe, pas plus qu'elles ne constituent un problème récent. On décime à une vitesse effrénée les forêts tropicales humides pour la production du bois de construction et pour le pâturage. En Afrique, des siècles de surpâturage et d'exploitation agricole anarchique ont transformé les prairies à rythme saisonnier en étendues stériles. Cette détérioration n'est sans doute pas étrangère aux famines qui frappent une partie du continent.

Comme les perturbations d'origine humaine sont souvent profondes, elles diminuent généralement la diversité spécifique au sein des communautés. Au chapitre 55, nous examinerons de plus près les conséquences des perturbations causées par les activités humaines sur la diversité de la vie des communautés.

La succession écologique

Les modifications de la composition et de la structure des communautés sont surtout manifestes après qu'une perturbation comme un glacier ou une éruption volcanique a rasé la végétation. Après une perturbation, diverses espèces pionnières colonisent le territoire, puis, progressivement, cèdent leur place à d'autres espèces, lesquelles à leur tour sont remplacées par d'autres. On appelle ce processus **succession écologique**.

(a) Peu de temps après l'incendie. Comme le montre cette photo prise peu de temps après l'incendie, le feu a laissé un paysage parcellisé. Remarquez les arbres intacts en arrière-plan.

(b) Un an après l'incendie. Cette photo de la région incendiée prise l'année suivante montre la rapidité avec laquelle la communauté a commencé à se régénérer. Des plantes herbacées, différentes des espèces qui occupaient le tapis de l'ancienne forêt, recouvrent le sol.

▲ **Figure 53.22 Régénération et parcellisation après une perturbation à grande échelle.** En 1988, l'incendie du parc national de Yellowstone a détruit de grandes surfaces de forêts dominées par le pin tordu (*Pinus contorta*).

Le processus de la **succession écologique primaire** débute dans un territoire stérile encore dépourvu de sol, par exemple sur une île volcanique nouvellement formée ou sur les débris de roches (till ou moraine) laissés par le retrait d'un glacier. Les seules formes de vie présentes alors sont souvent des Bactéries autotrophes. Puis, des lichens et des mousses croissant à partir de spores amenées par le vent constituent les premiers organismes photosynthétiques macroscopiques à coloniser le territoire. Le sol se développe graduellement, au fur et à mesure que se désagrège la roche et que s'accumule la matière organique en décomposition des espèces pionnières. Une fois que le sol s'est formé, les lichens et les mousses sont envahis par un autre type de végétation, tel que les herbes, les arbustes et les arbres qui poussent à partir des graines amenées par le vent ou des Animaux. Pour finir, des Végétaux peuvent coloniser un territoire et devenir la forme végétale dominante de la communauté. Pour qu'une succession écologique primaire donne une telle communauté, il faut des centaines, voire des milliers d'années.

On appelle **succession écologique secondaire** le processus qui se met en place après une perturbation qui a détruit la végétation mais a laissé le sol intact. C'est ce qu'a connu le parc de Yellowstone après les incendies de 1988 (voir la figure 53.22). La succession écologique secondaire a souvent pour effet de ramener le territoire à un état semblable à l'original. Par exemple, dans les régions déboisées à des fins agricoles et laissées à l'abandon, la première végétation qui recolonise le territoire est souvent constituée d'espèces herbacées qui poussent à partir de graines amenées là par le vent ou par des Animaux. Si le territoire n'a pas été brûlé ou n'a pas subi un pâturage excessif, des arbustes peuvent remplacer la plupart des espèces herbacées avec le temps. Par la suite, des peuplements d'arbres peuvent remplacer presque tous les arbustes.

Trois grands processus peuvent intervenir dans la succession écologique entre les espèces pionnières et celles qui s'établissent plus tard. Les espèces pionnières peuvent *faciliter* l'apparition des espèces plus tardives en leur rendant le milieu plus favorable. Par exemple, elles peuvent rendre le sol plus fertile. Par ailleurs, les espèces pionnières peuvent *inhiber* l'établissement des espèces qui viennent après. Ainsi, ces dernières réussissent à coloniser un territoire en dépit et non à cause des activités des espèces pionnières. Enfin, les espèces pionnières peuvent être complètement indépendantes de celles qui les suivent. Elles *tolèrent* ces espèces qui apparaissent ensuite, mais n'aident pas ni ne gênent leur colonisation. Examinons comment ces divers processus contribuent à la succession écologique primaire en étudiant un exemple précis.

Au cours des 300 dernières années, il s'est produit un retrait graduel des glaciers dans l'hémisphère Nord. En se retirant, les glaciers laissent des tills. Les chercheurs peuvent déterminer l'âge de ces territoires d'origine postglaciaire à partir de l'âge des nouveaux arbres qui poussent sur le till ou, depuis 80 ans, par observation directe. La recherche la plus complète que les écologistes ont menée a porté sur la succession écologique primaire du till de Glacier Bay, dans le sud-est de l'Alaska. Depuis environ 1760, les glaciers de l'endroit se sont retirés sur environ 98 km, ce qui correspond à une vitesse de retrait extraordinaire de près de 400 m par an **(figure 53.23)**. Les tills sont un milieu presque vierge, mais hostile à la colonisation par les Végétaux.

Dans la succession écologique qui s'est produite sur les tills de Glacier Bay, les caractéristiques de la végétation et du sol se sont modifiées selon un modèle prévisible. D'abord, le till exposé est colonisé par les espèces pionnières : hépatiques, mousses, épilobe à feuilles étroites (*Epilobium angustifolium*), dryades (*Dryas Drummondii* et *Dryas integrifolia*, des herbacées), saules (*Salix sp.*) et peuplier à feuilles deltoïdes (*Populus deltoides*) **(figure 53.24a)**. Environ trois décennies plus tard, les dryades dominent la communauté végétale **(figure 53.24b)**. Puis, en quelques décennies, le territoire est envahi par les aulnes (*Alnus sp.*), qui finissent par former des bosquets denses d'une hauteur s'élevant parfois à 9 m. Ces peuplements d'aulnes sont ensuite envahis par l'épinette de Sitka (*Picea sitchensis*), qui, un siècle après, forme une forêt dense **(figure 53.24c)**. La pruche de l'Ouest (*Tsuga heterophylla*) et la pruche subalpine (*Tsuga mertensiana*) envahissent alors les peuplements d'épinettes. Un siècle plus tard, la communauté est une forêt d'épinettes et de pruches. Mais cette forêt ne restera que sur les pentes bien drainées. Sur les surfaces mal drainées, les Sphaignes (*Sphagnum sp.*), qui contiennent de grandes quantités d'eau et acidifient le

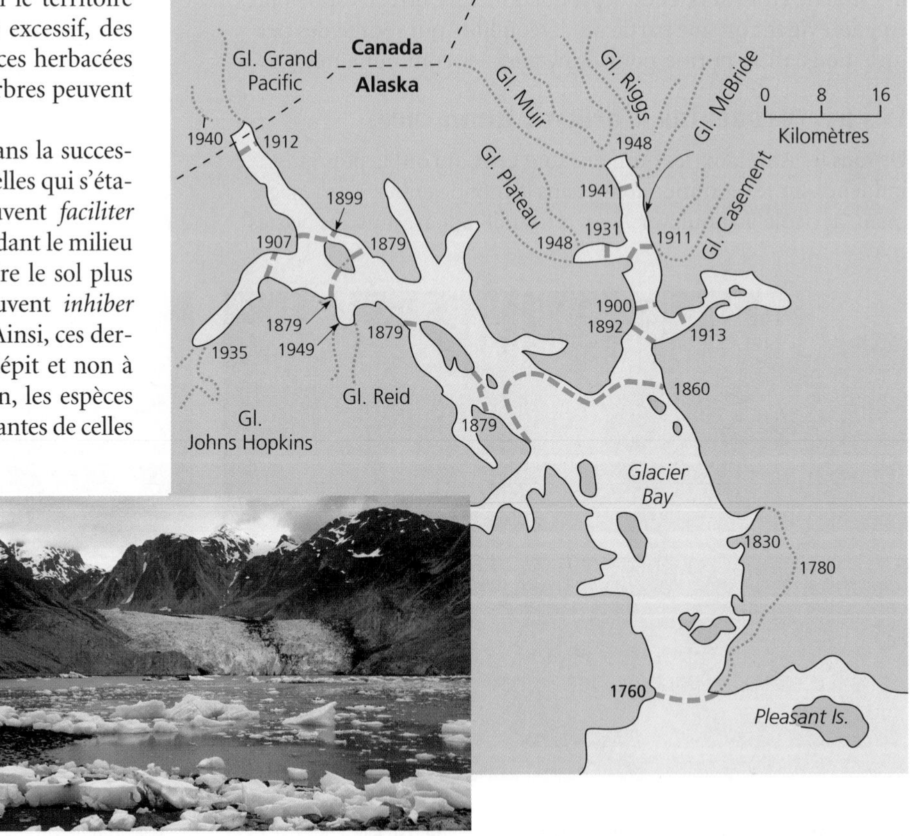

Retrait du glacier McBride

▲ **Figure 53.23 Retrait d'un glacier dans le sud-est de l'Alaska.** Les endroits portant une date montrent la récession du glacier depuis 1760, d'après des descriptions historiques. À mesure que la glace se retire (photo en médaillon), elle laisse des tills sur les côtés de la baie où la succession écologique primaire se produit.

sol, envahissent le tapis forestier de cette forêt d'épinettes et de pruches. Leur propagation provoque la mort des arbres, parce que le sol est gorgé d'eau et contient trop peu de dioxygène pour assurer la subsistance des racines. Le territoire se transforme alors en tourbière à Sphaignes. Ainsi, environ 300 ans après le retrait du glacier, la végétation consiste en tourbières à Sphaignes sur les plateaux mal drainés et en forêts d'épinettes et de pruches sur les pentes bien drainées.

Quelle est la relation entre la succession sur les tills et l'effet sur l'environnement de la végétation qui se transforme? Le pH du sol dénudé après le retrait du glacier est de 8,0 à 8,4, c'est-à-dire qu'il est très basique à cause des carbonates contenus dans la roche mère. Ce pH diminue brusquement à l'arrivée de la végétation. La rapidité du changement dépend du type de végétation. Le changement le plus impressionnant est causé par les épinettes: la décomposition de leurs aiguilles acides abaisse le pH de 7,0 à 4,0 environ. Les concentrations du sol en nutriments minéraux présentent également d'importants changements avec le temps. L'une des caractéristiques du sol dénudé après le retrait d'un glacier est sa faible teneur en azote. Presque toutes les espèces pionnières commencent la succession écologique par une faible croissance et des feuilles jaunes, en raison d'un apport en azote insuffisant. Les dryades et, particulièrement, les aulnes, font exception à cette règle. Ces espèces contiennent des Bactéries symbiotiques qui fixent le diazote atmosphérique (voir le chapitre 37). L'azote du sol augmente rapidement au cours du stade de succession des aulnes **(figure 53.24d)**. Les épinettes de Sitka forment une forêt qui se développe en consommant la réserve d'azote du sol accumulée par les aulnes. Les plantes pionnières modifient les propriétés du sol, qui permet alors la croissance de nouvelles espèces. Ces dernières, à leur tour, modifient le milieu de différentes façons, ce qui contribue à la succession écologique.

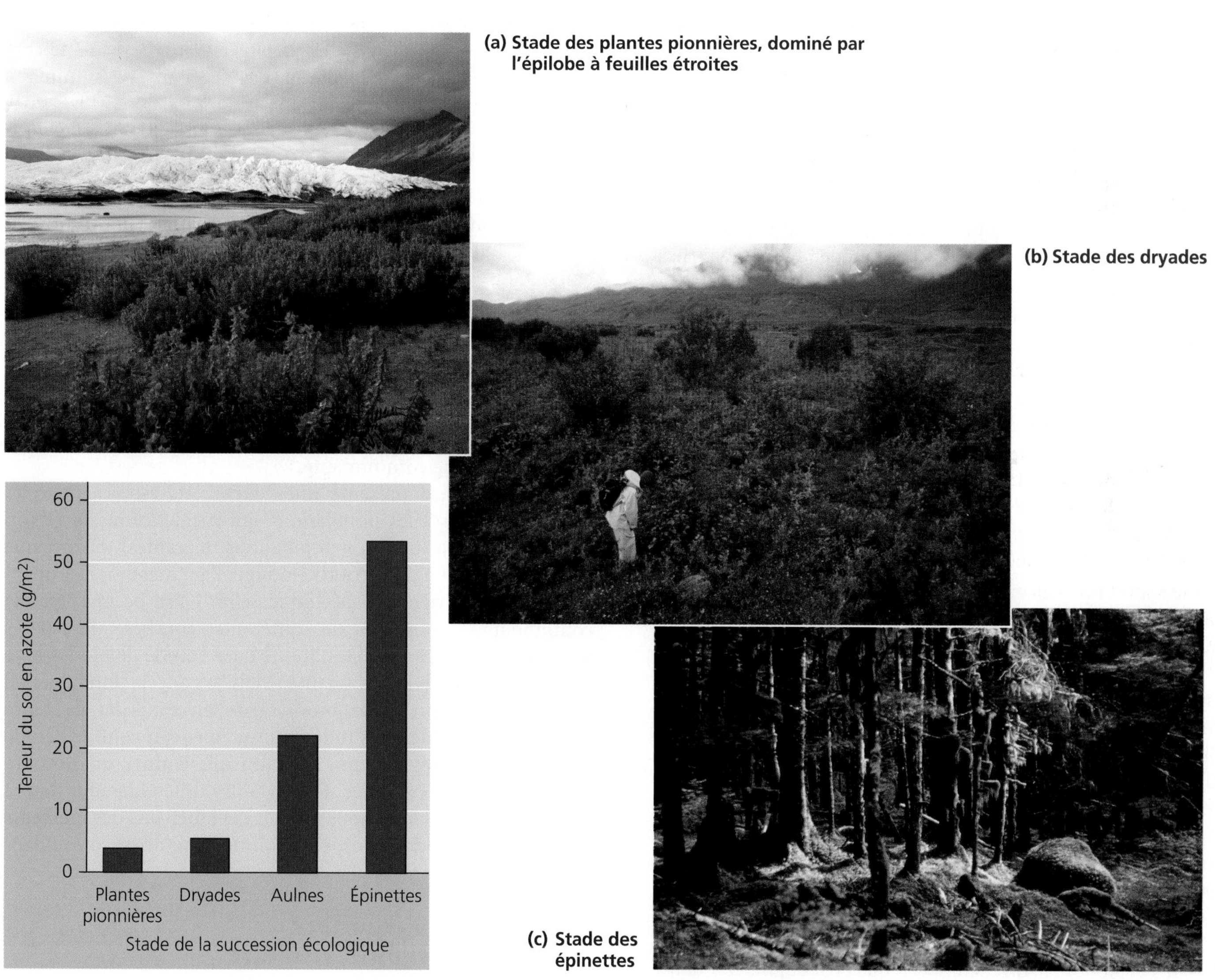

(a) Stade des plantes pionnières, dominé par l'épilobe à feuilles étroites

(b) Stade des dryades

(c) Stade des épinettes

(d) La fixation de l'azote par les dryades et les aulnes augmente la teneur en azote du sol.

▲ **Figure 53.24 Changements dans la communauté végétale et dans la concentration d'azote du sol durant la succession écologique à Glacier Bay, en Alaska.** La composition de la communauté végétale subit des changements spectaculaires au cours de la succession écologique qui se produit à Glacier Bay.

Retour sur le concept 53.3

1. Pourquoi les perturbations de niveau élevé et de niveau bas réduisent-elles la diversité spécifique? Pourquoi les perturbations de niveau intermédiaire favorisent-elles la diversité spécifique?
2. En quoi la succession écologique primaire diffère-t-elle de la succession écologique secondaire?
3. Pendant la succession écologique, comment les espèces pionnières peuvent-elles faciliter l'arrivée d'autres espèces?

Voir les réponses proposées à la fin du chapitre.

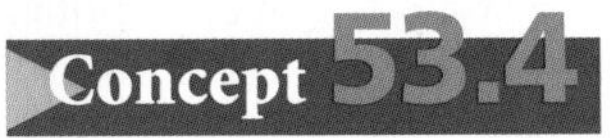

Des facteurs biogéographiques influent sur la biodiversité des communautés

Le nombre d'espèces que comprennent les communautés écologiques varie considérablement. La diversité spécifique d'une communauté dépend de deux grands facteurs: sa situation géographique et ses dimensions. Dans les années 1850, Charles Darwin et Alfred Wallace ont tous les deux signalé que la vie végétale et animale était généralement plus abondante et plus variée dans les tropiques que dans les autres parties de la planète. Ils ont aussi remarqué que les petites îles éloignées possédaient moins d'espèces que les grandes îles ou que les îles qui sont à proximité d'un continent. Ces observations signifient que les profils biogéographiques de la biodiversité se conforment à une série de principes fondamentaux et ne sont pas des accidents de l'évolution. L'examen de la variation le long de gradients environnementaux constitue un moyen de comprendre ces profils à grande échelle dans la biodiversité.

Les gradients équatoriaux-polaires

Comme Darwin et Wallace l'ont remarqué, les habitats tropicaux abritent un nombre d'espèces beaucoup plus élevé que les régions tempérées et polaires. Par exemple, une étude a permis de découvrir qu'un territoire de 6,6 ha (1 hectare [ha] = 10 000 m^2) au Sarawak, en Malaisie, comporte 711 espèces d'arbres. Comparez cette richesse spécifique avec une forêt décidue tempérée du Michigan, qui contient de 10 à 15 espèces sur un terrain de 2 ha. L'Europe de l'Ouest au nord des Alpes, soit un territoire d'une superficie de plus de 2 millions de km^2, ne possède, quant à elle, que 50 espèces d'arbres. Les espèces de fourmis sont également beaucoup plus diversifiées dans les tropiques qu'ailleurs: il y en a 200 espèces au Brésil, 73 en Iowa et 7 en Alaska.

Les deux facteurs déterminants de ces gradients équatoriaux-polaires sont probablement l'évolution et le climat. À l'échelle du temps de l'évolution, la diversité spécifique peut augmenter dans une communauté parce qu'il se produit plus d'événements de spéciation. De plus, les communautés tropicales sont généralement plus vieilles que les communautés tempérées ou polaires. Cette différence d'âge résulte en partie du fait que la saison de croissance dans les forêts tropicales est environ cinq fois plus longue que celle des communautés de la toundra alpine. En effet, le temps biologique, et par conséquent le temps pour la spéciation, se déroule environ cinq fois plus vite dans les tropiques que près des pôles. De plus, de nombreuses communautés polaires et tempérées ont dû «repartir à zéro» plusieurs fois à la suite de perturbations majeures qui ont pris la forme de glaciations.

Le climat est sans doute la principale cause du gradient latitudinal dans la biodiversité. Les deux principaux facteurs climatiques qui influent sur la biodiversité sont l'apport d'énergie solaire et la disponibilité de l'eau. On peut combiner ces facteurs en mesurant la vitesse d'**évapotranspiration** d'une communauté, soit la vaporisation de l'eau du sol et la transpiration des plantes. L'*évapotranspiration réelle*, qui est déterminée par l'importance du rayonnement solaire, la température et la disponibilité de l'eau, est beaucoup plus élevée dans les régions chaudes où les précipitations sont abondantes que dans les régions froides ou aux précipitations faibles. L'*évapotranspiration potentielle*, une mesure de la disponibilité de l'énergie mais non de celle de l'eau, est déterminée par l'importance du rayonnement solaire et la température; c'est dans les régions chaudes où le rayonnement solaire est important qu'elle est la plus élevée. Il existe une corrélation entre la richesse spécifique des Végétaux et des Animaux et les mesures d'évapotranspiration **(figure 53.25)**.

Les effets de l'étendue géographique

En 1807, Alexander von Humboldt a décrit l'un des premiers profils de biodiversité reconnu, la **courbe aire-espèces**, qui montre en chiffres ce qui semble probablement évident: tous les autres facteurs étant égaux, plus la région géographique d'une communauté est grande, plus le nombre d'espèces est élevé. L'explication probable de cette courbe est que les régions étendues offrent une plus grande diversité d'habitats et de microhabitats que les petits territoires. En biologie de la conservation, il est possible de prédire comment la perte d'un certain habitat peut influer sur la biodiversité, en traçant des courbes aire-espèces pour les taxons importants d'une communauté.

La **figure 53.26** présente une courbe aire-espèces pour les Oiseaux nicheurs (les populations qui nichent dans la région étudiée par opposition aux populations migrantes) d'Amérique du Nord. La pente de la courbe indique l'augmentation proportionnelle de la richesse spécifique selon l'aire occupée par la communauté. Les pentes des différentes courbes aire-espèces varient selon le taxon échantillonné dans l'étude de biodiversité et selon le type de communauté. Mais le concept fondamental de l'augmentation de la biodiversité en fonction de l'aire s'applique dans une multitude de situations, qui vont de l'étude de la diversité des fourmis en Nouvelle-Guinée au nombre d'espèces végétales sur des îles de tailles différentes. En fait, la biogéographie insulaire nous fournit quelques-uns des meilleurs exemples de courbes aire-espèces, comme nous allons le voir dans la prochaine section.

Le modèle de l'équilibre de la biogéographie insulaire

Étant donné leur isolement et leurs petites dimensions, les îles constituent d'excellents sites pour l'étude des facteurs biogéographiques qui influent sur la diversité spécifique. Par «îles», nous entendons non seulement les terres émergées de l'océan, mais aussi les enclaves du milieu terrestre comme les lacs et les pics montagneux séparés par des basses terres, ou des terrains boisés

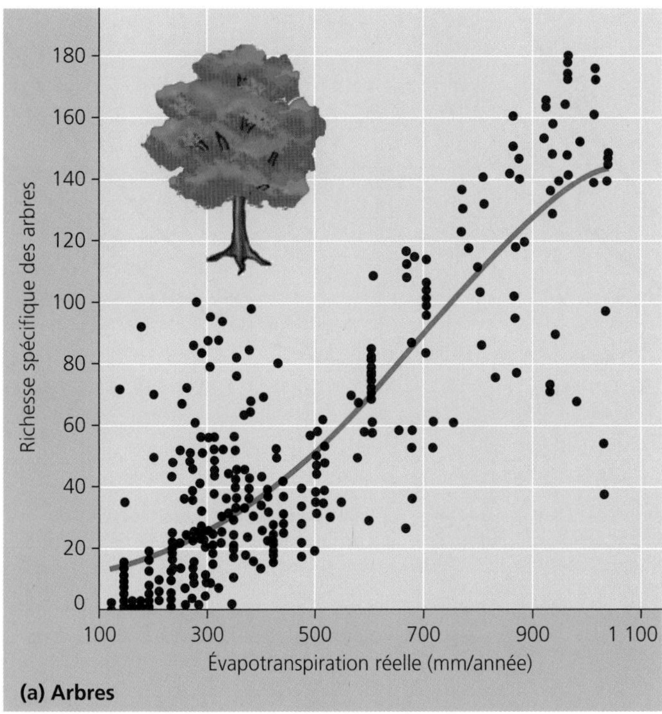

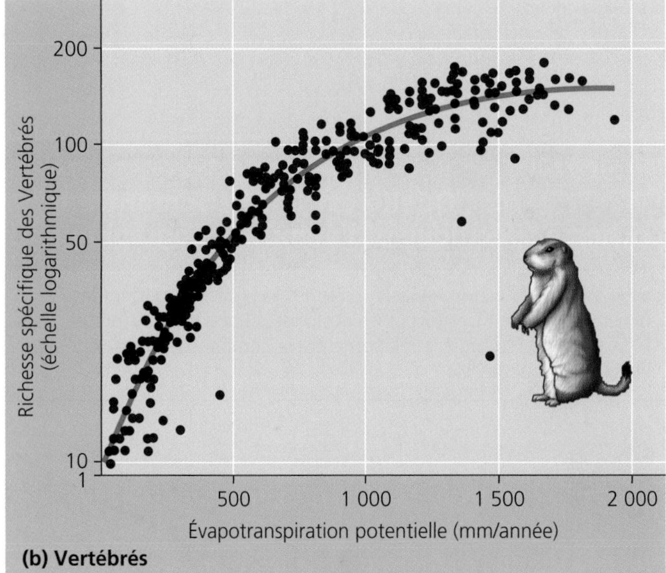

▲ **Figure 53.25 Énergie, eau et richesse spécifique.**
(a) La mesure la plus prévisible de l'augmentation de la richesse spécifique des arbres d'Amérique du Nord est l'évapotranspiration réelle, tandis que **(b)** la mesure la plus prévisible de l'augmentation de la richesse des espèces de Vertébrés d'Amérique du Nord est l'évapotranspiration potentielle. Les valeurs d'évapotranspiration sont exprimées sous forme d'équivalents de précipitations en millimètres par année.

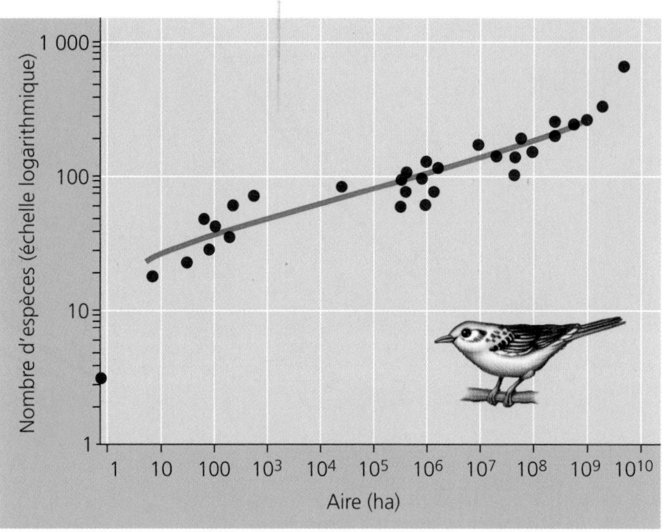

▲ **Figure 53.26 Courbe aire-espèces pour les Oiseaux nicheurs d'Amérique du Nord.** On porte l'aire et le nombre d'espèces sur un graphique selon une échelle logarithmique. Les points des données s'échelonnent d'une parcelle de terrain de 1 ha comportant 3 espèces d'Oiseaux en Pennsylvanie au territoire entier des États-Unis et du Canada (1,9 milliard d'hectares) comportant 625 espèces.

naturels entourés de secteurs perturbés par les humains. En d'autres mots, toute parcelle entourée d'un milieu non favorable pour les espèces de l'« île » est une île. Dans les années 1960, les écologistes américains Robert MacArthur et E. O. Wilson formulèrent une théorie générale de la biogéographie insulaire qui leur permettait de définir les facteurs importants de la diversité spécifique dans une île à partir d'un ensemble donné de caractéristiques physiques **(figure 53.27)**.

Imaginons une île océanique nouvellement formée qui est située à une certaine distance du continent, d'où partiront les espèces pionnières. Deux facteurs conditionnent le nombre d'espèces qui habiteront l'île : le taux d'immigration et le taux d'extinction. Ces facteurs dépendent eux-mêmes de deux variables importantes : les dimensions de l'île et la distance qui la sépare du continent. En règle générale, le taux d'immigration est faible dans les petites îles, car les colonisateurs potentiels ont plus de difficulté à « trouver » une petite île qu'une grande île. Ainsi, les Oiseaux que le vent emporte ont certainement moins de chances d'atterrir par hasard sur une petite île que sur une grande. En outre, le taux d'extinction est plus élevé dans les petites îles que dans les grandes. Dans les petites îles, en effet, les espèces pionnières trouvent peu de ressources et d'habitats à se partager. Quant à la distance entre l'île et le continent, elle importe dans la mesure où, à superficie égale, le taux d'immigration est généralement plus élevé dans une île rapprochée que dans une île éloignée. Enfin, en raison de leur taux d'immigration plus élevé, les îles rapprochées ont aussi un taux d'extinction plus bas, car, grâce à l'arrivée de nouveaux individus, les espèces peuvent plus facilement y maintenir leur présence et éviter l'extinction.

Le taux d'immigration et le taux d'extinction dépendent aussi du nombre d'espèces présentes dans l'île à un moment donné. Le taux d'immigration diminue au fur et à mesure qu'augmente le nombre d'espèces insulaires, car les nouveaux arrivants ont de plus en plus de chances d'appartenir à une espèce déjà représentée. Parallèlement, le taux d'extinction augmente, car la probabilité d'exclusion compétitive s'accroît au fur et à mesure qu'augmente le nombre d'espèces habitant l'île.

C'est à l'aide de ces relations que MacArthur et Wilson ont élaboré le modèle de la biogéographie insulaire (voir la figure 53.27). Sur les schémas de cette figure, les taux d'immigration et d'extinction sont représentés en fonction du nombre d'espèces présentes sur l'île. Ce modèle mathématique est appelé *modèle*

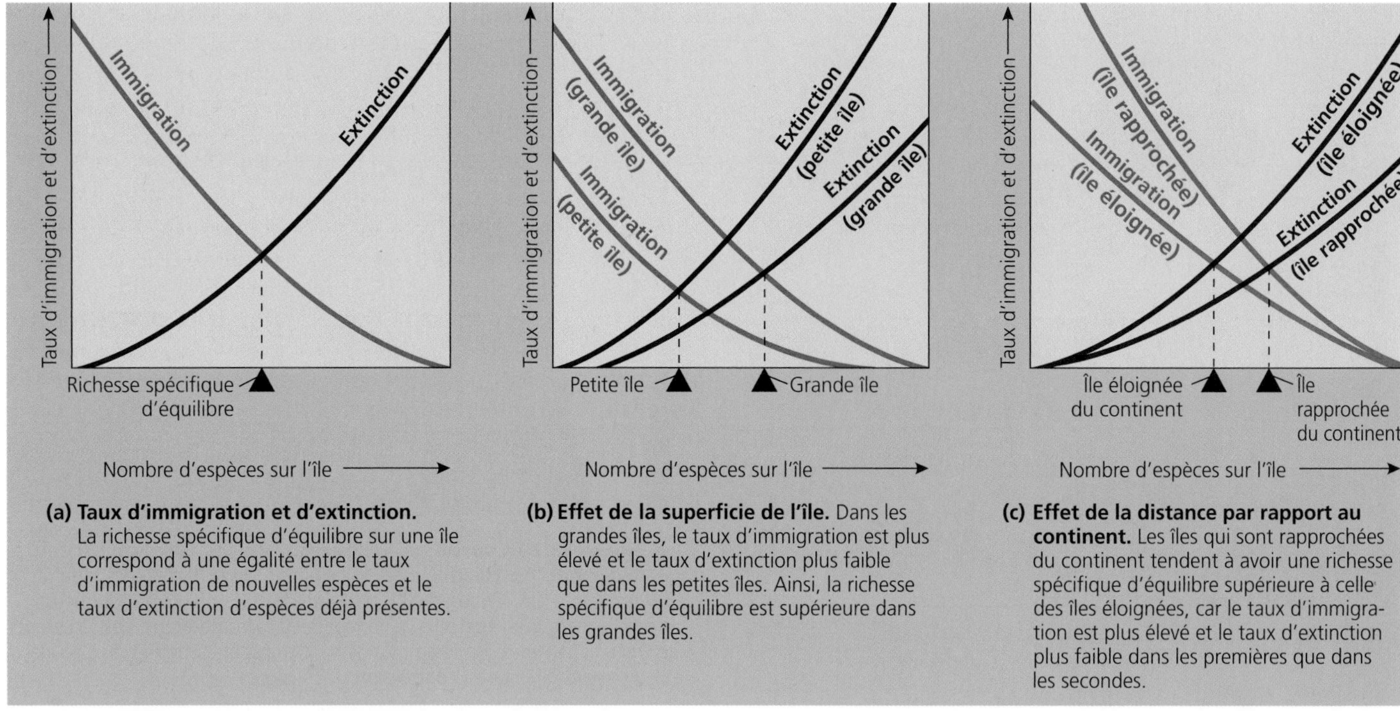
Taux d'immigration et d'extinction
Immigration
Extinction
Richesse spécifique d'équilibre
Nombre d'espèces sur l'île
(a) Taux d'immigration et d'extinction. La richesse spécifique d'équilibre sur une île correspond à une égalité entre le taux d'immigration de nouvelles espèces et le taux d'extinction d'espèces déjà présentes.
Taux d'immigration et d'extinction
Immigration (grande île)
Immigration (petite île)
Extinction (petite île)
Extinction (grande île)
Petite île
Grande île
Nombre d'espèces sur l'île
(b) Effet de la superficie de l'île. Dans les grandes îles, le taux d'immigration est plus élevé et le taux d'extinction plus faible que dans les petites îles. Ainsi, la richesse spécifique d'équilibre est supérieure dans les grandes îles.
Taux d'immigration et d'extinction
Immigration (île rapprochée)
Immigration (île éloignée)
Extinction (île éloignée)
Extinction (île rapprochée)
Île éloignée du continent
Île rapprochée du continent
Nombre d'espèces sur l'île
(c) Effet de la distance par rapport au continent. Les îles qui sont rapprochées du continent tendent à avoir une richesse spécifique d'équilibre supérieure à celle des îles éloignées, car le taux d'immigration est plus élevé et le taux d'extinction plus faible dans les premières que dans les secondes.

▲ **Figure 53.27 Modèle de l'équilibre de la biogéographie insulaire.** Les triangles noirs représentent la richesse spécifique d'équilibre.

de l'équilibre insulaire, car il cherche à montrer qu'un équilibre est atteint lorsque le taux d'immigration équivaut au taux d'extinction. Le nombre d'espèces vivant sur l'île à l'atteinte du point d'équilibre dépend des dimensions de l'île et de la distance qui la sépare du continent. Un équilibre écologique est, cela va de soi, toujours dynamique. L'immigration et l'extinction se poursuivent; la composition spécifique varie quelque peu avec le temps.

Les études de MacArthur et Wilson sur la diversité des Végétaux et des Animaux dans les archipels, notamment dans les îles Galápagos, confirment que la richesse spécifique est proportionnelle à la superficie de l'île **(figure 53.28)**. Les dénombrements indiquent aussi que le nombre d'espèces est d'autant plus petit que l'île est éloignée du continent.

Au cours des quelques décennies passées, le modèle de l'équilibre insulaire, considéré comme une simplification excessive, a fait l'objet de vives critiques. Ses prédictions concernant l'équilibre de la composition spécifique des communautés ne s'appliquent que dans un nombre limité de cas. De plus, elles valent pour un temps relativement court là où la colonisation est le principal processus qui agit sur la composition spécifique. Sur de plus longues périodes, les perturbations abiotiques survenant sur les îles, comme les tempêtes, les adaptations et la spéciation, modifient généralement la composition spécifique et la structure des communautés. Mais la question de savoir si le modèle s'applique ou non de manière générale n'importe pas tant que ça. Ce qui est surtout important, c'est qu'il ait suscité un débat et lancé la recherche sur les effets qu'a la superficie d'un habitat sur la richesse spécifique. C'est là en effet un sujet essentiel pour la biologie de la conservation.

Figure 53.28

Investigation Quelle est la relation entre la richesse spécifique et l'étendue géographique?

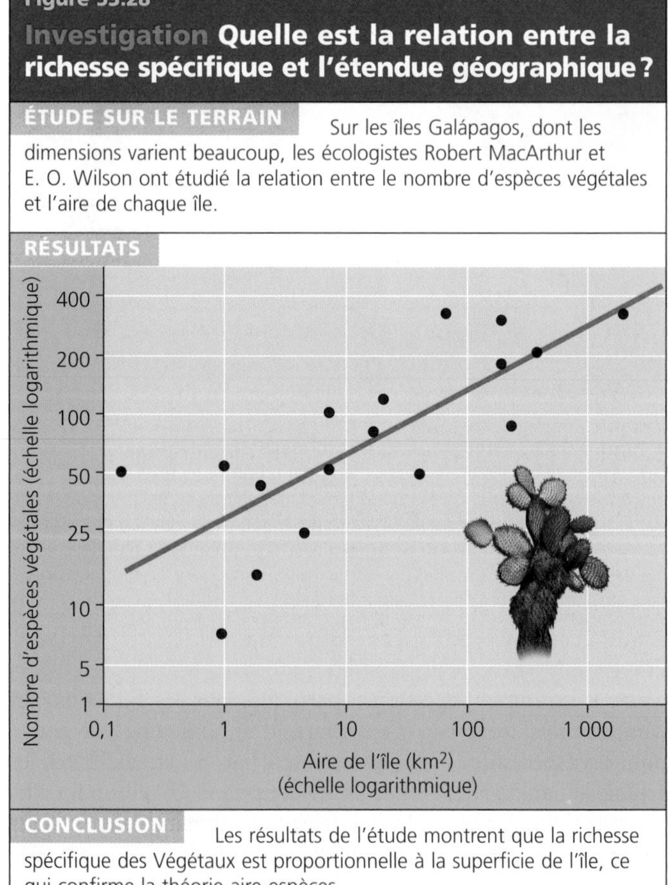
ÉTUDE SUR LE TERRAIN
Sur les îles Galápagos, dont les dimensions varient beaucoup, les écologistes Robert MacArthur et E. O. Wilson ont étudié la relation entre le nombre d'espèces végétales et l'aire de chaque île.
RÉSULTATS
Nombre d'espèces végétales (échelle logarithmique)
400
200
100
50
25
10
5
1
0,1
1
10
100
1 000
Aire de l'île (km²) (échelle logarithmique)
CONCLUSION
Les résultats de l'étude montrent que la richesse spécifique des Végétaux est proportionnelle à la superficie de l'île, ce qui confirme la théorie aire-espèces.

Retour sur le concept 53.4

1. Résumez la relation générale qui existe entre l'étendue géographique et la richesse spécifique.
2. Formulez deux hypothèses qui expliquent pourquoi la diversité spécifique est plus grande dans les régions tropicales que dans les régions tempérées et polaires.
3. Précisez comment les dimensions d'une île et la distance qui la sépare du continent influent sur sa richesse spécifique.

Voir les réponses proposées à la fin du chapitre.

Concept 53.5

Les conceptions divergentes de la structure des communautés font constamment l'objet de débats

Maintenant que nous avons vu divers aspects de la structure d'une communauté et de la diversité spécifique, comment pouvons-nous expliquer que certaines espèces se trouvent ensemble dans une communauté ? Au cours des années 1920 et 1930, les écologistes donnèrent deux réponses à la question, en se fondant principalement sur des observations relatives à la distribution des Végétaux. Nous allons rapidement décrire ces arguments historiques, parce qu'ils sont à l'origine de deux modèles qui font encore aujourd'hui l'objet de débats.

L'hypothèse intégrée et l'hypothèse individualiste

Au début des années 1900, F. E. Clements, du Carnegie Institute de Washington, a proposé l'**hypothèse intégrée** pour expliquer la structure des communautés. Selon cette hypothèse, la communauté est un regroupement d'espèces étroitement et inéluctablement unies par des interactions biotiques en un tout, formant à la limite un « superorganisme ». Cette conception de la communauté s'appuie sur le fait qu'on trouve toujours certaines espèces végétales ensemble. Ainsi, les forêts de feuillus du sud du Québec comprennent presque invariablement certaines espèces de chênes, d'érables, de bouleaux et de hêtres, ainsi qu'un ensemble particulier d'arbustes et de plantes grimpantes.

Peu de temps après la présentation de l'hypothèse intégrée, H. A. Gleason, de la University of Chicago, a énoncé un point de vue différent sur la structure des communautés. Selon son **hypothèse individualiste**, une communauté végétale est un regroupement fortuit d'espèces qui occupent le même territoire simplement parce qu'elles ont les mêmes besoins abiotiques, en matière notamment de température, de précipitations et de sol.

Ces deux conceptions très divergentes de la structure d'une communauté (intégrée et individualiste) préconisent différentes priorités dans l'étude des communautés biologiques. Pour comprendre les liens qu'il y a entre les organismes et leur distribution, l'hypothèse intégrée s'intéresse surtout aux regroupements d'espèces en tant qu'unités essentielles, alors que l'hypothèse individualiste considère les espèces isolément.

Les deux hypothèses s'accordent sur le fait que les communautés mettent en jeu des interactions interspécifiques. Toutefois, elles décrivent très différemment la façon dont les espèces sont regroupées en communauté. Leurs prédictions sur la distribution que devraient présenter les espèces végétales le long d'un gradient de variables écologiques telles que l'humidité et la température s'opposent aussi. L'hypothèse intégrée affirme que les espèces devraient être regroupées en communautés distinctes à l'intérieur de limites précises, car la présence ou l'absence d'une espèce en particulier est largement déterminée par la présence ou l'absence d'autres espèces faisant partie du groupe avec lequel elle interagit **(figure 53.29a)**. L'hypothèse individualiste, quant à elle, indique que les communautés devraient généralement être dépourvues de limites géographiques nettes, car chaque espèce a une distribution qui lui est propre (c'est-à-dire individuelle) le long du gradient écologique. Autrement dit, chaque espèce se distribue selon ses intervalles de tolérance aux facteurs abiotiques qui varient le long du gradient. Ainsi, les communautés végétales changent de manière continue le long du gradient, s'adjoignant ou perdant des espèces **(figure 53.29b)**.

Dans la plupart des cas, notamment dans les grandes régions caractérisées par des gradients écologiques, la composition des communautés végétales semble varier de manière continue ; chaque espèce est distribuée de façon plus ou moins indépendante **(figure 53.29c)**. Cette continuité confirme que les communautés végétales sont des associations relativement lâches et dépourvues de limites distinctes. Cependant, lorsqu'un facteur déterminant du milieu physique, comme le type de sol, change soudainement, les communautés voisines sont séparées par des limites d'autant plus claires que le changement est abrupt. En général, les limites précises entre les communautés végétales sont rares dans la nature. Mais les humains ont créé de nombreuses limites artificielles et nettes par l'agriculture et la foresterie, comme nous allons le voir au chapitre 55.

Le modèle des rivets et le modèle de la redondance

Aujourd'hui, en écologie végétale, on accepte généralement l'hypothèse individualiste. Mais de nouvelles questions se posent lorsqu'il s'agit d'appliquer cette hypothèse à des communautés animales. En 1981, les écologistes américains Paul et Anne Ehrlich ont lancé l'idée que les espèces composant une communauté étaient comme les rivets des ailes d'un avion : tous les rivets ne sont pas nécessaires pour faire tenir les ailes, mais si on les enlevait un à un, voler à bord de l'avion en question deviendrait inquiétant. Le **modèle des rivets** est la reprise du modèle intégré proposé par Clements pour les communautés végétales. Il affirme que la plupart des espèces d'une communauté sont en étroite relation les unes avec les autres, dans un réseau vital. Par conséquent, la réduction ou l'augmentation de l'abondance d'une espèce influe sur de nombreuses autres espèces.

En 1992, l'écologiste australien Brian Walker a proposé une conception opposée des communautés : le **modèle de la redondance**. Ce modèle veut que la plupart des espèces composant une communauté ne sont pas en étroite relation et que le réseau vital est très lâche. Une augmentation ou une diminution d'une espèce a peu d'effets sur les autres espèces de la communauté, qui ont leur rôle propre. C'est exactement ce qu'avait avancé Gleason 80 ans auparavant avec son modèle individualiste des communautés

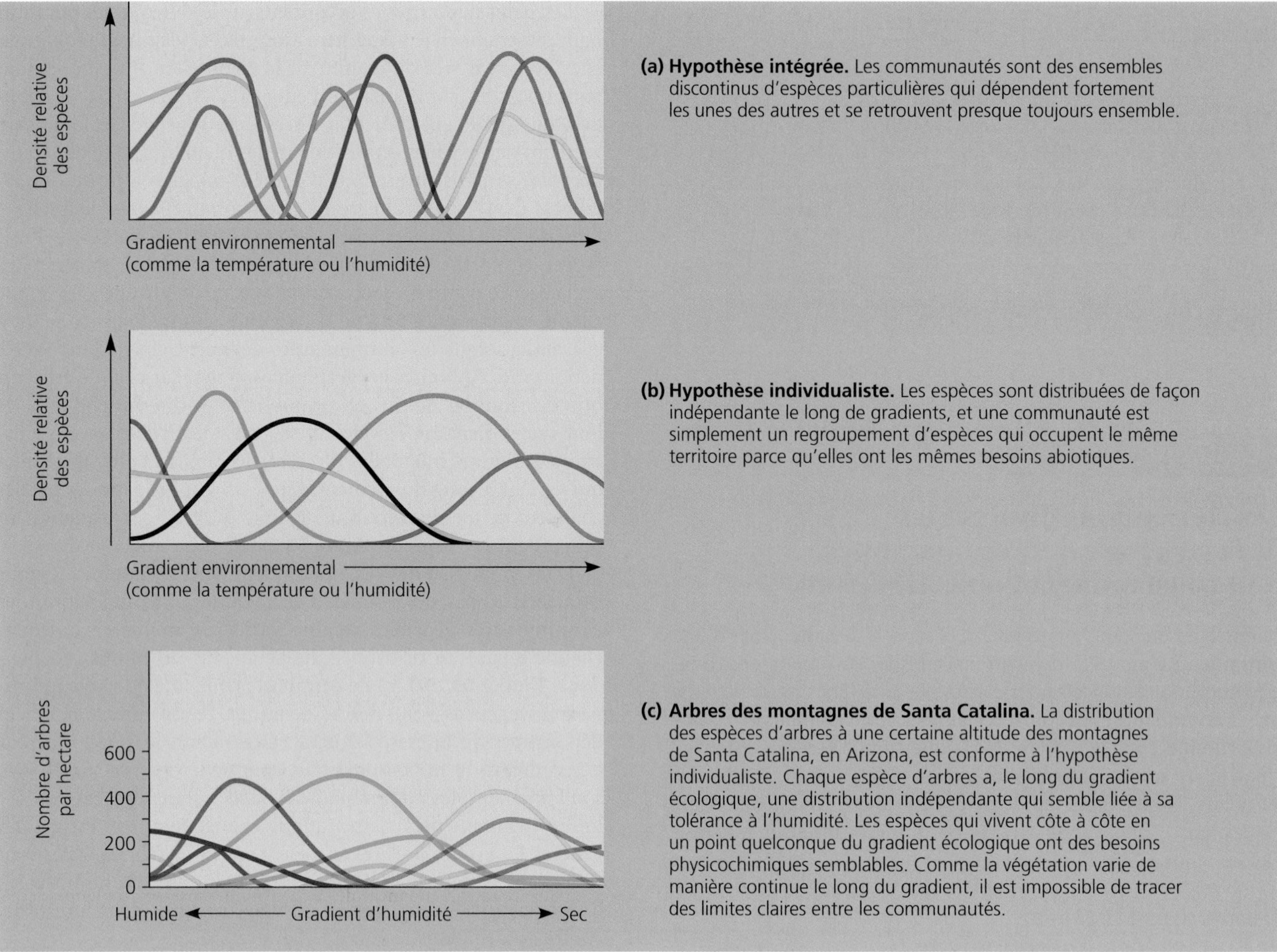

Densité relative des espèces
Gradient environnemental
(comme la température ou l'humidité)
(a) Hypothèse intégrée. Les communautés sont des ensembles discontinus d'espèces particulières qui dépendent fortement les unes des autres et se retrouvent presque toujours ensemble.
Densité relative des espèces
Gradient environnemental
(comme la température ou l'humidité)
(b) Hypothèse individualiste. Les espèces sont distribuées de façon indépendante le long de gradients, et une communauté est simplement un regroupement d'espèces qui occupent le même territoire parce qu'elles ont les mêmes besoins abiotiques.
Nombre d'arbres par hectare
600
400
200
0
Humide
Gradient d'humidité
Sec
(c) Arbres des montagnes de Santa Catalina. La distribution des espèces d'arbres à une certaine altitude des montagnes de Santa Catalina, en Arizona, est conforme à l'hypothèse individualiste. Chaque espèce d'arbres a, le long du gradient écologique, une distribution indépendante qui semble liée à sa tolérance à l'humidité. Les espèces qui vivent côte à côte en un point quelconque du gradient écologique ont des besoins physicochimiques semblables. Comme la végétation varie de manière continue le long du gradient, il est impossible de tracer des limites claires entre les communautés.

▲ **Figure 53.29 Évaluation des hypothèses intégrée et individualiste sur les communautés.** Pour évaluer les hypothèses intégrée et individualiste, l'écologiste Robert Whittaker a utilisé des graphiques représentant la densité relative des espèces (axe des *y*) le long de gradients de facteurs abiotiques comme ceux de la température ou de l'humidité (axe des *x*). Chaque courbe de couleur représente l'abondance relative d'une espèce.

végétales. Dans une communauté, les espèces sont redondantes. Ainsi, si un prédateur disparaît, une autre espèce de prédateur dans la communauté prend alors sa place comme consommateur d'une proie particulière. Si un pollinisateur cesse de visiter une espèce particulière d'Angiosperme parce qu'il a disparu du territoire, une autre espèce de pollinisateur fera le même travail.

Il est important de se rappeler que, tout comme les hypothèses intégrée et individualiste, ces modèles représentent des extrêmes et que la plupart des communautés sont plutôt intermédiaires. S'il en est ainsi, pourquoi le débat amorcé au début du XXe siècle se poursuit-il ? La raison principale est que nous n'avons toujours pas assez d'information pour répondre aux questions fondamentales soulevées par Clements et Gleason : Les communautés sont-elles des associations d'espèces peu structurées ou des unités très intégrées ? Pour évaluer pleinement ces modèles opposés, nous devons étudier la façon dont les espèces interagissent dans les communautés et déterminer jusqu'à quel point elles sont associées. Par exemple, si une communauté perdait une espèce clé plutôt qu'une espèce rare ayant relativement peu d'influence sur sa structure, en quoi les répercussions de ces disparitions différeraient-elles ?

Ces questions sur la structure des communautés sont importantes, parce qu'elles sont au cœur de beaucoup de nos problèmes écologiques actuels, comme les conséquences possibles de l'extinction de certaines espèces sur le fonctionnement des écosystèmes. Au chapitre 55, nous nous pencherons de nouveau sur ces modèles et sur les questions qu'ils soulèvent. Mais voyons d'abord le chapitre 54, qui traite de l'écologie des écosystèmes.

Retour sur le concept 53.5

1. Expliquez les hypothèses individualiste et intégrée sur la structure des communautés et le lien qui existe entre ces hypothèses et les modèles des rivets et de la redondance.

Voir les réponses proposées à la fin du chapitre.

Révision du chapitre 53

RÉSUMÉ DES CONCEPTS CLÉS

Concept 53.1

Les interactions d'une communauté comprennent la compétition, la prédation, l'herbivorisme, la symbiose et la maladie

- Les populations sont reliées par des interactions interspécifiques qui ont une incidence sur la survie et la reproduction des espèces qui interagissent **(p. 1257-1258)**.
- **La compétition (p. 1258-1259).** La compétition interspécifique se manifeste quand deux espèces se disputent des ressources limitées. La niche écologique représente l'utilisation globale qu'une espèce fait des ressources biotiques et abiotiques de son milieu. Selon le principe d'exclusion compétitive, deux espèces ne peuvent coexister dans la même communauté si leurs niches sont identiques.
- **La prédation (p. 1259-1261).** La prédation est une interaction dans laquelle une espèce, le prédateur, tue et dévore une autre espèce, la proie. La prédation est à l'origine de diverses adaptations, dont le mimétisme.

Tableau 53.1 Interactions interspécifiques

Interaction	Effets sur les espèces qui interagissent
Compétition (−/−)	L'interaction peut nuire aux deux espèces.
Prédation (+/−) Herbivorisme (+/−) Parasitisme (+/−) Maladie (+/−)	L'interaction bénéficie à l'une des espèces et nuit à l'autre.
Mutualisme (+/+)	L'interaction bénéficie aux deux espèces.
Commensalisme (+/0)	L'interaction bénéficie à l'une des deux espèces, mais n'influe pas sur l'autre.

- **L'herbivorisme (p. 1261).** L'herbivorisme, une interaction dans laquelle un herbivore se nourrit de parties de Végétaux ou d'Algues, a donné lieu à l'évolution de diverses défenses chimiques et mécaniques chez les plantes, et à des adaptations qui en sont la conséquence chez les espèces herbivores.
- **Le parasitisme (p. 1261).** Dans le parasitisme, un organisme, le parasite, se nourrit aux dépens d'un autre organisme, son hôte, à qui il porte préjudice. Le parasitisme a une forte incidence sur les populations et sur la structure des communautés.
- **La maladie (p. 1261-1262).** Les effets de la maladie sur les populations et les communautés sont les mêmes que ceux du parasitisme. La plupart des agents pathogènes sont microscopiques.
- **Le mutualisme (p. 1262).** Le mutualisme est une interaction qui bénéficie aux deux espèces.
- **Le commensalisme (p. 1262).** Le commensalisme est une interaction avantageuse pour une espèce et sans effet sur l'autre. Les cas de pur commensalisme sont presque inexistants.
- **Les interactions interspécifiques et les adaptations (p. 1262-1263).** Il existe peu de manifestations de coévolution, terme qui s'applique à une transformation génétique réciproque de populations qui interagissent. Toutefois, d'un point de vue plus universel, l'adaptation des organismes à d'autres organismes de leur milieu est une caractéristique fondamentale du vivant.

Concept 53.2

Les espèces dominantes et les espèces clés déterminent fortement la structure d'une communauté

- **La diversité spécifique (p. 1263-1264).** On mesure la diversité spécifique d'après le nombre d'espèces présentes dans une communauté, c'est-à-dire sa richesse spécifique, et d'après leur abondance relative. Une communauté où les espèces ont toutes la même abondance est plus diversifiée qu'une communauté où une ou deux espèces sont abondantes alors que toutes les autres sont rares.
- **La structure trophique (p. 1264-1266).** La structure trophique est un facteur déterminant dans la dynamique des communautés. Les chaînes alimentaires lient les niveaux trophiques, des producteurs aux carnivores de niveaux supérieurs. Les chaînes alimentaires ramifiées et les interactions trophiques complexes forment des réseaux alimentaires. Selon l'hypothèse énergétique, le nombre de niveaux d'une chaîne alimentaire est limité par l'inefficacité du transfert d'énergie le long de la chaîne. Conformément à l'hypothèse de la stabilité dynamique, les longues chaînes alimentaires sont moins stables que les courtes chaînes.
- **Les espèces ayant une grande influence (p. 1266-1268).** Les espèces dominantes et les espèces clés conditionnent fortement la structure d'une communauté. Les espèces dominantes sont celles qui, grâce à leurs grandes habiletés pour la compétition, deviennent les plus abondantes dans une communauté. Les espèces clés sont des espèces relativement rares qui, en raison de leur niche écologique, exercent une influence disproportionnée sur la structure d'une communauté. Les « ingénieurs » de l'écosystème, aussi appelés espèces perturbatrices, influent sur la structure d'une communauté par les changements qu'ils apportent au milieu physique.
- **La détermination ascendante et la détermination descendante (p. 1268-1269).** Le modèle ascendant suppose une influence unidirectionnelle de bas en haut des niveaux trophiques ; selon ce modèle, les nutriments et d'autres facteurs abiotiques sont les principaux déterminants de la structure d'une communauté, y compris de l'abondance des producteurs primaires. Quant au modèle descendant, il suppose que chacun des niveaux trophiques est déterminé par le niveau supérieur, ce qui fait que les prédateurs déterminent le nombre des herbivores, lesquels déterminent celui des producteurs primaires.

Concept 53.3

Les perturbations ont une incidence sur la diversité des espèces et sur la composition des communautés

- **Que sont les perturbations ? (p. 1270-1271)** Il est de plus en plus évident que ce sont les perturbations et le déséquilibre, et non la stabilité et l'équilibre, qui sont la norme pour la plupart des communautés. Selon l'hypothèse des perturbations de niveau intermédiaire, les perturbations de moyenne importance peuvent favoriser une plus grande diversité que les perturbations de bas niveau ou celles de niveau élevé.
- **Les perturbations d'origine humaine (p. 1271).** À titre de principaux agents de perturbation, les humains diminuent généralement la diversité spécifique des communautés. Ils empêchent également que ne se produisent certaines perturbations naturelles, notamment les incendies, qui peuvent pourtant être importantes pour la structure des communautés.
- **La succession écologique (p. 1271-1274).** La série de changements que connaissent une communauté et un écosystème après une perturbation constitue la succession écologique. La succession écologique primaire se produit là où le sol n'est pas formé au début du processus. La succession écologique secondaire commence dans une aire où le sol est épargné après une perturbation. Parmi les mécanismes à l'origine des changements qui se produisent pendant la succession écologique, on compte la facilitation et l'inhibition.

Des facteurs biogéographiques influent sur la biodiversité des communautés

- **Les gradients équatoriaux-polaires (p. 1274).** La richesse spécifique, qui est particulièrement grande dans les tropiques, diminue généralement le long d'un gradient équatorial-polaire. L'âge plus avancé des milieux tropicaux pourrait expliquer leur plus grande richesse spécifique. Le climat influe aussi sur ce gradient de biodiversité par l'intermédiaire des facteurs que sont l'énergie (chaleur et lumière) et l'eau.
- **Les effets de l'étendue géographique (p. 1274).** La richesse spécifique dépend directement de l'étendue géographique d'une communauté. Ce principe écologique se représente sous forme de courbes aire-espèces.
- **Le modèle de l'équilibre de la biogéographie insulaire (p. 1274-1277).** Sur les îles, la richesse spécifique dépend de la superficie et de la distance par rapport au continent. Le modèle de l'équilibre de la biogéographie insulaire soutient que la richesse spécifique sur une île atteint un équilibre dynamique dans lequel le taux d'immigration équivaut au taux d'extinction. Ces dernières années, ce modèle a toutefois été contesté.

Les conceptions divergentes de la structure des communautés font constamment l'objet de débats

- **L'hypothèse intégrée et l'hypothèse individualiste (p. 1277).** Selon l'hypothèse intégrée, la communauté est un regroupement d'espèces étroitement et inéluctablement unies par des interactions biotiques particulières. L'hypothèse individualiste, quant à elle, suppose que les communautés sont des associations peu structurées d'espèces indépendamment distribuées ayant les mêmes besoins abiotiques.
- **Le modèle des rivets et le modèle de la redondance (p. 1277-1278).** Selon le modèle des rivets, toutes les espèces d'une communauté sont reliées par un réseau serré d'interactions, de sorte que même la perte d'une seule espèce a des conséquences importantes pour la communauté. Selon le modèle de la redondance, si une espèce disparaît d'une communauté, d'autres espèces prendront sa place.

VÉRIFIEZ VOS CONNAISSANCES

Autoévaluation

(Les questions dont les numéros sont en caractères gras font surtout appel à la compréhension.)

1. Les relations alimentaires entre les espèces d'une communauté déterminent:
   a) sa succession écologique secondaire.
   b) sa niche écologique.
   c) sa structure trophique.
   d) sa courbe aire-espèces.
   e) sa richesse spécifique.
2. Selon le principe d'exclusion compétitive:
   a) deux espèces ne peuvent pas cohabiter dans le même habitat.
   b) l'extinction et l'émigration sont les seuls résultats possibles de la compétition.
   c) la compétition intraspécifique fait que les individus les mieux adaptés prospèrent.
   d) deux espèces ne peuvent pas partager la même niche réelle dans une communauté.
   e) les espèces qui sont en compétition connaissent généralement une coévolution.

3. Dans une communauté, un prédateur clé maintient la diversité spécifique:
   a) en excluant par la compétition tous les autres prédateurs.
   b) en s'attaquant à l'espèce dominante de la communauté.
   c) en permettant l'immigration d'autres prédateurs.
   d) en réduisant le nombre de perturbations dans la communauté.
   e) par la coévolution avec ses proies.

4. Dans les communautés, les chaînes alimentaires comportent relativement peu de niveaux, parce que:
   a) il se peut que deux espèces herbivores ne se nourrissent pas des mêmes espèces de plantes.
   b) l'extinction locale d'une espèce voue à leur perte toutes les autres espèces d'un réseau alimentaire.
   c) il y a une perte d'énergie d'un niveau trophique à l'autre, quand on monte dans les chaînes alimentaires.
   d) très peu d'espèces prédatrices ont évolué.
   e) la plupart des espèces végétales ne sont pas comestibles.

5. Selon le modèle des rivets portant sur l'organisation des communautés:
   a) les espèces qui vivent dans une communauté ont les mêmes besoins abiotiques.
   b) les communautés n'ont en général pas de limites géographiques nettes.
   c) si une espèce disparaît d'une communauté, son rôle sera assumé par une autre espèce.
   d) toutes les espèces contribuent à l'intégrité d'une communauté naturelle.
   e) les espèces de plantes dépendantes d'un certain type de sol forment une communauté dont les membres sont assujettis par un réseau serré d'interactions.
6. La diversité spécifique d'une communauté augmente:
   a) lorsqu'elle connaît fréquemment des perturbations majeures.
   b) lorsqu'elle connaît des conditions stables, exemptes de perturbations.
   c) lorsqu'elle connaît des perturbations de niveau moyen.
   d) lorsque les humains interviennent pour éliminer les perturbations.
   e) lorsque les humains causent d'intensives perturbations.
7. Parmi les propositions suivantes, laquelle nous fournit un exemple de mimétisme müllérien?
   a) La ressemblance entre un papillon et une feuille.
   b) La ressemblance entre deux grenouilles venimeuses.
   c) La présence de taches semblables à des yeux sur un méné.
   d) La ressemblance entre un coléoptère et un scorpion.
   e) La ressemblance entre la langue d'un Poisson carnivore et un Ver.

8. Parmi les propositions suivantes, laquelle peut être considérée comme un facteur de détermination descendante de la structure d'une communauté de prairie?
   a) La limitation de la biomasse végétale par l'importance des précipitations.
   b) L'influence de la température sur la compétition entre les plantes.
   c) L'influence des nutriments du sol sur l'abondance des Graminées par opposition à celle des plantes à fleurs.
   d) L'effet de l'intensité du broutement effectué par les bisons sur la diversité spécifique des plantes.
   e) L'effet de l'humidité sur le taux de croissance des Végétaux.

9. Parmi les hypothèses suivantes qui expliquent pourquoi la richesse spécifique est plus grande dans les régions tropicales que dans les régions tempérées, laquelle est la plus plausible?
   a) Les communautés tropicales sont plus jeunes.
   b) Les régions tropicales présentent un rayonnement solaire plus intense et une plus grande disponibilité de l'eau.
   c) Les températures élevées donnent lieu à une spéciation plus rapide.
   d) La biodiversité augmente à mesure que l'évapotranspiration diminue.
   e) Les régions tropicales présentent des taux d'immigration très élevés et des taux d'extinction très faibles.

10. Selon la théorie de l'équilibre de la biogéographie insulaire, la richesse spécifique est maximale sur une île:
   a) petite et éloignée du continent.
   b) grande et éloignée du continent.
   c) grande et proche du continent.
   d) petite et proche du continent.
   e) écologiquement homogène.

Lien avec l'évolution

Expliquez pourquoi les adaptations des organismes à la compétition interspécifique ne représentent pas nécessairement des exemples de déplacement du phénotype. Que doit démontrer un chercheur au sujet d'une interaction entre deux espèces concurrentes pour prouver qu'il s'agit d'un déplacement du phénotype?

Intégration

Une écologiste qui étudie les plantes du désert délimite deux parcelles identiques comprenant quelques plants d'armoise tridentée (*Artemisia tridentata*) et un grand nombre de petites plantes à fleurs annuelles. Elle s'aperçoit que cinq espèces de plantes à fleurs sont représentées par un nombre semblable d'individus dans les deux parcelles. Elle clôture l'une des parcelles pour en bloquer l'accès au rat-kangourou (*Dipodomys sp.*), le granivore le plus répandu dans la région. Deux ans plus tard, quatre espèces de plantes à fleurs ont disparu de la parcelle clôturée et la cinquième s'est énormément multipliée. Aucun changement notable ne s'est produit dans la parcelle témoin. Proposez une hypothèse pour expliquer ce qui s'est produit. Employez la terminologie appropriée et faites référence aux principes de l'écologie des communautés. Quelle autre preuve confirmerait votre hypothèse?

Science, technologie et société

En 1935, l'Alaska était le seul État américain où la chasse et le piégeage n'avaient pas éliminé les loups gris (*Canis lupus*). Les loups gris devinrent alors une espèce protégée. Des individus de cette espèce venus du Canada s'établirent dans les Rocheuses et au nord des Grands Lacs. Les écologistes souhaitent accélérer le processus de rétablissement en introduisant des loups gris dans le parc national de Yellowstone. Mais les éleveurs de la région s'y opposent, car ils craignent que les loups gris ne s'attaquent à leur bétail. Pour quelles raisons les écologistes ont-ils choisi le parc de Yellowstone? Quelles pourraient être les conséquences de la réintroduction du loup gris sur les communautés du parc? Comment pourrait-on rassurer les éleveurs?

Réponses du chapitre 53

Retour sur le concept 53.1

1. La compétition interspécifique produit des effets négatifs sur les deux espèces (−/−). La prédation profite à la population des prédateurs et nuit à celle des proies (+/−). Quant au mutualisme, il s'agit d'une symbiose qui profite aux deux espèces (+/+).
2. L'une des espèces subira une élimination locale parce que le concurrent le plus efficace connaîtra un plus grand succès reproductif.
3. Non. La coévolution implique l'adaptation de deux espèces l'une à l'autre. Dans le cas du mimétisme batésien, l'espèce modèle ne s'adapte généralement pas aux changements effectués par l'espèce imitatrice.

Retour sur le concept 53.2

1. La richesse spécifique est le nombre d'espèces que compte une communauté. L'abondance relative est la proportion de la communauté représentée par chacune des diverses espèces qui la composent. Une communauté où toutes les espèces sont en proportions égales est considérée comme plus diversifiée qu'une communauté où une espèce représente une proportion très élevée du total des individus. Plus sa richesse spécifique est grande et plus la répartition de chacune des espèces qui la composent est uniforme, plus une communauté est diversifiée.
2. Selon l'hypothèse énergétique, l'inefficacité du transfert d'énergie le long d'une chaîne alimentaire limite le nombre de ses niveaux. Selon l'hypothèse de la stabilité dynamique, les chaînes alimentaires comptant de nombreux niveaux sont moins stables que les autres. L'hypothèse énergétique prédit que le nombre de niveaux des chaînes alimentaires sera élevé dans les habitats où la production primaire est importante. L'hypothèse de la stabilité dynamique prédit que le nombre de niveaux des chaînes alimentaires sera élevé dans les milieux aux conditions prévisibles.
3. Les espèces dominantes ont des effets importants sur la communauté en raison de l'importance de leur nombre ou de leur biomasse. Les espèces clés conditionnent fortement la structure de la communauté en raison de leur rôle écologique.
4. Selon le modèle descendant, ce sont les organismes consommateurs qui conditionnent l'organisation d'une communauté, en particulier l'abondance des producteurs primaires. Selon le modèle ascendant, ce sont des facteurs environnementaux, comme les nutriments et l'humidité, qui déterminent le nombre des producteurs primaires.

Retour sur le concept 53.3

1. Les perturbations de niveau élevé sont en général assez importantes pour éliminer de nombreuses espèces de la communauté, qui se trouve ainsi dominée par quelques espèces résistantes. Quant aux perturbations de niveau bas, elles permettent à des espèces dominantes d'exclure d'autres espèces de la communauté. En revanche, les perturbations de niveau intermédiaire peuvent faciliter la coexistence d'un plus grand nombre d'espèces dans la communauté en empêchant les espèces dominantes de devenir assez abondantes pour éliminer d'autres espèces.
2. Au début de la succession écologique primaire, le territoire est dépourvu de sol. Au contraire, la succession écologique secondaire a lieu dans un territoire dont le sol est déjà existant.
3. Les espèces pionnières peuvent faciliter l'arrivée d'autres espèces de nombreuses façons: elles peuvent notamment augmenter la fertilité du sol ou sa capacité de retenir l'eau, ou protéger les plantules du vent ou d'une exposition trop intense à la lumière.

Retour sur le concept 53.4

1. La principale raison pour laquelle on croit que les régions les plus vastes abritent un plus grand nombre d'espèces est qu'elles offrent des habitats plus divers.
2. Les écologistes avancent que la plus grande richesse spécifique des régions tropicales est la conséquence d'une évolution plus longue, de même que d'un apport d'énergie solaire et d'une disponibilité de l'eau plus importants.
3. Plus une île est éloignée du continent, moins le taux d'immigration y est élevé, et plus sa superficie est grande, plus le taux d'immigration y est élevé. Plus une île est grande et moins elle est isolée, moins le taux d'extinction y est élevé. Comme le nombre d'espèces présentes dans les îles est en grande partie déterminé par la différence entre les taux d'immigration et d'extinction, il est élevé dans les grandes îles rapprochées du continent et faible dans les petites îles éloignées du continent.

Retour sur le concept 53.5

1. Selon l'hypothèse individualiste sur la structure des communautés, les communautés sont des regroupements d'espèces distribuées indépendamment des autres espèces le long des gradients écologiques. Cette hypothèse est étroitement apparentée au modèle de la redondance, proposé plus récemment, qui suppose que la plupart des espèces d'une communauté ne sont pas étroitement interreliées. Selon l'hypothèse intégrée, les communautés sont des regroupements fortement intégrés d'espèces interdépendantes. Cette idée a été reprise dans le modèle des rivets.

Autoévaluation

1. c; 2. d; **3.** b; **4.** c; 5. d; 6. c; 7. b; **8.** d; **9.** b; 10. c.

54 Les écosystèmes

▲ **Figure 54.1 Cet aquarium constitue un écosystème circonscrit par des panneaux de verre.**

Concepts clés

54.1 L'écologie des écosystèmes met l'accent sur le flux de l'énergie et sur les cycles biogéochimiques

54.2 La productivité primaire dans les écosystèmes est limitée par des facteurs physiques et chimiques

54.3 L'efficacité du transfert d'énergie entre les niveaux trophiques est habituellement de moins de 20 %

54.4 Des processus biologiques et géochimiques font passer les nutriments des réservoirs organiques aux réservoirs inorganiques de l'écosystème

54.5 La population humaine perturbe les cycles biogéochimiques de toute la biosphère

Introduction

Écosystèmes, énergie et matière

Un **écosystème** est l'ensemble que forment les organismes d'une communauté et les facteurs abiotiques avec lesquels ils interagissent. Il existe des écosystèmes minuscules, du type de l'aquarium de la **figure 54.1**, et des écosystèmes très vastes, tels que les lacs et les forêts. Comme celles des populations et des communautés, les limites d'un écosystème ne sont pas précises. Les villes et les fermes sont des exemples d'écosystèmes dominés par les humains. Certains écologistes considèrent la biosphère comme un superécosystème composé de tous les écosystèmes locaux de la Terre.

Quelle que soit l'étendue de l'écosystème, sa dynamique comporte deux processus que les mécanismes et les phénomènes relatifs aux populations et aux communautés ne peuvent complètement décrire : le flux de l'énergie et les cycles biogéochimiques. L'énergie pénètre dans la plupart des écosystèmes principalement sous forme de lumière solaire. Elle est convertie en énergie chimique par les organismes autotrophes, transmise aux hétérotrophes par l'intermédiaire des composés organiques de la nourriture et dissipée sous forme de chaleur. Les éléments chimiques comme le carbone et l'azote circulent de manière cyclique entre les composantes biotiques et abiotiques de l'écosystème. Les organismes photosynthétiques tirent ces éléments de l'air, du sol et de l'eau sous forme inorganique. Ils les incorporent dans des molécules organiques que d'autres organismes hétérotrophes peuvent consommer. Les éléments retournent dans l'air, dans le sol et dans l'eau sous forme inorganique, après avoir participé au métabolisme des Végétaux, des Animaux et des autres organismes qui, tels les Bactéries, les Archéobactéries et les Eumycètes, décomposent les déchets organiques et les organismes morts.

L'énergie et la matière circulent dans les écosystèmes grâce au transfert de substances qui a lieu au cours de la photosynthèse et des relations alimentaires. Mais, contrairement à la matière, l'énergie ne peut être recyclée. Un écosystème doit donc continuellement recevoir de l'énergie d'une source externe, le Soleil dans la plupart des cas. L'énergie s'écoule dans les écosystèmes, alors que la matière y est recyclée.

Les ressources essentielles à la survie et au bien-être des humains, des aliments que nous consommons à l'oxygène que nous respirons, résultent des processus des écosystèmes. Dans ce chapitre, nous allons décrire la dynamique du flux de l'énergie et des cycles biogéochimiques dans les écosystèmes. Nous allons également étudier quelques-unes des conséquences de l'ingérence humaine dans ces processus.

Concept 54.1

L'écologie des écosystèmes met l'accent sur le flux de l'énergie et sur les cycles biogéochimiques

Pour les écologistes, les écosystèmes fonctionnent comme des machines qui transforment l'énergie et qui traitent la matière. En regroupant les espèces d'une communauté en niveaux trophiques, selon leur principale source de nutrition et d'énergie (voir le chapitre 53), on peut suivre la transformation de l'énergie dans l'ensemble de l'écosystème et la circulation des éléments chimiques utilisés par la communauté biotique.

Les écosystèmes et les lois de la physique

Pour analyser la dynamique des écosystèmes, les écologistes, qui étudient les interactions entre les organismes et leur milieu physique, s'appuient en grande partie sur les lois bien établies de la physique et de la chimie. Selon la loi de la conservation de l'énergie, que nous avons étudiée au chapitre 8, l'énergie n'est ni créée ni détruite, mais seulement transformée. Ainsi, dans tous les écosystèmes, on doit pouvoir suivre le cheminement de l'énergie depuis son entrée sous forme de rayonnements solaires jusqu'à sa libération par les organismes sous forme de chaleur. Les Végétaux et autres organismes photosynthétiques convertissent la lumière en énergie chimique, mais la quantité totale d'énergie ne change pas. La quantité d'énergie contenue dans les molécules organiques et la quantité réfléchie et dissipée sous forme de chaleur doivent donc équivaloir à l'énergie solaire totale interceptée par les plantes. L'un des champs d'étude de l'écologie des écosystèmes consiste à calculer ces bilans énergétiques et à suivre le flux de l'énergie dans des écosystèmes particuliers en vue de comprendre les facteurs qui déterminent ces transferts d'énergie.

Le deuxième principe de la thermodynamique nous apprend que les transformations énergétiques ne peuvent pas être totalement efficaces et qu'une partie de l'énergie est perdue sous forme de chaleur dans tous les processus de conversion (voir le chapitre 8). Cela suppose qu'on peut mesurer l'efficacité des transformations énergétiques en écologie de la même façon qu'on mesure l'efficacité des ampoules électriques et des moteurs d'automobiles.

L'énergie qui circule dans les écosystèmes se dissipe dans l'espace sous forme de chaleur. Donc, sans l'apport constant de l'énergie solaire à la Terre, les écosystèmes disparaîtraient. Au contraire, les éléments chimiques sont continuellement recyclés. Un atome de carbone ou d'azote effectue en permanence un cycle, passant d'un niveau trophique à l'autre pour arriver aux décomposeurs, puis recommençant à circuler d'un niveau trophique à l'autre. Globalement, les éléments ne se perdent pas, mais ils peuvent quitter un écosystème pour passer à un autre. La mesure et l'analyse de ces cycles des éléments chimiques dans les écosystèmes et dans la biosphère entière constituent un autre champ d'étude de l'écologie des écosystèmes.

Les relations trophiques

Comme nous l'avons vu au chapitre 53, les écologistes se fondent sur la principale source de nutriments et d'énergie des espèces pour déterminer à quel niveau trophique elles appartiennent. La **figure 54.2** résume les relations trophiques d'un écosystème. Le niveau trophique sur lequel reposent en fin de compte tous les autres comprend les organismes autotrophes, appelés **producteurs**. La plupart des autotrophes sont des organismes photosynthétiques qui, à l'aide de l'énergie lumineuse, synthétisent des glucides et d'autres composés organiques destinés à servir de combustible pour leur respiration cellulaire et de matériaux pour leur croissance. Les Végétaux, les Algues et les Procaryotes photosynthétiques sont les principaux autotrophes de la biosphère, même si les Procaryotes chimioautotrophes sont les producteurs dans des écosystèmes comme les sources thermales sous-marines (voir la figure 50.17).

Les organismes des niveaux trophiques suivants sont des hétérotrophes. Ils se nourrissent directement ou indirectement des produits photosynthétiques des producteurs. Les herbivores, qui se nourrissent de Végétaux, d'Algues ou de Procaryotes photosynthétiques, sont des **consommateurs primaires**. Les carnivores qui se nourrissent d'herbivores sont des **consommateurs secondaires**. Ils sont à leur tour dévorés par d'autres carnivores, les **consommateurs tertiaires**. Les **détritivores** constituent un autre groupe important. Ce sont des consommateurs qui puisent leur énergie des **détritus**, matières organiques non vivantes comme les restes d'organismes morts, les excréments, les feuilles mortes et le bois.

La décomposition

Les Procaryotes, les Eumycètes et les Animaux qui se nourrissent de détritus représentent souvent un lien important entre les producteurs et les consommateurs d'un écosystème. Ainsi, dans la

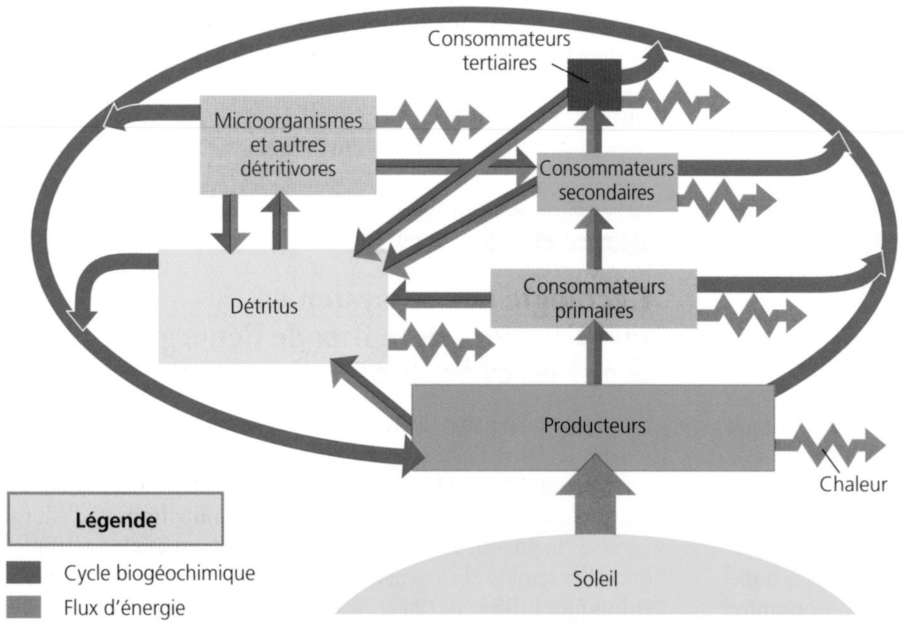

◄ **Figure 54.2 Vue d'ensemble de la dynamique de l'énergie et des nutriments dans un écosystème.** L'énergie pénètre dans l'écosystème, y circule et en ressort, tandis que les nutriments chimiques y sont constamment recyclés. Ce schéma général montre l'énergie (flèches orange) provenant du Soleil sous forme de rayonnement puis se déplaçant sous forme d'énergie chimique dans le réseau alimentaire, pour finalement se dissiper en chaleur dans l'espace. La plupart des transferts de nutriments (flèches bleues) qui ont lieu entre les niveaux trophiques aboutissent à la formation de détritus; les nutriments recyclés reviennent ensuite aux producteurs.

forêt, des Oiseaux dévorent des vers de terre qui se sont nourris de la litière de feuilles mortes ainsi que des Bactéries et des Eumycètes associés à cette litière. Mais, plus important encore que ce lien que représentent les détritivores entre les producteurs et les consommateurs est le rôle qu'ils jouent en mettant à la disposition des producteurs les éléments chimiques essentiels.

En effet, les détritivores décomposent la matière organique présente dans l'écosystème, recyclent les éléments chimiques et les rendent disponibles sous des formes que les Végétaux peuvent assimiler, dans des réservoirs abiotiques comme le sol, l'eau et l'air. Les producteurs peuvent alors recycler ces éléments en les transformant en composés organiques. Bien que tous les organismes décomposent une certaine quantité de molécules organiques, notamment au cours de la respiration cellulaire, les décomposeurs les plus importants dans la plupart des écosystèmes sont des Bactéries, certaines Archéobactéries et des Eumycètes. Ces organismes sécrètent des enzymes qui dégradent la matière organique. Puis ils absorbent les produits de la décomposition **(figure 54.3)**. La décomposition par les Procaryotes et les Eumycètes, qui est responsable de la majeure partie de la transformation de la matière organique de tous les niveaux trophiques en composés inorganiques qu'utilisent les autotrophes, boucle la boucle du cycle biogéochimique d'un écosystème. La décomposition est un processus écologique sous-estimé, les Procaryotes et la plupart des Eumycètes n'étant pas visibles à l'œil nu. Pourtant, si la décomposition s'arrêtait, toute vie sur la Terre cesserait, car les détritus s'accumuleraient tandis que s'épuiserait la réserve d'ingrédients chimiques nécessaires à la formation de nouvelles matières organiques.

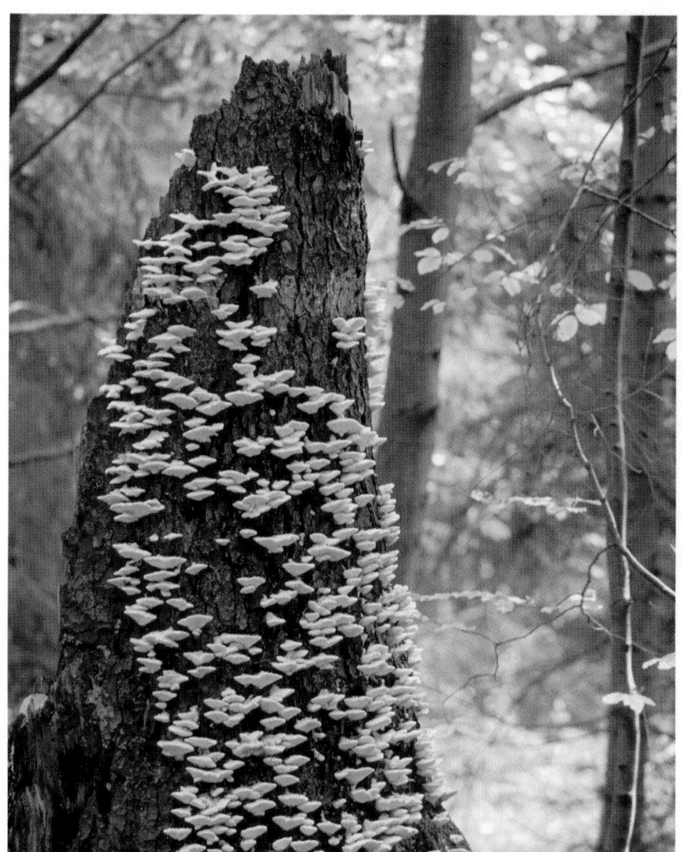

▲ **Figure 54.3 Eumycètes décomposant un tronc d'arbre.**

Retour sur le concept 54.1

1. Pourquoi parle-t-on de flux d'énergie et non de cycle énergétique lorsqu'on fait référence au transfert d'énergie qui a lieu dans un écosystème?
2. Comment le deuxième principe de la thermodynamique explique-t-il pourquoi l'énergie qui circule dans un écosystème doit constamment être renouvelée?
3. Pourquoi les détritivores sont-ils essentiels à la survie des écosystèmes?

Voir les réponses proposées à la fin du chapitre.

Concept 54.2

La productivité primaire dans les écosystèmes est limitée par des facteurs physiques et chimiques

La **productivité primaire** est la quantité d'énergie chimique (composés organiques) issue de la conversion de l'énergie lumineuse par les organismes autotrophes d'un écosystème, dans une période donnée. Ce résultat de l'activité photosynthétique constitue le point de départ pour les études du métabolisme des vivants d'un écosystème et du flux de l'énergie.

L'allocation énergétique des écosystèmes

La plupart des producteurs utilisent l'énergie lumineuse pour synthétiser des molécules organiques riches en énergie dont la dégradation pourra ensuite servir à produire de l'ATP (voir le chapitre 10). Les consommateurs se procurent leurs combustibles organiques de deuxième (voire de troisième ou de quatrième) main par l'intermédiaire d'un réseau alimentaire comme celui de la figure 53.13. Par voie de conséquence, l'intensité de l'activité photosynthétique établit l'allocation énergétique de l'écosystème tout entier.

L'allocation énergétique mondiale

Chaque jour, la Terre reçoit environ 10^{22} joules (1 J = 0,239 cal) d'énergie sous forme de rayonnement solaire. Cette énergie est suffisante pour satisfaire les besoins de toute la population humaine pendant 25 ans, selon les niveaux de consommation de 2004. Comme nous l'expliquons au chapitre 50, l'intensité du rayonnement solaire qui atteint la Terre et son atmosphère varie suivant la latitude, de telle sorte que les tropiques sont la partie de la planète qui en reçoit le plus. Le rayonnement solaire est en grande partie absorbé, réfracté ou réfléchi par l'atmosphère, selon les variations du couvert nuageux et la quantité de poussière contenue dans l'air au-dessus des différentes régions. La quantité de rayonnement solaire qui atteint la surface terrestre limite l'activité photosynthétique des différents écosystèmes.

La majeure partie du rayonnement solaire qui atteint la Terre tombe sur des terrains dénudés et des étendues d'eau qui absorbent ou réfléchissent l'énergie. Une petite partie atteint les feuilles des plantes, les Algues et les Procaryotes photosynthétiques. Enfin, seule une fraction de cette petite partie a une longueur d'onde appropriée à la photosynthèse. Ainsi, seul 1 % environ de la lumière visible qui atteint les organismes photosynthétiques est converti en énergie chimique par photosynthèse. Ce rendement varie en fonction de divers facteurs, notamment le type d'organisme et l'intensité lumineuse. La fraction du rayonnement solaire total incident qui est retenue par la photosynthèse est donc minime. Malgré tout, les producteurs fabriquent environ 170 milliards de tonnes de matière organique par an.

La productivité primaire brute et la productivité primaire nette

La quantité de matière organique issue de la conversion de l'énergie lumineuse en énergie chimique au cours de la photosynthèse est la productivité primaire totale, qu'on appelle **productivité primaire brute (PPB)**. Les Végétaux en croissance n'emmagasinent pas toute l'énergie chimique sous forme de matière organique. Ils en utilisent en effet une partie pour leur respiration cellulaire. Si on soustrait de la productivité primaire brute (PPB) cette énergie utilisée pour la respiration cellulaire (R), on obtient la **productivité primaire nette (PPN)**:

$$PPN = PPB - R$$

C'est une mesure importante, car elle représente la quantité d'énergie chimique emmagasinée que les consommateurs de l'écosystème pourront utiliser. Dans les forêts, par exemple, la productivité primaire nette peut ne représenter que le quart de la productivité primaire brute. Les arbres doivent en effet entretenir la croissance de leur tronc, de leurs branches et de leurs racines, dont la masse est très élevée. Par conséquent, les communautés végétales herbacées et les cultures perdent moins d'énergie dans la respiration que les forêts.

Nous pouvons exprimer la productivité primaire nette sous forme de quantité d'énergie par unité d'aire ou de volume et par unité de temps ($J/m^2/an$). Nous pouvons aussi l'exprimer sous forme de quantité de biomasse de producteurs ajoutée à l'écosystème par unité d'aire ou de volume et par unité de temps ($g/m^2/an$). (Parce que les molécules d'eau ne contiennent pas d'énergie transformable en matière organique et que la teneur en eau des producteurs varie beaucoup sur une courte période, on exprime généralement la biomasse sous forme de masse sèche de matière organique.) Il ne faut pas confondre la productivité primaire nette d'un écosystème avec la biomasse *totale* des organismes autotrophes photosynthétiques présents à un moment donné, qui est la *biomasse mesurable* (aussi appelée *stock actuel*). La productivité primaire nette représente la quantité de *nouvelle* biomasse qu'ajoutent les producteurs à un écosystème, en fonction du temps. Une forêt a une faible productivité primaire nette et une très grande biomasse, tandis qu'une prairie tempérée a une forte productivité primaire nette et une petite biomasse. Dans une prairie tempérée, en effet, de nombreuses plantes sont annuelles ou sont dévorées par les herbivores, et il n'y a pas d'accumulation de végétation.

La productivité primaire nette varie selon les écosystèmes et les biomes, qui contribuent chacun plus ou moins à la productivité primaire nette totale de la Terre **(figure 54.4)**. Les forêts tropicales

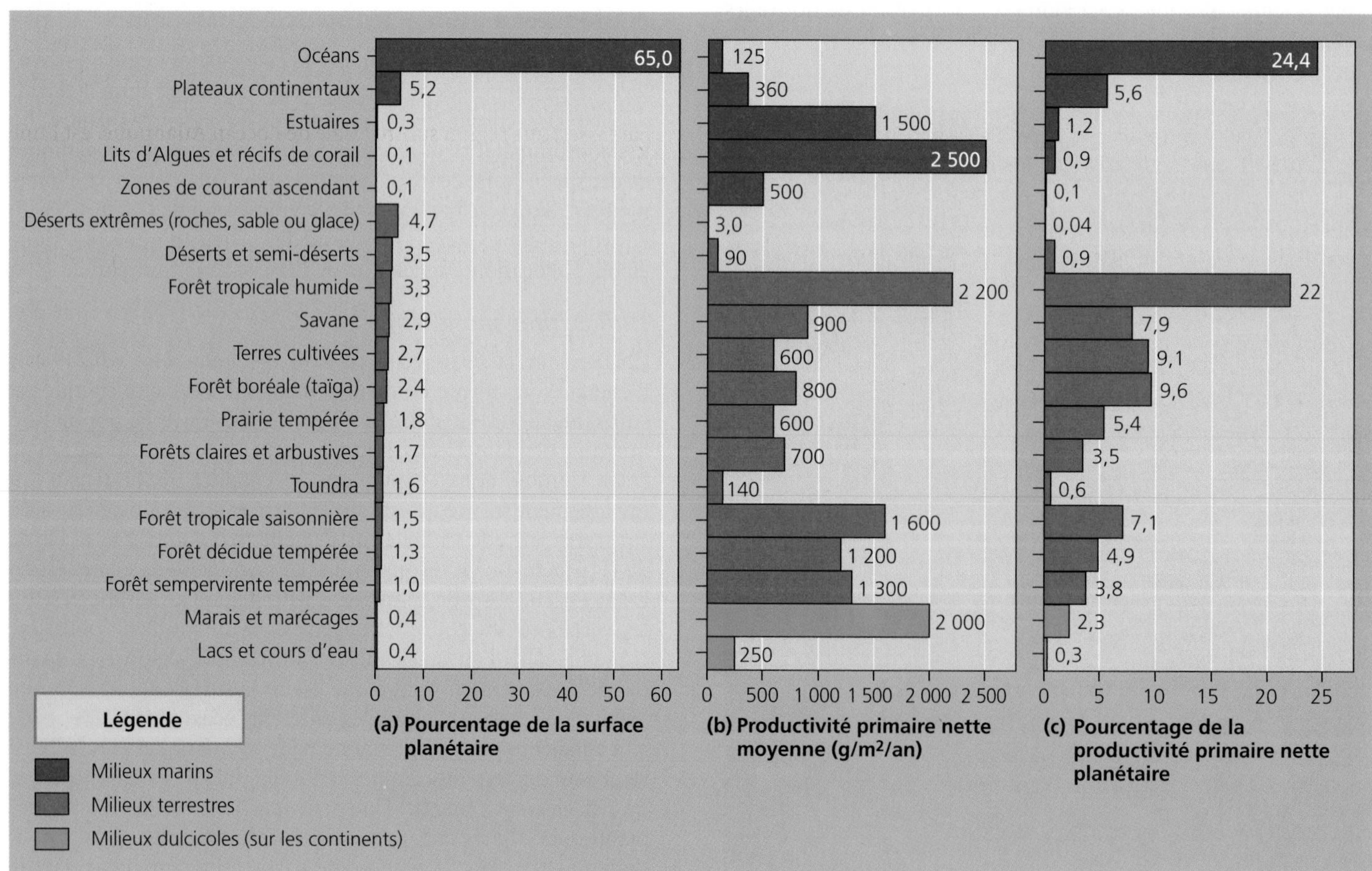

▲ **Figure 54.4 Productivité primaire nette de différents biomes et écosystèmes.** L'étendue géographique **(a)** et la productivité primaire nette par unité d'aire **(b)** de différents biomes et écosystèmes déterminent leur contribution à la productivité primaire nette totale **(c)**.

humides, qui font partie des écosystèmes terrestres les plus productifs, contribuent beaucoup à la productivité primaire nette totale de la planète. Les estuaires et les récifs de corail sont également très productifs. Mais, comme ils n'occupent qu'un dixième environ de la superficie couverte par les forêts tropicales humides, la contribution de ces écosystèmes à la productivité primaire nette totale est relativement faible. Malgré leur faible productivité primaire nette par unité d'aire, les océans contribuent de manière importante à la productivité primaire nette totale, car ils sont extrêmement vastes.

Les images de la planète prises par satellite fournissent maintenant un moyen pour étudier la répartition des zones de productivité primaire. L'impression la plus frappante que laissent ces images est la faible productivité des océans par unité d'aire, par rapport à la productivité élevée des forêts tropicales humides. À l'échelle planétaire, les écosystèmes terrestres assurent approximativement les deux tiers de la productivité primaire nette, et les écosystèmes marins, approximativement le tiers **(figure 54.5)**.

Quels facteurs déterminent la productivité primaire dans les écosystèmes? En d'autres mots, quels facteurs peut-on faire varier pour augmenter ou diminuer la productivité dans un écosystème donné? Examinons d'abord les facteurs qui limitent la productivité primaire dans les écosystèmes aquatiques.

La productivité primaire dans les écosystèmes marins et dulcicoles

Dans les écosystèmes aquatiques (marins et dulcicoles), la lumière et les nutriments déterminent en grande partie la productivité primaire.

L'effet limitatif de la lumière

Dans les océans, comme on s'y attend, la première variable qui détermine la productivité primaire est la lumière, puisque le rayonnement solaire alimente la photosynthèse. La profondeur à laquelle parvient la lumière influe sur la productivité primaire dans toute la zone euphotique d'un océan ou d'un lac (voir la figure 50.16). Le premier mètre d'eau absorbe plus de la moitié du rayonnement solaire. Même dans l'eau «claire», 5 à 10% seulement du rayonnement atteint une profondeur de 20 m.

Comme la lumière est la principale variable qui limite la productivité primaire dans l'océan, on s'attendrait à une augmentation de la productivité le long d'un gradient partant des pôles allant jusqu'à l'équateur, où l'intensité lumineuse est la plus forte. Mais, à l'examen de la figure 54.5, on peut constater qu'il n'existe pas de tel gradient. En effet, certaines parties des régions tropicales et subtropicales sont très improductives. En revanche, certaines régions océaniques situées sous de hautes latitudes sont relativement productives. Un autre facteur doit influencer la productivité primaire des océans.

L'effet limitatif des nutriments

Ce sont les nutriments plus que la lumière qui limitent la productivité primaire dans différentes régions géographiques de l'océan et dans les lacs. Les écologistes utilisent l'expression **nutriment limitant** pour désigner la substance chimique qu'il faut ajouter pour stimuler la productivité d'un milieu. L'azote et le phosphore sont les deux nutriments qui limitent le plus souvent la productivité primaire marine. Les concentrations d'azote et de phosphore sont très faibles dans la zone euphotique (couche supérieure), où vit le phytoplancton. Ironiquement, les nutriments abondent dans les eaux profondes, où la lumière est trop faible pour la photosynthèse, voire absente.

Comme l'explique la **figure 54.6**, des expériences d'enrichissement en matières nutritives ont confirmé que l'azote limitait la croissance du phytoplancton au large de la côte sud de Long Island, dans l'État de New York. La prévention des proliférations d'Algues causées par la pollution qui fertilise le phytoplancton est l'une des applications pratiques de cette étude. Pour empêcher les Algues de proliférer, il ne suffit pas d'éliminer les phosphates provenant des eaux d'égout; il faut aussi faire échec à la pollution par l'azote.

Plusieurs régions étendues de l'océan ont une densité de population de phytoplancton faible, en dépit des concentrations relativement élevées d'azote. Par exemple, l'eau de la mer des Sargasses, une région subtropicale de l'océan Atlantique, est l'une des plus transparentes au monde, en raison de la très faible densité de phytoplancton. Une série d'expériences sur l'enrichissement en matières nutritives a révélé que, dans ce cas, c'était la disponibilité du fer, un oligoélément, qui limitait la productivité primaire **(tableau 54.1)**.

Les indications selon lesquelles le fer limite la productivité dans certains écosystèmes océaniques ont encouragé les écologistes à mettre sur pied plusieurs expériences d'envergure sur le terrain dans l'océan Pacifique au cours des deux dernières décennies. Par exemple, dans une de ces expériences, les chercheurs ont

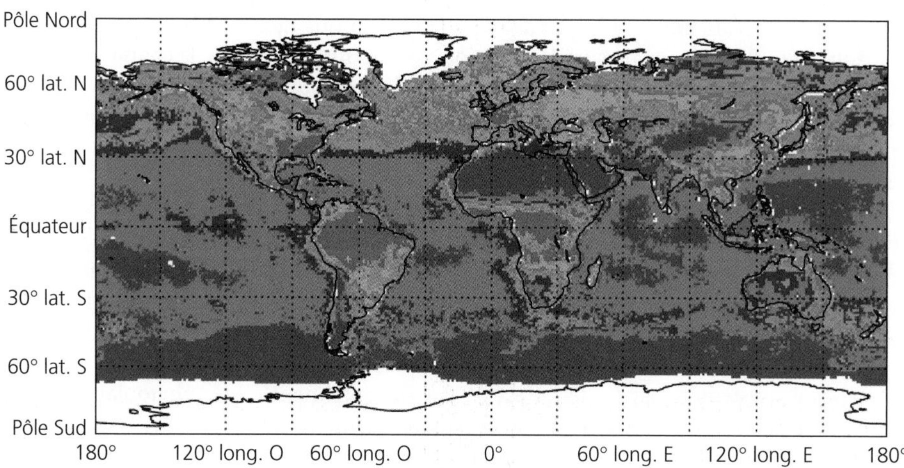

▶ **Figure 54.5 Productivité primaire nette annuelle de la Terre par régions.** L'image est obtenue à partir de données, telles que la masse volumique chlorophyllienne, recueillies par satellite. Les régions en violet pâle sont celles où la productivité primaire nette est la plus faible. Les autres couleurs indiquent une progression ascendante de la productivité primaire; ce sont, dans l'ordre, le violet foncé, le bleu clair, le vert foncé, le vert clair, le jaune, l'orange et le rouge. Les données pour les océans sont des moyennes pour la période allant de 1978 à 1983. Les moyennes terrestres sont celles de la période allant de 1982 à 1990.

Figure 54.6

Investigation Quel nutriment limite la production de phytoplancton dans les eaux côtières de Long Island ?

EXPÉRIENCE Les fermes d'élevage de canards qui polluent les eaux côtières par des composés phosphatés et azotés sont concentrées près de Moriches Bay. Les chercheurs ont préparé, dans de l'eau provenant de plusieurs baies, des cultures de l'Algue verte *Nannochloris atomus*.

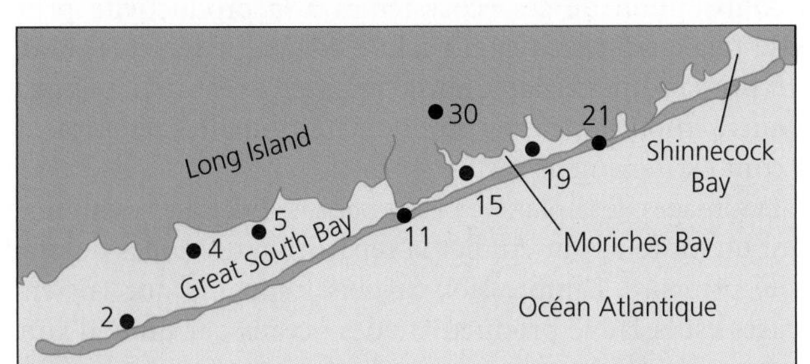

Côte de Long Island, dans l'État de New York
Les nombres sur la carte indiquent les sites de collecte de données.

RÉSULTATS L'abondance du phytoplancton correspond à celle du phosphore dans l'eau (a). L'azote, toutefois, est immédiatement absorbé par les Algues, et on ne trouve aucune trace d'azote libre dans les eaux côtières. L'addition d'ammonium (NH_4^+) a provoqué une forte croissance de phytoplancton dans l'eau provenant des baies, mais l'addition de phosphate (PO_4^{3+}) n'a pas eu cet effet (b).

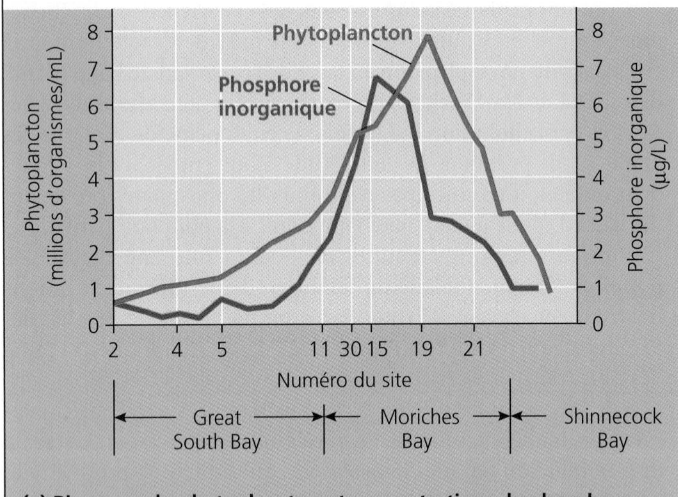

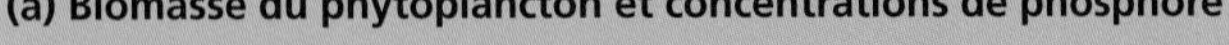

(a) Biomasse du phytoplancton et concentrations de phosphore

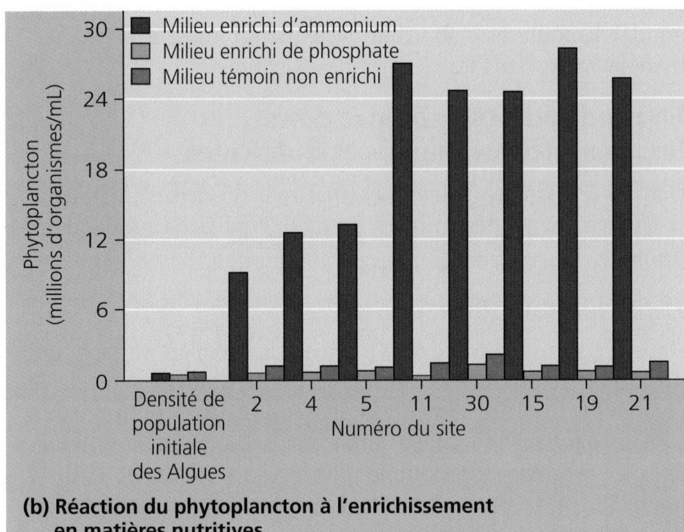

(b) Réaction du phytoplancton à l'enrichissement en matières nutritives

CONCLUSION Puisque l'addition de phosphore, lequel se trouvait déjà en concentration élevée, n'a eu aucun effet sur la croissance des Algues *Nannochloris*, mais que l'addition d'azote a augmenté considérablement la densité de population de ces Algues, les chercheurs ont conclu que l'azote était le nutriment limitant la croissance du phytoplancton dans cet écosystème.

répandu dans l'océan, sur 72 km², de faibles concentrations de fer en solution. Puis, ils ont mesuré la variation de la densité de population du phytoplancton pendant une période de sept jours. Dans des échantillons d'eau provenant des sites de prélèvement, ils ont observé une prolifération phytoplanctonique massive, qu'a révélée l'augmentation de la concentration de chlorophylle par un facteur 27.

Pourquoi les concentrations de fer sont-elles naturellement faibles dans certaines régions océaniques ? Le principal processus qui apporte le fer dans les océans est la poussière amenée des terres par le vent. Or, la quantité de poussière qui atteint le centre des océans Pacifique et Atlantique est assez faible.

Dans les écosystèmes marins, le fer est en fait un nutriment limitant en corrélation avec l'azote. Si on en ajoute quand il est limitant, cela stimule la croissance des Cyanobactéries qui fixent et qui convertissent le diazote atmosphérique en minéraux azotés (voir le chapitre 27). Ces nutriments azotés provoquent eux-mêmes la prolifération du phytoplancton eucaryote. On peut résumer comme suit cette relation :

$$\text{Fer} \xrightarrow{+} \text{Cyanobactéries} \xrightarrow{+} \text{Fixation de diazote} \xrightarrow{+} \text{Production de phytoplancton}$$

Dans les océans, les zones de courant ascendant, où les eaux profondes riches en nutriments viennent à la surface, ont une productivité primaire exceptionnellement élevée ; ce phénomène confirme l'hypothèse selon laquelle la disponibilité des nutriments détermine la productivité primaire. Comme l'approvisionnement stable en nutriments stimule la production de phytoplancton à la base des réseaux trophiques, ces zones constituent des sites de pêche de premier ordre. Les plus grandes zones de courant ascendant se situent dans l'océan Austral (océan

Tableau 54.1 Expériences d'enrichissement en matières nutritives sur des échantillons de phytoplancton provenant de la mer des Sargasses

Nutriments ajoutés à une culture de laboratoire	Absorption relative de ^{14}C par les cultures*
Aucun (témoins)	1,00
Azote (N) + phosphore (P) seulement	1,10
N + P + métaux (excepté le fer)	1,08
N + P + métaux (incluant le fer)	12,90
N + P + fer	12,00

* L'absorption du ^{14}C par les cultures permet de mesurer la productivité primaire.
Source: Données tirées de Menzel et Ryther (1961), *Deep Sea Research*, vol. 7, p. 276-281.

Antarctique) et dans les eaux côtières situées au large du Pérou, de la Californie et de certaines parties de l'Afrique de l'Ouest.

L'effet limitatif des nutriments s'observe aussi communément dans les milieux dulcicoles. Au cours des années 1970, des scientifiques, dont David Schindler, de l'Université de l'Alberta, au Canada, ont remarqué que les égouts et le ruissellement des engrais provenant des fermes et des jardins ajoutent de grandes quantités de nutriments aux lacs. Dans de nombreux lacs, des communautés de phytoplancton où régnaient les Diatomées (Bacillariophycées) et les Algues vertes (Chlorophycées) finissent par être dominées par les Cyanobactéries. Ce processus, appelé **eutrophisation** (du terme grec *eutrophos*, qui signifie «bien nourri»), a des conséquences très diverses sur le plan écologique: par exemple, les lacs peuvent ne conserver que les espèces de Poissons les plus tolérantes (voir la figure 50.17). Pour maîtriser l'eutrophisation, il importe de savoir quel nutriment polluant permet la prolifération des Cyanobactéries. L'azote est rarement le nutriment qui limite la productivité primaire dans les lacs. Schindler a mené une série d'expériences sur des lacs entiers. Il a mis en évidence le fait que le phosphore est le nutriment limitant responsable des proliférations de Cyanobactéries **(figure 54.7)**. Les résultats de sa recherche ont conduit à l'utilisation de détergents sans phosphate et à des changements de normes quant à la qualité de l'eau.

▲ **Figure 54.7 Eutrophisation expérimentale d'un lac.** En 1974, les deux bassins de ce lac ont été séparés par un écran de plastique. Celui de gauche a été fertilisé avec des sources inorganiques de carbone, d'azote et de phosphore. Celui de droite a été traité avec du carbone et de l'azote seulement. Deux mois plus tard, le bassin de gauche était recouvert d'un tapis de Cyanobactéries, qui apparaissent en blanc sur la photo. Le bassin de droite, lui, est resté intact. Le phosphore était donc le nutriment limitant. Son ajout a provoqué une explosion démographique chez les Cyanobactéries.

La productivité primaire dans les écosystèmes terrestres et les milieux humides

Sur un grand territoire, la température et l'humidité sont les principaux facteurs qui déterminent la productivité primaire des écosystèmes terrestres et des milieux humides. Notez encore une fois dans la figure 54.3b que les forêts tropicales humides sont les écosystèmes terrestres les plus productifs, en raison de leurs conditions de chaleur et d'humidité, qui sont favorables à la croissance des Végétaux. À l'opposé, les écosystèmes terrestres qui ont une faible productivité sont généralement secs, comme les déserts, qui reçoivent peu de précipitations, ou froids et secs, comme la toundra arctique. Entre ces extrêmes se trouvent les forêts tempérées et les prairies dont le climat est tempéré, et le niveau de productivité moyen. Ces contrastes entre les climats peuvent être représentés par une mesure, habituellement en millimètres, appelée **évapotranspiration réelle**, qui correspond à la quantité annuelle d'eau issue de la transpiration des plantes et de la vaporisation qui se produit dans un paysage. Dans une région, l'évapotranspiration réelle augmente parallèlement aux précipitations et à l'énergie solaire disponible pour produire la vaporisation et la transpiration. La **figure 54.8** montre la relation positive importante qui existe entre l'évapotranspiration réelle et la productivité primaire nette dans une gamme d'écosystèmes allant des savanes arbustives aux forêts tropicales.

À l'échelle locale, dans les écosystèmes terrestres et les milieux humides, les nutriments minéraux du sol peuvent jouer un rôle

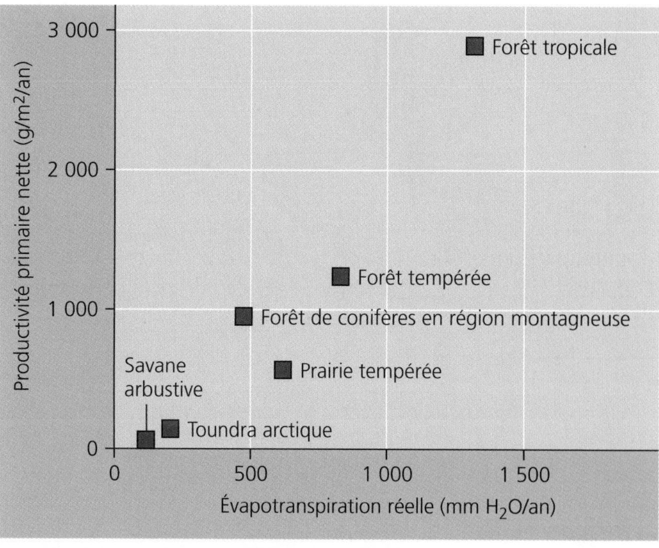

▲ **Figure 54.8 Évapotranspiration réelle (température et humidité) en fonction de la productivité primaire terrestre nette dans certains écosystèmes.**

important dans la limitation de la productivité primaire. Parfois, les nutriments du sol sont puisés plus rapidement qu'ils ne sont remplacés. Dans certains cas, l'insuffisance d'un nutriment peut ralentir ou arrêter la croissance d'une plante. Il est peu probable que tous les nutriments arrivent à épuisement en même temps. Si un nutriment limitant détermine la productivité, l'ajout dans le sol d'un nutriment non limitant ne la fera pas augmenter même s'il était lui aussi en quantité insuffisante. Par exemple, si l'azote est limitant, l'ajout de phosphore n'aura aucun effet sur la productivité. Mais l'ajout d'azote stimulera la croissance végétale, jusqu'à ce qu'un autre nutriment, disons le phosphore, devienne limitant **(figure 54.9)**. En fait, la plupart du temps, l'azote ou le phosphore sont les éléments nutritifs du sol qui limitent la productivité des écosystèmes terrestres et des milieux humides.

Les études scientifiques qui associent les nutriments à la productivité ont des applications pratiques en agriculture. En effet, les fermiers accroissent les rendements de leurs cultures en utilisant des engrais dont la proportion de nutriments est adaptée au sol de leurs terres et au type de cultures.

Figure 54.9

Investigation Le nutriment limitant dans un marais salant de la baie d'Hudson est-il le phosphore ou l'azote ?

EXPÉRIENCE Durant l'été 1980, des chercheurs ont ajouté du phosphore dans certaines parcelles expérimentales du marais salant, de l'azote dans d'autres, et du phosphore et de l'azote dans d'autres encore. Les parcelles témoins n'ont pas été fertilisées.

RÉSULTATS

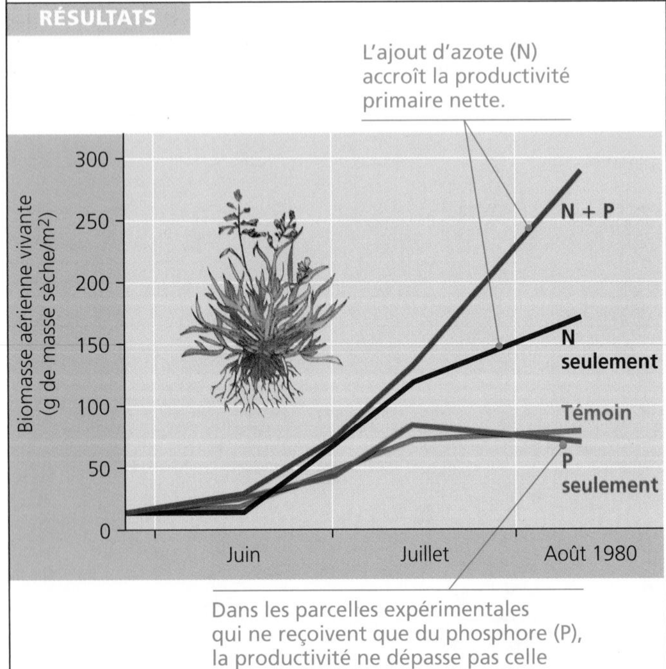

CONCLUSION Ces expériences d'enrichissement en matières nutritives confirment que l'azote était le nutriment limitant la croissance des plantes dans ce marais salant.

Retour sur le concept 54.2

1. Pourquoi les producteurs n'emmagasinent-ils qu'une petite partie de l'énergie solaire qui atteint l'atmosphère terrestre ?
2. Comment les écologistes peuvent-ils déterminer expérimentalement le facteur qui limite la productivité primaire dans un écosystème ?
3. Pourquoi les océans, qui sont relativement peu productifs, assurent-ils presque 25 % de la productivité primaire de la planète ?
4. Pourquoi la productivité primaire nette d'un écosystème est-elle inférieure à sa productivité primaire brute ?

Voir les réponses proposées à la fin du chapitre.

Concept 54.3

L'efficacité du transfert d'énergie entre les niveaux trophiques est habituellement de moins de 20 %

On appelle **productivité secondaire** l'augmentation, par conversion de l'énergie chimique de la nourriture, de la biomasse des consommateurs d'un écosystème. Considérons le transfert de matière organique des producteurs aux herbivores, qui sont les consommateurs primaires. Dans la plupart des écosystèmes, les herbivores mangent seulement une petite fraction de la matière végétale. De plus, ils ne digèrent pas toutes les composantes des plantes qu'ils ingèrent. Par conséquent, les consommateurs n'utilisent qu'une petite partie de la matière organique fabriquée par les autotrophes. Examinons de plus près ce processus de transfert de matière et d'énergie.

Le rendement (ou l'efficience) écologique

Examinons d'abord la productivité secondaire chez un organisme en particulier, la chenille. Lorsque la chenille se nourrit de la feuille d'une plante, seuls environ 33 des 200 J de la feuille, soit un sixième de son énergie, servent à la productivité secondaire, ou croissance **(figure 54.10)**. La chenille utilise une partie de l'énergie qui reste pour la respiration cellulaire et élimine le reste sous forme de fèces. Les écosystèmes ne perdent pas l'énergie contenue dans les fèces, car ces dernières sont consommées par les détritivores. Mais l'énergie qui sert à la respiration cellulaire, elle, est perdue sous forme de chaleur. C'est la raison pour laquelle on dit que l'énergie circule à travers un écosystème et qu'elle n'est pas recyclée. Seule l'énergie chimique que les herbivores emmagasinent sous forme de biomasse (par la croissance ou la production de descendants) peut servir de nourriture aux consommateurs secondaires.

L'exemple de la chenille tient compte de la matière végétale qui est effectivement consommée, mais non de celle qui ne l'est pas. Les paysages verdoyants en raison de l'abondance de matière végétale indiquent que la majeure partie de la productivité primaire nette *n*'est *pas* convertie à court terme en productivité secondaire par les herbivores.

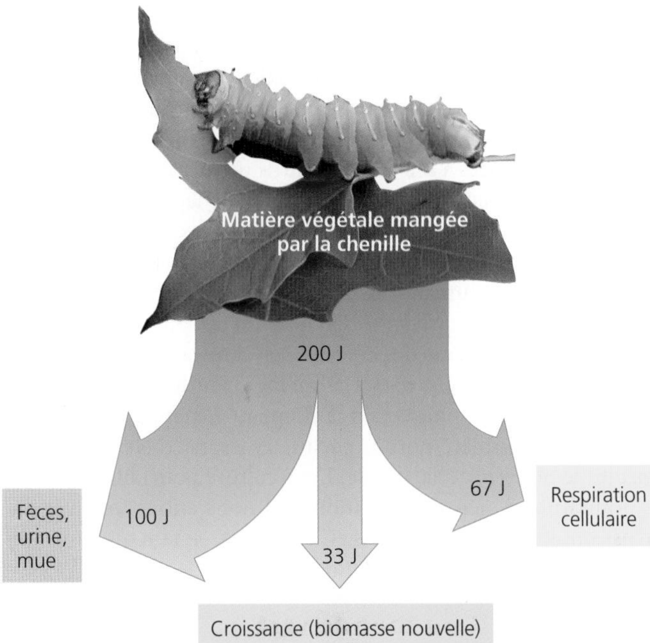

▲ **Figure 54.10 Répartition de l'énergie dans un niveau de chaîne trophique.** Moins de 17 % de la nourriture d'une chenille sert réellement à la productivité secondaire (croissance).

On peut mesurer le rendement des Animaux comme transformateurs d'énergie à l'aide de l'équation suivante :

$$\text{Rendement au niveau des consommateurs primaires} = \frac{\text{Productivité secondaire nette}}{\text{Assimilation de la productivité primaire}}$$

La productivité secondaire nette est l'énergie emmagasinée dans la biomasse, qui est représentée par la croissance et la reproduction. L'assimilation comprend l'énergie totale absorbée et utilisée pour la croissance, la reproduction et la respiration cellulaire. En d'autres mots, le **rendement au niveau des consommateurs primaires** est la fraction de l'énergie tirée de la nourriture qui *n*'est *pas* utilisée pour la respiration cellulaire. Pour la chenille de la figure 54.10, le rendement est de 33 % ; 67 des 100 J assimilés sont utilisés pour la respiration cellulaire. (Notez que l'énergie contenue dans les matières non digestibles et éliminée sous forme de fèces est exclue de l'assimilation.) Les Oiseaux et les Mammifères ont un faible rendement, qui varie de 1 à 3 %, car ils utilisent beaucoup d'énergie pour maintenir leur température corporelle à un niveau élevé. Les Poissons, qui sont ectothermes (voir le chapitre 40), ont un rendement d'environ 10 %. Les Insectes sont encore plus efficaces : leur rendement, comme consommateurs primaires, s'élève en moyenne à 40 %.

Le rendement (ou efficience) écologique et les pyramides écologiques

Après avoir examiné les rendements à l'échelle des consommateurs primaires, étudions le flux de l'énergie dans l'ensemble des niveaux trophiques.

Le **rendement** (ou **efficience**) **écologique** est le rapport (exprimé en pourcentage) entre la productivité nette d'un niveau trophique et la productivité nette du niveau inférieur. Ce rendement est toujours inférieur au rendement de la consommation primaire, parce qu'il tient compte non seulement de l'énergie perdue par la respiration cellulaire et dans les matériaux des fèces, de l'urine et des mues, mais aussi de l'énergie qui se trouve dans la matière organique d'un niveau trophique inférieur et qui n'est pas consommée par le niveau trophique supérieur. Il tient donc compte du rendement d'exploitation. Le rendement écologique varie habituellement de 5 à 20 %, selon le type d'écosystème. Autrement dit, de 80 à 95 % de l'énergie disponible à un niveau trophique ne se rendent jamais au niveau supérieur. Cette perte s'accroît sur toute la chaîne alimentaire. Ainsi, si 10 % de l'énergie des producteurs vont aux consommateurs primaires et que 10 % de ces 10 % vont aux consommateurs secondaires, alors cela signifie que ces derniers ne peuvent utiliser que 1 % de la productivité primaire nette.

Les pyramides de productivité nette. On peut représenter ces pertes successives au moyen d'un diagramme appelé *pyramide de productivité nette*, où les niveaux trophiques prennent la forme de blocs empilés, la base représentant les producteurs **(figure 54.11)**. La taille de chaque bloc est proportionnelle à la productivité nette, exprimée en unités d'énergie, du niveau trophique correspondant.

Les pyramides des biomasses. Le faible rendement de chaque niveau trophique a une conséquence écologique importante qu'on peut représenter à l'aide d'une *pyramide des biomasses*. Dans ce diagramme, la taille de chaque bloc est proportionnelle à la biomasse mesurable (masse sèche totale des organismes) du niveau trophique correspondant à un moment donné. En général, la pyramide des biomasses se rétrécit considérablement entre les producteurs de la base et les carnivores du sommet, étant donné l'inefficacité des transferts d'énergie entre les niveaux trophiques **(figure 54.12a)**. Cependant, certains écosystèmes aquatiques ont une pyramide des biomasses inversée, la biomasse des consommateurs primaires étant supérieure à celle des producteurs **(figure 54.12b)**. En effet, le zooplancton consomme le phytoplancton si rapidement que la taille de la population, ou biomasse

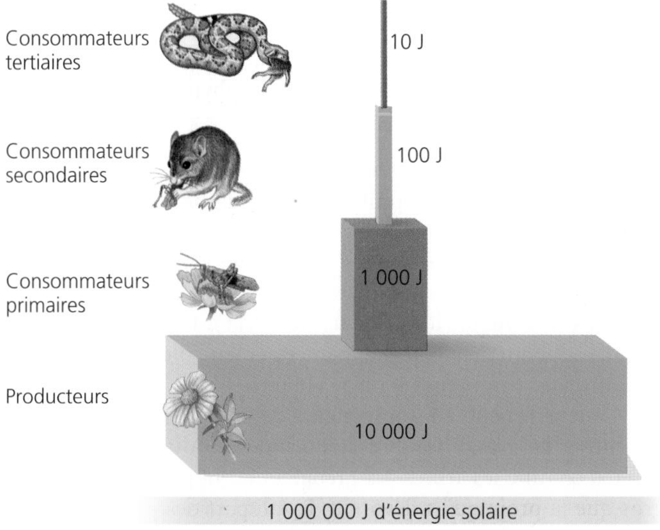

▲ **Figure 54.11 Pyramide théorique de productivité nette.** Dans cet exemple d'écosystème, 10 % de l'énergie disponible à chaque niveau trophique sont convertis en nouvelle biomasse au niveau suivant. Notez que les producteurs convertissent 1 % seulement de l'énergie solaire qui leur parvient.

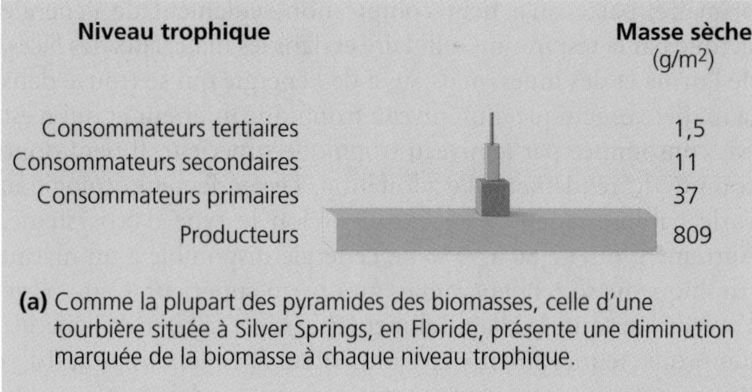

(a) Comme la plupart des pyramides des biomasses, celle d'une tourbière située à Silver Springs, en Floride, présente une diminution marquée de la biomasse à chaque niveau trophique.

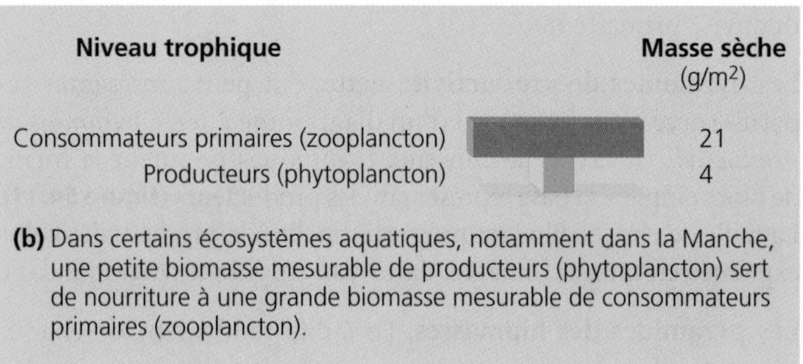

(b) Dans certains écosystèmes aquatiques, notamment dans la Manche, une petite biomasse mesurable de producteurs (phytoplancton) sert de nourriture à une grande biomasse mesurable de consommateurs primaires (zooplancton).

▲ **Figure 54.12 Pyramides des biomasses mesurables (stock actuel).** Les nombres indiquent la masse sèche (g/m²) totale des organismes d'un niveau trophique.

mesurable, de ce dernier ne devient jamais considérable. En d'autres termes, le phytoplancton a un **temps de renouvellement** rapide, ce qui signifie qu'il a une petite biomasse mesurable par rapport à sa productivité primaire nette:

$$\text{Temps de renouvellement} = \frac{\text{Biomasse mesurable (mg/m}^2\text{)}}{\text{Productivité primaire nette (mg/m}^2\text{/jour)}}$$

Comme le temps de renouvellement de sa biomasse est rapide, le phytoplancton sert de nourriture à une biomasse de zooplancton plus grosse que la sienne. Néanmoins, la pyramide de *productivité nette* de l'écosystème reste à l'endroit, comme celle de la figure 54.11, car la productivité nette du phytoplancton dépasse celle du zooplancton.

Les pyramides des nombres. La perte successive d'énergie dans les chaînes alimentaires limite beaucoup la biomasse totale des carnivores du sommet qui vivent dans un écosystème. Un millième seulement de l'énergie chimique fixée par photosynthèse parvient à un consommateur tertiaire comme le faucon, le serpent ou le requin (voir la figure 54.11). C'est pourquoi les réseaux alimentaires comprennent rarement plus de quatre ou cinq niveaux trophiques (voir le chapitre 53).

Même si de petits consommateurs, comme les Insectes, peuvent se nourrir en grand nombre de quelques producteurs plus gros qu'eux, comme les arbres, les prédateurs sont généralement plus gros que la proie qu'ils dévorent. La plupart des prédateurs clés (superprédateurs) sont donc des Animaux assez gros. Par conséquent, la faible biomasse du sommet d'une pyramide écologique se trouve répartie entre un petit nombre d'individus. Ce phénomène ressort clairement dans une *pyramide des nombres*, diagramme où la taille de chaque bloc est proportionnelle au nombre d'organismes occupant le niveau trophique correspondant **(figure 54.13)**. Les populations de superprédateurs, au sommet, sont généralement très petites, et les individus sont dispersés dans leur habitat. De nombreux prédateurs peuvent donc facilement disparaître et sont aussi très vulnérables aux conséquences d'une microévolution liées à une faible taille de population, comme nous l'avons expliqué au chapitre 23 à propos de la dérive génétique.

La dynamique du flux de l'énergie dans les écosystèmes s'applique aussi à la population humaine. La consommation de viande représente un moyen relativement inefficace d'exploiter la productivité primaire nette. Un humain obtient beaucoup plus d'énergie en mangeant des céréales (en tant que consommateur primaire) qu'en faisant passer la même quantité de céréales par un autre niveau trophique, en la donnant à manger à un herbivore (bœuf, poulet, porc, agneau, Poissons d'élevage) pour ensuite se nourrir de sa viande. L'agriculture pourrait fournir de la nourriture à bien plus de monde si nous étions tous végétariens et nous nourrissions plus efficacement, en tant que consommateurs primaires **(figure 54.14)**.

L'hypothèse d'un monde vert

Comment expliquer le fait que la plupart des écosystèmes terrestres sont si verts et font étalage de grandes biomasses mesurables de végétation, alors qu'une multitude de consommateurs primaires (herbivores) dévorent des plantes? Selon l'**hypothèse d'un monde vert**, les herbivores consomment une biomasse de plantes relativement faible, parce qu'une variété de facteurs, notamment les prédateurs, les parasites et la maladie, stabilisent leurs populations.

Mais d'où vient donc toute cette verdure? Environ 83×10^{10} tonnes métriques de carbone sont emmagasinées dans la biomasse végétale des écosystèmes terrestres. De plus, le rendement global de la productivité primaire nette terrestre est d'environ 5×10^{10} tonnes métriques de biomasse végétale par an. À l'échelle planétaire, les herbivores consomment annuellement moins de 17 % de la productivité primaire nette totale des Végétaux (le reste est ultimement presque entièrement consommé par les détritivores). Par conséquent, les herbivores ne sont en général qu'une nuisance marginale pour les Végétaux. Mais nous savons que certains herbivores peuvent dépouiller complètement un endroit de sa végétation en peu de temps. Par exemple, les populations de noctuelles (*Bombyx sp.*) peuvent, lorsqu'elles connaissent une explosion démographique, défolier des zones forestières dans le nord-est des États-Unis. Ces exceptions ne font qu'attiser notre curiosité et nous poussent à chercher à savoir pourquoi la Terre est si verte **(figure 54.15)**.

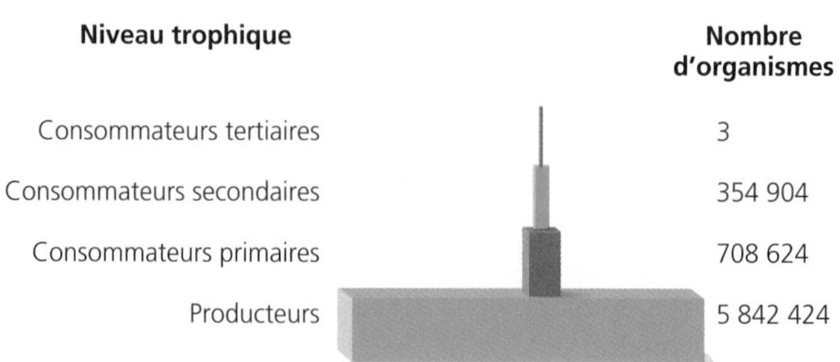

▲ **Figure 54.13 Pyramide des nombres.** Cette pyramide des nombres représente un champ de pâturin des prés (*Poa pratensis*) du Michigan. Trois supercarnivores seulement peuvent vivre dans cet écosystème qui repose sur la productivité de près de six millions de plantes.

◀ **Figure 54.14 Énergie contenue dans la nourriture disponible pour la population humaine à différents niveaux trophiques.** Le régime alimentaire de la plupart des humains se situe entre ces deux extrêmes.

L'hypothèse d'un monde vert énumère plusieurs facteurs qui stabiliseraient les populations d'herbivores:

- **Les Végétaux possèdent des moyens de défense contre les herbivores.** Parmi ces moyens, on trouve des épines et des substances chimiques nocives, dont nous avons parlé au chapitre 39.
- **Ce sont les nutriments, et non l'apport énergétique, qui limitent habituellement les herbivores.** Les Animaux ont besoin de certains nutriments essentiels, notamment l'azote organique (protéines), que les Végétaux fournissent souvent en quantités relativement petites. Même dans un monde où abonde l'énergie verte, la croissance et la reproduction de nombreux herbivores sont limitées par la disponibilité des nutriments essentiels.
- **Des facteurs abiotiques limitent les herbivores.** Des facteurs abiotiques comme les variations de température et d'humidité saisonnières défavorables peuvent fixer une capacité limite faisant en sorte que les herbivores n'atteignent pas le nombre d'individus qui pourrait épuiser la végétation.
- **La compétition intraspécifique peut limiter le nombre d'herbivores.** Le comportement territorial et les autres conséquences de la compétition peuvent maintenir la densité des populations d'herbivores à des niveaux inférieurs à la capacité d'approvisionnement de la végétation.
- **Les relations interspécifiques limitent la densité d'herbivores.** L'hypothèse d'un monde vert postule que les prédateurs, les parasites et la maladie sont les principaux facteurs qui limitent la croissance des populations d'herbivores. C'est une application du modèle descendant concernant la structure des communautés (chapitre 53).

Dans la prochaine section, nous allons voir comment le transfert des nutriments chimiques et de l'énergie qui a lieu entre les niveaux des réseaux alimentaires s'intègre à un processus plus global, le recyclage des nutriments dans les écosystèmes.

Retour sur le concept 54.3

1. Un Insecte mange des graines contenant 100 J d'énergie. Il utilise 30 J de cette énergie pour sa respiration et en élimine 50 J dans ses fèces. Quelle est sa productivité secondaire nette? Quel est le rendement de sa consommation?
2. À l'échelle mondiale, les herbivores ne consomment qu'environ 17 % de la productivité primaire nette des Végétaux terrestres. Pourtant, presque toute la biomasse des Végétaux finit par être consommée. Expliquez pourquoi.
3. Pourquoi la pyramide de productivité nette a-t-elle en gros la même forme que la pyramide des biomasses dans la plupart des écosystèmes? Dans quelles circonstances les formes de ces deux pyramides pourraient-elles différer?

Voir les réponses proposées à la fin du chapitre.

◀ **Figure 54.15 Un écosystème vert.** La plupart des écosystèmes terrestres ont d'importantes biomasses mesurables de végétation en dépit du grand nombre d'herbivores qui les occupent. L'hypothèse d'un monde vert tente d'expliquer cette observation.

Concept 54.4

Des processus biologiques et géochimiques font passer les nutriments des réservoirs organiques aux réservoirs inorganiques de l'écosystème

Si l'énergie solaire est inépuisable (du moins jusqu'à la mort du Soleil, dans plusieurs milliards d'années), les réserves d'éléments chimiques sont limitées. (Les météorites qui tombent occasionnellement sur la Terre représentent les seules sources extraterrestres de matière.) Par conséquent, la vie sur la Terre repose sur le recyclage des éléments chimiques essentiels. Pendant la vie d'un organisme, presque toutes ses réserves de substances chimiques sont renouvelées continuellement par l'absorption de nutriments et le rejet de déchets. Puis, quand l'organisme meurt, les décomposeurs dégradent ses molécules complexes et renvoient des composés simples dans l'atmosphère, l'eau ou le sol. La décomposition reconstitue les réserves de nutriments inorganiques que les plantes et les autres autotrophes utilisent pour fabriquer de la nouvelle matière organique. Comme les cycles des nutriments font intervenir des composantes biotiques et abiotiques des écosystèmes, on les appelle aussi **cycles biogéochimiques**.

Le modèle général du recyclage chimique

Le déroulement des cycles biogéochimiques varie selon l'élément transporté et selon la structure trophique des écosystèmes. Cependant, on peut classer les cycles biogéochimiques en deux catégories: le cycle mondial et le cycle local. D'une part, le carbone, l'oxygène, le soufre et l'azote circulent dans l'atmosphère à l'état gazeux; leur cycle se réalise à l'échelle mondiale. Ainsi, une partie des atomes de carbone et d'oxygène qu'une plante retire de l'air sous forme de dioxyde de carbone peut avoir été libérée dans l'atmosphère par la respiration d'une autre plante ou d'un Animal vivant loin de cette plante. D'autre part, certains autres éléments comme le phosphore, le potassium et le calcium ont des cycles localisés, au moins à court terme. Ces éléments se trouvent surtout dans le sol; les décomposeurs les y renvoient non loin de l'endroit où les racines des plantes les ont absorbés.

Avant d'étudier quelques cycles en détail, penchons-nous sur un modèle général du recyclage des nutriments qui montre les principaux réservoirs de nutriments, de même que les processus de transfert entre les réservoirs **(figure 54.16)**. Chaque réservoir se distingue par deux caractéristiques: son contenu (matière organique ou inorganique) et la disponibilité de celui-ci pour les organismes.

Les nutriments contenus dans les organismes vivants eux-mêmes et dans les détritus (le réservoir a de la figure 54.16) sont disponibles pour d'autres organismes quand les consommateurs se nourrissent et quand les détritivores consomment de la matière organique non vivante. Une partie de cette matière est passée du réservoir des organismes vivants au réservoir de la matière organique fossilisée (réservoir b) il y a des millions d'années, quand les organismes ont été ensevelis sous des couches de sédiments, avant de devenir charbon, pétrole ou tourbe (combustibles fossiles). Les nutriments contenus dans ces dépôts ne peuvent être assimilés directement.

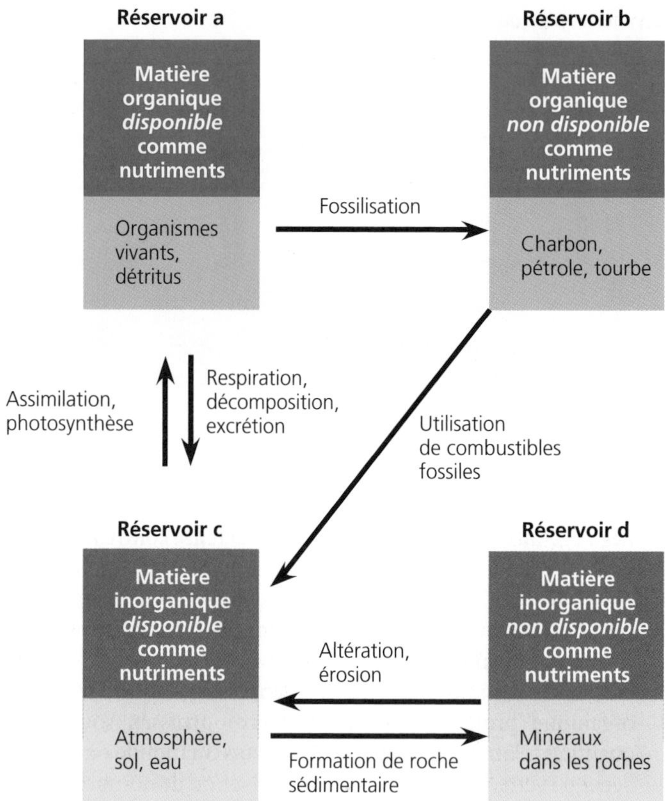

▲ **Figure 54.16 Modèle général du recyclage des nutriments.** Les processus qui déplacent les nutriments d'un réservoir à l'autre sont indiqués près des flèches.

Des substances inorganiques (éléments et composés) dissoutes dans l'eau ou présentes dans le sol ou l'air (réservoir c) sont disponibles comme nutriments. Les organismes assimilent cette matière directement. Ils la renvoient peu de temps après dans son réservoir par la respiration, l'excrétion (fèces et urine) et la décomposition, des processus qui sont assez rapides. Bien que les organismes ne puissent pas utiliser directement les éléments retenus dans la roche (réservoir d), les nutriments sont lentement mis à leur disposition par l'altération et l'érosion. De même, la matière organique captive passe dans le réservoir contenant la matière inorganique disponible quand l'utilisation de combustibles fossiles produit des gaz qui s'échappent dans l'atmosphère.

Il est beaucoup plus simple de décrire les cycles biogéochimiques en théorie que de suivre le parcours des éléments sur le terrain. Les écosystèmes non seulement sont formidablement complexes, mais échangent entre eux une partie de leur matière. Par exemple, même dans un étang, qui a des limites nettes, la poussière ou les feuilles transportées par le vent ainsi que l'émergence des Insectes aquatiques peuvent ajouter ou soustraire des nutriments clés. Il est encore plus difficile d'étudier les entrées et les sorties des éléments dans les écosystèmes terrestres moins bien délimités. Néanmoins, les écologistes ont réussi à le faire dans quelques écosystèmes. Ils étudient les cycles chimiques grâce à l'addition d'infimes quantités d'isotopes radioactifs des éléments dont ils veulent suivre la trace; ils peuvent aussi suivre le mouvement d'isotopes naturels non radioactifs et stables à travers les composantes biotiques et abiotiques des écosystèmes.

Les cycles biogéochimiques

La **figure 54.17**, qui occupe les deux prochaines pages, illustre en détail les cycles de l'eau, du carbone, de l'azote et du phosphore. Les diagrammes mettent l'accent sur quatre importants facteurs dont les écologistes tiennent compte dans leurs recherches sur les cycles biogéochimiques :

1. L'importance biologique de chacune de ces substances chimiques.
2. Les formes sous lesquelles chacune est disponible ou utilisée par les organismes.
3. Leurs principaux réservoirs.
4. Les processus clés qui déterminent leur mouvement du début à la fin de leur cycle biogéochimique.

Les vitesses de décomposition et de recyclage des nutriments

L'examen de quelques cycles biogéochimiques nous a préparés à la présentation du modèle général des cycles biogéochimiques illustré à la **figure 54.18**. Remarquez ici encore le rôle essentiel des décomposeurs (détritivores). La rapidité avec laquelle se fait le recyclage des nutriments dans différents écosystèmes est très variable, en raison surtout des différences entre les vitesses de décomposition. Dans les forêts tropicales humides, la majeure partie de la matière organique se décompose en quelques années, voire en quelques mois. En revanche, dans les forêts tempérées, la décomposition prend en moyenne de quatre à six ans. Cette différence est en grande partie attribuable aux températures plus chaudes et aux précipitations plus abondantes des forêts tropicales. En effet, la température et la disponibilité de l'eau influent sur la vitesse de la décomposition et, par conséquent, sur la durée des cycles des nutriments. Comme la productivité primaire nette, la vitesse de décomposition dans certains écosystèmes terrestres augmente parallèlement à l'évapotranspiration réelle. (La composition chimique locale du sol et la fréquence des incendies sont aussi au nombre des facteurs qui influent sur le temps de recyclage des nutriments dans les écosystèmes.)

Dans les forêts tropicales humides, une faible proportion de la matière organique (litière de feuilles mortes) s'accumule sur le sol par suite de la décomposition. Les troncs ligneux des arbres renferment environ 75 % des nutriments de l'écosystème, et le sol en contient environ 10 %. Par conséquent, les concentrations relativement faibles de certains nutriments dans le sol des forêts tropicales humides sont attribuables à un temps de recyclage court, et non pas à la rareté des éléments dans l'écosystème. Dans les forêts tempérées, où la décomposition est beaucoup plus lente, le sol peut contenir 50 % de toute la matière organique de l'écosystème. Une bonne partie des nutriments présents dans les forêts tempérées se trouvent donc dans les détritus et dans le sol. Ils peuvent y rester longtemps avant que les Végétaux les assimilent.

Dans les écosystèmes aquatiques, la décomposition qui se produit dans les boues anaérobies peut s'étendre sur 50 ans ou plus. Les sédiments du fond sont comparables à la couche de détritus des écosystèmes terrestres. Mais, généralement, les Algues et les plantes aquatiques tirent les nutriments directement de l'eau. Par conséquent, les sédiments constituent souvent des puits d'éléments nutritifs. Les écosystèmes aquatiques ne peuvent donc être très productifs que s'il y a des échanges entre les couches d'eau du fond et celles de la surface (comme cela se produit dans les zones de courant ascendant mentionnées plus tôt dans ce chapitre).

La végétation et le recyclage des nutriments : la forêt expérimentale de Hubbard Brook

Un groupe de scientifiques dirigé par Herbert Bormann et Gene Likens étudie les cycles des nutriments dans un écosystème forestier depuis 1963. C'est l'une des plus longues recherches écologiques à long terme menées en Amérique du Nord. Le lieu de l'étude, la forêt expérimentale de Hubbard Brook, située dans les White Mountains du New Hampshire, aux États-Unis, est une forêt décidue tempérée qui s'étend sur quelques vallées, chacune étant drainée par un petit ruisseau tributaire de Hubbard Brook. Le substrat rocheux, imperméable, est proche de la surface. Chaque vallée constitue un bassin hydrographique (bassin-versant) dont la seule issue est le ruisseau.

Les chercheurs commencèrent par établir le bilan minéral de six vallées. Ils mesurèrent pour ce faire les apports et les pertes de quelques nutriments essentiels. Pour mesurer la quantité d'eau et de minéraux dissous qui entrait dans l'écosystème, ils recueillirent l'eau de pluie en différents endroits. Pour calculer les pertes d'eau et de minéraux, ils construisirent un petit barrage de béton en forme de V dans le ruisseau situé au fond de chaque vallée **(figure 54.19a)**. Environ 60 % de l'eau qui était arrivée sous forme de pluie et de neige sortait de l'écosystème par le ruisseau. Les 40 % restants s'évaporaient par la transpiration des Végétaux, la vaporisation d'autres organismes et la vaporisation du sol.

Les études préliminaires confirmèrent le fait que les cycles se déroulant à l'intérieur d'un écosystème terrestre conservaient la majeure partie des nutriments minéraux. Ainsi, la quantité de calcium (Ca^{2+}) qui sortait d'une vallée par son ruisseau ne dépassait que d'environ 0,3 % la quantité qu'apportait l'eau de pluie. Or, cette perte minime était probablement compensée par la décomposition chimique du substrat rocheux. Au cours de la plupart des années, la forêt connut en fait de faibles gains pour quelques nutriments minéraux, notamment des composés azotés.

Au cours d'une de leurs expériences, les chercheurs déboisèrent une vallée et, pendant trois ans, pulvérisèrent des herbicides pour empêcher les plantes de repousser **(figure 54.19b)**. Ils laissèrent sur place toute la matière végétale originale pour qu'elle se décompose. Ils comparèrent les entrées et les sorties d'eau et de minéraux du bassin expérimental déboisé à celles d'un bassin témoin. Pendant ces trois années, le ruissellement augmenta de 30 à 40 %, manifestement parce qu'il n'y avait pas de plantes pour absorber l'eau du sol et l'évaporer par transpiration. Les pertes de minéraux dans le bassin hydrographique modifié furent énormes. La concentration de Ca^{2+} dans le ruisseau quadrupla ; celle du K^+ fut multipliée par 15. Pis encore, la concentration du nitrate perdu fut multipliée par 60 **(figure 54.19c)**. Non seulement l'écosystème perdait un nutriment minéral essentiel, mais l'eau du ruisseau devenait impropre à la consommation, en raison de la concentration élevée de nitrate.

Cette étude a montré que c'est surtout la végétation qui régule la quantité de nutriments quittant un écosystème forestier intact. Presque immédiats, les effets du déboisement se produisent en quelques mois à peine et se poursuivent aussi longtemps que la végétation vivante est absente.

Figure 54.17

Panorama Les cycles des nutriments

LE CYCLE DE L'EAU

Importance biologique: L'eau est essentielle à tous les organismes (voir le chapitre 3), et sa disponibilité influe sur la vitesse des processus des écosystèmes, en particulier sur la productivité primaire et la décomposition dans les écosystèmes terrestres.

Formes utilisables par les organismes vivants: C'est à l'état liquide que l'eau est le plus souvent utilisée, quoique certains organismes soient en mesure de recueillir la vapeur d'eau. Le gel de l'eau du sol peut limiter la disponibilité de l'eau pour les plantes terrestres.

Réservoirs: Les océans contiennent 97 % de l'eau de la biosphère. Approximativement 2 % de l'eau est retenue dans les glaciers et les calottes polaires. Les lacs, les cours d'eau et les nappes d'eau souterraines représentent le 1 % qui reste, la quantité d'eau contenue dans l'atmosphère étant négligeable.

Processus clés: Les principaux processus responsables du cycle de l'eau sont l'évaporation de l'eau à l'état liquide attribuable à l'énergie solaire, la formation des nuages par condensation de la vapeur d'eau et les précipitations. La transpiration des plantes terrestres fait aussi circuler d'importants volumes d'eau. Enfin, les eaux de surface et les eaux souterraines peuvent se déverser dans les océans par ruissellement, ce qui complète le cycle. La largeur des flèches du diagramme reflète la contribution relative de chaque processus au mouvement de l'eau dans la biosphère.

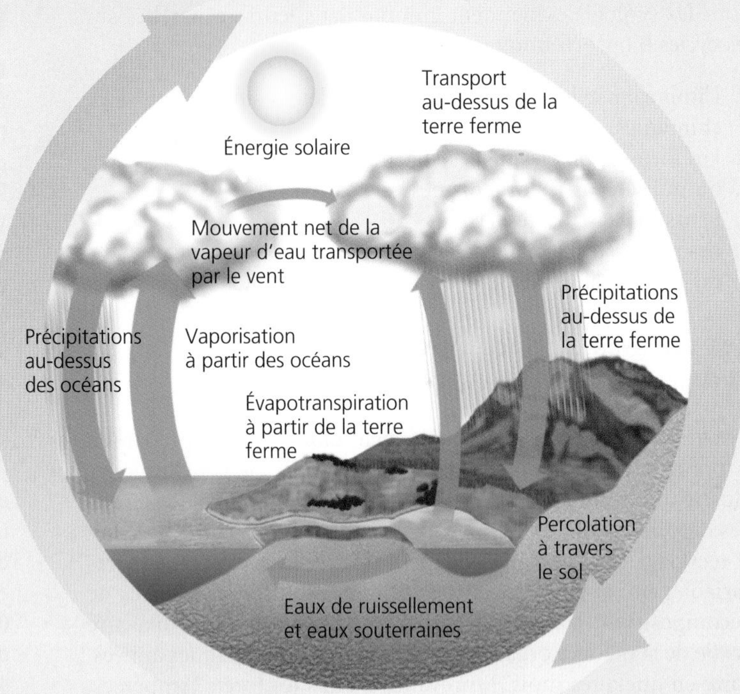

LE CYCLE DU CARBONE

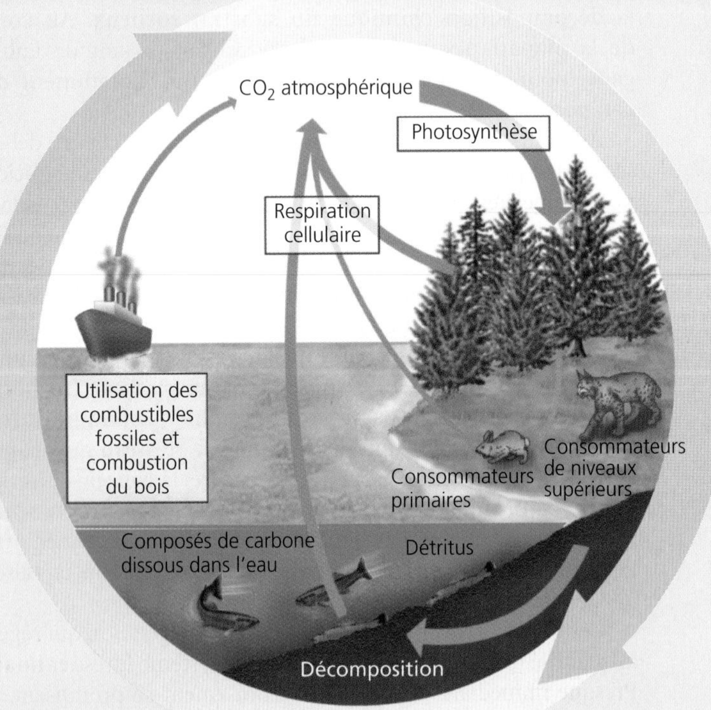

Importance biologique: Le carbone constitue la charpente des molécules organiques essentielles à tous les organismes.

Formes utilisables par les organismes vivants: Les organismes photosynthétiques utilisent du CO_2 au cours de la photosynthèse et convertissent le carbone en matière organique utilisée par les consommateurs, dont les Procaryotes hétérotrophes (voir le chapitre 27).

Réservoirs: Les principaux réservoirs de carbone sont les combustibles fossiles, les sols, les sédiments des écosystèmes aquatiques, les océans (composés de carbone dissous), la biomasse des Végétaux et des Animaux, et l'atmosphère (CO_2). Ce sont les roches sédimentaires comme le calcaire qui constituent le plus important réservoir de carbone; ce stock se renouvelle toutefois très lentement.

Processus clés: La photosynthèse effectuée par les plantes et le phytoplancton éliminent chaque année de l'atmosphère une quantité considérable de CO_2. Cette quantité est à peu près égale à celle du CO_2 qui s'ajoute à l'atmosphère par l'intermédiaire de la respiration cellulaire des producteurs et des consommateurs. À l'échelle du temps géologique, les volcans représentent une importante source de CO_2. De plus, l'utilisation des combustibles fossiles envoie dans l'atmosphère beaucoup de CO_2 supplémentaire. La largeur des flèches reflète la contribution relative de chaque processus.

LE CYCLE DE L'AZOTE

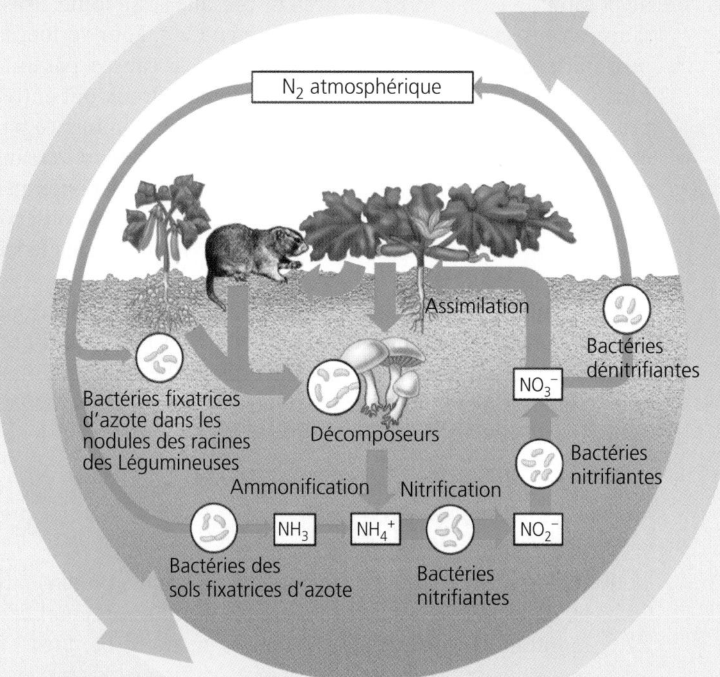

Importance biologique: L'azote entre dans la composition des acides aminés, des protéines et des acides nucléiques; il est aussi pour les Végétaux un nutriment essentiel et souvent limitant.

Formes utilisables par les organismes vivants: Les plantes et les Algues peuvent utiliser deux formes inorganiques d'azote: l'ammonium (NH_4^+) et le nitrate (NO_3^-). Diverses Bactéries peuvent aussi utiliser le NH_4^+ et le NO_3^-, ainsi que le nitrite (NO_2^-). Chez les Animaux, seules les formes organiques de l'azote sont utilisables (les acides aminés et les protéines, par exemple).

Réservoirs: Le principal réservoir d'azote est l'atmosphère, qui se compose de 80 % d'azote gazeux (N_2). Les autres réservoirs sont les sols, les sédiments des lacs, des cours d'eau et des océans; les eaux de surface et les eaux souterraines; et la biomasse des organismes vivants.

Processus clés: La principale voie qu'emprunte l'azote pour pénétrer dans un écosystème est la *fixation de l'azote*, processus par lequel des Bactéries transforment le N_2 de manière qu'il puisse servir à la synthèse de composés organiques azotés (voir le chapitre 37). La foudre permet aussi la fixation d'une partie de l'azote. Les engrais azotés, les précipitations et la poussière transportée par le vent peuvent aussi fournir aux écosystèmes des quantités considérables de NH_4^+ et de NO_3^-. L'*ammonification* décompose l'azote organique en NH_4^+. Dans la *nitrification*, le NH_4^+ est converti en NO_3^- par des Bactéries nitrifiantes. Dans des conditions anaérobies, des Bactéries dénitrifiantes utilisent pour leur métabolisme du NO_3^- à la place du O_2; ce processus appelé *dénitrification* a pour effet de libérer du N_2. La largeur des flèches reflète la contribution relative de chaque processus.

LE CYCLE DU PHOSPHORE

Importance biologique: Les organismes ont besoin de phosphore, un des principaux éléments des acides nucléiques, des phosphoglycérolipides, de l'ATP et d'autres molécules qui emmagasinent l'énergie; ce minéral entre aussi dans la constitution des os et des dents.

Formes utilisables par les organismes vivants: La seule forme inorganique de phosphore importante sur le plan biologique est le phosphate (PO_4^{3-}), que les plantes absorbent et utilisent pour synthétiser les composés organiques.

Réservoirs: Les plus importantes accumulations de phosphore se trouvent dans les roches sédimentaires d'origine marine. Les sols, les océans (sous forme dissoute) et les organismes contiennent aussi de grandes quantités de phosphore. Comme l'humus et les particules du sol se lient aux phosphates, le cycle du phosphore tend à être localisé dans les écosystèmes.

Processus clés: L'altération des roches enrichit progressivement le sol en phosphates; une partie du phosphore parvient par lessivage aux eaux souterraines et aux eaux de surface, et aboutit à la mer. Les phosphates absorbés par les producteurs et incorporés à des molécules biologiques peuvent être ingérés par les consommateurs, puis distribués dans le réseau alimentaire. Les phosphates retournent dans le sol ou dans l'eau par l'intermédiaire soit de la décomposition de la biomasse, soit de l'excrétion par les consommateurs. Comme les gaz contenant du phosphore sont de peu d'importance, seules de petites quantités de phosphore circulent dans l'atmosphère, habituellement sous forme de poussière ou d'embrun. La largeur des flèches reflète la contribution relative de chaque processus.

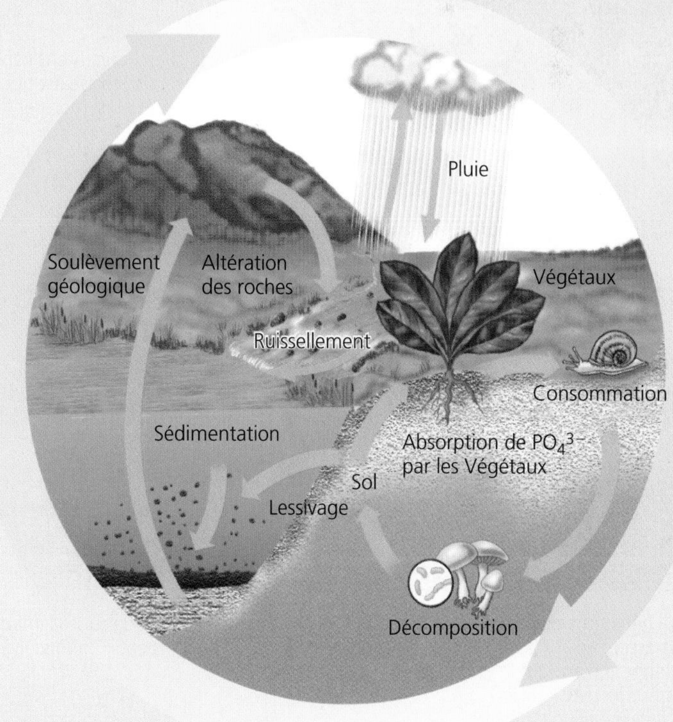

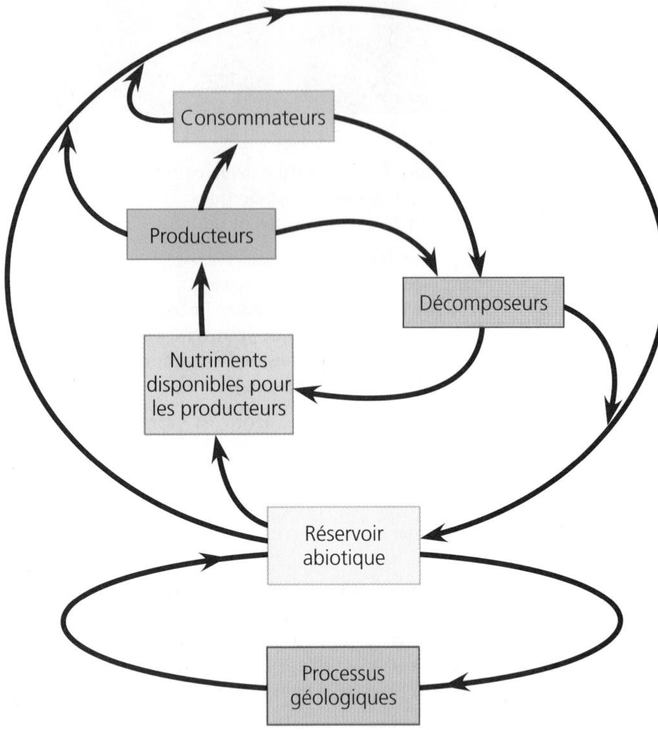

▲ **Figure 54.18 Modèle général des cycles biogéochimiques.**

Au bout de 40 ans, les données de Hubbard Brook font ressortir quelques autres tendances à long terme. Par exemple, depuis les années 1950, les pluies et les neiges acides ont dissous la majeure partie du Ca^{2+} du sol des forêts, que les cours d'eau ont par la suite entraînée. À l'aube des années 1990, les Végétaux de la forêt de Hubbard Brook avaient presque cessé toute croissance, à cause, semble-t-il, de la carence en Ca^{2+}. Pour vérifier la possibilité d'une limitation de la croissance causée par une carence en calcium, les écologistes de Hubbard Brook ont entrepris une expérience d'envergure en 1998. Ils ont commencé par établir un bassin-versant expérimental et un bassin-versant témoin, qu'ils ont surveillés pendant deux ans avant d'ajouter par hélicoptère du Ca^{2+} au bassin-versant expérimental; on observe déjà une amélioration de la croissance des Végétaux dans le sol enrichi de Ca^{2+}.

Les résultats des études menées à Hubbard Brook ainsi que 25 autres projets du même genre aux États-Unis permettent non seulement d'évaluer la dynamique des écosystèmes naturels, mais aussi d'obtenir de l'information détaillée sur les mécanismes par lesquels les activités humaines influent sur ces processus.

Retour sur le concept 54.4

1. Pour chacun des quatre cycles biogéochimiques présentés en détail à la figure 54.17, tracez un diagramme simplifié montrant la voie que pourrait suivre un atome ou une molécule de la substance chimique considérée, de ses réservoirs abiotiques à ses réservoirs biotiques, puis de ses réservoirs biotiques à ses réservoirs abiotiques.
2. Pourquoi le déboisement d'un bassin-versant provoque-t-il une concentration accrue des nitrates dans les ruisseaux qui le drainent?

Voir les réponses proposées à la fin du chapitre.

(a) Les chercheurs firent construire des barrages et des déversoirs de béton en travers des ruisseaux qui drainaient les bassins-versants de Hubbard Brook. Ils purent ainsi mesurer les sorties d'eau et de nutriments minéraux.

(b) Les chercheurs déboisèrent complètement un bassin-versant pour étudier les effets de la coupe à blanc sur le drainage et le cycle des nutriments.

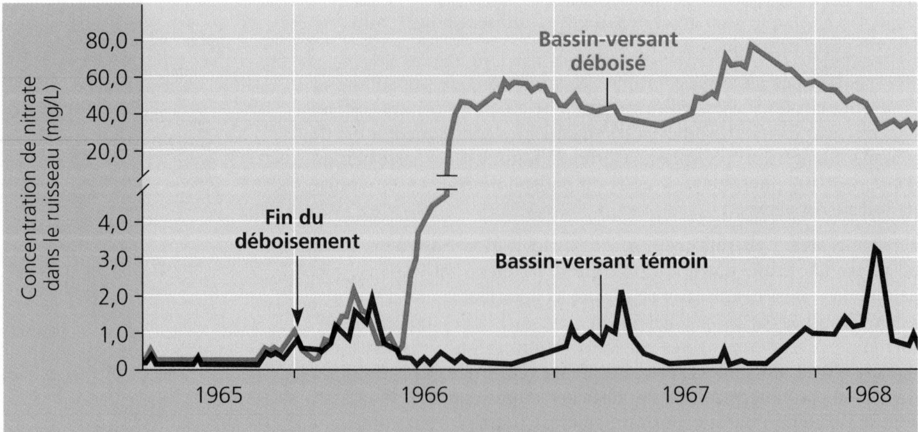

(c) Les eaux de ruissellement provenant du bassin-versant déboisé contenaient 60 fois plus de nitrate que les eaux de ruissellement provenant d'un bassin-versant témoin (non déboisé).

▲ **Figure 54.19 Étude du cycle des nutriments dans la forêt expérimentale de Hubbard Brook: exemple de recherche écologique à long terme.**

Concept 54.5

La population humaine perturbe les cycles biogéochimiques de toute la biosphère

La population humaine a connu récemment une explosion démographique. Du fait de son activité et de ses moyens techniques, elle a perturbé la structure trophique, le flux de l'énergie et les cycles biogéochimiques dans la plupart des régions du monde. Les conséquences écologiques de l'activité humaine sont parfois locales ou régionales, mais elles peuvent aussi se faire sentir à l'échelle planétaire.

L'enrichissement en nutriments

Les activités des humains perturbent souvent les cycles biogéochimiques en retirant des nutriments d'une zone de la biosphère et en les introduisant ailleurs. Du point de vue le plus simple, une personne qui mange du brocoli à Montréal consomme des nutriments qui se trouvaient peu de temps auparavant dans le sol d'une autre région. Quelques jours plus tard, une partie de ces nutriments s'en va vers la mer dans les eaux du fleuve Saint-Laurent, après être passée dans le système digestif de la personne et dans l'usine d'épuration municipale. Selon une optique plus globale, les nutriments contenus dans le sol des terres agricoles peuvent atteindre par ruissellement des cours d'eau et des lacs, provoquant ainsi un appauvrissement dans une région et un excès dans l'autre, et perturbant les cycles biogéochimiques naturels dans les deux. Outre que nous transportons des nutriments d'un endroit à l'autre, nous avons introduit dans les écosystèmes des substances entièrement nouvelles, dont beaucoup sont toxiques.

Les êtres humains sont tellement intervenus dans les cycles des nutriments qu'il est dorénavant impossible d'en comprendre le mécanisme sans tenir compte de leur influence. Nous présentons ici quelques exemples de problèmes que connaît la dynamique chimique de la biosphère à cause de l'activité humaine.

L'agriculture et le cycle de l'azote

Pour cultiver une terre, on en élimine la végétation naturelle. Le sol se passe d'engrais pendant un certain temps, car il contient des réserves de nutriments. Cependant, une très grande partie des nutriments quittent le territoire sous forme de biomasse, au lieu d'être recyclés **(figure 54.20)**. Après une période qui varie beaucoup d'un milieu à l'autre, il faut ajouter des nutriments au sol. Ainsi, au début de la colonisation des prairies d'Amérique du Nord, les agriculteurs obtinrent de bonnes récoltes pendant de nombreuses années, car les grandes réserves de matière organique du sol continuaient à fournir des nutriments par l'intermédiaire de la décomposition. À l'opposé, les terres agricoles des tropiques ne sont productives que pendant une ou deux années, parce que le sol contient peu de nutriments. Malgré ces différences, la réserve de nutriments naturels finit par s'épuiser partout où on pratique la culture intensive.

L'azote est le nutriment qui se perd le plus à cause de l'agriculture; cette activité a donc un impact important sur le cycle de l'azote. Labourer le sol, c'est-à-dire travailler la terre et la mélanger, accélère la vitesse de décomposition de la matière organique. Puis, l'azote assimilable qui est libéré pendant la décomposition est retiré des écosystèmes au moment de la récolte. Les engrais synthétiques servent alors à compenser cette perte dans les agroécosystèmes. De plus, comme nous l'avons vu dans le cas de Hubbard Brook, en l'absence de plantes pour les absorber, les nitrates risquent de partir dans le ruissellement.

▲ **Figure 54.20 Impact de l'agriculture sur les nutriments des sols.** Le transport de la biomasse végétale récoltée vers les marchés d'alimentation retire des sols les nutriments minéraux, qui ne seront pas recyclés localement. Pour remplacer ces nutriments perdus, les agriculteurs doivent utiliser des engrais organiques, comme le fumier ou le paillis, ou des engrais industriels.

Des études récentes indiquent que les activités humaines ont approximativement doublé la réserve mondiale d'azote fixé disponible pour les producteurs. La principale cause de cette augmentation est la fixation industrielle de l'azote pour la fabrication des engrais. Mais l'augmentation de la culture des Légumineuses avec leurs symbiotes fixateurs d'azote est également une cause importante. En outre, les brûlis effectués dans les champs après les récoltes et ceux qui servent au déboisement des forêts tropicales à des fins agricoles libèrent les composés azotés emmagasinés dans le sol et la végétation, ce qui augmente la quantité de composés azotés recyclés. Des suppléments d'azote fixé sont associés avec une plus grande libération de N_2 et d'oxydes d'azote dans l'air par les Bactéries dénitrifiantes (voir la figure 54.17). (Les oxydes d'azote contribuent au réchauffement de l'atmosphère, à l'appauvrissement de la couche d'ozone et, dans certains écosystèmes, aux précipitations acides.)

La contamination des écosystèmes aquatiques

En ce qui concerne l'excès d'azote, l'enjeu clé semble être la **charge critique**, c'est-à-dire la quantité du nutriment ajouté – en général l'azote ou le phosphore – que les Végétaux peuvent absorber sans que cela nuise à l'intégrité des écosystèmes. Or, lorsque les minéraux azotés contenus dans le sol dépassent la charge critique, ils finissent par se retrouver dans la nappe souterraine ou par atteindre directement les écosystèmes dulcicoles ou marins; ils contaminent alors les réserves d'eau, engorgent les débouchés et tuent les Poissons. De nombreuses rivières contaminées par les nitrates et l'ammonium provenant des eaux de ruissellement et des eaux usées des fermes se déversent dans l'Atlantique Nord, les plus fortes quantités d'azote venant du nord de l'Europe. Dans les zones agricoles, les concentrations de nitrate des eaux souterraines sont aussi de plus en plus élevées; elles dépassent parfois le niveau maximal considéré comme sûr pour l'eau potable (10 mg de nitrates par litre).

Comme nous l'avons vu au chapitre 50, on divise les lacs selon la disponibilité des nutriments en lacs oligotrophes et en lacs eutrophes (voir la figure 50.17). Dans un lac oligotrophe, la productivité primaire est relativement faible, car les minéraux nécessaires au phytoplancton sont peu abondants. Dans les autres lacs, les eaux de ruissellement amènent des nutriments qui sont absorbés par les producteurs puis continuellement recyclés dans les réseaux alimentaires. Ainsi, la productivité globale est plus élevée dans un lac eutrophe.

Malheureusement, l'ingérence humaine a provoqué dans presque tous les écosystèmes dulcicoles ce qu'il convient d'appeler une *eutrophisation culturale.* Les cours d'eau et les lacs sont surchargés de nutriments inorganiques provenant des égouts domestiques et industriels, du lessivage des engrais dans les régions urbaines, les zones agricoles et les espaces récréatifs, et de l'écoulement des déchets animaux des pâturages et des parcs à bestiaux. Cet enrichissement entraîne souvent un accroissement explosif de la densité des organismes photosynthétiques, dont les populations, comme nous l'avons vu plus tôt dans ce chapitre, sont en général limitées par l'azote ou le phosphore. En conséquence, les parties les moins profondes sont encombrées d'Algues qui entravent la navigation de plaisance et la pêche. Les proliférations d'Algues et de Cyanobactéries deviennent fréquentes (voir la figure 54.7). Un lac eutrophe peut être sursaturé de dioxygène le jour, alors que la photosynthèse a lieu, et anoxique (pauvre en dioxygène) la nuit, alors que la respiration a lieu en l'absence de photosynthèse. Quand les organismes photosynthétiques meurent, la matière organique s'accumule dans le fond, et le métabolisme des détritivores consomme le dioxygène des eaux profondes.

Tous ces phénomènes compromettent la survie de certains organismes. Ainsi, dès 1960, l'eutrophisation du lac Érié avait causé la perte d'espèces de Poissons à valeur commerciale telles que le doré noir (*Stizostedion canadense*), le grand corégone (*Coregonus clupeaformis*) et le touladi (*Salvelinus namaycush*). Depuis, les règlements relatifs au rejet de déchets dans le lac sont devenus plus sévères. Quelques populations de Poissons ont connu un regain. Cependant, plusieurs des espèces indigènes de Poissons et d'Invertébrés n'ont pu être sauvées.

Les précipitations acides

La combustion du bois et du charbon et l'utilisation d'autres combustibles fossiles libère des oxydes de soufre et des oxydes d'azote qui réagissent avec l'eau de l'atmosphère pour donner respectivement de l'acide sulfurique et de l'acide nitrique. Ces acides finissent par atteindre le sol sous la forme de précipitations acides. Les précipitations acides sont composées de pluie, de neige, de grêle ou de brouillard dont le pH est inférieur à 5,6. Elles abaissent le pH des écosystèmes aquatiques et influent sur la chimie des sols des écosystèmes terrestres. Si les précipitations acides causées par la combustion existent depuis la révolution industrielle, les émissions ont augmenté au cours du siècle dernier, en particulier depuis l'apparition des fonderies et des centrales électriques alimentées au charbon ou aux hydrocarbures.

Le problème des précipitations acides est manifestement régional et même mondial, non local. Pour contrer les problèmes de pollution locale, on a équipé les fonderies et les centrales électriques de très hautes cheminées (d'une hauteur supérieure à 300 m). Cela réduit la pollution au niveau du sol, mais déplace le problème loin dans la direction du vent. Les polluants azotés et sulfurés issus de la combustion peuvent être entraînés sur des centaines, voire des milliers de kilomètres avant de tomber sous forme de précipitations acides **(figure 54.21)**.

C'est dans les années 1960 que Gene Likens et d'autres écologistes ont recueilli les premières données sur les dommages causés aux forêts et aux lacs dans l'est de l'Amérique du Nord et en Europe. Dans les lacs de l'est du Canada, des organismes mouraient en raison de la pollution de l'air causée par les industries du Midwest américain. Les lacs et les forêts du sud de la Norvège et de la Suède perdaient des Poissons à cause des précipitations acides attribuables aux polluants produits en Grande-Bretagne de même que dans le centre et l'est de l'Europe. En 1980, dans de grandes régions d'Europe et d'Amérique du Nord, les précipitations atteignaient en moyenne un pH de 4,0 à 4,5. Au cours de certains orages « record » régionaux, le pH de la pluie atteignait des valeurs inférieures à 3,0 **(figure 54.22)**.

Dans les écosystèmes terrestres, comme les forêts décidues tempérées de la Nouvelle-Angleterre, la variation du pH des sols attribuable aux précipitations acides est responsable du lessivage du calcium et d'autres nutriments (comme nous l'avons expliqué plus tôt à propos des études menées à Hubbard Brook). La carence en nutriments influe sur la santé des Végétaux et limite leur croissance. Les précipitations acides peuvent aussi endommager directement les plantes, surtout par le lessivage des nutriments contenus dans les feuilles.

Les écosystèmes dulcicoles sont particulièrement sensibles aux précipitations acides. Les lacs d'Amérique du Nord et du nord de l'Europe que les précipitations acides endommagent le plus facilement sont ceux qui ont un fond rocheux de granite. Ces lacs ont généralement un faible pouvoir tampon parce que la concentration d'hydrogénocarbonates (HCO_3^-), lesquels constituent un important tampon, est faible. Dans des milliers de lacs semblables en Norvège et en Suède, les populations de Poissons ont dépéri, le pH de l'eau ayant chuté sous la valeur de 5,0. Au Canada, les touladis sont des prédateurs clés dans de nombreux lacs. Or, les touladis nouvellement éclos meurent quand le pH devient inférieur à 5,4. Quand on les remplace par des Poissons supportant l'acide, la dynamique des réseaux alimentaires change beaucoup.

Le Québec comporte plus de 450 000 lacs. Des études effectuées pendant les années 1980 ont permis de connaître l'étendue de l'acidité des lacs au Québec **(figure 54.23)**. « Les lacs acides (pH ≤ 5,5) et ceux de transition (pH compris entre 5,5 et 6) sont plus particulièrement localisés dans le sud-ouest du Québec et sur la Côte-Nord où les sols possèdent une faible protection naturelle contre l'acidification et où les dépôts acides sont marqués. La sensibilité des plans d'eau à l'acidification s'explique par la nature géologique des sols qui les supportent. De fait, ces plans d'eau reposent sur des roches ou des sols granitiques. Les cartes de sensibilité de la roche en place montrent que près de 90 % du territoire québécois est sensible à l'acidification. Par ailleurs, quelques enclaves moins sensibles doivent leur protection à la présence de carbonates dans leurs sols, lesquels sont générés par l'altération des roches calcaires. » Celles-ci constituent l'un des meilleurs systèmes tampons lorsqu'elles se dissolvent. « C'est le

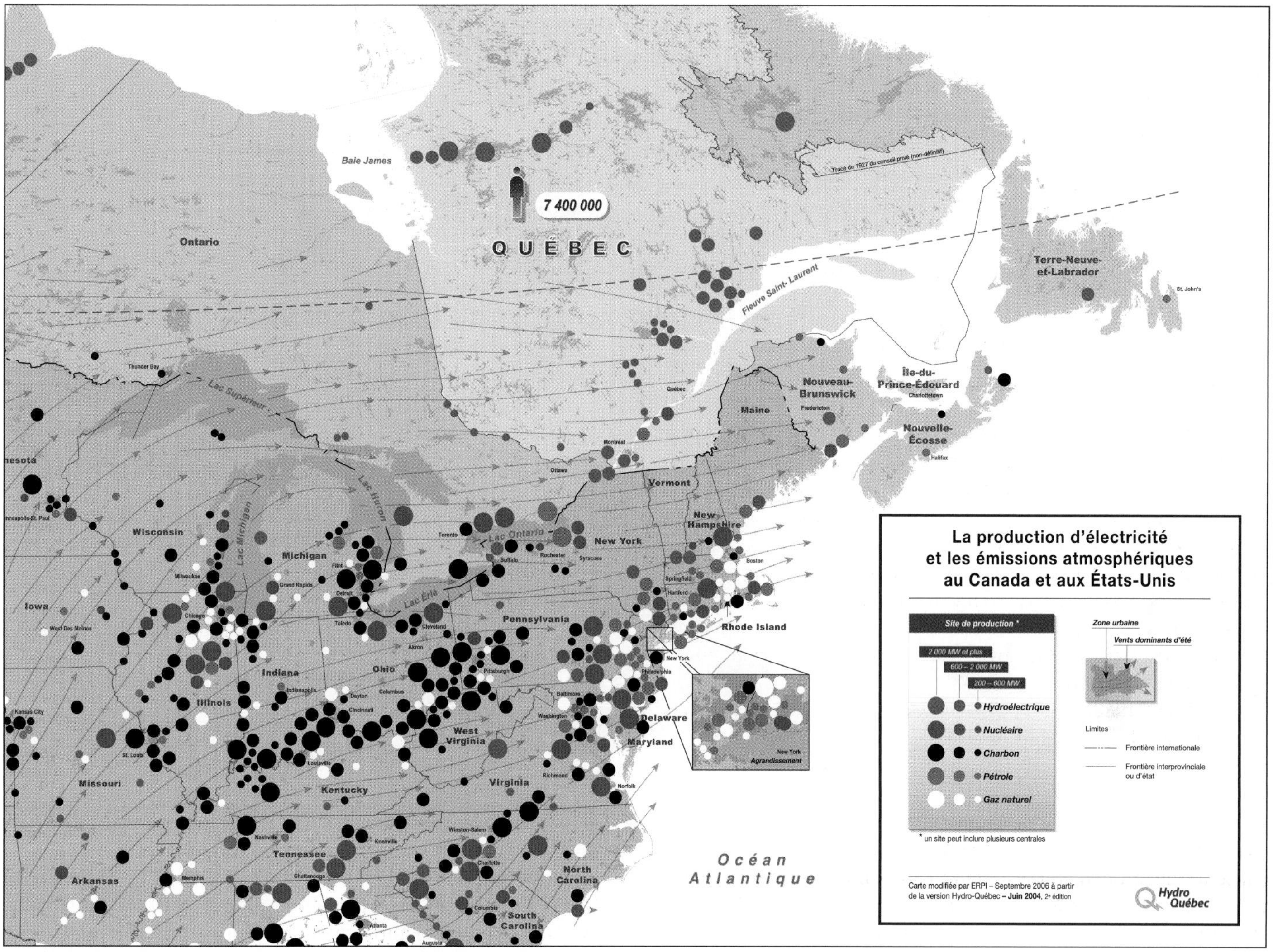

▲ **Figure 54.21 Vents dominants et sources d'émissions polluantes dans le nord-est de l'Amérique du Nord.**

cas des régions situées au sud du Saint-Laurent et de quelques autres enclaves protégées : les régions des lacs Saint-Jean et Mistassini, le nord de la ville de Gatineau et les basses-terres de l'Abitibi*. »

Les États-Unis ont bien sûr été touchés par les précipitations acides **(figure 54.24)**. Mais les nouvelles ne sont pas toutes mauvaises. En effet, la réglementation sur l'environnement et les nouvelles techniques industrielles ont permis à de nombreux pays industrialisés, dont les États-Unis, de réduire les émissions de dioxyde de soufre au cours des 30 dernières années. Ainsi, les États-Unis ont réduit les émissions de dioxyde de soufre de 31 % entre 1993 et 2002. La composition chimique de l'eau dans les cours d'eau et les lacs d'eau douce de la Nouvelle-Angleterre s'améliore lentement après des décennies de précipitations fortement acides. Toutefois, les écologistes estiment qu'il faudra encore de 10 à 20 ans pour que ces écosystèmes se rétablissent, même si les émissions de dioxyde de soufre continuent de diminuer. Au

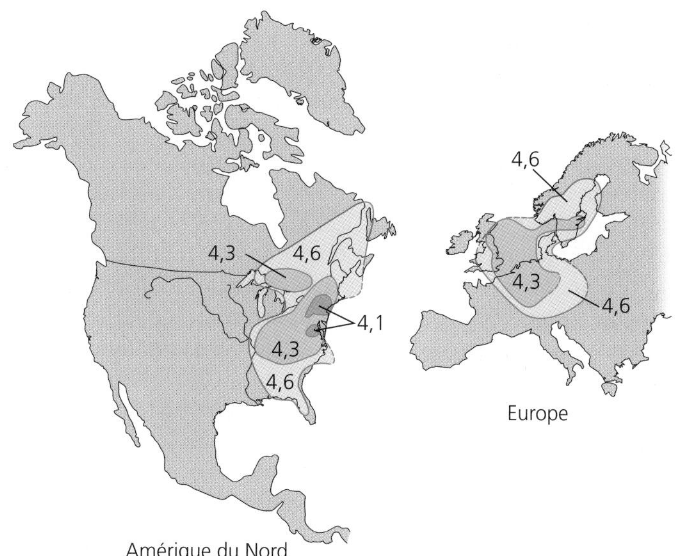

▲ **Figure 54.22 Distribution des précipitations acides en Amérique du Nord et en Europe, données de 1980.** Les nombres indiquent le pH moyen des précipitations dans les zones ombrées.

* J. Dupont (2004), *La problématique des lacs acides au Québec*, Direction du suivi de l'état de l'environnement, ministère de l'Environnement. <http://www.mddep.gouv.qc.ca/eau/eco_aqua/lacs_acides/2004/lacs-acides-Qc.pdf>.

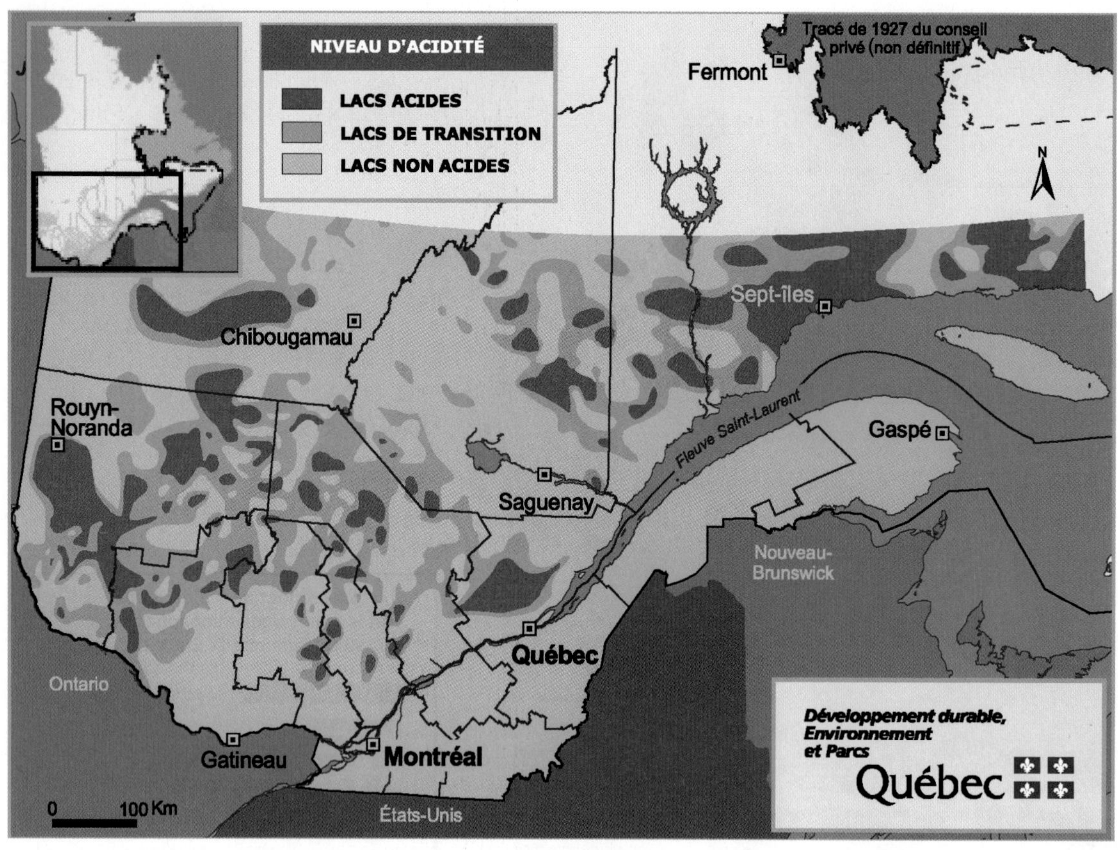

◄ **Figure 54.23 Variabilité du pH dans les lacs du Québec méridional.** J. Dupont (2004), *La problématique des lacs acides au Québec*, Direction du suivi de l'état de l'environnement, ministère de l'Environnement. <http://www.mddep.gouv.qc.ca/eau/eco_aqua/ lacs_acides/2004/lacs-acides-Qc.pdf>. Reproduction autorisée par Les Publications du Québec.

cours des deux dernières décennies (1980-2001), les émissions de dioxyde de soufre ont été réduites de plus de la moitié au Canada. Entre-temps, des émissions de dioxyde de soufre et des précipitations acides d'une grande ampleur continuent de toucher certaines parties du centre et de l'est de l'Europe, contribuant ainsi à la destruction de vastes étendues de forêt.

La présence de toxines dans l'environnement

L'humain produit une extraordinaire variété de substances toxiques, notamment des milliers de produits synthétiques qui n'ont jamais existé à l'état naturel. Il déverse ces substances dans la nature sans s'inquiéter des conséquences écologiques de son geste. Les organismes absorbent les substances toxiques en même temps que l'eau et les nutriments. Ils en métabolisent et en excrètent certaines, mais en accumulent d'autres dans leurs tissus, surtout dans les tissus adipeux. Ces toxines sont particulièrement nocives, notamment en raison du fait que la concentration tissulaire des toxines augmente à chaque niveau d'un réseau trophique, un processus appelé **bioamplification**, qui a lieu parce que la biomasse d'un niveau trophique donné est produite à partir de la biomasse beaucoup plus grande du niveau inférieur. Ainsi, les organismes carnivores des niveaux supérieurs du réseau alimentaire sont ceux qui subissent le plus les méfaits des composés toxiques libérés dans le milieu.

Les hydrocarbures chlorés, un groupe de composés synthétiques, fournissent un bon exemple de bioamplification. Ces composés comprennent de nombreux pesticides, comme le DDT [$C_{14}H_9Cl_5$, 1,1,1-trichloro-2,2-bis (4-chlorophényl) éthane] et des substances chimiques industrielles appelées BPC (biphényles polychlorés). Des recherches en cours mettent en cause beaucoup de ces composés dans les troubles du système endocrinien chez un grand nombre d'espèces animales, notamment l'humain. La bioamplification des BPC a été observée dans le réseau alimentaire des Grands Lacs, où les concentrations de BPC dans les œufs du goéland argenté (*Larus argentatus*), qui occupe le niveau supérieur du réseau alimentaire, sont presque 5 000 fois plus élevées que dans le phytoplancton, qui se trouve à sa base **(figure 54.25)**.

Le DDT offre un exemple tristement célèbre de bioamplification ayant porté atteinte à des carnivores supérieurs. Le DDT servait à éliminer des Insectes piqueurs, comme les moustiques, ou des parasites des cultures. Dans la décennie qui a suivi la Seconde Guerre mondiale, l'industrie chimique a fait la promotion de ses bienfaits, avant que les conséquences écologiques soient réellement comprises. Dès le début des années 1950, les scientifiques ont commencé à comprendre la persistance du DDT dans l'environnement et son transport dans l'eau loin des zones d'épandage. Mais à ce moment-là, le poison était déjà devenu un problème d'envergure mondiale. L'un des premiers indices des effets écologiques du DDT fut le déclin des populations de pélicans (*Pelecanus sp.*), de balbuzards pêcheurs (*Pandion haliætus*), de pygargues (*Haliæetus sp.*) et d'aigles royaux (*Aquila chrysætos*), des superprédateurs qui se trouvent au sommet de divers réseaux trophiques. L'accumulation de DDT (et de DDE ou 1,1-bis-(chlorophényl)-2,2-dichloroéthane, un produit de sa dégradation partielle) dans les tissus de ces superprédateurs entrave la calcification des coquilles d'œufs, tendance susceptible d'avoir été amorcée par d'autres contaminants de l'environnement. En effet, ces Oiseaux brisent leurs œufs en les couvant, et leur taux de reproduction diminue de façon catastrophique. La publication de *Printemps silencieux*, de Rachel Carson, a contribué à alerter l'opinion publique dans les années 1960 (voir le chapitre 50).

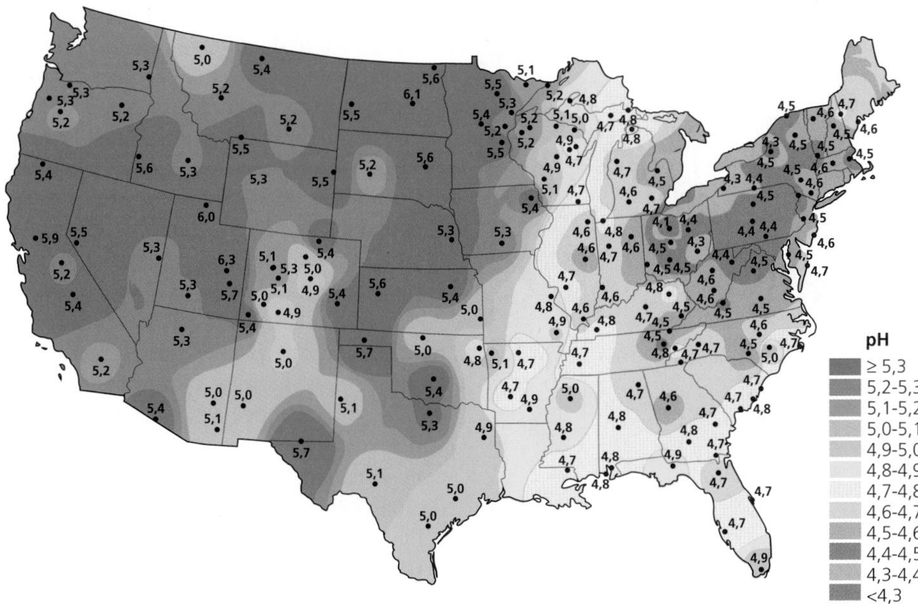

▲ **Figure 54.24 Moyennes du pH des précipitations aux États-Unis en 2002.**

Ainsi le DDT a-t-il été banni aux États-Unis en 1971. On a alors observé un spectaculaire rétablissement des populations d'espèces d'Oiseaux touchées. Toutefois, le pesticide est encore utilisé dans de nombreuses autres parties du monde.

De nombreuses toxines qui ne peuvent être dégradées par les microorganismes demeurent dans l'environnement pendant des années, voire des décennies. Dans d'autres cas, les composés chimiques introduits dans l'environnement sont relativement inoffensifs; toutefois, leur réaction avec d'autres substances ou le métabolisme des microorganismes les transforment en produits plus toxiques. Par exemple, le mercure, un sous-produit de la fabrication du plastique et des centrales thermiques au charbon, a été systématiquement évacué dans les cours d'eau et la mer sous une forme insoluble. Or, les Bactéries présentes dans les sédiments convertissent ce déchet en méthylmercure, un composé soluble extrêmement nocif qui s'accumule dans les tissus de certains organismes, dont les humains qui consomment des Poissons provenant des eaux contaminées.

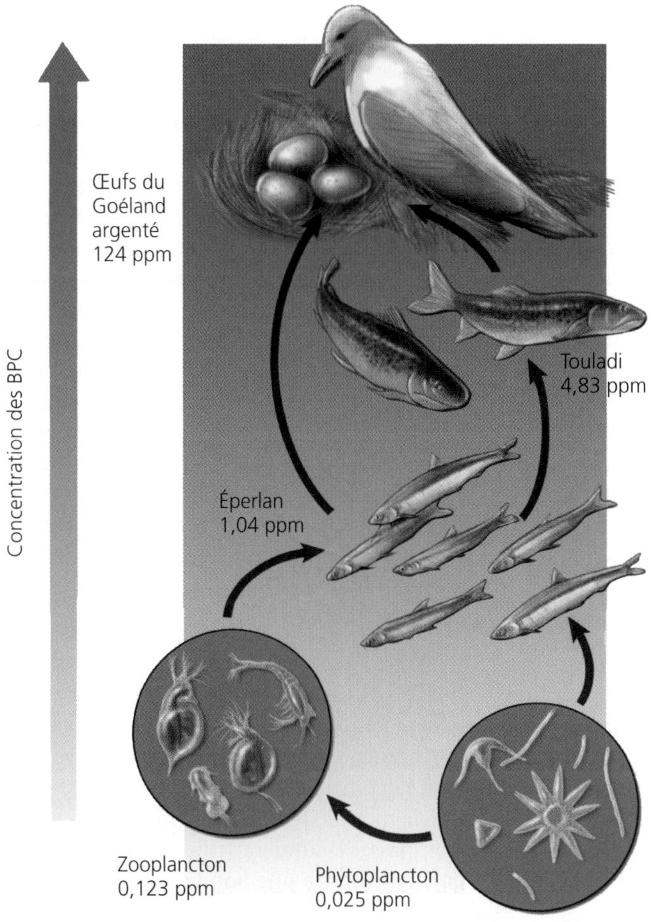

Le dioxyde de carbone atmosphérique

De nombreuses activités humaines produisent des déchets gazeux, que nous pensions autrefois pouvoir impunément libérer dans l'immensité de l'atmosphère. Aujourd'hui, évidemment, nous savons que l'atmosphère n'est pas plus infinie que les océans et que l'activité humaine en modifie fondamentalement la composition et les interactions avec le reste de la biosphère. L'augmentation de la concentration de dioxyde de carbone est l'un des principaux problèmes que cause l'activité humaine dans l'atmosphère.

L'augmentation du dioxyde de carbone atmosphérique

Depuis la révolution industrielle, qui a débuté vers 1760 en Angleterre, la concentration atmosphérique de dioxyde de carbone n'a cessé d'augmenter, à cause de l'utilisation des combustibles fossiles et de la combustion du bois associée à la déforestation. Les scientifiques estiment que la concentration atmosphérique moyenne de dioxyde de carbone était d'environ 274 mg/L avant 1850. En 1958, on commença à prendre des mesures très précises dans une station située au sommet du mont Mauna Lao, à Hawaii, où l'air ne subit pas les effets temporaires variables observés près des grandes zones urbaines. La concentration était alors de 316 mg/L **(figure 54.26)**. À l'heure actuelle, la concentration atmosphérique de dioxyde de carbone dépasse 370 mg/L, ce qui représente une augmentation d'environ 17 % depuis le début des mesures. Si les émissions de dioxyde de carbone continuent d'augmenter à cette vitesse, la concentration de ce gaz aura doublé entre le début de la révolution industrielle et 2075.

L'accroissement de la productivité végétale est l'une des conséquences prévisibles de l'augmentation de la concentration de dioxyde de carbone. En effet, l'augmentation de la concentration de dioxyde de carbone dans les milieux expérimentaux tels que

Concentration des BPC
Œufs du Goéland argenté 124 ppm
Touladi 4,83 ppm
Éperlan 1,04 ppm
Zooplancton 0,123 ppm
Phytoplancton 0,025 ppm

▲ **Figure 54.25 Bioamplification des BPC dans un réseau alimentaire des Grands Lacs.**

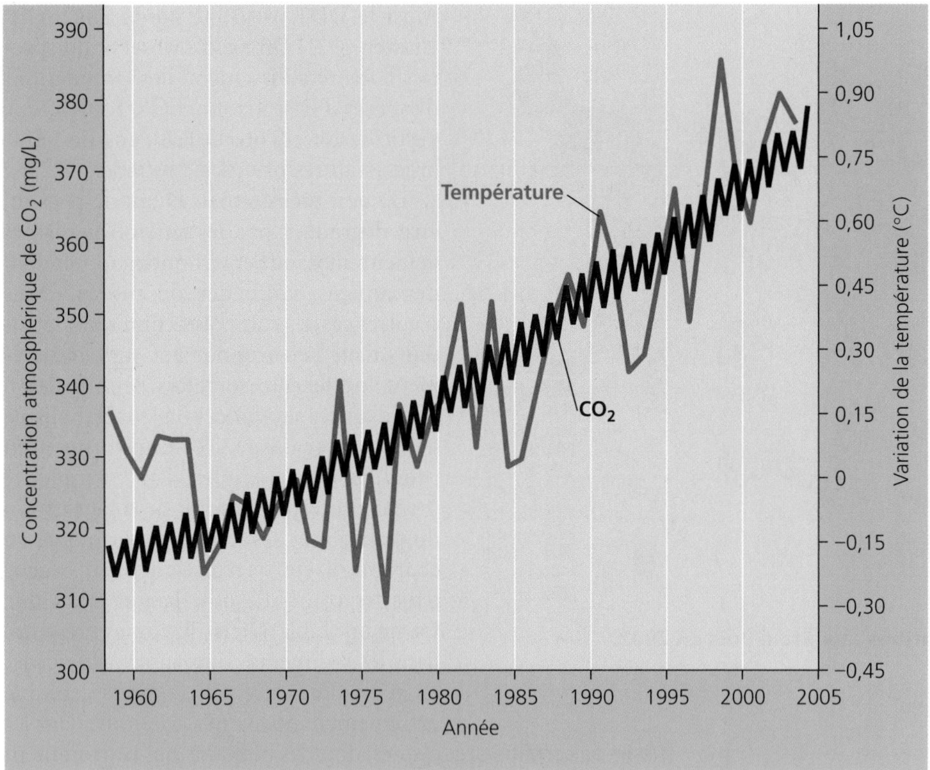

▲ **Figure 54.26 Augmentation de la concentration atmosphérique de dioxyde de carbone, à Mauna Loa (Hawaii) et températures moyennes mondiales de 1958 à 2004.** En plus des fluctuations saisonnières normales, le graphique révèle une augmentation constante de la concentration atmosphérique globale de dioxyde de carbone (courbe en noir). Bien que les températures moyennes fluctuent grandement (courbe en rouge) sur la même période, il y a une tendance au réchauffement.

les serres a pour effet d'intensifier la croissance de la plupart des plantes. Mais comme les plantes de type C_3 sont plus limitées que les plantes de type C_4 par la disponibilité du dioxyde de carbone (voir le chapitre 10), l'augmentation de la concentration du gaz aura peut-être pour effet, à l'échelle mondiale, de favoriser la propagation des espèces de type C_3 dans les habitats terrestres autrefois plus propices aux plantes de type C_4. Le phénomène aurait d'importantes répercussions sur l'agriculture. Par exemple, le maïs (*Zea mays*), plante de type C_4 qui constitue la principale culture céréalière des États-Unis, pourrait se faire remplacer par le blé (*Triticum æstivum*) et le soja (*Glycine max*), plantes de type C_3 dont le rendement dépasserait celui du maïs dans un milieu riche en dioxyde de carbone. Par ailleurs, afin de prévoir les effets graduels et complexes qu'aura l'augmentation de la concentration de dioxyde de carbone sur la composition spécifique des communautés naturelles, les scientifiques ont recours à des expériences à long terme sur le terrain.

Les effets de la concentration élevée du dioxyde de carbone sur l'écologie des forêts: l'expérience FACTS-1

Afin d'évaluer les effets possibles sur les forêts tempérées de la concentration de plus en plus élevée du dioxyde de carbone, des scientifiques de la Duke University ont mis sur pied en 1995 une expérience sur le transfert et le stockage du dioxyde de carbone présent dans l'atmosphère des forêts (FACTS-1, sigle de *Forest-Atmosphere Carbon Transfer and Storage*). Les chercheurs n'agissent que sur un facteur environnemental, la concentration de dioxyde de carbone, à laquelle sont exposées des parcelles de forêt. Tous les autres facteurs, comme la température, les précipitations ainsi que la vitesse et la direction des vents, varient normalement à la fois dans les parcelles expérimentales et dans les parcelles témoins adjacentes, qui ne sont exposées qu'au dioxyde de carbone atmosphérique.

L'expérience FACTS-1 porte sur six parcelles faisant partie d'une étendue de 80 ha de pins à encens (*Pinus tæda*) située dans la forêt expérimentale de la Duke University. Chaque parcelle consiste en une zone circulaire d'un diamètre approximatif de 30 m entourée de 16 tours (**figure 54.27**). À l'intérieur de trois des parcelles (parcelles expérimentales), les tours produisent de l'air contenant environ une fois et demie les concentrations de CO_2 actuelles. Des instruments placés sur une haute tour située au centre de chaque parcelle expérimentale mesurent la direction et la vitesse du vent, et modifient la distribution du CO_2 de façon à stabiliser sa concentration. Les trois autres parcelles servent de témoins.

Cette étude a pour but de vérifier, sur une période de 10 ans, l'incidence d'une concentration élevée de CO_2 sur la croissance des arbres, la concentration de carbone dans les sols, les populations d'Insectes, l'humidité du sol, la croissance des plantes dans le sous-étage de la forêt, ainsi que sur d'autres facteurs. Les chercheurs espèrent que l'étude permettra d'établir une base solide sur laquelle se fonderont leurs prédictions sur la réaction de forêts entières aux futures concentrations élevées de CO_2. Voici quelques-unes des données enregistrées jusqu'ici: augmentation du poids et de la teneur en lipides des graines de pin à encens, accroissement de la respiration des sols, accélération de la détérioration des sols et hausse du taux de photosynthèse chez le copalme d'Amérique (*Liquidambar styraciflua*) dans les parcelles expérimentales. Comme dans la forêt expérimentale de Hubbard Brook, les réactions de cet écosystème forestier ne deviendront manifestes qu'au bout de nombreuses années, au cours desquelles il y aura sûrement des surprises.

L'effet de serre et le réchauffement de la planète

La conséquence possible de l'augmentation de la concentration atmosphérique de dioxyde de carbone sur le bilan thermique de la terre complique la formulation de prédictions quant aux effets à long terme de ce phénomène. La majeure partie du rayonnement solaire qui atteint la planète est réfléchie et renvoyée dans l'espace. Mais bien que le dioxyde de carbone et la vapeur d'eau atmosphériques laissent passer la lumière visible, ils interceptent, absorbent et renvoient vers la Terre une bonne partie des rayons infrarouges préalablement réfléchis par cette dernière. Une partie de la chaleur solaire se trouve ainsi emprisonnée. Sans cet **effet de serre**, la température annuelle moyenne de l'air à la surface

▲ **Figure 54.27 Expérience à grande échelle portant sur les effets d'une concentration élevée de CO_2.** Des tours disposées en cercle dans la forêt expérimentale de la Duke University émettent suffisamment de dioxyde de carbone pour que sa concentration se maintienne à 200 mg/L de plus que la concentration actuelle.

de la terre serait de –18 °C seulement, et la vie telle que nous la connaissons n'existerait pas. De nombreux écologistes s'inquiètent de l'effet que peut avoir sur la température la forte augmentation de la concentration atmosphérique de dioxyde de carbone au cours des 150 dernières années. (Voir la figure 54.26, qui présente une preuve indirecte de l'existence d'un lien entre l'augmentation de la concentration de CO_2 et le réchauffement de la planète.)

À ce jour, aucun modèle n'est suffisamment perfectionné pour inclure tous les facteurs biotiques et abiotiques qui peuvent influer sur la concentration des gaz atmosphériques et sur les températures (par exemple, la couverture nuageuse, l'absorption de dioxyde de carbone par les organismes et les effets des particules dans l'air). Quelques études prévoient que le doublement de la concentration envisagé pour la fin du XXIe siècle pourrait entraîner une augmentation de 2 °C de la température annuelle moyenne. Un lien entre les concentrations de dioxyde de carbone et les données paléoclimatiques sur la température vient étayer ces modèles. Les climatologues peuvent en fait mesurer la concentration de dioxyde de carbone dans des poches d'air emprisonnées dans la glace de l'ère glaciaire, à différents moments de l'histoire de la Terre. On déduit les températures de ces périodes par diverses méthodes, notamment l'analyse de la végétation et des pollens fossiles.

Avec une hausse de 1,3 °C seulement, notre monde serait beaucoup plus chaud qu'il ne l'a jamais été en 100 000 ans. Le scénario le plus pessimiste veut que le réchauffement soit maximal près des pôles. La fonte des glaces polaires élèverait le niveau de la mer de 100 m, ce qui causerait l'inondation progressive des régions situées jusqu'à 150 km (ou plus) à l'intérieur des côtes actuelles. Si cela se produisait, de grandes villes comme New York, Miami, Los Angeles et beaucoup d'autres villes seraient inondées. Les affaissements qui ont récemment touché la plateforme de glace de l'Antarctique, dont s'est échappé en 2002 un iceberg couvrant la moitié de la superficie de Montréal, pourraient être un signe avant-coureur du réchauffement de la planète.

En outre, la tendance au réchauffement modifierait la distribution géographique des précipitations et assécherait, par exemple, les grandes zones agricoles du centre des États-Unis. Néanmoins, les modèles mathématiques divergent quant aux modalités des changements que subirait chaque région. Les paléoécologistes emploient une stratégie particulière pour prédire les conséquences des changements *futurs* de la température: ils étudient les effets qu'ont eus, sur les communautés végétales, les périodes *passées* de réchauffement et de refroidissement. L'analyse de pollen fossile apporte la preuve que les communautés végétales changent de façon spectaculaire lorsque la température varie. Dans le passé, les variations de climat se sont faites progressivement. Les populations végétales et animales pouvaient ainsi migrer vers les régions où les conditions abiotiques leur permettaient de survivre. De nombreux organismes, notamment les Végétaux qui ne peuvent pas se disperser rapidement sur de grandes distances, seront probablement incapables de survivre à la vitesse des changements climatiques qu'on prévoit.

Le réchauffement planétaire qui semble amorcé par suite de l'augmentation de la concentration de dioxyde de carbone dans l'atmosphère pose un problème dont les conséquences sont incertaines et dont les solutions sont complexes. Étant donné l'importance que revêt la combustion dans nos sociétés de plus en plus industrialisées, la concertation internationale et des changements radicaux tant des modes de vie que des procédés industriels sont nécessaires pour stabiliser les émissions de dioxyde de carbone. De nombreux écologistes sont d'avis que la concertation internationale a subi un important revers en 2001, quand les États-Unis se sont retirés du protocole de Kyoto, par lequel, en 1997, les pays industrialisés se sont engagés à réduire leur production de dioxyde de carbone d'environ 5 % sur une période de 10 ans. Le Canada, pour sa part, a ratifié le protocole de Kyoto en décembre 2002.

La destruction de l'ozone atmosphérique

Une couche de molécules d'ozone (O_3) protège la vie contre les effets nocifs du rayonnement ultraviolet. Elle se situe dans la stratosphère, à une altitude variant entre 17 et 25 km. L'ozone absorbe la majeure partie des rayons ultraviolets, qu'elle empêche ainsi d'atteindre les organismes de la biosphère.

Des études de l'atmosphère faites par satellite révèlent que l'épaisseur de la couche d'ozone diminue depuis 1975 **(figure 54.28)**. La destruction de l'ozone atmosphérique résulte principalement de l'accumulation de chlorofluorocarbures (CFC), substances qui sont utilisées dans les appareils réfrigérants, dans certains procédés industriels et comme propulseurs dans les aérosols. Quand les produits de la décomposition de ces substances parviennent dans la stratosphère, le chlore qu'ils contiennent réagit avec l'ozone et le réduit en dioxygène (O_2) **(figure 54.29)**. Puis, d'autres réactions chimiques libèrent le chlore, qui réagit alors avec d'autres molécules d'ozone en un cycle catalytique sans fin. L'effet du phénomène est surtout visible au-dessus de l'Antarctique, où le froid favorise ces réactions

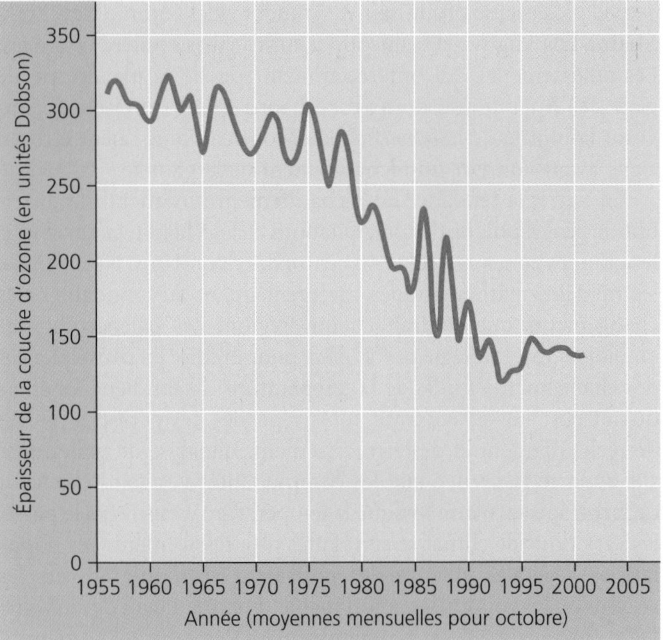

▲ **Figure 54.28 Épaisseur de la couche d'ozone au-dessus de l'Antarctique, en unités Dobson.**

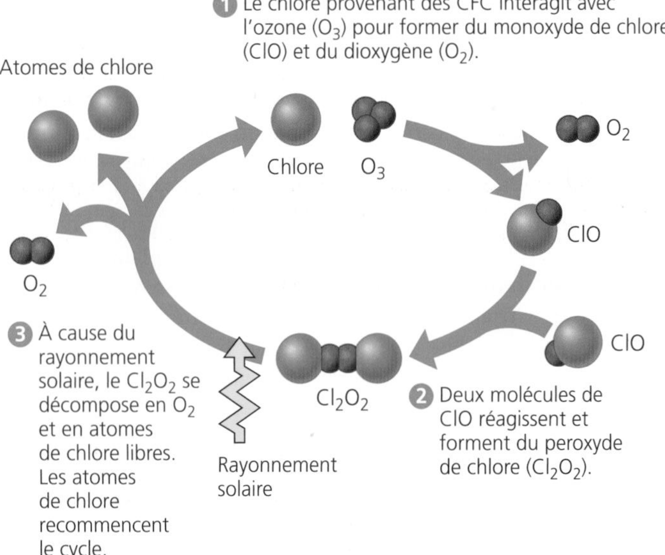

▲ **Figure 54.29 Destruction de l'ozone par le chlore libéré dans l'atmosphère.**

atmosphériques. C'est en 1985 que les scientifiques ont découvert le «trou dans la couche d'ozone» qui se trouve au-dessus de l'Antarctique. Depuis, ils ont constaté qu'il s'ouvre et se referme selon un cycle annuel. Toutefois, la destruction de l'ozone et les dimensions du trou augmentent constamment depuis quelques années. Le trou s'étend quelquefois jusqu'au-dessus des régions méridionales de l'Australie, de la Nouvelle-Zélande et de l'Amérique du Sud **(figure 54.30)**. Dans les régions plus peuplées se trouvant à des latitudes moyennes, la concentration de l'ozone a subi une diminution variant de 2 à 10 % au cours des 20 dernières années.

La dégradation de la couche d'ozone pourrait avoir de graves conséquences pour la vie sur la Terre. Certains scientifiques prévoient une augmentation des cataractes et de certaines formes de cancers de la peau chez les humains. Ils s'attendent aussi à ce que les cultures et les communautés naturelles, particulièrement le phytoplancton qui est à l'origine d'une forte proportion de la productivité primaire, subissent des dommages difficiles à préciser. Le danger associé à la dégradation de la couche d'ozone est tel que 180 pays, dont le Canada, ont ratifié le protocole de Montréal, qui exige l'élimination des substances chimiques responsables de la dégradation de la couche d'ozone. De nombreux pays, y compris ici encore le Canada, ont cessé la production de chlorofluorocarbures. Depuis l'application de ces mesures, certains signes indiquent un ralentissement de la dégradation de la couche d'ozone. Malheureusement, même si toute utilisation des chlorofluorocarbures était dès maintenant interdite à l'échelle de la planète, les molécules de chlore déjà présentes dans l'atmosphère continueraient d'influer sur les concentrations stratosphériques de l'ozone pendant au moins un siècle.

La destruction de la couche d'ozone n'est qu'un autre exemple montrant à quel point les activités humaines peuvent perturber la dynamique des écosystèmes et la biosphère tout entière. Dans le dernier chapitre du manuel, nous mettrons en lumière la façon dont les scientifiques qui travaillent dans les domaines de la biologie de la conservation et de l'écologie de rétablissement étudient l'impact des humains sur la biodiversité de la Terre et y réagissent.

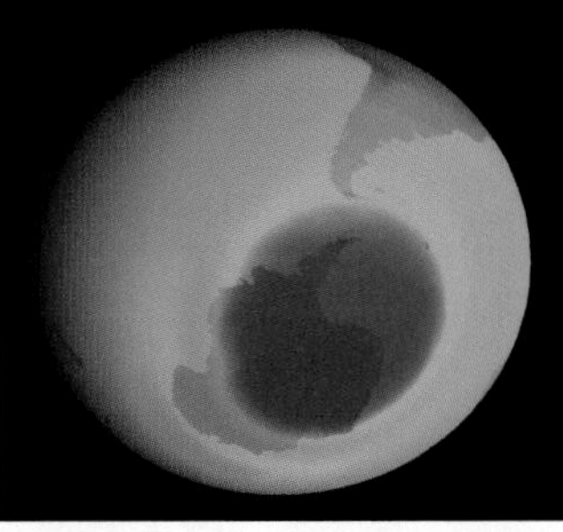

(a) Octobre 1979 **(b) Octobre 2000**

▲ **Figure 54.30 Érosion de la couche d'ozone.** La tache bleue qui apparaît dans ces images est le résultat d'analyses de l'atmosphère. Elle correspond à un trou dans la partie de la couche d'ozone qui surplombe l'Antarctique.

Retour sur le concept 54.5

1. Comment la présence d'un excès de nutriments dans un lac peut-elle menacer les populations de Poissons qui y vivent?
2. Comment une coupe à blanc (l'abattage de tous les arbres) dans une forêt peut-elle porter atteinte à la qualité de l'eau des lacs qui se trouvent à proximité?
3. Compte tenu de la bioamplification des toxines, l'alimentation la plus saine provient-elle des niveaux trophiques supérieurs ou inférieurs? Expliquez votre réponse.
4. Les sols gelés de l'Arctique contiennent de vastes réserves de matière organique. Pourquoi ce fait risque-t-il d'inquiéter les scientifiques qui étudient le réchauffement de la planète?

Voir les réponses proposées à la fin du chapitre.

Révision du chapitre 54

RÉSUMÉ DES CONCEPTS CLÉS

L'écologie des écosystèmes met l'accent sur le flux de l'énergie et sur les cycles biogéochimiques

- **Les écosystèmes et les lois de la physique (p. 1284).** Un écosystème comprend tous les organismes d'une communauté ainsi que tous les facteurs abiotiques avec lesquels ils interagissent. Les lois de la physique et de la chimie s'appliquent aux écosystèmes, particulièrement en ce qui concerne le flux de l'énergie. Au cours des processus qui ont lieu dans les écosystèmes, l'énergie est conservée, mais transformée en chaleur.
- **Les relations trophiques (p. 1284).** L'énergie et les nutriments vont des producteurs (autotrophes) aux consommateurs primaires (herbivores), puis aux consommateurs secondaires (carnivores). L'énergie *circule* dans un écosystème ; elle y entre sous forme de lumière et en ressort sous forme de chaleur. Les nutriments, eux, sont *recyclés* à l'intérieur d'un écosystème.
- **La décomposition (p. 1284-1285).** La décomposition relie tous les niveaux trophiques. Les détritivores, surtout les Bactéries et les Eumycètes, recyclent les éléments chimiques essentiels en décomposant la matière organique et en renvoyant les éléments dans les réservoirs inorganiques.

La productivité primaire dans les écosystèmes est limitée par des facteurs physiques et chimiques

- **L'allocation énergétique des écosystèmes (p. 1285-1287).** L'énergie assimilée durant la photosynthèse représente une infime partie du rayonnement solaire qui atteint la Terre, mais la productivité primaire fixe les limites de l'allocation énergétique mondiale. La productivité primaire brute est l'énergie totale assimilée par un écosystème dans une période donnée. La productivité primaire nette, qui est l'énergie accumulée dans la biomasse des producteurs, correspond à la différence entre la productivité primaire brute et l'énergie utilisée par les producteurs pour la respiration cellulaire. Les consommateurs ne peuvent utiliser que la productivité primaire nette.
- **La productivité primaire dans les écosystèmes marins et dulcicoles (p. 1287-1289).** Dans les écosystèmes marins et dulcicoles, la productivité primaire est limitée par la lumière et les nutriments. À l'intérieur de la zone euphotique, le facteur qui limite la productivité primaire est, la plupart du temps, un nutriment comme l'azote ou le fer.
- **La productivité primaire dans les écosystèmes terrestres et les milieux humides (p. 1289-1290).** Dans les écosystèmes terrestres et les milieux humides, les facteurs climatiques comme la température et l'humidité déterminent la productivité primaire dans l'ensemble du territoire géographique. À l'échelle locale, un nutriment du sol est souvent le facteur limitant de la productivité primaire.

L'efficacité du transfert d'énergie entre les niveaux trophiques est habituellement de moins de 20 %

- **Le rendement (ou l'efficience) écologique (p.1290-1292).** La quantité d'énergie disponible à chaque niveau trophique dépend de la productivité primaire nette et de l'efficacité avec laquelle l'énergie alimentaire est convertie en biomasse à chaque niveau de la chaîne alimentaire. Le pourcentage d'énergie transférée d'un niveau trophique à l'autre, appelé rendement écologique, est généralement de 5 à 20 %. Les pyramides de productivité nette, des biomasses et des nombres rendent compte de la faiblesse relative du rendement écologique.
- **L'hypothèse d'un monde vert (p. 1292-1293).** Selon l'hypothèse d'un monde vert, les herbivores consomment un petit pourcentage de la végétation parce que les prédateurs, la maladie, la compétition, la limitation des nutriments et d'autres facteurs stabilisent les populations d'herbivores.

Concept 54.4

Des processus biologiques et géochimiques font passer les nutriments des réservoirs organiques aux réservoirs inorganiques de l'écosystème

- **Le modèle général du recyclage chimique (p. 1294).** Le carbone, l'oxygène, le soufre et l'azote sont présents dans l'atmosphère à l'état gazeux, et leur cycle se réalise à l'échelle mondiale. D'autres éléments moins mobiles, dont le phosphore, le potassium et le calcium, ont des cycles localisés, au moins à court terme. Tous les éléments passent de façon cyclique des réservoirs de matière organique aux réservoirs de matière inorganique.
- **Les cycles biogéochimiques (p. 1295).** Activé par l'énergie solaire, le cycle de l'eau se produit à l'échelle planétaire. Le cycle du carbone repose surtout sur la réciprocité de la photosynthèse et de la respiration cellulaire. L'azote entre dans les écosystèmes principalement par l'intermédiaire de dépôts atmosphériques et de la fixation de l'azote par les Procaryotes. Mais la majeure partie du cycle de l'azote dans les écosystèmes naturels fait intervenir des cycles locaux reliant les organismes et le sol ou l'eau. Le cycle du phosphore est relativement localisé.
- **Les vitesses de décomposition et de recyclage des nutriments (p. 1295).** La proportion d'un nutriment sous une forme particulière et son temps de recyclage varient d'un écosystème à l'autre, surtout à cause de différences dans le rythme de décomposition.
- **La végétation et le recyclage des nutriments : la forêt expérimentale de Hubbard Brook (p. 1295-1298).** Le recyclage des nutriments est fortement déterminé par la végétation. Des projets de recherches écologiques à long terme examinent la dynamique des écosystèmes sur des périodes relativement longues. L'étude menée dans la forêt de Hubbard Brook a montré que le déboisement augmente le ruissellement et entraîne des pertes considérables de minéraux.

Concept 54.5

La population humaine perturbe les cycles biogéochimiques de toute la biosphère

- **L'enrichissement en nutriments (p. 1299-1300).** L'agriculture retire constamment des nutriments des écosystèmes et nécessite l'emploi de grandes quantités d'engrais. Des quantités considérables de nutriments provenant des engrais sont déversées dans les écosystèmes aquatiques souterrains et de surface, où ils provoquent le développement excessif d'Algues (eutrophisation culturale).
- **Les précipitations acides (p. 1300-1302).** L'utilisation de combustibles fossiles est la principale cause des précipitations acides. Les écosystèmes nord-américains et européens situés dans la direction du vent par rapport aux régions industrielles ont été affectés par des précipitations contenant de l'acide nitrique et de l'acide sulfurique.
- **La présence de toxines dans l'environnement (p. 1302-1303).** La concentration des toxines augmente à chaque niveau d'un réseau trophique. Le rejet de déchets toxiques a pollué l'environnement avec des substances nocives qui y restent souvent pendant longtemps et deviennent de plus en plus concentrées par bioamplification dans les réseaux alimentaires.
- **Le dioxyde de carbone atmosphérique (p. 1303-1305).** La combustion du bois et l'utilisation des combustibles fossiles ainsi que d'autres activités humaines sont à l'origine d'une augmentation constante de la concentration atmosphérique de dioxyde de carbone. Des scientifiques croient que cette augmentation aura des conséquences sur le climat et entraînera un réchauffement important.

▶ **La destruction de l'ozone atmosphérique (p. 1305-1306).** La couche d'ozone réduit la pénétration du rayonnement ultraviolet dans l'atmosphère. Malheureusement, les polluants gazeux contenant du chlore la détruisent, ce qui a de graves conséquences.

VÉRIFIEZ VOS CONNAISSANCES

Autoévaluation

(Les questions dont les numéros sont en caractères gras font surtout appel à la compréhension.)

1. Laquelle des associations suivantes est *inexacte*?
   a) Cyanobactérie : producteur.
   b) Sauterelle : consommateur primaire.
   c) Zooplancton : producteur.
   d) Aigle : consommateur tertiaire.
   e) Eumycète : détritivore.

2. Une pyramide de productivité comme celle qui est présentée à la figure 54.11 révèle que:
   a) la moitié seulement de l'énergie d'un niveau trophique est transmise au niveau suivant.
   b) la majeure partie de l'énergie d'un niveau trophique est incorporée au niveau suivant.
   c) lorsque l'énergie passe d'un niveau trophique à un autre, elle se perd dans une proportion d'environ 10 %.
   d) le transfert d'énergie le plus efficace est celui qui a lieu entre les producteurs et les consommateurs primaires.
   e) la consommation d'herbivores nourris de céréales est un moyen inefficace de se procurer l'énergie emmagasinée par la photosynthèse.

3. Le rôle des Bactéries nitrifiantes dans le cycle de l'azote consiste surtout à:
   a) convertir l'azote à l'état gazeux en ammoniac (NH_3).
   b) libérer l'ammoniac des composés organiques et, ce faisant, le renvoyer dans le sol.
   c) dénitrifier l'ammoniac et renvoyer du diazote dans l'atmosphère.
   d) convertir l'ammoniac en nitrate que les Végétaux pourront absorber.
   e) incorporer l'azote à des acides aminés et à des composés organiques.

4. Laquelle des conclusions suivantes *n'est pas* issue de la déforestation expérimentale d'un bassin-versant de la forêt de Hubbard Brook?
   a) La majeure partie des minéraux sont recyclés dans un écosystème forestier.
   b) Dans un bassin naturel, les apports et les pertes de minéraux s'équilibrent.
   c) La déforestation augmente le ruissellement.
   d) La concentration de nitrate augmente dangereusement dans les cours d'eau qui drainent un territoire déboisé.
   e) Dans le sol des zones déboisées, les concentrations de calcium demeurent élevées.

5. L'augmentation de la concentration atmosphérique de dioxyde de carbone est attribuable surtout à une augmentation de:
   a) la productivité primaire à l'échelle planétaire.
   b) la biomasse mesurable de la biosphère.
   c) l'absorption des rayons infrarouges réfléchis par la Terre.
   d) la combustion du bois et l'utilisation des combustibles fossiles.
   e) la respiration cellulaire de la population humaine croissante.

6. Lequel des phénomènes suivants est une conséquence de la bioamplification?
   a) Les prédateurs qui occupent les niveaux trophiques supérieurs sont les plus touchés par les déchets toxiques.
   b) Les populations de prédateurs supérieurs sont généralement plus petites que les populations de producteurs.
   c) Dans un écosystème, la biomasse des producteurs est en général plus élevée que celle des consommateurs primaires.
   d) Seule une petite partie de l'énergie absorbée par les producteurs est transmise aux consommateurs.
   e) Dans un écosystème, la biomasse des producteurs diminue parallèlement à l'augmentation de leur temps de renouvellement.

7. Lequel des écosystèmes ou biomes suivants a *la plus faible* productivité primaire nette par mètre carré?
   a) Un marais salant.
   b) Un océan.
   c) Un récif corallien.
   d) Une prairie tempérée.
   e) Une forêt tropicale humide.

8. Les concentrations de nutriments minéraux sont relativement faibles dans le sol des forêts tropicales humides, car:
   a) la biomasse mesurable est faible.
   b) les microorganismes du sol ne dégradent pas la matière organique aussi efficacement que ceux des régions tempérées.
   c) la matière organique se décompose plus rapidement et les Végétaux assimilent aussi plus rapidement les nutriments contenus dans le sol.
   d) les cycles des nutriments sont plus lents dans les tropiques.
   e) la chaleur détruit beaucoup de nutriments dans les tropiques.

9. Vous analysez des échantillons provenant d'eaux côtières polluées par les déchets de fermes d'élevage. Vous découvrez qu'ils présentent des concentrations mesurables de phosphates, mais pas d'azote. Au cours d'une expérience subséquente, vous constatez que, si vous enrichissez d'azote certains de vos échantillons, les Algues s'y développent beaucoup plus que dans vos échantillons témoins. Par contre, si vous enrichissez vos échantillons de phosphate, la croissance des Algues n'augmente pas. À partir de ces résultats, vous concluez que:
   a) les populations d'Algues dans ces eaux pourraient être réduites si les eaux de ruissellement contenaient moins de phosphates.
   b) l'ajout d'azote pourrait atténuer l'eutrophisation de ces eaux.
   c) la concentration élevée de phosphates dans l'eau aide à maîtriser le développement d'Algues.
   d) l'azote est le nutriment limitant dans ces eaux.
   e) le phosphate est le nutriment limitant dans ces eaux.

10. Lequel des phénomènes suivants contribue le plus à la rapidité du recyclage des nutriments dans un écosystème?
   a) La vitesse de la productivité primaire.
   b) Le rendement des consommateurs.
   c) La vitesse de décomposition.
   d) Le rendement écologique de l'écosystème.
   e) L'endroit où se trouvent les réservoirs de nutriments dans l'écosystème.

Lien avec l'évolution

Certains biologistes, étonnés par l'interdépendance complexe des facteurs biotiques et abiotiques des écosystèmes, ont avancé l'idée que les écosystèmes eux-mêmes étaient des entités vivantes résultant de l'émergence et capables d'évoluer. Ainsi, James Lovelock a formulé l'hypothèse Gaïa, selon laquelle la Terre elle-même est une entité vivante homéostatique, une sorte de super-organisme. Discutez de l'idée selon laquelle les écosystèmes et la biosphère peuvent évoluer en appliquant la théorie de l'évolution telle que vous l'avez apprise dans ce manuel. Si les écosystèmes sont capables d'évoluer, dites pourquoi il s'agit ou non d'une forme d'évolution darwinienne.

Intégration

Vous étudiez deux étangs voisins situés dans une forêt. Concevez une expérience contrôlée pour mesurer l'effet produit par les feuilles mortes sur la productivité primaire d'un étang.

Science, technologie et société

La concentration de dioxyde de carbone dans l'atmosphère augmente ; la température mondiale s'est élevée au cours des 100 dernières années. La plupart des scientifiques croient qu'il existe une relation entre les deux phénomènes et qu'un réchauffement imputable à l'effet de serre est amorcé. Ces scientifiques affirment qu'il faut agir maintenant pour éviter des changements écologiques profonds. D'autres déclarent qu'il est trop tôt pour conclure et que nous devons recueillir des données supplémentaires avant de passer à l'action. Quels avantages et quels inconvénients y a-t-il à agir immédiatement pour ralentir le réchauffement planétaire? Quels avantages et quels inconvénients y a-t-il à attendre jusqu'à l'obtention de données plus complètes?

Réponses du chapitre 54

Retour sur le concept 54.1

1. L'énergie circule dans un écosystème: elle y pénètre sous forme de lumière solaire, elle s'y déplace à la faveur des transferts d'énergie qui ont lieu dans le réseau alimentaire, puis elle le quitte sous forme de chaleur. Elle n'est pas recyclée à l'intérieur de l'écosystème.
2. Selon le deuxième principe de la thermodynamique, dans tout transfert ou toute transformation d'énergie, une partie de l'énergie se dissipe dans l'air ambiant sous forme de chaleur. La perte de l'énergie qui «s'échappe» d'un écosystème est contrebalancée par le constant rayonnement solaire, sans lequel l'écosystème finirait par épuiser toute son énergie.
3. Les détritivores jouent un rôle essentiel dans le recyclage des nutriments, car ils décomposent la matière organique de sorte que les éléments chimiques vitaux retournent dans l'environnement sous une forme inorganique. Ils représentent aussi un lien important entre les producteurs et les consommateurs.

Retour sur le concept 54.2

1. Seule une petite portion du rayonnement solaire atteint les organismes photosynthétiques; seule une partie de cette petite portion a une longueur d'onde propice à la photosynthèse, et seule une partie de cette partie est convertie en énergie chimique par les organismes photosynthétiques.
2. En agissant sur des facteurs importants, comme la disponibilité de la lumière, la disponibilité des nutriments et l'humidité du sol, et en enregistrant les réactions des producteurs.
3. Parce que les océans occupent un pourcentage très élevé de la superficie de la Terre.
4. La productivité primaire nette tient compte de la perte de matière organique attribuable à la respiration cellulaire des producteurs.

Retour sur le concept 54.3

1. 20 J; 40%.
2. Les organismes décomposeurs (détritivores) consomment la plupart des matières laissées de côté par les herbivores.
3. Dans la plupart des écosystèmes, les plus gros producteurs représentent la biomasse la plus importante: c'est le cas des Végétaux dans les écosystèmes terrestres. Toutefois, dans certains écosystèmes, comme les écosystèmes aquatiques qui reposent sur le phytoplancton – dont la reproduction est rapide –, des producteurs ayant une biomasse mesurable relativement faible peuvent servir de nourriture à des consommateurs primaires ayant une biomasse de beaucoup supérieure à la leur. Dans de tels cas, la pyramide des biomasses est inversée, alors que la pyramide de productivité nette ne l'est pas.

Retour sur le concept 54.4

1. Voici, par exemple, un diagramme pour le cycle du carbone:

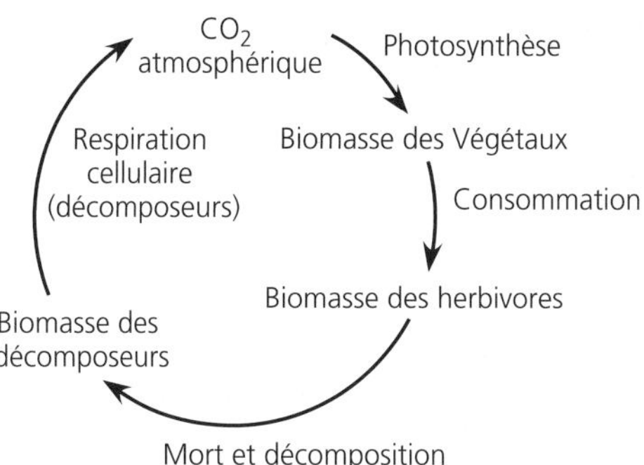

Recyclage d'un atome de carbone

2. Le déboisement perturbe le recyclage de l'azote dans la forêt. Le nitrate qui s'accumule dans le sol atteint les ruisseaux par ruissellement.

Retour sur le concept 54.5

1. L'ajout de nutriments entraîne la prolifération des Algues et des organismes qui s'en nourrissent. La respiration des Algues et des consommateurs, y compris les détritivores, épuise alors la réserve de dioxygène du lac, dont les Poissons ont besoin pour vivre.
2. Les arbres assimilent les minéraux du sol pendant leur croissance. En leur absence, les minéraux s'écoulent par ruissellement en plus grande quantité et finissent par polluer les réserves d'eau qui se trouvent à proximité.
3. Aux niveaux trophiques inférieurs, car la bioamplification augmente la concentration des toxines à chaque niveau de la chaîne alimentaire.
4. Le dégel de ces sols pourrait entraîner la décomposition de la matière organique qu'ils contiennent, ce qui aurait pour effet de faire augmenter davantage la concentration de dioxyde de carbone dans l'atmosphère.

Autoévaluation

1. c; **2.** e; **3.** d; 4. e; 5. d; 6. a; 7. b; 8. c; **9.** d; 10. c.

55 La biologie de la conservation et l'écologie de la restauration

▲ **Figure 55.1 Destruction de la forêt tropicale du Kalimantan Ouest, à Bornéo.**

Concepts clés

55.1 **Les activités humaines menacent la biodiversité de la Terre**

55.2 **La conservation des populations est axée sur la taille, la diversité génétique et l'habitat essentiel des populations**

55.3 **La conservation des paysages et la conservation des régions visent le soutien de biotes entiers**

55.4 **L'écologie de la restauration tente de ramener les écosystèmes dégradés à un état plus naturel**

55.5 **Le développement durable vise à améliorer la condition humaine tout en conservant la biodiversité**

Introduction

La crise de la biodiversité

La biologie est la science de la vie. À cet égard, il est tout à fait approprié d'aborder dans le dernier chapitre de notre manuel deux disciplines qui visent à préserver la vie. La **biologie de la conservation** intègre l'écologie (y compris l'écologie du comportement), la physiologie, la biologie moléculaire, la génétique et la biologie de l'évolution afin de préserver la diversité biologique à tous les niveaux. De plus, les mesures prises pour maintenir les processus des écosystèmes et stopper le déclin de la biodiversité établissent un lien entre les sciences de la vie, et les sciences sociales, économiques et humaines. L'**écologie de la restauration** applique les principes de l'écologie en vue de redonner aux écosystèmes dégradés des conditions qui se rapprochent le plus possible de celles qu'elles présentaient à l'état naturel, avant la dégradation.

À ce jour, les scientifiques ont décrit et nommé formellement environ 1,8 million d'espèces d'organismes. Certains biologistes croient qu'il existe actuellement environ 10 millions d'espèces de plus; d'autres encore estiment ce nombre à 200 millions. Les espèces ne sont pas distribuées uniformément sur la Terre. Les plus grandes concentrations se situent dans les tropiques. Malheureusement, la scène qu'on voit sur la photo de la **figure 55.1** est monnaie courante: on détruit les forêts tropicales humides à une vitesse alarmante pour faire place à la population humaine en pleine croissance et la faire vivre.

Dans toute la biosphère, l'activité humaine modifie les structures trophiques, le flux de l'énergie, les cycles biogéochimiques et les perturbations naturelles. Or, comme les autres espèces, nous dépendons de ces processus des écosystèmes (voir le chapitre 54). La proportion de terre émergée que l'activité humaine a modifiée s'élève à près de 50 %. De plus, nous utilisons plus de la moitié de toutes les eaux douces de surface. Dans les océans, les stocks de nombreux Poissons sont en train de s'épuiser à cause de la surpêche, et de graves perturbations menacent quelques endroits parmi les plus productifs et les plus variés, comme les récifs coralliens et les estuaires. Selon certaines estimations, nous sommes en train d'infliger à la biosphère plus de dommages et d'entraîner vers l'extinction plus d'espèces que ne l'a fait l'énorme astéroïde responsable, semble-t-il, des extinctions de masse vers la fin de la période du Crétacé, il y a 65 millions d'années (voir la figure 26.9). Dans l'ensemble, le taux de disparition des espèces pourrait être 1 000 fois supérieur à celui des 100 000 dernières années.

Dans le présent chapitre, nous allons voir plus en détail la crise de la biodiversité et étudier quelques stratégies de conservation et de restauration que les biologistes utilisent dans leurs tentatives pour ralentir ou contrer les disparitions d'espèces.

Concept 55.1

Les activités humaines menacent la biodiversité de la Terre

L'extinction est un phénomène naturel qui se produit depuis que la vie est apparue. Mais le *rythme* actuel d'extinction est à l'origine d'une crise de la biodiversité. Comme nous ne pouvons qu'estimer le nombre d'espèces existant actuellement, nous ne pouvons déterminer les pertes réelles d'espèces ou l'ampleur de cette crise de la biodiversité. Nous avons par contre la certitude d'être témoins d'un rythme élevé d'extinction attribuable à l'escalade de la dégradation des écosystèmes par une seule espèce, *Homo sapiens*. Bref, les humains menacent à l'heure actuelle la biodiversité de la Terre.

Les trois composantes de la biodiversité

Les trois composantes de la biodiversité sont la diversité génétique, la diversité spécifique et la diversité écosystémique **(figure 55.2)**. Toutes trois s'amoindrissent à cause des activités humaines.

La diversité génétique

La diversité génétique englobe non seulement la variation individuelle *au sein* des populations, mais aussi la variation génétique *entre* les populations, laquelle est souvent associée à des adaptations aux conditions locales (voir le chapitre 23). La disparition d'une population locale entraîne chez l'espèce la perte d'une partie de la diversité génétique responsable de la microévolution. Cette atteinte à la diversité génétique nuit, bien entendu, aux perspectives d'adaptation de l'espèce. Mais la perte de la diversité génétique dans toute la biosphère a aussi des répercussions sur le bien-être des humains. Ainsi, la disparition de certaines populations de plantes sauvages qui sont étroitement liées aux espèces utilisées en agriculture diminue les ressources génétiques pour l'amélioration de la qualité de certaines cultures, par l'intermédiaire de la sélection végétale.

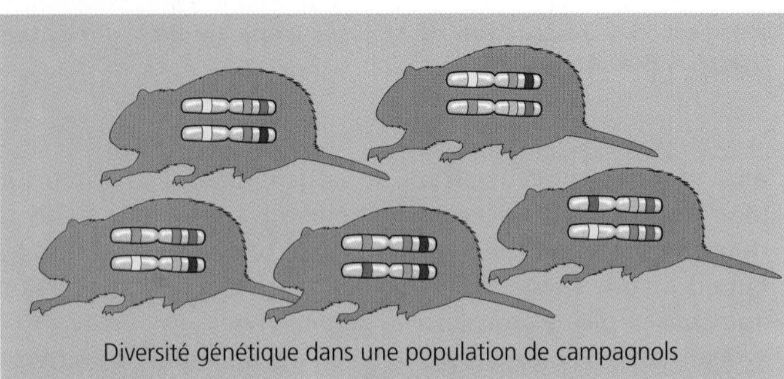

Diversité spécifique dans un écosystème côtier de séquoias

Diversité des communautés et des écosystèmes
dans le paysage d'une région entière

▲ **Figure 55.2 Les trois composantes de la biodiversité.**
Les gros chromosomes illustrés dans la silhouette des campagnols, dans la partie supérieure de la figure, symbolisent la variation génétique au sein d'une population.

La diversité spécifique

Une grande partie du débat public suscité par la crise de la biodiversité est centrée sur la diversité spécifique, c'est-à-dire la variété des espèces dans un écosystème ou dans toute la biosphère. C'est ce que nous avons appelé *richesse spécifique* au chapitre 53. Une **espèce en voie d'extinction**, aussi appelée **espèce en voie de disparition**, risque de disparaître dans l'ensemble ou dans une partie de son aire de distribution. Toute espèce qui sera vraisemblablement menacée d'extinction dans un avenir prévisible dans l'ensemble ou dans une partie de son aire de distribution est considérée comme une **espèce menacée**. Au Canada, la *Loi sur la protection d'espèces animales ou végétales sauvages et la réglementation de leur commerce international et interprovincial* a pour but de protéger les espèces en voie d'extinction et les espèces menacées. Elle est en application depuis 1996. Voici quelques statistiques qui illustrent le problème que soulève la perte d'espèces:

- Selon l'Union mondiale pour la nature (UMN), 12 % des quelque 10 000 espèces d'Oiseaux connues dans le monde sont en voie d'extinction et 24 % des quelque 5 000 espèces de Mammifères connues sont menacées.
- Une enquête récente qu'a menée le Center for Plant Conservation a démontré que parmi les 20 000 espèces végétales connues aux États-Unis, 200 ont disparu depuis qu'on enregistre des données. Aux États-Unis, 730 autres espèces végétales sont en voie d'extinction ou menacées.
- Environ 20 % des Poissons dulcicoles connus dans le monde ont disparu au cours de l'histoire ou sont sérieusement menacés. L'un des événements d'extinction les plus rapides de tous les temps est la disparition de Poissons dulcicoles qui se produit actuellement dans le lac Victoria, en Afrique orientale. Environ 200 des 300 espèces de Cichlidés du lac ont été éliminées, notamment à la suite de l'introduction d'un prédateur exotique, la perche du Nil (*Lates niloticus*), dans les années 1960.
- Depuis 1900, 123 espèces dulcicoles de Vertébrés et d'Invertébrés ont disparu en Amérique du Nord, et des centaines d'autres sont menacées. Le rythme d'extinction pour la faune dulcicole d'Amérique du Nord est environ cinq fois supérieur à celui des Animaux terrestres.
- Selon la revue *Science*, qui a publié en 2004 un rapport s'appuyant sur une évaluation globale effectuée par plus de 500 scientifiques, 32 % de toutes les espèces d'Amphibiens connues sont à l'heure actuelle soit très proches de l'extinction, soit menacées.
- Plusieurs chercheurs estiment qu'au rythme d'extinction actuel, plus de la moitié de toutes les espèces animales et végétales auront disparu avant la fin du XXIe siècle **(figure 55.3)**.

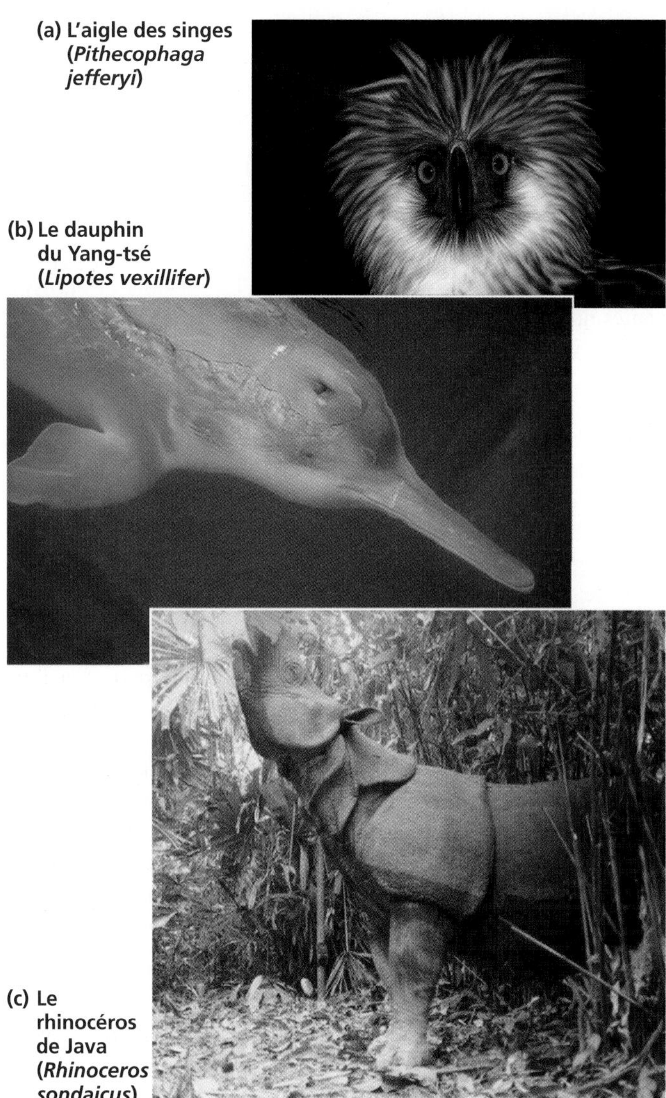

(a) L'aigle des singes (*Pithecophaga jefferyi*)
(b) Le dauphin du Yang-tsé (*Lipotes vexillifer*)
(c) Le rhinocéros de Java (*Rhinoceros sondaicus*)

▲ **Figure 55.3 À 100 battements de cœur de l'extinction.** Voici trois exemples parmi les nombreuses espèces comptant moins de 100 individus. Elles font partie de ce que E. O. Wilson appelle lugubrement le Hundred Heartbeat Club.

L'extinction des espèces peut être strictement locale. Par exemple, une espèce peut disparaître d'un réseau hydrographique, mais survivre dans un réseau voisin. L'extinction globale d'une espèce signifie qu'elle a disparu de *toutes* ses niches. L'extinction est un processus qui passe souvent inaperçu. Pour savoir avec certitude si une espèce donnée a disparu, il faut connaître sa répartition exacte. Faute d'un catalogue plus complet sur la diversité des espèces, et d'une meilleure connaissance de la répartition géographique et des rôles écologiques des espèces de la planète, nos efforts pour comprendre la structure et le fonctionnement des écosystèmes dont dépend notre survie resteront fragmentaires.

La diversité écosystémique

La variété des écosystèmes de la biosphère constitue la troisième composante de la biodiversité. Dans tout écosystème, la communauté présente un réseau d'interactions reliant les populations des différentes espèces. L'extinction locale d'une espèce, disons un superprédateur, peut nuire à la richesse spécifique de l'ensemble de la communauté (voir la figure 53.16). De façon plus générale, chaque écosystème possède des schèmes caractéristiques de flux d'énergie et de cycles biogéochimiques qui peuvent influer sur l'ensemble de la biosphère. Par exemple, les « pâturages » productifs de phytoplancton, dans les océans, peuvent contribuer à modérer l'effet de serre en consommant des quantités massives de dioxyde de carbone pour la photosynthèse.

Certains écosystèmes ont déjà été gravement perturbés par les humains, et d'autres sont détruits à un rythme ahurissant. Par exemple, dans les États continentaux des États-Unis, des milieux humides et des milieux riverains ont été profondément altérés en seulement quelques siècles. Depuis que les Européens ont colonisé ce territoire, plus de 50 % des milieux humides ont été asséchés et convertis en d'autres écosystèmes, surtout agricoles. Entre-temps, en Californie, en Arizona et au Nouveau-Mexique, approximativement 90 % des communautés riveraines naturelles ont été détruites par le surpâturage, la lutte contre les inondations, le détournement des cours d'eau, l'abaissement du niveau des nappes phréatiques et les plantes envahissantes (non indigènes).

La biodiversité et le bien-être des humains

Pourquoi s'inquiéter de la perte de biodiversité ? La raison la plus noble est probablement ce que E. O. Wilson appelle la *biophilie*, c'est-à-dire notre sentiment d'appartenance à la nature et notre conscience de ce qui nous lie à tous les êtres vivants. L'idée selon laquelle les autres espèces sont importantes et devraient être protégées est un grand thème dans de nombreuses religions. C'est aussi le fondement de l'éthique qui nous dicte de protéger la biodiversité. Nous devons nous préoccuper également des générations futures. Avons-nous le droit de les priver de la richesse spécifique de la Terre ? À ce propos, voici une citation d'un vieux proverbe par l'écrivain Antoine de Saint-Exupéry : « Nous n'héritons pas de la terre de nos parents, nous l'empruntons à nos enfants. » Mais la biodiversité présente aussi pour nous de nombreux avantages pratiques.

Les bienfaits de la diversité spécifique et de la diversité génétique

Parmi les espèces menacées, beaucoup pourraient fournir des produits agricoles, des fibres et des médicaments aux humains, ce qui fait de la biodiversité une ressource naturelle primordiale. Aux États-Unis, 25 % de toutes les ordonnances préparées dans les pharmacies contiennent des substances issues de plantes. Par exemple, dans les années 1970, des chercheurs ont découvert que la pervenche de Madagascar (*Catharanthus roseus*) renfermait des alcaloïdes qui inhibaient la croissance de cellules cancéreuses **(figure 55.4)**. Cette découverte a permis d'obtenir la rémission de la maladie chez la plupart des victimes de deux formes de cancer parmi les plus mortelles : la maladie de Hodgkin et la leucémie infantile. Il existe cinq autres espèces de pervenches à Madagascar, une île située au large des côtes de l'Afrique, et l'une d'entre elles est en voie de disparition. Or, si ces espèces disparaissaient, la possibilité de profiter de leurs propriétés médicinales disparaîtrait avec elles.

La perte d'espèces signifie également la perte de gènes. En effet, chaque espèce possède certains gènes uniques, et la biodiversité représente la somme des génomes de tous les organismes de la Terre. Cette immense diversité génétique est potentiellement très avantageuse pour les humains. Pensons à l'exemple historique

◀ **Figure 55.4 Pervenche de Madagascar (*Catharanthus roseus*): plante à fleurs roses qui sauve des vies.**

de l'amplification en chaîne par polymérase (ACP), technique de clonage moléculaire qui utilise une enzyme extraite d'Archéobactéries thermophiles vivant dans des sources d'eaux chaudes (voir la figure 20.7). Actuellement, des entreprises veulent extraire l'ADN des Procaryotes des nombreuses sources thermales du Yellowstone National Park et l'utiliser dans la production à grande échelle d'enzymes utiles. De nombreux chercheurs et industriels voient avec enthousiasme tout le potentiel de cette « bioprospection » pour la création de nouveaux médicaments, produits alimentaires, substituts du pétrole, produits chimiques industriels, etc. Toutefois, comme bien des milliers d'espèces disparaîtront avant même que nous ayons pris connaissance de leur existence, nous risquons de perdre de façon irréversible le précieux potentiel génétique que renferment leurs génothèques respectives, qui sont uniques.

Les écoservices

Les bienfaits que des espèces particulières apportent aux humains sont souvent substantiels. Mais la sauvegarde d'espèces n'est qu'une des raisons pour lesquelles il faut préserver les écosystèmes. Les humains ont évolué dans les écosystèmes de la Terre, et leur organisme y est bien adapté.

Dans les milieux urbains et les banlieues où nous vivons majoritairement aujourd'hui, il est facile de perdre de vue les moyens par lesquels nos écosystèmes nous soutiennent. Les **écoservices**, ce sont tous les processus par l'intermédiaire desquels les écosystèmes naturels et les espèces qui les habitent contribuent à maintenir la vie humaine sur la Terre. Voici une liste de quelques-uns des écoservices :

- La purification de l'air et de l'eau
- L'atténuation de la gravité des sécheresses et des inondations
- La création et la conservation de sols fertiles
- La détoxication et la décomposition des déchets
- La pollinisation des cultures et de la végétation naturelle
- La dispersion des semences
- Le recyclage des nutriments
- La limitation de nombreux parasites de l'agriculture par les ennemis naturels
- La protection des côtes contre l'érosion
- La protection contre le rayonnement ultraviolet
- La réduction de l'impact des conditions météorologiques exceptionnelles
- L'apport de valeurs esthétiques et d'occasions de se récréer

On a de plus en plus de raisons de croire que le fonctionnement des écosystèmes, et donc leur capacité d'assurer des services, est lié à la biodiversité. En réduisant la biodiversité, nos activités restreignent le pouvoir des écosystèmes de la Terre d'accomplir des processus essentiels à notre propre survie.

Si nous sous-estimons généralement les services des écosystèmes naturels, c'est peut-être parce que nous ne leur attribuons aucune valeur pécuniaire. Dans un article publié en 1997, l'écologiste Robert Costanza et ses collaborateurs ont estimé la valeur pécuniaire des écoservices à 33 billions de dollars américains par année, soit près du double du produit national brut de tous les pays de la Terre (18 billions de dollars). Il est peut-être plus réaliste et plus constructif d'en faire la comptabilité à petite échelle. On peut, par exemple, s'interroger sur le coût véritable qui est rattaché à l'édification d'un barrage ou à la coupe à blanc d'une parcelle de forêt si on inclut la perte des écoservices dans la colonne des coûts.

Les quatre principales menaces pour la biodiversité

D'innombrables activités humaines menacent la biodiversité tant à l'échelle locale qu'à l'échelle régionale et planétaire. De cette longue liste ressortent quatre principales menaces auxquelles est attribuable la perte de la plupart des espèces : la destruction des habitats, l'introduction d'espèces, la surexploitation et les perturbations des « réseaux d'interactions », comme les réseaux alimentaires.

La destruction des habitats

Les habitats qui sont modifiés par les activités humaines constituent à eux seuls la plus grande menace pour la biodiversité, dans toute la biosphère. La destruction massive des habitats dans le monde entier est le fait de l'agriculture, de l'urbanisation, de la foresterie, des mines et de la pollution de l'environnement. Lorsqu'une espèce ne trouve aucun habitat de remplacement ou qu'elle est incapable de se déplacer, la perte d'un habitat peut mener à son extinction. Selon l'Union mondiale pour la nature, la destruction des habitats physiques serait responsable de la situation de 73 % des espèces disparues, en voie de disparition, vulnérables ou rares depuis le début de l'histoire contemporaine.

La destruction des habitats peut avoir lieu sur de grands territoires. Ainsi, approximativement 98 % des forêts tropicales sèches de l'Amérique centrale et du Mexique ont été déboisées. De plus, on a fragmenté, découpé en petites parcelles de nombreux paysages naturels **(figure 55.5)**. Le morcellement forestier se produit également à un rythme rapide dans les forêts tropicales humides. Le déboisement de la forêt tropicale humide autour de Veracruz, au Mexique, surtout pour l'élevage des bovins, a entraîné la perte d'environ 91 % de la forêt originale et n'a laissé qu'un archipel de petits îlots forestiers.

Dans presque tous les cas, la fragmentation d'habitats a causé la perte d'espèces, car les petites populations des habitats fragmentés sont davantage exposées à l'extinction locale. Les prairies de l'Amérique du Nord sont un bon exemple. Quand les premiers Européens sont arrivés dans le sud du Wisconsin, la prairie

▲ **Figure 55.5 Fragmentation des habitats dans la Mount Hood National Forest, dans l'ouest des États-Unis.**

couvrait environ 800 000 ha de cet État. Or, elle n'occupe plus maintenant que moins de 0,1 % de sa superficie originale. De 1948 à 1954, puis en 1987 et 1988, on a fait des relevés sur la diversité végétale dans 54 vestiges de prairies du Wisconsin. Au cours des quelques décennies qui séparent les deux études, les fragments de prairies ont perdu entre 8 et 60 % de leurs espèces végétales.

Bien que la plupart des études portent principalement sur les écosystèmes terrestres, la destruction des habitats constitue une menace importante pour la biodiversité marine, surtout le long des côtes continentales et près des récifs de corail. Environ 93 % des récifs de corail, qui comptent parmi les communautés aquatiques possédant la plus grande richesse spécifique de la planète, ont été endommagés par les activités humaines. Si la destruction se poursuit au rythme actuel, de 40 à 50 % des récifs, qui abritent le tiers des espèces de Poissons marins, pourraient disparaître au cours des 30 à 40 prochaines années. La destruction des habitats et des espèces aquatiques est aussi causée par les barrages et les réservoirs, la modification du lit et la régularisation du débit qui touchent aujourd'hui la plupart des fleuves et des rivières du monde. Par exemple, le nombre de Poissons qui migrent vers l'amont du fleuve Columbia, dans le nord-ouest des États-Unis, a diminué fortement en raison des nombreux barrages qui se trouvent sur ce cours d'eau.

L'introduction d'espèces

Les **espèces introduites**, aussi appelées *espèces envahissantes*, non indigènes ou exotiques, sont les espèces que les humains déplacent intentionnellement ou accidentellement de leur aire de distribution normale jusque dans de nouvelles aires géographiques. La facilité avec laquelle se font les voyages par bateau et par avion a accéléré la transplantation d'espèces. En l'absence des prédateurs, des parasites et des agents pathogènes qui limitent leurs populations dans leurs habitats naturels, les espèces transplantées peuvent se répandre dans une région avec une rapidité fulgurante.

Les espèces introduites qui s'installent dans une communauté constituent une perturbation, soit parce qu'elles sont prédatrices, soit parce qu'elles rivalisent avec les espèces indigènes pour les ressources. Ainsi, on a introduit accidentellement dans l'île de Guam le serpent brun arboricole (*Boiga irregularis*), « passager clandestin » de cargos militaires après la Seconde Guerre mondiale **(figure 55.6a)**. Depuis, 12 espèces d'Oiseaux et 6 espèces de lézards servant de proies à cet Animal ont disparu de Guam. La moule zébrée (*Dreissena polymorpha*) offre un autre exemple d'introduction accidentelle particulièrement dévastatrice. Cette espèce, pas plus grosse que le bout du doigt, qui se trouvait fort probablement dans l'eau de lestage de navires en provenance d'Europe, a été introduite dans les Grands Lacs de l'Amérique du Nord en 1988. Mollusque suspensivore efficace atteignant de fortes densités de population, la moule zébrée a profondément perturbé des écosystèmes dulcicoles, menaçant la survie d'espèces aquatiques indigènes. En outre, elle a bouché des prises d'eau, ce qui a compromis des réserves d'eau domestiques et industrielles, et causé des milliards de dollars de dommages.

Beaucoup d'espèces introduites par les humains avec de bonnes intentions ont également produit des effets désastreux. Ainsi, le ministère de l'Agriculture des États-Unis a introduit dans le sud du pays une plante japonaise appelée kudzu (*Pueraria lobata*) afin de lutter contre l'érosion. Or, cette plante a envahi de grandes étendues du paysage du Sud **(figure 55.6b)**. En 1890, l'étourneau sansonnet (*Sturnus vulgaris*), apporté dans Central Park, à New York, par un groupe de citoyens qui voulait introduire toutes les plantes et tous les Animaux dont on parle dans les pièces de

(a) Le serpent brun arboricole, introduit par des cargos dans l'île de Guam

(b) Le kudzu, qui prospère en Caroline du Sud

▲ **Figure 55.6 Deux espèces introduites.**

Shakespeare, s'est répandu rapidement dans toute l'Amérique du Nord. En moins d'un siècle, la population a atteint environ 100 millions d'individus, chassant une multitude d'espèces d'Oiseaux chanteurs indigènes.

Les espèces introduites constituent un problème international. Elles sont responsables d'environ 40 % des extinctions enregistrées depuis 1750. De plus, le coût des dommages qu'elles occasionnent et des mesures prises pour les combattre atteint chaque année des milliards de dollars. Aux États-Unis seulement, il y a plus de 50 000 espèces introduites.

La surexploitation

La *surexploitation* désigne généralement l'exploitation par les humains de plantes ou d'Animaux sauvages à un rythme qui dépasse la capacité de régénération des populations des espèces visées. Elle peut mettre en péril certaines espèces de plantes, comme les arbres rares qui fournissent du bois précieux ou certains autres produits commerciaux. Mais ce terme s'applique plus souvent aux activités commerciales comme la chasse et la pêche, ainsi que la collecte et la vente d'Animaux.

Les grandes espèces dont le taux d'accroissement de population est bas, telles que les éléphants, les baleines et les rhinocéros, sont très sensibles à la surexploitation. Le déclin des populations d'éléphant d'Afrique (*Loxodonta africana*) et d'éléphant de forêt (*Loxodonta cyclotis*), les plus grands Animaux terrestres qui existent encore, est un exemple classique de l'impact de la chasse excessive. Principalement à cause du commerce de l'ivoire, les populations d'éléphants ont diminué dans presque toute l'Afrique au cours des 50 dernières années. Malheureusement, une interdiction internationale relative à la vente de nouvel ivoire a provoqué une augmentation du braconnage, de sorte que cette mesure a eu peu d'effet dans les pays du centre et de l'est de l'Afrique. Il n'y a qu'en Afrique du Sud, où les troupeaux jadis décimés ont été bien protégés pendant presque un siècle, que les populations d'éléphants sont demeurées stables ou ont augmenté (voir le chapitre 52).

Les espèces dont les habitats sont restreints, comme les petites îles, sont particulièrement vulnérables à la surexploitation. Ainsi, dans les années 1840, les humains avaient déjà chassé de façon excessive le grand pingouin (*Pinguinus impennis*), Oiseau de mer incapable de voler, jusqu'à le faire disparaître des îles de l'océan Atlantique. On recherchait ses plumes, ses œufs et sa viande. De plus, de nombreuses populations de Poissons marins d'importance commerciale, qu'on croyait inépuisables, ont été énormément réduites par la surpêche. En effet, en raison de la demande croissante de protéines d'une population humaine qui connaît une explosion démographique et des nouvelles techniques, comme la pêche aux lignes de fond et les chalutiers modernes, leurs populations atteignent aujourd'hui des niveaux qui ne peuvent pas supporter une exploitation plus poussée. Le thon rouge de l'Atlantique Nord (*Thunnus thynnus*) en est un exemple. Il y a encore quelques décennies, on considérait le thon rouge comme un Poisson de pêche sportive de faible valeur commerciale (il valait quelques cents le kilogramme et servait de nourriture pour chats). Puis, au début des années 1980, des grossistes commencèrent à transporter par avion, vers le Japon, du thon rouge frais conservé dans la glace, pour les sushis et les sashimis. Dans ce marché, le thon rouge rapporte maintenant jusqu'à 100 dollars (US) le kilogramme **(Figure 55.7)**. Sous la pression d'une telle demande, il n'a fallu que dix ans pour réduire la population du thon rouge nord-américain à moins de 20 % de sa taille de 1980. L'effondrement de la pêche à la morue franche (*Gadus morhua*) au large de Terre-Neuve, dans les années 1990, est un exemple récent de la possibilité de surexploiter une espèce très commune.

▲ **Figure 55.7 Surexploitation.** Thon rouge (*Thunnus thynnus*) de l'Atlantique Nord vendu aux enchères sur un marché japonais.

Les perturbations des réseaux d'interactions

La dynamique des écosystèmes repose sur les réseaux de relations interspécifiques au sein des communautés biologiques. L'extinction d'une espèce, à plus forte raison s'il s'agit d'une espèce clé, d'une espèce perturbatrice ou d'une espèce dont la relation avec les autres est très spécialisée (voir le chapitre 53), peut en condamner d'autres comme dans une réaction en chaîne. Bien que cette menace pour la biodiversité ait été moins étudiée que les trois autres dont nous avons parlé, de nombreux exemples illustrent comment la perturbation des réseaux d'interactions peut mettre en danger d'autres espèces.

La loutre de mer (*Enhydra lutris*) est une espèce clé qui a été éliminée de presque toute son aire de distribution traditionnelle. Or, cette élimination a entraîné des changements majeurs dans la structure des communautés benthiques vivant dans les eaux peu profondes le long de la côte ouest de l'Amérique du Nord (voir la figure 53.17). Dans une grande partie de l'Amérique du Nord, l'extermination des castors, l'une des espèces perturbatrices des écosystèmes les mieux connues, a fortement réduit le nombre des habitats des terres humides et des étangs. Il existe d'autres exemples. Ainsi, partout dans le monde, le déclin des populations d'espèces pollinisatrices indigènes provoqué par la destruction des habitats et l'usage excessif des pesticides risque de perturber la reproduction de plantes tant sauvages que cultivées. Les roussettes (*Pteropus mariannus*), d'importantes pollinisatrices des îles du Pacifique, sont de plus en plus recherchées comme aliments de luxe **(figure 55.8)**. À cause de la chasse dont ces chauves-souris font l'objet, les biologistes de la conservation s'inquiètent du sort des plantes indigènes des îles Samoa, où les roussettes assurent la pollinisation ou la dispersion des graines de plus de 79 % des arbres.

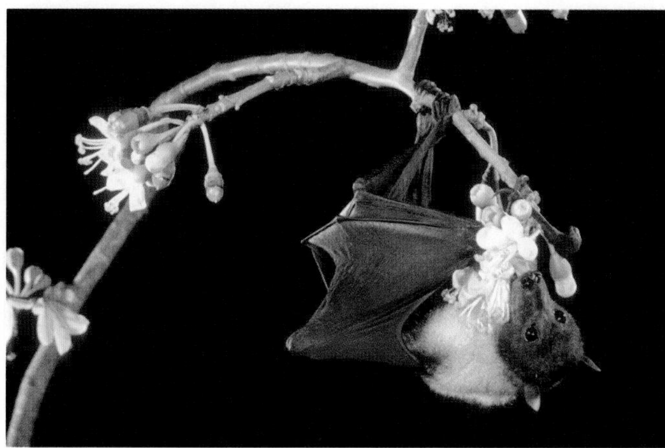

▲ **Figure 55.8 Perturbation des réseaux d'interactions.** Espèce en voie de disparition, la roussette des îles Mariannes (*Pteropus mariannus*) est une importante pollinisatrice.

Retour sur le concept 55.1

1. Expliquez pourquoi il est trop restrictif de définir la crise de la biodiversité comme une simple perte d'espèces.
2. Indiquez les quatre principales menaces pour la biodiversité et précisez l'effet défavorable de chacune sur la biodiversité.
3. Quels avantages représente pour les humains la préservation de la biodiversité?

Voir les réponses proposées à la fin du chapitre.

Concept 55.2

La conservation des populations est axée sur la taille, la diversité génétique et l'habitat essentiel des populations

Les biologistes qui s'intéressent à la conservation des populations et des espèces ont deux grandes approches, que nous appellerons l'approche des petites populations et l'approche des populations déclinantes.

L'approche des petites populations

On parle d'*espèce en voie de disparition* quand les populations sont très petites. C'est la petite taille même d'une population qui conduit finalement à l'extinction, après que des facteurs tels que la perte d'habitats ont fait de nombreuses victimes. Les biologistes de la conservation qui adoptent l'approche des petites populations étudient les processus qui peuvent causer la disparition des petites populations.

La spirale d'extinction

Une petite population connaît des boucles de rétroactivation imputables à la consanguinité et à la dérive génétique. Cela l'entraîne dans une **spirale d'extinction** au cours de laquelle sa taille se réduit progressivement, jusqu'à ce qu'il n'existe plus aucun individu **(figure 55.9)**. Le facteur déterminant de la spirale d'extinction est la perte de la variation génétique, c'est-à-dire de la capacité de la population d'évoluer de façon à s'adapter aux changements du milieu, comme l'arrivée de nouveaux agents pathogènes. La consanguinité et la dérive génétique peuvent toutes les deux causer une perte de variation génétique (voir le chapitre 23), et ces deux processus s'accentuent tandis que la population diminue.

Toutes les populations ne sont pas condamnées par une faible diversité génétique. En outre, une variabilité génétique faible ne signifie pas nécessairement que la population sera petite de façon permanente. Ainsi, comme nous en avons parlé au chapitre 23, la chasse excessive de l'éléphant de mer du Nord (*Mirounga angustirostris*), dans les années 1890, a réduit la population de l'espèce à seulement 20 individus. Il s'agit manifestement d'un effet d'étranglement qui a entraîné une faible variation génétique. Mais depuis, les populations d'éléphants de mer du Nord ont connu une recrudescence et comptent aujourd'hui environ 150 000 individus. La variation génétique demeure relativement faible dans ces populations. De plus, chez certaines espèces de Végétaux, comme la pédiculaire des marais (*Pedicularis palustris*) et plusieurs Graminées, la faiblesse de la variabilité génétique semble intrinsèque. De nombreuses populations de la spartine alterniflore (*Spartina anglica*), qui croît dans les marais salants, sont génétiquement uniformes à de nombreux loci. *S. anglica* est apparue il n'y a qu'un siècle. Elle est issue de l'hybridation et de l'allopolyploïdie de quelques plantes parentales (voir la figure 24.9). Cette espèce s'est disséminée par clonage et domine maintenant de grands secteurs de battures en Europe et en Asie. Ainsi, dans certains cas, une faible diversité génétique est associée à une croissance de population et non à un déclin. Mais ces cas peuvent se produire justement parce qu'ils sont si inhabituels.

Quelle limite inférieure doit atteindre la taille d'une population pour s'engager dans une spirale d'extinction? La réponse

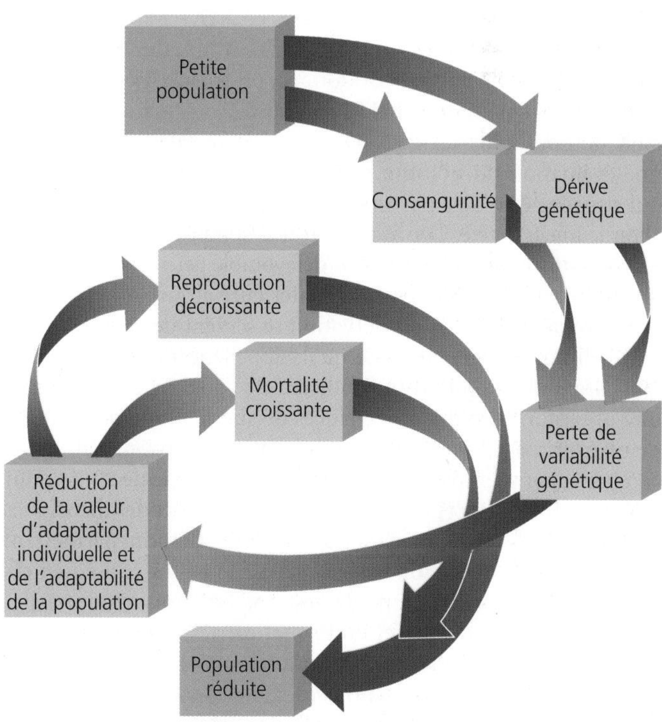

▲ **Figure 55.9 Processus menant à une spirale d'extinction.**

dépend du type d'organisme et de quelques autres facteurs. Elle s'évalue au cas par cas. Par exemple, les grands prédateurs qui se nourrissent habituellement dans les niveaux supérieurs d'un réseau trophique ont généralement besoin de très grandes aires de distribution, et ont donc des densités de population très faibles. Par conséquent, ce ne sont pas toutes les espèces rares qui préoccupent les biologistes de la conservation. Mais, quel que soit le nombre d'individus, la taille de la plupart des populations doit avoir une valeur minimale pour rester viable.

Étude de cas : le tétras des prairies et la spirale d'extinction

Quand les Européens sont arrivés en Amérique du Nord, le tétras des prairies (*Tympanuchus cupido*) était une espèce répandue de la Nouvelle-Angleterre à la Virginie et dans toutes les prairies de l'ouest des États-Unis et du Canada. Puis, l'agriculture a fragmenté les populations de tétras des prairies dans les États et les provinces du centre et de l'ouest. Ainsi, dans le seul État de l'Illinois, la population des tétras s'élevait à plusieurs millions au XIXe siècle. Mais en 1933, elle ne comptait plus que 25 000 individus, puis en 1993, seulement 50. Les États du Kansas, du Minnesota et du Nebraska, eux, en abritaient encore de grandes populations. Les chercheurs ont découvert que la diminution de la population de tétras dans la prairie de l'Illinois était liée à une diminution de la fécondité. Pour vérifier l'hypothèse de la spirale d'extinction, les scientifiques ont introduit une variation génétique en transplantant plus de 270 Oiseaux provenant des populations plus grandes du Kansas, du Minnesota et du Nebraska **(figure 55.10)**. La population de tétras de l'Illinois a connu une recrudescence, ce qui a amené les chercheurs à conclure qu'elle était engagée dans une spirale d'extinction avant qu'on la sauve par l'introduction d'une variation génétique provenant d'autres populations.

La taille minimale viable d'une population

La taille minimale à laquelle une espèce arrive à maintenir son nombre et à survivre est appelée **taille minimale viable d'une population**. Pour une espèce donnée, on évalue habituellement la taille minimale viable à l'aide de modèles informatiques combinant de nombreux facteurs. Par exemple, le calcul peut inclure une évaluation du nombre d'individus d'une petite population qui peuvent être tués par une catastrophe naturelle quelconque comme une tempête. Une fois amorcée la spirale d'extinction, deux ou trois années de suite de climat défavorable peuvent achever une population dont la taille est déjà inférieure au minimum viable.

Les biologistes de la conservation se servent de la valeur de la taille minimale viable dans ce qu'ils appellent une **analyse de la viabilité d'une population**. L'objectif de l'analyse est d'arriver à une prévision plausible des chances de survie d'une population, qu'on exprime habituellement sous forme de probabilité de survie (on parle, par exemple, d'une probabilité de survie de 99 %) pour une période donnée (par exemple 100 ans). Les études théoriques comme l'analyse de la viabilité d'une population permettent aux biologistes de la conservation d'explorer les conséquences possibles de différents plans de gestion. Toutefois, comme elles reposent sur la fidélité de l'information relative aux populations considérées, les études théoriques donnent des résultats plus solides lorsqu'elles sont combinées à des études sur le terrain. L'étude de cas portant sur les grizzlis présentée à la page suivante est un exemple de cette façon de procéder.

Figure 55.10

Investigation Quelle était la cause de la forte chute de population des tétras des prairies de l'Illinois ?

EXPÉRIENCE Les chercheurs ont découvert que l'effondrement de la population de tétras des prairies de l'Illinois correspondait à une réduction de la fécondité, mesurée en fonction du taux d'éclosion des œufs. En comparant des échantillons d'ADN provenant de la population de Jasper County, en Illinois, avec de l'ADN extrait des plumes de spécimens plus anciens conservés au musée, les biologistes sont arrivés à la conclusion que la variation génétique avait effectivement diminué dans la population étudiée. En 1992, ils ont entrepris la transplantation expérimentale de tétras des prairies provenant du Minnesota, du Kansas et du Nebraska en vue d'accroître la variation génétique.

RÉSULTATS Après la transplantation (indiquée par la flèche bleue), la viabilité des œufs s'est rapidement améliorée, et la population a connu une recrudescence.

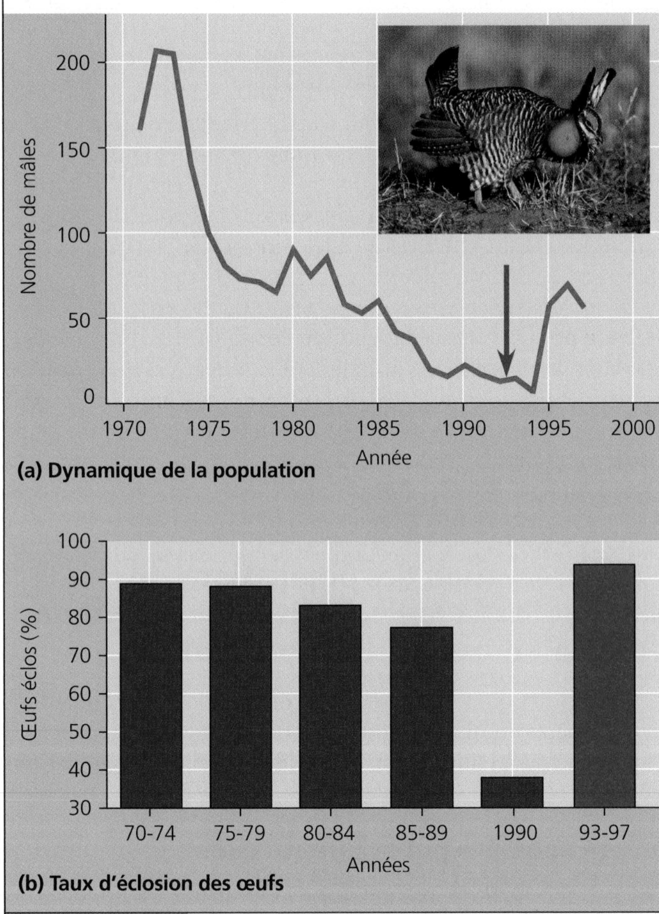

CONCLUSION Les chercheurs ont conclu que la population de tétras des prairies de Jasper County avait été entraînée dans une spirale d'extinction à cause de sa faible variation génétique.

La taille efficace d'une population

La variation génétique est l'enjeu principal de l'approche des petites populations. La taille *totale* d'une population peut être trompeuse, parce que seuls certains membres se reproduisent avec succès et transmettent leurs allèles à leur progéniture. Par conséquent, pour faire une estimation significative de la taille minimale viable, les chercheurs doivent déterminer la **taille efficace d'une population**, fondée sur le potentiel de reproduction. La formule qui suit utilise la proportion des individus reproducteurs par sexe dans le calcul d'une estimation de la taille efficace d'une population, symbolisée par N_e:

$$N_e = \frac{4N_f N_m}{N_f + N_m}$$

où *Nf* et *Nm* sont respectivement le nombre de femelles et le nombre de mâles qui se reproduisent avec succès. Si on applique cette formule à une population théorique comptant au total 1 000 individus, on obtient 1 000 pour N_e si chaque individu se reproduit et si la proportion des sexes est de 500 femelles et de 500 mâles. En effet, dans ce cas: $N_e = (4 \times 500 \times 500)/(500 + 500) = 1\,000$. Un écart par rapport à ces conditions (tous les individus ne se reproduisent pas ou la proportion des sexes n'est pas de 1 : 1) réduit N_e. Par exemple, si la taille totale de la population est de 1 000 individus mais que seules 400 femelles se reproduisent avec 400 mâles, alors: $N_e = (4 \times 400 \times 400)/(400 + 400) = 800$. N_e équivaut ainsi à 80 % de la taille totale de la population.

De nombreuses caractéristiques du cycle biologique peuvent influer sur N_e. Ainsi, d'autres formules pour l'évaluation de N_e tiennent compte de la taille des familles, de l'âge de la maturation, du rapprochement génétique entre les membres de la population, des effets du flux génétique entre les populations séparées géographiquement et des fluctuations de la population.

Dans les études réelles de populations, N_e est toujours une fraction de la population totale. Par conséquent, la simple détermination du nombre total d'individus d'une petite population ne permet pas de savoir si elle est suffisamment importante pour éviter l'extinction. Quand c'est possible, les programmes de conservation visent à soutenir des tailles de population totale qui incluent au moins le nombre minimal viable d'individus qui sont des *reproducteurs actifs*. Il faut se rappeler qu'on veut maintenir une taille efficace de population (N_e) supérieure à la taille minimale viable afin de s'assurer que les populations conservent une diversité génétique suffisante pour leur adaptation au cours de l'évolution.

Étude de cas: analyse de populations de grizzlis

Mark Shaffer, de la Duke University, a effectué en 1978 l'une des premières analyses de viabilité d'une population dans le cadre d'une étude à long terme sur les grizzlis (*Ursus arctos*) du Yellowstone National Park et de ses environs **(figure 55.11)**. Espèce menacée aux États-Unis, le grizzli n'habite que 4 des 48 États continentaux. De plus, sa population y a subi une réduction et une fragmentation radicales. En 1800, 100 000 grizzlis parcouraient une région d'environ 500 millions d'hectares d'un habitat plus ou moins continu, alors qu'aujourd'hui 6 populations presque isolées comptant au total près de 1 000 individus occupent un territoire de moins de 5 millions d'hectares.

Dans sa tentative pour déterminer la taille viable des populations de grizzlis des États-Unis, Shaffer a utilisé des données sur le cycle biologique des grizzlis de Yellowstone couvrant une période de 12 ans. Il a ensuite simulé les effets des facteurs écologiques sur la survie et la reproduction du grizzli. Selon ses modèles, une population totale de grizzlis comptant de 70 à 90 individus dans un habitat favorable a 95 % de chances de survivre pendant 100 ans, et une population de 100 individus, 95 % de chances de survivre pendant 200 ans.

▲ **Figure 55.11 Surveillance à long terme d'une population de grizzlis (*Ursus arctos*).** Les écologistes John et Frank Craighead installent un émetteur radio à un grizzli anesthésié, afin de pouvoir suivre ses déplacements. Les résultats de leurs études ont fourni à Mark Shaffer une estimation de la population qui était essentielle à l'analyse de la viabilité de la population.

La population réelle de grizzlis dans le parc Yellowstone est-elle comparable aux estimations de taille minimale viable faites par Shaffer? Plusieurs sources d'information indiquent que la population de grizzlis de Yellowstone augmente. L'un des meilleurs indices de cette croissance est le nombre de femelles observées en compagnie d'oursons chaque année. Le fait que ce nombre ait augmenté entre 1973 et 2002 permet de conclure que la population de grizzlis de Yellowstone a connu une croissance considérable **(figure 55.12)**. Par ailleurs, comme on ne repère pas toutes les femelles qui ont des oursons, les nombres de la figure 55.12 constituent des estimations minimales. De plus, comme les femelles ont des petits approximativement tous les trois ans, le nombre annuel de femelles ayant des oursons ne représente qu'environ un tiers du nombre total des femelles

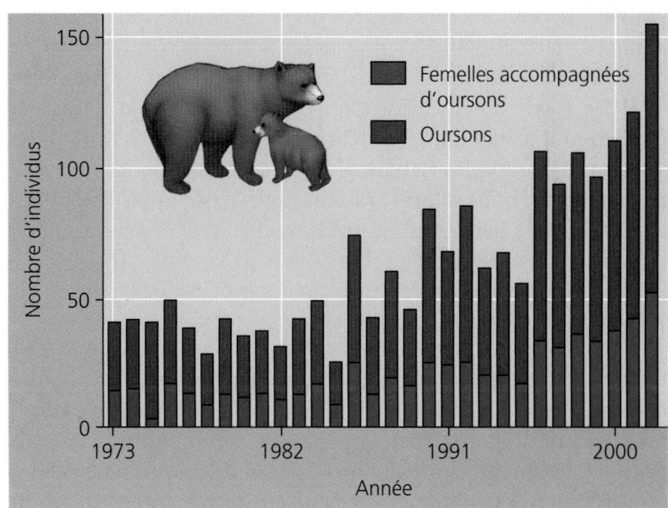

▲ **Figure 55.12 Croissance de la population de grizzlis du parc Yellowstone, en fonction du nombre de femelles observées en compagnie d'oursons et du nombre d'oursons.**

matures de la population. Enfin, si on ajoute au nombre estimatif des femelles et des oursons le nombre des mâles et des femelles immatures, ainsi que celui des mâles matures, on obtient une population totale de plus de 400 individus pour l'ensemble de l'écosystème de Yellowstone.

La relation entre cette estimation de la population totale de grizzlis et la taille efficace d'une population, N_e, repose sur plusieurs facteurs. En général, seuls quelques mâles dominants se reproduisent. Or, ils peuvent avoir de la difficulté à trouver des femelles parce que la population est dispersée sur un très grand territoire. En outre, il se peut que les femelles ne se reproduisent que lorsque la nourriture est abondante. Par conséquent, N_e ne représente qu'environ 25 % de la taille totale de la population, soit environ 100 individus pour la population de Yellowstone, qui en compte 400.

Étant donné que la variation génétique des petites populations tend à s'affaiblir avec le temps, des équipes de recherche ont procédé à des analyses de protéines, d'ADN mitochondrial et d'ADN nucléaire microsatellite afin d'évaluer la variabilité génétique chez la population de grizzlis de Yellowstone. À ce jour, tous les résultats indiquent que cette population possède une variabilité génétique moindre que d'autres populations de grizzlis d'Amérique du Nord. Toutefois, l'isolement et le déclin de la variabilité génétique de la population de grizzlis de Yellowstone, qui se sont effectués progressivement au cours du XXe siècle, ne sont pas aussi prononcés qu'on le craignait. Les spécimens de musée recueillis au début des années 1900 montrent que la variabilité génétique des grizzlis de Yellowstone a toujours été faible. Ces études indiquent aussi que la taille efficace de la population de Yellowstone est plus importante qu'on le pensait : elle se chiffre approximativement à 80 individus pour la plus grande partie du XXe siècle et à un peu plus de 100 aujourd'hui.

Comment les biologistes de la conservation peuvent-ils arriver à augmenter la taille efficace et la variation génétique de la population de grizzlis de Yellowstone ? La taille efficace et la taille totale pourraient augmenter s'il y avait des migrations entre les populations isolées de grizzlis. Les modèles informatiques prédisent que l'introduction, tous les 10 ans, de 2 ours non apparentés dans des populations de 100 individus réduirait de moitié environ la perte de variation génétique. Pour le grizzli, et probablement pour beaucoup d'autres espèces dont les populations sont très petites, l'un des besoins les plus urgents pour la conservation est de trouver des façons de favoriser l'expansion des populations.

Cette étude de cas ainsi que celle portant sur le tétras des prairies font le lien entre la théorie des petites populations et les applications pratiques en biologie de la conservation. Dans la section suivante, nous allons examiner une autre approche biologique pouvant permettre de comprendre le phénomène qu'est l'extinction d'espèces.

L'approche des populations déclinantes

L'**approche des populations déclinantes** s'intéresse aux populations menacées ou en voie d'extinction dont la taille tend à diminuer même si elle est bien supérieure au minimum viable. La distinction entre une population déclinante (qui peut être petite) et une petite population (qui peut être déclinante) est moins importante que les différences entre les priorités des deux approches de base en biologie de la conservation. L'approche des petites populations fait valoir que la petite taille même est la cause première de l'extinction des populations, en particulier à cause d'une perte de diversité génétique. En revanche, l'approche des populations déclinantes met surtout l'accent sur les facteurs environnementaux qui causent le déclin d'une population. Si, par exemple, un secteur est déboisé, les espèces qui dépendent des arbres diminueront et disparaîtront localement, qu'elles conservent ou non une variation génétique.

Les étapes de l'analyse et de l'intervention

L'approche des populations déclinantes exige que les chercheurs évaluent au cas par cas les déclins de populations en analysant minutieusement les causes avant de recommander ou de mettre à l'essai des mesures correctrices. Si, par exemple, la bioamplification d'un polluant toxique cause le déclin d'un consommateur d'un niveau supérieur comme un Oiseau prédateur (voir le chapitre 54), alors seule la réduction du poison ou son élimination de l'environnement peuvent sauver l'espèce. Les situations sont rarement aussi claires. Toutefois, les étapes suivantes sont utiles pour analyser les populations déclinantes et pour déterminer les interventions nécessaires, même dans les cas complexes.

1. Évaluer les tendances démographiques et la répartition de la population afin de confirmer que l'espèce est en déclin, ou qu'elle était auparavant plus abondante ou avait un habitat plus étendu.
2. Étudier l'évolution naturelle de l'espèce et des espèces apparentées, à l'aide notamment de comptes rendus de recherches, pour déterminer leurs exigences en matière environnementale.
3. Formuler des hypothèses pour expliquer toutes les causes possibles du déclin, dont les activités humaines et les événements naturels, et énumérer les prédictions de chaque hypothèse.
4. Étant donné que de nombreux facteurs peuvent être liés au déclin, vérifier d'abord l'hypothèse la plus vraisemblable. Par exemple, retirer l'agent soupçonné d'être responsable du déclin pour voir si la population expérimentale connaît une recrudescence par rapport à la population témoin.
5. Appliquer les résultats du diagnostic à la gestion des espèces menacées et surveiller le rétablissement.

L'étude de cas qui suit est un exemple d'application de l'approche des populations déclinantes à une espèce en voie de disparition.

Étude de cas : le déclin du pic à face blanche

Le pic à face blanche (*Picoides borealis*) est une espèce endémique (caractéristique d'une région) et en voie de disparition qui habitait à l'origine le sud-est des États-Unis. Cette espèce a besoin d'une forêt de pins arrivée à maturité et de préférence dominée par le pin des marais (*Pinus palustris*). Contrairement à la plupart des pics qui nichent dans des arbres morts, le pic à face blanche creuse une cavité dans des arbres vivants et matures **(figure 55.13a)**. Le pic à face blanche creuse aussi de petites cavités autour de l'entrée du nid. La résine coule alors et finit par enduire le tronc, ce qui semble décourager certains prédateurs qui dévorent les œufs et les oisillons.

Un autre facteur déterminant pour le pic à face blanche en matière d'habitat est la nécessité que le sous-étage de végétation autour des troncs de pins des marais soit peu élevé **(figure 55.13b)**. Les pics à face blanche nicheurs abandonnent leur nid quand la végétation autour des pins des marais est dense et dépasse 5 m **(figure 55.13c)**. Ces Oiseaux ont besoin, semble-t-il, d'une

(a) Pic à face blanche à l'entrée de son nid situé dans un pin des marais (*Pinus palustris*)

(b) Une forêt pouvant abriter les pics à face blanche comporte un bas sous-bois.

(c) Une forêt ne pouvant pas abriter de pics à face blanche comporte un haut sous-bois qui gêne l'accès des Oiseaux aux aires d'alimentation.

▲ **Figure 55.13 Besoins en matière d'habitat du pic à face blanche (*Picoides borealis*).**

trajectoire de vol dégagée entre l'arbre où ils nichent et les aires d'alimentation voisines. Par le passé, des incendies périodiques nettoyaient les forêts de pins des marais, ce qui maintenait le sous-bois à une hauteur adéquate.

L'une des causes du déclin de la population de pics à face blanche est la destruction ou la fragmentation des habitats qui lui conviennent par l'exploitation forestière et l'agriculture. La reconnaissance des facteurs clés en matière d'habitat et la protection de quelques forêts de pins des marais, ainsi que le recours à des incendies contrôlés pour réduire le sous-bois, ont permis de restaurer des habitats où les populations peuvent atteindre une taille viable. Toutefois, la conception d'un programme de restauration du pic à face blanche a été difficile, en raison de l'organisation sociale de l'espèce. En effet, ces Oiseaux vivent en groupes formés d'un couple reproducteur et de congénères, surtout des mâles, dont le nombre peut atteindre quatre. Ces derniers sont des assistants et ne se reproduisent pas. Mais ils participent à l'incubation des œufs et aux soins de la nichée. Certains jeunes peuvent finir par accéder au statut de reproducteurs lorsque les plus vieux Oiseaux meurent. Mais l'attente peut durer des années, et encore, les assistants doivent entrer en compétition pour se reproduire. Les jeunes qui se dispersent afin de former de nouveaux groupes doivent surmonter des difficultés pour se reproduire avec succès. En effet, les nouveaux groupes occupent généralement des territoires abandonnés ou s'établissent dans de nouveaux sites où ils doivent creuser les cavités nécessaires à la nidification. Or, la construction de nids peut prendre plusieurs années. Ainsi, les individus ont généralement de meilleures chances de se reproduire s'ils restent avec le groupe que s'ils se dispersent et creusent leurs demeures dans de nouveaux territoires.

Pour vérifier l'hypothèse selon laquelle le comportement contribue au déclin des populations de pics à face blanche, Carole Copeyon, Jeffrey Walters et Jay Carter, de la North Carolina State University, ont creusé des cavités dans des pins des marais de 20 sites. Les résultats ont été spectaculaires : les pics à face blanche ont colonisé 18 des 20 sites, et de nouveaux groupes reproducteurs se sont formés uniquement aux endroits où on avait creusé des cavités artificielles. L'expérience a donc confirmé l'hypothèse selon laquelle cette espèce de pic abandonne des habitats tout à fait convenables en raison de l'absence de cavités pour les nids. À la suite de cette expérience, l'entretien des habitats et le creusage de nouvelles cavités de nidification ont permis à la population d'une espèce en voie de disparition de connaître une recrudescence.

L'évaluation d'exigences contraires

Déterminer l'effectif d'une population et les besoins en matière d'habitat n'est qu'un aspect de l'effort visant à préserver des espèces. Il faut également mettre en balance, d'une part, les besoins biologiques et écologiques de chaque espèce et, d'autre part, les exigences contraires des humains. La biologie de la conservation met souvent au premier plan la relation entre la science, la technologie et la société (l'un des thèmes de ce manuel). Par exemple, dans les États du nord-ouest des États-Unis bordés par le Pacifique a lieu un débat parfois animé : il oppose le sauvetage des habitats pour les populations de chouettes tachetées (*Strix occidentalis*), de loups gris (*Canis lupus*), de grizzlis (*Ursus arctos*) et d'ombles à tête plate (*Salvelinus confluentus*), et les exigences en matière d'emplois dans les domaines du bois de construction et des mines, ainsi que dans d'autres entreprises d'exploitation. De plus, quelques amateurs de plein air et de nombreux éleveurs s'opposent aux programmes visant à reconstituer les populations de loups gris à Yellowstone, et à soutenir celles des grizzlis et d'autres grands Mammifères : les premiers s'inquiètent pour leur sécurité, tandis que les seconds craignent d'éventuelles pertes de bétail.

Les grands Vertébrés vedettes ne sont pas toujours au centre des conflits, mais l'utilisation des habitats est presque toujours en cause. Faut-il poursuivre les travaux de construction d'un pont pour une nouvelle route s'ils menacent de détruire le seul habitat restant d'une espèce de moule d'eau douce ? Si vous étiez propriétaire d'une plantation de café où croissent des variétés qui ont besoin de beaucoup de lumière, croyez-vous que vous seriez disposé à changer pour des variétés tolérant l'ombre qui sont moins productives et moins payantes mais qui abritent de nombreux Oiseaux chanteurs ?

Le rôle écologique des espèces est aussi un facteur important. Étant donné notre incapacité à sauver toutes les espèces en voie de disparition, nous devons déterminer lesquelles sont les plus importantes pour la conservation de la biodiversité dans son ensemble. Les espèces n'influent pas de la même manière sur le fonctionnement des communautés et des écosystèmes. En déterminant les espèces clés et en trouvant des moyens pour soutenir leurs populations, on assure la survie de communautés entières.

La gestion visant la conservation d'une seule espèce risque d'avoir des conséquences défavorables pour des populations d'autres espèces. Par exemple, la gestion des forêts de pins des marais pour le pic à tête blanche aurait pu affecter des Oiseaux migrateurs associés aux forêts décidues tempérées. Pour vérifier cette possibilité, les écologistes ont comparé les communautés d'Oiseaux vivant près des cavités de nidification dans les forêts de pins gérées avec les communautés de forêts témoins. Contrairement à leurs attentes, le nombre et la diversité des autres Oiseaux étaient plus élevés dans les sites gérés que dans les forêts témoins. Dans ce cas, les mesures prises pour conserver une seule espèce ont amélioré la diversité d'une communauté entière d'Oiseaux. Dans de nombreuses situations, toutefois, la conservation ne doit pas limiter ses préoccupations à des espèces prises séparément, mais prendre en considération une communauté ou un écosystème en entier comme unité importante de la biodiversité.

Retour sur le concept 55.2

1. Pourquoi la diversité génétique réduite des petites populations les rend-elles plus vulnérables à l'extinction?
2. Comparez les mesures correctrices recommandées pour prévenir l'extinction d'une espèce selon l'approche des petites populations et selon l'approche des populations déclinantes.
3. Pourquoi la taille efficace d'une population (N_e) est-elle presque toujours inférieure à sa taille totale (N)?

Voir les réponses proposées à la fin du chapitre.

Concept 55.3

La conservation des paysages et la conservation des régions visent le soutien de biotes entiers

Dans le passé, presque tous les efforts de conservation se sont concentrés sur la préservation d'espèces en voie d'extinction. Mais de nos jours, la biologie de la conservation vise de plus en plus à assurer la biodiversité de communautés, d'écosystèmes et de paysages entiers. Une visée aussi large exige la compréhension et l'application des principes de l'écologie des communautés, des écosystèmes et des paysages de même que de ceux qui se rapportent à la dynamique et à l'économie des populations humaines. L'**écologie des paysages** (voir le chapitre 50), qui englobe la gestion des écosystèmes, a notamment pour but de comprendre les profils d'utilisation passés, présents et futurs, et d'intégrer la préservation de la biodiversité à la planification de cette utilisation.

La structure des paysages et la biodiversité

La biodiversité d'un paysage est en grande partie fonction de la structure du paysage. Comprendre la dynamique des paysages est d'une importance capitale pour la conservation, car de nombreuses espèces utilisent plus d'une sorte d'écosystème, et un grand nombre d'espèces vivent à la limite de deux écosystèmes.

La fragmentation et les écotones

Les zones de transition, que les écologistes appellent *écotones*, entre les écosystèmes (entre un lac et la forêt environnante, par exemple, ou entre une terre cultivée et une zone d'habitation en banlieue) et au sein des écosystèmes (comme les bords de chemin et les affleurements rocheux) sont des caractéristiques qui définissent les paysages **(figure 55.14)**. Un écotone possède son propre ensemble de conditions physiques, qui diffèrent de celles

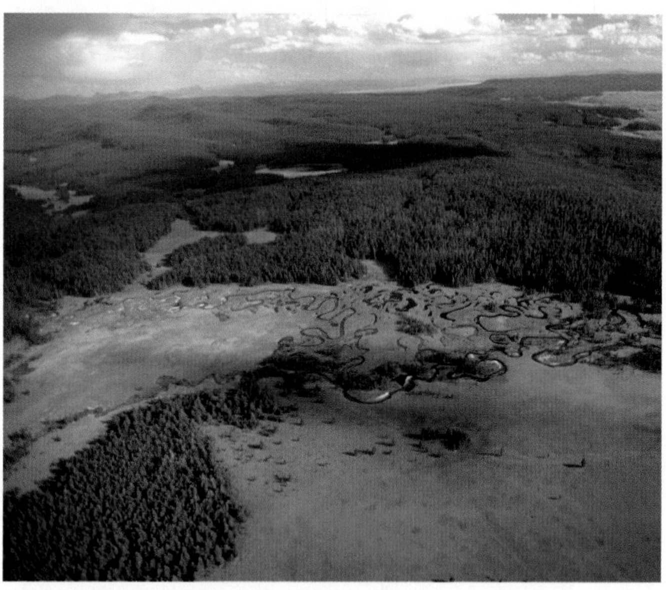

(a) Zones de transition naturelles. Dans le Yellowstone National Park, des prairies cèdent la place à des écosystèmes forestiers.

(b) Zones de transition créées par l'activité humaine. Sur cette photo d'une forêt tropicale humide de Malaisie très exploitée, des zones de transition bien nettes (routes) entourent des coupes à blanc.

▲ **Figure 55.14 Zones de transition entre des écosystèmes.**

existant de part et d'autre. Ainsi, dans une zone de transition entre une parcelle de forêt et un secteur incendié, la surface du sol reçoit plus de rayonnement solaire et est généralement plus chaude et plus sèche que l'intérieur de la forêt, mais est par ailleurs plus fraîche et plus humide que la surface du sol incendiée.

Certains organismes se développent dans des communautés d'écotones parce qu'ils ont besoin de ressources provenant des deux aires adjacentes. Ainsi, la gélinotte huppée (*Bonasa umbellus*) a besoin d'un habitat forestier pour nicher, se nourrir en hiver et s'abriter. Mais elle a également besoin d'ouvertures dans la forêt occupées par des arbrisseaux et des herbes denses pour se nourrir en été. Le cerf de Virginie (*Odocoileus virginianus*) vit aussi dans des habitats de zones de transition, où il peut brouter les buissons. Les populations de cerfs de Virginie s'accroissent souvent quand les forêts sont exploitées, car les zones de transition sont alors plus nombreuses.

La prolifération d'espèces dans les zones de transition peut avoir des effets positifs ou négatifs sur la biodiversité d'une communauté. Au cours d'une étude récente sur des communautés d'écotones situées au Cameroun, on a comparé les populations de bulbul verdâtre (*Andropadus virens*, un petit Oiseau des forêts tropicales humides) vivant dans les zones de transition et à l'intérieur des forêts. Les résultats ont indiqué que les zones de transition des forêts pourraient être d'importants sites de différenciation des espèces. Par ailleurs, les communautés où les écotones sont le résultat de l'intervention des humains ont souvent une biodiversité réduite à cause de la prépondérance des espèces adaptées à ces zones. Ainsi, le vacher à tête brune (*Molothrus ater*) est une espèce adaptée aux zones de transition qui pond ses œufs dans les nids d'autres Oiseaux, en particulier ceux de certains Oiseaux chanteurs migrateurs. Les vachers à tête brune ont besoin de forêts pour parasiter les nids d'autres Oiseaux et aussi de champs pour trouver les Insectes dont ils se nourrissent. Le nombre de vachers à tête brune est en pleine croissance là où les forêts sont fortement exploitées et très fragmentées. À ces endroits, il y a beaucoup d'habitats de zones de transition et de champs. Le parasitisme croissant du vacher à tête brune et la perte d'habitats expliquent le déclin des populations de plusieurs espèces hôtes du vacher à tête brune.

L'influence de la fragmentation sur la structure des communautés a été examinée de près pendant 20 ans dans le cadre d'une étude à long terme appelée Biological Dynamics of Forest Fragments Project. Située au cœur du bassin fluvial de l'Amazone, à environ 80 km au nord de la ville de Manaus, la région étudiée se compose d'une série de fragments de forêt **(figure 55.15)**. Ces fragments sont des parcelles isolées, séparées de la forêt tropicale humide non morcelée par des distances de 80 à 1 000 m. Des chercheurs de partout dans le monde ont clairement démontré les effets tant physiques que biologiques de cette fragmentation sur des taxons aussi variés que les Bryophytes, les Coléoptères et les Oiseaux. Leurs observations ont notamment permis de constater à maintes reprises la présence de deux groupes d'espèces : celles qui vivent dans les habitats de zones de transition et celles qui vivent à l'intérieur des forêts. Dans les plus petits fragments, ce sont les espèces adaptées aux habitats de l'intérieur qui présentent les plus importants reculs, ce qui semble indiquer que les paysages dominés par de petits fragments abritent un moins grand nombre d'espèces, principalement à cause de la perte des espèces adaptées aux habitats de l'intérieur des forêts.

▲ **Figure 55.15 Fragmentation de la forêt humide de l'Amazone : sections isolées couvrant une superficie de 1 à 100 ha.**

Les corridors entre des fragments d'habitats

Là où les habitats ont été très fragmentés, la présence d'un **corridor de migration**, soit une bande de terre étroite ou une série de petits massifs d'habitats naturels ou aménagés faisant le lien entre des parcelles autrement isolées, peut être un facteur déterminant pour la conservation de la biodiversité. Les habitats situés au bord d'un cours d'eau servent souvent de corridors de migration, et les politiques gouvernementales de certains pays interdisent la destruction de ces aires riveraines. Dans les secteurs où les activités humaines sont importantes, des corridors de migration artificiels sont quelquefois construits. Ainsi, des ponts ou des tunnels peuvent réduire le nombre d'Animaux tués alors qu'ils tentent de traverser une autoroute **(figure 55.16)**.

Les corridors de migration favorisent l'expansion et réduisent la consanguinité dans des populations déclinantes. On sait aussi qu'ils facilitent les échanges d'individus entre les sous-populations

▲ **Figure 55.16 Corridor de migration artificiel.** Ce pont construit dans le parc national Banff, au Canada, permet aux Animaux de traverser un obstacle créé par les humains.

d'une métapopulation chez des organismes comme les papillons, les campagnols et diverses plantes aquatiques. Ils sont particulièrement importants pour les espèces qui se déplacent entre différents habitats au fil des saisons. Toutefois, ils peuvent également être nuisibles. En effet, ils favorisent par exemple la propagation de maladies, notamment parmi les petites populations qui vivent dans des parcelles d'habitats rapprochées. Selon une étude menée en 2003 par Agustin Estrada-Pena, de l'Université de Saragosse, en Espagne, les corridors de migration facilitent les déplacements des tiques, vectrices de microorganismes pathogènes, dans des parcelles de forêt situées dans le nord de l'Espagne. On ne comprend pas encore très bien tous les effets des corridors, mais ils font l'objet d'actives recherches en biologie de la conservation et en écologie de la restauration.

L'établissement de zones protégées

Afin de ralentir la perte de biodiversité, les biologistes de la conservation mettent en application leurs connaissances de la dynamique des communautés, des écosystèmes et des paysages pour établir des zones protégées. Les gouvernements ont mis en réserve, sous différentes formes, environ 7 % des terres émergées de la planète. Lorsqu'ils choisissent des endroits à protéger et conçoivent des réserves naturelles, les biologistes de la conservation ont de nombreux défis à relever. Par exemple, si une communauté est sujette à des incendies, au pâturage et à la prédation, faut-il gérer la réserve de façon à réduire au minimum les risques de ces processus pour les espèces menacées ou en voie de disparition ? Ou bien, doit-on garder la réserve la plus naturelle possible et laisser des processus comme les incendies allumés par la foudre jouer leur rôle sans intervenir d'aucune façon ? Ce n'est qu'un des problèmes qui se posent pour les gens ayant à cœur la santé des parcs nationaux et des autres zones protégées. Toute l'attention se porte sur les points chauds de la biodiversité.

La recherche des points chauds de la biodiversité

Un **point chaud de la biodiversité** est une aire relativement petite qui comporte une concentration exceptionnelle d'espèces endémiques et un grand nombre d'espèces menacées ou en voie d'extinction **(figure 55.17)**. Par exemple, près de 30 % de toutes les espèces d'Oiseaux n'occupent que 2 % de la zone émergée du globe. Environ 50 000 espèces de plantes, soit 20 % de toutes les espèces connues, n'habitent que 18 points chauds ne correspondant au total qu'à 0,5 % de la surface émergée du globe. Dans l'ensemble, les points les plus chauds comptent pour moins de 1,5 % des terres de la planète, mais abritent le tiers de toutes les espèces de Végétaux et de Vertébrés. On trouve aussi parmi les points chauds des écosystèmes aquatiques, comme les récifs coralliens et certains réseaux hydrographiques.

Les points chauds de la biodiversité constituent évidemment de bons choix pour des réserves naturelles. Cependant, il n'est pas toujours simple de reconnaître quelles sont ces régions. De plus, protéger même tous ces points chauds ne permettrait malheureusement pas de conserver la biodiversité de la planète. En effet, et c'est là l'un des problèmes, il se peut qu'un point chaud pour un groupe taxinomique donné, comme les Oiseaux, n'en soit pas un pour un autre groupe, comme les papillons. Le fait de désigner une aire comme point chaud favorise souvent un groupe taxinomique comme les Vertébrés ou les Végétaux, aux dépens des Invertébrés et des microorganismes, auxquels on accorde moins d'attention. Quelques biologistes sont par ailleurs conscients du fait que la stratégie des points chauds draine tout l'effort de conservation sur une très petite fraction de la surface terrestre.

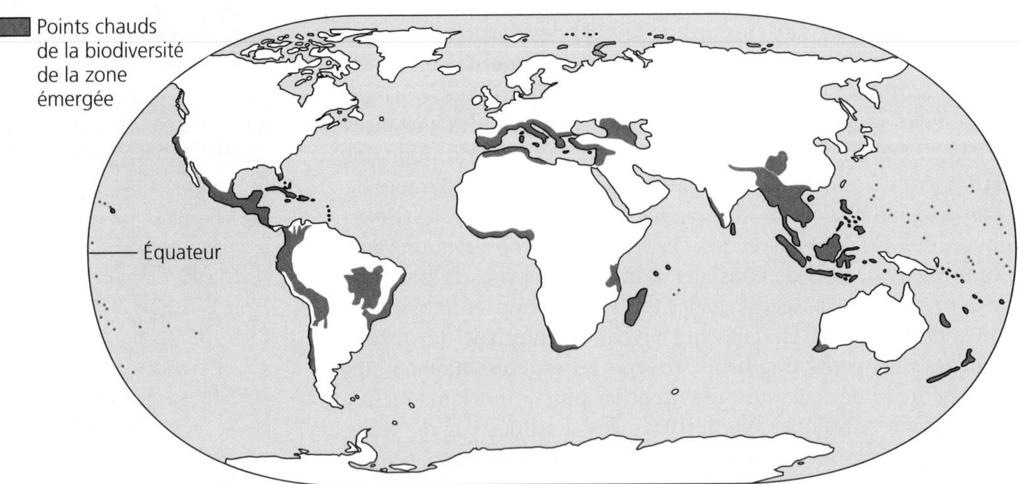

▲ **Figure 55.17 Points chauds de la biodiversité de la zone émergée de la Terre.**

L'optique des réserves naturelles

Les réserves naturelles sont des îlots de biodiversité dans une mer d'habitats dégradés à divers degrés par l'activité humaine. Mais il est important de se rendre compte que ces « îlots » protégés ne sont pas isolés de leur environnement et que le modèle du déséquilibre dont il a été question au chapitre 53 s'applique autant aux réserves naturelles qu'aux paysages dans lesquels elles sont intégrées.

Une ancienne politique préconisait qu'on tienne à l'écart les zones protégées pour les garder indéfiniment intactes. Elle était fondée sur le vieux concept selon lequel un écosystème est une unité possédant son équilibre et son autorégulation propres. Cependant, comme nous l'avons vu au chapitre 53, la perturbation est une composante fonctionnelle des écosystèmes. C'est pourquoi les politiques de gestion qui ne tiennent pas compte de perturbations naturelles ou tentent de les empêcher sont généralement stériles. Par exemple, mettre en réserve l'aire d'une communauté tributaire du feu, comme une partie d'une prairie d'herbes hautes, d'un chaparral ou d'une pinède sèche, avec l'intention de la préserver, n'est pas réaliste si on empêche les incendies périodiques. Faute de perturbation dominante, les espèces qui sont adaptées au feu sont éliminées dans la compétition avec les autres espèces. La biodiversité se trouve donc réduite.

Comme la perturbation et la fragmentation causées par les humains sont des caractéristiques de plus en plus courantes des paysages, la dynamique des perturbations, la dynamique des populations, les zones de transition et les corridors de migration sont importants dans la conception et la gestion des zones protégées. En biologie de la conservation, la question suivante est importante: Vaut-il mieux aménager une grande réserve ou un ensemble de petites réserves? L'un des arguments en faveur de réserves étendues est que les grands Animaux qui se déplacent sur de grandes distances et dont les populations sont de faible densité, comme le grizzli, ont besoin de vastes habitats. En outre, les aires étendues possèdent des périmètres proportionnellement plus petits que les petites aires; les zones de transition influent donc moins sur elles. Au fur et à mesure que les biologistes de la conservation apprennent à connaître les exigences rattachées aux tailles minimales viables de populations des espèces en voie de disparition, ils se rendent compte que la plupart des parcs nationaux et réserves sont beaucoup trop petits. Ainsi, la **figure 55.18** compare les limites des parcs nationaux de Yellowstone et du Grand Teton avec l'aire réelle qu'il faut laisser aux grizzlis pour empêcher leur extinction. La *limite biotique*, c'est-à-dire l'aire nécessaire au grizzli pour survivre, est plus de dix fois supérieure à la *limite juridique*, c'est-à-dire l'aire réelle des parcs. Étant donné les réalités politiques et économiques, on ne peut s'attendre à ce que beaucoup de parcs existants soient agrandis. De plus, il est probable que presque toutes les nouvelles réserves seront trop petites. Les terres publiques et privées qui entourent les réserves devront donc contribuer à la conservation de la biodiversité. Par contre, les petites réserves isolées peuvent ralentir la propagation de maladies dans une population.

D'un point de vue pratique, l'utilisation des terres par les humains l'emporte souvent sur toutes les autres considérations. Elle dicte en grande partie la taille et la forme des zones protégées. Les protecteurs de l'environnement héritent généralement des terres que l'agriculture et la foresterie ne peuvent exploiter. Mais, dans certains cas, comme lorsque la réserve est entourée de terres commercialement rentables, on doit intégrer dans les stratégies de conservation la façon dont l'agriculture et la foresterie les utilisent.

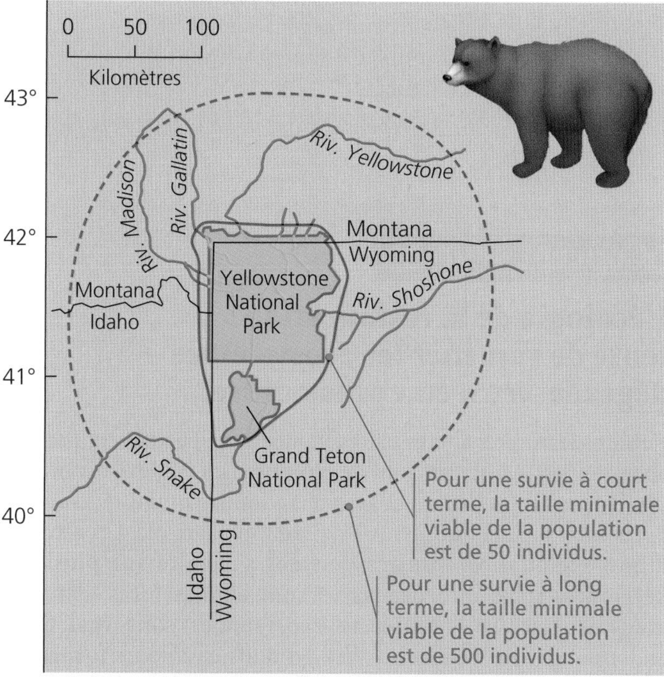

▲ **Figure 55.18 Limite juridique (en vert) et limite biotique (en rouge) pour les grizzlis, dans les parcs nationaux de Yellowstone et du Grand Teton.** Les limites biotiques sont définies par tout le bassin-versant de la région et par l'aire nécessaire à une population minimale viable de grizzlis.

Les réserves zonées

Quelques nations ont adopté une approche de la gestion des paysages appelée *système des réserves zonées*. Une **réserve zonée** est une région qui a généralement une grande superficie et qui inclut au moins une aire non perturbée par les humains. Cette dernière est entourée d'un territoire modifié par l'activité humaine et servant à des fins économiques. Au Québec, il y a ainsi des *zones d'exploitation contrôlée* (*ZEC*). Ce sont des territoires établis par l'État et destinés principalement au contrôle de l'exploitation des ressources fauniques. La gestion peut en être déléguée à un organisme agréé. Le défi principal du concept des réserves zonées est l'instauration d'un climat social et économique dans les terres environnantes qui soit compatible avec la viabilité à long terme de la zone centrale protégée. Les aires environnantes continuent de servir à la population humaine, mais des règlements empêchent les types de modifications qui pourraient avoir un impact sur les zones protégées. Par conséquent, les bandes de terre environnantes servent de zones tampons empêchant une intrusion au cœur des milieux naturels.

Le Costa Rica, petit pays d'Amérique centrale, est devenu un chef de file mondial dans l'établissement de réserves zonées **(figure 55.19)**. En échange de la réduction de sa dette internationale, le gouvernement costaricien a délimité huit réserves zonées, appelées *zones de conservation*, qui contiennent des terres classées parmi les parcs nationaux. Le Costa Rica améliore la gestion des réserves zonées. Les zones tampons assurent, quant à elles, un approvisionnement stable et durable de produits forestiers, d'eau et d'énergie hydroélectrique, et favorisent une agriculture et un tourisme écologiquement viables. Donner une base économique stable aux habitants du pays constitue un objectif important. Écologiste de la University of Pennsylvania et leader dans le domaine de la conservation des milieux tropicaux, Daniel Janzen l'a bien dit: «La probabilité d'une survie à long terme d'un milieu sauvage protégé est directement proportionnelle à la santé économique et à la stabilité de la société dans laquelle l'aire est intégrée.» Les pratiques destructrices qui ne sont pas compatibles avec la conservation à long terme d'un écosystème et qui n'apportent souvent qu'un petit profit local sont limitées aux zones périphériques les plus éloignées des zones tampons et peu à peu déconseillées. Ces pratiques sont l'exploitation forestière massive, la monoculture extensive et l'exploitation minière excessive.

Le Costa Rica compte sur son système de réserves zonées pour garder au moins 80% de ses espèces indigènes, mais ce système présente tout de même des aspects négatifs. En 2003, une analyse portant sur les changements dans la couverture végétale entre 1960 et 1997 a révélé que la déforestation était négligeable à l'intérieur des parcs nationaux du Costa Rica et que la couverture forestière s'était accrue dans la zone tampon de 1 km autour des parcs. On a néanmoins découvert d'importantes pertes de couverture forestière dans les zones tampons de 10 km qui entourent tous les parcs nationaux, ce qui risque de faire de ces derniers des habitats isolés.

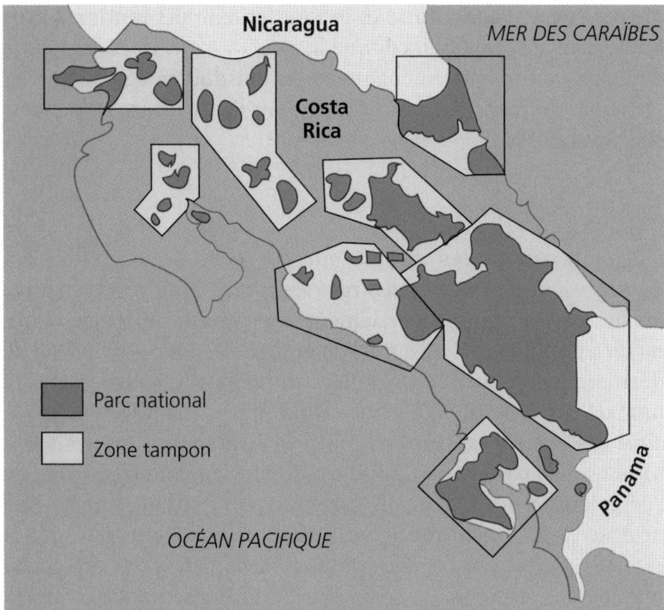

(a) Les lignes noires indiquent les limites des réserves zonées.

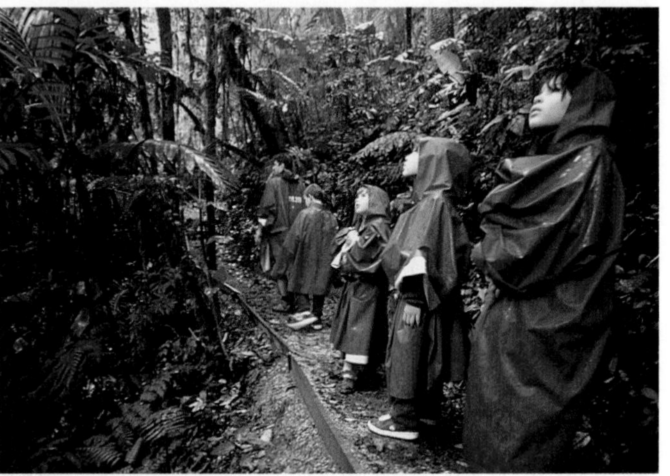

(b) Des enfants du Costa Rica s'émerveillent de la diversité de la vie dans une réserve de leur pays.

▲ **Figure 55.19 Réserves zonées du Costa Rica.**

Le rythme incessant d'exploitation des écosystèmes par les humains porte à prédire que les réserves naturelles ne protégeront jamais qu'une proportion de la biosphère de beaucoup inférieure à 10 %. Assurer la biodiversité exige parfois de travailler dans des paysages qui sont presque entièrement dominés par les humains. Même de vastes écosystèmes marins sont profondément touchés par l'exploitation humaine. Par exemple, la pêche a entraîné l'effondrement d'importantes populations de Poissons à valeur commerciale en raison de l'utilisation d'un matériel de plus en plus perfectionné permettant l'accès à presque tous les lieux de pêche potentiels. Face à cette situation, Fiona Gell et Callum Roberts, de la University of York, en Angleterre, ont proposé d'établir un peu partout dans le monde des réserves marines où la pêche serait interdite **(figure 55.20)**. Selon Gell et Roberts, il existe de fortes indications que ces réserves marines seraient un moyen d'augmenter les populations de Poissons à l'intérieur des réserves et d'améliorer le rendement de la pêche dans les zones adjacentes. Le système qu'ils proposent est une application contemporaine d'une pratique vieille d'un siècle aux îles Fidji, où certaines zones ont traditionnellement été interdites à la pêche. Cet exemple démontre que le concept des réserves zonées ne date pas d'hier.

▲ **Figure 55.20 Une équipe de contrôle se préparant à dénombrer et à mesurer les palourdes dans une réserve de la zone intertidale marine des îles Fidji.**

Retour sur le concept 55.3

1. En quoi consiste un point chaud de la biodiversité?
2. Comment les réserves zonées offrent-elles des stimulants économiques pour la préservation à long terme des zones protégées?
3. Comment les corridors qui relient les habitats fragmentés aident-ils à protéger les populations en voie de disparition? Comment peuvent-ils nuire à ces populations?

Voir les réponses proposées à la fin du chapitre.

Concept 55.4

L'écologie de la restauration tente de ramener les écosystèmes dégradés à un état plus naturel

Certains territoires altérés par l'activité humaine finissent par être abandonnés. Ainsi, les sols de nombreuses régions tropicales deviennent improductifs et sont abandonnés moins de cinq ans après avoir été déboisés pour l'exploitation agricole. Les activités d'une exploitation minière peuvent s'étendre sur plusieurs décennies, après quoi les terres sont abandonnées, dans un mauvais état. De nombreux écosystèmes sont également endommagés par négligence, des produits chimiques toxiques y étant rejetés ou du pétrole y étant déversé accidentellement. Ces habitats et écosystèmes dégradés représentent une superficie de plus en plus grande, car le temps de rétablissement des processus cycliques naturels est plus lent que le rythme de dégradation résultant de l'activité humaine.

Pour peu qu'on leur en laisse le temps, les communautés peuvent se rétablir naturellement après de nombreux types de perturbations grâce à une série de mécanismes de restauration qui se produisent durant les différents stades de la succession écologique dont il a été question au chapitre 53. Le temps requis pour cette restauration naturelle dépend plus de l'échelle spatiale de la perturbation que de sa nature: plus la superficie perturbée est grande, plus le temps de rétablissement est long. Que la perturbation soit d'origine naturelle ou humaine ne semble pas faire une grande différence dans cette relation entre la superficie et le temps **(figure 55.21)**.

Selon une hypothèse fondamentale de l'écologie de la restauration, la plupart des dommages qu'a subis l'environnement sont réversibles. Mais une autre hypothèse fondamentale nuance cet optimisme: les communautés ne résistent pas indéfiniment aux dommages. Les écologistes de la restauration cherchent à découvrir et à modifier les processus qui contribuent le plus à ralentir le rétablissement afin de réduire le temps qu'il faut à une communauté pour se remettre des conséquences des perturbations. Il est toutefois important de se rappeler que les perturbations naturelles comme les incendies ou les inondations périodiques constituent des éléments de la dynamique de nombreux écosystèmes et qu'on doit en tenir compte dans l'élaboration des stratégies de restauration.

La biorestauration et l'accélération des processus écosystémiques sont deux stratégies clés en écologie de la restauration.

La biorestauration

La **biorestauration** repose sur l'utilisation d'organismes, généralement des Bactéries, des Eumycètes ou des Végétaux, pour détoxiquer les écosystèmes pollués (voir le chapitre 27). Certaines plantes qui sont adaptées à des sols renfermant des métaux lourds ont la capacité d'accumuler des concentrations élevées de métaux potentiellement toxiques, comme le zinc, le nickel et le cadmium. Les écologistes les utilisent pour faire repousser de la végétation sur des sites dégradés par l'exploitation minière et d'autres activités humaines. Puis, ils les récoltent pour récupérer les métaux. Un certain nombre de chercheurs s'intéressent également à la capacité de certains Procaryotes et Lichens à concentrer les métaux. Ainsi, des chercheurs du Royaume-Uni ont récemment découvert une espèce de Lichen qui croît sur des sols pollués par la poussière d'uranium laissée par l'exploitation des mines. Ce Lichen, qui peut être utile pour la biosurveillance de l'uranium et éventuellement comme restaurateur des sols, concentre l'uranium dans un pigment foncé. De plus, les écologistes ont utilisé avec succès la Bactérie *Pseudomonas sp.* pour nettoyer les déversements de pétrole sur les plages. D'un usage encore plus courant, certains Procaryotes métabolisent les toxines dans les sites de rejet. Le génie génétique deviendra de plus en plus important en tant qu'outil permettant d'améliorer la performance de certaines espèces servant de biorestaurateurs.

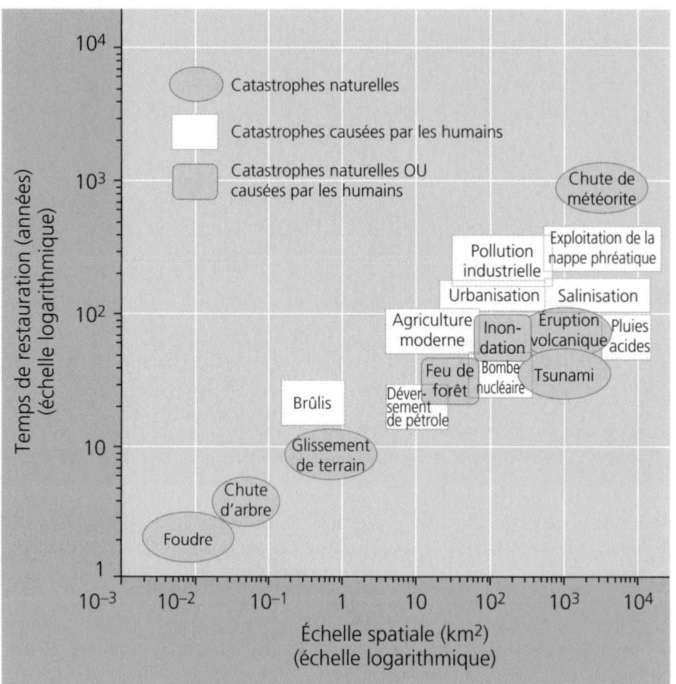

▲ **Figure 55.21 Relation entre la superficie et le temps pour la restauration d'une communauté après des catastrophes naturelles et des catastrophes causées par les humains.** Notez que les échelles sont logarithmiques.

L'accélération des processus écosystémiques

Contrairement à la biorestauration, stratégie qui consiste à *enlever* les substances nocives, l'**accélération des processus écosystémiques** repose sur l'utilisation d'organismes pour l'*addition* de matières essentielles à un écosystème dégradé. Pour accélérer les processus d'un écosystème, il faut déterminer quels facteurs, tels que les nutriments chimiques, ont été enlevés d'un territoire et ralentissent sa restauration. En favorisant la croissance de plantes qui poussent bien dans des sols pauvres en nutriments, on peut réussir à accélérer le rythme des changements de la succession écologique qui permettent la restauration des sites endommagés. Le renouvellement rapide des communautés de plantes indigènes poussant le long des routes de Porto Rico en est un exemple. Cette intervention a été coordonnée par Ariel Lugo, directeur de l'U.S. Institute of Tropical Forestry, à Porto Rico. Le chercheur a utilisé le koroi (*Albizzia procera*), plante de la famille des Légumineuses, exotique à Porto Rico, qui croît dans des sols pauvres en azote, pour coloniser les bords de route après que la disparition de la forêt originale eut appauvri le sol en nutriments. Il semble que l'accumulation rapide de matière organique provenant des denses peuplements de koroi aient permis aux plantes indigènes de recoloniser le territoire et d'envahir la plante introduite en un temps relativement court.

La restauration et l'expérimentation

En raison de la nouveauté de l'écologie de la restauration, mais aussi de la complexité des écosystèmes et des caractéristiques uniques à chaque situation, les écologistes apprennent généralement par l'expérience. Beaucoup d'entre eux prônent un aménagement adaptatif, qui consiste à utiliser la méthode expérimentale pour essayer plusieurs types d'aménagements prometteurs et trouver celui qui fonctionne le mieux. La clé de l'aménagement adaptatif et celle de l'écologie de la restauration consistent à envisager les choix possibles pour atteindre les buts fixés et à mettre à profit tant les erreurs que les succès. L'objectif à long terme est d'accélérer le retour d'un écosystème à un état le plus près possible de celui dans lequel il était avant la perturbation. La **figure 55.22**, qui occupe les deux prochaines pages, présente plusieurs projets

Figure 55.22

Panorama L'écologie de la restauration dans le monde

Les exemples mis en relief dans ces pages ne représentent que quelques-uns des nombreux projets réalisés dans le domaine de l'écologie de la restauration un peu partout dans le monde. Les points de couleur apparaissant sur la carte indiquent l'emplacement des projets.

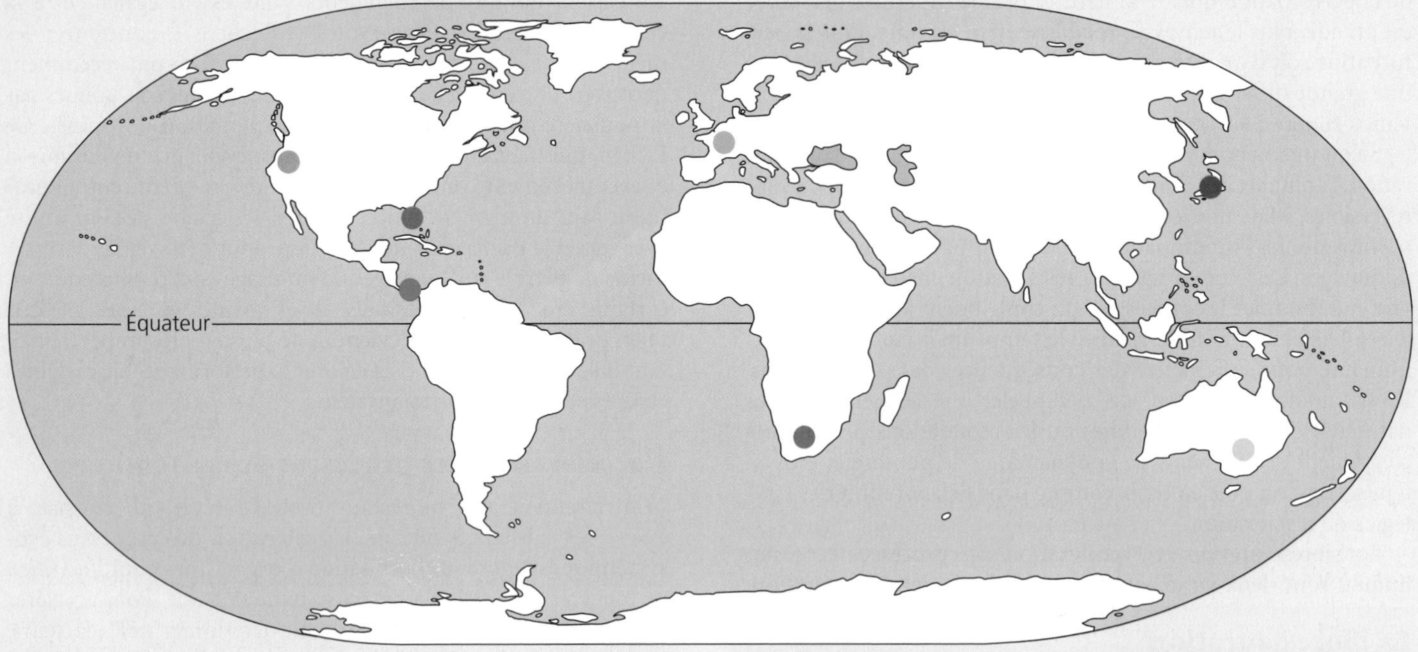

Truckee River, Nevada. Les barrages et les détournements réalisés au cours du XXe siècle ont réduit le débit de la rivière Truckee, au Nevada, ce qui a entraîné la dégradation des forêts riveraines. Les écologistes ont collaboré avec les gestionnaires des eaux afin de s'assurer que, pendant la courte saison de dissémination des graines des peupliers deltoïdes et des saules indigènes, l'apport d'eau serait suffisant pour permettre aux plantules de s'établir. Après neuf ans de régulation de l'apport d'eau, on a obtenu le résultat qu'on voit sur la photo: le rétablissement spectaculaire des forêts riveraines de peupliers deltoïdes et de saules.

Australie. En écologie de la restauration, l'une des plus grandes difficultés est de déterminer l'ampleur des dommages causés aux écosystèmes et les objectifs de la restauration. En Australie, les narrations des faits environnementaux provenant de personnes ayant vécu dans la région ont une valeur inestimable, car elles font partie des rares données de base permettant d'établir des objectifs de restauration.

Kissimmee River, Floride. Située au sud de la partie centrale de la Floride, la rivière Kissimmee, qui était à l'origine un cours d'eau sinueux, avait été transformée en un canal de 90 km. Cette intervention avait eu d'importants effets nuisibles sur des populations de Poissons et d'Oiseaux des milieux humides. Pour restaurer la rivière Kissimmee, on a remblayé 12 km du canal de drainage et rétabli 24 des 167 km sur lesquels s'étendait à l'origine le lit naturel de ce cours d'eau. Sur la photo, on voit une partie du canal qui a été fermée (la large bande claire, à droite) ; cette opération a permis de détourner le cours de la rivière vers les branches résiduelles qui apparaissent au centre. Grâce à ce projet, le régime d'écoulement naturel sera aussi rétabli, de sorte que les populations d'Oiseaux des milieux humides et de Poissons puissent subvenir à leurs propres besoins.

● **Forêt tropicale sèche, Costa Rica.** Le défrichage effectué à des fins agricoles, surtout pour faire paître le bétail, a éliminé approximativement 98 % de la forêt tropicale sèche en Amérique centrale et au Mexique. Renversant les rôles, les écologistes ont restauré la forêt tropicale sèche au Costa Rica en utilisant le bétail pour disperser des graines d'arbres indigènes dans les prairies. La photo montre un des premiers arbres (au centre, vers la droite), issu des graines dispersées par le bétail, qui a colonisé l'ancien pâturage. Ce projet est un modèle de partenariat entre l'écologie de la restauration, et l'économie locale et les établissements d'enseignement.

● **Fleuve Rhin, Europe.** Le dragage et l'aménagement de chenaux effectués pendant des siècles pour faciliter la navigation (voyez les barges dans la branche la plus large, à droite de la photo) ont redressé le Rhin, autrefois sinueux, et l'ont séparé de sa plaine d'inondation et des milieux humides associés. Les pays situés le long du Rhin, en particulier la France, l'Allemagne, le Luxembourg, les Pays-Bas et la Suisse, travaillent conjointement à raccorder le fleuve à ses branches latérales, comme celle qu'on voit à gauche de la photo. Ces branches latérales augmentent la diversité des habitats accessibles au biote aquatique, améliorent la qualité de l'eau et offrent une protection contre les inondations.

● **Succulent Karoo, Afrique du Sud.** Dans cette région désertique d'Afrique du Sud, comme dans beaucoup de régions arides, le surpâturage a endommagé de vastes zones. Pour renverser cette tendance, des propriétaires terriens et des organismes gouvernementaux sudafricains restaurent de grandes étendues de cette région unique. La photo donne un aperçu de l'exceptionnelle diversité végétale de Succulent Karoo ; parmi les 5 000 espèces de plantes que compte cette région, on trouve la plus grande variété de Crassulacées au monde.

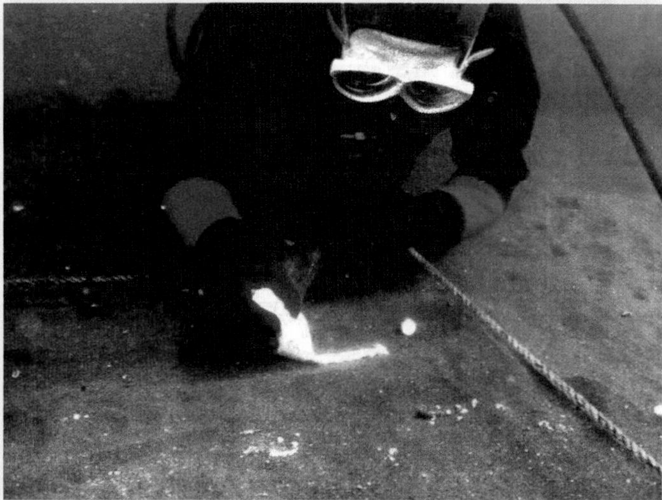

● **Côtes du Japon.** Les bancs d'Algues et de Graminées marines sont d'importantes aires de frai pour une grande variété de Poissons, de Mollusques et de Crustacés. Autrefois très étendus, mais aujourd'hui réduits par le développement, ces bancs sont en voie de restauration dans les régions côtières du Japon. Les techniques utilisées sont notamment la construction d'habitats de fond convenables, la transplantation de peuplements naturels à l'aide de substrats artificiels et l'ensemencement manuel (illustré par la photo).

de restauration ambitieux qui ont été couronnés de succès un peu partout dans le monde. Le grand nombre de ces projets, l'enthousiasme des participants et les succès obtenus donnent à penser que ce n'est qu'un début.

Retour sur le concept 55.4

1. Quels sont les objectifs de l'écologie de la restauration?
2. En quoi la biorestauration et l'accélération des processus écosystémiques diffèrent-elles?

Voir les réponses proposées à la fin du chapitre.

Concept 55.5

Le développement durable vise à améliorer la condition humaine tout en conservant la biodiversité

Face à la perte et à la fragmentation croissantes des habitats, que peut-on faire pour mieux gérer les ressources de la Terre? Si nous devons conserver la plupart des espèces d'un pays, quelles parcelles d'habitats sont les plus indispensables? Parmi les choix limités, quels territoires sont les plus pratiques à conserver et à gérer s'il faut préserver les espèces en voie de disparition ou le plus grand nombre d'espèces?

L'initiative pour une biosphère durable

Nous devons comprendre les relations complexes au sein de la biosphère afin de prendre des décisions rationnelles sur la façon de préserver les différents réseaux d'interactions. À cette fin, de nombreux pays, sociétés scientifiques et fondations privées ont adopté le concept de **développement durable**, c'est-à-dire la prospérité à long terme des sociétés humaines et des écosystèmes qui les abritent. L'Ecological Society of America, organisme d'avant-garde qui est aussi la plus grande association d'écologistes professionnels du monde, a adopté un programme de recherche appelé Sustainable Biosphere Initiative (Initiative pour une biosphère durable). L'objectif est d'acquérir les connaissances écologiques nécessaires à la gestion, à la conservation et au développement judicieux des ressources de la Terre. Il est question d'effectuer des recherches sur les rapports entre le climat et les processus écologiques, sur la biodiversité et sur son rôle dans le maintien des processus écologiques, ainsi que sur les moyens de maintenir la productivité des écosystèmes naturels et artificiels. Le programme exige un engagement ferme de ressources humaines et économiques.

Bien entendu, le développement durable ne concerne pas que la science. Pour maintenir les processus des écosystèmes et freiner la perte de biodiversité, nous devons faire le lien entre la science de la vie et les sciences sociales, économiques et humaines. Par ailleurs, il est tout aussi important de reconsidérer nos valeurs. Les personnes qui vivent dans les riches pays développés sont responsables de la majeure partie de la dégradation environnementale. La réalité nous oblige à apprendre à respecter les processus naturels qui nous permettent de vivre et à réduire notre inclination pour le profit personnel à court terme. L'étude de cas qui suit illustre comment, en alliant les efforts scientifiques et les efforts personnels, on peut apporter les importants changements indispensables à la création d'un monde véritablement durable.

Étude de cas: le développement durable au Costa Rica

Le succès du projet de conservation dont traite la section du concept 55.3 a nécessité l'esprit d'initiative du gouvernement du pays ainsi qu'un partenariat essentiel entre ce dernier, des organismes non gouvernementaux (ONG) et de simples citoyens. Par exemple, de nombreuses réserves naturelles établies par des particuliers ont été officiellement reconnues par le gouvernement et bénéficient d'importants avantages fiscaux. Toutefois, la conservation et la restauration de la biodiversité ne représentent qu'une dimension du développement durable; l'autre facteur clé est l'amélioration de la condition humaine.

Comment les conditions de vie des habitants du Costa Rica ont-elles évolué alors que le pays poursuivait ses objectifs de conservation? Les statistiques démographiques peuvent nous aider à comprendre la situation. Comme nous l'avons expliqué au chapitre 52, deux des plus importants indicateurs des conditions de vie sont la mortalité infantile et l'espérance de vie. La **figure 55.23** montre que la mortalité infantile du Costa Rica a connu une forte baisse au cours du XXe siècle et que l'espérance de vie a augmenté. En 1930, sur 1 000 naissances vivantes, on comptait plus de 170 décès avant l'âge de 1 an. En 2003, le taux de mortalité infantile avait chuté à 10 pour 1 000 naissances vivantes. Quant à l'espérance de vie, qui, en 1900, était tout juste supérieure à 35 ans, elle était de plus de 78 ans en 2003, soit approximativement un an de plus qu'aux États-Unis, où cet indicateur dépassait à peine 77 ans pour cette même année. Le taux d'alphabétisation est un autre indicateur des conditions de vie. En 2003, ce taux était de 96 % au Costa Rica, comparativement à 97 % aux États-Unis.

Ces statistiques montrent que les conditions de vie au Costa Rica se sont grandement améliorées pendant la période au cours

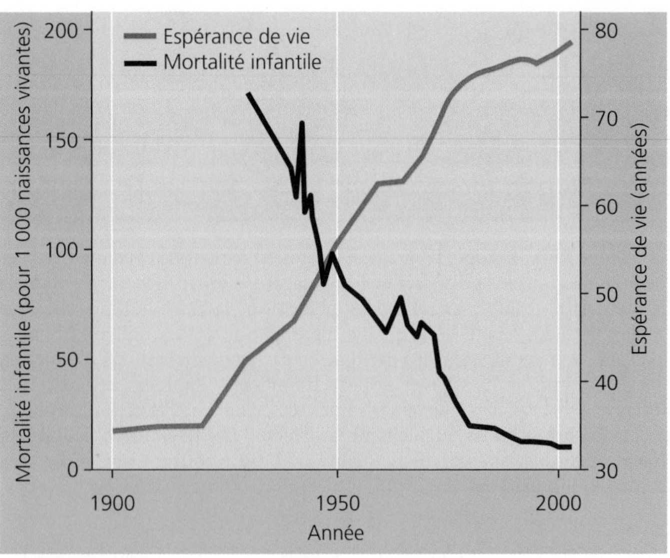

▲ **Figure 55.23 Mortalité infantile et espérance de vie au Costa Rica.**

de laquelle le pays s'est consacré à la conservation et à la restauration. Bien qu'on ne puisse établir entre ces faits de corrélation confirmant la relation de cause à effet, on peut certainement conclure que les initiatives de conservation du Costa Rica n'ont pas porté atteinte au bien-être des humains. En outre, on peut affirmer que le développement de ce pays a été axé à la fois sur la nature et sur les personnes. Quoi qu'il en soit, de nombreux problèmes subsistent. L'un des défis que le pays aura à relever sera le maintien de son engagement en matière de conservation en dépit de l'augmentation de sa population. En effet, le Costa Rica connaît justement une rapide transition démographique (voir le chapitre 52), et même si les taux de natalité baissent rapidement, la population continue de croître dans une proportion d'environ 1,5 % par année (comparativement à 0,9 % pour les États-Unis). On prévoit que la population du Costa Rica, qui se chiffre actuellement à environ 4 millions, continuera d'augmenter jusqu'au milieu du siècle ; elle se stabilisera alors approximativement à 6 millions. Compte tenu de leur histoire récente, il semble probable que les Costariciens affronteront les défis que leur réserve encore le développement durable avec autant d'énergie et d'optimisme que par le passé.

La biophilie et l'avenir de la biosphère

Malgré les incertitudes quant à l'avenir de la biosphère, il ne faut pas être pessimiste. Il est plutôt temps de rétablir nos relations avec le reste de la nature. À notre époque, peu de gens vivent dans des milieux vraiment sauvages ou même visitent fréquemment de tels endroits. La vie moderne est très différente de celle des humains primitifs, qui étaient chasseurs, cueilleurs et peintres animaliers sur les murs des cavernes **(figure 55.24a)**. Mais notre comportement reflète l'affinité innée qu'il nous reste avec la nature et la biodiversité, le concept de *biophilie* que nous avons abordé au début du chapitre. Nous nous sommes développés dans des environnements naturels riches en biodiversité, auxquels nous sommes toujours attachés **(figure 55.24b)**. Selon E. O. Wilson, notre biophilie est innée. Elle est un produit de l'évolution, de la sélection naturelle qui a agi sur des espèces intelligentes dont la survie dépendait d'un lien étroit avec l'environnement et de la connaissance pratique des Végétaux et des Animaux.

Que presque tous les biologistes aient adopté le concept de biophilie ne surprendra personne. En effet, ces gens n'ont-ils pas transformé leur passion pour la nature en carrière ? Mais il y a également une autre raison qui explique que la biophilie ait touché une corde sensible chez les biologistes. C'est que si la biophilie est une adaptation issue de l'évolution et inscrite dans nos gènes, alors il y a de l'espoir pour que nous devenions de meilleurs gardiens de la biosphère. Si nous accordons plus d'attention à notre biophilie, une nouvelle éthique de l'environnement pourrait devenir populaire parmi les individus et les sociétés. Et cette éthique est la résolution de ne jamais permettre consciemment qu'une seule espèce disparaisse ou qu'aucun écosystème ne soit détruit tant que nous aurons des moyens raisonnables pour empêcher une telle violence écologique. C'est une éthique de l'environnement qui compense notre tendance humaine à « assujettir » la Terre. Certes, nous devrions être motivés à préserver la biodiversité parce que nous en dépendons pour l'alimentation, les médicaments, les matériaux de construction, les sols fertiles, la régularisation des crues, l'habitabilité du climat, l'eau potable et l'air respirable. Mais peut-être devrions-nous travailler plus fort pour empêcher l'extinction d'autres formes de vie tout simplement par souci d'éthique, parce que nous sommes l'espèce la plus réfléchie de la biosphère. D'ailleurs, Wilson lance un appel : « En ce moment, nous entraînons les espèces de la planète dans un goulot d'étranglement. Nous devons nous donner comme principe moral majeur de sortir le plus possible d'espèces de cette situation. C'est le défi de l'heure et du siècle à venir. Et il y a un bon point en faveur de notre espèce : nous aimons les défis ! »

(a) Détail des Animaux d'une murale paléolithique, à Lascaux, en France.

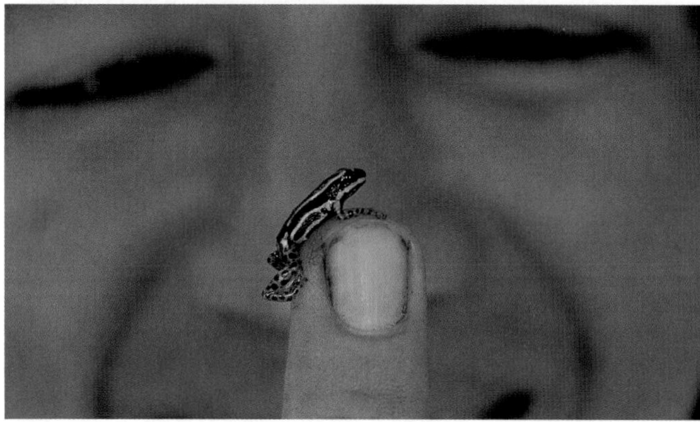

(b) Le biologiste Carlos Rivera Gonzales examine une minuscule grenouille arboricole, au Pérou.

▲ **Figure 55.24 Biophilie passée et présente.**

Il est tout à fait opportun de terminer le présent manuel en parlant de biophilie. En effet, après tout, la biologie est l'expression scientifique de notre désir de connaître la nature. Nous préserverons très probablement ce que nous aimons et aimerons très probablement ce que nous comprenons. En étudiant les processus et la diversité de la vie, nous ne pourrons faire autrement que d'approfondir notre connaissance de nous-mêmes et de notre place dans la biosphère. Nous espérons que ce manuel vous aidera dans cette aventure de toute une vie.

Retour sur le concept 55.5

1. Qu'entend-on par *développement durable* ?
2. Comment la biophilie peut-elle avoir une incidence sur l'éthique environnementale ?

Voir les réponses proposées à la fin du chapitre.

Révision du chapitre 55

RÉSUMÉ DES CONCEPTS CLÉS

Concept 55.1

Les activités humaines menacent la biodiversité de la Terre

- **Les trois composantes de la biodiversité (p. 1312-1313).** La biodiversité comprend les différentes sortes d'écosystèmes, la richesse spécifique de ces écosystèmes et la variation génétique entre les populations de chaque espèce et au sein des populations.
- **La biodiversité et le bien-être des humains (p. 1313-1314).** Grâce à notre biophilie, nous reconnaissons que la biodiversité est précieuse en elle-même. De plus, les autres espèces fournissent aux humains de la nourriture, des fibres, des médicaments ainsi que des écoservices.
- **Les quatre principales menaces pour la biodiversité (p. 1314-1317).** Les quatre principales menaces pour la biodiversité sont la destruction des habitats, l'introduction d'espèces, la surexploitation et les perturbations dans les réseaux d'interactions.

Concept 55.2

La conservation des populations est axée sur la taille, la diversité génétique et l'habitat essentiel des populations

- **L'approche des petites populations (p. 1317-1320).** Quand une population diminue au point d'atteindre une valeur inférieure à celle de la taille minimale viable, sa perte de variation génétique attribuable aux accouplements sélectifs et à la dérive génétique peut l'enfermer dans une spirale d'extinction.
- **L'approche des populations déclinantes (p. 1320-1321).** L'approche des populations déclinantes s'intéresse aux facteurs écologiques qui causent le déclin, sans égard à la taille absolue de la population. C'est une stratégie de conservation proactive qui s'applique point par point.
- **L'évaluation d'exigences contraires (p. 1321-1322).** La conservation des espèces exige souvent la résolution de conflits entre les besoins en habitats des espèces en voie d'extinction et les intérêts humains.

Concept 55.3

La conservation des paysages et la conservation des régions visent le soutien de biotes entiers

- **La structure des paysages et la biodiversité (p. 1322-1324).** La structure d'un paysage peut avoir une forte incidence sur la biodiversité. Lorsque la fragmentation des habitats augmente et que les zones de transition s'étendent, la biodiversité tend à diminuer. Les corridors de migration peuvent favoriser la dispersion et contribuer à maintenir les populations.
- **L'établissement de zones protégées (p. 1324-1326).** Les territoires qu'on appelle les points chauds de la biodiversité sont également les points chauds de l'extinction. Par conséquent, ce sont des candidats de premier ordre pour la protection. La préservation de la biodiversité dans les parcs et les réserves exige l'application de mesures visant à faire en sorte que les activités humaines dans les paysages environnants ne nuisent pas aux habitats protégés. Le système des réserves zonées tient compte du fait que les initiatives de conservation impliquent souvent une intervention dans des paysages en grande partie dominés par les humains.

Concept 55.4

L'écologie de la restauration tente de ramener les écosystèmes dégradés à un état plus naturel

- **La biorestauration (p. 1327).** Les écologistes de la restauration utilisent des organismes vivants pour détoxiquer les écosystèmes pollués.
- **L'accélération des processus écosystémiques (p. 1327).** Les écologistes se servent aussi de certains organismes pour ajouter des matières essentielles aux écosystèmes.
- **La restauration et l'expérimentation (p. 1327-1330).** La nouveauté et la complexité de l'écologie de la restauration obligent les scientifiques à envisager des solutions de rechange et à modifier leurs façons de procéder en fonction de leur expérience.

Concept 55.5

Le développement durable vise à améliorer la condition humaine tout en conservant la biodiversité

- **L'initiative pour une biosphère durable (p. 1330).** L'objectif de la Sustainable Biosphere Initiative (Initiative pour une biosphère durable) est d'acquérir les connaissances écologiques nécessaires à la gestion, à la conservation et au développement des ressources de la Terre.
- **Étude de cas: le développement durable au Costa Rica (p. 1330-1331).** Le succès du projet de conservation de la biodiversité du Costa Rica a nécessité un partenariat entre le gouvernement, divers organismes et de simples citoyens. Dans ce pays, les conditions de vie se sont améliorées parallèlement à la poursuite des objectifs de conservation.
- **La biophilie et l'avenir de la biosphère (p. 1331).** Notre affinité innée avec la nature pourrait bien nous pousser à revoir nos priorités environnementales.

VÉRIFIEZ VOS CONNAISSANCES

Autoévaluation

(Les questions dont les numéros sont en caractères gras font surtout appel à la compréhension.)

1. L'extinction est un phénomène naturel. On estime que 99 % de toutes les espèces qui ont existé ont maintenant disparu. Pourquoi, alors, disons-nous que nous vivons une crise de la biodiversité?
   a) À cause de leur biophilie, les humains sentent qu'ils ont la responsabilité morale de protéger les autres espèces en voie d'extinction.
   b) Les scientifiques ont enfin répertorié presque toutes les espèces sur la Terre et sont donc capables de calculer avec exactitude le rythme actuel d'extinction.
   c) Le rythme actuel d'extinction est 1 000 fois supérieur à celui des 100 000 dernières années.
   d) Les humains ont des besoins médicaux plus grands qu'auparavant; or, de nombreux composés médicinaux sont perdus avec les espèces qui disparaissent.
   e) La plupart des points chauds de la biodiversité ont été détruits par des désastres écologiques récents.
2. L'un des éléments de la crise de la biodiversité est la perte potentielle d'écosystèmes. La conséquence probable la plus grave d'une perte de biodiversité écosystémique est:
   a) le réchauffement de la planète et l'amincissement de la couche d'ozone.

b) la perte des écoservices dont dépendent les humains.
c) l'augmentation de la dominance d'espèces adaptées aux zones de transition.
d) la perte de sources de diversité génétique pour la préservation des espèces en voie de disparition.
e) la perte d'espèces pour la « bioprospection ».

3. Quelle est la taille efficace (N_e) d'une population de 50 cygnes (*Cygnus sp.*) rigoureusement monogames (40 mâles et 10 femelles) ?
a) 50.
b) 40.
c) 3.
d) 32.
e) 10.

4. Laquelle des propositions suivantes indique le mieux qu'une population est dans une spirale d'extinction ?
a) Son habitat est fragmenté.
b) Il s'agit d'un prédateur rare, de niveau supérieur.
c) Sa taille efficace est de beaucoup inférieure à sa taille totale.
d) Sa diversité génétique est très faible.
e) Elle est mal adaptée aux zones de transition.

5. La discipline qui consiste à appliquer les principes écologiques pour remettre un écosystème dégradé dans un état plus naturel s'appelle :
a) analyse de la viabilité d'une population.
b) écologie des paysages.
c) écologie de la conservation.
d) écologie de la restauration.
e) conservation des ressources.

6. Quelle est la plus grande menace pour la biodiversité ?
a) L'exploitation excessive d'espèces commercialement importantes.
b) Les espèces introduites qui prennent les espèces indigènes comme proies ou qui entrent en compétition avec elles.
c) La pollution de l'air, de l'eau et du sol de la Terre.
d) L'interruption de relations trophiques au fur et à mesure que les espèces-proies disparaissent.
e) L'altération, la fragmentation et la destruction d'habitats.

7. Parmi les étapes suivantes, laquelle *ne concerne pas* l'approche des populations déclinantes, en biologie de la conservation ?
a) Recueillir de l'information pour savoir si oui ou non une population est en déclin.
b) Élaborer un plan de conservation dès le début de l'étude, car il est trop risqué d'attendre la collecte et l'analyse des données.
c) Formuler différentes hypothèses pour expliquer la cause du déclin.
d) Considérer comme des causes possibles du déclin les activités humaines et les événements naturels.
e) Vérifier les hypothèses expliquant les causes du déclin, en commençant par celle qui est la plus vraisemblable.

8. Parmi les stratégies suivantes, laquelle ferait augmenter le plus rapidement la diversité génétique d'une population qui est dans une spirale d'extinction ?
a) Capturer tous les individus restants pour qu'ils s'accouplent en captivité, puis les réintroduire dans leur milieu naturel.
b) Établir une réserve naturelle pour protéger l'habitat.
c) Introduire des individus provenant d'autres populations de la même espèce.
d) Stériliser les individus les plus mal adaptés.
e) Limiter les populations de prédateurs et de compétiteurs de l'espèce en voie de disparition.

9. Lequel des énoncés suivants sur les zones protégées établies pour préserver la biodiversité est *faux* ?
a) Actuellement, nous protégeons 25 % des terres émergées de la planète.
b) Les parcs nationaux ne constituent qu'un des nombreux types de zone protégée.
c) La plupart des zones protégées sont trop petites pour préserver les espèces.
d) La gestion d'une zone protégée doit être coordonnée avec la gestion des terres situées en périphérie de cette zone.
e) Il est particulièrement important de protéger les points chauds de la biodiversité.

10. Qu'est-ce que la Sustainable Biosphere Initiative (Initiative pour une biosphère durable) ?
a) Un projet visant à convertir tous les écosystèmes de la biosphère en écosystèmes artificiels soigneusement aménagés.
b) Un programme de recherche visant à étudier la biodiversité et à appuyer le développement durable.
c) Une pratique de conservation qui détermine des réserves zonées et des zones tampons pour les entourer.
d) L'approche des populations déclinantes, en biologie de la conservation, qui cherche à déterminer les causes des déclins des espèces et à y remédier.
e) Un programme de conservation qui utilise l'aménagement adaptatif pour expérimenter et apprendre en travaillant sur des écosystèmes perturbés.

Lien avec l'évolution

L'un des facteurs qui favorisent la croissance rapide de la population d'une espèce introduite est l'absence des prédateurs, des parasites et des agents pathogènes qui la limitaient dans la région où elle évoluait auparavant. Sur une longue période, quelle incidence doit avoir la sélection naturelle sur le rythme auquel les prédateurs, les parasites et les agents pathogènes indigènes attaquent une espèce introduite ?

Intégration

Imaginez que vous devez faire le plan d'une réserve forestière. L'un de vos objectifs principaux consiste à participer au maintien de populations d'espèces d'Oiseaux menacées par le parasitisme des vachers à tête brune. À la lecture des rapports de recherche, vous apprenez que les femelles des vachers à tête brune hésitent généralement à pénétrer à plus de 100 m dans une forêt et que quelques espèces d'Oiseaux ont la réputation de diminuer le parasitisme des nids par les vachers à tête brune en limitant leur aire de nidification aux régions centrales plus denses des forêts. La région boisée où vous devez travailler mesure environ 1 000 sur 6 000 m. Une opération forestière récente a éliminé environ la moitié des arbres sur l'un des côtés mesurant 6 000 m. Les trois autres côtés jouxtent un pâturage déboisé. Votre plan doit comporter un espace pour un petit bâtiment d'entretien qui devrait, selon vos estimations, occuper environ 100 m^2. Il faudra également construire une route de 10 m de large qui traversera la réserve sur une distance de 1 000 m. Où construirez-vous la route et le bâtiment ? Justifiez votre réponse.

Science, technologie et société

Certains organismes, comme l'Ecological Society of America, commencent à envisager une société prônant le développement durable, c'est-à-dire une société dans laquelle chaque génération hériterait de la précédente des ressources naturelles et économiques suffisantes et un environnement relativement stable. Le Worldwatch Institute estime que nous devons mettre en place un mode de développement durable d'ici à 2030. Pour atteindre cet objectif, nous devons commencer à donner forme à cette société de développement durable au cours des dix prochaines années. Quels sont les aspects du développement actuel qui ne sont pas durables ? Que pouvons-nous faire pour favoriser le développement durable et quels grands obstacles se dressent devant nous ? Qu'est-ce que le développement durable changera à votre vie ?

Réponses du chapitre 55

Retour sur le concept 55.1

1. En plus de la perte d'espèces, la crise de la biodiversité implique la perte de diversité génétique au sein des populations et des espèces, ainsi que la dégradation d'écosystèmes entiers.
2. La destruction des habitats, notamment par la déforestation, la modification du lit des rivières ou la transformation d'écosystèmes naturels pour les besoins de l'agriculture ou de l'urbanisation, prive les espèces d'endroits où vivre. Les espèces introduites, qui sont transportées par les humains à l'extérieur de leur aire de distribution normale, ne sont pas limitées par leurs agents pathogènes ou leurs prédateurs naturels et réduisent souvent la taille des populations d'espèces indigènes par l'intermédiaire de la compétition ou de la prédation. La surexploitation réduit les populations de plantes et d'Animaux ou provoque leur extinction. La perturbation des réseaux d'interactions, comme les réseaux alimentaires ou les relations mutualistes, menace les espèces dont la survie dépend d'interactions telles que la pollinisation.
3. Pour les humains, les avantages de la préservation de la biodiversité sont notamment la possibilité d'utiliser la diversité génétique pour améliorer la qualité des récoltes ; les aliments, les fibres et les médicaments fournis par les espèces menacées ; les écoservices.

Retour sur le concept 55.2

1. Une population dont la diversité génétique est réduite est moins en mesure d'évoluer de manière à s'adapter aux changements.
2. L'approche des petites populations est axée sur une gestion visant l'augmentation de la diversité génétique au sein des petites populations et sur la croissance de leur taille efficace. L'approche des populations déclinantes privilégie l'amélioration des conditions environnementales, comme la destruction des habitats, la pollution ou la surexploitation, qui peuvent être à l'origine du déclin d'une population.
3. La taille efficace d'une population est presque toujours inférieure à sa taille totale parce que la taille efficace ne tient compte que du nombre de mâles et de femelles qui se reproduisent effectivement.

Retour sur le concept 55.3

1. Un point chaud de la biodiversité est un petit territoire abritant un nombre exceptionnellement élevé d'espèces endémiques ainsi qu'une quantité démesurée d'espèces en voie de disparition ou menacées.
2. Les réserves zonées peuvent assurer de façon durable des approvisionnements en produits forestiers, en eau et en énergie hydroélectrique, ainsi que des occasions de s'instruire et des revenus provenant de l'écotourisme.
3. Les corridors de migration peuvent favoriser les déplacements entre les parcelles d'habitat et, par conséquent, activer le flux génétique entre les sous-populations. Toutefois, ils peuvent aussi accélérer la vitesse de transmission des maladies chez certaines espèces en voie de disparition.

Retour sur le concept 55.4

1. Dans bon nombre de situations, les dommages causés à l'environnement sont réversibles, et on peut accélérer le rétablissement de l'écosystème en appliquant les principes de l'écologie. Toutefois, chaque cas étant unique, les écologistes de la restauration doivent sans cesse expérimenter des solutions fondées sur les connaissances qu'ils ont acquises grâce à leurs succès et à leurs échecs antérieurs.
2. La biorestauration repose sur l'utilisation d'organismes, en général des Bactéries, des Eumycètes ou des Végétaux, pour détoxiquer les écosystèmes ou en retirer les polluants. L'accélération des processus écosystémiques repose sur l'utilisation d'organismes, comme les plantes fixatrices d'azote, pour ajouter des matières essentielles aux écosystèmes dégradés.

Retour sur le concept 55.5

1. Le développement durable est orienté vers la prospérité à long terme des sociétés humaines et des écosystèmes qui les abritent. Cette approche exige qu'on fasse le lien entre les sciences de la vie et les sciences sociales, économiques et humaines.
2. La biophilie, soit l'affinité des humains avec la nature et les autres formes de vie, peut être une importante motivation pour l'instauration d'une éthique environnementale dont l'objectif consiste à empêcher l'extinction des espèces et la destruction des écosystèmes. Cette éthique est indispensable si nous voulons devenir des gardiens plus attentifs et plus efficaces de l'environnement.

Autoévaluation

1. c ; 2. b ; **3.** d ; **4.** d ; 5. d ; 6. e ; 7. b ; **8.** c ; 9. a ; 10. b.

APPENDICE A

Comparaison entre le microscope photonique et le microscope électronique

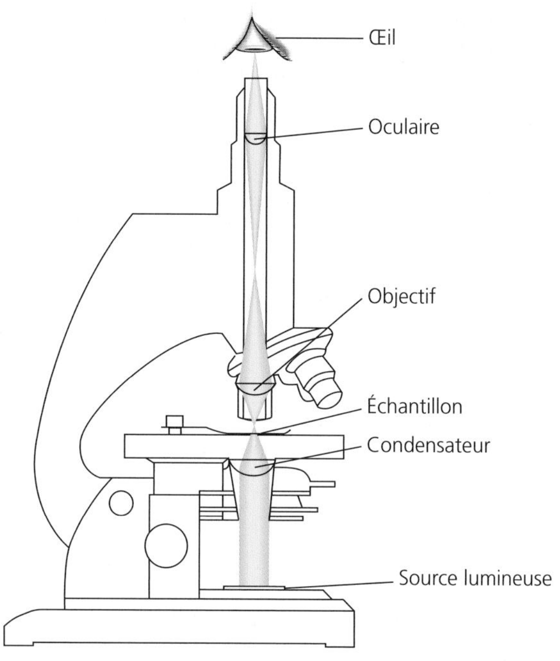

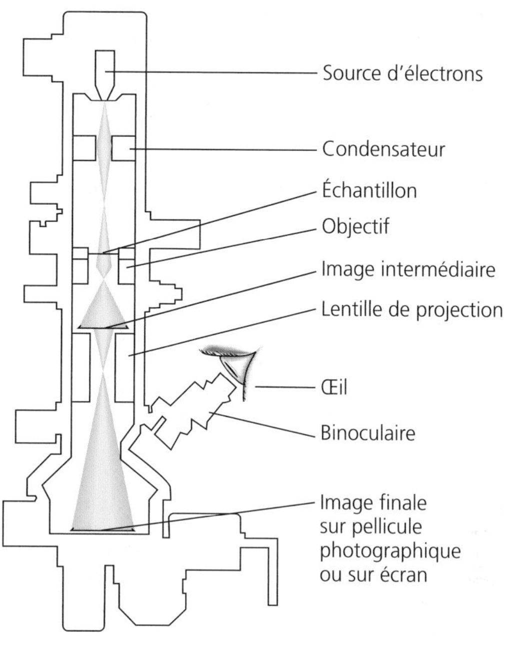

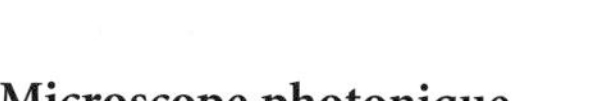

Microscope photonique

En microscopie photonique, un condensateur de verre concentre la lumière (partie inférieure du microscope) sur l'échantillon. Puis, un objectif et un oculaire grossissent l'image et la projettent dans l'œil ou sur une pellicule photographique lorsque le système optique est relié à une caméra (non illustré).

Microscope électronique

En microscopie électronique, un condensateur qui est un électro-aimant concentre, à l'intérieur d'une colonne où un vide poussé a été réalisé, un faisceau d'électrons (partie supérieure du microscope) sur l'échantillon. Puis, les lentilles de l'objectif et une lentille de projection, qui sont elles aussi des électro-aimants, grossissent l'image et la projettent sur un écran fluorescent ou sur une pellicule photographique. Ce manuel contient des images prises avec un microscope à transmission (MET) ou avec un microscope à balayage (MEB), deux types de microscopes électroniques.

APPENDICE B Classification des êtres vivants

Cet appendice présente la classification taxinomique des principaux groupes actuels dont il a été question dans ce manuel. Cette taxinomie fondée sur trois domaines répartit les Procaryotes en deux domaines, celui des Bactéries et celui des Archéobactéries, et établit en domaine le groupe des Eucaryotes. Elle diffère de la classification traditionnelle fondée sur cinq règnes, qui regroupe tous les Procaryotes en un seul règne, celui des Monères (voir le chapitre 26).

La cinquième partie du manuel présente les raisons qui motivent les changements que connaissent les systèmes de classification. Des débats ont lieu à propos du nombre de règnes et de leurs limites. Dans cette présentation d'une taxinomie des êtres vivants, les astérisques (*) indiquent les subdivisions qui peuvent devenir des règnes de façon officielle. Il s'agit des principaux clades d'organismes procaryotes et de Protistes que de nombreux systématiciens ont déjà fait passer du rang d'embranchement à celui de règne. Par ailleurs, on discute encore de la correspondance entre la classification de Linné et les données fournies par l'analyse cladistique moderne. Les croix (†) indiquent les embranchements reconnus actuellement qui seraient paraphylétiques selon certains systématiciens.

DOMAINE DES ARCHÉOBACTÉRIES

***Règne des Euryarchées** (méthanogènes, halophiles, quelques thermophiles)

***Règne des Crénarchées** (la plupart des thermophiles)

***Règne des Korarchées**

***Règne des Nanoarchées**

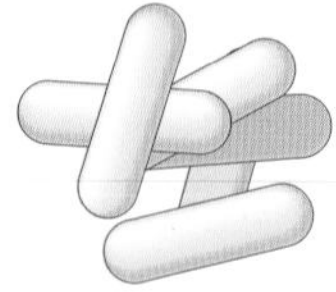

DOMAINE DES BACTÉRIES

***Règne des Protéobactéries**

***Règne des Bactéries à Gram positif**

***Règne des Cyanobactéries**

***Règne des Spirochètes**

***Règne des Chlamydiées**

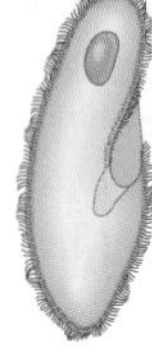

DOMAINE DES EUCARYOTES

Selon la classification fondée sur cinq règnes, tous les Eucaryotes généralement appelés Protistes sont classés dans un seul règne. Dans ce manuel, nous nous basons sur l'analyse cladistique pour diviser les Protistes dans plusieurs règnes possibles (*). Nous énumérons aussi quelques groupes de Protistes dont la phylogénie est incertaine (voir le chapitre 28).

***Règne des Parabasaliens**
- (ex. : Trichomonadines)

***Règne des Métamonadines**
- (ex. : Diplomonadines)

***Règne des Euglénobiontes**
- Embranchement des Euglénophytes (ex. : euglènes)
- Embranchement des Kinétoplastidés (ex. : trypanosomes)

***Règne des Alvéolobiontes**
- Embranchement des Dinophytes (ex. : *Pfiesteria*)
- Embranchement des Apicomplexés (ex. : *Plasmodium*)
- Embranchement des Ciliés (ex. : *Paramecium*)

***Règne des Straménopiles**
- Embranchement des Algues brunes ou Phéophycées (ex. : *Laminaria*)
- Embranchement des Oomycètes (ex. : Saprolégniales)
- Embranchement des Algues dorées ou Chrysophycées (ex. : *Dinobryon*)
- Embranchement des Diatomées ou Bacillariophycées (ex. : *Pinnularia*)

***Règne des Algues rouges ou Rhodobiontes** (ex. : *Corallina*)

***Règne des Algues vertes** (Ulvophytes et Charophytes que certains systématiciens recommandent de classer avec les Végétaux dans un domaine qui serait celui des Chlorobiontes)

***Règne des Amibozoaires**
- Embranchement des Mycétozoaires
  - Sous-embranchement des Myxomycètes (ex. : *Physarum*)
  - Sous-embranchement des Acrasiomycètes (ex. : *Dictyostelium*)
- Embranchement des Gymnamibes (ex. : *Amœba*)
- Embranchement des Entamibes (ex. : *Entamœba histolytica*)

Protistes dont la phylogénie est incertaine
- *Règne des Cercozoaires
  - Chlorarachniophytes
  - Foraminifères (ex. : *Globigerina*)
- *Règne des Radiolaires

Règne des Végétaux

- Bryophytes (plantes non vasculaires) :
  - Embranchement des Hépatophytes (Hépatiques)
  - Embranchement des Anthocérophytes (Anthocérotes)
  - Embranchement des Bryophytes (Mousses)
- Plantes vasculaires sans graines :
  - Embranchement des Lycophytes (Lycopodes)
  - Embranchement des Ptérophytes (Fougères, Prêles et Psilotes)
- Plantes à graines :
  - Gymnospermes :
    - Embranchement des Ginkgophytes (*Ginkgo*)
    - Embranchement des Cycadophytes (ex. : *Cycas*)
    - Embranchement des Gnétophytes (*Gnetum, Ephedra* et *Welwitschia*)
    - Embranchement des Pinophytes (Conifères)
  - Angiospermes :
    - Embranchement des Anthophytes (Plantes à fleurs)

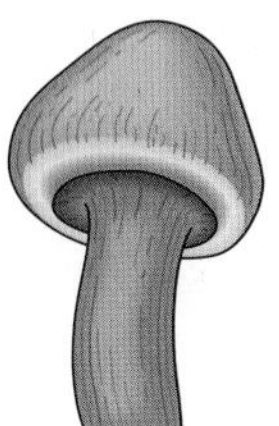

Règne des Eumycètes

- †Embranchement des Chytridiomycètes (Chytrides)
- †Embranchement des Zygomycètes (ex. : *Rhizopus*)
- Embranchement des Gloméromycètes (mycorhizes à arbuscules)
- Embranchement des Ascomycètes (champignons produisant un ascocarpe)
- Embranchement des Basidiomycètes (champignons produisant un basidiocarpe)
- Groupe des Deutéromycètes (Eumycètes imparfaits)
- Groupe des Lichens (association symbiotique d'Algues et d'Eumycètes)

Règne des Animaux

- †Embranchement des Porifères (Éponges)
- Embranchement des Cnidaires
  - Classe des Hydrozoaires (ex. : hydres)
  - Classe des Scyphozoaires (ex. : méduses)
  - Classe des Cubozoaires (guêpes de mer)
  - Classe des Anthozoaires (ex. : anémones de mer et la plupart des coraux)
- Embranchement des Placozoaires (seule espèce connue : *Tricoplax adhærens*)
- Embranchement des Kinorhynques
- Embranchement des Plathelminthes (Vers plats)
  - Classe des Turbellariés (ex. : planaires)
  - Classe des Trématodes (ex. : douves)
  - Classe des Monogènes (ex. : *Benedenia*)
  - Classe des Cestodes (ex. : ténias)
- Embranchement des Némertes (ex. : *Lineus*)
- Lophophoriens :
  - Embranchement des Ectoproctes (ex. : croûte de dentelle)
  - Embranchement des Phoronidiens (ex. : *Phoronis*)
  - Embranchement des Brachiopodes (ex. : *Lingula*)
- Embranchement des Rotifères (ex. : *Keratella*)
- Embranchement des Mollusques
  - Classe des Polyplacophores (chitons)
  - Classe des Gastéropodes (escargots, limaces)
  - Classe des Bivalves (palourdes, moules, pétoncles, huîtres)
  - Classe des Céphalopodes (calmars, pieuvres, nautilus)
- Embranchement des Acanthocéphales (vers à tête épineuse)
- Embranchement des Cténophores (groseilles de mer)
- Embranchement des Loricifères
- Embranchement des Priapulides
- Embranchement des Annélides (Vers annelés)
  - Classe des Oligochètes (Vers annelés, terrestres et dulcicoles)
  - Classe des Polychètes (Vers annelés, marins pour la plupart)
  - Classe des Hirudinées (sangsues)
- Embranchement des Nématodes (Vers ronds)

Embranchement des Arthropodes (Les taxinomistes regroupent traditionnellement tous les Arthropodes dans un seul embranchement, mais certains zoologistes préfèrent les diviser en plusieurs embranchements.)
- Sous-embranchement des Chélicériformes (limules, Arachnides)
- Sous-embranchement des Myriapodes (millipèdes, centipèdes)
- Sous-embranchement des Hexapodes (Insectes, collembole)
- Sous-embranchement des Crustacés (ex. : crabes, homards, écrevisses, crevettes)

Embranchement des Cycliophores (une seule espèce connue : *Symbion pandora*)

Embranchement des Tardigrades

Embranchement des Onychophores

Embranchement des Hémicordés (ex. : Vers à gland)

Embranchement des Échinodermes
- Classe des Astérides (étoiles de mer)
- Classe des Ophiurides (ophiures)
- Classe des Échinides (oursins et dollars des sables)
- Classe des Crinoïdes (lis de mer)
- Classe des Concentricycloïdes (deux espèces seulement dont *Borrichia frutescens)*
- Classe des Holothurides (concombres de mer)

Embranchement des Cordés
- Sous-embranchement des Urocordés (Tuniciers)
- Sous-embranchement des Céphalocordés (amphioxus)
- Sous-embranchement des Crâniates
  - Classe des Myxinoïdes (myxines)
  - Vertébrés :
    - Classe des Céphalaspidomorphes (lamproies)
    - Classe des Chondrichthyens (Poissons cartilagineux : requins et raies)
    - Classe des Actinoptérygiens (Poissons à nageoires rayonnées)
    - Classe des Actinistiens (Poissons à nageoires creuses)
    - Classe des Dipneustes (Poissons pulmonés)
    - Classe des Amphibiens (ex. : grenouilles, crapauds, salamandres)
    - Classe des Reptiles (tortues, tuataras, lézards, serpents, Crocodiliens, Oiseaux)
    - Classe des Mammifères (ex. : ordre des Carnivores, ordre des Marsupiaux, ordre des Rongeurs)

TABLEAU PÉRIODIQUE DES ÉLÉMENTS

LÉGENDE

Numéro atomique	3
Masse volumique à 300 K (g/cm^3) **(1)**	0,53
Électronégativité selon Pauling	0,98
Nombre d'oxydation **(2)**	1
Masse atomique (g/mol) **(3)**	6,941
Symbole	Li
Configuration électronique	[He]$2s^{1}$
Nom	Lithium

(1) Les entrées portant un astérisque réfèrent à la phase gazeuse à 273 K et 101 kPa et sont données en g/L.

(2) Le nombre correspondant à l'état le plus stable est indiqué en caractères gras.

(3) Basée sur le carbone-12 ; ( ) indique l'isotope le plus stable ou le mieux connu.

Groupe	Numéro	Symbole	Nom	Masse atomique	Masse volumique	Électronégativité	Nombre d'oxydation	Configuration électronique
IA	1	H	Hydrogène	1,008	0,090*	2,20	**1**	$1s^{1}$
VIIIB	2	He	Hélium	4,003	0,179*	—	—	$1s^{2}$
IA	3	Li	Lithium	6,941	0,53	0,98	**1**	[He]$2s^{1}$
IIA	4	Be	Béryllium	9,012	1,85	1,57	**2**	[He]$2s^{2}$
IIIB	5	B	Bore	10,81	2,34	2,04	**3**	[He]$2s^{2}2p^{1}$
IVB	6	C	Carbone	12,011	2,62	2,55	±**4**,2	[He]$2s^{2}2p^{2}$
VB	7	N	Azote	14,007	1,025*	3,04	±**3**,5,4,2	[He]$2s^{2}2p^{3}$
VIB	8	O	Oxygène	15,999	1,43*	3,44	**-2**	[He]$2s^{2}2p^{4}$
VIIB	9	F	Fluor	18,998	1,070*	3,98	**-1**	[He]$2s^{2}2p^{5}$
VIIIB	10	Ne	Néon	20,179	0,901*	—	—	[He]$2s^{2}2p^{6}$
IA	11	Na	Sodium	22,990	0,97	0,93	**1**	[Ne]$3s^{1}$
IIA	12	Mg	Magnésium	24,305	1,74	1,31	**2**	[Ne]$3s^{2}$
IIIB	13	Al	Aluminium	26,982	2,70	1,61	**3**	[Ne]$3s^{2}3p^{1}$
IVB	14	Si	Silicium	28,086	2,33	1,90	**4**	[Ne]$3s^{2}3p^{2}$
VB	15	P	Phosphore	30,974	1,82	2,19	±3,**5**,4	[Ne]$3s^{2}3p^{3}$
VIB	16	S	Soufre	32,06	2,07	2,58	±2,4,**6**	[Ne]$3s^{2}3p^{4}$
VIIB	17	Cl	Chlore	35,453	3,17*	3,16	±**1**,3,5,7	[Ne]$3s^{2}3p^{5}$
VIIIB	18	Ar	Argon	39,948	1,78*	—	—	[Ne]$3s^{2}3p^{6}$
IA	19	K	Potassium	39,098	0,86	0,82	**1**	[Ar]$4s^{1}$
IIA	20	Ca	Calcium	40,08	1,55	1,00	**2**	[Ar]$4s^{2}$
IIIA	21	Sc	Scandium	44,966	3,0	1,36	**3**	[Ar]$4s^{2}3d^{1}$
IVA	22	Ti	Titane	47,90	4,50	1,54	**4**,3	[Ar]$4s^{2}3d^{2}$
VA	23	V	Vanadium	50,942	5,8	1,63	**5**,4,3,2	[Ar]$4s^{2}3d^{3}$
VIA	24	Cr	Chrome	51,996	7,19	1,66	6,**3**,2	[Ar]$4s^{1}3d^{5}$
VIIA	25	Mn	Manganèse	54,938	7,43	1,55	7,6,4,**2**,3	[Ar]$4s^{2}3d^{5}$
VIIIA	26	Fe	Fer	55,847	7,86	1,83	2,**3**	[Ar]$4s^{2}3d^{6}$
VIIIA	27	Co	Cobalt	58,933	8,90	1,88	**2**,3	[Ar]$4s^{2}3d^{7}$
VIIIA	28	Ni	Nickel	58,70	8,90	1,91	**2**,3	[Ar]$4s^{2}3d^{8}$
IB	29	Cu	Cuivre	63,546	8,96	1,90	**2**,1	[Ar]$4s^{1}3d^{10}$
IIB	30	Zn	Zinc	65,38	7,14	1,65	**2**	[Ar]$4s^{2}3d^{10}$
IIIB	31	Ga	Gallium	69,72	5,91	1,81	**3**	[Ar]$4s^{2}3d^{10}4p^{1}$
IVB	32	Ge	Germanium	72,59	5,32	2,01	**4**	[Ar]$4s^{2}3d^{10}4p^{2}$
VB	33	As	Arsenic	74,922	5,72	2,18	±**3**,5	[Ar]$4s^{2}3d^{10}4p^{3}$
VIB	34	Se	Sélénium	78,96	4,80	2,55	-2,**4**,6	[Ar]$4s^{2}3d^{10}4p^{4}$
VIIB	35	Br	Brome	79,904	3,12	2,96	±**1**,5	[Ar]$4s^{2}3d^{10}4p^{5}$
VIIIB	36	Kr	Krypton	83,80	3,74*	—	—	[Ar]$4s^{2}3d^{10}4p^{6}$
IA	37	Rb	Rubidium	85,468	1,53	0,82	**1**	[Kr]$5s^{1}$
IIA	38	Sr	Strontium	87,62	2,6	0,95	**2**	[Kr]$5s^{2}$
IIIA	39	Y	Yttrium	88,906	4,5	1,22	**3**	[Kr]$5s^{2}4d^{1}$
IVA	40	Zr	Zirconium	91,22	6,49	1,33	**4**	[Kr]$5s^{2}4d^{2}$
VA	41	Nb	Niobium	92,906	8,55	1,6	**5**,3	[Kr]$5s^{1}4d^{4}$
VIA	42	Mo	Molybdène	95,94	10,2	2,16	**6**,5,4,3,2	[Kr]$5s^{1}4d^{5}$
VIIA	43	Tc	Technétium	(98)	11,5	1,9	**7**	[Kr]$5s^{2}4d^{5}$
VIIIA	44	Ru	Ruthénium	101,07	12,2	2,2	2,**3**,**4**,6,8	[Kr]$5s^{1}4d^{7}$
VIIIA	45	Rh	Rhodium	102,906	12,4	2,28	2,**3**,4	[Kr]$5s^{1}4d^{8}$
VIIIA	46	Pd	Palladium	106,4	12,0	2,20	**2**,4	[Kr]$4d^{10}$
IB	47	Ag	Argent	107,868	10,5	1,93	**1**	[Kr]$5s^{1}4d^{10}$
IIB	48	Cd	Cadmium	112,41	8,65	1,69	**2**	[Kr]$5s^{2}4d^{10}$
IIIB	49	In	Indium	114,82	7,31	1,78	**3**	[Kr]$5s^{2}4d^{10}5p^{1}$
IVB	50	Sn	Étain	118,69	7,30	1,96	**4**,2	[Kr]$5s^{2}4d^{10}5p^{2}$
VB	51	Sb	Antimoine	121,75	6,68	2,05	±**3**,5	[Kr]$5s^{2}4d^{10}5p^{3}$
VIB	52	Te	Tellure	127,60	6,24	2,1	-2,**4**,6	[Kr]$5s^{2}4d^{10}5p^{4}$
VIIB	53	I	Iode	126,904	4,92	2,66	±**1**,5,7	[Kr]$5s^{2}4d^{10}5p^{5}$
VIIIB	54	Xe	Xénon	131,30	5,89*	—	—	[Kr]$5s^{2}4d^{10}5p^{6}$
IA	55	Cs	Césium	132,905	1,87	0,79	**1**	[Xe]$6s^{1}$
IIA	56	Ba	Barium	137,33	3,5	0,89	**2**	[Xe]$6s^{2}$
IIIA	57	La	Lanthane	138,906	6,7	1,10	**3**	[Xe]$6s^{2}5d^{1}$
IVA	72	Hf	Hafnium	178,49	13,1	1,3	**4**	[Xe]$6s^{2}4f^{14}5d^{2}$
VA	73	Ta	Tantale	180,948	16,5	1,5	**5**	[Xe]$6s^{2}4f^{14}5d^{3}$
VIA	74	W	Tungstène	183,85	19,3	2,36	**6**,4,3,2	[Xe]$6s^{2}4f^{14}5d^{4}$
VIIA	75	Re	Rhénium	186,207	21,0	1,9	7,6,4,2,-1	[Xe]$6s^{2}4f^{14}5d^{5}$
VIIIA	76	Os	Osmium	190,2	22,4	2,2	2,3,**4**,6,8	[Xe]$6s^{2}4f^{14}5d^{6}$
VIIIA	77	Ir	Iridium	192,22	22,5	2,20	2,3,**4**,6	[Xe]$6s^{2}4f^{14}5d^{7}$
VIIIA	78	Pt	Platine	195,09	21,4	2,28	2,**4**	[Xe]$6s^{1}4f^{14}5d^{9}$
IB	79	Au	Or	196,966	19,3	2,54	**3**,1	[Xe]$6s^{1}4f^{14}5d^{10}$
IIB	80	Hg	Mercure	200,59	13,53	2,00	**2**,1	[Xe]$6s^{2}4f^{14}5d^{10}$
IIIB	81	Tl	Thallium	204,37	11,85	2,04	3,**1**	[Xe]$6s^{2}4f^{14}5d^{10}6p^{1}$
IVB	82	Pb	Plomb	207,2	11,4	2,33	4,**2**	[Xe]$6s^{2}4f^{14}5d^{10}6p^{2}$
VB	83	Bi	Bismuth	208,980	9,8	2,02	**3**,5	[Xe]$6s^{2}4f^{14}5d^{10}6p^{3}$
VIB	84	Po	Polonium	(209)	9,4	2,0	**4**,2	[Xe]$6s^{2}4f^{14}5d^{10}6p^{4}$
VIIB	85	At	Astate	(210)	—	2,2	±1,3,5,7	[Xe]$6s^{2}4f^{14}5d^{10}6p^{4}$
VIIIB	86	Rn	Radon	(222)	9,91*	—	—	[Xe]$6s^{2}4f^{14}5d^{10}6p^{6}$
IA	87	Fr	Francium	(223)	—	0,7	**1**	[Rn]$7s^{1}$
IIA	88	Ra	Radium	226,025	5	0,9	**2**	[Rn]$7s^{2}$
IIIA	89	Ac	Actinium	227,028	10,07	1,1	**3**	[Rn]$7s^{2}6d^{1}$
IVA	104	Rf	Rutherfordium	(261)	—	—	—	[Rn]$5s^{14}6d^{2}7s^{2}$*
VA	105	Ha	Dubnium	(262)	—	—	—	[Rn]$5f^{14}6d^{3}7s^{2}$*
VIA	106	Sg	Seaborgium	(263)	—	—	—	[Rn]$5f^{14}6d^{4}7s^{2}$*
VIIA	107	Uns	Bohrium	(264)	—	—	—	[Rn]$5f^{14}6d^{5}7s^{2}$*
VIIIA	108	Uno	Hassium	(265)	—	—	—	[Rn]$5f^{14}6d^{6}7s^{2}$*
VIIIA	109	Une	Meitnerium	(268)	—	—	—	[Rn]$5f^{14}6d^{7}7s^{2}$*
VIIIA	110	Uun	(Ununnilium)	(269)	—	—	—	[Rn]$5f^{14}6d^{8}7s^{2}$*
IB	111	Uuu	(Unununium)	(272)	—	—	—	[Rn]$5f^{14}6d^{9}7s^{2}$*
IIB	112	Uub	(Ununbium)	(277)	—	—	—	[Rn]$5f^{14}6d^{10}7s^{2}$*
IIIB	113	Uut	(Ununtrium)		—	—	—	
IVB	114	Uuq	(Ununquadium)	(285)	—	—	—	[Rn]$5f^{14}6d^{10}7s^{2}p^{2}$*
VB	115	Uup	(Ununpemtium)					
VIB	116	Uuh	(Ununhexium)					
VIIB	117	Uus	(Ununseptium)					
VIIIB	118	Uuo	(Ununoctium)					
	58	Ce	Cérium	140,12	6,78	1,12	**3**,4	[Xe]$6s^{2}4f^{1}5d^{1}$
	59	Pr	Praséodyme	140,908	6,77	1,13	3,**4**	[Xe]$6s^{2}4f^{3}$
	60	Nd	Néodyme	144,24	7,00	1,14	**3**	[Xe]$6s^{2}4f^{4}$
	61	Pm	Prométhium	(145)	6,48	1,13	**3**	[Xe]$6s^{2}4f^{5}$
	62	Sm	Samarium	150,4	7,54	1,17	**3**,2	[Xe]$6s^{2}4f^{6}$
	63	Eu	Europium	151,96	5,26	1,2	**3**,2	[Xe]$6s^{2}4f^{7}$
	64	Gd	Gadolinium	157,25	7,89	1,20	**3**	[Xe]$6s^{2}4f^{7}5d^{1}$
	65	Tb	Terbium	158,925	8,27	1,2	**3**,4	[Xe]$6s^{2}4f^{9}$
	66	Dy	Dysprosium	162,50	8,54	1,22	**3**	[Xe]$6s^{2}4f^{10}$
	67	Ho	Holmium	164,930	8,80	1,23	**3**	[Xe]$6s^{2}4f^{11}$
	68	Er	Erbium	167,26	9,05	1,24	**3**	[Xe]$6s^{2}4f^{12}$
	69	Tm	Thulium	168,934	9,33	1,25	**3**,2	[Xe]$6s^{2}4f^{13}$
	70	Yb	Ytterbium	173,04	6,98	1,1	**3**,2	[Xe]$6s^{2}4f^{14}$
	71	Lu	Lutécium	174,967	9,84	1,27	**3**	[Xe]$6s^{2}4f^{14}5d^{1}$
	90	Th	Thorium	232,038	11,7	1,3	**4**	[Rn]$7s^{2}6d^{2}$
	91	Pa	Protactinium	231,036	15,4	1,5	**5**,4	[Rn]$7s^{2}5f^{2}6d^{1}$
	92	U	Uranium	238,029	18,90	1,38	**6**,5,4,3	[Rn]$7s^{2}5f^{3}6d^{1}$
	93	Np	Neptunium	237,048	20,4	1,36	6,**5**,4,3	[Rn]$7s^{2}5f^{4}6d^{1}$
	94	Pu	Plutonium	(244)	19,8	1,28	6,5,**4**,3	[Rn]$7s^{2}5f^{6}$
	95	Am	Américium	(243)	13,6	1,3	6,5,4,**3**	[Rn]$7s^{2}5f^{7}$
	96	Cm	Curium	(247)	13,51	1,3	**3**	[Rn]$7s^{2}5f^{7}6d^{1}$
	97	Bk	Berkélium	(247)	—	1,3	**4**,3	[Rn]$7s^{2}5f^{9}$
	98	Cf	Californium	(251)	—	1,3	**3**	[Rn]$7s^{2}5f^{10}$
	99	Es	Einsteinium	(252)	—	1,3	—	[Rn]$7s^{2}5f^{11}$
	100	Fm	Fermium	(257)	—	1,3	—	[Rn]$7s^{2}5f^{12}$
	101	Md	Mendélévium	(258)	—	1,3	—	[Rn]$7s^{2}5f^{13}$
	102	No	Nobélium	(259)	—	1,3	—	[Rn]$7s^{2}5f^{14}$
	103	Lr	Lawrencium	(260)	—	—	—	[Rn]$7s^{2}5f^{14}6d^{1}$

Aux conditions ambiantes,
les éléments en noir sont **solides**,
en bleu sont **liquides**,
en rouge sont **gazeux**.

Les éléments en gris sont **synthétiques**.

Glossaire

Abiotique (adj.) Non vivant.

Abondance relative (n. fém.) Différences de représentativité entre les diverses espèces formant une communauté.

Absorption (n. fém.) Mode de nutrition qui consiste à laisser passer de l'environnement aux cellules les petites molécules organiques. Étape importante du traitement des aliments qui survient après la digestion.

Abyssale (adj.) Qualifie la zone benthique très profonde de l'océan.

Acanthodiens (n. masc.) Groupe d'anciens Poissons du Dévonien pourvus de mâchoires, apparentés aux ancêtres des Ostéichthyens.

Accepteur primaire d'électrons (n. masc.) Molécule spécialisée qui, avec une molécule de chlorophylle *a* dont elle accepte l'un des électrons, forme le centre réactionnel d'un photosystème.

Accident vasculaire cérébral – AVC (n. masc.) Rupture ou obstruction d'une artère dans la tête qui entraîne la mort des tissus de l'encéphale.

Acclimatation (n. fém.) Réaction physiologique d'adaptation des Animaux au changement d'un facteur du milieu sur une période de plusieurs jours ou de plusieurs semaines.

Accommodation (n. fém.) Dans l'œil des Vertébrés et de certains Invertébrés, changement de forme automatique du cristallin pour faire la mise au point.

Accroissement démographique exponentiel (n. masc.) Augmentation illimitée d'une population dans des conditions idéales, lorsque tous ses membres ont accès à une nourriture abondante et se reproduisent autant que leur capacité physiologique le permet.

Accroissement démographique logistique (n. masc.) Modèle mathématique qui exprime les variations subies par le taux d'accroissement au fur et à mesure que la taille de la population s'approche de la capacité limite du milieu.

Acétylation des histones (n. fém.) Ajout d'un groupement acétyle (–$COCH_3$) à certains acides aminés des histones; permet aux facteurs de transcription d'accéder aux gènes.

Acétylcholine (n. fém.) L'un des neurotransmetteurs les plus répandus. Se fixe à des récepteurs modifiant la perméabilité membranaire de la cellule postsynaptique, soit par dépolarisation, soit par hyperpolarisation de la membrane plasmique.

Acétyl-CoA – acétyl coenzyme A (n. masc.) Composé qui entre dans le cycle de l'acide citrique de la respiration cellulaire; constitué d'un fragment du pyruvate et de la coenzyme A.

Acide (n. masc.) Substance qui accroît la concentration molaire volumique des protons d'une solution.

Acide abscissique (n. masc.) Hormone végétale qui ralentit la croissance, inhibant souvent les actions des hormones de croissance. Deux de ses principaux effets sont de favoriser la dormance et d'augmenter la résistance à la sécheresse.

Acide aminé (n. masc.) Molécule organique portant un groupement carboxyle et un groupement amine. Il existe une vingtaine d'acides aminés qui sont les monomères des protéines.

Acide aminé essentiel (n. masc.) Acide aminé qui doit se trouver à l'état préassemblé dans les aliments. Huit acides aminés sont essentiels dans le régime alimentaire d'un humain adulte.

Acide aspartique (n. masc.) Acide aminé qui joue le rôle de neurotransmetteur dans le système nerveux central. Produit une excitation.

Acide désoxyribonucléique – ADN (n. masc.) Macromolécule qui a la forme de deux chaînes hélicoïdales enroulées. Fournit les directives de sa propre réplication et détermine la structure de l'ARN et des protéines cellulaires.

Acide gamma-aminobutyrique (n. masc.) Acide aminé qui joue le rôle de neurotransmetteur dans le système nerveux central. Produit une inhibition.

Acide glutamique (n. masc.) Acide aminé qui joue le rôle de neurotransmetteur dans le système nerveux central et à la jonction neuromusculaire chez les Invertébrés. Produit une excitation.

Acide gras (n. masc.) Longue chaîne d'hydrocarbures à laquelle est attaché un groupement carboxyle. Un des constituants des graisses et des phosphoglycérolipides.

Acide gras essentiel (n. masc.) Acide gras insaturé que les Animaux ne peuvent fabriquer eux-mêmes.

Acide gras insaturé (n. masc.) Acide gras dans lequel certains atomes de carbone de la chaîne hydrocarbonée sont unis par une liaison double: ils peuvent être mono-insaturés (une seule liaison double) ou polyinsaturés (plus d'une liaison double).

Acide gras saturé (n. masc.) Acide gras dans lequel tous les atomes de carbone de la chaîne hydrocarbonée sont unis par des liaisons simples, ce qui maximise le nombre d'atomes d'hydrogène pouvant s'unir à la chaîne.

Acide jasmonique (n. masc.) Molécule importante dans la défense des Végétaux.

Acide ribonucléique – ARN (n. masc.) Macromolécule composée de nucléotides (monomères) qui sont eux-mêmes constitués d'une molécule de ribose liée à un phosphate et à l'une des bases azotées suivantes: adénine, guanine, cytosine, uracile. Sert d'intermédiaire entre l'ADN et les protéines qui sont synthétisées.

Acide salicylique (n. masc.) L'une des hormones qui pourraient activer la résistance systémique acquise chez les Végétaux.

Acide urique (n. masc.) Déchet azoté qui se présente sous forme de précipité et qu'excrètent les escargots terrestres, les Insectes et de nombreux Reptiles, dont les Oiseaux.

Acides nucléiques (n. masc.) Classe de macromolécules (polynucléotides) composées de nombreux nucléotides (monomères). Servent de plan pour les protéines et, par l'intermédiaire des protéines, régulent toutes les activités cellulaires. Les deux types d'acides nucléiques sont l'ADN et l'ARN.

Acœlomate (n. masc.) Animal triploblastique doté d'un corps compact, sans cavité entre le tube digestif et l'enveloppe externe (p. ex.: Plathelmintes).

Acrasiomycètes (n. masc.) Protistes hétérotrophes, appartenant aux Mycétozoaires, qui forment un pseudoplasmode fonctionnant comme un individu; toutefois, les cellules conservent leur identité et restent séparées par leur membrane plasmique.

Acrosome (n. masc.) Chez la plupart des espèces d'Animaux, vésicule située dans la tête du spermatozoïde et contenant les enzymes qui permettent à celui-ci de pénétrer dans l'ovocyte de deuxième ordre.

Actine (n. fém.) Protéine globulaire dont les molécules forment des chaînes. Deux chaînes torsadées d'actine forment chacune des microfilaments des cellules musculaires et des autres types de cellules chez les Eucaryotes.

Actinoptérygiens (n. masc.) Classe de Poissons osseux munis de nageoires soutenues par de longs rayons flexibles. La totalité ou presque des Poissons que nous connaissons en font partie.

Activateur (n. masc.) Protéine qui se lie à l'ADN et provoque la transcription d'un gène.

Adaptation évolutive (n. fém.) Accumulation de caractères héréditaires, qui accroît la capacité d'un organisme de survivre et de se reproduire dans des environnements précis.

Adaptation sensorielle (n. fém.) Type d'intégration qu'effectuent les récepteurs sensoriels, qui ont tendance à devenir moins sensibles en cas de stimulation continue.

Adénohypophyse (n. fém.) Voir *Lobe antérieur de l'hypophyse.*

Adénylate cyclase (n. fém.) Enzyme de la membrane plasmique qui catalyse, en réponse à un stimulus chimique, la conversion de l'ATP en AMPc.

Adhérence (n. fém.) Attraction réciproque entre des molécules de substances différentes.

ADN (n. masc.) Voir *Acide désoxyribonucléique.*

ADN complémentaire – ADNc (n. masc.) Molécule d'ADN fabriquée *in vitro* à partir d'un ARNm et de l'enzyme transcriptase inverse. Chaque molécule d'ADNc ainsi produite porte la séquence codante complète d'un gène, mais ne contient aucun intron.

ADN ligase (n. masc.) Enzyme qui relie les courts segments d'ADN (fragments d'Okazaki) pour former un seul brin d'ADN. Catalyse la formation d'une liaison covalente entre l'extrémité 3′ d'un nouveau fragment d'ADN et l'extrémité 5′ du brin d'ADN en croissance.

ADN polymérase (n. masc.) Enzyme qui catalyse l'élongation d'un nouveau brin d'ADN, au niveau de la fourche de réplication.

ADN primase (n. masc.) Enzyme qui assemble les nucléotides pour fabriquer l'amorce d'ARN nécessaire à la réplication de l'ADN.

ADN recombiné (n. masc.) Molécule d'ADN qui résulte de la combinaison *in vitro* de gènes provenant de diverses sources (souvent d'espèces différentes).

ADN répétitif (n. masc.) Grand nombre de copies de séquences nucléotidiques de l'ADN non codant présent dans un génome eucaryote. Les unités répétées peuvent être une série de courtes séquences maintes fois copiées (en tandem) ou une série de longues séquences dispersées dans le génome.

ADN satellite (n. masc.) ADN répétitif isolé par ultracentrifugation analytique. Apparaît comme une bande « satellite » distincte du reste de l'ADN dans le tube à centrifuger.

Adrénaline (n. fém.) Hormone catécholamine que sécrète la médulla surrénale en réponse à un facteur de stress et qui produit de nombreux effets. Fonctionne aussi comme un neurotransmetteur.

Adventive (adj.) Qualifie tout organe végétal qui croît à un endroit atypique, comme une racine de plante qui surgit d'une tige aérienne.

Aérobie (adj.) Qualifie un organisme qui utilise du dioxygène, un milieu oxygéné ou encore un processus cellulaire s'effectuant en présence de dioxygène.

Aérobie strict (n. masc.) Organisme qui utilise le dioxygène pour la respiration cellulaire et qui ne peut vivre sans celui-ci.

Agent oxydant (n. masc.) Accepteur d'électrons dans une réaction d'oxydoréduction.

Agent pathogène (n. masc.) Agent qui peut causer une maladie.

Agent réducteur (n. masc.) Donneur d'électrons dans une réaction d'oxydoréduction.

Agriculture intégrée (n. fém.) Ensemble de méthodes de culture se fondant sur la conservation des ressources, le respect de l'environnement et la rentabilité.

Aire visuelle primaire (n. fém.) Chez les Vertébrés, aire du lobe occipital (région postérieure) des hémisphères cérébraux que rejoignent les axones des corps géniculés latéraux et qui reçoit l'information visuelle en provenance de la rétine.

Ajustement induit (n. masc.) Transformation structurale du site actif d'une enzyme qui lui permet d'épouser encore mieux le contour du substrat et qui s'accompagne aussi d'une action sur le substrat. La transformation est provoquée par l'entrée du substrat dans le site actif.

Albumen (n. masc.) Réserve nutritive riche en amidon qui se trouve dans les graines des Angiospermes et qui est utilisée par l'embryon au cours de son développement.

Aldostérone (n. fém.) Hormone des glandes surrénales (cortex surrénal) qui agit sur le tubule contourné distal des néphrons en l'amenant à réabsorber davantage de sodium (Na^+) et d'eau, ce qui fait augmenter le volume sanguin et la pression artérielle.

Algues (n. fém.) Protistes qui, comme les Végétaux, sont photosynthétiques.

Algues brunes (n. fém.) – **Phéophycées** (n. fém.) Groupe d'Algues multicellulaires vivant en eau salée pour la plupart. Doivent leur couleur brune ou olive aux pigments accessoires de leurs chloroplastes.

Algues dorées (n. fém.) – **Chrysophycées** (n. fém.) Algues qui possèdent deux flagelles et qui doivent leur nom à leur couleur brun-jaune, attribuable aux pigments accessoires que sont les caroténoïdes.

Algues rouges (n. fém.) Protistes marins photosynthétiques qui contiennent le pigment accessoire appelé *phycoérythrine.* La plupart sont pluricellulaires.

Algues vertes (n. fém.) – **Chlorophytes** (n. fém.) et **Charophytes** (n. fém.) Protistes photosynthétiques qui doivent leur nom à la couleur verte de leurs chloroplastes. Comprennent des espèces unicellulaires, multicellulaires et vivant en colonies qui sont étroitement apparentées aux Végétaux terrestres.

Allantoïde (n. fém.) L'une des quatre membranes extraembryonnaires des Cordés qui aident l'embryon à se développer. Poche qui s'étend dans le cœlome extraembryonnaire et où est emmagasiné l'acide urique, forme de déchet azoté insoluble produit par l'embryon. S'intègre au cordon ombilical où elle donne naissance aux vaisseaux sanguins.

Allèle dominant (n. masc.) Allèle qui s'exprime pleinement dans l'apparence d'un organisme, lorsque les deux allèles du gène que possède un individu diffèrent.

Allèle récessif (n. masc.) Allèle qui n'a pas d'effet notable sur l'apparence d'un organisme, lorsque les deux allèles du gène que possède un individu diffèrent.

Allèles (n. masc.) Formes possibles d'un même gène qui produit des effets phénotypiques reconnaissables.

Allocation (n. fém.) Désigne les gains et les pertes d'énergie et de matière pour un organisme. Voir *Allocation énergétique.*

Allocation énergétique (n. fém.) Quantité limitée d'énergie qu'un organisme peut dépenser pour se nourrir, échapper à ses prédateurs, réagir aux fluctuations de son milieu (homéostasie), croître et se reproduire.

Allopolyploïde (n. masc.) Hybride polyploïde issu du croisement de deux espèces combinant leurs chromosomes.

Alternance de générations (n. fém.) Cycle de développement dans lequel coexistent une forme diploïde multicellulaire, le sporophyte, et une forme haploïde multicellulaire, le gamétophyte. Caractéristique des Végétaux et de certaines Algues.

Altruisme (n. masc.) Comportement par lequel des Animaux accomplissent des actions qui compromettent leur propre bien-être mais bénéficient aux autres.

Altruisme réciproque (n. masc.) Comportement altruiste que manifestent des Animaux envers des individus avec lesquels ils ne sont pas apparentés. Comportement adaptatif, dans la mesure où l'individu altruiste en tire des bénéfices ultérieurement.

Alvéole (n. fém.) Sac aérien multilobé et en cul-de-sac qui sert de surface d'échanges gazeux dans les poumons.

Aménagement adaptatif (n. masc.) Gestion des écosystèmes et des paysages qui consiste à utiliser l'approche expérimentale pour essayer plusieurs types d'aménagements prometteurs et trouver celui qui fonctionne le mieux.

Amibes (n. fém.) Classe de Protistes caractérisée par la présence de pseudopodes répartis dans de nombreux taxons d'Eucaryotes.

Amibocyte (n. masc.) Sorte de cellule qui utilise des pseudopodes et est présente dans le corps de la plupart des Animaux. Selon l'espèce, les amibocytes peuvent digérer et distribuer les nutriments, éliminer les déchets, former des fibres squelettiques, lutter contre les infections et se transformer en d'autres types de cellules.

Amidon (n. masc.) Polysaccharide de réserve glucidique des Végétaux, entièrement formé de glucose.

Amines biogènes (n. fém.) Neurotransmetteurs dérivés des acides aminés. Se fixent à des récepteurs modifiant la perméabilité membranaire de la cellule postsynaptique, soit par dépolarisation, soit par hyperpolarisation de la membrane plasmique.

Aminoacyl-ARNt synthétase (n. fém.) Enzyme spécifique qui lie une sorte d'acide aminé à l'ARNt correspondant.

Ammoniac (n. masc.) Petite molécule extrêmement toxique composée de trois atomes d'hydrogène et d'un atome d'azote (NH_3). Produit par la fixation de l'azote et est un déchet du métabolisme des protéines et des acides nucléiques.

Ammonification (n. fém.) Processus par lequel de nombreux détritivores bactériens et fongiques décomposent l'azote organique en ammonium (NH_4^+).

Ammonites (n. fém.) Céphalopodes (classe de Mollusques) à coquille et prédateurs invertébrés qui ont dominé les mers durant des centaines de millions d'années jusqu'à la fin du Crétacé.

Amniocentèse (n. fém.) Technique de diagnostic prénatal, qui s'effectue entre la 14e et la 16e semaine de grossesse, et qui consiste à prélever par aspiration un échantillon de liquide amniotique à l'aide d'une aiguille insérée dans la cavité utérine; l'analyse de l'échantillon prélevé permet de déterminer la présence de certaines anomalies génétiques ou congénitales.

Amnios (n. masc.) L'une des quatre membranes extraembryonnaires des Cordés qui aident l'embryon à se développer. Forme un sac amniotique rempli de liquide qui protège l'embryon contre le dessèchement et les chocs.

Amniotes (n. masc.) Tétrapodes qui ont un œuf amniotique contenant des membranes spécialisées qui protègent l'embryon. En font partie les Reptiles (y compris les Oiseaux) et les Mammifères.

Amorce (n. fém.) Courte chaîne simple de nucléotides d'ARN (ou d'ADN) dotée d'une extrémité 3′ libre qui se lie au brin matrice d'ADN et permet le début de la synthèse d'un nouveau brin d'ADN.

AMP cyclique – AMPc (n. fém.) Adénosine monophosphate cyclique, dérivée de l'ATP. Molécule de communication intracellulaire (second messager) courante chez les Eucaryotes (p. ex.: dans les cellules endocrines des Vertébrés). Régule aussi certains opérons bactériens.

Amphibiens (n. masc.) Classe des Tétrapodes qui comprend les grenouilles, les salamandres et les cécilies.

Amplificateur (n. masc.) Séquence d'ADN reconnaissant certains facteurs de transcription et exerçant une influence sur la transcription du gène correspondant, même s'il peut être situé à des milliers de nucléotides de ce gène.

Amplification (n. fém.) Augmentation de l'énergie d'un stimulus, qui est souvent trop faible pour parvenir au système nerveux central.

Amplification en chaîne par polymérase – ACP (n. fém.) Technique qui permet l'amplification rapide *in vitro* d'un segment spécifique d'ADN par incubation avec des amorces particulières, des molécules d'ADN polymérase et une certaine quantité de nucléotides.

Amylase salivaire (n. fém.) Enzyme digestive qui se trouve dans la salive chez la grande majorité des Animaux et qui hydrolyse le glycogène et l'amidon en polysaccharides plus petits et en maltose.

Anaérobie (adj.) Qualifie un organisme qui n'utilise pas de dioxygène, un milieu privé de dioxygène ou encore un processus cellulaire s'effectuant en l'absence de dioxygène.

Anaérobie facultatif (n. masc.) Organisme qui peut fabriquer de l'ATP par fermentation ou par respiration cellulaire aérobie, suivant qu'il trouve ou non du dioxygène dans son environnement.

Anaérobie strict (n. masc.) Organisme qui ne peut survivre dans un milieu contenant du dioxygène.

Analogie (n. fém.) Ressemblance entre deux espèces attribuable à l'évolution convergente plutôt qu'à un ancêtre commun possédant le même caractère.

Analyse de la viabilité d'une population (n. fém.) Analyse dont l'objectif est d'arriver à une prédiction plausible des chances de survie d'une population, qu'on exprime habituellement sous forme de probabilité de survie pour une période de temps donnée.

Anaphase (n. fém.) Quatrième phase de la mitose. Les chromatides sœurs de chaque chromosome se séparent et deviennent des chromosomes fils qui se dirigent vers les pôles de la cellule.

Anatomie (n. fém.) Étude de la structure d'un organisme ou d'un organe.

Androgènes (n. masc.) Groupe d'hormones stéroïdes qui sont synthétisées surtout par les testicules, la principale étant la testostérone. Déclenchent la formation et la maturation du système reproducteur mâle et en assurent le fonctionnement. Chez l'humain, provoquent l'apparition des caractères sexuels secondaires à la puberté.

Anémie à hématies falciformes (n. fém.) Maladie héréditaire liée à un allèle récessif qui provoque la substitution d'un seul acide aminé dans l'hémoglobine (protéine des globules rouges). Se caractérise par une déformation des globules rouges qui peut entraîner de nombreux symptômes. Aussi appelée *drépanocytose*.

Aneuploïdie (n. fém.) État d'un individu dont les cellules possèdent un nombre anormal de chromosomes.

Angiospermes (n. fém.) Plantes à fleurs portant des graines à l'intérieur d'un compartiment protecteur appelé *ovaire*.

Angiospermes basales (n. fém.) Lignée la plus primitive des plantes à fleurs, qui comprend *Amborella*, le nymphéa tubéreux ainsi que l'anis étoilé et les espèces apparentées.

Angiotensine II (n. fém.) Hormone qui stimule la constriction des artérioles précapillaires et augmente la réabsorption du chlorure de sodium (NaCl) et de l'eau par les tubes contournés proximaux des reins, ce qui fait augmenter le volume sanguin et la pression artérielle.

Anhydrobiose (n. fém.) Adaptation de certains organismes qui leur permet de perdre presque toute leur eau et de survivre dans un état d'inactivité, lorsque leur habitat se dessèche.

Anion (n. masc.) Ion de charge négative.

Annelage génétique (n. masc.) Production d'un nouveau génome par transfert horizontal de gènes d'une partie du génome d'un organisme à un autre.

Annélides (n. fém.) Embranchement des Vers annelés dont les individus ont des segments contenant chacun une paire d'organes excréteurs appelés *métanéphridies*. Comprend trois classes principales: les Oligochètes (vers de terre), les Polychètes (néréides) et les Hirudinées (sangsues).

Anse du néphron (n. fém.) Dans le rein des Vertébrés, longue boucle aplatie du néphron qui est formée d'une partie descendante et d'une partie ascendante et qui joue un rôle dans la réabsorption de l'eau et du sel. Aussi appelée *anse de Henle*.

Antenne collectrice (n. fém.) Complexe de protéines associé à des molécules de pigment (dont la chlorophylle *a*, la chlorophylle *b* et les caroténoïdes) qui captent l'énergie lumineuse et la transfèrent aux pigments du centre réactionnel du photosystème.

Antérieure (adj.) Se dit de la région située à l'avant (tête) d'un Animal à symétrie bilatérale.

Anthère (n. fém.) Dans la fleur des Angiospermes, sac qui est situé à l'extrémité de l'étamine contenant les microsporanges à l'intérieur desquels se forment les grains de pollen.

Anthéridie (n. fém.) Chez les Végétaux, gamétange mâle qui produit un grand nombre de spermatozoïdes.

Anthophytes (n. fém.) Embranchement auquel appartiennent toutes les Angiospermes.

Anthropoïdés (n. masc.) Sous-ordre des Primates dont font partie les singes de l'Ancien Monde, les singes du Nouveau Monde, les Hominoïdes (gibbons, orangs-outans, gorilles, chimpanzés et bonobos) et les humains.

Anticodon (n. masc.) Triplet de nucléotides d'un ARN de transfert qui se lie au codon complémentaire de l'ARNm en obéissant aux règles d'appariement des bases azotées.

Anticorps (n. masc.) Protéine sécrétée par des cellules plasmatiques (lymphocytes B différenciés) qui se lie spécifiquement à un antigène donné et le marque en vue de son élimination. Aussi appelé *immunoglobuline*. Toutes les molécules d'anticorps ont la même structure en forme de Y et, dans la forme de monomère, contiennent deux chaînes lourdes identiques et deux chaînes légères identiques reliées par des ponts disulfure.

Anticorps monoclonal (n. masc.) Protéine de défense que les scientifiques préparent à partir d'une seule lignée clonale de lymphocytes B mis en culture. Comme ils sont tous identiques, les anticorps monoclonaux produits à partir d'une culture de lymphocytes B sont spécifiques à l'épitope donné d'un antigène.

Antigène (n. masc.) Macromolécule (protéine ou polysaccharide) qui provoque une réaction immunitaire par les lymphocytes.

Antiparallèle (adj.) Renvoie à la disposition opposée de séquences de monomères, comme les squelettes sucre-phosphate de la double hélice de l'ADN.

Apicomplexés (n. masc.) Groupe de Protistes parasites disséminant des sporozoïtes, minuscules cellules infectieuses. Certains causent de graves maladies chez l'humain (le paludisme, notamment).

Apomixie (n. fém.) Mode de reproduction asexuée qui permet aux Végétaux (p. ex.: le pissenlit) de produire des graines sans que les fleurs soient fécondées.

Apoplasme (n. masc.) Chez les plantes, ensemble des parois cellulaires et des espaces extracellulaires. Aussi appelé *apoplaste*.

Apoptose (n. fém.) Changements qui se produisent à l'intérieur d'une cellule lorsque celle-ci subit une mort programmée causée par des stimulus qui déclenchent l'activation d'une cascade de protéines de «suicide» dans les cellules destinées à mourir.

Appareil de Golgi (n. masc.) Organite des Eucaryotes constitué d'un empilement de saccules membraneux aplatis qui modifient, entreposent et expédient les produits du réticulum endoplasmique.

Appareil juxtaglomérulaire (n. masc.) Tissu spécialisé qui libère dans le sang une enzyme (appelée *rénine*) lorsqu'il y a une chute de la pression sanguine ou du volume sanguin dans l'artériole glomérulaire, laquelle irrigue le glomérule rénal.

Appendice vermiforme (n. masc.) Section du gros intestin; prolongement digitiforme porté par un cæcum relativement petit, notamment chez l'humain. Contient une masse de leucocytes qui contribuent à la défense de l'organisme.

Apprentissage (n. masc.) Modification d'un comportement à la suite d'expériences particulières.

Apprentissage associatif (n. masc.) Capacité qu'ont de nombreux Animaux à apprendre à associer un stimulus à un autre.

Apprentissage social (n. masc.) Modification du comportement par observation d'autres individus.

Apprentissage spatial (n. masc.) Modification du comportement selon l'expérience que l'on fait de la structure spatiale de l'environnement.

Approche des petites populations (n. fém.) Approche de certains biologistes de la conservation qui étudient les processus pouvant causer la disparition des petites populations, parce qu'ils pensent que c'est la petite taille d'une population qui finalement l'entraîne vers l'extinction.

Approche des populations déclinantes (n. fém.) Approche de certains biologistes de la conservation qui étudient les processus pouvant causer la disparition des populations en s'intéressant aux populations menacées ou en voie de disparition, même si leur taille est bien supérieure au minimum viable. Ces biologistes pensent qu'une diminution d'effectif chez une espèce est une cause suffisante d'inquiétude qui appelle, si possible, une mesure corrective.

Aquaporine (n. fém.) Protéine de transport qui se trouve dans la membrane plasmique des cellules végétales ou animales et qui facilite précisément la diffusion de l'eau à travers la membrane.

Arbre phylogénétique (n. masc.) Diagramme en arbre qui représente une hypothèse au sujet des liens évolutifs.

Arbre ultramétrique (n. masc.) Arbre phylogénétique dont les longueurs des branches correspondent aux mesures des temps géologiques.

Archégone (n. masc.) Chez les Végétaux, gamétange femelle en forme de vase qui produit une seule oosphère restant à sa base.

Archentéron (n. masc.) Cavité tapissée d'endoderme qui se forme au cours de la gastrulation. À l'origine du tube digestif de l'Animal chez l'adulte.

Archéobactéries (n. fém.) L'un des deux domaines de Procaryotes, l'autre étant celui des Bactéries. De nombreuses espèces d'Archéobactéries vivent dans des milieux extrêmes tels que les sources chaudes et les étangs salés. Les Archéobactéries se distinguent des Bactéries par de nombreuses caractéristiques structurales, biochimiques et physiologiques. Ce domaine comporte deux grands groupes: les Euryarchées et les Crénarchées.

Archives géologiques (n. fém.) Ordre d'apparition des fossiles dans les couches ou strates de roches sédimentaires, qui marque le passage du temps géologique.

Archosauriens (n. masc.) Groupe des Reptiles qui compte les Crocodiliens et les Dinosauriens, dont il ne reste plus que les Oiseaux.

ARN – acide ribonucléique (n. masc.) Macromolécule composée de nucléotides (monomères) qui sont eux-mêmes constitués d'une molécule de ribose liée à un phosphate et à l'une des bases azotées suivantes: adénine, guanine, cytosine, uracile. Sert d'intermédiaire entre l'ADN et les protéines qui sont synthétisées.

ARN de transfert – ARNt (n. masc.) Type de molécule d'ARN qui interprète le message génétique se trouvant sur l'ARN messager et achemine vers un ribosome un type d'acide aminé qui se trouve dans le cytosol.

ARN interférence – ARNi (n. masc.) Phénomène d'inhibition de l'expression génique par des molécules d'ARN.

ARN messager – ARNm (n. masc.) Type d'ARN transcrit à partir de l'ADN et qui sert d'intermédiaire entre l'ADN et la synthèse des protéines. S'attache à des ribosomes du cytoplasme et spécifie la structure primaire d'une protéine.

ARN polymérase (n. masc.) Enzyme qui écarte les deux brins d'ADN et assemble les nucléotides de l'ARN au fur et à mesure que leurs bases s'apparient avec la matrice d'ADN.

ARN prémessager (n. masc.) Première version d'ARN qui résulte de la transcription. Aussi appelé *transcrit primaire*.

ARN ribosomique – ARNr (n. masc.) Type de molécule d'ARN le plus abondant qui, avec des protéines, entre dans la composition des ribosomes.

Artère (n. fém.) Vaisseau qui achemine le sang du cœur jusque vers les organes du corps.

Artère rénale (n. fém.) Vaisseau sanguin de certains Vertébrés qui achemine le sang à un rein.

Artériole (n. fém.) Petit vaisseau qui transporte le sang entre une artère et un lit capillaire.

Artériole afférente (n. fém.) Branche d'une artère interlobulaire elle-même issue d'une artère rénale qui se ramifie pour former les capillaires du glomérule d'un néphron, dans le rein de certains Vertébrés.

Artériole efférente (n. fém.) Vaisseau sanguin vers lequel convergent les capillaires à leur sortie de la capsule glomérulaire rénale d'un néphron dans les reins de certains Vertébrés.

Arthropodes (n. masc.) Cœlomates segmentés qui ont un exosquelette chitineux, des appendices articulés et un corps formé de différents groupes de segments.

Ascocarpe (n. masc.) Appareil sporifère qui renferme les asques des Ascomycètes.

Ascomycètes (n. masc.) Embranchement des Eumycètes dont les membres produisent des spores sexuées dans des asques, qui sont des structures en forme de sac.

Ascospore (n. fém.) Nom des spores issues de la méiose et génétiquement différentes qui ont pris naissance à l'intérieur d'un asque.

Asque (n. masc.) Structure sporifère en forme de sac contenue dans un ascocarpe et située à l'extrémité de l'hyphe dicaryotique d'un Ascomycète.

Aster (n. masc.) Formation étoilée de courts microtubules faisant partie du fuseau de division qui rayonnent de chaque centrosome vers la membrane plasmique de la cellule pendant la mitose.

Astrocyte (n. masc.) Gliocyte qui assure un soutien structural et métabolique aux neurones.

Athérome (n. masc.) Dépôt lipidique qui contient des cellules mortes et qui se forme sur la tunique interne des artères, dont il rétrécit le diamètre. Aussi appelé *plaque athéroscléreuse.*

Athérosclérose (n. fém.) Maladie cardiovasculaire chronique dans laquelle des dépôts lipidiques contenant des cellules mortes et appelés *athéromes* ou *plaques athéroscléreuses* se forment sur la tunique interne des artères, dont ils rétrécissent le diamètre.

Atome (n. masc.) La plus petite unité de matière possédant les propriétés de l'élément auquel elle appartient.

ATP – adénosine triphosphate (n. masc.) Nucléoside triphosphate contenant de l'adénine. Libère de l'énergie au cours de l'hydrolyse de ses liaisons phosphate. Cette énergie libre alimente les réactions endergoniques qui ont lieu dans les cellules.

ATP synthase (n. masc.) Complexe protéique enzymatique qui se trouve dans les crêtes mitochondriales, la membrane des thylakoïdes et la membrane plasmique des Bactéries et des Archéobactéries. Fonctionne par chimiosmose avec l'aide d'une chaîne de transport d'électrons. Fabrique l'ATP en utilisant l'énergie du gradient de concentration des protons. Aménage un canal par lequel les protons diffusent vers la matrice d'une mitochondrie ou vers le stroma d'un chloroplaste.

Aubier (n. masc.) Couches les plus récemment formées du xylème secondaire qui transportent encore la sève brute.

Augmentation biologique (n. fém.) Méthode d'écologie de rétablissement qui se sert d'organismes pour ajouter des matières essentielles à un écosystème dégradé.

Autécologie (écologie physiologique) (n. fém.) Subdivision de l'écologie qui étudie les aspects morphologiques, physiologiques et comportementaux des réactions d'un organisme aux conditions biotiques et abiotiques de son milieu.

Auto-incompatibilité (n. fém.) Capacité qu'ont les Végétaux de rejeter leur propre pollen ou celui d'un proche parent. Mécanisme qui empêche le plus souvent l'autofécondation.

Autopolyploïde (adj.) Qualifie un individu qui possède plus de deux ensembles de chromosomes provenant d'une même espèce.

Autosome (n. masc.) Tout chromosome qui n'est pas un chromosome sexuel.

Autotrophie (n. fém.) Mode de nutrition qui permet à des organismes de fabriquer des molécules organiques sans ingérer d'autres organismes ou les substances qui les composent. Les organismes autotrophes utilisent l'énergie provenant du Soleil ou de l'oxydation de substances inorganiques pour former leurs molécules organiques à partir de molécules inorganiques.

Auxines (n. fém.) Composés désignant surtout l'acide indolacétique, une hormone végétale naturelle qui a différents effets, notamment l'allongement des cellules, la croissance secondaire et le développement des pousses, des feuilles et des fruits.

Avantage de l'hétérozygote (n. masc.) Fait que les individus hétérozygotes à un locus donné ont plus de chances de survivre et de se reproduire que les homozygotes. Protège la variation dans le patrimoine génétique.

Avirulent (adj.) Qualifie un agent pathogène qui s'infiltre suffisamment dans son hôte pour proliférer, mais qui ne l'endommage que légèrement, sans le tuer.

Avortement – IVG (n. masc.) Interruption volontaire d'une grossesse.

Axone (n. masc.) Prolongement du neurone qui est généralement plus long que les dendrites et qui transmet aux autres cellules les messages émis par le corps du neurone.

Bactérie fixatrice d'azote (n. fém.) Microorganisme qui emmagasine l'azote dans le sol en transformant le diazote (N_2) en ammoniac (NH_3).

Bactéries (n. fém.) L'un des deux domaines de Procaryotes, l'autre étant celui des Archéobactéries. La plupart des Procaryotes connus sont des Bactéries. Ce domaine comporte cinq grands groupes : les Protéobactéries, les Chlamydiées, les Spirochètes, les Bactéries à Gram positif et les Cyanobactéries.

Bactériophage (n. masc.) Virus infectant une Bactérie.

Bactéroïde (adj.) Chez les Légumineuses, forme que prend, dans une nodosité, la Bactérie *Rhizobium*, qui se trouve dans des vésicules se formant à l'intérieur de certaines cellules racinaires.

Baculum (n. masc.) Os qui raidit le pénis des Rongeurs, des ratons laveurs, des baleines, des morses et de plusieurs autres Mammifères.

Bande de Caspary (n. fém.) Ceinture constituée d'une cire qui est située dans les cellules endodermiques, chez les Végétaux, et qui empêche l'eau et les solutés de pénétrer passivement dans la stèle, en passant à travers la paroi cellulaire.

Bande préprophasique (n. fém.) Anneau que forment les microtubules de la partie périphérique du cytoplasme autour du noyau et qui détermine le plan de la division cellulaire.

Banque d'ADN – génothèque (n. fém.) Ensemble formé par les milliers de clones de plasmides (ou phages et autres vecteurs de clonage) recombinés portant chacun la copie d'un segment particulier du génome initial.

Banque d'ADNc (n. fém.) Ensemble restreint de molécules d'ADN complémentaire (ADNc). Ne contient que les gènes qui étaient transcrits dans les cellules de départ.

Barrière hémato-encéphalique (n. fém.) Disposition particulière des capillaires qui limite l'accès de l'encéphale à la plupart des substances. Permet une stricte maîtrise de l'environnement chimique extracellulaire du système nerveux central.

Barrière mécanique (n. fém.) Méthode de contraception qui empêche physiquement les spermatozoïdes d'atteindre un ovocyte de deuxième ordre. Le condom et le diaphragme en sont des exemples.

Barrière postzygotique (n. fém.) Isolement reproductif qui, après la fécondation d'un ovule par un spermatozoïde d'une autre espèce, empêche le zygote hybride de devenir un adulte viable et fécond. Par exemple, un mulet ne peut se reproduire avec d'autres mulets ou avec les espèces parentales (âne et jument).

Barrière prézygotique (n. fém.) Isolement reproductif qui empêche l'accouplement entre espèces ou qui entrave la fécondation de l'ovule si des membres d'espèces différentes s'accouplent. Par exemple, des gamètes incompatibles constituent une barrière prézygotique.

Base (n. fém.) Substance qui réduit la concentration molaire volumique des protons d'une solution soit en acceptant des ions hydrogène (p. ex. : NH_3), soit en libérant des ions hydroxyde qui se combinent par la suite aux ions hydrogène de la solution (p. ex. : NaOH).

Baside (n. fém.) Structure en forme de massue qui produit les spores sexuées sur les lamelles des Basidiomycètes.

Basidiocarpe (n. masc.) Appareil sporifère complexe d'un mycélium dicaryotique, chez les Basidiomycètes.

Basidiomycètes (n. masc.) Embranchement des Eumycètes dont les membres possèdent une structure en forme de massue, la baside, qui apparaît pendant le stade diploïde du cycle de développement. Les « champignons à chapeau » en font partie.

Bassinet du rein (n. masc.) Cavité en forme d'entonnoir qui reçoit le filtrat traité des tubes collecteurs des reins et à laquelle fait suite l'uretère.

Bâtonnet (n. masc.) L'une des deux sortes de photorécepteurs qui se trouvent dans la rétine des Vertébrés et de certains Invertébrés. Permet la vision nocturne, mais seulement en noir et blanc.

Benthos (n. masc.) Ensemble de communautés d'organismes qui occupent la zone benthique d'un plan d'eau.

Bêta-oxydation (n. fém.) Processus catabolique qui dégrade les acides gras en fragments contenant deux atomes de carbone et entrant dans le cycle de l'acide citrique sous forme d'acétyl-CoA.

Bilatériens (n. masc.) Animaux qui ont une symétrie bilatérale.

Bile (n. fém.) Mélange alcalin de substances produites dans le foie qui est emmagasiné dans la vésicule biliaire et qui sert de détergent facilitant la digestion et l'absorption ultérieure des graisses par l'intestin grêle.

Bioamplification (n. fém.) Processus par lequel la concentration tissulaire des toxines augmente d'un niveau trophique à l'autre, dans une chaîne alimentaire.

Biocénose – biote (n. fém.) Ensemble des organismes qui font partie d'un écosystème. On dit aussi *facteurs biotiques.*

Biodiversité (n. fém.) Diversité spécifique d'une communauté écologique, correspondant au nombre d'espèces et à leur abondance relative. Appelée *hétérogénéité* par les écologistes.

Bioénergétique (n. fém.) Circulation de l'énergie dans un Animal, qui tient compte de l'énergie emmagasinée dans la nourriture ingérée, de l'énergie utilisée pour ses fonctions fondamentales, ses activités, sa croissance, sa reproduction et sa régulation, et de l'énergie perdue au profit du milieu sous forme de chaleur ou de déchets.

Biofilm (n. masc.) Enduit formé de colonies de Procaryotes et de leurs sécrétions qui se déposent sur une surface.

Biogéographie (n. fém.) Étude de la répartition géographique des espèces.

Bio-informatique (n. fém.) Utilisation de la puissance informatique, des logiciels et des modèles mathématiques pour traiter et intégrer des données biologiques provenant de grands ensembles de données.

Biologie (n. fém.) Étude scientifique des êtres vivants.

Biologie de la conservation (n. fém.) Étude intégrée de l'écologie, de la biologie évolutive, de la physiologie, de la biologie moléculaire, de la génétique et de la biologie comportementale, qui a pour but de soutenir la biodiversité à tous les niveaux.

Biologie des systèmes (n. fém.) Méthode d'étude de la biologie qui vise à décrire le comportement dynamique de systèmes biologiques entiers.

Biomanipulation (n. fém.) Technique de restauration des lacs eutrophiques qui réduit les populations d'Algues en manipulant les consommateurs de niveau supérieur de la communauté plutôt qu'en changeant les niveaux nutritionnels ou qu'en faisant des traitements chimiques.

Biomasse (n. fém.) Masse sèche de matière organique de tous les individus d'une population, d'un habitat ou d'un écosystème.

Biomasse mesurable (n. fém.) Dans un écosystème, biomasse totale des organismes autotrophes photosynthétiques présents par unité d'aire à un moment donné.

Biome (n. masc.) Ensemble d'écosystèmes variés qui occupe une vaste étendue géographique et qui se caractérise par des conditions climatiques uniformes déterminant un type dominant de végétation.

Biome océanique pélagique (n. masc.) Majeure partie des eaux de l'océan qui se situent loin du rivage, où elles sont sans cesse agitées par les courants. Comporte de la vie à toute profondeur.

Biopsie des villosités chorioniques (n. fém.) Technique de diagnostic prénatal qui peut s'effectuer entre la huitième et la dixième semaine de grossesse et qui consiste à insérer un tube mince dans l'utérus par le col utérin et à aspirer une petite quantité de tissu fœtal en provenance du placenta. Permet de dépister des maladies héréditaires.

Biorestauration (n. fém.) Stratégie écologique qui repose sur l'utilisation d'organismes (Procaryotes surtout) et qui vise l'élimination des polluants de l'eau, de l'air et du sol.

Biosphère (n. fém.) Superécosystème qui englobe l'ensemble des écosystèmes de la planète.

Biotechnologie (n. fém.) Application des sciences ou de l'ingénierie dans l'utilisation des êtres vivants, de leurs parties ou de leurs produits, que ce soit sous leur forme naturelle ou modifiée à des fins pratiques, techniques ou industrielles.

Blastocœle (n. masc.) Cavité remplie de liquide qui est entourée d'un épithélium simple dans les premiers stades du développement embryonnaire.

Blastocyste (n. masc.) Sphère de cellules qui est creusée d'une cavité remplie de liquide, le blastocœle, et qui se forme une semaine environ après la fécondation, chez l'humain.

Blastoderme (n. masc.) Au début du développement des Cordés, plaque de cellules qui repose sur le vitellus non fragmenté.

Blastomère (n. masc.) Chacune des nombreuses petites cellules qui sont issues de la segmentation du zygote, au début de la formation de l'embryon.

Blastopore (n. masc.) Première ouverture de l'archentéron qui se forme au stade de gastrula et qui donne naissance à la bouche chez les Protostomiens et à l'anus chez les Deutérostomiens.

Blastula (n. fém.) Chez la plupart des Animaux, stade multicellulaire du développement qui prend la forme d'une sphère creuse et qui marque la fin du stade de la segmentation.

Blocage lent de la polyspermie (n. masc.) À la fécondation, résultat de l'action de la membrane de fécondation et d'autres modifications de la surface de l'ovule qui empêchent la liaison de nouveaux spermatozoïdes avec la membrane plasmique de l'ovule, lorsque le blocage rapide de la polyspermie ne fonctionne plus.

Blocage rapide de la polyspermie (n. masc.) Phénomène de dépolarisation de la membrane plasmique d'un ovule qui se produit de une à trois secondes après qu'un spermatozoïde se fut lié à la membrane vitelline, au cours de la fécondation. Réaction qui empêche la liaison d'autres spermatozoïdes avec la membrane plasmique de l'ovule. Courant chez les espèces animales.

Boîte homéotique (n. fém.) Séquence de 180 nucléotides que comprennent des gènes homéotiques et certains autres gènes développementaux, qui est généralement conservée chez les Animaux. On trouve des séquences semblables chez les Végétaux et les Procaryotes.

Boîte TATA (n. fém.) Séquence essentielle de l'ADN du promoteur, qu'on nomme ainsi en raison de la forte concentration de thymine (T) et d'adénine (A) qu'elle présente.

Bol alimentaire (n. masc.) Masse de nourriture en forme de boule que prépare la langue avant la déglutition.

Bouchon vitellin (n. masc.) Grosses cellules riches en nutriments qu'entoure la lèvre circulaire du blastopore, au cours du développement embryonnaire de la grenouille.

Bourgeon axillaire (n. masc.) Structure des plantes qui se trouve à l'intersection (aisselle) d'une feuille et de la tige et qui est capable de donner une pousse latérale.

Bourgeon terminal (n. masc.) Tissu embryonnaire des plantes qui est situé à l'extrémité d'une pousse et qui comprend des feuilles en développement et une série de nœuds et d'entre-nœuds.

Bourgeonnement (n. masc.) Mécanisme de reproduction asexuée courant chez les Invertébrés. Un nouvel individu se détache de son parent ou bien les deux restent associés, ce qui finit par donner une importante colonie.

Bouturage (n. masc.) Mode de multiplication végétative dans lequel une plante mère se sépare en parties qui reforment des plantes entières.

Brachiopodes (n. masc.) Lophophoriens marins dont la coquille est séparée en deux valves, l'une dorsale et l'autre ventrale.

Branchie (n. fém.) Prolongement de la surface corporelle qui est suspendu dans l'eau et qui constitue la surface respiratoire de la plupart des Animaux aquatiques.

Brassage saisonnier (n. masc.) Mélange printanier ou automnal des eaux des lacs et des étangs qui sont situées dans la zone tempérée. Phénomène attribuable aux changements de température. Aussi appelé *renouvellement.*

Brassinostéroïdes (n. masc.) Stéroïdes végétaux qui sont chimiquement semblables au cholestérol et aux hormones sexuelles des Animaux et qui provoquent l'allongement et la division cellulaires dans les tiges et les plantules, retardent l'abscission des feuilles et favorisent la différenciation du xylème.

Brin codant (n. masc.) Brin d'ADN qui sert de matrice pour l'agencement des séquences de nucléotides du transcrit d'ARN.

Brin directeur (n. masc.) Brin d'ADN complémentaire continu que synthétise l'ADN polymérase dans le sens obligatoire, c'est-à-dire $5' \rightarrow 3'$.

Brin discontinu (n. masc.) Nouveau brin d'ADN synthétisé par segments, la polymérase devant suivre la matrice en s'éloignant de la fourche de réplication.

Bronche (n. fém.) L'un des deux conduits respiratoires qui sont issus de la division de la trachée et qui conduisent chacun à un poumon.

Bronchiole (n. fém.) Chacune des ramifications étroites des bronches qui conduisent l'air jusqu'aux alvéoles.

Bryophytes (n. fém.) Groupe de Végétaux comportant trois embranchements : les Hépatophytes, les Anthocérophytes et les Muscinées. Vivent sur la terre ferme, mais n'ont pas de nombreuses adaptations terrestres caractéristiques des Vasculaires.

Bulbe rachidien (n. masc.) Partie inférieure de l'encéphale des Vertébrés. Renflement du rhombencéphale qui se situe au sommet de la moelle épinière et qui régule diverses fonctions viscérales (automatiques et homéostatiques), notamment la respiration, l'activité cardiovasculaire, la déglutition, le vomissement et la digestion.

Buvardage de Southern (n. masc.) Technique combinant l'électrophorèse sur gel et l'hybridation des acides nucléiques qui permet aux chercheurs de détecter la présence de certaines séquences de nucléotides dans un échantillon d'ADN.

C

Cadhérines (n. fém.) Catégorie importante de molécules d'adhérence cellulaire qui jouent un rôle dans la morphogenèse animale.

Cadre de lecture (n. masc.) Façon de traduire les nucléotides d'une molécule d'ARNm dans le bon sens et selon les bons groupements (trois par trois, sans chevauchement).

Cæcum (n. masc.) Section du gros intestin. Sorte de poche qui se trouve à la jonction du gros intestin et de l'intestin grêle.

Cal (n. masc.) Masse de cellules indifférenciées qui se forme sur la cicatrice d'un fragment de tige et à partir de laquelle poussent des racines adventives.

Calcitonine (n. fém.) Hormone sécrétée par la glande thyroïde, qui abaisse la concentration de calcium (Ca^{2+}) sanguin en favorisant les dépôts de calcium dans les os et l'excrétion de calcium par les reins.

Calicule gustatif (n. masc.) Regroupement de cellules épithéliales modifiées qui constituent les cellules réceptrices du goût (ou cellules gustatives) et qui sont disséminées sur plusieurs régions de la langue et de la bouche, chez les humains et la plupart des autres Mammifères. Aussi appelé *bourgeon du goût.*

Calorie – cal (n. fém.) Unité de mesure qui équivaut à la quantité de chaleur nécessaire (une calorie) pour élever de 1 °C la température de 1 g d'eau. Quantité de chaleur libérée quand 1 g d'eau refroidit de 1 °C. La calorie équivaut à 4,184 joules dans un environnement à 15 °C environ.

Cambium libéroligneux (n. masc.) Chez les Végétaux ligneux, cylindre de cellules méristématiques entourant le xylème et la moelle ; produit le xylème secondaire (bois) et le phloème secondaire.

Canal alimentaire (n. masc.) Succession de compartiments qui relient deux ouvertures, la bouche et l'anus, chez la plupart des Animaux. Aussi appelé *tube digestif* ou *tractus digestif.*

Canal central (n. masc.) Chez les Vertébrés, cavité étroite qui est située au centre de la moelle épinière et qui est en communication avec les ventricules remplis de liquide de l'encéphale.

Canal chimiodépendant (n. masc.) Canal ionique spécialisé qui s'ouvre ou se ferme en réaction à un stimulus chimique, par exemple à un neurotransmetteur.

Canal ionique (n. masc.) Canal protéique dans une membrane plasmique qui permet le passage d'un ion spécifique selon son gradient de concentration.

Canal ionique à ouverture contrôlée (n. masc.) Canal ionique spécifique à un ion qui s'ouvre ou se ferme en réponse à un stimulus ; il en résulte une modification du potentiel de membrane.

Canal ionique à ouverture régulée par un ligand (n. masc.) Protéine transmembranaire qui fait partie ou non d'un récepteur et qui laisse pénétrer des ions spécifiques quand une molécule de communication particulière se lie à un site de son domaine extracellulaire.

Canal mécanodépendant (n. masc.) Canal ionique spécialisé qui se trouve dans les cellules sensibles à l'étirement et qui s'ouvre quand la membrane subit une déformation mécanique.

Canal protéique (n. masc.) Couloir sélectif hydrophile permettant aux molécules d'eau et aux petits ions de franchir très rapidement une membrane.

Canal tensiodépendant (n. masc.) Canal ionique spécialisé qui s'ouvre ou se ferme en réaction à une variation du potentiel de membrane.

Canavanine (n. fém.) Acide aminé inhabituel que certaines plantes produisent pour se défendre contre les herbivores.

Capacité écologique (n. fém.) Ressource fondamentale réelle d'un pays.

Capacité inspiratoire – CI (n. fém.) Quantité maximale d'air qu'un individu inspire après avoir expiré normalement.

Capacité limite du milieu (n. fém.) Nombre maximal d'individus d'une population qui peuvent vivre dans un milieu au cours d'une période donnée, sans dégradation de l'habitat. Aussi appelée *capacité de support du milieu.*

Capacité pulmonaire totale – CPT (n. fém.) Volume d'air maximal que contiennent les poumons après une inspiration forcée.

Capacité résiduelle fonctionnelle – CRF (n. fém.) Volume d'air qui demeure dans les poumons après une expiration normale.

Capacité vitale – CV (n. fém.) Volume maximal d'air inspiré et expiré au cours d'une respiration forcée.

Capillaire (n. masc.) Chacun des vaisseaux sanguins microscopiques qui sont constitués d'une seule couche de cellules endothéliales et qui forment des réseaux qui pénètrent dans tous les tissus pour permettre des échanges entre le sang et le liquide interstitiel.

Capillaires péritubulaires (n. masc.) Réseau de capillaires qui fait suite à l'artériole efférente et qui s'enchevêtre avec les tubules contournés proximal et distal du néphron.

Capside (n. fém.) Coque de protéines qui renferme le génome viral. Selon le type de Virus, peut avoir une forme hélicoïdale (ressemblant à un bâtonnet), polyédrique ou plus complexe encore.

Capsule (n. fém.) (1) Couche protectrice que forment des substances adhésives autour de la paroi cellulaire des Procaryotes. Permet aux Procaryotes de se fixer à leur substrat. (2) Organe multicellulaire des Eumycètes et du sporophyte de certains Végétaux à l'intérieur duquel se produisent la méiose et le développement des spores haploïdes. Aussi appelée *sporange*.

Capsule glomérulaire rénale (n. fém.) Dans le rein des Vertébrés, réceptacle sphérique et creux qui est le segment initial du néphron et où pénètre le filtrat provenant du sang. Aussi appelée *capsule de Bowman*.

Caractère (n. masc.) Propriété héréditaire observable.

Caractère ancestral partagé (n. masc.) Caractère qui est partagé au-delà du taxon qu'on essaie de définir.

Caractère dérivé partagé (n. masc.) Innovation apparue au cours de l'évolution qui relève exclusivement d'un clade particulier.

Caractère quantitatif (n. masc.) Dans une population d'individus, caractère qui présente une variation continue sur une étendue plutôt qu'une variation dichotomique.

Caractères polygéniques plurifactoriels (n. masc.) Caractères polygéniques qui sont influencés par des gènes multiples et des facteurs environnementaux.

Carnivore (n. masc.) Animal, comme le requin, le faucon ou l'araignée, qui mange d'autres Animaux.

Caroténoïde (n. masc.) Pigment accessoire dont la couleur varie du jaune à l'orangé et qui se trouve dans les chloroplastes des plantes ou chez des organismes photosynthétiques. Élargit le spectre des longueurs d'onde de la lumière visible qui sont capables d'alimenter la photosynthèse en absorbant la lumière de longueurs d'onde qui sont différentes de celles de la lumière qu'absorbe la chlorophylle. Joue aussi un rôle photoprotecteur.

Carpelle (n. masc.) Organe reproducteur de la fleur qui produit les mégaspores donnant naissance aux gamétophytes femelles et qui est composé du stigmate, du style et de l'ovaire. Un ou plusieurs carpelles constituent le pistil.

Carte chromosomique (n. fém.) Liste ordonnée des loci qui se situent sur toute la longueur d'un chromosome. Aussi appelée *carte cytogénétique*.

Carte cognitive (n. fém.) Représentation interne, ou code, que se fait un Animal des relations spatiales existant entre les objets se trouvant dans son environnement.

Carte cytogénétique (n. fém.) Schéma d'un chromosome qui indique l'emplacement des gènes par rapport aux traits chromosomiques.

Carte de restriction (n. fém.) Carte génétique dans laquelle les distances physiques réelles entre les gènes ou d'autres marqueurs génétiques sont indiquées, habituellement par le nombre de paires de bases sur un brin d'ADN.

Carte des territoires présomptifs (n. fém.) Schéma général du développement embryonnaire, par territoires, qu'établissent les biologistes afin de déterminer la filiation entre les cellules de la blastula et la lignée (l'« arbre généalogique ») des cellules des trois feuillets embryonnaires produits par la gastrulation.

Carte génétique – carte de liaison génétique (n. fém.) Carte qu'on dresse à partir des fréquences de recombinaison des gènes, au cours de l'enjambement de chromosomes homologues. Plus les gènes sont éloignés l'un de l'autre, plus il y a de chances qu'un enjambement survienne entre eux. Voir aussi *Carte chromosomique*.

Carte physique (n. fém.) Méthode de cartographie des gènes dans laquelle les distances sont exprimées en fonction d'une grandeur physique comme le nombre de paires de bases de l'ADN.

Cartilage élastique (n. masc.) Cartilage qui ressemble au cartilage hyalin, mais dont la matrice contient plus de fibres élastiques.

Cartilage fibreux (n. masc.) Cartilage qui possède une matrice moins ferme que celle du cartilage hyalin et où les épaisses fibres collagènes prédominent.

Cartilage hyalin (n. masc.) Cartilage qui est le plus abondant dans le corps humain. Possède une matrice amorphe mais ferme. Ses nombreuses fibres collagènes sont imperceptibles.

Caryogamie (n. fém.) Fusion des noyaux haploïdes de deux organismes. Deuxième étape de l'union des cellules de deux organismes, chez de nombreux Eumycètes ayant un cycle de développement sexué.

Caryotype (n. masc.) Représentation des paires de chromosomes d'une cellule selon leur forme et leur taille.

Catalyseur (n. masc.) Agent chimique qui modifie la vitesse d'une réaction tout en restant inchangé.

Catastrophisme (n. masc.) Hypothèse de Georges Cuvier selon laquelle les limites entre les strates du sol correspondent à des catastrophes dans le temps (sécheresses ou inondations) qui ont détruit un grand nombre des espèces vivant à l'endroit étudié.

Catécholamines (n. fém.) Classe de composés qui sont synthétisés à partir d'un acide aminé, la tyrosine. Comprennent les hormones adrénaline et noradrénaline.

Catégorie de tissus (n. fém.) Groupe d'au moins un type de tissus formant une unité fonctionnelle qui relie les organes d'une plante.

Cation (n. masc.) Ion de charge positive (p. ex. : Na^+, Ca^{2+}).

Cavité abdominale (n. fém.) Cavité qui, chez de nombreux Vertébrés, renferme principalement des parties des systèmes digestif, urinaire et reproducteur. Séparée de la cavité thoracique par le diaphragme.

Cavité buccale (n. fém.) Bouche d'un Animal.

Cavité corporelle (n. fém.) Espace rempli de liquide qui s'insère entre le tube digestif et l'enveloppe corporelle, chez la plupart des Animaux. Aussi appelée *cœlome*.

Cavité gastrovasculaire (n. fém.) Cavité digestive ayant une seule ouverture, chez les Cnidaires et certains Plathelminthes. Structure en forme de sac qui sert à la fois à la digestion des nutriments et à leur circulation dans l'organisme.

Cavité palléale (n. fém.) Chez les Mollusques, compartiment rempli d'eau dans lequel se trouvent les branchies, l'anus et les pores excréteurs.

Cavité thoracique (n. fém.) Cavité qui, chez de nombreux Vertébrés, renferme les poumons et le cœur. En partie entourée des côtes et séparée de la cavité abdominale par le diaphragme.

Cellule (n. fém.) Unité structurale et fonctionnelle fondamentale de la vie.

Cellule amacrine (n. fém.) Dans l'œil des Vertébrés, neurone de la rétine qui assure l'intégration de l'information avant son acheminement jusqu'au cerveau.

Cellule bipolaire (n. fém.) Neurone qui communique par l'intermédiaire d'une synapse avec un bâtonnet ou un cône de la rétine de l'œil, chez les Vertébrés.

Cellule collenchymateuse (n. fém.) Type de cellule végétale flexible qui compose des cylindres ou des fibres textiles et soutient ainsi les jeunes parties des plantes, sans inhiber la croissance.

Cellule compagne (n. fém.) Type de cellule végétale qui communique avec une cellule d'un tube criblé par l'intermédiaire de nombreux plasmodesmes. Son noyau et ses ribosomes peuvent servir à une ou plusieurs cellules criblées voisines, qui, elles, n'en ont pas.

Cellule criblée (n. fém.) Chez les Angiospermes, cellule vivante qui achemine les sucres et les autres nutriments organiques dans le phloème. Forme des chaînes avec d'autres pour constituer les tubes criblés du phloème.

Cellule de la gaine fasciculaire (n. fém.) Cellule photosynthétique des plantes qui s'entasse avec d'autres autour des nervures de la feuille.

Cellule de soutien (n. fém.) Voir *Gliocyte.*

Cellule de transfert (n. fém.) Chez les Végétaux, (1) cellule compagne dont la paroi forme de nombreuses invaginations qui augmentent la surface de contact et favorisent le transfert de solutés entre l'apoplasme et le symplasme. (2) Cellule spécialisée qui favorise le transfert des nutriments du parent à l'embryon.

Cellule dendritique (n. fém.) Cellule présentatrice d'antigène, située principalement dans les tissus lymphatiques et la peau, et qui est particulièrement efficace dans la présentation des antigènes aux lymphocytes T auxiliaires, ce qui déclenche une réaction immunitaire primaire.

Cellule diploïde (n. fém.) Cellule contenant deux jeux haploïdes de chromosomes ($2n$) dont les gènes représentent les lignées paternelle et maternelle.

Cellule du mésophylle (n. fém.) Cellule photosynthétique située entre la surface de la feuille et les cellules de la gaine fasciculaire.

Cellule effectrice (n. fém.) (1) Cellule musculaire ou glandulaire qui effectue les réactions du corps aux stimulus. Répond aux commandes du système nerveux central. (2) Clone de lymphocytes ayant une courte durée de vie et combattant le même antigène.

Cellule eucaryote (n. fém.) Type de cellule qui renferme divers organites membraneux et un noyau véritable délimité par une enveloppe nucléaire. Le noyau contient l'ADN et le protège des enzymes du cytoplasme. Présente chez les Protistes, les Végétaux, les Eumycètes et les Animaux.

Cellule fibreuse (n. fém.) Type de cellule composée de lignine qui renforce le xylème des Angiospermes et qui se spécialise dans le soutien. Cellule sclérenchymateuse longue, mince et fusiforme qui s'organise généralement avec d'autres pour former des faisceaux.

Cellule ganglionnaire (n. fém.) Dans l'œil des Vertébrés, cellule qui communique avec des cellules bipolaires et dont l'axone envoie des sensations visuelles (sous forme de potentiels d'action) au cerveau.

Cellule gliale (n. fém.) Voir *Gliocyte.*

Cellule haploïde (n. fém.) Cellule qui n'a qu'un jeu de chromosomes (n).

Cellule horizontale (n. fém.) Dans l'œil des Vertébrés, neurone de la rétine qui assure l'intégration de l'information avant son acheminement jusqu'au cerveau.

Cellule initiale des rayons (n. fém.) Chez les Végétaux, cellule du cambium vasculaire qui contribue à produire les rayons ligneux (de xylème) et les rayons libériens (de phloème), composés principalement de cellules parenchymateuses.

Cellule initiale fusiforme (n. fém.) Cellule qui est située à l'intérieur du cambrium vasculaire et qui produit des cellules effilées comme les trachéides, les éléments de vaisseaux, les fibres et les cellules criblées.

Cellule-mémoire (n. fém.) Clone de lymphocytes ayant une longue durée de vie. Produite au cours de la réaction immunitaire primaire et reste dans un organe lymphatique avant d'être activée par l'exposition à l'antigène même qui a déclenché sa production. La cellule-mémoire activée provoque la réaction immunitaire secondaire.

Cellule mère des spores (n. fém.) Dans le sporange, cellule qui se divise par méiose et qui engendre les spores haploïdes.

Cellule parenchymateuse (n. fém.) Type de cellule végétale peu différenciée qui est responsable de la majeure partie du métabolisme des plantes, et qui synthétise et emmagasine des substances organiques. Se différencie à la maturité.

Cellule postsynaptique (n. fém.) Cellule réceptrice de neurotransmetteurs dans une synapse.

Cellule présentatrice d'antigène (n. fém.) Cellule qui englobe des Bactéries et des Virus, puis les détruit. Cette dégradation engendre des fragments peptidiques qui sont liés par des molécules du CMH de classe II et présentés sur la surface membranaire aux lymphocytes T auxiliaires. Les principales cellules présentatrices d'antigène sont les macrophages, les cellules dendritiques et les lymphocytes B.

Cellule présynaptique (n. fém.) Cellule émettrice de neurotransmetteurs dans une synapse.

Cellule procaryote (n. fém.) Type de cellule qui est dénuée de noyau et d'organites entourés d'une membrane. Seuls les organismes faisant partie des Bactéries et des Archéobactéries sont des cellules procaryotes.

Cellule reproductrice (n. fém.) – **gamète** (n. masc.) Cellule haploïde : spermatozoïde ou ovule. Les gamètes s'unissent pendant la reproduction sexuée pour produire un zygote diploïde.

Cellule sclérenchymateuse (n. fém.) Type de cellule végétale rigide qui perd généralement son protoplasme après s'être dotée d'une paroi secondaire épaisse composée de lignine à maturité. Constitue un tissu de soutien.

Cellule sensorielle ciliée (n. fém.) Type de mécanorécepteur qui détecte le mouvement. On en trouve dans l'oreille des Vertébrés et dans les organes sensoriels de la ligne latérale, où elles détectent les mouvements de l'eau environnante, chez les Poissons et les Amphibiens.

Cellule somatique (n. fém.) Toute cellule d'un organisme multicellulaire qui n'est pas un spermatozoïde ou un ovule.

Cellule souche (n. fém.) Cellule peu spécialisée, chez l'embryon ou l'adulte, qui, en une seule division, peut se séparer en une cellule fille identique et en une cellule fille plus spécialisée, laquelle peut à son tour se différencier.

Cellule stomatique (n. fém.) Chez les Végétaux, cellule spécialisée de l'épiderme de la feuille qui borde l'ostiole d'un stomate.

Cellule tueuse naturelle – cellule NK (n. fém.) Type de globule blanc qui n'attaque pas directement les microorganismes, mais détruit les cellules de l'organisme infectées notamment par des Virus. Attaque aussi les cellules anormales qui pourraient devenir cancéreuses. Composante importante de l'immunité naturelle.

Cellules alpha (n. fém.) Population de cellules de chaque îlot pancréatique qui sécrètent une hormone peptidique nommée *glucagon.* Aussi appelées *endocrinocytes alpha.*

Cellules bêta (n. fém.) Population de cellules de chaque îlot pancréatique qui sécrètent l'insuline. Aussi appelées *endocrinocytes bêta.*

Cellules delta (n. fém.) Population de cellules de chaque îlot pancréatique qui produisent la somatostatine, hormone polypeptidique inhibant la sécrétion du glucagon et de l'insuline, et qui ralentit l'absorption des nutriments dans le tube digestif. Aussi appelées *endocrinocytes delta.*

Cellules gliales radiales (n. fém.) Dans l'embryon, cellules qui forment des fibres protéiques le long desquelles les neurones migrent ou poussent.

Cellules initiales (n. fém.) Cellules qui demeurent dans un méristème apical comme sources de nouvelles cellules.

Cellules initiales des rayons (n. fém.) Cellules du méristème orientées perpendiculairement à l'axe de la tige ou de la racine et qui produisent les rayons conducteurs.

Cellules initiales fusiformes (n. fém.) Cellules du méristème orientées parallèlement à l'axe de la tige et qui produisent des cellules de forme allongée telles que les trachéides.

Cellules interstitielles du testicule (n. fém.) Cellules disséminées entre les tubules séminifères contournés du testicule et qui fabriquent la testostérone et d'autres androgènes.

Cellules PP (n. fém.) Population de cellules de chaque îlot pancréatique qui sécrètent le polypeptide pancréatique, hormone inhibant la sécrétion de somatostatine, les contractions de la vésicule biliaire et les sécrétions exocrines du pancréas. Aussi appelées *endocrinocytes PP.*

Cellulose (n. fém.) Polysaccharide structural de la paroi cellulaire des Végétaux, constitué de monomères de glucose unis par des liaisons glycosidiques β-1,4.

Cénocyte (n. masc.) Hyphe sans cloison de certains Eumycètes ; masse cytoplasmique multinucléée qui résulte de divisions répétées du noyau, sans division cytoplasmique.

Centre de régulation de la respiration (n. masc.) Chacune des deux régions de l'encéphale (bulbe rachidien et pont) qui dirigent l'activité des organes de la respiration.

Centre organisateur des microtubules (n. masc.) Voir *Centrosome.*

Centre réactionnel (n. masc.) Complexe de protéines associé à deux molécules spéciales de chlorophylle *a* et à un accepteur primaire d'électrons. Situé au centre d'un photosystème, ce complexe déclenche les réactions photochimiques de la photosynthèse. Stimulée par l'énergie lumineuse, une des deux molécules de chlorophylle *a* cède un électron à l'accepteur primaire d'électrons, qui transmet alors un électron à une chaîne de transport d'électrons.

Centre rythmogène (n. masc.) Chez les Mammifères, région spécialisée du tissu musculaire cardiaque, située dans la paroi de l'oreillette droite, qui fixe la fréquence et la synchronisation des contractions de toutes les cellules du muscle cardiaque. Aussi appelé *nœud sinusal.*

Centriole (n. masc.) Chacune des deux structures qui se trouvent près du noyau des cellules animales. Composé de neuf triplets de microtubules disposés en cercle. Une cellule animale contient une paire de centrioles qui joue un rôle dans la division cellulaire.

Centromère (n. masc.) Région spécialisée du chromosome qui unit les deux chromatides sœurs en leur milieu.

Centrosome (n. masc.) Masse que contient le cytoplasme de tous les Eucaryotes et qui joue un rôle important dans la division cellulaire. Aussi appelé *centre organisateur des microtubules.*

Céphalaspidomorphes (n. masc.) – **lamproies** (n. fém.) Classe du sous-embranchement des Vertébrés. Animaux marins ou dulcicoles sans mâchoires qui possèdent un crâne cartilagineux et un squelette axial (reposant sur une corde dorsale). Sont dépourvus de colonne vertébrale. Un tube cartilagineux entoure la corde dorsale et des fibres de cartilage recouvrent partiellement le tube neural, organisation qui précède l'apparition d'une véritable colonne vertébrale au cours de l'évolution.

Céphalisation (n. fém.) Évolution de l'extrémité antérieure de l'Animal où se sont concentrés les organes sensoriels. Caractéristique des Animaux à symétrie bilatérale, surtout des Vertébrés.

Céphalocordés (n. masc.) Cordés sans colonne vertébrale qui sont représentés par les amphioxus, de minuscules Animaux marins. La corde dorsale, le tube neural dorsal creux, de nombreuses fentes branchiales et la queue musculaire postanale sont encore présents au stade adulte.

Cerveau (n. masc.) Régions dorsales gauche et droite du prosencéphale des Vertébrés ; centre d'intégration de la mémoire, de l'apprentissage, des émotions et des autres fonctions complexes associées au système nerveux central.

Cervelet (n. masc.) Organe de l'encéphale des Vertébrés qui se forme à partir d'une région embryonnaire du métencéphale. Participe à la coordination des mouvements et à la vérification des erreurs pendant les activités motrices, perceptuelles et cognitives, ainsi qu'aux tâches d'apprentissage et de rappel des réactions motrices.

Chaîne alimentaire (n. fém.) Circulation de l'énergie des nutriments depuis leur source dans les Végétaux et d'autres organismes photosynthétiques (producteurs) jusqu'aux carnivores (consommateurs secondaires, tertiaires et quaternaires) et aux détritivores, en passant par les herbivores (consommateurs primaires).

Chaîne de transport d'électrons (n. fém.) Molécules qui se trouvent dans la membrane interne des mitochondries et qui transportent des électrons au cours de réactions rédox libérant de l'énergie pour la synthèse de l'ATP.

Chaîne légère (n. fém.) Chacune des deux chaînes polypeptidiques qui composent un anticorps et un récepteur de lymphocyte B. Comprend une région variable, qui contribue au site de liaison à l'antigène, et une région constante.

Chaîne lourde (n. fém.) Chacune des deux chaînes polypeptidiques qui contribuent à la structure d'un anticorps et d'un récepteur de lymphocyte B. Comprend une région variable, qui est le site de liaison à l'antigène, et une région constante.

Chaleur (n. fém.) Transfert énergétique entre deux corps de températures différentes.

Chaleur de vaporisation (n. fém.) Quantité de chaleur que 1 g de liquide doit absorber, à température constante, pour passer de l'état liquide à l'état gazeux.

Chaleur spécifique (n. fém.) Nombre de joules nécessaire pour augmenter de 1 °C la température de 1 g d'une substance donnée.

Champignons (n. masc.) (1) Dans le langage courant, partie visible (« chapeau ») portant les spores d'un Eumycète. (2) Règne eucaryote incluant les organismes qui absorbent les nutriments après avoir décomposé des matières organiques. Voir *Eumycètes.*

Changement de phase (n. masc.) Chez les Végétaux, processus par lequel le méristème apical peut passer d'une phase de développement à l'autre au cours de sa vie.

Chaperonines (n. fém.) Molécules protéiques qui favorisent le repliement adéquat des autres protéines.

Charge critique (n. fém.) Quantité d'un nutriment ajouté par les humains, habituellement de l'azote ou du phosphore, que les Végétaux peuvent absorber sans que cela nuise à l'intégrité des écosystèmes.

Chélicère (n. fém.) Appendice en forme de pince qui permet aux Chélicériformes de s'alimenter.

Chélicériformes (n. masc.) Une des quatre grandes lignées d'Arthropodes, comprenant notamment les araignées de mer, les limules et les scorpions.

Chiasma (n. masc.) Région en forme de X visible au microscope et représentant le croisement des chromatides homologues. Manifestation physique d'une recombinaison génétique appelée *enjambement.*

Chiasma optique (n. masc.) Disposition des faisceaux nerveux de l'œil des Vertébrés qui fait en sorte que les stimulus perçus dans la partie gauche du champ visuel des deux yeux sont transmis au côté droit du cerveau, et que les stimulus venant de la droite du champ visuel rejoignent le côté gauche du cerveau.

Chimère (n. fém.) Organisme constitué d'un mélange de cellules génétiquement différentes.

Chimie organique (n. fém.) Branche de la chimie qui étudie les composés du carbone (composés organiques).

Chimioautotrophe (adj.) Qualifie un organisme qui produit ses composés organiques sans l'aide de la lumière. L'organisme obtient son énergie en oxydant des substances inorganiques comme le sulfure d'hydrogène et l'ammoniac.

Chimiohétérotrophe (adj.) Qualifie un organisme qui doit consommer des molécules organiques pour se procurer énergie et carbone.

Chimiokines (n. fém.) Groupe d'environ 50 protéines différentes qui sont sécrétées par plusieurs types de cellules près du siège d'une lésion ou d'une infection. Ces molécules aident à orienter la migration des leucocytes et produisent de nombreux changements essentiels au processus inflammatoire.

Chimiorécepteur (n. masc.) Type de récepteur sensoriel des Animaux qui est soit un récepteur général fournissant des renseignements sur la concentration totale de solutés dans une solution, soit un récepteur spécifique réagissant à un certain type de molécules.

Chimiosmose (n. fém.) Mécanisme de couplage d'énergie qui permet à certaines membranes d'utiliser l'énergie chimique pour le transport des protons, puis l'énergie emmagasinée dans le gradient de protons pour le travail cellulaire, notamment la synthèse de l'ATP.

Chitine (n. fém.) Polysaccharide structural dont le monomère de glucose possède une chaîne latérale contenant de l'azote. Présente chez de nombreux Eumycètes et dans l'exosquelette de tous les Arthropodes.

Chlorophylle (n. fém.) Pigment vert contenu dans les chloroplastes des Végétaux et dans certaines structures d'autres organismes capables de photosynthèse. La chlorophylle *a* participe directement aux réactions photochimiques qui convertissent l'énergie solaire en énergie chimique.

Chlorophylle *a* (n. fém.) Type de pigment photosynthétique bleu-vert qu'on trouve dans le complexe collecteur de lumière d'un photosystème et qui participe directement aux réactions photochimiques.

Chlorophylle *b* (n. fém.) Type de pigment accessoire jaune-vert qu'on trouve dans le complexe collecteur de lumière d'un photosystème et qui transfère à la chlorophylle *a* l'énergie captée pendant la photosynthèse.

Chloroplaste (n. masc.) Organite présent chez les Végétaux et les Protistes photosynthétiques qui absorbe la lumière du Soleil et l'utilise pour synthétiser des composés organiques à partir du dioxyde de carbone et de l'eau.

Choanocytes (n. masc.) Chez les Éponges, cellules flagellées qui tapissent l'intérieur du spongocœle. Aussi appelés *cellules à collerette*, en raison du cylindre membraneux qui entoure la base de leur flagelle.

Choc anaphylactique (n. masc.) Réaction généralisée à des allergènes injectés ou ingérés qui peut provoquer la mort.

Cholestérol (n. masc.) Stéroïde qui est un composant essentiel de la membrane plasmique des cellules animales. Précurseur à partir duquel la plupart des autres stéroïdes sont synthétisés.

Chondrichthyens (n. masc.) Classe de Poissons cartilagineux au squelette relativement flexible presque entièrement composé de cartilage qui sont représentés par les requins et les raies.

Chondroblaste (n. masc.) Cellule indifférenciée qui produit une partie du chondroïtine-sulfate et du collagène d'un tissu cartilagineux.

Chondrocyte (n. masc.) Chondroblaste mature qui sécrète du collagène et du chondroïtine-sulfate.

Chorée de Huntington (n. fém.) Maladie dégénérative du système nerveux qui est attribuable à un allèle dominant létal. Les symptômes de la maladie apparaissent chez les individus âgés de 35 à 45 ans.

Chorion (n. masc.) L'une des quatre membranes extraembryonnaires des Cordés qui aident l'embryon à se développer. Membrane la plus périphérique qui constitue une partie du placenta. Protège l'embryon contre les chocs et joue un rôle dans les échanges gazeux.

Choroïde (n. fém.) Fine couche pigmentaire interne de l'œil des Vertébrés et de certains Invertébrés.

Chromatides sœurs (n. fém.) Formes répliquées d'un chromosome qui sont unies par le centromère avant de se séparer pendant la mitose ou la méiose II.

Chromatine (n. fém.) Masse de matériel génétique composée d'ADN et de protéines qu'on observe chez les Eucaryotes. Entre les périodes de division, existe sous forme de fibres minces et très longues constituant un amas diffus.

Chromosome (n. masc.) Structure qui résulte de la condensation et de l'épaississement des fibres de chromatine et dont la forme définie est visible au microscope. Les chromosomes sont composés d'une longue molécule d'ADN et de protéines. Voir *Chromatine.*

Chromosome artificiel bactérien (n. masc.) Version artificielle d'un chromosome bactérien dans lequel on peut insérer de 100 000 à 500 000 paires de bases. Sert de vecteur de clonage.

Chromosome artificiel de levure (n. masc.) Vecteur qui contient les éléments essentiels d'un chromosome d'Eucaryote (une origine de réplication de l'ADN, un centromère et deux télomères) ainsi que de l'ADN étranger.

Chromosome recombiné (n. masc.) Chromosome qui est issu de l'enjambement, lequel se produit pendant la synapsis, à la prophase I de la méiose, et qui porte des gènes provenant de chacun des deux parents.

Chromosomes homologues (n. masc.) Chromosomes d'une même paire ; ont la même longueur, des centromères situés au même endroit et les mêmes bandes de couleur ; portent les gènes qui déterminent les mêmes caractères héréditaires. Chacun des parents transmet un chromosome de chaque paire.

Chromosomes sexuels – hétérochromosomes (n. masc.) Chromosomes *X* et *Y*, qui déterminent le sexe de l'individu ; la 23ᵉ paire de chromosomes chez l'humain.

Chylomicron (n. masc.) Petit globule intracellulaire qui est composé de graisses et de cholestérol associés et recouverts de protéines spéciales.

Chyme acide (n. masc.) Bouillie riche en éléments nutritifs que devient le bol alimentaire lorsqu'il se mélange au suc gastrique dans l'estomac.

Chytridiomycètes (n. masc.) Eumycètes primitifs généralement aquatiques qui produisent des spores (zoospores) et des gamètes flagellés. Représentent la lignée fongique la plus primitive.

Cicatrice foliaire (n. fém.) Petit faisceau vasculaire qui s'étend du tissu vasculaire de la tige jusqu'à une feuille, en passant par le pétiole.

Cil (n. masc.) Court appendice cellulaire qui est spécialisé dans la locomotion et la nutrition ; composé de neuf doublets de microtubules formant un anneau autour de deux microtubules non jumelés ; engainé dans un prolongement de la membrane plasmique.

Ciliés (n. masc.) Groupe de Protistes, appartenant aux Alvéolobiontes, qui se déplacent et se nourrissent à l'aide de milliers de cils.

Cinèse (n. fém.) Modification simple du degré d'activité qu'effectuent surtout les Animaux en réponse à un stimulus.

Circuit systémique (n. masc.) Partie de l'appareil circulatoire qui irrigue tous les organes du corps avant de renvoyer le sang pauvre en dioxygène par les veines vers l'oreillette droite.

Circulation branchiale (n. fém.) Circulation du sang à travers les branchies, chez les Poissons.

Circulation double (n. fém.) Mode de circulation à deux circuits, l'un étant pulmonaire ou pulmocutané, l'autre étant systémique. Fournit un apport vigoureux de sang aux organes des Reptiles (y compris les Oiseaux), des Amphibiens et des Mammifères.

Circulation pulmocutanée (n. fém.) Chez les Amphibiens, circulation qui conduit le sang jusqu'aux capillaires des organes qui effectuent les échanges gazeux (poumons et peau), où le sang capte du dioxygène.

Circulation pulmonaire (n. fém.) Circulation du sang à travers les poumons.

Circulation systémique (n. fém.) Chez les Vertébrés, circulation qui achemine le sang oxygéné du cœur jusqu'aux lits capillaires, dans tout l'organisme. Le sang retourne ensuite par les veines jusqu'à une oreillette du cœur.

Cis (adj.) Arrangement de deux atomes autres que le carbone où chacun est lié à un des deux carbones d'une liaison double carbone-carbone et où les deux atomes autres que le carbone sont du même côté par rapport à la double liaison.

Citerne (n. fém.) Tubule ou sac membraneux situé dans le réticulum endoplasmique et formant avec d'autres un réseau.

Clade (n. masc.) Groupe d'espèces qui comprend une espèce ancestrale et tous ses descendants.

Cladistique (n. fém.) Étude de la classification des espèces en clades.

Cladogramme (n. masc.) Diagramme représentant les tendances des caractères communs entre les espèces.

Classe (n. fém.) Catégorie taxinomique située au-dessus de l'ordre.

Classification fondée sur trois domaines (n. fém.) Taxinomie établissant au rang de domaine trois « super-règnes » : les Bactéries, les Archéobactéries (ou Archées) et les Eucaryotes.

Glossaire

Climat (n. masc.) Ensemble des conditions météorologiques propres à un endroit, c'est-à-dire la température, les précipitations, la lumière et le vent principalement.

Climographe (n. masc.) Tracé de la température et des précipitations pour une région donnée.

Cline (n. masc.) Changement graduel d'un caractère d'un organisme le long d'un axe géographique.

Clitoris (n. masc.) Dans le système reproducteur de la femme, corps caverneux court portant un gland arrondi recouvert d'une peau, le prépuce. Situé à l'extrémité antérieure du vestibule, cet organe érectile se gorge de sang et gonfle pendant l'excitation sexuelle.

Cloaque (n. masc.) Chambre dans laquelle aboutissent les systèmes digestif, urinaire et reproducteur chez de nombreux Vertébrés, à l'exception de la plupart des Mammifères. Communique avec l'extérieur par une seule ouverture.

Cloison (n. fém.) Paroi transverse qui divise les hyphes des Eumycètes en cellules. Possède généralement des pores assez grands pour que les ribosomes, les mitochondries et même les noyaux puissent circuler d'une cellule à l'autre.

Clonage (n. masc.) Production d'un ou de plusieurs individus qui sont génétiquement identiques à partir d'une cellule somatique provenant d'un organisme multicellulaire.

Clonage génique (n. masc.) Production de copies multiples d'un gène.

Clone (n. masc.) (1) Lignée de cellules génétiquement identiques, produites par mitose. (2) En langage populaire, organisme génétiquement identique à un autre.

Cnidaires (n. masc.) Embranchement d'Animaux comprenant notamment les méduses, les coraux et les hydres et possédant une symétrie radiaire, une cavité gastrovasculaire et des cnidocytes. Leur structure corporelle de base existe sous deux formes : la forme polype fixée et la forme méduse flottante.

Cnidocyte (n. masc.) Cellule spécialisée qui est située sur les tentacules des Cnidaires et qui assure la défense de l'organisme et la capture des proies. Contient une vésicule, le nématocyste, qui peut libérer une substance urticante.

Cochlée (n. fém.) Organe complexe de l'audition, de forme enroulée, qui est situé dans l'oreille interne de certains Vertébrés et qui renferme l'organe spiral.

Code à triplets (n. masc.) Série de « mots » composés de trois nucléotides et servant à la circulation de l'information entre le gène et la protéine.

Codominance (n. fém.) Forme d'hérédité dans laquelle les deux allèles d'un gène, chez un individu, se manifestent entièrement et de manière indépendante dans le phénotype ; par exemple, dans le groupe sanguin AB, les allèles *A* et *B* manifestent de la codominance.

Codon (n. masc.) Triplet de nucléotides d'un ARN messager qui détermine quel acide aminé sera inséré à une position donnée du polypeptide. Unité de base du code génétique.

Coefficient de parenté (n. masc.) Probabilité qu'un Animal ait reçu un gène précis d'un autre Animal, parent ou ancêtre.

Cœlomates (n. masc.) Animaux dotés d'un vrai cœlome (p. ex. : Annélides). Voir *Cœlome.*

Cœlome (n. masc.) Cavité remplie de liquide et complètement entourée de tissus provenant du mésoderme.

Coenzyme (n. fém.) Molécule organique qui joue le rôle de cofacteur. La plupart des vitamines sont des coenzymes dans des réactions métaboliques importantes.

Cœur (n. masc.) Chez les Animaux, pompe musculaire qui fait circuler le sang en utilisant de l'énergie métabolique, afin d'élever la pression hydrostatique du sang. Le sang circule dans l'organisme en suivant un gradient de pression, puis revient au cœur.

Cœur myogène (n. masc.) Chez les Vertébrés, type de cœur dans lequel le nœud sinusal est composé de tissus musculaires spécialisés et situé à l'intérieur du cœur lui-même.

Cœur neurogène (n. masc.) Chez de nombreux Invertébrés, type de cœur dans lequel le nœud sinusal tire son origine de cellules nerveuses.

Coévolution (n. fém.) Influence réciproque qui s'exerce entre deux espèces pendant leur évolution.

Cofacteur (n. masc.) Substance non protéique (vitamine ou dérivé de vitamine) ou ion (Mg, Cu, Fe, Zn…) nécessaire au fonctionnement d'une enzyme. Peut se lier fortement au site actif de façon permanente ou s'y lier faiblement pendant la catalyse.

Cognition (n. fém.) Capacité que possède le système nerveux d'un Animal à percevoir, à emmagasiner, à traiter et à utiliser l'information recueillie par les récepteurs sensoriels.

Cohésion (n. fém.) Association des molécules d'une substance qui se fait généralement au moyen de liaisons hydrogène.

Cohorte (n. fém.) En démographie, groupe d'organismes du même âge.

Coiffe (n. fém.) (1) Capuchon protecteur, composé de tissu du gamétophyte, que porte le sporange. (2) Partie d'une racine semblable à un dé à coudre qui en recouvre l'extrémité et protège le méristème fragile contre la rugosité du sol dans lequel elle s'enfonce.

Coiffe 5′ (n. fém.) Forme modifiée (par ajout d'un groupement méthyle) de la guanine qui s'ajoute à l'extrémité 5′ d'une molécule d'ARN prémessager pendant la maturation.

Coït (n. masc.) Pénétration du pénis dans le vagin. Aussi appelé *rapport sexuel.*

Col utérin (n. masc.) Orifice étroit de l'utérus qui communique avec le vagin.

Coléoptile (n. masc.) Gaine qui enserre la tige embryonnaire des Monocotylédones.

Coléorhize (n. fém.) Gaine qui recouvre la racine de l'embryon des Monocotylédones.

Collagène (n. masc.) Glycoprotéine de la matrice extracellulaire qui forme de solides fibres à l'extérieur des cellules animales. Abondant dans le tissu conjonctif et les os. Protéine la plus abondante dans le règne animal.

Colloïde (n. masc.) Mélange composé d'un liquide et de particules qui, en raison de leur grande taille, demeurent suspendues dans ce liquide.

Côlon (n. masc.) Voir *Gros intestin.*

Colonie (n. fém.) Ensemble de cellules de la même espèce qui se reproduisent de manière autonome.

Coloration d'avertissement – coloration aposématique (n. fém.) Couleurs vives qu'arborent des Animaux possédant des défenses chimiques efficaces pour mettre en garde les prédateurs contre eux.

Coloration de Gram (n. fém.) Technique de coloration qui permet de distinguer deux catégories de Bactéries d'après l'une des caractéristiques de leur paroi cellulaire. Voir *Gram négatif* et *Gram positif.*

Commensalisme (n. masc.) Relation symbiotique dans laquelle un seul organisme retire des avantages, sans toutefois nuire à l'autre ou l'aider de manière importante.

Communauté (n. fém.) Ensemble de populations de différentes espèces habitant une aire donnée.

Communication (n. fém.) Comportement animal qui comprend la transmission et la réception d'un stimulus ainsi que la réponse qui en résulte.

Compétition interspécifique (n. fém.) En écologie des communautés, compétition entre des Végétaux, des Animaux ou des décomposeurs quand les ressources sont en quantités limitées.

Complément (n. masc.) Ensemble de quelque 30 protéines sériques qui, une fois activées, accentuent la réaction inflammatoire, accroissent la phagocytose ou provoquent directement la lyse des agents pathogènes. Ces protéines sont activées par le déclenchement de la réaction immunitaire ou par des antigènes situés à la surface de microorganismes ou d'autres cellules étrangères.

Complexe collecteur de lumière (n. masc.) Ensemble constitué de molécules de pigments et de protéines qui jouent le rôle d'antenne pour le centre réactionnel d'un photosystème.

Complexe d'attaque membranaire (n. masc.) Complexe moléculaire, comprenant les protéines du complément, qui perfore la membrane des cellules bactériennes et des cellules transplantées en produisant une lésion et qui provoque ainsi la mort de la cellule.

Complexe d'épissage (n. masc.) Ensemble de petites ribonucléoprotéines nucléaires qui interagissent avec les extrémités d'un intron d'ARN. Libère l'intron, puis unit les deux exons voisins.

Complexe d'initiation de la transcription (n. masc.) Ensemble constitué de l'ARN polymérase II et des facteurs de transcription liés au promoteur.

Complexe de troponine (n. masc.) Dans les muscles des Vertébrés, ensemble de protéines régulatrices qui déterminent la position de la tropomyosine sur le myofilament mince.

Complexe enzyme-substrat (n. masc.) Complexe temporaire qui se forme lorsqu'une enzyme se lie aux molécules de son substrat.

Complexe majeur d'histocompatibilité – CMH (n. masc.) Ensemble de glycoprotéines antigéniques de surface qui sont codées par une famille de gènes et qui interviennent dans la réaction immunitaire. Les molécules du CMH de classe I et de classe II interviennent dans la présentation de l'antigène aux lymphocytes T. Chez l'humain, les glycoprotéines sont aussi connues sous le nom d'*antigènes d'histocompatibilité* ou *HLA*, pour *human leukocyte antigens*. Les marqueurs du CMH étranger des tissus et organes greffés déclenchent les réactions des lymphocytes T qui peuvent mener au rejet.

Complexes en rosette de cellulose synthase (n. masc.) Complexe protéique en rosette qui synthétise les microfibrilles de cellulose destinées à la paroi cellulaire des Charophytes et des Végétaux terrestres.

Comportement (n. masc.) Tout ce qu'un Animal fait et la façon dont il le fait.

Comportement d'affrontement (n. masc.) Type de comportement survenant entre deux compétiteurs qui se disputent une ressource pour l'alimentation ou un partenaire pour la reproduction. Implique à la fois un comportement de soumission et un comportement de menace.

Comportement de réconciliation (n. masc.) Comportement qu'adoptent généralement des Animaux immédiatement après l'affrontement et qui permet de renouer des relations amicales.

Comportement inné (n. masc.) Comportement lié au développement et génétiquement contrôlé. Se manifeste presque de la même façon chez tous les individus d'une population malgré les différences environnementales internes et externes qui existent au cours du développement et toute leur vie.

Composé (n. masc.) Substance formée de deux ou de plusieurs éléments combinés dans des proportions définies (p. ex.: NaCl, H_2O, $C_6H_{12}O_6$).

Composé ionique (n. masc.) Composé formé de liaisons ioniques (p. ex.: NaCl, $MgCl_2$). Aussi appelé *sel*.

Concentration molaire volumique – c (n. fém.) Mesure de la concentration des solutions aqueuses exprimée en nombre de moles de soluté par litre de solution (p. ex.: solution de glucose de 2 mol/L).

Concept biologique de l'espèce (n. masc.) Définition biologique de l'espèce selon laquelle une espèce est une population ou un groupe de populations dont les individus sont en mesure de se reproduire les uns avec les autres dans la nature, pour produire une descendance viable et féconde, mais qui ne peuvent pas en faire autant avec les membres d'autres populations. Voir les autres concepts de l'espèce.

Concept écologique de l'espèce (n. masc.) Définition de l'espèce établie en fonction de la niche écologique (rôle écologique). Voir les autres concepts de l'espèce.

Concept morphologique de l'espèce (n. masc.) Définition de l'espèce en fonction d'un ensemble unique de caractéristiques structurales. Voir les autres concepts de l'espèce.

Concept paléontologique de l'espèce (n. masc.) Définition de l'espèce établie en fonction des différences morphologiques que seules les archives géologiques permettent de connaître. Voir les autres concepts de l'espèce.

Concept phylogénétique de l'espèce (n. masc.) Définition de l'espèce selon laquelle celle-ci serait un ensemble d'organismes dotés d'antécédents génétiques uniques, une ramification de l'arbre de la vie. Voir les autres concepts de l'espèce.

Conception (n. fém.) Fécondation de l'ovule par un spermatozoïde, chez les humains.

Conditionnement classique (n. masc.) Type d'apprentissage associatif dans lequel un Animal établit un lien entre un stimulus arbitraire et une récompense ou une punition.

Conditionnement opérant (n. masc.) Type d'apprentissage associatif dans lequel un Animal apprend à lier l'un de ses propres comportements à une récompense ou à une punition, puis tend à répéter ou à éviter ce comportement. Aussi appelé *apprentissage par essais et erreurs*.

Condom (n. masc.) Préservatif masculin. Fine membrane naturelle ou étui de latex qui s'ajuste sur le pénis de façon à recueillir le sperme.

Conduction (n. fém.) Transfert direct de chaleur entre les molécules de deux corps en contact.

Conduction saltatoire (n. fém.) Propagation d'un courant d'ions Na^+ d'un nœud de Ranvier à l'autre, le long de l'axone du neurone. Le courant d'ions Na^+ créé par un potentiel d'action dans un nœud se transmet au nœud suivant où il provoque une dépolarisation et la production d'un nouveau potentiel d'action. Le potentiel d'action semble «sauter» d'un nœud à l'autre, le long de l'axone.

Conduit déférent (n. masc.) Tube du système reproducteur mâle qui conduit les spermatozoïdes de l'épididyme jusqu'au conduit éjaculateur.

Conduit éjaculateur (n. masc.) Chez les Mammifères, courte section des voies spermatiques que forment en se rejoignant le conduit déférent et le conduit excréteur de la vésicule séminale. Amène les spermatozoïdes du conduit déférent jusqu'à l'urètre.

Conduit semi-circulaire (n. masc.) L'un des trois tubes qui sont situés dans l'oreille interne et qui constituent une partie de l'organe de l'équilibre chez les humains et la plupart des autres Mammifères.

Cône (n. masc.) L'une des deux sortes de photorécepteurs qui se trouvent dans la rétine des Vertébrés et de certains Invertébrés. Permet de discerner les couleurs pendant la journée.

Cône d'implantation de l'axone (n. masc.) Région conique de l'axone qui est le point de jonction avec le corps du neurone. Joue un rôle clé dans la transmission et l'intégration des messages nerveux.

Cône de croissance (n. masc.) Extrémité dynamique de l'axone en développement.

Conidie (n. fém.) Spore asexuée qui apparaît à l'extrémité d'hyphes spécialisés, chez les Ascomycètes.

Conifères (n. masc.) Gymnospermes dont l'appareil reproducteur est le cône, composé d'un amas de sporophylles en forme d'écailles. Aussi appelés *Pinophytes*.

Conjonctive (n. fém.) Délicate couche de cellules épithéliales formant une muqueuse qui tapisse la surface externe de la sclère et lubrifie l'œil, chez les Vertébrés et certains Invertébrés.

Conjugaison (n. fém.) Chez les Procaryotes, transfert direct de matériel génétique entre deux cellules temporairement liées par un pont cytoplasmique à l'intérieur d'un pilus sexuel. Chez les Ciliés, processus sexuel au cours duquel deux cellules échangent des micronoyaux haploïdes.

Conodontes (n. masc.) Vertébrés primitifs qui se caractérisent par un corps flexible, des yeux proéminents et des structures minéralisées semblables à des dents.

Consanguine (adj.) Qualifie l'union de deux parents proches.

Consommateur primaire (n. masc.) Dans une chaîne ou le réseau alimentaire d'un écosystème, organisme du niveau trophique des herbivores qui se nourrit de producteurs (Végétaux, Algues ou Procaryotes photosynthétiques).

Consommateur secondaire (n. masc.) Dans une chaîne ou le réseau alimentaire d'un écosystème, organisme carnivore qui se nourrit d'herbivores.

Consommateur tertiaire (n. masc.) Dans une chaîne ou le réseau alimentaire d'un écosystème, organisme carnivore qui se nourrit surtout d'autres carnivores.

Contraceptif oral (n. masc.) Méthode de contraception visant à empêcher, de manière temporaire, la libération des gamètes. Mélange d'œstrogènes et de progestines synthétiques qui inhibe l'ovulation, retarde le développement folliculaire ou modifie la glaire cervicale pour qu'elle bloque l'accès de l'utérus au sperme.

Contraception (n. fém.) Fait de provoquer une infécondité temporaire chez la femme ou l'homme.

Convection (n. fém.) Processus par lequel l'air ou un liquide qui se réchauffe à la surface d'un corps se dilate et tend à s'éloigner de ce corps, faisant place à de l'air ou à du liquide froid.

Conversion du stimulus (n. fém.) Transformation de l'énergie d'un stimulus en une modification du potentiel de membrane d'un récepteur sensoriel.

Coopérativité (n. fém.) Mécanisme d'interaction des sous-unités d'une enzyme dans lequel un changement de conformation de l'une des sous-unités est transmis à toutes les autres sous-unités.

Copépodes (n. masc.) Groupe de petits Crustacés qu'on trouve dans le plancton, tant en eau douce qu'en eau salée.

Corde dorsale (n. fém.) Tige flexible longitudinale qui s'étend sur tout l'axe antéropostérieur de l'embryon, entre le tube digestif et le tube neural. Devient plus tard une structure autour de laquelle les cellules de mésoderme s'assemblent pour former les vertèbres.

Corde vocale (n. fém.) Chez certains Vertébrés, l'un des deux replis muqueux du larynx qui produisent des sons en s'allongeant et en vibrant, après que des muscles volontaires du larynx ont été mis sous tension.

Cordés (n. masc.) Embranchement d'Animaux qui possèdent, à une étape ou à une autre de leur vie – au stade embryonnaire bien souvent –, une corde dorsale, un tube neural dorsal creux, des fentes branchiales et une queue musculaire postanale.

Cordon nerveux (n. masc.) Premier système nerveux central clairement défini produit au cours de l'évolution. Sert à maîtriser les mouvements directionnels des Animaux céphalisés relativement simples.

Corépresseur (n. masc.) Petite molécule organique qui collabore avec un répresseur pour inactiver un opéron, dans un système régulateur.

Cornée (n. fém.) Dans l'œil des Vertébrés et de certains Invertébrés, partie frontale de la sclère. Tunique transparente par laquelle la lumière pénètre dans l'œil et qui agit comme une lentille fixe.

Corps calleux (n. masc.) Tractus épais de neurofibres (substance blanche cérébrale) qui établit la communication entre les hémisphères droit et gauche.

Corps ciliaire (n. masc.) Dans l'œil des Vertébrés et de certains Invertébrés, anneau de tissu vascularisé qui est issu de la choroïde et qui entoure le cristallin. Comporte un muscle ciliaire qui modifie la forme du cristallin en se contractant et des procès ciliaires qui produisent l'humeur aqueuse, liquide transparent semblable à de l'eau qui remplit la cavité antérieure de l'œil.

Corps du neurone (n. masc.) Partie volumineuse du neurone qui contient le noyau et d'autres organites.

Corps géniculé latéral (n. masc.) Chez les Vertébrés, noyau qui est situé dans le thalamus et où arrivent la plupart des axones des cellules ganglionnaires formant les nerfs optiques.

Corps jaune (n. masc.) Masse compacte de tissu folliculaire qui croît à l'intérieur de l'ovaire après l'ovulation et qui sécrète des progestines et des œstrogènes.

Corps pinéal (n. masc.) Petite glande endocrine qui est située près du centre de l'encéphale, chez les Mammifères. Sécrète l'hormone mélatonine.

Corps vitré (n. masc.) Substance gélatineuse qui occupe toute la cavité postérieure de l'œil des Vertébrés et de certains Invertébrés. Agit comme une lentille liquide qui concentre en partie la lumière sur la rétine.

Corpuscule basal (n. masc.) Partie d'un organite de la cellule eucaryote qui est composée de neuf triplets de microtubules disposés en cercle. Structure semblable à un centriole. Organise et fixe à la cellule l'ensemble des microtubules d'un cil ou d'un flagelle.

Corpuscule de Barr (n. masc.) Chez la femelle des Mammifères, masse compacte placée contre la face interne de l'enveloppe nucléaire et constituée du chromosome *X* inactif de chaque cellule.

Corpuscule nerveux terminal (n. masc.) L'une des extrémités bulbeuses de l'axone qui emmagasinent et libèrent les neurotransmetteurs.

Corridor de migration (n. masc.) Bande de terre étroite ou série de petits massifs d'habitats naturels ou aménagés qui fait le lien entre des parcelles autrement isolées. Caractéristique importante des paysages.

Cortex (n. masc.) Dans une racine ou une tige de dicotylédone, tissu situé entre le tissu vasculaire et l'épiderme.

Cortex cérébral (n. masc.) Région externe de substance grise, à circonvolutions complexes, du cerveau des Vertébrés. Partie la plus volumineuse et la plus complexe de l'encéphale des Mammifères et aussi celle qui a subi le plus de changements au cours de l'évolution. Comporte à la fois des aires sensitives et des aires motrices.

Cortex rénal (n. masc.) Région externe du rein des Vertébrés.

Cortex surrénal (n. masc.) Portion externe de chacune des glandes surrénales qui répond à des commandes de l'adénohypophyse. Synthétise et sécrète une famille d'hormones stéroïdes appelées *corticostéroïdes.*

Corticostéroïdes (n. masc.) Famille de stéroïdes produits et sécrétés par le cortex surrénal. Comprennent les glucocorticoïdes, les minéralocorticoïdes et des hormones sexuelles.

Corticotrophine – ACTH (n. fém.) Stimuline libérée par l'adénohypophyse qui provoque la production et la sécrétion d'hormones stéroïdes par le cortex surrénal.

Cotransport (n. masc.) Couplage du transport « ascendant » d'une substance se déplaçant contre son gradient de concentration (transport actif) et de la diffusion « descendante » d'une seconde substance (transport passif).

Cotylédon (n. masc.) Feuille embryonnaire chez les Angiospermes. Les Monocotylédones en possèdent un seul, et les Dicotylédones en ont deux.

Couche électronique (n. fém.) Niveau énergétique qui est fonction de la distance à laquelle se trouve un électron par rapport au noyau d'un atome. Voir aussi *Niveaux énergétiques.*

Couplage d'énergie (n. masc.) Processus qui consiste à employer l'énergie dégagée par une réaction exergonique pour déclencher une réaction endergonique.

Courant de masse (n. masc.) Mouvement d'un fluide causé par une différence de pression entre deux endroits.

Courbe aire-espèces (n. fém.) Profil de biodiversité qui indique que plus la région géographique d'une communauté échantillonnée est grande, plus le nombre d'espèces y est élevé. Décrite en premier par Alexander von Humboldt.

Courbe de dissociation (n. fém.) Courbe qui montre les quantités relatives de dioxygène lié à l'hémoglobine lorsque cette dernière est exposée à des solutions dont la pression partielle de dioxygène dissous, le pH ou d'autres caractéristiques varient.

Courbe de survie (n. fém.) Représentation graphique d'une partie des données contenues dans une table de survie qui indique la proportion ou le nombre de survivants d'une cohorte en fonction de l'âge.

Crampon (n. masc.) Structure semblable à une racine et faisant partie d'un thalle. Permet aux Algues de s'agripper aux rochers.

Crâniates (n. masc.) Animaux du clade des Cordés pourvus d'un crâne. En font partie tous les Vertébrés et les Myxinoïdes.

Crénarchées (n. fém.) Au sein des Archéobactéries, groupe qui comprend la plupart des espèces thermophiles.

Crête (n. fém.) Repli que forme la membrane interne de la mitochondrie et qui renferme la chaîne de transport d'électrons et les enzymes catalysant la synthèse de l'ATP.

Crête ectodermique apicale (n. fém.) Région d'ectoderme épaissi qui est située au sommet du bourgeon d'un membre et qui sert d'organisateur dans le plan d'organisation des embryons animaux.

Crête neurale (n. fém.) Ensemble de cellules embryonnaires qui sont situées près des replis dorsaux du tube neural en développement. Concourt à la formation de certains éléments du squelette, tels que les os et les cartilages du crâne et de nombreuses autres structures propres aux Vertébrés.

Crible (n. masc.) Chez les Angiospermes, paroi poreuse qui joint les extrémités de deux cellules d'un tube criblé. Facilite la circulation du liquide d'une cellule à l'autre.

Cristallin (n. masc.) L'une des lentilles de l'œil des Vertébrés et de certains Invertébrés qui focalise la lumière sur la rétine.

Cristallographie par diffraction de rayons X (n. fém.) Technique employée pour déterminer la structure tridimensionnelle d'une molécule. Permet de détecter la déviation (diffraction) d'un faisceau de rayons X sur chacun des atomes présents dans une protéine cristallisée.

Croisement de contrôle (n. masc.) Croisement d'un homozygote récessif et d'un individu ayant un phénotype dominant, mais un génotype inconnu. Permet de déterminer si le génotype du parent au phénotype dominant est homozygote ou hétérozygote.

Croisement dihybride (n. masc.) Croisement de variétés parentales présentant deux caractères différents.

Croissance (n. fém.) Augmentation irréversible, chez les Végétaux, de la masse qui résulte de la division et de l'expansion cellulaires.

Croissance allométrique (n. fém.) Vitesse de croissance relative des différentes parties du corps d'un organisme pendant le développement, donnant au corps sa forme spécifique.

Croissance définie (n. fém.) Croissance qui se termine lorsqu'une certaine taille est atteinte; caractéristique des Animaux et de certains organes végétaux.

Croissance démographique nulle (n. fém.) État de stabilité que connaît la taille d'une population, lorsque les taux de natalité et de mortalité sont égaux.

Croissance indéfinie (n. fém.) Croissance qui ne se limite pas aux périodes embryonnaire et juvénile, mais qui peut durer toute la vie; caractéristique des Végétaux.

Croissance primaire (n. fém.) Croissance végétale produite par les méristèmes apicaux, qui allonge les racines ou les pousses.

Croissance secondaire (n. fém.) Croissance produite par les méristèmes latéraux qui cause l'élargissement des racines et des pousses chez plusieurs plantes ligneuses.

Croissant gris (n. masc.) Chez les Amphibiens, bande cytoplasmique gris clair qui est située près de l'équateur de l'ovule, du côté opposé à l'entrée du spermatozoïde.

Crustacés (n. masc.) Membres d'un embranchement qui comprend surtout des Animaux aquatiques possédant deux paires d'antennes et des appendices ramifiés, comme les crabes, les homards, les écrevisses et les crevettes.

Cryptochrome (n. masc.) Pigment qu'utilisent les plantes pour détecter la lumière bleue, qui inhibe l'allongement de l'hypocotyle.

Cténophores (n. masc.) Embranchement d'Animaux munis de palettes natatoires ciliées et de colloblastes (cellules recouvertes de globules collants).

Cubique (adj.) Qualifie la forme ressemblant à un dé d'un type de cellules épithéliales.

Culture (n. fém.) Ensemble des idées, des coutumes, des aptitudes, des rituels et des activités semblables qu'un peuple ou un groupe se transmet d'une génération à l'autre.

Culture hydroponique (n. fém.) Technique qui consiste à faire pousser des plantes sans sol, dans des solutions minérales.

Cupule optique (n. fém.) Récepteur visuel le plus simple. Renseigne les planaires sur l'intensité de la lumière et sur sa direction, sans vraiment former d'image.

Cuticule (n. fém.) (1) Chez les Végétaux, couche de substance cireuse qui se trouve à la surface des feuilles et des tiges; adaptation à la vie terrestre qui permet aux plantes d'éviter le dessèchement. (2) Chez les Arthropodes, exosquelette constitué de couches de protéines et de chitine dont la composition varie selon leur fonction. (3) Tissu résistant qui recouvre le corps d'un Nématode.

Cycle biogéochimique (n. masc.) Circulation cyclique des nutriments dans un écosystème faisant intervenir des composantes biotiques et abiotiques.

Cycle biologique (n. masc.) Ensemble des caractéristiques qui influent sur la reproduction et la survie (la naissance, la reproduction et la mort) de tout organisme.

Cycle cellulaire (n. masc.) Processus qui correspond à la vie d'une cellule, depuis la division de sa cellule mère jusqu'à sa propre division en deux cellules filles. Comprend la phase M et les phases G_1, S et G_2 de l'interphase. Voir les entrées correspondant à ces phases.

Cycle de Calvin (n. masc.) Seconde phase de la photosynthèse (après celle des réactions photochimiques), qui comprend la fixation du dioxyde de carbone atmosphérique et la réduction du carbone fixé en PGAL.

Cycle de développement (n. masc.) Suite d'étapes se déroulant depuis le moment où un organisme est conçu jusqu'au moment où il produit ses propres descendants.

Cycle de l'acide citrique (n. masc.) Cycle biochimique qui se déroule en huit étapes dans la matrice mitochondriale et qui dégrade le pyruvate, produit par la glycolyse, en dioxyde de carbone; deuxième stade de la respiration cellulaire.

Cycle lysogénique (n. masc.) Cycle de réplication virale dans lequel l'ADN d'un phage s'intègre au chromosome bactérien sous forme de prophage, sans entraîner la destruction de l'hôte.

Cycle lytique (n. masc.) Cycle de réplication virale qui aboutit à la mort ou lyse (éclatement) de la cellule hôte et à la libération des nouveaux phages fabriqués en son sein.

Cycle menstruel (n. masc.) Cycle reproducteur des femelles qui a lieu chez la plupart des Primates et au terme duquel, en l'absence de grossesse, la couche fonctionnelle de l'endomètre se détache de l'utérus et sort par le col utérin et le vagin, ce qui produit un saignement appelé *menstruation.*

Cycle œstral (n. masc.) Cycle reproducteur des femelles qui a lieu chez les Mammifères, à l'exception de certains Primates, et dans lequel, en l'absence de grossesse, la couche fonctionnelle de l'endomètre est réabsorbée par l'utérus; il n'y a pas ou peu de saignement. Il n'y a de réponse sexuelle des femelles qu'au moment de l'ovulation, au cours d'une période appelée *œstrus.*

Cycle ovarien (n. masc.) Répétition cyclique, régulée par des hormones, de la phase folliculaire, de l'ovulation et de la phase lutéale que connaît l'ovaire mammalien.

Cycle utérin (n. masc.) Ensemble des changements qui se produisent dans l'utérus au cours du cycle reproducteur de la femme. Aussi appelé *cycle menstruel.*

Cycline (n. fém.) Protéine régulatrice du cycle cellulaire dont la concentration dans la cellule fluctue de façon cyclique. En s'unissant avec des kinases cyclines-dépendantes, forme des complexes qui régissent le cycle cellulaire.

Cyclose (n. fém.) Mouvement circulaire du cytoplasme mettant en jeu des microfilaments d'actine et des filaments de myosine. Accélère la distribution intracellulaire des substances.

Cylindre vasculaire (n. masc.) Cylindre central de tissu vasculaire de la racine.

Cytochrome – Cyt (n. masc.) Protéine contenant du fer et faisant partie de la chaîne de transport d'électrons des mitochondries et des chloroplastes.

Cytocinèse (n. fém.) Division du cytoplasme qui a lieu immédiatement après la mitose et qui donne deux cellules filles.

Cytokine (n. fém.) Glycoprotéine que sécrètent certaines cellules, notamment les macrophages et les lymphocytes T auxiliaires, pour stimuler les lymphocytes et les autres cellules du système immunitaire.

Cytokinines (n. fém.) Catégorie d'hormones végétales qui retardent la sénescence et agissent de concert avec l'auxine pour provoquer la division cellulaire, influer sur la différenciation et régir la dominance apicale.

Cytoplasme (n. masc.) Dans la cellule, ensemble formé du cytosol et des organites.

Cytosol (n. masc.) Portion semi-liquide du cytoplasme.

Cytosquelette (n. masc.) Réseau de microtubules, de microfilaments et de filaments intermédiaires qui parcourt le cytoplasme et remplit diverses fonctions de soutien et de transport.

D

Datation radiométrique (n. fém.) Méthode qu'utilisent les paléontologues pour déterminer l'âge des roches et des fossiles suivant une chronologie absolue, au moyen de la demi-vie des isotopes radioactifs.

Débit cardiaque – D_c (n. masc.) Volume de sang que le ventricule gauche expulse chaque minute dans la circulation systémique.

Décalage du cadre de lecture (n. masc.) Type de mutation qui apparaît chaque fois que le nombre de nucléotides insérés ou enlevés n'est pas un multiple de trois. Tous les nucléotides situés en aval de la modification sont alors groupés en codons erronés.

Décapodes (n. masc.) Groupe assez nombreux de Crustacés qui comprend les homards, les écrevisses, les crabes et les crevettes.

Déclencheur (n. masc.) Stimulus sensoriel externe qui est à l'origine d'une séquence stéréotypée d'actes instinctifs. Aussi appelé *stimulus-signal*.

Décomposeur (n. masc.) Eumycète ou Procaryote saprophyte qui absorbe des nutriments à partir de matière organique morte, tels des cadavres, des débris de plantes et des déchets d'organismes vivants, et qui les transforme en matières inorganiques.

Délétion (n. fém.) (1) Pour un chromosome, perte d'un fragment au cours de la division cellulaire, à la suite d'un bris. (2) Perte par mutation, dans un gène, d'une paire ou plus de nucléotides.

Demi-vie (n. fém.) Nombre d'années nécessaires à la désintégration de 50 % de la masse initiale d'un isotope.

Démographie (n. fém.) Étude des statistiques qui influent sur la taille des populations.

Dénaturation (n. fém.) Dans le cas des protéines, processus au cours duquel la protéine se déroule et perd sa conformation originelle, devenant alors biologiquement inactive. Dans le cas de l'ADN, séparation de deux brins de la double hélice. Se produit dans des conditions extrêmes de pH, de concentration de sel et de température. Peut être réversible ou irréversible.

Dendrite (n. fém.) L'un des nombreux prolongements du neurone. Fibre courte et ramifiée qui reçoit de l'information de l'environnement et du milieu interne ainsi que des messages transmis par d'autres cellules nerveuses. Transmet tout cela, sous forme de signaux électriques, au corps du neurone.

Dénitrification (n. fém.) Processus par lequel certaines Bactéries tirent le dioxygène nécessaire à leur métabolisme du nitrate plutôt que de l'atmosphère, dans des conditions anaérobies.

Densité de population (n. fém.) Nombre d'organismes par unité d'aire ou de volume.

Dent (n. fém.) Chez les Animaux, organe annexe du système digestif qui participe à la digestion mécanique.

Déplacement du phénotype (n. masc.) Tendance à une plus grande divergence entre les caractéristiques des populations sympatriques (qui sont apparues dans la même aire géographique que l'espèce mère) de deux espèces qu'entre les caractéristiques des populations allopatriques (qui sont apparues à d'autres endroits que l'espèce mère) des mêmes espèces.

Dépolarisation (n. fém.) Diminution de la tension de part et d'autre de la membrane plasmique.

Dépression majeure (n. fém.) Maladie mentale dépressive qui se caractérise par une humeur déprimée chronique.

Dérive génétique (n. fém.) Fluctuations imprévisibles dans les fréquences alléliques d'une génération à l'autre en raison de la taille finie d'une population.

Dernier niveau énergétique (n. masc.) Couche périphérique d'un atome contenant les électrons de valence qui participent aux réactions chimiques de l'atome.

Descendance avec modification (n. fém.) Expression employée par Darwin dans la première édition de l'ouvrage *De l'origine des espèces* (1859) pour désigner le processus de l'évolution.

Désert (n. fém.) Biome terrestre caractérisé par un taux de précipitation très faible.

Desmosome (n. masc.) Type de jonction entre les cellules animales qui donne une grande résistance aux tissus. Fonctionne à la manière d'un rivet qui retient solidement les cellules.

Désoxyribose (n. fém.) Glucide entrant dans la structure de l'ADN. Possède un atome d'oxygène de moins que le ribose, glucide entrant dans la structure de l'ARN.

Déterminant cytoplasmique (n. masc.) Substance maternelle qui est présente dans l'ovocyte secondaire et qui influence le déroulement du début du développement. Assure la régulation de l'expression des gènes qui déterminent la destinée des cellules.

Détermination (n. fém.) Ensemble des événements menant à la différenciation observable d'une cellule.

Détritivores (n. masc.) Dans une chaîne ou le réseau alimentaire d'un écosystème, consommateurs qui tirent leur énergie de détritus (matières organiques non vivantes). Décomposeurs.

Détritus (n. masc.) Matière organique morte.

Deutéromycètes (n. masc.) Classification traditionnelle d'un champignon dépourvu de stade sexuel connu. Lorsqu'on découvre un stade sexuel pour un Deutéromycète, on classe l'espèce dans l'embranchement auquel correspondent ses structures reproductrices. Aussi appelés *eumycètes imparfaits*.

Deuxième principe de la thermodynamique (n. masc.) Principe selon lequel tout échange ou toute transformation d'énergie augmente le désordre de l'Univers.

Développement (n. masc.) Somme de toutes les modifications qui forment graduellement le corps d'un organisme.

Développement deutérostomien (n. masc.) Chez les Animaux, mode de développement qui se caractérise par la formation de l'anus à partir du blastopore. Aussi, il y a souvent la formation du cœlome par entérocœlie et une segmentation radiaire.

Développement protostomien (n. masc.) Chez les Animaux, mode de développement qui se caractérise par la formation de la bouche à partir du blastopore ; aussi, il y a souvent la formation du cœlome par schizocœlie et une segmentation spirale.

Diabète – diabète sucré (n. masc.) Affection endocrinienne qui se caractérise par l'incapacité de maintenir une glycémie normale. Le diabète de type I est attribuable à une destruction auto-immune des cellules sécrétrices d'insuline ; le traitement habituel comprend plusieurs injections d'insuline par jour. Le diabète de type II est généralement dû à une réactivité réduite des cellules cibles de l'insuline ; l'obésité et le manque d'exercice sont des facteurs de risque.

Diacylglycérol – DAG (n. masc.) Second messager qui est produit par l'hydrolyse d'un phosphoglycérolipide de la membrane plasmique et qui joue un rôle dans une voie de transduction.

Diaphragme (n. masc.) (1) Muscle plat et large formant le plancher de la cavité thoracique et participant à la respiration. (2) Coupole de caoutchouc mince qu'on place dans la partie profonde du vagin avant le rapport sexuel. Sert de barrière mécanique afin d'empêcher les spermatozoïdes d'atteindre l'ovocyte de deuxième ordre.

Diapsides (n. masc.) L'un des trois groupes d'Amniotes dont les membres se différencient par une ouverture de chaque côté du crâne; comprend les Lépidosauriens et les Archosauriens.

Diastole (n. fém.) Phase de relaxation et de remplissage des cavités du cœur pendant la révolution cardiaque.

Diatomées – Bacillariophycées (n. fém.) Algues photosynthétiques unicellulaires qui possèdent une paroi constituée de silice et composée de deux parties s'emboîtant l'une dans l'autre.

Dicaryon (n. masc.) Mycélium fongique dans lequel les différents noyaux haploïdes provenant des parents se sont appariés sans toutefois fusionner. Cas particulier d'hétérocaryon.

Dicotylédones (n. fém.) Sous-groupe des Angiospermes dont les membres possèdent deux feuilles embryonnaires, appelées *cotylédons*. Les recherches moléculaires récentes indiquent que les Dicotylédones ne forment pas un clade. Voir *Eudicotylédones*.

Dictyosome (n. masc.) Empilement de sacs membraneux. Un certain nombre de ces empilements forment l'appareil de Golgi.

Différenciation cellulaire (n. fém.) Processus par lequel les cellules acquièrent des structures et des fonctions spécialisées au cours du développement d'un organisme multicellulaire. Relève de la régulation de l'expression génique.

Diffusion (n. fém.) Tendance qu'ont les substances (ions ou molécules) à se déplacer d'une zone où elles sont concentrées vers une zone où elles sont moins concentrées, afin de se répartir uniformément.

Diffusion facilitée (n. fém.) Diffusion d'une substance qui s'effectue grâce à une protéine de transport.

Diffusion simple (n. fém.) Diffusion d'une substance qui traverse la bicouche de phosphoglycérolipides d'une membrane sans l'intermédiaire d'une protéine de transport; c'est le cas des molécules de dioxygène, par exemple.

Digestion (n. fém.) Processus de dégradation de la nourriture en molécules suffisamment petites pour être absorbées par l'organisme animal. Étape importante, après l'ingestion, du traitement de la nourriture par les Animaux. Comprend la digestion mécanique et la digestion chimique.

Digestion extracellulaire (n. fém.) Dégradation des aliments à l'extérieur des cellules.

Digestion intracellulaire (n. fém.) Digestion chimique qui se déroule dans une cavité délimitée par une membrane protectrice, née de la fusion des vacuoles nutritives avec des lysosomes.

Dimorphisme sexuel (n. masc.) Polymorphisme fondé sur les différences entre les caractères sexuels secondaires des mâles et des femelles.

Dinophytes (n. masc.) Membres d'un groupe appartenant aux Alvéolobiontes et composé principalement de Protistes unicellulaires photosynthétiques ou hétérotrophes qui possèdent deux flagelles fixés perpendiculairement dans deux sillons creusés dans une armure de plaques internes de cellulose.

Dinosauriens (n. masc.) Groupe extrêmement divers de Reptiles anciens chez qui la taille, la forme du corps et l'habitat variaient considérablement.

Dioïque (adj.) Se dit d'une espèce végétale qui présente des fleurs staminées et des fleurs pistillées sur des individus distincts (p. ex.: les peupliers et les saules).

Diploblastique (adj.) Qualifie un Animal qui ne possède que deux feuillets embryonnaires (p. ex.: les Cnidaires).

Diplomonadines (n. fém.) Sous-groupe de Métamonadines qui possèdent plusieurs flagelles, deux noyaux distincts et un cytosquelette simple (comparé à celui d'autres Eucaryotes), mais qui sont dépourvus de plastes et de mitochondries.

Disaccharide (n. masc.) Glucide formé de deux monosaccharides unis par une liaison glycosidique au cours d'une réaction de condensation (p. ex.: le saccharose formé par l'union du glucose et du fructose).

Dispersion (n. fém.) Mode de répartition des organismes à l'intérieur des limites géographiques de la population.

Dispersion aléatoire (n. fém.) Mode de dispersion dans lequel les organismes sont distribués au hasard, de façon imprévisible.

Dispersion en agrégats (n. fém.) Mode de dispersion dans lequel les organismes forment des groupes.

Dispersion uniforme (n. fém.) Mode de dispersion dans lequel les organismes sont également répartis.

Disque intercalaire (n. masc.) Chez les Vertébrés, point de contact spécialisé entre les cellules du muscle cardiaque à la hauteur duquel des jonctions ouvertes établissent un couplage électrique direct entre les cellules.

Diversité génétique (n. fém.) Variation au niveau du patrimoine génétique qui correspond au pourcentage moyen de loci hétérozygotes.

Diversité nucléotidique (n. fém.) Variation génétique au niveau moléculaire qui correspond au pourcentage moyen de nucléotides différents dans un ADN.

Division cellulaire (n. fém.) Mode de reproduction des cellules.

Division cellulaire asymétrique (n. fém.) Division cellulaire, fréquente chez les cellules végétales, qui fait en sorte que l'une des cellules reçoit plus de cytoplasme que l'autre.

Domaine (n. masc.) (1) Région structurale et fonctionnelle d'un polypeptide qui est codée par un exon précis. Région globulaire d'une protéine dotée d'une structure tertiaire. (2) Catégorie taxinomique la plus vaste au-dessus du règne. Les trois domaines établis à ce jour sont les Archéobactéries, les Bactéries et les Eucaryotes.

Dominance apicale (n. fém.) Phénomène par lequel le bourgeon terminal des plantes inhibe la croissance des bourgeons axillaires.

Dominance complète (n. fém.) Forme d'hérédité qui ne permet pas de distinguer le phénotype d'un hétérozygote de celui d'un homozygote dominant.

Dominance incomplète (n. fém.) Forme d'hérédité dans laquelle les phénotypes d'hétérozygotes sont intermédiaires entre les phénotypes d'individus homozygotes pour l'un ou l'autre allèle.

Données (n. fém.) Observations enregistrées constituant une base pour la recherche scientifique.

Dopamine (n. fém.) Amine biogène étroitement apparentée à l'adrénaline et à la noradrénaline. Produit généralement une excitation.

Dormance (n. fém.) Chez les Végétaux, état métabolique extrêmement lent dans lequel la croissance et le développement sont interrompus.

Dorsale (adj.) Se dit de la moitié supérieure (dessus) d'un Animal à symétrie bilatérale.

Double fécondation (n. fém.) Chez les Angiospermes, processus de fécondation dans lequel deux spermatozoïdes s'unissent à deux cellules du sac embryonnaire pour donner le zygote et l'albumen.

Double hélice (n. fém.) Forme que prend spontanément de l'ADN nouvellement synthétisé, dont les deux brins de polynucléotides sont enroulés en spirale autour d'un axe imaginaire.

Drépanocytose (n. fém.) Voir *Anémie à hématies falciformes*.

Dulcicole – dulçaquicole (adj.) Qualifie un organisme vivant en eau douce.

Duodénum (n. masc.) Premier segment de l'intestin grêle où le chyme acide venant de l'estomac se mélange aux sucs digestifs sécrétés par le pancréas et des cellules glandulaires de la muqueuse intestinale, et à la bile sécrétée par le foie et libérée par la vésicule biliaire.

Duplication (n. fém.) Aberration chromosomique attribuable à une erreur au cours de la méiose ou à des mutagènes. Résulte de la fixation, sur l'un des deux chromosomes homologues, d'un fragment chromosomique, à la suite de l'enjambement, ce qui entraîne la présence d'une copie supplémentaire de certains gènes.

Duramen (n. masc.) Les plus vieilles couches de xylème secondaire situées au cœur de la tige et de la racine et qui ne transportent plus la sève brute.

Dynamique des populations (n. fém.) Étude des effets qu'ont les interactions complexes entre les facteurs biotiques et abiotiques sur les variations quantitatives d'une population.

Dynéine (n. fém.) Très grosse protéine contractile formant les bras latéraux des doublets de microtubules des cils et des flagelles, et jouant un rôle dans la flexion de ces organites.

Ecdysone (n. fém.) Hormone stéroïde sécrétée par les glandes prothoraciques et qui déclenche la mue chez les Arthropodes munis d'un exosquelette.

Ecdysozoaires (n. masc.) Membre d'un groupe de phylums animaux dotés d'un développement protostomien et qui, selon certains taxinomistes, forment un clade. Comprend de nombreux Animaux qui muent.

Échange à contre-courant (n. masc.) Chez certains Vertébrés, écoulement de liquides dans des directions opposées qui rend plus efficace le transfert des gaz respiratoires. Par exemple, le sang circule dans les capillaires dans une direction opposée à celle de l'eau dans les branchies, ce qui maximise le captage de dioxygène et le rejet de dioxyde de carbone.

Échange de cations (n. masc.) Mécanisme par lequel les plantes peuvent absorber des minéraux chargés positivement, les protons du sol venant déloger ces minéraux des particules d'argile.

Échange gazeux (n. masc.) Processus qui assiste la respiration cellulaire en lui fournissant les molécules de dioxygène puisées dans l'environnement et en recueillant le dioxyde de carbone pour le rejeter dans l'environnement.

Échangeur thermique à contre-courant (n. masc.) Mécanisme de nombreux Animaux endothermes qui aide à retenir la chaleur dans la masse corporelle et qui joue un rôle important dans la réduction de la déperdition thermique.

Échelle Celsius (n. fém.) Échelle de température utilisant le degré Celsius ou °C. Au niveau de la mer, l'eau gèle à 0 °C et bout à 100 °C.

Échinodermes (n. masc.) Deutérostomiens marins qui sont sessiles ou qui se déplacent lentement. Possèdent un système aquifère et, chez les adultes, une anatomie radiale. Embranchement qui comprend les Astérides (étoiles de mer), les Ophiurides (ophiures), les Échinides (oursins et dollars des sables), les Comatulides, les Crinoïdes (lis de mer) et les Holothurides (concombres de mer).

Écologie (n. fém.) Étude scientifique des interactions entre les organismes, d'une part, et entre les organismes et leur milieu, d'autre part.

Écologie de la biosphère (n. fém.) Domaine d'étude le plus vaste en écologie. Analyse notamment la façon dont les variations de concentration atmosphérique de dioxyde de carbone influent sur le climat planétaire.

Écologie de la restauration (n. fém.) Sous-discipline de la biologie de la conservation qui met en application les principes écologiques dans le but de faire retrouver le plus possible aux écosystèmes dégradés leurs conditions naturelles antérieures. Cherche à inverser les tendances au déclin des populations et des communautés.

Écologie des communautés (n. fém.) Étude des interactions entre les espèces composant une communauté.

Écologie des écosystèmes (n. fém.) Étude des flux d'énergie et des cycles biogéochimiques des diverses composantes biotiques et abiotiques d'un écosystème.

Écologie des paysages (n. fém.) Étude des profils d'utilisation des paysages passés, présents et futurs, de la gestion des écosystèmes et de la biodiversité des écosystèmes en interaction.

Écologie des populations (n. fém.) Étude des populations au regard de leur environnement, y compris les facteurs environnementaux qui influent sur la densité et la distribution des populations, la structure par âge et les variations de taille d'une population.

Écorce (n. fém.) Région de la racine des plantes qui est située entre la stèle et l'épiderme et qui est composée de tissus fondamentaux. Couche qui comprend tous les tissus situés à l'extérieur du cambium libéroligneux: principalement le phloème secondaire et les couches du périderme.

Écoservice (n. masc.) Tout processus par l'intermédiaire duquel les écosystèmes naturels et les espèces qui les habitent contribuent à maintenir la vie humaine sur Terre.

Écosystème (n. masc.) Ensemble que forment, dans une aire donnée, les facteurs abiotiques et la communauté des espèces.

Écotone (n. masc.) Zone de transition d'un type d'habitat ou d'un écosystème à un autre (p. ex.: la transition entre une forêt et une prairie).

Ectoderme (n. masc.) Feuillet embryonnaire externe chez les Animaux. Donne naissance à la couche externe de l'Animal et, dans certains cas, au système nerveux central, à l'oreille interne et au cristallin de l'œil.

Ectomycorhize (n. fém.) Type de mycorhize dans lequel le mycélium forme une enveloppe dense, ou manteau, à la surface de la racine. De là, les hyphes se prolongent dans le sol, augmentant grandement la surface d'absorption pour l'eau et les minéraux.

Ectoparasite (n. masc.) Parasite qui, pour se nourrir, fait un court séjour sur la face externe de ses hôtes.

Ectoprocte (n. masc.) Lophophorien sessile et colonial généralement appelé *Bryozoaire*, dont plusieurs espèces sont d'importants constructeurs de récifs de corail.

Ectotherme (adj.) Qualifie l'Animal qui absorbe la chaleur externe, au lieu de produire entièrement sa propre chaleur, et qui utilise des adaptations comportementales pour réguler sa température corporelle. Les Reptiles (autres que les Oiseaux), les Poissons et les Amphibiens sont ectothermes.

Effet Bohr (n. masc.) Diminution de l'affinité de l'hémoglobine à l'égard du dioxygène, causée par une chute de pH. Favorise la libération de dioxygène par les molécules d'hémoglobine se trouvant à proximité de tissus actifs.

Effet d'étranglement (n. masc.) Dérive génétique résultant de la réduction de taille d'une population, généralement causée par un désastre, et faisant en sorte que la population survivante n'est plus représentative de la population initiale pour ce qui est de la composition génétique.

Effet de serre (n. masc.) Phénomène par lequel la chaleur du rayonnement infrarouge émis par la Terre se trouve emprisonnée par le dioxyde de carbone et la vapeur d'eau atmosphériques.

Effet fondateur (n. masc.) Dérive génétique qui résulte de l'établissement d'une colonie par un petit nombre d'individus provenant d'une population de départ et qui fait en sorte que la population de la colonie n'est pas représentative de la population de départ.

Éjaculation (n. fém.) Projection du sperme, de l'épididyme à l'urètre, en passant par le canal déférent et le canal éjaculateur, jusqu'à l'extérieur des voies spermatiques du mâle.

Électrocardiogramme – ECG (n. masc.) Enregistrement graphique de l'activité électrique du cœur.

Électron (n. masc.) Particule élémentaire constitutive gravitant autour du noyau d'un atome et possédant une unité de charge négative. Le nombre d'électrons d'un atome est généralement égal au nombre de protons.

Électron de valence – électron périphérique (n. masc.) Électron présent dans la couche électronique périphérique.

Électronégativité (n. fém.) Attraction qu'un atome exerce sur les électrons qu'il met en commun avec un autre atome dans le cadre d'une liaison covalente. L'oxygène est un des éléments les plus électronégatifs.

Électrophorèse sur gel (n. fém.) Technique qui a pour but de séparer les acides nucléiques ou les protéines en fonction de leur taille, de leur charge électrique et d'autres propriétés physiques en mesurant la vitesse de leur déplacement dans un gel sous l'effet d'une tension.

Électroporation (n. fém.) Technique d'introduction d'ADN recombiné dans les cellules consistant en l'application d'une brève impulsion électrique à une solution contenant des cellules. Le courant électrique crée dans la membrane plasmique un trou temporaire qui permet à l'ADN de pénétrer dans les cellules.

Élément (n. masc.) Matière impossible à décomposer en substances plus simples. On compte 92 éléments naturels, dont l'oxygène, le carbone, l'hydrogène et l'azote, qui sont les plus abondants dans la matière vivante.

Élément de vaisseau (n. masc.) Cellule morte spécialisée, courte et large, qui se trouve dans le xylème de la plupart des Angiospermes et chez quelques Gymnospermes et Vasculaires sans graines. L'élément de vaisseau s'aligne avec d'autres pour former des tubes continus assurant la circulation de la sève brute.

Élément essentiel (n. masc.) Élément chimique dont une plante a besoin pendant son cycle de développement pour croître à partir d'une graine et produire une autre génération de graines.

Élément majeur (n. masc.) Élément essentiel dont une plante a besoin en quantité relativement importante. Voir aussi *Élément mineur.*

Élément mineur (n. masc.) Élément essentiel dont une plante a besoin en très petite quantité. Voir aussi *Élément majeur.*

Élément trace (n. masc.) Élément minéral essentiel existant en quantité infime dans un organisme ou dans des milieux divers.

Élément transposable (n. masc.) Voir *Transposon.*

Éliciteur (n. masc.) Molécule qui déclenche une réaction de défense étendue chez un hôte.

Élimination (n. fém.) Étape du traitement des aliments par les Animaux au cours de laquelle les matières qui n'ont pas subi de digestion ou d'absorption quittent l'organisme.

Embole (n. masc.) Caillot qui se déplace dans l'organisme jusqu'à ce qu'il se trouve bloqué dans une artère dont le diamètre est trop petit pour permettre son passage.

Embranchement (n. masc.) Catégorie taxinomique située au-dessus de la classe.

Embryoblaste (n. masc.) Amas de cellules faisant saillie à une extrémité de la cavité du blastocyste mammalien; deviendra plus tard l'embryon proprement dit et certaines des membranes extraembryonnaires.

Embryon (n. masc.) Individu en développement dans la cavité utérine des Mammifères placentaires.

Embryophytes (n. masc.) Clade qui comprend des organismes ayant en commun, comme caractère dérivé, l'existence d'embryons multicellulaires dépendants. Terme synonyme de *Végétaux terrestres.*

Émigration (n. fém.) Déplacement des individus qui quittent une population.

Empreinte écologique (n. fém.) Concept qui tient compte de multiples contraintes telles que la nourriture, les combustibles, le bois et les autres nécessités comme les vêtements et le transport pour l'estimation de la capacité limite des divers territoires et de la Terre pour l'humain.

Empreinte génétique (n. fém.) Jeu unique de fragments de restriction de l'ADN d'un individu détectés par électrophorèse et par des sondes nucléiques radioactives. Peut servir à établir la paternité d'un enfant, à vérifier un lien familial, à identifier un criminel ou à vérifier la pureté d'une espèce végétale ou animale.

Empreinte génomique (n. fém.) Effet parental sur l'expression des gènes par lequel les mêmes allèles peuvent avoir différents effets selon que l'allèle provient de la mère ou du père.

Endémique (adj.) Qualifie une espèce animale ou végétale qui n'existe que dans une région géographique précise relativement petite.

Endocytose (n. fém.) Processus de transport actif permettant l'entrée de nutriments dans une cellule par l'intermédiaire de vacuoles qui se forment à même des régions spécialisées de la membrane plasmique.

Endocytose par récepteur interposé (n. fém.) Transport actif de substances vers l'intérieur de la cellule, au moyen de vésicules membraneuses tapissées de protéines dont les sites récepteurs sont spécifiques aux molécules introduites. Permet à une cellule d'acquérir des quantités appréciables de substances données.

Endoderme (n. masc.) (1) Chez la plante, couche la plus profonde dans l'écorce des racines. Couche de cellules qui constitue une barrière entre l'écorce et le cylindre vasculaire. (2) Chez l'Animal, feuillet embryonnaire profond qui tapisse l'intestin primitif et donne naissance, notamment, aux poumons des Vertébrés mais aussi au revêtement intérieur du tube digestif et à ses glandes annexes, tels le foie et le pancréas.

Endomètre (n. masc.) Revêtement interne de l'utérus qui est une muqueuse richement vascularisée.

Endomycorhize (n. fém.) Type de mycorhize qui, contrairement à l'ectomycorhize, ne forme pas de dense manteau autour de la racine. Il faut un microscope pour voir les minces hyphes du mycélium qui partent du sol pour pénétrer dans la racine.

Endonucléases (n. fém.) Escouade d'enzymes qui hydrolysent l'ADN et l'ARN en nucléotides.

Endoparasite (n. masc.) Parasite qui vit à l'intérieur des tissus de son hôte.

Endorphines (n. fém.) Hormones (neuropeptides) que produisent l'adénohypophyse et certains neurones d'autres parties de l'encéphale et qui inhibent la perception de la douleur.

Endospore (n. fém.) Cellule résistante entourée d'une épaisse enveloppe protectrice que produit une cellule bactérienne exposée à des milieux hostiles, avant de se désintégrer.

Endosquelette (n. masc.) Ensemble d'éléments de soutien rigides, tels que les os, qui sont enveloppés des tissus mous de certains Invertébrés et des Vertébrés.

Endosymbiose en série (n. fém.) Hypothèse selon laquelle les mitochondries et les chloroplastes proviennent de la transformation de petits organismes procaryotes ayant vécu dans des cellules plus grandes.

Endosymbiose secondaire (n. fém.) Phénomène qui se produit dans l'évolution eucaryote lorsqu'un Protiste hétérotrophe a phagocyté une cellule eucaryote photosynthétique qui a survécu en symbiose dans cette cellule hétérotrophe.

Endothélium (n. masc.) Couche simple de cellules aplaties (squameuses) qui constitue la tunique interne d'un vaisseau sanguin et qui assure une surface lisse réduisant au minimum la résistance à la circulation sanguine. La paroi très mince des capillaires se compose uniquement d'un endothélium.

Endotherme (adj.) Qualifie l'Animal qui tire la majeure partie de sa chaleur corporelle de son propre métabolisme. Les Oiseaux et les Mammifères sont endothermes.

Endotoxine (n. fém.) Lipopolysaccharide toxique faisant partie de la membrane externe de la paroi de certaines Bactéries à Gram négatif. Est libérée seulement quand la Bactérie meurt et que sa paroi se rompt. Est responsable de divers symptômes tels que la fièvre, la diarrhée, une inflammation, un état de faiblesse, etc.

Énergie (n. fém.) Capacité qu'a un système physique de produire un travail en imprimant un mouvement à la matière, pour vaincre des forces qui s'opposent.

Énergie chimique (n. fém.) Forme d'énergie potentielle emmagasinée dans les liaisons chimiques des molécules.

Énergie cinétique (n. fém.) Énergie du mouvement qui est directement proportionnelle à la vitesse de ce mouvement.

Énergie d'activation (n. fém.) Voir *Énergie libre d'activation.*

Énergie électromagnétique (n. fém.) Énergie qui se présente sous forme de rayonnement et qui est produite par des perturbations de champs électriques et magnétiques (p. ex.: la lumière).

Énergie libre (n. fém.) Portion de l'énergie d'un système qui peut produire du travail à une température et à une pression constantes.

Énergie libre d'activation (n. fém.) Quantité d'énergie que des réactifs doivent absorber avant qu'une réaction chimique commence. Aussi appelée *énergie d'activation*. Les enzymes jouent leur rôle en abaissant l'énergie libre d'activation.

Énergie potentielle (n. fém.) Énergie que la matière emmagasine grâce à sa structure ou à sa position par rapport à d'autres objets.

Énergie thermique (n. fém.) Énergie résultant du mouvement aléatoire des atomes ou des molécules entrant en collision.

Enjambement (n. masc.) Mécanisme d'échange de gènes entre deux chromatides homologues (appartenant chacun à un chromosome différent d'une paire), pendant la synapsis qui se produit à la prophase I de la méiose.

Entérocœlie (n. fém.) Chez les Deutérostomiens, mode de formation des cœlomes dans lequel le mésoderme émerge de la paroi de l'archentéron et forme des enclaves.

Enthalpie (n. fém.) Dans un système biologique, énergie totale du système; symbolisée par H.

Entre-nœuds (n. masc.) Segment de la tige des plantes qui se trouve entre deux nœuds.

Entropie (n. fém.) Fonction que les scientifiques utilisent pour mesurer le désordre de l'Univers. Symbolisée par S.

Enveloppe membraneuse (n. fém.) Chez certains Virus, membrane qui recouvre la capside renfermant le génome.

Enveloppe nucléaire (n. fém.) Chez les Eucaryotes, membrane double qui entoure le noyau et sépare son contenu du cytoplasme.

Enzyme (n. fém.) Généralement, protéine servant de catalyseur, c'est-à-dire d'agent chimique modifiant la vitesse d'une réaction sans que la réaction agisse sur lui.

Enzyme de restriction (n. fém.) Protéine catalytique qui reconnaît et découpe l'ADN étranger en un nombre limité de sites bien précis.

Épicotyle (n. masc.) Dans les graines des Angiospermes, partie de l'axe embryonnaire qui est située au-dessus des cotylédons.

Épiderme (n. masc.) (1) Tissu de revêtement des organes jeunes, chez les plantes non ligneuses, consistant habituellement en une couche unique de cellules serrées. (2) Enveloppe externe, chez les Animaux.

Épididyme (n. masc.) Structure du système reproducteur mâle qui est constituée de canalicules efférents dans lesquels les spermatozoïdes séjournent et acquièrent leur mobilité et leur fécondité.

Épiglotte (n. fém.) Rabat cartilagineux qui bloque l'ouverture de la trachée au cours de la déglutition, ce qui empêche le bol alimentaire d'aller dans le système respiratoire.

Épiphyte (n. masc.) Plante qui, tout en ayant la capacité de se nourrir par elle-même, croît sur une autre plante.

Épisome (n. masc.) Élément génétique pouvant exister et se répliquer soit sous forme de plasmide, soit en tant que segment du chromosome bactérien.

Épissage de l'ARN (n. masc.) Dans la cellule eucaryote, élimination, pendant la maturation, des parties non codantes (introns) de la molécule d'ARN nouvellement synthétisée.

Épissage différentiel de l'ARN (n. masc.) Pendant la maturation de l'ARN prémessager, type de régulation dans lequel différentes molécules d'ARNm sont produites à partir du même transcrit primaire, selon le traitement en exons ou en introns des segments d'ARN prémessager.

Épistasie (n. fém.) Phénomène par lequel un gène situé sur un locus donné agit sur les effets phénotypiques d'un autre gène situé sur un autre locus.

Épithalamus (n. masc.) Région de l'encéphale des Vertébrés qui se forme à partir du diencéphale embryonnaire (l'une des divisions du prosencéphale). Contient le corps pinéal et un regroupement de capillaires (plexus choroïde) qui produit le liquide cérébrospinal.

Épithélium de transport (n. masc.) Une ou plusieurs couches de cellules épithéliales spécialisées qui régulent le mouvement des solutés, chez la plupart des Animaux.

Épithélium glandulaire (n. masc.) Tissu de revêtement qui absorbe ou sécrète des solutions chimiques.

Épithélium simple (n. masc.) Tissu de revêtement comportant une seule couche de cellules.

Épithélium stratifié (n. masc.) Tissu de revêtement comportant plusieurs couches de cellules.

Épitope (n. masc.) Petite portion accessible de la surface de l'antigène à laquelle se lient les anticorps ou les récepteurs d'antigène. Aussi appelé *déterminant antigénique*.

Équation de Hardy-Weinberg (n. fém.) Formule générale ($p^2 + 2pq + q^2 = 1$) qui permet de calculer les fréquences alléliques d'un patrimoine génétique dont les fréquences génotypiques sont connues. Le calcul inverse est aussi possible.

Équilibre chimique (n. masc.) Situation d'une réaction chimique réversible, lorsque la réaction initiale et la réaction inverse s'effectuent à la même vitesse.

Équilibre ponctué (n. masc.) Modèle théorique de l'évolution selon lequel les espèces divergent par poussées de changements relativement rapides qui sont suivies de longues périodes d'apparente stabilité (absence de changement).

Érythrocyte (n. masc.) Cellule sanguine de certains Invertébrés et des Vertébrés qui contient de l'hémoglobine, laquelle sert au transport du dioxygène et d'une partie du dioxyde de carbone dans le système cardiovasculaire. Communément appelé *globule rouge*.

Érythropoïétine – EPO (n. fém.) Hormone que produisent les reins quand les tissus ne reçoivent pas suffisamment de dioxygène. Amène les cellules souches myéloïdes à se transformer en érythrocytes.

Espace mort anatomique – EMA (n. masc.) Portion du volume courant qui ne participe pas aux échanges gazeux et reste dans les conduits, en dehors des alvéoles.

Espèce (n. fém.) Ensemble de populations dont les membres sont en mesure de se reproduire entre eux dans un environnement naturel et de donner naissance à une descendance féconde.

Espèce clé (n. fém.) Espèce qui n'est pas particulièrement abondante dans une communauté mais qui conditionne fortement sa structure, non pas tant par le nombre de ses membres que par son rôle écologique, ou niche. Il peut y avoir plusieurs espèces clés dans une communauté.

Espèce dominante (n. fém.) Espèce qui est la plus nombreuse dans une communauté ou qui a la biomasse la plus élevée. Influe beaucoup sur la présence d'autres espèces et leur distribution. Il peut y avoir plusieurs espèces dominantes dans une communauté.

Espèce envahissante (n. fém.) Espèce qui s'établit à l'extérieur de son aire de distribution indigène. Habituellement introduite par des humains.

Espèce en voie d'extinction, de disparition (n. fém.) Espèce qui risque de disparaître dans un avenir rapproché.

Espèce introduite (n. fém.) Espèce que les humains déplacent intentionnellement ou accidentellement de son aire de distribution normale jusque dans une nouvelle aire géographique. Aussi appelée *espèce exotique*.

Espèce menacée (n. fém.) Toute espèce qui sera vraisemblablement menacée d'extinction dans un avenir prévisible dans l'ensemble ou dans une partie de son aire de distribution.

Espérance de vie à la naissance (n. fém.) Durée de vie moyenne prédite à la naissance.

Essai sur microréseau à ADN (n. masc.) Technique qui permet de détecter et de mesurer l'expression de milliers de gènes à la fois. Consiste d'abord à fixer sur une plaque de verre de minuscules quantités d'un grand nombre de fragments d'ADN monocaténaire représentant différents gènes. Puis, idéalement, on met ces fragments, qui peuvent représenter l'ensemble des gènes d'un organisme, en présence de divers échantillons de molécules d'ADNc avec lesquelles ils peuvent s'hybrider.

Estivation (n. fém.) État de torpeur estivale qui se caractérise par un ralentissement métabolique et par l'inactivité. Permet à certains Animaux de survivre à de longues périodes de températures élevées et de rareté de l'eau.

Estomac (n. masc.) Organe volumineux qui est situé dans la cavité abdominale supérieure, sous le diaphragme. Garde la nourriture durant un certain temps et s'acquitte de fonctions digestives importantes. Sécrète le suc gastrique.

Estuaire (n. masc.) Zone de transition entre un fleuve et l'océan dans lequel ce fleuve se jette.

Étamine (n. fém.) Organe reproducteur de la fleur, composé d'un filet et d'une anthère productrice de pollen.

État excité (n. masc.) État dans lequel se trouve une molécule de pigment quand l'un de ses électrons passe à une orbitale où il possède davantage d'énergie potentielle qu'à l'état fondamental.

État fondamental (n. masc.) État dans lequel se trouve une molécule de pigment quand ses électrons sont dans des orbitales normales.

Éthologie (n. fém.) Discipline biologique qui étudie le comportement animal, notamment comment ce comportement est contrôlé et comment il se développe, évolue et contribue à la survie et au succès de reproduction.

Éthologie cognitive (n. fém.) Étude de la cognition animale. Explore le lien entre le système nerveux d'un Animal et son comportement.

Éthylène (n. masc.) Seule hormone végétale qui se présente sous forme gazeuse. Responsable de la réaction au stress mécanique, de la mort cellulaire programmée, de la maturation des fruits et de l'abscission des feuilles.

Étiolement (n. masc.) Ensemble d'adaptations morphologiques qui permettent à une plante de croître dans l'obscurité.

Eucaryotes (n. masc.) Domaine du vivant qui comprend tous les organismes unicellulaires ou multicellulaires (Eumycètes, Végétaux, Animaux) qui possèdent au niveau cellulaire différents compartiments fonctionnels, ou organites, membraneux ou dépourvus de membranes. Dans le noyau d'une cellule eucaryote, l'ADN est associé à de nombreuses protéines variées et se présente sous la forme de structures appelées *chromosomes.* Le noyau est le plus gros organite de la plupart des cellules eucaryotes.

Euchromatine (n. fém.) Chez les Eucaryotes, type de chromatine destinée à la transcription qui est moins compacte que l'hétérochromatine.

Eudicotylédones (n. fém.) Clade qui réunit la majorité des Dicotylédones, plantes à fleurs qui ont deux cotylédons. Comprend notamment les roses, les pois, les renoncules, les tournesols, les chênes et les érables.

Euglénobiontes (n. masc.) Groupe de Protistes flagellés photosynthétiques ou hétérotrophes. Comprennent les Euglénophytes et les Kinétoplastidés.

Euglénophytes (n. masc.) Groupe de Protistes, tels que l'euglène et les espèces qui lui sont apparentées, se caractérisant par la présence d'une dépression antérieure d'où émergent un ou deux flagelles. Renferment du paramylon, polymère de glucose, qui leur sert de substance de réserve.

Eumétazoaires (n. masc.) Sous-groupe du règne animal qui comprend tous les Animaux, excepté les Éponges. Leurs membres possèdent de vrais tissus.

Eumycètes (n. masc.) Organismes eucaryotes hétérotrophes qui se nourrissent par absorption et qui sont pour la plupart multicellulaires. Vivent en saprophytes, en parasites ou en symbiontes mutualistes.

Eumycètes ectomycorhiziens (n. masc.) Eumycètes formant un type de mycorhize dans lequel le mycélium forme une enveloppe dense, ou manteau, à la surface de la racine et croît dans les espaces extracellulaires de son écorce. De là, les hyphes se prolongent dans le sol, augmentant grandement la surface d'absorption pour l'eau et les minéraux.

Eumycètes endomycorhiziens (n. masc.) Eumycètes produisant un type de mycorhize qui, contrairement à l'ectomycorhize, ne forme pas de dense manteau autour de la racine. Les hyphes pénètrent à travers la paroi des cellules. Il faut un microscope pour voir les minces hyphes du mycélium qui partent de la racine pour s'étendre dans le sol.

Eumycètes imparfaits (n. masc.) Voir *Deutéromycètes.*

Euryarchées (n. fém.) Au sein des Archéobactéries, groupe qui comprend les espèces méthanogènes et halophiles, et quelques thermophiles.

Euryhalin (adj.) Qualifie un organisme qui peut survivre à d'importantes fluctuations de l'osmolarité externe.

Euryptérides (n. masc.) Chélicériformes carnivores qui ont disparu. Ces prédateurs qu'on appelle aussi *scorpions de mer* pouvaient atteindre 3 m de longueur.

Euthériens (n. masc.) Mammifères placentaires. L'embryon se développe complètement dans l'utérus, où un placenta bien développé le relie à sa mère.

Eutrophisation (n. fém.) Processus par lequel la concentration de certains nutriments, surtout le phosphore et l'azote, devient très élevée dans un cours d'eau, ce qui entraîne une croissance accrue d'organismes tels que les Algues.

Eutrophisation culturale (n. fém.) Surcharge des cours d'eau et des lacs en nutriments inorganiques provenant des égouts domestiques et industriels, du lessivage des engrais dans les régions urbaines, les zones agricoles et les espaces récréatifs, et de l'écoulement des déchets animaux des pâturages et des parcs à bestiaux.

Évapotranspiration (n. fém.) Quantité d'eau qui s'évapore annuellement des plantes par transpiration, dans un paysage, et qu'on mesure habituellement en millimètres.

Évolution (n. fém.) Histoire biologique, depuis les premiers microorganismes jusqu'à la grande diversité des organismes actuels.

Évolution adaptative (n. fém.) Prédominance de caractères héréditaires favorisant la survie et la reproduction des organismes dans certains environnements.

Évolution en mosaïque (n. fém.) Évolution à des rythmes variés des différentes caractéristiques d'un organisme.

Exclusion compétitive (n. fém.) En écologie des communautés, concept selon lequel deux populations d'espèces semblables ayant des besoins pour les mêmes ressources ne peuvent cohabiter.

Excrétion (n. fém.) Élimination des déchets métaboliques azotés comme l'urée.

Exocytose (n. fém.) Transport actif de macromolécules vers le milieu extracellulaire, par la fusion de vésicules de sécrétion avec la membrane plasmique.

Exoenzyme (n. fém.) Puissante enzyme que sécrètent les Eumycètes à l'extérieur de leur corps pour digérer leur nourriture en l'hydrolysant.

Exon (n. masc.) Segment d'ADN situé à l'intérieur de la séquence codante d'un gène, dans la cellule eucaryote.

Exosquelette (n. masc.) Revêtement solide du corps d'un Animal, comme la coquille des Mollusques ou la cuticule des Arthropodes. Protège l'Animal et fournit des points d'attache aux muscles.

Exotoxine (n. fém.) Protéine sécrétée par un Procaryote et qui peut provoquer des symptômes même en l'absence du Procaryote.

Expansine (n. fém.) Enzyme végétale qui rompt les ponts transversaux (liaisons hydrogène) entre les microfibrilles de cellulose et d'autres composants de la paroi cellulaire et qui en affaiblit la trame.

Expérience contrôlée (n. fém.) Expérience dans laquelle on compare un groupe expérimental avec un groupe témoin qui varie seulement en fonction du facteur étudié.

Explosion du Cambrien (n. fém.) Augmentation phénoménale de la diversité animale pendant une période de temps relativement courte, d'il y a 542 à il y a 525 millions d'années environ. On a retrouvé presque tous les plans d'organisation corporelle dans des roches cambriennes datant de cette période.

Expression génétique différentielle (n. fém.) Expression de différents ensembles de gènes par des cellules possédant le même génome.

Extension convergente (n. fém.) Au cours de la morphogenèse et de la différenciation cellulaire, mouvement des cellules d'une couche de tissu qui se réarrangent de telle manière que la couche de tissu rétrécit dans le sens de l'intercalation (convergence) tout en s'allongeant (extension).

Extérocepteur (n. masc.) Récepteur sensoriel animal qui capte les stimulus provenant du milieu extérieur, tels que la chaleur, la lumière, la pression et les substances chimiques.

Extrémité cohésive (n. fém.) Extrémité monocaténaire (constituée d'une seule chaîne) d'un fragment de restriction d'ADN, qui est bicaténaire (constitué de deux chaînes) ; ces extrémités peuvent former des liaisons hydrogène avec leurs parties complémentaires.

Extrêmophiles (n. masc.) Procaryotes qui vivent dans des milieux extrêmes. Comprennent les méthanogènes, les halophiles extrêmes et les thermophiles extrêmes.

Face *cis* (n. fém.) L'un des deux pôles d'un dictyosome de l'appareil de Golgi. Située près du réticulum endoplasmique et reçoit ses vésicules de transition.

Face *trans* (n. fém.) L'un des deux pôles d'un dictyosome de l'appareil de Golgi. Donne naissance à des vésicules de sécrétion qui s'acheminent vers d'autres sites.

Facilitateur (n. masc.) Espèce qui a un effet positif sur la survie et la reproduction d'autres espèces dans une communauté et qui contribue à la structure de celle-ci.

Facteur biotique (n. masc.) Toute interaction directe ou indirecte, immédiate ou différée entre les organismes, dans un milieu donné.

Facteur de croissance (n. masc.) Protéine qui doit être présente dans le milieu extracellulaire (milieu de culture ou corps d'un Animal) pour qu'aient lieu la croissance et le développement normal de certains types de cellules. Régulateur local qui agit sur les cellules voisines pour stimuler la prolifération et la différenciation cellulaires.

Facteur F (n. masc.) Facteur de fertilité, chez les Procaryotes. Partie d'ADN du chromosome bactérien ou du plasmide qui permet la formation de pili sexuels (appendices filiformes reliant deux cellules procaryotes) pour la conjugaison et le transfert d'ADN de la cellule donneuse à la cellule receveuse.

Facteur natriurétique auriculaire – FNA (n. masc.) Hormone peptidique qui s'oppose à l'action de la régulation rénine-angiotensine-aldostérone. Hormone que libère la paroi des oreillettes du cœur en réaction à une augmentation de la pression et du volume sanguins.

Facteur rhésus – Rh (n. masc.) Antigène protéique situé à la surface des globules rouges Rh positif. Si une mère Rh négatif est exposée au sang de son fœtus Rh positif, elle produit des anticorps anti-Rh de la catégorie des IgG.

Facteurs de croissance insulinomimétiques (n. masc.) Groupe de peptides produits surtout par le foie qui circulent dans le plasma sanguin et qui provoquent la croissance osseuse et cartilagineuse.

Facteurs de transcription (n. masc.) Chez les Eucaryotes, ensemble de protéines qui se lient à l'ADN et qui permettent la liaison de l'ARN polymérase et le début de la transcription.

Faisceau libéroligneux (n. masc.) Îlot de conduits que forment les tissus conducteurs (xylème et phloème) sur toute la longueur de la tige des plantes.

Famille (n. fém.) Catégorie taxinomique située au-dessus du genre.

Famille multigénique (n. fém.) Ensemble de gènes identiques ou très semblables probablement issus d'un même gène ancestral.

Faune d'Ediacara (n. fém.) Fossiles les plus anciens généralement acceptés, qui datent d'environ 575 millions d'années.

Fécondation (n. fém.) Union de gamètes haploïdes produisant un zygote diploïde. Aussi appelée *syngamie.*

Fécondation externe (n. fém.) Chez les Animaux, fécondation dans laquelle les œufs sont libérés par la femelle et fécondés par le mâle dans le milieu externe.

Fécondation *in vitro* (n. fém.) Technique de procréation qui s'adresse notamment aux femmes dont les trompes utérines sont bloquées. Consiste à stimuler la croissance des follicules par un traitement hormonal, puis à prélever les ovocytes matures par voie chirurgicale. On féconde ensuite ces ovocytes en laboratoire dans des boîtes de Pétri.

Fécondation interne (n. fém.) Chez les Animaux, fécondation qui se fait dans l'organisme de la femelle, après que le mâle a déposé les spermatozoïdes à l'intérieur ou à l'entrée de son système reproducteur.

Fenêtre de la cochlée (n. fém.) Orifice situé à l'extrémité de la rampe tympanique et fermé par une membrane. Point de contact entre le stapès et la cochlée dans l'oreille de certains Vertébrés.

Fenêtre du vestibule (n. fém.) Dans l'oreille de certains Vertébrés, membrane qui est située sous le stapès et qui fait partie de l'oreille interne. Conduit les ondes sonores de l'oreille moyenne à l'oreille interne.

Fente synaptique (n. fém.) Espace étroit qui sépare la cellule présynaptique de la cellule postsynaptique dans une synapse chimique.

Fentes branchiales (n. fém.) Chez les embryons des Cordés, fentes qui se forment à partir des fissures branchiales et qui communiquent avec l'extérieur. Peuvent jouer un rôle dans la filtration ou les échanges gazeux.

Fermentation (n. fém.) Catabolisme anaérobie qui produit une quantité limitée d'ATP à partir du glucose, sans faire appel à une chaîne de transport d'électrons ; produit de l'éthanol ou du lactate.

Fermentation alcoolique (n. fém.) Transformation, en l'absence de dioxygène, de pyruvate en dioxyde de carbone et en éthanol.

Fermentation lactique (n. fém.) Transformation, en l'absence de dioxygène, de pyruvate en lactate, sans libération de dioxyde de carbone.

Feuille (n. fém.) Principal organe photosynthétique des plantes vasculaires.

Feuillet embryonnaire (n. masc.) Chacun des tissus concentriques qui se forment dans un embryon, au cours de la gastrulation, et qui donnent les différents tissus et organes des Animaux. Certains Animaux se développent à partir de deux feuillets, les autres à partir de trois.

Fibre collagène (n. fém.) Fibre résistante de la matrice extracellulaire qui est constituée de collagène. N'est pas élastique et ne se déchire pas facilement lorsqu'elle est tirée dans le sens de la longueur.

Fibre élastique (n. fém.) Fibre du tissu conjonctif qui est un long fil composé d'une protéine appelée *élastine.* Donne au tissu conjonctif une souplesse caoutchouteuse qui complète la force non élastique des fibres collagènes.

Fibre musculaire à contraction lente (n. fém.) Chez les Vertébrés, fibre musculaire qui peut soutenir des contractions prolongées.

Fibre musculaire à contraction rapide (n. fém.) Chez les Vertébrés, fibre musculaire qui sert aux contractions soudaines et puissantes.

Fibre réticulaire (n. fém.) Fibre très mince du tissu conjonctif. Plusieurs fibres réticulaires forment un réseau. Composées de collagène, elles sont reliées aux fibres collagènes proprement dites et forment un tissu aux mailles serrées qui joint les tissus conjonctifs et les tissus voisins.

Fibrine (n. fém.) Forme active de la protéine plasmatique dont la forme inactive est le fibrinogène. S'agglutine en filaments pour former un caillot.

Fibrinogène (n. masc.) Forme inactive de la protéine plasmatique qui, quand elle se transforme en sa forme active, la fibrine, s'agglutine en filaments pour former un caillot.

Fibroblaste (n. masc.) Type de cellules qui sont dispersées dans la trame fibreuse du tissu conjonctif lâche et qui sécrètent les ingrédients protéiques des fibres extracellulaires.

Fibronectine (n. fém.) Glycoprotéine qui concourt à fixer les cellules animales à la matrice extracellulaire.

Fibrose kystique (n. fém.) Chez l'humain, maladie héréditaire qui est létale si elle n'est pas traitée. Frappe les enfants ayant reçu deux allèles récessifs pour la protéine assurant le transport des ions chlorure. Se caractérise par une sécrétion abondante de mucus qui contribue à l'apparition d'infections. Aussi appelée *mucoviscidose*.

Filament intermédiaire (n. masc.) Élément du cytosquelette dont le diamètre est supérieur à celui des microfilaments mais inférieur à celui des microtubules. Constitué de protéines dont font partie les kératines.

Filet (n. masc.) Tige de l'étamine.

Filtrat (n. masc.) Liquide que le système urinaire des Vertébrés extrait du sang et des liquides corporels. À partir de ce liquide, dont il extrait les solutés importants et qu'il concentre, le système urinaire produit de l'urine.

Filtration (n. fém.) Extraction par les néphrons de l'eau et de petites molécules, notamment les déchets métaboliques, provenant du sang, pour les faire passer dans le système urinaire.

Fimbriæ (n. fém.) Courts et fins appendices permettant à certains Procaryotes d'adhérer les uns aux autres ou à un substrat.

Fixation de l'azote (n. fém.) Transformation, par certaines Bactéries, du diazote atmosphérique en composés azotés que d'autres organismes peuvent utiliser dans la fabrication de composés organiques.

Fixation du carbone (n. fém.) Incorporation du carbone fourni par le dioxyde de carbone dans les molécules organiques, par un organisme autotrophe.

Flagelle (n. masc.) Long appendice cellulaire qui est spécialisé dans la locomotion. Les flagelles des Procaryotes et des Eucaryotes diffèrent de par leur structure et leur fonction.

Flétrissement (n. masc.) Chute des feuilles et des tiges qui se produit quand les cellules d'une plante deviennent flasques.

Fleur (n. fém.) Structure des Angiospermes qui se compose de quatre verticilles de feuilles modifiées et qui sert à la reproduction.

Fleur complète (n. fém.) Fleur qui possède les quatre principaux organes floraux, c'est-à-dire les sépales, les pétales, les étamines et le pistil.

Fleur incomplète (n. fém.) Fleur à laquelle au moins un ensemble de pièces florales (sépales, pétales, étamines ou pistil) est manquant ou non fonctionnel.

Florigène (n. fém.) Stimulus de floraison dont on ne connaît pas encore la composition chimique.

Fluorescence (n. fém.) Émission de lumière par des électrons excités qui retournent à l'état fondamental en émettant chacun un photon.

Flux génétique (n. masc.) Migration d'individus féconds ou échange de gamètes entre des populations différentes. Entraîne une perte ou un gain d'allèles dans une population.

Fœtus (n. masc.) Terme qui, chez l'humain, désigne l'embryon depuis la neuvième semaine de développement jusqu'à la naissance. Possède les principales structures de l'adulte sous forme rudimentaire.

Foie (n. masc.) Le plus gros organe de l'organisme, chez les Vertébrés. Remplit une grande variété de fonctions: production de bile, préparation de produits d'excrétion azotés et détoxication des poisons dans le sang, notamment.

Follicule (n. masc.) Structure microscopique de l'ovaire qui contient un ovocyte en développement et qui sécrète des œstrogènes.

Foraminifères (n. masc.) Protistes marins, appartenant au groupe des Cercozoaires, qui doivent leur nom à leur coque poreuse. Des fibres du cytoplasme (pseudopodes filiformes) émergent des pores et permettent à l'organisme de nager, de constituer sa coque et de se nourrir.

Force de Van der Waals (n. fém.) Attraction faible entre des molécules ou entre différentes régions d'une même molécule qui apparaît en raison de changements localisés des charges.

Force protonmotrice (n. fém.) Énergie potentielle présente sous la forme d'un gradient électrochimique produit par le passage de protons à travers les membranes biologiques au cours de la chimiosmose.

Forêt coniférienne (n. fém.) Biome terrestre caractérisé par des hivers longs et froids, et dominé par des arbres à cônes.

Formation réticulaire (n. fém.) Réseau de neurones qui contient plus de 90 noyaux distincts et qui traverse le cœur du tronc cérébral. Régit notamment le sommeil et l'éveil, et agit comme un filtre sensitif en sélectionnant l'information qui atteint le cortex cérébral.

Forme méduse (n. fém.) Version flottante, aplatie et renversée de la structure corporelle des Cnidaires. L'autre forme est le polype.

Forme polype (n. fém.) Version sessile et cylindrique de la structure corporelle des Cnidaires. L'autre forme est la méduse.

Formule développée (n. fém.) Forme de notation représentant, au moyen de traits, les liaisons covalentes entre les atomes d'une molécule.

Formule moléculaire (n. fém.) Forme de notation indiquant seulement la quantité de chaque type d'atome que contient une molécule.

Fossile (n. masc.) Vestige ou empreinte d'organisme ancien qui s'est conservé dans la roche.

Fossiles stratigraphiques (n. masc.) Fossiles semblables qui permettent d'établir une corrélation entre les strates d'un site et celles d'un autre site.

Fourche de réplication (n. fém.) Région en forme de Y qui est située à chaque extrémité d'un œil de réplication et où les nouveaux brins d'ADN subissent une élongation.

Fractionnement cellulaire (n. masc.) Décomposition d'une cellule visant à isoler les organites au moyen de la centrifugation et à étudier leurs fonctions.

Fragment de restriction (n. masc.) Portion d'ADN obtenue par section de l'ADN à l'aide d'une enzyme de restriction.

Fragment d'Okazaki (n. masc.) Court segment d'ADN synthétisé sur un brin complémentaire pendant la réplication de l'ADN. Plusieurs fragments d'Okazaki composent le brin discontinu de l'ADN nouvellement synthétisé.

Fragmentation (n. fém.) Mécanisme de reproduction asexuée dans lequel le corps se dissocie en plusieurs morceaux, dont certains ou la totalité deviendront des adultes complets. S'observe chez plusieurs Porifères, Cnidaires, Polychètes (Annélides) et Tuniciers (Urocordés).

Fréquence cardiaque – f_c (n. fém.) Nombre de battements cardiaques par minute.

Fréquence respiratoire – f_r (n. fém.) Nombre de respirations par minute.

Fronde (n. fém.) (1) Chez les Algues, structure semblable à une feuille et constituant la plus grande partie de la surface de photosynthèse. (2) Feuille des Fougères.

Fruit (n. masc.) Ovaire mature de la fleur qui protège les graines et contribue à leur dispersion.

Fruit agrégé (n. masc.) Fruit qui, comme la framboise, provient d'une fleur unique qui possédait plus d'un carpelle.

Fruit multiple (n. masc.) Fruit qui, comme l'ananas, se forme à partir d'une inflorescence, c'est-à-dire d'un groupe de fleurs entassées les unes sur les autres.

Fruit simple (n. masc.) Fruit charnu, comme une cerise, ou sec, comme une gousse de soja, qui se développe à partir d'un seul ovaire ou de plusieurs ovaires groupés.

Fuseau de division (n. masc.) Ensemble de fibres constituées de microtubules associés à des protéines. Régit les déplacements des chromosomes au cours de la division cellulaire, chez les Eucaryotes.

Fuseau neuromusculaire (n. masc.) Type de mécanorécepteur qui est constitué de dendrites de neurones sensitifs s'enroulant autour de la partie centrale de petites fibres musculaires squelettiques et qui perçoit la longueur des muscles squelettiques.

Fuseau neurotendineux (n. masc.) Type de mécanorécepteur qui détecte l'étirement des tendons.

Fusion de protoplastes (n. fém.) Technique qui consiste à fusionner deux protoplastes issus d'espèces différentes, en vue de créer des variétés de plantes capables de clonage.

G

Gaine de myéline (n. fém.) Couche isolante qui est formée de l'enroulement de la membrane plasmique des neurolemmocytes et qui entoure l'axone de nombreux neurones. Absente, à intervalles réguliers, aux nœuds de Ranvier qui permettent la conduction saltatoire.

Gaine périfasciculaire (n. fém.) Revêtement protecteur entourant la veine de la feuille et qui comprend au moins une couche de cellules, habituellement du parenchyme.

Gamétanges (n. masc.) Structures végétales multicellulaires dans lesquelles les gamètes se forment. Les gamétanges femelles s'appellent *archégones* et les gamétanges mâles, *anthéridies.*

Gamète (n. masc.) Voir *Cellule reproductrice.*

Gamétogenèse (n. fém.) Processus par lequel les gamètes sont produits dans le corps mammalien.

Gamétophore (n. masc.) Chez les Mousses, structure qui porte les gamètes; avec le protonéma, constitue le gamétophyte.

Gamétophyte (n. masc.) Forme haploïde multicellulaire chez les organismes qui connaissent l'alternance de générations. Produit par mitose des gamètes haploïdes qui fusionnent pour donner des sporophytes.

Ganglion (n. masc.) Regroupement de corps de neurones ayant généralement une fonction semblable. Situé dans le système nerveux périphérique.

Gastrula (n. fém.) Stade de développement associé à la gastrulation. Embryon constitué de trois feuillets.

Gastrulation (n. fém.) Développement des tissus embryonnaires des diverses parties d'un organisme animal.

Gemmules (n. fém.) Chez les Éponges, cellules de plusieurs catégories qui migrent ensemble à travers l'organisme et s'entourent d'un revêtement protecteur.

Gène (n. masc.) Unité d'information génétique située sur les chromosomes et constituée d'une séquence spécifique de nucléotides dans l'ADN (ou dans l'ARN, chez certains Virus).

Gène à effet maternel (n. masc.) Gène qui, lorsqu'il est mutant chez la mère, produit un phénotype mutant chez le descendant, quel que soit le génotype de ce descendant. Aussi appelé *gène de polarité de l'œuf.*

Gène de segmentation (n. masc.) Gène de l'embryon qui commande la formation des segments lorsque les axes principaux de l'embryon sont définis. Comprend les gènes de délétion, les gènes de parité segmentaire et les gènes de polarité segmentaire.

Gène d'identité des organes (n. masc.) Gène héméotique d'une plante qui établit le type de structure qui se formera à partir d'un méristème.

Gène homéotique (n. masc.) Gène maître régulateur qui commande la destinée des groupes de cellules, au cours du développement embryonnaire.

Gène lié au sexe (n. masc.) Gène situé sur un chromosome sexuel.

Gène régulateur (n. masc.) Gène codant pour une protéine, tel un répresseur, qui régule la transcription d'un autre gène ou d'un groupe de gènes.

Gène suppresseur de tumeurs *p53* (n. masc.) Gène dont le produit inhibe la division cellulaire et contribue à empêcher une croissance cellulaire anarchique (cancer). Qualifié d'*ange gardien du génome.* Son expression est déclenchée par les dommages infligés à l'ADN d'une cellule. Son produit, la protéine p53, devient un facteur de transcription de plusieurs gènes nécessaires à la réparation de l'ADN.

Génération F_1 (n. fém.) Première génération filiale, constituée des hybrides issus de la fécondation croisée.

Génération F_2 (n. fém.) Deuxième génération filiale, constituée des descendants issus de la fécondation entre des hybrides F_1.

Génération P (n. fém.) Génération parentale. Parents desquels sont issus les descendants, dans une expérience de croisement.

Génération spontanée (n. fém.) Idée erronée à laquelle ont cru les gens depuis l'Antiquité jusqu'au XIXe siècle et selon laquelle la vie pouvait naître de la matière inanimée.

Gènes de polarité de l'œuf (n. masc.) Deux groupes de gènes qui déterminent les axes antéropostérieur et dorsoventral de l'embryon. Aussi appelés *gènes à effet maternel.*

Gènes d'identité des organes (n. masc.) Gènes homéotiques qui utilisent de l'information de positionnement pour déterminer les gènes qui s'expriment dans un primordium floral particulier.

Gènes liés (n. masc.) Gènes localisés tellement proches l'un de l'autre sur le même chromosome qu'ils sont habituellement transmis ensemble.

Gènes orthologues (n. masc.) Gènes homologues qui sont transmis en ligne droite d'une génération à l'autre, mais qui aboutissent dans des patrimoines génétiques différents en raison de la différenciation des espèces.

Gènes paralogues (n. masc.) Gènes homologues qui se trouvent dans le même génome en raison de la duplication génétique.

Gènes responsables de la formation du méristème floral (n. masc.) Chez les Végétaux, gènes qui sont à l'origine du passage de l'état végétatif à l'état floral. Les protéines produites par ces gènes sont des facteurs de transcription qui participent à l'activation des gènes nécessaires à la formation du méristème floral.

Génétique (n. fém.) Étude scientifique de l'hérédité et de la variation entre les individus.

Génétique des populations (n. fém.) Étude scientifique de la variation génétique au sein des populations. Science des modifications du patrimoine génétique d'une population.

Génie génétique (n. masc.) Ensemble de techniques se rapportant à la manipulation directe des gènes à des fins pratiques.

Génome (n. masc.) Ensemble complet des gènes d'un organisme. Information génétique (ADN) dont une cellule hérite.

Génomique (n. fém.) Étude des ensembles complets de gènes et de leurs interactions.

Génon (n. masc.) Triplet de nucléotides d'un ADN qui code pour un acide aminé dans un polypeptide.

Génotype (n. masc.) Constitution allélique d'un individu pour un ou plusieurs caractères.

Genre (n. masc.) Catégorie taxinomique située au-dessus de l'espèce. Désigné par le premier mot du nom scientifique de l'espèce, dans la nomenclature binominale.

Géotropisme (n. masc.) Réaction d'une plante ou d'un Animal à la gravitation; les racines ont un géotropisme positif et les tiges un géotropisme négatif.

Gestation (n. fém.) Chez les Mammifères placentaires, fait, pour une femelle, de porter un ou plusieurs embryons dans son utérus. Appelée *grossesse* chez l'humain.

Ghréline (n. fém.) Médiateur sécrété par l'estomac qui déclenche la sensation de faim.

Gibbérellines (n. fém.) Catégorie d'hormones végétales qui provoquent la croissance de la tige et des feuilles, déclenchent la germination des graines, mettent un terme à la dormance des bourgeons et, de concert avec l'auxine, stimulent le développement du fruit.

Gland du pénis (n. masc.) Extrémité du pénis.

Glande bulbo-urétrale (n. fém.) Petite glande qui est située à proximité du bulbe du pénis, sous la prostate, et qui déverse ses sécrétions dans l'urètre. Avant l'éjaculation, sécrète un liquide clair qui neutralise l'acidité de l'urine restant dans l'urètre.

Glande endocrine (n. fém.) Glande qui libère les hormones qu'elle produit directement dans le liquide interstitiel avant de diffuser dans la circulation sanguine.

Glande mammaire (n. fém.) Glande exocrine caractéristique des Mammifères qui comporte de petites alvéoles de tissu épithélial sécrétant le lait pour nourrir le bébé.

Glande parathyroïde (n. fém.) Chacune des quatre glandes endocrines qui sont enchâssées dans la thyroïde et qui sécrètent la parathormone (PTH), laquelle augmente la concentration de calcium sanguin.

Glande salivaire (n. fém.) Glande exocrine associée à la cavité buccale, généralement par paire et en nombre variable selon les Animaux. La sécrétion d'une glande salivaire contient des substances qui lubrifient les aliments, compriment les morceaux en un bol alimentaire et commencent le processus de la digestion chimique.

Glande surrénale (n. fém.) Glande endocrine coiffant chacun des deux reins, chez les Mammifères. Les cellules endocrines de la portion externe (le cortex) répondent à l'ACTH en sécrétant des hormones stéroïdiennes qui aident à maintenir l'homéostasie pendant un stress prolongé. Les cellules neurosécrétoires de la portion interne (la médulla) sécrètent de l'adrénaline et de la noradrénaline en réponse aux influx nerveux provoqués par un stress de courte durée.

Glande thyroïde (n. fém.) Glande endocrine qui se compose de deux lobes situés sur la face antérieure de la trachée. Sécrète des hormones contenant de l'iode, soit la tri-iodothyronine (T_3) et la thyroxine (T_4), ainsi que la calcitonine.

Glande vestibulaire majeure (n. fém.) Dans le système reproducteur de la femme, glande qui est située près de l'ouverture du vagin et qui sécrète du mucus dans le vestibule pour le lubrifier au cours de l'excitation sexuelle.

Gliocyte (n. masc.) Cellule qui joue un rôle essentiel dans l'intégrité structurale du système nerveux et dans le fonctionnement normal des neurones. Aussi appelé *cellule gliale* ou *cellule de soutien.*

Globule blanc (n. masc.) Élément figuré du sang de certains Invertébrés et des Vertébrés dont la fonction consiste à lutter contre les agents pathogènes et les cellules cancéreuses. Nom commun du leucocyte.

Globule rouge (n. masc.) Élément figuré du sang de certains Invertébrés et des Vertébrés contenant de l'hémoglobine, laquelle sert au transport du dioxygène et d'une partie du dioxyde de carbone dans le système cardiovasculaire. Nom commun de l'érythrocyte.

Gloméromycète (n. masc.) Embranchement d'Eumycètes dont les membres forment un type distinct d'endomycorhize (relation symbiotique avec les racines des plantes) appelé *mycorhize à arbuscules.*

Glomérule (n. masc.) Amas de capillaires artériels qui est associé à la capsule glomérulaire rénale du néphron et qui sert de site de filtration dans les reins des Vertébrés.

Glucagon (n. masc.) Hormone que sécrètent les cellules endocrines pancréatiques alpha et qui augmente la concentration de glucose sanguin. Favorise la dégradation du glycogène et la libération du glucose par le foie.

Glucides (n. masc.) Classe de composés organiques qui comprend les monosaccharides (un seul monomère), les disaccharides (deux monomères) et les polysaccharides (polymères).

Glucocorticoïdes (n. masc.) Groupe d'hormones qui sont sécrétées par le cortex surrénal et qui agissent sur le métabolisme du glucose.

Glycine (n. fém.) Acide aminé qui joue le rôle de neurotransmetteur dans le système nerveux central. Produit une inhibition.

Glycogène (n. masc.) Polysaccharide de réserve très ramifié emmagasiné dans les cellules du foie et des muscles, chez les Animaux.

Glycolipide (n. masc.) Lipide lié par covalence à un glucide.

Glycolyse (n. fém.) Dégradation d'une mole de glucose en deux moles de pyruvate. Voie catabolique qui existe dans toutes les cellules ; premier stade de la fermentation et de la respiration cellulaire.

Glycoprotéine (n. fém.) Protéine unie par covalence à un petit polysaccharide.

Gnathostomes (n. masc.) Clade des Vertébrés dont les membres sont munis de mâchoires et, pour la plupart, de deux paires d'appendices.

Gonade (n. fém.) Organe qui élabore les gamètes chez les Animaux. Ce sont les ovaires chez les femelles et les testicules chez les mâles.

Gonadotrophine chorionique humaine – hCG (n. fém.) Hormone embryonnaire qui maintient la sécrétion de progestérone et d'œstrogènes par le corps jaune au long du premier trimestre de la grossesse.

Gonadotrophines (n. fém.) Hormones (FSH et LH) qui augmentent l'activité des gonades mâles et femelles, c'est-à-dire des testicules et des ovaires.

Goût (n. masc.) Sens qui repose sur l'existence de chimiorécepteurs qui détectent certaines substances dans le milieu.

Grade (n. masc.) Dans un arbre phylogénétique, grande ramification qui regroupe les Animaux ayant les mêmes caractéristiques d'organisation corporelle.

Gradient de concentration (n. masc.) Augmentation ou diminution de la concentration molaire volumique d'une substance chimique dans une région. En présence d'un gradient, les ions ou d'autres substances chimiques ont tendance à diffuser d'une zone où elles sont concentrées vers une zone où elles le sont moins.

Gradient électrochimique (n. masc.) Gradient de diffusion d'un ion qui correspond à un type d'énergie potentielle combinant l'influence de la force électrique (le potentiel de membrane) et celle de la variation de concentration d'un soluté (le gradient de concentration).

Gradualisme (n. masc.) Principe en vertu duquel un changement profond résulte du cumul de processus lents mais continuels. Principe qu'a proposé James Hutton pour expliquer les caractéristiques géologiques de la Terre.

Grain de pollen (n. masc.) Structure qui contient les gamétophytes mâles immatures des Vasculaires à graines.

Graine (n. fém.) Structure composée d'un embryon végétal et d'une réserve de nourriture qui se trouvent à l'intérieur d'une enveloppe protectrice. Adaptation des Végétaux terrestres.

Graisse (n. fém.) Lipide formé d'une molécule de glycérol et de trois molécules d'acides gras. Aussi appelée *triacylglycérol.*

Gram négatif (n. masc.) Réaction négative à la coloration de Gram des Bactéries qui possèdent une paroi à structure plus complexe et contenant moins de peptidoglycane que celle des Bactéries à Gram positif.

Gram positif (n. masc.) Réaction positive à la coloration de Gram des Bactéries qui possèdent une paroi simple contenant une quantité relativement importante de peptidoglycane.

Grandes lèvres (n. fém.) Dans le système reproducteur de la femme, replis constitués de peau épaisse et adipeuse, portant des poils, qui recouvrent et protègent les petites lèvres.

Granule cortical (n. masc.) Vésicule qui se trouve immédiatement sous la membrane plasmique de l'ovocyte de deuxième ordre avant sa participation à la réaction corticale, au moment de la fécondation.

Granulocyte basophile (n. masc.) Leucocyte en circulation qui produit l'histamine.

Granulocyte éosinophile (n. masc.) Type de leucocyte dont la principale contribution à la défense consiste à attaquer à l'aide d'enzymes des envahisseurs parasites beaucoup plus gros. On croit qu'il joue un rôle dans la défense contre les vers parasites en libérant des enzymes toxiques.

Granulocyte neutrophile (n. masc.) Type le plus abondant de leucocyte. Les granulocytes neutrophiles sont phagocytaires. Ils

Glossaire

quittent le sang et pénètrent dans le tissu infecté pour y phagocyter et y détruire les microorganismes.

Granum (n. masc.) Empilement de membranes thylakoïdiennes à l'intérieur du chloroplaste. Les grana (pluriel de *granum*) jouent un rôle dans les réactions photochimiques de la photosynthèse.

Greffon (n. masc.) Ramille ou bourgeon qu'on implante sur le porte-greffe.

Grille de Punnett (n. fém.) Tableau qui permet de prédire facilement les résultats de croisements génétiques entre individus de génotype connu.

Gros intestin – côlon (n. masc.) Partie tubulaire du canal alimentaire des Vertébrés qui est située entre l'intestin grêle et l'anus. Sa fonction consiste à absorber l'eau et à former les matières fécales.

Grossissement (n. masc.) En microscopie, rapport entre les dimensions apparentes de l'image et les dimensions réelles de l'objet observé.

Groupe extérieur (n. masc.) Espèce ou groupe d'espèces extrêmement proches des espèces étudiées, mais ayant avec ces dernières un lien plus lâche que celui qui unit ses membres.

Groupe intérieur (n. masc.) Dans une analyse cladistique des relations découlant de l'évolution, groupe de taxons qu'on étudie.

Groupe paraphylétique (n. masc.) Groupe d'espèces qui comprend un ancêtre et certains, mais non tous les descendants de cet ancêtre.

Groupe polyphylétique (n. masc.) Groupe d'espèces qui descendent d'au moins deux formes ancestrales différentes.

Groupement amine (n. masc.) Groupement fonctionnel formé d'un atome d'azote et de deux ou trois atomes d'hydrogène, l'atome d'azote étant lié à une chaîne carbonée.

Groupement carbonyle (n. masc.) Groupement fonctionnel se composant d'un atome de carbone et d'un atome d'oxygène liés par une liaison double. Forme les cétones ou les aldéhydes selon l'endroit où il se trouve dans la molécule.

Groupement carboxyle (n. masc.) Groupement fonctionnel présent dans les acides organiques. Se compose d'un atome d'oxygène et d'un atome de carbone liés par une liaison double, l'atome de carbone étant lui-même lié à un groupement hydroxyle.

Groupement ester (n. masc.) Groupement fonctionnel constitué d'un atome de carbone et de deux atomes d'oxygène dont l'un établit une liaison double avec le carbone, ce dernier étant lui-même lié à une chaîne carbonée.

Groupement fonctionnel (n. masc.) Composante des molécules organiques qui participe le plus souvent aux réactions chimiques (p. ex.: groupement hydroxyle, groupement amine).

Groupement hème (n. masc.) Groupement prosthétique du cytochrome. Se compose de quatre cycles entourant un atome de fer.

Groupement hydroxyle (n. masc.) Groupement fonctionnel constitué d'un atome d'hydrogène et d'un atome d'oxygène liés par une liaison covalente polaire. L'atome d'oxygène est fixé à la chaîne carbonée d'une molécule organique.

Groupement phosphate (n. masc.) Groupement fonctionnel qui joue un rôle important dans le transfert d'énergie. C'est un ion phosphate doté de deux charges négatives et lié à une chaîne carbonée par l'un de ses atomes d'oxygène.

Groupement thiol (n. masc.) Groupement fonctionnel constitué d'un atome de soufre et d'un atome d'hydrogène, l'atome de soufre étant lié à une chaîne carbonée. Deux groupements thiols forment un pont disulfure stabilisant la structure des protéines.

Groupes sanguins du système ABO (n. masc.) Classes de sang humain déterminées génétiquement par la présence ou l'absence de glycoprotéines A et B à la surface des érythrocytes. Les phénotypes des groupes sanguins du système ABO sont A, B, AB et O.

Guttation (n. fém.) Écoulement de gouttelettes d'eau qu'on peut observer le matin à l'extrémité des brins d'herbe ou sur la bordure des feuilles de certaines plantes. Phénomène causé par la pression racinaire.

Gymnospermes (n. fém.) Vasculaires portant des graines nues, c'est-à-dire qui ne sont pas enfermées dans un compartiment spécialisé.

Habituation (n. fém.) Forme élémentaire d'apprentissage qui consiste en une diminution de la sensibilité aux stimulus sans importance.

Halophiles extrêmes (n. masc.) Procaryotes qui vivent dans des milieux aussi salés que la mer Morte et le Grand Lac Salé, aux États-Unis.

Hauteur (n. fém.) Caractère d'un son qui dépend de la fréquence des ondes sonores, c'est-à-dire du nombre de vibrations (ou cycles) par seconde. S'exprime habituellement en hertz (Hz).

Hélicase (n. fém.) Enzyme qui intervient dans l'angle de la fourche de réplication pour dérouler la double hélice et séparer les deux brins parentaux d'ADN.

Hélice alpha – α (n. fém.) Enroulement délicat constituant un type de structure secondaire des protéines. Produite par des liaisons hydrogène situées à intervalles réguliers entre les spires.

Hémisphère cérébral (n. masc.) Chacune des deux parties, gauche et droite, du cerveau des Vertébrés.

Hémocyanine (n. fém.) Type de pigment respiratoire qui contient du cuivre comme substance fixatrice de dioxygène. Présente dans l'hémolymphe des Arthropodes et de nombreux Mollusques.

Hémocytoblaste (n. masc.) Cellule que produit la moelle osseuse rouge et qui peut se différencier pour devenir n'importe quel type de cellule du sang. Communément appelé *cellule souche pluripotente.*

Hémoglobine (n. fém.) Type de pigment respiratoire des globules rouges de la plupart des Vertébrés. Comporte quatre sous-unités, dont chacune possède un cofacteur appelé *groupement hème*, portant en son centre un ion ferreux (Fe^{2+}) qui assure la fixation du dioxygène.

Hémolymphe (n. fém.) Chez les Invertébrés, liquide biologique dans lequel baignent directement les organes internes.

Hémophilie (n. fém.) Chez l'humain, affection héréditaire de la coagulation sanguine attribuable à un caractère récessif lié au sexe. Se caractérise par un saignement excessif à la moindre lésion.

Hépatiques (n. fém.) – **Marchantiophytes** ou **Hépatophytes** (n. fém.) Embranchement des Bryophytes. Petites plantes herbacées (non ligneuses) non vasculaires qui doivent leur nom au fait que leur forme évoque un foie.

Herbacées (n. fém.) Se dit des plantes non ligneuses.

Herbivore (n. masc.) Animal hétérotrophe qui consomme principalement des autotrophes.

Herbivorisme (n. masc.) Interaction au cours de laquelle un herbivore mange des parties de plante ou d'Algue.

Hérédité (n. fém.) Mode de transmission des caractères d'une génération d'êtres vivants à la suivante.

Hérédité épigénétique (n. fém.) Hérédité de traits transmis par des mécanismes ne faisant pas intervenir directement la séquence des nucléotides.

Hérédité liée au sexe (n. fém.) Mode de transmission des gènes liés au sexe.

Hérédité polygénique (n. fém.) Effet cumulatif de deux gènes ou plus sur un même phénotype.

Hermaphrodisme (n. masc.) Présence chez un même individu d'un appareil génital mâle et d'un appareil génital femelle qui lui permettent de produire des spermatozoïdes et des ovules. L'hermaphrodisme existe chez de nombreuses espèces animales.

Hermaphrodisme séquentiel (n. masc.) Type de reproduction qui se caractérise par le changement de sexe d'un individu au cours de sa vie.

Hermaphrodite (adj.) Qualifie un individu qui possède un système reproducteur mâle et un système reproducteur femelle, et qui produit donc des spermatozoïdes et des ovules.

Hétérocaryon (n. masc.) Mycélium fongique génétiquement hétérogène qui provient d'une fusion d'hyphes comportant des noyaux différents.

Hétérochromatine (n. fém.) Chez les Eucaryotes, type de chromatine interphasique non transcrite, visible au microscope photonique en raison de sa forte condensation et situé au niveau des centromères notamment.

Hétérochronie (n. fém.) Ensemble des changements qui, au cours de l'évolution, touchent le rythme ou le déroulement des étapes du développement d'un organisme.

Hétéromorphe (adj.) Dans l'alternance de générations, dans le cycle de développement de tous les Végétaux actuels et de certaines Algues, qualifie les générations dans lesquelles le gamétophyte et le sporophyte ont une structure différente.

Hétérosporée (adj.) Se dit d'une plante dont le sporophyte produit deux types de spores : des mégaspores qui deviennent des gamétophytes femelles et des microspores qui deviennent des gamétophytes mâles.

Hétérotrophe (n. masc.) Dans une chaîne ou le réseau alimentaire d'un écosystème, organisme qui se nourrit directement ou indirectement des produits photosynthétiques des producteurs.

Hétérotrophie (n. fém.) Mode de nutrition des organismes qui fabriquent leurs molécules organiques après avoir mangé des proies ou des résidus organiques.

Hétérozygote (n. masc.) Individu qui possède une paire d'allèles différents pour un caractère donné (p. ex. : *Aa*).

Hétérozygosité moyenne (n. fém.) Pourcentage moyen des loci d'une population qui sont hétérozygotes chez les membres de cette population.

Hexapode (n. masc.) Insecte ou Arthropode apparenté, sans ailes et pourvu de six pattes.

Hibernation (n. fém.) État de torpeur à long terme qui a évolué et est devenu une adaptation au froid hivernal et à la rareté des aliments pendant l'hiver. Se caractérise par une baisse de la température corporelle et de la vitesse du métabolisme.

Histamine (n. fém.) Médiateur chimique qui est libéré par les cellules lésées (des leucocytes appelés *granulocytes basophiles* et les mastocytes) et qui cause une vasodilatation au cours de la réaction inflammatoire.

Histone (n. fém.) Chez les Eucaryotes, petite protéine qui contient une forte proportion d'acides aminés de charge positive. Se liant solidement à l'ADN, qui porte des charges négatives, joue un rôle clé dans la structure de la chromatine.

Homéostasie (n. fém.) État d'équilibre dynamique de tout organisme. Maintien de la stabilité du milieu interne en dépit des fluctuations du milieu externe.

Hominines (n. fém.) Terme qui fait référence aux espèces qui sont plus proches des humains que des chimpanzés ou des gorilles. Il y a deux principaux groupes dans les Hominines : les Australopithèques, apparus les premiers et aujourd'hui disparus, et les individus du genre *Homo*, dont toutes les espèces sont éteintes, sauf une : *Homo sapiens*.

Homininés (n. masc.) Groupe qui comprend les chimpanzés (Panines) et les humains (Hominines).

Hominoïdes (n. masc.) Terme qui renvoie aux grands singes anthropoïdes et aux humains.

Homochromie (n. fém.) Camouflage qui rend difficile, pour les prédateurs, la détection de proies potentielles, lesquelles harmonisent leur couleur à celle du milieu ambiant.

Homologie (n. fém.) Ressemblance de caractères résultant d'une ascendance commune.

Homoplasie (n. fém.) Structure ou séquence moléculaire semblable (analogue) qui a évolué indépendamment chez deux espèces.

Homosporée (adj.) Se dit d'une plante, telle la Fougère, dont le sporophyte produit un seul type de spores. Chaque spore devient un gamétophyte qui possède à la fois les organes sexuels femelles et les organes sexuels mâles.

Homozygote (n. masc.) Individu qui possède une paire d'allèles identiques pour un caractère donné (p. ex. : *AA*).

Horizon (n. masc.) Chacune des différentes couches d'un sol qui en forment le profil.

Horloge biologique (n. fém.) Horloge interne qui régit les rythmes biologiques d'un être vivant. Évalue le temps avec ou sans indices externes, mais nécessite souvent des stimulus pour garder les cycles synchronisés avec une période appropriée. Voir aussi *Rythme circadien*.

Horloge moléculaire (n. fém.) Méthode de datation qui sert à situer l'origine des groupes taxinomiques dans le temps. Se fonde sur l'observation suivante : certaines régions du génome (à tout le moins) évoluent à des rythmes constants.

Hormone (n. fém.) L'un des nombreux stimulus chimiques qui circulent dans tous les organismes multicellulaires. Se forme dans des cellules spécialisées, circule dans les liquides biologiques et sert à réguler les différentes parties de l'organisme en interagissant avec les cellules cibles.

Hormone antidiurétique – ADH (n. fém.) Hormone produite dans l'hypothalamus et libérée par le lobe postérieur de l'hypophyse. Elle favorise la rétention d'eau par les reins dans le cadre d'un mécanisme de rétroaction complexe permettant d'ajuster l'osmolarité du sang.

Hormone de croissance – GH (n. fém.) Hormone produite et sécrétée par l'adénohypophyse. Protéine qui agit directement ou en tant que stimuline sur un large éventail de tissus cibles. Intervient directement dans la croissance, mais aussi indirectement en provoquant la synthèse de facteurs de croissance.

Hormone folliculostimulante – FSH (n. fém.) Glycoprotéine sécrétée par l'adénohypophyse qui déclenche la production d'ovocytes par les ovaires et de spermatozoïdes par les testicules.

Hormone juvénile – HJ (n. fém.) Hormone que sécrètent les corps allates chez les Arthropodes et qui maintient les caractéristiques larvaires.

Hormone lutéinisante – LH (n. fém.) Glycoprotéine produite et sécrétée par l'adénohypophyse qui déclenche l'ovulation chez la femelle et la production d'androgènes chez le mâle.

Hormone mélanotrope – MSH (n. fém.) Hormone qui commande l'activité des cellules pigmentaires de la peau chez certains Vertébrés.

Hormone prothoracotrope (n. fém.) Hormone que produisent les neurones sécrétoires du cerveau des Insectes et qui assure le développement en provoquant la sécrétion d'ecdysone par les glandes prothoraciques.

Hôte (n. masc.) Organisme le plus gros dans une relation symbiotique.

Humeur aqueuse (n. fém.) Dans l'œil des Vertébrés, liquide transparent semblable à de l'eau qui remplit la cavité antérieure. Agit comme une lentille liquide qui concentre en partie la lumière sur la rétine.

Humus (n. masc.) Résidu de matière organique partiellement décomposée.

Hybridation (n. fém.) En génétique, croisement entre deux individus différant par un ou plusieurs caractères héréditaires.

Hybridation moléculaire (n. fém.) Appariement des bases d'un gène et d'une séquence complémentaire présente sur une autre molécule d'acide nucléique.

Hydratation (n. fém.) Processus par lequel un halo de molécules d'eau entoure chaque ion dissous.

Hydrocarbure (n. masc.) Molécule organique formée uniquement de carbone et d'hydrogène (p. ex. : C_5H_{12}).

Hydrolyse (n. fém.) Réaction chimique qui scinde les molécules à l'aide de l'eau.

Hydrolyse enzymatique (n. fém.) Chez les Animaux, processus de décomposition des macromolécules contenues dans les fragments de nourriture qui fait appel à des enzymes spécifiques.

Hydrophile (adj.) Qualifie une substance ayant une affinité pour l'eau. Les groupements polaires sont hydrophiles.

Hydrophobe (adj.) Qualifie une substance qui ne se dissout pas dans l'eau et n'a aucune affinité pour elle (p. ex.: les lipides).

Hydrosquelette (n. masc.) Soutien apporté par un compartiment fermé de l'organisme qui contient un liquide maintenu sous pression. Se retrouve chez la plupart des Cnidaires, des Plathelminthes, des Nématodes et des Annélides.

Hymen (n. masc.) Fine membrane qui recouvre partiellement l'ouverture du vagin chez la femme jusqu'aux premiers rapports sexuels. Peut aussi se rompre au cours d'un exercice physique vigoureux.

Hyperpolarisation (n. fém.) Augmentation de la tension de part et d'autre de la membrane plasmique.

Hypertension (n. fém.) Pression artérielle chroniquement élevée.

Hypertonique (adj.) Quand deux solutions présentent des concentrations inégales de solutés, qualifie celle qui est la plus concentrée.

Hyphe (n. fém.) Filament qui compose le mycélium, l'appareil végétatif des Eumycètes.

Hypocotyle (n. masc.) Dans les graines des Angiospermes, partie de l'axe embryonnaire qui se trouve au-dessous du point d'attache des cotylédons et qui se termine par la radicule.

Hypophyse (n. fém.) Glande endocrine située à la base de l'hypothalamus. Formée d'un lobe postérieur (neurohypophyse), qui emmagasine et libère deux hormones produites par l'hypothalamus, et d'un lobe antérieur (adénohypophyse), qui produit et sécrète de nombreuses hormones régulatrices de diverses fonctions de l'organisme.

Hypothalamus (n. masc.) Région de l'encéphale des Vertébrés qui se forme à partir du diencéphale embryonnaire (l'une des divisions du prosencéphale). Joue un rôle dans le maintien de l'homéostasie, notamment dans l'intégration des systèmes endocrinien et nerveux; sécrète les hormones que libèrent la neurohypophyse et des hormones de régulation dont la cible est l'adénohypophyse.

Hypothèse (n. fém.) Tentative de réponse à une question structurée.

Hypothèse ABC (n. fém.) Hypothèse concernant le développement floral qui définit trois classes d'identité des organes régissant la formation des quatre types d'organes floraux.

Hypothèse d'un monde vert (n. fém.) Hypothèse selon laquelle les herbivores consomment une biomasse de plantes relativement faible, parce qu'une variété de facteurs, notamment les prédateurs, les parasites et la maladie, stabilisent leurs populations.

Hypothèse de la perturbation intermédiaire (n. fém.) Concept selon lequel un niveau modéré de perturbations peut favoriser une diversité d'espèces plus grande qu'un niveau faible ou élevé.

Hypothèse de la stabilité dynamique (n. fém.) Hypothèse selon laquelle les chaînes alimentaires très complexes sont moins stables que les autres.

Hypothèse de la Terre boule de neige (n. fém.) Hypothèse selon laquelle les terres émergées étaient couvertes de glaciers d'un pôle à l'autre il y a 750 millions d'années, durant 180 millions d'années. Ce serait à cause de cette période de grand froid que la diversité et la répartition des Eucaryotes multicellulaires sont restées relativement faibles jusqu'à la toute fin du Précambrien. Confine la vie à des zones très restreintes.

Hypothèse énergétique (n. fém.) Hypothèse selon laquelle l'inefficacité du transfert d'énergie le long d'une chaîne alimentaire limite le nombre de ses niveaux trophiques.

Hypothèse individualiste (n. fém.) Concept qui se rapporte à la structure d'une communauté végétale et qui explique qu'une communauté de Végétaux est un regroupement fortuit d'espèces occupant le même territoire simplement parce qu'elles ont les mêmes besoins abiotiques, en matière notamment de température, de précipitations et de sol.

Hypothèse intégrée (n. fém.) Concept mis de l'avant par F. E. Clements, selon lequel une communauté est un regroupement d'espèces étroitement apparentées, unies inéluctablement par des interactions biotiques qui obligent la communauté à fonctionner comme une unité intégrée, sorte de superorganisme.

Hypotonique (adj.) Quand deux solutions présentent des concentrations inégales de solutés, qualifie celle qui est la moins concentrée.

Îlot pancréatique (n. masc.) Amas de cellules endocrines qui sécrète entre autres le glucagon et l'insuline directement dans la circulation sanguine.

Imbibition (n. fém.) Processus physique par lequel la graine absorbe de l'eau en raison de son faible potentiel hydrique.

Immigration (n. fém.) Arrivée de nouveaux individus venant d'autres régions.

Immunisation (n. fém.) Processus par lequel on confère un état d'immunité par des moyens artificiels. Dans l'immunisation active, on administre une version non pathogène d'un microbe normalement pathogène, ce qui provoque les réactions des lymphocytes B et T et la mémoire immunologique. Dans l'immunisation passive, on administre les anticorps spécifiques d'un microbe donné, ce qui confère une protection immédiate mais temporaire. Aussi appelée *vaccination.*

Immunité acquise (n. fém.) Défense qui est facilitée par les lymphocytes B et les lymphocytes T. Se caractérise par la spécificité, la mémoire et la reconnaissance du non-soi.

Immunité active (n. fém.) Défense de longue durée que confère l'action des lymphocytes B et T ainsi que des cellules mémoires B et T résultantes qui sont spécifiques à un pathogène. S'obtient naturellement par la guérison d'une maladie infectieuse ou artificiellement par la vaccination.

Immunité innée (n. fém.) Type de défense qui fait intervenir les phagocytes, les protéines antimicrobiennes, la réaction inflammatoire et les cellules tueuses naturelles (cellules NK). Existe avant l'exposition aux pathogènes et est efficace dès la naissance.

Immunité passive (n. fém.) Immunité temporaire qui s'obtient par l'administration d'anticorps préparés ou par le transfert des anticorps maternels au fœtus ou au bébé nourri au sein. Ne dure que tant que les anticorps persistent (de quelques semaines à quelques mois), parce que le système immunitaire n'a pas été stimulé par les antigènes.

Immunoglobulines – Ig (n. fém.) Catégorie de protéines globulaires sériques dont la fonction est de reconnaître et d'attaquer les agents envahisseurs de l'organisme. Divisées en cinq classes selon leur distribution dans le corps et selon leur mode de destruction des antigènes.

Imprégnation (n. fém.) Forme d'apprentissage qui est limitée à une période précise dans la vie d'un Animal et qui est généralement irréversible.

Incus (n. masc.) Chez certains Vertébrés, deuxième des trois osselets de l'oreille moyenne qui est situé entre le malléus et le stapès. Aussi appelé *enclume.*

Indépendant de la densité (adj.) En démographie, se dit d'un taux de natalité ou de mortalité qui ne varie pas à mesure que la densité de population augmente.

Inducteur (n. masc.) Molécule spécifique qui inactive le répresseur, dans certains opérons.

Induction (n. fém.) Mécanisme par lequel les stimulus moléculaires produits par certaines cellules provoquent des changements dans les cellules cibles situées à proximité.

Infarctus du myocarde (n. masc.) Destruction du tissu musculaire cardiaque résultant de l'obstruction prolongée d'une ou des deux artères coronaires. Communément appelé *crise cardiaque.*

Inflorescence (n. fém.) Groupe de fleurs étroitement regroupées sur une même tige.

Influx nerveux (n. masc.) Changement brusque du potentiel de membrane d'une cellule excitable qui est causé par l'ouverture et la fermeture, déclenchées elles-mêmes par un stimulus, des vannes tensiodépendantes des canaux à sodium et à potassium. Aussi appelé *potentiel d'action.*

Information de positionnement (n. fém.) Ensemble des indices moléculaires destinés aux gènes responsables du développement. Indique la position de chaque cellule par rapport aux autres, pendant le développement embryonnaire.

Information sensorielle (n. fém.) Renseignement sur le monde physique entourant l'organisme et sur les processus se déroulant à l'intérieur de l'organisme que recueillent les récepteurs sensoriels, avant de le transmettre à un centre d'intégration.

Ingestion (n. fém.) Mode de nutrition de la plupart des Animaux, qui introduisent dans leur système digestif, par la bouche, d'autres organismes entiers ou en morceaux, ou des matières organiques en décomposition. Étape du traitement de la nourriture par les Animaux.

Ingestion du substrat (n. fém.) Mécanisme d'ingestion des Animaux, comme des chenilles, qui vivent sur leur source de nourriture ou à l'intérieur de celle-ci et se frayent un chemin en mangeant.

Ingestion en vrac (n. fém.) Mécanisme d'ingestion d'Animaux, comme les serpents, qui consomment des morceaux relativement gros de nourriture, voire des proies entières.

Ingestion par aspiration (n. fém.) Mécanisme d'ingestion d'un Animal, comme un moustique, qui aspire des liquides riches en nutriments, chez des hôtes vivants.

Ingestion par filtration (n. fém.) Mécanisme d'ingestion des Animaux aquatiques, comme les palourdes et les Cétacés à fanons, qui se nourrissent de matières en suspension, c'est-à-dire qui filtrent les particules d'aliments contenues dans l'eau.

Inhibiteur compétitif (n. masc.) Substance qui réduit la productivité d'une enzyme en s'introduisant dans son site actif à la place du substrat auquel elle ressemble.

Inhibiteur non compétitif (n. masc.) Substance qui entrave les réactions enzymatiques en se liant à une partie de l'enzyme éloignée du site actif. Déformée, la molécule d'enzyme ne peut alors plus se lier au substrat.

Inhibition de contact (n. fém.) Phénomène, observé dans une culture de cellules animales normales, par lequel un entassement de cellules inhibe la division de celles-ci.

Inhibition latérale (n. fém.) Dans le fonctionnement de l'œil des Vertébrés, processus d'intégration qui rend les contours plus nets et améliore le contraste de l'image en inhibant les récepteurs situés à côté de ceux qui ont réagi à la lumière.

Inositol triphosphate – IP_3 (n. masc.) Second messager qui est produit par l'hydrolyse d'un phosphoglycérolipide de la membrane plasmique et qui joue le rôle d'intermédiaire entre certaines hormones non stéroïdiennes et ce qui pourrait être considéré comme un troisième messager, pour provoquer une augmentation de la concentration cytoplasmique des ions Ca^{2+}.

Insertion (n. fém.) Mutation correspondant à l'ajout d'une ou de plusieurs paires de nucléotides dans un gène.

Insuline (n. fém.) Hormone qui est sécrétée par les cellules endocrines des îlots pancréatiques. Fait diminuer la concentration de glucose sanguin en ordonnant à presque toutes les cellules de l'organisme d'absorber le glucose sanguin et à celles du foie de synthétiser et d'emmagasiner le glycogène.

Intégration (n. fém.) Traitement de l'information par le système nerveux central.

Intégrine (n. fém.) Protéine réceptrice qui est enchâssée dans la membrane plasmique. Réunit la matrice extracellulaire et le cytosquelette.

Intensité (n. fém.) Caractère d'un son qui est déterminé par l'amplitude de l'onde sonore.

Interaction hydrophobe (n. fém.) Résultat de l'action des molécules d'eau, qui établissent des liaisons hydrogène entre elles et avec les parties hydrophiles de la protéine et poussent ainsi les substances non polaires les unes vers les autres.

Interférence par ARN (n. fém.) Méthode de blocage de l'expression de gènes qui consiste à déclencher la dégradation de l'ARN messager ou l'inhibition de sa traduction au moyen de molécules d'ARN bicaténaires artificielles dont la séquence correspond à celle du gène visé.

Interféron (n. masc.) Protéine aux fonctions antivirales ou immunitaires régulatrices. L'interféron alpha et l'interféron bêta, que sécrètent des cellules infectées par un Virus, aident les cellules adjacentes à résister au Virus ; l'interféron gamma, sécrété par les lymphocytes T, aide à activer les macrophages.

Interneurone (n. masc.) Cellule nerveuse du système nerveux central qui se situe entre un neurone sensitif et un neurone moteur.

Intérocepteur (n. masc.) Récepteur sensoriel animal qui capte les stimulus provenant du milieu interne, tels que la pression artérielle et la position du corps.

Interphase (n. fém.) Phase du cycle cellulaire pendant laquelle la cellule ne se divise pas. Représente généralement 90 % de la durée du cycle. Pendant l'interphase, l'activité métabolique est élevée, la cellule croît (phases G_1, S et G_2) et copie ses chromosomes (phase S) en préparation de la division cellulaire.

Intestin grêle (n. masc.) Segment le plus long du tube digestif. C'est dans l'intestin grêle que se font la majeure partie de l'hydrolyse enzymatique des macromolécules alimentaires et la majeure partie de l'absorption des éléments nutritifs dans le sang.

Intron (n. masc.) Segment d'ADN non codant situé à l'intérieur de la séquence codante d'un gène, dans la cellule eucaryote.

Invagination (n. fém.) Processus au cours duquel les cellules embryonnaires s'aplatissent légèrement et forment une plaque végétative qui se replie vers l'intérieur, pendant la gastrulation, chez les Animaux.

Inversion (n. fém.) Aberration chromosomique attribuable à une erreur au cours de la méiose ou à des mutagènes. Survient lorsque, après une cassure, un fragment chromosomique se rattache à son chromosome d'origine, mais à l'envers.

Inversion du champ magnétique terrestre (n. fém.) Changement de polarité du champ magnétique de la Terre.

Invertébrés (n. masc.) Animaux dépourvus de colonne vertébrale.

Involution (n. fém.) Au cours du développement embryonnaire de la grenouille, mécanisme par lequel les cellules de la surface s'enfoncent à l'intérieur de l'embryon en basculant par-dessus la bordure de la lèvre dorsale du blastopore.

Ion (n. masc.) Atome (ou molécule) chargé, qui a gagné ou perdu au moins un électron (p. ex. : Na^+, Cl^-, Ca^{2+}).

Ion hydroxyde – OH^- (n. masc.) Molécule d'eau qui a perdu un proton (H^+).

Ion monoatomique (n. masc.) Ion constitué d'un seul atome (p. ex. : Na^+).

Ion polyatomique (n. masc.) Molécule (groupe d'atomes liés) portant une charge électrique (p. ex. : SO_4^{2-}).

Iris (n. masc.) Dans l'œil des Vertébrés et de certains Invertébrés, partie antérieure de la choroïde. A une forme de beignet et donne sa couleur à l'œil. En changeant de dimension, règle la quantité de lumière qui arrive dans la pupille.

Isolement reproductif (n. masc.) Ensemble des facteurs biologiques qui empêchent des individus de deux espèces de produire des hybrides viables et féconds.

Isomères (n. masc.) Composés ayant la même formule moléculaire mais une configuration et des propriétés différentes.

Isomères de structure (n. masc.) Composés qui possèdent la même formule moléculaire mais qui diffèrent par la disposition de leurs liaisons covalentes.

Isomères géométriques (n. masc.) Composés qui possèdent la même formule moléculaire et le même ensemble de liaisons covalentes, mais dont certains atomes ou groupes d'atomes n'occupent pas la même position.

Isomères optiques (n. masc.) Composés qui possèdent la même formule moléculaire et qui forment une image en miroir.

Isomorphe (adj.) Dans l'alternance de générations chez les Végétaux et certaines Algues, caractérise les générations dans lesquelles le sporophyte et le gamétophyte semblent identiques mais ne possèdent pas le même nombre de chromosomes.

Isopodes (n. masc.) L'un des groupes de Crustacés les plus nombreux, qui comprend des espèces terrestres, aquatiques et marines. Parmi les Isopodes terrestres se trouvent les cloportes.

Isotoniques (adj.) Qualifie deux solutions ayant la même concentration de solutés.

Isotope (n. masc.) L'une des nombreuses formes atomiques d'un élément. Chaque isotope contient un nombre particulier de neutrons et a par conséquent une masse atomique propre (p. ex.: ^{12}C, ^{13}C et ^{14}C sont trois isotopes du carbone).

Itéroparité (n. fém.) Cycle biologique pendant lequel des adultes produisent des descendances nombreuses sur une période de plusieurs années. Aussi appelée *reproduction répétée.*

Jonction ouverte – jonction communicante (n. fém.) Canal reliant le cytoplasme de cellules animales voisines. Laisse passer de petits ions et de petites molécules.

Jonction serrée (n. fém.) Jonction entre les cellules animales qui empêche le liquide extracellulaire de passer entre deux cellules.

Joule – J (n. masc.) Unité de mesure servant à quantifier toute énergie. Un joule équivaut à 0,239 cal.

Kinase cycline-dépendante – Cdk (n. fém.) Protéine kinase qui joue un rôle dans la régulation du cycle cellulaire et qui n'est active que lorsqu'elle est liée à une cycline particulière.

Kinétochore (n. masc.) Structure constituée de protéines et de certaines portions d'ADN du centromère à laquelle s'attachent des microtubules du fuseau de division.

Kinétoplastidés (n. masc.) Groupe de Protistes symbiotiques, appartenant aux Euglénobiontes, dont fait partie *Trypanosoma*, qui possèdent une seule mitochondrie volumineuse associée à un seul organite, le kinétoplaste, qui contient l'ADN extranucléaire.

Krill (n. masc.) Groupe de Crustacés ressemblant à des crevettes de 3 cm de longueur. Principale source alimentaire de nombreuses espèces de baleines.

Kyste (n. masc.) Cellule résistante en laquelle se transforment de nombreux Protistes pour survivre à des conditions extrêmes.

Lac eutrophe (n. masc.) Lac peu profond et riche en matières nutritives. Son phytoplancton est très productif et ses eaux sont troubles.

Lactation (n. fém.) Chez les Mammifères, production et sécrétion de lait par les glandes mammaires.

Lamelle moyenne (n. fém.) Mince couche riche en polysaccharides adhésifs appelés *pectines* qui se trouve entre les parois primaires des jeunes cellules végétales voisines.

Lamina nucléaire (n. fém.) Revêtement qui tapisse la face interne de l'enveloppe nucléaire. Se compose d'un entrelacement de filaments protéiques grâce auquel le noyau acquiert sa forme.

Langue (n. fém.) Organe annexe du système digestif qui sert à goûter les aliments et qui participe à la digestion mécanique.

Larve (n. fém.) Forme sexuellement immature qui vit à l'état libre, dans quelques cycles de développement animaux. Sa morphologie, ses besoins nutritifs et son habitat diffèrent parfois de ceux de l'Animal adulte.

Larve trochophore (n. fém.) Stade de larve ciliée observé chez certains Invertébrés, dont quelques Annélides marins et certains Mollusques.

Larynx (n. masc.) Partie supérieure du système respiratoire de certains Vertébrés. Organe de phonation renfermant les cordes vocales.

Latéralisation (n. fém.) Dominance des fonctions dans le cortex de l'hémisphère gauche ou droit du cerveau.

Lenticelle (n. fém.) Ouverture, en des endroits localisés, du périderme des plantes. Permet aux cellules vivantes situées à l'intérieur du tronc d'effectuer des échanges respiratoires avec l'air ambiant.

Lépidosauriens (n. masc.) Groupe des Reptiles constitué des lézards, des serpents et de deux espèces animales néo-zélandaises appelées *tuataras.*

Leptine (n. fém.) Hormone produite par les cellules adipeuses qui supprime l'appétit quand sa concentration augmente.

Létale au stade embryonnaire (adj.) Qualifie une mutation qui produit un phénotype conduisant à la mort d'un embryon ou d'une larve.

Leucocyte (n. masc.) Élément figuré du sang de certains Invertébrés et des Vertébrés dont la fonction consiste à lutter contre les agents pathogènes et les cellules cancéreuses. Communément appelé *globule blanc.*

Lèvre dorsale (n. fém.) Au début de la gastrulation, chez les Amphibiens, petit repli, attribuable à l'invagination d'un groupe de cellules, qui se forme et se développe sur le côté de la blastula, là où se trouvait le croissant gris sur le zygote.

Levures (n. fém.) Eumycètes unicellulaires qui vivent en milieu humide et se reproduisent par voie asexuée, par simple division cellulaire ou bourgeonnement des cellules parentales.

Liaison chimique (n. fém.) Force d'attraction entre deux atomes résultant de la mise en commun des électrons périphériques ou de la présence de charges de signes opposés dans les atomes. Par cette mise en commun, les atomes liés remplissent leur dernier niveau énergétique.

Liaison covalente (n. fém.) Liaison chimique forte entre deux atomes qui mettent en commun une ou plusieurs paires d'électrons de valence.

Liaison covalente non polaire (n. fém.) Type de liaison covalente dans lequel les électrons se répartissent également entre deux atomes de même électronégativité (p. ex.: entre deux atomes d'hydrogène ou deux atomes d'oxygène).

Liaison covalente polaire (n. fém.) Liaison covalente entre deux atomes d'électronégativité différente. Les électrons qui font la liaison sont davantage attirés par l'atome qui est le plus électronégatif. Ainsi, celui-ci a une charge partielle négative, tandis que l'autre atome a une charge partielle positive (p. ex.: entre l'atome d'oxygène et les deux atomes d'hydrogène dans la molécule d'eau).

Liaison génétique (n. fém.) Mode de transmission des gènes liés.

Liaison glycosidique (n. fém.) Liaison covalente qui se forme entre deux monosaccharides au cours d'une réaction de condensation.

Liaison hydrogène (n. fém.) Liaison chimique faible se produisant lorsqu'un atome d'hydrogène déjà lié par covalence à un atome électronégatif subit l'attraction d'un autre atome électronégatif. Se produit le plus souvent entre l'hydrogène et l'oxygène ou entre l'hydrogène et l'azote.

Liaison ionique (n. fém.) Liaison chimique produite par l'attraction entre des ions de charges opposées (p. ex.: entre Na^+ et Cl^- pour former le composé NaCl).

Liaison peptidique (n. fém.) Liaison covalente qui s'établit entre deux acides aminés au cours d'une réaction de condensation.

Lichen (n. masc.) Groupe symbiotique fondé sur le mutualisme entre un Eumycète et une Chlorophycée photosynthétique (Algue verte) ou une Cyanobactérie.

Ligament (n. masc.) Bande de tissu conjonctif dense régulier qui relie des os, des cartilages et des viscères.

Ligand (n. masc.) Molécule qui se lie spécifiquement à un site récepteur situé sur une autre molécule.

Ligature des trompes (n. fém.) Méthode de contraception chez la femme. Opération qui consiste à cautériser ou à lier une section des trompes utérines afin d'empêcher la progression des ovocytes matures jusqu'à l'utérus.

Lignage (n. masc.) Diagramme d'un arbre généalogique qui représente les relations entre parents et enfants d'une génération à l'autre.

Ligne M (n. fém.) Dans les muscles squelettiques des Vertébrés, raie verticale sombre qui est constituée de brins de myosine reliant les myofilaments épais et parallèles, et qui divise la strie H en deux.

Ligne primitive (n. fém.) Au début du développement des Cordés, sillon qui se forme à la surface d'un nouvel embryon et qui deviendra l'axe antéropostérieur.

Ligne Z (n. fém.) Extrémité du sarcomère, dans les muscles squelettiques des Vertébrés.

Lignée cellulaire (n. fém.) Ensemble des générations de cellules du zygote jusqu'à l'adulte.

Lignée pure (n. fém.) Groupe d'individus n'engendrant que des descendants de la même variété pour un caractère particulier.

Lignine (n. fém.) Polymère phénolique enchâssé dans la matrice cellulosique de la paroi cellulaire des Vasculaires et qui constitue une adaptation importante pour le support des plantes terrestres.

Limbe (n. masc.) Région principale, large et aplatie, de la feuille des plantes.

Limon argilosableux (n. masc.) Sol le plus fertile (aussi appelé *terre franche* au Québec). Se compose d'un mélange, en quantités à peu près égales, de sable, de limon (particules de taille intermédiaire) et d'argile.

Lipides (n. masc.) Classe de composés organiques généralement insolubles dans l'eau, dont font partie les graisses, les phosphoglycérolipides et les stéroïdes.

Lipoprotéine de faible masse volumique (n. fém.) Particule composée de milliers de molécules de cholestérol et d'autres lipides entourés d'une couche simple de phospholipides dans lesquels des protéines sont encastrées. Les lipoprotéines de ce type transportent plus de cholestérol que les lipoprotéines de forte masse volumique, et un taux sanguin élevé de ces lipoprotéines correspond à une augmentation du risque d'obstruction vasculaire et de cardiopathie.

Lipoprotéine de forte masse volumique – HDL (n. fém.) Particule composée de milliers de molécules de cholestérol et d'autres lipides liés à une protéine. Transporte moins de cholestérol qu'une lipoprotéine de faible masse volumique. Est associée à une diminution des risques de blocage des vaisseaux sanguins.

Liquide cérébrospinal (n. masc.) Chez les Vertébrés, liquide qui se trouve dans les ventricules cérébraux et les cavités de la moelle épinière et qui est issu de la filtration du sang dans l'encéphale. Protège contre les infections, nourrit et fait office d'amortisseur pour protéger l'encéphale et la moelle épinière contre les chocs.

Liquide interstitiel (n. masc.) Milieu interne dans lequel baignent les cellules des Vertébrés.

Lit capillaire (n. masc.) Réseau de capillaires qui infiltre tous les organes et les tissus.

Lobe antérieur de l'hypophyse (n. masc.) Portion de l'hypophyse qui se développe à partir de tissu non neuronal. Constitué de cellules endocrines qui synthétisent plusieurs hormones tropiques (stimulines) et non tropiques. Aussi appelé *adénohypophyse*.

Lobe postérieur de l'hypophyse (n. masc.) Prolongement de l'hypothalamus composé de cellules nerveuses qui emmagasine de façon temporaire et libère l'ocytocine et l'hormone antidiurétique, produites par l'hypothalamus. Aussi appelé *neurohypophyse*.

Locomotion (n. fém.) Déplacement actif d'un lieu à un autre.

Locus (n. masc.) Emplacement exact d'un gène sur un chromosome.

Loi de Hardy-Weinberg (n. fém.) Loi selon laquelle les fréquences alléliques du patrimoine génétique d'une population restent constantes de génération en génération, à moins qu'elles ne subissent les effets de facteurs autres que la ségrégation mendélienne et la recombinaison d'allèles. Voir aussi *Équilibre de Hardy-Weinberg*.

Loi de l'assortiment indépendant des caractères (n. fém.) Deuxième loi de Mendel, selon laquelle les paires d'allèles sont indépendantes les unes des autres et se séparent de manière aléatoire au moment de la formation des gamètes. Loi qui s'applique quand les allèles correspondant à deux ou plusieurs caractères sont situés sur différentes paires de chromosomes homologues.

Loi mendélienne de la ségrégation (n. fém.) Première loi de Mendel, selon laquelle les deux allèles du gène que possède un individu se séparent au cours de la formation des gamètes.

Longueur d'onde (n. fém.) Distance qui sépare deux crêtes d'ondes électromagnétiques.

Lophophore (n. masc.) Appendice de nutrition circulaire ou en forme de fer à cheval qui est recouvert d'une couronne de tentacules ciliés entourant la bouche.

Lophophoriens (n. masc.) Groupe d'Animaux comprenant les Ectoproctes, les Phoronidiens et les Brachiopodes. Animaux qui possèdent tous une structure appelée *lophophore*.

Lophotrochozoaires (n. masc.) Groupe de phylums faisant partie des Protostomiens et qui, selon certains taxinomistes, forment un clade, caractérisé par la présence de lophophore ou d'une larve trochophore.

Lumière visible (n. fém.) Segment du spectre électromagnétique que l'œil humain interprète comme des couleurs ; bande de longueurs d'onde comprises entre 380 et 720 nm.

Lycophytes (n. masc.) Embranchement des Vasculaires sans graines qui comprend les Lycopodes, les Sélaginelles et les Isoètes.

Lymphe (n. fém.) Liquide incolore du système lymphatique des Vertébrés.

Lymphocyte B (n. masc.) Chez les Vertébrés, type de lymphocyte qui parvient à maturité dans la moelle osseuse. Après avoir rencontré un antigène, les lymphocytes B se différencient en cellules plasmatiques sécrétrices d'anticorps, qui sont des cellules effectrices de l'immunité humorale.

Lymphocyte T (n. masc.) Type de leucocyte qui est responsable de l'immunité à médiation cellulaire. Les lymphocytes qui se développent dans la moelle osseuse sont appelés *lymphocytes B*, tandis que ceux qui se développent dans le thymus se nomment *lymphocytes T*.

Lymphocyte T auxiliaire – T_A (n. masc.) Type de lymphocyte qui, quand il est activé, sécrète des cytokines qui accroissent la réaction des lymphocytes B (immunité humorale) et des lymphocytes T cytotoxiques (immunité à médiation cellulaire) aux antigènes.

Lymphocyte T cytotoxique – T_C (n. masc.) Type de lymphocyte qui, lorsqu'il est activé, réagit aux molécules du CMH de classe I et qui tue les cellules cancéreuses, les cellules transplantées et les cellules de l'organisme infectées par des Virus ou par d'autres agents pathogènes intracellulaires.

Lymphocytes (n. masc.) Globules blancs qui produisent deux types de réponses immunitaires.

Lysosome (n. masc.) Sac membraneux rempli d'enzymes hydrolytiques et présent dans le cytoplasme des Eucaryotes. Digère des macromolécules et parfois certains organites de la cellule.

Lysozyme (n. masc.) Enzyme antimicrobienne animale contenue dans la salive, les larmes et les sécrétions des muqueuses.

Macroclimat (n. masc.) Variations climatiques considérées sur une grande échelle. Climat d'une région entière.

Macroévolution (n. fém.) Changement évolutif qui touche plusieurs espèces. Comprend l'apparition de développements évolutifs importants, comme le vol, qui servent à définir de nouveaux groupes taxinomiques. Comparer avec *microévolution.*

Macromolécule (n. fém.) Molécule organique colossale constituée de milliers d'atomes unis par des liaisons covalentes (p. ex.: protéine, cellulose).

Macrophage (n. masc.) Cellule amiboïde qui parcourt le dédale de fibres du tissu conjonctif aréolaire dans le but de détruire par phagocytose les agents pathogènes et les débris de cellules mortes. Intervient dans l'immunité naturelle en détruisant les microbes et dans l'immunité acquise en agissant comme cellule présentatrice d'antigène. Aussi appelé *macrophagocyte.*

Macrophagocyte (n. masc.) Voir *Macrophage.*

Macula (n. fém.) Centre du champ visuel de l'œil des humains; région de la rétine qui est privée de bâtonnets et qui possède la plus forte densité de cônes.

Magnoliidées (n. fém.) Clade de plante à fleurs qui a évolué après les Angiospermes basales, mais avant les Monocotylédones et les Eudicotylédones. Parmi celles qui existent encore, on compte les magnolias et le poivrier noir.

Maladie auto-immune (n. fém.) Maladie causée par des réactions du système immunitaire contre les molécules du soi.

Maladie cardiovasculaire (n. fém.) Affection touchant le cœur et les vaisseaux sanguins chez l'humain.

Maladie d'Alzheimer (n. fém.) Démence liée à l'âge (détérioration mentale) qui se caractérise par la confusion, la perte de mémoire et d'autres symptômes.

Maladie de Parkinson (n. fém.) Trouble moteur qui est causé par une affection cérébrale progressive et qui se caractérise par une difficulté à amorcer des mouvements, la lenteur des mouvements et la rigidité.

Maladie de Tay-Sachs (n. fém.) Maladie mortelle des homozygotes récessifs qui fabriquent une enzyme défectueuse ne réussissant pas à métaboliser un certain type de lipides (gangliosides) dans le cerveau. Se manifeste quelques mois après la naissance par des crises convulsives, la cécité et une dégénérescence des capacités motrices et mentales.

Malléus (n. masc.) Chez certains Vertébrés, premier des trois osselets de l'oreille moyenne qui est en contact avec la membrane du tympan. Aussi appelé *marteau.*

Malnutrition (n. fém.) Régime alimentaire animal qui ne fournit pas un ou plusieurs éléments nutritifs essentiels.

Mammifères (n. masc.) Classe de Vertébrés endothermes qui possèdent des glandes mammaires et des poils.

Mandibule (n. fém.) Chacune des mâchoires présentes chez les Myriapodes, les Hexapodes et les Crustacés.

Manteau (n. masc.) Chez les Mollusques, tunique de tissu recouvrant la masse viscérale et pouvant sécréter une coquille.

Marsupiaux (n. masc.) Mammifères, tels les koalas, les kangourous, les bandicoots et les opossums, dont les petits, pour la plupart des espèces, terminent leur développement fœtal dans une poche ventrale maternelle appelée *marsupium.*

Masse atomique (n. fém.) Masse totale d'un atome, qui équivaut à la masse en grammes de une mole de cet atome.

Masse atomique moyenne (n. fém.) Moyenne pondérée des masses atomiques des isotopes d'un élément.

Masse moléculaire (n. fém.) Somme des masses de tous les atomes dans une molécule. Parfois appelée *poids moléculaire.*

Masse viscérale (n. fém.) Chez les Mollusques, masse contenant la plupart des organes internes.

Mastocyte (n. masc.) Cellule présente dans le tissu conjonctif qui produit l'histamine et d'autres molécules qui déclenchent la réaction inflammatoire.

Matière (n. fém.) Tout ce qui occupe un espace et possède une masse.

Matières fécales (n. fém.) Résidus de la digestion.

Matrice extracellulaire (n. fém.) Substance que sécrètent les cellules animales et qui est composée de protéines et de polysaccharides. Joue un rôle dans le soutien structural, l'adhérence, le mouvement et la régulation de la cellule.

Matrice mitochondriale (n. fém.) Compartiment de la mitochondrie qui est situé dans l'espace délimité par la membrane interne; renferme les enzymes et les substrats nécessaires au cycle de l'acide citrique.

Maturation (n. fém.) Processus par lequel un comportement peut s'améliorer lorsque le système neuromusculaire se développe.

Maturation de l'ARN (n. fém.) Remaniement (spécifique aux Eucaryotes) de l'ARN prémessager, avant sa sortie du noyau sous forme d'ARNm.

Mécanisme de régulation du cycle cellulaire (n. masc.) Mécanisme faisant intervenir un ensemble de molécules qui, de manière cyclique, déclenchent et coordonnent les événements clés du cycle.

Mécanorécepteur (n. masc.) Type de récepteur sensoriel qui perçoit les déformations physiques attribuables à des phénomènes représentant tous des formes d'énergie mécanique, tels que la pression, le toucher, l'étirement, le mouvement corporel et le mouvement de l'air, de l'eau ou du sol.

Médulla rénale (n. fém.) Région interne du rein des Vertébrés, qui est située sous le cortex rénal.

Mégapascal – MPa (n. masc.) Unité de pression équivalant à une pression de 10 atmosphères environ.

Mégaphylle (n. fém.) Grande feuille des plantes vasculaires actuelles qui renferme un réseau vasculaire très ramifié.

Mégaspore (n. fém.) Spore produite par le sporophyte d'une plante hétérosporée. Devient un gamétophyte femelle.

Méiose (n. fém.) Division cellulaire en deux étapes des organismes à reproduction sexuée. Produit des cellules filles non identiques et contenant deux fois moins de chromosomes que la cellule mère.

Méiose I (n. fém.) Première des deux étapes de la division cellulaire des organismes à reproduction sexuée. Produit une séparation des chromosomes homologues et des cellules filles contenant deux fois moins de chromosomes que la cellule mère.

Méiose II (n. fém.) Seconde des deux étapes de la division cellulaire des organismes à reproduction sexuée. Produit une séparation des chromatides sœurs.

Mélatonine (n. fém.) Hormone sécrétée par le corps pinéal et qui assure la régulation des fonctions associées à la luminosité et à la photopériode.

Membrane basale (n. fém.) Couche compacte de la matrice extracellulaire sur laquelle reposent les cellules situées à la base d'un épithélium.

Membrane de fécondation (n. fém.) Membrane vitelline qui a durci à l'aide d'enzymes et qui empêche la pénétration de tout autre spermatozoïde, après la fusion de la membrane plasmique de l'ovocyte de deuxième ordre avec celle d'un premier spermatozoïde, au cours de la fécondation.

Membrane du tympan (n. fém.) Limite entre l'oreille externe et l'oreille moyenne.

Membrane extraembryonnaire (n. fém.) L'une des quatre enveloppes spécialisées (le sac vitellin, l'amnios, le chorion et l'allantoïde) qui protègent l'embryon des Reptiles (y compris les Oiseaux) et des Mammifères et qui permettent les échanges gazeux, l'entreposage des déchets et le transfert des nutriments mis en réserve.

Membrane plasmique (n. fém.) Enveloppe extérieure de la cellule, constituée de phosphoglycérolipides et de protéines, qui tient lieu de barrière sélective et qui joue un rôle dans la composition chimique de la cellule.

Membrane présynaptique (n. fém.) Membrane plasmique du corpuscule nerveux terminal qui fait face à la fente synaptique, dans une synapse chimique.

Membrane vacuolaire (n. fém.) Dans une cellule végétale, membrane qui recouvre la vacuole centrale, séparant ainsi le cytosol du contenu de la vacuole, appelé *suc cellulaire.* Aussi appelée *tonoplaste.*

Mémoire à court terme (n. fém.) Capacité des Animaux les plus évolués à conserver l'information, les attentes et les objectifs pendant un certain temps, puis à cesser de les retenir quand ils sont devenus inutiles.

Mémoire à long terme (n. fém.) Capacité des Animaux les plus évolués de conserver, d'associer et de se rappeler certains éléments d'information durant toute la vie.

Ménopause (n. fém.) Période où l'ovulation et la menstruation s'arrêtent (entre l'âge de 46 et 54 ans).

Menstruation (n. fém.) Dans le cycle menstruel, saignement qui se produit lorsque la couche fonctionnelle de l'endomètre se détache de l'utérus et sort par le col utérin et le vagin.

Méristème (n. masc.) Tissu végétal qui reste embryonnaire durant toute la vie des plantes et permet ainsi une croissance indéfinie.

Méristème apical (n. masc.) Tissu végétal embryonnaire qui est situé à l'extrémité des racines et dans les bourgeons des pousses et qui fournit à la plante les cellules nécessaires à la croissance en longueur.

Méristème latéral (n. masc.) Méristème qui épaissit les racines et les pousses des plantes ligneuses. Le cambium libéroligneux et le phellogène sont des méristèmes latéraux.

Mésencéphale (n. masc.) (1) L'une des trois régions embryonnaires de l'encéphale qui ont été produites au cours de l'évolution des Vertébrés. (2) Partie inférieure de l'encéphale des Vertébrés qui est située au-dessus du pont. Renferme les centres de perception et d'intégration de plusieurs types d'information sensorielle.

Mésentère (n. masc.) Feuillet de tissu conjonctif reliant de nombreux organes suspendus dans des cavités remplies de liquide, chez les Animaux.

Mésoderme (n. masc.) Feuillet embryonnaire qui est situé entre l'endoderme et l'ectoderme et qui donne naissance à la corde dorsale, à la muqueuse du cœlome, aux muscles, au squelette, aux gonades, aux reins et à la plus grande partie du système cardiovasculaire.

Mésoglée (n. fém.) Couche gélatineuse qui sépare les deux feuillets de cellules, dans le corps des Éponges.

Mésophylle (n. masc.) Tissu fondamental de la feuille qui est situé entre l'épiderme supérieur et l'épiderme inférieur et qui est spécialisé dans la photosynthèse.

Mésophylle lacuneux (n. masc.) Couche de cellules photosynthétiques espacées située sous le tissu palissadique de la feuille.

Mésophylle palissadique (n. masc.) Couche de cellules photosynthétiques de forme allongée qui recouvre la partie supérieure de la feuille. Aussi appelé *tissu palissadique.*

Métabolisme (n. masc.) Ensemble des réactions biochimiques d'un organisme, comprenant des voies cataboliques et des voies anaboliques.

Métabolisme basal (n. masc.) Vitesse du métabolisme d'un endotherme qui est au repos, a l'estomac vide et ne subit aucun stress.

Métabolisme standard (n. masc.) Vitesse du métabolisme d'un ectotherme qui est au repos et à jeun, et ne subit aucun stress.

Métamonadines (n. fém.) Groupe de Protistes dépourvus de mitochondries mais possédant tout de même des gènes mitochondriaux dans leur génome. En font partie les Diplomonadines (microorganismes pluriflagellés dont le plus connu est un parasite de l'intestin chez l'humain, *Giardia lamblia*, qui cause des crampes abdominales et une diarrhée grave).

Métamorphose (n. fém.) Changement radical que subit la larve et qui permet à un Animal d'acquérir sa forme adulte sexuellement mature.

Métamorphose complète (n. fém.) Type de développement de certains Insectes qui passent par un stade larvaire, qu'on appelle notamment *asticot* ou *chenille*, au cours duquel le corps de l'Insecte juvénile diffère complètement de celui de l'adulte.

Métamorphose incomplète (n. fém.) Type de développement de certains Insectes, comme les sauterelles, dans lequel le corps de la larve (appelée *nymphe*), bien qu'il soit plus petit et proportionné différemment, ressemble à un adulte. Une série de mues amène le jeune à ressembler de plus en plus à l'adulte, jusqu'à ce qu'il atteigne sa taille définitive.

Métanéphridies (n. fém.) Chez les Annélides, paire d'organes tubulaires excréteurs qui sont reliés à des entonnoirs ciliés, les néphrostomes, filtrant les déchets des liquides cœlomiques. Se terminent par des pores qui déversent à l'extérieur les déchets métaboliques provenant du sang et du liquide cœlomique.

Métaphase (n. fém.) Troisième phase de la mitose. Le fuseau est complet et les chromosomes, attachés à des microtubules kinétochoriens, sont tous alignés sur la plaque équatoriale.

Métastase (n. fém.) Foyer secondaire d'une affection (p. ex. : le cancer) qui s'est propagée par les vaisseaux sanguins ou lymphatiques.

Méthanogènes (n. masc.) Archéobactéries qui obtiennent de l'énergie en utilisant le dioxyde de carbone pour oxyder le dihydrogène (H_2) et produire ainsi du méthane.

Méthode naturelle (n. fém.) Méthode de contraception correspondant à l'abstinence périodique et consistant à ne pas avoir de rapports sexuels pendant la période féconde.

Micro-ARN (n. masc.) Petite molécule d'ARN simple brin qui se lie à une séquence complémentaire dans les molécules d'ARN messager et qui dirige des protéines associées pour décomposer ou prévenir la traduction de l'ARN messager cible.

Microclimat (n. masc.) Conditions climatiques d'une zone très restreinte attribuables à des variations par rapport au climat général de la région. On parle ainsi du microclimat qui existe sous une roche ou sous un tronc d'arbre qui se trouve par terre.

Microévolution (n. fém.) Modification évolutive, d'une génération à l'autre, de la constitution génétique d'une population, correspondant à la plus petite manifestation de l'évolution. Comparer avec *macroévolution.*

Microfilament (n. masc.) Cylindre composé d'actine qui est présent dans le cytoplasme de presque toutes les cellules eucaryotes. Fait partie du cytosquelette et joue, seul ou avec la myosine, un rôle dans la contraction cellulaire.

Microphylle (n. fém.) Chez les Lycophytes, petite feuille parcourue d'une seule nervure non ramifiée.

Micropyle (n. masc.) Pore dans le ou les téguments d'un ovule par où pénètre le tube pollinique.

Microscope électronique (n. masc.) Microscope qui fait passer un faisceau d'électrons à travers une préparation et qui utilise des lentilles particulières (électro-aimants). Son pouvoir de résolution est ainsi 1 000 fois plus élevé que celui du microscope photonique.

Microscope électronique à balayage – MEB (n. masc.) Microscope utilisé pour étudier les tout petits détails de la surface d'une structure cellulaire.

Microscope électronique à transmission – MET (n. masc.) Microscope utilisé pour étudier l'ultrastructure interne de lamelles très minces de cellules.

Microscope photonique – MP (n. masc.) Instrument d'optique muni de lentilles de verre qui réfractent (dévient) la lumière de façon à grossir l'image projetée dans l'œil.

Microspore (n. fém.) Spore produite par le sporophyte d'une plante hétérosporée. Devient un gamétophyte mâle.

Microsporidie (n. fém.) Parasite unicellulaire d'Animaux et de Protistes. Les comparaisons moléculaires semblent indiquer qu'elle est apparentée aux Zygomycètes.

Microtubule (n. masc.) Cylindre creux faisant partie du cytosquelette et composé de tubuline, protéine globulaire. Présent dans le cytoplasme de tous les Eucaryotes, de même que dans les cils et les flagelles.

Microvillosité (n. fém.) L'un des très nombreux appendices microscopiques qui sont situés à la surface des cellules épithéliales d'une villosité intestinale et qui augmentent considérablement la surface d'absorption.

Migration (n. fém.) Déplacement saisonnier qu'effectuent les Animaux migrateurs sur des distances relativement longues.

Milieu respiratoire (n. masc.) Source de dioxygène. L'air pour un Animal terrestre et l'eau pour un Animal aquatique.

Mimétisme batésien (n. masc.) Imitation d'une espèce au goût désagréable (espèce nocive) par une espèce au goût agréable (espèce inoffensive) pour les prédateurs.

Mimétisme müllérien (n. masc.) Ressemblance entre deux espèces au goût désagréable.

Minéralocorticoïdes (n. masc.) Groupe d'hormones qui sont sécrétées par le cortex surrénal et qui agissent sur l'équilibre des sels minéraux et de l'eau.

Minéraux (n. masc.) (1) Éléments chimiques essentiels que les Végétaux absorbent dans le sol sous forme d'ions inorganiques. (2) Nutriments inorganiques simples dont les Animaux ont besoin habituellement en très petites quantités. Les besoins en minéraux, comme les besoins en vitamines, varient d'une espèce à l'autre.

Mitochondrie (n. fém.) Organite des Eucaryotes qui constitue le site de la respiration cellulaire.

Mitose (n. fém.) Mécanisme de division cellulaire des Eucaryotes qui comprend cinq phases: la prophase, la prométaphase, la métaphase, l'anaphase et la télophase. Les chromosomes répliqués sont répartis également entre les cellules filles, et le nombre de chromosomes reste le même d'une génération à l'autre.

Mixotrophe (adj.) Qualifie les Protistes qui tirent leur énergie à la fois de la photosynthèse et de la nutrition hétérotrophe.

Modèle ascendant (n. masc.) Modèle d'organisation d'une communauté dans lequel les nutriments minéraux sont les facteurs les plus importants, parce qu'ils déterminent le nombre de plantes, lesquelles à leur tour déterminent le nombre d'herbivores, lesquels enfin déterminent le nombre de prédateurs.

Modèle de la mosaïque fluide (n. masc.) Modèle le plus acceptable de la structure des membranes. D'après ce modèle, la membrane est constituée d'une double couche fluide de phosphoglycérolipides dans laquelle flottent des protéines.

Modèle de la redondance (n. masc.) Modèle qui reprend l'hypothèse individualiste pour une communauté animale et qui explique que la plupart des espèces composant une communauté ne sont pas en étroite relation mais font partie d'un réseau vital très lâche. Selon ce modèle, une augmentation ou une diminution d'une espèce a peu d'effets sur les autres espèces de la communauté, qui ont leur rôle propre.

Modèle de la stabilité (n. masc.) Modèle qui exprime la tendance d'une communauté à atteindre et à maintenir un équilibre, c'est-à-dire à garder une composition relativement constante pour ce qui est des espèces, en dépit des perturbations.

Modèle des rivets (n. masc.) Modèle qui reprend l'hypothèse intégrée pour une communauté animale et qui explique que la plupart des espèces d'une communauté sont en étroite relation les unes avec les autres dans un réseau vital. Par conséquent, la réduction ou l'augmentation de l'abondance d'une espèce influe sur de nombreuses autres espèces.

Modèle descendant (n. masc.) Modèle d'organisation d'une communauté dans lequel la prédation est le principal facteur, parce que les prédateurs déterminent le nombre d'herbivores, lesquels à leur tour déterminent le nombre de plantes, lesquelles enfin déterminent la quantité de nutriments.

Modèle du déséquilibre (n. masc.) Modèle selon lequel les communautés, à la suite des perturbations qu'elles connaissent, sont en continuel changement.

Modèle scientifique (n. masc.) Moyen (diagramme, objet, équation, etc.) que construisent les scientifiques pour représenter des idées et des processus dans le but d'en faire un outil de travail et de communication.

Modèle semi-conservateur (n. masc.) Modèle de réplication de l'ADN selon lequel chacune des deux molécules filles doit être formée d'un brin de la molécule de départ et d'un nouveau brin.

Moelle (n. fém.) Tissu fondamental situé au cœur du tissu vasculaire dans une tige. Dans les racines de nombreues Monocotylédones, cellules parenchymateuses qui forment le cœur du cylindre vasculaire.

Moelle épinière (n. fém.) Cordon de neurones caractéristique des Animaux dotés d'une symétrie bilatérale et d'une céphalisation.

Moisissures (n. fém.) Eumycètes à croissance rapide qui se reproduisent de façon asexuée en produisant des spores et dont le mycélium vit en saprophyte ou en parasite sur une grande variété de substrats.

Mole – mol (n. fém.) Unité de mesure correspondant au nombre de grammes d'une substance qui est égal à sa masse molaire en unités de masse atomique et qui contient le nombre d'Avogadro pour les molécules.

Molécule (n. fém.) Deux atomes ou plus unis par des liaisons covalentes.

Molécule amphipathique (n. fém.) Molécule qui comprend une partie hydrophile et une partie hydrophobe.

Molécule d'adhérence cellulaire – MAC (n. fém.) Au cours de la morphogenèse et de la différenciation cellulaire, molécule qui est située à la surface des cellules et qui se lie aux molécules d'adhérence cellulaire des autres cellules, afin de faciliter la migration cellulaire et de stabiliser les tissus.

Molécule du CMH de classe I (n. fém.) Premier type de glycoprotéine du complexe majeur d'histocompatibilité qui se trouve sur presque toutes les cellules nucléées.

Molécule du CMH de classe II (n. fém.) Deuxième type de glycoprotéine du complexe majeur d'histocompatibilité qui ne se trouve que sur quelques cellules spécialisées, souvent appelées *cellules présentatrices d'antigène* (cellules dendritiques, macrophages et lymphocytes B).

Molécule polaire (n. fém.) Molécule (comme la molécule d'eau) dont les pôles présentent des charges opposées.

Mollusques (n. masc.) Embranchement d'Animaux constitués d'un pied musculeux, d'une masse viscérale et d'un manteau. Comprend huit classes, dont les Polyplacophores (chitons), les Gastéropodes (escargots et limaces), les Bivalves (palourdes, huîtres, etc.) et les Céphalopodes (calmars, pieuvres et nautiles).

Monocotylédones (n. masc.) Sous-groupe des Angiospermes dont les membres ne possèdent qu'une feuille embryonnaire, appelée *cotylédon*. Portent des feuilles parallélinerves, c'est-à-dire des feuilles dont les nervures principales sont disposées dans le sens de la longueur, convergent à la base et au sommet du limbe, et sont grossièrement parallèles.

Monoculture (n. fém.) Culture intensive d'une seule variété s'étendant sur une immense surface.

Monocyte (n. masc.) Type de leucocyte capable de migrer dans les tissus où il augmente de taille et se transforme en macrophage.

Monogame (adj.) Se dit d'une relation entre Animaux dans laquelle un mâle s'accouple de façon durable avec une seule femelle.

Monohybride (n. masc.) Hybride de génération F_1 issu d'un croisement expérimental portant sur un seul caractère.

Monoïque (adj.) Se dit d'une espèce d'Angiosperme qui, comme le pin, présente des fleurs staminées et des fleurs pistillées sur un même individu.

Monomère (n. masc.) Unité structurale de base des polymères (p. ex: un acide aminé est un monomère des protéines).

Monophylétique (adj.) Se dit d'un groupe d'espèces quand un ancêtre unique a donné naissance à toutes les espèces du taxon et à aucune autre espèce. Clade.

Monosaccharide (n. masc.) Glucide le plus simple, qui peut jouer un rôle par lui-même ou entrer comme monomère dans la composition d'un disaccharide ou d'un polysaccharide. Possède habituellement une formule moléculaire qui est un multiple de CH_2O.

Monosomique (adj.) Qualifie un zygote aneuploïde contenant un seul chromosome d'une paire d'homologues.

Monotrèmes (n. masc.) Mammifères qui pondent des œufs semblables à ceux des Reptiles sur les plans de la structure et du développement. L'ornithorynque et les échidnés en sont les seuls représentants.

Monoxyde d'azote – NO (n. masc.) Gaz que produisent de nombreux types de cellules et qui agit comme régulateur local, neurotransmetteur et agent antibactérien.

Morphogène (n. masc.) Substance dont le gradient fixe l'orientation des axes de l'embryon et d'autres caractéristiques de sa forme.

Morphogenèse (n. fém.) Ensemble des mécanismes physiques qui déterminent la forme d'un organisme et l'organisation de sa structure au cours de son développement.

Morphologie (n. fém.) Forme extérieure qui varie peu d'un individu à l'autre de la même espèce.

Mortalité infantile (n. fém.) Nombre de décès de nourrissons par 1 000 naissances vivantes.

Morula (n. fém.) Sphère de cellules qui se forme peu après le début de la segmentation, processus qui se déroule après la fécondation, chez les Animaux.

Mousses – Muscinées (n. fém.) Embranchement des Bryophytes. Bryophytes les plus familières.

MPF – *maturation-promoting factor* (n. masc.) Complexe protéique qui permet à la cellule de passer de la fin de l'interphase (phase G_2) à la mitose. Le MPF actif se compose de deux protéines, une kinase cycline-dépendante et une cycline.

Mucoviscidose (n. fém.) Maladie héréditaire qui est létale si elle n'est pas traitée. Frappe les enfants ayant reçu deux allèles récessifs. Se caractérise par une sécrétion abondante de mucus qui contribue à l'apparition d'infections. Aussi appelée *fibrose kystique.*

Mue (n. fém.) Processus qui permet aux Arthropodes de se débarrasser de leur exosquelette pour croître et d'en sécréter un nouveau, plus grand.

Multiplication végétative (n. fém.) Mode de reproduction asexuée qui permet aux Végétaux d'engendrer des clones.

Muqueuse (n. fém.) Chez les Animaux, tissu épithélial généralement squameux, stratifié ou simple prismatique, qui tapisse les cavités du corps s'ouvrant sur l'extérieur (voies respiratoires, urinaires, génitales et tube digestif). Ses cellules sécrètent une solution visqueuse nommée *mucus* qui lubrifie la surface et la garde humide.

Muscinées – Mousses (n. fém.) Embranchement des Bryophytes. Bryophytes les plus familières.

Muscle cardiaque (n. masc.) Chez les Vertébrés, type de tissu musculaire qui forme la paroi contractile (myocarde) du cœur. Les extrémités de ses cellules sont réunies par des disques intercalaires transmettant d'une cellule cardiaque à l'autre l'influx nerveux qui provoque la contraction musculaire.

Muscle lisse (n. masc.) Chez les Vertébrés, type de tissu musculaire qui est dépourvu des stries des muscles squelettiques et du muscle cardiaque, ses myofilaments d'actine et de myosine n'étant pas tous disposés de façon régulière le long de la cellule, sous forme de sarcomères. Responsable des mouvements involontaires.

Muscle sphincter pylorique (n. masc.) Dans le tube digestif des Vertébrés, anneau musculaire qui règle le passage du chyme acide dans l'intestin.

Muscle squelettique – muscle strié (n. masc.) Faisceau de longues fibres disposées dans le sens de la longueur qui est rattaché aux os et qui produit le mouvement chez les Vertébrés et certains Invertébrés.

Muscle strié (n. masc.) Voir *Muscle squelettique.*

Mutagène (adj. et n. masc.) Agent chimique ou physique qui interagit avec l'ADN et provoque des mutations.

Mutation (n. fém.) Modification du bagage génétique d'une cellule (ou d'un Virus) qui crée la diversité génétique.

Mutation faux sens (n. fém.) Type le plus commun de mutation qui résulte de la substitution d'une paire de bases et dans laquelle les nouveaux codons codent encore pour des acides aminés et ont donc un sens, mais qui est erroné.

Mutation non-sens (n. fém.) Mutation qui résulte de la substitution d'un codon d'arrêt à un codon correspondant à un acide aminé et qui interrompt ainsi prématurément la traduction. Cela donne une protéine plus courte que la normale et généralement non fonctionnelle.

Mutation ponctuelle (n. fém.) Modification chimique touchant une ou plusieurs paires de bases azotées d'un gène.

Mutualisme (n. masc.) Relation symbiotique dont les deux symbiontes tirent profit.

Mycélium (n. masc.) Réseau d'hyphes, chez les Eumycètes.

Mycétozoaires (n. masc.) Groupe de Protistes qui décomposent des feuilles mortes et d'autres débris organiques, qui se meuvent à l'aide de pseudopodes et qui se nourrissent par absorption, mais qui ne sont ni des Eumycètes ni des Animaux.

Mycorhize (n. fém.) Association par mutualisme entre des Eumycètes et les racines de certains Végétaux.

Mycorhizes à arbuscules (n. fém.) Type de mycorhizes, caractéristique des Gloméromycètes, dans lequel les hyphes qui pénètrent les cellules des racines végétales présentent de minuscules structures ramifiées appelées *arbuscules.*

Mycose (n. fém.) Terme général sous lequel on groupe les infections fongiques.

Myofibrille (n. fém.) Sous-unité d'une fibre musculaire qui est assemblée avec d'autres dans le sens de la longueur. Est constituée de myofilaments épais de myosine, de myofilaments minces d'actine et de microfilaments de tropomyosine, une protéine régulatrice.

Myofilament (n. masc.) Microfilament mince d'actine ou filament épais de myosine qui entre dans la composition des myofibrilles, dans les muscles squelettiques des Vertébrés et de certains Invertébrés.

Myofilament épais (n. masc.) Dans les muscles squelettiques des Vertébrés et de certains Invertébrés, type de myofilament qui est composé d'ensembles décalés de molécules de myosine.

Myofilament mince (n. masc.) Le plus petit des deux types de myofilaments, dans les muscles squelettiques des Vertébrés et de certains Invertébrés. Se compose de deux brins d'actine et d'un brin de protéine régulatrice qui sont enroulés les uns autour des autres.

Myoglobine (n. fém.) Protéine de mise en réserve du dioxygène qui est présente dans les muscles des Vertébrés.

Myopathie de Duchenne (n. fém.) Maladie dont la transmission est liée au sexe et qui se caractérise par un type progressif et létal de dystrophie musculaire (affaiblissement progressif des muscles et perte de la coordination). Aussi appelée *dystrophie musculaire progressive de Duchenne.*

Myosine (n. fém.) Protéine formant des filaments. Interagit avec les microfilaments d'actine pour produire la contraction de la cellule.

Myotonie (n. fém.) Chez les Animaux, réaction physiologique d'augmentation de la tension musculaire.

Myriapode (n. masc.) Arthropode terrestre composé de nombreux segments corporels et pourvu d'une ou de deux paires de pattes par segment. Les Diplopodes et les Chilopodes constituent les deux classes de Myriapodes actuels.

Myxinoïdes (n. masc.) – **Myxines** (n. fém.) Classe du sous-embranchement des Vertébrés. Animaux marins sans mâchoires qui possèdent un crâne cartilagineux et un squelette axial (reposant sur une corde dorsale). N'ont pas de colonne vertébrale.

Myxomycètes (n. masc.) Protistes hétérotrophes, appartenant au groupe des Amibozoaires, qui sont nombreux à posséder une pigmentation brillante. Se présentent sous la forme d'un plasmode pendant le stade de croissance de leur cycle de développement.

NAD⁺ – nicotinamide adénine dinucléotide (oxydée) (n. masc.) Coenzyme qui est présente dans toutes les cellules et qui aide les enzymes à transférer les électrons au cours des réactions d'oxydoréduction du métabolisme.

NADP⁺ – nicotinamide adénine dinucléotide phosphate (n. masc.) Accepteur qui stocke temporairement les électrons riches en énergie libérés lors des réactions photochimiques.

Nématocyste (n. masc.) Vésicule des cnidocytes qui peut libérer une substance urticante.

Nématodes (n. masc.) Embranchement des Vers ronds. Animaux pseudocœlomates non segmentés qui sont recouverts d'une cuticule résistante. Possèdent un tube digestif complet, mais pas de système cardiovasculaire.

Némertes (n. fém.) Embranchement d'Animaux acœlomates possédant un proboscis, trompe qui sert à capturer les proies. Appelés parfois *Vers rubanés*.

Néocortex (n. masc.) Région la plus extérieure du cortex cérébral des Mammifères qui est constituée de six couches parallèles de neurones.

Néphron (n. masc.) Unité structurale et fonctionnelle du rein des Vertébrés.

Néphron cortical (n. masc.) Néphron qui possède une anse raccourcie et qui est presque entièrement confiné au cortex rénal.

Néphron juxtamédullaire (n. masc.) Néphron dont l'anse bien développée pénètre profondément dans la médulla rénale.

Nerf (n. masc.) Faisceau de prolongements neuronaux en forme de cordon qui est enveloppé dans du tissu conjonctif serré.

Nerf crânien (n. masc.) Nerf du système nerveux périphérique des Vertébrés qui prend naissance dans l'encéphale et qui innerve les organes de la tête et du tronc.

Nerf spinal (n. masc.) Dans le système nerveux des Vertébrés, nerf qui sort de la moelle épinière et qui innerve l'ensemble de l'organisme.

Nervure (n. fém.) Tissu conducteur des feuilles.

Neurohypophyse (n. fém.) Voir *Lobe postérieur de l'hypophyse.*

Neurolemmocyte (n. masc.) Gliocyte qui forme avec d'autres une gaine isolante de myéline autour de l'axone de nombreux neurones du système nerveux périphérique. Aussi appelé *cellule de Schwann.*

Neurone (n. masc.) Cellule nerveuse. Unité fonctionnelle du système nerveux des Animaux dont la structure et les propriétés lui permettent d'acheminer des influx nerveux en tirant profit des variations de tension de part et d'autre de sa membrane plasmique.

Neurone moteur (n. masc.) Cellule nerveuse qui achemine les influx issus de l'encéphale ou de la moelle épinière jusqu'aux cellules effectrices (musculaires ou glandulaires).

Neurone sécrétoire (n. masc.) Cellule nerveuse spécialisée qui libère une hormone dans la circulation sanguine en réponse aux signaux des autres neurones. Situé dans l'hypothalamus et dans la médulla surrénale.

Neurone sensitif (n. masc.) Cellule nerveuse qui reçoit l'information d'un récepteur sensoriel détectant les changements que connaît une variable (p. ex. : la lumière, la pression ou la concentration d'une substance chimique). Transmet cette information au système nerveux central.

Neuropeptide (n. masc.) Chaîne relativement courte d'acides aminés servant de neurotransmetteur. Il en existe une grande variété.

Neurotransmetteur (n. masc.) Médiateur chimique que libèrent les corpuscules nerveux terminaux d'un neurone dans une synapse chimique. Traverse la fente synaptique par diffusion et se lie à une cellule postsynaptique.

Neutralisation (n. fém.) Réaction immunitaire dans laquelle l'anticorps bloque certains sites de liaison de l'antigène, qu'il rend ainsi inefficace.

Neutron (n. masc.) Particule élémentaire constitutive du noyau d'un atome et n'ayant pas de charge électrique (électriquement neutre).

Niche écologique (n. fém.) Utilisation globale qu'une espèce fait des ressources biotiques et abiotiques de son milieu.

Nitrification (n. fém.) Processus par lequel les Bactéries oxydent l'ammonium présent dans le sol en nitrite (NO_2^-), puis en nitrate (aussi appelé *trioxonitrate*, NO_3^-).

Nitrogénase (n. fém.) Complexe enzymatique propre à certains Procaryotes qui catalyse la séquence complète des réactions au cours de laquelle la réduction de N_2 (diazote) conduit à la formation de NH_3 (ammoniac).

Niveau énergétique (n. masc.) État d'énergie potentielle dans lequel se trouvent les électrons d'un atome. Voir aussi *Couche électronique.*

Niveau trophique (n. masc.) Chacun des chaînons d'une chaîne alimentaire. Regroupe les espèces d'une communauté ou d'un écosystème qui ont la même source principale de nourriture. Le niveau trophique dont dépendent tous les autres est constitué d'autotrophes, ou producteurs.

Nocicepteur (n. masc.) Type de terminaison nerveuse libre qui est située dans l'épiderme de la peau des Animaux. Aussi appelé *récepteur de la douleur.*

Nodosité (n. fém.) Renflement de la racine où a lieu la fixation de l'azote chez certaines Légumineuses comme les pois ou les haricots. Se compose de cellules végétales renfermant des Bactéries fixatrices d'azote du genre *Rhizobium.*

Nœud (n. masc.) Point d'attache d'une feuille ou d'une branche le long de la tige des plantes.

Nœud auriculoventriculaire (n. masc.) Chez les Mammifères, région spécialisée du tissu musculaire cardiaque qui est située dans la paroi séparant l'oreillette droite du ventricule droit et où les influx électriques demeurent durant 0,1 s environ avant de se propager aux ventricules et de provoquer leur contraction.

Nœud lymphatique (n. masc.) Chez les Vertébrés, organe qui est situé le long des vaisseaux lymphatiques et qui filtre la lymphe et contribue à la défense de l'organisme contre des Virus et des Bactéries.

Nœud sinusal (n. masc.) Chez les Mammifères, région spécialisée du tissu musculaire cardiaque, située dans la paroi de l'oreillette droite, qui fixe la fréquence et la synchronisation des contractions de toutes les cellules du muscle cardiaque. Aussi appelé *centre rythmogène.*

Nombre d'oxydation (n. masc.) Capacité de liaison d'un atome qui est généralement égale au nombre d'électrons non liés situés dans la couche périphérique de l'atome.

Nombre de masse (n. masc.) Somme des protons et des neutrons que contient le noyau d'un atome. S'écrit au moyen d'un exposant situé à gauche du symbole de l'élément.

Nomenclature binominale (n. fém.) Nomenclature que les taxinomistes utilisent pour donner un nom à chaque espèce. Appellation formée de deux mots latins : le premier indique le genre auquel l'espèce appartient ; le second désigne l'espèce en tant que telle.

Non-disjonction (n. fém.) Absence de séparation des chromosomes homologues ou des chromatides sœurs durant la méiose ou la mitose.

Noradrénaline (n. fém.) Hormone chimiquement et fonctionnellement semblable à l'adrénaline, agissant principalement sur la pression artérielle.

Norme de réaction (n. fém.) Gamme des possibilités phénotypiques produites par un seul génotype en raison d'influences environnementales.

Noyau (n. masc.) (1) Centre d'un atome contenant les protons et les neutrons. (2) Organite d'une cellule eucaryote contenant les chromosomes. (3) Regroupement de corps de neurones dans l'encéphale des Vertébrés.

Noyau atomique (n. masc.) Centre de l'atome, contenant des protons et des neutrons.

Noyaux basaux (n. masc.) Regroupement de noyaux situés profondément dans la substance blanche de chaque hémisphère cérébral des Vertébrés. Importants centres de planification et d'apprentissage des mouvements en séquences.

Noyaux suprachiasmatiques (n. masc.) Paire de structures de l'hypothalamus mammalien qui fonctionnent comme une horloge biologique.

Nucléases (n. fém.) Famille d'enzymes pancréatiques qui hydrolysent l'ADN et l'ARN présents dans les aliments contenus dans la cavité de l'intestin grêle pour donner des nucléotides.

Nucléoïde (n. masc.) Région d'une cellule procaryote où se trouve concentré l'ADN en un enchevêtrement de fibres.

Nucléole (n. masc.) Dans le noyau d'une cellule eucaryote, masse opaque composée de granules d'ARN et de fibres. Site de la synthèse des sous-unités ribosomiques.

Nucléosome (n. masc.) Chez les Eucaryotes, unité de base de la condensation de l'ADN. Consiste en un segment d'ADN enroulé autour d'un noyau protéique, lequel se compose de deux groupes de molécules comportant chacun quatre sortes d'histones.

Nucléotidases (n. fém.) Hydrolases de la bordure en brosse de l'intestin grêle qui retirent le groupement phosphate des nucléotides, lesquels deviennent alors des nucléosides.

Nucléotide (n. fém.) Constituant d'un acide nucléique composé d'une base azotée, d'un glucide à cinq atomes de carbone et d'un groupement phosphate.

Numéro atomique (n. masc.) Nombre de protons constituant le noyau d'un atome. Propre à chaque élément, il s'écrit au moyen d'un indice situé à gauche du symbole de l'élément.

Nutriment essentiel (n. masc.) Matériau que les Animaux doivent obtenir sous forme préassemblée, parce que leurs cellules ne sont pas en mesure de le fabriquer à partir de matières brutes, quelles qu'elles soient. Chez les humains, les nutriments essentiels sont les vitamines, les minéraux, des acides aminés et des acides gras.

Nutriment limitant (n. masc.) Substance chimique qu'il faut ajouter pour stimuler la productivité d'un milieu.

Ocytocine (n. fém.) Hormone produite par l'hypothalamus et libérée par la neurohypophyse, chez les Vertébrés. Provoque la contraction des muscles utérins pendant l'accouchement et déclenche l'éjection du lait par les glandes mammaires au cours de l'allaitement.

Odorat (n. masc.) Sens qui repose sur l'existence de chimiorécepteurs qui détectent certaines substances dans le milieu. Sert à reconnaître les substances chimiques volatiles qui sont transportées par l'air, chez les Animaux terrestres.

Œil composé (n. masc.) Chez les Insectes et les Crustacés, type d'œil à facettes multiples qui comprend un grand nombre de lentilles convergentes pouvant détecter la lumière. Particulièrement efficace pour détecter le mouvement.

Œil simple (n. masc.) Œil à cristallin unique dont le mode de fonctionnement ressemble à celui d'un appareil photo. Se trouve chez les méduses, les Polychètes, les araignées et de nombreux Mollusques.

Œsophage (n. masc.) Canal qui, grâce au péristaltisme, fait passer les aliments du pharynx à l'estomac, sans leur faire subir de transformations.

Œstrogènes (n. masc.) Principales hormones sexuelles femelles qui sont synthétisées dans les ovaires par les follicules en développement, durant la première moitié du cycle utérin, et en moindre quantité par le corps jaune, durant la seconde moitié du cycle. Chez l'humain, jouent un rôle important dans le fonctionnement du système reproducteur femelle et l'apparition des caractères sexuels secondaires à la puberté.

Œstrus (n. masc.) Dans le cycle œstral que connaissent la plupart des Mammifères, période d'activité sexuelle associée à l'ovulation, le seul temps où le vagin permet l'accouplement. Aussi appelé *chaleurs.*

Oiseaux (n. masc.) Classe d'Animaux qui possèdent des plumes conçues pour le vol. Leurs œufs amniotiques et leurs pattes écailleuses attestent leur héritage reptilien. Animaux qui descendent probablement d'un groupe de petits Dinosaures carnivores.

Oligodendrocyte (n. masc.) Gliocyte qui forme avec d'autres une gaine isolante de myéline autour de l'axone de nombreux neurones du système nerveux central.

Oligosaccharine (n. fém.) Éliciteur (molécule qui induit une réaction étendue chez les Végétaux) qui est dérivé de fragments de cellulose et que libère une paroi cellulaire végétale endommagée.

Oligotrophe (adj.) Qualifie un lac profond pauvre en nutriments et riche en dioxygène. Le phytoplancton de sa zone limnétique est rare et peu productif, et ses eaux sont claires.

Ommatidie (n. fém.) Chacune des facettes de l'œil composé des Arthropodes et de certains Polychètes. Pourvue d'une cornée et d'un cristallin, reçoit la lumière provenant d'une minuscule portion du champ visuel. Les différences d'intensité lumineuse arrivant jusqu'aux nombreuses ommatidies donnent une image en mosaïque.

Omnivore (n. masc.) Animal hétérotrophe qui consomme régulièrement des Animaux, des Végétaux ou des Algues.

Oncogène (n. masc.) Gène participant directement au déclenchement d'un cancer.

Oomycètes (n. masc.) Straménopiles hétérotrophes dénués de chloroplastes. Comprennent les Saprolégniales, les Rouilles blanches et les agents du mildiou.

Opérateur (n. masc.) Dans l'ADN procaryote, séquence de nucléotides située près de l'origine d'un opéron et à laquelle un répresseur actif peut se fixer. La liaison du répresseur empêche l'ARN polymérase de se lier au promoteur et de transcrire les gènes de l'opéron.

Opercule (n. masc.) Chez les Osteichthyens, plaque osseuse qui protège les branchies.

Opéron (n. masc.) Unité fonctionnelle de gènes de structure commune aux Procaryotes et aux phages. Constitué de l'ensemble formé par les gènes, l'opérateur et le promoteur.

Opisthochontes (n. masc.) Clade constitué d'organismes pourvus d'un flagelle postérieur et comprenant les Eumycètes, les Animaux et certains Protistes.

Opsine (n. fém.) Dans l'œil des Vertébrés et de certains Invertébrés, protéine membranaire à laquelle se lie le rétinal.

Orbitale (n. fém.) Espace tridimensionnel où l'électron passe 90 % de son temps.

Ordre (n. masc.) Catégorie taxinomique située au-dessus de la famille.

Oreille externe (n. fém.) L'une des trois principales régions de l'oreille des Reptiles (y compris les Oiseaux) et des Mammifères. Comporte le pavillon, qui est situé à l'extérieur du corps, et le méat acoustique externe. Achemine les ondes sonores à la membrane du tympan.

Oreille interne (n. fém.) L'une des trois principales régions de l'oreille de certains Vertébrés. Labyrinthe de conduits et de canaux qui sont situés dans l'os temporal du crâne, qui sont enveloppés d'une membrane et dans lesquels un liquide se déplace en réponse aux sons ou aux mouvements de la tête. Comporte la cochlée, l'organe spiral et les conduits semi-circulaires.

Oreille moyenne (n. fém.) L'une des trois principales régions de l'oreille de certains Vertébrés. Cavité contenant trois osselets (petits os), le malléus, l'incus et le stapès, qui amplifient et transmettent les vibrations du tympan à la fenêtre du vestibule.

Oreillette (n. fém.) Cavité qui reçoit le sang revenant au cœur.

Organe (n. masc.) Chez la plupart des Animaux et des Végétaux, centre fonctionnel spécialisé qui est composé de différents tissus disposés selon une organisation précise.

Organe cible (n. masc.) Chez les plantes, organe qui consomme ou emmagasine les glucides. Les racines en croissance, l'extrémité des pousses axillaires et de la tige, et les fruits constituent des organes cibles que le phloème alimente en glucides.

Glossaire

Organe sensoriel de la ligne latérale (n. masc.) Organe composé de mécanorécepteurs qui sont sensibles aux variations de la pression ambiante et qui comprennent des pores et des unités réceptrices (neuromastes), le long de chaque côté du corps, chez les Poissons et les Amphibiens aquatiques. Détecte les mouvements d'eau causés par l'Animal lui-même ou d'autres objets en mouvement.

Organe source (n. masc.) Chez les plantes, siège de la production des glucides, par photosynthèse ou par hydrolyse de l'amidon. Les feuilles matures sont les principaux organes sources.

Organe spiral – organe de Corti (n. masc.) Organe de l'audition proprement dit de l'oreille de certains Vertébrés. Est situé sur le plancher du conduit cochléaire, ou lame basilaire, dans l'oreille interne. Renferme les cellules réceptrices (cellules sensorielles ciliées) de l'oreille.

Organe vestigial (n. masc.) Type de structure homologue atrophiée ayant pour l'organisme une utilité secondaire ou nulle. Représente un témoignage historique d'une structure qui remplissait une fonction importante chez les ancêtres des organismes qui le portent (p. ex.: l'appendice vermiforme, chez l'humain).

Organisme (n. masc.) Être vivant pris individuellement.

Organisme génétiquement modifié – OGM (n. masc.) Organisme dont on se sert en agriculture et auquel on a ajouté un ou plusieurs gènes par des moyens artificiels, ces gènes ne provenant pas nécessairement d'une autre espèce.

Organisme modèle (n. masc.) Être vivant qu'on choisit d'étudier pour établir les principes biologiques généraux du développement (p. ex.: la drosophile et l'arabette des dames).

Organisme transgénique (n. masc.) Organisme dont le génome contient des gènes provenant d'une autre espèce.

Organite (n. masc.) Structure cellulaire différenciée constituée d'innombrables molécules et assurant une fonction déterminée.

Organogenèse (n. fém.) Formation, à partir des trois feuillets embryonnaires, des organes de l'embryon. S'effectue au premier trimestre de la grossesse.

Orgasme (n. masc.) Ensemble des contractions rythmiques et involontaires de certaines parties du système reproducteur chez les deux sexes, pendant le cycle de la réponse sexuelle.

Origine de réplication (n. fém.) Région d'une molécule d'ADN où commence la réplication.

Oscillation (n. fém.) Relâchement des règles d'appariement des bases azotées qui permet à la troisième base (extrémité 5′) d'un anticodon d'ARNt de former des liaisons hydrogène avec plus d'une sorte de base se trouvant en troisième position (extrémité 3′) d'un codon d'ARNm.

Oscule (n. masc.) Chez les Éponges, grande ouverture qui relie le spongocœle au milieu environnant.

Osmolarité (n. fém.) Concentration molaire volumique totale des solutés, exprimée en moles de solutés par litre de solution.

Osmorégulateur (n. masc.) Animal qui doit réguler son osmolarité interne, parce que ses liquides corporels ne sont pas isotoniques avec l'environnement externe. Doit se débarrasser de l'eau excédentaire s'il vit dans un environnement hypotonique ou bien absorber de l'eau pour compenser les pertes osmotiques s'il habite dans un environnement hypertonique.

Osmorégulation (n. fém.) Processus par lequel les organismes assurent la régulation des concentrations de solutés et l'équilibre hydrique.

Osmose (n. fém.) Diffusion de l'eau à travers une membrane à perméabilité sélective.

Osmotolérant (adj.) Qualifie un Animal dont l'osmolarité interne est la même que celle du milieu. N'a pas tendance à acquérir ni à perdre de l'eau.

Ostéichthyens (n. masc.) Sous-groupe de Vertébrés pourvus de mâchoires et, en majorité, d'un squelette osseux.

Ostéoblaste (n. masc.) Cellule qui sécrète une matrice de collagène et des sels qui durcissent la matrice osseuse.

Ostéon (n. masc.) Unité structurale microscopique du tissu osseux compact chez les Mammifères.

Ovaire (n. masc.) (1) Chez les fleurs, partie du carpelle dans laquelle se développent les ovules contenant des oosphères. (2) Chez les Animaux, structure qui produit les gamètes femelles et les hormones sexuelles.

Ovipare (adj.) Se dit d'un type de développement dans lequel les femelles pondent des œufs qui vont éclore en dehors de leur corps.

Ovocyte de deuxième ordre (n. masc.) Cellule sexuelle haploïde qui interrompt son processus de division à la métaphase II de la méiose et qui devient un ovule lorsqu'un spermatozoïde la pénètre.

Ovocyte de premier ordre (n. masc.) Cellule sexuelle diploïde qui se forme pendant la prophase I de la méiose. Une fois activé par les hormones, devient un ovocyte de deuxième ordre.

Ovogenèse (n. fém.) Processus de formation d'ovocytes dans les ovaires.

Ovogonie (n. fém.) Cellule sexuelle diploïde des ovaires qui, après s'être multipliée par mitose, donne naissance aux ovocytes de premier ordre.

Ovovivipare (adj.) Se dit d'un type de développement dans lequel les femelles gardent les œufs fécondés dans l'oviducte jusqu'à l'éclosion.

Ovulation (n. fém.) Expulsion d'un ovocyte de deuxième ordre par un ovaire. Chez l'humain, un follicule ovarien libère un ovocyte de deuxième ordre à chaque cycle utérin (menstruel).

Ovule (n. masc.) (1) Chez les Plantes à graines, ensemble constitué par le tégument, le mégasporange (organe du sporophyte, siège de la méiose) et la mégaspore. (2) Chez les Animaux, gamète femelle, œuf haploïde non fécondé qui est habituellement une cellule relativement grosse et immobile.

Oxydation (n. fém.) Perte d'électrons par une substance participant à une réaction d'oxydoréduction.

Paléoanthropologie (n. fém.) Étude de l'origine et de l'évolution de l'humain.

Paléontologie (n. fém.) Science des êtres vivants ayant existé au cours des temps géologiques. Est fondée sur l'étude des fossiles.

Pancréas (n. masc.) Glande dont la fonction est double: la partie exocrine sécrète des enzymes digestives et une solution alcaline dans l'intestin grêle, par l'intermédiaire d'un conduit; la partie endocrine sécrète et libère des hormones dans le sang, l'insuline et le glucagon notamment.

Pangée (n. fém.) Mégacontinent qui s'est formé, à la fin du Paléozoïque (il y a environ 250 millions d'années), lorsque les mouvements des plaques tectoniques ont réuni tous les continents.

Papilles gustatives (n. fém.) Bouquets de cellules épithéliales modifiées qui sont situés un peu partout sur la langue et dans la bouche et qui servent de récepteurs gustatifs chez les humains.

Parabasaliens (n. masc.) Groupe de Protistes dépourvus de mitochondries comprenant les Trichomonadines (microorganismes flagellés parasites dont le plus connu, *Trichomonas vaginalis*, cause des infections vaginales).

Parabronche (n. fém.) Chacun des fins conduits des poumons des Oiseaux qui remplacent les alvéoles des Mammifères; l'air y circule dans une seule direction.

Paracrine (adj.) Se dit d'une glande ou d'une sécrétion dont l'action est locale.

Paraphylétique (adj.) Se dit d'un groupement qui contient l'espèce ancestrale et une partie seulement des descendants.

Parareptile (n. masc.) Premier groupe important de Reptiles, la plupart des herbivores quadrupèdes massifs. Est disparu au cours de la dernière période triasique.

Parasite (n. masc.) Organisme qui puise ses nutriments dans les liquides biologiques de son hôte.

Parasitisme (n. masc.) Relation symbiotique dans laquelle l'un des symbiontes (le parasite) vit aux dépens de l'hôte.

Parasitoïdisme (n. masc.) Type spécial de parasitisme dans lequel des Insectes déposent leurs œufs sur un hôte vivant. Les larves se nourrissent alors du corps de l'hôte, qu'elles peuvent tuer.

Parathormone – PTH (n. fém.) Hormone peptidique que sécrètent les glandes parathyroïdes et qui augmente la concentration de Ca^{2+} sanguin en favorisant la libération de calcium par les os et la rétention de calcium par les reins.

Parazoaires (n. masc.) Animaux appartenant à un grade d'organismes qui ne possèdent pas de vrais tissus (amas de cellules spécialisées isolées des autres tissus par des membranes); Éponges (phylum Porifères).

Parenchyme lacuneux (n. masc.) Tissu occupant la partie inférieure de la feuille où les lacunes (espaces) entre les cellules sont très importantes.

Parenchyme palissadique (n. masc.) Tissu occupant la partie supérieure de la feuille et constitué d'une ou de plusieurs couches de cellules prismatiques.

Paroi cellulaire (n. fém.) Couche externe protectrice de la membrane plasmique de la cellule végétale. Les Procaryotes, les Archéobactéries, les Eumycètes et certains Protistes en possèdent aussi une. La paroi cellulaire des Végétaux est composée de fibres de cellulose qui sont enchâssées dans une matrice faite d'autres polysaccharides et de protéines.

Paroi primaire (n. fém.) Paroi relativement mince et flexible que sécrètent les cellules végétales immatures.

Paroi secondaire (n. fém.) Matrice résistante et durable, souvent faite de couches successives constituées de fibres de cellulose, d'autres polysaccharides et de protéines, qui protège et soutient la cellule végétale.

Partage des ressources (n. masc.) Différenciation des niches écologiques qui permet à des espèces semblables de coexister dans une communauté.

Parthénogenèse (n. fém.) Mode de reproduction dans lequel les femelles donnent naissance à d'autres femelles à partir d'œufs non fécondés.

Particule de reconnaissance du signal (n. fém.) Complexe qui est constitué de six protéines et d'un petit ARN et qui reconnaît une séquence signal au moment où elle émerge du ribosome.

Parturition (n. fém.) Expulsion du fœtus à l'extérieur de l'utérus. Aussi appelée *accouchement.*

Patrimoine génétique (n. masc.) Ensemble des gènes que possède une population à un moment donné. Aussi appelé *pool génétique* ou *fonds génétique.*

Paysage (n. masc.) En écologie, ensemble régional d'écosystèmes qui sont en interaction, tels qu'une forêt ou des parcelles de forêts, les champs voisins, les marécages, les cours d'eau et les habitats riverains.

Paysage marin (n. masc.) Ensemble que forment plusieurs écosystèmes, principalement maritimes, qui sont unis par des échanges d'énergie, de matière et d'organismes.

Paysage terrestre (n. masc.) Ensemble que forment plusieurs écosystèmes, principalement terrestres, qui sont unis par des échanges d'énergie, de matière et d'organismes.

Pédicelle (n. masc.) Tige allongée du sporophyte d'un Bryophyte, telle une Mousse. Aussi appelé *soie.*

Pédomorphose (n. fém.) Persistance, chez un organisme adulte, de structures qui étaient strictement juvéniles chez son ancêtre (p. ex. : la persistance des branchies chez la salamandre adulte).

Pellicule (n. fém.) Bande de protéines situées sous la membrane plasmique des Euglénoïdes.

Pénis (n. masc.) Chez les Mammifères mâles, organe de la copulation qui comprend trois cylindres de tissus érectiles spongieux issus de veines et de capillaires modifiés.

PEP carboxylase (n. masc.) Au cours du cycle de Calvin de la photosynthèse, enzyme qui ajoute du dioxyde de carbone au phosphoénolpyruvate (PEP), pour donner de l'oxaloacétate.

Pepsine (n. fém.) Enzyme qui est présente dans le suc gastrique et qui amorce l'hydrolyse des protéines.

Pepsinogène (n. masc.) Forme inactive sous laquelle est sécrétée la pepsine par des cellules spécialisées, les cellules principales situées dans les cryptes de la muqueuse de l'estomac.

Peptidoglycane (n. masc.) Type de polymère situé dans la paroi cellulaire des Bactéries. Se compose de monosaccharides modifiés qui sont reliés transversalement par de courts polypeptides variant d'une espèce à l'autre.

Perception (n. fém.) Interprétation que donne le cerveau des sensations chez les Animaux.

Pergélisol (n. masc.) Couche gelée en permanence de la toundra arctique qui se trouve sous la strate racinaire.

Péricarpe (n. masc.) Paroi de l'ovaire qui est devenue la paroi épaissie du fruit.

Péricycle (n. masc.) Chez les Végétaux, couche de cellules la plus extérieure du cylindre vasculaire d'une racine, où les racines latérales apparaissent.

Périderme (n. masc.) Couche protectrice, composée du liège et du phellogène, qui remplace l'épiderme des plantes pendant la croissance secondaire.

Période critique (n. fém.) Laps de temps pendant lequel l'apprentissage d'un comportement peut se faire.

Période réfractaire (n. fém.) Court intervalle de temps qui suit immédiatement un potentiel d'action et pendant lequel le neurone reste insensible à tout stimulus.

Péristaltisme (n. masc.) (1) Chez les Animaux, ondes rythmiques produites par la contraction des muscles lisses de la paroi du tube digestif qui forcent les aliments à avancer. (2) Mode de déplacement terrestre produit par les ondes rythmiques de contractions musculaires allant de l'avant vers l'arrière, typiques de nombreux Annélides.

Péristome (n. masc.) Chez les Mousses, partie supérieure du sporange couverte d'un opercule. Libère progressivement les spores.

Perméabilité sélective (n. fém.) Propriété des membranes biologiques qui permet à certaines substances de les traverser plus facilement que d'autres.

Peroxysome (n. masc.) Compartiment contenant des enzymes qui transfèrent l'hydrogène de divers substrats au dioxygène. Produit puis dégrade du peroxyde d'hydrogène (ou dioxyde de dihydrogène).

Perturbation (n. fém.) Événement qui, comme une tempête ou un incendie, cause des dégâts à une communauté, en élimine des organismes et modifie la disponibilité des ressources.

Pétale (n. masc.) Feuille modifiée des Angiospermes qui est la plupart du temps vivement colorée. Contribue à attirer les Insectes et les autres pollinisateurs.

Pétiole (n. masc.) Queue de la feuille des plantes, qui relie la feuille à un nœud de la tige.

Petit ARN interférent – pARNi (n. masc.) ARN de petite taille qui peut bloquer l'expression d'une molécule d'ARNm en se liant à elle.

Petites lèvres (n. fém.) Dans le système reproducteur de la femme, replis de peau mince, sans poils, qui délimitent le vestibule et qui sont protégés extérieurement par les grandes lèvres.

pH (n. masc.) Logarithme négatif, à base 10, de la concentration molaire volumique des protons. Sa valeur se situe entre 0 et 14. Une solution acide a un pH inférieur à 7; une solution basique a un pH supérieur à 7.

Phage (n. masc.) Virus infectant une Bactérie. Aussi appelé *Bactériophage.*

Phage virulent (n. masc.) Phage qui se multiplie uniquement suivant un cycle lytique.

Phagocytose (n. fém.) Type d'endocytose par laquelle une cellule se déforme en tout ou en partie pour entourer complètement un corps étranger en produisant des pseudopodes, afin d'ingérer une grosse particule qui est ensuite emprisonnée dans une vacuole nutritive. Est accomplie surtout par les macrophages, les neutrophiles et les cellules dendritiques.

Pharynx (n. masc.) Région de la gorge des Vertébrés qui constitue un carrefour communiquant aussi bien avec l'œsophage qu'avec les voies respiratoires (trachée). Chez le ver de terre, tube musculeux qui fait saillie du côté ventral de l'Animal et se termine dans la bouche.

Phase de croissance accélérée de l'endomètre (n. fém.) Partie du cycle utérin (menstruel) au cours de laquelle la fine couche basale de l'endomètre commence à régénérer la couche fonctionnelle, qui s'épaissit durant une ou deux semaines.

Phase folliculaire (n. fém.) Partie du cycle ovarien pendant laquelle plusieurs follicules de l'ovaire commencent leur croissance et les ovocytes se développent.

Phase G_0 (n. fém.) Stade où une cellule ne se divise plus et est dans un état de « repos ».

Phase G_1 (n. fém.) Première période de croissance de l'interphase et du cycle cellulaire. Précède la phase S de synthèse de l'ADN.

Phase G_2 (n. fém.) Troisième période de croissance de l'interphase et du cycle cellulaire. Suit la synthèse de l'ADN.

Phase lutéale (n. fém.) Partie du cycle ovarien pendant laquelle les cellules endocrines du corps jaune sécrètent des hormones femelles.

Phase M (n. fém.) Voir *Phase mitotique (M)*.

Phase mitotique – phase M (n. fém.) Phase du cycle cellulaire qui comprend la mitose et la cytocinèse.

Phase menstruelle (n. fém.) Partie du cycle utérin (menstruel) au cours de laquelle les saignements se produisent.

Phase S (n. fém.) Deuxième période de croissance de l'interphase et du cycle cellulaire. Phase de synthèse de l'ADN pendant laquelle a lieu la réplication de l'ADN, après la phase G_1 et avant la phase G_2.

Phase sécrétoire (n. fém.) Partie du cycle utérin (menstruel) pendant laquelle la couche fonctionnelle de l'endomètre continue de s'épaissir, devient plus vascularisée et produit des glandes qui sécrètent un liquide riche en glycogène.

Phellogène (n. masc.) Tissu méristématique de forme cylindrique chez les plantes. Produit des cellules de liège destinées à remplacer l'épiderme des tiges et des racines, au cours de la croissance secondaire. Aussi appelé *cambium subérophellodermique*.

Phénotype (n. masc.) Ensemble des caractères physiques et physiologiques d'un individu, déterminé par son patrimoine génétique.

Phénotype sauvage (n. masc.) Phénotype normal (le plus répandu) pour un caractère donné, dans les populations naturelles.

Phéromone (n. fém.) Chez les Animaux et les Eumycètes, substance chimique que libère un organisme pour influencer le comportement d'un autre individu de la même espèce.

Phloème (n. masc.) Chez les Végétaux, tissu vasculaire composé de cellules vivantes en forme de tube et qui achemine les glucides et les autres nutriments organiques dans l'ensemble de la plante.

Phoronidiens (n. masc.) Lophophoriens marins au corps vermiforme qui habitent dans des tubes et dont la taille varie de 1 mm à 50 cm.

Phosphoglycéraldéhyde – PGAL (n. masc.) Monosaccharide à trois atomes de carbone que produit directement le cycle de Calvin.

Phosphoglycérolipide (n. masc.) Lipide qui constitue la couche interne des membranes biologiques. Il se compose d'une tête polaire hydrophile et d'une queue non polaire hydrophobe.

Phosphorylation au niveau du substrat (n. fém.) Mode de synthèse de l'ATP dans lequel une enzyme transfère directement un groupement phosphate d'un substrat à l'adénosine diphosphate.

Phosphorylation oxydative (n. fém.) Mode de synthèse de l'ATP qui est alimenté par les réactions d'oxydoréduction transférant des électrons depuis des nutriments jusqu'à du dioxygène ou à un autre accepteur dans la respiration cellulaire.

Phosphorylée (adj.) Qualifie une molécule qui a reçu un groupement phosphate.

Photoautotrophe (adj.) Qualifie un organisme qui utilise la lumière comme source d'énergie pour synthétiser des composés organiques à partir de dioxyde de carbone.

Photohétérotrophe (adj.) Qualifie un organisme qui utilise la lumière pour produire de l'ATP, mais qui doit se procurer son carbone sous forme organique.

Photomorphogenèse (n. fém.) Action de la lumière sur la morphologie des Végétaux.

Photon (n. masc.) Quantité minimale d'énergie qu'une onde électromagnétique peut transporter.

Photopériodisme (n. masc.) Réaction physiologique à la photopériode, c'est-à-dire la répartition, dans la journée, entre la durée de la phase diurne et celle de la phase nocturne (p. ex. : la floraison chez les plantes).

Photophosphorylation (n. fém.) Production d'ATP par l'ajout d'un groupement phosphate à l'ADP, au moyen de la force protonmotrice engendrée par les membranes thylakoïdiennes du chloroplaste au cours des réactions photochimiques de la photosynthèse.

Photopsines (n. fém.) Groupe de pigments visuels des cônes de l'œil des Vertébrés et de certains Invertébrés qui absorbent les différentes longueurs d'onde de la lumière visible.

Photorécepteur (n. masc.) Récepteur d'ondes électromagnétiques qui détecte la lumière visible chez certains Animaux et certains Protistes.

Photorécepteur à lumière bleue (n. masc.) Classe de photorécepteurs chez les plantes. La lumière bleue active diverses réactions comme le phototropisme et le ralentissement de l'élongation de l'hypocotyle.

Photorespiration (n. fém.) Voie métabolique qui consomme du dioxygène, libère du dioxyde de carbone, ne produit pas d'ATP et réduit le rendement de la photosynthèse. Provoquée par la chaleur, la sécheresse et l'ensoleillement.

Photosynthèse (n. fém.) Conversion de l'énergie lumineuse en énergie chimique qui est emmagasinée dans des glucides et d'autres molécules organiques. A lieu chez les Végétaux, les Algues et certaines cellules procaryotes.

Photosystème (n. masc.) Unité photoréceptrice de la membrane thylakoïdienne du chloroplaste qui est constituée d'un centre réactionnel entouré de nombreux complexes collecteurs de lumière.

Photosystème I (n. masc.) L'une des deux unités photoréceptrices de la membrane thylakoïdienne du chloroplaste. Son centre réactionnel est constitué de deux molécules de chlorophylle *a* P_{700}; seul photosystème à intervenir dans le transport cyclique des électrons.

Photosystème II (n. masc.) L'une des deux unités photoréceptrices de la membrane thylakoïdienne du chloroplaste ; son centre réactionnel est constitué de deux molécules de chlorophylle *a* P_{680}.

Phototropisme (n. masc.) Croissance de la pousse d'une plante en direction de la lumière (phototropisme positif) ou dans la direction opposée (phototropisme négatif).

Phragmoplaste (n. masc.) Structure formée d'éléments du cytosquelette et de vésicules dérivées de l'appareil de Golgi qui s'alignent le long de l'axe médian de la cellule végétale en division.

Phylogenèse (n. fém.) Histoire de l'évolution d'une espèce ou d'un groupe d'espèces apparentées.

Phylogramme (n. masc.) Arbre phylogénétique dans lequel la longueur des branches reflète le nombre de changements génétiques qui ont eu lieu dans une séquence d'ADN ou d'ARN de différents lignages.

Physiologie (n. fém.) Étude des fonctions d'un organisme.

Phytoalexine (n. fém.) Antibiotique produit par les Végétaux, qui détruit les microorganismes ou inhibe leur croissance.

Phytochromes (n. masc.) Classe de photorécepteurs chez les Végétaux. Les phytochromes absorbent surtout la lumière rouge et régissent plusieurs des réactions de la plante, y compris la germination des graines et l'évitement de l'ombre.

Phytoplancton (n. masc.) Regroupement d'Algues et de Procaryotes photosynthétiques qui constituent la base de la plupart des réseaux alimentaires d'eau douce et d'eau salée.

Phytoremédiation (n. fém.) Nouvelle technique qui respecte le paysage et permet d'assainir à peu de frais certaines régions contaminées. Fait appel aux capacités remarquables qu'ont certaines espèces végétales à absorber ou filtrer les métaux lourds et à dégrader les polluants organiques se trouvant dans le sol ou l'eau.

Pied (n. masc.) (1) Partie du sporophyte d'une Mousse qui obtient les glucides, les acides aminés, l'eau et les minéraux du gamétophyte maternel par l'intermédiaire de cellules de transfert. (2) Chez les Mollusques, organe musculeux servant habituellement aux mouvements.

Pied ambulacraire (n. masc.) Chez les Échinodermes, chacun des nombreux prolongements érectiles du réseau de canaux hydrauliques qui compose le système ambulacraire. Sert à la locomotion, à la capture des proies et aux échanges gazeux.

Pigment (n. masc.) Substance qui absorbe la lumière visible, chez les organismes photoautotrophes (p. ex.: la chlorophylle *a*).

Pigment respiratoire (n. masc.) Protéine spéciale qui transporte la plus grande partie du dioxygène dans le sang des Animaux qui possèdent un système cardiovasculaire.

Pili (n. masc.) Fins appendices à la surface d'un Procaryote, moins nombreux et plus longs que les fimbriæ, permettant aux cellules d'adhérer les unes aux autres ou à leur substrat. (Au singulier: *pilus*.)

Pilus sexuel (n. masc.) Chez certaines cellules procaryotes, appendice filiforme et spécialisé, plus long que les fimbriæ, qui sert à réunir deux cellules assez longtemps pour que s'effectue un transfert d'ADN au moment de la conjugaison.

Pinocytose (n. fém.) Type d'endocytose, non spécifique, dans lequel la cellule absorbe des gouttelettes de liquide extracellulaire avec les solutés qui y sont dissous.

Pinophytes (n. masc.) Embranchement le plus vaste des quatre embranchements de Gymnospermes. L'appareil reproducteur de ces Végétaux est le cône, composé d'un amas de sporophylles en forme d'écailles. L'embranchement comprend les pins, les sapins, les épinettes, les mélèzes, les ifs, les genévriers, les thuyas, les cyprès et les séquoias. Aussi appelés *Conifères.*

Pistil (n. masc.) Organe reproducteur femelle de la fleur qui se compose d'un seul carpelle ou de plusieurs carpelles groupés.

Placenta (n. masc.) Structure qui est formée d'une partie de la muqueuse utérine maternelle et des membranes extra-embryonnaires, et à travers laquelle les nutriments diffusent dans le sang de l'embryon ou du fœtus.

Placodermes (n. masc.) Classe de Poissons fossiles dotés de mâchoires et porteurs d'une armure.

Plan d'organisation (n. masc.) Mise en place, au cours du développement, d'une organisation spatiale dans laquelle les tissus et les organes occupent un emplacement caractéristique.

Plan d'organisation corporelle (n. masc.) Chez les Animaux, ensemble des traits morphologiques et développementaux qui définissent un grade (niveau de complexité organisationnelle).

Planaire (n. fém.) Plathelminthe libre qui vit dans les étangs et les ruisseaux non pollués.

Plancton (n. masc.) Regroupement d'organismes le plus souvent microscopiques qui dérivent passivement ou nagent faiblement près de la surface de l'eau.

Plante annuelle (n. fém.) Plante à fleurs dont le cycle de développement – de la germination à la production de graines, en passant par la floraison – dure un an ou moins.

Plante bisannuelle (n. fém.) Plante à fleurs dont le cycle de développement dure deux ans.

Plante de jour court (n. fém.) Plante qui semble fleurir uniquement lorsque la période de clarté est inférieure à une durée critique, habituellement à la fin de l'été, à l'automne ou en hiver; on a découvert que c'est la durée de la nuit, et non celle du jour, qui régit la floraison. Voir *Plante de jour long.*

Plante de jour long (n. fém.) Plante qui semble fleurir uniquement lorsque la période de clarté dépasse une durée critique, habituellement à la fin du printemps ou au début de l'été. Voir *Plante de jour court.*

Plante de type C_3 (n. fém.) Plante qui utilise le cycle de Calvin pour fixer le carbone et obtenir ainsi le 3-phosphoglycérate, composé à trois atomes de carbone.

Plante de type C_4 (n. fém.) Plante à anatomie foliaire particulière qui fait précéder le cycle de Calvin de réactions donnant des composés à quatre atomes de carbone, dont un provient du dioxyde de carbone; ces composés libèrent par la suite du dioxyde de carbone pour le cycle de Calvin. Les plantes de type C_4 sont particulièrement bien adaptées aux climats chauds et secs.

Plante de type CAM (n. fém.) Plante qui utilise une adaptation photosynthétique à l'aridité, le métabolisme acide crassulacéen (CAM, pour *crassulacean acid metabolism*), nommé d'après la famille des Crassulacées chez qui on a découvert le processus. Le dioxyde de carbone qui entre dans les stomates ouverts pendant la nuit est transformé en acides organiques qui, pendant le jour (lorsque les stomates sont fermés), le libèrent pour le cycle de Calvin.

Plante indifférente (n. fém.) Plante dont la floraison ne dépend pas de la photopériode.

Plante vivace (n. fém.) Plante à fleurs qui peut vivre de nombreuses années.

Plantes à graines (n. fém.) Végétaux vasculaires qui produisent des graines.

Plaque cellulaire (n. fém.) Structure constituée de deux membranes qui se forme à l'équateur de la cellule mère pendant la cytocinèse, au cours de la division des cellules végétales. Siège de la formation de la nouvelle paroi cellulaire.

Plaque équatoriale (n. fém.) À la métaphase, plan imaginaire qui est situé à mi-chemin entre les deux pôles de la cellule et où se trouvent les centromères de tous les chromosomes répliqués.

Plaquette (n. fém.) Fragment de cellule que contient le sang et qui contribue à la coagulation sanguine. Dépourvue de noyau, elle résulte de la fragmentation du cytoplasme de grandes cellules dans la moelle osseuse rouge.

Plasma (n. masc.) Matrice liquide du sang des Vertébrés qui contient plusieurs types de cellules en suspension.

Plasmide (n. masc.) Petite molécule d'ADN circulaire distincte du chromosome bactérien et capable de se répliquer de façon autonome. Présent aussi dans certaines cellules eucaryotes, comme les levures.

Plasmide F (n. masc.) Forme plasmide du facteur F.

Plasmide R (n. masc.) Sorte de plasmide bactérien comprenant des gènes de résistance aux antibiotiques.

Plasmide Ti (n. masc.) Plasmide qui produit des tumeurs dans les plantes infectées par une Bactérie. Insère un segment de son ADN dans l'ADN chromosomique des cellules végétales hôtes. Fréquemment utilisé comme vecteur en génie génétique appliqué à des plantes.

Plasmocyte (n. masc.) Cellule effectrice de l'immunité humorale qui sécrète des anticorps. Vient d'un lymphocyte B activé par un antigène.

Plasmode (n. masc.) Masse de cytoplasme qui renferme plusieurs noyaux diploïdes et qui se forme pendant le stade de croissance du cycle de développement des Myxomycètes.

Plasmodesme (n. masc.) Canal qui traverse la paroi cellulaire végétale. Relie les membranes plasmiques et les cytoplasmes de cellules voisines.

Plasmogamie (n. fém.) Fusion des cytoplasmes de cellules provenant de deux mycéliums. Première étape de l'union des cellules de deux organismes, chez de nombreux Eumycètes ayant un cycle de développement sexué.

Plasmolyse (n. fém.) Dans les cellules dotées d'une paroi, phénomène qui se produit lorsque la cellule perd de l'eau au profit d'un milieu hypertonique : la membrane plasmique s'écarte de la paroi et se ratatine.

Plastes (n. masc.) Famille d'organites végétaux dont font partie les chloroplastes, les chromoplastes et les amyloplastes (leucoplastes).

Plasticité (n. fém.) Capacité d'un organisme de se modifier ou de se « mouler » en réaction aux conditions environnementales locales.

Plathelminthes (n. masc.) Embranchement des Vers plats. Animaux acœlomates munis d'une cavité gastrovasculaire et possédant un troisième feuillet embryonnaire, le mésoderme, par rapport aux deux feuillets des Cnidaires et des Cténophores. Embranchement comportant quatre classes : les Turbellariés (planaires), les Monogènes (*Benedenia, Encotyllabe*), les Trématodes (douves, schistosomes) et les Cestodes (ténias).

Pléiotropie (n. fém.) Faculté de la plupart des gènes de produire des effets phénotypiques multiples.

Plurifactoriel (adj.) Qualifie les caractères dont l'expression phénotypique est influencée par plusieurs facteurs génétiques et environnementaux.

Pluripotente (adj.) Se dit d'une cellule souche qui vient d'un embryon ou d'un organisme adulte et qui peut donner naissance à plusieurs types cellulaires mais pas à tous.

Poil absorbant (n. masc.) Chacun des prolongements minuscules des cellules épidermiques qui poussent près de l'extrémité des racines des plantes et qui augmentent considérablement la surface d'absorption de l'eau et des minéraux.

Point chaud de la biodiversité (n. masc.) Aire relativement petite qui comporte une concentration exceptionnelle d'espèces endémiques et un grand nombre d'espèces menacées ou en voie de disparition.

Point d'ancrage (n. masc.) Substrat auquel une cellule animale en division doit adhérer. Ce peut être la paroi d'un récipient de culture ou la matrice extracellulaire d'un tissu.

Point de contrôle (n. masc.) Moment critique du cycle cellulaire où un stimulus dicte l'arrêt ou la poursuite du cycle.

Point de repère (n. masc.) Point de référence qu'utilisent certains Animaux pour s'orienter pendant la navigation.

Poissons à nageoires rayonnées (n. masc.) Membres de la classe des Actinoptérygiens, Osteichthyens aquatiques dont les nageoires sont soutenues par de longs rayons flexibles. Comprennent le thon, l'achigan et le hareng.

Polarité (n. fém.) Chez les plantes, fait qu'il existe un axe bien développé dont les deux extrémités sont différentes : l'une est une racine, l'autre une pousse.

Pôle animal (n. masc.) Chez de nombreux Animaux, exception faite des Mammifères, pôle de l'ovocyte de deuxième ordre où la concentration de vitellus est la plus faible. Pôle opposé au pôle végétatif.

Pôle végétatif (n. masc.) Chez de nombreux Animaux, exception faite des Mammifères, pôle de l'ovocyte de deuxième ordre où la concentration de vitellus est la plus forte. Pôle opposé au pôle animal.

Pollinisation (n. fém.) Transfert du pollen aux ovules.

Pollinisation croisée (n. fém.) Transfert du pollen de la fleur d'une plante à la fleur d'une autre plante de la même espèce. Mode de reproduction le plus courant chez les Angiospermes.

Polyandrie (n. fém.) Forme de polygamie dans laquelle une femelle s'accouple avec plusieurs mâles.

Polygame (adj.) Se dit d'une relation entre Animaux dans laquelle un individu s'accouple avec plusieurs autres.

Polygynie (n. fém.) Forme de polygamie dans laquelle un mâle s'accouple avec plusieurs femelles.

Polymère (n. masc.) Molécule constituée d'un grand nombre d'unités structurales identiques ou semblables qui sont rattachées les unes aux autres par des liaisons covalentes (p. ex. : un polypeptide est un polymère constitué de plusieurs acides aminés).

Polymorphe (adj.) Se dit d'une population au sein de laquelle coexistent au moins deux types morphologiques à une fréquence suffisamment élevée pour que cela soit observable.

Polymorphisme de taille des fragments de restriction – PTFR (n. masc.) Différence dans les séquences d'ADN des chromosomes homologues qui peut se refléter dans les motifs formés par les fragments de restriction (segments d'ADN obtenus par le traitement à l'aide d'enzymes de restriction). Peut aussi servir de marqueur génétique pour préparer la cartographie d'un génome.

Polymorphisme équilibré (n. masc.) Capacité de la sélection naturelle à maintenir les fréquences de plusieurs phénotypes dans une population.

Polymorphisme génétique (n. masc.) Existence de deux allèles distincts ou plus sur un locus donné dans le fonds génétique d'une population.

Polymorphisme nucléotidique (n. masc.) Variation du génome ne touchant qu'une seule paire de bases.

Polymorphisme phénotypique (n. masc.) Existence d'au moins deux types morphologiques distincts (formes discrètes), qui sont chacun représentés à une fréquence suffisamment élevée dans une population pour être facilement reconnus.

Polynucléotide (n. masc.) Polymère qui est composé de plusieurs nucléotides (monomères) et qui entre dans la composition des acides nucléiques que sont l'ADN et l'ARN. Sert de plan pour la synthèse des protéines et, par l'intermédiaire des protéines, régule toutes les activités cellulaires.

Polypeptide (n. masc.) Polymère d'acides aminés unis par des liaisons peptidiques.

Polyphylétique (adj.) Qualifie un groupement qui contient plusieurs espèces, mais non leur ancêtre commun.

Polyploïdie (n. fém.) Anomalie chromosomique d'organismes possédant plus de deux jeux complets de chromosomes.

Polyribosome – polysome (n. masc.) File de ribosomes le long du même ARNm.

Polysaccharide (n. masc.) Macromolécule résultant de la condensation de quelques centaines ou milliers de monosaccharides unis par des liaisons glycosidiques (p. ex. : amidon, glycogène, cellulose).

Pompe à protons (n. fém.) Type de pompe électrogène qui utilise l'ATP pour expulser des protons d'une cellule et qui engendre ainsi un potentiel de membrane.

Pompe à sodium et à potassium (n. fém.) Protéine de transport actif qui est enchâssée dans la membrane plasmique des cellules animales et qui expulse les ions sodium de la cellule tout en faisant entrer les ions potassium contre leur gradient de concentration.

Pompe électrogène (n. fém.) Protéine de transport actif qui engendre un potentiel électrique de part et d'autre d'une membrane.

Ponctuation (n. fém.) Chez les Végétaux, chacune des régions moins épaisses des parois des trachéides et des éléments de vaisseau où seule la paroi primaire est présente.

Pont (n. masc.) Portion du tronc cérébral située dans la partie inférieure de l'encéphale des Vertébrés. Renflement qui est situé devant le cervelet et qui comporte des noyaux qui régulent les centres de respiration dans le bulbe rachidien.

Pont disulfure (n. masc.) Liaison covalente forte qui se forme quand le soufre d'un monomère de cystéine se lie au soufre d'un autre monomère de cystéine. C'est l'une des interactions qui est responsable du maintien de la structure tertiaire d'une protéine.

Population (n. fém.) Groupe localisé d'individus appartenant à la même espèce biologique (et capables de se reproduire entre eux et d'engendrer des descendants fertiles).

Porifères (n. masc.) Embranchement d'Animaux sessiles qui ne possèdent ni tissus vrais ni organes. Se nourrissent par filtration grâce à leur corps poreux tapissé de choanocytes.

Porte-greffe (n. masc.) Plante qui fournit le système racinaire dans une greffe.

Postérieure (adj.) Se dit de la région située à l'arrière (queue) d'un Animal à symétrie bilatérale.

Potentialisation à long terme (n. fém.) Dans les phénomènes de mémoire et d'apprentissage, type de changement synaptique qui désigne une réactivité accrue aux potentiels d'action dans la cellule postsynaptique.

Potentiel d'action (n. masc.) Changement brusque du potentiel de membrane d'une cellule excitable qui est causé par l'ouverture et la fermeture, déclenchées elles-mêmes par un stimulus, des vannes tensiodépendantes des canaux à sodium et à potassium. Aussi appelé *influx nerveux*.

Potentiel de membrane (n. masc.) Différence de potentiel électrique (tension), entre le milieu extracellulaire et le cytosol de toutes les cellules, attribuable à une répartition inégale des ions. Influe sur l'activité des cellules excitables et sur le passage de toutes les substances chargées à travers la membrane.

Potentiel de pression – Ψ_p (n. masc.) Composante du potentiel hydrique qui consiste en la pression physique sur une solution, et qui peut être positive, nulle ou négative.

Potentiel d'équilibre – E_{ion} (n. masc.) Magnitude du voltage d'une membrane plasmique à l'équilibre, c'est-à-dire lorsque le gradient électrique compense exactement le gradient de concentration.

Potentiel de repos (n. masc.) Potentiel de membrane d'un neurone non stimulé. Est généralement d'environ –70 mV.

Potentiel gradué (n. masc.) Variation de tension de part et d'autre de la membrane plasmique dont l'amplitude dépend de l'intensité du stimulus.

Potentiel hydrique – Ψ (n. masc.) Propriété physique qui permet de prédire la direction de l'écoulement de l'eau, régie par la concentration des solutés qui engendre une pression osmotique et par la pression qu'exerce la paroi cellulaire.

Potentiel osmotique – Ψ_o (n. masc.) Composante du potentiel hydrique qui est proportionnelle au nombre de molécules de solutés dissoutes dans une solution et qui représente l'effet des solutés sur la direction du mouvement de l'eau. Aussi appelé *potentiel de soluté*, il est égal à zéro ou à une valeur négative.

Potentiel postsynaptique excitateur – PPSE (n. masc.) Phénomène électrique de dépolarisation qui se produit dans la membrane plasmique d'un neurone postsynaptique et qui est provoqué par la liaison du neurotransmetteur excitateur d'un neurone présynaptique à un récepteur membranaire postsynaptique. Il est alors plus probable que l'axone de la cellule postsynaptique puisse déclencher un potentiel d'action.

Potentiel postsynaptique inhibiteur – PPSI (n. masc.) Phénomène électrique d'hyperpolarisation qui se produit dans la membrane plasmique d'un neurone postsynaptique et qui est provoqué par la liaison du neurotransmetteur inhibiteur d'un neurone présynaptique à un récepteur membranaire postsynaptique. Il est alors plus difficile pour un neurone postsynaptique de produire un potentiel d'action.

Potentiel récepteur (n. masc.) Modification graduée du potentiel de membrane d'un récepteur sensoriel qui réagit à un stimulus.

Pouce opposable (n. masc.) Disposition des doigts qui permet au pouce de toucher l'extrémité intérieure des doigts (du côté des circonvolutions de la peau) d'une même main. Caractéristique des humains et des autres Primates anthropoïdés.

Pouls (n. masc.) Dilatation rythmique des artères causée par la pression du sang, en raison des puissantes contractions des ventricules pendant la systole.

Poumon (n. masc.) Surface respiratoire invaginée présente chez les Vertébrés, les escargots terrestres et les araignées. En contact avec l'atmosphère par un système de conduits ramifiés.

Poumon lamellaire (n. masc.) Organe qui est constitué d'un ensemble de lamelles empilées dans une chambre interne et qui permet les échanges gazeux chez les araignées.

Prairie tempérée (n. fém.) Biome terrestre dominé par les Graminées et les plantes herbacées dicotylédones.

Précipitation (n. fém.) Établissement de liens croisés entre des molécules solubles d'antigènes (molécules dissoutes dans les liquides corporels) formant des complexes qui précipitent et sont capturés par les phagocytes dans le contexte de la réaction immunitaire.

Précipitation acide (n. fém.) Pluie, grêle, neige ou brouillard dont le pH est inférieur à 5,6.

Prédation (n. fém.) Interaction entre des espèces dans laquelle une espèce, le prédateur, dévore l'autre, la proie.

Premier principe de la thermodynamique (n. masc.) Principe de conservation de l'énergie selon lequel la quantité d'énergie dans l'Univers est constante. L'énergie peut être transférée et transformée : elle ne peut être ni détruite ni créée.

Prépuce (n. masc.) Repli de peau qui recouvre le clitoris et le gland du pénis chez l'humain.

Présentation de l'antigène (n. fém.) Processus qui intervient dans la réaction immunitaire et par lequel une molécule du complexe majeur d'histocompatibilité se lie à un fragment d'antigène protéique intracellulaire et le transporte jusqu'à la surface de la cellule où il est présenté pour être reconnu par un lymphocyte T.

Préservatif masculin (n. masc.) Barrière mécanique consistant en une fine membrane naturelle ou en un étui de latex qui s'ajuste sur le pénis de façon à recueillir le sperme. Aussi appelé *condom*.

Pression artérielle (n. fém.) Force hydrostatique que le sang exerce contre l'aire que représente la paroi d'un vaisseau, chez les Animaux.

Pression de turgescence (n. fém.) Force qui s'exerce sur la paroi d'une cellule après l'entrée d'eau et le gonflement de la cellule causé par l'osmose.

Pression diastolique (n. fém.) Pression artérielle atteinte entre deux contractions cardiaques (à la diastole).

Pression partielle (n. fém.) Pression exercée par un des gaz d'un mélange de gaz (p. ex. : la pression exercée par l'oxygène dans l'air).

Pression racinaire (n. fém.) Poussée ascendante qui s'exerce sur la sève brute, dans la stèle, chez les Vasculaires.

Pression systolique (n. fém.) Pression sanguine maximale atteinte dans les artères au moment où le ventricule se contracte (à la systole ventriculaire).

Primase (n. fém.) Enzyme qui synthétise l'amorce d'ARN nécessaire à la synthèse d'un nouveau brin d'ADN pendant la réplication de celui-ci.

Primates (n. masc.) Ordre des Mammifères dont les individus possèdent des mains adaptées à la préhension. Comprennent les lémurs, les tarsiers, les singes et les grands singes, dont font partie les humains.

Primordiums foliaires (n. masc.) Renflements le long des méristèmes apicaux des pousses, d'où les feuilles naissent.

Principe de parcimonie maximale (n. masc.) En science, principe selon lequel toute théorie doit proposer l'explication la plus simple possible dans le respect des faits.

Principe de précaution (n. masc.) Principe directeur dans la prise de décisions concernant l'environnement. Invite à la prudence et suggère de prendre en compte systématiquement les conséquences probables des actions envisagées.

Principe de probabilité maximale (n. masc.) Principe qui indique que, dans l'étude d'hypothèses phylogénétiques multiples, on doit considérer l'hypothèse qui représente la séquence évolutive la plus probable, à partir de certaines règles sur la façon dont l'ADN change au fil du temps.

Prion (n. masc.) Particule protéique infectieuse qui peut se multiplier et déclencher des réactions en chaîne causant diverses maladies dégénératives du cerveau chez diverses espèces animales (p. ex. : la « maladie de la vache folle »).

Prismatique (adj.) Qualifie la forme ressemblant à une brique debout d'un type de cellules épithéliales.

Procaryote (n. masc.) Cellule dont l'ADN ne se trouve pas dans un noyau séparé du cytosol par une enveloppe membraneuse. Cet ADN constitue en grande partie ce qu'on a tendance à appeler le *chromosome bactérien*, bien qu'il s'associe à très peu de protéines, contrairement aux chromosomes eucaryotes. Est dépourvue des organites membraneux caractéristiques de la cellule eucaryote. Contient des organites peu variés et sans membranes. Presque toutes les cellules procaryotes ont une paroi cellulaire rigide. Les cellules procaryotes composent deux domaines du vivant, celui des Archéobactéries et celui des Bactéries.

Producteur (n. masc.) Dans une chaîne ou le réseau alimentaire d'un écosystème, organisme autotrophe, généralement photosynthétique (Végétaux, Algues et certains Procaryotes), qui se situe au niveau trophique dont dépendent tous les niveaux trophiques.

Productivité primaire (n. fém.) Quantité d'énergie chimique (composés organiques) issue de la transformation de l'énergie lumineuse par les organismes autotrophes d'un écosystème, dans une période donnée.

Productivité primaire brute – PPB (n. fém.) Productivité primaire totale, c'est-à-dire quantité totale de matière organique issue de la transformation de l'énergie lumineuse en énergie chimique au cours de la photosynthèse.

Productivité primaire nette – PPN (n. fém.) Ce qui reste de la productivité primaire brute après qu'on y a soustrait l'énergie utilisée pour la respiration cellulaire.

Productivité secondaire (n. fém.) Augmentation, par transformation de l'énergie chimique de la nourriture, de la biomasse des consommateurs d'un écosystème (herbivores, carnivores et détritivores).

Produit (n. masc.) Substance résultant d'une réaction chimique.

Progestérone (n. fém.) La plus importante hormone stéroïde du groupe des progestines que le corps jaune sécrète pendant la phase lutéale du cycle ovarien.

Progestines (n. fém.) Famille d'hormones stéroïdes qui sont produites par les ovaires et dont fait partie la progestérone. Leurs fonctions ont surtout trait à la mise en place de la phase sécrétoire du cycle menstruel et à l'adaptation de l'utérus, qui assure la croissance et le développement de l'embryon.

Progymnospermes (n. fém.) Groupe aujourd'hui disparu de Vasculaires sans graines qui sont probablement les ancêtres des Gymnospermes et des Angiospermes.

Projet génome humain (n. masc.) Projet mis sur pied par un consortium international, lancé en 1990 et terminé en 2003, et visant à cartographier tout le génome humain et à déterminer l'ensemble de la séquence nucléotidique de chacun des chromosomes.

Prolactine – PRL (n. fém.) Hormone produite et sécrétée par l'adénohypophyse qui a divers effets selon les espèces de Vertébrés. Chez les Mammifères, favorise la croissance des glandes mammaires et déclenche la synthèse du lait.

Prométaphase (n. fém.) Deuxième phase de la mitose. Des chromosomes constitués de chromatides sœurs identiques apparaissent ; l'enveloppe nucléaire se fragmente et des microtubules du fuseau s'attachent aux kinétochores des chromosomes.

Promiscuité (n. fém.) Type d'accouplement des Animaux dans lequel les liens entre mâles et femelles ne sont ni forts ni durables.

Promoteur (n. masc.) Séquence spécifique de nucléotides de l'ADN à laquelle l'ARN polymérase se lie pour commencer la transcription.

Prophage (n. masc.) ADN phagique qui s'est intégré, par recombinaison génétique, à un site spécifique du chromosome bactérien.

Prophase (n. fém.) Première phase de la mitose. La chromatine se condense en chromosomes et le fuseau de division commence à se former, mais les nucléoles et le noyau sont encore intacts.

Propriétés émergentes (n. fém.) Nouvelles propriétés qui émergent à chaque niveau supérieur dans la hiérarchie de la vie, attribuables à l'arrangement et aux interactions des parties de l'organisme à mesure que celui-ci se complexifie.

Prosencéphale (n. masc.) L'une des trois régions embryonnaires de l'encéphale qui ont été produites au cours de l'évolution des Vertébrés. Donne naissance au thalamus, à l'hypothalamus et au cerveau.

Prostaglandines – PG (n. fém.) L'un des groupes d'acides gras modifiés que produisent et libèrent dans le liquide interstitiel la plupart des types de cellules. Jouent le rôle de régulateurs locaux et agissent de diverses façons sur les cellules voisines.

Prostate (n. fém.) Chez les Mammifères mâles, glande annexe qui déverse directement ses sécrétions liquides et laiteuses dans l'urètre, par plusieurs petits conduits. Ses sécrétions contiennent des protéines anticoagulantes et du citrate (nutriment destiné aux spermatozoïdes).

Protéasome (n. masc.) Complexe protéique géant en forme de tonneau qui reconnaît et dégrade les protéines marquées par des molécules d'ubiquitine (petite protéine).

Protéine (n. fém.) Macromolécule tridimensionnelle constituée d'un ou de plusieurs polypeptides et fabriquée à partir d'une vingtaine de monomères appelés *acides aminés*.

Protéine adaptatrice (n. fém.) Protéine intermédiaire de grande taille qui rassemble plusieurs autres intermédiaires protéiques pour augmenter l'efficacité des voies de transduction.

Protéine CD4 (n. fém.) Protéine de surface présente sur la plupart des lymphocytes T auxiliaires, qui se lie à la molécule de CMH de classe II des cellules présentatrices d'antigène, ce qui facilite grandement l'interaction entre la cellule présentatrice d'antigène et le lymphocyte T auxiliaire.

Protéine CD8 (n. fém.) Protéine de surface présente sur la plupart des lymphocytes T cytotoxiques, qui se lie à la molécule de CMH de classe I des cellules infectées, ce qui augmente l'interaction entre la cellule infectée présentant l'antigène et le lymphocyte T cytotoxique.

Protéine de choc thermique (n. fém.) Protéine qui, au moment d'un choc thermique, envelopperait une enzyme et d'autres protéines pour prévenir leur dénaturation. Présente chez les Végétaux, les Animaux et les microorganismes.

Protéine de transport (n. fém.) Protéine transmembranaire qui aide une substance donnée ou une classe de substances fortement apparentées à traverser la membrane.

Protéine G (n. fém.) Protéine qui est liée à une molécule de guanosine triphosphate et qui sert d'intermédiaire entre les récepteurs membranaires, appelés *récepteurs couplés à une protéine G*, et d'autres protéines de transduction situées à l'intérieur de la cellule.

Protéine intramembranaire (n. fém.) Protéine des membranes biologiques qui pénètre dans les membranes assez profondément pour que sa partie hydrophobe se trouve entourée par les parties hydrocarbonées des lipides ; peut aussi traverser les membranes de part en part.

Protéine kinase (n. fém.) Enzyme qui transfère un groupement phosphate de l'ATP à une protéine.

Protéine périphérique (n. fém.) Protéine qui constitue un appendice rattaché à la surface membranaire et non enfoui dans la bicouche lipidique.

Protéine phosphatase (n. fém.) Enzyme qui retire les groupements phosphate des protéines (déphosphorylation).

Protéines fixatrices d'ADN monocaténaire (n. fém.) Pendant la réplication de l'ADN, molécules qui s'attachent aux brins d'ADN non appariés et les empêchent de s'enrouler à nouveau jusqu'à ce qu'ils servent de matrices pour la synthèse de nouveaux brins complémentaires.

Protéines RP (n. fém.) Protéines (reliées à la pathogenèse) que produisent les gènes des Végétaux activés par une infection. Certaines de ces molécules sont antimicrobiennes.

Protéines synthétisées en situation de stress (n. fém.) Molécules qui comprennent les protéines de choc thermique et que produisent les cellules des Animaux en réponse à une augmentation marquée de la température et à d'autres stress intenses (toxines, changement rapide du pH et infection virale).

Protéoglycane (n. masc.) Glycoprotéine de la matrice extracellulaire des cellules animales qui est riche en glucides.

Protéomique (n. fém.) Étude systématique de jeux complets de protéines (protéomes) codés par un génome.

Protistes (n. masc.) Terme non officiel désignant tout Eucaryote qui n'est ni un Végétal, ni un Animal, ni un Eumycète. La plupart des Protistes sont unicellulaires, mais certains sont coloniaux ou pluricellulaires.

Protobiontes (n. masc.) Agrégats de molécules produites par voie abiotique, entourés d'une membrane ou d'une structure semblable à une membrane et présentant certaines des propriétés associées à la vie.

Proton (n. masc.) Particule élémentaire constitutive du noyau d'un atome et possédant une unité de charge électrique positive. Chaque élément a un nombre caractéristique de protons.

Protonéma (n. masc.) Chez les Mousses, structure haploïde constituée d'un filament vert et ramifié qui n'a qu'une cellule d'épaisseur et qui est produit par la germination de la spore.

Protonéphridie (n. fém.) Type de système urinaire, comme le système à cellule-flamme des Vers plats, qui est constitué d'un réseau de tubules se terminant en cul-de-sac et pourvus d'ouvertures externes appelées *néphridiopores.*

Proto-oncogène (n. masc.) Gène cellulaire normal contrôlant la division cellulaire ayant un potentiel cancérogène et devenant un oncogène dans certaines conditions.

Proto-oncogène *Ras* (n. masc.) Gène qui code pour la protéine Ras, protéine G qui transmet un stimulus de croissance d'un récepteur de facteurs de croissance situé sur la membrane plasmique à une cascade de protéines kinases. La réponse cellulaire déclenchée par cette voie est la synthèse d'une protéine stimulant le cycle cellulaire.

Protoplaste (n. masc.) Cellule végétale privée de paroi.

Protozoaires (n. masc.) Protistes qui, comme les Animaux, ingèrent leur nourriture.

Provirus (n. masc.) ADN viral qui s'est intégré au génome d'une cellule hôte et qui y reste de façon permanente.

Pseudocœlomates (n. masc.) Animaux, comme les Rotifères et les Vers ronds, dont le cœlome n'est pas complètement entouré de tissus provenant du mésoderme.

Pseudogène (n. masc.) Segment d'ADN qui comporte des séquences ressemblant beaucoup à celles des véritables gènes (c'est-à-dire des gènes fonctionnels), mais ne s'exprimant pas. Gène qui s'est inactivé chez une espèce donnée en raison d'une mutation.

Pseudopode (n. masc.) Prolongement cytoplasmique qu'utilisent certaines cellules pour se déplacer et se nourrir.

Ptéridophytes (n. fém.) Plantes vasculaires qui ne produisent pas de graines. Le groupe comprend l'embranchement des Lycophytes (Lycopodes) et celui des Ptérophytes (Fougères, Prêles et Psilotes).

Ptérophytes (n. fém.) Embranchement des Vasculaires sans graines qui comprend les Fougères, les Prêles et les Psilotes.

Ptérosauriens (n. masc.) Reptiles ailés qui vivaient à l'époque des Dinosaures.

Pupille (n. fém.) Dans l'œil des Vertébrés et de certains Invertébrés, ouverture visible au centre de l'iris qui laisse entrer la lumière.

Purine (n. fém.) L'une des deux familles de bases azotées, constituée de deux cycles d'atomes de carbone et d'azote, présentes dans les nucléotides. L'adénine (A) et la guanine (G) sont des purines.

Pyramide de productivité nette (n. fém.) Représentation des pertes successives d'énergie dans une chaîne alimentaire au moyen d'un diagramme où les niveaux trophiques prennent la forme de blocs empilés, la base représentant les producteurs. La taille de chaque bloc est proportionnelle à la productivité du niveau trophique correspondant.

Pyramide des âges (n. fém.) En démographie, représentation graphique du pourcentage d'individus d'une population dans chacun des groupes d'âge.

Pyramide des biomasses (n. fém.) Représentation de la diminution progressive du rendement écologique dans une chaîne alimentaire au moyen d'un diagramme où les niveaux trophiques prennent la forme de blocs empilés, la taille de chaque bloc étant proportionnelle à la biomasse mesurable (masse sèche totale des organismes) du niveau trophique correspondant, à un moment donné.

Pyramide des nombres (n. fém.) Représentation du nombre d'individus aux différents niveaux trophiques d'une chaîne alimentaire au moyen d'un diagramme où les niveaux trophiques prennent la forme de blocs empilés, la taille de chaque bloc étant proportionnelle au nombre d'organismes occupant le niveau trophique correspondant.

Pyrimidine (n. fém.) L'une des deux familles de bases azotées, constituée d'un seul cycle d'atomes de carbone et d'azote, présentes dans les nucléotides. La cytosine (C), la thymine (T) et l'uracile (U) sont des pyrimidines.

Question portant sur les causes ultimes (n. fém.) Concernant le comportement animal, question axée sur la signification évolutive d'un comportement.

Quête de nourriture (n. fém.) Ensemble de comportements d'un Animal visant à reconnaître et à rechercher des aliments, et à s'en saisir.

Queue poly-A (n. fém.) Série comprenant de 50 à 250 nucléotides d'adénine qui s'ajoute à l'extrémité 3′ de la molécule d'ARN prémessager pendant la maturation.

Racine (n. fém.) Chez les Vasculaires, organe qui ancre la plante dans sol et lui permet d'en absorber l'eau et les nutriments.

Racine latérale (n. fém.) Chez les Végétaux, racine qui prend naissance dans la couche périphérique de la stèle.

Radiation adaptative (n. fém.) Émergence relativement rapide de nombreuses espèces à partir d'un ancêtre commun introduit dans un environnement présentant de nouvelles possibilités et de nouveaux problèmes.

Radicule (n. fém.) Racine embryonnaire d'une plante.

Radio-isotope (n. masc.) Isotope (l'une des formes atomiques d'un élément chimique) dont le noyau se désintègre spontanément en libérant des particules et de l'énergie (p. ex.: ^{14}C, ^{40}K).

Radiolaires (n. masc.) Protistes étroitement apparentés aux Cercozoaires, généralement marins, dont le centre du corps est pourvu de pseudopodes (axopodes) et dont le squelette est composé le plus souvent de silice.

Radula (n. fém.) Organe rugueux en forme de râpe qu'un grand nombre de Mollusques utilisent pour ramasser leur nourriture.

Rainures branchiales (n. fém.) Chez les embryons des Cordés, sillons qui séparent une série de poches situées sur les côtés du pharynx et qui peuvent devenir des fentes branchiales.

Raisonnement déductif (n. masc.) Raisonnement logique qui consiste à prédire des résultats particuliers à partir d'une prémisse générale.

Raisonnement inductif (n. masc.) Raisonnement logique qui consiste à faire des généralisations à partir d'un grand nombre d'observations spécifiques.

Ratites (n. masc.) Groupe d'Oiseaux incapables de voler parce que leur sternum est dépourvu de bréchet.

Rayonnement (n. masc.) Émission d'ondes électromagnétiques par tous les objets dont la température est supérieure au zéro absolu, notamment le corps d'un Animal, l'environnement et le Soleil.

Réabsorption sélective (n. fém.) Transport sélectif, dans le système urinaire des Animaux, qui fait passer certaines substances du filtrat dans le liquide interstitiel, à travers l'épithélium du tubule rénal.

Réactif (n. masc.) Substance de départ dans une réaction chimique.

Réaction acrosomiale (n. fém.) Chez les Animaux, libération du contenu de l'acrosome d'un spermatozoïde qui se produit lorsque celui-ci entre en contact avec la couche gélatineuse qui recouvre un ovocyte de deuxième ordre.

Réaction chimique (n. fém.) Formation et rupture de liaisons chimiques, qui provoquent des modifications dans la composition de la matière.

Réaction corticale (n. fém.) Série de changements qui se produisent dans la partie externe (cortex) du cytoplasme de l'ovocyte après la fusion de la membrane plasmique de l'ovocyte de deuxième ordre avec celle du spermatozoïde, au cours de la fécondation.

Réaction d'hypersensibilité (n. fém.) (1) Chez les Végétaux, réaction de défense localisée qui est plus vigoureuse que l'agression et qui se produit lorsque l'agent pathogène est un agent avirulent reconnu par la relation *R-Avr*. (2) Chez les humains, réaction immunitaire exagérée (réaction allergique) à une substance étrangère (allergène).

Réaction d'oxydoréduction (n. fém.) Réaction chimique associée au transfert d'un ou de plusieurs électrons d'un réactif à l'autre. Aussi appelée *réaction rédox.*

Réaction de condensation (n. fém.) Réaction dans laquelle deux molécules s'associent par une liaison covalente tout en perdant une molécule d'eau. Aussi appelée *réaction de déshydratation.*

Réaction de déshydratation (n. fém.) Voir *Réaction de condensation.*

Réaction du greffon contre l'hôte (n. fém.) Attaque des lymphocytes reçus par un patient contre les cellules de son organisme après une transplantation de moelle osseuse.

Réaction endergonique (n. fém.) Réaction chimique non spontanée qui absorbe de l'énergie libre de son environnement.

Réaction exergonique (n. fém.) Réaction chimique spontanée qui s'accompagne d'un dégagement d'énergie libre.

Réaction hétérotypique (n. fém.) Relation entre les espèces d'une communauté.

Réaction immunitaire à médiation cellulaire (n. fém.) Type de réaction immunitaire dans laquelle les lymphocytes T cytotoxiques défendent l'organisme contre les tissus transplantés, les cellules infectées et les cellules cancéreuses.

Réaction immunitaire humorale (n. fém.) Type d'immunité acquise qui comporte l'activation des lymphocytes B et qui déclenche la production d'anticorps qui défendent contre les Bactéries et les Virus présents dans les liquides corporels.

Réaction immunitaire primaire (n. fém.) Prolifération et différenciation sélectives de lymphocytes qui a lieu la première fois que le corps est exposé à un antigène. Se produit de 10 à 17 jours après l'exposition à l'antigène.

Réaction immunitaire secondaire (n. fém.) Réponse que donne le système immunitaire lorsque l'organisme rencontre le même antigène une deuxième fois et les fois suivantes. La réaction est plus rapide, de plus grande ampleur et de plus longue durée que la réaction immunitaire primaire.

Réaction inflammatoire (n. fém.) Défense immunitaire innée et localisée qui est déclenchée par une lésion ou une infection physique et au cours de laquelle la modification des petits vaisseaux sanguins adjacents favorise l'infiltration de leucocytes, de protéines antimicrobiennes et d'éléments de coagulation qui contribuent à la réparation des tissus et à la destruction des agents pathogènes; peut aussi faire intervenir des effets systémiques tels que la fièvre et la production accrue de leucocytes.

Réactions photochimiques (n. fém.) Première phase de la photosynthèse, qui se déroule dans les membranes thylakoïdiennes du chloroplaste et qui transforme l'énergie solaire en énergie chimique (ATP et NADPH + H^+) en produisant du dioxygène.

Réceptacle (n. masc.) Chez les Angiospermes, site d'attachement des pièces florales à la tige.

Récepteur à domaine tyrosine kinase (n. masc.) Récepteur protéique qui est situé dans la membrane plasmique et qui répond à la fixation d'une molécule de communication en catalysant le transfert de groupements phosphate de l'ATP à la tyrosine, localisée sur son côté cytoplasmique. La tyrosine phosphorylée active d'autres protéines de transduction à l'intérieur de la cellule.

Récepteur antigénique des lymphocytes B (n. masc.) Molécule en forme de Y qui possède deux chaînes lourdes identiques et deux chaînes légères identiques reliées par des ponts disulfure et contenant deux sites de liaison pour l'antigène. Aussi appelé *immunoglobuline membranaire.*

Récepteur antigénique des lymphocytes T (n. masc.) Récepteur constitué de deux chaînes polypeptidiques différentes – une chaîne α et une chaîne β liées par un pont disulfure – et d'une région transmembranaire qui attache la molécule à la membrane plasmique du lymphocyte; les régions variables des chaînes α et β forment un site unique de fixation à l'antigène.

Récepteur couplé à une protéine G (n. masc.) Récepteur protéique de stimulus situé dans la membrane plasmique. Lorsqu'une molécule de communication se lie à lui, ce récepteur change de conformation et permet ainsi la fixation et l'activation d'une protéine G.

Récepteur d'ondes électromagnétiques (n. masc.) Type de récepteur sensoriel qui détecte différentes formes d'énergie électromagnétique, telles que la lumière visible, l'électricité et le magnétisme.

Récepteur de la douleur (n. masc.) Type de terminaison nerveuse libre qui est située dans l'épiderme de la peau des Animaux et qui détecte la douleur. Aussi appelé *nocicepteur.*

Récepteur gustatif (n. masc.) Chimiorécepteur du goût.

Récepteur olfactif (n. masc.) Chimiorécepteur de l'odorat.

Récepteur sensoriel (n. masc.) Cellule spécialisée qui recueille de l'information sur le monde physique entourant l'organisme animal et sur certains processus se déroulant à l'intérieur de l'organisme.

Réception (n. fém.) Pour une cellule cible, consiste à détecter une molécule signal qui provient de l'extérieur de la cellule; cette molécule doit se lier à un récepteur protéinique.

Recherche écologique à long terme (n. fém.) Recherche dont le but est de révéler la dynamique des écosystèmes naturels et de déterminer les effets de l'activité humaine.

Récif de corail (n. masc.) Dans la zone néritique des eaux tropicales chaudes, biome caractéristique constitué de divers groupes de Cnidaires sécrétant un squelette externe de calcaire.

Recombinaison génétique (n. fém.) Brassage de gènes entraînant l'apparition, dans la descendance, de nouvelles combinaisons d'allèles, par rapport aux combinaisons des deux parents.

Recombiné (adj.) Qualifie un individu présentant une combinaison de caractères qui diffère de celle des parents.

Recrutement (n. masc.) Chez les Vertébrés, activation d'un nombre croissant de neurones moteurs commandant un muscle qui fait augmenter progressivement la force de contraction du muscle.

Rectum (n. masc.) Section terminale du gros intestin où restent les matières fécales jusqu'à leur élimination.

Réduction (n. fém.) Gain d'électrons par une substance participant à une réaction d'oxydoréduction.

Réductionnisme (n. masc.) Fragmentation de systèmes complexes en des éléments plus simples et plus faciles à manipuler.

Réflexe (n. masc.) Réaction automatique à un stimulus.

Refroidissement par vaporisation (n. masc.) Propriété d'un liquide dont la surface refroidit au cours de la vaporisation, les molécules possédant l'énergie cinétique la plus grande s'échappant sous forme de gaz.

Régénération (n. fém.) Reconstitution par un organisme des parties perdues à la suite d'une reproduction par fragmentation ou d'une blessure.

Règle de Hamilton (n. fém.) Principe selon lequel le bénéfice de l'Animal qui tire avantage d'un acte altruiste multiplié par le coefficient de parenté doit être supérieur au coût de l'altruisme.

Règne (n. masc.) Catégorie taxinomique la plus vaste après le domaine.

Régulateur (adj.) Concernant une variable environnementale particulière, qualifie un Animal qui utilise des mécanismes homéostatiques pour atténuer le changement de son milieu interne lorsque son environnement externe fluctue.

Régulateur local (n. masc.) Molécule messagère agissant sur les cellules situées à proximité.

Régulation allostérique (n. fém.) Mode de régulation du fonctionnement d'une enzyme dans lequel la fonction d'un de ses sites est influencée par la liaison d'une molécule régulatrice à un autre site.

Régulation rénine-angiotensine-aldostérone – RRAA (n. fém.) Mécanisme de rétro-inhibition complexe qui se passe au niveau des reins et qui contribue à la régulation de la pression et du volume sanguins.

Relation de gène à gène (n. fém.) Forme de résistance à la maladie très répandue, qui se fonde sur la reconnaisance de molécules dérivées de l'agent pathogène par les produits protéiques des gènes de résistance aux maladies végétales.

Rendement écologique (n. masc.) – **efficience écologique** (n. fém.) Rapport (exprimé en pourcentage) entre la productivité nette d'un niveau trophique, dans un écosystème, et la productivité nette du niveau inférieur.

Réparation des mésappariements des bases (n. fém.) Mécanisme par lequel les cellules, à l'aide d'enzymes spécifiques, corrigent les bases azotées mal appariées dans l'ADN.

Réplicon (n. masc.) Région du chromosome où se trouve une origine de réplication. Unité du chromosome répliquée.

Réponse (n. fém.) Dans la communication cellulaire, changement qui se produit dans une activité cellulaire en raison d'un signal transformé provenant de l'extérieur de la cellule.

Répresseur (n. masc.) Facteur de transcription qui inhibe l'expression d'un gène.

Répresseur de *trp* (n. masc.) Protéine qui peut inactiver l'opéron *trp* (pour *tryptophane*) en se liant à l'opérateur.

Reproduction asexuée (n. fém.) Mécanisme de reproduction n'impliquant qu'un seul parent; celui-ci transmet tous ses gènes à tous ses descendants.

Reproduction sexuée (n. fém.) Mécanisme de reproduction impliquant deux parents de sexe opposé; chacun des descendants reçoit une combinaison particulière des gènes de ses deux parents.

Reptile (n. masc.) Membre du clade des Amniotes qui comprend les tuataras, les lézards, les serpents, les tortues, les crocodiles et les Oiseaux.

Réseau nerveux (n. masc.) Disposition diffuse des neurones, caractéristique des Animaux à symétrie radiale comme l'hydre.

Résistance périphérique (n. fém.) Force que l'ensemble des vaisseaux sanguins oppose à l'écoulement du sang.

Résistance systémique acquise (n. fém.) Réponse non spécifique qui se traduit par la production de substances chimiques et qui fournit une protection de plusieurs jours à une plante contre divers agents pathogènes.

Respiration (n. fém.) Processus de ventilation des poumons qui consiste en une inspiration et une expiration alternées de l'air.

Respiration à pression négative (n. fém.) Mécanisme de respiration qu'on trouve chez les Mammifères où l'air est tiré vers les poumons.

Respiration à pression positive (n. fém.) Mécanisme de respiration qu'on trouve chez les Amphibiens où l'air est poussé (forcé) dans les poumons.

Respiration cellulaire anaérobie (n. fém.) Mécanisme d'extraction de l'énergie par lequel des substances autres que le dioxygène (ions nitrate ou ions sulfate notamment) servent comme accepteurs des électrons.

Réticulum sarcoplasmique (n. masc.) Réticulum endoplasmique spécialisé de la fibre musculaire squelettique et cardiaque, et qui représente un lieu d'entreposage d'ions calcium.

Rétinal (n. masc.) Dans l'œil des Vertébrés et de certains Invertébrés, pigment visuel des bâtonnets et des cônes qui est synthétisé à partir de la vitamine A et qui absorbe la lumière.

Rétine (n. fém.) Couche la plus profonde de l'œil des Vertébrés et de certains Invertébrés. Renferme les photorécepteurs (bâtonnets et cônes) et divers neurones. Au niveau du disque du nerf optique, transmet au cerveau les images formées par le cristallin.

Rétroactivation (n. fém.) Mécanisme de régulation physiologique qui amplifie le stimulus initial, ce qui entraîne un accroissement de la réponse.

Rétro-inhibition (n. fém.) (1) Mécanisme de régulation métabolique par lequel le produit final d'une voie métabolique inhibe une enzyme et ferme cette voie. (2) Mécanisme de régulation homéostatique par lequel un changement se produisant dans une variable physiologique déclenche une réponse de sens contraire à celui du changement initial. (3) Mécanisme de régulation de la taille d'une population qui agit lorsque le taux de mortalité s'élève, quand la densité de population augmente, et lorsque le taux de natalité diminue, à mesure que la densité augmente.

Rétrotransposon (n. masc.) Segment d'ADN capable de se déplacer à l'intérieur du génome par l'intermédiaire d'un ARN qui en est une transcription.

Rétrovirus (n. masc.) Virus à ARN qui se reproduit en synthétisant de l'ADN à partir d'une matrice d'ARN, puis en insérant l'ADN nouvellement fabriqué dans un chromosome cellulaire. Classe importante de Virus causant le cancer et le sida.

Révolution cardiaque (n. fém.) Cycle complet du fonctionnement du cœur comportant une phase de contraction musculaire (systole) et d'expulsion du sang et une autre de relaxation (diastole) et de remplissage.

Rhizoïde (n. masc.) Longue cellule tubulaire (chez les Hépatiques et les Anthocérotes) ou filament de cellules (chez les Mousses) qui ancre les Bryophytes dans le sol. N'est pas formé de tissus, ne possède pas de cellules conductrices spécialisées et ne joue pas un rôle important dans l'absorption de l'eau et des minéraux.

Rhodobiontes (n. fém.) Algues eucaryotes qui ne traversent pas de stade flagellé au cours de leur cycle de développement.

Rhodopsine (n. fém.) Dans l'œil des Vertébrés et de certains Invertébrés, pigment visuel des bâtonnets qui est constitué de rétinal et d'opsine.

Rhombencéphale (n. masc.) L'une des trois régions embryonnaires de l'encéphale qui ont été produites au cours de l'évolution des Vertébrés. Donne naissance au bulbe rachidien, au pont et au cervelet.

Ribose (n. masc.) Glucide entrant dans la structure de l'ARN.

Ribosome (n. masc.) Particule dont les sous-unités sont synthétisées dans le nucléole et qui est constituée d'ARN ribosomique et de protéines. Est composé de deux sous-unités qui assemblent les protéines dans le cytoplasme.

Ribozyme (n. masc.) Molécule d'ARN enzymatique qui catalyse les réactions au cours de l'épissage de l'ARN.

Richesse spécifique (n. fém.) Nombre d'espèces que comporte une communauté biologique.

Rivière (n. fém.) Cours d'eau naturel.

Roche sédimentaire (n. fém.) Roche qui s'est formée par accumulation de sable et de boue au fond des mers, des lacs et des marais, souvent riches en fossiles.

Rotation des cultures (n. fém.) Méthode qui consiste à faire alterner d'une année à l'autre la plantation d'une espèce n'appartenant pas aux Légumineuses et la plantation d'une Légumineuse pour rétablir la concentration d'azote combiné dans le sol.

Rotifères (n. masc.) Embranchement d'Animaux pseudocœlomates qui sont pourvus d'un appareil masticateur, d'une couronne de cils entourant la bouche et d'un système digestif complet.

RuDP carboxylase/oxydase – Rubisco (n. fém.) Enzyme qui catalyse la première étape du cycle de Calvin, c'est-à-dire la liaison de dioxyde de carbone au RuDP (ribulose diphosphate).

Ruisseau (n. masc.) Cours d'eau généralement petit, froid et clair.

Ruminant (n. masc.) Animal, comme les cerfs, les bovins et les ovins, dont l'estomac comporte des cavités complexes spécialisées qui sont adaptées à un régime herbivore.

Rythme circadien (n. masc.) Cycle physiologique qui dure environ 24 heures et qui est présent chez tous les organismes eucaryotes, même en l'absence de stimulus extérieurs.

Sac embryonnaire (n. masc.) Gamétophyte femelle des Angiospermes issu de la croissance et de la division par mitose de la mégaspore et doté de huit noyaux haploïdes dont l'un est celui de l'oosphère.

Sac vitellin (n. masc.) L'une des quatre membranes extraembryonnaires qui aident l'embryon à se développer chez les Cordés. Recouvre la masse vitelline. Site de production des premiers globules sanguins chez les Mammifères.

Saccule (n. masc.) Dans l'oreille interne des humains et de la plupart des autres Mammifères, chambre qui est située derrière la fenêtre du vestibule et qui participe au sens de l'équilibre.

Sang (n. masc.) Type de tissu conjonctif dont la matrice est un liquide appelé *plasma*, où baignent deux catégories de cellules sanguines: les érythrocytes et les leucocytes. Aussi appelé *tissu sanguin*.

Saprolégniales (n. fém.) Saprophytes membres du groupe des Oomycètes qui croissent en masses duveteuses sur des Algues et des Animaux morts.

Saprophyte (n. masc.) Organisme décomposeur qui puise ses nutriments dans les débris organiques qu'il dégrade.

Sarcomère (n. masc.) Unité structurale fondamentale des muscles squelettiques et cardiaque des Vertébrés. Élément de répétition délimité par les lignes Z.

Sarcoptérygiens (n. masc.) Poissons à nageoires rayonnées apparus au Dévonien dont seules trois lignées ont survécu.

Schizocœlie (n. fém.) Chez les Protostomiens, mode de formation du cœlome à partir de fentes situées dans les masses de mésoderme.

Schizophrénie (n. fém.) Trouble mental grave qui se manifeste par des épisodes psychotiques au cours desquels les patients deviennent incapables de faire la distinction entre la réalité et les hallucinations.

Scissiparité – fissiparité (n. fém.) Mode de division cellulaire caractéristique des Procaryotes. Chaque cellule fille reçoit une copie de l'unique chromosome parental.

Sclère (n. fém.) Couche externe, blanche et résistante, de tissu conjonctif qui compose l'œil des Vertébrés et de certains Invertébrés.

Sclérite (n. fém.) Cellule sclérenchymateuse assez courte et de forme irrégulière. Présente dans la coquille des noix et l'enveloppe des graines, et de manière dispersée dans les parenchymes de certaines plantes.

Scrotum (n. masc.) Enveloppe de peau qui se trouve à l'extérieur de la cavité pelvienne et qui renferme les testicules. Permet de préserver la viabilité des spermatozoïdes en les maintenant à une température inférieure à celle du corps.

Scutellum (n. masc.) Chez les Graminées, type de cotylédon spécialisé.

Second messager (n. masc.) Petite molécule non protéique et hydrosoluble, comme l'AMP cyclique, ou ion, comme l'ion calcium, qui transmet au cytoplasme l'information d'un stimulus hormonal (premier messager) capté par un récepteur protéique situé à la surface d'une cellule.

Sécrétine (n. fém.) Hormone sécrétée par le duodénum qui a une triple action: amène le pancréas à sécréter des ions HCO_3^- qui neutralisent l'acidité du chyme; accentue la production de bile par le foie; inhibe la sécrétion et le péristaltisme gastriques.

Sécrétion (n. fém.) (1) Libération par une cellule des molécules qu'elle a synthétisées. (2) Excrétion des déchets du sang dans le filtrat.

Segmentation (n. fém.) Dans les cellules animales, processus de séparation de deux cellules filles qui se caractérise par une invagination de la membrane plasmique. Désigne aussi la succession rapide de divisions cellulaires qui transforme le zygote en une sphère creuse au début du développement embryonnaire.

Segmentation déterminée (n. fém.) Type de développement embryonnaire chez les Protostomiens, qui définit très tôt le sort de chaque cellule embryonnaire.

Segmentation holoblastique (n. fém.) Type de segmentation dans lequel il y a division complète d'un œuf contenant peu de vitellus (comme chez les oursins) ou une quantité modérée de vitellus (comme chez les grenouilles).

Segmentation indéterminée (n. fém.) Type de développement embryonnaire chez les Deutérostomiens, dans lequel chaque cellule produite dès le début de la segmentation a la capacité de devenir un embryon complet.

Segmentation méroblastique (n. fém.) Type de segmentation dans lequel il y a division incomplète d'un œuf riche en vitellus. Caractéristique du développement des Oiseaux.

Segmentation radiaire (n. fém.) Type de développement embryonnaire chez les Deutérostomiens, dans lequel la division cellulaire qui transforme le zygote en une sphère de cellules s'effectue parallèlement ou perpendiculairement à l'axe vertical.

Segmentation spirale (n. fém.) Type de développement embryonnaire chez les Protostomiens, dans lequel la division cellulaire qui transforme le zygote en une sphère de cellules s'effectue en diagonale par rapport à l'axe vertical et produit des cellules de taille inégale.

Sel (n. masc.) Composé formé par des liaisons ioniques. Aussi appelé *composé ionique* (p. ex.: NaCL, $MgCl_2$, $NaHCO_3$, Na_2HPO_4).

Sélection artificielle (n. fém.) Procédé qui consiste à croiser les organismes possédant les caractères qu'on désire perpétuer. Procédé auquel ont eu recours les humains au cours de l'histoire, dans la culture et l'élevage.

Sélection clonale (n. fém.) Processus au cours duquel un antigène se lie de façon sélective aux lymphocytes portant des récepteurs pour cet antigène et active ces lymphocytes. Les lymphocytes activés prolifèrent et se différencient en deux clones: un clone de cellules effectrices et un clone de cellules mémoires spécifiques de cet antigène. La sélection clonale explique la spécificité et la mémoire de la réaction immunitaire acquise.

Sélection dépendante de la fréquence (n. fém.) Diminution des taux de survie et de reproduction des individus ayant un phénotype particulier, à la suite de la propagation excessive de ce dernier dans la population. Est à l'origine du polymorphisme équilibré.

Sélection directionnelle (n. fém.) Mode de sélection naturelle qui favorise les phénotypes situés à une seule extrémité de la courbe normale de sélection.

Sélection divergente (n. fém.) Mode de sélection naturelle qui favorise les deux phénotypes situés à la limite de la courbe normale de sélection.

Sélection équilibrée (n. fém.) Sélection naturelle qui maintient une fréquence stable d'au moins deux formes de phénotypes dans une population (polymorphisme équilibré).

Sélection intersexuelle (n. fém.) Sélection naturelle qu'effectue un individu d'un sexe donné en faisant un choix circonspect parmi les partenaires possibles de sexe opposé. (Ce sont généralement les femelles qui sélectionnent les mâles.)

Sélection intrasexuelle (n. fém.) Sélection naturelle qui a lieu entre individus de même sexe; passe par la concurrence directe pour gagner les faveurs d'un partenaire de sexe opposé. (Chez les Vertébrés, ce sont généralement les mâles qui entrent directement en compétition l'un avec l'autre.)

Sélection *K* (n. fém.) En démographie, sélection qui favorise les caractéristiques des cycles biologiques qui dépendent de la densité de population. Aussi appelée *sélection dépendante de la densité.*

Sélection naturelle (n. fém.) Succès inégal dans la reproduction des individus possédant différents phénotypes qui est attribuable aux interactions entre les organismes et leur milieu. L'évolution résulte de la modification des fréquences alléliques causée par la sélection naturelle.

Sélection parentale (n. fém.) Phénomène de sélection naturelle qui favorise le comportement altruiste en accroissant le succès reproductif des parents.

Sélection *r* (n. fém.) En démographie, sélection qui favorise les caractéristiques qui maximisent le succès de reproduction dans les milieux où il y a peu d'individus (faible densité). Aussi appelée *sélection indépendante de la densité.*

Sélection sexuelle (n. fém.) Sélection naturelle visant la reproduction.

Sélection spécifique (n. fém.) Modèle théorique selon lequel les espèces qui vivent le plus longtemps et qui engendrent le plus grand nombre d'espèces déterminent la direction des grandes tendances de l'évolution.

Sélection stabilisante (n. fém.) Mode de sélection naturelle qui élimine les phénotypes situés à la limite de la courbe normale de sélection et favorise ceux qui sont au centre de la courbe et plus courants.

Sémelparité (n. fém.) Cycle biologique dans lequel la vie d'un organisme comprend une seule période de reproduction.

Sensation (n. fém.) Influx nerveux qu'envoient au cerveau les récepteurs sensoriels activés et les neurones sensitifs des Animaux.

Sépale (n. masc.) Chez les Angiospermes, feuille modifiée qui entoure et protège le bouton floral.

Séquence d'insertion (n. fém.) Le plus simple des éléments transposables, qui n'existe que chez les Bactéries et qui consiste en des répétitions d'ADN de chaque côté d'un gène pour la transposase, l'enzyme qui catalyse la transposition.

Séquence signal (n. fém.) Groupe d'environ 20 acides aminés qui constitue habituellement la première partie du polypeptide en formation et qui oriente la protéine vers un endroit précis, dans une cellule eucaryote.

Séquence stéréotypée d'actes instinctifs (n. fém.) Suite d'actions qui est toujours la même et qu'un Animal termine une fois qu'il l'a entreprise.

Séquences *Alu* (n. fém.) Chez les humains et les autres Primates, famille de séquences semblables qui constituent une partie de l'ADN répétitif (au moins 5 % du génome). Les séquences *Alu* sont une exception à la règle voulant que l'ADN répétitif ne soit pas codant, de nombreux éléments *Alu* étant transcrits en ARN.

Sérotonine (n. fém.) Amine biogène synthétisée à partir de l'acide aminé qu'est le tryptophane. Neurotransmetteur qui produit généralement une inhibition.

Seuil d'excitation (n. masc.) Valeur de tension de part et d'autre de la membrane plasmique qui déclenche un potentiel d'action.

Sida – syndrome d'immunodéficience acquise (n. masc.) Nom donné au stade final de l'infection par le Virus de l'immunodéficience humaine (VIH). Se caractérise par une réduction du nombre de lymphocytes T et par l'apparition d'infections opportunistes.

Signal (n. masc.) En éthologie, comportement d'un Animal qui provoque un changement de comportement chez un autre Animal.

Sillon de division (n. masc.) Au début de la cytocinèse des cellules animales, invagination de la surface cellulaire à l'endroit occupé précédemment par la plaque équatoriale.

Sinus (n. masc.) Cavités entourant les organes, chez les Animaux ayant un système cardiovasculaire ouvert et dont les organes baignent directement dans le sang.

Site A – site aminoacyl-ARNt (n. masc.) L'un des trois sites de liaison du ribosome pendant la traduction. Retient l'ARNt et ajoute l'acide aminé que ce dernier porte à la chaîne polypeptidique.

Site actif (n. masc.) Partie spécifique d'une enzyme qui se lie au substrat au moyen de liaisons chimiques faibles et où la réaction catalytique se produit.

Site de restriction (n. masc.) Séquence d'ADN reconnue par une enzyme de restriction pour le découpage.

Site E – site de sortie, *exit* (n. masc.) L'un des trois sites de liaison du ribosome pendant la traduction. Site par lequel l'ARNt se détache du ribosome.

Site P – site peptidyl-ARNt (n. masc.) L'un des trois sites de liaison du ribosome pendant la traduction. Retient l'ARNt qui porte la chaîne polypeptidique en formation.

Sociobiologie (n. fém.) Science qui applique la théorie de l'évolution à l'étude et à l'interprétation du comportement social.

Sol (n. masc.) Mélange de fragments de roche de granulométries variées, d'organismes, d'humus et d'argile.

Soluté (n. masc.) Substance dissoute dans une solution.

Solution (n. fém.) Liquide formé d'un mélange homogène de deux ou de plusieurs substances.

Solution aqueuse (n. fém.) Solution dont l'eau est le solvant.

Solution tampon (n. fém.) Substance composée d'un acide faible et de son sel et réduisant au minimum les changements de pH lorsqu'on y ajoute un acide ou une base.

Solvant (n. masc.) Agent dissolvant d'une solution.

Somite (n. masc.) Chacun des blocs de mésoderme à l'origine des myomères et qui se trouvent de chaque côté de la corde dorsale de l'embryon, chez les Cordés.

Sommation spatiale (n. fém.) Sommation dans laquelle plusieurs corpuscules nerveux terminaux appartenant habituellement à plusieurs neurones présynaptiques stimulent en même temps la cellule postsynaptique, de sorte que leurs effets sur le potentiel de membrane s'additionnent.

Sommation temporelle (n. fém.) Dans un neurone du système nerveux, sommation dans laquelle les stimulus chimiques provenant d'un ou de plusieurs corpuscules nerveux terminaux sont si rapprochés dans le temps que chaque potentiel postsynaptique agit sur la membrane avant même qu'elle ait pu retrouver son potentiel de repos, après la stimulation précédente.

Sonde nucléique (n. fém.) Dans les techniques d'analyse de l'ADN, molécule d'acide nucléique monocaténaire marquée qui forme spécifiquement des liaisons hydrogène avec un gène recherché.

Sore (n. masc.) Amas de sporanges qui sont produits par les Fougères et qui se trouvent sous les feuilles vertes ou sur des feuilles spéciales et d'une autre couleur (sporophylles). La disposition des sores, en lignes parallèles ou en points, facilite l'identification des Fougères.

Sorédie (n. fém.) Petit amas d'hyphes incrustés d'Algues. Structure qui sert à la reproduction asexuée de la partie symbiotique des Lichens.

Souffle cardiaque (n. masc.) Trouble qui est atribuable à une anomalie dans une ou plusieurs valves du cœur et qui peut se manifester par le sifflement que produit le jaillissement du sang refluant par une valve.

Sous-alimentation (n. fém.) Régime alimentaire animal qui manque de joules. N'apporte pas suffisamment d'énergie pendant une période prolongée.

Spéciation (n. fém.) Apparition de nouvelles espèces au cours de l'évolution.

Spéciation allopatrique (n. fém.) Spéciation qui se produit lorsqu'une population est isolée des autres par une barrière géographique ou lorsqu'elle est elle-même divisée en au moins deux sous-populations géographiquement isolées.

Spéciation sympatrique (n. fém.) Spéciation qui se produit à la suite d'un changement dans le patrimoine génétique d'une sous-population qui se retrouve en isolement reproductif au sein de l'aire de distribution de la population mère.

Spectre d'absorption (n. masc.) Graphique qui représente la capacité d'absorption d'un pigment en fonction de la longueur d'onde.

Spectre d'action (n. masc.) Graphique qui indique l'efficacité relative des différentes longueurs de la radiation dans un processus particulier (p. ex.: la photosynthèse).

Spectre d'hôtes (n. masc.) Gamme limitée de cellules hôtes qu'une sorte de Virus peut infecter et parasiter.

Spectre électromagnétique (n. masc.) Ensemble du spectre de rayonnement, dont les longueurs d'onde varient de moins de 1 nm (pour les rayons gamma) à plus de 1 km (pour certaines ondes radio).

Spectrophotomètre (n. masc.) Appareil qui sert à mesurer la capacité d'un pigment à absorber diverses longueurs d'onde.

Spermathèque (n. fém.) Chez plusieurs espèces d'Animaux, sac qui est situé dans le système reproducteur de la femelle et qui permet l'entreposage des spermatozoïdes pendant une année ou plus.

Spermatogenèse (n. fém.) Processus continu et très productif de formation de spermatozoïdes mûrs dans les testicules.

Spermatogonie (n. fém.) Cellule sexuelle diploïde et immature qui donne naissance à un spermatozoïde après avoir subi la méiose. Se trouve à la périphérie de chaque tubule séminifère contourné, dans les testicules.

Spermatozoïde (n. masc.) Gamète mâle qui est généralement une petite cellule flagellée et qui participe à la reproduction chez les Végétaux et les Animaux.

Sperme (n. masc.) Liquide qu'éjacule le mâle pendant l'orgasme et qui contient des spermatozoïdes et diverses sécrétions provenant des trois types de glandes annexes du système reproducteur.

Sphénodontiens (n. masc.) Groupe au sein des Reptiles actuels qui comprend les tuataras.

Sphincter (n. masc.) Chez les Animaux, anneau que forme la couche musculaire à certains points de jonction de segments spécialisés d'un tube comme le tube digestif. Ferme le tube à la manière d'un nœud coulant. Aussi appelé *muscle sphincter.*

Spirale d'extinction (n. fém.) Hélice décroissante typique des petites populations dont la taille est de plus en plus réduite, jusqu'à ce qu'il n'existe plus aucun individu. Phénomène amplifié par la consanguinité et la dérive génétique.

Spongocœle (n. masc.) Cavité gastrique centrale des Éponges.

Sporange (n. masc.) Organe multicellulaire des Eumycètes et du sporophyte des Végétaux à l'intérieur duquel se produisent la méiose et le développement des spores haploïdes. Aussi appelé *capsule.*

Spore (n. fém.) Cellule haploïde chez les organismes qui connaissent l'alternance de générations. Produite par méiose, elle forme par mitose un individu multicellulaire, le gamétophyte, sans fusionner avec une autre cellule.

Sporocyte (n. masc.) Cellule diploïde aussi appelée *cellule mère des spores*, qui subit une méiose et donne naissance à des spores haploïdes.

Sporophylle (n. fém.) Feuille spécialisée des Lycophytes qui porte des sporanges et contribue, avec d'autres feuilles, à former des strobiles en forme de cône.

Sporophyte (n. masc.) Forme diploïde multicellulaire chez les organismes qui connaissent l'alternance de générations. Résulte de la fusion des gamètes et produit par méiose des spores haploïdes qui vont donner des gamétophytes.

Sporopollénine (n. fém.) Polymère très résistant qui recouvre les zygotes exposés chez les Charophytes et compose la paroi des spores végétales, ce qui les empêche de se dessécher.

Sporozoïtes (n. masc.) Minuscules cellules infectieuses qui représentent un stade dans le cycle de vie des Apicomplexés.

Squameuse (adj.) Qualifie la forme aplatie comme un carreau de céramique d'un type de cellules épithéliales.

Stapès (n. masc.) Chez certains Vertébrés, dernier des trois osselets de l'oreille moyenne qui est en contact avec la fenêtre du vestibule. Aussi appelé *étrier.*

Statocyste (n. masc.) Type de mécanorécepteur qui joue un rôle dans l'équilibre chez la plupart des Invertébrés, grâce à des statolithes stimulant les cellules sensorielles ciliées sous l'effet de la gravitation.

Statolithe (n. masc.) (1) Chez les Végétaux, plaste spécialisé contenant des grains d'amidon lourds qui se déposent dans la partie inférieure des cellules sous l'effet de la gravitation. (2) Chez la plupart des Invertébrés, granule de sable ou de calcaire qui, sous l'effet de la gravitation, stimule les cellules sensorielles ciliées d'un statocyste.

Stèle (n. fém.) Tissu vasculaire d'une tige ou d'une racine.

Sténohalin (adj.) Qualifie un organisme qui ne peut tolérer les changements importants d'osmolarité externe.

Stéroïde (n. masc.) Lipide qui se caractérise par un squelette carboné formé de quatre cycles accolés auxquels sont attachés divers groupements fonctionnels (p. ex.: cholestérol, œstrogène, testostérone).

Stigmate (n. masc.) Partie supérieure gluante du carpelle de la fleur qui reçoit le pollen.

Stimulines (n. fém.) Groupe d'hormones ayant pour cibles des glandes endocrines.

Stipe (n. masc.) Structure des Algues semblable à une tige et faisant partie de leur thalle.

Stomate (n. masc.) Complexe pluricellulaire épidermique qui est constitué d'un pore, l'ostiole, et qui est entouré des cellules stomatiques, dans l'épiderme des feuilles et des tiges. Permet les échanges gazeux entre l'air ambiant et l'intérieur de la feuille.

Straménopiles (n. masc.) Clade diversifié qui comprend plusieurs groupes de Protistes hétérotrophes ainsi qu'une variété de Protistes photosynthétiques (Algues). Possèdent des flagelles velus et des flagelles glabres.

Strate (n. fém.) Chacune des couches de roches superposées.

Stratégie optimale de quête de nourriture (n. fém.) Base d'analyse d'un comportement de recherche de nourriture qui considère la quête de nourriture comme un compromis entre les coûts et les bénéfices associés à cet ensemble de comportements.

Strie A (n. fém.) Dans les muscles squelettiques des Vertébrés, large région correspondant à la longueur des filaments épais de myofibrilles.

Strie H (n. fém.) Dans les muscles squelettiques des Vertébrés, région qui est située au centre de la bande A et qui ne contient que des myofilaments épais.

Strie I (n. fém.) Dans les muscles squelettiques des Vertébrés, partie qui est située au bord du sarcomère et qui ne comprend que des myofilaments minces.

Strobile (n. masc.) Terme technique désignant les bouquets de sporophylles généralement appelés *cônes* et qui se trouvent dans la plupart des Gymnospermes et dans certaines Vasculaires sans graines.

Stroma (n. masc.) Liquide où baignent les thylakoïdes dans le chloroplaste. Participe à la synthèse de molécules organiques, qui se fait, au cours de la photosynthèse, à partir du dioxyde de carbone et de l'eau.

Stromatolithe (n. masc.) Tapis bactérien formé de plusieurs couches superposées de sédiments, en forme de dôme, où l'on a trouvé les formes de vie les plus anciennes, c'est-à-dire des organismes procaryotes âgés de 3,5 milliards d'années.

Structure primaire de la protéine (n. fém.) Niveau de structure qui correspond à la séquence d'acides aminés d'une protéine.

Structure primaire des plantes (n. fém.) Parties des racines et des pousses que produisent les méristèmes apicaux.

Structure quaternaire de la protéine (n. fém.) Structure particulière d'une protéine complexe qui est déterminée par un agencement tridimensionnel caractéristique de ses sous-unités, des chaînes polypeptidiques.

Structure secondaire de la protéine (n. fém.) Ensemble des motifs que forme la chaîne polypeptidique d'une protéine en se repliant et en s'enroulant. Cette structure est produite par des liaisons hydrogène entre diverses parties d'un polypeptide; l'hélice α et le feuillet plissé β sont deux types de structure secondaire.

Structure secondaire des plantes (n. fém.) Ensemble des tissus produits par le cambium libéroligneux et le phellogène, qui cause l'épaississement des tiges et des racines des plantes ligneuses.

Structure tertiaire de la protéine (n. fém.) Ensemble des contorsions irrégulières d'une protéine attribuables aux liaisons entre les chaînes latérales, liaisons qui découlent de l'effet hydrophobe ou qui sont des liaisons ioniques, des liaisons hydrogène ou des ponts disulfure.

Structure trophique (n. fém.) Ensemble des relations alimentaires qui existent entre les organismes d'une communauté naturelle.

Structures homologues (n. fém.) Structures similaires chez des espèces différentes, en raison d'une ascendance commune.

Style (n. masc.) Tige du carpelle de la fleur qui relie le stigmate à l'ovaire, lequel se trouve à la base du carpelle.

Substance blanche (n. fém.) Matière du système nerveux central qui est constituée de structures cellulaires myélinisées.

Substance grise (n. fém.) Matière du système nerveux central qui est constituée surtout des dendrites, des axones non myélinisés et des regroupements de corps de neurone qu'on appelle *noyaux*.

Substance florigène (n. fém.) Signal de floraison que l'on n'a pas encore identifié et qui pourrait être une hormone ou un changement dans les concentrations relatives de plusieurs hormones.

Substance P (n. fém.) Neuropeptide qui est un stimulus excitateur important intervenant dans la perception de la douleur.

Substitution d'une paire de bases (n. fém.) Type de mutation ponctuelle. Remplacement d'un nucléotide et de son vis-à-vis sur le brin d'ADN complémentaire par une paire de nucléotides différente.

Substrat (n. masc.) Réactif sur lequel agit une enzyme.

Suc gastrique (n. masc.) Solution digestive que sécrète l'estomac.

Suc intestinal (n. masc.) Liquide alcalin jaune clair, composé d'eau et de mucus, qui aide à l'absorption des nutriments par les microvillosités.

Succession écologique (n. fém.) Série de changements que connaît la composition spécifique d'une communauté, au cours du temps écologique.

Succession écologique primaire (n. fém.) Type de succession écologique qui prend place dans un territoire stérile encore dépourvu de sol et d'organismes.

Succession écologique secondaire (n. fém.) Type de succession écologique qui prend place après une perturbation ayant détruit la végétation mais ayant laissé le sol intact.

Suçoir (n. masc.) – **haustoria** (n. masc.) Chez les Eumycètes parasites, prolongement d'un hyphe modifié qui absorbe les nutriments en pénétrant dans les tissus de l'hôte, tout en restant à l'extérieur de la membrane plasmique des cellules de l'hôte.

Suralimentation (n. fém.) Régime alimentaire animal qui a des joules en excès, apporte trop d'énergie pendant une période prolongée.

Surexploitation (n. fém.) Exploitation de plantes ou d'Animaux sauvages, par les humains, à des taux excédant la capacité de ces populations d'espèces de se maintenir.

Surface respiratoire (n. fém.) Surface corporelle d'un Animal où se produisent les échanges gazeux avec le milieu.

Suspensivore (adj.) Qualifie un organisme qui se nourrit de particules en suspension dans l'eau.

Sustainable Biosphere Initiative – Initiative pour une biosphère durable (n. fém.) Programme de recherche dont l'objectif est d'acquérir les connaissances écologiques nécessaires à la gestion, à la conservation et au développement judicieux des ressources de la Terre.

Symbionte (n. masc.) Chacun des organismes associés en symbiose.

Symbiose (n. fém.) Type de relation écologique qu'entretiennent des organismes d'espèces différentes vivant en contact direct les uns avec les autres; il en existe trois types: mutualisme, commensalisme et parasitisme.

Symétrie bilatérale (n. fém.) Symétrie à deux côtés qui caractérise un corps animal possédant non seulement une face dorsale et une face ventrale, mais aussi une région antérieure et une région postérieure.

Symétrie radiaire (n. fém.) Symétrie qui caractérise un corps animal possédant un dessus et un dessous, mais pas de devant ni de derrière, et pas de côté droit ni de côté gauche. Présente chez les Cnidaires et les Cténophores. Peut aussi faire référence à la structure d'une fleur.

Symplasme (n. masc.) Chez les plantes, réseau des cytosols des cellules mises en communication par des plasmodesmes. Aussi appelé *symplaste.*

Synapse (n. fém.) Jonction entre un corpuscule nerveux terminal de neurone et une cellule cible qui peut être un autre neurone ou une cellule effectrice (cellule musculaire ou glandulaire).

Synapse chimique (n. fém.) Zone de communication entre deux neurones ou entre un neurone et une cellule effectrice dans laquelle le message est véhiculé par un neurotransmetteur.

Synapse électrique (n. fém.) Zone de communication cellulaire entre deux neurones par des jonctions ouvertes. Permet aux potentiels d'action de passer directement de la cellule présynaptique à la cellule postsynaptique.

Synapsides (n. masc.) L'un des trois groupes d'Amniotes dont les membres se différencient par leur anatomie crânienne (ouverture de chaque côté du crâne). Comprend les Mammifères.

Synapsis (n. fém.) Processus d'appariement des chromosomes homologues pendant la prophase I de la méiose.

Syndrome de Down (n. masc.) Maladie génétique causée par la présence d'un chromosome 21 surnuméraire. Se caractérise notamment par un retard intellectuel et par des malformations cardiorespiratoires. Aussi appelé *trisomie 21.*

Syngamie (n. fém.) Union de gamètes haploïdes produisant un zygote diploïde. Aussi appelée *fécondation.*

Systématique (n. fém.) Étude analytique de la diversité biologique actuelle et ancienne et des relations entre les organismes, à la lumière de l'évolution.

Systématique moléculaire (n. fém.) Comparaison d'acides nucléiques ou d'autres molécules provenant de différentes espèces dans le but de déduire des liens.

Système à contre-courant multiplicateur (n. masc.) Système à contre-courant dans lequel de l'énergie est dépensée en transport actif pour faciliter l'échange de substances et créer des gradients de concentration. Par exemple, l'anse de Henle transporte activement le chlorure de sodium du filtrat dans la partie supérieure de la branche ascendante de l'anse, ce qui permet au rein de concentrer plus efficacement l'urine.

Système ambulacraire (n. masc.) Système propre aux Échinodermes composé d'un réseau de canaux hydrauliques ramifiés en prolongements érectiles appelés *pieds ambulacraires.* Ces derniers servent à la locomotion, à la capture des proies et aux échanges gazeux.

Système biologique (n. masc.) Ensemble biologique constitué de plusieurs éléments et

Glossaire

formant une entité beaucoup plus complexe que la somme de ses parties (p. ex. : une cellule, un organisme, un écosystème). À ne pas confondre avec *système organique* (voir ce terme).

Système cardiovasculaire (n. masc.) Système circulatoire clos (dans lequel le sang qui circule à l'intérieur des vaisseaux diffère du liquide de la cavité corporelle) caractéristique des Vertébrés, composé d'un cœur et d'un réseau ramifié d'artères, de capillaires et de veines.

Système cardiovasculaire clos (n. masc.) Système circulatoire fermé dans lequel le sang circulant dans les vaisseaux diffère du liquide de la cavité corporelle ; les humains possèdent un tel système cardiovasculaire.

Système cardiovasculaire ouvert (n. masc.) Système circulatoire dont le liquide, appelé *hémolymphe*, sort des vaisseaux pour entourer directement, sans l'aide de capillaires, les organes internes ; les Arthropodes et beaucoup de Mollusques ont un tel système cardiovascualaire.

Système caulinaire (n. masc.) Partie généralement aérienne des plantes qui comprend une ou plusieurs tiges, les feuilles et (chez les Angiospermes) les fleurs.

Système digestif complet (n. masc.) Succession de compartiments reliant deux ouvertures, la bouche et l'anus. Aussi appelé *canal alimentaire* ou *tube digestif*.

Système du complément (n. masc.) Groupe d'une trentaine de protéines sériques qui peuvent amplifier la réaction inflammatoire, accroître la phagocytose ou lyser directement les agents pathogènes. Est activé en une cascade déclenchée par les antigènes de surface de microorganismes ou par des complexes antigène-anticorps.

Système endocrinien (n. masc.) Système de régulation chimique qui comprend les glandes endocrines et les hormones qu'elles sécrètent. Sa fonction, en association avec le système nerveux, est la régulation interne et le maintien de l'homéostasie.

Système limbique (n. masc.) Chez les Mammifères, partie du système nerveux central qui est constituée de l'hippocampe (structure qui intervient notamment dans la mémoire), de l'aire olfactive, de certaines régions internes des lobes du cortex cérébral, de certaines parties du thalamus et de l'hypothalamus, et qui forme un anneau autour du tronc cérébral. En interagissant avec les aires sensitives du néocortex et avec d'autres centres supérieurs, produit les émotions.

Système lymphatique (n. masc.) Chez les Vertébrés, réseau de vaisseaux et de nœuds qui est distinct du système cardiovasculaire et qui renvoie des liquides, des protéines et des cellules au sang.

Système nerveux autonome – SNA (n. masc.) Partie de la division motrice du système nerveux périphérique des Vertébrés qui transmet des influx régulant le milieu *interne*, en commandant le tissu musculaire lisse et le tissu musculaire cardiaque, ainsi que les organes de divers systèmes (digestif, cardiovasculaire, respiratoire, urinaire, reproducteur et endocrinien).

Système nerveux central – SNC (n. masc.) Complexe structural qui est constitué de l'encéphale et de la moelle épinière chez les Vertébrés et qui effectue la majeure partie de l'intégration de l'information qui lui parvient.

Système nerveux entérique (n. masc.) Chez les Vertébrés, l'une des trois subdivisions du système nerveux autonome qui régulent les sécrétions du tube digestif, du pancréas et de la vésicule biliaire ainsi que l'activité des muscles lisses responsables du péristaltisme.

Système nerveux parasympathique (n. masc.) Chez les Vertébrés, l'une des trois subdivisions du système nerveux autonome qui favorisent les mécanismes permettant de gagner ou d'économiser de l'énergie, comme la digestion et le ralentissement de la fréquence cardiaque, et qui ramènent l'organisme à un état de calme et à des fonctions d'entretien.

Système nerveux périphérique – SNP (n. masc.) Ensemble des nerfs qui transmettent les commandes motrices et l'information sensorielle entre le système nerveux central et le reste du corps.

Système nerveux somatique – SNS (n. masc.) Partie de la division motrice du système nerveux périphérique des Vertébrés qui conduit les influx aux muscles squelettiques, principalement en réponse à des stimulus externes.

Système nerveux sympathique (n. masc.) Chez les Vertébrés, l'une des trois subdivisions du système nerveux autonome qui augmentent les dépenses d'énergie et qui préparent l'individu à l'action, notamment en augmentant la fréquence cardiaque et l'activité métabolique.

Système organique (n. fém.) Ensemble complexe de plusieurs organes qui possèdent chacun une fonction spécifique mais qui doivent fonctionner de manière coordonnée.

Système racinaire (n. masc.) Ensemble des racines qui fixent solidement les plantes au sol, absorbent les minéraux et l'eau et entreposent des réserves nutritives.

Système racinaire fasciculé (n. masc.) Système racinaire des Monocotylédones qui se compose d'un ensemble de fines racines s'étendant sous la surface du sol.

Système racinaire pivotant (n. masc.) Système racinaire des Dicotylédones constitué d'une large racine verticale (la racine pivotante) donnant naissance à de nombreuses petites racines latérales secondaires.

Système tégumentaire (n. masc.) Enveloppe du corps des mammifères, qui comprend la peau, les poils et les ongles.

Système trachéen (n. masc.) Système respiratoire qui assure les échanges gazeux chez les Insectes. Composé de tubes ramifiés tapissés de chitine qui s'infiltrent dans le corps et acheminent le dioxygène directement aux cellules.

Systole (n. fém.) Phase de contraction de la révolution cardiaque pendant laquelle le sang est éjecté d'une oreillette ou d'un ventricule.

Tableau périodique (n. masc.) Tableau des éléments chimiques, disposés sur sept rangées correspondant au nombre de couches électroniques dans leurs atomes.

Table de fécondité (n. fém.) En démographie, recension par âge des taux de fécondité dans une population.

Table de survie (n. fém.) En démographie, recension pour chaque âge du nombre d'individus vivant dans une population.

Tache oculaire (n. fém.) Organite pigmenté qui fait office de pare-lumière chez les Euglénobiontes.

Taille efficace d'une population (n. fém.) Détermination, en nombre d'individus, du potentiel de reproduction d'une population. Se fonde sur une formule qui utilise la proportion des individus reproducteurs par sexe. Généralement plus petite que la population totale.

Taille minimale viable d'une population (n. fém.) Nombre minimal d'individus qui permet à une population de se maintenir et de survivre.

Taxie (n. fém.) Réaction de locomotion orientée par laquelle un organisme se rapproche ou s'éloigne d'un stimulus quelconque.

Taxinomie (n. fém.) Classification ordonnée des organismes en catégories basées sur un ensemble de caractéristiques utilisées pour évaluer les ressemblances et les différences. Science qui vise à nommer et à classifier les êtres vivants.

Taxon (n. masc.) Rang taxinomique identifié, quel qu'en soit le niveau (p. ex. : *Drosophila* est un taxon de genre).

Technique de capture-recapture (n. fém.) Technique d'échantillonnage que les écologistes utilisent communément pour estimer les populations d'Animaux sauvages. À une première capture, les scientifiques marquent un certain nombre d'Animaux. Puis, à une seconde capture (recapture), ils calculent la proportion d'Animaux marqués. On suppose que la proportion d'Animaux marqués (recapturés) à la seconde capture est équivalente à la proportion d'Animaux marqués dans la population entière. C'est ainsi qu'on évalue une population.

Technique de reproduction assistée (n. fém.) Ensemble des méthodes qui consistent généralement à prélever chirurgicalement des ovules (ovocytes de deuxième ordre) dans les ovaires d'une femme après stimulation hormonale, à féconder les ovules et à les remettre dans la cavité utérine de la femme.

Technologie (n. fém.) Application d'un savoir scientifique à des fins précises.

Tégument (n. masc.) Chez les Vasculaires à graines, ensemble de couches de tissu du sporophyte qui entourent et protègent le mégasporange (organe du sporophyte, siège de la méiose).

Télomérase (n. fém.) Enzyme spéciale qui produit l'allongement des télomères. Comporte une molécule d'ARN dont une séquence nucléotidique sert de matrice pour la synthèse des nouveaux segments de télomères.

Télomère (n. masc.) Séquence nucléotidique particulière et courte qui est répétée un grand nombre de fois, au bout des molécules d'ADN chromosomique des Eucaryotes. Voir aussi *ADN répétitif.*

Télophase (n. fém.) Cinquième et dernière phase de la mitose. Les noyaux fils commencent à se former; la cytocinèse est en général amorcée.

Température (n. fém.) Mesure de l'énergie cinétique moyenne des molécules d'un corps quelconque. Exprime la tendance relative de la chaleur à s'échapper du corps en question.

Temps de l'évolution (n. masc.) En écologie, épisodes de l'évolution dont la durée se mesure en décennies, en siècles, en millénaires et en périodes encore plus longues.

Temps de renouvellement (n. masc.) Rapport entre la biomasse mesurable d'un producteur, dans une chaîne alimentaire, et sa productivité primaire nette.

Temps écologique (n. masc.) En écologie, épisodes de l'ère moderne dont la durée se mesure en minutes, en mois et en années.

Tendon (n. masc.) Bande de tissu conjonctif dense régulier qui attache un muscle à un os.

Tension superficielle (n. fém.) Force résultant de la cohésion et restreignant au minimum le nombre de molécules à la surface d'un liquide.

Terminateur (n. masc.) Chez les Procaryotes, séquence spécifique de nucléotides de l'ADN qui marque la fin de la transcription.

Terre boule de neige (n. fém.) Voir *Hypothèse de la Terre boule de neige.*

Terre humide (n. fém.) Zone de terre couverte d'eau peu profonde qui abrite des plantes aquatiques. Les terres humides vont des sites périodiquement inondés aux sols saturés d'eau en permanence pendant la saison de végétation.

Territorialité (n. fém.) Comportement par lequel un Animal s'approprie un espace physique délimité et l'interdit à d'autres individus, habituellement ses congénères. La défense du territoire peut entraîner une agression directe ou des mécanismes indirects, comme le marquage odorant ou le chant.

Test (n. masc.) Enveloppe rigide de certains Protistes, y compris les Foraminifères et les Radiolaires, ou endosquelette d'un oursin de mer ou d'un Clypéastre.

Testicule (n. masc.) Chez les Animaux, organe reproducteur ou gonade mâle, dans lequel sont produits les spermatozoïdes et les hormones sexuelles.

Testostérone (n. fém.) Principale hormone du groupe des androgènes.

Tétanos (n. masc.) Chez les Vertébrés, contraction uniforme et continue d'un muscle squelettique qui est produite par une fréquence de stimulation élevée.

Tétrade (n. fém.) Groupe des quatre chromatides étroitement associées d'une paire de chromosomes homologues, à la fin de la prophase I de la méiose.

Tétrapodes (n. masc.) Vertébrés possédant pour la plupart, au stade adulte, deux paires de membres, comme les Amphibiens, les Mammifères, les Oiseaux et d'autres Reptiles.

Thalamus (n. masc.) Région de l'encéphale des Vertébrés qui se forme à partir du diencéphale embryonnaire (l'une des divisions du prosencéphale). L'un des deux centres d'intégration du prosencéphale des Vertébrés. Principal centre de relais pour l'information sensitive arrivant au cerveau et l'information motrice partant du cerveau.

Thalle (n. masc.) Appareil végétatif de l'Algue marine qui ressemble à une plante. Ne possède ni racines, ni tiges, ni feuilles véritables.

Théorie (n. fém.) Explication de vaste portée qui engendre de nouvelles hypothèses et qui est appuyée par un solide ensemble de preuves.

Théorie chromosomique de l'hérédité (n. fém.) Théorie selon laquelle les facteurs héréditaires (que nous appelons *gènes*) découverts par Mendel sont situés sur les chromosomes et sont ceux qui subissent les phénomènes de la ségrégation et de l'assortiment indépendant pendant la méiose.

Théorie de la contraction par glissement des myofilaments (n. fém.) Modèle s'appliquant au fonctionnement des muscles des Vertébrés et selon lequel la contraction musculaire résulte d'un changement dans un sarcomère, l'unité fonctionnelle d'un muscle. Chaque sarcomère raccourcit après que les myofilaments épais (myosine) et minces (actine) ont glissé les uns sur les autres. Le raccourcissement de l'ensemble des sarcomères provoque le raccourcissement de l'ensemble de la myofibrille.

Théorie de la neutralité (n. fém.) Théorie selon laquelle une grande partie des changements évolutifs touchant les gènes et les protéines n'influencent pas la valeur adaptative et ne subissent donc pas l'action de la sélection naturelle.

Théorie des jeux (n. fém.) Méthode pour évaluer les stratégies de rechange dans des situations où l'issue dépend non seulement de la stratégie de chaque individu, mais aussi des stratégies d'autres individus. Manière de voir l'évolution comportementale dans des situations où la valeur d'adaptation d'un phénotype comportemental est influencée par les autres phénotypes comportementaux de la population.

Théorie synthétique de l'évolution (n. fém.) Théorie globale de l'évolution qui souligne l'importance des populations en tant qu'unités de l'évolution et intègre les découvertes et les principes de nombreux domaines, notamment la paléontologie, la statistique, la taxinomie, la biogéographie et la génétique des populations.

Thérapie génique (n. fém.) Traitement d'une maladie attribuable à un seul gène défectueux consistant en la modification du gène en insérant un allèle normal dans les cellules somatiques.

Thermocline (n. fém.) Mince couche d'un plan d'eau où le gradient thermique est abrupt. Sépare la couche superficielle uniformément chaude et la couche profonde uniformément froide.

Thermodynamique (n. fém.) Étude des transformations d'énergie qui se produisent dans une portion de matière. Voir *Premier principe de la thermodynamique* et *Deuxième principe de la thermodynamique.*

Thermogenèse sans frisson (n. fém.) Augmentation de la production de chaleur chez certains Mammifères attribuable à l'action de quelques hormones qui amènent les mitochondries à augmenter leur activité métabolique et à produire de la chaleur au lieu de l'ATP.

Thermophiles extrêmes (n. masc.) Procaryotes qui prospèrent dans des milieux chauds (dont les températures vont souvent de 60 à 80 °C ou plus).

Thermorécepteur (n. masc.) Type de récepteur sensoriel des Animaux qui réagit à la chaleur ou au froid et intervient dans la régulation thermique en donnant de l'information sur les températures superficielle et interne de l'organisme.

Thermorégulation (n. fém.) Chez les Animaux, processus servant à maintenir la température interne d'un organisme dans un intervalle compatible avec la vie.

Théropodes (n. masc.) Groupe de Dinosaures carnivores bipèdes dont faisaient partie les ancêtres des Oiseaux.

Thigmomorphogenèse (n. fém.) Variations de forme qui résultent de la perturbation mécanique continue d'une plante, laquelle provoque une production accrue d'éthylène (p. ex.: l'épaississement des tiges en réaction à de forts vents).

Thigmotropisme (n. masc.) Réaction d'orientation consécutive au contact, chez les Végétaux.

Thrombus (n. masc.) Amas de plaquettes et de fibrine qui coagulent dans un vaisseau sanguin et qui bloquent la circulation du sang.

Thylakoïde (n. masc.) Sac membraneux aplati qui est situé à l'intérieur du chloroplaste et qui transforme l'énergie lumineuse en énergie chimique.

Thymus (n. masc.) Chez les Vertébrés, petit organe de la cavité thoracique dans lequel les lymphocytes T terminent leur maturation.

Thyréotrophine – TSH (n. fém.) Stimuline produite et sécrétée par l'adénohypophyse qui commande la libération des hormones thyroïdiennes.

Thyroxine – T_4 (n. fém.) L'une des deux hormones contenant de l'iode que produit la glande thyroïde. Comme la tri-iodothyronine, contribue à la régulation du métabolisme, du développement et de la maturation chez les Vertébrés.

Tige (n. fém.) Organe vasculaire de la plante qui consiste en une alternance de nœuds et d'entrenœuds et qui supporte les feuilles et les structures reproductives.

Tissu (n. masc.) Ensemble de cellules dotées d'une structure et d'une fonction communes.

Tissu adipeux (n. masc.) Tissu conjonctif qui isole le corps et sert de réserve d'énergie. Contient des cellules qui emmagasinent les graisses, appelées *cellules adipeuses.*

Tissu adipeux brun (n. masc.) Tissu spécialisé dans la production rapide de chaleur, chez certains Mammifères. Situé dans le cou et entre les épaules.

Tissu cartilagineux (n. masc.) Type de tissu conjonctif qui contient de nombreuses fibres collagènes enchâssées dans une substance fondamentale appelée *chondroïtine-sulfate.* Ce tissu est résistant et flexible, et ces propriétés le situent entre le tissu conjonctif dense et le tissu osseux.

Tissu conducteur (n. masc.) Tissu dont les cellules forment des tubes qui transportent l'eau et les nutriments dans la plante.

Tissu conjonctif (n. masc.) Tissu animal qui possède une population peu abondante de cellules dispersées dans une matrice extracellulaire et dont le rôle consiste surtout à fixer et à soutenir les autres tissus.

Tissu conjonctif aréolaire (n. masc.) Tissu conjonctif lâche fait de cellules conjonctives et de fibres élastiques et blanches, isolées ou en faisceaux. Tissu conjonctif le plus répandu chez les Vertébrés.

Tissu conjonctif dense (n. masc.) Tissu conjonctif compact, qui contient beaucoup de fibres collagènes.

Tissu conjonctif dense irrégulier (n. masc.) Tissu conjonctif dense dont les faisceaux de fibres collagènes sont épais et disposés en tous sens. Présent surtout dans le derme de la peau, dans la sous-muqueuse du tube digestif et dans l'enveloppe fibreuse de certains organes et des capsules articulaires.

Tissu conjonctif dense régulier (n. masc.) Tissu conjonctif dense dont les fibres collagènes sont disposées en faisceaux parallèles. Présent principalement dans les tendons et les ligaments.

Tissu conjonctif lâche (n. masc.) Tissu conjonctif dont les fibres s'entrelacent de manière espacée et qui sert à fixer un épithélium aux tissus sous-jacents et à envelopper les organes pour les maintenir en place.

Tissu de revêtement (n. masc.) Enveloppe protectrice des Végétaux qui est composée habituellement d'une seule couche serrée de cellules de l'épiderme recouvrant et protégeant toutes les jeunes parties des plantes qui se forment au cours de la croissance primaire.

Tissu épithélial (n. masc.) Une ou plusieurs couches de cellules accolées les unes aux autres et qui tapissent la surface externe du corps et des organes ainsi que les cavités internes.

Tissu musculaire (n. masc.) Tissu animal qui se compose de cellules allongées, les fibres musculaires, qui peuvent se contracter quand elles sont stimulées par un influx nerveux.

Tissu musculaire cardiaque (n. masc.) Tissu musculaire qui constitue la paroi contractile (myocarde) du cœur. Les extrémités de ses cellules sont réunies par des disques intercalaires qui transmettent d'une cellule cardiaque à l'autre l'influx nerveux qui provoque la contraction musculaire.

Tissu musculaire lisse (n. masc.) Tissu musculaire qui est dépourvu des stries caractéristiques des muscles squelettiques et du muscle cardiaque, en raison de la distribution irrégulière des filaments d'actine et de myosine dans ses cellules. Se trouve dans la paroi du tube digestif, de la vessie, des artères et d'autres organes internes. Est associé aux activités corporelles involontaires.

Tissu musculaire squelettique (n. masc.) Tissu musculaire d'apparence striée qui intervient généralement dans les mouvements volontaires du corps et dans les mouvements réflexes associés à l'équilibre statique et dynamique.

Tissu nerveux (n. masc.) Chez la plupart des Animaux, tissu composé de neurones et de cellules de soutien. Perçoit les stimulus et transmet des messages d'une partie à l'autre de l'organisme.

Tissu osseux (n. masc.) Tissu conjonctif minéralisé, composé de cellules vivantes qui sont maintenues dans une matrice rigide de fibres collagènes enchâssées dans des sels de calcium.

Tissu sanguin (n. masc.) Tissu conjonctif dont la matrice est un liquide appelé *plasma,* où baignent deux catégories de cellules sanguines: les érythrocytes et les leucocytes. Aussi appelé *sang.*

Tolérant (adj.) Qualifie un Animal qui supporte des variations de son milieu interne attribuables à certains changements de l'environnement externe.

Tonicité (n. fém.) Capacité d'une solution de faire gagner ou perdre de l'eau à une cellule.

Tonoplaste (n. masc.) Dans une cellule végétale mature, membrane qui fait partie du réseau intracellulaire de membranes et qui entoure la vacuole centrale. Sépare le cytosol du contenu de la vacuole, appelé *suc cellulaire.* Aussi appelé *membrane vacuolaire.*

Topoisomérase (n. fém.) Protéine qui joue un rôle dans la réplication de l'ADN, rôle qui consiste à réduire les contraintes (tensions) dans la structure en amont de la fourche de réplication.

Torpeur (n. fém.) Chez les Animaux, état physiologique qui se caractérise par une activité réduite au minimum et par une diminution du métabolisme.

Torpeur quotidienne (n. fém.) Diminution quotidienne de l'activité métabolique et de la température corporelle pendant les périodes d'inactivité de certains petits Mammifères et Oiseaux.

Torsion (n. fém.) Rotation de la masse viscérale que subissent les Gastéropodes (classe de Mollusques) durant leur développement embryonnaire et qui amène l'anus et la cavité palléale près de la tête.

Totipotente (adj.) Se dit de toute cellule qui a la capacité de former toutes les parties de l'organisme adulte.

Tourbe (n. fém.) Immenses dépôts de matière organique non décomposée que forment surtout les Sphaignes dans les milieux humides.

Trace foliaire (n. fém.) Ramification provenant des faisceaux libéroligneux de la tige et traversant le pétiole pour se rendre dans la feuille.

Trachée (n. fém.) Tube aérien renforcé d'anneaux de cartilage (en forme de fer à cheval) qui va du larynx jusqu'aux bronches, chez certains Vertébrés.

Trachéide (n. fém.) Chez les Végétaux, élément du xylème qui assure la circulation de la sève brute et une fonction de soutien. Longue cellule mince, morte à maturité, dont les extrémités sont en pointe et dont les parois sont durcies par la lignine.

Tractus digestif (n. masc.) Succession de compartiments qui relient deux ouvertures, la bouche et l'anus, chez la plupart des Animaux. Aussi appelé *canal alimentaire* ou *tube digestif.*

Traduction (n. fém.) Synthèse d'un polypeptide dirigée par l'ARNm et se déroulant dans les ribosomes.

Trans (adj.) Arrangement de deux atomes de non-carbone où chacun est lié à un des carbones d'une double liaison carbone-carbone et où les deux se trouvent du côté opposé par rapport à la double liaison.

Transcriptase inverse (n. fém.) Enzyme typique de certains Virus (rétrovirus) qui synthétise de l'ADN à partir de leur matrice d'ARN.

Transcription (n. fém.) Synthèse d'ARN dirigée par l'ADN.

Transcrit primaire (n. masc.) Chez les Eucaryotes, première version d'ARN qui résulte de la transcription. Aussi appelé *ARN prémessager* lorsqu'il provient d'un gène codant des protéines.

Transduction (n. fém.) (1) Transfert d'ADN d'une Bactérie à l'autre par un bactériophage. (2) Dans la communication cellulaire, conversion d'un signal extérieur à la cellule en une forme capable de susciter une réponse cellulaire spécifique.

Transfert horizontal (n. masc.) Transfert de gènes d'un organisme à un autre grâce à des mécanismes comme les éléments transposables ou peut-être par la fusion d'organismes différents.

Transformation (n. fém.) (1) Conversion d'une cellule animale normale en cellule cancéreuse. (2) Mécanisme par lequel une cellule assimile du matériel génétique externe.

Transgénique (adj.) Qualifie un organisme qui a reçu un ou plusieurs gènes d'un autre organisme, que cet organisme soit ou non de la même espèce.

Transition démographique (n. fém.) Passage d'une croissance démographique nulle correspondant à des taux de natalité et de mortalité élevés à une croissance démographique nulle caractérisée par des taux de natalité et de mortalité faibles.

Translocation (n. fém.) (1) Aberration chromosomique attribuable à une erreur au cours de la méiose ou à des mutagènes. Résulte de la fixation, sur un chromosome non homologue, d'un fragment chromosomique, à la suite d'un bris. (2) Au cours de la synthèse des protéines, troisième étape du cycle d'élongation, lorsque l'ARN transportant le polypeptide en formation se déplace du site A au site P, sur le ribosome. (3) Chez les Vasculaires, transport de nutriments organiques dans le phloème.

Transmetteur sain (n. masc.) En génétique, hétérozygote qui a un phénotype normal et qui possède un allèle normal et un allèle récessif potentiellement létal. Peut transmettre l'allèle récessif à ses enfants sans souffrir lui-même de la maladie.

Transmission (n. fém.) Acheminement des influx jusqu'au système nerveux central.

Transpiration (n. fém.) Chez les plantes, vaporisation du surplus d'eau par les feuilles et les parties aériennes.

Transport actif (n. masc.) Mouvement d'une substance à travers une membrane biologique qui se fait contre son gradient de concentration ou son gradient électrochimique. Nécessite une dépense d'énergie métabolique et des protéines de transport.

Transport cyclique d'électrons (n. masc.) Transport d'électrons au cours des réactions photochimiques de la photosynthèse. Ne fait intervenir que le photosystème I et n'engendre que de l'ATP; ne produit ni NADPH + H^+ ni dioxygène.

Transport non cyclique d'électrons (n. masc.) Transport d'électrons au cours des réactions photochimiques de la photosynthèse. Fait intervenir les deux photosystèmes et produit de l'ATP, du NADPH + H^+ et du dioxygène. Les électrons passent continuellement de l'eau au $NADP^+$.

Transport passif (n. masc.) Diffusion d'une substance à travers une membrane biologique qui s'effectue selon un gradient de concentration. Ne nécessite pas de dépense d'énergie de la part de la cellule.

Transposon (n. masc.) Segment d'ADN, relativement long et complexe, aussi appelé *élément transposable*, capable de se déplacer d'un endroit à l'autre à l'intérieur du génome cellulaire. La forme la plus simple du transposon est la *séquence d'insertion* (voir ce terme).

Travail (n. masc.) Série de contractions fortes et rythmiques de l'utérus qui expulsent le bébé de l'utérus et du vagin au cours de l'accouchement. Comporte trois périodes: la dilatation du col utérin, l'expulsion ou naissance de l'enfant et la délivrance ou expulsion du placenta.

Triacylglycérol (n. masc.) Molécule constituée de trois molécules d'acides gras et d'une molécule de glycérol. Aussi appelé *graisse.*

Tri-iodothyronine –T_3 (n. fém.) L'une des hormones contenant de l'iode que produit la glande thyroïde. Aide à la régulation du métabolisme, du développement et de la maturation chez les Vertébrés.

Trilobites (n. masc.) Membres d'une lignée aujourd'hui disparue des Arthropodes qui étaient dotés d'une segmentation marquée et d'appendices presque pareils d'un segment à l'autre.

Trimestre (n. masc.) L'une des trois périodes de la gestation humaine ou grossesse. Dure environ trois mois.

Triple réponse (n. fém.) Manœuvre de croissance qu'effectue une plantule après une exposition à l'éthylène et qui lui permet de contourner un obstacle. Réaction qui comprend trois parties: le ralentissement de l'allongement de la tige, son épaississement qui la rend plus forte et sa courbure qui la fait croître horizontalement.

Triploblastique (adj.) Qualifie l'Animal qui possède trois feuillets embryonnaires: l'endoderme, le mésoderme et l'ectoderme. La plupart des Eumétazoaires sont triploblastiques.

Trisomique (adj.) Qualifie une cellule qui a trois copies d'un même chromosome au lieu de deux.

Trompe auditive (n. fém.) Chez certains Vertébrés, conduit relié au pharynx qui équilibre la pression de l'air entre l'oreille moyenne et l'atmosphère.

Trompe utérine (n. fém.) Tube du système reproducteur femelle qui va de l'ovaire jusqu'au vagin chez les Invertébrés ou jusqu'à l'utérus chez les Vertébrés.

Tronc cérébral (n. masc.) Dans l'encéphale de l'humain, partie qui se compose du bulbe rachidien, du pont et du mésencéphale. Contribue à l'homéostasie, à la coordination des mouvements et à la transmission de l'information jusqu'aux centres d'intégration supérieurs.

Trocophore (n. masc.) Type de larve ciliée caractéristique d'un grand nombre de Mollusques marins, ainsi que des Annélides marins et certains autres Lophotrochozoaires.

Trophoblaste (n. masc.) Chez les Mammifères, épithélium externe qui entoure le blastocyste et qui constituera, avec le tissu du mésoderme, la portion fœtale du placenta.

Tropiques (n. fém.) Régions situées entre 23,5° de latitude Nord et 23,5° de latitude Sud.

Tropisme (n. masc.) Toute réaction de croissance qui oriente une plante vers un stimulus ou en direction opposée, en raison d'une différence dans la vitesse d'allongement des différentes cellules.

Tropomyosine (n. fém.) Dans les muscles des Vertébrés, protéine régulatrice qui se présente sous la forme d'un microfilament et qui recouvre les sites de liaison de l'actine, destinés à la myosine, lorsque les muscles sont au repos.

Trouble bipolaire (n. masc.) Maladie mentale dépressive qui se manifeste par des sautes d'humeur très marquées. Aussi appelé *psychose maniacodépressive.*

Tube de Malpighi (n. masc.) Organe excréteur typique des Arthropodes dont le contenu se déverse dans le tube digestif. Permet l'élimination des déchets métaboliques de l'hémolymphe et joue un rôle dans l'osmorégulation.

Tube digestif (n. masc.) Succession de compartiments qui relient deux ouvertures, la bouche et l'anus, chez la plupart des Animaux. Aussi appelé *canal alimentaire* ou *tractus digestif.*

Tube neural (n. masc.) Chez les Cordés, tube qui se forme à partir d'une plaque d'ectoderme dorsal située juste au-dessus de la corde dorsale en formation. Deviendra le système nerveux central.

Tubule contourné distal (n. masc.) Dans le rein des Vertébrés, partie du néphron qui contribue au raffinage du filtrat et qui se déverse dans un tubule rénal collecteur.

Tubule contourné proximal (n. masc.) Dans le rein des Vertébrés, région du néphron qui se trouve immédiatement en aval de la capsule glomérulaire rénale et qui transfère le filtrat en contribuant à le raffiner.

Tubule rénal collecteur (n. masc.) Dans le rein de certains Vertébrés, conduit qui reçoit le filtrat de nombreux tubules rénaux. Le filtrat prend alors le nom d'*urine.*

Tubule séminifère contourné (n. masc.) Conduit des testicules qui est enroulé de façon compacte et entouré de plusieurs épaisseurs de tissu conjonctif, et dans lequel se forment les spermatozoïdes.

Tubule transverse (n. masc.) Repli de la membrane plasmique de la cellule musculaire, chez les Vertébrés.

Tumeur bénigne (n. fém.) Masse de cellules transformées qui ont une croissance anormale mais plus lente que celle d'une tumeur maligne. Se présente sous forme compacte souvent encapsulée et reste localisée. Ne cause généralement pas de problème.

Tumeur maligne (n. fém.) – **néoplasme malin** (n. masc.) Masse de cellules transformées qui ont une croissance anormale. Masse exempte de capsule et constituée de cellules qui ont une croissance plus rapide que celles d'une tumeur bénigne. Les cellules cancéreuses de la tumeur maligne peuvent se propager à diverses parties de l'organisme.

Tuniciers (n. masc.) Nom qu'on donne communément aux Urocordés en raison de la tunique constituée de tunicine, polysaccharide semblable à la cellulose, qui les revêt entièrement.

Turgescente (adj.) Qualifie la cellule végétale dont la paroi se distend au maximum lorsqu'elle est hypertonique par rapport à la solution située à l'extérieur de sa membrane plasmique.

Type parental (n. masc.) Qualifie un individu qui a un phénotype ou un ensemble de phénotypes identique à celui de l'un des deux parents.

Type recombinant (n. masc.) Voir *Recombiné.*

Tyrosine kinase (n. fém.) Enzyme qui catalyse le transfert d'un groupement phosphate de l'ATP à un acide aminé du substrat protéique, la tyrosine.

U

Ultrastructure cellulaire (n. fém.) Expression qui désigne l'anatomie de la cellule que le microscope électronique permet d'observer.

Un gène, un polypeptide (n. masc.) Principe selon lequel un gène est un segment d'ADN commandant la synthèse d'un polypeptide. Cet énoncé n'est pas tout à fait exact puisqu'il n'inclut pas le fait que certains segments d'ADN codent aussi pour des molécules d'ARN.

Uniformitarisme (n. masc.) Théorie de Charles Lyell selon laquelle les processus géologiques n'ont pas changé au cours de l'histoire de la Terre.

Unité cartographique (n. fém.) Unité de mesure servant à exprimer la distance entre les gènes. Une unité cartographique équivaut à une fréquence de recombinaison de 1 %. Aussi appelée *centimorgan* (cM), en l'honneur de Thomas Hunt Morgan.

Unité de transcription (n. fém.) Segment d'ADN transcrit en molécule d'ARN.

Unité motrice (n. fém.) Chez les Vertébrés, unité que constituent un neurone moteur et toutes les fibres musculaires qu'il régit.

Urée (n. fém.) Déchet azoté qui se présente sous forme soluble et qu'excrètent les Mammifères, la plupart des Amphibiens adultes, des requins, quelques Poissons osseux marins et quelques tortues marines. Produite dans le foie par un cycle métabolique qui combine l'ammoniac et le dioxyde de carbone.

Uretère (n. masc.) Conduit dans lequel se déverse l'urine produite dans les reins de certains Vertébrés et qui débouche dans la vessie.

Urètre (n. masc.) Conduit qui sort de la vessie et qui mène l'urine vers l'extérieur du corps de certains Vertébrés. Débouche près du vagin chez la femme et à l'extrémité du pénis chez l'homme, dont il draine aussi le système reproducteur.

Urocordés (n. masc.) Cordés sans colonne vertébrale appelés communément *Tuniciers.* Animaux sessiles marins pour la plupart qui sont entièrement revêtus d'une tunique (d'où le nom de *Tuniciers*).

Utérus (n. masc.) Organe épais et musculeux du système reproducteur femelle dans lequel ont lieu la fécondation et le développement embryonnaire chez les Animaux.

Utricule (n. masc.) Dans l'oreille interne des humains et de la plupart des autres Mammifères, chambre qui est située derrière la fenêtre du vestibule et qui s'ouvre sur les conduits semi-circulaires. Participe au sens de l'équilibre.

V

Vaccin (n. masc.) Variante ou dérivé inoffensif d'un agent pathogène qui a pour effet de stimuler le système immunitaire et de lui permettre de combattre l'organisme pathogène.

Vaccination (n. fém.) Voir *Immunisation.*

Vacuole centrale (n. fém.) Dans une cellule végétale mature, sac membraneux qui joue divers rôles dans la protection, la croissance et le développement.

Vacuole digestive (n. fém.) Sac membraneux qui se forme pendant l'endocytose.

Vacuole pulsatile (n. fém.) Sac membraneux qui expulse l'excès d'eau de certaines cellules.

Vagin (n. masc.) Cavité à la paroi mince du système reproducteur femelle qui est localisée entre l'utérus et le milieu externe. Reçoit le pénis et les spermatozoïdes au cours des rapports sexuels et permet le passage du bébé à l'accouchement.

Vaisseau chylifère (n. masc.) Minuscule vaisseau lymphatique qui est situé au centre de chaque villosité de la muqueuse intestinale et dans lequel s'introduisent les chylomicrons absorbés.

Vaisseau du xylème (n. masc.) Chez les Végétaux, long tube microscopique que forment les éléments de vaisseau.

Vaisseau sanguin (n. masc.) Chez les Animaux, conduit qui achemine le sang dans le corps.

Vaisseaux (n. masc.) Chez la plupart des Angiospermes et quelques Vasculaires non florifères, tubes microscopiques continus qui acheminent l'eau dans la plante.

Valeur adaptative (n. fém.) Contribution d'un génotype à la génération suivante, par rapport à la contribution des autres génotypes pour le même locus.

Valeur d'adaptation globale (n. fém.) Effet global qu'a un Animal sur la prolifération de ses gènes en produisant une descendance et en fournissant une aide qui permet à ses proches parents de se reproduire aussi.

Valve auriculoventriculaire – valve AV (n. fém.) Chez les Mammifères, repli de tissu conjonctif du cœur qui se trouve entre une oreillette et un ventricule et qui empêche le sang de retourner dans l'oreillette quand le ventricule se contracte.

Valve de l'aorte (n. fém.) Chez les Mammifères, valve qui ferme l'aorte à la sortie du ventricule gauche du cœur.

Valve du tronc pulmonaire (n. fém.) Chez les Mammifères, valve qui ferme le tronc pulmonaire à la sortie du ventricule droit du cœur. Le tronc pulmonaire est une courte artère du cœur qui se subdivise en artères pulmonaires gauche et droite.

Valvule spirale (n. fém.) Repli en forme de tire-bouchon qui accroît la surface d'absorption et ralentit le passage des aliments dans le court tube digestif de la plupart des requins.

Vaporisation (n. fém.) Diminution de la chaleur à la surface d'un liquide, qui perd certaines de ses molécules du fait de leur passage à l'état gazeux.

Variation (n. fém.) Différences entre les membres de la même espèce.

Variation géographique (n. fém.) Différences dans le patrimoine génétique des populations d'une même espèce ou des groupes composant une même population.

Variation neutre (n. fém.) Diversité génétique qui ne semble pas conférer un avantage sélectif à certains individus, par rapport à d'autres.

Vasa recta (n. fém.) Réseau de capillaires entourant l'anse du néphron.

Vasculaires (n. fém.) Clade des Végétaux qui possèdent un tissu conducteur. Aussi appelées *Trachéophytes.*

Vasculaires sans graines (n. fém.) Vasculaires qui, contrairement aux Gymnospermes et aux Angiospermes, ne produisent pas de graines. Autre nom donné aux Ptéridophytes.

Vasectomie (n. fém.) Méthode de contraception chez l'homme. Ligature des conduits déférents qui empêche les spermatozoïdes d'entrer dans l'urètre.

Vasocongestion (n. fém.) Chez les Animaux, réaction physiologique sexuelle d'engorgement d'un tissu causé par un afflux accru de sang circulant dans ses artérioles.

Vasoconstriction (n. fém.) Réduction du diamètre des vaisseaux sanguins que déclenchent des influx nerveux contractant les muscles de la paroi des vaisseaux.

Vasodilatation (n. fém.) Augmentation du diamètre des vaisseaux sanguins que déclenchent des influx nerveux détendant les muscles de la paroi des vaisseaux.

Vecteur d'expression (n. masc.) Vecteur de clonage qui contient le promoteur voulu d'une cellule procaryote, juste en amont d'un site de restriction où le gène eucaryote peut être inséré.

Vecteur de clonage (n. masc.) Plasmide ou Virus utilisé en génie génétique comme transporteur pour faire passer l'ADN recombiné des éprouvettes aux cellules, dans lesquelles il peut se répliquer et cloner par la même occasion les gènes qu'il porte.

Végétaux vasculaires (n. masc.) Voir *Vasculaires.*

Veine (n. fém.) (1) Chez les Animaux, vaisseau qui ramène au cœur le sang provenant des capillaires. (2) Chez les Végétaux, chacun des faisceaux vasculaires de la feuille.

Veine porte hépatique (n. fém.) Vaisseau qui amène le sang riche en nutriments de l'intestin grêle jusqu'au foie.

Veine rénale (n. fém.) Vaisseau sanguin de certains Vertébrés qui draine le rein.

Veinule (n. fém.) Petit vaisseau qui transporte le sang entre un lit capillaire et une veine.

Ventilation (n. fém.) Processus qui accroît la circulation du milieu respiratoire (air ou eau) sur la surface respiratoire (poumons ou branchies).

Ventilation alvéolaire – VA (n. fém.) Portion du volume d'air inspiré qui participe aux échanges gazeux.

Ventral (adj.) Se dit de la moitié inférieure (ou abdomen) d'un Animal à symétrie bilatérale.

Ventricule (n. masc.) (1) Cavité qui pompe le sang hors du cœur. (2) Cavité de l'encéphale des Vertébrés qui est remplie de liquide cérébrospinal.

Verdissement (n. masc.) Changements que subissent la morphologie et la biochimie d'une pousse qui reçoit la lumière du Soleil.

Vernalisation (n. fém.) Utilisation de traitements par le froid pour inciter une plante à fleurir.

Vertébrés (n. masc.) Cordés dotés d'une colonne vertébrale. Comprennent les Mammifères, les Reptiles (dont les Oiseaux), les Amphibiens, les Requins, les Raies, les Poissons à nageoires rayonnées et les Crossoptérygiens.

Vésicule (n. fém.) À l'intérieur des cellules eucaryotes, sac membraneux servant à transporter des substances.

Vésicule biliaire (n. fém.) Organe qui emmagasine la bile et la libère dans l'intestin grêle au besoin.

Vésicule de transition (n. fém.) Petite vésicule qui enveloppe et transporte dans le cytosol chacune des molécules produites par une cellule.

Vésicule enrobée (n. fém.) Vésicule, résultant de l'invagination d'un puits tapissé, qui fait pénétrer dans la cellule les ligands fixés aux sites récepteurs appropriés.

Vésicule séminale (n. fém.) Chez les Animaux, glande exocrine du mâle dont les sécrétions constituent la majeure partie du sperme. Le liquide qu'elle produit lubrifie les conduits et nourrit les spermatozoïdes.

Vésicule synaptique (n. fém.) Chacun des nombreux sacs membraneux qui contiennent des milliers de molécules d'un neurotransmetteur et qui sont situés dans le cytoplasme de l'extrémité de l'axone du neurone présynaptique, dans une synapse chimique.

Vessie (n. fém.) Sac musculaire lisse et rétractile de certains Vertébrés dans lequel l'urine est emmagasinée avant d'être éliminée.

Vessie natatoire (n. fém.) Poche de gaz qui permet aux Ostéichthyens aquatiques de régler leur masse volumique et de modifier à leur guise leur flottabilité. Adaptation issue de la transformation des poumons au cours de l'évolution.

Vestibule (n. masc.) Dans le système reproducteur de la femme, région délimitée par les petites lèvres qui contient l'orifice vaginal et l'ouverture de l'urètre.

Villosité intestinale (n. fém.) Prolongement digitiforme de la surface interne de l'intestin grêle.

Viroïde (n. masc.) Agent pathogène de certains Végétaux qui est composé de minuscules molécules d'ARN circulaire nu.

Virulent (adj.) Se dit d'un agent pathogène contre lequel un organisme a peu de défense spécifique.

Virus de l'immunodéficience humaine – VIH (n. masc.) Virus qui cause le sida. Fait partie des rétrovirus.

Virus tempéré (n. masc.) Virus capable de suivre les deux modes de réplication dans une Bactérie (cycle lytique et cycle lysogénique).

Vitamine (n. fém.) Molécule organique nécessaire en très faible quantité et servant généralement de coenzyme ou de partie de coenzyme.

Vitamine D (n. fém.) Une des vitamines liposolubles. Vitamine dont la forme active fonctionne comme une hormone. Agit alors de concert avec la parathormone dans les os. Agit aussi sur les intestins, où elle stimule l'absorption du Ca^{2+} présent dans les aliments.

Vitellus (n. masc.) Chez les Animaux, réserve de nutriments que contient un ovocyte de deuxième ordre.

Vitesse du métabolisme (n. fém.) Quantité d'énergie utilisée par un Animal pendant un intervalle de temps donné. C'est la somme de toutes les réactions biochimiques nécessaires à une dépense d'énergie qui surviennent pendant la période en question.

Vivipare (adj.) Se dit d'un type de développement dans lequel l'embryon se développe dans l'utérus et se nourrit, jusqu'à la naissance, des nutriments qui lui parviennent par le placenta le reliant au sang de sa mère.

Voie anabolique (n. fém.) Voie métabolique qui permet la synthèse de molécules complexes à partir de composés simples. Il existe de nombreuses voies anaboliques.

Voie catabolique (n. fém.) Voie métabolique qui libère de l'énergie en décomposant des molécules complexes en composés simples. Il existe de nombreuses voies cataboliques.

Voie de transduction (n. fém.) Séquence d'événements survenant entre un stimulus mécanique, électrique ou chimique et une réaction cellulaire.

Voie métabolique (n. fém.) Chaîne de réactions chimiques qui permet la synthèse d'une molécule complexe (voie anabolique) ou la décomposition d'une molécule complexe en composés simples (voie catabolique).

Volume courant – VC (n. masc.) Volume d'air qu'un Animal inspire et expire à chaque respiration.

Volume de réserve expiratoire – VRE (n. masc.) Quantité d'air expirée avec effort après une inspiration normale.

Volume de réserve inspiratoire – VRI (n. masc.) Quantité d'air supplémentaire obtenue pendant une inspiration forcée.

Volume résiduel – VR (n. masc.) Volume d'air qui reste dans les poumons même après une expiration forcée.

Volume systolique – V_s (n. masc.) Volume de sang que le ventricule gauche expulse chaque fois qu'il se contracte.

Vulve (n. fém.) Terme désignant l'ensemble des organes génitaux externes de la femme.

Xénarthres (n. masc.) Ordre des Mammifères dont les membres se caractérisent par l'absence de dents ou la présence de dents de taille réduite. Ordre dans lequel on trouve les paresseux, les fourmiliers et les tatous.

Xérophyte (n. masc.) Plante qui s'est adaptée à un climat aride.

Xylème (n. masc.) Chez les Végétaux, tissu conducteur qui est composé de cellules mortes en forme de tubes et qui transporte l'eau et les minéraux des racines jusqu'aux feuilles.

Zéaxanthine (n. fém.) Pigment qu'utilisent les plantes pour détecter la lumière bleue, pour amorcer l'ouverture des stomates.

Zone aphotique (n. fém.) Zone inférieure d'un plan d'eau où la lumière est insuffisante pour la photosynthèse.

Zone benthique (n. fém.) Substrat qui se trouve au fond de tous les biomes aquatiques.

Zone d'activité polarisante (n. fém.) Région du bourgeon d'un membre qui se trouve à l'endroit où le bourgeon rejoint le tronc, du côté postérieur, et qui sert d'organisateur dans le plan d'organisation des embryons animaux.

Zone d'élongation cellulaire (n. fém.) Dans les racines des Végétaux, région de croissance primaire où les nouvelles cellules s'allongent et deviennent parfois jusqu'à dix fois plus longues et même davantage.

Zone de différenciation cellulaire (n. fém.) Dans les racines des Végétaux, région de croissance primaire dans laquelle les cellules se différencient du point de vue de la structure et de la fonction.

Zone de division cellulaire (n. fém.) Région de croissance primaire qui comprend le méristème apical et les méristèmes primaires qui en dérivent. Les cellules des nouvelles racines sont produites dans cette zone.

Zone euphotique (n. fém.) Zone supérieure d'un plan d'eau où l'illumination suffit à la photosynthèse.

Zone intertidale (n. fém.) Zone de contact entre la terre et l'eau et qui est occupée par les communautés marines.

Zone limnétique (n. fém.) Dans un plan d'eau, zone d'eaux superficielles, libres et bien éclairées qui se situent loin du rivage.

Zone littorale (n. fém.) Dans un plan d'eau, zone d'eaux chaudes, peu profondes et bien éclairées qui se situent à proximité du rivage.

Zone néritique (n. fém.) Zone relativement peu profonde de l'océan située au-dessus du plateau continental (partie relativement plate et surélevée des fonds marins qui délimite un continent).

Zone océanique (n. fém.) Zone très profonde de l'océan qui est située au-delà du plateau continental.

Zone pélagique (n. fém.) Zone de l'océan correspondant à l'eau libre, quelle que soit sa profondeur.

Zone pellucide (n. fém.) Matrice extracellulaire de l'ovocyte de deuxième ordre, chez les Mammifères.

Zone profonde (n. fém.) Dans un plan d'eau, couche la plus épaisse, qui est privée de lumière.

Zoospore (n. fém.) Spore flagellée caractéristique des représentants de l'embranchement des Chytrides.

Zygomycètes (n. masc.) Embranchement des Eumycètes dont un groupe important forme des mycorhizes. La fusion des cytoplasmes des Zygomycètes donne naissance à une structure résistante appelée *zygosporange*.

Zygosporange (n. masc.) Chez les Zygomycètes, structure multinucléaire résistante à laquelle donne naissance la plasmogamie et qui est tour à tour le siège de la caryogamie et de la méiose pour libérer des spores haploïdes lorsque les conditions sont propices.

Zygote (n. masc.) Œuf fécondé diploïde qui résulte de l'union des gamètes haploïdes.

Sources

Légende : **H : en haut. B : en bas. G : à gauche. C : au centre. D : à droite.**

SOURCES DES PHOTOGRAPHIES
Page couverture : Linda L. Broadfoot

Chapitre 1
Linda L. Broadfoot. **1.2 a** Imagestate. **1.2 b** Fred Bavendam/Minden Pictures. **1.2 c** Kim Taylor et Jane Burton/© Dorling Kindersley. **1.2 d** Joe McDonald/Corbis. **1.2 e** Michael et Patricia Fogden/Corbis. **1.2 f et g** Frans Lanting/Minden Pictures. **1.3.1** WorldSat International/Photo Researchers, Inc./Publiphoto. **1.3.2** Yann Arthus-Bertrand/Corbis. **1.3.3** Gary Carter/Visuals Unlimited. **1.3.4** Darrell Gulin/Corbis. **1.3.5** © Royalty-Free Corbis. **1.3.6** Samantha Grandy/iStockphoto. **1.3.7** Jeremy Burgess/SPL/Publiphoto. **1.3.8** Hans Pfletschinger/Peter Arnold, Inc. **1.3.9** E.H. Newcomb et W.P. Wergin/Biological Photo Service. **1.3.10** Pearson Education/Benjamin Cummings Publishing Company. **1.4** iStockphoto. **1.5** Conly L. Rieder. **1.7 a** Magnus Ehinger/iStockphoto. **1.8 HD** S. C. Holt/Biological Photo Service. **1.8 G** Dr. Don W. Fawcett/Visuals Unlimited. **1.9** David Parker/SPL/Publiphoto. **1.13** Charles H. Phillips Photography. **1.15 HG** Eye of Science/Photo Researchers, Inc. **1.15 HC** D. P. Wilson/Photo Researchers, Inc./Publiphoto. **1.15 HD** Konrad Wothe/Minden Pictures. **1.15 BG** Ralph Robinson/Visuals Unlimited. **1.15 BC** Louise Tanguay/Search4Stock.ca. **1.15 BD** Anup Shah/naturepl.com. **1.16 H** VVG/SPL/Publiphoto. **1.16 C** William L. Dentler/Biological Photo Service. **1.16 B** Omikron/SPL/Publiphoto. **1.17** Mike Hettwer. **1.18** Négatif/transparent no 326668, gracieuseté de la bibliothèque du American Museum of Natural History. **1.19 H** Hal Horwitz/Corbis. **1.19 C** © Dorling Kindersley. **1.19 B** Deni Bown/© Dorling Kindersley. **1.22** Frank Greenaway/© Dorling Kindersley. **1.24 H** Tim Ridley/© Dorling Kindersley, gracieuseté du Jane Goodall Institute, Clarendon Park, Hampshire. **1.24 B** Karl Ammann/Corbis. **1.26 H** John Alcock/Visuals Unlimited. **1.26 B** Manfred Kage/Peter Arnold, Inc. **1.27 H et B** Breck P. Kent. **1.27 C** E. R. Degginger/Photo Researchers, Inc./Publiphoto. **1.28 a et b** David W. Pfennig. **1.31** Don Hammerman/NYU. **1.32** Tom et Dee Ann McCarthy/Corbis. **Tableau 1.1 Colonne de gauche : 1 HD** S. C. Holt/Biological Photo Service ; **1 G** Dr. Don W. Fawcett/Visuals Unlimited ; **2** Magnus Ehinger/iStockphoto ; **5** iStockphoto ; **6** Michael et Patricia Fogden/Corbis. **Tableau 1.1 Colonne de droite : 1 H** Hal Horwitz/Corbis ; **1 B** Deni Bown/© Dorling Kindersley ; **3** Frank Greenaway/© Dorling Kindersley ; **4** Karl Ammann/Corbis ; **5** Tom et Dee Ann McCarthy/Corbis.

Chapitre 2
2.1 Thomas Eisner et Daniel Aneshansley, Cornell University. **2.2 G** Chip Clark. **2.2 C et D** Pearson Education/Benjamin Cummings Publishing Company. **2.3 a** Grant Heilman Photography, Inc. **2.3 b** Ivan Polunin/Bruce Coleman Inc. **2.5.3** Laura Hartley, Terraphotographics/Biological Photo Service. **2.6** CTI. **2.14** Pearson Education/Benjamin Cummings Publishing Company. **p. 41** © Jerry Young/Dorling Kindersley. **2.18** Runk/Schoenberg/Grant Heilman Photography, Inc. **p. 45** Phil Degginger/Color-Pic, Inc.

Chapitre 3
3.1 NASA/Johnson Space Center. **3.3 D** Richard Kessel et Gene Shih/Visuals Unlimited. **3.4** Bernard Photo Productions/Animals Animals/Maxximages.com. **3.5** Flip Nicklin/Minden Pictures. **3.9** Maresa Pryor/Animals Animals/Maxximages.com.

Chapitre 4
4.1 Gerry Ellis/Minden Pictures. **4.2** Roger Ressmayer/Corbis. **4.6 b** Bob Evans/Peter Arnold, Inc. **4.9 H** Beat Glauser/iStockphoto. **4.9 B** Hansjoerg Richter/iStockphoto.

Chapitre 5
5.1 Lester Lefkowitz/Corbis. **5.6 a** John N. A. Lott/Biological Photo Service. **5.6 b** H. Shio et P. B. Lazarow. **5.8** J. Litray/Visuals Unlimited. **5.9 H** T. J. Beveridge/Visuals Unlimited. **5.9 B** iStockphoto. **5.10 b** F. Collet/Photo Researchers, Inc./Publiphoto. **5.10 c** © Royalty-Free Corbis. **5.12 a** © Dorling Kindersley. **5.12 b** Kelly Cline/iStockphoto. **5.20** © Wolfgang Kaehler 2004 www.wkaehlerphoto.com. **5.21 G et D** Oliver Meckes et Nicole Ottawa/Photo Researchers, Inc. **5.23** Reproduit avec l'autorisation de *Nature* et P. B. Sigler, tiré de Z. Xu, A. L. Horwich, et P. B. Sigler. 388 : 741-750 © 1997 Macmillan Magazines Limited. **5.25 a** Marie Green, University of California, Riverside.

Chapitre 6
6.1 Molecular Probes, Inc. **6.3 a** Biophoto Associates/Photo Researchers, Inc./Publiphoto. **6.3 b** Ed Reschke. **6.3 c et d** David M. Phillips/Visuals Unlimited. **6.3 e** Molecular Probes, Inc. **6.3 f H et B** Karl Garsha. **6.4 a et b** William L. Dentler/Biological Photo Service. **6.6 b** S. C. Holt/Biological Photo Service. **6.8 a** Daniel S. Friend. **6.10 HG** Tiré de L.Orci et A.Perelet, *Freeze-Etch Histology*. (Heidelberg : Springer-Veerlag, 1975). Reproduit avec l'aimable autorisation de Springer Science and Business Media. **6.10 BG** Tiré de A. C. Faberge, *Cell Tiss. Res.*, no 151, 1974. Reproduit avec l'aimable autorisation de Springer Science and Business Media. **6.10 D** Reproduit avec l'autorisation de *Nature*, tiré de U. Aebi et al. 323 : 560-564, figure 1a. © 1996 Macmillan Magazines Limited. **6.11** D. W. Fawcett/Photo Researchers, Inc./Publiphoto. **6.12** Photo Researchers, Inc./Publiphoto. **6.13** Dr. Don W. Fawcett/Visuals Unlimited. **6.14 a et b** Daniel S. Friend. **6.15** Gracieuseté de E. H. Newcomb. **6.17** Daniel S. Friend. **6.18** W.P. Wergin et E.H. Newcomb/Biological Photo Service. **6.19** Tiré de S. E. Fredrick et E. H. Newcomb, *The Journal of Cell Biology* 43 :343, 1969. **6.20** John E. Heuser, M.D., Washington University School of Medicine, St. Louis, Missouri. **6.21 b** Tiré de B.J. Schnapp et al., *Cell* 40 :449-454, 1985. **Tableau 6.1 G** Dr. Mary Osborn, Max Planck Institute. **Tableau 6.1 D** Mark S. Ladinsky et J. Richard McIntosh, University of Colorado. **6.22** Kent L. McDonald. **6.23 a** Biophoto Associates/Photo Researchers, Inc./Publiphoto. **6.23 b** Oliver Meckes et Nicole Ottawa/Photo Researchers, Inc. **6.24 a** Omikron/Photo Researchers, Inc./Publiphoto. **6.24 b et c** William L. Dentler/Biological Photo Service. **6.26** Tiré de Hirokawa Nobutaka, *The Journal of Cell Biology* 94 :425, fig. 1, 1982. Reproduit avec l'autorisation de The Rockefeller University Press. **6.28** Biophoto Associates/Photo Researchers, Inc./Publiphoto. **6.30** Micrographie de W. P. Wergin, fournie par E. H. Newcomb. **6.31 H** Tiré de Douglas J. Kelly, *The Journal of Cell Biology* 28 :51, fig.7, 1966. Reproduit avec l'autorisation de The Rockefeller University Press. **6.31 C** Tiré de L.Orci et A.Perelet, *Freeze-Etch Histology*. (Heidelberg : Springer-Veerlag, 1975). Reproduit avec l'aimable autorisation de Springer Science and Business Media. **6.31 B** Tiré de C. Peracchia et A. F. Dulhunty, *The Journal of Cell Biology* 70 :419, fig. 6, 1976. Reproduit avec l'autorisation de The Rockefeller University Press. **6.32** Boehringer Ingelheim International GmbH, photo Lennart Nilsson/Albert Bonniers Forlag AB, *The Body Victorious*, Delacorte Press, Dell Publishing Co., Inc.

Chapitre 7
7.4 G et **D** D. W. Fawcett/Photo Researchers, Inc./Publiphoto. **7.14 a et b** Cabisco/Visuals Unlimited. **7.20 H** R.N. Band et H.S. Pankratz/Biological Photo Service. **7.20 C** D. W. Fawcett/Photo Researchers, Inc./Publiphoto. **7.20 BG et BD** Tiré de M. M. Perry et A. B. Gilbert, *J. Cell Science* 39 :257 © 1979 The Company of Biologists Ltd.

Chapitre 8
8.1 Jacana/Photo Researchers, Inc. **8.2** David W. Hamilton/Getty Images, Inc. **8.3 a** Joe McDonald/Corbis. **8.3 b** James Urbach/SuperStock. **8.4** Brian Capon, *Botany for Gardeners*, Revised Edition, Timber Press, 2005. **8.16 a et b** Gracieuseté de Thomas A. Steitz, Yale University. **8.22** R. Rodewald/Biological Photo Service.

Chapitre 9
9.1 Frans Lanting/Minden Pictures.

Chapitre 10
10.1 Bob Rowan, Progressive Image/Corbis. **10.2 a** Jim Brandenburg/Minden Pictures. **10.2 b** Hans Pfletschinger/Peter Arnold, Inc. **10.2 c** Michael Abbey/Visuals Unlimited. **10.3 C** M. Eichelberger/Visuals Unlimited. **10.3 B** W.P. Wergin et E.H. Newcomb/Biological Photo Service. **10.11 b** Christine L. Case, Skyline College. **10.20 G** David Muench/Corbis. **10.20 D** Dave Bartruff/Corbis.

Chapitre 11
11.1 CrystalGenomics, Inc.

Chapitre 12
12.1 Jan-Michael Peters. **12.2 a et c** Biophoto Associates/Photo Researchers, Inc./Publiphoto. **12.2 b** C.R. Wyttenback/Biological Photo Service. **12.3** John M. Murray, University of Pennsylvania. **12.4** Biophoto Associates/Photo Researchers, Inc./Publiphoto. **12.6 (toutes)** Conly L. Rieder. **12.7 H** Tiré de Matthew Schibler, Protoplasma, no 137, 1987, p. 29-44. Reproduit avec l'aimable autorisation de Springer Science and Business Media. **12.7 B** Gracieuseté de J. Richard McIntosh,

University of Colorado à Boulder. **12.09 a** David M. Phillips/Visuals Unlimited. **12.9 b** B. A. Palevitz, Gracieuseté de E. H. Newcomb, University of Wisconsin. **12.10 (toutes)** Carolina Biological Supply/Phototake NYC. **12.17** Guenter Albrecht-Buehler, Northwestern University. **12.18 a et b** Lan Bo Chen. **p. 252** Carolina Biological Supply/Phototake NYC.

Chapitre 13
13.1 ERPI. **13.2** Roland Birke/Tierbild Okapia/Photo Researchers, Inc. **13.3 H** Agence Phanie/Photo Researchers, Inc. **13.3 B** CNRI/SPL/Publiphoto. **13.11** Carolina Biological/Visuals Unlimited.

Chapitre 14
14.1 Bettmann/Corbis. **14.13 H** Robert Dudzic/iStockphoto. **14.13 B** Lidian Neeleman/iStockphoto. **14.14 b** Anthony Loveday/Pearson Education/Benjamin Cummings Publishing Company. **14.15** Dick Zimmerman/ Shooting Star International Photo Agency. **14.16** Nancy Wexler, Columbia University. **p. 293** Éleveuse : Patricia Speciale/Photographe : Norma JubinVille.

Chaptre 15
15.1 Tiré de Peter Lichter et David Ward, *Science*, vol. 247, 1990, p. 64-67, figure 1, reproduction autorisée par l'AAS. **15.3** Carolina Biological/Visuals Unlimited. **p. 305** Andrew Syred/SPL/Publiphoto. **15.11** Dave King/© Dorling Kindersley. **15.13** Milton H. Gallardo, Universidad Austral de Chile. **15.15 H** Mike Greenlar/The Image Works. **15.15 B** SPL/Publiphoto. **15.18** Carolina Biological Supply/Phototake NYC.

Chapitre 16
16.1 National Cancer Institute. **16.3** Oliver Meckes et Nicole Ottawa/Photo Researchers, Inc. **16.6 a** National Portrait Gallery, Londres. **16.6 b** Tiré de James D. Watson. *Double Helix*, Atheneum Press, N. Y., 1968, p. 215. © 1968. Gracieuseté de la James D. Watson Collection, Cold Spring Harbour Laboratory Archives. **16.7 c** Richard Wagner. **16.12 b** Tiré de D. J. Burks et P. J. Stambrook, *The Journal of Cell Biology* 77 :762, fig 6, 1978. Reproduit avec l'autorisation de The Rockefeller University Press. Photo fournie par P. J. Stambrook. **16.19** Peter Lansdorp.

Chapitre 17
17.1 Harry Noller, UC Santa Cruz. Dans *Science* vol. 291, p. 2526. **17.6** Keith V. Wood. **17.16 a** Joachim Frank **17.20** Barbara A. Hamkalo, University of California, Irvine. **17.22** Tiré de O. L. Miller, Jr., B. A. Hamkalo et C. A. Thomas, Jr., *Science*, vol. 169, 1970, p. 392, reproduction autorisée par l'AAAS.

Chapitre 18
18.1 SPL/Publiphoto. **18.3** Tiré de Eric Lam, Naohiro Kato et Michael Lawton. "Programmed cell death, mitochondria and the plant hypersensitive response." *Nature*, Vol. 411, 14 juin 2001, fig. 1, p. 849. **18.4 a, b et d** Robley C. Williams/ Biological Photo Service. **18.4 c** K.G. Murti/Visuals Unlimited. **18.10 (toutes)** Petit Format/Photo Researchers, Inc. **18.11 a** Vincent Yu/AP Photo/CP Images. **18.11 b** Dr. Linda Stannard/SPL/Publiphoto. **18.12 H** Wayside/Visuals Unlimited. **18.12 G** Arden Sherf, Department of Plant Pathology, Cornell University. **18.12 B** Dennis E. Mayhew, California Department of Food and Agriculture. **18.17** Carolina Biological Supply/Phototake NYC.

Chapitre 19
19.1 Mark B. Roth et Joseph G. Gall, Department of Embryology, Carnegie Institution. **19.2 a H** S. C. Holt/Biological Photo Service. **19.2 a B** Gracieuseté de Victoria Foe. **19.2 b** Barbara A. Hamkalo, University of California, Irvine. **19.2 c** Tiré de J. R. Paulsen et U. K. Laemmli, *Cell* 12 (1977) : 817-828. **19.2 d H et B** G.F. Bahr/AFIP. **19.15 G** AP Wide World Photos. **19.15 D** Virginia Walbot, Stanford University. **19.17 H** Gracieuseté de O. L. Miller Jr., Department of Biology, University of Virginia.

Chapitre 20
20.1 Incyte Pharmaceuticals, Inc., Palo Alto, CA, tiré de R.F. Service, *Science* (1998) 282 :396-3999. Copyright 1998 AAAS. **20.8 B** Repligen Corporation. **20.14 B** Incyte Pharmaceuticals, Inc., Palo Alto, CA, tiré de R.F. Service, *Science* (1998) 282 :396-3999. Copyright 1998 AAAS. **20.17** Gracieuseté de Orchid Cellmark, Inc., Germantown, Maryland. **20.18** Gopal Murti.

Chapitre 21
21.1 Walter Gehring. **p. 450 : 21.2 G,** N. A. Callow/NHPA/Photoshot. **21.2 D** Brad Mogen/Visuals Unlimited. **p. 451 : 21.2 G** Photo de The Jackson Laboratory par Stanton Short. **21.2 C** © Dorling Kindersley. **21.2 D** Wally Eberhart/Visuals Unlimited. **21.3 a** Carolina Biological/Visuals Unlimited. **21.3 b** Hans Pfletschinger/ Peter Arnold, Inc. **21.8** Richard Olsenius/National Geographic Image Collection. **21.13** F. Rudolf Turner, Indiana University. **21.14 a** Wolfgang Driever, Université de Freiburg, Freiburg, Allemagne. **21.14 b** Dr. Ruth Lahmann, The Whitehead Institution. **21.15** Tiré de J. E. Sulston et H. R. Horvitz, *Developmental Biology*, vol. 56, 1977, p. 110-156. Reproduction autorisée par Elsevier. **21.17** Dr. Gopal Murti/Visuals Unlimited. **21.19 (toutes)** Tiré de William Wood, Mark Turmaine, Roberta Weber, Victoria Camp, Richard A. Maki, Scott R. McKercher et Paul Martin, "Mesenchymal cells engulf and clear apoptotic footplate cells in macrophageless PU. 1 null mouse embryos." *Development* 127, p. 5245-5252 © 2000 The Company of Biologists. **21.20** Dwight R. Kuhn. **21.22** Tiré de "Compared to Animals : The Broadest Comparative Study of Development", *Science*, vol. 295, 22 février 2002, p.1482. Dr. E. M. Meyerowitz, Division of Biology, California Institute of Technolgy.

Chapitre 22
22.1 Craig Lovell/Corbis. **22.3 GH et GB** Demetrio Carrasco/©Dorling Kindersley. **22.3 D** © Royalty-Free Corbis. **22.4** Michael S. Yamashita/Corbis. **22.5 HD** © National Maritime Museum Picture Library, Londres, Royaume-Uni. **22.5 BG** Archiv/Photo Researchers, Inc./Publiphoto. **22.6 (toutes)** Tui De Roy/Minden Pictures. **22.8** Matthew Ward/© Dorling Kindersley. **22.9** Dr. Jeremy Burgess/ Photo Researchers, Inc./Publiphoto. **22.10** Jack Wilburn/Animals Animals/ Maxximages.com. **22.11 a** Edward S. Ross, California Academy of Sciences. **22.11 b** Michael et Patricia Fogden/Minden Pictures. **22.15 G** Dwight R. Kuhn. **22.15 D** Lennart Nilsson/Albert Bonniers Forlag AB, *A Child is born*, Dell Publishing Company. **22.18** Philip D. Gingerich, *Discover* Magazine.

Chapitre 23
23.1 Chip Clark. **23.2** J. Antonovics/Visuals Unlimited. **23.3 H** Michio Hosino/ Minden Pictures. **23.3 B** James L. Davis/ProWildlife. **23.6** Tom Brakefield/Corbis. **23.8 b** Kennan Ward/Corbis. **23.9 a et b** H. Frederik Nijhout. **23.10 (souris)** Steve Gorton/© Dorling Kindersley. **23.10 H et B** Janice Britton-Davidian, ISEM, UMR 5554 CNRS, Université de Montpellier II. Reproduit avec l'autorisation de *Nature*, vol. 403, 13 janvier 2000, p. 158, © 2000 Macmillan Magazines Limited. **23.10 C** NASA Earth Observing System. **23.14 (toutes)** Alan B. Bond et Alan C. Kamil. **23.15** Frans Lanting/Minden Pictures.

Chapitre 24
24.1 George Harrison/Grant Heilman Photography, Inc. **24.3 a G** John Shaw/Tom Stack & Associates. **24.3 a D** Don et Pat Valenti/Tom Stack & Associates. **24.3 b, rangée du haut : G** ERPI ; **D** Chris Schmidt/iStockphoto. **24.3 b, rangée du bas : G** Arpad Benedek/iStockphoto ; **C** Sean Locke/iStockphoto ; **D** Nancy Louie/ iStockphoto. **24.4 a** Joe McDonald/Bruce Coleman Inc. **24.4 b** Joe McDonald/ Corbis. **24.4 c** USDA/APHIS/Animal and Plant Health Inspection Service. **24.4 d** Stephen Krasemann/Photo Researchers, Inc./Publiphoto. **24.4 e** Barbara Gerlach/ Tom Stack & Associates. **24.4 f** Mike Zens/Corbis. **24.4 g** Dennis Johnson, Papilio/ Corbis. **24.4 h** William E. Ferguson. **24.4 i** Charles W. Brown. **24.4 j** Brad Denoon/ iStockphoto. **24.4 k** Ralph A. Reinhold/Animals Animals/Earth Scenes/Maxximages.com. **24.4 l** Grant Heilman/Grant Heilman Photography, Inc. **24.4 m** Kazutoshi Okuno, Université de Tsukuba. **26.6 HG** John Shaw/Bruce Coleman Inc. **24.6 HD** Michael Fogden/Bruce Coleman Inc. **24.6** © Royalty-Free Corbis. **24.10 (toutes)** Ole Seehausen, Université de Berne et EAWAG Ecology Center. **24.11** © kevinschafer.com. **24.12 (toutes)** Gerald D. Carr. **24.16 a** Gary Meszaros/ Visuals Unlimited. **24.16 b** Tom McHugh/Photo Researchers, Inc./Publiphoto. **24.17** Stephen Dalton.

Chapitre 25
25.1 John Cancalosi/Peter Arnold, Inc. **25.2 C** Neil Fletcher/© Dorling Kindersley. **25.2 D** © Dorling Kindersley. **25.4 a** Georg Gerster/Photo Researchers, Inc. **25.4 b** Yva Momatiuk/John Eastcott/Minden Pictures. **25.4 c** Manfred Cage/Peter Arnold, Inc. **25.4 d** Chip Clark. **25.4 e** Martin Lockley, University of Colorado. **25.4 f** Jeff Daly/Visuals Unlimited. **25.4 g** F. Latreille/Cerpolex/Cercles Polaires Expéditions.

Chapitre 26
26.1 Peter Sawyer © NMNH Smithsonian Instution. **26.3** George Luther. **26.4 a** Gracieuseté de Fred M. Menger et Kurt Gabrielson, Emory University. **26.6** L. K. Broman/Photo Researchers, Inc./Publiphoto. **26.9** Benjamin Cummings. **26.11 a H** John Stolz, Duquesne University. **26.11 a B** S. M. Awramik/Biological Photo Service. **26.11 b H** Mitsuaki Iwago/Minden Pictures. **26.11 b B** S. M. Awramik/Biological Photo Service. **26.12** Theodore J. Bornhorst, Michigan Technological University. **26.14** Gracieuseté de Dean Soulia et Lynn Margulis. **26.15 a et b** Shuhai Xiao, Virginia Tech. **26.16** SPL/Publiphoto.

Chapitre 27
27.1 Keith Kent/S.P.L./Publiphoto. **27.2 a et b** Dr. Dennis Kunkel/Visuals Unlimited. **27.2 c** Stem Jems/Photo Researchers, Inc./Publiphoto. **27.3** Jack Bostrack/Visuals Unlimited. **27.4** SPL/Publiphoto. **27.5** David Hasty, Fran Heyl Associates. **27.6** Melvin DePamphilis, Julius Adler's Laboratory. **27.7 a** Photo de S. W. Watson, Woods Hole Oceanographic Institution. **27.7 b** N. J. Lang/Biological Photo Service. **27.8** SPL/Publiphoto. **27.9** H. S. Pankratz et T.C. Beaman/Biological Photo Service. **27.10** Susan Barns, Los Alamos National Laboratory. **27.11** Dr.

Tony Brain/SPL/Publiphoto. **27.13, p. 586 de haut en bas: 1** L. Evans Roth/Biological Photo Service; **2** Yuichi Suwa; **3** Centers for Disease Control and Prevention (CDC); **4 G** Carolina Biological Supply/Phototake NYC; **4 D** Alfred Pasieka/Peter Arnold, Inc. **5** SPL/Publiphoto. **27.13, p. 587 de haut en bas: 1** Moredon Animal Health/SPL/Publiphoto; **2** CNRI/SPL/Publiphoto; **3** Frederick P. Mertz/Visuals Unlimited; **4** David M. Phillips/Visuals Unlimited; **5** T.E. Adams/Visuals Unlimited. **27.14** Helen E. Carr/Biological Photo Service. **27.15** Ken Lucas/Biological Photo Service. **27.16 G** Scott Camazine/Photo Researchers, Inc./Publiphoto. **27.16 C** David M. Phillips/Photo Researchers, Inc./Publiphoto. **27.16 D** Centers for Disease Control and Prevention (CDC). **27.17** Gracieuseté de Exxon Mobil Corporation.

Chapitre 28

28.1 M. I. Walker/Photo Researchers, Inc./Publiphoto. **28.2 a** Eric Grave/Photo Researchers, Inc./Publiphoto. **28.2 b** Ken Wagner/Phototake NYC. **28.2 c** Michael D. Guiry. **28.2 d G** John Walsh. **28.2 d D** Jeremy Burgess/SPL/Publiphoto. **28.5 a** Jerome Paulin/Visuals Unlimited. **28.5 b** David M. Phillips/Visuals Unlimited. **28.6** David J. Patterson/Micro*scope. **28.7** Oliver Meckes et Nicole Ottawa/Photo Researchers, Inc. **28.8** Michael Abbey/Visuals Unlimited. **28.9** Fonds de recherche de Guy Brugerolle, CNRS et Université Blaise-Pascal de Clermont-Ferrand. **28.10** Virginia Institute of Marine Science. **28.11** Masamichi Aikawa, École de médecine de l'Université de Tokai, Japon. **28.12 a** Mike Abbey/Visuals Unlimited. **28.13** Centers for Disease Control and Prevention (CDC). **28.14** Fred Rhoades, Mycena Consulting. **28.15** Eric Condliffe/Visuals Unlimited. **28.16** Photo Researchers, Inc./Publiphoto. **28.17** J. R. Waaland/Biological Photo Service. **28.18** Luis A. Solarzano et Warren E. Savary. **28.19** Jeff Rotman/ Photo Researchers, Inc. **28.20 a** Biophoto Associates/Photo Researchers, Inc./Publiphoto. **28.20 b** Michael Yamashita/IPN/Aurora. **28.20 c** David Murray/© Dorling Kindersley. **28.21** J. R. Waaland/Biological Photo Service. **28.22 G** Manfred Kage/Peter Arnold, Inc. **28.22 D** Richard Kessel et Gene Shih/Visuals Unlimited. **28.23** Robert Brons/Biological Photo Service. **28.24 (toutes)** Akira Kihara, Hosei University. **28.25** George Barron, University of Guelph. **28.26** R. Calentine/Visuals Unlimited. **28.27 (toutes)** Rob Kay, MRC Cambridge, Royaume-Uni. **28.28 a** D. P. Wilson, Eric et David Hosking/Photo Researchers, Inc./Publiphoto. **28.28 b** Michael D. Guiry. **28.28 c** Gary Robinson/Visuals Unlimited. **28.29** Gerald et Buff Corsi/Visuals Unlimited. **28.30 a H** David J. Patterson/Micro*scope. **28.30 a** Manfred Kage/Peter Arnold, Inc. **28.30 b** Tiré de D. L. Ballantine et N.E. Aponte. *A checklist of the benthic marine algae known to Puerto Rico,* Second Revision, 2002. Constancea 83, online continuation of California Publications in Botany (1992-2002): http://ucjeps.berkeley.edu/constancea/83/ballantine_aponte/checklist.html. **28.30 c** Laurie Campbell/NHPA/Photoshot. **28.31** William L. Dentler, University of Kansas.

Chapitre 29

29.1 Martin Rugner/AGE Fotostock. **29.2** S. C. Mueller et R. M. Brown, Jr. **29.3 a** Heather Angel/Natural Visions. **29.3** Linda Graham, University of Wisconsin-Madison. **29.5, p. 624: G** Ed Reschke; **D** Centers for Disease Control and Prevention (CDC). **29.5, p. 625: HD** Michael Clayton; **HG** Alan S. Heilman; **C** Barry Runk/Stan/Grant Heilman Photography, Inc.; **BG** Gracieuseté de Karen S. Renzaglia; **BD** Linda Graham, University of Wisconsin-Madison. **29.6 (toutes)** Charles H. Wellman. **29.8** Richard Kessel et Gene Shih. **29.9 HG** Runk/Schoenberg/Grant Heilman Photography, Inc. **29.9 HC** Linda Graham, University of Wisconsin-Madison; **29.9 HD et BG** The Hidden Forest, www.hiddenforest.co.nz. **29.9 BD** Tony Wharton, Frank Lane Picture Agency/Corbis. **29.10 a** Brian Lightfoot/AGE Fotostock. **29.10 b et c** Linda Graham, University of Wisconsin-Madison. **29.10 d** Chris Lisle/Corbis. **29.14 HG** Jane Grushow/Grant Heilman Photography, Inc. **29.14 HC** Murray Fagg/Australian National Botanic Gardens. **29.14 HD** Helga et Kurt Rasbach. **29.14 BG** Michael Viard/Peter Arnold, Inc. **29.14 BC** Milton Rand/Tom Stack & Associates. **29.14 BD** Barry Runk/Stan/Grant Heilman Photography, Inc. **29.15** © The Field Museum, # CSGEO75400c.

Chapitre 30

30.1 National Museum of Natural History, Smithsonian Institution, © Smithsonian Institution. **30.4, p. 644: HG** George Louin/Visuals Unlimited; **HC** Travis Amos/Benjamin Cummings; **HD** Grant Heilman Photography, Inc.; **CG** Michael et Patricia Fogden/Minden Pictures; **CD** Michael Clayton; **BG** Thomas Schoepke; **BD** Doug Sokell/Visuals Unlimited. **30.4, p. 645: HG** Raymond Gehman/Corbis; **HD** Gunter Marx, Photography; **CG** William Mullins/Photo Researchers, Inc./Publiphoto; **CD (médaillon)** Royal Botanic Gardens Sydney; **CD** Jaime Plaza/Wildlight Photo Agency; **BG** David Muench/Corbis; **BD** Kent, Breck P./Animals Animals/Maxximages.com. **30.8 a** Dave King/© Dorling Kindersley. **30.8 b** Andy Crawford/© Dorling Kindersley. **30.8 c** Dave King/© Dorling Kindersley. **30.8 d** Bill Steele/Getty Images, Inc. **30.8 e** Roger Phillips/© Dorling Kindersley. **30.9 a** C. P. George/Visuals Unlimited. **30.9 b** Hans Doeter Brandl, Frank Lane Picture Agency/Corbis. **30.9 c G** Scott Camazine/Photo Researchers, Inc./Publiphoto. **30.9 c D** Derek Hall/© Dorling Kindersley. **30.11 a** David L. Dilcher et Ge Sun, fig. 2a. **30.11 b** K. Simons et David L. Dilcher, fig. 3. **30.12, p. 652: HG** Stephen McCabe/Arboretum, University of California à Santa Cruz; **BG** Howard Rice/© Dorling Kindersley; **BC** Bob et Ann Simpson/Visuals Unlimited; **BD** Andrew Butler/© Dorling Kindersley. **30.12, p. 653, colonne de gauche de haut en bas: 1** Eric Crichton/© Dorling Kindersley; **2** John Dransfield; **3** © Dorling Kindersley; **4** Terry W. Eggers/Corbis. **30.12, p. 653, colonne de droite de haut en bas: 1** Ed Reschke/Peter Arnold, Inc.; **2** Matthew Ward/© Dorling Kindersley; **3** Tony Wharton, Frank Lane Picture Agency/Corbis; **4** Howard Rice/© Dorling Kindersley; **5** Gerald D. Carr. **30.13 a** D. Wilder. **30.13 b** Toops Photojournalist Services. **30.13 c** Merlin D. Tuttle, Bat Conservation International. **Tableau 30.1** © Dorling Kindersley.

Chapitre 31

31.1 Grant Heilman Photography, Inc. **31.2 H** John Wilkinson, Ecoscene/Corbis. **31.2 C (médaillon)** Elmer Koneman/Visuals Unlimited. **31.2 B** Fred Rhoades, Mycena Consulting. **31.4 a** G.L. Barron et N. Allin/Biological Photo Service. **31.6 G** Jack M. Bostrack/Visuals Unlimited. **31.6 D** David Scharf/Peter Arnold, Inc. **31.7** Stephen J. Kron. **31.8** Dirk Redecker, Robin Kodner et Linda E. Graham. "Glomalean Fungi from the Ordovician". *Science* 15 septembre 2000, no 289, p. 1920-1921. **31.10 G** John W. Taylor. **31.10 D** William E. Barstow. **31.12.1 (les 2)** Barry Runk/Stan/Grant Heilman Photography, Inc. **31.12.4** Ed Reschke/Peter Arnold, Inc. **31.12.9** George Barron, University of Guelph. **31.13** G.L. Barron/Biological Photo Service. **31.14** Centers for Disease Control and Prevention (CDC). **31.15** M. F. Brown/Biological Photo Service. **31.16 a** Frank Young/Corbis. **31.16 b** David M. Dennis/Animals Animals/Maxximages.com. **31.16 c** Viard/Jacana/Photo Researchers, Inc./Publiphoto. **31.16 d** Photomicrographie de Matt Springer, University of California, San Francisco. **31.17** Fred Spiegel, University of Arkansas. **31.18 a** Phil Dotson/Photo Researchers, Inc./Publiphoto. **31.18 b** Fletcher et Baylis/Photo Researchers, Inc./Publiphoto. **31.18 c** Konrad Wothe/Minden Pictures. **31.18 d** Michael Fogden/DRK Photo. **31.19** Rob Simpson/Visuals Unlimited. **31.20** Biophoto Associates/Photo Researchers, Inc./Publiphoto. **31.21** R. Ronacordi/Visuals Unlimited. **31.22** Mark Moffett/Minden Pictures. **31.23 a** Gerald et Buff Corsi/Visuals Unlimited. **31.23 b** David Sieren/Visuals Unlimited. **31.23 c** Fritz Polking/Visuals Unlimited. **31.24** V. Ahmadijian/Visuals Unlimited. **31.25 a** Brad Mogen/Visuals Unlimited. **31.25 b** Peter Chadwick/© Dorling Kindersley. **31.25 c** Robert Calentine/Visuals Unlimited. **31.26** Christine L. Case, Skyline College. **p. 677** Jeremy Burgess/SPL/Publiphoto.

Chapitre 32

32.1 Stuart Westmorland/Corbis. **32.5 a** © The Natural History Museum, Londres **32.5 b** Harry Taylor/© Dorling Kindersley, Gracieuseté du Natural History Museum, Londres. **32.6** © The Natural History Museum, Londres. **32.12** Kent Wood/Photo Researchers, Inc./Publiphoto. **32.13 a** Carolina Biological/Visuals Unlimited.

Chapitre 33

33.1 Gary Bell/zefa/Corbis. **33.3, p. 694, colonne de gauche de haut en bas: 1** Andrew J. Martinez/Photo Researchers, Inc./Publiphoto; **2** Stephen Dellaporta; **3** Garry McCarthy; **4** Colin Milkins, Oxford Scientific Films/Animals Animals/Maxximages.com. **33.3, p. 694, colonne de droite de haut en bas: 1** Robert Brons/Biological Photo Service; **2** Reinhardt Mobjerg Kristensen; **3** W. I. Walker/Photo Researchers, Inc./Publiphoto; **4** Ron Offermans, Foto Produkties V.O.F. **33.3, p. 695, colonne de gauche de haut en bas: 1** Fred Bavendam/Peter Arnold, Inc.; **2** Darlyne A. Murawski/Peter Arnold, Inc.; **3** Papilio/Alamy Images; **4** Reinhardt Mobjerg Kristensen. **33.3, p. 695, colonne de droite de haut en bas: 1** Erling Svensen/UW Photo; **2** Fregory G. Dimijian/Photo Researchers, Inc./Publiphoto; **3** Peter Batson/Imagequestmarine.com; **4** Erling Svensen/UW Photo. **33.3, p. 696, colonne de gauche de haut en bas: 1** Photo de Berger, Eizinger et Sommer tirée de Science, vol. 278, no 5337, 17 octobre 1997, reproduction autorisée par l'AAAS; **2** Peter Funch; **3** Thomas Stromberg; **4** Robert Harding Picture Library Ltd/Alamy Images. **33.3, p. 696, colonne de droite de haut en bas: 1** Alain Dragesco-Joffe/Animals Animals/Maxximages.com; **2** Andrew Syred/SPL/Publiphoto; **3** Heather Angel/Natural Visions; **4** Robert Brons/Biological Photo Service. **33.4** Andrew J. Martinez/Photo Researchers, Inc./Publiphoto. **33.7 a** Andrew J. Martinez/Photo Researchers, Inc./Publiphoto. **33.7 b** Robert Brons/Biological Photo Service. **33.7 c** Gracieuseté de l'administration du Great Barrier Reef Marine Park. **33.7 d** Neil G. McDaniel/Photo Researchers, Inc./Publiphoto. **33.8** Robert Brons/Biological Photo Service. **33.9** Garry McCarthy. **33.11** Centers for Disease Control and Prevention (CDC). **33.12** Stanley Fleger/Visuals Unlimited. **33.13** W. I. Walker/Photo Researchers, Inc./Publiphoto. **33.14 a** Colin Milkins, Oxford Scientific Films/Animals Animals/Maxximages.com. **33.14 b** Ron Offermans, Foto Produkties V.O.F. **33.14 c** Fred Bavendam/Peter Arnold, Inc. **33.15** Erling Svensen/UW Photo. **33.17** Jeff Foott/Tom Stack & Associates. **33.18 a** Gerry Ellis/Minden Pictures. **33.18 b** © Royalty-Free Corbis. **33.20** Harold W. Pratt/Biological Photo Service. **33.22 a** Papilio/Alamy Images. **33.22 b** Mike Severns/Tom Stack & Associates. **33.22 c** Jonathan Blair/Corbis. **33.23** A.N.T. Photo Library/NHPA/Photoshot. **33.24** Peter Batson/Imagequestmarine.com. **33.25** Astrid et Hanns Frieder Michler/SPL/Publiphoto. **33.26** Photo de Berger, Eizinger et Sommer tirée de Science, vol. 278, no 5337, 17 octobre 1997, reproduction autorisée par l'AAAS. **33.27** SPL/Publiphoto. **33.28** Chip Clark.

33.30 Milton Tierney, Jr/Visuals Unlimited. **33.31 a** Frank Greenaway/© Dorling Kindersley. **33.31 b** Andrew Syred/SPL/Publiphoto. **33.31 c** Gunter Ziesler/Peter Arnold, Inc. **33.33** John R. MacGregor/Peter Arnold, Inc. **33.34** Tom McHugh/Photo Researchers, Inc./Publiphoto. **33.36 (toutes)** John Shaw/Tom Stack & Associates. **33.38 a** Maximilian Weinzierl/Alamy Images. **33.38 b** Peter Herring/Imagequestmarine.com. **33.38 c** Peter Parks/Imagequestmarine.com. **33.40 a** Fred Bavendam/Minden Pictures. **33.40 b** Jeff Rotman/ Photo Researchers, Inc. **33.40 c** Robert Harding Picture Library Ltd/Alamy Images. **33.40 d** Jurgen Freund/naturepl.com. **33.40 e** Hal Beral/Corbis. **33.40 f** Daniel Janies.

Chapitre 34

34.1 Biophoto Associates/Photo Researchers, Inc./Publiphoto. **34.4** Robert Brons/Biological Photo Service. **34.5** Runk/Schoenberg/Grant Heilman Photography, Inc. **34.8 a** Nanjing Institute of Geology and Palaeontology. **34.8 b** Tiré de D.G. Shu, S. Conway Morris, J. Han, Z. F. Zhang, K. Yasul, P. Janvier, L. Chen, X. L. Zhang, J. N. Liu, Y. Li et H. Q. Liu. "Head of backbone of the Early Cambrian vertebrate Haikouichthys". *Nature*, vol. 421, 30 janvier 2003, pages 526-529. **34.9** Tom McHugh/Photo Researchers, Inc./Publiphoto. **34.10 (les 2)** Breck P. Kent/Animals Animals/Maxximages.com. **34.15 a** Carlos Villoch/Imagequestmarine.com. **34.15 b** Masa Ushioda/Imagequestmarine.com. **34.15 c** Jeff Mondragon/mondragonphoto.com. **34.17 a** James D. Watt/Imagequestmarine.com. **34.17 b** Fred Bavendam/Minden Pictures. **34.17 c** Marevision/AGE Fotostock. **34.17 d** Fred McConnaughey/Photo Researchers, Inc./Publiphoto. **34.18** Tom McHugh/Photo Researchers, Inc./Publiphoto. **34.21 a** Alberto Fernandez/AGE Fotostock. **34.21 b et c** Michael Fogden/Bruce Coleman Inc. **34.22 (les 3)** Hans Pfletschinger/Peter Arnold, Inc. **34.25** National Zoological Park, photo de Jessie Cohen © Smithsonian Institution 2006. **34.26 G** Négatif no 5789, gracieuseté de la bibliothèque du American Museum of Natural History. **34.26 D** John Sibbick/National Geographic Image Collection. **34.27 a** © Doug Wechsler. **34.27 b** Matt Lee. **34.27 c** Michael et Patricia Fogden/Minden Pictures. **34.27 d** Geoff Brightling/© Dorling Kindersley. **34.27 e** Carl et Ann Purcell/Corbis. **34.28 a** Stephen J. Krasemann/DRK Photo. **34.28 b** Janice Sheldon. **34.30 a** Boris Karpinski/Alamy Images. **34.30 b** Raymond Truelove/iStockphoto. **34.30 c** Frans Lanting/Minden Pictures. **34.30 d** franz-foto.com/Alamy Images. **34.33** Mervyn Griffiths/Commonwealth Scientific and Industrial Research Organization. **34.33 (médaillon)** Auscape International Pty. Ltd. **34.34 a** Dan Hadden/Ardea London. **34.34 b** Fritz Prenzel/Animals Animals/Maxximages.com. **34.37** Frans Lanting/Minden Pictures. **34.39 a** Kevin Schafer/AGE Fotostock. **34.39 b** Frans Lanting/Minden Pictures. **34.40 a** Morales/AGE Fotostock. **34.40 b** Image State/Alamy Images. **34.40 c** T. J. Rich/naturepl.com. **34.40 d** E. A. Janes/AGE Fotostock. **34.40 e** Frans Lantin/Minden Pictures. **34.41** Dessins faits à partir des photos de David Brill. **34.42 a** The Cleveland Museum of Natural History. **34.42 b** John Reader/SPL/Publiphoto. **34.42 c**© John Gurche. **34.43 G** Alan Walker © National Museums of Kenya. **34.43 D** Reconstitution de Homo Ergaster par Jay H. Matternes © 1999. **34.44** M. Day/National History Museum, London. **34.45** C. Henshilwood et F. d'Errico.

Chapitre 35

35.3 Robert et Linda Mitchell Photography. **35.4 a** Grant Heilman Photography, Inc. **35.4 b** Peter Chadwick/© Dorling Kindersley. **35.4 c** Drew Weiner. **35.4 d** Robert Holmes/Corbis. **35.4 e** Geoff Tompkinson/SPL/Publiphoto. **35.5 a** © Dorling Kindersley. **35.5 b** Gusto Production/SPL/Publiphoto. **35.5 c** Grant Heilman Photography, Inc. **35.5 d** Geoff Dann/(c)Dorling Kindersley. **35.7 a** Scott Camazine/Photo Researchers, Inc./Publiphoto. **35.7 b** Fritz Polking/Visuals Unlimited. **35.7 c** Mike Zens/Corbis. **35.7 d** Grant Heilman Photography, Inc. **35.7 e** Jerome Wexler/Photo Researchers, Inc./Publiphoto. **35.9, p. 778 H** Brian Capon, *Botany for Gardeners,* Revised Edition, Timber Press, 2005; **C et 35.9, p. 779 H** Richard Kessel et Gene Shih/Visuals Unlimited; **B** Graham Kent/Pearson Education/Benjamin Cummings Publishing Company. **35.12** Dennis Kunkel/Phototake NYC. **35.13 a H** Ed Reschke. **35.13 a B** Phototake NYC. **35.13 b** Ed Reschke. **35.14 (toutes)** Michael Clayton. **35.15** Ed Reschke. **35.16 a et b** Ed Reschke. **35.17 b et c** Ed Reschke. **35.18 b G** Michael Clayton. **35.18 b D** Alison W. Roberts, University of Rhode Island. **35.21** Tiré de Janet Braam, *Cell,* vol. 60, no 3, page couverture © 1990. Reproduction autorisée par Elesevier. **35.23 (toutes)** Photomicrographies de Sue Wick, University of Minnesota. **35.24** Brian Wells et Keith Roberts. **35.25 a et b** Tiré de B. Scheres et al, "Mutations affecting the radial organisation of the Arabidopsis root display specific defects throughout the embryonic axix." *Development* 121:53, figure 1, © 1995 The Company of Biologists Ltd. **35.25 c** Tiré de R. Torres Ruiz et G. Jurgens, "Mutations in the FASS gene uncouple pattern formation and morphogenesis in Arabidopsis development." *Development* 120:2967-2978, figure 6 c, © 1994 The Company of Biologists Ltd. **35.26** Tiré de U. Mayer et al, "Apical-basal pattern formation in the Arabidopsis embryo: studies on the role of the gnom gene." *Development* 117 (1): 149-162, figure 1 a, © 1993 The Company of Biologists Ltd. **35.27 (les 2)** Tiré de D. Hareven et al, *Cell,* vol. 84, no 5, p. 735-744, figure 1, © 1996. Reproduction autorisée par Elsevier. **35.28** Tiré de Hung et al, *Plant Physiology 117*: 73-84, fig. 2g, © 1998 American Society of Plant Biologists. Reproduction autorisée. Photo: gracieuseté de John Schiefelbein, Univesity of Michigan. **35.29** Gerald D. Carr. **35.30 a et b** Tiré de Dr. E. M. Meyerowitz et John Bowman, *Development* 112 1991:1-2 31.2. Division of Biology, California Institute of Technolgy.

Chapitre 36

36.1 Joseph Tringali/iStockphoto. **36.07 (les 2)** Nigel Cattlin/FLPA – Images of Nature. **36.10** Dana Richter/Visuals Unlimited. **36.11** Scott Camazine/Photo Researchers, Inc./Publiphoto. **36.14 (les 2)** Jeremy Burgess /SPL/Publiphoto. **36.16 H** Andrew de Lory/© Dorling Kindersley. **36.16 B** John D. Cunningham/Visuals Unlimited. **36.19 (toutes)** M. H. Zimmermann, Harvard Forest.

Chapitre 37

37.1 SPL/Publiphoto. **37.4 (toutes)** Tiré de Maurice Reece, *The Country Gentleman*, gracieuseté de Curtis Publishing Co. **37.5** U.S. Department of Agriculture. **37.7 (toutes)** Tiré de White et al, *Plant Physiology*, Juin 2003. **37.8** James L. Amos/SuperStock. **37.10 a** Breck P. Kent/Animals Animals/Maxximages.com. **37.10 b** E. H. Newcomb et S. R. Tandon/Biological Photo Service. **37.12 a (les 2)** Gerald Van Dyke/Visuals Unlimited. **37.12 b** Eric Grave/Phototake NYC. **37.13 rangée du haut:** Wolfgang Kaehler/Corbis. **37.13 rangée du centre, de gauche à droite: 1** James Strawser/Grant Heilman Photography, Inc.; **2** Kevin Schafer/Corbis; **3** Andrew Syred/SPL/Publiphoto; **4** Gary W. Carter/Corbis. **37.13 rangée du bas, de gauche à droite: 1** Kim Taylor et Jane Burton/© Dorling Kindersley; **2** Biophoto Associates/Photo Researchers, Inc./Publiphoto; **3** Philip Blenkinsop/© Dorling Kindersley; **4** Dr. Paul A. Zahl/Photo Researchers, Inc./Publiphoto; **5** Fritz Polking; Frank Lane Picture Agency/Corbis.

Chapitre 38

38.1 Compost/Visage/Peter Arnold, Inc. **38.03 rangée du haut: HG** Eric Crichton/© Dorling Kindersley; **BG** Karen Tweedy-Holmes/Corbis; **HD** Craig Lovell/Corbis; **BD** John Cancalosi/naturepl.com. **38.03 rangée du bas, de gauche à droite: 1** D. Cavagnaro/Visuals Unlimited; **2** David Sieren/Visuals Unlimited; **3 et 4** Marcel E. Dorken. Ed Reschke. **38.4 a D** David Scharf/Peter Arnold, Inc. **38.4 b** Ed Reschke. **38.11** David Cavagnaro/DRK Photo. **38.12 a et b** Bruce Iverson, Photomicrography. **38.13** Sinclair Stammers/SPL/Publiphoto. **38.14 (les 2)** Andrew McRobb/© Dorling Kindersley. **38.15** Richard M. Manshardt. **38.16** Peter Berger, Institut für Biologie, Fribourg.

Chapitre 39

39.1 Prof. and Mrs. Malcolm B. Wilkins. **39.2 a et b** Natalie Bronstein, Ph.D, Mercy College. **39.7 (les 2)** Tiré de Leo Galweiler et al, "Regulation of Polar Auxin transport ATPIN1 in Arabidopsis Vascular Tissue", *Science,* 18 décembre 1998, vol. 282. pp. 2226-2229. **39.9 a et b** Prof. and Mrs. Malcolm B. Wilkins. **39.10** Fred Jensen, Kearney Agricultural Centre. **39.12** Tiré de Karen Koch in D.R. McCarty et al., "Molecular analysis of Vivoparous 1 – an abscisic acid – insensitive mutant of maize", *Plant Cell*, vol. 1, 1989, p. 523-532. **39.14 a** Kurt Stepnitz, Michigan State University. **39.14 b** Joseph J. Kieber, University of North Carolina. **39.16** Ed Reschke. **39.17 (toutes)** Prof. and Mrs. Malcolm B. Wilkins. **39.18 (toutes)** Prof. and Mrs. Malcolm B. Wilkins. **39.21 (les 2)** Prof. and Mrs. Malcolm B. Wilkins. **39.25 (toutes)** Michael Evans, Ohio State University. **39.26** Tiré de Janet Braam, *Cell,* vol. 60, no 3, page couverture. ©1990. Reproduction autorisée par Elesevier. **39.27 a et b** David Sieren/Visuals Unlimited. **39.27 c (les 2)** Tiré de K. Esau. *Anatomy of Seed Plants*, 2e édition. (New York: John Wiley & Sons, Inc, 1977), fig. 19.4, p.358. Reproduction autorisée par John Wiley & Sons, Inc. **39.28 a et b** J. L. Basq et M. C. Drew.

Chapitre 40

40.1 Mitsuhiko Imamori/Minden Pictures. **40.2 a** Flip Nicklin/Minden Pictures. **40.2 b** Andrew Sallmon/mondragonphoto.com. **40.2 c** Tui De Roy/Minden Pictures. **40.2 d** Bill Varie/Corbis. **40.2 e** Norbert Wu/Minden Pictures. **40.4 G** Gene Shih et Richard Kessel/Visuals Unlimited. **40.4 HD** D. M. Phillips/Visuals Unlimited. **40.4 BD** Dr. Richard Kessel et Dr. Randy Kardon/Visuals Unlimited. **40.5, p. 891** CNRI/Publiphoto. **40.5, p. 892, colonne de gauche de haut en bas: 1** Nina Zanetti/Pearson Education/Benjamin Cummings Publishing Company; **2** Science Visuals Unlimited; **3** Nina Zanetti/Pearson Education/Benjamin Cummings Publishing Company. **40.5, p. 892, colonne de droite de haut en bas: 1** Chuck Brown/Photo Researchers, Inc./Publiphoto; **2** Nina Zanetti/Pearson Education/Benjamin Cummings Publishing Company; **3** Dr. Gopal Murti/SPL/Publiphoto. **40.5, p. 893 de haut en bas: 1** Nina Zanetti/Pearson Education/Benjamin Cummings Publishing Company; **2** Manfred Kage/Peter Arnold, Inc.; **3** Dr. Gladden Willis/Visuals Unlimited; **4** Ed Reschke. **40.6** Dr. Richard Kessel et Dr. Randy Kardon/Visuals Unlimited. **40.8 a** Robert Full, University of California. **40.8 b** Carolina Biological Supply/Phototake NYC. **40.18** Daniel Lyons/Bruce Coleman Inc. **40.19** Robert Ganz. **40.22** John Gerlach/Visuals Unlimited.

Chapitre 41

41.1 AP Wide World Photos. **41.2 HG** © www.brandoncole.com. **41.2 HD** Thomas Eisner, Cornell University. **41.2 CD** Lennart Nilsson. **41.2 B** Gunter Ziesler/Peter Arnold, Inc. **41.4** Susumu Nishinaga/SPL/Publiphoto. **41.6** Photo de The Jackson Laboratory par Stanton Short. **41.7** Wolfgang Kaehler/Corbis. **41.8** Thomas Mangelsen/Minden Pictures. **41.9** Dagmar Fabricius/Stock Boston, LLC. **41.10 D** Sharon Meredith/iStockphoto. **41.11** Roland Seitre/Peter Arnold, Inc. **41.17** Fred E. Hossler/Visuals Unlimited. **41.18** Oliver Meckes et Nicole Ottawa/ Photo Researchers, Inc. **41.25** Kelley Wise, BioNetMedia, lnc. **41.27 G** Lanica Klein/iStockphoto. **41.27 D** Valerie Crafter/iStockphoto.

Chapitre 42

42.1 George Bernard/Animals Animals/Maxximages.com. **42.2** © 2007 Norbert Wu /www.norbertwu.com. **42.9** R. Kessel et R. Kardon/Visuals Unlimited. **42.13** Carolina Biological Supply/Phototake NYC. **42.14** Boehringer Ingelheim International GmbH, photo Lennart Nilsson/Albert Bonniers Forlag AB, *The Body Victorious*, Delacorte Press, Dell Publishing Co., Inc. **42.17** Science Source/SPL/ Publiphoto. **42.18 a** Ed Reschke. **42.18 b** W. Ober/Visuals Unlimited. **42.20 a** Frans Lanting/Minden Pictures. **42.20 b** Peter Batson/Imagequestmarine.com. **42.20 c** Harold W. Pratt/Biological Photo Service. **42.20 d** Dave Haas/The Image Finders. **42.22** Préparé par Dr. Hong Y. Yan, University of Kentucky et Dr. Peng Chai, University of Texas. **42.23 G** R. Kessel et R. Kardon/Visuals Unlimited. **42.23 D** CNRI/SPL/Publiphoto. **42.25** Hans-Rainer Duncker, Université de Giessen, Allemagne. **42.31** Stan Lindstedt.

Chapitre 43

43.1 Biology Media/Photo Researchers, Inc./Publiphoto. **43.3** SPL/Publiphoto. **43.15** David Scharf/Peter Arnold, Inc. **43.16** Lennart Nilsson/Boehringer Ingelheim International GmbH. **43.17** Carolina Biological Supply/Phototake NYC. **43.20** Lennart Nilsson/Boehringer Ingelheim International GmbH. **43.21** Photo Researchers, Inc./Publiphoto. **43.22** Lennart Nilsson/Boehringer Ingelheim International GmbH.

Chapitre 44

44.1 Peter Reese/naturepl.com. **44.2** Nigel J. Dennis/NHPA/Photoshot. **44.4 a** Dr. John Crowe, University of California, Davis. **44.4 b** Dr. John Crowe, University of California, Davis. **44.13 H** Tiré de L. Bankir et de Rouffignac, "Urinary Concentrating Ability: insights from comparative anatomy", *American Journal of Physiology. Regulatory, Integrative and Comparative Physiology*, 1985, no 249, p. 643-666. **44.13 B** R. Kessel et R. Kardon/Visuals Unlimited. **44.17** Michael et Patricia Fodgen/Minden Pictures. **44.18, colonne de gauche de haut en bas: 1** Mary McDonald/naturepl.com; **2** Michael Quinton/Minden Pictures; **3** Tim Martin/naturepl.com; **4** Laurie Campbell/NHPA/Photoshot. **44.18, colonne de droite de haut en bas: 1** Gerry Ellis/Minden Pictures; **2** Daniel Heuclin/NHPA/ Photoshot; **3** Juan Carlos Calvin/AGE Fotostock.

Chapitre 45

45.1 Ralph A. Clevenger/Corbis. **45.5** VVG/SPL/Publiphoto. **45.10** NMSB/Custom Medical Stock Photo, Inc. **45.14** Damir Spanic/iStockphoto.

Chapitre 46

46.1 Robin Chittenden/Corbis. **46.2** David Wrobel. **46.3 a** David Crews, photo de P. de Vries. **46.4** Frederick R. McConnaughey/Photo Researchers, Inc./ Publiphoto. **46.5** Dwight R. Kuhn. **46.6** William E. Ferguson. **46.17 (toutes)** Lennart Nilsson/Albert Bonniers Forlag AB. **46.21** Dr. Najeeb Layyous/SPL/Publiphoto.

Chapitre 47

47.1 Lennart Nilsson/Albert Bonniers Forlag AB. **47.2** College of Physicians of Philadelphia, Historical Medical Library. **47.4 (toutes)** Tiré de Hafner, M., Petzelt, C., Nobiling, R., Pawley, J., Kramp, D. et G. Schatten. "Wave of Free Calcium at Fertilization in the Sea Urchin Egg Visualized with Fura-2 Cell Motil." *Cytoskel*, 9:271-277 (1988). **47.7 (toutes)** George von Dassow, University of Washington. **47.9 (les 2)** R. Kessel et G. Shih/Visuals Unlimited. **47.11** Charles A. Ettensohn. **47.14 a** Cabisco/Visuals Unlimited. **47.14 c** Dr. Thomas Poole, Upstate Medical University. **47.15 b** Yoan Levy/Phototake NYC. **47.21** Tiré de Dr. Thiery Jean Paul, *Journal of Cell Biology*, 96:462-473, fig. 11 a, 1983. Reproduction autorisée par The Rockefeller University Press. **47.22 (les 2)** Dr. Janet Heasman, University of Minnesota. **47.23 b (les 2)** Hiroki Nishida, Département des sciences biologiques, École des études supérieures en sciences, Université d.Osaka. **47.26 a** Kathryn W. Tosney, University of Michigan. **47.27** Dennis Summerbell.

Chapitre 48

48.1 Dr. Gunther Fesl, Département de neuroradiologie, LMU Munich, Allemagne. **48.7** N. Kedersha/SPL/Publiphoto. **48.8** Alan Peters, tiré de Bear, Connors et Paradiso, *Neuroscience: Exploring the Brain* © 1996, p. 43. **48.16** Edwin R. Lewis, University of California at Berkeley. **48.29** Dr. Marcus E. Raichle, Washington University Medical Center. **48.34** Fred H. Gage, The Salk Institute, Laboratory of Genetics. **48.35** Martin Rotker/Photo Researchers, Inc./Publiphoto.

Chapitre 49

49.1 Stephen Dalton/NHPA/Photoshot. **49.4 H** OSF/Animals Animals/ Maxximages.com. **49.4 B** R. Alexander Steinbrecht/Max Planck Institute. **49.5 a** Joe McDonald/Animals Animals/Maxximages.com. **49.5 b** Flip Nicklin/Minden Pictures. **49.7** Tiré de Richard Elzinga, *Fundamentals of Entomology*, 3e, p. 185. © 1987, Reproduction autorisée par Prentice-Hall, Upper Saddle River, NJ. **49.17 a** USDA/APHIS/Animal and Plant Health Inspection Service. **49.28** Clara Franzini-Armstrong, University of Pennsylvania. **49.29 (toutes)** Gracieuseté du Dr. H. E. Huxley. **49.36** Dave Watts/NHPA/Photoshot. **49.37** Vance A. Tucker.

Chapitre 50

50.1 Mark Moffett/Minden Pictures. **50.2** Geoff Dann/© Dorling Kindersley. **50.3 a** © Dorling Kindersley. **50.3 b** Joe McDonald/Corbis. **50.3 c** Tom Bean/ Corbis. **50.3 d** B. Tharp/Photo Researchers, Inc./Publiphoto. **50.3 e** Yann Arthus-Bertrand/Corbis. **50.4** Erich Hartmann/Magnum Photos. **50.7** Richard Ditch. **50.9** Hubert Stadler/Corbis. **50.17, p. 1188: HG** Allen Russel/Index Stock; **HD** Gerry Ellis/Minden Pictures; **B** David Muench/Corbis. **50.17, p. 1189: HG** Ron Watts/Corbis; **HD** Charles McDowell/Grant Heilman Photography, Inc.; **B** Joel W. Rogers/Corbis. **50.17, p. 1190 (les 2)** Stuart Westmorland/Corbis. **50.17, p. 1191: H** Philipp Maitz/iStockphoto; **B** William Lange, Woods Hole Oceanographic Institution. **50.20, p. 1194: H** Frans Lanting/Minden Pictures; **B** Joe McDonald/Corbis. **50.20, p. 1195: H** Wolfgang Kaehler/Corbis; **B** John D. Cunningham/Visuals Unlimited. **50.20, p. 1196: H** Frank Oberle; **B** Bill Ross/Corbis. **50.20, p. 1197: H** Kennan Ward/Corbis; **B** Darrell Gulin/Corbis.

Chapitre 51

51.1 Martin Harvey/Corbis. **51.2** Anthony Calfo. **51.3 a** Kim Taylor/Bruce Coleman Inc. **51.6** © www.operationmigration.org. **51.8** Michael Quinton/ Minden Pictures. **51.10** Robert Pickett/Corbis. **51.11** Lowell L. Getz et Lisa Davis. **51.13** Therese Markow et Tom Watts. **51.16** Harry Engels/Animals Animals/ Maxximages.com. **51.17** Clive Bromhall/OSF/Animals Animals/Maxximages.com. **51.18 a** Gary A. Nafis. **51.18 b** Breck P. Kent/Animals Animals/Maxximages.com. **51.25 a** Thomas Mangelsen/Minden Pictures. **51.25 b** James H. Robinson/Animals Animals/Maxximages.com. **51.25 c** William P. Schmoker. **51.26** Fred Bavendam/ Minden Pictures. **51.27** Cyril Laubscher/© Dorling Kindersley. **51.29** Philip Savoie. **51.30** Michio Hoshino/Minden Pictures. **51.32** Erik Svensson, Université de Lund, Suède. **51.33** Jennifer Jarvis, University of Capetown. **51.35** Stephen Krasemann/Peter Arnold, Inc. **51.37 H** Richard Wrangham. **51.37 B (médaillon)** Alissa Crandall/Corbis. **51.38** Bob Winsett/Index Stock.

Chapitre 52

52.1 Yva Momatiuk/John Eastcott/Minden Pictures. **52.3 a** Tom Brakefield/ Corbis. **52.3 b** Frans Lanting/Minden Pictures. **52.3 c** Niall Benvie/Corbis. **52.6** Tom Bean/Corbis. **52.7** H. Willcox/Wildlife Pictures/Peter Arnold, Inc. **52.8 a** Lynwood M. Chace/Photo Researchers, Inc./Publiphoto. **52.8 b** Christine Osborne/Corbis. **52.16** Adrian Bailey/Aurora. **52.17** Wolfgang Kaehler/Corbis. **52.21** Joe McDonald/Corbis.

Chapitre 53

53.1 Martin Harvey/Peter Arnold, Inc. **53.3 H** Joseph T. Collins/Photo Researchers, Inc./Publiphoto. **53.3 B** Kevin deQueiroz, National Museum of Natural History, Smithsonian Institution, © Smithsonian Institution. **53.5** C. Allan Morgan/Peter Arnold, Inc. **53.6** Michael et Patricia Fogden/Corbis. **53.7 a** Stephen J. Krasemann/Photo Researchers, Inc./Publiphoto. **53.7 b** Michael et Patricia Fodgen/Minden Pictures. **53.8 a** Edward S. Ross, California Academy of Sciences. **53.8 b** Runk/Schoenberg/Grant Heilman Photography, Inc. **53.9** Fogden/Corbis. **53.10** Peter Johnson/Corbis. **53.16 a** Bill Curtsinger/National Geographic Image Collection. **53.18** Darrell Gulin/Corbis. **53.19** Sally Hacker. **53.21 (toutes)** Frank S. Gilliam, Marshall University. **53.22 a** Michael Quinton/ Minden Pictures. **53.22 b** Scott T. Smith/Corbis. **53.23** Tom Bean/Corbis. **53.24 a** Charles Mauzy/Corbis. **53.24 b** Tom et Susan Bean, Inc./DRK Photo. **53.24 c** Glacier Bay National Park Photo.

Chapitre 54

54.1 Alex Wetmore. **54.3** Fred Bruemmer/Peter Arnold, Inc. **54.7** Tiré de D. W. Schindler, *Science*, vol. 184, 24 mai 1974, p. 897-899, figure 1, reproduction autorisée par l'AAAS. **54.15** Lester Lefkowitz/Corbis. **54.19 a et b** Hubbard Brook Research Foundation. **54.20** Javier Larrea/AGE Fotostock. **54.27** Will Owens Photography. **54.30** NASA/Goddard Space Flight Center Scientific Visualization Studio.

Chapitre 55

55.1 Wayne Lawler/Ecoscene/Corbis. **55.3 a** Neil Lucas/naturepl.com. **55.3 b** Mark Carwardine/Still Pictures. **55.3 c** Nazir Foead. **55.4** Scott Camazine/Photo

Researchers, Inc./Publiphoto. **55.5** Gary Braasch/Woodfin Camp & Associates. **55.6 a** Michael Fodgen/Animals Animals/Maxximages.com. **55.6 b** Mark E. Gibson/Visuals Unlimited. **55.7** Phillip Gostelow/Camera Press/Ponopresse. **55.8** Merlin D. Tuttle, Bat Conservation International. **55.10** William Ervin/SPL/Publiphoto. **55.11** Gracieuseté de The Craighead Environmental Research Institute. **55.13 a** Tim Thompson/Corbis. **55.13 b** David Sieren/Visuals Unlimited. **55.13 c** Blanche Haning/The Lamplighter. **55.14 a** Yann Arthus-Bertrand/Corbis. **55.14 b** James P. Blair/National Geographic Image Collection. **55.15** Richard O. Bierregaard. **55.16** SPL/Publiphoto. **55.19 b** Frans Lanting/Minden Pictures. **55.20** © John Parks/WWF. **55.22, p. 1328: G** Stewart Rood, University of Lethbridge; **D** South Florida Water Management District (WPB). **55.22, p. 1329: HG** Daniel H. Janzen, University of Pennsylvania; **HD** Jean Hall/FLPA – Images of Nature; **BG** Bert Boekhoven; **BD** Kenji Morita, Professinal Engineer, Environment Division, Tokyo Kyuei Co., Ltd. **55.14 a** Serge de Sazo/Photo Researchers, Inc. **55.24 b** Frans Lanting/Minden Pictures.

SOURCES DES ILLUSTRATIONS

Les figures suivantes ont été adaptées de Christopher K. Matthews et K. E. van Holde, *Biochemistry*, 2e éd., Menlo Park, CA : Benjamin Cummings. © 1996 The Benjamin Cummings Publishing Company, Inc. : **4.6**, **9.9**, et **17.16b** et **c**.

Les figures suivantes ont été adaptées de Wayne M. Becker, Jane B. Reece, et Martin F. Poenie, *The World of the Cell*, 3e éd., Menlo Park, CA : Benjamin Cummings. © 1996 The Benjamin Cummings Publishing Company, Inc. : **4.7, 6.7, 7.8, 11.7a, 11.10, 17.10, 19.13, 19.16,** et **20.7**.

Les figures **6.9** et **6.23** et les illustrations des organites cellulaires des figures **6.12**, **6.13**, **6.14**, et **6.20** ont été adaptées des illustrations de Tomo Narashima dans Elaine N. Marieb, *Human Anatomy and Physiology*, 5e éd., San Francisco, CA : Benjamin Cummings. © 2001 Benjamin Cummings, une filiale de Addison Wesley Longman, Inc. Les figures **6.12, 49.10,** et **49.11** sont aussi tirées de *Human Anatomy and Physiology*, 5e éd.

Les figures **46.16**, **48.22**, **48.24**, **49.26**, **49.29**, et **49.33** ont été adaptées de Elaine N. Marieb, *Human Anatomy and Physiology*, 4e éd., Menlo Park, CA : Benjamin Cummings. © 1998 Benjamin Cummings, une filiale de Addison Wesley Longman, inc.

Les figures suivantes ont été adaptées de Murray W. Nabors, *Introduction to Botany*, San Francisco, CA : Benjamin Cummings. © 2004 Pearson Education, Inc., Upper Saddle River, New Jersey : **30.12j**, **38.3c**, **39.13** et **41.10**.

Certaines illustrations reproduites dans *Biologie*, troisième édition, ont été adaptées de Neil Campbell, Brad Williamson, et Robin Heyden, *Biology: Exploring Life*, Needham, MA, Prentice Hall School Division. © 2004 par Pearson Education, Inc., Upper Saddle River, NJ. Dessinateurs : Jennifer Fairman ; Mark Foerster ; Carlyn Iverson ; Phillip Guzy ; Steve McEntee ; Stephen McMath ; Karen Minot ; Quade et Emi Paul, FiVth Media ; et Nadine Sokol.

1.10 et **le graphique du tableau 1.1** ont été adaptés de la figure 4 tirée de C. Giot *et al.*, « *A Protein Interaction Map of Drosophila melanogaster,* » *Science*, 5 déc. 2003, p. 1733 Copyright © 2003 AAAS. Reproduits avec l'autorisation de l'American Association for the Advancement of Science ; **1.27** Carte reproduite avec l'aimable autorisation de David W. Pfennig, University of North Carolina à Chapel Hill ; **1.29** Carte reproduite avec l'aimable autorisation de David W. Pfennig, University of North Carolina à Chapel Hill. Données du graphique circulaire fournies par D. W. Pfennig *et al.* 2001. Frequency-dependent Batesian mimicry. *Nature* 410 : 323.

3.7a Adapté de *Scientific American*, nov. 1998, p. 102.

4.8 Adapté d'une illustration de Clark Still, Columbia University.

5.13 Tiré de *Biology: The Science of Life*, 3e éd., par Robert Wallace *et al.* Copyright © 1991. Reproduit avec l'autorisation de Pearson Education, Inc. ; **5.20a** et **b** Adaptés de D. W. Heinz, W. A. Baase, F. W. Dahlquist, B. W. Matthews. 1993. How amino-acid insertions are allowed in an alpha-helix of T4 lysozyme. *Nature* 361 : 561 ; **5.20e** et **f** © Illustration, Irving Geis. Tous droits réservés : Howard Hughes Medical Institute. Reproduction interdite ; **Tableau 6.1** Adapté de W. M. Becker, L. J. Kleinsmith, et J. Hardin, *The World of the Cell*, 4e éd. (San Francisco, CA : Benjamin Cummings, 2000), p. 753.

9.5a et **b** Copyright © 2002 tiré de *Molecular Biology of the Cell*, 4e éd., par Bruce Alberts *et al.*, fig. 2.69, p. 92. Garland Science/Taylor & Francis Books, Inc.

10.14 Adapté de Richard et David Walker. *Energy, Plants and Man*, fig 4.1, p. 69. Sheflield : University of Sheffield. © Richard Walker. Avec l'aimable autorisation d'Oxygraphics.

12.12 Copyright © 2002 tiré de *Molecular Biology of the Cell*, 4e éd., par Bruce Alberts *et al.*, fig. 18.41, p. 1059. Garland Science/Taylor & Francis Books, Inc.

17.12 Adapté de L. J. Kleinsmith et V. M. Kish. 1995. *Principles of Cell and Moleculac Biology*, 2e éd. New York, NY : HarperCollins. Reproduit avec l'autorisation d'Addison Wesley Educational Publishers.

19.17b © Illustration, Irving Geis. Droits : Howard Hughes Medical Institute. Reproduction interdite ; **Tableau 19.1** Tiré d'A. Griffiths *et al.* 2000. *An Introducton to Genetic Analysis*, 7/e, Tableau 26-4, p. 787. New York : W. H. Freeman and Company. Copyright © 2000 W. H. Freeman and Company

20.9 Adapté de Peter Russell, *Genetics*, 5e éd., fig. 15.24, p. 481, San Francisco. CA : Benjamin Cummings. © 1998 Pearson Education, Inc., Upper Saddle River, New Jersey ; **20.11** Adapté d'une figure de Chris A. Kaiser et d'Erica Beade.

21.15 Copyright © 2002 de *Molecular Biology of the Cell*, 4e éd, par Bruce Alberts *et al.*, fig. 21.17, p. 1172 Garland Science/Taylor & Francis Books, Inc. **21.23** Adapté d'une illustration de William McGinnis ; **21.24** *Artemia* adaptée de M. Akam. 1995. Hox genes and the evolution of diverse body plans. *Philosophical Transactions B.* 349:313-319. © 1995 Royal Society of London. Tiré de Wolpert *et al.* 1998. Principles of Development, fig. 15.10, p. 452 Oxford Oxford University Press.

22.13 Adapté de R. Shurman *et al.* 1995. *Journal of infectious Diseases* 171 : 1411.

23.13 Adapté d'A. C. Allison. 1961. Abnormal hemoglobin and erythrocyte enzyme-deficiency traits. Dans *Genetic Variation in Human Populations*, dir. G. A. Harrison. Oxford : Elsevier Science.

24.7 Adapté de D. M. B. Dodd, *Evolution* 11 : 1308-1311 ; **24.14** Adapté de M. Strickberger. 1990. *Evolution*. Boston : Jones & Bartlett ; **24.16** adapté de L. Wolpert. 1998. *Principles of Development*. Oxford University Press ; **24.18** Adapté de M. I. Coates. 1995. *Current Biology* 5 : 844-848.

25.18 Adapté de S. Blair Hedges. The origin and evolution of model organisms, fig. 1. p. 840. *Nature Reviews Genetics* 3 : 838-849.

26.7 Adapté de D. Futuyma. 1998. *Evolutionary Biology*, 3e éd., p. 128 . Sunderland, MA : Sinauer Associates ; **26.18a** Carte adaptée de http ://geology.er.usgs.gov/eastern/plates.html ; **26.8** de M. J. Benton. 1995. Diversification and extinction in the history of life. *Science* 268 : 55 ; **26.15** Figure 4c tirée de « The Antiquity of RNA-based Evolution » par G. E. Joyce *et al.*, *Nature*, Vol. 418, p. 217. Copyright © 2002 Nature Publishing Co. ; **26.10** Adapté de David J. Des Marais. 8 septembre 2000. When did photosynthesis emerge on Earth ? *Science* 289 : 1703-1705 ; **26.17** de A H. Knoll et S. B. Carroll, 25 juin 1999. **Science** 284 : 2129-2137.

27.6 Adapté de Gerard J. Tortora. Berdell P. Funke et Christine I. Case. 1998. *Microbiology: An Introduction*, 6e éd. Menlo Park, CA Benjamin Cummings. © 1998 Benjamin Cummings, une filiale de Addison Wesley Longman. Inc.

28.3 Figure 3 tirée d'Archibald et Keeling. « Recycle Plastics », *Trends in Genetics*, Vol 18. No. 1, 2, 2002, p. 352. Copyright © 2002 reproduit avec l'autorisation de Elsevier. **28.12** Adapté de R W. Bauman. 2004. *Microbiology*, fig. 12.7, p. 350. San Francisco. CA. Benjamin Cummings © 2004 Pearson Education, Inc. Upper Saddle River. New Jersey.

29.13 Adapté de Raven *et al.*, *Biology of Plants*, 6e éd., fig. 19.7.

Tableau 30.1 Adapté de Randy Moore *et al.*, *Botany*. 2e éd. Dubuque. IA : Brown. 1998, Tableau 2.2, p. 37.

34.8a Adapté de J. Mallatt et J. Chen. « Fossil sister group of craniates predicted and found. » *Journal of Morphology* Vol. 251 no. 1 fig. 1. 15 mars 2003, © 2003 Wiley-Liss. Inc., a Wiley Co. ; **34.8b** Adapté de D-G Shu *et al.*, 2003. Head and backbone of the early Cambrian vertebrate Haikouichthys. *Nature* 421 : 528, fig. 1. part I © 2003 Nature Publishing Group **34.12** Adapté de K. Kardong, Vertebrates : Comparative Anatomy, Function and Evolution. 3/e © 2001 McGraw-Hill Science/Engineering/Mathematics **34.19** Adapté de C. Zimmer. 1999 *At the Water's Edge*. Free Press, Simon & Schuster p. 90 ; **Figure 34.19 b** Kalliopi Monoyios ; **34.20** Adapté de C. Zimmer 1999. *At the Water's Edge*. Free Press. Simon & Schuster p. 99 ; **34.32-+** Adapté de Stephen J. Gould *et al.* 1993. *The Book of Life*. London : Ebury Press, p. 96. Reproduit avec l'autoristion de Random House UK Ltd ; **34.41** D'après les photos de fossiles : *O. tugenensis* photos dans Michael Balter. Early hominid sows division, *ScienceNow*, 22 févr. 2001. © 2001 American Association for the Advancement of Science *A. ramidus kadabba* photo de Timothy White, 1999/Brill Atlanta. *A. anamensis*, *A. garhi*, et *H. neanderthalensis* adapté de *The Human Evolution Coloring Book*. *K platyops* d'après les photos de Meave Leakey *et al.* New hominid genus from eastern Africa shows diverse middle Pliocene lineages. *Nature.* 22 mars 2001, 410 : 433 *P. boisei* d'après la photo de Davis Bill, *H. ergaster* d'après une photo dans www.inhandmuseum.com, *S. tchadensis* d'après une photo de Michel Brunet *et al.* A new hominid from the upper Miocene of Chad, Central Africa, Nature. 11 juillet 2002, 418 : 147, fig. 1b.

35.21 Graphique circulaire adapté de *Nature,* 14 décembre 2000 408 : 799.

39.17 (graphique), 38.18 Adapté de M. Wilkins. 1988. *Plant Watching.* Facts of File Publ.; **39.29** Reproduit avec la permission d'Edward Framer. 1997. *Science* 276 : 912. Copyright © 1997 American Association for the Advancement of Science.

40.17 Adapté d'une illustration d'Enid Kotschnig tirée de B. Heinrich. 1987. Thermoregulation in a winter moth. *Scientific American* 105 ; **40.20** Adapté avec l'autorisation de B. Heinrich. 1974. *Science* 185: 747-756. © 1974 American Association for the Advancement of Science.

41.5 Adapté de J. Marx, « Cellular Warriors at the Battle of the Bulge. » *Science,* Vol. 299, p. 846. Copyright © 2003 Ameridan Association for the Advancement of Science. Illustration : Katharine Sutliff; **41.13** Adapté de Lawrence G. Mitchell,]ohn A. Mutchmor, et Warren D. Dolphin 1988. *Zoology.* Menlo Park, CA Benjamin Cummings © 1988 The Benjamin Cummings Publishing Company ; **41.15** Adapté de R.A. Rhoades et R.G. Pflanzer 1996 *Human Physiology.* 3e éd., fig. 22-1, p. 666. Copyright © 1996 Saunders.

43.7 Adapté de Gerard J. Tortora, Berdell R Funke et Christine I. Case. 1998. *Microbiology: An Introduction.* 6e éd. Menlo Park. CA Benjamin/Cummings. © 1998 Benjamin Cummings, une filiale d'Addison Wesley Longman Inc.

44.5 Données sur le rat-kangourou tirées de Schmidt-Nielsen 1990. *Animal Physiology: Adaptation and Environment,* 4e éd., p. 339**.** Cambridge : Cambridge University Press ; **44.6** Adapté de K. B. Schmidt-Nielsen *et al.***,** « Body temperature of the camel and its relation to water economy, » *American Journal of Physiology,* \/ol. 10, No. 188, (Déc.), 1956, figure 7. Copyright © 1956 American Physiological Society. Reproduction autorisée ; **44.8** Adapté de Lawrence G. Mitchell.]ohn A. Mutchmor et Warren D. Dolphin. 1988 *Zoology.* Menlo Park. CA Benjamin Cummings © 1988 The Benjamin Cummings Publishing Company.

47.20 Tiré de Wolpert *et al.* 1998. *Principles of Development.* fig 8 25. p. 251 (à droite) Oxford : Oxford University Press. Avec l'autorisation d'Oxford University Press ; **47.23b** Tiré d'Hiroki Nishida. *Developmental Biology* Vol. 121, p. 526. 1987. Copyright © 1987 avec l'autorisation d'Elsevier **47.25 Expérience** et **résultats de gauche** : de Wolpert *et al.* 1998. *Principles of development* fig 1.10, Oxford : Oxford University Press. Avec l'autorisation d'Oxford University Press ; **Résultats de droite** Figure 15.12, p. 604 tirée de *Developmental Biology,* 5e éd. de Gilbert et *al.*, Copyright © 1997 Sinauer Associates. Reproduction autorisée.

48.13 Tiré de G. Matthews, *Cellular Physiology of Nerve and Muscle.* Copyright © 1986 Blackwell Science. Reproduction autorisée ; **48.33** Adapté de John G. Nicholls *et al.* 2001. Tiré de *Neuron to Brain,* 4e éd., fig. 23.24. Sunderland, MA : Sinauer Associates Inc. © 2001 Sinauer Associates.

49.19 Adapté de Bear *et al.* 2001. *Neuroscience:* Exploring the Brain, 2e éd., figures 11.8 et 11.9 pp. 281 et 283 Hagerstown, MD : Lippincott Williams & Wilkins © 2001 Lippincott Williams & Wilkins ; **49.22** Adapté de Shepherd. 1988. *Neurobiology,* 2e éd., fig. 11.4, p. 227. Oxford University Press (Tiré de V. G. Dethier. 1976. *The Hungry Fly.* Cambridge, MA : Harvard University Press.) ; **49.23 (en bas)** Adapté de Bear *et al.* 2001. *Neuroscience*: Exploring the Brain, 2e éd., fig. 8.7, p.196. Hagerstown, MD: Lippincott Williams & Wilkins © 2001 Lippincott Williams & Wilkins **49.27b** Sauterelle adaptée d'Hickman *et al.* 1993. *Integrated Principles of Zoology* 9e éd., fig. 22.6 p.518. New York : McGraw-Hill Higher Education © 1995 The McGraw-Hill Companies.

50.2 Adapté de G. Caughly, N. Shepherd et J. Short. 1987 *Kangaroos : Their Ecology and Management in the Sheep Rangelands of Australia,* fig. 1.2 p.12 Cambridge : Cambridge University Press Copyright © 1987 Cambridge University Press **50.7a** tiré du U.S. Geological Survey ; **50.8** Données tirées de W.J. Fletcher. 1987. Interactions among subtidal Australian sea urchins, gastropods and algae : effects of experimental removals. *Ecological Monographs* 57 : 89-109 ; **50.14** Adapté de L. Roberts. 1989. How fast can trees migrate? *Science* 243 : 736, fig. 2. © 1989 par l'American Association for the Advancement of Science ; **50.19** Adapté de Heinrich Walter and Siegmar-Walter Breckle. 2003. *Walter's Vegetation of the Earth,* fig. 16, p. 36. Springer-Verlag, © 2003.

51.3b Adapté de N. Tinbergen. 1951. *The Study of Instinct.* Oxford : Oxford University Press. Avec l'autorisation d'Oxford University Press ; **51.10** Adapté de C. S. Henry *et al.* 2002. The inheritance of mating songs in two cryptic, sibling lacewings species (Neuroptera : Chrysopidae : *Chrysoperla*). *Genetica* 116 : 269-289, fig. 2 ; **51.14** Adapté de Lawrence G. Mitchell, John A. Mutchmor, et Warren D. Dolphin. 1988. *Zoology.* Menlo Park, CA : Benjamin/Cummings. ©1988 The Benjamin/Cummings Publishing Company ; **51.15** Adapté de N. L. Korpi and B. D. Wisenden. 2001. Learned recognition of novel predator odour de zebra danios, *Danio rerio,* following time-shifted presentation of alarm cue and predator odour. *Environmental Biology of Fishes* 61 : 205-211, fig.1 ; **51.19** Adapté de M. B. Sokolowski *et al.* 1997. Evolution of foraging behavior in *Drosophila* by density-dependent selection. Proceedings of the National Academy of Sciences of the United States of America. 94 : 7373-7377, fig. 2b ; **51.21a** Adapté d'une photo de Jonathan Blair tirée d'Alcock. 2002. *Animal Behavior* 7e éd. Sinauer Associates, Inc., Publishers ; **51.21b** Tiré de P. Berthold *et al.*, « Rapid microevolution of migratory behaviour in a wild bird species, » *Nature,* Vol. 360, 17 déc. 1992, p. 668. Copyright © 1992 Nature Publishing, Inc. Reproduction autorisée ; **51.28** K. Witte et N. Sawka. 2003. Sexual imprinting on a novel trait in the dimorphic zebra finch : sexes differ. *Animal Behaviour* 65 : 195-203. Art adapté de http ://www.uni-bielefeld.de/biologie/vhf/KW/Forschungsprojekte2.html ; **Tableau 51.1** Source : J. K. Bester-Meredith et C. A. Marler. 2003. Vasopressin and the transmission of paternal behavior across generations in mated, cross-fostered *Peromyscus* mice. *Behavioral Neuroscience* 117 : 455-463.

52.4 Adapté de P. W. Sherman et M. L. Morton, « Demography of belding's ground squirrels, » *Ecology,* Vol. 65, No. 5, p. 1622, 1984. Copyright © 1984 Ecological Society of America. Reproduction autorisée ; **52.13c** Avec l'aimable autorisation de P. Arcese et J. N. M. Smith, 2001 ; **52.14** Adapté de J. T. Enrighi. 1976. Climate and population regulation : the biogeographer's dilemma. *Oecologia* 24 : 295-310 ; **52.15b** Données fournies par N. M. Smith et P. Arcese ; **52.18** Données gracieusement fournies par Rolf O. Peterson, Michigan Technological University, 2004 ; **52.19** Données fournies par Higgins *et al.* 30 mai 1997. Stochastic dynamics and deterministic skeletons : population behavior of Dungeness crab. *Science*; **52.20** Adapté de J. N. M. Smith *et al.*, 1996, « A metapopulation approach to the population biology of the song sparrow *Melospiza melodia,* » *IBIS,* Vol. 138, fig. 3, p.120-128 ; **52.23** Données fournies par U.S. Census Bureau International Data Base ; **52.24** Données fournies par Population Reference Bureau 2000 et U. S. Census Bureau International Data Base, 2003 ; **52.25** Données fournies par U. S. Census Bureau International Data Base ; **52.26** Données fournies par U. S. Census Bureau International Data Base 2003 ; **52.27** Données fournies par J. Wackernagel *et al.* 1999. National natural capital accounting with the ecological footprint concept. *Ecological Economics* 29 : 375-390. **Tableaux 52.1** et **52.2** Données fournies par P. W. Sherman et M. L. Morton. 1984. Demography of Belding's Ground Squirrels. *Ecology* 65 : 1617-1628. © 1984 par Ecological Society of America.

53.3 A. S. Rand et E. E. Williams. 1969. The anoles of La Palma : aspects of their ecological relationships. *Breviora* 327. Museum of Comparative Zoology, Harvard University © Presidents and Fellows of Harvard College ; **53.13** Adapté de F. A. Knox. 1970. Antarctic marine ecosystems. Tiré d'*Antarctic Ecology,* dir. M. W. Holdgate, 69-96. London : Academic Press ; **53.14** Adapté de D. L. Breitburg *et al.* 1997. Varying effects of low dissolved oxygen on trophic interactions in an estuarine food web. *Ecological Monographs* 67 : 490. Copyright © 1997 Ecological Society of America ; **53.15** Adapté de B. Jenkins. 1992. Productivity, disturbance and food web structure at a local spatial scale in experimental container habitats. *Oikos* 65 : 252. Copyright © 1992 Oikos, Sweden ; **53.17** Adapté de J. A. Estes *et al.* 1998. Killer whale predation on sea otters linking oceanic and nearshore ecosystems. *Science* 282 : 474. Copyright © 1998 by the American Association for the Advancement of Science ; **53.19** Données fournies par S. D. Hacker et M. D. Bertness. 1999. Experimental evidence for factors maintaining plant species diversity in a New England salt marsh. *Ecology* 80 : 2064-2073 ; **53.23** Adapté de R. L. Crocker et J. Major. 1955. Soil Development in relation to vegetation and surface age at Glacier Bay, Alaska. *Journal of Ecology* 43 : 427-448 ; **53.24d** Données fournies par F. S. Chapin, III, *et al.* 1994. Mechanisms of primary succession following deglaciation at Glacier Bay Alaska. *Ecological Monographs* 64 : 149-175. **53.25** Adapté de D. J. Currie. 1991. Energy and large-scale patterns of animal- and plant-species richness. *American Naturalist* 137 : 27-49 ; **53.26** Adapté de F. W. Preston. 1960. Time and space and the variation of species. *Ecology* 41 : 611-627 ; **53.28** Adapté de F. W. Preston. 1962. The canonical distribution of commonness and rarity. *Ecology* 43 : 185-215, 410-432.

54.2 Adapté de D. L. DeAngelis. 1992. *Dynamics of Nutrient Cycling and Food Webs.* New York : Chapman & Hall ; **54.6** Adapté de J. H. Ryther and W. M. Dunstan. 1971. Nitrogen, phosphorus, and eutrophication in the coastal marine environment. *Science* 171 : 1008-1013 ; **54.8** Données fournies par M. L. Rosenzweig. 1968. New primary productivity of terrestrial environments : Predictions from climatologic data, *American Naturalist* 102 : 67-74. **54.9** Adapté de S. M. Cargill et R. L. Jefferies. 1984. Nutrient limitation of primary production in a sub-arctic salt marsh. *Journal of Applied Ecology* 21 : 657-668 ; **54.17a** Adapté de R. E. Ricklefs. 1997. *The Economy of Nature*, 4e éd. © 1997 by W. H. Freeman and Company. Reproduction autorisée; **54.21** Adapté de G. E. Likens *et al.* 1981. Interactions between major biogeochemical cycles in terrestrial ecosystems. *In Some Perpsectives of the Major Biogeochemical cycles*, dir. G.E. Likens, 93-123. New York: Wiley; **54.22** Adapté de National Atmospheric Deposition Program (NRSP-3) National Trends Network. (2004). NADP Program Office, Illinois State Water Survey, 2204 Griffith Dr., Champaign, IL 61820. http://nadp.sws.uiuc.edu; **54.24** Données sur la température fournies par U. S. National Climate Data Center, NOAA. Données sur le CO_2 fournies par C. B. Keeling et T. P. Whorf, Scripps Institution of Oceanography; **54.26** Données fournies par British Antarctic Survey; **Tableau 54.1** Données fournies par Menzel et Ryther, *Deep Sea Ranch* 7(1961): 276-281.

55.9 Adapté de Charles J. Krebs. 2001. *Ecology*, 5e éd., fig. 19.1. San Francisco, CA: Benjamin Cummings. © 2001 Benjamin Cummings, une filiale de Addison Wesley Longman, Inc.; **55.10** Adapté de R. L. Westemeier *et al.* 1998. Tracking the long-term decline and recovery of an isolated population. *Science* 282: 1696. © 1998 par l'American Association for the Advancement of Science; **55.12** Données fournies par K. A. Keating *et al.* 2003. Estimating numbers of females with cubs-of-the-year in the Yellowstone grizzly bear population. *Ursus* 13: 161-174 et de M. A. Haroldson. 2003. Unduplicated females. p. 11-17 tiré de C. C. Schwartz and M. A. Haroldson, dir. Yellowstone grizzly hear investigations. Annual Report of the Interagency Grizzly Bear Study Team, 2002. U.S. Geological Survey, Bozeman, Montana; **55.17** Tiré de N. Myers *et al.*, "Biodiversity hotspots for conservation priorities," *Nature*, Vol. 403, p. 853, 2 février 2000. Copyright © 2000 Nature Publishing, Inc. Reproduction autorisée; **55.18** Adapté de W. D. Newmark. 1985. Legal and biotic boundaries of western North American national parks: a problem of congruence. *Biological Conservation* 33: 199. © 1985 Elsevier Applied Science Publishers Ltd., Barking, England; **55.21** Adapté de A. P. Dobson *et al.* 1997. Hopes for the future: restoration ecology and conservation biology. *Science* 277: 515. © 1997 par l'American Association for the Advancement of Science; **55.23** Données fournies par l'Instituto Nacional de Estadistica y Censos de Costa Rica et Centro Centroamericano de Poblacion, Universidad de Costa Rica.

Index

NOTE : Les numéros de pages en **caractères gras** renvoient à l'endroit où le terme apparaît en caractères gras et est défini dans le texte ; les numéros de pages suivis d'un *f* renvoient à une figure ; les numéros de pages suivis d'un *t* renvoient à un tableau.

Index

Index

Index

Index

B

Index

Index

Index

Index

D

Index

E

F

G

Index

H

Index

J

K

L

Index

M

Index

N

O

Index

P

Index

Index

Q

R

Index

Index

S

Index

Index

U

V